书 名 题 签 郭 沫 若

XIÀNDÀI HÀNYǓ CÍDIǍN

现代汉语词典

第 5 版

中国社会科学院语言研究所词典编辑室编

商务印书馆

2007年·北京

▶ 1993年首届中国社会科学院优秀科研成果奖

▶ 1994年第一届国家图书奖

▶ 1997年第二届国家辞书奖一等奖

▶ 2002年第四届吴玉章人文社会科学奖一等奖

著名语言学家、中国科学院哲学社会科学部委员吕叔湘先生和丁声树先生先后主持《现代汉语词典》的编写工作。谨向为编纂这部词典作出卓越贡献的两位先哲致以崇高的敬意。

现代汉语词典

审订委员会

（按姓氏音序排列）

前　言

　　这部《现代汉语词典》是以记录普通话语汇为主的中型词典，供中等以上文化程度的读者使用。词典中所收条目，包括字、词、词组、熟语、成语等，共约五万六千余条。

　　这部词典是为推广普通话、促进汉语规范化服务的，在字形、词形、注音、释义等方面，都朝着这个方向努力。一般语汇之外，也收了一些常见的方言词语、方言意义，不久以前还使用的旧词语、旧意义，现在书面上还常见的文言词语，以及某些习见的专门术语。此外还收了一些用于地名、人名、姓氏等方面的字和少数现代不很常用的字。这些条目大都在注释中分别交代，或者附加标记，以便识别。

　　1956年2月6日，国务院发布关于推广普通话的指示，责成中国科学院语言研究所(从1977年5月起改称中国社会科学院语言研究所)在1958年编好以确定词汇规范为目的的中型的现代汉语词典。我所词典编辑室1956年夏着手收集资料，1958年初开始编写，1959年底完成初稿，1960年印出"试印本"征求意见。经过修改，1965年又印出"试用本"送审稿。1973年，为了更广泛地征求意见，作进一步的修订，并为了适应广大读者的迫切需要，利用1965年"试用本"送审稿的原纸型印了若干部,内部发行。1973年开始对"试用本"进行修订,但由于"四人帮"的严重干扰和破坏,直至1977年底才全部完成修订工作,把书稿交到出版部门。

《现代汉语词典》在整个编写和修订过程中,得到了全国一些科研机构、大中学校、工矿企业、部队有关机关以及很多专家、群众的大力协助。我们在这里敬向有关单位和有关同志表示衷心的感谢。

限于编写人员的水平,这部词典的缺点和错误一定还不少。我们恳切地希望广大读者多多提出宝贵意见,以便继续修订,不断提高质量,使这部词典在推广普通话、促进汉语规范化方面,在汉语教学方面,能起到应有的作用,更好地为社会主义革命和社会主义建设服务。

中国社会科学院语言研究所
1978年8月

这次重排仍照1978年12月第1版排印。1979年底,因原版已损坏,须重新排版。1980年初仅对某些条目稍作修改,即交出版单位,1980年第二季度开始排版。
·······　1983年1月

1996年第3版说明

《现代汉语词典》1978年出第1版。1980年曾对一些条目稍作修改，1983年出第2版。自本词典出版以来，随着社会的发展，语言也有演变，一些语词在运用上有了不少变化，并有不少的新词新语产生。为了适应读者的需要，词典编辑室在搜集的几十万条资料的基础上，进行了这次修订。修订工作主要是增、删、改。增，是增加一些新的词语；删，是删去一些过于陈旧的词语及一些过于专门的百科词条；改，是修改那些词语有变化、有发展，在词义和用法上需要改动或补充的词条。此外，对一些异体字和有异读的字，按照国家语言文字工作委员会的规定作了一些改动。增、删、改的原则仍依据《现代汉语词典》的编写宗旨，目的是使这部词典在推广普通话、促进汉语规范化方面，在汉语教学方面，继续起到它应有的作用。修订后的《现代汉语词典》共收字、词6万余条，其中语文条目增加较多。

《现代汉语词典》始编于1958年，先后由吕叔湘先生和丁声树先生任主编，参加编写的人员有数十人，编写完和修订完后曾先后印出"试印本"和"试用本"送审稿，直至1978年正式出版。当年参加编写的人中已有好几位离世了，他们对《现代汉语词典》的贡献将在书中永存。

《现代汉语词典》在1993年获中国社会科学院优秀科研成果奖，1994年获中华人民共和国新闻出版署颁发的国家图书奖，这对编者来说，是鼓励，也是鞭策。

在这次修订工作中，商务印书馆编辑部、出版部不少同志为我们做了许多工作，全国科学技术名词审定委员会的同志在本书科学技术术语的规范方面，也给予了帮助，在此谨向他们表示敬意。

《现代汉语词典》出版后，承读者关心和爱护，不少读者来信指出不足，这里，谨表衷心感谢，并希望对修订本继续提出宝贵意见，以便不断修订。

中国社会科学院语言研究所词典编辑室

1994年10月

《现代汉语词典》修订本出版以来，受到广大读者的欢迎和关注，1998年重印时，参考专家和读者的意见，对个别条目稍作修改。

· · · · · · · · · · · · · · · · · · 1998年7月

2002年第4版说明

为适应社会发展，更好地反映现代汉语词汇的新面貌，体现有关学科研究的新成果，这次增补，我们请中国社会科学院语言研究所词典编辑室在1996年修订本的基础上增收了近些年来产生的新词新义1 200余条，附在词典正文的后面。有的词语虽然不是新产生的，但近些年来使用频率较高，1996年修订本未收，也一并收录在这里，以满足读者查考的需要。西文字母开头的词语也有较多的补充。

这个增补本依据国家有关规定对某些字形、词形作了修正。参考专家和读者意见对个别条目作了适当修改。还参考2000年公布的《夏商周年表》对附录《我国历代纪元表》作了调整，根据国家有关标准对附录《计量单位表》作了修订。

商务印书馆编辑部
2002年5月

现代汉语词典

总目

凡 例

1 条目安排

1.1 本词典所收条目分单字条目和多字条目。单字条目用比较大的字体。多字条目按第一个字分列于领头的单字条目之下。

1.2 单字条目和多字条目都有同形而分条的,情况如下:

(a)关于单字条目。形同而音、义不同的,分立条目,如"好"hǎo 和"好"hào,"长"cháng 和"长"zhǎng。形、义相同而音不相同,各有适用范围的,也分立条目,如"剥"bāo 和"剥"bō,"薄"báo 和"薄"bó。形同音同而在意义上需要分别处理的,也分立条目,在字的右肩上标注阿拉伯数字,如"按¹"、"按²","白¹"、"白²"、"白³"。

(b)关于多字条目。形同而音、义不同的,分立条目,如【公差】gōngchā 和【公差】gōngchāi,【地道】dìdào 和【地道】dì·dao。形同音同,但在意义上需要分别处理的,也分立条目,在【 】外右上方标注阿拉伯数字,如:【大白】¹、【大白】²,【燃点】¹、【燃点】²,【生人】¹、【生人】²。

1.3 本词典全部条目的排列法如下:

(a) 单字条目按拼音字母次序排列。同音字按笔画排列,笔画少的在前,多的在后。笔画相同的,按起笔笔形横(一)、竖(丨)、撇(丿)、点(丶)、折(一)的顺序排列。

(b) 单字条目之下所列的多字条目不止一条的,依第二字的拼音字母次序排列。第二字相同的,依第三字排列,以下类推。

(c) 轻声字一般紧接在同形的非轻声字后面,如"家"·jia 排在"家"jiā 的后面,【大方】dà·fang 排在【大方】dàfāng 的后面。但是"了"·le、"着"·zhe 等轻声字排在去声音节之后。

2 字形和词形

2.1 本词典单字条目所用汉字形体以现在通行的为标准。繁体字、异体字加括号附列在正体之后;既有繁体字又有异体字时,繁体字放在前面。括号内的字只适用于个别意义时,在字前加上所适用的义项数码,如:

编纂、修订工作人员

试印本
(1956-1960年)

主编 吕叔湘

主要编纂人员

孙德宣　孙崇义　何梅岑　李伯纯　萧家霖　孔凡均
王述达　刘庆隆　郭　地　李文生　刘洁修　莫　衡
吴崇康　李国炎　郑宣沐　单耀海　吕天琛　徐萧斧
范继淹　范方莲　傅　婧　姜　远　王立达

资料人员

徐世禄　贺澹江　高泽均　王焕贞　赵桂钧　王蕴明　姚宝田

试用本
(1961-1966年)

主编 丁声树

协助 李　荣

主要修订人员

孙德宣　何梅岑　李伯纯　刘庆隆　莫　衡　吴崇康　李国炎
单耀海　吕天琛　吴昌恒　陆卓元　曲翰章　刘洁修　舒宝璋
金有景　闵家骥　韩敬体　李玉英　张聿忠　夏义民

资料人员

徐世禄　王焕贞　岳珺玲　宋惠德　于庆芝

1978年 第1版
(1973-1978年)

主编 丁声树

主要修订人员

闵家骥　刘庆隆　孙德宣　韩敬体　李国炎　吕天琛
李伯纯　莫　衡　吴昌恒　吴崇康　陆卓元　曲翰章
刘洁修　李玉英　张聿忠　单耀海　周定一　管燮初

邵荣芬　王克仲　麦梅翘　白宛如　黄雪贞　金有景
曹剑芬　刘连元　陈嘉猷　柳凤运　夏义民

资料人员

宋惠德　岳珺玲　于庆芝　王焕贞　陈梦华

· · · · · · · · · **1996年第3版** · · · · · · · ·
(1993—1996年)

修订审订

单耀海　韩敬体

主要修订人员

晁继周　吴昌恒　吴崇康　董　琨　李志江　刘庆隆　李国炎
莫　衡　吕天琛　陆尊梧　曹兰萍　贾采珠　黄　华

计算机处理和资料人员

王　伟　宋惠德　郭小妹　张　彤　张　林

4

· · · · · · · · · **2005年第5版** · · · · · · · ·
(1999—2005年)

修订主持人

晁继周　韩敬体

参加修订的人员（按姓氏音序排列）

曹兰萍　贾采珠　李志江　刘庆隆　陆尊梧
吕　京　谭景春　王　楠　王　伟

参加部分修订的人员（按姓氏音序排列）

程　荣　杜　翔　黄　华　孟庆海　潘雪莲
曲翰章　王克仲　王　霞　张铁文　赵大明

资料人员　郭小妹　王清利

词类标注审订负责人　徐　枢

哲学社会科学条目审订负责人　董　琨

科学技术条目审订负责人　周明鉴

现代汉语词典

第5版说明

　　《现代汉语词典》出版以来，为推广普通话、促进汉语规范化工作作出了重要贡献，在我国文化教育和科学研究事业中发挥了巨大作用，受到读者的欢迎和社会的重视，曾荣获国家图书奖、国家辞书奖、中国社会科学院优秀科研成果奖、吴玉章人文社会科学奖，在海内外享有盛誉。随着时代的发展，语言也在发展变化。要使词典适应社会发展的需要，就要不断地进行修订，使它与时俱进，更好地为广大读者服务，为社会服务。《现代汉语词典》1978年正式出版后，曾于1983年和1996年出版过两次修订本，2002年出版了增补本。这次修订的重点有两个方面：一是调整收词，增加新词新义，删减一些陈旧的而且较少使用的词语或词义；二是在区分词与非词的基础上给词标注词类。

　　这次修订在原有词语中删去了2 000余条，另增加了6 000余条，全书收词约65 000条，基本上反映了目前现代汉语词汇的面貌，能够满足广大读者查考的需要。

　　在词典中标注词类，是多年来读者的迫切希望，也是信息时代对汉语辞书提出的新要求。《现代汉语词典》过去只对部分虚词和常见的代词、量词等注明词类，这次修订则对所收的现代汉语的词作了全面的词类标注；文言虚词有些原来已注明词类，现在也作了全面的词类标注。现代汉语中，区分词与非词，划分词类，是很繁难的工作，很多情况下难以做到"一刀切"。我们在处理这一问题时，不但注意吸收近年来汉语语法研究取得的成果，而且还兼顾多年来语法教学的经验，尽可能地做得科学、稳妥，希望能给读者学习和研究带来帮助。

这部词典是遵照国务院《关于推广普通话的指示》，为确定现代汉语的词汇规范而编写的，因此，全面正确地执行国家的语言文字规范和科技术语规范是本书的重要原则。这次修订，在进一步贯彻语言文字规范标准方面做了很多工作。目前国家语委的重要课题《规范汉字表》正在研制，原有的一些有关汉字字形、字音等方面的规范标准也正在修订之中。为了跟即将出台的新标准相一致，我们在修订工作中始终与有关部门保持密切联系。在新的规范公布之前，对原有规范尽可能做到既全面贯彻执行，又对其中学界公认的不妥之处作适当处理，同时争取做到尽量符合即将出台的新的规范标准。有的字形、字音暂时保持原有的处理办法，俟新的规范标准出台后再作改动。

这次修订还对原有的释义、例句作了全面审视，使之更加完善并适应时代的发展。体例上也作了一些调整，凡例中已作具体说明。

这次修订工作从1999年开始，迄今已有五年多了。我们始终得到中国社会科学院领导和语言研究所领导的关心和指导，得到商务印书馆领导和编辑部、出版部同志们的大力支持，还得到全国哲学社会科学界和科学技术界专家，特别是语言学界、辞书学界专家的大力支持。在此，我们谨向他们表示衷心的感谢。限于篇幅，恕不在此处一一列名。由于水平所限，这次修订工作肯定会有一些不足甚至失误的地方，希望读者一如既往地提出宝贵意见，使《现代汉语词典》通过不断修订更加臻于完善。

中国社会科学院语言研究所词典编辑室

2005年5月

前 言

这部《现代汉语词典》是以记录普通话语汇为主的中型词典，供中等以上文化程度的读者使用。词典中所收条目，包括字、词、词组、熟语、成语等，共约五万六千余条。

这部词典是为推广普通话、促进汉语规范化服务的，在字形、词形、注音、释义等方面，都朝着这个方向努力。一般语汇之外，也收了一些常见的方言词语、方言意义，不久以前还使用的旧词语、旧意义，现在书面上还常见的文言词语，以及某些习见的专门术语。此外还收了一些用于地名、人名、姓氏等方面的字和少数现代不很常用的字。这些条目大都在注释中分别交代，或者附加标记，以便识别。

1956年2月6日，国务院发布关于推广普通话的指示，责成中国科学院语言研究所(从1977年5月起改称中国社会科学院语言研究所)在1958年编好以确定词汇规范为目的的中型的现代汉语词典。我所词典编辑室1956年夏着手收集资料，1958年初开始编写，1959年底完成初稿，1960年印出"试印本"征求意见。经过修改，1965年又印出"试用本"送审稿。1973年，为了更广泛地征求意见，作进一步的修订，并为了适应广大读者的迫切需要，利用1965年"试用本"送审稿的原纸型印了若干部，内部发行。1973年开始对"试用本"进行修订，但由于"四人帮"的严重干扰和破坏，直至1977年底才全部完成修订工作，把书稿交到出版部门。

《现代汉语词典》在整个编写和修订过程中，得到了全国一些科研机构、大中学校、工矿企业、部队有关机关以及很多专家、群众的大力协助。我们在这里敬向有关单位和有关同志表示衷心的感谢。

限于编写人员的水平，这部词典的缺点和错误一定还不少。我们恳切地希望广大读者多多提出宝贵意见，以便继续修订，不断提高质量，使这部词典在推广普通话、促进汉语规范化方面，在汉语教学方面，能起到应有的作用，更好地为社会主义革命和社会主义建设服务。

8

中国社会科学院语言研究所
1978年8月

这次重排仍照1978年12月第1版排印。1979年底，因原版已损坏，须重新排版。1980年初仅对某些条目稍作修改，即交出版单位，1980年第二季度开始排版。
　　　　　　　　　　1983年1月

1996年第3版说明

　　《现代汉语词典》1978年出第1版。1980年曾对一些条目稍作修改，1983年出第2版。自本词典出版以来，随着社会的发展，语言也有演变，一些语词在运用上有了不少变化，并有不少的新词新语产生。为了适应读者的需要，词典编辑室在搜集的几十万条资料的基础上，进行了这次修订。修订工作主要是增、删、改。增，是增加一些新的词语；删，是删去一些过于陈旧的词语及一些过于专门的百科词条；改，是修改那些词语有变化、有发展，在词义和用法上需要改动或补充的词条。此外，对一些异体字和有异读的字，按照国家语言文字工作委员会的规定作了一些改动。增、删、改的原则仍依据《现代汉语词典》的编写宗旨，目的是使这部词典在推广普通话、促进汉语规范化方面，在汉语教学方面，继续起到它应有的作用。修订后的《现代汉语词典》共收字、词6万余条，其中语文条目增加较多。

　　《现代汉语词典》始编于1958年，先后由吕叔湘先生和丁声树先生任主编，参加编写的人员有数十人，编写完和修订完后曾先后印出"试印本"和"试用本"送审稿，直至1978年正式出版。当年参加编写的人中已有好几位离世了，他们对《现代汉语词典》的贡献将在书中永存。

《现代汉语词典》在1993年获中国社会科学院优秀科研成果奖，1994年获中华人民共和国新闻出版署颁发的国家图书奖，这对编者来说，是鼓励，也是鞭策。

　　在这次修订工作中，商务印书馆编辑部、出版部不少同志为我们做了许多工作，全国科学技术名词审定委员会的同志在本书科学技术术语的规范方面，也给予了帮助，在此谨向他们表示敬意。

　　《现代汉语词典》出版后，承读者关心和爱护，不少读者来信指出不足，这里，谨表衷心感谢，并希望对修订本继续提出宝贵意见，以便不断修订。

中国社会科学院语言研究所词典编辑室

1994年10月

《现代汉语词典》修订本出版以来，受到广大读者的欢迎和关注，1998年重印时，参考专家和读者的意见，对个别条目稍作修改。

1998年7月

2002年第4版说明

　　为适应社会发展，更好地反映现代汉语词汇的新面貌，体现有关学科研究的新成果，这次增补，我们请中国社会科学院语言研究所词典编辑室在1996年修订本的基础上增收了近些年来产生的新词新义1200余条，附在词典正文的后面。有的词语虽然不是新产生的，但近些年来使用频率较高，1996年修订本未收，也一并收录在这里，以满足读者查考的需要。西文字母开头的词语也有较多的补充。

　　这个增补本依据国家有关规定对某些字形、词形作了修正。参考专家和读者意见对个别条目作了适当修改。还参考2000年公布的《夏商周年表》对附录《我国历代纪元表》作了调整，根据国家有关标准对附录《计量单位表》作了修订。

商务印书馆编辑部
2002年5月

现代汉语词典

总目

凡 例

1 条目安排

1.1 本词典所收条目分单字条目和多字条目。单字条目用比较大的字体。多字条目按第一个字分列于领头的单字条目之下。

1.2 单字条目和多字条目都有同形而分条的,情况如下:

(a)关于单字条目。形同而音、义不同的,分立条目,如"好"hǎo 和"好"hào,"长"cháng 和"长"zhǎng。形、义相同而音不相同,各有适用范围的,也分立条目,如"剥"bāo 和"剥"bō,"薄"báo 和"薄"bó。形同音同而在意义上需要分别处理的,也分立条目,在字的右肩上标注阿拉伯数字,如"按¹"、"按²","白¹"、"白²"、"白³"。

(b)关于多字条目。形同而音、义不同的,分立条目,如【公差】gōngchā 和【公差】gōngchāi,【地道】dìdào 和【地道】dì·dao。形同音同,但在意义上需要分别处理的,也分立条目,在【 】外右上方标注阿拉伯数字,如:【大白】¹、【大白】²,【燃点】¹、【燃点】²,【生人】¹、【生人】²。

1.3 本词典全部条目的排列法如下:

(a) 单字条目按拼音字母次序排列。同音字按笔画排列,笔画少的在前,多的在后。笔画相同的,按起笔笔形横(一)、竖(丨)、撇(丿)、点(丶)、折(一)的顺序排列。

(b) 单字条目之下所列的多字条目不止一条的,依第二字的拼音字母次序排列。第二字相同的,依第三字排列,以下类推。

(c) 轻声字一般紧接在同形的非轻声字后面,如"家"·jia 排在"家"jiā 的后面,【大方】dà·fang 排在【大方】dàfāng 的后面。但是"了"·le、"着"·zhe 等轻声字排在去声音节之后。

2 字形和词形

2.1 本词典单字条目所用汉字形体以现在通行的为标准。繁体字、异体字加括号附列在正体之后;既有繁体字又有异体字时,繁体字放在前面。括号内的字只适用于个别意义时,在字前加上所适用的义项数码,如:

彩(❷綵)。

2.2 不同写法的多字条目,即异形词,区分推荐词形与非推荐词形,在处理上分为两种情况:(1)已有国家试行标准的,以推荐词形立目并作注解,非推荐词形加括号附列于推荐词形之后;在同一大字头下的非推荐词形不再出条,不在同一大字头下的非推荐词形如果出条,只注明见推荐词形。如【含糊】(含胡),"含胡"不再出条;又如【嘉宾】(佳宾),【佳宾】虽然出条,但只注为:见〖嘉宾〗。(2)国家标准未作规定的,以推荐词形立目并作注解,注解后加"也作某",如【辞藻】…也作词藻;【莫名其妙】…也作莫明其妙。非推荐词形如果出条,只注同推荐词形,如【词藻】…同"辞藻"。

2.3 书面上有时儿化有时不儿化,口语里必须儿化的词,自成条目,如【今儿】、【小孩儿】。书面上一般不儿化,但口语一般儿化的,在释义前加"(~儿)",如【米粒】条。释义不止一项的,如口语里一般都儿化,就把"(~儿)"放在注音之后,第一义项之前,如【模样】条。如只有个别义项儿化,就把"(~儿)"放在有关义项数码之后,如【零碎】❶…❷(~儿)。如单字儿化与非儿化意义相同,分别用于不同的搭配中,也在释义前加"(~儿)",通过举例表示在有些搭配中儿化,在另一些搭配中不儿化,如"胆"❷(~儿)胆量:~怯|~大心细|~小如鼠|壮壮~儿。

2.4 重叠式在口语中经常带"的"或"儿的",条目中一般不加"的"或"儿的",只在注解前面加"(~的)"或"(~儿的)",如【白花花】…(~的),【乖乖】…(~儿的)。

3 注音

3.1 每条都用汉语拼音字母注音。

3.2 有异读的词,已经普通话审音委员会审订过的,一般依照审音委员会的审订。
传统上有两读,都比较通行的,酌收两读,如:谁(shéi 又 shuí);蝦(gǔ 又 jiǎ);醯(shī 又 shāi)。

3.3 条目中的轻声字,注音不标调号,但在注音前加圆点,如【便当】biàn·dang;【桌子】zhuō·zi。

3.4 一般轻读、间或重读的字,注音上标调号,注音前再加圆点,如【因为】注作 yīn·wèi,表示"因为"的"为"字一般轻读,有时也可以读去声。

3.5 插入其他成分时,语音上有轻重变化的词语,标上调号和圆点,再加斜的双短横,如【看见】注作 kàn∥·jiàn,【起来】注作 qǐ∥·lái,表示在"看见"、"起来"中,"见"字"来"字轻读,在"看得见、看不见"、"起得来、起不来"中,"见"字"来"字重读。

【起来】还有∥qǐ·lái 的注法,表示用在动词、形容词后做补语时,如"拿起来"、"好起来"等,"起来"两字都有轻重的变化。例如在"拿起来"里,"起来"两字都轻读;插入"得、不"以后,如"拿得起来、拿不起来","起来"两字都重读。"起来"两字之间再加宾语,如"拿得起枪来","拿不起枪来","起"字重读,"来"字轻读。"上来"、"上去"、"下来"、"下去"、"出来"、"出去"等都可以有同样的变化,注音也用同样方式。

3.6 本词典对于儿化音的注法,只在基本形式后面加"r",如【今儿】jīnr,不标语音上的实际变化。普通话语音中儿化变音情形如下表:

ar a ai an 　马 盖 盘	*er* e 　歌	*or* o 　婆	*ər* i ei en 　字 辈 根	
iar ia ian 　匣 点	*ier* ie 　碟		*iər* i in 　皮 心	
uar ua uai uan 　花 块 玩		*uor* uo 　窝	*uər* uei uen 　味 纹	*ur* u 　肚
üar üan 　远	*üer* üe 　月		*üər* ü ün 　鱼 裙	
aor ao 　包	*our* ou 　头	*ãr* ang 　缸	*ə̃r* eng 　灯	*õr* ong 　工
iaor iao 　条	*iour* iou 　球	*iãr* iang 　秧	*iə̃r* ing 　影	*iõr* iong 　熊
		uãr uang 　黄	*uə̃r* ueng 　瓮	

附注：① 表中儿化韵母之后列举相当的基本韵母,如 ar 后列举 a,ai,an,表示 a,ai,an 三个韵母儿化后都变 ar。每个基本韵母之下举一个字为例。

② 普通话里,"歌儿"和"根儿"不同音,"根儿"的韵母在本表里用ər表示。ər 是一种卷舌的中央元音。

③ zi,ci,si,zhi,chi,shi,ri 中的 i 是舌尖元音,儿化后变ər,如:"字儿"zər、"事儿"shər。

④ ã,ə̃,õ表示鼻音化的 a,ə,o。

3.7 本词典一般不注变调。在普通话语音中两字相连的变调情形如下:
(a) 上声在阴平、阳平、去声、轻声前变半上。
(b) 上声在上声前一般变阳平。

3.8 ABB式形容词的注音,根据实际读音分为三种情况:

(a) "BB"注作阴平,如"黄澄澄、文绉绉"注作 huángdēngdēng、wénzhōuzhōu。

(b) "BB"注本调,注音后面括号内注明口语中变读阴平,如"沉甸甸、热腾腾"注作 chéndiàndiàn、rèténgténg,注音后面括号中注明"口语中也读 chéndiāndiān、rètēngtēng"。

(c) "BB"只注本调,如"金灿灿、香馥馥"注作 jīncàncàn、xiāngfùfù。

3.9 多音词的注音,以连写为原则,结合较松的,在中间加短横"-";词组、成语按词分写。有些组合在中间加斜的双短横"∥",表示中间可以插入其他成分,如【结婚】jié∥hūn、【打倒】dǎ∥dǎo、【心软】xīn∥ruǎn。同一个词有的义项中间可以插入其他成分,有的义项中间不能插入其他成分,整个词的注音连写,可以插入其他成分的义项在义项数码后面加括号标注"-∥-",如【发言】fāyán ❶(-∥-)…❷…,表示"发言"的第一义项可以插入其他成分(他已经发过言了),第二义项不能插入其他成分。

3.10 多音词的注音中,音节界限有混淆可能的,加隔音符号('):

(a) 相连的两个元音,不属于同一个音节的,中间加隔音符号,如【答案】dá'àn、【木偶】mù'ǒu。

(b) 前一音节收-n尾或-ng尾,后一音节由元音开头的,中间加隔音符号,如【恩爱】ēn'ài、【名额】míng'é。

3.11 专名和姓氏的注音,第一个字母大写。

4 释义

4.1 分析意义以现代汉语为标准,不详列古义。

4.2 一般条目中,标〈口〉的表示口语,标〈方〉的表示方言,标〈书〉的表示书面上的文言词语,标〈古〉的表示古代的用法,〈口〉、〈方〉、〈书〉等标记适用于整个条目各个义项的,标在第一义项之前;只适用于个别义项的,标在有关义项数码之后。

4.3 有些单字条目,仅带一个多音词,这个多音词外面加上"[ ]",就附列在单字注中,不另立条目。如:艅 yú[艅艎](yúhuáng)名古时一种木船。

4.4 释义后举例用仿宋体字,例中遇本条目,用"～"代替。不止一例的,例与例之间用"|"隔开。例中用的是比喻义时,前面加"◇"。(释义中如已说明"比喻…",举例则不加"◇"。)

4.5 "也说…"、"也叫…"、"也作…"、"注意…"等，前头有时加"‖"，表示适用于以上几个义项，如：【数字】❶…❷…❸…‖也说数目字。表示❶❷❸三个义项都可以说成"数目字"。前头不加"‖"号的，只适用于本义项，如：【话筒】❶…❷…❸…也叫传声筒。表示只有第❸义项的物品也叫"传声筒"。

4.6 音译的外来语一般附注外文，如：【沙发】…［英 sofa］；【蒙太奇】…［法 montage］。"英、法"等字，表示语别。【鸸鹋】…［新拉 Rhea］，"新拉"表示是新拉丁文。从我国少数民族来的词只附注民族名称，如【萨其马】条附注"［满］"。（释义中如已指明某民族，即不再附注民族名称。）

5 词类标注

5.1 本词典在区分词与非词的基础上给单字条目、多字条目标注词类。

5.2 把词分为 12 大类：名词、动词、形容词、数词、量词、代词、副词、介词、连词、助词、叹词、拟声词。其中名词、动词、形容词各有两个附类，名词的附类是时间词、方位词，动词的附类是助动词、趋向动词，形容词的附类是属性词、状态词。附类目前只标注典型的、常用的。代词分为三个小类：人称代词、指示代词和疑问代词。（词类及附类的定义见本词典正文所收条目的释义。）

5.3 词的 12 大类用简称外加方框表示。附类或小类用文字说明。如【大型】形属性词。【我们】代人称代词。

5.4 单字条目在现代汉语中成词的标注词类，不成词的语素和非语素字不作任何标注。单字条目中的文言义，只给数词、量词、代词、副词、介词、连词、助词、叹词、拟声词标注词类，名词、动词、形容词不作任何标注。

5.5 多字条目除词组、成语和其他熟语等不作任何标注外，一律标注词类。

5.6 词类标记适合于多义项条目的各个义项的，标在第一义项之前，只适用于个别义项的，标在有关义项数码之后。

音 节 表

(音节右边的号码指词典正文的页码)

	bǎi	28	biē	92	cāo	133	chēn	165	chuāng	212
	bài	31	bié	92	cáo	134	chén	165	chuáng	213
A	•bai	33	biě	93	cǎo	135	chěn	169	chuǎng	214
	bān	33	biè	93	cào	136	chèn	169	chuàng	214
ā 1	bǎn	35	bīn	93	cè	136	•chen	170	chuī	215
á 2	bàn	37	bìn	94	cèi	138	chēng	170	chuí	216
ǎ 2	bāng	40	bīng	95	cēn	138	chéng	171	chūn	217
à 2	bǎng	41	bǐng	97	cén	138	chěng	178	chún	218
•a 2	bàng	42	bìng	98	cēng	138	chèng	178	chǔn	220
āi 2	bāo	42	bō	101	céng	138	chī	179	chuō	220
ái 4	báo	45	bó	103	cèng	139	chí	182	chuò	220
ǎi 4	bǎo	45	bǒ	106	chā	139	chǐ	183	cī 221
ài 4	bào	50	bò	107	chá	141	chì	184	cí 221
ān 6	bēi	55	•bo	107	chǎ	144	chōng	186	cǐ 225
ǎn 9	běi	57	bū	107	chà	144	chóng	188	cì 225
àn 10	bèi	58	bú	107	chāi	145	chǒng	190	cōng 227
āng 13	•bei	62	bǔ	107	chái	146	chòng	191	cóng 227
áng 13	bēn	62	bù	109	chǎi	146	chōu	191	còu 229
àng 13	běn	63			chài	146	chóu	192	cū 230
āo 13	bèn	66			chān	146	chǒu	194	cú 231
áo 14	bēng	66	**C**		chán	147	chòu	195	cù 231
ǎo 14	béng	67			chǎn	149	chū	195	cuān 232
ào 14	běng	67	cā	122	chàn	150	chú	202	cuán 232
	bèng	67	cǎ	122	chāng	150	chǔ	204	cuàn 233
	bī	68	cāi	122	cháng	151	chù	205	cuī 233
B	bí	68	cái	122	chǎng	155	chuā	206	cuǐ 234
	bǐ	69	cǎi	125	chàng	156	chuāi	207	cuì 234
bā 16	bì	73	cài	127	chāo	158	chuái	207	cūn 235
bá 19	biān	78	cān	128	cháo	160	chuǎi	207	cún 235
bǎ 20	biǎn	81	cán	129	chǎo	162	chuài	207	cǔn 236
bà 21	biàn	83	cǎn	131	chào	162	chuān	207	cùn 236
•ba 23	•bia	87	càn	131	chē	162	chuán	208	cuō 237
bāi 23	biāo	90	cāng	132	chě	164	chuán	211	cuó 238
bái 23	biǎo	91	cáng	133	chè	164	chuàn	212	cuǒ 238

cuò	238	diǎo	313	ě	358	fǔ	422	gǔ	487	hàng	541

cuò	238
		diǎo	313	ě	358	fǔ	422	gǔ	487	hàng	541
		diào	313	è	358	fù	425	gù	492	hāo	541
━ D ━		diē	316	ēn	358			guā	495	háo	541
		dié	316	èn	359	━ G ━		guǎ	496	hǎo	543
		dīng	317	ēng	359			guà	496	hào	545
dā	240	dǐng	319	ér	359			guāi	498	hē	547
dá	241	dìng	321	ěr	360	gā	434	guǎi	499	hé	547
dǎ	242	diū	323	èr	362	gá	434	guài	499	hè	555
dà	248	dōng	324			gǎ	434	guān	500	hēi	556
•da	259	dǒng	326			gà	435	guǎn	504	hén	559
dāi	259	dòng	326	━ F ━		gāi	435	guàn	505	hěn	559
dǎi	259	dōu	329			gǎi	435	guāng	507	hèn	559
dài	260	dǒu	330	fā	365	gài	437	guǎng	510	hēng	559
dān	263	dòu	331	fá	369	gān	438	guàng	511	héng	560
dǎn	267	dū	333	fǎ	369	gǎn	442	guī	511	hèng	562
dàn	268	dú	334	fà	372	gàn	445	guǐ	515	hm	562
dāng	270	dǔ	337	•fa	372	gāng	446	guì	516	hng	562
dǎng	272	dù	338	fān	372	gǎng	448	gǔn	517	hōng	562
dàng	273	duān	339	fán	374	gàng	449	gùn	518	hóng	563
dāo	274	duǎn	340	fǎn	376	gāo	449	guō	518	hǒng	567
dáo	275	duàn	341	fàn	380	gǎo	455	guó	519	hòng	567
dǎo	276	duī	343	fāng	382	gào	455	guǒ	523	hōu	567
dào	278	duì	343	fáng	385	gē	457	guò	524	hóu	568
dē	282	dūn	347	fǎng	387	gé	459			hǒu	568
dé	282	dǔn	348	fàng	388	gě	462			hòu	568
•de	284	dùn	348	fēi	391	gè	462	━ H ━		hū	572
dēi	285	duō	349	féi	394	gěi	464			hú	574
děi	285	duó	351	fěi	395	gēn	464			hǔ	577
dèn	285	duǒ	352	fèi	396	gén	466	hā	528	hù	577
dēng	285	duò	352	fēn	398	gěn	466	há	528	huā	580
děng	287			fén	402	gèn	466	hǎ	528	huá	584
dèng	288			fěn	403	gēng	466	hà	528	huà	587
dī	289	━ E ━		fèn	403	gěng	467	hāi	529	huái	591
dí	291			fēng	405	gèng	468	hái	529	huài	592
dǐ	293	ē	354	féng	413	gōng	468	hǎi	529	•huai	592
dì	295	é	354	fěng	413	gǒng	478	hài	533	huān	592
diǎ	302	ě	355	fèng	413	gòng	478	hān	533	huán	593
diān	302	è	355	fó	414	gōu	480	hán	534	huǎn	595
diǎn	303	•e	358	fǒu	415	gǒu	482	hǎn	536	huàn	596
diàn	305	ē	358	fū	415	gòu	483	hàn	537	huāng	598
diāo	312	é	358	fú	417	gū	484	háng	539	huáng	599

huǎng	603	jǐn	709	kào	767	lá	805	liàng	854	lüè	896
huàng	603	jìn	711	kē	768	lǎ	805	liāo	856	lūn	896
huī	603	jīng	716	ké	770	là	805	liáo	856	lún	896
huí	605	jǐng	723	kě	770	·la	807	liǎo	857	lǔn	898
huǐ	609	jìng	725	kè	773	lái	807	liào	858	lùn	898
huì	609	jiōng	728	kēi	776	lài	809	liē	859	luō	899
hūn	614	jiǒng	728	kěn	776	·lai	809	liě	859	luó	899
hún	615	jiū	729	kèn	777	lán	809	liè	859	luǒ	901
hùn	616	jiǔ	730	kēng	777	lǎn	811	·lie	861	luò	902
huō	616	jiù	731	kōng	778	làn	812	līn	861	·luo	904
huó	617	·jiu	734	kǒng	781	lāng	812	lín	861		
huǒ	619	jū	734	kòng	782	láng	813	lǐn	864	═ M ═	
huò	623	jú	736	kōu	783	lǎng	814	lìn	865		
		jǔ	737	kǒu	783	làng	814	líng	865		
		jù	739	kòu	785	lāo	815	lǐng	869	m̌	905
═ J ═		juān	742	kū	786	láo	815	lìng	871	ḿ	905
		juǎn	743	kǔ	787	lǎo	817	liū	872	m̀	905
		juàn	743	kù	789	lào	822	liú	872	mā	905
jī	626	juē	744	kuā	789	lē	823	liǔ	877	má	905
jí	635	jué	745	kuǎ	790	lè	823	liù	878	mǎ	907
jǐ	641	juě	749	kuà	790	·le	824	·lo	879	mà	910
jì	643	juè	749	kuǎi	790	lēi	824	lōng	879	·ma	910
jiā	650	jūn	749	kuài	791	léi	824	lóng	879	mái	910
jiá	655	jùn	751	kuān	792	lěi	826	lǒng	881	mǎi	911
jiǎ	656			kuǎn	794	lèi	826	lòng	882	mài	912
jià	658			kuāng	794	·lei	827	lōu	882	mān	914
jiān	660	═ K ═		kuáng	795	lēng	828	lóu	882	mán	914
jiǎn	664			kuǎng	795	léng	828	lǒu	883	mǎn	915
jiàn	669			kuàng	795	lěng	828	lòu	883	màn	916
jiāng	674	kā	753	kuī	797	lèng	830	·lou	884	māng	918
jiǎng	676	kǎ	753	kuí	798	lī	830	lū	884	máng	918
jiàng	677	kāi	754	kuǐ	799	lí	831	lú	885	mǎng	920
jiāo	679	kǎi	760	kuì	799	lǐ	833	lǔ	886	māo	920
jiáo	684	kài	760	kūn	800	lì	836	lù	887	máo	920
jiǎo	684	kān	760	kǔn	801	·li	843	·lu	890	mǎo	923
jiào	688	kǎn	762	kùn	801	liǎ	843	lǘ	890	mào	924
jiē	692	kàn	762	kuò	801	lián	843	lǚ	891	·me	925
jié	695	kāng	763			liǎn	848	lù	892	méi	926
jiě	700	káng	764	═ L ═		liàn	849	luán	894	měi	929
jiè	702	kàng	764			liáng	850	luǎn	894	mèi	931
·jie	705	kāo	765			liǎng	852	luàn	895	mēn	931
jīn	705	kǎo	766	lā	803						

ràng	1139	sāng	1175	shí	1231	sù	1300	tǐ	1341	tuō	1389
ráo	1140	sǎng	1176	shǐ	1240	suān	1304	tì	1343	tuó	1392
rǎo	1140	sàng	1176	shì	1242	suàn	1304	tiān	1344	tuǒ	1393
rào	1140	sāo	1177	•shi	1251	suī	1305	tián	1349	tuò	1394
rě	1141	sǎo	1177	shōu	1251	suí	1306	tiǎn	1351		
rè	1141	sào	1178	shóu	1253	suǐ	1307	tiàn	1352		
rén	1144	sè	1178	shǒu	1253	suì	1307	tiāo	1352	▄▄ W ▄▄	
rěn	1149	sēn	1179	shòu	1258	sūn	1308	tiáo	1352		
rèn	1149	sēng	1179	shū	1261	sǔn	1308	tiǎo	1354	wā	1395
rēng	1151	shā	1180	shú	1266	suō	1309	tiào	1355	wá	1395
réng	1151	shá	1183	shǔ	1267	suǒ	1310	tiē	1356	wǎ	1396
rì	1152	shǎ	1183	shù	1269			tiě	1357	wà	1396
róng	1153	shà	1183	shuā	1272	▄▄ T ▄▄		tiè	1359	•wa	1396
rǒng	1156	shāi	1184	shuǎ	1272			tīng	1359	wāi	1396
róu	1156	shǎi	1184	shuà	1273			tíng	1360	wǎi	1397
ròu	1157	shài	1184	shuāi	1273	tā	1313	tǐng	1362	wài	1397
rú	1158	shān	1185	shuǎi	1274	tǎ	1314	tìng	1362	wān	1401
rǔ	1160	shǎn	1188	shuài	1274	tà	1314	tōng	1362	wán	1401
rù	1161	shàn	1189	shuān	1274	tāi	1315	tóng	1366	wǎn	1403
ruá	1163	shāng	1190	shuàn	1275	tái	1316	tǒng	1370	wàn	1405
ruán	1163	shǎng	1193	shuāng	1275	tǎi	1317	tòng	1371	wāng	1407
ruǎn	1163	shàng	1193	shuǎng	1277	tài	1317	tōu	1372	wáng	1407
ruí	1165	•shang	1198	shuí	1277	tān	1320	tóu	1373	wǎng	1408
ruǐ	1165	shāo	1198	shuǐ	1277	tán	1321	tǒu	1376	wàng	1410
ruì	1165	sháo	1200	shuì	1283	tǎn	1323	tòu	1376	wēi	1412
rún	1165	shǎo	1200	shǔn	1283	tàn	1324	tū	1377	wéi	1414
rùn	1165	shào	1200	shùn	1283	tāng	1326	tú	1378	wěi	1418
ruó	1166	shē	1201	shuō	1285	táng	1327	tǔ	1381	wèi	1421
ruò	1166	shé	1202	shuò	1287	tǎng	1329	tù	1382	wēn	1425
		shě	1203	sī	1287	tàng	1329	tuān	1383	wén	1426
		shè	1203	sǐ	1291	tāo	1330	tuán	1383	wěn	1430
▄▄ S ▄▄		shéi	1207	sì	1293	táo	1330	tuǎn	1384	wèn	1430
		shēn	1207	sòng	1296	tǎo	1332	tuàn	1384	wēng	1431
sā	1168	shén	1211	sóng	1297	tào	1333	tuī	1384	wěng	1431
sǎ	1168	shěn	1214	sǒng	1297	tè	1334	tuí	1386	wèng	1432
sà	1169	shèn	1215	sòng	1297	•te	1336	tuǐ	1386	wō	1432
sāi	1169	shēng	1216	sōu	1298	tēi	1337	tuì	1386	wǒ	1433
sài	1169	shéng	1223	sǒu	1299	tēng	1337	tūn	1388	wò	1433
sān	1170	shěng	1224	sòu	1299	téng	1337	tún	1388	wū	1434
sǎn	1174	shèng	1224	sū	1299	tī	1338	tǔn	1389	wú	1436
sàn	1175	shī	1226	sú	1300	tí	1338	tùn	1389	wǔ	1443

wù	1447	xiū	1531	yē	1587	yùn	1688	zhǎn	1711	zhuài	1786
		xiǔ	1534	yé	1588			zhàn	1712	zhuān	1786
━ X ━		xiù	1534	yě	1588	━ Z ━		zhāng	1715	zhuǎn	1788
		xū	1535	yè	1589			zhǎng	1716	zhuàn	1791
		xú	1538	yī	1592			zhàng	1718	zhuāng	
xī	1451	xǔ	1538	yí	1604	zā	1691	zhāo	1719		1792
xí	1458	xù	1538	yǐ	1609	zá	1691	zháo	1721	zhuǎng	
xǐ	1459	•xu	1540	yì	1612	zǎ	1692	zhǎo	1721		1793
xì	1461	xuān	1541	yīn	1620	zāi	1692	zhào	1722	zhuàng	
xiā	1464	xuán	1542	yín	1625	zǎi	1693	zhē	1724		1793
xiá	1465	xuǎn	1544	yǐn	1626	zài	1693	zhé	1724	zhuī	1795
xià	1466	xuàn	1545	yìn	1630	zān	1696	zhě	1726	zhuì	1796
xiān	1471	xuē	1546	yīng	1631	zán	1696	zhè	1727	zhūn	1797
xián	1474	xué	1546	yíng	1633	zǎn	1696	•zhe	1728	zhǔn	1797
xiǎn	1477	xuě	1548	yǐng	1635	zàn	1696	zhèi	1728	zhuō	1798
xiàn	1478	xuè	1549	yìng	1636	•zan	1697	zhēn	1728	zhuó	1798
xiāng	1482	xūn	1551	yō	1639	zāng	1697	zhěn	1731	zī	1800
xiáng	1487	xún	1551	•yo	1639	zǎng	1698	zhèn	1732	zǐ	1802
xiǎng	1488	xùn	1554	yōng	1640	zàng	1698	zhēng	1734	zì	1805
xiàng	1489			yóng	1641	zāo	1698	zhěng	1736	zōng	1812
xiāo	1492	━ Y ━		yǒng	1641	záo	1699	zhèng	1737	zǒng	1813
xiáo	1496			yòng	1642	zǎo	1699	zhī	1743	zòng	1815
xiǎo	1496			yōu	1643	zào	1701	zhí	1747	zōu	1816
xiào	1502	yā	1556	yóu	1646	zé	1702	zhǐ	1751	zǒu	1816
xiē	1504	yá	1558	yǒu	1651	zè	1703	zhì	1755	zòu	1818
xié	1505	yǎ	1560	yòu	1656	zéi	1703	zhōng	1761	zū	1818
xiě	1508	yà	1561	yū	1657	zěn	1704	zhǒng	1768	zú	1818
xiè	1508	•ya	1561	yú	1658	zèn	1704	zhòng	1769	zǔ	1819
xīn	1511	yān	1562	yǔ	1663	zēng	1704	zhōu	1772	zuān	1821
xín	1518	yán	1563	yù	1666	zèng	1705	zhóu	1773	zuǎn	1821
xǐn	1518	yǎn	1568	yuān	1671	zhā	1706	zhǒu	1774	zuàn	1821
xìn	1518	yàn	1572	yuán	1672	zhá	1706	zhòu	1774	zuī	1822
xīng	1520	yāng	1574	yuǎn	1679	zhǎ	1707	zhū	1775	zuǐ	1822
xíng	1522	yáng	1574	yuàn	1680	zhà	1707	zhú	1776	zuì	1822
xǐng	1526	yǎng	1578	yuē	1681	•zha	1708	zhǔ	1778	zūn	1824
xìng	1527	yàng	1580	yuě	1682	zhāi	1708	zhù	1781	zǔn	1824
xiōng	1529	yāo	1580	yuè	1682	zhái	1709	zhuā	1785	zùn	1824
xióng	1530	yáo	1582	yūn	1685	zhǎi	1709	zhuǎ	1786	zuō	1824
xiòng	1531	yǎo	1584	yún	1686	zhài	1709	zhuāi	1786	zuó	1824
		yào	1585	yǔn	1688	zhān	1710	zhuǎi	1786	zuǒ	1825
										zuò	1826

新旧字形对照表

（字形后圆圈内的数字表示字形的笔画数）

旧字形	新字形	新字举例	旧字形	新字形	新字举例
〖艹④〗	【艹③】	花/草	〖直⑧〗	【直⑧】	值/植
〖辶④〗	【辶③】	连/速	〖黾⑧〗	【黾⑧】	绳/鼋
〖开⑥〗	【开④】	型/形	〖咼⑨〗	【咼⑧】	過/蝸
〖丰④〗	【丰④】	艳/沣	〖垂⑨〗	【垂⑧】	睡/郵
〖巨⑤〗	【巨④】	苣/渠	〖食⑨〗	【食⑧】	飲/飽
〖屯④〗	【屯④】	纯/顿	〖郎⑨〗	【郎⑧】	廊/螂
〖瓦⑤〗	【瓦④】	瓶/瓷	〖录⑧〗	【录⑧】	渌/篆
〖反④〗	【反④】	板/饭	〖昷⑩〗	【昷⑨】	温/瘟
〖丑④〗	【丑④】	纽/杻	〖骨⑩〗	【骨⑨】	滑/骼
〖犮⑤〗	【犮⑤】	拔/茇	〖鬼⑩〗	【鬼⑨】	槐/嵬
〖印⑥〗	【印⑤】	茚	〖俞⑨〗	【俞⑨】	偷/渝
〖耒⑥〗	【耒⑥】	耕/耘	〖既⑪〗	【既⑨】	溉/厩
〖吕⑦〗	【吕⑥】	侣/营	〖蚤⑩〗	【蚤⑨】	搔/骚
〖攸⑦〗	【攸⑥】	修/倏	〖敖⑪〗	【敖⑩】	傲/遨
〖争⑧〗	【争⑥】	净/静	〖莽⑫〗	【莽⑪】	漭/蟒
〖产⑥〗	【产⑥】	彦/产	〖眞⑩〗	【真⑩】	慎/填
〖芈⑦〗	【芈⑥】	差/养	〖备⑩〗	【备⑩】	摇/遥
〖井⑧〗	【并⑥】	屏/拼	〖殺⑪〗	【殺⑩】	搬/锻
〖吴⑦〗	【吴⑦】	蜈/虞	〖黄⑫〗	【黄⑪】	廣/横
〖角⑦〗	【角⑦】	解/确	〖虚⑫〗	【虚⑪】	墟/歔
〖奂⑨〗	【奂⑦】	换/痪	〖異⑫〗	【異⑪】	冀/戴
〖肖⑧〗	【肖⑦】	敝/弊	〖象⑫〗	【象⑪】	像/橡
〖耳⑧〗	【耳⑦】	敢/严	〖奥⑬〗	【奥⑫】	澳/襖
〖者⑨〗	【者⑧】	都/著	〖普⑬〗	【普⑫】	谱/氆

部首检字表

【说明】　1.本表采用的部首依据《汉字统一部首表(草案)》,共201部;编排次序依据《GB13000.1字符集汉字笔顺规范》和《GB13000.1字符集汉字字序(笔画序)规范》,按笔画数由少到多顺序排列,同画数的,按起笔笔形横(一)、竖(丨)、撇(丿)、点(、)、折(乛)顺序排列,第一笔相同的,按第二笔,依次类推。2.在《部首目录》中,主部首的左边标有部首序号;附形部大多加圆括号单立,其左边的部首序号加有方括号。3.在《检字表》中,繁体字和异体字加有圆括号;同部首的字按除去部首笔画以外的画数排列。4.检字时,需先在《部首目录》里查出待查字所属部首的页码,然后再查《检字表》。5.为方便读者查检,有些字分收在几个部首内。如"思"字在"田"部和"心"部都能查到。6.《检字表》后面另有《难检字笔画索引》备查。

(一) 部首目录

(部首左边的号码是部首序号;右边的号码指检字表的页码)

（二）检字表

（字右边的号码指词典正文页码）

Column 1

(發)	365
(亂)	895
(肅)	1301
(鞏)	1466
蒲	978
蕢	650
(薀)	1230
豫	1671
(矞)	1489

6

十部

十	1231

一至五画

千	1083
支	1743
午	1445
卉	609
古	487
(㧦)	1243
考	766
协	1505
毕	74
早	1699
华	585
	589
克	773
孛	58
	103
半	940
(卓)	1701

六画

直	1748
丧	1175
	1176
(協)	1505
卖	912
卓	1799
卑	55
皐	428
卒	231
	1819

七至十画

Column 2

贲	63
	75
哉	1693
南	974
	979
栽	1693
载	1693
	1695
裁	1693
真	1729
(喪)	1175
	1176
索	1311
隼	1309
乾	1090
(乾)	438
啬	1179
章	1716
(賁)	63
	75
博	105
戴	1812
裁	124
韩	535
(喪)	1175
	1176
辜	487
敨	1068

十一画以上

(載)	1693
	1695
(幹)	445
献	1482
(嗇)	1179
(準)	1797
截	699
(韓)	445
翰	1434
兢	720
毈	492
	658

Column 3

蹇	1761
皋	454
(寋)	1761
翰	539
戴	263
(韓)	535
鼕	1039
韇	1049
矗	206
(鼟)	1049

7

厂部

厂	6
	155

二至六画

厅	1359
仄	1703
历	837
厄	355
厉	838
压	1556
	1561
厌	1572
库	1203
励	840
(厓)	1559
厔	1756
厕	137

七至八画

(厩)	1203
(庞)	1023
厘	831
厚	571
(厈)	1359
厝	238
原	1674

九至十画

厢	1487
厣	1568
(厠)	137
厩	733
(厫)	14

Column 4

厨	203
厦	1184
	1471
(厤)	837
雁	1573
厥	748

十一画以上

(厱)	711
(厨)	203
厮	1291
(厲)	838
(厰)	155
(厭)	1572
愿	1681
厴	1592
魇	1571
餍	1573
(鴈)	1573
(勵)	840
(歷)	842
(歷)	837
(曆)	837
赝	1574
(靨)	748
(壓)	1556
	1561
赝	1571
(懕)	1562
(厴)	1568
(贗)	1574
(饜)	748
(贋)	1574
(魘)	1592
(魘)	1571
(壓)	1573
(靨)	1571

[7]

厂部

斤	705
反	376
卮	1744

Column 5

后	568
(戶)	1744
质	1757
盾	348
虒	1290

8

匚部

二至四画

区	1011
	1124
匹	1039
巨	739
叵	1057
匝	1691
匜	1604
匡	794
匠	677

五画以上

匣	1465
医	1603
匦	515
匼	768
匿	994
匪	395
(甌)	515
匮	799
(區)	1011
	1124
匾	82
(匯)	610
(匲)	843
(匱)	799
赜	1703
(匳)	843
(匵)	337
(赜)	1703

9

卜部

卜	107
	107
下	1466

Column 6

卞	83
卡	753
	1082
外	1397
处	204
	205
卦	496
卧	1433

[9]

卜部

一至三画

上	1193
	1193
卝	795
卡	753
	1082
占	1710
	1712
卢	885

四至七画

(朱)	1264
贞	1728
芈	940
卤	886
卣	1655
卓	1799
(貞)	1728
卨	1509
点	304

八画以上

桌	1798
(鹵)	1509
(鹵)	1509
睿	1165

10

门部

冇	923
(丹)	1138
冈	446
内	986
冉	1138

Column 7

(冊)	136
(冏)	605
再	1693
同	1366
	1371
网	1408
肉	1157
罔	728
(岡)	446
罔	1409

[10]

冂部

丹	263
用	1642
甩	1274
册	136
周	1772

11

八部

八	16

二至四画

兮	1451
分	398
	403
公	471
六	878
只	1744
	1751
共	478
兴	1520
	1527

五至八画

兵	96
谷	488
	1667
坌	66
岔	144
其	630
	1069
具	740
典	303

偓	794	侘	1390	俍	851	俱	736	偺	1507	(傺)	1330	傲	724
佳	652	侪	146	侵	1104		740	(偵)	1729	偗	1329	傳	613
待	1246	佼	685	侯	568	倮	901	偿	155	(傌)	1583	(僧)	1471
佶	637	依	1603		572	倡	150	(側)	137	傻	6	傈	1303
佬	822	欽	227	偏	737		157		1703	偊	1456	僚	856
俤	364	伴	1577	俑	1642	(們)	934		1708	(傖)	132	僭	674
	978	(併)	98	俟	1071		934	偶	1012		170	(僕)	1062
供	476	佗	144		1295	(個)	462	偪	648	(傑)	697	(僑)	1099
	480	佽	1005	俊	751		462		699	(傲)	1774	傲	751
使	1241	侔	967	**八画**		倮	953	偎	1413	(傲)	1504	焦	684
佰	30	**七画**		俸	414	候	572	偲	122	傍	42	(僞)	1418
侑	1656	俦	193	倩	1093	偿	900		1291	(傢)	653	僻	212
伶	790	俨	1568	债	1709	倭	1432	偢	195	傧	94	僦	734
佚	1314	俅	1122	俵	91	倪	992		1101	储	205	僮	1794
例	841	(俫)	164	(俍)	150	俾	73	傀	799	催	748	(僮)	1369
侠	1465	便	85	(俸)	1527	(倫)	896	偶	1666	傕	1010	僧	1179
侥	685		1043	郎	1587	(保)	126	偷	1372	**十一画**		(催)	494
	1582	俩	843	借	704	倜	1343	偁	171	(債)	1709	僻	148
侄	1749		854	倍	1166	(俗)	58	偬	1815	(僅)	709	**十三画**	
侦	1729	偏	842	值	1749	倞	726	(傖)	1692		711	(儀)	1696
侣	891	(侠)	1465	(俅)	808		855		1696	(傳)	208	僵	675
侗	329	修	1532	(俦)	1811	俯	423		1696		1791	(價)	658
	1369	俏	1100	(俩)	843	倅	234		1697	(傴)	1663		705
	1370	侯	1664		854	倍	61	停	1361	僄	1046	(儅)	273
侃	762	俚	835	倐	978	(倣)	387	偧	169	(傾)	1111	(儂)	953
侧	137	保	46	倖	66	倦	744	偻	882	(僂)	882	(儕)	1005
	1703	俜	1050	倚	1611	倓	1322		892		892	儌	1542
	1708	促	231	俺	9	倌	504	(偽)	1418	催	233	憉	1775
侏	1775	俄	354	健	699	倥	781	偏	1041	(傷)	1190	傲	688
侁	1209	俐	842	倾	1111		782	假	657	(傭)	326	(儉)	665
侹	1362	侮	1446	倒	277	健	672		659	傻	1183	(儉)	792
恬	617	俭	665		278	倨	740	偓	1433	(傯)	1815	(優)	6
侨	1099	俗	1300	俳	1016	偏	748	(偉)	1418	像	1491	(傻)	1183
侔	1772	俘	419	俶	205		749	**十画**		傺	186	儋	267
佺	1132	俛	423		1343	**九画**		傣	260	(傭)	1640	儇	1612
佥	792		944	倬	1798	(偯)	1509	傲	15	僇	889	(儀)	1604
佻	1352	(係)	1462	(條)	1352	债	404	傶	1696	**十二画**		僻	1040
佾	1616	信	1518	倏	1263	做	1830	(備)	58	(僥)	685	**十四画**	
佩	1029	(信)	1518	倄	1533	偶	1534	傎	303		1582	**以上**	
侂	515	俍	1386	(倐)	1263	偃	1571	傅	431	(債)	404	僝	1317
佫	555		1390	倘	154	(偪)	68	傈	843	僖	1457	(儔)	193
侈	184	佛	300		1329	偭	944	傡	1495	(僅)	1314	儒	1159

候	993	匆	227	兢	720	凤	1300	亭	1361	裔	894	赢	902
(儕)	146	句	437	(賾)	1386	凰	602	亮	854	就	733	赢	825
(儐)	94	包	42	(競)	726	(鳳)	413	(亘)	1591	(斋)	1118	(罋)	1432
(儔)	709	旬	1551	**15**		**17**		奔	1616	袤	1060	(韕)	352
(儞)	1534	匈	1529	**比部**		**亠部**		奕	1616	蒌	178	(赢)	1635
(優)	1643	匄	1032	比	69	**一至四画**		彦	1572		1226	齑	633
(儵)	1354	甸	310	北	57	亡	1407	帝	300	亶	186	(赢)	901
(儧)	155	匋	1330	死	1291	卞	83	衰	999	(弃)	1080	壹	934
儡	826	(匊)	736	此	225	六	878	玅	949	**十一至**			1421
(儲)	205	匍	1062	旨	1752	亢	539	**八画**		**十四画**		齑	1641
儵	1266	匐	563	顷	1117		764	栾	894	(裏)	834	(齏)	633
(儭)	169	(匒)	202	些	1504	市	1244	孪	894	稟	98	(赢)	901
(儱)	881	匏	1025	皀	157	玄	1542	恋	849	亶	267	**18**	
儴	1139	匑	421	(頃)	1117	亦	1614	衰	233		270	**冫部**	
(儺)	1010	够	484	匙	183	齐	645		1273	(稟)	98	**一至七画**	
(儬)	842	(夠)	484		1251		1069	(歈)	969	(廉)	847	习	1458
(儸)	1568	**14**		麆	1645	交	679	衷	1768	雍	1640	江	446
(儹)	900	**儿部**		疑	1608	产	149	高	449	蛮	894	冯	413
(儻)	1696	儿	359	**16**		亥	533	亳	104	裹	524		1054
(儸)	1329	兀	1434	**几部**		充	187	(卒)	1691	(棄)	455	冱	578
儾	826		1447	几	626	妄	1410	离	831	豪	542	冲	186
[12]		元	1672		641	**五至六画**		衮	517	膏	454		191
入部		允	1688	(几)	374	亩	969	旁	1023		457	冰	95
入	1161	兄	1529	凡	374	亨	559	畜	205	(褒)	1535	沧	215
(込)	1407	尧	1582	凫	417	弃	1080		1539	襃	1535	次	225
氽	232	光	507	壳	770	变	83	**九画**		(齐)	645	决	745
佥	136	先	1472		1100	京	716	鸾	894		1069	冻	328
籴	291	兆	1722	秃	1377	享	1488	毫	541	(棗)	455	况	796
(糴)	291	(兒)	1529	凯	1774	夜	1591	孰	1266	襄	45	冷	828
13		充	187	凯	760	卒	231	烹	1032	(蠡)	935	泽	352
勹部		克	773	凭	1055		1819	衮	1759	(褒)	999	冶	1588
勺	1200	皃	1295	(凫)	417	兖	1568	(衰)	517	弹	352	冽	860
勿	1447	兒	924	亮	854	育	1639	(产)	149	(褒)	45	洗	1477
匀	729	兑	347	(凱)	760		1667	商	1191	赢	1635	净	725
勻	1687	兒	991	麂	643	氓	919	衷	925	雍	1640	(涂)	1380
勾	480	(皃)	359	(凴)	1055		934	率	893	**十五画**		**八画以上**	
	483	(巟)	1407	凳	288	**七画**			1274	**以上**		清	1119
句	481	巟	1568	**[16]**		峦	894	(牵)	1085	(襃)	1509	凌	867
	739	党	272	**几部**		弯	1401	**十画**		襄	1487	凇	1297
(句)	480	竞	726	风	405	李	894	褒	1509	(齋)	1708	(涷)	328
	483	兜	329	凤	413	娈	894	亶	914	赢	1635	凄	1067
		竞	726			哀	2			(甕)	1432	准	1797

凋 312	凸 1377	403	(刭) 1615	1546	十二画	赖 809
凉 851	凹 13	召 1201	别 92	(则) 1702	以上	詹 1711
855	1395	1722	93	剐 496	劂 748	(鹿) 230
弱 1166	出 195	(刞) 696	(删) 1187	剑 672	剿 1706	复 1531
凑 229	凾 274	初 201	钊 1719	剞 195	1707	豫 1671
减 666	画 589	(刔) 696	利 840	到 238	劁 1098	(赖) 809
(凔) 129	函 535	券 1134	删 1187	前 1087	(劖) 584	(镳) 1573
(馮) 413	幽 1644	1545	刨 52	剃 1343	588	**23**
1054	凿 157	(刪) 1008	1025	**八画**	592	**力部**
溧 843	凿 1699	(刜) 214	判 1021	剚 238	劐 1781	力 836
(凔) 215	齒 94	(刅) 214	刜 418	剀 1811	劑 496	**二至四画**
凘 1291	**21**	剪 666	到 723	剖 630	劚 617	办 37
(澤) 352	**卩部**	梦 402	**六画**	(刿) 149	(劇) 516	劝 1133
凛 864	卫 1421	劈 832	刲 798	150	(劇) 741	功 475
(凜) 864	印 13	劳 1036	刵 364	剕 398	(剑) 672	夯 66
凝 1001	叩 785	1040	刺 221	剔 1338	(剑) 516	539
(瀆) 336	印 1630	(劒) 672	226	(刚) 446	(劉) 872	劢 912
19	卯 923	(劵) 1520	刮 23	(刨) 496	劙 1619	务 1448
一部	却 1135	**[22]**	剀 786	(剀) 1117	(剑) 647	加 650
冗 1156	卵 894	**刂部**	到 278	剖 1060	剿 669	幼 1656
写 1508	即 637	**二至三画**	列 516	剞 1189	(劗) 669	动 326
1508	卸 1201	刘 1613	剐 760	1568	劚 963	劣 859
军 749	刊 760	刊 760	制 1756	剜 1401	(劚) 1781	(劢) 714
(肎) 776	(卬) 1539	刊 236	刮 495	剥 45	劙 833	**五至六画**
农 1004	卸 1509	**四画**	剑 516	102	**[22]**	劫 696
罕 536	(卻) 1135	刑 1522	刹 144	剧 741	**夂部**	劳 815
冠 503	卿 1112	刓 1401	1182	剐 351	夆 202	励 840
506	**[21]**	列 859	刴 352	**九至**	危 1412	助 1781
(軍) 749	**巳部**	划 584	剂 647	**十一画**	负 426	男 979
冢 1769	卮 1744	588	刻 774	(剳) 616	争 1734	劬 1127
冥 958	危 1412	592	刷 1272	副 430	色 1178	努 1007
(塞) 498	卷 743	则 1702	1273	(剠) 760	1184	劭 1201
冤 1672	743	刚 446	(剁) 352	剩 1226	龟 513	劲 714
幂 942	卺 710	创 212	**七画**	(剙) 212	751	725
(幕) 942	**22**	214	荆 719	214	1120	劻 794
20	**刀部**	刖 1684	剋 776	割 458	奂 596	劼 697
凵部	刀 274	刎 1430	(剋) 773	剟 791	兔 944	势 1245
凶 1529	刃 1149	刘 872	剌 805	剽 1044	兔 1382	(効) 1504
凷 1012	(刄) 1149	**五画**	(剌) 805	(剭) 882	(负) 426	劲 552
击 626	切 1101	刬 149	剆 882	149	(奂) 596	**七至九画**
凼 791	1102	150	(剆) 882	剐 160	急 637	勃 104
	分 398	(刲) 696	削 1492	688	象 1491	(勅) 186

（勁）714
725
勛 1551
勉 944
勇 1642
勍 648
（勑）186
（脅）1506
勐 1115
勐 936
瞀 462
（魯）1506
（務）1448
勘 761
勛 1617
動 944
勖 1539
（勗）1539
（動）326

十画以上
募 972
（勛）1551
甥 1223
（勝）1225
（勞）815
（勛）648
（勢）1245
勤 1106
（勱）889
（勵）160
688
（勸）1617
（勯）912
（勞）679
勰 1508
（勳）840
（勱）1551
（勸）1133
勷 1139

24 又部

又 1656

一至四画
叉 139
141
144
144
支 1743
友 1651
反 376
（收）1251
邓 288
劝 1133
双 1275
发 365
372
圣 1224
对 343
叟 1241
戏 572
1461
观 501
505
欢 592

五至十画
鸡 629
取 1128
叔 1263
受 1259
变 83
艰 662
竖 1270
叟 1299
叙 1539
爰 1674
叛 1022
（隻）1744
难 980
982
桑 1176
剟 351
曼 916
嫠 1007
（雙）1275

（敫）351

十一画以上
（堅）1270
（叝）1706
叠 317
聚 741
（豎）1270
（叡）1165
燮 1510
（叢）229
（雙）1275
戳 221
矍 748

25 厶部

厶 1287
幺 910
925
（厶）1580
幺 1580
云 1686
允 1688
去 1129
弁 83
台 1315
1316
甿 333
牟 967
972
县 1479
矣 1611
叁 1174
参 128
138
1209
（貟）1689
枭 1460
怠 263
垒 826
畚 65
能 978

989
盍 533
（参）128
138
1209
毿 1174
矮 6
鞬 263
（毪）1174
（鞬）263
（毵）6

26 辶部

（辿）146
（巡）1552
廷 1360
延 1563
（廸）291
（廹）1018
1058
（廼）977
（廻）605
建 671

27 干部

干 438
445
刊 760
邗 534
预 533
（頇）533

28 工部

工 468
巧 1100
邛 1119
功 475
左 1825
圣 716
式 1245
巩 478

贡 480
汞 478
攻 476
巫 1435
（巠）716
项 1490
差 139
144
146
146
221
（貢）480
（項）1490
疏 1123
（疏）1123
巰 1724

29 土部

土 1381

二至三画
圠 791
去 1129
圣 434
圣 1224
圩 1415
1535
圬 1435
圭 513
寺 1295
考 766
圫 1389
圪 457
圳 1732
老 817
圾 627
圹 796
圮 1039
圯 1605
地 284
295
场 153
155

在 1694
至 1755
尘 165

四画
坛 1321
坏 592
（坏）1035
坻 1125
坊 840
坻 1388
址 1752
坝 21
圻 1069
1625
坂 35
坳 1812
伦 898
坋 66
404
762
坎 1320
均 751
坞 1448
坟 402
坑 777
坊 384
386
块 791
（坅）15
（坒）1388
坚 661
坐 1828
（坐）1829
垒 66
坠 1796

五画
坩 441
坷 768
773
坏 1035
坭 120
坪 1055
坫 310

垆 885
坦 1323
坤 800
（坤）1320
（坰）15
垌 728
（坫）1120
（坿）427
坼 164
坬 1395
坻 182
293
垃 803
幸 1527
垰 39
坨 1392
坭 991
坡 1056
弄 737
（坷）696
埘 969
坳 15
茔 1634
垄 881

六画
型 1526
垚 1582
垭 1557
垣 1674
垮 790
垯 259
城 176
垵 1098
垤 316
垱 274
垌 329
1369
垲 760
埏 1187
垍 647
垧 1193
垢 484

埃	352	(室)	498	堲	1093	填	1351	塘	764	甕	1640	(壺)	576
	353	**八画**		堂	1327	塌	462	塝	1640	壁	77	鼓	491
垧	515	堵	337	堃	800	塬	1678	境	728	(壖)	1163	(壼)	801
垫	311	埈	830	堕	353	(塼)	1240	塙	1192	(壜)	1551	嘉	655
垮	449	(垭)	1557		605	塌	1313	(塾)	311	壤	542	臺	1317
堉	983	埴	1750	**九画**		(填)	1551	塚	852	(壙)	796	(臺)	1316
垓	435	域	1669	堵	218	(堼)	760	塝	859	(壓)	1556	(棗)	1393
垟	1577	埼	1071	(堯)	1582	堨	448	堨	1103		1561	(壽)	1258
垞	141	庵	10	堪	761	塒	1510	堲	169	壑	556	(賣)	912
(埃)	10	埙	1193	堞	317	(塢)	1448	塹	1093	**十五画**		(隸)	842
垠	1625		1329	塔	259	塨	1431	墅	1272	**以上**		熹	1457
(燥)	352	場	1617		1314	(塙)	1135	釴	1507	(壘)	826	憙	1457
	353	堌	494	塭	598	塘	1328	塾	1266	(壝)	1395	(尩)	1040
垩	356	(埚)	518	堰	1573	塝	42	塵	165	(壢)	840	鼕	325
垡	369	埵	352	埋	1624	塪	814	墮	353	(壚)	885	燾	280
垦	572	垸	994	堰	1581	(塚)	1769		605	(壩)	1321		1330
垦	777	堆	343	堉	1393	墓	972	墜	1796	壞	592	囍	1040
坐	826	坤	1038	(城)	668	塍	178	墜	302	(壠)	881	馨	1518
七画			1040	堨	1163	塑	1303	**十二至**		(壟)	881	鼙	1039
坊	817	埠	121	(堦)	692	(塾)	1634	**十四画**		疆	676	懿	1620
埔	120	(塮)	898	堤	290	漕	1064	(墝)	1098	壤	1139	(贛)	339
	1063	(埰)	127	(場)	153	(塗)	1380	(墳)	402	(競)	1101	鼙	1337
埂	467	埝	998		155	塞	1169	(墶)	259	(壪)	21	**30**	
坳	120	埘	1032	堨	357		1169	(壇)	1321	(壪)	1401	**艹部**	
埠	538	塊	1383		1169		1179	(埋)	1189	**[29]**		**一至三画**	
埕	176	(焰)	762	塄	828	(塑)	814	墺	15	**士部**		艺	1613
埘	1240	埻	1798	塅	342	**十一画**		墦	375	士	1242	艾	4
(坝)	21	培	1028	(塊)	791	塬	1573	墩	347	壬	1149		1613
埋	910	埔	1669	**十画**		塙	763	墙	1190	吉	635	芄	679
	914	(執)	1747	堍	572	堇	716	增	1704	壮	1793	节	692
填	1551	堆	1189	埼	1401	塥	1090	(墶)	817	売	770		695
埚	518	埃	1322	(報)	50	墙	1096	墀	183		1100	芳	823
袁	1674	埭	263	(塂)	178	(博)	1788	墼	1589	志	1755	芴	977
垸	1701	埽	1178	垣	468	(塸)	1125	墨	966	声	1222	芋	1667
垿	860	堀	787	(塀)	468	(塙)	1540	(墻)	1096	毒	4	芏	338
埇	1135	墋	169	塩	1043	(塇)	983	(墻)	274	(壯)	1793	芊	1084
埒	1539	壤	351	(塆)	1540	墟	1537	壉	812	壺	576	芍	1200
垸	1680	(堊)	356	堡	50	(壚)	1535	(壇)	1321	壼	801	芃	1032
垠	814	基	631		109	墁	916	(壞)	812	恚	1135	芨	627
埇	1642	皇	1750		1064	(場)	153	整	633	(喆)	1726	芒	918
埃	3	(堃)	1588	坚	649		155	臻	1731	喜	1460	芝	1744
垩	1631	(堅)	661	**十画**		(從)	1812	壑	777	壹	1604	苎	1073
				塔	478	(墙)	1314						

苈	1529	芴	1419	茆	923	蒿	1369	蓂	714	堇	238	(蕳)	854
芗	1483	芭兰	1781	莴	999	茵	1622	荪	1308	葶	419	綦	978
四画		芦	885	苑	1680	茴	609	莜	1099		1046	(菴)	9
芙	418		886	苞	45	茱	1775	萌	1622	葽	1305	蒌	1067
芫	1564	芯	1514	范	382	莛	1361		1631	获	624	菲	394
	1673		1518	苧	1001	苦	496	茹	1159	莸	1649		395
芜	1442	劳	815	(苧)	1781	莽	1099	荔	842	荻	291	菽	1264
苇	1419	芭	18	芺	1546	茯	419	荬	912	荼	314	(菓)	523
芸	1687	扎	783	垩	1634	茬	1149	莊	566	莘	1209	菖	151
芾	396	苏	1299	苊	75	荇	1528	莳	1774		1515	萌	935
	418	苡	1611	茔	1120	茎	1132	药	1585	莎	1183	菇	1357
芰	646	芋	1539	茛	952	荟	612	(茲)	1801		1309	萝	900
苶	418		1781	茀	418	茶	141	**七画**		莞	504	菌	751
芳	840	**五画**		苗	1798	(荅)	241	(华)	585		504		752
苊	356	茉	964	苕	1200		242		589		1403	(蒿)	1432
苣	740	苷	441		1353	荀	1553	莰	762	莠	1120	萎	1420
	1128	苦	787	茄	652	茗	958	莅	146	莹	1634	黄	1661
芽	1559	苯	65		1102	茖	460	(莕)	1528	莨	814	萑	595
芘	71	苛	768	茎	716	茅	647	莩	68		851	葟	75
	1038	苤	1047	苔	1315		1071	莆	1062	莺	1632	茵	300
芷	1752	若	1141		1317	葵	681	(荳)	332	菁	751	菜	127
(荮)	1138		1166	茅	923	茨	222	萳	854	(莊)	1792	葱	1000
芮	1165	茂	924	(莓)	927	荒	598	(萸)	655	莼	219	菉	402
苋	1479	茏	880	**六画**		荄	435	莾	920	**八画**		蔽	421
芼	924	苹	1055	荆	719	莞	188	莱	808	华	67	菀	1380
苌	153	苫	1187	茸	1154	茼	916	莲	846	菁	719	葿	1383
花	580		1189	直	595	荘	675	(茎)	716	恭	1350	萄	1332
芹	1106	苴	972	茜	1092	茫	919	莳	1240	(莨)	153	菪	268
苅	1615	苴	735		1454	荡	274		1250	菝	19	菊	737
芥	437	苗	947	茬	141	荣	1154	莫	965	著	1728	萃	234
	703	英	1631	荐	671	荦	614	(莧)	1479		1784	菩	1062
苁	227	苢	1611	莛	242		1551	萬	1432		1799	(菻)	1562
芩	1106	莳	1138	茭	655	菁	856	莪	354	菱	868	葵	1324
芬	401	茼	1117	黇	1338	荥	1526	莉	842	(菢)	52	菏	554
苍	132	苲	1707		1605		1634	莠	1655	萚	1394	萍	1056
苠	1069	茌	182	莸	1140	荜	902	莓	927	其	1071	淔	1818
芴	1448	苻	418	華	75	荧	1634	荷	553	萩	864	菠	103
芡	1092	苁	484	茈	222	荨	1087		555	菥	1454	菪	274
芟	1187	茶	999		1804		1553	莜	1649	(菜)	808	萱	664
(苟)	482	苓	866	草	135	荚	977	莅	842	菘	1297	菀	1403
苄	83	茚	1631	茧	665		1010	荼	1379	菫	710		1669
芳	384	苟	482	莒	737	莨	466	荃	1474	黄	599	莫	843

萤	1634	(蒐)	1298	(蒔)	1240	冀	942	蕑	865	蕰	1426	十四画	
营	1634	(蒨)	1209		1250		959	蔽	76	蕊	1165	藕	641
蓓	1632	葩	1014	(葦)	75	盠	1635	蕣	539	(尊)	1087		705
紮	1635	葎	893	墓	972	蓊	1167	蕣	1127		1553	(藕)	704
萧	1494	煁	1818	幕	973	(蒜)	1308	蔻	786	蔬	1265	薹	1317
菓	888	葡	1062	葊	965	(蔭)	1622	蓿	1540	蔽	1178	棗	229
	893	蒽	227	蒽	358		1631	萬	4	蕴	1690	(藍)	810
菰	486	蒋	677	(夢)	937	蒸	1736	蔚	1424	十三画		藏	133
菡	538	葶	1362	(蒨)	1092	蕡	1671		1671	蕻	567		1698
萨	1169	蒂	302	蒢	314	(蒐)	219	(蒋)	677		567	薷	1159
菇	486	葹	1231	蒋	1354	十一画		蓼	858	(薔)	1096	藕	83
蕾	1801	蒌	882	蓓	62	暮	613		889	(薑)	675	薰	1551
九画		(蔦)	1419	蓙	76	蔦	994	(蔣)	1483	鼒	1349	(舊)	731
蕢	1082	葓	567	蔙	901	蓷	1386	十二画		薤	1510	藐	948
葑	412	蒗	1019	蔆	6	蕤	1619	蕘	1140	蕾	826	薛	1478
	414	蕗	1083	(苍)	132	蕞	1096	(蓬)	242	薁	1049	薆	1120
葚	1151	落	805	蓊	1431	(尊)	219	蕙	613	(薑)	907	藏	993
	1215		823	蒯	791	蔌	1303	蕈	1555	薯	1268	橐	455
(萋)	1590		899	蓟	649	(幕)	302	(藏)	150	薨	563	(齊)	647
	1591		902	蓬	1032	(蕳)	1117	蕨	748	薙	1344		1071
葫	576	(萍)	1056	襄	1309	慕	973	蕤	1165	蓤	828	藻	1046
葙	1487	萱	1542	蒿	541	暮	973	蕓	1687	薛	1546	(薴)	1001
葧	105	葵	1378	(蒂)	1458	摹	960	蕙	1165	薇	1414	(藎)	714
葳	1413	(葷)	614	蒺	640	(蒭)	916	蕞	1823	(薟)	1474	臚	625
惹	1141		1551	蒽	832	(蔓)	882	蕺	641	(薈)	612	十五画	
葳	150	蒿	79	蒉	223	蔓	914	蕡	799	(薆)	6	藕	1012
葬	1698		82	蒂	121		916	(賣)	912	(薊)	649	(藝)	1613
蕾	760	葭	655	蒟	739		1407	蕾	936	薜	1510	蘸	1167
(韭)	731	(葷)	1419	葠	42	蔂	825	蕪	1442	(薦)	671	藟	1619
募	972	葵	798		1023	蓰	949	蔾	832	(薋)	223	(蔽)	1299
葺	1081	菽	925	蓄	1540	蕈	936	蕎	1099	薪	1517	(蘁)	146
(萬)	1405	(茳)	566	蒹	664	蔓	1632	蕉	684	薏	1619	蘦	826
葛	461	(蒳)	1774	蒴	1287	(蔦)	999		1099	雍	1432	(蘭)	665
	462	十画		蒲	1062	菀	330	冀	1671	薮	1299	藜	833
黄	799	蔡	1731	(蒞)	842	莛	1461	蕃	103	薄	45	薑	691
蕙	1461	蒜	1304	蒗	815	(蕊)	227		372		106	蕖	1587
尊	357	菁	1231	(蒌)	1209	敩	849		375		107	(藥)	1585
荷	486	(盖)	437	蓉	1155	(葡)	107	(蔦)	1419	(蕭)	1494	藤	1337
萩	1121		462	蒙	934	蔡	127	薛	77	薛	77	(蕾)	1268
董	326	(蓮)	846		935	蓆	1727	蕲	1073	(薩)	1169	麏	962
(蓚)	1354	蓐	1163		936	(蔗)	905	(蕩)	274	薶	541	蘆	90
葆	49	蓝	810	葫	814	蔟	232	(溝)	1012	(蘱)	1671	藩	373

(氌)	1120
(蘊)	1690
十六画	
(攛)	1394
(藜)	1087
(壃)	840
霍	625
(癲)	1049
	1055
邅	1127
(蘆)	885
	886
(蘭)	865
(罋)	348
(蘄)	1073
犨	1000
蘅	562
(蘇)	1299
(蘺)	4
(藼)	1542
蘑	962
(蘢)	880
藻	1700
(蘂)	1165
十七画	
以上	
蠹	547
(蘼)	965
(蘡)	1632
(蘭)	809
蘩	376
蘗	1000
(蘞)	849
(蘚)	1478
蘘	1139
蘸	940
(蘽)	107
(蘿)	832
(蘌)	1165
蘼	1715
(蘹)	900
蘘	1000
蘸	940

(藕)	1619
(蘽)	825
[30]	
艸部	
(艸)	135
31	
寸部	
寸	236
二至七画	
刌	236
对	343
寺	1295
寻	1552
导	276
寿	1258
封	410
耐	978
将	675
	678
	1094
(尌)	773
	776
辱	1161
射	1205
八画以上	
(專)	1786
尉	1424
	1670
(將)	675
	678
	1094
尊	1824
(尋)	1552
(壽)	1258
(對)	343
(導)	276
爵	748
32	
廾部	
开	754
卉	609

弁	83
异	1614
弄	882
	1006
弃	1080
弈	737
异	85
异	1660
弇	1568
奔	1616
羿	1617
葬	1698
弊	77
(彝)	1609
彝	1609
33	
大部	
大	248
	260
一至四画	
天	1344
夫	415
	417
太	1317
夭	1581
夯	66
	539
央	1574
失	1226
头	1373
夸	789
夺	351
奀	795
夹	434
	651
	655
夷	1605
尖	660
买	911
夬	358
奁	843
(夾)	434

夯	18
奂	596
五画	
奉	414
卖	912
奈	978
奔	62
	66
奇	630
	1070
奄	1568
奋	404
奅	1026
六画	
契	1081
	1509
奏	1818
奁	1165
奎	798
牵	240
奓	1706
	1708
耷	1215
牵	1085
奖	677
奕	1616
美	929
类	827
癸	516
七至八画	
套	1333
(耷)	1215
奭	1454
奘	1698
	1793
匏	1025
奢	1201
奭	1277
九画以上	
奭	1068
奫	1068
	1604
奋	528

(奮)	1317
奥	15
奠	311
(奩)	843
(奪)	351
(獎)	677
奭	1251
樊	375
(奮)	404
奰	78
(奰)	352
(奰)	352
34	
尢部	
(尢)	1646
尤	1646
龙	879
尥	858
尪	1407
尬	435
尥	106
就	733
尴	442
(尲)	442
(尷)	442
[34]	
兀部	
兀	1434
	1447
元	1672
尧	1582
光	507
尩	605
	609
虺	1450
尵	605
尷	1386
(尵)	1386

(尵)	1386
35	
弋部	
弋	1612
弌	1602
式	364
弍	1174
式	1245
弎	1334
	1337
	1384
甙	261
鸢	1671
贰	364
(貳)	364
弑	1250
鳶	1671
36	
小部	
小	1496
少	1200
	1200
尔	360
尕	435
(尗)	1264
尘	165
尖	660
劣	859
京	716
杂	434
省	1224
	1526
雀	1098
	1100
	1135
(尠)	1478
(尟)	1478
(縣)	1479
虩	1464

(尵)	1386
当	270
	273
肖	1492
	1503
贵	1310
尚	1198
尝	154
(貟)	1310
党	272
堂	1327
常	154
辉	605
棠	1327
耸	171
	179
赏	1193
掌	1717
(當)	270
	273
(膋)	154
裳	155
	1198
(輝)	605
(賞)	1193
耀	1587
(黨)	272
37	
口部	
口	783
二画	
古	487
可	770
	773
叵	1057
右	1656
占	1710
	1712
叶	1505
	1590
叮	318
号	541
	545

字	号	字	号	字	号	字	号	字	号	字	号	字	号
喷	480		562	啨	777	(喆)	1726	啾	730	嘀	547	嗌	1640
唝	181	味	1298	啮	1000	喜	1460	嗖	1299	噁	357	譬	1030
昕	1706	(嗄)	1107	唬	577	(喪)	1175	喤	602	嗔	165	十一画	
哮	1503	唧	630		1471		1176	喉	568	嗉	1309	(壽)	1258
唠	817	啊	1	唱	157	啙	1804	喻	1670	嗝	462	嘉	655
	822		2	啰	899	(噢)	179	(喳)	1692	嘎	2	赧	492
哼	102		2		900	喷	1031		1696		1184		658
(啤)	164		2		904		1032		1697	(號)	541	嘈	613
哺	109		2	(喝)	1397	戢	639	(號)	541		545	(嘖)	1703
哽	467	(唠)	1007	唾	1394	喋	317		545	嗓	1311	(嘆)	1324
唔	1442	唉	3	唯	1416		1707	哓	856	(嗱)	75	嘞	823
(唔)	974		5		1421	嗒	241	喑	1624	嗣	1295		827
	990	唆	1309	啤	1039		1314	嗲	1573	嗯	974	(嘜)	914
唡	854	唐	1327	啥	1183	喃	982	啼	1340		974	嘈	134
	1632	八画		唸	715	喳	141	嗟	695		974	嗽	1299
唻	809	营	1634	(唸)	1625		1706	嗖	882		990	(嘔)	1012
(哗)	949	啉	413	(唸)	997	喇	805		884		990	嘌	1046
哨	1201	啧	1703	啁	1720		805	嗞	1801		991	喊	1068
唢	1311	啪	1014		1773		805	喧	1542	嗅	1535	嘎	434
(呗)	31	啦	805	喎	1332	喀	753	喀	753	嗥	542		434
	62		807	(啗)	268	(嘅)	760	(嘅)	760	(嗚)	1435		435
(员)	1674	啐	560	唿	574	喔	1432	喔	1432	(嗰)	1340	嘘	1231
	1687		562	啐	234	喙	613	嗉	613	嗲	302		1538
	1689	(哑)	1558	嗟	1184	(喲)	1639	(哟)	1639	嗳	3	嘩	574
哩	830		1560	唷	1639		1639	嗲	302		4	嘡	1326
	835	喏	1010	啴	149	(喬)	1098	嗳	3		6	(槑)	927
	843		1141		1321	啻	186		4	(嗆)	1093	(嗖)	882
	1632	喵	947	唉	268	善	1189		6		1097		884
哭	787	啉	863	啵	107	詟	789	(嗆)	1093	嗡	1431	嘣	67
喝	1397	(唻)	809	啶	323	十画			1097	嗽	969	嘤	1632
咽	1617	(啊)	854	啷	812	嗦	1107	嗡	1431		1632	嘢	958
哦	354		1632	唉	843	嗷	14	嗽	969	嗙	1024	嘚	282
	1011	唵	10	啸	1504	嗪	1303		1632	嗌	6		285
	1011	欻	1011	(喇)	1272	(嗎)	905	嗙	1024		1617	(喻)	896
(啍)	1701		1012	啜	207		909	嗌	6	赚	1092	嘞	576
咆	1701		1012		220		910		1617	嘣	1309	噎	1724
唏	1454		1013	售	1260	(嗊)	480	赚	1092	嗨	529		1727
唑	1829	啄	1799	商	1191	嘟	334	嘣	1309		559	嘛	910
唤	597	啑	317	兽	1261	嗜	1251	嗨	529	嘻	533	嘀	290
(啾)	292		1184	(啟)	1074	嗑	769		559	嗺	181		292
喑	1572	嵉	1791	(啟)	1074		776	嘻	533	嗵	1366	嗾	1299
哼	559	啡	394	九画		嗳	1000	嗺	181	嗓	1176	嗰	270
						(嗶)	584	嗵	1366				
							586	嗓	1176				

嘧	942	噗	1555	嚏	1344	(嚅)	1000	囮	354	**39**		岠	924
(嗽)	268	噔	287	嚅	1160	(嚶)	1615	囫	897	**山部**		岭	1369
十二画		(嗉)	1290	嚄	154	(嚩)	1791	囵	574	山	1185	岷	952
(嘵)	1492	(噷)	626	嚎	543	嘽	1127	囷	765	**一至四画**		(峃)	1353
(嘖)	1031	**十三画**		(嚈)	647	(臢)	1495	囟	227	屵	1395	岩	1353
	1032	噩	357	嚙	537	(囂)	14	**五至七画**		屼	1448	峄	1616
嘻	1457	噮	617	嚓	122		1495		1495	屿	1663	姆	969
嘭	1032		625		141	囊	982	囹	982	岁	1208	(冈)	446
(嗹)	240		1011		1011		982		982	屹	457	岳	1684
噎	1588	噤	541	嚓	1001	(嚯)	1299	(唢)	1299		1614	岱	261
(噁)	355	噪	716	(簪)	1489	(嘱)	537	唰	537	岁	1307	岢	1546
	357	噜	828	**十五至**		(囌)	150	囿	150	岌	635	**六至七画**	
嘶	1291	(噸)	347	**十七画**		(囉)	899	圀	899	屺	1074	峙	1249
噶	434	(噫)	612	(嚘)	1011		900		900	岂	1074		1758
嘲	161		1682		1012		904	圉	1666	岍	1085	崀	339
	1721	嚬	1049		1012	(嚲)	1030	圈	616	岐	1069	(嵩)	1786
噘	744	嘴	1822		1013	(囑)	1000	圆	1676	岖	1125	(炭)	1324
嘹	857	噤	748	嚯	1000	(囑)	1781	(囵)	535	岈	1559	炭	1324
噚	1696		1548	嚚	1626	嚷	982	**八画以上**		岗	447	峛	860
噗	1061	(噥)	270	嚣	14	(囅)	1393	圇	1179		448	峡	1465
嘬	207	(噘)	1005		1495	**38**		圉	1112		449	峣	1582
	1824	噪	1702	嚯	925	**口部**		圉	1666	岘	1479	岫	1126
(嚣)	1082	噬	1314	嚷	884	○	865	(国)	519	岕	703	峒	329
(噚)	149	噎	1251	嚏	1572	**二至三画**		(圇)	897	岑	897		1369
	1321	嗷	691	(嚯)	840	囚	1121	圈	743	岑	138	峤	689
嘿	559	(噲)	792	嚯	625	四	1293		744		1130		1099
	965	(噯)	3	(嚬)	1049	团	1383		1130	岚	809	峇	18
(噓)	905		4	嚼	270	因	1620	圌	217	岜	18	峋	1553
噍	691		6	嚴	1564	回	605	(圆)	211	岙	14	峥	1735
(噢)	542	噉	562	(嚲)	150	囟	664	圐	787	岔	144	峻	681
噢	1011	噫	1604	嚷	169	(团)	979	(圈)	1415	岛	276	幽	1644
喻	1457	(噻)	1640	嚯	880	囡	979	圉	1673	**五画**		峦	894
嘈	1107	噻	1169	(嚯)	593	囟	1518	(圆)	1676	岵	579	峯	882
噜	884	(啸)	1504	(嗯)	1632	**四画**		圏	894	岢	773	峖	763
噇	214	噼	1036	罍	1393	(国)	519	(團)	1383	岸	10	崂	817
噌	138	(营)	1634	嚼	684	园	1673	(圖)	1378	岩	1566	岵	107
	171	**十四画**			691	围	1415	圙	896	岽	326	峧	467
(唠)	817	(噜)	1317		748	困	801	圜	595	岿	798	(岂)	1074
	822	(嚇)	555	嚷	1139	囤	348	圝	1679	岬	656	峯	1201
(嘱)	1553		1471		1139		1388	圞	1651	岫	1534	(峡)	1465
	1632			(罍)	789	(囲)	605	(圖)	894	岼	1829	蛛	808
嘱	1781			**十八画**				(圝)	894	岭	869	峭	1101
				以上						岣	482		

(峴) 1479	1093	(歟) 1106	帅 1274	常 154	(幮) 811	809
峨 354	嵋 317	嶓 103	市 1244	帻 1703	**41**	(術) 1269
(峩) 354	嵣 259	嶙 864	师 1229	帼 1718	**彳部**	徛 648
嶮 1478	嵊 1155	嶒 139	吊 313	帧 523	彳 184	徘 1018
崟 1478	嵖 143	(嶗) 817	帆 372	帷 1417	三至五画	徙 1460
峪 1668	嵚 1587	嶝， 288	帍 572	帵 1401	行 539	徜 155
峰 412	(嵗) 1307	(巎) 14	帏 1416	幅 421	541	得 282
(峯) 412	嵗 1397	**十三画**	帐 1718	(幀) 1729	560	285
崀 814	1413	**以上**	帊 1015	帽 925	1523	285
峻 752	嵋 1661	巚 1571	希 1453	(幃) 800	彻 164	衔 1476
(島) 276	崽 1693	(巘) 983	(帣) 1752	幄 1434	役 1615	(從) 227
八画	嵝 357	(嶂) 1616	**五画**	幞 1056	彷 388	(衕) 1545
峱 828	嵚 1106	(嶼) 1663	帖 1356	(幗) 1416	1023	**九至**
(峽) 808	嵬 1418	(巇) 1478	1357	(稀) 1098	征 1735	**十一画**
(崧) 1297	嵛 1661	(巉) 1478	1359	**十画以上**	徂 231	街 695
(崬) 326	(嵐) 809	(巆) 1510	帜 1756	幕 973	往 1409	衒 1491
(嵯) 1559	嵯 238	(嶨) 1546	帙 1756	幌 603	彿 418	衝 1371
崖 1559	嵝 883	嶲 94	帕 1015	幔 942	彼 71	御 1670
崎 1072	嵫 1802	(嶺) 869	帔 1029	(幘) 1703	径 725	(復) 428
崦 1563	嵋 928	巍 1608	帛 104	幖 89	**六至七画**	徨 602
崭 1712	**十画**	(嶽) 1684	帑 1671	幔 916	衍 763	循 1553
崑 800	嶅 14	(嶸) 1155	帝 845	(幅) 523	待 259	(徧) 86
崮 494	(嵗) 1307	巅 303	帚 1774	幛 1719	262	衞 1560
(崗) 447	(崒) 1201	巇 1458	帤 1329	(幣) 73	徊 591	微 1413
448	嵘 1226	巍 1414	**六至九画**	帼 203	609	徭 1583
449	嵝 1000	嶼 148	帮 40	幞 422	徇 1554	徯 1456
崔 233	嵩 1297	(歸) 798	带 261	(幠) 572	(徇) 1555	(徬) 1023
(崿) 1625	嶂 641	(巅) 303	帧 1729	幡 372	徉 1577	(衡) 1476
崟 1625	**十一至**	嶔 983	帡 1056	幢 214	衔 1568	**十二画**
(崘) 897	**十二画**	(巖) 1566	(帥) 1274	1795	律 892	**以上**
崤 1496	(嶄) 1712	(巒) 894	帝 300	(幟) 1756	很 559	徿 576
崩 66	嶇 1125	(巚) 1571	希 743	(縣) 943	(後) 568	德 284
崞 518	嶂 317	**40**	744	幪 936	徘 1681	徵 1755
(崒) 1819	(嶁) 883	**巾部**	帱 193	幧 1098	徒 1379	(徽) 1735
崒 1819	嶂 1719	巾 705	278	幨 147	徕 808	(衝) 186
崇 190	嶍 1459	**一至四画**	帩 1101	(幫) 40	809	191
崆 781	(嶜) 1459	(币) 1691	帨 1283	(幬) 193	(徑) 725	(徸) 164
崀 888	(嶢) 1582	市 417	(師) 1229	278	徐 1538	(衛) 1421
崛 748	(嶠) 689	币 73	席 1458	(幭) 203	衔 540	衡 1797
九画	1099	布 119	(帬) 1136	(歸) 511	**八画**	徽 688
(崲) 1566	巂 1457	帀 1691	(帶) 261	㠉 1478	鸻 560	691
嵌 763	巇 684				(徠) 808	衡 561

递 300	**十画**	邀 948	尺 164	屎 333	巷 541	1773
通 1363	遨 14	遽 1308	183	(雁) 1343	1490	(發) 365
1371	遘 484	(邊) 78	尼 991	屧 1510	**53**	(彀) 484
逯 1136	(遠) 1679	邋 805	尻 765	犀 1456	**弓部**	(彆) 93
八画	遢 1313	(邇) 835	(启) 333	属 1267	弓 471	(彈) 518
逮 798	遣 1092	(邐) 900	尽 709	1781	引 1626	(彊) 783
(逨) 66	遝 1314	**[49]**	711	屏 744	(弔) 313	(彈) 269
逮 220	(遞) 300	**辵部**	屎 744	屦 892	弗 417	1322
(遏) 1343	遥 1583	辵 220	**四至六画**	屦 132	弘 563	(彊) 678
逻 900	遛 877	**50**	层 138	148	矿 518	1094
(過) 518	878	**彐部**	屁 1040	(屜) 1230	弛 182	1097
524	(遡) 1303	录 887	屃 1463	屧 1461	弟 299	(彌) 938
逶 1413	**十一画**	**[50]**	尿 999	(屍) 1297	驱 783	(彍) 518
(進) 712	遭 1698	**彑部**	1305	(屨) 1510	张 1715	疆 676
(週) 1772	(遜) 349	归 511	尾 1419	履 892	弛 21	(彎) 1401
逸 1617	遮 1724	刍 202	1611	屦 742	弧 575	蠡 1671
道 597	適 1249	当 270	屄 1297	(層) 138	弥 938	**54**
逯 888	**十二画**	273	屁 21	(屨) 742	弦 1475	**子部**
逮 260	遹 263	寻 1552	局 736	(屬) 744	(弢) 1330	子 1802
263	(遠) 1140	灵 865	屈 1343	1267	弨 158	孑 695
九画	邁 912	帚 1774	居 735	1781	弳 726	孓 745
(達) 241	(遷) 1084	彗 612	届 703	屦 150	弩 1007	**一至五画**
逼 68	遼 856	(尋) 1552	屙 1230	(屬) 1463	弯 1401	孔 781
遇 1670	遄 1474	(歸) 511	屎 68	**52**	卷 1130	孕 1688
遏 357	(遺) 1424	彟 1682	(屄) 68	**己部**	弭 940	存 235
遗 1424	1606	(彠) 1682	屈 1125	己 642	(弳) 726	孙 1308
1606	遵 864	**[50]**	(屍) 1226	岂 1074	弱 1166	孖 905
遛 357	導 1824	**互部**	屋 1436	改 435	(張) 1715	孝 1502
遖 211	(遲) 182	互 577	屌 313	忌 646	艴 421	李 834
遑 602	選 1544	象 1384	昼 1774	**[52]**	弼 1032	孛 58
遁 349	適 1671	彘 1760	屉 1755	**已部**	弳 678	103
逾 1661	**十三画**	(彙) 610	屏 97	已 1609	弹 269	尥 1572
渧 1340	**以上**	(彝) 1609	98	**[52]**	1322	孚 418
(遊) 1649	邃 742	彝 1609	1056	**巳部**	(强) 678	(孛) 1546
遒 1123	(還) 529	蠡 833	屎 1242	(巳) 1293	1094	孜 1800
道 280	593	836	**七画以上**	巳 1293	1097	享 1488
遂 1307	邈 1582	**51**	展 1711	(㠯) 605	弼 76	学 1546
1308	避 1510	**尸部**	屎 1123	包 42	弼 76	孟 937
(運) 1688	遵 1711	尸 1226	屑 1509	导 276	强 678	孤 485
遍 86	避 77	**一至三画**	(屓) 1463	异 1614	1094	孢 45
遐 1466	(邇) 362		展 631		1097	挐 1007
(達) 1415			屙 354		粥 1671	**六画以上**
			屠 1380			

李 894	妇 426	姓 1528	(姦) 661	(嫵) 1395	嫔 1049	嬗 1190
孩 529	妃 393	姁 1538	七画	婗 992	(嫋) 999	(嬰) 1632
(挽) 944	好 543	姍 1187	㛀 983	婢 76	熿 181	嬲 999
(孫) 1308	545	妮 991	娑 1309	(婬) 1626	十一画	(嬾) 977
孰 1266	她 1313	始 1241	婴 354	婚 614	嫠 832	嬤 962
孳 1802	妈 905	姆 905	姬 631	婵 147	蔓 1632	(嬪) 1049
孵 416	四画	969	娠 1209	婶 1214	嫛 1604	(嬙) 1214
(學) 1546	妥 1393	六画	娱 1661	婉 1404	嫠 1047	嬈 1574
孿 352	(妝) 1792	娶 697	娌 835	娽 813	嫣 1563	(嬾) 812
孺 1160	妍 1566	要 1581	娉 1050	(婦) 426	嫱 1096	(蔓) 1632
(孼) 1000	妩 1445	1585	娊 220	嫁 1007	嫩 989	嬬 1277
(孿) 352	坛 1687	威 1412	娟 743	九画	(嫗) 1667	(嬢) 998
(孿) 894	妓 647	耍 1272	娲 1395	婴 1537	嫖 1045	(孌) 894
55	妪 1667	娈 894	娥 354	媒 928	嬲 1619	**57**
中部	妣 71	姿 1800	娒 927	媟 1510	嫦 155	飞部
屯 1388	妙 948	姜 675	娩 944	婿 353	嫚 914	飞 391
1797	妊 1151	娄 882	娴 1476	媚 925	918	[57]
出 195	妖 1581	娍 1297	娣 300	媪 14	嫘 825	飛部
(屮) 135	妗 714	娃 1395	娘 998	嫂 1178	嫜 1716	(飛) 391
岀 1238	姊 1804	姞 639	娓 1420	(媧) 1624	嫡 292	飝 374
蚩 181	妨 386	姥 822	婀 354	(媿) 800	嫪 823	**58**
巢 1355	妫 513	969	娮 1371	(媮) 1372	十二画	马部
(糶) 1355	妒 338	娅 1561	娸 3	婻 9	以上	马 907
[55]	姐 1002	姮 560	1454	媛 1678	(嫛) 1537	二至四画
少部	姒 1295	姱 790	八画	1681	(嬈) 1140	冯 413
(屮) 135	姷 1659	姨 1605	婆 1128	八画	1140	1054
(芻) 202	五画	娆 1140	婪 810	媓 931	嬉 1457	驭 1667
(孿) 1000	妻 1066	1140	(婁) 882	婿 1540	嬊 857	闯 214
(纂) 1000	1081	(姪) 1749	婴 1632	娶 1450	(嫻) 1476	驮 352
56	妟 630	姻 1624	婆 1057	十画	(嬾) 1476	1392
女部	委 1412	姝 1263	(娬) 1445	媾 484	(嬋) 147	驯 1554
女 1008	1420	娇 682	婧 727	(媽) 905	嫵 1445	驰 182
二至三画	妾 1103	(姓) 1151	婊 91	(嬋) 591	嬌 682	驱 1125
奶 977	妹 931	姝 591	婷 1528	媸 960	嫣 513	驲 1153
奴 1006	妹 964	姤 484	(姪) 1561	嫄 1679	媸 382	驳 104
妆 1792	姑 486	姚 1582	婼 220	媳 1459	(嬏) 591	驷 372
妄 1410	姷 354	媱 516	1167	媲 1040	嬴 1635	驴 890
奸 661	(妬) 338	姣 682	媖 1632	媛 6	璧 78	驮 746
如 1158	姐 242	妍 1048	姗 591	嫉 641	(嬙) 1096	五画
(妳) 145	姐 700	姹 145	婕 699	嫌 1476	嫒 595	驽 1007
(妁) 1287	妯 1773	娜 977	婷 220	嫁 660	(嬭) 999	驾 659
	(姍) 1187	1010	娼 151		(嫒) 6	

字	号	字	号	字	号
琴	1106	(瑨)	952	(璣)	627
琶	1015	(瑋)	1420	璺	357
琪	1072	璩	1791		

十三画以上

字	号	字	号
瑛	1632	瑙	985
琳	863	(瑅)	1224

十至十二画

琦	1072	璈	14	藏	595
琢	1800	(瑪)	909	璨	132
	1825	璃	934	璵	1127
(瑅)	1711	瑨	716	(璿)	272
琥	577	瑾	1635	璐	890
琨	800	瑱	1733	璪	1700
珞	900	(璉)	848	(環)	593
(珊)	312	(璳)	1311	(璵)	1658
琼	1120	(璍)	75	(瑷)	6
斑	34	瑶	1584	(璿)	1544
琰	1571	瑷	6	(瓊)	1120
(玵)	372	(瑄)	1093	(璨)	832
琮	229	(瑠)	876	(瓅)	842
琯	504	璃	832	(瓊)	1635
琬	1405	瑭	1328	瓚	1697
(瑯)	813	瑢	1155	璎	515
琛	165	瑾	711	(瓏)	880
球	888	璜	602	瓘	507
琚	736	(瑞)	934	(瓔)	1633

九画

瑟	1179	璀	234	瓖	1487
(璕)	261	璎	1633	(瓘)	900
瑚	576	(璀)	715	(瓚)	1697
瑊	664	璁	227	(瓛)	595
(瑣)	1536	(璐)	227		

[61] 玉部

(瑒)	156	璋	1716	玉	1666
	1577	璇	1544	珏	746
瑁	925	璆	1123	莹	1634
瑞	1165	璨	1312	玺	1460
瑰	514	巯	603	㻬	274
瑪	1666	璞	1063		1326
瑜	1662	璟	724	(莹)	1634
瑗	1681	璠	375	(㻬)	274
瑄	1542	璐	864		1326
(瑝)	605	(瑻)	1553	璧	78
	615			(蟿)	1460
瑕	1466			璺	1431

62 无部

字	号
无	960
	1436

[62] 旡部

炁	1081
既	647
暨	650
(蠶)	130

63 韦部

韦	1414
韧	1151
韨	156
韍	419
韐	75
韎	1420
韩	535
韫	1690
韪	1421
韝	33
韬	1330

[63] 韋部

(韋)	1414
(韌)	1151
(韍)	419
(韓)	535
(韔)	156
(韙)	1421
(韞)	1690
(韠)	1420
(韝)	33
(韡)	75
(韜)	1330
(韞)	1396

64 木部

木	969

一画

未	1422	李	834	构	483
末	963	杝	831	杭	540
(末)	925	(枻)	353	枋	385
本	63		1605	料	331
术	1269	杨	1577	杰	697
	1776	权	139	枕	1731
札	1706		144	杻	195

二画

朽	1534	枒	910		1004
朴	1045	東	1269	杷	1014
	1056	呆	259	杼	1783
	1058	床	213	(東)	324
	1063			枣	1700

四画

机	18	枉	1409	杲	455
机	627	林	861	果	523
权	1130	枝	1745	采	125
朱	1775	杯	55		127
朵	352	枢	1263	枭	1492
(朶)	352	枥	841	(桝)	213

三画

杆	441	柜	516		
	442		737		

五画

(杇)	1435	(枬)	1558	某	968
杠	447	枇	1038	荣	1154
	449	枢	579	标	87
杜	338	杪	948	柰	978
材	123	杳	1584	栈	1713
村	235	枧	58	柑	442
杕	299	枫	447	柑	1616
	352	柄	1165	枯	786
杖	1718	槐	665	栉	1758
杌	1448	杵	204	柯	768
杋	1615	枚	927	柄	98
杏	1527	枨	174	柘	1727
杉	1180	析	1454	栈	880
	1187	板	35	枢	732
构	87	枞	227	柸	1056
(构)	1200		1812	栋	329
极	636	松	1296	栌	885
杧	919	枪	1093	相	1483
杞	1074	(柹)	1249		1490
		(枚)	1474	查	142
		枫	410		1706
		柳	13	(查)	1706
				柙	1465

枵 1492	桎 170	1362	案 10	稂 813	棹 1722	(棄) 1080
柚 1649	树 1269	栝 496	(案) 10	棂 868	棋 739	棻 1077
1657	(枪) 1316	802	桑 1176	椴 1107	棵 769	**九画**
枳 1755	柬 665	桥 1099	**七画**	椆 736	棍 518	楔 1505
枧 205	染 1066	梅 1710	茶 402	桶 1371	椤 900	赋 364
(枬) 499	染 1138	枕 419	梼 1332	梭 1309	(椆) 447	椿 218
(柄) 982	架 659	柏 732	械 1509	(紮) 1691	楸 1747	(楳) 927
(柵) 1187	枭 1460	(桅) 369	梽 1759	1706	棰 217	椹 1215
1707	柔 1156	榧 147	彬 94	梨 832	椎 217	1731
柞 1707	**六画**	桦 591	梵 382	(梟) 1492	1796	楠 982
1829	(梨) 1081	桁 560	梓 1060	棐 1127	棉 943	禁 709
柂 353	(栾) 760	栓 1274	梗 467	梁 851	椑 55	715
1605	栽 1693	桧 517	梧 1443	**八画**	1039	楂 143
柎 416	框 797	612	椥 843	棻 1106	(椕) 1474	1706
柏 30	栃 41	桃 1331	(梾) 655	(綦) 1072	棚 1032	替 1323
104	栻 1250	桅 1416	梾 809	棒 42	椿 615	楚 205
107	桂 517	栒 1553	桩 846	(椶) 174	椋 851	楝 850
柝 1394	桔 699	格 458	桲 75	楮 205	椁 524	楷 695
栀 1746	737	460	梢 1178	梭 828	梧 42	760
柃 867	栲 767	核 1605	1199	828	62	(槙) 1730
柢 294	栳 822	桩 1792	(桿) 442	868	棬 1130	榄 811
栎 842	栱 478	校 689	桯 1360	(椏) 1558	椏 1034	(楊) 1577
1684	桠 1558	1503	(棍) 58	棋 1072	棂 1571	楣 641
枸 481	桝 165	核 1604	(桄) 665	椰 1587	棕 1813	榀 1426
483	村 1786	核 553	裡 832	梏 580	(椗) 323	楬 699
738	桓 595	576	椤 168	789	棺 504	椳 1413
栅 1187	栖 1066	样 1580	1106	植 1751	(椀) 1405	楒 1291
1707	1454	栟 63	桔 494	森 1179	椰 813	楅 1050
柳 877	(栢) 30	97	梅 927	(株) 809	楗 673	楞 828
柊 1767	桸 360	桉 9	(梣) 94	琴 1211	棣 302	榾 492
炮 45	烧 1140	根 464	97	梦 402	椐 736	楸 1121
(炮) 421	桎 1758	翃 1538	(栀) 1746	焚 402	椭 1393	椴 342
柱 1784	桢 1730	(楤) 1696	检 665	(棟) 329	(極) 636	椵 1043
柿 1249	桃 510	栗 842	棃 1067	械 1670	棘 639	槐 591
栏 810	511	柴 146	桿 421	椟 337	(棗) 1700	槌 217
样 40	档 274	桌 1798	桭 1165	椅 1604	棨 1093	楯 349
柠 1001	(栀) 1616	桌 1000	楯 748	1611	棐 396	1283
柁 1393	(蛮) 339	桀 699	梓 1804	椓 1800	棻 1327	榆 1662
(柁) 353	桐 1369	栾 894	梳 1264	(棲) 1066	(棃) 832	(楥) 1546
柲 75	桤 1067	桨 677	桅 1798	(棧) 1713	集 639	(梭) 1813
柮 353	株 1776	(梁) 1691	梯 1338	排 1018	棐 178	(楓) 410
柟 652	梃 1362	桑 744	杪 1309	椒 683	1226	樣 170

狮 1759	猾 586	（玃）900	（殭）675	轧 486	辖 1651	1774
狞 1478	猴 568	**67**	（殮）849	轸 574	辌 1157	（軹）1755
（狭）1465	猹 1666	**歹部**	（殲）75	轸 1732	辔 1030	（軼）1616
狴 75	（猨）1678	歹 259	（殯）94	轹 842	辕 1679	（軺）486
（狗）58	（猖）1647	**二至四画**	（殰）661	轺 1582	辖 1466	（軒）574
狸 831	猸 928	列 859	**[67]**	轻 1109	辗 997	（輇）1732
狷 744	猱 983	死 1291	**歺部**	**六画**	1712	（輊）1582
狲 843	**十至**	歼 1300	粲 132	载 1693	舆 1662	**六画**
徐 1660	**十三画**	歽 661	餐 129	1695	**十一画**	（載）1693
猃 1478	獉 1731	（殀）1581	**68**	轼 1250	**以上**	1695
猎 1625	（猦）909	殁 964	**车（车）部**	辀 360	辇 1696	（軾）1250
狼 813	猿 1678	**五至六画**	车 162	轾 1758	辘 889	（輌）360
猝 534	（獏）967	残 129	734	轿 689	镠 684	（輊）1758
猛 983	（獅）1230	殂 231	**一至四画**	辁 1773	辙 462	（輈）1773
猱 1304	猺 1584	殃 1574	轧 434	辁 1133	辙 1726	（輇）1133
八画	（猻）1308	殇 1191	1561	辂 887	辚 864	（輅）887
猜 122	獛 234	殄 1351	1706	较 689	辘 762	（較）689
猪 1776	（獄）1667	殆 262	库 1203	晕 1685	辔 595	（暈）1685
猎 860	獐 1716	殊 1263	轨 515	1689	597	1689
猫 920	獍 728	殉 1555	军 749	**七至八画**	**[68]**	**七至八画**
923	獭 748	毙 75	轩 1541	辄 1726	**車部**	（輒）1726
猗 1604	獠 857	**七画以上**	轫 261	辅 424	（車）162	（輔）424
猷 1494	（獲）624	殒 1688	轪 1684	辆 855	734	（輕）1109
猖 151	獴 937	殓 849	轫 1151	辇 997	**一至三画**	（輓）1403
猡 900	獭 1314	殍 1046	轰 562	辊 517	（軋）434	（輦）997
（獅）1759	（獾）744	殖 1251	转 1786	辋 1410	1561	（輞）1726
猊 992	（獨）335	1751	1788	辌 992	1706	（輬）855
猞 1202	（獴）1478	（殘）129	1791	辍 851	（軌）515	（輥）517
猢 574	獝 792	殚 267	轭 356	辐 504	（庫）1203	（輗）992
猄 719	獬 1510	殛 639	斩 1711	辎 221	（軍）749	（輪）897
猝 231	**十四画**	殡 1344	轮 897	辐 1801	（軒）1541	（輬）851
猕 939	**以上**	殣 613	软 1163	辈 62	（軟）261	（輻）504
猛 936	（獭）1477	殖 1308	**五画**	辉 605	（軏）1684	（輜）221
九画	獯 1551	殨 195	轱 486	**九至十画**	（軔）1151	（輻）1801
猹 1561	（獷）511	殡 94	轲 768	毂 487	**四至五画**	（輩）62
猢 576	獰 1001	殪 716	773	492	（軛）356	（輝）605
猹 143	（獵）860	（殨）1344	轳 885	辇 230	（軐）1711	**九至十画**
猩 1522	（獺）1314	（殤）1191	轴 1773	辐 421	（軟）1163	（轂）230
猥 555	獾 625	殫 1619	1774	辑 641	（軲）486	（輻）421
1509	獾 593	（殯）613	轵 1755	辒 1426	（軻）768	773
猊 1421	（獼）939	（殫）267	轶 1616	辌 218	773	（輼）1163
猖 1424	（玀）1478			输 1265	（軸）1773	（輯）641

四画	1616	(昴) 1539	暭 468	曙 1269	账 1718	赍 633
者 1726	昨 1824	曼 916	(瞋) 468	(曖) 6	贩 382	赏 1193
昔 1454	昫 1539	晦 613	暄 1542	曾 1705	贬 81	赋 431
杳 1584	曷 553	晞 1455	(暉) 605	(趲) 1421	购 483	赌 1117
旹 217	昂 924	晗 535	(暈) 1685	(甦) 160	贮 1783	赌 337
旺 1411	昱 1667	晚 1403	1689	曨 1069	货 623	赎 1266
昊 546	眩 1545	眼 815	暇 1466	曛 1551	质 1757	赐 227
昒 1420	昵 993	(晝) 1774	(暲) 1420	(曠) 796	贪 1320	赑 76
昙 1322	昭 1720	**八画**	暎 798	曜 1587	贫 1048	赒 1773
杲 455	昇 85	替 1343	(會) 610	曝 54	贯 505	赔 1028
昃 1703	昝 1696	(晳) 1455	791	1065	**五画**	赕 267
昆 800	昶 156	暂 1696	啓 953	(曡) 317	贰 364	赓 467
昌 150	**六画**	晴 1117	**十至**	(曬) 880	贲 63	赍 229
昵 1480	耆 1071	暑 1267	**十二画**	曦 1458	75	**九画以上**
(昇) 1216	晋 714	最 1822	曷 1103	曩 982	贳 1249	赖 809
昕 1515	(晉) 714	暎 1639	暮 973	(曬) 1184	贵 516	赗 414
昄 36	(時) 1234	晰 1455	(暜) 154	**[75]**	贱 671	赘 1796
明 955	晅 1545	量 851	(暷) 993	**曰部**	贴 1356	赙 433
易 1616	晒 1184	855	(曄) 1592	冒 924	贶 797	赚 1791
昀 1687	晟 176	晻 11	(暢) 156	965	贻 1605	1822
昂 13	1225	1571	暖 6	勖 1539	贷 262	赛 1169
旻 952	晓 1502	奡 729	曷 455	冕 944	贸 925	赜 1703
昉 388	晃 603	晶 720	(曧) 546	**76**	费 397	赝 1574
炅 516	603	晹 1617	暝 959	**贝部**	贺 555	赟 270
728	晔 1592	暑 516	㬎 1478	贝 58	**六至七画**	赠 1705
杳 242	晌 1193	暸 855	(暫) 1696	**二至四画**	赀 1758	赞 1697
1314	晁 160	景 723	题 1340	贞 1728	贾 491	赟 1686
昏 614	晏 1572	晬 1823	暆 539	则 1702	657	赡 1190
昗 1238	晖 605	智 1759	暴 53	负 426	赁 1801	赢 1635
五画	晕 1685	普 1063	1065	贡 480	贼 1703	赪 446
春 217	1689	曾 139	(曡) 1488	贠 1310	贿 612	赣 446
昚 1215	(書) 1261	1704	(曆) 837	员 1674	赂 888	**[76]**
昧 931	**七画**	**九画**	(曉) 1502	1687	赃 1697	**貝部**
晃 1249	晢 1726	趄 1421	曈 1619	1689	赅 435	(貝) 58
是 1249	曹 134	(趑) 1478	(曇) 1322	财 123	赆 715	**二至四画**
(昞) 98	(晰) 1726	暕 667	噢 1671	䀼 1605	赁 865	(貞) 1728
昺 98	匙 183	(暎) 1009	曌 1724	1615	资 1801	(則) 1702
晄 880	1251	(暘) 1577	啖 1388	勋 1463	赉 809	(負) 426
显 1477	晡 107	暍 1588	曈 1370	责 1702	赇 1123	(貟) 1689
映 1638	晤 1450	暖 1009	**十三画**	贤 1475	赈 1733	(貢) 480
星 1521	晨 168	曼 597	**以上**	败 31	赊 1202	(貟) 1310
昳 316	(晛) 1480	暗 11	曚 936		**八画**	(財) 123

洞	329	泿	714	涣	597		1091	浣	1434		799		1731
洇	1624	洳	1163	涴	931	淑	1264		1672	湍	1383	(溝)	481
洄	609	**七画**		浄	413	漳	986	(渫)	827	溅	673	溢	776
測	137	涛	1330	涤	292	淌	1329	深	1209	滑	586	溇	1206
洙	1775	浙	1727	流	873	淏	546	渌	888	湃	1019	满	915
洗	1459	涝	822	涧	1166	混	615	涮	1275	湫	687	游	920
	1478	浄	105	涧	672		616	涵	535		1121	漠	965
活	617	浦	1063	涕	1343	润	523	渗	1215	浚	1299	滍	716
洑	419	浭	467	浣	597	涍	1040	淄	1801	(淵)	1672	滢	1635
	430	涷	1302	浪	814	澳	1351	**九画**		湟	602	滇	303
洳	1476	浯	1442	浸	715	润	554	(湊)	229	溆	1540	(漣)	846
洴	672	酒	731	涨	1717	滟	945	颍	567	渝	1661	溥	1064
洎	647	(浃)	652		1719		1223	渍	402	渡	1678	溷	462
洢	1604	涞	808	涩	1179	(涡)	518	湛	1715	(湌)	129	溧	843
洫	1539	涟	846	涊	997		1432	港	449	溢	1032	溽	1163
派	1014	(泾)	716	涌	188	(溹)	1727	渫	1509	(溷)	410	(减)	949
	1018	涉	1206		1642	淮	591	滞	1760	渔	640	(滙)	610
浍	612	消	1492	涘	1295	淦	446	洛	1314	湾	1401	源	1678
	792	涅	1000	浚	752	(渝)	897	溁	1635	淳	1362	(溻)	1231
洽	1083	(泪)	1029		1555	涌	1496	湖	576	渡	339	滤	894
洮	1331	浬	529	**八画**		渊	1672	湘	1487	游	1649	滥	812
洈	1416		835	清	1112	淫	1626	渣	1706	溇	1708	滉	603
洵	1553	涠	1416	渍	1812	(淨)	725	渤	105	溴	931	滆	1313
(洶)	1529	浞	1799	添	1349	掤	1032	湢	76	溇	882	(滇)	1687
洛	678	涓	743	渚	1781	淝	395	湮	1563	湔	664	涸	616
洛	958	涢	1687	(凌)	867	渔	1661	(湮)	1624	滋	1802	澈	1414
洛	902	涡	518	鸿	567	淘	1332	(减)	666	(溈)	1416	滗	76
浏	872		1432	淇	1072	(洎)	1563	湎	945	湝	1351	(滁)	292
济	642	浥	1617	淋	863	滤	574	湝	695	宣	1546	瀄	1534
	647	涔	138		865	(凉)	851	(湞)	1729	(渾)	615	(準)	1797
洨	1496	浩	546	渐	1455		855	渼	737	溉	438	溴	1535
沪	149	浊	354	(涞)	808	淳	219	湜	1240	渥	1434	(溮)	1231
洋	1577	涮	843	淞	1297	液	1592	渺	948	滑	953	澂	1624
洴	1056		849	凌	336	淬	234	(测)	137	(漳)	1416	溢	424
洣	940	海	529	涯	1559	涪	421	(湯)	1191	湄	928	滔	1330
洲	1773	浜	41	淹	1563	淤	1658		1326	渻	1538	溪	1456
浑	615	(泣)	842	涿	1798	清	1670	湿	1231		1540	(滄)	133
洴	577	涂	1380	(凄)	1067	澄	40	温	1425	滁	203	瀚	1431
	1538	浠	1454	渠	1127	淡	268	涅	1223	湧	1642		1432
浓	1005	浴	1668	渐	664	淙	229	渴	773	**十画**		溜	872
津	708	浮	420		673	淀	311	渭	1424	滟	1573		878
浔	1553	洽	535	(浅)	662	渲	506	溃	613	溱	1107	(溜)	872

溙	894
滳	547
潹	623
漓	832
滚	517
溏	1328
滂	1022
滀	206
	1540
溢	1618
溯	1303
滨	94
溶	1155
滓	1805
溟	959
滘	691
溺	994
	999
潩	1761
滩	1321
溮	1671
溻	1640
十一画	
(漬)	1812
潊	691
(漢)	537
潢	602
(滿)	915
潆	1635
蔫	442
潇	1495
潖	812
漆	1068
滴	1179
(渐)	664
	673
(溥)	1384
漕	134
漱	1272
(溫)	1011
	1012

漂	1044
	1046
	1046
滑	219
(滯)	1760
(滷)	886
淳	574
漉	89
(漊)	882
漫	916
漠	1619
潔	904
	1315
(潤)	523
漶	597
漼	234
潧	446
潎	850
(漁)	1661
潴	1776
滴	1604
潾	650
(滸)	577
	1538
(滾)	517
漉	889
漳	1716
(漣)	149
滴	290
漩	1544
漾	1580
演	1571
(滬)	579
潎	445
漏	883
(涨)	1717
	1719
潅	881
潻	856
(渗)	1215
潍	1418

十二画	
(潔)	697
漍	1015
潜	1090
(浇)	681
(澚)	567
(渍)	402
澍	1272
澎	1032
	1033
(達)	1314
澌	1291
澈	1169
(溝)	1406
潮	161
(潜)	1188
清	1188
澘	613
潭	1323
澥	748
潦	822
	857
(澄)	1687
(潛)	1090
(澁)	1179
(潤)	1166
(澗)	672
(潰)	613
	799
(澂)	178
(澗)	1416
(潕)	1445
涌	1201
(潷)	76
潟	1464
潲	547
澳	15
潘	1019
(潙)	1416
潼	1370

澈	165
澜	811
潽	1062
潾	864
(潲)	822
(潯)	1553
潺	148
(澐)	1555
澄	178
	288
(潑)	1057
滴	1671
十三画	
濛	936
(澣)	597
澢	1179
濑	809
濒	94
滤	742
濉	1306
(潲)	945
	1223
潞	890
澧	836
濃	1005
澡	1700
(澤)	1703
濛	595
(濁)	1799
滋	1251
激	633
澮	612
	792
澹	270
	1323
濂	848
澪	311
澼	1040
(潩)	1671

十四画	
(鸿)	567
(涛)	1330
(滥)	812
(澜)	940
濡	1160
(澄)	752
	1555
(盪)	274
(润)	802
(湿)	1231
澥	1447
濮	1063
濤	78
濠	543
(济)	642
	647
(澡)	1635
(滨)	94
(溥)	1002
(澾)	714
(澀)	1179
濯	1800
濊	1418
十五画	
(渍)	336
瀔	492
(潴)	1776
(滤)	894
瀑	54
	1065
(溅)	673
(灤)	902
	1057
瀌	523
瀉	1458
(渔)	886
(浏)	872
瀍	148
瀌	90
瀅	1635
(泻)	1509

(潴)	1214
十六至	
十七画	
瀚	539
(瀄)	1495
(瀨)	809
(瀝)	841
(瀕)	94
瀣	1510
(瀘)	885
瀵	1697
(瀧)	880
	1276
瀛	1635
(瀠)	1635
灌	506
(澜)	811
瀹	1685
(澈)	850
瀼	1139
	1140
瀵	405
瀺	669
(灁)	938
十八画	
以上	
(潴)	1206
瀦	1091
(澧)	410
灏	547
(灘)	832
灟	372
(灘)	1321
(灄)	1168
瀵	1697
(灣)	812
灖	23
(灏)	547
灕	826
(灁)	1458
(灣)	1401

(灤)	894
(艳)	1573
(瀟)	446
[77]	
氺部	
求	1121
录	887
隶	842
泰	1320
黍	1067
黍	1267
黎	832
滕	1337
78	
见部	
见	669
	1478
二至七画	
观	501
	505
觃	1572
规	513
觅	941
视	1248
觇	147
览	811
觊	900
觉	689
	746
觍	1295
蚬	1478
觎	648
舰	672
觏	1459
八画以上	
靓	727
	855
觌	292
舰	1351
觋	945

	1351	(鬻) 515		1090		961	技 646	抒 1263		805

撑	171	(撿)	665	擺	617	氝	402	氅	156	(劢)	714	孵	416
撮	237	(擔)	263	攒	232	氖	326	毯	890	欣	1515	毈	523
	1826		268		1696	氟	419	毽	1064	所	1310	爵	748
(揮)	267	擅	1190	(攏)	881	氢	1111	(毹)	1156	斧	423	鷟	1584
	1189	(擷)	1640	(擻)	1632	氩	1561	(氉)	1156	斨	1094		1651
(撫)	422	撒	1299	(攔)	809	氤	1624	(耗)	1127	颀	1071		1775
撬	1101		1299	(攪)	147	氦	533	氄	1178	断	341	(釁)	
(搧)	685	(撻)	1169	攘	1139	氧	1579	(氌)	1710	斯	1291	**87**	
撑	285	(搗)	1494	**十八画**		(氣)	1078	(氊)	1710	斮	1800	**父部**	
(搵)	1507	擗	1040	**以上**		氨	9	(氋)	890	(顺)	1071	父	422
(撅)	1107	**十四画**		(攛)	1206	氮	776	氇	1127	新	1515		425
播	103	(撻)	1317	(攤)	1507	氫	1111	氆	317	斲	1800	爷	1588
擒	1107	擂	277	(攪)	1297	氰	1117	**83**		斶	206	斧	423
(撝)	604	擓	1161	(攢)	752	(氫)	1561	**长部**		(斷)	341	爸	21
撸	884	(攔)	458	(攧)	232	氲	270	长	151	(斸)	1781	釜	424
(撚)	997		461	(攤)	1321	氯	894		1716	**86**		爹	316
撖	348	擤	1527	(擷)	303	氲	1686	**[83]**		**爪部**		(爺)	1588
撞	1794	(擬)	992	(攢)	232	**82**		**县部**		爪	1721	**88**	
撤	165	(擴)	801		1696	**毛部**		肆	1295		1786	**月部**	
撙	1824	摘	1338	(攤)	752	毛	920	**[83]**		爬	1014	月	1682
(捞)	815		1761	(攝)	272	尾	1419	**長部**		**[86]**		**一至三画**	
揮	232	(擠)	642	攫	748		1611	(長)	151	**爫部**		(肌)	1619
(搗)	1476	(擲)	1759	攥	1822	毡	1710		1716	孚	418	刖	1684
撰	1791	攃	1710	(攪)	687	毦	925	**84**		妥	1393	肌	629
(撥)	101	(擯)	94	(攬)	811	(毧)	1154	**片部**		采	125	肋	823
(撈)	744	擦	122	攮	983	毪	1478	片	1041		127		826
十三画		(擤)	1001	**[80]**		毬	968		1043	觅	941	肝	441
擀	445		1002	**爿部**		(牦)	1478	版	36	受	1259	肟	1433
撼	539		1002	拜	32	(毱)	1123	牍	337	乳	1160	肛	447
(擺)	790	擢	1800	看	761	毫	541	(牘)	664	爱	1674	肚	337
播	825	**十五至**			762	酕	1156	牌	1018	舀	1584		338
	827	**十七画**		瓣	23	毳	234	牒	317	爱	5	肘	1774
(據)	741	(攓)	997	辫	462	毶	1029	牏	1707	奚	1454	(肐)	458
搛	886	(攝)	1507	**81**		毯	1324	牓	41	彩	125	肜	1154
(擋)	272	(擾)	1140	**气部**		毽	673	牖	1655	(覓)	941	肠	153
	274	(擼)	1265	气	1078	毻	1174	(牘)	337	(爲)	1414	**四画**	
操	133	(撵)	1299	气	1047	氀	925	**85**			1422	(胖)	1024
(撐)	1703		1299	氕	275	毵	1169	**斤部**		舜	1285	肼	723
	1709	(攏)	30	氘	978	毹	1265	斤	705	(愛)	5	肤	416
攙	597	(撷)	884	氙	1473	(氂)	923	斥	184	(亂)	895	肮	1165
(揮)	1786	擷	303	氚	207	麾	605			爰	6	胀	1788
撤	1101	(攜)	1494			(氈)	1174						

肺 396		(脇) 1506	腆 1351	鹏 422	嬴 1635	(臘) 1691
肢 1746	脉 913	朔 1287	(腡) 900	(腦) 984	**十三画**	(赢) 901
(肸) 1027	965	朗 814	腴 1661	**十画**	膥 492	**[88]**
肽 1320	胭 395	**七画**	脾 1039	膝 1303	朦 936	**月部**
肱 477	胫 726	脚 686	腋 1592	膜 961	(膿) 1006	有 1651
(胱) 1649	胎 1315	748	腑 424	膜 165	臊 1177	1656
脄 1797	**六画**	脐 105	(脺) 235	膊 106	1178	(冑) 776
肦 948	胭 360	脯 424	(勝) 1225	膈 462	(臉) 848	肖 1492
肿 1768	胯 790	1062	腙 1813	464	(膾) 792	1503
胊 977	(脓) 928	胚 333	腚 323	腺 1039	(膽) 267	肓 598
胀 1719	胰 1606	豚 1388	腔 1094	膀 41	膻 1188	肯 776
胈 1454	胵 181	赋 285	腕 1406	42	臁 848	肾 1215
朋 1032	胱 510	1336	腱 673	1022	臆 1619	看 1582
肷 1091	胴 329	(脛) 726	腒 736	1023	臃 1641	育 1639
股 488	胭 1562	腜 900	**九画**	(膁) 1091	臌 1226	1667
肮 13	胸 1008	脢 928	腻 994	膑 94	(臍) 1337	肩 662
肪 386	胫 1362	脸 848	膝 230	雁 625	赢 1635	背 856
肥 394	(脉) 913	脞 238	腩 982	**十一画**	**十四画**	55
服 418	965	脬 1025	腷 76	膊 235	**以上**	59
428	脍 792	(脘) 1430	腰 1581	(膞) 1788	臑 986	胃 1424
胁 1506	脎 1169	脟 560	腼 945	膘 89	臍 1071	胄 1774
五画	朓 1355	脱 1390	腴 241	膛 1328	臌 1337	胤 1631
胡 575	脆 234	脘 1404	(腸) 153	(膕) 523	臁 94	胥 1536
胠 1126	脂 1747	脉 999	腽 1396	膣 207	臎 1033	(智) 1530
胚 1027	胸 1530	朘 743	腥 1522	滕 1337	(臏) 89	脊 642
胧 880	(脐) 1022	1822	腮 1169	膤 1761	(臍) 422	(脅) 1506
肢 19	胳 434	望 1411	腭 357	(膠) 683	(臘) 805	能 978
胨 329	458	**八画**	(腫) 1768	**十二画**	赢 902	989
胇 754	461	期 632	腹 432	(膩) 994	赢 825	(脣) 219
胪 886	(胞) 234	1067	腺 1482	膨 1033	臕 1562	(耆) 632
胆 267	胜 1697	朝 160	腿 1796	膰 375	臞 625	(臀) 1215
胛 657	1698	1721	腩 1380	膧 1370	(臚) 886	胬 744
胂 1215	脐 1071	腈 720	腴 1271	脑 207	臢 1691	觳 1496
胜 1223	胶 683	(脹) 1719	(腳) 686	膳 1190	(臟) 880	脊 1077
1225	脑 984	腊 805	748	滕 1337	(臘) 1337	膏 454
胙 1829	胲 437	1456	鹏 1033	滕 1337	(赢) 1635	457
胍 496	529	(腖) 329	腊 9	滕 1337	(臟) 1698	膂 892
胗 1729	脏 1043	腌 2	脞 178	膦 865	(臢) 1337	(臀) 856
胝 1746	朕 1733	1563	腰 1639	腿 677	(赢) 901	(膚) 416
胸 1127	脒 940	腓 395	腾 1337	膳 1127	臞 1127	膺 1633
胞 45	胺 10	胭 523	腿 1386	臚 263	臜 263	臀 1389
胖 1020	脓 1006					

臂	62	歠	1517	(飆)	1584	縠	577	旂	1071	炝	1098	烦	375
	78	歌	459	(飀)	877	(縠)	487	(旂)	1072	炊	216	烧	1199

89 氏部

氏	1242	歉	1093	飄	1044		492	旅	891	炆	1429	烛	1777
	1744	(歟)	1324	(飅)	1044	縠	577	旃	1710	炕	765	烔	1369
氐	289	(歐)	1011	飇	89	(縠)	1603	旌	719	炎	1566	烟	1562
	293	歔	1538	飈	89	(縠)	786	族	1819	炉	885		1624
(昏)	1752	歙	1629	飉	89			旎	993	炔	516	烨	1592
昏	614	歔	1207			**93 文部**		旋	1543		1134	烩	612

90 欠部

			1457	**92 夂部**		文	1426		1545	炮	1014	烙	822
欠	1092	(歠)	206			刘	872	旆	1722				902
二至七画			1537	夋	1261	齐	645	旒	877	五画		烊	1578
次	225	(歠)	1658	殳	1011		1069	旗	1072	荧	1634		1580
欢	592	(歠)	1504	殁	964	吝	865	旖	1611	(炭)	1324	烬	715
钦	1658	歠	221	段	341	(斉)	1546	(旛)	372	炭	1324	烫	1329
欧	1011	(歠)	592	殷	1562	态	952	(旟)	1660	炳	98	七至八画	
软	1163				1624	虔	1089			炤	1240	(焖)	1167
欣	1515	**91 风部**			1628	斋	1708	**95 火部**		炼	849	焙	1450
炊	216	风	405	般	34	紊	1430	火	619	炟	242	(煙)	1360
(欲)	547	飏	1577		102	斑	34	(火)	622	畑	1350	焊	538
敕	760	飐	1711		1020	斐	396	一至三画		炽	185	焐	767
欷	1455	飑	89	(般)	34	斌	94	灭	949	炯	729	熘	1455
欲	1669	飒	1169	(殺)	1180	编	35	灰	603	炸	1707	焓	535
(欷)	794	飓	741	殺	491	斓	633	灯	285		1708	焕	597
歆	3	飔	1291	(殻)	770	斓	811	灸	731	(烁)	1120	烽	412
	4	飕	1299		1100	(斓)	811	灶	1701	(烛)	1508	焖	934
	358	飖	1584	殿	333			灿	131	烀	574	烧	1403
八画以上		飗	877	毁	516	**94 方部**		灼	1798	烁	1287	娘	814
款	794	飘	1044	(殽)	333	方	382	地	1508	炮	45	焗	737
欺	1068	飙	89	殽	1496	邡	384	炀	1577		1025	焌	752
歆	1068			(發)	365	放	388	灾	1692		1027		1126
	1604	**[91] 風部**		殼	484	於	1436	灵	865	炷	1784	焚	402
歆	762	(風)	405	縠	487		1658	(灾)	1692	炫	1545	㶲	729
歉	206	(颭)	1711		492	(於)	1658	四画		烂	812	颎	729
	1537	(颮)	89	殷	1376	房	386	炅	516	焐	1722	焯	160
欸	1624	(颱)	1316	毁	609	疠	1660		728	烃	1360		1798
歇	1505	颯	1169	殿	312	(斾)	1030	炙	1757	炱	1317	焜	800
歔	1184	(颸)	495	(殼)	746	斿	1649	炜	1420	六画		熑	1520
歙	1662	颺	741	縠	492	施	1230	炬	1012	裁	1693	焰	1573
		颼	1577	縠	492	旁	1023	炬	740	耿	467	(焠)	234
		颻	1291	(殽)	488	斾	1030	炖	348	烤	767	焙	62
			1299	縠	786	旆	923	炒	162	烘	563	焯	150
				(殹)	1011			炘	1515	烜	1541	欻	206
				縠	1619						1545		

1537	熔 1155	熵 1671	羔 454	料 858	志 1323	恣 1811		
焱 1573	煽 1188	(燙) 1329	烝 1736	(斝) 658	忘 1410	羞 1580		
(勞) 815	熥 1337	十三画	烄 280	斜 1507	(㤅) 1107	悬 777		
九画	(獎) 1388	(燦) 131	1330	斛 576	忌 646	恕 1270		
煲 45	熜 1012	燥 1702	焉 1563	斞 658	忍 1149	七至八画		
煤 928	熛 89	(爛) 1777	烹 1032	斟 1731	态 1319	悫 1135		
(煠) 1707	熄 918	(熾) 609	煮 1781	斠 691	忑 5	悬 1543		
煳 576	熄 227	(燴) 612	(無) 960	斡 1434	忠 1766	患 597		
煏 76	(熲) 729	(�) 13	1436	斢 1355	忪 1297	悠 1645		
(煙) 1562	熵 1192	十四画	烏 1464	斣 736	念 997	您 1000		
(煉) 849	煙 1573	以上	焦 683	97	忿 404	(恴) 227		
(煩) 375	(熒) 1634	燹 1478	(焉) 1414	户部	忽 573	悉 1455		
(煥) 1009	熠 1619	(爆) 1592	1422	户 578	忞 952	惠 1642		
(煬) 1577	熨 1671	(燻) 1551	然 1138	(戹) 355	五画	(惡) 355		
煴 1686	1690	(爨) 1117	九画以上	启 1074	惢 75	356		
1690	十二画	(爐) 715	蒸 1736	戾 637	思 1169	1436		
煜 1671	(�) 1573	爚 1587	煦 1540	戻 842	1290	1450		
煨 1414	(燒) 1199	(樊) 1510	照 1722	肩 662	怎 1704	甚 649		
煅 342	熹 1458	爆 54	煞 1183	房 386	恝 1321	惹 1141		
煌 602	燂 1323	熚 768	1184	扂 579	(忽) 227	(惪) 284		
(煊) 1388	燎 857	(爍) 1287	煎 664	扁 82	怨 1680	惠 613		
煖 1542	858	爔 13	熬 13	1041	急 637	惑 625		
(煖) 1009	熻 664	(爐) 885	14	扃 728	总 1813	悲 55		
(墊) 1634	(燜) 934	(爛) 1573	熙 1457	扅 1606	怒 1007	恝 994		
(凳) 1120	(燀) 150	爡 1458	罴 1039	扆 1611	怼 347	嵗 1693		
煊 1542	熝 1671	(爛) 812	熏 1551	扇 1188	怠 263	惩 177		
(煇) 605	燔 376	爔 1685	1555	1189	六画	惫 62		
煸 81	燃 1138	爔 748	熊 1531	扈 579	恝 655	九至十画		
煺 1388	(燉) 348	(鷥) 1632	(熱) 1141	扉 394	恚 612	(惷) 220		
(煒) 1420	(熾) 185	爨 233	熟 1253	雇 494	恐 781	(愿) 1103		
煣 1157	(燐) 864	[95]	1266	扊 1571	(恥) 184	想 1489		
十至	(燐) 864	灬部	熹 1457	98	恶 355	感 443		
十一画	燧 1308	四至八画	燕 1563	心部	356	愚 1662		
(燁) 1592	桑 1211	杰 697	1573	心 1511	1436	愁 193		
熄 1457	(歘) 206	忝 1081	(燾) 280	一至四画	1450	愆 1087		
(燴) 1098	1537	点 304	1330	必 73	恧 1008	愈 1671		
熘 872	燚 1619	(為) 1414	(羆) 1039	志 1755	虑 893	(愛) 5		
(榮) 1154	(螢) 1634	1422	96	忑 1334	恩 358	意 1617		
(熒) 1526	(營) 1634	热 1141	斗部	忒 1334	恁 989	慈 223		
1634	(罃) 1632	烈 860	斗 330	1337	1000	窓 776		
(挲) 902	(縈) 1635	(烏) 1434	331	1384	息 1454	慇 953		
(熒) 1634	(燈) 285	1447	斝 579	恋 849	悫 1336			

（礄）805
磻 879
（磻）169
磨 962
　967

十二画以上

（礄）1098
（礇）242
　1314
碑 1323
礴 1718
（礀）290
礄 1099
礁 684
磻 1021
礅 348
磷 864
磴 288
（礦）629
礫 936
（礆）205
硼 676
礌 825
礫 1702
（礆）667
（礜）1135
礤 122
（礪）842
（礙）6
（礦）796
礫 122
（礬）375
（礵）825
（礰）843
（礴）1760
（礮）1027
礴 106
礌 967
（礜）880
礩 1277
（礄）811

103 龙部

龙 879
尨 919
　934
垄 881
龚 1568
詟 880
聋 880
龚 478
袭 1459
龛 761
詟 1726

[103] 龍部

（龍）879
（壟）881
（襲）1568
（龑）880
（聾）880
（龕）761
（聾）880
（襲）478
（襲）1459
（龕）1726

104 业部

业 1589
亚 1561
邺 1591
凿 1699
黹 1755
（業）1589
叢 422
（叢）229
黼 425

105 目部

目 971

二至四画

盯 318
盱 1535
盲 919
相 1483
　1490
省 1224
　1526
眄 944
　947
眍 783
盹 348
眇 948
眊 924
眈 1464
盼 1022
眨 1707
眈 266
看 761
　762
盾 348
眉 927

五至七画

（眚）1215
眛 965
（際）1248
眙 491
眬 880
眊 886
（眠）1248
眩 1545
眠 943
眙 1605
眚 1224
督 1671
（眥）1812
眶 797
眭 1305
眦 1812
眽 965
眺 1355
眵 181
眳 1736

晥 191
眯 938
　939
眼 1569
眸 967
着 1720
　1721
　1728
　1799
眷 744
眹 1189
眯 809
睄 1201
睅 539
（睏）801
睊 744
睖 355
睎 1455
睑 667
眴 1165
眮 673
睇 302
睆 597
鼎 320
睃 1309

八画

督 333
睛 720
睹 337
睦 973
睃 830
睄 948
（睞）809
睚 1559
睫 699
睗 1712
睡 1283
睨 994
睢 1306
睥 1040
睐 126
睟 1308

（瞆）744
（睐）1189
睩 888

九至十画

睿 1165
瞅 195
瞍 1299
瞒 568
瞇 938
　939
睽 882
瞀 799
眥 925
瞢 936
瞌 770
瞒 914
瞋 165
瞄 872
睛 1465
瞑 959

十一画以上

瞥 1619
（瞒）914
（瞞）1712
（瞘）783
瞟 1046
瞠 171
（瞍）882
瞰 763
瞥 1047
瞫 1214
瞭 859
（瞭）857
（瞤）1165
（瞯）673
瞧 1100
瞬 1285
瞳 1370
瞵 864
瞩 1781
瞪 288

瞀 492
矇 936
（矇）934
瞿 1127
（瞼）667
瞻 1711
矍 748
（矓）886
矓 880
（矙）763
（矚）1781

106 田部

甲 656
申 1207
电 305
田 1349
由 1646

二至三画

町 318
　1362
甽 768
男 979
龟 513
　751
　1120
甸 310
甼 803
畀 969
画 589
畁 75
（甽）1732
（甿）934
畟 630
备 58
畄 1693

四画

禺 1660
畊 467
畎 1133
畏 1423
毗 1038
（毘）1038
胃 1424
畋 1350
畈 382
界 703
畇 1687
畍 448
思 1169
　1290
畑 1350

五至六画

（畢）74
畖 1395
（畛）1384
畛 1732
畔 1022
畠 1350
留 872
（畝）969
畜 205
　1539
畚 65
畦 1071
畤 1759
（異）1614
略 896
（畧）896
累 824
　826
　827

七画以上

（畱）872
畴 193
畯 752
畬 1202
畲 1202
　1661
番 372
　1019
富 432
（畫）589
替 1323

(當)	270	**九画以上**		(盌)	1405	(甦)	1299	柜	740	程	177	稿	455
	273	罴	1039	益	1617	甥	1223	秕	71	稀	1455	稼	660
畸	633	罶	811	盍	533	**110**		秒	948	黍	1267	(稟)	455
畹	1405	罳	1291	**六至九画**		**矢部**		香	1485	稃	416	**十一画**	
𤲃	633	(罰)	369	盜	798	矢	1241	种	189	稞	1121	**以上**	
(胄)	404	(罵)	910	盛	177	矣	1611		1768	税	1283	臻	1731
(暘)	1192	罶	877		1225	知	1745		1770	稂	814	(积)	630
疃	1384	(罶)	369	盅	491	矩	738	秭	1804	**八画**		穑	1179
矖	999	(羂)	22	盂	1099	矧	1214	(秔)	720	(稜)	828	静	106
(壘)	826		23	盘	1020	矫	684	秋	1120		868	穆	973
(畸)	193	歠	1303	盒	554		686	科	768	植	1747	(穨)	1386
疊	826	麗	890	盗	280	短	340	(秌)	1120	稞	769	穧	1386
(纍)	824	罹	833	盖	437	矬	238	**五画**		稚	1761	穄	650
	826	蔚	1424		462	矮	4	秦	1106	稗	33	(穄)	764
矙	374	羈	634	(盞)	1711	雉	1761	乘	176	稔	1149	(穋)	131
(壘)	317	羀	650	盟	935	疑	1608		1225	稠	193	颖	1635
107		罿	188	(監)	662	(矯)	684	秣	965	颓	1386	穈	751
罒部		罾	1705		672		686	秫	1266	稭	42		1137
四	1293	昊	78	盥	1538	甑	1705	秤	178	穇	131	穗	1308
三至八画		(羆)	1039	(盡)	711	媵	1682	租	1818	稣	1300	黏	996
罗	899	(羅)	899	**十画以上**		**111**		积	630	颖	1635	種	1769
罘	419	蠲	743	(盤)	1020	**禾部**		秧	1574	(稟)	98		1772
罚	369	(屬)	634	盬	492	禾	547	盂	554	**九至十画**		穟	1308
罡	448	**108**		盧	885	**二至三画**		秩	1759	(稉)	1010	(稗)	1761
罢	22	**皿部**		盥	506	利	840	称	169	(稭)	694	穫	624
	23	皿	952	盦	9	秃	1377		170	秘	77	穑	1179
罟	491	**三至五画**		盬	1773	秀	1534		179	(種)	1768	磙	613
置	736	孟	1659	(盦)	1099	私	1288	秘	75		1770	馥	433
罘	486	盂	937	(盌)	1538	秆	442		941	(稱)	169	(穤)	1006
(罭)	877	(盃)	55	(盪)	274	和	550	**六至七画**			170	(糯)	1010
罣	498	(盍)	553	盩	492		555	秸	694		179	(穩)	1430
(買)	911	盅	1767	整	843		574	稆	892	稳	1430	(積)	1386
胃	744	盆	1031	(蠱)	491		617	秽	613	稨	82	(穑)	892
罜	421	盈	1634	蠋	743		623	桃	1332	概	649	穗	90
罦	843	盏	1711	(鹽)	1567	(秈)	1474	移	1606	穀	492	稻	1333
署	1267	盐	1567	(豔)	1572	(季)	995	秾	1006	(穀)	488	(穳)	1121
置	1760	盉	553	**109**		季	647	(稑)	353	(穑)	1732	稬	1139
罳	1671	盎	102	**生部**		委	1412	(稉)	720	稽	633	(龢)	550
罨	1571	监	662	生	1216		1420	稽	633		1077	**112**	
罪	1823		672	甡	1224	秉	97	稍	1199	稷	650	**白部**	
罩	1724	盂	13	牲	1209	**四画**			1201	稻	282	白	23
蜀	1267	盂	554	(産)	149			(稈)	442	黎	832	**一至八画**	

百	28	脧	316	鸶	1759	鹈	1672	鹲	1671	六至七画		(鵰)	312
(皁)	1701	瓠	579	鹈	478	鹋	1303	鹪	936	(鵝)	478	(鴿)	1087
皂	1701	瓞	45	鹋	360	九画		鸷	890	(鵲)	360	(鶺)	219
兒	924	瓢	1045	鸷	860	鹏	576	鹏	595	(鵁)	860	(鵰)	467
帛	104	瓣	40	鸷	181	鹞	186	鹬	580	(鴛)	181	(鷓)	1672
的	284	瓤	1139	鹄	496	鹧	737	鹏	1711	(鵠)	496	九画	
	291	**114**		鹎	1534	趋	1340	鹰	1633	(鵬)	1534	(鶓)	576
	300	**鸟部**		鹐	560	鹪	555	鹲	1458	(鵒)	560	(鶲)	186
皆	692	鸟	313	鹑	1773	鹗	357	鹏	1040	(鶉)	1773	(鶪)	737
皇	599		998	鸽	458	鸽	492	鹳	507	(鴿)	458	(鷉)	1340
泉	1132	二至四画		鸾	894		576	鹴	1277	(鵁)	683	(鶡)	555
皈	514	鸠	729	鸡	683	鸷	1121	鹏	1127	(鴻)	567	(鶚)	357
皋	449	鸡	629	鸿	567	鸷	1685	**[114]**		(鵑)	1573	(鶺)	492
畠	1350	鸢	1671	鹅	1443	鹲	225	**鳥部**		(鵝)	1443		576
皕	4	鸣	958	鹋	105	鹏	929	(鳥)	313	(鶻)	105	(鶩)	1121
皎	686	鸥	1230	鹘	109	鸷	1450		998	(鶺)	109	(鷁)	225
(習)	1458	鸦	1230	鹏	832	十画		二至四画		(鶥)	743	(鷊)	225
皕	76	鸧	1011	鹕	809	觳	786	(鳧)	417	(鶿)	169	(鴨)	800
皓	546	鸨	1558	鹏	743	鹏	1619	(鳩)	729	(鶚)	491	(鷂)	929
皖	1405	鸩	133	鹜	169	鹭	1573	(鳶)	1671		576	(鷔)	1450
皙	1456	鸪	49	鹗	491	鹏	1338	(鳴)	958	(鵝)	355	十画	
九画以上		鸫	746		576	鹏	1587	(鵞)	355	(鵞)	355	(觳)	786
皠	106	鴂	1732	鹅	355	翱	1431	(鳳)	413	(鵝)	355	(鷓)	1619
	1060	鸭	746	鸽	1670	鹠	877	(鴂)	1230	(鵒)	1670	(鷚)	1573
	1394	五画		莺	795	鹏	641	(鴂)	1230	(鶿)	795	(鷯)	1338
皝	603	鸳	1632	鹏	1476	鹏	1619	(鴉)	1558	(鶒)	1340	(鷘)	1587
(皚)	4	鸰	486	鹞	1340	鹙	664	(猷)	746	八画		(鶏)	629
(縣)	943	鸱	326	八画		寒	1474	(鵒)	49	(鶓)	1447	(鷉)	133
皞	547	鸲	886	鹤	1447	鹤	556	(鳩)	1732	(鶴)	720	(鷁)	1431
(皛)	546	鸵	1558	鹠	720	十一画		(鴂)	746	(鵑)	1558	(鷗)	877
(樂)	823	鸷	1492	鹣	1136	以上		五画		(鵲)	1136	(鷃)	203
	1683	鸶	1574	鹢	948	鸶	1604	(鵒)	486	(鶥)	948	(鷀)	641
皠	234	鸸	867	鹤	9	鹩	1276	(鴨)	1558	(鶘)	809	(鷙)	1619
皤	1057	鸹	181	鹥	181	鹦	1633	(鴉)	1492	(鶦)	326	(鶢)	664
皦	688	鸺	1127	鹦	800	鹧	1727	(鸶)	1574	(鶴)	9	(鶯)	1632
皭	691	鴥	1668	稂	832	鸶	1800	(猷)	1668	(鵾)	800	(鶱)	1474
113		鸼	1393	鸡	1617	鹏	879	(鴕)	1393	(鵟)	832	(鶴)	556
瓜部		鸽	1672	鸱	56	鹏	857	(鴣)	867	(鴝)	1617	十一至	
瓜	495	鸾	203	鹏	1033	鹏	684	(鷗)	181	(鶂)	1617	十二画	
觚	104	鵁	314	鹏	422	鹏	14	(鴝)	1127	(鵯)	56	(鷥)	1759
瓟	1395	鸳	1290	鹑	1087	鹏	376	(鴛)	1672	(鵬)	1033	(鷳)	1011
瓝	486	六至七画		鹨	219	鸷	734	(鴛)	314	(鵬)	422	(鷺)	1604

字	页	字	页	字	页
窠	769	尥	106	粗	1295
(窩)	1432	皲	1774	粘	616
窒	1300	(皰)	1027	耢	823
窟	787	皸	751	(耡)	203
窬	1663	皴	1057	耤	641
窨	1551	(皺)	982	耥	1326
	1631	皱	235	耦	1012
窶	742	皻	751	耧	883
(窪)	1395	(顋)	1057	耩	677
(窮)	1119	髟	77	耪	1006
窳	1666	(皺)	1774	耰	22
(窯)	1582	(皺)	1706	耢	1024
(窠)	1582	**120**		(耧)	883
(窺)	798	**癶部**		(耢)	823
(褰)	742	癸	516	耰	1645
(寫)	314	登	286	(耀)	22
(窻)	213	(發)	365	(耰)	90
窸	1458	發	288	糯	592
窿	881	**121**		糖	967
竅	794	**矛部**		**123**	
(竄)	233	矛	923	**老部**	
(竅)	1101	柔	1156	老	817
(竇)	333	矜	504	耆	1071
(竈)	1701		709	耄	925
(竊)	1103		1106	(耆)	483
118		(務)	1448	耋	317
疋部		矞	1287	**[123]**	
疋	1560	矞	1671	**耂部**	
(疋)	1039	(種)	1106	考	766
胥	1536	(矞)	1156	老	817
疍	268	孟	923	孝	1502
蛋	269	**122**		者	1726
楚	205	**耒部**		耉	483
疐	1761	耒	826	煮	1781
疑	1608	籽	1804	耆	1785
[118]		耕	467	**124**	
疋部		耘	1687	**耳部**	
(疎)	1264	耖	162	耳	360
疏	1264	耗	546	**二画**	
119		耙	21	町	319
皮部			1015	刵	364
皮	1036				

字	页	字	页	字	页
耶	1587	(聽)	1359	(鴯)	360
	1588	(聹)	1001	**128**	
取	1128	(聽)	1359	**页部**	
三画		(聾)	880	页	1591
耷	240	**125**		**二至三画**	
闻	1429	**臣部**		顶	319
四画		臣	165	顷	1117
耻	184	臥	1433	顸	533
(耼)	267	(臥)	1433	项	1490
耿	467	(竖)	1433	顺	1283
耽	266	(竖)	1270	须	1536
(耻)	184	臧	1697	**四画**	
(耶)	1816	(竖)	1270	顼	1536
聂	1000	(臨)	862	顽	1403
耸	1297	(鹽)	1567	顾	494
五至十画		**126**		顿	336
聱	1539	**覀(西)部**			348
职	1750	西	1451	顸	1071
聘	267	要	1581	颁	34
聆	867		1585	颂	1298
聊	856	栗	842	颃	541
聍	1001	贾	491	烦	375
聋	880		657	预	1668
聒	518	覂	413	**五至七画**	
联	846	票	1046	硕	1287
(聖)	1224	覃	1106	颀	886
聘	1050		1323	顿	292
(職)	523	粟	1303	领	869
聚	741	(買)	491	颇	1057
闻	1429		657	颈	468
聩	800	覆	433		723
聪	227	(覇)	22	颉	699
聱	14	(覉)	553		1507
十一画		(羈)	634	频	656
以上		**127**		颗	1611
(聲)	1222	**而部**		颍	1362
(聰)	227	而	359	领	461
(聯)	846	耐	978		555
(聋)	1297	耍	1165	频	424
聶	1000	耎	1272	颏	1421
(職)	800	恧	1008	颖	1635
(職)	1750	鸸	360	颏	729

颏	769
	770
颊	357
颐	1608
频	1049
颓	1386
领	539
颖	1635
八至九画	
颟	1068
颗	769
颠	762
题	1340
颞	1641
颚	357
颡	1788
颜	1567
额	355
十至	
十二画	
颢	1000
颤	914
颠	303
颡	1176
颥	232
颢	547
嚣	14
	1495
	827
十三画	
以上	
颦	150
	1715
颧	1160
颥	1049
颥	1133
[128]	
頁部	
(頁)	1591
二至五画	
(頂)	319
(頃)	1117

篓 1184	篇 1042	簕 343	(籬) 1337	1663	般 34	(艬) 1611
(箋) 664	篠 203	(簿) 1018	(籭) 398	1666	102	(艦) 672
(篋) 183	篆 1792	(簆) 786	(簿) 1394	與 1662	1020	(艚) 886
算 1305	**十画**	筺 516	(籟) 809	(舉) 738	(般) 34	(鑪) 886
筭 77	簀 482	(篸) 131	簫 78	(擧) 738	航 540	(籠) 881
(箇) 462	筐 396	1696	籧 1127	**137**	舫 388	**140**
笋 900	(笃) 337	**十二至**	(籛) 664	**自部**	舸 462	**色部**
箠 217	(賫) 882	**十三画**	(籙) 889	自 1805	舭 881	色 1178
箪 56	(築) 1785	(簿) 105	(籠) 880	郋 1458	舻 886	1184
1018	箓 843	篅 425	881	臬 1000	舳 1777	艳 1572
劄 1706	篮 811	簟 312	籤 1635	臭 195	盘 1020	艴 421
1707	纂 233	簝 857	(籑) 1792	1535	舴 1703	(艷) 1572
簾 422	(筆) 76	簪 1696	1821	息 1454	舶 105	**141**
篌 398	(賫) 1688	(簡) 667	(籣) 811	(臯) 449	舲 868	**齐部**
箪 267	篯 664	(賫) 800	(籥) 1685	(皋) 1823	船 211	齐 645
箔 106	箘 1702	(簞) 267	籢 843	鼻 68	鹝 1773	1069
管 504	(篠) 1502	簰 1018	(籤) 1086	齅 1000	舷 1476	剂 647
箜 781	(筛) 1184	簠 811	(籲) 939	**138**	舵 353	齑 633
筵 1672	筐 77	(簝) 817	(籩) 79	**血部**	皱 1039	**[141]**
箫 1495	篊 183	簧 1309	(籬) 833	血 1508	舾 1456	**齊部**
箓 889	篷 1033	筺 287	(籭) 343	1549	艇 1362	(齊) 645
(筜) 1774	(篴) 192	籀 1775	(籮) 900	(衄) 1539	艄 1199	1069
簛 939	(箦) 1309	簸 107	簧 1685	(衂) 1008	艅 1662	(劑) 647
参 131	篙 455	107	(籤) 1635	衃 1028	舱 1421	(齋) 1708
1696	篱 833	(簧) 1685	(籲) 1667	衄 1008	(舼) 1722	(齎) 633
九画	箦 121	籁 809	**136**	衅 1520	艋 937	(齏) 633
(箧) 1103	(筜) 1167	(簾) 741	**臼部**	(衆) 1769	艘 1299	**142**
(箓) 1591	**十一画**	簝 272	臼 732	(衇) 913	艎 603	**衣部**
箱 1487	(簀) 612	簽 1086	臾 1659	(衊) 950	(盤) 1020	衣 1602
(範) 382	(賫) 1703	(簷) 1568	兒 991	盡 1464	艉 141	1614
篋 1731	筋 824	簾 845	(儿) 359	**139**	艏 1258	哀 2
箬 1522	簧 603	簿 121	舀 139	**舟部**	艑 86	袞 999
箦 800	歙 1304	(簫) 1495	舁 1660	舟 1772	艚 1315	衾 1105
箧 1291	篝 1792	**十四画**	舂 1584	舡 211	(艙) 133	袅 999
篇 211	1821	**以上**	舄 188	舢 1187	艜 42	衰 233
篌 81	(篓) 883	籍 641	舄 1464	舣 1611	艛 134	1273
箽 602	箦 950	(籌) 194	舅 734	舭 73	(鵃) 1773	衷 1768
篌 568	(箧) 1786	(籃) 811	(舊) 731	舰 672	(艤) 1315	衮 517
(篓) 1608	篠 1608	(籲) 1000	**[136]**	版 36	艟 188	衰 1611
篓 883	笕 330	纂 1821	**臼部**	(舩) 211	艨 936	袭 1459
箭 674	篱 890	籫 1792	(與) 1658	舱 133	(艦) 1096	袋 263
(筅) 1478	簇 232	1821			(鯛) 886	

糯 1010	既 647	翳 1619	縠 577	纫 1151	珍 1732	绣 1535
(糯) 1383	暨 650	翼 1619	(縣) 1479	**四画**	终 1766	绨 181
蘗 1000	鳖 650	(翹) 1099	(縶) 1021	纬 1419	绐 1774	绥 1464
(糶) 291	(鰲) 650	1101	膝 1337	纭 1687	绊 39	绥 1306
鬵 1671	**147**	(翶) 14	(縶) 1635	纰 566	绋 419	绯 1330
(爨) 1000	**羽部**	翻 373	(縶) 1750	纯 218	绌 205	继 648
(耀) 1355	羽 1663	(翻) 613	繄 1604	纸 1035	绍 1201	绵 1339
145	**三至八画**	翿 1542	繁 376	纱 1182	绎 1616	1343
聿部	羿 1617	耀 1587	1057	纲 447	经 717	**八画**
聿 1667	翅 186	(耀) 291	繇 1584	纳 976	726	绮 1093
肆 1295	翃 567	(耀) 1355	1651	纴 664	**六画**	绩 649
肄 1617	翁 1431	**148**	1775	纵 1151	绑 41	绪 1539
(肇) 1724	扇 1188	**糸部**	縻 939	纵 1815	绒 1154	绫 868
肇 1724	1189	**一画**	颡 827	纶 502	绔 498	缌 1816
畫 1464	(翄) 186	系 646	(纂) 1165	897	结 692	綝 165
[145]	(翄) 567	1462	(纍) 646	绐 706	697	863
肀部	翀 188	**四至六画**	1462	纷 402	绔 789	续 1540
肃 1301	翎 868	素 1301	纂 1821	纸 1752	绗 259	绮 1077
(蕭) 1301	翏 1617	(紮) 1691	(辮) 87	纹 1429	绕 1140	绯 394
[145]	(翆) 1458	1706	(纍) 824	1431	绖 316	绰 158
聿部	翌 1617	索 1311	826	纺 388	统 797	220
(盡) 711	翘 1099	紧 710	蠹 282	纼 1783	绡 1624	绸 1198
(贲) 715	1101	紊 1430	**[148]**	纠 1732	绗 540	绲 517
[145]	翔 613	紫 1635	**纟部**	纽 1004	绘 612	绳 1223
聿部	翛 1495	(紮) 1691	**二至三画**	纾 1263	给 464	绫 1165
(書) 1261	翕 1456	1706	纠 729	**五画**	642	维 1417
(畫) 1774	翔 1488	累 824	纤 1657	线 1480	绚 1545	绵 943
(畫) 589	翚 605	826	红 476	绀 446	绛 678	绶 1261
146	翥 1785	827	563	绁 1509	络 822	绷 66
艮部	翡 396	紫 263	纣 1774	绂 419	902	67
艮 466	翟 292	絮 699	纤 1092	练 849	绝 746	67
466	1709	1507	1473	绊 885	绞 685	绸 193
良 850	翠 235	縶 1750	纥 457	组 1713	统 1370	绹 1332
艰 662	**九画以上**	紫 1804	550	组 1820	**七画**	缛 877
垦 777	翦 669	絮 1540	纫 1552	绅 1209	绠 467	绰 234
恳 777	翩 1042	**八画以上**	约 1581	细 1463	绡 854	缕 1133
(艱) 662	(翫) 1402	綦 1072	1681	绅 192	缁 832	综 1705
[146]	(翬) 605	(縶) 710	纨 1401	193	1460	1812
艮部	翰 539	縣 376	级 636	织 1746	绡 1494	绽 1715
即 637	翻 555	繁 1077	纩 796	绌 729	绢 744	绾 1404
	翱 14	1119	纪 642	绒 1758	绹 496	缤 843
	翯 556	(縣) 943	645	绝 1230		绿 888

十二画	(變) 83	赳 736	壹 1604	酯 1755	醛 1708	象 1384
(繭) 665	(纜) 1633	1103	短 340	酪 959	十一画	(豗) 605
(繞) 1140	(纖) 1473	趁 169	登 286	酪 823	以上	家 653
(縫) 259	(纔) 123	(趄) 169	(豎) 1270	酬 193	醪 817	705
(纊) 1174	(纕) 1139	趋 1126	喈 146	(酧) 193	(醫) 1603	(独) 1388
(總) 1308	(纘) 894	超 158	豌 1401	酸 1006	(醬) 678	象 1491
(繚) 857	(纚) 832	六画以上	(頭) 1373	酱 678	醯 1323	(殺) 333
(繽) 613	1460	趔 861	(豐) 405	酵 691	醴 107	豢 597
(繕) 373	(纘) 1821	趑 1802	(艷) 1572	酽 1573	醮 691	豨 1457
375	(纜) 811	(趙) 1722	(豔) 1572	酾 1063	蘸 1458	豪 542
(織) 1746		(趄) 442		酲 1184	(醱) 369	(豬) 1776
(繕) 1190	**149**	趣 1129	**153**	1231	1057	豵 1816
(繒) 1705	**麦部**	趟 1326	**酉部**	酲 178	醸 742	豫 1671
1705	麦 912	1330	酉 1655	酷 789	醴 836	猭 403
(繩) 1097	麸 416	(趲) 1802	二至五画	酶 929	(釀) 1006	豭 655
十三画	麪 162	(趨) 1126	酊 319	酴 1380	(醹) 193	豳 94
(繮) 676	䴸 968	趯 1344	320	酹 827	醺 1551	燹 1478
(繩) 1223	麴 1126	趲 1696	酋 1122	酿 998	(釅) 1573	(豲) 403
(繾) 1092	**[149]**	(趲) 1696	酐 442	酸 1304	醽 869	
(繰) 1098	**麥部**		酎 1774	八至十画	(釀) 998	**156**
1177	(麥) 912	**151**	酌 1799	醋 232	釃 940	**卤部**
(繹) 1616	(麩) 416	**赤部**	配 1029	(醃) 1563	(釅) 940	卤 886
(纈) 595	(麬) 945	赤 185	酏 1611	醌 800	醴 1184	航 449
(繳) 688	(麪) 162	郝 545	酝 1690	醐 1332	1231	鹾 238
1800	(麷) 1124	赦 1206	酞 1320	醇 220	(釅) 1573	**[156]**
(繪) 612	(䴷) 968	赧 982	酕 923	醉 1823	(釃) 940	**鹵部**
(繡) 1535	(麮) 416	(赦) 982	酗 1539	醅 1028	(釁) 1520	(鹵) 886
十四画	(麴) 1126	赪 171	酚 402	醁 889	**154**	(航) 449
以上	(麵) 945	赬 1464	酡 1094	醚 1797	**辰部**	(鹹) 1476
(繻) 1538	(麮) 162	赫 555	酘 333	醛 1133	辰 166	(鹺) 238
(纊) 1551	**150**	(經) 171	(酖) 1732	醞 577	辱 1161	(鹻) 667
(纆) 1629	**走部**	赭 1726	酣 534	醍 1341	唇 219	(鹽) 1567
(纊) 796	走 1816	(赬) 171	酤 487	(醖) 1690	(脣) 219	(鹼) 667
(繽) 94	二至五画	赭 1329	酢 232	醒 1527	晨 168	**157**
(纙) 648	赴 428	**152**	1830	醜 194	蜃 1215	**里部**
(纈) 1508	赵 1722	**豆部**	酥 1300	醚 939	(農) 1004	里 834
(纘) 1540	起 729	豆 332	酡 1393	醋 1538	(晨) 1004	厘 831
(纆) 967	赶 442	剅 882	酦 369	醢 533	(賑) 150	重 189
(纏) 148	赳 1189	豇 675	1057	(醣) 1094	**155**	1770
(纇) 1030	起 1075	(豈) 1074	六至七画	醨 833	**豕部**	野 1588
(纑) 885	越 1684	豉 184	酮 1370	(醩) 1328	豕 1241	量 851
			酰 1474			855

童	1369	跕	316	（踩）	353	踵	1769	（蹺）	1098	（躅）	865	邶	58
（釐）	831	（跕）	305	七至八画		蹁	739	（蹓）	259	（躦）	1821	邺	1591
	1461	跌	316	踌	194	（蹁）	1661	蹰	204	（躧）	1777	邮	1646
158		跗	416	跟	852		1663		748	**159**		邺	976
足部		跞	1394		856	蹚	1094		749	**邑部**		邱	1120
足	1818	距	1747	踦	737		1098	蹽	856	邑	1615	邻	861
趸	348	踩	843	踉	649	蹀	352	蹼	1064	邕	1640	邸	293
登	1120		904	踊	1642	蹄	1341	（蹾）	744	扈	579	邹	1816
趷	1548	跔	736	踆	235	蹉	237		1098	雝	1641	邾	75
蹔	1696	跚	1188	踏	641	蹁	1043	蹯	376	**[159]**		郁	202
蹇	669	跑	1025	踦	1611	（蹢）	1642	蹴	232	**阝（在右）**		郡	1201
（蹹）	1696		1025	（践）	673	蹂	1157		734	**部**		邰	1316
蹙	232	跎	1393	（跰）	398	蹑	1000	蹾	348	二至四画		六画	
蹩	93	跏	655	踉	232	蹒	1021	蹲	236	邓	288	邦	514
（蠤）	348	跛	106	踔	220	蹎	303		348	邢	534	耶	1587
（躧）	748	跆	1317	（踹）	1326	（蹀）	76	蹭	139	邘	1658		1588
蹵	232	六画		踝	592	蹋	1315	蹿	232	邛	1119	郁	1667
躄	78	跬	799	踢	1338	蹈	278	蹬	287	阝	795	廊	174
（躦）	1425	（踊）	126	踏	1314	蹊	1069		289	邝	918	郑	655
[158]		跨	790		1315		1458	十三画		邦	40	郅	1756
疋部		趺	259	踟	183	（蹌）	1098	以上		邗	1523	邾	1775
二至四画		跷	1098	踩	1433	蹓	872	躁	1702	邪	1506	郎	1458
趴	1014	踌	76	颠	1761		879	躅	1777		1588	郇	571
趵	53	跐	221	踩	126	踏	641	躏	1101	（邨）	235	郐	792
	102		225	踣	305	蹯	997	躐	78	（邘）	976	郤	552
趺	1313	跹	1786	踏	106	十一画		（躃）	194	（邗）	40	郯	1103
趼	666	跣	1478	蹄	1751	（蹟）	647	躅	865	邠	93	郓	595
跃	416	跬	1474	（踡）	1133	蹚	204	（跻）	633	邬	1435		1553
趾	1072	跻	744	（踜）	1034	（蹒）	1021	（躅）	1751	邡	384	郊	681
	1081		1098	踪	1813	蹚	1326	（躍）	1684	祁	1069	郑	1741
距	741	跆	656	踺	674	蹦	67	（躚）	1474	那	974	郎	813
趾	1755	跳	1355	踞	742	蹤	1813	（躒）	843		975		814
跃	1684	跺	353	九至十画		蹜	1751		904		986	郓	1689
跨	169	跪	517	蹅	212	蹢	293	（躓）	1761		989	郡	1553
跄	1098	路	888	蹓	169		1751	（躜）	204	（那）	975	七画	
（趼）	1684	（踗）	353	蹀	317	（蹕）	1273	躜	148		978	郝	545
五画		（跡）	647	蹅	144	蹭	1304	躞	861		986	郦	1442
践	673	跻	633	（踫）	1397	（蹐）	1094	躜	1821	五画		郫	842
跖	1751	跤	684	蹉	302		1098	躜	1510	邯	534	（郑）	655
跋	19	跰	1043	踹	207	十二画		（躞）	1000	邴	97	郡	1687
		跟	465	蹄	23			（躏）	232	邳	1035	郜	457

郜 181	廊 1640	（軀）1126	（貐）1666	觸 206	訾 843	（詭）515
1454	廓 416	（躧）352	貘 967	蠻 1609	（詰）488	（詢）1553
郶 1464	鄣 1716	**161**	貔 1039	蠡 78	（詞）547	（詣）1616
郓 419	十二画	**釆部**	（玃）593	蠡 1458	（評）1054	（詢）1529
郡 752	以上	悉 1455	**164**	**166**	（詛）1819	诤 1741
八画	（郓）267	釉 1657	**龟部**	**言部**	（詞）1531	（該）435
都 329	鄐 1057	番 372	龟 513	言 1565	（詐）1707	（詳）1487
333	（鄭）925	1019	751	二至四画	（訴）550	（詫）144
（耶）1816	鄤 1190	释 1250	1120	訇 563	（詑）1605	（詡）1538
郜 1166	（鄰）861	（釋）1250	**[164]**	觝 1122	（訴）1301	誊 1337
郴 165	（鄭）1741	饕 374	**黾部**	（計）643	（診）1731	誉 1671
鄀 1067	（鄩）1553	**162**	（黾）513	訂 321	（詆）293	七画
（邮）1646	（鄧）288	**谷部**	751	（卟）425	（註）1783	誓 1251
（郧）991	（鄰）1591	谷 488	1120	（許）696	（詝）1781	（誠）704
鄲 1038	（鄶）792	1667	**165**	訏 1535	（詫）1605	（誌）1755
郭 518	鄴 1816	（卻）1135	**角部**	訌 567	（詠）1641	（誣）1436
部 120	（廓）795	郤 1464	角 684	討 1332	（詞）221	（詩）61
郫 267	鄲 1645	欲 1669	745	汕 1189	（詘）1125	（語）1664
郑 1322	（嚮）1489	鹆 1670	（觔）705	（託）1389	（詔）1722	1668
九画	酇 238	豁 1458	709	讫 1080	（詖）75	（誚）1101
鄄 1569	1697	谿 1458	斛 576	（訓）1554	（詒）1605	（誤）1450
鄞 744	酆 869	豁 587	觖 748	這 1727	六画	（誥）457
鄂 357	酂 413	617	筋 1192	1728	詧 1802	（誘）1657
鄢 1666	酅 1130	625	觚 487	（訊）1554	1805	（誨）612
鄃 1264	（饗）1489	（鸹）1670	（觚）294	（記）644	詹 1711	（誑）795
鄎 925	（酈）842	**163**	觜 1802	（訑）1605	督 143	（說）1283
（鄆）1689	（酇）238	**豸部**	1822	（訒）1150	（誆）794	1285
鄌 928	1697	豸 1756	觥 478	訚 1625	（諫）826	1684
（乡）1482	**160**	豺 146	触 206	（距）740	（試）1247	（認）1149
十至	**身部**	豹 53	（觯）700	訝 1561	（詿）496	（誦）1298
十一画	身 1208	貂 312	705	（訥）986	（詩）1229	（誒）358
鄭 925	射 1205	貆 595	解 700	許 1538	（詰）637	八画
鄘 1161	躬 477	貉 965	705	（訛）354	697	誉 1708
（鄩）1687	躯 1126	貅 1534	1510	（訢）1514	（誇）789	（誾）1625
（鄣）1435	（觥）266	貉 542	觫 1303	訩 1529	（詼）604	誉 1087
（鄒）1816	（躰）1341	555	觭 633	（訟）1297	（誠）174	（請）1118
鄯 547	（躱）477	（貉）965	觯 1761	設 1203	（誅）1775	（諸）1776
鄰 1328	躲 352	貌 925	觷 77	（訪）388	（詵）1209	（諏）1816
鄂 1563	（躶）352	（貓）920	觳 577	（訧）169	（話）590	（諾）1010
鄞 1626	躺 1329	923	（觴）1192	（訣）745	（誕）268	（諑）1799
鄠 580	（躶）901	（貘）1561	（觶）1761	五画	（詬）483	（諗）671
鄜 73	（蝦）528			詟 1726	（詮）1132	（誹）395

遷 914	(辬) 87	零 868	(霽) 649	齬 1666	952	截 699
916	(辯) 86	雾 1450	(齻) 263	齹 221	鼋 1678	雌 224
谪 1726	**168**	雹 45	(靂) 843	齰 1703	鼍 1393	雒 904
谞 668	**青部**	需 1537	(靈) 865	齮 1611	**[173]**	翟 292
谵 1629	青 1107	霆 1362	(靄) 4	齯 992	**黾部**	1709
谬 960	靓 727	霁 649	(靉) 6	龋 1128	(黾) 944	**八画以上**
十二画	855	震 1733	**171**	齷 1434	952	雕 312
以上	鹊 720	霄 1495	**非部**	齾 205	(鼋) 1678	(雚) 797
谮 1457	靖 727	霉 929	非 393	**[172]**	(黿) 160	(雛) 1305
谭 1323	静 727	霅 1708	斐 731	**齒部**	(鼅) 1395	瞿 1127
谮 1704	(靓) 727	霖 973	剕 398	(齒) 184	(鼇) 1701	(雙) 1275
谯 1099	855	霈 1030	棐 396	(齔) 169	(鼈) 14	雠 194
1101	靛 312	**八至**	辈 62	(齕) 554	(鼈) 92	(雞) 629
谰 811	(鹊) 720	**十二画**	斐 396	(齗) 1626	(鼉) 1393	(雛) 203
谱 1064	**169**	霡 1633	悲 55	(齘) 1509	**174**	(雜) 1691
谪 748	**卓部**	霖 864	蜚 394	(齜) 22	**隹部**	(離) 831
谳 1573	乾 1090	霏 394	396	(齣) 776	隹 1795	雝 1641
谴 1092	(乾) 438	霓 992	裴 1029	1082	**二至六画**	(難) 980
谵 1542	韩 535	霍 625	翡 396	(齟) 739	隼 1309	982
谮 1711	戟 643	霎 1184	(韠) 62	(齡) 1703	隽 744	耀 1587
谶 337	朝 160	(霑) 1710	韣 767	(齢) 869	(隽) 751	矍 192
雠 194	1721	霜 1276	靡 939	(齦) 196	(隻) 1744	(耀) 291
谯 1574	(幹) 445	霢 914	940	(齠) 45	难 980	(矍) 192
谨 593	(榦) 445	霞 1466	**172**	(齬) 1354	982	194
谶 170	斡 1434	(霧) 865	**齿部**	(齧) 1000	雀 1098	(矍) 192
167	翰 539	(霡) 914	齿 184	(齜) 1802	1100	194
辛部	(韓) 535	霤 878	龀 169	(齩) 1584	1135	(耀) 1355
辛 1515	**170**	(霧) 1022	龁 554	(齦) 777	售 1260	**175**
辜 487	**雨(⻗)部**	(霧) 1450	啮 1000	1626	雁 1573	**阜部**
辞 223	雨 1664	霪 1626	龂 1626	(齬) 1666	雄 1530	阜 428
(皋) 1823	1667	霭 4	龅 1509	(齻) 221	雅 1558	**[175]**
辟 76	**三至七画**	霨 1425	齟 22	(齰) 1703	1560	**阝(在左)**
1036	零 1661	霭 1459	䶵 776	(齮) 1611	集 639	**部**
1040	雪 1548	霰 1482	1082	(齯) 992	(隽) 744	**二至四画**
辣 806	(雲) 1686	**十三画**	龃 739	(齦) 1128	焦 683	队 343
(辝) 223	雳 843	**以上**	龄 869	(齷) 1434	雇 494	阢 1448
辨 86	雾 402	霸 22	龅 45	(齜) 1584	雎 736	阡 1084
辩 86	雯 1429	露 884	龆 1354	(齾) 205	雉 1761	阱 723
(辦) 37	雩 1022	890	龇 1802	**173**	雏 484	阮 1163
辫 87	(電) 305	(霧) 1022	龈 777	**黽部**	雏 203	(阪) 355
(辭) 223	雷 825	霹 1036	1626	黾 944	雍 1640	阵 1732
瓣 40		霾 911				

（阯）1752	陟 1758	**十画**	（崺）1625	鋬 673	（铛）920		1064
阳 1575	（隋）1101	**以上**	崟 1625	（钜）1668	（铕）1655	（锆）1443	
阪 35	陾 1000	隞 14	（钎）538	（钲）1735	（铖）177		1666
阶 692	隕 1688	隔 461	（钆）447	（钳）1090	（铗）1357	（铗）656	
阴 1621	（陸）1216	隙 1464	（钍）1382	（钴）491	（铙）1588	（铽）1336	
防 385	除 202	（隕）1688	（钏）786	（钵）102	（铚）1759	（销）1495	
阧 331	险 1478	（隑）437	（钎）1085	（钶）1270	（铝）891	（锃）538	
五画	院 1680	（陽）1448	（钐）1187	（钷）1057	（铞）316	（锂）1705	
际 646	隁 1466	隖 877		1189	（钹）104	（铟）1624	（锁）60
陆 878	（陸）878	临 6	（钓）314	（铁）1684	（铢）1776	（锄）203	
	887		887	（隔）461	（钒）375	（钽）1324	（铣）1460	（锂）836
阿 1	陵 867	（隙）1464	（钕）1008	（钼）972		1478	（锭）1800
	354	陬 1816	（際）646	（钗）145	（钿）203	（铥）324	（锆）457
（阿）2	（陳）167	（隘）1640	**四画**		738	（铤）323	（锇）355
陇 881	陲 217	障 1719	（钘）1526	（钾）657		1362	（锈）1535
陈 167	陴 1038	陳 1464	（钛）416	（钿）311		1474	（锉）238
阽 310	（陰）1621	（墮）353	（钙）437		1350	（铤）147	（锊）896
	1566	陶 1331		605	（钚）120	（铀）1649	（铦）1491	（锋）412
阻 1819		1582	（隨）1306	（钛）1320	（铂）104	（铧）1040	（锌）1515
阼 1829	陷 1481	（隤）1386	（钣）566	（铃）867	（铨）1133	（铳）877	
陁 1392	陪 1028	隩 15	（钜）739	（铄）1460	（铪）528	（锐）1165	
附 427	**九画**		1671		740	（铅）1086	（铫）316	（锦）1338
陀 1392	（隉）1466	（隣）861	（钝）348		1567		1582	（银）814
陂 55	隋 1306	隧 1308	（钒）1036	（钩）481	（铭）958	（锓）1107	
	1038	堕 353	（险）1478	（钞）158	（铆）924	（铬）463	（锔）736
	1056		605	隰 1459	（钠）977	（铈）52	（铮）1736		737
陉 1526	随 1306	（隱）1628	（钡）1040	（铈）1250		1743	（锕）2
六至八画	（階）692	隳 605	（钣）36	（铉）1545	（铯）1179	鋬 1450	
陋 883	（隤）290	（隴）881	（钤）1087	（铊）1313	（铰）686	**八画**	
陌 964	（陽）1575	**176**	（钦）1104		1393	（铱）1604	鋬 1697
陕 1188	隅 1661	**金部**	（钩）751	（铋）75	（铳）191	（锖）1094	
陷 437	限 1413	金 706	（钩）481	（铌）992	（铵）10	（铼）90	
（隤）515	隙 1386	**一至三画**	（钪）765	（铍）1036		1038	（锒）156
降 677	（阴）1000	（钆）434	（钫）385		1038	（银）1625	（锗）1726
	1487	隍 602	（钉）1611	（钬）623	（铒）969	（铷）1159	（锜）633
陔 435	隗 798	（针）1728	（钭）1376	**六画**	鋬 894	（错）238	
限 1480		1421	（钉）318	（钮）1004	銮 1120	**七画**	（锘）1010
陲 331	（隂）1621		321	（钯）21	（铷）1526	鋬 1022	（锚）923
（陣）1732	隆 879	（钊）1719		1015	（铸）767	（鋈）1688	（铗）1632
（陝）1188		881	（钋）1056	**五画**	（铑）822	（钳）339	（铼）809
陸 75	隐 1628	（钉）858	釜 1635	（铒）362	（铼）1123	（锛）63	
（陘）1526	（隊）343		858	釜 1635	（铕）567	（铺）1061	（锜）1072

八画	鳌 14	(魝) 643	(鲞) 1489	(鳃) 1169	(鳉) 404	勒 824
鲭 1115	臘 1337	(魷) 1649	**七画**	(鳄) 357	(鳝) 1461	824
1736	鳍 1073	(魨) 1389	(鳌) 129	(鲭) 587	(鳠) 1554	靬 1090
鲮 869	鳎 1314	(魯) 886	(鲠) 468	(鳅) 1121	(鳡) 517	靰 1450
鲯 1073	鳒 504	(鲂) 387	(鲤) 836	(鳆) 433	(鲤) 1190	级 1168
鲰 1816	鳐 1584	(魮) 19	(鲦) 945	(鳇) 81	(鳝) 1190	(靭) 1151
鲺 625	鲥 1431	**五画**	(鲧) 518	(鳇) 603	(鳞) 864	靴 1546
鲱 394	鳔 1023	(鲅) 22	(鲨) 1341	(鳏) 1133	(鳟) 1824	靳 715
鲲 801	鳒 664	(鲆) 1056	(鲩) 597	(鳑) 1121	(鳠) 1554	靷 1629
鲳 151	**十一画**	(鲇) 996	(鲪) 751	(鳊) 81	(鳢) 103	靶 21
鲴 495	鳌 953	(鲉) 1651	(鲫) 650	(鳚) 1465	**十三画**	**五画**
鲵 992	鳙 824	(鮓) 1707	(鲬) 1642	(鲦) 1157	(鳤) 572	靺 965
鲷 313	鳚 91	(鮃) 1300	(鲝) 1489	(鳎) 650	(鳥) 580	鞁 242
鲸 722	鳕 1549	(鮒) 433	(鲨) 1183	**十画**	(鳦) 445	鞅 1574
鲹 890	鳗 914	(鲌) 22	**八画**	(鳌) 14	(鳧) 517	1580
鲼 1231	鳞 1476	106	(鲭) 1115	(鳍) 1073	(鳨) 836	鞋 40
鲮 1211	鳔 650	(鲋) 1631	1736	(鳘) 848	(鳩) 1539	(鞀) 1332
鲻 1802	鳉 764	(鲍) 736	(鲮) 869	(鳙) 1240	(鳪) 792	鞁 62
九画	鳙 1641	(鲍) 53	(鲯) 1073	(鳚) 1314	(鳫) 1711	勒 1587
鳍 218	鳚 1425	(鲏) 518	(鲰) 1816	(鳛) 504	**十四画**	**六画**
鳆 404	鳝 1459	(鲐) 1393	(鲥) 625	(鳜) 1354	**以上**	(鞏) 478
鲽 317	鳖 92	(鲖) 422	(鲱) 394	(鳝) 1231	(鳰) 505	鞋 1507
鳓 806	**十二画**	(鲅) 1039	(鲲) 801	(鳞) 1584	(鳱) 1476	鞑 242
鳒 68	**以上**	(鲐) 1317	(鲳) 151	(鳟) 1431	(鳲) 649	鞒 1099
鲢 850	鳢 1461	**六画**	(鲴) 495	(鳠) 1023	(鳳) 1731	(鞓) 1332
鲲 1341	鳞 517	(鲞) 225	(鲵) 992	(鳡) 664	(鳴) 861	鞍 9
鲴 1426	鳝 1190	(鲑) 514	(鲷) 313	**十一画**	(鳵) 357	鞌 9
鳃 1414	鳞 864	1507	(鲸) 722	(鳌) 953	(鳶) 886	**七至八画**
鰓 1169	鳟 1824	(鲇) 700	(鲹) 890	(鳢) 824	(鳷) 833	鞘 1101
鳄 357	鳜 580	(鲔) 1421	(鲼) 1231	(鳣) 664	**178**	1199
鳎 587	鳝 445	(鲕) 360	(鲮) 1802	(鳤) 91	**隶部**	鞓 1360
鳅 1121	鳢 836	(鲖) 1370	**九画**	(鳥) 1549	隶 842	鞔 914
鳆 433	鳣 1711	(鲗) 609	(鲼) 218	(鳗) 914	(隸) 842	鞲 67
鳇 603	鳤 505	(鲘) 572	(鲽) 317	(鳖) 650	(隷) 842	鞍 807
鳏 1133	鱲 1731	(鮳) 1724	(鳀) 806	(鳙) 764	**179**	(鞚) 1198
鳋 676	鱻 861	(鲍) 1418	(鳂) 68	(鳚) 1641	**革部**	鞞 98
鳉 1121	**[177]**	(鲒) 1619	(鳃) 850	(鳛) 1425	革 459	鞠 736
鳊 81	**鱼部**	(鲛) 684	(鳅) 1341	(鳜) 676	637	鞟 802
鰕 1465	(鱼) 1659	(鲜) 1474	(鳆) 1704	(鳝) 1459	**二至四画**	鞡 67
鲦 1157	**二至四画**	1478	(鳇) 1426	(鳞) 1211	靪 319	鞢 783
鳌 650	(刬) 275	(鲅) 9	(鳃) 1414	**十二画**	靫 632	鞬 664
十画	(釭) 567	(鲞) 1707				**九画**

(饒) 1190	髯 1138	融 1156	961	(廬) 230	(廫) 929
(饌) 1792	髻 1001	翩 555	麀 605	**195**	**198**
(餓) 626	髵 422	鬴 425	磨 962	**鼎部**	**鼓部**
(饘) 1711	鬢 1354	鬶 515	967	鼎 320	鼓 491
(饟) 960	髮 77	(鬷) 515	(麖) 929	鼐 978	瞽 492
(饢) 147	髫 923	(鬻) 1619	麇 929	鼏 1802	(瞽) 325
(饢) 900	髻 650	鬻 1671	939	**196**	鼕 1332
(饢) 982	髭 1802	**190**	939	**黑部**	鼖 1039
983	髹 1534	**鬥部**	麚 939	黑 556	鼙 1337
186	髻 1736	(鬥) 331	麛 940	墨 966	**199**
音部	髯 843	(鬨) 331	麈 1009	默 966	**鼠部**
音 1622	髻 1786	(鬩) 985	麂 963	黔 1091	鼠 1268
章 1716	髣 293	(鬧) 567	(麐) 960	黚 267	鼢 403
竟 726	(髹) 1296	(鬪) 1464	(麞) 929	(點) 304	鼧 1240
歆 1517	髻 1433	(鬬) 331	**194**	黜 206	鼩 20
韵 1690	鬋 1033	(鬮) 729	**鹿部**	黝 1655	鼬 1657
意 1617	鬟 1133	**191**	鹿 888	黛 263	鼪 1223
韶 1200	鬟 1813	**高部**	(麂) 230	黡 1571	鼩 1127
頴 446	(鬋) 575	高 449	麒 416	點 1466	鼫 1393
(韻) 1690	鬍 806	部 547	麂 1645	黟 1604	(鼦) 312
(響) 1488	鬢 1394	(槀) 455	麐 643	黧 1266	鼯 1443
(韺) 446	鬆 730	敲 1098	(麈) 165	黢 1126	鼱 722
贛 446	鬎 669	膏 454	麗 890	(黨) 272	(鼰) 1572
(贛) 446	鬐 1073	457	麐 751	黲 337	鼴 1572
187	鬒 1732	(槀) 455	1137	黥 1117	鼹 1458
首部	鬄 1344	窩 556	(麀) 1025	黤 1685	**200**
首 1257	鬚 848	**192**	麈 1781	黥 131	**鼻部**
馗 798	鬟 95	**黄部**	麐 655	黧 833	鼻 68
馘 523	鬘 915	黄 599	麛 939	黯 13	鼽 1619
188	(鬢) 1536	斟 1355	(麘) 864	(顊) 1732	鼽 1123
髟部	鬐 1179	黇 1349	麤 890	臁 263	鼾 534
(髟) 800	鬒 595	黌 567	(麗) 831	(黪) 131	(鼬) 1008
髤 800	(鬢) 95	(黌) 567	840	(黴) 929	齁 567
髦 292	(鬢) 1001	**193**	麒 1073	黶 1712	齆 1432
(髵) 95	鬚 861	**麻部**	(麐) 751	(黶) 1571	齇 1706
(髹) 1534	(鬢) 1821	麻 905	1137	顊 337	齉 983
(髻) 1138	**189**	905	麗 992	**197**	**201**
髦 923	**鬲部**	麼 961	麐 14	**黍部**	**龠部**
髣 388	鬲 460	(麼) 910	麚 722	黍 1267	龠 1685
髡 270	842	925	麝 1207	黏 996	(龢) 550
(髮) 372	(瓹) 842	摩 905	(麞) 1716	稻 1333	
	鬻 1619		麟 864		

(三)难检字笔画索引

(字右边的号码指词典正文的页码)

一画		千	1083	云	1686	卜	83	右	1656	用	1642	在	1694
○	865	毛	1389	专	1786	为	1414	布	119	甩	1274	百	28
乙	1609	乞	1073	丐	437		1422	戊	1448	氏	289	而	359
二画		川	207	廿	997	尹	1626	平	1050		293	成	1269
丁	317	(囚)	1407	不	348	尺	164	东	324	乐	823	死	1291
	1734	久	730	五	1443		183	(戉)	1684		1683	成	171
七	1066	么	910	(币)	1691	夬	499	卡	753	匆	227	夹	434
乂	1612		925	丏	944	(弔)	313		1082	册	136		651
匕	69	(么)	1580	卅	1169	丑	194	北	57	包	42		655
九	730	丸	1401	不	109	巴	17	凸	1377	兰	809	尧	1582
习	312	及	635	右	923	以	1609	归	511	半	37	乩	629
了	824	丫	1556	牙	1558	予	1658	且	735	头	1373	师	1229
	857	义	1612	屯	1388		1663		1102	必	73	曳	1591
乃	977	之	1743		1797	书	1261	甲	656	司	1287	曲	1124
也	949	孑	695	互	577	**五画**		申	1207	民	950		1127
	999	卫	1421	卝	795	未	1422	电	305	弗	417	肉	1157
三画		孓	745	(丼)	1138	末	963	由	1646	疋	1560	年	995
三	1170	也	1588	中	1761	(末)	925	史	1240	(疋)	1039	朱	1775
干	438	(叉)	1149		1769	击	626	央	1574	出	195	丢	323
	445	飞	391	午	1445	戋	660	目	1611	氹	273	乔	1098
亍	205	习	1458	壬	1149	正	1734	冉	1138	卯	505	乒	1050
于	1658	乡	1482	升	1216		1737	(册)	136	丝	1288	乓	1022
亏	797	**四画**		夭	1581	甘	440	凹	13	**六画**		向	1489
才	122	丰	405	长	151	世	1243		1395	(丢)	323	凶	1518
下	1466	亓	1069		1716	册	1461	乍	434	戎	1153	后	568
丈	1718	开	754	反	376	本	63	生	1216	考	766	角	887
与	1658	井	723	爻	1582	术	1269	失	1226	亚	1561	兆	1722
	1663	天	1344	乏	369		1776	乍	1707	亘	466	产	149
	1666	夫	415	氏	1242	可	770	丘	1120	吏	840	关	500
万	963		417		1744		773	斥	184	再	1693	州	1772
	1405	元	1672	丹	263	丙	97	巵	1744	(亙)	466	兴	1520
上	1193	无	960	乌	1434	左	1825	乎	572	戌	1129		1527
	1193		1436		1447	丕	1034	丛	229		1535	农	1004

现代汉语词典

A

a

ā（丫）

吖 ā ［吖嗪］(āqín) 图 有机化合物的一类，呈环状结构，含有一个或几个氮原子，如吡啶、哒嗪、嘧啶等。［英 azine］

阿 ā 〈方〉前缀。❶ 用在排行、小名或姓的前面，有亲昵的意味：～大｜～宝｜～唐。❷ 用在某些亲属名称的前面：～婆｜～爹｜～哥。

另见2页 ǎ·a"啊"；354页 ē。

【阿鼻地狱】ābí dìyù 佛教指最深层的地狱，是犯了重罪的人死后灵魂永远受苦的地方。［阿鼻，梵 avīci］

【阿昌族】Āchāngzú 图 我国少数民族之一，分布在云南。

【阿斗】Ā Dǒu 图 三国蜀汉后主刘禅的小名。阿斗为人庸碌，后多用来指懦弱无能的人。

【阿尔茨海默病】ā'ěrcíhǎimòbìng 图 老年性痴呆的一种，多发生于中年或老年的早期，因德国医生阿尔茨海默(Alois Alzheimer)最先描述而得名。症状是短期记忆丧失，认知能力退化，逐渐变得呆傻，以至生活完全不能自理。

【阿尔法粒子】ā'ěrfǎ lìzǐ 某些放射性物质衰变时放射出来的氦原子核，由两个中子和两个质子构成，质量为氢原子的4倍，带正电荷，穿透力不强。通常写作 α 粒子。［阿尔法，希腊字母 α 的音译］

【阿尔法射线】ā'ěrfǎ shèxiàn 放射性物质放射出来的阿尔法粒子流。通常写作 α 射线。

【阿飞】āfēi 图 指穿着奇装异服、举动轻狂的青少年流氓。

【阿伏伽德罗常量】āfújiādéluó chángliàng 指 1 摩尔任何物质所含的分子数，约等于 6.022×10^{23}。因纪念意大利化学家阿伏伽德罗(Amdeo Avogadro)而得名。旧称阿伏伽德罗常数。

【阿公】āgōng 〈方〉图 ❶ 丈夫的父亲。❷ 祖父。❸ 尊称老年男子。

【阿訇】āhōng 图 我国伊斯兰教称主持清真寺教务和讲授经典的人。［波斯 ākhūnd］

【阿拉伯人】Ālābórén 图 亚洲西南部和非洲北部的主要居民。原住阿拉伯半岛，多信伊斯兰教。［阿拉伯，阿拉伯语 Arab］

【阿拉伯数字】Ālābó shùzì 国际通用的数字，就是 0,1,2,3,4,5,6,7,8,9。最初由印度人发明、使用，因后经阿拉伯人传入欧洲，所以叫阿拉伯数字。

【阿兰若】ālánrě 图 见809页【兰若】。［梵 araṇya］

【阿罗汉】āluóhàn 图 见899页【罗汉】。［梵 arhat］

【阿猫阿狗】āmāo āgǒu 〈方〉泛指某类人或随便什么人(含轻蔑意)。

【阿门】āmén 犹太教、基督教祈祷时常用的结束语，"但愿如此"的意思。［希伯来 āmēn］

【阿片】āpiàn 图 从尚未成熟的罂粟果里取出的乳状液体，干燥后变成淡黄色或棕色固体，味苦。医药上用作止泻药和镇痛药。常用成瘾，是一种毒品。用作毒品时，叫鸦片。

【阿婆】āpó 〈方〉图 ❶ 丈夫的母亲。❷ 祖母。❸ 尊称老年妇女。

【阿Q】Ā Q 图 鲁迅小说《阿Q正传》的主人公，是"精神胜利者"的典型，受了屈辱，不敢正视，反而用自我安慰的办法，说自己是"胜利者"。

【阿是穴】āshìxué 图 中医在针灸上把没有固定名称的穴位，以酸、麻、胀、痛等感觉最明显的部位或病痛处作为穴位，叫做阿是穴。

【阿嚏】ātì 拟声 形容打喷嚏的声音。

【阿姨】āyí 图 ❶ 〈方〉母亲的姐妹。❷ 称呼跟母亲辈分相同、年纪差不多的无亲属关系的妇女：王～｜售票员～。❸ 对保育员或保姆的称呼。

啊（啊）ā 叹 表示惊异或赞叹：～，出虹了！｜～，今年的庄稼长得真好哇！

另见 2 页 á；2 页 ǎ；2 页 à；2 页

·a。"呵"另见 547 页 hē;768 页 kē。

锕(錒) ā 名 金属元素,符号 Ac (actinium)。银白色,有放射性。锕-227 用作航天器的热源。

腌 ā 〔腌臢〕(ā·zā)〈方〉❶ 形 脏;不干净:房子里太～了,快打扫扫吧。❷ 形 (心里)别扭;不痛快:晚到一步,事没办成,～透了。❸ 动 糟践;使难堪:算了,别～人了。

另见 1563 页 yān。

á (Ý)

啊(呵) á 叹 表示追问:～? 你明天到底去不去呀? |～? 你说什么?

另见 1 页 ā;2 页 ǎ;2 页 à;2 页 ·a。"呵"另见 547 页 hē;768 页 kē。

嘎 á 同"啊"(á)。

另见 1184 页 shà。

ǎ (Ý)

啊(呵) ǎ 叹 表示惊疑:～? 怎么会有这种事?

另见 1 页 ā;2 页 á;2 页 à;2 页 ·a。"呵"另见 547 页 hē;768 页 kē。

à (Ỳ)

啊(呵) à 叹 ❶ 表示应诺(音较短):～,好吧。❷ 表示明白过来(音较长):～,原来是你,怪不得看着面熟哇! ❸ 表示赞叹或惊异(音较长):～,伟大的祖国! |～,真没想到他会取得这么好的成绩!

另见 1 页 ā;2 页 á;2 页 ǎ;2 页 ·a。"呵"另见 547 页 hē;768 页 kē。

·a (·Ý)

啊(阿、呵) ·a 助 ❶ 用在感叹句末,表示增强语气:多

好的天儿～! |他的行为多么高尚～! ❷ 用在陈述句末,使句子带上一层感情色彩:这话说得是～! |我也没说你全错了～! ❸ 用在祈使句末,使句子带有敦促或提醒意味:慢慢儿说,说清楚点儿～|你可别告诉小邓～! ❹ 用在疑问句末,使疑问语气舒缓些:他什么时候来～? |你吃不吃～? ❺ 用在句中稍作停顿,让人注意下面的话:这些年～,咱们的日子越过越好啦。❻ 用在列举的事项之后:书～,报～,杂志～,摆满了一书架。❼ 用在重复的动词后面,表示过程长:乡亲们盼～,盼～,终于盼到了这一天。|| 注意 "啊"用在句末或句中,常受到前一字韵母或韵尾的影响而发生不同的变音,也可以写成不同的字:

前字的韵母或韵尾	"啊"的发音和写法
a,e,i,o,ü	a→ia 呀
u,ao,ou	a→ua 哇
-n	a→na 哪
-ng	a→nga

另见 1 页 ā;2 页 á;2 页 ǎ;2 页 à。"阿"另见 1 页 ā;354 页 ē。"呵"另见 547 页 hē;768 页 kē。

āi (ㄞ)

哎 āi 叹 ❶ 表示惊讶或不满意:～! 真是想不到的事|～! 你怎么能这么说呢! ❷ 表示提醒:～,我倒有个办法,你们大家看行不行!

【哎呀】āiyā 叹 ❶ 表示惊讶:～! 这瓜长得这么大呀! ❷ 表示埋怨、不耐烦、惋惜、为难等:～,你怎么来得这么晚呢! |～,你就少说两句吧! |～,时间都白白浪费了|～,这事不好办哪!

【哎哟】āiyō 叹 表示惊讶、痛苦、惋惜等:～! 都十二点了! |～! 我肚子好疼! |～,咱们怎么没有想到他呀!

哀 āi ❶ 悲伤;悲痛:悲～|～鸣。❷ 悼念:～悼|～默。❸ 怜悯:～怜|～矜|～其不幸。❹ (Āi)名 姓。

【哀兵必胜】āi bīng bì shèng 《老子》六十九章:"故抗兵相若,则哀者胜矣。"对抗的

两军力量相当,悲愤的一方获得胜利。指受压抑而奋起反抗的军队,必然能打胜仗。

【哀愁】āichóu 〖形〗悲哀忧愁:～的目光。

【哀辞】āicí 〈书〉〖名〗哀悼死者的文章,多用韵文。

【哀悼】āidào 〖动〗悲痛地悼念(死者):～死难烈士|表示沉痛的～。

【哀的美敦书】āidìměidūnshū 〖名〗最后通牒。[哀的美敦,英 ultimatum]

【哀告】āigào 〖动〗苦苦央告:四处～。

【哀歌】āigē ❶ 〖动〗悲哀地歌唱:俯首～。❷ 〖名〗悲伤的歌曲:一曲～。

【哀号】āiháo 〖动〗悲哀地号哭。也作哀嚎。

【哀嚎】āiháo ❶ 同"哀号"。❷ 〖动〗悲哀地嚎叫:饿狼～。

【哀鸿遍野】āi hóng biàn yě 比喻到处都是呻吟呼号、流离失所的灾民(哀鸿:哀鸣的大雁)。

【哀矜】āijīn 〈书〉〖动〗哀怜。

【哀苦】āikǔ 〖形〗悲哀痛苦:～无依的孤儿。

【哀怜】āilián 〖动〗对别人的不幸遭遇表示同情:孤儿寡母,令人～。

【哀鸣】āimíng 〖动〗悲哀地叫:寒鸦～。

【哀戚】āiqī 〈书〉〖形〗悲伤。

【哀启】āiqǐ 〖名〗旧时死者亲属叙述死者生平事略的文章,通常附在讣闻之后。

【哀泣】āiqì 〖动〗悲伤地哭泣:嘤嘤～。

【哀切】āiqiè 〖形〗凄切(多用来形容声音、眼神等):情辞～。

【哀求】āiqiú 〖动〗苦苦请求:～饶命|百般～。

【哀荣】āiróng 〈书〉〖名〗指死后的荣誉。

【哀伤】āishāng 〖形〗悲伤:哭声凄切～|请保重身体,切莫过于～。

【哀思】āisī 〖名〗悲哀思念的感情:寄托～。

【哀叹】āitàn 〖动〗悲哀地叹息:独自～|～自己的不幸遭遇。

【哀恸】āitòng 〖形〗极为悲痛:伟人长眠,举世～。

【哀痛】āitòng 〖形〗悲伤;悲痛:～欲绝|感到十分～。

【哀婉】āiwǎn 〖形〗(声音)悲伤而婉转:歌声～动人。

【哀艳】āiyàn 〈书〉〖形〗形容文辞凄切而华丽:～之词|诗句～缠绵。

【哀怨】āiyuàn 〖形〗悲伤而又怨恨:～的笛声|倾诉内心的～。

【哀乐】āiyuè 〖名〗悲哀的乐曲,专用于丧葬或追悼。

埃¹ āi 〖名〗灰尘;尘土:尘～|黄～蔽天。

埃² āi 〖量〗长度的非法定计量单位,符号 Å。1 埃等于 10^{-10}(一百亿分之一)米。主要用来计量微小长度。这个单位名称是为纪念瑞典物理学家埃斯特朗(Anders Jonas Ångström)而定的。

【埃博拉出血热】āibólā chūxuèrè 急性传染病,病原体是埃博拉病毒,通过身体接触传染。症状是高热、肌肉痛、腹泻、小血管和毛细血管出血等,很快导致肾功能衰竭,出现休克和昏迷,死亡率很高。也叫埃博拉病毒病。

挨 āi ❶ 〖动〗靠近;紧接着:他家～着工厂|学生一个～一个地走进教室。❷ 〖介〗顺着(次序):把书～着次序放好|～门～户地检查卫生。

另见 4 页 ái。

【挨边】āi∥biān (～儿)❶ 〖动〗靠着边缘:上了大路,要挨着边儿走。❷ 〖动〗接近(某数,多指年龄):我六十～儿了。❸ 〖形〗接近事实或事物应有的样子:你说的太不～儿!

【挨次】āicì 〖副〗顺次:～入场|～检查。

【挨个儿】āigèr 〈口〉〖副〗逐一;顺次:～盘问|～上车。

【挨肩儿】āijiānr 〈口〉〖动〗同胞兄弟姐妹排行相连,年岁相差很小:这哥儿俩是～的,只差一岁。

【挨近】āi∥jìn 〖动〗靠近:你～我一点儿|两家挨得很近。

唉 āi 〖叹〗❶ 表示应答:～,我在这儿|～,我知道了。❷ 表示叹息:～,有什么办法呢?|他双手抱着头,～～地直叹气。

另见 5 页 ài。

【唉声叹气】āi shēng tàn qì 因伤感、烦闷或痛苦而发出叹息的声音。

娭 āi [娭毑(āijiě)]〈方〉〖名〗❶ 祖母。❷ 尊称年老的妇女。

另见 1454 页 xī。

欸 āi 同"唉"(āi)。

另见 4 页 ái;358 页 ē̄;358 页 é;358 页 ě;358 页 ề。

嗳(噯) āi 同"哎"。

另见 4 页 ǎi;6 页 ài。

A

锿(鎄) āi 名 金属元素,符号 Es (einsteinium)。有放射性,由人工核反应获得。

ái （ㄞˊ）

挨(捱) ái 动 ❶ 遭受;忍受:～饿|～了一顿打。❷ 困难地度过 (岁月):苦日子好不容易～过来了。❸ 拖延:他舍不得走,～到第二天才动身。
另见 3 页 āi。

【挨板子】ái bǎn·zi 被人用板子责打,比喻受到严厉的批评或处罚。

【挨批】ái//pī 动 受到批评或批判:挨了一顿批。

【挨宰】ái//zǎi 〈口〉动 比喻购物或接受服务时被索取高价而遭受经济损失。

【挨整】ái//zhěng 动 受到打击迫害:他过去挨过整。

骏(駿) ái 〈书〉傻:痴～|愚～。

皑(皚) ái 〈书〉洁白:～如山上雪,皎若云间月。

【皑皑】ái'ái 形 形容霜、雪洁白:白雪～。

癌 ái (旧读 yán) 名 上皮组织生长出来的恶性肿瘤,常见的有胃癌、肺癌、肝癌、食管癌、肠癌、乳腺癌等。

【癌变】áibiàn 动 组织细胞由良性病变转化为癌症病变。

【癌症】áizhèng 名 生有恶性肿瘤的病:身患～。

ǎi （ㄞˇ）

毐 ǎi 用于人名。嫪毐(Lào'ǎi),战国时秦国人。

欸 ǎi [欸乃](ǎinǎi)〈书〉拟声 ❶ 形容摇橹的声音。❷ 划船时歌唱的声音。
另见 3 页 āi;358 页 ē;358 页 é;358 页 ě;358 页 è。

嗳(噯) ǎi 叹 表示不同意或否定:～,不是这样的|～,话可不能那么说。
另见 3 页 āi;6 页 ài。

【嗳气】ǎiqì 动 胃里的气体从嘴里出来,并发出声音。通称打嗝儿。

【嗳酸】ǎisuān 动 胃酸从胃里涌到嘴里。

矮 ǎi 形 ❶ 身材短:～个儿|个头儿不～。❷ 高度小的:～墙|～凳儿。❸ (级别、地位)低:他在学校里比我～一级。

【矮半截】ǎi bànjié (～儿)〈口〉相比之下低很多,多比喻在身份、地位、水平等方面差得远:他很自卑,觉得自己比别人～。

【矮墩墩】ǎidūndūn (～的)形 状态词。形容矮而粗壮:他长得～的。

【矮小】ǎixiǎo 形 又矮又小:身材～。

【矮星】ǎixīng 名 光度小、体积小、密度大的恒星,如天狼星的伴星。

【矮子】ǎi·zi 名 个子矮的人。

蔼¹(藹) ǎi ❶ 和气;态度好:和～|～～然。❷ (Ǎi)名 姓。

蔼²(藹) ǎi 〈书〉繁茂。

【蔼蔼】ǎi'ǎi 〈书〉形 ❶ 形容树木茂盛。❷ 形容昏暗。

【蔼然】ǎirán 形 和气;和善:～可亲。

霭(靄) ǎi 〈书〉云气:烟～|暮～。

ài （ㄞˋ）

艾¹ ài 名 ❶ 多年生草本植物,叶子有香气,可入药,内服可做止血剂,又供灸法上用。也叫艾蒿。❷ (Ài)姓。

艾² ài 〈书〉年老的,也指老年人:耆～。

艾³ ài 〈书〉停止:方兴未～。

艾⁴ ài 〈书〉美好;漂亮:少～(年轻漂亮的人)。
另见 1613 页 yì。

【艾蒿】àihāo 名 艾❶。

【艾虎】¹ àihǔ 名 艾鼬。

【艾虎】² àihǔ 名 用艾做成的像老虎的东西,旧俗端午节给儿童戴在头上,认为可以驱邪。

【艾绒】àiróng 名 把艾叶晒干捣碎而成的绒状物,中医用来治病。参看 731 页"灸"。

【艾窝窝】àiwō·wo 名 用熟糯米做成的球形食品,有馅儿。也作爱窝窝。

A

【艾叶豹】àiyèbào 图雪豹。

【艾鼬】àiyòu 图哺乳动物,比黄鼬稍大,颈较长,四肢短,背部棕黄色或淡黄色。性凶猛,昼伏夜出,捕食小动物。也叫艾虎。

【艾滋病】àizībìng 图获得性免疫缺陷综合征的通称,是一种传染病。病原体是人类免疫缺陷病毒,通过性接触及血液、母婴等途径传播,侵入人体后,使丧失对病原体的免疫能力。蔓延迅速,死亡率高。[艾滋,英 AIDS,是 acquired immune deficiency syndrome 的缩写]

怸 ài 〈书〉同"爱"。

砹 ài 图非金属元素,符号 At(astatium)。有放射性,自然界分布极少。可用作示踪剂。

唉 ài 叹表示伤感或惋惜:~,病了几天,把工作都耽误了|~,好好的一套书弄丢了两本。
另见 3 页 āi。

爱(愛) ài ❶动对人或事物有很深的感情:~祖国|~人民|他~上了一个姑娘。❷动喜欢:~游泳|~劳动|~看电影。❸动爱惜;爱护:~公物|~集体荣誉。❹动常常发生某种行为;容易发生某种变化:~哭|铁~生锈。❺(Ài)图姓。

【爱不释手】ài bù shì shǒu 喜爱得舍不得放下。

【爱…不…】ài…bù… 分别用在同一个动词前面,表示无论选择哪一种都随便,含不满情绪:~管~管|~说~说|~来~来|~参加~参加。

【爱财如命】ài cái rú mìng 形容非常吝啬或贪财。

【爱巢】àicháo 图指新房,也指年轻夫妻的幸福家庭。

【爱称】àichēng 图表示喜爱、亲昵的称呼。

【爱答不理】ài dā bù lǐ (~的)像是理睬又不理睬,形容对人冷淡、怠慢:别人跟她说话,她~的。

【爱戴】àidài 动敬爱并且拥护:~领袖。

【爱抚】àifǔ 动疼爱抚慰:他从小失去亲人的~|母亲~地为女儿梳理头发。

【爱岗】àigǎng 动热爱自己的工作岗位:

~敬业。

【爱国】ài∥guó 动热爱自己的国家:~心|~人士。

【爱国主义】àiguó zhǔyì 指对祖国的忠诚和热爱的思想。

【爱好】àihào ❶动对某种事物具有浓厚的兴趣:~体育|他对打太极拳很~。❷图对某种事物所具有的浓厚兴趣:他的~很广泛|你有什么~? ❸动喜爱:供应人民~的日用品。

【爱河】àihé 图指爱情(佛教认为爱情像河流一样,人沉溺其中,就不能自拔)。

【爱护】àihù 动爱惜并保护:~公物|年轻一代。

【爱将】àijiàng 图受上级喜爱、赏识的将领或下属。

【爱克斯射线】àikèsī shèxiàn 波长很短的电磁波,穿透能力很强,能使某些物质发荧光,使气体电离等,对细胞有破坏作用。工业上用于金属探伤,医学上用于透视和治疗。也叫伦琴射线。通常写作 X 射线。[爱克斯,英文字母 X 的音译]

【爱怜】àilián 动疼爱:她聪明伶俐,很受祖母~。

【爱恋】àiliàn 动热爱而难以分离(多指男女之间):信中流露出~之情。

【爱侣】àilǚ 图相爱的男女或其中的一方。

【爱面子】ài miàn·zi 怕损害自己的体面,被人看不起:老李特别~,从来不张口求人。

【爱莫能助】ài mò néng zhù 心里愿意帮助,但是力量做不到。

【爱慕】àimù 动❶由于喜欢或敬重而愿意接近:相互~|~之心。❷因喜爱而向往:~虚荣。

【爱情】àiqíng 图男女相爱的感情。

【爱人】ài·ren 图❶指丈夫或妻子。❷指恋爱中男女的一方。

【爱神】àishén 图西方神话中主宰爱情的神,罗马神话中名叫丘比特(Cupido),希腊神话中名叫厄洛斯(Eros)。

【爱斯基摩人】Àisījīmórén 图因纽特人的旧称。[爱斯基摩,英 Eskimo]

【爱窝窝】àiwō·wo 同"艾窝窝"。

【爱屋及乌】ài wū jí wū 《尚书大传·大战篇》:"爱人者,兼其屋上之乌。"比喻爱一个人而连带地关心到跟他有关系的人或物。

【爱惜】àixī 动因重视而不糟蹋;爱护珍

惜:～时间|～国家财物。

【爱惜羽毛】àixī yǔmáo 比喻珍重爱惜自己的声誉。

【爱小】àixiǎo 〈方〉形 好占小便宜。

【爱心】àixīn 名 指关怀、爱护他人的思想感情:老妈妈对儿童充满～。

【爱欲】àiyù 名 爱的欲望,一般指男女间对情爱的欲望。

【爱重】àizhòng 动 喜爱,尊重:他为人热情、正直,深受大家的～。

僾(僾) ài 〈书〉❶ 仿佛:～然。❷ 气不顺畅。

【僾尼】àiní 名 部分哈尼族人的自称。

隘 ài ❶ 狭窄:狭～|林深路～。❷ 险要的地方:关～|要～。

【隘口】àikǒu 名 狭隘的山口。

【隘路】àilù 名 狭窄而险要的路。

薆(薆) ài 〈书〉❶ 隐蔽。❷ 草木茂盛的样子。

碍(礙) ài 动 妨碍;阻碍:～事|有～观瞻|把地下的东西收拾一下,别让它～脚。

【碍口】ài//kǒu 形 怕难为情或碍于情面而不便说出:求人的事,说出来真有点儿～。

【碍面子】ài miàn·zi 怕伤情面:有意见就提,别～不说。

【碍难】àinán ❶ 动 难于(旧时公文套语):～照办|～从命。❷〈方〉形 为难。

【碍事】ài//shì ❶ 动 妨碍做事;造成不方便;有妨碍:您往边儿上站站,在这里有点儿～|家具太多了安置不好倒。❷ 形 严重;大有关系(多用于否定式):他的病不～|擦破点儿皮,不碍什么事。

【碍手碍脚】ài shǒu ài jiǎo 妨碍别人做事:咱们走吧,别在这儿～的。

【碍眼】ài//yǎn 形 ❶ 不顺眼:东西乱堆在那里怪～的。❷ 嫌有人在跟前不便:人家有事,咱们在这里～,快走吧!

嗳(嗳) ài 叹 表示悔恨、懊恼:～,早知如此,我就不去了。
另见3页 āi;4页 ǎi。

嗌(嗌) ài 〈书〉咽喉阻塞。
另见 1617页 yì。

嫒(嫒) ài 见 871页【令嫒】。

瑷(璦) ài 瑷珲(Àihuī),地名,在黑龙江。今作爱辉。

嗳(嗳) ài [嗳碍](àidài)〈书〉形 形容浓云蔽日:暮云～。

暧(暧) ài 〈书〉日光昏暗。

【暧昧】àimèi 形 ❶ (态度、用意)含糊;不明白:态度～。❷ (行为)不光明;不可告人:关系～。

ān（ㄢ）

厂 ān 同"庵"(多用于人名)。
另见 155页 chǎng。

广 ān 同"庵"(多用于人名)。
另见 510页 guǎng。

安¹ ān ❶ 形 安定:心神不～|坐不～,立不稳。❷ 使安定:～民|～神|～邦定国。❸ 对生活、工作等感到满足合适:～于现状(满足于目前的状况,不求进步)|～之若素。❹ 平安;安全(跟"危"相对):公～|治～|转危为～。❺ 使有合适的位置:～插|～顿。❻ 动 安装;设立:～门窗|～电灯|咱们村上～有线电视了。❼ 动 加上:～罪名|～个头衔。❽ 动 存着;怀着(某种念头,多指不好的):你～的什么心? ❾ (Ān)名 姓。

安² ān 〈书〉代 疑问代词。❶ 问处所,跟"哪里"相同:而今～在? ❷ 表示反问,跟"怎么、哪里"相同:不入虎穴,～得虎子? |～能若无其事?

安³ ān 量 安培的简称。导体横截面每秒通过的电量是1库时,电流强度就是1安。

【安邦定国】ān bāng dìng guó 使国家安定、巩固。

【安保】ānbǎo 形 属性词。安全保卫:加强～工作。

【安步当车】ān bù dàng chē 慢慢地步行,就当是坐车:反正路也不远,我们还是～吧。

【安瓿】ānbù 名 装注射剂用的密封的小玻璃瓶,用药时将瓶颈处弄破。[英 ampoule]

【安插】ānchā 动 (人员、故事情节、文章的词句等)放在一定的位置上:～亲信。

【安厝】āncuò 动 停放灵柩待葬或浅埋以待正式安葬。

【安抵】āndǐ 团平安抵达：全家于日前～广州。

【安定】āndìng ❶ 形（生活、形势等）平静正常；稳定：生活～|情绪～|社会秩序～。❷ 团使安定：～人心。

【安堵】āndǔ 〈书〉团安定地生活：～如常。

【安度】āndù 团平安度过：～晚年。

【安顿】āndùn ❶ 团使人或事物有着落；安排妥当：～老小|妈妈～好家里的事情又赶去上班。❷ 形安稳：睡不～|只有把事情做完心里才～。

【安放】ānfàng 团使物件处于一定的位置：～铺盖|把仪器～好。

【安分】ānfèn 形规矩老实，守本分：～人|～守己|这孩子不大～。

【安分守己】ān fèn shǒu jǐ 规矩老实，不做违法乱纪的事。

【安抚】ānfǔ 团安顿抚慰：～伤员|～人心。

【安好】ānhǎo 形平安：全家～，请勿挂念。

【安家】ān//jiā 团 ❶ 安置家庭：～费|～落户。❷ 组成家庭；结婚：他都快四十岁了，还没～。

【安家立业】ān jiā lì yè 安置家庭，建立事业。

【安家落户】ān jiā luò hù 在他乡安置家庭并定居：为植树造林，他在山区～◇经过一年多的试养，武昌鱼已经在这里～了。

【安检】ānjiǎn 安全检查：旅客登机前要经过～。

【安静】ānjìng 形 ❶ 没有声音；没有吵闹和喧哗：病房里很～。❷ 安稳平静：孩子睡得很～|过了几年～生活。

【安居】ānjū 团安定地居住、生活：置业～。

【安居乐业】ān jū lè yè 安定地生活，愉快地工作。

【安康】ānkāng 形平安和健康：祝全家～。

【安澜】ānlán 〈书〉形 ❶ 指河流平静，没有泛滥现象。❷ 比喻太平：天下～。

【安乐】ānlè 形安宁而快乐：生活～。

【安乐死】ānlèsǐ 团指医生应(yìng)无法救治而又极为痛苦的病人的主动要求，停止治疗或使用药物，让病人尽快无痛苦地死去。

【安乐窝】ānlèwō 名指安逸舒适的生活处所。

【安乐椅】ānlèyǐ 名一种可以半坐半躺的椅子，椅背宽大，两边有扶手，有的可以前后摇动。

【安理会】Ānlǐhuì 名安全理事会的简称。

【安谧】ānmì 〈书〉形安宁；安静：～的山村|月色是那么美丽而～。

【安眠】ānmián 团安稳地熟睡：～药|喧嚣的车马声，让人终夜不得～。

【安眠药】ānmiányào 名催眠药的通称。

【安民告示】ānmín gàoshì 原指官府发布的安定民心的告示，现多用来比喻政府或机关团体等在做某事之前，把有关内容、要求等先让人知道的通知。

【安宁】ānníng 形 ❶ 秩序正常，没有骚扰：地方～|边境～。❷（心情）安定；宁静：嘈杂的声音，使人不得～。

【安排】ānpái 团有条理、分先后地处理(事物)；安置(人员)：～工作|～生活|～他当统计员。

【安培】ānpéi 量电流强度单位，符号A。这个单位名称是为纪念法国物理学家安培(André Ampère)而定的。简称安。

【安培表】ānpéibiǎo 名安培计。

【安培计】ānpéijì 名测量电路中电流强度的仪器。也叫安培表、电流表。

【安贫乐道】ān pín lè dào 安于贫穷的境遇，乐于奉行自己信仰的道德准则。

【安琪儿】ānqí'ér 名天使。[英 angel]

【安寝】ānqǐn 〈书〉团安睡：高枕～。

【安全】ānquán 形没有危险；不受威胁；不出事故：～操作|～地带|注意交通～。

【安全玻璃】ānquán bō·li 钢化玻璃、夹层玻璃、夹丝玻璃等的统称。不易破裂，有的破裂时碎片也不易散落。多用于交通工具和高层建筑的门窗。

【安全带】ānquándài ❶ 高空作业时对身体起固定和保护作用的带子。❷ 飞机和机动车座位上安装的对身体起固定和保护作用的带子。

【安全岛】ānquándǎo 名马路中间供行人穿过时躲避车辆的地方。

【安全电压】ānquán diànyā 不致造成人身触电事故的电压，电压值要根据有关规程和使用环境而定，一般低于36伏。

【安全理事会】Ānquán Lǐshìhuì 联合国的

重要机构之一。根据联合国宪章规定,它是联合国唯一有权采取行动来维持国际和平与安全的机构。由十五个理事国组成,中、法、苏(后由俄罗斯接替)、英、美为常任理事国,其余十个为非常任理事国,由联合国大会选出,任期两年。简称安理会。

【安全门】ānquánmén 名 太平门。

【安全套】ānquántào 名 指避孕套。因避孕套有避免和防止性病传播的作用,所以也叫安全套。

【安全剃刀】ānquán tìdāo 保险刀。

【安全系数】ānquán xìshù ❶ 进行土木、机械等工程设计时,为了防止因材料的缺点、工作的偏差、外力的突增等因素所引起的后果,工程的受力部分实际上能够承载的力必须大于其容许承载的力,二者之比叫做安全系数。❷ 指做某事的安全、可靠程度。

【安全线】ānquánxiàn 名 ❶ 为维持秩序、保证安全而画的或拉起的禁止越过的线:赛场周围拉起了~。❷ 江河等堤岸上画的指示警戒水位的线。❸ 指价格、利率等方面保障经济发展安全的某种限度:近期油价突破了~|债务控制在~以内。

【安然】ānrán 形 ❶ 平安;安安稳稳:~无事|~脱险。❷ 没有顾虑;很放心:~自若|只有把这件事告诉他,他心里才会~。

【安然无恙】ānrán wú yàng 原指人平安没有疾病,后泛指平平安安没有受到任何损伤。

【安如磐石】ān rú pánshí 安如泰山。

【安如泰山】ān rú Tài Shān 形容安稳牢固,不可动摇。也说安如磐石、稳如泰山。

【安设】ānshè 动 安装设置:~空调器|在山顶上~了一个气象观测站。

【安身】ān//shēn 指在某地居住和生活(多用在困窘的环境下):无处~|我有了~之地,母亲也就放心了。

【安身立命】ān shēn lì mìng 生活有着落,精神有所寄托:~之所。

【安神】ān//shén 动 使心神安定。

【安生】ān·shēng 形 ❶ 生活安定:过~日子。❷ 安静;不生事(多指小孩子):睡个~觉|这孩子一会儿也不~。

【安适】ānshì 形 安静而舒适:~如常|心里~|病员在疗养院里过着~的生活。

【安睡】ānshuì 动 安静地睡觉;安歇:夜深了,人们都已~。

【安泰】āntài 形 平安;安宁:阖家~。

【安恬】āntián 形 安逸恬适;安静:~入梦。

【安帖】āntiē 形 安定;踏实②:事情都办妥了,心里才算~。

【安土重迁】ān tǔ zhòng qiān 留恋故土,不肯轻易迁移。

【安妥】āntuǒ 形 平安稳妥;妥当:把东西~地运到目的地|一切事务都已处理~。

【安危】ānwēi 名 安全和危险,多偏指危险的一面:为了保护国家财产,置个人~于度外。

【安慰】ānwèi ❶ 形 心情安适:有女儿在身边,她能得到一点儿~。❷ 动 使心情安适:~病人|你要多~他,叫他别太难过。

【安慰赛】ānwèisài 名 体育比赛中,在正式比赛结束后为照顾未取得名次的运动员的情绪而组织他们参加的联谊性比赛。

【安稳】ānwěn 形 ❶ 稳当;平稳:仪器要放~这个大|即使刮点风,也很~。❷ 平静;安定:睡不~|过~日子。❸ (举止)沉静;稳重:他年纪不大,但显得很~。

【安息】ānxī 动 ❶ 安静地休息,多指入睡:一路劳顿,请早点儿~。❷ 对死者表示悼念的用语:~吧,亲爱的战友。

【安息日】ānxīrì 名 《圣经》记载,上帝在六日内创造天地万物,第七日完工休息。犹太教尊这天为圣日,名叫安息日(即星期五日落到星期六日落的一昼夜时间)。这一天礼拜上帝,不做工作。基督教以星期日为安息日,又称主日。

【安闲】ānxián 形 安静清闲:神态~|自在|他忙里忙外,一日不得~。

【安详】ānxiáng 形 从容不迫;稳重:面容~|举止~|老人~地坐在靠椅里。

【安享】ānxiǎng 动 安安稳稳地享受或享用:~清福|~晚年。

【安歇】ānxiē 动 ❶ 上床睡觉:天已不早,大家该回房~了。❷ 休息:走得太累,先找个地方~一下。

【安心】[1] ān//xīn 动 存心;居心:~不善|谁知他安的什么心?

【安心】[2] ānxīn 形 心情安定:~工作|家里事多,在外也难~。

【安逸】ānyì 形 安闲舒适:老人晚年在乡

下过着～的生活。

【安营】ān//yíng 动 (队伍)架起帐篷住下。

【安营扎寨】ān yíng zhā zhài 原指军队架起帐篷、修起栅栏住下。现泛指军队或其他团体建立临时住地。

【安葬】ānzàng 动 埋葬(用于比较郑重的场合)：～烈士遗骨。

【安枕】ānzhěn 〈书〉动 放好枕头(睡觉)，借指没有忧虑和牵挂：～而卧|天下多事，国人曷能～?

【安之若素】ān zhī ruò sù (遇到不顺利情况或反常现象)像平常一样对待，毫不在意。

【安置】ānzhì 动 使人或事物有着落；安放：～人员|～行李|这批新来的同志都得到了适当的～。

【安装】ānzhuāng 动 按照一定的方法、规格把机械或器材(多指成套的)固定在一定的地方：～自来水管|～电话|～机器。

桉 ān 名 桉树，常绿乔木，树干高而直。原产澳大利亚，我国南部也种植。枝叶可提制桉油，树皮可制鞣料，木材供建筑用。

氨 ān 名 氮和氢的化合物，化学式 NH_3。无色气体，有刺激性臭味，易溶于水。用作制冷剂，也用来制硝酸和氮肥。通称氨气。[英 ammonia]

【氨基】ānjī 名 氨分子失去1个氢原子而成的一价原子团(—NH_2)。

【氨基酸】ānjīsuān 名 分子中同时含有氨基和羧基的有机化合物，是组成蛋白质的基本单位。

【氨气】ānqì 名 氨的通称。

【氨水】ānshuǐ 名 氨的水溶液，无色，有刺激性气味，用作肥料，医药上用作消毒剂。

庵(菴) ān 名 ❶〈书〉小草屋：茅～。❷ 名 佛寺(多指尼姑住的)：～堂|尼姑～。❸ (Ān)名 姓。

【庵堂】āntáng 名 尼姑庵。

【庵子】ān·zi 〈方〉名 ❶ 小草屋：稻草～。❷ 尼姑庵。

谙(諳) ān 〈书〉熟悉：～熟|～水性。

【谙达】āndá 〈书〉动 熟悉(人情世故)：～世情。

【谙练】ānliàn 〈书〉❶ 动 熟悉：～旧事。❷ 形 熟练，有经验：骑术～。

【谙熟】ānshú 动 熟悉(某种事物)：～地理|培养～经济管理的人才。

婳 ān [婳婳](ān'ē)〈书〉形 不能决定的样子。

鹌(鵪) ān [鹌鹑](ān·chún)名 鸟，头小，尾巴短，羽毛赤褐色，不善飞。

腤 ān 〈书〉烹煮(鱼、肉)。

鮟(鮟) ān [鮟鱇](ānkāng)名 鱼，全身无鳞，头大而扁，尾部细小，常潜伏在海底捕食，能发出像老人咳嗽一样的声音。有的地区叫老头儿鱼。

鞍 ān 名 鞍子：马～|～鞯|马不歇～。

【鞍韂】ānchàn 名 马鞍子和垫在马鞍子下面的东西。

【鞍鞯】ānjiān 〈书〉名 鞍韂。

【鞍马】ānmǎ 名 ❶ 体操器械的一种，形状略像马，背部有两个半圆环，是木马的一种。❷ 男子竞技体操项目之一，运动员在鞍马上，手握半圆环或撑着马背做各种动作。❸ 鞍子和马，借指骑马或战斗的生活：～劳顿|～生活。

【鞍马劳顿】ān mǎ láodùn 形容旅途或战斗的劳累。

【鞍前马后】ān qián mǎ hòu 比喻跟随在别人身边，小心侍候。

【鞍子】ān·zi 名 放在牲口背上驮运东西或供人骑坐的器具，多用皮革或木头加棉垫制成。

韀 ān 〈书〉同"鞍"。

盦1 ān 古时盛食物的器具。

盦2 ān 同"庵"。

ǎn (ㄢ)

唵 ǎn 同"俺"(ǎn)。

俺 ǎn 〈方〉代 人称代词。❶ 我们(不包括听话的人)：你先去，～几个随后就到。❷ 我：你们都走吧，～一个人留下就行了。

A

埯(垵) ǎn ❶ 〔动〕挖小坑点种瓜、豆等：～豆子。❷（～儿）〔名〕点种时挖的小坑。❸（～儿）〔量〕用于点种的瓜、豆等：一～儿花生。

俺[1] ǎn 〔动〕把手里握着的颗粒状或粉末状的东西塞进嘴里：～了一口炒米｜～了两口雪。

俺[2] ǎn 〔动〕表示疑问：～，东西都收拾好了吗？｜怎么这两天没看到你呀，～？

俺[3] ǎn 佛教咒语用字。

铵(銨) ǎn 〔名〕从氨衍生所得的带正电荷的根，也就是铵离子。也叫铵根。[英 ammonium]

【铵根】ǎngēn 〔名〕铵。

揞 ǎn 〔动〕用手把药面儿或其他粉末敷在伤口上：伤口上～上点儿消炎粉。

àn （ㄢˋ）

犴 àn 见 75 页[狴犴]。

岸[1] àn 〔名〕❶ 江、河、湖、海等水边的陆地：江～｜上～｜两～绿柳成荫。❷（Àn）姓。

岸[2] àn 〈书〉❶ 高大：伟～。❷ 高傲：傲～。

【岸标】ànbiāo 〔名〕设在岸上指示航行的标志，可以使船舶避开沙滩、暗礁等。

【岸炮】ànpào 〔名〕海岸炮的简称。

【岸然】ànrán 〈书〉〔形〕严肃的样子：道貌～。

按[1] àn ❶ 〔动〕用手或指头压：～电铃｜～图钉。❷ 〔动〕压住；搁下：～兵不动｜～下此事不说。❸ 〔动〕抑制：～不住心头怒火。❹ 〔介〕依照：～时｜～质论价｜～制度办事｜～每人两本计算。

按[2]（案） àn ❶ 〈书〉考查；核对：有原文可～。❷（编者、作者等）加按语：编者～。

【按兵不动】àn bīng bù dòng 使军队暂不行动，等待时机。现也借指接受任务后不肯行动。

【按部就班】àn bù jiù bān 按照一定的条理，遵循一定的程序：学习科学知识，应该～，循序渐进。

【按键】ànjiàn 〔名〕用手按的键；键③。

【按揭】ànjiē 〔动〕一种购房或购物的贷款方式，以所购房屋或物品为抵押向银行贷款，然后分期偿还。

【按金】ànjīn 〈方〉〔名〕❶ 押金。❷ 租金。

【按扣儿】ànkòur 〔名〕子母扣儿。

【按理】àn//lǐ 〔副〕按照情理：～我们应该先去看您的｜你这样做，不管按什么理都说不过去。

【按例】ànlì 〔副〕按照惯例：生活困难，～可以申请补助。

【按脉】àn//mài 〔动〕诊脉。

【按摩】ànmó 〔动〕用手在人体的一定部位上推、按、捏、揉等，以促进血液循环，增加皮肤抵抗力，调整神经功能。

【按捺】（按纳）ànnà 〔动〕压下去；控制：～不住激动的心情。

【按钮】ànniǔ （～儿）〔名〕用手按的开关。

【按期】ànqī 〔副〕依照规定的期限：～交工｜～归还。

【按时】ànshí 〔副〕依照规定的时间：～完成｜～吃药。

【按说】ànshuō 〔副〕依照事实或情理来说：这么大的孩子，～该懂事了｜五一节都过了，～不该这么冷了。

【按图索骥】àn tú suǒ jì 按照图像寻找好马，比喻按照线索寻找，也比喻办事机械、死板。

【按下葫芦浮起瓢】àn xià hú·lu fú qǐ piáo 比喻顾了这头就顾不了那头，无法使事情得到圆满解决。

【按压】ànyā 〔动〕❶ 向内或向下按：～穴位｜把别人～在地上。❷ 抑制②：～不住的激情。

【按语】（案语）ànyǔ 〔名〕作者、编者对有关文章、词句所做的说明、提示或考证。

【按照】ànzhào 〔介〕根据；依照：～法规办理｜～预定的计划执行。

胺 àn 〔名〕氨分子中部分或全部氢原子被烃基取代而成的有机化合物。[英 amine]

案[1] àn ❶ 案子[1]；条～｜书～｜拍～而起。❷ 古代进食用的木托盘：举～齐眉。

案[2] àn ❶ 案件：犯～｜破～｜五卅惨～。❷ 案卷；记录：备～｜有～可查｜声明在～。❸ 提出计划、办法或其他建议

的文件：方～|议～|提～。❹ 同"按²"。

【案板】 ànbǎn 图 做面食、切菜用的木板、塑料板等，多为长方形。

【案秤】 ànchèng 图 一种小型的秤，商店中使用时常把它放在柜台上。有的地区叫台秤。

【案底】 àndǐ 图 治安机关指某人过去违法或犯罪行为的记录。

【案牍】 àndú 〈书〉图 公事文书。

【案发】 ànfā 动 案件发生：～现场。

【案犯】 ànfàn 图 指作案的人。

【案件】 ànjiàn 图 有关诉讼和违法的事件：刑事～|重大贪污～。

【案卷】 ànjuàn 图 机关或企业等经过分类、整理后保存以备查考的文件材料。

【案例】 ànlì 图 某种案件的例子：经济～|典型～|～分析。

【案情】 ànqíng 图 案件的情节：～复杂|分析～。

【案头】 àntóu 图 ❶ 几案上或书桌上：～放着一些参考书。❷ 指案头工作。

【案头工作】 àntóu gōngzuò 指导演、演员等在创作过程中所做的分析剧情、角色等的文字工作。

【案由】 ànyóu 图 案件的内容提要。

【案语】 ànyǔ 见 10 页〖按语〗。

【案值】 ànzhí 图 指案件所涉及的物、款等的价值：～达八万余元。

【案子】¹ àn·zi 图 一种旧式的狭长桌子或架起来代替桌子用的长木板：肉～|裁缝～。

【案子】² àn·zi 图 案件：审～|办了一件～。

唵 àn 同"暗"。
另见 1571 页 yǎn。

暗 (❶❸闇) àn ❶ 形 光线不足；黑暗（跟"明"相对，下同）：太阳落山了，天色渐渐～下来。❷ 隐藏不露的；秘密的：～号|明人不做～事。❸ 糊涂；不明白：～昧|兼听则明，偏信则～。❹ 形（颜色）浓重，不鲜明：～紫|～绿。

【暗暗】 àn'àn 副 在暗中或私下里，不显露出来：～吃了一惊|他～下定决心。

【暗堡】 ànbǎo 图 隐蔽的碉堡。

【暗藏】 àncáng 动 隐藏；隐蔽：身上～凶器|消除～的隐患。

【暗娼】 ànchāng 图 暗地里卖淫的妓女。

【暗场】 ànchǎng 图 不在舞台上表演，只通过台词交代或用音响效果表示，使观众意会的情节。

【暗潮】 àncháo 图 比喻暗中发展、还没有表面化的事态。

【暗处】 àn·chù 图 ❶ 光线不足的地方；黑暗的地方：纸上写了些什么，在～看不清楚。❷ 隐蔽的地方；秘密的地方：坏人躲在～兴风作浪。

【暗淡】 àndàn 形 ❶（光线）昏暗；不明亮：～无光|屋子里灯光～。❷（色彩）不鲜明：色调过于～。❸（前途）不光明；没有希望：前景～。

【暗道】 àndào 图 隐蔽的道路；不露在外面的通道。

【暗地里】 àndì·li 图 私下；背地里：～勾结|～直掉眼泪。也说暗地。

【暗度陈仓】 àn dù Chéncāng 比喻暗中进行某种活动。参看 957 页〖明修栈道，暗度陈仓〗。

【暗房】 ànfáng 图 暗室①。

【暗访】 ànfǎng 动 暗中察访：明察～|～案件的知情人。

【暗沟】 àngōu 图 不露出地面的排水沟。也叫阴沟。

【暗害】 ànhài 动 暗中杀害或陷害：险遭～。

【暗含】 ànhán 动 做事、说话包含某种意思而未明白说出：～不满情绪|这几句话，～着对他的讥讽。

【暗号】 ànhào （～儿）图 彼此约定的秘密信号（利用声音、动作等）：联络～。

【暗合】 ànhé 动 没有经过商讨而意思恰巧相合：妈妈的话正与他的心意～。

【暗盒】 ànhé （～儿）图 有遮光作用，用来放置没有曝光或冲洗的胶卷的小盒。

【暗花儿】 ànhuār 图 隐约的花纹，如瓷器上利用凹凸构成的花纹和纺织品上利用明暗构成的花纹。

【暗火】 ànhuǒ 图 不冒火焰的火（区别于"明火"）。

【暗疾】 ànjí 图 不好意思告诉别人的疾病，如性病之类。

【暗间儿】 ànjiānr 图 相连的几间屋子中不直接通向外面的房间，通常用作卧室或贮藏室。

【暗箭】 ànjiàn 图 ❶ 暗中射出的箭。❷ 比喻暗中伤人的行为或诡计：明枪易躲，

A

～难防。

【暗礁】ànjiāo 名❶ 海洋、江河中不露出水面的礁石,是航行的障碍。❷ 比喻事情在进行中遇到的潜伏的障碍。

【暗井】ànjǐng 名 地下采矿时,装有提升设备而无直通地面出口的垂直或倾斜的通道,也用来通风或排水。也叫盲井。

【暗记儿】ànjìr 名 秘密的记号。

【暗里】àn·lǐ 名 暗中;背地里:～活动。

【暗恋】ànliàn 动 暗中爱恋(多指男女之间):他对公司的一位女会计～已久。

【暗流】ànliú 名❶ 流动的地下水。❷ 比喻潜伏的思想倾向或社会动态。

【暗楼子】ànlóu·zi 名 屋内顶部可以藏东西的部分,在天花板上开一方口,临时用梯子上下。

【暗码】ànmǎ (～儿)名 旧时商店在商品标价上所用的代替数字的符号。

【暗昧】ànmèi 形❶ 暧昧:～之事。❷ 愚昧:～懵懂。

【暗盘】ànpán (～儿)名 指买卖双方在市场外秘密议定的价格。

【暗器】ànqì 名 暗中投射的使人不及防备的兵器,如镖、袖箭等(多见于早期白话)。

【暗弱】ànruò 形❶ 光线微弱,不明亮:灯光～|星光渐渐～了。❷〈书〉愚昧软弱:为人|昏庸～。

【暗杀】ànshā 动 乘人不备,进行杀害:惨遭～|～事件。

【暗沙】ànshā 名 海中由沙和珊瑚碎屑堆成的岛屿,略高于高潮线,或与高潮线相平:曾母～(我国南沙群岛中的暗沙之一)。

【暗伤】ànshāng 名❶ 内伤②。❷ 物体上的不显露的损伤。

【暗哨】ànshào 名 隐蔽的岗哨。

【暗射】ànshè 动 影射。

【暗射地图】ànshè-dìtú 有符号标记,不注文字的地图,教学时用来使学生辨认或填充。

【暗示】ànshì 动❶ 不明白表示意思,而用含蓄的言语或示意的举动使人领会:他用眼睛～我,让我走开。❷ 一种心理影响,用言语、手势、表情等使人不加考虑地接受某种意见或做某件事,如催眠就是暗示作用。

【暗事】ànshì 名 不光明正大的事:明人不做～。

【暗室】ànshì 名❶ 有遮光设备的房间。❷〈书〉指幽暗隐蔽的地方;没有人的地方:不欺～(在没人看见的地方也不做昧心事)。

【暗送秋波】àn sòng qiūbō 原指暗中眉目传情,泛指献媚取宠,暗中勾搭。

【暗算】ànsuàn 动 暗中图谋伤害或陷害:险遭～。

【暗锁】ànsuǒ 名 嵌在门、箱子、抽屉上,只有锁孔露在外面的锁,一般要用钥匙才能锁上。

【暗滩】àntān 名 不露出水面的石滩或沙滩。

【暗探】àntàn ❶ 名 从事秘密侦察的人(多含贬义)。❷ 动 暗中刺探:～军机。

【暗无天日】àn wú tiān rì 形容社会极端黑暗。

【暗物质】ànwùzhì 名 由天文观测推断存在于宇宙中的不发光物质。包括不发光天体,以及某些非重子中性粒子等。

【暗喜】ànxǐ 动 暗自高兴:心中～。

【暗匣】ànxiá 名 暗箱。

【暗下】ànxià 动 背地里;私下里:表面不露声色,～却加紧活动。也说暗下里。

【暗线】ànxiàn 名❶ 文学作品中未直接描述而间接呈现出来的人物活动或事件的线索。❷ 暗中为己方进行侦察或做内应的人。

【暗箱】ànxiāng 名 照相机的一部分,关闭时不透光,前部装镜头、快门,后部装胶片。

【暗箱操作】ànxiāng cāozuò 指利用职权暗地里做某事(多指不公正、不合法的):避免收费中的～。也说黑箱操作。

【暗笑】ànxiào 动❶ 暗自高兴:看到对方着急的样子,不禁心里～。❷ 暗自讥笑:在场的人都～他无知妄说。

【暗影】ànyǐng 名 阴影。

【暗语】ànyǔ 名 彼此约定的秘密话:说～|用～接头。

【暗喻】ànyù 名 隐喻。

【暗中】ànzhōng 名❶ 黑暗之中:躲在～张望|～摸索。❷ 背地里;私下里:～打听|在～做了手脚。

【暗转】ànzhuǎn 动 戏剧演至某一场或某一幕的中间,台上灯光暂时熄灭,表示剧情时间的推移,或者同时迅速换布景,表示地点的变动。

【暗自】ànzì 副 在私下里;在暗地里:～盘算|～高兴。

黯

àn 阴暗:～淡。

【黯淡】àndàn 形 暗淡:色彩～。

【黯黑】ànhēi 形 ❶ 乌黑:脸色～。❷ 昏黑:～的夜晚|天色已经～了。

【黯然】ànrán 形 ❶ 阴暗的样子:～无光|工地上千万盏电灯光芒四射,连天上的星月也～失色。❷ 心里不舒服,情绪低落的样子:～泪下|神色～。

āng (尢)

肮(骯) āng [肮脏](āng·zāng)形 ❶ 脏;不干净:～的衣服|屋里又凌乱又～。❷ 比喻卑鄙、丑恶:～交易|灵魂～。

áng (尢)

卬

áng ❶〈书〉代 人称代词。我。❷〈书〉同"昂"①②。❸ (Áng)名 姓。

昂

áng ❶ 动 仰着(头):～起头|～首挺胸。❷ 高涨:～贵|激～。❸ (Áng)名 姓。

【昂昂】áng'áng 形 形容精神振奋,很有气魄:～然|气势～|雄赳赳,气～～。

【昂藏】ángcáng〈书〉形 形容人的仪表雄伟:气宇～。

【昂奋】ángfèn 形 (精神)振奋;(情绪)高涨。

【昂贵】ángguì 形 价格很高:物价～|～的代价。

【昂然】ángrán 形 仰头挺胸无所畏惧的样子:～屹立|气概～。

【昂首】ángshǒu 动 仰着头:～望天|战马～长鸣。

【昂首阔步】áng shǒu kuò bù 仰起头,迈着大步向前。形容精神振奋,意气昂扬。

【昂扬】ángyáng 形 ❶ (情绪)高涨:斗志～。❷ (声音)高昂:歌声激越～。

àng (尢)

柳

àng〈书〉拴马桩。

盎[1]

àng 古代一种腹大口小的器皿。

盎[2]

àng 洋溢;盛(shèng):～然。

【盎格鲁撒克逊人】Ànggélǔ-Sākèxùnrén 公元 5 世纪时,迁居英国不列颠的以盎格鲁和撒克逊为主的日耳曼人。这两个部落最早住在北欧日德兰半岛南部。[盎格鲁撒克逊,英 Anglo-Saxon]

【盎然】àngrán 形 形容气氛、趣味等洋溢的样子:春意～|趣味～。

【盎司】àngsī 量 英美制重量单位,1 盎司等于 1/16 磅,合 28.349 5 克。旧称英两或唡。[英 ounce]

āo (ㄠ)

凹

āo 形 低于周围(跟"凸"相对):～地|～凸不平|地板～下去一块。

另见 1395 页 wā。

【凹版】āobǎn 名 版面印刷的部分凹入空白部分的印刷版,如铜版、钢版、照相凹版等。凹版印刷品,纸面上油墨稍微鼓起,如钞票、邮票等。

【凹面镜】āomiànjìng 名 球面镜的一种,反射面为凹面,焦点在镜前,当光源在焦点上,所发出的光反射后形成平行光束。简称凹镜。

【凹透镜】āotòujìng 名 透镜的一种,中央比四周薄,平行光线透过后向四外散射。近视眼镜的镜片就属于这个类型。

【凹陷】āoxiàn 动 向内或向下陷进去:两颊～|地形～。

熬

āo 动 烹调方法,把蔬菜等放在水里煮:～白菜|～豆腐。

另见 14 页 áo。

【熬心】āoxīn〈方〉形 心里不舒畅;烦闷。

燆(熝)

āo〈书〉❶ 放在微火上煨熟。❷ 同"熬"(āo)。

A

áo（ㄠ）

敖 áo ❶同"遨"。❷（Áo）同"隞"。❸（Áo）图姓。

【敖包】áobāo 图蒙古族人做路标和界标的堆子，用石头、土、草等堆成。旧时曾把敖包当神灵的住地来祭祀。也译作鄂博。

隞 Áo 商朝的都城，在今河南郑州西北。也作敖或嚣。

嶅 áo ❶（Áo）嶅山，山名，在广东。❷嶅阴（Áoyīn），地名，在山东。

遨 áo 游玩：～游。

【遨游】áoyóu 匭漫游；游历：～世界｜～太空。

嗷 áo 见下。

【嗷嗷】áo'áo 拟声形容哀号或喊叫声：～叫｜～待哺。

【嗷嗷待哺】áo'áo dài bǔ 形容饥饿时急于求食的样子。

廒（廒） áo 〈书〉贮藏粮食等的仓库。

璈 áo 古代的一种乐器。

獒 áo 图狗的一种，身体大，尾巴长，四肢较短，毛黄褐色。凶猛善斗，可做猎狗。

熬 áo ❶匭把粮食等放在水里，煮成糊状：～粥。❷匭为了提取有效成分或去掉所含水分、杂质，把东西放在容器里久煮：～盐｜～药。❸匭忍受（疼痛或艰苦的生活等）：～夜｜～苦日子。❹（Áo）图姓。
另见 13 页 āo。

【熬煎】áojiān 匭比喻折磨：受尽～｜疾病时时～着他。

【熬磨】áo·mó 〈方〉匭❶痛苦地度过（时间）。❷没完没了地纠缠：这孩子很听话，从不～人。

【熬年头儿】áo niántóur 指不积极进取，只靠工作年限的增长而获得晋级或加薪等。

【熬头儿】áo·tour 图经受艰难困苦后，可能获得美好生活的希望。

【熬夜】áo//yè 匭通夜或深夜不睡觉。

聱 áo 见 637 页〖佶屈聱牙〗。

螯 áo 图螃蟹等节肢动物的变形的第一对脚，形状像钳子，能开合，用来取食或自卫。

【螯肢动物】áozhī-dòngwù 无脊椎动物的一门，没有触角，口后面的第一对脚是取食用的螯肢。如鲎(hòu)、蜘蛛等。

翱（翱） áo 展翅飞：～翔。

【翱翔】áoxiáng 匭在空中回旋地飞：雄鹰在高空中～。

謷 áo 〈书〉诋毁。

鳌（鰲、鼇） áo 图传说中海里的大龟或大鳖。

【鳌山】áoshān 图旧时元宵节用灯彩堆叠成的山，像传说中的巨鳌形状。

【鳌头】áotóu 图指皇宫大殿前石阶上刻的鳌的头，考上状元的人可以踏上。后来用"独占鳌头"比喻占首位或取得第一名。

嚣（嚻） Áo 同"隞"。
另见 1495 页 xiāo。

鏖 áo 〈书〉鏖战：赤壁～兵。

【鏖战】áozhàn 匭激烈地战斗；苦战：与敌人～了三天三夜。

ǎo（ㄠ）

拗（抝） ǎo 〈方〉匭使弯曲；使断；折：把竹竿～断了。
另见 15 页 ào；1004 页 niù。

袄（襖） ǎo 图有里子的上衣：夹～｜皮～｜小棉～儿。

媪 ǎo 〈书〉年老的妇女。

鹝（鶏） ǎo 见 809 页〖鹋鹝〗。

ào（ㄠ）

岙（嶴） ào 浙江、福建等沿海一带称山间平地（多用于地名）：珠

A

~|薛~(都在浙江)。

坳(坳、垇) ào 山间平地：山~。

拗(抝) ào 不顺；不顺从：~口|违~。

【拗口】àokǒu 〔形〕说起来别扭，不顺口：这两句话读着有点～，改一改吧。

【拗口令】àokǒuling 〔名〕绕口令。

鏊傲 ào ❶〈书〉❶矫健。❷同"傲"①。

傲 ào ❶〔形〕骄傲：～慢|倨～|这人有点儿～。❷(Ào)〔名〕姓。

【傲岸】ào'àn 〈书〉〔形〕高傲；自高自大。

【傲骨】àogǔ 〔名〕比喻高傲不屈的性格。

【傲慢】àomàn 〔形〕轻视别人，对人没有礼貌：态度～|～无礼。

【傲气】àoqì ❶〔名〕自高自大的作风：～十足|一股～。❷〔形〕自高自大：他自以为了不起，～得很。

【傲然】àorán 〔形〕坚强不屈的样子：～挺立。

【傲人】àorén 〔形〕(成绩等)值得骄傲、自豪：业绩～|～的资本。

【傲世】àoshì 〔动〕傲视当世和世人；清高：～～。

【傲视】àoshì 〔动〕傲慢地看待：～万物。

【傲物】àowù 〈书〉〔动〕骄傲自大，瞧不起人：恃才～。

奥 ào ❶含义深，不容易理解：深～|～妙。❷古时指房屋的西南角，也泛指房屋的深处：堂～。❸(Ào)〔名〕姓。

【奥博】àobó 〈书〉〔形〕❶含义深广：文辞～。❷知识丰富。

【奥林匹克运动会】Àolínpǐkè Yùndònghuì 世界性的综合运动会。因古代希腊人常在奥林匹亚(Olympia)举行体育竞技，1894年的国际体育大会决定把世界性的综合运动会叫做奥林匹克运动会。第一届于1896年在希腊雅典举行，以后每四年一次，在会员国的某个城市举行。简称奥运会。

【奥秘】àomì 〔名〕深奥的尚未被认识的秘密：探索宇宙的～。

【奥妙】àomiào 〔形〕(道理、内容)深奥微妙：～无穷|其中的道理非常～。

【奥义】àoyì 〈书〉〔名〕深奥的义理：探求五经～。

【奥援】àoyuán 〈书〉〔名〕官场中暗中撑腰的力量；有力的靠山(多含贬义)。

【奥运村】àoyùncūn 〔名〕奥林匹克运动会主办城市为参赛的各国代表团提供的有各种生活设施的住处。

【奥运会】Àoyùnhuì 〔名〕奥林匹克运动会的简称。

【奥旨】àozhǐ 〔名〕深奥的含义：深得其中～。

鹜(鶩) ào 〈书〉❶骏马。❷同"傲"①。

傲 ào 〈书〉同"傲"①。

隩 ào 〈书〉同"奥"②。
另见1671页yù。

墺 ào ❶〈书〉可以居住的地方。❷(名)山间平地：深山野～。

澳¹ ào ❶〈书〉海边弯曲可以停船的地方(多用于地名)：三都～(在福建)。❷(Ào)〔名〕指澳门：港～同胞。❸(Ào)〔名〕姓。

澳² Ào 〔名〕❶指澳洲(现称大洋洲)：～毛(澳洲出产的羊毛)。❷指澳大利亚。

【澳抗】àokàng 〔名〕澳大利亚抗原的简称，人体血清中一种异常蛋白质，与病毒性乙型肝炎的发病有密切关系。现称乙型肝炎表面抗原。

【澳门币】àoménbì 〔名〕澳门地区通行的货币，以圆为单位。

懊 ào 烦恼；悔恨：～恨|～恼。

【懊恨】àohèn 〔动〕悔恨。

【懊悔】àohuǐ 〔动〕做错了事或说错了话，心里自恨不该这样：～不已。

【懊恼】àonáo 〔形〕心里别扭；烦恼；懊悔。

【懊恼】àonǎo 〔形〕心里别扭；烦恼。

【懊丧】àosàng 〔形〕因事情不如意而情绪低落，精神不振：神情～。

鏊 ào 〔鏊子〕(ào·zi)〔名〕烙饼的器具，用铁做成，平面圆形，中心稍凸。

B

b

八 bā ❶〔数〕七加一后所得的数目。参看 1271 页〖数字〗。❷ (Bā)〔名〕姓。

【八拜之交】bā bài zhī jiāo　拜把子的关系。

【八宝菜】bābǎocài〔名〕由核桃仁、莴笋、杏仁、黄瓜、花生米等混合在一起的酱菜。

【八宝饭】bābǎofàn〔名〕糯米加果料儿、莲子、桂圆等蒸制的甜食。

【八宝粥】bābǎozhōu〔名〕糯米加莲子、桂圆、红枣、果料儿、花生米等煮成的粥。

【八辈子】bābèi·zi〔名〕好几辈子，形容深的程度或很长的时间；倒了～霉|这都是～前的事儿了。

【八成】bāchéng ❶ 数量词。十分之八；～新|任务完成了～啦。❷ (～儿)〔副〕多半；大概；看样子～他不来了。

【八斗才】bādǒucái〔名〕宋无名氏《释常谈》："谢灵运尝曰：'天下才有一石，曹子建独占八斗，我得一斗，天下共分一斗。'"后来用"八斗才"比喻很高的才能。

【八方】bāfāng〔名〕指东、西、南、北、东南、东北、西南、西北，泛指周围各地；四面～|一方有难，～支援。

【八分书】bāfēnshū〔名〕汉字的一种字体，即汉隶。

【八竿子打不着】bā gān·zi dǎ bù zháo　形容二者之间关系疏远或毫无关联。"竿"也作杆。

【八哥】bā·ge（～儿）〔名〕鸟，羽毛黑色，头部有羽冠，两翅有白斑，吃昆虫和植物种子。能模仿人说话的某些声音。也叫鸲鸰(qúyù)。

【八股】bāgǔ〔名〕明清科举制度的一种考试文体，段落有严格规定，每篇由破题、承题、起讲、入手、起股、中股、后股、束股等部

分组成。从起股到束股的四个部分，其中都有两股相互排比的文字，共为八股。内容空泛，形式死板，束缚人的思想。现在多用来比喻空洞死板的文章、讲演等。

【八卦】bāguà〔名〕我国古代的一套有象征意义的符号。用"—"代表阳，用"- -"代表阴，用三个这样的符号组成八种形式，叫做八卦。每一卦形代表一定的事物：☰为乾，代表天；☷为坤，代表地；☵为坎，代表水；☲为离，代表火；☳为震，代表雷；☶为艮，代表山；☴为巽，代表风；☱为兑，代表沼泽。八卦互相搭配又得六十四卦，用来象征各种自然现象和人事现象。在《易经》里有详细的论述。八卦相传是伏羲所造，后来用它来占卜。

【八卦教】Bāguàjiào〔名〕天理教的别称。参看 1346 页〖天理教〗。

【八国联军】Bā Guó Liánjūn　1900 年英、美、德、法、俄、日、意、奥八国为了扑灭我国义和团反对帝国主义的运动而组成的侵略军队。八国联军攻占了天津、北京等地，于 1901 年强迫清政府签订《辛丑条约》。

【八行书】bāhángshū〔名〕旧式信纸大多用红线直分为八行，因此称书信为八行书。简称八行。

【八角】bājiǎo〈方〉〔名〕八角茴香②。

【八角枫】bājiǎofēng〔名〕落叶小乔木，叶子卵形或圆形，花白色。根、茎、叶可入药，木材可用来做家具等。也叫榿(nì)木。

【八角茴香】bājiǎo huíxiāng ❶ 常绿小乔木，叶子长椭圆形，花红色，果实呈八角形。❷ 这种植物的果实，是常用的调味香料。内含挥发油，可入药。是我国特产之一。有的地区叫大料或八角。

【八节】bājié〔名〕指立春、春分、立夏、夏至、立秋、秋分、立冬、冬至八个节气；四时～。

【八九不离十】bā jiǔ bù lí shí〈口〉几乎接近(实际情况)；我虽然没有亲眼看见，猜也能猜个～。

【八路】Bālù〔名〕指八路军，也指八路军的干部、战士。

【八路军】Bā Lù Jūn〔名〕中国共产党领导的抗日革命武装，原是中国工农红军的主力部队，1937 年抗日战争开始后改编为国民革命军第八路军，是华北抗日的主力。第三次国内革命战争时期跟新四军和其他人民武装一起改编为中国人民解

放军。

【八面光】bāmiànguāng 形容非常世故，各方面都应付得很周到(含贬义)。

【八面玲珑】bāmiàn línglóng 原指窗户宽敞明亮，后用来形容人处世圆滑，不得罪任何一方。

【八面威风】bāmiàn wēifēng 形容神气十足。

【八旗】bāqí 名 清代满族的军队组织和户口编制，以旗为号，分正黄、正白、正红、正蓝、镶黄、镶白、镶红、镶蓝八旗。后又增建蒙古八旗和汉军八旗。八旗官员平时管民政，战时任将领，旗民子孙世代为兵。

【八下里】bāxià·li 〈方〉名 指很多方面(多表示照顾不过来)：～ 都要他一个人管，怎么管得好？

【八仙】bāxiān 名 ❶神话中的八位神仙，就是汉钟离、张果老、吕洞宾、李铁拐、韩湘子、曹国舅、蓝采和、何仙姑。旧时常作为绘画的题材和美术装饰的主题。❷〈方〉八仙桌。

【八仙过海】bāxiān guò hǎi 谚语"八仙过海，各显神通(或"各显其能")"，比喻各自有一套办法，或各自施展本领，互相竞赛。

【八仙桌】bāxiānzhuō (～儿)名 大的方桌，每边可以坐两个人。

【八一建军节】Bā-Yī Jiànjūn Jié 中国人民解放军建军的节日。1927 年 8 月 1 日，中国共产党领导了南昌起义，从此建立了中国人民的革命军队。

【八一南昌起义】 Bā-Yī Nánchāng Qǐyì 中国共产党为了挽救第一次国内革命战争的失败，于 1927 年 8 月 1 日在江西南昌举行的武装起义，领导人有周恩来、贺龙、叶挺、朱德、刘伯承等。

【八音盒】bāyīnhé 名 一种器物，开动匣里的发条后，能奏出各种固定的乐曲。

【八月节】Bāyuè Jié 名 中秋。

【八字】bāzì (～儿)名 用天干地支表示人出生的年、月、日、时，合起来是八个字。迷信的人认为根据生辰八字可以推算出一个人的命运好坏。

【八字步】bāzìbù (～儿)名 走路时两个脚尖向内或向外成八字形的步子。

【八字没一撇】bā zì méi yī piě 〈口〉比喻事情还没有眉目。

【八字帖儿】bāzìtiěr 名 旧俗订婚时写明男方或女方生辰八字的帖子。也叫庚帖。

巴 1 bā ❶ 盼望：～不得|朝(zhāo)～夜望。❷ 动 紧贴：爬山虎～在墙上。❸ 动 粘住：粥～了锅了。❹ 粘在别的东西上的东西：锅～。❺〈方〉动 挨着：前不～村，后不～店。❻〈方〉动 张开：～着眼瞧|天气干燥，桌子都～缝儿啦。

巴 2 Bā ❶ 周朝国名，在今四川东部和重庆一带。❷ 指四川东部和重庆一带。❸ 姓。

巴 3 bā 量 压强的非法定计量单位，符号 bar。1 平方厘米的面积上受到 100 万达因作用力，压强就是 1 巴，合 100 000 帕。从前气象学上多用毫巴，现已改用百帕。

巴 4 bā 巴士：大～|中～|小～。

【巴巴】bābā 后缀。用在形容词后，表示程度深：干～|可怜～。

【巴巴结结】bā·bājiējiē 〈方〉形 状态词。❶ 凑合；勉强：一般书报他～能看懂。❷ 勤奋；艰辛：～地做着事情|他～从老远跑来为了什么？

【巴巴儿地】bābār·de 〈方〉副 ❶ 迫切；急切：他～等着他那老伙伴。❷ 特地：～起了个大早赶来。

【巴不得】bā·bu·de 〈口〉动 迫切盼望：他～立刻见到你。

【巴旦杏】bādànxìng 名 扁桃。

【巴豆】bādòu 名 ❶ 常绿灌木或小乔木，叶子卵圆形，花小，结蒴果，种子可入药。❷ 这种植物的种子。

【巴结】bā·jie ❶ 动 趋炎附势，奉承讨好：～上司。❷〈方〉形 努力；勤奋：他工作一直很～。

【巴黎公社】Bālí Gōngshè 法国工人阶级在巴黎建立的世界上第一个无产阶级政权。1871 年 3 月 18 日，巴黎工人武装起义，推翻了资产阶级政权，28 日成立巴黎公社，后被国内外反动势力所扼杀。

【巴林石】bālínshí 名 一种以迪开石为主要成分的石料。颜色、性质跟昌化石相类似，产于内蒙古林西、巴林右旗一带，是制印章的名贵材料。

【巴儿狗】bārgǒu 名 哈巴狗。也作叭儿狗。

【巴山蜀水】Bā shān Shǔ shuǐ 巴、蜀一带的山水，指重庆、四川一带。

【巴士】bāshì 〈方〉名 公共汽车。[英

bus]

【巴松】bāsōng 名 木管乐器,管身分短节、长节、底节和喇叭口四部分,双簧片由金属曲颈管连接,插在短节顶端。也叫大管。[英 bassoon]

【巴头探脑儿】bā tóu tàn nǎor 〈方〉伸着头(偷看)。

【巴望】bāwàng 〈方〉❶ 动 盼望:～儿子早日平安归来。❷ 名 指望;盼头:今年收成有～。

【巴乌】bāwū 名 哈尼族、彝族、苗族的管乐器。用竹子制成,形似笛子,有八个孔,上端有铜制簧片。横吹,振动簧片发音。

【巴掌】bā·zhang 名 手掌:拍～。

扒 bā 动 ❶ 抓着(可依附的东西):～墙头儿|孩子～着车窗看风景|猴子～着树枝儿采果子吃。❷ 刨;挖;拆:～土|堤|～了旧房盖新房。❸ 拨动:～开草棵。❹ 剥(bāo);脱掉:～一棵树皮|他把鞋袜一～,下到水里。

另见 1014 页 pá。

【扒车】bā//chē 动 攀上行驶的火车、汽车等。

【扒带】bādài ❶ 动 翻录、仿制别人已出版的录音、录像带。也说扒带子。❷ 名 指翻录、仿制的录音、录像带。

【扒拉】bā·la 〈口〉❶ 动 拨动:～算盘子儿|他围着看热闹的人～开,自己挤了进去。❷ 去掉;撤掉:人太多了,要～下去几个|他的厂长职务叫上头给～了。

另见 1014 页 pá·la。

【扒皮】bā//pí 比喻残酷剥削。

【扒头儿】bā·tour 名 往高处爬时可以抓住的东西:峭壁连个～都没有,怎么往上爬呀?

叭 bā 同“吧”(bā)。

【叭儿狗】bārgǒu 同“巴儿狗”。

朳 bā 〈书〉无齿的耙子。

芭 bā 古书上说的一种香草。

【芭蕉】bājiāo 名 大蕉的通称。

【芭蕉扇】bājiāoshàn 名 葵扇的俗称。用蒲葵叶子(不是芭蕉叶子)做的扇子。

【芭蕾舞】bālěiwǔ 名 一种起源于意大利的舞剧,用音乐、舞蹈和哑剧手法来表演

戏剧情节。女演员舞蹈时常用脚趾尖点地。也叫芭蕾舞剧。[芭蕾,法 ballet]

叇 bā 叇叇屯(Hǎbātún),地名,在北京。

吧¹ bā ❶ 拟声 形容枪声、物体断裂声等:枪声～～直响|～的一声,把树枝折断了。❷ 动 抽(烟):他～了一口烟,才开始说话。

吧² bā 出售酒水、食品或供人从事某些休闲活动的场所:酒～|网～|～女。[英 bar]

另见 23 页 ·ba。

【吧嗒】bādā 拟声 形容物体轻微撞击或液体滴落等声音:～一声,闸门关上了|眼泪～～地往下掉。

【吧嗒】bā·da ❶ 动 嘴唇开合做声:他～了两下嘴,一声也不言语。❷ 〈方〉抽(旱烟):他蹲在一边～着叶子烟。

【吧唧】bājī 拟声 形容脚掌拍打泥泞地面等的声音:他光着脚在雨地里～～地走。

【吧唧】bā·ji 动 ❶ 嘴唇开合做声。❷ 〈方〉抽(旱烟):老汉不住地～着烟斗。

【吧女】bānǚ 名 酒吧的女招待员。

【吧台】bātái 名 酒吧里供应饮料等的柜台,一般旁边设有座位。

岜 bā 地名用字:～山(在山东)|～谋(在广西)。

苔 bā 苔厘(Bālí),印度尼西亚岛名。今作巴厘。

疤 bā 名 ❶ 疮口或伤口长好后留下的痕迹:疮～|伤～|腿上有一块～。❷ 像疤的痕迹:茶壶盖儿上有个～。

【疤痕】bāhén 名 疤:他左眼角下有一个很深的～|这树干上有一个碗口大的～。

【疤拉】bā·la 同“疤瘌”。

【疤拉眼儿】bā·layǎnr 同“疤瘌眼儿”。

【疤瘌】bā·la 名 疤。也作疤拉。

【疤瘌眼儿】bā·layǎnr 〈口〉名 ❶ 眼皮上有疤的眼睛。❷ 眼皮上有疤的人。‖也作疤拉眼儿。

捌 bā 数 “八”的大写。参看 1271 页【数字】。

笆 bā 用竹片或树的枝条编成的片状器物:荆～|竹篾～。

【笆斗】bādǒu 名 柳条等编成的一种容器,底为半球形。

【笆篱】bālí 〈方〉名 篱笆。

【笆篱子】bālí·zi〈方〉名 监狱。

【笆篓】bālǒu 名 用树条或竹篾等编成的器物,多用来背东西。

粑 bā〈方〉名 饼类食物:糍～|糖～|糯米～。

【粑粑】bābā〈方〉名 饼类食物:玉米～。

鲃(鮁) bā 名 鱼,体侧扁或略呈圆筒形,生活在淡水中,种类很多。

bá（ㄅㄚˊ）

拔 bá ❶ 动 把固定或隐藏在其他物体里的东西往外拉;抽出:～草|～剑|～刺|～了一颗牙◇～了祸根。 ❷ 动 吸出(毒气等):～毒|～火|～罐子。 ❸ 挑选(多指人才):选。 ❹ 动 向高提:～嗓子。 ❺ 超出;高出:海～|出类～萃。 ❻ 动 夺取;攻克(据点、城池等):连～敌军三个据点。 ❼〈方〉动 把东西放在凉水里使变凉:把西瓜放在冰水里～一～。 ❽(Bá)名 姓。

【拔除】báchú 动 拔掉;除去:～杂草|～敌军据点。

【拔刀相助】bá dāo xiāng zhù 形容见义勇为,打抱不平。

【拔地而起】bá dì ér qǐ 形容山峰、建筑物等陡然耸立在地面上。

【拔份】báfèn (～儿)〈方〉动 抬高身份;出风头:他学武术是为了增进健康,不是为了～。

【拔高】bágāo 动 ❶ 提高:～嗓子唱。 ❷ 有意抬高某些人物或作品等的地位:这部作品对主人公过分～,反而失去了真实性。

【拔罐子】bá guàn·zi 一种治疗方法,在小罐内点火燃烧片刻,把罐口扣在皮肤上,造成局部充血,以调理气血。常用于治疗感冒、头痛、哮喘、腰背疼痛等。有的地区说拔火罐儿(bá huǒguàn)。

【拔河】báhé 动 一种体育运动,人数相等的两队队员,分别握住长绳两端,向相反方向用力拉绳,把绳上系着标志的一点拉过规定界线为胜。

【拔火罐儿】bá huǒguàn〈方〉拔罐子。

【拔火罐儿】báhuǒguàn 名 一种上端较细的短烟筒,生炉子时把它放在炉口上,使火容易烧旺。也叫拔火筒。

【拔火筒】báhuǒtǒng 名 拔火罐儿。

【拔尖儿】bá//jiānr ❶ 形 出众;超出一般:他们种的花生,产量高,质量好,在我们县里算是～的。 ❷ 动 突出个人;出风头:他好逞强,遇事爱～。

【拔脚】bá//jiǎo 拔腿。

【拔节】bá//jié 动 指水稻、小麦、高粱、玉米等作物生长到一定阶段时,茎的各节自下而上依次迅速伸长。

【拔锚】bá//máo 动 起锚。

【拔苗助长】bá miáo zhù zhǎng 见1561页【揠苗助长】。

【拔取】báqǔ 动 选择录用:～人才。

【拔丝】bá//sī 动 烹调方法,把油炸过的山药、苹果之类的食物放在熬滚的糖锅里,吃时用筷子夹起来,糖遇冷就拉成丝状:～山药。

【拔俗】bású〈书〉动 脱俗;超出凡俗。

【拔腿】bá//tuǐ 动 ❶ 迈步:他答应了一声,～就跑了。 ❷ 抽身;脱身:他事情太多,拔不开腿。

【拔营】bá//yíng 动 指军队从驻地出发转移:部队在这里住了一宿就～了。

【拔擢】bázhuó〈书〉动 提拔。

胈 bá〈书〉名 人腿上的毛。

菝 bá [菝葜](báqiā)名 落叶攀缘状灌木,茎有刺,叶子卵圆形,花黄绿色,浆果球形。根状茎可入药。

跋¹ bá 在山上行走:～山涉水。

跋² bá 名 一般写在书籍、文章、金石拓片等后面的短文,内容大多属于评介、鉴定、考释之类:～语|题|本书的～写得很精彩。

【跋扈】báhù 形 专横暴戾,欺上压下:飞扬～|他做事一向非常～。

【跋前疐后】bá qián zhì hòu 比喻进退两难(疐:跌倒)。也作跋前踬后。

【跋前踬后】bá qián zhì hòu 同“跋前疐后”。

【跋山涉水】bá shān shè shuǐ 翻越山岭,蹚水过河,形容旅途艰苦。

【跋涉】báshè 动 爬山蹚水,形容旅途艰苦:长途～。

【跋文】báwén 图跋²。

【跋语】báyǔ 图跋²。

魃 bá 见538页〖旱魃〗。

鲅 bá 见1393页〖鲅鲅〗。

bǎ （ㄅㄚˇ）

把¹ bǎ ❶囫用手握住：～舵｜两手～着冲锋枪。❷囫从后面用手托起小孩儿两腿，让他大小便：～尿。❸囫把持；把揽：要信任群众，不要把一切工作都～着不放手。❹囫看守；把守：～大门｜～住关口。❺〈口〉囫紧靠：墙角儿站着｜～着胡同儿有个小饭馆。❻囫约束住使不裂开：用桑叶子～住裂缝。❼〈方〉囫给(gěi)①。❽图车把：那辆车的～折(shé)了。❾（～儿）图把东西扎在一起的捆子：草～｜秫秸～。❿量a)用于有把手的器具：一～刀｜一～茶壶｜一～扇子｜一～椅子。b)（～儿）一手抓起的数量：一～米｜一～儿花儿｜抓了一～韭菜。c)用于某些抽象的事物：一～年纪｜他可真有一～力气｜为了提前完成任务，咱们还得加～劲。d)用于手的动作：拉他一～｜帮他一～。⓫（Bǎ)图姓。

把² bǎ 囜❶宾语是后面动词的受事者，整个格式大多有处置的意思：～头一扭｜～衣服洗洗。❷后面的动词，是"忙、累、急、气"等加上表示结果的补语，整个格式有致使的意思：～他乐坏了｜差点儿～他急疯了。❸宾语是后面动词的施事者，整个格式表示不如意的事情：正在节骨眼儿上偏偏～老张病了。‖注意▶a)①②"把"的宾语都是确定的。b)用"把"的句子，动词后边有附加成分或补语，或前边有"一"等特种状语。但在诗歌或曲里可以扭转身来一话讲。c)用"把"的句子，动词后头一般不带宾语，但有时带：～衣服撕了一口子｜～这两封信贴上邮票发出去。d)用"把"的句子，有时候后面不说出具体的动作，这种句子多半用在表示责怪或不满的场合：我～你糊涂虫啊！e)近代汉语里"把"曾经有过"拿"的意思，现代方言里还有这种用法（"那个人不住地～眼睛看我"）。

把³ bǎ 囜加在"百、千、万"和"里、丈、顷、斤、个"等量词后头，表示数量近于这个单位数(前头不能再加数词)：个～月｜百～块钱｜斤～重。

把⁴ bǎ 指拜把子的关系：～兄｜～嫂。
另见21页 bà。

【把柄】bǎbǐng 图❶器物上便于用手拿的部分。❷比喻可以被人用来进行要挟或攻击的过失或错误等：他敢这样欺负你，是不是你有什么～叫他抓住了？

【把持】bǎchí 囫❶独占位置、权利等，不让别人参与(含贬义)：～财权｜～朝政。❷控制(感情等)：～不住内心的激愤。

【把舵】bǎ//duò 囫掌舵。

【把风】bǎ//fēng 囫望风。

【把关】bǎ//guān 囫❶把守关口：那里地势险要，有重兵～。❷比喻根据已定的标准，严格检查，防止差错：集体编写的著作，应由主编负责｜把好产品质量关。

【把家】bǎjiā 〈方〉囫管理家务，特指善于管理家务。

【把角儿】bǎjiǎor 〈口〉图路口拐角的地方：胡同～有家早点铺。

【把酒】bǎjiǔ 〈书〉囫端起酒杯：～临风｜～问青天。

【把口儿】bǎkǒur 〈口〉图正当路口的地方：小街～有一家酒店。

【把揽】bǎlǎn 囫尽量占有；把持包揽。

【把牢】bǎláo 〈方〉囮坚实牢靠；稳当(多用于否定式)：用碎砖砌的墙，不～｜这个人做事不～。

【把脉】bǎ//mài 囫❶诊脉。❷比喻对某事物进行调查研究，并作出分析判断：专家为工程质量～。

【把门】bǎ//mén （～儿）囫❶把守门户：这里门卫～很严，不能随便进去◇这个人说话嘴上缺个～的。❷把守球门。

【把式】bǎ·shi 同"把势"。

【把势】bǎ·shi ❶〈口〉武术：练～的。❷〈口〉会武术的人；专精某种技术的人：车～｜论庄稼活，他可真是个好～。❸〈方〉技术：他们学会了田间劳动的全套～。‖也作把式。

【把手】bǎ·shou 图❶拉手(lā·shou)。❷器物上手拿的地方：把儿(bàr)。

【把守】bǎshǒu 囫守卫；看守(重要的地方)：～关口｜大桥有卫兵～。

【把头】bǎ·tóu 名 旧社会里把持某种行业从中剥削的人：封建～。

【把玩】bǎwán 〈书〉动 拿着赏玩：～良久，不忍释手。

【把稳】bǎwěn 〈方〉形 稳当；可靠：他办事很～。

【把握】bǎwò ❶ 动 握；拿：司机～着方向盘。❷ 动 抓住（抽象的东西）：～时机｜透过现象，～本质。❸ 名 成功的可靠性（多用于"有"和"没"后）：球赛获胜是有～的。

【把戏】bǎxì 名 ❶ 杂技：耍～｜看～。❷ 花招；蒙蔽人的手法：鬼～｜收起你这套～，我不会上当的。

【把兄弟】bǎxiōngdì 名 指结拜的弟兄。年长的称把兄，年轻的称把弟。也叫盟兄弟。

【把斋】bǎ//zhāi 动 封斋①。

【把盏】bǎzhǎn 〈书〉动 端着酒杯（多用于斟酒敬客）：轮流～，向客人敬酒。

【把捉】bǎzhuō 动 把握；抓住（多用于抽象事物）：～事物的本质｜～文件的精神实质。

【把子】¹ bǎ·zi ❶ 名 把东西扎在一起的捆子：秫秸～。❷ 量 a)人一群、一帮叫一把子（多含贬义）：一～土匪。b)一手抓起的数量，多用于长条形东西：一～韭菜。c)用于某些抽象的事物：加一～劲儿。

【把子】² bǎ·zi 名 戏曲中所使用的武器的总称，也指开打的动作：练～｜单刀～。

【把子】³ bǎ·zi 名 见 32 页〖拜把子〗。
　　　另见 21 页 bà·zi。

屄 bǎ 〈方〉❶ 名 屎；粪便：屙～。❷ 动 拉屎：想尿就尿，想～就～。

【屄屄】bǎ·ba 〈口〉名 屎；粪便（多用于小儿语）。

钯（鈀） bǎ 名 金属元素，符号 Pd（palladium）。银白色，化学性质不活泼，能大量吸附氢气。用作催化剂，也用来制特异合金等。
　　　另见 1015 页 pá。

靶 bǎ 名 靶子：打～｜～环｜～胸～｜枪枪中～。

【靶标】bǎbiāo 名 靶子：瞄准～。

【靶场】bǎchǎng 名 打靶的场地。

【靶船】bǎchuán 名 海上演习时当靶子用的船。

【靶点】bǎdiǎn 名 医学上进行某些放射治疗时，放射线从不同方位照射，汇集到病

变部位，这个病变部位叫做靶点。

【靶机】bǎjī 名 当空中靶子用的无人驾驶飞机。

【靶器官】bǎqìguān 名 指某一疾病或某一药物所影响或针对的器官。如心脏、大脑、肾脏、血管是高血压的靶器官，甲状腺是碘的靶器官。

【靶台】bǎtái 名 打靶时射击者所在的位置。

【靶细胞】bǎxìbāo 名 某种细胞成为另外的细胞或抗体的攻击目标时，前者就叫做后者的靶细胞。例如带有表面抗原的细胞受到免疫细胞或特异性抗体的攻击，它就是免疫细胞或特异性抗体的靶细胞；又如免疫细胞受到某抗原的攻击，它就是该抗原的靶细胞。

【靶心】bǎxīn 名 靶子的中心部位。

【靶子】bǎ·zi 名 练习射击或射箭的目标◇这出戏成为大家批评的～。

bà （ㄅㄚˋ）

坝（垻、壩） bà ❶ 名 拦水的构筑物：拦河～｜修一座～。❷ 名 河工险要处巩固堤防的构筑物，如丁坝。❸〈方〉名 沙滩；沙洲。❹ 坝子（多用于地名）：平～（在贵州）｜留～（在陕西）。

【坝塘】bàtáng 名 塘坝。

【坝田】bàtián 名 山脚围绕的平坦农田。

【坝子】bà·zi 名 西南地区称平地或平原：川西～。

把（欛） bà （～儿）名 ❶ 器具上便于手拿的部分：茶壶～儿｜撢子～儿。❷ 花、叶或果实的柄：花～儿｜梨～儿。
　　　另见 20 页 bǎ。

【把子】bà·zi 名 把（bà）①。
　　　另见 21 页 bǎ·zi。

弝 bà 弓的中部，射箭时握弓的地方。

爸 bà 〈口〉名 父亲。

【爸爸】bà·ba 〈口〉名 父亲。

耙 bà ❶ 名 碎土、平地的农具。它的用处是把耕过的地里的大土块弄碎弄平，有有钉齿耙和圆盘耙等。❷ 动 用耙弄碎

土块:三犁三～|那块地已经～过两遍了。另见1015页 pá。

B

罢(罷) bà ❶ 勔 停止:～工|欲～不能。❷ 勔 免去;解除:～职|～免。❸ 勔 完毕:吃～晚饭|说～就走。〈古〉又同"疲"pí。

另见23页 •ba。

【罢笔】bà∥bǐ 勔 停止写作。

【罢黜】bàchù〈书〉勔 ❶ 贬低并排斥:～百家,独尊儒术。❷ 免除(官职)。

【罢工】bà∥gōng 勔 工人为实现某种要求或表示抗议而集体停止工作。

【罢官】bà∥guān 勔 解除官职:上任不久由于渎职被罢了官。

【罢教】bà∥jiào 勔 教师为实现某种要求或表示抗议而集体停止教学。

【罢考】bà∥kǎo 勔 考生为实现某种要求或表示抗议而拒绝参加考试。

【罢课】bà∥kè 勔 学生为实现某种要求或表示抗议而集体停止上课。

【罢了】bà•le 勔 用在陈述句的末尾,有"仅此而已"的意思,常跟"不过、无非、只是"等词前后呼应:这不算什么,我不过尽了我的职责～。

【罢练】bà∥liàn 勔 运动员为实现某种要求或表示抗议而拒绝参加训练。

【罢了】bàliǎo 勔 表示容忍,有勉强放过暂不深究的意思;算了:他不愿参加也就～。

【罢论】bàlùn 名 取消了的打算:此事只好作为～。

【罢免】bàmiǎn 勔 选民或代表机关撤销他们所选出的人员的职务;免去(官职):～权|我这个厂长如果当得不好,你们可以随时～我。

【罢免权】bàmiǎnquán 名 ❶ 选民或选民单位依法撤销他们所选出的人员职务的权利。❷ 政府机关或组织依法撤销其任命的人员职务的权利。

【罢赛】bà∥sài 勔 运动员为实现某种要求或表示抗议而拒绝参加比赛。

【罢市】bà∥shì 勔 商人为实现某种要求或表示抗议而联合起来停止营业。

【罢手】bà∥shǒu 勔 停止进行;住手:不试验成功,决不～。

【罢讼】bàsòng 勔 罢诉。

【罢诉】bàsù 勔 撤销诉讼,不再打官司。

【罢休】bàxiū 勔 停止做某件事情(多用于否定式):不找到新油田,决不～。

【罢演】bà∥yǎn 勔 演员为实现某种要求或表示抗议而停止演出。

【罢战】bàzhàn 勔 结束战争;休战:双方议和～。

【罢职】bà∥zhí 勔 解除职务。

龅(齙) bà〈方〉勔 牙齿外露。

鲅(鮁) bà 名 马鲛。

鲌(鮊) bà〈书〉同"鲅"。

另见106页 bó。

耙(櫌) bà 同"耙"(bà)。

霸(覇) bà ❶ 古代诸侯联盟的首领:春秋五～。❷ 名 强横无理、倚仗权势压迫人民的人:恶～|那人是当地一～。❸ 名 指霸权主义:反帝反～。❹ 勔 霸占:军阀割据,各～一方。❺(Bà)名 姓。

【霸持】bàchí 勔 强行占据;霸占:～文坛|～他人产业。

【霸道】bàdào ❶ 名 我国古代政治哲学中指凭借武力、刑法、权势等进行统治的政策。❷ 形 强横不讲理;蛮横:横行～|这人真～,一点儿理也不讲。

【霸道】bà•dao 形 猛烈;厉害:这酒真～,少喝点儿吧。

【霸气】bàqì ❶ 形 蛮横,不讲道理:这个人说话太～了。❷ 名 专横的气势。

【霸权】bàquán 名 在国际关系上以实力操纵或控制别国的行为:建立～|～主义。

【霸权主义】bàquán zhǔyì 指大国、强国凭借军事和经济实力,强行干涉、控制小国、弱国的内政外交,在世界和地区称霸的政策和行为。

【霸王】bàwáng 名 ❶ 秦汉之间楚王项羽的称号。❷ 比喻极端霸道的人。

【霸王鞭】[1] bàwángbiān 名 ❶ 表演民间舞蹈用的彩色短棍,两端安有铜片。❷ 民间舞蹈,表演时一面舞动霸王鞭,一面歌唱。也叫花棍舞、打连厢。

【霸王鞭】[2] bàwángbiān 名 常绿多浆植物,茎粗壮,有五个棱,有成行的乳头状硬刺。原产马来群岛,在热带常栽培做绿篱。

【霸业】bàyè 图指称霸诸侯或维持霸权的事业。

【霸占】bàzhàn 动倚仗权势占为己有；强行占据：～民女｜～土地。

【霸主】bàzhǔ 图❶春秋时代势力最大并取得首领地位的诸侯。❷在某一领域或地区最有声威、势力的人或集团：文坛～。

灞 Bà 灞河，水名，在陕西。

•ba （•ㄅㄚ）

吧 •ba 助❶用在祈使句末，使语气变得较为舒缓：咱们走～｜帮帮他～｜你好好儿想想～｜同志们前进～！❷用在陈述句末，使语气变得不十分确定：他是上海人～｜你明天能见到他～｜小张大概不会来了～。❸用在疑问句末，使原来的提问带有揣测、估计的意思：这座楼是新盖的～?｜您就是李师傅～? ❹在句中表示停顿，带假设的语气（常常并举，有两难的意味）：走～，不好；不走～，也不好。

另见18页 bā。

罢（罷）•ba 同"吧"（•ba）。

另见22页 bà。

bāi（ㄅㄞ）

刮 bāi［刮划］(bāi·huai)〈方〉动❶处置；安排：这件事你别管了，就交给他去～吧。❷修理；整治：电子钟叫他给～坏了。

掰（擘）bāi 动用手把东西分开或折断：～玉米｜～成两半儿｜小弟弟～着手指头数数儿。"擘"另见107页 bò。

【掰腕子】bāi wàn·zi 比赛臂力、腕力。两人各伸出一只手互相握住，摆正后，各自用力，把对方的手压下去为胜。

跛 bāi〈方〉动腿脚有毛病，行动不方便；瘸：脚～手残。

【跛子】bāi·zi〈方〉图腿脚有毛病，行动

不方便的人；瘸子。

bái（ㄅㄞˊ）

白[1] bái ❶形像霜或雪的颜色（跟"黑"相对）。❷形光亮；明亮：东方发～｜大天～日。❸清楚；明白；弄明白：真相大～｜不～之冤。❹没有加上什么东西的；空白：～卷｜～饭｜～开水｜一穷二～。❺副没有效果；徒然：～跑一趟｜～费力气。❻副无代价；无报偿：～吃｜～给｜～看戏。❼象征反动：～军｜～区。❽指丧事：～事。❾动用白眼珠看人，表示轻视或不满：～了他一眼。❿（Bái）图姓。

白[2] bái 形（字音或字形）错误：写～字｜把字念～了。

白[3] bái ❶说明；告诉；陈述：表～｜辩～｜告～。❷戏曲或歌剧中在唱词之外用说话腔调说的语句：道～｜独～｜对～。❸指地方话：苏～。❹白话：文～杂糅｜半文半～。

【白皑皑】bái'ái'ái（～的）形状态词。形容霜、雪等洁白：～的雪铺满田野。

【白矮星】bái'ǎixīng 图发白光而光度小的一类恒星，体积很小，密度很大。天狼星的伴星就属于白矮星。

【白案】bái'àn（～儿）图炊事分工上指做主食（如煮饭、烙饼、蒸馒头等）的工作（区别于"红案"）。

【白白】báibái 副❶没有效果；徒然：瞎跑了一天，时间～浪费了。❷无代价；无报偿：这些东西不能～送给你。

【白班】báibān（～儿）〈口〉图白天工作的班次；日班。

【白版】báibǎn 图指书刊上没印出文字或图表，留下的成块空白。

【白榜】báibǎng 图对人进行处分或批评的布告。因多用白纸写成，所以叫白榜。

【白报纸】báibàozhǐ 图报纸②。

【白璧微瑕】bái bì wēi xiá 洁白的玉上面有些小斑点，比喻很好的人或事物有些小缺点。

【白璧无瑕】bái bì wú xiá 洁白的玉上面没有一点儿小斑点，比喻人或事物完美无缺。

【白醭】báibú（～儿）图醋、酱油等表面长

的白色的霉。

【白不呲咧】bái·bucīliē （～的）〈方〉形 状态词。物件退色发白或汤、菜颜色滋味淡薄：这件蓝衣服洗得～的，穿不出去了｜菜里酱油放少了，～的。

【白菜】báicài 名❶ 一年生或二年生草本植物，叶子大，花淡黄色。是常见蔬菜。品种很多，有大白菜、小白菜等。❷ 特指大白菜。

【白茬】báichá （～儿）形 属性词。❶ 农作物收割后没有再播种的(土地)：～地。❷ 未经油漆的(木制器物)：～大门。也作白槎、白碴。❸ 未用布、绸等缝制面的(皮衣)：～老羊皮袄。也作白楂。

【白茶】báichá 名 茶叶的一大类，是一种不发酵，也不经揉捻，制作技术特殊的茶。种类有银针白毫、贡眉、寿眉等。

【白楂】báichá 同"白茬"❸。

【白槎】báichá 同"白茬"❷。

【白碴】báichá 同"白茬"❷。

【白痴】báichī 名❶ 精神发育重度不全的病，患者智力低下，动作迟钝，语言功能不健全，严重的生活不能自理。❷ 患白痴的人。

【白炽灯】báichìdēng 名 最常用的一种电灯，灯泡是真空的或充有稀有气体的玻璃泡，里面有灯丝，电流通过时，灯丝白热，发出亮光。

【白唇鹿】báichúnlù 名 鹿的一种，两腮和嘴边的毛纯白色，生活在高寒地区，是我国特有的珍贵动物。

【白醋】báicù 名 无色透明的食醋。

【白搭】báidā 〈口〉动 没有用处；不起作用：白费力气：这场球输定了，你上场也是～。

【白带】báidài 名 妇女的子宫和阴道分泌的乳白色或淡黄色的黏液。

【白道】báidào 名 月球绕地球运行的轨道。

【白地】¹báidì 名❶ 没有种上庄稼的田地；留下一块～准备种白薯。❷ 没有树木、房屋的土地：村子被烧成一片～。

【白地】²báidì （～儿）名 白色的衬托面：～儿红花儿。

【白癜风】báidiànfēng 名 皮肤病，多由皮肤局部缺乏黑色素引起。症状是皮肤上呈现一片大小不等的白斑，不痛不痒。

【白丁】báidīng 名 封建社会里指没有功名的人：谈笑有鸿儒，往来无～。

【白垩】bái'è 名 石灰岩的一种，主要成分是碳酸钙，是由古生物的残骸积聚形成的。白色，质软，分布很广，用作粉刷材料等。

【白矾】báifán 名 明矾的通称。

【白饭】báifàn 名❶ 指不加菜、糖等做成并且不就菜吃的米饭。❷ 饭馆按份计价出售饭菜时，指另加的不搭配菜肴出售的米饭：给我们来个七个份儿饭，另加一份～。

【白费】báifèi 动 徒然耗费：～力气｜～心思｜～时间。

【白粉】báifěn 名❶ 白色的化妆粉。❷〈方〉指粉刷墙壁用的白垩。❸〈方〉白面儿。

【白干儿】báigānr 名 白酒，因无色、含水分少而得名。

【白宫】Bái Gōng 名 美国总统的官邸，在华盛顿，是一座白色的建筑物。常用作美国官方的代称。

【白骨】báigǔ 名 指人的尸体腐烂后剩下的骨头。

【白骨顶】báigǔdǐng 名 骨顶鸡。

【白骨精】Báigǔjīng 名 神话小说《西游记》中一个阴险狡诈善于伪装变化的女妖精。常用来比喻善于伪装的极为阴险毒辣的女人。

【白鹳】báiguàn 名 鹳的一种，羽毛白色，只有翅膀上一部分是黑色的。尾短，嘴和腿都很长。叫的声音很响亮。常生活在水边，捕食鱼、虾等。

【白果】báiguǒ 名 银杏。

【白果儿】báiguǒr 〈方〉名 鸡蛋。

【白鹤】báihè 名 鹤的一种，羽毛白色，翅膀末端黑色，眼周围和头顶红色。生活在湿地中，在浅滩觅食。

【白喉】báihóu 名 传染病，病原体是白喉杆菌。多在秋冬季流行，小儿容易感染。患者有全身中毒症状，咽部有灰白色假膜，不易剥离，有的声音嘶哑。常引起心肌炎和瘫痪。

【白虎】báihǔ 名❶ 二十八宿中西方七宿的统称。参看363页〖二十八宿〗。❷ 道教所奉的西方的神。

【白虎星】báihǔxīng 名 迷信的人指给人带来灾祸的人。

【白花花】báihuāhuā （～的）形 状态词。白得耀眼：～的银子|收棉季节,地里一片～的。

【白化】báihuà 动 生物体的病变部分由于缺乏色素或色素消退而变白。

【白化病】báihuàbìng 名 一种先天性疾病,患者体内缺乏色素,毛发呈白色,皮肤呈粉白色,眼睛怕见光。患这种病的人俗称天老儿。

【白话】[1] báihuà 名 指不能实现或没有根据的话：空口说～。

【白话】[2] báihuà 名 指现代汉语(普通话)的书面形式。它是唐宋以来在口语的基础上形成的,起初只用于通俗文学作品,到五四运动以后才在社会上普遍应用：～文|～小说。

【白话】bái·hua 〈方〉动 闲谈;聊天：两个人蹲在那里～。

【白话诗】báihuàshī 名 五四运动以后称打破旧诗格律用白话写成的诗。

【白话文】báihuàwén 名 用白话写成的文章。也叫语体文。

【白桦】báihuà 名 落叶乔木,树皮白色,剥离呈纸状,叶子近卵形,耐寒性强。木材致密,可用来制胶合板、造纸等。

【白晃晃】báihuǎnghuǎng （～的）形 状态词。白而亮：～的照明弹。

【白灰】báihuī 名 石灰的通称。

【白芨】báijī 名 白及。

【白及】báijí 名 多年生草本植物,叶子长,花紫红色。地下块茎白色,可入药。也叫白芨。

【白鱀豚】báijìtún 名 哺乳动物,生活在淡水中,比海里的鲸小,身体呈纺锤形,上部浅蓝灰色,下部白色,有背鳍。是我国特有的珍贵动物。也叫白鳍豚。

【白金】báijīn 名 ❶ 铂的通称。❷ 古代指银子。

【白金汉宫】Báijīnhàn Gōng 名 英国王宫,在伦敦。从 1837 年起,英国历代君主都住在这里。常用作英国王室的代称。[白金汉,英 Buckingham]

【白净】bái·jing 形 白而洁净：皮肤～。

【白酒】báijiǔ 名 用高粱、玉米、甘薯等粮食或某些果品发酵、蒸馏制成的酒,没有颜色,含酒精量较高。也叫烧酒、白干儿。

【白驹过隙】bái jū guò xì 形容时间过得飞快,像小白马在细小的缝隙前一闪而过(语本《庄子·知北游》)。

【白剧】báijù 名 白族的主要戏曲剧种,历史悠久,流行于云南西部白族聚居区。

【白卷】báijuàn （～儿）名 没有写出文章或答案的考卷：交～儿。

【白开水】báikāishuǐ 名 不加茶叶或其他东西的开水。

【白口】[1] báikǒu 名 线装书书口的一种格式,版口中心上下都是空白的,叫做白口(区别于"黑口")。

【白口】[2] báikǒu （～儿)名 戏曲中的说白。

【白蜡】báilà 名 ❶ 白蜡虫分泌的蜡质,熔点较高,颜色洁白,是我国特产之一。可制蜡烛或药丸外壳,又可用来涂蜡纸,密封容器。❷ 精制的蜂蜡,颜色洁白,可以制蜡烛。

【白蜡虫】báilàchóng 名 昆虫,成群栖息在白蜡树或女贞树上,雄虫能分泌白蜡。

【白蜡树】báilàshù 名 梣的通称。

【白兰地】báilándì 名 用葡萄、苹果等发酵蒸馏制成的酒。含酒精量较高。[英 brandy]

【白兰瓜】báilánguā 名 甜瓜的一种,果实球形,果皮光滑,没有网纹,成熟时乳白色,果肉浅绿色,味甜。耐干旱,主要产于甘肃兰州一带。

【白莲教】Báiliánjiào 名 一种民间宗教,因依托佛教的一个宗派白莲宗而得名。元、明、清三代在民间流行,农民军往往借白莲教的名义起事。

【白鲢】báilián 名 鲢。

【白蔹】báiliǎn 名 多年生蔓生藤本植物,掌状复叶,花黄绿色,浆果球形。块根入药。

【白磷】báilín 名 磷的同素异形体,无色或淡黄色蜡状晶体,有大蒜的气味,毒性强,在空气中能自燃,在暗处发出磷光。用来制造高纯度的磷酸,也用来制造焰火等。也叫黄磷。

【白蛉】báilíng 名 昆虫,身体小,黄白色或浅灰色,表面有很多细长的毛。雄的吸食植物的汁。雌的吸人畜的血液,能传播黑热病和白蛉热等。

【白领】báilǐng 名 指从事脑力劳动的职员,如管理人员、技术人员、政府公务员等：～阶层。

【白鹭】báilù 名 鹭的一种,羽毛白色,腿很长,能涉水捕食鱼、虾等。也叫鹭鸶。

【白露】báilù 名二十四节气之一,在9月7、8或9日。参看696页〖节气〗、363页〖二十四节气〗。

【白马王子】báimǎ wángzǐ 指少女倾慕的理想的青年男子。

【白茫茫】báimángmáng (～的)形 状态词。形容一望无边的白(用于云、雾、雪、大水等):雾很大,四下里～的|辽阔的田野上铺满了积雪,～的一眼望不到尽头。

【白毛风】báimáofēng〈方〉暴风雪。

【白茅】báimáo 多年生草本植物,叶子条形或线状披针形,花穗上密生白毛。根状茎可以吃,也可入药,叶子可以编蓑衣。也叫茅草。

【白煤】báiméi 名❶〈方〉无烟煤。❷指用作动力的水流。

【白蒙蒙】báiméngméng 形 状态词。形容烟、雾、蒸气等白茫茫一片,模糊不清:海面雾气腾腾,～的什么也看不见。

【白米】báimǐ 名碾净了糠的大米(区别于"糙米"),有时泛指大米。

【白面】báimiàn 名小麦磨成的粉:～馒头。

【白面儿】báimiànr 名指作为毒品的海洛因。

【白面书生】báimiàn shūshēng 指年轻的读书人,也指面孔白净的读书人。

【白描】báimiáo 名❶国画的一种画法,纯用线条勾画,不加彩色渲染。❷文字简练单纯,不加渲染烘托的写作手法。

【白木耳】báimù'ěr 名银耳。

【白内障】báinèizhàng 名病,症状是眼球的晶状体混浊,影响视力。最常见的是老年性白内障。

【白嫩】báinèn 形(皮肤)白皙细嫩。

【白皮书】báipíshū 名政府、议会等公开发表的有关政治、外交、财政等重大问题的文件,封面为白色,所以叫白皮书。由于习惯和文件内容不同,也有用别种颜色的,如蓝皮书、黄皮书、红皮书。

【白票】báipiào 名投票选举时,没有写上或圈出被选举人姓名的选票。

【白旗】báiqí 名❶战争中表示投降的白色旗子。❷战争中敌对双方派人联络时所用的白色旗子。

【白鳍豚】báiqítún 名白鱀豚。

【白契】báiqì 名旧时指买卖田地房产未经官方登记盖印的契约(区别于"红契")。

【白镪】báiqiǎng 名古代当做货币的银子。

【白区】báiqū 名我国第二次国内革命战争时期称国民党统治的地区。

【白饶】báiráo 动❶无代价地额外多给:～碗高汤。❷〈方〉白搭:几天的辛苦全算～,得打头儿重来。

【白热】báirè 形某些物质加高温(1 200—1 500℃)后发出白光,这种状态叫做白热。

【白热化】báirèhuà 动 比喻事态、感情等发展到最紧张激烈的阶段:斗争已经～。

【白人】Báirén 名指白种人。

【白刃】báirèn 名锋利的刀:～格斗。

【白刃战】báirènzhàn 名敌对双方近距离用枪刺、枪托等进行的格斗。也叫肉搏战。

【白日】báirì 名❶指太阳:～依山尽,黄河入海流。❷白天:～做梦。

【白日见鬼】báirì jiàn guǐ 比喻出现不可能出现的或荒诞离奇的事。也说白昼见鬼。

【白日做梦】báirì zuò mèng 比喻幻想根本不能实现。

【白肉】báiròu 名清水煮熟的猪肉。

【白润】báirùn 形(皮肤)白而润泽。

【白色】báisè 名❶白的颜色。❷形 属性词。象征反动:～政权|～恐怖。

【白色恐怖】báisè kǒngbù 指在反动政权统治下,反革命暴力所造成的恐怖,如大规模的屠杀、逮捕等。

【白色垃圾】báisè lājī 指废弃的塑料及其制品等,因它们多为白色,所以叫白色垃圾。这种垃圾在自然环境中极难降解,对环境有严重污染。

【白色收入】báisè shōurù 指按规定获得的工资、津贴等劳动报酬,具有公开性(区别于"黑色收入、灰色收入")。

【白色污染】báisè wūrǎn 指废弃塑料及其制品对环境造成的污染。塑料不易降解,所含成分有潜在危害,影响环境质量。因塑料用作包装材料多为白色,所以叫白色污染。

【白山黑水】báishān hēishuǐ 长白山和黑龙江,指我国东北地区。

【白鳝】 báishàn 名 鳗鲡。

【白食】 báishí 名 指不出代价而得到的饮食：吃～。

【白事】 báishì 名 指丧事：办～。

【白手】 báishǒu 副 空手；徒手：～起家|这一场～夺刀演得很精彩。

【白手起家】 báishǒu qǐ jiā 形容原来没有基础或条件很差但创立起一番事业。

【白首】 báishǒu 〈书〉名 白发，指老年：～话当年。

【白薯】 báishǔ 名 甘薯的通称。

【白水】 báishuǐ 名 ❶ 白开水。❷ 〈书〉明净的水。

【白苏】 báisū 名 一年生草本植物，茎有四棱，叶子卵圆形，花小，白色。嫩叶可以吃。小坚果圆形，叫白苏子，茎、叶、果均可入药。也叫荏(rěn)。

【白汤】 báitāng 名 煮白肉的汤或不加酱油的菜汤。

【白糖】 báitáng 名 甘蔗或甜菜的汁提成后，分出糖蜜制成的糖，白色结晶，颗粒较小，味甜，供食用。

【白陶】 báitáo 名 殷代用高岭土烧成的白色陶器。

【白体】 báitǐ 名 排版、印刷上指一种笔画较细的字体，如老宋体等（区别于"黑体"）。

【白天】 bái·tiān 名 时间词。从天亮到天黑的一段时间。

【白田】 báitián 名 没有种上庄稼的田地，有的地区专指没有种上庄稼的水田。

【白条】¹ báitiáo （～儿）名 财务上指不符合财会制度规定的非正式单据：打～|～不能作报销凭证。也叫白条子。

【白条】² báitiáo 形 属性词。商品上指家禽、牲畜宰杀后烫毛或去头、蹄、内脏的：～鸡|～猪。

【白铁】 báitiě 名 镀锌铁的通称。

【白厅】 Bái Tīng 名 英国伦敦的一条大街。因过去有白厅宫而得名。现在是英国主要政府机关所在地。常用作英国官方的代称。

【白铜】 báitóng 名 铜和镍的合金，颜色银白，用来制造日用器具等。

【白头】¹ báitóu 名 白发，指老年：～老翁|～偕老。

【白头】² báitóu 形 属性词。不署名或没有印章的：～帖子(不署名的字帖儿)|～材

料。

【白头鹎】 báitóubēi 名 鸟，头部的毛黑白相间，老鸟头部的毛变成白色，生活在山林中，吃树木的果实，也吃害虫。也叫白头翁。

【白头翁】 báitóuwēng 名 ❶ 白头鹎。❷ 多年生草本植物，花紫红色，果实有白毛，像老翁的白发。根可入药。

【白头偕老】 báitóu xié lǎo 夫妻共同生活到老：百年好合，～(新婚颂词)。

【白玩儿】 báiwánr 〈口〉动 ❶ 不付任何代价地玩儿。❷ 指做某种事轻而易举，不费力：大小伙子扛袋面，还不是～。

【白文】 báiwén 名 ❶ 指有注解的书的正文：先读～，后看注解。❷ 指有注解的书不录注解只印正文的本子，如《十三经白文》。❸ 印章上的阴文(跟"朱文"相对)。

【白皙】 báixī 〈书〉形 白净。

【白细胞】 báixìbāo 名 血细胞的一种，比红细胞大，圆形或椭圆形，无色，有细胞核，产生在骨髓、脾脏和淋巴结中。作用是吞噬病菌、中和病菌分泌的毒素等。旧称白血球。

【白鹇】 báixián 名 鸟，雄的背部白色，有黑色的纹，腹部黑蓝色，雌的全身棕绿色，头上有冠，尾长。常生活在高山竹林间。也叫白雉。

【白鲞】 báixiǎng 名 剖开晾干的黄鱼。

【白相】 báixiàng 〈方〉动 玩；玩耍；玩弄。

【白熊】 báixióng 名 北极熊。

【白血病】 báixuèbìng 名 病，症状是白细胞异常增多，贫血，出血，脾脏肿大，眩晕等。俗称血癌。

【白血球】 báixuèqiú 名 白细胞的旧称。

【白眼】 báiyǎn 名 眼睛朝上或向旁边看，现出白眼珠，是看不起人的一种表情(跟"青眼"相对)：～看人|遭人～。

【白眼儿狼】 báiyǎnrláng 〈口〉名 比喻忘恩负义的人。

【白眼珠】 báiyǎnzhū （～儿）名 眼球上白色的部分。

【白羊座】 báiyángzuò 名 黄道十二星座之一。参看 600 页〖黄道十二宫〗。

【白杨】 báiyáng 名 毛白杨。

【白药】 báiyào 名 中成药，白色粉末。能治出血疾患、跌打损伤等。云南出产的最著名。

B

【白页】báiyè 名电话号簿中登录党政机关、团体电话号码的部分,因用白色纸张印刷,所以叫白页(区别于"黄页")。

【白夜】báiyè 名由于地轴偏斜和地球自转、公转的关系,在高纬度地区,有时黄昏还没有过去就出现黎明,这种现象叫做白夜。出现白夜的地区从纬度 48.5°起,纬度越高白夜出现的时期越长,天空也越亮。

【白衣苍狗】báiyī cānggǒu 杜甫《可叹》诗:"天上浮云似白衣,斯须改变如苍狗。"后来用"白衣苍狗"比喻世事变幻无常。也说白云苍狗。

【白衣天使】báiyī tiānshǐ 护士的美称。

【白衣战士】báiyī zhànshì 指医疗护理人员。因为他们身穿白色工作服,救死扶伤,跟疾病作斗争,所以称作白衣战士。

【白蚁】báiyǐ 名昆虫,外形像蚂蚁,群居,蛀食木材。对森林、建筑物、桥梁、铁路等破坏性极大。

【白翳】báiyì 名中医指眼球角膜病变后留下的瘢痕,能影响视力。

【白银】báiyín 名银①的通称。

【白玉】báiyù 名白色或白而微青的软玉。

【白云苍狗】báiyún cānggǒu 见〖白衣苍狗〗。

【白云岩】báiyúnyán 名沉积岩的一种。主要成分是碳酸镁。

【白灾】báizāi 名牧区指暴风雪造成的大面积的灾害。

【白斩鸡】báizhǎnjī 名一种菜肴,用宰好的整只鸡放在水里煮熟后,捞出切成块,蘸作料吃。

【白芷】báizhǐ 名多年生草本植物,开白花,果实长椭圆形。根粗大,圆锥形,有香气,可入药。

【白纸黑字】bái zhǐ hēi zì 白纸上写的黑字,指见于书面的确凿的证据:这是～,赖是赖不掉的。

【白质】báizhì 名脑和脊髓的白色部分,主要由神经细胞所发出的神经纤维组成。

【白雉】báizhì 名白鹇。

【白种】Báizhǒng 名欧罗巴人种。

【白昼】báizhòu 名白天:灯火通明,照得如同～一般。

【白术】báizhú 名多年生草本植物,叶子有长柄,花紫红色。根状茎肥大,可入药。

【白字】báizì 名写错或读错的字;别字:写～|念～。

【白族】Báizú 名我国少数民族之一,主要分布在云南。

【白嘴儿】báizuǐr 〈方〉副不就饭(光吃菜)或不就菜(光吃饭):～吃菜|～吃饭。

bǎi （ㄅㄞˇ）

百 bǎi ❶数十个十。❷ 表示很多:～草|～货|～科全书|～家争鸣|～花齐放|精神～倍|～闻不如一见。

【百般】bǎibān ❶副表示采用多种方法:～阻挠|～劝解。❷数量词。各种各样:～花色。

【百宝箱】bǎibǎoxiāng 名储藏各种珍贵物品的箱子,多用于比喻。

【百倍】bǎibèi 数量词。形容数量多或程度深(多用于抽象事物):～努力|精神～。

【百步穿杨】bǎi bù chuān yáng 春秋时楚国养由基善于射箭,能在一百步以外射中杨柳的叶子(见于《战国策·西周策》)。后用"百步穿杨"形容箭法或枪法非常高明。

【百尺竿头,更进一步】bǎi chǐ gān tóu, gèng jìn yī bù 比喻学问、成绩等达到了很高的程度以后仍继续努力。

【百出】bǎichū 动出现的次数或种类非常多(多含贬义):错误～|矛盾～|丑态～。

【百川归海】bǎi chuān guī hǎi 条条江河流入大海。比喻大势所趋或众望所归,也比喻许多分散的事物汇集到一个地方。

【百儿八十】bǎi·er-bāshí 一百或比一百略少:～块钱|～亩地。

【百发百中】bǎi fā bǎi zhòng ❶每次都命中目标,形容射箭或射击非常准。❷比喻做事有充分把握,绝不落空。

【百废俱兴(百废具兴)】bǎi fèi jù xīng 各种该办未办的事业都兴办起来。也说百废俱举。

【百分比】bǎifēnbǐ 名用百分率表示的两个数的比例关系,例如某班 50 名学生当中有 20 名是女生,这一班中女生所占的百分比就是 40%。

【百分表】bǎifēnbiǎo 名一种精度很高的量具,由表针、表盘等组成,利用杠杆原理进行工作,测量精度达 0.01 毫米。精度达到 0.001 毫米的叫千分表。

【百分尺】bǎifēnchǐ 图利用螺旋原理制成的精度很高的量具,测量精度达0.01毫米。精度达到0.001毫米的叫千分尺。

【百分点】bǎifēndiǎn 图统计学上指以百分数形式表示的不同时期相对指标变动幅度,百分之一为一个百分点:同前一年相比,通货膨胀率减少三个~。

【百分号】bǎifēnhào 图表示分数的分母是100的符号(%)。

【百分率】bǎifēnlǜ 图两个数的比值写成百分数的形式,叫做百分率。如 $\frac{2}{5}$ 用百分率表示是 $\frac{40}{100}$。百分率指一个数占另一个数的百分之几或某一部分占整体的百分之几。

【百分数】bǎifēnshù 图分母是100的分数,通常用百分号来表示,如 $\frac{11}{100}$ 写作11%。

【百分之百】bǎi fēn zhī bǎi 全部;十足:~地完成了任务|这件事我有~的把握,准能成功。

【百分制】bǎifēnzhì 图学校评定学生成绩的一种记分方法。一百分为最高成绩,六十分为及格。

【百感】bǎigǎn 图各种各样的感触:~交集。

【百合】bǎihé 图❶多年生草本植物,鳞茎呈球形,白色或浅红色。花呈漏斗形,白色、绿色或红黄色,供观赏。鳞茎可以吃,也可入药。❷这种植物的鳞茎。

【百花齐放】bǎi huā qí fàng ❶比喻不同形式和风格的各种艺术作品自由发展。❷形容艺术界的繁荣景象。

【百花齐放,百家争鸣】bǎi huā qí fàng, bǎi jiā zhēng míng 1956年中国共产党提出的促进艺术发展、科学进步和社会主义文化繁荣的方针。提倡在党的领导下,艺术上不同的形式和风格可以自由发展,科学上不同的学派可以自由争论。

【百货】bǎihuò 图以衣着、器皿和日用品为主的商品的总称:日用~|~公司。

【百家争鸣】bǎi jiā zhēng míng ❶春秋战国时代,社会处于大变革时期,产生了各种思想流派,如儒、法、道、墨等,他们著书讲学,互相论战,出现了学术上的繁荣

景象,后世称为百家争鸣。❷见【百花齐放,百家争鸣】。

【百科】bǎikē 图各种学科的总称:~知识|~全书。

【百科全书】bǎikē quánshū 比较全面系统地介绍文化科学知识的大型工具书,收录各种专门名词和术语,按词典形式分条编排,解说详细。也有专科的百科全书,如医学百科全书、农业百科全书等。

【百孔千疮】bǎi kǒng qiān chuāng 比喻破坏得很严重或弊病很多。

【百口莫辩】bǎi kǒu mò biàn 即使有一百张嘴也辩解不清,形容事情无法说清楚(多用于受冤屈、被怀疑等情况)。

【百里】Bǎilǐ 图姓。

【百里挑一】bǎi lǐ tiāo yī 一百个里挑选出一个,形容十分出众。

【百炼成钢】bǎi liàn chéng gāng 比喻久经锻炼,变得非常坚强。

【百灵】bǎilíng 图鸟,比麻雀大,羽毛茶褐色,有白色斑点。飞得很高,能发出多种叫声,吃害虫,对农业有益。

【百忙】bǎimáng 图泛指许多繁忙的事务:感谢您~之中给予指导。

【百衲本】bǎinàběn 图用许多不同的版本汇集而印成的书籍,如百衲本《二十四史》。

【百衲衣】bǎinàyī 图❶袈裟,因用许多长方形小块布片拼缀制成而得名。❷泛指补丁很多的衣服。

【百年】bǎinián 数量词。❶指很多年、很长时期:~大业|~不遇。❷人的一生;终身:~好合(新婚颂词)|~之后(婉辞,指死亡)。

【百年不遇】bǎinián bù yù 一百年也碰不到,形容很少见到或很少出现。

【百年大计】bǎinián dàjì 关系到长远利益的计划或措施:~,质量第一。

【百日咳】bǎirìké 图传染病,由百日咳杆菌侵入呼吸道引起,小儿容易感染。症状是阵发性的剧烈咳嗽,咳嗽后长吸气,发出特殊的哮喘声。

【百日维新】Bǎi Rì Wéixīn 戊戌变法由颁布新制到变法失败,历时一百零三天,旧称百日维新。参看1448页〖戊戌变法〗。

【百十】bǎishí 图指一百左右的大概数目:~来年|~个人|~亩地。

【百世】bǎishì 图很多世代:流芳~。

B

【百事通】bǎishìtōng 名 万事通。

【百思不解】bǎi sī bù jiě 反复思索，仍然不能理解。也说百思不得其解。

【百万】bǎiwàn 数 一百万，泛指数目巨大：雄兵～｜～富翁。

【百闻不如一见】bǎi wén bù rú yī jiàn 听到一百次也不如见到一次，表示亲眼看到的远比听人家说的更为确切可靠。

【百无禁忌】bǎi wú jìnjì 什么都不忌讳。

【百无聊赖】bǎi wú liáolài 精神无所依托，感到非常无聊。

【百无一失】bǎi wú yī shī 形容绝对不会出差错。

【百无一是】bǎi wú yī shì 没有一点儿对的地方；不应把有缺点的同事说得～。

【百物】bǎiwù 名 各种物品：～昂贵。

【百姓】bǎixìng 名 军人和官员以外的人：平民～。

【百业】bǎiyè 名 各种行业：～兴旺。

【百叶】bǎiyè〈方〉名 ❶ 千张。❷ 牛羊等反刍类动物的胃，做食品时叫百叶。

【百叶窗】bǎiyèchuāng 名 ❶ 窗扇的一种，用许多横板条制成，横板条之间有空隙，既可以遮光挡雨，又可以通风。❷ 机械设备中像百叶窗的装置。

【百叶箱】bǎiyèxiāng 名 装有测量空气温度或湿度的仪器的白色木箱，四周有百叶窗。放在室外，可使仪器不受太阳直接照射的影响，又可使空气自由流通。

【百依百顺】bǎi yī bǎi shùn 形容在一切事情上都很顺从。

【百战不殆】bǎi zhàn bù dài 每次打仗都不失败(殆：危险)。

【百折不挠】bǎi zhé bù náo 无论受多少挫折都不退缩，形容意志坚强。也说百折不回。

【百褶裙】bǎizhěqún 名 一种下摆较宽、折叠出许多竖褶的裙子。

【百足之虫，死而不僵】bǎi zú zhī chóng, sǐ ér bù jiāng 原指马陆这种虫子死后尚不倒下(见于三国魏曹冏《六代论》："百足之虫，至死不僵，以扶之者众也。"僵：仆倒)。现用来比喻势力大的人或集团虽已失败，但其余威和影响依然存在(多含贬义)。

伯 bǎi 见248页[大伯子]。
另见103页 bó。

佰 bǎi 数 "百"的大写。

柏(栢) bǎi 名 ❶ 柏树，常绿乔木，叶子鳞片状，果实为球状。木材质地坚硬，可用来做建筑材料等。❷ (Bǎi)姓。
另见104页 bó；107页 bò。

【柏油】bǎiyóu 名 焦油沥青，是焦油蒸馏后的残余物。也泛指煤沥青。

捭 bǎi〈书〉分开：～阖。

【捭阖】bǎihé〈书〉动 开合，指运用手段使联合或分化：纵横～｜～之术。

摆¹(擺) bǎi ❶ 动 安放；排列：把东西～好｜河边一字儿～开十几条渔船◇～事实，讲道理。❷ 动 显示；炫耀：～阔｜～威风。❸ 动 摇动；摇摆：大摇大～｜他向我直～手。❹ 名 悬挂在细线上的能做往复运动的重锤的装置。摆的长度不变且振幅不太大时，运动的周期恒定。❺ 名 钟表或精密仪器上用来控制摆动频率的机械装置。❻〈方〉动 说；谈；陈述：咱们来～～，好吗？❼ (Bǎi)姓。

摆²(擺、襬) bǎi 名 长袍、上衣、衬衫等的最下端部分：衣～｜下～｜前～｜～宽。

摆³(擺) bǎi 名 傣族地区佛教仪式或庆祝丰收、物资交流、文艺会演等群众性活动的集会。[傣]

【摆布】bǎi·bu 动 ❶ 安排；布置：这间屋子～得十分雅致。❷ 操纵；支配(别人行动)：任人～｜随意～人。

【摆动】bǎidòng 动 来回摆动；摇摆：树枝儿迎风～｜钟摆不停地～。

【摆渡】bǎidù ❶ 动 用船运载过河：先～物资，后～人。❷ 动 乘船过河：会游泳的游泳过去，不会游泳的～过去。❸ 名 摆渡的船；渡船。

【摆放】bǎifàng 动 摆①：～家具｜室内～花卉不宜过多。

【摆功】bǎi∥gōng 动 数说功绩让别人知道。

【摆好】bǎi∥hǎo 动 数说优点、长处：评功～。

【摆划】bǎi·hua〈方〉动 ❶ 摆弄①：你别瞎～！❷ 处理；安排：这件事真不好～。

③整治;修理:这个收音机让他～好了。

【摆架子】bǎi jià·zi 指自高自大,为显示身份而装腔作势。

【摆件】bǎijiàn 〈名〉用作摆设的工艺品:案头～|金银～。

【摆阔】bǎi//kuò 〈动〉讲究排场,显示阔气:就是经济宽裕,也不应该～。

【摆擂台】bǎi lèitái 搭起擂台招人来比武。现比喻欢迎人来应战或参加竞赛。也说摆擂。

【摆列】bǎiliè 〈动〉摆放;陈列:展品～有序。

【摆龙门阵】bǎi lóngménzhèn 〈方〉谈天或讲故事。

【摆门面】bǎi mén·miàn 讲究排场,粉饰外表。

【摆弄】bǎinòng 〈动〉❶反复拨动或移动:一个战士正在～枪栓|他一边跟我聊天儿,一边～扑克。❷摆布②;玩弄:受人～。

【摆拍】bǎipāi 〈动〉特意布置场景,让人物摆出一定姿势进行拍摄。

【摆平】bǎi//píng 〈动〉❶放平,比喻公平处理或使各方面平衡:～关系|两边要～。❷〈方〉惩治;收拾。

【摆谱儿】bǎi//pǔr 〈方〉〈动〉❶摆门面:办事要节约,不要～。❷摆架子:他当了官好(hào)摆个谱儿。

【摆设】bǎishè 〈动〉把物品(多指艺术品)按照审美观点安放:屋子里～得很整齐。

【摆设】bǎi·she (～儿)〈名〉❶摆设的东西(多指供欣赏的艺术品):小～|会客室里的～十分雅致。❷比喻中看不中用的东西。

【摆手】bǎi//shǒu 〈动〉❶摇手:他连忙～,叫大家不要笑。❷招手:他俩在路上见了没有说话,只摆了下手。

【摆摊子】bǎi tān·zi ❶在路旁或市场中陈列货物出售。❷把东西摆开(做开展工作的准备)。❸比喻铺张(含贬义):不要～,追求形式。‖也说摆摊儿。

【摆脱】bǎituō 〈动〉脱离(牵制、束缚、困难、不良的情况等):～困境|～苦恼|～坏人的跟踪。

【摆治】bǎi·zhì 〈方〉〈动〉❶整治①;侍弄:这块地他～得不错|小马驹病了,他～了一夜。❷折磨;整治②:他把我～得好苦。❸摆布;操纵:他既然上了圈套,就不得不听人家～。

【摆钟】bǎizhōng 〈名〉时钟的一种,用钟摆控制其他机件,使钟走得快慢均匀,一般能报时。

【摆桌】bǎi//zhuō 〈动〉指摆酒席;宴请。

【摆子】bǎi·zi 〈方〉〈名〉疟疾:打～。

bài （ㄅㄞˋ）

呗(唄) bài 见382页〖梵呗〗。
另见62页·bei。

败(敗) bài ❶〈动〉在战争或竞赛中失败(跟"胜"相对):战～国|立于不～之地|甲队以二比三～于乙队。❷〈动〉使失败;打败(敌人或对手):大～侵略军。❸(事情)失败(跟"成"相对):功～垂成|不计成～。❹毁坏;搞坏(事情):身～名裂|伤风～俗|成事不足,～事有余。❺解除;消除:～毒|～火。❻破旧;腐烂:～絮|～肉。❼凋谢;枯萎:～叶|塘里的荷花都～了。❽〈动〉败落:好好的一个家～在他手里了。❾〈动〉使败落:～家。

【败北】bàiběi 〈动〉打败仗("北"本来是二人相背的意思,因此军队打败仗背向敌人逃跑叫败北):身经百战,未尝～◇客队决赛中以二比三～。

【败笔】bàibǐ 〈名〉写字写得不好的一笔;绘画中画得不好的部分;诗文中写得不好的词句。

【败兵】bàibīng 〈名〉打了败仗的兵;打败仗溃散的兵。

【败果】bàiguǒ 〈名〉失败的苦果;失败的结局。

【败坏】bàihuài ❶〈动〉损害;破坏(名誉、风气等):～门风|～声誉|～纪律。❷〈形〉(道德、纪律等)极坏:道德～|纪律～。

【败火】bài//huǒ 〈动〉中医指清热、凉血、解毒等:～药|绿豆汤能清心～。也说清火。

【败绩】bàijì ❶〈动〉原指在战争中大败,现多指在比赛或竞争中失败:屡遭～。❷〈名〉在比赛或竞争中失败的结果:多次比赛,无一～。

【败家】bài//jiā 〈动〉使家业败落:由投机起家的,也会因投机而～。

【败家子】bàijiāzǐ (～儿)〈名〉不务正业、挥霍家产的子弟。现常用来比喻挥霍浪费集体或国家财产的人。

【败将】bàijiàng 名 打了败仗的将领,多用来指较量中输的一方:手下~。

【败局】bàijú 名 失败的局势:~已定|挽回~。

【败军】bàijūn ❶ 动 使军队打败仗:~亡国。❷ 名 打了败仗的军队:~之将。

【败类】bàilèi 名 集体中的堕落或变节分子:无耻~|民族~。

【败露】bàilù 动 (隐蔽的事)被人发觉:阴谋~|事情~,无法隐瞒了。

【败落】bàiluò 动 由盛而衰;破落;衰落:家道~。

【败诉】bàisù 动 诉讼中当事人的一方受到不利的判决。

【败退】bàituì 动 战败而退却:节节~。

【败亡】bàiwáng 动 失败而灭亡。

【败胃】bàiwèi 动 伤害胃使胃口变坏:这东西吃多了~。

【败象】bàixiàng 名 失败或衰败的迹象:赛程刚过半,这个队就露出~。

【败谢】bàixiè 动 凋谢◇青春常在,永不~。

【败兴】bài∥xìng 形 ❶ 因遇到不如意的事而情绪低落;扫兴:乘兴而来,~而归。❷〈方〉晦气;倒霉。

【败絮】bàixù 名 破烂的棉絮:金玉其外,~其中(比喻外表很好,实质很糟)。

【败血症】bàixuèzhèng 名 病,由细菌、真菌等侵入血液而引起。症状是寒战、发热,皮肤和黏膜有出血点,脾大,严重时可出现休克。

【败叶】bàiyè 名 干枯凋落的叶子:枯枝~。

【败因】bàiyīn 名 失败的原因。

【败仗】bàizhàng 名 失利的战役或战斗:打~|吃了一个大~。

【败阵】bài∥zhèn 动 在阵地上被打败:~而逃|败下阵来◇甲队最后以二比三~。

【败子】bàizǐ 名 败家子:~回头(败家子觉悟悔改)。

【败走】bàizǒu 动 作战失败而逃(往某地),也指在某地比赛或竞争失败。后面多跟地名。

拜 bài ❶ 动 行礼表示敬意:回~|叩~|对着遗像~了三拜。❷ 见面行礼表示祝贺:~年|~寿。❸ 动 拜访:新搬来的那对夫妇~街坊来了。❹ 用一定的礼节授予某种名位或官职:~相|~将。❺ 动 结成某种关系:~师|~把子。❻ 敬辞,用于人事往来:~托|~领(收下赠品)|~读。❼ (Bài)名 姓。

【拜把子】bài bǎ·zi 朋友结为兄弟姐妹。

【拜拜】bàibài ❶〈口〉客套话,用于分手时,相当于"再见"。❷ 指结束某种关系(含委婉或诙谐意):自从得了气管炎,他就跟香烟~了。[英bye-bye]

【拜别】bàibié 敬辞,告别:~父母,到外地工作。

【拜忏】bài∥chàn 动 僧道念经礼拜,代人忏悔消灾。

【拜辞】bàicí 动 敬辞,告别:临行匆匆,未及~,请原谅。

【拜倒】bàidǎo 动 跪下行礼,比喻崇拜或屈服(多含贬义)。

【拜读】bàidú 动 敬辞,阅读:~大作,获益不浅。

【拜访】bàifǎng 动 敬辞,访问:~亲友。

【拜佛】bài∥fó 动 向佛像行礼:烧香~。

【拜服】bàifú 动 敬辞,佩服:他的博闻强识(zhì),令人~。

【拜贺】bàihè 动 敬辞,祝贺:~新年。

【拜会】bàihuì 动 拜访会见(今多用于外交上的正式访问)。

【拜火教】Bàihuǒjiào 名 起源于古波斯的宗教,认为世界有光明和黑暗(善和恶)两种神,把火当做光明的象征来崇拜。公元6世纪传入中国,称祆(xiān)教。

【拜见】bàijiàn 动 拜会;会见(从客人方面说):~尊长|~恩师。

【拜节】bài∥jié 动 向人祝贺节日。

【拜金】bàijīn 动 崇拜金钱:~主义。

【拜客】bài∥kè 动 拜访别人:出门~。

【拜盟】bài∥méng 动 拜把子。

【拜年】bài∥nián 动 向人祝贺新年。

【拜认】bàirèn 动 举行一定仪式认别人为义父、义母、师傅等。

【拜扫】bàisǎo 动 在墓前祭奠;扫墓:~烈士墓。

【拜师】bài∥shī 动 认老师;认师傅:~学艺。

【拜识】bàishí 动 敬辞,结识:闻名已久,无缘~。

【拜寿】bài∥shòu 动 祝贺寿辰。

【拜堂】bài//táng 动 旧式婚礼,新郎新娘一起举行参拜天地的仪式,也指参拜天地后拜见父母公婆。也叫拜天地。

【拜天地】bài tiāndì 拜堂。

【拜托】bàituō 动 敬辞,委托(多用于托人办事):有一封信,~您带给他。

【拜望】bàiwàng 动 敬辞,探望:~师母。

【拜物教】bàiwùjiào 名❶ 原始宗教的一种形式,把某些东西(如石头、树木、弓箭等)当神灵崇拜,无一定的组织形式。❷ 比喻对某种事物的迷信:商品~。

【拜谢】bàixiè 动 敬辞,感谢:登门~。

【拜谒】bàiyè 动❶ 拜见:专诚~。❷ 瞻仰(陵墓、碑碣):~黄帝陵。

稗 bài ❶名 稗子。❷〈书〉比喻微小的;琐碎的:~史。

【稗官野史】bàiguān yěshǐ 稗官,古代的小官,专给帝王述说街谈巷议、风俗故事,后来称小说为稗官,泛称记载逸闻琐事的文字为稗官野史。

【稗子】bài•zi 名❶ 一年生草本植物,叶子像稻,子实像黍米。是稻田害草。但子实可以酿酒或做饲料,有时也当做一种作物来栽培。❷ 这种植物的子实。

辅(輔) bài〈方〉名 风箱:风~|~拐子(风箱的拉手)。

•bai (•ㄅㄞ)

唄 •bai 助 用法同"呗"(•bei)。

bān (ㄅㄢ)

扳 bān 动❶ 使位置固定的东西改变方向或转动:~闸|~枪栓|~着指头算天数。❷ 把输掉的赢回来:~本|客队经过苦战,~回一球,踢成平局。

另见 1019 页 pān。

【扳本】bān//běn (~儿)〈方〉动 翻本。

【扳不倒儿】bānbùdǎor 〈口〉名 不倒翁。

【扳倒】bān//dǎo 动❶ 使倒下:~了一块大石头。❷ 比喻战胜;击败(实力比较强大的对手):~上届冠军。

【扳道】bān//dào 动 扳动道岔使列车由一组轨道转到另一组轨道上:~工。

【扳机】bānjī 名 枪上的机件,射击时用手扳动它使枪弹射出。也叫枪机。

【扳平】bānpíng 动 在体育比赛中扭转落后的局面,使成平局:终场前,甲队将比分~。

【扳手】bān•shou 名❶ 拧紧或松开螺丝、螺母等的工具。也叫扳子。❷ 器具上用手扳动的部分。

【扳指儿】bān•zhir 名 戴在拇指上的玉石指环,本来是射箭时戴的,后来用作装饰品。

【扳子】bān•zi 名 扳手①。

放 bān〈书〉发给;分给。

班 bān ❶名 为了工作或学习等目的而编成的组织:大~|作业~|进修~。❷ (~儿)名 指一天之内的一段工作时间:上~|晚~|~儿|值~|日夜三~。❸名 军队编制的基层单位,隶属于排。❹ (~儿)名 旧指戏班,也用于剧团的名称:~规|搭~|三庆~。❺ 量 a)用于人群:这~姑娘真有干劲。b)用于定时开行的交通运输工具:你赶下一~飞机走吧|公共汽车每隔四分钟就有一~。❻ 按排定的时间开行的:~车|~机。❼ 调回或调动(军队):~师。❽ (Bān)名 姓。

【班白】bānbái 见 34 页〖斑白〗。

【班辈】bānbèi (~儿)名 行辈。

【班驳】bānbó 见 34 页〖斑驳〗。

【班车】bānchē 名 有固定的路线并按排定的时间开行的车辆,多指机关、团体等专用的。

【班次】bāncì 名❶ (学校)班级的次序。❷ 定时往来的交通运输工具开行的次数:增加公共汽车~。

【班底】bāndǐ (~儿)名❶ 旧时指戏班中主要演员以外的其他演员。❷ 泛指一个组织中的基本成员。

【班房】bānfáng 名❶ 旧时衙门里衙役当班的地方,也指衙役。❷ 监狱或拘留所的俗称:蹲~。

【班会】bānhuì 名 学校、工厂、部队等以班为单位召开的会:主题~。

【班机】bānjī 名 有固定的航线并按排定的时间起飞的飞机。

【班级】bānjí 名 学校里的年级和班的总称。

【班轮】bānlún 名 有固定的航线并按排定的时间起航的轮船。

【班门弄斧】Bān mén nòng fǔ 在鲁班(古代有名的木匠)门前摆弄斧子,比喻在行家面前卖弄本领。

【班配】bānpèi 同"般配"。

【班期】bānqī 名❶ 定期往返的轮船、飞机等开航的时间:客运~。❷ 邮局投递信件等的固定日期。

【班师】bānshī〈书〉动 调回出去打仗的军队,也指出征的军队胜利归来。

【班线】bānxiàn 名 公共汽车或长途汽车等的班次和行驶的路线:新增多条跨省客运~。

【班主】bānzhǔ 名 旧时戏班的主持人。

【班主任】bānzhǔrèn 名 学校中负责一班学生的思想工作、纪律、考勤、集体活动等的教师。

【班子】bān·zi 名❶ 剧团的旧称。❷ 泛指为执行一定任务而成立的组织:领导~|生产~。

【班组】bānzǔ 名 企业中根据工作需要组成的较小的基层单位:~会|优秀~。

般¹ bān ❶量 种;样:这一~|百一~安慰|十八~武艺。❷助 一样;似的:暴风雨~的掌声。❸ (Bān)名 姓。

般² bān〈书〉同"搬"。

另见 102 页 bō;1020 页 pán。

【般配】bānpèi 形 结亲的双方相称(chèn)。也指人的衣着、住所等与其身份相称。也作班配。

颁(頒) bān 发布;颁发:~布|~行|~奖。

【颁白】bānbái 见 34 页【斑白】。

【颁布】bānbù 动 公布:~法令|~奖惩条例。

【颁发】bānfā 动❶ 发布(命令、指示、政策等):条例自~之日起执行。❷ 授予(勋章、奖状、证书等):~奖章。

【颁奖】bān//jiǎng 动 颁发奖状、奖杯或奖品:向劳动模范~。

【颁授】bānshòu 动 颁发授予(奖品、证书、称号等):学位~典礼。

【颁行】bānxíng 动 颁布施行。

【颁赠】bānzèng 动 颁发赠予:~奖品。

斑 bān 名❶ 斑点或斑纹:红~|黑~|雀~|~痕|衣服上有块~。❷ (Bān)

姓。

【斑白】(班白、颁白)bānbái〈书〉形(须发)花白:两鬓~。

【斑斑】bānbān 形 形容斑点很多:血迹~。

【斑驳】(班驳)bānbó 形 一种颜色中杂有别种颜色,花花搭搭的:树影~。

【斑驳陆离】bānbó lùlí 形容色彩繁杂。

【斑点】bāndiǎn 名 在一种颜色的物体表面上显露出来的别种颜色的点子。

【斑痕】bānhén 名 在一种颜色上显露出来的别种颜色的印子;痕迹:白衬衣上有铁锈的~。

【斑鸠】bānjiū 名 鸟,身体灰褐色,颈后白色或黄褐色斑点,嘴短,脚淡红色。吃谷物、果实等。

【斑斓】bānlán〈书〉形 灿烂多彩:五色~|~的玛瑙。也作斒斓。

【斑马】bānmǎ 名 哺乳动物,形状像马,全身的毛淡黄色和黑色条纹相间,听觉灵敏。产在非洲,是珍贵的观赏动物。

【斑马线】bānmǎxiàn 名 马路上标示人行横道的像斑马身上条纹的白色横线,多用油漆涂绘成。

【斑蝥】bānmáo 名 昆虫,触角呈鞭状,腿细长,鞘翅上有黄黑色斑纹,成虫危害大豆、棉花、茄子等农作物。可入药。

【斑秃】bāntū 名 皮肤病,局部头发突然脱落,经过一定时期,能自然痊愈。俗称鬼剃头。

【斑纹】bānwén 名 在一种颜色的物体表面上显露出来的别种颜色的条纹:斑马身上有美丽的~。

【斑竹】bānzhú 名 竹子的一种,茎上有紫褐色的斑点。茎可以制装饰品、手杖、笔杆等。也叫湘妃竹。

搬 bān 动❶ 移动物体的位置(多指笨重的或较大的):~运|~砖|把保险柜~走◇把小说里的故事~到舞台上。❷ 迁移:~迁|~家|他家是从南城~来的。

【搬兵】bān//bīng 动 搬取救兵,多比喻请求援助或增调人员。

【搬家】bān//jiā 动❶ 把家迁到别处去:他去年就搬了家。❷ 泛指迁移地点或挪动位置:这家工厂已经~了。

【搬弄】bānnòng 动❶ 用手拨动:~枪

栓。❷ 卖弄；有意显示：他总好～自己的那点儿知识。❸ 挑拨：～是非。

【搬弄是非】bānnòng shìfēi 把别人背后说的话传来传去，蓄意挑拨，或在别人背后乱加议论，引起纠纷。

【搬起石头砸自己的脚】bān qǐ shí·tou zá zìjǐ·de jiǎo 比喻自作自受，自食恶果。

【搬迁】bānqiān 劋 迁移：～户|～新居。

【搬演】bānyǎn 劋 把往事或别处的事重演出来：～故事。

【搬移】bānyí 劋 ❶ 搬animation动；移动：～家具。❷ 搬迁：这家商店已～到东街去了。

【搬用】bānyòng 劋 不顾实际情况，机械地采用(现成的规章、办法等)：这些做法可以参考，不能机械～。

【搬运】bānyùn 劋 把物品从一个地方运到另一个地方：～行李|～货物。

编 bān [编斓](bānlán) 同"斑斓"。

瘢 bān 図 疮口或伤口好了之后留下的痕迹：～痕|刀～。

【瘢痕】bānhén 図 瘢：伤口愈合后留下了～。

癍 bān 図 皮肤上生斑点的病。

bǎn （ㄅㄢˇ）

阪 bǎn ❶〈书〉同"坂"。❷ 大阪(Dàbǎn)，日本地名。

坂 bǎn 〈书〉山坡；斜坡：如丸走～(比喻迅速)。

板¹ bǎn ❶（～儿）図 片状的较硬的物体：木～|钢～|玻璃～。❷（～儿）図 专指店铺的门板：铺子都上～儿了。❸ 黑板：～报|～书。❹ 演奏民族音乐或戏曲时用来打拍子的乐器：檀～。❺（～儿）音乐和戏曲中的节拍：快～|慢～|拖～。参看【板眼】。❻ 図 呆板：他们那样活泼，显得我太～了。❼ 図 硬得像板子似的：地～了，锄不下去。❽ 劋 露出严肃或不高兴的表情：他～着脸不睬人。

板²（闆） bǎn 见817页【老板】。

【板板六十四】bǎnbǎn liùshísì 〈方〉形容不知变通或不能通融。

【板报】bǎnbào 〈口〉図 黑板报。

【板壁】bǎnbì 図 分隔房间的木板墙。

【板材】bǎncái 図 板状的材料：大理石～|将原木加工成～。

【板擦儿】bǎncār 図 擦黑板的用具，一般是在小块木板上加绒布或棕毛制成。

【板寸】bǎncùn 図 一种发式，头顶上的头发推平至一寸左右，四周的理得很短。

【板荡】bǎndàng 〈书〉形《诗经·大雅》有《板》《荡》两篇，都是写当时政治黑暗、人民痛苦的。后来用"板荡"指政局混乱，社会动荡不安。

【板凳】bǎndèng （～儿）図 用木头做成的一种凳子，多为长条形。

【板斧】bǎnfǔ 図 刃平而宽的大斧子。

【板鼓】bǎngǔ 図 打击乐器，一面蒙牛皮，鼓框内腔是喇叭形，上口径约一寸，发音脆亮，是戏曲乐队中的指挥乐器。

【板胡】bǎnhú 図 胡琴的一种，琴筒呈半球形，口上蒙着薄板。发音高亢。

【板结】bǎnjié ❶ 劋 土壤因缺乏有机质，结构不良，灌水或降雨后地面变硬，不利于农作物生长，叫做板结。❷ 図 比喻板化；不灵活；不会变通：改革中的用人机制。

【板块】bǎnkuài 図 ❶ 大地构造理论指地球上岩石圈的构造单元，由海岭、海沟等构造带分割而成。全球共分为六大板块，即欧亚板块、太平洋板块、美洲板块、非洲板块、印澳板块和南极洲板块。大板块又可划分成小板块。❷ 比喻具有某些共同点或联系的各个部分的组合：晚会节目分为歌舞、戏曲、相声、小品几个～。

【板蓝根】bǎnlángēn 図 菘蓝或马蓝的根，可入药。

【板栗】bǎnlì 図 栗子。

【板楼】bǎnlóu 図 多层或高层的略呈狭长板形的楼房(区别于"塔楼")。

【板上钉钉】bǎn shàng dìng dīng 比喻事情已定，不能变更。

【板实】bǎn·shi 〈方〉形 ❶ (土壤)硬而结实：地～，不长庄稼。❷ (书皮、衣物等)平整直挺：衣服叠得很～。❸ (身体)硬朗壮实：老人身子骨还～。

【板式】bǎnshì 図 戏曲唱腔的节拍形式，如京剧中的慢板、快板、二六、流水等。

【板书】bǎnshū ❶ 劋 在黑板上写字：需要～的地方，在备课时都作了记号。❷ 図 在黑板上写的字：工整的～。

【板刷】bǎnshuā 图 毛比较粗硬的刷子，板面较宽，没有柄，多用来刷洗布衣、鞋子等。

【板瓦】bǎnwǎ 图 瓦的一种，瓦面较宽，弯曲的程度较小。

【板型】bǎnxíng 图 样式；款式：服装～｜～新颖。也作版型。

【板鸭】bǎnyā 图 宰杀后煺毛，经盐渍并压成扁平状风干的鸭子。

【板牙】bǎnyá 图❶〈方〉切牙。❷ 切削外螺纹的刀具。

【板烟】bǎnyān 图 压成块状或片状的烟丝。

【板眼】bǎnyǎn 图❶ 民族音乐和戏曲中的节拍，每小节中最强的拍子叫板，其余的拍子叫眼。如一板三眼(四拍子)、一板一眼(二拍子)。❷ 比喻条理和层次：他说话做事都很有～。❸〈方〉比喻办法、主意等：在我们班里，数他～多。

【板硬】bǎnyìng 彤 状态词。像板子一样坚硬：土质～｜手感～。

【板油】bǎnyóu 图 猪的体腔内壁上呈板状的脂肪。

【板障】bǎnzhàng 图❶ 练习翻越障碍物用的设备，用木板做成，像板壁一样。❷〈方〉板壁。

【板正】bǎnzhèng 彤❶（形式）端正；整齐：本子装订得板板正正的。❷（态度、神情等)庄重认真。

【板滞】bǎnzhì 彤〈文章、图画、神情等〉呆板：目光～。

【板筑】bǎnzhù 同“版筑”。

【板子】bǎn·zi 图❶ 片状的较硬的物体（多指木质的）。❷ 旧时拷打或施行体罚用的长条形的木板或竹片。

版 bǎn 版大(Bǎndà)，地名，在江西。

版 bǎn ❶图 上面有文字或图形的供印刷用的底子，从前用木板，后多用金属板，现多用胶片：锌～｜铜～｜排～｜制～。❷量 书籍排印一次为一版，一版可包括多次印刷：第一～｜再～。❸量 报纸的一面叫一版：头～新闻。❹ 筑土墙用的夹板：～筑。

【版本】bǎnběn 图❶ 同一部书因编辑、传抄、刻版、排版或装订形式等的不同而产生的不同的本子。❷ 指同一事物的不同表现形式或不同说法：这个故事有好几种～。

【版次】bǎncì 图 图书出版的先后次序。图书第一次出版的叫“第一版”或“初版”，修订后重排出版的叫“第二版”或“再版”，以下类推。

【版画】bǎnhuà 图 用刀子或化学药品等在铜版、锌版、木版、石版、麻胶版等版面上雕刻或蚀刻后印制出来的图画。

【版籍】bǎnjí〈书〉图❶ 登记户口、土地的簿册。❷ 泛指领土、疆域。❸ 书籍。

【版刻】bǎnkè 图 文字或图画的木版雕刻。

【版口】bǎnkǒu 图 木版书书框的中缝。也叫版心或页心。

【版面】bǎnmiàn 图❶ 书报杂志上每一页的整面。❷ 书报杂志的每一面上文字图画的编排形式：～设计。

【版纳】bǎnnà 图 云南西双版纳傣族自治州所属的旧行政区划单位，相当于县。1960 年版纳改为县，如版纳景洪改称景洪县。

【版权】bǎnquán 图❶ 即著作权。❷ 出版单位根据出版合同对特定作品所享有的出版权和销售权。

【版权页】bǎnquányè 图 书刊上印着书刊名、著作者、出版者、发行者、版次、印刷年月、印数、定价、书号等的一页。

【版式】bǎnshì 图 版面的格式。

【版税】bǎnshuì 图 出版者按照出售出版物所得收入的约定百分数付给作者或其他版权所有者的报酬。

【版图】bǎntú 图 原指户籍和地图，今泛指国家的领土、疆域：我国～辽阔。

【版心】bǎnxīn 图❶ 书刊等每面排印文字、图画的部分。❷ 版口。

【版型】bǎnxíng 同“板型”。

【版主】bǎnzhǔ 图 指对网站的主页或某个栏目进行管理和维护的人。

【版筑】bǎnzhù〈书〉图 筑土墙用的夹板和杵(筑土墙时，夹板中填入泥土，用杵夯实)。泛指土木营造的事情。也作板筑。

钣(鈑) bǎn 图 金属板材：铝～｜钢～。

【钣金】bǎnjīn 动 对钢板、铝板、铜板等金属板材进行加工：～工。

舨 bǎn 见 1187 页[舢板]〈舢舨)。

蝂 bǎn 见431页[蝜蝂]。

bàn （ㄅㄢˋ）

办(辦) bàn 动 ❶ 办理；处理；料理：～公|～交涉|～入学手续|这些事好～。❷ 创设；经营：～工厂|勤俭办一切事业。❸ 采购；置备：置～|～货|嫁妆～了几桌酒席。❹ 惩治：～罪|严～|首恶必～。

【办案】bàn∥àn 动 办理案件。

【办差】bànchāi 旧指给官府办理征集夫役、征收财物等事。

【办法】bànfǎ 名 处理事情或解决问题的方法：好～|他不答应，你也拿他没～。

【办复】bànfù 动 办理并答复：委员们的提案已基本～。

【办公】bàn∥gōng 动 办理公务；处理公事：～会议|星期天照常～。

【办公室】bàngōngshì 名 ❶ 办公的屋子。❷ 机关、学校、企业等单位内办理行政性事务的部门。

【办理】bànlǐ 动 处理(事务)；承办：这些事情你可以斟酌～|本店～邮购业务。

【办事】bàn∥shì 动 做事：～认真|我们是给群众～的|今天办了不少事。

【办事处】bànshìchù 名 政府、军队、企业、团体等的派出机构：街道～|驻京～|八路军～。

【办事员】bànshìyuán 名 机关工作人员的一种职别，在科员之下。

【办学】bànxué 动 兴办学校：集资～。

【办罪】bàn∥zuì 给犯罪的人以应得的惩罚：革职～。

半 bàn ❶ 数 二分之一；一半(没有整数时用在量词前，有整数时用在量词后)：～尺|一斤～|～价|过～|一年～载。❷ 在…中间：～夜|～路上|～山腰|～途而废。❸ 表示很少：一星～点儿|一鳞～爪。❹ 副 不完全：～新的楼房|门～开着。❺ (Bàn)名 姓。

【半百】bànbǎi 数 五十(多指岁数)：年过～。

【半…半…】bàn…bàn… 分别用在意义相反的两个词或词素前面，表示相对的两种性质或状态同时存在：～文～白(白话里面夹杂着文言)|～明～暗|～信～疑|～吞～吐(说话含糊不清，不直截了当)|～推～就。

【半半拉拉】bàn·banlālā 〈口〉形 状态词。不完全；没有全部完成的：工作做了个～就扔下了。

【半辈子】bànbèi·zi 名 指中年以前或中年以后的生活时间：前(或上)～|后(或下)～|当了～教员。

【半壁】bànbì 〈书〉名 半边，特指半壁江山：江南～。

【半壁江山】bànbì jiāngshān 指保存下来的或丧失掉的部分国土。

【半边】bànbiān (～儿)名 指某一部分或某一方面：～身子|这个苹果～儿红，～儿绿|广场东～。

【半边天】bànbiāntiān 名 ❶ 天空的一部分：晚霞映红了～。❷ 人们常形容新社会妇女的巨大力量能顶起半边天，因此用"半边天"借指新社会的妇女。

【半彪子】bànbiāo·zi 〈方〉名 不通事理，行事粗莽的人。

【半…不…】bàn…bù… 略同"半…半…"(多含厌恶意)：～明～暗|～新～旧|～生～熟|～死～活。

【半成品】bànchéngpǐn 名 加工制造过程未全部完成的产品。也叫半制品。

【半大】bàndà 形 属性词。形体介乎大小之间的：～小子|～桌子。

【半大不小】bàn dà bù xiǎo 指人未到年但已不是儿童的年龄。

【半导体】bàndǎotǐ 名 导电能力介于导体和绝缘体之间的物质，如锗、硅、硒和某些化合物。这种物质具有单向导电等特性。

【半岛】bàndǎo 名 伸入海洋或湖泊的陆地，三面临水，如我国的辽东半岛、雷州半岛等。

【半道儿】bàndàor 名 半路：～折回。

【半点】bàndiǎn (～儿)数量词。表示极少：一星～儿|知识的问题是一个科学问题，来不得～的虚伪和骄傲。

【半吊子】bàndiào·zi 名 ❶ 不通事理，说话随便，举止不沉稳的人。❷ 知识不丰富或技术不熟练的人。❸ 做事不认真、有始无终的人。

【半封建】bànfēngjiàn 形 属性词。封建国家遭受帝国主义经济侵略后形成的一种社会形态,原来的封建经济遭到破坏,资本主义有了一定的发展,但仍然保持着封建剥削制度。

【半疯儿】bànfēngr 图❶ 患有轻微精神病的人。❷ 指言语行为颠倒、轻狂的人。‖也叫半疯子。

【半价】bànjià 图原价的一半:~出售。

【半截】bànjié (～儿)数量词。一件事物的一半;半段:~粉笔|话说了~儿。

【半斤八两】bàn jīn bā liǎng 旧制一斤合十六两,半斤等于八两,比喻彼此一样,不相上下(多含贬义)。

【半径】bànjìng 图 连接圆心和圆周上任意一点的线段叫圆的半径;连接球心和球面上任意一点的线段叫做球的半径。

【半空】bànkōng 图空中:柳絮在~飘荡。

【半拉】bànlǎ 〈口〉数量词。半个:~馒头|~苹果|过了~月。

【半劳动力】bànláodònglì 图指体力较弱只能从事一般轻体力劳动的人(多就农业劳动而言)。也叫半劳力。

【半劳力】bànláolì 图半劳动力。

【半老徐娘】bàn lǎo Xúniáng《南史·元帝徐妃传》:"徐娘虽老,犹尚多情。"后来用"半老徐娘"指中年色衰的妇女。

【半流体】bànliútǐ 图介于固体和流体之间的物质,如生鸡蛋的蛋白和蛋黄。

【半路】bànlù (～儿)图❶ 路程的一半或中间:走到~,天就黑了。❷ 比喻事情正处在进行的过程中:他听故事入了神,不愿意~走开。‖也说半道儿。

【半路出家】bànlù chūjiā 比喻原先并不是从事这一工作的,后来才改行从事这一工作。

【半票】bànpiào 图半价的车票、门票等。

【半瓶醋】bànpíngcù 〈口〉图比喻对某种知识或某种技术只略知一二的人。也说半瓶子醋。

【半山腰】bànshānyāo 图山腰。

【半响】bànshǎng 〈方〉数量词。半天:前~|后~|他想了~才想起来。

【半身不遂】bàn shēn bù suí 偏瘫。

【半生】bànshēng 图 半辈子:前~|操劳~|~戎马。

【半生不熟】bàn shēng bù shú ❶ 食物没完全加工熟;果实没有完全成熟:肉煮得

~的,没法吃|葡萄~的,太酸。❷(～的)不熟习;不熟练:他试着用~的英语跟外宾交谈。

【半世】bànshì 图半辈子。

【半熟脸儿】bànshóuliǎnr 〈口〉图指只见过几面,不很熟悉的人。

【半衰期】bànshuāiqī 图放射性元素由于衰变而使原有量的一半成为其他元素所需的时间。放射性元素的半衰期长短差别很大,短的远小于一秒,长的可达许多万年。

【半死】bànsǐ 动❶ 快要死亡:那些被风刮倒的树已经~。❷ 形容受到的折磨、摧残极深:打个~|气得~。

【半死不活】bàn sǐ bù huó ❶ 形容快要死的样子:这些~的秧苗缓不过来了。❷ 形容没有精神,没有生气的样子。

【半天】bàntiān 数量词。❶(～儿)白天的一半:前~|后~|用~时间就可以把活儿干完。❷ 指相当长的一段时间;好长时间(多就说话者的感觉而言):等了~,他才来|他学了~英语,到现在只记得几个字母。

【半途】bàntú 图半路。

【半途而废】bàntú ér fèi 做事情没有完成而终止。

【半推半就】bàn tuī bàn jiù 又要推开又要靠近,形容心里愿意,表面却装出不愿意而推辞的样子。

【半托】bàntuō 动日托。

【半文盲】bànwénmáng 图识字不多的成年人。

【半夏】bànxià 图多年生草本植物,叶子有长柄,花黄绿色。块茎圆球形,白色,可入药。

【半信半疑】bàn xìn bàn yí 有些相信,又有些怀疑。

【半休】bànxiū 动指职工因病在一定时期内每日半天工作,半天休息:~一周。

【半夜】bànyè 图❶ 一夜的一半:前~|后~|上~|下~。❷ 时间词。夜里十二点钟前后,也泛指深夜:深更~|哥儿俩谈到~。

【半夜三更】bànyè sāngēng 深夜:~的,别再大声说话了。

【半音】bànyīn 图把八度音划分为十二个音,两个相邻的音之间的音程叫半音。

【半元音】bànyuányīn 图擦音中气流较

弱,摩擦较小,介于元音跟辅音之间的音,如普通话 yīn·wèi(因为)中的"y"和"w"。

【半圆】**bànyuán** 名 ❶ 圆的直径的两个端点把圆周分成两条弧,每一条弧叫做半圆。❷ 半圆(弧)和直径所围成的平面。

【半月刊】**bànyuèkān** 名 每半月出版一期的刊物。

【半殖民地】**bànzhímíndì** 名 指形式上独立,但在政治、经济、文化各方面受帝国主义控制和压迫的国家。

【半制品】**bànzhìpǐn** 名 半成品。

【半中腰】**bànzhōngyāo** 〈口〉名 中间;半截:他的话说到~就停住了。

【半子】**bànzǐ** 〈书〉名 指女婿。

【半自动】**bànzìdòng** 形 属性词。部分不靠人工而由机器装置操作的:~洗衣机。

扮 **bàn** 动 ❶ 化装成(某种人物):女~男装|《逼上梁山》里他~林冲。❷ 面部表情装成(某种样子):~鬼脸。

【扮鬼脸】**bàn guǐliǎn** 指脸上装出怪样子。

【扮酷】**bàn//kù** 装扮出时髦的样子。

【扮饰】**bànshì** 动 ❶ 装饰;打扮:~得很得体。❷ 扮演;饰演:这两个角色由同一人~。

【扮戏】**bàn//xì** 动 ❶ 戏曲演员化装。❷ 旧称演戏。

【扮相】**bànxiàng** 名 ❶ 演员化装成戏中人物后的形象:他的~和唱功都很好。❷ 泛指扮成的模样:我这副~能见客人吗?

【扮演】**bànyǎn** 动 化装成某种人物出场表演:他在《空城计》里~诸葛亮◇科学技术人员在经济建设中~了重要角色。

【扮装】**bàn//zhuāng** 动 (演员)化装:~吧,下一场就该你上场了。

伴 **bàn** ❶ (~儿)名 同伴:搭个~儿|结~同行|让我来跟你做个~儿。❷ 动 陪伴;陪同:~唱|~送|词典~我一生。❸ (Bàn)名 姓。

【伴唱】**bànchàng** 动 从旁歌唱,配合表演。

【伴当】**bàndāng** 名 旧时指跟随着做伴的仆人或伙伴。

【伴读】**bàndú** 动 陪读。

【伴发】**bànfā** 动 伴随相关事物一同发生;并发:~症状。

【伴郎】**bànláng** 名 举行婚礼时陪伴新郎的男子。

【伴侣】**bànlǚ** 名 同在一起生活、工作或旅行的人,多指夫妻或夫妻中的一方:终身~(指夫妻)|长途跋涉中,有他做~,就不寂寞了|她找到了生活的理想~。

【伴娘】**bànniáng** 名 举行婚礼时陪伴新娘的女子。

【伴生】**bànshēng** 动 一种事物伴随着另一种事物一起存在(多指次要的伴随着主要的):~树|钛、铬、钴等常与铁矿~。

【伴声】**bànshēng** 名 伴音。

【伴宿】**bànsù** 动 ❶ 〈方〉出殡的前一天的夜里,亲属守灵不睡。❷ 陪伴过夜。

【伴随】**bànsuí** 动 随同;跟随:~左右,不离寸步|~着生产的大发展,必将出现一个文化高潮。

【伴同】**bàntóng** 动 陪同;伴随:去年他曾~我到过这里|蒸发和溶解的过程常有温度下降的现象~发生。

【伴舞】**bànwǔ** 动 ❶ 陪伴人跳舞:邀她去舞会上~。❷ 从旁跳舞,配合演唱。

【伴星】**bànxīng** 名 双星中较暗的一颗,围绕着主星旋转。

【伴音】**bànyīn** 名 在电影和电视中配合图像的声音。也叫伴声。

【伴游】**bànyóu** ❶ 动 陪同游览或游玩。❷ 名 指陪同游览或游玩的人。

【伴奏】**bànzòu** 动 歌唱、跳舞或独奏时用器乐配合。

坢 **bàn** 〈方〉名 粪肥:猪栏~|牛栏~。

拌 **bàn** 动 搅拌;搅和:给牲口~草|把种子用药剂~了再种。

【拌和】**bàn·huò** 动 搅拌:~饲料|饺子馅儿要~匀了。

【拌蒜】**bàn//suàn** 〈方〉动 指走路时两脚常常相碰,身体摇晃不稳:酒喝多了,走起路来两脚直~。

【拌嘴】**bàn//zuǐ** 动 吵嘴:两口子时常~|拌了几句嘴。

绊(絆) **bàn** 动 挡住或缠住,使跌倒或使行走不方便:~手~脚|让石头~了一跤。

【绊脚石】**bànjiǎoshí** 名 比喻阻碍前进的人或事物:骄傲是进步的~。

【绊马索】**bànmǎsuǒ** 名 设在暗处用来绊

倒对方人马的绳索。

【绊儿】bànr 名 绊子①：他一个～就把我摔倒了。

【绊手绊脚】bàn shǒu bàn jiǎo 妨碍别人做事；碍手碍脚。

【绊子】bàn·zi 名 ❶ 摔跤的一种招数，用一只腿别着对方的腿使跌倒：使～。❷ 系在牲畜腿上使不能快跑的短绳。

桦 bàn ［桦子］(bàn·zi)〈方〉名 大块的劈(pǐ)柴。

湴 bàn〈方〉名 烂泥。

鞍 bàn〈书〉驾车时套在牲口后部的皮带。

瓣 bàn ❶（～儿）名 花瓣：梅花有五个～儿。❷（～儿）名 植物的种子、果实或球茎可以分开的小块儿：豆～儿|橘子～儿|蒜～儿。❸（～儿）量 物体自然地分成或破碎后分成的部分：四角八～儿|碗摔成几～儿。❹ 名 瓣膜的简称。❺（～儿）量 用于花瓣、叶片或种子、果实、球茎分开的小块儿：两～儿蒜|把西瓜切成四～儿。

【瓣膜】bànmó 名 人和某些动物的器官里面可以开闭的膜状结构。简称瓣。

【瓣胃】bànwèi 名 反刍动物的胃的第三部分，容积比网胃略大，内壁有书页状的褶。反刍后的食物进入瓣胃继续磨细。也叫重瓣胃。

bāng（ㄅㄤ）

邦（邦）bāng ❶ 国：～交|友～|邻～。❷ (Bāng)名 姓。

【邦交】bāngjiāo 名 国与国之间的正式外交关系：建立～|断绝～|恢复～。

【邦联】bānglián 名 两个或两个以上的国家为了达到某些共同的目的而组成的联合体。邦联的成员国仍保留完全的独立主权，只是在军事、外交等方面采取某些联合行动。

帮¹（幫）bāng 动 ❶ 帮助：大孩子能～妈妈干活儿了。❷ 指从事雇佣劳动：～短工。

帮²（幫）bāng（～儿）名 ❶ 物体（里面一般是空的）两旁或周围的部分：桶～|鞋～儿|船～|床～。❷ 帮

子¹①：菜～儿。

帮³（幫）bāng ❶ 群；伙；集团（多指为政治的或经济的目的而结成的）：搭～|马～|匪～。❷ 量 用于人，是"群、伙"的意思：一～小朋友|一～强盗。❸ 帮会：青～|洪～。

【帮办】bāngbàn ❶ 动 指帮助主管人员办公务：～商务。❷ 名 指主管人员的助手。

【帮补】bāngbǔ 动 在经济上帮助：我上大学时，哥哥经常寄钱～我。

【帮衬】bāngchèn〈方〉❶ 帮助；帮忙：每逢集日，老头儿总～着儿子照料菜摊子。❷ 帮补；资助。

【帮厨】bāng//chú 动 非炊事人员下厨房帮助炊事员工作：几位同学在学校食堂帮了一天厨。

【帮凑】bāngcòu 动 凑集财物，帮助人解决困难：大家帮他～了点儿路费，送他回家。

【帮带】bāngdài 动 帮助，带动：示范村与其他村开展～活动。

【帮倒忙】bāng dào máng 因帮忙不得法，反而给人添麻烦。

【帮扶】bāngfú 动 帮助扶持：～下岗人员创业。

【帮工】bānggōng ❶（-//-）动 帮助干活儿，多指受雇帮人干活儿：他出外～去了|大忙季节，请人帮了几天工。❷ 名 帮工的人：麦收时，他家雇了两个～。

【帮会】bānghuì 名 旧社会民间秘密组织（如青帮、洪帮、哥老会等）的总称。

【帮教】bāngjiào 动 帮助和教育：对失足青少年要做好～工作。

【帮困】bāngkùn 动 帮助有困难的人或家庭：扶贫～。

【帮忙】bāng//máng（～儿）动 帮助别人做事，泛指在别人有困难的时候给予帮助：你搬家时我来～|这件事我实在帮不上忙。

【帮派】bāngpài 名 指共同的私利而结成的小集团：～活动|拉山头，搞～。

【帮腔】bāng//qiāng 动 ❶ 某些戏曲中的一种演唱形式，台上一人主唱，多人在台后和着唱。❷ 比喻支持别人，帮他说话：他看见没有人～，也就不再坚持了。

【帮手】bāng·shou 名 帮助工作的人：找个～。

【帮套】bāngtào 名 ❶ 在车辕外面的拉车

的套：加上一头牲口拉～。❷ 指在车辕外面拉车的牲口：一匹马拉不动，再加上一头。

【帮贴】bāngtiē 〈方〉囷 从经济上帮助；贴补：过去，我拖家带口，他常～我。

【帮闲】bāngxián ❶ 囷 （文人）受有钱有势的人豢养，给他们装点门面，为他们效劳：～凑趣。❷ 囹 帮闲的文人。

【帮凶】bāngxiōng ❶ 囷 帮助行凶或作恶。❷ 囹 帮助行凶或作恶的人。

【帮佣】bāngyōng ❶ 囷 为人做佣工：靠～度日。❷ 囹 做佣工的人。

【帮主】bāngzhǔ 囹 帮会或帮派的首领。

【帮助】bāngzhù 囷 替人出力、出主意或给以物质上、精神上的支援：互相～|～灾民。

【帮子】¹ bāng·zi 囹 ❶ 白菜或蔬菜外层叶子较厚的部分：白菜～。❷ 鞋帮。

【帮子】² bāng·zi 壘 群；伙：来了一～人|这一年轻人劲头真足。

唪

唪 bāng 囷拟声 敲打木头的声音。

【唪啷】bānglāng 拟声 撞击物体的声音：～一声，大门被踹开了。

梆

梆 bāng ❶ 打更等用的梆子。❷ 〈方〉囷 用棍子等打；敲：奶奶拿起擀面杖要～他|～树上的红枣儿吃。❸ 拟声 敲打木头的声音：～～～地使劲敲门。

【梆硬】bāngyìng 〈口〉囷 状态词。形容很硬：豆腐冻得～。

【梆子】bāng·zi 囹 ❶ 打更等用的器具，空心，用竹子或木头制成。❷ 打击乐器，用两根长短不同的枣木制成，多用于梆子腔的伴奏。❸ 梆子腔：河北～。

【梆子腔】bāng·ziqiāng 囹 ❶ 戏曲声腔之一，因用木梆子加强节奏而得名。❷ 用梆子腔演唱的剧种的统称，如秦腔（陕西梆子）、山西梆子、河北梆子、山东梆子等。

浜

浜 bāng 〈方〉囹 小河：河～。

绑 bǎng （ㄅㄤˇ）

绑（綁） bǎng 囷 用绳、带等缠绕或捆扎：～担架|把行李～在车架子上。

【绑匪】bǎngfěi 囹 指从事绑票的匪徒。

【绑缚】bǎngfù 囷 捆绑：练跑步时小腿上～着沙袋。

【绑架】bǎngjià 囷 用强力把人劫走。

【绑票】bǎng//piào （～儿）囷 匪徒把人劫走，强迫被绑者的家属等出钱去赎。

【绑腿】bǎng·tuǐ 囹 缠裹小腿的布带。

【绑扎】bǎngzā 囷 捆扎；包扎：～行李|～伤口。

榜

榜 bǎng ❶ 囹 张贴的名单：选民～|光荣～|贴出～来了。❷ 古代指文告：～文|张～招贤。❸ 〈书〉囷 匾额：题～|～额。

　　另见 42 页 bàng "榜"；1032 页 péng "榜"。

【榜额】bǎng'é 囹 匾额。

【榜首】bǎngshǒu 囹 榜上公布的名单中的首位，泛指第一名：名列～|该队异军突起，一跃而居大赛的～。

【榜书】bǎngshū 囹 原指写在宫阙门额上的大字。后来泛指写于招牌、匾额上的大型字。也叫擘窠书。

【榜尾】bǎngwěi 囹 榜上公布的名单中的末位，泛指最后一名：在这次邀请赛上，该队只能名列～。

【榜文】bǎngwén 囹 古代指文告。

【榜眼】bǎngyǎn 囹 科举时代的一种称号。明清两代称殿试考取一甲（第一等）第二名的人。

【榜样】bǎngyàng 囹 作为仿效的人或事例（多指好的）：好～|你先带个头，做个让大家看看。

牓

牓 bǎng 〈书〉同"榜"。

膀

膀 bǎng 囹 ❶ 肩膀：～阔腰圆。❷ （～儿）鸟类等的翅膀。

　　另见 42 页 bàng；1022 页 pāng；1023 页 páng。

【膀臂】bǎngbì 囹 ❶ 比喻得力的助手：你来得好，给我添了个～。❷ 〈方〉膀子①。

【膀大腰圆】bǎng dà yāo yuán 形容人的身体高大粗壮。

【膀子】bǎng·zi 囹 ❶ 胳膊的上部靠肩的部分，也指整个胳膊：光着～。❷ 鸟类等的翅膀。

髈 **bǎng** 同"膀"(bǎng)。
另见 1024 页 pǎng。

bàng（ㄅㄤˋ）

蚌 **bàng** 图软体动物,有两个椭圆形介壳,可以开闭。壳表面黑绿色,有环状纹,里面有珍珠层。生活在淡水中,种类很多,有的壳内能产珍珠。
另见 67 页 bèng。

棒 **bàng** ❶图棍子:木～|炭精～。❷〈口〉形(体力或能力)强;(水平)高;(成绩)好:～小伙子|字写得真～|功课～。

【棒冰】**bàngbīng**〈方〉图冰棍儿。

【棒疮】**bàngchuāng** 图被棍棒打后皮肤或黏膜发生溃烂的疾病。

【棒槌】**bàng·chui** 图❶捶打用的木棒(多用来洗衣服)。❷指外行(多用于戏剧界)。

【棒喝】**bànghè** 励比喻促人醒悟的警告:一声～。参看 271 页【当头棒喝】。

【棒球】**bàngqiú** 图❶球类运动项目之一,规则和用具都像垒球而稍有不同,场地比垒球的大。❷棒球运动使用的球,较垒球小而硬。

【棒儿香】**bàngrxiāng** 图用细的竹棍或木棍做芯子的香。

【棒针】**bàngzhēn** 图一种编织毛线衣物的用具,较粗,多用竹子削制而成。

【棒子】**bàng·zi** 图❶棍子(多指粗而短的)。❷〈方〉玉米:～面。

【棒子面】**bàng·zimiàn**〈方〉图玉米面。

棓 **bàng**〈书〉同"棒"。
另见 62 页 bèi。

傍 **bàng** ❶励靠;靠近:船～了岸|依山～水。❷临近(指时间):～晚。❸励依靠;依附:～人门户。

【傍边儿】**bàng//biānr**〈方〉励靠近;接近。

【傍黑儿】**bànghēir**〈方〉图傍晚:一早出的门,～才回家。

【傍角儿】**bàngjuér**〈方〉❶励为主角配戏或伴奏。❷图指为主角配戏或伴奏的人。

【傍亮儿】**bàngliàngr**〈方〉图临近天明的时候:天刚～他们就出发了。

【傍明】**bàngmíng**〈方〉图临近天明的时候:～,雨停了。

【傍人门户】**bàng rén ménhù** 比喻依附别人,不能自主。

【傍响】**bàngshǎng**（～儿）〈方〉图临近正午的时候。

【傍晚】**bàngwǎn** 图时间词。临近晚上的时候。

【傍午】**bàngwǔ** 图时间词。临近正午的时候:～时分,突然下起了大雨。

【傍依】**bàngyī** 励靠近;挨近:住宅小区～碧波荡漾的太平湖。

谤（謗） **bàng**〈书〉诽谤:毁～|～议|～书。

【谤书】**bàngshū**〈书〉图诽谤人的信件或书籍。

【谤议】**bàngyì**〈书〉励诽谤议论。

塝 **bàng**〈方〉田边土坡;沟渠或土埂的边(多用于地名):张家～(在湖北)。

搒（榜） **bàng**〈书〉摇橹使船前进;划船。
另见 1032 页 péng;"榜"另见 41 页 bǎng。

蒡 **bàng** 见 1002 页【牛蒡】。
另见 1023 页 páng。

稖 **bàng** [稖头](bàngtóu)〈方〉图玉米。

蛂 **bàng**〈书〉同"蚌"。

膀 **bàng** 见 313 页【吊膀子】。
另见 41 页 bǎng;1022 页 pāng;1023 页 páng。

磅 **bàng** ❶量英美制质量或重量单位,符号 lb。1 磅等于 16 盎司,合 0.453 6 千克。❷图磅秤:过～|搁在～上称一称。❸励用磅秤称轻重:～体重。[英 pound]
另见 1023 页 páng。

【磅秤】**bàngchèng** 图台秤①。

镑（鎊） **bàng** 图英国、埃及等国的本位货币。[英 pound]

艕 **bàng**〈书〉船和船相靠。

bāo（ㄅㄠ）

包 **bāo** ❶励用纸、布或其他薄片把东西裹起来:～书|～饺子|头上～着一

条白毛巾。❷（～儿）名 包好了的东西：
药～|邮～|打了个～。❸名 装东西的口
袋：书～|把零碎东西装进～儿里|病～
儿|坏～儿|淘气～儿。❹量 用于成包的东西：
两～大米|一大～衣服。❺名 物体或身体
上鼓起来的疙瘩：树干上有个大～|腿上
起了个～。❻名 毡制的圆顶帐篷：蒙古～|
❼动 围绕；包围：火苗～住了锅台|骑兵
分两路～过去。❽动 容纳在里头；总括
在一起：～含|～罗|无所不～。❾动 把
整个任务承担下来，负责完成：～医|～
教|～片儿(负责完成一定地段或范围的工
作)。❿动 担保：～你没错儿|～你满意。
⓫动 约定专用：～车|～场|～了一只船。
⓬（Bāo）名 姓。

【包办】bāobàn 动 ❶ 一手办理，单独负
责：这件事一个人～了吧。❷ 不和有关
的人商量、合作，独自做主办理：把持|
～婚姻|～代替。

【包保】bāobǎo 动 在某些方面包下来，并
提供保证：～贫困学生完成学业。

【包庇】bāobì 动 袒护或掩护(坏人、坏
事)：互相～|～贪污犯。

【包藏】bāocáng 动 包含；隐藏：～祸心。

【包藏祸心】bāocáng huòxīn 怀着害人的
念头。

【包产】bāo∥chǎn 动 根据土地、生产工
具、技术、劳动力等条件订出产量指标，由
个人或生产单位负责完成：包工～|～到
户。

【包场】bāo∥chǎng 动 预先定下一场电
影、戏剧等的全部或大部分座位。

【包抄】bāochāo 动 绕到敌人侧面或背后
进攻：分三路～过去。

【包车】bāochē ❶（-∥-）动 定期租用车
辆：包了三辆车去旅游。❷名 个人或机
关团体定期租用的人力车或机动车：拉
～|门前挤满了～。

【包乘制】bāochéngzhì 名 交通运输部门
乘务员的一种工作负责制。如铁路部门
由司机、副司机、司炉等组成若干包乘组，
各组轮流驾驶一台机车，在指定区段值勤
并负责保养。

【包打天下】bāo dǎ tiānxià 包揽打天下
的重任，比喻由个人或少数人包办代替，
不放手让其他人干。

【包打听】bāodǎtīng〈方〉名 ❶ 包探。❷

指好打听消息或知道消息多的人。

【包饭】bāofàn ❶（-∥-）动 双方约定，一
方按月付饭钱，另一方供给饭食：学校可
为双职工子女～。❷名 按月支付固定费
用的饭食：孩子在学校食堂吃～。

【包房】bāofáng ❶（-∥-）动 定期租用宾
馆、饭店等的客房。❷名 定期租用的宾
馆、饭店等的客房。

【包费】bāofèi ❶（-∥-）动 承担全部费
用：员工医疗开支不再由单位～。❷名
包车、包饭等按月或按年支付的费用。

【包袱】bāo·fu 名 ❶ 包衣服等东西的布。
❷ 用布包起来的包儿。❸ 比喻某种负
担：思想～|不能把赡养父母看成是～。❹
指相声、快书等曲艺中的笑料。把笑料说
出来叫抖包袱。

【包袱底儿】bāo·fudǐr〈方〉名 ❶ 指家庭
多年不动用的或最贵重的东西。❷ 比喻
隐私：抖～。❸ 比喻最拿手的本领：抖搂
～(显示绝技)。

【包袱皮儿】bāo·fupír 名 包衣服等用的
布。

【包干儿】bāogānr 动 ❶ 承担一定范围的
工作，保证全部完成：分段～|剩下的扫尾
活由我们小组～。❷ 指对某种工作全面
负责，经费上的损益由自己承担：预算～|
投资～。

【包工】bāogōng 动 按照规定的要求和期
限，完成某项生产或建设任务：～包产|大
楼由承建单位～。

【包工头】bāogōngtóu（～儿）名 包工一
方的负责人。

【包公】Bāogōng 名 包拯(zhěng)，北宋时
进士，曾任开封府知府，以执法严正著称。
民间关于他断案的传说很多，尊称他为包
公或包青天。小说戏曲中把他描写成刚
正严明、不畏权势的清官的典型。

【包谷】bāogǔ〈方〉名 玉米。也作苞谷。

【包管】bāoguǎn 动 担保(表示说话人的
自信)：～退换|他这种病～不用吃药就会
好。

【包裹】bāoguǒ ❶ 动 包；包扎：用布把伤
口～起来。❷名 包扎成件的包儿：他肩
上背着一个小～|我到邮局寄～去。

【包含】bāohán 动 里边含有：这句话～好
几层意思。

【包涵】bāo·han 动 客套话，请人原谅：唱

得不好,大家多多~!

【包伙】bāohuǒ ❶(-/-)劻 包饭①。❷名 包饭②。

【包机】bāojī 劻 ❶ 定期租用飞机:开展~业务。❷名 包乘的飞机:一架旅游~。

【包间】bāojiān 名 宾馆和餐饮、娱乐等场所设的供某位或某些客人专用的房间。

【包金】¹ bāojīn 劻 用薄金叶包在金属首饰外面:~项链。

【包金】² bāojīn 名 包银。

【包举】bāojǔ〈书〉劻 总括;全部占有:~无遗。

【包括】bāokuò 劻 包含(或列举各部分,或着重指出某一部分):语文教学应该~听、说、读、写四项,不可偏轻偏重 | 我说"大家",自然~你在内。

【包揽】bāolǎn 劻 兜揽过来,全部承担:政府部门不可能把各种事务都~起来。

【包罗】bāoluó 劻 包括(指大范围):民间艺术~甚广,不是三言两语所能说完的。

【包罗万象】bāoluó wànxiàng 内容丰富,应有尽有:这个博览会的展品真可说是~,美不胜收。

【包米】bāomǐ〈方〉名 玉米。也作苞米。

【包赔】bāopéi 劻 担保赔偿:~损失。

【包皮】bāopí 名 ❶ 包装的皮儿。❷ 阴茎前部覆盖龟头的外皮。

【包票】bāopiào 名 保单的旧称。料事有绝对的把握时,说可以打包票:他一定能按时完成任务,我敢打~。也说保票。

【包青天】Bāoqīngtiān 名 见 43 页〖包公〗。

【包容】bāoróng 劻 ❶ 宽容:大度~ | 一味~。❷ 容纳:小礼堂能~三百个听众。

【包身工】bāoshēngōng ❶ 旧社会一种变相的贩卖奴隶的形式。被贩卖的是青少年,由包工头骗到工厂、矿山做工,没有人身自由,工钱全归包工头所有,受资本家和包工头的双重剥削。❷ 在包身工形式下做工的人。

【包探】bāotàn 名 旧时巡捕房中的侦缉人员。

【包头】bāo·tóu 名 ❶ 裹在头上的装束用品(多用于少数民族):青~。❷(~儿)附在鞋头起保护作用的橡胶、皮革等:打~儿。

【包围】bāowéi 劻 ❶ 四面围住:亭子被茂密的松林~着。❷ 正面进攻的同时,向敌人的翼侧和后方进攻。

【包围圈】bāowéiquān 名 军事上指已形成包围态势的圈子和已被包围的地区:冲出~ | 越缩越小了。

【包席】bāoxí ❶(-/-)劻 订整桌配套的酒席:你们是点菜还是~? | 婚宴包了三桌席。❷名 饭馆里指整桌供应的酒席。也说包桌。

【包厢】bāoxiāng 名 某些剧场里特设的单间席位,一间有几个座位,多在楼上。

【包销】bāoxiāo 劻 ❶ 指商人承揽货物,负责销售。❷ 指商业机构跟生产单位订立合同,把全部产品包下来销售。

【包心菜】bāoxīncài〈方〉名 结球甘蓝。

【包养】bāoyǎng 劻 为婚外异性(多为女性)提供房屋、金钱等并与之长期保持性关系:~情妇。

【包银】bāoyín 名 旧时戏院按期付给剧团或主要演员的约定的报酬。

【包圆儿】bāo∥yuánr〈口〉劻 ❶ 把货物或剩余的货物全部买下:剩下的这点儿您~吧! ❷ 全部担当:剩下的零碎活儿我~。

【包月】bāo∥yuè 劻 按月计价付款,如包饭按月付饭钱、包车按月付车钱等。

【包孕】bāoyùn 劻 包含:她的信里~着无尽的思念之情。

【包蕴】bāoyùn 劻 包含:简短的几句话却~着很深的哲理。

【包扎】bāozā 劻 包裹捆扎:~伤口 | 待运的仪器都~好了。

【包装】bāozhuāng ❶ 劻 在商品外面用纸包裹或把商品装进纸盒、瓶子等:定量~ | 商品要注意质量。❷ 名 指包装商品的东西,如纸、盒子、瓶子等:~美观 | 运输不慎,~破损严重。❸ 劻 比喻对人或事物从形象上装扮、美化,使具吸引力或商业价值:~歌星。

【包桌】bāozhuō 名 包席②。

【包子】bāo·zi 名 食品,用菜、肉或糖等做馅儿,多用发面做皮,包成后,蒸熟。

【包租】bāozū 劻 ❶ 为了转租而租进房屋或田地等。❷ 租种土地时,不管收成丰歉都按规定数额交租,叫做包租。❸ 在一段时期内专用某方租用:~汽车。

B

苞¹ bāo 名 花没开时包着花骨朵的小叶片：花～|含～未放。

苞² bāo 〈书〉丛生而茂密：竹～松茂。

【苞谷】bāogǔ 同"包谷"。

【苞米】bāomǐ 同"包米"。

孢 bāo 见下。

【孢子】(胞子) bāozǐ 名 某些低等动物和植物产生的一种有繁殖作用或休眠作用的细胞，离开母体后就能形成新的个体。

【孢子植物】bāozǐ zhíwù 用孢子繁殖的植物，包括藻类、地衣、苔藓、蕨类等。

枹 bāo 名 枹树，落叶乔木，叶子互生，略呈倒卵形，边缘有粗锯齿，花单性。种子可用来提取淀粉，树皮可以制栲胶。有的地区叫小橡树。

另见 421 页 fú"桴²"。

胞 bāo ❶ 胞衣。❷ 同父母所生的；嫡亲的：～兄|～妹|～叔(父亲的胞弟)。❸ 同一个国家或民族的人：侨～|台～|藏～。

【胞衣】bāoyī 名 中医把胎盘和胎膜统称为胞衣。也说胎衣、衣胞。

【胞子】bāozǐ 见 45 页〖孢子〗。

炮 bāo 动 ❶ 烹调方法，用锅或铛在旺火上炒(牛羊肉片等)，迅速搅拌：～羊肉。❷ 烘焙：湿衣服搁在热炕上，一会儿就～干了。

另见 1025 页 páo；1027 页 pào。

剥 bāo 动 去掉外面的皮或壳：～花生|～皮。

另见 102 页 bō。

龅(龅) bāo ［龅牙］(bāoyá) 名 突出在嘴唇外的牙齿。

煲 bāo 〈方〉❶ 名 壁较陡直的锅；瓦～|沙～|铜～|电饭～。❷ 动 用煲煮或熬：～汤|～粥。

【煲电话粥】bāo diànhuàzhōu 〈方〉指长时间地通过电话聊天。

褒(襃) bāo ❶ 赞扬；夸奖(跟"贬"相对)：～奖|～扬。❷〈书〉(衣服)肥大：～衣博带(宽袍大带)。

【褒贬】bāobiǎn 动 评论好坏：～人物|一字｜不加～。

【褒贬】bāo·bian 动 批评缺点；指责：有意见要当面提，不要背地里～人。

【褒称】bāochēng ❶ 动 用赞美的言辞来称呼。❷ 名 赞美的称呼；含褒义的称呼。

【褒词】bāocí 名 褒义词。

【褒奖】bāojiǎng 动 表扬和奖励：～有功人员|在大桥落成庆典上，许多先进工作者受到了～。

【褒扬】bāoyáng 动 表扬：～先进。

【褒义】bāoyì 名 字句里含有的赞许或好的意思。

【褒义词】bāoyìcí 名 含有褒义的词，如"坚强"、"勇敢"等。也叫褒词。

báo (ㄅㄠˊ)

瓝 báo ❶〈书〉小瓜。❷ 见 907 页〖马瓝儿〗。

雹 báo 名 冰雹。

【雹灾】báozāi 名 冰雹造成的灾害。

【雹子】báo·zi 名 冰雹的通称。

薄 báo 形 ❶ 扁平物上下两面之间的距离小(跟"厚"相对，下②③同)：～板|～被|～片|这种纸很～|◇家底～。❷ (感情)冷淡；不深：待他的情分不～。❸ (味道)不浓；淡：酒味很～。❹ (土地)不肥沃：这儿地～，产量不高。

另见 106 页 bó；107 页 bò。

【薄饼】báobǐng 名 一种面食，用烫面做饼，很薄，两张相叠，烙熟后能揭开。

【薄脆】báocuì 名 ❶ 一种糕点，形状多样，薄而脆。❷ 一种油炸面食，薄而脆。

bǎo (ㄅㄠˇ)

饱(飽) bǎo ❶ 形 满足了食量(跟"饿"相对)：我～了，一点也吃不下了。❷ 形 饱满：谷粒儿很～。❸ 足足地；充分：～经风霜。❹ 满足：一～眼福。❺ 中饱：克扣军饷，以～私囊。

【饱餐】bǎocān 动 饱饱儿地吃：～了一顿。

【饱尝】bǎocháng 动 ❶ 充分地品尝：～美味。❷ 长期感受或体验：～风雨|～艰苦。

【饱读】bǎodú 动 大量阅读：～经史。

【饱嗝儿】bǎogér 名 吃饱后打的嗝儿。

【饱含】bǎohán 动 充满：眼里～着热泪|胸中～着对祖国的热爱。

【饱汉不知饿汉饥】bǎo hàn bù zhī è hàn jī 比喻处境好的人，不能理解处于困境中的人的痛苦和难处。

【饱和】bǎohé 动 ❶ 在一定温度和压力下，溶液所含溶质的量达到最大限度，不能再溶解。❷ 泛指事物在某个范围内达到最高限度：目前市场上洗衣机的销售已接近～。

【饱经沧桑】bǎo jīng cāngsāng 形容经历过很多世事变迁。

【饱经风霜】bǎo jīng fēngshuāng 形容经历过很多艰难困苦。

【饱览】bǎolǎn 动 充分地看；尽情地观赏：～名山胜景|航天旅行，可～天外奇观。

【饱满】bǎomǎn 形 ❶ 丰满：颗粒～。❷ 充足：精神～|～的热情。

【饱食终日】bǎo shí zhōngrì 一天到晚吃得饱饱的，形容无所事事。

【饱学】bǎoxué 形 学识丰富：～之士。

【饱以老拳】bǎo yǐ lǎoquán 用拳头狠狠地打。

【饱雨】bǎoyǔ 〈方〉名 透雨。

宝(寶、宝)

bǎo ❶ 名 珍贵的东西：国～|献～|粮食是～中之～。❷ 珍贵的：～刀|～剑|～石|～物。❸ 名 旧时的一种赌具，方形，多用牛角制成，上有指示方向的记号。参看1556页〖压宝〗。❹ 敬辞，用于称对方的家眷、铺子等：～卷|～号|～刹。❺ (Bǎo) 名 姓。

【宝宝】bǎo•bǎo 名 对小孩儿的爱称。

【宝贝】bǎobèi 名 ❶ 珍奇的东西。❷ (～儿) 对小孩儿的爱称。❸ 指无能或奇怪荒唐的人（含讽刺意）：这个人真是个～!

【宝贝疙瘩】bǎobèi gē•da 〈方〉比喻极宠爱的孩子，有时也指极受宠爱的人。

【宝刹】bǎochà 名 ❶ 指佛寺的塔。❷ 敬辞，称僧尼所在的寺庙。

【宝刀】bǎodāo 名 用作武器的稀有而珍贵的刀。

【宝刀不老】bǎodāo bù lǎo 比喻年纪虽老但功夫或技术并没减退。

【宝岛】bǎodǎo 名 美丽富饶的岛屿，特指我国的台湾岛。

【宝地】bǎodì 名 ❶ 指地势优越或物资丰富的地方。❷ 敬辞，称对方所在的地方：借贵方一块～暂住几天。

【宝典】bǎodiǎn 名 指非常有价值的典籍。也用作书名，如隋杜台卿《玉烛宝典》。

【宝贵】bǎoguì ❶ 形 极有价值；非常难得；珍贵：～的生命|时间极为～|这是一些十分～的出土文物。❷ 动 当做珍宝看待；重视：这是极可～的经验。

【宝号】bǎohào 名 ❶ 敬辞，称对方的店铺。❷ 敬辞，称对方的名字。

【宝剑】bǎojiàn 名 原指稀有而珍贵的剑，后来泛指一般的剑。

【宝卷】bǎojuàn 名 一种韵文和散文相间杂的说唱文学，由唐代的变文和宋代和尚的说经发展而成，早期作品的题材多为宣扬因果报应的佛经故事，明代以后多用民间故事和现实生活做题材。

【宝眷】bǎojuàn 名 敬辞，称对方的家眷。

【宝库】bǎokù 名 储藏珍贵物品的地方，多用于比喻：知识～|艺术～|马列主义理论～。

【宝蓝】bǎolán 形 鲜亮的蓝色。

【宝瓶座】bǎopíngzuò 名 黄道十二星座之一。参看600页〖黄道十二宫〗。

【宝石】bǎoshí 名 颜色美丽、有光泽、硬度高的矿物，性质稳定，可用来制装饰品、仪表的轴承或研磨剂等。也有把珍珠、珊瑚、琥珀等有机物归入宝石类的。

【宝塔】bǎotǎ 名 原为塔的美称，今泛指塔。

【宝玩】bǎowán 名 珍宝和古玩。

【宝物】bǎowù 名 珍贵的东西。

【宝玉】bǎoyù 名 稀有而珍贵的玉。

【宝藏】bǎozàng 名 储藏的珍宝或财富，多指矿产：发掘地下的～◇民间艺术的～真是无穷无尽。

【宝重】bǎozhòng 动 珍惜重视：他的书法作品深为世人～。

【宝珠】bǎozhū 名 稀有而珍贵的珠子。

【宝座】bǎozuò 名 指帝王或神佛的座位，现多用于比喻：登上冠军～。

保

bǎo ❶ 动 保护；保卫：～健|～家卫国。❷ 动 保持：～温|～鲜。❸ 动 保证；担保（做到）：～质|～量|～你一学就会。❹ 动 担保（不犯罪、不逃走等）：～释|取～候审。❺ 名 保人；保证人：作～|交

~。❻ 图 旧时户籍的编制单位。参看〖保甲〗。❼ (Bǎo)图 姓。

【保安】bǎo'ān ❶ 动 保卫治安：加强～工作。❷ 动 保护工人安全，防止在生产过程中发生人身事故：～规程|～制度。❸ 图 指保安员，在机关、企业、商店、宾馆、住宅区等做保卫治安工作的人。

【保安族】Bǎo'ānzú 图 我国少数民族之一，分布在甘肃。

【保本】bǎo∥běn（～儿）动 保证本钱或资金不受损失：～值|这笔生意能～就不错了。

【保膘】bǎo∥biāo 动 保持牲畜肥壮。

【保镖】bǎobiāo ❶ 动 会技击的人佩带武器，为人护送财物或保护人身安全。也泛指做护卫工作。❷ 图 指做这种工作的人。

【保不定】bǎo·budìng 副 保不住①。

【保不齐】bǎo·buqí〈方〉副 保不住①。

【保不住】bǎo·buzhù ❶ 副 难免；可能：这个天儿很难说，～会下雨。❷ 动 不能保持：以前要是遇到这样的大旱，这块地的收成就～了。

【保藏】bǎocáng 动 把东西收存起来以免遗失或损坏：～手稿|把选好的种子好好～起来。

【保持】bǎochí 动 维持(原状)，使不消失或减弱：水土～|～冷静|～物价稳定|跟群众～密切联系。

【保存】bǎocún 动 使事物、性质、意义、作风等继续存在，不受损失或不发生变化：～古迹|～实力|～自己，消灭敌人。

【保单】bǎodān 图❶ 为保证他人的行为或财力而写的字据。❷ 表示在一定期限和规定的范围内对所售或所修物品负责的单据，如修理钟表的保单。❸ 指保险单，投保人与保险人签订的保险合同。

【保底】bǎo∥dǐ 动❶ 保本。❷ 指保证不少于最低限额：奖金上不封顶，下不～。

【保额】bǎo'é 图 保险金额的简称。

【保费】bǎofèi 图 保险费。

【保固】bǎogù 动 承包工程的人保证工程在一定时期内不会损坏，损坏时由承包人负责修理。

【保管】bǎoguǎn ❶ 动 保藏和管理：图书～工作|这个仓库的粮食～得很好。❷ 图 在仓库中做保藏和管理工作的人：老～|

这个粮库有两个～。❸ 动 完全有把握；担保：只要肯努力，～你能学会。

【保户】bǎohù 图 在保险公司投保的单位或个人。

【保护】bǎohù 动 尽力照顾，使不受损害：～眼睛|～妇女儿童的权益。

【保护关税】bǎohù guānshuì 为了保护本国经济的发展，对进出口商品征收重税或实行减税、免税的政策。

【保护国】bǎohùguó 图 因被迫订立不平等条约将部分主权(如外交主权)交给别国而受其"保护"的国家。是殖民地的一种形式。

【保护价】bǎohùjià 图 国家为保护生产和保障人民生活，对某些产品实行的限制价格，如工业品销售最高限价和农副产品收购最低限价等。

【保护伞】bǎohùsǎn 图 比喻可以起保护作用的有威慑性的力量或有权势的人(多含贬义)：核～|拉关系，找～|官僚主义往往是贪污分子的～。

【保护色】bǎohùsè 某些动物身上的颜色跟周围环境的颜色类似，这种颜色叫做保护色。有保护色的动物不容易让别的动物发觉。

【保皇】bǎohuáng 动 维护帝制或皇权，比喻效忠当权者：～党|～派。

【保甲】bǎojiǎ 图 旧时户籍编制制度，若干户编作一甲，若干甲编作一保，甲设甲长，保设保长，对人民实行层层管制。

【保价】bǎojià 动 一种加收费用的邮递业务，用于寄递较贵重物品、有价证券、包裹等，如有遗失，邮电部门按保价金额负责赔偿：～信|～包裹。

【保驾】bǎo∥jià 动 旧指保卫皇帝，现泛指保护某人或某事物：有老张给你～，你怕什么？|为经济建设～护航。

【保荐】bǎojiàn 动 负责推荐(人)：～贤能。

【保健】bǎojiàn 动 保护健康：～室|～站|～工作|自我～。

【保健操】bǎojiàncāo 图 一种自我穴位按摩，并结合肢体运动的健身方法，如眼保健操等。

【保健球】bǎojiànqiú 图 放在手里来回转动的小球，一般为两个。用金属、玉、石等做成。

【保洁】bǎojié 励 保持清洁：～车|加强公园的～工作。

【保结】bǎojié 名 旧时呈递给官府保证他人身份或行为的文书。

【保举】bǎojǔ 励 向上级荐举有才或有功的人，使得到提拔任用。

【保龄球】bǎolíngqiú 名❶ 室内体育运动项目之一。球场是用硬质木料铺成的细长水平滑道。在滑道终端设 10 个瓶形柱，摆成三角形。比赛者在投掷线上投球撞击瓶柱。❷ 保龄球运动使用的球，用硬质胶木制成，空心。

【保留】bǎoliú 励❶ 保存不变：遵义会议会址还～着它当年的面貌。❷ 暂时留着不处理：不同的意见暂时～，下次再讨论。❸ 留下，不拿出来：他的藏书大部分都赠给国家图书馆了，自己只～了一小部分|有意见尽量谈出来，不要～|老师把宝贵的经验和知识毫无～地教给学生。

【保留剧目】bǎoliú jùmù 指某个剧团或主要演员演出获得成功并保留下来以备经常演出的戏剧。

【保媒】bǎo//méi 励 说媒；做媒。

【保密】bǎo//mì 励 保守机密，使不泄露出去：这事对外要绝对～|大家都知道了，还保什么密！

【保苗】bǎomiáo 励 采取措施，使地里有足够株数的幼苗，并使苗壮生长：灌溉～，战胜旱灾。

【保命】bǎo//mìng 励 维持生命；保住性命。

【保姆】(❶保母) bǎomǔ 名❶ 受雇为人照管儿童或为人从事家务劳动的妇女。❷ 保育员的旧称。

【保暖】bǎo//nuǎn 励 保持温度，通常指不让外部的寒气侵入：～御寒|～内衣。

【保票】bǎopiào 名 包票。

【保期】bǎoqī 名❶ 保险期限。❷ 产品售后的保换保修期限。

【保全】bǎoquán 励❶ 保住使不受损失：～性命|～名誉。❷ 保护、维修机器设备，使正常使用：～工。

【保人】bǎo·ren 名 保证人。

【保山】bǎoshān 名 旧称保人或媒人。

【保墒】bǎoshāng 励 使土壤中保存一定的水分，以适合于农作物出苗和生长。保墒的主要方法是耙地、镇压、中耕和采用塑料地膜覆盖技术。

【保湿】bǎoshī 励 保持水分：秋冬季节要注意皮肤～。

【保释】bǎoshì 励 被羁押的犯罪嫌疑人、被告人根据法律的规定取保获释。

【保守】bǎoshǒu ❶ 励 保持使不失去：～秘密。❷ 形 维持原状，不求改进：跟不上形势的发展(多指思想)：思想～|计划定得有些～，要重新制定。

【保税区】bǎoshuìqū 名 一个国家或地区在其管辖范围内划出的特定区域，境外商人和商品可以自由进出，并在区内享受税收优惠政策。

【保送】bǎosòng 励 由国家、机关、学校、团体等保荐去学习：～上了大学。

【保胎】bǎo//tāi 励 用服药等方法预防流产并保护母体内的胎儿，使正常发育。

【保外就医】bǎo wài jiù yī 犯人在服刑期间患有严重疾病经批准取保出狱医治。

【保卫】bǎowèi 励 保护使不受侵犯：～祖国|～和平|加强治安～工作。

【保温】bǎo//wēn 励 保持温度，通常指使热不散出去：～杯|积雪可以～保墒。

【保温杯】bǎowēnbēi 名 有保温作用的杯子。外壳用塑料、金属等做成，内装瓶胆，盖子可以扣紧。

【保温瓶】bǎowēnpíng 名 日常用品，外面有铁皮、塑料等做成的壳，内装瓶胆。瓶胆由双层玻璃制成，夹层中的两面镀上银等金属，中间抽成真空，瓶口有塞子，可以在较长时间内保持瓶内的温度。盛热水的通常叫暖水瓶；盛冷食的通常叫冰瓶。

【保鲜】bǎoxiān 励 保持蔬菜、水果、肉类等易腐食物的新鲜：～纸|食品～|改进水产品～技术。

【保险】bǎoxiǎn ❶ 名 集中分散的社会资金，补偿因自然灾害、意外事故或人身伤亡而造成的损失的方法。参加保险的人或单位，向保险机构按期缴纳一定数量的费用，保险机构对在保险责任范围内所受的损失负赔偿责任。❷ 形 稳妥可靠：这样做可～。❸ 励 担保：你按我说的办，～不会出错。

【保险带】bǎoxiǎndài 名 高空作业或表演时为保障人身安全而使用的带子，一端固定，另一端系在人的腰间。

【保险刀】bǎoxiǎndāo （～儿）图 刮胡子的用具,刀片安在特制的刀架上,使用时不会刮伤皮肤。也叫安全剃刀。

【保险灯】bǎoxiǎndēng 图❶ 一种带灯罩的大型手提煤油灯。❷〈方〉汽灯。

【保险法】bǎoxiǎnfǎ 图有关保险的机构、管理和保险关系当事人权利、义务等方面的法规。

【保险费】bǎoxiǎnfèi 图投保人按照法律规定或保险合同向保险公司支付的费用。也叫保费。

【保险公司】bǎoxiǎn gōngsī 根据保险法和公司法设立的经营保险业务的机构。

【保险柜】bǎoxiǎnguì 图用中间夹有石棉的两层铁板做成的并装有特制锁的柜子,可以防盗、防火。

【保险金额】bǎoxiǎn jīn'é 保险人对被保险人承担损失补偿的最高限额。简称保额。

【保险人】bǎoxiǎnrén 图在保险合同成立时有权收取保险费,并在保险事故或保险事件发生时,按保险合同约定承担赔偿或给付义务的当事人。在我国,保险人即为依法设立的保险公司。也叫承保人。

【保险丝】bǎoxiǎnsī 图电路中保险装置用的导线,一般用铅、锡等熔点低的合金制成。当电路中电流超过限度时,丝就烧断,电路随即断开,可以防止发生火灾或烧毁电器。

【保险箱】bǎoxiǎnxiāng 图 小型的保险柜,样子像箱子。

【保修】bǎoxiū 励❶ 商店或工厂售出的某些商品,在规定限期内免费修理:本店所售钟表,～一年。❷ 保养修理;维修:超额完成车辆～任务。

【保养】bǎoyǎng 励❶ 保护调养:～身体。❷ 保护修理,使保持正常状态:～车辆|机器～得好,可以延长使用年限。

【保有】bǎoyǒu 励拥有:～土地|作者～修订的权利。

【保佑】bǎoyòu 励迷信的人称神佛保护和帮助。

【保育】bǎoyù 励经心照管幼儿,使好好成长。

【保育员】bǎoyùyuán 图幼儿园和托儿所里负责照管儿童生活的工作人员。

【保育院】bǎoyùyuàn 图为保护、教育失去父母或父母无法照管的儿童而设的机构,内有托儿所、幼儿园、小学等。

【保障】bǎozhàng ❶ 励保护(生命、财产、权利等),使不受侵犯和破坏:～人身安全|～公民权利。❷ 图起保障作用的事物:安全是生产的～。

【保真】bǎozhēn ❶ 励确保商品、文物等的真实,防止假冒:～标签。❷ 无线电技术中指使输出信号与原输入信号保持一致,没有减损变化:～度|高～音响。

【保证】bǎozhèng ❶ 励担保;担保做到:我们～提前完成任务。❷ 励确保既定的要求和标准,不打折扣:～产品质量|～科研时间。❸ 图作为担保的事物:安定团结是我们取得胜利的～。

【保证金】bǎozhèngjīn 图❶ 为了保证履行某种义务而缴纳的一定数量的钱。❷ 犯罪嫌疑人、被告人为了保证不逃避审讯而向法院、检察机关或公安机关缴纳的一定数量的钱。

【保证人】bǎozhèngrén 图❶ 保证别人的行为符合要求的人。❷ 刑事诉讼中,保证被取保候审的犯罪嫌疑人、被告人遵守取保候审的有关法律规定的人。❸ 担保债务人履行债务而与债权人订立协议的人。

【保证书】bǎozhèngshū 图为了保证做到某件事情而写成的书面材料。

【保值】bǎozhí 励使货币或财产不受物价变动影响而保持原有价值:～储蓄。

【保重】bǎozhòng 励(希望别人)注意身体健康:～身体|只身在外,请多～。

【保状】bǎozhuàng 图旧时法庭要保证人填写的有一定格式的保证书。

【保准】bǎozhǔn ❶ 形可以信任;可靠:他说话不～|这片洼地要是改成稻田,收成就～了。❷ 励担保;担保做到:我～他能办到|这是我的缺点,我～改。

鸨(鴇)bǎo ❶ 图鸟,头小,颈长,背部平,尾巴短,善跑不善飞,能涉水。种类很多,常见的有大鸨、小鸨等。❷ 指鸨母:老～。

【鸨母】bǎomǔ 图旧时开设妓院的女人。也叫鸨儿(bǎo'ér)、老鸨。

葆1 bǎo ❶〈书〉保持;保护:永～青春。❷ (Bǎo)图姓。

葆2 bǎo 〈书〉草茂盛。

堡 bǎo ❶ 堡垒：碉～｜地～｜桥头～。❷ (Bǎo)名姓。
　　另见 109 页 bǔ；1064 页 pù。

【堡垒】bǎolěi 名 ❶ 在冲要地点作防守用的坚固建筑物。❷ 比喻难于攻破的事物或不容易接受新事物、新思想的人：封建～｜科学～｜顽固～(比喻十分顽固的人)。

褓 (緥) bǎo 〈书〉包婴儿的被子。参看 1097 页【襁褓】。

bào (ㄅㄠˋ)

报 (報) bào ❶ 动 告诉：～告｜～名｜～账。❷ 动 回答：～友人书 ◇～以热烈的掌声。❸ 动 报答：～效｜～酬｜～恩。❹ 动 报复：～仇｜～怨。❺ 报应：现世～。❻ 名 报纸①：日～｜机关～｜登～｜看～。❼ 指某些刊物：画～｜学～。❽ 指用文字报道消息或发表意见的某些东西：喜～｜海～｜黑板～。❾ 指电报：发～。

【报案】bào//àn 动 把违反法律、危害社会治安的事件报告给公安或司法机关。

【报表】bàobiǎo 名 向上级报告情况的表格：生产进度～。

【报偿】bàocháng 动 报答和补偿：你能痛改前非，就是对老人最好的～。

【报呈】bàochéng 动 用公文向上级报告：～上级备案。

【报仇】bào//chóu 动 采取行动来打击仇敌：～雪恨。

【报酬】bào·chou 名 由于使用别人的劳动、物件等而付给别人的钱或实物：种花栽树，是我应尽的义务，不要～。

【报春花】bàochūnhuā 名 ❶ 多年生草本植物，叶子卵圆形，冬末春初开花，花深红、浅红或白色。供观赏。❷ 这种植物的花。

【报答】bàodá 动 用实际行动来表示感谢：以优异的成绩～老师的辛勤培育。

【报单】bàodān 名 ❶ 运货报税的单据。❷ 旧时向考官、升官、考试得中的人家送去的喜报。

【报导】bàodǎo ❶ 动 报道①。❷ 名 报道②。

【报到】bào//dào 动 向组织报告自己已经

来到：新生今天开始～｜他已经报过到了。

【报道】bàodào ❶ 动 通过报纸、杂志、广播、电视或其他形式把新闻告诉群众：～消息。❷ 名 用书面或广播、电视形式发表的新闻稿：他写了一篇关于小麦丰收的～。

【报德】bào//dé 动 对受到的恩德予以报答：以德～。

【报读】bàodú 动 报名学习或报名就读(某学校或专业)：～内地大学｜学有余力的学生可以同时～两个专业。

【报端】bàoduān 名 报纸版面上的某部分：征稿启事已见～。

【报恩】bào//ēn 动 由于受到恩惠而予以报答：知恩～。

【报废】bào//fèi 动 设备、器物等因不能继续使用或不合格而作废：由于计算失误，这批零件全～了。

【报复】bào·fù 动 打击批评自己或损害自己利益的人：打击～｜受到～｜～情绪。

【报告】bàogào ❶ 动 把事情或意见正式告诉上级或群众：你应当把事情的经过向领导～｜大会主席～了开会宗旨。❷ 名 用口头或书面的形式向上级或群众所做的正式陈述：总结～｜动员～。

【报告文学】bàogào wénxué 文学体裁，散文中的一类，以现实生活中具有典型意义的真人真事为题材，经过适当的艺术加工而成，具有新闻特点。通讯、速写、特写等也可统称报告文学。

【报关】bào//guān 动 货物、行李或船舶等进出口时，向海关申报，办理进出口手续：～单｜这批货已经报过关了。

【报馆】bàoguǎn 名 报社的旧称。

【报国】bào//guó 动 为国家效力尽忠：以身～｜精忠～。

【报花】bàohuā 名 报纸、刊物的页面空白处的装饰性图画的统称。

【报话】bàohuà ❶ 动 用无线电通信工具传话：～员｜～机。❷ 名 用无线电通信工具传的话：他一上午收发了二十份～。

【报话机】bàohuàjī 名 无线电通信工具，可以用来收发电报或通话。

【报价】bàojià ❶ (-/-)动 卖方提出商品售价：～单｜出口商品应统一～。❷ 名 卖方或投标方所提出的价格：四家研制单位投标，中标单位的～比其他三家要低一百多万元。

【报捷】bào//jié 勔 报告胜利的消息。

【报警】bào//jǐng 勔 向治安机关报告危急情况或向有关方面发出紧急信号：发生火灾要及时～。

【报刊】bàokān 图 报纸和刊物的合称。

【报考】bàokǎo 勔 报名投考：～师范学院|有一千多名学生前来～。

【报矿】bào//kuàng 勔 向有关部门报告发现矿石或蕴藏矿产的地方。

【报料】bàoliào ❶（-/-）勔 向媒体提供新闻线索。❷ 图 向媒体提供的新闻线索。

【报领】bàolǐng 勔 向上级或有关部门申报领取(款项、物品等)：～经费。

【报名】bào//míng 勔 把自己的名字报告给主管的人或机关、团体等，表示愿意参加某种活动或组织：～投考|～参赛|你先替我报上名。

【报幕】bào//mù 文艺演出时在每个节目演出之前向观众报告节目名称、作者和演员姓名，有时也简单地介绍节目内容：～员。

【报批】bàopī 勔 报请上级批准：履行～手续|新项目还没有～。

【报请】bàoqǐng 勔 用书面报告向上级请示或请求：～上级批准。

【报人】bàorén 图 指从事报刊工作的人：老～|我以～的身份前来采访。

【报丧】bào//sāng 勔 把去世的消息通知死者的亲友。

【报社】bàoshè 图 编辑和出版报纸的机构。

【报审】bàoshěn 勔 报请上级或有关部门审查：设计方案已向城建部门～。

【报失】bào//shī 勔 向治安机关或有关部门报告丢失了财物，请求查找。

【报时】bào//shí 勔 报告时间，特指广播电台向收听者、电话局向询问者报告准确的时间，或电视台通过电视屏幕显示准确的时间。

【报收】bàoshōu 勔 证券市场等收盘时报出价格：以平盘～。

【报数】bào//shù 勔 报告数目，多指排队时每人依次报一个数目，以点人数。

【报税】bàoshuì 勔 申报纳税：向税务机关～。

【报送】bàosòng 勔 报告并送交上级或有关部门：～职称评审材料|～上级人事部门备案。

【报亭】bàotíng 图 出售报纸、期刊等的像亭子的小房子。

【报童】bàotóng 图 在街头卖报的儿童。

【报头】bàotóu 图 报纸第一版、壁报、黑板报等上头标报名、期数等的部分。

【报务】bàowù 图 拍发和抄收电报的业务：～员。

【报喜】bào//xǐ 勔 报告喜庆的消息。

【报销】bàoxiāo 勔 ❶ 把领用款项或收支账目开列清单附上有关单据，报告主管部门核销：车费可以凭票～。❷ 把用坏作废的物件报告销账。❸ 比喻把现有的人或物除掉(多含诙谐意)：我们两面夹攻，一个连的敌人很快就～了|桌上的菜他一个人全给～了。

【报晓】bàoxiǎo 勔 用声音使人知道天已经亮了：晨鸡～|远处传来～的钟声。

【报效】bàoxiào 勔 为报答对方的恩情而为对方尽力：～祖国。

【报信】bào//xìn 勔 把消息通知人：通风～|你先给他报个信。

【报修】bàoxiū 勔 设备等损坏或发生故障，告知有关部门前来修理：暖气漏水，住户可向物业管理部门～。

【报眼】bàoyǎn 图 原指报纸头版最上方报头两边的位置，现多指头版右上角的位置，用来登载重要稿件或启事、广告等。

【报业】bàoyè 图 报纸出版业：～集团。

【报应】bào·yìng 图 佛教用语，原指种善因得善果，种恶因得恶果，后来专指种恶因得恶果。

【报怨】bào//yuàn 勔 对所怨恨的人做出反应：以德～。

【报站】bào//zhàn 勔 乘务员向乘客报告车、船等所到站和即将到达的前方一站的站名：及时～，方便乘客。

【报章】bàozhāng 图 报纸（总称）：～杂志。

【报账】bào//zhàng 勔 把领用或经手的款项的使用情况附上有关单据报告主管人：报一笔账。

【报纸】bàozhǐ 图 ❶ 以国内外社会、政治、经济、文化等新闻为主要内容的散页的定期出版物，如日报、晚报等。❷ 纸张的一种,用来印报或一般书刊。也叫白报纸或新闻纸。

【报子】**bào·zi** 名❶ 报告消息的人;探子(多见于旧戏曲、小说)。❷ 旧时给考官、升官、考试得中的人家报喜而讨赏钱的人。❸ 报单②;贴。

刨(鉋、鑤) **bào** ❶ 名 刨子或刨床:~刀儿|牛头~|平~|槽~。❷ 动 用刨子或刨床刮平木料或钢材等:~木头|这张桌面还没有~平。

另见 1025 页 **páo**。

【刨冰】**bàobīng** 名 一种冷食,把冰刨成碎片,加上果汁等,现做现吃:菠萝块儿~。

【刨床】**bàochuáng** 名❶ 金属切削机床,用来加工金属材料的平面和各种直线的成型面。❷ 刨子上的木制部分。

【刨刀】**bàodāo** 名❶ 刨床上用的刀具,结构跟车刀相似。❷ 木工用的机械刨的刀具,片状,扁长。❸ 刨子上刮削木料的部分。也叫刨刀儿。

【刨工】**bàogōng** 名❶ 用刨床切削金属材料的工种。❷ 做这种工作的技术工人。

【刨花】**bàohuā** 名 刨木料时刨下来的薄片,多呈卷状。

【刨花板】**bàohuābǎn** 名 用刨花和经过加工的碎木料黏合压制成的板材,可以制造家具、包装箱等。

【刨刃儿】**bàorènr** 名 刨刀③。

【刨子】**bào·zi** 名 刮平木料用的手工工具。

抱¹ **bào** ❶ 动 用手臂围住:母亲~着孩子。❷ 动 初次得到(儿子或孙子):听说你~孙子了。❸ 动 抱养(孩子):这孩子是~的,不是她生的。❹ 动 结合在一起:大家~成团,就会有力量。❺ 动 心里存着(想法、意见等):青年人都~着远大的理想|对他的这种决定,许多人~有看法。❻ 量 表示两臂合围的量:一~草|两~粗的大树。

抱²(菢) **bào** 动 孵(卵成雏):~小鸡儿|~窝。

【抱病】**bàobìng** 动 有病在身:~工作。

【抱不平】**bào bùpíng** 看见别人受到不公平的待遇,产生强烈的愤慨情绪:他心里很替老王~。

【抱残守缺】**bào cán shǒu quē** 形容保守

不知改进。

【抱持】**bàochí** 动 心里存着(想法、意见等):~着远大的理想。

【抱粗腿】**bào cūtuǐ** 比喻攀附有权势的人。

【抱佛脚】**bào fójiǎo** 谚语:"平时不烧香,急来抱佛脚。"原来比喻平时没有联系,临时慌忙恳求,后多指平时没有准备,临时慌忙应付。

【抱负】**bàofù** 名 远大的志向:有~|~不凡。

【抱憾】**bàohàn** 动 心中存有遗憾的事:~终生。

【抱恨】**bàohèn** 动 心中存有遗憾或怨恨的事:~终天(含恨一辈子)。

【抱愧】**bàokuì** 形 心中有愧:在你困难的时候没能尽力,实在~。

【抱歉】**bàoqiàn** 形 心中不安,觉得对不住别人:因事负约,深感~。

【抱屈】**bàoqū** 动 因受委屈而心中不畅。也说抱委屈。

【抱拳】**bàoquán** 动 一种礼节,一手握拳,另一手抱着拳头,合拢在胸前,表示问候、祝贺或辞别。

【抱厦】**bàoshà** 名 房屋前面加出来的门廊,也指后面毗连着的小房子。

【抱身儿】**bàoshēnr** 〈方〉形 衣服的大小、肥瘦正合体型。

【抱头鼠窜】**bào tóu shǔ cuàn** 形容急忙逃走的狼狈相。

【抱团儿】**bào//tuánr** 动 抱成一团;结成一伙:咱们只能~,不能散伙儿|几个人死死地抱成团儿。

【抱委屈】**bào wěi·qu** 抱屈。

【抱窝】**bào//wō** 动 孵卵成雏:母鸡~。

【抱薪救火】**bàoxīn jiùhuǒ** 比喻因为方法不对,虽然有心消灭祸患,结果反而使祸患扩大。

【抱养】**bàoyǎng** 动 把别人家的孩子抱来当自己的孩子抚养:他们无儿无女,~了一个孩子。

【抱冤】**bàoyuān** 动 感到冤枉。

【抱怨】**bào·yuàn** 动 心中不满,数说别人不对;埋怨:做错事只能怪自己,不能~别人。

【抱柱对儿】**bàozhùduìr** 名 挂在圆柱子上的对联,用木板制成,稍曲,与柱体相合。

趵 bào 〈方〉跳跃：～突泉(在济南)。
另见 102 页 bō。

豹 bào 名❶ 哺乳动物，像虎而较小，身上有很多斑点或花纹。性凶猛，能上树，捕食其他兽类，伤害人畜。常见的有金钱豹、云豹、雪豹、猎豹等。通称豹子。❷ (Bào)姓。

【豹猫】bàomāo 名 哺乳动物，外形像家猫，头部有黑色条纹，躯干有黑褐色的斑点，尾部有横纹。性凶猛，吃鸟、鼠、蛇、蛙等小动物。也叫山猫、狸猫。

【豹子】bào•zi 名 豹的通称。

鲍(鮑) bào 名❶ 软体动物，贝壳椭圆形，生活在海中。肉可以吃。贝壳可入药，称石决明。也叫鳆，俗称鲍鱼、鳆鱼。❷ (Bào)姓。

【鲍鱼】¹ bàoyú 〈书〉名 咸鱼：如入～之肆(肆：铺子)，久而不闻其臭。

【鲍鱼】² bàoyú 名 鲍①的俗称。

暴¹ bào ❶ 突然而且猛烈：～雨｜～病｜～怒｜～饮～食。❷ 凶狠；残酷：～徒｜～行。❸ 形 急躁：他的脾气很～。❹ (Bào)名姓。

暴² bào ❶ 动 鼓起来；突出：急得头上的青筋都～出来了。❷ 露出来；显露：～露｜自～家丑。

暴³ bào 〈书〉糟蹋：自～自弃｜～殄天物。
另见 1065 页 pù。

【暴病】bàobìng 名 突然发作来势很凶的病。

【暴跌】bàodiē 动 (物价、声誉等)突然大幅度下降：股价～｜身价～。

【暴动】bàodòng 名 阶级或集团为了破坏当时的政治制度、社会秩序而采取武装行动。

【暴发】bàofā 动❶ 突然发财或得势(多含贬义)：～户。❷ 突然发作：山洪～。

【暴风】bàofēng 名❶ 指猛烈而急速的风：～骤雨。❷ 气象学上旧指 11 级风。参看 407 页[风级]。

【暴风雪】bàofēngxuě 名 大而急的风雪。有的地区叫白毛风。

【暴风雨】bàofēngyǔ 名 大而急的风雨◇革命的～。

【暴风骤雨】bào fēng zhòu yǔ 来势急遽而猛烈的风雨，比喻声势浩大、发展迅猛

的群众运动。

【暴富】bàofù 动 突然发财致富(多含贬义)：一夜～。

【暴光】bào//guāng 同"曝光"。

【暴虎冯河】bào hǔ píng hé 比喻有勇无谋，冒险蛮干(暴虎：空手打虎；冯河：徒步渡河)。

【暴君】bàojūn 名 暴虐的君主。

【暴库】bàokù 动 仓库里货物多到没有空地存放：销售不畅，产品严重～。

【暴雷】bàoléi 名 突然而猛烈的雷。

【暴力】bàolì 名❶ 强制的力量；武力：～行为。❷ 特指国家的强制力量：军队、警察、法庭对于敌对阶级是一种～。

【暴利】bàolì 名 用不正当的手段在短时间内获得的巨额利润：牟取～。

【暴戾】bàolì 〈书〉形 粗暴乖张，残酷凶恶：脾气～｜～成性。

【暴戾恣睢】bào lì zì suī 形容残暴凶狠，任意胡为。

【暴烈】bàoliè 形❶ 暴躁刚烈：性情～。❷ 凶猛猛烈：～的行动。

【暴露】bàolù 动 (隐蔽的事物、缺陷、矛盾、问题等)显露出来：～目标｜～无遗。

【暴露文学】bàolù wénxué 指只揭露社会黑暗面，而不能指出光明前景的文学，如清末的《官场现形记》等一类作品。

【暴乱】bàoluàn 名 破坏社会秩序的武装骚动：武装～｜平定～。

【暴民】bàomín 名 参与暴动或暴乱的人。

【暴怒】bàonù 名 极端愤怒。

【暴虐】bàonüè ❶ 形 凶恶残酷：～无道。❷ 〈书〉动 凶恶残暴地对待：～百姓。

【暴晒】bàoshài 动 在强烈的阳光下久晒：烈日～｜洗好的丝绸衣服～干。

【暴尸】bàoshī 动 死在外面尸体没有收殓埋葬：～街头。

【暴死】bàosǐ 动 突然死亡(多指因患急病、遭意外等)。

【暴殄天物】bào tiǎn tiān wù 任意糟蹋东西(殄：灭绝；天物：指自然界的鸟兽草木等)。

【暴跳】bàotiào 动 猛烈地跳脚，形容大怒的样子：稍不如意，就～起来。

【暴跳如雷】bào tiào rú léi 跳着脚喊叫，像打雷一样，形容大怒的样子。

【暴突】bàotū 动 鼓起来；突出：青筋～｜气

得两眼～。

【暴徒】bàotú 名 用强暴手段迫害别人、扰乱社会秩序的坏人。

【暴泻】bàoxiè 动❶中医指急性腹泻。❷指价格、汇率等短时间内急速、大幅度下跌：股市指数～。

【暴行】bàoxíng 名 凶恶残酷的行为：血腥｜书中记录了侵略者烧杀掳掠的～。

【暴饮暴食】bàoyǐn bàoshí 没有节制或没有规律地大吃大喝：～容易得病。

【暴雨】bàoyǔ 名❶大而急的雨。❷气象学上指1小时内雨量在16毫米以上，或24小时内雨量在50毫米以上的雨。

【暴躁】bàozào 形 遇事急躁，容易发怒：性情～。

【暴增】bàozēng 动 急速而大幅度地增加：由于连日高温，空调销量～。

【暴涨】bàozhǎng 动❶（水位）急剧上升：河水～。❷（物价等）突然大幅度地上升：石油价格～。

【暴涨潮】bàozhǎngcháo 名 涌潮。

【暴政】bàozhèng 名 指反动统治者残酷地剥削、镇压人民的政治措施。

【暴卒】bàozú〈书〉动 得急病突然死亡。

疪 bào〈书〉同"暴（凶暴）"。

瀑 Bào 瀑河，水名，在河北。
另见1065页pù。

曝 bào（旧读pù）[曝光]（bào∥guāng）动❶使照相底片或感光纸感光。❷比喻隐秘的事（多指不光彩的）显露出来，被众人知道：事情在报上～后，引起了轰动。‖也作暴光。
另见1065页pù。

爆 bào 动❶猛烈破裂或迸出：～炸｜豆荚～了｜子弹打在石头上～起许多火星儿。❷出人意料地出现；突然发生：～冷门｜～出特大新闻。❸烹调方法，用滚油稍微一炸或用滚水稍微一煮：～肚儿｜～鱿鱼卷。

【爆炒】bàochǎo 动 在一段时间内极力炒作：～内幕新闻。

【爆肚儿】bàodǔr 名 食品，把切好的牛羊肚儿在开水里稍微一煮就取出来，吃时现蘸作料。另有用热油快煎再加作料芡粉的，叫爆肚儿。

【爆发】bàofā 动❶火山内部的岩浆突然冲破地壳，向四外迸出：火山～。❷突然发作；（事变）突然发生：～革命｜～战争。

【爆发变星】bàofā biànxīng 恒星的一种，由于星球内部原子反应所引起的爆炸，光度突然变化。新星和超新星都属于爆发变星。

【爆发力】bàofālì 名 体育运动中指在短暂间突然产生的力量，如起跑、起跳、投掷、扣球时使出的力量。

【爆发音】bàofāyīn 名 塞(sè)音。

【爆冷】bàolěng 动 爆冷门：羽毛球赛接连～，一批种子选手相继被淘汰出局。

【爆冷门】bào lěngmén （～儿）指在某方面突然出现意料不到的事情：本届世界锦标赛大～，新手打败了上届冠军。

【爆料】bào∥liào〈方〉动 发表令人感到意外或吃惊的新闻、消息等。

【爆裂】bàoliè 动（物体）突然破裂：豆荚成熟了就会～。

【爆满】bàomǎn 动 形容戏院、影院、竞赛场所等人多到没有空位的程度：剧场里观众～，盛况空前。

【爆棚】bàopéng〈方〉动 爆满。

【爆破】bàopò 动 用炸药摧毁岩石、建筑物等：定向～｜～敌人的碉堡。

【爆破筒】bàopòtǒng 名 一种爆破用的火器，在钢管内装上炸药和雷管。多用来破坏敌方的工事或铁丝网等障碍物。

【爆胎】bào∥tāi 车胎爆裂。

【爆笑】bàoxiào 动 突然发出笑声：滑稽戏令人～。

【爆炸】bàozhà 动❶物体体积急剧膨大，使周围气压发生强烈变化并产生的声响，叫做爆炸。核反应、急剧的氧化作用和容器内气体的压力突然增高等都能引起爆炸：炮弹～｜气球～了一颗氢弹。❷比喻数量急剧增加，突破极限：人口～｜信息～｜知识～。

【爆炸性】bàozhàxìng 名 指事件、消息等所具有的出人意外、使人震惊的作用：～新闻｜这一事件更具有～。

【爆仗】bào·zhang 名 爆竹：放～。

【爆竹】bàozhú 名 用纸把火药卷起来，两头堵死，点着引火线后能爆裂发声的东西，多用于喜庆事。也叫炮仗或爆仗。

bēi（ㄅㄟ）

陂 bēi 〈书〉❶ 池塘：～塘｜～池。❷ 水边；岸。❸ 山坡。
　另见 1038 页 pí；1056 页 pō。

杯（盃） bēi ❶ 图 杯子：茶～｜～盘狼藉｜举～痛饮。❷ 杯状的锦标：银～｜奖～｜捧～｜夺～。❸ （Bēi）图 姓。

【杯葛】bēigé 〈方〉动 抵制。［英 boycott］

【杯弓蛇影】bēi gōng shé yǐng 有人请客吃饭，挂在墙上的弓映在酒杯里，客人以为酒杯里有蛇，回去疑心中了蛇毒，就生病了（见于《风俗通义·怪神》）。比喻疑神疑鬼，妄自惊慌。

【杯珓】bēijiào 图 见 689 页"珓"。

【杯盘狼藉】bēi pán láng jí 杯盘等放得乱七八糟，形容宴饮后桌上凌乱的样子。

【杯赛】bēisài 图 以某种奖杯命名的运动竞赛，如世界杯足球赛。

【杯水车薪】bēi shuǐ chē xīn 用一杯水去救一车着了火的柴，比喻无济于事。

【杯中物】bēizhōngwù 图 指酒：酷好～。

【杯子】bēi·zi 图 盛饮料或其他液体的器具，多为圆柱状或下部略细，一般容积不大。

卑 bēi ❶ 〈书〉（位置）低：地势～湿。❷ （地位）低下：～贱｜自～｜～不足道。❸ （品质）低劣：～鄙｜～劣。❹ 〈书〉谦恭：～辞｜～恭。

【卑鄙】bēibǐ 形 ❶ （语言、行为）恶劣；不道德：～无耻｜～龌龊（形容品质、行为恶劣）｜～的行径。❷ 〈书〉卑微鄙陋。

【卑不足道】bēi bù zú dào 极其卑下，不值得一提。

【卑词】bēicí 同"卑辞"。

【卑辞】bēicí 图 谦恭的话。也作卑词。

【卑躬屈节】bēi gōng qū jié 卑躬屈膝（屈节：失去气节）。

【卑躬屈膝】bēi gōng qū xī 形容没有骨气，谄媚奉承。也说卑躬屈节。

【卑贱】bēijiàn 形 ❶ 旧时指出身或地位低下。❷ 卑鄙下贱：行为～。

【卑劣】bēiliè 形 卑鄙恶劣：手段～。

【卑怯】bēiqiè 形 卑鄙怯懦的心理。

【卑俗】bēisú 形 卑劣庸俗；品位低下。

【卑微】bēiwēi 形 地位低下：门第～。

【卑污】bēiwū 形 品质卑劣，心地肮脏：人格～｜～小人。

【卑下】bēixià 形 ❶ （品格、风格等）低下：素质～。❷ （地位）低微：身份～。

【卑职】bēizhí 图 ❶ 〈书〉低微的职位。❷ 旧时下级官吏对上级的自称。

背（揹） bēi ❶ 动 （人）用脊背驮：把草捆好～回村去。❷ 动 负担；承担：～债｜这个责任我还～得起。❸ 〈方〉量 指一个人一次背的量：一～麦子｜一～柴火。
　另见 59 页 bèi。

【背榜】bēi//bǎng 动 指在考试后发的榜上名列最末。

【背包】bēibāo 图 ❶ 行军或外出时背在背（bèi）上的衣被包裹：打～。❷ 一种可以背在背（bèi）上的包。

【背包袱】bēi bāo·fu 比喻有沉重的思想、经济等方面的负担：事情做错了，改了就好，不必～。

【背带】bēidài 图 ❶ 搭在肩上系住裤子或裙子的带子。❷ 背包、枪等用的皮带或帆布带子。

【背篼】bēidōu 〈方〉图 背在背（bèi）上运送东西的篼。

【背负】bēifù 动 ❶ 用脊背驮：～着行李。❷ 担负：～重任｜～着人民的希望。

【背黑锅】bēi hēiguō 〈口〉比喻代人受过，泛指受冤枉。

【背饥荒】bēi jī·huang 〈方〉指欠债。

【背筐】bēikuāng 图 背在背（bèi）上的筐。

【背篓】bēilǒu 〈方〉图 背在背（bèi）上运送东西的篓子。

【背头】bēitóu 图 男子头发由鬓角起都向后梳的发式：留～。

【背债】bēi//zhài 动 欠债；负债。

【背子】bēi·zi 〈方〉图 用来背东西的细而长的筐子，山区多用来运送物品。

椑 bēi ［椑柿］（bēishì）〈方〉图 ❶ 油柿，落叶乔木，是柿树的一个变种，果实小，青黑色，不能吃，汁液可用来做涂料。❷ 这种植物的果实。
　另见 1039 页 pí。

悲 bēi ❶ 悲伤：～痛｜～喜交集。❷ 怜悯：慈～｜～天悯人。

【悲哀】bēi'āi 形 伤心：感到～｜显出十分～的样子。

【悲惨】bēicǎn 形 处境或遭遇极其痛苦，令人伤心：～的生活｜身世。

【悲愁】bēichóu 形 悲伤忧愁：她成天乐呵呵的，不知道什么叫孤独和～。

【悲楚】bēichǔ 〈书〉形 悲哀凄楚；悲苦。

【悲怆】bēichuàng 〈书〉形 悲伤：曲调～凄凉。

【悲悼】bēidào 动 伤心地悼念：～亡友。

【悲愤】bēifèn 形 悲痛愤怒：～填膺（悲愤充满胸中）。

【悲歌】bēigē ❶ 动 悲壮地歌唱：慷慨～｜～当哭。❷ 名 指悲壮的或哀痛的歌：一曲～。

【悲观】bēiguān 形 精神颓丧，对事物的发展缺乏信心（跟"乐观"相对）：～失望｜虽然试验失败了，但他并不～。

【悲号】bēiháo 动 伤心地哭。

【悲欢离合】bēi huān lí hé 泛指团聚、别离、欢乐、悲伤的种种遭遇。

【悲剧】bēijù 名 ❶ 戏剧的主要类别之一，以表现主人公与现实之间不可调和的冲突及其悲惨结局为基本特点。❷ 比喻不幸的遭遇：决不能让这种～重演。

【悲苦】bēikǔ 形 悲哀痛苦：脸上露出～的神情。

【悲凉】bēiliáng 形 悲哀凄凉：～激越的琴声。

【悲悯】bēimǐn 动 哀怜；怜悯：～她的不幸遭遇。

【悲鸣】bēimíng 动 悲哀地叫：绝望地～◇号角～。

【悲凄】bēiqī 形 悲伤凄切：远处传来的～哭声。

【悲戚】bēiqī 形 悲痛哀伤：～的面容。

【悲泣】bēiqì 伤心地哭泣：暗自～。

【悲切】bēiqiè 形 悲哀；悲痛：万分～。

【悲情】bēiqíng ❶ 名 悲伤的情感：诗中充满～。❷ 形 令人产生悲伤情怀的；充满悲伤情感的：～故事｜～告白。

【悲伤】bēishāng 形 伤心难过：他听到一噩耗，不禁～万分。

【悲声】bēishēng 〈书〉名 悲痛的哭泣声：大放～。

【悲酸】bēisuān 形 悲痛心酸：阵阵～，涌上心头。

【悲叹】bēitàn 动 悲伤叹息：老人～时光的流逝。

【悲天悯人】bēi tiān mǐn rén 对社会的腐败和人民的疾苦感到悲愤和不平：抗战时期，这位作家以～的情怀关注社会。

【悲恸】bēitòng 形 非常悲哀：～欲绝。

【悲痛】bēitòng 形 伤心：十分～｜化～为力量。

【悲喜交集】bēi xǐ jiāo jí 悲伤和喜悦的感情交织在一起：劫后重逢，～。

【悲喜剧】bēixǐjù 名 戏剧类别之一，兼有悲剧和喜剧的因素，一般具有圆满的结局。

【悲辛】bēixīn 形 悲痛辛酸。

【悲咽】bēiyè 动 悲哀哽咽：说到伤心处，她不禁～起来。

【悲壮】bēizhuàng 形 （声音、诗文等）悲哀而雄壮；(情节)悲哀而壮烈：～的乐曲｜剧情～，催人泪下。

碑 bēi 名 刻着文字或图画，竖立起来作为纪念物或标记的石头：界～｜墓～｜里程～｜纪念～｜立了一块～。

【碑额】bēi'é 名 碑的上端。也叫碑首或碑头。

【碑记】bēijì 名 刻在碑上的记事文章。

【碑碣】bēijié 〈书〉名 碑：墓前立有～。

【碑刻】bēikè 名 刻在碑上的文字或图画：拓印～。

【碑林】bēilín 名 石碑林立的地方，如陕西西安碑林。

【碑铭】bēimíng 名 碑文。

【碑首】bēishǒu 名 碑额。

【碑拓】bēità 名 碑刻的拓本。

【碑帖】bēitiè 名 石刻、木刻法书的拓本或印本，多做习字时临摹的范本。

【碑头】bēitóu 名 碑额。

【碑文】bēiwén 名 刻在碑上的文字；准备刻在碑上的或从碑上抄录、拓印的文字。

【碑阴】bēiyīn 名 碑的背面。

【碑志】bēizhì 名 碑记。

【碑座】bēizuò （～儿）名 碑下边的底座。

鹎（鵯） bēi 名 鸟，羽毛大部为黑褐色，腿短而细。吃果实和昆虫。种类很多，常见的有白头鹎等。

箄 bēi 〈书〉捕鱼的小竹笼。
另见 1018 页 pái。

běi （ㄅㄟˇ）

北¹ běi ❶ 图 方位词。四个主要方向之一,清晨面对太阳时左手的一边:～头儿|～面|～风|～房|城～|往～去|坐～朝南。❷ 图 北部地区,在我国通常指黄河流域及其以北的地区:～味|～货。❸ (Běi) 图 姓。

北² běi 〈书〉打败仗:败～|连战皆～|追奔逐～(追击败逃的敌军)。

【北半球】běibànqiú 图 地球赤道以北的部分。

【北边】běi·bian 图 ❶ (～儿)方位词。北。❷〈口〉北方②。

【北朝】Běi Cháo 图 北魏(后分裂为东魏、西魏)、北齐、北周的合称。参看 979 页〖南北朝〗。

【北辰】běichén 图 古书上指北极星:众星环～。

【北斗星】běidǒuxīng 图 大熊星座的七颗明亮的星,分布成勺形。用直线把勺形边上两颗星连接起来向勺口方向延长约五倍的距离,就遇到小熊座 α 星,即现在的北极星。

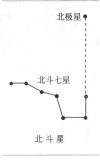

【北豆腐】běidòu·fu 图 食品,豆浆煮后加入盐卤,使凝结成块,压去一部分水分而成,比南豆腐水分少而硬(区别于“南豆腐”)。

【北伐战争】Běifá Zhànzhēng 第一次国内革命战争时期,以中国国民党和中国共产党合作的统一战线为基础,组织国民革命军进行的一次反对帝国主义和封建军阀统治的革命战争(1926—1927)。因这次战争从广东出师北伐,所以叫北伐战争。参看 301 页〖第一次国内革命战争〗。

【北方】běifāng 图 ❶ 方位词。北。❷ 北部地区,在我国一般指黄河流域及其以北

的地区。

【北方话】běifānghuà 图 长江以北的汉语方言。广义的北方话还包括四川、重庆、云南、贵州和广西北部的方言。北方话是普通话的基础方言。

【北非】Běi Fēi 图 非洲北部,通常包括埃及、苏丹、利比亚、突尼斯、阿尔及利亚、摩洛哥、西撒哈拉等。

【北瓜】běi·guā 〈方〉图 南瓜。

【北国】běiguó 〈书〉图 指我国的北部:～风光。

【北寒带】běihándài 图 北半球的寒带,在北极圈与北极之间。参看 536 页〖寒带〗。

【北回归线】běihuíguīxiàn 图 北纬23°26′的纬线。参看 606 页〖回归线〗。

【北货】běihuò 图 北方所产的食品,如红枣、核桃、柿饼等。

【北极】běijí 图 ❶ 地轴的北端,北半球的顶点。❷ 地球的北磁极,用 N 来表示。

【北极光】běijíguāng 图 北半球高纬度地区天空中出现的极光,常见的是波浪形像幔帐一样的光,黄绿色,有时带红、蓝、灰、紫等颜色。参看 636 页〖极光〗。

【北极圈】běijíquān 图 北半球的极圈,是北寒带和北温带的分界线。参看 636 页〖极圈〗。

【北极星】běijíxīng 图 天空北部的一颗亮星,距天球北极很近,差不多正对着地轴,从地球上看,它的位置几乎不变,可以靠它来辨别方向。由于岁差,北极星并不是永远不变的某一颗星,现在是小熊座 α 星,到公元 14 000 年将是织女星。参看〖北斗星〗。

【北极熊】běijíxióng 图 哺乳动物,毛白色带黄,长而稠密,鼻子和爪黑色。生活在北寒带,善于游泳。也叫白熊。

【北京时间】Běijīng shíjiān 我国的标准时。以东经 120°子午线为标准的时刻,即北京所在时区的标准时刻。

【北京猿人】Běijīng yuánrén 中国猿人的一种,生活在距今约 70—20 多万年以前。1927 年在北京周口店龙骨山山洞发现了第一颗牙齿化石,1929 年发现了第一个完整的头骨化石。也叫北京人。

【北面】běi·miàn (～儿)图 方位词。北边。

【北欧】Běi Ōu 图 欧洲北部,包括丹麦、挪威、瑞典、芬兰和冰岛等国。

【北齐】Běi Qí 图 北朝之一,公元 550—

【北曲】běiqǔ 图 ❶ 宋元以来北方诸宫调、散曲、戏曲所用的各种曲调的统称,调子豪壮朴实。❷ 元代流行于北方的戏曲。参看1692页【杂剧】。

【北山羊】běishānyáng 图 哺乳动物,外形似山羊而大,雄雌都有角,雄的角大,向后弯曲,生活在高山地带。也叫羱(yuán)羊。

【北上】běishàng 劻 我国古代以北为上,后来把古本地以北的某地叫北上(跟"南下"相对):近日将自广州~。

【北宋】Běi Sòng 图 朝代,公元960—1127,自太祖(赵匡胤)建隆元年起,到钦宗(赵桓)靖康二年止。建都汴京(今河南开封)。

【北纬】běiwěi 图 赤道以北的纬度或纬线。参看1419页【纬度】、1420页【纬线】。

【北魏】Běi Wèi 图 北朝之一,公元386—534,鲜卑人拓跋珪所建,后来分裂为东魏和西魏。参看979页【南北朝】。

【北温带】běiwēndài 图 北半球的温带,在北极圈与北回归线之间。参看1425页【温带】。

【北洋】Běiyáng 图 清末指奉天(辽宁)、直隶(河北)、山东沿海地区。特设北洋通商大臣,由直隶总督兼任。

【北洋军阀】Běiyáng Jūnfá 民国初年(1912—1927)代表北方封建势力的军阀集团,是清末北洋派势力的延续。最初的首领是袁世凯,袁死后分成几个派系,在帝国主义的支持下先后控制了当时的北京政府,镇压革命力量,出卖国家主权,连年进行内战。

【北野】Běiyě 图 姓。

【北周】Běi Zhōu 图 北朝之一,公元557—581,鲜卑人宇文觉所建。参看979页【南北朝】。

bèi （ㄅㄟˋ）

贝¹（貝） bèi ❶ 图 有壳的软体动物的统称。如蛤蜊、蚌、鲍、田螺等。❷ 古代用贝壳做的货币。❸ (Bèi)图 姓。

贝²（貝） bèi 量 贝尔的简称。

【贝雕】bèidiāo 图 把贝壳琢磨加工制成的工艺品。

【贝多】bèiduō 图 贝叶棕。也作桖多。[梵 pattra]

【贝尔】bèi'ěr 量 计量声强、电压或功率等相对大小的单位,符号B。这个单位名称是为纪念美国发明家贝尔(Alexander Graham Bell)而定的。简称贝。参看398页【分贝】。[英 bel]

【贝壳】bèiké (~儿)图 贝类的硬壳。

【贝勒】bèi·lè 图 清代贵族爵位,地位在亲王、郡王之下。

【贝雷帽】bèiléimào 图 一种没有帽檐的扁圆形帽子,多用呢绒等制成。[贝雷,法 béret]

【贝母】bèimǔ 图 多年生草本植物,叶子条形或披针形,花黄绿色,下垂呈钟形。鳞茎扁球形,可入药。

【贝书】bèishū 图 指佛经,因古代印度用贝叶写佛经而得名。也叫贝叶书。

【贝塔粒子】bèitǎ lìzǐ 放射性物质放射出来的高速运动的电子(或正电子),穿透力比阿尔法粒子强。通常写作β粒子。[贝塔,希腊字母β的音译]

【贝塔射线】bèitǎ shèxiàn 放射性物质衰变时放射出来的贝塔粒子流,有穿透能力。通常写作β射线。

【贝叶书】bèiyèshū 图 贝书。

【贝叶棕】bèiyèzōng 图 常绿乔木,高可达20多米,茎上有环状扣痕,叶子大,掌状羽形分裂,花乳白色,有臭味。只开一次花,结果后即死亡。叶子叫贝叶,可以做扇子,也可代纸做书写材料,用贝叶写的佛经叫做贝叶经。也叫贝多。

【贝子】bèizǐ 图 清代贵族爵位,地位在贝勒之下。

孛 bèi 古书上指光芒四射的彗星。
另见103页bó。

邶 Bèi ❶ 周朝国名,在今河南汤阴南。❷ 图 姓。

狈（狽） bèi 见813页【狼狈】、【狼狈为奸】。

桖（桖） bèi [桖多](bèiduō)同"贝多"。

备（備、俻） bèi ❶ 具备;具有:德才兼~。❷ 劻 准备:~用|~足原料|~而不用。❸ 防备:防旱~荒|攻其不~|以~不时之需。❹ 设备(包

括人力物力):军～|装～。❺〈书〉圖表示完全:艰苦～尝|关怀～至|～受欢迎。❻(Bèi)名姓。

【备案】bèi∥àn 圖向主管机关报告事由存案以备查考:此事已报上级～。

【备办】bèibàn 圖预备、置办(需要的东西):～茶饭|年货已经～齐了。

【备不住】bèi·buzhù 〈方〉圖说不定;或许:这件事他～是忘了。也作备不住。

【备查】bèichá 圖供查考(多用于公文等):存档～|字典里多收了一些字～。

【备份】bèifèn ❶名为备用而准备的另外一份:～伞(备用的降落伞)|节目|这个软件做了两个～。❷圖为备用而复制(文件、软件等):～了一份文件。

【备耕】bèigēng 圖为耕种做准备,包括修理农具、挖沟、积肥等:加紧～工作|过了春节,人们就忙着～了。

【备荒】bèi∥huāng 圖防备灾荒:储粮～。

【备货】bèi∥huò 圖准备供销售的商品:营业前要备好货|应付的商品应提早～。

【备件】bèijiàn 名预备更换的配件。

【备考】bèikǎo ❶圖供参考:这个典故的出处有两种不同说法,录以～。❷名(书册、文件、表格)供参考的附录或附注。❸圖准备考试:积极～。

【备课】bèi∥kè 圖教师在讲课前准备讲课内容:备完课,她又忙着批改作业。

【备料】bèi∥liào 圖准备供应生产所需材料:～车间|上班前就备好了料。

【备品】bèipǐn 名储备着待用的机件和工具等。

【备勤】bèiqín 圖随时准备执行任务:实行24小时～。

【备取】bèiqǔ 圖招考时在正式录取名额以外再录取若干名,以备正式录取的人不到时递补:～生。

【备述】bèishù 圖详尽地叙述:～其事始末|其中细节,难以～。

【备忘录】bèiwànglù 名❶一种外交文书,声明自己方面对某种问题的立场,或把某些事项的概况(包括必须注意的名称、数字等)通知对方。❷随时记载,帮助记忆的笔记本。

【备选】bèixuǎn 圖准备出来供挑选:多准备几个节目～。

【备汛】bèixùn 圖汛期来临之前,做各种防汛准备工作:沿江各地积极～。

【备用】bèiyòng 圖准备着供随时使用:～件|～物资|留出部分现金～。

【备灾】bèizāi 圖防备灾害:～物资。

【备战】bèi∥zhàn 圖准备战争:～备荒◇～奥运会。

【备至】bèizhì 形极其周到(多指对人的关怀等):关心～|爱护～。

【备注】bèizhù 名❶表格上为附加必要的注解说明而留的一栏。❷指在这一栏内所加的注解说明。

背¹ bèi 名❶躯干的一部分,部位跟胸和腹相对(图见1209页"人的身体"):后～|～影|擦擦～。❷(～儿)某些物体的反面或后部:手～|刀～儿|墨透纸～。❸(Bèi)姓。

背² bèi ❶圖背部对着(跟"向"相对):～山面海|～水作战◇人心向～。❷离开:～井离乡。❸圖躲避;瞒:光明正大,没什么～人的事。❹圖背诵:～台词|书～熟了。❺违背;违反:～约|信弃义。❻圖朝着相反的方向:他把脸～过去,装着没看见。❼形偏僻:～静|～街小巷|深山小路很～。❽形不顺利;倒霉:手气～。❾形听觉不灵:耳朵有点～。
另见55页bēi。

【背不住】bèi·buzhù 同"备不住"。

【背称】bèichēng 名不用于当面称呼的称谓,如大伯子、小姑子等。

【背城借一】bèi chéng jiè yī 在自己的城下跟敌人决一死战,泛指跟敌人作最后一次的决战。也说背城一战。

【背城一战】bèi chéng yī zhàn 背城借一。

【背搭子】bèidā·zi 名出门时用来装被褥、什物等的布袋。也作被褡子。

【背道而驰】bèi dào ér chí 朝着相反的方向走,比喻方向、目标完全相反。

【背地里】bèidì·li 名背人的地方;私下:不要在～议论人。也说背地。

【背对背】bèi duì bèi 背靠背。

【背风】bèifēng 圖风不能直接吹到:找个～的地方休息一下。

【背旮旯儿】bèigālár 〈方〉名偏僻的角落。

【背光】bèiguāng 圖光线不能直接照到:那儿～,看书到亮的地方来。

【背后】bèihòu 名❶后面:山～。❷背地里:有话当面说,不要～乱说。

B

【背晦】bèi·hui 同"悖晦"。

【背货】bèihuò 图 不合时宜而销路不畅的货物：处理～，让资金周转起来。

【背脊】bèijǐ 图 背①。

【背剪】bèijiǎn 动 反剪：他～双手，来回走着。

【背井离乡】bèi jǐng lí xiāng 离开了故乡，在外地生活(多指不得已的)。也说离乡背井。

【背景】bèijǐng 图❶ 舞台上或电影、电视剧里的布景。放在后面，衬托前景。❷ 图画、摄影里衬托主体事物的景物。❸ 对人物、事件起作用的历史情况或现实环境：历史～|政治～。❹ 指背后倚仗的力量：他说话的口气很硬，恐怕是有～的。

【背景音乐】bèijǐng yīnyuè 影片中不直接参与剧情的发展，只起衬托背景作用的音乐。泛指在某些场合为烘托环境气氛而播放的音乐。

【背静】bèi·jing 形 (地方)偏僻；清静：～的小巷。

【背靠背】bèi kào bèi ❶ 背部靠着背部：他俩～地坐着。❷ 指不当着有关人的面(批评、揭发检举等)：为了避免矛盾激化，先～给他提些意见。‖也说背对背。

【背离】bèilí 动❶ 离开：～故土，流浪在外。❷ 违背：不能～基本原则。

【背理】bèi//lǐ 形 违背事理；不合理：这件事他做得有点儿～。也作悖理。

【背面】bèimiàn 图❶ (～儿)物体上跟正面相反的一面：在单据的～签字。❷ 指某些动物的脊背。

【背谬】bèimiù 同"悖谬"。

【背叛】bèipàn 动 背离，叛变：～祖国。

【背鳍】bèiqí 图 鱼类背部的鳍。也叫脊鳍。(图见1073页"鳍")

【背气】bèi//qì 〈口〉动 由于疾病或其他原因而暂时停止呼吸：婴儿～了，赶快做人工呼吸|气得他差点儿背过气去。

【背弃】bèiqì 动 违背和抛弃：～盟约。

【背人】bèi//rén 动❶ 避开人；不使人看见或知道：他背人问了问孩子|正大光明的事，用不着～。❷ 没有人或人看不到：找个～的地方谈话。

【背时】bèishí 〈方〉形❶ 不合时宜：～货。❷ 倒霉：这些天真～，老遇上不顺心的事。‖也作悖时。

【背书】[1] bèi//shū 动 背诵念过的书：过去上私塾每天早晨要～，背不出要挨罚。

【背书】[2] bèishū 动 持有票据的人转让票据时，在票据背面批注并签名盖章。经过背书的票据，付款人不能付款时，背书人负付款责任。

【背水一战】bèi shuǐ yī zhàn 在不利情况下和敌人作最后决战，比喻面临绝境，为求得出路而作最后一次努力。

【背水阵】bèishuǐzhèn 图 韩信攻赵，在井陉口背水列阵，大破赵兵。后来将领们问他这是什么道理，韩信回答说兵法里有"陷之死地而后生，置之亡地而后存"的话(见于《史记·淮阴侯列传》)。后来用"背水阵"比喻死里求生的境地。

【背诵】bèisòng 动 凭记忆念出读过的文字：～课文|～唐诗。

【背投电视】bèitóu diànshì 彩色电视的一种，通过电子束投影管把图像映射到电视背部的反射屏，然后再反射到显示屏上，给人一种图像从背部投射到显示屏的感觉。

【背心】bèixīn (～儿)图 不带袖子和领子的上衣。

【背信弃义】bèi xìn qì yì 不守信用，不讲道义。

【背兴】bèixìng 〈方〉形 倒霉：真～，刚穿的新衣服拉(lá)了个口子。

【背眼】bèiyǎn (～儿)形 人们不易看见的(地方)。

【背阴】bèiyīn (～儿)❶ 动 阳光照不到：楼后～的地方还有积雪。❷ 图 阳光照不到的地方：找个～凉快凉快。

【背影】bèiyǐng (～儿)图 人体的背面形象：我看着他的～，目送着他走远了。

【背约】bèi//yuē 动 违背以前的约定；失信：～毁誓。

【背运】bèiyùn ❶ 图 不好的运气：走～。❷ 形 运气不好：总来不到好牌，真～。

【背字儿】bèizìr 〈方〉图 背运①：走～。

钡(鋇) bèi 图 金属元素，符号Ba(baryum)。银白色，化学性质活泼，容易氧化，燃烧时发出绿色光。用来制合金、烟火和钡盐等。

【钡餐】bèicān 图 诊断某些食管、胃肠道疾患的一种检查方法。病人服硫酸钡后，用X射线透视或拍片检查有无病变。

倍 bèi ❶ 量 跟原数相等的数,某数的几倍就是用几乘某数:二的五～是十。❷ 加倍:～增｜事半功～。❸ (Bèi) 名 姓。

【倍道】bèidào 〈书〉动 兼程。

【倍加】bèijiā 副 表示程度比原来深得多:～爱惜｜雨后的空气～清新。

【倍率】bèilǜ 名 望远镜、显微镜的物镜焦距和目镜焦距的比值,比值越大,放大的倍数越大。

【倍儿】bèir 〈方〉副 非常;十分:～新｜～亮｜～精神。

【倍式】bèishì 名 一个整式能够被另一整式整除,这个整式就是另一整式的倍式。如 a^2-b^2 是 $a+b$ 和 $a-b$ 的倍式。

【倍数】bèishù 名 ❶ 一个数能够被另一数整除,这个数就是另一数的倍数。如 15 能够被 3 或 5 整除,因此 15 是 3 的倍数,也是 5 的倍数。❷ 一个数除以另一数所得的商。如 $a÷b=c$,就是说 a 是 b 的 c 倍,c 是倍数。

【倍增】bèizēng 动 成倍地增长:产量～｜信心～｜勇气～。

悖(誖) bèi ❶ 相反;违反;并行不～。❷ 违背道理;错误:谬。❸ 迷惑;糊涂:～晦。

【悖晦】bèi·hui 〈方〉形 糊涂(多指老年人)。也作背晦。

【悖理】bèilǐ 同"背理"。

【悖论】bèilùn 名 逻辑学指可以同时推导或证明两个互相矛盾的命题的命题或理论体系。

【悖谬】bèimiù 〈书〉形 荒谬;不合道理。也作背谬。

【悖逆】bèinì 〈书〉动 违反正道,犯上作乱:～之罪｜～天道。

【悖入悖出】bèi rù bèi chū 用不正当的手段得来的财物,也会被别人用不正当的手段拿走:胡乱弄来的钱又胡乱花掉(语本《礼记·大学》:"货悖而入者,亦悖而出")。

【悖时】bèishí 同"背时"。

被[1] bèi 名 被子:棉～｜夹～｜睡觉要盖好｜做一床～。

被[2] bèi ❶ 遮盖:～覆｜植～。❷ 遭遇:～灾｜～难。

被[3] bèi ❶ 介 用于被动句,引进动作的施事,前面的主语是动作的受事(施

动者放在被字后,但有时省略):解放军到处～(人)尊敬｜那棵树～(大风)刮倒了｜这套书～人借走了一本｜他～选为代表。❷ 助 用在动词前表示被动的动作:～压迫民族｜～剥削阶级。

【被褡子】bèidā·zi 同"背搭子"。

【被袋】bèidài 名 外出时装被褥、衣物等用的圆筒形的袋。

【被单】bèidān (～儿)名 ❶ 铺在床上或盖在被子上的布。❷ 单层布被。‖ 也叫被单子。

【被动】bèidòng 形 ❶ 待外力推动而行动(跟"主动"相对,下同):工作要主动,不要～。❷ (事情)由于遇到阻力或干扰,不能按照自己的意图进行:由于事先考虑不周,事情搞得很～。

【被动式】bèidòngshì 名 说明主语所表示的人或事物是被动者的语法格式。汉语的被动式有时没有形式上的标志,如:他选上了｜麦子收割了。有时在动词前边加助词"被",如:反动统治被推翻了。有时在动词前边加介词"被",引进主动者,如:敌人被我们歼灭了(口语里常常用"叫"或"让")。

【被服】bèifú 名 被褥、毯子和服装(多指军用的):～厂。

【被覆】bèifù ❶ 动 遮盖;蒙:山上～着苍翠的森林。❷ 名 遮盖地面的草木等:滥伐森林,破坏了地面～。❸ 动 军事上指用竹、木、砖、石等建筑材料对建筑物的内壁和外表进行加固。

【被告】bèigào 名 被起诉的公民、法人或其他组织及行政机关。

【被害人】bèihàirén 名 指刑事案件中受犯罪行为侵害的人。

【被里】bèilǐ (～儿)名 睡觉时被子贴身的一面。

【被面】bèimiàn (～儿)名 睡觉时被子不贴身的一面。

【被难】bèinàn 动 ❶ 因灾祸或重大变故而丧失生命:飞机失事,乘客全部～。❷ 遭受灾难:～的老百姓正在抢搭帐篷。

【被褥】bèirù 名 被子和褥子:那些～该洗了。

【被套】bèitào 名 ❶ 外出时装被褥的长方形布袋,一面的中间开口。❷ 为了拆洗的方便,把被里和被面缝成袋状,叫被

套。❸ 棉被的胎：丝绵～。

【被头】bèitóu 图❶ 缝在被子盖上身那一头上的布，便于拆洗，保持被里清洁。❷〈方〉被子。

【被窝儿】bèiwōr 图 为睡觉叠成的长筒形的被子：他躺在～里不愿起来。

【被卧】bèi·wo〈口〉图 被子：一床～。

【被选举权】bèixuǎnjǔquán 图❶ 公民依法当选为国家权力机关代表或被选担任一定职务的权利。❷ 各种组织的成员当选为本组织的代表或领导人的权利。

【被罩】bèizhào 图 套在被子外面的罩子，可以随时取下换洗，多用棉布或的确良做成。

【被子】bèi·zi 图 睡觉时盖在身上的东西，一般用布或绸缎做面，用布做里子，装上棉花、丝绵、鸭绒等。

【被子植物】bèizǐzhíwù 种子植物的一大类，胚珠生在子房里，种子包在果实里。胚珠接受本花或异花雄蕊的花粉而受精。可分为单子叶植物和双子叶植物（区别于〖裸子植物〗）。

棓 bèi 见 1443 页〖五棓子〗。
另见 42 页 bàng。

辈（輩） bèi ❶ 图 行辈；辈分：长～｜晚～｜同～｜老前～｜小一～。❷〈书〉等；类（指人）：我～｜无能之～。❸（～儿）图 辈子：后半～儿。

【辈出】bèichū 囫（人才）一批一批地连续出现：英雄～｜新人～。

【辈分】bèi·fen 图 指家族、亲友之间的世系次第：论～，我是他叔叔｜他年纪比我小，可～比我大。

【辈行】bèiháng 图 辈分。

【辈数儿】bèishùr 图 辈分：他虽然年纪轻，～小，但在村里很有威信。

【辈子】bèi·zi 图 一生：这～半～｜他当了一～教师。

惫（憊） bèi（旧读 bài）极端疲乏：疲～。

焙 bèi 囫 用微火烘（药材、食品、烟叶、茶叶等）：～干研碎｜一点儿花椒。

【焙粉】bèifěn 图 发面用的白色粉末，是碳酸氢钠、酒石酸和淀粉的混合物。也叫发粉，有的地区叫起子。

【焙烧】bèishāo 囫 把物料（如矿石）加热而又不使熔化，以改变其化学组成或物理

性质。

蓓 bèi ［蓓蕾](bèilěi) 图 没开的花；花骨朵儿：桃树～满枝◇美术园地中的～。

碚 bèi 地名用字：北～（在重庆）。

鞁 bèi ❶〈书〉鞍辔的统称。❷ 同"鞴[1]"。

鲅 bèi 见 1421 页〖鲅鲅〗。

褙 bèi 囫 把布或纸一层一层地粘在一起：裱～｜袼～｜后面又～了一层布。

【褙子】bèi·zi〈方〉图 袼褙：打～。

糒 bèi〈书〉干饭。

鞴[1] bèi 囫 把鞍辔等套在马上：～马。

鞴[2] bèi 见 482 页〖韝鞴〗。

鐾 bèi 囫 把刀的刃部在布、皮、石头等上面反复摩擦几下，使锋利：～刀｜～刀布。

·bei（·ㄅㄟ）

呗（唄） ·bei 囫❶ 表示事实或道理明显，很容易了解：不懂，就好好学呗。❷ 表示勉强同意或勉强让步的语气：去就去～。
另见 31 页 bài。

臂 ·bei 见 458 页〖胳臂〗。
另见 78 页 bì。

bēn（ㄅㄣ）

奔 bēn ❶ 奔走；急跑：狂～｜～驰。❷ 紧赶；赶忙或赶急事：～命｜～丧。❸ 逃跑：～逃｜东～西窜。❹（Bēn）图 姓。
另见 66 页 bèn。

【奔波】bēnbō 囫 忙忙碌碌地往来奔走：四处～｜不辞劳苦，为集体～。

【奔驰】bēnchí 囫（车、马等）很快地跑；骏马～｜列车在广阔的原野上～。

【奔窜】bēncuàn 囫 走投无路地乱跑；狼狈逃跑：敌军被打得四处～。

【奔放】bēnfàng 形（思想、感情、文章气势等）尽情流露，不受拘束：热情～｜笔意～。

【奔赴】bēnfù 动奔向（一定目的地）：～战场｜～边疆｜他们即将～新的工作岗位。

【奔劳】bēnláo 动奔波劳碌：日夜～。

【奔流】bēnliú 动（水）急速地流；淌得很快：大河～｜铁水～。

【奔忙】bēnmáng 动奔走操劳：他为料理这件事，～了好几天。

【奔命】bēnmìng 动奉命奔走。参看1038页〖疲于奔命〗。
　　另见66页 bèn∥mìng。

【奔跑】bēnpǎo 动很快地跑；奔走：往来～｜～如飞。

【奔丧】bēn∥sāng 动从外地急忙赶去料理长辈亲属的丧事。

【奔驶】bēnshǐ 动（车辆等）很快地跑。

【奔逝】bēnshì〈书〉动（时间、水流等）飞快地过去：岁月～｜～的河水。

【奔逃】bēntáo 动逃走（到别的地方）：逃跑：～他乡｜四散～。

【奔腾】bēnténg 动（许多马）跳跃着奔跑：一马当先，万马～｜思绪～｜黄河～｜～呼啸而来。

【奔突】bēntū 动横冲直撞；奔驰：四下～｜～向前。

【奔袭】bēnxí 动向距离较远的敌人迅速进军，进行突然袭击：命令部队，轻装～。

【奔泻】bēnxiè 动（水流）向低处急速地流：瀑布～而下｜滚滚长江，～千里。

【奔涌】bēnyǒng 动急速地涌出；奔流：大江～｜热泪～｜激情～。

【奔逐】bēnzhú 动奔跑追逐：孩子们在田野里尽情地～嬉闹。

【奔走】bēnzǒu 动❶急走；跑：～相告。❷为一定目的而到处活动：～衣食｜四处～｜～了几天，事情仍然没有结果。

【奔走呼号】bēnzǒu hūháo 一边奔跑，一边喊叫，形容为办成某事而到处宣传，以争取同情和支持。

贲（賁）bēn ❶见577页〖虎贲〗。❷（Bēn）名姓。
　　另见75页 bì。

【贲门】bēnmén 名胃与食管相连的部分，是胃上端的口儿，食管中的食物经过贲门进入胃内。（图见1493页"人的消化系统"）

栟 bēn 栟茶（Bēnchá），地名，在江苏。
　　另见97页 bīng。

犇 bēn 同"奔"。

锛（錛）bēn ❶锛子。❷动用锛子削平木料：～木头。❸动刀出现缺口：刀使～了｜这种刻刀不锛不～。

【锛子】bēn·zi 名削平木料的工具，柄与刃具呈丁字形，刃具扁而宽，使用时向下向里用力。

běn（ㄅㄣˇ）

本[1] běn ❶草木的茎或根：草～｜木～｜水有源，木有～。❷〈书〉量用于花木：牡丹十～。❸事物的根本、根源（跟"末"相对）：忘～｜舍～逐末｜兵民是胜利之～。❹（～儿）名本钱；本金：下～儿够～儿赔～儿还～付息❷吃老～儿。❺主要的；中心的：～部｜～科。❻原来：～意～色。❼副原来就；本来就：～想不～是。❽代指示代词。指自己方面的：～厂｜～校｜～国。❾代指示代词。指现今的：～年｜～月。❿介按照：～着政策办事。⓫根据：这句话是有所～的。⓬（Běn）名姓。

本[2] běn ❶（～儿）名本子①：书～｜账～儿。❷版本：刻～｜抄～｜稿～。❸（～儿）演出的底本：话～｜剧～。❹封建时代指奏章：修～｜（拟奏章）奏上一～。❺（～儿）量a)用于书籍簿册：五～书｜两～账。b)用于戏：头一～《西游记》。c)用于一定长度的影片：这部电影是十四～。

【本本】běnběn（～儿）〈口〉名书本；本子：你看，～上写得很清楚嘛。

【本本主义】běn·běn zhǔyì 一种脱离实际的、盲目地凭书本条文或上级指示办事的作风。

【本币】běnbì 名本位货币的简称。

【本部】běnbù 名（机构、组织等）主要的、中心的部分：校～｜公司～。

【本埠】běnbù 名本地（多用于较大的城镇）：平信～｜邮资六角，外埠八角。

【本草】běncǎo 名古代指中药（中药里草药最多，所以中药古籍多称本草）：～方儿｜《～纲目》。

【本初子午线】běnchū-zǐwǔxiàn 0°经线，

是计算东西经度的起点。1884 年国际会议决定用通过英国格林尼治(Greenwich)天文台子午仪中心的经线为本初子午线。1957 年后,格林尼治天文台迁移台址。1968 年国际上以国际协议原点(CIO)作为地极原点,经度起点实际上不变。

【本岛】běndǎo 图 几个岛屿中的主要岛屿,其名称和这几个岛屿总体的名称相同。例如我国的台湾包括台湾本岛和澎湖列岛、绿岛、兰屿等许多岛屿。

【本地】běndì 图 人、物所在的地区;叙事时特指的某个地区:～人|～口音|～特产。

【本分】běnfèn ❶ 图 本身应尽的责任和义务:守～|～的工作。❷ 形 安于所处的地位和环境:～人|这个人很～。

【本固枝荣】běn gù zhī róng 树木主干强固,枝叶才能茂盛,比喻事物的基础巩固了,其他部分才能得到发展。

【本行】běnháng ❶ 图 个人一贯从事的或长期已经熟习的行业:他原来是医生,还是让他干老～吧。❷ 现在从事的工作:三句话不离～|熟悉～业务。

【本纪】běnjì 图 纪传体史书中帝王的传记,一般按年月编排重要史实,列在全书的前面,对全书起总纲的作用。

【本家】běnjiā 图 同宗族的人:～兄弟|他们俩住在一个村,是～。

【本家儿】běnjiār 〈方〉图 指当事人:～不来,别人不好替他做主。

【本金】běnjīn 图 ❶ 存款者或放款者拿出的钱(区别于"利息")。❷ 经营工商业的本钱;营业的资本。

【本科】běnkē 图 大学或学院的基本组成部分(区别于"预科、专科"等)。

【本来】běnlái ❶ 形 属性词。原有的:～面貌|～的颜色。❷ 副 原先;先前:他身体很瘦弱,现在很结实了|我～不知道,到了这里才听说有这么回事。❸ 副 表示理所当然:～就该这样办。

【本利】běnlì 图 本金和利息。

【本领】běnlǐng 图 技能;能力:有～|～高强。

【本名】běnmíng 图 ❶ 本来的名字;原来的名字(区别于"别号、官衔"等)。❷ 给本人起的名儿:有些外国人的全名分三部分,第一部分是～,第二部分是父名,第三部分是姓。

【本命年】běnmìngnián 图 我国习惯用十二生肖记人的出生年,每十二年轮转一次。如子年出生的人属鼠,再遇子年,就是这个人的本命年。参看 1221 页〖生肖〗。

【本末】běnmò 图 ❶ 树的下部和上部,东西的底部和顶部,比喻事情从头到尾的经过:详述～|纪事～。❷ 比喻主要的与次要的:不辨～|～颠倒。

【本末倒置】běn mò dào zhì 比喻把主要事物和次要事物或事物的主要方面和次要方面弄颠倒了。

【本能】běnnéng ❶ 图 人类和动物不学就会的本领,如初生的婴儿会哭会吃奶,蜂酿蜜等都是本能的表现。❷ 副 机体对外界刺激不知不觉地、无意识地(做出反应):他看见红光一闪、～地闭上了眼睛。

【本票】běnpiào 图 出票人签发的,并承诺在见票时向收款人或持票人无条件支付确定金额的票据。

【本钱】běnqián 图 ❶ 用来营利、生息、赌博等的钱财:做买卖得有～。❷ 比喻可以凭借的资历、能力、条件等:强壮的身体是做好工作的～。

【本人】běnrén 代 人称代词。❶ 说话人指自己:这是～的亲身经历。❷ 指当事人自己或前边所提到的人自己:结婚要～同意,别人不能包办代替|他的那段坎坷经历,还是由他～来谈吧。

【本嗓】běnsǎng (～儿)图 说话或歌唱的时候自然发出的嗓音。

【本色】běnsè 图 本来面貌;原有的性质或品质:英雄～|勤俭是劳动人民的～。

【本色】běnshǎi (～儿)图 物品原来的颜色(多指没有染过色的织物):～布。

【本身】běnshēn 代 指示代词。自身(多指集团、单位或事物):要挖掘企业～的潜力|生活～就是复杂多样的。

【本事】běnshì 图 文学作品主题所根据的故事情节:～诗|这些词诗的～,年久失考。

【本事】běn·shi 图 本领:有～|学～|～大。

【本诉】běnsù 图 在同一诉讼中,被告方提起反诉后,称原告方提起的诉讼为本诉(跟"反诉"相对)。

【本题】běntí 图 谈话和文章的主题或主

要论点：这一段文字跟～无关,应该删去。

【本体】běntǐ 名❶ 德国哲学家康德唯心主义哲学中的重要概念,指与现象对立的不可认识的"自在之物"。辩证唯物主义否认现象和本体之间有不可逾越的界限,认为只有尚未认识的东西,没有不可认识的东西。❷ 机器、工程等的主要部分。

【本土】běntǔ 名❶ 乡土;原来的生长地:本乡～。❷ 指殖民国家本国的领土(对所掠夺的殖民地而言)。也指一个国家固有的领土。

【本位】běnwèi 名❶ 货币制度的基础或货币价值的计算标准:金～|银～|～货币。❷ 自己所在的单位;自己工作的岗位:～工作|立足～,一专多能。❸ 某种理论观点或做法的出发点:教学工作要以学生为～。

【本位货币】běnwèi huòbì 一国货币制度中的基本货币,如我国票面为"圆"的人民币。简称本币。

【本位主义】běnwèi zhǔyì 为自己所在的小单位打算而不顾整体利益的思想作风。是个人主义的一种表现。

【本文】běnwén 名❶ 所指的这篇文章:～准备谈谈经济问题。❷ 原文(区别于"译文"或"注解")。

【本息】běnxī 名 本金和利息:偿还～。

【本戏】běnxì 名 成本演出的戏曲,内容包括一个完整的故事,有时不一定一次演完(区别于"折子戏"):连台～。

【本乡本土】běn xiāng běn tǔ (～的)家乡;本地:菜都是～的,请尝|都是～的,在外边彼此多照应点儿。

【本相】běnxiàng 名 本来面目;原形:～毕露。

【本心】běnxīn 名 本来的心愿:出于～。

【本性】běnxìng 名 原来的性质或个性:江山易改,～难移。

【本业】běnyè 名❶ 本来的职业:士农工商,各安～。❷〈书〉指农业。

【本义】běnyì 名 词语的本来的意义,如"兵"的本义是武器,引申为战士(拿武器的人)。

【本意】běnyì 名 本来的意思或意图:他的～还是好的,只是话说得重了些。

【本原】běnyuán 名 哲学上指一切事物的最初根源或构成世界的最根本实体。

【本源】běnyuán 名 事物产生的根源:想象力是创造力的～之一。

【本题】běntí 名 本心:医学是我的～。

【本真】běnzhēn ❶ 名 原来的面目;真相;本性:恢复～。❷ 形 符合本色而真实:为人～。

【本证】běnzhèng 名 负有证明责任的当事人证明其主张的事实存在的证据(跟"反证"相对)。

【本职】běnzhí 名 自己担任的职务:做好～工作。

【本旨】běnzhǐ 名 本来的或主要的用意和目的。

【本质】běnzhì 名 指事物本身所固有的,决定事物性质、面貌和发展的根本属性。事物的本质是隐蔽的,是通过现象来表现的,不能用简单的直观去认识,必须透过现象掌握本质。

【本主儿】běnzhǔr 名❶ 本人:～一会儿就来,你问他得了。❷ 失物的所有者:物归～|这辆招领的自行车～还没来取。

【本子】běn·zi 名❶ 把成沓的纸装订在一起而成的东西;册子:笔记～。❷ 版本:这两个～都是宋本。❸ 演出的底本:写～|改～。❹ 指某些成本儿的证件:考～(通过考试取得驾驶证或其他合格证书)。

【本字】běnzì 名 一个字通行的写法与原来的写法不同,原来的写法就称为本字,如"掰"的本字是"擘","搬"的本字是"般","喝"(喝酒)的本字是"欱"。

苯 běn 名 有机化合物,化学式 C_6H_6。无色液体,有芳香气味,容易挥发和燃烧。可做燃料、溶剂等,也用来合成有机物质。[英 benzene]

【苯并芘】běnbìngpǐ 名 有机化合物,化学式 $C_{20}H_{12}$,黄色针状晶体,难溶于水,易溶于各种有机溶剂,有强烈的致癌作用,主要存在于汽车尾气、香烟烟雾和熏烤食品中。

【苯甲基】běnjiǎjī 名 苄基的旧称。

畚 běn ❶ 簸箕①。❷〈方〉动 用簸箕撮:～土|～炉灰。

【畚斗】běndǒu〈方〉名 簸箕(专用于撮、簸粮食)。

【畚箕】běnjī 〈方〉名 簸箕。

bèn (ㄅㄣˋ)

夯 bèn 同"笨"（见于《西游记》、《红楼梦》等书）。
　　另见539页 hāng。

坌 bèn 〈书〉尘埃。
　　另见404页 fèn。

坌¹ bèn 〈方〉动 翻(土)；刨：～地。

坌² bèn 〈书〉❶尘埃：尘～｜微～。❷聚：～集。❸粗劣。❹用细末撒在物体上面。❺笨；不灵巧。

奔(逩) bèn ❶动 直向目的地走去：投～｜直～工地｜他顺着小道直～那山头〈◇向小康。❷介 朝；向：～这边看｜渔轮～渔场开去。❸动 年纪接近(四十岁、五十岁等)：他是～六十的人了。❹动 为某事奔走：～球票｜你生产上还缺什么材料，我去～。
　　另见62页 bēn。

【奔命】bèn∥mìng 〈口〉动 拼命赶路或做事：一路～，连续行军一百二十多里。
　　另见63页 bēnmìng。

【奔头儿】bèn·tour 名 经过努力奋斗可以指望的前途：有～｜没～。

俸 bèn 俸城(Bènchéng)，地名，在河北。

笨 bèn 形 ❶理解能力和记忆能力差；不聪明：愚～｜脑子～｜他很～。❷不灵巧；不灵活：嘴～｜～手～脚。❸费力气的；笨重：～活儿｜搬大箱子、大柜子这些～家具得找年轻人。

【笨伯】bènbó 〈书〉名 愚蠢的人。
【笨蛋】bèndàn 名 蠢人(骂人的话)。
【笨活儿】bènhuór 名 笨重的工作；粗活儿。
【笨口拙舌】bèn kǒu zhuō shé 嘴笨；没有口才。也说笨嘴拙舌。
【笨鸟先飞】bèn niǎo xiān fēi 比喻能力差的人做事时，恐怕落后，比别人先行动(多用作谦辞)。
【笨手笨脚】bèn shǒu bèn jiǎo 形容动作不灵活或手脚不灵巧。
【笨头笨脑】bèn tóu bèn nǎo ❶形容人不聪明，反应迟钝。❷形容式样蠢笨：皮

鞋做得～的，我不喜欢。
【笨重】bènzhòng 形 ❶庞大沉重；不灵巧：～家具｜身体～。❷繁重而费力：用机器代替～的体力劳动。
【笨拙】bènzhuō 形 笨；不聪明；不灵巧：动作～｜笔法～。
【笨嘴拙舌】bèn zuǐ zhuō shé 笨口拙舌

伻 bēng 〈书〉❶使；令。❷使者。

祊 bēng ❶古代宗庙门内设祭的地方。❷古代在宗庙门内举行的祭祀。

崩 bēng ❶动 倒塌；崩裂：山～地裂。❷动 破裂：把气球吹～了◇两个人谈～了。❸动 崩裂的东西击中；炸起的石头差点儿把他～伤了。❹〈口〉动 枪毙。❺君主时代称帝王死：驾～。

【崩溃】bēngkuì 动 完全破坏；垮台(多指国家政治、经济、军事等)：敌军全线～｜该国经济濒临～。
【崩裂】bēngliè 动 (物体)猛然分裂成若干部分：炸药轰隆一声，山石～。
【崩龙族】Bēnglóngzú 名 德昂族的旧称。
【崩盘】bēng∥pán 动 指股票、期货等市场由于行情大跌而彻底崩溃。
【崩塌】bēngtā 动 崩裂而倒塌：江堤～。
【崩坍】bēngtān 动 悬崖、陡坡上的岩石、泥土崩裂散落下来；崩塌：山崖～。

绷¹(繃、綳) bēng ❶动 拉紧：把绳子～直了。❷动 衣服、布、绸等张紧：小褂紧～在身上不舒服。❸动 (物体)猛然弹起：弹簧一～飞了。❹动 缝纫方法，稀疏地缝住或用针别上：红布上～着金字。❺〈方〉动 勉强支持；硬撑：～场面。❻用藤皮、棕绳等编织的床屉子：棕～床｜～坏了，该修理了。❼绷子①：竹～｜～架。

绷²(繃、綳) bēng 〈方〉动 骗(财物)：坑～拐骗｜他～了人家几百块钱。
　　另见67页 běng；67页 bèng。

【绷场面】bēng chǎngmiàn 〈方〉撑场面。
【绷带】bēngdài 名 包扎伤口或患处用的纱布带。

【绷弓子】bēnggōng•zi 名❶ 装在门上用来自动关门的装置,用弹簧或竹片等制成。❷〈方〉弹弓。

【绷簧】bēnghuáng〈方〉名 弹簧。

【绷子】bēng•zi 名❶ 刺绣时用来绷紧布帛的用具,大件用长方形的木框子,小件用竹圈:花~。❷ 绷'⑥:藤~|~床。

嘣 bēng 拟声 形容跳动或爆裂的声音:心里~~直跳|~的一声,气球爆了。

鬃 bēng 同"祊"。

---

bèng（ㄅㄥ）

甭 béng〈方〉副 "不用"的合音,表示不需要或劝阻:你既然都知道,我就~说了|这些小事儿,你~管。

---

běng（ㄅㄥˇ）

奉 běng［奉奉］(běngběng)〈书〉形 形容草木茂盛。

绷（綳、繃） běng〈口〉动❶ 板着:~脸。❷ 勉强支撑或忍住:~劲儿|他一~不住笑了起来。
另见 66 页 bēng;67 页 bèng。

【绷劲】běng//jìn（~儿）动 屏住气息用力:绷不住劲|他一~,就把大石头举过了头顶。

【绷脸】běng//liǎn〈口〉动 板着脸,表示不高兴:他绷着脸,半天一句话也不说。

琫 běng〈书〉刀鞘上端的饰物。

鞛 běng 同"琫"。

鞛 běng 同"琫"。

---

bèng（ㄅㄥˋ）

泵 bèng ❶名 吸入和排出流体的机械,能把流体抽出或压入容器,也能把液体提送到高处。通常按用途不同分为气泵、水泵、油泵。❷动 用泵压入或抽出:~入|~出|~油。［英 pump］

迸 bèng ❶动 向外溅出或喷射:打铁时火星儿乱~|潮水冲来,礁石边上~起乳白色的浪花◇沉默了半天,他才一~出一句话来。❷ 突然碎裂:~裂|~碎。

【迸发】bèngfā 动 由内而外地突然发出:一锤子打到岩石上,~了好些火星儿◇笑声从四面八方~出来。

【迸溅】bèngjiàn 动 向四外溅:火花~|激流冲击着岩石,~起无数飞沫。

【迸裂】bèngliè 动 破裂:裂开往外飞溅:山石~|脑浆~。

蚌 bèng 蚌埠(Bèngbù),地名,在安徽。另见 42 页 bàng。

绷（綳、繃） bèng ❶动 裂开:西瓜~了一道缝儿。❷〈口〉副 用在"硬、直、亮"一类形容词的前面,表示程度深:~硬|~直|~脆|~亮。
另见 66 页 bēng;67 页 běng。

【绷瓷】bèngcí（~儿）名 表面的釉层有不规则碎纹的瓷器。这种碎纹是由于坯和釉的膨胀系数不同而形成的。

甏 bèng〈方〉名 瓮;坛子:酒~。

镚（鏰） bèng 见下。

【镚儿】bèngr〈口〉名 镚子。

【镚子】bèng•zi〈口〉名 原指清末不带孔的小铜币,十个当一个铜元,现在把小形的硬币叫钢镚子或钢镚儿。也叫镚儿。

【镚子儿】bèngzǐr〈方〉名 指极少量的钱:~不值|一个~也不给。

蹦 bèng 动 跳:欢~乱跳|皮球一拍~得老高|他蹲下身子,用力一~,就~了两米多远◇他嘴里不时~出一些新词儿来。

【蹦蹦儿戏】bèngbèngrxì 名 评剧的前身。参看 1055 页〖评剧〗。

【蹦床】bèngchuáng 名❶ 一种体育器械,外形像床,有弹性。❷ 体育运动项目之一。运动员在蹦床上完成跳跃、翻腾、旋转等动作。

【蹦跶】bèng•da 动 蹦跳,现多比喻挣扎:秋后的蚂蚱,~不了几天了。

【蹦迪】bèngdí 跳迪斯科舞。

【蹦高】bènggāo（~儿）动 跳跃:乐得直~儿。

【蹦极】bèngjí 名 一种体育运动,用一端固定的有弹性的绳索绑缚在踝部从高处跳下,身体在空中上下弹动。也叫蹦极

跳。[英 bungy]

【蹦极跳】bèngjítiào 名 蹦极。

【蹦跳】bèngtiào 动 跳跃：他高兴得～起来。

---

bī（ㄅㄧ）

屄（屄） bī 名 阴门的俗称。

逼（偪） bī ❶ 动 逼迫；给人以威胁：威｜寒气～人｜形势～人｜为生活所～。❷ 动 强迫索取：～租｜～债。❸ 靠近；接近：～视｜～近。❹〈书〉狭窄：～仄。

【逼宫】bīgōng 动 指大臣强迫帝王退位。也泛指强迫政府首脑辞职或让出权力。

【逼供】bīgòng 动 用酷刑或威胁等手段强迫受审人招供：严刑～。

【逼和】bīhé 动 逼平（多用于棋类比赛）。

【逼婚】bīhūn 动 用暴力或威胁手段强迫对方（多为女方）跟自己或别人结婚。

【逼近】bījìn 动 靠近；接近：小艇～了岸边｜天色已经～黄昏｜脚步声从远处渐渐～。

【逼良为娼】bī liáng wéi chāng 逼迫良家妇女当娼妓，也比喻迫使正直安分的人去做坏事。

【逼命】bīmìng 动 ❶ 指用暴力威胁人。❷ 比喻催促得十分紧急，使人感到紧张，难以应付：真～！这么重的任务，三天内怎么能完成！

【逼平】bīpíng 动 体育比赛中，处于劣势的一方经过努力，迫使对手接受平局。

【逼迫】bīpò 动 紧紧地催促；用压力促使：在环境的～下，他开始变得勤奋了。

【逼抢】bīqiǎng 动 紧逼着争抢（多用于足球、篮球等球类比赛）：～凶狠。

【逼上梁山】bī shàng Liáng Shān 《水浒传》中有林冲等人为官府所迫，上梁山造反的情节。后用来比喻被迫进行反抗或不得不做某种事。

【逼视】bīshì 动 向前靠近目标，紧紧盯着：光彩夺目,不可～｜在众人的～下，他显得局促不安了。

【逼问】bīwèn 动 强迫被问者回答：无论怎么～，他就是不说。

【逼肖】bīxiào〈书〉动 很相似：虽是绢花，

却与真花～。

【逼仄】bīzè〈书〉形（地方）狭窄：～小径｜居室～。

【逼债】bī//zhài 动 逼迫人还债。

【逼真】bīzhēn 形 ❶ 极像真的：情节～｜这个老虎画得十分～。❷ 真切：看得～｜听得～。

锫（鎞） bī〈书〉❶ 钗。❷ 篦子。另见 1036 页 pī。

鲾（鰏） bī 名 鱼，身体小而侧扁，略呈卵圆形，青褐色，口小，鳞细。生活在近海。种类很多，有牙鲾、鹿斑鲾等。

---

bí（ㄅㄧˊ）

荸 bí [荸荠](bí·qí) 名 ❶ 多年生草本植物，通常栽培在水田里，地下茎扁圆形，皮红褐色或黑褐色，肉白色，可以吃，也可制淀粉。❷ 这种植物的地下茎。‖有的地区叫地栗或马蹄。

鼻 bí ❶ 名 鼻子：～梁｜～音。❷〈书〉开创：～祖。

【鼻翅儿】bíchìr 名 鼻翼的通称。

【鼻窦】bídòu 名 鼻旁窦的通称。

【鼻化元音】bíhuà yuányīn 见 1673 页【元音】。

【鼻尖】bíjiān（～儿）名 鼻子末端最突出的部分。也叫鼻子尖儿。

【鼻疽】bíjū 名 马、驴、骡的一种传染病，由鼻疽杆菌引起，在内脏、鼻腔黏膜和皮下形成小结节，坏死后，变成溃疡，症状是鼻涕带脓，鼻腔内有溃斑。也能使人感染。

【鼻孔】bíkǒng 名 鼻腔跟外面相通的孔道。

【鼻梁】bíliáng（～儿）名 鼻子隆起的部分：高～｜塌～儿。也叫鼻梁子。

【鼻牛儿】bíniúr〈方〉名 鼻腔里干结的鼻涕。

【鼻衄】bínǜ 动 中医指鼻孔流血，多由鼻外伤、鼻腔疾患等引起。

【鼻旁窦】bípángdòu 名 头颅内部鼻腔周围的空腔。通称鼻窦。

【鼻腔】bíqiāng 名 鼻子内部的空腔，分左右两个，壁上有细毛。上部黏膜中有嗅觉细胞，能分辨气味。

【鼻青脸肿】bí qīng liǎn zhǒng 鼻子青了,脸也肿了,形容面部被碰伤或打伤的样子。也比喻遭到严重打击或挫折的狼狈相。

【鼻儿】bír 名❶器物上面能够穿上其他东西的小孔:门～|针～。❷〈方〉像哨子的东西:用苇子做了一个～。

【鼻塞】bísè 动鼻子不通气。

【鼻饲】bísì 动用特制的管子通过鼻腔插入胃内,把流食或药液灌进去。

【鼻酸】bísuān 形鼻子发酸,比喻悲伤心酸:此情此景,令人～。

【鼻涕】bítì 名鼻腔黏膜所分泌的液体。

【鼻涕虫】bítìchóng 名蛞蝓。

【鼻息】bíxī 名从鼻孔出入的气息,特指熟睡时的鼾声:～如雷。

【鼻烟】bíyān （～儿）名由鼻孔吸入的粉末状的烟:～壶。

【鼻烟壶】bíyānhú 名装鼻烟的小瓶,一般制作精美,内壁饰有图画。

【鼻翼】bíyì 名鼻尖两旁的部分。通称鼻翅儿。

【鼻音】bíyīn 名口腔气流通路阻塞,软腭下垂,鼻腔通气发出的音,例如普通话语音中的 m,n,ng(ŋ) 等。

【鼻韵母】bíyùnmǔ 名鼻音收尾的韵母。普通话语音中有 an,ian,uan,üan,en,in,un,ün,ang,iang,uang,eng,ing,ueng,ong,iong 等。

【鼻中隔】bízhōnggé 名把鼻腔分成左右两部分的组织,由骨、软骨和黏膜构成。

【鼻子】bí·zi 名人或高等动物的嗅觉器官,也是呼吸器官的一部分,位于头部,有两个孔。

【鼻祖】bízǔ 〈书〉名始祖,比喻创始人。

bǐ （ㄅㄧˇ）

匕 bǐ ❶古人取食的器具,后代的羹匙由它演变而来。❷〈书〉指匕首:图穷～见。

【匕首】bǐshǒu 名短剑或狭长的短刀。

比 bǐ ❶动比较;较量:～干劲|学先进,～先进。❷动能够相比:近邻～亲|坚～金石|演讲不～自言自语。❸动比画:连说带～。❹〈方〉动对着;向着:

别拿枪～着人,小心走火。❺动仿照:～着葫芦画瓢(比喻模仿着做事)。❻动比方;比喻:人们常把聪明的人～做诸葛亮。❼动两个同类量之间的倍数关系,叫做它们的比,其中一数是另一数的几倍或几分之几:这里的年产量和水稻年产量约为一比四。❽动表示比赛双方得分的对比:甲队以二∶一胜乙队。❾介用来比较性状和程度的差别:今天的风～昨天更大了|许多同志都～我强。**注意**a)"一"加量词在"比"的前后重复,可以表示程度的累进:人民的生活一年～一年富裕了。b)比较高下的时候用"比",表示异同的时候一般用"跟"或"同"。❿(Bǐ)名姓。

比² bǐ （旧读 bì）〈书〉❶紧靠;挨着:～肩|鳞次栉～。❷依附;勾结:朋～为奸。❸近来:～来。❹等到:～及。

【比比】bǐbǐ 〈书〉副❶频频;屡屡:～失利。❷到处;处处:～皆是(到处都是)。

【比对】bǐduì 动比较核对;对比:～笔迹。

【比方】bǐ·fang ❶动用容易明白的甲事物来说明不容易明白的乙事物:他坚贞不屈的品德,可用四季常青的松柏来～。❷名指用甲事物来说明乙事物的行为:打～|这不过是个～。❸动比如:郊游的事情都安排好了,～谁带队、谁开车,等等。❹连表示"假如"的意思:他的隶书真好,～我求他写一副对联儿,他不会拒绝吧?

【比分】bǐfēn 名比赛中双方用来比较成绩、决定胜负的得分:最后一分钟,客队攻进一球,把～扳平。

【比附】bǐfù 〈书〉动拿不能相比的东西来勉强相比。

【比划】bǐ·hua 同"比画"。

【比画】bǐ·hua 动用手或拿着东西做出姿势来帮助说话或代替说话:他在一张纸上～,教大家怎样剪裁裤子。也作比划。

【比基尼】bǐjīní 名一种女子穿的游泳衣,由遮蔽面积很小的裤衩和乳罩组成。叫三点式游泳衣。[英 bikini]

【比及】bǐjí 〈书〉介等到:～赶到,船已离岸。

【比价】bǐjià ❶动发包工程、器材或变卖产业、货物时,比较承包人或买主用书面形式提出的价格:～单。❷名不同商品的价格比率或不同货币兑换的比率,如棉粮比价、外汇比价。

B

【比肩】bǐjiān 〈书〉 动 ❶ 并肩：～作战 | ～而立。❷ 比喻相当；比美：他虽然是票友，水平却可与专业演员～。

【比肩继踵】bǐ jiān jì zhǒng 肩挨着肩，脚挨着脚，形容人多拥挤。也说比肩接踵。

【比肩接踵】bǐ jiān jiē zhǒng 见比肩继踵。

【比较】bǐjiào ❶ 动 就两种或两种以上同类的事物辨别异同或高下：这两块料子一起来，颜色是这块好，质地是那块好。❷ 介 用来比较性状和程度的差别：这项政策贯彻以后，农民的生产积极性～前一时期又有所提高。❸ 副 表示具有一定程度：这篇文章写得～好。

【比较价格】bǐjiào jiàgé 不变价格。

【比较文学】bǐjiào wénxué 现代人文学科之一。主要运用比较方法，对不同民族的文学现象进行综合分析，探讨彼此的相互影响及其与时代、社会、文化间的关系。

【比况】bǐkuàng 〈书〉 动 跟某事物相比较；比照。

【比来】bǐlái 〈书〉 名 近来。

【比例】bǐlì 名 ❶ 表示两个比相等的式子，如 3:4＝9:12。❷ 两个同类量之间的倍数关系：教师和学生的～已经达到要求。❸ 重②：在所销商品中，国货的～比较大。

【比例尺】bǐlìchǐ 名 ❶ 绘制地图或机械制图时，图上距离与它所表示的实际距离的比。❷ 指线段比例尺，附在图边的表示比例的数字或线段。❸ 制图用的一种工具，上面有几种不同比例的刻度。

【比例税制】bǐlì-shuìzhì 对同一征税对象不论税额多少，都按同一比例计征的税率制度。

【比量】bǐ·liang 动 ❶ 不用尺而用手、绳、棍等大概地量一量：他用胳膊一～，那棵树有两围粗。❷ 比试②：他拿起镰刀了～，就要动手割麦子。

【比邻】bǐlín ❶ 〈书〉 名 近邻；街坊：海内存知己，天涯若～。❷ 动 位置接近；邻近：～星（离太阳最近的一颗恒星）。

【比率】bǐlù 名 比值。

【比美】bǐměi 动 美好的程度不相上下，足以相比：乡镇企业的一些产品，已经可以跟大工厂的产品～。

【比目鱼】bǐmùyú 名 鲽、鳎、鲆、鳒等鱼的统称。这几种鱼身体扁平，成长中两眼逐渐移到头部的一侧，平卧在海底。也叫偏口鱼。

【比拟】bǐnǐ ❶ 动 比较①：无可～ | 难以～。❷ 名 修辞方式，把物拟做人或把人拟做物。

【比年】bǐnián 〈书〉 ❶ 名 近年：～以来，缠绵病榻。❷ 副 每年；连年：～五谷不登。‖ 也说比岁。

【比配】bǐpèi 形 相称；相配：这两件摆设放在一起很不～。

【比拼】bǐpīn 动 拼力比试：双方将在半决赛中～，争夺决赛权。

【比丘】bǐqiū 名 佛教指和尚。［梵 bhikṣu］

【比丘尼】bǐqiūní 名 佛教指尼姑。［梵 bhikṣuṇī］

【比热】bǐrè 名 比热容的简称。

【比热容】bǐrèróng 名 单位质量的物质，温度升高（或降低）1℃ 所吸收（或放出）的热量，叫做该物质的比热容。简称比热。

【比如】bǐrú 举例时的发端语：有些问题已经作出决定，～招多少学生，分多少班，等等。

【比萨饼】bǐsàbǐng 名 一种意大利式饼，饼上放番茄、奶酪、肉类等，用烤箱烘烤而成。［比萨，英 pizza］

【比赛】bǐsài ❶ 动 在体育、生产等活动中，比较本领、技术的高低：～篮球。❷ 名 指这种活动：今晚有一场足球～。

【比试】bǐ·shi 动 ❶ 彼此较量高低：咱们～一下，看谁做得又快又好。❷ 做出某种动作的姿势：他把大枪一～，不在乎地说，叫他们来吧。

【比岁】bǐsuì 名 ❶ 比年①。❷ 副 比年②。

【比索】bǐsuǒ 名 ❶ 西班牙的旧本位货币。❷ 菲律宾和一部分拉丁美洲国家的本位货币。［西 peso］

【比特】bǐtè 量 信息量单位，二进制数的一位所包含的信息量就是 1 比特。如二进制数 1010 包含的信息量为 4 比特。［英 bit］

【比武】bǐ∥wǔ 动 比赛武艺，也泛指比赛技艺。

【比翼】bǐyì 动 翅膀挨着翅膀（飞）：～齐飞。

【比翼鸟】bǐyìniǎo 名 传说中的一种鸟，雌雄老在一起飞,古典诗词里用作恩爱夫妻的比喻。

【比翼齐飞】bǐ yì qí fēi 比喻夫妻恩爱,朝夕相伴。也比喻互相帮助,共同前进。

【比喻】bǐyù ❶ 名 修辞方式,用某些有类似点的事物来比方想要说的某一事物,以便表达得更加生动鲜明。❷ 动 比方①:人们常用园丁~教师。

【比照】bǐzhào 动 ❶ 按照已有的(格式、标准、方法等)对比着:~着实物绘图。❷ 比较对照:两种方案一~,就可以看出明显的差异。

【比值】bǐzhí 名 两个数相比所得的值,即前项除以后项所得的商,如8:4的比值是2。也叫比率。

【比重】bǐzhòng 名 ❶ 物质的重量和它的体积的比值,即物质单位体积的重量。❷ 一种事物在整体中所占的分量:我国工业在整个国民经济中的~逐年增长。

芘 bǐ 名 有机化合物,棱形晶体,浅黄色,不溶于水,溶于乙醇和乙醚。可用来制合成树脂和染料等。
另见 1038 页 pí。

吡 bǐ 见下。
另见 1040 页 pǐ。

【吡啶】bǐdìng 名 有机化合物,化学式 C_5H_5N。无色液体,有臭味。用作溶剂和化学试剂。[英 pyridine]

【吡咯】bǐluò 名 有机化合物,化学式 C_4H_5N。无色液体,在空气中颜色变深,有刺激性气味。用来制药品。[英 pyrrole]

佊 bǐ 〈书〉邪。

泌 Bǐ ❶ 泌江,水名,在云南。❷ 泌河,水名,在安徽。

妣 bǐ 〈书〉(死去的)母亲:先~|考~。

彼 bǐ 代 ❶ 指示代词。那;那个(跟"此"相对):~时|此起~伏|由此及~。❷ 人称代词。对方;他:知己知~|退我进。

【彼岸】bǐ'àn 名 ❶ 〈书〉(江、河、湖、海的)那一边;对岸。❷ 佛教认为有生有死的境界好比此岸,超脱生死的境界(涅槃)好比彼岸。❸ 比喻所向往的境界:走向幸福的~。

【彼此】bǐcǐ 代 人称代词。❶ 那个和这

个;双方:不分~|~互助。❷ 客套话,表示大家一样(常叠用作答话):"您辛苦啦!""~~!"

【彼一时,此一时】bǐ yī shí, cǐ yī shí 那是一个时候,现在又是一个时候,表示时间不同,情况有了改变:~,不要拿老眼光看新事物。

秕(粃) bǐ ❶ 名 秕子:~糠。❷ 形 (子实)不饱满:~粒|~谷子。❸〈书〉恶;坏:~政。

【秕谷】bǐgǔ 名 不饱满的稻谷或谷子。

【秕糠】bǐkāng 名 秕子和糠,比喻没有价值的东西。

【秕子】bǐ·zi 名 空的或不饱满的子粒:谷~。

笔(筆) bǐ ❶ 名 写字画图的用具:毛~|铅~|钢~|粉~|一支~|一管~。❷ (写字、画画、作文的)笔法:伏~|工~|败~|曲~。❸ 用笔写出:代~|直~|亲~。❹ 手迹:遗~|绝~。❺ 笔画:~顺|~形。❻ 量 a)用于款项或跟款项有关的:一~钱|三~账|五~生意。b)用于字的笔画:"大"字有三~。c)用于书画艺术:写一~好字|他能画几~山水画。❼ (Bǐ) 名 姓。

【笔触】bǐchù 名 书画、文章等的笔法和格调:他用简练而鲜明的~来表现祖国壮丽的河山|他以锋利的~讽刺了旧社会的丑恶。

【笔答】bǐdá 动 书面回答:~试题。

【笔底生花】bǐ dǐ shēng huā 比喻所写的文章非常优美。也说笔下生花。参看 1218 页〖生花之笔〗。

【笔底下】bǐdǐ·xia 名 指写文章的能力:他~不错(会写文章)|他~来得快(写文章快)。

【笔调】bǐdiào 名 文章的格调:~清新|他用文学~写了许多科普读物。

【笔端】bǐduān 〈书〉指写作、写字、画画时笔的运用以及所表现的意境:~奇趣横生|愤激之情见于~。

【笔伐】bǐfá 动 用文字声讨:口诛~。

【笔法】bǐfǎ 名 写字、画画、作文的技巧或特色:他的字,~圆润秀美|他以豪放的~,写出了大草原的风光。

【笔锋】bǐfēng 名 ❶ 毛笔的尖端。❷ 书画的笔势;文章的锋芒:~苍劲|~犀利。

【笔杆儿】bǐgǎnr 名 笔杆子①②。

【笔杆子】bǐgǎn·zi 名 ❶ 笔的手拿的部分。❷ 指写文章的能力:要~|他嘴皮子、

B

～都比我强。‖也说笔杆儿。❸ 指擅长写文章的人。

【笔耕】bǐgēng 囫 指写作：伏案～｜～不辍。

【笔供】bǐgòng 囫 受审讯者用笔写出来的供词。

【笔管条直】bǐ guǎn tiáo zhí〈口〉笔直（多指直立着）：这棵树长得～｜大家～地站着等点名。

【笔画】(笔划) bǐhuà 囫 ❶ 组成汉字的横（一）、竖（｜）、撇（丿）、点（丶）、折（一）等。❷ 指笔画数：书前有汉字～索引。

【笔会】bǐhuì 囫 ❶ 以文章的方式对某个专题或专题的某个侧面进行探讨、报道等的活动：文艺评论～。❷ 一种由作家联合成的组织。

【笔记】bǐjì ❶ 囫 用笔记录：老人口述，请人～下来，整理成文。❷ 囫 听课、听报告、读书时所做的记录：读书～｜课堂～。❸ 囫 一种以随笔记录为主的著作体裁，多由分条的短篇汇集而成：～小说。

【笔记本】bǐjìběn 囫 ❶ 用来做笔记的本子。❷ 指笔记本式计算机。

【笔记本电脑】bǐjìběn diànnǎo 笔记本式计算机。

【笔记本式计算机】bǐjìběnshì jìsuànjī 便携式电子计算机的一种。因外形略像笔记本，所以叫笔记本式计算机。也叫笔记本电脑。

【笔迹】bǐjì 囫 每个人写的字所特有的形象；字迹：核对～｜这可不像他的～。

【笔架】bǐjià（～儿）囫 用陶瓷、竹木、金属等制成的搁笔或插笔的架儿。

【笔尖】bǐjiān（～儿）囫 ❶ 笔的写字的尖端部分。❷ 特指钢笔的笔头儿：换个～。

【笔力】bǐlì 囫 写字、画画或作文章在笔法上所表现的力量：～雄健｜～道劲。

【笔立】bǐlì 囫 直立：～的山峰。

【笔录】bǐlù ❶ 囫 用笔记录：您口述，由我给您～。❷ 囫 记录下来的文字：口供～。

【笔路】bǐlù 囫 ❶ 笔法。❷ 写作的思路。

【笔帽】bǐmào（～儿）囫 套着笔头儿保护笔的套儿。

【笔名】bǐmíng 囫 作者发表作品时用的别名，如鲁迅是周树人的笔名。

【笔墨】bǐmò 囫 指文字或诗文书画等：～流畅｜西湖美丽的景色，不是用～可以形容的。

【笔墨官司】bǐmò guān·si 指书面上的争辩：打～。

【笔润】bǐrùn 囫 润笔。

【笔势】bǐshì 囫 ❶ 写字、画画用笔的风格：～沉稳。❷ 诗文的气势：这首七律，～犹如大江出峡，汹涌澎湃。

【笔试】bǐshì 囫 要求把答案写出来的考试（区别于"口试"）。

【笔受】bǐshòu〈书〉囫 用笔记下别人口授的话。

【笔顺】bǐshùn 囫 汉字笔画的书写顺序，如"文"的笔顺是 1）丶、2）一，3）丿，4）乀。

【笔算】bǐsuàn 囫 用笔写出算式或算草来计算。

【笔谈】bǐtán ❶ 囫 两人面对在纸上写字交换意见，代替谈话。❷ 囫 发表书面意见代替谈话。❸ 囫 笔记❸（多用于书名）：《梦溪～》。

【笔套】bǐtào（～儿）囫 ❶ 笔帽。❷ 用线、丝织成或用布做成的套笔的东西。

【笔体】bǐtǐ 囫 各人写的字所特有的形象；笔迹：对～｜我认得出他的～。

【笔挺】bǐtǐng 囫 状态词。❶ 立得很直：～地站着｜士兵站得～～的。❷（衣服）很平而折叠的痕迹又很直：穿一身～的西服。

【笔筒】bǐtǒng 囫 用陶瓷、竹木等制成的插笔的筒儿。

【笔头儿】bǐtóur 囫 ❶ 毛笔、钢笔等用以写字的部分。❷ 指写字的技巧或写文章的能力：他～有两下子｜你～快，还是你写吧！也说笔头子。

【笔误】bǐwù ❶ 囫 因疏忽而写了错字：这篇文章～的地方不少。❷ 囫 因疏忽而写错的字：精神不集中，写东西常有～。

【笔洗】bǐxǐ 囫 用陶瓷、石头、贝壳等制成的洗涮毛笔的用具。

【笔下】bǐxià 囫 ❶ 笔底下。❷ 指写文章时作者的措辞和用意：～留情。

【笔下生花】bǐ xià shēng huā 笔底生花。

【笔心】bǐxīn 同"笔芯"。

【笔芯】bǐxīn 囫 铅笔或圆珠笔的芯子。也作笔心。

【笔形】bǐxíng 囫 汉字笔画的形状。楷书汉字最基本的笔形是横（一）、竖（｜）、撇（丿）点（丶）、折（一）。

【笔削】bǐxuē 动 笔指记载,削指删改,古时在竹简、木简上写字,要删改需用刀刮去,后用作请人修改文章的敬辞。

【笔译】bǐyì 动 用文字翻译(区别于"口译")。

【笔意】bǐyì 名 书画或诗文所表现的意境:~超逸|~清新。

【笔友】bǐyǒu 名 通过书信往来、诗文赠答结交的朋友。

【笔札】bǐzhá 名 札是古代写字用的小木片,后来用笔札指纸笔,又转指书信、文章等。

【笔债】bǐzhài 名 指受别人约请而未交付的字、画或文章。

【笔战】bǐzhàn 动 用文章来进行争论。

【笔者】bǐzhě 名 某一篇文章或某一本书的作者(多用于自称)。

【笔政】bǐzhèng 名 报刊编辑中指撰写重要评论的工作。

【笔直】bǐzhí 形 状态词。很直:~的马路|站得~。

【笔致】bǐzhì 名 书画、文章等用笔的风格:~高雅。

【笔资】bǐzī 名 旧时称写字、画画、做文章所得的报酬。

【笔走龙蛇】bǐ zǒu lóng shé 形容书法笔势雄健活泼。

俾 bǐ 〈书〉使(达到某种效果):~众周知|~有所悟。

舭 bǐ 名 船底和船侧间的弯曲部分。[英 bilge]

鄙 bǐ ❶形 粗俗;低下:~陋|卑~。❷ 谦辞,用于自称:~人|~意|~见。❸〈书〉轻视;看不起:~弃|~薄。❹〈书〉边远的地方:边~。

【鄙薄】bǐbó ❶ 动 轻视;看不起:~势利小人|脸上露出~的神情。❷〈书〉形 浅陋微薄(多用作谦辞):~之志(微小的志向)。

【鄙称】bǐchēng ❶ 动 鄙视地称作:不劳而食者被~为寄生虫。❷ 名 鄙视的称呼:寄生虫是对不劳而食者的~。

【鄙见】bǐjiàn 名 谦辞,称自己的见解。

【鄙俚】bǐlǐ 〈书〉形 粗俗;浅陋:文辞~,不登大雅之堂。

【鄙吝】bǐlìn 〈书〉形 ❶ 鄙俗。❷ 过分吝啬。

【鄙陋】bǐlòu 形 见识浅薄:~无知|学识~。

【鄙弃】bǐqì 动 看不起;厌恶:她~那种矫揉造作的演唱作风。

【鄙人】bǐrén ❶〈书〉知识浅陋的人。❷ 谦辞,对人称自己。

【鄙视】bǐshì 动 轻视;看不起:他向来~那些帮闲文人。

【鄙俗】bǐsú 形 粗俗;庸俗:言辞~。

【鄙夷】bǐyí 〈书〉动 轻视;看不起。

【鄙意】bǐyì 名 谦辞,称自己的意见。

bì（ㄅㄧˋ）

币（幣） bì 货币:硬~|银~|纸~|人民~。

【币市】bìshì 名 ❶ 买卖各种用于收藏的钱币的市场。❷ 指币市的行市。

【币值】bìzhí 名 货币的价值,即货币购买商品的能力。

【币制】bìzhì 名 货币制度,包括拿什么做货币和货币的单位,以及硬币的铸造,纸币的发行、流通等制度。

【币种】bìzhǒng 名 货币的种类。

必 bì ❶ 副 必定;必然:我明天三点钟~到|不战则已,战则~胜。❷ 副 必须;一定要:事~躬亲|事物的存在和发展,~有一定的条件。❸ (Bì)名 姓。

【必备】bìbèi 动 必须具备;必须备有:旅游~|~软件|~工具书。

【必得】bìděi 副 必须;一定要:捎信儿不行,~你亲自去一趟。

【必定】bìdìng ❶ 表示判断或推论的确凿和必然:他得到信儿,~会来|有全组同志的共同努力,这项任务~能完成。❷ 表示意志的坚决:你放心,后天我~来接你。

【必恭必敬】bì gōng bì jìng 见74页〖毕恭毕敬〗。

【必然】bìrán ❶ 形 属性词。事理上确定不移:~趋势|胜利~属于意志坚强的人。❷ 名 哲学上指不以人们意志为转移的客观发展规律:新事物代替旧事物是历史发展的~。

【必然王国】bìrán wángguó 哲学上指人在尚未认识和掌握客观世界规律之前,没有意志自由,行动受着必然性支配的境界。参看 1810 页〖自由王国〗。

【必然性】bìránxìng 图 指事物发展、变化中的不可避免和一定不移的趋势。必然性是由事物的本质决定的,认识事物的必然性就是认识事物的本质(跟"偶然性"相对)。

【必修】bìxiū 圈 属性词。学生依照学校规定必须学习的(区别于"选修"):～课程。

【必须】bìxū 副❶ 表示事理上和情理上必要;一定要:学习～刻苦钻研。❷ 加强命令语气:明天你～来。‖注意"必须"的否定是"无须"、"不须"或"不必"。

【必需】bìxū 圈 一定要有;不可少:日用品|煤铁等是发展工业所～的原料。

【必要】bìyào 圈 不可缺少;非这样不行:开展批评和自我批评是十分～的|为了集体的利益,～时可以牺牲个人的利益。

【必要产品】bìyào chǎnpǐn 由劳动者的必要劳动生产出来的产品(跟"剩余产品"相对)。

【必要劳动】bìyào láodòng 劳动者为了维持自己和家属的生活所必须付出的那一部分劳动(跟"剩余劳动"相对)。

【必由之路】bì yóu zhī lù 指前往某处必定要经过的道路,多用于比喻:信息化是企业现代化的～。

毕(畢) bì ❶ 完结;完成:礼～|～其功于一役。❷〈书〉全;完全:～生|～力|群贤～至。❸ 二十八宿之一。❹ (Bì)图 姓。

【毕恭毕敬】(必恭必敬)bì gōng bì jìng 十分恭敬。

【毕竟】bìjìng 副 表示追根究底所得的结论,强调事实或原因:这部书虽然有缺页,～是珍本|孩子～小,不懂事。

【毕露】bìlù 囷 完全暴露:原形～|凶相～。

【毕命】bìmìng〈书〉囷 结束生命(多指横死):饮弹～。

【毕生】bìshēng 图 一生;终生:～的精力|～为民族解放事业而奋斗。

【毕肖】bìxiào 囷 完全相像:神态～。

【毕业】bì//yè 囷 在学校或训练班学习期满,达到规定的要求,结束学习:大学～|他的学习成绩太差,毕不了业。

闭(閉) bì ❶ 囷 关;合:～门|～目养神|把嘴～上。❷ 堵塞不

通:～气|～塞。❸ 结束;停止:～会|～经。❹ (Bì)图 姓。

【闭关】bìguān 囷❶ 闭塞关口,比喻不跟外界往来:～政策。❷ 佛教用语,指僧人独居一处,静修佛法,不与任何人交往,满一定期限才外出。

【闭关锁国】bì guān suǒ guó 闭塞关口,封锁国境,不跟外国往来。

【闭关自守】bì guān zì shǒu 闭塞关口,不跟别国往来。也比喻不跟外界交往。

【闭合】bìhé 囷 首尾相连,封闭;合上:～循环系统|老人轻轻地～上双眼。

【闭会】bìhuì 囷 会议结束。

【闭架】bìjià 囷 指由读者填写借书条交图书管理员到书架上取书,交给读者阅览:～借阅。

【闭经】bìjīng 囷 妇女年满 18 岁而没有来月经或因疾病、精神刺激、生活环境改变等原因月经停止三个月以上,叫做闭经。

【闭卷】bìjuàn(～儿)囷 一种考试方法,参加考试的人答题时不能查阅有关资料(区别于"开卷")。

【闭口】bìkǒu 囷 合上嘴不讲话,也比喻不发表意见:～不言。

【闭口韵】bìkǒuyùn 图 以双唇音 m 或 b 收尾的韵母。普通话没有闭口韵。

【闭路电视】bìlù-diànshì 图像信号只在有限的区域内通过电缆或光缆传送的电视系统。广泛应用于工业、教育、医学、科学研究等方面。

【闭门羹】bìméngēng 图 见 179 页〖吃闭门羹〗。

【闭门思过】bì mén sī guò 关上房门,独自反省过错。多指独自进行自我反省。

【闭门造车】bì mén zào chē 关上门造车,比喻只凭主观办事,不管客观实际。

【闭目塞听】bì mù sè tīng 闭着眼睛,堵住耳朵,形容对外界事物不闻不问或不了解。

【闭幕】bì//mù 囷❶ 一场演出、一个节目或一幕戏结束时闭上舞台前的幕。❷(会议、展览会等)结束:～词|运动会胜利～。

【闭气】bì//qì 囷❶ 呼吸微弱,失去知觉:跌了一跤,闭住气了。❷ 有意地暂时抑止呼吸:～凝神|护士放轻脚步闭住气走到病人床前。

【闭塞】 bìsè ❶ 动 堵塞：管道～。❷ 形 交通不便；偏僻，风气不开：他住在偏远的山区,那里十分～。❸ 形 消息不灵通：老人久不出门,～得很。

【闭市】 bì∥shì 动 商店、市场等停止营业。

【闭锁】 bìsuǒ 动 ❶ 自然科学上指某个系统与外界隔绝,不相联系：计算机～技术。❷ 医学上指瓣膜、管状组织等严密合拢：胆道～。❸ 泛指封闭,与外界隔绝：心理～。

【闭月羞花】 bì yuè xiū huā 使月亮躲藏,使花朵害羞,形容女子容貌非常美丽。也说羞花闭月。

庇 bì 遮蔽；掩护：包～｜～护。

【庇护】 bìhù 动 袒护；保护：～坏人｜～权。

【庇护权】 bìhùquán 名 国家对于因政治原因而来避难的外国人给以居留的权利。

【庇护所】 bìhùsuǒ 名 保护人或动物等使其不受侵害的处所：流浪动物～。

【庇荫】 bìyìn 〈书〉动 ❶ (树木)遮住阳光。❷ 比喻尊长照顾或祖宗保佑。

【庇佑】 bìyòu 〈书〉动 保佑：神明～。

邲 Bì ❶ 古地名,在今河南荥阳东北。❷ 名 姓。

诐(詖) bì 〈书〉❶ 辩论。❷ 不正：～辞(邪僻的言论)。

苾 bì 〈书〉❶ 芳香。❷ (Bì)名 姓。

畀 bì 〈书〉给；给以：～以重任｜投～豺虎。

閟(閟) bì 〈书〉❶ 闭门；闭。❷ 谨慎。

泌 bì ❶ 泌阳(Bìyáng),地名,在河南。❷ (Bì)名 姓。
另见 941 页 mì。

駜(駜) bì 〈书〉马肥壮的样子。

瑂(璀) bì 〈书〉刀鞘下端的饰物。

贲(賁) bì 〈书〉装饰得很美的样子。
另见 63 页 bēn。

荜¹(蓽) bì 同"筚"。

荜²(蓽) bì 见下。

【荜拨】 bìbō 名 多年生藤本植物,叶卵状心形,雌雄异株,浆果卵形。果穗可入药。

【荜路蓝缕】 bì lù lán lǚ 同"筚路蓝缕"。

秘 bì 〈书〉戈戟等兵器的柄。

毖 bì 〈书〉谨慎小心：惩前～后。

哔(嗶) bì [哔叽](bìjī)名 密度比较小的斜纹的毛织品。[法 beige]

铧(韠) bì [铧锣](bìluó)名 古代的一种食品。

陛 bì 〈书〉宫殿的台阶：石～。

【陛下】 bìxià 名 对君主的尊称。

鞑(韠) bì 古代朝服的蔽膝。

毙(斃) bì ❶ 死(用于人时多含贬义)：～命｜击～｜牲畜倒～。❷ 〈口〉动 枪毙：昨天～了一个抢劫杀人犯。❸ 〈书〉仆倒：多行不义必自～。

【毙命】 bìmìng 动 丧命(含贬义)。

【毙伤】 bìshāng 动 打死和打伤：～敌军五十余人。

铋(鉍) bì 名 金属元素,符号 Bi (bismuthum)。银白色或带粉红色,质软,不纯ときは脆,凝固时有膨胀现象。用来制低熔合金,也用于核工业和医药工业等方面。

秘(祕) bì ❶ 译音用字,如秘鲁(国名,在南美洲)。❷ (Bì)名 姓。
另见 941 页 mì。

狴 bì [狴犴](bì'àn)〈书〉名 ❶ 传说中的一种走兽,古代常把它的形象画在牢狱的门上。❷ 借指监狱。

萆 bì 同"薜"。

【萆薢】 bìxiè 名 多年生藤本植物,叶略呈心脏形,根状茎横生,圆柱形,表面黄褐色,可入药。

椑 bì [椑柜](bìhù)名 古代官署前拦住行人的东西,用木条交叉制成。

庳 bì 〈书〉❶ 低洼：陂塘污～。❷ 矮：宫室卑～(房屋低矮)。

敝 bì ❶ 〈书〉破旧；破烂：～衣｜舌～唇焦。❷ 谦辞,用于跟自己有关的事物：～姓｜～处｜～校。❸ 〈书〉衰败：凋～｜经久不～。

【敝人】 bìrén 名 对人谦称自己。

【敝屣】bìxǐ 〈书〉名 破旧的鞋,比喻没有价值的东西:视功名若～。

【敝帚千金】bì zhǒu qiān jīn 敝帚自珍。

【敝帚自珍】bì zhǒu zì zhēn 破扫帚,自己当宝贝爱惜,比喻东西虽不好,可是自己珍视。也说敝帚千金。

婢

【婢女】bìnǚ 名 旧时有钱人家雇用的女孩子。

皕

bì 〈书〉数 二百。

赑(贔)

bì [赑屃](bìxì)〈书〉❶ 形 用力的样子。❷ 名 传说中的一种动物,像龟。旧时大石碑的石座多雕刻成赑屃形状。

笓(篦)

bì 〈书〉用荆条、竹子等编成的篱笆或其他遮拦物。

【笓篥】bìlì 同"觱篥"。

【笓路蓝缕】bì lù lán lǚ 《左传·宣公十二年》:"笓路蓝缕,以启山林。"意思是说驾着柴车,穿着破旧的衣服去开辟山林(笓路:柴车;蓝缕:破衣服)。形容创业的艰苦。也作荜路蓝缕。

湢

bì 〈书〉浴室。

愊

bì [愊忆](bìyì)〈书〉形 烦闷。也作腷臆。

愎

bì 〈书〉乖戾;执拗:刚～自用。

弼(弼)

bì 〈书〉辅助:辅～。

蓖

bì [蓖麻](bìmá)名 一年生或多年生草本植物,叶子大,掌状分裂。种子叫蓖麻子,榨的油叫蓖麻油,医药上做泻药,工业上做润滑油。也叫大麻子(dàmázǐ)。

跸(蹕)

bì 〈书〉帝王出行时,开路清道,禁止通行;泛指跟帝王行止有关的事情:驻～(帝王出行时沿途停留暂住)。

腷

bì [腷臆](bìyì)同"愊忆"。

痹(痹)

bì 痹症:风～|寒～|湿～。

【痹症】bìzhèng 名 中医指由风、寒、湿等引起的肢体疼痛或麻木的病。

煏

bì 〈方〉动 用火烘干。

滗(潷)

bì 动 挡住渣滓或泡着的东西,把液体倒出:～汤药|把汤～出去。

裨

bì 〈书〉益处:～益|无～于事(对事情没有益处)。
另见 1039 页 pí。

【裨益】bìyì 〈书〉❶ 名 益处:学习先进经验,对于改进工作,大有～。❷ 动 使受益:植树造林是～当代、造福子孙的大事。

辟

辟¹ bì 〈书〉君主:复～。❷ (Bì)名 姓。

辟² bì 〈书〉❶ 排除:～邪。❷ 同"避"。

辟³ bì 〈书〉帝王召见并授予官职:～举(征召和荐举)。
另见 1036 页 pī;1040 页 pì。

【辟谷】bìgǔ 动 不吃五谷,方士道家当做修炼成仙的一种方法。

【辟邪】bì∥xié 动 避免或驱除邪祟。一般用作迷信语,表示降伏妖魔鬼怪使不侵扰人的意思。

【辟易】bìyì 〈书〉动 退避(多指受惊吓后控制不住而离开原地):～道侧|人马俱惊,～数里。

碧

bì ❶〈书〉青绿色的玉石。❷ 青绿色:～草|澄～。❸ (Bì)名 姓。

【碧波】bìbō 名 碧绿色的水波:～荡漾|～万顷。

【碧空】bìkōng 名 青蓝色的天空:～如洗。

【碧蓝】bìlán 形 状态词。青蓝色:～的大海|天空～～的。

【碧绿】bìlǜ 形 状态词。青绿色:～的荷叶|田野一片～。

【碧螺春】bìluóchūn 名 绿茶的一种,蜷曲呈螺状,产于太湖洞庭山。

【碧落】bìluò 名 天空。

【碧血】bìxuè 名《庄子·外物》:"苌弘死于蜀,藏其血,三年而化为碧。"后多用"碧血"指为正义事业而流的血:～丹心。

【碧油油】bìyóuyóu (口语中也读 bìyōuyōu)(～的)形 状态词。绿油油的:～的麦苗。

【碧玉】bìyù 名 绿色或暗绿色的软玉。

蔽

bì 遮盖;挡住:掩～|遮～|衣不～体|浮云～日。

【蔽芾】bìfèi〈书〉形形容树干树叶细小。

【蔽塞】bìsè ❶〈书〉动堵塞；壅塞。❷形不开通；闭塞。

【蔽障】bìzhàng ❶动遮蔽；阻挡：浓雾～了视线|防护林～住风沙。❷名起遮蔽或阻挡作用的东西：越过～|清除～。

秘 bì [秘鲁](bìbó)〈书〉形形容香气很浓。

算 bì [算子](bì·zi)名有空隙而能起间隔作用的器具，如蒸食物用的竹箅子，下水道口上挡住垃圾的铁箅子等。

弊 bì ❶名欺诈蒙骗、图占便宜的行为：作～|营私舞～。❷名害处；毛病（跟"利"相对）：兴利除～|切中时～。

【弊病】bìbìng名❶弊端；管理混乱，恐有～。❷缺点或毛病：制度不健全的～越来越突出了。

【弊端】bìduān名由于工作上有漏洞而发生的损害公益的事情：消除～。

【弊害】bìhài名弊病；害处。

【弊绝风清】bì jué fēng qīng 形容社会风气好，没有贪污舞弊等坏事情。也说风清弊绝。

【弊政】bìzhèng〈书〉名有害的政治措施：抨击～|革除～。

髲 bì〈书〉假发。

斃 bì〈书〉同"毙"。

薜 bì ❶[薜荔](bìlì)名常绿藤本植物，茎蔓生，叶子卵形。果实球形，可做凉粉，茎叶可入药。❷(Bì)名姓。

觱 bì [觱篥](bìlì)名古代管乐器，用竹做管、用芦苇做嘴，汉代从西域传入。也作筚篥、觱篥、笪篥。

篦 bì 动用篦子梳：～头。

【篦子】bì·zi名用竹子制成的梳头用具，中间有梁儿，两侧有密齿。

壁 bì ❶名墙：～报|～灯|家徒四～◇铜墙铁～。❷名某些物体上作用像围墙的部分：井～|锅炉～|细胞～。❸名像墙那样直立的山石：绝～|峭～。❹名壁垒：坚～清野。❺名二十八宿之一。

【壁报】bìbào名机关、团体、学校等办的报，把稿子张贴在墙壁上。也叫墙报。

【壁布】bìbù名贴在室内墙上做装饰或保护用的布。

【壁橱】bìchú名墙体上留出空间而成的橱。也叫壁柜。

【壁灯】bìdēng名装置在墙壁上的灯：一盏～。

【壁挂】bìguà名挂在墙壁上的装饰物：毛织～|印染～|木雕～。

【壁柜】bìguì名壁橱。

【壁虎】bìhǔ名爬行动物，身体扁平，四肢短、趾端扩展，有黏附能力，能在壁上爬行。吃蚊、蝇、蛾等小昆虫，对人类有益。也叫蝎虎。旧称守宫。

【壁画】bìhuà名绘在建筑物的墙壁或天花板上的图画：敦煌～。

【壁垒】bìlěi名❶古时军营的围墙，泛指防御工事。❷比喻对立的事物和界限：两种观点～分明|唯物主义和唯心主义是哲学中的两大～。

【壁垒森严】bìlěi sēnyán 比喻防守很严密或界限划得很分明。

【壁立】bìlì动（山崖等）像墙壁一样陡立：～千仞|～的山峰。

【壁炉】bìlú名就着墙壁砌成的生火取暖的设备，有烟囱通到室外。

【壁球】bìqiú名❶球类运动项目之一。场地一端是一面墙，比赛时一方向墙击球，球弹回落地后由另一方回击。分单打和双打。也叫壁式网球。❷壁球运动使用的球，用纯橡胶或合成橡胶制成。

【壁上观】bìshàngguān 见1826页[作壁上观]。

【壁虱】bìshī名❶蜱(pí)。❷〈方〉臭虫。

【壁式网球】bìshì wǎngqiú 壁球①。

【壁饰】bìshì名墙壁上的装饰物。

【壁毯】bìtǎn名毛织壁挂。也叫挂毯。

【壁厢】bìxiāng名边；旁（多见于早期白话）：这～|那～。

【壁障】bìzhàng名像墙壁的障碍物，多用于比喻：消除双方之间的思想～。

【壁纸】bìzhǐ名贴在室内墙上做装饰或保护用的纸。也叫墙纸。

【壁钟】bìzhōng名挂钟。

避 bì动❶躲开；回避：退～|～而不谈|～一会儿雨。❷防止：～孕|～雷针。

【避风】bì//fēng动❶躲避风：找个～的地方休息休息。❷比喻避开不利的势头。

也说避风头。

【避风港】bìfēnggǎng 图供船只躲避大风浪的港湾,比喻可以躲避激烈斗争的地方。

【避风头】bì fēng·tou 避风②。

【避讳】bìhuì 劻封建时代为了维护等级制度的尊严,说话写文章时遇到君主或尊亲的名字都不直接说出或写出,叫做避讳。

【避讳】bì·hui ❶不愿说出或听到某些会引起不愉快的字眼儿:旧时迷信,行船的人~"翻"、"沉"等字眼儿。❷回避:都是自己人,用不着~。

【避忌】bìjì 劻避讳(bì·hui)。

【避坑落井】bì kēng luò jǐng 躲过了坑,却掉进了井里,比喻避开一害,又遇另一害。

【避雷器】bìléiqì 图保护电气设备避免雷击的装置,通常装在被保护设备附近,原理和避雷针相同。

【避雷针】bìléizhēn 图保护建筑物等避免雷击的装置。在高大建筑物顶端安装一个金属棒,用金属线与埋在地下的金属板连接起来,通过金属棒和金属线,将云层所带的电引入地下。

【避免】bìmiǎn 劻设法不使某种情形发生;防止:~冲突|看问题要客观、全面,~主观、片面。

【避难】bì//nàn 劻躲避灾难或迫害:~所。

【避让】bìràng 劻躲避;让开:~道旁。

【避世】bìshì 劻脱离现实生活,避免和外界接触:~绝俗。

【避暑】bì//shǔ 劻❶天气炎热的时候到凉爽的地方去住:~胜地|夏天到北戴河~。❷避免中暑:天气太热,吃点药避暑。

【避税】bìshuì 劻纳税人在不违反税法的前提下规避纳税的行为。

【避嫌】bì//xián 劻避开嫌疑。

【避邪】bìxié 劻迷信的人指用符咒等避免邪祟。

【避孕】bì//yùn 劻通过工具(避孕套、阴道隔膜、子宫环等)或药物阻止精子和卵子相结合,或使受精卵不能在子宫内发育,以不受孕。

【避孕套】bìyùntào 图避孕工具,圆筒状薄膜套,用天然乳胶制成。也叫安全套。

【避重就轻】bì zhòng jiù qīng 避开重要的而拣次要的来承担,也指回避主要的问题,只谈无关重要的方面。

嬖 bì 〈书〉❶宠爱:~爱|~昵。❷受宠爱:~臣|~妾。❸受宠爱的人。

髀 bì 〈书〉大腿,也指大腿骨:抚~长叹。

【髀肉复生】bì ròu fù shēng 因为长久不骑马,大腿上的肉又长起来了,形容长久安逸,无所作为。

漾 bì 漾漾(Yàngbì),地名,在云南。

臂 bì 图胳膊:左~|力振~高呼。另见 62 页 •bei。

【臂膀】bìbǎng 图❶胳膊。❷比喻助手。

【臂膊】bìbó 〈方〉图胳膊。

【臂力】bìlì 图臂部的力量。

【臂章】bìzhāng 图佩戴在衣袖(一般为左袖)上臂部分表示身份或职务的标志。

【臂助】bìzhù 〈书〉❶劻帮助:屡承~,不胜感激。❷图助手:收为~。

奰 bì 〈书〉❶怒。❷壮大。

璧 bì 古代的一种玉器,扁平,圆形,中间有小孔:白~无瑕。

【璧还】bìhuán 劻敬辞,用于归还原物或辞谢赠品:所借图书,不日~。

【璧谢】bìxiè 〈书〉劻敬辞,退还原物并且表示感谢(多用于辞谢赠品)。

襞 bì ❶〈书〉衣服上打的褶子,泛指衣服的皱纹:皱~。❷肠、胃等内部器官上的褶子:胃~。

躄 bì 同"躄"。

躄 bì 〈书〉❶仆倒。❷腿瘸(qué)。

籓 bì [籓篥](bìlì)同"觱篥"。

biān(ㄅㄧㄢ)

边(邊) biān ❶图几何图形上夹成角的射线或围成多边形的线段。❷(~儿)图边缘①:海~|村~|田~|马路~儿。❸(~儿)图镶在或画在边缘上的条状装饰:花~儿|金~儿|裙子下摆

B

加个～儿。❹ 图 边界;边境:～疆|～防|戍～。❺ 图 界限:～际|一望无～。❻ 靠近物体的地方:旁～|身～。❼ 图 方面:双～会谈|这一～那一～都说好了。❽ 图 用在时间词或数词后,表示接近某个时间或某个数目:冬至～上下了一场大雪|活到六十～上还没有见过这种事。❾ 圖 两个或几个"边"字分别用在动词前面,表示动作同时进行:～干～学|～收件、～打包,～托运。❿ (Biān)图 姓。

【边】(邊) •bian (～儿)方位词后缀:前～|里～|东～|左～。

【边岸】biān'àn 图 水边的陆地;边际:湖水茫茫,不见～。

【边鄙】biānbǐ 〈书〉图 边远的地方。

【边城】biānchéng 图 靠近国界的或边远的城市。

【边陲】biānchuí 图 边境:～重镇。

【边地】biāndì 图 边远的地区。

【边防】biānfáng 图 边境地区布置的防务:～部队。

【边锋】biānfēng 图 足球、冰球等球类比赛中担任边线助攻的队员。

【边幅】biānfú 图 布帛的边缘,比喻人的仪表、衣着:不修～。

【边关】biānguān 图 边境上的关口:镇守～。

【边患】biānhuàn 〈书〉图 边疆被侵扰而造成的祸害:～频仍。

【边际】biānjì 图 边缘;界限(多指地区或空间):一片绿油油的庄稼,望不到～|汪洋大海,漫无～。

【边疆】biānjiāng 图 靠近国界的领土。

【边角料】biānjiǎoliào 图 制作物品时,切割、裁剪下来的零碎材料。

【边界】biānjiè 图 地区和地区之间的界线(多指国界,有时也指省界、县界):～线|越过～。

【边境】biānjìng 图 靠近边界的地方。

【边境贸易】biānjìng màoyì 相邻国家的贸易组织或边境居民在两国接壤地区进行的贸易活动。简称边贸。

【边款】biānkuǎn 图 刻在印章侧面或上端的文字、图案等。

【边框】biānkuàng (～儿)图 挂屏、镜子等扁平物的框子。

【边贸】biānmào 图 边境贸易的简称。

【边门】biānmén 图 旁门。

【边民】biānmín 图 边界一带的居民。

【边卡】biānqiǎ 图 边界上的哨所或关卡。

【边区】biānqū 图 我国国内革命战争及抗日战争时期,共产党领导的革命政权在几个省连接的边缘地带建立的根据地,如陕甘宁边区、晋察冀边区等。

【边塞】biānsài 图 边疆地区的要塞。

【边式】biān•shi 〈方〉图 ❶(装束、体态)漂亮俏皮。❷ 戏曲演员的表演动作潇洒利落:他扮演的关羽,动作～,嗓音洪亮。

【边事】biānshì 〈书〉图 与边境有关的事务,特指边防军情:～紧急。

【边务】biānwù 图 与边境有关的事务,特指边防事务。

【边线】biānxiàn 图 足球、篮球、羽毛球等运动场地两边的界线。

【边沿】biānyán 图 边缘①:～地带。

【边音】biānyīn 图 口腔中间通路阻塞,气流从舌头的两边通过而发出的辅音。如普通话语音的l。

【边缘】biānyuán ❶图 沿边的部分:～地区◇处于破产的～。❷形 属性词。靠近界线的;同两方面或多方面有关系的:～学科。

【边缘化】biānyuánhuà 圖 使靠近边缘;使处于不重要的地位;在国际政治中,要防止一些发展中国家被～。

【边缘科学】biānyuán kēxué 以两种或多种学科为基础而发展起来的科学。如以地质学和化学为基础的地球化学,以物理学和生物学为基础的生物物理学等。

【边远】biānyuǎn 形 属性词。靠近国界的;远离中心区的:～地区|～县份。

【边寨】biānzhài 图 边境地区的寨子。

砭 biān ❶ 砭石。❷ 古代用石针扎皮肉治病:针～◇寒风～骨|～痛一时弊。

【砭骨】biāngǔ 圖 刺入骨髓,形容使人感觉非常冷或疼痛非常剧烈:朔风～|奇痛～。

【砭石】biānshí 图 古代治病用的石针或石片。

笾(籩) biān 古代祭祀或宴会时盛果实、干肉等的竹器。

萹 biān [萹蓄](biānxù)图 一年生草本植物,叶子互生,椭圆形或披针形,花小,绿白色或红色。全草入药。

另见 82 页 biǎn。

编(編)

biān ❶ 动 把细长条状的东西交叉组织起来：～筐 | ～辫子 | ～草帽。❷ 动 把分散的事物按照一定的条理组织起来或按一定的顺序排列起来：～组 | ～队 | ～号。❸ 动 编辑：～报 | ～杂志。❹ 动 创作(歌词、剧本等)：～歌 | ～话剧 | ～了个曲儿。❺ 动 捏造：瞎～ | ～派 | ～瞎话。❻ 名 成本的书(常用于书名)：正～ | 续～ | 人手一～《故事新～》。❼ 量 书籍按内容划分的单位，大于"章"：上～ | 中～ | 下～。❽ 编制③：在～ | 超～ | 外～。❾ (Biān) 名 姓。

【编程】**biānchéng** 动 编制计算机程序。

【编创】**biānchuàng** 动 编写创作；编排创作：～人员 | ～舞蹈。

【编次】**biāncì** ❶ 动 按一定的次序编排。❷ 名 编排的次序：打乱～。

【编导】**biāndǎo** ❶ 动 编剧和导演：～人员 | 这两年，他～了几部新戏。❷ 名 做编剧和导演工作的人。

【编订】**biāndìng** 动 编纂校订：～《唐宋传奇集》。

【编队】**biān∥duì** 动 ❶ 把分散的人、运输工具等编成一定顺序或某种组织形式。❷ 军事上指飞机、军舰等按一定要求组成战斗单位。

【编发】**biānfā** 动 编辑发排；编辑发布：～诗稿 | ～会议简报。

【编号】**biānhào** ❶ (－//－) 动 按顺序编号数：新书尚待～ | 新买的图书编上号以后才能上架出借。❷ 名 编定的号数：请把这本书的～填在借书单上。

【编绘】**biānhuì** 动 编辑绘制：～连环画。

【编辑】**biānjí** ❶ 动 对资料或现成的作品进行整理、加工：～部 | ～工作。❷ 名 做编辑工作的人。

【编校】**biānjiào** 动 编辑和校订：～古籍 | 提高书刊的～质量。

【编结】**biānjié** 动 编①：～毛衣 | ～渔网。

【编剧】**biānjù** ❶ (－//－) 动 编写剧本。❷ 名 编写剧本的人。

【编列】**biānliè** 动 ❶ 编排：他把文章辑在一起，～成书。❷ 制定规程、计划等，安排有关项目。

【编录】**biānlù** 动 摘录并编辑：～资料 | 该

书～严谨。

【编码】**biānmǎ** ❶ (－//－) 动 用预先规定的方法将文字、数字或其他对象编成代码，或将信息、数据转换成规定的电脉冲信号。广泛使用在计算机、电视、遥控和通信等方面。❷ 名 用预先规定的方法编成的代码；由信息、数据转换成的规定的电脉冲信号：邮政～。

【编目】**biānmù** ❶ (－//－) 动 编制目录：新购图书尚未～ | 本馆编了目的图书已有十万种。❷ 名 编制成的目录：图书～。

【编内】**biānnèi** 形 属性词。(军队、机关、企业等)编制以内的：～职工。

【编年】**biānnián** 动 按史实发生或文章写作的年、月、日顺序编排：～史 | ～文集。

【编年体】**biānniántǐ** 名 我国传统史书的一种体裁，按年、月、日编排史实。如《春秋》《资治通鉴》等就是编年体史书。

【编排】**biānpái** 动 ❶ 按照一定的次序排列先后：课文的～应由浅入深。❷ 编写剧本并排演：～戏剧小品。

【编派】**biān·pai** 〈方〉夸大或捏造别人的缺点或过失；编造情节来取笑。

【编遣】**biānqiǎn** 动 改编并遣散编余人员。

【编磬】**biānqìng** 名 古代打击乐器，在木架上悬挂一组音调高低不同的石制的磬，用小木槌敲打奏乐。

【编审】**biānshěn** ❶ 动 编辑和审定：～稿件。❷ 名 做编审工作的人。

【编外】**biānwài** 形 属性词。(军队、机关、企业等)编制以外的：～人员。

【编写】**biānxiě** 动 ❶ 就现成的材料加以整理，写成书或文章：～教科书。❷ 创作：～剧本。

【编修】**biānxiū** 〈书〉❶ 动 编纂(多指大型图书)：～国史 | ～《四库全书》。❷ 名 古代官名，负责编纂国史等书籍。

【编选】**biānxuǎn** 动 从资料或文章中选取一部分加以编辑：～教材 | ～摄影作品。

【编演】**biānyǎn** 动 创作和演出(戏曲、舞蹈等)：～文艺节目。

【编译】**biānyì** ❶ 动 编辑和翻译。❷ 名 做编译工作的人。

【编余】**biānyú** 形 属性词。(军队、机关、企业等)整编后多余的：～人员。

【编造】**biānzào** 动 ❶ 把资料组织排列起

来(多指报表等)：～名册|～预算。❷ 凭想象创造(故事)：《山海经》里有不少古人～的神话。❸ 捏造：～谎言。

【编者】biānzhě 图 编写的人；做编辑工作的人。

【编者按】(编者案) biānzhě·àn 图 编辑人员对文章或消息所加的意见、评论等，常常放在文章或消息的前面。

【编织】biānzhī 团 把细长的东西互相交错或钩连而组织起来：～毛衣◇根据民间传说～成一篇美丽的童话。

【编制】biānzhì ❶ 团 把细长的东西交叉组织起来，制成器物：用柳条～的筐子。❷ 团 根据资料做出(规程、方案、计划等)：～教学方案。❸ 图 组织机构的设置及其人员数量的定额和职务的分配：扩大～。

【编钟】biānzhōng 图 古代打击乐器，在木架上悬挂一组音调高低不同的铜钟，用小木槌敲打奏乐。

【编著】biānzhù 团 编写；著述：～历史教材。

【编撰】biānzhuàn 团 编纂；撰写：～书籍。

【编缀】biānzhuì 团 ❶ 把材料交叉组织成器物；编结：～花环。❷ 将有关的资料、文章等收集起来编成书；编缀：～成书。

【编组】biān∥zǔ 团 把分散的人、交通工具等安排成一定形式的单位或单元。

【编纂】biānzuǎn 团 编辑(多指资料较多、篇幅较大的著作)：～词典|～百科全书。

煸 biān 团 烹调方法，把菜、肉等放在热油里炒：～锅|～牛肉丝。

蝙 biān [蝙蝠](biānfú) 图 哺乳动物，头部和躯干像老鼠，四肢和尾部之间有皮质的膜，夜间在空中飞翔，吃蚊、蛾等昆虫。视力很弱，靠本身发出的超声波来引导飞行。

箯 biān [箯舆](biānyú) 图 古代的一种竹轿。

鳊(鯾、鯿) biān 图 鳊鱼，身体侧扁，头小而尖，鳞较细。生活在淡水中。

鞭 biān ❶ 图 鞭子；扬～|快马加～。❷ 图 古代兵器，用铁做成，有节，没有锋刃：钢～|竹节～。❸ 图 形状细长类似鞭子的东西：教～|竹～。❹ 图 供食用或药用的某些雄兽的阴茎：鹿～|牛～。❺ 图 成串

的小爆竹，放起来响声连续不断：一挂～|放～。❻〈书〉鞭打：～马|掘墓～尸。

【鞭策】biāncè 团 用鞭和策赶马，比喻督促：要经常～自己，努力学习。

【鞭长莫及】biān cháng mò jí 《左传·宣公十五年》："虽鞭之长，不及马腹。"原来是说虽然鞭子长，但是不应该打到马肚子上，后来借指力量达不到。

【鞭笞】biānchī〈书〉团 用鞭子或板子打。

【鞭打】biāndǎ 团 用鞭子打。

【鞭打快牛】biāndǎ kuàiniú 用鞭子抽打跑得快的牛，比喻对先进的单位或个人进一步增加任务或提出过高的要求。

【鞭毛】biānmáo 图 原生质伸出细胞外形成的鞭状物，一条或多条，有运动、摄食等作用。鞭毛虫以及各种动植物的精子等都有鞭毛。

【鞭炮】biānpào 图 ❶ 大小爆竹的统称。❷ 专指成串的小爆竹。

【鞭辟入里】biān pì rù lǐ 形容能透彻说明问题，深中要害(里：里头)。也说鞭辟近里。

【鞭挞】biāntà 团 鞭打，比喻抨击：这部作品对社会的丑恶现象进行了无情的揭露和～。

【鞭子】biān·zi 图 赶牲畜的用具：马～。

biǎn （ㄅㄧㄢˇ）

贬(貶) biǎn 团 ❶ 降低(封建时代多指官职，现代多指价值)：～黜|～值|他曾被朝廷～到边远地区做官。❷ 指出缺点，给予不好的评价(跟"褒"相对)：他被～得一无是处。

【贬称】biǎnchēng ❶ 团 用含有贬义的言辞来称呼：过去民间把彗星～为"灾星"。❷ 图 含有贬义的称呼。

【贬斥】biǎnchì ❶〈书〉团 降低官职。❷ 贬低并排斥或斥责。

【贬黜】biǎnchù〈书〉团 贬斥①；黜退。

【贬词】biǎncí 图 贬义词。

【贬低】biǎndī 团 故意降低对人或事物的评价：～人格|对这部电影任意～或拔高都是不客观的。

【贬官】biǎnguān ❶ 团 降低官职；因失职

而被～。❷ 名 被降职的官吏。

【贬损】biǎnsǔn 动 贬低：不能～别人，抬
高自己。

【贬义】biǎnyì 名 字句里含有的不赞成的
意思或坏的意思：～词|这句话没有～。

【贬义词】biǎnyìcí 名 含有贬义的词，如
"阴谋"、"叫嚣"、"顽固"等。也叫贬词。

【贬抑】biǎnyì 动 贬低并压抑：人格受到
～。

【贬责】biǎnzé 动 指出过失，加以批评；责
备：横加～|不待一而深刻自省。

【贬谪】biǎnzhé 动 封建时代指官吏降职，
被派到远离京城的地方。

【贬值】biǎnzhí 动 ❶ 货币购买力下降。
❷ 降低本国单位货币的含金量或降低本
国货币对外币的比价，叫做贬值。❸ 泛
指价值降低：商品～。

【贬职】biǎnzhí〈书〉降职。

窆 biǎn〈书〉埋葬。

扁 biǎn ❶ 形 图形或字体上下的距离
比左右的距离小；物体的厚度比长度、
宽度小：～圆|～体字|～盒子|馒头压～了
◇别把人看～了(不要小看人)。❷ (Biǎn)
名 姓。

另见 1041 页 piān。

【扁柏】biǎnbǎi 名 常绿乔木，叶子像鳞
片，果实呈球形。木材可做建筑材料和器
物。

【扁担】biǎn·dan 名 放在肩上挑东西或抬
东西的工具，用竹子或木头制成，扁而长。

【扁担星】biǎn·danxīng 名 牛郎星和它附
近两颗小星的俗称。民间传说小星是牛郎
的两个孩子，牛郎挑着他们去见他们的母
亲织女。

【扁豆】(萹豆、稨豆、藊豆) biǎndòu 名 ❶
一年生草本植物，茎蔓生，小叶披针形，花
白色或紫色，荚果长椭圆形，扁，微弯。
种子白色或紫黑色。嫩荚是常见蔬菜，种
子可人药。❷ 这种植物的荚果或种
子。

【扁骨】biǎngǔ 名 扁平的骨头，如胸骨、颅
骨中的顶骨等。

【扁率】biǎnlǜ 名 扁球体的半长轴 a 和半
短轴 b 之差与半长轴 a 的比值 $\dfrac{a-b}{a}$，用来
表示扁球体扁平的程度。

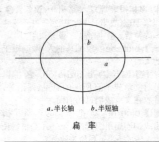

a. 半长轴　b. 半短轴

扁率

【扁平足】biǎnpíngzú 名 指足弓减低或塌
陷，脚心逐渐变成扁平的脚，也指这样的
脚病。也叫平足。

【扁食】biǎn·shi〈方〉名 饺子或馄饨。

【扁桃】biǎntáo 名 ❶ 落叶乔木，树皮灰
色，叶披针形，花粉红色，果实卵圆形，光
滑，易破裂。果仁可以吃，也可入药。❷
这种植物的果实。‖也叫巴旦杏。❸
〈方〉蟠(pán)桃①。

【扁桃体】biǎntáotǐ 名 分布在上呼吸道内
的一些类似淋巴结的组织。通常指咽腭
部的扁桃体，左右各一，形状像扁桃。旧
称扁桃腺。

【扁桃腺】biǎntáoxiàn 名 扁桃体的旧称。

【扁形动物】biǎnxíng dòngwù 无脊椎动
物的一门，身体呈扁形，左右对称。多为
雌雄同体，如绦虫，有的雌雄异体，如血吸
虫。

【扁圆】biǎnyuán 名 ❶ 椭圆。❷ 指圆形
而厚度较小的立体形状：～食品盒。

匾 biǎn 名 ❶ 上面题着作为标记或表
示赞扬文字的长方形木牌(也有用绸
布做成的)：横～|绣金～|门上挂着一块
～。❷ 用竹篾编成的器具，圆形平底，边
框很浅，用来养蚕或盛粮食。

【匾额】biǎn'é 名 匾①。

【匾文】biǎnwén 名 题在匾额上的文字。

篇 biǎn 见 82 页【扁豆】(萹豆)。

另见 79 页 biān。

褊 biǎn〈书〉(心胸)狭窄：～心。

碥 biǎn ❶ 在水旁斜着伸出来的山石。
❷ 山崖险峻地方的登山石级。

稨 biǎn 见 82 页【扁豆】(稨豆)。

B

褊
【褊急】biǎnjí 〈书〉形 气量狭小,性情急躁。
【褊狭】biǎnxiá 〈书〉形 狭小:土地~|气量~。

藕 biǎn 见82页〖扁豆〗(藕豆)。

biàn (ㄅㄧㄢ)

卞 biàn ❶〈书〉急躁:~急。❷(Biàn)名姓。

弁 biàn ❶古代男子戴的帽子。❷旧时称低级武职:武~|马~。❸(Biàn)名姓。
【弁言】biànyán 〈书〉名 序言;序文。

抃 biàn 〈书〉鼓掌,表示欢喜:~舞|~踊(鼓掌跳跃,形容非常高兴)。

苄 biàn[苄基](biànjī)名 甲苯分子中甲基上失去一个氢原子而成的一价基团($C_6H_5CH_2$—)。旧称苯甲基。

汴 Biàn 名 ❶河南开封的别称。❷姓。

忭 biàn 〈书〉欢喜;快乐:欢~|~跃(欢欣跳跃)。

变(變) biàn ❶动 和原来不同;变化;改变:情况~了|~了样儿。❷动 改变(性质、状态);变成:沙漠~良田|后进~先进。❸动 使改变:~废为宝|~农业国为工业国。❹ 能变化的;已变化的:~数|~态。❺ 变卖:~产。❻变通:通权达~。❼ 有重大影响的突然变化:事~|~乱。❽指变文:目连~。❾(Biàn)名姓。
【变本加厉】biàn běn jiā lì 变得比原来更加严重。
【变产】biàn//chǎn 动 变卖产业。
【变蛋】biàndàn〈方〉名 松花。
【变电站】biàndiànzhàn 名 改变电压、控制和分配电能的场所。主要设备有变压器、配电装置、控制设备等。规模小的称为变电所或配电室。
【变调】biàndiào 动 ❶ 字和字连起来说,有时发生字调和单说不同的现象,叫做变调。例如普通话语音中两个上声字相连时,第一个字变成阳平。❷ 转调。
【变动】biàndòng 动 ❶ 变化(多指社会现象):人事~|国际局势发生了很大的~。❷ 改变:任务~了|根据市场需要,~蔬菜种植计划。
【变法】biàn//fǎ 动 指历史上对国家的法令制度做重大的变革:~维新。
【变法儿】biàn//fǎr〈口〉动 想另外的办法;用各种办法:他变着法儿算计人|食堂里总是~把伙食搞得好一些。
【变革】biàngé 动 改变事物的本质(多指社会制度而言):~社会|伟大的历史~。
【变更】biàngēng 动 改变;变动:~原定赛程|修订版的内容有些~。
【变工】biàngōng 动 老解放区和20世纪50年代初期曾经施行过的农业劳动互助的简单形式,是农民相互调剂劳动力的方法,有人工换人工、牛工换牛工、人工换牛工等。
【变故】biàngù 名 意外发生的事情;灾难:不料他家竟然发生了~。
【变卦】biàn//guà 动 已定的事忽然改变(多含贬义):昨天说得好好的,今天怎么~了|别人一说,他就变了卦。
【变化】biànhuà 动 事物在形态上或本质上产生新的状况:化学~|~多端|形势~得很快。
【变幻】biànhuàn 动 不规则地改变:风云~|~莫测。
【变幻莫测】biànhuàn mò cè 变化多端,难以揣测。
【变换】biànhuàn 动 事物的一种形式或内容换成另一种:~位置|~手法。
【变价】biànjià 动 ❶ 把实物按照时价折合(出卖):~出售。❷ 改变价格:~处理。
【变节】biàn//jié 动 改变自己的节操,在敌人面前屈服:~分子|自首。
【变局】biànjú 名 变动的局势;非常的局面:采取紧急措施以应付~。
【变口】biànkǒu 动 北方曲艺表演中称运用各地方言为变口。
【变脸】biàn//liǎn 动 ❶ 翻脸:他一~,六亲不认|两个人为了一点儿小事变了脸。❷ 戏曲表演特技,表演时以快速的动作改变角色的脸色或面容,多用来表现人物的极度恐惧、愤怒等。

【变量】biànliàng 名 数值可以变化的量，如一天内的气温就是变量。

【变乱】biànluàn ❶ 名 战争或暴力行动所造成的混乱。❷〈书〉动 变更并使紊乱：～祖制｜～成法。

【变卖】biànmài 动 出卖财产什物，换取现款：～家产。

【变盘】biànpán 动 指证券市场的整体行情走势发生变化。

【变频】biànpín 动 指改变交流电频率：～空调。

【变迁】biànqiān 动 情况或阶段的变化转移：陵谷～｜人事～｜时代～。

【变色】biànsè 动 ❶ 改变颜色：～镜｜这种墨水不易～◇风云～（比喻时局变化）。❷ 改变脸色（多指发怒）：勃然～。

【变色镜】biànsèjìng 名 镜片能随光线强弱而变色的眼镜。

【变色龙】biànsèlóng 名 ❶ 脊椎动物，躯干稍扁，皮powder糙，四肢稍长，运动极慢。舌长，可舔食虫类。表皮下有多种色素块，能随时变成不同的保护色。❷ 比喻在政治上善于变化和伪装的人。

【变生肘腋】biàn shēng zhǒuyè 比喻事变发生在极近的地方。

【变声】biànshēng 动 男女在青春期嗓音变粗变低。通常男子比女子显著。

【变数】biànshù 名 ❶ 表示变量的数，如 $x^2 + y^2 = a^2$，$y = \sin x$ 中，x、y 都是变数。❷ 可变的因素：事情在没有办成之前，还会有新的～。

【变速器】biànsùqì 名 改变机床、汽车等机器运转速度或牵引力的装置，通常用的齿轮变速器由若干直径大小不同的齿轮组成，装在发动机的主动轴和从动轴之间。

【变速运动】biànsù yùndòng 物体在单位时间内通过的距离不等的运动。

【变态】biàntài ❶ 动 某些动物在个体发育过程中形态发生变化，如蚕变蛹、蛹变蛾，蝌蚪变蛙等。❷ 动 某些植物因长期受环境影响，根、茎、叶的构造、形态和生理机能发生特殊变化，如马铃薯的块茎、仙人掌的针状叶等。❸ 动 指人的生理、心理出现不正常状态：心理～。❹ 名 不正常的状态（跟"常态"相对）。

【变态反应】biàntài fǎnyìng 对某物质过敏的人在接触该物质时发生的异常反应，可导致机体功能紊乱或功能损伤。

【变体】biàntǐ 名 变异的形体：基因～｜病毒～。

【变天】biàn//tiān 动 ❶ 天气发生变化，由晴变阴、下雨、下雪、刮风等。❷ 比喻政治上发生根本变化，多指反动势力复辟。

【变通】biàntōng 动 依据不同情况，作非原则性的变动：遇特殊情况，可以酌情～处理。

【变味】biàn//wèi（～儿）❶（食物等）味道发生变化（多指变坏）：昨天做的菜，今天～了｜变了味儿的食品不能吃。❷ 事物原有的意义发生变化（多指变坏）：游戏一沾上赌博，就～儿了。

【变温动物】biànwēn dòngwù 没有固定体温的动物，体温随外界气温的高低而改变，如蛇、蛙、鱼等。俗称冷血动物。

【变文】biànwén 名 唐代兴起的一种说唱文学，多用韵文和散文交错组成，内容原为佛经故事，后来范围扩大，包括历史故事、民间传说等。如敦煌石窟里发现的《大目乾连冥间救母变文》、《伍子胥变文》等。

【变戏法】biàn xìfǎ（～儿）表演魔术。

【变现】biànxiàn 动 把非现金的资产、有价证券等换成现金。

【变相】biànxiàng 形 属性词。内容不变，形式和原来不同的（多指坏事）：～剥削｜～贪污。

【变心】biàn//xīn 动 改变原来对人或事业的爱或忠诚：海枯石烂，永不～。

【变星】biànxīng 名 光度有变化的恒星。

【变形】biàn//xíng 动 形状、格式起变化：这个零件已经～｜一场大病，瘦得人都～了。

【变型】biànxíng 动 改变类型：转轨。

【变性】biànxìng 动 ❶ 物体的性质发生改变：～酒精。❷ 机体的细胞因新陈代谢障碍而在结构和性质上发生改变。❸ 改变性别：～人｜～手术。

【变压器】biànyāqì 名 利用电磁感应的原理来改变交流电压的装置，主要构件是原线圈、副线圈和铁芯。在电器设备、电信设备中，常用来升降电压、匹配阻抗等。

【变样】biàn//yàng（～儿）动 模样、样式发生变化：几年没见，他还没～｜这地方已经变了样。

【变异】biànyì 动❶ 同种生物世代之间或同代生物不同个体之间在形态特征、生理特征等方面表现出差异。❷ 泛指跟以前的情况相比发生变化：气候～。

【变易】biànyì 动 改变；变化：～服饰。

【变质】biàn∥zhì 动 人的思想或事物的本质变得与原来不同(多指向坏的方面转变)：蜕化～|不吃变了质的食物。

【变质岩】biànzhìyán 名 火成岩、沉积岩受到高温、高压等的影响，构造和成分上发生变化而形成的岩石，如大理岩就是石灰岩或白云岩的变质岩。

【变种】biànzhǒng 名❶ 生物分类学上指物种以下的分类单位，在特征方面与原种有一定区别，并有一定的地理分布。❷ 比喻跟已有的形式有所变化而实质相同的错误或反动的思潮、流派等。

【变奏】biànzòu 动 乐曲结构原则，运用各种手法就主题等音乐素材加以变化重复。

【变奏曲】biànzòuqǔ 名 运用变奏手法谱写的乐曲，如贝多芬的《C 小调三十二次变奏曲》。

【变阻器】biànzǔqì 名 可以分级或连续改变电阻大小的装置，接在电路中能调整电流的大小。通常由电阻较大的导线(电阻线)和可以改变接触点以调节电阻线有效长度的装置构成。

昇 biàn 〈书〉❶ 明亮。❷ 欢乐。

便[1] biàn ❶ 方便；便利：轻～｜近～｜旅客称～。❷ 方便的时候或顺便的机会：～中｜得～｜～条。❸ 非正式的；简单平常的：～饭｜～鞋儿。❹ 屎或尿：粪～。❺ 排泄屎、尿：大～｜小～｜～桶｜～血。

便[2] biàn ❶ 副 就：没有各方面的通力合作，任务～无法顺利完成｜这几天不是刮风，～是下雨。❷ 连 表示假设的让步(后面多带"是"字)：只要依靠群众，～是再大的困难，也能克服。‖ 注意 ▷ "便"是保留在书面语中的近代汉语，它的意义和用法基本上跟"就"相同。

　另见 1043 页 pián。

【便步】biànbù 名 队伍行进的一种步法，随意行走的姿势。

【便餐】biàncān 名 便饭。

【便车】biànchē 名 顺路的车(一般指不用付费的)：搭～去城里。

【便当】biàn·dang 形 方便；顺手；简单；容易：这里乘车很～｜东西不多，收拾起来很～。

【便道】biàndào 名❶ 近便的小路；顺便的路：地里一条小道，是贪走～的人踩出来的。❷ 马路两边供人行走的道路；人行道：行人走～。❸ 正式道路正在修建或修整时临时使用的道路。

【便饭】biànfàn ❶ 名 日常吃的饭食：家常～。❷ 动 吃便饭：明晚请来舍下～。

【便服】biànfú 名❶ 日常穿的服装(区别于"礼服、制服"等)。❷ 专指中式服装。

【便函】biànhán 名 形式比较简便的、非正式公文的信件(区别于"公函")。

【便壶】biànhú 名 男人夜间或病中卧床小便的用具。

【便笺】biànjiān 名❶ 便条。❷ 供写便条、便函用的纸。

【便捷】biànjié 形❶ 快而方便：比较起来，这种方法最为～。❷ 动作轻快敏捷：行动～。

【便览】biànlǎn 名 总括性的书面说明；一览(内容多为交通、邮政或风景)：《邮政～》。

【便利】biànlì ❶ 形 使用或行动起来不感觉困难；容易达到目的：交通～｜附近就有商场，买东西很～。❷ 动 使便利：扩大商业网，～群众。

【便利店】biànlìdiàn 名 便利群众购物的小型商店。

【便了】biànliǎo 助 用在句末，表示决定、允诺或让步的语气，跟"就是了"相同(多见于早期白话)：如有差池，由我担待～。

【便帽】biànmào 名 日常戴的帽子(区别于"礼帽"等)。

【便门】biànmén (～儿)名 正门之外的小门。

【便秘】biànmì 动 粪便干燥，大便困难而次数少。

【便民】biànmín 形 属性词。便利群众的：～措施｜～商店。

【便溺】biànniào ❶ 动 排泄大小便：不许随地～。❷ 名 屎和尿：这种动物的～有种特殊的气味。

【便盆】biànpén (～儿)名 供大小便用的盆。

【便桥】biànqiáo 名 临时架设的简便的

桥。

【便人】biànrén 图 顺便受委托办事的人：托～给他带去一本词典。

【便士】biànshì 图 英国等国的辅助货币。[英 pence]

【便所】biànsuǒ 〈方〉图 厕所。

【便条】biàntiáo （～儿）图 写上简单事项的纸条；非正式的书信或通知。

【便桶】biàntǒng 图 供大小便用的桶。

【便携式】biànxiéshì 形 属性词。（形体）便于携带的：～计算机｜～罐装燃料。

【便鞋】biànxié 图 轻便的鞋，一般指布鞋。

【便血】biàn∥xiě 动 粪便中带血或只排出血液而没有粪便。

【便宴】biànyàn 图 比较简便的宴席（区别于正式宴会）：家庭～｜设～招待。

【便衣】biànyī 图❶ 平常人的服装（区别于军警制服）。❷（～儿）身着便衣执行任务的军人、警察等。

【便宜】biànyí 形 方便合适；便利：院子前后都有门，出入很～。
　　　另见 1043 页 pián·yi。

【便宜行事】biànyí xíng shì 经过特许，不必请示，根据实际情况或临时变化就酌酌处理。也说便宜从事。

【便于】biànyú 动 比较容易（做某事）：～计算｜～携带。

【便中】biànzhōng 图 方便的时候或顺便的机会：你家里托人带来棉鞋两双，请你进城来取。

【便装】biànzhuāng 图 便服①；身着～。

遍（徧）biàn ❶动 普遍；全面：～身｜满山～野｜走～各地。❷量 一个动作从开始到结束的整个过程为一遍：问了三～｜从头到尾看一～。

【遍布】biànbù 动 分布到所有的地方；散布到每个地方：通信网～全国。

【遍地】biàndì ❶动 遍布各处：黄花～。❷副 到处；处处：牧场上～是牛羊。

【遍地开花】biàn dì kāi huā 比喻好事情到处出现或普遍发展：电力工业已经出现～的新局面。

【遍及】biànjí 动 普遍地达到：影响～海外。

【遍体鳞伤】biàn tǐ lín shāng 满身都是伤痕，形容伤势严重。

【遍野】biànyě 动 遍布原野，形容很多：牛羊～｜～碧绿的庄稼。

缠（纏）biàn 缠子另见 1043 页 pián。

【缠子】biàn·zi 图 草帽缠。

艑 biàn 〈书〉船。

辨 biàn 动 辨别；分辨：～明｜明～是非｜～不清方向。

【辨白】biànbái 同"辩白"。

【辨别】biànbié 动 根据不同事物的特点，在认识上加以区别：～真假｜～方向。

【辨明】biànmíng 动 辨别清楚：～方位｜～是非。

【辨认】biànrèn 动 根据特点辨别，做出判断，以便找出或认定某一对象：～笔迹｜照片已模糊不清，无法～。

【辨识】biànshí 动 辨认；识别：～足迹｜烟雨蒙蒙，远处景物～不清。

【辨析】biànxī 动 辨别分析：词义～｜～容易写错的字形。

【辨正】biànzhèng 动 辨明是非，改正错误。也作辩正。

【辨证】[1] biànzhèng 同"辩证"①。

【辨证】[2] biànzhèng 动 辨别症候：～求因｜～论治。也作辨症。

【辨证论治】biàn zhèng lùn zhì 中医指根据病人的发病原因、症状、脉象等，结合中医理论，全面分析，作出判断，进行治疗。也说辨证施治（"证"同"症"）。

【辨症】biànzhèng 同"辨证"[2]。

辩（辯）biàn 动 辩解；辩论：分～｜争～｜真理愈～愈明。

【辩白】biànbái 动 说明事实真相，用来消除误会或受到的指责：不必～了，大家没有责怪你的意思。也作辨白。

【辩驳】biànbó 动 提出理由或根据来否定对方的意见：他的话句句在理，我无法～。

【辩才】biàncái 图 辩论的才能：在法庭上，年轻的女律师表现出出众的～。

【辩称】biànchēng 动 辩解说；申辩说：自己无罪。

【辩词】biàncí 同"辩辞"。

【辩辞】biàncí 图 辩解的话。也作辩词。

【辩护】biànhù 动❶ 为了保护别人或自己，提出理由、事实来说明某种见解或行为是正确合理的，或是错误的程度不如别

人所说的严重;不要替错误行为~|我们要为真理~。❷ 在刑事诉讼中,犯罪嫌疑人、被告人及其辩护人针对控告进行申辩。

【辩护权】biànhùquán 〔名〕犯罪嫌疑人、被告人对被控告的内容进行申述、辩解的权利。

【辩护人】biànhùrén 〔名〕受犯罪嫌疑人委托或由法院指定,为犯罪嫌疑人、被告人辩护的人。

【辩护士】biànhùshì 〔名〕为某人或某种观点、行为等进行辩护的人(多含贬义)。

【辩解】biànjiě 〔动〕对受人指责的某种见解或行为加以解释:事实俱在,无论怎么~也是没有用的。

【辩论】biànlùn 〔动〕彼此用一定的理由来说明自己对事物或问题的见解,揭露对方的矛盾,以便最后得到正确的认识或共同的意见:~会|他们为历史分期问题~不休。

【辩明】biànmíng 〔动〕分辩清楚;辩论清楚:~事理。

【辩难】biànnàn 〈书〉〔动〕辩驳或用难解答的问题质问对方:互相~。

【辩士】biànshì 〈书〉〔名〕能言善辩的人。

【辩手】biànshǒu 〔名〕参加辩论比赛的选手。

【辩题】biàntí 〔名〕辩论的主题或话题。

【辩诬】biànwū 〔动〕对错误的指责进行辩解。

【辩学】biànxué 〔名〕❶ 关于辩论的学问。❷ 逻辑学的旧称。

【辩正】biànzhèng 同"辨正"。

【辩证】biànzhèng ❶〔动〕辨析考证:反复~。也作辩证。❷〔形〕合乎辩证法的:~关系|~的统一。

【辩证法】biànzhèngfǎ 〔名〕❶ 关于事物矛盾的运动、发展、变化的一般规律的哲学学说。它是和形而上学相对立的世界观和方法论,认为事物处在不断运动、变化和发展之中,是由于事物内部的矛盾斗争所引起的。❷ 特指唯物辩证法。

【辩证逻辑】biànzhèng luó·ji 马克思主义哲学的组成部分,要求人们必须把握、研究事物的总和,从事物本身矛盾的发展、运动、变化来观察它,把握它,只有这样,才能认识客观世界的本质。

【辩证唯物主义】biànzhèng wéiwù zhǔyì 马克思、恩格斯所创立的关于用辩证方法研究自然界、人类社会和思维发展的一般规律的科学,认为世界从它的本质来讲是物质的,物质按照本身固有的对立统一规律运动、发展,存在决定意识,意识反作用于存在。辩证唯物主义和历史唯物主义是科学社会主义的理论基础,是无产阶级认识世界、改造世界的锐利武器。

辫(辮) biàn ❶(~儿)〔名〕辫子①:发~|小~儿。❷(~儿)〔名〕辫子②:草帽~。❸〈方〉(~儿)〔量〕用于成的像辫子的东西:一~蒜。❹〈方〉〔动〕编成(辫子):~辫子|把蒜~起来。

【辫子】biàn·zi 〔名〕❶ 把头发分股交叉编成的条状儿:梳~。❷ 像辫子的东西:蒜~。❸ 比喻把柄:抓~|揪住~不放。

biāo(ㄅㄧㄠ)

杓 biāo 古代指北斗柄部的三颗星。
另见 1200 页 sháo"勺"。

标(標) biāo ❶〈书〉树木的末梢。❷ 事物的枝节或表面:治~不如治本。❸ 标志;记号:路~|商~|点。❹ 标准;指标:达~|超~。❺〔动〕用文字或其他事物表明:~上记号|明码~价。❻ 给竞赛优胜者的奖品:锦~|夺~。❼ 用比价的方式承包工程或买卖货物时各竞争厂商所标出的价格:招~|投~。❽〔名〕清末陆军编制之一,相当于后来的团。❾〔量〕用于队伍,数词限用"一":斜刺里(侧面)杀出一~人马。也作彪。❿(Biāo)〔名〕姓。

【标榜】biāobǎng 〔动〕❶ 提出某种好听的名义,加以宣扬:~自由。❷ 吹嘘;夸耀:自我~|互相~。

【标本】biāoběn 〔名〕❶ 枝节和根本:~兼治。❷ 保持实物原样或经过加工整理,供教学、研究用的动物、植物、矿物等的样品。❸ 指在同一类事物中可以作为代表的事物:我觉得苏州园林可以算作我国各地园林的~。❹ 医学上指用来化验或研究的血液、痰液、粪便、组织切片等。

【标兵】biāobīng 〔名〕❶ 阅兵场上用来标志界线的兵士。泛指群众集会中用来标

B

志某种界线的人。❷ 比喻可以作为榜样的人或单位：树立～|服务～。

【标尺】biāochǐ 名❶ 测量地面及建筑物高度等或者标明水的深度用的有刻度的尺。❷ 表尺的通称。

【标灯】biāodēng 名 作标志用的灯：船尾有一盏信号～。

【标底】biāodǐ 名 招标人预定的招标工程的价目。

【标的】biāodì 名❶ 靶子。❷ 目的。❸ 指经济合同当事人双方权利和义务共同指向的对象，如货物、劳务、工程项目等。

【标点】biāodiǎn ❶ 名 标点符号。❷ 动 给原来没有标点的著作(如古书)加上标点符号：～二十四史。

【标点符号】biāodiǎn fúhào 用来表示停顿、语气以及词语性质和作用的书写符号，包括句号(。)、问号(?)、叹号(!)、逗号(，)、顿号(、)、分号(;)、冒号(：)、引号("、' ')、括号([]、()、□【】)、破折号(——)、省略号(……)、着重号(.)、连接号(—)、间隔号(·)、书名号(《》、〈〉)、专名号(——)等。

【标定】biāodìng ❶ 动 规定以某个数值或型号为标准。❷ 动 根据一定的标准测定：车间成立了技术小组，对装置进行全面～|勘探队跑遍了整个大山，～了十个采矿点。❸ 形 属性词。符合规定标准的：～自行车。

【标杆】biāogān 名❶ 测量的用具，用木杆制成，上面涂有红白相间的油漆，主要用来指示测量点。❷ 样板③：～钻井队。

【标高】biāogāo 名 地面或建筑物上的一点和作为基准的水平面之间的垂直距离。

【标格】biāogé〈书〉名 品格；风格。

【标号】biāohào 名❶ 某些产品用来表示性能分级的编号。如车用汽油按抗爆性能的高低，可分为 90 号、93 号、95 号、97 号、98 号等各种号。❷ 泛指标志和符号。

【标记】biāojì 名 标志；记号：做～。

【标记元素】biāojì yuánsù 示踪元素。

【标价】biāojià ❶(-//-)标出货物价格：明码～|商品标了价摆上柜台。❷ 名 所标出的价格：所售商品均有～。

【标金】¹ biāojīn 名 投标时的押金。

【标金】² biāojīn 名 用硬印标明重量和成色的金条，成色为 0.978 上下。

【标量】biāoliàng 名 有大小而没有方向的物理量，如体积、温度等。

【标卖】biāomài 动❶ 标明价目，公开出卖。❷ 用投标方式出卖。

【标明】biāomíng 动 做出记号或写出文字使人知道：～号码|车站的时刻表上～由上海来的快车在四点钟到达。

【标牌】biāopái 名 作标志用的牌子，上面有文字、图案等。

【标签】biāoqiān (～儿)名 贴在或系在物品上，标明品名、用途、价格等的纸片。

【标枪】biāoqiāng 名❶ 田径运动项目之一，运动员经过助跑后把标枪投掷出去。❷ 田径运动使用的投掷器械之一，枪杆木制(或金属制)，中间粗，两头细，前端安着尖的金属头。❸ 旧式武器，在长杆的一端安装枪头，可以投掷，用来杀敌或打猎。

【标石】biāoshí 名 标定某地点位置的标志，一般用岩石或混凝土制成，埋在地下或部分露出地面。

【标示】biāoshì 动 标明；显示：他用笔在地图上画了一道红线，～队伍可从这里通过。

【标书】biāoshū 名 写有招标或投标的标准、条件、价格等内容的文书。

【标题】biāotí 名 标明文章、作品等内容的简短语句：大～|副～|通栏～。

【标题新闻】biāotí xīnwén 以标题形式刊登在报纸、网页上的新闻，内容简要，字号较大。

【标题音乐】biāotí yīnyuè 用题目标明中心内容的器乐曲。

【标贴】biāotiē 名 贴在商品上，标明商品名称、性能等的薄片，多用纸或塑料等制成。

【标图】biāotú 动 在军事地图、海图、天气图等上面做出标志。

【标线】biāoxiàn 名 路面上的线条、图形等交通标志线，用来指引车辆和行人，维护交通秩序。

【标新立异】biāo xīn lì yì 提出新奇的主张，表示与一般不同。

【标语】biāoyǔ 名 用简短文字写出的有宣传鼓动作用的口号。

【标志】（标识）biāozhì ❶ 名 表明特征的记号：地图上有各种形式的～|这篇作品

是作者在创作上日趋成熟的～。**❷** **动** 表明某种特征：这条生产线的建成投产，～着工厂的生产能力提高到了一个新的水平。

【标致】 biāo·zhì **形** 相貌、姿态美丽(多用于女子)：她穿上这身衣服，显得越发～了。

【标注】 biāozhù **动** 标示并注明：为收进词典的词～词类。

【标准】 biāozhǔn **❶** **名** 衡量事物的准则：技术～|实践是检验真理的唯一～。**❷** **形** 本身合于准则，可供同类事物比较核对的：～音|～时|她的发音很～。

【标准大气压】 biāozhǔn dàqìyā 压强的非法定计量单位，符号 atm。1 标准大气压等于101.325千帕。

【标准粉】 biāozhǔnfěn **名** 按照国家关于小麦粉质量标准(包括蛋白质、面筋、吸水率、添加剂等指标)生产的面粉。

【标准化】 biāozhǔnhuà **动** 为适应科学技术发展和合理组织生产的需要，在产品质量、品种规格、零件部件通用等方面规定统一的技术标准，叫做标准化。

【标准件】 biāozhǔnjiàn **名** 按照国家统一规定的标准、规格生产的零件。

【标准时】 biāozhǔnshí **名** **❶** 同一标准时区内各地共同使用的时刻，一般用这个时区的中间一条子午线的时刻做标准。**❷** 一个国家各地共同使用的时刻，一般以首都所在时区的标准时为准。我国的标准时(北京时间)就是东八时区的标准时，比以本初子午线为中线的零时区早八小时。

【标准时区】 biāozhǔn shíqū 按经线把地球表面平分为二十四区，每一区跨十五度，叫做一个标准时区。以本初子午线为中线的那一区叫做零时区。以东经15°、30°…165°为中线的时区分别叫做东一时区、东二时区…东十一时区。以西经15°、30°…165°为中线的时区分别叫做西一时区、西二时区…西十一时区。以东经180°(也就是西经180°)为中线的时区叫做东十二时区，也就是西十二时区。相邻两个标准时区的标准时相差一小时。如东一时区比零时区早一小时，西一时区比零时区晚一小时。也叫时区。

【标准音】 biāozhǔnyīn **名** 标准语的语音，一般都采用占优势的地点方言的语音系统，如北京语音是汉语普通话的标准音。

【标准语】 biāozhǔnyǔ **名** 有一定规范的民族共同语，是全民族的交际工具，如汉语的普通话。

飑(颮) biāo **名** 气象学上指风向突然改变，风速急剧增大的天气现象。飑出现时，气温下降，并可能有阵雨、冰雹等。

骉(驫) biāo 〈书〉许多马跑的样子。

彪 biāo **❶** 〈书〉小老虎，比喻身材高大：～形大汉。**❷** 〈书〉虎身上的斑纹，借指文采：～炳。**❸** (Biāo) **名** 姓。

【彪炳】 biāobǐng 〈书〉 **动** 文采焕发；照耀：～青史|～千古。

【彪炳千古】 biāobǐng qiāngǔ 形容伟大的业绩流传千秋万代。

【彪悍】 biāohàn **形** 强壮而勇猛；强悍：粗犷～。

猋 biāo 〈书〉 **❶** 迅速。**❷** 同"飙"。

摽 biāo 〈书〉 **❶** 挥之使去。**❷** 抛弃。另见 91 页 biào。

【摽榜】 biāobǎng 〈书〉 **动** 标榜。

幖 biāo 〈书〉旗帜。〈古〉又同"标"。

滮 biāo 〈书〉水流的样子。

骠(驃) biāo 见 599 页〖黄骠马〗。另见 1046 页 piào。

膘(臕) biāo (～儿) **名** 肥肉(多用于牲畜，用于人时含贬义或戏谑意)：长～|蹲～|跌～|(变瘦)这块肉～厚。

【膘情】 biāoqíng **名** 牲畜生长的肥壮情况。

熛 biāo 〈书〉火焰。

飙(飆、飇、飈) biāo 〈书〉暴风：狂～。

【飙车】 biāochē 〈方〉 **动** 开快车：酒后～，酿成惨祸。

【飙风】 biāofēng 〈书〉 **名** 猛烈的风；疾风。

【飙升】 biāoshēng **动** (价格、数量等)急速上升：石油价格～|中档住宅的销量一路～。

【飙涨】 biāozhǎng **动** (价格等)急速上涨：股价～。

镖(鏢) biāo **名** 旧式武器，形状像矛的头，投掷出去杀伤敌人：飞

～|袖～。

【镖局】biāojú 名 旧时保镖的营业机构。

【镖客】biāokè 名 旧时给行旅或运输中的货物保镖的人。也叫镖师。

【镖师】biāoshī 名 镖客。

瘭 biāo ［瘭疽］(biāojū) 名 中医指手指头或脚趾头肚儿发炎化脓的病,症状是局部红肿,剧烈疼痛,发热。

蔍 biāo ［蔍草］(biāocǎo) 名 多年生草本植物,茎呈三棱形,叶子条形,花褐色,果实倒卵形。茎可织席、编草鞋,也可用来造纸。

瀌 biāo ［瀌瀌］(biāobiāo)〈书〉形 雨雪大的样子。

镳¹（鑣） biāo 〈书〉马嚼子的两端露出嘴外的部分:分道扬～。

镳²（鑣） biāo 同"镖"。

穮（穮） biāo 〈书〉除草。

biǎo （ㄅㄧㄠˇ）

表(⑩錶) biǎo ❶ 外面;外表:～面|地～|由～及里。❷ 中表(亲戚):～哥|～叔|～姨|～姑。❸ 动 把思想感情显示出来;表示:～达|～态|～决心|深～同情|按下不～(说)。❹ 动 俗称用药物把感受的风寒发散出来:吃服(fù)药～一～,出身汗,病就好了。❺ 榜样;模范:～率|为人师～。❻ 古代文体奏章的一种,用于较重大的事件:诸葛亮《出师～》。❼ 名 用表格形式排列事项的书籍或文件:《史记》十～|统计～|一张～。❽ 古代测日影的标杆。参看 513 页【圭表】。❾ 名 测量某种量(liàng)的器具:温度～|电～|水～|煤气～。❿ 名 计时的器具,一般指比钟小而可以随身携带的:怀～|手～|秒～|电子～|买了一块～。⓫ (Biǎo)名 姓。

【表白】biǎobái 动 对人解释,说明自己的意思:再三～|～心迹。

【表册】biǎocè 名 装订成册的表格。

【表层】biǎocéng 名 物体表面的一层。

【表尺】biǎochǐ 名 枪炮上瞄准装置的一部分,按目标的距离调节表尺,可以提高命中率。通称标尺。

【表达】biǎodá 动 表示(思想、感情):感激之情,难以～|提高学生的口头～能力。

【表格】biǎogé 名 按项目画成格子,分别填写文字或数字的书面材料。

【表功】biǎo∥gōng 动 ❶ 表白自己的功劳(多含贬义):丑～。❷〈书〉表扬功绩。

【表记】biǎojì 名 作为纪念品或信物而赠送给人的东西。

【表决】biǎojué 动 会议上通过举手、投票等方式作出决定:付～|～通过。

【表决权】biǎojuéquán 名 在会议上参加表决的权利。

【表里】biǎolǐ 名 ❶ 外部和内部:相为|～兼治。❷ 外表和内心:～如一。

【表里如一】biǎo lǐ rú yī 比喻思想和言行完全一致。

【表露】biǎolù 动 流露;显示:～心迹|一个人的喜怒哀乐最容易在脸上～出来。

【表蒙子】biǎoméng·zi 名 装在表盘上的透明薄片。

【表面】biǎomiàn 名 ❶ 物体跟外界接触的部分:地球～|桌子～的油漆锃亮。❷ 外在的现象或非本质的部分:他～上很镇静,内心却十分紧张。

【表面光】biǎomiàn guāng 指事物只是外表好看:对产品不能只求～,还要求高质量。

【表面化】biǎomiànhuà 动 (矛盾等)由隐藏的变成明显的:问题一经摆出来,分歧更加～了。

【表面积】biǎomiànjī 名 物体表面面积的总和。

【表面文章】biǎomiàn wénzhāng 比喻形式好看但没有实质内容、不求实效的事物:坚持实事求是,不做～。

【表面张力】biǎomiàn zhānglì 液体表面各部分间相互吸引的力。在这个力的作用下,液体表面有收缩到最小的趋势。

【表明】biǎomíng 动 表示清楚:～态度|～决心。

【表盘】biǎopán 名 钟表、仪表上的刻度盘,上面有表示时间、度数等的刻度或数字。

【表皮】biǎopí 名 ❶ 皮肤的外层。(图见1037 页"人的皮肤")❷ 植物体表面初生的一种保护组织，一般由单层、无色而扁平的活细胞构成。

【表亲】biǎoqīn 名 中表亲戚。参看 1761 页〖中表〗。

【表情】biǎoqíng ❶ 动 从面部或姿态的变化上表达内心的思想感情：～达意|这个演员善于～。❷ 名 表现在面部或姿态上的思想感情：～严肃|脸上流露出兴奋的～。

【表示】biǎoshì ❶ 动 用言语行为显出某种思想、感情、态度等：～关怀|大家鼓掌～欢迎。❷ 动 事物本身显出某种意义或者凭借某种事物显出某种意义：海上红色的灯光——那儿有浅滩或礁石。❸ 名 显出思想感情的言语、动作或神情：老师喜欢他的直爽，但脸上并没露出赞许的～。

【表述】biǎoshù 动 说明；述说：～己见。

【表率】biǎoshuài 名 好榜样：老师要做学生的～。

【表态】biǎo∥tài 动 表示态度：这件事，你得表个态，我才好去办。

【表土】biǎotǔ 名 地球表面的一层土壤。农业上指耕种的熟土层。

【表现】biǎoxiàn ❶ 动 表示出来：他的优点～在许多方面。❷ 名 表示出来的行为或作风：他在工作中的～很好。❸ 动 故意显示自己(含贬义)：此人一贯爱～，好出风头。

【表现主义】biǎoxiàn zhǔyì 20世纪初产生并流行于欧美的一种文学艺术流派，强调表现艺术家的自我感受和主观感情。

【表象】biǎoxiàng 名 经过感知的客观事物在脑中再现的形象。

【表演】biǎoyǎn 动 ❶ 戏剧、舞蹈、杂技等演出；把情节或技艺表现出来：化装～|体操～。❷ 做示范性的动作：～新操作法。

【表演唱】biǎoyǎnchàng 名 一种带有戏剧性质和舞蹈动作的演唱形式。

【表演赛】biǎoyǎnsài 名 一种以宣传体育运动为目的，对技术、战术进行演示或示范的运动竞赛。

【表扬】biǎoyáng 动 对好人好事公开赞美：～劳动模范|他在厂里多次受到～。

【表意文字】biǎoyì wénzì 用符号来表示词或词素的文字，如古埃及文字、楔形文字等。

【表音文字】biǎoyīn wénzì 用字母来表示

语音的文字。参看 1048 页〖拼音文字〗。

【表语】biǎoyǔ 名 有的语法书用来指"是"字句"是"字后面的成分，也泛指名词性谓语和形容词性谓语。

【表彰】biǎozhāng 动 表扬(伟大功绩、壮烈事迹等)：～先进。

【表针】biǎozhēn 名 钟表或各种测试仪表上指示刻度的针。

【表征】biǎozhēng 名 显示出来的现象；表现出来的特征：心理疾病的外在～。

【表侄】biǎozhí 名 表弟兄的儿子。

【表侄女】biǎozhí·nǚ 名 表弟兄的女儿。

【表字】biǎozì 名 人在本名外所取的与本名有意义关系的另一名字(多见于早期白话)。

婊 biǎo ［婊子］(biǎo·zi) 名 妓女(多用作骂人的话)。

裱 biǎo 动 ❶ 用纸或丝织品做衬托，把字画书籍等装潢起来，或加以修补，使美观耐久：这幅画得拿去裱一～。❷ 裱糊。

【裱褙】biǎobèi 动 裱①。

【裱糊】biǎohú 动 用纸糊房间的顶棚或墙壁等。

褾 biǎo 〈书〉❶ 袖子的前端。❷ 衣服上的绲边。

biào （ㄅㄧㄠˋ）

俵 biào 〈方〉动 按份儿或按人分发。

摽¹ biào 动 ❶ 捆绑物体使相连接：桌子腿儿裂了，用铁丝～住吧。❷ 用胳膊紧紧地钩住：母女俩～着胳膊走。❸ 摽劲儿：这两个小组一直在～着干|我跟你～上啦，你搬多少我就搬多少。❹ 亲近；依附(多含贬义)：他们老～在一块儿。

摽² biào 〈书〉❶ 落。❷ 打；击。

另见 89 页 biāo。

【摽劲儿】biào∥jìnr 动 双方因赌气或竞赛等憋着劲儿着(干)：大伙儿摽着劲儿干|贴光荣榜后没几天，好几个组就跟优胜小组摽上劲儿了。

鳔(鰾) biào ❶ 名 某些鱼类体内可以胀缩的囊状物。里面充满氮、氧、二氧化碳等混合气体。收缩时鱼下沉、膨胀时鱼上浮。有的鱼类的鳔有辅助听觉或呼吸等作用。也叫鱼鳔,有的地区叫鱼白。❷〈名〉鳔胶。❸〈方〉〈动〉用鳔胶粘上。

【鳔胶】biàojiāo〈名〉用鱼鳔或猪皮等熬制的胶,黏性大,多用来粘木器。

biē (ㄅㄧㄝ)

瘪(癟)biē [瘪三](biēsān)〈名〉上海人称城市中无正当职业而以乞讨或偷窃为生的游民为瘪三。
另见93页biě。

憋 biē ❶〈动〉抑制或堵住不让出来:劲头儿~足了|~着一口气|他正~着一肚子话没处说呢。❷〈形〉闷:呼吸不畅:心里~得慌|气压低,~得人透不过气来。

【憋闷】biē·men〈形〉由于心里有疑团不能解除或其他原因而感到不舒畅:他挨了一通训,又没处诉说,心里特别~|在防空洞里时间长了,会觉得~。

【憋气】biē//qì〈动〉❶由于外界氧气不足或呼吸系统发生障碍等原因而引起呼吸困难。❷有委屈或烦恼而不能发泄:左也不是,右也不是,真叫人~。

【憋屈】biē·qū〈口〉〈形〉有委屈而感到憋闷:你有~的事儿,别闷在心里|~得真想大哭一场。

鳖(鱉、鼈)biē〈名〉爬行动物,形状像龟,吻尖长,背甲椭圆形,上有软皮,生活在水中。也叫甲鱼或团鱼,俗称王八。

【鳖边】biēbiān〈方〉〈名〉鳖裙。

【鳖裙】biēqún〈名〉鳖的背甲四周的肉质软边,味道鲜美。有的地区叫鳖边。

bié (ㄅㄧㄝ)

别[1] bié ❶〈动〉分离:告~|临~|纪念~久~重逢|~了,我的母校。❷另外:~人|~称|~有用心。❸〈方〉〈动〉转动;转变:她把头~了过去|这个人的脾气一时~不过来。❹(Bié)〈名〉姓。

别[2] bié ❶〈动〉区分;区别:辨~|鉴~|分门~类。❷差别:天渊之~。❸类

别[3] bié〈动〉❶用别针等把另一样东西附着或固定在纸、布等物体上:把两张发票~在一起|胸前~着一朵红花。❷插住;用东西卡住:皮带上~着一支枪|把门~上。❸用腿使绊把对方摔倒。❹两辆车朝同一方向行驶时,一辆车强行驶入另一辆车的车道,使不能正常行进:~车。

别[4] bié〈副〉❶表示禁止或劝阻,跟"不要"的意思相同:~冒冒失失的|你~走了,在这儿住两天吧|~一个人说了算。❷表示揣测,通常跟"是"字合用(所揣测的事情,往往是自己所不愿意的):约定的时间都过了,~是他不来了吧?
另见93页biè。

【别裁】biécái〈书〉〈动〉鉴别并作必要的取舍(古代多用于诗歌选本的书名):《唐诗~》。

【别称】biéchēng〈名〉正式名称以外的名称,如湘是湖南的别称,鄂是湖北的别称。

【别出心裁】bié chū xīncái 独创一格,与众不同。

【别处】biéchù〈名〉另外的地方:这里没有你要的那种鞋,你到~看看吧。

【别动队】biédòngduì〈名〉指离开主力单独执行特殊任务的部队。

【别管】biéguǎn〈连〉无论:~是谁,一律按规章办事。

【别号】biéhào(~儿)〈名〉名、字以外另起的称号,如李白字太白,别号青莲居士。

【别集】biéjí〈名〉收录个人的作品而成的诗文集,如白居易《白氏长庆集》(区别于"总集")。

【别家】biéjiā〈名〉另外的人家或单位:我不是这里人,你到~打听一下看|商店都关门了,只有这一家还在营业。

【别价】bié·jie〈方〉〈副〉表示劝阻或禁止:您~,等等再说。

【别具匠心】bié jù jiàngxīn 另有一种巧妙的心思(多指文学、艺术方面创造性的构思)。

【别具一格】bié jù yī gé 另有一种风格。

【别具只眼】bié jù zhī yǎn 另有一种独到的见解。

【别开生面】bié kāi shēng miàn 另外开展新的局面或创造新的形式:在词的发展史上,苏轼和辛弃疾都是~的大家。

【别离】biélí 动 离别：～了家乡，踏上征途。

【别论】biélùn 名 另外的对待或评论：如果他确因有事，不能来，则当～。

【别名】biémíng （～儿）名 正式名字以外的名称。

【别情】biéqíng 名 离别的情怀：老友重逢，畅叙～。

【别人】biérén 名 另外的人：家里只有母亲和我，没有～。

【别人】bié·ren 代 人称代词。指自己或某人以外的人：～都同意，就你一人反对|把方便让给～，把困难留给自己。

【别史】biéshǐ 名 编年体、纪传体以外，杂记历代或一代史实的史书。

【别树一帜】bié shù yī zhì 形容与众不同，另成一家。

【别墅】biéshù 名 在郊区或风景区建造的供休养用的园林住宅。

【别说】biéshuō 连 通过降低对某人、某事的评价，借以突出另外的人或事物：这么难的题＼小学生不会做，就是中学生也不一定会做。也说别说是。

【别提】biétí 动 表示程度之深不必细说：他那个高兴劲儿啊，就～了。

【别无长物】bié wú chángwù 没有多余的东西，形容穷困或俭朴（长，旧读zhàng）。

【别无二致】bié wú èr zhì 没有两样；没有区别：这两个人的思想～。

【别绪】biéxù 名 离别时的情绪：离愁～。

【别样】biéyàng 形 属性词。另外的；其他的；不同一般的：～风情。

【别有洞天】bié yǒu dòngtiān 另有一种境界，形容景物等引人入胜。

【别有风味】bié yǒu fēngwèi 另有一种趣味或特色：围着篝火吃烤肉，～。

【别有天地】bié yǒu tiāndì 另有一种境界，形容风景等引人入胜。

【别有用心】bié yǒu yòngxīn 言论或行动中另有不可告人的企图。

【别针】biézhēn （～儿）名 ❶ 一种弯曲有弹性的针，尖端可以打开，也可以扣住，用来把布片、纸片等固定在一起或固定在衣物上。❷ 别在胸前或领口的装饰品，多用金银、玉石等制成。

【别致】biézhì 形 新奇，跟寻常不同：这座楼房式样很～。

【别传】biézhuàn 名 记载某人逸事的传记。

【别子】biézǐ 名 古代指天子、诸侯的嫡长子以外的儿子。

【别子】bié·zi 名 ❶ 线装书的套子上或字画手卷上用来别住开口的东西，多用骨头制成。❷ 烟袋荷包的坠饰。

【别字】biézì 名 ❶ 写错或读错的字，比如把"包子"写成"饱子"，是写别字；把"破绽"的"绽"（zhàn）读成"定"，是读别字。也说白字。❷ 别号。

蹩 bié 〈方〉动 脚腕子或手腕子扭伤：走路不小心，～痛了脚。

【蹩脚】biéjiǎo 〈方〉形 质量不好；本领不强：～货。

bié （ㄅㄧㄝˇ）

瘪（癟）bié 形 物体表面凹下去；不饱满：干～｜谷～｜没牙～嘴儿｜车带～了｜乒乓球～了。
另见92页 biē。

biè （ㄅㄧㄝˋ）

别（彆）biè 〈方〉动 改变别人坚持的意见或习性（多用于"别不过"）：我想不依他，可是又～不过他。
另见92页 bié。

【别扭】biè·niu 形 ❶ 不顺心；难对付：这个天气真～，一会儿冷，一会儿热｜他的脾气挺～，说话要注意。❷ 意见不相投：闹～｜两个人有些别别扭扭的，说不到一块儿。❸ （说话、作文）不通顺；不流畅：这个句子有点儿～，得改一改。

【别嘴】bièzuǐ 〈方〉形 绕嘴：这段文字半文不白，读起来～。

bīn （ㄅㄧㄣ）

邠 Bīn ❶ 邠县，地名，在陕西。今作彬县。❷ 同"豳"。❸ 名 姓。

玢 bīn 〈书〉玉名。
另见402页 fēn。

宾(賓、賔) bīn ❶ 客人(跟"主"相对):外～|～至如归。❷ (Bīn)名姓。

【宾白】bīnbái 名戏曲中的说白。中国戏曲艺术以唱为主,所以把说白叫做宾白。

【宾词】bīncí 名一个命题的三部分之一,表示思考对象的属性等,如在"金属是导体"这个命题中,"导体"是宾词。

【宾东】bīndōng 名古代主人的座位在东,客人的座位在西,因此称宾与主为宾东(多用于幕僚和官主,家庭教师和家长,店员和店主)。

【宾服】bīnfú〈书〉动服从;归附。

【宾服】bīn·fu〈方〉动佩服:你说的那个理,俺不～。

【宾馆】bīnguǎn 名招待来宾住宿的地方。现指较大而设施好的旅馆。

【宾客】bīnkè 名客人(总称):迎接八方～。

【宾朋】bīnpéng 名宾客;朋友:～满座。

【宾语】bīnyǔ 名动词的一种连带成分,一般在动词后边,用来回答"谁?"或"什么?"例如"我找厂长"的"厂长","他开拖拉机"的"拖拉机","接受批评"的"批评","他说他不知道"的"他不知道"。有时候一个动词可以带两个宾语,如"教我们化学"的"我们"和"化学"。

【宾至如归】bīn zhì rú guī 客人到了这里就像回到自己的家一样,形容旅馆、饭馆等招待周到。

【宾主】bīnzhǔ 名客人和主人:～双方进行了友好的会谈。

彬 bīn ❶ [彬彬](bīnbīn)〈书〉形文雅的样子:～有礼|文质～。❷ (Bīn)名姓。

傧(儐) bīn [傧相](bīnxiàng)名 ❶ 古代称接引宾客的人,也指赞礼的人。❷ 举行婚礼时陪伴新郎新娘的人:男～|女～。

斌 bīn 同"彬"。

滨(濱) bīn ❶ 水边;近水的地方:海～|湖～|湘江之～。❷ 靠近(水边):～海|～江。❸ (Bīn)名姓。

缤(繽) bīn [缤纷](bīnfēn)〈书〉形繁多而凌乱:五彩～|落英(花)～。

槟(檳、梹) bīn [槟子](bīn·zi)名 ❶ 槟子树,花红的一种,果实比苹果小,红色,熟后转紫红,味酸甜带涩。❷ 这种植物的果实。
另见 97 页 bīng。

镔(鑌) bīn [镔铁](bīntiě)名精炼的铁。

濒(瀕) bīn ❶ 紧靠(水边):～湖|东～大海。❷ 临近;接近:～危|～行。

【濒绝】bīnjué 动濒临灭绝或绝迹:～物种。

【濒临】bīnlín 动紧接;临近:我国～太平洋|精神～崩溃的边缘。

【濒死】bīnsǐ 动临近死亡:从～状态下抢救过来。

【濒危】bīnwēi 动接近危险的境地,指人病重将死或物种临近灭绝:病人～|～动物。

【濒于】bīnyú 动临近;接近(用于坏的遭遇):～危境|～绝望|～破产。

豳 Bīn 古地名,在今陕西彬县、旬邑一带。也作邠。

bìn （ㄅㄧㄣˋ）

摈(擯) bìn〈书〉抛弃;排除:～诸门外|～而不用。

【摈斥】bìnchì 动排斥:～异己。

【摈除】bìnchú 动排除;抛弃:～陈规陋习。

【摈弃】bìnqì 动抛弃:～旧观念。

殡(殯) bìn 停放灵柩;把灵柩送到埋葬或火化的地方去:出～|～车。

【殡车】bìnchē 名出殡时灵柩的车。

【殡殓】bìnliàn 动入殓和出殡:办理～事宜。

【殡仪馆】bìnyíguǎn 名供停放灵柩和办丧事的机构。

【殡葬】bìnzàng 动出殡和埋葬:～工|～管理处。

膑(臏) bìn 同"髌"。

髌(髕) bìn ❶ 髌骨。❷ 古代削去髌骨的酷刑。

【髌骨】bìngǔ 名 膝盖部的一块骨,略呈三角形,尖端向下。(图见490页"人的骨骼")

鬓(鬢、髩) bìn 鬓角:双～｜两～斑白。

【鬓发】bìnfà 名 鬓角的头发:～苍白。

【鬓角】(鬢脚) bìnjiǎo (～儿)名 耳朵前边长头发的部位,也指长在这个部位的头发。

bīng（ㄅㄧㄥ）

冰(氷) bīng ❶ 名 水在0℃或0℃以下凝结成的固体:湖里结～了。❷ 动 因接触凉的东西而感到寒冷:刚到中秋,河水已经有些～腿了。❸ 动 把东西和冰或凉水放在一起使凉:把汽水～上。❹ 像冰的东西:～片｜～糖｜干～。❺ (Bīng)名 姓。

【冰棒】bīngbàng 〈方〉名 冰棍儿。

【冰雹】bīngbáo 名 空中降下来的冰块,呈球形或不规则形,多在晚春和夏季的午后伴同雷阵雨出现,给农作物带来很大危害。通称雹子,也叫雹。

【冰茶】bīngchá 名 一种兼有茶水和果汁特点的低热量的饮料。

【冰碴儿】bīngchár 〈方〉名 冰的碎块或碎末;水面上结的一层薄冰。

【冰川】bīngchuān 名 在高山或两极地区,积雪由于自身的压力变成冰(或积雪融化,下渗冻结成冰),又因重力作用而沿着地面倾斜方向移动,这种移动的大冰块叫做冰川。

【冰川期】bīngchuānqī 名 冰期①。

【冰床】bīngchuáng 名 冰上滑行的交通运输工具,形状像雪橇,可坐六七个人,用竿子撑,也可用人力或畜力推拉。

【冰镩】bīngcuān 名 凿冰工具,头部尖,有倒钩。

【冰袋】bīngdài 名 装冰块的橡胶袋。装上冰块后,敷在病人身上某一部位,使局部的温度降低。

【冰刀】bīngdāo 名 装在冰鞋底下的钢制的刀状物。有球刀、跑刀和花样刀三种。

【冰灯】bīngdēng 名 用冰做成的供人观赏的灯,灯体多为各种动物、建筑物的造型,内装电灯或蜡烛,光彩四射。

【冰点】bīngdiǎn 名 水凝固时的温度,也就是水和冰可以平衡共存的温度。压强为101 325帕时,冰点是0℃。

【冰雕】bīngdiāo 名 用冰雕刻形象的艺术,也指用冰雕刻成的作品:～展览。

【冰冻】bīngdòng ❶ 动 水结成冰。❷ 〈方〉名 冰。

【冰冻三尺,非一日之寒】bīng dòng sān chǐ, fēi yī rì zhī hán 比喻事物变化达到某种程度,是日积月累、逐渐形成的。

【冰毒】bīngdú 名 有机化合物,成分是去氧麻黄素。白色晶体,很像小冰块,对人的中枢神经和交感神经有强烈刺激作用,常用成瘾。因用作毒品,所以叫冰毒。

【冰峰】bīngfēng 名 积雪和冰长年不化的山峰。

【冰糕】bīnggāo 〈方〉名 ❶ 冰激凌。❷ 冰棍儿。

【冰镐】bīnggǎo 名 凿冰用的工具,多用于攀登冰峰。

【冰挂】bīngguà 名 雨凇的通称。

【冰柜】bīngguì 名 电冰柜的简称。

【冰棍儿】bīnggùnr 名 一种冷食,把水、果汁、糖等混合搅拌冷冻而成,用一根小棍做把儿。

【冰壶】bīnghú 名 ❶ 体育运动项目之一,运动员在冰面上推出扁圆形石球,以球的滑行终点距离设定圆心的远近判定胜负。❷ 冰壶运动使用的器材,扁圆形,略像壶,用花岗岩制成。

【冰花】bīnghuā 名 ❶ 指凝结呈花纹的薄薄冰层(多在玻璃窗上)。❷ 把花卉、水草、水果、活鱼等实物用水冻结,形成冰罩的艺术品。❸ 雾凇。

【冰激凌】bīngjīlíng 名 一种半固体的冷食,用水、牛奶、鸡蛋、糖、果汁等调和后,一面加冷一面搅拌,使凝结成。[英 ice cream]

【冰窖】bīngjiào 名 贮藏冰的地窖。

【冰晶】bīngjīng 名 在0℃以下时空气中的水蒸气凝结成的结晶状的微小颗粒。

【冰冷】bīnglěng 形 状态词。❶ 很冷:手脚冻得～｜不要躺在～的石板上。❷ 非常冷淡:表情～。

【冰凉】bīngliáng 形 状态词。(物体)很凉:浑身～｜～的酸梅汤。

【冰凌】bīnglíng 名 冰。

【冰溜】bīngliù 图 冰锥。

【冰轮】bīnglún〈书〉图 指月亮。

【冰排】bīngpái 图 大块浮冰。

【冰片】bīngpiàn 图 中药上指龙脑。

【冰品】bīngpǐn 图 雪糕、冰棍儿、冰激凌等冷食的统称。

【冰瓶】bīngpíng 图 大口的保温瓶，通常用来盛冰棍儿等冷食。参看48页〚保温瓶〛。

【冰期】bīngqī 图❶ 地质历史上气候非常寒冷，陆地被大规模冰川覆盖的时期。❷ 指一次冰期中冰川活动剧烈的时期。

【冰淇淋】bīngqílín 图 冰激凌。

【冰橇】bīngqiāo 图 雪橇。

【冰清玉洁】bīng qīng yù jié 比喻高尚纯洁。也说玉洁冰清。

【冰球】bīngqiú 图❶ 一种冰上运动，用冰球杆把冰打进对方球门得分，分多的为胜。❷ 冰球运动使用的球，饼状，用黑色的硬橡胶做成。

【冰人】bīngrén〈书〉图 媒人。

【冰山】bīngshān 图❶ 积雪和冰长年不化的大山。❷ 浮在海洋中的巨大冰块，是两极冰川末端断裂，滑落海洋中形成的。❸ 比喻不能长久依赖的靠山。

【冰山一角】bīngshān yī jiǎo 比喻事物已经显露出来的一小部分：媒体揭露出的问题只是～，实际情况要严重得多。

【冰上运动】bīngshàng yùndòng 体育运动项目的一大类，包括在冰上进行的各种运动，如速度滑冰、花样滑冰、冰球等。

【冰释】bīngshì 图 像冰一样融化，比喻嫌隙、怀疑、误会等完全消除：涣然～。

【冰霜】bīngshuāng〈书〉图❶ 比喻坚贞的节操。❷ 比喻严肃的神情：凛若～。

【冰炭】bīngtàn 图 比喻互相对立的两种事物：～不相容(比喻两种对立的事物不能并存)。

【冰糖】bīngtáng 图 一种块状的食糖，用白糖加水使溶化成糖汁，经过蒸发，结晶而成。透明或半透明，多为白色。

【冰糖葫芦】bīngtánghú·lu （～儿）图 糖葫芦。

【冰天雪地】bīng tiān xuě dì 形容冰雪漫天盖地，非常寒冷。

【冰坨】bīngtuó 图 水或含水的东西冻结成的硬块。

【冰箱】bīngxiāng 图❶ 冷藏食物或药品用的器具，里面放冰块，保持低温。❷ 电冰箱的简称。

【冰消瓦解】bīng xiāo wǎ jiě 比喻完全消释或崩溃。

【冰鞋】bīngxié 图 滑冰时穿的鞋，皮制，鞋底上装着冰刀。

【冰镇】bīngzhèn 图 把食物或饮料和冰等放在一起或放在冰箱里使凉：～西瓜｜这汽水是～过的。

【冰柱】bīngzhù 图 冰锥。

【冰砖】bīngzhuān 图 一种冷食，把水、奶油、糖、果汁等物混合搅拌，在低温下冻成的砖形硬块。

【冰锥】bīngzhuī （～儿）图 雪后檐头滴水凝成锥形的冰。也叫冰锥子、冰柱、冰溜。

并 Bīng 图 山西太原的别称。
另见98页 bìng。

兵 bīng 图❶ 兵器：短～相接｜秣马厉～。❷ 图 军人；军队：当～｜～种｜骑～。❸ 图 军队中的最基层成员：官～一致。❹ 指军事或战争：～法｜～书。❺ (Bīng)图 姓。

【兵变】bīngbiàn 图 军队哗变：发动～。

【兵不血刃】bīng bù xuè rèn 兵器上面没有沾血，指未经交锋而取得胜利。

【兵不厌诈】bīng bù yàn zhà 用兵打仗可以使用欺诈的办法迷惑敌人(语本《韩非子·难一》:"战阵之间，不厌诈伪。"不厌：不排斥；不以为非)。

【兵车】bīngchē 图❶ 古代作战用的车辆。❷ 指运载军队的列车、汽车等。

【兵船】bīngchuán 图 旧时指军舰。

【兵丁】bīngdīng 图 士兵的旧称。

【兵法】bīngfǎ 图 古代指用兵作战的策略和方法：熟谙～。

【兵符】bīngfú 图❶ 古代调兵遣将的符节。❷ 兵书。

【兵戈】bīnggē〈书〉图 兵器，借指战争：不动～｜～四起。

【兵革】bīnggé〈书〉图 兵器和甲胄，借指战争：～未息。

【兵工】bīnggōng 图 军工。

【兵工厂】bīnggōngchǎng 图 制造武器装备的工厂。

【兵贵神速】bīng guì shén sù 用兵以行动特别迅速最为重要(语出《三国志·魏书·

郭嘉传》)。

【兵荒马乱】bīng huāng mǎ luàn 形容战时社会动荡不安的景象。

【兵火】bīnghuǒ 图 战火,指战争:～连天｜书稿毁于～。

【兵家】bīngjiā 图 ❶(Bīngjiā)古代研究军事理论、从事军事活动的学派。主要代表人物有孙武、孙膑等。❷ 用兵的人:胜败乃～常事｜徐州历来为～必争之地。

【兵舰】bīngjiàn 图 军舰。

【兵谏】bīngjiàn 励 用武力胁迫君主或当权者接受规劝:发动～。

【兵来将挡,水来土掩】bīng lái jiàng dǎng, shuǐ lái tǔ yǎn 比喻不管对方使用什么计策、手段,都有对付办法。也比喻针对具体情况采取相应对策。

【兵力】bīnglì 图 军队的实力,包括人员和武器装备等:～雄厚｜集中～。

【兵临城下】bīng lín chéng xià 指大军压境,城被围困。形容形势危急。

【兵乱】bīngluàn 图 由战争造成的混乱局面,兵灾:屡遭～。

【兵马俑】bīngmǎyǒng 图 古代用来殉葬的兵马形象的陶俑。

【兵痞】bīngpǐ 图 指在旧军队中长期当兵、品质恶劣、为非作歹的人。

【兵棋】bīngqí 图 特制的军用标号图型和人员、兵器、地物等模型,在沙盘和地图上可以像棋子一样摆放或移动,供指挥员研究作战和训练等情况时使用。

【兵器】bīngqì 图 武器①。

【兵强马壮】bīng qiáng mǎ zhuàng 形容军队实力强,富有战斗力。

【兵权】bīngquán 图 军权。

【兵戎】bīngróng 〈书〉图 指武器、军队:～相见(武装冲突的婉辞)。

【兵士】bīngshì 图 士兵。

【兵书】bīngshū 图 讲兵法的书。

【兵团】bīngtuán 图 ❶ 军队的一级组织,下辖几个军或师。❷ 泛指团以上的部队:主力～｜地方～。

【兵燹】bīngxiǎn 〈书〉图 战争造成的焚烧破坏等灾害:藏书毁于～。

【兵饷】bīngxiǎng 图 军饷。

【兵役】bīngyì 图 指当兵的义务:服～。

【兵役法】bīngyìfǎ 图 国家根据宪法规定公民服兵役的法律。

【兵营】bīngyíng 图 军队居住的营房。

【兵勇】bīngyǒng 图 旧指士兵。

【兵油子】bīngyóu·zi 图 旧时指久在行伍而油滑的兵。

【兵员】bīngyuán 图 兵;战士①(总称):补充～｜五十万～。

【兵源】bīngyuán 图 士兵的来源:～充足。

【兵灾】bīngzāi 图 战乱带来的灾难。

【兵站】bīngzhàn 图 军队在后方交通线上设置的供应、转运机构,主要负责补给物资、接收伤病员、接待过往部队等。

【兵种】bīngzhǒng 图 军种内部的分类,如步兵、炮兵、装甲兵、工程兵是陆军的各兵种。

【兵卒】bīngzú 图 士兵的旧称。

屏 bīng ［屏营](bīngyíng)〈书〉圈 惶恐的样子(多用于奏章、书札):不胜～待命之至。
另见98页 bǐng;1056页 píng。

枰 bīng ［枰桐](bīnglú)图 古书上指棕榈。
另见63页 bēn。

槟(檳、梹) bīng ［槟榔](bīng-·láng)图 ❶ 常绿乔木,树干很高,羽状复叶。果实可以吃,也供药用。生长在热带地方。❷ 这种植物的果实。
另见94页 bīn。

bǐng （ㄅㄧㄥˇ）

丙 bǐng ❶ 图 天干的第三位。参看440页【干支】。❷〈书〉丙丁:阅后付～。❸(Bǐng)图 姓。

【丙部】bǐngbù 图 子部。

【丙丁】bǐngdīng 〈书〉图 火的代称:付～。

【丙纶】bǐnglún 图 合成纤维的一种,质轻、耐磨,吸湿性和染色性差,制成的衣物不易走样。工业上用来制造绳索、滤布、渔网等。

邴 Bǐng 图 姓。

秉 bǐng ❶〈书〉拿着;握着:～笔｜～烛。❷〈书〉掌握;主持:～政。❸ 圖 古代容量单位,合16斛。❹(Bǐng)图姓。

【秉承】（禀承）bǐngchéng 勔 承受；接受
（旨意或指示）。

【秉持】bǐngchí 〈书〉勔 主持；掌握。

【秉公】bǐnggōng 勪 依照公认的道理或公
平的标准：～办理。

【秉国】bǐngguó 〈书〉勔 执掌国家权力。

【秉性】bǐngxìng 名 性格：～纯朴｜各
异。

【秉正】bǐngzhèng 〈书〉勔 秉持公正：～
无私。

【秉政】bǐngzhèng 〈书〉勔 掌握政权；执
政。

【秉烛】bǐngzhú 〈书〉勔 拿着燃着的蜡
烛：～待旦｜～夜游（指及时行乐）。

柄 bǐng ❶ 名 器物的把儿：刀～｜勺～。
❷ 名 植物的花、叶或果实跟茎或枝
连着的部分：花～｜叶～。❸ 比喻在言行
上被人抓住的材料：话～｜笑～｜把～。❹
〈书〉执掌：～国｜～政。❺〈书〉权：国
～。❻〈方〉量 用于某些带把儿的东西：
一～斧头｜两～锄头。

昺（昺） bǐng 〈书〉明亮；光明（多用
于人名）。

饼（餅） bǐng ❶ 名 烤熟或蒸熟的面
食，形状大多扁而圆：月～｜烧
～｜大～｜一张～。❷（～儿）形体像饼的东
西：铁～｜豆～｜煤～｜柿～儿。

【饼铛】bǐngchēng 名 烙饼用的平底锅。

【饼肥】bǐngféi 名 指用作肥料的豆饼、花
生饼、棉子饼等。

【饼干】bǐnggān 名 食品，用面粉加糖、鸡
蛋、牛奶等烤成的小而薄的块儿。

【饼子】bǐng•zi 名 用玉米面、小米面等贴
在锅上烙成的饼。

炳 bǐng ❶〈书〉光明；显著：彪～｜蔚
（文采鲜明华美）。❷（Bǐng）名 姓。

屏 bǐng ❶ 勔 抑止（呼吸）：～着呼吸｜
～着气。❷ 除去；排除：～除｜～弃。
另见97页 píng；1056页 píng。

【屏除】bǐngchú 勔 摒除(bìngchú)。

【屏迹】bǐngjì 〈书〉勔 ❶ 敛迹；匿迹：权贵
～｜盗贼～。❷ 隐居：～山村。

【屏气】bǐng∥qì 勔 暂时抑止呼吸；有意地
闭住气息：～凝神｜他放轻脚步屏住气向病房
走去。

【屏弃】bǐngqì 勔 摒弃(bìngqì)。

【屏退】bǐngtuì 勔 ❶ 使离开：～左右｜～
闲人。❷〈书〉退隐：不乐仕进，常思～。

【屏息】bǐngxī 勔 屏气：全场听众～静听。

禀（禀） bǐng ❶ 勔 禀报；禀告：回
～｜待我～过家父，再来回话。
❷ 旧时禀报的文件：～帖｜具～详report。❸
领受；承受：～性｜～命｜～受。

【禀报】bǐngbào 勔 指向上级或长辈报告：
据实～。

【禀承】bǐngchéng 见 98 页【秉承】。

【禀赋】bǐngfù 名 人的体魄、智力等方面
的素质：～较弱｜～聪明。

【禀告】bǐnggào 勔 指向上级或长辈告诉
事情：此事待我～家母后再定。

【禀命】bǐngmìng 〈书〉勔 接受命令。

【禀受】bǐngshòu 〈书〉❶ 勔 承受。❷ 名
指受于自然的品性或资质。

【禀帖】bǐngtiě 名 旧时百姓向官府有所报
告或请求用的文书。

【禀性】bǐngxìng 名 本性：～淳厚｜江山易
改，～难移。

鞞 bǐng 〈书〉刀鞘。

bìng （ㄅㄧㄥˋ）

并¹（併） bìng 勔 合在一起：归～｜
合～｜把三个组～成两个。

并²（並、竝） bìng ❶ 勔 两种或
两种以上的事物平排
着：～蒂莲｜我们手挽着手，肩～着肩。❷
勪 表示不同的事物同时存在，不同的事
情同时进行：两说～存｜相提～论。❸ 勪
用在否定词前面加强否定的语气，略带反
驳的意味：你以为他糊涂，其实他～不糊
涂｜所谓团结～非一团和气。❹ 连 并且：
我完全同意～拥护领导的决定。❺〈书〉
介 用法跟"连"相同（常跟"而"、"亦"呼
应）：～此而不知｜～此浅近原理亦不能明。
另见96页 Bìng。

【并案】bìng∥àn 勔 将若干起有关联的案
件合并（办理）：～侦查。

【并存】bìngcún 勔 同时存在：两种体制
～｜不同的见解可以～。

【并蒂莲】bìngdìlián 名 并排地长在同一
个茎上的两朵莲花，文学作品中常用来比

喻恩爱的夫妻。

【并发】bìngfā 勔 由正在患的某种病引起（另一种病）：～症｜～肺炎。

【并发症】bìngfāzhèng 名 由正在患的某种病引起的病。如出麻疹引起肺炎，肺炎就是并发症。也叫合并症。

【并购】bìnggòu 勔 用购买的方式兼并：这个企业集团最近～了两家公司。

【并骨】bìnggǔ〈书〉指夫妻合葬。

【并轨】bìngguǐ 勔 比喻将并行的体制、措施等合而为一：两种教学体制实行～。

【并驾齐驱】bìng jià qí qū 比喻齐头并进，不分前后。也比喻地位或程度相等，不分高下。

【并肩】bìngjiān ❶（－//－）肩挨着肩：他们～在河边散步。❷ 勖 比喻行动一致，共同努力：～作战。

【并进】bìngjìn 勔 不分先后，同时进行：齐头～。

【并举】bìngjǔ 勔 不分先后，同时举办：工农业～。

【并力】bìnglì〈书〉勔 一起出力：～坚守。

【并立】bìnglì 勔 同时存在：群雄～。

【并联】bìnglián 勔 ❶ 并排地相连接。❷ 把几个电器或元器件，一个个并排连接，形成几个平行的分支电路，这种连接方法叫并联。

【并列】bìngliè 勔 并排平列，不分主次：这是～的两个分句｜比赛结果两人～第三名。

【并拢】bìnglǒng 勔 合拢：两脚～｜～翅膀。

【并茂】bìngmào 形 比喻密切相关的两种事物都很优美：图文～｜声情～。

【并排】bìngpái 勔 不分前后地排列在一条线上：三个人～地走过来｜这条马路可以～行驶四辆大卡车。

【并且】bìngqiě 连 ❶ 用于连接并列的动词或形容词等，表示几个动作同时进行或几种性质同时存在：聪明、机智～勇敢｜会上热烈讨论～一致通过了这个生产计划。❷ 用在复句后一个分句里，表示更进一层的意思：她被评为先进生产者，～出席了先进生产者经验交流会。

【并吞】bìngtūn 勔 把别国的领土或别人的产业强行并入自己的范围内。

【并网】bìngwǎng 勔 把单独的输电、通信等线路接入总的系统，形成网络；把若干个输电、通信等网络合并，形成新的网络：～发电｜～运行。

【并线】bìngxiàn 勔 车辆在行驶过程中从所行驶的车道驶向并行的邻接车道：～行驶。

【并行】bìngxíng 勔 ❶ 并排行走：携手～。❷ 同时实行：～不悖｜治这种病要打针和吃药～。

【并行不悖】bìngxíng bù bèi 同时实行，互不冲突。

【并用】bìngyòng 勔 同时使用：手脚～｜多种手段～。

【并重】bìngzhòng 勔 同等重视：预防和治疗～。

病 bìng ❶ 名 生理上或心理上发生的不正常的状态：疾～｜心脏～｜他的～已经好了。❷ 勔 生理上或心理上发生不正常状态：他着了凉，～了三天。❸ 害处；私弊：弊～。❹ 缺点；错误：语～｜通～。❺〈书〉祸害；损害：祸国～民。❻〈书〉责备；不满：诟～｜为世所～。

【病案】bìng'àn 名 把病历资料加工整理所形成的档案。

【病包儿】bìngbāor〈口〉名 多病的人（含诙谐意）。

【病变】bìngbiàn 勔 由致病因素引起的细胞、组织或器官的变化，是病理变化的简称。

【病病歪歪】bìng·bingwāiwāi（～的）形 状态词。形容身体衰弱无力的样子。

【病残】bìngcán 名 疾病和残疾：～儿童｜战胜～，做生活的强者。

【病程】bìngchéng 名 指患某种病的整个过程。

【病虫害】bìngchónghài 名 病害和虫害的合称。

【病床】bìngchuáng 名 病人的床铺，特指医院、疗养院里供住院病人用的床。

【病毒】bìngdú 名 ❶ 比病菌更小的病原体，多用电子显微镜才能看见。没有细胞结构，但有遗传、变异等生命特征，一般能通过能阻挡细菌的过滤器，所以也叫滤过性病毒。天花、麻疹、牛瘟等就是由不同的病毒引起的。❷ 指计算机病毒。

【病笃】bìngdǔ〈书〉形 病势沉重。

【病房】bìngfáng 名 医院、疗养院里病人住的房间。

【病夫】bìngfū 名 体弱多病的人（含讥讽意）。

【病根】bìnggēn 名 ❶（～儿）没有完全治好的旧病：这是坐月子时留下的～儿。❷ 比喻能引起失败或灾祸的原因：找出工厂连年亏损的～。

【病故】bìnggù 动 因病去世。

【病害】bìnghài 名 细菌、真菌、病毒或不适宜的气候、土壤等对植物造成的危害，如引起植物体发育不良、枯萎或死亡。

【病号】bìnghào （～儿）名 部队、学校、机关等集体中的病人：老～（经常生病的人）｜～饭（给病人特做的饭食）。

【病候】bìnghòu 名 中医泛指疾病反映出来的各种症候。

【病患】bìnghuàn 名 ❶ 疾病。❷ 病人；患者：救治～｜给～更贴心的关怀。

【病家】bìngjiā 名 病人和病人的家属（就医生、医院、药方面说）。

【病假】bìngjià 名 因病请的假。

【病句】bìngjù 名 在语法修辞或逻辑上有毛病的句子：改正～。

【病菌】bìngjūn 名 能使人或其他生物生病的细菌，如脑膜炎球菌、炭疽杆菌、霍乱弧菌等。

【病况】bìngkuàng 名 病情。

【病理】bìnglǐ 名 疾病发生和发展的过程和原理。

【病历】bìnglì 名 医务人员对病人的病情、诊断和处理方法的记录。

【病例】bìnglì 名 某种疾病的实例。某个人或生物患过某种疾病，就是这种疾病的病例。

【病魔】bìngmó 名 比喻疾病（多指长期重病）：～缠身｜战胜～。

【病情】bìngqíng 名 疾病变化的情况：～好转｜～恶化｜～稳定。

【病区】bìngqū 名 医院根据住院病人治疗和管理的需要所划分的若干住院区。

【病人】bìngrén 名 生病的人；受治疗的人。

【病容】bìngróng 名 有病的气色：面带～。

【病入膏肓】bìng rù gāo huāng 病到了无法医治的地步，也比喻事情严重到了不可挽救的程度（膏肓：我国古代医学上把心尖脂肪叫膏，心脏和膈膜之间叫肓，认为

是药力达不到的地方）。

【病弱】bìngruò 形 （身体）有病而衰弱：年老～｜～的身体。

【病史】bìngshǐ 名 患者历次所患疾病的情况。

【病势】bìngshì 名 病的轻重程度：服药之后，～减轻。

【病逝】bìngshì 动 因病去世。

【病榻】bìngtà 名 病人的床铺：缠绵～。

【病态】bìngtài 名 心理或生理上不正常的状态：～心理｜这不是正常的胖，而是一种～◇社会～。

【病体】bìngtǐ 名 患病的身体：～康复。

【病痛】bìngtòng 名 指人所患的疾病：不堪～折磨。

【病退】bìngtuì 动 因病退职、退学或提前退休。

【病危】bìngwēi 形 病势危险：医院已经下了～通知。

【病象】bìngxiàng 名 疾病表现出来的现象，如发热、呕吐、咳嗽等。

【病休】bìngxiū 动 因病休息：～一周。

【病恹恹】bìngyānyān （～的）形 状态词。病体衰弱无力，精神委靡的样子。

【病秧子】bìngyāng·zi 〈方〉名 多病的人。

【病疫】bìngyì 名 指流行性传染病；疫病。

【病因】bìngyīn 名 发生疾病的原因：～尚未查明。

【病友】bìngyǒu 名 称跟自己同时住在一个医院的病人。

【病愈】bìngyù 动 病好了：～出院。

【病员】bìngyuán 名 部队、机关、团体中称生病的人员。

【病原】bìngyuán 名 ❶ 病因。❷ 指病原体。

【病原体】bìngyuántǐ 名 能引起疾病的微生物和寄生虫的统称，如细菌、真菌、病毒、支原体、衣原体、立克次体、螺旋体、螨类等。

【病源】bìngyuán 名 发生疾病的根源。

【病院】bìngyuàn 名 专治某种疾病的医院：精神～｜传染～。

【病灶】bìngzào 名 机体上发生病变的部分。如肺的某一部分被结核菌破坏，这部分就是肺结核病灶。

【病征】bìngzhēng 名 表现在身体外面的显示出是什么病的征象。

【病症】bìngzhèng 图病①：专治疑难～。

【病株】bìngzhū 图发生病害的植物。

【病状】bìngzhuàng 图病象。

摒 bìng 排除：～除|～弃。

【摒除】bìngchú 动排除；除去：～杂念。

【摒挡】bìngdàng〈书〉动料理；收拾：～公务|～行李|～一切。

【摒绝】bìngjué 动排除：～妄念|～应酬。

【摒弃】bìngqì 动舍弃：～杂务，专心学习。

bō（ㄅㄛ）

拨（撥）bō ❶动手脚或棍棒等横着用力，使东西移动：～门|～船◇～开云雾。❷动分出一部分发给；调配：～粮|～款|两个人到锻工车间工作。❸动掉转：～头便往回走。❹（～儿）量用于成批的人或物：工人们分成两～儿干活儿|大家轮～儿休息。

【拨打】bōdǎ 动打（电话）：～国内长途|～投诉电话。

【拨发】bōfā 动分出一部发给：所需经费由上级统一～。

【拨付】bōfù 动调拨并发给（款项）：～经费。

【拨号】bō∥hào 动按照要通话的电话号码，拨动拨号盘中的数字（现多采用按动数字键的方式）。

【拨款】bōkuǎn ❶（－//－）动（政府或上级）拨给款项：拨了一笔款|～10万元。❷图政府或上级拨给的款项：军事～|预算的支出部分是国家的～。

【拨拉】bō·la〈口〉动拨①：～算盘子儿。

【拨浪鼓】bō·langgǔ（～儿）图玩具，带把儿的小鼓，来回转动时，两旁系在短绳上的鼓槌击鼓做声。也作波浪鼓。

【拨乱反正】bō luàn fǎn zhèng 治理混乱的局面，使恢复正常。

【拨弄】bō·nòng 动❶用手脚或棍棒等来回地拨动：～琴弦|他用小棍儿～火盆里的炭。❷摆布：他想～人，办不到！❸挑拨：～是非。

【拨冗】bōrǒng 动客套话，推开繁忙的事务，抽出时间：务希～出席。

【拨云见日】bō yún jiàn rì 拨开乌云，看见太阳。比喻冲破黑暗，见到光明。

【拨子】bō·zi ❶图一种用金属、木头、象牙或塑料等制成的薄片，用以弹奏月琴、曼德琳等弦乐器。❷图高拨子的简称。❸量拨④：刚才有一～人从这里过去了。

波 bō ❶图波浪：～纹|随～逐流。❷图振动在介质中的传播过程。波是振动形式的传播，介质质点本身并不随波前进。最常见的有机械波和电磁波。通常也可分为横波和纵波。❸比喻事情的意外变化：风～|一～未平，一～又起。❹（Bō）图姓。

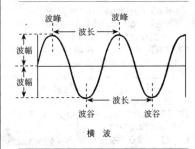

横波

【波长】bōcháng 图沿着波的传播方向，相邻的两个波峰或两个波谷之间的距离，即波在一个振动周期内传播的距离。（图见101页"横波"）

【波荡】bōdàng 动❶起落不定；上下颠动：海水～。❷比喻动荡，不安定：四海～。

【波导】bōdǎo 图一种用来引导微波能量传输的空心金属导体，传输损耗比同轴电缆低。也叫波导管。

【波导管】bōdǎoguǎn 图波导。

【波动】bōdòng 动起伏不定；不稳定：情绪～|物价～|思想上又有了～。

【波段】bōduàn 图无线电广播中，把无线电波按波长不同而分成的段，有长波、中波、短波等。

【波尔卡】bō'ěrkǎ 图一种舞蹈，起源于捷克民族，是排成行列的双人舞，舞曲为2/4拍。[捷 polka]

【波峰】bōfēng 图在一周期内横波在横坐标轴以上的最高部分。（图见101页"横波"）

【波幅】bōfú 图在横波中，从波峰或波谷到横坐标轴的距离。(图见 101 页"横波")

【波谷】**bōgǔ** 图 在一周期内横波在横坐标轴以下的最低部分。(图见 101 页"横波")

【波及】**bōjí** 囫 牵涉到;影响到:水灾～南方数省|事件～整个世界|他怕此事～自身。

【波谲云诡】**bō jué yún guǐ** 见 1686 页【云谲波诡】。

【波澜】**bōlán** 图 波涛,多用于比喻:～壮阔|激起感情的～。

【波澜壮阔】**bōlán zhuàngkuò** 比喻声势雄壮浩大(多用于诗文、群众运动等)。

【波浪】**bōlàng** 图 江湖海洋上起伏不平的水面:～起伏|～翻滚。

【波浪鼓】**bōlanggǔ** 同"拨浪鼓"。

【波罗蜜】[1] **bōluómì** 囫 佛教用语,指到彼岸。也译作波罗蜜多。［梵 pāramitā］

【波罗蜜】[2] **bōluómì** 图❶ 常绿乔木,高可达 20 米,叶子卵圆形,花小,聚合成椭圆形。果皮黄褐色,果实可以吃。原产于印度、马来西亚一带。❷ 这种植物的果实。‖也作菠萝蜜。也叫木波罗。

【波谱】**bōpǔ** 图 按照波长的长短依次排列而成的表。

【波束】**bōshù** 图 指有很强的方向性的电磁波。用于雷达和微波通信等。

【波涛】**bōtāo** 图 大波浪:万顷～|～汹涌。

【波纹】**bōwén** 图 小波浪形成的水纹:湖面漾起细细的～。

【波源】**bōyuán** 图 能够维持振动的传播,并能发出波的物体或该物体所在的位置。

【波折】**bōzhé** 图 事情进行中所发生的曲折:几经～,养殖场终于办起来了。

【波磔】**bōzhé** 图 指汉字书法的撇捺。

玻 **bō** 见下。

【玻璃】**bō·li** 图❶ 一种质地硬而脆的透明物体,没有一定的熔点。一般用石英砂、石灰石、纯碱等混合后,在高温下熔化、成型、冷却后制成。❷ 指某些像玻璃的塑料:～丝|有机～。

【玻璃钢】**bō·ligāng** 图 用玻璃纤维及其织物增强的塑料,质轻而硬,不导电,机械强度高,耐腐蚀。可以代替钢材制造机器零件和汽车、船舶的外壳等。

【玻璃丝】**bō·lisī** 图 用玻璃、塑料或其他人工合成的物质制成的细丝,可用来织玻璃布、装饰品等。

【玻璃体】**bō·litǐ** 图 眼球内充满在晶状体和视网膜之间的无色透明的胶状物质,有支撑眼球内壁的作用。(图见 1569 页"人的眼")

【玻璃纤维】**bō·li xiānwéi** 用熔融玻璃制成的极细的纤维,绝缘性、耐热性、抗腐蚀性好,机械强度高。用作绝缘材料和玻璃钢的原料等。

【玻璃纸】**bō·lizhǐ** 图 透明的纸状薄膜,用纸浆经过化学处理或用塑料制成,可染成各种颜色,用于包装或装饰。旧称赛璐玢。

【玻璃砖】**bō·lizhuān** 图❶ 指较厚的玻璃。❷ 用玻璃制成的砖状建筑材料,多是空心的。坚固耐磨,能透光,隔音、隔热性能好。

砵 **bō** ❶ 地名用字:铜～(在福建)|麻地～(在内蒙古)。❷ 同"钵"。

盋 **bō** 〈书〉同"钵"。

哱 **bō** [哱罗](bōluó)图 古代军中的一种号角。

趵 **bō** 〈书〉踢。
　另见 53 页 **bào**。

【趵趵】**bōbō** 〈书〉拟声 形容脚踏地的声音。

钵(缽、鉢) **bō** 图❶ 陶制的器具,形状像盆而较小:饭～|乳～(研药末的器具)|一满～水。❷ 钵盂。［钵多罗之省,梵 pātra］

【钵头】**bōtóu** 〈方〉图 钵①。

【钵盂】**bōyú** 图 古代和尚用的饭碗。底平,口略小,形稍扁。

【钵子】**bō·zi** 〈方〉图 钵①。

般 **bō** [般若](bōrě)图 智慧(佛经用语)。［梵 prajnā］
　另见 34 页 bān;1020 页 pán。

饽(餑) **bō** [饽饽](bō·bo)〈方〉图❶ 糕点。❷ 馒头或其他面食,也指用杂粮面制成的块状食物:棒子面儿～|贴～(贴饼子)。

剥 **bō** 义同"剥"(bāo),专用于合成词或成语,如剥夺,生吞活剥。
　另见 45 页 bāo。

【剥夺】**bōduó** 囫❶ 用强制的方法夺去:～劳动成果。❷ 依照法律取消:～政治权利。

【剥离】bōlí 动 (组织、皮层、覆盖物等)脱落；分开：岩石～|胎盘早期～。

【剥落】bōluò 动 一片片地脱落：门上的油漆～了。

【剥蚀】bōshí 动 ❶ 物质表面因风化而逐渐损坏：因受风雨的～,石刻的文字已经不易辨认。❷ 风、流水、冰川等破坏地球表面,使隆起的部分逐渐变平。❸ 侵蚀。

【剥削】bōxuē 动 无偿地占有别人的劳动或产品,主要是凭借生产资料的私人所有权来进行的。

【剥削阶级】bōxuē jiējí 在阶级社会里占有生产资料剥削其他阶级的阶级,如奴隶主阶级、地主阶级和资产阶级。

【剥啄】bōzhuó 〈书〉拟声 形容轻轻敲门等的声音。

菠 bō 见下。

【菠菜】bōcài 名 一年生或二年生草本植物,叶子略呈三角形,根略带红色,是常见蔬菜。有的地区叫菠薐菜。

【菠薐菜】bōléngcài 〈方〉名 菠菜。

【菠萝】bōluó 名 ❶ 多年生草本植物,叶子大,边缘有锯齿,花紫色,果实密集在一起,外部有鳞片状,果肉味甜酸,有很浓的香味。产于热带地区,我国广东、广西、海南、云南、福建、台湾等地都有出产。❷ 这种植物的果实。‖也叫凤梨。

【菠萝蜜】bōluómì 同"波罗蜜"2。

铍(鈹) bō 名 金属元素,符号 Bh (bohrium)。有放射性,由人工核反应获得。

鲅(鱍) bō [鲅鲅](bōbō)〈书〉拟声 形容鱼跳跃或摆尾的声音。

播 bō ❶ 动 传播;传扬：广～|～音|电台正在～重要新闻。❷ 动 播种：条～|点～|夏～|～了两亩地的麦子。❸〈书〉迁移;流亡：～迁(迁徙)。

【播报】bōbào 动 通过广播、电视播送报道：～新闻。

【播发】bōfā 动 通过广播、电视发出：～新闻。

【播放】bōfàng 动 ❶ 通过广播播送：～录音电话。❷ 播映：～科教影片|电视台～比赛实况。

【播讲】bōjiǎng 动 通过广播、电视进行讲述或讲授：～评书|～英语。

【播弄】bō·nòng 动 ❶ 摆布：人不再受命运～。❷ 挑拨：～是非。

【播撒】bōsǎ 动 撒播;撒：～树种|～药粉。

【播送】bōsòng 动 通过无线电或有线电向外传送：～音乐|大风降温消息。

【播音】bō//yīn 动 广播电台播送节目：～员|今天～到此结束。

【播映】bōyìng 动 电视台播放节目：～权|～故事影片。

【播种】bō//zhǒng 动 播撒种子：～机|早～,早出苗。

【播种】bōzhòng 动 用播种(zhǒng)的方式种植：～冬小麦。

蕃 bō 见 1382 页〖吐蕃〗。
另见 372 页 fān;375 页 fán。

嶓 bō 嶓冢(Bōzhǒng),山名,在甘肃。

bó (ㄅㄛˊ)

孛 bó ❶〈书〉同"勃"。❷ (Bó)名 姓。
另见 58 页 bèi。

伯¹ bó ❶ 名 伯父：大～|表～。❷ 在弟兄排行的次序里代表老大：～兄。❸ (Bó)名 姓。

伯² bó 封建五等爵位的第三等：～爵。
另见 30 页 bǎi。

【伯伯】bó·bo 〈口〉名 伯父：二～|张～。

【伯父】bófù 名 ❶ 父亲的哥哥。❷ 称呼跟父亲辈分相同而年纪较大的男子。

【伯公】bógōng 〈方〉名 ❶ 伯祖。❷ 丈夫的伯父。

【伯劳】bóláo 名 鸟,额部和头部的两旁黑色,颈部蓝灰色,背部棕红色,有黑色波状横纹。吃昆虫和小鸟。有的地区叫虎不拉(hù·bulǎ)。

【伯乐】(Bólè) 名 春秋时秦国人,善于相(xiàng)马,后用来比喻善于发现和选用人才的人：各级领导要广开视野,当好～,发现和造就更多的人才。

【伯母】bómǔ 名 伯父的妻子。

【伯婆】bópó 〈方〉名 ❶ 伯祖母。❷ 丈夫的伯母。

【伯仲】bózhòng 〈书〉名 指兄弟的次第,比喻人或事物不相上下：～之间。

【伯仲叔季】bó zhòng shū jì 弟兄排行的

次序,伯是老大,仲是第二,叔是第三,季是最小的。

【伯祖】bózǔ 图 父亲的伯父。

【伯祖母】bózǔmǔ 图 父亲的伯母。

驳[1]（駁、駮）bó 动 指出对方的意见不合事实或没有道理;说出自己的意见,否定别人的意见:批~|反~|~价|这种论点不值一~。

驳[2]（駁、駮）bó 〈书〉一种颜色夹杂着别种颜色;不纯净:斑~。

驳[3]（駁）bó ❶ 驳运:起~|~卸。❷ 驳船:铁~。❸〈方〉动 把岸或堤向外扩展:这条堤还不够宽,最好再~出去一米。

【驳岸】bó'àn 图 保护岸或使不坍塌的构筑物,多用石块砌成。

【驳斥】bóchì 动 反驳错误的言论或意见:~伪科学的谬论。

【驳船】bóchuán 图 用来运货物或旅客的一种船,一般没有动力装置,由拖轮拉着或推着行驶。

【驳倒】bó//dǎo 动 提出理由否定对方的意见,使站不住脚;一句话就把他~了|真理是驳不倒的。

【驳回】bóhuí 动 不允许(请求);不接纳(建议):~上诉|对无理要求,一概~。

【驳价】bó//jià （~儿）动 驳回卖主提出的价格;还价。

【驳壳枪】bókéqiāng 图 手枪的一种,外有木盒,射击时可把木盒移装在枪后,作为托柄。能连续射击,射程比普通手枪远。有的地区叫盒子枪、匣子枪。

【驳论】bólùn 动 反驳对方的论点,并在此基础上阐明自己的观点或意见。

【驳面子】bó miàn·zi 不给情面。

【驳难】bónàn 〈书〉反驳责难→攻讦。

【驳议】bóyì 图 反驳的议论;异议:有些人对这种看法提出~。

【驳运】bóyùn 动 在岸与船、船与船之间用小船来往转运旅客或货物。

【驳杂】bózá 形 混杂不纯:这篇文章又谈景物,又谈掌故,内容非常~。

帛 bó 〈书〉丝织物的总称:布~|财~|玉~。

【帛画】bóhuà 图 我国古代画在丝织品上的画。

【帛书】bóshū 图 我国古代写在丝织品上的书。

㧌 bó 〈书〉小瓜。

泊[1] bó ❶ 动 船靠岸;停船:停~|船~港外。❷ 停留;漂~。❸〈方〉动 停放(车辆):~车。❹ (Bó)图 姓。

泊[2] bó 恬静;淡~。
另见 1056 页 pō。

【泊车】bó//chē 〈方〉停放车辆(多指汽车)。

【泊地】bódì 图 锚地。

【泊位】bówèi 图 ❶ 航运上指港区内能靠泊船舶的位置。能停泊一条船的位置称为一个泊位。❷ 车位的俗称。

柏 bó 柏林(Bólín),德国首都。
另见 30 页 bǎi;107 页 bò。

勃（教）bó ❶〈书〉旺盛:蓬~|~发。❷ (Bó)图 姓。

【勃勃】bóbó 形 精神旺盛或欲望强烈的样子:生气~|朝气~|兴致~|野心~。

【勃发】bófā 〈书〉动 ❶ 焕发;蓬勃生发:英姿~|生机~。❷ 突然发生:战争~|~事件。

【勃起】bóqǐ 动 通常指男子和某些雄性哺乳动物的阴茎从绵软下垂状态转为坚挺,有时也用于阴蒂或乳头:男性~功能障碍。

【勃然】bórán 形 ❶ 兴起或旺盛的样子:~而兴|~而起。❷ 因生气或惊慌等变脸色的样子:~不悦|~大怒。

【勃谿】bóxī〈书〉同"勃豀"。

【勃豀】bóxī〈书〉动 家庭中争吵:姑嫂~。也作勃谿。

【勃兴】bóxīng〈书〉勃然兴起;蓬勃发展。

钹（鈸）bó 图 打击乐器,是两个圆铜片,中间突起成半球形,正中有孔,可以穿绸条或布片,两片合起来打打发声。

铂（鉑）bó 图 金属元素,符号 Pt (platinum)。银白色,质软,延展性强,化学性质稳定。用来制耐腐蚀的化学仪器等,也用作催化剂。通称白金。

亳 Bó 亳州(Bózhōu),地名,在安徽。

浡 bó 〈书〉振作;兴起。

袚(襏) bó [袚襫](bóshì) 名 古时指农夫穿的蓑衣之类。

舶 bó 航海大船:船~|巨~|海~。

【舶来品】bóláipǐn 名 旧时指进口的货物。

脖 bó (~儿)名 ❶ 脖子。❷ 器物上像脖子的部分:这个瓶子~儿长。

【脖梗儿】bógěngr 同"脖颈儿"。

【脖颈儿】bógěngr 〈口〉名 脖子的后部。也作脖梗儿。

【脖领儿】bólǐngr 〈方〉名 衣服领儿;领子。也叫脖领子。

【脖子】bó•zi 名 头和躯干相连接的部分。

博¹ bó ❶〈量〉多;丰富:渊~|地大物~|~而不精。❷ 通晓:~古通今。❸〈书〉大:宽衣~带。❹(Bó)名 姓。

博²(❷簙) bó ❶ 博取:取得:聊以~一笑|以~欢心。❷ 古代的一种棋戏,后来泛指赌博:~徒|~局。

【博爱】bó'ài 动 指普遍地爱世间所有的人:~众生。

【博采众长】bó cǎi zhòng cháng 广泛地采纳各家的长处。

【博彩】bócǎi 名 指赌博、摸彩、抽奖一类活动:~业。

【博大】bódà 形 宽广;丰富(多用于抽象事物):~的胸怀|学问~而精深。

【博大精深】bódà jīngshēn (思想、学说等)广博高深。

【博导】bódǎo 名 博士研究生导师的简称。

【博得】bódé 动 取得;得到(好感、同情等):~群众的信任|这个电影~了观众的好评。

【博古】bógǔ ❶ 动 通晓古代的事情:~多识|~通今。❷ 名 指古器物,也指以古器物为题材的国画。

【博古通今】bó gǔ tōng jīn 通晓古今的事情,形容知识渊博。

【博览】bólǎn 动 广泛阅览:~群书。

【博览会】bólǎnhuì 名 组织许多国家参加的大型产品展览会。有时也指一国的大型产品展览会。

【博洽】bóqià 〈书〉形 (学识)渊博:~多闻。

【博取】bóqǔ 动 用言语、行动取得(信任、重视等):~欢心|人们的同情。

【博识】bóshí 形 学识丰富;多闻:~。

【博士】bóshì 名 ❶ 学位的最高一级:文学~。❷ 古时指专精某种技艺或专司某种职业的人:茶~|酒~。❸ 古代的一种传授经学的官员。

【博士后】bóshìhòu 名 获得博士学位后在高等院校或研究机构从事研究工作并继续深造的阶段。也指博士研究人员。

【博闻强记】bó wén qiáng jì 博闻强识。

【博闻强识】bó wén qiáng zhì 见闻广博,记忆力强。也说博闻强记。

【博物】bówù 名 动物、植物、矿物、生理等学科的总称。

【博物馆】bówùguǎn 名 搜集、保管、研究、陈列、展览有关革命、历史、文化、艺术、自然科学、技术等方面的文物或标本的机构。

【博物院】bówùyuàn 名 博物馆:故宫~。

【博学】bóxué 形 学问广博精深:~多才。

【博雅】bóyǎ 〈书〉形 渊博:~之士|~精深。

【博弈】bóyì 动 ❶ 古代指下围棋,也指赌博。❷ 比喻为谋取利益而竞争。

【博引】bóyǐn 动 广泛地引证:旁征~|~众说。

莋 bó 见 1023 页[莃莋]。

鹁(鵓) bó 见下。

【鹁鸪】bógū 名 鸟,羽毛黑褐色,天要下雨或刚晴的时候,常在树上咕咕地叫。也叫水鹁鸪。

渤 Bó 渤海,在山东半岛和辽东半岛之间。

搏 bó ❶ 搏斗;对打:拼~|肉~。❷ 扑上去抓:狮子~兔。❸ 跳动:脉~。

【搏动】bódòng 动 有节奏地跳动(多指心脏或血脉):心脏起搏器能模拟心脏的自然~,改善病人的病情。

【搏斗】bódòu 动 ❶ 徒手或用刀、棒等激烈地对打:用刺刀跟敌人~。❷ 比喻激烈地斗争:与暴风雪~|新旧思想的大~。

【搏击】bójī 动 奋力斗争和冲击；奋力～｜～风浪。

【搏杀】bóshā 动 用武器格斗；在同歹徒～中，受了重伤◇两位棋手激烈～。

【搏战】bózhàn 动 奋勇战斗，比喻奋力比赛或努力工作；经过九十分钟～，主队以一球险胜对手。

鲌（鮊）bó 名 鱼，身体侧扁，腹部有肉棱，背鳍有硬刺。生活在淡水中，吃鱼、虾和水生昆虫等。
另见 22 页 bà。

馎（餺）bó ［馎饦］(bótuō) 名 古代一种面食。

欂 Bó 我国古代称居住在西南地区的某一少数民族。

箔¹ bó ❶ 苇子或秫秸编成的帘子：苇～｜席～。❷ 蚕箔。

箔² bó ❶ 金属薄片：金～儿｜镍～｜铜～。❷ 涂上金属粉末或裱上金属薄片的纸(迷信的人在祭祀时当做钱纸焚化)：锡～｜金银～。

魄 bó 见 902 页【落魄】。
另见 1060 页 pò；1394 页 tuò。

膊 bó 胳膊；赤～。

踣 bó 〈书〉跌倒。

镈（鎛）bó ❶ 古代乐器，大钟。❷ 古代锄一类的农具。

薄¹ bó ❶ 轻微；少：～技｜广种～收。❷ 不强健；不壮实：～弱｜单～。❸ 不厚道；不庄重：～待｜刻～｜轻～。❹ 不肥沃：～地｜～田。❺ 看不起；轻视：慢待菲～｜鄙～｜厚今～古。❻ (Bó)名 姓。

薄² bó 〈书〉迫近；靠近：～海｜日～西山。
另见 45 页 báo；107 页 bò。

【薄产】bóchǎn 名 少量的产业：一份～。

【薄地】bódì 名 不肥沃的田地。

【薄海】bóhǎi 〈书〉名 本指接近海边，后泛指海内广大地区：～传诵｜普天同庆，～欢腾。

【薄厚】bóhòu 名 厚薄。

【薄技】bójì 名 微小的技能，常用作谦称自己的技艺：～在身｜愿献～。

【薄酒】bójiǔ 名 味淡的酒，常用作待客时谦辞：～一杯，不成敬意｜略备～，为先生洗

尘。

【薄礼】bólǐ 名 不丰厚的礼物，多用来谦称自己送的礼物：些许～，敬请笑纳。

【薄利】bólì 名 微薄的利润：～多销。

【薄利多销】bó lì duō xiāo 一种营销手段，以单个产品获利少而产品卖得多的办法获得经济收益。

【薄面】bómiàn 名 为人求情时谦称自己的情面：看在我的～上，原谅他这一次。

【薄命】bómìng 形 指命运不好，福分不大(迷信，多用于妇女)：红颜～。

【薄暮】bómù 〈书〉名 傍晚：～时分。

【薄情】bóqíng 形 情义淡薄；无情(多用于男女爱情)。

【薄弱】bóruò 形 容易破坏或动摇；不雄厚；不坚强：兵力～｜意志～｜加强工作中的～环节。

【薄田】bótián 名 薄地。

【薄物细故】bó wù xì gù 微小琐碎的事情：～，不足计较。

【薄幸】bóxìng 〈书〉形 薄情。

【薄葬】bózàng 动 从简办理丧葬：提倡厚养～。

醭 bó 见 77 页【秘醭】。

髆 bó 〈书〉肩。

欂 bó ［欂栌］(bólú) 名 古代指斗拱(dǒugǒng)。

襮 bó 〈书〉❶ 表露：表～(暴露)。❷ 外表。

礴 bó 见 1023 页【磅礴】。

bǒ （ㄅㄛˇ）

跛 bǒ 〈书〉同"跛"。

跛 bǒ 动 腿或脚有毛病，走起路来身体不平衡：～脚｜～行｜脚有点儿～。

【跛鳖千里】bǒ biē qiān lǐ 《荀子·修身》："故跬步而不休，跛鳖千里。"(跬步：半步)意思是跛脚的鳖不停地走，也能走千里地，比喻只要努力不懈，即使条件很差，也能取得成就。

【跛子】bǒ·zi 名 跛脚的人；瘸子。

簸 bǒ ❶〔动〕把粮食等放在簸箕里上下颠动,扬去糠秕等杂物:～谷|～扬|～一～小米。❷指上下颠动:～荡|～动|颠～。
另见107页bò。

【簸荡】bǒdàng〔动〕颠簸摇荡:风大浪高,船身～得非常厉害。

【簸动】bǒdòng〔动〕颠簸;上下摇动:风雨中,小船在湖面上～。

【簸箩】bǒ·luo〔名〕笸箩(pǒ·luo)。

【簸弄】bǒ·nòng〔动〕❶摆弄。❷挑拨:～是非。

bò (ㄅㄛˋ)

柏 bò 见599页〖黄柏〗。
另见30页bǎi;104页bó。

薄 bò 〔薄荷〕(bò·he)〔名〕多年生草本植物,茎有四棱,叶子对生,卵形或长圆形,花淡紫色,茎叶有清凉的香气,可入药,提炼出的芳香化合物可用于医药、食品等方面。
另见45页báo;106页bó。

檗(蘗) bò 见599页〖黄檗〗。

擘 bò 〈书〉大拇指:巨～。
另见23页bāi"掰"。

【擘划】bòhuà 同"擘画"。

【擘画】bòhuà 〈书〉〔动〕筹划;布置:～经营|机构新立,一切均待～。也作擘划。

【擘窠书】bòkēshū〔名〕榜书。

籫 bò 义同"簸"(bǒ),只用于"簸箕"。
另见107页bǒ。

【簸箕】bò·ji〔名〕❶用竹篾或柳条编成的器具,三面有边沿,一面敞口,用来簸粮食等。也有用铁皮、塑料制成的,多用来清除垃圾。❷簸箕形的指纹。

·bo (·ㄅㄛ)

卜(蔔) ·bo 见900页〖萝卜〗。
另见107页bǔ。

啵 ·bo 〈方〉〔助〕表示商量、提议、请求、命令等语气:你看要得～?|你的窍门多,想个办法,行～?

bū (ㄅㄨ)

B

逋 bū〈书〉❶逃亡:～逃。❷拖欠;拖延:～欠。

【逋客】būkè〈书〉〔名〕❶逃亡的人。❷避世隐居的人。

【逋留】būliú〈书〉〔动〕逗留;稽留:～他乡数载。

【逋欠】būqiàn〈书〉〔动〕拖欠:～税粮。

【逋峭】būqiào〈书〉同"峬峭"。

【逋逃】būtáo〈书〉❶〔动〕逃亡;逃窜。❷〔名〕逃亡的罪人;流亡的人。

【逋逃薮】būtáosǒu〈书〉〔名〕逃亡的人躲藏的地方。

峬 bū〔峬峭〕(būqiào)〈书〉〔形〕(风姿、文笔)优美。也作峬峭、逋峭。

庸 bū〔庸峭〕(būqiào)〈书〉同"峬峭"。

晡 bū〈书〉申时,即下午三点钟到五点钟的时间。

bú (ㄅㄨˊ)

醭 bú (旧读pú)(～儿)〔名〕醋、酱油等表面生出的白色的霉。

bǔ (ㄅㄨˇ)

卜 bǔ ❶占卜:～卦|～辞|求签问～。❷〈书〉预料:预～|存亡未～|胜败可～。❸〈书〉选择(处所):～宅|～邻|～居。❹(Bǔ)〔名〕姓。
另见107页·bo。

【卜辞】bǔcí〔名〕殷代把占卜的时间、原因、应验等刻在龟甲或兽骨上的记录。参看656页〖甲骨文〗。

【卜居】bǔjū〈书〉〔动〕选择地方居住。

【卜课】bǔ//kè〔动〕起课。

【卜筮】bǔshì〔动〕古代用龟甲占卜叫卜,用蓍草占卜叫筮,合称卜筮。

卟 bǔ 见下。

【卟吩】bǔfēn〔名〕有机化合物,是叶绿素、

血红素等的重要组成部分。[英 por-phin]

【卟啉】bǔlín 名 卟吩的衍生物,如叶绿素、血红素等。[英 porphyrin]

补(補) bǔ ❶ 动 添上材料,修理破损的东西;修补:缝~|修补|~牙|~袜子|修桥~路。❷ 动 补充;补足;填补(缺额):弥~|增~|~选|候~|缺什么~什么。❸ 动 补养:滋~|~品|身体虚,需要好好~一~。❹〈书〉利益;用处:~益|不无小~|空言无~。❺ (Bǔ)名 姓。

【补白】bǔbái ❶ 名 报刊上填补空白的短文。❷ 动 补充说明:此事还有一点尚未谈及,想借贵报一角~几句。

【补办】bǔbàn 动 事后办理(本应事先办理的手续、证件等):~住院手续。

【补报】bǔbào ❶ 动 事后报告;补充报告:调查结果将于近日~。❷ 报答(恩德):恩深似海,无以~。

【补仓】bǔ//cāng 动 指投资者在持有一定数量的证券的基础上,又买入证券。

【补差】bǔchā ❶ (-//-) 动 补足原工资和退休金之间的差额(用于退休人员继续工作时)。❷ 名 指补差的钱:他被单位返聘,每月拿五百块钱的~。

【补偿】bǔcháng 动 抵消(损失、消耗);补足(缺欠、差额):~损失|~亏欠。

【补偿贸易】bǔcháng màoyì 国际贸易的一种方式,买方不以现汇支付,而以产品或加工劳务分期偿付进口设备、技术、专利等费用。

【补充】bǔchōng ❶ 动 原来不足或有损失时,增加一部分:~兵员|~枪支弹药|对他的发言,我再做两点~。❷ 在主要事物之外追加的:~意见|~教材。

【补丁】bǔding(补钉、补靪)bǔ·ding 名 补在破损的衣服或其他物品上面的东西:打~|~摞~。

【补过】bǔ//guò 动 弥补过失:将功~。

【补花】bǔhuā(~儿)名 手工艺的一种,把彩色布片或丝绒缝在枕套、桌布、童装等上面,构成花鸟等图案。

【补给】bǔjǐ 动 补充,供给弹药和粮草等:前线急需之时~。

【补给舰】bǔjǐjiàn 名 供应舰。

【补给线】bǔjǐxiàn 名 军队作战时,输送物资器材的各种交通线。

【补剂】bǔjì 名 补药。

【补假】bǔ//jià 动 ❶ 职工应休假而未休假,事后补给假日。❷ 补办请假手续。

【补角】bǔjiǎo 名 平面上两个角的和等于一个平角(即 180°),这两个角就互为补角。

【补救】bǔjiù 动 采取行动矫正差错,扭转不利形势;设法使缺点不发生影响:发现疏漏要及时~。

【补苴】bǔjū〈书〉动 ❶ 缝补;补缀。❷ 弥补(缺陷):~罅漏。

【补苴罅漏】bǔjū xiàlòu 指弥补文章、理论等的缺漏,也泛指弥补事物的缺陷。

【补考】bǔkǎo 因故未参加考试或考试不及格的人另行考试。

【补课】bǔ//kè 动 ❶ 补学或补教所缺的功课:老师放弃休息给同学~。❷ 比喻某种工作做得不完善而重做。

【补漏】bǔlòu 动 ❶ 修补物体上的漏洞:船至江心~迟|雨季临近,房屋~工作应该抓紧。❷ 弥补工作中的疏漏:~纠偏。

【补苗】bǔ//miáo 动 农作物幼苗出土后,发现有缺苗断垄现象时,用移苗或补苗的方法把苗补全。

【补偏救弊】bǔ piān jiù bì 补救偏差疏漏,纠正缺点错误。

【补票】bǔ//piào 动 补买车票、船票等。

【补品】bǔpǐn 名 滋补身体的食品或药品。

【补缺】bǔ//quē 动 ❶ 填补缺额。❷ 弥补缺漏的部分:捃遗~|~堵漏。❸ 旧时指候补的官吏得到实职。

【补色】bǔsè 名 两种色光以适当的比例混合而使人产生白色感觉时,这两种色光的颜色就互为补色。也叫余色。

【补射】bǔshè 名 足球等比赛中,运动员对本队球员射门不到位或被对方挡出的球再次射门。

【补时】bǔshí 足球等比赛中指补足因参赛球员受伤、换人等延误的比赛时间:~三分钟。

【补台】bǔ//tái 动 比喻帮助别人把事情做好:同事之间要互相~,不要互相拆台。

【补贴】bǔtiē ❶ 动 贴补:~家用|~粮价。❷ 名 贴补的费用:福利~|副食~。

【补习】bǔxí 动 为了补足某种知识,在业余或课外学习:~外语|~学校。

【补休】bǔxiū 动 (职工)因公没有按时休假,事后补给休息日。

B

【补血】bǔ//xuè 动 使红细胞或血红蛋白增加：～药。

【补养】bǔyǎng 动 用饮食或药物来滋养身体：大病刚好，还需要精心～。

【补药】bǔyào 名 滋补身体的药物。

【补液】bǔyè ❶（-/-）动 把生理盐水等输入患者静脉，以补充体液的不足。❷ 名 有滋补作用的饮料：营养～。

【补遗】bǔyí 动 书籍正文有遗漏，加以增补，附在后面，叫做补遗。前人的著作有遗漏，后人搜集材料加以补充，也叫补遗。

【补益】bǔyì〈书〉❶ 名 益处：大有～。❷ 动 产生益处；使获得益处：～国家。

【补语】bǔyǔ 名 动词或形容词后边的一种补充成分，用来回答"怎么样？"之类的问题，如"听懂了"的"懂"，"好得很"的"很"，"拿出来"的"出来"，"走一趟"的"一趟"。

【补正】bǔzhèng 动 补充和改正（文字的疏漏和错误）。

【补助】bǔzhù ❶ 动 从经济上帮助（多指组织上对个人）：老人生活困难，厂里～他五百元。❷ 名 补助的钱、物等：发放困难～。

【补妆】bǔ//zhuāng 动 对化过的妆进行修补。

【补缀】bǔzhuì 动 修补（多指衣服）。

【补足】bǔ//zú 动 补充使足数：～缺额。

捕 bǔ ❶ 动 捉；逮：～鱼｜～猎｜～捉｜追～｜～到了凶手。❷（Bǔ）名 姓。

【捕房】bǔfáng 名 巡捕房。

【捕风捉影】bǔ fēng zhuō yǐng 比喻说话或做事时似是而非的迹象做根据。

【捕获】bǔhuò 动 捉到；逮住：～猎物｜犯罪嫌疑人已被～。

【捕捞】bǔlāo 动 捕捉和打捞（水生动植物）：近海～｜～鱼虾。

【捕猎】bǔliè 动 捕捉（野生动物）；猎取：禁止～珍稀动物。

【捕杀】bǔshā 动 捕捉并处死：禁止非法～野生动物。

【捕食】bǔshí 动 ❶（-/-）（动物）捕取食物：山林中常有野兽出来～。❷（动物）捉住别的动物并把它吃掉：青蛙～昆虫。

【捕捉】bǔzhuō 动 捉②：～野兽｜～逃犯◇～战机。

哺 bǔ ❶ 喂（不会取食的幼儿）：～育｜～乳。❷〈书〉咀嚼着的食物：一饭三吐～。

【哺乳】bǔrǔ 动 用乳汁喂；喂奶：～期。

【哺乳动物】bǔrǔ dòngwù 最高等的脊椎动物，基本特点是靠母体分泌乳汁哺育初生幼体。除最低等的单孔类是卵生的以外，其他哺乳动物全是胎生的。

【哺养】bǔyǎng 动 喂养。

【哺育】bǔyù 动 ❶ 喂养：～婴儿。❷ 比喻培养：祖国和人民～了我们。

鹪（鵏） bǔ 见 295 页〖地鹪〗。

堡 bǔ 堡子（多用于地名）：吴～（在陕西）｜柴沟～（在河北）。
另见 50 页 bǎo；1064 页 pù。

【堡子】bǔ·zi 名 ❶ 围有土墙的城镇或乡村。❷ 泛指村庄。

bù （ㄅㄨ）

不 bù 副 ❶ 用在动词、形容词和其他副词前面表示否定：～去｜～能｜～多｜～经济｜～一定｜～很好。❷ 加在名词或名词性词素前面，构成形容词：～法｜～规则。❸ 单用，做否定性的回答（答话的意思跟问题相反）：他知道吗？——～，他不知道。❹〈方〉用在句末表示疑问，跟反复问句的作用相等：他现在身体好～？ ❺ 用在动补结构中间，表示不可能达到某种结果：拿～动｜做～好｜装～下｜看～出。❻ "不"字的前后叠用相同的词，表示不在乎或不相干（常在前边加"什么"）：什么累～累的，有工作就得做｜什么钱～钱的，你喜欢就拿去。❼ 跟"就"搭用，表示选择：晚上他～是看书，就是写文章。❽ 不用；不要（限用于某些客套话）：～谢｜～送｜～客气。‖ 注意 a）在去声字前面，"不"字读阳平声，如"～会"、"～是"。b）动词"有"的否定式是"没有"，不是"不有"。

【不安】bù'ān 形 ❶ 不安定；不安宁：忐忑～｜坐立～｜动荡～。❷ 客套话，表示歉意和感激：总给您添麻烦，真是～。

【不白之冤】bù bái zhī yuān 指无法辩白或难以洗雪的冤枉：蒙受～。

【不卑不亢】bù bēi bù kàng 既不自卑，也不高傲,形容待人态度得体,分寸恰当。也说不亢不卑。

【不比】**bùbǐ** 〔动〕比不上;不同于:虽然我们条件~他们,但我们一定能按时完成任务|海南~塞北,一年四季树木葱茏,花果飘香。

【不必】**bùbì** 〔副〕表示事理上或情理上不需要:~去得太早|慢慢商议,~着急。

【不变价格】**bùbiàn jiàgé** 计算或比较各年工、农业产品总产值时,用某一时期的产品的平均价格作为固定的计算尺度,这种平均价格叫不变价格。也叫比较价格、可比价格或固定价格。

【不便】**bùbiàn** ❶ 〔形〕不方便:行动~|边远山区,交通~。❷ 〔动〕不适宜(做某事):他不愿意说,我也~再问|他有些不情愿,又~马上回绝。❸ 〔形〕指缺钱用:你如果一时手头~,我可以先垫上。

【不辨菽麦】**bù biàn shū mài** 分不清豆子和麦子,形容缺乏实际知识。

【不⋯不⋯】**bù⋯bù⋯** ❶ 用在意思相同或相近的词或词素的前面,表示否定(稍强调):~干~净|~明~白|~清~楚|~偏~倚|~慌~忙|~痛~痒|~知~觉|~言~语|~声~响|~理~睬|~闻~问|~依~饶|~屈~挠|~折~扣。❷ 用在同类而意思相对的词或词素的前面,表示"既不⋯也不⋯"。a)表示适中,恰到好处:~多~少|~大~小|~肥~瘦。b)表示尴尬的中间状态:~方~圆|~明~暗|~上~下|~死~活。❸ 用在同类而意思相对的词或词素的前面,表示"如果不⋯就不⋯":~见~散|~破~立|~塞~流|~止~行。

【不才】**bùcái** 〔书〕❶ 〔动〕没有才能(多用来表示自谦):弟子~|~之士。❷ 〔名〕"我"的谦称:其中道理,~愿洗耳恭教。

【不测】**bùcè** ❶ 〔形〕属性词。不可测度的;不可预料的:天有~风云。❷ 〔名〕指意外的不幸事件:险遭~|提高警惕,以防~。

【不曾】**bùcéng** 〔副〕没有²②("曾经"的否定):我还~去过广州|除此之外,~发现其他疑点。

【不差累黍】**bù chā lěi shǔ** 形容丝毫不差(累黍:指微小的数量)。

【不成】**bùchéng** ❶ 〔动〕不行①。❷ 〔形〕不行②。❸ 用在句末,表示推测或反问的语气,前面常常有"难道、莫非"等词相呼应:难道就这样算了~?|这么晚还不

来,莫非家里出了什么事~?

【不成比例】**bù chéng bǐlì** 指数量或大小等方面差得很远,不能相比。

【不成话】**bù chénghuà** 不像话。

【不成体统】**bù chéng tǐtǒng** 说话、做事不合体制、没有规矩。

【不成文】**bùchéngwén** 〔形〕属性词。没有用文字固定下来的:~的规矩|多年的老传统~地沿袭了下来。

【不成文法】**bùchéngwénfǎ** 〔名〕不经过立法程序而由国家承认其有效的法律,如判例、习惯法等(跟"成文法"相对)。

【不逞】**bùchěng** 〔动〕不能实现愿望;不得志:~之徒(因失意而胡作非为的人)。

【不齿】**bùchǐ** 〔书〕〔动〕不与同列(表示鄙视):人所~。

【不耻下问】**bù chǐ xià wèn** 不以向地位比自己低、知识比自己少的人请教为可耻。

【不啻】**bùchì** 〔书〕〔动〕❶ 不止;不只:工程所需,~万金。❷ 如同;相差~天渊。

【不揣】**bùchuǎi** 〔动〕谦辞,不自量,用于向人提出自己的见解或有所请求时:~浅陋|~冒昧(不考虑自己的莽撞,言语、行动是否相宜)。

【不辞】**bùcí** 〔动〕❶ 不告别:~而别。❷ 不推脱;不拒绝:~辛劳|万死~。

【不错】**bùcuò** 〔形〕❶ 对;正确:~,情况正是如此|~,当初他就是这么说的。❷ 不坏;好:人家待你真~|虽说年纪大了,身体却还~。

【不打自招】**bù dǎ zì zhāo** 还没有拷问就招供了。比喻无意中泄露真实情况和想法。

【不大离儿】**bùdàlír** 〔方〕〔形〕❶ 差不多;相近:两个孩子的身量~。❷ 还算不错:这块地的麦子长得~。

【不带音】**bù dàiyīn** 发音时声带不振动。参看262页〖带音〗。

【不待】**bùdài** 〔副〕用不着;不必:自~言|~细说,他就明白了。

【不单】**bùdān** ❶ 〔副〕不仅①:超额完成生产任务的,~是这几个厂。❷ 〔连〕不但:她~教孩子学习,还照顾他们的生活。

【不但】**bùdàn** 〔连〕用在表示递进的复句的上半句里,下半句里通常有连词"而且、并且"或副词"也、还"等相呼应:~以身作

则,而且乐于助人|这条生产线～在国内,即使在国际上也是一流的|这样做～解决不了问题,还会增加新的困难。

【不惮】bùdàn〈书〉动 不怕:～其烦(不怕麻烦)。

【不当】bùdàng 形 不合适;不恰当:处理～|用词～|～之处,请予指正。

【不倒翁】bùdǎowēng 名❶ 玩具,形状像老翁,上轻下重,扳倒后能自己起来。也叫扳不倒儿。❷ 比喻处世圆滑,官位不动摇的人。

【不到黄河心不死】bù dào Huáng Hé xīn bù sǐ 比喻不到绝境不肯死心,也比喻不达到目的决不罢休。

【不得】·bu·de 助 用在动词、形容词后面,表示不可以或不能够:去～|要～|动弹～|马虎～|老虎屁股摸～|科学上来～半点虚假。

【不得劲】bù déjìn (～儿)❶ 不顺手;使不上劲:笔杆太细,我使着～。❷ 不舒适:感冒了,浑身～。❸〈方〉不好意思:大伙儿都看着她,弄得她怪～儿的。

【不得了】bù déliǎo ❶ 表示情况严重:哎呀,～,着火了!|万一出了岔子,那可～。❷ 表示程度很深:热得～|她急得～,可又没办法。

【不得已】bùdéyǐ 形 无可奈何;不能不如此:实在～,只好亲自去一趟|他们这样做,是出于～。

【不等】bùděng 形 不相等;不一样;不齐:数目～|大小～|水平高低～。

【不等号】bùděnghào 名 表示两个数或个代数式的不等关系的符号。基本的不等号有大于(>)、小于(<)和不等于(≠)三种。

【不等式】bùděngshì 名 表示两个数或个代数式不相等的算式。两个数或两个代数式之间用不等号连接,如 $5 > 2$,$3a < 8$,$7m + 1 \neq 9m + 2$。

【不迭】bùdié 动 ❶ 用在动词后面,表示急忙或来不及:跑～|忙～|后悔～。❷ 不停止:称赞～|叫苦～。

【不定】bùdìng ❶ 形 不稳定;不安定:摇摆～|心神～。❷ 副 表示不肯定,后面常有表示疑问的词或肯定和否定相叠的词组:孩子～又跑哪儿去了|一天他～要多少回|我下星期还～走不走|这场球赛～谁

输谁赢呢!

【不定方程】bùdìng fāngchéng 含有两个或两个以上未知数的方程,一般具有无数个解,如 $2x + y = 9$。

【不动产】bùdòngchǎn 名 不能移动的财产,指土地、房屋及附着于土地、房屋上不可分离的部分(如树木、水暖设备等)。

【不动声色】bù dòng shēngsè 内心活动不从语气和神态上表现出来,形容态度镇静。也说不露声色。

【不冻港】bùdònggǎng 名 较冷地区常年不结冰的海港,如旅顺、大连。

【不独】bùdú 连 不但;不仅:植树造林～有利于水土保持,而且还能提供木材。

【不端】bùduān 形 不正派:品行～。

【不断】bùduàn ❶ 动 连续不间断:接连～|财源～。❷ 副 表示连续地:～努力,～进步|新生事物～涌现。

【不对】bùduì 形 ❶ 不正确;错误:数目～|他没有什么～的地方。❷ 不正常:那人神色有点儿～|一听口气,连忙退了出来。❸ 不和睦;他们俩素来～。

【不对茬儿】bù duìchár 不妥当;跟当时的情况不符合:他刚说了一句,觉得～,就停住了。

【不对劲】bù duìjìn (～儿)❶ 不称心合意;不合适:新换的工具,使起来～。❷ 不情投意合;不和睦:俩人有点儿～,爱闹意见。❸ 不正常:他越琢磨越觉得这事～,其中必有原因|他觉得身上有点～就上床睡觉了。

【不…而…】bù…ér… 表示虽不具有某条件或原因而产生某结果:～寒～栗|～劳～获|～谋～合|～期～遇|～言～喻|～约～同|～翼～飞|～胫～走。

【不二法门】bù èr fǎmén 佛教用语,"不二"指不是两极端,"法门"指修行入道的门径。意思是说,观察事物的道理,要离开相对的两个极端而用"处中"的看法,才能得其实在。后用比喻独一无二的门径。

【不二价】bù èr jià 定价划一,卖给谁都是一样的价钱。童叟无欺,言～。

【不贰过】bù èr guò〈书〉犯过的错误不重犯。

【不乏】bùfá 动 不缺少,表示有相当数量:～其人|～先例。

【不法】bùfǎ 形 属性词。违反法律的：～行为|～分子。

【不凡】bùfán 形 不平凡；不平常：出手～|自命～(自以为很了不起)。

【不妨】bùfáng 副 表示可以这样做，没有什么妨碍：这种办法没有用过，～试试|有什么意见，～当面提出来。

【不菲】bùfēi 形 (费用、价格等)不少或不低：价格～|待遇～。

【不费吹灰之力】bù fèi chuī huī zhī lì 形容做事情非常容易，不费什么力气。

【不忿】bùfèn (～儿)形 不服气；不平：心里～。

【不服】bùfú 动 ❶ 不顺从；不信服：～管教|说他错了，他还～。❷ 不习惯；不能适应：～水土|气候。

【不服水土】bù fú shuǐtǔ 指不能适应某地的气候、饮食等。

【不符】bùfú 动 不相合：名实～|账面与库存～。

【不甘】bùgān 动 不甘心；不情愿：～落后|～示弱。

【不甘寂寞】bùgān jìmò 指不甘心冷落清闲、置身事外。

【不尴不尬】bùgān-bùgà〈方〉左右为难，不好处理。

【不敢当】bù gǎndāng 谦辞，表示承当不起(对方的招待、夸奖等)。

【不公】bùgōng 形 不公道；不公平：办事～|分配～。

【不共戴天】bù gòng dài tiān 不跟仇敌在一个天底下活着，形容仇恨极深。

【不苟】bùgǒu 形 不随便；不马虎：～言笑(形容人态度庄重)|一丝～。

【不够】bùgòu ❶ 动 在数量或条件上比所要求的差些：人数～|～资格。❷ 副 表示程度上比所要求的差些：材料～丰富|分析得还～深入。

【不顾】bùgù 动 ❶ 不照顾：只顾自己，～别人。❷ 不考虑；不顾忌：置危险于～|～后果地一味蛮干|他～一切，跳到河里把孩子救了起来。

【不管】bùguǎn 连 不论①：～远不远他都不去|～困难多大，我们也要克服。

【不管不顾】bù guǎn bù gù ❶ 不照管：他对家里的事全都～。❷ 指人莽撞：他～地冲上去，抡起拳头就打。

【不管部长】bùguǎn-bùzhǎng 某些国家的内阁阁员之一，不专管一个部，出席内阁会议，参与决策，并担任政府首脑交办的特殊重要事务。

【不管三七二十一】bùguǎn sān qī èrshí yī 不顾一切；不问是非情由。

【不光】bùguāng〈口〉❶ 副 表示超出某个数量或范围；不止：报名参加的～是他一个人。❷ 连 不但：～数量多，质量也不错|这里～出煤，而且出铁。

【不轨】bùguǐ 形 指违反法纪或搞叛乱活动：～之徒|行为～|图谋～。

【不过】bùguò ❶ 副 用在形容词性的词组或双音节形容词后面，表示程度最高：再好～|最快～|乖巧～的孩子。❷ 副 指明范围，含有往小里或轻里说的意味；仅仅：当年她参军的时候～十七岁|他～念错一个字罢了。❸ 连 用在后半句的开头儿，表示转折，对上半句话加以限制或修正，跟"只是"相同：病人精神还不错，～胃口不大好。

【不过意】bù guòyì 过意不去：总来打扰您，心里实在～。

【不寒而栗】bù hán ér lì 不寒冷而发抖，形容非常恐惧。

【不好意思】bù hǎoyì·si ❶ 害羞；难为情：他被大伙儿说得～了|无功受禄，实在～。❷ 碍于情面而不便或不肯：虽然不大情愿，又～回绝。

【不合】bùhé ❶ 动 不符合：～手续|～时宜。❷〈书〉不应该：早知如此，当初～叫他去。❸ 形 合不来；不和：性格～。

【不和】bùhé 形 不和睦：姑嫂～|感情～。

【不哼不哈】bù hēng bù hā 不言语(多指该说而不说)：有事情问到他，他总～的，真急人。

【不遑】bùhuáng〈书〉动 来不及；没有时间(做某件事)：～顾及。

【不讳】bùhuì〈书〉动 ❶ 不忌讳；无所避讳：直言～。❷ 婉辞，指死亡。

【不惑】bùhuò〈书〉名《论语·为政》："四十而不惑。"指年至四十，能明辨是非而不受迷惑。后来用"不惑"指人四十岁：年届～|～之年。

【不羁】bùjī〈书〉动 不受束缚：放荡～|～之才。

【不及】bùjí 动 ❶ 不如；比不上：这个远～

那个好|在刻苦学习方面我～他。❷ 来不及：后悔～|躲闪～|细问。

【不即不离】 bù jí bù lí 既不亲近也不疏远。

【不计】 bùjì 〔动〕不计较；不考虑：～成本|～个人得失。

【不计其数】 bù jì qí shù 无法计算数目，形容极多。

【不济】 bùjì 〔口〕〔形〕不好；不顶用：精力～|眼神儿～。

【不假思索】 bù jiǎ sīsuǒ 用不着想，形容说话做事迅速。

【不见】 bùjiàn 〔动〕❶ 不见面：～不散|这孩子一年～，竟长得这么高了。❷ （东西）不在了；找不着（后头必须带"了"）：我的笔刚才还在，怎么转眼就～了？

【不见得】 bù jiàn•dé 〔副〕不一定：这雨～下得起来|看样子，他～能来。

【不见棺材不落泪】 bù jiàn guān•cai bù luò lèi 比喻不到彻底失败的时候不知痛悔。也说不见棺材不掉泪。

【不见经传】 bù jiàn jīng zhuàn 经传中没有记载，指人或事物没有什么名气，也指某种理论缺乏文献上的依据。

【不解之缘】 bù jiě zhī yuán 不能分开的缘分，指亲密的关系或深厚的感情。

【不禁】 bùjīn 〔副〕抑制不住；禁不住：读到精彩之处，他～大声叫好。

【不仅】 bùjǐn ❶ 〔副〕表示超出某个数量或范围；不止：这～是我个人的意见。❷ 〔连〕不但：～方法对头，而且措施得力|他们～提前完成了生产任务，而且还支援了兄弟单位。

【不尽然】 bù jìnrán 不一定是这样，不完全如此：要说做生意能赚钱，也～，有时也会亏本。

【不近人情】 bù jìn rénqíng 不合乎人之常情。多指性情、言行怪僻，不合情理。

【不经一事，不长一智】 bù jīng yī shì, bù zhǎng yī zhì 不经历一件事情，就不能增长对于那件事情的知识。

【不经意】 bùjīngyì 〔动〕不注意，不留神：稍～，就会出错。

【不经之谈】 bù jīng zhī tán 荒诞的、没有根据的话（经：正常）。

【不胫而走】 bù jìng ér zǒu 没有腿却能跑，形容传布迅速（胫：小腿）。

【不久】 bùjiǔ 〔形〕指距离某个时期或某件事情时间不远：水库～就能完工|我们插完秧，就下了一场雨。

【不咎既往】 bù jiù jì wǎng 见 648 页【既往不咎】。

【不拘】 bùjū ❶ 〔动〕不拘泥；不计较；不限制：～一格|～小节|字数～|长短～。❷ 〔连〕不论：～他是什么人，都不能违反法律。

【不拘小节】 bùjū xiǎojié 不为无关原则的琐事所约束，多指不注意生活小事。

【不拘一格】 bùjū yī gé 不局限于一种规格或方式：文艺创作要～，体裁可以多样化。

【不绝如缕】 bù jué rú lǚ 像细线一样连着，差点儿就要断了，多用来形容局势危急或声音细微绵长。

【不刊之论】 bù kān zhī lùn 比喻不能改动或不可磨灭的言论（刊：古代指削除刻错了的字，不刊是说不可更改）。

【不堪】 bùkān ❶ 〔动〕承受不了：～其苦|～一击。❷ 〔动〕不可；不能（多用于不好的方面）：～入耳|～设想|～造就。❸ 〔形〕用在消极意义的词后面，表示程度深：疲惫～|破烂～|狼狈～。❹ 〔形〕坏到极深的程度：他这个人太～了。

【不堪回首】 bùkān huíshǒu 不忍再去回忆过去的经历或情景。

【不堪设想】 bùkān shèxiǎng 事情的结果不能想象，指会发展到很坏或很危险的地步。

【不亢不卑】 bù kàng bù bēi 见 109 页【不卑不亢】。

【不可】 bùkě ❶ 〔动〕助动词。不可以；不能够：～偏废|～动摇|二者缺一～。❷ 〔动〕跟"非"搭配，构成"非…不可"，表示必须或一定：今天这个会很重要，我非去～。

【不可告人】 bù kě gào rén 不能告诉别人，多指不正当的打算或计谋不敢公开说出来。

【不可更新资源】 bù kě gēngxīn zīyuán 经人类开发利用后，在相当长的时期内不可能再生的自然资源。如金属矿物、煤、石油等。也叫非再生资源。

【不可救药】 bù kě jiù yào 病重到已无法救治。比喻人或事物坏到无法挽救的地步。

【不可开交】 bù kě kāi jiāo 无法摆脱或结束（只做"得"后面的补语）：忙得～|打得

~。

【不可抗力】bùkěkànglì 图 法律上指在当时的条件下人力所不能抵抗的破坏力,如洪水、地震等。因不可抗力而发生的损害,不追究法律责任。

【不可理喻】bù kě lǐ yù 不能够用道理使他明白,形容固执或蛮横,不通情理。

【不可名状】bù kě míng zhuàng 不能够用语言形容(名:说出)。

【不可逆反应】bùkèní-fǎnyìng 在一定条件下,几乎只能向一定方向(即生成物方向)进行的化学反应。

【不可收拾】bù kě shōu·shi 原指事物无法归类整顿,后借指事情坏到无法挽回的地步。

【不可思议】bù kě sīyì 不可想象,不能理解(原来是佛教用语,含有神秘奥妙的意思)。

【不可同日而语】bù kě tóng rì ér yǔ 不能放在同一时间谈论,形容不能相比,不能相提并论。

【不可向迩】bù kě xiàng ěr 不能接近;烈火燎原,~。

【不可一世】bù kě yī shì 自以为在当代没有一个人能比得上,形容极其狂妄自大。

【不可知论】bùkězhìlùn 图 一种唯心主义的认识论,认为除了感觉或现象之外,世界本身是无法认识的。它否认社会发展的客观规律,否认社会实践的作用。

【不可终日】bù kě zhōng rì 一天都过不下去,形容局势危急或心中惶恐:惶惶~。

【不克】bùkè 〈书〉动 不能(多指能力薄弱,不能做到):~自拔|~分身。

【不快】bùkuài 形 ❶(心情)不愉快:快快~。❷(身体)不舒服:几天来身子~。

【不愧】bùkuì 副 当之无愧;当得起(多跟"为"或"是"连用):郑成功~为一位民族英雄。

【不赖】bùlài 〈方〉形 不坏;好:字写得~|今年的庄稼可真~。

【不郎不秀】bù láng bù xiù 比喻不成材或没出息(元明时代官僚、贵族的子弟称"秀",平民的子弟称"郎")。

【不劳而获】bù láo ér huò 自己不劳动而取得别人劳动的成果。

【不力】bùlì 形 不尽力;不得力:办事~|打击~。

【不利】bùlì 形 没有好处;不顺利;扭转~的局面|地形有利于我而~于敌。

【不良】bùliáng 形 不好:~现象|消化~|存心~。

【不良贷款】bùliáng dàikuǎn 指银行不能按期收回的贷款。

【不了】bùliǎo 动 没完(多用于动词加"个"之后):忙个~|大雨下个~。

【不了了之】bù liǎo liǎo zhī 该办的事情没有办完,放在一边不去管它,就算完事。

【不料】bùliào 连 没想到;没有预先料到。用在后半句的开头,表示转折,常用"却、竟、还、倒"等呼应:今天本想出门,~竟下起雨来。

【不吝】bùlìn 动 客套话,不吝惜(用于征求意见):是否有当,尚希~赐教。

【不露声色】bù lù shēngsè 不动声色。

【不伦不类】bù lún bù lèi 不像这一类,也不像那一类,形容不成样子或不规范:翻译如果不顾本国语言的特点,死抠原文字句,就会弄出一些~的句子来,叫人看不懂。

【不论】bùlùn ❶ 连 表示条件或情况不同而结果不变,后面往往有并列的词语或表示任指的疑问代词,下文多用"都、总"等副词跟它呼应:~困难有多大,他都不气馁|他~考虑什么问题,总是把集体利益放在第一位|~语文、数学、外语,他的成绩都相当好。❷〈书〉动 不讨论;不辩论:存而~。

【不落窠臼】bù luò kējiù 比喻文章或艺术等有独创风格,不落俗套。

【不满】bùmǎn 形 不满意:~情绪|人们对不关心群众疾苦的做法极为~。

【不蔓不枝】bù màn bù zhī 原指莲茎不分枝杈,现比喻文章简洁。

【不毛之地】bù máo zhī dì 不长庄稼的地方,泛指贫瘠、荒凉的土地或地带。

【不免】bùmiǎn 副 免不了:旧地重游,~想起往事。

【不妙】bùmiào 形 不好(多指情况的变化)。

【不敏】bùmǐn 〈书〉不聪明(常用来表示自谦):敬谢~。

【不名数】bùmíngshù 图 不带有单位名称的数。

【不名一文】bù míng yī wén 一个钱也没有(名:占有)。也说不名一钱。

【不名誉】 bùmíngyù 〖形〗对名誉有损害；不体面：一时糊涂，做下～的蠢事。

【不明飞行物】 bù míng fēixíngwù 指天空中来历不明并未经证实的飞行物体。据称形状有圆碟形、卵形、蘑菇形等。

【不摸头】 bù mōtóu 〈口〉摸不着头绪；不了解情况：我刚来，这些事全～。

【不谋而合】 bù móu ér hé 没有事先商量而彼此见解或行动完全一致。

【不佞】 bùnìng 〈书〉❶〖动〗没有才能(常用来表示自谦)。❷〖名〗"我"的谦称。

【不配】 bùpèi ❶〖形〗不相配；不般配：上衣和裤子的颜色～｜这一男一女在一起有点儿～。❷〖动〗(资格、品级等)够不上；不符合：我做得不好，～当先进工作者。

【不偏不倚】 bù piān bù yǐ 指不偏袒任何一方，保持公正或中立。也形容不偏不歪，正中目标。

【不平】 bùpíng ❶〖形〗不公平：看见了～的事，他都想管。❷〖名〗不公平的事：路见～，拔刀相助。❸〖形〗因不公平的事而愤怒或不满：愤愤～。❹〖名〗由不公平的事引起的愤怒和不满：消除心中的～。

【不平等条约】 bùpíngděng tiáoyuē 订约双方(或几方)在权利义务上不平等的条约。特指侵略国强迫别国订立的破坏别国主权、损害别国利益的这类条约。

【不平则鸣】 bù píng zé míng 对不公平的事情表示愤慨。

【不期而遇】 bù qī ér yù 没有约定而意外地相遇。

【不期然而然】 bù qī rán ér rán 没有料想到如此而竟然如此。也说不期而然。

【不起眼儿】 bù qǐyǎnr 〈方〉不值得重视；不引人注目：～的小人物。

【不情之请】 bù qíng zhī qǐng 客套话，不合情理的请求(向人求助时称自己的请求)。

【不求甚解】 bù qiú shèn jiě 晋陶潜《五柳先生传》："好读书，不求甚解，每有会意，便欣然忘食。"意思是说读书只领会精神实质，不咬文嚼字。现多指只求懂得个大概，不求深刻了解。

【不屈】 bùqū 〖动〗不屈服：坚贞～｜宁死～。

【不然】 bùrán ❶〖形〗不是这样：下象棋看起来很容易，其实～。❷〖形〗用在对话开头，表示否定对方的话：～，事情不像你说

的那么简单。❸〖连〗表示如果不是上文所说的情况，就发生或可能发生下文所说的情况：快去吧，～就要迟到了｜明天我还有点事儿，～倒可以陪你去一趟｜他晚上不是读书，就是写点儿什么，再～就是听听音乐。

【不人道】 bùréndào 〖形〗不合乎人道。参看1144页〖人道〗。

【不仁】 bùrén 〖形〗❶不仁慈：为富～。❷(肢体)失去知觉：麻木～｜手足～。

【不忍】 bùrěn 〖动〗心里感受不了：于心～｜～释手｜～卒读(不忍心读完，多形容文章悲惨动人)。

【不日】 bùrì 〖副〗要不了几天；几天之内(多用于未来)：～起程｜代表团～抵京。

【不容】 bùróng 〖动〗不许；不让：～置疑｜～置喙｜任务紧迫，～拖延。

【不容置喙】 bù róng zhì huì 指不容许别人插嘴说话。

【不容置疑】 bù róng zhì yí 不容许有什么怀疑，指真实可信。

【不如】 bùrú 〖动〗表示前面提到的人或事物比不上后面所说的：走路～骑车快｜论手巧，大家都～他。

【不入虎穴，焉得虎子】 bù rù hǔ xué, yān dé hǔ zǐ 不进老虎洞，怎能捉到小老虎，比喻不历放险，就不能获得成功。

【不三不四】 bù sān bù sì ❶不正派：不要跟那些～的人来往。❷不像样子：这篇文章改来改去，反而改得～的。

【不善】 bùshàn ❶〖形〗不好：处理～｜来意～。❷〖动〗不长于：～管理。也说不善于。❸〈方〉〖形〗很可观；非同小可：别看他身体不强，干起活来可～。也说不善乎(bùshàn·hu)。

【不甚了了】 bù shèn liǎo liǎo 不太了解；不怎么清楚。

【不胜】 bùshèng ❶〖动〗承担不了；不能忍受：体力～｜～其烦。❷〖动〗表示不能做或做不完(多为前后重复同一动词)：防～防(防不住)｜数～数(数不完)｜美～收。❸〖副〗非常；十分(用于感情方面)：～感激｜～遗憾。❹〈方〉〖动〗不如：身子一年～一年。

【不胜枚举】 bù shèng méi jǔ 无法一个一个全举出来，形容同一类的人或事物多。

【不失为】 bùshīwéi 〖动〗还可以算得上：这样处理，还～一个好办法。

B

【不时】bùshí ❶〔副〕时时;经常不断地:一边走着,一边～地四处张望|在丛林深处,～听到布谷鸟的叫声。❷〔名〕不确定的时间;随时:以备～之需。

【不识抬举】bù shí tái·ju 不接受或不珍视别人对自己的好意(用于指责人)。

【不识闲儿】bùshíxiánr〔方〕〔动〕闲不住:他手脚～,从早忙到晚。

【不识之无】bù shí zhī wú 指不识字("之"和"无"是常用的字)。

【不是】bù·shi〔名〕错处;过失:好意劝他,反倒落个～|你先出口伤人,这就是你的～了。

【不是玩儿的】bù shì wánr·de〔口〕不是儿戏;不能轻视:多穿上点儿,受了寒可～!

【不是味儿】bù shì wèir ❶味道不正:这个菜炒得～◇他的民歌唱得～。❷不对头;不正常:一听这话,就反过来追问。❸(心里感到)不好受:看到孩子们上不了学,心里很～。‖也说不是滋味儿。

【不适】bùshì〔形〕(身体)不舒服:偶感～。

【不爽】[1] bùshuǎng〔形〕(身体、心情)不爽快。

【不爽】[2] bùshuǎng〔形〕没有差错:毫厘～|屡试～。

【不送气】bù sòngqì 语音学上指发辅音时没有显著的气流出来。也说不吐气。

【不速之客】bù sù zhī kè 指没有邀请而自己来的客人(速:邀请)。

【不随意肌】bùsuíyìjī〔名〕平滑肌的旧称。

【不遂】bùsuì〔动〕❶不如愿:稍有～,即大发脾气。❷不成功:谋事～。

【不特】bùtè〔书〕〔连〕不但。

【不祧之祖】bù tiāo zhī zǔ 旧时比喻创立某种事业受到尊崇的人。(祧:古代指称远祖的庙。家庙中祖先的神主,辈分远的要依次迁入祧庙合祭,只有创业的始祖或影响较大的祖宗不迁,叫做不祧。)

【不同凡响】bù tóng fánxiǎng 比喻事物(多指文艺作品)不平凡。

【不图】bùtú ❶〔动〕不追求:～名利。❷〔书〕〔连〕不料。

【不吐气】bù tǔqì 见〖不送气〗。

【不外】bùwài〔动〕不超出某种范围以外:大家所谈论的～工作问题。也说不外乎。

【不为已甚】bù wéi yǐ shèn 不做太过分的事,多指对人的责备或处罚适可而止

(已甚:过分)。

【不惟】bùwéi〔书〕〔连〕不但;不仅:此举～无益,反而有害。

【不韪】bùwěi〔书〕〔名〕过失;不对:冒天下之大～。

【不谓】bùwèi〔书〕❶〔动〕不能说(用于表示否定的语词前面):任务～不重|时间～不长。❷〔连〕不料;没想到:离别以来,以为相见无日,～今又重逢。

【不闻不问】bù wén bù wèn 既不听也不问,形容漠不关心。

【不稳定平衡】bùwěndìng-pínghéng 受到微小的外力干扰就要失去平衡的平衡状态,如鸡蛋直立时的状态。

【不无】bùwú〔动〕不是没有;多少有些:～小补|～裨益|～关系|～遗憾。

【不惜】bùxī〔动〕不顾惜;舍得:～工本|牺牲一切|倾家荡产,在所～。

【不暇】bùxiá〔动〕没有时间;忙不过来:应接～|自顾～。

【不下】bùxià〔动〕❶不下于②。❷用在动词后,表示动作没有结果或没有完成:相持～|委决～。

【不下于】bùxiàyú〔动〕❶不低于;不比别的低:这种自来水笔虽然便宜,质量却～各种名牌。❷不少于;不比某个数目少:新产品～二百种。也说不下。

【不相上下】bù xiāng shàng xià 分不出高低,形容数量、程度差不多:本领～|年岁～。

【不详】bùxiáng ❶〔形〕不详细;不清楚:言之～|地址～|历史情况～。❷〔动〕不细说(书信中用语)。

【不祥】bùxiáng〔形〕不吉利:～之兆。

【不想】bùxiǎng〔连〕不料;没想到:春天随便栽了几棵树,～全都活了。

【不像话】bù xiànghuà ❶(言语行动)不合乎道理或情理:整天撒泼耍赖,实在～。❷坏得没法形容:屋子乱得～。

【不消】bùxiāo ❶〔动〕不需要:～一会儿工夫,这个消息就传开了。❷〔副〕不用:～说。

【不孝】bùxiào ❶〔动〕不孝顺。❷〔名〕旧时父母丧事中儿子的自称。

【不肖】bùxiào〔形〕品行不好(多用于子弟):～子孙。

【不屑】bùxiè〔动〕❶认为不值得(做):～

一顾｜～置辩。也说不屑于。❷ 形容轻视：脸上现出～的神情。

【不懈】bùxiè 形 不松懈：坚持～｜～地努力｜进行～的斗争。

【不兴】bùxīng 动❶ 不流行；不合时尚：绣花鞋这里早就～了。❷ 不许：～欺负人。❸ 不能(限用于反问句)：你干吗嚷嚷｜～小点儿声吗？

【不行】bùxíng 动❶ 不可以；不被允许：开玩笑可以，欺负人可～。❷ 形 不中用：你知道，我在工程技术方面是～的。❸ 动 接近于死亡：老太太病重，眼看～了。❹ 形 不好：这件衣服的手工～。❺ 动 表示程度极深；不得了(用在"得"字后做补语)：累得～｜大街上热闹得～。

【不省人事】bù xǐng rénshì ❶ 指人昏迷，失去知觉。❷ 指不懂人情世故。

【不幸】bùxìng ❶ 形 不幸运；使人失望、伤心、痛苦的：～的消息。❷ 形 表示不希望发生而竟然发生：～身亡｜～而言中。❸ 名 指灾祸：惨遭～。

【不休】bùxiū 动 不停止(用作补语)：争论～｜喋喋～。

【不修边幅】bù xiū biānfú 形容不注意衣着、容貌的整洁。

【不朽】bùxiǔ 动 永不磨灭(多用于抽象事物)：～的业绩｜人民英雄永垂～。

【不锈钢】bùxiùgāng 名 具有抗腐蚀作用的合金钢，一般含铬量不低于12％，有的还含镍、钛等元素。多用来制造化工机件、耐热的机械零件、餐具等。

【不许】bùxǔ 动❶ 不允许：～说谎。❷〈口〉不能(用于反问句)：何必非等我，你就～自己去吗？

【不恤】bùxù〈书〉动 不顾及；不忧虑；不顾惜：～人言(不管别人的议论)。

【不学无术】bù xué wú shù 没有学问，没有能力。

【不逊】bùxùn 形 没有礼貌；骄傲；蛮横：出言～。

【不言而喻】bù yán ér yù 不用说就可以明白。

【不厌】bùyàn 动❶ 不厌烦：～其详。❷ 不排斥；不以为非：兵～诈。

【不扬】bùyáng 形 (相貌)不好看：其貌～。

【不要】bùyào 副 表示禁止和劝阻：～大

声喧哗｜～麻痹大意。

【不要紧】bù yàojǐn ❶ 没有妨碍；不成问题：这病，吃点儿药就好｜路远也～，我们派车送你回去。❷ 表面上似乎没有妨碍(下文有转折)：你这么一叫～，把大伙儿都惊醒了。

【不要脸】bù yàoliǎn 不知羞耻(骂人的话)。

【不一】bùyī ❶ 形 不相同(只做谓语，不做定语)：质量～｜长短～。❷ 动 书信用语，表示不一一详说：匆此～。

【不一而足】bù yī ér zú 不止一种或一次，而是很多。

【不依】bùyī 动❶ 不听从；不依顺：孩子要什么，她没有～的。❷ 不允许；不宽容：～不饶｜你要不按时来，我可～你。

【不宜】bùyí 动 不适宜：这块地～种植水稻｜解决思想问题要耐心细致，～操之过急。

【不遗余力】bù yí yú lì 用出全部力量，一点也不保留。

【不已】bùyǐ 动 继续不停：鸡鸣～｜赞叹～。

【不以为然】bù yǐ wéi rán 不认为是对的，表示不同意(多含轻视意)：～地一笑｜他嘴上虽然没有说不对，心里却～。

【不以为意】bù yǐ wéi yì 不把它放在心上，表示不重视，不认真对待。

【不义之财】bù yì zhī cái 不应该得到的或以不正当的手段获得的钱财。

【不亦乐乎】bù yì lè hū 原意是"不也是很快乐的吗？"(见于《论语·学而》)现常用来表示达到极点的意思：他每天东奔西跑，忙～。

【不易之论】bù yì zhī lùn 内容正确，不可更改的言论。

【不意】bùyì 连 不料；没想到：本想明日赴京，～有事如此，不能起程。

【不翼而飞】bù yì ér fēi ❶ 没有翅膀却能飞，比喻东西突然不见了。❷ 形容消息、言论等传布迅速。

【不用】bùyòng 副 表示事实上没有必要：～介绍了，我们认识｜大家都是自己人，～客气。参看67页"甭"。

【不由得】bùyóu·de ❶ 动 不容：他说得这么透彻，～你不信服。❷ 副 不禁；想起过去的苦难，～掉下眼泪来。

【不由自主】bù yóu zì zhǔ 由不得自己；

控制不了自己。

【不虞】bùyú 〈书〉❶ 匦 意料不到：～之誉｜～之患。❷ 图 出乎意料的事：以备～。❸ 匦 不忧虑：～匮乏。

【不约而同】bù yuē ér tóng 没有事先商量而彼此见解或行动一致。

【不在】bùzài 匦 ❶ 指不在家或不在某处：您找我哥呀，他～｜他～办公室，可能是联系工作去了。❷ 婉辞，指死亡（常带"了"）：我奶奶去年就～了。

【不在乎】bùzài·hu 匦 不放在心上：他自有主张，～别人怎么说｜青年人身强力壮，多干点活儿～。

【不在话下】bù zài huà xià 指事物轻微，不值得说，或事属当然，用不着说：这点小事对他来说～。

【不赞一词】bù zàn yī cí 《史记·孔子世家》："至于为《春秋》，笔则笔，削则削，子夏之徒不能赞一词。"原指文章写得很好，别人不能再添一句话。现也指一言不发。

【不择手段】bù zé shǒuduàn 为了达到目的，什么手段都使得出来（含贬义）。

【不怎么样】bù zěn·meyàng 平平常常；不很好：这个人～｜这幅画儿的构思还不错，就是着色～。

【不折不扣】bù zhé bù kòu 不打折扣，表示完全，十足，彻底：～的伪君子｜对会议精神要～地贯彻执行。

【不振】bùzhèn 圈 不振作；不旺盛：精神～｜一蹶～｜国势～。

【不争】bùzhēng 圈 属性词。不容置疑的；无须争辩的：～的事实。

【不正当竞争】bùzhèngdàng jìngzhēng 经营者在经营活动中违反诚信、公平等原则的竞争行为。如商业贿赂、侵犯商业机密、虚假广告、倾销等。

【不正之风】bù zhèng zhī fēng 不正派的作风，特指以权谋私的行为：纠正行业～。

【不支】bùzhī 匦 支持不住；不能支撑下去：精力～｜身体～。

【不知不觉】bù zhī bù jué 没有觉察到，没有意识到：玩得高兴，～已是中午时分。

【不知凡几】bù zhī fán jǐ 不知道一共有多少，指同类的人或事物很多。

【不知进退】bù zhī jìn tuì 形容言语行为冒失，没有分寸。

【不知死活】bù zhī sǐ huó 形容不知厉害，

冒昧从事。

【不知所措】bù zhī suǒ cuò 不知道怎么办才好，形容受窘或发急。

【不知所云】bù zhī suǒ yún 不知道说的是什么，指语言紊乱或空洞。

【不知所终】bù zhī suǒ zhōng 不知道结局或下落。

【不知天高地厚】bù zhī tiān gāo dì hòu 形容见识短浅，狂妄自大。

【不织布】bùzhībù 图 无纺织布。

【不止】bùzhǐ ❶ 匦 继续不停：大笑～｜血流～。❷ 副 表示超出某个数目或范围：他恐怕～六十岁了｜类似情况～一次发生。

【不只】bùzhǐ 逴 不但；不仅：～生产发展了，生活也改善了｜河水～可供灌溉，且可用来发电。

【不至于】bùzhìyú 匦 表示不会达到某种程度：他～连这一点道理也不明白｜两人有矛盾，但还～吵架｜要说他是故意捣乱，我想还～。

【不治】bùzhì 匦 经过治疗无效（而死亡）：终因伤势过重，～身亡｜患者病情进一步恶化，终致～。

【不治之症】bù zhì zhī zhèng 医治不好的病，也比喻去除不掉的祸患或弊端。

【不致】bùzhì 匦 不会引起某种后果：事前做好准备，就～临时手忙脚乱了。

【不置】bùzhì 〈书〉匦 不停止：赞叹～｜懊丧～。

【不置可否】bù zhì kě fǒu 不说对，也不说不对。

【不中】bùzhōng 〈方〉圈 不中用；不可以；不好：这个法子～，还得另打主意。

【不周】bùzhōu 圈 不周到；不完备：考虑～｜招待～。

【不周延】bù zhōuyán 一个判断的主词（或宾词）所包括的不是其全部外延，如在"有的工人是共青团员"这个判断中主词（工人）是不周延的，因为它说的不是所有的工人。

【不着边际】bù zhuó biānjì 形容言论空泛，不切实际；离题太远。

【不赀】bùzī 〈书〉匦 无从计量，表示多或贵重（多用于财物）：价值～｜工程浩大，所费～。

【不自量】bù zìliàng 过高地估计自己：如此狂妄，太～。

B

【不自量力】bù zì liàng lì　不能正确估计自己的力量(多指做力不能及的事情)。也说自不量力。

【不足】bùzú　❶〈形〉不充足：先天～|估计～。❷〈动〉不满(某个数目)：～三千人。❸〈动〉不值得：～道|～为奇|～挂齿。❹〈动〉不可以；不能：～为训|非团结～图存。

【不足道】bùzúdào　〈动〉不值得说：微～|个人的得失是～的。

【不足挂齿】bù zú guàchǐ　不值得一提：区区小事。

【不足为奇】bù zú wéi qí　不值得奇怪，指事物、现象等很平常。

【不足为训】bù zú wéi xùn　不能当做典范或法则。

【不作为】bùzuòwéi　〈名〉指国家公职人员在履行职责过程中玩忽职守，致使公共财产、国家及人民的利益遭受重大损失的失职、渎职等行为。

【不做声】bù zuòshēng　不出声；不说话。

布¹ bù　❶〈名〉用棉、麻、化纤等织成的可以做衣服或其他物件的材料：棉～|麻～|花～|粗～|鞋～|买一块～。❷古代的一种钱币。❸(Bù)〈名〉姓。

布²(佈) bù　❶〈动〉宣告；宣布：发～|公～|～告|开诚～公。❷〈动〉散布；分布：阴云密～|铁路公路遍～全国。❸〈动〉布置：～局|～防|～下天罗地网。

【布帛】bùbó　〈名〉棉织品和丝织品的总称。

【布菜】bù//cài　把菜肴分给座上的客人。

【布道】bù//dào　〈动〉指基督教宣讲教义。

【布点】bù//diǎn　〈动〉对人员或事物的分布地点进行布置安排：重要地段有公安人员～看守。

【布丁】bùdīng　〈名〉用面粉、牛奶、鸡蛋、水果等制成的西餐点心。[英 pudding]

【布尔乔亚】bù'ěrqiáoyà　〈名〉资产阶级。[法 bourgeoisie]

【布尔什维克】bù'ěrshíwéikè　〈名〉列宁建立的苏联共产党曾用过的称号，意思是多数派。因在 1903 年俄国社会民主工党第二次代表大会选举党的领导机构时获得多数票而得名。后来这一派成为独立的马克思列宁主义政党，改称苏联共产党(布尔什维克，简称联共(布)。[俄 большевик，多数派]

【布防】bù//fáng　〈动〉布置防守的兵力：沿江～。

【布告】bùgào　❶〈名〉(机关、团体)张贴出来告知群众的文件：出～|张贴～。❷〈动〉用张贴布告的方式告知(事项)：特此～|～天下。

【布谷】bùgǔ　〈名〉杜鹃(鸟名)。

【布景】bùjǐng　❶〈名〉舞台或摄影场上所布置的景物。❷〈动〉国画用语，指按照画幅大小安排画中景物。

【布警】bù//jǐng　〈动〉布置安排警力：快速～。

【布局】bùjú　❶围棋、象棋竞赛中指一局棋开始阶段布置棋子。❷对事物的结构、格局进行全面安排：写文章要认真选材，慎重～|工业～不尽合理。

【布控】bùkòng　〈动〉(对犯罪嫌疑人等的行踪)布置人员予以监控。

【布拉吉】bùlā·ji　〈名〉连衣裙。[俄 платье]

【布朗族】Bùlǎngzú　〈名〉我国少数民族之一，分布在云南。

【布雷】bù//léi　〈动〉布设地雷或水雷等：～舰|～区。

【布料】bùliào　(～儿)〈名〉用来做衣服等的各种布的统称：这块～适合做裙子。

【布匹】bùpǐ　〈名〉布(总称)。

【布设】bùshè　〈动〉分散设置；布置：～地雷|～声呐|～圈套。

【布施】bùshī　〈书〉把财物等施舍给人，后特指向僧道施舍财物或斋饭。

【布头】bùtóu　(～儿)〈名〉❶成匹的布上剪剩下来的不成整料的部分(多在五六尺以内)。❷剪裁后剩下的零碎布块儿。

【布网】bù//wǎng　〈动〉比喻公安部门为抓捕犯罪嫌疑人在各处布置力量：～守候，捉拿绑匪。

【布衣】bùyī　〈名〉❶布衣服：～蔬食(形容生活俭朴)。❷古时指平民(平民穿布衣)：～出身|～之交。

【布依族】Bùyīzú　〈名〉我国少数民族之一，分布在贵州。

【布艺】bùyì　〈名〉一种手工艺，经过剪裁、缝缀、刺绣把布料制成用品或饰物等：～沙发|～装饰。

【布展】bùzhǎn　〈动〉布置展览：精心～|油画展正在加紧～。

【布阵】bù//zhèn　〈动〉摆开阵势，布置兵力排兵～。

【布置】bùzhì 动❶ 在一个地方安排和陈列各种物件使这个地方适合某种需要：～会场｜～新房。❷ 对一些活动做出安排：～学习｜～工作。

步¹ bù ❶ 名 行走时两脚之间的距离；脚步：正～｜跑～｜寸～难移◇走了一～棋。❷ 名 阶段：初～｜事情一～比一～顺利。❸ 名 地步；境地：不幸落到这一～。❹ 量 旧制长度单位，1 步等于 5 尺。❺ 用脚走：～入会场｜亦～亦趋。❻〈书〉踩；踏：～人后尘。❼〈方〉动 用脚步等量地：～一～这块地够不够三亩。❽（Bù）名 姓。

步² bù 同"埗"（多用于地名）：盐～｜禄～｜炭～（都在广东）。

【步兵】bùbīng 名 徒步作战的兵种，是陆军的主要兵种。也称这一兵种的士兵。

【步步为营】bù bù wéi yíng 军队前进一步就营下一道营垒，比喻行动谨慎，防备严密。

【步道】bùdào 名 指人行道：加宽～。

【步调】bùdiào 名 行走时脚步的大小快慢，多比喻进行某种活动的方式、步骤和速度：统一～｜～一致。

【步伐】bùfá 名❶ 指队伍操练时脚步的大小快慢：～整齐。❷ 行走的步子：矫健的～。❸ 比喻事物进行的速度：要加快经济建设的～。

【步法】bùfǎ 名 指武术、舞蹈及某些球类活动中，脚步移动的方向、先后、快慢等的章法或程式。

【步弓】bùgōng 名 弓③。

【步话机】bùhuàjī 名 步谈机。

【步履】bùlǚ〈书〉❶ 动 行走：～维艰（行走艰难）。❷ 名 指脚步：轻盈的～。

【步枪】bùqiāng 名 单兵用的枪管较长的枪，有效射程约 400 米。可分为非自动、半自动、全自动三种。

【步人后尘】bù rén hòu chén 踩着人家脚印走，比喻追随、模仿别人。

【步入】bùrù 动 走进：～会场◇～正轨｜网络时代。

【步哨】bùshào 名 军队驻扎时担任警戒的士兵。

【步态】bùtài 名 走路的姿态：～轻盈｜稳重而沉着的～。

【步谈机】bùtánjī 名 体积很小、便于携带的无线电话收发机，可以在行进中通话，通话距离不大。也叫步话机。

【步武】bùwǔ❶ 名 古时以六尺为步，半步为武，指不远的距离：相去～。❷ 动 跟着别人的脚步走，比喻效法：～前贤。

【步行】bùxíng 动 行走（区别于坐车、骑马等）：下马～｜与其挤车，不如～。

【步行街】bùxíngjiē 名 只准人步行、不准车辆通行的街，大都是商业繁华地段。

【步韵】bù∥yùn 动 依照别人做诗所用韵脚的次第来和（hè）诗。

【步骤】bùzhòu 名 事情进行的程序：有计划、有～地开展工作。

【步子】bù·zi 名 脚步：放慢～｜队伍的～走得很整齐。

吥 bù 唝吥（Gòngbù），柬埔寨地名，今作贡布。

埗 bù 茶埗（Chábù），地名，在福建。

怖 bù 害怕：恐～｜阴森可～。

钚（鈈）bù 名 金属元素，符号 Pu（plutonium）。银白色，有放射性，由人工核反应获得。用作核燃料等。

埔 bù 大埔（Dàbù），地名，在广东。
另见 1063 页 pǔ。

埗 bù 同"埗"（多用于地名）：深水～（在香港）。

铺（舖）bù 铺子。

【铺子】bù·zi 名 婴儿吃的糊状食物。

部 bù ❶ 部分；部位：内～｜上～｜胸～｜局～。❷ 名 中央政府按业务划分的单位（级别比局、厅高）：外交～｜商务～。❸ 一般机关企业按业务划分的单位：编辑～｜门市～。❹ 军队（连以上）等的领导机构或其所在地：连～｜司令～。❺ 名 指部队：率～突围。❻〈书〉统辖；统率：所～｜～领。❼ 量 a)用于书籍、影片等：两～字典｜一～纪录片｜三～电视剧。b)用于机器或车辆：一～机器｜两～汽车。❽（Bù）名 姓。

【部队】bùduì 名 军队的通称：野战～｜驻京～｜武警～｜从～转业到地方。

【部分】bù·fen 名 整体中的局部;整体里的一些个体:检验机器各～的性能|我校～师生参加了夏令营活动。

【部件】bùjiàn 名 机器的一个组成部分,由若干零件装配而成。

【部类】bùlèi 名 概括性较大的类:这个百货商场的货物～齐全。

【部落】bùluò 名 由若干血缘相近的氏族结合而成的集体。

【部门】bùmén 名 组成某一整体的部分或单位:工业～|文教～|～经济学(如工业经济学,农业经济学)|一本书要经过编辑、出版、印刷、发行等～,然后才能跟读者见面。

【部首】bùshǒu 名 字典、词典等根据汉字形体偏旁所分的门类,如山、口、火、石等。

【部属】bùshǔ 名 部下。

【部署】bùshǔ 动 安排;布置(人力、任务):～工作|战略～|～了一个团的兵力。

【部头】bùtóu (～儿)名 书的厚薄和大小(主要指篇幅多的书):大～著作。

【部委】bùwěi 名 我国国务院所属的部和委员会的合称。

【部位】bùwèi 名 位置(多用于人的身体):发音～|消化道～。

【部下】bùxià 名 军队中被统率的人,泛指下级。

埠 bù ❶ 码头,多指有码头的城镇:船～|本～|外～。❷ 商埠:开～。

【埠头】bùtóu 〈方〉名 码头。

瓿 bù 〈书〉小瓮:酱～。

蔀 bù ❶〈书〉遮蔽。❷ 古代历法称七十六年为一蔀。

箁 bù 〈方〉名 竹子编的篓子。

簿 bù ❶ 簿子:账～|练习～|收文～|记事～。❷ (Bù)名 姓。

【簿册】bùcè 名 记事记账的簿子。

【簿籍】bùjí 名 账簿、名册等。

【簿记】bùjì 名 ❶ 会计工作中有关记账的技术。❷ 符合会计规程的账簿。

【簿子】bù·zi 名 记事或做练习等用的本子。

C

C

cā（ちY）

拆 cā 〈方〉动 排泄（大小便）。
另见 145 页 chāi。
【拆烂污】cā lànwū 〈方〉比喻不负责任，把事情弄得难以收拾（烂污：稀屎）：他做出这等～的事，气坏了我了。

擦 cā 动❶ 摩擦：～火柴｜摩拳～掌｜手～破了皮。❷ 用布、手巾等摩擦使干净：～汗｜～桌子｜～玻璃◇～亮眼睛。❸ 涂抹：～油｜～粉｜～红药水。❹ 贴近；挨着：～黑儿｜～肩而过｜燕子～着水面飞。❺ 把瓜果等放在礤床儿上来回摩擦，使成细丝儿：把萝卜～成丝儿。
【擦边球】cābiānqiú 名 打乒乓球时擦着球台边沿的球，后来把做在规定的界限边缘而不违反规定的事比喻为打擦边球：按规矩办事，不打政策～。
【擦黑儿】cāhēir 〈方〉动 天色开始黑下来：赶到家时，天已经～了。
【擦屁股】cā pì·gu 比喻替人做未了的事或处理遗留的问题（多指不好办的）：你别净在前边揽娄子，要我们在后边～。
【擦拭】cāshì 动 擦②：～武器。
【擦洗】cāxǐ 动 擦拭，洗涤：～餐桌｜这个手表该～～了。
【擦音】cāyīn 名 口腔通路缩小，气流从中挤出而发出的辅音，如普通话语音中的 f、s、sh 等。
【擦澡】cā//zǎo 动 用湿毛巾等擦洗全身：擦把澡。

嚓 cā 拟声 形容物体摩擦等的声音：摩托车～的一声停住了。
另见 141 页 chā。

礤 cā 见 676 页［碅礤儿］。

cǎ（ちY）

礤 cǎ 〈书〉粗石。
【礤床儿】cǎchuángr 名 把瓜、萝卜等擦成丝儿的器具，在木板、竹板等中间钉一块金属片，片上凿开许多小窟窿，使翘起的鳞状部分成为薄刃片。

cāi（ちあ）

偲 cāi 〈书〉多才。
另见 1291 页 sī。

猜 cāi ❶ 动 根据不明显的线索或凭想象来寻找正确的解答：猜测｜～谜语｜你～谁来了？｜他的心思我～不透。❷ 起疑心：～忌｜两小无～。
【猜测】cāicè 动 推测；凭想象估计：这件事复杂，又没有线索，叫我很难～。
【猜度】cāiduó 动 猜测；揣度：心里暗自～，来人会是谁呢？
【猜忌】cāijì 动 猜疑别人对自己不利而心怀不满：互相～。
【猜料】cāiliào 动 猜测；估计：事情的结果，现在还很难～。
【猜谜儿】cāi//mèir 〈方〉动 猜谜（mí）。
【猜谜】cāi//mí 动❶ 猜谜底；捉摸谜语的答案。❷ 比喻猜测说话的真意或事情的真相：你有什么话就说出来，别让人家～。
【猜摸】cāi·mo 动 猜测；估摸：他的心思叫人～不透。
【猜拳】cāi//quán 动 划（huá）拳。
【猜嫌】cāixián 〈书〉动 猜忌：两无～。
【猜想】cāixiǎng 动 猜测：我～他同这件事有关。
【猜疑】cāiyí 动 无中生有地起疑心；对人对事不放心：根本没有这种事儿，你们不要胡乱～。

cái（ちあ）

才[1] cái ❶ 名 才能：德～兼备｜多～多艺｜这人很有～。❷ 有才能的人：干

~|奇~。❸(Cái)名姓。

才²(纔) cái 副 ❶ 表示以前不久：你怎么~来就要走？❷ 表示事情发生得晚或结束得晚：他说星期三动身，到星期五一~走|大风到晚上一~住了。❸ 表示只有在某种条件下然后怎样（前面常常用"只有，必须"或含有这类意思）：只有依靠群众，~能把工作做好。❹ 表示发生新情况，本来并不如此：经他解释之后，我一~明白是怎么回事。❺ 表示数量小，次数少，能力差，程度低等等：这个工厂开办时一~几十个工人|别人一天干的活儿他三天一~干完。❻ 表示强调所说的事（句尾常用"呢"字）：麦子长得~好呢|我一~不信呢!

【才分】cáifèn 名才能；才智。

【才干】cáigàn 名办事的能力：增长~|他既年轻，又有~。

【才刚】cáigāng〈方〉名刚才：他~还在这里，这会儿出去了。

【才高八斗】cái gāo bā dǒu 形容文才非常高。参看16页〖八斗才〗。

【才华】cáihuá 名表现于外的才能（多指文艺方面）：~横溢|~出众。

【才具】cáijù〈书〉名才能：~有限。

【才力】cáilì 名才能；能力：~超群。

【才略】cáilüè 名政治或军事上的才能和智谋：~过人。

【才能】cáinéng 名知识和能力：施展~。

【才女】cáinǚ 名有才华的女子。

【才气】cáiqì 名才华：他是一位很有~的诗人。

【才情】cáiqíng 名才华；才思：卖弄~。

【才识】cáishí 名才能和见识：~卓异。

【才疏学浅】cái shū xué qiǎn 才能低，学识浅（多用于自谦）。

【才思】cáisī 名写作诗文的能力：~敏捷。

【才学】cáixué 名才能和学问。

【才艺】cáiyì 名才能和技艺：~超绝。

【才智】cáizhì 名才能和智慧：充分发挥每个人的聪明~。

【才子】cáizǐ 名指有才华的人。

材 cái ❶ 木料，泛指材料①：木~|钢~|药~|就地取~。❷ 名棺材：寿~|一口~。❸ 资料：教~|题~|素~。

❹ 有才能的人。❺(Cái)名姓。

【材积】cáijī 名单株树木或许多树木出产木材的体积。

【材料】cáiliào 名❶ 可以直接造成成品的东西，如建筑用的砖瓦、纺织用的棉纱等：建筑~|做一套衣服，这点~不够。❷ 提供著作内容的事物：他打算写一部小说，正在搜集~。❸ 可供参考的事实：人事~。❹ 比喻适于做某种事情的人才：我五音不全，不是唱歌的~。

【材树】cáishù 名主要供做木材用的树木，如松、柏、杉等。

【材质】cáizhì 名❶ 木材的质地：楠木~细密。❷ 材料的质地；质料：各种~的浴缸|大理石~的家具。

【材种】cáizhǒng 名木材的品种。

财（財） cái ❶ 钱和物资的总称：~产|~物|~理~。❷(Cái)名姓。

【财宝】cáibǎo 名钱财和珍贵的物品。

【财帛】cáibó〈书〉名钱财（古时拿布帛作货币）。

【财产】cáichǎn 名指拥有的财富，包括物质财富（金钱、物资、房屋、土地等）和精神财富（知识产权、商标等）：国家~|私人~。

【财产保险】cáichǎn bǎoxiǎn 指各种物质财产及其相关利益（如责任、信用等）的保险。简称财险。

【财产权】cáichǎnquán 名以物质财富或精神财富为对象，直接与经济利益相联系的民事权利，如债权、继承权、知识产权等。

【财产所有权】cáichǎn suǒyǒuquán 财产所有人依法对自己的财产享有的占有、使用、获取收益和处置的权利。简称所有权。

【财大气粗】cái dà qì cū 形容人仗着钱财多而气势凌人。

【财东】cáidōng 名❶ 旧时商店或企业的所有者。❷ 财主。

【财阀】cáifá 名指垄断资本家。

【财富】cáifù 名具有价值的东西：自然~|物质~|精神~|创造~。

【财经】cáijīng 名财政和经济的合称：~学院。

【财会】cáikuài 名财务和会计的合称：~

科|～人员。

【财礼】cáilǐ 名 彩礼。

【财力】cáilì 名 经济力量(多指资金)：～不足。

【财路】cáilù 名 获得钱财的途径：广开～。

【财贸】cáimào 名 财政和贸易的合称：～系统。

【财迷】cáimí 名 爱钱入迷、专想发财的人。

【财迷心窍】cái mí xīnqiào 指人一心想发财而失去正常认识和思维能力。

【财气】cáiqì (～儿)名 指获得钱财的运气；财运：～不佳。

【财权】cáiquán 名 各级财政以及企业占有、支配和使用财政资金的权力：掌握～。

【财神】cáishén 名 迷信的人指可以使人发财致富的神,原为道教所崇奉的神仙,据传姓赵名公明,亦称赵公元帅。也叫财神爷。

【财势】cáishì 名 钱财和权势：依仗～,横行乡里。

【财税】cáishuì 名 财政和税务的合称：～部门。

【财团】cáituán 名 指资本主义社会里控制许多公司、银行和企业的垄断资本家或其集团。

【财务】cáiwù 名 机关、企业、团体等单位中,有关财产的管理或经营以及现金的出纳、保管、计算等事务：～处|～管理。

【财物】cáiwù 名 钱财和物资：爱护公共～。

【财险】cáixiǎn 名 财产保险的简称。

【财源】cáiyuán 名 钱财的来源：～茂盛|发展经济,广辟～。

【财运】cáiyùn 名 发财的运气：～亨通。

【财政】cáizhèng 名 政府部门对资财的收入与支出的管理活动：～收入|～赤字。

【财政赤字】cáizhèng chìzì 年度财政支出大于财政收入的差额,会计上通常用红字表示,所以叫财政赤字。也叫预算赤字。

【财主】cái·zhu 名 占有大量财产的人：土～|大～。

裁 cái ❶ 动 用刀、剪等把片状物分成若干部分：～纸|～衣服。❷ 量 整张纸分成的相等的若干份：开⑰|对～(整

张的二分之一)|八～报纸。❸ 动 把不用的或多余的去掉；削减：～军|～员|这次精简机构,～了不少人。❹ 安排取舍(多用于文学艺术)：别出心～|《唐诗别～》。❺ 文章的体制、格式：体～。❻ 衡量；判断：～判|～决。❼ 控制；抑止：～制|制～|独～。

【裁编】cái//biān 动 裁减编制：～定岗。

【裁兵】cái//bīng 动 旧指裁减军队。

【裁并】cáibìng 动 裁减合并(机构)。

【裁撤】cáichè 动 撤销;取消(机构等)：～关卡|～重叠的科室。

【裁处】cáichǔ 动 考虑决定并加以处置：酌情～。

【裁定】cáidìng 动 ❶ 裁决。❷ 法院在审理案件或判决执行过程中,就某个问题做出处理决定。

【裁断】cáiduàn 动 裁决判断；考虑决定：这件事究竟怎样处理,还望领导～。

【裁夺】cáiduó 动 考虑决定：此事如何处置,恳请～。

【裁度】cáiduó 〈书〉动 推测断定。

【裁缝】cáiféng 动 剪裁缝制(衣服)：虽是布衫布裤,但～得体。

【裁缝】cái·feng 名 做衣服的工人。

【裁减】cáijiǎn 动 削减(机构、人员、装备等)：～军备。

【裁剪】cáijiǎn 动 缝制衣服时把衣料按一定的尺寸裁开：～技术|这套衣服～得很合身。

【裁决】cáijué 动 经过考虑,做出决定：如双方发生争执,由当地主管部门～。

【裁军】cáijūn 动 裁减武装人员和军事装备。

【裁判】cáipàn ❶ 动 法院依照法律,对案件做出处理,分为判决和裁定两种。❷ 动 根据体育运动的竞赛规则,对运动员竞赛的成绩和竞赛中发生的问题做出评判。❸ 名 在体育竞赛中执行评判工作的人：足球～|国际～。也叫裁判员。

【裁判员】cáipànyuán 名 裁判③。

【裁汰】cáitài 〈书〉动 裁减(多余的或不合用的人员)。

【裁员】cáiyuán 动 (机关、企业)裁减人员。

【裁酌】cáizhuó 动 斟酌决定：处理是否妥当,敬请～。

cǎi （ㄘㄞˇ）

采¹（採） cǎi ❶ 囫 摘（花儿、叶子、果子）：～莲｜～茶◇到海底～珠子。❷ 囫 开采：～煤｜～矿。❸ 囫 搜集：～风｜～矿样。❹ 选取；取：～购｜～取。

采² cǎi ❶ 精神；神色：神～｜兴高～烈。❷ （Cǎi）图 姓。

采³ cǎi 同"彩"。
另见 127 页 cài。

【采办】cǎibàn 囫 采购；置办：～年货。

【采编】cǎibiān 囫 采访和编辑：新闻｜电视台的～人员。

【采茶戏】cǎicháxì 图 流行于江西、湖北、广西、安徽等地的地方戏，由民间歌舞发展而成，跟花鼓戏相近。

【采伐】cǎifá 囫 在森林中砍伐树木，采集木材：～林木。

【采访】cǎifǎng 囫 搜集寻访；调查访问：～新闻｜加强图书～工作｜记者来～劳动模范。

【采风】cǎi//fēng 囫 搜集民歌。

【采购】cǎigòu ❶ 囫 选择购买（多指为机关或企业）：～员｜～建筑材料。❷ 图 担任采购工作的人：他在食堂当～。

【采光】cǎiguāng 囫 通过设计门窗的大小和建筑物的结构，使建筑物内部得到适宜的自然光照。

【采集】cǎijí 囫 收集；搜罗：～标本｜民间歌谣。

【采景】cǎijǐng 囫 为摄影或写生寻找、选择景物。

【采掘】cǎijué 囫 挖取；开采（矿物）：～金矿｜加快～进度。

【采矿】cǎi//kuàng 囫 把地壳中的矿物开采出来。有露天采矿和地下采矿两类。

【采莲船】cǎiliánchuán 图 见 1026 页〖跑旱船〗。

【采录】cǎilù 囫 ❶ 采集并记录：～民歌。❷ 采访并录制：电视台～了新年晚会节目。

【采买】cǎimǎi 囫 选择购买（物品）。

【采纳】cǎinà 囫 接受（意见、建议、要求）：～群众意见。

【采暖】cǎinuǎn 囫 通过设计建筑物的防寒取暖装置，使建筑物内部得到适宜的取暖温度。

【采取】cǎiqǔ 囫 ❶ 选择施行（某种方针、政策、措施、手段、形式、态度等）：～守势｜～紧急措施。❷ 取：～指纹。

【采认】cǎirèn 囫 承认：～学历。

【采收】cǎishōu 囫 采摘收获；采集收取。

【采撷】cǎixié 〈书〉囫 ❶ 采摘：～野果。❷ 采集。

【采写】cǎixiě 囫 采访并写出：好人好事要及时～，及时报道。

【采血】cǎi//xiě 囫 为检验等目的，从人和动物的血管中采取血液。

【采信】cǎixìn 囫 相信（某种事实）并用来作为处置的依据：被告的陈述证据不足，法庭不予～。

【采样】cǎiyàng 囫 采集样品；取样：食品～检查。

【采用】cǎiyòng 囫 认为合适而使用：～新工艺｜～举手表决方式｜那篇稿子已被编辑部～。

【采油】cǎi//yóu 囫 开采地下的石油。

【采择】cǎizé 囫 选取；选择：提出几种方案，以供～。

【采摘】cǎizhāi 囫 摘取（花儿、叶子、果子）：～葡萄｜～棉花。

【采制】cǎizhì 囫 ❶ 采集加工：～春茶。❷ 采访并录制：～电视新闻。

【采种】cǎi//zhǒng 囫 采集植物的种子。

彩（❷綵） cǎi ❶ 颜色：五～｜～云。❷ 彩色的丝绸：剪～｜张灯结～。❸ 称赞夸奖的欢呼声：喝～｜博得满堂～。❹ 花样；精彩的成分：丰富多～。❺ 图 赌博或某种游戏中给得胜者的东西：得～｜中～｜～票。❻ 戏曲里表示特殊情景时所用的技术；魔术里用的手法：火～｜带～｜～活。❼ 指负伤流的血：挂～｜～号。❽ （Cǎi）图 姓。

【彩车】cǎichē 图 用彩纸、彩绸、花卉等装饰的车，用于喜庆活动。

【彩超】cǎichāo 图 彩色 B 超的简称。做 B 超时，彩色图像使人更容易发现微小病变，有利于提高诊断的正确性。

【彩绸】cǎichóu 图 彩色的丝绸。

【彩带】cǎidài 图 彩色的丝绸带子。

【彩旦】cǎidàn 名 戏曲中扮演女性的丑角。年龄比较老的也叫丑婆子。

【彩蛋】cǎidàn 名 画有彩色图案、花纹的蛋壳或蛋形物，是一种工艺品。

【彩电】cǎidiàn 名 ❶ 彩色电视的简称：～中心。❷ 指彩色电视机：一台～。

【彩管】cǎiguǎn 名 彩色显像管。

【彩号】cǎihào （～儿）名 指作战负伤的人员：慰劳～|重～需要特别护理。

【彩虹】cǎihóng 名 虹。

【彩鹮】cǎihuán 名 鸟，外形像朱鹮而稍小，羽毛多为褐紫色，带有绿色。生活在河湖岸边、水田和沼泽地区，吃软体动物、甲壳动物和甲虫等。

【彩绘】cǎihuì ❶ 名 器物、建筑物等上的彩色图画：这次出土的陶器都有朴素的～。❷ 动 用彩色绘画：古老建筑已～一新。

【彩轿】cǎijiào 名 花轿。

【彩卷】cǎijuǎn （～儿）名 彩色胶卷。

【彩扩】cǎikuò 动 彩色照片扩印：电脑～|本店代理～业务。

【彩礼】cǎilǐ 名 旧俗订婚时男家送给女家的财物。

【彩练】cǎiliàn 名 彩带。

【彩迷】cǎimí 名 喜欢买彩票而入迷的人。

【彩民】cǎimín 名 购买彩票或奖券的人（多指经常购买的）。

【彩墨画】cǎimòhuà 名 指用水墨并着彩色的国画。

【彩排】cǎipái 动 ❶ 戏剧、舞蹈等正式演出前进行化装排演。❷ 节日游行、游园等大型群众活动正式开始前进行化装排练。

【彩牌楼】cǎipái·lou 名 喜庆、纪念等活动中用竹、木等搭成并用花、彩绸、松柏树枝作装饰的牌楼。

【彩喷】cǎipēn 动 ❶ 彩色喷涂，用不同颜色的颜料喷涂（作为装饰）：～墙壁。❷ 彩色喷墨，在打印机上用不同颜色的墨粉喷出（文字、图形等）。

【彩棚】cǎipéng 名 用彩纸、彩绸、松柏树枝等装饰的棚子，用于喜庆活动。

【彩票】cǎipiào 名 一种证券，上面编着号码，按票面价格出售。开奖后，持有中奖号码彩票的，可按规定领奖。

【彩旗】cǎiqí 名 各种颜色的旗子：迎宾大道上～飘扬。

【彩券】cǎiquàn 名 彩票。

【彩色】cǎisè 名 多种颜色：～照片。

【彩色电视】cǎisè diànshì 屏幕上显示彩色画面的电视。简称彩电。

【彩色片儿】cǎisèpiānr 〈口〉名 彩色片。

【彩色片】cǎisèpiàn 名 带有彩色的影片（区别于"黑白片"）。

【彩声】cǎishēng 名 喝彩的声音：一阵～|～四起。

【彩饰】cǎishì 名 彩色的装饰：因年久失修，梁柱上的～已经剥落。

【彩塑】cǎisù 名 民间工艺，用黏土捏成各种人物形象，并涂上彩色颜料。也指彩塑的工艺品。

【彩陶】cǎitáo 名 新石器时代的一种陶器，上面绘有彩色花纹，普遍见于仰韶文化、大汶口文化及其他史前文化中。

【彩头】cǎitóu 名 ❶ 获利或得胜的预兆（迷信）：得了个好～。❷ 指中奖、赌博或赏赐得来的财物。

【彩霞】cǎixiá 名 彩色的云霞。

【彩显】cǎixiǎn 名 彩色显示器。

【彩信】cǎixìn 名 集彩色图像和声音、文字为一体的多媒体短信业务。

【彩页】cǎiyè 名 报刊书籍中用彩色印制的版面，所用的纸张一般比较考究。

【彩印】cǎiyìn 动 ❶ 彩色印刷。❷ 洗印彩色照片。

【彩云】cǎiyún 名 由于折射日光而呈现彩色的云，以红色为主，多在晴天的清晨和傍晚出现在天边。

【彩照】cǎizhào 名 彩色照片。

【彩纸】cǎizhǐ 名 ❶ 彩色的纸张。❷ 彩色印相纸。

寀 cǎi 古代指官。
另见 127 页 cài。

睬（倸） cǎi 动 答理；理会：理～|不要～他|人家对你说话，你怎么能～也不～？

踩（跴） cǎi 动 脚底接触地面或物体：当心～坏了庄稼|妹妹～在凳子上贴窗花。

【踩道】cǎi//dào （～儿）动 盗贼作案前察看地形。

【踩点】cǎi//diǎn （～儿）动 ❶ 踩道。❷ 泛指事先到某一地点了解情况。

【踩咕】cǎi·gu 〈方〉动 贬低：别～人。

【踩水】cǎishuǐ 动 一种游泳方法,人直立深水中,两腿交替上抬下踩,身体保持不沉,并能前进。

cài （ㄘㄞˋ）

采(採) cài ［采地］(càidì) 名 古代诸侯分封给卿大夫的田地(包括耕种土地的奴隶)。也叫采邑。
另见 125 页 cǎi。

菜 cài ❶ 名 能做副食品的植物;蔬菜：种～|野～。❷ 专指油菜①：～油。❸ 名 经过烹调供下饭下酒的蔬菜、蛋品、鱼、肉 等：荤～|川～|四 ～ 一 汤。❹ (Cài)名 姓。

【菜案】cài'àn 名 炊事分工上指做菜的工作;红案。

【菜霸】càibà 名 欺行霸市、垄断蔬菜市场的人。

【菜场】càichǎng 名 菜市。

【菜单】càidān (～儿)名 ❶ 开列各种菜肴名称的单子。❷ 选单的俗称。

【菜刀】càidāo 名 切菜切肉用的刀。

【菜点】càidiǎn 名 菜肴和点心：风味～|宫廷～|西式～。

【菜豆】càidòu 名 ❶ 一年生草本植物,茎蔓生,小叶阔卵形,花白色、黄色或带紫色,荚果较长,种子近球形,白色、褐色、蓝黑色或绛红色,有花斑。嫩荚是常见蔬菜。种子可以吃,也可入药。❷ 这种植物的荚果或种子。‖ 通称芸豆,也叫四季豆。

【菜瓜】càiguā 名 ❶ 一年生草本植物,茎蔓生,叶子心脏形,花黄色。果实长圆筒形,稍弯曲,皮白绿色,可以吃,适于酱腌。❷ 这种植物的果实。

【菜馆】càiguǎn (～儿)〈方〉名 饭馆。也叫菜馆子。

【菜花】càihuā (～儿)名 ❶ 油菜的花。❷ 花椰菜的通称。

【菜金】càijīn 名 用作买副食的钱(多指机关、团体的)。

【菜篮子】càilán·zi 名 盛菜的篮子,借指城镇的蔬菜、副食品的供应：经过几年的努力,本市居民的～问题已基本解决。

【菜码儿】càimǎr 〈方〉名 面码儿。

【菜牛】càiniú 名 专供宰杀食用的牛。

【菜农】càinóng 名 以种植蔬菜为主的农民。

【菜品】càipǐn 名 菜肴(多指饭馆、餐厅等供应的)：这家餐厅节前推出几款新～。

【菜圃】càipǔ 名 菜园。

【菜谱】càipǔ 名 ❶ 菜单①。❷ 介绍菜肴制作方法的书(多用于书名)：《大众～》。

【菜畦】càiqí 名 有土埂围着的一块块排列整齐的种蔬菜的田。

【菜青】càiqīng 形 绿中略带灰黑的颜色。

【菜色】càisè 名 指人因靠吃菜充饥而营养不良的脸色：面带～。

【菜市】càishì 名 集中出售蔬菜和肉类等副食品的场所。

【菜式】càishì 名 菜肴的品种样式。也指不同地区的菜肴。

【菜蔬】càishū 名 ❶ 蔬菜。❷ 家常饭食或宴会所备的各种菜。

【菜薹】càitái 名 ❶ 某些蔬菜植物的花茎,如油菜薹、芥菜薹。❷ 二年生草本植物,叶宽卵形或椭圆形,花柔嫩,是常见蔬菜。也叫菜心。

【菜系】càixì 名 不同地区菜肴烹调在理论、方式、风味等方面具有独特风格的体系。

【菜心】càixīn 名 菜薹②。

【菜羊】càiyáng 名 专供宰杀食用的羊。

【菜肴】càiyáo 名 经过烹调供下饭下酒的鱼、肉、蛋品、蔬菜等。

【菜油】càiyóu 名 用油菜子榨的油。也叫菜子油,有的地区叫清油。

【菜园】càiyuán 名 种蔬菜的园子。也叫菜园子。

【菜子】càizǐ 名 ❶ (～儿)蔬菜的种子。❷ 专指油菜子。

【菜子油】càizǐyóu 名 菜油。

寀 cài 〈书〉同"采"(cài)。
另见 126 页 cǎi。

蔡[1] Cài ❶ 周朝国名,在今河南上蔡西南,后来迁到新蔡一带。❷ 名 姓。

蔡[2] cài 〈书〉大龟：蓍～(占卜)。

缲(繰) cài 见 234 页[綷缲]。

参

cān（ㄘㄢ）

参¹（叅） **cān ❶** 加入；参加：～军｜～赛。**❷** 参考：～看｜～阅。

参²（叅） **cān ❶** 进见；谒见：～谒｜～拜。**❷** 劻封建时代指弹劾：～劾｜他一本（"本"指奏章）。

参³（叅） **cān** 探究并领会（道理、意义等）：～破｜～透。

另见138页cēn；1209页shēn。

【参拜】**cānbài** 劻 以一定的礼节进见敬重的人或瞻仰敬重的人的遗像、陵墓等：大礼～｜～孔庙。

【参半】**cānbàn** 劻 各占一半：疑信～。

【参变量】**cānbiànliàng** 名 参数。

【参禅】**cānchán** 佛教徒静坐冥想领会佛理叫参禅：～悟道。

【参订】**cāndìng** 劻 参校订正：这部书由张先生编次，王先生～。

【参访】**cānfǎng** 劻 参观访问：～团。

【参股】**cān∥gǔ** 劻 入股：投资～。

【参观】**cānguān** 劻 实地观察（工作成绩、事业、设施、名胜古迹等）：～团｜～游览｜～工厂｜谢绝～。

【参合】**cānhé**〈书〉劻 参考并综合：～其要｜本书～了有关资料写成。

【参劾】**cānhé**〈书〉劻 君主时代指向朝廷检举官员的过失或罪行。

【参加】**cānjiā** 劻 **❶** 加入某种组织或某种活动：～工会｜～会议｜～选举｜～绿化劳动。**❷** 提出（意见）：这件事儿，请你也来～点儿意见。

【参见】¹ **cānjiàn** 劻 参看②。

【参见】² **cānjiàn** 劻 以一定礼节进见；谒见：～师父。

【参建】**cānjiàn** 劻 参与建造；参加建设：这项工程有十几个单位～。

【参校】**cānjiào** 劻 **❶** 为别人所著的书做校订的工作。**❷** 一部书有两种或几种本子，拿一种做底本，参考其他本子，加以校订。

【参军】**cān∥jūn** 劻 参加军队。

【参看】**cānkàn** 劻 **❶** 读一篇文章时参考另一篇：那篇报告写得很好，可以～。**❷** 文章注释和辞书释义用语，指示读者看了

此处后再看其他有关部分。

【参考】**cānkǎo** 劻 **❶** 为了学习或研究而查阅有关资料：～书｜作者写这本书，～了几十种书刊。**❷** 在处理事物时借鉴、利用有关材料：仅供～｜～兄弟单位的经验｜制定这些规章时～了群众的意见。**❸** 参看②。

【参考书】**cānkǎoshū** 名 学习某种课程或研究某项问题时用来参考的书籍。

【参考系】**cānkǎoxì** 名 为确定物体的位置和描述其运动而被选作标准的另一物体或一组物体。也叫参照物。

【参量】**cānliàng** 名 数值可以在一定范围内变化的量。当这个量取不同数值时，反映出不同的状态或性能。

【参谋】**cānmóu ❶** 名 军队中参与指挥部队行动、制定作战计划的干部。**❷** 劻 泛指代人出主意：这事该怎么办，你给～一下。**❸** 名 指代出主意的人：他给你当～。

【参拍】**cānpāi** 劻 **❶**（物品）参加拍卖：一批在海外收藏多年的油画近日回国～。**❷** 参加拍摄：这部影片有多名影星～。

【参评】**cānpíng** 劻 参加评比、评选或评定：～影片｜～人员将统一进行外语考试｜住宅设计评比共有二十个方案～。

【参赛】**cānsài** 劻 参加比赛：～作品｜～选手｜取消～资格。

【参审】**cānshěn** 劻 **❶** 参加（对犯罪嫌疑人等的）审讯或审理。**❷** 送交方案、作品等参加审查或审定：～项目。

【参数】**cānshù** 名 **❶** 方程中可以在某一范围内变化的数，当此数取得一定值时，就可以得到该方程所代表的图形。如方程 $x^2 + y^2 = r^2$ 中，当 r 取得一定值时，就可以画出该方程所代表的圆，r 就是圆周的参数。也叫参变量。**❷** 表明任何现象、机构、装置的某一种性质的量，如电导率、热导率、膨胀率等。

【参天】**cāntiān** 劻（树木等）高耸在天空中：古柏～｜～大树。

【参透】**cān∥tòu** 劻 看透；透彻领会（道理、奥秘等）：参不透｜～禅理｜～机关（看穿阴谋或秘密）。

【参悟】**cānwù** 劻 佛教指参禅悟道，泛指领悟（道理、意义等）：～佛法｜～人生。

【参详】**cānxiáng** 劻 详细地观察、研究：～了半天，忽有所悟｜我先把拟订的计划摆

出来,请同志们～。

【参选】cānxuǎn 㔾❶ 参加评选:～作品。❷ 参加竞选:～村委会主任。

【参验】cānyàn 㔾 考察检验;比较验证。

【参谒】cānyè 㔾 进见尊敬的人;瞻仰尊敬的人的遗像、陵墓等:～黄帝陵。

【参议】cānyì ❶〈书〉㔾 参与谋议:～国事。❷ 㝏 官名。明代在布政使、通政使司下设参议一职,清代通政使司下也设参议。民国时期参议多为闲职。

【参议院】cānyìyuàn 㝏 某些国家两院制议会的上议院。

【参与】(参预) cānyù 㔾 参加(事务的计划、讨论、处理):～其事|他曾～这个规划的制订工作。

【参阅】cānyuè 㔾 参看:写这篇论文,～了大量的图书资料。

【参赞】cānzàn ❶ 㝏 使馆的组成人员之一,是外交代表的主要助理人。外交代表不在时,一般都由参赞以临时代办名义暂时代理使馆事务。❷〈书〉㔾 参与协助:～军务|～朝政。

【参展】cānzhǎn 㔾 参加展览:～单位|～的商品有一千余种。

【参战】cānzhàn 㔾 参加战争或战斗:～国|～部队◇这场比赛主力队员没有～。

【参照】cānzhào 㔾 参考并仿照(方法、经验等):～执行。

【参照物】cānzhàowù 㝏 参考系。

【参政】cān∥zhèng 㔾 参与政治活动或参加政治机构。

【参酌】cānzhuó 㔾 参考实际情况,加以斟酌:～处理|具体情况,制订工作计划。

骖(驂)cān 古代指驾在车辕两旁的马。

鲹(鰺)cān 㝏 鱼,身体小,侧扁,呈条状,灰白色。生活在淡水中。也叫鲹鲦或鲦鱼。

餐(飡、湌)cān ❶ 吃(饭):聚～|野～。❷ 饭食:午～|西～。❸ 㟬 一顿饭叫一餐:一日三～。

【餐车】cānchē 㝏 列车上专为旅客供应饭食的车厢。

【餐点】¹cāndiǎn 㝏 餐饮业的网点:～集中。

【餐点】²cāndiǎn 㝏 点心:西式～|特色～。

【餐风宿露】cān fēng sù lù 见 406 页〖风餐露宿〗。

【餐馆】cānguǎn 㝏 饭馆。

【餐巾】cānjīn 㝏 用餐时为防止弄脏衣服放在膝上或胸前的方巾。

【餐巾纸】cānjīnzhǐ 㝏 专供进餐时擦拭用的纸。也叫餐纸。

【餐具】cānjù 㝏 吃饭的用具,如碗、筷、羹匙等。

【餐厅】cāntīng 㝏 供吃饭用的大房间,一般是宾馆、火车站、飞机场等附设的营业性食堂,也有的用作饭馆的名称。

【餐位】cānwèi 㝏 餐厅、饭馆等用餐的座位。

【餐饮】cānyǐn 㝏 指饭馆、酒馆的饮食买卖:～业|～市场。

【餐纸】cānzhǐ 㝏 餐巾纸。

【餐桌】cānzhuō (～儿)㝏 饭桌。

cán (ㄘㄢˊ)

残(殘)cán ❶ 㔾 不完整;残缺:～品|～废|～身|～志不～|这部书很好,可惜～了。❷ 剩余的;将尽的:～冬|～敌|风卷～云。❸ 伤害;毁坏:摧～|～害。❹ 凶恶:～忍|～酷。

【残败】cánbài 㲋 残缺衰败:～不堪|一片～的景象。

【残暴】cánbào 㲋 残忍凶恶:～不仁|～成性|～的侵略者。

【残杯冷炙】cán bēi lěng zhì 指吃剩下的酒食。

【残本】cánběn 㝏 残缺不全的本子(多指古籍)。

【残币】cánbì 㝏 票面残损的货币。

【残编断简】cán biān duàn jiǎn 见 341 页〖断编残简〗。

【残兵】cánbīng 㝏 残存下来的兵士:～败将。

【残部】cánbù 㝏 残存下来的部分人马。

【残喘】cánchuǎn 㝏 临死前仅存的喘息:苟延～。

【残次】cáncì 㲋 属性词。有毛病的;质量差的:～零件|～产品。

【残存】cáncún 㔾 未被消除尽而保存下来或剩下来:～的封建思想|初冬,树上还

~几片枯叶。

【残敌】cándí 名 残存的敌人。

【残冬】cándōng 名 冬季快要过完的时候。

【残毒】[1] cándú 形 凶残狠毒：~的掠夺。

【残毒】[2] cándú 名 作物、牧草等上面残存的农药或其他污染物质；动物吃了含毒植物后残存在肉、乳、蛋、毛里面的农药或其他污染物质。

【残匪】cánfěi 名 残存的土匪：剿灭~。

【残废】cánfèi ❶ 动 四肢或双目等丧失一部分或者全部的功能：他的腿是在一次车祸中~的。❷ 名 残废的人。

【残羹剩饭】cán gēng shèng fàn 指吃剩下的菜汤和饭食。

【残骸】cánhái 名 人或动物的尸骨，借指残破的建筑物、机械、车辆等：寻找失事飞机的~。

【残害】cánhài 动 伤害或杀害：~生命。

【残货】cánhuò 名 残缺或不合规格的货物。

【残疾】cán•jí 名 肢体、器官或其功能方面的缺陷：~儿童|腿没有治好，落下~。

【残疾车】cánjíchē 名 一种专供身体有残疾的人使用的机动三轮车。

【残迹】cánjì 名 事物残留下的痕迹：当日巍峨的宫殿，如今只剩下一点儿~了。

【残局】cánjú 名 ❶ 棋下到快要结束时的局面(多指象棋)。❷ 事情失败后或社会变乱后的局面：收拾~|维持~。

【残卷】cánjuàn 名 残破不全的书籍、书画作品等：《玉篇》~。

【残酷】cánkù 形 凶狠冷酷：~无情|~的压迫|手段十分~。

【残留】cánliú 动 部分地遗留下来：面颊上还~着泪痕|他头脑中~着旧观念。

【残年】cánnián 名 ❶ 指人的晚年：风烛~|~暮景。❷ 一年将尽的时候：~将尽。

【残虐】cánnüè ❶ 形 凶残暴虐：~的手段。❷ 动 残酷虐待：~囚犯。

【残篇断简】cán piān duàn jiǎn 见 341 页【断编残简】。

【残品】cánpǐn 名 有毛病的成品。

【残破】cánpò 形 残缺破损：~的古庙。

【残棋】cánqí 名 快要下完的棋(多指象棋)：一盘~。

【残缺】cánquē 动 缺少一部分；不完整：

~不全。

【残忍】cánrěn 形 狠毒：手段凶狠~。

【残杀】cánshā 动 杀害：自相~|~无辜。

【残生】cánshēng 名 ❶ 残年①；了此~。❷ 侥幸保存住的生命：劫后~。

【残损】cánsǔn 动 (物品)残缺破损：这部线装书有一函~了|由于商品包装不好，在运输途中~较多。

【残效】cánxiào 名 农药使用后，在一定时期内残留在植株上或土壤中的药效：~期。

【残雪】cánxuě 名 没有融化尽的积雪。

【残阳】cányáng 名 快要落山的太阳。

【残余】cányú ❶ 动 剩余；残留：~势力。❷ 名 在消灭或淘汰的过程中残留下来的人、事物、思想意识等：封建~。

【残垣断壁】cán yuán duàn bì 残缺不全的墙壁。形容房屋遭受破坏后的凄凉景象。也说颓垣断壁、断壁残(颓)垣。

【残月】cányuè 名 ❶ 农历月末形状像钩的月亮。❷ 快落的月亮。

【残渣余孽】cán zhā yú niè 比喻残存的坏人。

【残障】cánzhàng 名 残疾；重度~|老师手把手教~孩子画画。

【残照】cánzhào 名 落日的光辉。

蚕(蠶) cán 名 桑蚕、柞蚕等的统称，通常专指桑蚕。参看 1176 页【桑蚕】、1829 页【柞蚕】。

【蚕宝宝】cánbǎobao 〈方〉名 对蚕的爱称。

【蚕箔】cánbó 名 养蚕的器具，用竹篾等编成，圆形或长方形，平底。

【蚕蔟】cáncù 名 供蚕吐丝作茧的器具，有圆锥形、蛛网形等式样。有的地区叫蚕山。

【蚕豆】cándòu 名 ❶ 一年生或二年生草本植物，茎四棱形，中心空，花白色有紫斑，结荚果。种子供食用。❷ 这种植物的荚果或种子。‖也叫胡豆。

【蚕蛾】cán'é 名 蚕的成虫，白色，触角羽毛状，两对翅膀，但不善飞，口器退化，不取食，交配产卵后不久就死亡。

【蚕茧】cánjiǎn 名 蚕吐丝结成的壳，椭圆形，蚕在里面变成蛹。是缫丝的原料。

【蚕眠】cánmián 动 蚕每次蜕皮前不食不动，像睡眠一样，所以叫蚕眠。蚕在生长过程中要蜕皮四次。

【蚕农】cánnóng 名 以养蚕为主的农民。

【蚕沙】cánshā 桑蚕的屎,黑色的颗粒。可入药。

【蚕山】cánshān〈方〉名 蚕蔟。

【蚕食】cánshí 动 像蚕吃桑叶那样一点一点地吃掉,比喻逐步侵占:～政策。

【蚕丝】cánsī 名 蚕吐的丝,主要用来纺织绸缎,是我国的特产之一。也叫丝。

【蚕蚁】cányǐ 名 刚孵化出来的幼蚕,身体小,颜色黑,像蚂蚁,所以叫蚕蚁。也叫蚁蚕。

【蚕纸】cánzhǐ 名 养蚕的人通常使蚕蛾在纸上产卵,带有蚕卵的纸叫蚕纸。

【蚕子】cánzǐ（～儿）名 蚕蛾的卵。

惭（慚、慙）cán 惭愧:羞～|大言不～|自～形秽。

【惭愧】cánkuì 形 因为自己有缺点、做错了事或未能尽到责任而感到不安:深感～|～万分。

【惭色】cánsè〈书〉名 惭愧的神色:面有～。

【惭颜】cányán〈书〉名 羞愧的表情。

【惭怍】cánzuò〈书〉形 惭愧:自增～。

căn （ㄘㄢˇ）

惨（慘）căn ❶ 形 悲惨;凄惨:～不忍睹|～绝人寰|死得好～。❷ 形 程度严重;厉害:～重|冻～了|敌人败得很～。❸ 凶恶;狠毒:～无人道。

【惨案】căn'àn ❶ 名 指反动统治者或外国侵略者制造的屠杀人民的事件:五卅～。❷ 指造成人员大量死伤的事件:那里曾发生一起列车相撞的～。

【惨白】cănbái 形 状态词。❶（景色）暗淡而发白:～的月光。❷（面容）苍白:脸色～。

【惨败】cănbài 动 惨重失败:敌军～◇球队以 0 比 9 ～。

【惨变】cănbiàn ❶ 名 悲惨的变故:家庭的～令人心碎。❷ 动（脸色）改变得很厉害(多指变白):吓得脸色～。

【惨不忍睹】căn bù rěn dǔ 悲惨得让人不忍心看下去,形容极其悲惨。

【惨怛】căndá〈书〉形 忧伤悲痛:～于心。

【惨淡】（惨澹）căndàn 形 ❶ 暗淡无色:天色～|～的灯光。❷ 凄凉;萧条;不景气:秋风～|神情～|生意～。❸ 形容苦费心力:～经营。

【惨毒】căndú 形 残忍狠毒:手段～。

【惨祸】cănhuò 名 惨重的灾祸。

【惨景】cănjǐng 名 凄惨的景象。

【惨境】cănjìng 名 悲惨的境地:陷入～。

【惨剧】cănjù 名 指惨痛的事件。

【惨绝人寰】căn jué rén huán 人世上还没有过的悲惨,形容悲惨到了极点。

【惨苦】cănkǔ 形 凄惨痛苦。

【惨厉】cănlì 形 凄凉;凄惨:风声～|～的叫喊声。

【惨烈】cănliè 形 ❶ 十分凄惨:～的景象。❷ 极其壮烈:～牺牲。❸ 猛烈;厉害:为害～|～的斗争。

【惨然】cănrán 形 形容内心悲惨:～落泪。

【惨杀】cănshā 动 残杀:～无辜|横遭～。

【惨死】cănsǐ 动 悲惨地死去:～在侵略者的屠刀下。

【惨痛】căntòng 形 悲惨痛苦:～的教训。

【惨无人道】căn wú rén dào 残酷到了没有一点人性的地步,形容凶恶残暴到了极点。

【惨笑】cănxiào 动 内心痛苦、烦恼而勉强作出笑容。

【惨重】cănzhòng 形（损失）极其严重:损失～|伤亡～|～的失败。

【惨状】cănzhuàng 名 悲惨的情景、状况。

穄（穄）căn［穄子］(căn·zi) 名 ❶ 一年生草本植物,茎有很多分枝,叶子狭长。子实椭圆形,可以吃。❷ 这种植物的子实。

穄 căn〈方〉名 一种簸箕 另见 1696 页 zān。

篸（篸）

憯 căn〈书〉同"惨"。

黪（黪）căn〈书〉❶ 浅青黑色:～发。❷ 昏暗。

càn （ㄘㄢˋ）

灿（燦）càn 光彩耀眼:～然|～若云锦|黄～～的菜花。

【灿烂】 cànlàn 形 光彩鲜明耀眼：星光～|
～辉煌◇～的笑容。

【灿亮】 cànliàng 形 光亮耀眼：明光～。

【灿然】 cànrán 形 形容明亮：阳光～|～炫
目|～一新。

掺(掺) càn 古代一种鼓曲：渔阳～
（就是渔阳三挝）。

另见 147 页 chān;1189 页 shǎn。

屛 càn 义同"屛"(chán)，用于"屛头"。

另见 148 页 chán。

【屛头】 càn·tou 〈方〉名 软弱无能的人
（骂人的话）。

粲 càn 〈书〉鲜明；美好：～然|云轻星
～。

【粲然】 cànrán 〈书〉形 ❶ 形容鲜明发光：
星光～。❷ 形容显著明白：～可见。❸
笑时露出牙齿的样子：～一笑。

璨 càn ❶ 美玉。❷ 同"粲"。

---

cāng （ㄘㄤ）

仓(倉) cāng ❶ 名 仓房；仓库：粮
食满～。❷ 指仓位②：补|
减～。❸ (Cāng)名 姓。

【仓储】 cāngchǔ 动 用仓库储存：～超市|
～物资。

【仓促】 cāngcù 形 匆忙：～应战|时间～，
来不及细说了。也作仓猝。

【仓猝】 cāngcù 同"仓促"。

【仓房】 cāngfáng 名 储藏粮食或其他物
资的房屋。

【仓庚】 cānggēng 同"鸧鹒"。

【仓皇】 cānghuáng 形 匆忙而慌张：～失
措|神色～。也作仓黄、仓惶、苍黄。

【仓黄】 cānghuáng 同"仓皇"。

【仓惶】 cānghuáng 同"仓皇"。

【仓库】 cāngkù 名 储藏大批粮食或其他
物资的建筑物：粮食～|军火～。

【仓廪】 cānglǐn 〈书〉名 储藏粮食的仓库。

【仓容】 cāngróng 名 仓库的容量：～有
限。

【仓位】 cāngwèi 名 ❶ 仓库、货场等存
放货物的地方。❷ 指投资者所持的证
券金额占其资金总量的比例。也叫持仓
量。

伧(傖) cāng 〈书〉粗野：～父（粗野
的人）。

另见 170 页•chen。

【伧俗】 cāngsú 〈书〉形 粗俗鄙陋：言语
～。

苍(蒼) cāng ❶ 青色(包括蓝和绿)：
～松翠柏。❷ 灰白色：～白
～鬓。❸ 〈书〉指天或天空：上～|～穹。
❹ (Cāng)名 姓。

【苍白】 cāngbái 形 ❶ 白而略微发青：灰
白|脸色～|～的须发。❷ 形容没有旺盛
的生命力：作品中的人物形象～无力。

【苍苍】 cāngcāng 形 ❶ (头发)灰白：白
发～|两鬓～。❷ 深绿色：松柏～。❸ 苍
茫：海山～|夜幕初落，四野～。

【苍翠】 cāngcuì 形 (草木等)深绿：林木
～|～的山峦。

【苍黄】[1] cānghuáng ❶ 形 黄而发青；灰暗
的黄色：病人面色～|时近深秋，竹林变得
～了。❷ 〈书〉名 苍指青色，黄指黄色，素
丝染色，可以染成青的，也可以染成黄的
(语本《墨子•所染》)。比喻事物的变化。

【苍黄】[2] cānghuáng 同"仓皇"。

【苍劲】 cāngjìng 形 ❶ (树木)苍老挺拔：
～的古松。❷ (书法、绘画)老练而雄健有
力：他的字写得～有力。

【苍老】 cānglǎo 形 ❶ (面貌、声音等)显
出老态：病了一场，人比以前显得～多了。
❷ 形容书画笔力雄健。

【苍凉】 cāngliáng 形 凄凉：月色～。

【苍龙】 cānglóng 名 ❶ 二十八宿中东方
七宿的统称。也叫青龙。参看 363 页【二
十八宿】。❷ 古代传说中的一种凶神恶
煞。现在有时用来比喻极凶恶的人。

【苍茫】 cāngmáng 形 空阔辽远；没有边
际：～大地|暮色～|云水～。

【苍莽】 cāngmǎng 〈书〉形 苍茫。

【苍穹】 cāngqióng 〈书〉名 天空。也说穹
苍。

【苍润】 cāngrùn 形 苍劲润泽(多用于书画
作品等)：作品墨法～。

【苍山】 cāngshān 名 覆盖着苍翠茂盛的
树木的山岭。

【苍生】 cāngshēng 〈书〉名 指老百姓。

【苍松】 cāngsōng 名 苍翠的松树：～翠
柏。

【苍天】 cāngtiān 名 天(古代人常以苍天

为主宰人生的神)。也叫上苍。

【苍鹰】cāngyīng 名 鸟,身体暗褐色,上嘴弯曲,爪尖锐,视力强,性凶猛。捕食鼠、小鸟、野兔等。

【苍蝇】cāng•ying 名 昆虫,种类很多,通常指家蝇,头部有一对复眼。幼虫叫蛆。成虫能传染霍乱、伤寒等多种疾病。

【苍郁】cāngyù 〈书〉形(草木)苍翠茂盛。

【苍术】cāngzhú 名 多年生草本植物,叶子厚,没有柄,花白色或淡红色。根状茎可入药。

沧(滄) cāng (水)青绿色:～海。

【沧海】cānghǎi 名 大海(因水深而呈青绿色)。

【沧海桑田】cāng hǎi sāng tián 大海变成农田,农田变成大海,比喻世事变化很大。也说桑田沧海。

【沧海一粟】cāng hǎi yī sù 大海里的一颗谷粒,比喻非常渺小:群众智慧无穷无尽,个人的才能只不过是～。

【沧桑】cāngsāng 名 沧海桑田的略语:饱经～。

鸧(鶬) cāng [鸧鹒](cānggēng)名 黄鹂。也作仓庚。

舱(艙) cāng 名 船或飞机中分隔开来载人或装东西的部分:货～|客～|前～|头等～。

【舱室】cāngshì 名 舱(总称)。

【舱位】cāngwèi 名 船、飞机等舱内的铺位或座位。

藏 cáng ❶ 动 躲藏;隐藏:包～|暗～|～龙卧虎|他一～起来了。❷ 动 收存;储藏:收～|珍～|冷～|～书。❸ (Cáng)名 姓。
另见 1698 页 zàng。

【藏躲】cángduǒ 动 躲藏:无处～。

【藏锋】cángfēng 动 ❶ 书法中指笔锋不显露。❷〈书〉使锋芒不外露:～守拙。

【藏富】cángfù 动 富有而不表露出来。

【藏垢纳污】cáng gòu nà wū 见【藏污纳垢】。

【藏奸】cángjiān 动 ❶ 心怀恶意:笑里

～。❷〈方〉不肯拿出全副精力或不肯尽自己的力量做事情:～耍滑。

【藏龙卧虎】cáng lóng wò hǔ 比喻潜藏着杰出的人才。

【藏猫儿】cángmāor 〈口〉动 捉迷藏。

【藏闷儿】cángmēnr 〈方〉动 捉迷藏。

【藏匿】cángnì 动 藏起来不让人发现:在山洞里～了много天。

【藏品】cángpǐn 名 收藏的物品:私人～。

【藏身】cángshēn 动 躲藏;安身:无处～|～之所。

【藏书】cángshū ❶ (-//-)动 收藏书籍:～家|这个图书馆～百万册。❷ 名 收藏的图书:把～捐给学校。

【藏书票】cángshūpiào 名 贴在书籍封面封底或书内的纸片,记有藏书日期和人名等,一般印制精美。

【藏头露尾】cáng tóu lù wěi 形容说话办事露一点留一点,不完全表露出来。

【藏污纳垢】cáng wū nà gòu 比喻包容坏人坏事。也说藏垢纳污。

【藏掖】cángyē ❶ 动 怕人知道或看见而竭力掩藏:～躲闪。❷ 名 遮掩住的弊端:他办事完全公开,从来没有～。

【藏拙】cángzhuō 动 怕丢丑,不愿把自己的意见或技能表露出来让别人知道。

【藏踪】cángzōng 动 隐藏踪迹;躲藏。

cāo(ㄘㄠ)

操 cāo ❶ 动 抓在手里;拿:～刀。❷ 动 掌握;控制:～纵|稳～胜券|生杀大权。❸ 做(事);从事:～作|～劳|重～旧业。❹ 动 用某种语言、方言说话:～英语|～吴语。❺ 动 操练:～演|出～。❻ 名 由一系列动作编排起来的体育活动:体～|早～|工间～|健美～|做几节～。❼ 品行;行为:～守|～行。❽ (Cāo)名 姓。

【操办】cāobàn 动 操持办理:～婚事。

【操场】cāochǎng 名 供体育锻炼或军事操练用的场地。

【操持】cāochí 动 ❶ 料理;处理:～家务|这件事由你～。❷ 筹划;筹办:村里正～着办粮食加工厂。

【操刀】cāodāo 动 比喻主持或亲自做某

项工作;这次试验由王总工程师～|点球由
九号队员～主罚。

【操典】cāodiǎn 名 记载军事操练要领等
的书,如步兵操典、骑兵操典等。

【操控】cāokòng 动 操纵控制;幕后～。

【操劳】cāoláo 动 辛辛苦苦地劳动;费心
料理(事务):日夜～|～过度。

【操练】cāoliàn 动 以队列形式学习和练
习军事或体育等方面的技能:～人马。

【操盘】cāo//pán 动 操作股票、期货等的
买进和卖出(多指数额较大的):～手。

【操切】cāoqiè 形 指办事过于急躁:～从
事|这件事他办得太～了。

【操琴】cāo//qín 动 演奏胡琴(多指京胡)。

【操神】cāo//shén 动 劳神:～受累|他为
这事可操了不少神。

【操守】cāoshǒu 名 指人平时的行为、品
德:～清廉。

【操心】cāo//xīn 动 费心考虑和料理:为
国事～|为儿女的事操碎了心。

【操行】cāoxíng 名 品行(多指学生在学校
里的表现)。

【操演】cāoyǎn 动 操练、演习(多用于军
事、体育):学生在操场上～|～一个动作,
先要明了要领。

【操之过急】cāo zhī guò jí 办事情过于急
躁:这事得分步骤进行,不可～。

【操纵】cāozòng 动 ❶ 控制或开动机械、
仪器等:～自如|远距离～|一个人～两台
机床。❷ 用不正当的手段支配、控制:～
市场|幕后～。

【操作】cāozuò 动 按照一定的程序和
技术要求进行活动或工作:～方法|～规
程。

【操作规程】cāozuò guīchéng 操作时必
须遵守的规定,是根据工作的条件和性质
而制定的:技术～|安全～。

【操作系统】cāozuò xìtǒng 计算机中的
一种软件系统。负责组织计算机的工作
流程,控制存储器、中央处理器和外围设
备等。是计算机应用的基础。常见的操
作系统有 DOS 系统、Windows 系统、
UNIX 系统等。

糙 cāo 形 粗糙;不细致:～粮|～纸|这
活儿做得很～。

【糙粮】cāoliáng 〈方〉名 粗粮。

【糙米】cāomǐ 名 碾得不精的大米。

cáo（ㄘㄠ）

曹[1] cáo ❶〈书〉辈②:吾～|尔～。❷
古代分科办事的官署。

曹[2] Cáo ❶ 周朝国名,在今山东西南
部。❷ 名 姓。

【曹白鱼】cáobáiyú 名 鳓。

嘈 cáo（声音)杂乱:～杂。

【嘈杂】cáozá 形 (声音)杂乱;喧闹:人声
～|声音～刺耳。

漕 cáo 漕运:～粮|～渠|～船(运漕粮
的船)。

【漕渡】cáodù 动 军事上指用船、筏子等
渡河。

【漕河】cáohé 名 运漕粮的河道。

【漕粮】cáoliáng 名 漕运的粮食。

【漕运】cáoyùn 动 旧时指国家从水道运
输粮食,供应京城或接济军需。

槽 cáo ❶ 名 盛牲畜饲料的长条形
器具:猪～|马～。❷ 名 盛饮料或
其他液体的器具:酒～|水～。❸（～儿）
名 两边高起,中间凹下的物体,凹下的
部分叫槽:河～|在木板上挖个～。❹
〈方〉量 门窗或屋内隔断的单位:两～隔
扇|一～窗户。❺〈方〉量 喂猪从买进小
猪到喂大卖出叫一槽:今年他家喂了两～
猪。

【槽床】cáochuáng 名 安放槽的架子或台
子。

【槽坊】cáo·fang 名 酿酒的作坊。

【槽钢】cáogāng 名 见 1526 页【型钢】。

【槽糕】cáogāo 〈方〉名 用模子制成的各
种形状的蛋糕。也叫槽子糕。

【槽头】cáotóu 名 给牲畜喂饲料的地方。

【槽牙】cáoyá 名 磨牙(móyá)的通称。

【槽子】cáo·zi 名 槽①②③。

磆 cáo 斫磆(Zhuócáo),地名,在湖
南。

螬 cáo 见 1072 页[蛴螬]。

艚 cáo〈书〉一种木船。

【艚子】cáo·zi 名 载货的木船,有货舱,舱
前有住人的木房。

căo （ㄘㄠ）

草¹（艸、⁴騲）căo ❶ 名 高等植物中栽培植物以外的草本植物的统称：野～｜青～｜割～。❷ 名 指用作燃料、饲料等的稻、麦之类的茎和叶：稻～｜～绳｜～鞋。❸ 旧指山野、民间：～贼｜～野。❹〈口〉雌性的（多指家畜或家禽）：～驴｜～鸡。

草²（艸）căo ❶ 形 草率；不细致：潦～｜字写得很～。❷ 文字书写形式的名称。a) 汉字字体的一种：～书｜～写｜真～隶篆。b) 拼音字母的手写体：大～｜小～。❸ 初步的；非正式的（文稿）：～案｜～稿。❹〈书〉起草：～拟。

【草案】căo'àn 名 拟成而未经有关机关通过、公布的，或虽经公布而尚在试行的法令、规章、条例等：土地管理法～｜交通管理条例～。

【草包】căobāo 名 ❶ 用稻草等编成的袋子。❷ 装着草的袋子，比喻无能的人：这点儿事都办不了，真是一个！

【草本】¹ căoběn 形 属性词。有草质茎的（植物）。

【草本】² căoběn 名 文稿的底本。

【草本植物】căoběn zhíwù 有草质茎的植物。茎的地上部分在生长期终了时多枯死。

【草编】căobiān 名 ❶ 一种民间手工艺，用玉米苞叶、小麦茎、龙须草、金丝草等编成提篮、果盒、杯套、帽子、拖鞋、枕席等。❷ 用这种工艺制成的产品。

【草标】căobiāo 名 旧时集市中插在比较大的物品（多半是旧货）上表示出卖的草棍儿，有时也插在人身上作为卖身的标志。

【草草】căocăo 副 草率；急急忙忙：～了事｜～收场｜～地看过一遍。

【草测】căocè 动 工程开始之前，对地形、地质进行初步测量，精确度要求不很高：新的铁路线已开始～。

【草场】căochăng 名 用来放牧的大片草地，有天然的和人工的两种。

【草虫】căochóng 名 ❶ 栖息在草丛中的虫子，如蟋蟀等。❷ 以花草和昆虫为题材的中国画。

【草创】căochuàng 动 开始创办或创立：～时期。

【草苁蓉】căocōngróng 名 一年生草本植物，多寄生在桦木类植物的根上。茎肉质，紫褐色，叶子鳞片状，黄褐色，花紫色。全草入药。

【草丛】căocóng 名 聚生在一起的很多的草。

【草底儿】căodǐr〈口〉名 草稿：作文先要打～。

【草地】căodì 名 ❶ 长野草或铺草皮的地方。❷ 泛指主要生长草本植物的大片土地，包括草原、草甸子等。

【草甸子】căodiàn·zi〈方〉名 长满野草的低湿地：前面是一大片～。

【草垫子】căodiàn·zi 名 用稻草、蒲草等编的垫子。

【草稿】căogăo（～儿）名 初步写出的文稿、画出的画稿等：打～。

【草荒】căohuāng 名 ❶ 农田因缺乏管理，杂草丛生，妨碍了农作物的生长，叫草荒。❷ 牧草减产，引起饲料缺乏的状况。

【草灰】căohuī 形 灰黄的颜色：～的大衣。

【草鸡】căojī ❶ 名 指地方土种鸡。❷〈方〉名 母鸡。❸〈方〉形 比喻软弱或胆小畏缩。

【草菅人命】căo jiān rénmìng 把人命看得和野草一样，指任意残杀人民。

【草荐】căojiàn 名 铺床用的草垫子。

【草芥】căojiè〈书〉名 比喻最微小的、无价值的东西（芥：小草）：视富贵如～。

【草寇】căokòu 名 旧指出没山林的强盗。

【草料】căoliào 名 喂牲口的饲料。

【草履虫】căolǚchóng 名 原生动物，形状像草鞋底，靠身体周围的纤毛运动。生活在淡水中，吃细菌、水藻等。

【草绿】căolǜ 形 绿而略黄的颜色。

【草码】căomă 名 苏州码子。

【草莽】căomăng 名 ❶〈书〉草丛。❷ 旧指民间。

【草帽】căomào（～儿）名 用麦秆等编成的帽子，夏天用来遮阳光。

【草帽缏】căomàobiàn（～儿）名 用麦秆一类东西编成的扁平的带子，是做草帽、提篮、扇子等的材料。也作草帽辫。

【草帽辫】căomàobiàn 同"草帽缏"。

【草莓】cǎoméi 名❶多年生草本植物,植株矮,有匍匐茎,叶子椭圆形,花白色。花托红色,肉质,多汁,味道酸甜,可以吃。❷这种植物的花托和种子。

【草昧】cǎomèi〈书〉形 未开化;蒙昧。

【草棉】cǎomián 名棉的一种,一年生草本植物,植株矮,叶子掌状分裂,花黄色,纤维细而短,产量低。

【草民】cǎomín 名平民(含卑贱意)。

【草木灰】cǎomùhuī 名草、木、树叶等燃烧后的灰,含钾很多,是一种常用的肥料。

【草木皆兵】cǎo mù jiē bīng 前秦苻坚领兵进攻东晋,进抵淝水流域,登寿春城瞭望,见晋军阵容严整,又远望八公山,把山上的草木都当成晋军,感到惊惧。后来用"草木皆兵"形容惊慌时疑神疑鬼。

【草拟】cǎonǐ 动起草;初步设计:～文件|～本地区发展的远景规划。

【草皮】cǎopí 名连带薄薄的一层泥土铲下来的草,用来铺成草坪,美化环境,或铺在堤岸表面,防止冲刷。

【草坪】cǎopíng 名平坦的草地。

【草签】[1] cǎoqiān 名草标儿。

【草签】[2] cǎoqiān 动缔约双方在条约、协议等的草案上临时签署自己的姓名。草签后还有待正式签字。

【草珊瑚】cǎoshānhú 名常绿灌木,茎有节,叶子长椭圆形,花黄绿色,核果球形,红色。全草入药。

【草食】cǎoshí 形属性词。以草类、蔬菜等为食物的:～动物。

【草书】cǎoshū 名汉字字体,特点是笔画相连,写起来快。

【草率】cǎoshuài 形(做事)不认真,敷衍了事:～从事|～收兵|没经过认真讨论,就做了决定,太～了。

【草台班子】cǎotái bān·zi ❶演员较少,行头、道具等较简陋的戏班子,常在乡村或小城市中流动演出。❷比喻临时拼凑起来的水平不高的团体。

【草滩】cǎotān 名靠近水边的大片草地。

【草体】cǎotǐ 名❶草书。❷拼音字母的手写体。

【草头王】cǎotóuwáng 名旧指占有一块地盘的强盗头子。

【草图】cǎotú 名初步画出的机械图或工程设计图,不要求十分精确。

【草屋】cǎowū 名屋顶用稻草、麦秸等盖的房子,大多简陋矮小。

【草鞋】cǎoxié 名用稻草等编制的鞋。

【草写】cǎoxiě 名草体:"天"字的～是什么样儿?|a 是 a 的～。

【草样】cǎoyàng 名初步画出的图样:先画个～,让大伙儿提提意见。

【草药】cǎoyào 名中医指用植物做的药材。

【草野】cǎoyě 名旧时指民间:～小民。

【草鱼】cǎoyú 名鱼,身体圆筒形,生活在淡水中,吃水草。是我国重要的养殖鱼之一。也叫鲩(huàn)。

【草原】cǎoyuán 名半干旱地区主要生长草本植物的大片土地,间或杂有耐旱的树木。

【草约】cǎoyuē 名未正式签字的条约或契约。

【草泽】cǎozé〈书〉名❶低洼积水野草丛生的地方:深山～。❷旧指民间:～医生|匿迹～。

【草纸】cǎozhǐ 名用稻草等做原料制成的纸,一般呈黄色,质地粗糙,过去多用来做包装纸或卫生用纸。

【草质茎】cǎozhìjīng 名木质部不发达,比较柔软的茎,例如水稻和小麦的茎。

【草字】cǎozì 名❶草书汉字。❷旧时对自己表字的谦称。

慅 cǎo [慅慅](cǎocǎo)〈书〉形忧愁不安的样子。

cào (ㄘㄠ)

肏 cào 动骂人用的下流话,指男子的性交动作。

cè (ㄘㄜˋ)

册(冊) cè ❶册子:名～|画～|纪念～。❷量用于书籍等:这套书一共六～。❸〈书〉皇帝封爵的命令:～封。

【册封】cèfēng 动帝王通过一定仪式把爵位、封号赐给臣子、亲属、藩属等。

【册立】cèlì 动帝王通过一定仪式确定皇

后、太子等的身份。

【册叶】cèyè 同"册页"。

【册页】cèyè 名 分页装裱的字画。也作册叶。

【册子】cè•zi 名 装订好的本子：相片～|户口～|写了几本小～(书)。

厕¹(厠、廁) cè 厕所：男～|女～|公～|茅～。

厕²(厠、廁) cè 〈书〉夹杂在里面；参与：～身|杂～(混杂)。

【厕身】cèshēn 〈书〉动 参与；置身(多用作谦辞)：～士林|～教育界。也作侧身。

【厕所】cèsuǒ 名 专供人大小便的地方。

【厕足】cèzú 〈书〉动 插足；涉足：～其间。也作侧足。

侧(側) cè ❶ 名 旁边(跟"正"相对)：左～|～面|公路两～种着杨树。❷ 动 向旁边歪斜：～耳|～着身子进去。

另见1703页 zè；1708页 zhāi。

【侧扁】cèbiǎn 形 从背部到腹部的距离大于左右两侧之间的距离，如鲫鱼的身体。

【侧耳】cè'ěr 动 侧转头，使一边的耳朵向前边歪斜，形容认真倾听：他探身窗外，～细听。

【侧击】cèjī 动 从侧面攻击。

【侧记】cèjì 名 关于某些活动的侧面的记述(多用于报道文章的标题)：《全市中学生运动会～》。

【侧近】cèjìn 名 附近：找～的人打听一下。

【侧门】cèmén 名 旁门。

【侧面】cèmiàn 名 旁边的一面(区别于"正面")：从～打击敌人|小门在房子的～◇从～了解|注意正面的材料，也要注意和反面的材料。

【侧目】cèmù 〈书〉动 不敢从正面看，斜着眼睛看，形容畏惧而又愤恨：～而视|世人为之～。

【侧身】cè//shēn 动 (向旁边)歪斜身子：请侧一侧身|他一～躲到树后。

【侧身】² cèshēn 同"厕身"。

【侧室】cèshì 名 ❶ 房屋两侧的房间。❷ 旧时指偏房；妾。

【侧线】cèxiàn 名 鱼类身体两侧各有一条由许多小点组成的线，叫做侧线。每一小点内有一个小管，内有感觉细胞，能感

觉水流的方向和压力。

【侧翼】cèyì 名 作战时部队的两翼。

【侧影】cèyǐng 名 侧面的影像：在这里我们可以仰望玉塔的～◇通过这部小说，可以看到当时学生运动的一个～。

【侧泳】cèyǒng 名 游泳的一种姿势，身体侧卧水面，两腿夹水，两手交替划水。

【侧枝】cèzhī 名 由主枝周围长出的分枝。

【侧重】cèzhòng 动 着重某一方面；偏重：～农业|这几项工作应有所～。

【侧足】¹ cèzú 〈书〉动 两脚斜着站，不敢移动，形容非常恐惧：～而立。

【侧足】² cèzú 同"厕足"。

测(測) cè ❶ 动 测量：～绘|目～|深不可～|～一～水的温度。❷ 推测；推想：变化莫～。

【测报】cèbào 动 测量并报告：～虫情|气象～。

【测查】cèchá 动 测试检查：心理～。

【测定】cèdìng 动 经测量后确定：～方向|～气温。

【测度】cèduó 动 推测；揣度：她的想法难以～|根据风向～，今天不会下雨。

【测估】cègū 动 测算估计：～产品的市场占有率。

【测候】cèhòu 〈书〉动 观测(天文、气象)。

【测绘】cèhuì 动 测量和绘图：～地图。

【测控】cèkòng 动 观测并控制：卫星～中心。

【测量】cèliáng 动 用仪器确定空间、时间、温度、速度、功能等的有关数值：～水温|～空气的清洁度。

【测评】cèpíng 动 ❶ 检测评定：对职工进行技术～。❷ 推测并评论：股市～。

【测试】cèshì 动 ❶ 考查人的知识、技能：专业～|经～合格方可录用。❷ 对机械、仪器和电器等的性能和精度进行测量：每台电视机出厂前都要进行严格～。

【测算】cèsuàn 动 测量计算；推算：用地震仪～地震级级|经过反复～，这项工程年内可以完成。

【测探】cètàn 动 ❶ 推测，探寻：～她心里的想法。❷ 测量勘探：～海底的矿藏。

【测验】cèyàn 动 ❶ 用仪器或其他办法检验。❷ 考查学习成绩等：算术～|时事～|期中～。

【测字】cè∥zì 动 把汉字的偏旁笔画拆开或合并，作出解说来占吉凶（迷信）。也说拆字。

恻(惻) cè 悲伤；凄～｜～然。

【恻然】cèrán 〈书〉形 悲伤的样子。

【恻隐】cèyǐn 形 对受苦难的人表示同情；不忍：～之心。

策[1](策) cè ❶古代写字用的竹片或木片；简～。❷古代考试的一种文体，多就政治和经济问题发问，应试者对答：对～｜～问。❸名 我国数学上曾经用过的一种计算工具，形状跟"筹"相似。清代初期把乘法的九九口诀写在上面以计算乘除和开方。参看194页"筹"。❹计谋；办法：上～｜献～｜束手无～。❺〈书〉谋划；筹划：～反｜～应。❻(Cè)名 姓。

策[2](策) cè ❶古代赶马用的棍子，一端有尖刺，能刺马的身体，使它向前跑。❷〈书〉用策赶马：鞭～｜～马前进。❸〈书〉拐杖：扶～而行。

【策动】cèdòng 动 策划鼓动：～政变。

【策反】cèfǎn 动 深入敌对一方的内部，秘密进行鼓动，使敌对一方的人倒戈。

【策划】cèhuà 动 筹划；谋划：幕后～｜这部影片怎么个拍法，请你来～一下。

【策励】cèlì 动 督促勉励：时刻～自己。

【策略】cèlüè ❶名 根据形势发展而制定的行动方针和斗争方式：斗争～。❷形 讲究斗争艺术；注意方式方法：谈话要～一点｜这样做不够～。

【策论】cèlùn 名 封建时代指议论当前政治问题、向朝廷献策的文章。清末采用维新运动者的主张，废八股，用策论作为科举的一个项目。

【策勉】cèmiǎn 〈书〉动 鞭策勉励：共相～。

【策士】cèshì 名 封建时代投靠君主或公卿为其划策的人，后来泛指有谋略的人。

【策应】cèyìng 动 与友军相呼应，配合作战。

【策源地】cèyuándì 名 战争、社会运动等策动、起源的地方：北京是五四运动的～。

笑(筴) cè 〈书〉同"策"。另见655页jiā。

箣 cè [箣竹](cèzhú)名 筋(lè)竹。

cèi (ㄘㄟ)

瓿 cèi 〈口〉动 (瓷器、玻璃等)打碎；摔碎：～了一个碗｜小心把杯子～了。

cēn (ㄘㄣ)

参(參) cēn 见下。另见128页cān；1209页shēn。

【参差】cēncī ❶形 长短、高低、大小不齐；不一致：水平～不齐。❷〈书〉副 大约；几乎：～是。❸〈书〉动 错过；蹉跎：佳期～。

【参错】cēncuò 〈书〉❶形 参差交错：阡陌纵横～。❷动 错误脱漏：传(zhuàn)注～。

cén (ㄘㄣˊ)

岑 cén ❶〈书〉小而高的山。❷〈书〉崖岸。❸(Cén)名 姓。

【岑寂】cénjì 〈书〉形 寂静；寂寞。

涔 cén 〈书〉❶积水。❷雨水多。

【涔涔】céncén 〈书〉形 ❶形容汗、泪、水等不断往下流的样子：汗～下。❷形容天色阴沉。❸形容胀痛或烦闷。

cēng (ㄘㄥ)

噌 cēng 拟声 形容短促摩擦或快速行动的声音：猫～的一声蹿上墙头。另见171页chēng。

céng (ㄘㄥˊ)

层(層) céng ❶重叠；重复：～恋叠嶂｜～出不穷。❷重叠事物的一个部分：外～｜云～。❸量 a)用于重叠、积累的东西：五～大楼｜两～玻璃窗。

b)用于可以分项分步的东西:去了一~顾虑|还得进一~想。c)用于可以从物体表面揭开或抹去的东西:一~薄膜|擦掉一~灰。❹(Céng)名姓。

【层报】céngbào 动一级一级地向上级报告。

【层出不穷】céng chū bù qióng 接连不断地出现,没有穷尽。

【层出叠见】céng chū dié xiàn 见【层见叠出】。

【层次】céngcì 名❶(说话、作文)内容的次序:~清楚。❷相属的各级机构:减少~,精简人员。❸同一事物由于大小、高低等不同而形成的区别:多~服务|举行高~领导人会谈|年龄~不同,爱好也不同|房子面积还可以,就是朝向和~不理想。

【层叠】céngdié 动重叠:冈峦|层层叠叠的雪峰。

【层高】cénggāo 名楼房每一层的垂直高度。

【层级】céngjí 名层次;级别:经过充分准备,双方进行了较高~的会谈。

【层林】cénglín 名一层层的树林:~叠翠|~环抱|深秋季节,~尽染。

【层峦】céngluán 名重重叠叠的山岭:~叠翠。

【层面】céngmiàn 名❶某一层次的范围:设法增加服务~|这次事件影响的~极大。❷方面:经济~|谈话涉及的~很广。

【层见叠出】céng xiàn dié chū 屡次出现。也说层出叠见。

曾 céng 副曾经:几年前我~见过她一面。
另见1704页zēng。

【曾几何时】céng jǐ hé shí 时间过去没有多久:~,这里竟发生了那么大的变化。

【曾经】céngjīng 副表示从前有过某种行为或情况:他~说过这件事|这里~闹过水灾|~上个月~热过几天。

【曾经沧海】céng jīng cāng hǎi 唐代元稹《离思》诗:"曾经沧海难为水,除却巫山不是云。"后来用"曾经沧海"比喻曾经经历过很大的场面,眼界开阔,对比较平常的事物不放在眼里。

嶒 céng 见828页[崚嶒]。

cèng (ㄘㄥˋ)

蹭 cèng 动❶摩擦:手~破一点儿皮。❷因擦过而沾上:留神~油!|墨还没干,当心别~了。❸〈方〉就着某种机会不出代价而跟着得到好处:揩油|坐~车|看~戏|吃~喝~|~了一顿饭。❹慢吞吞地行动:磨~|他的脚受伤了,只能一步一步地往前~。

【蹭蹬】cèngdèng 〈书〉形遭遇挫折;不得意:仕途~。

chā (ㄔㄚ)

叉 chā ❶(~儿)名一端有两个以上的长齿而另一端有柄的器具:钢~|鱼~|吃西餐用刀~。❷动用叉取东西:~鱼。❸名(~儿)叉形符号"×",一般用来标志错误的或作废的事物。
另见141页chá;144页chǎ;144页chà。

【叉车】chāchē 名搬运、装卸货物的机械,车前部装有钢叉,可以升降。也叫铲车。

【叉烧】chāshāo 动烤肉的一种方法,把腌渍后的瘦猪肉挂在特制的叉子上,放入炉内烧烤。也有把腌渍的肉过油后再烧烤的:~肉。

【叉腰】chā//yāo 动大拇指和其余四指分开,紧按在腰旁:两手~站在那里。

【叉子】chā·zi 名叉①③。

扠 chā 同"叉"(chā)②。

杈 chā 名一种农具,一端有两个以上的略弯的长齿,一端有长柄,用来挑(tiāo)柴草等。
另见144页chà。

舂 chā ❶〈书〉同"锸"。❷〈方〉动春:~米。

差 chā ❶义同"差"(chà)①:~别|~异。❷名减法运算中,一个数减去另一个数所得的数。如6-4=2中,2是差。也叫差数。❸〈书〉副稍微;较;尚:~可|天气~暖。
另见144页chà;146页chāi;146

页 chài；221 页 cī。

【差别】chābié 图 形式或内容上的不同：毫无～|缩小～|两者之间～很大。

【差池】(差迟)chāchí 图❶ 错误。❷ 意外的事。

【差错】chācuò 图❶ 错误：精神不集中，就会出～。❷ 意外的变化（多指灾祸）：万一有什么～，那可不得了。

【差额】chā'é 图 跟作为标准或用来比较的数额相差的数：补足～|贸易～。

【差额选举】chā'é xuǎnjǔ 候选人名额多于当选人名额的一种选举办法（区别于"等额选举"）。

【差价】chājià 图 同一商品因各种条件不同而产生的价格差别，如批发和零售的差价、地区差价、季节差价。

【差距】chājù 图 事物之间的差别程度，也指距离某种标准的差别程度：学先进，找～|他俩在看法上有很大～。

【差可】chākě 形 勉强可以：成绩～|聊以～慰。

【差强人意】chā qiáng rényì 大体上还能使人满意（差：稍微）：那几幅画都不怎么样，只有这一幅梅花还～。

【差失】chāshī 图 差错；失误。

【差数】chāshù 图 差（chā）②。

【差误】chāwù 图 错误：工作出了～。

【差以毫厘，失之千里】chā yǐ háo lí, shī zhī qiān lǐ 差之毫厘，谬以千里。

【差异】chāyì 图 差别；不相同的地方：南北气候～很大|几个评委的打分有～。

【差之毫厘，谬以千里】chā zhī háo lí, miù yǐ qiān lǐ 开始相差很小，结果会造成很大的错误。强调不能有一点儿差错。也说差以毫厘，失之千里。

插 chā 动❶ 长形或片状的东西放进、挤入、刺入或穿入别的东西里：～秧|双峰～云|～翅难飞|把插销～上。❷ 中间加进去或加进中间去：～手|安～|～花地|～一句话。

【插班】chābān 动 学校根据转学来的学生的学历和程度编入适当班级：～生。

【插播】chābō 动 临时插进已经编排好的节目中间播放：电视台准备随时～奥运会比赛新闻。

【插册】chācè 图 集邮册。

【插翅难飞】chā chì nán fēi 形容被围或受困而难以逃脱。也说插翅难逃。

【插翅难逃】chā chì nán táo 插翅难飞。

【插床】chāchuáng 图 金属切削机床，主要用来加工键槽和方孔。加工时工作台上的工件做纵向、横向或旋转运动，插刀做上下往复运动，切削工件。

【插戴】chādài 图 女子戴在头上的装饰品，即首饰，特指旧俗订婚时男方送给女方的首饰。

【插定】chādìng 图 旧俗订婚时男方送给女方的礼品：下～。

【插队】chā∥duì 动❶ 插进队伍中去：请排队顺序购票，不要～。❷ 指20世纪六七十年代城市知识青年、干部下到农村生产队劳动和生活：～落户|他以前到农村插过队。

【插杠子】chā gàng·zi 比喻中途参与谈话或做事（多含贬义）：这事与你无关，你不要再插一杠子。

【插关儿】chā·guānr〈方〉图 小门闩。

【插花】[1] chā∥huā 动❶ 把各种供观赏的花适当地搭配着插进花瓶、花篮里：～艺术。❷〈方〉绣花。

【插花】[2] chāhuā 动 夹杂；交错：玉米地里还～着种豆子|农业副业～着搞。

【插画】chāhuà 图 艺术性的插图。

【插话】chāhuà（－/－）动❶ 在别人谈话中间插进去说几句：我们在谈正事，你别～|插不上一句话。❷ 图 在别人的谈话中间插进去说的话。❸ 图 插在大事件中的小故事；插曲②。

【插架】chājià ❶ 动 把书刊放在架上：～万轴（形容藏书极多）|～的地方志有五百部。❷ 图 旧时悬在墙壁上的架子，类似后来的书架。

【插件】chājiàn 图❶ 可以增加或增强软件功能的辅助性的程序。❷ 装有电子器件的电路板，可插入计算机插槽，如显示卡等。

【插脚】chā∥jiǎo 动❶ 站到里面去（多用于否定式）：屋里坐得满满的，后来的人没处～。❷ 比喻参与某种活动：这样的事你何必去插一脚？

【插犋】chājù 动 指农民两家或几家的牲口、犁耙合用，共同耕作。

【插科打诨】chā kē dǎ hùn 指戏曲演员在演出中穿插些滑稽的谈话和动作来引人

发笑。

【插空】chā//kòng 勔 利用空隙时间：参
加会演的演员还～去工厂演出。

【插口】¹ chā//kǒu 勔 插嘴。

【插口】² chākǒu 名 可以插入东西的孔：
扩音器上有两个～，一个插麦克风，一个插
电唱头。

【插屏】chāpíng （～儿）名 摆在桌子上的陈
设品，下面有座，上面插着有图画的镜框、
大理石或雕刻品。

【插瓶】chāpíng 名 花瓶；胆瓶。

【插曲】chāqǔ 名 ❶ 配置在电影、电视剧
或话剧中比较有独立性的乐曲。❷ 比喻
连续进行的事情中插入的特殊片段。

【插入】chārù 勔 插进去。

【插身】chāshēn 勔 ❶ 把身子挤进去。❷
比喻参与：他不想～在这场纠纷中间。

【插手】chā//shǒu 勔 ❶ 帮着做事：想干
又插不上手。❷ 比喻参与某种活动：那
件事你千万不能～。

【插穗】chāsuì 名 插条。

【插条】chātiáo 名 用于扦插的枝条。也
叫插穗。

【插头】chātóu 名 装在导线一端的接头，
插到插座上，电路就能接通。也叫插销。

【插图】chātú 名 插在文字中间帮助说明
内容的图画，包括科学性的和艺术性的。

【插销】chāxiāo 名 ❶ 门窗上装的金属
闩。❷ 插头。

【插叙】chāxù 名 一种叙述方式，在叙述
时不依时间次序插入其他情节。

【插秧】chā//yāng 勔 把稻秧栽到稻田里。

【插页】chāyè 名 插在书刊中印有图表照
片等的单页。

【插足】chā//zú 勔 ❶ 比喻参与某种活动。
❷ 特指第三者与已婚男女中的一方有暧
昧关系。

【插嘴】chā//zuǐ 勔 在别人说话中间插进
去说话：你别～，先听我说完｜两位老人家
正谈得高兴，我想说又插不上嘴。

【插座】chāzuò 名 连接电路的电器元件，
通常接在电源上，跟电器的插头连接时电
流就通入电器。

喳 chā 见下。
　　另见 1706 页 zhā。

【喳喳】chāchā 拟声 形容小声说话的声
音：嘁嘁～。

【喳喳】chā·cha 勔 小声说话：打～｜他在
老伴儿的耳边～了两句。

馇（餷）chā 勔 ❶ 边拌边煮（猪、狗
　　的饲料）：～猪食。❷〈方〉熬
（粥）：～粥。
　　另见 1708 页 zha。

磋 chā 见 575 页〖胡子拉碴〗。
　　另见 143 页 chá。

锸（鍤）chā〈书〉挖土的工具：铁锹。

艖 chā〈书〉小船。

嚓 chā 拟声 形容短促的断裂、摩擦等
　　的声音：～的一声树枝断了。
　　另见 122 页 cā。

chá （彳ㄚˊ）

叉 chá〈方〉勔 挡住；卡住：车辆～住
　　了路口，过不去了。
　　另见 139 页 chā；144 页 chǎ；144
　　页 chà。

垞 chá 小土山（多用于地名）：胜～（在
　　山东）。

茬 chá （～儿）❶ 名 农作物收割后留在
　　地里的茎和根：麦～儿｜豆～儿。❷ 量
指在同一块地上，作物种植或生长的次
数，一次叫一茬：换～｜二～韭菜(割了一次
以后又生长的韭菜)｜这块菜地一年能种四
五～。❸ 名 指提到的事情或人家刚说完
的话：话～｜搭～｜接～。❹〈方〉名 势头：
那个～来得不善。

【茬口】chá·kǒu 名 ❶ 指轮作作物的种类
和轮作的次序：选好～，实行合理轮作。
❷ 指某种作物收割以后的土壤：西红柿
～壮，种白菜很合适。❸（～儿）〈方〉时机；
机会：这事抓紧办，现在正是个～。

【茬儿】chár 同"碴儿"(chár)。

【茬子】chá·zi 名 茬①；刨～｜～地。

茶 chá ❶ 名 常绿木本植物，叶子长椭
　　圆形，花一般为白色，种子有硬壳。嫩
叶加工后就是茶叶。是我国南方重要的
经济作物。❷ 名 用茶叶做成的饮料：喝
～｜品～。❸〈～儿）旧时指聘礼（古时聘礼多用
茶）：下～（下聘礼）。❹ 茶色：～镜｜晶
～。❺ 某些饮料的名称：奶～｜果～。❻ 指油

茶树：～油。❼指山茶：～花。❽
(Chá)名姓。

【茶吧】chábā 名一种小型的饮茶休闲场所。

【茶场】cháchǎng 名❶从事培育、管理茶树和采摘、加工茶叶的单位。❷培育茶树和采摘、加工茶叶的地方。

【茶匙】cháchí （～儿）名调饮料用的小勺儿，比汤匙小。

【茶炊】cháchuī 名用铜铁等制的烧水的器具，有两层壁，在中间烧火，四围装水，供沏茶用。也叫茶汤壶，有的地区叫茶炊子、烧心壶。

【茶点】chádiǎn 名茶水和点心。

【茶饭】cháfàn 名茶和饭，泛指饮食。

【茶房】chá·fáng 名旧时称在旅馆、茶馆、轮船、火车、剧场等处从事供应茶水等杂务的人。

【茶缸子】chágāng·zi 名比较深的带把儿的茶杯，口和底一样大或差不多大。

【茶馆】cháguǎn （～儿）名卖茶水的铺子，设有座位，供顾客喝茶。

【茶褐色】cháhèsè 名赤黄而略带黑的颜色。也叫茶色。

【茶花】cháhuā （～儿）名山茶、茶树、油茶树的花，特指山茶的花。

【茶话会】cháhuàhuì 名备有茶点的集会。

【茶会】cháhuì 名用茶点招待宾客的社交性集会。

【茶几】chájī （～儿）名放茶具用的家具，比桌子小。

【茶鸡蛋】chájīdàn 名用茶叶、五香、酱油等加水煮熟的鸡蛋。也叫茶叶蛋。

【茶晶】chájīng 名颜色像浓茶汁的水晶，多用来做眼镜的镜片。

【茶镜】chájìng 名用茶晶或茶色玻璃做镜片的眼镜。

【茶具】chájù 名喝茶用具，如茶壶、茶杯等。

【茶楼】chálóu 名有楼的茶馆（多用于茶馆的名称）。

【茶炉】chálú 名烧开水的小火炉或锅炉，有的地区也指供应或出售热水、开水的地方：烧～。

【茶卤儿】chálǔr 名很浓的茶汁。

【茶农】chánóng 名以种植茶树为主的农民。

【茶盘】chápán （～儿）名放茶壶茶杯的盘子。也叫茶盘子。

【茶品】chápǐn 名指茶叶制品。

【茶钱】cháqián 名❶喝茶用的钱。❷小费的别称。

【茶青】cháqīng 形深绿而微黄的颜色。

【茶色】chásè 名茶褐色：～玻璃。

【茶社】cháshè 名茶馆或茶座①（多用于茶馆或茶座的名称）。

【茶食】chá·shi 名糕饼、果脯等食品的总称。

【茶水】cháshuǐ 名茶或开水（多指供给行人或旅客的）：～站｜～自备。

【茶汤】chátāng 名❶糜子面或高粱面用开水冲成糊状的食品。❷〈书〉茶水。

【茶汤壶】chátānghú 名茶炊。

【茶托】chátuō （～儿）名垫在茶碗或茶杯底下的器皿。

【茶锈】cháxiù 名茶水附着在茶具上的黄褐色沉淀物。

【茶叶】cháyè 名经过加工的茶树嫩叶，可以做成饮料。

【茶叶蛋】cháyèdàn 名茶鸡蛋。

【茶艺】cháyì 名有关烹茶、饮茶及以茶款待客人的艺术。

【茶油】cháyóu 名用油茶的种子榨的油，颜色较浅，供食用，也可用来制化妆品、药物等。

【茶余饭后】chá yú fàn hòu 指茶饭后的一段空闲休息时间。也说茶余酒后。

【茶园】cháyuán 名❶种植茶树的园子。❷旧时称戏院。

【茶砖】cházhuān 名砖茶。

【茶资】cházī 名茶钱。

【茶座】cházuò （～儿）名❶卖茶的地方（多指室外的）：树荫下面有～儿。❷卖茶的地方所设的座位：茶馆有五十多个～儿。

查 chá 动❶检查：盘～｜～收｜～户口｜～卫生｜～出病来了没有？❷调查：～访｜～勘｜问题还没有～清楚。❸翻检着看：～词典｜～地图｜～资料。
另见 1706 页 zhǎ。

【查办】chábàn 动查明犯罪事实或错误情节，加以处理：撤职～｜严加～。

【查抄】cháchāo 动清查并没收犯罪者的财产：～逆产。

【查处】cháchǔ 动查明情况，进行处理：

严肃～|对违章车辆,管理部门已予～。

【查点】chádiǎn 囫 检查清点(数目):～人数。

【查堵】chádǔ 囫 检查堵截(从事非法活动的人或违禁物品):～病害畜禽制品。

【查对】cháduì 囫 检查核对:～材料|～账目|～原文。

【查房】chá//fáng 囫 检查房间内住宿等的情况,特指医生定时到病房查看病人的病情。

【查访】cháfǎng 囫 调查打听(案情等):暗中～。

【查封】cháfēng 囫 检查以后,贴上封条,禁止动用:～赃物。

【查岗】chá//gǎng 囫 ❶ 查哨。❷ 检查岗位上工作人员的工作情况。

【查核】cháhé 囫 检查核对(账目等):反复～,结算无误。

【查获】cháhuò 囫 侦查或搜查后获得(罪犯、赃物、违禁品等):～毒品。

【查缉】chájī 囫 ❶ 检查(走私、偷税等活动);搜查:～走私物品。❷ 搜查捉拿(犯罪嫌疑人等):～凶手|～逃犯。

【查检】chájiǎn 囫 ❶ 翻检查阅(书刊、文件等):这部书立类得法,～方便。❷ 检查:行李须经～,方可托运。

【查缴】chájiǎo 囫 检查并收缴:～非法出版物。

【查截】chájié 囫 检查并截获:～多名偷渡人员。

【查禁】chájìn 囫 检查禁止:～赌博|～黄色书刊。

【查究】chájiū 囫 调查追究:对事故责任人必须认真～,严肃处理。

【查勘】chákān 囫 调查探测:～矿产资源。

【查看】chákàn 囫 检查、观察(事物的情况):～灾情|亲自到现场～。

【查考】chákǎo 囫 调查研究,弄清事实:作者的生卒年月已无从～。

【查控】chákòng 囫 侦查并控制;检查控制:对嫌犯可能藏身的场所进行严密～。

【查扣】chákòu 囫 检查并扣留:～假货。

【查明】chámíng 囫 调查清楚:～原因。

【查铺】chá//pù 囫 (干部)到集体宿舍检查睡眠情况。

【查哨】chá//shào 囫 检查哨兵执行任务的情况。也说查岗。

【查实】cháshí 囫 查证核实:案情已～。

【查收】cháshōu 囫 检查后收下(多用于书信):寄去词典一部,请～。

【查私】chásī 囫 查验走私物品;缉查走私分子。

【查问】cháwèn 囫 ❶ 调查询问:～电话号码。❷ 检查盘问:～过往行人。

【查寻】cháxún 囫 查找:邮局办理挂号邮件的～业务|失散多年的亲人。

【查巡】cháxún 囫 巡查。

【查询】cháxún 囫 查问①。

【查验】cháyàn 囫 检查验看:～证件。

【查夜】chá//yè 囫 夜间巡查。

【查阅】cháyuè 囫 (把书刊、文件等)找出来阅读有关的部分:～档案材料。

【查账】chá//zhàng 囫 检查账目:年终～。

【查找】cházhǎo 囫 查;寻找:～资料|～失主|～原因。

【查照】cházhào 囫 旧时公文用语,叫对方注意文件内容,或按照文件内容(办事):即希～|希～办理。

【查证】cházhèng 囫 调查证明:～属实|犯罪事实已～清楚。

搽 chá 囫 用粉末、油类等涂(在脸上或手上等):～粉|～碘酒|～护手霜。

嵖 chá 嵖岈(Cháyá),山名,在河南。

猹 chá 囵 野兽,像獾,喜欢吃瓜(见于鲁迅小说《故乡》)。

楂 chá (～儿)❶ 囵 短而硬的头发或胡子(多指剪落的、剪而未尽的或刚长出来的)。❷ 同"茬"。
另见 1706 页 zhā。

槎¹ chá 〈书〉木筏:乘～|浮～。

槎² chá 同"茬"。

督 chá 〈书〉同"察"。

碴 chá 〈方〉囫 碎片碰破(皮肉):手让玻璃～破了。
另见 141 页 chā。

【碴口】chákǒu 囵 东西断或破的地方:电线断了,看～像是刀割的。

【碴儿】chár 囵 ❶ 小碎块:冰～|玻璃～。

❷器物上的破口：碰到碗～上，拉(lá)破了手。❸嫌隙；引起双方争执的事由：找～|过去他们俩有～，现在好了。

察 chá ❶仔细看；调查：观～|考～|～其言，观其行。❷(Chá)图姓。

【察察为明】chá chá wéi míng 形容专在细枝末节上显示精明。

【察访】cháfǎng 圆通过观察和访问进行调查：～民情|暗中～。

【察觉】chájué 圆发觉；看出来：我～他的举动有点儿异样|心事被人～。

【察看】chákàn 圆为了解情况而细看：～风向|～动静。

【察言观色】chá yán guān sè 观察言语脸色来揣摩对方的心意。

【察验】cháyàn 圆察看，检验：～物品的成色。

楂 chá [楂子](chá·zi)〈方〉图玉米等磨成的碎粒儿。

檫 chá 图檫树，落叶乔木，高可达35米，叶子大如手掌，花黄色，果实球形。木材坚韧，供建筑、造船、制家具等用，根可入药。

chǎ （彳Ｙ）

叉 chǎ 圆分开成叉(chā)形：～着腿。
另见139页 chā；141页 chá；144页 chà。

衩 chǎ 见789页【裤衩儿】。
另见144页 chà。

蹅 chǎ 〈口〉圆(在雨雪、泥水中)踩：～了一脚泥|鞋都～湿了。

镲(鑔) chǎ 图铙(bó)，一种打击乐器。

chà （彳Ｙ）

叉 chà 见1016页【排叉儿】、1040页【劈叉儿】。
另见139页 chā；141页 chá；144页 chǎ。

汊 chà 汊子|汊港：河～|湖～。

【汊港】chàgǎng 图水流的分支。

【汊流】chàliú 同"岔流"。

【汊子】chà·zi 图分支的小河。

杈 chà （～儿)图杈子：树～|打棉花～。
另见139页 chā。

【杈子】chà·zi 图植物的分枝：树～|打～(除去分枝)。

岔 chà ❶图道路等的分支：～路|三～路口。❷圆离开原来的方向而偏到一边儿：车子～上了小道。❸圆转移话题：打～|他用别的话～开了。❹圆错开时间，避免冲突：要把这两个会的时间～开。❺(～儿)图岔子②：出～儿。❻〈方〉圆(嗓音)失常：她越说越伤心，嗓音都～了。

【岔道儿】chàdàor 图岔路。

【岔换】chàhuàn 〈方〉圆❶掉换。❷调剂(心情、口味等)。

【岔口】chàkǒu 图道路分岔的地方：往前走，碰到～向右拐。

【岔流】chàliú 图从河流干流的下游分出的流入海洋或湖泊的河道。也作汊流。

【岔路】chàlù 图分岔的道路：～口|过了石桥，有一条到刘庄的～。也说岔道儿。

【岔气】chà//qì 圆指呼吸时两肋觉得不舒服及疼痛。

【岔曲儿】chàqǔr 图在单弦开始前演唱的小段曲儿。内容多为抒情、写景。

【岔子】chà·zi 图❶岔路。❷事故；错误：你放心吧，出不了～。

侘 chà [侘傺](chàchì)〈书〉图失意的样子。也作诧傺。

刹 chà 佛教的寺庙：古～。[刹多罗之省，梵 kṣetra]
另见1182页 shā。

【刹那】chànà 图极短的时间；瞬间：一～。[梵 kṣaṇa]

衩 chà 图衣服旁边开口的地方：这件旗袍开的～太大。
另见144页 chǎ。

诧(詫) chà 惊讶：～异|～然|～为奇事。

【诧愕】chà'è 〈书〉圆吃惊而发愣。

【诧然】chàrán 圈诧异的样子。

【诧异】chàyì 圈觉得奇怪：听了这突如其来的消息，我们都十分～。

差 chà ❶圈不相同，不相合：～得远。❷圈错误：说～了。❸圆缺少；欠

~点儿|还~一个人。❹ 形 不好;不够标准:质量~。

另见 139 页 chā;146 页 chāi;146 页 chài;221 页 cī。

【差不多】chà·buduō ❶ 形 相差很少;相近:这两种颜色~|两个队的水平~。❷ 形 一般;大多数:~的农活他都会干|这包大米二百斤重,~的人扛不起来。❸ 副 表示接近;几乎:~等了两个小时|~走了十五里山路。

【差不离】chà·bulí (~儿)形 差不多①②。

【差点儿】chà // diǎnr ❶ 形 (质量)稍次:这种笔比那种笔~。❷ 副 表示某种事情接近实现或勉强实现。如果是说话的人不希望实现的事情,说"差点儿"或"差点儿没"都是指事情接近实现而没有实现。如"差点儿摔倒了"和"差点儿没摔倒"都是指几乎摔倒但是没有摔倒。如果是说话的人希望实现的事情,"差点儿"是惋惜它未能实现,"差点儿没"是庆幸它终于勉强实现了。如"差点儿赶上了"是指没赶上;"差点儿没赶上"是指赶上了。‖也说差一点儿。

【差劲】chàjìn (~儿)形 (质量、品质、能力)差;不好:这酒~,味儿不正|答应了的事,又不兑现,真~。

【差生】chàshēng 名 学业不好的学生:帮助一些~补习功课。

【差事】chàshì 〈口〉形 不中用;不合标准:这东西太~了,怎么一碰就破了!

另见 146 页 chāi·shi。

侘

姹(奼) chà [侘傺](chàchì)同"佗傺"。

chà 〈书〉美丽。

【姹紫嫣红】chà zǐ yān hóng 形容各种颜色的花卉艳丽、好看:花园里~,十分绚丽。

---

chāi(犭历)

拆 chāi 动 ❶ 把合在一起的东西打开:~信|~洗。❷ 拆毁:~墙|把旧房子~了。

另见 122 页 cā。

【拆白党】chāibáidǎng 〈方〉名 骗取财物的流氓集团或坏人。

【拆除】chāichú 动 拆掉(建筑物等):~脚手架|~防御工事。

【拆穿】chāichuān 动 揭露;揭穿:~阴谋|~骗局|~西洋镜。

【拆东墙，补西墙】chāi dōngqiáng，bǔ xī-qiáng 比喻处境困难,临时勉强应付。

【拆兑】chāiduì 〈方〉动 临时借用(钱、物):跟您~点儿钱买辆自行车。

【拆分】chāifēn 动 将整体的事物拆开分解:这家著名大公司已被~为两家公司。

【拆毁】chāihuǐ 动 拆除毁坏:敌人逃跑前~了这座大桥。

【拆伙】chāi // huǒ 动 散伙。

【拆建】chāijiàn 动 拆除后修建:这片平房~成为市民广场。

【拆解】chāijiě 动 ❶ 拆开;拆散:淘汰的旧车被回收~。❷ 解析(内情):把魔术招数一一~。

【拆借】chāijiè 动 借贷(指短期、按日计息的):向银行~两千万元。

【拆零】chāilíng 动 把成套或成批的商品拆成零散的(出售):~供应。

【拆卖】chāimài 动 拆开零卖:这套家具不~。

【拆迁】chāiqiān 动 拆除原有的建筑物,居民迁移到别处:~户|限期~。

【拆墙脚】chāi qiángjiǎo 比喻拆台。

【拆散】chāi // sǎn 动 使成套的物件分散:这套瓷器千万不要~了。

【拆散】chāi // sàn 动 使家庭、集体等分散:~婚姻|~联盟。

【拆台】chāi // tái 用破坏手段使人或集体倒台或使事情不能顺利进行。

【拆息】chāixī 名 存款放款按日计算的利率。

【拆洗】chāixǐ 动 (把棉衣、棉被等)拆开来洗干净后又缝上。

【拆卸】chāixiè 动 (把机器等)拆开并卸下部件。

【拆账】chāi // zhàng 动 旧时某些行业(如戏班、饮食、理发等行业)的工作人员无固定工资,根据收入和劳动量,按比例分钱。也泛指按比例分配某种利益。

【拆字】chāi // zì 动 测字。

钗(釵) chāi 旧时妇女别在发髻上的一种首饰,由两股簪子合

成：金～|荆～|布裙(形容妇女装束朴素)。

差 chāi ❶ 动 派遣(去做事)：～遣|鬼使神～|立即～人去取。❷ 被派遣去做的事；公务；职务：兼～|出～。❸ 旧时指被派遣的人；差役：听～|解(jiè)～。

另见 139 页 chā；144 页 chà；146 页 chài；221 页 cī。

【差旅】chāilǚ 动 出差旅行：～补助。

【差旅费】chāilǚfèi 名 因公外出时的交通、食宿等费用。

【差遣】chāiqiǎn 动 分派人到外面去工作；派遣：听候～。

【差使】chāishǐ 动 差遣；派遣：～人去送信。

【差使】chāi·shi 名 旧时指官场中临时委任的职务，后来也泛指职务或官职。也作差事。

【差事】chāi·shi ❶ 名 被派遣去做的事情。❷ 同"差使"(chāi·shi)。

另见 145 页 chàshì。

【差役】chāiyì 名 ❶ 封建统治者强迫人民从事的无偿劳动。❷ 旧时称在衙门中当差的人。

chái （彳ㄞ）

侪(儕) chái 〈书〉同辈；同类的人：吾～|～辈|同～。

【侪辈】cháibèi 〈书〉名 同辈。

柴(❷瘵) chái ❶ 名 柴火：木～|～草|上山打～。❷ 〈方〉形 干瘦；不松软；纤维多，不易嚼烂：这芹菜显得～|酱肘子肥而不腻，瘦而不～。❸ 〈方〉形 质量低或品质、能力差：这支笔用就坏了|他棋下得特～。❹ (Chái)名 姓。

【柴草】cháicǎo 名 做柴用的草、木：柴火，小山土堆，只长些～。

【柴扉】cháifēi 〈书〉名 柴门。

【柴胡】cháihú 名 多年生草本植物，叶子条形，花小，黄色，果实椭圆形。根可入药。

【柴火】chái·huo 名 做燃料用的树枝、秫秸、稻草、杂草等。

【柴鸡】cháijī 〈方〉名 农户散养的鸡，不喂人工饲料，一般身体较小，产的蛋也小。

【柴门】cháimén 名 用散碎木材、树枝等做成的简陋的门。旧时用来比喻贫苦人家。

【柴米】cháimǐ 名 做饭用的柴和米，泛指必需的生活资料。

【柴米油盐】chái mǐ yóu yán 泛指人们的日常生活必需品。

【柴油】cháiyóu 名 轻质石油产品的一类，由石油分馏或裂化得到。挥发性比润滑油高，比煤油低，用作燃料。

【柴油机】cháiyóujī 名 用柴油做燃料的内燃机，比汽油机功率大而燃料费用低，广泛应用在载重汽车、机车、拖拉机、轮船、舰艇和其他机器设备上。

豺 chái 名 哺乳动物，外形像狼而小，耳朵比狼的短而圆，毛大部棕红色。性凶猛，常成群围攻鹿、牛、羊等猎物。也叫豺狗。

【豺狗】cháigǒu 名 豺。

【豺狼】cháiláng 名 豺和狼，比喻凶恶残忍的人：～当道|～成性。

【豺狼当道】cháiláng dāngdào 比喻坏人当权。

chǎi （彳ㄞˇ）

茝 chǎi 古书上说的一种香草。

齹 chǎi (～儿)名 碾碎了的豆子或玉米：豆～儿|把玉米磨成～儿。

chài （彳ㄞˋ）

虿(蠆) chài 〈书〉蝎子一类的有毒的虫：蜂～。

差 chài 〈书〉同"瘥"。

另见 139 页 chā；144 页 chà；146 页 chài；221 页 cī。

瘥 chài 〈书〉病愈：久病初～。

另见 238 页 cuó。

chān （彳ㄢ）

汕(汕) chān 地名用字：龙王～(在山西)。

觇(覘) chān 〈书〉窥视;观测:～视|～望|～标。

【觇标】chānbiāo 名 一种测量标志,标架有几米到几十米高,用木料或金属制成,通常架设在被观测点上作为观测、瞄准的目标,也可在这里对其他地点进行观测。

梴 chān 〈书〉形容木长。

掺(摻) chān 动 把一种东西混合到另一种东西里去:～兑|～和|～杂|饲料里再～点水|初期白话文,～用文言成分的比较多。
另见132页 càn;1189页 shǎn。

【掺兑】(摻兑) chānduì 动 把成分不同的东西混合在一起:把酒精跟水～起来。

【掺和】(摻和) chān·huo 动 ❶ 掺杂混合在一起:把黄土、石灰、沙土～起来铺在小路上。❷ 参加进去(多指搅乱、添麻烦):这事你少～|人家正忙着呢,别在这里瞎～。

【掺假】(摻假) chān//jiǎ 动 把假的掺在真的里面或把质量差的掺在质量好的里面。

【掺杂】(摻杂) chānzá 动 混杂;使混杂:别把不同的种子～在一起|喝鸡声和哭叫声～在一起|依法办事不能～私人感情。

搀¹(攙) chān 动 搀扶:～着奶奶慢慢走。

搀²(攙) chān 同"掺"(chān)。

【搀兑】chānduì 见147页【掺兑】。

【搀扶】chānfú 动 用手轻轻架住对方的手或胳膊:同学们轮流～老师爬山。

【搀和】chān·huo 见147页【掺和】。

【搀假】chān//jiǎ 见147页【掺假】。

【搀杂】chānzá 见147页【掺杂】。

幨 chān 〈书〉车帷子。

襜 chān [襜褕](chānyú)〈书〉名 一种短的便衣。

chán （彳ㄢˊ）

单(單) chán [单于](chányú)名 ❶ 匈奴君主的称号。❷ (Chán-yú)姓。
另见264页 dān;1189页 Shàn。

铤(鋋) chán 古代一种铁把的短矛。

谗(讒) chán 在别人面前说某人的坏话:～言|～害。

【谗害】chánhài 动 用谗言陷害:～忠良。

【谗佞】chánnìng 〈书〉名 说人坏话和用花言巧语巴结人的人。

【谗言】chányán 名 毁谤的话;挑拨离间的话:进～|听信～。

婵(嬋) chán 见下。

【婵娟】chánjuān 〈书〉❶ 形(姿态)美好,多用来形容女子。❷ 名 指月亮:千里共～。

【婵媛】¹ chányuán 〈书〉形 婵娟①。

【婵媛】² chányuán 〈书〉动 牵连;相连:垂条～。

馋(饞) chán ❶ 形 看见好的食物就想吃;专爱吃好的:嘴～。❷ 形 看到喜爱的事物希望参与或得到:眼～|看见下棋的就～得慌。❸ 动 想吃(某种食物):～荔枝。

【馋鬼】chánguǐ 名 指嘴馋贪吃的人。

【馋猫】chánmāo 名 指嘴馋贪吃的人(含讥讽意)。

【馋涎欲滴】chán xián yù dī 馋得口水要流下来,形容十分贪婪,有时也用于比喻。

【馋嘴】chánzuǐ ❶ 形 指贪吃。❷ 名 指贪吃的人。

禅(禪) chán ❶ 佛教用语,指排除杂念,静坐:坐～|参～。❷ 泛指佛教的事物:～林|～杖。[梵 dhyāna]
另见1190页 shàn。

【禅房】chánfáng 名 僧徒居住的房屋,泛指寺院。

【禅机】chánjī 名 禅宗和尚说法时,用言行或事物来暗示教义的诀窍。

【禅理】chánlǐ 名 指佛教的教义。

【禅林】chánlín 名 指寺院。

【禅门】chánmén 名 佛门。

【禅趣】chánqù 名 指没有尘世纷扰的平和宁静的趣味。

【禅师】chánshī 名 对和尚的尊称。

【禅堂】chántáng 名 僧尼参禅礼佛的处所。

【禅悟】chánwù 动 佛教指领悟禅义。

【禅学】chánxué 名 指佛教禅宗的教义。

【禅院】chányuàn 名 佛寺;寺院。

【禅杖】chánzhàng 名 佛教徒坐禅欲睡时,用来使惊醒的竹杖。泛指僧人用的手杖。

【禅宗】chánzōng 名 我国佛教宗派之一,以静坐默念为修行方法。相传南朝宋末(公元5世纪)由印度和尚菩提达摩传入我国,唐宋时极盛。

僝 chán 瘦弱;软弱:～羸|～弱。
另见132页 càn。

【僝弱】chánruò 〈书〉形 ❶ (身体)瘦弱。❷ 软弱无能。❸ 薄弱;不充实。

缠(纏) chán 动 ❶ 缠绕:～线|用铁丝～了几道。❷ 纠缠:琐事～身|胡搅蛮～。❸〈方〉应付:这人真难～,好说歹说都不行。

【缠绑】chánbǎng 动 缠绕绑扎:受伤的左腿～着纱布。

【缠绵】chánmián 形 ❶ 纠缠不已,不能解脱(多指病或感情):～榻|情意～。❷ 婉转动人:歌声柔和。

【缠绵悱恻】chánmián fěicè 形 形容内心悲苦难以排遣。

【缠磨】chán·mo〈口〉动 纠缠;搅扰:孩子老～人,不肯睡觉|许多事情～着他,使他忙乱不堪。

【缠扰】chánrǎo 动 纠缠;困扰:被杂事～着。

【缠绕】chánrào 动 ❶ 条状物回旋地束缚在别的物体上:枯藤～|电磁铁的上面～着导线。❷ 纠缠;搅扰:烦恼～心头|这孩子～得我什么也干不成。

【缠绕茎】chánràojīng 名 不能直立,必须缠绕在别的东西上才能向上生长的茎,如紫藤、牵牛花等的茎。

【缠人】chánrén 形 纠缠使脱不开身;困扰身心:这孩子真～。

【缠身】chánshēn 动 缠扰身心:杂事～|长年重病～。

【缠手】chánshǒu 形 ❶ (～儿)脱不开手;孩子小,太～|他被一些琐事缠住了手。❷ (事情)难办;(病)难治:大家的想法不一致,事情看来有些～|这病真～。

【缠足】chán//zú 动 裹脚。

蝉(蟬) chán 名 昆虫,种类很多,雄的腹部有发音器,能连续不断发出尖锐的声音。幼虫生活在土里,吸植物根的汁液。成虫刺吸植物的汁。

【蝉联】chánlián 动 连续(多指连任某个职务或继续保持某种称号):～世界冠军。

【蝉蜕】chántuì ❶ 名 蝉的幼虫变为成虫时蜕下的壳,可入药。❷〈书〉动 比喻解脱。

【蝉衣】chányī 名 中药上指蝉蜕。

僝 chán [僝僽](chánzhòu)〈书〉❶ 形 憔悴;烦恼。❷ 动 折磨。❸ 动 埋怨;嗔怪。❹ 动 排遣。

廛 chán 古代指一户平民所住的房屋和宅院,泛指城邑民居。

潺 chán 见下。

【潺潺】chánchán 拟声 形容溪水、泉水等流动的声音:～流水。

【潺湲】chányuán〈书〉形 形容河水慢慢流动的样子:溪水～。

澶 chán 澶渊(Chānyuān),古地名,在今河南濮阳西南。

镡(鐔) Chán 名 姓。
另见1323页 Tán;1518页 xín。

瀍 Chán 瀍河,水名,在河南。

蟾 chán 指蟾蜍:～酥。

【蟾蜍】chánchú 名 ❶ 两栖动物,身体表面有许多疙瘩,内有毒腺,能分泌黏液,吃昆虫、蜗牛等小动物,对农业有益。通称癞蛤蟆或疥蛤蟆。❷ 传说月亮里面有三条腿的蟾蜍,因此,古代诗文里常用来指月亮。

【蟾宫】chángōng〈书〉名 指月亮。

【蟾宫折桂】chángōng zhé guì 科举时代比喻考取进士。

【蟾光】chánguāng〈书〉名 指月光。

【蟾酥】chánsū 名 蟾蜍表皮腺体的分泌物,白色乳状液体,有毒。干燥后可入药。

巉 chán〈书〉山势高险的样子。

【巉峻】chánjùn〈书〉形 形容山势高而险:～的悬崖。

【巉岩】chányán〈书〉名 高而险的山岩:峭壁～|～林立。

躔 chán〈书〉❶ 兽的足迹。❷ 天体运行。

镵(鑱) chán ❶ 古代一种铁制的刨土工具。❷〈书〉刺(cì)①。

chǎn （彳ㄢ）

产（產） chǎn ❶ 囫 人或动物的幼体从母体中分离出来：～妇｜～科｜～卵｜～下一个男孩儿。❷ 创造物质财富或精神财富；生产：～销｜增～｜转～。❸ 囫 出产：～棉｜～煤｜东北～大豆。❹ 物产；产品：土～｜特～｜水～。❺ 产业：家～｜财～｜破～。❻ (Chǎn) 囵 姓。

【产程】 chǎnchéng 囵 分娩的过程。

【产出】 chǎnchū 囫 生产出（产品）：少投入，多～。

【产道】 chǎndào 囵 胎儿脱离母体时所经过的通道，包括骨产道（骨盆）和软产道（子宫颈和阴道）两部分。

【产地】 chǎndì 囵 物品出产的地方：东北是我国大豆的主要～。

【产儿】 chǎn'ér 囵 刚出世的婴儿◇这种精密仪器正是高科技的～。

【产房】 chǎnfáng 囵 供产妇分娩用的房间。

【产妇】 chǎnfù 囵 在分娩期或产褥期中的妇女。

【产假】 chǎnjià 囵 在职妇女分娩前后按规定或经批准休息的一段时间。

【产科】 chǎnkē 囵 医院中专门负责孕妇的孕期保健，辅助产妇分娩等的一科。

【产量】 chǎnliàng 囵 产品的总量：粮食～大幅度提高。

【产品】 chǎnpǐn 囵 生产出来的物品：农～｜畜～｜～出厂前都要经过检验。

【产婆】 chǎnpó 囵 旧时以接生为业的妇女。

【产钳】 chǎnqián 囵 助产用的一种器械，在某些分娩过程中（如难产）用来牵引胎儿。

【产权】 chǎnquán 囵 指财产的所有权。

【产褥感染】 chǎnrù gǎnrǎn 产妇在产褥期内发生的产道感染，症状为发热、腹痛、恶露臭等，并可引起全身性感染。通称月子病，旧称产褥热。

【产褥期】 chǎnrùqī 囵 产妇产出胎儿后到生殖器官恢复正常状态的一段时期，一般为 6—8 周。

【产褥热】 chǎnrùrè 囵 产褥感染的旧称。

【产生】 chǎnshēng 囫 由已有事物中生出新的事物；出现：同事之间关系处理不好就会～矛盾｜在中华民族悠久的历史中，～了许许多多可歌可泣的英雄人物。

【产物】 chǎnwù 囵 在一定条件下产生的事物；结果：迷信是愚昧落后的～。

【产销】 chǎnxiāo 囵 生产和销售：～结合｜～合同。

【产业】 chǎnyè 囵 ❶ 土地、房屋、工厂等财产（多指私有的）。❷ 构成国民经济的行业和部门：高科技～｜支柱～。❸ 指现代工业生产（多用于定语）：～工人｜～部门｜～革命。

【产业革命】 chǎnyè gémìng ❶ 从手工生产过渡到机器生产，从资本主义手工业工场过渡到资本主义工厂的生产技术革命，也就是资本主义的工业化。18 世纪 60 年代初首先从英国开始，到了 19 世纪中叶，法、德、美等国相继完成了产业革命。产业革命的结果是资本主义制度的确立，工业资产阶级和工业无产阶级的出现，以及资本主义基本矛盾的深化。也叫工业革命。❷ 泛指科学技术的突飞猛进，并由此产生的社会经济的根本变革。

【产业工人】 chǎnyè gōngrén 在现代工业生产部门中劳动的工人，如矿工、钢铁工人、纺织工人、铁路工人等。

【产院】 chǎnyuàn 囵 为产妇进行产前检查以及供产妇度过分娩期和产后期的医疗机构。

【产值】 chǎnzhí 囵 在一个时期内全部产品或某一项产品以货币计算的价值量。

划（剗） chǎn 同"铲"②。另见 150 页 chàn。

浐（滻） Chǎn 浐河，水名，在陕西。

谄（諂） chǎn 谄媚：～笑｜～上欺下。

【谄媚】 chǎnmèi 囫 用卑贱的态度向人讨好：～上司｜羞于～。

【谄笑】 chǎnxiào 囫 为了讨好，故意做出笑容：胁肩～。

【谄谀】 chǎnyú 囫 为了讨好，卑贱地奉承人；谄媚阿谀：～之态｜人人齿冷。

啴（嘽） chǎn 〈书〉宽缓；缓。另见 1321 页 tān。

铲（鏟、剷） chǎn ❶ （～儿）囵 撮取或清除东西的用具，

像簸箕或像平板,带长把儿(bàr),多用铁制:煤~|锅~。❷ 勔用锨或铲撮取或清除:~煤|~草|把地~平了。

【铲车】chǎnchē 名 叉车。

【铲除】chǎnchú 勔 连根除去;消灭干净:~杂草|~祸根|~旧习俗,树立新风尚。

【铲土机】chǎntǔjī 名 铲运机。

【铲运机】chǎnyùnjī 名 铲土、运土用的机械,刮刀刮下的土可以自动装入斗中运走。也叫铲土机。

【铲子】chǎn·zi 名 铲①。

阐(闡) chǎn 讲明白:~明|~述。

【阐发】chǎnfā 勔 阐述并发挥:~无遗|文章详细~了技术革命的历史意义。

【阐明】chǎnmíng 勔 讲明白(道理):历史唯物主义是~社会发展规律的科学。

【阐释】chǎnshì 勔 阐述并解释:道理~得很清楚。

【阐述】chǎnshù 勔 论述:~自己的见解|报告对宪法修正草案作了详细的~。

【阐说】chǎnshuō 勔 阐述说明:~理论要旨。

【阐扬】chǎnyáng 勔 说明并宣扬:~真理。

蒇(蒇) chǎn 〈书〉完成:~事。

烂(爛) chǎn 〈书〉❶ 燃烧;烧。❷ 火花飞迸的样子。❸ 炽烈;旺盛。

骣(驏) chǎn 骑马不加鞍辔:~骑。

辗(辗、辗) chǎn 〈书〉笑的样子:~然而笑。

chàn (彳)

忏(懺) chàn ❶ 忏悔。❷ 僧尼道士代人忏悔时念的经文:拜~。
[梵 kṣama]

【忏悔】chànhuǐ 勔 ❶ 认识到过去的错误或罪过而感觉痛心。❷ 向神佛表示悔过,请求宽恕。

划(劃) chàn 见1594页〖一划〗。另见149页chǎn。

颤(顫) chàn 勔 颤动;发抖:~抖|声音发~|两腿直~。另见1715页zhàn。

【颤动】chàndòng 勔 短促而频繁地振动:汽车驶过,能感到桥身的~|他激动得说不出话来,嘴唇在微微~。

【颤抖】chàndǒu 勔 哆嗦;发抖:冻得全身~◇树枝在寒风中~。

【颤巍巍】chànwēiwēi (~的)彤 状态词。抖动摇晃的样子(多用来形容老年人或病人的某些动作)。

【颤音】chànyīn 名 ❶ 颤动的声音。❷ 舌尖或小舌等颤动时发出的辅音,如俄语中的 P 就是舌尖颤音。

【颤悠】chàn·you 勔 颤动摇晃:他的脚步正合着那扁担~的节拍。

屦 chàn 掺杂:~入|~杂。

【屦杂】chànzá 勔 掺杂。

鞡 chàn 见9页〖鞍鞡〗。

---

chāng (彳)

伥(倀) chāng 伥鬼:为虎作~。

【伥鬼】chāngguǐ 名 传说中被老虎咬死的人变成的鬼,这个鬼不敢离开老虎,反而给老虎做帮凶。参看1422页〖为虎作伥〗。

昌 chāng ❶ 兴旺;兴盛:~盛|~明。❷〈书〉正当(dàng);美好:~言。❸ (Chāng)名 姓。

【昌化石】chānghuàshí 名 一种石料,多为淡粉色,或带红色斑点,也有全红色的,产于浙江昌化,是制印章的名贵材料。

【昌隆】chānglóng 彤 兴旺发达:国运~。

【昌明】chāngmíng ❶ 彤 (政治、文化)兴盛发达:科学~。❷ 勔 使昌明:~文化|~大义。

【昌盛】chāngshèng 彤 兴旺;兴盛:文化~|把祖国建设成为一个繁荣~的国家。

【昌言】chāngyán 〈书〉❶ 名 正当的言论;有价值的话。❷ 勔 直言无隐。

倡 chāng 勔 ❶ 指以演奏、歌舞为业的人。❷ 同"娼"。另见157页chàng。

【倡优】chāngyōu 名❶古代擅长乐舞、谐戏的艺人。❷〈书〉娼妓和优伶。

菖 chāng [菖蒲](chāngpú)名多年生草本植物,生在水边,叶子形状像剑,肉穗花序,花黄绿色,地下根茎淡红色。根状茎可做香料,也可入药。

【菖兰】chānglán 名唐菖蒲。

猖 chāng 凶猛;狂妄:～獗|～狂。

【猖獗】chāngjué ❶形凶猛而放肆:～一时的敌人终于被我们打败了。❷〈书〉动倾覆;跌倒。

【猖狂】chāngkuáng 形狂妄而放肆:打退敌人的～进攻。

阊(閶) chāng [阊阖](chānghé)名神话中的天门;宫门。

娼 chāng 妓女:暗|～沦落为～|逼良为～。

【娼妇】chāngfù 名妓女(多用于骂人)。

【娼妓】chāngjì 名妓女。

【娼门】chāngmén 名妓院。

鲳(鯧) chāng 名鲳鱼,身体短而侧扁,呈卵圆形,头小,吻圆钝,没有腹鳍。生活在海洋中。也叫平鱼。

cháng (彳尢)

长(長) cháng ❶形两点之间的距离大(跟"短"相对)。a)指空间:这条路很～|～～的柳条垂到地面。b)指时间:～寿|夏季昼～夜短。❷名长度:南京长江大桥气势雄伟,铁路桥全～6 772米。❸名长处:特|取|补短|一技之～。❹(对某事)做得特别好:他～于写作。❺(旧读 zhàng)多余;剩余:～物。❻(Cháng)名姓。
另见1716页 zhǎng。

【长安】Cháng'ān 名西汉隋唐等朝的都城,在今陕西西安一带。也泛指都城。

【长臂猿】chángbìyuán 名类人猿的一种,身体比猩猩小,前肢特别长,没有尾巴,能直立行走。生活在亚洲热带森林中。

【长编】chángbiān 名在写定著作之前,搜集有关材料并整理编排而成的初步稿本。

【长别】chángbié 动❶长久离别:倾诉～的心情。❷永别。

【长波】chángbō 名波长1 000—10 000米(频率300—30千赫)的无线电波。以地波方式传播,用于无线电广播、测向、导航等方面。

【长策】chángcè 名能起长远作用的策略:治国～|此乃权宜之计,决非～。

【长城】Chángchéng 名❶我国古代伟大的军事性防御工程。始建于战国时期,秦始皇统一中国后,连接原先秦、赵、燕北面的城墙并加以增筑,通称万里长城。后代多有增建或整修。现存明代长城全长一万三千四百华里。❷比喻坚强雄厚的力量,不可逾越的屏障等:中国人民解放军是保卫祖国的钢铁～。

【长程】chángchéng 形属性词。路程远的;长距离的:～车票◇～计划|～目标。

【长虫】cháng·chong〈口〉名蛇。

【长处】cháng·chu 名特长;优点:要善于学习别人的～。

【长川】chángchuān ❶名长的河流。❷同"常川"。

【长辞】chángcí 动和人世永别,指去世:～人间|与世～。

【长此以往】cháng cǐ yǐ wǎng 老是这样下去(多就不好的情况说)。

【长笛】chángdí 名管乐器,多用金属制成,上面有孔,孔上有键。

【长度】chángdù 名两点之间的距离。

【长短】chángduǎn ❶(～儿)名长度:这件衣裳～儿正合适。❷名意外的灾祸或事故(多指生命的危险):他独自出海,家人提心吊胆,唯恐有个～。❸名是非;好坏:背地里说人～是不应该的。❹〈方〉副表示无论如何:明天的欢迎大会你～要来。

【长短句】chángduǎnjù 名词❷的别称。

【长法】chángfǎ (～儿)名为长远利益打算的办法:头疼医头,脚疼医脚,不是个～儿。

【长方体】chángfāngtǐ 名六个长方形(有时相对的两个面是正方形)所围成的立体。

【长方形】chángfāngxíng 名矩形。

【长歌当哭】cháng gē dàng kū 以放声歌咏代替哭泣,多指用诗文抒发胸中的悲愤。

【长庚】chánggēng 名我国古代指傍晚出

现在西方天空的金星。

【长工】chánggōng 名 旧社会靠卖年出卖劳力谋生，受地主、富农剥削的贫苦农民。

【长骨】chánggǔ 名 长管状的骨，如股骨、肱骨等。

【长鼓】chánggǔ 名 ❶ 朝鲜族打击乐器，圆筒形，中间细而实，两端粗而中空，用绷皮做鼓面。❷ 瑶族打击乐器，长筒形，腰细而实。

【长号】chánghào 名 管乐器，发音管可自由伸缩。俗称拉管。

【长河】chánghé 名 长的河流，比喻长的过程：历史的～。

【长话】chánghuà 名 长途电话的简称。

【长话短说】cháng huà duǎn shuō 把要用许多话才能说完的事用简短的话说完。

【长活】chánghuó 名 ❶ 长工的活儿：扛～。❷〈方〉长工。

【长假】chángjià 名 ❶ 时间长的假期：春节～。❷ 旧时机关或军队中称辞职为请长假。

【长江后浪推前浪】Cháng Jiāng hòulàng tuī qiánlàng 比喻人或事物不断发展更迭，新陈代谢。

【长颈鹿】chángjǐnglù 名 哺乳动物，颈很长，不会发声，雌雄都有角，身上有花斑。跑得很快，吃植物的叶子。生活在非洲，是陆地上身体最高的动物。

【长久】chángjiǔ 形 时间很长；长远：～打算｜这种混乱状况不会～的。

【长局】chángjú 名 可以长远维持的局面（多用在"不是"后）：这样拖下去终久不是～。

【长卷】chángjuàn 名 长幅的字画：山水～。

【长考】chángkǎo 动 长时间思考（多用于下棋、打牌）：～半个小时后下出了一着妙棋。

【长空】chángkōng 名 辽阔的天空：万里～。

【长款】[1] chángkuǎn 形 属性词。款式较长的（服装）：～羽绒服。

【长款】[2] cháng//kuǎn 动 指结账时现金的数额多于账面的数额。

【长龙】chánglóng 名 比喻排成的长队。

【长毛绒】chángmáoróng 名 用毛纱做经，棉纱做纬织成的起绒织物，正面有挺立平整的长绒毛。适宜于做冬季服装。

【长眠】chángmián 动 婉辞，指死亡。

【长明灯】chángmíngdēng 名 昼夜不灭的大油灯，大多挂在佛像或神像前面。

【长命锁】chángmìngsuǒ 名 旧俗挂在小孩儿脖子上的锁状饰物，象征长寿，多用金属制成。

【长年】chángnián ❶ 副 一年到头；整年：～在野外工作。❷〈方〉名 长工。❸〈书〉形 长寿。

【长年累月】cháng nián lěi yuè 形容经历很多年月；很长时期。

【长袍儿】chángpáor 名 男子穿的中式长衣。

【长跑】chángpǎo 名 长距离的赛跑。包括男、女5 000米、10 000米等。

【长篇】chángpiān ❶ 形 属性词。篇幅长的：～小说｜～演讲。❷ 名 篇幅长的作品（多指小说）：这部小说是他创作的第一部～。

【长篇大论】cháng piān dà lùn 滔滔不绝的言论或篇幅冗长的文章。

【长篇小说】chángpiān xiǎoshuō 篇幅长的小说，情节复杂，人物较多。

【长期】chángqī 名 长时期：～以来｜～计划｜～贷款。

【长枪】chángqiāng 名 ❶ 长杆上安铁枪头的旧式兵器。❷ 枪筒长的火器的统称，如各种步枪。

【长驱】chángqū 动 迅速地向很远的目的地行进：～南下｜～直入。

【长驱直入】cháng qū zhí rù （军队）长距离地、毫无阻挡地向前挺进。

【长日照植物】chángrìzhào-zhíwù 需要每天长于一定时间的光照（一般长于12小时）才能开花的植物。如大麦、豌豆、油菜等。

【长衫】chángshān 名 男子穿的大褂儿。

【长舌】chángshé 名 长舌头，比喻爱扯闲话，搬弄是非：～妇。

【长生】chángshēng 动 永远活着：～不老（多作颂词）。

【长生果】chángshēngguǒ 〈方〉名 落花生。

【长石】chángshí 名 矿物，成分是钠、钾、钙的铝硅酸盐，白色、淡黄色或粉红色，有玻璃光泽，是构成岩石的常见矿物，广泛用于陶瓷和玻璃工业。

【长逝】chángshì 励 一去不回来,指死亡:溘然～。

【长寿】chángshòu 形 寿命长:～老人。

【长叹】chángtàn 励 深深地叹息:仰天～。

【长天】chángtiān 名 辽阔的天空:仰望～。

【长亭】chángtíng 名 古时设在城外路旁的亭子,多作行人歇脚用,也是送行话别的地方:～送别。

【长途】chángtú ❶ 形 属性词。路程遥远的;长距离的:～旅行｜～汽车｜～电话。❷ 名 指长途电话或长途汽车。

【长物】chángwù (旧读 zhàngwù)名 原指多余的东西,后来也指像样儿的东西:身无～(形容穷困或俭朴)。

【长线】chángxiàn 形 属性词。❶ 比喻(产品、专业等)供应量超过需求量的(跟"短线"相对,下同):～产品。❷ 较长时间才能产生效益的:～投资。

【长项】chángxiàng 名 擅长的项目;擅长做的工作、事情等:双杠是他的～｜每个人都有自己的～。

【长销】chángxiāo 励 (商品)有市场潜力,可以在长时间内销售:～产品｜～不衰。

【长啸】chángxiào 励 发出高而长的声音:仰天～。

【长行】chángxíng 〈书〉励 远行。

【长性】chángxìng 同"常性"①。

【长袖善舞】cháng xiù shàn wǔ 《韩非子·五蠹》:"鄙谚曰:'长袖善舞,多钱善贾。'此言多资之易为工也。"比喻做事有所凭借,就容易成功。后多用来形容有财势、有手腕的人善于钻营取巧。

【长吁短叹】cháng xū duǎn tàn 因伤感、烦闷、痛苦等不住地唉声叹气。

【长夜】chángyè ❶ 名 漫长的黑夜,比喻黑暗的日子:～难明｜～漫漫。❷ 副 通宵;整夜:～不眠。

【长缨】chángyīng 〈书〉名 长带子;长绳子。

【长于】chángyú 励 对某事特别擅长:他～音乐。

【长圆】chángyuán 形 像鸡蛋之类的形状。

【长远】chángyuǎn 形 时间很长(指未来

的时间):～打算｜眼前利益应该服从～利益。

【长斋】chángzhāi 名 信佛的人长年吃素,叫吃长斋。

【长征】chángzhēng ❶ 励 长途旅行;长途出征。❷ 名 特指中国工农红军 1934—1935 年由江西转移到陕北的二万五千里长征。

【长治久安】cháng zhì jiǔ ān 指社会秩序长期安定太平。

【长足】chángzú 形 属性词。形容进展迅速:～的进步。

场(場、塲) cháng ❶ 名 平坦的空地,多用来翻晒粮食,碾轧谷物:打～｜起～｜～上堆满麦子。❷〈方〉名 集;市集:赶～。❸ 量 用于事情的经过:一～透雨｜一～大战｜空欢喜一～。
另见 155 页 chǎng。

【场屋】chángwū 名 盖在打谷场上或场院里供人休息或存放农具的小屋子。

【场院】chángyuàn 名 有墙或篱笆环绕的平坦的空地,多用来打谷物和晒粮食。

苌(萇) cháng ❶ 见〖苌楚〗。❷ (Cháng)名 姓。

【苌楚】chángchǔ 名 古书上说的一种类似猕猴桃的植物。

肠(腸) cháng ❶ 名 消化器官的一部分,形状像管子,上端连胃,下端通肛门。分为小肠、大肠两部分,起消化和吸收作用。通称肠子。❷ 心思;情怀:愁～｜衷～。❸ (～儿)名 在肠衣里塞进肉、淀粉等制成的食品:香～｜鱼～｜腊～。

【肠断】chángduàn 〈书〉励 形容极度悲痛:此情此景,令人～。

【肠管】chángguǎn 名 肠①。

【肠胃】chángwèi 名 肠和胃,指人的消化系统:我～不大好,不能吃生冷的东西。

【肠炎】chángyán 名 肠黏膜(多指小肠黏膜)发炎的病,症状是腹痛、腹泻、发热等。

【肠液】chángyè 名 由小肠黏膜腺分泌的消化液,含有很多种酶,能进一步消化食物中的糖类、脂肪等。

【肠衣】chángyī 名 用火碱脱去脂肪晾干的肠子,一般用羊肠或猪的小肠等制成,可用来灌香肠,做羽毛球拍的弦、缝合伤口的线等。

【肠子】cháng·zi 名 肠①的通称。

尝¹（嘗，嚐）cháng 动 ❶ 吃一点儿试试；辨别滋味：~~咸淡。❷ 经历；体验：艰苦备~|~到了体育锻炼的甜头。

尝²（嘗）cháng ❶〈书〉副 曾经：未~|何~。❷（Cháng）名姓。

【尝鼎一脔】cháng dǐng yī luán 尝尝鼎里的一片肉，可以知道整个鼎里的肉味。比喻根据部分推知全体。

【尝试】chángshì 动 试；试验：他们为了解决这个问题，~过各种方法。

【尝鲜】cháng∥xiān 动 吃时鲜的食品；尝新。

【尝新】cháng∥xīn 动 吃应时的新鲜食品：这是刚摘下的荔枝，尝尝新吧。

倘 cháng 见 155 页［徜徉］（徜徉）。

另见 1329 页 tǎng。

常 cháng ❶ 一般；普通；平常：~人|~识|~态。❷ 不变的；固定的：~数|冬夏~青。❸ 副 时常；常常：~来~往|我们~见面。❹ 指伦常：三纲五~。❺（Cháng）名姓。

【常备】chángbèi 动 经常准备或防备：~车辆|~药物|~不懈。

【常备军】chángbèijūn 名 国家平时经常保持的正规军队。

【常常】chángcháng 副（事情的发生）不止一次，而且时间相隔不久：他工作积极，~受到表扬。

【常川】chángchuān 副 经常地；连续不断地：~往来|~供给。也作长川。

【常服】chángfú 名 日常穿的服装（区别于"礼服"）：居家~。

【常规】chángguī ❶ 名 沿袭下来经常实行的规矩；通常的做法：打破~。❷ 形 属性词。一般的；通常的：~武器。❸ 名 医学上称经常使用的处理方法，如"血常规"是指红细胞计数、血红蛋白测定、白细胞计数及分类计数等的检验。

【常规武器】chángguī wǔqì 通常使用的武器，如枪、炮、飞机、坦克等，也包括冷兵器（区别于"核武器"）。

【常规战争】chángguī zhànzhēng 用常规武器进行的战争（区别于"核战争"）。

【常轨】chángguǐ 名 正常的、经常的方法或途径：改变了生活~|这类事件，可以遵循~解决。

【常衡】chánghéng 名 英美质量制度，用于金银、药物以外的一般物品（区别于"金衡、药衡"）。

【常会】chánghuì 名 规定在一定期间举行的会议；例会。

【常客】chángkè 名 经常来的客人。

【常理】chánglǐ （～儿）名 通常的道理：按~我应该去看望他。

【常例】chánglì 名 常规①；惯例：沿用~|情况特殊，不能按~行事。

【常量】chángliàng 名 在某一过程中，数值固定不变的量，如等速运动中的速度就是常量，也叫恒量。

【常年】chángnián ❶ 副 终年；长期：山顶上~积雪|战士们~守卫着祖国的边防。❷ 名 平常的年份：这儿小麦~亩产五百斤。

【常情】chángqíng 名 通常的心情或情理：按照~，要他回来，他会回来的。

【常人】chángrén 名 普通的人，一般的人：他的性格与~不同|这种痛苦，非~所能忍受。

【常任】chángrèn 形 属性词。长期担任的：~理事。

【常设】chángshè 动 长期设立（组织、机构等）：学校应~招生咨询点|全国人民代表大会常务委员会是全国人民代表大会的~机关。

【常识】chángshí 名 普通知识：政治~|科学~|生活~。

【常事】chángshì 名 平常的事情；经常的事情：看书看到深夜，这对他来说是~。

【常数】chángshù 名 表示常量的数，如圆周率 π 的值 3.141 592 6···就是常数。

【常态】chángtài 名 正常的状态（跟"变态"相对）：一反~|恢复~。

【常套】chángtào 名 常用的陈陈相因的办法或格式：摆脱才子佳人小说的~。

【常委】chángwěi ❶ 某些机构由常务委员组成的领导集体；常务委员会：人大~。❷ 常务委员会的成员。

【常温】chángwēn 名 一般指 15—25℃ 的温度。

【常务】chángwù 形 属性词。主持日常工作的：~委员会|~副市长。

【常销】chángxiāo 动 (商品)能常年销售：～产品|～不衰。

【常行军】chángxíngjūn 名 部队按正常的每日行程和时速进行的行军。

【常性】chángxìng 名❶ 能坚持做某事的性子：他无论学什么都没～,学个三五天就不干了。也作长性。❷〈书〉一定的习性。

【常言】chángyán 名 习惯上常说的像谚语、格言之类的话,如"不经一事,不长一智"、"人勤地不懒"。

【常用对数】chángyòng-duìshù 以 10 为底的对数,用符号 lg 表示。也叫十进对数。参看 346 页[对数]。

【常住】chángzhù ❶ 动 经常居住：～之地|～人口。❷ 动 佛教指佛法无生灭变迁。❸ 名 佛教、道教指寺观及其田产什物等。

偿(償) cháng ❶ 动 归还;抵补：～还|得不～失。❷ 满足：如愿以～。

【偿付】chángfù 动 偿还：如期～|～债务。

【偿还】chánghuán 动 归还(所欠的债)：～贷款|无力～。

【偿命】cháng//mìng 动 (杀人者)为被死的人抵偿生命。

徜 cháng 〖徜徉〗(徜徉)(chángyáng)〈书〉闲游;安闲自在地步行。

裳 cháng 古代指裙子。另见 1198 页 • shang。

嫦 cháng 〖嫦娥〗(Cháng'é)名 神话中由人间飞到月亮上去的仙女。又称姮娥。

chǎng （彳尢）

厂(廠、厰) chǎng 名❶ 工厂：钢铁～|纺织～|爱～如家。❷ 厂子②：煤～。❸ (Chǎng)姓。另见 6 页 ān。

【厂标】chǎngbiāo 名 代表某个工厂的专用标志。

【厂房】chǎngfáng 名 工厂的房屋,通常专指车间。

【厂规】chǎngguī 名 一个工厂所定的本厂成员必须遵守的规章。

【厂纪】chǎngjì 名 一个工厂所定的本厂成员必须遵守的纪律。

【厂家】chǎngjiā 名 指工厂：这次展销会有几百个～参加。

【厂价】chǎngjià 名 产品出厂时的价格：按～优惠销售。

【厂矿】chǎngkuàng 名 工厂和矿山的合称。

【厂礼拜】chǎnglǐbài 名 工厂里选定的代替星期日休假的日子。

【厂龄】chǎnglíng 名❶ 指某个工厂建立的年数。❷ 指职工在某工厂连续工作的年数。

【厂区】chǎngqū 名 工厂中进行生产的区域：～禁止烟火。

【厂商】chǎngshāng 名 经营工厂的人;厂家：承包～|多家～前来洽谈业务。

【厂休】chǎngxiū 名 工厂规定的本厂职工的休息日;厂礼拜。

【厂子】chǎng•zi 名❶ 工厂：我们～里新建一个车间。❷ 指有宽敞地面可以存放货物并进行加工的商店。

场(場、塲) chǎng ❶ 名 适应某种需要的比较大的地方：会～|操～|市～|剧～|广～。❷ 舞台：上～|下～。❸ 指某种活动范围：官～|名利～|逢～作戏。❹ 事情发生的地点：现～|当～|在～。❺ 指表演或比赛的全场：开～|终～。❻ 量 戏剧中较小的段落,每场表演故事的一个片段。❼ 量 用于有场次或有场地的文娱体育活动：三～球赛|一～舞。❽ 量 电视接收机中,电子束对一幅画面的奇数行或偶数行完成一次隔行扫描,叫做一场。奇数场和偶数场合为一帧完整画面。❾ 名 物质存在的一种基本形态,具有能量、动量和质量。实物之间的相互作用依靠有关的场来实现。如电场、磁场、引力场等。另见 153 页 cháng。

【场次】chǎngcì 名 电影、戏剧等演出的场数：增加～,满足更多观众的需要。

【场地】chǎngdì 名 空地,多指供文娱活动或施工、试验等用的地方：平整～|～不够大。

【场馆】chǎngguǎn 名 体育场和体育馆的合称：比赛～|新建五处体育～。

【场合】chǎnghé 名 一定的时间、地点、情况：在公共～，要遵守秩序。

【场记】chǎngjì 名❶ 指摄制影视片或排演话剧时，详细记录摄影情况或排演情况的工作。❷ 指做这项工作的人。

【场景】chǎngjǐng 名❶ 指戏剧、电影、电视剧中的场面。❷ 泛指情景：热火朝天的劳动～。

【场面】chǎngmiàn 名❶ 戏剧、电影、电视剧中由布景、音乐和登场人物组合成的景况。❷ 叙事性文学作品中，由人物在一定场合相互发生关系而构成的生活情景。❸ 指戏曲演出时伴奏的人员和乐器，分文武两种，管乐和弦乐是文场面，锣鼓是武场面。❹ 泛指一定场合下的情景：～壮观|热烈的～。❺ 表面的排场：摆～|讲排场|撑～。

【场面话】chǎngmiànhuà 名 指敷衍应酬的话。

【场面人】chǎngmiànrén 名❶ 指善于在交际场合应酬的人。❷ 在社会上有一定地位的人。

【场面上】chǎngmiàn·shang 名 指社交场合：他在～混得很熟|～都称他为"三爷"。

【场所】chǎngsuǒ 名 活动的处所：公共～|娱乐～。

【场子】chǎng·zi 名 适应某种需要的比较大的地方：大～|空～。

【场租】chǎngzū 名（售货、展览、演出等）租用场地的费用。

铩(鎩) chǎng 〈书〉锐利。

昶 chǎng ❶〈书〉白天时间长。❷〈书〉舒畅；畅通。❸（Chǎng）名 姓。

惝 chǎng 又 tǎng［惝怳］（chǎnghuǎng 又 tǎnghuǎng）〈书〉形❶ 失意；不高兴。❷ 迷迷糊糊；不清楚。‖也作惝恍。

敞 chǎng ❶形（房屋、庭院等）宽绰；没有遮拦：宽～|这屋子太～。❷动 张开；打开：～胸露怀|～着门～着口儿。

【敞车】chǎngchē 名❶ 没有车篷的车。❷ 铁路上指没有车顶的货车。

【敞开】chǎngkāi ❶动 大开；打开：～衣襟|大门～着|～思想。❷副 放开，不加限制；尽量：你有什么话就～说吧。

【敞快】chǎng·kuài 形 爽快：他是个～人，

说做就做。

【敞亮】chǎngliàng 形 宽敞明亮：三间～的平房◇听了一番开导,心里～多了。

【敞露】chǎnglù 动 敞开祖露◇～心怀。

【敞篷车】chǎngpéngchē 名 没有篷子的车(多指机动车)。

氅 chǎng 外套：大～(大衣)。

chàng (彳尢)

场(場) chàng 古代祭祀用的一种坛。也叫场坛。
另见 1577 页 yáng。

怅(悵) chàng 不如意：～惘|惆～。

【怅怅】chàngchàng 〈书〉形 形容因不如意而感到不痛快：心中～|～不乐|～离去。

【怅恨】chànghèn 动 惆怅恼恨：无限～。

【怅然】chàngrán 形 怅怅：～而返|～若失。

【怅惋】chàngwǎn 动 惆怅惋惜：～不已。

【怅惘】chàngwǎng 形 惆怅迷惘：心里有事,没精打采：神情～。

韔(韔) chàng 〈书〉❶ 装弓的袋子。❷ 把弓装入弓袋。

畅(暢) chàng ❶形 无阻碍；不停滞：～达|～行无阻。❷ 痛快；尽情：～谈|～所欲言。❸（Chàng）名 姓。

【畅达】chàngdá 形（语言、文章、交通）通畅；顺畅：译文～|车辆往来～。

【畅怀】chànghuái 副 心情无所拘束：～痛饮|～大笑。

【畅快】chàngkuài 形 舒畅快乐：心情～。

【畅顺】chàngshùn 形 顺畅：运作～|交易～。

【畅所欲言】chàng suǒ yù yán 尽情地说出想说的话。

【畅谈】chàngtán 动 尽情地谈：～理想|开怀～。

【畅通】chàngtōng 形 无阻碍地通行或通过：血脉～|～无阻|道路很～。

【畅旺】chàngwàng 形❶ 顺畅兴旺(多用于商品销售)：销路～。❷（精神）旺盛；（精力）充沛：精神～。

【畅想】chàngxiǎng 动 敞开思路,毫无拘

束地想象：～曲|～未来。

【畅销】chàngxiāo 动（货物）销路广，卖得快：～货|～各地。

【畅行】chàngxíng 动 顺利地通行：车辆～。

【畅叙】chàngxù 动 尽情地叙谈：～别情。

【畅饮】chàngyǐn 动 尽情地喝(酒)：开怀～|～几杯。

【畅游】chàngyóu 动 ❶ 尽情地游览：～黄山。❷ 畅快地游泳：～长江。

倡 chàng ❶ 带头发动；提倡：～导|～议。❷〈书〉同"唱"。
另见 150 页 chāng。

【倡办】chàngbàn 动 带头开办；创办：联合～文化活动中心|～单位多达十几家。

【倡导】chàngdǎo 动 带头提倡：～新风尚。

【倡首】chàngshǒu 动 带头做某事或提出某种主张；首倡：此事由他～，我们附议。

【倡言】chàngyán 动 公开地提出来：～革命。

【倡扬】chàngyáng 动 倡导宣扬：～文化事业。

【倡议】chàngyì ❶ 动 首先建议；发起：～书|我们～开展劳动竞赛。❷ 名 首先提出的主张：这个～得到了热烈的响应。

鬯¹ chàng 古代祭祀用的一种酒。

鬯² chàng〈书〉同"畅"。

唱 chàng ❶ 动 口中发出(乐音)；依照乐律发出声音：独～|合～|演～|～京戏|～一支歌。❷ 动 大声叫：～名|鸡～三遍。❸（～儿）名 歌曲；唱词：地方小～|《穆柯寨》这出戏里，杨宗保的～儿不多。❹ (Chàng)名 姓。

【唱白脸】chàng báiliǎn （～儿）在传统戏曲中勾画白色脸谱扮演反面角色，比喻在解决矛盾冲突的过程中充当严厉或令人讨厌的角色(跟"唱红脸"相对)。

【唱本】chàngběn （～儿）名 曲艺或戏曲唱词的小册子。

【唱标】chàng//biāo 动 开标时当众大声宣读招标者的报价或投标者的竞投价。

【唱酬】chàngchóu〈书〉动 唱和(hè)①。

【唱词】chàngcí 名 戏曲、曲艺中唱的词句。

【唱碟】chàngdié 〈方〉名 唱片。

【唱独角戏】chàng dújiǎoxì 比喻一个人独自做某件事(通常需要多人做的)。

【唱段】chàngduàn 名 戏曲中一段完整的唱腔。

【唱对台戏】chàng duìtáixì 比喻采取与对方相对的行动，来与对方竞争或反对、搞垮对方。

【唱反调】chàng fǎndiào 提出相反的主张，采取相反的行动。

【唱付】chàngfù 动 营业员找给顾客钱时大声说出所找的钱数。

【唱高调】chàng gāodiào （～儿）说不切实际的漂亮话；光说得好听而不去做：反对光～不干实事的作风。

【唱功】chànggōng （～儿）名 戏曲中的歌唱艺术：～戏。也作唱工。

【唱工】chànggōng 同"唱功"。

【唱和】chànghè 动 ❶ 一个人做了诗或词，别的人相应作答(大多按照原韵)：他们经常以诗词～。❷ 指唱歌时此唱彼和，互相呼应。

【唱红脸】chàng hóngliǎn （～儿）在传统戏曲中勾画红色脸谱扮演正面角色，比喻在解决矛盾冲突的过程中充当友善或令人喜爱的角色(跟"唱白脸"相对)。

【唱机】chàngjī 名 留声机和电唱机的统称。

【唱空城计】chàng kōngchéngjì ❶ 比喻用掩饰自己力量空虚的办法，骗过对方。参看 778 页〖空城计〗。❷ 比喻某单位的人员全部或大部不在。

【唱名】¹ chàng//míng 动 高声点名。

【唱名】² chàngmíng 名 指唱歌时所用的 do、re、mi、fa、sol、la、si(或 ti)七个固定音节。

【唱盘】chàngpán 名 唱片：激光～|录制～。

【唱片儿】chàngpiānr 〈口〉名 唱片。

【唱片】chàngpiàn 名 用虫胶、塑料等制成的圆盘，表面有记录声音变化的螺旋槽纹，可以用唱机把所录的声音重现出来。

【唱票】chàng//piào 动 投票选举后，开票时大声念出选票上写的或圈定的名字。

【唱腔】chàngqiāng 名 戏曲音乐中的声乐部分，即唱出来的曲调。

【唱喏】chàng//rě 〈方〉动 作揖(在早期白

话中,"唱喏"是一面作揖,一面出声致
敬)。

【唱诗】chàngshī 动❶ 基督教指唱赞美
诗:～班(做礼拜时唱赞美诗的合唱队)。
❷〈书〉吟诗。

【唱收】chàngshōu 动 营业员收到顾客钱
时大声说出所收的钱数。

【唱戏】chàng//xì 动 演唱戏曲。

【唱主角】chàng zhǔjué 比喻担负主要任
务或在某一方面起主导作用:这项任务由老
张～。

chāo（ㄔㄠ）

抄[1] chāo 动❶ 誊写:～文件|～稿子。
❷ 照着别人的作品、作业等写下来
当做自己的:～袭|这文章是～人家的。

抄[2] chāo 动❶ 搜查并没收:查～|家
产被～。❷ 从侧面或较近的小路
去:包～|～近道走。❸ 两手在胸前相互
地插在袖筒里:～手。

抄[3] chāo 动 抓取;拿:～起一把铁锹就
走。

【抄报】chāobào 动 把原件抄录或复制后
的副本报给上级有关部门或人员。

【抄本】chāoběn 名 抄写的本子。

【抄查】chāochá 动 搜查违禁的东西并没
收;查抄:～毒品。

【抄道】chāodào (～儿)❶(-//-)动 走近
便的路:～进山。❷ 名 近便的路:走一
去赶集要近五里路。

【抄后路】chāo hòulù 绕到背后袭击。

【抄获】chāohuò 动 搜查并获得:～赃物。

【抄家】chāo//jiā 动 查抄家产。

【抄件】chāojiàn 名 送交有关单位参考的
文件(多指复制的上级所发的文件)。

【抄近儿】chāo//jìnr 动 走较近的路。

【抄录】chāolù 动 抄写:～名人名言。

【抄没】chāomò 动 搜查并没收:～家产。

【抄身】chāo//shēn 动 搜检身上有无私带
的东西。

【抄收】chāoshōu 动 收听并抄录(电报
等):～电讯。

【抄手】[1] chāo//shǒu 动 两手在胸前相互
插在袖筒里或两臂交叉放在胸前;抄着
手在一旁看热闹。

【抄手】[2] chāoshǒu 〈方〉名 馄饨。

【抄送】chāosòng 动 把原件抄录或复制
后的副本送交给有关部门或人员。

【抄袭】[1] chāoxí 动❶ 把别人的作品或语
句抄来当做自己的。❷ 指不顾客观情
况,沿用别人的经验方法等。

【抄袭】[2] chāoxí 动(军队)绕道到敌人侧
面或后面袭击。

【抄写】chāoxiě 动 照着原文写下来:～
员|～课文。

【抄用】chāoyòng 动 抄袭沿用:好经验应
该学,但不能简单～。

吵 chāo [吵吵](chāo·chao)〈方〉动
许多人乱说话:别瞎～了,听他把话说
完。
另见 162 页 chǎo。

怊 chāo 〈书〉悲愤。

弨 chāo 〈书〉❶ 弓松弛的样子。❷
弓。

钞[1]（鈔）chāo ❶ 指钞票:现～。
❷(Chāo)名 姓。

钞[2]（鈔）chāo 同"抄[1]"①。

【钞票】chāopiào 名 纸币。

绰[1]（綽）chāo 动 抓取:～起一根
棍子◇～活儿就干。

绰[2]（綽）chāo 同"焯"(chāo)。
另见 220 页 chuò。

超 chāo ❶ 动 超过:～额|～龄|～音
速|一连～了两辆车。❷ 超出(一定的
程度或范围):～级|高温|～一流。❸
在某个范围以外;不受限制:～自然|～现
实|～阶级。❹〈书〉跳跃;跨过:挟泰山
以～北海。❺(Chāo)名 姓。

【超拔】chāobá ❶ 形 高出一般;出众:才
情～。❷ 动 提升:～擢用。❸ 动 脱离
(不良环境)摆脱(坏习惯):恶习一旦养
成,则不易～。

【超编】chāobiān 超出组织、机构人员
编制的定额。

【超标】chāo//biāo 动 超过规定的标准
(多指不好的方面):～收费|废水排放量
严重～。

【超产】chāochǎn 动 超过原定生产数量:
～百分之二十。

【超常】chāocháng 动 超过寻常;超出一

般：～儿童(智商特别高的儿童)|竞技水平～发挥。

【超车】chāo∥chē 动 (车辆)从旁边超过前面同方向行驶的车辆：切莫强行～。

【超尘拔俗】chāo chén bá sú 形容人品超过一般,不同凡俗。也说超生出俗。

【超出】chāochū 动 超越;越出(一定的数量或范围)：～限度|～规定。

【超导体】chāodǎotǐ 名 具有超导性的物体。

【超导性】chāodǎoxìng 名 某些金属、合金或化合物,在温度和磁场都小于一定数值的条件下,电阻和磁感应强度突然减小为零,这种性质叫超导性。

【超等】chāoděng 形 属性词。高出一般的;特等。

【超低温】chāodīwēn 名 比低温更低的温度,物理学上通常指低于－272.15℃的温度。

【超度】chāodù 动 佛教和道教用语,指念经或做法事使鬼魂脱离苦难：～亡魂。

【超短波】chāoduǎnbō 名 波长1—10米(频率300—30兆赫)的无线电波。以直线和散射方式传播,用于电视广播、通信、雷达等方面。也叫米波。

【超短裙】chāoduǎnqún 名 一种下缘不及膝盖的极短的裙子。

【超额】chāo'é 动 超过定额：～完成任务|～百分之五。

【超凡】chāofán 动 超出平常：技艺～。

【超凡入圣】chāo fán rù shèng 超出凡人,达到圣人的境界,多形容造诣精深。

【超负荷】chāo fùhè ❶ 超出负荷的规定承载量：电网～引起大面积停电。❷ 比喻承担任务过重,超出承受的能力：～用眼造成视力下降。

【超购】chāogòu 动 超过规定的数量收购或购买：实行～加价办法。

【超固态】chāogùtài 名 物质存在的一种形态,这种形态下的固体物质,由于压力和温度增加到一定程度,原子核和电子紧紧挤在一起,原子内部不再有空隙。白矮星内部和地球中心区域都有超固态物质。

【超过】chāoguò 动 ❶ 由某物的后面赶到它的前面：他的车从左边～了前面的卡车。❷ 高出…之上：队员平均年龄～23岁|各车间产量都～原定计划。

【超耗】chāohào 动 超过规定的消耗标准：定量用油,～罚款。

【超级】chāojí 形 属性词。超出一般等级的：～显微镜|～豪华卧车。

【超级大国】chāojí dàguó 指凭借其他国家强大的军事和经济实力谋求世界霸权的国家。

【超级市场】chāojí shìchǎng 一种综合零售商店,商品开架摆放,让顾客自行选取商品,到出口处结算付款。简称超市。也叫自选商场。

【超巨星】chāojùxīng 名 光度、体积比巨星大而密度较小的恒星。

【超绝】chāojué 形 超出寻常：技艺～|～的智慧。

【超龄】chāolíng 动 超过规定的年龄：～团员|他已经～,不能参军了。

【超期】chāoqī 动 超过规定的期限：～服役。

【超迁】chāoqiān 〈书〉动 (官吏)越级提升。

【超前】chāoqián ❶ 形 超越当前的：～消费|～意识|～教育|思想～。❷ 动 指超过前人：～绝后。

【超群】chāoqún 动 超过一般：武艺～。

【超然】chāorán 形 不站在对立各方的任何一方面：～物外|～不群|～自得|采取～态度。

【超然物外】chāorán wù wài ❶ 超出于社会斗争之外。❷ 比喻置身事外。

【超人】chāorén ❶ 动 (能力等)超过一般人：胆略～|～的记忆力。❷ 名 德国哲学家尼采(Friedrich Wilhelm Nietzsche)提出的所谓最强、最优、行为超出善恶,可以为所欲为的人。尼采认为超人是历史的创造者,平常人只是超人的工具。

【超升】chāoshēng 动 ❶ 佛教用语,指人死后灵魂升入极乐世界。❷〈书〉越级提升：破格～。

【超生】[1] chāoshēng 动 ❶ 佛教用语,指人死后灵魂投生为人。❷ 比喻宽容或开脱：笔下～。

【超生】[2] chāoshēng 动 指超过计划生育指标生育。

【超声波】chāoshēngbō 名 超过人能听到的最高频率(20 000赫)的声波。近似作直线传播,在固体和液体内衰减较小,能量容易集中，能够产生许多特殊效应。广泛应用在各技术部门。

【超声刀】chāoshēngdāo 名 利用超声波技术来代替手术刀进行手术的器械。

【超声速】chāoshēngsù 名 超过声速(340米/秒)的速度。也叫超音速。

【超时】chāoshí 动 超过规定的时间：～加价。

【超市】chāoshì 名 超级市场的简称。

【超收】chāoshōu ❶ 动 收入超过计划或规定。❷ 名 收进的款项或实物(经过折价)超过应收金额的部分。

【超俗】chāosú 超脱世俗；不落俗套：～绝世｜舞姿洒脱～。

【超速】chāosù 超过规定的速度：严禁～行车。

【超脱】chāotuō ❶ 形 不拘泥成规、传统、形式等：性格～｜他的字不专门学一家，信笔写来，十分～。❷ 动 超出；脱离：～现实｜～尘世。❸ 动 解脱；开脱。

【超限】chāoxiàn 动 超过限度或限额。

【超新星】chāoxīnxīng 名 超过原来光度一千万倍的新星。

【超一流】chāoyīliú 形 属性词。超出一流水平，指达到极高的境界：～棋手。

【超逸】chāoyì 形 (神态、意趣)超脱而不俗：风度～｜笔意～。

【超音速】chāoyīnsù 名 超声速。

【超员】chāo//yuán 动 超过规定的人数：列车～百分之十。

【超越】chāoyuè 动 超出；越过：～前人｜～时空｜我们能够～障碍，战胜困难。

【超载】chāozài 动 超过运输工具规定的载重量。

【超支】chāozhī ❶ 动 支出超过规定或计划。❷ 名 领取的款项或实物(经过折价)超过应得金额的部分。

【超值】chāo//zhí 泛指商品或提供服务的质量上乘，其中所含的价值超出所花的钱：～享受。

【超重】chāo//zhòng 动 ❶ 物体超过原有的重量。是由于物体沿远离地球中心的方向作加速运动而引起的。如升降机向上起动时就有超重现象。❷ 超过了车辆的载重量度。❸ 超过规定的重量。

【超重氢】chāozhòngqīng 名 氚(chuān)。

【超卓】chāozhuó 〈书〉形 超绝；卓越：球

【超擢】chāozhuó 〈书〉动 越级提升。

【超子】chāozǐ 名 质量超过核子(质子、中子)的粒子，能量极高，很不稳定。

【超自然】chāozìrán 形 属性词。属于自然界以外的，即对现有科学知识不能解释的神秘现象给予迷信解释的，如所谓神灵、鬼魂等。

焯 chāo 动 把蔬菜放在开水里略微一煮就拿出来：～菠菜。

另见1798页 zhuō。

剿(勦) chāo 抄取；抄袭。

另见688页 jiǎo。

【剿说】chāoshuō 〈书〉动 因袭别人的言论作为自己的说法。

【剿袭】chāoxí 〈书〉同"抄袭"[1]。

cháo (彳)

晁(鼂) Cháo 名 姓。

巢 cháo ❶ 鸟的窝，也称蜂、蚁等的窝：鸟～｜蜂～。❷ 比喻盗匪等盘踞的地方：匪～｜倾～出动。❸ (Cháo)名 姓。

【巢菜】cháocài 名 多年生草本植物，羽状复叶，花紫色或蓝色，结荚果。嫩茎和叶可做蔬菜，种子可以吃。可以栽培做牧草，全草入药。

【巢窟】cháokū 名 巢穴。

【巢穴】cháoxué 名 ❶ 鸟兽住的地方。❷ 比喻盗匪等盘踞的地方：直捣敌人的～。

朝 cháo ❶ 朝廷(跟"野"相对)：上～◇在～党(执政党)。❷ 朝代：唐～｜改～换代。❸ 指一个君主的统治时期：康熙～。❹ 朝见；朝拜：～觐｜～顶。❺ 动 面对着；向：脸～里｜坐东～西。❻ 介 表示动作的方向：～南开门｜～学校走去。❼ (Cháo)名 姓。

另见1721页 zhāo。

【朝拜】cháobài 动 君主时代官员上朝向君主跪拜；宗教徒到庙宇或圣地向神、佛礼拜。

【朝代】cháodài 名 建立国号的君主(一代或若干代相传)统治的整个时期。

【朝顶】cháodǐng 动 佛教徒登山拜佛。

【朝奉】cháofèng 名 宋朝官阶有"朝奉

郎"、"朝奉大夫"，后来徽州方言中称富人为朝奉，苏、浙、皖一带也用来称呼当铺的管事人。

【朝服】cháofú 名 封建时代君臣上朝时所穿的礼服。

【朝纲】cháogāng 名 朝廷的法纪：～不振。

【朝贡】cháogòng 动 君主时代藩属国或外国的使臣朝见君主，敬献礼物。

【朝见】cháojiàn 动 臣子上朝见君主。

【朝觐】cháojìn ❶〈书〉朝见。❷ 指宗教徒拜谒圣像、圣地等。

【朝山】cháoshān 动 佛教徒到名山寺庙烧香参拜。

【朝圣】cháoshèng 动 ❶ 宗教徒朝拜宗教圣地，如伊斯兰教徒朝拜麦加。❷ 到孔子诞生地(山东曲阜)去拜谒孔府、孔庙、孔林。

【朝廷】cháotíng 名 君主时代君主听政的地方。也指以君主为首的中央统治机构。

【朝鲜族】Cháoxiǎnzú 名 ❶ 我国少数民族之一，主要分布在吉林、黑龙江和辽宁。❷ 朝鲜和韩国的人数最多的民族。

【朝向】cháoxiàng 名 (建筑物的正门或房间的窗户)正对着的方向：这套房子设备不错，只是～不理想。

【朝阳】cháoyáng 动 向着太阳，一般指朝南：两间屋子朝～。
另见 1721 页 zhāoyáng。

【朝阳花】cháoyánghuā 名 向日葵。

【朝野】cháoyě 名 旧时指朝廷和民间，现在用来指政府方面和非政府方面：权倾～|消息传出，～哗然。

【朝政】cháozhèng 名 朝廷的政事或政权：议论～|把持～。

【朝珠】cháozhū 名 清代高级官员等套在脖子上的串珠，下垂至胸前，多用珊瑚、玛瑙等制成。

嘲(潮) cháo (旧读 zhāo) 嘲笑：～弄｜冷～热讽。
另见 1721 页 zhāo。

【嘲讽】cháofěng 动 嘲笑讽刺。

【嘲弄】cháonòng 动 嘲笑戏耍：好好讲道理，不要～人。

【嘲笑】cháoxiào 动 用言辞笑话对方：自己做得对，就不要别人～。

【嘲谑】cháoxuè 动 嘲笑戏谑。

潮[1] cháo ❶ 名 潮汐，也指潮水：早～|海～|～涨|～退。❷ 比喻像潮水那样有涨有落、有起有伏的事物：寒～|心～|思～|学～|热～。❸ 形 潮湿：受～|返～|背阴的房间有点儿～。

潮[2] cháo 〈方〉形 ❶ 成色低劣：～银|～金。❷ 技术不高：手艺～。

潮[3] Cháo ❶ 指广东潮州：～剧|～绣。❷ 名 姓。

【潮红】cháohóng 形 状态词。两颊泛起的红色：面色～。

【潮乎乎】cháohūhū (～的)形 状态词。微湿的样子：接连下了几天雨，屋子里什么都是～的。也作潮呼呼。

【潮呼呼】cháohūhū 同"潮乎乎"。

【潮解】cháojiě 动 某些晶体能吸收空气中的水蒸气而在晶体表面逐渐形成饱和溶液。

【潮剧】cháojù 名 流行于广东潮州、汕头等地的地方戏曲剧种。在腔调上还保留着唐宋以来的古乐曲和明代弋阳腔的传统。

【潮流】cháoliú 名 ❶ 由潮汐而引起的水流运动。❷ 比喻社会变动或发展的趋势：革命～|历史～。

【潮气】cháoqì 名 指空气里所含水分：仓库里～太大，粮食就容易发霉。

【潮润】cháorùn 形 ❶ (土壤、空气等)潮湿：海风轻轻吹来，使人觉得～而有凉意。❷ (眼睛)含有泪水：说到这儿，她两眼～了，转脸向窗外望去。

【潮湿】cháoshī 形 含有比正常状态下较多的水分：雨后新晴的原野，～而滋润。

【潮水】cháoshuǐ 名 海洋中以及沿海地区的江河中受潮汐影响而定期涨落的水：人像～一样涌进来。

【潮位】cháowèi 名 受潮汐影响而涨落的水位。

【潮汐】cháoxī 名 ❶ 通常指由于月亮和太阳的引力而产生的水位定时涨落的现象。❷ 特指海潮。

【潮信】cháoxìn 名 ❶ 指潮水，因其涨落有一定的时间，所以叫潮信。❷〈书〉婉辞，指月经。

【潮绣】cháoxiù 名 广东潮州出产的刺绣，色彩斑斓，富于民间特色。

【潮汛】cháoxùn 名 一年中定期的大潮。

【潮涌】cháoyǒng 劻 像潮水那样涌来：人们从四面八方～而来。

chǎo（ㄔㄠˇ）

吵 chǎo ❶ 形 声音大而杂乱：～得慌｜临街的房子太～。❷ 劻 吵闹①：～人｜把孩子～醒了。❸ 劻 争吵：两人说着说着～了起来｜不要～，有话好好说。

另见 158 页 cháo。

【吵架】chǎo//jià 劻 剧烈争吵：拌嘴～｜他俩吵了一架。

【吵闹】chǎonào ❶ 劻 大声争吵：～不休。❷ 劻 扰乱，使不安静：他在休息，不要去～。❸ 形（声音）杂乱：人声～。

【吵嚷】chǎorǎng 劻 乱喊叫：乱哄哄地争吵：一片～声。

【吵扰】chǎorǎo 劻 ❶ 吵闹使人不得安静；打扰：～你半天，很过意不去。❷〈方〉争吵。

【吵人】chǎorén 形 声音大而扰人：机器噪声太～。

【吵嘴】chǎo//zuǐ 劻 争吵：俩人吵了几句嘴。

炒 chǎo 劻 ❶ 烹调方法，把食物放在锅里加热并随时翻动使熟，炒菜时要先放些油：～辣椒｜～鸡蛋｜糖～栗子｜～花生。❷ 炒作①：～地皮｜～股票。❸ 炒作②：～新闻。❹〈方〉指解雇：他让老板给～了。

【炒房】chǎofáng 劻 指倒买倒卖房产。

【炒风】chǎofēng 名 炒作的风气：～盛行。

【炒肝】chǎogān （～儿）名 一种食品，用猪肝、肥肠加大蒜、黄酱等作料勾芡烩成。

【炒更】chǎogēng〈方〉劻 指业余时间（多为晚上）再从事别的工作挣钱。

【炒股】chǎo//gǔ 劻 指从事买卖股票活动：他炒了三年股。

【炒汇】chǎohuì 劻 指从事买卖外汇活动。

【炒货】chǎohuò 名 商店里出售的干炒食品（如瓜子、蚕豆、花生等）的总称。

【炒家】chǎojiā 名 指专门进行倒买倒卖的人。

【炒冷饭】chǎo lěngfàn 比喻重复已经说过的话或做过的事，没有新内容。

【炒买炒卖】chǎomǎi-chǎomài 指转手买进和卖出，从中牟利。

【炒米】chǎomǐ 名 ❶ 干炒过的或煮熟晾干后再炒的米。❷ 蒙古族人民的日常食物，用煮熟后再炒的糜子米拌牛奶或黄油做成。

【炒面】chǎomiàn 名 ❶ 煮熟后再加油和作料炒过的面条。❷ 炒熟的面粉，做干粮，通常用开水冲了吃。

【炒勺】chǎosháo 名 炒菜用的带柄的铁锅，形状像勺子。

【炒手】chǎoshǒu 名 指专门从事炒作的人。

【炒鱿鱼】chǎo yóuyú 鱿鱼一炒就卷起来，像是卷铺盖，比喻解雇。

【炒作】chǎozuò 劻 ❶ 指频繁买进卖出，制造声势，从中牟利。❷ 为扩大人或事物的影响而通过媒体反复做大的宣传：经过一番新闻～，这位歌星名气大振。

炒（麨、䴵） chǎo〈书〉炒熟的米粉或面粉。

chào（ㄔㄠˋ）

耖 chào ❶ 名 一种像耙的农具，能把耙过的土块弄碎。❷ 劻 用耖整地：～田。

chē（ㄔㄜ）

车（車） chē ❶ 名 陆地上有轮子的运输工具：火～｜汽～｜马～｜一辆～。❷ 名 利用轮轴旋转的机具：纺～｜滑～｜水～。❸ 名 指机器：开～｜～间。❹ 劻 车削：～圆｜～螺丝钉。❺ 劻 用水车取水：～水。❻〈方〉劻 转动（多指身体）：～过身来。❼（Chē）名 姓。

另见 734 页 jū。

【车把】chēbǎ 名 自行车、摩托车、三轮车等使用时手握住的部分。

【车把式】chēbǎ·shi 同"车把势"。

【车把势】chēbǎ·shi 名 赶大车的人。也作车把式。

【车帮】chēbāng 名 卡车、大车等车体两侧的挡板。

【车本】chēběn （～儿）名 机动车驾驶证的通称。

【车标】chēbiāo 名 车上的标志,上面有文字、图案等,多指汽车上的。

【车厂】chēchǎng 名❶ 旧时租赁人力车或三轮车的处所。也叫车厂子。❷ 制造人力车或三轮车的工厂。

【车场】chēchǎng 名❶ 集中停放、保养和修理车辆的场所。❷ 铁路车站内按用途划分的线路群。❸ 公路运输和城市公共交通企业的一级管理机构。

【车程】chēchéng 名 车(一般指汽车)行驶的路程(用于表示道路的远近):从广州到深圳,大约有三个多小时的~。

【车床】chēchuáng 名 金属切削机床,主要用来加工内圆、外圆和螺纹等成型面。加工时工件旋转,车刀移动着切削。

【车次】chēcì 名 列车的编号或长途汽车行车的次第。

【车到山前必有路】chē dào shān qián bì yǒu lù 比喻事到临头,总会有解决的办法。

【车道】chēdào 名❶ 专供车辆行驶的道路。也说车行道。❷ 公路或马路上供汽车单行(háng)行驶的道路,车道与车道之间有标志线:拓宽后的马路由原来的四～变为六～。

【车队】chēduì 名❶ 成队的车辆。❷ 交通运输部门的一级组织。

【车匪】chēfěi 名 在汽车、火车上进行抢劫等犯罪活动的匪徒:～路霸。

【车份儿】chēfènr 〈方〉名 旧指租人力车、三轮车等拉客的人付给车主的租金,现也指出租汽车司机向所属公司交的租车费。

【车夫】chēfū 名 旧时指以推车、拉车、赶兽力车或驾驶汽车为职业的人。

【车工】chēgōng 名❶ 用车床进行切削的工种。❷ 做这种工作的工人。

【车公里】chēgōnglǐ 量 复合量词。计算车辆运行工作量的单位,1 辆车运行 1 公里叫车公里。

【车轱辘】chēgū·lu 〈口〉名 车的轮子。

【车轱辘话】chēgū·luhuà 名 指重复、絮叨的话。

【车祸】chēhuò 名 行车(多指汽车)时发生的伤亡事故。

【车技】chējì 名 杂技的一种,演员用特制的车表演各种动作。

【车驾】chējià 名 帝王坐的车。

【车间】chējiān 名 企业内部在生产过程中完成某些工序或单独生产某些产品的单位。

【车检】chējiǎn 动 指车辆管理部门定期对机动车性能等方面进行查验。也叫验车。

【车库】chēkù 名 专门用来停放车辆的库房。

【车筐】chēkuāng 名 装在自行车车把前面或后架侧面,用来盛物品的筐子。

【车况】chēkuàng 名 交通运输部门指车辆的性能、运行、保养等情况。

【车辆】chēliàng 名 各种车的总称。

【车裂】chēliè 动 古代一种残酷的死刑,用五辆马车把人分拉撕裂至死。

【车流】chēliú 名 道路上像河流似的连续不断行驶的车辆。

【车轮战】chēlúnzhàn 名 几个人轮流跟一个人打,或几群人轮流跟一群人打,使对方因疲乏而战败,这种战术叫车轮战。

【车马费】chēmǎfèi 名 因公外出时的交通费。

【车貌】chēmào 名 车辆的外观。

【车门】chēmén 名❶ 车上的门。❷ 大门旁专供车马出入的门。

【车模】chēmó 名❶ 汽车模型。❷ 在汽车展览中,配合汽车展示表演的模特儿。

【车牌】chēpái 名 车辆前部和尾部的金属牌,上面标有车辆登记的地区和号码等。

【车棚】chēpéng 名 存放自行车等的棚子。

【车篷】chēpéng 名 车上遮蔽日光、风雨等的装置,用铁、木等做架,上盖布、皮等。

【车皮】chēpí 名 铁路运输上指机车以外的车厢(多指货车),一节车厢叫一个车皮。

【车前】chēqián 名 多年生草本植物,叶子长卵形,花淡绿色,结蒴果。叶和种子可入药。种子叫车前子(chēqiánzǐ)。

【车钱】chēqián 名 乘车所付的费用。

【车圈】chēquān 名 瓦圈。

【车容】chēróng 名 车辆的面貌(指是否整洁、明亮等)。

【车身】chēshēn 名 车辆用来载人装货的部分,也指车辆整体:～宽,胡同窄,进不

去|～过长,车库的门关不上。

【车市】chēshì 图 买卖汽车等的市场。

【车手】chēshǒu 图 参加赛车比赛的选手。

【车水马龙】chē shuǐ mǎ lóng 车像流水,马像游龙,形容车马或车辆很多,来往不绝。

【车速】chēsù 图❶ 车辆运行的速度。❷ 车床等运转的速度。

【车胎】chētāi 图 轮胎的通称。

【车条】chētiáo 图 辐条。

【车头】chētóu 图 火车、汽车等车辆的头部,特指机车。

【车位】chēwèi 图 供汽车停放的位置。能停放一辆汽车的位置称为一个车位。俗称泊位。

【车厢】(车箱) chēxiāng 图 火车、汽车等用来载人或装东西的部分。

【车削】chēxiāo 动 用车床进行金属切削。

【车行道】chēxíngdào 图 车道①(区别于"人行道")。

【车型】chēxíng 图 车辆的类型或型号。

【车辕】chēyuán 图 大车前部驾牲口的两根直木。

【车载斗量】chē zài dǒu liáng 形容数量很多,多用来表示不足为奇。

【车站】chēzhàn 图 陆路交通运输线上设置的停车地点,是上下乘客或装卸货物的场所。

【车照】chēzhào 图 行车的执照;检查车辆合格,准许行驶的凭证。

【车辙】chēzhé 图 车辆经过后车轮压在道路上凹下去的痕迹。

【车主】chēzhǔ 图❶ 车辆的所有者。❷ 旧时称经营车厂的人。

【车资】chēzī 图 车钱。

【车子】chē·zi 图❶ 车(多指小型的)。❷ 自行车。

【车组】chēzǔ 图 公共电、汽车或火车上负责一辆车或特定运行任务的全体成员。

伡(俥) chē 见 249 页〖大伡〗。

呚(嘩) chē [呚嗻](chēzhē)形 厉害;甚(多见于早期白话)。

硨(硨) chē [硨磲](chēqú)图 软体动物,介壳略呈三角形,大的长达1米左右。生活在热带海底。肉可

以吃。

chě (彳)

尺 chě 图 我国民族音乐音阶上的一级。乐谱上用作记音符号,相当于简谱的"2"。参看 468 页〖工尺〗。
　　　另见 183 页 chǐ。

扯(撦) chě 动❶ 拉:拉～|没等他说完～着他就走◇～开嗓子喊。❷ 撕;撕下:～五尺布|把墙上的旧广告～下来。❸ 漫无边际地闲谈:闲～|东拉西～。

【扯白】chě//bái 〈方〉动 说假话。

【扯淡】chě//dàn 〈方〉动 闲扯;胡扯。

【扯后腿】chě hòutuǐ 拉后腿。

【扯谎】chě//huǎng 动 说谎。

【扯皮】chě//pí 动❶ 无原则地争论;争吵:扯了几句皮|好了,我们不要～了,还是谈正题吧。❷ 对该处理的事情互相推诿:由于几个部门～,这个问题至今还没有解决。

【扯臊】chě//sào 〈方〉动 胡扯;瞎扯(骂人的话)。

【扯腿】chě//tuǐ 拉后腿。

【扯闲篇】chě xiánpiān (～儿)谈与正事无关的话;闲谈。也说扯闲天儿。

chè (彳)

彻(徹) chè 通;透:～夜|～骨|响～云霄。

【彻查】chèchá 动 (对事故、事件等)进行彻底调查:～事故原因。

【彻底】(澈底) chèdǐ 形 一直到底;深入而透彻:改正得很～|～改变旧作风。

【彻骨】chègǔ 动 透到骨头里,比喻程度极深:严寒～|～痛恨。

【彻头彻尾】chè tóu chè wěi 从头到尾,完完全全:～的谎言。

【彻悟】chèwù 动 彻底觉悟;完全明白。

【彻夜】chèyè 副 通宵;整夜:～不眠。

坼 chè 〈书〉裂开:天寒地～。

【坼裂】chèliè 〈书〉动 裂开。

掣 chè ❶ 拽(zhuài);拉:～肘。❷ 动 抽:～签|他赶紧～回手去。❸ 一闪 而过:电～雷鸣。

【掣肘】chèzhǒu 动 拉住胳膊,比喻阻挠 别人做事:相互～,谁也做不成事。

撤 chè ❶ 动 除去:～职|把障碍物～ 了。❷ 动 退:～退|～兵|二连已经～ 下来了。❸〈方〉动 减轻(气味、分量等): ～味儿|～分量。❹(Chè)名 姓。

【撤案】chè//àn 动 撤销案件。

【撤编】chè//biān 动 撤销编制:部队奉命 ～,他转业到地方工作。

【撤标】chè//biāo 动 撤回标书,不再招标 或投标。

【撤兵】chè//bīng 动 撤退或撤回军队。

【撤并】chèbìng 动 撤销,合并(机构、单位 等):～营业网点。

【撤差】chè//chāi 动 旧时称撤销官职。

【撤除】chèchú 动 除去;取消:～工事|～ 代表。

【撤防】chè//fáng 动 撤除防御的军队和 工事。

【撤换】chèhuàn 动 撤去原有的,换上另 外的(人或物):～人选|木料糟了的都得 ～。

【撤回】chèhuí 动 ❶ 使驻在外面的人员 回来:～军队|～代表。❷ 收回(发出去的 文件等):～提案。

【撤军】chè//jūn 动 撤回军队。

【撤离】chèlí 动 撤退;离开:～现场|～防 地。

【撤免】chèmiǎn 动 撤销,免除(职务等)。

【撤市】chèshì 动 撤出市场:服装市场已 经～|商场生意清淡,不少摊位～。

【撤诉】chèsù 动 (原告)撤回诉讼。

【撤退】chètuì 动 (军队)从阵地或占领的 地区退出。

【撤消】chèxiāo 同"撤销"。

【撤销】chèxiāo 动 取消:～处分|～职务。 也作撤消。

【撤展】chè//zhǎn 动 ❶ 展览结束后撤下 展品。❷ 撤销展览或展销。

【撤职】chè//zhí 动 撤销职务:～查办|科 长因违纪被撤了职。

【撤资】chè//zī 动 撤销投资;撤退资金。

澈 chè 水清:清～|澄～。

【澈底】chèdǐ 见 164 页【彻底】。

---

chēn (彳ㄣ)

抻(捵) chēn〈口〉动 拉;扯:～面| ～着脖子看|皮筋儿越～越长。

【抻面】chēnmiàn 名 用手抻成的面条儿。

郴 Chēn 郴州(Chēnzhōu),地名,在湖 南。

綝(綝) chēn〈书〉❶ 止。❷ 善。

琛 chēn〈书〉珍宝。

嗔 chēn ❶ 怒;生气:～怒|似～非～| 转～为喜。❷ 对人不满;生人家的 气;怪罪:～怪。

【嗔怪】chēnguài 动 对别人的言语或行动 表示不满:他～家人事先没同他商量。

【嗔怒】chēnnù 动 恼怒;生气。

【嗔着】chēn·zhe〈口〉动 责怪:老奶奶～ 儿女们不常来看她。

䐜 chēn〈书〉肿胀。

瞋 chēn〈书〉发怒时睁大眼睛:～目而 视。

---

chén (彳ㄣ)

臣 chén ❶ 君主时代的官吏,有时也包 括百姓:忠～|君～。❷ 官史对皇帝 上书或说话时的自称。❸(Chén)名 姓。

【臣服】chénfú〈书〉动 ❶ 屈服称臣;接受 统治。❷ 以臣子的礼节侍奉(君主)。

【臣僚】chénliáo 名 君主时代的文武官 员。

【臣民】chénmín 名 君主国家的臣子和百 姓。

【臣子】chénzǐ 名 臣。

尘(塵) chén ❶ 飞扬的或附在物体 上的细小灰土:粉～|吸～器| 一～不染。❷ 尘世:红～|～俗。

【尘埃】chén'āi 名 尘土:桌面上满是～。

【尘埃落定】chén'āi luò dìng 比喻事情 有了结局或结果:世界杯小组赛～。

【尘暴】chénbào 名 沙尘暴。

【尘毒】 chéndú 名 含有有毒物质的粉尘。

【尘肺】 chénfèi 名 职业病,由长期吸入一定量工业生产中的粉尘引起。表现为肺组织纤维化,弹性减弱,劳动力逐渐减退,并容易感染肺结核、肺炎等。可分为硅肺、煤肺、石棉肺等。

【尘封】 chénfēng 动 搁置已久,被尘土盖满。

【尘垢】 chéngòu 名 灰尘和污垢。

【尘寰】 chénhuán 名 尘世;人世间。

【尘芥】 chénjiè 名 尘土和小草,比喻轻微的事物。

【尘虑】 chénlǜ 名 指对人世间的人和事的思虑:置身此境,~全消。

【尘世】 chénshì 名 佛教徒或道教徒指现实世界,跟他们所幻想的理想世界相对。

【尘事】 chénshì 名 世俗的事:不问~。

【尘俗】 chénsú 名 ❶ 世俗①:这儿仿佛是另一世界,没有一点儿~气息。❷〈书〉人间。

【尘土】 chéntǔ 名 附在器物上或飞扬着的细土。

【尘雾】 chénwù 名 ❶ 像雾一样弥漫着的尘土:狂风怒吼,~弥漫。❷ 尘土和烟雾。

【尘嚣】 chénxiāo 名 人世间的纷扰喧嚣:远离~。

【尘烟】 chényān 名 ❶ 像烟一样飞扬着的尘土:汽车在土路上飞驰,卷起滚滚~。❷ 烟和尘土:炮声响过,~四起。

【尘缘】 chényuán 名 佛教称尘世间的色、声、香、味、触、法为"六尘",人心与"六尘"有缘分,受其拖累,叫做尘缘,泛指世俗的缘分:~未断。

辰¹ chén 名 地支的第五位。参看440页〖干支〗。

辰² chén ❶ 日、月、星的统称:星~。❷ 古代把一昼夜分作十二辰:时~。❸ 时光;日子:良~美景|诞~。

辰³ Chén ❶ 指辰州(旧府名,府治在今湖南沅陵):~砂。❷ 名 姓。

【辰光】 chénguāng 〈方〉名 时候。

【辰砂】 chénshā 名 朱砂。旧时以湖南辰州府出的最著名,因而得名。

【辰时】 chénshí 名 旧式计时法指上午七点钟到九点钟的时间。

【辰星】 chénxīng 名 我国古代指水星。

沉(沈) chén ❶ 动 (在水里)往下落(跟"浮"相对):石~大海◇星~月落,旭日东升。❷ 动 物体往下陷:地基下~。❸ 动 使降落;向下放(多用于抽象事物):~下心来|~得住气◇把脸一~。❹ 形 (程度)深:~醉|~痛|睡得很~。❺ 形 分量重:箱子里装满了书,很~。❻ 形 感觉沉重(不舒服):胳膊~|头~。

"沈"另见1214页 shěn。

【沉沉】 chénchén 形 ❶ 形容沉重:谷穗儿~地垂下来。❷ 形容深沉:暮气~。

【沉甸甸】 chéndiàndiàn(口语中也读chéndiāndiān)(~的)形 状态词。形容沉重:装了~的一口袋麦种◇任务还没有完成,心里老是~的。

【沉淀】 chéndiàn ❶ 动 溶液中难溶解的固体物质从溶液中析出。❷ 名 从溶液中析出的难溶解的固体物质。❸ 动 比喻凝聚,积累:情感需要~,才能写出好诗|过多的资金~对于流通是不利的。

【沉浮】 chénfú 动 比喻起落或盛衰消长:与世~|宦海~。

【沉痼】 chéngù〈书〉名 长久而难治的病,比喻难以改掉的坏习惯。

【沉酣】 chénhān〈书〉动 指深深地沉浸在某种境界或思想活动中:睡梦~|歌舞~|~经史。

【沉积】 chénjī 动 ❶ 水流、风等流体在流速减慢时,所挟带的沙石、泥土等沉淀堆积起来。❷ 指物质在溶液中沉淀积聚起来。❸ 某些生物在生命活动中产生的物质堆积起来,如海洋生物的遗体堆积等。❹ 比喻沉淀,积聚(多用于抽象事物):文化~|历史~。

【沉积岩】 chénjīyán 名 地球表面分布较广的岩石,是地壳岩石经过风化后沉积而成,多呈层状,大部分是在水中形成的,如砂岩、页岩、石灰岩等。其中常夹有生物化石,含有煤、石油等矿产。旧称水成岩。

【沉寂】 chénjì 形 ❶ 十分寂静:~的深夜。❷ 消息全无:音信~。

【沉降】 chénjiàng 动 (地层、浮在气体或液体中的物体)向下沉:地面~。

【沉浸】 chénjìn 动 浸入水中,多比喻处于某种境界或思想活动中:~在幸福的回忆中。

【沉静】 chénjìng 形 ❶ 寂静:夜深了,四周~下来。❷ (性格、心情、神色)安静;平静:他性情~,不爱多说话。

【沉疴】chénkē 〈书〉图 长久而严重的病：妙手回春,～顿愈。

【沉雷】chénléi 图 声音大而低沉的雷。

【沉沦】chénlún 动 陷入罪恶的、痛苦的境地：不甘～|～于浩劫。

【沉落】chénluò ❶ 动 下沉；落下：～下去的星星。❷ 形 沉沦、低落：精神～。

【沉闷】chénmèn 形 ❶（天气、气氛等）使人感到沉重而烦闷：会上没有人发言,空气很～。❷（心情）不舒畅；（性格）不爽朗。

【沉迷】chénmí 动（对某种事物）深深地迷恋：～不悟|～于跳舞。

【沉绵】chénmián 〈书〉形 疾病缠绵,经久不愈：～不起|～枕席。

【沉湎】chénmiǎn 〈书〉动 沉溺。

【沉没】chénmò 动 没入水中：战舰触礁～◇落日～在远山后面。

【沉默】chénmò ❶ 形 不爱说笑：～寡言。❷ 动 不说话：他～了一会儿又继续说下去。

【沉溺】chénnì 动 陷入不良的境地（多指生活习惯方面）,不能自拔：～于酒色。

【沉潜】chénqián ❶ 动 在水里潜伏；沉没：这种鱼常～于水底。❷〈书〉形 思想感情深沉,不外露：～坚忍,处逆境而不馁。❸ 动 集中精神、潜心：他～在研究工作中,废寝忘食。

【沉睡】chénshuì 动 睡得很熟。

【沉思】chénsī 动 深思：～良久|敲门声打断了他的～。

【沉痛】chéntòng 形 ❶ 深深的悲痛：十分～的心情。❷ 深刻而令人痛心的：应该接受这个～的教训。

【沉稳】chénwěn 形 ❶ 沉着；稳重：举止～|这个人很～,考虑问题细密周到。❷ 安稳：睡得～。

【沉陷】chénxiàn 动 ❶ 地面或建筑物的基础陷下去。❷ 深深地陷入：车子～在泥泞中◇老人～于往事的回忆里。

【沉香】chénxiāng 图 ❶ 常绿乔木,叶子卵形或披针形,花白色。生长在热带和亚热带地区。木材质地坚硬而重,黄色,有香气,可入药。❷ 这种植物的木材。‖也叫伽(qié)南香。

【沉雄】chénxióng 形（气势、风格）沉沉而雄伟：字体～|浑厚|歌声～|悲壮。

【沉抑】chényì 形 低沉抑郁；沉郁：心情～|～的曲调在深夜里显得分外凄凉。

【沉毅】chényì 形 沉着坚毅：稳健～的性格。

【沉吟】chényín 动 ❶ 低声吟咏（文辞、诗句等）：～章句。❷（遇到复杂或疑难的事）迟疑不决,低声自语：他～半天,还是拿不定主意。

【沉勇】chényǒng 形 沉着勇敢：机智～。

【沉鱼落雁】chén yú luò yàn《庄子·齐物论》:"毛嫱、丽姬,人之所美也；鱼见之深入,鸟见之高飞,麋鹿见之决骤,四者孰知天下之正色哉?"后来用"沉鱼落雁"形容女子容貌极美。

【沉郁】chényù 形 低沉郁闷：心绪～。

【沉冤】chényuān 图 难以辩白或久未昭雪的冤屈：～莫白。

【沉渣】chénzhā 图 沉下去的渣滓,比喻残存下来的腐朽无用的事物：～泛起。

【沉滞】chénzhì 〈书〉形 迟钝；不灵活：目光～。

【沉重】chénzhòng 形 ❶ 分量大；程度深：～的脚步|这担子很～|给敌人以～的打击。❷（心情）忧郁,不愉快：他这两天的心情特别～。

【沉住气】chén zhù qì 在情况紧急或感情激动时保持镇静：沉得住气|沉不住气|别慌,千万要～。

【沉着】[1] chénzhuó 形 镇静,不慌不忙：～应战|勇敢～。

【沉着】[2] chénzhuó 动 非细胞性的物质（色素、钙质等）沉积在机体的组织中。

【沉醉】chénzuì 动 大醉,多用于比喻：～在节日的欢乐里。

忱 chén ❶ 情意：热～|谢～|略表微～。❷（Chén）图 姓。

陈[1]（陳）chén ❶ 动 安放；摆设：～列|～设。❷ 叙说：～述|另函详～。

〈古〉又同"阵"zhèn。

陈[2]（陳）chén 形 时间久的；旧的：～酒|～谷子烂芝麻|新～代谢|推～出新。

陈[3]（陳）Chén ❶ 图 周朝国名,在今河南淮阳一带。❷ 图 南朝之一,公元 557—589,陈霸先所建。参看 979 页〖南北朝〗。❸ 图 姓。

【陈兵】chénbīng 励 部署兵力:～百万。

【陈陈相因】chén chén xiāng yīn 《史记·平准书》:"太仓之粟,陈陈相因。"国都粮仓里的米谷,一年接一年地堆积起来。比喻沿袭老一套,没有改进。

【陈词滥调】chén cí làn diào 陈旧而不切合实际的话。

【陈醋】chéncù 名 存放较久的醋,醋味醇厚。

【陈放】chénfàng 励 陈设;安放:样品～在展柜里。

【陈腐】chénfǔ 形 陈旧腐朽;内容｜打破～的传统观念。

【陈谷子烂芝麻】chén gǔ·zi làn zhī·ma 比喻陈旧的无关紧要的话或事物:老太太爱唠叨,说的尽是些～。

【陈规】chénguī 名 已经不适用的规章制度;陈旧的规矩:打破～｜陋习。

【陈化粮】chénhuàliáng 名 由于长期储藏质量下降,不宜直接作为口粮食用的粮食。

【陈货】chénhuò 名 存放时间久的货物;过时的货物。

【陈迹】chénjì 名 过去的事情;历史:～。

【陈酒】chénjiǔ 名 ❶ 存放多年的酒,酒味醇厚。❷〈方〉黄酒。

【陈旧】chénjiù 形 旧的;过时的:设备虽然有点儿～,但还能使用｜～的观念应该抛弃。

【陈粮】chénliáng 名 上年余存的或存放多年的粮食。

【陈列】chénliè 励 把物品摆出来供人看:～品｜商店～着许多新到的货物。

【陈年】chénnián 形 属性词。积存多年的:～老酒｜～老账。

【陈酿】chénniàng 名 陈酒。

【陈皮】chénpí 名 中药上指晒干了的橘皮,有时也包括柑皮和橙皮。

【陈情】chénqíng 励 述说理由、意见等;陈诉衷情:恳切～。

【陈请】chénqǐng 励 向上级或有关部门陈述情况,提出请求:～领导审定。

【陈绍】chénshào 名 存放多年的绍兴酒。

【陈设】chénshè ❶ 励 摆设:屋里～着新式家具。❷ 名 摆设的东西:房间里的一切～都很简单朴素。

【陈胜吴广起义】Chén Shèng Wú Guǎng Qǐyì 我国历史上第一次大规模农民起义。公元前 209 年,贫苦农民陈胜、吴广率戍卒九百人在蕲县大泽乡(今安徽宿州东南)起义,迅速得到全国的响应。起义军建立了自己的政权,国号张楚。这次起义导致秦王朝的灭亡。也叫大泽乡起义。

【陈世美】Chén Shìměi 名 戏曲《铡美案》中的人物,考中状元后喜新厌旧,被招为驸马而抛弃结发妻子,后被包公处死。用来指地位提高而变心的丈夫,也泛指在情爱上见异思迁的男子。

【陈述】chénshù 励 有条有理地说出:～理由｜～意见。

【陈述句】chénshùjù 名 述说一件事情的句子(区别于"疑问句、祈使句、感叹句"),如:"这是一部词典。""今年年成很好。"在书面上,陈述句后面用句号。

【陈说】chénshuō 励 陈述:～利害｜～事件的经过。

【陈诉】chénsù 励 诉说(痛苦或委屈):～冤情。

【陈套】chéntào 名 陈旧的格式或办法:这幅画构思新颖,不落～。

【陈言】¹chényán 励 陈述理由、意见等:率直～。

【陈言】²chényán〈书〉名 陈旧的话:务去。

【陈账】chénzhàng 名 老账:这些事都是多年～,不必提了。

宸 chén ❶〈书〉屋宇;深邃的房屋。❷ 封建时代指帝王住的地方,引申为王位、帝王的代称:～章(帝王写的文章)｜～衷(帝王的心意)。

椣 chén 又 qín 名 落叶乔木,羽状复叶,叶子椭圆形,圆锥花序,没有花瓣,可放养白蜡虫,木材坚韧,可制器物。树皮叫秦皮,可入药。通称白蜡树。

晨 chén ❶ 早晨,有时也泛指半夜以后到中午以前的一段时间:清～｜凌～｜～光。❷(Chén)名 姓。

【晨报】chénbào 名 每天早晨出版的报纸。

【晨炊】chénchuī〈书〉❶ 励 早晨烧火做饭。❷ 名 早饭。

【晨光】chénguāng 名 清晨的太阳光:～熹微。

【晨昏】chénhūn〈书〉名 早晨和晚上:～

定省(早晨和晚上服侍问候双亲)。

【晨练】chénliàn 动 在早晨进行练习或锻炼：参加～的老人，有的做气功，有的打太极拳。

【晨曦】chénxī 名 晨光。

【晨星】chénxīng 名❶清晨稀疏的星：寥若～。❷天文学上指日出以前出现在东方的金星或水星。

【晨钟暮鼓】chén zhōng mù gǔ 见973页【暮鼓晨钟】。

谌(諶、訦) chén ❶〈书〉相信。❷〈书〉副 的确；诚然。❸(Chén，也有读 Shèn 的)名 姓。

鹕(鶒) chén (～儿)〈方〉名 小鸟。

chěn （彳ㄣˇ）

堔(堔) chěn ❶同"碜"。❷〈书〉混浊：～黩(混浊不清)。

跈 chěn [跈踔](chěnchuō)〈书〉动 跳跃。也作踸踔。

碜¹(硶、磣) chěn 食物中杂有沙子。参看1558页【牙碜】。

碜²(硶、頙) chěn 丑；难看。参看535页【寒碜】。

踸 chěn [踸踔](chěnchuō)同"跈踔"。

chèn （彳ㄣˋ）

衬(襯) chèn ❶动 在里面或下面托上一层：～上一层纸。❷衬在里面的：～布｜～衫｜～裤。❸(～儿)名 附在衣裳、鞋、帽等某一部分的里面的布制品：帽～儿｜袖～儿。❹动 陪衬；衬托：绿叶把红花～得更好看了。

【衬布】chènbù 名 缝制服装时衬在衣领、两肩或裤腰等部分的布。

【衬裤】chènkù 名 穿在里面的单裤。

【衬里】chènlǐ 名 服装的里子或衬料。

【衬料】chènliào 名 衬在服装面子和里子中间的用料。

【衬领】chènlǐng 名 扣在外衣领子里面的

领子，可随时摘下来洗涤。也叫护领。

【衬裙】chènqún 名 穿在裙子或旗袍里面的裙子。

【衬衫】chènshān 名 穿在里面的西式单上衣，也可以单穿。

【衬托】chèntuō 动 为了使事物的特色突出，把另一些事物放在一起来陪衬或对照：绿叶把红花～得更加鲜艳美丽。

【衬衣】chènyī 名 衬衫。

【衬映】chènyìng 动 映衬①。

【衬字】chènzì 名 曲子在曲律规定字以外，为了行文或歌唱的需要而增加的字。例如《白毛女》："北风(那个)吹，雪花(那个)飘"。括号内的"那个"就是衬字。

疢 chèn 〈书〉病：～疾。

龀(齔) chèn 〈书〉小孩子换牙(乳牙脱落，长出恒牙)。

称(稱) chèn 适合；相当：～体｜～心｜对～｜～匀～。
另见170页 chēng；179页 chèng。

【称身】chèn//shēn 形 (衣服)合身。

【称体裁衣】chèn tǐ cái yī 量体裁衣。

【称心】chèn//xīn 形 符合心愿；心满意足：～如意。

【称愿】chèn//yuàn 动 满足愿望(多指对所恨的人遭遇不幸而感觉快意)。

【称职】chènzhí 形 思想水平和工作能力都能胜任所担任的职务。

傸(儭、嚫) chèn 动 旧时布施僧道：～钱。

趁(趂) chèn ❶介 利用(时间、机会)：～热打铁｜～风起帆｜～天还没黑，快点儿赶路吧。❷〈方〉动 拥有：～钱｜～几头牲口。❸〈方〉形 富有：他们家特别～。❹〈书〉动 追逐；赶。

【趁便】chèn//biàn 副 顺便：你回家的时候，～给我带个口信。

【趁火打劫】chèn huǒ dǎ jié 趁人家失火的时候去抢人家的东西，比喻趁紧张危急的时候侵犯别人的权益。

【趁机】chènjī 副 利用机会：～溜走。

【趁钱】chèn//qián 〈方〉动 有钱：很趁几个钱儿。

【趁热打铁】chèn rè dǎ tiě 比喻做事抓紧时机，加速进行。

【趁墒】chènshāng 动 趁着土壤里有足够

水分的时候播种。

【趁势】chènshì 副 利用有利的形势(做某事);趁势:他晃过对方,～把球踢入球门。

【趁手】chènshǒu 〈方〉副 随手:走进屋～把门关上。

【趁早】chènzǎo (～儿)副 抓紧时机或提前(采取行动):～动身|～罢手。

榇(櫬) chèn 棺材:灵～。

谶(讖) chèn 迷信的人指将来要应验的预言、预兆:～语。

【谶纬】chènwěi 名 谶和纬。谶是秦汉间巫师、方士编造的预示吉凶的隐语,纬是汉代神学迷信附会儒家经义的一类书:～之学。

【谶语】chènyǔ 名 迷信的人指事后应验的话。

· chen (·彳)

伧(傖) · chen 见535页【寒碜】(寒伧)。
另见132页 cāng。

chēng (彳)

柽(檉) chēng [柽柳](chēngliǔ)名 落叶小乔木,枝条纤弱下垂,老枝红色,叶子像鳞片,花淡红色,结蒴果。能耐碱抗旱,适于造防沙林。也叫三春柳或红柳。

琤 chēng 见下。

【琤琤】chēngchēng 〈书〉拟声 形容玉器相击声、琴声或水流声。

【琤瑽】chēngcōng 〈书〉拟声 形容玉器相击声或水流声:玉佩～|～的溪流。

称¹(稱) chēng ❶ 动 叫;叫做:自～|他足智多谋,人～智多星|队员都亲切地～他为老队长。❷ 名称:简～|俗～。❸ 说:～快|～便|连声～好。❹赞扬:～叹|～赏|～许。❺(Chēng)名姓。

称²(稱) chēng 动 测定重量:把这袋米～一～。

称³(稱) chēng 〈书〉举:～觞祝寿。
另见169页 chèn;179页 chèng。

【称霸】chēngbà 动 倚仗权势,欺压别人:～一方。

【称便】chēngbiàn 动 认为方便:公园增设了快餐部,游客无不～。

【称兵】chēngbīng 〈书〉动 采取军事行动:～犯境。

【称病】chēngbìng 动 以生病为借口:～不出|～辞职。

【称臣】chēngchén 动 自称臣子,向对方屈服,接受统治:俯首～。

【称大】chēngdà 动 显示自己的尊长地位;摆架子:他从不在晚辈面前～。

【称贷】chēngdài 动 向别人借钱。

【称道】chēngdào 动 称述;称赞:人人～|这是我应尽的责任,不足～。

【称孤道寡】chēng gū dào guǎ 比喻妄以首脑自居(古代君主自称"孤"或"寡人")。

【称号】chēnghào 名 赋予某人、某单位或某事物的名称(多用于光荣的):荣获先进工作者～。

【称贺】chēnghè 动 道贺:登门～。

【称呼】chēng·hu ❶ 动 叫;你说我该怎么么～她?～大婶行吗? ❷ 名 当面招呼用的表示彼此关系的名称,如同志、师傅等。

【称快】chēngkuài 动 表示快意:拍手～。

【称奇】chēngqí 动 称赞奇妙:啧啧～。

【称赏】chēngshǎng 动 称赞赏识:老师对他的作文很是～。

【称述】chēngshù 动 述说:晚会节目很多,无法一一～。

【称说】chēngshuō 动 说话的时候叫出事物的名字:他～着这些产品,如数家珍。

【称颂】chēngsòng 动 称赞颂扬:～民族英雄|丰功伟绩,万民～。

【称叹】chēngtàn 动 赞叹:连声～。

【称王称霸】chēng wáng chēng bà 比喻飞扬跋扈,胡作非为。也比喻狂妄地以首领自居,欺压别国或别人。

【称谓】chēngwèi 名 人们由于亲属或其他方面的相互关系,以及身份、职业等而得来的名称,如父亲、师傅、厂长等。

【称羡】chēngxiàn 动 称赞羡慕:他们夫妻和睦,令人～。

【称谢】chēngxiè 动 道谢:病人对大夫连

声～。

【称兄道弟】chēng xiōng dào dì 朋友间以兄弟相称，表示关系亲密。

【称雄】chēngxióng 动 凭借武力或特殊势力统治一方；割据～。

【称许】chēngxǔ 动 赞许：他做生意童叟无欺，深受群众～。

【称扬】chēngyáng 动 称赞；赞扬：交口～。

【称引】chēngyǐn 〈书〉动 引证；援引(言语、事例)。

【称誉】chēngyù 动 称赞：这部影片高超的拍摄技巧，为人们所～。

【称赞】chēngzàn 动 用言语表达对人或事物的优点的喜爱：他做了好事，受到老师的～。

蛏(蟶) chēng 蛏子：～田|～干。

【蛏干】chēnggān 名 干的蛏子肉。

【蛏田】chēngtián 名 福建、广东一带海滨养蛏类的田。

【蛏子】chēng·zi 名 软体动物，有两扇狭长的介壳。生活在近岸的海水里。肉可以吃。

铛(鐺) chēng 名 烙饼用的平底锅：饼～。
另见 272 页 dāng。

偁 chēng 〈书〉同"称1"(chēng)。

撑 chēng 〈书〉同"撑"。
另见 179 页 chèng。

赪(赬、䞓) chēng 〈书〉红色。

撑(撐) chēng 动 ❶ 抵住：两手～着下巴沉思。❷ 用篙抵住河底使船行进：～船。❸ 支持：说他他自己也～不住，笑了。❹ 张开：～伞|把麻袋的口儿～开。❺ 充满到容不下的程度：少吃点，别～着|装得连口袋都～破了。

【撑场面】chēng chǎngmiàn 维持表面的排场。也说撑门面。

【撑持】chēngchí 动 勉强支持：～危局。

【撑杆跳高】chēnggān tiàogāo 同"撑竿跳高"。

【撑竿跳高】chēnggān tiàogāo 田径运动项目之一。运动员双手握住一根竿子，经过快速的助跑后，借助竿子反弹的力量，

使身体腾起，跃过横竿。也作撑竿跳高。

【撑门面】chēng mén·mian 撑场面。

【撑死】chēngsǐ〈方〉副 表示最大的限度；至多：这表～值十块钱|他的文化水平～也就是小学毕业。

【撑腰】chēng∥yāo 动 比喻给以有力的支持：～打气|有群众～，你大胆干吧！

噌 chēng [噌吰](chēnghóng)〈书〉拟声 形容钟鼓的声音。
另见 138 页 cēng。

瞠 chēng〈书〉瞪着眼看：～目。

【瞠乎其后】chēng hū qí hòu 在后面干瞠眼，赶不上。

【瞠目】chēngmù〈书〉动 眼直直地瞪着，形容受窘、惊恐的样子：～以对|～相视。

【瞠目结舌】chēng mù jié shé 瞪着眼睛说不出话来，形容受窘或惊恐的样子。

chéng （彳）

成1 chéng ❶ 动 完成；成功(跟"败"相对)：大功告～|事情～了。❷ 动 成全：～人之美|玉～其事。❸ 动 变为；成为：百炼～钢|雪化～水。❹ 动 成果；成就：坐享其～|一事无～。❺ 生物生长到定形、成熟的阶段：～虫|～人。❻ 已定的；定形的；现成的：～规|～见|～例|～药。❼ 动 表示达到一个单位(强调数量多或时间长)：～批生产|～千～万|～年累月|水果～箱买便宜。❽ 动 表示答应、许可：～！就这么办吧。❾ 形 表示有能力：他可真～！什么都难不住他。❿ (Chéng) 名 姓。

成2 chéng (～儿) 量 十分之一叫一成：九～金|村里今年收的庄稼比去年增加两～。

【成败】chéngbài 名 成功或失败：～利钝|～在此一举。

【成本】chéngběn 名 产品在生产和流通过程中所需的全部费用：～核算。

【成本会计】chéngběn kuàijì 为了求得产品的总成本和单位成本而核算全部生产费用的会计。

【成才】chéngcái 动 成为有才能的人：自学～|～之路。

【成材】chéng//cái 圑可以做材料;比喻成为有才能的人:树要修剪才能长得直,孩子不教育怎能～呢?

【成虫】chéngchóng 圐发育成熟能繁殖后代的昆虫,例如蚕蛾是蚕的成虫,蚊子是孑孓的成虫。

【成法】chéngfǎ 圐❶已经制定的法规:恪守～。❷现成的方法:依循。

【成方】chéngfāng (～儿)圐现成的药方(区别于医生诊病后所开的药方)。

【成分】(成份)chéng·fèn 圐❶指构成事物的各种不同的物质或因素:化学～|营养～|减轻了心里不安的～。❷指个人早先的主要经历或职业:工人～|他的个人～是学生。

【成风】chéngfēng 圙形成风气:蔚然～。

【成服】¹ chéngfú 圙旧俗丧礼中死者的亲属穿上丧服叫做成服:遵礼～。

【成服】² chéngfú 圐制成后出售的服装:该厂生产～12 万件。

【成个儿】chénggèr 圙❶生物长到跟成熟时大小相近的程度:果子已经～了。❷比喻具备一定的形状:字写得不～。

【成功】chénggōng ❶圙获得预期的结果(跟"失败"相对):试验～了。❷圏指事情的结果令人满意:大会开得很～。

【成规】chéngguī 圐现成的或久已通行的规则、方法:打破～。

【成果】chéngguǒ 圐工作或事业的收获:丰硕～|劳动～。

【成化】Chénghuà 圐明宪宗(朱见深)年号(公元 1465—1487)。

【成婚】chénghūn 圙结婚。

【成活】chénghuó 圙培养的动植物没有在初生或植种后的短时期内死去:～率|树苗～的关键是吸收到充足的水分。

【成绩】chéngjì 圐工作或学习的收获:学习～|～优秀|我们各方面的工作都有很大的～。

【成家】¹ chéng//jiā 圙结婚(旧时多指男子):～立业|姐姐出嫁了,哥哥也成了家。

【成家】² chéng//jiā 圙成为专家:成名～。

【成家立业】chéng jiā lì yè 指结了婚,有了家业或建立了某项事业。

【成见】chéngjiàn 圐❶对人或事物所抱的固定不变的看法(多指不好的):消除～|不要存～。❷形成的个人见解;定

见:对每个人的优点、缺点,她心里都有个～。

【成交】chéng//jiāo 圙交易成功;买卖做成:拍板～|展销会上～了上万宗生意。

【成就】chéngjiù ❶圐事业上的成绩:～辉煌|巨大的～。❷圙完成(多指事业):～革命大业。

【成句】chéngjù 圐前人用过的现成文句:"东风压倒西风"是古人的～。

【成立】chénglì 圙❶(组织、机构等)筹备成功,开始存在:1949 年 10 月 1 日,中华人民共和国～。❷(理论、意见)有根据,站得住:这个论点理由很充分,能～。

【成例】chénglì 圐现成的例子、办法等:援引～|他不愿意模仿已有的～。

【成殓】chéngliàn 圙入殓。

【成龙配套】chéng lóng pèi tào 配搭起来,成为完整的系统:该产品的生产、销售、维修已经～。也说配套成龙。

【成寐】chéngmèi〈书〉圙入睡;成眠:难以～|夜不～。

【成眠】chéngmián 圙入睡;睡着(zháo)。

【成名】chéng//míng 圙因某种成就而有了名声:一举～。

【成命】chéngmìng 圐指已发布的命令、决定等:收回～。

【成年】¹ chéngnián 圙指人发育到已经成熟的年龄,也指高等动物或树木发育到已经长成的时期:～人|～树|两个孩子已经～。

【成年】² chéngnián〈口〉圙整年:～累月|～在外奔忙。

【成年累月】chéng nián lěi yuè 形容历时长久:他～在田里劳作,非常辛苦。

【成品】chéngpǐn 圐加工完毕,可以向外供应的产品。

【成气候】chéng qìhòu 比喻有成就或有发展前途(多用于否定式):不～|成不了什么气候。

【成器】chéngqì 圙比喻成为有用的人:孩子～是父母的最大安慰。

【成千累万】chéng qiān lěi wàn 成千上万。

【成千上万】chéng qiān shàng wàn 形容数量非常多。也说成千累万、成千成万。

【成亲】chéng//qīn 圙结婚的俗称。

【成趣】 chéngqù 勔 使人感到兴趣；有意味：湖光塔影，相映～|信手拈来，涉笔～。

【成全】 chéngquán 勔 帮助人，使达到目的：～好事。

【成群】 chéngqún 勔 许多人或动物聚集成群体：～结伙|三五～。

【成人】 chéngrén ❶（-//-）勔 人发育成熟：长大～。❷ 名 成年的人：～教育|孩子怎能同～相比？

【成人教育】 chéngrén jiàoyù 通过职工学校、夜大学、广播电视大学、函授学校等对成年人进行的教育。

【成人之美】 chéng rén zhī měi 成全人家的好事。

【成仁】 chéngrén 勔 为正义或崇高理想而牺牲生命：取义～。

【成日】 chéngrì 副 整天：～无所事事。

【成色】 chéngsè 名 ❶ 金币、银币或器物中所含纯金、纯银的量：这对镯子的～好。❷ 泛指质量：茶的～好，味也清香。

【成事】 chéng//shì 勔 办成事情；成功：～之后，定当重谢|一味蛮干，成不了事。

【成事】² chéngshì 〈书〉名 已经过去的事情：～不说。

【成事不足，败事有余】 chéng shì bù zú，bài shì yǒu yú 指人极其无能，不能把事情办好，只会把事情办坏。

【成书】 chéngshū ❶ 勔 写成书：《本草纲目》～于明代。❷ 名 已流传的书。

【成熟】 chéngshú ❶ 勔 植物的果实等完全长成，泛指生物体发育到完备的阶段。❷ 形 发展到完善的程度：我的意见还很不～|条件～了。

【成数】¹ chéngshù 名 不带零头的整数，如五十、二百、三千等。

【成数】² chéngshù 名 一数为另一数的几成，泛指比率：应在生产组内找标准劳动力，互相比较，评～。

【成说】 chéngshuō 名 现成的通行的说法：研究学问，不能囿于～。

【成算】 chéngsuàn 名 早已做好的打算：心有～，遇事从容。

【成套】 chéng//tào 勔 配合起来成为一整套：～设备。

【成天】 chéngtiān 〈口〉副 整天：～忙碌。

【成为】 chéngwéi 勔 变成：～先进工作者。

【成文】 chéngwén ❶ 名 现成的文章，比喻老一套；抄袭～。❷ 勔 用文字固定下来，成为书面形式：他的讲话已经整理～。

【成文法】 chéngwénfǎ 名 由国家依立法程序制定，并用文字公布施行的法律（跟"不成文法"相对）。

【成想】 chéngxiǎng 同"承想"。

【成像】 chéngxiàng 勔 形成图像或影像。

【成效】 chéngxiào 名 功效；效果①：～显著|这种药防治棉蚜虫，很有～。

【成心】 chéngxīn 副 故意：～捣乱|～跟他过不去。

【成行】 chéngxíng 勔 旅行、访问等得到实现：去南方考察月内可望～。

【成形】 chéngxíng 勔 ❶ 自然生长或加工后而具有某种形状：果实已经～|浇铸～。❷ 医学上指修复受到损伤的组织或器官：～手术。❸ 医学上指具有正常的形状：大便～。

【成型】 chéngxíng 勔 工件、产品经过加工，成为所需要的形状。

【成性】 chéngxìng 勔 形成某种习性（多指不好的）：懒惰～|流氓～。

【成宿】 chéngxiǔ 〈口〉副 整夜：～侍候病人。

【成药】 chéngyào 名 药店或药房里已经配制好了的各种剂型的药品。

【成也萧何，败也萧何】 chéng yě Xiāo Hé，bài yě Xiāo Hé 宋代洪迈《容斋续笔·萧何绐韩信》："信之为大将军，实萧何所荐；今其死也，又出其谋，故俚语有'成也萧何，败也萧何'之语。"比喻事情的成败或好坏都是由同一个人造成的。

【成夜】 chéngyè 副 整夜：成日～地忙工作|～不睡。

【成衣】 chéngyī 名 制成后出售的衣服：出售的～开架让顾客挑选。

【成议】 chéngyì 名 达成的协议：已有～。

【成因】 chéngyīn 名（事物）形成的原因：海洋的～|探讨这一事变的～。

【成阴】 chéngyīn 同"成荫"。

【成荫】 chéngyīn 勔 指树木枝叶繁茂，形成树荫：绿树～。也作成阴。

【成语】 chéngyǔ 名 人们长期以来习用的、简洁精辟的定型词组或短句。汉语的成语大多由四个字组成，一般都有出处。有些成语从字面上不难理解，如"小题大做"、"后来居上"等。有些成语必须知道来源或典故才能懂得意思,如"朝三暮四"、"杯弓蛇影"等。

【成员】chéngyuán 名 集体或家庭的组成人员:家庭～|协会～。

【成约】chéngyuē 名 已订的条约;已有的约定:违背～|有～在先,谁也不能变卦。

【成章】chéngzhāng 动 ❶ 成文章:下笔～|出口～。❷ 成条理:顺理～。

【成长】chéngzhǎng 动 向成熟的阶段发展;生长:年轻的一代在茁壮～。

【成竹在胸】chéng zhú zài xiōng 见1530 页〖胸有成竹〗。

【成总儿】chéngzǒngr 〈口〉副 ❶ 一总:这笔钱我还是一～付吧!❷ 整批地:用得多就～买,用得少就零碎买。

丞 chéng ❶ 古代辅助的官吏:府～|县～。❷ (Chéng)名 姓。

【丞相】chéngxiàng 名 古代辅佐君主的职位最高的大臣。

呈 chéng ❶ 动 具有(某种形式);呈现(某种颜色、状态):果实～长圆形|毛皮～暗褐色。❷ 动 恭敬地送上去:谨～|～上名片。❸ 呈文:签～。❹ (Chéng)名 姓。

【呈报】chéngbào 动 用公文报告上级:～中央批准。

【呈递】chéngdì 动 恭敬地递上:～国书|～公文。

【呈交】chéngjiāo 动 恭敬地交给:向公司～调查报告。

【呈览】chénglǎn 〈书〉动 呈阅。

【呈露】chénglù 动 呈现:海水退潮,～出一片礁石。

【呈请】chéngqǐng 动 用公文向上级请示:～立案|～院部核准。

【呈送】chéngsòng 动 恭敬地赠送或呈递:～礼品|～公函。

【呈文】chéngwén 名 旧时公文的一种,下对上用。

【呈现】chéngxiàn 动 显出;露出:到处～欣欣向荣的景象|暴风雨过去,大海又～碧蓝的颜色。

【呈献】chéngxiàn 动 (把实物或意见等)恭敬地送给(集体或敬爱的人)。

【呈阅】chéngyuè 动 送上审阅。

【呈正】chéngzhèng 〈书〉动 敬辞,把自己的作品送请别人批评改正。也作呈政。

【呈政】chéngzhèng 同"呈正"。

【呈子】chéng·zi 名 呈文(多指老百姓给官府的)。

枨(根) chéng 〈书〉触动:～触。

【枨触】chéngchù 〈书〉动 ❶ 触动。❷ 感动。

郕 Chéng 周朝国名,在今山东汶上北。

诚(誠) chéng ❶ 形 (心意)真实:～心～意|开～布公|她的心很～。❷ 〈书〉副 实在;的确:此人～非等闲之辈。❸ 〈书〉连 如果;果真:～如是,则相见之日可期。❹ (Chéng)名 姓。

【诚笃】chéngdǔ 形 诚实真挚:～君子。

【诚服】chéngfú 动 真心地服从或佩服:心悦而～。

【诚惶诚恐】chéng huáng chéng kǒng 惶恐不安。原是君主时代臣下给君主奏章中的套语。

【诚恳】chéngkěn 形 真诚而恳切:态度～|言出肺腑,～感人。

【诚聘】chéngpìn 动 真诚地聘请;诚心招聘:本公司～营销经理。

【诚朴】chéngpǔ 形 诚恳朴实:为人～。

【诚然】chéngrán ❶ 副 实在:他很爱那几只小鸭,小鸭也～可爱。❷ 连 固然(引起下文转折):文章流畅～很好,但主要的还在于内容。

【诚如】chéngrú 〈书〉动 确实如同:～阁下所言。

【诚实】chéng·shí 形 言行跟内心思想一致(指好的思想行为);不虚假:这孩子很～,不会撒谎。

【诚心】chéngxīn ❶ 名 诚恳的心意:一片～。❷ 形 诚恳:我们～向您求教。

【诚心诚意】chéng xīn chéng yì 心意很真诚:～向专家请教。

【诚信】chéngxìn 形 诚实,守信用:明礼～|生意人应当以～为本。

【诚意】chéngyì 名 真心:用实际行动来表示～。

【诚挚】chéngzhì 形 诚恳真挚:会谈是在～友好的气氛中进行的。

承 chéng ❶ 托着;接着:～尘|～重。❷ 承担:～印|～制中西服装。❸ 动 客套话,承蒙:昨～热情招待,不胜感激。

❹ 继续;接续:继～|～上启下|～先启后。
❺ 接受(命令或吩咐):秉～|～命。❻
(Chéng)图姓。

【承办】chéngbàn 团接受办理:～土木工
程|比赛由市体协和电视台联合～。

【承包】chéngbāo 团接受工程、订货或其
他生产经营活动并且负责完成。

【承保】chéngbǎo 团承担保险:～额。

【承保人】chéngbǎorén 图保险人。

【承尘】chéngchén 图❶古代在座位顶上
设置的帐子。❷〈方〉天花板。

【承储】chéngchǔ 团承担储存(粮、棉、油
等):～库。

【承传】chéngchuán 团继承并使流传下
去:～文化遗产。

【承担】chéngdān 团担负;担当:～义务|
～责任。

【承当】chéngdāng 团❶担当:～罪责|
这事我～不起。❷〈方〉答应;应承:借
车的事,我已～了人家。

【承兑】chéngduì 团指汇票的付款人对汇
票金额承担付款义务。

【承乏】chéngfá〈书〉团谦辞,表示所在
职位因一时没有适当人选,只好暂由自己
充任。

【承付】chéngfù 团承担支付(费用):～
抚养费。

【承购】chénggòu 团承担购买:～包销四
亿元国债。

【承欢】chénghuān〈书〉团迎合人意,博
取欢心,特指侍奉父母使感到欢喜:～膝
下。

【承继】chéngjì 团❶给没有儿子的伯父
叔父等做儿子。❷把兄弟等的儿子收做
自己的儿子。❸继承:～遗产。

【承建】chéngjiàn 团承担建筑任务;承包
并修建(工程):大厦由第三建筑公司～。

【承接】chéngjiē 团❶用容器接受流下来
的液体。❷承担;接受:本刊～广告|～来
料加工。❸接续:～上文。

【承揽】chénglǎn 团接受(对方所委托的
业务);承担:～车辆装修。

【承蒙】chéngméng 团客套话,受到:～
指点|～关照,十分感激。

【承命】chéngmìng〈书〉团受命。

【承诺】chéngnuò 团对某项事务答应照
办:慨然～。

【承平】chéngpíng〈书〉形太平:海内～。

【承前启后】chéng qián qǐ hòu 承先启
后。

【承情】chéng∥qíng 团客套话,领受情
谊:您这样慷慨解囊,真是太承您的情了。

【承认】chéngrèn ❶表示肯定,同意,
认可:～错误。❷国际上指肯定新国家、
新政权的法律地位。

【承上启下】chéng shàng qǐ xià 接续上
面的并引起下面的(多用于写作等)。也
作承上起下。

【承上起下】chéng shàng qǐ xià 同"承上
启下"。

【承受】chéngshòu 团❶接受;禁(jīn)受:
～考验|这块小薄板～不住一百斤的重量。
❷继承(财产、权利等):～遗产。

【承题】chéngtí 图八股文的第二段,用三
句或四句,承接破题,对题目作进一步说
明。参看 16 页〖八股〗。

【承望】chéngwàng 团料到(多用于否定
式,表示出乎意外):不～你这时候来,太
好了。

【承袭】chéngxí 团❶沿袭:～旧制。❷
继承(封爵等):～衣钵|～先人基业。

【承先启后】chéng xiān qǐ hòu 继承前代
的并启发后代的(多用于学问、事业等)。
也说承前启后。

【承想】chéngxiǎng 团料想;想到(多用于
否定式):不～|没～会得到这样的结果|谁
～今天又刮大风呢! 也作成想。

【承销】chéngxiāo 团负责销售;承担销售
任务:～商。

【承修】chéngxiū 团承担修理、修建等:
～公路。

【承印】chéngyìn 团承担印刷:～商标。

【承应】chéngyìng 团应承。

【承运】chéngyùn 团(运输部门)承担运
输业务:～日用百货。

【承载】chéngzài 团托着物体,承受它的
重量◇～人口压力。

【承重】chéngzhòng 团承受重量(用于建
筑物和其他构件)。

【承重孙】chéngzhòngsūn 图按宗法制
度,如长子比父母先死,长孙在他祖父母
死后举办丧礼时替长子做丧主,叫承重
孙。

【承转】chéngzhuǎn 团收到上级公文转

交下级，或收到下级公文转送上级。

【承租】chéngzū 劻 接受出租；租用：～人｜～公房。

【承做】chéngzuò 劻 承担制做：～各式男女服装。

城 chéng 图❶ 城墙：～外｜万里长～。❷ 城墙以内的地方：～区｜东～。❸ 城市（跟"乡"相对）：山～｜进～｜满～风雨｜连下数～｜～乡物资交流。

【城堡】chéngbǎo 图 堡垒式的小城。

【城池】chéngchí 图 城墙和护城河，指城市：～失守｜攻克几座～。

【城雕】chéngdiāo 图 安置在城市公共场所作为城市象征或起装点市容作用的雕塑。

【城垛】chéngduǒ 图❶ 城墙向外突出的部分。❷ 城墙上面呈凹凸形的矮墙。也叫城垛口、城垛子。

【城垛口】chéngduǒkǒu 图 城垛②。

【城防】chéngfáng 图 城市的防卫或防务：～巩固｜～工事。

【城府】chéngfǔ 〈书〉图 比喻待人处事的心机：～很深｜胸无～（为人坦率）。

【城根】chénggēn （～儿）图 指靠近城墙的地方。

【城关】chéngguān 图 指城外靠近城门的一带地方。

【城管】chéngguǎn 图❶ 城市管理：～部门。❷ 指城市管理人员。

【城郭】chéngguō 图 城墙（城指内城的墙，郭指外城的墙），泛指城市。

【城壕】chénghǎo 图 护城河。

【城隍】chénghuáng 图❶〈书〉护城河。❷ 迷信传说中指主管某个城的神。

【城际】chéngjì 圂 属性词。城市之间：～列车。

【城建】chéngjiàn 图 城市建设：～规划。

【城郊】chéngjiāo 图 城市周围附近的地区。

【城楼】chénglóu 图 建筑在城门洞上的楼。

【城门失火，殃及池鱼】chéngmén shī huǒ，yāng jí chí yú 城门着了火，大家都用护城河的水救火，水用尽了，鱼也干死了。比喻因牵连而受祸害或损失。

【城墙】chéngqiáng 图 古代为防守而建筑在城市四周的又高又厚的墙。

【城区】chéngqū 图 城里和靠近城的地区（区别于"郊区"）。

【城阙】chéngquè〈书〉图❶ 城门两边的望楼。❷ 宫阙。

【城市】chéngshì 图 人口集中、工商业发达、居民以非农业人口为主的地区，通常是周围地区的政治、经济、文化中心。

【城市贫民】chéngshì pínmín 旧时称城市居民中无固定职业，依靠自己劳动而生活贫苦的人。

【城市热岛效应】chéngshì rèdǎo xiàoyìng 指城市气温高于郊区的现象。造成这种现象的主要原因是城市工厂及车辆排热多，人口密度大，建筑物密集，地面干燥、水分蒸发少等。简称热岛效应。

【城市铁路】chéngshì tiělù 城市公共交通所使用的铁路，包括市郊铁路和市内铁路等。简称城铁。

【城铁】chéngtiě 图 城市铁路的简称。

【城下之盟】chéng xià zhī méng 敌军到了城下，抵抗不了，跟敌人订的盟约。泛指被迫签订的条约。

【城厢】chéngxiāng 图 城内和城门外附近的地方。

【城垣】chéngyuán〈书〉图 城墙。

【城镇】chéngzhèn 图 城市和集镇：～居民。

宬 chéng 古代藏书的屋子：皇史～（明清皇家档案库）。

埕¹ chéng 指蛏（chēng）田。

埕² chéng〈方〉图 坛子。

晟 Chéng 图 姓。另见 1225 页 shèng。

乘¹ chéng ❶ 劻 用交通工具或牲畜代替步行：坐～船｜～马｜～火车。❷ 夼 利用（机会等）：～势｜～胜直追。注意 口语里多说"趁"chèn。❸ 佛教的教义：大～｜小～。❹（Chéng）图 姓。

乘² chéng 劻 进行乘法运算，如 2 乘 3 得 6。另见 1225 页 shèng。

【乘便】chéngbiàn 劆 顺便（不是特地）：请你～把那本书带给我。

【乘除】chéngchú〈书〉图❶ 乘法和除法，泛指计算。❷ 指世事的消长盛衰。

【乘法】chéngfǎ 图 数学中的一种运算方法。最简单的是数的乘法，即几个相同数连加的简便算法。如 2＋2＋2＋2＋2，5 个 2 相加，就是 2 乘以 5，或者说是 5 乘 2。

【乘方】chéngfāng ❶ 动 求一个数自乘若干次的积的运算，如数 a 自乘 3 次（$a \times a \times a$），就是 a 的 3 次乘方，写作 a^3。❷ 图 一个数自乘若干次所得的积。也叫乘幂。

【乘风破浪】chéng fēng pò làng 《宋书·宗悫(què)传》："愿乘长风破万里浪。"现比喻不畏艰险勇往直前。也形容事业迅猛地向前发展。

【乘机】chéngjī 副 利用机会：～逃脱｜反扑。

【乘积】chéngjī 图 乘法运算中，两个或两个以上的数相乘所得的数，如 2×5＝10 中，10 是乘积。简称积。

【乘警】chéngjǐng 图 列车上负责治安保卫工作的警察。

【乘客】chéngkè 图 搭乘车、船、飞机等交通工具的人。

【乘凉】chéng//liáng 动 热天在凉快透风的地方休息：在树下乘了一会儿凉。

【乘幂】chéngmì 图 乘方②。

【乘人之危】chéng rén zhī wēi 趁着人家危急的时候去侵害人家。

【乘时】chéngshí 副 利用时机：～而起。

【乘势】chéngshì ❶ 副 利用有利的形势；就势：～进击。❷〈书〉凭借权势：～欺人。

【乘务】chéngwù 图 指车、船、飞机等交通工具上为乘客服务的各种事务：～员｜组。

【乘务员】chéngwùyuán 图 从事乘务工作的人员。

【乘隙】chéngxì 副 利用空子；趁机会：～逃脱｜～休整。

【乘兴】chéngxìng 副 趁着一时高兴：～而来，兴尽而返。

【乘虚】chéngxū 副 趁着空虚：～而入。

【乘员】chéngyuán 图 乘车、船、飞机等交通工具的人员。

【乘载】chéngzài 动 ❶ 承受物体重量：大地～万物。❷ 乘坐运载：这种旅行车可以～二十人。

【乘坐】chéngzuò 动 坐（车、船等）：～火车｜～飞机。

盛 chéng 动 ❶ 把东西放在容器里：～饭｜缸里～满了水。❷ 容纳：这间屋子小，～不了这么多东西。
另见 1225 页 shèng。

【盛器】chéngqì 图 盛东西的器具。

铖(鋮) chéng 人名用字。

程 chéng ❶ 规矩；法则：章～｜～式。❷ 程序：议～｜课～。❸（旅行的）道路，一段路：启～｜送你一～。❹ 路程；距离：里～｜～碑｜射～｜行～。❺ 衡量；估量：计日～功。❻（Chéng）图 姓。

【程度】chéngdù 图 ❶ 文化、教育、知识、能力等方面的水平：文化～｜自动化～。❷ 事物变化达到的状况：天气虽冷，还没有到上冻的～｜他的肝病已恶化到十分严重的～。

【程控】chéngkòng 形 属性词。程序控制的：～设备｜～电话。

【程门立雪】chéng mén lì xuě 宋代杨时在下雪天拜谒著名学者程颐，程颐瞑目而坐，杨时不敢惊动，在旁站立等待。程颐醒来，门前积雪已经一尺深了（见于《宋史·杨时传》）。后来用"程门立雪"形容尊师重道，恭敬受教。

【程式】chéngshì 图 ❶ 一定的格式：公文～｜表演的～。❷ 指程序，安排：会议～。

【程限】chéngxiàn〈书〉图 ❶ 程式和限制：创作是没有一定的～的。❷ 规定的进度：宽其～｜读书日有～。

【程序】chéngxù 图 ❶ 事情进行的先后次序：工作～｜会议～。❷ 指计算机程序。

【程序法】chéngxùfǎ 图 为保证实体法所规定的公民和法人的权利和义务的实现而制定的法律。可以分为立法程序法、行政程序法和司法程序法（即诉讼法）（跟"实体法"相对）。

【程序控制】chéngxù kòngzhì 通过事先编制的程序实现的自动控制。广泛应用于控制各种生产和工艺过程。简称程控。

【程子】chéng·zi〈方〉量 一段时间：这～他很忙｜到农村住了一～。

惩(懲) chéng ❶ 处罚：～罚｜～一儆百｜～恶扬善。❷ 警戒：～前毖后。

【惩办】chéngbàn 动 处罚：严加～。

【惩处】chéngchǔ 励处罚;依法~。

【惩恶扬善】chéng è yáng shàn 惩治邪恶,褒扬善良:~,树立正气。

【惩罚】chéngfá 励处罚:从重~|无论是谁,犯了罪都要受到~。

【惩戒】chéngjiè 励通过处罚或警戒。

【惩前毖后】chéng qián bì hòu 吸取过去失败的教训,以后小心,不致重犯错误(毖:谨慎;小心)。

【惩一戒百】chéng yī jiè bǎi 惩一儆百。

【惩一儆百】chéng yī jǐng bǎi 惩罚少数人以警戒多数人。也作惩一警百。也说惩一戒百。

【惩一警百】chéng yī jǐng bǎi 同"惩一儆百"。

【惩艾】chéngyì〈书〉励惩戒;惩治。

【惩治】chéngzhì 励惩办;依法~|~罪犯。

椉 chéng〈书〉同"乘"。
另见 1226 页 shèng。

裎 chéng〈书〉光着身子。
另见 178 页 chěng。

塍(塖) chéng〈方〉名田间的土埂子:田~。

醒 chéng〈书〉喝醉了神志不清。

澄(澂) chéng ❶（水)很清:~澈。❷使清明;使清楚:~清。
另见 288 页 dèng。

【澄碧】chéngbì 形清而明净:湖水~。

【澄澈】(澄彻)chéngchè 形清澈透明:溪水~见底。

【澄清】chéngqīng ❶形清亮:湖水碧绿~。❷励使混浊变为清明,比喻肃清混乱局面:~天下。❸励弄清楚(认识、问题等):~事实。
另见 288 页 dèng//qīng。

【澄莹】chéngyíng 形清亮:雨后,月亮更显得~皎洁。

橙 chéng ❶名常绿乔木或灌木,叶子椭圆形,果实圆球形,多汁,果皮红黄色,味道酸甜。❷名这种植物的果实。❸红和黄合成的颜色。

【橙红】chénghóng 形像橙子那样红里带黄的颜色。

【橙黄】chénghuáng 形像橙子那样黄里带红的颜色。

【橙子】chéng·zi 名橙树的果实。

chěng （彳ㄥˇ）

逞 chěng ❶励显示(自己的才能、威风等);夸耀:~能|~威风|~英雄。❷实现意愿;达到目的(多指坏事):得~。❸励纵容;放任:~性子。

【逞能】chěng//néng 励显示自己能干:别太~了|不是我~,一天走个百把里路不算什么。

【逞强】chěng//qiáng 励显示自己能力强:~好胜|你一个人撅不动,别~了!

【逞性】chěngxìng 励逞性子:~妄为|孩子爱在父母面前~。

【逞性子】chěng xìng·zi 放任自己的性子,不加约束。

【逞凶】chěngxiōng 励做凶暴的事情;行凶:~暴徒~。

骋(騁) chěng ❶(马)跑:驰~。❷放开:~怀|~目。

【骋怀】chěnghuái〈书〉励开怀:~痛饮。

【骋目】chěngmù〈书〉励放眼往远处看:凭栏~。

裎 chěng 古代的一种对襟单衣。
另见 178 页 chéng。

chèng （彳ㄥˋ）

秤 chèng 名测定物体重量的器具,有杆秤、地秤、台秤、弹簧秤等多种。特指杆秤。参看 442 页〖杆秤〗。

【秤锤】chèngchuí 名称物品时用来使秤平衡的金属锤。

【秤杆】chènggǎn（～儿)名杆秤的组成部分,多用木棍制成,上面镶着计量的秤星。

【秤钩】chènggōu 名杆秤上的金属钩子,用来挂所称的物体。

【秤毫】chèngháo 名杆秤上手提的部分,条状物,多用绳子或皮条制成。

【秤花】chènghuā〈方〉名秤星。

【秤纽】chèngniǔ 名秤毫。

【秤盘子】chèngpán·zi 名秤上的盘子,一般用金属做成,用来盛(chéng)所称的物品。

【秤砣】chèngtuó〈口〉名秤锤。

【秤星】chèngxīng（～儿）名镶在秤杆上的金属的小圆点，是计量的标志。参看442页【杆秤】。

称（稱）chèng 同"秤"。

另见169页 chèn；170页 chēng。

掌 chèng 名❶斜柱。❷（～儿）桌椅等腿中间的横木。

另见171页 chēng。

---

chī（彳）

吃¹（喫）chī ❶动把食物等放到嘴里经过咀嚼咽下去（包括吸、喝）：～饭｜～奶｜～药。❷动依靠某种事物来生活：～老本｜靠山～山，靠水～水。❸动吸收（液体）：道林纸不～墨。❹动消灭（多用于军事、棋戏）：～掉敌人一个团｜拿车～他的炮。❺动承受；禁受：～得消｜～不住。❻动受；挨：～亏｜惊～批评。❼耗费：～力｜～劲。❽介被（多见于早期白话）：～他耻笑。

吃² chī 见783页【口吃】。

【吃白饭】chī báifàn ❶吃饭时光吃主食不就菜。❷吃饭不付钱。❸只吃饭而不干活（多指没有工作），也指寄居别人家里，靠别人生活。

【吃白食】chī báishí〈方〉白吃别人的饭食等。

【吃闭门羹】chī bìméngēng 被主人拒之门外或主人不在，门锁着，对于上门的人叫吃闭门羹。

【吃瘪】chībiě〈方〉动❶受窘；受挫：当众～。❷被迫屈服；服输。

【吃不服】chī·bufú 动不习惯于吃某种饮食：生冷的东西我总～。

【吃不开】chī·bukāi 形行不通；不受欢迎：你老这一套现在可～了。

【吃不来】chī·bulái 动不喜欢吃；吃不惯：辣的可以，酸的我～。

【吃不了，兜着走】chī·bu liǎo，dōu·zhe zǒu〈方〉指出了问题，要承担一切后果；主意是你出的，出了事儿你可～！

【吃不消】chī·buxiāo 动不能支持；支持

不住；受不了：爬这么高的山，上年纪的人身体怕～｜这文章写得又长又难懂，真让人～。

【吃不住】chī·buzhù 动承受不起；不能支持：机器太沉，这个架子恐怕～。

【吃长斋】chī chángzhāi 信佛的人长年吃素，叫吃长斋。

【吃吃喝喝】chī·chīhēhē 动吃饭喝酒，多指以酒食拉拢关系。

【吃醋】chī∥cù 动产生嫉妒情绪（多指在男女关系上）。

【吃大锅饭】chī dàguōfàn 比喻不论工作好坏、贡献大小，待遇、报酬都一样。

【吃大户】chī dàhù ❶旧时遇着荒年，饥民团结在一起到地主富豪家去吃饭或夺取粮食。❷指借故到经济较富裕的单位或个人那里吃喝或索取财物。

【吃刀】chīdāo 动切削金属时刀具切入工件，深浅要适宜。

【吃得开】chī·dekāi 形行得通；受欢迎：他手艺好，又热心，在村里很～。

【吃得来】chī·delái 动吃得惯（不一定喜欢吃）：牛肉我还～，羊肉就吃不来了。

【吃得消】chī·dexiāo 动能支持；支持得住；受得了：一连几天不睡觉，人怎么能～！

【吃得住】chī·dezhù 动承受得住；能支持：这座木桥过大卡车也能～。

【吃豆腐】chī dòu·fu〈方〉❶调戏（妇女）。❷拿某人开玩笑或调侃叫吃某人的豆腐。❸旧俗丧家准备的饭菜中有豆腐，所以去丧家吊唁吃饭叫吃豆腐。也说吃豆腐饭。

【吃独食】chī dúshí（～儿）❶有东西自己一个人吃，不给别人。❷比喻独占利益，不让别人分享。

【吃饭】chī∥fàn 动指生活或生存：靠打猎～（以打猎为生）。

【吃干饭】chī gānfàn 光吃饭不做事，多用来比喻人无能或无用：你别小瞧人，我们也不是～的。

【吃功夫】chī gōng·fu 耗费精力；用功力：在《挑滑车》里演高宠可不容易，那是个～的角色。

【吃官司】chī guān·si 指被人控告。

【吃喝儿】chīhēr〈口〉名指饮食：这里物价高，～不便宜。

【吃后悔药】chī hòuhuǐyào 指事后懊悔。

【吃皇粮】chī huángliáng　比喻在政府部门或靠国家开支经费的事业单位任职。

【吃货】chīhuò　名指光会吃不会做事的人（骂人的话）。

【吃紧】chījǐn　形❶（情势）紧张；形势～|银根～|眼下正是农活儿忙的时候。❷重要；紧要：这事我去不去不～,你不去不去办不成了|先把那些～地方整修一下,其他的以后再说吧。

【吃劲】chījìn　❶（-//-）（~儿）动承受力量：他那条受过伤的腿走路还不～|肩上东西太重,我可吃不住劲儿了。❷（~儿）形费劲；吃力：他挑百八十斤也并不～。❸〈方〉形感觉重要或有关系（多用于否定式）：这出戏怎么样,看不看不～。

【吃惊】chī//jīng　动受惊：令人～|大吃一惊。

【吃空额】chī kòng'é　主管人员向上级虚报人数,非法占有虚报名额的薪饷等。也说吃空饷。

【吃口】chīkǒu　名❶家庭吃饭的人：他家里～多,生活比较困难。❷吃到嘴里的感觉：面包～松软|这种梨水分少,～略差。❸牲畜吃食物的能力：这头牛～好,膘力足。

【吃苦】chī//kǔ　动经受艰苦：～耐劳|～在前,享乐在后。

【吃亏】chī//kuī　动❶受损失：决不能让群众～|他吃了不少亏。❷在某方面条件不利：这场球赛,他吃了经验不足的亏,否则不会输。

【吃老本】chī lǎoběn　（~儿）原指消耗本金,现多指只凭已有的资历、功劳、本领过日子,不求进取和提高。

【吃里扒外】chī lǐ pá wài　同"吃里爬外"。

【吃里爬外】chī lǐ pá wài　受着这一方的好处,暗地里却为那一方尽力。也作吃里扒外。

【吃力】chīlì　形❶费力：爬山很～|～不讨好。❷〈方〉疲劳：跑了一天路,感到很～。

【吃派饭】chī pàifàn　临时下乡的工作人员到当地安排的农户家吃饭。

【吃偏饭】chī piānfàn　在共同生活中比别人好的饭食,比喻得到特别的照顾。也说吃偏食。

【吃枪药】chī qiāngyào　〈口〉形容说话火气大,带有火药味儿：～啦,冲我发这么大

火儿!

【吃青】chīqīng　动庄稼还没有完全成熟就收下来吃（多在青黄不接食物缺乏时）。

【吃请】chīqǐng　动接受邀请（多指对自己有所求的人的邀请）去吃饭：～受贿。

【吃食】chī·shi　〈口〉名食物。

【吃水】[1] chīshuǐ　动吸收水分：这块地不～|和面时玉米面比白面～。

【吃水】[2] chīshuǐ　❶动取用生活用水：高山地区～困难。❷〈方〉名供食用的水（区别于洗东西用的水）。

【吃水】[3] chīshuǐ　名船身入水的深度。

【吃素】chīsù　动❶不吃鱼、肉等食物。佛教徒的吃素戒律还包括不吃葱蒜等。❷比喻不杀伤（多用于否定式）：你敢捣乱?告诉你,我的拳头可不是～的。

【吃透】chī//tòu　动理解透彻：～会议精神|这话是什么意思,我还吃不透。

【吃瓦片儿】chī wǎpiànr　指依靠出租房子生活。

【吃闲饭】chī xiánfàn　指只吃饭而不做事,也指没有工作,没有经济收入：两个孩子都工作了,家里没有～的了。

【吃现成饭】chī xiànchéngfàn　比喻自己不出力,享受别人的成果。

【吃香】chīxiāng　〈口〉形受欢迎；受重视：这种产品在市场上很～|手艺高超的人在哪里都～。

【吃相】chīxiàng　名吃东西时的姿态神情：～不雅|～难看。

【吃小灶】chī xiǎozào　吃小灶做的相对较好的饭食,比喻享受特殊照顾：学校准备在考试前给学习成绩差的学生～。

【吃心】chī//xīn　〈方〉动疑心；多心：我是说他呢,你别～|事情既然和你没关系,你吃什么心?

【吃鸭蛋】chī yādàn　比喻在考试或竞赛中得零分。

【吃哑巴亏】chī yǎ·bakuī　吃了亏无处申诉或不敢声张,叫吃哑巴亏。

【吃一堑,长一智】chī yī qiàn, zhǎng yī zhì　受一次挫折,长一分见识。

【吃斋】chī//zhāi　动❶吃素①：～念佛|吃长斋。❷（和尚）吃饭。❸（非出家人）在寺院吃饭。

【吃重】chīzhòng　❶形（所担负的责任）

艰巨：他在这件事上很～。❷ 形 费力；
摘翻译，对我来讲，是很～的事。❸ 动 载
重：这辆车～多少？

【吃准】chī∥zhǔn 动 认定；确认：吃不准｜
吃得准｜他～老张过几天就会回来。

【吃嘴】chī∥zuǐ〈方〉❶ 动 吃零食。❷ 形
贪吃；嘴馋。

【吃罪】chīzuì 动 承受罪责：～不起。

郗 Chī 名 姓。
另见 1454 页 Xī。

哧 chī 拟声 形容笑声或撕裂声等：～
的一声撕下一块布来｜～地笑着。

【哧溜】chīliū 拟声 形容迅速滑动的声音：
～一下，滑了一跤。

脴 chī 见 1039 页〖腘脴〗。

鸱(鴟) chī 古书上指鹞鹰。

【鸱尾】chīwěi 名 中式房屋屋脊两端的陶
制装饰物，形状略像鸱的尾巴。

【鸱吻】chīwěn 名 中式房屋屋脊两端的
陶制装饰物，最初的形状略像鸱的尾巴，
后来演变为向上张口的样子，所以叫鸱
吻。

【鸱鸮】chīxiāo 名 鸟，头大，嘴短而弯曲。
吃鼠、兔、昆虫等小动物，对农业有益。种
类很多，如鸺鹠、猫头鹰等。

虫 chī〈书〉无知；傻。

绤(絺) chī 古代指细葛布。

鸩(鵄) chī 同"鸱"。

胵 chī 名 眼睑分泌出的黄色液体。俗
称眼屎，有的地区叫眼胵眵。

【眵目糊】chī·muhū〈方〉名 眼胵眵。

答 chī〈书〉用鞭、杖或竹板子打：鞭
～。

瓵 chī 古代一种陶制的酒壶。

摛 chī〈书〉舒展；散布：～藻（铺张辞
藻）。

嗤 chī〈书〉嗤笑：～之以鼻。

【嗤笑】chīxiào 动 讥笑：为人～｜他不
懂道理。

【嗤之以鼻】chī zhī yǐ bí 用鼻子吭气，表

示看不起。

痴(癡) chī ❶ 形 傻；愚笨：～呆｜
人说梦｜人家笑我太～。❷ 极
度迷恋某人或某种事物：～情。❸ 极度
迷恋某人或某种事物而不能自拔的人：
书～（书呆子）。❹〈方〉由于某种事物影
响变傻了的精神失常：～子。

【痴爱】chī'ài 动 极度爱恋：执著地爱。

【痴呆】chīdāi 形 ❶ 举止呆滞，不活泼：
两眼～地望着前面。❷ 傻：经过那次变
故，他有点～了。

【痴肥】chīféi 形 肥胖得难看：～臃肿。

【痴狂】chīkuáng 形 形容着迷程度极深：
她是个演员，～地爱着自己的事业。

【痴恋】chīliàn 动 痴迷地爱恋；极度迷恋：
～于诗词创作。

【痴梦】chīmèng 名 迷梦。

【痴迷】chīmí 动 深深地迷恋：他读大学
时，对电影艺术曾～过一段时间。

【痴情】chīqíng ❶ 名 痴心的爱情：一片
～。❷ 形 多情达到痴心的程度：～女子｜
她对音乐很～。

【痴人说梦】chī rén shuō mèng 比喻说根
本办不到的荒唐话。

【痴想】chīxiǎng ❶ 动 发呆地想：他一面
眺望，一面～，身上给雨打湿了也不觉得。
❷ 名 不能实现的痴心的想法。

【痴笑】chīxiào 动 傻笑。

【痴心】chīxīn ❶ 名 沉迷于某人或某事
物的心思：一片～。❷ 形 形容沉迷于某
人或某事物：～情郎。

【痴心妄想】chī xīn wàng xiǎng 一心想
着不可能实现的事。

【痴长】chīzhǎng 动 谦辞，年纪比较大的
人，说自己白白地比对方大若干岁：我～
你几岁，也没多学到什么东西。

【痴子】chī·zi〈方〉❶ 名 傻子。❷ 疯子。

【痴醉】chīzuì 动 对某种事物着迷并为之
陶醉；迷醉：精湛的表演令人～。

媸 chī〈书〉相貌丑（跟"妍"相对）：不辨
妍～。

螭 chī ❶ 古代传说中没有角的龙。古
代建筑或工艺品上常用它的形状做
装饰。❷ 同"魑"。

魑 chī〖魑魅〗(chīmèi)〈书〉名 传说中
指山林里能害人的妖怪：～魅魍魉（比
喻各种各样的坏人）。

chí （ㄔ）

池 chí ❶ 图 池塘；游泳~│养鱼~│盐~。❷ 旁边高中间注的地方：花~│乐(yuè)~。❸ 旧时指剧场正厅的前部：~座。❹〈书〉护城河：城~。❺ (Chí)图 姓。

【池汤】chítāng 图 澡堂中的浴池(区别于"盆汤")。也说池塘、池堂。

【池堂】chítáng 图 池汤。

【池塘】chítáng 图 ❶ 蓄水的坑，一般不太大，比较浅：~养鱼。❷ 池汤。

【池盐】chíyán 图 从咸水湖提取的盐，成分和海盐相同。

【池鱼之殃】chí yú zhī yāng 比喻因牵连而受到的灾祸。也说池鱼之祸。参看176页〖城门失火，殃及池鱼〗。

【池浴】chíyù 动 在池汤里洗澡。

【池沼】chízhǎo 图 比较大的水坑。

【池子】chí·zi〈口〉图 ❶ 蓄水的坑。❷ 指浴池。❸ 指舞池。❹ 旧时指剧场正厅的前部。

【池座】chízuò 图 剧场正厅前部的座位。

弛 chí ❶〈书〉放松；解除：一张一~│~禁。❷ 松懈：松~。

【弛缓】chíhuǎn 形 ❶ (局势、气氛、心情等)和缓：他听了这一番话，紧张的心情渐渐~下来。❷ 松弛：纪律~。

【弛禁】chíjìn〈书〉动 开放禁令。

【弛懈】chíxiè〈书〉形 松弛；松懈：刻苦自励，不可一日~。

驰(馳) chí ❶ (车马等)跑得很快；奔~│~逐│飞~◇风~电掣。❷ 传播：~名。❸〈书〉(心神)向往：神~│~想。

【驰骋】chíchěng 动 (骑马)奔驰：策马~│~疆场◇~文坛。

【驰电】chídiàn〈书〉动 迅速发出电报：~告急。

【驰名】chímíng 动 声名传播很远：~中外。

【驰目】chímù〈书〉动 放眼(往远处看)：~远眺。

【驰驱】chíqū 动 ❶ (骑马)快跑：~疆场。❷〈书〉指为人奔走效力。

【驰书】chíshū〈书〉动 迅速传信：~告急。

【驰突】chítū〈书〉动 快跑猛冲：往来~，如入无人之境。

【驰誉】chíyù 动 声誉传播很远：~学界│~全国。

【驰援】chíyuán 动 奔赴援救：星夜~。

【驰骤】chízhòu〈书〉动 驰骋：纵横~。

迟(遲) chí ❶ 慢：~缓│事不宜~。❷ 形 比规定的时间或合适的时间靠后：~到│昨天睡得太~了。❸ (Chí)图 姓。

【迟迟】chíchí 副 表示时间长或时间拖得很晚(多用于否定式)：~不作答复│演员~没有出场。

【迟到】chídào 动 到得比规定的时间晚。

【迟钝】chídùn 形 (感官、思想、行动等)反应慢，不灵敏：感觉~│反应~。

【迟缓】chíhuǎn 形 不迅速；缓慢：动作~。

【迟暮】chímù〈书〉图 ❶ 天快黑的时候；傍晚：到目的地已是~时分。❷ 比喻晚年：~之感。

【迟误】chíwù 动 拖延耽误：事关重要，不得~│他每天准时上班，从来没有~过。

【迟延】chíyán 动 耽搁；拖延：情况紧急，不能再~了。

【迟疑】chíyí 形 拿不定主意；犹豫：~不决│他~片刻，才接着说下去。

【迟早】chízǎo 副 或早或晚；早晚：他~会来的│问题~要解决。

【迟滞】chízhì ❶ 形 缓慢；不通畅：河道淤塞，流水~。❷ 形 呆滞：目光~。❸ 动 阻碍，使延迟或停滞：节节阻击，~敌人的行动。

坻 chí〈书〉水中的小块陆地。
另见293页 dǐ。

茌 chí ❶ 茌平(Chípíng)，地名，在山东。❷ (Chí)图 姓。

持 chí ❶ 动 拿着；握着：~枪│手~棍棒。❷ 动 抱有(某种见解、态度等)：~不同意见│~反对态度。❸ 支持；保持：坚~│~久。❹ 主管；料理：操~│主~。❺ 控制；挟制：劫~│挟~。❻ 对抗：僵~│相~不下。

【持仓】chícāng 动 指持有证券：调整~结构。

【持仓量】chícāngliàng 图 仓位②。

【持法】chífǎ 〈书〉动 执行法律：～严明。

【持股】chígǔ 动 持有股票或股份。

【持衡】chíhéng 动 保持平衡：盈亏～。

【持家】chíjiā 动 操持家务：勤俭～。

【持久】chíjiǔ 形 保持长久：肥效～｜争取～和平。

【持久战】chíjiǔzhàn 名 持续时间较长的战争。是在一方较强大并企图速战速决的条件下,另一方采取逐步削弱敌人、最后战胜敌人的战略方针而形成的。

【持论】chílùn 动 提出主张；立论：～公平｜～有据。

【持平】chípíng ❶ 形 公正；公平：～之论。❷ 动 (与相对比的数量)保持相等：鲜鱼上市三百万斤,与去年～｜钢窗和木制门窗的价格基本～。

【持身】chíshēn 〈书〉动 对待自己；要求自己：～严正。

【持守】chíshǒu 动 坚持；保持(多用于抽象事物)：～初衷。

【持续】chíxù 动 延续不断：～的干旱造成粮食大幅度减产｜两国经济和文化的交流已经～了一千多年。

【持有】chíyǒu ❶ 动 拿着；拥有：～入场券｜～股份。❷ 心里存着(想法、见解等)：～不同看法。

【持斋】chízhāi 动 信某种宗教的人遵守不吃荤或限制吃某种东西的戒律。

【持正】chízhèng 〈书〉❶ 动 主持正义：～不阿。❷ 形 不偏不倚；持平①：平心～。

【持之以恒】chí zhī yǐ héng 长久地坚持下去：努力学习,～锻炼身体要～。

【持之有故】chí zhī yǒu gù 见解或主张有一定的根据。

【持重】chízhòng 形 谨慎；稳重；不浮躁：老成～。

匙 chí 匙子：汤～｜茶～｜羹～。
另见 1251 页·shi。

【匙子】chí·zi 名 舀液体或粉末状物体的小勺。

漦 chí 〈书〉口水；涎沫。

墀 chí 〈书〉台阶上面的空地；台阶：丹～(古代官殿前涂成红色的台阶或台阶上的空地)。

踟 chí 见下。

【踟蹰】chíchú 同"踟蹰"。

【踟蹰】chíchú 形 心里迟疑,要走不走的样子：～不前。也作踟蹰。

篪(箎、竾) chí 古代的竹管乐器,像笛子,有八孔。

chǐ (彳)

尺 chǐ ❶ 量 长度单位,10 寸等于 1 尺,10 尺等于 1 丈。1 市尺合 1/3 米。❷ 名 量长度的器具：皮～｜卷～。❸ 画图的器具：丁字～｜放大～。❹ 像尺的东西：镇～｜计算～。
另见 164 页 chě。

【尺寸】chǐ·cùn 名 ❶ 长度(多指一件东西的长度)：这件衣服～不合适。❷〈口〉分寸：他办事很有～｜说话要掌握好～。

【尺牍】chǐdú 〈书〉名 书信(古代书简约长一尺)：《～大全》(教人如何写信的书)。

【尺度】chǐdù 名 标准：放宽～｜实践是检验真理的～。

【尺短寸长】chǐ duǎn cùn cháng 《楚辞·卜居》："尺有所短,寸有所长。"由于应用的地方不同,一尺也有显着短的时候,一寸也有显着长的时候。比喻人或事物各有各的长处和短处。

【尺幅千里】chǐ fú qiān lǐ 一尺长的图画,把千里的景象都画进去,比喻事物的外形虽小,但包含的内容非常丰富。

【尺骨】chǐgǔ 名 前臂中靠小指一侧的长骨,跟桡骨并排。上端较粗大,与肱骨相接,下端与腕骨相接。(图见 490 页"人的骨骼")

【尺蠖】chǐhuò 名 一种昆虫(尺蠖蛾)的幼虫,行动时身体向上弯成弧状,像用大拇指和中指量距离一样,所以叫尺蠖。

【尺码】chǐmǎ (～儿)名 ❶ 尺寸(多指鞋帽)：各种～的帽子。❷ 尺寸的大小；标准：两件事性质不一样,不能用一个～衡量。

【尺素】chǐsù 〈书〉名 一尺长的白色绢帛,古人多用来写信或作画,后来也借指书信或小的画幅：～寄情。

【尺头】chǐ·tou 〈方〉名 布帛：一匹～。

【尺头儿】chǐtóur 〈方〉名❶ 尺码②。❷ 零碎料子。

【尺页】chǐyè 名 一尺见方的书画单页或书画册：一幅～|花鸟～。

【尺子】chǐ·zi 名 量长度的器具。

呎 chǐ 又 yīngchǐ 量 英尺旧也作呎。

齿（齒） chǐ ❶ 牙①。❷ (～儿)名 物体上齿形的部分：锯～儿|梳～儿|篦子缺了几个～儿。❸ 带齿儿的：～轮。❹〈书〉并列；引为同类：～列|不～于人类。❺〈书〉年龄：序～|德俱尊。❻〈书〉说到；提起：～及|不足～数（shǔ）

【齿唇音】chǐchúnyīn 名 上齿和下唇接触而发出的辅音，如普通话语音中的 f。也叫唇齿音。

【齿及】chǐjí〈书〉动 说到；提及：区区小事，何足～。

【齿冷】chǐlěng〈书〉动 耻笑（笑则张口，时间长了，牙齿就会感觉到冷）：令人～。

【齿录】chǐlù〈书〉❶ 动 录用：未蒙～。❷ 名 科举时代同登一榜的人，各具姓名、年龄、籍贯、三代，汇刻成册，叫做齿录。

【齿轮】chǐlún 名 机器上有齿的轮状机件。通常是成对啮合，其中一个转动，另一个被带动。作用是改变传动方向，另一个方向、转动速度、力矩等。

【齿数】chǐshǔ〈书〉动 说起；提起：不足～（不值得提起）。

侈 chǐ〈书〉❶ 浪费：奢～。❷ 夸大：～谈。

【侈靡】（侈糜）chǐmí〈书〉形 奢侈浪费。

【侈谈】chǐtán〈书〉❶ 动 夸大而不切实际地谈论。❷ 名 夸大而不切实际的话。

耻（恥） chǐ ❶ 羞愧：可～|知～。❷ 耻辱：雪～|奇～大辱|不以为～，反以为荣。

【耻骨】chǐgǔ 名 骨盆下部靠近外生殖器的骨头，形状不规则，左右两块结合在一起。（图见 490 页"人的骨骼"）

【耻辱】chǐrǔ 名 声誉上所受的损害；可耻的事情：蒙受～|莫大的～。

【耻笑】chǐxiào 动 鄙视和嘲笑：被人～。

豉 chǐ 见 332 页〖豆豉〗。

褫 chǐ〈书〉❶ 脱去；解下：解佩而～绅。❷ 剥夺：～革|～职。

【褫夺】chǐduó〈书〉动 剥夺。

chì（彳）

彳 chì［彳亍］(chìchù)〈书〉动 慢步走，走走停停：独自在河边～。

叱 chì ❶ 大声责骂：怒～|～问。❷ (Chì)名 姓。

【叱干】Chìgān 名 姓。

【叱呵】chìhē 动 大声怒斥：怒～部下|～牲口。

【叱喝】chìhè 动 叱呵；厉声～。

【叱令】chìlìng 动 呵斥责令；喝令：～退出|匪徒放下武器。

【叱骂】chìmà 动 责骂。

【叱问】chìwèn 动 责问；大声问。

【叱责】chìzé 动 大声地斥责：他从不当着客人的面～孩子。

【叱咤】chìzhà〈书〉动 发怒吆喝。

【叱咤风云】chìzhà fēngyún 形容声势威力很大。

斥¹ chì ❶ 责备：申～|驳～|痛～|怒～。❷ 使离开：排～|～逐。❸〈书〉拿出(钱)：～资。❹〈书〉扩展：～地。

斥² chì〈书〉侦察：～候|～骑(担任侦察的骑兵)。

斥³ chì〈书〉斥卤。

【斥地】chìdì〈书〉动 开拓疆土：～千里。

【斥革】chìgé 动 开除；取消：～功名。

【斥候】chìhòu〈书〉❶ 动 侦察(敌情)。❷ 名 指进行侦察的士兵。

【斥力】chìlì 名 物体之间相互排斥的力。带同性电荷的物体之间、同性磁极之间的作用力就是斥力。

【斥卤】chìlǔ〈书〉名 指含有过多的盐碱成分，不宜耕种的土地。

【斥骂】chìmà 动 责骂：高声～。

【斥卖】chìmài〈书〉动 变卖；卖掉：～房产。

【斥退】chìtuì 动 ❶ 旧时指免去官吏的职位或开除学生的学籍。❷ 喝令旁边的人退出去：～左右。

【斥问】chìwèn 动 责问：大声～。

【斥责】chìzé 动 用严厉的言语指出别人的错误或罪行：受到～|～这种不讲公德的行为。

【斥逐】chìzhú〈书〉动 驱逐：～入侵之敌。

【斥资】chìzī〈书〉动 出钱：～百万|～创建学校。

赤 chì ❶ 比朱红稍浅的颜色。❷ 泛指红色：～小豆|面红耳～。❸ 象征革命，表示用鲜血争取自由：～卫队。❹ 忠诚：～胆|～诚。❺ 动 光着；露着（身体）：～脚|～膊。❻ 空：～手空拳。❼ 指赤金：金无足～。❽（Chì）名 姓。

【赤背】chì∥bèi 动 光着上身。

【赤膊】chìbó ❶（～儿）动 赤裸着胳膊，也指光着上身：～上阵|男人们赤着膊在地里锄草。❷ 名 光着的上身。

【赤膊上阵】chì bó shàng zhèn 比喻不讲策略或毫无掩饰地做某事。

【赤潮】chìcháo 名 由于海洋富营养化，使某些浮游生物暴发性繁殖和高度密集所引起的海水变红的现象。多发生在近海海域。赤潮造成海水严重污染，鱼虾、贝类等大量死亡。也叫红潮。

【赤忱】chìchén〈书〉❶ 形 赤诚：～相见。❷ 名 极真诚的心意：一片～。

【赤诚】chìchéng 形 非常真诚：～待人。

【赤胆忠心】chì dǎn zhōng xīn 形容十分忠诚。

【赤道】chìdào 名 ❶ 环绕地球表面与南北两极距离相等的圆周线。它把地球分为南北两半球，是划分纬度的基线，赤道的纬度是0°。❷ 指天球赤道，就是地球赤道面和天球相交形成的大圆圈。

【赤地】chìdì〈书〉名 旱灾或虫灾严重时，寸草不生的土地：～千里。

【赤豆】chìdòu 名 ❶ 一年生草本植物，叶子互生，花黄色。种子暗红色，供食用。❷ 这种植物的种子。‖也叫红小豆或赤小豆。

【赤红】chìhóng 形 红①：～脸儿。

【赤脚】chìjiǎo ❶（～儿）动 光着脚（一般指不穿鞋袜，有时只指不穿袜子）：～穿草鞋|农民赤着脚在田里插秧。❷ 名 光着的脚：一双～。

【赤脚医生】chìjiǎo yīshēng 20世纪60—70年代指农村里亦农亦医的医务工作人员。

【赤金】chìjīn 名 纯金。

【赤鹿】chìlù 名 马鹿。

【赤露】chìlù 动（身体）裸露：～着胸口。

【赤裸】chìluǒ 动 ❶（身体）裸露：全身～|～着上身|他～着脚走路。❷ 比喻毫无遮盖掩饰：～的原野。

【赤裸裸】chìluǒluǒ（～的）形 状态词。❶ 形容光着身子，不穿衣服。❷ 形容毫无遮盖掩饰：～的侵略行径。

【赤眉】Chìméi 名 西汉末年樊崇等领导的农民起义军，因用赤色涂眉做记号，所以叫赤眉。

【赤贫】chìpín 形 穷得什么也没有：～如洗。

【赤身】chìshēn 动 光着身子：～裸体。

【赤手空拳】chì shǒu kōng quán 形容两手空空，没有任何可以凭借的东西。

【赤条条】chìtiáotiáo（～的）形 状态词。形容光着身体，一丝不挂，毫无遮掩。

【赤县】Chìxiàn 名 指中国。参看1213页【神州】。

【赤小豆】chìxiǎodòu 名 赤豆。

【赤心】chìxīn 名 真诚的心：～相待|报国。

【赤眼鳟】chìyǎnzūn 名 鱼，身体前部圆筒形，后部侧扁，银灰色，眼上缘红色，生活在淡水中。

【赤子】chìzǐ 名 ❶ 初生的婴儿：～之心（比喻纯洁的心）。❷ 对故土怀有纯真感情的人：海外～。

【赤字】chìzì 名 指经济活动中支出多于收入的差额数字。簿记上登记这种数目时，用红笔书写。

【赤足】chìzú ❶（～儿）动 赤脚①：～走路。❷ 名 赤脚②：一双～。

饬(飭) chì〈书〉❶ 整顿；整治：整～。❷ 饬令：～其遵办。❸ 谨慎：谨～。

【饬令】chìlìng〈书〉动 上级命令下级（多用于旧时公文）：～查办。

抶 chì〈书〉鞭打；笞。

炽(熾) chì ❶〈书〉（火）旺。❷ 热烈旺盛：～热|～烈。

【炽烈】chìliè 形（火）旺盛猛烈：篝火在～地燃烧◇～的感情。

【炽热】chìrè 形 极热：～的阳光◇～的情

感。

【炽盛】chìshèng 形 很旺盛：火势～。

翅(翄) chì ❶ 名 昆虫的飞行器官，一般是两对，呈膜状，上面有翅脉，有的前翅变成角质或革质。通常又指鸟类等动物的飞行器官。通称翅膀。❷ 名 翅果向外伸出呈翅状的果皮。❸ 名 鱼翅：～席。❹（～儿）名 物体上形状像翅膀的部分：纱帽有两个～儿。
〈古〉又同"啻"。

【翅膀】chìbǎng 名 ❶ 翅①的通称。❷ 物体上形状或作用像翅膀的部分：飞机～。

【翅果】chìguǒ 名 果实的一种，一部分果皮向外伸出，像翅膀，借着风力把种子散布到远处，如榆钱。

【翅脉】chìmài 名 昆虫翅上分布成脉状的构造，有支撑的作用。

【翅席】chìxí 名 指菜肴中有鱼翅的宴席。

【翅子】chì·zi 名 ❶ 鱼翅。❷〈方〉翅膀。

敕(勅、勑) chì 皇帝的诏令：宣～|～命|～封|～撰。

【敕封】chìfēng 动 指朝廷以敕令封赏（官爵、称号）。

【敕建】chìjiàn 动 奉帝王命令修建。

【敕令】chìlìng ❶ 动 皇帝下达命令。❷ 名 皇帝下达的命令。

【敕书】chìshū 名 皇帝颁给朝臣的诏书。

【敕造】chìzào 动 奉帝王命令建造。

啻 chì〈书〉副 但；只；仅：不～|何～|奚～。

傺 chì 见144页[侘傺]。

鷘(鶒) chì 见1458页[鸂鷘]。

瘛 chì [瘛疭](chìzòng)同"瘛疭"。另见1761页 zhì。

憏 chì 见145页[侘憏]。

瘛 chì [瘛疭](chìzòng)动 中医指痉挛；抽风。也作瘛疭。

---

chōng（ㄔㄨㄥ）

冲¹(衝、沖) chōng ❶ 通行的大道；重要的地方：要～|首当其～。❷ 动 很快地朝某一方向直闯，突破障碍：横～直撞|～出重围|直～云霄◇～口而出。❸ 猛烈地撞击（多用于对对方思想感情的抵触方面）：～突|～犯。❹ 动 指冲喜。❺ 名 太阳系中，除水星和金星外，其余的某一个行星（如火星、木星或土星）运行到跟地球、太阳成一条直线而地球正处在这个行星与太阳之间的位置时，叫做冲。这时，这个行星日落时从东方升起，日出时从西方落下。

冲²(衝、沖) chōng ❶ 动 用开水等浇：～茶|～鸡蛋。❷ 动 冲洗①；冲击：～刷|用水把碗～干净|大水～坏了河堤。❸ 动 冲洗②：～胶卷。❹ 动 互相抵消：～账。❺（Chōng）名 姓。

冲³(沖) chōng〈方〉名 山区的平地：～田|韶山～（地名，在湖南）|翻过山就有一个很大的～。
另见191页 chòng。

【冲程】chōngchéng 名 行程③的通称。

【冲冲】chōngchōng 形 感情激动的样子：兴～|怒气～。

【冲刺】chōngcì 动 ❶ 跑步、滑冰、游泳等体育竞赛中临近终点时全力向前冲。❷ 比喻接近目标或快要成功时做最大的努力：这项工程已进入～阶段。

【冲淡】chōngdàn 动 ❶ 加进别的液体，使原来的液体在同一个单位内所含成分相对减少：把80度酒精～为50度。❷ 使某种气氛、效果、感情等减弱：加了这一场，反而把整个剧本的效果～了。

【冲抵】chōngdǐ 动 冲销。

【冲顶】¹ chōngdǐng 动 足球比赛中运动员向前跃起用头顶球。

【冲顶】² chōngdǐng 动 登山中临近顶峰时奋力攀登。

【冲动】chōngdòng ❶ 名 能引起某种行为的神经兴奋：创作～。❷ 形 情感特别强烈，不能理智地控制自己：不要～，应当冷静考虑问题。

【冲犯】chōngfàn 动 言语或行为与对方抵触，冒犯了对方：他一时不能够控制自己，说了几句过火的话，～了叔父。

【冲锋】chōngfēng 动 进攻的部队向敌人迅猛前进，用冲锋枪、手榴弹、刺刀等和敌人进行战斗。

【冲锋枪】chōngfēngqiāng 名 单人使用

的全自动枪,枪身较短,通常双手握持,用于近战和冲锋,能以密集火力射击,有效射程约 200 米。

【冲锋陷阵】 chōng fēng xiàn zhèn ❶ 向敌人冲锋,深入敌人阵地,形容作战英勇。❷ 泛指为正义事业英勇斗争。

【冲服】 chōngfú ❶ 服药的一种方式,用水或酒等调药冲下去。

【冲高】 chōnggāo 〔动〕迅速地达到比较高的价位、指数等：股价呈现～回落的态势。

【冲击】 chōngjī 〔动〕❶(水流等)撞击物体：海浪～着石崖。❷冲锋：向敌人阵地发起～。❸比喻干扰或打击使受到影响：在外来商品～下,当地一些工厂停止了生产。

【冲击波】 chōngjībō 〔名〕❶ 通常指核爆炸时,爆炸中心压力急剧升高,使周围空气猛烈震荡而形成的波动。冲击波以超声速的速度从爆炸中心向周围冲出,具有很大的破坏力,是核爆炸重要的杀伤破坏因素之一。❷指由超声速运动产生的强烈压缩气流。❸比喻使某种事物受到影响的强大力量。

【冲击机】 chōngjījī 〔名〕强击机的旧称。

【冲积】 chōngjī 〔动〕高地的沙砾、泥土被水流冲到河谷低洼地区沉积下来。

【冲剂】 chōngjì 〔名〕中药剂型的一种,把药材煎汁、浓缩加糖等制成,颗粒状,用开水冲服,如感冒冲剂。

【冲决】 chōngjué 〔动〕❶水流冲破堤岸：～河堤。❷突破束缚、限制：～罗网。

【冲扩】 chōngkuò 〔动〕冲洗并扩印(照片)：～机｜～彩照。

【冲浪】 chōnglàng 〔动〕水上体育运动之一。运动员脚踏特制的冲浪板随海浪快速滑行,用全身的协调动作保持身体的平衡。

【冲力】 chōnglì 〔名〕运动物体由于惯性作用,在动力停止后还继续运动的力量。

【冲凉】 chōng//liáng 〈方〉〔动〕洗澡。

【冲量】 chōngliàng 〔名〕作用在物体上的力和力的作用时间的乘积叫做冲量。

【冲破】 chōngpò 〔动〕突破某种状态、限制等：～封锁｜～禁区｜～障碍｜火光～漆黑的夜空。

【冲杀】 chōngshā 〔动〕在战场上迅速前进并杀伤敌人：奋勇～。

【冲刷】 chōngshuā 〔动〕❶一面用水冲,一面刷去附着的东西：把汽车～得干干净

净。❷水流冲击,使土石流失或剥蚀：岩石上有被洪水～过的痕迹。

【冲腾】 chōngténg 〔动〕(气体等)向上冲；升腾：热气～而出。

【冲天】 chōngtiān 〔动〕冲向天空,比喻情绪高涨而猛烈：怒气～｜～的干劲。

【冲田】 chōngtián 〔名〕丘陵地区的谷地水稻田,地势较平缓。

【冲突】 chōngtū 〔动〕❶ 矛盾表面化,发生激烈争斗：武装～｜言语～。❷互相矛盾；不协调：文章的论点前后～｜因时间～,会开不成了。

【冲洗】 chōngxǐ 〔动〕❶用水冲,使附着的东西去掉：路面经过～后,显得格外干净了。❷把已经拍摄的胶片进行显影、定影等：～放大。

【冲喜】 chōng//xǐ 旧时迷信风俗,家中有人病重时,用办理喜事(如娶亲)等举动来驱除邪祟,希望转危为安。

【冲销】 chōngxiāo 〔动〕会计上指将有关账户内原记的数额部分或全部减除。

【冲要】 chōngyào ❶ 〔形〕处于全国的或某一个地区的重要道路的会合点,因而形势重要：徐州地处京沪铁路和陇海铁路的交叉点,是个十分～的地方。❷〈书〉〔名〕指重要的职位：久居～。

【冲澡】 chōng//zǎo 〔动〕用水冲洗身体；洗澡。

【冲账】 chōng//zhàng 〔动〕收支账目互相抵消,或两户应支付的款项互相抵消。

【冲撞】 chōngzhuàng 〔动〕❶撞击：海浪～着山崖。❷冲犯：我很后悔不该失言～她。

充 chōng ❶ 满：～沛｜～分｜～量。❷ 〔动〕装满；塞住：～电｜～塞｜～耳不闻。❸ 担任；当：～当｜～任。❹ 〔动〕冒充：～行家｜以次～好｜打肿脸～胖子。❺ (Chōng)〔名〕姓。

【充畅】 chōngchàng 〔形〕(商品的来源、文章的气势)充沛畅达：货源～。

【充斥】 chōngchì 〔动〕充满；塞满(含厌恶意)：不能让质量低劣的商品～市场。

【充当】 chōngdāng 〔动〕取得某种身份；担任某种职务：～调解人｜～大会主席。

【充电】 chōng//diàn 〔动〕❶ 把直流电源接到蓄电池的两极上,使蓄电池获得放电能力。也泛指用其他方式补充电能。❷比

喻通过学习补充知识、提高技能等；为适应新的形势，每个人都需要通过不断～来提高自己。

【充耳不闻】chōng ěr bù wén 塞住耳朵不听,形容不愿听取别人的意见。

【充分】chōngfèn 圈❶ 足够(多用于抽象事物)：你的理由不～|准备工作做得很～。❷ 尽量：～利用有利条件|必须～发挥群众的智慧和力量。

【充公】chōng//gōng 勖 把违法者或犯罪者与案情有关的财物没收归公。

【充饥】chōng//jī 勖 解饿：他带了几个烧饼,预备在路上～。

【充军】chōngjūn 勖 古代的一种流刑,把罪犯解到边远地方当兵或服劳役。

【充满】chōngmǎn 勖❶ 填满；布满：她眼里～泪水|欢呼声～了会场。❷ 充分具有：～激情|歌声里～着信心和力量。

【充沛】chōngpèi 圈 充足而旺盛：雨水～|精力～|～的感情。

【充其量】chōngqíliàng 剾 表示做最大限度的估计；至多：这箱苹果～不过六十斤|～十天就可以完成这个任务。

【充任】chōngrèn 勖 担任：挑选懂得管理并精通技术的人～车间主任。

【充塞】chōngsè 勖 塞满；填满：库房里～着杂乱物品。

【充实】chōngshí ❶ 圈 丰富；充足(多指内容或人员物力的配备)：库存～|文字流畅,内容～。❷ 勖 使充足；加强：选拔优秀干部～基层。

【充数】chōng//shù 勖 用不胜任的人或不合格的物品来凑足数额：滥竽～|要是人手实在不够,就由我去充个数吧。

【充血】chōngxuè 勖 局部组织或器官,因小动脉、小静脉以及毛细血管扩张而充满血液。如消化时的胃肠、运动时的肌肉都有充血现象。

【充溢】chōngyì 勖 充满；流露：诗里～着江南的田园情趣|孩子们的脸上～着幸福的笑容。

【充盈】chōngyíng ❶ 勖 充满：泪水～|剧场里～着欢快的笑声。❷〈书〉圈(肌肉)丰满：肌肤～。

【充裕】chōngyù 圈 充足有余；宽裕：经济～|他有～的时间备课。

【充值】chōng//zhí 勖 给信用卡、电信卡等补充钱款。

【充足】chōngzú 圈 多到能满足需要：光线～|经费～|请假要有～的理由。

忡（憁）
chōng〈书〉忧虑不安。

【忡忡】chōngchōng〈书〉圈 忧愁的样子：忧心～。

茺
chōng [茺蔚](chōngwèi) 名 益母草。

涌
chōng〈方〉河汊(多用于地名)：河～|虾～(在广东)。
另见1642页 yǒng。

翀
chōng〈书〉鸟直着向上飞。

舂
chōng 勖 把东西放在石臼或乳钵里捣去皮壳或捣碎：～米|～药。

惷
chōng〈书〉愚笨。

憧
chōng 见下。

【憧憧】chōngchōng 圈 形容往来不定或摇曳不定：人影～|灯影～。

【憧憬】chōngjǐng 勖 向往：～着幸福的明天|心里充满着对未来的～。

罿
chōng〈书〉❶ 捕鸟的网。❷ 捕鱼的网。

艟
chōng 见936页[艨艟]。

chóng（彳ㄨㄥˊ）

虫（蟲）
chóng ❶(～儿)名 虫子：～灾|米里生～儿了。❷ 比喻具有某种特点的人(多含轻蔑意)：书～|网～|可怜～|应声～|糊涂～。

【虫草】chóngcǎo 名 冬虫夏草的简称。

【虫害】chónghài 名 昆虫或蛛螨等对植物造成的危害,如引起植物生长缓慢、枯萎或死亡。

【虫口】chóngkǒu 名 指一定范围内某些昆虫个体的数量：～密度。

【虫情】chóngqíng 名 农业害虫潜伏、发生和活动的情况：做好～预报、预测工作。

【虫牙】chóngyá 名 龋齿(qǔchǐ)的俗称。

【虫眼】chóngyǎn（～儿)名 果肉、种子、树木、木器等上面虫蛀的小孔。

【虫瘿】chóngyǐng 名 植物体受到害虫或真菌的刺激,一部分组织畸形发育而形成的瘤状物。

【虫灾】chóngzāi 名 因虫害较重而造成的灾害。

【虫豸】chóngzhì〈书〉名 虫子。

【虫子】chóng·zi 名 昆虫和类似昆虫的小动物。

种 Chóng 名 姓。
另见 1768 页 zhǒng;1770 页 zhòng。

重 chóng ❶ 动 重复:～出|书买～了。❷ 副 重新;再:～逢|旧地～游|～写一遍。❸ 量 层:云山万～|突破一～又一～的困难。❹ 动 使重叠在一起;摞:把两领席～在一起。❺(Chóng)名 姓。
另见 1770 页 zhòng。

【重版】chóngbǎn 动(书刊)重新出版。

【重瓣胃】chóngbànwèi 名 瓣胃。

【重播】[1] chóngbō 动 已播过种子的地方重新播上种子。

【重播】[2] chóngbō 动(广播电台、电视台)重新播放已播放过的节目。

【重茬】chóngchá 动 连作。

【重唱】chóngchàng 名 两个或两个以上的歌唱者,各按所担任的声部演唱同一歌曲,这种演唱形式叫重唱。按声部和人数多少,可分为二重唱、三重唱、四重唱等。

【重重】chóngchóng 形 一层又一层,形容很多:～包围|困难～|顾虑～。

【重出】chóngchū 动 重复出现(多指文字、文句)。

【重蹈覆辙】chóng dǎo fù zhé 再走翻过车的老路,比喻不吸取失败的教训,重犯过去的错误。

【重叠】chóngdié 动(相同的东西)一层层堆叠:山峦～|精简～的机构。

【重读】chóngdú 动 学生因成绩不合格而留在原来的年级重新学习:～生。
另见 1771 页 zhòngdú。

【重返】chóngfǎn 动 重新回到(原来所在的地方):～前线|～故乡。

【重逢】chóngféng 动 再次遇到(多指长时间不见的):故友～|久别～。

【重复】chóngfù 动 ❶(相同的东西)又一次出现:内容～|这一段的意思跟第二段～

了。❷ 又一次做(相同的事情):他把说过的话又～了一遍。

【重光】chóngguāng 动 ❶ 重新见到光明:大地～。❷ 光复:驱逐外寇,～河山。

【重合】chónghé 动 两个或两个以上的几何图形占有同一个空间,叫做重合。

【重婚】chónghūn 动 法律上指已有配偶而又和别的人结婚。

【重茧】chóngjiǎn 同"重趼"。

【重趼】chóngjiǎn 名 手上或脚上磨的厚趼子。也作重茧。

【重见天日】chóng jiàn tiān rì 比喻脱离黑暗环境,重新见到光明。

【重九】Chóngjiǔ 名 重阳。

【重峦叠嶂】chóng luán dié zhàng 重重叠叠的山峰。

【重落】chóng·luo〈方〉动 病有转机后又变严重:他的病刚好了点儿,又～了。

【重码】chóngmǎ ❶ 动 两个或两个以上的编码相同,造成重复,叫做重码。❷ 名 两个或两个以上相同而重复的编码。

【重名】chóngmíng(～儿)动 同名。

【重申】chóngshēn 动 再一次申述:～我国的对外政策。

【重审】chóngshěn 动 原审法院的判决在第二审程序中被上级法院撤销而重新审理。

【重生】chóngshēng 动 ❶ 死而复生。❷ 机体的组织或器官的某一部分丧失或受到损伤后,重新生长。

【重生父母】chóngshēng fùmǔ 再生父母。

【重孙】chóngsūn 名 孙子的儿子。也叫重孙子(chóngsūn·zi)。

【重孙女】chóngsūn·nǚ(～儿)名 孙子的女儿。

【重沓】chóngtà〈书〉形 重复烦冗。

【重围】chóngwéi 名 层层的包围:杀出～。

【重温旧梦】chóng wēn jiùmèng 比喻把过去美好的事情重新经历或回忆一次。

【重文】chóngwén〈书〉名 异体字。

【重五】Chóngwǔ 同"重午"。

【重午】Chóngwǔ 名 旧时称端午。也作重五。

【重现】chóngxiàn 动(过去的事情)重新显现:影片～了农民起义的壮阔场面。

【重霄】 chóngxiāo 〈书〉名 指极高的天空。古代传说天有九重。也叫九重霄。

【重新】 chóngxīn 副 ❶ 再一次;~抄写一遍|他~来到战斗过的地方。❷ 表示从头另行开始(变更方式或内容):~部署|~做人。

【重行】 chóngxíng 动 重新进行(某种活动):~颁布|~起草。

【重修】 chóngxiū 动 ❶ 重新翻修(建筑物等):~古寺|~马路。❷ 重新修订或编写:~县志。

【重修旧好】 chóng xiū jiùhǎo 恢复以往的交谊。

【重言】 chóngyán 名 修辞方式,重叠单字,以加强描写效果,如"桃之夭夭,灼灼其华"《诗经·周南·桃夭》),"天苍苍,野茫茫,风吹草低见牛羊"(北朝乐府诗《敕勒歌》)。

【重演】 chóngyǎn 动 重新演出,比喻相同的事再次出现:不让历史的悲剧~。

【重阳】 Chóngyáng 名 我国传统节日,农历九月初九日。在这一天有登高的风俗。

【重洋】 chóngyáng 名 一重重的海洋:远涉~。

【重样】 chóngyàng (~儿) 动 样式相同:买了五张邮票,没有~的。

【重译】 chóngyì 动 ❶ 重复翻译;重新翻译。❷ 从译文翻译。

【重印】 chóngyìn 动 (书刊)重新印刷。

【重影】 chóngyǐng 名 部分重叠在一起的模糊不清的图像或文字。

【重圆】 chóngyuán 动 亲人长久分离、失散后重又团聚:多年离散,今日~,悲喜交集。

【重张】 chóngzhāng 动 指商店重新开业。

【重振旗鼓】 chóng zhèn qí gǔ 重整旗鼓。

【重整旗鼓】 chóng zhěng qí gǔ 指失败之后,重新集合力量干于(摇旗和击鼓是古代进军的号令)。也说重振旗鼓。

【重奏】 chóngzòu 名 两个或两个以上的人各按所担任的声部,同时用不同乐器或同一种乐器演奏同一乐曲,这种演奏形式叫重奏。按声部和人数的多少,可分为二重奏、三重奏、四重奏等。

【重足而立】 chóng zú ér lì 后脚紧挨着前脚,不敢迈步,形容非常恐惧。

【重组】 chóngzǔ 动 (企业、机构等)重新组合:资产~|对小企业进行~改造。

崇 chóng ❶ 高:~山峻岭。❷ 重视;尊敬;尊~|推~。❸ (Chóng)名姓。

【崇拜】 chóngbài 尊敬钦佩:~英雄人物。

【崇奉】 chóngfèng 动 信仰;崇拜:~礼教|~圣人。

【崇高】 chónggāo 形 最高的;最高尚的:品格~|实现共产主义是我们的~理想。

【崇敬】 chóngjìng 动 推崇尊敬:~的心情|英雄的高尚品质为人~。

【崇山峻岭】 chóng shān jùn lǐng 高而险峻的山岭。

【崇尚】 chóngshàng 动 尊重;推崇:~正义|~俭朴。

【崇洋】 chóngyáng 动 崇拜外国:盲目~|~媚外|~思想。

【崇仰】 chóngyǎng 动 崇拜信仰;崇敬仰慕:~真理。

【崇祯】 Chóngzhēn 名 明思宗(朱由检)年号(公元 1628—1644)。

chǒng （ㄔㄨㄥˇ）

宠(寵) chǒng ❶ 动 宠爱;偏爱:得~|别把孩子~坏了。❷ (Chǒng)名姓。

【宠爱】 chǒng'ài 动 (上对下)喜爱;娇纵偏爱:母亲最~小女儿。

【宠儿】 chǒng'ér 名 比喻受到宠爱的人:时代的~。

【宠溺】 chǒngnì 动 娇宠溺爱:过于钟爱~。

【宠辱不惊】 chǒng rǔ bù jīng 受宠或受辱都不为所动,形容把得失置之度外。

【宠物】 chǒngwù 名 指家庭豢养的受人喜爱的小动物,如猫、狗等◇照相机成了农民新的~。

【宠信】 chǒngxìn 动 宠爱信任(多含贬义):~奸佞|深得上司~。

【宠幸】 chǒngxìng 动 (地位高的人对地位低的人)宠爱。

【宠用】 chǒngyòng 动 宠爱任用(多含贬义):倍受~。

chòng （彳ㄨㄥˋ）

冲¹（衝） chòng 〈口〉形 ❶ 水流的冲（chōng）力大：水流得太～，缺口堵不住。❷ 劲头儿足：这小伙子干活儿真～。❸ 气味浓烈刺鼻：酒味儿很～。

冲²（衝） chòng 〈口〉❶ 动 面对；向：楼门～着花坛│这座别墅北面靠山，南面～着大海。❷ 介 表示动作的方向：他扭过头来～我笑了笑。❸ 介 凭；根据：就～着这几句话，我也不能不答应│他们这股子干劲儿，一定可以提前完成任务。

冲³（衝） chòng 动 冲压：～床│模│在铝板上～一个圆孔。
另见 186 页 chōng。

【冲床】chòngchuáng 名 金属冲压机床，主要用来使金属板成型或在金属板上冲孔。汽车外壳等就是用冲床加工制成的。

【冲吨儿】chòng/dūnr 〈方〉动 打吨儿。

【冲劲儿】chòngjìnr 名 ❶ 敢做、敢向前冲（chōng）的劲头儿：这姑娘挺有～，一个人干了两个人的活儿。❷ 强烈的刺激性：这酒有～，少喝点儿。

【冲压】chòngyā 动 用冲床进行金属加工。

【冲子】chòng·zi 名 用金属做成的一种打眼工具。也作铳子。

晾 chòng 〈方〉动 困极小睡：瞌～│～一～。

铳（銃） chòng 名 一种旧式火器：火～│鸟～。

【铳子】chòng·zi 同"冲子"（chòng·zi）。

chōu （彳ㄡ）

抽¹ chōu 动 ❶ 把夹在中间的东西取出：从信封里～出信纸◇～不出身来。❷ 从中取出一部分：～查│我们单位～了五名同志支援边疆建设。❸（某些植物体）长出：～芽│谷子～穗。❹ 吸：～烟│池塘里的水已经～干了。

抽² chōu 动 ❶ 收缩：这件衣服刚洗一水就～了不少。❷ 打（多指用条状

物）：～陀螺│鞭子一～，马就跑了起来。❸ 用球拍猛力击打（球）：～杀│把球～过去。

【抽测】chōucè 动 抽取一部分进行测量或测验：～车速│～学习成绩。

【抽查】chōuchá 动 抽取一部分进行检查：最近～了一些食堂，卫生工作都做得很好。

【抽成】chōu//chéng 动 提成。

【抽抽儿】chōu·chour 〈口〉动 ❶ 收缩：这块布一洗就～了。❷ 变得干瘪；萎缩：枣儿一晒就～了│这牛怎么越养越～?

【抽搐】chōuchù 动 肌肉不随意地收缩的症状，多见于四肢和颜面。也说抽搦。

【抽搭】chōu·da 〈口〉动 一吸一顿地哭泣：那孩子捂着脸不停地～│抽抽搭搭地哭。

【抽打】chōudǎ 动（用条状物）打：赶车人挥着鞭子，不时地～着牲口。

【抽打】chōu·da 动 用掸子、毛巾等在衣物上打，以除掉灰尘：大衣上满是土，得～～。

【抽调】chōudiào 动 从中调出一部分（人员、物资）：～部分科研人员加强重大课题研究。

【抽丁】chōu//dīng 动 旧时统治者强迫青壮年去当兵。也说抽壮丁。

【抽斗】chōudǒu 〈方〉名 抽屉。

【抽肥补瘦】chōu féi bǔ shòu 比喻抽取有余的补给不足的，使相互平均或平衡。

【抽风】¹ chōu//fēng 动 ❶ 手脚痉挛、口眼喎斜的症状；惊厥。❷ 比喻做事违背常情：你抽什么风，半夜三更了还唱歌?

【抽风】² chōu//fēng 动 利用一定装置把空气吸进来：～灶│利用自然抽风代替电力吹风的灶。

【抽检】chōujiǎn 动 抽查：～的产品中，符合标准的占大多数。

【抽奖】chōu//jiǎng 动 用抽签等方式确定获奖者：～活动│由特约嘉宾～。

【抽筋】chōu//jīn （～儿）〈口〉动 筋肉痉挛：腿受了寒，直～儿。

【抽考】chōukǎo 动 抽出部分人或某科目进行考试：在几个中学的初二学生中举行～，我校成绩优良│这次代数～，得满分的超过一半。

【抽空】chōu//kòng （～儿）动 挤出时间（做别的事情）：工作再忙，也要～学习。

【抽冷子】chōulěng·zi〈方〉副 突然；乘人不备：～一瞧,把人吓一跳。

【抽搦】chōunuò 动 抽搐。

【抽泣】chōuqì 动 一吸一顿地哭泣；暗自～|低声～。

【抽签】chōu∥qiān (～儿) 动 从许多做了标志的签儿中抽出一根或若干根,用来决定某些事情。

【抽青】chōu∥qīng 动 (草、木)发芽变绿：老树抽了青|草木～。

【抽取】chōuqǔ 动 从中收取或取出：～版税|～部分资金|～地下水。

【抽纱】chōushā ❶ 动 刺绣的一种。在亚麻布或棉布等材料上,根据图案设计,抽去花纹部分的经线或纬线,形成透空的花纹：～工艺。❷ 名 用抽纱方法制成的窗帘、台布、手帕等工艺品。

【抽身】chōu∥shēn 动 脱身离开：工作很忙,他一直抽不出身来。

【抽水】¹ chōu∥shuǐ 动 用水泵吸水。

【抽水】² chōu∥shuǐ 动 缩水。

【抽水机】chōushuǐjī 名 水泵。

【抽水马桶】chōushuǐ mǎtǒng 上接水箱,下通下水道的可自动冲水的瓷制马桶。

【抽税】chōu∥shuì 动 按税率收取税款。

【抽穗】chōu∥suì 动 指小麦、水稻、高粱、谷子等农作物由叶鞘中长出穗。

【抽缩】chōusuō 动 机体因受刺激而收缩：四肢～。

【抽薹】chōu∥tái 动 油菜、韭菜、蒜等蔬菜长出薹来。

【抽逃】chōutáo 动 (为逃避债务、隐匿财产、抗拒纳税等)暗中抽走(资金)。

【抽屉】chōu·ti 名 桌子、柜子等家具中可以抽拉的盛放东西用的部分,常作匣形。

【抽头】chōu∥tóu (～儿)动 ❶ 赌博时从赢得的钱里抽一小部分归赌博场所的主人或供役使的人。❷ 泛指经手人从中取好处：这些产品在销售中几经转手,环环～,损害了消费者的利益。

【抽闲】chōuxián 动 抽空：忙中～。

【抽象】chōuxiàng ❶ 动 从许多事物中,舍弃个别的、非本质的属性,抽出共同的、本质的属性,叫抽象,是形成概念的必要手段。❷ 形 不能具体经验到的,笼统的；空洞的：看问题要根据具体的事实,不能从～的定义出发。

【抽象劳动】chōuxiàng láodòng 撇开各种具体形式的人类一般劳动。即劳动者的脑力、体力在生产中的消耗。在商品生产条件下,抽象劳动形成商品的价值(跟"具体劳动"相对)。

【抽象思维】chōuxiàng sīwéi 见 900 页【逻辑思维】。

【抽选】chōuxuǎn 动 从中抽出,挑选：～5 000 户居民家庭作为调查对象。

【抽芽】chōu∥yá 动 植物长出芽来。

【抽验】chōuyàn 动 抽取一部分进行检验：～产品性能。

【抽样】chōuyàng 动 从大量物品或材料中抽取少数做样品：～检验。

【抽噎】chōuyē 动 抽搭。

【抽咽】chōuyè 动 抽搭。

【抽绎】chōuyì 同"绌绎"(chōuyì)。

【抽印】chōuyìn 动 从整本书或刊物的印刷版中抽取一部分来单独印制：～本|～三百份。

【抽壮丁】chōu zhuàngdīng 抽丁。

挏¹(挏) chōu 〈书〉弹奏(乐器)。

挏²(挏) chōu 〈方〉从下面向上用力扶起(人)或掀起(重物)：我起不来,你～我一把|大家一齐使劲儿把石碑～了起来。

绌(紬) chōu 〈书〉❶ 引出。❷ 编辑。
另见 193 页 chóu。

【绌绎】chōuyì 〈书〉动 引出头绪。也作抽绎。

筲(篘) chōu 〈书〉❶ 滤酒的器具。❷ 过滤(酒)。

瘳 chōu 〈书〉❶ 病愈。❷ 损害。

犨 chōu 〈书〉❶ 拟声 牛喘息的声音。❷ 突出。

chóu (彳又)

仇(讎、讐) chóu ❶ 仇敌：疾恶如～|同～敌忾。❷ 名 仇恨：结～|血泪|他们两家有～。
另见 1121 页 Qiú。

【仇雠】chóuchóu 〈书〉名 仇敌。

【仇敌】chóudí 名 仇人；敌人：视为～。

【仇恨】chóuhèn ❶ 动 因利害冲突而强烈地憎恨：热爱人民，～敌人。❷ 名 因利害冲突而产生的强烈憎恨：民族的～。

【仇家】chóujiā 名 仇人。

【仇人】chóurén 名 因有仇恨而敌视的人：～相见，分外眼红。

【仇杀】chóushā 动 因有仇恨而杀害：～案。

【仇视】chóushì 动 以仇敌相看待：互相～|～侵略者。

【仇外】chóuwài 动 仇视外国或外族人：～心理。

【仇隙】chóuxì〈书〉名 仇恨：素无～。

【仇冤】chóuyuān 名 冤仇：结～|报～。

【仇怨】chóuyuàn 名 仇恨②；怨恨②：～极深。

绐（紬） chóu 同"绸"。
另见192页 chōu。

俦（儔） chóu〈书〉❶ 伴侣：～侣(伴侣)。❷ 等；辈：～类。

【俦类】chóulèi〈书〉名 同辈的人；同类。

帱（幬） chóu〈书〉❶ 帐子。❷ 车帷。
另见278页 dào。

惆 chóu〈书〉失意；悲痛。

【惆怅】chóuchàng 形 伤感；失意：～的心绪|别离之后，她心里感到一阵～。

绸（綢） chóu 绸子：纺～|～缎。

【绸缎】chóuduàn 名 绸子和缎子，泛指丝织品。

【绸缪】chóumóu〈书〉❶ 形 缠绵：情意～。❷ 动 见1423页【未雨绸缪】。

【绸子】chóu·zi 名 薄而软的丝织品。

畴（疇） chóu〈书〉❶ 田地：田～|平～千里。❷ 种类；类别：范～|物各有～。

【畴昔】chóuxī〈书〉名 从前。

酬（酧、醻） chóu ❶〈书〉主人向客人敬酒：～酢。❷ 报答：～谢。❸ 报酬：按劳取～|同工同～。❹ 交际往来：应～|～答。❺ 实现：壮志未～。

【酬报】chóubào 动 用财物或行动来报答：～救命之恩。

【酬宾】chóubīn 动 商业上指以优惠价格出售商品给顾客：～展销|开业头三天，以九五折～。

【酬唱】chóuchàng〈书〉用诗词互相赠答。

【酬答】chóudá 动 ❶ 酬谢：太感谢他了，真不知怎么～才好。❷ 用言语或诗文应答：这是一首～友人的小诗。

【酬对】chóuduì 动 应对；应答：善于～。

【酬和】chóuhè〈书〉动 用诗词应答：即席～。

【酬金】chóujīn 名 酬劳的钱：～丰厚。

【酬劳】chóuláo ❶ 动 酬谢(出力的人)：他备了一桌酒席，～帮助搬家的朋友。❷ 名 给出力的人的报酬：这点钱请收下，这是您应得的～。

【酬谢】chóuxiè 动 用金钱、礼物等表示谢意：这是我应该做的事，用不着～。

【酬应】chóuyìng 动 ❶ 应酬①：他不善于～。❷〈书〉应答；应对：～如流。

【酬酢】chóuzuò〈书〉动 宾主互相敬酒，泛指应酬。

稠 chóu ❶ 形 液体中含某种固体成分很多(跟"稀"相对)：粥很～|墨要研得～些。❷ 稠密：地窄人～|～人广众。

【稠糊】chóu·hu〈方〉形 稠①。

【稠密】chóumì 形 多而密：人烟～|枝叶～。

【稠人广众】chóu rén guǎng zhòng 指人多的场合。也说稠人广坐。

愁 chóu ❶ 动 忧虑：发～|不～吃，不～穿。❷ 忧伤的心情：乡～|离～|别绪。

【愁肠】chóucháng 名 指郁结愁闷的心绪：～百结|～寸断。

【愁城】chóuchéng〈书〉名 指愁苦的境地：陷入～。

【愁楚】chóuchǔ 形 忧愁痛苦：～万分。

【愁怀】chóuhuái 名 愁苦的情怀：一腔～。

【愁苦】chóukǔ 形 忧愁苦恼：～的面容。

【愁眉】chóuméi 名 发愁时皱着的眉头：～不展|～紧锁。

【愁眉苦脸】chóu méi kǔ liǎn 形容愁苦的神情。

【愁眉锁眼】chóu méi suǒ yǎn 形容忧愁、苦恼的样子(锁：紧皱)。

【愁闷】chóumèn 形忧愁烦闷：他近来心里很～。

【愁容】chóuróng 名发愁的面容：面带～。

【愁思】chóusī 名忧愁的思绪：～百结。

【愁绪】chóuxù 名忧愁的情绪：～萦怀。

【愁云】chóuyún 名比喻忧郁的神色：满脸～。

【愁云惨雾】chóu yún cǎn wù 形容使人感到愁闷凄惨的景象或气氛。

筹（籌）chóu ❶名竹、木或象牙等制成的小棍儿或小片儿，主要用来计数或作为领取物品的凭证：竹～|酒～（行酒令时所用的筹）。❷动筹划；筹措：统～|自～资金|～饷（筹措军饷）|～了一笔款。❸计策；办法：一～莫展|运～帷幄。

【筹办】chóubàn 动筹划办理：～婚事。

【筹备】chóubèi 动为进行工作、举办事业或成立机构等事先筹划准备：～展览|工作已经完成。

【筹措】chóucuò 动设法弄到（款子、粮食等）：～旅费|～军粮。

【筹划】chóuhuà 动❶想办法；定计划：这里正在～建设一座水力发电站。❷筹措：～资金|～建筑材料。

【筹集】chóují 动筹措聚集：～资金。

【筹建】chóujiàn 动筹划建立：～化肥厂。

【筹借】chóujiè 动设法借（财物）：～一笔款子。

【筹码】（筹马）chóumǎ （～儿）名❶计数和进行计算的用具，旧时常用于赌博。❷比喻在对抗或竞争中可以凭借的条件：政治～。❸证券市场指投资者持有的一定数量的证券：～集中。

【筹谋】chóumóu 动筹划谋虑：～解决问题的途径。

【筹拍】chóupāi 动筹划拍摄（电影、电视片等）：～反映祖国建设成就的大型纪录片。

【筹商】chóushāng 动筹划商议：～对策。

【筹算】chóusuàn 动❶用筹来计算；计算。❷谋划。

【筹资】chóu//zī 筹集资金：～办厂。

【筹组】chóuzǔ 动筹备组织；筹划组织：～工会|～考察团。

裯 chóu 〈书〉❶单层的被子。❷床上的帐子。

踌（躊）chóu 见下。

【踌躇】（躊躇）chóuchú ❶形犹豫：颇费～|～不决|～了半天，我终于直说了。❷〈书〉动停留；徘徊不前。❸〈书〉形得意的样子：～满志。

【踌躇满志】chóuchú mǎn zhì 形容对自己的现状或取得的成就非常得意。

雠[1]（讎、讐）chóu 校对文字：校～。

雠[2]（讎、讐）chóu 同"仇"（chóu）。

chǒu （彳又）

丑[1] chǒu 名❶地支的第二位。参看440页〖干支〗。❷（Chǒu）姓。

丑[2]（醜）chǒu ❶形丑陋；不好看（跟"美"相对）：～媳妇|长相太～。❷叫人厌恶或瞧不起的：～态|～闻。❸不好的、不光彩的事物：家～|出～。❹〈方〉形坏；不好：脾气～。

丑[3] chǒu 名戏曲角色行当，扮演滑稽人物，鼻梁上抹白粉，有文丑、武丑之分。也叫小花脸或三花脸。

【丑八怪】chǒubāguài 名指长得很丑的人。

【丑表功】chǒubiǎogōng 动不知羞耻地吹嘘自己的功劳。

【丑旦】chǒudàn 名彩旦。

【丑诋】chǒudǐ〈书〉动用很难听的话骂人。

【丑恶】chǒu'è 形丑陋恶劣：～嘴脸。

【丑化】chǒuhuà 动把本来不丑的事物弄成丑的或形容成丑的：～现实生活|人物形象被～了。

【丑话】chǒuhuà 名❶粗俗难听的话：这种～不堪入耳。❷指不中听的话（多带有提醒、警告的意思）：咱们把～说在前头，以后要出了问题，你可别来找我。

【丑剧】chǒujù 名指有戏剧性的丑恶事情。

【丑角】chǒujué （～儿）名❶戏曲角色行

当中的丑。❷指在某一事件中充当的不
光彩角色。

【丑类】chǒulèi〈书〉名指恶人，坏人。

【丑陋】chǒulòu形（相貌或样子）难看：
相貌～。

【丑婆子】chǒupó·zi名戏曲中扮演中老
年妇女的丑角。

【丑时】chǒushí名旧式计时法指夜里一
点钟到三点钟的时间。

【丑史】chǒushǐ名丑恶的历史；不光彩的
经历（多指个人的）。

【丑事】chǒushì名丑恶的事情；不光彩的
事情。

【丑态】chǒutài名指令人厌恶的样子或
举动：～百出。

【丑闻】chǒuwén名指有关人的阴私、丑
事的传言或消息：官场～。

【丑小鸭】chǒuxiǎoyā名比喻不被关注
的小孩子或年轻人，有时也指刚刚出现、
不为人注意的事物：从前的那个～如今变
成了大明星。

【丑星】chǒuxīng名指擅长演滑稽角色的
著名演员，也指演技好而长相较丑的著名
演员。

【丑行】chǒuxíng名丑恶的行为：～败
露。

杽 chǒu 古代刑具，手铐之类。
另见1004页niǔ。

剹(㸒) Chǒu 名姓。

偢 chǒu 同"瞅"。
另见1101页qiào。

瞅(䀩) chǒu〈方〉看：往屋里～
了一眼|你别老～着我。

【瞅见】chǒu//jiàn〈方〉动看见：瞅得见|
瞅不见|她～我来了，打了个招呼。

chòu（彳又）

臭 chòu ❶形（气味）难闻（跟"香"相
对）：～气|～味儿。❷形惹人厌恶
的：～架子|名声很～。❸形拙劣；不高
明：～棋|这一着真～。❹副狠狠地：～
骂|～揍一顿。❺〈方〉形（子弹）坏；失
效：～子儿|这颗子弹～了。
另见1535页xiù。

【臭虫】chòu·chóng名昆虫，身体扁平，
椭圆形，红褐色，腹大，体内有臭腺。吸人
畜的血液。有的地区叫壁虱。

【臭椿】chòuchūn名落叶乔木，羽状复
叶，小叶卵状披针形，有臭味，花白色带
绿，果实是翅果。根皮可入药。也叫樗
（chū）。

【臭豆腐】chòudòu·fu名发酵后有特殊
气味的小块豆腐，是一种食品。

【臭烘烘】chòuhōnghōng（～的）形状态
词。形容很臭。

【臭乎乎】chòuhūhū（～的）形状态词。
形容有些臭：这块肉怎么～的，是不是坏
了？

【臭美】chòuměi动讥讽人显示自己漂亮
或能干：穿件新衣裳，有什么值得～的？|
别～，谁不知道你那两下子。

【臭名】chòumíng名坏名声：～昭著|
远扬。

【臭皮囊】chòupínáng名佛教用语，指人
的躯体。

【臭棋】chòuqí名下棋时拙劣的着数；拙
劣的棋术。

【臭味相投】chòu wèi xiāng tóu 思想作
风、兴趣等相同，很合得来（专指坏的）。

【臭腺】chòuxiàn名某些动物体内分泌
臭液或放出臭气的腺，如臭虫和黄鼠狼体
内都有臭腺。

【臭氧】chòuyǎng名氧的同素异形体，化
学式O_3。淡蓝色，有特殊臭味，溶于水。
放电时或在太阳紫外线的作用下，空气中
的氧变为臭氧。用作氧化剂、杀菌剂等。

【臭氧层】chòuyǎngcéng名平流层中臭
氧浓度最高的一层，距地面约20—25千
米。太阳射向地球的紫外线大部分被臭
氧层吸收。参看255页〖大气圈〗。

殠 chòu〈书〉同"臭"。

chū（彳ㄨ）

出¹ chū ❶动从里到外面（跟"进、
入"相对）：～来|～去|～门|～国|～
院。❷动到来：～席|～场。❸动超出：～
轨|～界|不～三年。❹动往外拿：～钱|
～布告|～题目|～主意。❺动出产；产

生：～煤｜～木材｜我们厂里～了不少劳动模范。❻ 〔动〕发生：～问题｜这事儿～在1962 年。❼〔动〕出版：这家出版社～了不少好书。❽〔动〕发出；发泄：～芽儿｜～汗｜～天花｜～气。❾〔动〕引文、典故等见于某处：语｜《老子》。❿〔动〕显露：～名｜～面｜～头｜～洋相。⓫ 显得量多：机米做饭～饭｜这面蒸馒头～数儿。⓬ 支出：～纳｜量入为～。⓭〔方〕跟"往"连用，表示向外：散会了，大家往～走。

出²（齣）chū 〔量〕一本传奇中的一个大段落叫一出，戏曲的一个独立剧目也叫一出：三～戏。

出 //·chū 趋向动词。用在动词后表示向外、显露或完成：看得～｜看不～｜拿～一张纸｜跑～大门｜看～问题｜做～成绩。

【出版】chūbǎn 〔动〕把书刊、图画、音像制品等编印或制作出来，向公众发行：～社｜～物｜那套书已经～了｜录音录像制品由音像出版单位～。

【出榜】chū//bǎng 〔动〕❶ 贴出被录取或被选取人的名单：考试后三日～｜ ❷ 旧时指贴出大张的文告：～安民。

【出奔】chūbēn 〔动〕出走：仓促～｜～他乡。

【出殡】chū//bìn 〔动〕把灵柩运到安葬或安厝的地点。

【出兵】chū//bīng 〔动〕出动军队（作战）。

【出彩】chū//cǎi ❶ 旧时戏曲表演杀伤时，涂抹红色表示流血，叫出彩。❷ 指出丑（含诙谐意）：我揭了老底，让他当场出了彩。❸ 表现出精彩来：演出频频～。

【出操】chū//cāo 〔动〕出去操练：他脚崴了，出不了操。

【出槽】¹ chū//cáo 〔动〕出栏。

【出槽】² chū//cáo 〔动〕（河、湖等）水漫到岸上。

【出岔子】chū chà·zi 发生差错或事故：手术中千万不能～。

【出差】chū//chāi 〔动〕❶（机关、部队或企业单位的工作人员）暂时到外地办理公事：去北京～｜出了一个月的差。❷ 旧指出去担负运输、修建等临时任务。

【出产】chūchǎn ❶〔动〕天然生长或人工生产：云南～大理石｜景德镇～的瓷器是世界闻名的。❷〔名〕出产的物品：～丰富｜这些瓷器是景德镇的～。

【出厂】chū//chǎng 〔动〕产品运出工厂：产品注明～日期。

【出场】chū//chǎng 〔动〕❶ 演员登台（表演）。❷ 运动员进入场地（参加竞赛或表演）。

【出场费】chūchǎngfèi 〔名〕演员登台演出或运动员参加比赛或表演时，由主办方付给的费用。

【出超】chūchāo 〔动〕在一定时期（一般为一年）内，对外贸易中出口货物的总值超过进口货物的总值（跟"入超"相对）。

【出车】chū//chē 〔动〕开出车辆载人或运货（指公出或营业性运输）：司机生病，不能～了｜你出趟车送他们去机场。

【出乘】chū//chéng 〔动〕（乘务员）随车、船等出发工作。

【出丑】chū//chǒu 〔动〕露出丑相；丢人：当众～。

【出处】chūchù 〔名〕（引文或典故的）来源：文章中的引文应注明～。

【出倒】chūdǎo 〔动〕工商业主因亏损或其他原因，将企业的设备、商品和房屋、地基等全部出售，由别人继续经营。

【出道】chū//dào 〔动〕学徒学艺期满，开始从事某项工作或事业。

【出典】¹ chūdiǎn 〔名〕典故的来源；出处："守株待兔"这个成语的～见《韩非子·五蠹》。

【出典】² chūdiǎn 〔动〕指一方把土地、房屋等押给另一方使用，换取一笔钱，不付利息，议定年限，到期还款，收回原物。

【出顶】chūdǐng 〔方〕〔动〕指把自己租到的房屋转租给别人。

【出动】chūdòng 〔动〕❶（队伍）外出活动：队部命令一分队做好准备，待令～。❷ 派出（军队）：～伞兵，协同作战。❸（许多人为某事）行动起来：昨天大扫除，全校师生都～了。

【出尔反尔】chū ěr fǎn ěr 《孟子·梁惠王下》："出乎尔者，反乎尔者也。"原意是你怎么做，就会得到怎样的后果。今指说了又翻悔或说了不照着做，表示言行前后自相矛盾，反复无常。

【出发】chūfā 〔动〕❶ 离开原来所在的地方到别的地方去：～日期还没有确定｜收拾行装，准备～。❷ 考虑或处理问题时以某一方面为着眼点：从生产～｜从长远利益

【出发点】chūfādiǎn 名❶ 旅程的起点。❷ 最根本的着眼的地方;动机:全心全意地为人民服务,一切为了人民的利益,这就是我们的～。

【出饭】chūfàn 〈口〉形 做出来的饭多;这种米比别的米～。

【出访】chūfǎng 动 到外国访问:～欧美。

【出份子】chū fèn·zi 〈口〉❶ 各人拿出若干钱合起来送礼。❷ 指到办红白事的人家去送礼并参加庆贺或吊唁。

【出风头】chū fēng·tou 出头露面显示自己:他就是爱～|出够了风头。

【出伏】chū//fú 动 出了伏天;伏天结束:一～,天就凉快了。

【出阁】chū//gé 动 出嫁。

【出格】chūgé ❶ 形 言语行动与众不同;出众:在这一带,他的才学是一的。❷(-/-)动 越出常规;出圈儿:做任何事情都不能～|这孩子淘得出了格。

【出工】chū//gōng 动 出发上工;出勤:时间不早了,该一了|他每天～,从不请假。

【出恭】chū//gōng 动 排泄大小便。

【出轨】chū//guǐ 动❶(火车、有轨电车等)行驶时脱离轨道。也说脱轨。❷ 比喻言语行动超出常规:这话说得～了。

【出国】chū//guó 动 离开本国到别国去:～留学|～考察。

【出海】chū//hǎi (船只)离开停泊地点到海上去;(海员或渔民)驾驶船只到海上去:～打鱼。

【出航】chū//háng 动(船或飞机)离开港口或机场航行。

【出号】chūhào (～儿)形 属性词。比头号的还大;特大号的:小伙子挑着两个～的大水桶。

【出活】chūhuó (～儿)❶(-/-)动 干出活儿:有了新式机器,干活省力,～又快。❷ 形 单位时间内干较多的活:下午虽然只干了两个钟头,可是很～。

【出击】chūjī 动❶ 部队出动,向敌人进攻。❷ 泛指在斗争或竞赛中发动攻势:发现罪犯踪迹,主动～。

【出继】chūjì 动 过继给别人做儿子:他三岁时一给伯父。

【出家】chū//jiā 动 离开家庭到庙宇里去做僧尼或道士:～修行|～为尼。

【出家人】chūjiārén 名 指僧尼或道士。

【出价】chū//jià 动 在商品交易中买方或卖方提出认为合适的价格:这幅山水画他～三千元|您要真想买,就出个价吧。

【出嫁】chū//jià 动 女子结婚。

【出将入相】chū jiàng rù xiàng 出战为将,入朝可为相。旧时指人文武兼备。也指官居高位。

【出界】chū//jiè 动 越出界线。

【出借】chūjiè 动 借出去(多指物品):新到的期刊暂不～。

【出警】chūjǐng 动(公安部门)接到报警后到现场处理:巡警及时一,制止了一场械斗。

【出境】chū//jìng 动❶ 离开国境;驱逐～|办理一手续。❷ 离开某个地区:这条河是县界,过了河就～了。

【出镜】chū//jìng 动 指在电影或电视中露面:青年演员频频～,演技提高很快。

【出九】chū//jiǔ 出了数九的日子:虽说还没有～,天气却暖和多了。参见730页"九"②。

【出局】chū//jú 动❶ 指棒球、垒球比赛击球员或跑垒员在进攻中因犯规等被判退离球场,失去继续进攻机会。❷ 泛指在体育比赛中因失利而不能继续参加下一阶段的比赛:经过预赛,有三支球队被淘汰～。❸ 比喻人或事物因不能适应形势或不能达到某种要求而无法在其领域继续存在下去:粗制滥造的产品必然被淘汰～。

【出具】chūjù 动 开出;写出(证明、证件等):～介绍信|～健康证明。

【出圈】chū//juàn 〈方〉动 起圈。

【出科】chū//kē 动 旧时指在科班学戏期满。

【出口】¹ chū//kǒu 动 说出话来:～伤人|～成章。

【出口】² chū//kǒu 动❶(船只)驶出港口。❷ 本国或本地区的货物出去:～货|～工业品。

【出口】³ chūkǒu (～儿)名 从建筑物或场地出去的门或口儿:车站一|会场的～。

【出口成章】chū kǒu chéng zhāng 话说出来就是一篇文章,形容文思敏捷或擅长辞令。

【出口伤人】chū kǒu shāng rén 一张口说

话就污辱人、伤害人。

【出来】chū•lái 动❶从里面到外面来：出得来|出不来|你~，我跟你说句话。❷出现：经过讨论，~两种相反的意见。

【出来】∥chū•lái ❶用在动词后，表示动作由里向外朝着说话的人：拿~|拿得~|拿不~|从屋里走出一个人来。❷用在动词后，表示动作完成或实现：开出很多荒地来|创造出新产品来。❸用在动词后，表示由隐蔽到显露：我认出他来了|听着听着渐渐听出点意思来了|天黑了，字看不~了。

【出栏】chū∥lán 动❶猪羊等长成，提供屠宰叫出栏：今年养猪十万多头，卖出六万多头，~率达百分之六十多。❷〈方〉起圈：~垫土。

【出类拔萃】chū lèi bá cuì 《孟子•公孙丑上》："出于其类，拔乎其萃"后来用"出类拔萃"形容超出同类。也说出类拔群、出群拔萃。

【出力】chū∥lì 动拿出力量；尽力：~不讨好|他为人耿直，干工作又肯。

【出列】chūliè 动从队列中向前走出并立定。

【出猎】chūliè 动出去打猎。

【出溜】chū•liu〈方〉动滑、滑行：脚底下一~，摔了一跤|他从沙堆上~下来◇这孩子的学习近两个月有点往下~。

【出笼】chū∥lóng 动❶馒头等蒸熟后从笼屉取出。❷比喻囤积居奇的货物大量出售，通货膨胀时钞票大量发行，也比喻坏的作品发表或伪劣商品上市等。

【出炉】chū∥lú 动❶取出炉内烘烤、冶炼的东西：刚~的烧饼|一号高炉出钢时~。❷比喻新产生出来：年度最佳运动员昨日~。

【出路】chūlù 名❶通向外面的道路：在森林里迷失方向，找不到~。❷比喻生存或向前发展的途径；前途：另谋~|农业的根本~在于机械化。❸比喻销售货物的去处：品质优良的产品，不愁没有~。

【出乱子】chū luàn•zi 动差错；出毛病：你放心，出不了乱子。

【出落】chū•luo 动青年人（多指女性）的体态、容貌向美好的方面变化：半年没见，小姑娘~得更漂亮了。

【出马】chū∥mǎ 动❶原指将士上阵作战，今多指出头做事：老将~，一个顶俩|那件事很重要，非你亲自~不行。❷〈方〉出诊。

【出卖】chūmài 动❶卖；出售：~房屋|~劳动力。❷为了个人利益，做出有利于敌人的事，使国家、民族、亲友等利益受到损害：~灵魂|~朋友|~民族利益。

【出毛病】chū máo•bìng 出差错；出故障；出事故：机器要保养好，免得~。

【出梅】chū∥méi 动出了黄梅季；黄梅季结束。参看601页〖黄梅季〗。

【出门】chū∥mén ❶（～儿）外出：他刚~，你等一会儿吧。❷（～儿）离家远行：~在外|~后时常接到家里来信。❸〈方〉出嫁。

【出门子】chū mén•zi〈方〉出嫁。

【出面】chū∥miàn 动亲自出来或以某种名义出来（做某件事）：这事你~交涉吧|由工会~，组织这次体育比赛。

【出苗】chū∥miáo 动露(lòu)苗。

【出名】chū∥míng ❶形有名声；名字为大家所熟知：他是我们厂里~的先进生产者。❷（～儿）动以某种名义出来（做某件事）：由董事会~解决这个问题。

【出没】chūmò 动出现和隐藏：~无常|森林里常有野兽~。

【出谋划策】chū móu huà cè 出主意，定计策。

【出纳】chūnà 名❶机关、团体、企业等单位中现金、票据的付出和收进工作：~科。❷担任出纳工作的人。❸泛指发出和进的管理工作，如图书馆有出纳台。

【出盘】chūpán〈方〉动出倒。

【出偏】chūpiān 动出差错；出偏差。

【出票】chū∥piào 动❶签发票据并将其交付给收款人。❷航空公司、车站、影院、戏院等售出票。

【出品】chūpǐn ❶动制造出来产品：这个牌子的彩电是本厂~的。❷名生产出来的物品；产品：这是本厂的新~|这些~经过检验，完全合格。

【出聘】chūpìn 动❶出嫁：她的闺女去年~了。❷〈书〉出使。

【出圃】chūpǔ 动指苗木长到一定阶段从苗圃移植别处。

【出其不意】chū qí bù yì 趁对方没有料到（就采取行动）：攻其无备，~。

【出奇】chūqí 〔形〕特别;不平常:今年早春真暖得～|山村的夜,～的安静。

【出奇制胜】chū qí zhì shèng 用奇兵或奇计战胜敌人,比喻用对方意想不到的方法来取胜。

【出气】chū//qì 〔动〕把心里的怨气发泄出来:在外面受了委屈,不该拿家人～。

【出气筒】chūqìtǒng 〔名〕比喻被人用来发泄怨气的人。

【出勤】chū//qín 〔动〕按规定的时间到工作场所工作:～率。

【出去】chū//qù 〔动〕从里面到外面去:出得去|出不去|～走走,呼吸点新鲜空气。

【出去】//·chū·qù 〔动〕趋向动词。用在动词后,表示动作由里向外离开说话的人:走得～|走不～|送出大门去。

【出圈儿】chū//quānr 比喻越出常规或一定范围:这样做就～了|话说得出了圈儿了。

【出缺】chūquē 〔动〕因原任人员(多指职位较高的)离职或死亡而职位空出来。

【出让】chūràng 〔动〕出卖或转让(个人自用的东西):～家具|廉价。

【出人命】chū rénmìng 指发生有人死亡的事故或案件。

【出人头地】chū rén tóu dì 超出一般人;高人一等。

【出人意表】chū rén yì biǎo 出人意料。

【出人意料】chū rén yì liào (事物的好坏、情况的变化、数量的大小等)出于人们的意料;在人们的意料之外。也说出人意表。

【出任】chūrèn 〔动〕出来担任(某种职位):～要职|～驻外使节。

【出入】chūrù ❶〔动〕出去和进来:～随手关门|东西堆在过道上,～不方便。❷〔名〕(数目、内容等)不一致、不相符的情况:现款跟账上的数目没有～|你俩说的话有～。

【出赛】chūsài 〔动〕出场比赛;参加比赛:代表北京市～。

【出丧】chū//sāng 〔动〕出殡。

【出色】chūsè 〔形〕特别好;超出一般:表现～|他们～地完成了任务。

【出山】chū//shān 〔动〕东晋谢安曾退职在东山隐居,后复出任职(见于《晋书·谢安传》)。后以“出山”指出来做官,也泛指出来担任某种职务,从事某项工作:他这次

担任篮球教练,已经是第二次～了。

【出身】chūshēn ❶〔动〕个人早期的经历或家庭经济情况属于(某阶层):～于工人家庭。❷〔名〕指个人早期的经历或由家庭经济情况所决定的身份:店员～|工人家庭～。

【出神】chū//shén 〔动〕因精神过度集中而发呆:孩子们听故事,听得出了神|上课的铃声响了,他还对着窗口～。

【出神入化】chū shén rù huà 形容技艺达到了绝妙的境界:这支曲子演奏得～,听众被深深地吸引住了。

【出生】chūshēng 〔动〕胎儿从母体中分离出来:～地|爷爷 1900 年～于北京。

【出生率】chūshēnglǜ 〔名〕一定时期内(通常是一年)出生人数在总人口中所占的比率,通常用千分率来表示。

【出生入死】chū shēng rù sǐ 形容冒着生命危险。

【出师】[1] chū//shī 〔动〕(徒弟)期满学成:学徒三年～。

【出师】[2] chūshī 〈书〉〔动〕出兵打仗:～讨伐|～不利。

【出使】chūshǐ 〔动〕接受外交使命到外国去:～北欧诸国。

【出示】chūshì 〔动〕拿出来给人看:～手稿|～乘车月票|～黄牌警告。

【出世】chūshì 〔动〕❶出生:那年他还没有～。❷产生:旧制度灭亡,新制度～。❸超脱人世,摆脱世事的束缚:～思想。

【出世作】chūshìzuò 〔名〕旧时指一生中最早问世的作品。

【出仕】chūshì 〈书〉〔动〕出任官职。

【出事】chū//shì 〔动〕发生事故:～地点|那里围了很多人,好像出了什么事。

【出手】chūshǒu ❶(-//-)〔动〕卖出货物(多用于倒把、变卖等):脱手②:那批货急于～|货物很快就出了手。❷(-//-)〔动〕拿出来:一～就给他两千块钱。❸(-//-)〔动〕动手;开始行动:该～时就～。❹〔名〕指袖子的长短。❺〔名〕开始做某件事情时表现出来的本领:我跟他下了几着,就觉得他～的确不凡。❻〔名〕见 243 页〖打出手〗。

【出首】chūshǒu 〈书〉〔动〕❶检举、告发别人的犯罪行为。❷自首。

【出售】chūshòu 〔动〕卖:～商品|降价～。

【出数儿】chūshùr 〈口〉〔形〕产生的数量大。

机米做饭～。

【出台】chū//tái 励❶演员上场：～演出。❷比喻公开出面活动：～干涉。❸(政策、措施等)公布或予以实施：管理体制的改革方案正式～。

【出摊】chū//tān (～儿)励在路旁、广场或集市上摆出货摊(售货)：为方便市民，这家饭馆一直坚持～卖早点。

【出逃】chūtáo 励逃出去(脱离家庭或国家)：仓皇～|离家～。

【出挑】chū·tiāo 励(青年人的体格、相貌、智能向美好的方面)发育、变化、成长：这姑娘～得越发标致了|不满一年，他就～成师傅的得力助手。

【出粜】chūtiào 励卖出(粮食)。

【出庭】chū//tíng 励诉讼案件的关系人(如原告人、被告人、辩护人、代理人、律师等)到法庭上接受审讯或讯问。

【出头】chū//tóu 励❶从困苦的环境中解脱出来：盼到了～之日。❷(物体)露出顶端：～的椽子先烂(比喻冒尖的人最容易受到打击)。❸出面；带头：～露面|我们厂的体育活动，是他～搞起来的。❹(～儿)用在整数之后表示有零数：小麦亩产八百斤～|你已是三十～的人了，该成家了。

【出头露面】chū tóu lòu miàn ❶在公众的场合出现：他不爱～。❷出面(做事)：大家推他～去商谈这件事。

【出头鸟】chūtóuniǎo 名比喻出面的或带头做事的人，也比喻才能出众或表现突出的人：枪打～。

【出徒】chū//tú 励学徒工期满学成；出师：我刚进厂两年，还没～呢！

【出土】chū//tǔ 励❶(古器物等)被从地下发掘出来：～文物|这一批铜器是在寿县～的。❷(植物)从土里生长出来：才～的小苗就怕风刮沙打。

【出脱】chūtuō 励❶货物卖出；脱手②。❷出落：这孩子的模样～得更好看了。❸开脱(罪名)：他的诡辩不过是自我～。

【出外】chūwài 励到外地去：～谋生。

【出亡】chūwáng 励出走；逃亡：～他乡。

【出息】chū·xi ❶名指发展前途或志气：不管做什么工作，只要对人民有贡献，就有～|懦夫懒汉是没～的。❷〈方〉励长进：出落：这孩子比去年～多了|那姑娘～得漂亮了。❸〈方〉励培养使有出息：这个

学校就是～人。❹〈方〉名收益：咱这儿种稻子比种高粱～大。

【出席】chū//xí 励(有发言权和表决权的成员，有时也泛指一般人)参加会议：～代表大会|报告～人数。

【出险】chū//xiǎn 励❶(人)脱离险境：他一定有办法保护你～。❷(堤坝等工程)发生危险：加固堤坝，防止～。

【出现】chūxiàn 励❶显露出来：比赛开始前半小时运动员已经～在运动场上了。❷产生出来：近年来～了许多优秀作品。

【出线】chū//xiàn 励在分阶段进行的比赛里，参赛的人员或团体取得参加下一阶段比赛的资格，叫做出线。

【出项】chū·xiàng 名支出的款项：这几年家里人多了，～也增加了不少。

【出血】chū//xiě 〈方〉励比喻为他人拿出钱或拿出东西。

【出新】chūxīn 励出现新的形式、内容等：随着时代的发展，现代小说的内容不断～。

【出行】chūxíng 励外出；到外地去：这次～，跑了不少地方。

【出巡】chūxún 励出外巡视：～江南。

【出言】chūyán 励说出话来：～有章(说话有条理)|～不逊(说话不客气)。

【出演】chūyǎn 励演出；扮演：在这出戏里他～包公。

【出洋】chū//yáng 励指到外国去：～考察。

【出洋相】chū yángxiàng 闹笑话；出丑。

【出游】chūyóu 励出去游历：～未归。

【出语】chūyǔ 励说出话语：～惊人。

【出院】chū//yuàn 励病人结束住院治疗离开医院。

【出月】chū//yuè 励过了本月：这个月没时间，～才能把稿子写完。

【出展】chūzhǎn 励❶到外地展览：新产品～欧洲获得好评。❷展出：优秀美术作品即将在京～。

【出战】chūzhàn 励出兵打仗：跟进攻的敌人作战：～失利◇中国足球队～世界杯赛。

【出账】chūzhàng ❶(-//-)励把支出的款项登上账簿：这笔开支违反规定，不能～。❷〈方〉名支出的款项：开支：这个月～太多。

【出蛰】chūzhé 动动物结束冬眠，出来活动。

【出诊】chū∥zhěn 动医生离开医院或诊所到病人家里去给病人治病。

【出阵】chū∥zhèn 动❶上战场打仗。❷比喻参加某种活动：这场拔河比赛，连退休老人都～了。

【出征】chūzhēng 动出去打仗：率兵～。

【出众】chūzhòng 形超出众人：成绩～。

【出资】chūzī 动拿出钱财：这次比赛是由几家企业～赞助的。

【出走】chūzǒu 动因故不声张地离开家庭或当地：仓促～｜离家～。

【出租】chūzū 动收取一定的代价，让别人暂时使用：～图书｜～房屋。

【出租汽车】chūzū qìchē 供人临时雇用的汽车，多按里程或时间收费。也叫出租车。

初 chū ❶开始的：～夏｜～冬。❷名开始的一段时间：年｜月｜本学期～。❸第一个：～一｜～旬｜～一（农历每月的第一天，等于"第一个一"，区别于"十一、二十一"）｜～十（农历每月的第十天，等于"第一个十"，区别于"二十、三十"）。❹副第一次；刚开始：～试｜出茅庐｜～学乍练。❺最低的（等级）：～级｜～等。❻原来的：～心｜～志｜～愿。❼原来的情况：和好如～。❽（Chū）名姓。

【初版】chūbǎn ❶动（书籍）出第一版：本书1956年～。❷名（书籍的）第一版：这部书～印了两万册。

【初步】chūbù 形属性词。开始阶段的；不是最后的或完备的：提出～意见｜这些问题已经得到～解决。

【初潮】chūcháo 动指女子第一次来月经。

【初出茅庐】chū chū máolú 比喻刚进入社会或刚到工作岗位上来，缺乏经验。

【初创】chūchuàng 动刚刚创立：～阶段。

【初春】chūchūn 名春季开始的一段时间；早春。

【初等】chūděng 形属性词。❶比较浅近的：～数学。❷初级：～教育。

【初等教育】chūděng jiàoyù 小学程度的教育。是对少年儿童实施的全面基础教育和对成人实施的相当于小学程度的教育。

【初冬】chūdōng 名冬季开始的一段时间。

【初度】chūdù 〈书〉名原指初生的时候，后称生日为初度：四十～。

【初犯】chūfàn ❶动第一次犯罪或犯错误、过失等：因是～，还能原谅。❷名第一次犯罪并被判处有期徒刑以上刑罚的人。

【初伏】chūfú 名❶夏至后的第三个庚日，是三伏头一伏的第一天。❷通常也指从夏至后第三个庚日起到第四个庚日前一天的一段时间。‖也叫头伏。参看1171页〖三伏〗。

【初稿】chūgǎo 名第一次的稿子，泛指未定稿。

【初会】chūhuì 动第一次见面：我们是～，彼此都有点儿拘束。

【初婚】chūhūn 动❶第一次结婚。❷刚结婚不久。

【初级】chūjí 形属性词。最低阶段的：～读本｜～形式。

【初级产品】chūjí chǎnpǐn 指未经加工的或粗加工的原料或农产品。

【初级小学】chūjí xiǎoxué 我国实施过的前一阶段的初等教育的学校。简称初小。

【初级中学】chūjí zhōngxué 我国实施的前一阶段的中等教育的学校。简称初中。

【初交】chūjiāo 名认识不久或交往不久的人：我们是～，对他不太了解。

【初亏】chūkuī 名日食或月食过程中，月亮和太阳圆面或地球阴影和月亮圆面第一次外切时的位置关系，也指发生这种位置关系的时刻。初亏是日食或月食过程的开始。参看1240页〖食相〗。

【初来乍到】chū lái zhà dào 初次来到某个地方：～，不周之处请多包涵。

【初恋】chūliàn 动❶第一次恋爱。❷刚恋爱不久。

【初露锋芒】chū lù fēngmáng 比喻刚显露出某种力量或才能。

【初露头角】chū lù tóujiǎo 比喻刚显露出某种才华：这次展出的作品，作者大多是～的青年画家。

【初民】chūmín 名指远古时代的人。

【初年】chūnián 名指某一历史时期的最初一段：民国～。

【初评】chūpíng 动初次或初步评比或评

【初期】chūqī 名 开始的一段时期：抗战～|这病的～症状是厌食。

【初秋】chūqiū 名 秋季开始的一段时间。

【初赛】chūsài 动 体育等竞赛中的第一轮比赛，初赛后进行复赛或决赛。

【初审】chūshěn 动 ❶ 初次审查：～合格。❷ 法律上指预审人员对被告人进行第一次审讯。

【初生之犊】chū shēng zhī dú 刚生出来的小牛。俗语说："初生之犊不畏虎。"后用"初生之犊"比喻勇敢大胆、敢作敢为的青年人。

【初时】chūshí 名 刚开始的时候：～我只当他说说而已，谁知他真的去了。

【初始】chūshǐ 名 起初；开始的阶段：～速度|～状态|赛季这个队就显出了强大实力。

【初试】chūshì 动 ❶ 初次试验。❷ 分两次举行的考试的第一次。参看 429 页《复试》。

【初霜】chūshuāng 名 入秋后最初出现的一次霜。

【初速】chūsù 名 ❶ 运动物体在一个特定运动过程开始时的速度。❷ 特指弹头脱离枪、炮口瞬间的运动速度。

【初岁】chūsuì〈书〉名 指一年刚开始的时候。

【初探】chūtàn 动 初步探索或探讨（多用于书名或论文标题）：《大陆架成因～》。

【初夏】chūxià 名 夏季开始的一段时间。

【初小】chūxiǎo 名 初级小学的简称。

【初心】chūxīn 名 最初的心愿，不改～。

【初学】chūxué 动 刚开始学习或学习不久：～乍练|这本书对～的人很合适。

【初雪】chūxuě 名 入冬后第一次下的雪。

【初旬】chūxún 名 每月的第一个十天。

【初叶】chūyè 名（一个世纪或一个朝代）最初一段时期：20 世纪～|明朝～。

【初夜】chūyè 名 ❶ 指进入夜晚不久的时候。❷ 指新婚第一夜。

【初愿】chūyuàn 名 起初的志愿或愿望：他的～是当个中学教师，没想到后来成了大学教授。

【初月】chūyuè 名 农历月初形状如钩的月亮。

【初战】chūzhàn 名 战争或战役开始的第

一仗：～告捷。

【初诊】chūzhěn 动 医院或诊疗所指某个病人初次来看病。

【初中】chūzhōng 名 初级中学的简称。

【初衷】chūzhōng 名 最初的心愿：有违～|虽然经过百般挫折，也不改～。

邮 chū 邮江（Chūjiāng），地名，邮江河（Chūjiāng Hé），水名，都在四川。

樗 chū 名 臭椿。

chú （ㄔㄨˊ）

刍（芻） chú〈书〉❶ 喂牲口用的草：～秣|反～。❷ 割草：～荛。❸（Chú）名 姓。

【刍秣】chúmò〈书〉名 草料。

【刍荛】chúráo〈书〉❶ 动 割草打柴：～有禁。❷ 名 指割草打柴的人：询于～。❸ 谦辞，在向别人提供意见时把自己比作草野鄙陋的人：～之言（浅陋的话）。

【刍议】chúyì〈书〉谦辞，指自己的议论。

除[1] chú ❶ 动 去掉：根～|铲～|为民～害。❷ 介 表示不计算在内：这篇文章～附表外只有三千字|～一人因病请假以外，全体代表都已报到。❸ 动 进行除法运算，如 2 除 6 得 3。❹〈书〉授；拜（官职）。❺（Chú）名 姓。

除[2] chú〈书〉台阶：庭～|阶～。

【除暴安良】chú bào ān liáng 铲除暴徒，安抚人民。

【除弊】chúbì 动 除去弊端：兴利～。

【除尘】chúchén 动 清除悬浮在气体中的粉尘，以免污染大气。

【除恶务尽】chú è wù jìn 清除坏人坏事或邪恶势力必须彻底。

【除法】chúfǎ 名 数学中的一种运算方法。最简单的是数的除法，即从一个数连减几个相同数的简便算法。如从 10 中减去相同数 2，总共可以减去 5 个，就是 10 除以 2，或者说 2 除 10。

【除非】chúfēi ❶ 连 表示唯一的条件，相当于"只有"，常跟"才、否则、不然"等合用：若要人不知，～己莫为|～修个水库，才能更

好地解决灌溉问题。❷ 介 表示不计算在内,相当于"除了":上山那条道,～他没人认识。

【除服】chúfú 〈书〉动 指守孝期满,脱去丧服。

【除根】chú∥gēn (～儿)动 从根本上消除:斩草～|治这种病就怕除不了根儿。

【除旧布新】chú jiù bù xīn 破除旧的,建立新的。

【除开】chúkāi 介 除了。

【除了】chú·le 介 ❶ 表示所说的不计算在内:那条山路,～他,谁也不熟悉。❷ 跟"还、也、只"连用,表示在什么之外,还有别的:他～教课,还负责学校里工会的工作|他～写小说,有时候也写写诗。❸ 跟"就是"连用,表示不这样就那样:刚生下来的孩子,～吃就是睡。

【除名】chú∥míng 动 使退出集体,从名册中除掉姓名。

【除去】chúqù ❶ 动 去掉;除掉:～杂草|～弊端。❷ 介 除了;除开:她～上班,全部时间都用来照顾多病的公婆。

【除权】chú∥quán 动 股份公司因为股东送红股等,股份增加,每股股票的实际价值减少,需要从股票市场价格中除去减少的部分,叫做除权。

【除却】chúquè ❶ 动 除去;去掉:～浮华|～心腹之患。❷ 介 除了①:桌上～几本书,没有其他东西。

【除日】chúrì 〈书〉名 农历一年的最后一天。

【除丧】chúsāng 〈书〉动 除服。

【除外】chúwài 动 不计算在内:图书馆天天开放,星期一～。

【除夕】chúxī 名 一年最后一天的夜晚,也指一年的最后一天:～之夜|～联欢会。

【除息】chú∥xī 动 股份公司因向股东分配股息、红利,每股股票的实际价值减少,需要从股票市场价格中除去减少的部分,叫做除息。

【除夜】chúyè 名 除夕晚上。

钼(鉏) chú 〈书〉同"锄"。另见738页 jǔ。

鸮(鶵) chú ❶ 见1672页[鹓鸮]。❷〈书〉同"雏"。

厨(廚、厨) chú ❶ 厨房:下～。❷ 厨师:名～。

【厨房】chúfáng 名 做饭菜的屋子。

【厨具】chújù 名 做饭菜的用具,如锅、炒勺、菜刀等。

【厨师】chúshī 名 长于烹调并以此为业的人。

【厨司】chúsī 〈方〉名 厨师。

【厨卫】chúwèi 名 厨房和卫生间的合称:～设备。

【厨艺】chúyì 名 烹调的技艺。

【厨子】chú·zi 〈口〉名 厨师。

锄(鋤、耡) chú ❶ 名 松土和除草用的农具:大～|小～。❷ 动 用锄松土除草:～草|这块地～过三遍了。❸ 铲除:～奸。

【锄奸】chújiān 动 铲除通敌的坏人。

【锄强扶弱】chú qiáng fú ruò 铲除强暴,扶助弱者。

【锄头】chú·tou 名 ❶ 南方用的形状像镐的农具。❷〈方〉锄①。

【锄头雨】chútóuyǔ 〈方〉名 锄地前庄稼正需要雨水时下的雨。

滁 Chú 滁州(Chúzhōu),地名,在安徽。

蜍 chú 见148页[蟾蜍]。

雏(雛) chú ❶ (～儿)幼小的鸟:鸡～儿|鸭～儿|育～。❷ 幼小的(多指鸟类):～鸡|～燕◇～形。

【雏鸡】chújī 名 孵出不久的小鸡。

【雏妓】chújì 名 未成年的妓女。

【雏儿】chúr 〈口〉名 比喻年纪轻、阅历少的人。

【雏形】chúxíng 名 ❶ 未定型前的形式:蛹显示出成虫的触角、腿、翅膀的～。❷ 依照原物缩小的模型:看了这座建筑物的～,也可想见它的规模之大了。

幮(幬) chú 古代一种形状像橱子的帐子。

篨 chú 见1127页[蘧篨]。

橱(櫉) chú (～儿)名 放置衣服、物件的家具:衣～|书～|碗～|把碗放在～里。

【橱窗】chúchuāng 名 ❶ 商店临街的玻璃窗,用来展览样品。❷ 用来展览图片等的设备,形状像橱而较浅。

【橱柜】chúguì 名 ❶ (～儿)放置餐具的柜

子。❷可以做桌子用的矮立柜。

蹰 chú 见194页〖踌蹰〗。

蹰(躕) chú 见183页〖踟蹰〗、194页〖踌蹰〗(躊躕)。

chǔ （彳ㄨ）

处(處、處、处) chǔ ❶〈书〉居住：穴居野～。❷匭跟别人一起生活；交往：～得来｜～不来｜他的脾气好，挺容易～。❸匭置身在(某地、某种情况等)：地～闹市｜～变不惊｜设身～地｜我们工厂正～在发展、完善的阶段。❹处置；办理：论～｜～理。❺处罚：～治｜惩～｜～以徒刑。❻（Chǔ）图姓。

另见205页chù。

【处变不惊】chǔ biàn bù jīng 面对变乱，能镇定自若，不惊慌。

【处罚】chǔfá 匭对犯错误或犯罪的人加以惩治。

【处方】chǔfāng ❶匭医生给病人开药方：不是医生，没有～权。❷图开的药方：按～抓药。

【处方药】chǔfāngyào 图必须凭执业医师处方才可调配、购买的药品，须在医师指导下服用(区别于"非处方药")。

【处分】chǔfèn ❶匭对犯罪或犯错误的人按情节轻重做出处罚决定：～违反校规的学生。❷图对犯罪或犯错误的人按情节轻重做出的处罚决定：给该生以记大过的～。❸〈书〉匭处理；安排。

【处警】chǔjǐng 匭(公安部门)处理紧急或危险情况：及时～。

【处境】chǔjìng 图所处的境地(多指不利的情况下)：～困难｜～危险。

【处决】chǔjué 匭❶执行死刑：～犯人｜立即～。❷处理决定：大会休会期间，一切事项由常委会～。

【处理】chǔlǐ 匭❶安排(事物)；解决(问题)：～日常事务。❷处治；惩办：依法～｜～了几个带头闹事的人。❸指减价或变价出售：～品｜这些积压商品全部削价～。❹用特定的方法对工件或产品进行加工，使工件或产品获得所需的性能；

热～。

【处理品】chǔlǐpǐn 图减价或变价出售的物品。

【处男】chǔnán 图没有过性行为的男子。

【处女】chǔnǚ ❶图没有过性行为的女子。❷匼属性词。比喻第一次的：～航｜～作。

【处女地】chǔnǚdì 图未开垦的土地。

【处女峰】chǔnǚfēng 图没有人攀登过峰顶的山峰。

【处女航】chǔnǚháng 匭❶轮船或飞机在某航线上第一次航行。❷新制成的轮船或飞机第一次航行。

【处女膜】chǔnǚmó 图阴道口周围的一层薄膜，有一个不规则的小孔。

【处女作】chǔnǚzuò 图作者的第一个作品。

【处身】chǔshēn 匭置身；安身：～涉世(立身处世)｜在艰险的环境中～。

【处士】chǔshì 〈书〉图原来指有德才而隐居不愿做官的人，后来泛指没有做过官的读书人。

【处世】chǔshì 匭在社会上活动，跟人往来相处：立身～｜～为人。

【处事】chǔshì 匭处理事务：他～严肃，态度却十分和蔼。

【处暑】chǔshǔ 图二十四节气之一，在8月22、23或24日。参看696页〖节气〗、363页〖二十四节气〗。

【处死】chǔsǐ 匭处以死刑。

【处心积虑】chǔ xīn jī lǜ 千方百计地盘算(多含贬义)。

【处刑】chǔxíng 匭法院依照法律对犯罪人判处刑罚。

【处于】chǔyú 匭在某种地位或状态：～优势｜伤员～昏迷状态。

【处之泰然】chǔ zhī tài rán 对待发生的紧急情况或困难，安然自得，毫不在乎。

【处治】chǔzhì 匭处分；惩治：严加～。

【处置】chǔzhì 匭❶处理：～失当｜～得宜。❷发落；惩治：依法～。

【处子】chǔzǐ 〈书〉图处女。

杵 chǔ ❶图一头粗一头细的圆木棒，用来在臼里捣粮食等或洗衣服时捶衣服：～臼｜砧～。❷〈书〉用杵捣：～药。❸匭用细长的东西戳或捅：用手指头～了他一下｜拿棍子往里～一～。

【杵舞】chǔwǔ 图杵乐。

【杵乐】chǔyuè 图台湾省高山族的一种歌舞。三五成群的妇女站在石臼周围，手执长杵，一边捣臼，一边歌唱。也叫杵舞。

础(礎) chǔ 础石①：基～|月晕而风，～润而雨。

【础石】chǔshí 图❶垫在房屋柱子底下的石头。❷基础：勤劳善良的人民，是社会的中坚与～。

楮 chǔ ❶图构树。❷〈书〉指纸：～墨。

储(儲) chǔ ❶图储藏；存放：～蓄|～金|～粮备荒。❷已经确定为继承皇位等最高统治权的人：立～|王～|～君。❸(Chǔ)图姓。

【储备】chǔbèi ❶囵(物资)储存起来准备必要时应用：～粮食。❷图储存备用的东西：动用～|～年年增长。

【储藏】chǔcáng 囵❶保藏：～室|把器具～起来。❷蕴藏：～量|铁矿～丰富。

【储存】chǔcún 囵(把物或钱)存放起来，暂时不用：～资料|～大白菜。

【储户】chǔhù 图银行等称存款的个人或团体。

【储积】chǔjī ❶囵储存积聚；积蓄：～余粮|～能量。❷〈书〉图指积蓄的财物：家无～。

【储集】chǔjí 囵储存聚集。

【储君】chǔjūn 图帝王的亲属中已经确定继承皇位等最高统治权的人。

【储量】chǔliàng 图(自然资源)储藏量：探明油田的～|矿产～极为丰富。

【储蓄】chǔxù ❶囵把节约下来或暂时不用的钱或物积存起来，多指把钱存到银行里：～所|活期～。❷图指积存的钱或物：家家有～。

【储值】chǔzhí 囵往信用卡、电信卡等里面存储钱款等。

楚¹ chǔ ❶痛苦：苦～|凄～。❷清晰；整齐：清～|齐～。

楚² Chǔ ❶周朝国名，原来在今湖北和湖南北部，后来扩展到今河南、安徽、江苏、浙江、江西和四川。❷图指湖北和湖南，特指湖北。❸图姓。

【楚楚】chǔchǔ 图❶鲜明；整洁：衣冠～。❷(姿态)娇柔；纤弱；秀美：～可怜|～动人|门前垂柳～可人。

【楚剧】chǔjù 图湖北地方戏曲剧种之一，由湖北黄冈、孝感一带的花鼓戏发展而成，主要流行湖北全省和江西部分地区。

褚 Chǔ 图姓。
另见 1781 页 zhǔ。

齼(齼) chǔ 〈书〉牙齿酸痛。

chù （彳ㄨ）

亍 chù 见 184 页[彳亍]。

处(處、処、处) chù 图❶地方：住～|心灵深～|大～着眼，小～着手。❷机关组织系统中按业务划分的单位(级别一般比局低，比科高)，也指某些机关：科研～|总务～|办事～|联络～。
另见 204 页 chǔ。

【处处】chùchù 副各个地方；各个方面：祖国～有亲人|教师～关心学生。

【处所】chùsuǒ 图地方(dì·fang)①：找个～避雨。

怵 chù 囵害怕；恐惧：～头|心里直犯～。

【怵场】chùchǎng 同"憷场"。

【怵目惊心】chù mù jīng xīn 同"触目惊心"。

【怵惕】chùtì 〈书〉囵恐惧警惕：～不宁。

【怵头】chùtóu 同"憷头"。

绌(絀) chù 〈书〉❶不够；不足：支～|相形见～。❷同"黜"。

柷 chù 古代乐器，木制，形状像方形的斗。

俶 chù 〈书〉❶开始。❷整理：～装(整理行装)。
另见 1343 页 tì。

畜 chù 禽兽，多指家畜：六～|牲～|耕～|～种。
另见 1539 页 xù。

【畜肥】chùféi 图用作肥料的牲畜粪尿。

【畜类】chù·lei 图畜生。

【畜力】chùlì 图能够使用在运输或牵引农具等方面的牲畜的力量：山区还得用～运输。

【畜生】chù·sheng 图泛指禽兽(常用作

骂人的话）。也作畜牲。

【畜牲】chù·sheng 同"畜生"。

【畜疫】chùyì 图 家畜的传染病，如鼻疽、口蹄疫、猪瘟、牛瘟等。

诎（詘） chù ［诎诡］（chùguǐ）〈书〉形❶奇异。❷滑稽。

搐 chù 牵动；肌肉抽缩：抽～。

【搐动】chùdòng 动（肌肉等）不随意地收缩抖动：全身～了一下。

【搐搦】chùnuò〈书〉动 抽搐。

触（觸） chù ❶动 接触；碰；撞；抵：～｜～电｜一～即发。❷触动；感动：～起前情｜忽有所～。

【触电】chù//diàn 动❶人或动物接触较强的电流。机体触电会受到破坏，甚至死亡；换保险丝时要小心，以免～。❷比喻参加拍摄电影、电视片等（多指第一次）。

【触动】chùdòng 动❶碰；撞：他在暗中摸索了半天，忽然～了什么，响了一下。❷冲撞；触犯：～现行体制｜～了个别人的利益。❸因某种刺激而引起（感情变化、回忆等）：这些话～了老人的心事。

【触发】chùfā 动 受到触动而引起某种反应：雷管爆炸，～了近旁的炸药｜电台播放的家乡民歌～了他心底的思乡之情。

【触犯】chùfàn 动 冒犯；冲撞；侵犯：～众怒｜不能～人民的利益。

【触机】chùjī 动 触动灵机；不假思索，～即发。

【触及】chùjí 动 触动到：～痛处｜他不敢～问题的要害。

【触礁】chù//jiāo 动❶船只在航行中碰上暗礁。❷比喻事情进行中遇到障碍：婚姻～｜谈判～。

【触角】chùjiǎo 图 昆虫、软体动物或甲壳类动物的感觉器官之一，生在头上，一般呈丝状。也叫触须。

【触景生情】chù jǐng shēng qíng 受到当前情景的触动而产生某种感情：旧地重游，～，当年的人和事浮上脑际。

【触觉】chùjué 图 皮肤等与物体接触时所产生的感觉。

【触类旁通】chù lèi páng tōng 掌握了关于某一事物的知识，而推知同类中其他事物。

【触梅头】chù méitóu 同"触霉头"。

【触霉头】chù méitóu〈方〉碰到不愉快的事；倒霉。也作触楣头。

【触摸】chùmō 动 用手接触后轻轻移动：受伤处稍一～即疼痛难忍。

【触摸屏】chùmōpíng 图 在显示器屏幕上加一层感应膜，用手指或其他笔形物轻触屏幕就可以使计算机执行操作，这种屏幕叫做触摸屏。

【触目】chùmù ❶动 视线接触到：～惊心｜～皆是。❷形 显眼；引人注目：门上的金字招牌非常～。

【触目惊心】chù mù jīng xīn 看到某种严重的情况引起内心的震动。也作怵目惊心。

【触怒】chùnù 动 触犯使发怒：他的无理取闹～了众人。

【触杀】chùshā 动 因接触而杀死：这种农药对蚜虫等有较高的～效果。

【触手】chùshǒu 图 水螅等低等动物的感觉器官，多生在口旁，形状像丝或手指，又可以用来捕食。

【触须】chùxū 图 触角。

滀 chù〈书〉(水)聚积。
另见1540页 xù。

憷 chù 动 害怕；畏缩：发～｜～头｜～场｜这孩子～见生人。

【憷场】chùchǎng 动 害怕在公众场合讲话、表演等。也作怵场。

【憷头】chùtóu 动 遇事胆怯，不敢出头，觉着难办。也作怵头。

黜 chù〈书〉罢免；革除：罢～｜～退。

【黜免】chùmiǎn〈书〉动 罢免（官职）。

【黜退】chùtuì〈书〉动 免除（职务）。

瘃 chù 用于人名，颜瘃，战国时齐国人。

矗 chù 直立；高耸：～立。

【矗立】chùlì 动 高耸地立着：大街两旁～着高楼大厦｜电视发射塔～在山顶上。

---

chuā（ㄔㄨㄚ）

欻（歘） chuā 拟声 形容短促迅速的声音：～的一下把信撕开了。
另见1537页 xū。

【欻拉】chuālā 〖拟声〗形容菜放到滚油锅里发出的急促声音：～一声，把菜倒进了油锅。

chuāi （彳ㄨㄞ）

揣 chuāi 〖动〗❶ 藏在穿着的衣服里：这张照片儿～在我口袋里很久了。❷〈方〉牲畜怀孕：母猪～崽儿｜骒马～上驹了。
　另见 207 页 chuǎi；207 页 chuài。

【揣手儿】chuāi//shǒur 〖动〗两手交错放在袖子里：揣着手儿站在一旁看热闹。

搋 chuāi 〖动〗❶ 以手用力压和揉：～面｜把衣服洗了又～。❷ 用搋子疏通下水道：大便堵住了，你去～～。

【搋子】chuāi·zi 〖名〗疏通下水道的工具，由长柄和橡胶碗构成。

chuái （彳ㄨㄞ）

膗 chuái 〈方〉〖形〗肥胖而肌肉松：看他那～样。

chuǎi （彳ㄨㄞ）

揣 chuǎi ❶ 估计；忖度：～测｜～度｜不～冒昧。❷（Chuǎi）〖名〗姓。
　另见 207 页 chuāi；207 页 chuài。

【揣测】chuǎicè 〖动〗推测；猜想：我～他已经离开北京了｜他善于～别人的心思。

【揣度】chuǎiduó 〈书〉〖动〗估量；推测。

【揣摸】chuǎi·mo 〖动〗揣摩。

【揣摩】chuǎimó 〖动〗反复思考推求：这篇文章的内容，要仔细～才能透彻了解｜我始终～不透他的意思。

【揣想】chuǎixiǎng 〖动〗推测；猜想：他心里～着究竟什么原因使她生气。

chuài （彳ㄨㄞ）

闯（闖） chuài 见 1743 页〖闯闯〗。

啜 Chuài 〖名〗姓。
　另见 220 页 chuò。

揣 chuài 见 982 页〖囊揣〗（nāngchuài）、1743 页〖挣揣〗（zhèngchuài）。
　另见 207 页 chuāi；207 页 chuǎi。

嘬 chuài 〈书〉咬；吃。
　另见 1824 页 zuō。

踹 chuài 〖动〗❶ 脚底向外踢：一脚就把门～开了。❷ 踩；踏：没留神一脚～在水沟里。

膪 chuài 见 982 页〖囊膪〗（nāngchuài）。

chuān （彳ㄨㄢ）

川 chuān ❶ 河流：河～｜高山大～｜百～归海。❷ 平地；平野：米粮～｜一马平～｜八百里秦～。❸（Chuān）〖名〗指四川：～马｜～菜。

【川贝】chuānbèi 〖名〗四川产的贝母，可入药。参看 58 页〖贝母〗。

【川菜】chuāncài 〖名〗四川风味的菜肴：～馆｜正宗～。

【川地】chuāndì 〖名〗山间或河流两边的平坦低洼的土地。

【川费】chuānfèi 〖名〗路费；川资。

【川剧】chuānjù 〖名〗四川地方戏曲剧种之一，流行于四川、重庆和贵州、云南的部分地区。

【川军】chuānjūn 〖名〗大黄，旧称"将军"，四川出产的最好，所以叫川军。

【川流不息】chuān liú bù xī （行人、车马等）像水流一样连续不断。

【川芎】chuānxiōng 〖名〗多年生草本植物，羽状复叶，花白色，果实椭圆形。生长在四川、云南等地。根状茎入药。也叫芎䓖。

【川资】chuānzī 〖名〗旅费；路费。

氚 chuān 〖名〗氢的同位素之一，符号 T（tritium）或 ^{3}H。原子核中有一个质子和两个中子。有放射性，用于热核反应。也叫超重氢。

穿 chuān 〖动〗❶ 破；透：把纸～了个洞｜水滴石～。❷ 用在某些动词后，表示破、透或彻底显露：射～｜磨～｜看～了他的心思｜戳～｜阴谋诡计。❸ 通过（孔洞、缝

隙、空地等);～针|～过森林|从这个胡同～过去。❹ 用绳线等通过物体把物品连贯起来:～糖葫芦|用珠子～成珠帘。❺ 把衣服鞋袜等物套在身体上:～鞋|～衣服。

【穿帮】chuānbāng 〈方〉䏝露出破绽;被揭穿:弄虚作假迟早要～。

【穿插】chuānchā 䏝❶ 交叉:突击任务和日常工作～进行,互相推动|人流、车辆相互～,使交通格外拥挤。❷ 小说戏曲中,为了衬托主题而安排一些次要的情节:～上一些农村生活细节,使这个剧的主题更加鲜明了。

【穿刺】chuāncì 䏝为了诊断或治疗,用特制的针刺入体腔或器官而抽出液体或组织。如关节穿刺、骨髓穿刺等。

【穿戴】chuāndài ❶ 䏝穿和戴,泛指打扮:她～得很时髦。❷ 䎑指穿的和戴的衣帽、首饰等:一身好～。

【穿甲弹】chuānjiǎdàn 䎑❶ 能穿透坦克、装甲车等防护装甲的炮弹和炸弹。❷ 钢心的枪弹。

【穿金戴银】chuān jīn dài yín 形容服饰非常华丽。

【穿孔】chuān∥kǒng 䏝❶ 胃、肠等的壁遭到破坏,形成孔洞。❷ 打孔:～机。

【穿廊】chuānláng 䎑二门两旁的走廊。

【穿连裆裤】chuān liándāngkù 〈方〉比喻互相勾结、包庇。

【穿山甲】chuānshānjiǎ 䎑哺乳动物,全身有角质鳞甲,没有牙齿,爪锐利,善于掘土。生活在丘陵地区,吃蚂蚁、白蚁等。也叫鲮鲤(línglǐ)。

【穿梭】chuānsuō 䏝像织布的梭子来回活动,形容来往频繁:～外交|人流如～。

【穿堂风】chuāntángfēng 䎑过堂风。

【穿堂门】chuāntángmén 䎑❶ 两巷之间有供穿行的小巷,在小巷口所造的像门一样的建筑物。❷ 穿堂的前后门。

【穿堂儿】chuāntángr 䎑指前后有门能穿行的厅堂。

【穿线】chuānxiàn 䏝比喻从中撮合、联系:从中～搭桥。

【穿小鞋】chuān xiǎoxié (～儿)比喻受人(多为有职权者)暗中刁难、约束或限制:不容许он发表不同意见的群众～。

【穿孝】chuān∥xiào 䏝旧俗,人死后亲属和亲戚中的晚辈或平辈穿孝服,表示哀悼。

【穿心莲】chuānxīnlián 䎑一年生草本植物,茎四棱形,叶子椭圆形至披针形,花白色或淡紫色。全草入药。

【穿行】chuānxíng 䏝(从孔洞、缝隙、空地等)通过:火车在隧道中～|施工重地,过路行人不得～。

【穿靴戴帽】chuān xuē dài mào 比喻写文章或讲话中套用一些空洞说教,因多在开头和结尾部分,所以说穿靴戴帽。也说穿鞋戴帽。

【穿衣镜】chuānyījìng 䎑可以照见全身的大镜子。

【穿窬】chuānyú 〈书〉䏝钻洞和爬墙(多指偷窃):～之辈。

【穿越】chuānyuè 䏝通过;穿过:～沙漠|～边境。

【穿云裂石】chuān yún liè shí (声音)穿过云层,震裂石头,形容乐器声或歌声高亢嘹亮。

【穿凿】chuānzáo (旧读 chuānzuò) 䏝非常牵强地解释,把没有某种意思的说成有某种意思:～附会。

【穿针引线】chuān zhēn yǐn xiàn 比喻从中撮合联系,使双方接通关系。

【穿着】chuānzhuó 䎑衣着;装束:～朴素|～入时|讲究～。

chuán (ㄔㄨㄢ)

传(傳) chuán ❶ 䏝由一方交给另一方;由上代交给下代:流～|由前向后～|古代～下来的文化遗产。❷ 䏝传授:师～|把自己的手艺～给人。❸ 䏝传播:宣～|胜利的消息～遍全国。❹ 䏝传导:～电|～热。❺ 表达:～神|～情。❻ 䏝发出命令叫人来:～讯|把他～来。❼ 䏝传染:这种病～人。❽ (Chuán)䎑姓。

另见 1791 页 zhuàn。

【传本】chuánběn 䎑世代流传下来的书籍版本。

【传播】chuánbō 䏝广泛散布:～花粉|消息|～先进经验。

【传布】chuánbù 䏝传播:～病菌|～消息|

～新思想。

【传唱】chuánchàng 动 (歌曲等)流传歌唱:～千古|这首歌已在群众中广为～。

【传抄】chuánchāo 动 辗转抄写:～本|好的诗歌,人们争着～。

【传承】chuánchéng ❶ 动 传授和继承:木雕艺术经历代～,至今已有千年的历史。❷ 名 传统:文化～。

【传出神经】chuánchū-shénjīng 把中枢神经系统的兴奋传到各个器官或外围部分的神经。也叫运动神经。

【传达】chuándá ❶ 动 把一方的意思告诉给另一方:～命令|～上级的指示。❷ 名 在机关、学校、工厂的门口管理登记和引导来宾的工作:～室。❸ 名 在机关、学校、工厂门口担任传达工作的人。

【传代】chuán//dài 动 ❶ 子孙一代接一代地延续。❷ 把物品、技艺等一代一代地传下去。

【传单】chuándān 名 印成单张向外散发的宣传品:印～|撒～。

【传导】chuándǎo 动 ❶ 热或电从物体的一部分传到另一部分。❷ 神经纤维把外界刺激传向大脑皮质,或把大脑皮质的活动传向外围神经。

【传道】chuán//dào 动 ❶ 布道。❷ 旧时指传授古代圣贤的学说。

【传灯】chuándēng 动 佛教称佛法能像明灯一样照亮世界,指引迷途,因以传灯比喻传授佛法:～弟子。

【传递】chuándì 动 由一方交给另一方;辗转递送:～消息|～信件|～火炬。

【传动】chuándòng 动 利用构件或机构把动力从机器的一部分传递到另一部分:机械～|液压～。

【传粉】chuánfěn 动 雄蕊花药里的花粉借风或昆虫等做媒介,传到雌蕊的柱头上或胚珠上,是子房形成果实的必要条件。可分为自花传粉和异花传粉两种。

【传感器】chuángǎnqì 名 能够将某一被测物理量(如速度、温度、声、光等)变换成便于传送和处理的另一物理量(通常为电量)的器件或装置。常用于自动控制和测量系统中。

【传告】chuángào 动 把消息、话语等转告给别人:互相～|奔走～|～喜讯。

【传观】chuánguān 动 传递着看:他拿出

纪念册来让我们～。

【传呼】chuánhū 动 ❶ 电信局通知受话人去接长途电话;管理公用电话的人通知受话人去接电话:夜间～|公用～电话。❷ 指通过无线寻呼机传递信息:～台。

【传话】chuán//huà 动 把一方的话转告给另一方:这个人太爱～|他让我给你传个话,他实在帮不了什么的忙。

【传唤】chuánhuàn 动 ❶ 招呼;有事～一声。❷ 司法机关用传票指定与诉讼有关的人在指定的时间到达指定的地点,接受讯问或询问。

【传家】chuánjiā 动 家庭里世代相传:～宝|忠厚～。

【传家宝】chuánjiābǎo 名 家庭里世代相传的宝贵物品◇艰苦朴素的作风是劳动人民的～。

【传见】chuánjiàn 动 旧时指通知人来见面(用于上级对下级):～学生代表|听候～。

【传教】chuán//jiào 动 宣传宗教教义,劝人信教。

【传教士】chuánjiàoshì 名 基督教会(包括旧教和新教)派出去传教的人。

【传戒】chuánjiè 动 佛教用语,指寺院里召集初出家的人受戒,使成为正式的和尚或尼姑。

【传经】chuán//jīng 动 传授经验:～送宝。

【传看】chuánkàn 动 传递着看:文件只有一份,咱们就～吧!

【传令】chuán//lìng 动 传达命令:～兵|司令部～嘉奖。

【传流】chuánliú 动 流传:～久远。

【传媒】chuánméi 名 ❶ 传播媒介,特指报纸、广播、电视、网络等各种新闻工具:国内外数十家新闻～对这一有趣的民俗作了介绍。❷ 疾病传染的媒介或途径:游泳池会成为红眼病的～。

【传票】chuánpiào 名 ❶ 司法机关签发的传唤与案件有关的人到案的凭证。❷ 会计工作中据以登记账目的凭单。

【传奇】chuánqí 名 ❶ 唐代兴起的短篇小说,如《李娃传》《会真记》等。❷ 明清两代盛行的长篇戏曲,一般每本由二十余出至五十余出组成。如明代汤显祖的《牡丹亭》、清代孔尚任的《桃花扇》等。❸ 指情节离奇或人物行为超越寻常的故事:～

式的人物|他一生的经历充满了～色彩。

【传情】chuánqíng 动 传达情意(多指男女之间)：眉目～。

【传染】chuánrǎn 动❶ 病原体侵入机体，使机体产生病理反应，叫做传染。❷ 比喻因接触而使情绪、感情、风气等受影响，发生类似变化：他的不安情绪迅速～给了在座的人。

【传染病】chuánrǎnbìng 名 由病原体侵入机体所引起的带有传染性的疾病。如霍乱、炭疽、肺结核、麻风、天花、伤寒等。

【传人】chuánrén ❶(－//－) 动 传授给别人(多指特殊的技艺)：祖传秘方向来不轻易～。❷ 名 能够继承某种学术、技艺而使它流传的人：京剧梅(兰芳)派～|濒于失传的绝技如今有了～。❸(－//－) 动 (疾病)传染给别人：感冒容易～。

【传入神经】chuánrù-shénjīng 把各个器官或外围部分的兴奋传到中枢神经系统的神经。也叫感觉神经。

【传神】chuánshén 形 (优美的文学、艺术作品)描绘人或物，给人生动逼真的印象：他画的马非常～|这段对话把一个吝啬鬼刻画得如见其人，可谓～之笔。

【传声器】chuánshēngqì 名 把声音转换成电能的电信装置。声波通过传声器时，传声器能使电流随声波的变化做相应的变化，用于有线广播和无线电广播。通称话筒、麦克风，也叫微音器。

【传声筒】chuánshēngtǒng 名 ❶ 话筒③。❷ 比喻照着人家的话说，自己毫无主见的人。

【传世】chuánshì 动 珍宝、书画、著作等(多指古代的)流传到后世：～珍品|之作。

【传授】chuánshòu 动 把学问、技艺教给别人：～技术|～经验|这门手艺是他祖父～下来的。

【传输】chuánshū 动 输送(能量、信息等)：直线～|～装置。

【传输线】chuánshūxiàn 名 传送电能和电信号等的导线。如传送电力的输电线、有线通信的电缆和无线电发射机与天线的连线。

【传述】chuánshù 动 传说①：～故事。

【传说】chuánshuō ❶ 动 辗转述说：村里～他在城里当了经理。❷ 名 群众口头上流传的关于某人某事的叙述或某种说法：鲁班的～|这种～并没什么根据。

【传送】chuánsòng 动 把物品、信件、消息、声音等从一处传递到另一处：～电报|～消息。

【传送带】chuánsòngdài 名 ❶ 生产流水线中传送材料、机件、成品等的装置。❷ 特指装置上的传送皮带。

【传诵】chuánsòng 动 ❶ 辗转传布诵读：这首诗曾经～一时。❷ 辗转传布称道：他的名字在民间广为～。

【传颂】chuánsòng 动 辗转传布颂扬：全村人～着他英勇救人的事迹。

【传统】chuántǒng ❶ 名 世代相传，具有特点的社会因素，如文化、道德、思想、制度等：发扬艰苦朴素的优良～。❷ 形 属性词。世代相传或相沿已久并具有特点的：～剧目。❸ 形 守旧；保守：老人的思想比较～。

【传闻】chuánwén ❶ 动 辗转听到：～不如亲见|～他已出国。❷ 名 辗转流传的事情：～失实|不要轻信～。

【传习】chuánxí 动 传授和学习知识、技艺等。

【传檄】chuánxí 〈书〉动 传布檄文：～声讨。

【传销】chuánxiāo 动 生产企业不通过商店而是由推销的人把产品层层转卖后销售给消费者的一种营销方式。鉴于我国目前的具体情况，国务院于 1998 年 4 月决定禁止传销经营活动。

【传写】chuánxiě 动 传抄：竞相～|几经～，讹误颇多。

【传续】chuánxù 动 继承；延续(多用于抽象事物)：～学术精神。

【传讯】chuánxùn 动 (司法机关)传唤犯罪嫌疑人、刑事被告人等与案件有关的人在指定的时间和场所接受讯问。

【传言】chuányán ❶ 名 辗转流传的话：不要轻信～。❷〈书〉动 传话：～送语。

【传扬】chuányáng 动 (事情、名声等)传播：这要是～出去，他可就被动了|他的英雄事迹很快地～开了。

【传艺】chuányì 动 传授技艺：收徒～。

【传译】chuányì 动 翻译：学术报告厅有六种语言同声～系统。

【传语】chuányǔ 〈书〉动 传话。

【传阅】chuányuè 动 传递着看：～文件 | 这篇稿子请大家～并提意见。

【传真】chuánzhēn ❶ 动 指画家描绘人物的形状；写真①。❷ 名 利用光电效应，通过有线电或无线电装置把照片、图表、书信、文件等的真迹传送到远方的通信方式。也指用传真机传送的文字、图表等：发～。❸ 动 用传真传送文字、图表等。

【传真机】chuánzhēnjī 名 利用传真技术传送和接收照片、图表、书信、文件等真迹的设备。

【传种】chuán // zhǒng 动 动植物繁殖后代：养马要选择优良的品种来～。

【传宗接代】chuán zōng jiē dài 子孙一代接一代地延续下去。

舡 chuán 〈书〉同"船"。

船(舩) chuán 名 水上的主要运输工具：～体 | ～身 | 拖～ | 帆～ | 一只小～。

【船帮】[1] chuánbāng 名 船身的侧面。

【船帮】[2] chuánbāng 名 成群结队的船。

【船舶】chuánbó 名 船（总称）。

【船埠】chuánbù 名 停船的码头。

【船舱】chuáncāng 名 船内载乘客、装货物的地方。

【船夫】chuánfū 名 在木船上工作的人。

【船户】chuánhù 名 ❶ 船家。❷ 指以船为家的水上住户。

【船家】chuánjiā 名 旧时靠驾驶自己的木船为生的人。

【船老大】chuánlǎodà 〈方〉名 木船上的主要船夫，泛指船夫。

【船民】chuánmín 名 以船为家从事水上运输的人。

【船篷】chuánpéng 名 ❶ 小木船上的覆盖物，用来遮蔽日光和风雨。❷ 船上的帆。

【船钱】chuánqián 名 雇船或搭船的人所付的费用。

【船艄】chuánshāo 名 船尾。

【船台】chuántái 名 制造、修理轮船、舰艇等用的工作台，有坚固的基础。船只在船台上拼装、制造后沿轨道下水。

【船位】chuánwèi 名 某一时刻轮船在海洋上的位置。

【船坞】chuánwù 名 停泊、修理或制造船只的地方。

【船舷】chuánxián 名 船两侧的边儿。

【船员】chuányuán 名 在轮船上工作的人员。

【船闸】chuánzhá 名 使船只能在河道上水位差较大的地段通行的水工构筑物，由闸室和两端的闸门构成。船只驶入闸室后，关闭后闸门，调节水位，使与前面航道的水位相平或接近，然后开启前闸门，船只就驶出闸室而前进。

【船长】chuánzhǎng 名 轮船上的总负责人。

【船只】chuánzhī 名 船（总称）：捕捞队有大小～二十艘。

遄 chuán 〈书〉❶ 迅速地：～往 | ～返。❷ 往来频繁。

椽 chuán 椽子。

【椽笔】chuánbǐ 〈书〉名 如椽的大笔，用来称颂别人的文章或写作才能。

【椽子】chuán·zi 名 放在檩上架着屋面板和瓦的木条。（图见387页"房子"）

篅(圌) chuán 〈方〉名 一种盛粮食等的器具，类似囤。

"圌"另见217页 Chuí。

chuǎn （ㄔㄨㄢˇ）

舛 chuǎn 〈书〉❶ 差错：乖～。❷ 违背：～令（违抗命令）| ～驰（相背而驰）。❸ 不顺遂；不幸：命途多～。

【舛错】chuǎncuò ❶ 形 错乱；不正确：引文～。❷ 动 交错：冷热～。

【舛讹】chuǎn'é 〈书〉名 谬误；差错。

【舛误】chuǎnwù 名 错误；差错。

喘 chuǎn 动 ❶ 急促呼吸：～口气 | 累得直～。❷ 气喘：到了冬天，～得更厉害了。

【喘气】chuǎn // qì 动 ❶ 呼吸：深呼吸；累得大口～ | 跑得喘不过气来。❷ 指紧张活动中的短时休息：忙了半天，也该喘喘气儿了。

【喘息】chuǎnxī 动 ❶ 急促呼吸：～未定。❷ 指紧张活动中短时休息：忙得连～的时间都没有。

【喘吁吁】(喘嘘嘘) chuǎnxūxū （～的）形

状态词。形容喘气的样子：累得～的。

僢 chuǎn 〈书〉同"舛"。

踳 chuǎn 〈书〉同"舛"。

chuàn （ㄔㄨㄢ）

串 chuàn ❶ 连贯：贯～｜～讲。❷（～儿）[名] 连贯起来的东西：珠子～儿｜羊肉～｜连不成～儿了。❸（～儿）[量] 用于连贯起来的东西：一～珍珠｜两～儿糖葫芦。❹ 勾结（做坏事）：～供｜～骗。❺ [动] 错误地连接：电话～线｜字印得太密，容易看～行。❻ [动] 由这里到那里走动：走街～巷｜～亲戚｜到处乱～。❼ 担任非本行当的戏曲角色：客～｜反～｜～演。❽ [动] 两种不同的东西混杂在一起而改变了原来的特征：～味｜～秧儿。❾（Chuàn）[名] 姓。

【串案】chuàn'àn [名] 某个案件涉及多个犯罪嫌疑人，查证一个人的犯罪事实时，又连带出另一个，接连成串，这样的案件叫串案。

【串岗】chuàngǎng [动] 上班时间随意离开自己的岗位到别人的岗位上走动：～闲聊。

【串供】chuàn//gòng [动] 犯罪嫌疑人、刑事被告人之间以及他们与证人之间互相串通，捏造口供：防止～。

【串换】chuànhuàn [动]（互相）掉换：～优良品种。

【串讲】chuànjiǎng [动] ❶ 语文教学中逐字逐句解释课文。❷ 一篇文章或一本书分段学习后，再把整个内容连贯起来做概括的讲述。

【串连】chuànlián 同"串联"。

【串联】chuànlián [动] ❶ 一个一个地联系；为了共同行动，进行联系：～几户乡亲合办了一个养鸡场。❷ 把几个电器或元器件一个接一个相继连接起来，电路中的电流顺次通过，这种连接方法叫串联。‖ 也作串连。

【串铃】chuànlíng [名] ❶ 中空的金属环，装金属球，可以套在手上，摇动发声，走江湖给人算命、看病的人多用来招揽顾客。❷连成串的铃铛，多挂在骡马等的脖子上。

【串门】chuàn//mén （～儿）[动] 到别人家去闲坐聊天儿：老太太经常到四邻｜烦闷的时候到朋友家串个门儿。也说串门子。

【串皮】chuàn//pí 〈口〉[动] 指药物或酒类等进入人体后，作用散布到周身或局部皮肤，使皮肤发痒或变红。

【串气】chuànqì 〈口〉[动] 互通声气；串通：暗中～。

【串亲戚】chuàn qīn·qi 到亲戚家看望。

【串通】chuàntōng [动] ❶ 暗中勾结，使彼此言语行动互相配合：～一气。❷ 串联；联系：两家结亲的事，已由老村长～妥当。

【串通一气】chuàntōng yīqì 暗中勾结，互相配合：他们俩～来算计我。

【串味】chuàn//wèi （～儿）[动] 食品、饮料等同其他有特殊气味的物品放在一起，染上特殊气味：茶叶不要跟化妆品放在一起，以免～。

【串戏】chuàn//xì [动] 演戏，特指非专业演员参加专业剧团演戏。

【串线】chuàn//xiàn [动] 不同的线路因故障而相互连通：电话～了。

【串烟】chuàn//yān [动] 用柴灶做饭时，饭菜因受烟熏而有烟味。

【串演】chuànyǎn [动] 扮演（非本行当的戏曲角色）：她在《天河配》里～过织女。

【串秧儿】chuànyāngr 〈口〉[动] 不同品种的动物或植物杂交，改变原来的品种。

【串游】chuàn·you 〈口〉[动] 闲逛；到处走：四处～。

【串种】chuànzhǒng （～儿）[动] 不同种的动植物进行交配或杂交。

【串珠】chuànzhū [名] 成串的珠子。

【串子】chuàn·zi [名] 连贯起来的东西：钱～。

钏（釧） chuàn ❶ 镯子：玉～｜金～。❷（Chuàn）[名] 姓。

chuāng （ㄔㄨㄤ）

创（創） chuāng ❶ 创伤：～口｜～巨痛深。❷ 使受损伤：重～敌军。另见214页 chuàng。

【创痕】chuānghén [名] 伤痕。

【创口】chuāngkǒu [名] 伤口。

【创面】chuāngmiàn 图 创伤的表面。

【创伤】chuāngshāng 图❶身体受伤的地方；外伤：腿上的～已经治愈。❷比喻物质或精神遭受的破坏或伤害：战争的～|精神上的～。

【创痛】chuāngtòng 图 因受创伤而感到的疼痛或痛苦：忍受着腿部中弹的剧烈～坚持行军|她用歌声安慰母亲心灵上的～。

【创痍】chuāngyí 同"疮痍"。

扐(撦) chuāng 〈书〉用手或器具撞击物体：～钟鼓。

疮(瘡) chuāng ❶图 通常称皮肤上或黏膜上发生溃烂的疾病：口～|褥～|冻～|生～。❷外伤：刀～|金～。

【疮疤】chuāngbā 图❶疮好了以后留下的疤：背上有一块～。❷比喻痛处、短处或隐私：别老揭人的～。

【疮痂】chuāngjiā 图 疮口表面所结的痂。

【疮口】chuāngkǒu 图 疮的破口：～化脓。

【疮痍】chuāngyí 〈书〉图 创伤，比喻遭受破坏或灾害后的景象：满目～。也作创痍。

【疮痍满目】chuāngyí mǎn mù 眼睛看到的都是创伤，形容遭受战乱、灾祸严重破坏后的景象。也说满目疮痍。

窗(窓、牕、窻) chuāng (～儿) 图 窗户：纱～|玻璃～|～明几净|～外一片喧闹声。

【窗洞】chuāngdòng (～儿)图 墙上开的通气透光的洞。

【窗格子】chuānggé·zi 图 窗户上用木条或铁条交错制成的格子。(图见387页"房子")

【窗户】chuāng·hu 图 墙壁上通气透光的装置。(图见387页"房子")

【窗花】chuānghuā (～儿)图 剪纸的一种，多做窗户上的装饰。

【窗口】chuāngkǒu 图❶窗户。❷(～儿)窗户跟前：站在～远望。❸(售票处、挂号室等)墙上开的窗形的口，有活扇可以开关。❹比喻反映或展示精神上、物质上各种现象或状况的地方：～行业|眼睛是心灵的～|王府井是北京商业的～。❺指计算机操作系统的窗口应用程序，包括文档窗口和对话框。

【窗帘】chuānglián (～儿)图 挡窗户的东西，用布、绸子、呢绒等制成。

【窗棂】chuānglíng 〈方〉图 窗格子。也叫窗棂子。

【窗幔】chuāngmàn 图 窗帘(多指大幅的)。

【窗明几净】chuāng míng jī jìng 窗户明亮，几案洁净，形容室内十分整洁。

【窗纱】chuāngshā 图 安在窗户上的冷布、铁纱等。

【窗扇】chuāngshàn (～儿)图 窗户上像门扇一样可以开合的部分。

【窗台】chuāngtái (～儿)图 托着窗框的平面部分。(图见387页"房子")

【窗屉子】chuāngtì·zi 〈方〉图 窗户上糊冷布或钉铁纱等用的木框子。

【窗沿】chuāngyán (～儿)图 窗台。

【窗子】chuāng·zi 图 窗户。

chuáng (ㄔㄨㄤˊ)

床(牀) chuáng ❶图 供人躺在上面睡觉的家具：铁～|单人～|一张～。❷像床的器具：冰～|机～。❸某些像床的地面：苗～|河～。❹量 用于被褥等：两～被子|一～铺盖。

【床板】chuángbǎn 图 搭床用的木板。

【床单】chuángdān (～儿)图 铺在床上的长方形布帛。也叫床单子。

【床铺】chuángpù 图 床和铺的总称。

【床榻】chuángtà 〈书〉图 床：卧病～。

【床头柜】chuángtóuguì 图 放在床头边的小柜子。

【床帏】chuángwéi 图 床上的帐子，借指男女私情：～秘事。

【床位】chuángwèi 图 医院、轮船、集体宿舍等为病人、旅客、住宿者设置的床。

【床沿】chuángyán (～儿)图 床的边缘。

【床罩】chuángzhào (～儿)图 罩在床上的长方形单子，边上多有装饰性的穗子或荷叶边。

【床笫】chuángzǐ 〈书〉图 床铺，多指闺房或夫妇之间：辗转～|～之言。

【床子】chuáng·zi 图❶机床。❷〈方〉像床的货架：菜～|羊肉～。

噇 chuáng 〈方〉动 无节制地狂吃狂喝：～得烂醉。

幢 chuáng ❶ 古代旗子一类的东西。❷ 刻着佛号(佛的名字)或经咒的绸伞或石柱子：经～|石～。
另见 1795 页 zhuàng。

【幢幢】chuángchuáng 〈书〉形 形容影子摇晃：人影～|灯影～。

chuǎng （ㄔㄨㄤ）

闯(闖) chuǎng ❶ 动 猛冲；勇猛向前：～劲|～进去|横冲直～。❷ 动 闯练：他这几年～出来了。❸ 动 为一定目的而奔走活动：～关东|～江湖|走南～北。❹ 动 惹起：～祸|～乱子。❺ (Chuǎng)名 姓。

【闯荡】chuǎngdàng 动 指离家在外谋生或经受锻炼：～江湖(闯江湖)。

【闯关】chuǎng//guān 动 冲过关口，多用于比喻：～夺隘|我国男女单打选手都连闯几关，获得出线权。

【闯关东】chuǎng Guāndōng 旧时山东、河北一带的人到山海关以东的地方谋生，叫闯关东。

【闯红灯】chuǎng hóngdēng 车辆遇到红灯信号不停下来，违章行驶，叫闯红灯。

【闯祸】chuǎng//huò 动 因疏忽大意，行动鲁莽而引起事端或造成损失：孩子淘气，天天两头儿～。

【闯江湖】chuǎng jiānghú 旧时指奔走四方，流浪谋生，从事算卦、卖艺、卖药治病等职业。

【闯将】chuǎngjiàng 名 勇于冲锋陷阵的将领，多用于比喻：做技术革新的～。

【闯劲】chuǎngjìn (～儿)名 猛冲猛干的劲头：我很喜欢他这股勇于开拓的～。

【闯练】chuǎngliàn 动 走出家庭，到实际生活中锻炼：年轻人应当到外边～～。

【闯世界】chuǎng shìjiè 指奔走四方，流浪谋生：他年轻时就跟着叔叔外出～。

chuàng （ㄔㄨㄤ）

创(創、剏、剙) chuàng 动 开始(做)；(初次)做：～办|首～|～下规矩|～新记录。
另见 212 页 chuāng。

【创办】chuàngbàn 动 开始办：～学校|～杂志|许多乡镇都～了农机修造厂。

【创编】chuàngbiān 动 创作(剧本、体操、舞蹈等)：～历史剧。

【创汇】chuànghuì 动 使成品出口的外汇净收入多于外汇支出，叫创汇。

【创获】chuànghuò 名 过去没有过的成果或心得；第一次的发现：科研人员在这一重大课题的研究中多有～。

【创见】chuàngjiàn 名 独到的见解：他对明清文学的研究很有～。

【创建】chuàngjiàn 动 创立：～学校。

【创举】chuàngjǔ 名 从来没有过的举动或事业。

【创刊】chuàngkān 动 开始刊行(报刊)：～号|《人民日报》于 1948 年 6 月 15 日～。

【创刊号】chuàngkānhào 名 报刊开始刊行的一期。

【创立】chuànglì 动 初次建立：～新的学术体系。

【创利】chuànglì 动 通过经营工商业等活动，创造利润：增收～|该厂人均～超万元。

【创牌子】chuàng pái·zi 以产品质量或服务质量赢得顾客信任，从而提高产品或企业的知名度。

【创设】chuàngshè 动 ❶ 创办：～研究所。❷ 创造(条件)：为技术攻关～有利的条件。

【创始】chuàngshǐ 动 开始建立：～人|中国是联合国的～国之一。

【创收】chuàngshōu 动 学校、科研机关等非营业单位利用自身条件投入社会创造收入。

【创税】chuàngshuì 动 纳税单位向国家财政部门交纳税款叫创税：这家公司一年为国家～上百万元。

【创新】chuàngxīn ❶ 动 抛开旧的，创造新的：勇于～|要有～精神。❷ 名 指创造性；新意：那是一座很有～的建筑物。

【创业】chuàngyè 动 创办事业：～史|～守成|艰苦～。

【创业资金】chuàngyè zījīn 风险资金。

【创议】chuàngyì ❶ 动 倡议：～开展劳动竞赛。❷ 名 首先提出的建议：这一～得到了全厂工人的热烈响应。

【创意】chuàngyì ❶名 有创造性的想法、构思等：颇具～|这个设计风格保守，毫无～可言。❷动 提出有创造性的想法、构思等：这项活动由工会～发起。

【创优】chuàngyōu 动 创造优良的产品、业绩或创造优秀的集体、团队等：确保工程全面～|开展～活动。

【创造】chuàngzào 动 想出新方法、建立新理论、做出新的成绩或东西：～性|～新纪录|劳动人民是历史的～者。

【创造性】chuàngzàoxìng 名 ❶ 努力创新的思想和表现：充分调动广大群众在劳动中的积极性和～。❷ 属于创新的性质：～的劳动。

【创制】chuàngzhì 动 初次制定（多指法律、文字等）：帮助没有文字的少数民族～文字。

【创作】chuàngzuò ❶动 创造文艺作品：～经验。❷名 指文艺作品：一部划时代的～。

沧（滄）chuàng〈书〉寒冷。

怆（愴）chuàng〈书〉悲伤：凄～|悲～。

【怆然】chuàngrán〈书〉形 悲伤的样子：～泪下。

【怆痛】chuàngtòng 形 悲痛：万分～|～欲绝。

chuī（ㄔㄨㄟ）

吹 chuī 动 ❶ 合拢嘴唇用力出气：～灯|～一口气。❷ 吹气演奏：～笛子。❸（风、气流等）流动；冲击：风～雨打|～风机。❹〈口〉说大话；夸口：先别～，做出成绩来再说|他胡～一通，你还真信。❺ 吹捧：又～又拍。❻〈口〉（事情、交情）破裂；不成功：婚事告～|这个月的计划又～了。

【吹吹打打】chuī·chuīdǎdǎ 动 原指乐器合奏，借指对事渲染、夸耀，以张大声势，引人注意。

【吹打】chuīdǎ 动 ❶ 用管乐器和打击乐器演奏。❷（风、雨）袭击：经不住～。

【吹灯】chuī//dēng 动 ❶ 把灯火吹灭。❷〈方〉比喻人死亡：去年一场病，差点儿～。

❸〈方〉比喻失败；垮台；散伙：前几回都没有搞成，这回又～啦|俩人不知为了什么就～了。

【吹灯拔蜡】chuī dēng bá là〈方〉比喻人死亡或垮台。

【吹法螺】chuī fǎluó 佛教管讲经说法叫吹法螺。比喻说大话。也说大吹法螺。

【吹风】chuī//fēng 动 ❶ 被风吹，身体受风寒：吃了药别～。❷ 洗发后，用吹风机把热空气吹到头发上，使干而伏贴。❸（～儿）有意透露意向或信息使人知道：他～儿要咱们邀请他参加晚会|我先给你们吹吹风，大家有个思想准备。

【吹风机】chuīfēngjī 名 鼓风机，多指型号较小的，如理发店或炊事上所用的。

【吹拂】chuīfú 动（微风）掠过；拂拭：春风～大地。

【吹鼓手】chuīgǔshǒu 名 ❶ 旧式婚礼或丧礼中吹奏乐器的人。❷ 比喻为某人或某事进行吹嘘捧场的人（贬义）。

【吹管】chuīguǎn 名 以压缩氧气和其他可燃气体为燃料喷出高温火焰的管状装置。可以用来焊接金属或切割金属板。

【吹胡子瞪眼】chuī hú·zi dèng yǎn 形容发脾气或发怒的样子。

【吹灰之力】chuī huī zhī lì 比喻很小的力量（多用于否定式）：不费～。

【吹火筒】chuīhuǒtǒng 名 吹火用的器具，多用竹节的竹子做成。

【吹喇叭】chuī lǎ·ba 比喻为人吹嘘捧场：～，抬轿子。

【吹擂】chuīléi 动 夸口；吹嘘。

【吹冷风】chuī lěngfēng 比喻散布冷言冷语。

【吹毛求疵】chuī máo qiú cī 故意挑剔毛病，寻找差错。

【吹牛】chuī//niú 动 说大话；夸口。也说吹牛皮。

【吹牛皮】chuī niúpí 吹牛。

【吹拍】chuīpāi 动 吹捧奉承。

【吹捧】chuīpěng 动 吹嘘捧场：无耻～。

【吹腔】chuīqiāng 名 徽剧主要腔调之一，用笛子伴奏。京剧、婺剧等剧种也吸收运用这种腔调。

【吹求】chuīqiú 动 挑剔（毛病）。

【吹台】chuītái 动（事情、交情）破裂；不成功：这事看来又得～|两人谈恋爱时间不长

就～了。

【吹嘘】chuīxū 动 夸大地或无中生有地说自己或别人的优点;夸张地宣扬:自我～|这点事不值得那么～。

【吹奏】chuīzòu 动 吹某种乐器:～乐|～唢呐。

【吹奏乐】chuīzòuyuè 名 用管乐器演奏的音乐。

炊 chuī ❶ 动 烧火做饭:～具|～烟。❷ (Chuī)名 姓。

【炊具】chuījù 名 做饭菜用的器具。

【炊事】chuīshì 名 做饭、做菜及厨房里的其他工作:～员(担任炊事工作的人)。

【炊烟】chuīyān 名 烧火做饭时冒出的烟:～袅袅。

【炊帚】chuī·zhou 名 刷洗锅碗等的用具。

chuí (ㄔㄨㄟ)

垂 chuí ❶ 动 东西的一头向下:下～|～柳|架上一嘟噜一嘟噜的葡萄向下～着。❷〈书〉敬辞,用于别人(多是长辈或上级)对自己的行动:～念|～询|～问。❸〈书〉流传:永～不朽|名～千古。❹ 将近:～暮|～危|功败～成。

【垂爱】chuí'ài〈书〉动 敬辞,称对方(多指长辈或上级)对自己的爱护(多用于书信)。

【垂垂】chuíchuí〈书〉副 渐渐:～老矣。

【垂钓】chuídiào〈书〉动 钓鱼:湖边～。

【垂范】chuífàn〈书〉动 给下级或晚辈示范;做榜样:～后世。

【垂拱】chuígǒng〈书〉动 垂衣拱手,古时多指统治者以无所作为,顺其自然的方式统治天下:～而治。

【垂挂】chuíguà 动 物体上端固定在某点而下垂:卧室～着深绿色的窗帘。

【垂花门】chuíhuāmén 名 旧式住宅在二门的上头修建像屋顶样的盖,四角有下垂的短柱,柱的下端雕花彩绘,这种门叫垂花门。

【垂老】chuílǎo〈书〉动 将近老年:～多病。

【垂泪】chuílèi 动 (因悲伤)流眼泪:暗自～。

【垂怜】chuílián 动 敬辞,称对方(多指长辈或上级)对自己的怜爱或同情。

【垂帘】chuílián 动 唐高宗在朝堂上跟大臣们讨论政事的时候,在宝座后挂着帘子,皇后武则天在里面参与决定政事,后来把皇后或皇太后掌握朝政叫垂帘:～听政。

【垂柳】chuíliǔ 名 落叶乔木,树枝细长下垂,叶子条状披针形,春季开花,黄绿色。木材用途较广。

【垂落】chuíluò 动 挂着的东西一头向下落;物体因失去支持而掉下来:两行眼泪簌簌地～下来◇日沉西山,夜幕～。

【垂暮】chuímù〈书〉名 天将晚的时候:～之时,炊烟四起◇～之年(老年)。

【垂念】chuíniàn〈书〉动 敬辞,称对方(多指长辈或上级)对自己的关心挂念:承蒙～,不胜感奋。

【垂青】chuíqīng〈书〉动 古时黑眼珠叫青眼,对人正视表示看得起叫青眼相看。"垂青"表示重视:多蒙～。

【垂手】chuíshǒu 动 ❶ 下垂双手,表示容易:～而得。❷ 双手下垂,表示恭敬:～侍立。

【垂死】chuísǐ 动 接近死亡:～挣扎。

【垂体】chuítǐ 名 内分泌腺之一,在脑的底部,体积很小,能产生多种激素调节动物体的生长、发育和其他内分泌腺的活动。(图见 984 页"人的脑")

【垂髫】chuítiáo〈书〉名 小孩子头发扎起来下垂着,指幼年。

【垂头丧气】chuí tóu sàng qì 形容情绪低落、失望懊丧的神情。

【垂危】chuíwēi 动 ❶ 病重将死:生命～|～病人。❷ (国家、民族)临近危亡。

【垂问】chuíwèn〈书〉动 敬辞,称别人(多是长辈或上级)对自己询问。

【垂涎】chuíxián 动 因想吃而流口水,比喻看见别人的好东西想得到:～欲滴|～三尺。

【垂涎欲滴】chuíxián yù dī ❶ 形容非常贪馋想吃的样子。❷ 比喻看到好的东西,十分羡慕,极想得到(含贬义)。

【垂询】chuíxún〈书〉动 敬辞,称别人对自己的询问:欢迎～。

【垂直】chuízhí 动 两条直线相交成直角,这两条直线就互相垂直。这个概念可推广到一条直线与一个平面或两个平面的垂直。

陲

陲 chuí 〈书〉边地：边～。

捶

捶(搥) chuí 囫 用拳头或棒槌敲打：
～背｜～衣裳。

【捶打】chuídǎ 囫 用拳头或器物撞击物
体；砸：用榔头～铁板。

【捶胸顿足】chuí xiōng dùn zú 用拳头打
胸部，用脚跺地，形容非常焦急、懊丧或极
度悲痛的样子。

棰

棰 chuí 〈书〉❶ 短木棍。❷ 用棍子
打。❸ 同"箠"。❹ 同"槌"。

椎

椎 chuí ❶ 同"槌"。❷ 同"捶"。
另见 1796 页 zhuī。

【椎心泣血】chuí xīn qì xuè 捶打胸膛，哭
得眼中出血，形容极度悲痛的样子。

圌

圌 Chuí 圌山，山名，在江苏镇江。
另见 211 页 chuán "篅"。

槌

槌 chuí（～儿）囵 敲打用的棒，大多一
头较大或呈球形：棒～｜鼓～儿。

锤

锤(鎚、鎚) chuí ❶ 古代兵器，柄
的上头有一个金属圆
球。❷ 像锤的东西：秤～｜～儿。囵 囵
锤子：铁～｜钉～。❹ 囫 用锤子敲打：千
～百炼。❺（Chuí）囵 姓。

【锤炼】chuíliàn 囫 ❶ 磨炼：在艰苦的环
境里～自己。❷ 刻苦钻研，反复琢磨使艺
术等精练、纯熟：～艺术表现手法。

【锤子】chuí·zi 囵 敲打东西的工具。前有
金属等材料做的头，有一个与头垂直的
柄。

箠

箠 chuí 〈书〉❶ 鞭子。❷ 鞭打。

chūn（ㄔㄨㄣ）

旾

旾 chūn 〈书〉同"春"。

春

春 chūn ❶ 囵 春季：～景｜温暖如～。
❷〈书〉指一年的时间：一卧东山三
十～。❸ 指男女情欲：怀～｜～心。❹ 比
喻生机：妙手回～。❺（Chūn）囵 姓。

【春饼】chūnbǐng 囵 一种薄饼，立春日应
节的食品。

【春潮】chūncháo 囵 春天的潮水，多用于
比喻：经济建设～涌动。

【春绸】chūnchóu 囵 线春。

【春凳】chūndèng 囵 宽而长的板凳，工料
比较讲究，是一种旧式家具。

【春分】chūnfēn 囵 二十四节气之一，在 3
月 20 或 21 日。这一天，南北半球昼夜
都一样长。参看 696 页〖节气〗、363 页
〖二十四节气〗。

【春分点】chūnfēndiǎn 囵 赤道平面和黄
道的两个相交点的一个，冬至后，太阳从
南向北移动，在春分那天通过这一点。

【春风】chūnfēng 囵 ❶ 春天的风：～送
暖。❷〈书〉比喻恩惠。❸ 比喻和悦的
神色：～满面。

【春风得意】chūnfēng déyì 唐代孟郊《登
科后》诗："春风得意马蹄疾，一日看尽长
安花。"形容考上进士后得意的心情。后
来用"春风得意"称进士及第，也用来形容
人官场腾达或事业顺心时扬扬得意的样
子。

【春风化雨】chūnfēng huàyǔ 适宜于草木
生长的风雨，比喻良好的教育。

【春风满面】chūnfēng mǎn miàn 见 915
页〖满面春风〗。

【春耕】chūngēng 囫 春季播种之前，翻松
土地。

【春宫】chūngōng 囵 ❶ 封建时代太子居
住的宫室。❷ 指淫秽的图画。也叫春
画。

【春光】chūnguāng 囵 春天的景致：～明
媚｜大好～。

【春寒】chūnhán 囵 指春季出现的寒冷天
气：～料峭。

【春华秋实】chūn huá qiū shí 春天开花，
秋天结果（多用于比喻）。

【春画】chūnhuà（～儿）囵 春宫②。

【春荒】chūnhuāng 囵 指春天青黄不接时
的饥荒：度～｜～时期。

【春晖】chūnhuī 〈书〉囵 春天的阳光，比
喻父母的恩惠。

【春季】chūnjì 囵 一年的第一季，我国习惯
指立春到立夏的三个月时间，也指农历
正、二、三三个月。参看 1294 页〖四季〗。

【春假】chūnjià 囵 学校春季放的假，多在
四月初。

【春节】Chūn Jié 囵 农历正月初一，是我
国传统节日，也指正月初一以后的几天。

【春卷】chūnjuǎn（～儿）囵 食品，用薄面皮

裹馅儿，卷成长条形，放在油里炸熟。

【春困秋乏】chūn kùn qiū fá 指春秋两季人易困倦。

【春兰秋菊】chūn lán qiū jú 春天的兰草，秋天的菊花，在不同的季节里，各有独特的优美风姿。比喻各有专长。

【春雷】chūnléi 春天的雷声（多用于比喻）：平地一声～。

【春联】chūnlián （～儿）名春节时贴的对联。

【春令】chūnlìng 名❶春季。❷春季的气候：冬行～（冬天的气候像春天）。

【春梦】chūnmèng 比喻转眼就过去的好景或空幻的不能实现的愿望。

【春情】chūnqíng 名春心。

【春秋】chūnqiū 名❶春季和秋季，常用来表示整个一年，泛指岁月：苦度～。❷指人的年岁：～正富（年纪不大，将来的日子很长）｜～已高｜～鼎盛。❸（Chūnqiū）我国古代编年体的史书，相传鲁国的《春秋》经过孔子修订。后来常用为历史著作的名称。❹（Chūnqiū）我国历史上的一个时代（公元前722—公元前481），因鲁国编年史《春秋》包括这一段时期而得名。现在一般把公元前770年到公元前476年划为春秋时代。

【春秋笔法】Chūnqiū bǐfǎ 相传孔子修《春秋》，一字含褒贬。后来称文章用笔曲折而意含褒贬的写作手法为春秋笔法。

【春色】chūnsè 名❶春天的景色：满城～｜～宜人。❷指脸上呈现的喜色或酒后脸上泛起的红色：满面～。

【春上】chūn·shang〈口〉名春季：今年～雨水多。

【春试】chūnshì 名明清两代科举制度，会试在春季举行，叫做春试。

【春笋】chūnsǔn 名春季长成或挖出的竹笋。

【春天】chūntiān 名春季◇迎来科学技术发展的～。

【春条】chūntiáo （～儿）〈方〉名春节时贴的用红纸写着吉利话的字条儿。

【春头】chūntóu〈方〉名初春：正当～，家家都在忙着农活儿。

【春闱】chūnwéi〈书〉名春试。

【春宵】chūnxiāo 名春天的夜晚，常比喻男女欢爱的夜晚：～苦短。

【春小麦】chūnxiǎomài 名春季播种的小麦。

【春心】chūnxīn 名指爱慕异性的心情。

【春训】chūnxùn 动春季训练：集中进行～。

【春汛】chūnxùn 名春天桃花盛开的一段时间内发生的河水暴涨。也叫桃花汛。

【春药】chūnyào 名刺激性欲的药。

【春意】chūnyì 名❶春天的迹象或情景：～盎然｜树梢发青，已经现出了几分～。❷春心。

【春游】chūnyóu 动春天到郊外游玩：明天去香山～。

【春运】chūnyùn 名运输部门指春节前后一段时间的运输业务。

【春装】chūnzhuāng 名春季穿的服装。

堵 chūn〈方〉名地边上用石块垒起来的挡土的墙。

椿 chūn ❶名椿树，就是香椿，有时也指臭椿。❷指椿庭：～萱。❸（Chūn）名姓。

【椿庭】chūntíng〈书〉名父亲的代称。

【椿象】chūnxiàng 名昆虫，种类很多，身体圆形或椭圆形，头部有单眼。有的椿象能放出恶臭。吸植物茎和果实的汁。多数是害虫。也叫蝽。

【椿萱】chūnxuān〈书〉名父母的代称：～并茂（比喻父母都健在）。

辒（轀） chūn ❶〈书〉灵车。❷古代用于泥泞路上的交通工具。

蝽 chūn 名椿象。

鳉（鰆） chūn 名鱼，外形像马鲛而稍大，尾部两侧有棱状突起。生活在海中。

chún （ㄔㄨㄣˊ）

纯（純） chún ❶形纯净；不含杂质：～金｜水质很～。❷形纯粹；单纯：～白｜动机不～。❸形纯熟：功夫不～，还得练。❹（Chún）名姓。

【纯粹】chúncuì ❶形不掺杂别的成分的：陶器是用比较～的黏土制成的。❷副表示判断、结论的不容置疑（多跟"是"连

用):他说的~是骗人的鬼话|这种想法~
是目前打算。

【纯度】chúndù 名 物质含杂质多少的程
度。杂质越少,纯度越高。

【纯碱】chúnjiǎn 名 苏打。

【纯洁】chúnjié ❶ 形 纯粹清白,没有污
点;没有私心:心地~。❷ 动 使纯洁:~
组织。

【纯净】chúnjìng ❶ 形 不含杂质;单纯洁
净:~的水,看起来是透明的。❷ 动 使纯
净:优美的音乐可以~人们的灵魂。

【纯净水】chúnjìngshuǐ 名 人工过滤、杀菌
后不含杂质的饮用水。

【纯净物】chúnjìngwù 名 由一种单质或
化合物组成的物质。有固定的组成、结构
和性质。通常指含杂质极少的物质。

【纯利】chúnlì 名 企业总收入中除去一切
消耗费用后所剩下的利润。

【纯良】chúnliáng 形 纯洁善良:心地~|
~少女。

【纯美】chúnměi 形 纯正美好;纯洁美好:
风俗~|心灵~。

【纯朴】chúnpǔ 同"淳朴"。

【纯情】chúnqíng ❶ 名(女子)纯洁的感
情或爱情:一片~|少女的~。❷ 形 感情
或爱情纯洁真挚:~少女。

【纯然】chúnrán ❶ 形 形容纯净而不混
杂:~一色。❷ 副 纯粹②:这段描写~
是为了主题的需要而臆造出来的。

【纯熟】chúnshú 形 很熟练:技术~。

【纯一】chúnyī 形 单一:想法~。

【纯音】chúnyīn 名 只有一种振动频率的
声音叫做纯音,如音叉所发出的声音。

【纯贞】chúnzhēn 形 纯洁忠贞:~的爱
情。

【纯真】chúnzhēn 形 纯洁真诚:~无邪。

【纯正】chúnzhèng 形 ❶ 纯粹①:他说的
是~的普通话。❷ 纯洁正当:动机~。

【纯稚】chúnzhì 形 单纯稚嫩;纯洁幼稚
(多用于儿童或少女):~无邪。

莼(蒓、蓴) chún [莼菜](chún-
cài)名 多年生水草,叶
子椭圆形,浮在水面,茎上和叶的背面有
黏液,花暗红色。嫩叶可以吃。

唇(脣) chún 名 人或某些动物口的
周围的肌肉组织。通称嘴唇。

【唇笔】chúnbǐ 名 用来描唇线的笔状化妆

品,有多种颜色。

【唇齿】chúnchǐ 名 比喻互相接近而且有
共同利害的两方面:互为~|~相依。

【唇齿相依】chún chǐ xiāng yī 比喻关系
密切,互相依存。

【唇齿音】chúnchǐyīn 名 齿唇音。

【唇膏】chúngāo 名 化妆品,用来涂在嘴
唇上使滋润。

【唇红齿白】chún hóng chǐ bái 形容人容
貌秀美(多用于儿童、青少年)。

【唇焦舌敝】chún jiāo shé bì 见 1202 页
【舌敝唇焦】。

【唇裂】chúnliè 名 先天性畸形,上唇直着
裂开,饮食不方便,说话不清楚。也叫兔
唇。

【唇枪舌剑】chún qiāng shé jiàn 形容争
辩激烈,言辞锋利。也说舌剑唇枪。

【唇舌】chúnshé 名 比喻言辞:这件事儿恐
怕还得大费~。

【唇亡齿寒】chún wáng chǐ hán 嘴唇没
有了,牙齿就会觉得冷,比喻关系密切,利
害相关。

【唇吻】chúnwěn〈书〉名 ❶ 嘴唇。❷ 比
喻口才、言辞。

【唇线】chúnxiàn 名 ❶ 嘴唇的外轮廓线。
❷ 用唇笔沿嘴唇的外轮廓勾画的线,用
以突出或修正唇型。

【唇音】chúnyīn 名 双唇音、齿唇音的统
称。

淳 chún ❶ 淳朴:~厚。❷(Chún)名
姓。

【淳厚】chúnhòu 形 淳朴:风俗~。也作
醇厚。

【淳美】chúnměi 形 厚重美好:音色~|~
的艺术享受。

【淳朴】chúnpǔ 形 诚实朴素:外貌~|民
情~。也作醇朴。

【淳于】Chúnyú 名 姓。

镎(錞) chún [镎于](chúnyú)名 古
代一种铜制乐器。
另见 347 页 duì。

鹑(鶉) chún 名 鹌鹑

【鹑衣】chúnyī〈书〉名 指破烂不堪、补丁
很多的衣服:~百结。

漘 chún〈书〉水边。

醇 chún ❶〈书〉含酒精多的酒。❷〈书〉纯粹。❸ 名 有机化合物的一大类，是烃分子(不包括苯环)中的氢原子被羟基取代而成的化合物。如乙醇(酒精)、胆固醇。

【醇和】chúnhé 形 (性质、味道)纯正平和：酒味~。

【醇厚】chúnhòu ❶ 形 (气味、滋味等)纯正浓厚：香味~。❷ 同"淳厚"。

【醇化】chúnhuà 动 使更纯粹,达到完美的境界：经过文艺工作者的努力,这种艺术更加~,更加丰富多彩。

【醇酒】chúnjiǔ 名 味道醇厚的酒。

【醇美】chúnměi 形 纯正甜美：~的嗓音|酒味~。

【醇浓】chúnnóng 形 ❶ (气味、滋味等)纯正浓厚：~的老酒。❷ (风俗、韵味等)淳厚质朴：她的演唱韵味~。

【醇香】chúnxiāng 形 (酒味)醇厚芳香。

【醇正】chúnzhèng 形 (滋味、气味)浓厚纯正。

chǔn （ㄔㄨㄣˇ）

蠢¹ chǔn〈书〉蠢动。

蠢²（惷） chǔn 形 ❶ 愚蠢：~材|这种做法太~了。❷ 笨拙：~笨。

【蠢笨】chǔnbèn 形 笨拙;不灵便：~的狗熊。

【蠢材】chǔncái 名 笨家伙(骂人的话)。

【蠢蠢】chǔnchǔn〈书〉形 ❶ 蠢动的样子：~而动。❷ 动荡不安：王室~。

【蠢蠢欲动】chǔnchǔn yù dòng 指敌人准备进行攻击或坏人策划破坏活动。

【蠢动】chǔndòng 动 ❶ 虫子爬动。❷ (敌人或坏人)进行活动。

【蠢话】chǔnhuà 名 愚蠢的话;不合常情的话。

【蠢货】chǔnhuò 名 蠢材。

【蠢人】chǔnrén 名 愚笨的人。

【蠢事】chǔnshì 名 愚蠢的事：不能干那种亲者痛、仇者快的~。

【蠢头蠢脑】chǔn tóu chǔn nǎo 形容蠢笨痴呆的样子。

逴 chuō〈书〉❶ 远。❷ 超越。❸ 远行。

踔 chuō〈书〉❶ 跳跃：跉~。❷ 超越。❸ 疾行。

【踔厉】chuōlì〈书〉形 精神振奋：~风发|扬扬。

戳 chuō ❶ 动 用力使长条形物体的顶端向前触动或穿过另一物体：一~就破。❷〈方〉动 (长条形物体)因猛戳另一物体而本身受伤或损坏：打球~了手|钢笔尖儿~了。❸〈方〉动 竖立;站：把棍子~起来|大伙儿都走了,他一个人还~在那儿。❹ (~儿)名 图章：~记|邮~|盖~。

【戳穿】chuōchuān 动 ❶ 刺穿：刺刀~了胸膛。❷ 说破;揭穿：假话当场被~。

【戳脊梁骨】chuō jǐ liánggǔ 指在背后指责：办事要公正,别让人家~。

【戳记】chuōjì 名 图章(多指集体的,用于一般场合的)。

【戳子】chuō·zi〈口〉名 图章。

chuò （ㄔㄨㄛˋ）

辵 chuò〈书〉忽走忽停。

娖 chuò〈书〉❶ 谨慎。❷ 整顿(队伍)。

啜 chuò ❶〈书〉喝：~茗(喝茶)。❷ 抽噎的样子：~泣。
另见 207 页 Chuài。

【啜泣】chuòqì 动 抽噎:抽抽搭搭地哭：~不止|低声~|嘤嘤~。

惙 chuò〈书〉❶ 忧愁。❷ 疲乏。❸ (气)短;弱:气息~然。

【惙惙】chuòchuò〈书〉形 忧愁的样子：忧心~。

婥 chuò〈书〉不顺。
另见 1167 页 ruò。

婥 chuò [婥约](chuòyuē)〈书〉同"绰约"。

绰（綽） chuò ❶ 宽绰：~有余裕。❷〈书〉(体态)柔美：~丽|柔

情～态。

另见 158 页 chāo。

【绰绰有余】chuòchuò yǒu yú 形容很宽裕，用不完。

【绰号】chuòhào ❲名❳外号：她的～叫小猫。

【绰约】chuòyuē 〈书〉❲形❳形容女子姿态柔美的样子：～多姿|风姿～。也作婥约。

辍（輟） chuò 中止；停止：～学|时作时～|日夜不～。

【辍笔】chuòbǐ 〈书〉❲动❳写作或画画儿没有完成而停止。

【辍学】chuòxué ❲动❳中途停止上学：因病～。

龊（齪） chuò 见 1434 页〖龌龊〗。

歠 chuò 〈书〉❶ 吸；喝。❷ 指可以喝的，如粥、羹汤等。

cī（ㄘ）

刺 cī ❲拟声❳形容撕裂声、摩擦声等：～的一声，滑了一个跟头|花炮点着了，～～地直冒火星。

另见 226 页 cì。

【刺啦】cīlā ❲拟声❳形容撕裂声、迅速划动声等：～一声，衣服撕了个口子|～一声划着了火柴。

【刺棱】cīlēng ❲拟声❳形容动作迅速的声音：猫～一下跑了。

【刺溜】cīliū ❲拟声❳形容脚底下滑动的声音：东西迅速滑过的声音：不留神，～一下滑倒了|子弹～～地从耳边擦过去。

呲 cī （～儿）〈口〉❲动❳申斥；斥责：挨～儿|我～了她两句她就哭了。

另见 1802 页 zī"龇"。

差 cī 见 138 页〖参差〗（cēncī）。

另见 139 页 chā；144 页 chà；146 页 chāi；146 页 chài。

疵 cī 缺点；毛病：吹毛求～。

【疵点】cīdiǎn ❲名❳缺点；毛病：这匹布洁白光滑，没有什么～。

【疵品】cīpǐn ❲名❳有缺点的产品。

【疵瑕】cīxiá ❲名❳瑕疵。

粢 cī ［粢饭］（cīfàn）〈方〉❲名❳一种食品，将糯米掺和粳米，用冷水浸泡，沥

干后蒸熟，吃时中间裹油条等捏成饭团。

另见 1802 页 zī。

跐 cī ❲动❳脚下滑动：脚一～，摔倒了|登～了，摔下来了。

另见 225 页 cǐ。

髊 cī 〈书〉肉未烂尽的骸骨。

cí（ㄘ）

词（詞） cí ❲名❳❶（～儿）说话或诗歌、文章、戏剧中的语句：戏～|义正～严|～不达意|他问得我没～儿回答。❷ 一种韵文形式，由五言诗、七言诗和民间歌谣发展而成，起于唐代，盛于宋代。原是配乐歌唱的一种诗体，句的长短随着歌调而改变，因此又叫做长短句。有小令和慢词两种，一般分上下两阕。❸ 语言里最小的、可以自由运用的单位。

【词典】cídiǎn ❲名❳收集词汇加以解释供人检查参考的工具书。也作辞典。

【词调】cídiào ❲名❳原指填词时依据的乐谱，乐谱失传后，也指每种词调作品的句法和平仄格式。

【词法】cífǎ ❲名❳语言学上的形态学，有时也包括构词法。

【词锋】cífēng ❲名❳犀利的文笔和言辞，好像刀剑的锋芒：～锐利。

【词赋】cífù 同"辞赋"。

【词根】cígēn ❲名❳词的主要组成部分。是词义的基础。如"老虎"里的"虎"，"桌子"里的"桌"，"工业化"里的"工业"，"观察"里的"观"和"察"。

【词根语】cígēnyǔ ❲名❳没有专门表示语法意义的附加成分，缺少形态变化的语言。这种语言句子里词与词的语法关系依靠词序和虚词来表示。如汉语、缅甸语。也叫孤立语。

【词话】cíhuà ❲名❳❶ 评论词的内容、形式，或记载词的作者事迹的书，如《碧鸡漫志》《人间词话》。❷ 散文里间杂韵文的说唱文艺形式，是章回小说的前身，起于宋元，流行到明代，如《大唐秦王词话》。明代也把夹有词曲的章回小说叫做词话，如《金瓶梅词话》。

【词汇】cíhuì ❲名❳一种语言里所使用的词的总称，如汉语词汇、英语词汇。也指一个

人或一部作品所使用的词,如鲁迅的词汇。

【词汇学】cíhuìxué 图 语言学的一个分支,研究语言或一种语言的词汇的组成和历史发展。

【词句】cíjù 图 词和句子;字句:~不通。

【词类】cílèi 图 词在语法上的分类。各种语言的词类数目不同,现代汉语的词一般分十二类:名词、动词、形容词、数词、量词、代词(以上实词),副词、介词、连词、助词、叹词、拟声词(以上虚词)。

【词令】cílìng 同"辞令"。

【词目】címù 图 辞书中作为注释对象的词语。

【词牌】cípái 图 词的调子的名称,如"西江月""蝶恋花"。

【词频】cípín 图 一定范围的语言材料中词的使用频率:~统计。

【词谱】cípǔ 图 辑录各种词调的格式供填词的人应用的书,如《白香词谱》。

【词曲】cíqǔ 图 文学中词和曲的合称。

【词人】círén 图 擅长填词的作家。

【词讼】císòng 圐 诉讼。也作辞讼。

【词素】císù 图 词的构成成分,是在意义上不能再分析的语言单位,词根、前缀、后缀都是词素。有的词只包含一个词素,如"人、蜈蚣"等。有的词包含两个或更多的词素,如"老虎"包含"老"和"虎"两个词素,"蜈蚣草"包含"蜈蚣"和"草"两个词素,"图书馆"包含"图"、"书"和"馆"三个词素。参看 1665 页〖语素〗。

【词条】cítiáo 图 辞书中由词目和对词目的注音、解释等组成的一个个的条目。

【词头】cítóu 图 见 1089 页〖前缀〗。

【词尾】cíwěi 图 见 571 页〖后缀〗。

【词形】cíxíng 图 词的书写形式:"唯一"与"惟一"是一个词的不同~。

【词性】cíxìng 图 作为划分词类的根据的词的特点,如"一把锯"的"锯"可以跟数量词结合,是名词,"锯木头"的"锯"可以带宾语,是动词。

【词序】cíxù 图 词在词组或句子里的先后次序。在汉语里,词序是一种主要语法手段。词序的变动能使词组或句子具有不同的意义,如"不完全懂"和"完全不懂","我看他"和"他看我"。

【词义】cíyì 图 词的语音形式所表达的意义,包括词的词汇意义和语法意义。

【词余】cíyú 图 曲①的别称,意思是说曲是由词发展而来的。

【词语】cíyǔ 图 词和词组;字眼:写文章要尽量避免方言|对课文中的生僻~都做了简单的注释。

【词韵】cíyùn 图 填词所押的韵或所依据的韵书。

【词藻】cízǎo 同"辞藻"。

【词章】cízhāng 同"辞章"。

【词缀】cízhuì 图 词中附加在词根上的构词成分。常见的有前缀和后缀两种。参看 1089 页〖前缀〗、571 页〖后缀〗。

【词组】cízǔ 图 两个或更多的词的组合(区别于"单词"),如"新社会,打扫干净,破除迷信"。也叫短语。

茈 cí 见 417 页〖凫茈〗。
另见 1804 页 zǐ。

茨 cí 〈书〉❶ 用茅草或芦苇盖屋顶。❷ 蒺藜。

【茨冈人】Cígāngrén 图 见 635 页〖吉卜赛人〗。[茨冈,俄 цыган]

【茨菰】cí·gu 同"慈姑"。

【茨藙】cíliáng 图 蘘荄。

兹 cí 龟兹(Qiūcí),古代西域国名,在今新疆库车一带。
另见 1801 页 zī。

祠 cí 祠堂:宗~|先贤~。

【祠堂】cítáng 图 ❶ 在封建宗法制度下,同族的人共同祭祀祖先的房屋。❷ 社会公众或某个阶层为共同祭祀某个人物而修建的房屋。

瓷(甆) cí ❶ 图 用高岭土等烧制成的材料,质硬而脆,白色或发黄,比陶质细致。❷ 指瓷器:陶~|江西~。

【瓷公鸡】cígōngjī 图 比喻非常吝啬的人:这人是个~,一毛不拔。

【瓷瓶】cípíng 图 ❶ 瓷质的瓶子。❷ 绝缘子的俗称。

【瓷漆】cíqī 同"磁漆"。

【瓷器】cíqì 图 瓷质的器皿。

【瓷实】cí·shi 〈方〉圉 东西挤压得很紧;结实;扎实:打夯以后,地基就~了|他用心钻研,学习得很~。

【瓷土】cítǔ 图 烧制瓷器用的黏土,主要指高岭土。

【瓷窑】cíyáo 名 烧瓷器的窑。

【瓷砖】cízhuān 名 用瓷土烧制的建筑材料,一般是方形,表面有釉质。主要用来装饰墙面、地面。

赍(賷) cí〈书〉堆积杂草。

辞[1](辭、辤) cí 名 ❶ 优美的语言;文辞;言辞:~藻|修~。❷ 古典文学的一种体裁:楚~|赋。❸ 古体诗的一种:《木兰~》。‖ 注意 在很多合成词里,"辞"也作词。❹ (Cí)名姓。

辞[2](辭、辤) cí ❶ 动 告别:~行|告~|不~而别。❷ 动 辞职:~呈|~去主任职务。❸ 动 辞退;解雇:他被经理~了。❹ 动 躲避;推托:推~|不~辛苦。

【辞别】cíbié 动 临行前告别:~母校,走上工作岗位。

【辞呈】cíchéng 名 请求辞职的呈文。

【辞典】cídiǎn 同"词典"。

【辞费】cífèi 〈书〉形 话多而无用(多用于批评写作)。

【辞赋】cífù 名 汉朝人集屈原等所作的赋称为楚辞,因此后人泛称赋体文学为辞赋。也作词赋。

【辞工】cí//gōng 动 雇主辞退佣工,也指佣工主动要求解雇:东家辞了他的工|他要回老家,~不干了。

【辞活】cí//huó (～儿)动 辞去工作。

【辞灵】cí//líng 动 出殡前亲友向灵柩行礼告别。

【辞令】cílìng 名 交际场合应对得宜的话语:外交~|他应对敏捷,善于~。也作词令。

【辞聘】cípìn 动 ❶ 辞掉受聘的职务;拒绝对方的聘请。❷ 解除原被聘人的职务,不再继续聘用。

【辞让】círàng 动 客气地推让:他～了一番,才坐在前排。

【辞任】círèn 动 辞去职务、工作等。

【辞色】císè 〈书〉名 说的话和说话时的态度:不假~|欣喜之情,形于～。

【辞世】císhì 〈书〉动 去世:老人因病～。

【辞书】císhū 名 字典、词典等工具书的统称。

【辞讼】císòng 同"词讼"。

【辞岁】cí//suì 动 旧俗农历除夕晚上家中晚辈向长辈行礼,互祝平安。

【辞退】cítuì 动 ❶ 解雇:～保姆。❷ 辞谢;不接受:～礼物|导演请他饰演该片的主要角色,他～了。

【辞谢】cíxiè 动 很客气地推辞不受:对方送给酬劳,他～了。

【辞行】cí//xíng 动 远行前向亲友告别:我们明天起程南下,特来向老师～。

【辞藻】cízǎo 名 诗文中工巧的词语,常指运用的典故和古人诗文中现成成语:～华丽|堆砌～。也作词藻。

【辞灶】cí//zào 动 旧俗腊月二十三日或二十四日送灶神上天。

【辞章】cízhāng 名 ❶ 韵文和散文的总称。❷ 文章的写作技巧;修辞。‖ 也作词章。

【辞职】cí//zhí 动 请求解除自己的职务:～书|要求～|他已经辞了职。

慈 cí ❶ 形 和善:～母|心～手软。❷〈书〉(上对下)疼爱:敬老～幼。❸ 指母亲:家～。❹ (Cí)名姓。

【慈爱】cí'ài 形 (年长者对年幼者)仁慈而充满怜爱之情:～的目光|～的母亲。

【慈悲】cíbēi 形 慈善和怜悯(原来是佛教用语):～为怀|大发～。

【慈姑】cí·gu 名 ❶ 多年生草本植物,生在水田里,叶子像箭头,开白花。地下有球茎,黄白色或青白色,可以吃。❷ 这种植物的球茎。‖ 也作茨菰。

【慈和】cíhé 形 慈祥和蔼。面容～。

【慈眉善目】cí méi shàn mù 形容仁慈善良的样子。

【慈善】císhàn 形 对人关怀,富有同情心:心地～|～事业。

【慈祥】cíxiáng 形 (老年人的态度、神色)和蔼安详:祖母的脸上露出当了～的笑容。

【慈颜】cíyán 名 ❶ 尊亲的容颜(多指父母的)。❷ 慈祥的容颜:～善目。

磁[1] cí 名 某些物质能吸引铁、镍等金属的性能。

磁[2] cí 同"瓷"。

【磁暴】cíbào 名 地球磁场的方向和强度发生急剧而不规则变化的现象,由太阳突然喷射的大量带电粒子进入地球大气层而引起。发生时,短波无线电通信会受到严重干扰或完全中断。

【磁场】 **cíchǎng** 图 传递物体间磁力作用的场。磁体和有电流通过的导体的周围空间都有磁场存在,指南针指南就是地球磁场的作用。参看155页"场"⑨。

【磁带】 **cídài** 图 涂有氧化铁粉等磁性物质的塑料带子,用来记录声音、影像等。

【磁浮列车】 **cífú-lièchē** 利用电磁感应产生的电磁力使车辆悬浮在轨道上方并以电机驱动前进的列车,列车在全封闭的 U 型导槽内行驶。行驶阻力小,速度快,能源消耗少,无噪声,无污染,安全可靠。也叫磁悬浮列车。

【磁感线】 **cígǎnxiàn** 图 表明磁场分布情况的有方向的曲线。曲线上各点的切线方向跟磁场上相应点的磁场方向一致。也叫磁力线。

【磁感应】 **cígǎnyìng** 图 物体在磁场中受磁力作用的现象,如铁在磁场中被磁化,磁针在磁场中偏转等。

【磁化】 **cíhuà** 动 使某些原来没有磁性的物体具有磁性。如把铁放在较强的磁场里,铁就会被磁化。

【磁极】 **cíjí** 图 磁体上磁性最强的部分。任何磁体总有两个磁极成对出现,并且强度相等。条形、针形磁体的磁极在两端,磁针指北的一端叫北极,指南的一端叫南极。

【磁卡】 **cíkǎ** 图 表面带有磁性物质的卡片,可用来存储信息,存储的信息可通过计算机等读取或处理。

【磁卡机】 **cíkǎjī** 图 能够在磁卡上记入和读出数据的设备。

【磁控】 **cíkòng** 形 属性词。用电磁控制的:～开关|～门窗。

【磁力】 **cílì** 图 磁场对电流、运动电荷和磁体的作用力;磁体之间相互作用的力。

【磁力线】 **cílìxiàn** 图 磁感线。

【磁疗】 **cíliáo** 图 物理疗法的一种,利用医疗器械等所产生的磁场作用治疗疾病。

【磁能】 **cínéng** 图 磁场所具有的能,如磁体吸引铁、镍等物质就是磁能的表现。

【磁盘】 **cípán** 图 表面带有磁性物质的圆盘形存储器,是计算机存储信息的设备。分为硬磁盘和软磁盘两种。

【磁盘驱动器】 **cípán qūdòngqì** 计算机中磁盘存储器的一部分,用来驱动磁盘稳速旋转,并控制磁头在盘面磁层上按一定的记录格式和编码方式记录和读取信息。分为软盘驱动器或硬盘驱动器等。

【磁漆】 **cíqī** 图 漆的一种,用清漆、颜料等制成。用来涂饰机器、家具等。也作瓷漆。

【磁石】 **císhí** 图 ❶ 磁铁。❷ 磁铁矿的矿石。

【磁体】 **cítǐ** 图 具有磁性的物体。磁铁矿、磁化的钢、有电流通过的导体以及地球、太阳和许多天体都是磁体。通常指永磁体。

【磁条】 **cítiáo** 图 磁卡上涂敷或粘贴的条状磁性材料,用来存储信息,一般宽5—10 毫米,表面覆有保护膜。

【磁铁】 **cítiě** 图 用钢或合金钢经过磁化制成的磁体,有的用磁铁矿加工制成。多为条形或马蹄铁形,一端是南极,另一端是北极。也叫磁石、吸铁石。

【磁通量】 **cítōngliàng** 图 通过一个截面的磁力线的总数,数值上等于所在处磁感应强度和截面面积的乘积。单位是韦伯。

【磁头】 **cítóu** 图 录音机、录像机和计算机等机器中用于记录信息的换能元件,用来转换磁信号和电信号。不同的磁头能记录、重放、消去声音或图像。

【磁效应】 **cíxiàoyìng** 图 电流通过导体产生跟磁铁相同作用的现象,如使磁针偏转。

【磁性】 **cíxìng** 图 磁体能吸引铁、镍等金属的性质。

【磁悬浮列车】 **cíxuánfú-lièchē** 磁浮列车。

【磁针】 **cízhēn** 图 针形磁铁,通常是狭长菱形。中间支起,静止时两个尖端分别指着南和北。

雌 **cí** 形 属性词。生物中能产生卵细胞的(跟"雄"相对):～性|～花|～蕊|～兔。

【雌伏】 **cífú** 〈书〉动 ❶ 屈居人下:丈夫当雄飞,安能～! ❷ 比喻隐藏起来,无所作为:～以待。

【雌花】 **cíhuā** 图 只有雌蕊的单性花。

【雌化】 **cíhuà** 动 雄性的、具有阳刚之气的,向雌性的、柔弱的方向转化。

【雌黄】 **cíhuáng** 图 ❶ 矿物,成分是三硫化二砷,晶体呈柱状或片状,柠檬黄色,略透明,燃烧时放出大蒜气味。可用来制颜料或做退色剂。❷古人抄书、校书常用雌黄涂改文字,因此称改文字、乱发议论为"妄下雌黄",称不顾事实、随口乱说为"信口雌黄"。

【雌蕊】círuǐ 名 花的重要部分之一,一般生在花的中央,下部膨大部分是子房,发育成果实;子房中有胚珠,受精后发育成种子;中部细长的叫花柱,花柱上端叫柱头。(图见 580 页"花")

【雌性】cíxìng 名 生物两性之一,能产生卵子:~动物。

【雌雄】cíxióng 名 ❶ 雌性和雄性:~同株。❷ 比喻胜负、高下:决一~。

【雌雄同体】cí xióng tóng tǐ 精巢和卵巢生在同一动物体内,如蚯蚓就是雌雄同体的。

【雌雄同株】cí xióng tóng zhū 雄花和雌花生在同一植株上,如玉米就是雌雄同株的。

【雌雄异体】cí xióng yì tǐ 精巢和卵巢分别生在雄性动物和雌性动物体内,高等动物都是雌雄异体的。

【雌雄异株】cí xióng yì zhū 雄花和雌花分别生在两个植株上,如大麻、银杏等。

鹚（鷀、鶿） cí 见 886 页[鸬鹚]。

糍 cí［糍粑］(cíbā) 名 把糯米蒸熟捣碎后做成的食品。

cǐ（ㄘ）

此 cǐ 代 指示代词。❶ 这;这个(跟"彼"相对):~人|~时|由~及彼|~呼彼应。❷ 表示此时或此地:就~告别|谈话就~结束|从~病有起色|由~往西。❸ 这样:长~以往|当时听劝,何至于~。

【此岸】cǐ'àn 名 佛教指有生有死的境界。参看 71 页[彼岸]②。

【此地】cǐdì 名 当地;这个地方:此时~|居住~多年。

【此地无银三百两】cǐ dì wú yín sān bǎi liǎng 民间故事说,有人把银子埋在地里,上面写了个"此地无银三百两"的字牌,邻居李四看到字牌,挖出银子,在字牌的另一面写上"对门李四未曾偷"。比喻打出的幌子正好暴露了所要掩饰的内容。

【此伏彼起】cǐ fú bǐ qǐ 见[此起彼伏]。

【此后】cǐhòu 名 从这以后:三年前和他车站握别,~就没见过面。

【此间】cǐjiān 名 指自己所在的地方:此地:~天气渐暖,油菜花已经盛开。

【此刻】cǐkè 名 这时候:~台风已过,轮船即将起航。

【此起彼伏】cǐ qǐ bǐ fú 这里起来,那里落下,表示连续不断。也说此伏彼起、此起彼落。

【此起彼落】cǐ qǐ bǐ luò 此起彼伏。

【此前】cǐqián 名 在某时或某事以前:写小说是近几年的事,~他曾用笔名发表过一些诗作。

【此时】cǐshí 名 这个时候:~已是夜深人静了。

【此外】cǐwài 连 指除了上面所说的事物或情况之外的:院子里种着两棵玉兰和两棵海棠,~还有几丛丹季。

【此一时,彼一时】cǐ yī shí, bǐ yī shí 现在是一种情况,那时又是一种情况,指情况已与过去不相同。

泚 cǐ〈书〉❶ 鲜明;清澈。❷ 流汗。❸ 用笔蘸墨:~笔作书。

跐 cǐ ❶ 为了支持身体用脚踩;踏:~着门槛儿。❷ (脚尖着地)抬起脚后跟:~着脚往前头看。
　　另见 221 页 cī。

鮆（鱴） cǐ 名 鱼,体侧扁,上颌骨向后延长,有的可达臀鳍。生活在近海。

cì（ㄘ）

次 cì ❶ 次序;等第:名~|座~|车~|依~前进。❷ 次序在第二的;副的:~子|~日。❸ 形 质量差:品质差:~品|这个人太~,一点也不讲究社会公德。❹ 酸根或化合物中少含两个氧原子或氢原子的:~氯酸。❺ 量 用于反复出现或可能反复出现的事情:第一~国内革命战争|我是初~来北京|试验了十八~才成功。❻〈书〉出外远行时停留的处所:途~|旅~|舟~。❼〈书〉中间:胸~|言~。❽(Cì)名 姓。

【次大陆】cìdàlù 名 面积比洲小,在地理上或政治上有某种程度独立性的陆地。如喜马拉雅山把印度、巴基斯坦、孟加拉地区和亚洲其他部分分割开,在地理上形成一个独立的单元,称为"南亚次大陆"。

【次等】cìděng 形 属性词。第二等:～货。

【次第】cìdì ❶ 名 次序。❷ 副 一个挨一个地:～入座。

【次货】cìhuò 名 质量较低的货。

【次品】cìpǐn 名 不符合质量标准的产品。

【次日】cìrì 名 第二天;～起程。

【次生】cìshēng 形 属性词。第二次生成的;间接造成的;派生的:～林|～矿物|～灾害。

【次生林】cìshēnglín 名 原有森林经采伐或破坏后又恢复起来的森林。

【次声波】cìshēngbō 名 低于人能听到的最低频(20 赫)的声波。次声波在传播过程中衰减很小,可用来预测风暴、地震和探矿等。

【次声武器】cìshēng wǔqì 发出次声波来杀伤人的武器。次声波能引起人体内脏的共振,使内脏发生位移和形变,功能损坏,甚至死亡。

【次数】cìshù 名 动作或事件重复出现的回数:练习的～越多,熟练的程度越高。

【次序】cìxù 名 事物在空间或时间上排列的先后:按照～入场|这些文件已经整理过,不要把～弄乱了。

【次要】cìyào 形 属性词。重要性较差的:～地位|内容是主要的,形式是～的,形式要服从内容。

【次韵】cìyùn 动 步韵。

伺 cì [伺候](cì·hou) 动 在人身边供使唤,照料饮食起居:～病人。
另见 1295 页 sì。

刺 cì ❶ 动 尖的东西进入或穿过物体:～伤|～绣。❷ 动 刺激:～鼻子。❸ 动 暗杀;～客|被～。❹ 动 侦探;打听:～探。❺ 动 讽刺:讥～。❻ (～儿)名 尖锐像针的东西:鱼～|手上扎了个◇话里别带～儿。❼〈书〉名片:名～。❽ (Cì)名 姓。
另见 221 页 cī。

【刺柏】cìbǎi 名 常绿乔木或灌木,树冠塔形,叶子条形,轮生,果实球形,木材耐水湿,可用来造船或供建筑等用。

【刺刺不休】cìcì bù xiū 说话没完没了;唠叨。

【刺刀】cìdāo 名 枪刺。

【刺耳】cì'ěr 形 声音尖锐、杂乱或言语尖酸刻薄,使人听着不舒服:～的刹车声|他这话听着有点儿～。

【刺骨】cìgǔ 动 寒气侵入人入骨,形容极冷;寒风～。

【刺槐】cìhuái 名 落叶乔木,枝上有刺,羽状复叶,小叶椭圆形或卵形,托叶刺状,花白色,有香气,结荚果。也叫洋槐。

【刺激】cìjī 动 ❶ 现实的物体和现象作用于感觉器官;声、光、热等引起生物体活动或变化。❷ 推动事物,使起积极的变化:～食欲|～生产力的发展。❸ 使人激动;使人精神上受到挫折或打击:多年的收藏毁于一旦,对他～很大。

【刺客】cìkè 名 用武器进行暗杀的人。

【刺目】cìmù 形 刺眼。

【刺挠】cì·nao〈口〉形 痒:有好些天没洗澡了,身上～得很。

【刺配】cìpèi 动 古代在犯人脸上刺字,并发配到边远地方,叫做刺配。

【刺儿菜】cìrcài 名 多年生草本植物,叶子长椭圆形,叶上有刺,花紫红色,瘦果长椭圆形。全草入药。也叫小蓟。

【刺儿话】cìrhuà〈方〉名 讥讽人的话:说～。

【刺儿头】cìrtóu〈方〉名 遇事刁难,不好对付的人。

【刺杀】cìshā 动 ❶ 用武器暗杀:被人～。❷ 用上了枪刺的步枪同敌人拼杀:练～。

【刺探】cìtàn 动 暗中打听:～军情。

【刺猬】cì·wei 名 哺乳动物,头小,四肢短,爪锐利,身上有硬刺,受惊时蜷缩成一团。昼伏夜出,吃昆虫、鼠、蛇等,对农业有益。

【刺细胞】cìxìbāo 名 腔肠动物身体表面的一种特殊细胞,内有刺丝,外有刺针,是捕食和自卫的器官。

【刺绣】cìxiù ❶ 动 手工艺的一种,用彩色丝线在纺织品上绣出花鸟、景物等。❷ 名 刺绣工艺的产品,如苏绣、湘绣等。

【刺眼】cìyǎn 形 ❶ 光线过强,使眼睛不舒服。❷ 惹人注意并且使人感觉不顺眼:她这身大红大绿的穿戴,显得特别～。

【刺痒】cì·yang〈口〉形 痒:蚊子咬了一下,很～。

【刺针】cìzhēn 名 腔肠动物刺细胞外面的针状物,是感觉器官。

【刺字】cì∥zì 在皮肤上刺文字,古代特指在罪犯脸上刺文字。

伙 cì 〈书〉帮助:~助。

赐(賜) cì ❶ 旧指地位高的人或长辈把财物送给地位低的人或晚辈:~予。❷ 敬辞,用于别人对自己的指示、光顾、答复等:~教|~顾|请即~复。❸〈书〉敬辞,指别人给的东西或好处:厚~受之有愧。

【赐教】cìjiào 敬辞,给予指教:不吝~。

【赐予】(赐与) cìyǔ 赏给:~爵位。

```
cōng（ㄘㄨㄥ）
```

匆(忽、恖) cōng 急;忙:~忙|~促。

【匆匆】cōngcōng 急急忙忙的样子:来去~|行色~|~上了火车。

【匆促】cōngcù 匆忙;仓促:因为动身的时候太~了,把稿子忘在家里没带来。也作匆猝。

【匆猝】cōngcù 同"匆促"。

【匆遽】cōngjù 〈书〉匆忙;匆促:神色~。

【匆忙】cōngmáng 急急忙忙:临行~,没能来看你|他刚放下饭碗,又匆匆忙忙地回到车间去了。

苁(蓯) cōng [苁蓉](cōngróng)草苁蓉和肉苁蓉的统称。

囱 cōng 见 1562 页〖烟囱〗。

玜(瑽) cōng [玜瑢](cōngróng)〈书〉形容佩玉相碰的声音。

枞(樅) cōng 冷杉。另见 1812 页 zōng。

锸(鏦) cōng 古代兵器,短矛。

【锸锸】cōngcōng 〈书〉形容金属相击的声音。

葱 cōng ❶ 多年生草本植物,叶子圆筒形,中间空,鳞茎圆柱形,开小白花,种子黑色。是常见蔬菜或调味品。❷ 青色:~翠|~绿。

【葱白】cōngbái 最浅的蓝色。

【葱白儿】cōngbáir 葱的茎。

【葱葱】cōngcōng 草木苍翠茂盛的样子:郁郁~|松柏~。

【葱翠】cōngcuì (草木)青翠:群山~|~的竹林。

【葱花】cōnghuā (~儿)切碎的葱,用来调味。

【葱茏】cōnglóng (草木)青翠茂盛:林木~|春天来了,大地一片~。

【葱绿】cōnglǜ ❶ 浅绿而微黄的颜色。也说葱心儿绿。❷ (草木)青翠:~的田野|雨后的竹林更加~可爱。

【葱头】cōngtóu 洋葱。

【葱郁】cōngyù 葱茏:~的松树林。

骢(驄) cōng 〈书〉毛色青白相间的马。

璁 cōng 〈书〉像玉的石头。

聪(聰) cōng ❶〈书〉听觉:失~。❷ 听觉灵敏:耳~目明。❸ 聪明;心思敏捷:~慧|~颖。

【聪慧】cōnghuì 聪明;有智慧:~过人。

【聪敏】cōngmǐn 聪明敏捷:天资~。

【聪明】cōng·míng 智力发达,记忆和理解能力强:这个孩子既~又用功,学习上进步很快。

【聪悟】cōngwù 〈书〉聪明;颖悟:天资~|好学。

【聪颖】cōngyǐng 〈书〉聪明。

熜 cōng 〈书〉❶ 微火。❷ 热气。

```
cóng（ㄘㄨㄥ）
```

从¹(從) cóng (⑤⑥⑦旧读zòng) ❶ 跟随:~征。❷ 顺从;听从:胁~|力不~心。❸ 从事;参加:~艺|~军。❹ 采取某种方针或态度:~缓|~简|~宽|~严。❺ 跟随的人:随~|侍~。❻ 从属的;次要的:主~|~犯。❼ 堂房(亲属):~兄|~叔。❽ (Cóng)姓。

〈古〉又同纵横的"纵"。

从²(從) cóng ❶ 介 起于,"从…"表示"拿…做起点":~上海到北京|~这儿往西|~现在起|~不懂

懂|～无到有|～少到多。❷ 介 表示经过，用在表示处所的词语前面：～窗缝里往外望|你～桥上过,我～桥下走|他们前面经过。❸ 介 表示根据：～笔迹看,这字像孩子写的。❹ 副 从来,用在否定词前面：～没有听说过|～未看见中国人民像现在这样意气风发,斗志昂扬。

【从长计议】cóng cháng jì yì 慢慢儿地多加商量：这个问题很复杂,应该～,不要马上就作决定。

【从此】cóngcǐ 副 从这个时候起：这条铁路全线通车,～交通就更方便了。

【从打】cóngdǎ 〈方〉介 自从：～小张来后,我们的文体活动活跃多了。

【从而】cóng'ér 连 上文是原因、方法等,下文是结果、目的等;因此就：由于交通事业的迅速发展,～为城乡物资交流提供了更为有利的条件。

【从犯】cóngfàn 名 在共同犯罪中,帮助主犯实行犯罪的起次要作用的罪犯(区别于"主犯")。

【从缓】cónghuǎn 动 延缓;推迟(做某事)：～办理|该项措施～执行。

【从简】cóngjiǎn 动 采取简单的办法或方式(办理)：手续～|仪式～。

【从谏如流】cóng jiàn rú liú 形容能很快地接受别人的规劝,像水从高处流到低处一样顺畅自然。

【从教】cóngjiào 动 从事教育工作：他～近半个世纪,如今是桃李满天下。

【从井救人】cóng jǐng jiù rén 跳到井里去救人,原来比喻徒然危害自己而对别人并没有好处的行为,现多用来比喻冒极大的危险去拯救别人。

【从警】cóngjǐng 动 从事警察工作;当警察：他～十年来,三次受嘉奖。

【从军】cóngjūn 动 参加军队。

【从宽】cóngkuān 动 按照宽大的原则(行事)：～处理。

【从来】cónglái 副 从过去到现在(多用于否定式)：他～不失信|这种事我～没听说过。

【从良】cóng∥liáng 动 指妓女脱离卖身的生活而嫁人。

【从略】cónglüè 动 省去某些部分不说;省略：具体办法～。

【从命】cóngmìng 动 听从吩咐;欣然～|

恭敬不如～。

【从前】cóngqián 名 时间词。过去的时候;以前：想想～的悲惨遭遇,更加感到今天生活的幸福美满|～的事儿不必再提了。

【从权】cóngquán 动 采取权宜的手段：～处理。

【从戎】cóngróng 〈书〉动 参加军队：投笔～。

【从容】cóngróng(旧读 cōngróng) 形 ❶ 不慌不忙、镇静;沉着：举止～|～不迫|～就义(毫不畏缩地为正义而牺牲)。❷ (时间或经济)宽裕：时间很～,可以仔仔细细地做|手头～。

【从容不迫】cóngróng bù pò 非常镇静、不慌不忙的样子：他满脸挂笑,～地走上了讲台。

【从善如流】cóng shàn rú liú 形容能很快地接受别人的好意见,像水从高处流到低处一样自然。

【从师】cóngshī 动 跟师傅(学习)：～习艺。

【从实】cóngshí 副 按真实情况;如实：～回答。

【从事】cóngshì 动 ❶ 投身到(事业中去)：～教育工作|～文艺创作。❷ (按某种办法)处理：军法～。

【从属】cóngshǔ 动 依从;附属：～关系|分厂～于总厂。

【从俗】cóngsú 动 ❶ 按照风俗习惯;遵循通常做法：～办理|～就简。❷ 指顺从时俗：～浮沉。

【从速】cóngsù 动 抓紧时间;赶紧(做某事)：～处理|～进行|存货不多,欲购～。

【从头】cóngtóu (～儿)副 ❶ 从最初(做)：～儿做起。❷ 重新(做)：～儿再来。

【从先】cóngxiān 〈方〉名 从前：他身体比～结实多了。

【从小】cóngxiǎo (～儿)副 从年纪小的时候：他～就爱运动。

【从心所欲】cóng xīn suǒ yù 随心所欲。

【从新】cóngxīn 副 重新。

【从刑】cóngxíng 名 见 427 页〖附加刑〗。

【从严】cóngyán 动 采取严厉的措施;采用严格的标准(行事)：～判罚|～治警。

【从业】cóngyè 动 从事某种职业或行业;就业：～机会|～人员。

【从艺】cóngyì 动 从事艺术事业(多指表

演艺术)。

【从影】cóngyǐng 〔动〕从事电影事业(多指当演员)。

【从优】cóngyōu 〔动〕给予优待:价格~。

【从征】cóngzhēng 〔动〕随军出征。

【从政】cóngzhèng 〔动〕参政;进入政界(多指做官)。

【从中】cóngzhōng 〔副〕在其间;在其中:~取利|~作梗。

【从众】cóngzhòng 〔动〕指按多数人的意见或流行的做法(行事)。

丛(叢、樷) cóng ❶ 聚集:~生|~集。❷ 生长在一起的草木;草:~|树~。❸ 泛指聚集在一起的人或东西:人~|论~|刀~|剑树~。❹〔量〕用于聚集生长在一起的草木:一~杂草。❺(Cóng)〔名〕姓。

【丛脞】cóngcuǒ〈书〉〔形〕细碎;烦琐:百事~。

【丛集】cóngjí ❶〔动〕(许多事物)聚集在一起:百感~|诸事~。❷〔名〕选取若干种书或其中的一些篇章汇集编成的一套书。

【丛刊】cóngkān〔名〕丛书(多用于丛书的名称):《四部~》。

【丛刻】cóngkè〔名〕刻板印刷的丛书(多用于丛书名称):《励耘书屋~》。

【丛林】cónglín〔名〕❶ 茂密的树林:热带~。❷ 和尚聚集修行的处所,泛指大寺院。后道教也沿用此名。

【丛莽】cóngmǎng〔名〕丛生的草木;密林~。

【丛山】cóngshān〔名〕连绵的群山:~峻岭。

【丛生】cóngshēng〔动〕❶(草木)聚集在一处生长:杂草~|荆棘~。❷(疾病等)同时发生:百病~|百弊~。

【丛书】cóngshū〔名〕由许多书汇集编成的一套书,如《知不足斋丛书》、《历史小丛书》。

【丛谈】cóngtán〔名〕性质相同或相近的若干部分合成的文章或书(多用于篇名或书名):《掌故~》。

【丛杂】cóngzá〔形〕多而杂乱:事务~。

【丛葬】cóngzàng〔动〕许多尸体合葬在一起:罹难同胞数十人~于此。

【丛冢】cóngzhǒng〈书〉〔名〕乱葬在一片地方的许多坟墓。

淙 cóng〔淙淙〕(cóngcóng)〔拟声〕流水的声音:泉水~。

琮 cóng 古代一种玉器,方柱形,中有圆孔。

賨(賨) cóng 秦汉间今四川、湖南一带少数民族交纳的赋税名称,交的钱币叫賨钱,交的布匹叫賨布。这一部分民族也因此叫賨人。

藂 cóng〈书〉聚集;丛生。

còu（ㄘㄡˋ）

凑(湊) còu〔动〕❶ 拼凑;聚集:~钱|~足了人数|大家~到这里来听他讲故事。❷ 碰;赶:~巧|~热闹。❸ 接近;往前~~|~到跟前|她拿起一束鲜花~着鼻子闻。

【凑份子】còu fèn·zi ❶ 各人拿出若干钱合起来送礼或办事。❷〔方〕指添麻烦。

【凑合】còu·he ❶〔动〕凑在一起:下班以后大伙儿~在一起练习唱歌。❷ 拼凑:预先把发言提纲准备好,不要临时~。❸ 将就:没有什么好菜,~着吃点吧|这两年日子过得还~。

【凑集】còují〔动〕凑在一起;聚集:人烟~|~技术力量。

【凑近】còujìn〔动〕朝某个目标靠近:他~小王的耳朵,叽里咕噜说了一阵。

【凑拢】còulǒng〔动〕朝一个地点靠近:大伙儿~一点儿,商量一下明天的工作。

【凑钱】còu∥qián〔动〕凑集钱(办某事);筹集款项:大家~买了些图书资料。

【凑巧】còuqiǎo〔形〕表示正是时候或正遇着所希望的或所不希望的事情:我正想去找他,~他来了|真不~,我还没有赶到车站,车就开了。

【凑趣儿】còu∥qùr〔动〕❶ 迎合别人的兴趣,使高兴。❷ 逗笑取乐:他跟我很熟,所以故意拿我~|没事时姐妹们在一起~。

【凑热闹】còu rè·nao（～儿）❶ 到热闹的地方跟大家一起玩儿:孩子们玩得很起劲,我也去凑个热闹。❷ 指添麻烦:这里够忙的,别再来~了!

【凑手】còu∥shǒu〔形〕使用起来方便;顺手(常指手边的钱、物、人等):这把钳子~|

钱不~,下次再买吧。

【凑数】còu∥shù （~儿）动 ❶ 凑足数额。❷ 充数:人员要精干,不能随便找几个人~。

【凑整儿】còu∥zhěngr 动 凑成整数:这里有九十八元,你拿出两元,凑个整儿吧。

辏(輳) còu 〈书〉❶ 车轮的辐集中到毂上:辐~。❷ 聚集:~集|~石累卵。

腠 còu [腠理](còulǐ) 名 中医指皮肤等的纹理和皮下肌肉的空隙。

---

cū（ㄘㄨ）

粗(觕、麤、麄) cū ❶ 形 (条状物)横剖面大(跟"细"相对,②—⑥同):~纱|这棵树很~。❷ 形 (长条形)两长边的距离不十分近:~线条|~眉大眼。❸ 形 颗粒大:~沙。❹ 形 声音大而低:嗓门儿~|~声~气。❺ 形 粗糙(跟"精"相对):~瓷碗|去~取精|这个手工活儿很~。❻ 形 疏忽;不周密:~疏|~心大意。❼ 形 鲁莽;粗野:~暴|~话|~人。❽ 副 略微:~知一二|~具规模。

【粗暴】cūbào 形 鲁莽;暴躁:性情~|态度~。

【粗笨】cūbèn 形 ❶ (身材、举止)笨拙;不灵巧:手脚~|那人身体大,但动作并不~。❷ (物体)笨重;不精细:这些~家具搬起来挺费劲。

【粗鄙】cūbǐ 形 粗俗:言语~|举止~。

【粗布】cūbù 名 ❶ 一种平纹棉布,质地比较粗糙。❷ 土布。

【粗菜】cūcài 名 指萝卜、白菜等普通蔬菜(区别于"细菜")。

【粗糙】cūcāo 形 ❶ (质料)不精细;不光滑:皮肤~|这种瓷器比较~,赶不上江西瓷。❷ (工作等)草率;不细致:这套衣服的手工很~。

【粗糙度】cūcāodù 名 机器零件、工件等的表面粗糙程度。旧称光洁度。

【粗茶淡饭】cū chá dàn fàn 指简单的、不精致的饮食。有时用来形容生活简朴。

【粗大】cūdà 形 ❶ (人体、物体)粗:长年的劳动使他的胳膊~有力|他跟伙伴抬木

头,总是自己抬~的一头。❷ (声音)大:嗓音~|睡在周围的人发出~的鼾声。

【粗放】cūfàng 形 ❶ 农业上指在较多的土地上投入较少的生产资料和劳动进行浅耕粗作,用扩大耕地面积的方法来提高产品总量(跟"集约"相对)。这种经营方式叫做粗放经营。❷ 粗疏;不细致:管理~。❸ 粗犷豪放:~的笔触|这部影片在艺术处理上~简练。

【粗浮】cūfú 形 粗糙浮躁:气质~。

【粗工】cūgōng 名 指技术要求较低、劳动强度较大的工种。

【粗估】cūgū 动 粗略地估计;毛估:这幅画~价值上千元。

【粗犷】cūguǎng 形 ❶ 粗野;粗鲁:~无理。❷ 粗豪;豪放:歌声~|~的笔触。

【粗豪】cūháo 形 ❶ 豪爽:性情~|~坦率。❷ 粗壮:汽笛发出~的声音。

【粗话】cūhuà 名 粗俗的话。

【粗活儿】cūhuór （~儿)名 指技术性较低、劳动强度较大的工作。

【粗加工】cūjiāgōng 动 对原材料进行粗略加工,以便进一步加工。

【粗狂】cūkuáng 形 粗豪狂放:风格~。

【粗拉】cū·la 〈口〉形 粗糙:活儿做得太~。

【粗粝】cūlì ❶ 〈书〉名 糙米。❷ 形 粗糙:~的饭食。

【粗粮】cūliáng 名 一般指大米、白面以外的食粮,如玉米、高粱、豆类等(区别于"细粮")。

【粗劣】cūliè 形 粗糙低劣:~的饭食|这套书的插图太~。

【粗陋】cūlòu 形 ❶ 粗糙简陋:~的茅屋|陈设~。❷ 粗俗丑陋:面貌~。

【粗鲁】(粗卤) cū·lǔ 形 粗暴鲁莽:性格~|他是个火性人,说话~,你别介意。

【粗略】cūlüè 形 粗枝;大略;不精确:事先只能做~的估计|~地看了看产品的制作过程。

【粗莽】cūmǎng 形 粗鲁莽撞:~汉子|性格~。

【粗浅】cūqiǎn 形 浅显;不深奥:像这样~的道理是很容易懂的。

【粗人】cūrén 名 ❶ 鲁莽、不细心的人。❷ 指没有文化的人(多用作谦辞)。

【粗纱】cūshā 名 纺纱过程中的半成品,供纺细纱用。

【粗实】cū·shi 形 粗大结实：～的腰身|树干长得很～。

【粗手笨脚】cū shǒu bèn jiǎo 形容手脚粗笨：别看他～的，心眼儿可多着呢。

【粗疏】cūshū 形 ❶ 不细心；马虎：此书校对～，错误很多。❷（毛发、线条等）粗而稀疏：鬓毛～|这幅画线条过于～。

【粗率】cūshuài 形 粗疏草率：言谈～|～表态。

【粗俗】cūsú 形（谈吐、举止等）粗野庸俗：言语～。

【粗通】cūtōng 动 略微懂得一些：～文墨。

【粗细】cūxì 名 ❶ 粗和细的程度：碗口这样～的沙子最合适。❷ 粗糙和细致的程度：桌面平不平，就看活儿的～。

【粗线条】cūxiàntiáo 名 ❶ 指笔道画得粗的线条，也指用粗线条勾出的轮廓。❷ 比喻粗率的性格、作风或方法。❸ 比喻文章等粗略的构思或叙述。

【粗心】cūxīn 形 疏忽；不细心：～大意|一时～，铸成大错。

【粗哑】cūyǎ 形 声音低而沙哑：嗓音～。

【粗野】cūyě 形 粗鲁；没礼貌：举止～。

【粗枝大叶】cū zhī dà yè 比喻不细致，做事粗心大意。

【粗制滥造】cū zhì làn zào 制作粗劣，不讲究质量。也指工作不负责任，草率从事。

【粗制品】cūzhìpǐn 名 初步制成的毛坯产品。

【粗重】cūzhòng 形 ❶ 声音低沉有力：～的嗓音|～的喘息声。❷（手或脚）粗大有力：～的手。❸（物体）笨重：～的东西都留下，只带走细软。❹（条状物）宽而颜色浓：～的笔道儿|他的眉毛显得浓黑。❺（工作）繁重费力：～的活儿，他总是抢先去做。

【粗壮】cūzhuàng 形 ❶（人体）粗实而健壮：身材～。❷（物体）粗大而结实：～的树干。❸（声音）大而有力：嗓音～。

cú（ㄘㄨˊ）

徂 cú〈书〉❶ 往；到：自西～东。❷ 过去；逝：岁月其～。❸ 开始：六月～暑。❹ 同"殂"。

殂 cú〈书〉死亡：因病告～。

【殂谢】cúxiè〈书〉动 死亡。

cù（ㄘㄨˋ）

卒 cù〈书〉同"猝"。
另见1819页zú。

【卒中】cùzhòng ❶ 名 病，多由脑血栓、脑出血等引起。初起时突然头痛，眩晕，短时间内失去知觉。得病后半身不遂或截瘫，严重时很快死亡。❷ 动 患卒中病。‖通称中风(zhòngfēng)，也叫脑卒中。

促 cù ❶ 时间短：短～|急～。❷ 催，推动：催～|督～|～进|～其成功。❸ 靠近：～膝。

【促成】cùchéng 动 推动使成功：这件事是他大力～的。

【促进】cùjìn 动 促使前进；推动使发展：～派|～工作|～两国的友好合作。

【促请】cùqǐng 动 催促并请求：～上级早作决定。

【促使】cùshǐ 动 推动使达到一定目的：～发生变化|～生产迅速发展。

【促退】cùtuì 动 促使退步：～派。

【促膝】cùxī 动 膝盖对着膝盖，指两人面对面靠近坐着：～谈心。

【促狭】cùxiá〈方〉形 ❶ 爱捉弄人：～鬼（促狭的人）。❷ 刁钻。

【促销】cùxiāo 动 推动商品销售：利用广告～|～手段不力。

【促织】cùzhī 名 蟋蟀。

猝 cù〈书〉副 猝然：～发|～不及防。

【猝不及防】cù bù jí fáng 事情突然发生，来不及防备。

【猝尔】cù'ěr〈书〉副 突然。

【猝发】cùfā 动 突然发作：因过于兴奋，导致心脏病～。

【猝然】cùrán 副 突然；出乎意外：～改容|～发问。

【猝死】cùsǐ 动 医学上指由于体内潜在的进行性疾病而引起突然死亡。

C

酢 cù 〈书〉同"醋"。
另见 1830 页 zuò。

瘄 cù [瘄子](cù·zi)〈方〉图 麻疹。

蔟 cù 图 蚕蔟:上~。

醋 cù ❶ 图 调味用的有酸味的液体:
米~|陈~。❷ 图 比喻嫉妒(多指在男女关系上):~意|吃~。

【醋大】cùdà 图 措大。

【醋罐子】cùguàn·zi 图 醋坛子。

【醋劲儿】cùjìnr 图 嫉妒的情绪。

【醋酸】cùsuān 图 有机化合物,化学式 CH_3COOH。无色的液体,有刺激性气味。是制造人造丝、电影胶片、阿司匹林等的原料。日常食用的醋中含有醋酸。也叫乙酸。

【醋坛子】cùtán·zi 图 比喻在男女关系上嫉妒心很强的人。也说醋罐子。

【醋心】cùxīn 〈口〉动 胃里发酸:白薯吃多了~。

【醋意】cùyì 图 嫉妒心(多指在男女关系上)。

踧[1] cù [踧踖](cùjí)〈书〉形 恭敬而不安的样子。

踧[2] cù 〈书〉同"蹙"。

慽 cù 〈书〉心里不安的样子:~然不悦。

顑(顑) cù 〈书〉皱(眉头)。

簇 cù ❶ 聚集:~拥。❷ 聚集成的团或堆:花团锦~。❸ 量 用于聚集成团成堆的东西:花瓶里插着一~鲜花。

【簇生】cùshēng 动 植物体或其一部分聚集成团或成堆地生长。

【簇新】cùxīn 形 状态词。极新;全新:~的大衣。

【簇拥】cùyōng 动 (许多人)紧紧围着:孩子们~着老师走进教室。

蹙 cù 〈书〉❶ 紧迫;穷~。❷ 皱(眉头):收缩:~额。

【蹙额】cù'é 〈书〉动 皱眉头;疾首~。

蹴(蹵) cù 〈书〉❶ 踢:~鞠(踢球)。❷ 踏:一~而就。
另见 734 页·jiu。

---

cuān（ㄘㄨㄢ）

氽 cuān 动 ❶ 烹调方法,把食物放到沸水里稍微一煮:~汤|~丸子|~黄瓜片。❷〈方〉用氽子放到旺火中很快地把水烧开。

【氽子】cuān·zi 图 烧水用的薄铁筒,细圆柱形,可以插入炉子火口里,使水开得快。

撺(攛) cuān 〈方〉动 ❶ 抛掷。❷ 匆忙地做:临时现~。❸ 发怒:他~儿了。

【撺掇】cuān·duo〈口〉动 从旁鼓动人(做某事);怂恿:他一再~我学滑冰|他说他本来不想做,都是你~他做的。

【撺弄】cuān·nong〈口〉动 撺掇。

镩(鑹) cuān ❶ 一种凿冰工具,头部尖,有倒钩:冰~。❷ 动 用冰镩凿(冰):~冰。

【镩子】cuān·zi 图 冰镩。

蹿(躥) cuān 动 ❶ 向上或向前跳:身子往上一~|把球接住|猫~到树上去了|他一下子~得很远。❷〈方〉喷射:鼻子~血。

【蹿房越脊】cuān fáng yuè jǐ 跳上房顶在上面飞快地走(多见于旧小说)。

【蹿个儿】cuān//gèr 动 身材在较短时间里明显长高:孩子~了,去年的衣服穿着短了一大截。

【蹿红】cuānhóng 动 迅速走红:她一夜之间~歌坛。

【蹿火】cuān//huǒ〈方〉动 冒火。

【蹿升】cuānshēng 动 疾速上升:地价~|股市指数~。

---

cuán（ㄘㄨㄢ）

攒(攢、欑) cuán 动 聚在一起;拼凑:~钱|他买零件~了一台电脑。
另见 1696 页 zǎn。

【攒动】cuándòng 动 拥挤着移动:街上人头~。

【攒盒】cuánhé 图 一种分层或分格可装多种食品的盒子。

【攒集】cuánjí 动 攒聚。

【攒聚】cuánjù 动 紧紧地聚集在一起：教室前～了许多学生。

【攒三聚五】cuán sān jù wǔ 三三五五，聚在一起。

【攒射】cuánshè 动 （用箭或枪炮）集中射击。

cuàn （ㄘㄨㄢˋ）

窜（竄）cuàn ❶ 动 乱跑；乱逃（用于匪徒、敌军、兽类等）：流～｜抱头鼠～｜一眨眼的工夫，这孩子又～到哪儿去了？❷〈书〉放逐；驱逐。❸ 改动（文字）：～改｜点～。

【窜犯】cuànfàn 动 （小股的匪徒或敌军）进犯：～边境。

【窜改】cuàngǎi 改动（成语、文件、古书等）：～原文。

【窜扰】cuànrǎo 动 窜犯骚扰。

【窜逃】cuàntáo 动 逃窜。

篡 cuàn 夺取，多指篡位：～权｜王莽～汉。

【篡夺】cuànduó 动 用不正当的手段夺取（地位或权力）：～领导权。

【篡改】cuàngǎi 动 用作伪的手段改动或曲解（经典、理论、政策等）。

【篡国】cuàn//guó 动 篡夺国家政权。

【篡权】cuàn//quán 动 篡夺权力（多指政权）：窃国～。

【篡位】cuàn//wèi 动 臣子夺取君主的地位。

爨 cuàn ❶〈书〉烧火煮饭：分～｜分居异～（旧时指弟兄分家过日子）。❷〈书〉灶：执～。❸ （Cuàn）名 姓。

cuī （ㄘㄨㄟ）

衰 cuī ❶ 见 287 页【等衰】。❷ 同"缞"。
另见 1273 页 shuāi。

崔 cuī ❶ 见【崔巍】、【崔嵬】。❷ （Cuī）名 姓。

【崔巍】cuīwēi〈书〉形 （山、建筑物）高大雄伟：群山～｜殿阁～。

【崔嵬】cuīwéi〈书〉❶ 名 有石头的土山。

❷ 形 高大：山岭～、气势非凡。

催 cuī ❶ 动 叫人赶快行动或做某事：图书馆来信，～他还书。❷ 使事物的产生和变化加快：～生｜～眠｜～肥。❸ （Cuī）名 姓。

【催巴儿】cuī·bar〈方〉名 听人使唤当下手干杂事的人。

【催办】cuībàn 动 催促办理（某事）：此事已去信～，很快会有答复的。

【催逼】cuībī 动 催促逼迫：～还债。

【催产】cuī//chǎn 动 ❶ 用药物或其他方法使母体的子宫收缩，促使胎儿产出。❷ 促使事物发生或形成：新的生产力～新的生产关系。‖ 也说催生。

【催促】cuīcù 动 催：一再～，他才动身。

【催发】cuīfā 动 促使发生或产生：～创作灵感。

【催肥】cuīféi 动 育肥。

【催化】cuīhuà 动 促使化学反应的速率发生改变。

【催化剂】cuīhuàjì 名 能改变化学反应速率，而本身的量和化学性质并不改变的物质。通常把加速化学反应的物质叫正催化剂，延缓化学反应的物质叫负催化剂。

【催泪弹】cuīlèidàn 名 装填有催泪性毒剂的弹种。爆炸后强烈刺激眼睛流泪。

【催眠】cuīmián 动 对人或动物用刺激视觉、听觉或触觉来引起睡眠状态，对人还可以用言语的暗示引起。

【催眠曲】cuīmiánqǔ 名 催婴儿入睡时唱的歌。

【催眠术】cuīmiánshù 名 催眠的方法，一般用言语暗示。

【催眠药】cuīmiányào 名 能抑制大脑皮质而导致睡眠的药物，如苯巴比妥、甲喹酮（安眠酮）等。通称安眠药。

【催命】cuī//mìng 动 催人死亡，比喻紧紧地催促。

【催奶】cuī//nǎi 动 用药品或食物使产妇分泌出乳汁。

【催迫】cuīpò 动 催逼。

【催情】cuīqíng 动 用人工方法促使雌性动物发情。

【催生】cuī//shēng 动 催产。

【催收】cuīshōu 动 催讨：～货款。

【催熟】cuīshú 动 ❶ 用物理、化学等方法促使植物果实加快成熟。❷ 指使人或事物过早地成熟。

【催讨】cuītǎo 励 催人归还(债款、实物等)。

缞(縗) cuī〈书〉用粗麻布制成的丧服。

摧 cuī 折断;破坏:～折|～毁|无坚不～。

【摧残】cuīcán 励 使蒙受严重损害。

【摧毁】cuīhuǐ 励 用强大的力量破坏:猛烈的炮火～了敌人的阵地。

【摧枯拉朽】cuī kū lā xiǔ 摧折枯草朽木,比喻迅速摧毁腐朽势力。

【摧眉折腰】cuī méi zhé yāo 形容低头弯腰阿谀逢迎的媚态。

【摧折】cuīzhé 励❶ 折断:狂风～幼株。❷ 挫折:不可～的意志|历尽～,终于回到祖国。

橗 cuī〈书〉橡子。

猚 cuī 见 1421 页〖猥猚〗(wěicuī)。

cuǐ (ㄘㄨㄟˇ)

漼 cuǐ〈书〉❶ 水深的样子。❷ 眼泪流下的样子。

璀 cuǐ ［璀璨](cuǐcàn)形 形容珠玉等光彩鲜明:～目|这座古塔是我国古代建筑史上一颗～的明珠。

皠 cuǐ〈书〉洁白。

cuì (ㄘㄨㄟˋ)

倅 cuì〈书〉❶ 副职。❷ 辅佐。

脆(脃) cuì 形❶ 容易折断破碎(跟"韧"相对):这种纸不算薄,就是太～。❷(较硬的食物)容易弄碎弄裂:～枣|这瓜又甜又～。❸(声音)清脆:她的嗓音挺～。❹〈方〉说话做事爽利痛快;干脆:这件事办得很～。

【脆骨】cuìgǔ 名 动物的软骨作为食品时叫脆骨。

【脆快】cuìkuài〈方〉形(说话、做事)干脆

爽快;简捷痛快,不拖拉:～了当|他答应得～|他办起事来总是那么～。

【脆亮】cuìliàng 形(声音)清脆响亮。

【脆弱】cuìruò 形 禁不起挫折;不坚强;感情～|～的心灵。

【脆生】cuì·sheng〈口〉形❶(食物)脆:凉拌黄瓜,又～又爽口。❷(声音)清脆:这炮仗的声音可真～。

【脆性】cuìxìng 名 物体受拉力或冲击时,没有显著变形而突然破碎的性质。玻璃、生铁、砖、石都是脆性物质。

【脆枣】cuìzǎo (～儿)〈方〉名 焦枣。

萃 cuì ❶ 聚集:荟～。❷ 聚在一起的人或物:出类拔～。❸(Cuì)名 姓。

【萃聚】cuìjù〈书〉聚集:群英～。

【萃取】cuìqǔ 励 在混合物中加入某种溶剂,利用混合物的各种成分在该溶剂中溶解度不同而将它们分离。如在含有硝酸铀酰的水溶液中加入乙醚,硝酸铀酰就从水中转入乙醚中而杂质仍留在水中。

啐 cuì ❶ 励 用力吐出来:～了一口唾沫。❷ 叹 表示唾弃、斥责或辱骂:～!休要胡说(多见于早期白话)。

淬(焠) cuì 淬火。

【淬火】cuì//huǒ 励 把金属工件加热到一定温度,然后浸入冷却剂(油、水等)急速冷却,以增加硬度和强度等。

【淬炼】cuìliàn 励 锤炼(多用于抽象事物):在血与火的～中成长。

【淬针】cuìzhēn 名 火针。

悴(顇) cuì 见 1100 页〖憔悴〗。

綷(綷) cuì〈书〉五色相杂;合。

【綷縩】cuìcài〈书〉拟声 行动时衣服摩擦的声音:华妆～。

毳 cuì〈书〉鸟兽的细毛。

【毳毛】cuìmáo 名 医学上指除头发、阴毛、腋毛以外,其他部位所生的细毛。

瘁 cuì 过度劳累:鞠躬尽～|心力交～。

粹 cuì ❶ 纯粹:～白|～而不杂。❷ 精华:精～。

【粹白】cuìbái〈书〉形❶ 纯粹。❷ 纯白:～之表。

翠 cuì ❶ 青绿色：～竹|～玉|～鸟。❷ 指翡翠②：点～(用翡翠鸟的羽毛来做装饰的手工工艺)。❸ 指翡翠①：珠～|～花。❹ (Cuì)名姓。

【翠绿】cuìlǜ 形 像翡翠那样的绿色：满山～|～的松林。

【翠鸟】cuìniǎo 名 鸟，羽毛翠绿色，头部蓝黑色，嘴长而直，尾巴短。生活在水边，吃鱼、虾等。

【翠生生】cuìshēngshēng (～的)形 状态词。形容植物青翠鲜嫩：～的秋苗。

【翠微】cuìwēi〈书〉名 ❶ 青绿的山色。❷ 泛指青山。

膵(脺) cuì [膵脏](cuìzàng)名 胰的旧称。

---

cūn (ㄘㄨㄣ)

村(❶邨) cūn ❶ (～儿)名 村庄，泛指较小的居住区：一个小～儿|工人新～。❷ 形 粗俗：～话|他说话太～。❸ (Cūn)名姓。

【村夫俗子】cūnfū súzǐ 指粗野鄙俗的人。

【村妇】cūnfù 名 乡村里的妇女。

【村姑】cūngū (～儿)名 乡村里的年轻女子：一身～打扮。

【村话】cūnhuà 名 粗俗的话(多指骂人的话)。

【村落】cūnluò 名 村庄。

【村民】cūnmín 名 乡村居民：～大会。

【村塾】cūnshú 名 旧时农村中的私塾。也叫村学。

【村俗】cūnsú ❶ 名 乡村的风俗：～民风|～淳朴。❷ 形 粗俗：谈吐～|土气～气：这裙子的样式显得太～了。

【村学】cūnxué 名 村塾。

【村野】cūnyě ❶ 名 乡村和田野：过～生活。❷ 形 粗鲁；粗俗：性情～|～难听的话语。

【村寨】cūnzhài 名 村庄；寨子：～相望。

【村镇】cūnzhèn 名 村庄和小市镇。

【村庄】cūnzhuāng 名 农民聚居的地方。

【村子】cūn·zi 名 村庄。

皴 cūn ❶ 动 (皮肤)因受冻而裂开：手～了。❷〈方〉名 皮肤上积存的泥垢：一脖子～。❸ 动 国画画山石时，勾出轮廓后，为了显示山石的纹理和阴阳面，再用淡干墨勾笔而画，叫做皴。

【皴法】cūnfǎ 名 国画画山石时的一种画技。参见"皴"③。

【皴裂】cūnliè 动 皴①。

踆 cūn〈书〉踢。

【踆乌】cūnwū 名 古代传说太阳中的三足乌，后来借指太阳。

---

cún (ㄘㄨㄣˊ)

存 cún ❶ 存在；生存：残～|父母俱～。❷ 动 储存；保存：封～|～粮。❸ 动 蓄积；聚集：一～|新建的水库已经～满了水。❹ 动 储蓄：～款|～折|零～整取|把暂时不用的现款～在银行里。❺ 动 寄存：～车处|行李先～在这儿，回头再来取。❻ 保留：～疑|～而不论|去伪～真。❼ 结存；余留：库～|收支相抵，净～二百元。❽ 动 心里怀着(某种想法)：～心|心～侥幸|不～任何顾虑。❾ (Cún)名姓。

【存案】cún//àn 动 在有关机构登记备案。

【存查】cúnchá 动 保存起来以备查考(多在批阅公文时用)：交会计科～。

【存储】cúnchǔ 动 储存：～量。

【存储器】cúnchǔqì 名 计算机中用来存储程序、数据等信息的装置。

【存单】cúndān 名 ❶ 银行、信用合作社等给存款者作为凭证的单据。❷ 商业部门给存货者作为凭证的单据。

【存档】cún//dàng 动 把处理完毕的公文、资料、稿件等归入档案，留供以后查考。

【存底】cúndǐ 名 商店指储存待售的货物：清出～|～不多了，要赶快进货。

【存而不论】cún ér bù lùn 保留起来不加讨论：这个问题可以暂时～，先讨论其他问题。

【存放】cúnfàng 动 放(在某处)；寄存；储存：东西太多，无处～|临动身前，把几箱子书～在朋友家里|把节余的钱～在银行里。

【存根】cúngēn 名 开出票据或证明后留下来的底子，上面记载着与票据或证明同样的内容，以备查考。

【存户】cúnhù 名 在银行、信用合作社等存款的户头。

【存活】cúnhuó 动 生存,多指生命受到威胁后生存下来:～率|这种病人一般可～三至五年。

【存货】cúnhuò ❶（－//－）动 储存货物:这些仓库可以代人～。❷ 名 商店中储存待售的货物:～有限,欲购从速。

【存款】cúnkuǎn ❶（－//－）动 把钱存在银行或其他信用机构里:～手续简便|到银行去存一笔款。❷ 名 存在银行或其他信用机构里的钱:一笔～|到银行去取～。

【存栏】cúnlán 动 指牲畜在饲养中(多用于统计):全乡生猪～头数达两万余。

【存粮】cúnliáng ❶（－//－）动 储存粮食:～备荒。❷ 名 储存的粮食:这里家家都有～。

【存量】cúnliàng 名（资金、财产等)存有的数量:库里～不多了|盘活～。

【存留】cúnliú 动 保存;留下:他的著作～下来的不多。

【存念】cúnniàn 动 保存下来作为纪念。

【存盘】cún//pán 动 把计算机中的信息存储到磁盘上。

【存身】cún//shēn 动 安身:～之所。

【存食】cún//shí 动 吃了东西不消化,停留在胃里:孩子老不想吃饭,想是～了吧?

【存世】cúnshì 动 留存在世间:他身后还有一部诗作～|据考证,这尊佛像是～极少的国家一级文物。

【存亡】cúnwáng 名 生存和死亡;存在和灭亡:～未卜|1937 年到 1945 年的抗日战争关系中华民族生死～的战争。

【存亡绝续】cún wáng jué xù （民族、国家等)存在或灭亡,断绝或延续,形容局势非常危急:～的关头。

【存息】cúnxī 名 存款的利息。

【存项】cún·xiàng 〈口〉名 富余的钱:手里有点儿～,遇事就不着急了。

【存心】cúnxīn ❶（－//－）动 怀着某种念头:～不良|他说这番话,不知存着什么心。❷ 副 有意;故意:你这不是～叫我为难吗?

【存续】cúnxù 动 存在并延续:夫妻在婚姻关系～期间所得财产归夫妻双方共有。

【存蓄】cúnxù ❶ 动 储存:～饮用水。❷ 名 指积存的钱或物:这些年多少有了些～。

【存疑】cúnyí 动 对疑难问题暂时不作决定:这件事只好暂时～,留待将来解决。

【存在】cúnzài ❶ 动 事物持续地占据着时间和空间;实际上有,还没有消失:双方观点～着明显分歧|事情已解决,不～任何问题。❷ 名 哲学上指不依赖人的意识并不以人的意志为转移的客观世界,即物质:～决定意识,不是意识决定～。

【存在主义】cúnzài zhǔyì 20 世纪 30 年代形成并广泛流行于西方的现代哲学思潮。主张把存在当做哲学的研究对象,认为个人存在是一切存在的出发点,人的存在先于人的本质。其影响波及西方社会精神生活的各个方面。存在主义又可分为有神论的、无神论的和人道主义的。

【存照】cúnzhào 〈书〉❶ 动 把契约文件等保存起来以备查考核对:立此～。❷ 名 指保存起来以备查考核对的契约文件等。

【存折】cúnzhé 名 银行、信用合作社等给存款者作为凭证的小本子。

【存正】cúnzhèng 动 客套话,送人作品时请人批评或提意见。

【存执】cúnzhí 名 存根。

【存贮】cúnzhù 动 贮存。

蹲 cún 〈方〉动 脚猛然着地,因震动而使腿或脚受伤:～了腿。
另见 348 页 dūn。

cǔn （ㄘㄨㄣˇ）

刌 cǔn 〈书〉割;截断。

忖 cǔn 细想;揣度:自～|暗～。

【忖度】cǔnduó 动 推测;揣度:～时势。

【忖量】cǔnliáng 动 ❶ 揣度:一边走,一边～着刚才他说的那番话的意思。❷ 思量:她～了半天,还没有想好怎么说。

【忖摸】cǔn·mo 动 估摸;揣度。

cùn （ㄘㄨㄣˋ）

寸 cùn ❶ 量 长度单位,10 分等于 1 寸,10 寸等于 1 尺。1 市寸合 1/30

米。❷形容极短或极小：～功|～进|～土|～步|鼠目～光。❸〈方〉形凑巧：你来得可真～。❹（Cùn）图姓。

【寸步】cùnbù 图指极短的距离：～难行|～不离|～不让。

【寸步难行】cùn bù nán xíng 形容走路、行动困难。比喻开展某项工作困难重重。也说寸步难移。

【寸草不留】cùn cǎo bù liú 连小草都不留下，形容遭到天灾人祸后破坏得非常严重的景象。

【寸草春晖】cùn cǎo chūn huī 唐代孟郊《游子吟》诗："谁言寸草心，报得三春晖。"后来用"寸草春晖"比喻父母恩情子女难以报答。

【寸断】cùnduàn 动 断成许多小段◇肝肠～。

【寸功】cùngōng 图极小的功劳：身无～。

【寸进】cùnjìn〈书〉图微小的进步：略有～。

【寸劲儿】cùnjìnr〈方〉图❶巧妙的用力方法：拃(dèn)断麻经儿得靠～，不能硬拽。❷凑巧的机会：这种东西早已不兴了，赶上一～，还能买到旧的。

【寸楷】cùnkǎi 图一寸大小的楷体字：～羊毫。

【寸头】cùntóu 图男子发式，顶上头发留约一寸，两鬓及后边缘的头发比头顶上头发短。

【寸土】cùntǔ 图指极小的一片土地：～必争|～不让。

【寸心】cùnxīn〈书〉图❶指中心；内心：～如割(形容痛苦不堪)|得失～知。❷微小的心意：小意思：聊表～。

【寸阴】cùnyīn〈书〉图日影移动一寸的时间，指极短的时间。

时 cùn 又 yīngcùn 量英寸旧也作时。

cuō（ㄘㄨㄛ）

搓 cuō 动两个手掌反复摩擦，或把手掌放在别的东西上来回揉：急得他直～手|～一条麻绳儿。

【搓板】cuōbǎn （～儿）图搓洗衣物的木板或塑料板，上面有窄而密的横槽。

【搓麻】cuō//má 动玩麻将牌。也说搓麻将。

【搓麻将】cuō májiàng 搓麻。

【搓弄】cuō•nòng 动揉搓：她两手～着手绢，一句话也不说。

【搓手顿脚】cuō shǒu dùn jiǎo 形容焦急不耐烦：遇到困难要设法克服，光～也不解决问题。

【搓洗】cuōxǐ 动把衣物等浸泡在水里反复揉搓，去掉衣物上的污垢。

【搓澡】cuō//zǎo 动洗澡时由别人给擦洗身体。

磋 cuō ❶把象牙加工成器物：切～。❷商量讨论：～商。

【磋磨】cuōmó〈书〉动切磋琢磨：相互～。

【磋商】cuōshāng 动反复商量；仔细讨论：经过多次～，双方总算达成协议。

撮 cuō ❶聚合；聚拢：～口呼。❷动用簸箕等把散碎的东西收集起来：～了一簸箕土。❸〈方〉动用手指捏住细碎的东西拿起来：～药|～了点儿盐。❹摘取(要点)：～要。❺〈方〉动吃：我请你上馆子一～一顿。❻量容量单位。10 撮等于 1 勺。1 市撮合 1 毫升。❼量 a)〈方〉用于手所撮取的东西：一～盐|一～芝麻。b)借用于极少的坏人或事物：一小～坏人。

另见 1826 页 zuǒ。

【撮合】cuō•he 动从中介绍促成：他俩的婚姻是王姨～成的。

【撮箕】cuōjī〈方〉图撮垃圾的簸箕。

【撮口呼】cuōkǒuhū 图见 1294 页〖四呼〗。

【撮弄】cuō•nòng 动❶戏弄；捉弄：～人。❷教唆；煽动：他本不想做这种买卖，是别人～入股的。

【撮要】cuōyào ❶动摘取要点：把工作内容～报告。❷图摘取出来的要点：论文～。

蹉 cuō〈书〉❶差误。❷(经某地)通过。

【蹉跌】cuōdiē〈书〉动失足跌倒，比喻失误。

【蹉跎】cuōtuó 动光阴白白地过去：岁月～|一再～。

cuó （ㄘㄨㄛˊ）

嵯 cuó ［嵯峨］(cuó′é)〈书〉形 山势高峻。

矬 cuó 〈方〉❶ 形 (身体)短小；短：～个儿。❷ 动 把身子往下缩：这孩子不让人搂着，直往下～。❸ 动 削减：～了他一百块钱工钱。

【矬子】cuó·zi〈方〉名 身材短小的人。

痤 cuó ［痤疮］(cuóchuāng)名 皮肤病，多生在青年人的面部，有时也生在胸、背、肩等部位。通常是圆锥形的小红疙瘩，有的有黑头。多由皮脂分泌过多、消化不良等引起。通称粉刺。

瘥 cuó 〈书〉病。
另见 146 页 chài。

鹺(鹾) cuó 〈书〉❶ 盐。❷ 味咸。

酂(酇) cuó 酂城(Cuóchéng)，地名，在河南永城。
另见 1697 页 Zàn。

cuǒ （ㄘㄨㄛˇ）

脞 cuǒ 〈书〉细小而繁多；琐细：～语｜～谈｜丛～。

cuò （ㄘㄨㄛˋ）

剉 cuò ❶〈书〉折伤。❷ 同"锉"②。

挫 cuò ❶ 挫折；受～。❷ 动 压下去；降低：抑扬顿～｜～敌人的锐气，长自己的威风。

【挫败】cuòbài 动 ❶ 挫折与失败：这个企业多次从～中奋起。❷ 使受挫失败；击败：～敌人的阴谋｜～敌军的几次进攻。

【挫伤】cuòshāng ❶ 动 身体因碰撞或突然压挤而受伤。❷ 名 身体因碰撞或突然压挤而形成的伤，皮肤下面呈青紫色，疼痛，但不流血。❸ 动 损伤(积极性、上进心等)。

【挫损】cuòsǔn 动 因挫折而受损：～锐

气。

【挫折】cuòzhé 动 ❶ 压制，阻碍，使削弱或停顿：不要～群众的积极性。❷ 失败；失利：经过多次～，终于取得了胜利。

剒 cuò 〈书〉斩；割。

莝 cuò 〈书〉❶ 铡(草)。❷ 铡碎的草。

【莝草】cuòcǎo〈方〉名 铡碎的草。

厝 cuò ❶〈书〉放置：～火积薪。❷〈书〉把棺材停放待葬，或浅埋以待改葬：暂｜浮。❸〈方〉名 房屋：～后边跑出一条大黄狗。

【厝火积薪】cuò huǒ jī xīn 把火放在柴堆下面，比喻潜伏着很大的危险。也说积薪厝火。

措 cuò ❶ 安排；处置：～置｜惊惶失～｜不知所～。❷ 筹划：筹～。

【措办】cuòbàn 动 筹划办理：～善后事宜｜如款项数目不大，还可～。

【措词】cuò∥cí 同"措辞"。

【措辞】cuò∥cí 动 说话或作文时选用词句：～不当｜全文条理清楚，～严谨。也作措词。

【措大】cuòdà 名 旧时指贫寒的读书人(含轻蔑意)：～习气(寒酸气)。也说醋大。

【措施】cuòshī 名 针对某种情况而采取的处理办法(用于较大的事情)：计划已经订出，～应该跟上。

【措手】cuòshǒu 动 着手处理；应付：无从～。

【措手不及】cuò shǒu bù jí 临时来不及应付：必须做好防洪准备工作，以免雨季到来时～。

【措意】cuòyì〈书〉动 留意；用心：读书虽多，然于诗词不甚～。

【措置】cuòzhì 动 安排；料理：只要～得当，不会有什么问题。

锉(銼) cuò ❶ 名 手工工具，条形多刃，主要用来对金属、木料、皮革等表层做微量加工。按横剖面不同，可分为扁锉、圆锉、方锉、三角锉等。也叫锉刀。❷ 动 用锉进行切削：圆孔用圆锉～一～。

【锉刀】cuòdāo 名 锉①。

错¹(錯) cuò ❶ 动 参差；错杂：交～｜～落｜这几块砖砌得不齐，

~进去了一点儿。❷动 两个物体相对摩擦：上下牙~得很响。❸动 相对行动时避开而不碰上：~车◇~过了机会。❹动 安排办事的时间使不冲突：这两个会不能同时开，得~一下。❺形 不正确；与"对"相对：这道题算~了丨说错；错处：没~丨出~儿。❼形 坏；差(用于否定式)：这幅画儿画得不~丨今年的收成~不了。

错²(錯) cuò 在凹下去的文字、花纹中镶上或涂上金、银等：~金。

错³(錯) cuò 〈书〉❶ 打磨玉石的石头。❷ 打磨玉石：攻~。

【错爱】cuò'ài 谦辞，表示感谢对方对自己的爱护。

【错案】cuò'àn 名 错判的案件。

【错版】cuòbǎn 名 指邮品、纸币等出现的排印错误的版面：~邮票。

【错别字】cuòbiézì 名 错字和别字。

【错层】cuòcéng 名 指一套住宅内部空间层次不在一个平面上，错开的地方有台阶连通的建筑形式：~住宅。

【错车】cuò//chē 动 火车、电车、汽车等在单轨上或窄路上相向行驶，或后车超越前车时，在铺设双轨的地方或路边让开，使双方顺利通行。

【错处】cuò·chu 名 错误的地方；过错。

【错叠】cuòdié 动 交错重叠在一起：山石~。

【错讹】cuò'é 名 (文字、记载)错误：校对不严，~甚多。

【错愕】cuò'è 〈书〉形 仓促间感到惊愕：他的突然到来使她大为~。

【错非】cuòfēi 方 连 除非：除了：~这种药，别的药治不了他的病。

【错峰】cuòfēng 动 (用水、用电、车辆运行等)错开高峰时段：用电大户可以~安排生产丨~出行以缓解道路拥堵。

【错告】cuògào 动 由于对情况了解不确实或认识上的片面性，向有关部门作了不符合实情的告发。

【错怪】cuòguài 动 因误会而错误地责备或抱怨人：是我不了解情况，~了你。

【错过】cuòguò 动 失去(时机、对象)：不

要~农时丨~这个村就没有那个店了。

【错会】cuòhuì 动 错误地理解：你~了我的意思。

【错季】cuòjì 动 错开季节：如今种菜讲究~。

【错金】cuòjīn 特种工艺的一种，在器物上用金丝镶嵌成花纹或文字。

【错觉】cuòjué 名 由于某种原因引起的对客观事物的不正确的知觉。如筷子放在有水的碗内，由于光线折射，看起来筷子是弯的，就是一种错觉。

【错开】cuò//kāi 动 (时间、位置)互相让开，避免冲突：为了避免公共车辆的拥挤，工厂、机关上下班的时间最好~。

【错漏】cuòlòu 名 错误和遗漏：文稿誊清后请再核对一遍，以免~。

【错乱】cuòluàn 形 无次序；失常态：颠倒~丨精神~。

【错落】cuòluò 动 交错纷杂：~有致丨~不齐丨苍松翠柏，~其间。

【错谬】cuòmiù 名 错误；差错：~之处，请多指正。

【错失】cuòshī ❶ 动 错过；失去：~良机。❷ 名 差错；过失：他工作认真负责，没有发生过~。

【错时】cuòshí 动 错开时间：要求各单位~上下班，缓解市区交通拥堵状况。

【错位】cuò//wèi 动 ❶ 离开原来的或应有的位置：骨关节~。❷ 比喻失去正常的或应有的状态：名利使他的荣辱观发生了~。

【错误】cuòwù ❶ 形 不正确；与客观实际不符合：~思想丨~的结论。❷ 名 不正确的事物、行为等：犯~丨改正~。

【错银】cuòyín 特种工艺的一种，在器物上用银丝镶嵌成花纹或文字。

【错杂】cuòzá 动 两种以上的东西夹杂在一起：颜色~。

【错字】cuòzì 名 写得不正确的字或刻错、排错的字。

【错综】cuòzōng 动 纵横交叉：~复杂丨公路~丨枝叶~，繁花似锦。

【错综复杂】cuòzōng fùzá 形容头绪繁多，情况复杂。

D

d

dā（ㄉㄚ）

哒 dā（发音短促）〔拟〕吆喝牲口前进的声音。

耷 dā〈书〉大耳朵。

【耷拉】dā·la〔动〕下垂：～着脑袋｜黄狗～着尾巴跑了。也作搭拉。

哒（噠）dā 同"嗒"（dā）。

【哒嗪】dāqín〔名〕有机化合物，化学式$C_4H_4N_2$。是嘧啶的同分异构体。[英pyridazine]

搭 dā〔动〕❶支；架：～桥｜～棚｜喜鹊在树上～了个窝。❷把柔软的东西放在可以支架的东西上：把衣服～在竹竿上｜肩膀上～着一条毛巾。❸连接在一起：两根电线～上了｜前言不～后语◇～伙｜～街坊。❹凑上；加上：把这些钱～上就够了｜这工作不轻，还得～上个人帮他才成◇差点儿连命也给～上。❺搭配；配合：粗粮和细粮～着吃｜大的小的～着卖。❻共同抬起：把桌子～起来在下面垫上几块砖｜书柜已经～走了。❼乘；坐（车、船、飞机等）：～轮船到上海｜下一班汽车～国际航班。

【搭班】dā//bān（～儿）〔动〕❶旧时指艺人临时参加某个戏班：～唱戏。❷临时参加作业班或临时合伙：出车时，老张总是找老工人，装卸车时助他们一臂之力。

【搭伴】dā//bàn（～儿）〔动〕趁便做伴：半路上遇见几个老朋友，正好～一起去｜他也到新疆去，你们搭个伴儿吧。

【搭帮】dā//bāng〈方〉〔动〕（许多人）结伙：～结伙｜搭个伴一块儿去。

【搭帮】dā·bang〈方〉〔动〕帮忙；照顾：大家～着点儿，困难就解决了。

【搭背】dābèi〈方〉〔名〕搭腰。

【搭便】dābiàn〔副〕顺便。

【搭补】dābǔ〔动〕补贴；帮补：～家用。

【搭茬儿】dā//chár〈方〉〔动〕接着别人的话说话：他的话没头没脑，叫人没法～｜他问了半天，没一个人搭他的茬儿。也作答茬儿、搭碴儿、答碴儿。

【搭碴儿】dā//chár 同"搭茬儿"。

【搭车】dā//chē〔动〕❶趁便乘坐顺路的车辆。❷比喻借助某事的便利做另外的事，从而得到好处：～涨价。

【搭乘】dāchéng〔动〕乘；坐（车、船、飞机等）：～旅游专车赴京。

【搭档】（搭当）dādàng ❶〔动〕协作：我们两个人～吧。❷〔名〕协作的人：老～。

【搭话】dā//huà〔动〕❶搭腔：问他几遍，他就是不～。❷〈方〉捎带口信。

【搭伙】[1]dā//huǒ 合为一伙：成群｜他们搭了伙，一起做买卖。

【搭伙】[2]dā//huǒ 加入伙食团体：在单位食堂～。

【搭架子】dā jià·zi ❶搭起间架，比喻事业开创或文章布局略具规模：先搭好架子，然后再充实内容。❷〈方〉摆架子。

【搭建】dājiàn〔动〕建造（多用于临时性建筑）：～防震棚｜～临时舞台。

【搭脚儿】dā//jiǎor〈方〉〔动〕因便免费搭乘车船。

【搭街坊】dā jiē·fang〈方〉做邻居。

【搭界】dājiè〔动〕❶交界：这里是两省～的地方。❷〈方〉发生联系（多用于否定式）：这件事跟他不～｜没跟这种人～。

【搭救】dājiù〔动〕帮助人脱离危险或灾难。

【搭客】dā//kè〈方〉〔动〕（车船）顺便载客。

【搭拉】dā·la 同"耷拉"。

【搭理】dā·li 同"答理"。

【搭配】dāpèi ❶〔动〕按一定要求安排分配：合理～｜这两个词～不当。❷〔动〕配合；配搭：师徒两人～得十分合拍。❸〔形〕相称：两人一高一矮，站在一起不～。

【搭腔】dā//qiāng〔动〕❶接着别人的话说：我问了半天，没人～。❷〈方〉交谈：从前他俩合不来，彼此不～。‖也作答腔。

【搭桥】dā//qiáo〔动〕❶架桥：逢山开路，遇水～。❷比喻撮合；介绍：牵线～。❸用病人自身的一段血管接在阻塞部位的两端,使血流畅通:心脏~手术。

【搭讪】(搭赸、答讪) dā·shàn 动 为了想跟人接近或把尴尬的局面敷衍过去而找话说。

【搭识】dāshí 动 结识。

【搭手】dā//shǒu 动 替别人出力;帮忙:搭把手|搭不上手|见我忙,他赶紧跑过来~。

【搭头】(~儿) dā·tou 名 配搭的、非主要的东西:买了个大瓜,这个小瓜是~儿。

【搭线】dā//xiàn 动 撮合;介绍使接上关系:经本报~,双方签订了合作意向书。

【搭腰】dā·yao 名 牲口拉车时搭在背上使车辕、套绳不致掉下的用具,多用皮条或绳索做成。有的地区叫搭背。

【搭载】dāzài 动 搭乘,运载:飞船上~了三名宇航员。

嗒 dā 拟声 形容马蹄、机枪等的声音:~~的马蹄声|机枪~~地响着。
另见1314页 tà。

答(荅) dā 义同"答"(dá),专用于"答应、答理"等词。
另见242页 dá。

【答茬儿】dā//chár 同"搭茬儿"。

【答碴儿】dā//chár 同"搭茬儿"。

【答理】dā·li 动 对别人的言语行动表示态度(多用于否定式):不爱~人|路上碰见了,谁也没有~谁|我叫了他两声,他没~我。也作搭理。

【答腔】dā//qiāng 同"搭腔"。

【答讪】dā·shàn 见241页【搭讪】。

【答言】dā//yán 动 接着别人的话说;搭腔:一连问了几遍,没有人~|又没问你,你答言什么!

【答应】dā·ying 动 ❶ 应声回答:喊了好几声,也没有人~。❷ 应允;同意:他起初不肯,后来~了。

【答允】dāyǔn 动 应允;允许。

腌 dā 见394页【肥腌腌】。

锗(鎝) dā 见1358页【铁锗】。

褡 dā 见下。

【褡包】dā·bāo 名 长而宽的腰带,用布或绸做成,系(jì)在衣服外面。

【褡裢】dā·lian 名 ❶(~儿)长方形的口袋,中央开口,两端各成一个袋子,装钱物用,一般分大小两种,大的可以搭在肩上,小的可以挂在腰带上。❷ 摔跤运动员穿的一种用多层布制成的上衣。

dá (ㄉㄚˊ)

打 dá 量 十二个为一打:一~铅笔|两~毛巾。[英 dozen]
另见242页 dǎ。

达(達) dá ❶ 通:铁路四通八~。❷ 达到:抵~|目的已~。❸ 懂得透彻;通达(事理):知~理|通权~变。❹ 表达:转~|传~|~意。❺ 显达:~官。❻ (Dá)名 姓。

【达标】dábiāo 动 达到规定的标准:质量~。

【达成】dáchéng 动 达到;得到(多指商谈后得到结果):~协议。

【达旦】dádàn 〈书〉 动 直到第二天早晨:通宵~|~不寐。

【达到】dá/dào 动 到(多指抽象事物或程度):达得到|达不到|目的没有~|~国际水平。

【达观】dáguān 形 对不如意的事情看得开:遇事要~些,不要愁坏了身体。

【达官】dáguān 名 旧时指职位高的官吏:~贵人|~显宦(职位高而声势显赫的官吏)。

【达摩克利斯剑】dámókèlìsījiàn 名 希腊传说中达摩克利斯(Damocles)是国王的宠臣,常常羡慕帝王如何多福。一天,国王让他坐到自己的宝座上,在他的头顶上方,仅用一根马鬃毛悬挂着一把利剑,剑随时都能落到头上,让他知道做帝王时刻都面临着忧患,后来用"达摩克利斯剑"比喻随时都可能出现的灾难。

【达姆弹】dámǔdàn 名 枪弹的一种,弹头射入身体后炸裂,造成重创。因首先是英国人在印度达姆达姆(Dumdum)的兵工厂制造而得名。国际公约禁止使用。

【达斡尔族】Dáwò'ěrzú 名 我国少数民族之一,主要分布在黑龙江、内蒙古和新疆。

【达奚】Dáxī 名 姓。

【达意】dáyì 〔动〕(用语言文字)表达思想;抒情~|词不~。

【达因】dáyīn 〔量〕力的非法定计量单位,符号 dyn。使 1 克质量的物体产生 1 厘米/秒² 的加速度所需的力,叫做 1 达因。1 达因等于 10^{-5} 牛。[英 dyne]

杳 dá (~儿)〔量〕用于重叠起来的纸张和其他薄的东西(一般不很厚):一~信纸|我把报纸一一~地整理好了。

另见 1314 页 tà。

【杳子】dá·zi 〔量〕杳(dá):一~钞票。

怛 dá 〈书〉❶ 忧伤;悲苦:惨~|~伤。❷ 畏惧;惧怕。

妲 dá 用于人名,妲己,商纣王的妃子。

莙(蓬) dá 见 751 页[莙蒌菜]。

炟 dá 用于人名,刘炟,东汉章帝。

磋(礁) dá ❶〈方〉卵石:~石(地名,在广东)。❷ 古代用石头修筑的水利设施。

另见 1314 页 tǎ。

鐽(鐽) dá 〔名〕金属元素,符号 Ds(darmstadtium)。有放射性,由人工核反应获得。

筜 dá ❶〈方〉〔名〕一种用粗竹篾编的形状像席的东西,通常用来铺在地上晾晒粮食。❷〈书〉拉船的绳索。❸(Dá)〔名〕姓。

答(荅) dá ❶〔动〕回答:对~|一问一~|~非所问。❷ 受了别人的好处,还报别人:~谢|报~。❸(Dá)〔名〕姓。

另见 241 页 dā。

【答案】dá'àn 〔名〕对问题所做的解答;寻求~。

【答拜】dábài 〔动〕回访。

【答辩】dábiàn 〔动〕答复别人的问难、指责、控告,为自己的论点或行为进行解释或辩护:论文~|被告人在法庭上~。

【答词】dácí 〔名〕表示谢意或回答时所说的话:致~。

【答对】dáduì 〔动〕回答别人的问话:~得体|我叫他们答得没法~。

【答非所问】dá fēi suǒ wèn 回答的不是所问的内容。也说所答非所问。

【答复】dá·fù 对问题或要求给以回答:~读者提出的问题|等研究后再~你|会给你一个满意的~的。

【答话】dáhuà 〔动〕回答(多用于否定式):人家问你,你怎么不~?

【答卷】dájuàn ❶ (-/-//-)〔动〕解答试卷:考生在认真~。❷〔名〕对试题做了解答的卷子:标准~◇人生的意义究竟是什么,他用自己的行动交了一份很好的~。

【答礼】dá//lǐ 〔动〕回礼。

【答数】dáshù 〔名〕算术运算求得的数。也叫得数。

【答题】dá//tí 〔动〕解答练习或考试的题目:网上~|答错了题。

【答谢】dáxiè 〔动〕受了别人的好处或招待,表示谢意:~宴会|我们简直不知道怎样~你们的热情招待。

【答疑】dáyí 〔动〕解答疑问:课堂~。

阖(闔) dá 〈方〉〔名〕楼上的窗户。

另见 1314 页 tà。

靼 dá 见 242 页[鞑靼]。

瘩 dá [瘩背](dábèi)〔名〕中医指生在背部的痈。

另见 259 页·da。

鞑(韃) dá [鞑靼](Dádá)〔名〕❶ 古时汉族对北方各游牧民族的统称。明代指东蒙古人,住在今内蒙古和蒙古国的东部。❷ 俄罗斯联邦的一个民族。

dǎ　（ㄉㄚˇ）

打¹ dǎ 〔动〕❶ 用手或器具撞击物体:~门|~鼓。❷ 器皿、蛋类等因撞击而破碎:碗~了|鸡飞蛋~。❸ 殴打;攻打:~架|~援。❹ 发生与人交涉的行为:~官司|~交道。❺ 建造;修筑:~坝|~墙。❻ 制造(器物、食品):~刀|~家具|~烧饼。❼ 搅拌:~馅儿|~糨子。❽ 捆:~包裹|~铺盖卷儿|~裹腿。❾ 编织:~草鞋|~毛衣。❿ 涂抹;画;印:~蜡|~个问号|~墨线|~格子|~戳子|~图样儿。⓫ 揭;凿开:~开盖子|~冰|~井|~眼儿。⓬ 举;提:~旗子|~灯笼|~伞|~帘子◇~起精神来。⓭ 放射;发出:~雷|~炮|~信号|~电话。⓮〈方〉付给或领取(证

件）：～介绍信。⑮ 除去：～旁权。⑯ 舀
取：～水｜～粥。⑰ 买：～油｜～酒｜～车
票。⑱ 捉（禽兽等）：～鱼。⑲ 用割、砍
等动作来收集：～柴｜～草。⑳ 定出：计
算：～草稿｜～主意｜成本一二百块钱。
做；从事：～杂儿｜～游击｜～埋伏｜～前站。
㉒ 做某种游戏：～球｜～扑克｜～秋千。
㉓ 表示身体上的某些动作：～手势｜～哈
欠｜～嗝儿｜～趔趄｜～前失｜～滚儿｜～晃儿
(huàng)r。㉔ 采取某种方式：～官腔｜
比喻｜～马虎眼。

打² dǎ 〔介〕从：～这儿往西，再走三里地
就到了｜他～门缝里往外看｜～今儿起，
每天晚上学习一小时。

另见 241 页 dá。

【打把式】 dǎ bǎ·shi 同"打把势"。

【打把势】 dǎ bǎ·shi ❶ 练武术。❷ 泛指手
舞足蹈。‖也作打把式。

【打靶】 dǎ//bǎ 按一定规则对设置的目
标进行射击：练习～。

【打靶场】 dǎbǎchǎng 〔名〕靶场。

【打白条】 dǎ báitiáo （～儿）❶ 开具非正
式的收据等。❷ 收购时用单据代替应付
的现款，日后再予以兑付，叫做打白条。

【打摆子】 dǎ bǎi·zi 〈方〉患疟疾。

【打败】 dǎ//bài 〔动〕❶ 战胜（敌人或对手）：
～侵略者｜我队以一多支强队夺得冠军。❷
在战争或竞赛中失败；打败仗：这场比赛
如果你们～了，就失去决赛资格。

【打板子】 dǎ bǎn·zi 用板子打，比喻严厉
地批评或惩罚。

【打扮】 dǎ·ban ❶ 〔动〕使容貌和衣着好看；
装饰：参加国庆游园，得一得漂亮点儿｜节
日的天安门～得格外壮观。❷ 〔名〕打扮出
来的样子；衣着穿戴：学生～｜看他的～，
像是一个教员。

【打包】 dǎ//bāo 〔动〕❶ 用纸、布、麻袋、稻草
等包装物品：～机｜～装箱。❷ 打开包着
的东西：～检查。

【打苞】 dǎbāo （～儿）〔动〕小麦、高粱等谷类
作物孕穗。

【打抱不平】 dǎ bàobùpíng 帮助受欺压的
人说话或采取行动。

【打奔儿】 dǎ//bēnr 〈方〉❶ 说话或背诵
接不下去，中途间歇。❷ 走路时腿脚发
软或被绊了一下，几乎跌倒。

【打比】 dǎbǐ 〔动〕❶ 用一件事物来说明另

一件事物；比喻：讲抽象的事情，拿具体的
东西～，就容易使人明白。❷ 〈方〉比较；
相比：他六十多岁了，怎能跟小伙子～呢？

【打边鼓】 dǎ biāngǔ 敲边鼓。

【打表】 dǎ//biǎo 〈口〉〔动〕出租车使用计价
器（计价）：～计费。

【打草惊蛇】 dǎ cǎo jīng shé 比喻采取机
密行动时，不慎惊动了对方。

【打叉】 dǎ//chā 〔动〕在公文、试题等上面画
"×"，表示不认可、否定或有错误。

【打喳喳】 dǎchā·cha 〈方〉小声说话；
耳语。

【打岔】 dǎ//chà 〔动〕打断别人的说话或工
作：你别～，听我说下去｜他在那儿做功课，
你别跟他～。

【打场】 dǎ//cháng 〔动〕麦子、高粱、豆子等
农作物收割后在场上脱粒。

【打场子】 dǎ chǎng·zi 跑江湖的曲艺、杂
技演员用铜锣鼓、吆喝等方式把观众招引
来围成圆形的表演场地，叫做打场子。

【打吵子】 dǎ chǎo·zi 〈方〉吵架；吵嘴。

【打车】 dǎ//chē 〔动〕租用出租汽车；乘坐出
租汽车：时间太紧了，咱们打个车去吧。

【打成一片】 dǎ chéng yī piàn 合为一个
整体（多指思想感情融洽）：干部跟群众
～。

【打冲锋】 dǎ chōngfēng ❶ （进攻部队）率
先前进，担负起冲锋的战斗行动：这次战
斗由一连～。❷ 比喻行动抢在别人前面：
他在各项工作中常常～。

【打抽丰】 dǎ chōufēng 打秋风。

【打出手】 dǎ chūshǒu ❶ （～儿）戏曲演武
打时，以一个角色为中心，互相投掷和传
递武器。也说过家伙。❷ 指动手打架：
大～。

【打怵】 dǎ//chù 〈方〉〔动〕害怕；畏缩：他在
困难面前从来没打过怵。

【打春】 dǎ//chūn 〈口〉〔名〕立春（旧时府县
官在立春前一天迎接用泥土做的春牛，放
在衙门前，立春日用红绿鞭抽打，因此俗
称立春为打春）。

【打从】 dǎcóng 〈方〉〔介〕❶ 自从（某时以
后）：～春上起，就没有下过透雨。❷ 表示
经过，用在表示处所的词语前面：～公园
门口经过。

【打倒】 dǎ//dǎo 〔动〕❶ 击倒在地：一拳把
他～。❷ 攻击使垮台；推翻：～侵略者！

【打道】dǎdào 励 封建时代官员外出或返回时,先使差役在前面开路,叫人回避:～回府。

【打的】dǎ//dí〈口〉励 打车:路太远,打个的去吧。

【打底子】dǎ dǐ·zi ❶ 画底样或起草稿:画工笔画必须先学会～|这篇文章你先打个底子,咱们再商量着修改。❷ 垫底儿①:地面用三合土～。❸ 奠定基础:这次普查给今后制订规划打下了底子。

【打点】dǎ·dian 励 ❶ 收拾;准备(礼物、行装等):～行李。❷ 送人钱财,请求照顾。

【打点滴】dǎ diǎndī 静脉滴注的通称,利用输液装置把葡萄糖溶液、生理盐水、药物等通过静脉缓缓地输入病人体内。

【打叠】dǎdié〈方〉收拾;安排;准备:～行李|一停当◇～精神(打起精神)。

【打动】dǎdòng 励 使人感动:这一番话～了他的心。

【打斗】dǎdòu 励 打架争斗;厮打搏斗:影片中有警匪～的场面。

【打嘟噜】dǎ dū·lu (舌或小舌)发出颤动的声音:嘴发颤,发音含混不清:听不清他在说什么,光听到他嘴里打着嘟噜。

【打赌】dǎ//dǔ 拿一件事情的真相如何或能否实现赌输赢:打个赌|他明天一定会来,你要不信,咱们可以～。

【打盹儿】dǎ//dǔnr〈口〉励 小睡;断续地入睡(多指坐着或靠着):打个盹儿|晚上没睡好,白天老是～。

【打趸儿】dǎdǔnr〈口〉副 ❶ 成批地(买或卖):这车西瓜是～买来的。❷ 归总;打总儿:你们把这几个月的钱～领去。

【打发】dǎ·fa ❶ 派(出去):我已经一人去找他了。❷ 使离去:他连说带哄才把孩子～走了。❸ 消磨(时间、日子):～余年|他躺在病床上,觉得一天的时间真难～。❹ 安排;照料(多见于早期白话):～众人住下。

【打非】dǎfēi 励 指打击制作、出售非法出版物的违法行为:扫黄～。

【打榧子】dǎ fěi·zi 把拇指贴紧指面,再使劲闪开,中指打在掌上发声。

【打更】dǎ//gēng 励 ❶ 旧时把一夜分做五更,每过一更,巡夜的人打梆子或敲锣报时,叫打更。❷〈方〉巡夜。

【打嗝儿】dǎ//gér〈口〉励 ❶ 呃逆的通称。❷ 嗳气的通称。

【打工】dǎ//gōng 励 做工(多指临时的):暑假里打了一个月工。

【打躬作揖】dǎ gōng zuò yī 弯身作揖,多用来形容恭顺恳求。

【打钩】dǎ//gōu 励 在公文、试题等上面画"√",表示认可、肯定或正确。

【打鼓】dǎ//gǔ 励 比喻没有把握,心神不定:能不能完成任务,我心里直～。

【打瓜】dǎguā 名 ❶ 西瓜的一个品种,果实较小,种子多而大。栽培这种瓜主要是为收瓜子。❷ 这种植物的果实。吃时多用手打开,所以叫打瓜。

【打卦】dǎ//guà 励 根据卦象推算吉凶(迷信)。

【打拐】dǎguǎi 励 指打击拐卖人口的犯罪活动。

【打官腔】dǎ guānqiāng 指说一些原则、规章等冠冕堂皇的话对人进行应付、推托、责备:动不动就～训斥人。

【打官司】dǎ guān·si 进行诉讼。

【打光棍儿】dǎ guānggùnr 指成年男子过单身生活(多用于男子)。

【打鬼】dǎ//guǐ 励 见 1355 页〖跳布扎〗。

【打滚】dǎ//gǔn (～儿)励 ❶ 躺着滚来滚去:疼得直～|毛驴在地上打了个滚儿。❷ 比喻长期在某种环境中生活,历经艰苦:他从小在农村～大的。

【打棍子】dǎ gùn·zi 比喻进行打击迫害:不抓辫子,不～。

【打哈哈】dǎ hā·ha〈口〉开玩笑:别拿我～!|这是正经事,咱们可别～!

【打哈欠】dǎ hā·qian 困倦时嘴张开,深深吸气,然后呼出。

【打鼾】dǎ//hān 励 睡着时由于呼吸受阻而发出粗重的声音。

【打寒噤】dǎ hánjìn 打寒战。

【打寒战】dǎ hánzhàn 因受冷或受惊而身体颤动:一阵冷风吹来,她禁不住打了个寒战。也作打寒颤。

【打寒颤】dǎ hánzhàn 同"打寒战"。

【打夯】dǎ//hāng 励 用夯把地基砸实。

【打黑】dǎhēi 励 指打击具有黑社会性质的犯罪团伙:～除恶。

【打横】dǎhéng (～儿)励 围着方桌坐时,坐在末座叫打横。

【打呼噜】dǎ hū·lu 〈口〉打鼾。

【打滑】dǎhuá 匢❶指车轮或皮带轮转动时产生的摩擦力达不到要求而空转：雪天行车要防止～。❷地滑站不住，走不稳：走在冰上两脚直～。

【打晃儿】dà//huàngr 匢(身体)左右摇摆站立不稳：病刚好，走路还有点儿～。

【打诨】dǎhùn 匢戏曲演出时，演员(多是丑角)即兴说些可笑的话逗乐，叫做打诨：插科～。

【打火机】dǎhuǒjī 图一种小巧的取火器，主要用于点燃香烟等。

【打伙儿】dǎ//huǒr 〈口〉匢结伴；合伙：几个人～上山采药。

【打击】dǎjī 匢❶敲打；撞击：～乐器。❷攻击；使受挫折：不应该～群众的积极性｜给敌军以歼灭性的～。

【打击乐器】dǎjī yuèqì 指由于敲打乐器本身而发音的乐器,如锣、鼓、木鱼等。

【打饥荒】dǎ jī·huang 比喻经济困难或借债。

【打家劫舍】dǎ jiā jié shè 指成群结伙到人家里抢夺财物。

【打假】dǎjiǎ 匢指打击制造、出售假冒伪劣商品等违法行为。

【打价】dǎ//jià 〈～儿〉〈口〉匢还价(多用于否定式)：不～儿。

【打架】dǎ//jià 匢互相争执殴打：有话好说,不能～。

【打尖】[1] dǎ//jiān 匢旅途中休息下来吃点东西：打过尖后再赶路。

【打尖】[2] dǎ//jiān 匢掐去棉花、番茄等植株的顶尖儿。

【打交道】dǎ jiāo·dao 〈口〉交际；来往；联系：我没跟他打过交道◇他成年累月和牲口～,养牲口的经验很丰富。

【打搅】dǎjiǎo 匢❶扰乱；人家正在看书,别去～。❷婉辞,指受招待：～您了,明儿见吧!

【打醮】dǎ//jiào 匢道士设坛念经做法事。

【打劫】dǎjié 匢抢夺(财物)：趁火～。

【打紧】dǎjǐn 〈方〉形要紧(多用于否定式)：缺你一个也不～。

【打卡】dǎ//kǎ 匢把磁卡放在磁卡机上使其读取相关内容。特指工作人员上下班时把考勤卡插入磁卡机中记录下到达或离开单位的时间。

【打开】dǎ//kāi 匢❶揭开；拉开；解开：～箱子｜～抽屉｜～书本｜～包袱。❷使停滞的局面开展,狭小的范围扩大：～局面。

【打开天窗说亮话】dǎ kāi tiānchuāng shuō liànghuà 比喻毫无隐瞒地公开说出来。也说打开窗子说亮话。

【打瞌睡】dǎ kēshuì 打盹儿。

【打垮】dǎ//kuǎ 匢打击使崩溃；摧毁：封建势力｜～了敌人的精锐师团。

【打捞】dǎlāo 匢把水里的东西(多为沉在水下的,如死尸、船只等)取上来：～队｜沉船｜～湖上漂浮物。

【打雷】dǎ//léi 指云层放电时发出巨大响声。

【打擂台】dǎ lèitái 见827页〖擂台〗。

【打冷枪】dǎ lěngqiāng 藏在暗处向没有防备的人突然开枪。也喻暗算别人。

【打冷战】dǎ lěng·zhan 因寒冷或害怕身体突然颤动一两下。也作打冷颤。

【打冷颤】dǎ lěng·zhan 同"打冷战"。

【打愣】dǎ//lèng 〈～儿〉〈方〉匢发呆；发愣。

【打理】dǎlǐ 匢❶经营；管理：～生意。❷整理；料理：～家务。

【打连厢】dǎ liánxiāng 见22页〖霸王鞭〗。

【打量】dǎ·liang 匢❶观察(人的衣着、外貌)：对来人上下～了一番。❷以为；估计：你还想瞒着我,～我不知道!

【打猎】dǎ//liè 匢在野外捕捉鸟兽。

【打零】dǎlíng 〈方〉匢❶做零工。❷指孤单一个;孤独无伴。

【打落水狗】dǎ luòshuǐgǒu 比喻彻底打垮已经失败了的坏人。

【打马虎眼】dǎ mǎ·huyǎn 〈口〉故意装糊涂蒙混骗人。

【打埋伏】dǎ mái·fu ❶预先隐藏起来,待时行动：留下一排人在这里～。❷比喻隐藏物资、人力或隐瞒问题：这个预算是打了埋伏的,要认真核查一下。

【打鸣儿】dǎ//míngr 〈口〉匢(公鸡)叫。

【打磨】dǎ·mó 匢在器物的表面摩擦,使光滑精致：手工～◇这个剧本还经过几次～。

【打闹】dǎnào 匢❶争吵;打斗：兄弟不和,常常～。❷追闹玩耍;说笑戏耍：孩子们在院子里～。

【打蔫儿】dǎ//niānr〈口〉动❶ 植物枝叶萎缩下垂：高粱都旱得～了。❷ 形容无精打采；精神不振。

【打扒】dǎpá 动 指打击扒窃财物的犯罪活动。

【打泡】dǎ//pào 动 手脚等部分由于摩擦而起泡：才割了半天麦子，手就～了｜在行军中，他脚上打了泡。

【打炮】dǎpào 动❶（-//-）发射炮弹。❷ 旧时名角儿新到某个地点登台的头几天演出拿手好戏：～戏｜～三天。

【打屁股】dǎ pì·gu 比喻严厉批评（多含诙谐意）：任务不成功就要～。

【打拼】dǎpīn〈方〉动 努力去干；拼搏；奋力～｜为生活而～。

【打平手】dǎ píngshǒu 比赛结果不分高下：甲乙两队打了个平手。

【打破】dǎ//pò 动 突破原有的限制、拘束等：～常规｜～纪录｜～情面｜～沉默。

【打破沙锅问到底】dǎ pò shāguō wèn dào dǐ 比喻对事情的原委追问到底。"问"跟"璺"谐音。

【打谱】dǎ//pǔ 动❶ 按照棋谱把棋子顺次摆出来，学习下棋的技术。❷（～儿）订出大概的计划：你得先打个谱儿，才能跟人家商订合同。

【打气】dǎ//qì 动❶ 加压力使气进入（球、轮胎等）。❷ 比喻鼓动；撑腰～。

【打千】dǎ//qiān（～儿）动 旧时的敬礼，右手下垂，左腿向前屈膝，右腿略微弯曲：～请安。

【打钎】dǎqiān 动 采矿、开隧道等爆破工程中，用钎子在岩石上凿孔。

【打前失】dǎ qián·shi（驴、马等）前蹄没站稳而跌倒或几乎跌倒。

【打前站】dǎ qiánzhàn 行军或集体出行的时候，先有人到将要停留或到达的地点去办理食宿等事务，叫打前站。

【打枪】[1] dǎ//qiāng 动 发射枪弹。

【打枪】[2] dǎqiāng 动 见 1094 页【枪替】。

【打情骂俏】dǎ qíng mà qiào 男女间用轻佻的言语动作挑逗戏弄。

【打秋风】dǎ qiūfēng 旧时指假借某种名义向别人索取财物。也说打抽丰。

【打趣】dǎ//qù 动 拿人开玩笑；嘲弄：几个调皮的人围上来，七嘴八舌～他。

【打圈子】dǎ quān·zi 转圈子：飞机在天空

嗡嗡地～◇应该全面地考虑问题，不要只在一些细节上～。也说打圈圈。

【打拳】dǎ//quán 动 练拳术。

【打群架】dǎ qúnjià 双方聚集许多人打架。

【打扰】dǎrǎo 动❶ 扰乱；搅扰：工作时间，请勿～。❷ 婉辞，指受招待：在府上多日，非常感谢！

【打扫】dǎsǎo 动 扫除；清理：～院子｜～战场。

【打闪】dǎ//shǎn 动 指云层放电时发出强烈闪光。

【打扇】dǎ//shàn 动（给别人）扇（shān）扇子。

【打食】[1] dǎ//shí（～儿）动（鸟兽）到窝外寻找食物。

【打食】[2] dǎ//shí 动 用药物帮助消化或使肠胃里停滞的东西排出体外。

【打手】dǎ·shou 名 受主子豢养，替主子欺压、殴打别人的人。

【打私】dǎsī 动 指打击走私、贩私的违法活动。

【打算】dǎ·suàn ❶ 动 考虑；计划：通盘～｜你～几时走？ ❷ 名 关于行动的方向、方法等的想法；念头：在选择工作上你有什么～？

【打算盘】dǎ suàn·pán ❶ 用算盘计算。❷ 合计（hé·ji）；盘算：别总在一些小事上～。

【打胎】dǎ//tāi〈口〉动 人工流产。

【打探】dǎtàn 动 打听；探听：～消息。

【打天下】dǎ tiānxià ❶ 指用武力夺取政权。❷ 比喻创立事业。

【打铁】dǎ//tiě〈口〉动 锻造钢铁工件。

【打听】dǎ·ting 动 探问：～消息｜～同伴的下落。

【打挺儿】dǎtǐngr〈口〉动 头颈用力向后仰，胸部和腹部挺起：这孩子不肯吃药，在妈妈的怀里直～。

【打通】dǎ//tōng 动 除去阻隔使相贯通：把这两个房间～◇～思想。

【打通关】dǎ tōngguān 筵席上一个人跟在座的人顺次划拳喝酒。

【打头】[1] dǎ//tóu（～儿）动 抽头。

【打头】[2] dǎ//tóu 动 带头；领先：谁先打个头儿｜～的都是小伙子。

【打头】[3] dǎtóu（～儿）〈方〉副 从头：失败

了再～儿来。

【打头阵】dǎ tóuzhèn 比喻冲在前边带头干：每当抗洪救灾,当地驻军总是～。

【打退堂鼓】dǎ tuìtánggǔ 封建官吏退堂时打鼓,现在比喻做事中途退缩：有困难大家来帮你,你可不能～。

【打围】dǎ//wéi 勔 许多打猎的人从四面围捕野兽,也泛指打猎。

【打问】dǎwèn 〈方〉勔 打听：把事情的底细～清楚。

【打问号】dǎ wènhào 表示产生怀疑：连这点事情都做不好,我对他的工作能力不能不打个问号。

【打问讯】dǎ wènxùn 问讯③。

【打下手】dǎ xiàshǒu (～儿)担任助手。

【打先锋】dǎ xiānfēng ❶ 作战或行军时充当先头部队。❷ 比喻带头奋进：要为经济建设～。

【打响】dǎxiǎng 勔 ❶ 指开火;接火：先头部队～了。❷ 比喻事情初步成功：这一炮一～了,下一步就好办了。

【打消】dǎxiāo 勔 消除(用于抽象的事物)：～顾虑|这个念头趁早～。

【打雪仗】dǎ xuězhàng 把雪团成球,互相投掷闹着玩。

【打压】dǎyā 勔 打击压制：在对方无情的～下,他毫不动摇。

【打鸭子上架】dǎ yā·zi shàng jià 见443页【赶鸭子上架】。

【打牙祭】dǎ yájì 〈方〉原指每逢月初、月中吃一顿有荤菜的饭,后来泛指偶尔吃一顿丰盛的饭。

【打哑谜】dǎ yǎmí 没有明确地把意思说出来或表示出来,让对方猜：有话直说,用不着～。

【打掩护】dǎ yǎnhù ❶ 在主力部队的侧面或后面跟敌人作战,保护主力部队完成任务。❷ 比喻遮盖或包庇(坏事、坏人)：事情已经调查清楚,你用不着再替他～了。

【打眼】[1] dǎ//yǎn (～儿)勔 钻孔：往墙上打个眼儿～放炮。

【打眼】[2] dǎ//yǎn 〈方〉勔 买东西没看出毛病,上了当：他没有经验,这古董买～了。

【打眼】[3] dǎ//yǎn 〈方〉形 惹人注意：这件红衣服真～。

【打佯儿】dǎ//yángr 〈方〉勔 装做不知道的样子：我问他,他跟我～。

【打样】dǎ//yàng 勔 ❶ 在建筑房屋、制造器具等之前,画出设计图样。❷ 排版完了,印刷之前,印出样张来供校对用。

【打烊】dǎ//yàng 〈方〉勔 (商店)晚上关门停止营业。

【打药】dǎyào 名 泻药。

【打野外】dǎ yěwài (军队)到野外演习。

【打夜作】dǎ yèzuò (口语中多读 dǎ yèzuō)夜间工作;做夜工：接连打了两个夜作。

【打印】dǎyìn 勔 ❶ (-//-)盖图章。❷ 打字油印：～文件。❸ 把计算机中的文字、图像等印到纸张、胶片等上面。

【打印机】dǎyìnjī 名 一种计算机输出设备。可以把计算机中的文字、图像等印到纸张、胶片等上面。常见的有激光打印机、喷墨打印机和针式打印机等。

【打印台】dǎyìntái 名 印台。

【打油】dǎ//yóu 勔 ❶ 用油提舀油,借指零星地买油。❷ 〈方〉榨油。❸ 上油：给皮鞋打点儿油。

【打油诗】dǎyóushī 名 内容和词句通俗诙谐、不拘于平仄韵律的旧体诗。相传为唐代张打油所创,因而得名。

【打游击】dǎ yóují ❶ 从事游击活动。❷ 比喻从事没有固定地点的工作或活动(诙谐的说法)。

【打预防针】dǎ yùfángzhēn ❶ 注射预防疾病的疫苗。❷ 比喻预先进行提醒、教育,使人有所警惕,以防发生不利的事情。

【打圆场】dǎ yuánchǎng 调解纠纷,缓和僵局：他俩正在争吵,你去打个圆场吧。

【打援】dǎ//yuán 勔 攻打增援的敌军：围城～。

【打造】dǎzào 勔 ❶ 制造(多指金属器物)：～农具|～船只。❷ 比喻创造或造就：～著名品牌|～企业形象|优秀人才。

【打杂儿】dǎ//zár 〈口〉勔 做杂事：他没技术,只能在车间～。

【打战】dǎzhàn 勔 发抖：冻得直～。也作打颤。

【打颤】dǎzhàn 同"打战"。

【打仗】dǎ//zhàng 勔 进行战争;进行战斗◇我们在生产战线上打了个漂亮仗。

【打招呼】dǎ zhāo·hu ❶ 用语言或动作表示问候：路上碰见熟人,打了个招呼。❷ (事前或事后)就某项事情或某种问题予

以通知、关照：已经给你们打过招呼,怎么
还要这样干?

【打照面儿】dǎ zhàomiànr ❶ 面对面地相
遇：他俩在街上打个照面儿,一时都愣住
了。❷ 露面：他刚才在会上打了个照面儿
就走了。

【打折】dǎ//zhé 劻 打折扣①。

【打折扣】dǎ zhékòu ❶ 降低商品的定价
(出售)。参看 1725 页〖折扣〗。❷ 比喻
不完全按规定的、已承认的或已答应的来
做：要保质保量地按时交活儿,不能～。

【打针】dǎ//zhēn 劻 把液体药物用注射器
注射到机体内。

【打肿脸充胖子】dǎ zhǒng liǎn chōng
pàng·zi 比喻本没有什么能耐或没有什
么钱财却硬装做有能耐或有钱财的样子。

【打皱】dǎzhòu (～儿)〈方〉劻 起皱纹：脸
上～|衣服～了,熨平了再穿。

【打主意】dǎ zhǔ·yi 想办法；设法谋取：
这事还得另～|做事不能只在钱上～。

【打住】dǎ//zhù 劻 停止：他说到这里突然
～了|在小院门口一～脚才停。

【打转】dǎzhuàn (～儿)劻 绕圈子；旋转：
急得张着两手乱～|眼睛滴溜溜地直～|他
讲的话老是在我脑子里～。也说打转转。

【打桩】dǎ//zhuāng 劻 把木桩、石桩等砸
进地里,使建筑物基础坚固。

【打字】dǎ//zì 用打字机把文字打在纸
上,也指用计算机录入文字。

【打字机】dǎzìjī 名 按动按键或把手把文
字和符号打印在纸上的机械,有机械式和
电子式两种。

【打总儿】dǎzǒngr 〈口〉副 把分为几次做
的事情合并为一次做：～算账|～买。

【打嘴】dǎ//zuǐ 劻 ❶ 打嘴巴。❷〈方〉才
夸口就出丑：～现眼。

【打嘴仗】dǎ zuǐzhàng 指吵架。

【打坐】dǎ//zuò 劻 我国古代一种养生健
身法,也是僧道修行的方法。闭目盘膝而
坐,调整气息出入,手放在一定位置上,不
想任何事情。

dà （ㄉㄚˋ）

大¹ dà ❶ 形 在体积、面积、数量、力量、
强度等方面超过一般或超过所比较

的对象(跟"小"相对)：房子～|地方～|年
纪～|声音太～|外面风～|团结起来力量
～。❷ 名 大小的程度：那间房子有这间
两个～|你的孩子现在多～了? ❸ 副 程度
深：～红|～吃一惊|天已～亮了。❹ 用
于"不"后,表示程度浅或次数少：不～爱
说话|还不～会走路|不～出门|不～舒服。
❺ 形 排行第一的：老～|～哥。❻ 年纪
大的人：一家～小。❼ 敬辞,称与对方有
关的事物：～作|～札。❽ 形 用在时令或
节日前,表示强调：～清早|～热天|～礼
拜天的,还不休息休息。❾ (Dà)名 姓。

大² dà〈方〉名 ❶ 父亲：俺～叫我来看
看你。❷ 伯父或叔父：三～是劳动
模范。

　　〈古〉又同"太""泰"(tài),如"大子"
"大山"。

　　另见 260 页 dài。

【大案】dà'àn 名 重大的案件。

【大巴】dàbā 名 大型轿车(多指公共汽车
或旅游用车)。[巴,英 bus]

【大白】¹ dàbái〈方〉名 粉刷墙壁用的白
垩。

【大白】² dàbái 劻 (事情的原委)完全清
楚：真相～|～于天下。

【大白菜】dàbáicài 名 一年生或二年生草
本植物,叶片薄而大,椭圆或长圆形,是常
见蔬菜。有的地区叫菘菜、黄芽菜。

【大伯子】dàbǎi·zi〈口〉名 丈夫的哥哥。

【大班】¹ dàbān 名 幼儿园里由五周岁至
六周岁儿童所编成的班级。

【大班】² dàbān〈方〉名 旧时称洋行的经
理。

【大板车】dàbǎnchē 名 排子车。

【大半】dàbàn ❶ 数 过半数；大部分：这
个车间～是年轻人。❷ 副 表示较大的可
能性：他这时候还不来,～是不来了。

【大包大揽】dà bāo dà lǎn 把工作或事情
全部兜揽、承担起来。

【大鸨】dàbǎo 名 鸟,高约 1 米,背部有黄
褐色和黑色的斑纹,腹部灰白色,不善飞
而善走,吃谷类和昆虫。也叫地鹕。

【大暴雨】dàbàoyǔ 名 气象学上指 24 小
时内雨量达 100—199.9 毫米,或 12 小
时内雨量达 70—139.9 毫米的雨。

【大本】dàběn 名 大学本科的简称。

【大本营】dàběnyíng 名 ❶ 指战时军队的

最高统帅部。❷ 泛指某种活动的策源地或根据地。

【大便】dàbiàn ❶ 名 屎。❷ 动 拉屎。

【大兵】dàbīng 名 ❶ 指士兵(含贬义)。❷ 兵力强大的军队：～压境。

【大饼】dàbǐng 名 用白面烙成的大张的饼。

【大伯】dàbó 名 ❶ 伯父。❷ 尊称年长的男子。

【大不敬】dàbùjìng 封建时代指对皇帝极不尊敬,现也指对长辈或上级极不尊敬。

【大不了】dà·buliǎo ❶ 副 至多也不过：赶不上车,～走回去就是了。❷ 形 了不得(多用于否定式)：这个病没有什么～,吃点药就会好的。

【大步流星】dàbù liúxīng 形容脚步迈得大,走得快。

【大材小用】dà cái xiǎo yòng 大的材料用在小处。多指人事安排上不恰当,屈才。

【大菜】dàcài 名 ❶ 酒席中后上的大碗的菜,如全鸡、全鸭、肘子等。❷ 指西餐。

【大餐】dàcān 名 ❶ 丰盛的饭食,也用于比喻：艺术～|电影～。❷ 指西餐。

【大肠】dàcháng 名 肠的一部分,上连小肠,下通肛门,比小肠粗而短。分为盲肠、结肠和直肠三部分。主要作用是吸收水分和无机盐,形成粪便。

【大氅】dàchǎng 名 大衣：羊皮～。

【大钞】dàchāo 名 大面额的钞票：百元～。

【大潮】dàcháo 名 ❶ 一个朔望月中涨落幅度最大的潮水。朔日和望日,月亮和太阳对地球的引力最大(是二者引力之和),按理大潮应该出现在这两天,由于一些复杂因素的影响,大潮往往延迟两三天出现。❷ 比喻声势大的社会潮流：改革的～。

【大车】[1] dàchē 名 牲口拉的两轮或四轮载重车。

【大车】[2] dàchē 名 对火车司机或轮船上负责管理机器的人的尊称。也作大伴。

【大伴】dàchē 同"大车"[2]。

【大彻大悟】dà chè dà wù 彻底觉悟或醒悟。

【大臣】dàchén 名 君主国家的高级官员。

【大乘】dàchéng 名 公元 1 世纪左右形成的佛教派别,自认可以普度众生,所以自命为乘。参看 1496 页〖小乘〗。

【大吃一惊】dà chī yī jīng 形容对发生的意外事情非常吃惊。

【大冲】dàchōng 名 火星等行星离地球最近时发生的冲。参看 186 页"冲"[1]⑤。

【大虫】dàchóng 〈方〉名 老虎。

【大出血】dàchūxuè 动 由动脉破裂或内脏损伤等引起大量出血。

【大厨】dàchú 名 级别较高的厨师,泛称厨师。

【大处落墨】dà chù luò mò 绘画或写文章在主要的地方下工夫,比喻做事从主要的地方着眼,不把力量分散在枝节上。

【大吹大擂】dà chuī dà léi 比喻大肆宣扬。

【大吹法螺】dà chuī fǎluó 佛家把讲经说法叫吹法螺,现比喻说大话。

【大春】dàchūn 〈方〉名 ❶ 指春季。❷ 指春天播种的作物,如稻子、玉米。也叫大春作物。

【大春作物】dàchūn zuòwù 大春②。

【大醇小疵】dà chún xiǎo cī 大体上完美,只是个别小地方有些毛病。

【大词】dàcí 名 三段论中结论的宾词。参看 1171 页〖三段论〗。

【大慈大悲】dà cí dà bēi 非常慈悲,原是佛教称颂佛的用语,现也用来称颂人心地慈善。

【大葱】dàcōng 名 葱的一种,叶子和茎较粗大。参看 227 页"葱"。

【大…大…】dà…dà… 分别用在单音名词、动词或形容词的前面,表示规模大、程度深：～手～脚|～鱼～肉|～吵～闹|～吃～喝|～摇～摆|～红～绿。

【大大】dàdà 副 强调数量很大或程度很深：费用～超过了预算|室内有了通风装置,温度～降低了。

【大大咧咧】dà·daliēliē (～的)形 状态词。形容随随便便,满不在意。

【大大落落】dà·daluōluō 〈方〉形 形容态度大方。

【大胆】dàdǎn 形 胆量大;有勇气;不畏缩：～革新|～探索|一个～的设想。

【大刀阔斧】dà dāo kuò fǔ 比喻办事果断而有魄力。

【大道】dàdào 名 ❶ 大路①：康庄～。❷〈书〉正理;常理:合于～。❸ 古代指政治上的最高理想：～之行也，天下为公。

【大敌】dàdí 图 势力强大的敌人：如临～｜◇环境污染是健康的～。

【大抵】dàdǐ 副 大概；大都：情况～如此｜他们几个人是同一年毕业的，后来的经历也～相同。

【大地】dàdì 图❶ 广大的地面：～回春｜阳光普照。❷ 指地球：～测量。

【大地原点】dàdì yuándiǎn 天文部门推算大地坐标的起算点。我国选定的大地原点在陕西泾阳。

【大典】dàdiǎn 图❶ 隆重的典礼（多指国家举行的）：开国～。❷〈书〉重要的典籍。❸〈书〉重要的典章、法令。

【大殿】dàdiàn 图❶ 封建王朝举行庆典、接见大臣或使臣等的殿。❷ 寺庙中供奉主要神佛的殿。

【大动干戈】dà dòng gāngē 原指发动战争，现多比喻兴师动众或大张声势地做事：这部机器没多大毛病，你却要大拆大卸，何必如此～呢?

【大动脉】dàdòngmài 图❶ 指主动脉。❷ 比喻主要的交通干线：京广铁路、京九铁路是我国南北交通的～。

【大豆】dàdòu 图❶ 一年生草本植物，花白色或紫色，有根瘤，豆荚有毛。种子一般黄色，供食用，也可以榨油。❷ 这种植物的种子。

【大都】dàdū 副 大多：杜甫的杰出诗篇～写于安史之乱前后。

【大肚子】dàdù·zi〈口〉❶ 动 指怀孕。❷ 图 指饭量大的人（用于不严肃的口气）。❸ 图 指肚子肥大的人。

【大度】dàdù〈书〉形 气量宽宏，能容人：豁达～｜～包容。

【大端】dàduān〈书〉图（事情的）主要方面：举其～。

【大队】dàduì 图❶ 队伍编制，下辖若干中队。❷ 军队中相当于营或团的一级组织。

【大多】dàduō 副 大部分；大多数：大会的代表～是先进工作者｜树上的柿子～已经成熟。

【大多数】dàduōshù 图 超过半数很多的数量：～人赞成这个方案。

【大额】dà'é 形 属性词。数额较大的：～存单｜～资金。

【大鳄】dà'è 图 比喻实力强或势力大的人或事物。

【大而化之】dà ér huà zhī 原指使美德发扬光大，进入化境，现常用来表示做事疏忽大意，马马虎虎：做任何事情都不能粗枝大叶，～。

【大而无当】dà ér wú dàng 虽然大，但是不合用。

【大发】dà·fa〈方〉形 超过了适当的限度；过度（后面常跟"了"字）：病～了｜这件事闹～了。

【大发雷霆】dà fā léitíng 比喻大发脾气，高声训斥。

【大法】dàfǎ 图❶ 指国家的根本法，即宪法。❷〈书〉重要的法令、法则。

【大凡】dàfán 副 用在句首，表示总括一般的情形，常跟"总、都"等呼应：～搞基本建设的单位，流动性都比较大。

【大方】dàfāng[1]〈书〉图 指专家学者；内行人：～之家｜贻笑～。

【大方】dàfāng[2] 图 绿茶的一种，产在安徽歙县、浙江淳安等地。

【大方】dà·fang 形❶ 对于财物不计较；不吝啬：出手～｜他很～，不会计较这几个钱。❷（言谈、举止）自然；不拘束：举止～｜可以大大方方的，用不着拘束。❸（样式、颜色等）不俗气：陈设～｜这种布的颜色和花样看着很～。

【大放厥词】dà fàng jué cí 原指极力铺陈辞藻，现在多指夸夸其谈，大发议论（含贬义）。

【大分子化合物】dàfēnzǐ huàhéwù 高分子化合物。

【大粪】dàfèn 图 人的粪便。

【大风】dàfēng 图❶ 风力很大的风：夜间刮起了～。❷ 气象学上旧指 8 级风。参看 407 页〖风级〗。

【大风大浪】dà fēng dà làng 比喻社会的大动荡，大变化。

【大夫】dàfū 图 古代官职，位于卿之下，士之上。

另见 260 页 dài·fu。

【大副】dàfù 图 轮船上船长的主要助手，驾驶工作的负责人。大副之下有时还有二副和三副。

【大腹便便】dà fù piánpián 肚子肥大的样子（含贬义）。

【大盖帽】dàgàimào 图 军人、警察或某些执法机关人员戴的一种顶大而平的制式帽子,有时也用来借指戴这种帽子的执法人员。

【大概】dàgài ❶ 图 大致的内容或情况:他嘴上不说,心里却把摸有个～。❷ 形 属性词。不十分精确或不十分详尽:他把情况做了个～的分析|这件事我记不太清,只有个～的印象。❸ 副 表示有很大的可能性:雪并没有多厚,～在半夜就下不了|从这里到西山,～有四五十里地|那道题～很难。

【大概其】dàgàiqí〈方〉❶ 图 大概①:他说了半天,我只听了个～。❷ 形 属性词。大概②:～的情况就是这样|这本书只～翻了翻,没有细看。‖"其"有时也作齐。

【大纲】dàgāng 图(著作、讲稿、计划等)系统排列的内容要点:教学～。

【大哥】dàgē 图 ❶ 排行最大的哥哥。❷ 对年纪跟自己相仿的男子的尊称。

【大革命】dàgémìng 图 ❶ 大规模的革命:法国～。❷ 特指我国第一次国内革命战争。

【大公国】dàgōngguó 图 以大公(在公爵之上的爵位)为国家元首的国家,如卢森堡大公国(在西欧)。

【大公无私】dà gōng wú sī ❶ 完全为人民群众利益着想,毫无自私自利之心。❷ 处理公正,不偏祖任何一方。

【大功告成】dà gōng gào chéng 指大的工程、事业或重要任务宣告完成。

【大姑子】dà·gū·zi〈口〉图 丈夫的姐姐。

【大鼓】dàgǔ 图 曲艺的一种,用韵文演唱故事,夹有少量说白,用鼓、板、三弦等伴奏。流行地区很广,因地区和方言、曲调的不同而有不同的名称,如京韵大鼓、乐亭大鼓、山东大鼓、湖北大鼓等。因伴奏乐器的不同又可分为梨花大鼓、铁片大鼓等。

【大故】dàgù〈书〉图 ❶ 重大的事故,如战争、灾祸等:国有～。❷ 指父亲或母亲死亡。

【大关】dàguān 图 ❶ 重要的关口。❷ 用在较大的数量后,表示明显的界限:股票指数跌破万点～。

【大观】dàguān 图 盛大壮观的景象,多用来形容事物美好繁多:蔚为～|洋洋～。

【大管】dàguǎn 图 见18页【巴松】。

【大褂儿】dàguàr 图 身长过膝的中式单衣。

【大锅饭】dàguōfàn 图 ❶ 供多数人吃的普通伙食。❷ 见179页【吃大锅饭】。

【大海捞针】dà hǎi lāo zhēn 海底捞针。

【大寒】dàhán 图 二十四节气之一,在1月20日或21日,一般是我国气候最冷的时候。参看696页【节气】、363页【二十四节气】。

【大汉】dàhàn 图 身材高大的男子:彪形～。

【大旱望云霓】dà hàn wàng yúnní 比喻渴望解除困境,好像大旱的时候盼望雨水一样。

【大好】dàhǎo 形 ❶ 很好;美好:形势～|～时光。❷(病)完全好。

【大号】¹ dàhào 图 尊称他人的名字。

【大号】² dàhào (～儿)形 属性词。型号较大的:～皮鞋。

【大号】³ dàhào 图 铜管乐器,装有四个或五个活塞。吹奏时声音低沉雄浑。

【大合唱】dàhéchàng 图 包括独唱、对唱、重唱、齐唱、合唱等形式的集体演唱,有时还穿插朗诵和表演,常用管弦乐队伴奏,如《黄河大合唱》。

【大亨】dàhēng 图 称某一地方或某一行业的有势力的人:金融～。

【大轰大嗡】dà hōng dà wēng 形容不注重实际,只在形式上轰轰烈烈。

【大红】dàhóng 形 很红的颜色。

【大红大紫】dà hóng dà zǐ 形容非常受宠或受欢迎;十分走红。

【大后方】dàhòufāng 图 抗日战争时期特指国民党统治下的西南、西北地区。

【大后年】dàhòunián 图 时间词。紧接在后年之后的那一年。

【大后天】dàhòutiān 图 时间词。紧接在后天之后的那一天。也说大后儿。

【大户】dàhù 图 ❶ 旧时指有钱有势的人家。❷ 人口多、分支繁的家族:王姓是该村的～。❸ 指在某一方面数量比较大的单位或个人:冰箱生产～|用电～。

【大花脸】dàhuāliǎn 图 戏曲中花脸的一种,注重唱功,如包锤、黑头等。

【大话】dàhuà 图 虚夸的话:说～。

【大环境】dàhuánjìng 图 指总体环境和条

件；营造有利于招商引资的～。

【大黄】dàhuáng（旧读 dàihuáng）名 多年生草本植物，叶子大，花小，黄白色，瘦果褐色。地下块根有苦味，可入药。也叫川军。

【大黄鱼】dàhuángyú 名 黄鱼的一种，鳞小，背部灰黄色，鳍黄色，是我国重要海产鱼类之一。

【大会】dàhuì 名 ❶ 国家机关、团体等召开的全体会议。❷ 人数众多的群众集会；动员～｜庆祝～。

【大伙儿】dàhuǒr〈口〉代 人称代词。"大家"²；～要是没意见，就这么定了。也说大家伙儿。

【大惑不解】dà huò bù jiě 极为疑惑，不能理解。

【大吉】dàjí 形 ❶ 非常吉利；～大利｜万事～｜开市～。❷ 用在动词或动词结构后表示诙谐的说法；溜之～｜关门～。

【大几】dàjǐ 数 用在二十、三十等整数后面，表示超过这个整数（多指年龄）；二十～的人了，怎么还跟小孩子一样。

【大计】dàjì 名 重要的计划；重大的事情；百年～｜方针～｜共商～。

【大蓟】dàjì 名 蓟。

【大家】¹ dàjiā 名 ❶ 著名的专家；书法～｜～手笔。❷ 世家望族；～闺秀。

【大家】² dàjiā 代 人称代词。指一定范围内所有的人；～的事｜办～安静点儿，现在开会了。注意 a) 某人或某些人跟"大家"对举的时候，这人或这些人不在"大家"的范围之内，如；我报告～一个好消息｜你讲个笑话给～听听｜他们一进来，～都鼓掌表示欢迎。b)"大家"常常放在"你们、我们、他们、咱们"后面做复指成分，如；明天咱们一块儿去会谈谈。

【大家庭】dàjiātíng 名 人口众多的家庭，多比喻成员多、内部和谐的集体；民族～。

【大驾】dàjià 名 ❶ 敬辞，称对方；恭候～｜这件事只好有劳～了。❷ 古代帝王乘坐的一种车子。也用作帝王的代称。

【大建】dàjiàn 名 农历有 30 天的月份。也叫大尽。

【大奖】dàjiǎng 名 奖金数额大的或荣誉高的奖励；～赛｜这部故事片荣获～。

【大将】dàjiàng 名 ❶ 某些国家的军衔，将官的一级，高于上将。❷ 泛指高级将领，

比喻得力的部属或集体中的重要人物；她是篮球队里的一员～。

【大蕉】dàjiāo 名 ❶ 多年生草本植物，叶子很大，花白色，果实跟香蕉相似，可以吃。原产亚热带。❷ 这种植物的果实。‖通称芭蕉。

【大街】dàjiē 名 城镇中路面较宽、比较繁华的街道。

【大节】dàjié 名 ❶ 指有关国家、民族存亡安危的大事。❷ 指临难不苟且的节操；～凛然｜～不辱。

【大捷】dàjié 名 战争中取得的大胜利。

【大姐】dàjiě 名 ❶ 排行最大的姐姐。❷ 对年纪跟自己相仿的女子的尊称；刘～｜王～。

【大解】dàjiě 动（人）排泄大便。

【大戒】dàjiè 名 见 740 页〖具足戒〗。

【大襟】dàjīn 名 纽扣在一侧的中装的前面部分，通常从左侧到右侧，盖住底襟。

【大尽】dàjìn 名 大建。

【大惊小怪】dà jīng xiǎo guài 形容对于不足为奇的事情过分惊讶。

【大静脉】dàjìngmài 名 体内的静脉汇集成的一条上腔静脉和一条下腔静脉，直接与右心房相连，统称为大静脉。

【大舅子】dàjiù·zi〈口〉名 妻子的哥哥。

【大局】dàjú 名 整个的局面；整个的形势；顾全～｜～已定｜无关～。

【大举】¹ dàjǔ〈书〉名 重大的举动；共商～。

【大举】² dàjǔ 副 大规模地进行（多用于军事行动）；～进攻。

【大军】dàjūn 名 ❶ 人数众多，声势浩大的武装部队；百万～｜～压境。❷ 指从事某种工作的大批人；产业～｜地质～。

【大楷】dàkǎi 名 ❶ 手写的大的楷体汉字。❷ 拼音字母的大写印刷体。

【大考】dàkǎo 名 学校中举行的规模较大或内容较全面的考试，有时指期考（跟"小考"相对）。

【大课】dàkè 名 课堂教学的一种形式，集合不同班级的许多学生或学员在一起上课听讲。

【大快人心】dà kuài rén xīn 指坏人受到惩罚或打击，使大家非常痛快。

【大块头】dàkuàitóu 名 胖子；身材高大的人。

【大款】dàkuǎn 图 指很有钱的人。

【大牢】dàláo 〈口〉图 监狱。

【大老婆】dàlǎo·po 图 有妾的人的妻子。有的地区叫大婆儿。

【大礼拜】dàlǐbài 图❶ 每两个星期或十天休息一天,休息的那天叫大礼拜。❷ 相连的两个星期,一个休息两天,一个休息一天,休息两天的那个星期或那个星期的休息日叫大礼拜,休息一天的那个星期或那个星期的休息日叫小礼拜。[注意]我国实行每周五日工作制后,已无大小礼拜分别。

【大理石】dàlǐshí 图 大理岩的通称。

【大理岩】dàlǐyán 图 一种变质岩,主要成分是碳酸钙和碳酸镁,通常白色或灰色,也有带黑、褐等色花纹的,有光泽。多用作装饰品及雕刻、建筑材料。我国云南大理产的最有名。通称大理石。

【大力】dàlì ❶ 图 很大的力量:出~|下~。❷ 副 用很大的力量:~支持|~协作。

【大力士】dàlìshì 图 力气特别大的人。

【大丽花】dàlìhuā 图 多年生草本植物,有块根,羽状复叶,花有多种颜色,供观赏。有的地区叫西番莲。[大丽,英 dahlia]

【大殓】dàliàn 动 旧式丧礼中把尸体装进棺材,钉上棺盖叫大殓。

【大梁】dàliáng 图❶ 脊檩。❷ 见 1355 页〖挑大梁〗。

【大量】dàliàng 形❶ 属性词。数量多:~节日用品源源不断运来|~生产化肥,支援农业生产。❷ 气量大,能容忍:宽宏~。

【大料】dàliào 〈方〉图 八角茴香②。

【大龄】dàlíng 形 属性词。年龄较大的(就某种标准而言):~学童|~青年(指超过法定婚龄较多的未婚青年人)。

【大溜】dàliù 图 河心的速度大的水流◇随

【大陆】dàlù 图❶ 广大的陆地:亚洲~(不包括属于亚洲的岛屿)。❷ 特指我国领土的广大陆地部分(对我国沿海岛屿而言):台胞回~探亲。

【大陆岛】dàlùdǎo 图 原来和大陆相连的岛屿,多在靠近大陆的地方,地质构造上和邻近的大陆有联系。如我国的台湾岛、海南岛。

【大陆架】dàlùjià 图 大陆从海岸向外延

伸,开头坡度较缓,相隔一段距离后,坡度突然加大,直达深海底。坡度较缓的部分叫大陆架,坡度较大的部分叫大陆坡。

【大陆坡】dàlùpō 图 见〖大陆架〗。

【大陆性气候】dàlùxìng qìhòu 大陆内地受海洋影响不明显的气候,全年和一天内的气温变化较大,空气干燥,降水量少,多集中在夏季。

【大路】dàlù ❶ 图 宽阔的道路:顺着~往前走。❷ 形 属性词。指商品质量一般而销路广的:~菜|~产品。

【大路活】dàlùhuó (~儿)图 原料较次,加工较粗的成品。

【大路货】dàlùhuò 图 质量一般而销路广的货物。

【大略】¹ dàlüè ❶ 图 大致的情况或内容:这个厂的问题我只知道个~。❷ 副 大概;大致:时间不多了,你~说说吧。

【大略】² dàlüè 图 远大的谋略:雄才~。

【大妈】dàmā 图❶ 伯母。❷ 尊称年长的妇女。

【大麻】dàmá 图❶ 一年生草本植物,雌雄异株,雌株叫苴麻(jūmá),雄株叫枲麻(xǐmá)。掌状复叶,小叶披针形,花淡绿色。纤维可以制绳。种子叫麻仁,可以榨油,又可入药。也叫线麻。❷ 指印度大麻,雌株含有大麻脂,是制造毒品的原料。

【大麻哈鱼】dàmáhāyú 图 鱼,身体长约 0.6 米,嘴大,鳞细,生活在太平洋北部海洋中,夏初或秋末成群入黑龙江等河流产卵。刺少,肉味鲜美。也叫大马哈鱼。

【大麻子】dàmázǐ 图❶ 大麻的种子。❷ 蓖麻。❸ 蓖麻的种子。

【大马哈鱼】dàmǎhāyú 图 大麻哈鱼。

【大麦】dàmài 图❶ 一年生草本植物,叶子宽条形,子实的外壳有长芒。是一种粮食作物,也用来酿酒、制饴糖或做饲料。❷ 这种植物的子实。

【大忙】dàmáng 形 工作集中,繁忙而紧张:三夏~季节。

【大猫熊】dàmāoxióng 图 大熊猫。

【大毛】dàmáo 图 长毛的皮毛,如狐肷、滩羊皮等。

【大门】dàmén 图 大的门,特指整个建筑物(如房屋、院子、公园)临街的一道主要的门(区别于二门和各房舍里的门)。

【大米】dàmǐ 图 稻的子实脱壳后叫大米。

【大面儿】dàmiànr〈方〉名❶表面：～上搞得很干净，柜子底下还有尘土。❷面子：顾全～。

【大民族主义】dà mínzú zhǔyì 大民族中的剥削阶级思想在民族关系上的一种表现，认为本民族在政治、经济、文化上比别的民族优越，应居支配地位，享有各种特权，其他民族理应受到歧视和压迫。

【大名】dàmíng 名❶人的正式名字：他小名叫亥虎子，～叫李金彪。❷盛名：～鼎鼎(名气很大)｜久闻～。❸尊称他人的名字：尊姓～。

【大谬不然】dà miù bù rán 大错特错，完全不是这样。

【大漠】dàmò 名 大沙漠。

【大模大样】dà mú dà yàng 形容傲慢、满不在乎的样子。

【大拇哥】dà·mǔgē〈方〉名 拇指。

【大拇指】dà·mǔzhǐ〈口〉名 拇指。

【大拿】dàná〈方〉名❶掌大权的人：他现在是我们县的～。❷在某方面有权威的人：技术～。

【大男大女】dà nán dà nǚ 指超过法定婚龄较多的未婚男女。

【大脑】dànǎo 名 脑的一部分，正中有一道纵沟，分左右两个半球，表面有很多皱襞。大脑表层稍带灰色，内部白色。人的大脑最发达。

【大脑皮层】dànǎo pícéng 大脑皮质的旧称。

【大脑皮质】dànǎo pízhì 大脑两半球表面的一层，稍带灰色，由神经细胞组成。记忆、分析、判断等思维活动都得通过它，是高级神经系统的中枢，也是保证机体内部统一并与周围环境统一的主要机构。简称皮质，旧称大脑皮层。(图见984页"人的脑")

【大内】dànèi 名 旧时指皇宫。

【大鲵】dàní 名 两栖动物，身体长而扁，眼小，口大，四肢短，生活在山谷的溪水中，叫的声音像婴儿啼哭。是现存最大的两栖动物。俗称娃娃鱼。

【大逆不道】dà nì bù dào 封建统治者对反抗封建统治、背叛封建礼教的人所加的重大的罪名。现泛指叛逆或不合于正道。

【大年】dànián 名❶农历十二月是30天的年份。❷指春节。❸丰收年：今年是

个～，一亩地比往年多收百十来斤粮食｜今年的梨是～，树枝都快压折了。

【大年三十】dànián sānshí（～儿）农历十二月的最后一天。也说年三十。

【大年夜】dàniányè〈方〉名 农历除夕。

【大娘】dàniáng〈方〉名❶伯母：三～。❷尊称年长的妇女。

【大排行】dàpáiháng 动 叔伯兄弟姐妹依长幼排列次序：他～是老三。

【大牌】dàpái❶名 指名气大、水平高、实力强的人(多指文艺界、体育界的)。❷形属性词。名气大、水平高、实力强的：～球星｜～歌星｜～俱乐部。

【大盘】dàpán 名 指证券市场交易的整体行情。

【大炮】dàpào 名❶通常指口径大的炮。❷比喻好发表激烈意见或好说大话的人。

【大篷车】dàpéngchē 名 指商业部门送货下乡的货车，多为临时加篷的卡车。

【大批】dàpī 形 属性词。大量①：火车运来了～货物。

【大辟】dàpì 名 古代指死刑。

【大片儿】dàpiānr〈口〉名 大片。

【大片】dàpiàn 名 指投资大、制作成本高的电影片，多为题材重大、影响面广并由著名影星主演的：进口～｜国产～。

【大票】dàpiào（～儿）〈口〉名 面额大的钞票。

【大谱儿】dàpǔr 名 大致的设想；初步的打算：究竟怎么做，心里应该先有个～。

【大起大落】dà qǐ dà luò 形容起伏变化极快极大：市场价格～｜这部小说没有～的故事情节。

【大气】dàqì 名❶包围地球的气体，是干燥空气、水汽、微尘等的混合物。❷（～儿）粗重的气息：吓得他～也不敢出。

【大气】dà·qi❶名 大的气度；大的气势。❷形气度大；气势大：开阔～。❸形（样式、颜色等）大方，不俗气：～得体。

【大气层】dàqìcéng 名 大气圈。

【大气候】dàqìhòu 名❶一个广大区域的气候，如大洲的气候、全球的气候。❷比喻出现在较大范围内的某种政治、经济形势或思潮：有利于人才培养的～已经形成。

【大气科学】dàqì kēxué 以大气为研究对

象的科学。主要研究大气的成分、结构、现象及其物理、化学变化机制等。20世纪60年代由气象学发展而来。

【大气磅礴】dà qì pángbó 形容气势盛大：这张画尺幅千里。

【大气圈】dàqìquān 名 地球的外面包围的气体层。按物理性质的不同，通常分为对流层、平流层、中间层、热层和外层等层次。也叫大气层。

【大气污染】dàqì wūrǎn 指大气中有害气体和悬浮颗粒物所造成的环境污染。核爆炸后散落的放射性物质、化学毒剂、工业废气、扬尘等都是污染大气的物质。

【大气压】dàqìyā 名 ❶ 大气的压强，随着距离海面的高度增加而减小，如高空的大气压比地面上的大气压小。❷ 指标准大气压。

【大器】dàqì 名 ❶ 古代指钟鼎等宝物。❷ 比喻有很高的才能、能干大事业的人：终成～。

【大器晚成】dà qì wǎn chéng 指能担当大事的人物要经过长期的锻炼，所以成就比较晚，后来也指年纪较大后才成才或成名。

【大千世界】dàqiān-shìjiè 原为佛教用语，世界的千倍叫小千世界，小千世界的千倍叫中千世界，中千世界的千倍叫大千世界。后用来指广阔无边的世界。

【大前年】dàqiánnián 名 时间词。前年以前的一年。

【大前提】dàqiántí 名 三段论的一个组成部分，含有结论中的宾词，是作为结论依据的命题。参看 1171 页〖三段论〗。

【大前天】dàqiántiān 名 时间词。前天以前的一天。也说大前儿。

【大钱】dàqián 名 ❶ 旧时的一种铜钱，较普通铜钱大，作为货币的价值也较高，泛指钱：不值一个～。❷ 指大量的钱：赚～｜挣～。

【大枪】dàqiāng 名 步枪（区别于"手枪"或其他短枪等）。

【大青叶】dàqīngyè 名 指马蓝、蓼蓝、菘蓝或大青木等植物的叶子，可入药。

【大庆】dàqìng 名 ❶ 大规模庆祝的事（多指国家大事）：建国五十周年～。❷ 敬辞，称老年人的寿辰：七十～。

【大秋】dàqiū 名 ❶ 指九月、十月收割玉米、高粱等作物的季节：～一过，天气就冷起来了。❷ 指大秋作物或大秋时的收成：今年～真不错。

【大秋作物】dàqiū zuòwù 秋季收获的大田作物，如高粱、玉米、谷子等。

【大球】dàqiú 名 指足球、篮球、排球等球类项目（跟"小球"相对）。

【大曲】dàqū 名 ❶ 酿造白酒用的一种曲。❷ 用大曲酿造的白酒。

【大权】dàquán 名 处理重大事情的权力：独揽～｜～旁落。

【大全】dàquán 名 指内容丰富、完备无缺的事物，多用于书名，如《农村日用大全》、《中国戏曲大全》。

【大犬座】dàquǎnzuò 名 星座，位置在猎户座的东南，包括一个一等星（即天狼星）、四个二等星、两个三等星及其他更暗的星。

【大人】dàrén 名 敬辞，称长辈（多用于书信）：父亲～。

【大人】dà·ren 名 ❶ 成人（区别于"小孩儿"）：～说话，小孩儿别插嘴。❷ 旧时称地位高的官长：巡抚～。

【大人物】dàrénwù 名 指有地位有名望的人。

【大肉】dàròu 名 指猪肉。

【大儒】dàrú 名 旧指学问渊博而有名的学者。

【大撒把】dàsābǎ 动 比喻撒手不管，一点儿不负责任：对下岗职工不能～。

【大赛】dàsài 名 大型的、级别较高的比赛：世界杯排球～｜国际芭蕾舞～。

【大扫除】dàsǎochú 动 室内室外全面打扫：明天全校～｜春节前，要进行一次～。

【大嫂】dàsǎo 名 ❶ 大哥的妻子。❷ 对年纪跟自己相仿的妇女的尊称。

【大厦】dàshà 名 高大的房屋，今多用于高楼名，如"友谊大厦"。

【大少爷】dàshào·ye 名 指好逸恶劳、挥霍浪费的青年男子：～作风。

【大舌头】dàshé·tou 〈口〉❶ 形 舌头不灵活，说话不清楚：他说话有点儿～。❷ 名 指舌头不灵活，说话不清楚的人：他是个～。

【大赦】dàshè 动 赦免的一种。以国家命令的方式对某个时期的特定罪犯或一般罪犯实行赦免。

【大声疾呼】dà shēng jí hū 大声呼喊，提醒人们注意。

【大婶儿】dàshěnr〈口〉名 尊称跟母亲同辈而年纪较小的妇女。

【大失所望】dà shī suǒ wàng 非常失望。

【大师】dàshī 名❶ 在学问或艺术上有很深的造诣,为大家所尊崇的人:艺术～。❷ 某些棋类运动的等级称号:国际象棋特级～。❸ 对和尚的尊称。

【大师傅】dàshī·fu〈口〉名 对和尚的尊称。

【大师傅】dà·shi·fu〈口〉名 厨师。

【大使】dàshǐ 名 由一国派驻在他国或国际组织的最高一级的外交代表,全称特命全权大使。

【大势】dàshì 名 事情发展的趋势(多指政治局势):～所趋。

【大事】¹ dàshì 名 重大的或重要的事情:国家～|终身～。

【大事】² dàshì 副 大力从事:～渲染。

【大事记】dàshìjì 名 把重大事件按年月日顺序记载,以便查考的材料。

【大是大非】dà shì dà fēi 指原则性的是非问题。

【大手笔】dàshǒubǐ 名❶ 名作家的著作。❷ 名作家。❸ 指规模大的影响深远的计划或举措。

【大手大脚】dà shǒu dà jiǎo 形容花钱、用东西没有节制。

【大叔】dàshū〈口〉名 尊称跟父亲同辈而年纪较小的男子。

【大暑】dàshǔ 名 二十四节气之一,在7月22、23或24日。一般是我国气候最热的时候。参看696页〖节气〗、363页〖二十四节气〗。

【大率】dàshuài〈书〉副 大概;大致:～如此。

【大肆】dàsì 副 毫无顾忌地(做坏事):～吹嘘|～挥霍|～活动。

【大蒜】dàsuàn 名 蒜。

【大踏步】dàtàbù 动 迈着大步(多虚用):～前进。

【大堂】dàtáng 名❶ 指衙门中审理案件的厅堂。❷ 指宾馆、饭店的大厅:～经理。

【大…特…】dà…tè… 分别用在同一个动词前面,表示规模大,程度深:～书～书|～吃～吃|老一套的工作方法非～改～改不可。

【大提琴】dàtíqín 名 提琴的一种,体积比小提琴大四五倍,音比中提琴低八度。

【大体】dàtǐ ❶ 名 重要的道理:识～,顾大局。❷ 副 就多数情形或主要方面说:我们的看法～相同。

【大天白日】dà tiān bái rì〈口〉白天(强调):～的,你怎么走迷了路!

【大田】dàtián 名 指大面积种植作物的田地。

【大田作物】dàtián zuòwù 在大田上种植的作物,如小麦、高粱、玉米、水稻、棉花等。

【大厅】dàtīng 名 较大的建筑物中宽敞的房间,多用于集会或招待宾客等。

【大庭广众】dà tíng guǎng zhòng 人很多的公开场合:在～之中发言应该用普通话。

【大同】dàtóng 名 指人人平等、自由的社会景象。这是我国历史上某些思想家的一种理想。

【大同乡】dàtóngxiāng 名 指籍贯跟自己是同一个省份的人(跟"小同乡"相对)。

【大同小异】dà tóng xiǎo yì 大部分相同,只有小部分不同。

【大头】dàtóu 名❶ 套在头上的一种假面具。❷ 指民国初年发行的铸有袁世凯头像的银圆。❸(～儿)大的那一端;主要的部分:抓～儿。❹ 冤大头:拿～(拿人当做冤大头)。

【大头菜】dàtóucài 名❶ 二年生草本植物,芥菜(jiècài)的变种,肉质根肥大,圆锥形或圆筒形,有辣味,花黄色。根主要供腌制食用。❷ 这种植物的块根。❸〈方〉结球甘蓝。

【大头针】dàtóuzhēn 名 用来别纸等的一种针,一头尖,一头有个小疙瘩。

【大团圆】dàtuányuán 动❶ 指全家人团聚在一起。❷ 小说、戏剧、电影中主要人物经过悲欢离合最终团聚。

【大腿】dàtuǐ 名 下肢从臀部到膝盖的一段。

【大腕】dàwàn(～儿)名 指有名气、有实力的人(多指文艺界、体育界的)。

【大王】dàwáng 名❶ 古代对国君、诸侯王的尊称。❷ 指垄断某种事业的财阀:石油～|钢铁～。❸ 指擅长于某种事情的人:爆破～。

另见 260 页 dài・wang。

【大为】dàwéi 副 表示程度深、范围大：～提高｜～改观｜～高兴｜～失望。

【大尉】dàwèi 名 某些国家的军衔，尉官的一级，高于上尉。

【大汶口文化】Dàwènkǒu wénhuà 我国新石器时代中期的一种文化，距今6300—4400 年，因最早发现于山东泰安附近大汶口而得名。农业是其主要的经济活动，以种植粟类作物为主，遗存中有大量石制农具、渔猎工具以及彩陶、白陶等。出现了类似文字的图像符号。

【大我】dàwǒ 名 指集体（跟"小我"相对）：牺牲小我的利益，服从～的利益。

【大无畏】dàwúwèi 形 什么都不怕（指对于困难、艰险等）：～的精神。

【大五金】dàwǔjīn 名 比较粗大的金属材料的统称，如铁锭、钢管、铁板等。

【大喜】dàxǐ 动 ❶ 客套话，值得特别欢喜、庆贺（多用于向有喜事的人表示祝贺）：您～啦！｜哪天是你们～的日子（指结婚日期）？❷ 非常高兴：～过望。

【大喜过望】dà xǐ guò wàng 结果原来比希望的更好，因而感到特别高兴。

【大戏】dàxì 名 ❶ 大型的戏曲，情节较为复杂，各种角色齐全，伴奏乐器较多。❷〈方〉京剧。

【大显身手】dà xiǎn shēnshǒu 充分显露自己的本领：运动员在赛场上～。

【大限】dàxiàn 名 指寿数已尽，注定死亡的期限（迷信）。

【大相径庭】dà xiāng jìngtíng 《庄子・逍遥游》："大有径庭，不近人情焉。"后来用"大相径庭"表示彼此相差很远或矛盾很大：他们的意见～，无法折中。

【大小】dàxiǎo ❶（～儿）名 指大小的程度：这双鞋我穿上～正合适。❷ 名 辈分的高低：不分～｜没～。❸ 名 大人和小孩儿：全家～五口｜大大小小六个人。❹ 副 或大或小（多偏于小），表示还能算得上：～是个干部｜～也是笔生意。

【大校】dàxiào 名 军衔，校官的一级，高于上校。

【大写】dàxiě ❶ 名 汉字数目字的一种笔画较繁的写法，如"壹、贰、叁、肆、拾、佰、仟"等，多用于账目和文件中（跟"小写"相对，下同）。参看 1271 页〖数字〗。❷ 名 拼音字母的一种写法，如拉丁字母的 A、B、C，多用于句首或专名的第一个字母。❸ 动 依照文字的大写形式书写。

【大兴土木】dà xīng tǔmù 大规模兴建土木工程，多指盖房子。

【大猩猩】dàxīng・xing 名 类人猿中最大的一种，雄性身高约 1.65 米，雌性身高约 1.40 米，毛黑褐色，前肢比后肢长，能直立行走。生活在非洲密林中，吃野果、竹笋等。

【大行星】dàxíngxīng 名 指太阳系的九大行星。

【大型】dàxíng 形 属性词。形状或规模大的：～钢材｜～歌剧｜～比赛｜～展销会。

【大姓】dàxìng 名 ❶ 指世家大族。❷ 人多的姓，如张、王、李、刘等。

【大雄宝殿】dàxióng bǎodiàn 佛寺中主要供奉佛祖的大殿（大雄：对佛祖的尊称，意为像大勇士一样无畏）。

【大熊猫】dàxióngmāo 名 哺乳动物，体长约 1.5 米，外形像熊，尾短，通常头、胸、腹、背、臀白色，四肢、两耳、眼圈黑褐色，毛粗而厚，性耐寒。生活在我国西南地区高山中，吃竹叶、竹笋。是我国特产的珍贵动物。也叫熊猫、猫熊、大猫熊。

【大熊座】dàxióngzuò 名 星座，位置离北极星不远，北斗七星是大熊星座中最亮的七颗星。

【大修】dàxiū 动 指对房屋、机器、车船等进行全面彻底的检修：这辆车该～了。

【大选】dàxuǎn 动 某些国家对国会议员或总统的选举。

【大学】dàxué 名 实施高等教育的学校的一种，包括综合大学和专科大学、学院。

【大学生】dàxuéshēng 名 在高等学校读书的学生。

【大雪】dàxuě 名 ❶ 指下得很大的雪。❷ 气象学上指 24 小时内降雪量达 5 毫米以上的雪。❸ 二十四节气之一，在 12 月 6、7 或 8 日。参看 696 页〖节气〗、363 页〖二十四节气〗。

【大循环】dàxúnhuán 名 体循环。

【大牙】dàyá 名 ❶ 槽牙。❷ 门牙：笑掉～。

【大雅】dàyǎ〈书〉形 风雅；文雅：无伤～｜不登～之堂。

【大雅之堂】dàyǎ zhī táng 指高雅的场所或场合。

【大烟】dàyān 名 鸦片的通称。

【大言不惭】dà yán bù cán 说大话而毫不感到难为情。

【大盐】dàyán 名 用海水熬制或晒制的盐。

【大雁】dàyàn 名❶ 鸿雁(鸟名)。❷ 泛指雁类。

【大洋】dàyáng 名❶ 洋②:四～。❷ 银圆:五块～。

【大样】dàyàng 名❶ 报纸的整版的清样(区别于"小样"①)。❷ 工程上的细部图:足尺～。

【大摇大摆】dà yáo dà bǎi 形容走路挺神气、满不在乎的样子:～地闯了进去。

【大要】dàyào 名 主要的内容;概要:举其～。

【大爷】dàyé 名 指不好劳动、傲慢任性的男子:～作风|～脾气|你别在我面前充～。

【大爷】dà·ye 〈口〉名❶ 伯父。❷ 尊称年长的男子。

【大野】Dàyě 名 姓。

【大业】dàyè 名 伟大的事业:雄图～。

【大叶杨】dàyèyáng 名 毛白杨。

【大衣】dàyī 名 较长的西式外衣。

【大姨】dàyí 名❶(～儿)最大的姨母。❷尊称跟母亲同辈而年纪相仿的妇女。

【大姨子】dàyí·zi 〈口〉名 妻子的姐姐。

【大义】dàyì 名 大道理:深明～|微言～。

【大义凛然】dà yì lǐnrán 严峻不可侵犯的样子,形容为了正义事业坚强不屈。

【大义灭亲】dà yì miè qīn 为了维护正义,对违反国家人民利益的亲人不徇私情,使受国法制裁。

【大意】dàyì 名 主要的意思:段落～|把这讲话的意思记下来就行了。

【大意】dà·yi 形 疏忽;不注意:粗心～|他太～了,连这样的错误都没检查出来。

【大油】dàyóu 〈口〉名 猪油。

【大有可为】dà yǒu kě wéi 事情很值得做,很有发展前途。

【大有人在】dà yǒu rén zài 指某类人数量很多。

【大有作为】dà yǒu zuòwéi 能充分发挥作用;能作出重大贡献。

【大鱼吃小鱼】dàyú chī xiǎoyú 比喻势力大的欺压、并吞势力小的。

【大雨】dàyǔ 名❶ 指下得很大的雨。❷气象学上指 1 小时内雨量达 8.1—15.9 毫米,或 24 小时内雨量达 25—49.9 毫米的雨。

【大元帅】dàyuánshuài 名 军衔,高于元帅,是某些国家武装部队的最高统帅。

【大员】dàyuán 名 旧时指职位高的人员(多用于委派时):考察～|接收～。

【大约】dàyuē 副❶ 表示估计的数目不十分精确(句子里有数字):他～有六十开外了。❷ 表示很大的可能性:他～是开会去了。

【大约摸】dàyuē·mo 〈方〉副 大约:～有七八百人|他～还不知道这件事。

【大月】dàyuè 名 阳历有 31 天或农历有30 天的月份。

【大杂烩】dàzáhuì 名❶ 用多种菜合在一起烩成的菜。❷ 比喻把各种不同的事物胡乱拼凑在一起的混合体(含贬义)。

【大杂院儿】dàzáyuànr 名 有许多户人家居住的院子。

【大灶】dàzào 名❶ 用砖土砌成的固定的炉灶。❷ 集体伙食标准中最低的一级(区别于"中灶"、"小灶")。

【大泽乡起义】Dàzéxiāng Qǐyì 见 168 页【陈胜吴广起义】。

【大战】dàzhàn ❶ 名 大规模的战争,也用于比喻:世界～|足球～。❷ 动 进行大规模的战争或激烈的战斗:孙悟空～铁扇公主。

【大站】dàzhàn 名 铁路、公路交通中规模较大、快车和慢车都停靠的上下乘客较多的车站。

【大张旗鼓】dà zhāng qí gǔ 比喻声势和规模很大。

【大丈夫】dàzhàng·fu 名 指有志气或有作为的男子:～敢做敢当。

【大政】dàzhèng 名 重大的政务或政策:总揽～|～方针。

【大旨】dàzhǐ 〈书〉名 主要的意思:究其～。

【大指】dàzhǐ 名 拇指。

【大治】dàzhì 形 指国家政治稳定,社会安定,经济繁荣:天下～。

【大致】dàzhì ❶ 形 属性词。大体上;基本上:～的想法|～情况如此|两家的情况～相同。❷ 副 大概;大约:看看太阳,～十一点钟的光景。

【大智若愚】dà zhì ruò yú 指很有智慧和才能的人,不炫耀自己,外表看来像很愚笨。

【大众】dàzhòng 图 群众;民众:～化|劳苦～。

【大众化】dàzhònghuà 动 变得跟广大群众一致;适合广大群众需要:语言～|艺术形式～。

【大轴子】dàzhòu·zi 图 一次演出的若干戏曲节目中排在最末的一出戏。也叫大轴。

【大主教】dàzhǔjiào 图 基督教某些派别的神职人员的一种头衔。在天主教和英国圣公会(新教的一派)等是管理一个大教区的主教,领导区内各个主教(原名各不相同),都译成"大主教"。

【大专】dàzhuān ❶ 指大学和专科学院。❷ 大学程度的专科学校的简称:～学历。

【大篆】dàzhuàn 图 指笔画较繁复的篆书,是周朝的字体,秦朝创制小篆以后把它叫做大篆。

【大庄稼】dàzhuāng·jia 〈方〉图 大秋作物。

【大自然】dàzìrán 图 自然界。

【大宗】dàzōng ❶ 形 属性词。大批(货物,款项等):～货物。❷ 图 数量最大的产品、商品:本地出产以棉花为～。

【大族】dàzú 图 指人口多、分支繁的家族。

【大作】¹dàzuò 图 敬辞,称对方的著作。

【大作】²dàzuò 动 猛烈发作或发生:狂风～|鼓乐～。

汏 dà 〈方〉动 洗;涮:～头|～衣裳。

·da （·ㄉㄚ）

垯(墶) ·da 见 457 页[圪垯]。

绋(縫) ·da 见 457 页[纥绋]。

疸 ·da 见 457 页[疙疸]。
另见 267 页 dǎn。

塔 ·da 见 457 页[圪塔]。
另见 1314 页 tǎ。

嵯 ·da 见 457 页[屹嵯]。

跶(躂) ·da 见 67 页[蹦跶]、872 页[蹓跶]。

瘩 ·da 见 457 页[疙瘩]。
另见 242 页 dá。

---

dāi （ㄉㄞ）

呆(獃) dāi ❶ 形 (头脑)迟钝;不灵敏:～头～脑。❷ 形 脸上表情死板;发愣:发～|吓～了。❸ 同"待"(dāi)。❹ (Dāi)图 姓。

【呆板】dāibǎn(旧读 áibǎn)形 死板;不灵活:这篇文章写得太～|别看他样子～,脑子倒很灵活。

【呆若木鸡】dāi ruò mù jī 呆得像木头鸡一样,形容因恐惧或惊讶而发愣的样子。

【呆傻】dāishǎ 形 头脑迟钝糊涂:他一点儿也不～,内心明白得很。

【呆头呆脑】dāi tóu dāi nǎo 形容迟钝的样子。

【呆小病】dāixiǎobìng 图 胎儿期或婴儿期中,先天性甲状腺功能低下或发生障碍引起的疾病。患儿头大、身材矮小、四肢短、皮肤干黄、脸部臃肿、舌头大、智力低下。

【呆账】dāizhàng 图 会计上指收不回来的账:清理～。

【呆滞】dāizhì 形 ❶ 迟钝;不活动:脸色苍白,两眼～无神。❷ 不流通;不周转:～商品|避免资金～。

【呆子】dāi·zi 图 傻子。

呔(呔) dāi 叹 突然大喝一声,使人注意(多见于早期白话)。
另见 1317 页 tǎi。

待 dāi 〈口〉动 停留:～一会儿再走。也作呆。
另见 262 页 dài。

---

dǎi （ㄉㄞˇ）

歹 dǎi ❶ 坏(人、事):～人|～徒|为非作～。❷ (Dǎi)图 姓。

【歹毒】dǎidú 形 阴险狠毒:心肠～。

【歹人】dǎirén 图 坏人,多指强盗。

【歹徒】dǎitú 图 歹人;坏人。

【歹心】dǎixīn 图 歹意:起～。

【歹意】dǎiyì 图 恶毒的心肠:可别把人家

的好心当了～。

逮 dǎi 〈动〉捉：猫～老鼠。
另见 263 页 dài。

傣 Dǎi 指傣族。

【傣剧】dǎijù 〈名〉傣族戏曲剧种之一，流行于云南傣族聚居的地区。

【傣族】Dǎizú 〈名〉我国少数民族之一，分布在云南。

dài （ㄉㄞˋ）

大 dài 义同"大"(dà)，用于"大夫、大王"。
另见 248 页 dà。

【大夫】dài·fu 〈口〉〈名〉医生。
另见 250 页 dàfū。

【大王】dài·wang 〈名〉戏曲、旧小说中对国王或强盗首领的称呼。
另见 256 页 dàwáng。

代¹ dài ❶〈动〉代替：～课|～笔|～销。❷〈动〉代理：～局长。❸(Dài)〈名〉姓。

代² dài ❶〈名〉历史的分期；时代：古～|近～|现～|当～。❷〈名〉朝代：汉～|改朝换～。❸〈名〉世系的辈分：第二～|下一～|老一～|我们这一～。❹〈名〉地质年代分期的第二级，代以上为宙，如显生宙分为古生代、中生代和新生代，代以下为纪。跟代相应的地层系统分类单位叫做界。参看 299 页"地质年代简表"。

【代办】dàibàn ❶〈动〉代行办理：～运|邮政～所。❷〈名〉一国以外交部长名义派驻另一国的外交代表。❸大使或公使不在职时，在使馆的高级人员中委派的临时负责人员，叫临时代办。

【代笔】dàibǐ 替别人写文章、书信或其他文件：他不便亲自写信，只好由我～。

【代表】dàibiǎo ❶〈名〉由行政区、团体、机关等选举出来替选举人办事或表达意见的人：人大～。❷〈名〉受委托或指派代替个人、团体、政府办事或表达意见的人：全权～。❸〈名〉显示同一类的共同特征的人或事物：～作。❹〈动〉代替个人或集体办事或表达意思：副部长～部长主持开幕典礼。❺〈动〉人或事物表示某种意义或象征

某种概念：这三个人物～三种不同的性格。

【代表作】dàibiǎozuò 〈名〉指具有时代意义的或最能体现作者的水平、风格的著作或艺术作品。

【代步】dàibù 〈书〉❶〈动〉替代步行，指乘车、骑马等。❷〈名〉代步的车、马等。

【代偿】dàicháng 〈动〉❶代为偿还：～金|以工～。❷某器官发生病变时，由原器官的健全部分或其他器官来代替它的功能。

【代称】dàichēng 〈名〉代替正式名称的另一名称：我国木刻书版向来用梨木和枣木，所以梨枣成了木刻书版的～。

【代词】dàicí 〈名〉代替名词、动词、形容词、数量词、副词的词，包括：a)人称代词，如"我、你、他、我们、咱们、自己、人家"；b)疑问代词，如"谁、什么、哪儿、多会儿、怎么、怎样、几、多少、多么"；c)指示代词，如"这、这里、这么、这样、这么些、那、那里、那么、那样、那么些"。

【代代花】dàidàihuā 〈名〉常绿灌木，小枝细长，有短刺。叶子椭圆形。花白色，有香气，可用来熏茶和制香精。也作玳玳花。

【代沟】dàigōu 〈名〉指两代人之间在价值观念、心理状态、生活习惯等方面的差异：目前青年一代与老一代的～问题是一个热门话题。

【代管】dàiguǎn 〈动〉代为管理：～经费。

【代号】dàihào 〈名〉为简便或保密用来代替正式名称(如部队、机关、工厂、产品、度量衡单位等名称)的别名或编号的字。

【代价】dàijià 〈名〉❶获得某种东西所付出的钱。❷泛指为达到某种目的所耗费的物质或精力：胜利是用血的～换来的|用最小的～办更多的事情。

【代金】dàijīn 〈名〉按照实物价格折合的现金，用来代替应该发给或交纳的实物。

【代课】dài∥kè 〈动〉代替别人讲课：～教师|王老师病了，由李老师～。

【代劳】dàiláo 〈动〉❶(请人)代替自己办事：我明天不能去，这件事就请您～了。❷代替别人办事：这事由我～，您甭管了。

【代理】dàilǐ 〈动〉❶暂时代人担任某单位的职务：～厂长。❷受当事人委托，代表他进行某种活动，如贸易、诉讼、纳税、签订合同等。

【代理人】dàilǐrén 〈名〉❶受当事人委托，代

表他进行某种活动(如贸易、诉讼、纳税、签订合同等)的人。❷指实际上为某人或集团的利益(多指非法利益)服务的人。

【代码】dàimǎ 图 表示信息的符号组合。如在计算机中,所有数据、程序输入时都必须转换为计算机能够识别的二进制数字,这种二进制数字就是代码。

【代名词】dàimíngcí 图 ❶ 替代某种名称、词语或说法的词语:他所说的"研究研究"不过是敷衍、推托的~。❷ 有些语法书中称代词。

【代庖】dàipáo 〈书〉囫 替别人做事。参看 1685 页〖越俎代庖〗。

【代培】dàipéi 囫 学校等替出资单位培养(人才):~生|这所大学先后为企业~了二百多名学员。

【代乳粉】dàirǔfěn 图 用大豆和其他有营养的原料制成的粉,可以代替鲜奶。

【代数】dàishù 图 代数学的简称。

【代数方程】dàishù fāngchéng 用代数式表示的方程,如 $ax^m + bx^{m-1} + \cdots + kx + l = 0$,$\sqrt{x^2 - 2} + 7x = 14$ 等。

【代数式】dàishùshì 图 用代数运算法(加、减、乘、除、乘方、开方)把数和表示数的字母联结起来的式子。如 $a - b$,$8x + 5y$。

【代数学】dàishùxué 图 数学的一个分支,用字母代表数来研究数的运算性质和规律,从而把许多实际问题归结为代数方程或方程组。在近代数学中,代数学的研究由数扩大到更种其他对象,研究更为一般的代数运算的性质和规律。简称代数。

【代替】dàitì 囫 以甲换乙,起乙的作用:用国产品~进口货|他不能去,~他去一趟吧!

【代为】dàiwéi 囫 代替:~执行|~保管。

【代位继承】dàiwèi jìchéng 法定继承人先于被继承人死亡或丧失继承权时,由其晚辈直系血亲(即代位人)按照继承顺序继承。

【代销】dàixiāo 囫 代理销售:~福利彩票。

【代谢】dàixiè 囫 交替;更替:四时~|新陈~。

【代序】dàixù 图 代替序言的文章(多自有标题)。

【代言人】dàiyánrén 图 代表某方面(阶级、集团等)发表言论的人。

【代议制】dàiyìzhì 图 议会制。

【代用】dàiyòng 囫 用性能相近或相同的东西代替原用的东西:~品|~材料。

【代用品】dàiyòngpǐn 图 可以代替原用东西的、性能相近或相同的东西,如代乳粉就是奶的代用品。

【代职】dài∥zhí 囫 代理某种职务:选派干部到基层单位~。

轪(軑) dài 古代指车毂上包的铁帽。也指车轮。

甙 dài 图 糖苷的旧称。

岱 Dài 图 ❶ 泰山的别称。也叫岱宗、岱岳。❷ 姓。

迨 dài 〈书〉❶ 等到。❷ 趁着。

绐(紿) dài 〈书〉欺哄。

骀(駘) dài [骀荡](dàidàng)〈书〉囮 ❶ 使人舒畅(多用来形容春天的景物):春风~。❷ 放荡。
━━ 另见 1317 页 tái。

玳¹(瑇) dài [玳瑁](dàimào) 图 爬行动物,外形像龟,四肢呈桨状,前肢稍长,尾короче小,甲壳黄褐色,有黑斑,很光润,性暴烈,吃鱼,软体动物、海藻等,生活在热带和亚热带海中。

玳² dài [玳玳花](dàidàihuā) 同"代代花"。

带¹(帶) dài ❶ (~儿)图 带子或像带子的长条物:皮~|鞋~儿|传送~。❷ 图 轮胎:车~|汽车外~。❸ 地带;区域:温~|黄河一~。❹ 白带:~下。❺ (Dài)图 姓。

带²(帶) dài 囫 ❶ 随身拿着;携带:~行李|~干粮。❷ 捎带着做某事:上街~包茶叶来(捎带着买)|你出去请把门~上(随手关上)。❸ 呈现;显出:面~笑容。❹ 含有:这瓜~点儿苦味|说话~刺儿。❺ 连着;附带:~叶的橘子|连说~笑|放牛~割草。❻ 引导;领:~队|~徒弟。❼ 带动:以点~面|他这样一来得大家都勤快了。❽ 照看(孩子):孙子是奶奶~大的。

【带班】dài∥bān 囫 带领人值班(巡逻、劳动等):今夜排长亲自~|老主任出马,~操

作。

【带刺儿】dài//cìr 劚 指说的话里暗含讽刺意味：有意见就提，不要话里～。

【带电】dài//diàn 劚 物体上带有正电荷或负电荷。

【带动】dàidòng 劚❶ 通过动力使有关部分相应地动起来：机车～货车。❷ 引导着前进：带头做并使别人跟着做：抓好典型，～全局｜在校长的～下，参加义务植树的人越来越多。

【带好儿】dài//hǎor 劚 转达问候：你回校时如见到王老师｜你见到他时，替我带个好儿。

【带话】dài//huà （～儿）劚 托人传话。

【带劲】dàijìn （～儿）形 ❶ 有力量；有劲头儿：他干起活来可真～｜他的发言挺～。❷ 能引起兴致：来劲：下象棋不～，还是打球吧｜什么时候我也会开飞机，那才～呢！

【带菌】dài//jūn 劚（人或其他动物体）带有病菌：～吃了～食物引起腹泻。

【带宽】dàikuān 名 频带的宽度。在通信中，指某一频带最高频率和最低频率的差（单位是赫兹）；在计算机网络中，指数据传输能力的大小（单位是比特/秒）。

【带累】dàilěi 劚 使别人连带受损害；连累：是我～了你，真对不起。

【带领】dàilǐng 劚 ❶ 在前带头使后面的人跟随着：老同学～新同学去见老师。❷ 领导或指挥（一群人进行集体活动）：老师～同学们去支援麦收。

【带路】dài//lù 劚 引导不认得路的人行进：～人｜你在前面～。

【带挈】dàiqiè 劚 挈带。

【带手儿】dàishǒur 〈方〉副 顺便：你去吧，你的事我～就做了。

【带头】dài//tóu 劚 首先行动起来带动别人：领头儿｜～人｜～作用◇～学科。

【带下】dàixià 名 中医指白带不正常的病。

【带孝】dài//xiào 见 263 页〖戴孝〗。

【带音】dàiyīn 劚 发音时声带振动叫做带音，声带不振动叫不带音。普通话语音中元音都是带音的，辅音中的 l、m、n、ng、r 等也是带音。别的辅音如 p、f 等都不带音。带音的是浊音，不带音的是清音。

【带鱼】dàiyú 名 鱼，体长侧扁，形状像带子，银白色，全身光滑无鳞。是我国重要海产鱼类之一。有的地区叫刀鱼。

【带子】dài·zi 名 ❶ 用皮、布等做成的窄而长的条状物，用来绑扎衣物。❷ 录音带、录像带的俗称。

殆 dài 〈书〉❶ 危险：知彼知己，百战不～。❷ 副 几乎；差不多：敌人伤亡～尽。

贷(貸) dài ❶ 贷款：信～｜农～。❷ 劚 借入或借出：借～｜银行～给工厂一百万元。❸ 推卸（责任）：责无旁～。❹ 饶恕：严惩不～。

【贷方】dàifāng 名 簿记账户的右方，记载资产的减少，负债的增加和收入的增加。

【贷款】dàikuǎn ❶ （-//-）劚 甲国借钱给乙国；银行、信用合作社等机构借钱给用钱的单位或个人。一般规定利息、偿还日期。❷ 名 贷给的款项：一笔～｜还清～。

【贷学金】dàixuéjīn 名 政府通过银行以贷款方式借给贫困学生上学用的钱。

待¹ dài ❶ 对待：优～｜以礼相～｜～人和气。❷ 招待：～客。

待² dài ❶ 等待：～业｜严阵以～｜有～改进。❷ 需要：自不～言。❸ 劚 要；打算：～说不说｜～要上前招呼，又怕认错了人。

另见 259 页 dāi。

【待产】dàichǎn 劚 等待分娩。

【待承】dài·cheng 劚 招待；看待：老人拿出最好的东西～客人。

【待岗】dàigǎng 劚（下岗人员）等待得到工作岗位。

【待机】dàijī 劚 ❶ 等待时机：～而动｜～行事。❷（手机等）处于等待工作的状态。

【待价而沽】dài jià ér gū 等待有好价钱才出售（语本《论语·子罕》），旧时比喻等待时机出来做官，现多比喻等待有好的待遇、条件才肯答应任职或做事。

【待见】dài·jiàn 〈口〉劚 喜爱；喜欢（多用于否定式）：不招人～｜谁都不～他。

【待考】dàikǎo 劚 暂时存疑，留待查考。

【待理不理】dài lǐ bù lǐ 像要搭理又不答理，形容对人态度冷淡。

【待命】dàimìng 劚 等待命令：集结～。

【待聘】dàipìn 劚 等待聘用：～人员｜单位裁减编制后，有二十多名干部～。

【待人接物】dài rén jiē wù 跟人相处。

【待业】dàiyè 劚 等待就业：～青年｜～人员｜在家～。

【待遇】dàiyù ❶〈书〉劚 对待（人）：～宾

客甚厚。❷图对待人的情形、态度、方式：周到的～|冷淡的～。❸图指权利、社会地位等：政治～|～平等。❹图物质报酬，工资福利：生活～|～优厚。

【待字】dàizì〈书〉动指女子尚未定亲（字）许配）：～闺中。

怠 dài ❶懒惰；松懈：～惰|～懈。❷轻慢；不恭敬：～慢。

【怠惰】dàiduò 形懒惰。

【怠工】dài//gōng 动有意地不积极工作，降低工作效率：消极～。

【怠慢】dàimàn 动❶冷淡：不要～了客人。❷客套话，表示招待不周：～之处，请多包涵。

埭 dài〈方〉坝（多用于地名）：石～（在安徽）|钟～（在浙江）。

袋 dài ❶（～儿）图口袋：布～|衣～|米～。❷量用于水烟或旱烟：一～烟。

【袋鼠】dàishǔ 图哺乳动物，前肢短小，后肢粗大，善于跳跃，尾巴粗大，能支持身体。雌的腹部有皮质的育儿袋。吃青草、野菜。种类很多。生活在大洋洲。

【袋子】dài·zi 图口袋：面～。

绐 dài 量合³的旧称。

逮¹ dài ❶〈书〉到；及：力有未～。❷（Dài）图姓。

逮² dài 义同"逮"（dǎi），只用于"逮捕"。另见260页 dǎi。

【逮捕】dàibǔ 动司法机关依法对犯罪嫌疑人、被告人在一定时间内剥夺其人身自由，并予以羁押的刑事强制措施。

逮（靆）dài 见6页[叆叇]。

戴 dài ❶动把东西放在头、面、颈、胸、臂等处：～帽子|～花|～眼镜|～红领巾|披星～月|不共～天。❷拥护尊敬：爱～|感～。❸（Dài）图姓。

【戴高帽子】dài gāomào·zi 比喻对人说恭维的话。也说戴高帽儿。

【戴绿帽子】dài lǜmào·zi 称人妻子有外遇（含讥讽意）。

【戴胜】dàishèng 图鸟，羽毛大部为棕色，有羽冠，嘴细长而稍弯。吃昆虫，对农业有益。通称呼哱哱（hūbōbō）。

【戴孝】（带孝）dài//xiào 动死者的亲属和亲戚在一定时期内穿着孝服，或在袖子上缠黑纱、辫子上扎白绳等，表示哀悼。

【戴罪立功】dài zuì lì gōng 在承当某种罪名的情况下建立功劳。

黛 dài ❶〈书〉青黑色的颜料，古代女子用来画眉：粉～（指妇女）。❷〈书〉青黑色的：～发（fà）。❸（Dài）图姓。

【黛绿】dàilǜ 形墨绿：深秋的树林，一片～，一片金黄。

黱 dài〈书〉同"黛"①②。

襶 dài 见978页[襜襶]。

dān（ㄉㄢ）

丹 dān ❶红色：～砂|～枫。❷依成方制成的颗粒状或粉末状的中药（从前道家炼药多用朱砂，所以称为"丹"）：丸散膏～|灵～妙药。❸（Dān）图姓。

【丹顶鹤】dāndǐnghè 图鹤的一种，羽毛白色，翅膀大，末端黑色，覆在短尾上面，能高飞，头顶朱红色，颈和腿很长，常涉水吃鱼、虾等。叫的声音高而响亮。也叫仙鹤。

【丹毒】dāndú 图病，由溶血性链球菌侵入皮肤的小淋巴管引起。最常发病的部位是面部和小腿。症状是突发高热，病变部分呈片状红斑，疼痛，发热，与正常组织之间界限很清晰。

【丹方】dānfāng 同"单方"。

【丹凤眼】dānfèngyǎn 图外眼角向上微翘的眼睛。

【丹青】dānqīng〈书〉图❶红色和青色的颜料，借指绘画：～手（画师）|～妙笔|擅长～。❷指史册；史籍：功垂～。

【丹砂】dānshā 图朱砂。

【丹参】dānshēn 图多年生草本植物，茎方形，羽状复叶，花淡紫色或白色。根圆柱形，外皮朱红色，可入药。

【丹田】dāntián 图❶穴位，关元、阴交、气海、石门四个穴位于脐下腹部，都叫做丹田。❷人体的部位，两眉间叫上丹田，心窝处叫中丹田，脐下叫下丹田。❸道家指人体脐下三寸的地方。

【丹心】dānxīn 图赤诚的心：一片～。

担（擔）dān 动❶用肩膀挑：～水|人家两个人抬一筐，他一个人

～两筐。❷ 担负；承当：承～│分～│把任务～起来│你叫我师傅，我可～不起(不敢当)。

另见 267 页 dǎn"掸"；268 页 dàn。

【担保】dānbǎo 劻 表示负责，保证不出问题或一定办到：出不了事，我敢～│交给他办，～错不了。

【担不是】dān bù·shi 承当过错：万一出了问题，也不能让他一个人～。

【担待】dāndài 〈口〉劻 ❶ 原谅；谅解：孩子小，不懂事，您多～。❷ 担当：～不起│你放心吧！一切有我～。

【担当】dāndāng 劻 接受并负起责任：～重任│再艰巨的工作，他也勇于～。

【担负】dānfù 劻 承当(责任、工作、费用)：～重任│施工所需费用由厂方～。

【担纲】dāngāng 劻 指在艺术表演或体育比赛中担任主角或主力，泛指在工作中承担重任：由著名演员～这部影片│方案设计由享有盛誉的建筑师～。

【担搁】dān·ge 见 266 页【耽搁】。

【担架】dānjià 名 医院或军队中抬送病人、伤员的用具，用竹、木、金属等做架子，中间绷着帆布或绳子：一副～。

【担惊受怕】dān jīng shòu pà 提心吊胆，害怕遭受祸害。

【担名】dān∥míng (～儿)承当某种名分：他只是担个名儿，并没做什么工作。

【担任】dānrèn 劻 担当某种职务或工作：～小组长│～运输工作。

【担心】dān∥xīn 劻 放心不下：～情况有变│一切都顺利，请不要～。

【担忧】dānyōu 劻 发愁；忧虑：儿行千里母～│不必～，他不会遇到危险的。

单(單)

dān ❶ 形 属性词。一个(跟"双"相对)：～扇门│～人床。❷ 形 属性词。奇数的(一、三、五、七等，跟"双"相对)：～数│～号│～日。❸ 单独：～身│～干│～打一│～枪匹马│形～影只。❹ 副 只；仅：干工作不能～凭经验│别的不说，～说这件事。❺ 项目或种类少；不复杂：简～│～纯│～调。❻ 薄弱：～薄│势孤力～。❼ 形 属性词。只有一层的(衣服等)：～衣│～裤│这堆衣服都～的，夹的都有。❽ (～儿)名 单子①：被～儿│床～子。❾ (～儿)名 单子②：名～│传～│清

～│账～│货～│你给开个～儿吧。❿ (Dān)名 姓。

另见 147 页 chán；1189 页 Shàn。

【单帮】dānbāng 名 指从甲地贩商品到乙地出卖的单人商贩：跑～│～客人。

【单薄】dānbó 形 ❶ 指天凉或天冷的时候穿的衣服薄而且少：冰天雪地的，穿这么～，行吗？❷ (身体)瘦弱：她从小多病，身子～。❸ (力量、论据等)薄弱；不充实：人手～│兵力～│内容～。

【单产】dānchǎn 名 在一年或一季中单位土地面积上的产量。

【单车】dānchē 〈方〉名 自行车。

【单程】dānchéng 名 一来或一去的行程(区别于"来回")：～车票。

【单传】dānchuán 劻 ❶ 几代相传都只有一个儿子：三世～。❷ 旧时指一个师傅所传授，不杂有别的流派。

【单纯】dānchún 形 ❶ 简单纯一；不复杂：思想～│情节～。❷ 单一：～技术观点│～追求数量。

【单纯词】dānchúncí 名 只包含一个词素的词(区别于"合成词")。就汉语说，有时只用一个字来表示，如"马、跑、快"。有时用两个或两个以上的字来表示，必须合起来才有意义，如"葡萄、徘徊、法西斯、罗曼蒂克"。

【单纯林】dānchúnlín 名 由一个树种组成的森林(跟"混交林"相对)。

【单词】dāncí 名 ❶ 单纯词。❷ 词(区别于"词组")。

【单打】dāndǎ 名 某些球类比赛的一种方式，由两人对打，如乒乓球、羽毛球、网球等都有单打。

【单打一】dāndǎyī 劻 集中力量做一件事或只顾及某一方面的事物，而不管其他方面：现代化建设的任务是多方面的，各个方面需要综合平衡，不能～。

【单单】dāndān 副 只；仅仅(表示从一般的人或事物中指出个别的)：别人都来了，～他没来│其他环节都没问题，～这里出了毛病。

【单刀】dāndāo 名 ❶ 短柄长刀，武术器械。❷ 武术运动项目之一，表演或练习时只用一把单刀。

【单刀直入】dān dāo zhí rù 比喻说话直截了当，不绕弯子。

【单调】 dāndiào 形 简单、重复而没有变化：色彩～｜样式～｜只做一种游戏，未免～。

【单独】 dāndú 副 不跟别的合在一起；独自：～行动｜请抽空到我这里来一下，我要～跟你谈谈｜他已经能够离开师傅，～操作了。

【单方】 dānfāng 名 民间流传的药方。也作丹方。

【单干】 dāngàn 动 不跟别人合作，单独干活：～户｜一个人～。

【单杠】 dāngàng 名❶ 体操器械的一种，用两根支柱架起一根铁杠做成。❷ 男子竞技体操项目之一，运动员在单杠上做各种动作。

【单个儿】 dāngèr ❶ 副 独自一个：说好了大家一齐去，他偏要～去。❷ 形 属性词。成套或成对中的一个：～的耳环｜这套家具不～卖。

【单轨】 dānguǐ 名 只有一组轨道的铁路线。

【单果】 dānguǒ 名 果实的一类，由一朵花的一个成熟子房发育而成。如桃、李、杏、棉、向日葵等的果实。也叫单花果。

【单过】 dānguò 动 (分开)单独过日子：儿子结了婚，和老人分居～了，只在节假日回来。

【单寒】 dānhán 〈书〉形❶ 衣服穿得少，不能御寒。❷ 家世寒微，没有地位。

【单花果】 dānhuāguǒ 名 单果。

【单簧管】 dānhuángguǎn 名 管乐器，由嘴子、小筒、管身和喇叭口四部分构成，嘴子上装有单簧片。也叫黑管。

【单价】 dānjià 名 商品的单位价格。

【单间】 dānjiān (～儿)名❶ 只有一间的屋子：～铺面。❷ 饭馆、旅馆内供单人或一起来的几个人用的小房间。

【单键】 dānjiàn 名 化合物分子中两个原子共用一对电子形成的共价键。通常用一条短线(—)表示。

【单晶体】 dānjīngtǐ 名 原子按照统一的规则排列的晶体。具有一定的外形，其物理性质在不同方向一般各不相同。

【单句】 dānjù 名 不能分析成两个或两个以上的分句的句子。

【单据】 dānjù 名 收付款项或货物的凭证，如收据、发票、发货单、收支传票等。

【单口】 dānkǒu 形 属性词。曲艺的一种表演形式，只有一个演员进行表演，如京韵大鼓、山东快书、单口快板等。

【单口相声】 dānkǒu xiàng·sheng 只有一个人演的相声。参看 1490 页〖相声〗。

【单利】 dānlì 名 计算利息的一种方法，只按照本金计算利息，所生利息不加入本金重复计算利息(区别于"复利")。

【单恋】 dānliàn 动 男女间仅一方爱慕另一方；单相思。

【单列】 dānliè 动 (项目等)单独开列：计划～市｜这笔款项收支～。

【单偶婚】 dān'ǒuhūn 名 一夫一妻的婚姻形式，产生于原始社会末期。

【单皮】 dānpí 名 类似小鼓的一种单面蒙皮的打击乐器，戏曲演出时用来指挥其他乐器。

【单枪匹马】 dān qiāng pǐ mǎ 比喻单独行动，没有别人帮助。也说匹马单枪。

【单亲】 dānqīn 形 属性词。指只有父亲或母亲的：～家庭｜～子女。

【单人舞】 dānrénwǔ 名 独舞。

【单弱】 dānruò 形❶ (身体)瘦弱；不结实。❷ (力量)单薄：兵力～。

【单身】 dānshēn 名 没有家属或没有跟家属在一起生活的人：～汉｜宿舍｜～在外。

【单身贵族】 dānshēn guìzú 指独身的成年人(多指比较年轻、条件比较优越的)。

【单身汉】 dānshēnhàn 名 没有妻子的人，有时也指没有跟妻子一起生活的人。

【单数】 dānshù 名❶ 正的奇数，如 1,3,5,7 等。❷ 某些语言中由词本身形式表示的单一的数量。例如英语里 pen 表示一支钢笔，是单数。

【单糖】 dāntáng 名 分子构造比较简单的糖，不能水解成更简单的糖类，如葡萄糖、果糖等。单糖在人体内不经过分解就能吸收。

【单体】 dāntǐ 名 合成高分子化合物的简单化合物。如合成聚氯乙烯的氯乙烯。

【单条】 dāntiáo (～儿)名 立轴(区别于"屏条")。

【单挑】 dāntiǎo 动 单独挑战；单独与对手较量：有本事你就～比赛方式为一对一的～。

【单位】 dānwèi 名❶ 计量事物的标准量

的名称。如米为计量长度的单位,千克为计量质量的单位,升为计量容积的单位等。❷ 指机关、团体等或属于一个机关、团体等的各个部门:直属~|下属~|事业~|参加竞赛的有很多~。

【单位制】dānwèizhì 名 有关基本单位、导出单位等一系列度量单位构成的体制。

【单弦儿】dānxiánr 名 曲艺的一种,用弦子和八角鼓伴奏,八角鼓由唱者自己摇或弹。流行于华北、东北等地。

【单线】dānxiàn 名 ❶ 单独的一条线。❷ 只有一组轨道的铁道或电车道,相对方向的车辆不能同时通行(区别于"复线")。

【单相思】dānxiāngsī 动 指男女间仅一方对另一方爱慕。

【单向】dānxiàng 形 属性词。指单一方向的:人才不能~流动。

【单项】dānxiàng 名 单一的项目:体操~比赛。

【单行】dānxíng ❶ 形 属性词。就单一事项而实行的(条例等);仅在某个地方颁行和适用的(法规等)。❷ 动 单独降临:祸不~。❸ 动 向单一的方向行驶:~线|这条路只能~。

【单行本】dānxíngběn 名 ❶ 从报刊上或从成套成部的书里抽出来单独印行的著作。❷ 在报刊上分期发表后经整理、汇集而印行的著作。

【单行道】dānxíngdào 名 单行线。

【单行线】dānxíngxiàn 名 只供车辆向一个方向行驶的路。也叫单行道。

【单性花】dānxìnghuā 名 一朵花里只有雄蕊或雌蕊的叫单性花。具有单性花的植物,有的雌雄同株,如玉米,有的雌雄异株,如大麻。

【单性生殖】dānxìng-shēngzhí 某些比较低等的生物的卵未经受精就能发育成新的个体,这种繁殖叫做单性生殖。动物中如蚜虫不经过交配就能繁殖,植物中如黄瓜不经过传粉受精就能结果。也叫孤雌生殖。

【单姓】dānxìng 名 只有一个字的姓,如张、王、刘、李等(区别于"复姓")。

【单眼】dānyǎn 名 节肢动物的一种眼,只有一个水晶体。单眼的数目,各种节肢动物不同,如蜜蜂有三只,蜘蛛类有两只到

八只。单眼只能分辨光的强弱,不能分辨颜色。

【单眼皮】dānyǎnpí (~儿)名 上眼皮下缘没有褶儿的叫单眼皮。

【单叶】dānyè 名 一个叶柄上只生一个叶片的叶子,形状很多,如针形、条形、披针形的、倒卵形的。

【单一】dānyī 形 只有一种:~经济|品种~|方法~。

【单衣】dānyī 名 只有一层的比较薄的衣服。

【单音词】dānyīncí 名 只有一个音节的词,如"笔、水、花儿(huār)、吃、走、大、高"等。

【单音字】dānyīnzì 名 只有一个读音的字,如丹、巾等。

【单元】dānyuán 名 整体中自成段落、系统,自为一组的单位(多用于教材、房屋等):~练习|~房|三号楼二~六室。

【单元房】dānyuánfáng 名 有卧室、客厅、厨房、卫生间等自成一套的住房。

【单肢动物】dānzhī-dòngwù 无脊椎动物的一门,有触角,通常只有用来行走的步足,有的第一对步足变成毒颚。如昆虫、蜈蚣、蚰蜒、马陆等。

【单质】dānzhì 名 由同种元素的原子组成的纯净物,如氢、氧、溴、汞、铁、铜等。有些元素可以形成不同的单质,如元素磷有白磷、红磷等单质。

【单子】dān·zi 名 ❶ 盖在床上或包在被、褥上的大幅布:布~|床~|褥~。❷ 分项记载事物的纸片:菜~|要买些什么,请开个~。

【单字】dānzì 名 ❶ 单个的汉字。❷ 指外国语中一个个的词:学外语记~很重要。

【单作】dānzuò 动 在一块耕地上,一茬只种植一种作物。

眈 dān ［眈眈］(dāndān)形 形容眼睛注视:~相向|虎视~。

耽¹(躭) dān 延误;迟延:~搁|~误。

耽² dān 〈书〉沉溺;入迷:~玩|~于幻想。

【耽搁】(担搁) dān·ge 动 ❶ 停留:因为有些事情没办完,在上海多~了三天。❷ 拖延:~时间|事情再忙也不要~治病。❸ 耽误:庸医误诊,把病给~了。

【耽误】dān·wu 动 因拖延或错过时机而误事：快走吧，别～了看电影！手续烦琐，实在～时间。

郸(鄲) dān ❶ 郸城(Dānchéng)，地名，在河南。❷ (Dān) 名 姓。

聃(耼) dān 用于人名，老聃，古代哲学家。

殚(殫) dān 〈书〉尽；竭尽：～心｜～力｜～思极虑(用心思)。

【殚精竭虑】dān jīng jié lǜ 用尽精力，费尽心思。

瘅(癉) dān [瘅疟](dānnüè) 名 中医指疟疾的一种，症状是发高热，不打寒战，烦躁，口渴，呕吐等。
另见 270 页 dàn。

禅(禪) dān 〈书〉单衣。

箪(簞) dān 古代盛饭用的圆形竹器。

【箪食壶浆】dān sì hú jiāng 古时老百姓用箪盛饭，用壶盛汤来欢迎他们爱戴的军队，后用来形容军队受欢迎的情况。

儋 Dān 儋州(Dānzhōu)，地名，在海南。

甔 dān 〈书〉瓶。

dǎn （ㄉㄢˇ）

胆(膽) dǎn 名 ❶ 胆囊的通称。❷ (～儿)胆量：～怯｜～大心细｜～小如鼠｜壮壮～儿。❸ 装在器物内部，可以容纳水、空气等物的东西：球～｜暖水瓶的～。❹ (Dǎn)姓。

【胆大包天】dǎn dà bāo tiān 形容胆量极大(多用于贬义)。

【胆大妄为】dǎn dà wàng wéi 毫无顾忌地胡作非为。

【胆道】dǎndào 名 胆管。

【胆敢】dǎngǎn 动 竟有胆量敢于(做某事)：敌人～来侵犯，坚决把他彻底消灭。

【胆固醇】dǎngùchún 名 醇的一种，白色晶体，质地软。人的胆汁、神经组织、血液中含胆固醇较多。是合成胆酸和类固醇激素的重要原料。胆固醇代谢失调会引起动脉硬化和胆石症。

【胆管】dǎnguǎn 名 肝脏的输出管，与十二指肠相连接。肝内生成的胆汁通过它流入十二指肠。也叫胆道。

【胆寒】dǎnhán 形 害怕。

【胆力】dǎnlì 名 胆量和魄力：～过人。

【胆量】dǎnliàng 名 不怕危险的精神；勇气：～小｜有～。

【胆略】dǎnlüè 名 勇气和智谋：～超群。

【胆囊】dǎnnáng 名 储存胆汁的囊状器官，在肝脏右叶的下前方，与胆管相连接。通称胆。(图见 1493 页"人的消化系统")

【胆瓶】dǎnpíng 名 颈部细长而腹部大的花瓶，形状有点像胆。

【胆魄】dǎnpò 名 胆量和魄力。

【胆气】dǎnqì 名 胆量和勇气。

【胆怯】dǎnqiè 形 胆小；缺少勇气：初上讲台，还真有几分～。

【胆识】dǎnshí 名 胆量和见识：～非凡。

【胆小鬼】dǎnxiǎoguǐ 名 胆量小的人(含讥讽意)。

【胆战心惊】dǎn zhàn xīn jīng 形容非常害怕。

【胆汁】dǎnzhī 名 肝脏产生的消化液，有苦味，黄绿色，储存在胆囊中。能促进脂肪的分解、皂化和吸收。

【胆壮】dǎnzhuàng 形 胆子大：他见到有人支持他，就更～了。

【胆子】dǎn·zi 名 胆量：～不小。

疸 dǎn 见 599 页【黄疸】。
另见 259 页·da。

掸(撣、揹、担) dǎn 动 用掸子或别的东西轻轻地抽或拂，去掉灰尘等：～掉衣服上的雪｜墙壁和天花板都～得很干净。
另见 1189 页 Shàn。"担"另见 263 页 dān；268 页 dàn。

【掸子】dǎn·zi 名 用鸡毛或布绑成的除去灰尘的用具。

赕(賧) dǎn 奉献：～佛。[傣]

【赕佛】dǎnfó 动 我国信奉佛教的某些少数民族向庙宇捐献财物，求佛消灾赐福。

亶 dǎn 〈书〉实在；诚然。
另见 270 页 dàn。

黕 dǎn 〈书〉❶ 污垢。❷ 乌黑。

dàn （ㄉㄢˋ）

石 dàn 量 容量单位,10 斗等于 1 石。(在古书中读 shí,如"二千石、万石"等。)

另见 1233 页 shí。

旦¹ dàn ❶ 天亮的时候;早晨:～暮|～夕|通宵达～|枕戈待～。❷(某一)天:一～|元～。❸(Dàn)名 姓。

旦² dàn 名 戏曲角色,扮演妇女,有青衣、花旦、老旦、武旦等区别。

旦³ dàn 量 旦尼尔的简称。旧时的纤度单位,9 000 米长的天然丝或化学纤维重量为多少克,它的纤度就是多少旦,1 旦＝1/9 特。旧称紫(dài)。

【旦旦】dàndàn 〈书〉形 诚恳的样子:～之言|信誓～。

【旦角】dànjué (～儿)名 旦²,有时特指青衣、花旦。

【旦尼尔】dànní'ěr 量 纤度的非法定计量单位,简称旦。[法 denier]

【旦夕】dànxī 〈书〉名 早晨和晚上,借指短时间:危在～|人有～祸福。

但 dàn ❶ 副 只;仅仅:～愿如此|不求有功,～求无过|辽阔的原野上,～见麦浪随风起伏。❷ 连 但是:屋子小,～挺干净|工作虽然忙,～一点也没放松学习。❸ (Dàn)名 姓。

【但凡】dànfán 副 凡是;只要是:～有一线希望,也要努力争取|过路的人,没有一个不在这儿打尖的。

【但是】dànshì 连 用在后半句话里表示转折,往往与"虽然、尽管"等呼应:他想睡一会儿,～睡不着|他虽然已经七十多了,～人仍然很健旺。

【但书】dànshū 名 法律条文中"但"或"但是"以下的部分,指出本条文的例外或限制。

担(擔) dàn ❶ 名 担子:重～|货郎～|提篮挑～。❷ 量 重量单位,100 斤等于 1 担。❸ 量 用于成担的东西:一～水|两～柴。

另见 263 页 dān;267 页 dǎn "掸"。

【担子】dàn·zi 名 ❶ 扁担和挂在两头的

东西:一副～。❷ 比喻担负的责任:我们不怕～重,一定要把事情办好。

诞¹(誕) dàn ❶ 诞生:～辰。❷ 生日:华～|寿～。

诞²(誕) dàn 荒唐的;不实在的;不合理的:虚～|荒～|怪～。

【诞辰】dànchén 名 生日(多用于所尊敬的人)。

【诞生】dànshēng 动 (人)出生:他～在兵荒马乱的年月◇1949 年 10 月 1 日,中华人民共和国～了。

疍(蜑) dàn [疍民](dànmín)名 见 1280 页[水上居民]。

莒 dàn 见 538 页[菡莒]。

啖¹(啗、噉) dàn 〈书〉❶ 吃或给别人吃:～饭|以枣～之。❷ 拿利益引诱人:～以重利。

啖² Dàn 名 姓。

淡 dàn ❶ 形 液体或气体中所含的某种成分少;稀薄(跟"浓"相对):～墨|天高云～。❷ 形 (味道)不浓;不咸:一杯～酒|～而无味|菜太～,再放点盐。❸ 形 (颜色)浅:～青|～绿|颜色很～◇轻描～写。❹ 形 冷淡;不热心:～然处之|～～地答应了一声。❺ 形 营业不旺盛:～季|～月|近来生意很～。❻ 没有意味的;无关紧要的:～话|～事|扯～。❼ (Dàn)名 姓。

【淡泊】(澹泊) dànbó 〈书〉动 不追求名利:～名利|～明志。

【淡薄】dànbó 形 ❶ (云雾等)密度小:浓雾渐渐地～了。❷ (味道)不浓:酒味～。❸ (感情、兴趣等)不浓厚:人情～|他对象棋的兴趣逐渐～。❹ (印象)因淡忘而模糊:时间隔得太久,印象非常～了。

【淡菜】dàncài 名 贻贝的干制品。

【淡出】dànchū 动 ❶ 影视片的画面由清晰明亮逐渐变得模糊暗淡,以至完全消失,是摄影方法造成的一种效果,表示剧情发展中一个段落的结束。❷ 比喻逐渐退出(某一领域、范围):～演艺界|～社会活动。

【淡而无味】dàn ér wú wèi 指食物淡,没有滋味。比喻事物平淡,不能引起人的兴趣。

【淡化】dànhuà 动❶ 使含盐分较多的水变成可供人类生活或工农业生产用的淡水：～海水｜咸水～。❷ (问题、情感等)逐渐冷淡下来，变得不被重视或无关紧要：家族观念～了。❸ 使淡化：～故事情节。

【淡季】dànjì 名 营业不旺盛的季节或某种东西产出少的季节(跟"旺季"相对)：蔬菜～｜旅游～。

【淡漠】dànmò 形❶ 没有热情；冷淡：反应～｜～的神情。❷ 记忆不真切；印象淡薄：十几年过去了，这件事在人们的记忆里已经～了。

【淡青】dànqīng 形 浅蓝而微绿的颜色。

【淡然】(澹然)dànrán 〈书〉形 形容不经心；不在意：～置之｜～一笑。

【淡入】dànrù 动❶ 影视片的画面由黑暗模糊逐渐变得清晰明亮，以至完全显露，是摄影方法造成的一种效果，表示剧情发展中一个段落的开始。❷ 比喻逐渐进入(某一领域、范围)。

【淡市】dànshì 名 交易清淡的市场形势(跟"旺市"相对)：中式快餐在～中显示了强大的生命力。

【淡水】dànshuǐ 名 含盐分极少的水：～湖｜～养鱼。

【淡水湖】dànshuǐhú 名 水中含盐分极少的湖。

【淡忘】dànwàng 动 印象逐渐淡漠以至于忘记：许多年过去，这件事被人～了。

【淡雅】dànyǎ 形 素净雅致；素淡典雅：服饰～｜色彩～。

【淡月】dànyuè 名 营业不旺盛的月份(跟"旺月"相对)。

【淡妆】dànzhuāng 名 淡雅的妆饰。

惮(憚) dàn 〈书〉畏惧；怕：肆无忌～。

弹(彈) dàn ❶ (～儿)弹子：～丸｜泥～儿。❷ 枪弹；炮弹，炸弹：中～｜投～｜手榴～｜燃烧～｜信号～｜原子～｜氢～｜导～。

另见 1322 页 tán。

【弹道】dàndào 名 弹头射出后所经的路线。因受空气的阻力和地心引力的影响，形成不对称的弧线形。

【弹道式导弹】dàndàoshì dǎodàn 导弹的一种，由火箭发动机推送到预定高度和达到预定速度后，发动机自行关闭，导弹由于惯性作用沿弹道曲线飞向目标。远程导弹、洲际导弹大多是弹道式导弹。也叫弹道导弹。

【弹弓】dàngōng 名 用弹(tán)力发射弹丸的弓。

【弹痕】dànhén 名 弹着点的痕迹：～遍地｜～累累。

【弹尽粮绝】dàn jìn liáng jué 弹药用光，粮食吃完，形容作战的必需品消耗完又得不到补给，处境十分困难。

【弹壳】dànké 名❶ 药筒的通称。❷ 炸弹的外壳。

【弹坑】dànkēng 名 炮弹、地雷、炸弹等爆炸后在地面或其他物体上形成的坑。

【弹片】dànpiàn 名 炮弹、炸弹爆炸后的碎片。

【弹头】dàntóu 名 枪弹、炮弹、导弹等的前部，射出后能起杀伤和破坏作用。

【弹丸】dànwán 名❶ 弹弓所用的铁丸或泥丸。❷ 枪弹的弹头。❸〈书〉比喻很小的地方：～之地。

【弹无虚发】dàn wú xū fā 子弹射出去每颗都命中目标，也比喻做一件事成一件事，没有落空的。

【弹药】dànyào 名 枪弹、炮弹、手榴弹、炸弹、地雷等具有杀伤能力或其他特殊作用的爆炸物的统称。

【弹着点】dànzhuódiǎn 名 枪弹或炮弹着落的地点。

【弹子】dàn·zi 名❶ 弹丸①。❷〈方〉台球①：～房。

蛋 dàn 名❶ 鸟、龟、蛇等所产的卵。❷ (～儿)球形的东西：泥～儿｜山药～。

【蛋白】dànbái 名❶ 鸟卵中透明的胶状物质，包在蛋黄周围，由蛋白质组成。❷ 指蛋白质：动物～｜植物～。

【蛋白胨】dànbáidòng 名 有机化合物，由蛋白质经酸、碱或蛋白酶分解后而成。医学上用作细菌的培养基，也用来治疗消化道疾病。简称胨。

【蛋白酶】dànbáiméi 名 有机化合物，主要存在于动物体内，作用是把蛋白质分解成便于吸收的氨基酸。种类很多，如胃蛋白酶、胰蛋白酶等。

【蛋白质】dànbáizhì 名 天然的高分子有机化合物，由多种氨基酸结合而成。是构成生物体活质的最重要部分,是生命的基础,种类很多。旧称朊(ruǎn)。

【蛋雕】dàndiāo 名 在鸭蛋等蛋壳上雕刻形象、花纹的艺术,也指用蛋壳雕刻成的作品。

【蛋糕】dàngāo 名 鸡蛋和面粉加糖和油制成的松软的糕。

【蛋羹】dàngēng 名 鲜蛋去壳打匀后,加适量的水和作料蒸成的食物。

【蛋黄】dànhuáng (～儿)名 鸟卵中黄色胶状的物体,球形,周围有蛋白。也叫卵黄。

【蛋鸡】dànjī 名 卵用鸡。

【蛋品】dànpǐn 名 各种蛋类(如鸡蛋、鸭蛋、鹅蛋、鹌鹑蛋等)和各种蛋类制品的统称。

【蛋青】dànqīng 形 像青鸭蛋壳的颜色。

【蛋清】dànqīng (～儿)〈口〉名 蛋白①。

【蛋子】dàn·zi 名 蛋②。

氮 dàn 名 ❶ 气体元素,符号 N(nitrogenium)。无色无臭,不能燃烧,也不能助燃,化学性质很不活泼。氮在空气中约占 4/5,是植物营养的重要成分之一。用来制造氨、硝酸和氮肥,也用来填充灯泡。❷ 指氮气。

【氮肥】dànféi 名 主要提供氮元素的肥料,能促进作物的茎叶生长,如硫酸铵、硝酸铵、厩肥、绿肥、人类尿等。

【氮气】dànqì 名 氮分子(N_2)组成的气态物质。

亶 dàn 〈书〉同"但"①②。
另见 267 页 dǎn。

瘅(癉) dàn 〈书〉❶ 由于劳累而得的病。❷ 憎恨:彰善～恶。
另见 267 页 dān。

髧 dàn 〈书〉头发下垂的样子。

嗒(嚪) dàn 〈书〉同"啖¹"。

赕(賧) dàn 〈书〉❶ 买东西预先付钱。❷ 书册或书画卷轴卷头上贴绫的地方。

澹 dàn 〈书〉安静。
另见 1323 页 tán。

【澹泊】dànbó 见 268 页【淡泊】。

【澹然】dànrán 见 269 页【淡然】。

襢 dàn 古时丧家除服的祭祀。

当¹(當) dāng ❶ 相称:相～|门～户对|罚不～罪。❷ 助动 词。应当:该|理～如此|能省的就省,～用的还是得用。❸ 介 面对着;向着:～面|～着大家说清楚。❹ 介 正在(那时候、那地方):～今|一场|～我回来的时候,他已经睡了。❺ (Dāng)姓。

当²(當) dāng ❶ 动 担任;充当:～干部|选他～代表。❷ 动 承当;承受:敢做敢～|～之无愧|我可～不起这样的夸奖。❸ 掌管;主持:～家|～权|～政|独～一面。❹ 〈书〉阻挡;抵挡:螳臂～车|锐不可～。

当³(當) dāng 〈书〉顶端:瓦～。

当⁴(當、噹) dāng 拟声 形容撞击金属器物的声音:时钟～～～响了三下。

以上见 273 页 dàng。

【当班】dāngbān 动 在规定的时间内担任工作或参加劳动;值班:轮流～|～工人正在紧张地劳动。

【当差】dāngchāi ❶ (-//-)动 旧时指做小官吏或当仆人。❷ 名 旧指男仆。

【当场】dāngchǎng 副 就在那个地方和那个时候:～出丑|～捕获|他～就把这种新的技术演示了一次。

【当初】dāngchū 名 时间词。指从前,特指过去发生某件事情的时候:～这里是一片汪洋|早知今日,何必～?

【当代】dāngdài 名 当前这个时代:～文学|～英雄。

【当道】dāngdào ❶ (～儿)名 路中间:别在～站着。❷ 动 掌握政权(含贬义):奸佞～。❸ 名 旧时指掌握政权的大官:取悦于～。

【当地】dāngdì 名 人、物所在的或事情发生的那个地方;本地:～百姓|～风俗。

【当归】dāngguī 名 多年生草本植物,羽状复叶,花白色,果实长椭圆形。直根肥大,可入药。

【当行出色】dānghǎng-chūsè 做本行的事,成绩特别显著。

【当红】dānghóng 〔形〕（演员、文艺作品等）正走红：～影星｜～歌曲。

【当机立断】dāng jī lì duàn 抓住时机，立刻决断。

【当即】dāngjí 〔副〕立即；马上就：接到命令，～出发。

【当家】dāngjiā ❶（－/－）〔动〕主持家务：不～不知柴米贵｜我年纪轻，当不了家◇人民～做主。❷〔形〕属性词。主要的；最拿手的：～菜。

【当家的】dāngjiā·de 〔口〕〔名〕❶ 主持家务的人。❷ 主持寺院的和尚。❸ 指丈夫（zhàng·fu）：她～在县里工作。

【当间儿】dāngjiànr 〔口〕〔名〕方位词。中间；堂屋～放着一张大方桌。

【当街】dāngjiē ❶〔动〕靠近街道；临街：这里的酒店，都是～一个曲尺形的大柜台。❷〔方〕〔名〕街上：出了院门，直奔～。

【当今】dāngjīn 〔名〕❶ 时间词。如今；现时；目前：～世界｜～最新技术。❷ 封建时代称在位的皇帝。

【当紧】dāngjǐn 〔方〕〔形〕要紧：要把精力用在最～的事情上。

【当局】dāngjú 〔名〕指政府、党派、学校中的领导者：政府～｜学校～。

【当局者迷】dāng jú zhě mí "当局者迷，旁观者清"，当局者指下棋的人，旁观者指看棋的人。比喻当事人往往因为对利害得失的考虑太多，认识不客观，反而不及旁观的人看得清楚。

【当空】dāngkōng 〔动〕在上空；在天空：烈日～｜皓月～。

【当口儿】dāng·kour 〔口〕〔名〕事情发生或进行的时候：正是抗旱紧张的～，他们送来了一台抽水机。

【当啷】dānglāng 〔拟声〕形容金属器物磕碰的声音：～一声，铁锅掉在地上。

【当量】dāngliàng 〔名〕❶ 科学技术上指与某标准数量相对应的某个数量，如化学当量、热功当量、核装置的梯恩梯当量。❷ 特指化学当量。在没有建立物质的量这一概念以前，用来表示某一化学反应中参与物质的相对含量。

【当令】dānglìng 〔动〕合时令：现在是伏天，西瓜正～。

【当面】dāng//miàn （～儿）〔副〕在面前；面对面（做某事）：～对质｜～说清楚。

【当面锣对面鼓】dāng miàn luó duì miàn gǔ 比喻面对面地商谈或争论。

【当年】dāngnián ❶〔名〕时间词。指过去某一时间：～旧事｜我离开家的时候，这里还没有火车。❷〔动〕指处于身强力壮的时期：他正～，干活一点儿也不觉得累。
　　　另见 273 页 dàngnián。

【当前】dāngqián ❶〔动〕在面前：大敌～｜国难～。❷〔名〕目前；现阶段：～的任务。

【当权】dāng//quán 〔动〕掌握权力：～人物。

【当儿】dāngr 〔口〕〔名〕❶ 当口儿：正在犯愁的～，他来帮忙了。❷ 空儿；空隙：两张床中间留一尺宽的～。

【当然】dāngrán ❶〔形〕应当这样；理所｜取得这么好的成绩，心里高兴是～的。❷〔副〕表示合于事理或情理，没有疑问：群众有困难～应该帮助解决。

【当仁不让】dāng rén bù ràng 《论语·卫灵公》："当仁不让于师。"后泛指遇到应该做的事，积极主动去做，不退让。

【当日】dāngrì 〔名〕时间词。当（dāng）时。
　　　另见 274 页 dàngrì。

【当时】dāngshí 〔名〕❶ 时间词。指过去发生某件事情的时候：～不清楚，事后才知道｜他这篇文章是 1936 年写成的，～并没有发表。❷〔动〕（事物）处于合适的时期：白露早，寒露迟，秋分种麦正～。
　　　另见 274 页 dàngshí。

【当世】dāngshì 〔名〕当代：～无双。

【当事人】dāngshìrén 〔名〕❶ 指参加诉讼的一方，如民事诉讼中的原告、被告，刑事诉讼中的被害人、自诉人、犯罪嫌疑人、被告人等。❷ 跟事情有直接关系的人，如订立合同的双方。

【当头】dāngtóu ❶〔副〕正对着头；迎头：～一棒。❷〔动〕（事情）到了眼前；临头：那时国难～，全国人民同仇敌忾，奋起抗战。❸〔动〕放在首位：数字～｜不能遇事钱～。
　　　另见 274 页 tou。

【当头棒喝】dāng tóu bàng hè 佛教禅宗和尚接待来学的人的时候，常用棒一击或大声一喝，促其领悟。比喻促人醒悟的警告。

【当头一棒】dāng tóu yī bàng ❶ 比喻促人醒悟的警告。参看〖当头棒喝〗。❷ 比喻给人以突然打击。

【当务之急】dāng wù zhī jí 当前急切应办的事。

【当下】dāngxià 〈副〉就在那个时刻；立刻：我一听这话，～就愣住了。

【当先】dāngxiān ❶ 〈动〉赶在最前面：奋勇～｜一马～，万马奔腾。❷ 〈方〉〈名〉当初。

【当心】¹ dāngxīn 〈动〉小心；留神：慢点儿走，～地上滑｜跟这种人打交道，你可千万～。

【当心】² dāngxīn 〈方〉〈名〉胸部的正中，泛指正中间：一拳～｜拖拉机停在场院～。

【当选】dāngxuǎn 〈动〉选举时被选上：他再次～为工会主席。

【当央】dāngyāng 〈方〉〈名〉当中；正中：堂屋～摆着八仙桌。

【当腰】dāngyāo 〈名〉中间（多指长条形物体）：两头细，～粗。

【当院】dāngyuàn （～儿）〈方〉〈名〉院子里：吃完晚饭，大家都在～乘凉。

【当政】dāngzhèng 〈动〉掌握政权。

【当中】dāngzhōng 〈名〉方位词。❶ 正中：烈士纪念碑坐落在广场～。❷ 中间；之内：谈话～流露出不满情绪｜在这些英雄人物～，他的事迹最感人。

【当中间儿】dāngzhōngjiànr 〈口〉〈名〉方位词。正中：照片的右边是哥哥，左边是我，～是爸爸妈妈。

【当众】dāngzhòng 〈副〉当着大家：～表态｜～宣布结果。

【当子】dāng·zi 〈口〉〈名〉空儿；空隙：不要留那么大的～，靠近一点。

珰（璫） dāng 〈书〉❶ 妇女戴在耳垂上的一种装饰品。❷ 指宦官。汉代宦官侍中、中常侍等的帽子上有黄金珰的装饰品。

铛（鐺） dāng 〈拟声〉形容撞击金属器物的声音：钟鼓～～响。
另见 171 页 chēng。

裆（襠） dāng 〈名〉❶ 两条裤腿相连的部分：横～｜直～｜开～裤｜这条裤子～太肥。❷ 两条腿的中间：腿～｜胯～｜从～下钻过去。

蛵（螆） dāng 见 317 页［螳蛵］。

筜（簹） dāng 见 1688 页［筼筜］。

dǎng （ㄉㄤˇ）

挡（擋、攩） dǎng ❶ 〈动〉拦住；抵挡：拦～｜～住去路｜兵来将～，水来土掩｜一件单衣可～不了夜里的寒气。❷ 〈动〉遮蔽：～风｜～雨｜山高～不住太阳。❸ （～儿）挡子：火～｜炉～儿。❹ 〈名〉排挡的简称：二～｜空～｜挂～｜倒～。❺ 〈名〉某些仪器和测量装置用来表明光、电、热等量的等级。
另见 274 页 dàng。

【挡车】dǎng//chē 〈动〉纺织工业指看管一定数量纺织机器，并负责所看管机器上的产品的产量和质量的工作：～工。

【挡横儿】dǎng//héngr 〈方〉〈动〉从中干涉、拦阻：没你的事儿，你挡什么横儿？

【挡驾】dǎng//jià 〈动〉婉辞，谢绝来客访问：凡上门来求情的，他让秘书一概～。

【挡箭牌】dǎngjiànpái 〈名〉盾牌，比喻推托或掩饰的借口：你不想去就对他直说，别拿我做～。

【挡子】dǎng·zi 〈名〉遮挡用的东西：窗～。

党（黨） dǎng ❶ 〈名〉政党，在我国特指中国共产党：～章｜～校｜入～。❷ 由私人利害关系结成的集团：死～｜结～营私。❸ 〈书〉偏袒：～同伐异。❹ 〈书〉指亲族：父～｜母～｜妻～。❺ (Dǎng)〈名〉姓。

【党报】dǎngbào 〈名〉政党的机关报，是政党的纲领、路线和政策的宣传工具。

【党阀】dǎngfá 〈名〉指政党内把持大权、专横跋扈，进行宗派活动的头目。

【党费】dǎngfèi 〈名〉❶ 政党的活动经费。❷ 党员按期向所在的党的基层组织交纳的钱。

【党风】dǎngfēng 〈名〉政党的作风。

【党纲】dǎnggāng 〈名〉党章的总纲，是一个政党的最基本的政治纲领和组织纲领。

【党锢】dǎnggù 〈动〉古代指禁止某一集团、派别及其有关的人担任官职并限制其活动。

【党棍】dǎnggùn 〈名〉政党中依仗权势作恶多端的人。

【党国】dǎngguó 〈名〉国民党统治时期指国民党及其所掌握的国家政权。

【党徽】dǎnghuī 图 政党的标志。中国共产党党徽是镰刀和锤头组成的图案。

【党籍】dǎngjí 图 申请入党的人被批准后取得的党员资格。

【党纪】dǎngjì 图 一个政党所规定的该党党员必须遵守的纪律。

【党课】dǎngkè 图 中国共产党的组织为了对党员进行党章教育而开的课,有时也吸收申请入党的人听课。

【党魁】dǎngkuí 图 政党的首领(多含贬义)。

【党龄】dǎnglíng 图 党员入党后经过的年数。

【党派】dǎngpài 图 各政党或政党中各派别的统称。

【党旗】dǎngqí 图 代表一个政党的旗帜。中国共产党的党旗是缀有金黄色党徽图案的红旗。

【党参】dǎngshēn 图 多年生草本植物,叶卵形,花黄绿色。根可入药。原多产于上党(今山西长治一带)。

【党同伐异】dǎng tóng fá yì 跟自己意见相同的就袒护,跟自己意见不同的就加以攻击。原指学术上派别之间的斗争,后用来指一切学术上、政治上或社会上的集团之间的斗争。

【党徒】dǎngtú 图 参加某一集团或派别的人(含贬义)。

【党团】dǎngtuán ❶ 党派和团体,在我国特指共产党和共青团。❷ 某些国家议会中,属于同一政党的代表的集体。

【党委】dǎngwěi 图 某些政党的各级委员会的简称,在我国特指中国共产党的各级委员会。

【党务】dǎngwù 图 政党内部有关组织建设等的事务。

【党项】Dǎngxiàng 图 古代羌族的一支,北宋时建立西夏政权,地区包括今甘肃、陕西、内蒙古的各一部分和宁夏。

【党校】dǎngxiào 图 政党培养、训练党的干部的学校,在我国特指中国共产党的党校。

【党性】dǎngxìng 图 ❶ 阶级性最高最集中的表现。不同的阶级或政党有不同的党性。❷ 特指共产党员的党性,就是无产阶级的阶级性最高最集中的表现,是衡量党员阶级觉悟的高低和立场是否坚定的准绳。

【党羽】dǎngyǔ 图 指某个派别或集团首领下面的追随者(含贬义)。

【党员】dǎngyuán 图 政党的成员,在我国特指中国共产党的成员。

【党章】dǎngzhāng 图 一个政党的章程,一般规定该党的总纲、组织机构、组织制度及党员的条件、权利、义务和纪律等项。

【党证】dǎngzhèng 图 政党发给党员的证明其党籍的证件。

谠(讜) dǎng 〈书〉正直的(话):~言|~辞|~论。

橖(欓) dǎng 见 824 页〖簜橖〗。

dàng (ㄉㄤˋ)

叏 dàng 同"凼"。

当¹(當) dàng ❶ 合宜;合适:恰~|妥~|得~|不~|失~。❷ 动 抵得上:割麦子他一个人能~两个人。❸ 动 作为;当做:安步~车|不要把我~客人看待。❹ 动 以为;认为:~真|我~你回去了,原来还在这儿。❺ 指事情发生的(时间):~时|~天|~年。❻ 同一自己方面的:~村|~家子。

当²(當、儅) dàng ❶ 动 用实物作抵押向当铺借钱:~当|典~|一只手表~了二百块钱。❷ 押在当铺里的实物:当~|赎~。
另见 270 页 dāng。

【当成】dàngchéng 动 当做:看错了眼,我把他弟弟~他了|好材料被~废料处理了。

【当当】dàng∥dàng 动 到当铺当东西。

【当家子】dàngjiā·zi 〈口〉图 同宗族的人;本家。

【当年】dàngnián 图 时间词。本年;同一年:这个工厂~兴建,~投产。
另见 271 页 dāngnián。

【当票】dàngpiào 图 当铺开的单据,上面写明抵押品和抵押的钱数,到期凭此赎取抵押品。

【当铺】dàng·pù 图 专门收取抵押品而借款给人的店铺。借款多少,按抵押品的估价而定。到期不赎,抵押品就归当铺所有。

【当日】dàngrì 〔名〕时间词。当(dàng)天：
～事，～做完。
另见271页 dāngrì。

【当时】dàngshí 〔副〕马上；立刻：他一听到
这个消息，～就跑来了。
另见271页 dāngshí。

【当天】dàngtiān 〔名〕时间词。本天；同一
天：路不远，早晨动身，～就能回来。

【当头】dàng·tou 〈口〉〔名〕向当铺借钱时
所用的抵押品。
另见271页 dāngtóu。

【当晚】dàngwǎn 〔名〕时间词。本天的晚
上；同一天的晚上：早晨进城，～就赶回来
了。

【当夜】dàngyè 〔名〕时间词。本天的夜里；
同一天的夜里：傍晚接到命令，～就出发
了。

【当月】dàngyuè 〔名〕时间词。本月；同一
月：月票～有效。

【当真】dàngzhēn ❶〔动〕信以为真：这是
跟你闹着玩儿的，你别～。❷〔副〕确实；果
然：这话～是他说的？│那天他答应给我画
幅画儿，没过几天，～送来了一幅。

【当做】dàngzuò 〔动〕认为；作为；看成：不
要把群众的批评～耳旁风│参军后我就把
部队～自己的家。

凼 dàng 〈方〉〔名〕水坑；田地里沤肥的
小坑：水～│粪～。

【凼肥】dàngféi 〔名〕我国南方把垃圾、树
叶、杂草、粪尿等放在坑里沤成的肥料。

砀(碭) dàng 砀山(Dàngshān)，地
名，在安徽。

宕 dàng ❶拖延：延～│推～。❷放
荡，不受拘束：跌～。

垱(壋) dàng 〈方〉为便于灌溉而
筑的小土堤：筑～│挖塘。

挡(擋) dàng 见101页〖摒挡〗
(bìngdàng)。
另见272页 dǎng。

荡¹(蕩、盪) dàng ❶〔动〕摇动；摆
动：动～│飘～│～桨│
～秋千。❷无事走来走去；闲逛：游～│闲
～。❸洗：冲～│涤～。❹全部搞光；清
除：扫～│倾家～产。❺广阔；平坦：浩
～│坦～。❻(Dàng)〔名〕姓。

荡²(蕩) dàng 放纵，行为不检点：
放～│浪～│淫～。

荡³(蕩) dàng ❶浅水湖：黄天～│
芦花～。❷同"凼"。

【荡除】dàngchú 〔动〕清除：～积习。

【荡涤】dàngdí 〔动〕洗涤◇山光水色足以～
胸襟。

【荡平】dàngpíng 〔动〕扫荡平定：～天下。

【荡气回肠】dàng qì huí cháng 见606页
〖回肠荡气〗。

【荡然】dàngrán 〈书〉〔形〕形容原有的东西
完全失去：～无存│资财～。

【荡漾】dàngyàng 〔动〕(水波)一起一伏地
动：湖水～◇歌声～│春风～。

【荡悠】dàng·you 〈口〉❶轻缓地来回
摇动；摆动：小船儿在湖面上～。❷闲逛：
游荡：四处～。

【荡子】dàng·zi 〈方〉〔名〕浅水湖。

档(檔) dàng ❶带格子的架子或橱，
多用来存放案卷：归～。❷
档案：查～│调～。❸(～儿)〔名〕(器物上)
起支撑固定作用的木条或细棍儿：床～│
桌子的横～儿。❹(商品、产品的)等级：
～次│低～货│高～。❺〈方〉〔名〕货摊；摊
子：鱼～│排～。❻(Dàng)〔名〕姓。

【档案】dàng'àn 〔名〕分类保存以备查考的
文件和材料：人事～│科技～。

【档次】dàngcì 〔名〕按一定标准分成的不同
等级：商品种类多，～全│奖勤罚懒，拉开分
配的～。

【档期】dàngqī 〔名〕指影视片上演或播出所
占的时间段：排定～│延误～│春节期间是
贺岁片的最佳放映～。

【档位】dàngwèi 〔名〕❶〈方〉摊位。❷档
次；级别：工资～。

【档子】dàng·zi 〈方〉〔量〕❶用于事件：这
～事我来管吧。也说档儿。❷用于成组的
曲艺杂技等：刚过去两～龙灯，又来了一
～旱船。

砦 dàng ❶见814页[莨砦](làng-
dàng)。❷(Dàng)〔名〕姓。

鎝(鐣) dàng 又 tāng 〈书〉❶黄金。
❷一种玉。

━━━━━━━━━━
dāo (ㄉㄠ)
━━━━━━━━━━

刀 dāo ❶〔名〕切、割、削、砍、铡用的工
具，一般用钢铁制成：菜～│镰～│铡

~|铣~|一把~。❷ 名 用于劈或刺的兵器：大~|朴~|刺~。❸ 形状像刀的东西：冰~|双~|电闸。❹ 量 计算纸张的单位，通常一百张为一刀。❺ (Dāo)名姓。

【刀把儿】dāobàr 名 ❶ 刀一端供人把握的部分。❷ 比喻权柄。❸〈方〉比喻把柄。‖也说刀把子。

【刀背】dāobèi（~儿）名 刀上与刀口相反、不用来切削的一边。

【刀笔】dāobǐ 名 古代在竹简上记事，用刀子刮去错字，因此把有关公文案卷的事叫做刀笔，后世多指写状子的事（多含贬义）：~吏|~老手|长于~。

【刀兵】dāobīng 名 指武器，转指战事：动~|~相见|~之灾。

【刀锋】dāofēng 名 刀尖；刀刃。

【刀耕火种】dāo gēng huǒ zhòng 一种原始的耕种方法，把地上的草木烧成灰做肥料，就地挖坑下种。

【刀光剑影】dāo guāng jiàn yǐng 形容激烈的厮杀、搏斗或杀气腾腾的气势。

【刀具】dāojù 名 进行切削加工的工具，如车刀、铣刀、刨刀、钻头、铰刀等。也叫刃具。

【刀口】dāokǒu 名 ❶ 刀上用来切削的一边：~锋利。❷ 比喻最能发挥作用的地方：钱要花在~上|把力量用在~上。❸ 动手术或受刀伤时拉(lá)开的口子：~已经愈合。

【刀螂】dāo·lang〈方〉名 螳螂。

【刀马旦】dāomǎdàn 名 戏曲中旦角的一种，扮演熟习武艺的妇女，着重唱、念和做功。

【刀片】dāopiàn 名 ❶ 装在机械、工具上，用来切削的片状零件。❷（~儿）夹在刮脸刀架中刮胡须用的薄钢片。

【刀枪】dāoqiāng 名 刀和枪，泛指武器：~入库，马放南山(形容战争结束，天下太平)。

【刀儿】dāor 名 小的刀：小~|剃~|铅笔~。

【刀刃】dāorèn（~儿）名 刀口①②：好钢用在~上。

【刀山火海】dāo shān huǒ hǎi 比喻非常艰险和困难的地方。也说火海刀山。

【刀削面】dāoxiāomiàn 名 一种面食，先用面粉加水和成较硬的面团，再用刀削成窄而长的面片儿，煮着吃。也叫削面。

【刀鱼】dāoyú〈方〉名 带鱼。

【刀子】dāo·zi 名 小刀儿。

【刀子嘴，豆腐心】dāo·zizuǐ, dòu·fuxīn 比喻人说话尖刻而心地慈善。

【刀俎】dāozǔ〈书〉名 刀和砧板，比喻宰割者或迫害者：人为~，我为鱼肉。

叨 dāo 见下。
另见 275 页 dáo；1330 页 tāo。

【叨叨】dāo·dao〈口〉动 没完没了地说；唠叨：别一个人~了，听听大家的意见吧。

【叨登】dāo·deng〈口〉动 ❶ 翻腾：把箱底的衣服~出来晒晒。❷ 重提旧事：事情已经过去了，还~什么！

【叨唠】dāo·lao〈口〉动 叨叨：为一点儿小事就~个没完没了。

【叨念】dāoniàn〈口〉动 念叨。

忉 dāo [忉忉](dāodāo)〈书〉形 形容忧愁。

氘 dāo 名 氢的同位素之一，符号 D (deuterium)或²H。原子核中含有一个质子和一个中子，普通的氢中含有 0.02% 的氘。用于热核反应。也叫重氢。

鱽(魛) dāo 古书上指身体形状像刀的鱼，如带鱼、鲚(jì)鱼。

dáo （ㄉㄠˊ）

叨 dáo [叨咕](dáo·gu)〈方〉动 小声絮叨：他一肚子不满意，一边收拾，一边~。
另见 275 页 dāo；1330 页 tāo。

捯 dáo〈方〉动 ❶ 两手替换着把线或绳子拉回或绕好：把风筝~下来|我撑着线，请你帮我~一~。❷ 两脚交替着迈出：爸爸走得快，孩子小腿儿紧~都跟不上。❸ 追究：~老账|这件事儿已经~出头儿来了。

【捯饬】dáo·chi〈方〉动 修饰；打扮。

【捯根儿】dáo//gēnr〈方〉动 追究事情的根源。

【捯气儿】dáo//qìr〈方〉动 ❶ 指临死前急促、断续地呼吸。❷ 上气不接下气：他说得那么快,都捯不过气儿来了。

dǎo （ㄉㄠˇ）

导（導） dǎo ❶ 引导:疏导|～航|～游|先～|倡～|～淮入海|因势利～。❷ 传导:～热|～电|半～体。❸ 开导:教～|指～|训～。❹ 导演:～戏|执～。❺ (Dǎo)名 姓。

【导板】dǎobǎn 同"倒板"(dǎobǎn)。

【导报】dǎobào 名 起引导作用的报刊(多用于报刊名)。

【导标】dǎobiāo 名 航标的一种,多设在港口附近的岸上或航道狭窄的地方。一般由前低后高的两标志组成。当见到两标志形成上下一直线时,对着它航行,就是安全航行的方向。

【导播】dǎobō ❶ 动 组织和指导广播或电视节目的播出工作:～任务|～节目。❷ 名 指担任导播工作的人。

【导出单位】dǎochū-dānwèi 见 520 页《国际单位制》。

【导弹】dǎodàn 名 依靠自身动力装置能高速飞行,并依靠控制系统制导的武器,能使弹头击中预定目标。种类很多,可以从地面、舰艇或飞机上发射,攻击地面、海上或空中的目标。

【导电】dǎodiàn 动 让电荷通过,形成电流。一般金属都能导电。

【导读】dǎodú 动 对读书给予引导;指导阅读(多用于书名):世界名著～。

【导发】dǎofā 动 引发:由于疏忽～了事故。

【导购】dǎogòu ❶ 动 介绍商品,引导顾客购物。❷ 名 担任导购工作的人。

【导管】dǎoguǎn 名 ❶ 用来输送液体的管子。❷ 动物体内输送液体的管子。❸ 植物体木质部内输送水分和无机盐的管子。

【导航】dǎoháng 动 利用航行标志、雷达、无线电装置等引导飞机或轮船等航行。

【导火索】dǎohuǒsuǒ 名 导火线。

【导火线】dǎohuǒxiàn 名 ❶ 使爆炸物爆炸的引线。❷ 比喻直接引起事变爆发的事件:1914 年奥匈帝国皇太子被刺事件,是第一次世界大战的～。‖也叫导火索。

【导轮】dǎolún 名 装在机车或某些机械前部、不能自动而只有支撑作用的轮子。

【导论】dǎolùn 名 引论。

【导热】dǎorè 动 热传导。

【导师】dǎoshī 名 ❶ 高等学校或研究机关中指导人学习、进修、写作论文的人员:博士生～。❷ 在大事业、大运动中指示方向、掌握政策的人:革命～。

【导体】dǎotǐ 名 具有大量能够自由移动的带电粒子,导电能力强的物体。一般金属都是导体。

【导线】dǎoxiàn 名 输送电流的金属线,多用铜或铝制成。

【导向】dǎoxiàng ❶ 动 使向某个方面发展:这次会谈将～两国关系的正常化。❷ 动 引导方向:这种火箭的～性能良好|气垫火车也是靠路轨来～的。❸ 名 引导的方向:舆论～|产品结构调整应以市场为～。

【导言】dǎoyán 名 绪论。

【导演】dǎoyǎn ❶ 动 排演戏剧或拍摄影视片的时候,组织和指导演出工作:他～过五部电影。❷ 名 担任导演工作的人。

【导扬】dǎoyáng 〈书〉动 鼓吹宣扬:～风化。

【导引】dǎoyǐn ❶ 动 引导;带领。❷ 用仪器指挥运动物体按一定路线运行。❸ 古代的一种健身方法,由意念引导动作,配合呼吸,由上而下或由下而上地运气。相当于现在的气功或体育疗法。

【导游】dǎoyóu ❶ 动 带领游览;指导游览:～者《西湖～》。❷ 名 担任导游工作的人。

【导语】dǎoyǔ 名 长篇新闻报道的开头,概括消息内容、背景等的简短文字。

【导源】dǎoyuán 动 ❶ 发源(后面常带"于"):黄河～于青海。❷ 由某物发展而来(后面常带"于"):认识～于实践。

【导致】dǎozhì 动 引起:由一些小的矛盾～双方关系破裂。

岛（島） dǎo 名 ❶ 海洋里被水环绕、面积比大陆小的陆地。也指湖里、江河里被水环绕的陆地。❷ (Dǎo)姓。

【岛国】dǎoguó 名 全部领土由岛屿组成的国家。

【岛弧】dǎohú 名 排列成弧形的群岛。如千岛群岛、琉球群岛。

【岛屿】dǎoyǔ 名 岛(多用于总称)。

捣(搗、擣) dǎo 动 ❶ 用棍子等的一端撞击：～蒜｜～米｜用胳膊肘～了他一下◇直～敌营。❷ 捶打：～衣服。❸ 搅扰：～乱｜麻烦。

【捣蛋】dǎo//dàn 动 借端生事，无理取闹：调皮～。

【捣鼓】dǎo·gu〈方〉动 ❶ 反复摆弄：他下了班就爱～那些无线电元件。❷ 倒(dǎo)腾；经营：～点儿小买卖。

【捣鬼】dǎo//guǐ 动 使用诡计：～有术｜暗中～。

【捣毁】dǎohuǐ 动 砸坏；击毁：～敌巢｜～犯罪团伙的窝点。

【捣乱】dǎo//luàn 动 ❶ 进行破坏；扰乱。❷(存心)跟人找麻烦。

【捣麻烦】dǎo má·fan〈口〉有意寻事，使人感到麻烦。

【捣腾】dǎo·teng 同"倒腾"。

倒¹ dǎo 动 ❶(人或竖立的东西)横躺下来：摔～｜卧～｜风把树刮～。❷(事业)失败；垮台：～闭｜～台｜这家公司成立不久就～了。❸ 进行反对活动，使政府、首脑人物等垮台：～阁｜～袁(世凯)。❹(戏曲演员的嗓子)变低或变哑：他的嗓子～了，不能再登台。

倒² dǎo 动 ❶ 转移；转换：～车｜～班｜～手。❷ 腾挪①；地方太小，～不开身儿。❸ 出倒；铺子～出去了。❹ 倒买倒卖：～汇｜～粮食。
另见 278 页 dào。

【倒把】dǎobǎ 动 转手倒卖，牟取暴利：投机～。

【倒班】dǎo//bān 动 分班轮换：～生产｜昼夜～。

【倒板】dǎobǎn 名 戏曲唱腔的一种特定板式，一般作为成套唱腔的先导部分。也作导板。

【倒闭】dǎobì 动 工厂、商店等因亏本而停业。

【倒毙】dǎobì 动 倒在地上死去：～街头。

【倒仓】¹ dǎo//cāng 动 ❶ 把仓里的粮食全取出来，晾晒之后，再装进去。❷ 把一个仓里的粮食转到另一个仓里去。

【倒仓】² dǎo//cāng 动 指戏曲演员在青春期发育时嗓音变低或变哑。

【倒茬】dǎochá 动 轮作。

【倒车】dǎo//chē 动 中途换车：这趟车可以直达北京，不用～。
另见 279 页 dào//chē。

【倒伏】dǎofú 动 农作物因根茎无力，支持不住叶子和穗的重量而倾斜或倒在地上。

【倒戈】dǎo//gē 动 在战争中投降敌人，反过来打自己人。

【倒海翻江】dǎo hǎi fān jiāng 见 373 页〖翻江倒海〗。

【倒换】dǎohuàn 动 ❶ 轮流替换：几种作物～着种。❷ 掉换；交换：～次序｜～麦种。

【倒汇】dǎo//huì 动 倒买倒卖外汇。

【倒噍】dǎojiào 同"倒嚼"。

【倒嚼】dǎojiào〈口〉反刍。也作倒噍。

【倒买倒卖】dǎo mǎi dǎo mài 低价买进，高价卖出以牟利。

【倒卖】dǎomài 动 低价买进后高价卖出：转手～｜～粮食。

【倒霉】(倒楣)dǎo//méi 形 遇事不利；遭遇不好：真～，赶到车站刚开走。

【倒牌子】dǎo pái·zi 指产品或服务质量下降，失去信誉。

【倒票】dǎo//piào 动 倒买倒卖车票、船票、入场券等。

【倒嗓】dǎo//sǎng 动 指戏曲演员嗓音变低或变哑。

【倒手】dǎo//shǒu 动 ❶ 把东西从一只手转到另一只手：他没～，一口气把箱子提到六楼。❷ 把东西从一个人的手上转到另一个人的手上(多指货物买卖)：～转卖。

【倒塌】dǎotā 动(建筑物等)倒下来：房屋～。

【倒台】dǎo//tái 动 垮台。

【倒腾】dǎo·teng〈口〉动 ❶ 翻腾；移动：把粪～到地里去。❷ 掉换；调配：人手少，事情多，～不开。❸ 买进卖出；贩卖：～牲口｜～小买卖。‖也作捣腾。

【倒替】dǎotì 动 轮流替换：两个人～着护病人。

【倒头】dǎo//tóu 动 躺下：～就睡。

【倒胃口】dǎo wèi·kou ❶ 因为腻味而不想再吃；再吃的东西吃多了也～。❷ 比喻对某事物厌烦而不愿接受：就那么几句话翻来覆去地讲，让人听得～。

【倒休】dǎoxiū 〔动〕（职工）掉换工作日和休息日。

【倒牙】dǎo∥yá 〈方〉〔动〕吃了较多的酸性食物，牙神经受过分刺激，咀嚼时感觉不舒服。

【倒爷】dǎoyé 〔名〕指从事倒买倒卖活动的人（含贬义）。

【倒运】¹ dǎo∥yùn 〈方〉〔形〕倒霉。

【倒运】² dǎoyùn 〔动〕❶ 把甲地货物运到乙地出卖，再把乙地货物运到甲地出卖。❷ 把货物从一地运到另一地；转运。

【倒灶】dǎo∥zào 〈方〉❶ 〔动〕垮台；败落。❷ 〔形〕倒霉；背时：～运。

【倒账】dǎozhàng ❶ 〔动〕欠账不还；赖账：～外逃。❷ 〔名〕收不回来的账。

祷（禱） dǎo ❶ 祷告：祈～｜～祝。❷ 盼望（旧时书信用语）：盼～｜是所至～。

【祷告】dǎogào 〔动〕向神祈求保佑。

【祷念】dǎoniàn 〔动〕祷告。

【祷祝】dǎozhù 〔动〕祷告祝愿。

蹈 dǎo ❶ 践踏；踩：赴汤～火｜重～覆辙◇循规～矩。❷ 跳动：舞～｜手舞足～。

【蹈海】dǎohǎi 〈书〉〔动〕跳到海里（自杀）：～自尽｜～而死。

【蹈袭】dǎoxí 〈书〉〔动〕走别人走过的老路；因袭：～前人｜～覆辙。

dào （ㄉㄠˋ）

到 dào ❶ 〔动〕达于某一点；到达；达到：～期｜迟～｜火车～站了｜从星期三～星期五。❷ 〔动〕往；去：郊外去｜～群众中去。❸ 〔动〕用作动词的补语，表示动作有结果：看～｜办得～｜说～一定要做～｜想不～你来了。❹ 〔形〕周到：想得很～｜有不～的地方请原谅。❺ (Dào)〔名〕姓。

【到案】dào'àn 〔动〕审理案件时，与案件有关的人出庭。

【到场】dào∥chǎng 〔动〕亲自到某种集会或活动的场所：展览会开幕的时候，许多专家学者都～表示祝贺。

【到处】dàochù 〔副〕各处；处处：祖国～是欣欣向荣的景象｜～找也没有找到。

【到达】dàodá 〔动〕到了（某一地点、某一阶段）：火车于下午3时～北京。

【到底】dàodǐ ❶ (－//－)〔动〕到尽头；到终点：一竿子～｜将革命进行到～。❷ 〔副〕表示经过种种变化或曲折最后出现某种结果：新方法～试验成功了｜我想了好久，～明白了。❸ 〔副〕用在问句里，表示深究：火星上～有没有生命？｜你跟他们～有什么关系？❹ 〔副〕毕竟（多用于强调原因）：～还是年轻人干劲大｜南方～是南方，四月就插秧了。

【到点】dào∥diǎn 〔动〕达到规定的时间：商店到点就开门｜快～了，咱们赶紧进场吧。

【到顶】dào∥dǐng 〔动〕到顶点；到了尽头：这笔买卖赚个一两万也就～了。

【到访】dàofǎng 〔动〕到达（某处）访问或探访；来访。

【到家】dào∥jiā 〔形〕达到相当高的水平或标准：把工作做～｜他的表演还不～。

【到来】dàolái 〔动〕到来；来临：在雨季～之前做好防汛准备｜经济建设的新高潮已经～。

【到了儿】dàoliǎor 〈方〉〔副〕到终了；到底：我这样为你卖命，～还落个不是｜今天盼，明天盼，～也没盼到他回来。

【到期】dào∥qī 〔动〕到了规定的期限：～归还。

【到任】dào∥rèn 〔动〕指官员等到职。

【到手】dào∥shǒu 〔动〕拿到手；获得：眼看就要～的粮食，决不能让洪水冲走。

【到头】dào∥tóu (～儿)〔动〕到了尽头；直到最后：一年～｜这回总算熬到了头。

【到头来】dàotóulái 〔副〕到末了儿；结果（多用于坏的方面）：倒行逆施，～只能搬起石头碰自己的脚。

【到位】dào∥wèi ❶ 〔动〕到达适当的位置或预定的地点：传球～｜资金～｜发电机组已安装～。❷ 〔形〕指达到合适或令人满意的程度：表演很～。

【到职】dào∥zhí 〔动〕接受任命或委派，来到工作岗位：他一～就去最贫困的乡村进行调查研究。

帱（幬） dào 〈书〉覆盖。另见193页chóu。

倒¹ dào ❶ 〔动〕上下颠倒或前后颠倒：～影｜～果为因｜这几本书次序放～了。❷ 反面的；相反的：～影｜～找钱。❸ 〔动〕使向相反的方向移动或颠倒：～车｜退。❹ 〔动〕反转或倾斜容器使里面的东西

出来;倾倒:～茶|～垃圾◇他恨不能把心里的话都～出来。

倒² dào 副 ❶ 表示跟意料相反。a) 相反的意思较明显:本想省事,没想～费事了|你太客气,～显得见外了。b) 相反的意思较轻微:屋子不宽绰,收拾得～还干净(没想到)|你有什么理由,我～要听听(我还以为你有什么可说了呢)|说起他来,我～想起一件事来了(你不说我不会想起来)。[注意]a 类可以改用"反倒",b 类不能。❷ 表示事情不是那样,有反说的语气:你说得～容易,可做起来并不容易。❸ 表示让步:我跟他认识～认识,只是不太熟|东西～挺好,只是价钱贵点儿。❹ 表示催促或追问,有不耐烦的语气:你～说呀!|你～去不去呀!

另见 277 页 dǎo。

【倒背如流】dào bèi rú liú 倒着背诵像流水那样顺畅,形容诗文等读得很熟。

【倒彩】dàocǎi 名 倒好儿:喝～。

【倒插笔】dàochābǐ ❶ 动 指写字不按照笔顺写。❷ 名 倒叙。

【倒插门】dàochāmén (～儿)动 俗称男子到女方家里结婚和落户。

【倒车】dào//chē 动 使车向后退。

另见 277 页 dǎo//chē。

【倒春寒】dàochūnhán 名 早春回暖后,由于寒潮侵入,气温持续明显偏低的天气。常给农业生产带来危害。

【倒刺】dàocì 名 ❶ 手指甲两侧及下端因干裂而翘起的小片表皮,形状像刺。❷ 鱼钩、鱼叉等上面跟尖端方向相反的小钩。

【倒打一耙】dào dǎ yī pá 比喻不仅拒绝对方的指摘,反而指摘对方。

【倒风】dàofēng 动 风从烟筒出口灌入,烟气排不出去,而从炉灶口冒出。

【倒挂】dàoguà 动 ❶ 上下颠倒地挂着:崖壁上古松～。❷ 比喻应该高的反而低,应该低的反而高:购销价格～(指商品购入价格高于销售价格)。

【倒灌】dàoguàn 动 ❶ 河水、海水等因潮汐、台风等原因由低处流向高处:海水～|江水～市区。❷ 倒风;倒烟。

【倒过儿】dào//guòr 〈方〉动 颠倒;使颠倒:这两个字写倒了过儿了|把号码倒个过儿就对了。

【倒好儿】dàohǎor 名 对演员、运动员等在表演或比赛中出现差错,故意喊"好"取笑,叫"喊倒好儿"。

【倒计时】dàojìshí 动 从未来的某一时点往现在计算时间,用来表示距离某一期限还有多少时间(多含有时间越来越少,越来越紧迫的意思):～显示牌|工程已进入～阶段。

【倒剪】dàojiǎn 动 反剪:～双手。

【倒立】dàolì 动 ❶ 顶端朝下地竖立:水中映现出～的塔影。❷ 武术用语,指用手支撑全身,头朝下,两腿向上。也叫拿大顶。

【倒流】dàoliú 动 ❶ 向上游流:河水～。❷ 比喻向跟正常流动相反的方向流动:商品～|时光不会～。

【倒赔】dàopéi 动 指不但不赚,反而赔本:经营不善,～了两万元。

【倒是】dàoshì 副 ❶ 表示跟一般情理相反;反倒:该说的不说,不该说的～说个没完没了。❷ 表示事情不是那样(含责怪意):说的～容易,你做起来试试!❸ 表示出乎意料:这样的怪事我～第一次听说。❹ 表示让步:东西～好东西,就是价钱太贵。❺ 表示转折:屋子不大,布置得～挺讲究。❻ 用来缓和语气:如果人手不够,我～愿意帮忙。❼ 表示催促或追问:你～快说呀!|你～去过没去过,别吞吞吐吐的。

【倒数】dàoshǔ 动 逆着次序数(shǔ);从后向前数(shǔ):～第一名(最后一名)。

【倒数】dàoshù 名 如果两个数的积是1,其中一个数就叫做另一个数的倒数。如2的倒数是$\frac{1}{2}$,$\frac{1}{5}$的倒数是5。

【倒贴】dàotiē 动 指该收的一方反向该付的一方提供财物:这东西别说卖钱,就是～些钱送人都没人要。

【倒退】dàotuì 动 往后退;退回(后面的地方、过去的年代、以往的发展阶段):迎一阵狂风把我刮得～了好几步|～三十年,我也是个壮小伙子。

【倒行逆施】dào xíng nì shī 原指做事违反常理,现多指所作所为违背社会正义和时代进步方向。

【倒序】dàoxù 名 逆序。

【倒叙】dàoxù 名 文章、电影等的一种艺术手法。先交代故事结局或某些情节,然后回过来交代故事的开端和经过。

【倒悬】dàoxuán 〈书〉动头向下脚向上地悬挂着,比喻处于异常困苦、危急的境地:解民于~。

【倒烟】dàoyān 动指烟不从烟筒口正常排出,而从炉灶口或烟筒下部冒出。

【倒仰】dàoyǎng (~儿)〈方〉动仰面向后跌倒。

【倒影】dàoyǐng (~儿)名倒立的影子:湖面映着峰峦的~|石拱桥的桥洞和水中的~正好合成一个圆圈。

【倒映】dàoyìng 动物体的形象倒着映射到另一物体上:垂柳~在湖面上。

【倒栽葱】dàozāicōng 名摔倒时头先着地的动作:一个~|从马鞍上跌下来|风筝断了线,来了个~。

【倒找】dàozhǎo 动本应对方付给钱物,反倒付给对方钱物。

【倒置】dàozhì 动倒过来放,指颠倒事物应有的顺序:本末~|轻重~。

【倒转】dàozhuǎn ❶动倒过来;反过来:~来说,道理也是一样。❷〈方〉副反倒:你把字写坏了,~来怪我。

【倒转】dàozhuàn 动倒着转动:历史的车轮不会~。

【倒装句】dàozhuāngjù 名跟正常语序不一致的句子。汉语的一般语序为主语后谓语,如果一个句子谓语在主语前面,这个句子就是倒装句,如"去一趟吧,你"。

【倒座儿】dàozuòr 名❶四合院中跟正房相对的房屋:一进大门,左手三间~是客厅。❷车船上背向行驶方向的座位。

焘(燾)

dào 又 tāo 〈书〉同"帱"。

盗

dào ❶动偷:~窃|偷|欺世~名|监守自~|昨天夜里仓库被盗~了。❷强盗:~贼|海~|窃国大~|开门揖~。

【盗版】dàobǎn ❶动(-//-)未经版权所有者同意而翻印或翻录:~书|~光盘。❷名未经版权所有者同意而偷印或偷录的版本:这本书在海外有三种~。

【盗伐】dàofá 动未经许可非法砍伐(林木)。

【盗匪】dàofěi 名用暴力劫夺财物,扰乱社会治安的人(总称)。

【盗汗】dào//hàn 动因病或身体虚弱睡眠时出汗。

【盗劫】dàojié 动盗窃掠夺:~文物。

【盗掘】dàojué 动非法挖掘:严禁~古墓。

【盗猎】dàoliè 动非法捕猎:禁止~国家保护动物。

【盗卖】dàomài 动盗窃并出卖(公物、公产)。

【盗墓】dào//mù 挖掘坟墓,盗取随葬的东西:~贼。

【盗窃】dàoqiè 动用不合法的手段秘密地取得:~犯|~公物。

【盗印】dàoyìn 动未经版权所有者同意而非法印制(出版物):~畅销书。

【盗用】dàoyòng 动非法使用公家的或别人的名义、财物等:~公款|~他人名义。

【盗运】dàoyùn 动非法运走;偷盗并运走:~木材|~文物。

【盗贼】dàozéi 名强盗和小偷(总称)。

悼

dào 悼念:追~|哀~|~亡|~词。

【悼词】dàocí 名对死者表示哀悼的话或文章。也作悼辞。

【悼辞】dàocí 同"悼词"。

【悼祭】dàojì 动追悼和祭奠:~阵亡将士。

【悼念】dàoniàn 动怀念死者,表示哀痛:沉痛~|~亡友。

【悼亡】dàowáng 〈书〉动悼念死去的妻子,也指死了妻子。

【悼唁】dàoyàn 动悼念死者并慰问死者亲属:致电~。

道¹

dào ❶(~儿)名道路:铁~|大~|人行~|羊肠小~。❷ 水流通行的途径:河~|下水~|黄河故~。❸ 方向;方法;道理:志同~合|头头是~|以其人之~,还治其人之身|得~多助,失~寡助。❹ 道德:~义。❺ 技艺;技术:医~|茶~|花~|书~。❻ 学术或宗教的思想体系:尊师重~|传~|卫~士。❼ 属于道教的,也指道教徒:~院|~士|~姑|老~|一僧一~。❽ 名指某些封建迷信组织:一贯~。❾ (~儿)名线条;细长的痕迹:画了两条横~儿,一条斜~儿。❿ 量 a)用于江、河和某些长条形的东西;条:一~河|一~擦痕|万~霞光。b)用于门、墙等:两道门|三~防线|一~围墙。c)用于命令、题目等:一~命令|十五~题。d)次:上了三

～漆│省了一～手续。⑪（～儿）量 计量单位,忽米的俗称。⑫（Dào）名 姓。

道² dào 名❶ 我国历史上行政区域的名称。在唐代相当于现在的省,清代和民国初年在省的下面设道。❷ 某些国家行政区域的名称。

道³ dào ❶说:～白│能说会～│一语～破。❷用语言表示(情意):～喜│～歉│～谢。❸动说(跟文言"曰"相当,多见于早期白话)。❹动以为;认为:我～是谁呢,原来是你。

【道白】dàobái 名 戏曲中的说白。也叫念白。

【道班】dàobān 名 养路工人的基层组织,每个班负责若干公里铁路或公路的养路工程:～工人│～房(道班工人集体居住的房屋)。

【道别】dào∥bié 动❶ 离别;分手(一般要打个招呼或说句话):握手～│过了十字路口,两人才～。❷ 辞行:起程前他到邻居家一一～。

【道…不…】dào…bù… 〈方〉嵌入意义相反的两个单音的形容词,表示"既不…也不…"的意思:～长～短(说长不算长,说短不算短)│～高～矮│～大～小│～多～少。

【道不拾遗】dào bù shí yí 见 888 页〖路不拾遗〗。

【道岔】dàochà （～儿）名❶ 从道路干路分出的岔路。❷ 使列车由一组轨道转到另一组轨道上去的装置。

【道场】dàochǎng 名 和尚或道士做法事的场所,也指所做的法事。

【道床】dàochuáng 名 指铺在铁路路基和轨枕之间的一层道砟,能缓和列车对钢轨的冲击,巩固轨道的位置。

【道道儿】dào·daor 〈口〉名❶ 办法;主意:只要大家肯动脑筋,完成任务的～就多了。❷ 门道(mén·dao):听了半天也没听出个～来│你不懂这里面的～,千万多留神。

【道德】dàodé ❶名 社会意识形态之一,是人们共同生活及其行为的准则和规范。道德通过人们的自律或通过一定的舆论对社会生活起约束作用。❷形 合乎道德的(多用于否定式):这种损坏公物的行为很不～。

【道地】dàodì 形❶ 真正是有名产地出产的:～药材。❷ 真正的;纯粹的:一口～的

北京话。

【道钉】dàodīng 名❶ 把铁轨固定在轨枕上的专用钉子。❷ 能够反射夜间汽车灯光的装置。装在道路的隔离带上或公路的转弯处,以提示司机注意行车安全。道钉的内部构造酷似猫眼,俗称猫眼道钉。

【道乏】dào∥fá 动 因为别人为自己出力而向人慰问,表示感谢:你帮了他大忙了,他要亲自来给～呢。

【道高一尺,魔高一丈】dào gāo yī chǐ, mó gāo yī zhàng 原为佛家告诫修行的人警惕外界诱惑的话,意思是修行到一定阶段,就会有魔障干扰破坏而可能前功尽弃。后用来比喻取得一定成就后遇到的障碍会更大,也比喻正义终将战胜邪恶。

【道姑】dàogū 名 女道士。

【道观】dàoguàn 名 道士聚居和进行宗教活动的场所。

【道光】Dàoguāng 名 清宣宗(爱新觉罗·旻宁)年号(公元 1821—1850)。

【道贺】dàohè 动 道喜。

【道行】dào·héng 〈口〉名❶ 僧道修行的功夫,比喻技能本领:～深。

【道家】Dàojiā 名 先秦时期的一个思想派别,以老子、庄子为主要代表。道家的思想崇尚自然,有辩证法的因素和无神论的倾向,同时主张清静无为,反对斗争。

【道教】Dàojiào 名 我国宗教之一,东汉时形成,到南北朝时盛行起来。道教徒尊称创立者之一张道陵为天师,因而又叫"天师道"。后又分化为许多派别。道教奉老子为教祖,尊称他为"太上老君"。

【道具】dàojù 名 演剧或摄制影视片时表演用的器物,如桌子、椅子等叫大道具,扇子、茶杯等叫小道具。

【道口】dàokǒu （～儿）名 路口,特指铁路与公路交叉的路口。

【道劳】dào∥láo 动 道乏。

【道理】dào·lǐ 名❶ 事物的规律:他在跟孩子们讲热胀冷缩的～。❷ 事情或论点的是非得失的根据;理由;情理:摆事实,讲～│你的话很有～,我完全同意。❸ 办法;打算:怎么办我自有～│把情况了解清楚再作～。

【道路】dàolù 名❶ 地面上供人或车马通行的部分:～宽阔│～平坦◇人生～│走上富裕的～。❷ 两地之间的通道,包括陆地

的和水上的。

【道貌岸然】dàomào ànrán 形容神态庄严(现多含讥讽意)。

【道门】dàomén 名❶ 指道家、道教。❷(～儿)旧时某些封建迷信的组织,如一贯道、先天道等。

【道袍】dàopáo 名 道士穿的袍子。

【道破】dàopò 动 说穿:一语～天机。

【道歉】dào∥qiàn 动 表示歉意,特指认错;赔礼。

【道情】dàoqíng 名 以唱为主的一种曲艺,用渔鼓和简板伴奏,原为道士唱的道教故事的曲子,后来用一般民间故事做题材。也叫渔鼓(鱼鼓)、渔鼓道情(鱼鼓情)。

【道人】dào·ren 名❶ 旧时对道士的尊称。❷ 古代也称佛教徒为道人。❸〈方〉佛寺中打杂的人。

【道士】dào·shi 名 道教徒。

【道听途说】dào tīng tú shuō 从道路上听到,在道路上传说,指传闻的、没有根据的话。

【道统】dàotǒng 名 宋、明理学家称儒家学术思想授受的系统。他们自认为是继承周公、孔子的道统的。

【道喜】dào∥xǐ 动 对人有喜庆事表示祝贺:登门～。

【道谢】dào∥xiè 动 用言语表示感谢:当面向他～。

【道学】dàoxué ❶ 名 理学。❷ 形 形容古板迂腐:～气|～先生。

【道牙】dàoyá 名 马路牙子,用一块一块的凸形水泥构件连接而成。也叫道牙子。

【道义】dàoyì 名 道德和正义:给以～上的支持。

【道院】dàoyuàn 名❶ 道士居住的地方;道观。❷ 指修道院。

【道藏】Dàozàng 名 道教书籍的总汇,包括周秦以下道家子书及六朝以来道教经典。

【道砟】dàozhǎ 名 铺在铁路路基上面的石子。

【道子】dào·zi 名 道[1]⑨。

稻 dào 名❶ 一年生草本植物,叶子狭长,花白色或绿色。子实叫稻谷,去壳后叫大米。是我国重要的粮食作物。主要分水稻和陆稻两大类。通常指水稻。❷ 这种植物的子实。

【稻草】dàocǎo 名 脱粒后的稻秆。可打草绳或稻帘子,也用来造纸或做饲料等。

【稻草人】dàocǎorén 名 稻草扎成的假人。比喻没有实际本领和力量的人。

【稻谷】dàogǔ 名 没有去壳的稻的子实。

【稻子】dào·zi 名 稻。

薲 dào 古代军队里的大旗。

---

dē（ㄉㄜ）

嘚 dē 拟声 形容马蹄踏地的声音。
另见 285 页 dēi。

【嘚啵】dē·bo〈方〉动 絮叨;唠叨:没工夫听他瞎～。

【嘚嘚】dē·de〈方〉动 叨叨:一点小事,别再～了。

---

dé（ㄉㄜ）

得[1] dé ❶ 动 得到(跟"失"相对):取一|～益|不入虎穴,焉～虎子|这件事办成了你也会～些好处。❷ 动 演算产生结果:二三～六|五减一～四。❸ 适合:～用|～体。❹ 得意:自～。❺〈口〉动 完成:饭～了|衣服还没有做～。❻〈口〉动 用于结束谈话的时候,表示同意或禁止:～,就这么办|～了,别说了。❼〈口〉动 用于情况不如人意的时候,表示无可奈何:～,这一张又画坏了!

得[2] dé 动❶ 助动词。用在别的动词前,表示许可(多见于法令和公文):这笔钱非经批准不～擅自动用。❷〈方〉用在别的动词前,表示可能这样(多用于否定式):水渠昨天刚动手挖,没有三天不～完。
另见 285 页 ·de;285 页 děi。

【得便】débiàn 动 遇到方便的机会:这几样东西,请您～捎给他。

【得病】dé∥bìng 动 生病:不讲究卫生容易～。

【得不偿失】dé bù cháng shī 得到的抵不上失去的。

【得逞】déchěng 动(坏主意)实现;达到目

D

的：～于一时|阴谋未能～。

【得宠】dé∥chǒng 动 受宠爱(含贬义)：君主昏庸，奸臣～。

【得寸进尺】dé cùn jìn chǐ 比喻贪得无厌。

【得当】dédàng 形 (说话或做事)恰当；合适：措辞～|处理～。

【得到】dé∥dào 动 事物为自己所有；获得：～鼓励|～一张奖状|～一次学习的机会|得不到一点儿消息。

【得道多助】dé dào duō zhù 坚持正义就能得到多方面的支持(语本《孟子·公孙丑下》"得道者多助，失道者寡助")。

【得法】défǎ 形 (做事)方法适当：管理～，庄稼就长得好。

【得分】défēn ❶(-∥-)动 游戏或比赛时得到分数：他在赛场上斗志越来越旺，连连～。❷名 游戏或比赛时得到的分数。

【得过且过】dé guò qiě guò 只要勉强过得去就这样过下去；敷衍地过日子。也指对工作不负责任，敷衍了事。

【得计】déjì 动 计谋得以实现(多含贬义)：自以为～|虽然一时～,但最终却害了自己。

【得济】dé∥jì 动 得到好处，特指得到亲属晚辈的济助：老人操劳一生，晚年得了儿孙的济。

【得劲】déjìn (～儿)形 ❶称心合意；顺手：改进后的工具用起来很～。❷舒服合适：这两天感冒了，浑身不～。

【得救】déjiù 动 得到救助，脱离险境：落水儿童～了|大火被扑灭，这批珍贵的文物～了。

【得空】dé∥kòng (～儿)动 有空闲时间：白天上班，晚上要照顾病人，很少～。

【得了】dé·le ❶动 表示禁止或同意；算了；行了：～,别再说了|～,就这么办吧!❷助 用于陈述句，表示肯定，有加强语气的作用：你走～,不用挂念家里的事。

另见 déliǎo。

【得力】délì ❶(-∥-)动 得益：～于平时的勤学苦练。❷形 做事能干；有干才：～助手|～干部。❸形 坚强有力：领导～。

【得了】déliǎo 形 表示情况很严重(用于反问或否定式)：这还～吗?|不～啦，出了事故啦!

另见 dé·le。

【得陇望蜀】dé Lǒng wàng Shǔ 东汉光武帝刘秀下命令给岑彭："人苦不知足，既平陇，复望蜀。"教他平定陇右(今甘肃一带)以后领兵南下，攻取西蜀(见于《后汉书·岑彭传》)。后来用"得陇望蜀"比喻得无厌。

【得其所哉】dé qí suǒ zāi 指得到适宜的处所。也用来指安排得当，称心满意。

【得人】dérén 〈书〉动 用人得当。

【得人儿】dérénr 〈方〉动 得人心。

【得人心】dé rénxīn 得到多数人的好感和拥护。

【得胜】dé∥shèng 动 取得胜利：～回朝|旗开～,马到成功。

【得失】déshī 名 ❶ 所得和所失；成功和失败：不计较个人的～。❷ 利弊；好处和坏处：两种办法各有～。

【得时】dé∥shí 动 遇到好时机；走运。

【得势】dé∥shì 动 得到权柄或势力(多用于贬义)：小人～。

【得手】[1] dé∥shǒu 动 做事顺利；达到目的：屡屡～|侥幸～。

【得手】[2] déshǒu 形 指称心应手；顺手：刀太笨，用起来不～|怎么～就怎么干吧。

【得数】déshù 名 答数。

【得体】détǐ 形 (言语、行动等)得当；恰当；恰如其分：应对～|话说得很～。

【得天独厚】dé tiān dú hòu 独具特殊优越的条件，也指所处的环境特别好。

【得闲】dé∥xián 动 得空：～时请来我家做客。

【得心应手】dé xīn yìng shǒu 心里怎么想，手就能怎么做，形容运用自如。

【得样儿】déyàngr 〈方〉形 (服装、打扮)好看；有样子。

【得宜】déyí 形 适当：措置～|剪裁～。

【得以】déyǐ 动 可以；能够：发扬民主，让大家的意见～充分发表出来。

【得益】déyì 动 受益：从他的著作中～不少。

【得意】déyì 形 称心如意；感到非常满意：～之作|～门生|～扬扬|自鸣～。

【得意忘形】dé yì wàng xíng 形容浅薄的人稍稍得志，就高兴得控制不住自己。

【得用】déyòng 形 适用；得力：这把剪子不～|这几个都是很～的干部。

【得鱼忘筌】dé yú wàng quán 《庄子·外物》："筌者所以在鱼，得鱼而忘筌。"筌是用来捕鱼的,得到了鱼,就忘掉筌。比喻达到目的以后就忘了原来的凭借。

【得知】dézhī 〔动〕获悉;知道:～喜讯,无不欢欣鼓舞。

【得志】dé//zhì 〔动〕志愿实现(多指满足名利的欲望):少年～|郁郁不～|你如今得了志,连好朋友都不认了。

【得主】dézhǔ 〔名〕在比赛或评选中获得奖杯、奖牌等的人:奥运会金牌～。

【得罪】dé·zuì 〔动〕招人不快或怀恨;冒犯:出言不逊,多有～|他做了很多～人的事儿。

锝(錔) dé 〔名〕金属元素,符号 Tc (technetium)。有放射性,银灰色,熔点高,耐腐蚀。由人工核反应获得。是第一种人工合成的元素。用作β射线标准源和超导材料等。

德(惪) dé ❶〔名〕道德;品行;政治品质:品～|公～|～才兼备。❷心意:一心一～|离心离～。❸恩惠:感恩戴～|以怨报～。❹(Dé)〔名〕姓。

【德昂族】Dé'ángzú 〔名〕我国少数民族之一,分布在云南。

【德比】débǐ 〔名〕德比原为英国赛马会的名称,后用德比战或德比赛指同一个城市或区域内两个代表队之间的体育比赛:珠海队挑战广州队,是一场南粤～大战。[英 derby]

【德才兼备】dé cái jiānbèi 具备优秀的品德和较高的才能。

【德高望重】dé gāo wàng zhòng 品德高尚,名望很大。

【德望】déwàng 〔名〕品德和名望:～双馨。

【德行】déxíng 〔名〕道德和品行:先生的文章,～都为世人所推重。

【德行】dé·xing 〈口〉〔名〕讥讽人的话,表示看不起他的仪容、举止、行为、作风等:看他那～,不会有什么出息。也作德性。

【德性】dé·xing 同"德行"。

【德育】déyù 〔名〕政治思想和道德品质的教育。

【德政】dézhèng 〔名〕有益于人民的政治措施。

【德治】dézhì ❶〔名〕古代儒家的政治思想,主张为政以德,强调道德和道德教化在治国中的作用。❷〔动〕指通过倡导良好的道德品质与行为规范来治理国家和

社会。

·de (·ㄉㄜ)

地 ·de 〔助〕表示它前边的词或词组是状语:天渐渐～冷了|合理～安排和使用劳动力|实事求是～处理问题。
另见 295 页 dì。

的¹ ·de 〔助〕❶用在定语的后面。a)定语和中心词之间是一般的修饰关系:铁～纪律|幸福～生活。b)定语和中心词之间是领属关系:我～母亲|无产阶级～党|大楼～出口。c)定语是人名或人称代词,中心词是表示职务或身份的名词,意思是这个人担任这个职务或取得这个身份:今天开会是你～主席|谁～介绍人? d)定语是指人的名词或人称代词,中心词和前边的动词合起来表示一种动作,意思是人是所说的动作的受事:开～玩笑|找我～麻烦。❷用来构成没有中心词的"的"字结构。a)代替上文所指的人或物:这是我～,那才是你～|菊花开了,有红～,有黄～。b)指某一种人或物:男～|送报～|我爱吃辣～。c)表示某种情况、原因:大星期天～,你怎么不出去玩儿玩儿?|无缘无故～,你着什么急? d)用跟主语相同的人称代词加"的"字做宾语,表示别的事跟这个人无关或这事儿跟别人无关:这里用不着你,你只管睡你～去。e)"的"字前后用相同的动词、形容词等,连用这样的结构,表示有这样的,有那样的:推～推,拉～拉|说～说,笑～笑|大～大,小～小。❸用在谓语动词后面,强调这个动作的施事者或时间、地点、方式等:谁买～书?|他是昨天进～城|我是在车站打～票|老张是用毛笔写～信。注意这个用法限于过去的事情。❹用在陈述句的末尾,表示肯定的语气:这件儿我知道～。❺用在两个同类的词或词组之后,表示"等等、之类"的意思:破铜烂铁～,他捡一大筐|老乡们沏茶倒水～,待我们很亲热。❻〈口〉用在两个数量词中间。a)表示相乘:这间屋子是五米～三米,共十五平方米。b)表示相加:两个～三个,一共五个。

的² ·de 同"得"(·de)❷❸。
另见 291 页 dí;300 页 dì。

【的话】·dehuà 助 用在表示假设的分句后面，引下下文：如果你有事～，就不要来了|他不去～，就不必勉强了。

底 ·de 同"的[1]"(·de)①b。
另见 293 页 dǐ。

得 ·de 助 ❶ 用在动词后面，表示可能、可以：她去～,我也去～|对于无理要求，我们一步也退让不～。注意 否定式是"不得"：哭不～,笑不～。❷ 用在动词和补语中间，表示可能：拿～动|办～到|回～来|过～去。注意 否定式是把"得"换成"不"：拿不动|办不到。❸ 用在动词或形容词后面，连接表示结果或程度的补语：跑～喘不过气来|写～非常好|天气热～很。注意 a)"写得好"的否定式是"写得不好"。b)动宾结构带这类补语时，要重复动词，如"写字写得很好"，不说"写字得很好"。❹ 用在动词后面，表示动作已经完成(多见于早期白话)：出～门来。
另见 282 页 dé；285 页 děi。

赋 ·de 又·te 见 823 页 [肋赋] (lē·de)。

嘚 dēi（～儿）叹 赶驴、骡等前进的吆喝声。
另见 282 页 dē。

得 děi ❶〈口〉助 助动词。需要：这个工程～三个月才能完|修这座水库～多少人力？❷〈口〉助 助动词。表示意志上或事实上的必要：咱们绝不能落后，～把工作赶上去|要取得好成绩，就～努力学习。注意 "得"的否定是"无须"或"不用"，不说"不得"。❸〈口〉助 助动词。表示揣测的必然：快下大雨了，要不快走，就～挨淋。❹〈方〉形 舒服；满意：这个沙发坐着真～。
另见 282 页 dé；285 页 ·de。

【得亏】děikuī〈方〉副 幸亏：～我来得早，不然又赶不上车了。

扽(撙) dèn〈方〉动 ❶ 两头同时用力，或一头固定而另一头用力，把线、绳子、布匹、衣服等猛一拉：～袖口|轻一点儿，别把丝线～折(shé)了。❷ 拉：你～住了，不要松手。

灯(燈) dēng 名 ❶ 照明或做其他用途的发光的器具：一盏～|电～|红绿～|探照～|太阳～。❷ 燃烧液体或气体用来对别的东西加热的器具：酒精～|本生～。❸ 俗称收音机、电视机等的电子管：五～收音机。❹(Dēng)姓。

【灯标】dēngbiāo 名 ❶ 航标的一种，装有灯光设备，供夜间航行使用。❷ 用灯装饰的或做成的标志或标语：夜市～。

【灯彩】dēngcǎi 名 ❶ 指民间制造花灯的工艺。❷ 旧时演戏时用作舞台装饰或表演道具的花灯：满台～。❸ 泛指做装饰用的花灯和其他彩饰：室内～交辉|国庆节用的～全部安装就绪。

【灯草】dēngcǎo 名 灯芯草的茎的中心部分，白色，用作油灯的灯芯。

【灯池】dēngchí 名 一种安装在房屋顶部的灯饰，灯具安装在凹进去的夹层里，所以叫灯池。

【灯光】dēngguāng 名 ❶ 灯的亮光：夜深了，屋里还有～。❷ 指舞台上或摄影棚内的照明设备：～布景。

【灯红酒绿】dēng hóng jiǔ lǜ 形容寻欢作乐的腐化生活，也形容都市或娱乐场所夜晚的繁华景象。

【灯虎】dēnghǔ（～儿）名 灯谜：打～儿。

【灯花】dēnghuā（～儿）名 灯芯燃烧时结成的花状物。

【灯会】dēnghuì 名 元宵节举行的群众观灯集会，集会上悬挂着各式各样的彩灯。有的灯会还有高跷、狮子、旱船、杂技表演等娱乐活动。

【灯火】dēnghuǒ 名 指亮着的灯：～辉煌|万家～。

【灯节】Dēng Jié 名 元宵节。

【灯具】dēngjù 名 各种照明用具的统称。

【灯亮儿】dēngliàngr 〈口〉名 灯的亮光;灯火:屋里还有～,他还没有睡。

【灯笼】dēng·long 名 悬挂起来的或手提的照明用具,多用细竹篾或铁丝做骨架,糊上纱或纸,里边点蜡烛。现在多用电灯做光源,用来做装饰品。

【灯笼裤】dēng·longkù 名 裤子的一种,裤腿肥大,下端缩口紧箍在脚腕上。

【灯谜】dēngmí 名 贴在灯上的谜语(有时也贴在墙上或挂在绳子上);猜～。

【灯苗】dēngmiáo （～儿）名 油灯的火焰。

【灯捻】dēngniǎn （～儿）名 用棉花等搓成的条状物或用线织成的带状物,放在油灯里,露出头儿,点燃照明。也叫灯捻子。

【灯泡】dēngpào （～儿）〈口〉名 电灯泡。

【灯伞】dēngsǎn 名 灯上伞状的罩子。

【灯市】dēngshì 名 元宵节悬挂花灯的街市。

【灯饰】dēngshì 名 用灯具做成的装饰;具有装饰作用的灯具:绚丽的～美化了城市夜景。

【灯丝】dēngsī 名 灯泡或电子管内的金属丝,多为细钨丝,通电时能发光、发热、放射电子或产生射线。

【灯塔】dēngtǎ 名 装有强光源的高塔,晚间指引船只航行,多设在海岸或岛上。

【灯台】dēngtái 名 灯盏的底座。

【灯头】dēngtóu 名 ❶ 接在电灯线末端、供安装灯泡用的装置:螺丝口的～。❷ 指电灯盏数:这间屋里有五个～。❸ 煤油灯上装灯芯,安灯罩的部分。

【灯箱】dēngxiāng 名 用玻璃等制成的、里面装有电灯的箱式标牌或广告设备。

【灯心】dēngxīn 同"灯芯"。

【灯心草】dēngxīncǎo 同"灯芯草"。

【灯心绒】dēngxīnróng 同"灯芯绒"。

【灯芯】dēngxīn 名 油灯上用来点火的纱、线等。也作灯心。

【灯芯草】dēngxīncǎo 名 多年生草本植物,茎细长,叶子狭长。花黄绿色。茎的中心部分用作油灯的灯芯,可入药。也作灯心草。

【灯芯绒】dēngxīnróng 名 面上有像灯芯的绒条的棉织品。也作灯心绒。也叫灯绒。

【灯油】dēngyóu 名 点灯用的油,通常指煤油。

【灯语】dēngyǔ 名 一种通信方法,利用灯光的一明一暗和间歇的长短发出不同的联络信号。

【灯盏】dēngzhǎn 名 没有灯罩的油灯,也泛指灯(多用于总称)。

【灯罩】dēngzhào （～儿）名 灯上集中灯光或防风的东西,如电灯上的灯伞,煤油灯上的玻璃罩儿。也叫灯罩子。

登¹ dēng ❶ 动 (人)由低处到高处(多指步行):～山|～陆|～车◇～步～天。❷ 动 刊登或记载:～报|～记|他的名字～上了光荣榜。❸ (谷物)成熟:五谷丰～。❹ (Dēng)名 姓。

登² dēng 同"蹬"(dēng)。

【登场】dēng//cháng 动 (谷物)收割后运到场(cháng)上:大豆～之后,要马上晒。

【登场】dēng//chǎng 动 (剧中人)出现在舞台上:～人物|粉墨～。

【登程】dēngchéng 动 上路;起程:已收拾好行装,明日破晓～。

【登第】dēngdì 动 登科,特指考取进士。

【登顶】dēng//dǐng 动 (登山运动员)登上顶峰。也用于比喻。

【登峰造极】dēng fēng zào jí 比喻达到顶峰。

【登高】dēnggāo 动 ❶ 上到高处:～望远◇祝步步～。❷ 重阳节登山叫登高:重九～。

【登革热】dēnggérè 名 急性传染病,病原体是登革热病毒,由蚊子传播。症状是头痛、背痛、肌肉和关节痛,高热、恶心、呕吐、腹泻,皮肤出现红疹等。也叫骨痛热。[登革,英 dengue]

【登基】dēng//jī 动 帝王即位。

【登极】dēng//jí 动 登基。

【登记】dēng//jì 动 把有关事项写在特备的表册上以备查考:户口～|～图书|来客请到传达室登个记。

【登记吨】dēngjìdūn 量 计算船只容积的单位,1 登记吨等于 2.83 立方米(合 100 立方英尺)。简称吨。

【登科】dēngkē 动 科举时代应考人被录取。

【登临】dēnglín 动 登山临水,泛指游览山水名胜：～名山大川,饱览壮丽景色。

【登陆】dēng//lù 动❶ 渡过海洋或江河登上陆地,特指作战的军队登上敌方的陆地：～演习◇台风～。❷ 比喻商品打入某地市场：这种新型空调已经～上海市场。

【登陆场】dēnglùchǎng 名 军队在强渡江河或渡海作战的时候,在敌方的岸上所夺取的一部分地区,用来保障后续部队渡水和上岸。

【登陆舰】dēnglùjiàn 名 运送登陆士兵和武器装备靠岸登陆的军舰。有各种类型,舰底平、船舷高,船头有可以打开的门,便于人员、坦克、车辆迅速登上陆地。排水量在 500 吨以下的叫登陆艇。

【登陆艇】dēnglùtǐng 名 见【登陆舰】。

【登录】dēnglù 动❶ 登记：～在案。❷ 注册②。

【登门】dēng//mén 动 到对方住处：～拜访|我从来没有登过他的门。

【登攀】dēngpān 动 攀登。

【登山】dēng//shān 动❶ 上山：～临水|～越岭。❷ 特指登山运动：～服|～协会。

【登山服】dēngshānfú 名❶ 登山运动员登山时穿的一种特制防寒服装。❷ 一种防寒冬装,多用尼龙绸和羽绒等制作,一般有风帽。

【登山运动】dēngshān yùndòng 一种体育运动,攀爬高山。登山运动能锻炼人的毅力和勇敢精神,对于科学研究和资源开发等有重要意义。

【登时】dēngshí 副 立刻：说干就干,大家～动起手来。

【登台】dēng//tái 动❶ 走上讲台或舞台：～演讲|～表演。❷ 比喻走上政治舞台：～执政。

【登堂入室】dēng táng rù shì 见 1216 页【升堂入室】。

【登载】dēngzǎi 动(新闻、文章等)在报刊上印出：～论文|发表消息。

噔 dēng 拟声 形容沉重的东西落地或撞击物体的声音：～～～地走上楼来。

镫(鐙) dēng ❶ 古代盛肉食的器皿。❷〈书〉同"灯",指油灯。
另见 288 页 dèng。

簦 dēng ❶ 古代有柄的笠。❷〈方〉名笠。

蹬 dēng 动❶ 腿和脚向脚底的方向用力：～水车|～三轮儿。❷ 踩;踏：～

在窗台上擦玻璃。❸ 穿(鞋、裤子等)：脚～长筒靴|～上裤子。
另见 289 页 dèng。

【蹬腿】dēng//tuǐ 动❶ 伸出腿：他一～坐起身。❷(～儿)〈方〉指人死亡(含诙谐意)。

děng (ㄉㄥˇ)

等¹ děng ❶ 名 等级：同～|优～。❷ 量 种;类：这～事|此～人。❸ 量 用于等级：二～舱|共分三～。❹ 程度或数量上相同：相～|～于|大小不～。❺ 同"戥"(děng)。❻ (Děng)名 姓。

等² děng ❶ 动 等候;等待：～车|请稍～一会儿。❷ 介 等到：～我写完这封信你再走。

等³ děng 助❶〈书〉用在人称代词或指人的名词后面,表示复数：我～|彼～。❷ 表示列举未尽(可以叠用)：北京、天津～地|纸张文具～～。❸ 列举后煞尾：长江、黄河、黑龙江、珠江～四大河流。

【等差】děngchā〈书〉名 等次。

【等次】děngcì 名 等级高低：产品按质量划分～。

【等衰】děngcuī〈书〉名 等次。

【等待】děngdài 动 不采取行动,直到所期望的人、事物或情况出现：～时机。

【等到】děngdào 介 表示时间条件：～我们去送行,他们已经走了。

【等第】děngdì〈书〉名 名次等级(多指人)：～有差(名次等级有差别)。

【等额选举】děng'é xuǎnjǔ 候选人名额相等于当选人名额的一种选举办法(区别于"差额选举")。

【等而下之】děng ér xià zhī 由这一等再往下,指比这一等差：个别名牌货质量还不稳定,～的杂牌货就可想而知了。

【等分】děngfēn 动 把物体分成相等的若干部分：～线段。

【等份】děngfèn (～儿)名 分成的数量相等的份儿：把这筐苹果分成十～。

【等号】děnghào 名 表示两个数或两个代数式的相等关系的符号(＝)◇这两篇文章水平有高下之分,不能画～。

【等候】děnghòu 动 等待(多用于具体的

对象):～命令|～远方归来的亲人。

【等级】děngjí 名 按质量、程度、地位等的差异而作出的区别:按商品～规定价格。

【等价】děngjià 动 不同商品的价值相等:～商品|～交换。

【等价物】děngjiàwù 名 能体现另一种商品价值的商品。货币是体现各种商品价值的一般等价物。

【等离子态】děnglízǐtài 名 物质存在的一种形态,是物质的等离子体状态。高温、强大的紫外线、X 射线和 γ 射线等都能使气态物质变成等离子态。

【等离子体】děnglízǐtǐ 名 由正离子、自由电子组成的物质,是物质的高温电离状态,不带电,导电性很强。太阳等大多数星体都存在等离子体。

【等量齐观】děng liàng qí guān 不管事物间的差异,同等看待。

【等身】děngshēn 动 跟某人身高相等:～雕像|著作～(形容著作极多)。

【等式】děngshì 名 表示两个数或两个代数式相等的算式,这两个数或两个代数式之间用等号连接,如 $3+2=4+1$, $a=4$。

【等同】děngtóng 动 当做同样的事物看待:不能把这两件事～起来。

【等外】děngwài 形 属性词。质量在等级标准以外的:～品。

【等闲】děngxián 〈书〉❶ 形 平常:～之辈|～视之|红军不怕远征难,万水千山只～。❷ 副 随随便便;轻易:莫～白了少年头,空悲切。❸ 副 无端;平白地:～平地起波澜。

【等闲视之】děng xián shì zhī 当做平常的人或事物看待。

【等因奉此】děngyīn fèngcǐ "等因"和"奉此"都是旧时公文用语,"等因"用来结束所引来文,"奉此"用来引起下文。"等因奉此"泛指文牍,比喻例行公事、官样文章。

【等于】děngyú 动 ❶ 某数量跟另一数量相等:三加二～五。❷ 差不多就是;跟…没有区别:不识字～睁眼瞎子|说了不听,～白说。

【等于零】děngyú líng 跟零相等,指没有效果或不起作用:说了不办,还不是～。

戥 děng 动 用戥子称东西:拿戥子一～这点儿麝香有多重。也作等。

【戥子】děng•zi 名 测定贵重物品或某些药品重量的小秤,构造和原理跟杆秤相同,盛物体的部分是一个小盘子,最大计量单位是两,小到分或厘。

dèng (ㄉㄥˋ)

邓(鄧) Dèng 名 姓。

【邓小平理论】Dèng Xiǎopíng Lǐlùn 马克思列宁主义的基本原理同当代中国实践和时代特征相结合而形成的思想体系,是以邓小平为代表的中国共产党人在社会主义建设新时期对毛泽东思想的继承和发展,它阐明了建设有中国特色的社会主义的路线、方针、政策,是当代中国的马克思主义,是中国共产党集体智慧的结晶。

凳(櫈) dèng (～儿)名 凳子:方～|板～|竹～儿。

【凳子】dèng•zi 名 有腿没有靠背的、供人坐的家具。

嶝 dèng 〈书〉山上可以攀登的小道:山～九折。

澄 dèng 动 ❶ 使液体里的杂质沉下去:～清。❷〈方〉挡着渣滓或泡着的东西,把液体倒出:滗:把汤～出来。
另见 178 页 chéng。

【澄浆泥】dèngjiāngní 名 过滤后除去了杂质的极细腻的泥,特制细陶瓷等用的泥。

【澄清】dèng//qīng 动 使杂质沉淀,液体变清:这水太浑,～之后才能用。
另见 178 页 chéngqīng。

【澄沙】dèngshā 名 过滤后较细的豆沙:～馅儿月饼。

磴 dèng ❶〈书〉石头台阶。❷(～儿)量 用于台阶、楼梯等:五～台阶|这楼梯有三十来～。

瞪 dèng 动 ❶ 用力睁大(眼):他把眼睛都～圆了。❷ 睁大眼睛注视,表示不满意:老秦～了她一眼,嫌她多嘴。

【瞪眼】dèng//yǎn 动 ❶ 睁大眼睛:眼睛着:干～。❷ 指瞪眼生气或耍态度:他就爱跟别人～|有话好说,你瞪什么眼?

镫(鐙) dèng 名 挂在鞍子两旁供脚蹬的东西,多用铁制成:马～。

另见 287 页 dēng。

【镫子】dèng·zi 名 镫(dèng)。

蹬 dèng 见 139 页〖蹭蹬〗(cèng-dèng)。

另见 287 页 dēng。

dī（ㄉㄧ）

氐 dī ❶ 二十八宿之一。❷ (Dī)我国古代民族,居住在今西北一带,东晋时建立过前秦(在今黄河流域)、后凉(在今西北)。

另见 293 页 dǐ。

低 dī ❶ 形 从下向上距离小;离地面近(跟"高"相对,②③同):~空|飞机~飞绕场一周|水位降~了。❷ 形 在一般标准或平均程度之下:~地|声音太~|眼高手~。❸ 形 等级在下的:~年级学生|我比哥哥~一班。❹ 动 (头)向下垂:~着头。

【低矮】dī'ǎi 形 高度小:~的房屋。

【低保】dībǎo 名 城市居民最低生活保障制度。即面向城市贫困人口按时发放救助金,并在某些方面减免费用。是社会保障体系中社会救助制度的组成部分。

【低倍】dībèi 形 属性词。倍数小的:~放大镜。

【低层】dīcéng ❶ 名 低的层次:他住在高层,我住在~。❷ 形 属性词。(楼房等)层数少的:~住宅。❸ 形 属性词。级别低的:~职员。

【低层住宅】dīcéng zhùzhái 指地面上层数为1—3层的住宅建筑。

【低产】dīchǎn 形 属性词。产量低的:~田|~作物。

【低潮】dīcháo 名 ❶ 在潮的一个涨落周期内,水面下降的最低潮位。❷ 比喻事物发展过程中低落、停滞的阶段:那时革命正处于~。

【低沉】dīchén 形 ❶ 天色阴暗,云层厚而低。❷ (声音)低。❸ (情绪)低落。

【低档】dīdàng 形 属性词。质量差,价格较低的(商品):~服装|~食品。

【低等动物】dīděng dòngwù 在动物学中,一般指身体结构简单、组织及器官分化不显著的无脊椎动物。

【低等植物】dīděng zhíwù 一般指构造简单,无茎叶分化,生殖细胞多为单细胞结构的植物。现在以胚的有无作为区分高等植物与低等植物的标准。

【低调】dīdiào (~儿)❶ 名 低的调门儿,比喻缓和的或比较消沉的论调。❷ 形 形容和缓而不张扬:这件事情最好做~处理。

【低端】dīduān 形 属性词。等级、档次、价位等在同类中较低的:~产品。

【低估】dīgū 动 过低估计:不要~群众的力量。

【低谷】dīgǔ 名 比喻事物运行过程中低落或低迷的阶段:用电~|经济开始走出~。

【低耗】dīhào 形 属性词。损耗或消耗较少的:这种产品具有高效、~、成本低的特点。

【低缓】dīhuǎn 形 ❶ (声音)低而缓慢:他语调~,但口气很坚决。❷ (地势)低而坡度小:这里地势~,气候温和。

【低回】(低徊) dīhuí〈书〉动 ❶ 徘徊(huái):~叹息。❷ 留恋:使人~不忍离去。❸ 回旋起伏:思绪~|~婉转的乐曲。

【低级】dījí 形 ❶ 属性词。初步的;形式或构造简单的:~动物。❷ 庸俗:~趣味|~格调。

【低价】dījià 名 低于一般的价格:~转让。

【低贱】dījiàn 形 ❶ (地位)低下:出身~。❷ (价钱)低:谷价~。

【低聚糖】dījùtáng 名 由2—10个单糖分子组成的糖,如蔗糖、麦芽糖等。

【低空】dīkōng 名 距离地面较近的空间:~飞行|在~是暖而湿润的西南气流。

【低廉】dīlián 形 (价钱)便宜(pián·yi):价格~|收费~。

【低劣】dīliè 形 (质量、水平等)很差:~产品|品质~|技术~。

【低龄】dīlíng 形 属性词。年龄较小的(就一般标准来说):~犯罪案件|~老人(指六十岁至七十岁的老人)。

【低落】dīluò ❶ 动 (水位、物价等)下降:价格~。❷ 形 (士气、情绪等)不旺盛;不饱满:士气~|心情~。

【低迷】dīmí 形 ❶ 不景气;不振作:消费~|~的市场|竞技状态~。❷〈书〉迷离;迷蒙①:烟雾~|疏柳~。

【低能】dīnéng 形 能力低下。

【低能儿】dīnéng'ér 名 智力不发达,近于痴呆的儿童，泛指智能低下的人。

【低频】dīpín 图❶一般指低于射频或中频的频率，频率范围与声频相近。❷指30—300千赫范围内的频率。

【低聘】dīpìn 动按低于原有职务、级别聘用：考核不合格者要～或解聘。

【低气压区】dīqìyāqū 图中心气压比周围低的区域。低气压区内空气往往上升，形成云或降水。

【低热】dīrè 图人的体温在37.5—38℃叫低热。也叫低烧。

【低人一等】dī rén yī děng 比别人低一个等级：职业不同是社会分工不同，不存在哪个行业～的问题。

【低三下四】dī sān xià sì 形容卑贱没有骨气。

【低烧】dīshāo 图低热。

【低声下气】dī shēng xià qì 形容恭顺小心的样子。

【低首下心】dī shǒu xià xīn 形容屈服顺从的样子。

【低俗】dīsú 形低级庸俗：言语～|～的格调。

【低糖】dītáng 形属性词。(食品)含糖量低的：～糕点。

【低头】dī∥tóu 动❶垂下头：～不语。❷比喻屈服：他在任何困难面前都不～。

【低洼】dīwā 形比四周低的(地方)：地势～|～地区必须及时采取防涝、排涝的措施。

【低微】dīwēi 形❶(声音)细小：～的呻吟。❷少；微薄：收入～|待遇～。❸旧时指身份或地位低：门第～。

【低温】dīwēn 图较低的温度。在不同的情况下所指的具体数值不同，例如物理学上通常指低于液氮的温度(77K)，有时指低于液氦的温度(4.2K)。

【低下】dīxià 形❶(能力、水平、地位等)在一般标准之下：能力～|技术水平～。❷(品质、格调等)低俗：情趣～。

【低限】dīxiàn 图最低限度。

【低压】dīyā 图❶较低的压强。❷较低的电压。❸舒张压的通称。

【低压槽】dīyācáo 图气象学上指从低气压区延伸出来的槽状区域。低压槽内空气上升，多阴雨天气。

【低音提琴】dīyīn tíqín 提琴的一种，体积最大，发音最低。

【低语】dīyǔ 动低声说话：～密谈|悄声～|他在老王耳边～了几句。

【低云】dīyún 图云底离地面(中纬度地区)不足2千米的云。

羝 dī 〈书〉公羊。

堤(隄) dī 图沿河、沿湖或沿海的防水构筑物，多用土石等筑成：河～|海～|修～|筑坝。

【堤岸】dī'àn 图堤。

【堤坝】dībà 图堤和坝的总称，泛指防水、拦水的构筑物：要加紧修筑～，以防水患。

【堤防】dīfáng 图堤：汛期以前，要加固～。

【堤围】dīwéi 图堤。

【堤堰】dīyàn 图堤坝；堤：整修～。

提 dī 义同"提"(tí)①，用于下列各条。另见1339页tí。

【提防】dī·fang 动小心防备：对他你要～着点儿。

【提溜】dī·liu 〈口〉动提(tí)：手里～着一条鱼◇～着心(不放心)。

碲(磾) dī 用于人名，金日磾，汉代人。

嘀 dī 见下。另见292页dí。

【嘀嗒】dīdā 同"滴答"(dīdā)。

【嘀嗒】dī·da 同"滴答"(dī·da)。

【嘀里嘟噜】dī·lidūlū 形状态词。形容说话很快，使人听不清。也作嘀里嘟噜。

滴 dī ❶动液体一点一点地向下落：～水穿石|汗往下直～。❷动使液体一点一点地向下落：～眼药|～上几滴油。❸一点一点地向下落的液体：汗～|水～。❹量用于滴下的液体的数量：一～汗|两～墨水。

【滴虫】dīchóng 图原生动物，形状多为椭圆形，有鞭毛。有的生活在淡水里，有的寄生在人的肠内或阴道内，可引起肠道滴虫病和滴虫性阴道炎。

【滴答】dīdā 拟声形容水滴落下或钟表摆动的声音：屋里异常寂静，只有钟摆～～地响着|窗外滴滴答答，雨还没有停。也作嘀嗒。

【滴答】dī·da 动成滴地落下：汗直往下～|屋顶上的雪化了，屋檐～着水。也作嘀嗒。

【滴滴涕】dīdītī 图 一种杀虫剂,成分是双对氯苯基三氯乙烷,白色晶体。杀虫效力大,效用持久。但有积累性残留,对人体健康和生态环境有不利影响,我国已停止生产和使用。[英 DDT,是 dichloro-diphenyl-trichloro-ethane 的缩写]

【滴定】dīdìng 动 化学容量分析中,为了计量被测物质的含量,将标准溶液(已知浓度的溶液)滴入被测物质的溶液里。反应终了时,根据所用标准溶液的体积,计算出被测物质的含量。

【滴定管】dīdìngguǎn 图 化学容量分析用的细长玻璃管,有刻度,下端有活栓。

【滴灌】dīguàn 动 灌溉的一种方法,使水流通过设置的管道系统缓缓滴到植物体的根部和土壤中。

【滴里嘟噜】dī·lidūlū ❶ 形 状态词。形容大大小小的一串东西显得很累赘,不利落:他腰带上～地挂着好多钥匙。❷ 同"嘀里嘟噜"。

【滴沥】dīlì 拟声 水下滴的声音:雨水～。

【滴溜溜】dīliūliū (～的)形 状态词。形容旋转或流动:陀螺在地上～地转动。

【滴溜儿】dīliūr 形 状态词。❶ 形容极圆:～圆。❷ 形容很快地旋转或流动:眼珠～乱转。

【滴水】dī·shuǐ 图 ❶ 滴水瓦,也指滴水瓦的瓦头,略呈三角形。❷ 一座房屋和毗邻的建筑物之间为了房檐上宣泄雨水而留下的隙地。

【滴水不漏】dī shuǐ bù lòu 形容说话、做事十分周密,没有漏洞:她能言善辩,说出的话～。

【滴水成冰】dī shuǐ chéng bīng 水一滴下来就冻成冰,形容天气十分寒冷。

【滴水穿石】dī shuǐ chuān shí 见 1278 页【水滴石穿】。

【滴水瓦】dī·shuǐwǎ 图 一种传统式样的瓦,一端带有下垂的边儿,边儿正面的有花纹,盖房顶时放在檐口。

樀 dī [樀樀](dīdī)〈书〉拟声 形容敲门声。

镝(鏑) dī 图 金属元素,符号 Dy(dysprosium)。是一种稀土元素。银白色,质软。用于核工业和发光材料等。

另见 293 页 dí。

dí (ㄉㄧˊ)

狄 Dí ❶ 我国古代称北方的民族。❷ 图 姓。

迪(廸) dí ❶〈书〉开导;引导:启～。❷ (Dí)图 姓。

【迪开石】díkāishí 图 矿物,无色透明或白色结晶,有蜡样光泽,硬度 1—3。质地细腻的块状迪开石是制作工艺品和印章的材料。

【迪斯科】dí·sīkē 图 ❶ 摇摆舞音乐的一种,起源于黑人歌舞,节奏自由而强烈。❷ 最早流行在美洲黑人间的一种节奏快而强烈的舞蹈,后广泛流传世界各地:跳～|老年～。[英 disco]

的[1] dí 真实;实在:～当|～确。

的[2] dí 的士:打～。注意▶"的"字在口语中一般读阴平(dī)。

另见 284 页·de;300 页 dì。

【的当】dídàng 形 恰当;非常合适:这个评语十分～。

【的确】díquè 副 完全确实;实在:他～是这样说的|这的确是宋刻本。

【的确良】díquèliáng 图 涤纶的纺织物,有纯纺的,也有与棉、毛混纺的。的确良做的衣物耐磨,不走样,容易洗,干得快。[英 dacron]

【的士】díshì〈方〉图 出租小汽车。[英 taxi]

【的证】dízhèng〈书〉图 确凿的证据。

籴(糴) dí 动 买进(粮食)(跟"粜"相对):～麦子。

荻 dí 图 ❶ 多年生草本植物,形状像芦苇,地下茎蔓延,叶子宽条状披针形,花紫色,生长在水边。茎是造纸和制人造纤维的原料,也用来编席。❷ (Dí)姓。

敌(敵) dí ❶ 有利害冲突不能相容的:～人|～军。❷ 敌人:仇～|残～|分清～我。❸ 对抗;抵挡:所向无～|寡不～众。❹ (力量)相等的:匹～|势均力～。

【敌敌畏】dídíwèi 图 一种有机磷杀虫剂,无色油状液体,有挥发性,毒性较大,用来防治棉蚜等农业害虫,也用来杀灭蚊蝇

等。[英 DDVP,是 dimethyl-dichloro-vinyl-phosphate 的缩写]

D

【敌对】díduì 厖 属性词。利害冲突不能相容的;仇视而相对抗的:～态度|～势力|～行动。

【敌国】díguó 图 敌对的国家。

【敌害】díhài 图 自然界中某种生物危害另一种生物,前者就是后者的敌害:刺猬遇到～时,便把身体蜷曲成球形。

【敌后】díhòu 图 作战时的敌人的后方:深入～|建立～根据地。

【敌境】díjìng 图 敌方的区域;敌方控制的地方:深入～。

【敌忾】díkài 〈书〉 动 抵抗所愤恨的敌人:同仇～。

【敌寇】díkòu 图 侵略者;入侵的敌人:抗击～|歼灭～。

【敌情】díqíng 图 敌人的情况,特指敌人对我方采取行动的情况:了解～|侦察～|发现～|～观念(对敌人警惕的观念)。

【敌酋】díqiú 图 敌人的头子:活擒～。

【敌人】dírén 图 敌对的人;敌对的方面。

【敌视】díshì 动 当做敌人看待;仇视:互相～|～的态度。

【敌手】díshǒu 图 力量相抗衡的对手:棋逢～,将遇良才|比技术,咱们几个都不是他的～。

【敌台】dítái 图 敌方的电台。

【敌探】dítàn 图 敌方派遣的刺探我方机密的间谍。

【敌特】dítè 图 敌方派来的特务(tè•wu)。

【敌伪】díwěi 图 指我国抗日战争时期日本侵略者、汉奸及其政权:～时期|没收～财产。

【敌我矛盾】dí-wǒ máodùn 敌对阶级之间由于根本利害冲突而产生的矛盾。

【敌焰】díyàn 图 敌人的气焰:～嚣张。

【敌意】díyì 图 仇视的心理;敌对的情感:心怀～|露出～的目光。

【敌阵】dízhèn 图 敌人的阵地:冲入～。

涤(滌) dí ❶ 动 洗:洗～|～荡。❷ (Dí)图 姓。

【涤除】díchú 动 清除;去掉:～污垢|～旧习。

【涤荡】dídàng 动 洗涤;清除:～邪祟|～污泥浊水。

【涤纶】dílún 图 合成纤维的一种,强度高、

弹性大。用来做衣服或制造绝缘材料、绳索等。[英 terylene]

顿(頓) dí 〈书〉美好(多用于人名)。

笛 dí ❶ 图 管乐器,用竹子制成,上面有一排供吹气、蒙笛膜和调节发音的孔,横着吹奏。也叫横笛。❷ 响声尖锐的发音器:汽～|警～。

【笛膜】dímó (～儿) 图 从竹子或芦苇的茎中取出的薄膜,用来贴在笛子左端第二个孔上,吹笛时振动发声。

【笛子】dí•zi 图 笛①。

觌(覿) dí 〈书〉见;相见。

【觌面】dímiàn 〈书〉动 见面;当面。

髢 dí(旧读 dì) [髢髢](dí•dí)〈方〉图 假头发。

嘀(啾) dí [嘀咕](dí•gu)动 ❶ 小声说;私下里说:俩人一见面就～上了。❷ 猜疑;犹疑:他看到这种异常的情形,心里直～。

另见 290 页 dī。

嫡 dí ❶ 宗法制度下指家庭的正支(跟“庶”相对):～出|～长子(妻子所生的长子)。❷ 家族中血统近的:～亲|～堂。❸ 正宗;正统:～派|～传。

【嫡出】díchū 动 旧指妻子所生(区别于“庶出”)。

【嫡传】díchuán 动 嫡派相传(表示正统):～弟子。

【嫡母】dímǔ 图 宗法制度下妾所生的子女称父亲的妻子。

【嫡派】dípài 图 ❶ 嫡系:～子孙。❷ 得到传授人亲自传授的一派(多指技术、武艺):～真传。

【嫡亲】díqīn 厖 属性词。血统最接近的(亲属):～姐姐|～侄子。

【嫡堂】dítáng 厖 属性词。血统关系较近的(亲属):～兄弟|～叔伯。

【嫡系】díxì 图 ❶ 宗法制度下指家族的正支:～后裔。❷ 一线相传的派系;亲信派系:～部队。

【嫡子】dízǐ 图 旧指妻子所生的儿子(区别于“庶子”。特指嫡长子。

翟 dí ❶ 古书上指长尾的野鸡。❷ 古代用作舞具的野鸡的羽毛。❸ (Dí)图 姓。

另见 1709 页 Zhái。

镝(鏑) dí 〈书〉箭头,也指箭:锋～| 鸣～。

另见 291 页 dī。

鬄

蹢 dí ［鬄髻］(díjì)〈书〉名 假发盘成的 髻。

dí 〈书〉蹄子。

另见 1751 页 zhí。

dǐ (ㄉㄧˇ)

氐 dǐ 〈书〉根本①。

另见 289 页 dī。

邸 dǐ ❶ 高级官员的住所:官～|私～。 ❷ (Dǐ)名 姓。

诋(詆) dǐ 说坏话;骂:～毁|丑～(辱 骂)。

【诋毁】dǐhuǐ 动 毁谤;污蔑:～别人,抬高 自己。

坻 dǐ 宝坻(Bǎodǐ),地名,在天津。

另见 182 页 chí。

抵¹ dǐ ❶ 动 支撑:～住门别让风刮开| 他用手～着下巴颏儿。❷ 抵挡;抵 抗:～制。❸ 动 抵偿:～命。❹ 动 抵 押:用房屋做～。❺ 动 抵消:收支相～。 ❻ 动 相当;能代替:一个～两个。

抵² dǐ 动 抵达;到:平安～京。

【抵补】dǐbǔ 动 补足所缺的部分:～损失。

【抵偿】dǐcháng 动 用价值相等的事物作 为赔偿或补偿:～消耗|拿实物作～。

【抵触】(牴触) dǐchù 动 跟另一方有矛盾: ～情绪|相～|在个人利益和集体利益有 ～的时候,应该服从集体利益。

【抵达】dǐdá 动 到达:～目的地。

【抵挡】dǐdǎng 动 挡住压力;抵抗:～严 寒|攻势太猛,～不住。

【抵还】dǐhuán 动 以价值相当的物品偿 还:把房产作价～。

【抵换】dǐhuàn 动 以另一物代替原物。

【抵交】dǐjiāo 动 用价值相等的钱或实物 代替应交纳的钱物:用红利来～保险费。

【抵缴】dǐjiǎo 动 抵交。

【抵抗】dǐkàng 动 用力量制止对方的进 攻:奋力～|～敌人入侵。

【抵扣】dǐkòu 动 用扣除的方式抵消所欠

或应交的款项。

【抵赖】dǐlài 动 用谎言和狡辩否认所犯过 失或罪行:铁证如山,不容～。

【抵命】dǐ//mìng 动 偿命:杀人～。

【抵事】dǐ//shì 〈方〉形 顶事;中用(多用于 否定式):谁说人少了不～!|究竟抵不抵 事,还要试一试看。

【抵数】dǐ//shù 动 充数;凑数:注重质量, 决不能拿伪劣产品～。

【抵死】dǐsǐ 副 拼死(表示态度坚决):～ 承认。

【抵牾】(牴牾) dǐwǔ 〈书〉动 矛盾:两部书 中的记载,每每～。

【抵消】dǐxiāo 动 两种事物的作用因相反 而互相消除:这两种药可别同时吃,否则 药力就～了。

【抵押】dǐyā 动 债务人把自己的财产押给 债权人,作为清偿债务的保证:～品|用房 产做～。

【抵御】dǐyù 动 抵挡;抵抗:～外侮|风 沙侵袭。

【抵债】dǐ//zhài 动 抵偿债款。

【抵账】dǐ//zhàng 动 用有价证券、实物或 劳力等来还账。

【抵制】dǐzhì 动 阻止某些事物,使不能侵 入或发生作用:～不正之风。

【抵罪】dǐzuì 动 用接受惩罚的方式来抵偿 所犯的罪过。

底¹ dǐ ❶ (～儿)名 物体的最下部分: 锅～儿|井～|海～。❷ (～儿)名 事情 的根源或内情:交～|摸～儿|刨根问～ 儿。❸ (～儿)名 底子④:～本|～稿儿|留个 ～儿。❹ (年和月的)末尾:年～|月～。❺ (～儿)名 花纹图案的衬托面:白～红花。 ❻ 名 底数①的简称。❼ 〈书〉达到;终 ～于成|伊于胡～?(到什么地步为止?)❽ (Dǐ)名 姓。

底² dǐ 〈书〉代 疑问代词。何;什么:～ 处|～事。

底³ dǐ 〈书〉代 指示代词。❶ 此;这:竹篱茅舍,～是藏春处。❷ 如此;这 样:长歌～有情。

另见 285 页·de。

【底版】dǐbǎn 名 底片。

【底本】dǐběn 名 ❶ 留做底子的稿本。❷ 抄写、刊印、校勘等所依据的本子。

【底册】dǐcè 名 登记事项留存备查的册

子：打印两份，一份上报，一份留做～。

【底层】dǐcéng 名❶ 建筑物地面上最底下的一层，泛指事物最下面的部分：大楼的～是商店。❷ 社会、组织等的最低阶层：生活在社会～。

【底肥】dǐféi 名 基肥：～不足，麦苗长得不好。

【底粪】dǐfèn 名 做基肥用的粪肥。

【底稿】dǐgǎo 名 公文、信件、文章等的原稿，多保存起来备查。

【底工】dǐgōng 同"底功"。

【底功】dǐgōng 名 基本功夫（多指戏曲表演技艺等）：～扎实。也作底工。

【底火】dǐhuǒ 名❶ 指增添燃料以前炉灶中原有的火。❷ 枪弹或炮弹底部的发火装置，是装着起爆药的铜帽或钢帽，受撞针撞击时，就引起发射药的燃烧。炮弹底火也有用电引发的。

【底价】dǐjià 名❶ 招标、拍卖前预定的起始价钱：这套邮票拍卖～130 元，成交价160 元。❷ 底码①。

【底襟】dǐjīn （～儿）名 纽扣在一侧的中装，掩在大襟底下的狭长部分。

【底里】dǐlǐ 〈书〉名 内部的实情：不知～｜探听～。

【底码】dǐmǎ 名❶ 商业中指商品的最低售价。❷ 银行业中指规定的最低限度的放款利息额。

【底牌】dǐpái 名❶ 扑克牌游戏中最后亮出来的牌。❷ 比喻内情：摸清对方～，再考虑如何行动。❸ 比喻留着最后动用的力量：不到万不得已，别打这张～。

【底盘】dǐpán 名❶ 汽车、拖拉机等的组成部分，包括传动机构、行驶机构和控制机构。❷〈方〉器物的底座。

【底片】dǐpiàn 名❶ 负片的通称。❷ 没有拍摄过的胶片。‖也叫底版。

【底气】dǐqì 名❶ 指人体的呼吸量：～不足，爬到第三层就气喘了｜他～足，唱起歌来嗓音洪亮。❷ 泛指气力或劲头：看到新一代的成长，教师们干工作的～更足了。

【底色】dǐsè 名 底子的颜色，也用于比喻：整个剧本有一种悲剧的～。

【底商】dǐshāng 名 指位于楼房底层或低层的商业用房。

【底墒】dǐshāng 名 种庄稼以前土壤中已有的水分：今春雨水多，～好。

【底数】dǐshù 名❶ 求一个数的若干次乘方时，这个数就是底数，如求 a^n，a 就是底数。简称底。❷ 事情的原委；预定的计划、数字等：心里有～｜告诉你个～。

【底细】dǐ·xì 名 （人或事情的）根源；内情：摸清～｜不了解这件事的～。

【底下】dǐ·xia 名 方位词。❶ 下面①：树～｜窗户～◇手～工作多｜笔～不错（会写文章）。❷ 下面②：他们～说的话我就听不清了。

【底下人】dǐ·xiarén 名❶ 下人。❷ 手下的人；下属：上边这说话，～不好做主。

【底限】dǐxiàn 名 同"底线"①②。

【底线】[1] dǐxiàn 名❶ 足球、篮球、排球、羽毛球等运动场地两端的界线。❷ 指最低的条件；最低的限度：价位～｜谈判～｜道德～。也作底限。

【底线】[2] dǐxiàn 名 暗藏在对方内部刺探情报或进行其他活动的人；内线。

【底薪】dǐxīn 名❶ 过去物价不稳定时的计算工资的基数。有的在这基数之外另加津贴，有的为实际的工资。有的根据当时若干种主要生活必需品的物价指数，对基数加以调整，折算实际的工资。❷ 基本工资。

【底蕴】dǐyùn 名 详细的内容；内情：不知其中～。

【底止】dǐzhǐ 〈书〉名 止境：永无～。

【底子】dǐ·zi 名❶ 底[1]①；鞋～。❷ 底细；内情：把～摸清了。❸ 基础：～薄｜他的～不太好，可是学习很努力。❹ 可做根据的东西（多指草稿）：发出的文件要留个～｜画画儿count打个～。❺ 东西剩下的最后一部分：货～｜粮食～。❻ 底[1]⑤：她穿件白～小紫花的衬衫。

【底座】dǐzuò （～儿）名 座子①（多指在上面安装各种零件或构件的）：磅秤的～｜台灯的～｜柱子的～是大理石的。

柢 dǐ 树根：根深～固。

牴(觝) dǐ 见下。

【牴触】dǐchù 见 293 页[抵触]。

【牴牾】dǐwǔ 见 293 页[抵牾]。

砥 dǐ（旧又读 zhǐ）〈书〉细的磨刀石：～石。

【砥砺】dǐlì 〈书〉❶ 名 磨刀石。❷ 动 磨炼：～节操｜～革命意志。❸匭勉励：互相～。

【砥柱中流】Dǐzhù zhōngliú 见 1763 页〖中流砥柱〗。

骶 dǐ 腰部下面尾骨上面的部分。

【骶骨】dǐgǔ 名 腰椎下部五块椎骨合成的一块骨，呈三角形，上宽下窄，上部与第五腰椎相连，下部与尾骨相连。(图见 490 页"人的骨骼")

dì (分)

地 dì ❶名 地球；地壳：天～｜～层｜～质。❷名 陆地：～面｜～势｜高～｜低～｜山～｜～下水。❸名 土地；田地：荒～｜下～干活儿。❹名 地板①：铺～｜水泥～。❺名 地区①：各～｜内～｜外～。❻名 地区②：省～领导｜县两级干部。❼名 地方(dìfāng)①：军～两用人才。❽地方(dì·fang)①：无～自容。❾名 地点：目的～｜所在～。❿地位：易～以处。⓫地步：置之死～｜预为之～。⓬(～儿)名 花纹或文字的衬托面：白～红花儿的大碗｜白～黑字的木牌。⓭名 路程(用于里数、站数后)：二十里～｜两站～。

另见 284 页 ·de。

【地板】dìbǎn 名 ❶ 房屋等建筑物内部以及周围的地上铺的一层东西，材料多为木头、砖石或混凝土：木～｜革～｜水磨石～。❷〈方〉田地。

【地板革】dìbǎngé 名 铺室内地面用的人造革，有各种图案花纹，坚固耐磨。

【地板砖】dìbǎnzhuān 名 铺室内地面用的地砖。

【地磅】dìbàng 名 地秤。

【地保】dìbǎo 名 清朝和民国初年在地方上为官府办差的人。

【地堡】dìbǎo 名 供步枪、机枪射击用的低矮工事，有顶，通常为圆形。

【地标】dìbiāo 名 地面上的显著标志。

【地表】dìbiǎo 名 地球的表面，也就是地壳的最外层：～温度。

【地鳖】dìbiē 名 昆虫，身体扁，卵圆形，棕黑色，雄的有翅，雌的无翅。常在住宅墙根的土内活动。可入药。通称土鳖，也叫䗪虫(zhèchóng)。

【地波】dìbō 名 指沿着地球表面传播的无线电波。传播距离不远，但很稳定。

【地鸨】dìbǔ 名 大鸨。

【地步】dìbù 名 ❶ 处境；景况(多指不好的)：真没想到他会落到这个～。❷ 达到的程度：他兴奋得到了不能入睡的～。❸ 言语行动可以回旋的地方：留～。

【地层】dìcéng 名 地壳是由一层一层的岩石构成的，这种岩石层次的系统叫做地层。

【地产】dìchǎn 名 属于个人、团体或国家所有的土地。

【地秤】dìchèng 名 秤的一种，安装在地上，放物体的部分跟地面一般平，一次可以称数吨至数十吨，多用于仓库和车站。也叫地磅。

【地磁】dìcí 名 地球所具有的磁性。在不同的地点和时间会有变化，并在其周围空间形成磁场。罗盘指南和磁力探矿都是地磁的利用。

【地磁极】dìcíjí 名 地球的磁南极和磁北极，与地球的南北两极不重合，而且位置经常缓慢移动。

【地大物博】dì dà wù bó 土地广大，物产丰富：我国～，人口众多。

【地带】dìdài 名 具有某种性质或范围的一片地方：丘陵～｜草原～｜危险～。

【地道】dìdào 名 在地面下掘成的交通坑道(多用于军事)。

【地道】dì·dao 形 ❶ 真正是有名产地出产的：～药材。❷ 真正的；纯粹的：她的普通话说得真～。❸ (工作或材料的质量)实在；够标准：他干的活儿真～。

【地灯】dìdēng 名 安装在地面上或接近地面位置上的灯。

【地点】dìdiǎn 名 所在的地方：开会～在大礼堂｜在这里设个商场，～倒还适中。

【地动仪】dìdòngyí 名 候风地动仪的简称。

【地洞】dìdòng 名 在地面下挖成的洞。

【地段】dìduàn 名 指地面上的一段或一定区域：繁华～｜这里是属东城区管辖的～。

【地方】dìfāng 名 ❶ 中央下属的各级行政区划的统称(跟"中央"相对)：这项工程有中央投资，也有～投资。❷ 军队指军队以外的部门、团体等：培养军队和～两用人才。❸ 本地;当地:他在农村的时候,常给~上的群众治病。

【地方】dì·fang 名 ❶ (~儿)某一区域;空间的一部分;部位:你是什么~的人?|你听,飞机在什么~飞?|会场里人都坐满了,没有~了|我这个~有点疼。❷ 部分:这话有对的~,也有不对的~。

【地方保护主义】dìfāng bǎohù zhǔyì 只强调保护局部或本地区利益,不顾全局或国家利益的错误思想和作风。

【地方病】dìfāngbìng 名 经常发生在某些地区的疾病,例如我国东北的克山病。

【地方民族主义】dìfāng mínzú zhǔyì 狭隘的民族观点在民族关系上的表现。它只从本民族的眼前利益出发,否定国家整体利益,反对民族团结。

【地方时】dìfāngshí 名 各地因经度不同,太阳经过各地子午线的时间也不相同,把太阳正对某地子午线的时间定为该地中午十二点,这样定出的时间叫做地方时。

【地方税】dìfāngshuì 名 按照税法规定属于地方税务部门征收管理的税种。如个人所得税、城镇土地使用税、农牧业税等。简称地税。

【地方戏】dìfāngxì 名 产生在某一地区,用当地方言演唱,具有乡土色彩的剧种,如汉剧、湘剧、川剧、越剧等。

【地方志】dìfāngzhì 名 方志。

【地肤】dìfū 名 一年生草本植物,茎分枝很多,叶子线状披针形,穗状花序,开红褐色小花。果实扁球形,可入药,叫地肤子。嫩茎叶可以吃,老株可用来做扫帚。通称扫帚菜。

【地府】dìfǔ 名 迷信的人指人死后灵魂所在的地方:阴曹~。

【地覆天翻】dì fù tiān fān 见1345页【天翻地覆】。

【地埂】dìgěng (~儿)名 田地间的埂子。也说地埂子。

【地宫】dìgōng 名 ❶ 帝王陵墓地面下安放棺椁和殉葬品的建筑物:定陵~。❷ 佛寺保藏舍利、器物等的地下建筑物。

【地沟】dìgōu 名 地下的沟渠,多用来灌溉或排除雨水、污水等。

【地瓜】dìguā 〈方〉名 ❶ 甘薯。❷ 豆薯。

【地广人稀】dì guǎng rén xī 土地广袤,人口稀少。

【地核】dìhé 名 地球的中心部分,半径约3 480千米。

【地黄】dìhuáng 名 多年生草本植物,叶子有皱纹,长圆形,花淡紫色。根状茎黄色,可入药。

【地黄牛】dìhuángniú 名 玩具,用竹筒做成的陀螺,旋转时发出嗡嗡的声音。

【地积】dìjī 名 土地的面积,过去通常用顷、亩、分等单位来计算,现在平方米来计算。

【地基】dìjī 名 ❶ 承受建筑物重量的土层或岩层,土层一般经过夯实。有的地区叫地脚(dì·jiǎo)。❷ 地皮②:挖沟占了他家的~。

【地极】dìjí 名 地球的南极和北极。

【地籍】dìjí 名 记载土地的位置、界址、面积、质量、权属和用途等基本状况的簿册。

【地籍图】dìjítú 名 标明土地权属界线、面积和利用状况等要素的地籍管理专业用图。

【地价】dìjià 名 ❶ 土地的价格。❷ 指极低的价格(跟"天价"相对):卖主要的是天价,买主给的是~。

【地脚】dìjiǎo 名 书页下边的空白处:天头~。

【地脚】dì·jiǎo 〈方〉名 地基①。

【地窖】dìjiào 名 贮藏薯类、蔬菜等的地洞或地下室。

【地界】dìjiè 名 ❶ 两块土地之间的界线。❷ 地区;管界:出了北京市就是河北~。

【地牢】dìláo 名 地面下的牢狱:打入~。

【地老天荒】dì lǎo tiān huāng 见1345页【天荒地老】。

【地雷】dìléi 名 一种爆炸性武器,多埋入地下,装有特种引火装置。

【地理】dìlǐ 名 ❶ 全世界或一个地区的山川、气候等自然环境及物产、交通、居民点等社会经济因素的总的情况:自然~|经济~。❷ 地理学。

【地理学】dìlǐxué 名 研究人类生活的地理环境,以及人类生活与地理环境关系的学科。通常分为自然地理学和人文地理学。

【地力】dìlì 名 土地肥沃的程度:多施基肥,增加~。

【地利】dìlì 名 ❶ 地理的优势:天时~。❷ 土地有利于种植作物的条件:充分发择～,适合种什么就种什么。

【地栗】dìlì〈方〉图荸荠。

【地量】dìliàng 图指最低的数量(跟"天量"相对):昨天成交量已减少至二十八亿元,接近年内～二十五亿元。

【地邻】dìlín 图甲乙两方的耕地邻接,彼此互为地邻。

【地漏】dìlòu (～儿)图实验室、厨房、浴室、厕所等地面上设置的排水孔,和下水道相通。

【地脉】dìmài 图讲风水的人所说的地形好坏。

【地幔】dìmàn 图地球内介于地壳和地核之间的部分,厚度约2 900千米。

【地貌】dìmào 图地球表面各种形态的总称。

【地面】dìmiàn 图❶地的表面:高出～两米|两边空出三米宽五米长的～。❷地板①:瓷砖～|水磨石～。❸〈口〉地区(多指行政区域):这里已经进入山东～。❹(～儿)〈口〉当地:他在～儿上很有威信。

【地膜】dìmó 图覆盖作物的塑料薄膜,用来保护幼株,提高地温等:～覆盖育苗|推广～植棉。

【地亩】dìmǔ 图田地(总称):丈量～。

【地菍】dìniè 图多年生草本植物,叶子倒卵形或椭圆形,花紫红色,浆果球形。全草入药。

【地盘】dìpán (～儿)图❶占用或控制的地方;势力范围:争夺～。❷〈方〉建筑物的地基:～下沉。

【地皮】dìpí 图❶(～儿)地的表面:刚下过雨,～还没有干。❷供建筑等用的土地:城市里～很紧张。

【地痞】dìpǐ 图地方上的恶棍无赖:～流氓。

【地平线】dìpíngxiàn 图向水平方向望去,天跟地交界的线:一轮红日,正从～上升起。

【地铺】dìpù 图把铺盖铺在地上做成的铺位:打～|睡～。

【地契】dìqì 图买卖土地时所立的契约。

【地壳】dìqiào 图由岩石构成的地球外壳,主要成分是氧、硅、铝、镁、铁等等。平均厚度大陆地壳约35千米,海底地壳约7千米。

【地勤】dìqín 图航空部门指在地面上进行的各种工作,如维修飞机等(区别于"空勤"):～人员。

【地球】dìqiú 图太阳系九大行星之一,按离太阳由近向远的次序计为第三颗,形状像球而略扁,赤道半径约6 378千米,极半径约6 357千米,自转一周的时间是一昼夜,绕太阳一周的时间是一年。周围有大气层包围,表面是陆地和海洋,有人类和动植物等生存。有一个卫星(月球)。(图见1319页"太阳系")

【地球村】dìqiúcūn 图随着科学技术的进步和交通、信息业的发展,地球上生活的人类感到彼此的距离大大缩短,地球就像一个村庄那样联系紧密,所以把地球叫做地球村。

【地球科学】dìqiú kēxué 研究地球系统(大气圈、水圈、岩石圈、生物圈和日地空间)的形成、发展和变化及其相互作用的科学。主要包括地理学、地质学、地球物理学、地球化学、大气科学、海洋学、水文学和空间物理学等。也叫地学。

【地球仪】dìqiúyí 图地球的模型,装在支架上,可以转动,上面画着海洋、陆地、河流、山脉、经纬线等。供教学和军事上用。

【地区】dìqū 图❶较大范围的地方:湖北西部～|多山～|这个～最适宜种小麦。❷我国省、自治区设立的行政区域,一般包括若干县、市。旧称专区。❸指一国中在特定情况下单独参加某些国际活动的地方行政区域。如我国的香港、澳门地区。❹指未获得独立的殖民地、托管地等。

【地权】dìquán 图土地所有权。

【地儿】dìr〈口〉图地方(dì·fang)①:里边有～,请里边坐|在那间房里腾个～放书柜。

【地热】dìrè 图存在于地球内部的热能:开发利用～资源。

【地煞】dìshà 图❶星相家指主管凶杀的星。❷指凶神恶鬼,比喻恶势力。

【地上茎】dìshàngjīng 图植物的茎生长在地面以上的部分。

【地势】dìshì 图地面高低起伏的形势:～险要|～平坦。

【地税】dìshuì 图地方税的简称。

【地摊】dìtān (～儿)图在地上陈列货物出卖的摊子:摆～儿。

【地毯】dìtǎn 名 铺在地上的毯子。

【地毯式】dìtǎnshì 形 属性词。比喻全面的、没有遗漏的(检查、搜索、轰炸等)：～排查。

【地铁】dìtiě 名 ❶ 地下铁道的简称：～车站。❷ 指地铁列车：坐～比坐公共汽车快。

【地头】¹ dìtóu 名 ❶(～儿)田地的两端：请大家在～休息一会儿。❷〈方〉目的地：快到～了,你准备下车吧。❸〈方〉(～儿)本地方;当地：你～儿熟,联系起来方便。

【地头】² dìtóu 名 书页下端的空白处。参看 1344 页〖天地头〗。

【地头蛇】dìtóushé 名 指当地的强横无赖、欺压人民的坏人。

【地图】dìtú 名 说明地球表面的事物和现象分布情况的图,上面标着符号和文字,有时也着上颜色：军用～|中华人民共和国～|一张～。

【地位】dìwèi 名 ❶ 人、团体或国家在社会关系或国际关系中所处的位置：学术～|国际～|～平等|提高～。❷(人或物)所占的地方。

【地温】dìwēn 名 地表面和地面以下不同深度地方的温度。

【地物】dìwù 名 分布在地面的固定性物体,如居民点、道路、江河、植被、工程建筑等：利用地形～做掩护。

【地峡】dìxiá 名 海洋中连接两块陆地的狭窄陆地。

【地下】dìxià ❶ 名 地面之下;地层内部：～水|～铁道|～商场。❷ 形 属性词。秘密活动的;不公开的：～党|～工作|转入～。

【地下】dì·xia 名 地面上：钢笔掉在～|～一点灰尘都没有,像洗过的一样。

【地下茎】dìxiàjīng 名 植物生长在地面以下的变态茎,包括根状茎、块茎、鳞茎和球茎。

【地下室】dìxiàshì 名 全部或一部分建筑在地下的房间(多为多层建筑的最下层)。

【地下水】dìxiàshuǐ 名 地面下的水,主要是雨水和其他地表水渗入地下,聚积在土壤或岩层的空隙中形成的。

【地下铁道】dìxià tiědào 修建在地下隧道中的铁道。简称地铁。

【地线】dìxiàn 名 电器与地相接的导线。无线电技术上,常将地线作为高频电路的一个回路。其他电器的金属外壳常接上地线,以防电器内部绝缘破坏时使外壳带电而发生触电事故。

【地效飞行器】dìxiào fēixíngqì 一种利用地表效应提供支承力,贴近水面或地面飞行的飞行器。速度快,油耗少,安全可靠,而且不易被对方雷达发现。在军事和民用方面有广泛用途。

【地心说】dìxīnshuō 名 古时天文学上一种学说,认为地球居于宇宙中心静止不动,太阳、月球和其他星球都围绕地球运行。

【地心引力】dìxīn yǐnlì 重力。

【地形】dìxíng 名 ❶ 地理学上指地貌。❷ 测绘学上指地貌和地物的统称。

【地形图】dìxíngtú 名 表示地面上地貌、水系、植被、工程建筑、居民点等的地图。图上用等高线表示地形高低。

【地学】dìxué 名 地球科学。

【地衣】dìyī 名 低等生物的一类,是藻类与真菌的共生联合体,种类很多,生长在地面、树皮或岩石上。

【地窨子】dìyìn·zi〈口〉名 ❶ 地下室。❷ 地窖。

【地狱】dìyù 名 ❶ 某些宗教指人死后灵魂受苦的地方(跟"天堂"相对)。❷ 比喻黑暗而悲惨的生活环境。

【地域】dìyù 名 ❶ 面积相当大的一块地方：～辽阔。❷ 地方(指本乡本土)：～观念。

【地缘】dìyuán 名 由地理位置上的联系而形成的关系：～政治|～文化。

【地震】dìzhèn ❶ 名 地壳的震动,通常由地球内部的变动引起,包括火山地震、陷落地震和构造地震等。另外,陨星撞击、人工爆炸等也能引起地震。❷ 动 发生地震。

【地震波】dìzhènbō 名 由于地震而产生的向四外传播的波动。主要分为横波和纵波两种。

【地政】dìzhèng 名 有关土地的管理、利用、征用等行政事务。

【地支】dìzhī 名 子、丑、寅、卯、辰、巳、午、未、申、酉、戌、亥的统称,传统用作表示次序的符号。也叫十二支。参看 440 页〖干支〗。

【地址】dìzhǐ 名 (人、团体)居住或所在的

地点：家庭～|单位～。

【地质】dìzhì 〈名〉地壳的成分和结构。

【地质年代】dìzhì niándài 地壳中不同年代的岩石形成的时间和先后顺序。依据岩石的层位和岩石中的古生物化石，指明岩石生成先后顺序的，叫做相对地质年代；依据岩石中放射性同位素蜕变产物的含量，指明岩石生成至今的年数的，叫做同位素年龄（旧称绝对地质年代）。（见"地质年代简表"）

地质年代简表

宙	代	纪	符号	同位素年龄（单位：百万年）		生物发展的阶段
				开始时间（距今）	持续时间	
显生宙 PH	新生代 Kz	第四纪	Q	1.6	1.6	人类出现。
		新近纪	N	23	21.4	动植物都接近现代。
		古近纪	E	65	42	哺乳动物迅速繁衍，被子植物繁盛。
	中生代 Mz	白垩纪	K	135	70	被子植物大量出现，爬行类后期急剧减少。
		侏罗纪	J	205	70	裸子植物繁盛，鸟类出现。
		三叠纪	T	250	45	哺乳动物出现，恐龙大量繁衍。
	古生代 Pz	二叠纪	P	290	40	松柏类开始发展。
		石炭纪	C	355	65	爬行动物出现。
		泥盆纪	D	410	55	裸子植物出现，昆虫和两栖动物出现。
		志留纪	S	438	28	蕨类植物出现，鱼类出现。
		奥陶纪	O	510	72	藻类广泛发育，海生无脊椎动物繁盛。
		寒武纪	Є	570	60	海生无脊椎动物门类大量增加。
元古宙 PT				2 500	1 930	蓝藻和细菌开始繁盛，无脊椎动物出现。
太古宙 AR				4 000	1 500	细菌和藻类出现。

【地质学】dìzhìxué 〈名〉研究地球的物质组成、内部构造、形成和演化规律及其在国民经济中应用的学科。

【地轴】dìzhóu 〈名〉地球自转的轴线，和赤道平面相垂直。

【地主】dìzhǔ 〈名〉❶占有土地，自己不劳动，依靠出租土地剥削农民为主要生活来源的人。❷指住在本地的人（跟外来的客人相对）：略尽～之谊。

【地砖】dìzhuān 〈名〉专门用来铺地的砖，多为方形，表面有色彩和图案，品种较多。

【地租】dìzū 〈名〉土地所有者依靠土地所有权从土地使用者那里获取的收入。

玓 dì ［玓瓅］(dìlì)〈书〉〈形〉形容珠光闪耀。

杕 dì 〈书〉形容树木孤立。另见 352 页 duò。

弟 dì 〈名〉❶弟弟：二～|小～|胞～|堂～。❷亲戚中同辈而年纪比自己小

的男子：表～妻～。❸ 朋友相互间的谦
称(多用于书信)。❹ (Dì)姓。
〈古〉又同"第❶、第❸"；又同"悌"tì。

【弟弟】dì·di 名 ❶ 同父母(或只同父、只
同母)而年纪比自己小的男子。❷ 同族
同辈而年纪比自己小的男子：叔伯～。

【弟妇】dìfù 名 弟妹❷。

【弟妹】dìmèi 名 ❶ 弟弟和妹妹。❷ 弟弟
的妻子。

【弟媳】dìxí 名 弟妇。

【弟兄】dì·xiong 名 弟弟和哥哥。a)不包
括本人：他没有～,只有一个姐姐。b)包
括本人：他们是亲～|他(们)俩～|他就
一个(没有哥哥或弟弟)◇支援农民～。

【弟子】dìzǐ 名 学生；徒弟。

的 dì 箭靶的中心：目～|无～放矢|众
矢之～。
另见 284 页 •de；291 页 dí。

俤 dì 同"弟",用于人名。

帝 dì ❶ 宗教徒或神话中称宇宙的创
造者和主宰者：上～|天～|玉皇大～。
❷ 君主；皇帝：称～|三皇五～。❸ 指帝
国主义：反～斗争。❹ (Dì)名 姓。

【帝都】dìdū 名 帝王所居的城。也叫帝
京。

【帝国】dìguó 名 一般指版图很大或有殖
民地的君主国家,如罗马帝国、英帝国。
没有帝王而向外扩张的国家,有时也称为
帝国,如希特勒统治下的德国叫第三帝
国。

【帝国主义】dìguó zhǔyì ❶ 资本主义发
展的最高阶段。它的基本特征是垄断代
替了自由竞争,形成金融寡头的统治。❷
指帝国主义国家。

【帝京】dìjīng 名 帝都。

【帝君】dìjūn 名 对地位较高的神的称呼,
如文昌帝君。

【帝王】dìwáng 名 指君主国家的最高统治
者。

【帝制】dìzhì 名 君主专制政体：推翻～。

【帝子】dìzǐ 名 帝王的子女。

递(遞) dì ❶ 动 传送；传递：投～|
把报～给我|给他～了个眼色。
❷ 顺次：～增|～减|～升|～降。

【递补】dìbǔ 动 顺次补充：委员出缺,由候
补委员～。

【递加】dìjiā 动 递增。

【递减】dìjiǎn 动 一次比一次减少：劳动生
产率逐步提高,产品的成本也随着～。

【递降】dìjiàng 动 一次比一次降低：改进
工艺,使原材料消耗逐月～。

【递交】dìjiāo 动 当面送交：～本人|～国
书。

【递解】dìjiè 动 旧时指把犯人解往外地,
由沿途官府派人递相押送。

【递进】dìjìn 动 ❶ 按一定顺序推进：寒暑
～|由浅入深,逐层～。❷ 修辞手法,按照
大小轻重本末先后等一定的次序,对三种
以上的事物依次层层推进。

【递升】dìshēng 动 一次比一次升高。

【递送】dìsòng 动 送(公文、信件等)；投
递：～邮件|～情报。

【递增】dìzēng 动 一次比一次增加：收入
逐年～|产销两旺,税利～。

娣 dì ❶ 古时妇人称丈夫的弟妇为娣,
丈夫的嫂子为姒(sì)：～姒(妯娌)。
❷ 古时姐姐称妹妹为娣。❸ (Dì)名 姓。

苐 dì 〈书〉莲子。

第[1] dì ❶ 前缀。用在整数的数词的前
面,表示次序,如第一、第十。❷
〈书〉科第：及～|落～|不～。❸ (Dì)名
姓。

第[2] dì 封建社会官僚的住宅：府～|宅
～|门～|进士～。

第[3] dì 〈书〉❶ 连 但是。❷ 副 仅；只。

【第二产业】dì èr chǎnyè 指工业(包括采
掘业、制造业、自来水、电力、蒸汽、热水、煤
气)和建筑业。

【第二次国内革命战争】Dì Èr Cì Guónèi
Gémìng Zhànzhēng 1927—1937 年中
国人民在中国共产党领导下反对国民党
反动统治的战争。这期间,党领导人民在
许多省份开辟了农村根据地,实行了土地
改革,成立了工农民主政府,建立了中国
工农红军,多次粉碎了国民党反动派的
"围剿",胜利地进行了二万五千里长征。
也叫土地革命战争。

【第二次世界大战】Dì Èr Cì Shìjiè Dàzhàn
1939—1945 年法西斯国家德国、意大
利、日本发动的世界规模的战争。这次战
争从 1931 年日本侵占我国东北起开始

D

酝酿,到 1939 年德国进攻波兰,英、法对德宣战而正式爆发。全世界人民的反法西斯斗争和中、苏、美、英、法等国结成的反法西斯联盟,最后取得胜利。

【第二次鸦片战争】Dì Èr Cì Yāpiàn Zhànzhēng　1856—1860 年英法等国对我国发动的侵略战争。第二次鸦片战争使我国继鸦片战争之后又一次大量丧失领土主权。

【第二国际】Dì Èr Guójì　各国社会民主党和社会主义工人团体的国际联合组织。1889 年在巴黎成立。第一次世界大战爆发后,第二国际无形瓦解。

【第二课堂】dì èr kètáng　❶ 指有利于学生全面发展的有组织的课外活动:开辟～,让学生通过社会实践增长才干。❷ 指职业教育或成人教育。

【第二审】dì'èrshěn　名　指上级法院按照上诉程序对第一审案件进行的第二级审理。简称二审。

【第二世界】dì èr shìjiè　见〖第三世界〗。

【第二性征】dì èr xìngzhēng　副性征。

【第二宇宙速度】dì èr yǔzhòu sùdù　宇宙速度的一级,物体具有 11.2 千米/秒的速度时,就可以克服地心引力,脱离地球,在太阳系中运行,这个速度叫做第二宇宙速度。也叫脱离速度。

【第二职业】dì èr zhíyè　指职工在本职工作以外所从事的收取报酬的工作。

【第三产业】dì sān chǎnyè　通常指为生活、生产服务的行业,如商业、餐饮业、修理业、旅游业、市内客运、货运、金融、保险、通信、信息、咨询、法律事务、文化教育、科学研究事业等。

【第三次国内革命战争】Dì Sān Cì Guónèi Gémìng Zhànzhēng　1946—1949 年中国人民在中国共产党领导下反对国民党反动派的战争。这次战争消灭了八百万国民党军队,推翻了国民党在大陆的反动统治,解放了全国绝大部分土地,完成了新民主主义革命,成立了中华人民共和国,并把帝国主义势力赶出中国大陆。也叫解放战争。

【第三国际】Dì Sān Guójì　全世界共产党和共产主义组织的国际联合组织。1919 年在列宁领导下成立于莫斯科。1943 年正式解散。也叫共产国际。

【第三人】dìsānrén　名　法律上指在民事、行政诉讼中,相对于原告和被告的公民、法人或其他组织。

【第三世界】dì sān shìjiè　指亚洲、非洲、拉丁美洲以及其他地区的发展中国家(总称)。第一世界指超级大国,第二世界指处在超级大国和发展中国家之间的发达国家(总称)。

【第三宇宙速度】dì sān yǔzhòu sùdù　宇宙速度的一级,物体具有 16.7 千米/秒的速度时,就可以脱离太阳系而进入银河系,这个速度叫做第三宇宙速度。

【第三者】dìsānzhě　名　❶ 当事双方以外的人或团体。❷ 特指插足于他人家庭,跟夫妇中的一方有不正当的男女关系的人;一插足。

【第三状态】dì sān zhuàngtài　亚健康。因亚健康是处于健康与疾病之间的状态,所以叫第三状态。

【第四宇宙速度】dì sì yǔzhòu sùdù　宇宙速度的一级,预计物体具有 110—120 千米/秒的速度时,就可以脱离银河系而进入河外星系,这个速度叫做第四宇宙速度。

【第五】Dìwǔ　名　姓。

【第五纵队】dì wǔ zòngduì　1936 年 10 月西班牙内战时,叛军用四个纵队进攻首都马德里,把潜伏在马德里城内进行破坏活动的反革命组织叫做第五纵队。后来泛指内部潜藏的敌方组织。

【第一】dìyī　数　❶ 排在最前面的:他考了～名。❷ 比喻最重要:百年大计,质量～。

【第一把手】dì yī bǎ shǒu　领导班子中居于首位的负责人。

【第一产业】dì yī chǎnyè　指农业(包括林业、牧业、渔业等)。

【第一次国内革命战争】Dì Yī Cì Guónèi Gémìng Zhànzhēng　1924—1927 年中国人民反对帝国主义、封建军阀的革命战争。1923 年中国共产党确立了与中国国民党建立革命统一战线的方针。1924 年孙中山确定了联俄、联共、扶助农工三大政策,改组国民党,创建了共产党参与领导的黄埔军校,组建了革命军队即国民革命军。1926 年国民革命军从广东出师北伐,很快发展到长江流域。全国的工人和农民革命运动迅猛发展。1927 年国民党右派勾结帝国主义在上海和武汉发动反革命政变,第一次国内革命战争失败。

【第一次世界大战】Dì Yī Cì Shìjiè Dàzhàn 1914—1918 年帝国主义国家为了重新瓜分殖民地和争夺世界霸权而进行的第一次世界规模的战争。参战的一方是德国、奥匈帝国等,称为同盟国;另一方是英、法、俄、美等,称为协约国。中国后来也加入了协约国。最后同盟国失败。

【第一次鸦片战争】Dì Yī Cì Yāpiàn Zhànzhēng 见 1558 页〖鸦片战争〗。

【第一夫人】dì yī fū·rén 某些国家称国家最高领导人的妻子。

【第一国际】Dì Yī Guójì 国际性的工人联合组织。全称国际工人协会。是在马克思、恩格斯领导下于 1864 年在伦敦成立的。1876 年宣布解散。

【第一审】dìyīshěn 名指法院对诉讼案件的第一级审判。我国实行两审终审制,审判分为第一审和第二审。简称一审。

【第一时间】dì yī shíjiān 指距事情发生后最近的时间:抢在～赶到火灾现场。

【第一世界】dì yī shìjiè 见〖第三世界〗。

【第一手】dìyīshǒu 形 属性词。亲自实践、调查得来的;直接得来的:～材料|～知识。

【第一线】dìyīxiàn 名指直接从事生产、工作、科研等的地方或岗位:战斗在抗洪抢险的～。

【第一宇宙速度】dì yī yǔzhòu sùdù 宇宙速度的一级,物体具有 7.9 千米/秒的速度时,就和地心引力平衡,环绕地球运行,不再落回地面,这个速度叫做第一宇宙速度。也叫环绕速度。

谛(諦) dì ❶〈书〉仔细(看或听):～视|～观|～听。❷佛教指真实而正确的道理,泛指道理:真～|妙～。

【谛视】dìshì〈书〉动仔细地看:凝神～。
【谛听】dìtīng〈书〉动仔细地听:屏息～。

蒂(蔕) dì 瓜、果等跟茎、枝相连的部分:把儿(bàr);并～莲|瓜熟～落|根深～固。

棣 dì ❶见〖棣棠〗。❷见 1327 页〖棠棣〗。

棣² dì〈书〉弟:贤～。

【棣棠】dìtáng 名落叶灌木,叶子近卵形,花黄色。供观赏,花和枝叶可入药。

睇 dì〈书〉斜着眼看。

缔(締) dì 结合;订立:～交|～约|～盟。

【缔交】dìjiāo 动❶〈书〉(朋友)订交。❷缔结邦交:两国～以后,关系一直正常。
【缔结】dìjié 动订立(条约等):～同盟|～贸易协定。
【缔盟】dìméng 动结成同盟。
【缔约】dìyuē 动订立条约:～国。
【缔约国】dìyuēguó 名共同订立某项条约的国家。
【缔造】dìzào 动创立;建立(多指伟大的事业):共同～和平与繁荣的 21 世纪。

褅 dì 古代一种祭祀。

碲 dì 名非金属元素,符号 Te (tellurium)。银白色晶体或棕灰色粉末。碲和一些碲的化合物是半导体材料,金属或合金中加入碲,可以改善它们的性能。

墜 dì〈书〉同"地"。

螮(蝃、蝀) dì〖螮蝀〗(dìdōng)〈书〉名虹。

蹊 dì〈书〉踢;踏。

diǎ (ㄉㄧㄚˇ)

嗲 diǎ〈方〉形❶形容撒娇的声音或姿态:～声～气。❷好;优异:味道蛮～!

diān (ㄉㄧㄢ)

掂(㪬) diān 动用手托着东西上下晃动来估量轻重:你～一～这块铁有多重。

【掂对】diān·dui〈方〉动❶斟酌:大家～～,看怎么办好。❷掉换;对调:我这儿有玉米,想和你～点儿麦子。
【掂掇】diān·duo 动❶斟酌:你～着办吧。❷估计:我～着这么办能行。
【掂斤播两】diān jīn bō liǎng 比喻过分计较小事。也说掂斤簸(bǒ)两。

【掂量】 diān·liáng 〔动〕❶ 掂:他~了一下西瓜,说有八斤来重◇你好好~~~老师这句话的分量。❷ 斟酌:事情就是这些,各组回去~着办得了。

傎 diān 〈书〉颠倒错乱。

滇 Diān 〔名〕❶ 云南的别称:~红|川~公路。❷ 姓。

【滇红】 diānhóng 〔名〕云南出产的红茶。

【滇剧】 diānjù 〔名〕云南主要戏曲剧种之一,腔调以皮黄为主,主要流行于云南全省和贵州、四川的部分地区。

颠¹（顛） diān ❶〈书〉头顶:华~(头顶上黑白发相间)。❷ 高而直立的东西的顶:山~|塔~。

颠²（顛） diān ❶〔动〕颠簸:路不平,车~得厉害。❷ 跌落;倒下来:~覆|~扑不破。❸ (~儿)〈方〉〔动〕跳起来跑;跑:连跑带~|跑跑~~。

颠³（顛） diān 同"癫"。

【颠簸】 diānbǒ 〔动〕上下震荡:风大了,船身更加~起来。

【颠倒】 diāndǎo 〔动〕❶ 上下,前后跟原有的或应有的位置相反:把这两个字~过来就顺了|这一面朝上,别放~了。❷ 使颠倒:~黑白|~是非。❸ 错乱:神魂~。

【颠倒黑白】 diāndǎo hēibái 把黑的说成白的,把白的说成黑的,形容歪曲事实,混淆是非。

【颠倒是非】 diāndǎo shìfēi 把对的说成不对,不对的说成对。

【颠覆】 diānfù 〔动〕❶ 翻倒:防止列车~。❷ 采取阴谋手段从内部推翻合法的政府:~活动。

【颠来倒去】 diān lái dǎo qù 翻过来倒过去,来回重复。

【颠连】¹ diānlián 〈书〉〔形〕困苦:~无告。

【颠连】² diānlián 〈书〉〔形〕形容连绵不断:群山~起伏。

【颠末】 diānmò 〈书〉〔名〕自始至终的经过情形;细述~。

【颠沛】 diānpèi 〔形〕困顿;受挫折:~流离(生活艰难,四处流浪)。

【颠仆】 diānpū 〈书〉〔动〕跌倒:~不起。

【颠扑不破】 diān pū bù pò 无论怎样摔打都不会破裂,比喻永远不会被推翻(多指

理论、道理):~的真理。

【颠茄】 diānqié 〔名〕多年生草本植物,叶子卵形,花暗紫色,结浆果,黑紫色。根和叶可入药。

【颠三倒四】 diān sān dǎo sì (说话、做事)错乱,没有次序。

蹎 diān 〈书〉跌倒。

撷（擷） diān 〔动〕跌(多见于早期白话):~下来。

巅（巔） diān 山顶:珠峰之~。

【巅峰】 diānfēng 〔名〕顶峰,多用于比喻:~状态|事业的~。

癫（癲） diān 精神错乱:疯~。

【癫狂】 diānkuáng 〔形〕❶ 精神错乱,言语或行动异常。❷ (言谈举止)轻佻;不庄重。

【癫痫】 diānxián 〔名〕病,由脑部疾患或脑外伤等引起。发作时突然昏倒,全身痉挛,意识丧失,有的口吐泡沫。通称羊痫风或羊角风。

【癫子】 diān·zi 〈方〉〔名〕疯子。

diǎn （ㄉㄧㄢˇ）

典¹ diǎn ❶ 标准;法则:~范|~章。❷ 典范性书籍:词~|引经据~。❸ 典故:用~|出~。❹ 典礼:盛~|大~。❺〈书〉主持;主管:~试|~狱。❻ (Diǎn)〔名〕姓。

典² diǎn 〔动〕一方把土地、房屋等押给另一方使用,换取一笔钱,不付利息,议定年限,到期还款,收回原物。

【典藏】 diǎncáng 〔动〕(图书馆、博物馆等)收藏(图书、文物等):~部。

【典当】 diǎndàng ❶〔动〕典和当(dàng):~首饰。也说典押。❷〈方〉〔名〕当铺。

【典范】 diǎnfàn 〔名〕可以作为学习、仿效标准的人或事物:树立~|~作品。

【典故】 diǎngù 〔名〕诗文里引用的古书中的故事或词句。

【典籍】 diǎnjí 〔名〕记载古代法制的图书,泛指古代图书:文献~。

【典礼】 diǎnlǐ 〔名〕郑重举行的仪式,如开幕

典礼、结婚典礼、毕业典礼等。

【典型】diǎnxíng ❶ 图 具有代表性的人物或事件；用～示范的方法推广先进经验。❷ 图 具有代表性的：这件事很～，可以用来教育群众。❸ 图 文学艺术作品中用艺术概括的手法，创造出的艺术形象，它既具有一定的社会特征，同时又具有鲜明的个性特征。

【典押】diǎnyā 囫 典当①。

【典雅】diǎnyǎ 图 优美不粗俗：词句～｜风格～。

【典章】diǎnzhāng 图 法令制度：文物～｜《元～》(书名，元朝的法令汇编)。

点¹(點) diǎn

❶ (～儿)图 液体的小滴：雨～儿｜掉～儿了。❷ (～儿)图 小的痕迹：墨～儿｜斑～。❸ (～儿)图 汉字的笔画，形状是"、"。❹ 图 几何学上指没有大小(即没有长、宽、高)而只有位置，不可分割的图形。如两直线的相交处、线段的两端都是点。❺ (～儿)图 小数点，如432.5读作四三二点儿五或四百三十二点儿五。❻ (～儿)量 表示少量：一～儿小事｜吃～儿东西再走。❼ 量 用于事项：两～意见。❽ 图 一定的地点或程度的标志：起～｜终～｜冰～｜沸～｜据～｜先突破一～。❾ 事物的方面或部分：优～｜重～。❿ 囫 用笔加上点子：～一个点子｜评～｜画龙～睛。⓫ 囫 触到物体立刻离开：蜻蜓～水｜他用篙一～就把船撑开了。⓬ 同"踮"。⓭ 囫 (头或手)向下稍微动一动立刻恢复原位：他～了～头。⓮ 囫 使液体一滴滴地向下落：～卤｜～眼药。⓯ 囫 点播¹：～花生｜～豆子。⓰ 囫 一个个地查对：～名｜～数｜清～货品。⓱ 囫 在许多人或事物中指定：～某｜～节目。⓲ 囫 指点；启发：他是聪明人，一～就明白了。⓳ 囫 引着火：～灯｜～火◇老李是火暴性子，一～就着。⓴ 点缀：装～｜～染｜～景儿(点缀景物，应景儿)。㉑ (Diǎn)图 姓。

点²(點) diǎn

❶ 图 铁制的响器，挂起来敲，用来报告时间或召集群众。❷ 量 旧时夜间计时用更点，一更分五点：五更三～。❸ 量 时间单位，一昼夜的二十四分之一。❹ 图 规定的钟点：误～｜到～了。

点³(點) diǎn

点心：茶～｜早～｜糕～。

【点拨】diǎn·bo〈口〉囫 指点①：他很聪明，一～就通。

【点播】¹ diǎnbō 囫 播种的一种方法，每隔一定距离挖一小坑，放入种子。也叫点种(diǎnzhòng)。

【点播】² diǎnbō 囫 指定节目请广播电台、电视台播送：听众～的音乐节目。

【点补】diǎn·bu〈口〉囫 吃少量的食物解饿：这里有饼干，饿了可以先～～。

【点穿】diǎnchuān 囫 点破：～要害。

【点窜】diǎncuàn 囫 改换(字句)：经他一～，这篇文章就好多了。

【点滴】diǎndī ❶ 图 形容零星微小：重视别人的～经验｜这批资料是点点滴滴积累起来的。❷ 图 指零星的事物(多用于文章标题)：足球大赛～。❸ 图 见244页【打点滴】。

【点厾】diǎndū 囫 画家随意点染。

【点化】diǎnhuà 道教传说，神仙运用法术使物变化。借指僧道用言语启发人悟道。泛指启发指导。

【点火】diǎn//huǒ 囫 ❶ 引着火；使燃料开始燃烧：上午七点整，火箭发动机～。❷ 比喻挑起是非，制造事端：煽风～。

【点击】diǎnjī 囫 移动计算机鼠标，把鼠标指针指向要操作的地方并用手指按动鼠标上的按键。

【点饥】diǎn//jī 稍微吃点东西解饿：吃点儿饼干～。

【点将】diǎn//jiàng 囫 旧时主帅对将官点名分派任务。现比喻指名要某人做某项工作。

【点睛】diǎnjīng 囫 画龙点睛的略语：～之笔。

【点卯】diǎn//mǎo 囫 旧时官厅在卯时(上午五点到七点)查到岗人员，叫点卯。现指到时上班应付差事。

【点名】diǎn//míng 囫 ❶ 按名册查点人员时一个地叫名字。❷ 指名：他要求派人支援，～要你去。

【点明】diǎnmíng 囫 指出来使人知道：～主题｜～学习的要点。

【点评】diǎnpíng ❶ 囫 评点；评论：佳作～｜最后专家进行了精彩的～。❷ 图 点评的话或文字：每篇文章的后面都附有～。

【点破】diǎnpò 囫 用一两句话揭露真相或隐情：事情不必～，大家心照不宣算了。

【点球】diǎnqiú 囟 足球、曲棍球等球类比赛中，球员在本方罚球区或射门区内故意犯规判罚的球。足球比赛结束时，出现平局，也可用踢点球决定胜负。足球罚点球时，把球放在距球门线正中 11 米（英制为 12 码）的地方。曲棍球罚点球时，把球放在球门前6.40米的地方。

【点燃】diǎnrán 囫 使燃烧；点着(zháo)：～火把。

【点染】diǎnrǎn 囫 绘画时点缀景物和着色，也比喻修饰文字：一经～，形象更加生动。

【点射】diǎnshè 囫 用机枪、冲锋枪、自动步枪等自动武器进行断续的射击。

【点石成金】diǎn shí chéng jīn 神话故事中说仙人用手指头一点使石头变成金子，多比喻把不好的或平凡的事物改变成很好的事物，也说点铁成金。

【点收】diǎnshōu 囫 接收货物或财产时一件件地查点：按清单～。

【点题】diǎn//tí 囫 用扼要的话把谈话或文章的中心意思提示出来。

【点铁成金】diǎn tiě chéng jīn 点石成金。

【点头】diǎn//tóu （～儿）头微微向下一动，表示允许、赞成、领会或打招呼：这种做法需经局领导～｜他听我说得有理，不由得连连～｜他见我进来，点了下头。

【点头哈腰】diǎn tóu hā yāo 〈口〉形容恭顺或过分客气。

【点位】diǎnwèi 囟 指市场指数等所处的某一位置。

【点心】diǎn//xīn 〈方〉囫 点饥。

【点心】diǎn·xin 囟 糕饼之类的食品。

【点穴】diǎn//xué 囫 ❶ 相传是拳术家的一种武功，把全身的力量运在手指上，在人身某处穴道上点一下，就可以使人受伤，不能动弹。❷ 一种按摩疗法，用手指按压患者的特定穴位。

【点验】diǎnyàn 囫 一件件地查对检验：按清单～物资。

【点种】diǎn//zhǒng 囫 点播种子。

【点种】diǎnzhòng 囫 点播❶。

【点缀】diǎn·zhuì 囫 ❶ 加以衬托或装饰，使原有事物更加美好：蔚蓝的天空～着朵朵白云｜青松翠柏把烈士陵园～得格外肃穆。❷ 装点门面；应景儿；凑数儿。

【点子】diǎn·zi ❶ 囟 液体的小滴：雨～。❷ 囟 小的痕迹：衣服上有几个油～。❸ 囟 指打击乐器演奏时的节拍：鼓～。❹〈方〉量 表示少量：这个病抓～药吃就好了。

【点子】diǎn·zi 囟 ❶ 关键的地方：这句话说到～上了｜劲儿没使在～上。❷ 主意；办法：出～｜想～。

【点字】diǎnzì 囟 盲字。

碘 diǎn 囟 非金属元素，符号 I(iodium)。紫黑色晶体，有金属光泽，容易升华，蒸气紫色，有毒。用来制药品、染料等，碘－131也用于放射医疗中。人体缺碘可引起甲状腺肿大。

【碘酊】diǎndīng 囟 药名，碘和碘化钾的稀酒精溶液，棕红色，用作消毒剂。通称碘酒。

【碘酒】diǎnjiǔ 囟 碘酊的通称。

【碘盐】diǎnyán 囟 加入适量碘的食盐，食用碘盐有利于防治缺碘引起的疾病。

跰(跰) diǎn 抬起脚后跟用脚尖站着：他人矮，得～着脚才能看见。也作点。

"跰"另见 316 页 diē。

【跰脚】diǎnjiǎo （～儿）〈方〉囫 一只脚有病，走路只能前脚掌着地。

diàn （ㄉㄧㄢˋ）

电(電) diàn ❶ 囟 有电荷存在和电荷变化的现象。电是一种很重要的能源，广泛用在生产和生活各方面，如发光、发热、产生动力等。❷ 闪电：雷～｜风驰～掣。❸ 囫 触电：电门可能有毛病，我一开灯，～了我一下。❹ 电报：急～｜唁～｜通～致贺。❺ 囫 打电报：～贺｜即～上级请示。❻ (Diàn) 囟 姓。

【电霸】diànbà 囟 指利用掌管电力的职权刁难、欺诈用户以谋取私利的单位或个人。

【电棒】diànbàng （～儿）〈口〉囟 手电筒。

【电报】diànbào 囟 ❶ 用电信号传递文字、照片、图表等的通信方式。可分为编码电报和传真电报两种。❷ 用电报装置传递的文字、图表等：打～。

【电报挂号】diànbào guàhào　向当地电报局申请后编定的号码，用来代替申请单位的地址和名称。

【电笔】diànbǐ　名 试电笔。

【电表】diànbiǎo　名❶测量电压、电流、电阻、电功率等的各种电气仪表的统称。❷电能表的简称。

【电冰柜】diànbīngguì　名 一种冷藏装置，工作原理跟电冰箱相同，冷藏温度在0℃以下。简称冰柜。

【电冰箱】diànbīngxiāng　名 一种冷藏装置，在隔热的柜子中装有盘曲的管道，电动机带动压缩机，使冷凝剂在管道中循环产生低温。电冰箱中低温在0℃以下的部分叫做冷冻室，在0℃以上的部分叫做冷藏室。简称冰箱。

【电波】diànbō　名 指无线电波。

【电场】diànchǎng　名 传递电荷与电荷间相互作用的场。电荷周围总有电场存在，同时电场对场中的其他电荷存在力的作用。参看155页"场"⑨。

【电场线】diànchǎngxiàn　名 描述电场分布情况的假想曲线。曲线上各点的切线方向与该点的电场方向一致，曲线的疏密程度与该处的电场强度成正比。也叫电力线。

【电唱机】diànchàngjī　名 用电动机做动力，并使用电唱头和扩音器使唱片放出声音来的机器。

【电唱头】diànchàngtóu　名 拾音器。

【电车】diànchē　名 用电做动力的公共交通工具，电能从架空的电源线供给，分为无轨电车和有轨电车两种。

【电陈】diànchén　动 用电报陈述(事由)：谈判一有结果，迅即～。

【电池】diànchí　名 把化学能或光能等变成电能的装置。如手电筒用的干电池，汽车用的电瓶，人造卫星上用的太阳能电池等。

【电传】diànchuán　❶动 原指通过电传打字电报机发出电报。现多指用传真机或计算机传送(文字、图像等)。❷名 指用传真机或计算机传送的文字、图像等。

【电船】diànchuán　〈方〉名 汽艇。

【电瓷】diàncí　名 瓷质的电绝缘材料，具有良好的绝缘性和机械强度，如瓷绝缘子。

【电磁】diàncí　名 物质所表现的电性和磁性的合称，如电磁感应、电磁波。

【电磁波】diàncíbō　名 在空间传播的周期性变化的电磁场。无线电波和光线、X射线、γ射线等都是波长不同的电磁波。有时特指无线电波。

【电磁场】diàncíchǎng　名 电场和磁场的合称。变化着的电场和磁场互相依存，又互相转化。

【电磁感应】diàncí gǎnyìng　当导体回路中的磁通量发生变化时，导体两端产生电动势，并在闭合电路中产生电流的现象。

【电磁炉】diàncílú　名 电磁灶。

【电磁炮】diàncípào　名 利用电磁力发射炮弹的装置，主要由能源、加速器和开关三个部分组成。炮弹射出的速度快，射程远，命中率高，安全性和隐蔽性好。

【电磁灶】diàncízào　名 利用电磁感应引起涡流加热的灶具。也叫电磁炉。

【电大】diàndà　名 电视大学的简称。

【电刀】diàndāo　名 一种手术刀，利用感应线圈所产生的感应电流，通过刀锋放电，使刀锋下的组织瞬时烧结，随后切开。用于止血，可大大缩短手术时间。

【电导】diàndǎo　名 表述导体导电性能的物理量。导体的电阻越小，电导就越大，数值上等于电阻的倒数。单位是西门子。

【电灯】diàndēng　名 利用电能发光的灯，通常指白炽灯。

【电灯泡】diàndēngpào　(～儿)名 白炽灯上用的发光器件，一般呈梨形或球形。参看24页〖白炽灯〗。

【电动】diàndòng　形 属性词。用电力使机械运转的：～机|～玩具。

【电动机】diàndòngjī　名 把电能变为机械能的机器，可分为直流电动机和交流电动机两种。也叫马达。

【电动势】diàndòngshì　名 单位正电荷沿回路移动一周所做的功，叫做电源的电动势。电源不输出电流时，电源的电动势等于两极间的电势差。单位是伏特。

【电镀】diàndù　动 利用电解作用，在金属等的表面上均匀地附上薄薄一层别的金属或合金。可以防止生锈，使外形美观，或增加耐磨、导电、光反射等性能。

【电饭煲】diànfànbāo　〈方〉名 电饭锅。

【电饭锅】diànfànguō　名 一种利用电能加热、蒸煮饭菜的烹调用具，具有自动断电、保温等功能。有的地区叫电饭煲。

【电风扇】diànfēngshàn　名 电扇。

【电感】 diàngǎn 名 自感和互感的统称。

【电告】 diàngào 动 用电报通知或报告：请速将详情～中央。

【电工】 diàngōng 名❶ 制造、安装、修理各种电气设备的工作。❷ 做这种工作的技术工人。

【电功率】 diàngōnglǜ 名 电流在单位时间所做的功。单位是瓦特，实用单位是千瓦。

【电灌】 diànguàn 动 用电力扬水灌溉：～站。

【电光】 diànguāng 名 电能所发的光，多指闪电的光。

【电函】 diànhán ❶ 动 通过电信方式传递信件。❷ 名 通过电信方式传递的信件。

【电焊】 diànhàn 动 用电能加热，使金属工件焊接在一起。可分为电弧焊、接触焊、电渣焊等。

【电贺】 diànhè 动 发电报祝贺：～中国队荣获冠军。

【电荷】 diànhè 名 物体或构成物体的质点所带的正电或负电。异种电荷相吸引，同种电荷相排斥。单位是库仑。

【电弧】 diànhú 名 正负两电极接近到一定距离时放电所产生的持续的白色弧光。电弧能产生高温、强光和某些射线，用于照明、焊接、炼钢等。

【电化教育】 diànhuà jiàoyù 利用录音、录像、广播、电视、幻灯、电影等科学技术设备进行的教育。

【电话】 diànhuà 名❶ 利用电信号的传输使两地的人互相交谈的通信方式。❷ 电话机，主要由发话器、受话器和线路三部分组成。❸ 用电话装置传递的话：来过两次～|我没有接到他的～。

【电话会议】 diànhuà huìyì （不在一个地方的人）利用电话装置举行的会议。

【电话卡】 diànhuàkǎ 名 指打电话付费用的电话信用卡、磁卡、智能卡等。

【电话亭】 diànhuàtíng 名 设在路旁或邮电局内形状像小亭子的公用电话设施。

【电荒】 diànhuāng 名 指电力供应严重缺乏的状况。

【电汇】 diànhuì 动 通过电报办理的汇兑，现逐渐由电子汇款取代。

【电机】 diànjī 名 产生和应用电能的机器，特指发电机或电动机。

【电极】 diànjí 名 电源或电器上用来接通电流的地方。

【电教】 diànjiào 名 电化教育的简称：～馆|～中心。

【电解】 diànjiě 动 电流通过电解质溶液或熔融状态的电解质，使阴阳两极发生氧化还原反应。可用来冶炼或精炼金属，也用来电镀。

【电解质】 diànjiězhì 名 在水溶液中或在熔融状态下能形成离子，因而能导电的化合物。如食盐、硫酸、氢氧化钠等。

【电介质】 diànjièzhì 名 不导电的物质，如干燥的空气、玻璃、云母片、胶木等。在一定的条件下，有些电介质（如半导体）也可以导电。

【电缆】 diànlǎn 名 装有绝缘层和保护外皮的导线。通常是比较粗的，由多股彼此绝缘的导线构成。多架在空中或埋设在地下、水底，用于电信或电力输送。

【电老虎】 diànlǎohǔ 名❶ 比喻凭借手中的权力谋取私利、刁难用户的电力单位或人员。❷ 比喻耗电量大的设备。

【电离】 diànlí 动❶ 液体、气体的原子或分子受到粒子撞击、射线照射等作用而变成离子。❷ 电解质在溶液中或在熔融状态下形成自由移动的离子。

【电离层】 diànlícéng 名 具有电离现象，存在大量的离子和自由电子，并且能够反射电磁波的大气层。距地面约 70—500 千米。

【电离平衡】 diànlí pínghéng 弱电解质在溶液中，电解质分子电离成离子的速率跟离子重新结合成分子的速率相等时的状态。

【电力】 diànlì 名 电所产生的做功能力，通常指做动力用的电。

【电力网】 diànlìwǎng 名 电力系统的一部分，由变电站和输电线路、配电装置等组成。

【电力线】 diànlìxiàn 名❶ 电场线。❷ 指输送动力用电的导线：～上网。

【电量】 diànliàng 名 物体所带电荷的多少。单位是库仑。

【电疗】 diànliáo 动 物理疗法的一种，利用电器装置发热或电流刺激来治疗疾病。

【电铃】 diànlíng 名 利用电磁铁特性通电后使铃发出音响信号的装置。

【电流】 diànliú 名❶ 电荷的定向流动。

电流通过导体会产生热效应、磁效应、化学效应、发光效应等。❷ 电流强度的简称。

【电流表】diànliúbiǎo 名 安培计。

【电流强度】diànliú qiángdù 单位时间内通过导体横截面的电量。单位是安培。简称电流。

【电炉】diànlú 名 利用电能产生热量的设备,可分为电弧电炉、电阻电炉、感应电炉等。用于取暖、炊事以及工业上加热、烘干、冶炼等。

【电路】diànlù 名 由电源、用电器、导线、电器元件等连接而成的电流通路。

【电路图】diànlùtú 名 用规定的符号代表各种元件、器件装置,表示所组成的电路的图。

【电码】diànmǎ 名 ❶ 指电报通信中所用的代表字母、数字、符号等的各种电信号组合。❷ 我国用汉字打电报时,用四个数字代表一个汉字,也叫电码。

【电门】diànmén 名 开关①的通称。

【电脑】diànnǎo 名 指电子计算机。

【电脑病毒】diànnǎo bìngdú 计算机病毒。

【电能】diànnéng 名 电所具有的做功的能。单位是焦耳或千瓦时。通常也指电量。

【电能表】diànnéngbiǎo 名 用来累计所消耗电能的仪表。因为 1 度电代表的电能为 1 千瓦时,所以也叫千瓦时表。简称电表。

【电瓶】diànpíng 名 指大型蓄电池:～车。

【电瓶车】diànpíngchē 名 用自身携带的电瓶做动力来源的车。

【电气】diànqì 名 电①。

【电气化】diànqìhuà 动 把电力广泛应用到国民经济的各个领域和城乡人民生活中,以提高劳动生产率和生活水平。

【电气石】diànqìshí 名 矿物,化学成分是含硼的铝硅酸盐。通常透明,有玻璃光泽,硬度 7—8。其中的上品是宝石,叫碧玺。

【电器】diànqì 名 ❶ 电路上的负载以及用来控制、调节或保护电路、电机等的设备,如扬声器、开关、变阻器、熔断器等。❷ 指家用电器,如电视机、录音机、电冰箱、洗衣机、空调等。

【电热】diànrè 形 属性词。利用电能加热的:～杯|～毯|～产品。

【电容】diànróng 名 ❶ 导体容纳电荷的能力。单位是法拉。❷ 指电容器。

【电容器】diànróngqì 名 电路中用来储存电量的器件,由两个接近并相互绝缘的导体构成。

【电扇】diànshàn 名 利用电动机带动叶片旋转、使空气流动的装置。天气炎热时开电扇能给人以凉爽的感觉。常见的有吊扇、台扇、落地扇等。

【电石】diànshí 名 无机化合物,化学式 CaC_2。用生石灰和焦炭放在电炉里加热制成,石块状,灰色,工业上用来制乙炔等。

【电石气】diànshíqì 名 乙炔。

【电势】diànshì 名 单位正电荷从某一点移到无穷远时,电场所做的功就是电场中该点的电势。正电荷越多,电势也越高。单位是伏特。旧称电位。

【电势差】diànshìchā 名 电场或电路中两点之间电势的差。单位是伏特。通称电压,旧称电位差。

【电视】diànshì 名 ❶ 利用无线电波或导线把实物的活动影像和声音变成电信号传送出去,在接收端把收到的信号变成影像和声音再现出来的装置。❷ 用这种装置传送的影像:看～|放～。❸ 指电视机:一台～。

【电视大学】diànshì dàxué 通过电视实施高等教育的一种教学机构。简称电大。

【电视点播】diànshì diǎnbō 交互式电视系统的一种应用形式,用户把所要点播的电视节目目录通过上行通道传到节目中心,节目中心根据用户要求将节目通过下行通道传到用户所在的终端。

【电视电话】diànshì diànhuà 可以在电话网上同时传递双方声音和影像信号的通信方式。

【电视发射塔】diànshì fāshètǎ 发射电视信号的天线,支架结构的形状像塔。简称电视塔。

【电视机】diànshìjī 名 电视接收机的简称。

【电视接收机】diànshì jiēshōujī 接收电视信号的装置,由接收图像和接收声音的两个部分合成。简称电视机。

【电视剧】diànshìjù 名 为电视台播映而编写、录制的戏剧。

【电视片儿】diànshìpiānr 〈口〉名 电视片。

【电视片】diànshìpiàn 名 供电视台播送

的片子,内容多为介绍人物、科学知识、地区风貌等。

【电视塔】diànshìtǎ 名 电视发射塔的简称。

【电视台】diànshìtái 名 摄制并播送电视节目的场所和机构。

【电台】diàntái 名❶能够发射和接收无线电信号的装置。由天线、无线电发射机和接收机等组成。❷广播电台的简称。

【电烫】diàntàng 动 用电热烫发,使鬈曲。

【电梯】diàntī 名 多层、高层建筑物中用电做动力的升降机,用来载人或载物。也包括自动扶梯。参看 1216 页〖升降机〗。

【电筒】diàntǒng 名 手电筒。

【电头】diàntóu 名 电讯开头的几个字,包括通讯社名称,发报的地点、日期等,如"新华社北京 5 月 1 日电"。

【电网】diànwǎng 名❶用金属线架设的可以通电的障碍物,多用来防敌或防盗。❷指电力网。

【电位】diànwèi 名 电势的旧称。

【电位差】diànwèichā 名 电势差的旧称。

【电文】diànwén 名 电报的文字、内容:起草～。

【电线】diànxiàn 名 传送电力或电信号的导线,多用铜或铝等制成。有单股的或多股的、裸露的或用绝缘体套起来的。

【电信】diànxìn 名 利用电话、电报或无线电设备等传送信息的通信方式。旧称电讯。

【电刑】diànxíng 名❶使电流通过人的身体,用来逼供的刑罚。❷用电椅处死犯人的刑罚。

【电讯】diànxùn 名❶用电话、电报或无线电设备等传播的消息。❷电信的旧称。

【电压】diànyā 名 电势差的通称。

【电压表】diànyābiǎo 名 用来测量电压的仪表。读数以伏或毫伏为单位的电压表,通常称为伏特表或毫伏表。

【电眼】diànyǎn 名 电子眼的简称。

【电唁】diànyàn 动 发电报吊唁。

【电椅】diànyǐ 名 装有电极的椅子式的刑具。

【电影】diànyǐng (～儿)名 一种综合艺术,用强灯光把拍摄的形象连续放映在银幕上,看起来像真实活动的形象。

【电影剧本】diànyǐng jùběn 专门为拍摄

电影写的剧本,分两种,一种是跟一般剧本只稍有不同,不分场幕,叫做电影文学剧本,另一种是电影分镜头剧本。

【电影摄影机】diànyǐng shèyǐngjī 拍摄电影用的机械,有自动连续曝光及输片的机构。简称摄影机。

【电影院】diànyǐngyuàn 名 专供放映电影的场所。

【电邮】diànyóu 名 电子邮件的简称。

【电源】diànyuán 名 把电能供给电器的装置,如电池、发电机等。

【电闸】diànzhá 名 指较大型的电源开关。

【电站】diànzhàn 名 水电站、火电站、核电站等的统称。

【电钟】diànzhōng 名 利用电力做能源运转的时钟。

【电子】diànzǐ 名 构成原子的粒子之一,质量极小,带负电,在原子中围绕原子核旋转。

【电子版】diànzǐbǎn 名 指出版物电子形式的版本,如录有出版内容的录音带、录像带、磁盘、光盘等。

【电子表】diànzǐbiǎo 名 装有电子线路的手表,用微型电池做能源。

【电子出版物】diànzǐ chūbǎnwù 需要通过计算机或其他电子设备阅读的以光盘、磁盘等为载体的出版物。

【电子辞典】diànzǐ cídiǎn 以电子出版物形式出版的辞典。

【电子公告牌】diànzǐ gōnggàopái 互联网上的电子公共论坛,提供公开讨论、发布信息、文件传输、实时聊天等服务。

【电子管】diànzǐguǎn 名 一种电子器件,在密闭的玻璃管或金属管内,通过利用和控制电子在真空或稀薄气体中的运动进行工作。可用来整流、检波、放大和振荡等。常见的有二极管、三极管。

【电子函件】diànzǐ hánjiàn 电子邮件。

【电子汇款】diànzǐ huìkuǎn 通过邮政综合计算机网络进行的汇兑。

【电子货币】diànzǐ huòbì 银行发行的一种具有消费信用功能的电子磁卡,可以通过计算机网络系统转账结算、存取现款等。

【电子计算机】diànzǐ jìsuànjī 用电子元器件及其他设备构成的自动计算装置,能对输入的数据或信息非常迅速、精确地进行运算和处理。电子计算机根据工作原理,一般分为数字式和模拟式两种,广泛应用在工程技术、科学研究等方面。简称计算机。

【电子流】diànzǐliú 图自由电子在空间做定向运动所形成的电流。

【电子枪】diànzǐqiāng 图示波管、摄像管、电子束加工装置等器件中产生和聚焦电子束的电极系统,电子束的方向和强度可以控制,通常由热阴极、控制电极和若干加速阳极等组成。

【电子琴】diànzǐqín 图键盘乐器,采用半导体集成电路,对乐音信号进行放大,通过扬声器产生音响。

【电子认证】diànzǐ rènzhèng 为保障电子商务活动的安全,由专门机构发放给交易双方数字证书,并对数字证书进行审查确认。

【电子商务】diànzǐ shāngwù 通过互联网构拟的空间和媒体,以数据的形式表达各种信息而进行的商务活动。

【电子束】diànzǐshù 图由阴极射线产生的束状电子流。电子显微镜和电视机等就是利用电子束形成影像的。

【电子图书】diànzǐ túshū 以计算机存储器、磁盘、光盘或互联网为载体,通过计算机显示器等设备阅读的图集和书刊。

【电子显微镜】diànzǐ xiǎnwēijìng 一种显微镜,使高速电子流通过物体,经过电磁的放大装置,使物体的影像显现在荧光屏上。放大倍数一般可达几十万倍。

【电子信箱】diànzǐ xìnxiāng 在互联网设置的电子邮政系统中,每个用户都拥有一定的信息存储空间,这个信息存储空间叫做电子信箱。用户使用密码打开电子信箱,进行电子邮件的收发、编辑等各种操作。也叫电子邮箱。

【电子眼】diànzǐyǎn 图电视监控摄像器的俗称:重要交通路口都安装了～。简称电眼。

【电子音乐】diànzǐ yīnyuè 指用电子技术编制创作出来的音乐。也指用电子乐器演奏的音乐。

【电子邮件】diànzǐ yóujiàn 指通过互联网传递的邮件,即用户之间通过电子信箱发出或收到的信息。简称电邮。也叫电子函件。

【电子邮箱】diànzǐ yóuxiāng 电子信箱。

【电子游戏】diànzǐ yóuxì 利用电子技术

进行的游戏。

【电子战】diànzǐzhàn 图在现代战争中,敌我双方在一定的时间、空间及一定的电磁环境中,以电子技术为对抗手段而进行的战争。其作战能力与火力、机动能力并列,称为"第三打击能力"。

【电阻】diànzǔ 图❶导体对电流通过的阻碍作用。导体的电阻随长度、截面大小、温度和导体成分的不同而改变。单位是欧姆。❷指电阻器。

【电阻器】diànzǔqì 图电路中用来限制电流、调节电压的器件,可以分为固定电阻器和可变电阻器两种。

佃　diàn ❶ 勔农民向地主租种土地。❷ (Diàn)图姓。
　　另见 1350 页 tián。

【佃东】diàndōng 图旧时佃户称租给他土地的地主。

【佃户】diànhù 图租种某地主土地的农民称为某地主的佃户。

【佃农】diànnóng 图自己不占有土地,以租种土地为生的农民。

【佃租】diànzū 图佃户交纳给地主的地租。

甸　diàn ❶ 古代指郊外的地方。❷ 甸子(多用于地名):桦～(在吉林)|宽～(在辽宁)。❸ (Diàn)图姓。

【甸子】diàn·zi 〈方〉放牧的草地。

阽　diàn 又 yán〈书〉临近(危险):～危|～于死亡。

坫　diàn 古时室内放置食物、酒器等的土台子。

店　diàn 图❶客店:小～儿|住～。❷商店:布～|百货～|零售～。

【店东】diàndōng 图旧时称商店或旅店的主人。

【店家】diànjiā 图❶旧时指旅店、酒馆、饭铺的主人或管事的人。❷〈方〉店铺。

【店面】diànmiàn 图商店的门面;铺面:～房|两间门|装潢～。

【店铺】diànpù 图各种商店、铺子的统称:那一带有好几家经营日用品的～。

【店堂】diàntáng 图商店、饭馆等进行营业的屋子:～宽敞明亮。

【店小二】diànxiǎo'èr 图饭馆、酒馆、客店中接待顾客的人(多见于早期白话)。

【店员】diànyuán 图商店的职工,有时兼指服务性行业的职工。

玷 diàn ❶〈书〉白玉上面的斑点:白
圭之~。❷ 使有污点:~污|~辱。

【玷辱】diànrǔ 🛈 使蒙受耻辱:~祖先|~
门户。

【玷污】diànwū 🛈 弄脏;使有污点(多用
于比喻):~名声|～光荣称号。

垫(墊) diàn ❶ 🛈 用东西支或铺或
衬,使加高、加厚或平正,或起
隔离作用:~猪圈|把桌子~高些|熨衣服
最好在上面一块布。❷ 🛈 填补空缺:
正戏还没开演,先~一出小戏。❸ 🛈 暂时
替人付钱:我先给你~上,等你取了款再
还我。❹(~儿)🔲 垫子:靠~|鞋~儿|凳
子上铺了一个用花布缝的~儿。

【垫背】diànbèi〈方〉❶(-//-)🛈 比喻代人
受过:太冤枉了,这不是让我一吗! ❷ 🔲
指代人受过的人:让一个无辜的人做~,
太不应该了。

【垫补】diàn·bu〈方〉❶ 🛈 钱不够用时暂
时挪用别的款项或借用别人的钱。❷ 吃
点心;点补。

【垫底儿】diàn//dǐr 🛈 ❶ 在底部放别的
东西:鱼缸里是用细沙一的。❷ 先吃点
点东西以暂时解饿:你先吃点东西垫垫
底儿,等客人齐了再吃。❸ 比喻做基础:
有了你以前的工作,今后我的工作就好
开展了。❹ 比喻位于最后:名次~。

【垫付】diànfù 🛈 暂时替人付钱:由银行
~货款。

【垫话】diànhuà 🔲 相声演员表演正式节
目前所说的开场白,用以引起观众注意或
点出下面正式节目的内容。

【垫肩】diànjiān 🔲 ❶ 挑或扛东西的时候
放在肩膀上的垫子,用来减少摩擦,保护
衣服和皮肤。❷ 衬在上衣肩部的三角形
衬垫物,使衣服穿起来美观。

【垫脚】diàn·jiao〈口〉🔲 铺垫牲畜棚、圈
的干土、碎草等。

【垫脚石】diànjiǎoshí 🔲 比喻借以向上爬
的人或事物。

【垫圈】diàn//juàn 🛈 给牲畜的圈铺垫干
土、碎草等。

【垫圈】diànquān(~儿)🔲 垫在被连接件
与螺母之间的零件,一般为扁平形的金属
环。

【垫上运动】diànshàng-yùndòng 指在垫
子上做的各种运动。

【垫支】diànzhī 🛈 暂时代替支付;垫付。

【垫资】diànzī 🛈 垫付资金:工程由开发
商～建设。

【垫子】diàn·zi 🔲 垫在床、椅子、凳子上或
别的地方的东西:椅~|褥~|草~|弹簧
~|垫上个~。

钿(鈿) diàn 用金片做成的花朵形
的装饰品,或木器上和漆器上
用螺壳镶嵌的花纹:金~|螺~|宝~|翠
~。
另见 1350 页 tián。

淀¹(澱) diàn 沉淀:～粉。

淀² diàn 浅的湖泊(多用于地名):茶~
(在天津)|白洋~(在河北)。

【淀粉】diànfěn 🔲 有机化合物,化学式
$(C_6H_{10}O_5)_n$,是二氧化碳和水在绿色植
物细胞中经光合作用形成的白色无定形
的物质。多存在于植物的子粒、块根和块
茎中,是主要的碳水化合物食物。工业上
应用广泛。

惦 diàn 🛈 惦念:～记|老师傅虽然退
休了,但心里总～着厂里的工作。

【惦记】diàn·jì 🛈(对人或事物)心里老想
着,放不下心:老人孩子有我照顾,你什么
也不要～。

【惦念】diànniàn 🛈 惦记:母亲十分～在
外地工作的女儿。

奠¹ diàn ❶ 奠定;建立:～都|～基。❷
(Diàn)🔲 姓。

奠² diàn 用祭品向死者致祭:祭～|～
仪。

【奠定】diàndìng 🛈 使稳固;使安定:～基
础。

【奠都】diàndū 🛈 确定首都的地址:～北
京。

【奠基】diànjī 🛈 奠定建筑物的基础:～
石|举行～典礼|人民英雄纪念碑是 1949
年 9 月 30 日～的◇鲁迅是中国新文学的
～人。

【奠基石】diànjīshí 🔲 建筑物奠基用的长
方形的石块,上面刻有奠基的年月日等。

【奠酒】diànjiǔ 🔲 祭祀时的一种仪式,把
酒洒在地下。

【奠仪】diànyí 🔲 指送给丧家用于祭奠的
财物。

殿¹ diàn 名 ❶ 高大的房屋,特指供奉神佛或帝王受朝理事的房屋:佛～|大雄宝～|太和～|金銮～。❷ (Diàn)姓。

殿² diàn 在最后:～后|～军。

【殿后】diànhòu 动 行军时走在部队的最后:大部队开始转移,由三连～。

【殿军】diànjūn 名 ❶ 行军时走在最后的部队。❷ 体育、游艺竞赛中的最末一名,也指竞赛后入选的最末一名。

【殿试】diànshì 名 科举制度中最高一级的考试,在皇宫内大殿上举行,由皇帝亲自主持。参看 769 页〖科举〗。

【殿堂】diàntáng 名 指宫殿、庙宇等高大建筑物◇艺术～。

【殿下】diànxià 名 对太子或亲王的尊称。现多用于外交场合。

靛 diàn ❶ 靛蓝。❷ 深蓝色,由蓝和紫混合而成。

【靛颏儿】diànkér 〈口〉名 红点颏和蓝点颏的统称。

【靛蓝】diànlán 名 有机染料,深蓝色,用蓼蓝的叶子发酵制成,现多用人工合成,用来染布,颜色经久不退。通称蓝靛,有的地区叫靛青。

【靛青】diànqīng ❶ 形 深蓝。❷〈方〉名 靛蓝。

簟 diàn 〈方〉名 竹席:晒～(摊晒粮食等的席子)。

癜 diàn 皮肤上长紫斑或白斑的病:紫～|白～风。

---

diāo（ㄉㄧㄠ）

刁 diāo ❶ 形 狡猾:放～|逞～|那个人真～。❷〈方〉形 挑食过分:嘴特别～。❸ (Diāo)名 姓。

【刁悍】diāohàn 形 狡猾凶狠:性情～。

【刁横】diāohèng 形 狡诈蛮横。

【刁滑】diāohuá 形 狡猾:为人～。

【刁蛮】diāomán 形 刁钻蛮横:生性～|态度～。

【刁民】diāomín 名 刁滑的人,旧时官吏多用作对不听管束的百姓的蔑称。

【刁难】diāonàn 动 故意使人为难:百般～。

【刁顽】diāowán 形 狡猾顽固:～之徒。

【刁钻】diāozuān 形 狡猾;奸诈:～古怪。

叼 diāo 动 用嘴夹住(物体一部分):嘴里～着烟卷|黄鼠狼～走了小鸡。

汈 diāo 汈汊(Diāochà),湖名,在湖北。

凋（彫） diāo 凋谢:～零|松柏后～。

【凋敗】diāobài 动 凋谢衰败:草木～|家业～。

【凋敝】diāobì 形 (生活)困苦;(事业)衰败:民生～|百业～。

【凋零】diāolíng 动 ❶ (草木)凋谢零落:万木～。❷ 衰落:家道～。

【凋落】diāoluò 动 凋谢。

【凋萎】diāowěi 动 (草木)凋谢枯萎:枝叶～。

【凋谢】diāoxiè 动 ❶ (草木花叶)脱落:百花～。❷ 指老年人死:老成～。

蛁 diāo 古书上指蝉。

貂（鼦） diāo 名 哺乳动物,身体细长,四肢短,耳朵三角形,听觉敏锐,种类较多,有石貂、紫貂等。

【貂熊】diāoxióng 名 哺乳动物,身体和四肢粗短像熊,尾巴长,尾毛蓬松,全身棕黑色。生活在寒带地区。能爬树,也能游泳,性情凶暴,力气大,吃兔、鹿、松鼠等,夏天还捕食鱼类。

碉 diāo 碉堡:明～暗堡。

【碉堡】diāobǎo 名 军事上防守用的坚固建筑物,多用砖、石、钢筋混凝土等建成。

【碉楼】diāolóu 名 旧时防守和瞭望用的较高建筑物。

雕¹（彫、琱） diāo ❶ 动 在竹木、玉石、金属等上面刻画:～版|～漆|～花|～塑。❷ 指雕刻艺术或雕刻作品:石～|玉～|浮～。❸ 有彩画装饰的:～梁画栋。❹ (Diāo)名 姓。

雕²（鵰） diāo 名 鸟,嘴呈钩状,视力很强,腿部有羽毛,是猛禽。种类较多,如金雕、海雕等。

【雕版】diāobǎn 动 刻板①。

【雕虫小技】diāo chóng xiǎo jì 比喻微不足道的技能(多指文字技巧)。

【雕红漆】diāohóngqī 名 见 1338 页〖剔红〗。

【雕花】diāohuā ❶ 动 一种工艺,在木器上或房屋的隔扇、窗户等上头雕刻图案、花纹:～匠。❷ 名 雕刻成的图案、花纹。

【雕镌】diāojuān〈书〉动 雕刻。

【雕刻】diāokè ❶ 动 在金属、象牙、骨头或其他材料上刻出形象:精心～。❷ 名 雕刻成的艺术作品:这套～已散失不全。

【雕梁画栋】diāo liáng huà dòng 指房屋的华丽的彩绘装饰,常用来形容建筑物富丽堂皇。

【雕漆】diāoqī ❶ 动 特种工艺的一种,在铜胎或木胎上涂上好些层漆,阴干后浮雕各种花纹。❷ 名 指雕漆的器物。北京和扬州出产的最著名。也叫漆雕。

【雕砌】diāoqì 动 雕琢堆砌(文字):写文章切忌～。

【雕饰】diāoshì ❶ 动 雕刻并装饰:精心～|柱子上的盘龙～得很生动。❷ 名 雕刻的花纹、图形装饰:门扇上的～已经残破了。❸ 动 指过分地刻画修饰:她表演适度,不加～,显得很自然。

【雕塑】diāosù ❶ 动 造型艺术的一种,用竹木、玉石、金属、石膏、泥土等材料雕刻或塑造各种艺术形象。❷ 名 雕塑成的艺术作品。

【雕像】diāoxiàng 名 雕刻的人像,有时也包括动物的形象。

【雕琢】diāozhuó 动 ❶ 雕刻(玉石):这是用翡翠～成的西瓜。❷ 过分地修饰(文字)。

鲷(鯛)diāo 名 鱼,身体侧扁,背部稍微凸起,头大、口小,侧线发达。生活在海里。种类很多,常见的有真鲷、黄鲷、黑鲷等。

diāo （ㄉㄧㄠ）

鸟(鳥)diāo 名 同"屌"。旧小说中用作骂人的话。
另见 998 页 niǎo。

屌diāo 名 男子阴茎的俗称。

diào （ㄉㄧㄠ）

吊¹(弔)diào ❶ 动 悬挂:门前～着两盏红灯。❷ 用绳子等系着向上提或向下放:把和好的水泥～上去。❸ 动 把球从网上轻轻打到对方难以接到的地方:近网轻～|打～结合。❹ 动 把皮桶子加面子或里子缝成衣服:～皮袄|～里儿。❺ 收回(发出去的证件):～销。

吊²(弔)diào 量 旧时钱币单位,一般是一千个制钱叫一吊。

吊³(弔)diào 动 祭奠死者或对遭到丧事的人家、团体给予慰问:～丧|～唁。

【吊膀子】diàobàng·zi〈方〉动 调情。

【吊车】diàochē 名 起重机的通称。

【吊窗】diàochuāng 名 可以向上吊起来的旧式窗子。

【吊床】diàochuáng 名 两端挂起来可以睡人的用具,多用网状织物、帆布等临时拴在固定物体上。

【吊带】diàodài 名 ❶ 围绕在腰部或腿上从两侧垂下来套住袜子的带子。也叫吊袜带。❷ 女式背心、裙装等吊在肩上的细带子:～衫|连衣裙。❸ 系在物体上起悬挂作用的带子。

【吊灯】diàodēng 名 悬空垂挂的灯。

【吊顶】diào//dǐng 动 在房间顶部先用木条等做成龙骨,再在上面吊一层木板或石膏板等,或钉上苇箔抹一层灰,叫吊顶。

【吊儿郎当】diào·erlángdāng〈口〉形 状态词。形容仪容不整、作风散漫、态度不严肃等。

【吊环】diàohuán 名 ❶ 体操器械的一种,在架上挂两根绳,下面各有一个环。❷ 男子竞技体操项目之一,运动员用手握住吊环做各种动作。

【吊祭】diàojì 动 吊唁祭奠。

【吊脚楼】diàojiǎolóu 名 吊楼①。

【吊卷】diào//juàn 同"调卷"。

【吊扣】diàokòu 动 收回并扣留(发出的证件):～驾驶执照。

【吊兰】diàolán 名 多年生常绿草本植物,根肥厚,茎上有匍匐枝,叶子条形,花小、白色。通常栽培在室内,供观赏。

【吊楼】diàolóu 名 ❶ 后部用支柱架在水面上的房屋。也叫吊脚楼。❷ 山区的一种木板房或竹房子,下面用木桩做支柱,用梯子上下。

【吊毛】diàomáo 名 戏曲中表演突然跌跤

的动作。演员身体向前，头向下，然后腾空一翻，以背着地。

【吊民伐罪】diào mín fá zuì　慰问受苦的民众，讨伐有罪的统治者。

【吊铺】diàopù　名 吊起来的简易的铺位。

【吊钱儿】diào·qiánr　〈方〉名 贴在门楣上镂有图案或文字的刻纸。

【吊桥】diàoqiáo　名❶ 全部或一部分桥面可以吊起、放下的桥。多用在护城河及军事据点上。现代在通航的河道上，为了便利船只通过，也有架吊桥的。❷ 在河上、山谷等处架起钢索，并把桥面吊在钢索上，用这种方式建造的桥梁叫吊桥。也叫悬索桥。

【吊丧】diào∥sāng　动 到丧家祭奠死者。

【吊嗓子】diào sǎng·zi　戏曲或歌唱演员在乐器伴奏下练嗓子。

【吊扇】diàoshàn　名 安装在顶棚上的电扇。

【吊桶】diàotǒng　名 桶梁上拴着绳子或竹竿的桶，用来从井中打水，或从高处向河中、坑中打水。

【吊袜带】diàowàdài　名 吊带①。

【吊胃口】diào wèikǒu　用好吃的东西引起人的食欲，也比喻让人产生欲望或兴趣。

【吊线】diào∥xiàn　动 瓦工、木工工作时，用线吊重物形成垂线，借以取直。

【吊销】diàoxiāo　动 收回并注销（发出去的证件）：～护照｜～营业执照。

【吊孝】diào∥xiào　动 吊丧。

【吊唁】diàoyàn　动 祭奠死者并慰问家属。

【吊装】diàozhuāng　动 用人工或机械把预制构件吊起来安装在预定的位置。

【吊子】diào·zi　同"铫子"。

钓（釣）diào　❶动 用钓钩捕鱼或其他水生动物：～鱼。❷ 比喻用手段猎取（名利）：沽名～誉。

【钓饵】diào'ěr　名 钓鱼时用来引鱼上钩的食物，也比喻用来引诱人的事物。

【钓竿】diàogān　（～儿）名 钓鱼或其他水生动物用的竿子，一端系线，线端有钩。

【钓钩】diàogōu　（～儿）名 钓鱼的钩儿，也比喻引诱人的圈套。

【钓具】diàojù　名 钓鱼用具，如钓竿、钓钩等。

荼（蒤）diào　古代除草用的农具。

鸢（鳶）diào　〈书〉深远。

【鸢远】diàoyuǎn　〈书〉形 （距离）遥远。

调¹（調）diào　❶动 调动；分派：对～｜～职｜～兵遣将｜他是新～来的干部。❷ 调查：函｜内查外～。

调²（調）diào　名❶（～儿）腔调：南腔北～｜这人说话的～儿有点特别。❷（～儿）论调：两个人的意见是一个～。❸ 乐曲中以什么音做 do，就叫做什么调，例如以 C 做 do 就叫做 C 调，以"上"做 do 就叫做"上"字调。❹（～儿）音乐上高低长短配合的成组的音：这个～很好听。❺ 指语音上的声调：～类｜～号。

另见 1353 页 tiáo。

【调包】diào∥bāo　同"掉包"。

【调兵遣将】diào bīng qiǎn jiàng　调遣兵力、将领，泛指调配人力物力。

【调拨】diàobō　动❶ 调动拨付（多指物资）：～款项｜～小麦种子。❷ 调遣；人员都听从他的指挥和～。

另见 1353 页 tiáobō。

【调茬】diàochá　动 轮作。

【调查】diàochá　动 为了了解情况进行考察（多指到现场）：～事实真相｜没有～，就没有发言权｜情事还没有～清楚，不能忙着处理。

【调档】diào∥dàng　动 调阅档案。特指招生工作中把考分达到一定标准的考生档案调出来，确定是否录取。

【调调】diào·diao　（～儿）名 调门儿。

【调动】diàodòng　动❶ 更动（位置、用途）：～队伍｜～工作。❷ 调集动员：～群众的生产积极性。

【调度】diàodù　❶动 管理并安排（工作、人力、车辆等）。❷ 名 指做调度工作的人。

【调防】diào∥fáng　动 换防。

【调干】diàogàn　❶动 调动干部。❷形 属性词。在职干部为学习而调离工作岗位的：～生。

【调函】diàohán　名 调动工作人员工作的公函，一般由上级机关或用人单位发出。

【调号】diàohào　（～儿）名❶ 表示字调的符号。《汉语拼音方案》的调号，阴平是"ˉ"(ā)，阳平是"ˊ"(á)，上声是"ˇ"(ǎ)，去声是"ˋ"(à)，轻声无调号(a)。❷ 音乐上指用以确定乐曲主音高度的符号。

【调虎离山】diào hǔ lí shān 比喻为了便于乘机行事,想法引诱有关的人离开原来的地方。

【调换】diàohuàn 同"掉换"。

【调集】diàojí 动 调动使集中:～军队|～防汛器材。

【调卷】diào//juàn 动 提取案卷、考卷:～复审。也作吊卷。

【调坎儿】diào//kǎnr 同"调侃儿"。

【调侃儿】diào//kǎnr 〈方〉动 同行业的人彼此说行话。也作调坎儿。

【调类】diàolèi 名 有声调的语言中声调的类别。古汉语的调类有四个,就是平声、上声、去声、入声。普通话的调类有四个,就是阴平、阳平、上声、去声。

【调离】diàolí 动 调动并离开(原来的工作岗位或单位):处长已经～,另有任用。

【调令】diàolìng 名 调动工作人员工作的命令。

【调门儿】diàoménr 〈口〉名❶ 歌唱或说话时音调的高低:我今天嗓子不好,～定低点儿|你说话老是那么大声大气,～放低点儿行不行? ❷ 指论调:这几个人的发言都是一个～。

【调派】diàopài 动 调动分派(指人事的安排):～干部加强基层工作。

【调配】diàopèi 动 调动分配:劳动力和工具～得合理,工作进行就顺利。

另见 1354 页 tiáopèi。

【调遣】diàoqiǎn 动 调派;差遣:～部队|听从～。

【调任】diàorèn 动 调动职位,担任另一工作:～新职。

【调式】diàoshì 名 乐曲中的几个音根据它们彼此之间的关系而联结成体系,并且有一个主音,这些音的总和叫做调式。

【调头】diào//tóu 同"掉头"❷。

【调头】diào·tou 〈方〉名❶ 调子。❷ 语气。

【调研】diàoyán 动 调查研究:～员|开展市场～|深入实际～。

【调演】diàoyǎn 动 从某些地方或文艺团体抽调演员选定节目集中在一起演出:全省戏剧～。

【调用】diàoyòng 动 调配使用:～物资|～干部。

【调阅】diàoyuè 动 提取案卷、文件等进行查阅:未经许可,不得～相关档案。

【调运】diàoyùn 动 调拨和运输:～农用物资下乡。

【调值】diàozhí 名 有声调的语言中各调类的实际读法,即字音的高低升降。两个不同的方言,字调的分类法(调类)可以相同,每一调类的实际读法(调值)却可以不同。如北京话的阴平读高平调,天津话的阴平读低平调。

【调职】diào//zhí 动 从某个单位调到另一个单位去工作:请求～|科长已～了。

【调转】diàozhuǎn ❶动 调动转换(工作等):他的～手续已经办好了。❷ 同"掉转"。

【调子】diào·zi 名❶ 一组音的排列次第和相互关系。❷ 音乐上高低长短配合成组的音。❸ 说话时带的某种情绪:他说话的～很忧郁。❹ 指论调:文章只作了文字上的改动,基本～没有变。

掉¹ diào 动❶ 落①:～眼泪|被击中的敌机～在海里了。❷ 落在后面:～队。❸ 遗失;遗漏:钢笔～了|这篇文章里～了几个字。❹ 减少;降低:～价儿|别让牲口～膘。❺ 用在某些动词后,表示动作的结果:扔～|除～|抹～|改～坏习气。

掉² diào ❶ 摇动;摆动:尾大不～|～臂而去(甩胳膊就走)。❷ 动 回;转:把车头～过来|他～过脸来向送行的人一一招呼。❸ 动 互换:～换|～过儿咱俩个座位。

【掉包】diào//bāo (～儿)动 暗中用假的或坏的换真的或好的:～计|他的东西叫人掉了包。也作调包。

【掉膘】diào//biāo 动 (牲畜)由肥变瘦,体重下降:冬天草料不足,牲畜容易～。

【掉秤】diào//chèng 〈方〉动 折(shé)秤。

【掉点儿】diào//diǎnr 〈口〉动 落下稀疏的雨点:～了,快去收衣服吧!

【掉队】diào//duì 动❶ 结队行进时落在队伍的后面:在接连三天的急行军中,没有一个人～。❷ 比喻落在客观形势的后边:只有加紧学习才不致～。

【掉过儿】diào//guòr 动 互相掉换位置:这两件家具～放才合适|你跟他掉个过儿,你就看得见台上的人了。

【掉换】diàohuàn 动❶ 彼此互换:～位

置|咱们俩～一下,你上午值班,我下午值
班。❷ 更换:～领导班子|这根木料太细,
～一根粗的。‖也作调换。

【掉价】diào∥jià (～儿)动 ❶ 价格降低:
菠菜～了。❷ 比喻身份、排场降低。

【掉枪花】diào qiānghuā 〈方〉耍花招。

【掉色】diào∥shǎi 动 颜色脱落(多指纺织
品经日晒或水洗后)。

【掉书袋】diào shūdài 讥讽人爱引用古书
词句,卖弄才学。

【掉头】diào∥tóu 动 ❶ (人)转回头来:～
看,果然是他|他掉过头去,装作没看见。❷
(车、船等)转成相反的方向:～车|胡同太
窄,车子掉不了头。也作调头。

【掉线】diàoxiàn 动(电话、网络等)线路
由于某种原因非正常中断:拨号上网有时
候～。

【掉以轻心】diào yǐ qīng xīn 表示对某种
问题漫不经心,不当回事。

【掉转】diàozhuǎn 动 改变成相反的方向:
～船头。也作调转。

锦(錦)
diào 见 858 页[钉锦儿]。

銚(銚)
diào (～儿)名 銚子:药～|
沙～儿。
另见 1582 页 yáo。

【銚子】diào·zi 名 煎药或烧水用的器具,
形状像比较高的壶,口大有盖,旁边有柄,
用沙土或金属制成。也作吊子。

diē (ㄉㄧㄝ)

爹
diē 〈口〉名 父亲:～娘|～妈。

【爹爹】diē·die 〈方〉名 ❶ 父亲。❷ 祖
父。

跕
diē 〈书〉坠落。
另见 305 页 diǎn"跕"。

跌
diē ❶ 动 摔①:～跤|～倒了又爬起
来了。❷ (物体)落下:～水。❸ 动
(物价)下降:金价～了百分之二。

【跌宕】(跌荡) diēdàng〈书〉形 ❶ 性格洒
脱,不拘束;放荡不羁。❷ 音调抑扬顿挫
或文章富于变化:乐曲起伏～|文笔～有
致。

【跌跌撞撞】diē·diēzhuàngzhuàng (～的)

形 状态词。形容走路不稳。

【跌份】diē∥fèn (～儿)〈方〉动 降低身份;
丢面子。

【跌风】diēfēng 名 价格等下跌的情势。

【跌幅】diēfú 名 (价格等)下跌的幅度:近
期物价～不大。

【跌价】diē∥jià 动 商品价格下降。

【跌跤】diē∥jiāo 动 ❶ 摔跟头:小孩儿学
走路免不了要～|不小心跌了一跤。❷ 比
喻犯错误或受挫折。‖ 有的地区说跌跤子。

【跌落】diēluò 动 ❶ (物体)往下掉。❷
(价格、产量等)下降。

【跌破】diēpò 动 (价格等)下跌并突破(某
一数值):有的邮票已～面值。

【跌势】diēshì 名 (价格等)下跌的趋势:
～难以抑止。

【跌水】diēshuǐ 名 ❶ 突然下降的水流。
❷ 水利工程中使水流突然下降的台阶。

【跌停板】diētíngbǎn 名 见 1717 页〖涨停
板〗。

【跌眼镜】diē yǎnjìng 〈方〉指事情的结果
出乎意料,令人感到吃惊(多跟"大"连用):
主队意外失利,令不少行家大～。

【跌足】diēzú 〈书〉动 跺脚:～长叹|～捶
胸。

dié (ㄉㄧㄝ)

迭
dié ❶ 轮流;替换:更～。❷〈书〉
副 屡次:～挫强敌|～有新发现。❸
及¹②:不～。

【迭出】diéchū 动 一次又一次地出现:花
样～|名家～。

【迭次】diécì 副 屡次;不止一次:～会商|
影片中惊险场面～出现。

【迭起】diéqǐ 动 一次又一次地兴起、出现:
比赛高潮～。

垤
dié 〈书〉小土堆:丘～|蚁～(蚂蚁做
窝时堆在穴口的小土堆)。

昳
dié 〈书〉太阳偏西:日～。
另见 1616 页 yì。

经(經)
dié 古时丧服上的麻布带子。

絰
dié 〈书〉小瓜:绵绵瓜～(比喻子孙
昌盛)。

喋 dié 见 317 页[喋血](喋血)。
另见 1184 页 shà。

谍(諜) dié ❶ 谍报活动。❷ 从事谍报活动的人：间～|防～。

【谍报】diébào 名 刺探到的关于敌方军事、政治、经济等的情报：～员(从事谍报工作的人)|～机关。

堞 dié 城墙上 形的矮墙：雉～|城～。

揲 dié 〈书〉折叠。
另见 1203 页 shé。

耊 dié 〈书〉七八十岁的年纪，泛指老年：耄(mào)～之年。

喋¹ dié [喋喋](diédié)形 言语烦琐，说话没完没了：～不休。

喋² dié [喋血](蹀血、喋血)(diéxuè)〈书〉血流遍地(杀人很多)。
另见 1707 页 zhá。

嵽(嵽) dié [嵽嵲](diéniè)〈书〉形 形容山高。

慄 dié 〈书〉恐惧；害怕。

牒 dié ❶ 文书或证件：通～|度～。❷ 簿册；书籍：谱～|史～。

叠(疊、曡) dié ❶ 一层加上一层；重复：重～|～石为山|层见～出。❷ 动 折叠(衣被、纸张等)：～衣服|把信～好装在信封里。❸ (Dié) 名 姓。

【叠床架屋】dié chuáng jià wū 床上架床，屋上加屋，比喻重复累赘。

【叠翠】diécuì 动 (山峦、林木)青翠重叠：峰峦～|层林～。

【叠合】diéhé 动 重叠；重合：时针和分针每小时～一次。

【叠罗汉】dié luóhàn 人上架人，重叠成各种形式，是体操、杂技表演项目之一。

【叠印】diéyìn 动 电影、电视片中把两个或两个以上的内容不同的画面重叠印在一起，用于表现剧中人的回忆、幻想，或构成并列形象。

【叠韵】diéyùn 名 两个字或几个字的韵母相同叫叠韵，例如"阑干""千年"。

【叠嶂】diézhàng 名 重叠的山峰：重峦～。

碟 dié (～儿)名 碟子。

【碟机】diéjī 〈方〉名 视盘机。

【碟片】diépiàn 〈方〉名 影碟；视盘。

【碟子】dié·zi 名 盛菜蔬或调味品的器皿，比盘子小，底平而浅。

蝶(蜨) dié 名 蝴蝶的简称。

【蝶泳】diéyǒng 名 游泳的一种姿势，也是游泳项目之一，行进时躯干带动双腿同时打水，两臂划水后提出水面再向前摆去，因形似蝶飞而得名。

蹀 dié 〈书〉踏；顿足。

【蹀躞】diéxiè 〈书〉动 ❶ 小步走路。❷ 往来徘徊。‖也说躞蹀。

【蹀血】diéxuè 见 317 页[喋血]。

蛏 dié [蛏蟷](diédāng)名 一种生活在地下洞穴中的蜘蛛。
另见 1761 页 zhì。

鲽(鰈) dié 名 鱼，身体侧扁像薄片，长椭圆形，有细鳞，两眼都在右侧，左侧向下卧在沙底。生活在浅海中。种类很多，常见的有高眼鲽、木叶鲽等。

氎 dié 〈书〉棉布。

dīng（ㄉㄧㄥ）

丁¹ dīng ❶ 成年男子：成～|壮～。❷ 指人口：添～|～口|人～。❸ 称从事某些职业的人：园～。❹ (Dīng)名 姓。

丁² dīng 名 天干的第四位。参看 440 页〖干支〗。

丁³ dīng (～儿)名 蔬菜、肉类等切成的小块：黄瓜～儿|辣子炒鸡～。

丁⁴ dīng 〈书〉遭逢；碰到：～忧|～兹盛世。
另见 1734 页 zhēng。

【丁坝】dīngbà 名 一端跟堤岸连接成丁字形的坝，能改变水流，使河岸不受冲刷。

【丁部】dīngbù 名 集部。

【丁村人】Dīngcūnrén 名 古代人类的一种，生活在旧石器时代中期，化石在 1954年发现于山西襄汾县丁村。

【丁当】dīngdāng 同"叮当"。

【丁点儿】dīngdiǎnr 〈方〉量 表示极少或极小(程度比"点儿"深)：一～毛病也没有|这～事何必放在心上。

【丁东】dīngdōng 同"叮咚"。

【丁冬】dīngdōng 同"叮咚"。

【丁艰】dīngjiān 〈书〉动 丁忧。

【丁克家庭】dīngkè jiātíng 指夫妇都有收入并且不打算生育孩子的家庭。[丁克，英 DINK，是 double income no kids 的缩写]

【丁零】dīnglíng 拟声 形容铃声或小的金属物体的撞击声：铜铃～～地响。

【丁零当啷】dīng·língdānglāng 拟声 形容金属、瓷器等连续撞击声。

【丁宁】dīngníng 见 318 页〖叮咛〗。

【丁是丁，卯是卯】dīng shì dīng，mǎo shì mǎo 形容对事情认真，一点儿不含糊，不马虎。也作钉是钉，铆是铆。

【丁税】dīngshuì 名 古代的人口税。

【丁香】dīngxiāng 名❶落叶灌木或小乔木，叶子卵圆形或肾脏形，花紫色或白色，有香气，花冠长筒状。供观赏。❷常绿乔木，叶子长椭圆形，花淡红色，果实长球形。生长在热带地区。花蕾、根、果实可入药。种子可以榨丁香油，用作芳香剂。

【丁忧】dīngyōu 〈书〉动 遭到父母的丧事。

【丁字尺】dīngzìchǐ 名 绘图的用具，多用木料或塑料制成，形状呈 T 形，像丁字。

【丁字钢】dīngzìgāng 名 见 1526 页〖型钢〗。

【丁字街】dīngzìjiē 名 形状呈 T 形，像丁字的街道。

仃　dīng 见 865 页〖伶仃〗。

叮　dīng 动❶（蚊子等）用针形口器插入人或牛马等的皮肤吸取血液：腿上叫蚊子～了一下。❷追问：跟着我又～了他一句，他说明天准去，我才放心。

【叮当】dīngdāng 拟声 形容金属、瓷器、玉饰等撞击的声音：环佩～｜铁马～｜碟子碗碰得叮叮当当的。也作丁当、玎珰。

【叮咚】dīngdōng 拟声 形容玉石、金属等撞击或水滴落下的声音：玉佩～｜泉水～。也作丁冬、丁东。

【叮咛】（丁宁）dīngníng 动 反复地嘱咐：他娘千～万嘱咐，叫他一路上多加小心。

【叮问】dīngwèn 动 追问。

【叮咬】dīngyǎo 动 叮①；蚊虫～。

【叮嘱】dīngzhǔ 动 再三嘱咐：老师～他，

在新的环境里仍要继续努力。

玎　dīng 见下。

【玎珰】dīngdāng 同"叮当"。

【玎玲】dīnglíng 拟声 多形容玉石等撞击的声音。

盯　dīng 动 把视线集中在一点上；注视：轮到她射击，大家的眼睛都～住了靶心。也作钉。

【盯防】dīngfáng 动 球类比赛中指紧跟着不放松地防守：重点～对方的前锋。

【盯梢】dīng∥shāo 动 暗中跟在后面（监视人的行动）。也作钉梢。

町　dīng 畹町（Wǎndīng），地名，在云南。
　　另见 1362 页 tǐng。

钉¹（釘）dīng （～儿）名 钉子①：螺丝～儿。

钉²（釘）dīng ❶ 动 紧跟着不放松：小李～住对方的前锋，使他没有得球机会。❷ 动 督促；催问：你常～着他一点儿，免得他忘了。❸ 同"盯"。
　　另见 321 页 dìng。

【钉齿耙】dīngchǐbà 名 用大铁钉做齿的耙，用来弄碎土块，平整地面。使用时平放在地面上，用牲畜或拖拉机等牵引。

【钉锤】dīngchuí 名 钉(dìng)钉子用的小锤，锤头一端是方柱形，另一端扁平，有的中间有起钉子用的狭缝。

【钉螺】dīngluó 名 螺的一种，卵生，壳圆锥形。生活在温带和亚热带的淡水里和陆地上。是传染血吸虫病的媒介。

【钉帽】dīngmào 名 钉的顶端，是承受锤打或旋转的部分。

【钉耙】dīngpá 名 用铁钉做齿的耙子，是碎土、平地等用的农具。

【钉梢】dīng∥shāo 同"盯梢"。

【钉是钉，铆是铆】dīng shì dīng，mǎo shì mǎo 同"丁是丁，卯是卯"。

【钉鞋】dīngxié 名❶旧式雨鞋，用布做帮，用桐油油过，鞋底钉上大帽子钉。❷体育运动上跑鞋和跳鞋的统称。

【钉子】dīng·zi 名❶金属制成的细棍形的物件，一端有扁平的头，另一端尖锐，主要起固定或连接作用，也可用来悬挂物品等。❷比喻难以处置或解决的事物：～户。❸比喻埋伏的人：安插～。

【钉子户】dīng·zihù 名 指长期违规办事,难以处理的单位或个人。

疔 dīng 名 疔疮。

【疔疮】dīngchuāng 名 中医指发病迅速并有全身症状的小疮,坚硬而根深,形状像钉。

【疔毒】dīngdú 名 中医指症状严重的疔疮。

耵 Dīng 名 姓。

【耵聍】dīngníng 名 外耳道内皮脂腺分泌的蜡状物质,黄色,有湿润耳内细毛和防止昆虫进入耳内的作用。通称耳垢,俗称耳屎。

酊 dīng 名 酊剂的简称。[拉 tinctura]
另见 320 页 dǐng。

【酊剂】dīngjì 名 把生药浸在酒精里或把化学药物溶解在酒精里而成的药剂,如颠茄酊、橙皮酊、碘酊等。简称酊。

靪 dīng 动 补鞋底:～前掌。

dǐng (ㄉㄧㄥˇ)

顶(頂) dǐng ❶ (～儿)名 人体或物体上最高的部分:头～|屋～|山～|塔～儿。❷ 动 用头支承:～碗(杂技)◇～天立地|他～着雨就走了。❸ 动 从下面拱起:种子的嫩芽把土～起来了。❹ 动 用头或角撞击:～球|这头牛时常～人。❺ 动 支撑;抵住:拿杠子～上门|列车在前,机车在后面～着走。❻ 动 对面迎着:～风|～头。❼ 动 顶撞:他听了姑母的话很不满意,就～了她几句。❽ 动 担当;支持:活儿重,两个人一下来。❾ 动 相当;抵:他一个人～两个人。❿ 动 顶替:～名儿|不能冒次货～好货。⓫ 动 指转让或取得企业经营权、房屋租赁权:～盘儿|～出去|～进来。⓬〈方〉介 到(某个时间):～下午两点他才吃饭。⓭ 量 用于某些有顶的东西:一～帽子|一～帐子。⓮ 副 表示程度最高:～好|～喜欢唱歌。

【顶班】dǐngbān 动 ❶ (～儿)(～//～)替班:车间有人病了,他就去～。❷ 在规定时间内做顶一个劳动力的工作:～劳动。

【顶板】dǐngbǎn 名 ❶ 矿井内巷道顶上的岩石层。❷ 天花板。

【顶灯】dǐngdēng 名 ❶ 汽车车顶上安装的灯,灯罩上用文字或用颜色表示车辆的用途。❷ 安装在天花板上的灯。

【顶点】dǐngdiǎn 名 ❶ 角的两条边的交点;锥体的尖顶。❷ 最高点;极点:比赛的激烈程度达到了～。

【顶端】dǐngduān 名 最高最上的部分:电视塔的～。

【顶风】dǐngfēng ❶ (～//～)动 迎着风:～冒雪|～逆水,船走得更慢了。❷ 名 跟(人、车、船等)前进方向相反的风。❸ (～//～)动 比喻公然违犯正在大力推行的法令、法规、政策等:～违纪|～作案。

【顶峰】dǐngfēng 名 ❶ 山的最高处:登上泰山～。❷ 比喻事物发展过程中的最高点:攀登科学的～。

【顶缸】dǐng//gāng 〈口〉动 比喻代人承担责任。

【顶岗】dǐnggǎng 〈方〉动 顶班②:～劳动|～任教。

【顶杠】dǐng//gàng 〈方〉动 争辩:他脾气坏,爱跟人～。也说顶杠子。

【顶格】dǐnggé (～儿)动 书写或排版时,把字写在或排在横行最左边的一格或直行最上边的一格:这行要～书写。

【顶呱呱】dǐngguāguā (～的)形 状态词。形容最好。也作顶刮刮。

【顶刮刮】dǐngguāguā 同"顶呱呱"。

【顶级】dǐngjí 形 属性词。最高级别的;水平最高的:～品牌|～餐厅|～球员。

【顶尖】dǐngjiān (～儿)❶ 名 顶心:打掉棉花的～。❷ 名 最高最上呈尖形的部分:镀金塔的～在阳光下十分耀眼。❸ 形 属性词。达到最高水平的:～大学|～人物。

【顶礼】dǐnglǐ 动 跪下,两手伏在地上,用头顶着所尊敬的人的脚,是佛教徒最高的敬礼:～膜拜(比喻对人特别崇敬,今多用于贬义)。

【顶梁柱】dǐngliángzhù 名 比喻起主要作用的骨干力量。

【顶楼】dǐnglóu 名 楼房的最上面的一层。

【顶门儿】dǐngménr 名 头顶前面的部分:～上的头发已经脱光了。

【顶命】dǐng//mìng 动 抵命。

【顶牛儿】dǐng//niúr 动 ❶ 比喻争持不下或互相冲突:他们两人一谈就顶起牛儿来

了|这两节课排得~了。❷ 骨牌的一种玩法,两家或几家轮流出牌,点数相同的一头互相衔接;接不上的人从手里选一张牌扣下,以终局不扣牌或所扣点数最小者为胜。也叫接龙。

【顶盘】dǐngpán (～儿)动 指买下出倒的工厂或商店,继续营业。

【顶棚】dǐngpéng 名 天棚①。

【顶事】dǐng∥shì (～儿)形 能解决问题;有用:别看他个子小,干起活来可~呢|多穿件夹衣也还~|吃这药顶不了事。

【顶数】dǐng∥shù (～儿)❶动 充数:别拿不合格的产品~。❷形 有效力;有用(多用于否定式):你说的不~。

【顶替】dǐngtì 动 顶名代替;由别的人、物接替或代替:冒名~|他没来,我临时~一下。

【顶天】dǐng∥tiān (～儿)动 达到极限或极高的程度,多形容极高:这只花瓶~儿值五百元钱。

【顶天立地】dǐng tiān lì dì 形容形象高大,气概雄伟豪迈。

【顶头】dǐngtóu 动 迎面:~风|一出胡同,~碰上了李大妈。

【顶头上司】dǐngtóu shàng·si 〈口〉指直接领导自己的人或机构。

【顶箱】dǐngxiāng 名 立柜上面的小柜。

【顶心】dǐngxīn 名 棉花等作物主茎的顶端。也叫顶尖。

【顶用】dǐng∥yòng 形 有用;顶事:小牛再养上一年就~了|这件事需要你去,我去不顶什么用。

【顶账】dǐng∥zhàng 动 抵账。

【顶针】dǐngzhēn 同"顶真"²

【顶针】dǐng·zhen (～儿)名 做针线活时戴在手指上的工具,用金属或其他材料制成,上面有许多小窝儿,用来抵住针鼻儿,使针容易穿过活计而手指不至于受伤。

【顶真】¹dǐngzhēn 〈方〉形 认真:大事小事他都很~。

【顶真】²dǐngzhēn 名 修辞方式,用前面结尾的词语或句子做下文的起头。例如李白《白云歌送刘十六归山》:"楚山秦山皆白云。白云处处长随君。长随君,君入楚山里,云亦随君渡湘水。湘水上,女萝衣,白云堪卧君早归。"也作顶针。

【顶职】dǐng∥zhí 动 一些单位职工的子女在父母退休时,顶替父母的编制参加工作。

【顶珠】dǐngzhū (～儿)名 清朝官吏装在帽顶正中的饰物,下有金属小座,座上面安一个核桃大小的圆珠,珠的质料和颜色表示一定品级。也叫顶子。

【顶撞】dǐngzhuàng 动 用强硬的话反驳别人(多指对长辈或上级):他后悔不该~父亲。

【顶子】dǐng·zi 名 ❶ 亭子、塔、轿子等顶上的装饰部分。❷ 顶珠。❸ 房顶:挑(tiāo)~|拆修房顶)。

【顶嘴】dǐng∥zuǐ 〈口〉动 顶撞;争辩(多指对尊长):小孩子不要跟大人~。

【顶罪】dǐng∥zuì ❶ 代替别人承担罪责。❷ 抵罪:罚不~。

酊 dǐng 见959页[酩酊]。
另见319页 dīng。

鼎¹ dǐng ❶ 古代煮东西用的器物,圆形,三足两耳,也有方形四足的。❷〈书〉比喻王位、帝业:定~|问~。❸〈书〉大:~力|~言。❹〈方〉名 锅。❺(Dǐng)名 姓。

鼎² dǐng 正当;正在:~盛。

【鼎鼎】dǐngdǐng 形 盛大:~大名。

【鼎沸】dǐngfèi 〈书〉形 形容喧闹、混乱,像水在锅里沸腾一样:人声~|舆论~。

【鼎革】dǐnggé 〈书〉动 除旧布新,指改朝换代。参看459页[革故鼎新]。

【鼎力】dǐnglì 〈书〉副 敬辞,大力(表示请托或感谢时用):多蒙~协助,无任感谢!

【鼎立】dǐnglì 动 三方面的势力对立(像鼎的三条腿):赤壁之战决定了魏、蜀、吴三国~的局面。

【鼎盛】dǐngshèng 形 正当兴盛或强壮:~时期|春秋~(正当壮年)。

【鼎新】dǐngxīn 〈书〉动 革新:革故~。

【鼎峙】dǐngzhì 〈书〉动 三方面对立。鼎有三足,所以叫鼎峙。

【鼎助】dǐngzhù 〈书〉动 敬辞,鼎力相助(表示请托或感谢时用):此事还望先生~。

【鼎足】dǐngzú 名 鼎的腿,比喻三方面对立的局势:~而三|~成~。

dìng （ㄉㄧㄥˋ）

订(訂) dìng ❶ 动 经过研究商讨而立下(条约、契约、计划、章程等)：~婚|~合同。❷ 动 预先约定：预~|~报纸。❸ 改正(文字中的错误)：~正|修~|校~。❹ 动 装订：~书机|用纸~成一个本子。

【订单】(定单) dìngdān 名 订购货物的合同、单据。

【订购】dìnggòu 动 约定购买(货物等)：~机票。也作定购。

【订户】(定户) dìnghù 名 由于预先约定而得到定期供应的个人或单位，如报刊的订阅者，牛奶的用户等。

【订婚】(定婚) dìng∥hūn 男女订立婚约。

【订货】(定货) dìnghuò ❶ (-/-) 动 订购产品或货物：~会|~合同|订了一批货。❷ 名 预订的产品或货物：~已如期发运。

【订交】dìngjiāo 动 彼此结为朋友。

【订金】dìngjīn 名 见 1668 页〖预付款〗。

【订立】dìnglì 动 双方或几方把商定的事项用书面形式(如条约、合同等)肯定下来：~卫生公约|两国在平等互利的基础上~了贸易协定。

【订阅】(定阅) dìngyuè 动 预先付款订购(报纸、期刊)。

【订正】dìngzhèng 动 改正(文字中的错误)：书中的错误都一一~了。

钉(釘) dìng 见 333 页〖锭钉〗。

钉(釘) dìng 动 ❶ 把钉子捶打进别的东西里；用钉子、螺丝钉等把东西固定在一定的位置或把分散的东西组合起来：~钉(dīng)子|~马掌|门上~上两个合叶|他用几块木板~了个箱子。❷ 用针线把带子、纽扣等缝住：~扣子。

另见 318 页 dīng。

定 dìng ❶ 动 平静；稳定：立~|坐~|心神不~。❷ 动 固定；使固定：~影|~睛|手表坏了，表针~住不动了。❸ 决定；使确定：商~|~计划|开会时间~在明天上午。❹ 已经确定的；不改变

的：~理|~论|~局。❺ 规定的：~量|~时|~期。❻ 动 约定：~酒席。❼ 〈书〉副 必定；一定：~可取得胜利。❽ (Dìng) 名 姓。

【定案】dìng'àn ❶ (-/-) 动 对案件、方案等做最后的决定：拍板~。❷ 名 对案件、方案等所做的最后决定：这个问题~了，不要再讨论了。

【定本】dìngběn 名 校正后改定的本子。

【定编】dìngbiān 动 确定编制。

【定场白】dìngchǎngbái 名 戏曲中角色第一次出场说的自我介绍的独白。

【定场诗】dìngchǎngshī 名 戏曲中角色第一次出场开头所念的诗，通常是四句。

【定单】dìngdān 见 321 页〖订单〗。

【定当】dìngdàng 〈方〉形 停当；妥当：商量~|安排~。

【定点】dìngdiǎn ❶ 动 选定或指定在某一处：~供应|~跳伞。❷ 形 属性词。选定或指定专门从事某项工作的：涉外~饭店|该厂是生产冰箱的~厂。❸ 形 属性词。规定时间的：~航班|~作业。

【定调子】dìng diào·zi 指事先确定意向或基本的说法、做法。也说定调儿。

【定鼎】dìngdǐng 〈书〉动 相传禹铸九鼎，为古代传国之宝，保存在王朝建都的地方。后来称定都或建立王朝为定鼎。

【定都】dìng∥dū 动 把首都设在(某地)。

【定夺】dìngduó 动 对事情做可否或取舍的决定：等讨论后再行~。

【定额】dìng'é ❶ 动 规定数额：~管理|~供应。❷ 名 规定的数量：提前完成生产~。

【定岗】dìng∥gǎng 动 确定工作岗位：每个车间都要~到人。

【定稿】dìnggǎo ❶ (-/-) 动 修改并确定稿子：全书由主编~|这本书今年定不了稿。❷ 名 修改后确定下来的稿子：年内可以把~交出版社。

【定格】dìnggé ❶ (-/-) 动 电影、电视片的活动画面突然停止在某一个画面上，叫做定格。泛指确定在某种状态、格式、标准上：比赛结果~为2比1。❷ 名 固定不变的格式；一定的规格：写小说并无~。

【定更】dìnggēng 动 旧时晚上八点钟左右，打鼓报告初更开始。

【定购】dìnggòu ❶ 动 国家对某些产品预

先确定价格、数量等，统一收购：～棉花。
❷同"订购"。

【定规】dìngguī ❶名一定的规矩；成规：月底盘点，已成～。❷〈方〉副一定(专指主观意志)：叫他不要去，他～要去。

【定规】dìng·gui 〈方〉动决定：买发电机的事已经～好啦。

【定户】dìnghù 见 321 页【订户】。

【定滑轮】dìnghuálún 名位置固定的滑轮，使用时轮子转动而整个滑轮不发生位移。使用这种滑轮能够改变力的方向，但不能省力，也不能缩短路程。

【定婚】dìnghūn 见 321 页【订婚】。

【定货】dìnghuò 见 321 页【订货】。

【定价】dìngjià ❶(－//－)动规定价钱：合理～|你先定个价吧。❷名规定的价钱：～便宜|降低～。

【定见】dìngjiàn 名一定的见解或主张。

【定金】dìngjīn 名一方当事人为了保证合同的履行，向对方当事人给付的一定数量的款项。定金具有担保作用和证明合同成立的作用。

【定睛】dìngjīng 动集中视线：～细看。

【定居】dìng//jū 动在某个地方固定地居住下来：回国～|～北京。

【定居点】dìngjūdiǎn 名牧民、渔民等定居的地点。

【定局】dìngjú ❶动做最后决定：事情还没～，明天还可以再研究。❷名确定不移的形势：今年丰收已成～。

【定礼】dìnglǐ 名彩礼。

【定理】dìnglǐ 名已经证明具有正确性、可以作为原则或规律的命题或公式，如几何定理。

【定例】dìnglì 名沿袭下来经常实行的规矩：每到星期六我们厂总要放场电影，这差不多成了～了。

【定量】dìngliàng ❶动测定物质所含各种成分的数量：～分析。❷动规定数量：～供应|定质～。❸名规定的数量：超出～。

【定量分析】dìngliàng fēnxī 分析化学上测定某种物质所含各种成分数量多少的方法。

【定律】dìnglǜ 名科学上对某种客观规律的概括，反映事物在一定条件下发生一定变化过程的必然关系，如能量守恒定律。

【定论】dìnglùn 名确定的论断：此事已有～。

【定名】dìng//míng 动确定名称；命名(不用于人)：这个连队被～为爱民模范连。

【定盘星】dìngpánxīng 名❶杆秤上标志起算点(重量为零)的星儿。❷比喻一定的主张或准主意：他做事没有～。

【定评】dìngpíng 名确定的评论：这部作品早有～。

【定期】dìngqī ❶动定下日期：～召开代表大会。❷形属性词。有一定周期的；有一定期限的：～刊物|～存款。

【定钱】dìngqián 名购买或租赁时预先付给的一部分钱，作为成交的保证。

【定亲】dìng//qīn 动订婚(多指由父母做主的)。

【定情】dìngqíng 动以赠物、题诗等方式表示确定爱情关系：～物|～诗。

【定然】dìngrán 副必定：此事～成功。

【定神】dìng//shén 动❶集中注意力：听见有人叫我，～一看原来是小李。❷使心神安定：朱砂有～的作用。

【定时】dìngshí ❶动按规定的时间；准时：～吃药|起居～。❷名一定的时间：吃饭要有～。

【定时炸弹】dìngshí zhàdàn ❶雷管由计时器控制的炸弹，能按预定的时间爆炸。❷比喻潜在的危险。

【定式】dìngshì 名长期形成的固定的方式或格式：心理～|思维～|创作没有～。也作定势。

【定势】dìngshì ❶名确定的发展态势。❷同"定式"。

【定数】dìngshù 名❶规定的数额。❷迷信的人指决定事物命运的超自然的力量。

【定说】dìngshuō 名确定的说法：这种病的起因尚无～。

【定损】dìngsǔn 动(由保险公司)确定损失或损毁程度(以便赔偿)：赶赴事故现场查勘～。

【定位】dìngwèi ❶(－//－)动用仪器对物体所在的位置进行测量：全球～系统。❷名经测量后确定的位置。❸(－//－)动把事物放在适当的地位并做出某种评价：循名～|抓好产品价值～。

【定息】dìngxī 名我国私营工商业实行全行业公私合营后，国家对工商业者的资产进行核定,在一定时期内按固定利率每年付给的利息。

【定弦】dìng//xián (～儿)**动❶** 调整乐器弦的松紧以校正音高。**❷**〈方〉比喻打定主意:你先别追问我,我还没～呢。

【定向】dìngxiàng **动❶** 测定方向:～台(装有特种接收设备,能测定被测电台电波发射方向的无线电台)。**❷** 指有一定方向:～爆破|～招生。

【定向培育】dìngxiàng péiyù 利用一定的生活环境,促使动植物的遗传性向人们所要求的方向变化,如提高耐寒性、抗病能力等。

【定心丸】dìngxīnwán (～儿)**名** 比喻能使思想、情绪安定下来的言论或行动。

【定型】dìng//xíng **动** 事物的特点逐渐形成并固定下来。

【定性】dìngxìng **动❶** 测定物质包含哪些成分及性质,泛指确定事物的性质:～分析。**❷**(-/-)对犯有错误或罪行的人,确定其问题的性质。

【定性分析】dìngxìng fēnxī 分析化学上测定某种物质含有哪些成分的方法。

【定义】dìngyì **❶ 名** 对于一种事物的本质特征或一个概念的内涵和外延的确切而简要的说明。**❷ 动** 下定义。

【定音鼓】dìngyīngǔ **名** 打击乐器,形状像锅,用铜制成,在开口的一面蒙皮,装有螺旋,能松紧鼓面来调整音高。主要用于交响乐队。

【定影】dìngyǐng **动** 把显影后感光材料上的影像通过化学方法加以固定。通常在暗室中进行。

【定语】dìngyǔ **名** 名词前边的表示领属、性质、数量等等的修饰成分。名词、代词、形容词、数量词等都可以做定语。例如"国家机关"的"国家"(领属),"新气象"的"新"(性质),"三架飞机"的"三架"(数量)。

【定员】dìngyuán **❶ 动** 规定人数:～定编。**❷ 名** 规定的人数,指机关、部队等人员编制的名额,或车船等规定容纳乘客的数目。

【定阅】dìngyuè 见 321 页〖订阅〗。

【定则】dìngzé **名** 公认的定理或法则;确定不移的原则。

【定址】dìngzhǐ **❶ 动** 把建筑工程的位置设在(某地):轿车总装厂～西郊。**❷ 名**

固定的住址:他成年东跑西颠,没有个～。

【定准】dìngzhǔn **❶**(～儿)**名** 确定的标准:工作要有个～,不能各行其是。**❷ 动** 确定;肯定:究竟派谁去,现在还没～。**❸ 副** 一定;必定:你看见了～满意。

【定子】dìngzǐ **名** 电动机和发电机中,跟转子相应而固定在外壳上的部分。

【定罪】dìng//zuì **动** 审判机关认定某违法行为符合刑事法律规定的某个罪名。

【定做】dìngzuò **动** 专为某人或某事制作(物品):～生日蛋糕。

啶 dìng 见 71 页〖吡啶〗、942 页〖嘧啶〗。

铤(鋌) dìng 〈书〉未经冶铸的铜铁。另见 1362 页 tǐng。

腚 dìng 〈方〉**名** 屁股。

碇(矴、椗) dìng **名** 系船的石墩:起～|下～。

锭(錠) dìng **❶** 锭子。**❷** 做成块状的金属或药物等:金～|钢～|万应～。**❸ 量** 用于成锭的东西:一～墨。

【锭剂】dìngjì **名** 药物粉末制成的硬块,供患者吞服、研计内服或外用,如万应锭、紫金锭、蟾酥锭等。

【锭子】dìng·zi **名** 纱锭。

diū(ㄉㄧㄡ)

丢(丟) diū **动❶** 遗失;失去:钱包～了◇～了工作。**❷** 扔:不要随地～果皮。**❸** 搁置;放:技术一久了就生疏了|只有这件事～不开。

【丢丑】diū//chǒu **动** 丢脸:他不愿在众人面前～。

【丢掉】diūdiào **动❶** 遗失:不小心把钥匙～了◇～饭碗(失业)。**❷** 抛弃:～幻想。

【丢份】diū//fèn (～儿)〈方〉**动** 有失身份;丢人。也说丢份子。

【丢脸】diū//liǎn **动** 丧失体面。

【丢面子】diū miàn·zi 丢脸。

【丢弃】diūqì **动** 扔掉;抛弃:虽是旧衣服,他也舍不得～。

【丢人】diū//rén **动** 丢脸:～现眼。

【丢三落四】diū sān là sì 形容马虎或记忆力不好而好(hào)忘事。

【丢失】diūshī 囫 遗失:～行李|～文件。

【丢手】diū∥shǒu 囫 放开不管:～不干|这件事现在已丢不开手了。

【丢眼色】diū yǎnsè 用眼光暗示;使眼色。

【丢卒保车】diū zú bǎo jū 下象棋时为了保住车而舍弃卒,比喻为了保住主要的而牺牲次要的。

铥(銩) diū 囵 金属元素,符号 Tm(thulium)。是一种稀土元素。银白色,质软。用作 X 射线源等。

dōng（ㄉㄨㄥ）

东(東) dōng ❶ 囵 方位词。四个主要方向之一,太阳升起的一边:～边儿|～方|～风|～城|城～|大江～去。❷ 主人(古时主位在东,宾位在西):房～|股～|～家。❸（～儿）囵 东道:我做～,请你们吃饭。❹（Dōng）囵 姓。

【东半球】dōngbànqiú 囵 地球的东半球,通常从西经 20°起向东到东经 160°止。陆地包括欧洲、非洲的全部,亚洲和大洋洲的绝大部分以及南极洲的大部分。

【东北】dōngběi 囵❶ 方位词。东和北之间的方向。❷（Dōngběi）指我国东北地区,包括辽宁、吉林、黑龙江三省以及内蒙古自治区的东部。

【东边】dōng·bian （～儿）囵 方位词。东①。

【东不拉】dōngbùlā 同"冬不拉"。

【东窗事发】dōng chuāng shì fā 传说宋代秦桧曾与妻子在自己家的东窗下定计杀害了岳飞,后来秦桧得病而死。他妻子请方士做法事,方士看见秦桧在阴间身戴铁枷受苦,秦桧对他说:"可烦传语夫人,东窗事发矣。"(见于元刘一清《钱塘遗事·二·东窗事发》)后来用"东窗事发"指罪行、阴谋败露。也说东窗事犯。

【东床】dōngchuáng 囵 东晋太尉郗鉴派一位门客到王导家去选女婿。门客回来说:"王家的年轻人都很好,但是听到有人去选女婿,都拘谨起来,只有一位在东边床上敞开衣襟吃饭的,好像没听到似的。"郗鉴说:"这正是一位好女婿。"这个人就是王羲之。于是把女儿嫁给他(见于《晋书·王羲之传》)。因此,后来也称女婿为东床。

【东倒西歪】dōng dǎo xī wāi ❶ 形容行走、坐立时身体歪斜或摇晃不稳的样子。❷ 形容物体杂乱地歪斜或倒下的样子。

【东道】dōngdào 囵❶ 东道主:做～|略尽～之谊。❷ 指请客的事儿或义务:赌个～。

【东道国】dōngdàoguó 囵 负责组织、安排国际会议、比赛等在本国举行的国家。

【东道主】dōngdàozhǔ 囵 请客的主人。

【东方】dōngfāng 囵❶ 方位词。东①:～红,太阳升。❷（Dōngfāng）指亚洲(习惯上也包括埃及)。❸（Dōngfāng）姓。

【东非】Dōng Fēi 囵 非洲东部,包括索马里、吉布提、厄立特里亚、埃塞俄比亚、肯尼亚、乌干达、卢旺达、布隆迪、坦桑尼亚和塞舌尔等。

【东风】dōngfēng 囵❶ 指春风。❷ 比喻革命的力量或气势:～压倒西风。

【东风吹马耳】dōngfēng chuī mǎ'ěr 比喻对别人的话无动于衷。

【东宫】dōnggōng 囵 封建时代太子住的地方,借指太子。

【东郭】Dōngguō 囵 姓。

【东郭先生】Dōngguō xiān·sheng 明代马中锡《中山狼传》中的人物。因救助被人追逐的中山狼,差点儿被狼吃掉,借指对坏人讲仁慈的人。

【东汉】Dōng Hàn 囵 朝代,公元 25—220,自光武帝(刘秀)建武元年起到献帝(刘协)延康元年止。建都洛阳。也叫后汉。

【东胡】Dōng Hú 囵 我国古代民族,居住在今内蒙古东南一带。

【东家】dōng·jia 囵 旧时受人雇用或聘请的人称他的主人;佃户称租给他土地的地主。

【东晋】Dōng Jìn 囵 朝代,公元 317—420,自元帝(司马睿)建武元年起到恭帝(司马德文)元熙二年止。建都建康(今南京)。

【东经】dōngjīng 囵 本初子午线以东的经度或经线。参看 717 页〖经度〗、718 页〖经线〗。

【东拉西扯】dōng lā xī chě 形容说话没有中心或条理,想到哪里说到哪里。

【东鳞西爪】dōng lín xī zhǎo 见 1597 页〖一鳞半爪〗。

【东门】Dōngmén 囵 姓。

【东面】dōng·miàn （～儿）囵 方位词。东

边。

【东南】dōngnán 名❶ 方位词。东和南之间的方向。❷ (Dōngnán)指我国东南沿海地区,包括上海、江苏、浙江、福建、台湾等省市。

【东南亚】Dōngnán Yà 亚洲的东南部,包括越南、柬埔寨、老挝、泰国、缅甸、马来西亚、新加坡、菲律宾、印度尼西亚、东帝汶和文莱等国。

【东欧】Dōng Ōu 名 欧洲东部,包括爱沙尼亚、拉脱维亚、立陶宛、白俄罗斯、乌克兰、摩尔多瓦等国和俄罗斯的欧洲部分。

【东三省】Dōng Sān Shěng 名 指东北辽宁、吉林、黑龙江三省。

【东山再起】Dōng Shān zài qǐ 东晋谢安退职后在东山做隐士,后来又出任要职(见于《晋书·谢安传》)。比喻失势之后重新恢复地位。

【东施效颦】Dōngshī xiào pín 美女西施病了,皱着眉头,按着心口。同村的丑女人看见了,觉得姿态很美,也学她的样子,却丑得可怕(见于《庄子·天运》)。后人把这个丑女人称作东施。"东施效颦"比喻盲目模仿,效果很坏。

【东魏】Dōng Wèi 名 北朝之一,公元534—550,元善见所建。参看58页〖北魏〗。

【东西】dōngxī 名 方位词。❶ 东边和西边。❷ 从东到西(距离):这座城~三里。

【东…西…】dōng…xī… 表示"这里…那里…"的意思:~奔~跑|~张~望|~拼~凑|~倒~歪|~涂~抹|一句…一句~。

【东西】dōng·xi 名❶ 泛指各种具体的或抽象的事物:他买~去了|雾很大,十几步以外的~就看不见了|语言这~,不是随便可以学好的,非下苦功不可|咱们写~要用普通话。❷ 特指人或动物(多含厌恶或喜爱的感情):老~|笨~|这小~真可爱。

【东乡族】Dōngxiāngzú 名 我国少数民族之一,主要分布在甘肃。

【东亚】Dōng Yà 名 亚洲东部,包括中国、朝鲜、韩国、蒙古和日本等国。

【东洋】Dōngyáng 名 指日本:~人|~货。

【东野】Dōngyě 名 姓。

【东瀛】dōngyíng 〈书〉名❶ 东海。❷ 指日本:留学~。

【东正教】Dōngzhèngjiào 名 见1739页〖正教〗。

【东周】Dōng Zhōu 名 朝代,公元前770—公元前256,自周平王(姬宜臼)迁都洛邑(在今河南洛阳西)起,到被秦灭亡止。

冬¹ dōng 名❶ 冬季:隆~|~耕|~眠|在北京住了两~。❷ (Dōng)姓。

冬²(鼕) dōng 同"咚"。

【冬不拉】dōngbùlā 名 哈萨克族的弦乐器,形状略像半个梨加上长柄,一般有两根弦或四根弦。也作东不拉。

【冬菜】dōngcài 名❶ 用白菜、芥菜叶等腌制成的干菜。❷ 冬季贮存、食用的蔬菜,如大白菜、萝卜等。

【冬藏】dōngcáng 动 冬季储藏:介绍萝卜~技术。

【冬虫夏草】dōngchóng-xiàcǎo 真菌的一种,寄生在鳞翅目昆虫的幼虫中,被害的幼虫冬季钻入土内,逐渐形成菌核,夏季从菌核或死虫的身体上长出菌体的繁殖器官来,形状像草,所以叫冬虫夏草。可入药。简称虫草。

【冬储】dōngchǔ 动 冬季储存:做好~饲草工作。

【冬菇】dōnggū 名 冬季采集的香菇。

【冬瓜】dōng·guā 名❶ 一年生草本植物,茎上有卷须,能爬蔓,叶子大,开黄花。果实近球形或圆柱形,表面有毛和白粉,是常见蔬菜。皮和种子可入药。❷ 这种植物的果实。

【冬烘】dōnghōng 形 (思想)迂腐,(知识)浅陋(含讽刺意):~先生|头脑~。

【冬季】dōngjì 名 一年中的第四季,我国习惯指立冬到立春的三个月时间,也指农历十、十一、十二三个月。参看1294页〖四季〗。

【冬节】Dōng Jié 名 指冬至。

【冬令】dōnglìng 名❶ 冬季。❷ 冬季的气候:春行~(春天的气候像冬天)。

【冬眠】dōngmián 动 某些动物(如蛙、龟、蛇、蝙蝠、刺猬等)在寒冷的冬季休眠。也叫冬蛰。

【冬青】dōngqīng 名 常绿乔木,叶子长椭圆形,前端尖,花淡紫红色,果实球形,红色。叶、种子和树皮可入药。

【冬笋】dōngsǔn 名 冬季挖的毛竹的笋。生长在向阳而温暖的地方,肉浅黄色,质嫩可食。

【冬天】dōngtiān 名 冬季。

【冬闲】dōngxián 名 指冬季农事较少的时节：利用～做好室内选种工作。

【冬小麦】dōngxiǎomài 名 指秋天播种第二年夏天收割的小麦。

【冬训】dōngxùn 动 冬季训练：篮球队即将投入～。

【冬衣】dōngyī 名 冬季穿的御寒的衣服。

【冬泳】dōngyǒng 动 冬季在江河湖海里游泳：～比赛|不畏严寒，坚持～。

【冬月】dōngyuè 名 指农历十一月。

【冬运】dōngyùn 名 运输部门指冬季的运输业务。

【冬蛰】dōngzhé 动 冬眠。

【冬至】dōngzhì 名 二十四节气之一，在12月21、22或23日。这一天太阳经过冬至点，北半球白天最短，夜间最长。参看696页〖节气〗、363页〖二十四节气〗。

【冬至点】dōngzhìdiǎn 名 黄道上最南的一点，冬至这天太阳经过这个位置。

【冬贮】dōngzhù 动 冬季贮存：～大白菜。

【冬装】dōngzhuāng 名 冬季穿的御寒的服装。

咚 dōng 拟声 形容敲鼓或敲门等的声音。

崀(崀) dōng 崀罗(Dōngluó)，地名，在广西。

氡 dōng 名 气体元素，符号Rn(radon)。无色，大气中含量极少，有放射性。用作γ射线源。

鶇(鶇) dōng 名 鸟，嘴细长而侧扁，翅膀长而平，善走，叫的声音好听。种类很多，常见的有乌鶇、斑鶇等。

蛛(蝀) dōng 见302页[螮蝀](dìdōng)。

dǒng (ㄉㄨㄥˇ)

董 dǒng ❶〈书〉监督管理：～理|～其成。❷董事：校～|商～。❸(Dǒng)名 姓。

【董事】dǒngshì 名 由股东选举产生的管理公司业务活动的人；董事会的成员。

【董事会】dǒngshìhuì 名 某些公司、企业或学校、团体等的领导机构。

【董事长】dǒngshìzhǎng 名 由董事会或常务董事会选举产生的公司法定代表人。

懂 dǒng 动 知道；了解：～事|～行|～英语|他的话我听～了。

【懂得】dǒng·de 动 知道(意义、做法等)：～规矩|你～这句话的意思吗?

【懂行】dǒngháng 形 熟悉某一种业务：向～的人请教。

【懂事】dǒng∥shì 形 了解别人的意图或一般事理：这孩子很～|他不怎么～。

dòng (ㄉㄨㄥˋ)

动(動、❷働) dòng ❶ 动 (事物)改变原来位置或脱离静止状态(跟"静"相对)：流～|风吹草～|你坐着别～。❷ 动 动作；行动：轻举妄～|一举一～|只要大家一起来，什么事都能办。注意"働"是"劳动"的"动(動)"的异体字。❸ 动 改变(事物)原来的位置或样子：搬～|挪～|改～|用|兴师～众。❹ 动 使用；使起作用：～笔|～手|～脑筋。❺ 动 触动(思想感情)：～心|～怒|～了公愤。❻ 动 感动：～人|不为亲情所～。❼〈方〉动 吃；喝(多用于否定式)：这病不宜～荤腥|他向来不～酒。❽〈书〉副 动不动；常常：～辄得咎|影片一经上演，观众～以万计。

【动笔】dòng∥bǐ 动 用笔写或画(多指开始写或画)：落笔：好久没～了|～之前，先要想一想。

【动兵】dòng∥bīng 动 出动军队打仗。

【动不动】dòng·budòng 副 表示很容易产生某种行动或情况(多指不希望发生的)，常跟"就"连用：～就感冒|～就发脾气。

【动产】dòngchǎn 名 可以移动的财产，指金钱、器物等。

【动词】dòngcí 名 表示人或事物的动作、存在、变化的词，如"走、笑、有、在、看、写、飞、落、保护、开始、起来、上去"。

【动粗】dòng∥cū 动 采取粗野的举动，如打人、骂人等：有话好好说，不要～。

【动荡】dòngdàng ❶ 动 波浪起伏：湖水～。❷ 形 比喻局势、情况不稳定；不平静：社会～|～不安|～的年代。

【动肝火】dòng gānhuǒ 指发脾气；发怒：有话慢慢说，不要～。

【动感】dònggǎn 图指绘画、雕刻、文艺作品中的形象等给人的栩栩如生的感觉：塑像极富～。

【动工】dòng//gōng 动❶开工(指土木工程)：～不到三个月，就完成了全部工程的一半。❷施工：这里正在～，车辆不能通过。

【动滑轮】dònghuálún 图位置不固定的滑轮,使用时整个滑轮发生位移。使用这种滑轮可以省力。

【动画】dònghuà 图以一定的速度连续播放的成组画面。

【动画片儿】dònghuàpiānr 〈口〉图动画片。

【动画片】dònghuàpiàn 图美术片的一种,把人、物的表情、动作、变化等分段画成许多画幅,再用摄影机连续拍摄而成。

【动换】dòng•huan 〈口〉动动弹;活动：车内太挤,人都没法～了。

【动火】dòng//huǒ (～儿)〈口〉动发火：什么事值得这么～|他一听这话就动起火来。

【动机】dòngjī 图推动人从事某种行为的念头：～好,方法不对头,也会把事办坏。

【动静】dòng•jing 图❶动作或说话的声音：屋子里静悄悄的,一点～也没有。❷(打听或侦察的)情况：察看对方的～|一有～,要马上报告。

【动力】dònglì 图❶使机械做功的各种作用力,如水力、风力、电力、畜力等。❷比喻推动工作、事业等前进和发展的力量：人民是创造世界历史的～。

【动量】dòngliàng 图表示运动物体运动特性的一种物理量。动量是一个矢量,它的方向和物体运动的方向相同,它的大小等于运动物体的质量和速度的乘积。

【动乱】dòngluàn 动(社会)骚动变乱：局势～|发生了一场～。

【动轮】dònglún 图机车或其他机械上跟动力直接相连的轮子。

【动脉】dòngmài 图❶把心脏中压出来的血液输送到全身各部分的血管。❷比喻重要的交通干线。

【动脉硬化】dòngmài yìnghuà 病,动脉管壁增厚,弹性减弱,管腔狭窄,甚至完全堵塞。多由高血压、血液中胆醇含量增多等引起。

【动脉粥样硬化】dòngmài zhōuyàng yìng-

huà 动脉硬化的一种,大、中动脉内膜出现含胆醇等的黄色物质,多由脂肪代谢紊乱、神经血管功能失调引起。常导致血栓形成、供血障碍等。

【动漫】dòngmàn 图动画和漫画,特指当代连环画和动画片。

【动能】dòngnéng 图物体由于机械运动而具有的能,它的大小等于运动物体的质量和速度平方乘积的二分之一。

【动能武器】dòngnéng wǔqì 通过发射能够制导的高速弹头,以其整体或爆炸碎片击毁目标的武器。主要用来拦截弹道导弹和攻击军用卫星。动能武器的一些先进技术,也可用于某些常规武器。

【动怒】dòng//nù 动发怒。

【动气】dòng//qì 动生气：病中不宜～|我从来没有看见他动过气。

【动迁】dòngqiān 动因原建筑物拆除或翻建而迁移到别处：～户|这次拓宽马路,要～五百多户居民。

【动情】dòng//qíng 动❶情绪激动：她说越～,泪水哗哗直流。❷产生爱慕的感情。

【动人】dòngrén 形感动人：～的歌声|这出戏演得很～。

【动人心魄】dòng rén xīnpò 动人心弦。

【动人心弦】dòng rén xīnxián 激动人心;非常动人：这是个多么～的场面! 也说动人心魄。

【动容】dòngróng 动脸上出现受感动的表情：观者无不为之～。

【动身】dòng//shēn 动起程;出发：行李都打好了,明天早上就～。

【动手】dòng//shǒu 动❶开始做;做：早点儿～早点儿完|大家一齐～。❷用手接触：展览品请勿～。❸指打人：两人说着说着就动起手来了。

【动手动脚】dòng shǒu dòng jiǎo ❶指打人：有话好说,不要～的。❷指挑逗调戏异性：放尊重点儿,不许～。

【动态】dòngtài ❶图(事情)变化发展的情况：科技～|从这些图片里可以看出我国建设的～。❷图艺术形象表现出的活动神态：画中人物,～各异,栩栩如生。❸形属性词。运动变化状态的或从运动变化状态考察的：～分析。

【动弹】dòng•tan 动(人、动物或能转动的

东西)活动：两脚发木，～不得｜风车不～
了。

【动听】dòngtīng 厖 听起来使人感动或者
感觉有兴趣：娓娓｜极平常的事儿，让他
说起来就很～。

【动土】dòng//tǔ 动 破土①。

【动问】dòngwèn 动 客套话，请问：不敢
～，您是从北京来的吗?

【动窝】dòng//wō （～儿）〈口〉动 指离开
原来位置：发动了半天，汽车也没～儿｜在
这个厂一干就是三十年，始终没～。

【动武】dòng//wǔ 动 使用武力（包括殴
打、发动战争）。

【动物】dòngwù 名 生物的一大类，这一类
生物多以有机物为食料，有神经，有感觉，
能运动。

【动物学】dòngwùxué 名 生物学的一个
分支，研究动物的形态、生理、生态、分类、
分布、进化及其与人类关系。

【动物园】dòngwùyuán 名 饲养许多种动
物(特别是科学上有价值或当地罕见的动
物)，供人观赏的公园。

【动向】dòngxiàng 名 活动或发展的方
向：思想～｜市场～｜侦察敌人的～。

【动销】dòngxiāo 动 开始销售：刚过春
节，空调就已～。

【动心】dòng//xīn 动 思想、感情发生波
动，多指产生某种动机、欲望等：见财不
～｜经人一说，他也就动了心了。

【动刑】dòng//xíng 动 施用刑具。

【动眼神经】dòngyǎn-shénjīng 第三对脑
神经，由大脑脚发出，分布在眼球的肌肉
上，主管眼球的运动。

【动摇】dòngyáo ❶ 厖 不稳固；不坚定：
意志坚定，绝不～。❷ 动 使动摇：～军
心｜环境再艰苦也～不了这批青年支援边
疆建设的决心。

【动议】dòngyì 名 会议中的建议（一般指
临时的）：紧急～。

【动因】dòngyīn 名 动机，原因：创作～｜贪
欲是她作案的直接～。

【动用】dòngyòng 动 使用：～公款｜～武
力｜不得随意～库存粮食。

【动员】dòngyuán 动 ❶ 国家把武装力量
由和平状态转入战时状态，把所有的经济
部门(工业、农业、运输业等)转入供应战
争需要。❷ 发动人参加某项活动：～报

告｜全体～，大搞卫生。

【动辄】dòngzhé 〈书〉副 不动就：～得
咎｜～恶语相加。

【动辄得咎】dòng zhé dé jiù 动不动就受
到责备或处分。

【动嘴】dòng//zuǐ 动 指说话：别光～，快
干活!

【动作】dòngzuò ❶ 名 全身或身体的一
部分的活动：这一节操有四个～｜～敏捷。
❷ 动 活动；行动起来：弹钢琴要十个指头
都～。

【动作片儿】dòngzuòpiānr 〈口〉名 动作
片。

【动作片】dòngzuòpiàn 名 以打斗场面为
主的故事片。

冻(凍) dòng ❶ 动 (液体或含水分
的东西)遇冷凝固：不～港｜缸
里的水～了｜白菜要抢收入窖，不能让它
坏。❷ (～儿)名 汤汁等凝结成的半固体：
肉～儿｜鱼～儿。❸ 动 受冷或感到冷：今
天衣服穿少了，真～得慌。❹ 动 机体的组
织由于温度过低而受损伤：～害｜我的脚
～了。❺ (Dòng)名 姓。

【冻疮】dòngchuāng 名 局部皮肤因受低
温损害而成的疮。

【冻豆腐】dòngdòu·fu 名 经过冰冻的豆
腐。

【冻害】dònghài 名 由于动植物受冻造成
的危害，如引起机体细胞和组织破坏或死
亡等。

【冻结】dòngjié 动 ❶ 液体遇冷凝结；使物
体受冻凝结。❷ 比喻阻止流动或变动
(指人员、资金等)：～存款。❸ 比喻暂不
执行或发展：协议～｜～双方关系。

【冻馁】dòngněi 〈书〉动 寒冷饥饿；受冻
挨饿：～而死｜～之忧。

【冻伤】dòngshāng 名 机体的组织由于低
温而引起的损伤。轻的皮肤红肿，灼痛或
发痒，重的皮肤起水疱，最重的引起皮肤、
肌肉甚至骨胳坏死。

【冻土】dòngtǔ 名 所含水分冻结成冰的
土壤或疏松的岩石：～区｜～地带。

【冻雨】dòngyǔ 名 一种特殊的降水现象，
这种雨从天空落下时是 0℃ 以下的过冷
却水滴，一落地就结为固态的冰。

【冻原】dòngyuán 名 苔原。

【冻灾】dòngzāi 名 因低温或冰雪、冻雨等

原因造成的灾害。

【冻瘃】dòngzhú 〈方〉名 冻疮。

侗 Dòng 侗族。
另见 1369 页 tóng；1370 页 tǒng。

【侗剧】dòngjù 名 侗族戏曲剧种，流行于贵州、湖南、广西等地侗族聚居的地区。

【侗族】Dòngzú 名 我国少数民族之一，分布在贵州、湖南和广西。

垌 dòng 〈方〉田地(多用于地名)：麻～(在广西)|儒～(在广东)。
另见 1369 页 tóng。

栋(棟) dòng ❶ 脊檩；正梁：～梁。❷ 量 房屋一座叫一栋。❸(Dòng)名 姓。

【栋梁】dòngliáng 名 房屋的大梁，比喻担负国家重任的人：～之才|社会～。

峒 dòng 山洞(多用于地名)：吉～坪(在湖南)|～中(在广西)。
另见 1369 页 tóng。

胨(腖) dòng 名 蛋白胨的简称。[英 peptone]

洞 dòng ❶(～儿)名 物体中间的穿通的或凹入较深的部分：～穴|山～|衣服破了一个～◇漏～。❷〈书〉穿透：弹～其腹。❸数 说数字时在某些场合用来代替"0"。❹ 深远；透彻：～晓|～察|～若观火。

【洞察】dòngchá 动 观察得很清楚：～下情。

【洞彻】dòngchè 动 透彻了解：～事理。

【洞穿】dòngchuān 动 穿透：炸弹～房顶。

【洞达】dòngdá 动 很明白；很了解：～人情世故。

【洞房】dòngfáng 名 新婚夫妇的房间：闹～|～花烛(旧时结婚的景象，新婚之夜，洞房里点花烛)。

【洞府】dòngfǔ 名 神话中所说的深山中神仙所住的地方。

【洞见】dòngjiàn 动 很清楚地见到：～肺腑(形容诚恳坦白)。

【洞开】dòngkāi 动 (门窗等)大开：门户～。

【洞若观火】dòng ruò guān huǒ 形容看得清楚明白。

【洞天】dòngtiān 名 道教指神仙居住的地方，现在多用来指引人入胜的境地：别有～。

【洞天福地】dòngtiān fúdì 道教指神仙居

住的地方，现泛指名山胜境。

【洞悉】dòngxī 动 很清楚地知道：～内情。

【洞箫】dòngxiāo 名 箫，因不封底而得名。

【洞晓】dòngxiǎo 动 透彻地知道；精通：～音律|～其中利弊。

【洞穴】dòngxué 名 地洞或山洞(多指能藏人或东西的)。

【洞烛其奸】dòng zhú qí jiān 看透对方的阴谋诡计。

【洞子】dòng·zi 〈方〉名 ❶ 冬天培植花草、蔬菜等的暖房：花儿～|～货。❷ 洞穴。

【洞子货】dòng·zihuò 〈方〉名 指冬天在暖房培植的花草或蔬菜。

恫 dòng ❶〈书〉恐惧：～恐(恐惧)。❷ 恐吓：～吓。
另见 1362 页 tōng。

【恫吓】dònghè 动 威胁；吓(xià)唬：不怕武力～。

胴 dòng ❶ 躯干(gàn)：～体。❷〈书〉大肠。

【胴体】dòngtǐ 名 ❶ 躯干，特指牲畜屠宰后，除去头、尾、四肢、内脏等剩下的部分。❷ 指人的躯体。

硐 dòng 名 山洞、窑洞或矿坑。

dōu（ㄉㄡ）

都 dōu 副 ❶ 表示总括，除疑问句外，所括的成分放在"都"前：全家～搞文艺工作|他无论干什么～很带劲儿。❷ 跟"是"字连用，说明理由：～是你磨蹭，要不我也不会迟到|～是昨天这场雨，害得我们耽误了一天工。❸ 表示"甚至"：你待我比亲姐姐～好|今天一点儿～不冷|一动～不动。❹ 表示"已经"：饭～凉了，快吃吧。
另见 333 页 dū。

唗 dōu 叹 怒斥声(多见于早期白话)。

兜[1] dōu ❶(～儿)名 口袋一类的东西：网～儿|裤～儿|中山服有四个～儿。❷ 动 做成兜形把东西拢住：小女孩儿的衣襟里～着三个橘子|老大娘用手巾～着几个鸡蛋。❸ 动 绕：～抄|～圈子◇许多感想～上心头。❹ 动 招揽：～售|～生意。❺

承担或包下来：没关系，有问题我～着。❻动 兜底：把他的丑事全给～出来。❼ 同"篼"。

兜² dōu 同"篼"。

【兜抄】dōuchāo 动 从后面和两旁包围攻击。

【兜底】dōu//dǐ （～儿）〈口〉动 把底细全部揭露出来（多指隐讳的事）：他的事儿全让人兜了底了。

【兜兜】dōu·dou （～儿）〈口〉名 兜肚。

【兜兜裤儿】dōu·doukùr 名 小孩儿夏天穿的带兜肚的小短裤儿。

【兜肚】dōu·du 名 贴身护在胸部和腹部的像菱形的布，用带子套在脖子上，左右两角钉带子束在背后。

【兜翻】dōu·fan 〈方〉动 ❶ 翻弄（旧存的东西）：老太太又在开箱子～她那点儿绣花的活计。❷ 重新提起（旧事旧话）：过去的那些事别～了。❸ 揭穿（隐讳的事情）：把他的老底都给～出来了。

【兜风】dōu//fēng 动 ❶（船帆、车篷等）挡住风：破帆不～。❷ 坐车、骑马或乘游艇兜圈子乘凉或游逛：他开着车～去了。

【兜揽】dōulǎn 动 ❶ 招引（顾客）：～生意。❷ 把事情往自己身上拉：他就爱～事儿。

【兜鍪】dōumóu 名 古代作战时戴的盔。

【兜圈子】dōu quān·zi ❶ 绕圈儿：飞机在树林子上空兜了两个圈子就飞走了。❷ 比喻不照直说话：别跟我～，有话直截了当地说吧。

【兜售】dōushòu 动 ❶ 到处找人购买（自己手上的货物）：～存货。❷ 比喻极力怂恿人接受某种观点、主张等：～地方保护主义错误言论。

【兜头盖脸】dōu tóu gài liǎn 正对着头和脸：一盆水～全泼在他身上。也说兜头盖脑。

【兜销】dōuxiāo 动 兜售。

【兜子】dōu·zi 名 口袋一类的东西：工具～|裤～。

【兜嘴】dōuzuǐ 〈方〉名 ❶ 围嘴儿。❷ 笼嘴。

篼（楸）dōu〈方〉❶名 指某些植物的根和靠近根的茎：禾～。❷量 相当于"棵"或"丛"：一～树|两～白菜|

三～禾。

篼 dōu 名 竹、藤、柳条等做成的盛东西的器具：背～。

【篼子】dōu·zi 〈方〉名 用竹椅子捆在两根竹竿上做成的交通工具，作用跟轿子相同。

dǒu （ㄉㄡˇ）

斗 dǒu ❶量 容量单位，10 升等于 1 斗，10 斗等于 1 石。❷名 量(liáng)粮食的器具，容量是一斗，方形，也有鼓形的，多用木头或竹子制成。❸（～儿）形状略像斗的东西：漏～|风～|烟～。❹名 圆形的指纹。❺ 古代盛酒的器具。❻ 二十八宿之一。通称南斗。❼ 北斗星：～柄。❽〈书〉同"陡"。❾（Dǒu）名 姓。
另见 331 页 dòu。

【斗笔】dǒubǐ 名 一种大型毛笔，笔头儿安装在一个斗形部件里，上安笔杆儿。

【斗车】dǒuchē 名 工地、矿区常用的一种运输工具，车身略像斗，下面有轮，在轨道上移动。

【斗胆】dǒudǎn 副 形容大胆（多用作谦辞）：我～说一句，这件事情您做错了。

【斗方】dǒufāng （～儿）名 书画所用的方形纸张，也指一二尺见方的字画。

【斗方名士】dǒufāng míngshì 指以风雅自命的无聊文人。

【斗拱】(科拱、枓栱) dǒugǒng 又 dòugǒng 名 我国建筑特有的一种结构。在立柱和横梁交接处，从柱顶上加的一层层探出成弓形的承重结构叫拱，拱与拱之间垫的方形木块叫斗，合称斗拱。

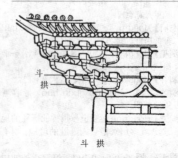

斗 拱

【斗箕】dǒu·ji 名 指印,因指纹有斗有箕,所以把指印叫做斗箕。

【斗笠】dǒulì 名 遮阳光和雨的帽子,有很宽的边,用竹篾夹油纸或箬竹的叶子等制成。

【斗篷】dǒu·peng 名 ❶ 披在肩上的没有袖子的外衣。❷〈方〉斗笠。

【斗渠】dǒuqú 名 由支渠引水到毛渠或灌区的渠道。

【斗筲】dǒushāo〈书〉名 斗和筲都是容量不大的容器,比喻气量狭小或才识短浅:～之器|～之辈。

【斗室】dǒushì〈书〉名 指极小的屋子:身居～。

【斗转星移】dǒu zhuǎn xīng yí 北斗转向,众星移位。表示时序变迁,岁月流逝。也说星移斗转。

【斗子】dǒu·zi 名 ❶ 煤矿里盛煤的器具,也指家庭中盛煤的铁桶。❷ 用树条、木板等制成的盛东西的器具:料～。

阧 dǒu〈书〉同"陡"。

抖 dǒu 动 ❶ 颤动;哆嗦:发～|浑身直～。❷ 振动;甩动:～一～|马缰绳|开被窝。❸(跟"出来"连用)全部抖出;彻底揭露:把他干的那些丑事都～出来。❹ 振作;鼓起(精神):～起精神往前直赶。❺ 称人因为有钱有地位等而得意(多含讥讽意):他如今当了官,～起来了。

【抖颤】dǒuchàn 动 发抖;颤抖。

【抖动】dǒudòng 动 ❶ 颤动:她气得咬紧嘴唇,身子剧烈～。❷ 用手振动物体:他～了一下缰绳,马便向草原飞奔而去。

【抖搂】dǒu·lou〈方〉动 ❶ 振动衣服、被、包袱等,使附着的东西落下来:把衣服上的雪～干净。❷ 全部倒出或说出;揭露:～箱子底儿|把以前的事全给～出来。❸ 浪费;胡乱用(财物):别拿钱～光了,留着办点儿正事。

【抖擞】dǒusǒu 动 振作:精神～|～精神。

枓 dǒu 见 330 页〖斗拱〗(枓拱、枓栱)。

陡 dǒu ❶ 形 坡度很大,近于垂直:～坡|山很～,爬上去十分困难。❷ 陡然:～变。

【陡壁】dǒubì 名 像墙壁那样直立的岸或山崖:～悬崖。

【陡变】dǒubiàn 动 突然改变或变化:面

色～|天气～。

【陡峻】dǒujùn 形 (地势)高而陡:山崖～。

【陡立】dǒulì 动 (山峰、建筑物等)直立。

【陡坡】dǒupō 名 和水平面所成角度大的地面;坡度大的坡。

【陡峭】dǒuqiào 形 (山势)坡度很大,直上直下:山势～|这个～的山峰连山羊也上不去。

【陡然】dǒurán 副 突然:～醒悟。

蚪 dǒu 见 770 页〖蝌蚪〗。

dòu (ㄉㄡˋ)

斗(鬥、鬦、鬭) dòu ❶ 对打:械～|～殴。❷ 动 斗争②:～恶霸。❸ 使动物斗:～鸡|～蛐蛐儿。❹ 比赛争胜:～智|～嘴|～不过他。❺ 动 往一块儿凑;凑在一块儿:～眼|～榫儿|这件小袄儿是用各色花布～起来的。❻〈书〉同"逗¹"。

另见 330 页 dǒu。

【斗法】dòu//fǎ 动 用法术相斗(旧小说中的虚构),比喻使用计谋,暗中争斗。

【斗拱】dòugǒng "斗拱"dǒugǒng 的又音。

【斗鸡】dòu//jī 动 ❶ 一种游戏,使公鸡相斗。❷ 一种游戏,一只脚站立,另一条腿弯曲着,两手捧住脚,彼此用弯着的腿的膝盖互相冲撞。

【斗鸡走狗】dòu jī zǒu gǒu 使鸡相斗,嗾使着狗跑。多用来指纨绔子弟手好闲,不务正业。也说斗鸡走马。

【斗口齿】dòu kǒuchǐ〈方〉斗嘴。

【斗牛】dòu//niú 动 我国民间使牛与牛相斗的一种习俗。西班牙斗牛是一种人跟牛相斗的娱乐活动。

【斗牛舞】dòuniúwǔ 名 拉丁舞的一种,源于法国。2/4 或 6/8 拍,舞曲为高昂雄壮、鲜明有力的西班牙进行曲。舞姿挺拔刚劲。

【斗殴】dòu'ōu 动 争斗殴打:打架～。

【斗牌】dòu//pái 动 玩纸牌、骨牌等比输赢。

【斗气】dòu//qì 动 为意气相争:有话好好说,用不着～。

【斗趣儿】dòu//qùr 见 333 页【逗趣儿】。

【斗士】dòushì 名 勇于斗争的人。

【斗心眼儿】dòu xīnyǎnr 用心思相斗（含贬义）。

【斗眼】dòuyǎn （～儿）〈口〉名 指内斜视的眼睛。

【斗争】dòuzhēng 动 ❶ 矛盾的双方互相冲突，一方力求战胜另一方：阶级～|思想～|跟歪风邪气作坚决的～。❷ 群众用说理、揭发、控诉等方式打击敌对分子或坏人：开～会。❸ 努力奋斗：为祖国的繁荣昌盛而～。

【斗志】dòuzhì 名 战斗的意志：激励～|～昂扬。

【斗智】dòu//zhì 动 用智谋争胜。

【斗嘴】dòu//zuǐ （～儿）动 ❶ 争吵：～怄气。❷ 要嘴皮子：互相开玩笑；取笑～。

豆¹ dòu ❶ 古代盛食物用的器具，有点像带高座的盘。❷ (Dòu)名 姓。

豆²(❶荳) dòu （～儿）❶ 名 豆子①②：黄～|绿～|一斤～儿。❷ 豆子③：土～儿|咖啡～。

【豆瓣儿酱】dòubànrjiàng 名 大豆或蚕豆发酵后制成的酱，里面有豆瓣儿。

【豆包】dòubāo （～儿）名 用豆沙做馅儿的包子。

【豆饼】dòubǐng 名 大豆榨油后剩下的压成饼状的渣滓，叫豆饼。可以用来制造大豆胶，也用作肥料或饲料。

【豆碴儿】dòuchár 名 碾碎的豆子，用来做糕点或熬粥等。也叫豆碴子。

【豆豉】dòuchǐ 名 食品，把黄豆或黑豆泡透蒸熟或煮熟，经过发酵而成。有咸淡两种，都可放在菜里调味，淡豆豉也入药。

【豆腐】dòu·fu 名 食品，豆浆煮开后加入石膏或盐卤使凝结成块，压去一部分水分而成。

【豆腐饭】dòu·fufàn 〈方〉名 指丧家招待前来吊唁的亲友吃的饭食（多为素食）。

【豆腐干】dòu·fugān （～儿）名 食品，用布包豆腐压紧去水，加香料蒸制而成。

【豆腐浆】dòu·fujiāng 名 豆浆。

【豆腐脑儿】dòu·funǎor 名 食品，豆浆煮开后，加入石膏而凝结成的半固体。

【豆腐皮】dòu·fupí 名 ❶ （～儿）煮熟的豆浆表面上结的薄皮，揭下晾干后供食用。❷ 〈方〉千张。

【豆腐乳】dòu·furǔ 名 食品，用小块的豆腐做坯，经过发酵、腌制而成。也叫腐乳、酱豆腐。

【豆腐衣】dòu·fuyī 〈方〉名 豆腐皮①。

【豆腐渣】dòu·fuzhā 名 制豆浆剩下的渣滓，可做饲料。也叫豆渣。

【豆腐渣工程】dòu·fuzhā gōngchéng 比喻质量很差、极不坚固的建筑工程。

【豆花儿】dòuhuār 〈方〉名 食品，豆浆煮开后，加入盐卤而凝结成的半固体，比豆腐脑儿稍老。

【豆荚】dòujiá 名 豆类的果实。

【豆浆】dòujiāng 名 食品，黄豆泡透磨成的浆，加水去渣煮开而成。也叫豆腐浆或豆乳。

【豆角儿】dòujiǎor 〈口〉名 豆荚（多指鲜嫩可做菜的）。

【豆秸】dòujiē 名 豆类植物脱粒后剩下的茎。

【豆蔻】dòukòu 名 ❶ 多年生草本植物，外形像芭蕉，叶子细长，花淡黄色，果实扁球形，种子像石榴子，有香气。花、果实和种子可入药。❷ 这种植物的果实或种子。

【豆蔻年华】dòukòu niánhuá 唐代杜牧《赠别》诗："娉娉袅袅十三余，豆蔻梢头二月初。"后来称女子十三四岁的年纪为豆蔻年华。

【豆绿】dòulǜ 形 像青豆那样的绿色。

【豆奶】dòunǎi 名 以黄豆、牛奶为主要原料制成的饮品。

【豆萁】dòuqí 〈方〉名 豆秸。

【豆青】dòuqīng 形 豆绿。

【豆蓉】dòuróng 名 木豆、大豆、豌豆或绿豆煮熟晒干后磨成的粉，用来做糕点的馅儿：～月饼。

【豆乳】dòurǔ 名 ❶ 豆浆。❷ 〈方〉豆腐乳。

【豆沙】dòushā 名 食品，红小豆、红豇豆或菜豆煮烂捣成泥或干燥成粉，加糖制成，用来做点心的馅儿：～包|～月饼。

【豆薯】dòushǔ 名 ❶ 藤本植物，花蝶形，淡紫色、淡蓝色或白色，块根像甘薯，可以吃，嫩荚和种子有毒，不能吃。❷ 这种植物的块根。‖有的地区叫凉薯或地瓜。

【豆芽儿】dòuyár 名 蔬菜，用黄豆、黑豆或绿豆过水发芽而成，芽长二三寸。也叫豆芽菜。

【豆油】dòuyóu 名 大豆榨的油,是常见的食用油。

【豆渣】dòuzhā 名 豆腐渣。

【豆汁】dòuzhī 名 ❶(～儿)制绿豆粉时剩下的汁,发酵后味酸,可做饮料。❷〈方〉豆浆。

【豆猪】dòuzhū 名 体内有囊尾蚴寄生的猪。因囊尾蚴为黄豆大小的囊泡,内有白色米粒状物,所以叫豆猪。也叫米猪。

【豆子】dòu·zi 名 ❶指豆类作物。❷豆类作物的种子:剥～。❸样子像豆类作物种子的东西:金～|狗～。

【豆嘴儿】dòuzuǐr 名 泡开的大豆或刚刚露芽的大豆,做菜用。

逗¹ dòu ❶ 动 引逗:他正拿着一枝红花～孩子玩。❷ 动 招引:这孩子两只灵活的大眼睛很～人喜欢。❸ 动 逗笑儿:她是一个爱说爱～的姑娘。❹ 形 有趣;可笑:这话真～。

逗² dòu ❶ 停留。❷ 同"读"(dòu)。

【逗点】dòudiǎn 名 逗号。

【逗哏】dòugén ❶(～儿～)动 用滑稽有趣的话引人发笑(多指相声演员)。❷ 名 指相声表演中的主角。

【逗号】dòuhào 名 标点符号(,),表示句子中较小的停顿。也叫逗点。

【逗乐儿】dòu//lèr 动 引人发笑:人家都快急疯了,你还有心思～。

【逗留】(逗遛)dòuliú 动 暂时停留:今年春节在家乡～了一个星期。

【逗闷子】dòu mèn·zi〈方〉开玩笑。

【逗弄】dòu·nong 动 ❶ 引逗:老人在～孙子玩。❷ 作弄;耍笑:～人可不该。

【逗趣儿】(斗趣儿)dòu//qùr 动 逗乐儿打趣。

【逗笑儿】dòu//xiàor 动 引人发笑。

【逗引】dòuyǐn 动 用言语、行动逗弄对方借以取乐:～小孩儿玩。

饾(餖) dòu 见下。

【饾版】dòubǎn 名 木刻水印的旧称。因为是由若干块版拼凑而成,有如饾饤,所以叫饾版。

【饾饤】dòudìng〈书〉❶ 名 供陈设的食品。❷ 动 比喻堆砌辞藻。

读(讀) dòu 语句中的停顿。古代诵读文章,分句和读,极短的停顿叫读,稍长的停顿叫句,后来把"读"写成"逗"。现代所用逗号就是取这个意义,但分别句逗的标准不同。参看 739 页【句读】。
另见 336 页 dú。

酘 dòu〈书〉再酿的酒。

脰 dòu〈书〉脖子;颈。

痘 dòu 名 ❶ 天花。❷ 痘苗:种～。❸ 出天花时或接种痘苗后,皮肤上出的豆状疱疹。

【痘苗】dòumiáo 名 一种用牛痘病毒制成的疫苗,接种到人体上可以预防天花。也叫牛痘苗。

窦 dòu 西窦(Xīdòu),地名,在广西。

窦(竇) dòu ❶〈书〉孔;洞:狗～。❷ 人体某些器官或组织的内部凹入的部分:鼻旁～。❸(Dòu)名 姓。

<hr/>

dū（ㄉㄨ）

毻(毇) dū 动 用指头、棍棒等轻击轻点:～一个点儿|点～(画家随意点染)。

都 dū ❶ 首都:建～。❷ 大城市,也指以盛产某种东西而闻名的城市:～市|通～大邑|瓷～|煤～。❸ 名 旧时某地区县与乡之间的一级行政区划。❹(Dū)名 姓。
另见 329 页 dōu。

【都城】dūchéng 名 首都。

【都督】dū·du 名 古时的军事长官。民国初年各省也设有都督,兼管民政。

【都会】dūhuì 名 都市:国际大～。

【都市】dūshì 名 大城市。

阇(闍) dū〈书〉城门上的台。
另见 1203 页 shé。

屠(𡱈) dū（～儿）〈方〉名 屠子。

【屠子】dū·zi〈方〉名 ❶ 屁股。❷ 蜂或蝎子等的尾部。

督 dū ❶ 监督指挥:～战|～办|～师|～率。❷(Dū)名 姓。

【督办】dūbàn ❶ 勔 督促办理;督察办理:~粮秣。❷ 名 指担任督办工作的人。

【督察】dūchá 勔 监督察看:派人前往~。❷ 名 指担任督察工作的人。

【督察警】dūchájǐng 名 对公安机关及人民警察现场执法、值勤等活动进行监督的警察。

【督促】dūcù 勔 监督催促:已经布置了的工作,应当认真~检查。

【督导】dūdǎo 勔 监督指导:~员|教育~制度|莅临~。

【督抚】dūfǔ 名 总督和巡抚,明清两代最高的地方行政长官。

【督军】dūjūn 名 民国初年一省的最高军事长官。

【督学】dūxué 名 教育行政机关中负责视察、监督学校工作的人员。

【督战】dūzhàn 勔 监督作战:亲临前线~。

【督阵】dūzhèn 勔 在阵地上督战◇拔河比赛,双方领导到现场~。

嘟¹ dū 〈拟声〉形容喇叭等的声音:汽车喇叭~地响了一声。

嘟² dū 〈方〉勔 (嘴)向前突出;撅着:弟弟说不让他去,气得~起了嘴。

【嘟噜】dū·lu 〈口〉❶ 量 用于连成一簇的东西:一~葡萄|一~钥匙。❷ 勔 向下垂着;耷拉:~着脸。❸ (~儿)名 连续颤动舌或小舌发出的声音:打~儿。

【嘟囔】dū·nang 勔 连续不断地自言自语:你在~什么呀?

【嘟哝】dū·nong 勔 嘟囔。

dú (ㄉㄨˊ)

毒 dú ❶ 名 进入机体后能跟机体起化学变化,破坏体内组织和生理机能的物质:病~|中~|~蛇|~药|蝎子有~。❷ 名 指对思想意识有害的事物:流~|放~。❸ 名 毒品:吸~|贩~。❹ 勔 用毒物害死:买药~老鼠。❺ 形 毒辣;猛烈:~打|~计|他的心肠真~|七月的天气,太阳正~。

【毒案】dú'àn 名 涉及毒品犯罪的案件。

【毒草】dúcǎo 名 有毒的草,比喻对人民、对社会进步有害的言论和作品。

【毒刺】dúcì 名 某些动物或植物体上呈针状的有毒器官。

【毒打】dúdǎ 勔 残酷地打;狠狠地打:遭到~|他被人~了一顿。

【毒饵】dú'ěr 名 拌入毒药的食物,用来杀蝼蛄、蟑螂等害虫,也可用来毒杀老鼠等。

【毒犯】dúfàn 名 制造、运输、贩卖毒品的罪犯:严厉打击~。

【毒贩】dúfàn 名 贩卖毒品的人。

【毒害】dúhài ❶ 勔 用有毒的东西使人受害:吸烟对人的~很大|黄色录像~人们的心灵。❷ 名 能毒害人的事物:清除~。

【毒化】dúhuà 勔 ❶ 指用毒品(如鸦片等)残害人民。❷ 利用教育、文艺等向人民灌输落后、反动思想。❸ 使气氛、关系、风尚等变得恶劣:~社会风气。

【毒计】dújì 名 毒辣的计策:设下~。

【毒剂】dújì 名 军事上指专门用来毒害人、畜的化学物质,大多是毒气。

【毒辣】dúlà 形 (心肠或手段)狠毒残酷:阴险~|手段~。

【毒瘤】dúliú 名 指恶性肿瘤。

【毒谋】dúmóu 名 阴险毒辣的计谋。

【毒品】dúpǐn 名 指作为嗜好品用的鸦片、吗啡、海洛因、冰毒等。常用成瘾,危害健康。

【毒气】dúqì 名 ❶ 气体毒剂。旧称毒瓦斯。❷ 泛指有毒的气体。

【毒蛇】dúshé 名 有毒的蛇,头部多为三角形,能分泌毒液,使被咬的人或动物中毒。如蝮蛇、白花蛇等。蛇液可供药用。

【毒手】dúshǒu 名 杀人或伤害人的狠毒手段:下~|险遭~。

【毒素】dúsù 名 ❶ 某些机体产生的有毒物质,例如蓖麻种子中含的毒素,毒蛇的毒腺中所含的毒素等。有些毒素毒性很猛烈,能造成死亡。❷ 比喻言论、著作中对思想意识有腐蚀作用的成分:封建~。

【毒瓦斯】dúwǎsī 名 毒气①的旧称。

【毒腺】dúxiàn 名 动物体内分泌毒素的腺体。

【毒枭】dúxiāo 名 指贩毒集团的头目。

【毒刑】dúxíng 名 残酷的肉刑:~拷打。

【毒药】dúyào 名 能危害生物体生理机能并引起死亡的药物。

【毒液】dúyè 名 有毒的液体:毒蛇头部的

毒腺分泌～。

【毒瘾】dúyǐn 名 吸毒的瘾：戒掉～。

【毒资】dúzī 名 用来购买毒品的钱，贩毒所得的钱：公安机关破获一起贩毒案，缴获～近五十万元。

独（獨）

dú ❶ 一个：～子｜～木桥｜无～有偶。❷ 副 独自：～揽｜～断专行。❸ 年老没有儿子的人：鳏寡孤～。❹ 副 唯独：大伙儿都齐了，～有他还没来。❺〈口〉形 自私；容不得人：这个人真～，他的东西谁也碰不得。❻ (Dú)名姓。

【独霸】dúbà 动 独自称霸；独占：～一方｜～市场。

【独白】dúbái 名 戏剧、电影中角色独自抒发个人情感和愿望的话。

【独步】dúbù〈书〉动 ❶ 独自漫步；独自步行：～江滨。❷ 指超出同类之上，没有可以相比的：～文坛。

【独裁】dúcái 动 独自裁断，多指独揽政权，实行专制统治：～者｜个人～｜～统治。

【独唱】dúchàng 动 一个人演唱歌曲，常用乐器伴奏。

【独出心裁】dú chū xīncái 原指诗文的构思有独到的地方，后来指想出来的办法与众不同。

【独处】dúchǔ 动 一个人单独生活。

【独创】dúchuàng 动 独自创造；独特地创造：～精神｜～一格。

【独当一面】dú dāng yī miàn 单独担当一个方面的任务。

【独到】dúdào 形 与众不同（多指好的）：～之处｜～的见解。

【独断】dúduàn 动 独自决断；专断。

【独断独行】dú duàn dú xíng 独断专行。

【独断专行】dú duàn zhuān xíng 行事专断，不考虑别人的意见。也说独断独行。

【独夫】dúfū 名 残暴无道为人民所憎恨的统治者：～民贼。

【独孤】Dúgū 名 姓。

【独家】dújiā 名 单独一家：～新闻｜～经营。

【独角戏】（独脚戏）dújiǎoxì 名 ❶ 只有一个角色的戏。❷ 见 157 页［唱独角戏］。❸ 滑稽②。

【独具匠心】dú jù jiàngxīn 指具有与众不同的巧妙的构思。

【独具只眼】dú jù zhī yǎn 能看到别人看不到的东西，形容眼光敏锐，见解高超。

【独揽】dúlǎn 动 独自把持：～大权。

【独力】dúlì 副 单独依靠自己的力量（做）：～经营。

【独立】dúlì 动 ❶ 单独地站立：～山巅的苍松。❷ 脱离原来所属单位，成为另一单位：民俗研究室已经～出去了，现在叫民俗研究所。❸ 军队在编制上不隶属于高一级的单位而直接隶属于更高级的单位，如不隶属于团而直接隶属于师的营叫独立营。❹ 一个国家或一个政权不受别的国家或别的政权的统治而自主地存在：宣布～。❺ 不依靠他人：～生活｜～工作｜经济～。

【独立国】dúlìguó 名 有完整主权的国家。

【独立王国】dúlì wángguó 比喻不服从上级的指挥和领导，自搞一套的地区、部门或单位。

【独立自主】dúlì zìzhǔ （国家、民族或政党等）不受外来力量控制、支配，自己行使主权。

【独龙族】Dúlóngzú 名 我国少数民族之一，分布在云南。

【独轮车】dúlúnchē 名 只有一个车轮的小车，多用手推着走。

【独门】dúmén （～儿）名 ❶ 只供一户人家进出的门：～独院｜～进出，互不干扰。❷ 一人或一家独有的某种技能或秘诀：～儿绝活。

【独苗】dúmiáo （～儿）名 一家或一个家族唯一的后代。也说独苗苗。

【独木不成林】dú mù bù chéng lín 一棵树不能成为树林，比喻一个人力量有限，做不成大事。

【独木难支】dú mù nán zhī 一根木头支持不住高大的房子，比喻一个人的力量难以支撑全局。

【独木桥】dúmùqiáo 名 用一根木头搭成的桥，比喻艰难的途径：你走你的阳关道，我走我的～。

【独幕剧】dúmùjù 名 不分幕的小型戏剧，情节一般比较简单紧凑。

【独辟蹊径】dú pì xījìng 自己开辟一条路，比喻独创一种新风格或者新方法。

【独任制】dúrènzhì 名 对于简单的民事案件、轻微的刑事案件等由一名法官审理并判决的制度(区别于"合议制")。

【独善其身】dú shàn qí shēn 《孟子·尽心上》:"穷则独善其身"。意思是做不上官,就搞好自身的修养。现在也指只顾自己,缺乏集体精神。

【独擅胜场】dú shàn shèng chǎng 独揽竞技场上的胜利,形容技艺高超。

【独身】dúshēn ❶名 单身:十几年～在外。❷动 指成年人没有结婚:他四十多岁了,还仍然～。

【独生女】dúshēngnǚ 名 唯一的女儿。

【独生子】dúshēngzǐ 名 唯一的儿子。

【独树一帜】dú shù yī zhì 单独树立起一面旗帜,比喻自成一家。

【独特】dútè 形 独有的;特别的:风格～|～的见解。

【独体】dútǐ 名❶ 不能分为两个或几个偏旁的汉字结构。参看549页〖合体〗[2]。❷单独的形体;个体:～别墅|～意识。

【独吞】dútūn 动 独自占有:～家产|～胜利果实。

【独舞】dúwǔ 名 单人表演的舞蹈。可以单独表演,也可以是舞剧或集体舞中的一个部分。也叫单人舞。

【独行】dúxíng 动❶ 独自走路:踽踽～。❷ 按自己的主张去做:独断～|～其是。

【独眼龙】dúyǎnlóng 名 瞎了一只眼的人(含谐谑意)。

【独一无二】dú yī wú èr 没有相同的;没有可以相比的:他的棋下得很高明,在全校是～的。

【独院】dúyuàn (～儿)名 只有一户人家住的院子:独门～。

【独占】dúzhàn 动 独自占有或占据:～市场|～资本。

【独占鳌头】dú zhàn áotóu 科举时代称中状元。据说皇宫石阶前刻有鳌(大鳖)的头,状元及第时才可以踏上。后来比喻居首位或第一名。

【独资】dúzī 形 属性词。由一个人或一方单独拿出资金的:～经营|～企业。

【独子】dúzǐ 名 独生子。

【独自】dúzì 副 就自己一个人;单独地:～玩耍|就他一人～在家。

【独奏】dúzòu 动 由一个人用一种乐器演奏,如小提琴独奏、钢琴独奏等,有时也用

其他乐器伴奏。

顿(頓) dú 见965页"冒顿"(Mòdú)。
另见348页 dùn。

读(讀) dú ❶动 看着文字念出声音:朗～|宣～|～报|老师一句,同学们跟着一句～。❷动 阅读;看(文章):～者|默～|这本小说很值得一～。❸动 指上学:他～完高中,就参加了工作。❹字的念法;读音:异～|"长"字有两～。
另见333页 dòu。

【读本】dúběn 名 课本(多指语文或文学课本)。

【读后感】dúhòugǎn 名 读过一本书或一篇文章以后的感想(多指书面的)。

【读经】dújīng 动 讽诵、阅读儒家经典《五经》或《十三经》。

【读秒】dú//miǎo 动 围棋比赛中指某方用完自由支配的时间后,必须在很短时间(一般为一分钟,快棋多为30秒)内走一步棋,此时裁判员开始随时口报所用秒数,如超时则判负:白方在～声的催促下出现了失误◇高考一天天地临近,已进入最后的～阶段。

【读破】dúpò 动 同一个字形因意义不同而有两个或几个读音的时候,不照习惯上最通常的读音来读,叫做读破。读破的读音叫做破读,按照习惯上最通常的读法叫做读如字。如"美好"的"好"读上声,是读如字,"喜好"的"好"不读上声而读去声是读破,"好"的去声读音是破读。

【读破句】dú pòjù 断句错误,把上一句末了的字连到下一句读,或者把下一句头上的字连到上一句读。

【读书】dú//shū 动❶ 看着书本,出声地或不出声地读:～声|～笔记|读了一遍书。❷ 指学习功课:他～很用功。❸ 指上学:妈妈去世那年,我还在～|他在那个中学读过一年书。

【读书人】dúshūrén 名 指知识分子。

【读数】dúshù 名 仪表、机器上由指针或水银柱等指出的刻度的数目。

【读物】dúwù 名 供阅读的东西,包括书籍、杂志、报纸等:儿童～|通俗～|农村～。

【读音】dúyīn 名 (字的)念法:这个字是多音字,有两个～。

【读者】dúzhě 名 阅读书刊文章的人。

渎¹(瀆、凟) dú 〈书〉轻慢;不敬:～犯|亵～|烦～|有

清神(书信套语)。

渎²(瀆) dú 〈书〉沟渠;水道:沟～。

【渎职】dúzhí 励不尽职,在执行任务时犯严重过失:～罪|～行为|因～而受到处分。

椟(櫝、匵) dú 〈书〉匣子:买～还珠。

犊(犢) dú 犊子:初生之～不畏虎。

【犊子】dú·zi 名 小牛:牛～。

牍(牘) dú ❶ 古代写字用的木片。❷ 文件;书信:文～|案～|尺～。

讟(讀) dú 〈书〉怨言。

黩(黷) dú 〈书〉❶ 玷污。❷ 轻率;轻举妄动:～武。

【黩武】dúwǔ 〈书〉励 滥用武力:穷兵～|～主义。

髑 dú [髑髅](dúlóu)〈书〉名 死人的头骨;骷髅。

dǔ (ㄉㄨˇ)

肚 dǔ (～儿)名肚子(dǔ·zi):羊～儿|拌～丝儿。
另见338页dù。

【肚子】dǔ·zi 名用作食品的动物的胃:猪～|羊～。
另见338页dù·zi。

笃(篤) dǔ ❶ 忠实;一心一意:～厚|～志|情爱甚～。❷ (病势)沉重:危～|病～。❸ 〈书〉副很;甚:～爱|～好(hào)。❹ (Dǔ)名姓。

【笃爱】dǔ'ài 励 深切地爱:～自己的事业。

【笃诚】dǔchéng 形诚笃:～之士。

【笃定】dǔdìng 〈方〉❶ 副 有把握;一定:三天完成任务,～没问题。❷ 形从容不迫,不慌不忙:神情～。

【笃厚】dǔhòu 形笃实厚道。

【笃实】dǔshí 形 ❶ 忠诚老实:～敦厚。❷ 实在:学问～。

【笃守】dǔshǒu 励忠实地遵守:～遗教|～诺言。

【笃信】dǔxìn 励忠实地信仰:～佛教。

【笃学】dǔxué 励专心好学:～不倦。

【笃志】dǔzhì 〈书〉励 专心一意:～经学。

堵 dǔ ❶ 励堵塞:把窟窿～上|你～着门,叫别人怎么走哇? ❷ 形闷;憋气:我要不跟他说说,心里～得慌。❸〈书〉墙:观者如～。❹ 量用于墙:一～墙。❺ (Dǔ)名姓。

【堵车】dǔchē 励 因道路狭窄或车辆太多,车辆无法顺利通行:上下班时间,这个路口经常～。

【堵截】dǔjié 励 迎面拦截:围追～|～增援的敌军。

【堵塞】dǔsè 励 阻塞(洞穴、通道)使不通:公路被坍塌下来的山石～了◇～工作中的漏洞。

【堵心】dǔxīn 形 心里憋闷:想起这件事儿就觉得怪～的。

【堵嘴】dǔ//zuǐ 励 比喻不让人说话或使人没法开口:自己做错了事,还想堵人嘴,不让人说。

赌(賭) dǔ 励❶ 赌博:～钱|～场聚～。❷ 泛指争输赢:打～|～东道。

【赌本】dǔběn 名 赌博的本钱,比喻从事冒险活动所凭借的力量。

【赌博】dǔbó 励 用斗牌、掷色子等形式,拿财物作比输赢◇政治～。

【赌场】dǔchǎng 名 专供赌博的场所。

【赌东道】dǔ dōngdào 用做东道请客来打赌。也说赌东儿。

【赌风】dǔfēng 名 赌博的风气:狠刹～。

【赌棍】dǔgùn 名 指赌博成性并以此为生的人。

【赌局】dǔjú 名 赌博的集会或场所:私设～。

【赌具】dǔjù 名 赌博的用具,如牌、色子(shǎi·zi)等。

【赌气】dǔ//qì 励 因为不满意或受指责而任性(行动):他一～就走了。

【赌钱】dǔ//qián 励赌博。

【赌窝】dǔwō 名 赌博窝点:扫荡～。

【赌咒】dǔ//zhòu 励 对某事做出承诺,并发誓如果不能做到甘愿遭受报应。

【赌注】dǔzhù 名赌博时所押的财物。

【赌资】dǔzī 名用来赌博的钱。

睹(覩) dǔ 看见:耳闻目～|有目共～|熟视无～|～物思人。

dù （ㄉㄨˋ）

芏 dù 见675页[茳芏]。

杜[1] dù ❶ 杜梨。❷ (Dù)名 姓。

杜[2]（斁） dù 阻塞：～绝｜～门谢客。

【杜衡】dùhéng 名 多年生草本植物，花紫色。根状茎可入药。也作杜蘅。

【杜蘅】dùhéng 同"杜衡"。

【杜鹃】[1] dùjuān 名 鸟，身体黑灰色，尾巴有白色斑点，腹部有黑色横纹。初夏时常昼夜不停地叫。吃毛虫，是益鸟。多数把卵产在别的鸟巢中。也叫杜宇、布谷或子规。

【杜鹃】[2] dùjuān 名 ❶ 常绿或落叶灌木，叶子椭圆形，花多为红色。供观赏。❷ 这种植物的花。‖也叫映山红。

【杜绝】dùjué 动 ❶ 制止；消灭(坏事)：～贪污和浪费｜～一切漏洞。❷ 旧时出卖田地房产，在契约上写明不得回赎叫杜绝。

【杜康】dùkāng 名 相传最早发明酿酒的人，文学作品中用来指酒。

【杜梨】dùlí 名 ❶ 落叶乔木，叶子长圆形或菱形，叶背、叶柄和花序有绒毛，花白色。果实小，略呈球形，有褐色斑点。可用作嫁接各种梨树的砧木。❷ 这种植物的果实。‖也叫棠梨。

【杜马】Dùmǎ 名 原为沙皇俄国中央和地方咨议机关的名称。现俄罗斯议会中的下议院也称"国家杜马"。[俄 Дума]

【杜宇】dùyǔ 名 杜鹃(鸟名)。

【杜仲】dùzhòng 名 落叶乔木，叶子长椭圆形，花绿白色。用树皮和叶子提取的杜仲胶可做绝缘材料。树皮可入药。

【杜撰】dùzhuàn 动 没有根据地编造；虚构：这个故事写的是真人真事，不是～的。

肚 dù （～儿）名 肚子(dù·zi)。
另见337页 dǔ。

【肚带】dùdài 名 围绕着骡马等的肚子，把鞍子等紧系在背上的皮带。

【肚量】dùliàng ❶ 同"度量"。❷ 名 饭量：小伙子～大。

【肚皮】dùpí 〈方〉名 腹部；肚子(dù·zi)。

【肚脐】dùqí （～儿）名 肚子中间脐带脱落的地方。也叫肚脐眼儿。

【肚子】dù·zi 名 ❶ 腹①的通称。❷ 物体圆而凸出像肚子的部分：腿～。
另见337页 dǔ·zi。

妒（妬） dù 忌妒：嫉贤～能。

【妒火】dùhuǒ 名 指极烈的忌妒心：～中烧。

【妒忌】dùjì 动 忌妒。

度 dù ❶ 计量长短：～量衡。❷ 表明物质的有关性质所达到的程度，如硬度、热度、浓度、湿度等。❸ 量 计量单位名称：a)弧或角，把圆周分为360等份所成的弧叫1度弧。1度弧所对的圆心角叫1度角。1度等于60分。b)经度或纬度，如北纬38度。c)电量，1度即1千瓦小时。d)眼镜焦度的单位，1度等于0.01米^{-1}。❹ 程度：极～｜知名～｜透明～｜高～的责任感。❺ 名 限度：劳累过～｜以能熔化为～。❻ 章程；行为准则：法～｜制～。❼ 名 哲学上指一定事物保持自己质的数量界限。在这个界限内，量的增减不改变事物的质，超过这个界限，就要引起质变。❽ 对人对事宽容的程度：～量｜气～。❾ 人的气质或姿态：风～｜态～。❿ 一定范围内的时间或空间：年～｜国～。⓫ 所打算或计较的：生死早已置之～外。⓬ 量 次：再～声明｜一年一～｜这个剧曾两～公演。⓭ 动 过(指时间)：欢～春节｜光阴没有虚～。⓮ 动 僧尼道士劝人出家。⓯ (Dù)名 姓。
另见352页 duó。

【度牒】dùdié 名 旧时官府发给和尚、尼姑的证明身份的文书。

【度假】dùjià 动 过假日：～村｜去海边～。

【度假村】dùjiàcūn 名 一种供人们旅游度假居住的场所，多建在风景优美的地方。

【度量】dùliàng 名 指能宽容人的限度：他脾气好，～大，能容人。也作肚量。

【度量衡】dùliànghéng 名 计量长短、容积、轻重的标准的统称。度是计量长短，量是计量容积，衡是计量轻重。

【度命】dùmìng 动 维持生命(多指在困境中)。

【度曲】dùqǔ 〈书〉动❶ 作曲：工于～。
❷ 照现成的曲调唱。

【度日】dùrì 动 过日子(多指在困境中)：
～如年(形容日子难熬)。

【度数】dù·shu 名 按度计算的数目：用电
～逐月增加。

【度汛】dùxùn 动 度过汛期。

致(緻) dù 〈书〉败坏。
另见 1617 页 yì。

𫓧(鈇) dù 名 金属元素，符号 Db
(dubnium)。有放射性，由人
工核反应获得。

渡(江河等) dù ❶ 动 由这一岸到那一岸；通过
(江河等)；横～ | 远～重洋 | 飞～太平
洋 | 红军强～大渡河◇～过难关。❷ 动 载
运过河：～船 | 请您把我们～过河去。❸
渡口(多用于地名)：茅津～(黄河渡口，在
山西) | 深～(新安江渡口，在安徽)。❹
(Dù)名 姓。

【渡槽】dùcáo 名 跨越山谷、道路、水道的
桥梁式水槽，两端与渠道相接。

【渡船】dùchuán 名 载运行人、货物、车辆
等横渡江河、湖泊、海峡的船。

【渡口】dùkǒu 名 有船或筏子摆渡的地方。

【渡轮】dùlún 名 载运行人、货物、车辆等
横渡江河、湖泊、海峡的轮船。

【渡头】dùtóu 名 渡口。

镀(鍍) dù 动 用电解或其他化学方
法使一种金属附着到别的金
属或物体表面上，形成薄层：～金 | ～了一
层银。

【镀金】dù∥jīn 动 ❶ 在器物的表面上镀
上一薄层金子。❷ 讥讽人到某种环境去
深造或锻炼，只是为了取得虚名：出国留
学不是为了～。

【镀锡铁】dùxītiě 名 表面镀锡的铁皮，不
易生锈，多用于罐头工业。也叫马口铁。

【镀锌铁】dùxīntiě 名 表面镀锌的铁皮，
不易生锈。通称白铁。

蠹(蠧、螙、蠧) dù ❶ 蠹虫①：
木～ | 书～。❷
蛀蚀：流水不腐，户枢不～。

【蠹弊】dùbì 〈书〉名 弊病①。

【蠹虫】dùchóng 名 ❶ 咬器物的虫子。❷
比喻危害集体利益的坏人：清除社会
～。

【蠹鱼】dùyú 名 衣鱼。

duān（ㄉㄨㄢ）

耑 duān 〈书〉同"端"。
另见 1786 页 zhuān"专"。

端1 duān ❶（东西的）头：笔～ | 两～ |
尖～。❷（事情的）开头：发～ | 开
～。❸ 原因；起因：无～ | 借～。❹ 方面；
项目：举其一～ | 变化多～。

端2 duān ❶ 端正：～坐 | 品行不～。❷
动 平举着拿：～饭上菜 | ～出两碗茶
来◇ 把问题都～出来讨论讨论。❸
(Duān)名 姓。

【端的】duāndì ❶ 副 果然的；的确(多见于
早期白话，下同)：武松读了印信榜文，方
知～有虎。❷ 副 究竟：这人～是谁？❸
名 事情的经过；底细：我一问起，方知～。

【端方】duānfāng 〈书〉形 端正；正派：品
行～。

【端架子】duān jià·zi 〈方〉拿架子。

【端节】Duān Jié 名 端午。

【端口】duānkǒu 名 指计算机用来与外围
设备连接的接口。

【端丽】duānlì 形 端正秀丽：字体～ | 姿容
～。

【端量】duān·liang 动 仔细地看；打量：他
把来人仔细～了一番。

【端木】Duānmù 名 姓。

【端倪】duānní 〈书〉❶ 名 事情的眉目；头
绪；边际：略有～ | 莫测～ | ～渐显。❷ 动
指推测事物的始末：千变万化，不可～。

【端午(端五)】Duānwǔ 名 我国传统节日，
农历五月初五日。相传古代诗人屈原在
这天投江自杀，后人为了纪念他，把这天
当做节日，有吃粽子、赛龙舟等风俗。

【端线】duānxiàn 名 底线'①。

【端详】duānxiáng ❶ 名 详情：听～ | 说
～。❷ 形 端庄安详：容止～。

【端详】duān·xiang 动 仔细地看：～了半
天，也没认出是谁。

【端绪】duānxù 名 头绪：谈了半天，仍然
毫无～。

【端砚】duānyàn 名 用广东高要端溪地方
出产的石头制成的砚台，是砚台中的上
品。

【端阳】Duānyáng 名 端午。

【端由】duānyóu 名 原因：他把事情的～说了一遍。

【端正】duānzhèng ❶ 形 物体不歪斜；物体各部分保持应有的平衡状态：五官～｜字写得端端正正。❷ 形 正派；正确：品行～。❸ 动 使端正：～学习态度。

【端庄】duānzhuāng 形 端正庄重；神情～｜举止～。

【端坐】duānzuò 动 端正地坐着：～养神｜～读书。

duǎn （ㄉㄨㄢˇ）

短 duǎn ❶ 形 两端之间的距离小（跟"长"相对）。a）指空间：～刀｜裤子裁～了。b）指时间：～期｜夏季昼长夜～。❷ 动 缺少；欠：理～｜缺斤～两｜别人都来了，就少一个人了｜～你三块钱。❸（～儿）名 缺点：取长补～｜说长道～｜揭～儿｜护～儿。

【短兵相接】duǎn bīng xiāng jiē 双方用刀剑等短兵器进行搏斗，比喻面对面地进行针锋相对的斗争。

【短波】duǎnbō 名 波长 10—100 米（频率30—3 兆赫）的无线电波。以地波或天波的方式传播，用于无线电广播和通信等方面。

【短不了】duǎn·buliǎo ❶ 动 不能缺少：人～水。❷ 副 免不了：我跟他住在一个院子里，每天出来进去，～要点个头，说句话。

【短程】duǎnchéng 形 属性词。路程短的；距离小的：～运输｜～导弹。

【短秤】duǎn//chèng 动 亏秤。

【短池】duǎnchí 名 指长 25 米的游泳池，因比长 50 米的标准游泳池短，所以叫短池。

【短处】duǎn·chu 名 缺点；弱点：大家各有长处，各有～，应该互相学习，取长补短。

【短促】duǎncù 形 （时间）极短；急促：生命～｜声音～｜～的访问。

【短打】duǎndǎ ❶ 动 戏曲中武戏表演作战时，演员穿短衣开打：～戏｜～武生。❷ 名 指短装：一身～。

【短笛】duǎndí 名 管乐器，构造与长笛相同，比长笛短。

【短工】duǎngōng 名 临时的雇工：打～｜农忙时要雇几个～。

【短号】duǎnhào 名 管乐器，和小号的结构相似而号管较短。

【短见】duǎnjiàn 名 ❶ 短浅的见解。❷ 见 1552 页〖寻短见〗。

【短款】[1] duǎnkuǎn 形 属性词。（服装）款式较短的：～大衣。

【短款】[2] duǎn//kuǎn 动 指结账时现金的数额少于账面的数额。

【短路】duǎnlù 动 ❶ 电路中电势不同的两点直接碰接或被阻抗（或电阻）非常小的导体接通时的情况。发生短路时电流强度很大，往往损坏电气设备或引起火灾。❷〈方〉拦路抢劫。

【短跑】duǎnpǎo 名 短距离的赛跑。包括男、女100 米、200 米、400 米等。

【短篇小说】duǎnpiān xiǎoshuō 比较简短的小说，人物不多，结构紧凑。

【短平快】duǎnpíngkuài ❶ 名 排球比赛的一种快攻打法，二传手传出弧度很小的球后，扣球手迅速跃起扣出高速、平射的球。❷ 形 属性词。比喻企业、工程等投资少，历时短，收效快：～项目｜～产品。

【短评】duǎnpíng 名 简短的评论：时事～。

【短期】duǎnqī 名 短时期：～贷款｜～训练班｜价格在～内不会上涨。

【短浅】duǎnqiǎn 形 （对事物的认识和分析）狭窄而肤浅：目光～｜见识～｜～之见。

【短欠】duǎnqiàn 动 欠；欠缺：款项～二十万元。

【短枪】duǎnqiāng 名 枪筒短的火器的统称，如各种手枪。

【短缺】duǎnquē 形 缺乏；不足：物资～｜经费～｜人手～。

【短日照植物】duǎnrìzhào-zhíwù 需要每天短于一定时间（一般短于 10 小时）的光照才能开花的植物。如大豆、玉米等。

【短少】duǎnshǎo 动 缺少（多指少于定额）：保存的东西，一件也不～。

【短视】duǎnshì 形 ❶ 近视。❷ 眼光短浅：要纠正那种不从长远看问题的～观点。

【短途】duǎntú 形 属性词。路程近的；短距离的：～运输｜～贩运｜～汽车。

【短线】duǎnxiàn 形 属性词。❶ 比喻（产品、专业等）需求量超过供应量的（跟"长

线"相对):增加～材料的生产|扩大～专业的招生名额。❷ 较短时间就可产生效益的(跟"长线"相对):～投资。

【短小】duǎnxiǎo 形 ❶ 短而小:篇幅～。❷(身躯)矮小:身材～。

【短小精悍】duǎnxiǎo jīnghàn ❶ 形容人身材矮小而精明强干。❷ 形容文章、戏剧等篇幅不长而有力。

【短信】duǎnxìn 名 ❶ 文字简短的信件:写了封～。❷ 指发短信息。

【短信息】duǎnxìnxī 名 文字简短的信息,特指用手机通过移动通信网发出,可以显示在对方手机显示屏上的简短文字。

【短语】duǎnyǔ 名 词组。

【短暂】duǎnzàn 形 (时间)短:经过～的休息,队伍又开拔了|我跟他只有过～的接触。

【短装】duǎnzhuāng 名 只穿中装上衣和裤子而不穿长衣,这样的衣着叫短装:～打扮儿。

duàn (ㄉㄨㄢ)

段 duàn ❶ 量 a)用于长条东西分成的若干部分:两～木头|一～铁路。b)表示一定距离:一～时间|一～路。c)事物的一部分:一～话|一～文章。❷ 名 段位:九～国手。❸ 名 工矿企业等的一级行政单位:工～|机务～。❹(Duàn)名 姓。

【段落】duànluò 名 (文章、事情)根据内容划分成的部分:这篇文章～清楚,文字流畅|我们的工作到此告一～。

【段位】duànwèi 名 根据围棋棋手技能划分的等级,共分九段,棋艺水平越高,段位越高。

【段子】duàn·zi 名 大鼓、相声、评书等曲艺中可以一次表演完的节目。

断[1] (斷) duàn ❶ 动 (长形的东西)分成两段或几段:砍～|割～|绳子～了。❷ 动 断绝;隔绝:～水|～电|～奶|～了关系|音讯～了。❸ 动 间断:她每天都来给老人洗衣、做饭,从没有～过。❹ 动 拦截:把对方的球～了下来。❺ 动 戒除(烟酒):～烟|～酒。❻(Duàn)名 姓。

断[2] (斷) duàn ❶ 动 判断;决定:～语|诊～|独～|专行|这个案子～得公道。❷〈书〉副 绝对;一定(多用于否定式):～无此理|～不能信。

【断案】[1] duàn∥àn 动 审判诉讼案件:秉公～。

【断案】[2] duàn'àn 名 结论①。

【断壁残垣】duàn bì cán yuán 见 130 页【残垣断壁】。

【断编残简】duàn biān cán jiǎn 残缺不全的书本或文章。也说断简残编、断简残篇或残篇断简。

【断层】duàncéng ❶ 名 由于地壳的变动而使岩层发生断裂,并沿断裂面发生相对位移的构造。❷ 动 连续性的事业或人员的层次中断,不相衔接:人才～。

【断肠】duàncháng 动 形容悲伤到极点。

【断炊】duàn∥chuī 动 穷得没米没柴,不能做饭。

【断代】[1] duàn∥dài 动 ❶ 没有后代;断后[1]。❷ 比喻事业中断或后继无人:加紧培养接班人,不能让这种绝技～。

【断代】[2] duàndài 动 按时代分成段落:文学史的～研究。

【断代史】duàndàishǐ 名 记述某一个朝代或某一个历史阶段史实的史书,如《汉书》《宋史》等。

【断档】duàn∥dàng 动 ❶ 指某种商品脱销或某种物品用完:顾客需要的日用小百货不能～。❷ 指某一方面或某一年龄段的人严重缺乏:年画制版人员面临～危机。

【断定】duàndìng 动 下结论:我敢～这事是他干的|这场比赛的结果,还难以～。

【断断】duànduàn 副 绝对(多用于否定式):～使不得|此事～不可。

【断断续续】duànduànxùxù 形 状态词。时而中断,时而继续:沿路可以听到～的歌声|这本书～写了五年才写成。

【断顿】duàn∥dùn (～儿)动 断了饭食,形容穷得没饭吃。

【断根】duàn∥gēn (～儿)动 ❶ 断后[1];～绝种。❷ 比喻彻底除去:这种顽疾难以～。

【断喝】duànhè 动 急促地大声叫喊:他一声～,把所有的人都镇住了。

【断后】[1] duàn∥hòu 动 没有子孙延续。

【断后】² duànhòu 动 军队撤退时,派一部分人在后面掩护,叫断后。

【断乎】duànhū 副 绝对(多用于否定式):～不能参加。

【断魂】duànhún〈书〉动 灵魂离开肉体,形容悲伤到极点。

【断简残编】duàn jiǎn cán biān 见【断编残简】。

【断简残篇】duàn jiǎn cán piān 断编残简。

【断交】duàn∥jiāo 动 绝交(多指国家间断绝关系)。

【断井颓垣】duàn jǐng tuí yuán 形容建筑等残破的景象。

【断句】duàn∥jù 古书无标点符号,诵读时根据文义作停顿,或同时在书上按停顿加圈点,叫做断句。这种"句"往往比现在语法所讲的"句"短。

【断绝】duànjué 动 原来有联系的停止联系或失去联系;原来连贯的不再连贯:～关系|～来往|～交通。

【断粮】duàn∥liáng 动 粮食断绝:～绝草(草)(特指喂马的草料)。

【断裂】duànliè 动 断开;分裂:船身～|地层～。

【断流】duàn∥liú 动 指江河等水流由于在某一地段枯竭而中断:久旱不雨,河水～。

【断垄】duàn∥lǒng 动 条播作物的垄中有些地段缺苗。

【断路】duànlù 动 ❶ 电路断开,电流不能通过。❷〈方〉拦路抢劫:～劫财。

【断码】duànmǎ(～儿)动 商品的大小号码不齐全:～鞋降价出售。

【断面】duànmiàn 名 剖面。

【断奶】duàn∥nǎi 动 婴儿或幼小的哺乳动物不继续吃母奶,改吃别的食物。

【断片】duànpiàn 名 片段:这些回忆是他这一时期的生活～。

【断七】duàn∥qī 迷信风俗,人死后每七天叫一个"七",满七个"七"即四十九天时叫"断七",常请和尚道士来念经超度亡魂。

【断气】duàn∥qì 动 停止呼吸;死亡。

【断然】duànrán ❶ 形 坚决;果断:～拒绝|采取～措施。❷ 副 断乎:～不可|思路不通,～写不出好文章来。

【断市】duàn∥shì 动 (商品)因畅销或货源不足而供不应求,市场上供应中断。

【断送】duànsòng 动 丧失;毁灭(生命、前途等):～了性命。

【断头台】duàntóutái 名 执行斩刑的台,台上竖立木架,装着可以升降的铡刀,18世纪末法国资产阶级革命时期用过。现多用于比喻。

【断弦】duàn∥xián 动 指死了妻子(古时以琴瑟比喻夫妇):～再续。

【断线风筝】duànxiàn fēng·zheng 比喻一去不返或不知去向的人或东西。

【断想】duànxiǎng 名 片段的感想:学诗～|忽生～。

【断言】duànyán ❶ 动 十分肯定地说:可以～,这种办法行不通。❷ 名 断语:现在还不能下这样的～。

【断语】duànyǔ 名 断定的话;结论:妄下～。

【断狱】duànyù〈书〉动 审理案件:～如神|老吏～(比喻熟练)。

【断垣残壁】duàn yuán cán bì 形容建筑物倒塌残破的景象。

【断章取义】duàn zhāng qǔ yì 不顾全篇文章或谈话的内容,而只根据自己的需要孤立地取其中一段或一句的意思。

【断种】duàn∥zhǒng 动 断了后代;绝种。

【断子绝孙】duàn zǐ jué sūn 绝了后代(常用作咒骂的话)。

塅 duàn〈方〉名 指面积较大的平坦的地区(多用于地名):中～(在福建)|大～(在江西)|他们在～上种稻子。

缎(緞) duàn 缎子:绸～|锦～|素～(没有花纹的缎子)。

【缎子】duàn·zi 名 质地较厚,一面平滑有光彩的丝织品,是我国的特产之一。

椴 duàn 名 椴树,落叶乔木,花黄色或白色,果实球形或卵圆形。木材用途很广。树皮中纤维多,可用来制绳索、麻袋等。

煅 duàn ❶ 动 放在火里烧(中药制法):～石膏。❷ 同"锻"。

【煅烧】duànshāo 动 把物料加热到低于熔点的一定温度,使其除去所含结晶水、二氧化碳或三氧化硫等挥发性物质。如加热石灰石,除去二氧化碳而成生石灰。

碫 duàn〈书〉砺石。

锻(鍛) duàn 动 锻造：～铁｜～工｜～接。

【锻锤】duànchuí 名 金属压力加工用的机器，由动力带动锤头锤打而产生压力。常见的有空气锤、蒸汽锤等。

【锻工】duàngōng 名 ❶ 把金属材料加热到一定温度，锻造工件或毛坯的工作。❷ 做这种工作的技术工人。

【锻件】duànjiàn 名 经锻造成的毛坯或工件。

【锻炼】duànliàn 动 ❶ 指锻造或冶炼。❷ 通过体育运动使身体强壮：体育～｜～身体，保卫祖国。❸ 通过生产劳动、社会斗争和工作实践，使觉悟、工作能力等提高。

【锻铁】duàntiě 名 熟铁。

【锻压】duànyā 动 锻造和冲压的合称。

【锻造】duànzào 动 用锤击、加压等方法，使在可塑状态下的金属材料成为具有一定形状和尺寸的工件，并提高它的机械性能。

簖(籪) duàn 名 插在河水里的竹栅栏，用来阻挡鱼、虾、螃蟹，以便捕捉：鱼～。

duī（ㄉㄨㄟ）

堆 duī ❶ 动 堆积：粮食～满仓，果子～成山。❷ 动 用手或工具把东西堆积起来：场上的人在～麦秸｜把书～在桌子上。❸（～儿）名 堆积成的东西：柴火～｜土～。❹ 小山（多用于地名）：滟滪～（长江瞿塘峡口的巨石，1958 年整治航道时已炸平）｜双～集（在安徽）。❺ 量 用于成堆的物或成群的人：一～黄土｜一～人。

【堆叠】duīdié 动 一层一层地堆起来：案上～着大批新书。

【堆房】duī·fang 名 贮藏杂物或货物的房间。

【堆放】duīfàng 动 成堆地放置：不要在人行道上～建筑材料。

【堆肥】duīféi 名 把杂草、落叶、秸秆、骨屑、泥土、粪尿等堆积起来发酵腐熟后制成的有机肥料。肥力持久，多用作基肥。

【堆积】duījī 动（事物）成堆地聚集：货物～如山｜工地上～着大批木材和水泥。

【堆集】duījí 动 成堆地聚在一起；堆积：案

头～着画轴。

【堆砌】duīqì 动 ❶ 垒积砖石并用泥灰黏合：～假山。❷ 比喻写文章时使用大量华丽而无用的词语：～辞藻。

【堆笑】duī∥xiào 动 面部堆笑容：满脸～。

【堆栈】duīzhàn 名 供临时寄存货物的地方。

馇(餴) duī 古时的一种蒸饼。

duì（ㄉㄨㄟ）

队(隊) duì ❶ 名 行列：站～｜请排好～上车。❷ 名 具有某种性质的集体：球～｜舰～｜消防～｜游击～。❸ 名 特指中国少年先锋队：～礼｜～旗｜入～。❹ 量 用于成队的人或动物等：一～人马｜一～骆驼｜一～战机。
〈古〉又同"坠"zhuì。

【队礼】duìlǐ 名 中国少年先锋队队员行的礼，右手五指并紧，手掌向前，高举头上，表示人民利益高于一切。

【队列】duìliè 名 队伍的行列：～训练｜～整齐。

【队日】duìrì 名 中国少年先锋队举行集体活动的日子：过～。

【队伍】duì·wu 名 ❶ 军队：从～上转业回来。❷ 有组织的集体：干部～｜知识分子～。❸ 有组织的群众行列：游行～｜排好～。

【队形】duìxíng 名 队伍按一定要求排成的行列形式：～整齐◇大雁在高空排成人字～。

【队医】duìyī 名 体育运动队或考察队等的专职医生。

【队友】duìyǒu 名 同一体育运动队、考察队等队员之间的互称。

【队员】duìyuán 名 ❶ 团队的成员。❷ 特指中国少年先锋队队员。

对(對) duì ❶ 回答：～答｜无言以～。❷ 动 对待；对付：～事不～人｜～症下药｜刀～刀，枪～枪。❸ 动 朝着；向着（常跟"着"）：～着镜子理理头发｜枪口～着敌人。❹ 二者相对；彼此相向：～调｜～流｜～立｜～抗。❺ 对面的；敌对

的：～岸|～方|～手|作～。❻〔动〕使两个东西配合或接触：～对子|把门～上|个火儿。❼〔动〕投合；适合：～劲儿|～心思|两个人越说越投缘，越说越～脾气。❽〔动〕把两个东西放在一起互相比较，看是否符合；对证：～质|校～|～表|～笔迹|～号码。❾〔动〕调整使合于一定标准：～好相机的焦距|拿胡琴来～一～弦。❿〔形〕相合；正确；正常：你的话很～|～，就这么办|数目不～，还差得多|神气不～。⓫〔动〕掺和(多指液体)：茶壶里～点儿开水|朱砂里～上一点儿藤黄。⓬平均分成两份：～半儿|～开纸。⓭（～儿）〔名〕对子：喜～|五言～儿。⓮（～儿）〔量〕双：一～鹦鹉|一～儿椅子|一～模范夫妻。⓯〔介〕用法基本上跟"对于"相同：～他表示谢意|决不～困难屈服|你的话～我有启发|大家～他这件事很不满意。**注意**"对"和"对于"的用法差不多，但是"对"所保留的动词性较强，因此有些用"对"的句子不能改用"对于"，如上面头两个例子。⓰（Duì）〔名〕姓。

【对岸】duì'àn 〔名〕一定水域互相对着的两岸互称对岸：武昌的～是汉口和汉阳。

【对白】duìbái 〔名〕戏剧、电影中角色之间的对话。

【对半】duìbàn （～儿）〔动〕各占一半：～分|～利(与成本相等的利润)。

【对本】duìběn 〔动〕利润或利息跟本钱相等。

【对比】duìbǐ ❶〔动〕(两种事物)相对比较：古今～|新旧～。❷〔名〕比例：双方人数～是一对四。

【对比度】duìbǐdù 〔名〕指图像各部分之间的明暗对比程度。

【对比色】duìbǐsè 〔名〕色相性质相反，光度明暗差别大的颜色。如红与绿、黄与紫、橙与青等。

【对不起】duì·buqǐ 〔动〕对人有愧，常用为表示抱歉的套语：～，让您久等了。也说对不住。

【对簿】duìbù 〈书〉〔动〕受审讯：～公堂。

【对策】duìcè ❶〔动〕古代应考的人回答皇帝所问关于治国的策略。❷〔名〕对付的策略或办法：商量～。

【对茬儿】duì/chár 〈方〉〔动〕吻合；相符：他们两人说的话根本对不上茬儿。

【对唱】duìchàng 〔动〕两人或两组歌唱者的对答式演唱。

【对称】duìchèn 〔形〕指图形或物体对某个点、直线或平面而言，在大小、形状和排列上具有一一对应关系。如人体、船、飞机的左右两边，在外观上都是对称的。

【对词】duì//cí （～儿）〔动〕演员在排练中互相对台词：她俩正在一起～。

【对答】duìdá 〔动〕回答(问话)：～如流|问他的话他～不上来。

【对答如流】duì dá rú liú 回答问话像流水一样流畅，形容反应快，口才好。

【对待】duìdài 〔动〕❶处于相对的情况：高山与平地～，不见高山，哪见平地？|工作和休息是互相～的，保证充分的休息，正是为了更好地工作。❷以某种态度或行为加之于人或事物：～朋友要真诚|要正确～批评。

【对得起】duì·deqǐ 〔动〕对人无愧；不辜负：只有学好功课，才～老师。也说对得住。

【对等】duìděng 〔形〕(等级、地位等)相等：双方应派～人员进行会谈。

【对调】duìdiào 〔动〕互相掉换：～工作|把你们两个的座位～一下。

【对方】duìfāng 〔名〕跟行为的主体处于相对地位的一方：老王结婚了，～是幼儿园的保育员|打球要善于抓住～的弱点来进攻。

【对付】duì·fu ❶〔动〕应付①：学了几个月的文化，看信也能～了|这匹烈马很难～。❷〔动〕将就：旧衣服扔了可惜，～着穿|这支笔虽然不太好，～～也能用。❸〈方〉〔形〕感情相投合(多用于否定式)：小两口儿最近好像有些不～。

【对歌】duìgē 〔动〕双方一问一答地唱歌。是一种民间的歌唱形式，多流行于我国某些少数民族地区。

【对工】duìgōng 〔形〕❶戏曲表演上指适合演员的行当。❷（～儿）〈方〉合适；恰当：你的病吃这个药～。

【对光】duì//guāng 〔动〕❶照相时，调整焦点距离、光圈大小和曝光时间。❷使用显微镜、望远镜等光学仪器时，调节光线。

【对过儿】duìguòr 〔名〕在街道、空地、河流等的一边称另一边：我家～就是邮局|剧院的斜～有家书店。

【对号】duì//hào （～儿）〔动〕❶查对相合的号数：～入座。❷与有关事物、情况对

照,相互符合:理论要与现实～|他说的与实际对不上号。

【对号】²　duìhào　(～儿)图 表示正确的符号,用于批改学生作业或试卷。如"○"、"√"等。

【对号入座】　duì hào rù zuò　比喻把有关的人或事物跟自己对比联系起来,也比喻把某人所做的事跟规章制度相比,联系起来。

【对话】　duìhuà　❶图 两个或更多的人之间的谈话(多指小说或戏剧里的人物之间的):精彩的～|～要符合人物的性格。❷动 两方或几方之间接触或谈判:两国开始就边界问题进行～|领导和群众经常～可以加深彼此的了解。

【对换】　duìhuàn　动 相互交换;对调:～座位|我跟你～一下,你用我这支笔。

【对家】　duìjiā　图❶ 四人玩牌时坐在自己对面的一方。❷ 指说亲时的对方:本家叔父给他提亲,～能力强,人品也好。

【对讲机】　duìjiǎngjī　图 可以在一定距离内互相交谈的通信设备,分为有线电对讲机和无线电对讲机两种。无线电对讲机通常设有若干固定频道,收发使用同一频率,不能双向同时传输信号,通信距离可达几千米,常用于近距离的联络、指挥等。

【对奖】　duì//jiǎng　动 查对是否中奖。

【对接】　duìjiē　动❶ 指两个或两个以上航行中的航天器(航天飞机、宇宙飞船等)靠拢后接合成为一体。❷ 泛指互相接触、沟通:企业与市场～。

【对襟】　duìjīn　(～儿)图 中装上衣的一种式样,两襟相对,纽扣在胸前正中。

【对劲】　duìjìn　(～儿)形❶ 称心合意;合适:这支笔太秃,写起字来不～。❷ 合得来;相投:他们俩一向很～。

【对局】　duìjú　动 下棋。也指棋类比赛。

【对决】　duìjué　动 彼此进行决定最后胜负的比赛或竞争:两支劲旅将在今晚～。

【对开】¹　duìkāi　动 (车船等)由两个地点相向开行。

【对开】²　duìkāi　❶图 印刷上指相当于整张纸的二分之一。❷动 对半分配,即双方各占一半。

【对抗】　duìkàng　动❶ 对立起来相持不下:阶级～|不能对同志的批评抱～情绪。❷ 抵抗:武装～。

【对抗赛】　duìkàngsài　图 两个或几个技术水平相近的单位之间组织的单项体育比赛。

【对抗性矛盾】　duìkàngxìng máodùn　必须采取外部冲突形式才能解决的矛盾。

【对空台】　duìkōngtái　图 地面指挥部门对空中飞机进行指挥引导的电台。

【对口】　duìkǒu　形❶ 属性词。相声、山歌等的一种表演方式,两个人交替着说或唱:～相声|～山歌。❷ (～儿)互相联系的两方在工作内容和性质上相一致:工作～|专业～|～协作。❸ (味道)合口:这几个菜都不～。

【对口词】　duìkǒucí　图 曲艺的一种,由两个人对口朗诵唱词,结合动作表演,一般不用乐器伴奏。

【对口疽】　duìkǒujū　图 脑疽。

【对口快板儿】　duìkǒu kuàibǎnr　由两个人对口表演的快板儿。参看 791 页〖快板儿〗。

【对口相声】　duìkǒu xiàng·sheng　由两个人表演的相声。参看 1490 页〖相声〗。

【对垒】　duìlěi　动 指两军相持,也用于下棋、赛球等:两军～|中国队将于明天与日本队～。

【对擂】　duìlèi　动 比喻互相对抗;互相竞争。

【对立】　duìlì　动❶ 两种事物或一种事物中的两个方面之间的相互排斥、相互矛盾、相互斗争:～面|～物|～的统一|不能把工作和学习～起来看。❷ 互相抵触;敌对:～情绪。

【对立面】　duìlìmiàn　图 处于矛盾统一体中的相互依存、相互斗争的两个方面。

【对立统一规律】　duìlì tǒngyī guīlǜ　唯物辩证法的根本规律。它揭示出一切事物都是对立的统一,都包含着矛盾。矛盾的对立面又统一,又斗争,并在一定条件下互相转化,推动着事物的变化和发展。对立的统一是有条件的、暂时的、过渡的,因而是相对的,对立的斗争则是无条件的、绝对的。

【对联】　duìlián　(～儿)图 写在纸上、布上或刻在竹子上、木头上、柱子上的对偶语句。

【对脸】　duìliǎn　(～儿)❶图 对过儿:斜～是家小吃店。❷副 面对面:他和老张～儿坐着。

【对流】　duìliú　动 热对流的简称。

【对流层】　duìliúcéng　图 大气圈中的一层,

接近地面,厚度约 8—17 千米,随季节和纬度而变化。层内气温随高度的增加而下降,经常有对流现象发生,雨、雪、雹等天气现象发生在这一层。

【对路】duìlù 〔形〕❶ 合于需要;合于要求:~产品|这种货运到山区可不~。❷ 对劲①:他觉得干这个工作挺~。

【对门】duìmén (~儿)❶ 〔动〕大门相对:我们家和他们家~。❷ 〔名〕大门相对的房子:别看他俩住~,平常可很少见面|我们家~新搬来一家广东人。

【对面】duìmiàn ❶ (~儿)〔名〕对过儿:他家就在我家~。❷〔名〕正前方:~来了一个人。❸ (~儿)〔副〕面对面:这事儿得他们本人~儿谈。

【对牛弹琴】duì niú tán qín 比喻对不懂道理的人讲道理,对外行人说内行话。现在也用来讥笑说话的人不看对象。

【对偶】duì'ǒu 〔名〕修辞方式,用对称的字句加强语言的效果。如:下笔千言,离题万里。沉舟侧畔千帆过,病树前头万木春。参看 892 页〖律诗〗、1043 页〖骈文〗。

【对偶婚】duì'ǒuhūn 〔名〕原始社会群婚向单偶婚过渡的一种婚姻形式。通常是一男一女结为配偶,男子住在女方那里,但结合并不稳固,所生子女只归母亲。

【对生】duìshēng 〔动〕叶序的一种,茎的每个节上长两个叶子,彼此相对,如槭树、丁香等的叶子都是对生的。

【对手】duìshǒu 〔名〕❶ 竞赛的对方:我们的~是支素负盛名的球队。❷ 特指本领、水平不相上下的竞赛的对方:棋逢~|讲拳术,他不是你的~。

【对手戏】duìshǒuxì 〔名〕戏剧或影视片中两个主要演员相互配合表演的情节、内容:这两位影星在多部影片中演过~。

【对数】duìshù 〔名〕如果 $a^k = b(a > 0, a \neq 1)$,k 就叫做以 a 为底的 b 的对数,记作 $\log_a b = k$。其中 a 叫做底数,简称底;b 叫做真数。

【对台戏】duìtáixì 〔名〕❶ 两个戏班为了互相竞争,同时演出的同样的戏。❷ 见 157 页〖唱对台戏〗。

【对头】duìtóu 〔形〕❶ 正确;合适:方法~,效率就高。❷ 正常(多用于否定式):他的脸色不~,恐怕是病了。❸ 合得来(多用于否定式):两个人脾气不~,处不好。

【对头】duì·tou 〔名〕❶ 仇敌;敌对的方面:死~|冤家~。❷ 对手。

【对外贸易】duìwài-màoyì 本国(或本地区)跟外国(或外地区)进行的贸易。

【对味儿】duì∥wèir 〔形〕❶ 合口味:这道菜很~。❷ 比喻适合自己的思想感情(多用于否定式):我觉得他的话不大~。

【对虾】duìxiā 〔名〕节肢动物,身体长 15—20 厘米,甲壳薄而透明。第二对触角上的须很长。肉味鲜美。是我国的特产之一,主要产在黄海和渤海湾中。过去市场上常成对出售,所以叫对虾。也叫明虾。

【对象】duìxiàng 〔名〕❶ 行动或思考时作为目标的人或事物:革命的~|研究~。❷ 特指恋爱的对方:找~|他有~了。

【对消】duìxiāo 〔动〕互相抵消:力量~|功过~。

【对心思】duì xīn·si ❶ 指彼此心思、想法相同:她跟姐姐特别~。❷ 合乎心意;可心:这身衣服正对她的心思。

【对眼】¹ duìyǎn 〔形〕合乎自己的眼光;满意:几块花布看着都不~。

【对眼】² duìyǎn (~儿)〈口〉〔名〕内斜视。

【对弈】duìyì 〈书〉〔动〕下棋。

【对应】duìyìng ❶ 〔动〕一个系统中某一项在性质、作用、位置或数量上跟另一系统中某一项相当。❷ 〔形〕属性词。针对某一情况;与某一情况相应的:~措施|~行动。

【对于】duìyú 〔介〕引进对象或事物的关系者:~公共财产,无论大小,我们都应该爱惜|大家~这个问题的意见是一致的。

【对仗】duìzhàng 〔动〕(律诗、骈文等)按照字音的平仄和字义的虚实做成对偶的语句。

【对照】duìzhào 〔动〕❶ 互相对比参照:俄汉~|把译文~原文加以修改。❷ (人或事物)相比;对比:你拿这个标准~一下自己,看看差距有多大。

【对折】duìzhé 〔名〕一半的折扣:打~|~处理。

【对着干】duì·zhegàn 〔动〕❶ 采取与对方相对的行动来反对或搞垮对方。❷ 跟对方做同样的工作,比赛着干。

【对阵】duìzhèn 〔动〕双方摆开交战的阵势,比喻在竞赛、竞争中交锋:两军~|两国排球队五次~,主队三胜二负。

【对证】duìzhèng 〈动〉为了证明是否真实而加以核对：～笔迹｜和事实～一下，看看是不是有不符合的地方。

【对症】duì//zhèng 〈动〉针对具体病情：～下药。

【对症下药】duì zhèng xià yào 比喻针对具体情况决定解决问题的办法。

【对质】duìzhì 〈动〉诉讼关系人在法庭上面对面互相质问，泛指和问题有关联的各方当面对证：他如果不承认，我可以跟他～。

【对峙】duìzhì 〈动〉相对而立：两山～◇两军～（相持不下）。

【对酌】duìzhuó 〈书〉〈动〉相对饮酒：假日与老友～。

【对子】duì·zi 〈名〉❶ 对偶的词句：对～。❷ 对联：写～。❸ 成对的或相对的人或物：结成互帮互学的～。

兑¹ duì 〈名〉❶ 用旧的金银首饰、器皿向银楼换取新的。❷ 凭据支付或领取现款：～付｜汇～。❸ 搀和(多指液体)：茶水太浓，再～点儿开水。

兑² duì 〈名〉❶ 八卦之一，卦形是☱，代表沼泽。参看 16 页〖八卦〗。❷ (Duì)姓。

【兑付】duìfù 〈动〉凭票据支付现款。

【兑换】duìhuàn 〈动〉用证券换取现金或用一种货币换取另一种货币：～现金｜用美圆～人民币。

【兑奖】duì//jiǎng 〈动〉凭中奖的彩票或奖券兑换奖品或奖金。

【兑现】duìxiàn 〈动〉❶ 凭票据向银行换取现款，泛指结算时支付现款：这张支票不能～｜年终～时，共收入近三千元。❷ 比喻实现诺言：答应孩子的事，一定要～。

怼(懟) duì 〈书〉怨恨：怨～。

敦 duì 古代盛黍稷的器具。另见 347 页 dūn。

碓 duì 〈名〉舂米用具，用柱子架起一根木杠，杠的一端装上圆形的石头，用脚连续踏另一端，石头连续起落，去掉下面石臼中的糙米的皮。简单的碓只是一个石臼，用杵捣米。

镦(鐓) duì 〈书〉矛戟柄末的平底金属套。另见 219 页 chún。

憝 duì 〈书〉❶ 怨恨。❷ 坏；恶：大～。

镦(鐵) duì 同"錞"。另见 348 页 dūn。

dūn（ㄉㄨㄣ）

吨(噸) dūn 〈量〉❶ 质量或重量单位，符号 t。1 吨等于 1 000 千克。❷ 英美制质量或重量单位。英国为英吨，美国为美吨。[英 ton] ❸ 登记吨的简称。❹ 船舶运输时按货物的体积计算运费用的单位，根据不同的货物定出体积换算成吨数的不同标准。

【吨公里】dūngōnglǐ 〈量〉货物运输的计量单位，1 吨货物运输 1 公里为 1 吨公里。

【吨海里】dūnhǎilǐ 〈量〉货物海运的计量单位，1 吨货物运输 1 海里为 1 吨海里。

【吨位】dūnwèi 〈名〉❶ 车、船等规定的最大载重量。船舶的吨位为满载排水量减去空船排水量。❷ 计算船舶载重量时按船的容积计算，以登记吨为一个吨位。

惇 dūn 〈书〉敦厚；笃厚。

敦 dūn ❶ 诚恳：～厚｜～促｜～聘｜～请。❷ (Dūn)〈名〉姓。另见 347 页 duì。

【敦促】dūncù 〈动〉恳切地催促：～尽快解决。

【敦厚】dūnhòu 〈形〉忠厚：温柔～｜质朴～｜性情～。

【敦睦】dūnmù 〈书〉〈动〉使亲善和睦：～邦交。

【敦聘】dūnpìn 〈动〉诚恳地聘请：～您为我研究院特约研究员。

【敦请】dūnqǐng 〈动〉诚恳地邀请：～先生与会共商大事。

【敦实】dūn·shi 〈形〉粗短而结实：这人长得很～｜这个坛子真～。

墩 dūn ❶ 土堆：土～｜挖塘取水，垒土为～。❷ (～儿)〈名〉墩子①：树～儿｜门～儿。❸ (～儿)〈名〉墩子②：锦～｜坐～儿。❹ 〈动〉用拖把擦(地)：把地扫干净了再～。❺ 〈量〉用于丛生的或几棵合在一起的植物：一～荆条｜这块地栽秧三万～。

【墩布】dūnbù 〈名〉拖把。

【墩子】dūn·zi 〈名〉❶ 矮而粗大的整块石头、木头：菜～(切菜用具)｜坐在石～上。

❷ 矮的圆柱形的坐具：这个～是用蒲草编的。

撉 dūn 〈方〉动 揪住；拽(zhuài)：死死～住他的手｜一伸手把他～住。

骏(骏) dūn 〈方〉动 去掉雄性家畜家禽的生殖器：～牛｜～鸡。

磤 dūn 厚而粗大的整块石头：石～。

镦(镦) dūn ❶ 动 用锤击、加压等方法，使坯料变短、横断面积增大：冷～｜热～。❷ 同"骏"。

蹾(掺) dūn 〈方〉动 重重地往下放：箱子里有仪器，不要往地上～。

蹲 dūn 动 ❶ 两腿尽量弯曲，像坐的样子，但臀部不着地：两人在地头～着谈话。❷ 比喻待(dāi)着或闲居：他整天～在家里不出门。
　　另见 236 页 cún。

【蹲班】dūn//bān 动 留级：全班学生没有一个的｜他去年蹲了一班，没有毕业。

【蹲膘】dūn//biāo (～儿) 动 多吃好的食物而少活动，以致肥胖(多指牲畜，用于人时带贬义或戏谑意)：催肥～。

【蹲点】dūn//diǎn 动 到某个基层单位，参加实际工作，进行调查研究：下乡～｜他在西村蹲过点，对那里情况很熟悉。

【蹲伏】dūnfú 动 ❶ 低低地蹲着，上身前倾：他～在草丛里窥视周围的动静。❷ 蹲守。

【蹲苗】dūnmiáo 动 在一定时期内控制施肥和灌水，进行中耕和镇压，使幼苗根部下扎，生长健壮，防止茎叶徒长。

【蹲守】dūnshǒu 动 隐蔽在某处守候，多指公安人员隐蔽在暗处等待犯罪嫌疑人等出现以便抓捕：连夜～，抓获贩毒团伙。

dǔn （ㄉㄨㄣˇ）

不 dǔn ［不子］(dǔn·zi)〈方〉名 ❶ 墩子①。❷ 特指砖状的瓷土块，是制造瓷器的原料。

盹 dǔn (～儿) 很短时间的睡眠：看书累了，趴在桌子上打个～儿。

趸(蠆) dǔn ❶ 副 整批：～批｜～买～卖。❷ 动 整批买进(准备

出卖)：～货｜现～现卖。

【趸船】dǔnchuán 名 无动力装置的矩形平底船，固定在岸边、码头，以供船舶停靠，上下旅客，装卸货物。

【趸批】dǔnpī ❶ 动 整批地买进或卖出：～大米。❷ 副 整批(多用于买卖货物)：～买进｜～出卖。

dùn （ㄉㄨㄣˋ）

囤 dùn 名 ❶ 用竹篾、荆条、稻草编成的或用席箔等围成的盛粮食的器具：粮食～｜大～满，小～流。❷ (Dùn)姓。
　　另见 1388 页 tún。

沌 dùn 见 616 页【混沌】。
　　另见 1791 页 Zhuàn。

炖(燉) dùn 动 ❶ 烹调方法，加水烧开后用文火久煮使烂熟(多用于肉类)：清～排骨。❷ 把东西盛在碗里，再把碗放在水里加热：～酒｜～药。

砘 dùn 动 播种后，用石砘子把松土压实：这块地已经～过一遍。

【砘子】dùn·zi 名 播种覆土以后用来镇压的农具。

钝(钝) dùn ❶ 形 不锋利(跟"快、利、锐"相对)：刀～了，要磨一磨◇成败利～。❷ 笨拙；不灵活：迟～｜鲁～。❸ (Dùn)名 姓。

【钝角】dùnjiǎo 名 大于直角(90°)而小于平角(180°)的角。

【钝器】dùnqì 名 没有尖或刃的器物，如棍棒、锤子等，多指用于行凶的。

盾¹ dùn ❶ 盾牌。❷ 盾形的东西：金～｜银～。

盾² dùn 名 ❶ 荷兰的旧本位货币。❷ 越南、印度尼西亚等国的本位货币。

【盾构】dùngòu 名 一种隧道施工机械，金属外壳呈圆筒形。在地下推进时，机械上特制的刀具旋转切削土体，螺旋输送机把土送到传送带上，挖空的部分很快形成新的隧道结构。

【盾牌】dùnpái 名 ❶ 古代用来防护身体、遮挡刀箭的武器。❷ 比喻推托的借口。

顿(顿)¹ dùn ❶ 动 稍停：他～了～，又接着往下说。❷ 动 书法上指用力使笔着纸而暂不移动：一横

的两头都要～一～。❸〈头〉叩地;〈脚〉踩地:～首|～足。❹ 处理;安置:整～|安～。❺ 副 立刻;忽然:～然|～悟|～生邪念。❻ 量 用于吃饭、斥责、劝说、打骂等行为的次数:一天三～饭|被他说了一～。❼ (Dùn)名 姓。

顿²（頓）dùn 疲乏:困～|劳～。
另见 336 页 dú。

【顿挫】dùncuò 动 (语调、音律等)停顿转折;抑扬～。

【顿号】dùnhào 名 标点符号(、),表示句子内部并列词语之间的停顿。主要用在并列的词或并列的较短的词组中间。

【顿开茅塞】dùn kāi máo sè 见 923 页【茅塞顿开】。

【顿然】dùnrán 副 忽然;突然:～醒悟|登上顶峰,～觉得周围山头矮了一截。

【顿时】dùnshí 副 立刻(多用于叙述过去的事情):喜讯传来,人们～欢呼起来。

【顿首】dùnshǒu 动 磕头(多用于书信)。

【顿悟】dùnwù 动 佛教指顿然破除妄念,觉悟真理。也指忽然领悟。

【顿足捶胸】dùn zú chuí xiōng 见 217 页【捶胸顿足】。

遁（遯）dùn ❶ 逃走:～走|逃～|远～。❷ 隐藏;消失:～迹|～形|隐～。

【遁词】dùncí 名 因为理屈词穷而故意避开正题的话。

【遁迹】dùnjì 〈书〉动 逃避人世;隐居:～潜形|～空门(出家为僧尼)。

【遁世】dùnshì 〈书〉动 避开现实社会而隐居;避世:～绝俗。

楯 dùn 〈书〉同"盾¹"。
另见 1283 页 shǔn。

duō（ㄉㄨㄛ）

多¹ duō ❶ 形 数量大(跟"少、寡"相对):～年|～种～样|～才～艺|～快好省。❷ 动 超出原有或应有的数目;比原来的数目有所增加(跟"少"相对):这句话～了一个字|你的钱给～了,还你吧。❸ 过分的;不必要的:～心|～嘴|～疑。❹ 数 (用在数量词后)表示有零头:五十～岁|两丈～高|三年～。❺ 形 表示相差的

程度大:他比我强～了|这样摆好看得～。❻ (Duō)名 姓。

多² duō 副 ❶ 用在疑问句里,问程度或数量:他～大年纪? |你知道天门～高?【注意】大都用于积极性的形容词,如"大、高、长、远、粗、宽、厚"等等。❷ 用在感叹句里,表示程度很高:你看他老人家～有精神! |这问题～不简单哪! ❸ 指某种程度:无论山有～高,路有～陡,他总是走在前面|有～大劲使～大劲。

【多半】duōbàn (～儿)❶ 数 超过半数;大半:同学～到操场上去了,只有少数还在教室里。❷ 副 大概:他这会儿还不来,～不来了。‖ 也说多一半。

【多胞胎】duōbāotāi 名 同一胎内三个或三个以上婴儿;同一胎出生的三个或三个以上的人。

【多宝格】duōbǎogé 名 分成许多格子的架子,用来放置古玩、工艺品等。也叫多宝架。

【多宝架】duōbǎojià 名 多宝格。

【多边】duōbiān 形 属性词。由三个或更多方面参加的,特指由三个或更多国家参加的:～会谈|～条约|贸易。

【多边贸易】duōbiān màoyì 三个或三个以上国家或地区保持彼此贸易收支平衡的一种贸易。

【多边形】duōbiānxíng 名 同一平面上的三条或三条以上的直线所围成的图形。

【多才多艺】duō cái duō yì 具有多方面的才能、技艺。

【多层住宅】duōcéng zhùzhái 指地面上层数为 4—6 层的住宅建筑,一般不设电梯。

【多愁善感】duō chóu shàn gǎn 形容人感情脆弱,容易发愁或感伤。

【多此一举】duō cǐ yī jǔ 做不必要的、多余的事情:何必～。

【多动症】duōdòngzhèng 名 注意缺陷障碍的通称,是一种儿童轻微脑功能失调的疾病,表现为注意力不能集中,异常好动,自我控制能力差,但没有明显的智力障碍。到青春期症状一般可自行缓解。

【多端】duōduān 形 多种多样:变化～|诡计～。

【多多益善】duō duō yì shàn 越多越好。

【多发】duōfā 形 属性词。发生率较高的:

～病|事故～地段。

【多方】duōfāng 副❶ 表示从多方面:～设法|～劝慰。❷ 表示用多种方法:～教诲。

【多寡】duōguǎ 名 指数量的大小:～不等。

【多国公司】duōguó gōngsī 跨国公司。

【多会儿】duō·huir〈口〉代 疑问代词。什么时候;几时。a)用在疑问句里;问时间:你是～来的? b)指某一时间或任何时间:在工作中他～也没叫过苦|现在还不敢说定了,～有空～去。

【多极化】duōjíhuà 动 使变为有两个以上的重心:～发展|世界～。

【多晶体】duōjīngtǐ 名 由许多单晶体组成的晶体。原子在整个晶体中不是按统一的规则排列的,无一定的外形,其物理性质在各个方向都相同。

【多口相声】duōkǒu xiàng·sheng 由几个人表演的相声。参看 1490 页〖相声〗。

【多亏】duōkuī 动 表示由于别人的帮助或某种有利因素,避免了不幸或得到了好处:～你来了,否则我们要迷路的|这件事～了你的帮助。

【多虑】duōlǜ 动 过多地担心;过多地忧虑:事情已有安排,不必～。

【多么】duō·me 副❶ 用在疑问句里,问程度或数量:洛阳离这里有～远? ❷ 用在感叹句里,表示程度很高:他的品德～高尚!|国家培养一个人才是～不容易呀! ❸ 指较深的程度:不管风里雨里,～冷、～热,战士们总是不停地在苦练杀敌本领。注意"多么"的用法基本上跟"多²"❷❸相同,"多么"用于感叹句为主,其他用法不如"多"普通。

【多媒体】duōméitǐ 名 可用计算机处理的多种信息载体的统称,包括文本、声音、图形、动画、图像、视频等。

【多米诺骨牌】duōmǐnuò gǔpái 18 世纪中叶出现在欧洲的一种用来游戏或赌博的长方形骨牌。把骨牌按一定距离竖立起来排成行,只要碰倒一张,后面的便会一张碰一张地相继倒下。后来把连锁反应称为多米诺骨牌效应或骨牌效应。[多米诺,英 domino]

【多面角】duōmiànjiǎo 名 过平面外一点向平面上的多边形的顶点引射线,所有相邻射线所夹的平面部分围成的立体图形。

【多面手】duōmiànshǒu 名 指擅长多种技能的人:他是建筑行业中的～。

【多面体】duōmiàntǐ 名 四个或四个以上多边形所围成的立体。

多面体

【多谋善断】duō móu shàn duàn 很有智谋,又善于决断。

【多幕剧】duōmùjù 名 分做若干幕演出的大型戏剧,一般比独幕剧人物多,情节复杂。依照分幕数目的多少,可以分为三幕剧、四幕剧、五幕剧等。

【多难兴邦】duō nàn xīng bāng 国家多灾多难,可以激发人民发愤图强,战胜困难,使国家兴盛起来。

【多年生】duōniánshēng 形 属性词。(植物)能连续生活多年的,如木本植物和蒲公英、车前等草本植物都是多年生的。

【多情】duōqíng 形 重感情(多指重爱情):自作～|～的少女。

【多如牛毛】duō rú niúmáo 形容极多。

【多少】duōshǎo ❶名 指数量的大小:～不等,长短不齐。❷ 副 或多或少:这句话～有点道理。❸ 副 稍微:一立秋,天气～有点凉意了。

【多少】duō·shao 代 疑问代词。❶ 问数量:这个村子有～人家? |今年收了～粮食? ❷ 表示不定的数量:我知道～说～|有～人,准备～工具。

【多神教】duōshénjiào 名 信奉众多神灵的宗教,如道教(区别于"一神教")。

【多时】duōshí 名 很长时间:等候～|未见面。

【多事】duō//shì 动❶ 做多余的事:不找他他也会来的,你不必多那个事了。❷ 做没有必要做的事:他总爱～,惹是生非。

【多事之秋】duō shì zhī qiū 事故或事变多的时期,多用来形容动荡不安的政局。

【多数】duōshù 名 较大的数量:绝大～|少数服从～|～代表赞成这个方案。

【多糖】duōtáng 名 由三个以上的单糖分

子组成的糖,如淀粉、糖原、纤维素等。

【多头】duōtóu ❶ 图 从事商品、有价证券交易的人,预料货价将涨而买进现货或期货,伺机卖出,这种做法叫多头(因为买进的货等待卖出,所以叫"多头";跟"空头"相对)。参看 911 页〖买空卖空〗。❷ 图 属性词。不只一个方面的:~领导|~政治。

【多谢】duōxiè 动 客套话,表示感谢:~您的帮助。

【多心】duō∥xīn 动 乱起疑心;用不必要的心思:你别~,他不是冲你说的。

【多样】duōyàng 形 多种样式:~化|形式~。

【多一半】duōyíbàn 数 多半。

【多疑】duōyí 动 疑虑过多;过分疑心:不必~|生性~。

【多义词】duōyìcí 图 具有两个或更多意义的词,如"接"有"连接"(接电线)、"接受"(接到一封信)、"迎接"(接客人)等义。多义词的意义之间往往有共同点或某些联系,如"接"的三个意义都表示"使分散的人或事物结合起来"。

【多音字】duōyīnzì 图 不止一个读音的字,如"好"有 hǎo、hào 两个读音。

【多余】duōyú ❶ 动 超过需要的数量:他每月都把~出的钱存入银行。❷ 形 不必要的:把文章中~的字句删掉|你这种担心完全是~的。

【多元】duōyuán 形 属性词。多样的;不单一的:~文化|~经济|~经营。

【多元化】duōyuánhuà ❶ 动 由单一向多样发展;由一向分散变化:投资~。❷ 形 指多样的;不是集中统一的:满足读者多层次、~的精神需要。

【多元论】duōyuánlùn 图 一种唯心主义的哲学观点,认为世界是由多种独立的、不互相依存的实体构成的(跟"一元论"相对)。

【多云】duōyún 图 气象学上指中、低云云量占天空面积 4/10—7/10 或高云云量占天空面积 6/10—10/10 的天空状况。

【多灾多难】duō zāi duō nàn 形容灾难很多。

【多咱】duō·zan 〈方〉代 疑问代词。什么时候;几时[用法跟"多会儿"相同]:咱们~走?|这是~的事?

【多早晚】duō·zaowǎn 〈方〉代 疑问代词。多咱("多咱"就是由"多早晚"变来的)。

【多嘴】duō∥zuǐ 动 不该说而说:~多舌|你不了解情况,别~!

咄 duō ❶〈书〉呵斥:厉声~之。❷ 叹 表示惊异。

【咄咄】duōduō 叹 表示惊诧或感叹:~怪事|~称奇。

【咄咄逼人】duōduō bī rén 形容气势汹汹,盛气凌人:他说话的口气~,令人十分难堪。

【咄嗟】duōjiē〈书〉动 吆喝。

【咄嗟立办】duōjiē lì bàn 原指主人一吩咐,仆人立刻就办好,现在指马上就办到。

哆 duō [哆嗦](duō·suo)动 因受外界刺激而身体不由自主地颤动:冻得直~|气得浑身~。

剟 duō ❶〈方〉动 刺;击。❷〈书〉削;删除。❸〈书〉割取。

堁 duō 塘堁(Tángduō),地名,在广东。

掇(敠) duō ❶ 拾取;采取:~拾。❷〈方〉动 用双手拿;搬(椅子、凳子等)。

【掇弄】duōnòng〈方〉动 ❶ 收拾;修理:机器坏了,经他一~就好啦。❷ 播弄;怂恿;受人~。

【掇拾】duōshí〈书〉动 ❶ 拾掇。❷ 搜集:~旧闻。

裰 duō ❶〈书〉缝补(破衣):补~。❷ 见 1748 页〖直裰〗。

duó (ㄉㄨㄛˊ)

夺¹(奪) duó ❶ 动 强取;抢:掠~|巧取豪~|从歹徒手里~过凶器◇强词~理。❷ 动 争先取到:~冠|~红旗。❸ 胜过;压倒:巧~天工|先声~人。❹ 使失去:剥~|褫~。❺〈书〉失去:勿~农时。

夺²(奪) duó 作决定:定~|裁~。

夺³(奪) duó〈书〉(文字)脱漏:讹~。

【夺杯】duó∥bēi 动 夺取奖杯,特指夺取冠军:我国排球队在这次邀请赛中~。

【夺标】duó//biāo 动❶夺取锦标,特指取冠军:这场大赛中数她~呼声最高。❷承包人或买主所投的标在投标竞争中(zhòng)标:这家公司在同其他八家公司的竞争中~。

【夺冠】duó//guàn 动夺取冠军:在世界大学生运动会上,我国选手连连~。

【夺魁】duó//kuí 动争夺第一;夺取冠军:这个厂的电视机在全国评比中~。

【夺门而出】duó mén ér chū 摆脱阻拦,冲出门去。

【夺目】duómù 形(光彩)耀眼:鲜艳|放出~的光辉。

【夺取】duóqǔ 动❶用武力强取:~敌人的阵地。❷努力争取:~新的胜利|~农业丰收。

【夺权】duó//quán 动夺取权力(多指夺取政权)。

泽(澤) duó 见867页〖凌泽〗。

度 duó 推测;估计:揣~|测~|~德量力。
另见338页dù。

【度德量力】duó dé liàng lì 衡量自己的品德能否服人,估计自己的能力能否胜任。

铎(鐸) duó 古代宣布政教法令时或有战事时用的大铃:木~|铃~|振~。

敠 duó 〈书〉同"夺"。

踱 duó 动慢步行走:~来~去|~方步。

duǒ （ㄉㄨㄛˇ）

朵(朵) duǒ ❶量用于花朵和云彩或像花和云彩的东西:两~牡丹|一~白云|激起~~浪花。❷(Duǒ)名姓。

【朵儿】duǒr ❶名花朵:牡丹花开的~多大呀!❷量朵①。

【朵颐】duǒyí 〈书〉形指鼓动腮颊嚼东西的样子:大快~(形容食物鲜美,吃得很满意)。

垛(垛) duǒ 垛(duǒ)子:城~|~口。
另见353页duò。

【垛堞】duǒdié 名垛口。

【垛口】duǒkǒu 名城墙上呈凹凸形的短墙。
另见353页duòkǒu。

【垛子】duǒ·zi 名墙上向外或向上突出的部分:门~|城~。
另见353页duò·zi。

哚 duǒ 见1628页〖吲哚〗。

埵 duǒ 〈书〉❶坚硬的土。❷土堆。

躲(躱) duǒ 动躲避;躲藏:~雨|~车|~债|明枪易~,暗箭难防。

【躲避】duǒbì 动❶故意离开或隐蔽起来,使人看不见:这几天他好像有意~我。❷离开对自己不利的事物:~风雨|不应该~困难。

【躲藏】duǒcáng 动把身体隐藏起来,不让人看见:他~在门后。

【躲躲闪闪】duǒ·duoshǎnshǎn 形状态词,指有意掩饰或避开事实真相:你谈问题要和盘托出,不要~。

【躲懒】duǒ//lǎn （~儿）逃避工作或劳动;偷懒:做任何事都不能~。

【躲让】duǒràng 动躲闪;让开:一辆救护车急驰而来,人们纷纷往两边~。

【躲闪】duǒshǎn 动迅速使身体避开:小~不及,他他撞了个满怀。

【躲债】duǒ//zhài 动欠债人因无钱还债,避开跟债主见面。

弹(鞳、驒) duǒ 〈书〉下垂:钗横鬓~。

襢(襢) duǒ 〈书〉同"弹"。

【襢都】Duǒdū 名宋时西夏毅宗年号(公元1057—1062)。

duò （ㄉㄨㄛˋ）

驮(馱) duò [驮子](duò·zi)❶名牲口驮(tuó)着的货物:把~卸下来,让牲口休息一会儿。❷量用于牲口驮(tuó)着的货物:来了三~货。
另见1392页tuó。

柮 duò 〈书〉同"舵"。
另见299页dì。

剁(剁) duò 动用刀向下砍:~排骨|饺子馅儿~得很细|他把柳

条～成了三段。

铋(鉇) ^{duò} 见491页[镨铋]。

垛(垛、稴) duò ❶ 动 整齐地堆：把晒干的稻草捆好～起来。❷ 名 整齐地堆成的堆：麦～|砖～|柴火～。❸ 量 用于成垛的东西：一～砖|两～秫秸。
　　另见352页 duǒ。

【垛口】duǒkǒu 动 指曲艺演员将好几句押韵的唱词一句紧接一句地唱出来。
　　另见352页 duǒkǒu。

【垛子】duò·zi 名 整齐地堆成的堆：麦秸～。
　　另见352页 duǒ·zi。

柂(杝) duò 〈书〉❶ 同"舵"。❷ 沟通；引。
　　另见1605页 yí。"杝"另见831页 lí。

柮 duò 见492页[榾柮]。

舵(柁) duò 名 船、飞机等控制方向的装置：掌～|升降～|方向～。
　　"柁"另见1393页 tuó。
【舵轮】duòlún 名 轮船、汽车等的方向盘。
【舵盘】duòpán 名 舵轮。

【舵手】duòshǒu 名 ❶ 掌舵的人。❷ 比喻把握方向的领导者。

堕(墮) duò 动 落；掉：～落|～地|～入海中。
　　另见605页 huī。
【堕落】duòluò 动 ❶ (思想、行为)往坏里变：腐化～。❷ 沦落；流落(多见于早期白话)：～风尘。
【堕马】duòmǎ 〈书〉动 从马上摔下来。
【堕胎】duò∥tāi 动 人工流产。

惰 duò 懒(跟"勤"相对)：懒～。

【惰性】duòxìng 名 ❶ 某些物质化学性质不活泼，不易跟其他物质发生化学反应的性质。❷ 不想改变生活和工作习惯的倾向(多指消极落后的)。
【惰性气体】duòxìng qìtǐ 稀有气体的旧称。

媠 duò 〈书〉同"惰"。

跥(踩、跢) duò 动 用力踏地：～脚。
【跥脚】duò∥jiǎo 动 脚用力踏地，表示着急、生气、悔恨等情绪：他一边～，一边懊悔不迭。

E

e

ē（ㄜ）

阿¹ ē ❶ 迎合;偏袒:～附|～谀|刚直不～|～其所好。❷〈书〉大的丘陵:崇～。❸〈书〉弯曲的地方:山～。

阿² Ē ❶ 指山东东阿:～胶。❷ 名姓。
另见 1 页 ā;2 页 •a "啊"。

【阿附】ēfù〈书〉动 逢迎附和:～权贵。

【阿胶】ējiāo 名 中药上指用驴皮加水熬成的胶,原产山东东阿,有补血养阴的作用。也叫驴皮胶。

【阿弥陀佛】Ēmítuófó 名 佛教指西方极乐世界最大的佛,也译作无量寿佛或无量光佛。信佛的人用作口头诵念的佛号,表示祈祷或感谢神灵等意思。[梵 amitābha]

【阿谀】ēyú 动 迎合别人的意思,说好听的话(含贬义):～奉承|～曲从。

婀 ē [婀娜](ēnuó)〈书〉同"婀娜"。

屙 ē〈方〉动 排泄(大小便):～屎|～尿|～痢。

婴 ē 见 9 页[婷婴]。

婀 ē [婀娜](ēnuó,旧读ěnuǒ)形(姿态)柔软而美好:～多姿|体态～。

痾 ē〈书〉病。

é（ㄜ）

讹(訛、❶譌) é ❶ 错误:～字|以～传～。❷ 动 讹诈:～钱|～人。

【讹传】échuán 名 错误的传说:纯系～,切勿轻信。

【讹舛】échuǎn〈书〉名(文字)错误;舛误:校订粗疏,～甚多。

【讹夺】éduó〈书〉名 讹脱。

【讹赖】élài〈方〉动 讹诈①。

【讹谬】émiù 名 错误;差错。

【讹脱】étuō 名(文字上的)错误和脱漏。

【讹误】éwù 名(文字、记载)错误:该文记述与史实不符,～颇多。

【讹诈】ézhà 动 ❶ 假借某种理由向人强行索取财物:～钱财。❷ 威胁恫吓:核～|政治～。

吚 é〈书〉动 ❶ 动;行动。❷ 化;教化。

囮 é [囮子](é·zi)名 捕鸟时用来引诱同类鸟的鸟。也叫圝子(yóu·zi)。

俄¹ é ❶〈书〉时间很短;突然间:～顷|～而。❷(É)名姓。

俄² É 名 指俄罗斯。

【俄而】é'ér〈书〉副 表示时间短暂;不久:～日出,光照海上。

【俄尔】é'ěr〈书〉副 俄而。

【俄罗斯族】Éluósīzú 名 ❶ 我国少数民族之一,主要分布在新疆、黑龙江。❷ 俄罗斯联邦的人数最多的民族。

【俄顷】éqǐng〈书〉很短的时间:是非变于～。

【俄延】éyán〈书〉动 拖延;迟延:～岁月。

莪 é 见下。

【莪蒿】éhāo 名 多年生草本植物,叶子像针,花黄绿色。生在水边。

【莪术】ézhú 名 多年生草本植物,叶子长椭圆形,根状茎圆柱形或卵形,花黄色。根状茎可入药。

哦 é〈书〉吟咏:吟～。
另见 1011 页 ó;1011 页 ò。

峨(峩) é〈书〉高:巍～|～冠博带。

【峨冠博带】é guān bó dài 高高的帽子和宽大的衣带,指古时士大夫的装束。

涐 É 古水名,即今大渡河。

娥 é ❶ 美女:宫～|娇～。❷(É)名姓。

【娥眉】éméi 名 ❶ 指美人细长而弯的眉

毛；皓齿～（形容女子美貌）。❷ 指美人。‖ 也作蛾眉。

睋
é〈书〉❶ 望；看。❷ 突然；不久。

锇（鋨）
é 图 金属元素，符号 Os（osmium）。银白色，质硬而脆，是密度最大的金属元素。用于制催化剂等，锇铱合金可做钟表、仪器的轴承。

鹅（鵝、鵞、䳘）
é 图 家禽，羽毛白色或灰色，额部有橙黄色或黑褐色肉质突起，雄的突起较大。颈长，嘴扁而阔，脚有蹼，能游泳，耐寒，吃青草、谷物、蔬菜、鱼虾等。

【鹅蛋脸】édànliǎn 图 指微长而丰满，上部略圆下部略尖的脸庞。

【鹅黄】éhuáng 图 像小鹅绒毛那样的黄色；嫩黄。

【鹅卵石】éluǎnshí 图 直径较大的卵石，大小多像鹅蛋，所以叫鹅卵石。参看 895 页〖卵石〗。

【鹅毛】émáo 图 鹅的羽毛。比喻极轻微的东西：千里送～，礼轻情意重。

【鹅绒】éróng 图 鹅的绒毛，细软，能保温，可以絮被褥等。

【鹅行鸭步】é xíng yā bù 像鹅和鸭子那样走路，形容行动迟缓。也说鸭步鹅行。

【鹅掌风】ézhǎngfēng 图 中医指手癣。

【鹅掌楸】ézhǎngqiū 图 落叶乔木，高可达 40 米，叶子大，形状像鹅掌，花黄绿色，果穗长纺锤形。生长在我国江西、湖北等地，是珍贵的观赏树种。

蛾
é 图 蛾子。
另见 1611 页 yǐ。

【蛾眉】éméi 同"娥眉"。

【蛾子】é·zi 图 昆虫，腹部短而粗，有四个带鳞片的翅膀。多在夜间活动，常飞向灯光。其中很多种是农业害虫。

额¹（額）
é ❶ 图 人的眉毛以上头发以下的部分，也指某些动物头部大致与此相当的部位。通称额头。❷ 牌匾：匾｜横～。❸〈É〉图 姓。

额²（額）
é 规定的数目：名～｜定～｜总～｜余～｜空～｜超～｜～外。

【额定】édìng 圈 属性词。规定数目的：～人数｜～工资。

【额度】édù 图 规定的数额：贷款～｜融资～。

【额角】éjiǎo 图 额的两旁。

【额手称庆】é shǒu chēng qìng 以手加额，表示庆幸。

【额数】éshù 图 规定的数目；定额。

【额头】é·tóu 图 额①的通称。

【额外】éwài 圈 属性词。超出规定数量或范围的：～负担｜～开支。

ě（ㄜˇ）

恶（惡、噁）
ě ［恶心］（ě·xin）❶ 圈 有要呕吐的感觉：胃里不舒服，一阵一阵地～。❷ 勔 厌恶；令人厌恶：这种丑事，让人～｜你别在这儿～我了。❸〈方〉勔 揭人短处，使难堪：他太抠门儿，得找个机会～～他。

另见 356 页 è；1436 页 wū；1450 页 wù；"噁"另见 357 页 è"噁"。

è（ㄜˋ）

厄（戹、❶阨）
è〈书〉❶ 图 险要的地方：险～。❷ 灾难，困苦：困～｜～运。❸ 受困：海轮～于风浪。

【厄尔尼诺现象】è'ěrnínuò xiànxiàng 东太平洋赤道附近海域大面积海水异常增温，鱼群大量死亡的现象。一般出现于圣诞节前后，每隔几年发生一次，发生时海水表层增温范围扩大，持续时间长，对全球气候产生重大影响。［厄尔尼诺，西 El Niño］

【厄境】èjìng 图 苦难的境遇：身处～。

【厄难】ènàn 图 灾难；苦难：屡遭～。

【厄运】èyùn 图 困苦的遭遇；不幸的命运：遭逢种种～。

扼
è ❶ 勔 用力掐住：～杀｜～住喉咙。❷ 把守；控制：～守｜～制。

【扼杀】èshā 勔 ❶ 掐住脖子弄死。❷ 比喻压制、摧残使不能存在或发展：～新生事物。

【扼守】èshǒu 勔 把守（险要的地方）：～险关。

【扼腕】èwàn〈书〉勔 用一只手握住自己另一只手的手腕，表示振奋、愤怒、惋惜等情绪:～叹息。

【扼要】èyào 形 抓住要点(多指发言或写文章):简明～|～说明。

【扼制】èzhì 动 抑制;控制:～心头的怒火|～通往内河的航道。

苊 è 名 有机化合物,化学式$C_{12}H_{10}$。无色针状晶体,可做媒染剂。[英 acenaphthene]

呃 è 叹 表示感叹、提醒等:～,你还在这里啊!|～,别忘了带钥匙。
另见 358 页•e。

【呃逆】ènì 动 由于膈的痉挛,急促吸气后,声门突然关闭,发出声音。通称打嗝儿。

轭(軛) è 名 牛马等拉东西时架在脖子上的器具。

呝 è〈书〉❶ 同"呃"(è)。❷ 形容鸟鸣声。

垩(堊) è ❶ 白垩。❷〈书〉用白垩涂饰。❸〈方〉动 施(肥)。

恶(惡) è ❶ 很坏的行为;犯罪的事情(跟"善"相对):作～|罪大～极|怙～不悛|疾～如仇。❷ 形 凶恶;凶狠;凶猛:～霸|～骂|～战|那人长相真～。❸ 恶劣;坏:～习|～意。
另见 355 页 ě;1436 页 wū;1450 页 wù。

【恶霸】èbà 名 独霸一方,欺压人民的坏人:铲除～。

【恶报】èbào 名 佛教指做坏事得到的受惩罚的报应。

【恶变】èbiàn 动 通常指肿瘤由良性转变成恶性。

【恶病质】èbìngzhì 名 医学上指人体显著消瘦、贫血、精神衰颓等全身功能衰竭的现象,多由癌症和其他严重慢性病引起。

【恶补】èbǔ 动 在短时间内拼命地补充(知识、营养等):为考托福～英语。

【恶臭】èchòu 名 难闻的臭气:一股～让人喘不过气来。

【恶斗】èdòu 动 凶猛激烈地争斗:双方～了一场。

【恶毒】èdú 形(心术、手段、语言)阴险狠毒:用心～|～攻击。

【恶感】ègǎn 名 不满或仇恨的情绪:产生～|我对他从来没有～。

【恶贯满盈】è guàn mǎn yíng 作恶极多,

已到末日。

【恶棍】ègùn 名 凶恶无赖、欺压群众的坏人。

【恶果】èguǒ 名 坏结果;坏的下场:自食～。

【恶狠狠】èhěnhěn (～的)形 状态词。形容非常凶狠:～地瞪了他一眼。

【恶化】èhuà 动 ❶ 向坏的方面变:防止病情|两国关系日趋～。❷ 使变坏:军备竞赛,～了国际局势。

【恶疾】èjí 名 令人厌恶的、不容易治好的疾病。

【恶浪】èlàng 名 ❶ 来势凶猛的浪头:狂风～|～掀天◇决不能让坏人操纵舆论,掀起～。

【恶劣】èliè 形 很坏:品行～|手段～|环境～|～的作风|～的天气。

【恶露】èlù 名 产妇分娩后由子宫排出的余血和浊液。正常情况下,产后 2—3 周完全排尽。

【恶名】èmíng 名 坏名声:蒙受～。

【恶魔】èmó 名 ❶ 佛教称阻碍佛法及一切善事的恶神、恶鬼。❷ 比喻十分凶恶的人。

【恶念】èniàn 名 邪恶的想法:心生～。

【恶气】èqì 名 ❶ 难闻的气味;臭气:～熏人。❷ 指受到的欺压、侮辱等:他闷闷不乐,是受谁的～了? ❸ 指心中的怨恨、不满等:出了一口～。

【恶人】èrén 名 品质恶劣的人:心肠恶毒的人:～先告状。

【恶煞】èshà 名 迷信的人指凶神,也用来比喻凶恶的人:凶神～。

【恶少】èshào 名 品行恶劣,胡作非为的年轻人:洋场～。

【恶声】èshēng 名 ❶ 谩骂的话;坏话:君子绝交,不出～。❷〈书〉坏名声。

【恶声恶气】è shēng è qì 形容语调、态度凶狠。

【恶俗】èsú ❶ 名 不好的风俗;陋俗。❷ 形 粗俗;庸俗:语言～|趣味～。

【恶习】èxí 名 坏习惯,多指赌博、吸食毒品等:沾染～|痛改～。

【恶性】èxìng 形 属性词。能产生严重后果的:～循环|～肿瘤|～事故。

【恶性循环】èxìng xúnhuán 若干事物互为因果,循环不已,越来越坏。

【恶性肿瘤】èxìng zhǒngliú 肿瘤的一种，周围没有包膜，细胞异常增生，形状、大小很不规则，与正常组织之间的界限不明显。能在体内转移，破坏性很大。癌和肉瘤都属于恶性肿瘤。

【恶意】èyì 图不良的居心；坏的用意：一句玩笑，并无～|不要把人家的一片好心当成～。

【恶语】èyǔ 图粗野的言语；恶毒的话：秽言～|～伤人。

【恶战】èzhàn ❶ 动非常激烈地战斗。❷ 图恶仗。

【恶仗】èzhàng 图非常激烈的战斗。

【恶浊】èzhuó 形污秽；不干净：空气～。

【恶作剧】èzuòjù 图捉弄要笑、使人难堪的行为：不要搞～。

饿(餓) è ❶ 形肚子空，想吃东西（跟"饱"相对）：饥～|～虎扑食|肚子很～。❷ 动使挨饿：牲口多拉几趟不要紧，可别～着它。

【饿饭】è//fàn 〈方〉动挨饿。

【饿虎扑食】è hǔ pū shí 比喻动作迅速而猛烈。也说饿虎扑羊。

【饿殍】èpiǎo 〈书〉图饿死的人。

鄂 È 图❶ 湖北的别称。❷ 姓（也有读Ào 的）。

【鄂博】èbó 图见 14 页〖敖包〗。

【鄂伦春族】Èlúnchūnzú 图我国少数民族之一，分布在内蒙古和黑龙江。

【鄂温克族】Èwēnkèzú 图我国少数民族之一，分布在内蒙古和黑龙江。

阏(閼) è 〈书〉❶ 堵塞。❷ 闸板。另见 1563 页 yān。

谔(諤) è 〖谔谔〗(è'è)〈书〉形形容直话直说：千人之诺诺，不如一士之～（有许多人说顺从奉承的话，不如有一个人直言不讳）。

堨 è 〈方〉❶ 堤坝（多用于地名）：富～（在安徽）|～头（在浙江）。❷ 灌溉田地的水渠。

萼 è 图花萼。

【萼片】èpiàn 图环列在花的最外面一轮的叶状薄片，一般呈绿色。花萼是由若干萼片组成的。（图见 580 页"花"）

遏 è 阻止；禁止：～止|～响行云|怒不可～。

【遏蓝菜】èláncài 图一年生草本植物，茎直立，叶子长椭圆形，花小，白色，角果近圆形，扁平。全草入药。也叫菥蓂(xīmì)。

【遏抑】èyì 动压制；抑止：～不住胸中的怒火|百感交集，难以～。

【遏止】èzhǐ 动阻止：洪流滚滚，不可～。

【遏制】èzhì 动制止；控制：～对方的攻势|～不住的激情。

遌 è 〈书〉遇到。

嶭 è 〈书〉山崖：危岩峭～。

愕 è 惊讶；发愣：～然|惊～。

【愕然】èrán 形形容吃惊：意外的消息传来，大家都为之～。

颏(頞) è 〈书〉鼻梁。

搤 è 〈书〉同"扼"。

噁(噁) è 见 362 页〖二噁英〗。"噁"另见 355 页 ě"恶"。

腭 è 图口腔的上壁。前部由骨和肌肉构成，叫硬腭，后部由结缔组织和肌肉构成，叫软腭。

【腭裂】èliè 图先天性畸形，常与唇裂同时出现。患者的腭部部分或全部裂开，饮食不方便，说话不清楚。

碍 è 碍嘉街(Èjiājiē)，地名，在云南。

鹗(鶚) è 图鸟，背部褐色，头、颈和腹部白色。性凶猛。在树上或岩石上筑巢，常在水面上飞翔，吃鱼类。通称鱼鹰。

锷(鍔) è 〈书〉刀剑的刃。

颚(顎) è ❶ 图某些节肢动物摄取食物的器官：上～|下～。❷ 同"腭"。

噩 è 凶恶惊人的：～梦|～耗。

【噩耗】èhào 图指亲近或敬爱的人死亡的消息。

【噩梦】èmèng 图可怕的梦。

【噩运】èyùn 图坏的运气。

【噩兆】èzhào 图坏的兆头。

鳄(鰐、鱷) è 图爬行动物，大的身体长 3—6 米，头扁平,四肢短,尾巴长,全身有灰褐色的硬皮。善于游泳,性凶恶,捕食鱼、蛙和鸟类等。种类较多,多产在热带和亚热带,其中扬子鳄是我国的特产。俗称鳄鱼。

【鳄蜥】èxī 图 爬行动物,身体长约三四十厘米,除头部外,外形像鳄,背部褐色,腹部带红色或橘黄色,栖息在山涧水边的丛林里,吃昆虫和小虫等。是我国特产的珍贵动物。

【鳄鱼】èyú 图 鳄的俗称。

【鳄鱼眼泪】èyú yǎnlèi 西方古代传说,鳄鱼吞食人畜时,一边吃,一边掉眼泪。比喻坏人的假慈悲。

•e (•さ)

呃 •e 囲 用在句末,表示赞叹或惊异的语气:红霞映山崖～!

另见 356 页 è。

ê̄ (せ)

欸(誒) ê̄ 又 ēi 囜 表示招呼:～,你快来!

ế (せ)

欸(誒) ế 又 éi 囜 表示诧异:～,他怎么走了!

ě̂ (せ)

欸(誒) ě̂ 又 ěi 囜 表示不以为然:～,你这话可不对呀!

ề (せ)

欸(誒) ề 又 èi 囜 表示答应或同意:～,我这就来! | ～,就这么办!

另见 3 页 āi;4 页 ǎi。

ēn (ㄣ)

奀 ēn 〈方〉围 瘦小。

恩 ēn 图 ❶ 恩惠:～德 | ～深似海 | 他对我有～。❷ (Ēn)姓。

【恩爱】ēn'ài 围 (夫妻)相亲相爱,有情义:～夫妻 | 小两口儿十分～。

【恩宠】ēnchǒng 〈书〉图 指帝王对臣下的优遇和宠幸,泛指受到的宠爱或特别的礼遇:～有加。

【恩赐】ēncì 囜 原指帝王给予赏赐,现泛指因怜悯而施舍(多含贬义)。

【恩德】ēndé 图 恩惠。

【恩典】ēndiǎn ❶ 图 恩惠。❷ 囜 给予恩惠:恩请大人～。

【恩断义绝】ēn duàn yì jué 感情破裂,情义断绝。多指夫妻离异。

【恩格尔系数】Ēngé'ěr xìshù 统计学中指家庭食品支出与家庭消费总支出的比值。其数值越小说明生活越富裕,数值越大说明生活水平越低。因德国经济学家和统计学家恩格尔(Ernst Engel)最先提出而得名。

【恩惠】ēnhuì 图 给予的或受到的好处。

【恩将仇报】ēn jiāng chóu bào 用仇恨报答恩惠。

【恩情】ēnqíng 图 深厚的情义;恩惠:报答～ | ～似海深。

【恩人】ēnrén 图 对自己有大恩的人:救命～。

【恩师】ēnshī 图 称对自己有恩情的师傅或老师。

【恩同再造】ēn tóng zài zào 形容恩惠极大,如同重新给予生命。

【恩遇】ēnyù 〈书〉图 指帝王的知遇,泛指受人的恩惠和知遇:～甚厚。

【恩怨】ēnyuàn 图 恩惠和仇恨(多偏指仇恨):～分明 | 不计个人～。

【恩泽】ēnzé 图 称帝王或官吏给予臣民的恩惠。

【恩准】ēnzhǔn 囜 指帝王准许臣民的请求,现也泛指批准(含诙谐意)。

蒽 ēn 图 有机化合物,化学式 $C_{14}H_{10}$。无色晶体,有荧光,是菲的同分异构

体。用来制染料等。[英 anthracene]

èn (ㄣˋ)

摁 èn 囫(用手)按：～电铃|～动快门|一把将他～倒在地。

【摁钉儿】èndīngr 〈口〉囵图钉。

【摁扣儿】ènkòur 〈口〉囵子母扣儿。

ēng (ㄥ)

鞥 ēng 〈书〉马缰绳。

ér (ㄦˊ)

儿¹(兒) ér ❶ 小孩子：婴～|幼～|～童。❷ 年轻的人(多指青年男子)：男～|健～|～女英雄。❸ 囵儿子：～孙|～媳|生～育女|妻～老小。❹ 雄性的：～马|～狗。

儿²(兒) ér 后缀(注音作 r)。❶ 名词后缀，主要有下面几种作用。a)表示小，如：盆～儿、棍儿、窟窿儿、小车儿。b)表示词性变化，如：吃儿、盖儿、卷(juǎn)儿(动词名词化)；亮儿、尖儿、零碎儿(形容词名词化)。c)表示具体事物抽象化，如：门儿、根儿、油水儿。d)区别不同事物，如：白面一白面儿(海洛因)，老家一老家儿(父母和家中其他长辈)。❷ 少数动词的后缀：玩～|火～。参看【儿化】。

"兒"另见 991 页 Ní。

【儿歌】érgē 囵为儿童创作的，适合儿童唱的歌谣。

【儿化】érhuà 囫汉语普通话和某些方言中的一种语音现象，就是后缀"儿"字不自成音节，而和前头的音节合在一起，使前一音节的韵母成为卷舌韵母。例如"花儿"的发音是 huār，不是 huā'ér。

【儿皇帝】érhuángdì 囵五代时，石敬瑭勾结契丹，建立后晋，对契丹主自称儿皇帝。后来泛指投靠外来势力，取得统治地位的人。

【儿科】érkē 囵医院中专门为儿童治病的

一科。

【儿郎】érláng 囵❶ 男儿；男子。❷ 儿子。❸ 称士兵或喽啰：三千～。

【儿麻】érmá 囵小儿麻痹症的简称。

【儿马】érmǎ 〈口〉囵公马。

【儿男】érnán 囵❶ 男子汉；见义勇为的好～。❷ 男孩子：只有一女，别无～。

【儿女】érnǚ 囵❶ 子女：把～抚养成人◇英雄的中华～。❷ 男女：～情长(指过分看重情爱或与家人之间的感情)。

【儿孙】érsūn 囵儿子和孙子，泛指后代：～满堂。

【儿童】értóng 囵较幼小的未成年人(年纪比"少年"小)：～读物|维护妇女～的合法权益。

【儿童节】Értóng Jié 囵见 878 页【六一儿童节】。

【儿童团】Értóngtuán 囵民主革命时期中国共产党在革命根据地领导建立的少年儿童组织。

【儿童文学】értóng wénxué 为少年儿童创作的文学作品。具有适应少年儿童的年龄、智力和兴趣等特点。

【儿媳妇儿】érxí•fur 囵儿子的妻子。

【儿戏】érxì 囵小孩子做的游戏，比喻闹着玩的或无足轻重的事情：视同～|不能拿工作任务当～。

【儿子】ér•zi 囵男孩子(对父母而言)：二～◇人民的好～。

而 ér ❶ 迓连接动词、形容词或词组、分句等。a)连接语意相承的成分：伟大～艰巨的任务|战～胜之|取～代之|我们正从事一个伟大的事业，～伟大的事业必须有最广泛的群众的参加和支持。b)连接肯定和否定互相补充的成分：栀子花的香，浓～不烈、清～不淡|马克思主义叫我们看问题不要从抽象的定义出发，～要从客观存在的事实出发。c)连接语意相反的成分，表示转折：如果能集中生产～不集中，就会影响改进技术、提高生产。d)连接事理上前后相因的成分：因困难～畏惧～退却～消极的人，不会有任何成就。❷ 迓有"到"的意思：一～再，再～三|由秋～冬|由南～北。❸ 迓把表示时间、方式、目的、原因、依据等的成分连接到动词上面：匆匆～来|挺身～出|为正义～战|因公～死|视情况～定。❹ 迓插在主语谓语中间，有"如

果"的意思：民族战争～不依靠人民大众，毫无疑义将不能取得胜利。❺（Ér）名姓。

【而后】érhòu 连然后；确有把握～动手。

【而今】érjīn 名如今。

【而况】érkuàng 连何况：这么多事情一个人一天做完是困难的，～他又是新手。注意"何况"前可以加"更、又"，"而况"前不能加。

【而立】érlì〈书〉名《论语·为政》："三十而立。"指年至三十，学有成就。后来用"而立"指人三十岁：年届～｜～之年。

【而且】érqiě 连表示进一步，前面往往有"不但、不仅"等跟它呼应：性情温顺～心地善良｜他不仅会开汽车，～还会修理｜不但战胜了各种灾害，～获得了丰收。

【而已】éryǐ 助罢了：如此～，岂有他哉｜我只不过是说说～，你不必过于认真。

沺 ér 见 846 页〖涟沺〗。

栭 ér〈书〉❶斗拱。❷朽木上生的蕈类。

輀（輀、轜）ér〈书〉丧车：灵～。

胹 ér〈书〉煮；煮烂。

鸸（鴯）ér［鸸鹋］（érmiáo）名鸟，外形像鸵鸟而稍小，嘴短而扁，羽毛灰色或褐色。翅膀退化，腿长，有三趾，善于走，产在大洋洲草原和开阔的森林中，吃树叶和野果。［英 emu］

鲕（鮞）ér〈书〉鱼苗。

ěr （儿）

尔（爾）ěr〈书〉❶代人称代词。你：～曹｜非～之过。❷代指示代词。如此；这样：果～｜不过～～｜何其相似乃～。❸代指示代词。那；这：～日｜～时。❹助而已；罢了：无他，但手熟～。❺形容词后缀（这类形容词多用作状语）：率～｜卓～不群｜莞～而笑。

【尔曹】ěrcáo〈书〉名你们这些人。

【尔代节】Ěrdài Jié 名开斋节。

【尔耳】ěr'ěr〈书〉如此罢了；如此而已：不过～～聊复～。

【尔格】ěrgé 量功和能量的非法定计量单位，符号 erg。1 达因的力使物体在力的方向上移动 1 厘米，所做的功就是 1 尔格。1 尔格合 10^{-7} 焦。［英 erg］

【尔后】ěrhòu 连从此以后：前年在上海见过一面，～就不知他的去向了。

【尔虞我诈】ěr yú wǒ zhà 彼此猜疑，互相欺骗。也说尔诈我虞。

【尔诈我虞】ěr zhà wǒ yú 见〖尔虞我诈〗。

耳¹ ěr ❶名耳朵：～聋眼花｜～闻目睹。❷形样子像耳朵的东西：木～｜银～。❸位置在两旁的：～房｜～门。❹（Ěr）名姓。

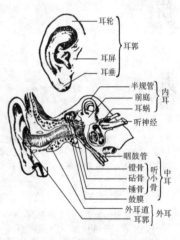

人的耳朵

耳² ěr〈书〉助而已；罢了：想当然～｜技止此～。

【耳报神】ěrbàoshén〈方〉名比喻暗中通风报信的人（多含贬义）。

【耳背】ěrbèi 形听觉不灵：老人身体还硬朗，就是有点～。

【耳边风】ěrbiānfēng 名耳边吹过的风，比喻听过后不放在心上的话（多指劝告、嘱咐）。也说耳旁风。

【耳鬓厮磨】ěr bìn sī mó 指两人的耳朵和鬓发相接触，形容亲密相处（多指小儿女）：青梅竹马，～。

【耳沉】ěrchén〈方〉形耳背。

【耳垂】ěrchuí （～儿）名 耳朵的一部分,在耳轮的下面。(图见 360 页"人的耳朵")

【耳聪目明】ěr cōng mù míng 听得清楚,看得分明。形容头脑清楚,眼光敏锐。

【耳朵】ěr·duo 名 听觉器官。人和哺乳动物的耳朵分为外耳、中耳、内耳三部分。内耳除管听觉外,还管身体的平衡。

【耳朵底子】ěr·duo dǐ·zi 〈方〉中耳炎。

【耳朵软】ěr·duo ruǎn 形容没有主见,容易轻信别人的话:她～,听人家一说就信以为真了。

【耳朵眼儿】ěr·duoyǎnr 〈口〉名 ❶ 外耳道的开口,呈圆形。❷ 为了戴耳环等装饰品,在耳垂上扎的孔。

【耳房】ěrfáng 名 跟正房相连的两侧的小屋,也指厢房两旁的小屋。

【耳风】ěr·feng 〈方〉名 指听来的不一定可靠的消息。

【耳福】ěrfú 名 听到美好的音乐、戏曲、曲艺等的福分:大饱～。

【耳根】ěrgēn 名 ❶ 耳朵的根部。❷ 耳朵:～清净。‖也说耳根子。

【耳垢】ěrgòu 名 耵聍的通称。

【耳鼓】ěrgǔ 名 鼓膜。

【耳刮子】ěrguā·zi 名 耳光。

【耳掴子】ěrguāi·zi 〈方〉耳刮子。

【耳光】ěrguāng 名 用手打在耳朵附近的部位叫打耳光◇事实给了造谣的人一记响亮的～。也说耳光子。

【耳郭】ěrguō 名 外耳的一部分,主要由软骨构成,有收集声波的作用。也叫耳廓。(图见 360 页"人的耳朵")

【耳环】ěrhuán 名 戴在耳垂上的装饰品,多用金、银、玉石等制成。

【耳机】ěrjī 名 受话器。

【耳尖】ěrjiān 形 形容听觉敏锐。

【耳孔】ěrkǒng 名 外耳门。

【耳廓】ěrkuò 名 耳郭。

【耳力】ěrlì 名 听力:～不济。

【耳轮】ěrlún 名 耳郭的边缘,大部分向前卷曲,下连耳垂。(图见 360 页"人的耳朵")

【耳麦】ěrmài 名 兼有耳机和麦克风两种功能的电信装置。

【耳门】ěrmén 名 大门两侧的小门;正门旁边的小门。

【耳鸣】ěrmíng 动 外界并无声音而患者自己觉得耳朵里有鸣叫的声音。多由

耳、内耳或神经系统的疾病引起。

【耳膜】ěrmó 名 鼓膜。

【耳目】ěrmù 名 ❶ 耳朵和眼睛:掩人～(比喻以假象蒙骗别人)。❷ 指见闻:～所及|～一新|～不广。❸ 指替人刺探消息的人:～众多。

【耳目一新】ěr mù yī xīn 听到的看到的都换了样子,感到很新鲜。

【耳旁风】ěrpángfēng 名 耳边风。

【耳热】èrrè 形 指极端兴奋或害臊:酒酣～|说到婚事,姑娘顿觉脸红～。

【耳濡目染】ěr rú mù rǎn 形容见得多听得多了之后,无形之中受到影响。

【耳软心活】ěr ruǎn xīn huó 耳朵软,心眼儿活,指没有主见,容易轻信别人的话。

【耳塞】ěrsāi 名 ❶ 小型受话器,可塞在耳中,常用在收音机和助听器上。❷ 可以塞在耳中的塞子,游泳时用来防止水进入耳内,也可以用来减低噪声干扰。

【耳生】ěrshēng 形 听着生疏(跟"耳熟"相对):不知谁在说话,听着～。

【耳食】ěrshí 〈书〉动 指听到传闻不加审察就信以为真。

【耳屎】ěrshǐ 名 耵聍的俗称。

【耳饰】ěrshì 名 戴在耳朵上的装饰品,如耳环、耳坠等。

【耳熟】ěrshú 形 听着熟悉(跟"耳生"相对):人我不认识,可名字听着怪～的。

【耳熟能详】ěr shú néng xiáng 听的次数多了,熟悉得能详尽地说出来。

【耳顺】ěrshùn ❶ 〈书〉名 《论语·为政》:"六十而耳顺。"指年至六十,听到别人的话,就能深刻理解其中的意思。后来用"耳顺"指人六十岁:年逾～|～之年。❷ 形 耳朵听着顺当:这个唱腔我听着倒还～。

【耳提面命】ěr tí miàn mìng 《诗经·大雅·抑》:"匪面命之,言提其耳。"意思是不但当面告诉他,而且揪着他的耳朵叮嘱。后来用"耳提面命"形容恳切地教导。

【耳挖勺儿】ěrwāsháor 〈方〉耳挖子。

【耳挖子】ěrwā·zi 名 掏耳垢用的小勺儿。

【耳闻】ěrwén 动 听说:～不如目见|这事略有～,详细情况不很清楚。

【耳闻目睹】ěr wén mù dǔ 亲耳听见,亲眼看见。

【耳蜗】ěrwō 名 内耳的一部分,在内耳的最前部,形状像蜗牛壳,内部有淋巴和听

神经,是听觉的感受器。(图见 360 页"人的耳朵")

【耳性】ěr·xìng〈口〉图 受了告诫之后,没有记在心上,依然犯同样的毛病,叫做没有耳性(多指小孩子)。

【耳穴】ěrxué 图 人体某一部分有病时,就会反应在耳郭的一定部位上,这些部位就是耳针治疗的刺激点,统称为耳穴。

【耳音】ěryīn〈方〉图 听力:瞧你这~,连我的声音也听不出来了。

【耳语】ěryǔ 动 凑近别人耳朵小声说话;咬耳朵。

【耳针】ěrzhēn 图 针刺疗法的一种,在耳郭上针刺某一耳穴,以治疗身体某一部位的疾患。

【耳坠】ěrzhuì (~儿)图 耳环(多指带着坠儿的)。也说耳坠子。

【耳子】ěr·zi 图 器物两旁供人提的部分。

迩(邇)ěr〈书〉近:遐~驰名(远近闻名)。

【迩来】ěrlái〈书〉图 近来。

饵(餌)ěr ❶ 糕饼:果~。❷ 钓鱼时引鱼上钩的食物:鱼~|钓~。❸〈书〉用东西引诱:~以重利。

【饵料】ěrliào 图 ❶ 养鱼业上指鱼的饲料;鱼饵。❷ 拌上毒药,诱杀害虫、害兽的食物。

【饵子】ěr·zi 图 鱼饵。

洱 Ěr 洱海,湖名,在云南。

骊(驪)ěr 见 888 页[骡骊]。

珥 ěr〈书〉用珠子或玉石做的耳环。

铒(鉺)ěr 图 金属元素,符号 Er (erbium)。是一种稀土元素。银灰色,质软,用来制有色玻璃、磁性材料和超导体等。

èr (八)

一(二)èr ❶ 数 一加一后所得的数目。参看 1271 页[数字]。注意"二"和"两"用法上的分别,参看 852 页"两"。❷ 两样:不~价|不~法门|心无~用。

【二八】èrbā〈书〉数 指十六岁:年方~。

【二把刀】èrbǎdāo〈方〉❶ 形 对某项工作知识不足,技术不高。❷ 图 称某项工作知识不足,技术不高的人。

【二百五】èrbǎiwǔ 图 ❶〈口〉讥称有些傻气,做事莽撞的人。❷〈方〉半瓶醋。

【二部制】èrbùzhì 图 中小学把学生分成两部轮流在校上课的教学组织形式。

【二重性】èrchóngxìng 图 指事物本身所固有的互相矛盾的两种属性,即一种事物同时具有两种互相对立的性质。如商品,一方面它有使用价值,另一方面它有价值。也说两重性。

【二传手】èrchuánshǒu 图 排球比赛中第二次传球并组织进攻的队员,常比喻在中间起中介或协调作用的人。

【二次能源】èr cì néngyuán 指依靠一次能源来产生或制取的能源,如水力发电产生的电能,分馏石油制取的汽油、柴油等。

【二道贩子】èr dào fàn·zi 从商店或别人手中买进货物,转手倒卖,从中牟利的人(多含贬义)。

【二噁英】èr'èyīng 图 一类有毒的含氯有机化合物,有强烈的致畸和致癌作用。在垃圾焚烧、汽车尾气排放、纸浆漂白和金属热加工过程中都可能产生。进入人体的主要途径是饮食,尤其是受污染的肉类和乳制品。

【二房】èrfáng 图 ❶ 旧时家族中排行第二的一支。❷ 小老婆;妾。

【二房东】èrfángdōng 图 指把租来的房屋转租给别人而从中取利的人。

【二伏】èrfú 图 中伏。

【二副】èrfù 图 轮船上船员的职务名称,职位次于大副。参看 250 页[大副]。

【二锅头】èrguōtóu 图 一种较纯的白酒,在蒸馏时,除去最先出的和最后出的酒,留下来的就是二锅头。

【二乎】èr·hu〈方〉形 ❶ 胆怯;畏缩:他在困难面前向来不~。❷ 心里犹疑,不能确定:你越说越把我弄~了。❸ 指望不大:我看这件事~了,你说呢?‖也作二忽。

【二忽】èr·hu 同"二乎"。

【二胡】èrhú 图 胡琴的一种,比京胡大,琴筒用竹木做成,前端稍大,蒙蟒皮或蛇皮,有两根弦,声音低沉圆润。也叫南胡。

【二花脸】èrhuāliǎn 图 架子花。

【二话】èrhuà 图 别的话;不同的意见(指

后悔、抱怨、讲条件等,多用于否定式):～不提|尽管吵吵咐咐就是了,我决无～。

【二黄】(二簧) èrhuáng 图 戏曲声腔之一,用胡琴伴奏。跟西皮合称皮黄。

【二婚】 èrhūn 〈口〉动 再婚(旧时多指妇女再嫁)。

【二婚头】 èrhūntóu 图 指再嫁的妇女(含轻视意)。也叫二婚儿。

【二进制】 èrjìnzhì 图 一种记数法,采用 0 和 1 两个数码,逢二进位。如十进制的 2,5 在二进制中分别记为 10,101。二进制广泛应用在计算机的计算中。

【二郎腿】 èrlángtuǐ 图 坐着的时候把一条腿搁在另一条腿上的姿势。

【二老】 èrlǎo 图 指年纪大的父母;～双亲。

【二愣子】 èrlèng·zi 图 指鲁莽的人。

【二流】 èrliú 形 属性词。不及一流的;第二等的:～画家|～球队。

【二流子】 èrliú·zi 图 游手好闲,不务正业的人。

【二毛】 èrmáo 〈书〉图 ❶ 花白的头发。❷ 指头发花白的老人。

【二门】 èrmén 图 (较大的院落等)大门里面的一道总的门。

【二面角】 èrmiànjiǎo 图 从一条直线出发的两个"半平面"所组成的图形叫二面角,这条直线叫二面角的棱,两个半平面叫二面角的面。

【二拇指】 èr·muzhǐ 〈口〉图 第二个手指头;食指。

【二奶】 èrnǎi 〈方〉图 有配偶的男人暗地里非法包养的女人。

【二年生】 èrniánshēng 形 属性词。(植物)种子萌发的当年只长出根和叶子,次年才开花结实,然后死亡的,如萝卜、白菜、洋葱等都是二年生的。

【二七大罢工】 Èr-Qī Dà Bàgōng 1923 年京汉铁路工人在中国共产党领导下举行的反帝、反军阀的政治罢工。2 月 7 日,军阀吴佩孚在汉口、长辛店等地镇压罢工工人,造成流血惨案,所以这次罢工叫二七大罢工。

【二人台】 èrréntái 图 ❶ 流行于内蒙古及山西、河北等地的一种曲艺,用笛子、四胡、扬琴等乐器伴奏,由二人对唱对舞。❷ 由曲艺二人台发展而成的地方戏曲剧种。

【二人转】 èrrénzhuàn 图 ❶ 流行于黑龙江、吉林、辽宁一带的曲艺,用板胡、唢呐等乐器伴奏,一般由二人舞蹈说唱。❷ 由曲艺二人转发展而成的地方戏曲剧种。

【二审】 èrshěn 图 第二审的简称。

【二十八宿】 èrshíbā xiù 我国古代天文学家把天空中可见的星星分成二十八组,叫做二十八宿,东西南北四方各七宿。东方苍龙七宿是角、亢、氐(dī)、房、心、尾、箕;北方玄武七宿是斗、牛、女、虚、危、室、壁;西方白虎七宿是奎、娄、胃、昴(mǎo)、毕、觜(zī)、参(shēn);南方朱雀七宿是井、鬼、柳、星、张、翼、轸(zhěn)。古代印度、波斯、阿拉伯也有类似我国二十八宿的说法。

【二十四节气】 èrshísì jiéqì 指立春、雨水、惊蛰、春分、清明、谷雨、立夏、小满、芒种、夏至、小暑、大暑、立秋、处暑、白露、秋分、寒露、霜降、立冬、小雪、大雪、冬至、小寒、大寒等二十四个节气。二十四节气表明气候变化和农事季节,在农业生产上有重要的意义。

【二十四史】 Èrshísì Shǐ 指旧时称为正史的二十四部纪传体史书,即:《史记》、《汉书》、《后汉书》、《三国志》、《晋书》、《宋书》、《南齐书》、《梁书》、《陈书》、《魏书》、《北齐书》、《周书》、《隋书》、《南史》、《北史》、《唐书》(旧唐书)、《新唐书》、《五代史》(旧五代史)、《新五代史》、《宋史》、《辽史》、《金史》、《元史》、《明史》。

【二十五史】 Èrshíwǔ Shǐ 二十四史与《新元史》的合称。

【二手】 èrshǒu (～儿)形 属性词。指间接的;辗转得来的(事物):～房|～资料|从国外购进的～设备。

【二踢脚】 èrtījiǎo 〈口〉图 双响(一种爆竹)。

【二五眼】 èrwǔyǎn 〈方〉❶ 形 (人)能力差;(物品)质量差。❷ 图 能力差的人。

【二弦】 èrxián 图 坠琴。

【二线】 èrxiàn 图 ❶ 战争中的第二道防线。❷ 比喻不负有直接领导责任的地位:退居～。❸ 指非直接从事生产、教学、科研等活动的岗位:充实一线,紧缩～。

【二心】(贰心) èrxīn ❶ 图 不忠实的念头;异心:怀有～。❷ 形 不专心;三心二意。

【二氧化氮】 èryǎnghuàdàn 图 无机化合

物,化学式 NO_2。红棕色气体,有刺激性气味,有毒,氧化性很强,易溶于水。可用来制造高浓度的硝酸。

【二氧化硅】èryǎnghuàguī　名　无机化合物,化学式 SiO_2。自然界中分布很广,沙子、石英、玛瑙等都由二氧化硅构成。纯净的二氧化硅硬度大,熔点高,用来制造光学仪器、玻璃、耐火材料等。人吸入过量的二氧化硅粉尘,会导致硅肺。

【二氧化硫】èryǎnghuàliú　名　无机化合物,化学式 SO_2。无色而有刺激性气味的气体。用来制硫酸,也用作漂白剂和杀菌剂。二氧化硫是大气污染的主要酸性污染物。

【二氧化碳】èryǎnghuàtàn　名　无机化合物,化学式 CO_2。无色无臭的气体,比空气重,空气中含量约为 0.04%。动物呼吸时吸入氧气,呼出二氧化碳;绿色植物进行光合作用时放出氧气,吸入二氧化碳。用来制纯碱、清凉性饮料等,也用来灭火。是大气中的温室气体之一,应控制它的过量排放。旧称碳酸气。

【二一添作五】èr yī tiān zuò wǔ　本是珠算除法的一句口诀,是 $1/2 = 0.5$ 的意思,借指双方平分。

【二意】èryì　〈书〉名　二心:决无～。

【二元论】èryuánlùn　名　一种企图调和唯物主义和唯心主义的哲学观点,认为世界的本原是精神和物质两个实体。二元论实质上坚持精神离开物质而独立存在,归根结底还是唯心的。

【二战】Èrzhàn　名　第二次世界大战的简称。

弍　èr　同"二"。

刵　èr　古代割耳朵的酷刑。

佴　èr　〈书〉停留;置。
另见 978 页 Nài。

贰(貳)　èr　❶ 数 "二"的大写。参看 1271页〖数字〗。❷〈书〉变节;背叛:～臣。

【贰臣】èrchén　〈书〉名　指在前一朝代做了官,投降后一朝代又做官的人。

【贰心】èrxīn　见 363 页〖二心〗。

咡　èr　〈书〉口旁;两颊。

梀(樲)　èr　古书上指酸枣树。

F

f

fā（ㄈㄚ）

发（發）fā ❶ 〔动〕送出；交付：～货｜分～｜印～｜～了一封信。❷ 〔动〕发射：～炮｜百～百中。❸ 〔动〕产生；发生：～芽｜～电｜～水｜～病。❹ 〔动〕表达：～表｜～布｜～誓｜～言｜～议论。❺ 〔动〕扩大；开展：～展｜～扬。❻ 〔动〕因得到大量财物而兴旺：～家｜暴～户｜他这两年跑买卖可～了。❼ 〔动〕食物等因发酵或水浸而膨胀：面～了｜～海参。❽ 〔动〕放散；散开：散～｜挥～｜～蒸。❾ 〔动〕揭露；打开：～现｜揭～｜～掘。❿ 〔动〕因变化而显现，散发：～黄｜～潮｜～臭｜～酸。⓫ 〔动〕流露（感情）：～怒｜～笑｜～愁。⓬ 〔动〕感到（多指不愉快的情况）：～麻｜～痒｜嘴里～苦。⓭ 起程：出～｜整装待～｜朝～夕至。⓮ 开始行动：～起｜奋～｜先～制人。⓯ 引起；启发：～人深省。⓰ 〔量〕颗，用于枪弹、炮弹：一～子弹｜上百～炮弹。⓱（Fā）〔名〕姓。

另见 372 页 fà。

【发案】fā'àn 〔动〕发生案件：到～地点进行调查。

【发榜】fā//bǎng 〔动〕考试后公布考试成绩的名次或被录取者的名单：本市高考首批录取新生今起～。

【发包】fābāo 〔动〕把建筑、加工、订货等任务交给企业单位或个人承包。

【发报】fā//bào 〔动〕用无线电或有线电装置把消息、情报等发给收报人。

【发标】fā//biāo 〔动〕招标人向投标人发放标书。

【发表】fābiǎo 〔动〕❶ 向集体或社会表达（意见）；宣布：～谈话｜～声明｜代表成员已经确定，名单尚未正式～。❷ 在刊物上登载（文章、绘画、歌曲等）：～论文。

【发兵】fā//bīng 〔动〕派出军队（作战）。

【发病】fā//bìng 〔动〕某种疾病在有机体内开始发生：～率｜秋冬之交容易～。

【发布】fābù 〔动〕宣布（命令、指示、新闻等）：～战报｜新闻～会。

【发财】fā//cái 〔动〕❶ 获得大量钱财：～致富｜升官～。❷ 旧时客套话，问人在哪里工作说在哪里发财。

【发车】fā//chē 〔动〕（从车站或停放地点）开出车辆：每隔五分钟～一次｜首班车早晨五点半～。

【发痴】fā//chī 〈方〉〔动〕❶ 发呆。❷ 发疯。

【发愁】fā//chóu 〔动〕因为没有主意或办法而感到愁闷：你先别～，资金问题我来想办法解决。

【发出】fāchū 〔动〕❶ 发生（声音、气味等）：～笑声。❷ 发布（命令、指示）：～号召｜～通告。❸ 送出（货物、信件等）；开出（车辆等）。

【发憷】fāchù 〈方〉〔动〕胆怯；畏缩：初次登台，心里有点～。

【发达】fādá ❶ 〔形〕（事物）已有充分发展；（事业）兴盛：肌肉～｜四肢～｜工业～｜交通～。❷ 〔动〕使充分发展：～经济｜～贸易。❸〈书〉〔动〕发迹；显达。

【发达国家】fādá guójiā 指经济发达程度高的国家。

【发呆】fā//dāi 因着急、害怕或心思有所专注，而对外界事物完全不注意：他话也不说，眼直直地瞪着，坐在那儿～。

【发哆】fādiǎ 〈方〉撒娇。

【发电】fā//diàn 〔动〕❶ 发出、产生电力：水力～｜核能～。❷ 打电报。

【发电机】fādiànjī 〔名〕把机械能转换为电能的机器，多由绕有线圈的转子和定子组成。用动力机器使转子转动就产生电能。

【发动】fādòng 〔动〕❶ 使开始：～战争｜～新攻势。❷ 使行动起来：～群众。❸ 使机器运转：天气太冷，柴油机不容易～。

【发动机】fādòngjī 〔名〕把热能、电能等转换为机械能的机器，用来带动其他机械工作。如电动机、蒸汽机、涡轮机、内燃机、风车。

【发抖】fādǒu 〔动〕由于害怕、生气或受到寒冷等原因而身体颤动：吓得～｜冻得直～。

【发端】fāduān 〔动〕开始；起头。

【发凡】fāfán 〈书〉〔动〕陈述全书或某一学

科的要旨:～起例(说明全书要旨,拟定编撰体例)。

【发放】fāfàng 勔❶(政府、机构)把钱或物资等发给需要的人:～贷款|～救济粮|～经营许可证。❷处置;发落(多见于早期白话)。

【发粉】fāfěn 名 焙粉。

【发奋】fāfèn❶勔 振作起来;奋发:～努力|～有为。❷同"发愤"。

【发愤】fāfèn 勔 决心努力:～忘食|～图强。也作发奋。

【发愤图强】fāfèn tú qiáng 下定决心,努力进取,谋求强盛。

【发疯】fā//fēng 勔❶精神受到刺激而发生精神病的症状。❷比喻说话、做事出于常情之外:你～啦,这么大热天,还穿棉袄!

【发福】fā//fú 勔 客套话,称人发胖(多用于中年以上的人):几年不见,您～了。

【发付】fāfù 勔 打发(多见于早期白话)。

【发绀】fāgàn 勔 皮肤或黏膜呈现青紫色。由呼吸或循环系统发生障碍,血液中缺氧引起。也叫青紫。

【发糕】fāgāo 名 用面粉、米粉等发酵做成的糕,有的还加糖、枣儿、青丝等。

【发稿】fā//gǎo 勔 发出稿件。如通讯社发送电讯稿给报社,编辑部门把书刊、图片等稿件交给出版部门或印刷厂。

【发光强度】fāguāng qiángdù 表示光源发光强弱的物理量。单位是坎德拉。

【发汗】fā//hàn 勔(用药物等)使身体出汗。

【发行】fāháng 勔 批发。
另见 368 页 fāxíng。

【发号施令】fā hào shī lìng 发布命令;指挥。

【发狠】fā//hěn 勔❶下决心,不顾一切:～读书|他一～,三天的任务,两天就完成了。❷恼怒;动气。

【发横】fā//hèng 勔 发脾气;耍横:有理讲理,发什么横?

【发花】fā//huā 勔 眼睛看东西模糊不清:饿得两眼～。

【发话】fā//huà 勔❶给予口头指示;口头上提出警告或要求:到底该怎么办,你～吧|人家早～啦,不许咱再到这里来。❷气冲冲地说出话来。

【发话器】fāhuàqì 名 电话机等的一个部件,能把声音信号变成强弱不同的电流,传到对方的受话器中再变成声音信号。也叫话筒。

【发还】fāhuán 勔 把收来的东西还回去(多用于上对下):～原主。

【发慌】fāhuāng 勔 因害怕、着急或虚弱而心神不定:沉住气,别～。

【发挥】fāhuī 勔❶把内在的性质或能力表现出来:～积极性|～模范作用|～技术水平|～炮兵的威力。❷把意思或道理充分表达出来:～题意|借题～。

【发昏】fā//hūn 勔 神志不清:头脑～。

【发火】fā//huǒ❶勔 开始燃烧:～点。❷勔 子弹、炮弹的底火经撞击后火药爆发。❸形〈方〉(炉灶)生火容易生得旺:这种炉子费煤不～。❹〈方〉勔 失火。❺(～儿)勔 发脾气:有话好好说,不要～。

【发急】fā//jí 勔 着急:大家等得～。

【发迹】fā//jì 勔 指人变得有钱有势:他靠投靠权贵～。

【发家】fā//jiā 勔 使家庭变得富裕:～致富。

【发贱】fā//jiàn 勔 因不自重而做出让人看不起的举动。

【发酵】(酸酵)fā//jiào 勔 复杂的有机化合物在微生物的作用下分解成比较简单的物质。发面、酿酒等都是发酵的应用。

【发酵酒】fājiàojiǔ 名 酿造后不经过蒸馏而可以直接饮用的酒,酒精含量较低,如啤酒、黄酒、葡萄酒等。也叫酿造酒。

【发窘】fājiǒng 勔 感到为难;表现出窘态。

【发酒疯】fā jiǔfēng 撒酒疯。

【发觉】fājué 勔 开始知道(隐藏的或以前没注意到的事):火扑灭了以后,他才～自己受了伤。

【发掘】fājué 勔 挖掘埋藏在地下的东西:～古物|～宝藏◇～潜力|～人才。

【发刊词】fākāncí 名 刊物创刊号上说明本刊的宗旨、性质等的文章。

【发棵】fākē(～儿)〈方〉勔❶分蘖。❷植株逐渐长大。

【发狂】fā//kuáng 勔 发疯。

【发困】fākùn 勔 感到困倦,想睡觉:今天起得过早,午饭后一直～。

【发蓝】fālán 勔 在钢铁制的器物表面涂上药物加热,使成一层极薄的氧化膜,蓝色、棕色或黑色,可以防锈,多用在机械零件和枪械上。也叫烤蓝。

【发懒】fālǎn〈口〉囫 因身体或心情不好,懒得动。

【发愣】fā//lèng〈口〉囫 发呆。

【发力】fā//lì 囫 集中使出力量:运动员在离终点 400 米时开始~。

【发利市】fā lìshì〈方〉❶ 商店把开门后做成第一笔买卖叫做发利市。❷ 泛指获得利润。

【发亮】fā//liàng 囫 发出亮光:东方~|家具擦得~。

【发令】fālìng 囫 发出命令或口令:~枪|~开火。

【发聋振聩】fā lóng zhèn kuì 发出很大的响声,使耳聋的人也能听见,比喻用语言文字唤醒糊涂的人。也说振聋发聩。

【发落】fāluò 囫 处理;处置(多见于早期白话):从轻~。

【发毛】fā//máo 囫 ❶ 害怕;惊慌:他从没见过这阵势,心里直~。❷〈方〉发脾气。

【发霉】fā//méi 囫 有机质滋生霉菌而变质:天气潮湿,粮食容易~◇思想~。

【发蒙】fāmēng〈口〉囫 犯糊涂;弄不清楚:一人一个说法,听得我直~。

【发蒙】fāméng 囫 旧时指教少年、儿童开始识字读书:~读物。

【发面】fāmiàn ❶ (-/-)囫 使面发酵。❷ 名 经过发酵的面:~饼。

【发明】fāmíng ❶ 囫 创造(新的事物或方法):~指南针|火药是中国最早~的。❷ 名 创造出的新事物或新方法:新~|四大~。❸〈书〉囫 创造性地阐发;发挥②:~文义|本书对《老子》的哲理颇多~。

【发墨】fā//mò 囫 指砚台磨墨易浓:这种砚石细腻如玉,~也快。

【发难】fā//nàn 囫 ❶ 发动反抗或叛乱:辛亥革命在武昌首先~。❷〈书〉问难;提问:~问~。

【发蔫】fāniān 囫 ❶ 花木、水果等显现出萎缩:几天没浇水,叶子已经~了。❷ 表现出精神不振:他这两天有点儿~,不像往日说说笑笑。

【发苶】fānié〈方〉囫 委靡不振;发蔫②。

【发怒】fā//nù 囫 因愤怒而表现出粗暴的声色举动。

【发排】fāpái 囫 把稿子交给排印部门排

版。

【发胖】fāpàng 囫 (身体)变胖。

【发配】fāpèi 囫 充军(多见于早期白话)。

【发脾气】fā pí·qi 因事情不如意而吵闹或骂人。

【发飘】fāpiāo 囫 感觉轻飘飘的:这把木锨使着~|头沉得厉害,脚下有点儿~。

【发票】fāpiào 名 商店或其他收款部门开出的收款单据。

【发起】. fāqǐ 囫 ❶ 倡议(做某件事情):~人|他们~组织一个读书会。❷ 发动(战役、进攻等):~冲锋|~反攻。

【发情】fāqíng 囫 雌性的高等动物卵子成熟前后,生理上要求交配:~期。

【发球】fā//qiú 囫 球类比赛时,一方把球发出,使比赛开始或继续。

【发热】fā//rè 囫 ❶ 温度增高;产生热量:恒星本身发光~。❷ 体温增高。人的正常体温在 37℃ 左右,如超过 37.5℃,就是发热,是疾病的一种症状。也说发烧,有的地区叫寒热。❸ 比喻不冷静,不清醒:头脑~。

【发人深省】(发人深醒) fā rén shēn xǐng 启发人深刻醒悟。

【发轫】fārèn〈书〉拿掉支住车轮的木头,使车前进,比喻新事物或某种局面开始出现:~之作|新文学运动~于五四运动。

【发散】fāsàn 囫 ❶ (光线等)由某一点向四周散开:凹透镜对光束起~作用|~性思维。❷ 中医指用发汗的药物把体内的热散出去,以治疗疾病。

【发丧】fā//sāng 囫 ❶ 丧家向亲友宣告某人死去。❷ 办理丧事。

【发痧】fā//shā〈方〉囫 中暑(zhòng//shǔ)。

【发傻】fā//shǎ 囫 ❶ 因为某种意外情况出现而目瞪口呆。❷ 说傻话或做傻事。

【发烧】fā//shāo 囫 发热②。

【发烧友】fāshāoyǒu〈方〉名 对某项事业或活动非常迷恋专注的人;狂热的爱好者。

【发射】fāshè 囫 射出(枪弹、炮弹、火箭、电波、人造卫星等)。

【发身】fāshēn 囫 男女到青春期,生殖器官发育成熟,身体其他各部分也发生变化,逐渐长成成年人的样子,这种生理变化叫做发身。

【发神经】fā shénjīng 发疯②。

【发生】fāshēng 动❶ 原来没有的事出现了;产生:～变化|～事故|～关系。❷ 卵子受精后逐渐生长。

【发市】fā//shì 〈方〉动 指商店等一天里第一次成交;开张②。

【发誓】fā//shì 动 庄严地说出表示决心的话或对某事提出保证;指天～|他们发过誓,要为烈士报仇。

【发售】fāshòu 动 出售:公开～|～纪念邮票。

【发抒】fāshū 动 表达(意见、感情):～己见。

【发水】fā//shuǐ 动 闹水灾。

【发送】fāsòng 动 发出;送出:～文件|～无线电信号|这个火车站每天～旅客在五万人以上。

【发送】fā·song 动 办丧事,特指殡葬。

【发酸】fāsuān 动❶ 食物变酸:碱放少了,馒头～。❷ 要流泪时眼睛、鼻子感到不舒适:看到惊人之处,鼻子一阵～|两眼～,泪水止不住流了下来。❸ 因疾病或疲劳而感到肢体酸痛无力:站了一天了,两腿～。

【发威】fā//wēi 动 显示威风:他从不对部下～动怒。

【发文】fāwén ❶ (-//-)动 发出公文:中央三个单位联合～。❷ 名 发出的公文:～簿(登记发文的本子)。

【发问】fāwèn 动 口头提出问题。

【发物】fā·wù 名 指富于营养或有刺激性,容易使疮疖或某些病状发生变化的食物,如羊肉、鱼虾等。

【发现】fāxiàn 动❶ 经过研究、探索等,看到或找到前人没有看到的事物或规律:～新的基本粒子|有所发明,有所～,有所创造。❷ 发觉:这两天,我～他好像有什么心事。

【发祥】fāxiáng 动❶〈书〉指发生吉祥的事。❷ 兴起;发生:～地|五四运动～于北京。

【发祥地】fāxiángdì 名 原指帝王祖先兴起的地方,现用来指民族、革命、文化等起源的地方:黄河流域物产丰富,山河壮丽,是我国古代文化的～。

【发笑】fāxiào 动 笑起来;引人～。

【发泄】fāxiè 动 尽量发出(情欲或不满情绪等):～兽欲|～私愤。

【发行】fāxíng 动 发出新印制的货币、债券或新出版的书刊、新制作的电影等。
另见 366 页 fāháng。

【发虚】fāxū 动❶ 因胆怯或没有把握而感到心虚。❷ (身体)显得虚弱:他病刚好,身子还有些～。

【发噱】fāxué 〈方〉形 能引人发笑;可笑。

【发芽】fā//yá 动 种子的胚发育长大,突破种皮而出。

【发烟弹】fāyāndàn 名 装有发烟剂,发射后可以形成烟幕的炮弹或炸弹等。也叫烟幕弹。

【发言】fāyán ❶ (-//-)动 发表意见(多指在会议上):～权|积极～|他已经发过言了。❷ 名 发表的意见(多指在会议上):他在大会上的～很中肯。

【发言人】fāyánrén 名 代表某一政权机关或组织发表意见的人:外交部～。

【发炎】fāyán 动 机体对于微生物、化学药品、物理性刺激等致病因素所起的复杂反应。发炎的全身症状是体温增高,白细胞增多,局部症状是发红、肿胀、发热、疼痛、功能障碍。

【发扬】fāyáng 动❶ 发展和提倡(优良作风、传统等):～光大|～民主|～勤俭节约、艰苦奋斗的精神。❷ 发挥①:～火力,消灭敌人。

【发扬踔厉】fāyáng chuōlì 指意气昂扬,精神奋发。也说发扬蹈厉。

【发扬蹈厉】fāyáng dǎolì 发扬踔厉。

【发扬光大】fāyáng guāngdà 发展提倡,使日益盛大。

【发洋财】fā yángcái 原指在与外国人有关的活动中发财,后指获得意外的财富。

【发疟子】fā yào·zi 患疟疾。

【发音】fāyīn ❶ (-//-)动 发出语音或乐音,也泛指发出声音:练习～|～方法。❷ 名 发出的语音:他的～很准。

【发语词】fāyǔcí 名 文言虚词,用于一篇或一段文章的开头,如"夫、盖、维"。

【发育】fāyù 动 生物体在生命过程中结构和功能从简单到复杂的过程。如某些动物从受精卵逐步变成成熟的个体,某些植物从种子逐步变成成熟的植株等。

【发源】fāyuán 动 (河流)开始流出;起源:～地|淮河～于桐柏山。

【发愿】fā//yuàn 〔动〕表明心意或愿望：起誓～。

【发运】fāyùn 〔动〕(货物)运出去：装船～|订货已经～,不日即可收到。

【发展】fāzhǎn 〔动〕❶ 事物由小到大、由简单到复杂、由低级到高级的变化：事态还在～|社会～规律。❷ 扩大(组织、规模等)：～新会员|～纺织工业。

【发展中国家】fāzhǎn zhōng guójiā 指尚处于贫穷落后或不发达状态,正在加快经济发展的国家。

【发怔】fāzhèng 〔动〕发呆。

【发踪指示】fā zōng zhǐ shì 发纵指示。

【发纵指示】fā zòng zhǐ shì 放出猎狗,指示方向,要它追捕野兽。比喻指挥、调度。也说发踪指示。

【发作】fāzuò 〔动〕❶ (隐伏的事物)突然暴发或起作用：胃病～|药性～。❷ 发脾气：他有些生气,但当着大家的面不好～。

酸 (醱) fā 见 366 页【发酵】(酸酵)。另见 1057 页 pō。

fá（ㄈㄚˊ）

乏 fá ❶ 缺乏：～味|贫～|不～其人。❷〔形〕疲倦：疲～|解～|走～了|人困马～。❸〈方〉〔形〕没力量;不起作用：～话|～煤|贴～了的膏药。

【乏力】fálì ❶ 身体疲倦,没有力气：浑身～。❷〔动〕没有能力;能力不足：回天～。

【乏煤】fáméi 〔名〕燃烧过而没有烧透的煤。

【乏汽】fáqì 〔名〕从蒸汽机、汽轮机等排出的已经做过功的蒸汽。

【乏术】fáshù 〔动〕没有办法;缺少办法：进攻～|回春～。

【乏味】fáwèi 〔形〕没有趣味;缺少情趣：语言～|这种单调的生活实在～得很。

伐¹ fá ❶〔动〕砍(树)：～木|～了几棵树。❷ 攻打：征～|讨～|北～。❸ (Fá)〔名〕姓。

伐² fá〈书〉自夸：～善|不矜不～(不自大自夸)。

【伐木】fámù 〔动〕采伐林木：上山～|～工人。

【伐善】fáshàn〈书〉〔动〕夸耀自己的长处。

罚 (罰、罸) fá 〔动〕处罚：惩～|责～|赏～分明|～他喝酒。

【罚不当罪】fá bù dāng zuì 处罚和所犯的罪行不相当。多指处罚过重。

【罚单】fádān 〔名〕罚款的通知单：交通违规～。

【罚金】fájīn ❶〔动〕审判机关强制被判刑人缴纳一定数额的钱,主要适用于因走私、金融诈骗等非法取利的犯罪行为。是一种附加刑,也可以独立使用。❷〔名〕被判罚金时缴纳的钱。

【罚款】fákuǎn ❶（-//-）〔动〕行政机关强制违法者缴纳一定数量的钱,是一种行政处罚。❷（-//-）〔动〕订合同的一方处罚违反合同的另一方而收入一定数量的钱。❸〔名〕被罚款时缴纳的钱。

【罚没】fámò 〔动〕司法机关和行政机关强制违法者缴纳一定数额的钱款和没收其财物。

【罚球】fá//qiú 足球、篮球等球类比赛中,一方队员犯规时,由对方队员执行射门、投篮等处罚。

【罚则】fázé 〔名〕有关处罚的规定或条文。

堡¹ fá〈方〉翻耕过的土块：打～|深耕晒～。

堡² fá 地名用字：榆～(在北京)|落～(在河北)。

【堡头】fátóu 〔名〕堡子①。

【堡子】fá·zi〈方〉❶〔名〕翻耕出来或掘出的土块。也叫堡头。❷〔量〕指相当长的一段时间：这一～|那一～。

阀¹ (閥) fá 指在某一方面有支配势力的人物、家族或集团：军～|财～。

阀² (閥) fá 〔名〕管道或机器中调节和控制流体的流量、压力和流动方向的装置,种类很多,如气阀、水阀、油阀等。也叫阀门。[英 valve]

【阀门】fámén 〔名〕阀²。

【阀阅】fáyuè〈书〉〔名〕❶ 功勋("阀"也作"伐",指功劳,"阅"指经历)。❷ 指有功勋的世家。

筏 (栰) fá ❶〔名〕筏子：竹～|木～|皮～。❷ (Fá)〔名〕姓。

【筏子】fá·zi 〔名〕水上行驶的竹排或木排,也有用牛羊皮、橡胶等制造的。

fǎ（ㄈㄚˇ）

法¹ fǎ ❶〔名〕体现统治阶级的意志,由国家制定或认可,受国家强制力保

证执行的行为规则的总称,包括法律、法令、条例、命令、决定等:合~|犯~|变~|军~|婚姻~|绳之以~|依~治国。❷(~儿)名方法;方式:办~|用~|土~|加~|这件事没~儿办。❸标准;模范;可以仿效的:~帖|~书|取~乎上。❹仿效;效法:师~|~其遗志。❺佛教的道理:佛~|现身说~。❻法术:作~|斗(dòu)~。❼(Fǎ)名姓。

法² Fǎ 名指法国:~语|~文。

F

法³ fǎ 量法拉的简称。一个电容器,充以1库电量时,电势升高1伏,电容就是1法。

【法案】fǎ'àn 名提交国家立法机关审查讨论的关于法律、法令问题的议案。

【法办】fǎbàn 动依法惩办:逮捕~。

【法宝】fǎbǎo 名❶佛教用语,指佛说的法,也指和尚用的衣钵、锡杖等。❷神话中能制伏或杀伤妖魔的宝物。❸比喻起来特别有效的工具、方法或经验:群众路线是我们工作的~。

【法币】fǎbì 名1935年以后国民党政府发行的纸币。1948年8月被金圆券代替。

【法场】¹ fǎchǎng 名僧道做法事的场所;道场。

【法场】² fǎchǎng 名旧时执行死刑的地方;刑场。

【法槌】fǎchuí 名法官在开庭、休庭或宣布判决、裁定及维护法庭秩序时用来敲击的槌子。我国的法槌木制,槌身圆柱形,槌顶镶嵌法徽,配有方形底座。

【法典】fǎdiǎn 名经过整理的比较完备、系统的某一类法律的总称,如民法典、刑法典。

【法定】fǎdìng 形属性词。由法律、法令所规定的:~人数|~婚龄|~计量单位|按照~的手续办理。

【法定计量单位】fǎdìng jìliàng dānwèi 由国家以法令性文件规定强制或允许使用的计量单位。

【法定继承】fǎdìng jìchéng 根据法律规定的继承人范围、继承顺序等处理死者遗产。法定继承人都是和被继承人有婚姻、血缘、扶养等关系的人。

【法定人数】fǎdìng rénshù 正式规定的为

召开会议或通过有效决议所必要的人数。

【法度】fǎdù 名❶法令制度;法律。❷行为的准则;规矩:不合~。

【法古】fǎgǔ 动效法古代、古人:他的书法~而不泥古,别具神韵。

【法官】fǎguān 名法院中审判人员的通称。我国的法官分为十二级,最高人民法院院长为首席大法官,二至十二级分为大法官、高级法官、法官。

【法官袍】fǎguānpáo 名法官在法庭审判时穿的袍子。我国的法官袍为散袖口式黑底长袍,红色前襟配有4颗金黄色的领扣。

【法规】fǎguī 名❶法律、法令、条例、规则、章程等的总称。❷法律效力低于宪法和法律的规范性文件,包括国务院制定的行政法规和地方国家权力机关制定的地方性法规。

【法国梧桐】Fǎguó wútóng 见1543页【悬铃木】。

【法号】fǎhào 名法名。

【法徽】fǎhuī 名法院的标志。我国法院的法徽由麦穗、齿轮、华表和天平组成,其中天平寓意公平和公正。

【法纪】fǎjì 名法律和纪律:遵守~|目无~。

【法家】Fǎjiā 名先秦时期的一个思想流派,以申不害、商鞅、韩非为代表,主张法治,反对礼治,代表了当时新兴地主阶级的利益。

【法警】fǎjǐng 名司法警察。法院、检察院中执行警卫法庭、维持法庭秩序、押解犯人出庭受审、执行法院判决等任务的警察。

【法拉】fǎlā 量电容单位,符号F。这个单位名称是为纪念英国物理学家法拉第(Michael Faraday)而定的。简称法。

【法兰绒】fǎlánróng 名正反两面都有绒毛的毛织品,质地柔软,适宜于做春秋两季的服装。[法兰,英 flannel]

【法郎】fǎláng 名❶法国等国的旧本位货币。❷瑞士等国的本位货币。[法 franc]

【法老】fǎlǎo 名古代埃及国王的称号。[希腊 pharaoh]

【法理】fǎlǐ 名❶法律的理论根据。❷〈书〉法则。❸佛法的义理。❹法律和情理:虐待父母,～难容。

【法力】fǎlì 名 佛法的力量,也泛指神奇的力量:～无边。

【法令】fǎlìng 名 政权机关所颁布的命令、指示、决定等的总称。

【法律】fǎlǜ 名❶ 由立法机关或国家机关制定,国家政权保证执行的行为规则的总和。包括宪法、基本法律、普通法律、行政法规和地方性法规等规范性文件。❷ 在我国,指由全国人民代表大会制定的基本法律,如民法、刑法;由全国人民代表大会常务委员会制定的其他法律或一般法律,如婚姻法、律师法。

【法律援助】fǎlǜ yuánzhù 国家对因经济困难而不起律师的当事人或特殊案件的当事人减、免收费,提供法律帮助的一项司法救济制度。世界各国普遍采用,我国从20世纪90年代中期开始实行。

【法螺】fǎluó 名 软体动物,多生活在海洋中,壳圆锥形,壁厚,长约三四十厘米,表面有很多瘤状突起。磨去尖顶的壳吹起来很响,古代做佛事时用来做乐器,所以叫法螺。渔船、航船等也用来做号角。

【法盲】fǎmáng 名 缺乏法律知识的人。

【法门】fǎmén 名❶ 佛教指修行者入道的门径,也指佛门。❷ 泛指门径;方法。

【法名】fǎmíng 名 指出家当僧尼或道士后由师父另起的名字(跟"俗名"相对)。

【法器】fǎqì 名 和尚、道士等举行宗教仪式时所用的器物,如钟、鼓、铙、钹、木鱼和瓶、钵、杖等。

【法权】fǎquán 名 法律规定的权利。

【法人】fǎrén 名 法律上指根据法定程序设立,有一定的组织机构和独立的财产,参加民事活动的社会组织,如公司、社团等。法人独立享有与其业务有关的民事权利,承担相应的民事义务(区别于"自然人"。

【法人股】fǎréngǔ 名 企业法人或具有法人资格的单位、团体以其合法的资产向股份公司投资形成的股份。

【法师】fǎshī 名 对和尚或道士的尊称。

【法式】fǎshì 名 标准的格式:《营造～》。

【法事】fǎshì 名 指僧道拜忏、打醮等事。

【法书】fǎshū 名❶ 有高度艺术性的可以作为书法典范的字。❷ 敬辞,称对方写的字。

【法术】fǎshù 名 道士、巫婆等所用的画符念咒等骗人手法。

【法帖】fǎtiè 名 供人临摹或欣赏的名家书法的拓本或印本。

【法庭】fǎtíng 名❶ 法院所设立的审理诉讼案件的机构。❷ 法院审理诉讼案件的地方。

【法统】fǎtǒng 名 宪法和法律的传统,是统治权力的法律根据。

【法王】fǎwáng 名❶ 佛教对释迦牟尼的尊称。❷ 元明两代授予藏传佛教首领的封号。

【法网】fǎwǎng 名 比喻严密的法律制度:难逃～|落入～。

【法西斯】fǎxīsī 名❶ "权标"(拉丁 fasces)的译音,权标是意大利法西斯党的标志。❷ 指法西斯主义:～暴行。

【法西斯蒂】fǎxīsìdì 名 指法西斯主义的组织或成员。[意 fascisti(fascista 的复数)]

【法西斯主义】fǎxī zhǔyì 一种最反动最野蛮的独裁制度和思想体系。对内实行恐怖统治,对外实行武力侵略和民族压迫。起源于意大利独裁者墨索里尼的法西斯党。

【法学】fǎxué 名 以法律、法律现象及其规律性为研究内容的科学。

【法眼】fǎyǎn 名 佛教指能认识到事物真相的眼力,泛指锐利深邃的眼力。

【法衣】fǎyī 名 和尚、道士等在举行宗教仪式时穿的衣服。

【法医】fǎyī 名 司法机关中专门负责用法医学作出技术鉴定,协助审理案件的医生。

【法医学】fǎyīxué 名 医学的一个分支,研究并解决法律案件中有关医学的问题(如创伤或死亡的原因等),为侦查审判案件提供资料和证据。

【法院】fǎyuàn 名 独立行使审判权的国家机关。在我国,人民法院也简称法院。

【法则】fǎzé 名❶ 规律:自然～。❷〈书〉法规。❸〈书〉模范;榜样。

【法旨】fǎzhǐ 名 人以神的名义或借助神的权威所表达的意旨。

【法制】fǎzhì 名 法律制度体系,包括一个国家的全部法律、法规以及立法、执法、司法、守法和法律监督等。

【法治】fǎzhì ❶ 名 先秦时期法家的政治

思想,主张以法为准则,统治人民,处理国事。❷ 动 指根据法律治理国家和社会。

【法子】fǎ·zi 名 方法:想～没～。

砝 fǎ [砝码](fǎmǎ)名 天平上作为质量标准的物体,通常为金属块或金属片,可以称量较精确的质量。

灋 fǎ 〈书〉同"法"。

fà (ㄈㄚˋ)

发(髮) fà 头发:毛～|须～|白～|假～|～理～。
另见365页 fā。

【发菜】fàcài 名 藻类植物,丝状,细长,潮湿时黑绿色,干燥时黑色,很像乱头发。生长在高原干旱或半干旱地带。

【发际】fàjì 名 头部皮肤生长头发的边缘部分。

【发胶】fàjiāo 名 理发或烫发后用来固定发型的化妆品。

【发蜡】fàlà 名 用凡士林加香料制成的化妆品,抹在头发上,使有光泽而不蓬松。

【发廊】fàláng 名 美容理发店(多指小型的)。

【发妻】fàqī 名 指第一次娶的妻子(古诗"结发为夫妻",结发初成年)。

【发卡】fàqiǎ 名 妇女用来别头发的卡子。

【发式】fàshì 名 头发梳理成的式样。

【发网】fàwǎng 名 妇女罩头发用的网子。

【发型】fàxíng 名 发式。

【发指】fàzhǐ 动 头发竖起来,形容非常愤怒:令人～|为之～。

珐(琺) fà 见下。

【珐琅】fàláng 名 ❶ 某些矿物原料烧成的像釉子的物质。多涂在铜质或银质器物表面,用来制造景泰蓝、证章、纪念章等。❷ 指覆盖有珐琅的制品。

【珐琅质】fàlángzhì 名 釉质的旧称。

·fa (·ㄈㄚ)

哒 ·fa 〈方〉助 相当于"吗":番茄要～?|夜饭吃过～?

fān (ㄈㄢ)

帆 fān ❶ 名 挂在桅杆上的布篷,利用风力使船前进:～樯|一～|风顺~|扬～远航。❷〈书〉指帆船:征～|千～竞发。

【帆板】fānbǎn 名 ❶ 体育运动项目之一。运动员站在有帆的板体上操纵帆杆,变换帆和板体的重心和位置,借助风力前进。❷ 帆板运动用的器材,薄而狭长,有浮力,多用玻璃钢制成。板体上装有可随意旋转的三角形帆。

【帆布】fānbù 名 用棉纱或亚麻等织成的一种粗厚的布,用来做帐篷、衣物等。

【帆布床】fānbùchuáng 名 行军床。

【帆船】fānchuán 名 ❶ 利用风力张帆行驶的船。❷ 体育运动项目之一。利用风帆力量推动船只在规定距离内比赛航速。比赛项目分为多种级别。

【帆樯】fānqiáng 〈书〉名 船上挂帆的杆子,借指船只:～林立。

飒(颿) fān 〈书〉同"帆"。

番[1] fān 指外国或外族:～邦|～茄|～薯。

番[2] fān 量 ❶ 种;样:别有一～天地。❷ 回;次;遍:思考一～|几～周折|三～五次|翻了一～(数量加了一倍)。
另见1019页 pān。

【番邦】fānbāng 名 旧时指外国或外族。

【番瓜】fānguā 〈方〉名 南瓜。

【番号】fānhào 名 部队的编号。

【番茄】fānqié 名 ❶ 一年生草本植物,全株有软毛,花黄色。结浆果,球形或扁圆形,红或黄色,是常见蔬菜。❷ 这种植物的果实。‖ 也叫西红柿。

【番石榴】fānshí·liu 名 ❶ 常绿灌木或小乔木,叶子椭圆形,花白色,果实近球形,淡黄色至粉红色,可以吃。原生长在美洲热带地区。❷ 这种植物的果实。

【番薯】fānshǔ 〈方〉名 甘薯。

蕃 fān 同"番"(fān)。
另见103页 bō;375页 fán。

幡(旛) fān 名 一种窄长的旗子,垂直悬挂。

【幡儿】fānr 名 旧俗出殡时举的窄长像幡的东西,多用白纸剪成。也叫引魂幡。

【幡然】fānrán 同"翻然"。

缭(縿) fān 同"翻"⑥。
另见 375 页 fán。

藩 fān ❶ 篱笆：～篱。❷〈书〉屏障；
屏～。❸ 封建王朝的属国或属地：
～国|外～。❹（Fān）名姓。

【藩国】fānguó 名封建时代作为宗主国
藩属的国家。

【藩篱】fānlí 名篱笆，比喻门户或屏障。

【藩屏】fānpíng ❶名屏藩①。❷动屏
藩②。

【藩属】fānshǔ 名封建王朝的属地或属
国。

【藩镇】fānzhèn 名唐代中期在边境和重
要地区设节度使，掌管当地的军政，后来
权力逐渐扩大，兼管民政、财政，形成军人
割据，常与朝廷对抗，历史上叫做藩镇。

翻 fān 动❶ 上下或内外交换位置；歪
倒；反转：推～|～身|～车|～了|人仰马
～。❷ 为了寻找而移动上下物体的位置：
～箱倒柜|从箱子底下～出来一条旧围巾。
❸ 推翻原来的：～供|这桩冤案终于～过
来了。❹ 爬过；越过：～墙而过|～山越
岭。❺（数量）成倍地增加：～一番|～了几
倍。❻ 翻译：把德文～成中文。❼（～儿）
〈口〉翻脸：闹～了|把他惹～了。

【翻案】fān//àn 动❶ 推翻原定的判决：
为蒙冤者～。❷ 泛指推翻原来的处分、结
论、评价等：～文章。

【翻白眼】fān báiyǎn （～儿）黑眼珠偏斜，
露出较多的眼白，是愤恨或不满时的表
情，有时是病势危险时的生理现象。

【翻版】fānbǎn 名❶ 翻印或复制的版本
（区别于"原版"）。❷ 比喻照搬、照抄或生
硬模仿的行为。

【翻本】fānběn （～儿）动赌博时赢回已经
输掉的钱。

【翻场】fān//cháng 动翻动摊晒在场上的
农作物，使干得快，容易脱粒。

【翻唱】fānchàng 动仿照原唱歌曲进行
演唱：～外国民歌。

【翻车】[1] fān//chē 动❶ 车辆翻覆：发生
一起～事故。❷ 比喻事情中途受挫或失
败。❸〈方〉翻脸：他脾气不好，说～就
～。

【翻车】[2] fānchē 〈方〉名水车。

【翻船】fān//chuán 动❶ 船只翻覆。❷
比喻事情中途受挫或失败：夺魁呼声最高

的北京队在半决赛中～。

【翻动】fāndòng 动改变原来的位置或样
子：～身子|场上晒的麦子要勤～。

【翻斗】fāndǒu 名指可以翻转的、形状略
像斗的车厢：～车。

【翻番】fān//fān 动数量加倍：钻井速度
～|这个县工农业总产值十年翻了两番。

【翻飞】fānfēi 动❶ 忽上忽下来回地飞：
一群蝴蝶在花丛中～◇思绪～。❷ 自上而
下地翻动或飘动：雪花～。

【翻覆】fānfù 动❶ 翻①：车辆～。❷ 发
生巨大而彻底的变化：天地～。❸ 来回
翻动身体：夜间～不成眠。❹〈书〉反复
②。

【翻改】fāngǎi 动把旧的衣服拆开另行改
做：～大衣。

【翻盖】fāngài 动把旧的房屋拆除后重新
建造。

【翻跟头】fān gēn·tou 身体向下翻转而后
恢复原状。

【翻个儿】fān//gèr 动翻过来；颠倒过来：
场上晒的麦子该～了。

【翻工】fān//gōng 〈方〉返工。

【翻供】fān//gòng 动推翻自己以前所供
认的话。

【翻滚】fāngǔn 动❶ 上下滚动；翻腾：白
浪～|乌云～◇桩桩往事在脑子里～。❷
来回翻身打滚儿：翻转滚动：两个人扭打
起来，满地～。

【翻黄】fānhuáng 名竹黄。也作翻簧。

【翻簧】fānhuáng 同"翻黄"。

【翻悔】fānhuǐ 动对以前允诺的事后悔而
不承认：这件事原是他亲口答应的，如今却
～不认账了。

【翻检】fānjiǎn 动翻动查看（书籍、文件
等）：～词典|～资料。

【翻建】fānjiàn 动翻盖：～房屋。

【翻江倒海】fān jiāng dǎo hǎi 形容水势
浩大，多用来比喻力量或声势非常强大。
也说倒海翻江。

【翻浆】fān//jiāng 动春暖解冻的时候，地
面或道路表面发生裂纹并渗出水分和泥
浆。

【翻卷】fānjuǎn 动上下翻动：红旗～|雪
花在空中～|船尾～着层层浪花。

【翻刻】fānkè 动按照原版重新雕版（印
刷）：～本|～重印。

【翻来覆去】fān lái fù qù ❶来回翻身：躺在床上～,怎么也睡不着。❷一次又一次；多次重复：这话已经一说过不知多少遍了。

【翻脸】fān//liǎn 勔 对人的态度突然变得不好：～无情|～不认人|两口子从来没翻过脸。

【翻领】fānlǐng（～儿）名 衣领的一种样式，领子上部翻转向外，或全部翻转向外，领口敞开：～衬衫。

【翻录】fānlù 勔 照原样重录磁带、光盘等（多指不是原出版者重录）。

【翻毛】fānmáo（～儿）形 属性词。❶毛皮制品的毛朝外的：～大衣。❷皮革的反面朝外的：～皮鞋。

【翻弄】fānnòng 勔 来回翻动：他心不在焉地～着报纸。

【翻拍】fānpāi 勔 以图片、文稿等为对象拍摄复制：～照片|～文件。

【翻盘】fān//pán 勔 ❶证券市场上指从红盘变为绿盘，或从绿盘变为红盘。❷比喻彻底扭转不利局面：主队最后时刻～,反败为胜。

【翻皮】fānpí 形 属性词。翻毛❷。

【翻然】fānrán 副 迅速而彻底地（改变）：～改进|～悔悟。也作幡然。

【翻砂】fānshā ❶名 铸工①的通称。❷勔 制造砂型。

【翻晒】fānshài 勔 在阳光下翻动物体使吸收光和热：～粮食|～被褥。

【翻身】fān//shēn 勔 ❶躺着转动身体。❷比喻从受压迫、受剥削的情况下解放出来：～户|～做主。❸比喻改变落后面貌或不利处境：只有进行改革，我厂的生产才能～。❹〈方〉转身；回身。

【翻升】fānshēng 勔 成倍地增长：利率～。

【翻腾】fān·téng 勔 ❶上下滚动：波浪～◇许多问题在他脑子里像滚了的锅一样～着。❷翻动：几个柜子都～到了，也没找着那件衣服◇那些事儿，不去～也好。

【翻天】fān//tiān 勔 ❶形容吵闹得很凶：吵～|闹翻了天。❷比喻造反。

【翻天覆地】fān tiān fù dì ❶形容变化巨大而彻底：农村面貌有了～的变化。❷形容闹得很凶：这一闹，把家闹个～。

【翻胃】fānwèi 勔 反胃。

【翻箱倒柜】fān xiāng dǎo guì 形容彻底地翻检、搜查。也说翻箱倒箧(qiè)。

【翻新】fānxīn 勔 ❶把旧的东西拆了重做（多指衣服）。❷从旧的变化出新的：手法～|花样～。

【翻修】fānxiū 勔 把旧的房屋、道路等拆除后就原有规模重建。

【翻译】fānyì ❶勔 把一种语言文字的意义用另一种语言文字表达出来（也指方言与民族共同语、方言与方言、古代语与现代语之间一种用另一种表达）；把代表语言文字的符号或数码用语言文字表达出来：～外国小说|把密码～出来。❷名 做翻译工作的人：他当过三年～。

【翻印】fānyìn 勔 照原样重印书刊、图画等（多指不是原出版者重印）：版权所有，～必究。

【翻涌】fānyǒng 勔（云、水等）上下滚动；翻腾：波涛～◇热血|思绪～。

【翻阅】fānyuè 勔 翻着看（书籍、文件等）：～杂志。

【翻越】fānyuè 勔 越过；跨过：～山岭|～障碍物。

【翻云覆雨】fān yún fù yǔ 杜甫《贫交行》诗："翻手作云覆手雨，纷纷轻薄何须数。"后来用"翻云覆雨"比喻反复无常或玩弄手段。

【翻造】fānzào 勔 拆除旧的重新建造；翻盖。

【翻转】fānzhuǎn 勔 翻滚转动：～画面|跳水运动员在空中做～动作。

 fān 同"翻"。

fán（ㄈㄢ）

凡¹(凢) fán ❶平凡：～庸|自命不～。❷宗教迷信和神话中称人世间：思～|下～。❸(Fán)名姓。

凡²(凢) fán ❶副 凡是：～年满十八岁公民都有选举权与被选举权。❷〈书〉副 总共：不知～几|全书二十卷。❸〈书〉大概；要略：大～|发～。

凡³(凢) fán 名 我国民族音乐音阶上的一级，乐谱上用作记音符号，相当于简谱的"4"。参看 468 页

【工尺】。

【凡尘】 fánchén 名 佛教、道教或神话中指人世间;尘世。

【凡夫】 fánfū 名 凡人:～俗子。

【凡间】 fánjiān 名 指人世间。

【凡例】 fánlì 名 书前关于本书体例的说明。

【凡人】 fánrén 名 ❶ 平常的人:～琐事。❷ 指尘世的人(区别于"神仙")。

【凡士林】 fánshìlín 名 一种油脂状的石油产品,半透明,半固态,淡黄色,精炼后成纯白色。医药上用来制油膏,工业上用作防锈剂和润滑剂。[英 vaseline]

【凡是】 fánshì 副 总括某个范围内的一切:～新生的事物都是在同旧事物的斗争中成长起来的。

【凡俗】 fánsú 形 平凡庸俗;平常:不同～|流于～。

【凡响】 fánxiǎng 名 平凡的音乐,比喻平凡的事物:不同～|非同～。

【凡心】 fánxīn 名 僧道指对尘世的思念、留恋之心。

【凡庸】 fányōng 形 平平常常;普普通通(多形容人):才能～|～之辈。

汜 Fán 名 姓。
另见 381 页 fàn "泛"。

矾(礬) fán 名 某些金属的含水硫酸盐或由两种或两种以上的金属硫酸盐结合成的含水复盐,如明矾、胆矾、绿矾。

钒(釩) fán 名 金属元素,符号 V (vanadium)。银白色,质硬,耐腐蚀。用来制造合金钢等。

烦(煩) fán ❶ 形 烦闷:～恼|心～意乱|心里有点儿～。❷ 形 厌烦:耐～|这些话都听～了。❸ 动 使厌烦:我正忙着呢,你别～我了。❹ 又多又乱:～杂|要言不～。❺ 动 烦劳:有事相～|您给带个信儿。

【烦劳】 fánláo 动 敬辞,表示请托:～您顺便给我们捎个信儿去。

【烦乱】 fánluàn ❶ 形 (心情)烦躁不安:心里～极了,不知干什么好。❷ 同"繁乱"。

【烦闷】 fánmèn 形 (心情)不畅快。

【烦难】 fánnán 同"繁难"。

【烦恼】 fánnǎo 形 烦闷苦恼:自寻～|不必为区区小事而～。

【烦请】 fánqǐng 动 敬辞,表示请求:～光临。

【烦扰】 fánrǎo ❶ 动 搅扰:他太累了,我实在不忍心再～他。❷ 形 因受搅扰而烦。

【烦人】 fánrén 形 使人心烦或厌烦:～的毛毛雨下起来没完没了。

【烦冗】 fánrǒng 形 ❶ (事务)繁杂。❷ (文章)烦琐冗长。‖ 也作繁冗。

【烦琐】 fánsuǒ 形 繁杂琐碎:手续～|～的考据。也作繁琐。

【烦琐哲学】 fánsuǒ zhéxué ❶ 见 719 页【经院哲学】。❷ 指罗列表面现象,拼凑枯燥条文,使人不得要领的作风和文风。

【烦嚣】 fánxiāo 〈书〉形 (声音)嘈杂扰人:～的集市|这里～的声音一点也听不到了,只有树叶在微风中沙沙作响。

【烦心】 fánxīn ❶ 形 使心烦:别谈这些～的事情了。❷〈方〉费心;操心:孩子太淘气,真让人～。

【烦言】 fányán 〈书〉名 ❶ 气愤或不满的话:啧有～|心无怨怼,口无～。❷ 烦琐的话:～碎辞。也作繁言。

【烦忧】 fányōu 形 烦恼忧愁。

【烦杂】 fánzá 同"繁杂"。

【烦躁】 fánzào 形 烦闷急躁:～不安。

墦 fán 〈书〉坟墓。

蕃 fán 〈书〉❶ (草木)茂盛:～茂|～昌。❷ 繁殖:～息|～孳。
另见 103 页 bō;372 页 fān。

【蕃息】 fánxī 〈书〉动 滋生;繁殖:万物～。

【蕃衍】 fányǎn 见 376 页【繁衍】。

樊 fán ❶〈书〉篱笆:～篱。❷ (Fán) 名 姓。

【樊篱】 fánlí 名 篱笆,比喻对事物的限制:冲破旧礼教的～。

【樊笼】 fánlóng 名 关鸟兽的笼子,比喻受束缚而不自由的境地。

缡(繡) fán [缡綖](fányuān)〈书〉❶ 形 风吹摆动的样子。❷ 动 乱取。
另见 373 页 fān。

璠 fán 〈书〉美玉。

膰 fán 古代祭祀所用的熟肉。

燔 fán 〈书〉❶ 焚烧:～烧。❷ 烤:～之炙之。

【燔针】fánzhēn 名 火针。

繁(緐) fán ❶ 形 繁多,复杂(跟"简"相对):纷～|～杂|星～|删～就简|手续太～。❷ 繁殖(牲畜):自～自养。

另见 1057 页 Pó。

【繁本】fánběn 名 有多种版本的著作中内容、文字较多的版本:改写成简本或缩写本所根据的原本。

【繁博】fánbó 形 (引证)多而广泛。

【繁多】fánduō 形 (种类)多;丰富:花色～|品种～|名目～。

【繁复】fánfù 形 多而复杂:手续～|～的组织工作。

【繁花】fánhuā 名 繁茂的花;各种各样的花:～似锦|万紫千红,～怒放。

【繁华】fánhuá 形 (城镇、街市)繁荣热闹:王府井是北京～的商业街。

【繁丽】fánlì 形 (辞藻)丰富华丽。

【繁乱】fánluàn 形 (事情)多而杂乱:头绪～。也作烦乱。

【繁忙】fánmáng 形 事情多,不得空:工作～。

【繁茂】fánmào 形 (草木)繁密茂盛:花木～|枝叶～,苍翠欲滴。

【繁密】fánmì 形 多而密:人口～|～的树林|～的枪炮声。

【繁难】fánnán 形 复杂困难:工作～|遇到了～的事。也作烦难。

【繁闹】fánnào 形 繁荣热闹:昔日偏僻的渔村,如今已是～的市镇。

【繁荣】fánróng ❶ 形 (经济或事业)蓬勃发展;昌盛:经济～|把祖国建设得～富强。❷ 动 使繁荣:～经济|～文化艺术事业。

【繁冗】fánrǒng 同"烦冗"。

【繁缛】fánrù 〈书〉形 多而琐碎:礼仪～。

【繁盛】fánshèng 形 ❶ 繁荣兴盛:经济～|～的商业区。❷ 繁密茂盛:花草～。

【繁琐】fánsuǒ 同"烦琐"。

【繁体】fántǐ 名 ❶ 笔画未经简化的汉字形体(指已有简化字代替的):～字。❷ 指繁体字:"车"的～是"車"。

【繁体字】fántǐzì 名 已有简化字代替的汉字,例如"禮"是"礼"的繁体字。参看 668 页〖简化汉字〗。

【繁文缛节】fán wén rù jié 烦琐而不必要的礼节,也比喻其他烦琐多余的事项。也说繁文缛礼。

【繁文缛礼】fán wén rù lǐ 繁文缛节。

【繁芜】fánwú 〈书〉形 (文字等)繁多芜杂。

【繁星】fánxīng 名 多而密的星星:～点点|～满天。

【繁言】fányán 同"烦言"❷。

【繁衍(蕃衍)】fányǎn 动 逐渐增多或增广:子孙～|～生息。

【繁育】fányù 动 繁殖培育:～虾苗|～优良品种。

【繁杂】fánzá 形 (事情)多而杂乱:内容～|～的家务劳动。也作烦杂。

【繁征博引】fán zhēng bó yǐn 形容论证时大量引用材料。

【繁殖】fánzhí 动 生物产生新的个体,以传代。

【繁重】fánzhòng 形 (工作、任务)多而重:机械化取代了～的体力劳动。

鷭(鷭) fán 古代指骨顶鸡。

蹯 fán 〈书〉兽足:熊～(熊掌)。

蘩 fán 古书上指白蒿(一种草本植物)。

fǎn (ㄈㄢˇ)

反 fǎn ❶ 形 颠倒的;方向相背的(跟"正"相对):适得其～|绒衣穿～了。❷ (对立面)转换;翻过来:易如～掌|～败为胜|物极必～。❸ 回;还:～光|～攻|～问。❹ 动 反抗;反对:～霸|～封建|～腐倡廉|～法西斯。❺ 动 背叛:～叛|官逼民～。❻ 指反革命、反动派:镇～|有～必肃。❼ 类推:举一～三。❽ 副 反而;相反地:他遇到困难,不但没有气馁,～更坚强起来。❾ 用在反切后头,表示前两字是注音用的反切。如"塑,桑故反"。参看〖反切〗。

【反霸】fǎnbà 动 ❶ 指反对霸权主义。参看 22 页〖霸权主义〗。❷ 指反对地方上或行业中的恶霸。特指土地改革运动中清算恶霸地主的罪行。

【反绑】fǎnbǎng 动 两手绑在背后。

【反比】fǎnbǐ 图❶两个事物或一事物的两个方面,一方发生变化,另一方随之发生相反的变化,如老年人随着年龄的增长,体力反而逐渐衰弱,就是反比。❷把一个比的前项作为后项,后项作为前项,所构成的比和原来的比互为反比。如9∶3和3∶9互为反比。

【反比例】fǎnbǐlì 图两个量(a和b),如果其中的一个量(a)扩大到若干倍,另一个量(b)反而缩小到原来的若干分之一,或一个量(a)反而缩小到原来的若干分之一,另一个量(b)反而扩大到若干倍,这两个量的变化关系叫做反比例。

【反驳】fǎnbó 劢说出自己的理由,来否定别人跟自己不同的理论或意见。

【反哺】fǎnbǔ 劢传说雏乌长大后,衔食喂母乌,比喻子女长大奉养父母:~之情。

【反侧】fǎncè〈书〉劢(身体)翻来覆去,形容睡眠不安:辗转~。

【反差】fǎnchā 图❶照片、底片或景物等黑白对比的差异。❷指人或事物优劣、美丑等方面对比的差异:今昔对比,~强烈。

【反常】fǎncháng 囷跟正常的情况不同:~现象|~心理|天气~|态度~。

【反超】fǎnchāo 劢体育比赛中比分由落后转为领先叫反超:中国队在先失一球的情况下,频频发动攻势,以2比1将比分~。

【反衬】fǎnchèn 劢从反面来衬托:对英雄的赞美就~着对懦夫的嘲讽。

【反刍】fǎnchú 劢❶偶蹄类的某些动物把粗粗咀嚼后咽下去的食物再返回到嘴里细细咀嚼,然后再咽下。❷比喻对过去的事物反复地追忆、回味。

【反串】fǎnchuàn 劢戏曲演员临时扮演自己行当以外的角色。

【反唇相讥】fǎn chún xiāng jī 受到指责不服气而反过来讥讽对方(语本《汉书·贾谊传》,原作"反唇而相稽"。稽:计较)。

【反倒】fǎndào 副反而:让他走慢点儿,他~加快了脚步|好心帮助他,~落下许多埋怨。

【反调】fǎndiào 图指相反的观点、言论:唱~。

【反动】fǎndòng ❶囷指思想上或行动上维护旧制度,反对进步,反对革命:~阶级|~思想。❷图相反的作用:从历史来看,党八股是对于五四运动的一个~。

【反动派】fǎndòngpài 图反对进步、反对革命事业的集团或分子。

【反对】fǎnduì 劢不赞成;不同意:~侵略|~平均主义|有~的意见没有?

【反对党】fǎnduìdǎng 图某些国家中的在野党。

【反厄尔尼诺现象】fǎn'è'ěrnínuò xiànxiàng 见804页【拉尼娜现象】。

【反而】fǎn'ér 副表示跟上文意思相反或出乎预料和常情:风不但没停,~越来越大了|你太拘礼了,~弄得大家很不自在。

【反方】fǎnfāng 图指辩论中对某一论断持相反意见的一方(跟"正方"相对)。

【反讽】fǎnfěng 劢从反面讽刺;用反语进行讽刺:这篇杂文充满了强烈的~意味。

【反腐倡廉】fǎn fǔ chàng lián 反对腐败,提倡廉洁。

【反复】fǎnfù ❶副一遍又一遍;多次重复:~思考|~实践。❷劢颠过来倒过去;翻腾:~无常|说一是一,说二是二,决不~。❸劢(不利的情况)重新出现:这种病容易~。❹图重复的情况:斗争往往会有~。

【反感】fǎngǎn ❶图反对或不满的情绪:你这样说话容易引起他们的~。❷囷厌恶;不满:大家对这种行为很~。

【反戈】fǎngē 劢掉转兵器的锋芒(进行反击),多用于比喻:~一击。

【反戈一击】fǎngē yī jī 比喻掉转头来反对自己原来所属的或拥护的一方。

【反革命】fǎngémìng ❶囷属性词。与革命政权对立,进行破坏活动,企图推翻革命政权的:~活动|~言论。❷图反革命分子:镇压~。

【反攻】fǎngōng 劢防御的一方对进攻的一方实行进攻:我军开始~了。

【反躬自问】fǎn gōng zì wèn 反过来问自己。也说抚躬自问。

【反顾】fǎngù 劢回头看,比喻翻悔:义无~。

【反观】fǎnguān 劢反过来看;从相反的角度来观察:表面上看轰轰烈烈,~效果,却未必如此。

【反光】fǎnguāng ❶劢使光线反射:~镜|白墙~,屋里显得很敞亮。❷图反射的光线:雪地上的~让人睁不开眼。

【反光灯】fǎnguāngdēng 图 利用反光镜把强烈的光线反射出去的灯,主要用在舞台或高大建筑物上。

【反光镜】fǎnguāngjìng 图 专门用来反射光线的镜子。反射光线时,凹面镜有聚光作用,平面镜和凸面镜能够反映视野以外的事物,便于观察。

【反函数】fǎnhánshù 图 对于表示 y 依 x 而变的已知函数 y = f(x) 来说,表示 x 依 y 而变的函数 x = g(y) 就叫做它的反函数。如 x = $\sqrt[3]{y}$ 是 y = x³ 的反函数。

【反话】fǎnhuà 图 故意说的跟自己真正意思相反的话。

【反悔】fǎnhuǐ 动 翻悔:一言为定,决不~。

【反击】fǎnjī 动 回击:~战|奋起~。

【反季】fǎnjì 形 属性词。反季节。

【反季节】fǎnjìjié 形 属性词。不合当前季节的:~蔬菜|~销售。也说反季。

【反剪】fǎnjiǎn 动 两手交叉放在背后或绑在背后。

【反间】fǎnjiàn 动 原指利用敌人的间谍使敌人获得虚假的情报,后专指用计使敌人内部不团结:~计。

【反诘】fǎnjié 动 反问。

【反抗】fǎnkàng 动 用行动反对;抵抗:~精神|~侵略|哪里有压迫,哪里就有~。

【反客为主】fǎn kè wéi zhǔ 客人反过来成为主人,多用来比喻变被动为主动。

【反恐】fǎnkǒng 动 反对并打击恐怖活动:~斗争|~防暴。

【反口】fǎnkǒu 动 推翻原来说的话:话已说出,不能~。

【反馈】fǎnkuì 动 ❶ 把放大器的输出电路中的一部分能量送回输入电路中,以增强或减弱输入信号的效应。增强输入信号效应的叫正反馈;减弱输入信号效应的叫负反馈。正反馈常用来产生振荡,用来接收微弱信号;负反馈能稳定放大,减少失真,因而广泛应用于放大器中。❷ 医学上指某些生理的或病理的效应反过来影响引起这种效应的原因。起增强作用的叫正反馈;起减弱作用的叫负反馈。❸(信息、反映等)返回:市场销售情况的信息不断~到工厂。

【反粒子】fǎnlìzǐ 图 正电子、反质子、反中子、反中微子、反介子、反超子等粒子的统

称。反粒子与所对应的粒子在质量、自旋、平均寿命和磁矩大小上都相同;如果带电,两者所带电量相等而符号相反,磁矩和自旋的取向关系也相反。反粒子与所对应的粒子相遇就发生湮没而转变为别的粒子。

【反面】fǎnmiàn ❶(~儿)图 物体上跟正面相反的一面:这块缎子正面儿是蓝地儿黄花儿,~儿全是蓝的。❷ 形 属性词。坏的、消极的一面(跟"正面"相对):~教员|~角色。❸ 图 事情、问题等的另一面:不但要看问题的正面,还要看问题的~。

【反面人物】fǎnmiàn rénwù 指文学艺术作品中反动的、被否定的人物。

【反目】fǎnmù 动 由和睦变为不和睦;翻脸:夫妻~|~成仇。

【反扒】fǎnpá 动 对扒窃活动进行打击:民警忘我地工作在~第一线。

【反派】fǎnpài 图 戏剧、电影、电视、小说中的坏人;反面人物。

【反叛】fǎnpàn 动 叛变;背叛:~封建礼教。

【反叛】fǎn·pan 〈口〉图 叛变的人;背叛者。

【反批评】fǎnpīpíng 动 针对别人的批评做出解释,以表达自己不同的观点(多指学术论争)。

【反扑】fǎnpū 动(猛兽、敌人等)被打退后又扑过来。

【反其道而行之】fǎn qí dào ér xíng zhī 采取跟对方相反的办法行事(语本《史记·淮阴侯列传》)。

【反气旋】fǎnqìxuán 图 直径达数百或近千千米的空气的旋涡。旋涡中心是高气压区,风从中心向四周围刮。在北半球以顺时针方向旋转,在南半球以逆时针方向旋转。过境时天气多晴朗而干燥。

【反潜】fǎnqián 动 对敌潜艇进行搜索、攻击的战斗行动。

【反潜机】fǎnqiánjī 图 对敌潜艇进行搜索、攻击的飞机和直升机,装备有声呐设备和反潜鱼雷、深水炸弹等。

【反切】fǎnqiè 图 我国传统的一种注音方法,用两个字来注另一个字的音,例如"塑,桑故切(或桑故反)"。被切字的声母跟反切上字相同("塑"字声母跟"桑"字声母相同,都是 s),被切字的韵母和字调跟

反切下字相同("塑"字的韵母和字调跟"故"相同,都是 u 韵母,都是去声)。

【反倾销】fǎnqīngxiāo 动 进口国对出口国倾销的进口商品采取高额征税等措施,以保护本国经济和生产者的利益。

【反求诸己】fǎn qiú zhū jǐ 指从自己方面寻找原因或对自己提出要求。

【反射】fǎnshè ❶ 光线、声波等从一种介质到达另一种介质的界面时返回原介质。❷ 机体通过神经系统,对于刺激所发生的反应,如瞳孔随光刺激的强弱而改变大小,吃东西时分泌唾液。参看 1353 页〖条件反射〗、394 页〖非条件反射〗。

【反身】fǎnshēn 动 转过身子;转身:见她～要走,我急忙拦住。

【反噬】fǎnshì〈书〉动 反咬。

【反手】fǎn∥shǒu ❶ 反过手来;手放到背后:进了屋～把门拉上。❷ 形容事情容易办到:～可得。

【反水】fǎn∥shuǐ〈方〉动 叛变。

【反思】fǎnsī 动 思考过去的事情,从中总结经验教训:对自己的错误进行深刻～。

【反诉】fǎnsù 名 在同一诉讼中,被告对原告提起的诉讼(跟"本诉"相对)。

【反锁】fǎnsuǒ 动 人在屋里,门由外面锁上;人在屋外,门由里面锁上。

【反贪】fǎntān 动 反对并打击贪污行为:～倡廉。

【反弹】fǎntán 动 ❶ 压紧的弹簧弹回;运动的物体遇到障碍物后向相反的方向弹回。❷ 比喻价格、行情回升:股市～。❸ 比喻事物改变发展态势后又回复到原先的态势:学生课业负担一度减轻,现在又出现～。

【反坦克炮】fǎntǎnkèpào 名 用穿甲弹射击坦克和装甲车辆的火炮。

【反胃】fǎnwèi 动 指吃下食物后,胃里不舒服,恶心甚至呕吐,也说翻胃。

【反问】fǎnwèn 动 ❶ 反过来对提问的人发问:我等他把所有的问题都提完了,～他一句,"你说这些问题该怎么解决呢?" ❷ 用疑问语气表达与字面相反的意义,例如"难道我不想搞好工作?"

【反诬】fǎnwū 动 不承认对方的揭发指摘,反过来诬告对方。

【反物质】fǎnwùzhì 名 物理学上指原子核由反质子和反中子组成的带负电荷的

物质。反核子(反质子和反中子)组成反原子核,反原子核和正电子组成反原子,各种反原子组成各种反物质。

【反响】fǎnxiǎng 名 回响;反应:她曾经登台演出,～不一|此事在报上披露后,在社会上引起强烈～。

【反向】fǎnxiàng 动 逆向:～行驶◇～思维。

【反省】fǎnxǐng 动 回想自己的思想行动,检查其中的错误:停职～。

【反咬】fǎnyǎo 动 (被控告的人)诬赖控诉人、检举人,见证人:～一口。

【反义词】fǎnyìcí 名 意义相反的词,如"高"和"低"、"好"和"坏"、"成功"和"失败"。

【反应】fǎnyìng ❶ 动 机体受到体内或体外的刺激而引起相应的活动:对方射门太突然,守门员没有～过来。❷ 名 打针或服药所引起的呕吐、发热、头痛、腹痛等症状。❸ 动 化学反应。❹ 动 原子核受到外力作用而发生变化:热核～。❺ 名 事情所引起的意见、态度或行动:他的演说引起了不同的～。

【反应堆】fǎnyìngduī 名 核反应堆的简称。

【反映】fǎnyìng 动 ❶ 反照,比喻把客观事物的实质表现出来:这部小说～了现实的生活和斗争。❷ 把情况、意见等告诉上级或有关部门:把情况～到县里|他～的意见值得重视。❸ 通常指机体接受和回答客观事物影响的活动过程。

【反映论】fǎnyìnglùn 名 唯物主义的认识论,把人的认识理解为客观世界在人头脑中的反映。辩证唯物主义的反映论认为社会实践是认识的基础和检验真理的标准,反映过程是积极的,能动的,辩证发展着的。

【反语】fǎnyǔ 名 反话。

【反照】fǎnzhào 动 光线反射。也作返照。

【反正】fǎnzhèng 动 ❶ 指复归于正道:拨乱～。❷ 敌方的军队或人员投到己方。

【反正】fǎn·zhèng 副 ❶ 表示情况虽然不同而结果并无区别:～去不去都是一样|不管你怎么说,～他不答应。❷ 表示坚决肯定的语气:你别着急,～不是什么要紧的大事。

【反证】fǎnzhèng ❶ 名 可以驳倒原论证的证据。❷ 动 由证明与论题相矛盾的判断是不真实的来证明论题的真实性,是一种间接论证。❸ 图 诉讼中当事人为推翻对方主张的事实而提出的相反事实的证据(跟"本证"相对)。

【反证法】 fǎnzhèngfǎ 图 证明定理的一种方法,先提出和定理中的结论相反的假定,然后从这个假定中得出和已知条件相矛盾的结果来,这样就否定了原来的假定而肯定了定理。也叫归谬法。

【反之】 fǎnzhī 连 与此相反;反过来说或反过来做:实事求是,一切从实际出发,我们的事业就能顺利发展,~就会遭受挫折。

【反转片】 fǎnzhuǎnpiàn 图 经曝光、显影、定影等处理的胶片,物像的明暗、色彩与实物相同,这种胶片跟一般胶片性质相反,所以叫反转片。

【反作用】 fǎnzuòyòng 图 ❶ 承受作用力的物体对于施力的物体的作用。反作用力和作用力的大小相等,方向相反,并在一条直线上。❷ 相反的作用:填鸭式的教学方法只能起~。

【反坐】 fǎnzuò 动 我国古代指把被诬告的罪名所应得的刑罚加在诬告人身上。

 返 fǎn 动 回;往~|遣~|流连忘~|一去不复~|我于 13 日~京。

【返场】 fǎn//chǎng 动 指演员演完下场后,应观众要求,再次上场表演。

【返潮】 fǎn//cháo 动 由于空气湿度很大或地下水分上升,地面、墙根、粮食、衣物等变得潮湿。

【返程】 fǎnchéng ❶ 图 归程;归途。❷ 动 返回:长假即将结束,旅客纷纷~。

【返防】 fǎn//fáng 动 (军队)回到驻防的地方。

【返岗】 fǎn//gǎng 动 (下岗人员)返回原来的工作岗位:这家企业有四百多名下岗工人重新~。

【返工】 fǎn//gōng 动 因为质量不合要求而重新加工或制作。

【返归】 fǎnguī 动 回返;回归:~自然。

【返航】 fǎnháng 动 (船、飞机等)驶回或飞回出发的地方。

【返还】 fǎnhuán 动 归还;退还:~定金。

【返回】 fǎnhuí 动 回;回到(原来的地方):部队完成任务后~驻地。

【返老还童】 fǎn lǎo huán tóng 由衰老恢复青春。

【返利】 fǎnlì ❶ 动 返还利润:彩电每台~五百元。❷ 图 返还的利润:商场销售额增加后,能够从生产厂家拿到更多的~。

【返贫】 fǎnpín 动 返回原来的贫困状态:确保脱贫户不再~。

【返聘】 fǎnpìn 动 聘请离休、退休人员回原单位继续工作。

【返璞归真】 fǎn pú guī zhēn 去掉外在的装饰,恢复原来的质朴状态。也说归真返璞。

【返迁】 fǎnqiān 动 从某地迁出后,重又返回原处居住:拆迁户一年后~。

【返青】 fǎn//qīng 动 指某些植物的幼苗移栽或越冬后,由黄色转为绿色并恢复生长。

【返俗】 fǎn//sú 动 还俗。

【返销】 fǎnxiāo 动 ❶ 把从农村征购来的粮食再销售到农村:~粮。❷ 从某个国家或地区进口原料或元器件等,制成产品后再销售到那个国家或地区。

【返修】 fǎnxiū 动 退给原修理者重新修理;退给出品单位修理:~率|这台彩电,先后~了两次。

【返照】 fǎnzhào 同"反照"。

fàn （ㄈㄢ）

犯 fàn ❶ 动 抵触;违犯:~法|~规|~忌讳|众怒难~。❷ 动 侵犯:进~|秋毫无~|人不~我,我不~人;人若~我,我必~人|井水不~河水。❸ 罪犯:主~|盗窃~。❹ 动 发作;发生(多指错误的或不好的事情):~愁|~错误|~脾气|他的胃病又~了。❺ （Fàn）图 姓。

【犯案】 fàn//àn 动 指作案后被发觉。

【犯病】 fàn//bìng 动 病重新发作:出院后他很注意调养,没犯过病。

【犯不上】 fàn·bushàng 动 犯不着:他不懂事,跟他计较~。

【犯不着】 fàn·buzháo 动 不值得:~为这点小事情着急。

【犯愁】 fàn//chóu 动 发愁:现在吃穿不用~了|孩子上学问题,真叫我犯了愁。

【犯怵】 fàn//chù 〈方〉动 胆怯;畏缩:初上讲台,她有点儿~|不管在什么场合,他从没犯过怵。

【犯得上】 fàn·deshàng 动 犯得着:一点小事,跟孩子发脾气～吗?

【犯得着】 fàn·dezháo 动 值得(多用于反问):为这么点小事～再去麻烦人吗?

【犯法】 fàn∥fǎ 动 违背和触犯法律、法令:知法～|谁犯了法都要受到法律的制裁。

【犯规】 fàn∥guī 动 违反规则、规定:比赛中他有意～|六号队员犯了规,被罚下场。

【犯讳】 fàn∥huì 动 ❶ 旧时指不避尊亲或上级的名讳。❷ 说出忌讳的事或会引起不愉快的字眼儿:这个地方,早晨起来谁要是说"蛇"、"虎"、"鬼"什么的,就被认为是～,不吉利。

【犯浑】 fàn∥hún 动 说话做事不知轻重,不合情理:我一时～,说话冲撞了您,请您多原谅|他犯起浑来,谁的话都不听。

【犯忌】 fàn∥jì 动 违犯禁忌:你说的话犯了他的忌|过去在船上话里带"翻"字是～。

【犯贱】 fàn∥jiàn 动 行为不自重,显得轻贱。

【犯节气】 fàn jié·qi 指某些慢性病在季节转换、天气有较大变化时发作:我这病～,立冬以后就喘得厉害。

【犯戒】 fàn∥jiè 动 违犯戒律。

【犯禁】 fàn∥jìn 动 违犯禁令。

【犯困】 fàn∥kùn 动 困倦想睡。

【犯难】 fàn∥nán 动 感到为难:这件事叫我犯了难|你有什么～的事,可以跟大家说说。

【犯人】 fànrén 名 触犯刑律被法院依法判处刑罚、正在服刑的人。

【犯傻】 fàn∥shǎ 〈方〉动 ❶ 装糊涂;装傻:这事情很清楚,你别～啦。❷ 做傻事:你怎么又～了,忘了上次的教训了? ❸ 发呆:别人都走了,他还坐在那儿～呢。

【犯上】 fàn∥shàng 动 触犯长辈或上级:～作乱。

【犯事】 fàn∥shì 动 做犯罪或违纪的事被发觉。

【犯颜】 fànyán 〈书〉动 冒犯君主或尊长的威严:～直谏。

【犯疑】 fàn∥yí 动 起疑心。也说犯疑心。

【犯疑心】 fàn yíxīn 犯疑。

【犯罪】 fàn∥zuì 动 做出危害社会、依法应处以刑罚的事。

【犯罪嫌疑人】 fànzuì xiányírén 在法院判决之前,涉嫌有犯罪行为的人。

【犯罪学】 fànzuìxué 名 研究犯罪原因的学科;研究犯罪人的个性以及预防犯罪的各种学问。

饭(飯) fàn ❶ 名 煮熟的谷类食品:稀～|干～|小米～。❷ 名 特指大米饭:吃～|吃馒头都行。❸ 名 每天定时吃的食物:早～|中～|晚～|一天三顿～。❹ 指吃饭:～前|～后。

【饭菜】 fàncài 名 ❶ 饭和菜。❷ 下饭的菜(区别于"酒菜")。

【饭店】 fàndiàn 名 ❶ 较大而设备好的旅馆:北京～。❷ 饭馆。

【饭馆】 fànguǎn (～儿)名 出售饭菜供人食用的店铺。

【饭盒】 fànhé (～儿)名 用来装饭菜的盒子,用铝、不锈钢等制成。

【饭局】 fànjú 名 指宴会或宴请活动:我中午有～,不回来吃饭了。

【饭口】 fànkǒu (～儿)名 吃饭的当口儿:一到～,饭馆里顾客络绎不绝。

【饭粒】 fànlì (～儿)名 饭的颗粒:嘴边粘着～|碗里还剩几个～。

【饭量】 fàn·liàng 名 一个人一顿饭能吃的食物的量:～小|～增加。

【饭囊】 fànnáng 名 装饭的口袋,比喻没有用的人:～衣架(比喻庸碌无能的人)。

【饭铺】 fànpù (～儿)名 规模较小的饭馆。

【饭食】 fàn·shi (～儿)名 饭和菜(多就质量说):这里～不错,花样多。

【饭厅】 fàntīng 名 专供吃饭用的比较宽敞的房子。

【饭桶】 fàntǒng 名 装饭的桶,比喻没有用的人。

【饭碗】 fànwǎn 名 ❶ 盛饭的碗。❷ 比喻赖以谋生的职业:找～|铁～|丢了～。

【饭辙】 fànzhé 〈方〉名 吃饭的门路;维持生活的办法。

【饭庄】 fànzhuāng 名 规模较大的饭馆。

【饭桌】 fànzhuō (～儿)名 供吃饭用的桌子。

泛(汎、❺氾) fàn ❶ 〈书〉漂浮:～舟|～萍浮梗|沉渣～起。❷ 动 透出;冒出:脸上～红|～出香味儿。❸ 广泛;一般地:～论|～指。❹ 肤浅;不深入:浮～|空～。❺ 泛滥:黄～区(黄河泛滥过的地方)。

"氾"另见 375 页 Fán。

【泛泛】fànfàn 形❶ 不深入;浮浅:～之交|～而谈|～地一说。❷ 普通;平平常常:～之才。

【泛家浮宅】fàn jiā fú zhái 见 420 页【浮家泛宅】。

【泛滥】fànlàn 动❶ 江河湖泊的水溢出:洪水～|～成灾。❷ 比喻坏的事物不受限制地流行:不能让错误思想和言行自由制;概括:纵横四溢,不可～。

【泛神论】fànshénlùn 名 一种哲学理论,主张神不存在于自然之外,自然便是神的体现。在有些哲学家那里,曾用泛神论的形式表达唯物主义的自然观。后来变成企图调和科学和宗教的唯心主义哲学,认为世界存在于神之中。

【泛酸】fàn//suān 〈方〉动 指胃酸过多而上涌。

【泛音】fànyīn 名 一个复音中,除去基音(频率最低的纯音)外,所有其余的纯音叫做泛音。也叫陪音。

【泛舟】fànzhōu 〈书〉动 坐船游玩:～西湖。

范¹(範) fàn ❶〈书〉模子:钱～|铁～。❷ 模范;好榜样:典～|规～|示～|～例。❸ 范围:～畴|就～。❹〈书〉限制:防～。

范² Fàn 名 姓。

【范本】fànběn 名 可做模范的样本(多指书画):习字～。

【范畴】fànchóu 名❶ 人的思维对客观事物的普遍本质的概括和反映。各门科学都有自己的一些基本范畴,如化合、分解等,是化学的范畴;商品价值、抽象劳动、具体劳动等,是政治经济学的范畴;本质和现象、形式和内容、必然性和偶然性等,是唯物辩证法的基本范畴。❷ 类型;范围:汉字属于表意文字的～。

【范例】fànlì 名 可以当做典范的事例:我们一个团打垮了敌人三个团,创造了以少胜多的战斗～。

【范式】fànshì 名 可以作为典范的形式或样式;模式:理论～|论文写作要符合科学～。

【范围】fànwéi ❶ 名 周围界限:地区～|工作～|活动～|他们谈话的～很广,涉及政治、科学、文学等各方面。❷〈书〉动 限

【范文】fànwén 名 语文教学中作为学习榜样的文章:熟读～|讲解～。

【范性】fànxìng 名 见 1303 页【塑性】。

贩(販) fàn ❶ 动(商人)买货;卖:～货|～牲口|～药材|～毒|～私。❷ 贩卖东西的人:小～|摊～|商～。

【贩毒】fàndú 动 贩卖毒品。

【贩夫】fànfū 名 旧时指小贩:～走卒(旧时泛指社会地位低下的人)。

【贩黄】fànhuáng 动 贩卖黄色书刊、录像带、光盘等。

【贩卖】fànmài 动 商人买进货物再卖出以获取利润:～干鲜果品◇打着辩证法的旗号～不可知论的哲学观点。

【贩私】fànsī 动 贩卖走私物品:严厉打击走私、～活动。

【贩运】fànyùn 动(商人)从甲地买货运到乙地(出卖):～货物|短途～。

【贩子】fàn·zi 名 贩卖东西的人(多含贬义):牲口～◇战争～。

畈 fàn 〈方〉❶ 田地(多用于地名):～田|周党～(在河南)|白水～(在湖北)|葛～(在浙江)。❷ 量 用于大片田地:一～田。

梵 fàn ❶ 关于古代印度的:～语|～文。❷ 关于佛教的:～刹。[梵 brahma]

【梵呗】fànbài 名 佛教做法事时念诵经文的声音:空山～。

【梵刹】fànchà 名 佛寺。

【梵宫】fàngōng 名 佛寺。

【梵文】fànwén 名 印度古代的一种语言文字。

婏 fàn 〈方〉动 鸟类下蛋:鸡～蛋。

fāng（ㄈㄤ）

方¹ fāng ❶ 形 四个角都是 90°的四边形或六个面都是方形的六面体:正～|长～|～块字|这块木头是～的。❷ 名乘方:平～|立～|2 的 3 次～是 8。❸ 量 a)用于方形的东西:一～手帕|两～腊肉|三～图章|几～石碑。b)平方或立方的简

称,一般指平方米或立方米:铺地板十五～|土石～。❹ 正直:～正|端～。❺ (Fāng)名姓。

方² fāng ❶ 名方向:东～|那一～|四面八～。❷ 名方面:我～|甲～|对～|双～|哪一～有道理就支持哪一～。❸ 地方:远～|～言|天各一～。

方³ fāng ❶ 名方法:～略|千～百计|教导有～。❷(～儿)名药方:验～|偏～儿|照～抓药。

方⁴ fāng〈书〉副 ❶ 正在;正当:～兴未艾|来日～长。❷ 方才②:如梦～醒|年～二十。

【方案】fāng'àn 名 ❶ 工作的计划:教学～|建厂～。❷ 制定的法式:汉语拼音～。

【方便】fāngbiàn ❶ 形 便利:大开～之门|北京市的交通很～|把～让给别人,把困难留给自己。❷ 动 使便利;给予便利:～群众。❸ 形 适宜:这儿说话不～|～的时候,你给我回个电话。❹ 形 婉辞,跟"手头儿"连用,表示有富裕的钱:手头儿不～。❺ 动 婉辞,指排泄大小便:车停一会儿,大家可以～～。

【方便面】fāngbiànmiàn 名 烘干的熟面条,用开水冲泡,加上调料就可以吃。

【方步】fāngbù 名 斯斯文文的大而慢的步子:踱～|迈～。

【方才】fāngcái ❶ 名 时间词。不久以前;刚才:～的情形,他都知道了。❷ 副 表示时间或条件关系,跟"才"相同而语气稍重:等到天黑,他～回来。

【方材】fāngcái 名 截面呈方形或长方形的木材。也叫方子。

【方程】fāngchéng 名 含有未知数的等式,如 $x+1=3$,$x+1=y+2$。也叫方程式。

【方程式】fāngchéngshì 名 方程。

【方程式赛车】fāngchéngshì sàichē 汽车比赛的一种形式。赛车的长、宽、重以及轮胎直径等数据都有严格规定,其复杂和精确程度就像数学方程式一样,因此得名。方程式赛车分为一、二、三级,其中一级速度最快。

【方尺】fāngchǐ ❶ 名 一尺见方。❷ 量 平方尺。

【方寸】fāngcùn ❶ 名 一寸见方:～之木。❷ 量 平方寸。❸〈书〉名 指人的内心;心绪:～已乱。

【方队】fāngduì 名 方形的队列。

【方法】fāngfǎ 名 关于解决思想、说话、行动等问题的门路、程序等:工作～|学习～|思想～。

【方法论】fāngfǎlùn 名 ❶ 关于认识世界、改造世界的根本方法的学说。❷ 在某一门具体学科上所采用的研究方式、方法的综合。

【方方面面】fāngfāngmiànmiàn 名 各个方面:要办好一件事,须要考虑到～的问题。

【方根】fānggēn 名 一个数的 n 次幂(n 为大于 1 的整数)等于 a,这个数就是 a 的 n 次方根。如 16 的 4 次方根是 +2 和 -2。简称根。

【方技】fāngjì 名 旧时统称医、卜、星、相之类的技术。

【方剂】fāngjì 名 中医指根据临床需要,选择适当药物及其用量,指明制法和用法的规范化药方。

【方家】fāngjiā 名 "大方之家"的简称,本义是深明大道的人,后多指精通某种学问、艺术的人。

【方将】fāngjiāng〈书〉副 正要。

【方巾气】fāngjīnqì 名 指思想、言行迂腐的作风习气(方巾:明代书生日常戴的帽子)。

【方今】fāngjīn〈书〉名 如今;现时:～盛世。

【方块字】fāngkuàizì 名 指汉字,因为每个汉字一般占一个方形面积。

【方腊起义】Fāng Là Qǐyì 北宋末年(公元 1120 年)方腊领导的江东(今安徽南部和江西东北部)、两浙(今浙江全省和江苏南部)农民起义。

【方里】fānglǐ ❶ 名 一里见方。❷ 量 平方里。

【方略】fānglüè 名 全盘的计划和策略:作战～。

【方面】fāngmiàn 名 相对的或并列的几个人或事物中的一部分叫一个方面:优势是在我们～,不是在敌人～|必须不断提高农业生产～的机械化水平。

【方面军】fāngmiànjūn 名 担负一个方面作战任务的军队的最高一级编组,辖若干集团军(兵团)或军。

【方枘圆凿】fāng ruì yuán záo （"凿"旧读 zuò）《楚辞·九辩》："圆凿而方枘兮，吾固知其组锗而难入。"意思是说，方榫头和圆卯眼，两下合不起来。形容格格不入。也说圆凿方枘。

【方胜】fāngshèng 名 古代一种首饰，形状是由两个斜方形一部分重叠相连而成，后也泛指这种形状。

【方始】fāngshǐ 副 方才②：斟酌再三，～下笔|现在种的树，要过几年～见效益。

【方士】fāngshì 名 古代称从事求仙、炼丹等活动的人。

【方式】fāngshì 名 说话做事所采取的方法和形式：工作～|批评人要注意～。

【方术】fāngshù 名 旧时指医、卜、星、相、炼丹等技术；方技。

【方外】fāngwài 〈书〉名 ❶ 中国以外的地方；异域：～之国。❷ 尘世之外：～之人。

【方位】fāngwèi 名 ❶ 方向。东、南、西、北为基本方位；东北、东南、西北、西南为中间方位。❷ 方向和位置：下着大雨，辨不清～。

【方位词】fāngwèicí 名 名词的附类，是表示方向或位置的词，分单纯的和合成的两类。单纯的方位词是"上、下、前、后、左、右、东、西、南、北、里、外、中、内、间、旁"。合成的方位词由单纯的方位词用下面的方式构成。a) 前边加"以"或"之"，如"以上、之下"。b) 后边加"边、面、头"，如"前边、左面、里头"。c) 对举，如"上下、前后、里外"。d) 其他，如"底下、头里、当中"。

【方向】fāngxiàng 名 ❶ 指东、南、西、北等：在山里迷失了～。❷ 正对的位置；前进的目标：军队朝渡口的～行进。

【方向】fāng·xiang 〈方〉名 情势：看～做事。

【方向舵】fāngxiàngduò 名 用来控制飞机向左或向右飞行的片状装置，装在飞机的尾部，和水平面垂直。

【方向盘】fāngxiàngpán 名 轮船、汽车等的操纵行驶方向的轮状装置。

【方兴未艾】fāng xīng wèi ài 事物正在发展，一时不会终止。

【方言】fāngyán 名 一种语言中跟标准语有区别的、只在一个地区使用的话，如汉语的粤方言、吴方言等。

【方药】fāngyào 名 中医药方中用的药，也指方剂。

【方音】fāngyīn 名 方言的语音，包括：a) 方言所特有的元音、辅音、声调，如作为声母的舌根鼻音 ng（上海话"牙、我"的声母）。b) 方言与标准语同而使用上有分歧的元音、辅音、声调，如昆明话把"雨"读如"椅"，西安话把"税"读如"费"等。

【方圆】fāngyuán 名 ❶ 指周围：～左近的人，他都认识。❷ 指周围的长度：～几十里见不到一个人影。❸ 方形和圆形：不依规矩，不能成～。

【方丈】fāngzhàng ❶ 名 一丈见方。❷ 量 平方丈。

【方丈】fāng·zhang 名 ❶ 佛寺或道观中住持住的房间。❷ 寺院的住持。

【方针】fāngzhēn 名 引导事业前进的方向和目标：～政策|教育～。

【方阵】fāngzhèn 名 ❶ 古代作战时军队排列的方形阵势。❷ 方队：阅兵～。

【方正】fāngzhèng 形 ❶ 成正方形，不偏不歪；字写得很～。❷ 正直：为人～|～不阿（形容十分正直，不曲意逢迎）。

【方志】fāngzhì 名 记载某一地方的地理、历史、风俗、教育、物产、人物等情况的书，如县志、府志等。也叫地方志。

【方舟】fāngzhōu 名《圣经》故事中义士诺亚（Noah）为躲避洪水造的长方木柜形大船。

【方桌】fāngzhuō 名 桌面是方形的桌子。

【方子】[1] fāng·zi 名 方材。也作枋子。

【方子】[2] fāng·zi 〈口〉名 ❶ 药方。❷ "配方"②②。

邡 fāng ❶ 什邡（Shífāng），地名，在四川。❷ (Fāng)名 姓。

坊 fāng ❶ 里巷（多用于街巷名）：白纸～（在北京）。❷ 店铺：书～。❸ 牌坊：节义～。
另见 386 页 fáng。

【坊本】fāngběn 名 旧时书坊刻印的书籍的版本。

【坊间】fāngjiān 名 街市上（旧时多指书坊）。

芳 fāng ❶ 香：芬～|～草|～香。❷ 花卉：群～|众～。❸ 美好的（德行、名声）：～名|流～百世。❹〈书〉敬辞，用于对方或跟对方有关的事物：～邻。❺

(Fāng)名姓。

【芳菲】fāngfēi 〈书〉❶形(花草)芳香而艳丽：春草～。❷名花草：～满园，蝶飞燕舞。

【芳邻】fānglín 〈书〉名❶好邻居。❷敬辞，称别人的邻居。

【芳龄】fānglíng 名指女子的年龄，一般用于年轻女子。

【芳名】fāngmíng 名❶指女子的名字，一般用于年轻女子。❷美好的名声：～永垂。

【芳年】fāngnián 名美好的年华(一般用于年轻女子)：正值～。

【芳容】fāngróng 名美好的容貌(一般用于年轻女子)。

【芳烃】fāngtīng 名具有芳香性的环烃，大多含有苯环结构。

【芳香】fāngxiāng ❶名香味(多指花草)：梅花的～沁人心脾。❷形香(多指花草)：茉莉开白色小花，气味～。

【芳心】fāngxīn 〈书〉名指年轻女子的情怀。

【芳馨】fāngxīn 名芳香①：桂花盛开，～浓郁。

【芳泽】fāngzé 名❶古代妇女润发用的有香气的油，泛指香气。❷〈书〉借指妇女的风范、容貌。

枋¹ fāng 古书上说的一种树，木材可以做车。

枋² fāng ❶方柱形的木材。❷〈书〉两根柱子间起连接作用的方形横木。

【枋子】fāng·zi ❶同"方子"¹。❷〈方〉棺材。

钫¹(鈁) fāng 名金属元素，符号Fr (francium)。有放射性，自然界分布极少。

钫²(鈁) fāng ❶古代盛酒器皿，青铜制成，方口大腹。❷〈书〉锅一类的器皿。

蚄 fāng 见1804页[蚄蚄]。

fáng （ㄈㄤ）

防 fáng ❶动防备：预～｜～涝｜以～万一｜谨～假冒｜对这种人可得～着点儿。 ❷防守；防御：国～｜边～｜海～｜布～。❸堤；挡水的构筑物：堤～。❹(Fáng)名姓。

【防暴】fángbào 动防止暴力或暴动：～术｜～警察｜～武器。

【防备】fángbèi 动做好准备以应付攻击或避免受害：～敌人突然袭击｜路上很滑，走路要小心～跌倒。

【防不胜防】fáng bù shèng fáng 要防备的太多，防备不过来。

【防潮】fángcháo 动❶防止潮湿：～纸｜储存粮食要注意～。❷防备潮水：～闸门。

【防尘】fángchén 动防止灰尘污染：绿化隔离带可以隔音、～。

【防除】fángchú 动预防和消除(害虫等)：～白蚁｜～鼠害。

【防弹】fángdàn 动防止子弹射进：～服｜～玻璃。

【防盗】fángdào 动防止坏人进行盗窃：～门｜节日期间要注意防火～。

【防盗门】fángdàomén 名一种为防盗而安装的较坚固的金属门，一般用在原有的房门外面。

【防地】fángdì 名(军队)防守的地区或地段。

【防冻】fángdòng 动❶防止遭受冻害：冬贮大白菜要注意～。❷防止结冰：～剂。

【防毒】fángdú 动防止毒物对人畜等的危害：～面具。

【防毒面具】fángdú miànjù 戴在头上，保护呼吸器官、眼睛和面部，免受毒剂、细菌武器和放射性物质伤害的器具。

【防范】fángfàn 动防备；戒备：对走私活动必须严加～。

【防风】fángfēng 名多年生草本植物，羽状复叶，叶片狭长，开白色小花。根可入药。

【防风林】fángfēnglín 名在干旱多风的地区，为了调节气候、阻止风沙而种植的防护林。

【防腐】fángfǔ 动用药品等抑制微生物的生长、繁殖，以防止有机体腐烂：～剂。

【防腐剂】fángfǔjì 名抑制或阻止微生物在有机物中生长繁殖的药剂，能防止有机物的腐烂。如硼砂、甲醛、苯甲酸等。

【防寒】fánghán 劻 防御寒冷;防备寒冷的侵害:穿件棉衣,可以~|采取~措施,确保苗木安全越冬。

【防洪】fánghóng 劻 防备洪水成灾:修筑堤堰,疏浚河道,~防涝。

【防护】fánghù 劻 防备和保护:这些精密仪器在运输途中要严加~。

【防护林】fánghùlín 名 为了调节气候,减少水、旱、风、沙等自然灾害而营造的林带或大片森林。

【防化兵】fánghuàbīng 名 军队在核武器和生化武器条件下作战的兵种。任务是帮助部队防御核武器和生化武器,对受沾染的人员和装备进行消毒,进行化学和核辐射侦察等。也称这一兵种的士兵。

【防患未然】fáng huàn wèi rán 在事故或灾害尚未发生之前采取预防措施。也说防患于未然。

【防火墙】fánghuǒqiáng 名 ❶ 用阻燃材料砌筑的墙,用来防止火灾蔓延。也叫风火墙。❷ 指在互联网子网络与用户设备之间设立的安全设施,具有识别和筛选能力,可以防止某些未经授权的或具有潜在破坏性的访问,保证硬件和软件的安全。

【防空】fángkōng 劻 为防备敌人空袭而采取各种措施。

【防空洞】fángkōngdòng 名 ❶ 为了防备敌人空袭而挖掘的供人躲避或储存物品用的洞。❷ 比喻可以掩护坏人、坏思想的事物。

【防空壕】fángkōngháo 名 为了防备敌人空袭而挖掘的供人躲避的壕沟。

【防老】fánglǎo 劻 防备年老时供养无着:~钱|完善养老保险制度,改变养儿~的旧观念。

【防凌】fánglíng 劻 防止河流解冻的时候冰块阻塞水道。

【防区】fángqū 名 防守的区域。

【防身】fángshēn 劻 保护自身不受侵害:~术。

【防守】fángshǒu 劻 ❶ 警戒守卫:~军事重镇。❷ 在斗争或比赛中防备和抵御对方进攻:这个队不仅~严密,而且能抓住机会快速反击。

【防暑】fángshǔ 劻 防止受到暑热的侵害:预防中暑:~茶|~降温。

【防特】fángtè 劻 防止特务活动。

【防微杜渐】fáng wēi dù jiàn 在错误或坏事萌芽的时候及时制止,不让它发展(杜:阻塞)。

【防伪】fángwěi 劻 防止伪造:~标志|~功能。

【防卫】fángwèi 劻 防御和保卫:正当~|加强~力量。

【防卫过当】fángwèi guòdàng 正当防卫明显超过必要限度造成重大损害的行为。我国刑法规定,防卫过当应负刑事责任,但应减轻或免除处罚。

【防务】fángwù 名 有关国家安全防御方面的事务。

【防线】fángxiàn 名 由工事连成的防御地带:钢铁~|突破敌军~。

【防汛】fángxùn 劻 在江河涨水的时期采取措施,防止泛滥成灾。

【防疫】fángyì 劻 预防传染病:~针|~措施。

【防御】fángyù 劻 抗击敌人的进攻:~战|不能消极~,要主动进攻。

【防震】fángzhèn 劻 ❶ 采取一定的措施或安装某种装置,使建筑物、机器、仪表等减少震动或免受震动:~手表。❷ 防备地震:~棚。

【防止】fángzhǐ 劻 预先设法制止(坏事发生):~煤气中毒|~交通事故。

【防治】fángzhì 劻 预防和治疗、治理(疾病、灾害等):~结核病|~病虫害|~风沙。

坊 fáng 小手工业者的工作场所:作~|油~|染~|磨~|粉~。
另见 384 页 fāng。

妨 fáng 妨碍:~害|何~|无~|不~事。

【妨碍】fáng'ài 劻 使事情不能顺利进行;阻碍:大声说话~别人学习|这个大柜子放在过道里,~走路。

【妨害】fánghài 劻 有害于:吸烟~健康|雨水过多,会~大豆生长。

防 fáng 见 1747 页〖脂肪〗。

房¹ fáng ❶ 名 房子:一所~|三间~|瓦~|楼~|平~。❷ 房间:卧~|客~|书~|厨~。❸ 结构和作用像房子的东西:蜂~|莲~(莲蓬)。❹ 指家族的分支:长~|堂~|远~。❺ 量 用于妻子、儿媳妇等:两~儿媳妇。❻ 二十八宿之一。

❼(Fáng)名姓。

房²fáng 同"坊"(fáng)。

【房本】fángběn (～儿)名指房产证。

【房补】fángbǔ 名国家或集体按规定发给职工的住房补贴。也叫房贴。

【房舱】fángcāng 名轮船上乘客住的小房间。

【房产】fángchǎn 名个人或团体保有所有权的房屋。

【房产主】fángchǎnzhǔ 名房主。

【房颤】fángchàn 名心房由正常跳动转为快而不规则乱颤的症状,是一种常见的心律失常。

【房车】fángchē 名❶一种汽车,车厢大而长,像房子。其中配有家具,并有厨房、浴室和卫生间,能保证基本的生活条件,多用于长途旅行。❷〈方〉指豪华的轿车。

【房东】fángdōng 名出租或出借房屋的人(跟"房客"相对)。

【房改】fánggǎi 动住房制度改革:～方案|进行～。

【房管】fángguǎn 名房地产管理:～局|～所|～人员。

【房基】fángjī 名房屋的地基:～下沉。

【房间】fángjiān 名房子内隔成的各个部分:这套房子有五个～。

【房客】fángkè 名租房或借房居住的人(跟"房东"相对)。

【房契】fángqì 名买卖房屋时所立的契约。

【房钱】fángqián 名房租。

【房山】fángshān 名山墙。

【房市】fángshì 名房地产交易市场。

【房事】fángshì 名婉辞,指夫妇性交的事。

【房贴】fángtiē 名房补。

【房柁】fángtuó 名柁(tuó)。

【房屋】fángwū 名房子(总称)。

【房型】fángxíng 名户型。

【房檐】fángyán (～儿)名房顶伸出墙外的部分。

【房源】fángyuán 名(供出售、出租或分配的)房屋的来源:寻找～。

【房展】fángzhǎn 名房地产公司等单位举办的所售房屋模型、图片等的展览:看～。

【房主】fángzhǔ 名房屋产权的所有者。

【房子】fáng•zi 名有墙、顶、门、窗,供人住或做其他用途的建筑物。

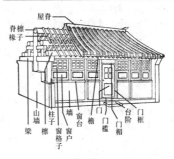

房 子

【房租】fángzū 名租房屋的钱。

鲂(魴)fáng 名鱼,外形像鳊鱼而较宽,银灰色,胸部略平,腹部中央隆起。生活在淡水中。

【鲂鮄】fángfú 名鱼,身体略呈圆筒形,后部稍侧扁,头部有骨质板。种类多,生活在海中。

fǎng (ㄈㄤˇ)

仿(倣)fǎng ❶动仿效;效法:～造|～着原样做了一个。❷类似;像:他长得跟他舅舅相～。❸名依照范本写的字:判～|写了一张～。

【仿办】fǎngbàn 动仿照办理:这种做法各地可以～。

【仿单】fǎngdān 名介绍商品的性质、用途、使用法的说明书,多附在商品包装内。

【仿佛】(彷彿、髣髴)fǎngfú ❶副似乎;好像:他干起活来～不知道什么是疲倦。❷动像;类似:他的模样还和十年前相～。

【仿古】fǎnggǔ 动模仿古器物或古艺术品:紫砂～陶器|～的唐三彩。

【仿建】fǎngjiàn 动模仿一定的样式建造:～古民居。

【仿冒】fǎngmào 动仿造冒充:不法厂商

～名牌商品。

【仿若】fǎngruò 副 仿佛；好像：回忆往事，～隔世。

【仿生建筑】fǎngshēng jiànzhù 模仿某些生物的结构和形态而获得所期望的优良性能的建筑。如模仿蜂巢结构的墙壁，大大减轻了建筑物的自重；模仿蛋壳结构的屋顶，虽仅几厘米厚，却能承受风吹雨打和积雪的压力。

【仿生学】fǎngshēngxué 名 生物学的一个分支，研究生物系统的结构、功能等，用来改进工程技术系统。如模拟人脑的结构和功能原理，改善计算机的性能。

【仿宋】fǎngsòng 名 印刷字体的一种，仿照宋版书上所刻的字体，笔画粗细均匀，有长、方、扁三体。也叫仿宋体、仿宋字。

【仿效】fǎngxiào 动 模仿(别人的方法、式样等)：艺术贵在创新，不能一味～别人。

【仿行】fǎngxíng 动 仿照实行：这个办法很好，可以参照～。

【仿影】fǎngyǐng 名 练习写毛笔字的时候，放在仿纸下照着写的样字。

【仿造】fǎngzào 动 模仿一定的式样制造：这些古瓶都是～的。

【仿照】fǎngzhào 动 按照已有的方法或式样去做：～办理｜苏州园林风格修建花园。

【仿真】fǎngzhēn ❶ 动 指利用模型模仿实际系统进行实验研究。❷ 形 属性词。从外形上模仿逼真的：～手枪。

【仿纸】fǎngzhǐ 名 练习写毛笔字用的纸，多印有格子。

【仿制】fǎngzhì 动 仿造：～品。

访(訪) fǎng ❶ 动 访问：～友｜来～｜～贫问苦。❷ 调查；寻求：～查｜采～｜明察暗～。

【访查】fǎngchá 动 调查打听：他到处～这批文物的下落。

【访古】fǎnggǔ 动 寻访古迹：河套～｜～寻幽。

【访旧】fǎngjiù 动 访问故旧、故地；寻根～。

【访求】fǎngqiú 动 查访寻求：～善本古籍。

【访谈】fǎngtán 动 访问并交谈：～录｜登门～。

【访问】fǎngwèn 动 ❶ 有目的地去探望

人并跟他谈话：～先进工作者◇我怀着崇敬的心情，～了这座英雄的城市。❷ 指进入计算机网络，在网站上浏览信息、查阅资料。

【访寻】fǎngxún 动 打听寻找；访求：～失散的亲人｜～草药和良方。

【访员】fǎngyuán 名 报社外勤记者的旧称。

彷 fǎng 见387页〖仿佛〗(彷彿)。另见1023页páng。

纺(紡) fǎng ❶ 动 把棉、麻、丝、毛等纤维拧成纱，或把纱捻成线：～纱｜～线｜～棉花。❷ 比绸子稀而轻、薄的丝织品：杭～。

【纺车】fǎngchē 名 手摇或脚踏的有轮子的纺纱或纺线工具。

【纺绸】fǎngchóu 名 一种平纹丝织品，用生丝织成，质地柔软轻薄，适宜做夏季服装。

【纺锤】fǎngchuí 名 纺纱、纺线工具，是一个中间粗两头尖的小圆棒，木制或铁制，把棉絮或棉纱的一端固定在上面，纺锤旋转，就把棉絮纺成纱，或把纱纺成线。

【纺锭】fǎngdìng 名 纱锭。

【纺织】fǎngzhī 动 把棉、麻、丝、毛等纤维纺成纱或线，织成布匹、绸缎、呢绒等：～厂｜～工艺｜～女工。

【纺织品】fǎngzhīpǐn 名 用棉、麻、丝、毛等纤维经过纺织及其复制加工的产品。包括单纱、股线、机织物、针织物、编织物、毡毯等。

昉 fǎng 〈书〉❶ 明亮。❷ 起始。

舫 fǎng 船：画～｜游～｜石～。

髣 fǎng 见387页〖仿佛〗(髣髴)。

fàng （ㄈㄤ）

放 fàng ❶ 动 解除约束，使自由：释～｜～虎归山｜把俘虏～回去。❷ 动 在一定的时间停止(学习、工作)：～学｜～工。❸ 放纵：～任｜～声高歌｜～言高论。❹ 动 让牛羊等在草地上吃草和活动：～牛｜～羊。❺ 把人驱逐到边远的地方：～

逐|流～。**❻** 囫 发出：～枪|～光|～冷箭|玉簪花～出阵阵的清香。**❼** 囫 点燃：～火|～爆竹。**❽** 囫 借钱给人，收取利息：～债|～款。**❾** 囫 扩展：～大|～宽|上衣的身长要～一寸。**❿** (花)开：怒～|百花齐～。**⓫** 囫 搁置：这件事情不要紧，先～一～。**⓬** 囫 弄倒：上山～树。**⓭** 囫 使处于一定的位置：把书～在桌子上。**⓮** 囫 加进去：菜里多～点酱油。**⓯** 囫 控制自己的行动，采取某种态度，达到某种分寸：～明白些|～稳重些|脚步～轻些。**⓰** (Fàng)囵 姓。

【放包袱】fàng bāo•fu 比喻解除思想上的负担。

【放步】fàng//bù 囫 迈开大步：～前进。

【放黜】fàngchù 〈书〉放逐；黜免。

【放达】fàngdá 〈书〉囮 言行不受世俗礼法的拘束：纵酒～|～不羁。

【放大】fàngdà 囫 使图像、声音、功能等变大：～镜|～器|～照片。

【放大镜】fàngdàjìng 囵 凸透镜的通称。

【放大器】fàngdàqì 囵 能把输入信号的电压或功率放大的无线电装置，通常由电子管或晶体管、电源变压器等元件组成。用在通信、广播、雷达、电视、自动控制等装置中。

【放贷】fàngdài 囫 贷给款项。

【放胆】fàngdǎn 囫 放开胆量：你尽管～试验，大家支持你|他迟疑了一会儿，才～走进屋里。

【放诞】fàngdàn 〈书〉囮 行为放纵，言语荒唐：～不拘|生性～。

【放荡】fàngdàng 囮 放纵，不受约束或行为不检点：～不羁|生活～。

【放电】fàng//diàn 囫 **❶** 带电体的电荷消失而趋于中性。闪电就是自然界的放电现象。**❷** 电池等释放电能。

【放刁】fàng//diāo 囫 用恶劣的手段或态度跟人为难：～撒泼。

【放定】fàng//dìng 囫 旧俗订婚时，男方给女方送订婚礼物(定：指金银首饰等订婚礼物)。

【放毒】fàng//dú 囫 **❶** 投放毒物或施放毒气。**❷** 比喻散布、宣扬反动言论。

【放飞】fàngfēi 囫 **❶** 准许飞机起飞。**❷** 把鸟撒放出去使高飞：这批信鸽从济南市～，赛程约 500 公里。**❸** 使风筝升起：～风筝。

【放风】fàng//fēng 囫 **❶** 使空气流通。**❷** 监狱里定时放坐牢的人到院子里散步或上厕所叫放风。**❸** 透露或散布消息：有人放出风来，说厂领导要调整。**❹** 〈方〉把风；望风。

【放歌】fànggē 囫 放声歌唱；纵情高歌：～一曲。

【放工】fàng//gōng 囫 工人下班：下午五点钟工厂～|有些事咱们放了工再研究。

【放虎归山】fàng hǔ guī shān 见 1815 页【纵虎归山】。

【放话】fàng//huà 囫 发出话(透露出某种目的、打算)：他放话要跟对方拼个你死我活。

【放怀】fànghuái 囫 **❶** 纵情；尽情：～畅饮|～大笑。**❷** 放心：妻子的病不见好转，让我难以～。

【放还】fànghuán 囫 **❶** 放回(扣押的人、畜等)：～人质。**❷** 放到原来的位置：架上期刊，阅后～原处。

【放荒】fàng//huāng 囫 放火烧山野的草木。

【放火】fàng//huǒ 囫 **❶** 有意破坏，引火烧毁房屋、粮草、森林等。**❷** 比喻煽动或发动骚乱事件。

【放假】fàng//jià 囫 在规定的日期停止工作或学习：放了五天假|国庆节～三天。

【放空】fàng//kōng 囫 运营的车、船等没有载人或载货而空着行驶：做好调度工作，避免车辆～。

【放空炮】fàng kōngpào 比喻说空话，说了不能兑现：要说到做到，不能～。

【放空气】fàng kōngqì 比喻故意制造某种气氛或散布某种消息(多含贬义)：他早就放出空气，说先进工作者非他莫属。

【放宽】fàngkuān 囫 使要求、标准等由严变宽：～尺度|入学年龄限制适当～。

【放款】fàng//kuǎn 囫 **❶** (银行或信用合作社等)把钱借给客户。**❷** 放债。

【放浪】fànglàng 〈书〉囮 放荡；放纵：行为～。

【放浪形骸】fànglàng xínghái 行为放纵，不受世俗礼法的束缚。

【放冷风】fàng lěngfēng 比喻散布流言飞语。

【放冷箭】fàng lěngjiàn 比喻暗中害人。

【放量】fàng//liàng 动 尽量(吃、喝):放开量喝酒|你~吃吧,有的是。

【放疗】fàngliáo ❶ 名 放射疗法的简称:做~。❷ 动 用放射疗法治疗,特指治疗恶性肿瘤:癌肿切除后又进行~。

【放牧】fàngmù 动 把牲畜放到草地等处吃食和活动。也说牧放。

【放盘】fàng//pán (~儿)动 指商店减价出售或增价收买。

【放炮】fàng//pào 动 ❶ 使炮弹发射出去。❷ 点燃引火线,使爆竹爆炸。❸ 用火药爆破岩石、矿石等:~开山。❹ 密闭的物体爆裂:车胎~。❺ 比喻发表激烈抨击的言论:发言要慎重,不能乱~。

【放屁】fàng//pì 动 ❶ 从肛门排出臭气。❷ 比喻说话没有根据或不合情理(骂人的话)。

【放弃】fàngqì 动 丢掉(原有的权利、主张、意见等):~阵地|工作离不开,他只好~了这次进修的机会。

【放青】fàng//qīng 动 把牲畜放到青草地上吃草。

【放情】fàngqíng 动 尽情;纵情:~歌唱|~丘壑(纵情游山玩水)。

【放晴】fàng//qíng 动 阴雨后转晴:一连下了五天雨,今天~了。

【放权】fàngquán 动 把权力交给下属或下属部门:简政~。

【放任】fàngrèn 动 听其自然,不加约束或干涉:~自流|对错误的行为不能~不管。

【放散】fàngsàn 动 (烟、气味等)向外散开。

【放哨】fàng//shào 动 站岗或巡逻。

【放射】fàngshè 动 由一点向四外射出:~形|太阳~出耀眼的光芒。

【放射病】fàngshèbìng 名 病,由各种射线(如α射线、中子流等)破坏人体组织而引起。症状是发热、恶心、皮肤和黏膜出血、毛发脱落、白细胞减少等。

【放射疗法】fàngshè liáofǎ 一种治疗方法,利用X射线、γ射线、高能离子射线等来破坏恶性肿瘤细胞等并抑制其生长,达到治疗目的。简称放疗。

【放射形】fàngshèxíng 名 从中心一点向周围伸展出去的形状:~道路。

【放射性】fàngshèxìng 名 ❶ 某些元素(如镭、铀等)的不稳定原子核自发地放出射线而衰变的性质。❷ 医学上指由一个痛点向周围扩散的现象◇~影响。

【放射性污染】fàngshèxìng wūrǎn 指人类活动排放的放射性物质所造成的环境污染。各种放射性元素都是其污染物。

【放射性元素】fàngshèxìng yuánsù 一类元素,能发出射线而衰变成另一种元素,如镭、铀、钍、钫。

【放生】fàng//shēng 动 把捉住的小动物放掉,特指信佛的人把别人捉住的鱼鸟等买来放掉:~池。

【放声】fàngshēng 副 放开喉咙出声:~痛哭|~大笑。

【放手】fàng//shǒu 动 ❶ 松开握住物体的手:放开手|他一~,笔记本就掉了。❷ 比喻解除顾虑或限制:~发动群众。

【放水】fàng//shuǐ 动 指体育比赛中串通作弊,一方故意输给另一方。

【放肆】fàngsì 形(言行)轻率任意,毫无顾忌:说话注意点,不要太~。

【放松】fàngsōng 动 对事物的注意或控制由紧变松:~警惕|~肌肉|~学习,就会落后。

【放送】fàngsòng 动 播送:~音乐|~大会实况录音。

【放下屠刀,立地成佛】fàng xià túdāo, lìdì chéng fó 原为佛教徒劝人修行的话,后用来比喻作恶的人只要决心悔改,就会变成好人。

【放血】fàng//xiě 动 ❶ 医学上指用针刺破或用刀划破人体的特定部位,放出少量血液,以治疗某种疾病。❷ 殴打人,使其受伤流血,泛指殴打人。❸ 比喻商家大幅度降价出售商品,也比喻单位或个人支出或花费大量钱财。

【放心】fàng//xīn 动 心情安定,没有忧虑和牵挂:你只管~,出不了错|看到一切都安排好了,他才放了心。

【放行】fàngxíng 动(岗哨、海关等)准许通过:免税~|绿灯亮了,车辆~。

【放学】fàng//xué 动 ❶ 学校里一天或半天课业完毕,学生回家。❷〈方〉指学校里放假。

【放眼】fàngyǎn 动 放开眼界(观看):~未来|胸怀祖国,~世界|~望去,一派生气勃勃的景象。

【放羊】fàng//yáng 动 ❶ 把羊赶到野外

吃草。❷ 比喻不加管理，任其自由行动：
老师没来上课，学生只好～。

【放养】fàngyǎng 劂❶（禽、畜等）在圈
（juàn）外饲养。❷ 把鱼虾、白蜡虫、柞蚕
或水浮莲、红萍等有经济价值的动植物放
到一定的地方使它们生长繁殖：～草鱼|
～海带。❸ 把某些已经圈养的野生动物
重新放到野外环境中去，使它们在一定范
围内以原有的生存方式生活：～大熊猫。

【放样】fàng//yàng （～儿）劂 在正式施工
或制造之前，制作建筑物或制品的模
型，作为样品。

【放映】fàngyìng 劂 利用强光装置把图片
或影片上的形象照射在幕上或墙上。一
般指电影放映。

【放映机】fàngyìngjī 图 放映电影用的机
器，用强光源透过影片上的形象，经过镜
头映在银幕上。放映机附带光电设备，把
影片上的声带变成声音。

【放债】fàng//zhài 劂 借钱给人收取利息。

【放账】fàng//zhàng 劂 放债。

【放赈】fàngzhèn 劂 向灾民或贫民发放
救济物资：开仓～。

【放置】fàngzhì 劂 安放：～不用。

【放逐】fàngzhú 劂 古时把被判罪的人驱
逐到边远地方。

【放恣】fàngzì 〈书〉形 骄傲放纵，任意胡
为。

【放纵】fàngzòng ❶ 劂 纵容；不加约束：
～不管。❷ 形 不守规矩；没有礼貌：骄奢
～|～不羁。

---

fēi（ㄈㄟ）

飞（飛）fēi ❶ 劂（鸟、虫等）鼓动翅
膀在空中活动：～蝗|鸟～了。
❷ 劂 利用动力机械在空中行动：～行|
明天有飞机～上海。❸ 劂 在空中飘浮游
动：～云|沙走石|～雪花了。❹ 形容极
快：～奔|～跑|～涨。❺ 劂 挥发：盖上瓶
子吧，免得香味儿～了|樟脑放久了，都～净
了。❻ 意外的；凭空而来的：～灾|～祸|
流言～语。❼（Fēi）图 姓。

【飞白】fēibái 图 ❶ 一种特殊的书法，笔
画中露出一丝丝的白地，像用枯笔写成的
样子。也叫飞白书。❷ 修辞手法，指故

意运用白字（别字）达到某种修辞效果。

【飞白书】fēibáishū 图 飞白①。

【飞奔】fēibēn 劂 很快地跑：孩子们听说
有杂技表演，都～而来。

【飞镖】fēibiāo 图 ❶ 旧式武器，形状像长
矛的头，投掷出去能击伤人。❷ 一种投
掷运动，镖多用木料制成。比赛时，以在
一定时间内掷出和收回的飞镖最多者或
镖的飞行时间最长者为优胜。

【飞播】fēibō 劂 用飞机撒种：～造林|
优良牧草一万多亩。

【飞车】fēichē ❶ 劂 骑车或开车飞快地行
驶：～走壁。❷ 图 飞快行驶的车：开～
是造成交通事故的重要原因之一。

【飞车走壁】fēi chē zǒu bì 杂技的一种，
演员骑着自行车，开着摩托车或特制的小
汽车，在口大底小的钢木结构的圆形构筑
物内壁上奔驰。

【飞驰】fēichí 劂（车马）很快地跑：列车～
而过|骏马在原野上～。

【飞船】fēichuán 图 ❶ 指宇宙飞船。❷
旧时指飞艇。

【飞弹】fēidàn 图 ❶ 装有自动飞行装置
的炸弹，如导弹。❷ 流弹。

【飞地】fēidì 图 ❶ 指位居甲地区而行政
上隶属乙地区的土地。❷ 指甲国境内的
隶属乙国的领土。

【飞碟】fēidié 图 ❶ 指不明飞行物，因早
期报道的不明飞行物形状像圆形碟子，所
以叫飞碟。❷ 射击用的一种靶，形状像
碟，用抛靶机抛射到空中：～射击（一种体
育运动比赛项目）。

【飞短流长】fēi duǎn liú cháng 造谣生
事，搬弄是非。也作蜚短流长。

【飞蛾扑火】fēi é pū huǒ 飞蛾投火。

【飞蛾投火】fēi é tóu huǒ 比喻自取灭亡。
也说飞蛾扑火。

【飞航式导弹】fēihángshì dǎodàn 导弹的
一种，依靠喷气发动机的推力和翼产生的
升力飞行，并利用翼面控制方向飞向目
标。巡航导弹、反舰导弹等多是飞航式导
弹。

【飞红】fēihóng ❶ 形 状态词。（脸）很红：
她一时答不上来，急得满脸～。❷ 劂（脸）
很快变红：小张～了脸，更加忸怩起来。

【飞鸿】fēihóng 〈书〉图 ❶ 指鸿雁：～踏
雪（比喻往事留下的痕迹）。❷ 比喻书信：

~传情|万里~。

【飞黄腾达】fēihuáng téngdá　韩愈《符读书城南》诗:"飞黄腾踏去,不能顾蟾蜍。"(飞黄:古代传说中的神马名)后来用"飞黄腾达"比喻官职、地位上升得很快。

【飞机】fēijī　图　一种航空器,由机翼、机身、发动机等构成。种类很多。广泛用在交通运输、军事、农业等方面。

【飞溅】fēijiàn　动　向四外溅:钢花~、铁水奔流。

【飞快】fēikuài　形　状态词。❶ 非常迅速:渔船鼓着白帆,~地向远处驶去|日子过得~,转眼又是一年。❷ 非常锋利:镰刀磨得~。

【飞来横祸】fēi lái hènghuò　突然发生的意外灾祸。

【飞灵】fēilíng　〈方〉形　❶ 特别灵活或灵敏:脑子~。❷ 特别灵验:这药治感冒,~。

【飞毛腿】fēimáotuǐ　图　❶ 指跑得特别快的腿。❷ 跑得特别快的人。

【飞盘】fēipán　(~儿)图　一种投掷的玩具,形状像圆盘子,用塑料制成。

【飞蓬】fēipéng　图　多年生草本植物,叶子像柳叶,边缘有锯齿。夏天开花,花外围淡紫红色,中心黄色。

【飞禽】fēiqín　图　会飞的鸟类,也泛指鸟类:~走兽。

【飞泉】fēiquán　图　❶ 从峭壁上的泉眼喷出的泉水。❷ 喷泉。

【飞人】fēirén　❶ 动　指人悬空进行杂技表演:空中~。❷ 图　指跳得特别高或跑得非常快的人:女子~世界。

【飞散】fēisàn　动　❶ (烟、雾等)在空中飘动着散开:一团浓烟在空中~着,由黑色渐渐变成灰白。❷ (鸟等)飞着向四下散开:麻雀听到枪声惊慌地~了。

【飞沙走石】fēi shā zǒu shí　沙子飞扬,石块滚动,形容风很大:骤然狂风大作,~,天昏地暗。

【飞身】fēishēn　动　身体轻快地跳起:~上马|~越过壕沟。

【飞升】fēishēng　动　❶ 往上升;往上飞。❷ 旧时指修炼成功,飞向仙境(迷信)。

【飞逝】fēishì　动　(时间等)很快地过去或消失:时光~|流星~。

【飞鼠】fēishǔ　图　❶ 哺乳动物,形态和习性像鼯鼠而体较小,前后肢之间的薄膜宽大多毛。❷〈书〉蝙蝠。

【飞速】fēisù　副　非常迅速地:~发展|~前进。

【飞腾】fēiténg　动　迅速飞起;很快地向上升;飞扬:烟雾~|烈焰~。

【飞天】fēitiān　图　佛教壁画或石刻中的在空中飞舞的神。梵语称神为提婆,因提婆有"天"的意思,所以汉语译为飞天。

【飞艇】fēitǐng　图　一种航空器,没有翼,利用装着氢气或氦气的气囊所产生的浮力上升,靠发动机、螺旋桨推动前进。飞行速度比飞机慢。

【飞吻】fēiwěn　动　先吻自己的手,然后向对方挥手,表示吻对方。

【飞舞】fēiwǔ　动　像跳舞似地在空中飞:雪花~|蝴蝶在花丛中~。

【飞翔】fēixiáng　动　盘旋地飞,泛指飞:展翅~|鸽子在天空~。

【飞行】fēixíng　动　(飞机、火箭等)在空中航行:~员|低空~。

【飞行器】fēixíngqì　图　能够在空中飞行的器械或装置的统称,包括航空器、航天器、火箭、导弹等。

【飞行员】fēixíngyuán　图　飞机等的驾驶员。

【飞旋】fēixuán　动　盘旋地飞:雄鹰在天空~◇他那爽朗的笑声不时在我耳边~。

【飞檐】fēiyán　图　我国传统建筑檐部形式,屋檐特别是屋角的檐部向上翘起。

【飞檐走壁】fēi yán zǒu bì　旧小说中形容练武的人身体轻捷,能在房檐和墙壁上行走如飞。

【飞眼】fēi∥yǎn　(~儿)动　用眼神传情。

【飞扬】fēiyáng　动　❶ 向上飘扬:彩旗~|尘土~。❷ 形容精神兴奋得意:神采~。‖ 也作飞飏。

【飞扬跋扈】fēi yáng bá hù　骄横放肆。

【飞飏】fēiyáng　同"飞扬"。

【飞鱼】fēiyú　图　鱼,身体长筒形,胸鳍特别发达,像翅膀,能跃出水面在空中滑翔。生活在温带和亚热带海洋中。

【飞语】fēiyǔ　图　没有根据的话:流言~。也作蜚语。

【飞跃】fēiyuè　动　❶ 飞腾跳跃;腾空跳跃:麻雀在丛林中~。❷ 比喻突飞猛进:~发展。❸ 事物从旧质到新质的转化。由于事物性质的不同,飞跃有时通过爆发的方式来实现,有时通过新质要素的逐渐积累和旧质要素的逐渐消亡来实现。不同形式的飞跃都是质变。

【飞越】fēiyuè 圆飞着从上空越过:～大西洋。

【飞灾】fēizāi 图意外的灾难:～横祸。

【飞贼】fēizéi 图❶指手脚灵便能很快地登墙上房的贼。❷指由空中进犯的敌人。

【飞涨】fēizhǎng 圆(物价、水势等)很快地往上涨:物价～|连日暴雨,河水～。

【飞针走线】fēi zhēn zǒu xiàn 形容熟练快速地做针线活儿。

【飞舟】fēizhōu 〈书〉图行驶极快的船:浪遏～。

妃 fēi 皇帝的妾;太子、王、侯的妻:～嫔|贵～|王～。

【妃嫔】fēipín 图妃和嫔,泛指皇帝的妾。

【妃色】fēisè 图淡红色。

【妃子】fēi·zi 图皇帝的妾,地位次于皇后。

非¹ fēi ❶错误(跟"是"相对):是～|习～成是|痛改前～。❷不合于:～法|～礼|～分(fèn)。❸不以为然;反对;责备:～难|～议|无可厚～。❹圆不是:答～所问|此情此景～笔墨所能形容。❺前缀。用在一些名词性成分的前面,表示不属于某种范围:～金属|～晶体|～司机。❻圆不:～同小可|～同寻常。❼圆跟"不"呼应,表示必须:要想做出成绩,～下苦功不可。❽圆一定要;偏偏:不行,我～去! ❾〈书〉不好;糟:景况日～。

非² Fēi 图指非洲。

【非常】fēicháng ❶圈属性词。异乎寻常的;特殊的:～时期|～会议。❷圆十分;极:～光荣|～高兴|～努力|他～会说话。

【非处方药】fēichǔfāngyào 图不需凭执业医师处方就可自行购买并按照药品说明书使用的药品(区别于"处方药")。

【非但】fēidàn 連不但:他～能完成自己的任务,还肯帮助别人|我不知道,连他也不知道。

【非得】fēiděi 圆表示必须(一般跟"不"呼应):棉花长了蚜虫,～打药(不成)|干这活儿～胆子大(不行)。

【非典】fēidiǎn 图"非典型肺炎"②的简称。

【非典型肺炎】fēidiǎnxíng fèiyán ❶由支原体、衣原体、军团菌和病毒等引起的肺炎,因临床症状不典型,所以叫做非典型肺炎。❷特指由冠状病毒引起的传染性非典型肺炎(正式名称是严重急性呼吸综合征)。简称非典。

【非电解质】fēidiànjiězhì 图在水溶液中或在熔融状态下不能形成离子,因而不能导电的化合物。如蔗糖、乙醇、甘油等。

【非独】fēidú 〈书〉連不但:蜜蜂能传花粉,～无害,而且有益。

【非对抗性矛盾】fēiduìkàngxìng máodùn 不需要通过外部冲突形式去解决的矛盾:人民内部矛盾是～。

【非法】fēifǎ 圈属性词。不合法:～收入|～活动|～占据|倒卖文物是～的。

【非凡】fēifán 圈超过一般;不寻常:～的组织才能|市场上热闹～。

【非…非…】fēi…fēi… 既不是…又不是…:～亲～故|～驴～马。

【非分】fēifèn 圈属性词。❶不守本分;不安分:～之想|不做～的事。❷不属自己分内的:～之财。

【非…即…】fēi…jí… 不是…就是…:～此～彼|～亲～友|～打～骂。

【非金属】fēijīnshǔ 图一般没有金属光泽和延展性,不易导电、传热的单质。除溴以外,在常温下都是气体或固体,如氧、氮、硫、磷等。

【非晶体】fēijīngtǐ 图原子、离子或分子不按一定空间次序排列而成的固体,没有规则的几何外形,没有固定的熔点,如石蜡、玻璃等。也叫无定形物。

【非礼】fēilǐ ❶圈不合礼节;不礼貌:～举动。❷〈方〉圆指调戏;猥亵(妇女)。

【非驴非马】fēi lǘ fēi mǎ 比喻什么也不像,不成样子。

【非卖品】fēimàipǐn 图只用于展览、赠送等而不出卖的物品。

【非命】fēimìng 图遭受意外的灾祸而死亡叫死于非命。

【非难】fēinàn 圆指摘和责问:遭到～|他这样做是对的,是无可～的。

【非企业法人】fēiqǐyè fǎrén 不以营利为

目的,从事非生产经营活动的法人组织。包括国家机关法人、事业单位法人、社会团体法人。

【非人】fēirén 〈形〉属性词。不属于人应有的:~待遇|过着~的生活。

【非特】fēitè 〈书〉〈连〉不但。

【非条件反射】fēitiáojiàn fǎnshè 人和其他动物生来就具有的比较简单的反射活动。如手碰到火,就立刻缩回去。也叫无条件反射。

【非同小可】fēi tóng xiǎo kě 形容事情重要或情况严重,不能轻视。

【非徒】fēitú 〈书〉〈连〉不仅(常跟"而且"呼应):溺爱子女,~无益,而且有害。

【非笑】fēixiào 〈动〉讥笑:受人~。

【非刑】fēixíng 〈名〉非法施行的残酷的肉体刑罚:~拷打|受尽~折磨。

【非议】fēiyì 〈动〉责备:无可~。

【非再生资源】fēizàishēng zīyuán 不可更新资源。

【非致命武器】fēizhìmìng wǔqì 利用声、光、电、化学等技术使敌方人员暂时丧失战斗力,使敌方军事装备、设施瘫痪失效的武器。如激光武器、次声武器等。也叫失能武器。

【非洲鲫鱼】Fēizhōu jìyú 鱼,外形跟鲫鱼相似,灰褐色或暗褐色。生活在海水或淡水中,原产非洲东部。也叫罗非鱼。

菲¹ fēi 形容花草美、香味浓:芳~。

菲² fēi 〈名〉有机化合物,化学式 $C_{14}H_{10}$。无色晶体,有荧光,是蒽的同分异构体。用来制染料、药品等。[英 phenanthrene]
另见 395 页 fěi。

【菲菲】fēifēi 〈书〉〈形〉❶花草茂盛、美丽。❷花草香气浓郁。

啡 fēi 见 753 页〖咖啡〗,909 页〖吗啡〗。

騑(騑) fēi 古代指车前驾在辕马两旁的马。

绯(緋) fēi 红色:~红|深~。

【绯红】fēihóng 〈形〉状态词。鲜红:两颊~|~的晚霞。

【绯闻】fēiwén 〈名〉桃色新闻:影坛~。

扉 fēi 门扇:柴~◇心~。

【扉画】fēihuà 〈名〉书籍正文前的插图。

【扉页】fēiyè 〈名〉书刊封面之内印着书名、著者、出版者等项内容的一页。

蜚 fēi 〈书〉同"飞"。
另见 396 页 fěi。

【蜚短流长】fēi duǎn liú cháng 同"飞短流长"。

【蜚声】fēishēng 〈书〉〈动〉扬名:~文坛。

【蜚语】fēiyǔ 同"飞语"。

霏 fēi 〈书〉❶霏霏:雨雪其~。❷飘扬;飘散:烟~云敛。

【霏霏】fēifēi 〈书〉〈形〉(雨、雪)纷飞:(烟、云等)很盛:雨雪~|~细雨|云雾~。

【霏微】fēiwēi 〈书〉〈形〉雾气、细雨等弥漫的样子:烟雨~。

鲱(鯡) fēi 〈名〉鱼,身体侧扁而长,背部灰黑色,两侧银白略带绿色,没有侧线,生活在海洋中。是重要的经济鱼类。也叫鰊。

féi （ㄈㄟ）

肥 féi ❶〈形〉含脂肪多(跟"瘦"相对,除"肥胖、减肥"外,一般不用于人):~猪|~肉|马不得夜草不~。❷〈形〉肥沃:土地很~。❸〈动〉使肥沃:~田粉。❹〈名〉肥料:底~|绿~|化~|积~。❺〈形〉收入多;油水多:~差|活儿~。❻〈动〉指由不正当的收入而富裕:坑了集体,~了自己。❼利益;好处:分~|抄~(捞外快)。❽〈形〉肥大①(跟"瘦"相对):棉袄的袖子太~了。❾(Féi)〈名〉姓。

【肥差】féichāi 〈名〉指从中可多得好处的差事。

【肥肠】féicháng (~儿)〈名〉指用作食品的猪的大肠:熘~|烩~。

【肥嘟嘟】féidādā 〈形〉状态词。形容肥胖的样子。

【肥大】féidà 〈形〉❶(衣服等)又宽又大:~的灯笼裤|这件裤子很~。❷(生物体或生物体的某部分)粗大壮实:~的河马|豌豆角很~。❸人体的某一脏器或某一部分组织,由于病变而体积比正常的大:心脏~|扁桃体~。

【肥分】féifèn 〈名〉肥料中含氮、磷、钾等营养元素的成分,一般用百分数来表示。

【肥厚】féihòu 厖❶ 肥而厚实：～的手掌｜～的橡皮树叶子。❷ 人体的某一脏器或部分组织由于病变而比正常的大而厚：左心室～。❸ (土层)肥沃而厚。❹ 多；优厚：油水～｜奖金～。

【肥活】féihuó (～儿)名 利润大或报酬多的活儿；费力少而收入多的工作。

【肥力】féilì 名 土壤肥沃的程度：提高土地～。

【肥料】féiliào 名 能供给养分使植物发育生长的物质。肥料的种类很多，所含养分主要是氮、磷、钾三种：化学～。

【肥美】féiměi 厖❶ 肥沃：河流两岸是～的土地。❷ 肥壮；丰美：～的牛羊｜～的牧草。❸ 肥而味美：～的羊肉。

【肥胖】féipàng 厖 胖：过度～对健康不利。

【肥缺】féiquē 名 指收入(主要是非法收入)多的官职。

【肥实】féi·shi 〈口〉厖❶ 肥胖：～的枣红马。❷ 脂肪多：这块肉很～。❸ 富足；有钱：他家日子过得挺～。

【肥瘦儿】féishòur 名❶ 衣服的宽窄：你看这件衣裳的～怎么样？❷〈方〉半肥半瘦的肉：来半斤～。

【肥水】féishuǐ 名 含有养分的水；液体肥料：～不流外人田(比喻好处不能让给别人)。

【肥硕】féishuò 厖❶ (果实等)又大又饱满。❷ (肢体)大而肥胖。

【肥私】féisī 动 用不正当的手段使私人得到好处：损公～。

【肥田】féitián ❶ (－//－) 动 采用施肥等措施使土地肥沃：草木灰可以～。❷ 名 肥沃的田地：～沃土。

【肥沃】féiwò 厖 (土地)含有较多的适合植物生长的养分、水分：土壤～。

【肥效】féixiào 名 肥料的效力：～高｜～持久。

【肥育】féiyù 动 育肥。

【肥皂】féizào 名 洗涤去污用的化学制品，通常制成块状。主要成分是高级脂肪酸的钠盐或钾盐。有的地区叫胰子。

【肥皂剧】féizàojù 名 某些国家称一种题材轻松的电视连续剧。因早期常在中间插播肥皂之类的生活用品广告而得名。

【肥壮】féizhuàng 厖 (生物体)肥大而健壮：禾苗～｜～的牛羊。

淝 Féi 东淝河，南淝河，西淝河，北淝河，水名，都在安徽。东淝河古名淝水，历史上有名的淝水之战就发生在这里。

腓1 féi 名 腿肚子。

腓2 féi 〈书〉病；枯萎：百卉俱～。

【腓肠肌】féichángjī 名 胫骨和腓骨后面的一块肌肉，扁平，在小腿后面形成隆起部分。

【腓骨】féigǔ 名 小腿外侧的长骨，比胫骨细而短，有三个棱。(图见 490 页"人的骨骼")

fěi （ㄈㄟˇ）

朏 fěi 〈书〉新月开始发光：月～星堕。

匪1 fěi 强盗：盗～｜土～｜～徒｜～患｜剿～。

匪2 fěi 〈书〉副 非；不；获益～浅｜～夷所思。

【匪帮】fěibāng 名 有组织的匪徒或行为如同盗匪的反动政治集团：法西斯～。

【匪巢】fěicháo 名 匪穴。

【匪盗】fěidào 名 盗匪。

【匪患】fěihuàn 名 盗匪造成的祸患。

【匪祸】fěihuò 名 匪患。

【匪首】fěishǒu 名 盗匪的头子。

【匪徒】fěitú 名❶ 强盗：财物被～抢劫一空。❷ 危害人民的反动派或坏人。

【匪穴】fěixué 名 敌人、盗匪盘踞的地方：直捣～。

【匪夷所思】fěi yí suǒ sī 指事物怪异或人的言行离奇，不是一般人按照常理所能想象的(夷：平常)。

诽 fěi 毁谤：～谤。

【诽谤】fěibàng 动 无中生有，说人坏话，毁人名誉；诬蔑：恶意～｜～中伤。

菲 fěi ❶ 古书上指萝卜一类的菜。❷〈书〉菲薄(多用作谦辞)：～礼｜～酌｜～材。
另见 394 页 fēi。

【菲薄】fěibó ❶ 厖 微薄(指数量少、质量

次):待遇～|～的礼物。❷ 动 瞧不起:妄自～|～前人。

【菲敬】fěijìng 〈书〉名 谦辞,菲薄的礼物。

【菲仪】fěiyí 〈书〉名 谦辞,菲薄的礼物。

【菲酌】fěizhuó 〈书〉名 谦辞,不丰盛的酒饭:敬备～,恭候光临。

悱 fěi 〈书〉想说又不知道怎么说。

【悱恻】fěicè 〈书〉形 形容内心悲苦:缠绵～。

棐 fěi 〈书〉辅助。

斐 fěi ❶〈书〉有文采。❷ (Fěi)名 姓。

【斐然】fěirán 〈书〉形 ❶ 有文采的样子:～成章。❷ 显著:成绩～|～可观。

榧 fěi 见1486页〖香榧〗。

【榧子】fěi·zi 名 ❶ 香榧。❷ 香榧的种子。

蜚 fěi 古书上指椿象一类的昆虫。
另见394页 fēi。

【蜚蠊】fěilián 名 蟑螂。

翡 fěi 古书上指一种有红毛的鸟。

【翡翠】fěicuì 名 ❶ 鸟,嘴长而直,有蓝色和绿色的羽毛,飞得很快,生活在水边,吃昆虫、鱼虾等。种类较多。❷ 矿物,成分是钠和铝的硅酸盐,绿色、蓝绿色或白色中带绿色斑纹,也有红色、紫色或无色的,有玻璃光泽,硬度6—7,可做装饰品。

篚 fěi 〈书〉圆形的竹筐。

fèi （ㄈㄟˋ）

芾 fèi 见77页〖蔽芾〗。
另见418页 fú。

吠 fèi (狗)叫:狂～|鸡鸣犬～。

【吠形吠声】fèi xíng fèi shēng 《潜夫论·贤难》:"一犬吠形,百犬吠声。"比喻不明察事情的真伪而盲目附和。也说吠影吠声。

【吠影吠声】fèi yǐng fèi shēng 吠形吠声。

肺 fèi 名 人和高等动物的呼吸器官。人的肺在胸腔中,左右各一,和支气管相连。由心脏出来含有二氧化碳的血液经肺动脉到肺泡内进行气体交换,变成含

有氧气的血液,经肺静脉流回心脏。也叫肺脏。

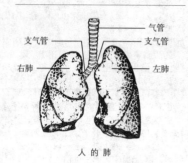

气管 支气管 左肺
支气管 右肺

人的肺

【肺病】fèibìng 名 肺结核的通称。

【肺腑】fèifǔ 名 ❶ 肺部,泛指人的内脏:阵阵清香沁人～。❷ 比喻内心:～之言|感人～。

【肺腑之言】fèifǔ zhī yán 发自内心的真诚的话。

【肺活量】fèihuóliàng 名 一次尽力吸气后再尽力呼出的气体总量。成年男子正常的肺活量约为3 500毫升,成年女子正常的肺活量约为2 500毫升。

【肺结核】fèijiéhé 名 慢性传染病,病原体是结核杆菌。症状是低热,盗汗,咳嗽,多痰,消瘦,有时咯血。通称肺病。

【肺痨】fèiláo 名 中医指肺结核。

【肺泡】fèipào 名 肺的主要组成部分,位置在最小支气管的末端,略呈半球形,周围有毛细血管网围绕。血液在肺泡内进行气体交换。

【肺气肿】fèiqìzhǒng 名 慢性病,肺组织由于过度膨胀和充气而弹性减退,症状是咳嗽、气喘、口唇发绀等。多由慢性支气管炎、支气管哮喘、硅肺和肺结核引起。

【肺循环】fèixúnhuán 名 心脏收缩的时候,右心室中含有二氧化碳的血液,经过肺动脉流入肺部,在肺内进行气体交换,排出多余的二氧化碳,吸收新鲜的氧气,经过肺静脉流入左心房,再流入左心室。血液的这种循环叫做肺循环,也叫小循环。

【肺炎】fèiyán 名 肺部发炎的病,由细菌、病毒等引起,种类较多。症状是高热,咳

嗽、胸痛,呼吸困难等。

【肺叶】**fèiyè** 名 肺表面深而长的裂沟把左肺分成两部分,把右肺分成三部分,每一部分叫一个肺叶。

【肺脏】**fèizàng** 名 肺。

狒

fèi 〔狒狒〕(**fèifèi**)名 哺乳动物,外形像猴,头部形状像狗,毛灰褐色,四肢粗,尾巴长。群居,杂食,产在非洲和亚洲的阿拉伯半岛。

废(廢)

fèi ❶ 动 不再使用;不再继续:～除|半途而～|这个煤窑～了。❷ 荒芜;衰败:～园|～墟。❸ 形 没有用的或失去了原来的作用的:～话|～报纸|～钢铁。❹ 肢体伤残:残～|～疾(残疾)。❺ 动 废黜。

【废弛】**fèichí** 动 (政令、风纪等)因不执行或不被重视而失去约束作用:纪律～。

【废除】**fèichú** 动 取消;废止(法令、制度、条约等):～农奴制|～不平等条约。

【废黜】**fèichù** 动 ❶〈书〉罢免;革除(官职)。❷ 取消王位或废除特权地位。

【废话】**fèihuà** ❶ 名 没有用的话:～连篇|少说～。❷ 动 说废话:别～,快干你的事去。

【废旧】**fèijiù** 形 属性词。废弃的和陈旧的(东西):～物资。

【废料】**fèiliào** 名 在制造某种产品过程中剩下的而对本生产过程没有用的材料:造纸厂的～可以制造酒精。

【废品】**fèipǐn** 名 ❶ 不合出厂规格的产品。❷ 破的、旧的或失去原有使用价值的物品:～收购站。

【废气】**fèiqì** 名 工业生产或生活过程中所排出的没有用的气体。参看1171页〖三废〗。

【废弃】**fèiqì** 动 抛弃不用:把～的土地变成良田|旧的规章制度要一概～。

【废寝忘食】**fèi qǐn wàng shí** 顾不得睡觉,忘记吃饭,形容非常专心努力。也说废寝忘餐。

【废然】**fèirán** 〈书〉形 形容消极失望的样子:～而返|～而叹。

【废人】**fèirén** 名 因残废而失去工作能力的人。也泛指无用的人。

【废水】**fèishuǐ** 名 工业生产或生活过程中所排出的没有用的水。参看1171页〖三废〗。

【废物】**fèiwù** 名 失去原有使用价值的东西:～利用。

【废物】**fèi·wu** 名 比喻没有用的人(骂人的话)。

【废墟】**fèixū** 名 城市、村庄遭受破坏或灾害后变成的荒凉地方:一片～|大地震后,整个城市成了～。

【废学】**fèixué** 动 不再继续上学;辍学:中途～。

【废渣】**fèizhā** 名 工业生产或生活过程中所排出的没有用的固态物质。参看1171页〖三废〗。

【废止】**fèizhǐ** 动 取消,不再行使(法令、制度):本条令公布后,以前的暂行条例即行～。

【废址】**fèizhǐ** 名〈书〉已经毁坏的建筑物的地址:这里是清代县衙门的～。

【废置】**fèizhì** 动 认为没有用而搁在一边:这些材料～不用,太可惜了。

沸

fèi 动 沸腾:～油|扬汤止～|水～后自动断电◇～天震地(形容声音极响)。

【沸点】**fèidiǎn** 名 液体沸腾时的温度。沸点随外界压力变化而改变,压力低,沸点也低。

【沸反盈天】**fèi fǎn yíng tiān** 形容喧哗吵闹,乱成一团。

【沸沸扬扬】**fèifèiyángyáng** 形 状态词。像沸腾的水一样喧闹,多形容议论纷纷。

【沸泉】**fèiquán** 名 温度达到或超过当地水沸点的泉。

【沸热】**fèirè** 形 火热:～的南风◇～的心。

【沸水】**fèishuǐ** 名 滚水;开水。

【沸腾】**fèiténg** 动 ❶ 液体达到一定温度时急剧转化为气体,产生大量气泡。❷ 比喻情绪高涨:热血～。❸ 比喻喧嚣嘈杂:群情激愤,人声～。

费(費)

fèi ❶ 名 费用:水电～|医药～|免～|收～。❷ 动 花费;耗费:～心|消～|～了半天工夫。❸ 动 用得多;消耗得多(跟"省"相对):老式汽车～油|走山路～鞋|孩子穿衣裳真～。❹(Fèi)名 姓。

【费工】**fèi//gōng** 动 耗费工夫:加工这种零件比较～,一小时怕完不了。

【费话】**fèi//huà** 动 耗费言辞,多说话:一说他就明白,用不着～|我费了许多话才把他说服。

【费解】fèijiě 形（文章的词句、说的话）不好懂：这篇文章词意隐晦，实在～。

【费劲】fèi//jìn （～儿）动费力：腿脚不好，上楼～|费了半天劲，也没有干好。

【费力】fèi//lì 动耗费力量：～劳心|他有气喘病，说话很～。

【费率】fèilǜ 名交纳费用的比率。如保险业的费率指投保人向保险人交纳费用的金额与保险人承担赔偿金额的比率。

【费难】fèinán 〈方〉形感到困难，不容易做：他学过木匠，打个柜子不～。

【费神】fèi//shén 动耗费精神（常用作请托时客套话）：这篇稿子您～看看吧。

【费时】fèishí 动耗费时间：这座大楼～一年才建成。

【费事】fèi//shì ❶动办事费周折；费工：洗几件衣服也费不了你多少事。❷形事情复杂，不容易办：给同志们烧点水喝，并不～。

【费手脚】fèi shǒujiǎo 费事：真要把这件事做好，也得费点手脚。

【费心】fèi//xīn 动耗费心神（多用作请托或致谢时客套话）：您要是见到他，～把这封信交给他|这孩子真让人～。

【费用】fèi·yong 名花费的钱；开支：生活～|这几个月家里～太大。

捌（跰） fèi 古代砍掉脚的酷刑。

痱（痱） fèi ［痱子］(fèi·zi)名皮肤病，暑天皮肤上起的红色或白色小疹，很刺痒，常由出汗多，皮肤不清洁等引起。

镄（鐨） fèi 名金属元素，符号 Fm (fermium)。银白色，化学性质活泼，有放射性，由人工核反应获得。

篚（篚） fèi 〈书〉竹席。

fēn（ㄈㄣ）

分 fēn ❶动使整体事物变成几部分或使联在一起的事物离开（跟"合"相对）：～裂|～散|～离|一个瓜～两半。❷动分配：这个工作～给你。❸动辨别：～清是非|不～皂白。❹名分支；部分：～会|～局|第三～册。❺（～儿）名分数①|

得～。❻ ❶分数②：约～|通～。❼表示分数：二～之一|百～之五。❽（某些计量单位）的十分之一：～米|～升。❾量计量单位名称：a)长度，10 厘等于 1 分，10 分等于 1 寸。b)地积，10 厘等于 1 分，10 分等于 1 亩。c)质量或重量，10 厘等于 1 分，10 分等于 1 钱。d)货币，10 分等于 1 角。e)时间，60 秒等于 1 分，60 分等于 1 小时。f)弧度或角，60 秒等于 1 分，60 分等于 1 度。g)经度或纬度，60 秒等于 1 分，60 分等于 1 度。h)利率，年利一分按十分之一计算，月利一分按百分之一计算。i)（～儿）评定成绩等：考试得了一百～|这场球赛双方只差几～。❿（Fēn）名姓。

另见 403 页 fèn。

【分包】fēnbāo 动❶分片包干：分头负责：任务～到人。❷承包者把所承包的工程项目等的一部分再分给他人承包：工程～。

【分保】fēnbǎo 动再保险。

【分贝】fēnbèi 量计量声强、电压或功率等相对大小的单位，符号 dB。它的数值等于声强、电压或功率比值的常用对数的 10 倍。当选定一个基准声强、电压或功率时，分贝数也表示声强、电压或功率的绝对大小。

【分崩离析】fēn bēng lí xī 形容集团、国家等分裂瓦解。

【分币】fēnbì 名指面值是一分、二分、五分的硬币或纸币。

【分辨】fēnbiàn 动辨别：～是非|天下着大雨，连方向也～不清了。

【分辩】fēnbiàn 动辩白：证据俱在，无须～|他们爱说什么就说什么，我不想～。

【分别】[1] fēnbié 动离别：暂时～，不久就能见面|他们～了好多年啦。

【分别】[2] fēnbié ❶动辨别：～是非|～轻重缓急。❷副按不同方式；有区别地：～对待|～处理。❸副分头；各自：几个人～去做动员工作|部队到达前沿，～进入阵地。❹名不同；差别：看不出有什么～。

【分兵】fēnbīng 动分开或分散兵力：～把守要隘。

【分布】fēnbù 动散布（在一定的地区内）：人口～图|商业网点～得不均匀。

【分餐】fēncān 动集体吃饭的时候，把菜肴分开吃：我因为有病，跟家里人～。

【分册】fēncè 图一部篇幅较大的书,按内容分成若干本,每一本叫一个分册。

【分成】fēn//chéng (～儿)动按成数分钱财、物品等:四六～|三七～。

【分爨】fēncuàn 〈书〉动分家过日子:兄弟～。

【分寸】fēn·cun 图说话或做事的适当限度:有～|没～|注意说话的～。

【分担】fēndān 动担负一部分:～任务|～责任。

【分道扬镳】fēn dào yáng biāo 指分道而行,比喻因目标不同而各奔各的前程或各干各的事情。

【分店】fēndiàn 图一个商店分设的店:这家商行去年又开设了两家～。

【分队】fēnduì 图❶一般指军队中相当于营到班一级的组织。❷泛指执行某项任务的由较少人员组成的单位:抢险人员分成三个～。

【分发】fēnfā 动❶一个个地发给:～慰问品。❷分派(人员到工作岗位)。

【分肥】fēn//féi 动分取利益(一般指不正当的)。

【分付】fēn·fù 见 402 页[吩咐]。

【分割】fēngē 动把整体或有联系的东西分开:～遗产|民主和集中这两方面,任何时候都不能～开。

【分隔】fēngé 动在中间隔断:垒了一道墙,把一间房子～成两间。

【分工】fēn//gōng 动分别从事各种不同而又互相补充的工作:社会～|～合作|他～抓生产|这几件事,咱们分工合吧。

【分公司】fēngōngsī 图总公司下属的分支机构或附属机构,不具有独立法人资格。

【分管】fēnguǎn 动分工管理(某方面工作):他～农业|这是老张～的地段。

【分毫】fēnháo 图指极少的数量:～不爽|不差～。

【分号】[1] fēnhào 图标点符号(;),表示一句话中间并列分句之间的停顿。

【分号】[2] fēnhào 图分店:本店只此一家,别无～。

【分红】fēn//hóng 动❶指人民公社时期社员定期分配工分值。❷企业分配盈余或利润:年终～。❸股份公司按股份分配利润。

【分洪】fēnhóng 动为了使某些地区不遭受洪水灾害,在上游适宜地点,把一部分洪水引入别的地方。

【分化】fēnhuà 动❶性质相同的事物变成性质不同的事物;统一的事物变成分裂的事物:两极～|有些字,古代本是一个,由于后来加上了不同的偏旁,就～成几个。❷使分化:～瓦解|～敌人。❸在生物个体发育的过程中,细胞向不同的方向发展,在构造和功能上,由一般变为特殊的现象,例如胚胎时期的某些细胞分化成为肌细胞,另一些细胞分化成为结缔组织。

【分机】fēnjī 图需通过总机才能接通电话的通话装置。

【分家】fēn//jiā 动❶原来在一起生活的亲属把共有的家产分了,各自成家过活:～单过。❷泛指一个整体分开:鞋底和鞋帮分了家。

【分解】fēnjiě 动❶一个整体分成它的各个组成部分,例如物理学上力的分解,数学上因式的分解等。❷一种物质经过化学反应生成两种或两种以上其他物质,如碳酸钙加热分解成氧化钙和二氧化碳。❸排解(纠纷);调解:难以～|让他替你们～～。❹分化瓦解:做好各项工作,促使敌人内部～。❺分辩;解释:不容他～,就把他拉走了。❻解说(章回小说用语):且听下回～。

【分界】fēnjiè ❶(-/-)动划分界线:河北省和辽宁省在山海关～。❷图划分的界线:赤道是南半球和北半球的～。

【分界线】fēnjièxiàn 图❶划分开地区的界线:过了河北河南两省的～,就进入了豫北。❷比喻界限:是非的～不容混淆。

【分斤掰两】fēn jīn bāi liǎng 比喻过分计较小事。

【分镜头】fēnjìngtóu 图导演将整个影片或电视片的内容按景别、摄法、对话、音乐、镜头长度等分切成许多准备拍摄的镜头,称为分镜头。

【分居】fēn//jū 动一家人分开生活:他们夫妻两地～。

【分句】fēnjù 图语法上指复句里划分出来的相当于单句的部分。分句和分句之间一般有停顿,在书面上用逗号或者分号表示。分句和分句在意义上有一定的联系,常用一些关联词语(连词、有关联作用的副词或词组)来连接,如:天晴了,雪也化了。参看 429 页〖复句〗。

【分开】fēn∥kāi 勔❶ 人或事物不聚在一起:弟兄两人~已经三年了|这些问题是彼此~而又联系着的。❷ 使分开:老赵用手~人群,挤到台前|这两件事要~解决。

【分栏】fēn∥lán 勔 用线条或空白将书籍、报刊等从左到右或从上到下隔开。

【分类】fēn∥lèi 勔 根据事物的特点分别归类:图书~法|把文件~存档。

【分离】fēnlí ❶ 分开:理论与实践是不可~的|从空气中~出氮气来。❷ 别离:~了多年的兄弟又重逢了。

【分力】fēnlì 名 几个力同时对某物体的作用和另外一个力对该物体的作用效果相同,这几个力就是那一个力的分力。

【分列式】fēnlièshì 名 军队等按照不同的兵种或编制排列成一定的队形,依次走正步、行注目礼通过检阅台,这种队形叫分列式。

【分裂】fēnliè 勔❶ 整体的事物分开:细胞~。❷ 使整体的事物分开:~组织。

【分流】fēnliú ❶ 从干流中分出一股或几股水流注入另外的河流或单独入海。❷(人员、车辆等)分别向不同的道路、方向流动:人车~|消费资金~。❸ 指行政机关或企事业单位精简下来的人员到其他单位工作:做好机关干部~安置工作。

【分馏】fēnliú 勔 液体中含有几种沸点不同的物质时,蒸馏液体,使它所含的成分互相分离:~石油可以得到汽油、煤油等。

【分袂】fēnmèi〈书〉勔 离别;分手。

【分门别类】fēn mén bié lèi 根据事物的特性分成各种门类:把收集的标本~地摆列起来。

【分米】fēnmǐ 量 长度单位,1 分米等于 1 米的 1/10。

【分泌】fēnmì 勔 从生物体的某些细胞、组织或器官里产生出某种物质。如胃分泌胃液,花分泌花蜜,病菌分泌毒素等。

【分娩】fēnmiǎn 勔❶ 生小孩儿。❷ 生幼畜。

【分秒】fēnmiǎo 名 一分一秒,指极短的时间:~必争(一点儿时间也不放松)|时间不饶人,~赛黄金。

【分明】fēnmíng ❶ 形 清楚:黑白~|爱憎~。❷ 副 明明,显然:他~朝你的方向

去的,你怎么没有看见他?

【分母】fēnmǔ 名 见〖分数〗❷。

【分蘖】fēnniè 勔 稻、麦、甘蔗等植物发育的时候,在幼苗靠近土壤的茎节上生出分枝。

【分派】fēnpài 勔❶ 分别指定人去完成工作或任务:~专人负责。❷ 指定分摊;摊派:这次旅游的费用,每个参加的人~三十元。

【分配】fēnpèi 勔❶ 按一定的标准或规定(东西):~宿舍|~劳动果实。❷ 安排;分派:服从组织~|合理~劳动力。❸ 经济学上指把生产资料分给生产单位或把消费资料分给消费者。分配的方式决定于社会制度。

【分期】fēnqī 勔❶ 把连续的过程分成若干时期或阶段:历史~。❷ 在时间上分成若干次(进行):~付款|~休假。

【分歧】fēnqí ❶ 形(思想、意见、记载等)不一致;有差别:~点|意见~。❷ 名 思想、意见、记载等不一致的地方:存在~|消除~。

【分清】fēn∥qīng 勔 分辨清楚:~是非。

【分润】fēnrùn 勔 分享利益(多指金钱)。

【分散】fēnsàn ❶ 形 散在各处;不集中:~活动|山村的人家住得很~。❷ 勔 使分散:~注意力。❸ 勔 散发;分发:~传单。

【分设】fēnshè 勔 分别设置:局下面~三个处。

【分身】fēn∥shēn 勔 抽出时间去照顾其他方面(多用于否定式):难以~|乏术无法~|一直想去看看你,可总是分不开身。

【分神】fēn∥shén 勔❶ 分散注意力:读书要专心,不要~。❷ 分出一些心神、费神(常用作请托客套话):那本书请您~去找一找,我们等着用。

【分式】fēnshì 名 有除法运算,而且除式中含有字母的有理式,如 $\frac{1}{x}$、$\frac{a}{b-c^2}$。

【分手】fēn∥shǒu 勔 别离;分开:我要往北走了,咱们在这儿~吧|他们两人合不到一起,早分了手。

【分数】fēnshù 名❶ 评定成绩或胜负时所记的分儿的数字:三门功课的平均~是 87 分|鞍马,他得的~是 9.5 分。❷ 把一个单位分成若干等份,表示其中的一份

或几份的数,是除法的一种书写形式,如 $\frac{2}{5}$(读作五分之二),$2\frac{3}{7}$(读作二又七分之三)。在分数中,符号"—"叫做分数线,相当于除号;分数线上面的数叫做分子,相当于被除数,如 $\frac{2}{5}$ 中的2;分数线下面的数叫做分母,相当于除数,如 $\frac{2}{5}$ 中的5。

【分数线】fēnshùxiàn 图❶ 见【分数】②。❷ 考生被录取的最低分数标准:他的考试成绩超过了本市录取～。

【分水岭】fēnshuǐlǐng 图❶ 两个流域分界的山脊或高原。❷ 比喻不同事物的主要分界。

【分税制】fēnshuìzhì 图 根据中央政府和地方政府的职能和事权范围,按税种、税源将全部税收划分为中央税、地方税和中央地方共享税的制度。

【分说】fēnshuō 动 分辩(多用在"不容、不由"等否定语之后)。

【分摊】fēntān 动 分担(费用等):聚餐的钱,大家～。

【分体】fēntǐ 形 属性词。一个装置分为相对独立的几部分并可以分开安放的:～空调。

【分庭抗礼】fēn tíng kàng lǐ 原指宾主相见,站在庭院的两边,相对行礼。现在用来比喻平起平坐,互相对立。

【分头】[1] fēntóu 副 若干人分几个方面(进行工作):～办理|大家～去准备。

【分头】[2] fēntóu 图 短头发向两边分开梳的式样。

【分文】fēnwén 图 指很少的钱:～不值|身无～。

【分文不取】fēn wén bù qǔ 一个钱也不要(多指应得的报酬或应收的费用):我要是治不好你的病,～。

【分析】fēnxī 动 把一件事物、一种现象、一个概念分成较简单的部分,找出这些部分的本质属性和彼此之间的关系(跟"综合"相对):化学～|～问题|目前国际形势。

【分析语】fēnxīyǔ 图 语言学上指词与词间的语法关系主要不是靠词本身的形态变化,而是靠词序、虚词等来表示的语言。一般认为汉语是典型的分析语。

【分享】fēnxiǎng 动 和别人分着享受(欢乐、幸福、好处等):晚会上老师也～着孩子们的欢乐。

【分销】fēnxiāo 动 分散到代理商或销售点销售。

【分晓】fēnxiǎo ❶ 图 事情的底细或结果(多用于"见"后):究竟谁是冠军,明天就见～。❷ 动 明白;清楚:且看下图,便可～。❸ 图 道理(多用于否定式):没～的话。

【分心】fēn∥xīn 动 ❶ 分散注意力;不专心:孩子的功课叫家长～。❷ 费心:这事您多～吧。

【分野】fēnyě 图 划分的范围;界限①:政治～|思想～。

【分阴】fēnyīn 〈书〉图 日影移动一分的时间,指极短的时间:惜～。

【分忧】fēn∥yōu 动 分担别人的忧虑;帮助别人解决困难:为国～。

【分赃】fēn∥zāng 动 ❶ 分取赃款赃物:坐地～。❷ 比喻分取不正当的权利或利益。

【分则】fēnzé 图 根据总则制定的各项具体性条文。

【分账】fēnzhàng 动 按照一定比例分钱财:三七～。

【分诊】fēnzhěn 动 医院或诊所各科由护士把病历分送给各诊室或医生:～台|～护士。

【分支】fēnzhī 图 从一个系统或主体中分出来的部分:～机构。

【分子】fēnzǐ 图 ❶ 见【分数】②。❷ 物质中能够独立存在并保持本物质一切化学性质的最小微粒,由原子组成。
另见 404 页 fènzǐ。

【分子量】fēnzǐliàng 图 相对分子质量的通称。

【分子筛】fēnzǐshāi 图 具有特定晶体结构的物质(如硅铝酸盐)。这种结构具有孔径均一、排列整齐的微孔,能有选择地吸附小于孔径的分子。广泛用于混合物的分离、净化,也用作催化剂和干燥剂。

【分子式】fēnzǐshì 图 用元素符号表示物质分子组成的式子,如水的分子式是 H_2O,氧的分子式是 O_2。

芬 fēn ❶ 香气:～芳|清～。❷ (Fēn)图 姓。

【芬芳】fēnfāng ❶ 形 香:～的花朵|气味

~。❷名香气:空气里弥漫着桂花的~。

吩 fēn ［吩咐］(分付)(fēn·fu)〈口〉动口头指派或命令;嘱咐:父亲～大哥务必在月底以前赶回来|我们俩做什么,请你~。

纷(紛) fēn ❶多;杂乱:~乱|~飞。❷纠纷:排难解~。

【纷呈】fēnchéng 动纷纷呈现:色彩~|戏曲汇演,流派~。

【纷繁】fēnfán 形多而复杂:头绪~。

【纷飞】fēnfēi 动(雪、花等)多而杂乱地在空中飘扬:大雪～|柳絮~|◇战火~。

【纷纷】fēnfēn ❶形(言论、往下落的东西等)多而杂乱:议论~|落叶~。❷副(许多人或事物)接二连三地:大家~提出问题。

【纷纷扬扬】fēnfēnyángyáng 形状态词。(雪、花、叶等)飘洒得多而杂乱:鹅毛大雪~。

【纷乱】fēnluàn 形杂乱;混乱:思绪~|~的脚步声。

【纷披】fēnpī〈书〉形散乱张开的样子:枝叶~。

【纷扰】fēnrǎo 形混乱:内心~|世事~。

【纷纭】fēnyún 形(言论、事情等)多而杂乱:头绪~|众说~,莫衷一是。

【纷杂】fēnzá 形多而杂乱;杂乱:头绪~|~的思绪。

【纷争】fēnzhēng ❶动争执;争论:各方代表~不休。❷名纠纷;争端:消除~|引起一场~。

【纷至沓来】fēn zhì tà lái 纷纷到来;连续不断地到来:顾客~,应接不暇。

玢 fēn 见1170页[赛璐玢]。另见93页bīn。

氛 fēn 气;气象③:气~|战~。

【氛围】(雰围) fēnwéi 名周围的气氛和情调:人们在欢乐的~中迎来了新的一年。

菜 fēn〈书〉有香气的木头。

酚 fēn 名有机化合物的一类,是苯环上的一个或多个氢原子被羟基取代生成的化合物。［英phenol］

【酚酞】fēntài 名有机化合物,化学式$C_{20}H_{14}O_4$。白色或微黄色结晶,它的酒精溶液在中性或酸性溶液中无色,在碱性溶液中呈红色。化学分析上用作指示剂。

雰 fēn〈书〉雾气;气。

【雰雰】fēnfēn〈书〉形霜雪等很盛的样子:雨雪~。

【雰围】fēnwéi 见402页[氛围]。

fén （ㄈㄣˊ）

坟(墳) fén 名坟墓:祖～|上～|一座～。

【坟地】féndì 名埋葬死人的地方;坟墓所在的地方。

【坟墓】fénmù 名埋葬死人的穴和上面的坟头。

【坟山】fénshān〈方〉名❶用作坟地的山。泛指坟地。❷高大的坟头。❸坟墓或坟地后面的土围子。也叫坟山子。

【坟头】féntóu（～儿)名埋葬死人之后在地面上筑起的土堆,也有用砖石等砌成的。

【坟茔】fényíng 名❶坟墓。❷坟地。

汾 Fén 汾河,水名,在山西。

【汾酒】fénjiǔ 名山西汾阳出产的一种白酒。

蚡 fén〈书〉同"鼢"。

棼 fén〈书〉纷乱:治丝益~。

焚 fén 烧:～香|玩火自～|忧心如～。

【焚膏继晷】fén gāo jì guǐ 点燃灯烛来接替日光照明(膏:灯油。晷:日影),形容夜以继日地用功读书或努力工作。

【焚化】fénhuà 动烧掉(尸骨、神像、纸钱等)。

【焚毁】fénhuǐ 动烧坏;烧毁:一场大火~了半个村子的民房。

【焚琴煮鹤】fén qín zhǔ hè 见1781页[煮鹤焚琴]。

【焚烧】fénshāo 动烧毁;烧掉。

【焚香】fén∥xiāng 动❶烧香:～拜佛。❷点燃香:～静坐|～操琴。

渍(濆) fén〈书〉水边。

獖(獖) fén ［獖猪］(fénzhū)〈方〉
名 未发情或阉割过的猪。

鼢 fén ［鼢鼠］(fénshǔ) 名 哺乳动物,
身体灰色,尾短,眼小,前肢爪长而大,
在地下打洞,吃甘薯、花生、豆类等植物的
地下部分,也吃牧草,对农牧业有害。

fěn （ㄈㄣˇ）

粉 fěn ❶ 名 粉末:面~|藕~|花~|把
绿豆磨成~。❷ 名 特指化妆用的粉
末:香~|涂脂抹~。❸ 用淀粉制成的食
品:凉~|~皮。❹ 名 特指粉条或粉丝:
绿豆~|菠菜炒~。❺ 动 变成粉末:~
碎|身碎骨|石灰放得太久,已经~了。❻
〈方〉动 粉刷:墙刚~过。❼ 带着白粉
的;白色的:~蝶|~连纸。❽ 形 粉红:
~色|~牡丹|这块绸子是~的。

【粉笔】fěnbǐ 名 在黑板上写字用的条状
物,用白垩、熟石膏粉等加水搅拌,灌入模
型后凝固制成。

【粉肠】fěncháng （~儿）名 用团粉加少量
油脂、盐、作料等灌入肠衣做熟的副食品。

【粉尘】fěnchén 名 在燃烧或工业生产等
过程中产生的粉末状的废物。

【粉刺】fěncì 名 痤疮(cuóchuāng)的通
称。

【粉黛】fěndài 〈书〉名 ❶ 妇女化妆用的
白粉和青黑色的颜料:不施~。❷ 借指
妇女:六宫~。

【粉蝶】fěndié 名 蝴蝶的一种,翅白色,有
黑色斑点,也有黄色或橙色的。幼虫吃白
菜、油菜、萝卜等蔬菜的叶,是农业害虫。

【粉坊】fěnfáng 名 做粉皮、粉条、粉丝等
食品的作坊。

【粉红】fěnhóng 形 红和白合成的颜色。

【粉红领】fěnhónglǐng 名 粉领。

【粉剂】fěnjì 名 散剂。

【粉连纸】fěnliánzhǐ 名 一种白色的一面
光的纸,比较薄,半透明,可以蒙在字画上
描摹。

【粉领】fěnlǐng 名 某些国家和地区指从事
秘书、打字等工作的职业妇女。也叫粉红
领。

【粉末】fěnmò （~儿）名 极细的颗粒;细
屑:金属~|研成~。

【粉墨登场】fěn mò dēng chǎng 化妆上
台演戏,今多比喻登上政治舞台(含讥讽
意)。

【粉牌】fěnpái 名 白色的水牌。

【粉皮】fěnpí （~儿）名 用绿豆、白薯等的
淀粉制成的片状的食品。

【粉扑儿】fěnpūr 名 扑粉的用具,多用棉质
物制成。

【粉芡】fěnqiàn 名 芡粉加水搅拌而成的
糊状物,供做菜时勾芡用。

【粉墙】fěnqiáng 名 白色的墙(多指用白
垩等粉刷过的墙)。

【粉沙】fěnshā 名 土壤中介于沙与黏土之
间的细颗粒,捏在手中像面粉,细腻而不
粘手。含粉沙的土壤保水能力好,适于种
植马铃薯、花生等。

【粉身碎骨】fěn shēn suì gǔ 身体粉碎(多
指为了某种目的而丧生)。

【粉饰】fěnshì 动 涂饰表面,掩盖污点或
缺点:~门面|~太平。

【粉刷】fěnshuā 动 用白垩等涂抹墙壁等:
房屋~一新。

【粉丝】fěnsī 名 用绿豆等的淀粉制成的
线状的食品。

【粉碎】fěnsuì ❶ 形 状态词。碎得像粉末
一样:茶杯摔得~。❷ 动 使粉碎:~矿
石。❸ 动 使彻底失败或毁灭:~敌人的
进攻。

【粉条】fěntiáo （~儿）名 用绿豆、白薯等
的淀粉制成的细条状的食品。

【粉蒸肉】fěnzhēngròu 名 米粉肉。

fèn （ㄈㄣˋ）

分[1] fèn ❶ 名 成分:水~|盐~|养~。❷
职责、权利等的限度:本~|过~|恰
如其~|非~之想。❸ （~儿）名 情分;情
谊:看在老朋友的~上,原谅他吧。❹ 同
"份"。

分[2] fèn 〈书〉料想:自~。
另见 398 页 fēn。

【分际】fènjì 名 ❶ 合适的界限:分寸:说
话做事严守~。❷ 地步;程度:想不到他
竟糊涂到这个~。

【分量】fèn·liàng 名 重量:这个南瓜的~
不下二十斤◇他这话说得很有~。

【分内】fènnèi 〖形〗属性词。本分以内：关心学生是教师～的事。

【分外】fènwài ❶〖副〗超过平常；特别：～高兴|月到中秋～明。❷〖形〗属性词。本分以外：他从来不把帮助别人看做～的事。

【分子】fènzǐ 〖名〗属于一定阶级、阶层、集团或具有某种特征的人：知识～|积极～|投机～。

　　另见 401 页 fēnzǐ。

份 fèn ❶ 整体里的一部分：股～。❷（～儿）〖量〗a) 用于搭配成组的东西：一～儿饭|一～儿礼。b) 用于报刊、文件等：一～《人民日报》|本合同一式两～，双方各执一～。❸ 用在"省、县、年、月"后面，表示划分的单位：省～|年～。

　　〈古〉又同"彬"bīn。

【份额】fèn'é 〖名〗整体中分占的额数：我公司的产品在国内市场上已占有 30％的～。

【份儿】fènr 〈口〉〖名〗程度；地步：都闹到这～上了，他还当没事儿呢。

【份儿饭】fènrfàn 〖名〗论份儿卖的饭；分成份儿吃的饭。

【份子】fèn·zi 〖名〗❶ 集体送礼时各人分摊的钱：凑～。❷ 泛指做礼物的现金：出～。

坋 fèn 古坋（Gǔfèn），地名，在福建。

　　另见 66 页 bèn。

奋（奮） fèn ❶ 鼓起劲来；振作：振～|兴～|勤～。❷ 摇动；举起：～臂高呼|～笔疾书。❸（Fèn）〖名〗姓。

【奋不顾身】fèn bù gù shēn 奋勇直前，不顾生命。

【奋斗】fèndòu 〖动〗为了达到一定目的而努力干：艰苦～|为实现伟大理想而～。

【奋发】fènfā 精神振作，情绪高涨：～有为|～向上。

【奋发图强】fènfā tú qiáng 振作精神，努力自强。

【奋飞】fènfēi 〖动〗（鸟）振翅飞翔。

【奋激】fènjī 〖形〗兴奋激昂；激奋：情绪～。

【奋进】fènjìn 〖动〗奋勇前进：催人～。

【奋力】fènlì 〖副〗充分鼓起劲来：～拼搏|抢救落水儿童。

【奋袂】fènmèi 〈书〉〖动〗指感情激动时把袖子一甩，准备行动：～而起。

【奋勉】fènmiǎn 〖动〗振作努力。

【奋起】fènqǐ 〖动〗❶ 振作起来：～直追|～反击。❷ 有力地举起或拿起来：～铁拳。

【奋勇】fènyǒng 〖动〗鼓起勇气：～杀敌。

【奋战】fènzhàn 〖动〗奋勇战斗：浴血～。

【奋争】fènzhēng 〖动〗奋力争取；奋力斗争。

忿1 fèn 同"愤"。

忿2 fèn 见 112 页〖不忿〗、1078 页〖气不忿儿〗。

【忿忿】fènfèn 见 404 页〖愤愤〗。

偾（僨） fèn ❶〈书〉毁坏；败坏：～事（把事情搞坏）。❷（Fèn）〖名〗姓。

粪（糞） fèn ❶〖名〗从肛门排泄出来的经过消化的食物的渣滓；屎：牛～|拾～|上～。❷〈书〉施肥：～地|～田。❸〈书〉扫除：～除（扫除）。

【粪便】fènbiàn 〖名〗屎和尿。

【粪肥】fènféi 〖名〗用人或家畜、鸟类等的粪便做成的肥料。

【粪箕子】fènjī·zi 〖名〗盛粪的器具，用荆条、竹篾等编成，形状像簸箕，有提梁。

【粪坑】fènkēng 〖名〗❶ 积粪便的坑。❷ 指茅坑。‖也叫粪坑子。

【粪土】fèntǔ 〖名〗粪便和泥土，比喻不值钱的东西。

愤（憤） fèn 因为不满意而感情激动；发怒：气～|义～|公～|～世嫉俗。

【愤愤】（忿忿）fènfèn 〖形〗很生气的样子：～不平。

【愤恨】fènhèn 〖动〗愤慨痛恨：不正之风，令人～。

【愤激】fènjī 〖形〗愤怒而激动：～的情绪。

【愤慨】fènkǎi 〖形〗气愤不平：无比～|无耻行为，令人～。

【愤懑】fènmèn 〈书〉〖形〗气愤；抑郁不平：～之情，溢于言表。

【愤怒】fènnù 〖形〗因极度不满而情绪激动：～的人群|～声讨侵略者的罪行。

【愤然】fènrán 〖形〗形容气愤发怒的样子：～离去。

【愤世嫉俗】fèn shì jí sú 对不合理的社会和习俗表示愤恨憎恶。

鲼（鱝） fèn 〖名〗鱼，身体扁平，呈菱形，尾部细长像鞭子，种类很多,有的尾部有硬刺。生活在热带和亚热带海洋中。

濆 fèn 〈书〉水由地面下喷出漫溢。

【濆泉】fènquán 名 从地层深处喷出地表的水,含有氮、磷、钾等元素,用于灌溉,肥效显著。

---

fēng（ㄈㄥ）

丰[1]（豐）fēng ❶ 丰富:～满|～盛|～收|～衣足食。❷ 大:～碑|～功伟绩。❸（Fēng）名 姓。

丰[2] fēng 美好的容貌和姿态:～采|～姿|～韵。

【丰碑】fēngbēi 名 高大的石碑,比喻不朽的杰作或伟大的功绩:历史的～。

【丰采】fēngcǎi 同"风采"①。

【丰产】fēngchǎn 动 农业上指比一般产量高:～田|～经验。

【丰登】fēngdēng 动 丰收:五谷～。

【丰富】fēngfù ❶ 形（物质财富、学识经验等）种类多或数量大:物产～|～多彩|～的知识。❷ 动 使丰富:开展文体活动,～业余生活|通过实践,～工作经验。

【丰功伟绩】fēng gōng wěi jì 伟大的功绩。也说丰功伟业。

【丰厚】fēnghòu 形 ❶ 多而厚实:海狸的皮绒毛～。❷ 丰富;数量多,价值高:收入～|～的礼品。

【丰满】fēngmǎn 形 ❶ 充足:今年好收成,囤里的粮食都很～。❷（身体或身体的一部分）胖得匀称好看:他比去年生病的时候～多了。

【丰茂】fēngmào 形 茂盛;茂密:树木丛生,百草～|大树长出了～的枝叶。

【丰美】fēngměi 形 多而好:～的食品|水草～的牧场。

【丰年】fēngnián 名 农作物丰收的年头儿（跟"歉年"相对）:瑞雪兆～。

【丰沛】fēngpèi 形（雨水）充足。

【丰饶】fēngráo 形 富饶:物产～|辽阔～的大平原。

【丰乳】fēngrǔ 动 采取动手术、服药等方法使女性的乳房丰满。

【丰润】fēngrùn 形（肌肤等）丰满滋润:两

颊～。

【丰赡】fēngshàn 〈书〉形 丰富;充足:内容～。

【丰盛】fēngshèng 形 丰富（指物质方面）:物产～|～的酒席。

【丰实】fēngshí 形 丰满实在;丰富充实:～厚重的基础|作品内容～。

【丰收】fēngshōu 动 收成好（跟"歉收"相对）:～年|粮食～|◇文艺创作获得～。

【丰硕】fēngshuò 形（果实）又多又大（多用于抽象事物）:～的成果。

【丰沃】fēngwò 形 ❶ 丰饶肥沃:～的平原。❷ 丰富;丰厚:财力资源～。

【丰胸】fēngxiōng 动 丰乳。

【丰衣足食】fēng yī zú shí 形容生活富裕。

【丰盈】fēngyíng 形 ❶（身体）丰满:体态～。❷ 富裕;丰富:衣食～。

【丰腴】fēngyú 形 ❶ 丰盈①。❷（土地）丰美肥沃:～的牧场。❸ 丰盛:～的酒席。

【丰裕】fēngyù 形 富裕;富足:生活～。

【丰韵】fēngyùn 同"风韵"①。

【丰姿】fēngzī 同"风姿"。

【丰足】fēngzú 形 富裕;充足:衣食～。

风（風）fēng ❶ 名 跟地面大致平行的空气流动的现象,是由于气压分布不均匀而产生的。❷ 动 借风力吹（使东西干燥或纯净）:～干|晒干～净。❸ 借风力吹干的:～鸡|～肉。❹ 像风那样快:～发|～行。❺ 风气;风俗:蔚然成～|移～易俗|不正之～。❻ 景象:～景|～光。❼ 态度;姿态:作～|～度|～采。❽（～儿）名 风声;消息:闻～而动|刚听见一点～儿就来打听。❾ 传说的;没有确实根据的:～传|～语。❿ 指民歌（《诗经》里的《国风》,是古代十五国的民歌）:采～。⓫ 中医指一种致病的重要因素或某些疾病:～湿|羊痫～|鹅掌～。⓬（Fēng）名 姓。

〈古〉又同"讽" fēng。

【风暴】fēngbào 名 ❶ 刮大风而且往往同时有大雨的天气现象。❷ 比喻规模大而气势猛烈的事件或现象:革命的～。

【风暴潮】fēngbàocháo 名 由海上风暴引起的海面异常强烈的波动。

【风波】fēngbō 名 风浪,常比喻纠纷或乱

子：一场～|平地～|政治～。

【风采】 fēngcǎi 名❶ 人的仪表举止(指美好的)；神采：～动人。也作丰采。❷ 文采。

【风餐露宿】 fēng cān lù sù 形容旅途或野外生活的艰苦。也说露宿风餐、餐风宿露。

【风操】 fēngcāo 名 风范操守。

【风潮】 fēngcháo 名 比喻很多人为达到某种目的而采取的各种集体行动：闹～|平息～。

【风车】 fēngchē 名❶ 利用风力的动力机械装置，可以带动其他机器，用来发电、提水、磨面、榨油等。❷ 儿童玩具，装有叶轮，能迎风转动。

【风尘】 fēngchén 名❶ 比喻旅途的劳累：～仆仆|满面～(旅途劳累的神色)。❷ 比喻纷乱的社会或漂泊江湖的境况：～侠士|沦落～。❸〈书〉比喻战乱：～之警。

【风驰电掣】 fēng chí diàn chè 形容像刮风和闪电那样迅速。

【风传】 fēngchuán ❶动 辗转流传：村里～,说他要办工厂。❷ 名 辗转流传的事情：这是～，不一定可靠。

【风吹草动】 fēng chuī cǎo dòng 比喻轻微的变故。

【风挡】 fēngdǎng 名 汽车、飞机等前面挡风的装置：飞机～|～玻璃。

【风刀霜剑】 fēng dāo shuāng jiàn 寒风像刀子，霜像剑一样刺人的肌肤，形容气候寒冷。也比喻恶劣的环境。

【风灯】 fēngdēng 名❶ 一种手提或悬挂的能防风雨的油灯。也叫风雨灯。❷〈方〉一种家庭里悬挂的装饰品，形状像宫灯。

【风笛】 fēngdí 名 管乐器，由风囊、吹管和若干簧管组成，流行于欧洲民间。

【风电】 fēngdiàn 名❶ 风力发电的简称。❷ 利用风力发电产生的电能。

【风电场】 fēngdiànchǎng 名 利用风力发电的机构。

【风洞】 fēngdòng 名 能在其中造成一定气流的装置。用于进行空气动力方面的各种模拟试验。

【风斗】 fēngdǒu (～儿)名 冬季安在窗户上的通气挡风的东西，多用纸糊成。

【风度】 fēngdù 名 人的举止姿态(多指美

好的)：有～|～翩翩。

【风发】 fēngfā 形 原指像风一样迅速，现多指奋发：意气～。

【风帆】 fēngfān 名 船帆◇鼓起生活的～。

【风范】 fēngfàn〈书〉名 风度；气派：大家～|名将～。

【风风火火】 fēngfēnghuǒhuǒ (～的)形状态词。❶ 形容急急忙忙、冒冒失失的样子：他～地闯了进来。❷ 形容很活跃、有劲头的样子：～的战斗年代。

【风干】 fēnggān 动 放在阴凉的地方，让风吹干：～腊肉|木材经过～可以防止腐烂。

【风格】 fēnggé 名❶ 气度；作风：～高|发扬助人为乐的高尚～。❷ 一个时代、一个民族、一个流派或一个人的文艺作品所表现的主要的思想特点和艺术特点：艺术～|民族～。

【风骨】 fēnggǔ 名❶ 指人的气概、品格。❷ (诗文书画)雄健有力的风格。

【风光】 fēngguāng 名 风景；景象：北国～|～旖旎(yǐnǐ)|青山绿水～好。

【风光】 fēng·guang〈口〉形 光彩②；体面②：儿子有出息，母亲也觉得～。

【风害】 fēnghài 名 大风造成的危害，如引起环境污染、交通困难、建筑物毁坏、动植物死亡等。

【风寒】 fēnghán 名 冷风和寒气：经常用冷水擦身可以抵御～。

【风耗】 fēnghào 名 刮风造成的损耗：煤厂安装了喷雾装置，减少了煤炭～。

【风和日丽】 fēng hé rì lì 形容天气晴朗暖和(多用于春天)。

【风戽】 fēnghù 名 用风力来带动的汲水灌田的器具。

【风花雪月】 fēng huā xuě yuè ❶ 原指古典文学里描写自然景物的四种对象，后转喻堆砌辞藻而内容贫乏的诗文。❷ 指男女情爱的事。

【风华】 fēnghuá〈书〉名 风采和才华：～正茂|～绝代。

【风化】¹ fēnghuà 名 风俗；社会公认的道德规范：有伤～。

【风化】² fēnghuà 动❶ 由于长期的风吹日晒、雨水冲刷和生物的影响等，地表岩石受到破坏或发生分解。❷ 含结晶水的化合物在空气中失去结晶水。

【风火墙】 fēnghuǒqiáng 名 防火墙①。

【风级】fēngjí 名 风力的等级。一般分为13级,速度每秒0.2米以下的风是0级风,32.6米以上的风是12级风。参看"风级表"。

【风纪】fēngjì 名 作风和纪律:军容～|整顿～。

【风纪扣儿】fēngjìkòu 名 制服、中山装等的领扣儿。扣上领扣儿显得整齐严肃,所以叫做风纪扣。

【风景】fēngjǐng 名 一定地域内由山水、花草、树木、建筑物以及某些自然现象(如雨、雪)形成的可供人观赏的景象:～

点|～区|～宜人|秋天的西山,～格外美丽。

【风景画】fēngjǐnghuà 名 以风景做题材的画。

【风景线】fēngjǐngxiàn 名 供游览的风景优美的狭长地带,多比喻某种景观、景象:街头秧歌表演已成为都市里一道亮丽的～。

【风镜】fēngjìng 名 挡风沙的防护眼镜,镜片的四周有棉纱、橡胶或塑料做成的罩子。

【风卷残云】fēng juǎn cán yún 大风吹散

风 级 表

风力等级	风 速 (米/秒)	海 面 情 况	地 面 情 况
0	0—0.2	静。	静,烟直上。
1	0.3—1.5	渔船略觉摇动。	烟能表示风向,树叶略有摇动。
2	1.6—3.3	渔船张帆时,可以随风移动,每小时2—3千米。	人的脸感觉有风,树叶有微响,旗子开始飘动。
3	3.4—5.4	渔船渐觉簸动,随风移动,每小时5—6千米。	树叶和很细的树枝摇动不息,旗子展开。
4	5.5—7.9	渔船满帆时,船身向一侧倾斜。	能吹起地面上的灰尘和纸张,小树枝摇动。
5	8.0—10.7	渔船须缩帆(即收去帆的一部分)。	有叶的小树摇摆,内陆的水面有小波。
6	10.8—13.8	渔船须加倍缩帆,并注意风险。	大树枝摇动,电线呼呼有声,举伞困难。
7	13.9—17.1	渔船停留港中,在海面上的渔船应下锚。	全树摇动,迎风步行感觉不便。
8	17.2—20.7	近海的渔船都停靠在港内不出来。	折毁小树枝,迎风步行感到阻力很大。
9	20.8—24.4	机帆船航行困难。	烟囱顶部和平瓦移动,小房子被破坏。
10	24.5—28.4	机帆船航行很危险。	陆地上少见。能把树木拔起或把建筑物摧毁。
11	28.5—32.6	机帆船遇到这种风极危险。	陆地上很少见。有则必有严重灾害。
12	大于32.6	海浪滔天。	陆地上绝少见。摧毁力极大。

残存的浮云,比喻一下子消灭干净。

【风口】fēngkǒu 名 山口、街口、巷口等有风的地方:身上出汗不要站在〜上。

【风口浪尖】fēng kǒu làng jiān 比喻社会斗争极为激烈、尖锐的地方。

【风浪】fēnglàng 名❶ 水面上的风和波浪:〜大,船颠簸得很厉害。❷ 比喻艰险的遭遇:久经〜。

【风雷】fēngléi 名 狂风和霹雳,比喻气势浩大而猛烈的冲击力量:革命的〜。

【风力】fēnglì 名❶ 风的力量:〜发电。❷ 风的强度:〜三四级。参看【风级】。

【风力发电】fēnglì fādiàn 利用风能产生动力而发电。简称风电。

【风凉】fēngliáng 形 有风而凉爽:大家坐在〜的地方休息。

【风凉话】fēngliánghuà 名 不负责任的冷言冷语:说〜。

【风铃】fēnglíng 名 佛殿、宝塔等檐下悬挂的铃,风吹时摇动发出声音。

【风流】fēngliú 形❶ 有功绩而又有文采的;英俊杰出的:数〜人物,还看今朝。❷ 指有才学而不拘礼法:〜才子｜〜倜傥。❸ 指男女间情爱有关的:〜案件｜〜韵事。❹ 轻浮放荡:〜女人。

【风流云散】fēng liú yún sàn 形容四散消失。也说云散风流。

【风马牛不相及】fēng mǎ niú bù xiāng jí 《左传·僖公四年》:“君处北海,寡人处南海,唯是风马牛不相及也。”(风:雌雄相引诱)比喻两者全不相干。

【风帽】fēngmào 名❶ 御寒挡风的帽子,后面较长,披到背上。❷ 连在皮大衣、棉大衣等上面的挡风帽子。

【风貌】fēngmào 名❶ 风格和面貌:时代〜｜民间艺术的〜。❷ 风采相貌:〜娉婷。❸ 景象:远近〜,历历在目。

【风门】fēngmén (〜儿)名 冬天在房门外面加设的挡风的门。也叫风门子。

【风靡】fēngmǐ 动 草木随风而倒,形容事物很风行:〜一时｜〜世界。

【风魔】fēngmó 同“疯魔”。

【风磨】fēngmò 名 利用风力转动的磨。

【风鸟】fēngniǎo 名 极乐鸟。

【风平浪静】fēng píng làng jìng 没有风浪,水面很平静,比喻平安无事。

【风起云涌】fēng qǐ yún yǒng ❶ 大风起来,乌云涌现:〜,雷电交加。❷ 比喻事物迅速发展,声势浩大。

【风气】fēngqì 名 社会上或某个集体中流行的爱好或习惯:社会〜｜不良〜。

【风琴】fēngqín 名 键盘乐器,外形是一个长方木箱,里面排列着铜簧片,上面有键盘,按键就能压动铜簧片上的开关;下面有踏板,用来鼓动风箱生风,使铜簧片振动发音。

【风清弊绝】fēng qīng bì jué 见77页【弊绝风清】。

【风情】fēngqíng 名❶ 关于风向、风力的情况。❷〈书〉人的仪表举止。❸〈书〉情怀;意趣:别有一番〜。❹ 流露出来的男女相爱的感情(多含贬义):卖弄〜｜〜万种。❺ 指风土人情:南国〜。❻ 景象;情况:校园〜。

【风趣】fēngqù ❶ 名 风味,情趣:异国〜｜盆景虽好,总是缺少自然的〜。❷ 形 幽默;诙谐;有趣味(多指话或文章):他讲话很〜。

【风圈】fēngquān (〜儿)名 日晕或月晕的通称。

【风骚】[1] fēngsāo〈书〉名❶ 风指《诗经》中的《国风》,骚指屈原的《离骚》,后用来泛指文学。❷ 在文坛居于领袖地位或在某方面领先叫领风骚。

【风骚】[2] fēngsāo 形 指妇女举止轻佻:卖弄〜｜〜的女人。

【风色】fēngsè 名❶ 刮风的情况:〜突然变了,由南往北刮,而且风势渐渐大起来了。❷ 比喻情势:看〜｜〜不对。

【风沙】fēngshā 名 风和被风卷起的沙土:漫天的〜。

【风扇】fēngshàn 名❶ 热天取凉的旧式用具,用布制成,吊在梁上,用人力拉动生风。❷ 电扇。

【风尚】fēngshàng 名 在一定时期中流行的风气和习惯:时代〜｜社会〜。

【风声】fēngshēng 名❶ 刮风的声音。❷ 指传播出来的消息:走漏〜｜越来越紧。

【风声鹤唳】fēng shēng hè lì 前秦苻坚领兵进攻东晋,大败而逃,溃兵听到风声和鹤叫,都疑心是追兵(见于《晋书·谢玄传》)。形容惊慌疑惧。

【风湿】fēngshī 名 中医指由风和湿两种病邪引起的疾病。症状是头痛,发热,小便少,关节酸痛、不能屈伸等。

【风湿病】fēngshībìng 图 心脏、关节和神经系统的一种病,多见于寒冷而潮湿的地区。心脏被侵犯时,心肌发炎,出现显著杂音,心慌、心跳过快等症状。关节被侵犯时,关节有局部红肿,剧痛等症状。

【风蚀】fēngshí 团 地表(如岩石等)被风力逐渐破坏,这种现象在沙漠地区特别显著。

【风势】fēngshì 图 ❶ 风的势头:到了傍晚,～减弱。❷ 比喻情势:探探～再说|他一看～不对,拔腿就跑。

【风霜】fēngshuāng 图 风和霜,比喻旅途上或生活中所经历的艰难困苦:饱经～。

【风水】fēng·shuǐ 图 指住宅基地、坟地等的地理形势,如地脉、山水的方向等。迷信的人认为风水好坏可以影响其家族、子孙的盛衰吉凶:看～|～宝地(风水好的地方)。

【风俗】fēngsú 图 社会上长期形成的风尚、礼节、习惯等的总和。

【风俗画】fēngsúhuà 图 用当时社会风俗及日常生活做题材的绘画。

【风瘫】(疯瘫) fēngtān 团 瘫痪①。

【风调雨顺】fēng tiáo yǔ shùn 指风雨适合农时。

【风头】fēngtóu 图 风的势头。

【风头】fēng·tou 图 ❶ 比喻形势的发展方向或与个人有利害关系的情势:避避～|看～办事。❷ 出头露面,显示个人的表现(含贬义):出～|～十足。

【风土】fēngtǔ 图 一个地方特有的自然环境(土地、山川、气候、物产等)和风俗、习惯的总称:～人情。

【风味】fēngwèi 图 事物的特色(多指地方色彩):～小吃|家乡～|江南～|这首诗有民歌～。

【风闻】fēngwén 团 由传闻而得知(没有证实):～他要去留学。

【风物】fēngwù 图 一个地方特有的景物:北方～|八闽～志。

【风险】fēngxiǎn 图 可能发生的危险:担～|冒着～去搞试验。

【风险资金】fēngxiǎn zījīn 投资者协助具有专门科技知识而缺乏资金的人创业,并承担其失败风险而投入的资金,特点是甘冒风险而追求较高的投资回报。也叫创

业资金。

【风箱】fēngxiāng 图 将空气压缩而产生气流的装置。最常见的一种由木箱、活塞、活门构成,用来鼓风,使炉火旺盛。

【风向】fēngxiàng 图 ❶ 风的来向,如从东方吹来的风叫东风,从西北方吹来的风叫西北风。❷ 比喻情势:看～行动。

【风向标】fēngxiàngbiāo 图 指示风向的仪器,一般是安在高杆上的一支铁箭,铁箭可随风转动,箭头指着风吹来的方向。

【风行】fēngxíng 团 普遍流行;盛行:一时|～全国。

【风雅】fēngyǎ〈书〉❶ 图《诗经》有《国风》《大雅》《小雅》等部分,后来用风雅泛指诗文方面的事。❷ 形 文雅:举止～。

【风烟】fēngyān 图 ❶ 风和烟雾:～俱净,天山共色。❷ 风卷烟尘,借指战火、战乱:～滚滚。

【风言风语】fēng yán fēng yǔ ❶ 没有根据的话;恶意中伤的话。❷ 私下里议论或暗中散布某种传闻:有些人～,说的话很难听。

【风谣】fēngyáo 图 古代指民谣或风俗歌谣。

【风衣】fēngyī 图 一种挡风的外衣。

【风雨】fēngyǔ 图 ❶ 风和雨:～无阻|～大作。❷ 比喻艰难困苦的事情:经～,见世面。

【风雨灯】fēngyǔdēng 图 风灯①。

【风雨飘摇】fēngyǔ piāoyáo 形容形势很不稳定。

【风雨同舟】fēngyǔ tóng zhōu 比喻共同度过困难。

【风源】fēngyuán 图 ❶ 风的来源:查～,治流沙。❷ 产生某种风气的根源。

【风月】fēngyuè 图 ❶ 风和月,泛指景色:～清幽。❷ 指男女恋爱的事情:～债|～场。

【风云】fēngyún 图 ❶ 风和云:天有不测～。❷ 比喻变幻动荡的局势:～突变。

【风云人物】fēngyún rénwù 指在社会上很活跃,很有影响的人。

【风韵】fēngyùn 图 ❶ 优美的姿态(多用于女子):～犹存。也作丰韵。❷ 指诗文书画的风格、韵味:古诗～|～天然。

【风灾】fēngzāi 图 暴风、台风或飓风造成的灾害。

【风障】fēngzhàng 名 在菜畦、苗圃等旁边用苇子、高粱秆等编成的屏障，用来挡风，保护秧苗。

【风疹块】fēngzhěnkuài 名 荨麻疹。

【风筝】fēng·zheng 名 一种玩具，在竹篾等做的骨架上糊纸或绢，拉着系在上面的长线，趁着风势可以放上天空。

【风致】fēngzhì〈书〉名 ❶ 美好的容貌和举止：～翩翩。❷ 风味；风趣：别有～。

【风中之烛】fēng zhōng zhī zhú 比喻随时可能死亡的人或随时可能消灭的事物。

【风烛残年】fēng zhú cán nián 比喻随时可能死亡的晚年（风烛：风中之烛）。

【风姿】fēngzī 名 风度姿态：～秀逸｜～绰约。也作丰姿。

【风钻】fēngzuàn 名 用压缩空气做动力的凿岩机。

沣（灃）Fēng ❶ 沣河，水名，在陕西。❷ 沣水（Fēngshuǐ），地名，在山东。

沨（渢）fēng［沨沨］（fēngfēng）〈书〉拟声 形容水声或风声。

枫（楓）fēng ❶ 枫树，落叶乔木，叶子通常三裂，边缘有锯齿，秋季变成红色，花黄褐色。叶、树皮、树脂、果实、根可入药。也叫枫香。❷（Fēng）姓。

【枫香】fēngxiāng 名 枫树。

【枫杨】fēngyáng 名 落叶乔木，羽状复叶，小叶长椭圆形，坚果两侧有翘起的翅，木质轻软。种子可榨油。也叫柜（jǔ）柳。

封[1] fēng ❶ 动 古时帝王把爵位（有时连土地）或称号赐给臣子：～王｜分～诸侯。❷（Fēng）姓。

封[2] fēng ❶ 动 封闭：查～｜～河｜大雪～山｜～住瓶口｜把信～起来。❷（～儿）封起来的或用来封东西的纸包或纸袋：赏～｜信～。❸ 量 用于封起来的东西：一～信｜一～银子。

【封笔】fēng//bǐ 动 指作家、画家、书法家等不再从事创作活动：～之作｜老画家由于健康原因已正式～。

【封闭】fēngbì 动 ❶ 严密盖住或关住使不能通行或随便打开：大雪～了道路｜用火漆～瓶口。❷ 查封：～赌场。

【封闭疗法】fēngbì liáofǎ 一种治疗方法，把麻醉药等注射在身体的病变部位及其周围，达到止痛、消炎等治疗的目的。

【封存】fēngcún 动 ❶ 封闭起来保存：资料暂时～起来。❷ 查封并保存：走私的文物已被海关～。

【封底】fēngdǐ 名 书刊的背面，跟封面❸相对的一面。也叫封四。

【封地】fēngdì 名 奴隶社会或封建社会君主分封给诸侯或诸侯再向下分封的土地。

【封顶】fēngdǐng ❶ 动 植株的顶芽停止生长。❷ 建筑物顶部建成，表示建筑物结构工程完成：大楼已经按期～。❸ 指限定最高额：奖金不～。

【封冻】fēngdòng 动 ❶（江、河等）水面结冰。❷ 土地上冻。

【封堵】fēngdǔ 动 ❶ 封闭堵塞（道路等）：～路口。❷ 球类比赛中指防守队员拦截进攻队员，使不能通过。

【封二】fēng'èr 名 书刊中指封面❸的背面。

【封港】fēnggǎng 动 指由于沉船、施工或冰冻等原因，港口或航道停止通航。

【封官许愿】fēng guān xǔ yuàn 为了使别人替自己卖力而答应给以名利地位。

【封航】fēngháng 动 指禁止飞机、船只运航：为确保安全度汛，长江干流已实行～。

【封河】fēng//hé 动 冰封闭了河面：～期。

【封火】fēng//huǒ 动 把炉火压住，让它燃烧不旺，但不熄灭。

【封建】fēngjiàn ❶ 名 一种政治制度，君主把土地分给宗室和功臣，让他们在这土地上建国。我国周代开始有这种制度，其后有些朝代也曾仿行。欧洲中世纪君主把土地分给亲信的人，形式跟我国古代封建相似，我国也把它叫做封建。❷ 名 指封建主义社会形态：反～｜～剥削。❸ 形 带有封建社会的色彩：头脑～。

【封建割据】fēngjiàn gējù 封建时代拥有武力的人占据部分地区，对抗中央政权，各自为政，形成分裂对抗的局面。

【封建社会】fēngjiàn shèhuì 一种社会形态，特征是地主占有土地，农民只有很少土地或全无土地，只能耕种地主的土地，绝大部分产品被地主剥夺。封建社会比奴隶社会前进了一步，农民可以有自己的个体经济，但终身依附土地，实际上仍无人身自由。保护封建剥削制度的权力机关是地主阶级的封建国家。

【封建主】fēngjiànzhǔ 名 封建社会的领主。

【封建主义】fēngjiàn zhǔyì 一种社会制度，它的基础是地主占有土地，剥削农民。参看〖封建社会〗。

【封疆】fēngjiāng 名❶〈书〉疆界。❷指统治一方的将帅，明清两代指总督、巡抚等：身任～｜～大吏。

【封禁】fēngjìn 动 查封；禁止：～了一批黄色书刊。

【封镜】fēngjìng 动 指影片、电视片拍摄工作结束。

【封口】fēngkǒu（～儿）❶（-//-）动 封闭张开的地方（伤口、瓶口、信封口等）：这封信还没～｜腿上的伤已经～了。❷（-//-）动 闭口不谈；把话说死不再改变：他没～，还可以商量｜人家已经封了口，没法儿再谈了。❸名 信封、信套等可以封起来的地方：信件的～要粘牢。

【封里】fēnglǐ 名 书刊中指封二，有时也兼指封三。

【封门】fēng//mén 动❶在门上贴上封条，禁止开启。❷（～儿）把话说死不再改变；封口②：几句话他就封了门儿。❸〈方〉旧时死了长辈的人家，用白纸把门上的对联或门神像封起来。

【封面】fēngmiàn 名❶线装书指书皮里面印着书名和刻书者的名称等的一页。❷新式装订的书刊最外面的一层，用厚纸、布、皮等做成。❸特指新式装订的书刊印着书刊名称等的第一面。也叫封一。

【封皮】fēngpí 名❶封面②。❷信封。❸〈方〉包裹在物品外面的纸等。❹〈方〉封条。

【封妻荫子】fēng qī yìn zǐ 君主时代功臣的妻子得到封号，子孙世袭官职。

【封三】fēngsān 名 书刊中指封四的前一面，就是封底之内的那一面。

【封杀】fēngshā 动 用封禁或封锁的办法，使人或事物在某一领域不能存在：一部优秀作品竟被～。

【封山育林】fēng shān yù lín 保证树林成长的一种措施，对长有幼林或可能生长林木的山在一定时间里不准放牧、采伐、砍柴等。

【封禅】fēngshàn 动 古代帝王上泰山祭祀天地。

【封赏】fēngshǎng ❶动 古代帝王把土地、爵位、称号或财物赏赐臣子：～群臣。❷名 指封赏的东西：领～。

【封四】fēngsì 名 封底。

【封锁】fēngsuǒ 动❶（用强制力量）使跟外界联系断绝：经济～｜～消息。❷（采取军事等措施）使不能通行：～线｜～边境。

【封套】fēngtào 名 装文件、书刊等用的套子，多用比较厚的纸制成。

【封条】fēngtiáo 名 封闭门户或器物时粘贴的纸条，上面注明封闭日期并盖有印章。

【封一】fēngyī 名 封面③。

【封斋】fēng//zhāi 动❶伊斯兰教奉行的一种斋戒，在伊斯兰教历的九月里白天不进饮食。也叫把斋。❷天主教的斋戒期，教徒在封斋期内的特定日期必须守斋。

【封装】fēngzhuāng 动 把物品密封起来并加以包装：塑料～。

【封嘴】fēngzuǐ 动❶封口②：先不要～，再考虑一下。❷使人不说话：他想封住我的嘴，办不到。

砜(碸) fēng 名 硫酰基（＞SO_2）与烃基结合而成的有机化合物。用作制塑料的原料。[英 sulfone]

疯(瘋) fēng ❶动 神经错乱；精神失常：发～。❷形 轻狂；不稳重：那丫头可～了。❸动 指没有约束地玩耍：她跟孩子～了一会儿。❹动 指农作物生长旺盛，但是不结果实：～长｜～枝｜这些棉花～了。

【疯癫】fēngdiān 动 疯①。

【疯疯癫癫】fēng·fēngdiāndiān（～的）形 状态词。精神失常的样子，常用来形容人言语行动轻狂或超出常态。

【疯狗】fēnggǒu 名 患狂犬病的狗。参看795页〖狂犬病〗。

【疯话】fēnghuà 名 颠三倒四的话；不合常理的话。

【疯狂】fēngkuáng 形 发疯，比喻猖狂：打退敌人的～进攻。

【疯魔】fēngmó 动❶疯①。❷入迷；入魔：他们下棋下～了。❸使入迷：这场足球比赛几乎～了所有的球迷。‖也作风魔。

【疯牛病】fēngniúbìng 名牛的一种传染病。病牛的中枢神经系统受到侵害,出现狂躁不安,步态不稳,痉挛,心跳迟缓,极度消瘦等症状,直至死亡。对人有传染作用。

【疯人院】fēngrényuàn 名专门收治精神病人的医院。

【疯瘫】fēngtān 见409页〖风瘫〗。

【疯长】fēngzhǎng〈口〉动❶农作物、果树茎叶发育过旺盛,不结果实。❷花卉枝叶长得很旺,不开花。

【疯子】fēng·zi 名患严重精神病的人。

峰(峯) fēng ❶山的突出的尖顶:~峦|高~|顶~。❷形状像山峰的事物:波~|驼~|单~骆驼。❸量用于骆驼:一~骆驼。❹(Fēng)名姓。

【峰巅】fēngdiān 名顶峰。

【峰回路转】fēng huí lù zhuǎn 形容山峰、道路迂回曲折。有时也比喻经过挫折后出现转机。

【峰会】fēnghuì 名高峰会议,一般指首脑会议。

【峰峦】fēngluán 名山峰和山峦:~起伏|~重叠。

【峰年】fēngnián 名在一定时期内,自然界中某种活动达到高峰的年度:太阳活动~。

【峰位】fēngwèi 名指最高点的位置:价格已经接近历史~。

【峰值】fēngzhí 名指最高点的数值:成交量达到八百亿元的~。

烽 fēng 烽火:~燧。

【烽火】fēnghuǒ 名❶古时边防报警点的烟火。❷比喻战火或战争:~连天。

【烽燧】fēngsuì 名古时遇敌人来犯,边防人员点烟火(yānhuǒ)报警,夜里点的火叫烽,白天放的烟叫燧。

【烽烟】fēngyān 名烽火:~四起。

菶 fēng 古书上指芜菁。
另见414页fèng。

锋(鋒) fēng ❶(刀、剑等)锐利或尖端的部分:刀~|笔~|针~相对◇词~。❷在前列带头的(多指军队):前~|先~。❸锋面:冷~|暖~。

【锋镝】fēngdí〈书〉名刀刃和箭头,泛指兵器,也借指战争:~余生。

【锋利】fēnglì 形❶(工具、武器等)头尖或刃薄,容易刺入或切入物体:~的匕首。❷(言论、文笔等)尖锐:谈吐~|~的目光。

【锋芒】(锋铓) fēngmáng 名❶刀剑的尖端,多比喻事物的尖利部分:斗争的~指向帝国主义。❷比喻显露出来的才干:~外露。

【锋芒毕露】fēngmáng bìlù 比喻锐气和才干全都显露出来。多形容人气盛逞强。

【锋面】fēngmiàn 名大气中冷、暖气团之间的交界面。

【锋线】fēngxiàn 名足球等球类比赛中指前锋队员的阵容:~组合。

蜂(蠭) fēng ❶名昆虫,种类很多,有毒刺,能蜇人,常成群住在一起。❷名特指蜜蜂:~箱|~蜜|养了几十箱~。❸比喻成群地:~起|~拥|~聚。

【蜂巢】fēngcháo 名蜂类的窝,特指蜜蜂的窝。通称蜂窝。

【蜂巢胃】fēngcháowèi 名网胃。

【蜂毒】fēngdú 名工蜂尾部螫针放出的毒液,微黄色,透明,味苦而香,可入药。

【蜂房】fēngfáng 名蜜蜂用分泌的蜂蜡造成的六角形的巢,是蜜蜂产卵和储藏蜂蜜的地方。

【蜂糕】fēnggāo 名用发酵的面粉加糖等蒸的糕,比较松软,切开后断面呈蜂窝状。

【蜂猴】fēnghóu 名懒猴。

【蜂聚】fēngjù〈书〉动像蜂群似的聚在一起。

【蜂蜡】fēnglà 名蜜蜂腹部的蜡腺分泌的蜡质,黄色固体,是蜜蜂造蜂巢的材料。通称黄蜡。

【蜂蜜】fēngmì 名蜜蜂用采集的花蜜酿成的黏稠液体,黄白色,有甜味,主要成分是葡萄糖和果糖。供食用和药用。

【蜂鸟】fēngniǎo 名鸟,羽毛艳丽,嘴细长,舌能自由伸缩,吃花蜜和花上的小昆虫。种类很多,最小的一种身体比黄蜂还小。生活在南美洲。

【蜂起】fēngqǐ 动像蜂飞一样成群地起来:义军~。

【蜂王】fēngwáng 名蜜蜂中能产卵的雌蜂,身体在蜂群中最大,腹部最长,翅短小,足比工蜂长,后足上没有花粉篮。在正常情况下,每一个蜂巢只有一只蜂王。

【蜂王浆】fēngwángjiāng 图 蜜蜂喂养幼蜂王的乳状液体。味酸甜,含有多种氨基酸和维生素,有很高的营养价值。简称王浆。

【蜂窝】fēngwō 图 ❶ 蜂巢的通称。❷ 像蜂窝似的多孔形状:~煤|混凝土构件上的~现象。

【蜂窝煤】fēngwōméi 图 煤末掺适量石灰或黏土加水和匀,用模型压制成的短圆柱形燃料,有许多上下贯通的孔。

【蜂箱】fēngxiāng 图 用来养蜜蜂的箱子。

【蜂拥】fēngyōng 动 像蜂群似的拥挤着(走):~而上|欢呼着的人群向广场~而来。

鄷 Fēng 图 姓。

【鄷都】Fēngdū 图 地名,在重庆。今作丰都。

【鄷都城】Fēngdūchéng 图 迷信传说指阴间。

féng (ㄈㄥˊ)

冯(馮) Féng 图 姓。
另见 1054 页 píng。

浲 féng 杨家浲(Yángjiāféng),地名,在湖北。

逢 féng ❶ 动 遇到;遇见:相~|~场作戏|千载难~|每~佳节倍思亲。❷(Féng)图 姓。

【逢场作戏】féng chǎng zuò xì 原指卖艺的人遇到合适的演出场地,就开场表演,后来指遇到机会,偶然玩玩,凑凑热闹。

【逢集】féngjí 图 轮到有集市的日子:黄村是三、六、九~。

【逢迎】féngyíng 动 说话和做事故意迎合别人的心意(含贬义):百般~|阿谀~。

缝(縫) féng ❶ 动 用针线将原来不在一起或开了口儿的东西连上:~件衣裳|鞋开了绽拿~上|动过手术,伤口刚~好。❷(Féng)图 姓。
另见 414 页 fèng。

【缝补】féngbǔ 动 缝和补:~衣服|这件衬衫缝缝补补穿了好多年。

【缝缝连连】féngféngliánlián 动 缝补:拆

拆洗洗、~的活儿,她都很内行。

【缝合】fénghé 动 外科手术上指用特制的针和线把伤口缝上。

【缝纫】féngrèn 动 指裁剪制作衣服、鞋帽等。

【缝纫机】féngrènjī 图 做针线活的机器,一般用脚蹬,也有用手摇或用电动机做动力的。

【缝缀】féngzhuì 动 把一个东西缝在另一个东西上;缝补:手工~|~破衣服。

fěng (ㄈㄥˇ)

讽¹(諷) fěng 用含蓄的话指责或劝告:讥~|嘲~|冷嘲热~。

讽²(諷) fěng 〈书〉背诵;诵读:~诵|~读|~经。

【讽刺】fěngcì 动 用比喻、夸张等手法对人或事进行揭露、批评或嘲笑:~画|用话~了他几句。

【讽谏】fěngjiàn 〈书〉动 用含蓄委婉的话向君主进行规劝。

【讽诵】fěngsòng 〈书〉动 ❶ 抑扬顿挫地诵读:~古诗。❷ 背诵。

【讽喻】fěngyù 图 修辞方式,用说故事等方式说明事物的道理:~诗|~时事。

嗖 fěng 〈书〉(车马)翻:~驾(翻车)。

唪 fěng 大声吟诵。

【唪经】fěngjīng 动 (和尚、道士)念经。

fèng (ㄈㄥˋ)

凤(鳳) fèng 图 ❶ 凤凰:龙~|鸾~|百鸟朝~。❷(Fèng)图 姓。

【凤冠】fèngguān 图 古代后妃所戴的帽子,上面有用贵金属和宝石等做成凤凰形状的装饰,旧时妇女出嫁也用作礼帽:~霞帔。

【凤凰】fènghuáng 图 古代传说中的百鸟之王,羽毛美丽,雄的叫凤,雌的叫凰。常用来象征祥瑞。

【凤鲚】fèngjì 图 鲚的一种,体长约 15—20 厘米,主要吃小的鱼虾等。通称凤尾鱼。

【凤梨】fènglí 图菠萝。

【凤毛麟角】fèng máo lín jiǎo 比喻稀少而可贵的人或事物。

【凤尾鱼】fèngwěiyú 图鲚的通称。

【凤尾竹】fèngwěizhú 图竹的一种,秆丛生,枝细而柔软,叶子密生,披针形。可供观赏。

【凤仙花】fèngxiānhuā 图❶一年生草本植物,叶子披针形,花有白、红、粉红、淡黄等颜色,花和种子可入药。红色的花瓣可用来染指甲。❷这种植物的花。‖俗称指甲花。

【凤眼】fèngyǎn 图丹凤眼。

【凤眼莲】fèngyǎnlián 图多年生草本植物,茎短,叶子卵形,叶柄中下部膨大像葫芦,花淡紫色,有黄斑。浮生在水面,根垂生在水中。通称水葫芦。

奉 fèng ❶勔给;献给(多指对上级或长辈):~送|~上新书一册。❷勔接受(多指上级或长辈的):~旨|~上级命令。❸尊重:崇~|~为圭臬。❹信仰:信~|素~佛教。❺侍候:~养|侍~。❻敬辞,用于自己的举动涉及对方时:~托|~陪|~劝|~告。❼(Fèng)图姓。

【奉承】fèng·cheng 勔用好听的话恭维人,向人讨好:~话。

【奉达】fèngdá 勔敬辞,告诉;表达(多用于书信):特此~。

【奉复】fèngfù 勔敬辞,回复(多用于书信):谨此~。

【奉告】fènggào 勔敬辞,告诉:无可~|详情待我回来后当面~。

【奉公】fènggōng 勔奉行公事:克己~。

【奉公守法】fèng gōng shǒu fǎ 奉行公事,遵守法令。

【奉还】fènghuán 勔敬辞,归还:原物~|如数~。

【奉令】fèng//lìng 勔奉命。

【奉命】fèng//mìng 勔接受使命;遵守命令:~出发。

【奉陪】fèngpéi 勔敬辞,陪伴;陪同做某事:恕不~|我还有点急事,不能~了。

【奉劝】fèngquàn 勔敬辞,劝告:~你少喝点儿酒。

【奉若神明】fèng ruò shén míng 形容对某人或某事物就像拜神灵一样地信奉或尊崇(多含贬义)。

【奉使】fèngshǐ 〈书〉勔奉命出使:~西欧。

【奉送】fèngsòng 勔敬辞,赠送。

【奉托】fèngtuō 勔敬辞,拜托:这件事只好~您了。

【奉为圭臬】fèng wéi guī niè 把某些言论或事物当做准则。参看513页《圭臬》。

【奉献】fèngxiàn 勔恭敬地交付;呈献:把青春~给祖国。

【奉行】fèngxíng 勔遵照实行:~独立自主的外交政策|~故事(按老规矩办事)。

【奉养】fèngyǎng 勔侍奉和赡养(父母或其他尊亲):~二老。

【奉迎】fèngyíng 勔❶奉承;逢迎:~上级。❷敬辞,迎接:他是专程前来~诸位的。

【奉赠】fèngzèng 勔敬辞,赠送。

俸 fèng ❶俸禄:薪~。❷(Fèng)图姓。

【俸禄】fènglù 图封建时代官吏的薪水。

葑 fèng 古书上指菰的根。
另见412页fēng。

赗(賵) fèng 〈书〉❶用财物帮助人办丧事;赙:~赠。❷送给办丧事人家的东西。

缝(縫) fèng (～儿)图❶接合的地方:缝~儿|无~钢管。❷缝隙:裂~|门~儿|见〖插针|床板有道~。
另见413页féng。

【缝隙】fèngxì 图裂开或自然露出的狭长的空处:从大门的~向外张望。

【缝子】fèng·zi 〈口〉图缝隙:墙裂了道~。

fó （ㄈㄛˊ）

佛 fó 图❶(Fó)佛陀的简称。❷佛教徒称修行圆满的人:立地成~。❸佛教:~寺|~家|~老。❹佛像:铜~|大殿上塑着三尊~。❺佛号或佛经:念~|诵~。
另见418页fú。

【佛典】fódiǎn 图佛教的经典。

【佛法】fófǎ 图❶佛教的教义。❷佛教徒认为佛所具有的法力:~无边。

【佛光】fóguāng 图❶佛教徒指佛带来的光明:~普照。❷佛像头上的光辉。❸

山区的一种自然景象,在与太阳相对方向的云层或雾层上呈现围绕人影的彩色光环,由光线通过云雾区的小水滴经衍射作用而形成。

【佛号】fóhào 图 佛的名号,特指信佛的人念的"阿弥陀佛"名号:口诵～。

【佛教】Fójiào 图 世界主要宗教之一,相传为公元前6—前5世纪古印度的迦毗罗卫国(今尼泊尔境内)王子释迦牟尼所创,广泛流传于亚洲的许多国家。东汉时传入我国。

【佛经】fójīng 图 佛教的经典。也叫释典。参看1251页〖释藏〗。

【佛龛】fókān 图 供奉佛像的小阁子,多用木头制成。

【佛口蛇心】fó kǒu shé xīn 比喻嘴上说得好听,心肠却非常狠毒。

【佛老】Fó-Lǎo 图 佛和老子。也指佛教和道教。

【佛门】fómén 图 指佛教:～弟子|～规矩|皈(guī)依～。

【佛事】fóshì 图 指僧尼拜忏的事情:做～。

【佛手】fóshǒu 图 ❶ 常绿小乔木或灌木,是枸橼(jǔyuán)的变种,叶子长椭圆形,花上部白色,下部紫红色。果实黄色,基部圆形。上部分裂,像手指,有香气,可供观赏,也可入药。❷ 这种植物的果实。

【佛手瓜】fóshǒuguā 图 ❶ 多年生草本植物,茎蔓生,叶子掌状分裂,花黄色,果实像握起来的拳头,嫩的可作蔬菜。❷ 这种植物的果实。

【佛寺】fósì 图 佛教的庙宇。

【佛头着粪】fó tóu zhuó fèn 佛的塑像上着了鸟雀的粪便,比喻好东西上添上不好的东西,把好东西给糟蹋了(含讥讽意)。

【佛陀】Fótuó 图 佛教徒称释迦牟尼。简称佛。[梵 buddha]

【佛像】fóxiàng 图 ❶ 佛陀的像。❷ 泛指佛教供奉的神像。

【佛学】fóxué 图 指佛教及其研究的学问:～院。

【佛牙】fóyá 图 佛教徒指释迦牟尼遗体火化后留下的牙齿。

【佛爷】fó·ye 图 ❶ 佛教徒对释迦牟尼的尊称,泛指佛教的神。❷ 清代内臣对皇帝、皇后或太上皇、太后的尊称。

【佛珠】fózhū (～儿)图 念珠。

【佛祖】fózǔ 图 佛教徒指佛和开创宗派的祖师,也专指释迦牟尼。

fǒu (ㄈㄡˇ)

缶 fǒu ❶ 古代一种大肚子小口儿的瓦器。❷ 古代一种瓦质的打击乐器。

否 fǒu ❶ 否定:～决|～认。❷〈书〉副 表示不同意,相当于口语的"不"。❸〈书〉助 用在疑问句尾表示询问:知其事～? ❹ "是否、能否、可否"等表示"是不是、能不能、可不可"等意思:明日能～出发,尚待最后决定。

另见 1039 页 pǐ。

【否定】fǒudìng ❶ 动 否认事物的存在或事物的真实性(跟"肯定"相对):全盘～|～一切。❷ 形 属性词。表示否认的;反面的(跟"肯定"相对):～判断。

【否决】fǒujué 动 否定(议案):提案被～了。

【否决权】fǒujuéquán 图 ❶ 某些国家的元首、上议院所享的推翻已通过的议案或使其延缓生效的权力。❷ 在会议中少数否决多数的权力。如联合国安全理事会常任理事国享有的否决权。

【否认】fǒurèn 动 不承认:矢口～|～事实。

【否则】fǒuzé 连 如果不是这样:首先必须把场地清理好,～无法施工|看问题必须全面,～的话,就难免以偏概全。

fū (ㄈㄨ)

夫 fū ❶ 丈夫(zhàng·fu):～妻|～妇|姐～|姑～。❷ 成年男子:匹～|一～守关,万～莫开。❸ 从事某种体力劳动的人:渔～|农～|轿～。❹ 旧时服劳役的人,特指被统治阶级强迫去做苦工的人:～役|拉～。❺ (Fū)图 姓。

另见 417 页 fú。

【夫倡妇随】fū chàng fù suí 同"夫唱妇随"。

【夫唱妇随】fū chàng fù suí 比喻夫妻互相配合,行动一致。也指夫妻和睦。也作夫倡妇随。

【夫妇】fūfù 名 夫妻：新婚～。

【夫妻】fūqī 名 丈夫和妻子：结发～。

【夫妻店】fūqīdiàn 名 由夫妻两人经营的、一般不用店员的小店。

【夫权】fūquán 名 指封建社会丈夫支配妻子的权力。

【夫人】fū·rén 名 古代诸侯的妻子称夫人，明清时一二品官的妻子封夫人，后来用来尊称一般人的妻子。

【夫婿】fūxù 〈书〉名 丈夫。

【夫役】fūyì 名 ❶ 旧时指服劳役、做苦工的人。❷ 旧时指受雇做杂务的人。‖ 也作伕役。

【夫子】fūzǐ 名 ❶ 旧时对学者的尊称：孔～｜朱～。❷ 旧时学生称老师(多用于书信)。❸ 旧时妻称夫。❹ 称读古书而思想陈腐的人(含讥讽意)：老～｜迂～｜～气。

【夫子自道】fūzǐ zì dào 指本意是说别人而事实上却正说着了自己。

伕 fū 同"夫"(fū)④。

呋 fū ［呋喃］(fūnán) 名 有机化合物，化学式 C₄H₄O。无色液体，有特殊气味，用来制药品，也是重要的化工原料。［英 furan］

玞 fū 见 1447 页［珷玞］。

肤(膚) fū ❶ 皮肤：切～之痛｜体无完～。❷ 表面的；浮浅：～浅｜～泛。

【肤泛】fūfàn 形 浮浅空泛：～之论。

【肤廓】fūkuò 〈书〉形 内容空洞浮泛，不切合实际。

【肤皮潦草】fūpí liáocǎo 见 420 页［浮皮潦草］。

【肤浅】fūqiǎn 形 (学识)浅；(理解)不深：～的认识｜我对戏曲的了解很～。

【肤色】fūsè 名 皮肤的颜色。

柎 fū 〈书〉❶ 花萼。❷ 钟鼓架的腿。

砆 fū 见 1447 页［碔砆］。

铁(鈇) fū 〈书〉铡刀：～锧(铡刀和铡刀座)。

麸(麩、麱) fū 麸子。

【麸皮】fūpí 名 麸子。

【麸子】fū·zi 名 通常指小麦磨成面筛过后剩下的麦皮和碎屑。也叫麸皮。

趺 fū 〈书〉❶ 同"跗"。❷ 碑下的石座：石～｜龟～。

【趺坐】fūzuò 动 佛教徒盘腿端坐，左脚放在右腿上，右脚放在左腿上。

跗 fū 脚背：～骨｜～面(脚面)。

【跗骨】fūgǔ 名 跖骨和胫骨之间的骨，构成脚跟和脚面的一部分，由 7 块短骨组成。(图见 490 页"人的骨骼")

【跗蹠】fūzhí 名 鸟类的腿以下到趾之间的部分，通常没有羽毛，表皮角质鳞状。

稃 fū 稻、麦等植物的花外面包着的硬壳：内～｜外～。

痡 fū 〈书〉劳累；疲劳过度。

酆 Fū ❶ 郿县，旧地名，在陕西。今改称富县。❷ 名 姓。

孵 fū 动 鸟类伏在卵上，用体温使卵内的胚胎发育成雏鸟，也指用人工的方法调节温度和湿度，使卵内的胚胎发育成雏鸟：～育｜～了一窝小鸡。

【孵化】fūhuà 动 昆虫、鱼类、鸟类或爬行动物的卵在一定的温度和其他条件下变成幼虫或小动物。

【孵化器】fūhuàqì 名 比喻担负培育中小科技创新企业、加速高新技术成果转化以及对传统企业进行信息化改造任务的企业。

【孵育】fūyù 动 孵化：孵育。刚～出来的小鸡就会走会啄食。

敷 fū ❶ 动 搽上；涂上：～粉｜～药。❷ 铺开；摆开：～设。❸ 够；足：入不～出。❹ (Fū)名 姓。

【敷陈】fūchén 〈书〉动 详细叙述。

【敷料】fūliào 名 外科上用来包扎伤口的纱布、药棉等。

【敷设】fūshè 动 ❶ 铺(轨道、管道等)：～电缆｜～铁路。❷ 设置(水雷、地雷等)。

【敷衍】fūyǎn 〈书〉动 叙述并发挥：～经文要旨。也作敷演。

【敷衍】fū·yǎn 动 ❶ 做事不负责或待人不恳切，只做表面上的应付：～塞责｜～了事｜他～了我几句。❷ 勉强维持：手里的钱还够～几天。

【敷演】fūyǎn 同"敷衍"(fūyǎn)。

fú（ㄈㄨˊ）

夫 fú〈书〉❶代 指示代词。那；这：独不见～螳螂乎? ❷代 人称代词。他：使～往而学焉。❸助 a）用在一句话的开始：～战，勇气也。b）用在一句话的末尾或句中停顿的地方表示感叹：人定胜天，信～|逝者如斯～,不舍昼夜。

另见 415 页 fū。

市 fú 同"韨"(fú)。

弗 fú ❶〈书〉副 不：自愧～如。❷（Fú）名 姓。

伏¹ fú ❶动 身体向前靠在物体上；趴：～案|～在桌子上。❷ 低下去：起～|此起彼～。❸ 隐藏：潜～|～击|昼伏夜出。❹名 初伏、中伏、末伏的统称；伏天：入～|初～|三～天|每～十天。❺ 屈服；低头承认；被迫接受：～诛|使屈服；降伏：降龙～虎。❻（Fú）名 姓。

伏² fú 量 伏特的简称。1 安的电流通过电阻为 1 欧的导线时，导线两端的电压是 1 伏。

【伏案】fú'àn 动 上身靠在桌子上(读书、写字)：～写作。

【伏笔】fúbǐ 名 文章里前段为后段埋伏的线索。

【伏辩】fúbiàn 名 旧时指认罪的供状或悔过书。也作服辩。

【伏兵】fúbīng 名 埋伏下来伺机攻击敌人的军队。

【伏地】fúdì〈方〉形 本地出产或土法制造的：～小米儿|～面。

【伏法】fúfǎ 动（犯人)被执行死刑：罪犯已于昨天～。

【伏击】fújī 动 用埋伏的兵力突然袭击：打～|～敌人|途中遭到～。

【伏侍】fú·shi 见 419 页【服侍】。

【伏输】fú·shū 见 419 页【服输】。

【伏暑】fúshǔ 名 炎热的伏天。

【伏特】fútè 量 电压单位，符号 V。这个单位名称是为纪念意大利物理学家伏特(Conte Alessandro Volta,也译作伏打)而定的。简称伏。

【伏特加】fútèjiā 名 俄罗斯的一种烈性酒。[俄 водка]

【伏天】fútiān 名 指三伏时期，是一年中最热的时候。参看 1171 页【三伏】。

【伏帖】fútiē ❶形 舒适：心里很～。也作伏贴。❷ 同"服帖"①。

【伏贴】fútiē ❶形 贴得紧而平整：壁纸糊得很～。❷ 同"伏帖"①。

【伏羲】Fúxī 名 我国古代传说中的人物。传说他教民结网，从事渔猎畜牧。也叫庖牺。

【伏线】fúxiàn 名 埋下的线索；伏笔。

【伏汛】fúxùn 名 在伏天里发生的河水暴涨的现象。

【伏诛】fúzhū〈书〉动 伏法。

【伏罪】fú//zuì 见 419 页【服罪】。

凫（鳬、鴃）fú ❶名 野鸭：～趋雀跃(比喻人欢欣鼓舞)。❷ 同"浮"②。

【凫茈】fúcí 名 古书上指荸荠。

扶 fú ❶动 用手支持使人、物或自己不倒：～犁|～老携幼|～着栏杆。❷动 用手帮助躺着或倒下的人坐或立；用手使倒下的东西竖直：～苗|护士～起伤员，给他换药。❸动 扶助：～贫|危济困|救死～伤。❹（Fú）名 姓。

【扶病】fúbìng 动 带着病(做某事)：～出席|～工作。

【扶残】fúcán 动 扶助残疾人。

【扶持】fúchí 动 ❶ 搀扶。❷ 扶助；护持：～新办的学校|老人没有子女，病中全靠街坊尽心～。

【扶乩】fú//jī 同"扶箕"。

【扶箕】fú//jī 动 一种迷信活动，一般是在架子上吊一根棍儿，两个人扶着架子，棍儿就在沙盘上画出字句来作为神的指示。也作扶乩。

【扶鸾】fú//luán 动 扶箕。

【扶贫】fúpín 动 扶助贫困户或贫困地区发展生产，改变穷困面貌：做好农村～工作。

【扶桑】¹ fúsāng 名 ❶ 神话中海外的大树，据说太阳从这里出来。❷（Fúsāng）传说中东方海中的古国名，旧时指日本。‖ 也作榑桑。

【扶桑】² fúsāng 名 朱槿。

【扶手】fúshǒu 名 能让手扶住的东西(如

栏杆顶上的横木)。

【扶疏】fúshū〈书〉形 枝叶茂盛,高低疏密有致:枝叶~|花木~。

【扶梯】fútī 名❶ 有扶手的楼梯。❷〈方〉梯子。

【扶危济困】fú wēi jì kùn 扶助处境危急的人,救济生活困难的人。也说扶危救困。

【扶养】fúyǎng 动 养活:把孩子~成人。

【扶摇】fúyáo〈书〉❶ 名 自下而上的旋风。❷ 动 盘旋而上:腾飞;~九万里。

【扶摇直上】fúyáo zhí shàng 形容地位、名声、价值等迅速往上升。

【扶掖】fúyè〈书〉动 搀扶;扶助。

【扶正】fú∥zhèng 动 旧时把妾提到妻的地位叫扶正。

【扶正祛邪】fú zhèng qū xié ❶ 扶持正气,除去邪恶:领导干部以身作则,带头~,不搞不正之风。❷ 中医指扶持正气,除去致病因素及其病理损害。

【扶植】fúzhí 动 扶助培植:~新生力量。

【扶助】fúzhù 动 帮助:~老弱|~困难户。

芙 fú 见下。

【芙蕖】fúqú〈书〉名 荷花。

【芙蓉】fúróng 名 荷花:出水~。

【芙蓉花】fúrónghuā 名 木芙蓉。

【芙蓉石】fúróngshí 名 一种宝石,淡红色的石英,可用来做装饰品或雕刻材料。也叫蔷薇石英。

苻 fú〈书〉❶ 草木茂盛。❷ 同"黻"。宋朝书画家米苻,也作米黻。
另见 396 页 fèi。

茀 fú [茀苢](fúyǐ)名 古书上指车前(草名)。

佛[1] fú 同"拂"③。

佛[2] fú 见 387 页【仿佛】。
另见 414 页 fó。

【佛戾】fúlì〈书〉动 违背;违反。

孚 fú〈书〉使人信服:深~众望(很使群众信服)。

刜 fú〈书〉用刀砍;击。

拂 fú ❶ 动 轻轻擦过:春风~面。❷ 甩动;抖:~袖。❸〈书〉违背(别人的意图):~逆|~意|~耳(逆耳)。

〈古〉又同"弼"bì。

【拂尘】fúchén 名 掸尘土和驱除蚊蝇的用具,柄的一端扎马尾(mǎyǐ)。

【拂拂】fúfú 形 形容风轻轻地吹动:凉风~。

【拂逆】fúnì 动 违背;不顺:他不敢~老人家的意旨。

【拂拭】fúshì 动 掸掉或擦掉(尘土):拿抹布把桌椅~了一遍。

【拂晓】fúxiǎo 名 时间词。天快亮的时候:~出发。

【拂袖】fúxiù〈书〉动 把衣袖一甩(旧时衣袖较长),表示生气:~而去。

【拂煦】fúxù〈书〉动(风)吹来温暖:微风~。

【拂意】fúyì 动 不合心意;不如意:稍有~,就大发雷霆。

苻 fú ❶ 同"莩"(fú)。❷(Fú)名 姓。

茀 fú〈书〉❶ 杂草太多。❷ 福。

彿 fú 见 387 页【仿佛】(彷彿)。

服 fú ❶ 衣服;衣裳:制~|便~。❷ 丧服:有~在身。❸ 穿(衣服):~丧。❹ 动 吃(药):~药|内~|每次~三片。❺ 动 担任(职务);承当(义务或刑罚):~刑|~兵役。❻ 动 承认;服从;信服:~输|心~口~|你有道理,我算~了你了。❼ 动 使信服:~众|以理~人。❽ 动 适应:不~水土。❾(Fú)名 姓。
另见 428 页 fù。

【服辩】fúbiàn 同"伏辩"。

【服从】fúcóng 动 遵照;听从:~命令|少数~多数|个人利益~集体利益。

【服毒】fú∥dú 动 吃毒药(自杀)。

【服老】fúlǎo 动 承认年老,精力不如人(多用于否定式):不~。

【服满】fúmǎn 动 服丧期满。

【服判】fúpàn 动 服从判决:认罪~|~息讼。

【服气】fúqì 动 由衷地信服:表面上认输,心里并不~。

【服软】fú∥ruǎn(~儿)动 ❶ 服输:不在困难面前~。❷ 认错:向老人服个软儿|他知道自己错了,可嘴上还不肯~。

【服丧】fúsāng 动 长辈或平辈亲属等死

后,遵照礼俗,在一定期间内戴孝。

【服色】fúsè 名 衣服的样式、颜色:民族～。

【服式】fúshì 名 服装的式样:新潮～。

【服饰】fúshì 名 衣着和装饰:～淡雅|华丽的～。

【服侍】(伏侍、服事) fú·shi 伺候;照料:～父母|他生病的时候同志们轮流来～他。

【服输】(伏输) fú//shū 动 承认失败。

【服帖】fútiē 形 ❶ 驯服;顺从:他能使劣马变得～。也作伏帖。❷ 妥当;平妥:事情都弄得服服帖帖。

【服务】fúwù 动 为集体(或别人)的利益或为某种事业而工作:～行业|为人民～|科学为生产～|他在邮局～了三十年。

【服务器】fúwùqì 名 在网络环境或分布式处理环境中,为用户提供服务的计算机。可分为访问服务器、文件服务器、数据库服务器、通信服务器和应用服务器等。

【服务业】fúwùyè 名 国民经济中在流通、生产生活、科学文化教育、社会公共需要等领域提供各种劳务的部门或行业。其中银行、保险、会计、律师等现代服务业越来越重要。

【服务员】fúwùyuán 名 机关的勤杂人员;旅馆、饭店等服务行业中招待客人的工作人员。

【服刑】fú//xíng 动 服徒刑:服了两年刑|正在监狱里～。

【服药】fú//yào 动 吃药。

【服役】fú//yì ❶ 服兵役,也指运动员等在专业岗位上服务。❷ 武器装备正在军备中使用,也指交通工具、设施等正在使用。❸ 旧时指服劳役。

【服膺】fúyīng〈书〉动(道理、格言等)牢牢记在心里;衷心信服。

【服用】fúyòng 动 服④:每天饭后～。

【服装】fúzhuāng 名 衣服鞋帽的总称,一般专指衣服:～商店|整齐|民族～。

【服罪】(伏罪) fú//zuì 动 承认自己的罪过:低头～。

佛 fú〈书〉形 容忧愁或愤怒:～郁(郁闷气愤)|～然。

【佛然】fúrán〈书〉形 生气的样子:～作色|～不悦。

宓 Fú 名 姓。
另见 941 页 mì。

绂(紱) fú ❶ 古代系印章的丝绳。❷〈书〉同"韨"(fú)。

绯(緋) fú〈书〉大绳,特指牵引灵柩的大绳:执～。

韨(韍) fú ❶ 古代祭服前面的护膝围裙,用熟皮做成。❷ 古代系玺印的丝绳。

茯 fú [茯苓](fúlíng)名 寄生在松树根上的真菌,形状像甘薯,外皮黑褐色,里面白色或粉红色。可入药。

罘 fú 芝罘(Zhīfú),山名,又岛名,都在山东。

【罘罳】fúsī 名 ❶ 古代的一种屏风,设在门外。❷ 设在屋檐下防鸟雀来筑巢的金属网。‖也作罳罘。

氟 fú 名 气体元素,符号 F(fluorum)。淡黄绿色,剧毒,有强烈的腐蚀性和刺激性。化学性质非常活泼,与氢直接化合能发生爆炸,许多金属都能在氟气里燃烧。含氟的塑料和橡胶,具有特别优良的性能。

【氟利昂】fúlì'áng 名 氟氯烷。[英 freon]

【氟氯烷】fúlǜwán 名 有机化合物的一类,含有氟和氯,常见的有 CCl_3F、CCl_2F_2,都是无色、无味、无毒的气体,容易液化。通常用作冷剂。对大气臭氧层有破坏作用,国际上已规定控制并逐渐停止氟氯烷的生产和使用。也叫氟利昂。

俘 fú ❶ 俘虏①:～获|被～。❷ 俘虏②:战～|遣～(遣返战俘)。

【俘获】fúhuò 动 俘虏和缴获:～甚众。

【俘虏】fúlǔ ❶ 动 打仗时捉住(敌人):～了敌军师长。❷ 名 打仗时捉住的敌人:释放～。

郛 fú 古代指城外面围着的大城。

洑 fú ❶〈书〉旋涡。❷〈书〉水在地面下流。❸(Fú)名 姓。
另见 430 页 fù。

袚 fú ❶ 古时一种除灾求福的祭祀。❷〈书〉扫除。

莩 fú〈书〉芦苇秆子里面的薄膜。
另见 1046 页 piǎo。

栿 fú〈书〉房梁。

砩 fú 砩石,矿物,即萤石,成分是氟化钙。现作氟石。

蚨 fú 见1108页〖青蚨〗。

浮 fú ❶ 动 停留在液体表面上(跟"沉"相对):~萍|油~在水上◇~云|脸上~着微笑。❷〈方〉在水里游:他能一口气~到对岸。❸ 在表面上:~土|~雕。❹ 可移动的:~财。❺ 暂时的:~记|~支。❻ 形 轻浮;浮躁:他人太~,办事不踏实。❼ 空虚;不切实:~名|~夸。❽ 超过;多余:人~于事|~额。❾(Fú)名 姓。

【浮报】fúbào 动 以少报多;虚报:~产量。

【浮标】fúbiāo 名 设置在水面上的标志,用来指示航道的界限、航行的障碍物和危险地区。

【浮财】fúcái 名 指金钱、首饰、粮食、衣服、什物等动产。

【浮尘】fúchén 名 ❶ 附在物体表面的灰尘。❷ 大量细小沙尘飘浮在空中,使天空变成土黄色的天气现象。这些飘浮的沙尘多因沙尘暴、扬沙而引起。

【浮沉】fúchén 动 在水中忽上忽下◇与世~(比喻跟着世俗走,随波逐流)|宦海~(旧时比喻官职升降)。

【浮出水面】fú chū shuǐmiàn 从水下漂浮到水面上来,比喻事物显露出来:被假象掩盖起来的矛盾逐渐~。

【浮词】fúcí 名 不切实际的言辞;没有根据的话:~艳句|满纸~。

【浮厝】fúcuò 动 暂时把灵柩停放在地面上,周围用砖石等砌起来掩盖,以待改葬。

【浮荡】fúdàng ❶ 动 飘荡:歌声在空中~|小船在湖中~。❷ 形 轻浮放荡:生性~。

【浮雕】fúdiāo 名 雕塑的一种,在平面上雕出的凸起的形象。

【浮吊】fúdiào 名 起重船的通称。

【浮动】fúdòng 动 ❶ 漂浮移动;流动:树叶在水面上~。❷ 上下变动;不固定:~汇率|向上~一级工资。❸ 动荡;不稳定:解放前物价飞涨,人心~。

【浮动汇率】fúdòng huìlǜ 兑换比例不予以固定,根据外汇市场的供求关系任其自由涨落的汇率。

【浮泛】fúfàn ❶〈书〉动 漂浮在水面上:

轻舟~。❷ 动 流露:她的脸上~着天真的表情。❸ 形 浮浅而不深入的;不切实的:言辞~|~的研究。

【浮光掠影】fú guāng lüè yǐng 比喻印象不深刻,好像水面的光和掠过的影子一样,一见就消逝。

【浮华】fúhuá 形 讲究表面上的华丽或阔气,不顾实际:~的装饰品。

【浮滑】fúhuá 形 轻浮油滑:~习气。

【浮记】fújì 动 商店把账目暂时记在水牌上,泛指账目没有切实结算而暂时记上。

【浮家泛宅】fú jiā fàn zhái 形容长时期在水上生活,漂泊不定。也说泛家浮宅。

【浮夸】fúkuā 形 虚夸,不切实:语言~|~作风。

【浮礼儿】fúlǐr〈方〉名 虚礼。

【浮力】fúlì 名 物体在流体中受到的向上托的力。浮力的大小等于被物体所排开的流体的重量。

【浮面】fúmiàn(~儿)名 表面':把~的一层稀泥铲掉|他~上装出像没事的样子。

【浮名】fúmíng 名 虚名:~虚誉不慕~。

【浮皮】fúpí(~儿)名 ❶ 生物体的表皮。❷ 物体的表面。

【浮皮潦草】fúpí liáocǎo 形容不认真,不仔细。也说肤皮潦草。

【浮漂】fúpiāo ❶ 形(工作、学习等)不踏实;不认真:作风~。❷(~儿)名 鱼漂。

【浮萍】fúpíng 名 一年生草本植物,浮在水面,叶子扁平,椭圆形或倒卵形,叶子下面生须根,花白色。全草入药。

【浮签】fúqiān(~儿)名 一端粘在试卷、书册、文稿上,便于揭去的纸签。

【浮浅】fúqiǎn 形 浅薄;肤浅:内容~|他对社会的认识很~。

【浮桥】fúqiáo 名 在并列的船或筏子上铺上木板而成的桥,也指用浮箱代替桥墩而成的桥。

【浮生】fúshēng ❶ 名 指短暂虚幻的人生(对人生的消极看法):~若梦。❷ 动 浮在水面上生长:浮萍~在池塘中。

【浮水】fúshuǐ 动 在水里游。

【浮筒】fútǒng 名 漂浮在水面上的密闭金属筒,下部用铁锚固定,用来系船或做航标等。

【浮头儿】fútóur〈方〉名 浮面:筐里~的一层苹果,都是大个儿的。

【浮图】fútú 同"浮屠"。

【浮屠】fútú 名❶ 佛陀。❷〈书〉和尚。❸ 塔：七级~。‖也作浮图。

【浮土】fútǔ 名❶ 地表层的松土。❷ 器物表面的灰尘：掸掉鞋上的~。

【浮现】fúxiàn 动❶（过去经历的事情）在脑子里显现：往事又~在眼前。❷ 呈现；显露：脸上~出笑容。

【浮箱】fúxiāng 名 形状像箱子的器材，中空，浮力大，架桥时可以在水中代替桥墩使用。

【浮想】fúxiǎng ❶ 名 头脑里涌现的感想：~联翩。❷ 动 回想：独对孤灯，~起一幕幕的往事。

【浮艳】fúyàn 形❶ 浮华艳丽：衣饰~。❷ 辞章华美而内容贫乏：词句~。

【浮游】fúyóu 动❶ 在水中漂浮移动：~生物。❷〈书〉漫游：~四方。

【浮游生物】fúyóu shēngwù 悬浮于水层中个体很小的生物，行动能力微弱，全受水流支配，如水母、藻类。

【浮员】fúyuán 名 多余的人员：裁汰~。

【浮云】fúyún 名 飘浮的云彩：~蔽日。

【浮躁】fúzào 形 轻浮急躁：性情~。

【浮肿】fúzhǒng 动 水肿的通称。

【浮子】fú·zi 名 鱼漂。

菔 fú 见808页〖莱菔〗。

桴[1] fú 名❶〈书〉小筏子。❷〈方〉房屋大梁上的小梁。也叫桴子。

桴[2]（枹） fú 名〈书〉鼓槌：~鼓相应。"枹"另见45页bāo。

【桴鼓相应】fú gǔ xiāng yìng 用鼓槌打鼓，鼓就响起来，比喻相互应和，配合得很紧密。

【桴子】fú·zi 名❶〈方〉小筏子。❷ 桴②。

符 fú ❶ 符节：兵~|虎~（虎形的兵符）。❷ 代表事物的标记；记号：~号|音~。❸ 符合（多跟"相"或"不"合用）：两个数目相~|他所说的与事实不~。❹ 名 道士所画的一种图形或线条，声称能驱鬼神，给人带来祸福：护身~|画了一张~。❺（Fú）名 姓。

【符号】fúhào 名❶ 记号；标志：标点~|文字是记录语言的~。❷ 佩戴在身上表明职别、身份等的标志。

【符号逻辑】fúhào luójí 数理逻辑。

【符合】fúhé 动（数量、形状、情节等）相合：~事实|这些产品不~质量标准。

【符节】fújié 名 古代派遣使者或调兵时作凭证的东西。用竹、木、玉、铜等制成，刻上文字，一半存朝廷，一半给外任官员或出征将帅。

【符箓】fúlù 名 符④（总称）。

【符码】fúmǎ 名 符号；标志。

【符咒】fúzhòu 名 道教的符和咒语。

匐 fú 见1062页〖匍匐〗。

涪 Fú 涪江，水名，发源于四川，流至重庆入嘉陵江。

袱 fú 包裹、覆盖用的布单：包~。

艴 fú 〈书〉形容生气：~然。

幅 fú ❶（~儿）名 布帛、呢绒等的宽度：~面|单~|双~|宽~的白布。❷ 泛指宽度：~度|~员|振~。❸（~儿）量 用于布帛、呢绒、图画等：一~画|两~布做一个床单儿。

【幅度】fúdù 名 物体振动或摇摆时所展开的宽度，比喻事物变动的大小：今年小麦增产的~较大|产品质量有较大~的提高。

【幅面】fúmiàn 名 布帛、呢绒等的宽度：~宽|~窄。

【幅员】fúyuán 名 领土面积（幅：宽度；员：周围）：~广大|~辽阔。

罦 fú 〈书〉捕鸟的网。

【罦罳】fúsī 同"罘罳"（fúsī）。

辐（輻） fú 名 车轮中连接车毂和轮辋的一条条直棍儿。（图见898页"轮子"）

【辐凑】fúcòu 同"辐辏"。

【辐辏】fúcòu〈书〉动 人或物像车辐集中于车毂一样聚集：车船~。也作辐凑。

【辐射】fúshè 动❶ 从中心向各个方向沿着直线伸展出去：~形。❷ 指热辐射。光线、无线电波等电磁波的传播也叫辐射。

【辐条】fútiáo 名 辐。也叫车条。

蜉 fú ［蜉蝣］（fúyóu）名 昆虫，若虫生活在水中1—6年；成虫有翅两对，常在水面飞行，寿命很短，只有几小时至一星期左右。种类很多。

鹏(鵬) fú 古书上说的像猫头鹰一类的鸟。

鲋(鮒) fú 见 387 页〖鲂鲋〗。

福 fú ❶ 名幸福;福气(跟"祸"相对):~利|享~|~造。❷ 动旧时妇女行"万福"礼:~了一~。❸ (Fú)指福建:~橘。❹ (Fú)名姓。

【福地】fúdì 名 ❶ 道教指神仙居住的地方:~洞天。❷ 指幸福的地方:身在~不知福。

【福尔马林】fú'ěrmǎlín 名 40%甲醛的水溶液。常用作浸泡生物标本的防腐剂。[德 Formalin]

【福分】fú·fen 〈口〉名 福气:有~|~不浅。

【福将】fújiàng 名 指运气好、每战总能获胜的将领。借指做事处处如意的人。

【福晋】fújìn 名 满族称亲王、郡王等的妻子。

【福利】fúlì ❶ 名生活上的利益,特指对职工生活(食、宿、医疗等)的照顾:~费|~事业|为人民谋~。❷ 动使生活上得到利益:发展生产,~人民。

【福利院】fúlìyuàn 名 收养孤寡老人、孤残儿童的处所。

【福气】fú·qi 名 指享受幸福生活的命运:有~|~大。

【福如东海】fú rú dōnghǎi 福气像东海一样无边无际。用作对人的祝颂(多与"寿比南山"连用)。

【福无双至】fú wú shuāng zhì 幸运的事情不会连续到来(常与"祸不单行"连用)。

【福相】fúxiàng 名 有福气的相貌。

【福星】fúxīng 名 象征能给大家带来幸福、希望的人或事物。

【福音】fúyīn 名 ❶ 基督教徒称耶稣所说的话及其门徒所传布的教义。❷ 比喻好消息:希望你能带来~。

【福音书】Fúyīnshū 名 指基督教《新约全书》中的《马太福音》《马可福音》《路加福音》《约翰福音》,里面记载传说的耶稣生平事迹和教训。

【福祉】fúzhǐ 〈书〉名 福❶;幸福。

【福至心灵】fú zhì xīn líng 运气来了,心思也显得灵巧了。

榑 fú 〖榑桑〗(fúsāng)同"扶桑"❶。

箙 fú 〈书〉盛箭的用具。

髴 fú 见 387 页〖仿佛〗(髣髴)。

蝠 fú 蝙蝠。

【蝠鲼】fúfèn 名 鱼,身体扁平,略呈菱形,宽约 6 米,口大,胸鳍呈三角形,头部两侧有一对鳍向前突出,尾细长如鞭。生活在近海。

幞 fú 〈书〉❶ 幞头,古代男子用的一种头巾。❷ 同"袱"。

黻 fú ❶ 古代礼服上绣的半青半黑的花纹。❷ 同"韨"(fú)。

襆 fú 〈书〉❶ 被单。❷ 包扎:~被(用布单包扎衣被,准备行装)。❸ 同"袱"(fú)。

fǔ （ㄈㄨˇ）

父 fǔ ❶ 〈书〉老年男子:田~|渔~。❷ 〈书〉同"甫"❶。❸ (Fǔ)名姓。
另见 425 页 fù。

抚(撫) fǔ ❶ 安慰;慰问:~问|~恤。❷ 保护:~养|~育。❸ 轻轻地按着:~摩。❹ 同"拊"。

【抚爱】fǔ'ài 动 照料,爱护:~儿女。

【抚躬自问】fǔ gōng zì wèn 见 377 页〖反躬自问〗。

【抚今追昔】fǔ jīn zhuī xī 接触当前的事物而回想过去。也说抚今思昔。

【抚摸】fǔmō 动 抚摩。

【抚摩】fǔmó 动 用手轻轻按着并来回移动:妈妈~着女儿的头发。

【抚琴】fǔqín 〈书〉动 弹琴。

【抚慰】fǔwèi 动 安慰:百般~|~灾民。

【抚恤】fǔxù 动 (国家或组织)对因公受伤或致残的人员,或因公牺牲以及病故的人员的家属进行安慰并给以物质帮助。

【抚恤金】fǔxùjīn 名 国家或组织发给因公受伤或致残的人员,或因公牺牲以及病故人员的家属的费用。

【抚养】fǔyǎng 动 爱护并教养:~子女。

【抚育】fǔyù 囫❶ 照料、教育儿童,使健康地成长:～孤儿。❷ 照管动植物,使很好地生长:～幼畜|～森林。

【抚掌】fǔzhǎng 同"拊掌"。

甫¹ fǔ ❶ 古代加在男子名字下面的美称,如孔丘字仲尼,也称尼甫,后来指人的表字:台～。❷ (Fǔ)囵姓。

甫² fǔ 〈书〉囫 刚刚:惊魂～定|年～二十。

拊 fǔ 〈书〉拍:～手|～掌。

【拊膺】fǔyīng 〈书〉囫 拍胸,表示悲痛:～长叹|～顿足。

【拊掌】fǔzhǎng 〈书〉囫 拍手:～大笑。也作抚掌。

斧 fǔ ❶ 斧子:板～。❷ 古代一种兵器:～钺。

【斧头】fǔ·tóu 囵 斧子。

【斧削】fǔxuē 〈书〉囫 斧正。

【斧钺】fǔyuè 〈书〉囵 斧和钺,古代兵器,用于斩刑。借指重刑:甘冒～以陈。

【斧凿】fǔzáo ❶ 斧子和凿子。❷ 囫 用斧子和凿子加工,比喻雕琢诗文词句,使显得造作,不自然:～痕。

【斧凿痕】fǔzáohén 〈书〉囵 用斧子和凿子加工留下的痕迹,多比喻诗文词句造作而不自然。

【斧正】fǔzhèng 〈书〉囫 敬辞,用于请人改文章。也作斧政。

【斧政】fǔzhèng 同"斧正"。

【斧锧】fǔzhì 囵 古代斩人的刑具,像铡刀。

【斧子】fǔ·zi 囵 砍竹、木等用的金属工具,头呈楔形,装有木柄。

府 fǔ ❶ 旧时指官吏办理公事的地方,现在指国家政权机关:官～|政～。❷ 旧时官府收藏文书、财物的地方:～库。❸ 旧时指大官、贵族的住宅,现在指某些国家元首办公或居住的地方:王～|元首～|总统～。❹ 敬辞,称对方的家:贵～。❺ 唐朝至清朝的行政区划,比县高一级:开封～|济南～。❻ (Fǔ)囵姓。〈古〉又同"腑"。

【府城】fǔchéng 囵 旧时指府一级的行政机构所在的城市。

【府绸】fǔchóu 囵 一种平纹棉织品,质地细密平滑,有光泽,多用做衬衣。

【府邸】fǔdǐ 囵 府第。

【府第】fǔdì 囵 贵族官僚或大地主的住宅。

【府上】fǔ·shàng 囵 敬辞,称对方的家或老家:改日我一定到～请教|您～是杭州吗?

俛 fǔ 〈书〉同"俯"。另见 944 页 miǎn。

俯 fǔ ❶ 囫 头低下(跟"仰"相对):～首|～视|～冲|～下身去。❷ 敬辞,旧时公文书信中用来称对方对自己的行动:～允。

【俯察】fǔchá 〈书〉囫 ❶ 向低处看:仰观～。❷ 敬辞,称对方或上级对自己理解:所陈一切,尚祈～。

【俯冲】fǔchōng 囫 (飞机等)以高速度和大角度向下飞:～轰炸|老鹰从天空～下来。

【俯伏】fǔfú 囫 趴在地上(多表示屈服或崇敬):～听命。

【俯角】fǔjiǎo 囵 视线在水平线以下时,在视线所在的垂直平面内,视线与水平线所成的角叫做俯角。

俯　角

【俯就】fǔjiù 囫 ❶ 敬辞,用于请对方同意担任职务:经理一职,尚祈～。❷ 迁就;将就:事事～。

【俯瞰】fǔkàn 囫 俯视:～大地。

【俯念】fǔniàn 囫 敬辞,称对方或上级体念:～群情。

【俯拾即是】fǔ shí jí shì 只要弯下身子来捡,到处都是。形容地上的某一类东西、要找的某一类例证、文章中的错别字等很多。也说俯拾皆是。

【俯拾皆是】fǔ shí jiē shì 俯拾即是。

【俯视】fǔshì 囫 从高处往下看:站在山上～蜿蜒的公路。

【俯首】fǔshǒu 囫 ❶ 低下头:～沉思。❷ 比喻顺从:～听命。

【俯首帖耳】fǔ shǒu tiē ěr 形容非常驯服恭顺(含贬义)。也作俯首贴耳。

【俯首贴耳】fǔ shǒu tiē ěr 同"俯首帖

耳"。

【俯卧】fǔwò 囫 脸朝下躺着：战士一动也不动地～在地上。

【俯卧撑】fǔwòchēng 囵 增强臂力的一种辅助性体育运动。两手和两前脚掌撑地，身体俯卧，两臂反复弯曲和撑起，使全身连续升起平落。

【俯仰】fǔyǎng 〈书〉囫 低头和抬头，泛指一举一动：～由人｜随人～。

【俯仰由人】fǔ yǎng yóu rén 比喻一切受人支配。

【俯仰之间】fǔ yǎng zhī jiān 形容时间很短：～，船已驶出港口。

【俯允】fǔyǔn 囫 敬辞，称对方或上级允许：承蒙～所请，不胜感激。

釜 fǔ 古代的炊事用具，相当于现在的锅：破～沉舟｜～底抽薪。

【釜底抽薪】fǔ dǐ chōu xīn 抽去锅底下的柴火，比喻从根本上解决。

【釜底游鱼】fǔ dǐ yóu yú 比喻处在极端危险境地的人。

辅(輔) fǔ ❶ 辅助：～币｜相～而行。❷〈书〉国都附近的地方：畿～。❸（Fǔ）囵 姓。

【辅币】fǔbì 囵 辅助货币的简称（跟"主币"相对）。

【辅弼】fǔbì 〈书〉囫 辅佐：～大臣。

【辅车相依】fǔ chē xiāng yī 《左传·僖公五年》："谚所谓辅车相依，唇亡齿寒者，其虞虢之谓也"(辅：颊骨；车：牙床)。比喻两者关系密切，互相依存。

【辅导】fǔdǎo 囫 帮助和指导：～员｜课外～｜～学生学习基础知识。

【辅料】fǔliào 囵 ❶ 对产品起辅助作用的材料；许多轻工业生产需用的原料和～靠农业供应。❷ 指烹饪中的辅助原材料，如做菜用的葱、香菜、木耳等。

【辅路】fǔlù 囵 主路旁边修建的辅助性道路，一般路面较窄。

【辅酶】fǔméi 囵 酶起催化作用所必需的小分子有机物质，与酶结合疏松，多为维生素或维生素的衍生物。

【辅食】fǔshí 囵 给婴幼儿吃的辅助性食品：婴儿三个月左右开始添加～。

【辅修】fǔxiū 囫 大学生在学习本专业课程以外，利用课余时间学习第二专业的课程叫辅修。

【辅音】fǔyīn 囵 发音时气流通路有阻碍的音，如普通话语音的 b、t、s、m、l 等。也叫子音。

【辅助】fǔzhù ❶ 囫 从旁帮助：多加～｜派一个助手～你工作。❷ 囮 属性词。辅助性的；非主要的：～劳动｜～人员。

【辅助货币】fǔzhù huòbì 在本位货币之外发行的起辅助性作用的小币值货币，如我国单位为角或分的人民币。简称辅币。

【辅佐】fǔzuǒ 囫 协助（多指政治上）。

脯 fǔ ❶ 肉干：兔～｜鹿～。❷ 蜜饯果干：桃～｜杏～。
另见 1062 页 pú。

颊(頬) fǔ 〈书〉同"俯"。

腑 fǔ 中医把胆、胃、大肠、小肠、三焦和膀胱叫六腑。参看 1698 页〖脏腑〗。

滏 fǔ 滏阳河（Fǔyáng Hé），水名，在河北，与滹沱河会合后叫子牙河。

腐 fǔ ❶ 腐烂：变坏：～朽｜～败｜流水不～。❷ 豆腐：～乳。

【腐败】fǔbài ❶ 囫 腐烂①：不要吃～的食物｜木材涂上油漆，可以防止～。❷ 囮（思想）陈旧；（行为）堕落：～分子。❸ 囮（制度、组织、机构、措施等）混乱、黑暗：政治～。

【腐臭】fǔchòu 囫（机体）腐烂后发臭：一股难闻的～气味。

【腐恶】fǔ'è ❶ 囮 腐朽凶恶。❷ 囵 指腐朽凶恶的势力。

【腐化】fǔhuà 囫 ❶ 思想行为变坏（多指过分贪图享乐）：生活～｜贪污～。❷ 使腐化堕落；腐蚀②：封建余毒～了一些人的灵魂。❸ 腐烂①：那具尸体已经开始～。

【腐旧】fǔjiù 囮 陈腐；陈旧：～思想。

【腐烂】fǔlàn ❶ 囫 机体由于微生物的滋生而破坏；受伤的地方，肌肉开始～。❷ 囮 腐败②：生活～｜～的灵魂。❸ 囮 腐败③：剥削制度～透顶。

【腐儒】fǔrú 囵 迂腐不明事理的读书人。

【腐乳】fǔrǔ 囵 豆腐乳。

【腐生】fǔshēng 囫 生物分解有机物或已死的生物体，并摄取养分以维持生活，如大多数霉菌、细菌等都以这种方式生活。

【腐蚀】fǔshí 囫 ❶ 通过化学作用，使物体逐渐消损破坏，如铁生锈、氢氧化钠破坏肌肉和植物纤维：氢氟酸～性很强，能～玻璃。❷ 使人在坏的思想、行为、环境等因素影响下逐渐变质堕落：黄色读物会～青少年。

【腐蚀剂】fǔshíjì 名 有腐蚀作用的化学物质，如氢氧化钠、硝酸。

【腐熟】fǔshú 动 不易分解的有机物（如粪尿、秸秆、落叶、杂草）经过发酵分解，产生有效肥分，同时也形成腐殖质。

【腐朽】fǔxiǔ ❶ 动 木料等含有纤维的物质由于长时期的风吹、雨打或微生物的侵害而破坏：埋在地里的木桩都～了。❷ 形 比喻思想陈腐、生活堕落或制度败坏：思想～|～的生活。

【腐殖质】fǔzhízhì 名 动植物残体在土壤中经微生物分解而形成的有机质。能改善土壤，增加肥力。

【腐竹】fǔzhú 名 卷紧成条状的干豆腐皮。

簠 fǔ 〈书〉同"釜"。

簠 fǔ 古代祭祀时盛谷物的器皿，长方形，有足，有盖，有耳。

黼 fǔ 古代礼服上绣的半白半黑的花纹。

fù　（ㄈㄨ）

父 fù ❶ 父亲：～子|老～。❷ 家族或亲戚中的长辈男子：祖～|伯～|舅～。另见 422 页 fǔ。

【父辈】fùbèi 名 跟父亲同辈的亲友。

【父本】fùběn 名 生物繁殖过程中雄性的亲代。

【父老】fùlǎo 名 一国或一乡的长者：～兄弟|家乡～。

【父母】fùmǔ 名 父亲和母亲。

【父母官】fùmǔguān 名 旧时指地方长官（多指州、县一级的）。

【父女】fùnǚ 名 父亲和女儿：～情深。

【父亲】fù·qīn 名 有子女的男子是子女的父亲。

【父权制】fùquánzhì 名 原始公社后期形成的男子在经济上及社会关系上占支配地位的制度。由于男子所从事的畜牧业和农业在生活中逐渐起决定作用，造成氏族内男子地位的上升与女子地位的下降。

又由于对偶制婚姻的出现，子女的血统关系由确认生母转为确认生父。这样就形成了以男子为中心的父系氏族公社。参看 968 页 母权制。

【父系】fùxì 形 属性词。❶ 在血统上属于父亲方面的：～亲属。❷ 父子相承的：～家族制度。

【父兄】fùxiōng 名 ❶ 父亲和哥哥。❷ 泛指家长。

【父执】fùzhí 〈书〉名 父亲的朋友。

【父子】fùzǐ 名 父亲和儿子：～团聚。

讣（訃） fù ❶ 报丧。❷ 报丧的信。

【讣告】fùgào ❶ 动 报丧。❷ 名 报丧的通知。

【讣文】fùwén 同"讣闻"。

【讣闻】fùwén 名 向亲友报丧的通知，多附有死者的事略。也作讣文。

付¹ fù ❶ 交给：交～|托～|～表决|～诸实施|～之一炬|尽～东流。❷ 动 给（钱）：～款|支～。❸（Fù）名 姓。

付² fù 同"副"。

【付丙】fùbǐng 〈书〉动（把信件等）用火烧掉：阅后～。也说付丙丁。

【付丙丁】fù bǐngdīng 付丙（丙丁：指火）。

【付出】fùchū 动 交出（款项、代价等）：～现款|～辛勤的劳动。

【付排】fùpái 动 稿件交给印刷部门排版：书稿已经～，不日即可与读者见面。

【付讫】fùqì 动 交清（多指款项）：报费～。

【付托】fùtuō 动 交给别人办理：～得人|胜利地完成了祖国人民～给我们的任务。

【付现】fùxiàn 动 交付现金：购物一律要～，不收支票。

【付型】fùxíng 动 稿件完成排版、校对后，制成版：书稿已经～，不便再作大的改动。

【付印】fùyìn 动 ❶ 稿件交付出版社，准备出版。❷ 稿件已完成排版校对过程，交付印刷：清样签字后，才能～。

【付邮】fùyóu 动 交给邮局递送。

【付与】fùyǔ 动 交给：将贷款～对方。

【付账】fù//zhàng 动 赊购货物，接受服务，或在饭馆、茶馆吃喝后，付给应付的钱。

【付之一炬】fù zhī yī jù 给它一把火，指全部烧毁。也说付诸一炬。

【付之一笑】fù zhī yī xiào 一笑了之,表示毫不介意。

【付诸东流】fù zhū dōng liú 把东西扔在东流的水里冲走,比喻希望落空,前功尽弃。

【付梓】fùzǐ 勔 古时刻板印书以梓木为上等用料,因此把稿件交付刊印叫付梓。

负(負) fù ❶ 背(bēi):~荆|~重任。❸ 勔 担负:~责任|身~重任。❸ 依仗;倚靠:~隅|~险固守。❹ 勔 遭受:~伤|~屈。❺ 享有:久~盛名。❻ 勔 亏欠;拖欠:~债。❼ 背弃;辜负:~约|忘恩~义|有~重托。❽ 勔 失败(跟"胜"相对):胜~|~于客队。❾ 刑 属性词。小于零的(跟"正"相对):~数|~号。❿ 刑 属性词。指得到电子的(跟"正"相对):~极|~电。⓫ (Fù)名姓。

【负案】fù'àn 勔 作案后被公安机关立案(多指尚未被抓获的):凶手~在逃。

【负担】fùdān ❶ 勔 承当(责任、工作、费用等):差旅费由所属单位~。❷ 名 承受的压力或担负的责任、费用等:思想~|家庭~|减轻~。

【负电】fùdiàn 名 电子所带的电,物体得到多余电子时带负电。旧称阴电。

【负号】fùhào 名 表示负数的符号(-)。

【负荷】fùhè ❶〈书〉勔 负担①:不克~。❷ 名 电力、动力设备在运行中所产生、消耗的功率。

【负极】fùjí 名 阴极①。

【负荆】fùjīng 勔 战国时,廉颇和蔺相如同在赵国做官。蔺相如因功大,拜为上卿,位在廉颇之上。廉颇不服,想侮辱蔺相如。蔺相如为了国家的利益,处处退让。后来廉颇知道了,感到很惭愧,就脱了上衣,背着荆条向蔺相如请罪,请他责罚(见于史记·廉颇蔺相如列传)。后来用"负荆"表示认错赔礼:~请罪。

【负疚】fùjiù〈书〉勔 自己觉得抱歉,对不起人:事情没办好,感到~。

【负离子】fùlízǐ 名 带负电荷的离子。如氯离子 Cl⁻、硝酸根离子 NO₃⁻等。也叫阴离子。

【负利率】fùlìlǜ 名 低于同期物价上涨幅度的利率。

【负面】fùmiàn 刑 属性词。坏的、消极的一面;反面:~效果|~影响。

【负片】fùpiàn 名 经曝光、显影、定影等处理后的胶片,物像的明暗与实物相反(黑白胶片)或互为补色(彩色胶片),用来印制正片。通称底片。

【负气】fùqì 勔 赌气:~出走。

【负屈】fùqū 勔 遭受委屈或冤屈:~含冤。

【负伤】fù∥shāng 勔 受伤:因公~|他在战争中负过伤。

【负数】fùshù 名 小于零的数,如 -3、-0.25。

【负心】fùxīn 勔 背弃情义(多指转移爱情):~汉。

【负隅】(负嵎) fùyú 勔(敌人或盗贼)倚靠险要的地势(抵抗):~顽抗。

【负约】fùyuē 勔 违背诺言;失约。

【负载】fùzài 名 机械设备以及生理组织等在单位时间内所担负的工作量。也指机件及建筑构件承受的重量。

【负责】fùzé ❶ 勔 担负责任:~后勤工作|这里的事由你~。❷ 刑(工作)尽到应尽的责任;认真踏实:他对工作很~。

【负增长】fùzēngzhǎng 勔 指增长率为负值,即在规模、数量等方面有所减少或下降。

【负债】fùzhài ❶(-//-)勔 欠人钱财:~累累。❷ 名 资产负债表的一方,表现营业资金的来源。参看 1801 页〖资产负债表〗。

【负重】fùzhòng 勔 ❶ 背上背(bēi)着沉重的东西:~竞走|~泅渡。❷ 承担重任:忍辱~。

【负罪】fùzuì 勔 担负罪责;背负罪名:~潜逃。

妇(婦) fù ❶ 妇女:~科|~幼|~联。❷ 已婚的女子:少~。❸ 妻:夫~。

【妇道】fùdào 名 旧时指妇女应该遵守的行为准则:克尽~|谨守~。

【妇道】fù·dao 名 指妇女:~人家。

【妇科】fùkē 名 医院中专门治妇女病的一科。

【妇联】fùlián 名 妇女联合会的简称。

【妇女】fùnǚ 名 成年女子的通称:~干部|~劳动~。

【妇女病】fùnǚbìng 名 妇女特有的病症,如月经病、带下等。

【妇女节】fùnǚjié 名 见1170页〖三八妇女

节》。

【妇女联合会】fùnǚ liánhéhuì 我国和某些
国家的妇女群众性组织。简称妇联。

【妇人】fùrén 图已婚的女子。

【妇孺】fùrú 图妇幼：～皆知。

【妇幼】fùyòu 图妇女和儿童：～卫生|～
保健站。

汉

湖汉(Húfù)，地名，在江苏。

附(坿)

fù ❶ 动附带：～设|～则|
～寄照片一张|你给我再～上
一笔,让他收到信后就回信。❷ 动靠近：
～近|～在他的耳朵旁边低声说话。❸ 依
从;依附：～议|～庸|魂不～体。

【附白】fùbái 动附上说明：这部书上卷的
插画说明印错了,拟在下卷里与～订正。

【附笔】fùbǐ 图书信、文件等写完后另外
加上的话。

【附带】fùdài ❶ 动另外有所补充：～着
说一下|～声明一句。❷ 形属性词。非主
要的：～的劳动|～的原因。

【附耳】fù'ěr 动嘴唇近别人的耳边(小声
说话)：～低语|他们俩～谈了几句。

【附风攀龙】fù fēng pān lóng 见 1019 页
《攀龙附凤》。

【附睾】fùgāo 图男子和雄性哺乳动物生
殖器官的一部分,附于睾丸的后上缘,是
盘曲的细长小管,功用是储存精子。

【附和】fùhè 动(言语、行动)追随别人(多
含贬义)：随声～。

【附会】(傅会) fùhuì 动把没有关系的事
物说成有关系;把没有某种意义的事物说
成有某种意义：牵强|穿凿～。

【附骥】fùjì 动蚊蝇附在好马的尾巴上,可
以远行千里,比喻依附名人而成名。也说
附骥尾。

【附加】fùjiā 动附带加上;额外加上：条
文后面～两项说明|除运费外,还得～手续
费。

【附加税】fùjiāshuì 图根据某一税种应缴
纳的税额,按一定比例加征的税,如城市
维护建设税。

【附加刑】fùjiāxíng 图随主刑而附加的刑
罚,包括罚金、剥夺政治权利和没收财产
三种(这几种刑罚也可单独施用)。也叫
从刑。

【附加值】fùjiāzhí 图原料经过深加工后

所增加的价值：积极出口高～产品。

【附件】fùjiàn 图❶ 随同主要文件一同制
定的文件。❷ 随同文件发出的有关的文
件或物品。❸ 组成机器、器械的某些零
件或部件;机器、器械成品附带的零件或
部件：汽车～|新买的机器没有带～。❹
医学上指女性内生殖器子宫以外的部分,
包括卵巢和输卵管：～炎。

【附近】fùjìn ❶ 形属性词。靠近某地的：
～地区|～居民。❷ 图附近的地方：他家
就在～,几分钟就可以走到。

【附丽】fùlì〈书〉动依附;附着：无所～|～
权贵。

【附录】fùlù 图附在正文后面与正文有关
的文章或参考资料：词典正文后面有五种
～。

【附逆】fùnì 动投靠叛逆集团：变节～。

【附设】fùshè 动附带设置：这个图书馆～
了一个读书指导部。

【附属】fùshǔ ❶ 形属性词。某一机构所
附设或管辖的(学校、医院等)：～小学|～
工厂。❷ 动依附,归属：这所医院～于医
科大学。

【附属国】fùshǔguó 图名义上保有一定
的主权,但在经济和政治方面以某种形式
从属于其他国家的国家。

【附送】fùsòng 动附带赠送：在本店购买
收录机一台,～录音带两盒。

【附小】fùxiǎo 图附属小学的简称。

【附言】fùyán 图附带说的话(多写在书信
等的末尾)：汇款～。

【附议】fùyì 动同意别人的提议,作为共
同提议人：小陈提议选老魏为工会主席,
还有两个人～。

【附庸】fùyōng 图❶ 古代指附属于大国
的小国,今借指为别的国家所操纵的国
家。❷ 泛指依附于其他事物而存在的事
物：语言文字学在清代还只是经学的～。

【附庸风雅】fùyōng fēngyǎ 为了装点门
面而结交名士,从事有关文化的活动。

【附载】fùzǎi 动附带记载：省委的报告后
面连～了三个县委的调查报告。

【附则】fùzé 图附在法规、条约、规则、章
程等后面的补充性条文,一般是关于生效
日期、修改程序等的规定。

【附识】fùzhì 图附在文章、书刊上的有关
记述：再版～。

【附中】fùzhōng 名 附属中学的简称。

【附注】fùzhù 名 补充说明或解释正文的文字,放在篇后,或一页的末了,或用括号插在正文中间。

【附着】fùzhuó 动 较小的物体黏着在较大的物体上:水珠儿～在窗子的玻璃上|这种病菌～在病人使用过的东西上。

【附着力】fùzhuólì 名 两种不同物质接触时,表面分子间的相互吸引力。水能粘在杯子的壁上,胶能粘东西,都是附着力的作用。

咐 fù 见 402 页[吩咐];1781 页〖嘱咐〗。

阜 fù ❶〈书〉土山。❷〈书〉(物资)多:物～民丰。❸(Fù)名 姓。

服 fù 量 用于中药:剂:一～药。
另见 418 页 fú。

驸(駙) fù 古代几匹马共同拉一辆车时,驾辕之外的马叫驸。

【驸马】fùmǎ 名 汉代有"驸马都尉"的官职,后来皇帝的女婿常做这个官,因此驸马成为皇帝的女婿的专称。

赴 fù ❶ 动 到(某处)去:～会|～宴|～京。❷ 在水里游:～水。❸ 同"讣"。

【赴敌】fùdí〈书〉动 到战场去跟敌人作战。

【赴难】fùnàn 动 赶去拯救国家的危难:慷慨～。

【赴任】fùrèn 动 官员到某地去担任职务:离京～。

【赴汤蹈火】fù tāng dǎo huǒ 比喻不避艰险:为了人民的利益,～,在所不辞。

【赴宴】fùyàn 动 去参加宴会。

【赴约】fùyuē 动 去和约会的人见面。

复¹(複) fù ❶ 重复:～写|～制。❷ 繁复:～姓|～叶|～音词。

复²(復) fù ❶ 转过去或转回来:反～|往～|翻来～去。❷ 回答;答复:～信|敬～|电～。❸ (Fù)名 姓。

复³(復) fù ❶ 恢复:光～|收～|～原|～婚。❷ 报复:～仇。

复⁴(復) fù 再;又:～发|～苏|死灰～燃|无以～加|一去不～返。

【复本】fùběn 名 收藏的同一种书刊不止一部或文件不止一份时,第一部或第一份以外的称为复本。

【复本位制】fùběnwèizhì 一国同时用黄金和白银作本位货币的货币制度。

【复辟】fùbì 动 失位的君主复位,泛指被推翻的统治者恢复原有的地位或被消灭的制度复活。

【复查】fùchá 动 再一次检查:～账目|上次透视发现肺部有阴影,今天去～。

【复仇】fù//chóu 动 报仇:～雪耻。

【复出】fùchū 动 不再担任职务或停止社会活动的人又出来担任职务或参加社会活动(多指名人)。

【复聪】fùcōng 动 耳朵失聪后又恢复听力:经过治疗,右耳已经～。

【复电】fùdiàn ❶ (-∥-) 动 回复电话或电报:及早～为盼。❷ 名 回复的电话或电报:接到～,甚感欣喜。

【复读】fùdú 动 中小学毕业生因未能考取高一级的学校而在原一级学校重新学习,以待来年再考:～生|高考～班。

【复发】fùfā 动 (患过的病)再次发作。

【复方】fùfāng 名 ❶ 中医指用两个或两个以上成方配成的方子:～丹参片。❷ 西医指成药中含有两种或两种以上药品的:～氢氧化铝片(胃舒平)。

【复分解】fùfēnjiě 动 两种化合物经过化学反应互相交换成分而生成两种另外的化合物,如氯化钠和硝酸银反应生成硝酸钠和氯化银。

【复辅音】fùfǔyīn 名 两个或更多的辅音结合在一起叫复辅音,如俄语 книга(书)中的 кн,英语 spring(春天)中的 spr 等。有的书把塞擦音(如普通话语音的 z,zh,j,c,ch,q)和送气音(如普通话语音的 p,t,k,c,ch,q)也叫做复辅音。

【复岗】fù//gǎng 动 (下岗人员)恢复原来的工作岗位:～通知。

【复工】fù//gōng 动 停工或罢工后恢复工作。

【复古】fùgǔ 动 恢复古代的制度、风尚、观念等:学习古代文化,不是为了～,而是古为今用。

【复归】fùguī 动 回复到(某种状态):暴风雨过后,湖面～平静。

【复果】fùguǒ 名 聚花果。

【复函】fùhán ❶ (-∥-) 动 回复信件:望

尽快～。❷ 图 回复的信件：～已收到。

【复航】fùháng 囫 ❶ 飞机、轮船恢复航行：受空难影响停飞的客机已经～。❷ 机场、航道恢复通航。

【复合】fùhé 囫 合在一起；结合起来：～词|～元音|～材料。

【复合材料】fùhé cáiliào 由两种或两种以上物理、化学性质不同的物质组合成的材料。比单一材料性能优越，应用范围广。

【复合词】fùhécí 图 见 548 页〖合成词〗。

【复合量词】fùhé liàngcí 表示复合单位的量词，如"架次、人次、秒立方米、吨公里"。

【复合元音】fùhé yuányīn 在一个音节里的音值前后不一致的元音，发音时嘴唇和舌头从一个元音的位置过渡到另一个元音的位置，如普通话语音中的 ai，ei，ao，ou，uai，uei 等。

【复核】fùhé 囫 ❶ 审查核对：把报告里面的数字～一下。❷ 法院判处死刑案件的特定司法程序。在我国指最高人民法院和依法授权的高级人民法院对于判处死刑的案件做再一次的审核，高级人民法院对于判处死刑缓期执行的案件做一次的审核。

【复会】fù//huì 囫 中途停止的会议恢复开会。

【复婚】fù//hūn 囫 离婚的男女恢复婚姻关系。

【复活】fùhuó 囫 ❶ 死了又活过来，多用于比喻：经过修理，报废的车床又～了。❷ 使复活：反对～军国主义。

【复活节】Fùhuó Jié 图 基督教纪念耶稣复活的节日，是春分后第一次月圆之后的第一个星期天。

【复建】fùjiàn 囫（对遭到破坏的建筑物）按照原貌重新建设：这座大楼是震后～的。

【复交】fùjiāo 囫 ❶ 恢复交谊。❷ 特指恢复外交关系。

【复旧】fù//jiù 囫 ❶ 恢复陈旧的习俗、观念、制度等。❷ 恢复原来的样子：～如初。

【复句】fùjù 图 语法上指能分成两个或两个以上相当于单句的分段的句子，如：梅花才落，杏花又开了|河不深，可是水太冷|明天不下雨，我们上西山去。这三个复句各是包含两个分句。同一复句里的分句，说的是有关系的事。一个复句只有一个句终语调，不同于连续的几个单句。参看 399 页〖分句〗。

【复刊】fù//kān 囫 （报刊）停刊后恢复刊行。

【复课】fù//kè 囫 停课或罢课后恢复上课。

【复垦】fùkěn 囫 对因挖掘、塌陷等造成破坏的土地采取整治措施，使它恢复到可以垦殖的程度。

【复利】fùlì 图 计算利息的一种方法。把前一期的利息和本金加在一起算做本金，逐期滚动计算利息（区别于"单利"）。

【复明】fùmíng 囫 眼失明后又恢复视力：白内障患者，有的可以经过手术～。

【复命】fùmìng 囫 执行命令后回报。

【复牌】fùpái 囫 指某种被停牌的证券恢复交易。

【复盘】fùpán 囫 ❶ 按原先的走法，把下完的棋再摆一遍。❷ 证券市场停盘后重新恢复交易。

【复赛】fùsài 囫 体育等竞赛中初赛后决赛前进行的比赛。

【复审】fùshěn 囫 再一次审查：稿子初审已过，有待～。

【复生】fùshēng 囫 复活①。

【复市】fùshì 囫 商店、集市等罢市或停止营业后恢复营业。

【复试】fùshì 囫 有些考试分两次举行，第一次叫做初试，第二次叫做复试。

【复述】fùshù 囫 ❶ 把别人说过的话或自己说过的话重说一遍。❷ 语文教学上指学生把读物的内容用自己的话说出来，是教学方法之一。

【复数】fùshù 图 ❶ 某些语言中由词的形态变化等表示的属于两个或两个以上的数量。例如英语里 book（书，单数）指一本书，books（书，复数）指两本或两本以上的书。❷ 形如 $a+bi$ 的数叫做复数。其中 a,b 是实数，$i^2=-1$，i 是虚数单位。a 叫做复数的实部，b 叫做复数的虚部。如 $1-3i，5i$ 都是复数。

【复苏】fùsū 囫 ❶ 生物体或离体的器官、组织或细胞等在生理机能极度减弱后又恢复正常的生命活动；苏醒过来：死而～◇大地～，麦苗返青。❷ 资本主义再生产周期中继萧条之后的一个阶段，其特征是生产逐渐恢复，市场渐趋活跃，物价回升，利润增加等：经济～。

【复谈】fùtán 动 恢复商谈或谈判。

【复通】fùtōng 动（中断的交通线路）恢复通车：经全力抢修，京广线停运一个多小时后～。

【复位】fù//wèi 动 ❶ 脱位的骨关节回复到原来的部位。❷ 失去统治地位的君主重新掌权。

【复胃】fùwèi 名 反刍动物的胃，一般由瘤胃、网胃、瓣胃、皱胃组成。

F

【复习】fùxí 动 重复学习学过的东西，使巩固：～功课|～提纲。

【复线】fùxiàn 名 有两组或两组以上轨道的铁道或电车道，相对方向的车辆可以同时通行（区别于"单线"）。

【复写】fùxiě 动 把复写纸夹在两张或几张纸之间书写，一次可以写出若干份。

【复写纸】fùxiězhǐ 名 一种涂着蜡质颜料供复写或打字用的纸。

【复信】fùxìn ❶（-//-）动 答复来信：及时～|收到读者来信后，就立即复了信。❷ 名 答复的信：信寄出很久了，还没有收到～。

【复兴】fùxīng 动 ❶ 衰落后再兴盛起来：民族～|文艺～。❷ 使复兴：～国家|～农业。

【复姓】fùxìng 名 不止一个字的姓，如欧阳、司马等。

【复学】fù//xué 动 休学或退学后再上学。

【复盐】fùyán 名 由两种或两种以上简单盐类结合成的化合物，能溶于水。如明矾。

【复眼】fùyǎn 名 昆虫主要的视觉器官，由许多六角形的小眼构成，例如蚂蚁一个复眼由 50 个小眼构成。

【复业】fùyè 动 ❶ 恢复本业。❷ 商店停业后恢复营业：饭店停业整顿，年后～。

【复叶】fùyè 名 一个叶柄上生有两片或两片以上小叶的叶子，形状很多，如羽状的、掌状的。

【复议】fùyì 动 ❶ 对已作决定的事再做一次讨论：事关大局，厂领导还要～。❷ 法律上指作出裁决的机关或其上级机关根据有关机关或人员的申请，重新考虑已作出的裁决：行政～。

【复音】fùyīn 名 由许多纯音组成的声音。一般乐器发出的声音都是复音。

【复音词】fùyīncí 名 有两个或几个音节的词。如葡萄、服务、革命、共产党等。

【复印】fùyìn 动 照原样重印，特指用复印机重印：～资料|～了十份设计图纸。

【复印机】fùyìnjī 名 利用某些导体对光有敏感反应的特性和静电特性，将文件、图片等照原样重印在纸上的机器。

【复元】fù//yuán 同"复原"①。

【复员】fù//yuán 动 ❶ 武装力量和一切经济、政治、文化等部门从战时状态转入和平状态。❷ 军人因服役期满或战争结束等原因而退出现役：～军人|～回乡|他去年从部队复了员。

【复原】fù//yuán 动 ❶ 病后恢复健康：身体已经～。也作复元。❷ 恢复原状：被破坏的壁画已无法～。

【复圆】fùyuán 名 日食或月食的过程中，月亮阴影和太阳圆面或地球阴影和月亮圆面第二次外切时的位置关系，也指发生这种位置关系的时刻。复圆是日食或月食过程的结束。参看 1240 页〖食相〗。

【复杂】fùzá 形（事物的种类、头绪等）多而杂：颜色～|～的问题|～的人际关系。

【复杂劳动】fùzá láodòng 需要经过专门训练，具有一定技术才能胜任的劳动（跟"简单劳动"相对）。

【复诊】fùzhěn 动 医疗部门指病人经过初诊后再来看病。

【复职】fù//zhí 动 解职后又恢复原职。

【复制】fùzhì 动 依照原件制作成同样的（多指通过临摹、拓印、印刷、复印、录音、录像、翻拍等方式）：～品|～软件|这些文物都是～的。

【复种】fùzhòng 动 在同一块地上，一年播种两次或两次以上。

【复转】fùzhuǎn 动（军人）复员和转业：～军人。

【复壮】fùzhuàng 动 恢复品种的原有优良特性并提高种子的生活力：提纯～|某些春播作物进行冬播可以使种子～。

洑 fù 动 在水里游：～水|～过河去。另见 419 页 fú。

【洑水】fùshuǐ 动 在水里游：～过河。

袝 fù ❶ 古代的一种祭祀，后死者附祭于祖庙。❷〈书〉合葬。

副[1] fù ❶ 形 属性词。居第二位的；辅助的（区别于"正"或"主"）：～主席|～班长|～食品。❷ 辅助的职务；担任辅

助职务的人：团～|二～。❸ 附带的：～业|～作用。❹ 符合：名～其实|名不～实。❺ (Fù)名 姓。

副² fù 量 a)用于成套的东西：一～对联|一～手套|一～象棋|全～武装。b)用于面部表情：一～笑脸|一～庄严的面孔。

【副本】fùběn 名 ❶ 著作原稿以外的誊录本：《永乐大典》～。❷ 藏书中一种书有数本，一本为正本，其余的为副本。❸ 文件正本以外的其他本；照会的～。

【副标题】fùbiāotí 名 副题。

【副产品】fùchǎnpǐn 名 制造某种物品时附带产生的物品，如炼焦的副产品是苯、萘、蒽等。也叫副产物。

【副产物】fùchǎnwù 名 副产品。

【副词】fùcí 名 修饰或限制动词和形容词，表示范围、程度等，而不能修饰或限制名词的词，如"都、只、再三、屡次、很、更、越、也、还、不、竟然、居然"等。

【副歌】fùgē 名 指某些分节歌曲各段歌词中相同的部分，一般在每段歌词的末尾，如《国际歌》中自"这是最后的斗争"起的部分。

【副官】fùguān 名 旧时军队中办理行政事务的军官。

【副虹】fùhóng 名 霓。

【副交感神经】fùjiāogǎn-shénjīng 自主神经系统的一部分，上部从中脑和延髓发出，下部从脊髓的最下部（骶部）发出，分布在体内各器官里。作用跟交感神经相反，有抑制和减缓心脏收缩，使瞳孔缩小、肠蠕动加强等作用。

【副教授】fùjiàoshòu 名 高等学校中职别次于教授的教师。

【副刊】fùkān 名 报纸上刊登文艺作品、学术论文等的专页或专栏。

【副科】fùkē 名 所学课程中的次要科目：学校设置课程不能重主科，轻～。

【副品】fùpǐn 名 质量没达到标准要求的产品。

【副热带】fùrèdài 名 亚热带。

【副神经】fùshénjīng 名 第十一对脑神经，从延髓发出，分布在颈部和胸部的肌肉中。主管咽喉和肩部肌肉的运动。

【副食】fùshí 名 指下饭的鱼肉蔬菜等：～品|～店。

【副手】fùshǒu 名 助手；帮手。

【副题】fùtí 名 加在文章、新闻等标题旁边或下面作为补充说明的标题。也叫副标题。

【副项】fùxiàng 名 主要项目以外的次要项目。

【副性征】fùxìngzhēng 名 人和动物发育到一定阶段表现出来的与性别有关的特征。如男子长胡须、喉结突出、声调低；女子乳房发育、声调高等。也叫第二性征。

【副修】fùxiū 动 主修以外，附带学习（某门课程或专业）：～课。

【副业】fùyè 名 主要职业以外，附带经营的事业，如农民从事的编席、采集药材等。

【副油箱】fùyóuxiāng 名 装在飞机体外的油箱，用来增加飞机的航程，必要时可以抛掉。

【副职】fùzhí 名 副的职位：～干部|担任～。

【副作用】fùzuòyòng 名 随着主要作用而附带发生的不好的作用：这种药没有～。

蛦(蝜) fù [蝜蛦](fùbǎn)名 寓言中说的一种好负重物的小虫（见于唐柳宗元《蝜蛦传》）。

赋¹(賦) fù （上对下）交给：～予。

赋²(賦) fù ❶ 旧时指农业税：田～|～税。❷〈书〉征收（赋税）：～以重税。

赋³(賦) fù ❶ 我国古代文体，盛行于两魏六朝，是韵文和散文的综合体，通常用来写景叙事，也有以较短的篇幅抒情说理的。❷ 动 做（诗、词）：～诗一首。

【赋税】fùshuì 名 田赋和各种捐税的总称。

【赋闲】fùxián 动 晋代潘岳辞官家居，作《闲居赋》，后来因称没有职业在家闲着为赋闲。

【赋性】fùxìng 名 天性：～刚强|～聪颖。

【赋役】fùyì 名 赋税和徭役。

【赋有】fùyǒu 动 具有（某种性格、气质等）：劳动人民～忠厚质朴的性格。

【赋予】fùyǔ 动 交给（重大任务、使命等）：这是历史～我们的重任。

傅¹ fù ❶〈书〉辅助；教导。❷ 负责教导或传授技艺的人：师～。❸ (Fù)

名 姓(近年也有俗写作付的)。

傅² fù 〈书〉❶ 附着;加上:皮之不存,毛将安~? ❷ 涂抹;搽:~粉。

【傅粉】fù//fěn 〈书〉动 搽粉。

【傅会】fùhuì 见 427 页[附会]。

【傅科摆】fùkēbǎi 名 用来证明地球自转运动的天文仪器,一根长十几或几十米的金属丝,一端系一个重球,另一端悬挂在支架上。由于地球自转,在北半球,摆动所形成的扇状面按顺时针方向旋转;在南半球则按逆时针方向旋转。因法国物理学家傅科(Léon Foucault)发明而得名。

富 fù ❶ 形 财产多(跟"贫、穷"相对):~裕|~有|~户|农村~了。❷ 使变富:~国强兵|~民政策。❸ 资源;财产:~源|财~。❹ 丰富;多:~饶|~于养分。❺ (Fù)名 姓。

【富富有余】fùfù yǒu yú 〈口〉形容物品等非常充裕,除满足需要外,还有富余。

【富贵】fùguì 形 指有钱又有地位:荣华~|~人家。

【富贵病】fùguìbìng 名 俗称需要长期休养和滋补调理的某些慢性病。

【富国】fùguó ❶ 动 使国家富足:~裕民|~强兵。❷ 名 富足的国家:由于盛产石油,这个国家很快由穷国变成了~。

【富豪】fùháo 名 指有钱又有权势的人。

【富集】fùjí 动 自然界中,某种物质由于本身趋向集中或其他物质被移走而逐渐形成相对高的含量,如某些污染物质通过食物链集中到某种生物身体内。

【富矿】fùkuàng 名 品位较高的矿石或矿体。

【富勒烯】fùlèxī 名 碳的同素异形体,由60 个碳原子构成,结构为球形三十二面体。因该结构是受建筑学家富勒(Buckminster Fuller)的球形薄壳结构启发提出,所以叫富勒烯。掺杂有钾、铷、铯的富勒烯有超导性。

【富丽】fùlì 形 宏伟美丽:~堂皇|陈设豪华~。

【富民】fùmín 动 使人民富足:富国~|~政策。

【富农】fùnóng 名 农村中以剥削雇佣劳动(兼放高利贷或出租部分土地)为主要生活来源的人。一般占有土地和比较优良的生产工具以及活动资本,自己参加劳动,但收入主要是由剥削来的。

【富婆】fùpó 名 拥有大量财产的妇女。

【富强】fùqiáng 形 (国家)出产丰富,力量强大:繁荣~|国家~,人民安乐。

【富饶】fùráo 形 物产多;财富多:~之国|~的长江流域。

【富商】fùshāng 名 钱财多的商人:~大贾。

【富实】fù·shí 〈口〉形 (家产、资财)富足;富裕:家业~。

【富庶】fùshù 形 物产丰富,人口众多。

【富态】fù·tai 形 婉辞,身体胖(多指成年人):这人长得很~。

【富翁】fùwēng 名 拥有大量财产的人。

【富营养化】fùyíngyǎnghuà 动 指湖泊、水库、河口、海湾等流动缓慢的水域里,生物营养物质(如氮、磷)不断积累,含量过多。富营养化使藻类等水生生物大量繁殖,水质污染,水体变色,鱼虾死亡。排放工业废水和生活污水是水体富营养化的重要原因。

【富有】fùyǒu ❶ 形 拥有大量的财产:~的商人。❷ 动 充分地具有(多指积极方面):~生命力|~代表性。

【富余】fù·yu 动 足够而有剩余:~人员|~了一些钱|这里抽水机有~,可以支援你们两台。

【富裕】fùyù ❶ 形 (财物)充裕:日子过得挺~|农民一天天地~起来。❷ 动 使富裕:发展生产,~人民。

【富源】fùyuán 名 自然资源,如森林、矿产等。

【富足】fùzú 形 丰富充足:过着~的日子。

腹 fù ❶ 名 躯干的一部分。人的腹在胸的下面,动物的腹在胸的后面。通称肚子(dù·zi)。(图见 1209 页"人的身体")❷ 指内心:~案|~议。❸ 指鼎、瓶子等器物的中空而凸出的部分:壶~|瓶~。

【腹案】fù'àn 名 ❶ 内心考虑的方案:他初步有了个~。❷ 指已经拟定而尚未公开的方案:这是他们经过半年研究得出的~。

【腹背受敌】fù bèi shòu dí 前面和后面受到敌人的攻击。

【腹地】fùdì 名 靠近中心的地区;内地:深入~。

【腹非】fùfēi 〈书〉动腹诽。

【腹诽】fùfěi 〈书〉动嘴里虽然不说,心里认为不对。也说腹非。

【腹稿】fùgǎo 名已经想好但还没写出的文稿。

【腹股沟】fùgǔgōu 名大腿和腹部相连的部分。也叫鼠蹊。

【腹面】fùmiàn 名动物身上胸部、腹部的那一面。

【腹膜】fùmó 名腹腔内包着胃肠等脏器的薄膜,由结缔组织构成。

【腹鳍】fùqí 名鱼类腹部的鳍,左右各一,是转换方向和支持身体平衡的器官。(图见1073页"鳍")

【腹腔】fùqiāng 名体腔的一部分,上部有膈和胸腔隔开,下部是骨盆,前部和两侧是腹壁,后部是脊椎和腰部肌肉。胃、肠、胰、肾、肝、脾等器官都在腹腔内。

【腹水】fùshuǐ 名腹腔内因病积聚的液体,心脏病、肾炎、肝硬化等疾病都能引起腹水。

【腹泻】fùxiè 动指排便次数增多,大便稀薄或呈水状,有的带脓血,常兼有腹痛。多由于肠道感染、消化功能障碍而引起。

【腹心】fùxīn 〈书〉名❶比喻要害或中心部分:～之患。❷比喻极亲近的人;心腹:言听计从,倚为～。❸比喻真心诚意:敢布～｜～相照。

【腹议】fùyì 〈书〉动嘴上没说出,心里有看法。

【腹足类】fùzúlèi 名软体动物的一类,头部有眼和触角,腹部有扁平肉质的足,多数有螺旋形的壳。如螺、蜗牛等。

鲋(鮒) fù 古书上指鲫鱼:涸辙之～。

缚(縛) fù ❶捆绑;束~|作茧自~|手无~鸡之力。❷(Fù)名姓。

赙(賻) fù 〈书〉赗赠:～仪|～金。

【赙仪】fùyí 〈书〉名向办丧事的人家送的礼。

【赙赠】fùzèng 〈书〉动赠送财物给办丧事的人家。

蝮 fù [蝮蛇](fùshé)名毒蛇的一种,头部呈三角形,身体灰褐色,有斑纹。生活在山野和岛上,捕食鼠、蛙、鸟、蜥蜴等小动物。

鳆(鰒) fù 名鲍①。

【鳆鱼】fùyú 名鲍①的俗称。

覆 fù ❶盖住:～盖|被～|天～地载。❷底朝上翻过来;歪倒:颠～|前车之～,后车之鉴。❸同"复"①②。

【覆被】fùbèi 名覆盖②:森林～约占全省面积的三分之一。

【覆巢无完卵】fù cháo wú wán luǎn 鸟窝翻落下来不会有完好的鸟蛋,比喻整体覆灭,个体不能幸免。

【覆车之鉴】fù chē zhī jiàn 见1087页【前车之鉴】。

【覆盖】fùgài ❶动遮盖:积雪～着地面。❷名指地面上的植物,对于土壤有保护作用:没有～,水土容易流失。

【覆盖面】fùgàimiàn ❶名覆盖的面积:森林～日益减少。❷泛指涉及或影响到的范围:扩大法制教育的～。

【覆灭】fùmiè 动全部被消灭:全军～。

【覆没】fùmò 动❶〈书〉(船)翻而沉没。❷(军队)被消灭。❸〈书〉沦陷①。

【覆盆之冤】fù pén zhī yuān 形容无处申诉的冤枉(覆盆:翻过来放着的盆子,里面阳光照不到)。

【覆盆子】fùpénzi 名❶落叶灌木,羽状复叶,小叶卵形或椭圆形,花生在茎的顶上,白色,总状花序。果实红色,可以吃,也可入药。❷这种植物的果实。

【覆水难收】fù shuǐ nán shōu 倒(dào)在地上的水无法再收回,比喻已成事实的事难以挽回(多用于夫妻离异)。

【覆亡】fùwáng 动灭亡。

【覆辙】fùzhé 名翻过车的道路,比喻曾经失败的做法:重蹈～。

馥 fù 〈书〉香;香气:～郁。

【馥馥】fùfù 〈书〉形形容香气很浓。

【馥郁】fùyù 〈书〉形形容香气浓厚:芬芳～|花朵散发着～的香气。

G

g

gā（ㄍㄚ）

夹(夾) gā ［夹肢窝］(gā·zhīwō)〈口〉名腋窝。也作胳肢窝。
另见 651 页 jiā；655 页 jiá。

旮 gā ［旮旯儿](gālár)〈方〉名❶角落：墙～。❷狭窄偏僻的地方：山～|背～。

伽 gā 见下。
另见 652 页 jiā；1102 页 qié。

【伽马刀】gāmǎdāo 名利用伽马射线代替手术刀进行手术的医疗装置。以钴－60 作为能源，将多束伽马射线聚焦在病灶并摧毁病灶。主要用来治疗脑血管畸形和颅内肿瘤等。［伽马，希腊字母 γ 的音译］

【伽马射线】gāmǎ shèxiàn 放射性元素的原子放出的射线，是波长极短的电磁波，穿透力比爱克斯射线更强。工业上用来探伤，医学上用来消毒、治疗肿瘤等。通常写作 γ 射线。［伽马，希腊字母 γ 的音译］

呷 gā ［呷呷](gāgā)同"嘎嘎"(gāgā)。
另见 1464 页 xiā。

咖 gā ［咖喱](gālí)名用胡椒、姜黄、番椒、茴香、陈皮等的粉末制成的调味品，味香而辣，色黄。［英 curry］
另见 753 页 kā。

胳 gā ［胳肢窝](gā·zhīwō)同"夹肢窝"(gā·zhīwō)。
另见 458 页 gē；461 页 gé。

嘎 gā 拟声形容短促而响亮的声音：汽车～的一声刹住了。
另见 434 页 gá；435 页 gǎ。

【嘎巴】gābā 拟声形容树枝等折断的声音：～一声，棍子折(shé)成两截儿。

【嘎巴】gā·ba〈方〉动黏的东西干后附着在器物上：饭粒黏～在锅底上了。

【嘎巴儿】gā·bar〈方〉名附着在器物上的干了的粥、糨糊等：衣裳上还有粥～。

【嘎嘣脆】gā·bēngcuì〈方〉形状态词。❶很脆。❷形容直截了当；干脆：说话办事～。

【嘎嘎】gāgā 拟声形容鸭子、大雁等叫的声音。也作呷呷。
另见 434 页 gá·ga。

【嘎渣儿】gā·zhar〈方〉名❶痂。❷食物粘在锅上的部分或烤焦、烤黄的硬皮。

【嘎吱】gāzhī 拟声形容物件受压力而发出的声音(多重叠用)：他挑着行李，扁担压得～～地响。

gá（ㄍㄚˊ）

轧(軋) gá〈方〉动❶挤：人～人。❷结交：～朋友。❸核算；查对：账～完了。
另见 1561 页 yà；1706 页 zhá。

钆(釓) gá 名金属元素，符号 Gd (gadolinium)。是一种稀土元素。银白色，磁性强，低温时具有超导性。用于微波技术，也用在核反应堆中做中子吸收剂。

尜 gá ［尜尜](gá·ga)(～儿)名一种儿童玩具，两头尖，中间大。也作嘎嘎(gá·ga)。也叫尜儿。

嘎 gá 见下。
另见 434 页 gā；435 页 gǎ。

【嘎调】gádiào 名京剧唱腔里，用特别高的音唱某个字，唱出的音叫嘎调。

【嘎嘎】gá·ga 同"尜尜"(gá·ga)。
另见 434 页 gāgā。

噶 gá 见下。

【噶伦】gálún 名原西藏地方政府主要官员。

【噶厦】gáxià 名原西藏地方政府，由噶伦四人组成。1959 年 3 月后解散。

gǎ（ㄍㄚˇ）

尕 gǎ〈方〉形❶乖僻；脾气不好：这人～得很，不好说话。❷调皮：～小子。

【乿古】gǎ·gu 〈方〉形（人的脾气、东西的质量、事情的结局等）不好：性子～。

【乿子】gǎ·zi 〈方〉名 调皮的人（有时用来称小孩儿，含喜爱意）。也作嘎子。

朶 gǎ 〈方〉形 小：～娃儿｜～李。

嘎 gǎ 同"乿"。
另见 434 页 gā；434 页 gá。

【嘎子】gǎ·zi 同"乿子"。

gà （ㄍㄚˋ）

尬 gà 见 442 页[尴尬]。

gāi （ㄍㄞ）

该¹（該）gāi 动 ❶ 助动词。应当：应～｜～说的一定要说｜你累了，～休息一下了｜两天干的活儿，一天就干完了。❷ 应当是；应当（由…来做）：这一回～我了吧？｜这个工作～老张来担任。[注意] 有时带"着"（·zhe）：今天晚上～着你值班了。❸ 理应如此：活～！｜谁叫他淘气来着。❹ 助动词。表示根据情理或经验推测必然的或可能的结果：天一凉，就～加衣服了｜再不浇水，花都～蔫了。[注意] 用在感叹句中兼有加强语气的作用，如：我们的责任～有多重啊！｜要是水泵今天就运到，～多么好哇！

该²（該）gāi 动 欠：～账｜我～他两块钱。

该³（該）gāi 代 指示代词。指上文说过的人或事物（多用于公文）：～地交通便利｜～生品学兼优。

该⁴（該）gāi 同"赅"。

【该博】gāibó 同"赅博"。

【该当】gāidāng 动 应当：大伙儿的事，我～出力。

【该欠】gāiqiàn 动 借别人的财物没有还；短欠：我量入为出，从来不～别人的。

【该死】gāisǐ 〈口〉动 表示厌恶、愤恨或埋怨：～的猫叼走一条鱼｜真～，我把钥匙

丢在家里了。

【该着】gāizháo 动 指命运注定，不可避免（迷信）：刚出门就摔了一跤，～我倒霉。

陔 gāi 〈书〉❶ 靠近台阶下边的地方。❷ 级；层。❸ 田间的土埂。

垓¹ gāi 数 古代指一万万。

垓² gāi 垓下（Gāixià），古地名，在今安徽灵璧东南。项羽在这里被围失败。

【垓心】gāixīn 名 战场的中心（多见于旧小说）：困在～。

荄 gāi 〈书〉草根。

赅（賅）gāi 〈书〉❶ 兼；包括；举一～百｜以偏～全。❷ 完备；全：言简意～。

【赅博】gāibó 〈书〉形 渊博。也作该博。

【赅括】gāikuò 〈书〉❶ 动 概括①。❷ 形 概括②。

gǎi （ㄍㄞˇ）

改 gǎi ❶ 动 改变；更改：～口｜～名｜～朝换代｜几年之间，家乡完全～了样子了。❷ 动 修改：～文章｜这扇门太大，得往小里～一～。❸ 动 改正：～邪归正｜有错误一定要～。❹（Gǎi）名 姓。

【改版】gǎi//bǎn 动 ❶ 调整、改变出版物的版面内容、风格、出版周期等。❷ 广播电台、电视台调整、改变栏目或节目的安排：外语节目全面～。

【改扮】gǎibàn 动 改换打扮，成另外的模样：为了侦察敌情，他～成一个走街串巷的算命先生。

【改编】gǎibiān 动 ❶ 根据原著重写（体裁往往与原著不同）：这部电影是由同名小说～摄制的。❷ 改变原来的编制（多指军队）：把原来的三个师～成两个师。

【改变】gǎibiàn 动 ❶ 事物发生显著的差别：山区面貌大有～｜随着政治、经济关系的～，人和人的关系也～了。❷ 改换；更动：～样式｜～口气｜～计划｜～战略。

【改产】gǎi//chǎn 动 不再生产原来产品而生产别的产品；转产。

【改朝换代】gǎi cháo huàn dài 旧的朝代为新的朝代所代替。泛指政权更替。

【改窜】gǎicuàn 动 窜改。

【改道】gǎi//dào 动 ❶ 改变行走的路线：此处翻修公路，车辆必须～行驶。❷（河流）改变经过的路线：黄河～。

【改点】gǎi//diǎn 动 更改原定的时间：列车～运行。

【改订】gǎidìng 动 修订（书籍文字、规章制度等）：～计划。

【改动】gǎidòng 动 变动（文字、项目、次序等）：这篇文章我只～了个别词句|这学期的课程没有大～。

【改革】gǎigé 动 把事物中旧的不合理的部分改成新的、能适应客观情况的：技术～|～经济管理体制。

【改观】gǎiguān 动 改变原来的样子，出现新的面目：这一带防风林长起来后，生态环境就会大大～。

【改过】gǎiguò 动 改正过失或错误：～自新|勇于～。

【改行】gǎi//háng 动 放弃原来的行业，从事新的行业：他一辈子没改过行|张大夫已经～当老师了。

【改换】gǎihuàn 动 改掉原来的，换成另外的：～门庭|～生活方式|这句话不好懂，最好～一个说法。

【改换门庭】gǎihuàn méntíng ❶ 改变门第出身，提高社会地位。❷ 投靠新的主人或势力，以图维持、发展。

【改悔】gǎihuǐ 动 认识错误，加以改正：不知～。

【改嫁】gǎi//jià 动 妇女离婚后或丈夫死后再跟别人结婚。

【改建】gǎijiàn 动 在原有的基础上加以改造，使适合于新的需要（多指厂矿、建筑物等）。

【改醮】gǎijiào 动 旧时称改嫁。

【改进】gǎijìn 动 改变旧有情况，使有所进步：～工作|操作方法有待～。

【改刊】gǎi//kān 动 刊物改变原来的版面、内容、风格、出版周期等：～启事。

【改口】gǎi//kǒu 动 ❶ 改变自己原来说话的内容或语气：他发觉自己说错了，于是连忙～。❷ 改变称呼：叫惯了姐姐，如今要～叫嫂子，真有点别扭。

【改良】gǎiliáng 动 ❶ 去掉事物的个别缺点，使更适合要求：～土壤|～品种。❷ 改善。

【改良主义】gǎiliáng zhǔyì 反对从根本上推翻不合理的社会制度，主张在原有社会制度的基础上加以改善的思想。

【改判】gǎipàn 动 ❶ 法院更改原来所做的判决。❷ 竞赛或考试中更改原来所做的评判。

【改期】gǎi//qī 动 改变预定的日期：会议～举行。

【改日】gǎirì 副 改天：～登门拜访。

【改色】gǎisè 动 ❶ 改变原有的颜色：秋末冬初，林木～。❷ 改变神色：面不～。

【改善】gǎishàn 动 改变原有情况使好一些：～生活|～投资环境|劳动条件日益～。

【改天】gǎitiān 副 以后的某一天（指距离说话时不很远的一天）：～见|今天我还有别的事，咱们～再谈吧。

【改天换地】gǎi tiān huàn dì 指从根本上改造大自然，也比喻巨大变革。

【改头换面】gǎi tóu huàn miàn 比喻只改形式，不变内容（贬义）。

【改弦更张】gǎi xián gēng zhāng 琴声不和谐，换了琴弦，重新安上，比喻改革制度或变更方法。

【改弦易辙】gǎi xián yì zhé 改换琴弦，变更行车道路，比喻改变方法或态度。

【改线】gǎi//xiàn 动 改变公共交通、电话等的线路：本路汽车自 10 月 1 日起～行驶。

【改邪归正】gǎi xié guī zhèng 不再做坏事，走上正路。

【改写】gǎixiě 动 ❶ 修改：论文在吸收别人意见的基础上，～了一次。❷ 根据原著重写：把这篇小说～成剧本。

【改型】gǎixíng 动 改换型号；改变类型：～换代|汽车～。

【改选】gǎixuǎn 动 当选人任期届满或在任期中由于其他原因而重新选举：～工会委员。

【改样】gǎi//yàng （～儿）动 改变原来的式样或模样；变样：几年没见，您还没～儿。

【改易】gǎiyì 动 改动；更换：～文章标题。

【改元】gǎiyuán 动 君主、王朝改换年号，每一个年号开始的一年称"元年"。

【改造】gǎizào 动 ❶ 就原有的事物加以修改或变更，使适合需要：～低产田。❷ 从根本上改变旧的、建立新的，使适应新的形势和需要：劳动能～世界。

【改辙】gǎi∥zhé 动 比喻改变办法。

【改正】gǎizhèng 动 把错误的改为正确的：～缺点｜～错别字。

【改制】gǎizhì 动 改变政治、经济等制度。

【改装】gǎizhuāng 动 ❶ 改变装束：她这一～，几乎让人认不出来了。❷ 改变包装：商品～。❸ 改变原来的装置：为了保证安全，已经将高压保险盒～过了。

【改锥】gǎizhuī 名 螺丝刀。

【改组】gǎizǔ 动 改变原来的组织或更换原有的人员：～内阁。

【改嘴】gǎi∥zuǐ 〈口〉动 改口。

胲 gǎi 〈书〉颊上的肌肉。
另见 529 页 hǎi。

gài （ㄍㄞˋ）

丐 gài 〈书〉❶ 乞求。❷ 乞丐。❸ 给；施与。

句 gài 〈书〉同"丐"。

芥 gài 见下。
另见 703 页 jiè。

【芥菜】gàicài 同"盖菜"。
另见 703 页 jiècài。

【芥蓝】gàilán 名 一年生或二年生草本植物，叶柄长，叶子卵形，花白色或黄色，嫩叶和菜薹可以吃，是常见蔬菜。

陒（隑）gài 〈方〉动 ❶ 斜靠：梯子～在墙上。❷ 依仗：～牌头（倚仗别人的面子或势力）。

钙（鈣）gài 名 金属元素，符号 Ca（calcium）。银白色，化学性质活泼。钙是生物体的重要组成元素，钙的化合物在建筑工程和医药上用途很广。

【钙化】gàihuà 动 机体的组织由于钙盐的沉着而变硬。如肺结核的病灶经过钙化而痊愈。

盖[1]（蓋）gài ❶（～儿）名 器物上部有遮蔽作用的东西：锅～｜茶壶～儿◇膝～｜天灵～。❷（～儿）名 动物背部的甲壳：螃蟹～儿｜乌龟～儿。❸ 古时把伞叫盖（现在方言还有把伞叫雨盖的）：华～（古代车上像伞的篷子）。❹ 动 由上而下地遮掩；蒙上：遮～｜盖上被｜撒种后上一层土◇丑事情想～也～不住。

❺ 动 打上（印）：～钢印｜～图章。❻ 动 超过；压倒：他的嗓门很大，把别人的声音都～下去了。❼ 动 建筑（房屋）：翻～｜宿舍～好了。❽ 名 梢①。❾ 名 梢②。❿（Gài）名 姓。

盖[2]（蓋）gài 〈书〉❶ 副 大概：此书之印行～在 1902 年。❷ 连 承上文申说理由或原因：屈平之作《离骚》，～自怨生也。
另见 462 页 Gě。

【盖菜】gàicài 名 一年生草本植物，是芥菜（jiècài）的变种，叶子大，表面多皱纹，叶脉显著，是常见蔬菜。也作芥菜（gàicài）。

【盖饭】gàifàn 名 一种论份儿吃的饭，用碗盘等盛米饭后在上面加菜而成。也叫盖浇饭。

【盖棺论定】gài guān lùn dìng 指一个人的是非功过到死后做出结论。

【盖火】gài·huo 名 盖在炉口上压火的铁器，圆形，中凸，顶端有小孔。

【盖浇饭】gàijiāofàn 名 盖饭。

【盖帘】gàilián （～儿）名 用细秫秸等做成的圆形用具，多用来盖在缸、盆等上面或放置食品。

【盖帽儿】gài∥màor ❶ 动 篮球运动防守技术之一，指防守队员跳起，打掉进攻队员在头的上部出手投篮时的球。❷〈方〉形 形容极好：手艺真不错，盖了帽了。

【盖然性】gàiránxìng 名 有可能但又不是必然的性质。

【盖世】gàishì 动（才能、功绩等）高出当代之上：～无双｜英名～。

【盖世太保】Gàishìtàibǎo 名 法西斯德国的国家秘密警察组织。希特勒曾用它在德国国内及占领区进行大规模的恐怖屠杀。也译作盖斯塔波。［德 Gestapo，是 Geheime Staatspolizei（国家秘密警察）的缩写］

【盖头】gài·tou 名 旧式婚礼新娘蒙在头上遮住脸的红绸布。

【盖碗】gàiwǎn （～儿）名 带盖儿的茶碗：～茶｜细瓷～。

【盖销】gàixiāo 动 用邮戳盖在邮票上，表示不能再次当做邮资凭证。

【盖子】gài·zi 名 ❶ 器物上部有遮蔽作用的东西：茶杯～碎了。❷ 动物背上的甲壳。

溉 gài 〈书〉灌;浇:灌~。

概¹(槩) gài ❶大略:梗~|大~|~况|~要。❷副一律:货物出门,~不退换。

概² gài ❶气度神情:气~。❷〈书〉景象;状况:胜~(优美的景色)。

【概查】gàichá 动概略地调查或勘察:国土资源~。

【概观】gàiguān 名概括的观察;概况(多用于书名):市场~|《红学~》。

【概况】gàikuàng 名大概的情况:生活~|敦煌历史~。

【概括】gàikuò ❶动把事物的共同特点归结在一起;总括:各小组的办法虽然都不一样,但~起来不外两种。❷形简单扼要:他把剧本的故事向大家~地说了一遍。

【概览】gàilǎn 名概观(多用于手册一类的书名):《上海~》。

【概率】gàilǜ 名某种事件在同一条件下可能发生也可能不发生,表示发生的可能性大小的量叫做概率。例如在一般情况下,一个鸡蛋孵出的小鸡是雌性或雄性的概率都是1/2。旧称几率(jīlǜ),或然率。

【概略】gàilüè ❶名大概情况:这只是整个故事的~,详细情节可以看原书。❷形简单扼要;大致:~介绍|~说明。

【概论】gàilùn 名概括的论述(多用于书名):《地质学~》《中国文学~》。

【概貌】gàimào 名大概的状况:沿海城市~|地形~。

【概莫能外】gài mò néng wài 一概不能超出这个范围;一概不能例外:这是共同的道理,古今中外,~。

【概念】gàiniàn 名思维的基本形式之一,反映客观事物的一般的、本质的特征。人类在认识过程中,把所感觉到的事物的共同特点抽出来,加以概括,就成为概念。比如从白雪、白马、白纸等事物里抽出它们的共同特点,就得出"白"的概念。

【概念化】gàiniànhuà 动指文艺创作中缺乏深刻的具体描写和典型形象的塑造,用抽象概念代替人物个性的不良倾向:要克服文艺创作中的~倾向。

【概述】gàishù 动大略地叙述:当事人~了事态的发展过程。

【概数】gàishù 名大概的数目。或者用几、多、来、左右、上下等来表示,如几年、三斤多米、十来天、一百步左右、四十岁上下;或者拿数词连用来表示,如三五个、一两天、七八十人。

【概说】gàishuō 名概括的叙述(多用于书名或文章标题):《客家文化~》。

【概算】gàisuàn ❶动大概地计算;估算。❷名编制预算以前对收支指标所提出的大概数字,预算就是在这个数字的基础上,经过进一步的详细计算而编制出来的。

【概要】gàiyào 名重要内容的大概(多用于书名):《中国文学史~》。

戤 gài ❶〈方〉动冒牌图利。❷同"陷"。

gān (ㄍㄢ)

干¹ gān ❶古代指盾牌:~戈。❷(Gān)名姓。

干² gān ❶〈书〉冒犯:~犯。❷牵连;涉及:~连|~涉|相~。❸〈书〉追求(职位、俸禄等):~禄。

干³ gān 〈书〉水边:江~|河~。

干⁴ gān 天干:~支。

干⁵(乾) gān ❶形没有水分或水分很少(跟"湿"相对):~燥|~柴|油漆未~|衣服晾~了。❷不用水的:~洗|~馏法。❸(~儿)名加工制成的干的食品:饼~|葡萄~儿|豆腐~儿|把萝卜晒成~儿。❹形空虚;空无所有:外强中~|钱都花~了。❺只具形式的:~笑|~号(háo)。❻形属性词。指拜认的(亲属关系):~妈|~儿子。❼副徒然;白:~着急|~瞪眼|~打雷,不下雨。❽〈方〉形形容说话太直太粗(不委婉):你说话别那么~。❾〈方〉当面说气话或抱怨的话使人难堪:我又~了他一顿。❿〈方〉动慢待;置之不理:主人走了,把咱们~起来了。

另见445页gàn;"乾"另见1090页qián。

【干碍】gān'ài〈书〉动关涉;牵连;妨碍。

【干巴】gān·ba 〈口〉形❶失去水分而收缩或变硬：枣儿都晒～了。❷缺少脂肪，皮肤干燥：人老了，皮肤就变得～了。❸（语言文字）枯涩，不生动：话说得～乏味。

【干巴巴】gānbābā（～的）形状态词。❶干燥（含厌恶意）：过去～的沙荒地，如今变成了米粮川。❷（语言文字）内容不生动，不丰富：文章写得～的，读着引不起兴趣。

【干白】gānbái 名用葡萄原汁制成的没有甜味的白葡萄酒。参看〖干酒〗。

【干板】gānbǎn 名表面涂有感光药膜的玻璃片，用于照相。也叫硬片。

【干杯】gān∥bēi 动喝干杯中的酒（用于劝别人喝酒或表示庆祝的场合）：咱俩干了这一杯|为客人们的健康干～。

【干贝】gānbèi 名用扇贝的肉柱（即闭壳肌）晒干而成的食品。

【干瘪】gānbiě 形❶干而收缩，不丰满：墙上挂着一串串辣椒，风吹日晒，都已经～了|别看他是个～老头儿，力气可大着呢。❷（文辞等）内容贫乏，枯燥无味：语言～。

【干冰】gānbīng 名固态的二氧化碳，白色，半透明，外观像冰。在常温常压下不经液化直接变成气体，产生低温。用作冷冻剂、灭火剂，也用于人工降雨。

【干菜】gāncài 名晒干或晾干的蔬菜。

【干草】gāncǎo 名晒干的草，有时特指晒干的谷草。

【干柴烈火】gān chái liè huǒ 比喻一触即发的形势，也比喻情欲正盛的男女。

【干城】gānchéng〈书〉名盾牌和城墙，比喻捍卫国家的将士。

【干脆】gāncuì ❶形直截了当；爽快：说话～利落。❷副索性：那人不讲理，～别理他。

【干打雷，不下雨】gān dǎ léi，bù xià yǔ 比喻只有声势，没有实际行动。

【干打垒】gāndǎlěi ❶动一种简易的筑墙方法，在两块固定的木板中间填入黏土夯实。❷名用干打垒方法筑墙所盖的房。

【干瞪眼】gāndèngyǎn 形容在一旁着急而又无能为力。

【干电池】gāndiànchí 名电池的一种。参看306页〖电池〗。

【干犯】gānfàn 动触犯；侵犯：～国法。

【干饭】gānfàn 名❶做熟后不带汤的米饭。❷见179页〖吃干饭〗。

【干肥】gānféi 名把人的粪尿跟泥土掺在一起晒干而成的肥料。

【干粉】gānfěn 名干的粉条或粉丝。

【干戈】gāngē 名泛指武器，多比喻战争：～四起|大动～|化～为玉帛。

【干股】gāngǔ 名指公司无偿赠送的股份。

【干果】gānguǒ 名❶单果的一大类，包括荚果、坚果、颖果、菁葖果、翅果、蒴果、瘦果。通常指外有硬壳而水分少的果实，如栗子、榛子、核桃。❷晒干了的水果，如柿饼。

【干旱】gānhàn 形因降水不足而土壤、气候干燥：～地区|天气～。

【干号】gānháo 动不落泪地大声哭叫。也作干嚎。

【干嚎】gānháo 同"干号"。

【干涸】gānhé 形（河道、池塘等）没有水了。

【干红】gānhóng 名用葡萄原汁制成的没有甜味的红葡萄酒。参看〖干酒〗。

【干花】gānhuā 名利用干燥剂等使鲜花迅速脱水而制成的花。这种花可以较长时间保持鲜花原有的色泽和形态。

【干货】gānhuò 名指晒干、风干、烘干的果品。

【干急】gānjí 动心里着急而没有办法。也说干着急。

【干将】gānjiāng 名古代宝剑名，常跟"镆铘"并说，泛指宝剑。
　另见445页 gànjiàng。

【干结】gānjié 动含液体少，发硬：大便～。

【干净】gānjìng 形❶没有尘土、杂质等：孩子们都穿得干干净净的。❷形容说话、动作不拖泥带水：笔下～|办事～利落。❸比喻一点儿不剩：打扫～|消灭～。

【干酒】gānjiǔ 名没有甜味的酒。如干白、干红、干啤。"干"是英语dry的直译。

【干咳】gānké 动只咳嗽，没有痰。

【干枯】gānkū 形❶草木由于衰老或缺乏营养、水分等而失去生机：一夜大风，地上落满了～的树叶。❷因缺少脂肪或水分而皮肤干燥。❸干涸：～的古井。

【干酪】gānlào 名牛奶等发酵、凝固制成的食品。

【干冷】gānlěng 形 状态词。（天气）干燥而寒冷：刮了一夜西北风，～～的。

【干礼】gānlǐ 名 用钱代替礼品送的礼。

【干连】gānlián 动 牵连。

【干粮】gān·liáng 名 预先做好的供外出食用的干的主食，如炒米、炒面、馒头、烙饼等。有的地区也指在家食用的干的面食，如馒头、烙饼等。

【干裂】gānliè 动 因干燥而裂开：土地～｜嘴唇～｜在北方，竹器容易～。

【干馏】gānliú 动 把固体燃料和空气隔绝，加热使分解，如煤干馏后分解成焦炭、焦油和煤气。

【干啤】gānpí 名 啤酒的一种，特点是低糖、低热值，口味清爽。参看〖干酒〗。

【干亲】gānqīn 名 没有血缘关系或婚姻关系而结成的亲戚，如干爹、干娘。

【干扰】gānrǎo 动 ❶ 扰乱；打扰：他正在备课，我不便去～他。❷ 某些电磁振荡对无线电设备正常接收信号造成妨碍。主要由接收设备附近的电气装置引起。日光、磁暴等天文、气象上的变化也会引起干扰。

【干扰素】gānrǎosù 名 人和动物的某些细胞受病毒感染或诱导剂作用后分泌的一种物质，能抑制病毒繁殖，并有抑制肿瘤、治疗肝炎等作用。

【干涩】gānsè 形 ❶ 因发干而显得不滑润或不润泽；枯涩：～的嘴唇。❷（声音）沙哑；不圆润：嗓音～。❸ 形容表情、动作生硬、做作：～地一笑。

【干涉】gānshè ❶ 动 过问或制止，多指不应该管硬管：互不～内政。❷〈书〉关涉；关联：二者了无～。

【干尸】gānshī 名 外形完整没有腐烂的干瘪尸体。

【干瘦】gānshòu 形 状态词。瘦而干瘪。

【干爽】gānshuǎng 形 ❶（气候）干燥清爽。❷（土地、道路等）干松；干燥：到处都是雨水，找不到～的地方。

【干松】gān·song〈方〉形 干燥松散：躺在～的草堆上晒太阳。

【干洗】gānxǐ 动 用汽油或其他溶剂去掉衣服上的污垢（区别于用水洗）。

【干系】gān·xì 名 牵涉到责任或能引起纠纷的关系：～重大｜脱不掉～。

【干笑】gānxiào 动 不想笑而勉强装着笑。

【干薪】gānxīn 名 挂名不工作而领取的薪金。

【干谒】gānyè〈书〉动 有所企图或要求而求见（显达的人）。

【干预】gānyù 动 过问（别人的事）：事涉隐私，不便～。

【干哕】gān·yue 动 要呕吐又吐不出来：他一闻到汽油味就～。

【干燥】gānzào 形 没有水分或水分很少：沙漠地方气候很～。

【干政】gānzhèng〈书〉动 干预政事：宦官～。

【干支】gānzhī 名 天干和地支的合称。拿十干的"甲、丙、戊、庚、壬"和十二支的"子、寅、辰、午、申、戌"相配，十干的"乙、丁、己、辛、癸"和十二支的"丑、卯、巳、未、酉、亥"相配，共配成六十组，用来表示年、月、日的次序，周而复始，循环使用。干支最初是用来纪日的，后来多用来纪年，现农历的年份仍用干支。

【干租】gānzū 动 一种租赁方式，在租赁设备、交通工具等时，不配备操纵、维修人员（跟"湿租"相对）。

甘 gān ❶ 甜；甜美（跟"苦"相对）：～泉｜～露｜苦尽～来。❷ 动 自愿；乐意：～愿｜～做老黄牛｜不～失败。❸（Gān）名 姓。

【甘拜下风】gān bài xià fēng 佩服别人，自认不如：您的棋实在高明，我只有～。

【甘草】gāncǎo 名 多年生草本植物，花紫色，荚果褐色。根和根状茎有甜味，可入药。

【甘居】gānjū 动 情愿处在（较低的地位）：～人下｜～中游。

【甘苦】gānkǔ 名 ❶ 比喻美好的处境和艰苦的处境：同～，共患难。❷ 在工作或经历中体会到的滋味，多偏指苦的一面：没有搞过这种工作，就不知道其中的～。

【甘蓝】gānlán 名 ❶ 一年生或二年生草本植物，叶子宽而厚，一般蓝绿色，表面有蜡质，花黄白色。❷ 特指结球甘蓝。变种很多，如紫甘蓝、花椰菜、茎蓝等，是常见蔬菜。

【甘霖】gānlín 名 指久旱以后所下的雨。

【甘露】gānlù 名 甜美的露水。

【甘美】gānměi 形（味道）甜美。

【甘泉】gānquán 图 甜美的泉水。

【甘薯】gānshǔ 图❶ 一年生或多年生草本植物，蔓细长，匍匐地面。块根皮色发红或发白，肉黄色或白色，除供食用外，还可以制糖和酒精。❷ 这种植物的块根。‖通称红薯或白薯，在不同地区有番薯、山芋、地瓜、红苕(sháo)等名称。

【甘甜】gāntián 形 甜：～可口。

【甘味】gānwèi 〈书〉❶ 图 美味。❷ 动 感觉味美：食不～。

【甘心】gānxīn 动❶ 愿意：～做一辈子教师。❷ 称心满意：不拿到金牌决不～。

【甘心情愿】gānxīn qíngyuàn 心甘情愿。

【甘休】gānxiū 动 情愿罢休：罢手：善罢～试验不成功，决不～。

【甘油】gānyóu 图 有机化合物，成分是丙三醇，无色透明的液体，黏稠似糖浆，有甜味，能吸收水分。用来制造化妆品、硝化甘油和糖果等。医药上用来配制外用药。

【甘于】gānyú 动 甘心于：情愿：～吃苦。

【甘愿】gānyuàn 动 心甘情愿：～受罚。

【甘蔗】gān·zhe 图❶ 一年生或多年生草本植物，茎圆柱形，有节，表皮光滑，黄绿色或紫色。茎含糖分多，是主要的制糖原料。❷ 这种植物的茎。

【甘之如饴】gān zhī rú yí 感到像糖一样甜，表示甘愿承受艰难、痛苦。

【甘紫菜】gānzǐcài 图 紫菜的一种，烹调上多用作汤料。

忏 gān 〈书〉干扰。

玕 gān 见 813 页〖琅玕〗。

杆 gān (～儿)图 杆子(gān·zi)①：旗～|地上竖着一根～儿。
另见 442 页 gǎn。

【杆塔】gāntǎ 图 架设电线用的支柱的统称。一般用木材、钢筋混凝土或钢铁制成，有单杆、双杆、A 形杆、铁塔等。

【杆子】gān·zi 图❶ 有一定用途的细长的木头或类似的东西（多直立在地上，上端较细）：电线～。❷〈方〉指结伙抢劫的土匪：拉～。
另见 442 页 gǎn·zi。

肝 gān 图 人和高等动物的消化器官之一。人的肝在腹腔内右上部，分为两叶。主要功能是分泌胆汁，储藏糖原，调节蛋白质、脂肪和糖类的新陈代谢等，还有解毒和凝血作用。也叫肝脏。（图见 1493 页"人的消化系统"）

【肝肠】gāncháng 图 肝和肠，多用于比喻：～欲裂|痛断～。

【肝肠寸断】gāncháng cùn duàn 形容非常悲痛。

【肝胆】gāndǎn 图❶ 比喻真诚的心：～相照。❷ 比喻勇气、血性：～过人。

【肝胆相照】gāndǎn xiāng zhào 比喻以真心相见。

【肝火】gānhuǒ 图 指容易急躁的情绪：怒气：动～|～旺。

【肝脑涂地】gān nǎo tú dì 原指在战乱中惨死，后用来表示牺牲生命。

【肝气】gānqì 图❶ 中医指有两肋胀痛、呕吐、腹泻等症状的病。❷ 指容易发怒的心理状态。

【肝儿】gānr 图 指供食用的猪、牛、羊等动物的肝脏。

【肝儿颤】gānrchàn 〈方〉动 非常害怕。

【肝炎】gānyán 图 肝脏发炎的病，多由细菌、病毒等感染或磷、砷等药物中毒引起。常见的是病毒性肝炎，分为甲、乙、丙、丁、戊五型。

【肝硬变】gānyìngbiàn 动 肝硬化。

【肝硬化】gānyìnghuà 动 肝脏因慢性病变（如病毒性肝炎、酒精中毒、血吸虫病）而引起纤维组织增生，质地变硬。初期没有明显症状，严重时食欲不振、消瘦，右上腹部胀痛、脾肿大、腹水等。也叫肝硬变。

【肝脏】gānzàng 图 肝。

坩 gān 〈书〉盛东西的陶器。

【坩埚】gānguō 图 熔化金属或其他物质的器皿，一般用黏土、石墨等耐火材料制成。化学实验用的坩埚，用瓷土、铂或镍等材料制成。

苷 gān 图 糖苷的简称。

矸 gān 见下。

【矸石】gānshí 图 采矿时采出的或混入矿石中的其他石块，特指煤里夹杂的石块，不易燃烧。

【矸子】gān·zi 〈口〉图 矸石。

泔 gān 泔水。

【泔脚】gānjiǎo 〈方〉名 泔水。
【泔水】gān·shuǐ 名 倒掉的残汤、剩饭菜和淘米、洗刷锅碗等用过的水。有的地区叫泔脚、潲水。

柑 gān 名 ❶ 常绿小乔木或灌木,开白色小花,果实球形稍扁,果肉多汁,味道甜酸,有的微苦,果皮粗糙,成熟后橙黄色,也有绿色的。种类很多,如芦柑、招柑、蜜柑等。果皮、叶子、种子可入药。❷ 这种植物的果实。‖有的地区叫柑子。
【柑橘】gānjú 名 果树的一类,指柑、橘、柚、橙等。
【柑子】gān·zi 〈方〉名 柑。

竿 gān (～儿)名 竿子:钓～|立～见影|百尺～头,更进一步。
【竿子】gān·zi 名 竹竿,截取竹子的主干而成。

酐 gān 名 酸酐的简称。

疳 gān 名 疳积,中医指小儿面黄肌瘦、腹部膨大的病,多由饮食没有节制或腹内有寄生虫引起。

尴(尷、𤾨) gān [尴尬](gāngà)
形 ❶ 处境困难,不好处理:他觉得去也不好,不去也不好,实在～。❷(神色、态度)不自然:表情～。

澉 gān 〈书〉干燥。

gǎn (ㄍㄢˇ)

杆(桿) gǎn ❶(～儿)名 器物的像棍子的细长部分(包括中空的):钢笔～儿|秤～|枪～|烟袋的～儿裂了。❷ 量 用于有杆的器物:一～秤|一～枪。
另见 441 页 gān。
【杆秤】gǎnchèng 名 秤的一种,秤杆一般用木头制成,杆上有秤星。称物品时,移动秤锤,秤杆平衡之后,从秤星上可以知道物体的重量。
【杆菌】gǎnjūn 名 细菌的一类,杆状或近似杆状,大多单独存在,分布广泛,种类很多,如大肠杆菌、炭疽杆菌等。
【杆子】gǎn·zi 名 杆(gǎn)①:枪～|笔～。
另见 441 页 gān·zi。

秆(稈) gǎn (～儿)名 秆子:烟～|麦～儿|麻～儿|向日葵的～儿很

直。
【秆子】gǎn·zi 名 某些植物的茎:高粱～。

赶(趕) gǎn ❶ 动 追:你追我～|学先进,～先进。❷ 动 加快行动,使不误时间:～路|～任务|他骑着车飞快地往厂里～。❸ 动 去;到(某处):～集|～考|～庙会。❹ 动 驾驭:～驴|～大车。❺ 动 驱逐:～苍蝇。❻ 动 遇到(某种情况):碰上(某个时机):～巧|上一趟没～上。❼〈口〉介 用在时间词前面表示等到某个时候:～明儿|～年下再回家。❽(Gǎn)名 姓。
【赶不及】gǎn·bují 动 来不及:船七点开,动身晚了就～了。
【赶不上】gǎn·bushàng ❶ 追不上;跟不上:他已经走远了,～了◇我的功课－他|这里的环境～北京。❷ 来不及:离开车只有十分钟,怕～了。❸ 遇不着(所希望的事物):这几个星期日总～好天气。
【赶场】gǎn//cháng 〈方〉动 赶集。
【赶场】gǎn//chǎng 动(演员)在一个地方演出完毕赶紧到另一个地方去演出。
【赶超】gǎnchāo 动 赶上并超过:～世界先进水平。
【赶潮流】gǎn cháoliú 比喻追随社会时尚、做适应形势的事。
【赶车】gǎn//chē 动 驾驭牲畜拉的车。
【赶得及】gǎn·dejí 动 来得及:马上就动身,还～。
【赶得上】gǎn·deshàng 动 ❶ 追得上;跟得上:你先去吧,我走得快,～你◇你的功课～他吗? ❷ 来得及:车还没开,你现在去,还～跟他们告别。❸ 遇得着(所希望的事物):～好天气,去郊游吧。
【赶点】gǎn//diǎn 动 ❶(车、船等)晚点后加快速度,争取正点到达。❷(～儿)赶上时机:你真赶上点儿啦,正缺你一个呢。
【赶赴】gǎnfù 动 赶到(某处)去:～现场。
【赶工】gǎngōng 动 为按时或提前完成任务而加快进度:日夜～。
【赶海】gǎn//hǎi 〈方〉动 趁落潮时到海滩去捕捉、拾取各种海洋生物:～人。
【赶汗】gǎn//hàn 〈方〉动 发汗。
【赶集】gǎn//jí 动 到集市上买卖货物。
【赶脚】gǎn//jiǎo 动 赶着驴或骡子供人雇用:农闲的时候就去～|他赶过几年脚。
【赶街】gǎn//jiē 〈方〉动 赶集。

【赶紧】gǎnjǐn 副 抓紧时机,毫不拖延:他病得不轻,要~送医院。

【赶尽杀绝】gǎn jìn shā jué 消灭净尽,泛指对人狠毒,不留余地。

【赶考】gǎnkǎo 动 去参加科举考试。

【赶快】gǎnkuài 副 抓住时机,加快速度:时间不早了,我们~走吧。

【赶浪头】gǎn làng·tou 比喻紧紧追随时尚,做适应当前形势的事。

【赶路】gǎn//lù 动 为了早到目的地加快速度:今天好好睡一觉,明天一早起来│~赶了一天路,走得人困马乏。

【赶忙】gǎnmáng 副 赶紧;连忙:趁熄灯前~把日记写完。

【赶庙会】gǎn miàohuì 到庙会上去买卖货物或游玩。

【赶明儿】gǎnmíngr〈口〉副 等到明天,泛指以后;将来:~我长大了,也要当医生。也说赶明儿个。

【赶巧】gǎnqiǎo 副 凑巧:上午我去找他,~他不在家。

【赶热闹】gǎn rè·nao (~儿)到热闹的地方去玩:他最不喜欢~,见人多的地方就躲着。

【赶时髦】gǎn shímáo 指迎合当意时最流行的风尚。

【赶趟儿】gǎn//tàngr〈口〉动 赶得上;跟得上:不必今天就动身,明天一早儿去也~│再不走可就赶不上趟儿了。

【赶圩】gǎn//xū〈方〉动 赶集。

【赶鸭子上架】gǎn yā·zi shàng jià 比喻迫使做能力所不及的事情:我不会唱,你偏叫我唱,不是~吗? 也说打鸭子上架。

【赶早】gǎnzǎo (~儿)副 趁早;赶紧:~把货脱手│还是~儿走吧,要不就来不及了。

笴 gǎn〈书〉箭杆(gǎn)。

敢[1] gǎn ❶ 有勇气;有胆量:勇~│果~。❷ 动 助动词。表示有胆量做某种事情:~作~为│~想、~说、~干。❸ 动 助动词。表示有把握做某种判断:我不~说他究竟哪一天来。❹〈书〉谦辞,表示冒昧地请求别人:~问│~请│~烦。❺ (Gǎn)名 姓。

敢[2] gǎn〈方〉副 莫非;怕是;敢是。

【敢情】gǎn·qing〈方〉副 ❶ 表示发现原来没有发现的情况:哟! 一夜里下了大雪啦。❷ 表示情理明显,不必怀疑:办个托儿所可了? 那~好!

【敢是】gǎn·shì〈方〉副 莫非;大概是:这不像是去李庄的道儿,~走错了吧?

【敢死队】gǎnsǐduì 名 军队为完成最艰巨的战斗任务由不怕死的人组成的先锋队伍。

【敢于】gǎnyú 动 有决心,有勇气(去做或去争取):~挑重担。

感 gǎn ❶ 动 觉得:身体偶~不适│他对打麻将不~兴趣。❷ 感动:~人肺腑│深有所~。❸ 对别人的好意怀着谢意:~谢│~恩│~激。❹ 中医指感受风寒:外~内伤。❺ 感觉①;情感;感想:美~│好~│自豪~│亲切之~│观~│百~交集。❻ (摄影胶片、晒印纸等)接触光线而发生变化:~光。

【感触】gǎnchù 名 跟外界事物接触而引起的思想情绪:他对此事很有~│旧地重游,~万端。

【感戴】gǎndài 动 感激而拥护(用于对上级)。

【感到】gǎndào 动 觉得:从他的话里我~事情有点不妙。

【感动】gǎndòng ❶ 形 思想感情受外界事物的影响而激动,引起同情或向慕:看到战士舍身救人的英勇行为,群众深受~。❷ 动 使感动:他的话~了在座的人。

【感恩】gǎn//ēn 动 对别人所给的帮助表示感激:~不尽│~图报。

【感恩戴德】gǎn ēn dài dé 对别人所给的恩德表示感激。

【感恩图报】gǎn ēn tú bào 感激他人对自己所施的恩惠而设法报答。

【感奋】gǎnfèn 动 因感动、感激而兴奋或奋发:胜利的喜讯使人们~不已。

【感愤】gǎnfèn 动 有所感触而愤慨。

【感官】gǎnguān 名 感觉器官的简称。

【感光】gǎn//guāng 动 照相胶片等受光的照射引起物理或化学变化。

【感光片】gǎnguāngpiàn 名 表面涂有感光药膜的塑料片或玻璃片等。

【感光纸】gǎnguāngzhǐ 名 表面涂有感光药膜的纸,如放大纸、印相纸、晒图纸等。

【感化】gǎnhuà 动 用行动影响或善意劝导,使人的思想、行为逐渐向好的方面变化：～失足者。

【感怀】gǎnhuái 劻 有所感触；感伤地怀念：～诗｜～身世｜节日～。

【感激】gǎnjī 劻 因对方的好意或帮助而对他产生好感：～涕零｜非常～｜你给我的帮助。

【感激涕零】gǎnjī tì líng 因感激而流泪，形容非常感激。

【感觉】gǎnjué ❶ 名 客观事物的个别特性在人脑中引起的反应，如苹果作用于我们的感官时，通过视觉可以感到它的颜色，通过味觉可以感到它的味道。感觉是最简单的心理过程，是形成各种复杂心理过程的基础。❷ 劻 觉得①：一场秋雨后就～有点冷了。❸ 劻 觉得②：他～工作还顺利。

【感觉器官】gǎnjué qìguān 感受客观事物刺激的器官，如皮肤、眼睛、耳朵等。简称感官。

【感觉神经】gǎnjué shénjīng 传入神经。

【感慨】gǎnkǎi 有所感触而慨叹：～万端。

【感慨系之】gǎnkǎi xì zhī 感慨的心情系着某件事，指对某件事有所感触而不禁慨叹。

【感抗】gǎnkàng 名 电路中电感对交流电的阻碍作用。单位是欧姆。

【感喟】gǎnkuì 〈书〉有所感触而叹息：人事沧桑，～不已。

【感愧】gǎnkuì 劻 既感激又惭愧：～交加。

【感冒】gǎnmào ❶ 名 传染病，病原体是病毒，在身体过度疲劳、着凉、抵抗力降低时容易引起。症状是咽喉发干、鼻塞、咳嗽、打喷嚏、头痛、发热等。❷ 劻 患这种病。‖也叫伤风。

【感念】gǎnniàn 劻 因感激或感动而思念：～不忘。

【感佩】gǎnpèi 劻 感动佩服：衷心～。

【感情】gǎnqíng 名 ❶ 对外界刺激的比较强烈的心理反应：动～｜～流露。❷ 对人或事物关切、喜爱的心情：联络～｜他对农村产生了深厚的～。

【感情用事】gǎnqíng yòngshì 不冷静考虑，凭个人好恶或一时的感情冲动处理事情。

【感染】gǎnrǎn 劻 ❶ 病原体侵入机体，在体内生长繁殖引起病变；受到传染：伤口

～了｜身体不好，容易～流行性感冒。❷ 通过语言或行为引起别人相同的思想感情：～力｜欢乐的气氛～了每一个人。

【感人】gǎnrén 形 感动人：～至深｜情节生动～。

【感人肺腑】gǎn rén fèifǔ 使人内心深受感动：言辞恳切，～。

【感纫】gǎnrèn 〈书〉劻 感激（多用于书信）。

【感伤】gǎnshāng 形 因有所感触而悲伤：一阵～，潸然泪下。

【感世】gǎnshì 劻 对不正的世风、世事有所感慨：他的诗文多为～之作。

【感受】gǎnshòu ❶ 劻 受到（影响）；接受：～风寒｜～到集体的温暖。❷ 名 接触外界事物得到的影响；体会：生活～｜看到经济特区全面迅速的发展，～很深。

【感叹】gǎntàn 劻 有所感触而叹息。

【感叹号】gǎntànhào 名 叹号的旧称。

【感叹句】gǎntànjù 名 带有浓厚感情的句子，如："哎哟！""好哇！""哟！你也来了！"在书面上，感叹句末用叹号。

【感同身受】gǎn tóng shēn shòu 原指感激的心情如同亲身受到对方的恩惠一样（多用来代替别人表示谢意），现多指虽未亲身经历，但感受就同亲身经历过一样。

【感悟】gǎnwù 劻 有所感触而领悟：在奋斗中～到人生的真谛。

【感想】gǎnxiǎng 名 由接触外界事物而引起的思想反应：看了这封信，你有什么～？

【感谢】gǎnxiè 劻 用言语行动表示感激：再三～｜我很～他的热情帮助。

【感性】gǎnxìng 形 属性词。指属于感觉、知觉等心理活动的（跟"理性"相对）：～认识。

【感性认识】gǎnxìng rèn·shi 通过感觉器官对客观事物的片面、现象的和外部联系的认识。感觉、知觉、表象等是感性认识的形式。感性认识是认识过程中的低级阶段。要认识事物的全体、本质和内部联系，必须把感性认识上升为理性认识。参看836页〖理性认识〗。

【感言】gǎnyán 名 表达感想的话：建厂三十五周年～。

【感应】gǎnyìng 劻 ❶ 某些物体或电磁装置受到电场或磁场的作用而发生电磁状

态的变化,叫做感应。❷ 因受外界影响而引起相应的感情或动作:心理～|某些动物对外界的刺激～特别灵敏。

【感应电流】gǎnyìng diànliú 由于电磁感应而在导体中产生的电流。如发电机中产生的电流。

【感召】gǎnzhào 匰 感化和召唤:～力。

【感知】gǎnzhī ❶ 匎 客观事物通过感觉器官在人脑中的直接反映。❷ 匰 感觉:已能～腹中胎儿的蠕动。

澉 gǎn 澉浦(Gǎnpǔ),地名,在浙江。

橄 gǎn 见下。

【橄榄】gǎnlǎn 匎 ❶ 常绿乔木,羽状复叶,小叶长椭圆形,花白色,果实长椭圆形,两端稍尖,绿色,可以吃,也可入药。❷ 这种植物的果实。有的地区叫青果。❸ 油橄榄的通称。

【橄榄绿】gǎnlǎnlǜ 匜 像橄榄果实那样的青绿色。

【橄榄球】gǎnlǎnqiú 匎 ❶ 球类运动项目之一,球场类似足球场,比赛分两队,每队十一人,球可以用脚踢,用手传,也可以抱球奔跑。有英式和美式两种,规则和记分法有所不同。❷ 橄榄球运动使用的球,用皮革制成,形状像橄榄。

【橄榄油】gǎnlǎnyóu 匎 用油橄榄的果实榨的油,供食用,也可用作医药工业的原料。

【橄榄枝】gǎnlǎnzhī 匎 油橄榄的枝叶,西方用作和平的象征。

擀(扞) gǎn 匰 ❶ 用棍棒来回碾(使东西延展变平、变薄或变得细碎):～面|～毡子|～饺子皮儿|把盐一～。❷〈方〉来回细擦:先用水把玻璃擀净,然后再一～儿。

"扞"另见 537 页 hàn。

【擀面杖】gǎnmiànzhàng 匎 擀面用的木棍儿。

【擀毡】gǎn//zhān 匰 ❶ 用羊毛、驼毛等擀制成毡子。❷ 蓬松的绒毛、头发等结成片状:皮袄～了|头发都～了,快梳一梳吧。

鳡(鱤) gǎn 匎 鱼,身体长而大,近圆筒形,青黄色,吻尖,尾鳍分叉。性凶猛,捕食其他鱼类。多淡水养殖

业有害。也叫黄钻(zuàn)。

gàn（ㄍㄢˋ）

干¹(幹、榦) gàn ❶ 事物的主体或重要部分:树～|骨～。❷ 指干部:调～|～群关系。

干²(幹) gàn ❶ 匰 做(事):实～|～活儿|埋头苦～。❷ 能干;有能力的:～练|～才。❸ 匰 担任;从事:他～过厂长。❹〈方〉匰 事情变坏;糟:要～|～了,钥匙忘在屋里了。

另见 438 页 gān。

【干部】gànbù 匎 ❶ 国家机关、军队、人民团体中的公职人员(士兵、勤杂人员除外)。❷ 指担任一定的领导工作或管理工作的人员:工会～|科室～。

【干部学校】gànbù xuéxiào 培养、训练干部的学校。简称干校。

【干才】gàncái 匎 ❶ 办事的才能:这个人还有点～。❷ 有办事才能的人:这位副经理是公关方面的～。

【干道】gàndào 匎 行车的主要道路。

【干掉】gàn//diào〈口〉匰 铲除;消灭。

【干架】gàn//jià〈方〉匰 打架;吵架。

【干将】gànjiàng 匎 能干的或敢干的人:得力～|一员～。

另见 439 页 gānjiāng。

【干劲】gànjìn (～儿)匎 做事的劲头:～儿十足|鼓足～,力争上游。

【干警】gànjǐng 匎 公安、检察、法院部门中干部和警察的合称。

【干练】gànliàn 匜 又有才能又有经验:他的确是一个精明～的人才。

【干流】gànliú 匎 同一水系内全部支流所汇入的河流。也叫主流。

【干吗】gànmá〈口〉代 疑问代词。干什么:您～说这些话? |你问这件事～?

【干渠】gànqú 匎 从水源引水的渠道。

【干群】gànqún 匎 干部和群众:改善～关系。

【干什么】gàn shén·me 询问原因或目的:你～不早说呢? |他老说这些～?

注意 询问客观事物的道理,只能用"为什么"或"怎么",不能用"干什么"或"干吗",如:蜘蛛的丝为什么不能织布? |西瓜怎

么长得这么大?

【干事】gàn·shi 名 专门负责某项具体事务的人员,如宣传干事、人事干事等。

【干细胞】gànxìbāo 名 ❶ 一类具有自我复制和多项分化潜能的原始细胞,分为胚胎干细胞和成体干细胞。❷ 特指造血干细胞(一种能分化为各种血细胞的原始细胞)。

【干线】gànxiàn 名 交通线、电线、输送管(水管、输油管之类)等的主要路线(跟"支线"相对)。

【干校】gànxiào 名 干部学校的简称。

【干仗】gàn//zhàng 〈方〉动 打架;吵架。

旰 gàn 〈书〉天色晚;晚上:宵衣～食。

绀(紺) gàn 稍微带红的黑色。

【绀青】gànqīng 形 黑里透红的颜色。也说绀紫。

淦 gàn ❶ 淦水,水名,在江西。❷ 名姓。

骭 gàn 〈书〉❶ 小腿。❷ 肋骨。

螯 gàn 螯井沟(Gànjǐnggōu),地名,在重庆忠县。

颣(贑、灨) Gàn 〈书〉同"赣"。

赣(贛) Gàn ❶ 赣江,水名,在江西。❷ 名 江西的别称。

〈古〉又同"贡"gòng。

【赣剧】gànjù 名 江西地方戏曲剧种之一,由弋阳腔发展而来,流行于上饶、景德镇等地区。

【赣语】gànyǔ 名 汉语方言之一,分布在江西中部、北部一带。

gāng（ㄍㄤ）

冈(岡) gāng ❶ 较低而平的山脊:山～|景阳～。❷ (Gāng)名姓。

【冈陵】gānglíng 名 山冈和丘陵。

【冈峦】gāngluán 名 连绵的山冈:～起伏。

江 Gāng 名 姓。

扛 gāng ❶ 〈书〉用两手举(重物):力能～鼎。❷ 〈方〉动 抬东西。另见 764 页 káng。

刚¹(剛) gāng ❶ 形 硬;坚强(跟"柔"相对):～强|～直|他的性情太～。❷ (Gāng)名 姓。

刚²(剛) gāng ❶ 形 恰好:不大不小,～合适。❷ 表示勉强达到某种程度;仅仅:清早出发的时候天还很黑,～能看出前面的人的背包。❸ 表示行动或情况发生在不久以前:他～从上海回来|那时弟弟～学会走路。❹ 用在复句里,后面用"就"字呼应,表示两件事紧接:～过立春,天气就异乎寻常地热了起来。

【刚愎自用】gāng bì zì yòng 倔强固执,自以为是(愎:乖僻,执拗)。

【刚才】gāngcái 名 时间词。指刚过去不久的时间:他把～的事儿忘了|他在车间劳动,这会儿又去了。

【刚度】gāngdù 名 工程上指机械、构件等在受到外力时抵抗变形的能力。

【刚风】gāngfēng 同"罡风"。

【刚刚】gānggāng 副 刚²:不多不少,～一杯|箱子不大,～装下衣服和书籍|他～走,你快去追吧!

【刚好】gānghǎo ❶ 形 正合适:这双鞋他穿着不大不小,～。❷ 副 恰巧;正巧:他们两个人～编在一个小组里|～大叔要到北京去,信就托他捎去吧。

【刚健】gāngjiàn 形 (性格、风格、姿态等)坚强有力:画风～质朴。

【刚介】gāngjiè 〈书〉形 刚强正直。

【刚劲】gāngjìng 形 (姿态、风格等)挺拔有力:笔力～|松树伸出～的树枝。

【刚烈】gāngliè 形 刚强有气节:禀性～。

【刚毛】gāngmáo 名 人或动物体上长的硬毛,如人的鼻毛、蚯蚓表皮上的细毛。

【刚强】gāngqiáng 形 (性格、意志)坚强,不怕困难或不屈服于恶势力:～不屈。

【刚巧】gāngqiǎo 副 恰巧;正巧:你算赶上了,今天～有车进城。

【刚韧】gāngrèn 形 ❶ (材料)又坚硬又柔韧:制品～耐磨。❷ 刚强有韧性:～的性格。

【刚柔相济】gāng róu xiāng jì 刚强的和柔和的互相补充,使恰到好处。

【刚体】gāngtǐ 名 物理学上指任何情况下

各点之间距离都保持不变,即形状和大小始终不变的物体。

【刚性】gāngxìng ❶ 名 坚强的性格;刚强的气质(跟"柔性"相对,下同):一个男子汉应该有～。❷ 形 属性词。坚硬不易变化的:～物体。❸ 形 属性词。不能改变或通融的:～指标。

【刚毅】gāngyì 形 刚强坚毅:性格～|～的神色。

【刚玉】gāngyù 名 矿物,成分是三氧化二铝,桶状或柱状晶体,有玻璃光泽,硬度9,仅次于金刚石。红色透明的叫红宝石,其他颜色的叫蓝宝石,是贵重的装饰品。刚玉可用作精密仪器的轴承,也用作研磨材料。

【刚正】gāngzhèng 形 刚强正直:为人～。

【刚正不阿】gāngzhèng bù ē 刚强正直,不阿谀奉迎。

【刚直】gāngzhí 形 刚正:～不阿。

扨(搁) gāng 〈书〉同"扛"(gāng)。

杠 gāng 〈书〉❶ 桥。❷ 旗杆。另见 449 页 gàng。

岗(崗) gāng 同"冈"①。另见 448 页 gǎng;449 页 gàng。

肛 gāng 名 肛门和肛管的统称:～裂|脱～。

【肛道】gāngdào 名 肛管。

【肛管】gāngguǎn 名 直肠末端通肛门的部分。周围有肛门括约肌围绕。也叫肛道。

【肛门】gāngmén 名 直肠末端的口儿,粪便从这里排出体外。

纲(綱) gāng ❶ 提网的总绳(多用于比喻):～目|提～挈领|～举张。❷ 比喻事物最主要的部分(多指文件或言论):～领|大～|提～。❸ 名 生物学中把同一门的生物按照彼此相似的特征分为若干群,每一群叫一纲,如苔藓植物门分为苔纲和藓纲,脊椎动物亚门分为鱼纲、鸟纲、哺乳纲等。纲以下为目。❹ 旧时成批运输货物的组织:盐～|花石～。

【纲常】gāngcháng 名 三纲五常的简称。

【纲纪】gāngjì 〈书〉名 社会的秩序和国家的法纪:～有序|～废弛。

【纲举目张】gāng jǔ mù zhāng 纲是网上的大绳子,目是网上的眼,提起大绳子来,一个个网眼就都张开了。比喻文章条理分明,或做事抓住主要的环节,带动次要的环节。

【纲领】gānglǐng 名 ❶ 政府、政党、社团根据自己在一定时期内的任务而规定的奋斗目标和行动步骤:政治～。❷ 泛指起指导作用的原则:～性文件。

【纲目】gāngmù 名 大纲和细目:拟定调查～|《本草～》。

【纲要】gāngyào 名 ❶ 提纲:他把问题写成～,准备在会议上提出讨论。❷ 概要(多用于书名或文件名):《农业发展～》。

㭎(棡) gāng 见 1108 页〖青㭎〗。

矼 gāng 〈书〉石桥。

釭(釭) gāng 〈书〉油灯。

钢(鋼) gāng 名 铁和碳的合金,含碳量小于2%,并含有少量的锰、硅、硫、磷等元素。强度高、韧性好,是重要的工业材料。另见 449 页 gàng。

【钢板】gāngbǎn 名 ❶ 板状的钢材。❷ 刻写蜡纸时垫在下面的钢制长方形板,上面有细密的纹理。

【钢包】gāngbāo 名 盛钢水的钢制容器,内砌耐火砖,钢水由底部的口流出,进行浇铸。

【钢镚儿】gāngbèngr 名 指金属辅币。也叫钢镚子。

【钢笔】gāngbǐ 名 笔头用金属制成的笔。一种是用笔尖蘸墨水写字,也叫蘸水钢笔。另一种有贮存墨水的装置,写字时墨水流到笔尖,也叫自来水笔。

【钢材】gāngcái 名 钢锭或钢坯经过轧制后的成品,如钢丝、钢板、钢管、型钢等。

【钢锭】gāngdìng 名 把熔化的钢水注入模型,经冷凝而成的块状物。是制造各种钢材的原料。

【钢管】gāngguǎn 名 管状的钢材。

【钢轨】gāngguǐ 名 用来铺设轨道的钢条,横断面形状像"工"字。也叫铁轨。

【钢花】gānghuā 名 指飞溅的钢水。

【钢化】gānghuà 动 把玻璃加热至接近软

化时急速均匀冷却,以增加硬度。

【钢筋】gāngjīn 图 钢筋混凝土中所用的钢条。按横断面形状不同可分为圆钢筋、方钢筋等,按表面形状不同可分为光钢筋、竹节钢筋、螺纹钢筋等。

【钢筋混凝土】gāngjīn hùnníngtǔ 用钢筋做骨架的混凝土。钢筋可以承受拉力,增加机械强度。广泛应用在土建工程上。

【钢精】gāngjīng 图 指制造日用器皿的铝:~锅。也叫钢种。

【钢口】gāng·kou (~儿)图 指刀、剑等刃部的质量:这把菜刀~儿不错。

【钢盔】gāngkuī 图 士兵、消防队员等戴的帽子,金属制成,用来保护头部。

【钢坯】gāngpī 图 用钢锭轧制成的半成品,形状比较简单,供继续轧制型钢、钢板、线材等。

【钢瓶】gāngpíng 图 贮存高压氧气、煤气、液化石油气等的钢制瓶状容器。

【钢琴】gāngqín 图 键盘乐器,内部装有许多钢丝弦和包有绒毡的木槌,一按键盘就能带动木槌敲打钢丝弦而发出声音。

【钢砂】gāngshā 图 ❶ 金刚砂。❷ 泛指各种磨料。

【钢水】gāngshuǐ 图 液体状态的钢。钢水一般都铸成钢锭,也可以直接浇铸成铸件。

【钢丝】gāngsī 图 用细圆钢拉制成的线状成品,粗细不等,是制造弹簧、钢丝绳、钢丝网等的材料。

【钢丝锯】gāngsījù 图 锯的一种,形状像弓,锯条用钢丝制成,上面有细齿,用来在工件上锯镂空的图案。有的地区叫镂弓子(sōugōng·zi)。

【钢丝绳】gāngsīshéng 图 用几根钢丝绞成一股,再由几股绞成的绳,多用作起重的绳索。

【钢铁】gāngtiě ❶ 图 钢和铁的合称,有时专指钢。❷ 图 属性词。比喻坚强:~战士。

【钢印】gāngyìn 图 ❶ 机关、团体、学校、企业等部门使用的硬印,盖在公文、证件上面,可以使印文在纸面上凸起。也指用钢印盖出的印痕。

【钢渣】gāngzhā 图 浮在钢水上面的渣滓,是钢内杂质氧化的氧化物。

【钢种】gāngzhǒng 图 钢精。

缸(甌) gāng ❶ (~儿)图 盛东西的器物,一般底小口大,有陶

瓷、搪瓷、玻璃等各种质料的:水~|一口~|小鱼~儿。❷ 缸瓦:~砖|~盆。❸ 图 形状像缸的器物:汽~|四个一的发动机。

【缸管】gāngguǎn 图 陶管的通称。

【缸盆】gāngpén 图 缸瓦制成的盆。

【缸瓦】gāngwǎ 图 用沙子、陶土等混合而成的一种质料,制成器物时外面多涂上釉,缸、缸盆等就是用缸瓦制造的。

【缸砖】gāngzhuān 图 用陶土烧制成的砖,黄色或赤褐色,是耐高温、耐磨和耐侵蚀的建筑材料。

【缸子】gāng·zi 图 喝水或盛东西等用的器物,形状像罐儿:茶~|糖~|玻璃~。

罡 Gāng 图 姓。

【罡风】gāngfēng 图 道家称天空极高处的风,现在有时用来指强烈的风。也作刚风。

堽 gāng 堽城屯(Gāngchéngtún),地名,在山东。

gǎng (《ㄤ)

岗(崗) gǎng 图 ❶ (~儿)岗子①:黄土~。❷ (~儿)岗子②:眉毛脱光了,只剩下两道肉~儿。❸ 岗位①:岗哨。站~|门~|设了两道~。❹ 职位:岗位②:在~|下~。❺ (Gǎng)姓。
另见 447 页 gāng;449 页 gàng。

【岗地】gǎngdì 图 坡度较平缓的丘陵地带上的旱田。

【岗楼】gǎnglóu 图 碉堡的一种,上有枪眼,可以居高临下,从内向外瞭望或射击。

【岗卡】gǎngqiǎ 图 为收税或警备而设置的检查站或岗哨。

【岗哨】gǎngshào 图 ❶ 站岗放哨的处所。❷ 站岗放哨的人。

【岗亭】gǎngtíng 图 为军警站岗而设置的亭子。

【岗位】gǎngwèi 图 ❶ 军警守卫的处所。❷ 泛指职位:坚守工作~。

【岗子】gǎng·zi 图 ❶ 不高的山或高起的土坡:土~。❷ 平面上凸起的长道:胸口上肿起一道~。

䴚 gǎng ❶ 同"舡"。❷ 图 云南德宏傣语地区过去相当于乡一级的行政区

划,也用来称乡一级的头人。

舡(舡)
gǎng 〈书〉盐泽。

港
gǎng ❶ 图港湾:军~|~口|不冻~。❷ 图航空港:飞机离~。❸ 江河的支流(多用于河流名),如江山港、常山港(都在浙江)。❹(Gǎng)图指香港:~币|~澳同胞。❺〈口〉圈形容具有香港地方的特色:打扮得真~|她这一身儿才~呢! ❻(Gǎng)图姓。

【港币】**gǎngbì** 图香港地区通行的货币,以圆为单位。

【港埠】**gǎngbù** 图港口;码头:国际~。

【港汊】**gǎngchà** 图河汊子:~纵横。

【港口】**gǎngkǒu** 图在河、海等的岸边设有码头,便于船只停泊、旅客上下和货物装卸的地方。有的港口兼有航空设备。

【港湾】**gǎngwān** 图便于船只停泊的海湾,一般有防风、防浪设备。

【港务】**gǎngwù** 图港口管理工作。

【港纸】**gǎngzhǐ** 〈方〉图港币。

gàng (ㄍㄤ)

杠(槓)
gàng ❶ 较粗的棍子:顶门~。❷ 体操器械,有单杠、双杠、高低杠等。❸ 机床上的棍状零件:丝~。❹ 出殡时抬送灵柩的工具:~夫。❺(~儿)图粗的直线:他看过的书都打了不少红~|中尉军衔的标志是一~两星。❻ 勔把不通的文字或错字用直线划去或标出:他一面看,一面用红笔在稿子上~了许多杠子。❼(~儿)图比喻一定的标准。

另见 447 页 gāng。

【杠房】**gàngfáng** 图旧时称出租殡葬用具和代为安排仪仗鼓乐等的铺子。

【杠夫】**gàngfū** 图旧时称殡葬时抬运灵柩的工人。

【杠杆】**gànggǎn** 图 ❶ 简单机械,是一个在力的作用下能绕着固定点转动的杆。绕着转动的固定点叫支点,动力的作用点叫动力点,阻力的作用点叫阻力点。改变三点的两段距离的比率,可以改变力的大小。如剪刀(支点在中间)、铡刀(阻力点在中间)、镊子(动力点在中间)等就属于这一类。❷ 比喻起平衡或调控作用的事

物或力量:经济~|发挥金融机构在经济发展中的~作用。

【杠杠】**gàng·gang**(~儿)图 ❶ 杠⑤:在纸上画一条~。❷ 杠⑦:这条法规就是判断合法交易与非法交易的~|这次工资调整,规定了几条~。

【杠铃】**gànglíng** 图举重器械,在横杠的两端安上圆盘形的金属片,金属片最重的 25 公斤,最轻的 0.25 公斤。金属片外加卡箍,以防止滑出。锻炼或比赛时,可以根据体力调节重量。

【杠头】[1] **gàngtóu** 〈方〉图杠夫的头目。

【杠头】[2] **gàngtóu** 〈方〉图指爱抬杠(争辩)的人。

【杠子】**gàng·zi** 图 ❶ 较粗的棍子。❷ 杠②;盘~。❸ 杠⑤:老师把写错的字都打上~。

岗(崗)
gàng 见下。

另见 447 页 gāng;448 页 gǎng。

【岗尖】**gàngjiān**(~儿)〈方〉圈状态词。形容极满:~的一车土|手里端着~一碗米饭。

【岗口儿甜】**gàngkǒurtián**〈方〉圈状态词。形容极甜:哈密瓜~。

垰
gàng 〈方〉图 ❶ 山冈(多用于地名):浮亭~(地名,在浙江)|牯牛~(山名,在安徽)。❷ 狭长的高地;土岗子(多用于地名):大~头|~吊(都在福建)。

钢(鋼)
gàng 勔 ❶ 把刀放在布、皮、石头等上面磨,使它快些:~刀布|把刀~一~。❷ 在刀口上加上点儿钢,重新打造,使更锋利:铡刀该~了。

另见 447 页 gāng。

篢
gàng 篢口(Gàngkǒu),地名,在湖南。

戆(戅)
gàng 〈方〉圈傻;愣②:~头~脑。

另见 1795 页 zhuàng。

【戆头】**gàngtóu** 〈方〉图傻瓜。

gāo (ㄍㄠ)

皋(皐)
gāo ❶ 〈书〉水边的高地:汉~|江~。❷(Gāo)图姓。

高
gāo ❶ 圈从下向上距离大;离地面远(跟"低"相对,④⑤同):~楼大厦|

这里地势很～。❷ 名 高度：那棵树有五米～|书桌～八十厘米。❸ 名 三角形、平行四边形等从底部到顶部(顶点或平行线)的垂直距离。❹ 形 在一般标准或平均程度之上的：～速度|体温～|见解比别人～。❺ 形 等级高的上的：～等|～年级|哥哥年级比我～一级。❻ 敬辞，称别人的事物：～见|～论。❼ 酸根或化合物中比标准酸多含一个氧原子的：～锰酸钾。❽ (Gāo)名 姓。

【高矮】gāo'ǎi（～儿）名 高矮的程度：这两棵白杨差不多一样的～。

【高昂】gāo'áng ❶ 动 高高地扬起：骑兵队伍骑着雄健的战马，～着头通过了广场。❷ 形 (声音、情绪)高：士气～|广场上的歌声愈来愈～。❸ 形 昂贵：价格～。

【高傲】gāo'ào 形 自以为了不起，看不起人；极其骄傲：神态～|～自大。

【高倍】gāobèi 形 属性词。倍数大的：～望远镜。

【高拨子】gāobō·zi 名 徽剧主要腔调之一。京剧、婺剧等剧种也用高拨子。简称拨子。

【高不成，低不就】gāo bù chéng，dī bù jiù 高而合意的，做不了或得不到；做得了、能得到的，又认为低而不合意，不肯做或不肯要(多用于选择工作或选择配偶)。

【高不可攀】gāo bù kě pān 高得没法攀登，多指难以达到或攀附。

【高才生】gāocáishēng 名 指成绩优异的学生。也作高材生。

【高材生】gāocáishēng 同"高才生"。

【高参】gāocān 名 ❶ 高级参谋。❷ 泛指善于为人出主意的人。

【高层】gāocéng ❶ 名 高的层次：他住在～，我住在低层。❷ 形 属性词。(楼房等)层数多的：～住宅|～建筑。❸ 形 属性词。级别高的：～职务|～领导|～人士。

【高层住宅】gāocéng zhùzhái 指地面上10层或10层以上的住宅建筑。

【高产】gāochǎn ❶ 形 属性词。产量高的：～作物。❷ 名 高的产量：创～|战高温，夺～。

【高超】gāochāo 形 好得超过一般水平：见解～|技术～。

【高潮】gāocháo 名 ❶ 在潮的一个涨落周期内，水面上升的最高潮位。❷ 比喻事物高度发展的阶段。❸ 小说、戏剧、电影情节中矛盾发展的顶点。

【高程】gāochéng 名 从某个基准面起算的某点的高度，如从平均海平面起算的山的高度；从某个测量点所在的平面起算的建筑物的高度。

【高大】gāodà 形 ❶ 又高又大：～的建筑|身材～。❷ (年岁)大(多见于早期白话)：老夫年纪～。

【高档】gāodàng 形 属性词。质量好，价格较高的(商品)：～家具|～服装。

【高等】gāoděng 形 属性词。❶ 比较高深的：～数学。❷ 高级①：～学校。

【高等动物】gāoděng dòngwù 在动物学中，一般指身体结构复杂、组织和器官分化显著并具有脊椎的动物。狭义的高等动物专指哺乳动物。

【高等教育】gāoděng jiàoyù 在中等教育的基础上，培养具有专门知识、技能的人才的教育。实施高等教育的学校有大学、专门学院等。简称高教。

【高等学校】gāoděng xuéxiào 大学、专门学院和高等专科学校的统称。简称高校。

【高等植物】gāoděng zhíwù 指个体发育过程中具有胚胎期的植物，包括苔藓类、蕨类和种子植物。一般有茎、叶的分化和由多细胞构成的生殖器官。

【高低】gāodī ❶ 名 高低的程度：朗诵时，声音～要掌握好|因为离得远，估不出山崖的～。❷ 名 高下：两个人的技术水平差不多，很难分出～。❸ 名 深浅轻重(指说话或做事)：不知～。❹ 副 无论如何：嘴都说破了，老王～不答应。❺〈方〉副 到底；终究：这本书找了好几天，～找到了。

【高低杠】gāodīgàng 名 ❶ 女子体操器械的一种，用两根横杠一高一低平行地装置在铁制或木制的架上构成。❷ 女子竞技体操项目之一，运动员在高低杠上做各种动作。

【高地】gāodì 名 地势高的地方，军事上特指地势较高能够俯视、控制四周的地方：无名～。

【高调】gāodiào（～儿）名 高的调门儿，比喻脱离实际的议论或说了而不去实践的漂亮话：唱～。

【高度】gāodù ❶ 名 高低的程度；从地面或基准面向上到某处的距离；从物体的底

部到顶端的距离：飞行的～|这座山的～是四千二百米。❷ 〔形〕属性词。程度很高的：～的劳动热情|～评价他的业绩|这个问题应该受到～重视。

【高端】gāoduān ❶〔形〕属性词。等级、档次、价位等在同类中较高的：～技术|～产品。❷〔名〕指高层官员或负责人：～会议|～访问。

【高尔夫球】gāo'ěrfūqiú 〔名〕❶ 球类运动之一，打者用棒杆击球，使通过障碍进入小圆洞，以击球杆数最少的为胜。❷ 这种运动使用的球，用橡皮等制成，比网球小。[高尔夫，英 golf]

【高发】gāofā〔形〕属性词。（疾病、事故等）发生频率高的：胃癌～地区|交通事故～地段。

【高分子】gāofēnzǐ 〔名〕高分子化合物的简称。

【高分子化合物】gāofēnzǐ huàhéwù 有机化合物的一类，分子量高达数千以至数百万。如蛋白质、淀粉、纤维素、塑料、橡胶等。也称高分子，也叫大分子化合物。

【高风亮节】gāo fēng liàng jié 高尚的品格，坚贞的节操：～，举世同仰。

【高峰】gāofēng 〔名〕❶ 高的山峰：1960年5月25日我国登山队胜利地登上了世界第一～珠穆朗玛峰。❷ 比喻事物发展的最高点：上下班～时间路上比较拥挤。❸ 比喻领导人员中的最高层：～会议。

【高峰会议】gāofēng huìyì 指高级领导人的会议。简称峰会。

【高干】gāogàn 〔名〕高级干部的简称：～子弟|～病房。

【高高在上】gāogāo zài shàng 形容领导者不深入实际、脱离群众。

【高歌】gāogē 〔动〕放声歌唱：～一曲。

【高歌猛进】gāo gē měng jìn 放声歌唱，勇猛前进，形容行进中情绪高涨，斗志昂扬。

【高阁】gāogé 〔名〕❶ 高大的楼阁。❷ 放置书籍、器物的高架子：置之～|束之～。

【高跟儿鞋】gāogēnrxié 〔名〕后跟部分特别高的女鞋。

【高估】gāogū 〔动〕过高估计：不要～个人的作用。

【高官厚禄】gāoguān hòulù 官位高，薪俸多。

【高贵】gāoguì 〔形〕❶ 达到高度道德水平的：～品质。❷ 极为贵重的：服饰～。❸ 指地位高、生活享受优越的：～人物。

【高寒】gāohán 〔形〕属性词。地势高而寒冷的：～地带。

【高胡】gāohú 〔名〕高音二胡，一般用钢丝弦。

【高级】gāojí 〔形〕❶ 属性词。（阶段、级别等）具有较高程度的：～神经中枢|～干部|～人民法院。❷（质量、水平等）超过一般的：～商品|很～的毛料。

【高级小学】gāojí xiǎoxué 我国实施过的后一阶段的初等教育的学校。简称高小。

【高级中学】gāojí zhōngxué 我国实施的后一阶段的中等教育的学校。简称高中。

【高甲戏】gāojiǎxì 〔名〕福建地方戏曲剧种之一，流行于该省泉州、厦门、漳州和台湾省等地区。也叫戈甲戏、九角戏。

【高价】gāojià 〔名〕高出一般的价格：～商品|～出售|～收购古画。

【高架路】gāojiàlù 〔名〕架在地面上空的道路，供机动车辆行驶。

【高架桥】gāojiàqiáo 〔名〕修建在地面或道路上空的形状像桥的路段，供机动车辆行驶，能够避免道路平面交叉，从而提高交通运输能力。

【高见】gāojiàn 〔名〕高明的见解（多用于称对方的见解）：不知您有何～？

【高教】gāojiào 〔名〕高等教育的简称。

【高洁】gāojié 〔形〕高尚纯洁：品行～|～的情怀。

【高精尖】gāojīngjiān 〔形〕属性词。指高级、精密、尖端的：～技术|～设备。

【高就】gāojiù 〔动〕敬辞，指人离开原来的职位就任较高的职位：高就。

【高举】gāojǔ 〔动〕高高地举起：～火把|他～着奖杯向观众致意。

【高峻】gāojùn 〔形〕（山势、地势等）高而陡。

【高看】gāokàn 〔动〕看重；重视。

【高亢】gāokàng 〔形〕❶（声音）高而洪亮：～的歌声。❷（地势）高：～地。❸〈书〉高傲：神态～。

【高考】gāokǎo 〔名〕高等学校招收新生的考试：参加～。

【高科技】gāokējì 〔名〕指高新技术。

【高空】gāokōng 〔名〕距地面较高的空间：～飞行|～作业。

【高丽】Gāolí 名 朝鲜半岛历史上的王朝（公元 918—1392），即王氏高丽。我国习惯上多沿用来指称朝鲜或关于朝鲜的：～人|～参|～纸。

【高丽纸】Gāolízhǐ 名 用桑树皮制造的白色绵纸，质地坚韧，多用来糊窗户。

【高利】gāolì 名 特别高的利息或利润：～盘剥|牟取～。

【高利贷】gāolìdài 名 索取特别高额利息的贷款：放～。

【高粱】gāo·liang 名 ❶ 一年生草本植物，叶子和玉米相似，但较窄，圆锥花序，生在茎的顶端，子实有红、褐、黄、白等颜色。品种很多，子实供食用外，还可酿酒和制淀粉。❷ 这种植物的子实。‖ 也叫蜀黍。

【高粱米】gāo·liangmǐ 名 碾去皮的高粱子实。

【高龄】gāolíng ❶ 名 敬辞，称老人的年龄（多指六十岁以上）：他已经到了八十多岁的～，精神还很健旺。❷ 形 属性词。岁数较大的（就一般标准来说）：～孕妇。

【高岭土】gāolǐngtǔ 名 较纯净的黏土，主要成分是铝和硅的氧化物。多为白色或灰白色粉末，可塑性好，黏力强，耐高温，用于制造瓷器和耐火材料等。因最早发现于江西景德镇高岭，所以叫高岭土。

【高炉】gāolú 名 从铁矿石提炼生铁的熔炼炉，直立圆筒形，内壁用耐火材料砌成。由顶上的开口装料（铁矿石、石灰石、焦炭等），铁水从靠近炉底的口流出。

【高论】gāolùn 名 见解高明的言论（多用于称对方发表的意见）。

【高迈】gāomài 〈书〉形 ❶（年纪）大；老迈。❷ 高超非凡；超逸：风神～。

【高慢】gāomàn 形 高傲；傲慢：态度～,目中无人。

【高帽子】gāomào·zi 名 比喻恭维的话：戴～。也说高帽儿。

【高门】gāomén 名 高大的门，旧时指显贵的人家：～大户|～望族。

【高锰酸钾】gāoměngsuānjiǎ 名 无机化合物，化学式 $KMnO_4$。暗紫红色或黑色的细长结晶，稀溶液紫红色，医药上用作消毒剂。

【高妙】gāomiào 形 高明巧妙：技艺～|画法～。

【高明】gāomíng ❶ 形（见解、技能）高超：主意～|医术～。❷ 名 高明的人：另请～。

【高难】gāonán 形 属性词。（技巧上）要求高，难度大：他练的这套自由体操有许多～动作。

【高能】gāonéng 形 属性词。具有很高能量的：～粒子|～食品。

【高攀】gāopān 动 指跟社会地位比自己高的人交朋友或结成亲戚（多用于客套话"不敢高攀"等）。

【高朋满座】gāo péng mǎn zuò 高贵的宾客坐满了席位，形容来宾很多。

【高频】gāopín ❶ 形 属性词。频率高的：～词。❷ 名 一般指射频。❸ 名 指 3—30 兆赫的频率。

【高聘】gāopìn 动 按高于原有职务、级别聘用：低职～|实行破格～。

【高企】gāoqǐ 动（价格、数值等）居高不下：房价～。

【高气压区】gāoqìyāqū 名 中心气压比周围高的区域。高气压区内空气往往下沉，天气多晴朗。

【高腔】gāoqiāng 名 戏曲声腔之一，由弋阳腔与各地民间曲调结合而成，音调高亢，唱法、伴奏乐器和弋阳腔相同，有湘剧高腔、川剧高腔等。

【高强】gāoqiáng 形（武艺）高超：武功～|本领～。

【高跷】gāoqiāo 名 民间舞蹈，表演者踩着有踏脚装置的木棍，边走边表演。也指表演高跷用的木棍。

【高热】gāorè 名 人的体温在39℃以上叫高热。也叫高烧。

【高人】gāorén 名 ❶〈书〉高士。❷ 学术、技能、地位高的人。

【高人一等】gāo rén yī děng 比别人高出一等：自视～的人往往是浅薄无知的人。

【高僧】gāosēng 名 精通佛理，道行高深的和尚。

【高山病】gāoshānbìng 名 偶尔登上空气稀薄的高山或高原地区因缺氧而引起的病理状态。一般健康人在海拔 3 000 米以上有头痛、头晕、恶心、呼吸困难、心跳加快等症状，严重时四肢麻木甚至昏迷。也叫高山反应。

【高山反应】gāoshān fǎnyìng 高山病。

【高山景行】gāo shān jǐng xíng 《诗经·小雅·车辖》:"高山仰止,景行行止"(高山:比喻道德高尚;景行:比喻行为光明正大;止:语词词),后来用"高山景行"指崇高的德行。

【高山流水】gāo shān liú shuǐ 《吕氏春秋·本味》:"(俞)伯牙善鼓琴,钟子期善听。伯牙鼓琴,方鼓琴而志在太山,钟子期曰:'善哉乎鼓琴,巍巍乎若太山!'少选之间,而志在流水,钟子期又曰:'善哉乎鼓琴,汤汤乎若流水!'钟子期死,伯牙破琴绝弦,终身不复鼓琴,以为世无足复为鼓琴者。"后来用"高山流水"比喻知音难遇或乐曲高妙。

【高山族】Gāoshānzú 名 我国少数民族之一,主要分布在台湾省。

【高尚】gāoshàng 形 ❶ 道德水平高:～的情操 | 行为～。❷ 有意义的,不是低级趣味的:～的娱乐。

【高烧】gāoshāo 名 高热。

【高射机枪】gāoshè-jīqiāng 机枪的一种,装有特种枪架和瞄准器,主要用于射击低空飞行的敌机和空降兵,对空有效射程约 2 000 米。

【高射炮】gāoshèpào 名 地面上或舰艇上防空用的火炮,用于射击飞机、空降兵和其他空中目标。

【高深】gāoshēn 形 水平高,程度深(多指学问、技术):莫测～ | ～的理论。

【高升】gāoshēng 动 职务由低向高提升:步步～。

【高师】gāoshī 名 高等师范学校的简称,包括师范大学、师范学院、师范专科学校、教育学院等。

【高士】gāoshì〈书〉名 志趣、品行高尚的人,多指隐士。

【高视阔步】gāo shì kuò bù 形容气概不凡或态度傲慢。

【高手】gāoshǒu (～儿)名 技能特别高明的人:象棋～ | 他在外科手术上是有名的～。

【高寿】gāoshòu ❶ 形 长寿。❷ 名 敬辞,用于问老人的年纪:老大爷～啦?

【高耸】gāosǒng 动 高而直地耸立:～入云 | ～的纪念碑。

【高速】gāosù 形 属性词。高速度的:～发展 | ～公路。

【高速公路】gāosù gōnglù 专供汽车高速行驶的公路。道路平直,全线封闭,中间设有隔离带,双向有四条或六条车道,与其他道路相交时采用立体交叉。

【高抬贵手】gāo tái guì shǒu 客套话,多用于请求对方饶恕或通融。

【高谈阔论】gāo tán kuò lùn 漫无边际地大发议论(多含贬义):越是一知半解的人,往往越是喜欢～。

【高汤】gāotāng 名 煮肉或鸡鸭等的清汤,也指一般的清汤。

【高堂】gāotáng 名 ❶ 高大的厅堂。❷〈书〉指父母。

【高挑儿】gāotiǎor〈方〉形 (身材)瘦长:细～ | 身材～ | ～的个子。

【高头大马】gāo tóu dà mǎ ❶ 体形高大的马。❷ 比喻人身材高大。

【高徒】gāotú 名 水平高的徒弟,泛指有成就的学生:严师出～。

【高危】gāowēi 形 属性词。发生某种不良情况的危险性高的:冠心病～人群。

【高位】gāowèi 名 ❶〈书〉显贵的职位:～厚禄。❷ (肢体)靠上的部位:～截肢。

【高温】gāowēn 名 较高的温度,在不同的情况下所指的具体数值不同,例如在某些技术上指几千摄氏度以上,在一般工作场所指 32 摄氏度以上。

【高屋建瓴】gāo wū jiàn líng 在房顶上用瓶子往下倒水(语本《史记·高祖本纪》,建:倾倒;瓴:盛水的瓶子),形容居高临下的形势。

【高下】gāoxià 名 上下;优劣(用于比较双方的水平):两个人的本领难分～。

【高小】gāoxiǎo 名 高级小学的简称。

【高校】gāoxiào 名 高等学校的简称。

【高效】gāoxiào 形 属性词。效能高的;效率高的:～杀虫剂。

【高新技术】gāoxīn-jìshù 指处于当代科学技术前沿、具有知识密集型特点的新兴技术,如信息技术、生物工程技术、航天技术、纳米技术等。

【高薪】gāoxīn 名 高额的薪金:～聘请。

【高兴】gāoxìng ❶ 形 愉快而兴奋:听说你要来,我们全家都很～。❷ 动 带着愉快的情绪去做某件事;喜欢:他就是～看电影,对着戏不感兴趣。

【高血压】gāoxuèyā 名 成人的动脉血压

持续超过 18.7/12 千帕(140/90 毫米汞柱)时叫做高血压。有两种类型,一种叫症状性高血压,由某些疾病引起;另一种叫原发性高血压,由大脑皮质功能紊乱引起。通常把后者称为高血压病。

【高压】gāoyā ❶图较高的压强。❷图较高的电压。❸图收缩压的通称。❹形属性词。残酷迫害的;极度压制的:~政策|~手段。

【高压电】gāoyādiàn 图工业上指电压在 3 000—11 000伏的电流。通常指电压在 380 伏以上的电流。

【高压釜】gāoyāfǔ 图加压釜。

【高压锅】gāoyāguō 图锅盖装有胶圈的密封锅,多用铝合金制成。加热时锅内气压升高,食物熟得快。也用于消毒等。也叫压力锅。

【高压脊】gāoyājǐ 图气象学上指从高气压区伸展出来的脊形区域。高压脊内气流下沉,天气一般晴好。

【高压线】gāoyāxiàn 图输送高压电流的导线。

【高雅】gāoyǎ 形高尚,不粗俗:格调~|谈吐~。

【高扬】gāoyáng 动❶高高升起或举起:旗帜~。◇士气~。❷高度发扬:~见义勇为的精神。

【高原】gāoyuán 图海拔较高、地形起伏较小的大片平地,一般海拔在 500 米以上。

【高远】gāoyuǎn 形高而深远:~的蓝天|志向~。

【高云】gāoyún 图云底离地面(中纬度地区)5—13 千米的云。能透出云后蓝天和太阳的光辉。卷云、卷积云和卷层云属于高云。

【高燥】gāozào 形(地势)高而干燥。

【高瞻远瞩】gāo zhān yuǎn zhǔ 形容眼光远大。

【高涨】gāozhǎng ❶动(水位、物价等)急剧上升:河水~。❷形(士气、情绪等)旺盛;饱满:热情~|士气~。

【高招】gāozhāo (~儿)图好办法;好主意:出~|就这两下子,没有什么~。也作高着。

【高着】gāozhāo 同"高招"。

【高枕】gāozhěn 动垫高了枕头(睡觉):

~而卧(形容不加警惕)|~无忧。

【高枕无忧】gāo zhěn wú yōu 垫高了枕头睡觉,无所忧虑,比喻平安无事,不用担忧。

【高枝儿】gāozhīr 图比喻高的职位或职位高的人:攀~|巴~。

【高知】gāozhī 图高级知识分子的简称。

【高职】gāozhí 图❶高级职称;高级职务。❷指高等职业教育。

【高中】gāozhōng 图高级中学的简称。

【高姿态】gāozītài 图指处理问题时对己严、待人宽的态度:他的~使问题很快得到解决。

【高足】gāozú 图敬辞,称呼别人的学生。

【高祖】gāozǔ 图❶曾祖的父亲。❷〈书〉指始祖或远祖。

【高祖母】gāozǔmǔ 图曾祖的母亲。

羔

gāo (~儿)羔子:羊~|~皮|鹿~。

【羔皮】gāopí 图小羊、小鹿等的毛皮。

【羔羊】gāoyáng 图小羊,多比喻天真、纯洁或弱小的人:替罪的~。

【羔子】gāozi 图小羊,也指某些动物的崽子:兔~。

糕(餻)

gāo 见699 页〖桔糕〗。

睾

gāo [睾丸](gāowán)图男子和某些雄性哺乳动物生殖器的一部分,在阴囊内,椭圆形,能产生精子。也叫精巢。

膏

gāo ❶脂肪;油:~火|春雨如◇民脂民~。❷很稠的糊状物:~药|梨~|牙~|雪花~。❸〈书〉肥沃:~壤|~腴。

另见 457 页 gào。

【膏肓】gāohuāng 图见 100 页〖病入膏肓〗。

【膏火】gāohuǒ 〈书〉图灯火(膏:灯油),比喻夜间工作的费用(多指求学的费用)。

【膏剂】gāojì 图中医指膏状制剂,用水或植物油将药物煎熬浓缩而成,分为内服和外用两类。

【膏粱】gāoliáng 图肥肉和细粮,泛指美味的饭菜:~子弟(指富贵人家的子弟)。

【膏血】gāoxuè 图(人的)脂肪和血液,比喻用血汗换来的劳动成果:国家财产是人民的~。

【膏药】gāo·yao 图一种中药外用药,用植物油加药熬炼成膏,涂在布、纸或皮的一面,可以较长时间地贴在患处,用来治疮疖、消肿痛等。

【膏腴】gāoyú 〈书〉形 肥沃:～之地。

【膏泽】gāozé 〈书〉❶名 滋润作物的及时雨。❷动 比喻给予恩惠:～后人。

【膏子】gāo•zi 名 熬成浓汁服用或外敷的药物。

篙 gāo 名❶ 撑船的竹竿或木杆。❷(Gāo)姓。

【篙头】gāo•tou 〈方〉名 篙①。

【篙子】gāo•zi 〈方〉名❶ 篙①。❷ 晒衣服用的杆子。

糕(❶餻) gāo 名❶ 用米粉、面粉等制成的食品,种类很多,如年糕、蜂糕、蛋糕等。❷(Gāo)姓。

【糕饼】gāobǐng 〈方〉名 糕点。

【糕点】gāodiǎn 名 糕和点心(总称)。

【糕干】gāo•gan 名 一种代乳品,主要用米粉和糖等制成。

囊 gāo 〈书〉❶ 收藏盔甲、弓矢的器具。❷ 储藏。

gǎo (ㄍㄠˇ)

杲 gǎo ❶〈书〉明亮:～日。❷(Gǎo)名 姓。

【杲杲】gǎogǎo 〈书〉形 (太阳)很明亮的样子:～出日|秋阳～。

搞 gǎo 动❶ 做;干;从事:～生产|～工作|～建设。❷ 设法获得;弄:～点儿水来|～材料。

【搞定】gǎodìng 〈方〉动 把事情办妥;把问题解决好。

【搞鬼】gǎo//guǐ 动 暗中使用诡计或做手脚:不怕他～|你又搞什么鬼?

【搞活】gǎohuó 动 采取措施使事物有活力:解放思想,～经济。

【搞笑】gǎoxiào 〈方〉动 制造笑料,逗人发笑:不要采取庸俗手法～|一味～的节目,效果不会好。

缟(縞) gǎo 古代的一种白绢。

【缟素】gǎosù 〈书〉名 白衣服,指丧服。

槁(槀) gǎo 干枯:枯～。

【槁木】gǎomù 名 枯槁的树干:形如～。

【槁木死灰】gǎomù sǐhuī 枯槁的树干和火灭后的冷灰,比喻心情冷淡,对一切事情无动于衷。

暠 gǎo 〈书〉白。
另见546页hào"皓"。

镐(鎬) gǎo 名 刨土用的工具:鹤嘴～|一把～。
另见547页Hào。

【镐头】gǎo•tou 名 镐。

稿¹(稾) gǎo 〈书〉谷类植物的茎:～荐。

稿²(稾) gǎo 名❶(～儿)稿子:手～|定～|～纸|打个～儿|心里也没有个～儿(心中无数)。❷ 外发公文的草稿:拟～|核～。

【稿本】gǎoběn 名 著作的底稿。

【稿酬】gǎochóu 名 稿费。

【稿费】gǎofèi 名 图书、报刊等出版机构在发表著作、译稿、图画、照片等的时候付给作者的报酬。

【稿件】gǎojiàn 名 出版社、报刊编辑部等称作者交来的作品。

【稿荐】gǎojiàn 名 稻草、麦秸等编成的垫子,用来铺床。

【稿源】gǎoyuán 名 稿件的来源。

【稿约】gǎoyuē 名 报刊的编辑部向投稿人说明报刊的性质、欢迎哪些稿件以及其他注意事项的告白,一般写成条文,登载在报刊上。

【稿纸】gǎozhǐ 名 供写稿用的纸,多印有一行行的直线或小方格儿。

【稿子】gǎo•zi 名❶ 诗文、图画等的草稿:写～。❷ 写成的诗文:这篇～是谁写的?❸ 心里的计划;谱⑤:心里还没个准～。

藁 gǎo 藁城(Gǎochéng),地名,在河北。

gào (ㄍㄠˋ)

告 gào ❶ 把事情向人陈述、解说:～诉|～知|广～|报～|通～|忠～。❷动 向国家行政司法机关检举、控诉:～状|到法院去～他。❸ 为了某事而请求:～假|～贷。❹ 表明:～辞|自～奋勇。❺动

宣布或表示某种情况的实现：～成｜～罄｜～一段落｜事情已～结束。❻（Gào）图姓。

【告白】gàobái ❶图（机关、团体或个人）对公众的声明或启事。❷动说明；表白：向朋友～自己的忧虑。

【告败】gàobài 动宣告失败：计划～｜比赛结果主队以2比3～。

【告便】gào//biàn 动婉辞，向人表示自己将要离开一会儿（多指上厕所）。

【告别】gào//bié 动❶离别；分手（一般要打个招呼或说句话）：～亲友｜他把信交给了队长，就匆匆～了。❷辞行：动身的那天清早，我特地去向他～。❸和死者最后诀别，表示哀悼。

【告病】gàobìng 〈书〉动❶称说有病：农夫终日劳苦而未尝～。❷旧时官吏以生病为由请求辞职，现泛指因病请假：～回乡。

【告成】gàochéng 动（较重要的工作）宣告完成：大功～。

【告吹】gàochuī 〈口〉动（事情、交情等）宣告失败或破裂：项目～｜谈判～｜婚事～。

【告辞】gàocí 动（向主人）辞别：我怕耽误他的时间，谈了一会儿就～了。

【告贷】gàodài 动请求旁人借钱给自己：四处～｜～无门（没处借钱）。

【告地状】gào dìzhuàng 把自己的不幸遭遇写在纸上铺在街头或用粉笔写在地上，向人乞讨钱财或其他帮助。

【告发】gàofā 动向司法机关、政府或组织检举揭发：写信～他的违法行为。

【告负】gàofù 动（体育比赛等）失败：甲队以0比3～。

【告急】gào//jí 动报告情况紧急并请求援救（多指战事、灾害等）：前线～｜灾区～｜～电报。

【告假】gào//jià 动请假：他家里有事，想告两天假。

【告捷】gào//jié 动❶（作战、比赛等）取得胜利：初战～。❷报告得胜的消息：向司令部～。

【告竭】gàojié 动指财物、矿藏等用尽或消耗完：库存～｜该地区矿藏由于长期开采，今已～。

【告诫】（告戒）gàojiè 动警告劝诫（多用于上级对下级或长辈对晚辈）：再三～｜谆谆

～。

【告借】gàojiè 动请求别人借钱物给自己：多方～。

【告警】gàojǐng 动报告发生紧急情况，请求加强戒备和援助：～电话。

【告绝】gàojué 动宣告绝迹：匪患～。

【告竣】gàojùn 动宣告事情完毕（多指较大的工程）：铁路隧道工程已全部～。

【告劳】gàoláo 动向别人表示自己的劳苦：不敢～。

【告老】gào//lǎo 动旧时官吏年老请求辞职，泛指年老退休：～还乡。

【告密】gào//mì 动向有关部门告发旁人的私下言论或活动（多含贬义）。

【告破】gàopò 动宣告破获：特大凶杀案～。

【告罄】gàoqìng 动指财物用完或货物售完：存粮～。

【告缺】gàoquē 动指物品、货物等出现短缺：抗旱物资～。

【告饶】gào//ráo 动求饶：求情。

【告胜】gàoshèng 动（体育比赛等）获胜：中国队首战～。

【告示】gào·shi 图❶布告：安民～。❷旧时指标语：红绿～。

【告送】gào·song 〈方〉动告诉；告知：这事儿我没～她。也作告诵。

【告诵】gào·song 同"告送"。

【告诉】gàosù 动被害人向法院提起诉讼：～到法院。

【告诉】gào·su 动说给人，使人知道：请你～他，今天晚上七点钟开会。

【告退】gàotuì 动❶在集会中要求先离去：我有点事，先～了。❷从集体中退出：老队员已先后挂拍～。❸旧时指自请辞去职位：年老～。

【告慰】gàowèi 动表示安慰；使感到安慰：请大家加把劲儿，把文集早日印出来，以此～死者在天之灵。

【告语】gàoyǔ 〈书〉动告诉（gào·su）：互相～｜无可～。

【告枕头状】gào zhěn·touzhuàng 妻子向丈夫说别人的坏话，叫告枕头状。

【告知】gàozhī 动告诉使知道：把通信地址～在京的同学。

【告终】gàozhōng 动宣告结束：第二次世界大战以德、意、日三个法西斯国家的失败而～。

【告状】 gào//zhuàng 动 ❶ (当事人)请求司法机关审理某一案件。❷ 向某人的上级或长辈诉说自己或别人受到这个人的欺负或不公正的待遇：就这点小事，干吗到处～?

【告罪】 gàozuì 动 请罪，也用作谦辞：登门～|来晚了，向大家～。

郜 Gào 名 姓。

诰（誥） gào ❶ 〈书〉告诉(用于上对下)。❷ 古代一种告诫性的文章。❸ 帝王对臣子的命令：～封。

【诰封】 gàofēng 动 封建王朝对官员及其先代、妻室授予爵位或称号。

【诰命】 gàomìng 名 ❶ 帝王对臣子的命令。❷ 封建时代指受过封号的妇女(多见于早期白话)。

锆（鋯） gào 名 金属元素，符号 Zr (zirconium)。银灰色，质硬，熔点高，耐腐蚀。用来制合金、闪光粉等，也用作真空中的除气剂，紧密压制的纯锆用作核反应堆的铀棒外套。

【锆石】 gàoshí 名 矿物，化学成分是硅酸锆，无色，含杂质时呈黄、绿、橙、褐、红等颜色，有像金刚石的光泽，硬度 7—8，是提制锆的主要原料，也用来制造耐火材料，其中的上品是宝石。

膏 gào 动 ❶ 在轴承或机器等经常转动发生摩擦的部分加润滑油：～车|在轴上～点儿油。❷ 把毛笔蘸上墨，在砚台边上抹匀：～笔|～墨。
另见 454 页 gāo。

gē（《さ）

戈 gē ❶ 古代兵器，横刃，用青铜或铁制成，装有长柄。❷ (Gē)名 姓。

【戈比】 gēbǐ 名 俄罗斯等国的辅助货币。[俄 копейка]

【戈壁】 gēbì 名 指地面几乎被粗沙、砾石所覆盖，植物稀少的荒漠地带。[蒙]

【戈甲戏】 gējiǎxì 名 高甲戏。

仡 gē [仡佬族](Gēlǎozú)名 我国少数民族之一，主要分布在贵州。
另见 1613 页 yì。

圪 gē 见下。

【圪垯】 gē·da ❶ 同"疙瘩"。❷ 名 小土丘。‖也作圪塔、屹垯。

【圪塔】 gē·da 同"圪垯"。

【圪节】 gē·jie 〈方〉名 ❶ 稻、麦、高粱、竹子等茎上分枝长叶的地方。❷ 量 用于长条形东西的一段：这根棍子断成三～了。

【圪蹴】 gē·jiu 〈方〉动 蹲：老羊倌～在门前石凳上听广播。

【圪坳】 gē·láo 〈方〉名 角落(也用于地名)：炕～|周家～(在陕西)。

【圪针】 gē·zhen 〈方〉名 指某些植物枝梗上的刺儿：枣～。

屹 gē [屹垯](gē·da) 同"圪垯"。
另见 1614 页 yì。

纥（紇） gē [纥繨](gē·da) 名 同"疙瘩"❷，多用于纱、线、织物等：线～|被袱～。
另见 550 页 hé。

疙 gē 见下。

【疙疤】 gē·ba 〈方〉名 瘢：疮～。

【疙疸】 gē·da 同"疙瘩"。

【疙瘩】 gē·da ❶ 名 皮肤上突起的或肌肉上结成的硬块。❷ 名 小球形或块状的东西：面～|芥菜～|线结成～了。也作纥繨。❸ 名 不易解决的问题：心上的～早去掉了|解开他们俩人中间的～。❹ 〈方〉量 用于球形或块状的东西：一～石头|一～糕。❺ 〈方〉形 麻烦；别扭。‖也作疙疸、圪垯。

【疙疙瘩瘩】 gē·gedādā (～的)〈口〉形 状态词。❶ 不平滑；不顺利：路上净是石头子儿，～的，不好走|这事情～的，办得很不顺手。也说疙里疙瘩。

咯 gē 见下。
另见 754 页 kǎ;879 页 •lo;902 页 luò。

【咯噔】 gēdēng 拟声 形容皮鞋踏地或物体撞击等声音：从楼梯上传来了～～的皮靴声|听说厂里出了事儿，我心里～一下子，腿都软了。也作格登(gēdēng)。

【咯咯】 gēgē 拟声 ❶ 形容笑声：他～地笑了起来。❷ 形容咬牙声：牙齿咬得～一响。❸ 形容机枪的射击声。❹ 形容某些鸟的叫声。‖也作格格。

【咯吱】gēzhī 〔拟声〕形容竹、木等器物受挤压发出的声音：扁担压得～～地直响。

铬(餎) gē 〔铬饹〕(gē·zha)名一种食品，用豆面做成饼形，切成块炸着吃或炒菜吃：绿豆～。

另见 824 页·le。

格 gē

另见 460 页 gé。

【格登】gēdēng 同"咯噔"(gēdēng)。

【格格】gēgē 同"咯咯"。

哥 gē 名❶ 哥哥：大～|二～。❷ 亲戚中同辈而年纪比自己大的男子：表～。❸ 称呼年纪跟自己差不多的男子（含亲热意）：李二～。❹ (Gē)姓。

【哥哥】gē·ge 名❶ 同父母（或只同父、只同母）而年纪比自己大的男子。❷ 同族同辈而年纪比自己大的男子：叔伯～|远房～。

【哥老会】Gēlǎohuì 名 帮会的一种，清末在长江流域各地活动，成员多数是城乡游民。最初具有反清意识，后来分化为不同支派，常为反动势力所利用。

【哥们儿】gē·menr 〈口〉名❶ 弟兄们：他们家～好几个呢。❷ 称同辈的朋友（带亲热的口气）：他和我是～，俩人好得无话不说。‖也说哥儿们(gēr·men)。

【哥儿】gēr 名❶ 〈口〉弟弟和哥哥（包括本人）：你们～几个？|～俩都是运动员。❷ 称有钱人家的男孩子：公子～。

【哥儿们】gēr·men 〈口〉名 哥们儿。

胳(肐) gē 见下。

另见 434 页 gā；461 页 gé。

【胳臂】gē·bei 名 胳膊。

【胳膊】gē·bo 名 肩膀以下手腕以上的部分。

【胳膊拧不过大腿】gē·bo nǐng bù·guo dàtuǐ 比喻弱小的敌不过强大的。也说胳膊扭不过大腿。

【胳膊腕子】gē·bowàn·zi 〈口〉名 手腕子。也叫胳膊腕儿。

【胳膊肘朝外拐】gē·bozhǒur cháo wài guǎi 比喻不向着自家人而向着外人。也说胳膊肘儿向外拐。

【胳膊肘子】gē·bozhǒu·zi 〈口〉名 肘。也叫胳膊肘儿。

鸽(鴿) gē 名 鸽子：信～。

【鸽子】gē·zi 名 鸟，翅膀大，善于飞行，品种很多，羽毛有白色、灰色、酱紫色等，以谷类植物的种子为食物，有的可以用来传递书信。常用作和平的象征。

【鸽子树】gē·zishù 名 珙桐(gǒngtóng)。

袼 gē 〔袼褙〕(gē·bei)名 用碎布或旧布加衬纸裱成的厚片，多用来制布鞋。

搁(擱) gē 动❶ 使处于一定的位置：把箱子～在屋子里。❷ 加进去：豆浆里～点糖。❸ 搁置：这件事～一～再办吧|都是紧急任务，一样也～不下。

另见 461 页 gé。

【搁笔】gēbǐ 动 指写作、绘画等停笔，不再进行。

【搁浅】gē//qiǎn 动❶ (船只)进入水浅的地方，不能行驶。❷ 比喻事情遭到阻碍，不能进行：谈判～。

【搁置】gēzhì 动 放下；停止进行：事情重要，不能～。

割 gē 动❶ 用刀截断：～麦子|～肉。❷ 分割；舍弃：～地|～爱。

【割爱】gē'ài 动 放弃心爱的东西：忍痛～|本期版面太挤，这篇只好～了。

【割除】gēchú 动 割掉；除去：～肿瘤。

【割地】gē//dì 动 割让领土：～求和。

【割断】gēduàn 动 截断；切断：～绳索◇历史无法～。

【割鸡焉用牛刀】gē jī yān yòng niú dāo 杀个鸡何必用宰牛的刀，比喻做小事情不值得用大的力量。

【割接】gējiē 动 一个电信系统转入另一个电信系统或一个电信系统扩容后业务的交割接续。

【割炬】gējù 名 割枪。

【割据】gējù 动 一国之内，拥有武力的人占据部分地区，形成分裂对抗的局面：封建～|～称雄。

【割礼】gēlǐ 名 犹太教、伊斯兰教的一种仪式，把男性教徒的生殖器包皮割去少许。犹太教在婴儿初生时举行，伊斯兰教在童年举行。

【割裂】gēliè 动 把不应当分割的东西分割开（多指抽象的事物）。

【割弃】gēqì 动 割除并抛弃；舍弃：与主题无关的情节，就应～。

【割枪】gēqiāng 名 气割用的带活门的工

具,形状略像枪,前端有喷嘴。也叫割炬。

【割让】gēràng 动 因战败或受侵略,被迫把一部分领土让给外国。

【割肉】gē//ròu 动 比喻赔钱卖出(多用于证券交易):股票现在~,得赔30%。

【割舍】gēshě 动 舍弃;舍去:难以~旧情。

【割席】gēxí〈书〉三国时管宁跟华歆同学,合坐一张席读书,后来管宁鄙视华歆的为人,把席割开分坐(见于《世说新语·德行》)。后经指跟朋友绝交。

【割线】gēxiàn 名 通过圆周或其他曲线上任意两点的直线。

谔(謞) gē〈书〉同"歌"。

歌 gē ❶ (~儿)名 歌曲:民~|山~儿|唱一个~儿。❷唱:~者|高~一曲。

【歌本】gēběn (~儿)名 专门辑录歌曲的书,也指专用来抄录歌曲的本子。

【歌唱】gēchàng 动 ❶唱(歌):~家|尽情~。❷用歌唱、朗诵等形式颂扬:~祖国的繁荣富强。

【歌词】gēcí 名 歌曲中的词。

【歌带】gēdài 名 录有歌曲的磁带。

【歌功颂德】gē gōng sòng dé 歌颂功绩和恩德(多用于贬义)。

【歌喉】gēhóu 名 指唱歌人的嗓子,也指唱的声音:~婉转。

【歌剧】gējù 名 综合诗歌、音乐、舞蹈等艺术而以歌唱为主的戏剧。

【歌诀】gējué 名 为了便于记诵,按事物的内容要点编成的韵文或无韵的整齐句子;口诀:汤头~(用汤药合成方中的药名编成的口诀)。

【歌迷】gēmí 名 喜欢听歌曲或唱歌而入迷的人。

【歌女】gēnǚ 名 在舞厅、酒吧、夜总会等场所以歌唱为业的女子。

【歌片儿】gēpiānr 名 印有歌曲的纸页。

【歌谱】gēpǔ 名 歌曲的谱子。

【歌曲】gēqǔ 名 供人歌唱的作品,是诗歌和音乐的结合。

【歌声】gēshēng 名 唱歌的声音:欢乐的~|~四起。

【歌手】gēshǒu 名 擅长歌唱的人:赛歌会上,~如云。

【歌颂】gēsòng 动 用诗歌颂扬,泛指用言语文字等赞美:~祖国的大好河山。

【歌坛】gētán 名 指歌唱界:~新秀。

【歌厅】gētīng 名 营业性的供人演唱歌曲的场所。

【歌舞】gēwǔ 名 唱歌和舞蹈的合称:~团|表演~。

【歌舞伎】gēwǔjì 名 日本戏剧的一种,表演时演员不歌唱,只有动作和说白,另由音乐伴奏的人配合演员的动作在后面歌唱。

【歌舞剧】gēwǔjù 名 兼有歌唱、音乐和舞蹈的戏剧。

【歌舞升平】gē wǔ shēng píng 唱歌跳舞,庆祝太平。多形容太平盛世,有时也指粉饰太平。

【歌舞厅】gēwǔtīng 名 营业性的供人唱歌跳舞的场所。

【歌星】gēxīng 名 有名的歌唱演员。

【歌谣】gēyáo 名 指随口唱出,没有音乐伴奏的韵语,如民歌、民谣、儿歌等。

【歌吟】gēyín 动 歌唱;吟咏。

【歌咏】gēyǒng 动 唱歌:~队|~比赛。

【歌子】gē·zi 〈方〉名 歌曲:嘴里哼着~。

【歌仔戏】gēzǐxì 名 台湾省地方戏曲剧种之一,由当地民谣山歌发展而成。流行于台湾和福建芗江(九龙江)一带。福建称之为芗剧。

gé （ㄍㄜˊ）

革[1] gé 名 ❶ 去了毛并且加过工的兽皮:皮~|制~。❷ (Gé)姓。

革[2] gé 动 ❶ 改变:~新|变~。❷ 开除;撤除(职务):开~|~职。
另见637页 jí。

【革出】géchū 动 开除出去:~教门。

【革除】géchú 动 ❶ 铲除;去掉:~陋习。❷ 开除;撤销:~公职。

【革故鼎新】gé gù dǐng xīn 去掉旧的,建立新的。多指改朝换代或重大变革。

【革履】gélǚ 名 皮鞋:西装~。

【革面洗心】gé miàn xǐ xīn 见1460页【洗心革面】。

【革命】gémìng ❶ (-//-)动 被压迫阶级用暴力夺取政权,摧毁旧的腐朽的社会制度,建立新的进步的社会制度。革命破坏旧的生产关系,建立新的生产关系,解放

生产力,推动社会的发展。❷ 圏 具有革命意识的:工人阶级是最~的阶级。❸ 劻根本改革:思想~|技术~|产业~。

【革命家】gémìngjiā 图 具有革命思想,从事革命工作,并作出重大贡献的人:鲁迅是伟大的思想家和~。

【革新】géxīn 劻 革除旧的,创造新的:技术~|~变法。

【革职】gé//zhí 劻 撤职:~查办|他上个月被革了职。

苕 gé [苕葱](gécōng)图 多年生草本植物,野生,茎细,叶子长椭圆形,花白色。茎叶可以吃,也可入药。

阁(閤) gé ❶〈书〉小门。❷〈书〉同"阁"①—④。❸(Gé)图 姓。
"閤"另见 547 页 hé"合";555 页 hé"阖"。

阁(閣) gé ❶ 风景区或庭园里的一种建筑物,四方形、六角形或八角形,一般两层,周围开窗,多建筑在高处,可以凭高远望:亭台楼~。❷ 旧时指女子的住屋:闺~|出~。❸ 指内阁:组~。❹〈书〉放东西的架子:束之高~。❺(Gé)图 姓。

【阁楼】gélóu 图 在较高的房间内上部架起的一层矮小的楼。

【阁下】géxià 图 敬辞,称对方,从前书函中常用,今多用于外交场合:大使~|首相~。

【阁员】géyuán 图 内阁的成员。

【阁子】gé·zi 图 ❶ 小的木板房子:板~。❷〈方〉阁楼。

格¹ gé ❶(~儿)图 格子:方~纸|把字写在~儿里|四~儿的书架。❷ 图 规格;格式:品~|一律~|合~|别具一~。❸ 品质;风度:人~|风~|性~。❹〈书〉阻碍;限制:~于成例。❺ 图 某些语言中名词(有的包括代词、形容词)的语法范畴,用词尾变化来表示它和别的词之间的语法关系。例如俄语的名词、代词、形容词有六个格。❻(Gé)图 姓。

格² gé〈书〉推究:~物。

格³ gé 打:~斗|~杀。
另见 458 页 gē。

【格调】gédiào 图 ❶ 指不同作家或不同作品的艺术特点的综合表现:~高雅。❷〈书〉指人的风格或品格。

【格斗】gédòu 劻 紧张激烈地搏斗:白刃~。

【格格】gé·ge 图 满族对公主和皇族女儿的称呼。

【格格不入】gé gé bù rù 有抵触,不投合。

【格局】géjú 图 结构和格式:经济迅速发展,不断打破旧~,形成新~|这篇文章写得很乱,简直没个~。

【格里历】gélìlì 图 公历,因 1582 年罗马教皇格里高里(Gregorius)十三世修改而得名。

【格林尼治时间】Gélínnízhì shíjiān 世界时。"格林尼治"旧译作格林威治。

【格鲁派】gélǔpài 图 藏传佛教的重要宗派之一,俗称黄教。

【格律】gélǜ 图 诗、赋、词、曲等关于字数、句数、对偶、平仄、押韵等方面的格式和规则。

【格杀勿论】gé shā wù lùn 指把行凶、拒捕或违反禁令的人当场打死,不以杀人论罪。

【格式】gé·shi 图 一定的规格式样:公文~|书信~。

【格式化】géshìhuà 劻 ❶ 把同类事物处理成相同的规格,式样:文学创作不能~。❷ 计算机等对磁盘进行使用前的预处理,以便存入数据。

【格外】géwài 副 ❶ 表示超过寻常:久别重逢,大家~亲热|国庆节的天安门,显得~庄严而美丽。❷ 额外;另外:卡车装不下,~找了一辆大车。

【格物】géwù〈书〉劻 推究事物的道理:~致知。

【格物致知】gé wù zhì zhī 推究事物的原理法则而总结为理性知识。

【格言】géyán 图 含有劝诫和教育意义的话,一般较为精练,如"满招损,谦受益","虚心使人进步,骄傲使人落后"。

【格致】gézhì〈书〉图 格物致知的略语。清朝末年讲西学的人用它做物理、化学等科学的总称。

【格子】gé·zi 图 隔成的方形空栏或框子:打~|~布。

鬲 gé ❶ 鬲津(Géjīn),古水名,在今河北、山东。❷ 胶鬲(Jiāogé),殷末周初人。

另见 842 页 lì。

胳 gé [胳肢](gé·zhi)〈方〉劢 在别人身上抓挠,使发痒。

另见 434 页 gā;458 页 gē。

搁(擱) gé 禁受。另见 458 页 gē。

【搁不住】gé·buzhù 劢 禁受不住:丝织品～揉搓。

【搁得住】gé·dezhù 劢 禁受得住:再结实的东西,～你这么使吗?

葛 gé 名❶ 多年生藤本植物,叶子为三片小叶组成的复叶,小叶菱形或盾形,花紫红色,荚果上有黄色细毛。根肥大,叫葛根,可制淀粉,也可入药。茎皮可制葛布。通称葛麻。❷ 用丝做经,棉线或麻线等做纬织成的纺织品,表面有明显的横向条纹。

另见 462 页 Gě。

【葛布】gébù 名 用葛的纤维织成的布,可以做夏季服装等。

【葛麻】gémá 名 葛①的通称。

【葛藤】géténg 名 比喻纠缠不清的关系。

蛤¹ gé 名 蛤蜊、文蛤等双壳类软体动物。

蛤² gé 见【蛤蚧】。

另见 528 页 há。

【蛤蚧】géjiè 名 爬行动物,外形像壁虎而大,头大,背部灰色而有红色斑点。吃蚊、蝇等小虫。可入药。

【蛤蜊】gé·lí 名❶ 软体动物,长约 3 厘米,壳卵圆形,淡褐色,边缘紫色。生活在浅海底。❷ 文蛤的通称。

颌(頜) gé〈书〉口。另见 555 页 hé。

隔(隔) gé 劢❶ 遮断;阻隔:一间屋～成两间|～着一重山|～河相望。❷ 间隔;距离:～两天再去|相～很远。

【隔岸观火】gé àn guān huǒ 比喻见人有危难不援助而采取看热闹的态度。

【隔壁】gébì 名 左右相毗连的屋子或人家:左～|去～串门。

【隔断】géduàn 劢 阻隔;使断绝:高山大河不能～我们两国人民之间的联系和往来。

【隔断】gé·duàn 名 用来把屋子空间分隔开的遮挡的东西,如板壁、隔扇等。

【隔房】géfáng 形 属性词。指家族中不是同一房的:～兄弟。

【隔行】géháng 劢 指行业不相同:～不隔理|～如隔山。

【隔阂】géhé 名 彼此情意沟通的障碍;思想上的距离:感情～|消除～。

【隔绝】géjué 劢 隔断(géduàn):音信～|与世～|降低温度和～空气是灭火的根本方法。

【隔离】gélí ❶ 不让聚在一起,使断绝往来。❷ 把患传染病的人、畜和健康的人、畜分开,避免接触:～病房|病毒性肝炎患者需要～。

【隔离带】gélídài 名 起隔离作用的地带,如交通隔离带、防火隔离带等。

【隔膜】gémó ❶ 名 隔阂:两人之间有～。❷ 形 情意不相通,彼此不了解:多年不通消息,彼此间一起来。❸ 形 不通晓;外行:我对这种技术实在～。

【隔墙有耳】gé qiáng yǒu ěr 比喻说秘密的事会有人偷听。

【隔热】gé∥rè 劢 隔绝热的传播:房顶太薄,不～。

【隔日】gérì 劢 隔一天:夜校～上课。

【隔三岔五】gé sān chà wǔ 同"隔三差五"。

【隔三差五】gé sān chà wǔ 每隔不久;时常:她～回娘家看看。也作隔三岔五。

【隔山】géshān 形 属性词。指同父异母的(兄弟姐妹):～兄弟。

【隔扇】gé·shan 名 在房屋内部起隔开作用的一扇一扇的木板墙,上部一般做成窗棂,糊纸或装玻璃。也作槅扇。

【隔世】géshì 劢 隔了一世:恍如～|回念前尘,有如～。

【隔心】géxīn 劢 彼此心里有隔阂;不投合:咱俩不～,有什么事你别瞒我。

【隔靴搔痒】gé xuē sāo yǎng 比喻说话作文等不中肯,没有抓住问题的关键。

【隔夜】gé∥yè 劢 隔一夜:～的茶不能喝。

【隔音】gé∥yīn 劢 隔绝声音的传播:双层玻璃～效果好。

【隔音符号】géyīn fúhào《汉语拼音方案》所规定的符号('),必要时放在 a,o,e 前头,使音节的界限清楚,如:激昂 jī'áng,定额 dìng'é。

塇 gé 〈方〉沙地(多用于地名):青草~(在安徽)。

嗝 gé (~儿)名❶胃里的气体从嘴里出来时发出的声音(多在吃饱后)。❷膈痉挛,吸气后声门突然关闭而发出的一种特殊声音。

滆 Gé 滆湖,湖名,在江苏。

槅 gé ❶房屋中有窗格子的门或隔扇:~门。❷分层放置器物的架子:~子|多宝~。

【槅门】gémén 名旧式建筑中的一种比较讲究的门,上部做成窗棂,糊纸或装玻璃,对开或中间对开、两边单开。

【槅扇】gé·shan 同"隔扇"。

猲 gé 〈方〉动用力抱。

【猲摢】géjù 〈方〉动插揳。

膈 gé 名人或哺乳动物胸腔和腹腔之间的膜状肌肉。收缩时胸腔扩大,松弛时胸腔缩小。旧称膈膜或横膈膜。
另见464页gě。

【膈膜】gémó 名膈的旧称。

骼 gé 见489页〖骨骼〗。

镉(鎘) gé 名金属元素,符号 Cd(cadmium)。银白色,质软,延展性强,镉的化合物有毒。用来制合金、光电管和核反应堆中的中子吸收棒等,也用于电镀。

辂(輅) gé 见684页〖轇辂〗。

gě (ㄍㄜˇ)

个(個) gě 见1806页〖自个儿〗。
另见462页gè。

合 gě ❶量容量单位,10 勺等于 1合,10 合等于 1 升。❷名量粮食的器具,容量是 1 合,方形或圆筒形,多用木头或竹筒制成。
另见547页hé。

各 gě 〈方〉形特别(含贬义):这人真~。
另见463页gè。

骱 gě 〈书〉可:嘉。

舸 gě 〈书〉大船。

盖(蓋) Gě 名姓。
另见437页gài。

葛 Gě 名姓。
另见461页gé。

gè (ㄍㄜˋ)

个¹(個、箇) gè ❶量 a)用于没有专用量词的名词(有些名词除了用专用量词之外也能用"个"):三~苹果|一~理想|两~星期|五~学校。b)用于约数的前面:哥儿俩也不过差~两三岁|一天走~一百十里,不在话下。c)用于带宾语的动词后面,有表示动量的作用(原来不能用"个"的地方也用"个"):见~面儿,说~话儿。d)用于动词和补语的中间,使补语略带宾语的性质(有时跟"得"连用):吃~饱|玩儿~痛快|笑~不停|雨下~不停|学了个八九不离十|扫得~干干净净。❷单独的:~人|~体。

个²(個、箇) gè ❶量词"些"的后缀:那些~花儿|这么些~书哪看得完|有一些~令人鼓舞的消息。❷〈方〉加在"昨儿、今儿、明儿"等时间词后面,跟"某日里"的意思相近。
另见462页gě。

【个案】gè'àn 名个别的、特殊的案件或事例:作~处理。

【个别】gèbié 形❶单个;各个:~辅导|~处理。❷极少数;少有:这种情况是极其~的。

【个唱】gèchàng 名个人演唱会。

【个股】gègǔ 名指某一只股票:~行情。

【个例】gèlì 名个别的、特殊的事例:此类造假现象,绝非~。

【个儿】gèr 名❶身体或物体的大小:他是个大~|棉桃的~真不小。❷指一个个的人或物:挨~握手问好|买鸡蛋论斤不论~。❸〈方〉够条件的人;有能力较量的对手:跟我摔跤,你还不是~。

【个人】gèrén 名❶一个人(跟"集体"相对):~利益服从集体利益|集体领导同~负责相结合。❷自称,我(在正式场合发表意见时):~认为这个办法是非常合

理的。

【个人数字助理】gèrén shùzì zhùlǐ 一种手持式电子设备,具有计算机的某些功能,可以用来管理个人信息(如通讯录、计划等),也可以上网浏览、收发电子邮件等。一般不配备键盘。俗称掌上电脑。

【个人所得税】gèrén suǒdéshuì 国家对个人取得的工资、奖金、劳务报酬等所得依法征收的税。

【个人主义】gèrén zhǔyì 资产阶级世界观的核心观念,主张把个人的独立、自由、平等等价值及权利放在第一位。个人主义是资产阶级反对封建主义的思想武器。只顾自己,不顾他人的极端个人主义,是与集体主义的道德原则相违背的。

【个体】gètǐ 名 ❶ 单个的人或生物。❷ 指个体户。

【个体户】gètǐhù 名 个体经营的农民或工商业者。

【个体经济】gètǐ jīngjì 以生产资料私有制和个体劳动为基础的经济形式。

【个体所有制】gètǐ suǒyǒuzhì 生产资料和产品归全体劳动者所有的制度。参看1500页〖小生产者〗。

【个头儿】gètóur 名 身材或物体的大小:这种柿子~特别大。

【个位】gèwèi 名 十进制计数的基础的一位。个位以上有十位、百位等,以下有十分位、百分位等。

【个性】gèxìng 名 ❶ 在一定的社会条件和教育影响下形成的一个人的比较固定的特性:~强|这个人很有~。❷ 事物的特性,即矛盾的特殊性。一切个性都是有条件地、暂时地存在的,所以是相对的。

【个展】gèzhǎn 名 个人作品(多为书法、绘画、雕塑等)展览。

【个中】gèzhōng〈书〉名 其中:~滋味。

【个子】gè·zi 名 ❶ 指人的身材,也指动物身体的大小:高~|矮~|这只猫~大。❷ 指某些捆在一起的条状农作物:谷~|麦~|高粱~。

各 gè ❶ 代 指示代词。a) 表示不止一个:世界~国|~位来宾。b) 表示不止一个并且彼此不同:~种原材料都备齐了|~人回~人的家。❷ 副 表示不止一人或一物同做某事或同有某种属性:双方~执一词|左右两侧~有一门|三种办法~~~有优点和缺点。❸(Gè)名 姓。

另见 462 页 gě。

【各别】gèbié 形 ❶ 各不相同;有分别:对本质上不同的事物,应该~对待,不应该混为一谈。❷〈方〉别致;新奇:这个台灯式样很~。❸ 特别(贬义):这个人真~,为这点小事生那么大的气。

【各持己见】gè chí jǐjiàn 各自坚持自己的意见或见解。

【各得其所】gè dé qí suǒ 每一个人或事物都得到合适的安顿。

【各个】gègè ❶ 代 指示代词。每个;所有的那些个:~厂矿|~方面。❷ 副 逐个:~击破。

【各就各位】gè jiù gè wèi 各自到各自的位置或岗位上。

【各色】gèsè 形 ❶ 属性词。各种各样的:~货物,一应俱全。❷〈方〉特别(贬义):这个人真~,跟谁都说不到一块儿。

【各式各样】gè shì gè yàng 许多不同的式样或方式。

【各抒己见】gè shū jǐjiàn 各自发表自己的意见或见解。

【各行其是】gè xíng qí shì 各自按照自己以为对的去做。

【各有千秋】gè yǒu qiān qiū 各有各的存在的价值;各有所长;各有特色。

【各自】gèzì 代 人称代词。各人自己;各个方面自己的一方:既要~努力,也要彼此帮助|工作中出了问题,不能只责怪对方,要~多做自我批评。

【各自为政】gè zì wéi zhèng 按照各自的主张做事,不互相配合;不顾全局,各搞自己的一套。

扢 gè 见下。

【扢螂】gèláng 名 蜣螂。

【扢蚤】gè·zao〈口〉名 跳蚤。

硌 gè〈口〉动 触着凸起的东西觉得不舒服或受到损伤:~牙|~脚|褥子没铺平,躺在上面~得难受。

另见 902 页 luò。

【硌窝儿】gè//wōr〈方〉动 指鸡鸭等的蛋因受挤压或碰撞而蛋壳稍有破损:~鸡蛋。

铬(鉻) gè 名 金属元素,符号 Cr(chromium)。银灰色,有延展性,耐腐蚀。用来制特种钢等,镀在别种金属上可以防锈。

膈 gè [膈应](gè·ying)〈方〉 ❶ 形 讨厌;腻味:心里—得慌。❷ 动 使讨厌;使腻味:这种事儿特别—人。
另见462页 gé。

gěi (《ㄟˇ)

给(給) gěi ❶ 动 使对方得到某些东西或某种遭遇:叔叔—他一支笔|杭州—我的印象很好|我们—敌人一个沉重的打击。❷ 动 叫;让。a)表示使对方做某件事:农场拨出一块地来—他们做试验。b)表示容许对方做某种动作:那封信他收着不—看。❸ 介 用在动词后面,表示交与、付出:送—他|贡献—祖国。[注意] 动词本身有给予意义的,后面可以用"给",也可以不用"给";本身没有给予意义的,后面必须用"给",如:还(~)他一本书|送(~)我一支笔|捎—他一个包袱|留~你钥匙。❹ 介 为(wèi)❷;他~我们当翻译|医生~他们看病。❺ 介 引进动作的对象,跟"向"相同:小朋友~老师行礼。[注意] 这种用法,普通话有一定限制,有的说法方言里有,普通话里没有,如"车走远了,她还在~我们招手",普通话用"向"或"跟"。❻ 介 表示某种遭遇:被:羊—狼吃了|树—炮弹打断了。❼ 助 直接用在表示被动、处置等意思的句子的谓语动词前面,以加强语气:裤腿都叫露水—湿透了|弟弟把花瓶~打了|我记性不好,保不住就~忘了。
另见642页 jǐ。

【给脸】gěi//liǎn 动 给面子。

【给面子】gěi miàn·zi 照顾情面,使人面子上下得来:你们俩是老同学,你总得给他点面子。也说给脸。

【给以】gěi/yǐ 动 给①:职工生病的时候,应当~帮助|对于劳动竞赛中优胜的单位或个人,应该~适当的奖励。[注意]"给以"后面只说所给的事物(并且多为抽象事物),不说接受的人。要是说出接受的人,"给以"就要改成"给":职工生病的时候,应当给他帮助|对于劳动竞赛中优胜的单位和个人,应当给他们适当的奖励。

gēn (《ㄣ)

根 gēn ❶ (~儿)名 高等植物的营养器官,能够把植物固定在土地上,吸收土壤里的水分和溶解在水中的养分,有的根还能贮藏养料。❷ 名 比喻子孙后代:这孩子是他们家的~。❸ (~儿)名 物体的下部或某部分和其他东西连着的地方:耳~|舌~|墙~|~基|~底。❹ (~儿)名 事物的本原;人的出身底细:祸~|寻~|从~儿上解决问题|知~知底。❺ 根本地;彻底:~究|~治|~绝。❻ 依据;作为根本:~据|无~之谈。❼ (~儿)量 用于细长的东西:两~筷子|一~无缝钢管。❽ 名 方根的简称。❾ 名 一元方程的解。❿ 名 化学上指带电荷的原子团:铵~|硫酸~。⓫ (Gēn)名 姓。

【根本】gēnběn ❶ 名 事物的根源或最重要的部分:应当从~上考虑解决问题的方法。❷ 形 属性词。主要的;重要的:~原因|不要回避最~的问题。❸ 副 本来;从来:这话我~没说过。❹ 副 从头到尾;始终;全然(多用于否定式):他~就没想到这些问题|我~就不赞成这种做法。❺ 副 彻底:问题已经~解决。

【根本法】gēnběnfǎ 名 指国家的宪法,因为一切法律都要根据它来制定。

【根除】gēnchú 动 彻底铲除:~陋习|~血吸虫病。

【根底】gēndǐ 名 ❶ 基础:他的古文~很好。❷ 底细:追问|~探听~。

【根雕】gēndiāo 名 在树根上进行雕刻的艺术,也指用树根雕刻成的工艺品。

【根号】gēnhào 名 方根的符号(√ˉ)。

【根基】gēnjī 名 ❶ 基础:建筑房屋一定要把~打好。❷ 比喻家底:咱们家~差,花钱可不能那样大手大脚。

【根脚】gēn·jiao 名 ❶ 建筑物的地下部分:这座房子的~很牢靠。❷ 指出身来历(多见于早期白话)。

【根究】gēnjiū 动 彻底追究:~事故责任。

【根据】gēnjù ❶ 介 把某种事物作为结论的前提或语言行动的基础:~气象台的预报,明天要下雨|~大家的意见,把计划修改一下。❷ 名 作为根据的事物:说话要有

～。❸ 动 以某种事物为依据：财政支出必须～节约的原则。

【根据地】gēnjùdì 名 据以长期进行武装斗争的地方，特指我国在第二次国内革命战争、抗日战争和解放战争时期的革命根据地。

【根绝】gēnjué 动 彻底消灭：～虫害｜～浪费现象。

【根瘤】gēnliú 名 生长在豆类植物根部的球状小瘤，由根瘤菌侵入根部形成。

【根毛】gēnmáo 名 密生在根的尖端的细毛，是根吸收水分和养料的主要部分。

【根苗】gēnmiáo 名 ❶ 植物的根和最初破土长出的部分。❷ 事物的来由和根源：听我细说～。❸ 指传宗接代的子孙：他是这家留下的唯一～。

【根深柢固】gēn shēn dǐ gù 根深蒂固。

【根深蒂固】gēn shēn dì gù 比喻基础稳固，不容易动摇。也说根深柢固。

【根式】gēnshì 名 含有开方运算的代数式，如 $\sqrt[n]{a}$（n 为大于 1 的正整数，n 为奇数时，a 为一切实数；n 为偶数时，$a\geq0$），其中 a 叫做被开方数，n 叫做根指数。

【根系】gēnxì 名 一个植株全部的根的总称，通常分为直根系和须根系两类。

【根由】gēnyóu 名 来历；缘故：细问～。

【根源】gēnyuán ❶ 名 使事物产生的根本原因：寻找事故的～。❷ 动 起源①：经济危机～于资本主义制度。

【根植】gēnzhí 动 扎根（多用于比喻）：只有～于生活，艺术才会有生命力。

【根治】gēnzhì 动 彻底治好（指灾害、疾病）：～黄河｜～血吸虫病。

【根状茎】gēnzhuàngjīng 名 地下茎的一种，一般是长形，横着生长在地下，外形像根，有节，没有根冠而有顶芽。如莲、芦苇等的地下茎。

【根子】gēn·zi〈口〉名 ❶ 根①。❷ 根③④。

跟 gēn ❶（～儿）名 脚的后部或鞋袜的后部：脚后～｜高～儿鞋。❷ 动 在后面紧接着向同一方向行动：他跑得快，我也～得上◇～上形势。❸ 动 指嫁给某人：他要是不好好工作，我就不～他。❹ 介 引进动作的对象。a) 同：有事要～群众商量。b) 向：你这主意好，快～大家说说。❺ 介 引进比较异同的对象；同：她

待我～待亲儿子一样｜高山上的气压～平地上不一样｜他的脾气从小就～他爸爸非常相像。❻ 连 表示联合关系；和：车上装的是机器～材料｜他的胳膊～大腿都受了伤。

【跟班】¹ gēn//bān 动 随同某一劳动集体或学习集体（劳动或学习）：～干活儿｜～听课。

【跟班】² gēnbān（～儿）名 旧时跟随在官员身边供使唤的人。也叫跟班儿的。

【跟包】gēnbāo（～儿）❶ 动 旧时戏曲行业指专为某个演员管理服装及做其他杂务。现泛指被雇用而跟随在某人身边，为其做杂务。❷ 名 指做这种事情的人。

【跟差】gēnchāi 名 跟班²。

【跟从】gēncóng 动 跟随：只要你领头干，我一定～你。

【跟斗】gēn·dou〈方〉名 跟头。

【跟风】gēnfēng 动 指追随某种风气或潮流：～炒作｜不要盲目～。

【跟脚】gēnjiǎo〈方〉❶ 动（孩子）跟随大人，不肯离开。❷ 形（鞋）大小合适，便于走路。❸（～儿）副 随即（限用于行走之类的动作）：你刚走，他～儿也就出去了。

【跟进】gēnjìn 动 ❶ 跟随着前进。❷ 指跟随着做同样的事情：这家超市出台几种便民措施后，其他超市纷纷～效法。

【跟屁虫】gēnpìchóng 名 指老跟在别人背后的人（含厌恶意）。

【跟前】gēnqián 名 ❶（～儿）身边；附近：请你到我～来｜她坐在窗户～的床上。❷ 临近的时间：春节～。

【跟前】gēn·qian 名 身体的近旁（专指有无儿女说）：他～只有一个女儿。

【跟梢】gēn//shāo 动 盯梢。

【跟手】gēnshǒu（～儿）〈方〉副 ❶ 随手：他一进屋子，～就把门关上。❷ 随即：他接到电话，～儿搭上汽车走了。

【跟随】gēnsuí 动 跟②：他从小就～着爸爸在山里打猎。

【跟趟儿】gēn//tàngr〈方〉❶ 赶上一般人的水平：他学习跟上趟儿了｜他的认识有点跟不上趟儿。❷ 来得及：吃完饭再去看电影也～。

【跟头】gēn·tou 名 ❶（人、物等）失去平衡而摔倒的动作：栽～。❷ 身体向下弯曲而翻转的动作：翻～。

【跟着】gēn·zhe ❶ 囝 跟②。❷ 囲 紧接着：听完报告～就讨论。

【跟踪】gēnzōng 囝 紧紧跟在后面(追赶、监视等)：～追击|～采访。

gén (《ㄣˊ)

哏 gén 〈方〉❶ 囮 滑稽；有趣：这段相声～|这孩子笑的样子有点儿～。❷ 囝 滑稽有趣的语言或动作：逗～。

gěn (《ㄣˇ)

艮¹ gěn 〈方〉囮 (性子)直；(说话)生硬：这个人真～!|他说的话太～!

艮² gěn 〈方〉囮 (食物)坚韧而不脆：发～|～萝卜不好吃。
另见 466 页 gèn。

gèn (《ㄣˋ)

亘(亙) gèn (空间上或时间上)延续不断：横～|绵～|～古。

【亘古】gèngǔ 〈书〉囝 整个古代；终古：～以来|～至今(从古到今)|～未有。

艮 gèn 囝 ❶ 八卦之一，卦形是"☶"，代表山。参看 16 页〖八卦〗。❷ (Gèn)姓。
另见 466 页 gěn。

茛 gèn 见 921 页〖毛茛〗。

gēng (《ㄥ)

更¹ gēng ❶ 改变；改换：变～|～改|～衣|～名改姓|除旧～新。❷ 〈书〉经历：少不～事。

更² gēng 圖 旧时一夜分成五更，每更大约两小时：打～|三～半夜。
另见 468 页 gèng。

【更次】gēngcì 囝 指夜间一更(约两小时)长的时间：睡了约有一个～。

【更迭】gēngdié 囵 轮流更替：人事～|朝代～。

【更定】gēngdìng 囵 改订：～法律|～规章制度。

【更动】gēngdòng 囵 改动；变更：比赛日程有所～|这部书再版时，作者在章节上做了一些～。

【更番】gēngfān 囲 轮流替换：～守护。

【更夫】gēngfū 囝 旧时打更巡夜的人。

【更改】gēnggǎi 囵 改换；改动：～时间|～登录名称与密码|班机中途遇雾，临时～航线。

【更鼓】gēnggǔ 囝 旧时报更所用的鼓。

【更换】gēnghuàn 囵 变换；替换：～位置|～衣裳|～值班人员|展览馆里的展品不断～。

【更阑】gēnglán 〈书〉囮 更深；夜深：～人静。

【更名】gēngmíng 囵 更换名字或名称：～改姓。

【更年期】gēngniánqī 囝 人由成年期向老年期过渡的一个时期。通常女子在45—55岁，卵巢功能逐渐减退，月经终止；男子在55—65岁，睾丸逐渐退化，精子生成减少。

【更仆难数】gēng pú nán shǔ 换了很多人来数，还是数不完，形容人或事物很多。

【更深】gēngshēn 囮 指半夜以后；夜深：～人静|～夜静。

【更生】gēngshēng 囵 ❶ 重新得到生命，比喻复兴：自力～。❷ 再生③：～布。

【更始】gēngshǐ 〈书〉囵 除去旧的，建立新的；重新起头：与民～。

【更替】gēngtì 囵 更换；替换：季节～|人员～。

【更新】gēngxīn 囵 ❶ 旧的去了，新的来到；除去旧的，换成新的：万象～|～设备|～武器。❷ 森林经过采伐、火灾或破坏而重新长起来。

【更衣】gēngyī 囵 ❶ 换衣服。❷ 〈书〉婉辞，指上厕所。

【更衣室】gēngyīshì 囝 专供更换衣服的地方。

【更易】gēngyì 〈书〉囵 更改；改动：～习俗|这篇稿子～过两三次。

【更张】gēngzhāng 囵 调节琴弦，比喻变更或改革。参看 436 页〖改弦更张〗。

【更正】gēngzhèng 囵 改正已发表的谈话

或文章中有关内容或字句上的错误：～启事|那篇讲话要～几个字。

庚 gēng ❶〈名〉天干的第七位。参看440页〖干支〗。❷ 年龄：年～|同～。❸（Gēng）〈名〉姓。

【庚齿】gēngchǐ 〈书〉〈名〉年庚；年龄。

【庚日】gēngrì 〈名〉用干支来纪日时，有天干第七位"庚"字的日子。夏至三庚数伏，就是指夏至后的第三个庚日开始初伏。

【庚帖】gēngtiě 〈名〉八字帖。

畊 gēng 〈书〉同"耕"。

耕 gēng ❶〈动〉用犁把田里的土翻松：～田|～种|春～|深～细作。❷ 比喻从事某种劳动：笔～|舌～。

【耕畜】gēngchù 〈名〉用来耕地的牲畜，主要是牛、马、骡子等。

【耕地】gēngdì ❶（－/～）〈动〉用犁把田地里的土翻松。❷〈名〉种植农作物的土地：面积|不能随意占用～。

【耕读】gēngdú 〈动〉指既从事农业劳动又读书或教学：～小学|～教师。

【耕牛】gēngniú 〈名〉耕地用的牛。

【耕云播雨】gēng yún bō yǔ 指控制降雨，调节气候，多用于比喻：为文艺园地百花盛开而～。

【耕耘】gēngyún 〈动〉耕地和除草，多用于比喻：着意～，自有收获。

【耕种】gēngzhòng 〈动〉耕地和种植：开春了，农民都忙着～。

【耕作】gēngzuò 〈动〉用各种方法处理土壤的表层，使适于农作物的生长发育，包括耕、耙、锄等。

畊 gēng 格畊（Gégēng），地名；遂畊（Suìgēng），地名，都在广西。[壮] Gēng 浭水，水名，蓟运河的上游，在河北。

賡（賡） gēng ❶〈书〉继续；连续：～续。❷（Gēng）〈名〉姓。

【赓续】gēngxù 〈书〉〈动〉继续：～旧好。

緪（緪、絚、絙） gēng 〈方〉〈名〉粗绳索。

【緪索】gēngsuǒ 〈方〉〈名〉粗的绳索。

鶊（鶊） gēng 见133页〖鹒鹒〗。

羹 gēng 〈名〉通常用蒸、煮等方法做成的糊状食物：豆腐～|鸡蛋～。

【羹匙】gēngchí 〈名〉匙子；汤匙。

gěng （ㄍㄥˇ）

埂 gěng ❶（～儿）〈名〉埂子：田～儿。❷ 地势高起的长条地方；再往前走，就是一道小山～。❸ 用泥土筑成的堤防：～堰|堤～。

【埂子】gěng·zi 〈名〉田地里稍稍高起的分界线，像狭窄的小路：地～。

耿 gěng ❶〈书〉光明。❷ 耿直。❸（Gěng）〈名〉姓。

【耿耿】gěnggěng 〈形〉❶ 明亮：～星河。❷ 形容忠诚：～丹心|忠心～。❸ 形容心事：～不寐|～于怀。

【耿耿于怀】gěnggěng yú huái 事情（多为令人牵挂的或不愉快的）在心里，难以排遣。

【耿介】gěngjiè 〈书〉〈形〉正直，不同于流俗：性情～|～之士。

【耿直】（梗直、鲠直）gěngzhí 〈形〉（性格）正直；直爽：他是个～人，一向知无不言，言无不尽。

哽 gěng 〈动〉❶ 食物堵塞喉咙不能下咽：慢点吃，别～着。❷ 因感情激动等原因喉咙阻塞发不出声音：～咽|他心里一酸，喉咙～得说不出话来。

【哽塞】gěngsè 〈动〉哽②：她才说了两个字，话便～在嗓子眼儿里了。

【哽噎】gěngyē 〈动〉❶ 食物堵住食管，难以下咽。❷ 哽咽。

【哽咽】gěngyè 〈动〉哭时不能痛快地出声。也作梗咽。

绠（綆） gěng 〈书〉汲水用的绳子。

【绠短汲深】gěng duǎn jí shēn 吊桶的绳子很短，却要打很深的井里的水，比喻能力薄弱，任务重大（多用作谦辞）。

梗 gěng ❶（～儿）〈名〉某些植物的枝或茎：花～儿|高粱～儿。❷〈动〉挺直：～着脖子。❸ 直爽。❹〈书〉顽固：顽～。❺ 阻塞；妨碍：～塞|作～。

【梗概】gěnggài 〈名〉大略的内容：故事～。

【梗塞】gěngsè 〈动〉❶ 阻塞。❷ 局部血管堵塞，血流停止。

【梗死】gěngsǐ 〈动〉组织因缺血而坏死，多发生于心、肾、肺、脑等器官：心肌～。

【梗咽】gěngyè 同"哽咽"。

【梗直】gěngzhí 见 467 页〖耿直〗。

【梗阻】gěngzǔ 劻❶阻塞：道路～|山川～。❷拦挡：横加～。

颈(頸) gěng 见 105 页〖脖颈儿〗(bógěngr)。
另见 723 页 jǐng。

硙 gěng 石硙(Shígěng)，地名，在广东。

鲠(鯁、骾) gěng ❶〈书〉鱼骨头：如～在喉。❷劻(鱼骨头等)卡在喉咙里。❸〈书〉正直。

【鲠直】gěngzhí 见 467 页〖耿直〗。

gèng （ㄍㄥˋ）

更 gèng 副❶更加：刮了一夜北风，天～冷了|～好地工作|这样做～能解决问题。❷〈书〉再；又：～上一层楼。
另见 466 页 gēng。

【更加】gèngjiā 副 表示程度上又深了一层或者数量上进一步增加或减少：公家的书，应该～爱护|天色渐亮，晨星～稀少了。

【更其】gèngqí 〈书〉副 更加。

【更上一层楼】gèng shàng yī céng lóu 唐王之涣《登鹳雀楼》诗："欲穷千里目，更上一层楼。"后来用"更上一层楼"比喻再提高一步：今年力争生产～。

堩(堩) gèng 〈书〉道路。

暅(晅) gèng 〈书〉晒。多用于人名。

gōng （ㄍㄨㄥ）

工¹ gōng ❶ 工人和工人阶级：矿～|钳～|瓦～|技～|女～|～农联盟。❷ 名工作；生产劳动：做～|上～|加～|勤俭办～|料又省～。❸ 工程：动～|竣～。❹ 工业：化～(化学工业)|～交系统。❺ 指工程师：高～(高级工程师)|王～。❻ 名一个工人或农民一个劳动日的工作：

砌这道墙要六个～。❼（～儿）技术和技术修养：唱～做～。❽ 长于；善于：～诗善画。❾ 精巧；精致：～巧|～稳。❿（Gōng）名姓。

工² gōng 名我国民族音乐音阶上的一级，乐谱上用作记音符号，相当于简谱的"3"。参看〖工尺〗。

【工本】gōngběn 名 制造物品所用的成本：～费|不惜～。

【工笔】gōngbǐ 名 国画的一种画法，用笔工整，注重细部的描绘(区别于"写意")。

【工兵】gōngbīng 名 工程兵的旧称。

【工残】gōngcán 名 在生产劳动过程中造成的残疾。

【工厂】gōngchǎng 名 直接进行工业生产活动的单位，通常包括不同的车间。

【工场】gōngchǎng 名 手工业者集合在一起生产的场所。

【工潮】gōngcháo 名 工人为实现某种要求或表示抗议而掀起的风潮。

【工尺】gōngchě 名 我国民族音乐音阶上各个音的总称，也是乐谱上各个记音符号的总称。符号各个时代不同，现在通用的是：合、四、一、上、尺、工、凡、六、五、乙。

【工程】gōngchéng 名❶ 土木建筑或其他生产、制造部门用比较大而复杂的设备来进行的工作，如土木工程、机械工程、化学工程、采矿工程、水利工程等。也指具体的建设工程项目。❷ 泛指某项需要投入巨大人力和物力的工作：菜篮子～(指解决城镇蔬菜、副食供应问题的规划和措施)。

【工程兵】gōngchéngbīng 名 担任复杂的工程保障任务的兵种。执行构筑工事、架桥、筑路、伪装、设置和排除障碍物等工程任务。也称这一兵种的士兵。旧称工兵。

【工程师】gōngchéngshī 名 技术干部的职务名称之一。能够独立完成某一专门技术任务的设计、施工工作的专门人员。

【工程院】gōngchéngyuàn 名 工程技术界最高荣誉性、咨询性的学术机构，由院士组成，下设若干学部。主要职责是对国家重要工程科学技术问题开展战略研究，提供决策咨询。

【工地】gōngdì 名 进行建筑、开发、生产等工作的现场。

【工读】gōngdú ❶ 劻 用本人劳动的收入

来供自己读书：～生。❷ 图指工读教育。

【工读教育】gōngdú jiàoyù 对有较轻违法犯罪行为的青少年进行改造、挽救的教育。

【工段】gōngduàn 图❶ 建筑、交通、水利等工程部门根据具体情况划分的施工组织。❷ 工厂车间内按生产过程划分的生产组织，由若干生产班组成。

【工房】gōngfáng〈方〉图❶ 指由国家或集体建造分配给职工或居民居住的房屋；职工宿舍。❷ 工棚。

【工分】gōngfēn 图某些集体经济组织计算个人工作量和劳动报酬的单位。

【工蜂】gōngfēng 图蜜蜂中生殖器官发育不完全的雌性，身体小，深黄灰色，翅膀长，善于飞行，有毒刺，腹部有分泌蜡质的蜡腺，两只后脚上有花粉篮。工蜂担任修筑蜂巢，采集花粉和花蜜，哺养幼虫和母蜂等工作，不能传种。

【工夫】gōng·fu（～儿）图❶ 时间(指占用的时间)：他三天～就学会了游泳。❷ 空闲时间：明天有～再来玩儿吧。❸〈方〉时候：我当闺女那～，婚姻全凭父母之命、媒妁之言。‖也作功夫。

【工会】gōnghuì 图工人阶级的群众性组织。最早出现于 18 世纪中叶的英国，后各国相继建立。一般分为产业工会和职业工会两大类。

【工价】gōngjià 图指建筑或制作某项物品用于人工方面的费用(多用于制订计划或计算成本时)。

【工架】gōngjià 同"功架"。

【工间】gōngjiān 图工作时间内规定的休息时间：～操。

【工间操】gōngjiāncāo 图机关和企业中的工作人员每天在工作时间中抽出一定时间来集体做的体操。

【工件】gōngjiàn 图作为工作对象的零部件，多指在机械加工过程中的零部件。也叫制件、作件。

【工匠】gōngjiàng 图手艺工人。

【工交】gōngjiāo 图工业和交通运输业的合称：～系统。

【工具】gōngjù 图❶ 进行生产劳动时所使用的器具，如锯、刨、犁、锄。❷ 比喻用以达到目的的事物：语言是人们交流思想

的～。

【工具书】gōngjùshū 图专为读者查考字形、字音、字义、词义、字句出处和各种事实等而编纂的书籍，如字典、词典、索引、历史年表、年鉴、百科全书等。

【工卡】gōngkǎ 图工作时佩戴的表示身份的卡片式标志。

【工楷】gōngkǎi 图工整的楷书。

【工科】gōngkē 图教学上对有关工程学科的统称。

【工矿】gōngkuàng 图工业和矿业的合称：～企业。

【工力】gōnglì 图❶ 本领和力量：做到这样是不容易的，必须用很大的～。❷ 指完成某项工作所需要的人力。

【工料】gōngliào 图❶ 人工和材料(多用于制订计划或计算成本时)。❷ 指工程所需的材料：购买～。

【工龄】gōnglíng 图工人或职员的工作年数。

【工农联盟】gōng nóng liánméng 工人阶级和劳动农民在工人阶级政党领导下的革命联合。

【工棚】gōngpéng 图工地上临时搭起来供工作或住宿用的简便房屋。

【工期】gōngqī 图工程的期限：延长～|～定为一年。

【工钱】gōng·qián 图❶ 做零活儿的报酬：做条裤子要多少～? ❷〈口〉工资。

【工巧】gōngqiǎo 厖细致，精巧(多用于工艺品或诗文、书画)：陕北剪纸～纤细，乡土气息浓郁。

【工区】gōngqū 图某些工矿企业部门的基层生产单位。

【工人】gōng·rén 图个人不占有生产资料、依靠工资收入为生的劳动者(多指体力劳动者)。

【工人阶级】gōngrén jiējí 不占有任何生产资料、依靠工资为生的劳动者所形成的阶级，是无产阶级革命的领导阶级，代表着最先进的生产力，它最有远见，大公无私，具有高度的组织性、纪律性和彻底的革命性。

【工日】gōngrì 图一个劳动者工作一天为一个工日。

【工伤】gōngshāng 图在生产劳动过程中受到的意外伤害：～事故。

【工商业】gōngshāngyè 名 工业和商业的合称。

【工时】gōngshí 名 工人工作一小时为一个工时,是工业上计算工人劳动量的时间单位。

【工事】gōngshì 名 保障军队发扬火力和隐蔽安全的建筑物,如地堡、堑壕、交通壕、掩蔽部等。

【工头】gōngtóu (～儿) 名 资本家雇用来监督工人劳动的人。也泛指指挥、带领工人劳动的人。

【工亡】gōngwáng 动 在生产劳动过程中意外死亡。

【工稳】gōngwěn 形 工整而妥帖(多指诗文):造句～|对仗～。

【工细】gōngxì 形 精巧细致:雕刻～。

【工效】gōngxiào 名 工作效率:提高～。

【工薪】gōngxīn 名 工资。

【工薪阶层】gōngxīn jiēcéng 指有稳定的工作并以工资为主要经济来源的社会阶层。

【工薪族】gōngxīnzú 名 工薪阶层。

【工休】gōngxiū 动 ❶ 指工作一阶段后休息:～日|那天正好我～|全体司机放弃～运送旅客。❷ 指工间休息:～时,女工们有的聊天,有的打毛衣。

【工序】gōngxù 名 组成整个生产过程的各段加工,也指各段加工的先后次序。材料经过各道工序,加工成成品。

【工业】gōngyè 名 采取自然物质资源,制造生产资料、生活资料,或对各种原材料进行加工的生产事业。

【工业产权】gōngyè chǎnquán 对法律所确认的新技术和经济管理成果享有的权利,主要包括专利权、商标权,是知识产权的组成部分。

【工业革命】gōngyè gémìng 产业革命①。

【工业国】gōngyèguó 名 现代工业在国民经济中占主要地位的国家。

【工业化】gōngyèhuà 动 使现代工业在国民经济中占主要地位。

【工蚁】gōngyǐ 名 生殖器官不发达的蚂蚁,在群体中数量占绝对优势。参看1611页"蚁"。

【工艺】gōngyì 名 ❶ 将原材料或半成品加工成产品的工作、方法、技术等:～复杂|～精细。❷ 手工艺:～品。

【工艺流程】gōngyì liúchéng 工业品生产中,从原料到制成成品的各项工作程序。简称流程。

【工艺美术】gōngyì měishù 指工艺品的造型设计和装饰性美术。

【工艺品】gōngyìpǐn 名 手工艺的产品。

【工役】gōngyì 名 旧时给机关、学校或官僚、绅士人家做杂事的人。

【工友】gōngyǒu 名 ❶ 机关、学校的勤杂人员。❷ 旧时称工人,也用于工人之间的互称。

【工于】gōngyú 动 长于;善于:～心计|他～工笔花鸟。

【工余】gōngyú 名 工作时间以外的时间:～时间|他利用～学习文化知识。

【工整】gōngzhěng 形 细致整齐;不潦草:字写得～极了。

【工致】gōngzhì 形 精巧细致:这一枝梅花画得很～。

【工种】gōngzhǒng 名 工矿企业中按生产劳动的性质和任务而划分的工作种类,如钳工、车工、铸工等。

【工资】gōngzī 名 作为劳动报酬按期付给劳动者的货币或实物。

【工字钢】gōngzìgāng 名 见 1526 页〖型钢〗。

【工作】gōngzuò ❶ 动 从事体力或脑力劳动,也泛指机器、工具受人操纵而发生产作用:积极～|开始～|铲土机正在～。❷ 名 职业:找～|～没有贵贱之分。❸ 名 业务;任务:～量|宣传～|工会|科学研究～。

【工作餐】gōngzuòcān 名 单位为上班职工提供的饭菜,也指开会等公务活动时所吃的饭菜。

【工作服】gōngzuòfú 名 为工作需要而特制的服装。

【工作面】gōngzuòmiàn 名 ❶ 直接开采矿石或岩石的工作地点,随着采掘进度而移动。❷ 零件上进行机械加工的部位。

【工作母机】gōngzuò mǔjī 机床。

【工作日】gōngzuòrì 名 ❶ 一天中按规定做工作的时间。❷ 按规定应该工作的日子:星期一至星期五为～,星期六和星期天是休息日。

【工作站】gōngzuòzhàn 名 ❶ 为进行某项工作而设立的机构:征兵～|救灾～。❷ 计算机网络中作为分享网络资源的一

个访问端点的计算机。

【工作证】gōngzuòzhèng 名 表示一个人在某单位工作的证件。

弓 gōng ❶ 名 射箭或发弹丸的器械，在近似弧形的有弹性的木条两端之间系着坚韧的弦，拉开弦后，猛然放手，借弦和弓背的弹力把箭或弹丸射出：～箭｜弹～｜左右开～｜一张～。❷（～儿）弓子：弹棉花的绷～儿。❸ 名 丈量地亩的器具，用木头制成，形状略像弓，两端的距离是5尺，也叫步弓。❹ 量 旧时丈量地亩的计算单位，1弓等于5尺。❺ 动 使弯曲：～背｜～着腰｜～着腿坐着。❻（Gōng）名姓。

【弓子】gōng·zi 名 形状或作用像弓的东西：胡琴～｜三轮车上的车～。

公 1 gōng ❶ 属于国家或集体的（跟"私"相对）：～款｜～物｜～事公办。❷ 共同的；大家承认的：～分母｜～议｜～约。❸ 属于国际间的：～海｜～制｜～历。❹ 使公开：～布｜～之于世。❺ 公平；公正：～买～卖｜大～无私｜秉～办理。❻ 公事；公务：办～｜～余｜因～出差。❼（Gōng）名 姓。

公 2 gōng ❶ 名 封建五等爵位的第一等：～爵｜～侯｜王～大臣。❷ 对上了年纪的男子的尊称：诸～｜张～。❸ 丈夫的父亲；公公：～婆。❹ 形 属性词。（禽兽）雄性的（跟"母"相对）：～羊｜这只小鸡是～的。

【公安】gōng'ān 名 ❶ 社会整体（包括社会秩序、公共财产、公民权利等）的治安：～局｜～人员。❷ 指公安人员：一位老～。

【公案】gōng'àn 名 ❶ 指官吏审理案件时用的桌子。❷ 指疑难案件，泛指有纠纷的或离奇的事情：一桩～｜～小说。

【公办】gōngbàn 形 属性词。国家创办的：～学校｜～企业。

【公报】gōngbào 名 ❶ 公开发表的关于重大会议的决议、国际谈判的进展、国际协议的成立、军事行动的进行等的正式文告：新闻～｜联合～。❷ 由政府编印的刊物，专门登载法律、法令、决议、命令、条约、协定及其他官方文件。

【公报私仇】gōng bào sī chóu 借公事来报个人的仇。也说官报私仇。

【公比】gōngbǐ 名 等比级数中任意一项与它的前一项的比永远相等，这一相等的比叫做公比。如在等比级数 $1 + \dfrac{1}{2} + \dfrac{1}{4} + \dfrac{1}{8} + \cdots$ 中，$\dfrac{1}{2}$ 为公比。

【公布】gōngbù 动（政府机关的法律、命令、文告、团体的通知事项）公开发布，使大家知道：～于众｜～新条例｜食堂的账目每月～一次。

【公厕】gōngcè 名 公共厕所。

【公差】gōngchā 名 ❶ 等差级数中任意一项与它的前一项的差永远相等，这一相等的差叫做公差。如在等差级数 $2 + 5 + 8 + 11 + 14 + \cdots$ 中，3 为公差。❷ 机器制造业中，对加工的机械或零件的尺寸许可的误差。

【公差】gōngchāi 名 ❶ 临时派遣去做的公务：出～。❷ 旧时在衙门里当差的人。

【公产】gōngchǎn 名 公共财产：侵吞～。

【公车】gōngchē 名 属于公家的车（多指汽车）。

【公称】gōngchēng 名 机器性能、图纸尺寸等的规格或标准。

【公尺】gōngchǐ 量 公制长度单位，米的旧称。

【公出】gōngchū 动 因办理公事而外出：我要～一个月，家里的事就拜托你了。

【公畜】gōngchù 名 雄性牲畜，畜牧业上通常指留种用的。

【公道】gōngdào 名 公正的道理：主持～｜～自在人心。

【公道】gōng·dao 形 公平；合理：说句～话｜办事～｜价钱～。

【公德】gōngdé 名 公共道德：讲～｜社会～。

【公敌】gōngdí 名 共同的敌人：人民～。

【公爹】gōngdiē （方）名 公公①。

【公断】gōngduàn 动 ❶ 由非当事人居中裁断：听候众人～。❷ 秉公裁断：执法部门自会～。

【公法】gōngfǎ 名 ❶ 西方法学中指与国家利益有关的法律，如宪法、行政法等（区别于"私法"）。❷ 指调整国际关系的准则：国际～。

【公房】gōngfáng 名 属于公家的房屋。

【公费】gōngfèi 名 由国家或团体供给的费用：～医疗｜～留学。

【公分】gōngfēn 量❶ 公制长度单位,厘米的旧称。❷ 公制质量或重量单位,克的旧称。

【公愤】gōngfèn 名公众的愤怒:激起~。

【公干】gōnggàn ❶ 名公事:有何~?❷ 动办理公事:外出~|来京~。

【公告】gōnggào ❶ 动通告①:以上通令,~全体公民周知。❷ 名政府或机关团体等向公众发出的通告。

【公告牌】gōnggàopái 名用来发布公告的牌子,特指电子公告牌。

【公公】gōng·gong 名❶ 丈夫的父亲。❷〈方〉祖父。❸〈方〉外祖父。❹ 尊称年老的男子:刘~|老~。❺ 对太监的称呼(多见于早期白话)。

【公共】gōnggòng 形 属性词。属于社会的;公有公用的:~卫生|~汽车|~场所|爱护~财产。

【公共关系】gōnggòng guān·xì 指团体、企业或个人在社会活动中的相互关系。简称公关。

【公共积累】gōnggòng jīlěi 公积金。

【公共汽车】gōnggòng qìchē 有固定的路线和停靠站、供乘客乘坐的汽车。

【公关】gōngguān 名公共关系的简称:~部门|~小姐(从事公关工作的女职员)。

【公馆】gōngguǎn 名旧时指官员、富人的住宅。

【公国】gōngguó 名欧洲封建时代的诸侯国家,以公爵为国家元首。

【公海】gōnghǎi 名各国都可使用的不受任何国家权力支配的海域。

【公害】gōnghài 名❶ 各种污染源对社会公共环境造成的污染和破坏。❷ 比喻对公众有害的事物:赌博是一大~。

【公函】gōnghán 名平行及不相隶属的部门间的来往公文(区别于“便函”)。

【公会】gōnghuì 名同业公会的简称。

【公积金】gōngjījīn 名❶ 生产单位从收益中提取的用作扩大再生产的资金。❷ 为公共福利事业积累的长期性专项资金,如住房公积金。

【公祭】gōngjì ❶ 动公共团体或社会人士举行祭奠,向死者表示哀悼:~难烈士。❷ 名这种祭礼:~在哀乐声中开始。

【公家】gōng·jia〈口〉名指国家、机关、企业、团体(区别于“私人”):不能把~的东西据为己有。

【公假】gōngjià 名公家规定或上级批准的假期。

【公交】gōngjiāo 名公共交通:~车辆|~事业。

【公教人员】gōng jiào rényuán 对政府机关工作人员和学校教职员的合称。

【公斤】gōngjīn 量千克。

【公举】gōngjǔ 共同推举:~代表。

【公决】gōngjué 动共同决定:全民~|这件事须经大家讨论。

【公开】gōngkāi ❶ 形 不加隐蔽的;面对大家的(跟“秘密”相对):~活动。❷ 动使秘密的成为公开的:这件事暂时不能~。

【公开信】gōngkāixìn 名写给个人或集体,但作者认为有使公众知道的必要,因而公开发表的信。

【公款】gōngkuǎn 名属于国家或集体的钱。

【公厘】gōnglí 量公制长度单位,毫米的旧称。

【公里】gōnglǐ 量千米。

【公理】gōnglǐ 名❶ 经过人类长期反复实践的检验,不需要再加证明的命题,如:如果 $A = B, B = C$,则 $A = C$。❷ 社会上多数人公认的正确道理。

【公历】gōnglì 名阳历的一种,是现在国际通用的历法。通常所说的阳历即指公历。一年 365 天,分为十二个月,一、三、五、七、八、十、十二月为大月,每月 31 天,四、六、九、十一月为小月,每月 30 天,二月是 28 天。因地球绕太阳一周实际为 365 天 5 小时 48 分 45 秒(太阳年),所以每 400 年中有 97 个闰年,闰年在二月末加一天,全年是 366 天。闰年的计算法是:公元年数能够用 4 整除的是闰年(如 1960 年),能够用 100 整除的是平年(如 1900 年),能够用 100 整除也能用 400 整除的是闰年(如 2000 年)。纪元是从传说的耶稣生年算起。也叫格里历。

【公立】gōnglì 形 属性词。政府设立的:~学校。

【公例】gōnglì 名一般的规律。

【公良】Gōngliáng 名姓。

【公粮】gōngliáng 名农业生产者或农业

生产单位每年缴纳给国家的作为农业税的粮食。

【公了】gōngliǎo 动 双方发生纠纷，通过上级或主管部门调解或判决了结（跟"私了"相对）。

【公路】gōnglù 名 市区以外的可以通行各种车辆的宽阔平坦的道路。

【公论】gōnglùn 名 公众的评论；公正的评论：尊重～｜是非自有～。

【公孟】Gōngmèng 名 姓。

【公民】gōngmín 名 具有或取得某国国籍，并根据该国宪法和法律规定享有权利和承担义务的人。

【公民权】gōngmínquán 名 公民根据宪法和法律规定所享有的人身、政治、经济、文化等方面最基本的权利。

【公母俩】gōng·muliǎ〈方〉名 夫妻二人：老～的感情可真好。

【公墓】gōngmù 名 有人管理的公共坟地。

【公派】gōngpài 动 由国家派遣：～留学。

【公判】gōngpàn 动 ❶ 公开宣判，法院在群众大会上向当事人和公众宣布案件的判决。❷ 公众评判。

【公平】gōng·píng 形 处理事情合情合理，不偏袒哪一方面：～合理｜～交易｜裁判～。

【公平秤】gōngpíngchèng 名 市场管理部门、商业单位设置的供顾客检验所购商品分量是否准确的标准秤。

【公婆】gōngpó 名 ❶ 丈夫的父亲和母亲；公公和婆婆。❷〈方〉指夫妻，夫妻两人叫两公婆。

【公仆】gōngpú 名 为公众服务的人：社会～｜人民～。

【公顷】gōngqǐng 量 公制地积单位，1 公顷等于 1 万平方米，合 15 市亩。

【公然】gōngrán 副 公开地；毫无顾忌地：～作弊｜～撕毁协议。

【公认】gōngrèn 动 大家一致认为：他的敬业精神是大家～的。

【公社】gōngshè 名 ❶ 原始社会中，人们共同生产、共同消费的一种结合形式，如氏族公社等。❷ 欧洲历史上的城市自治机关，如法国、意大利等国早期的公社。它是资产阶级政权的初级形式。❸ 无产阶级政权的一种形式，如法国 1871 年的巴黎公社，我国 1927 年的广州公社。❹

特指人民公社。

【公审】gōngshěn 动 我国人民法院公开审判案件的一种方式，在群众参加下审判有重大社会意义的案件。

【公升】gōngshēng 量 公制容量单位，升的旧称。

【公使】gōngshǐ 名 由一国派驻在另一国的次于大使一级的外交代表，全称是特命全权公使。

【公示】gōngshì 动 公开宣示，让公众了解并征求意见：实行干部任前～制度。

【公式】gōngshì 名 ❶ 用数学符号或文字表示各个数量之间的关系的式子，具有普遍性，适合于同类关系的所有问题。如圆面积公式是 $S = \pi R^2$，长方形面积公式是面积＝长×宽。❷ 泛指可以应用于同类事物的方式、方法。

【公式化】gōngshìhuà 动 ❶ 指文艺创作中套用某种固定格式来描写现实生活和人物性格的不良倾向。❷ 指不针对具体情况而死板地根据某种固定方式处理问题。

【公事】gōngshì 名 ❶ 公家的事；集体的事（区别于"私事"）：～公办｜先办～，后办私事。❷〈方〉指公文：每天上午看～。

【公输】Gōngshū 名 姓。

【公署】gōngshǔ 名 官员办公的处所（用作政府机关名）：行政～。

【公司】gōngsī 名 依法设立，以营利为目的、独立承担民事责任的从事生产或服务性业务的经济实体。分为有限责任公司和股份有限公司。

【公司制】gōngsīzhì 名 以公司作为企业组织形式的现代企业制度。

【公私】gōngsī 名 公家和私人：～兼顾｜～合营。

【公私合营】gōngsī héyíng 我国对民族资本主义工商业实行社会主义改造的一种形式，分为个别企业公私合营和全行业公私合营两个阶段。

【公诉】gōngsù 动 刑事诉讼的一种方式，由检察机关代表国家对认为确有犯罪行为、应负刑事责任的人向法院提起诉讼（区别于"自诉"）。

【公诉人】gōngsùrén 名 代表国家向法院提起公诉的人。

【公孙】Gōngsūn 名 姓。

【公孙树】gōngsūnshù 名 银杏①。

【公所】gōngsuǒ 名 ❶ 旧时区、乡、村政府办公的地方:区~|乡~|村~。❷ 旧时同业或同乡组织办公的地方:布业~。

【公摊】gōngtān 动 大家平均分摊(费用、资金等):电费由三家~。

【公堂】gōngtáng 名 ❶ 指官吏审理案件的地方:私设~|对簿~。❷〈方〉指祠堂。

【公帑】gōngtǎng〈书〉名 公款:糜费~。

【公推】gōngtuī 动 共同推举(某人担任某种职务或做某事):大家~他当代表。

【公文】gōngwén 名 机关相互往来联系事务的文件:~袋|~要求简明扼要。

【公务】gōngwù 名 关于国家的事务;公家的事务:办理~|~人员|~繁忙。

【公务员】gōngwùyuán 名 ❶ 政府机关的工作人员。❷ 旧时称机关、团体中做勤杂工作的人员。

【公物】gōngwù 名 属于公家的东西:爱护~。

【公心】gōngxīn 名 ❶ 公正之心:秉持~|处以~。❷ 为公众利益着想的心意:他这样做是出于~。

【公信力】gōngxìnlì 名 使公众信任的力量:提高政府部门的~。

【公休】gōngxiū 动 节日、假日等集体休假:~日|近两天他~在家。

【公演】gōngyǎn 动 公开演出:这出新戏将于近期~。

【公羊】Gōngyáng 名 姓。

【公冶】Gōngyě 名 姓。

【公议】gōngyì 动 大家在一起评议:自报~。

【公益】gōngyì 名 公共的利益(多指卫生、救济等群众福利事业):热心~。

【公益金】gōngyìjīn 名 企业单位、生产单位从收益中提出的用于职工社会保险和集体福利事业的资金。

【公意】gōngyì 名 公众的意愿。

【公营】gōngyíng 形 属性词。国营:~企业。

【公映】gōngyìng 动 (影片)公开放映:这部影片将于~。

【公用】gōngyòng 动 公共使用;共同使用:~电话|~事业|两家~一个厨房。

【公用事业】gōngyòng shìyè 城市和乡镇中供居民使用的通信、电力、自来水、天然气和煤气、公共交通等企业的统称。

【公有】gōngyǒu 动 全民或集体所有:~制|~财产。

【公有制】gōngyǒuzhì 名 生产资料归公共所有的制度。现在我国存在着两种公有制,即社会主义的全民所有制和劳动群众集体所有制。

【公余】gōngyú 名 办公时间以外的时间:~以写字、画画儿作为消遣。

【公寓】gōngyù 名 ❶ 分户居住的多层或高层建筑,有若干成套的单户独用的房间,设备较好。❷ 旧时一种租期较长、房租论月计算的宿舍,住宿的人多是学生。

【公元】gōngyuán 名 国际通用的公历的纪元,是大多数国家纪年的标准,从传说的耶稣诞生那一年算起。我国从1949年正式规定采用公元纪年,同时继续保留使用农历。

【公园】gōngyuán 名 供公众游览休息的园林。

【公约】gōngyuē 名 ❶ 条约的一种名称。一般指三个或三个以上的国家缔结的某些政治性的或关于某一专门问题的条约。❷ 机关、团体或街道居民内部拟订的共同遵守的章程:文明~|环境保护~。

【公允】gōngyǔn 形 公平恰当:持论~。

【公债】gōngzhài 名 国家和政府部门向公民或外国借的债。

【公债券】gōngzhàiquàn 名 公债债权人取本息的证券。

【公章】gōngzhāng 名 机关、团体等使用的印章。

【公正】gōngzhèng 形 公平正直,没有偏私:为人~|~的评价。

【公证】gōngzhèng 动 被授以权力的机关(如公证处)根据当事人的申请,依照法定程序对法律行为或具有法律意义的事实、文件确认其真实性和合法性的活动。

【公职】gōngzhí 名 指国家机关或公共企业、事业单位中的正式职务:担任~|开除~|~人员。

【公制】gōngzhì 名 国际公制的简称。

【公众】gōngzhòng 名 社会上大多数的人;大众:~领袖|~利益。

【公众人物】gōngzhòng rénwù 知名度较高、受到社会公众关注的人物,如政治、经济界重要人士、影视明星、体育明星等。

【公诸同好】gōng zhū tóng hào 把自己喜爱的东西给有同样爱好的人共同享受。

【公主】gōngzhǔ 名 君主的女儿。

【公助】gōngzhù 动 ❶ 共同资助：社会～。❷ 公家资助：这是一座民办～的学校。

【公转】gōngzhuàn 动 一个天体绕着另一个天体转动叫做公转。如太阳系的行星绕着太阳转动，行星的卫星绕着行星转动。地球绕太阳公转一周的时间是 365 天 6 小时 9 分 10 秒(恒星年)；月球绕地球公转一周的时间是 27 天 7 小时 43 分 11.5 秒。

【公子】gōngzǐ 名 古代称诸侯的儿子，后称官僚的儿子，也用来尊称别人的儿子。

【公子哥儿】gōngzǐgēr 名 原称官僚或有钱人家不知人情世故的子弟，后泛指娇生惯养的年轻男子。

【公子王孙】gōngzǐ wángsūn 旧时泛指贵族、官僚的子弟。

功 gōng ❶ 名 功劳(跟"过"相对)：立～|记一大～。❷ 成效和表现成效的事情(多指较大的)：教育之～|～亏一篑|大～告成|好大喜～。❸ 技术和技术修养：唱～|做～|架～|基本～。❹ 名 一个力使物体沿力的方向通过一段距离，这个力就对物体做了功。

【功败垂成】gōng bài chuí chéng 快要成功的时候遭到失败(含惋惜意)。

【功臣】gōngchén 名 有功劳的臣子，泛指对某项事业有显著功劳的人：航天事业的～。

【功成不居】gōng chéng bù jū 立了功而不把功劳归于自己(语本《老子》二章)。

【功成名就】gōng chéng míng jiù 功业建立了，名声也有了。也说功成名立、功成名遂。

【功德】gōngdé 名 ❶ 功劳和恩德：歌颂人民英雄的～。❷ 指佛教徒行善、诵经念佛，为死者做佛事及道士打醮等活动：做～。

【功底】gōngdǐ 名 基本功的底子：～扎实|他的书法有着深厚的～。

【功夫】gōng·fu ❶ 名 本领；造诣：他的诗～很深|这个杂技演员真有～。❷ 名 指武术：中国～。❸ 同"工夫"。

【功夫茶】gōng·fuchá 名 福建广东一带的一种饮茶风尚，茶具小巧精致，沏茶、饮茶有一定的程序、礼仪：喝～。

【功夫片儿】gōng·fupiānr 〈口〉名 功夫片。

【功夫片】gōng·fupiàn 名 以武打为主的故事片。

【功过】gōngguò 名 功劳和过失：～自有公论。

【功耗】gōnghào 名 功率的损耗，指设备、器件等输入功率和输出功率的差额。

【功绩】gōngjì 名 功劳和业绩：～卓著|不可磨灭的～。

【功架】gōngjià 名 戏曲演员表演时的身段和姿势。也作工架。

【功课】gōngkè 名 ❶ 学生按照规定学习的知识、技能：他每门～都很好。❷ 指教师给学生布置的作业：做完～再看电视。❸ 佛教徒按时诵经念佛等称为做功课。

【功亏一篑】gōng kuī yī kuì 伪古文《尚书·旅獒》："为山九仞，功亏一篑。"堆九仞高的土山，只差一筐土而不能完成。比喻一件大事只差最后一点儿人力物力而不能成功(含惋惜意)。

【功劳】gōngláo 名 对事业的贡献：汗马～。

【功力】gōnglì 名 ❶ 功效：草药的～不能忽视。❷ 功夫和力量：他的字苍劲洒脱，颇见～。

【功利】gōnglì 名 ❶ 功效和利益：～显著。❷ 功名利禄：追求～。

【功利主义】gōnglì zhǔyì 主张以实际功效或利益为行为准则的伦理观点。

【功令】gōnglìng 名 旧时指法令。

【功率】gōnglǜ 名 功跟完成这些功所用时间的比，即单位时间内所做的功。单位是瓦特。

【功名】gōngmíng 名 封建时代指科举称号或官职名位：～利禄|革除～。

【功能】gōngnéng 名 事物或方法所发挥的有利的作用；效能：～齐全|这种药物～显著。

【功能团】gōngnéngtuán 名 官能团。

【功效】gōngxiào 名 功能；效率：立见～。

【功勋】gōngxūn 名 指对国家、人民做出的重大贡献，立下的特殊功劳：～卓著|立下不朽～。

【功业】gōngyè 名 功勋事业：建立～。

【功用】gōngyòng 名 功能;用途。

【功罪】gōngzuì 名 功劳和罪过。

红(紅) gōng 见 1008 页《女红》。
另见 563 页 hóng。

攻 gōng ❶ 动 攻打;进攻(跟"守"相对):围～|～城|能～能守|～下敌人的桥头堡。❷ 动 对别人的过失、错误进行指责或对别人的议论进行驳斥:群起而～之|～其一点,不及其余。❸ 动 致力研究;学习:专～|一门心思～外语。❹ (Gōng)名 姓。

【攻城略地】gōng chéng lüè dì 攻占城池,夺取土地。

【攻错】gōngcuò〈书〉动《诗经·小雅·鹤鸣》:"它山之石,可以为错。"又:"它山之石,可以攻玉。"(错:磨刀石;攻:治)后来用"攻错"比喻拿别人的长处补救自己的短处。

【攻打】gōngdǎ 动 为占领敌方阵地或据点而进攻。

【攻读】gōngdú 动 努力读书或钻研某一门学问:～博士学位|～中医经典。

【攻关】gōngguān 动 攻打关口,比喻努力突破科学、技术等方面的难点:刻苦钻研,立志～|对于重点科研项目,要组织有关人员协作～。

【攻击】gōngjī 动 ❶ 进攻:发动～|～敌人阵地。❷ 恶意指摘:进行人身～。

【攻击机】gōngjījī 名 强击机。

【攻歼】gōngjiān 动 攻击并歼灭:～被围之敌。

【攻坚】gōngjiān 动 ❶ 攻打敌人的坚固防御工事:～战。❷ 比喻努力解决某项任务中最困难的问题。

【攻坚战】gōngjiānzhàn 名 攻击敌人坚固阵地的战斗◇开通隧道是修路任务中的～。

【攻讦】gōngjié〈书〉动 揭发别人的过失或阴私而加以攻击(多指因个人或派系利害矛盾)。

【攻克】gōngkè 动 攻下(敌人的据点),也用于比喻:～堡垒|～设计难点。

【攻擂】gōng//lèi 动 指在擂台赛中向擂主挑战。

【攻略】gōnglüè ❶〈书〉动 攻打掠取。❷ 名 开展工作或发展事业的谋略、策略:市场～。

【攻破】gōngpò 动 打破;攻下:～防线。

【攻其不备】gōng qí bù bèi 趁着敌人没有防备的时候进攻。

【攻取】gōngqǔ 动 攻打并夺取:～据点。

【攻势】gōngshì 名 向敌方进攻的行动或态势:冬季～|采取～◇这次足球比赛,客队的～非常猛烈。

【攻守同盟】gōng shǒu tóngméng ❶ 两个或两个以上的国家为了在战争时对其他国家采取联合进攻或防御而结成的同盟。❷ 指共同作案的人为了应付追查或审讯而事先约定共同隐瞒、互不揭发的行为。

【攻陷】gōngxiàn 动 攻克;攻占。

【攻心】gōngxīn 动 ❶ 从精神上或心理上瓦解对方:～战术。❷ 俗称因悲痛、愤怒而神志昏迷为"怒气攻心",因浑身溃烂或烧伤而发生生命危险为"毒气攻心"或"火气攻心"。

【攻占】gōngzhàn 动 攻击并占领:～敌人的据点|这座城市已被我军～。

供 gōng ❶ 动 供给;供应:～不应求|～孩子上学。❷ 动 提供某种利用的条件(给对方利用):～读者参考|～旅客休息。❸ (Gōng)名 姓。
另见 480 页 gòng。

【供不应求】gōng bù yìng qiú 供应的东西不能满足需求。

【供稿】gōnggǎo 动 提供稿件:本版诗文、照片均由运动会宣传组～。

【供给】gōngjǐ 动 把生活中必需的物资、钱财、资料等给需要的人使用:免费～学习资料。

【供给制】gōngjǐzhì 名 按大致相同的标准直接供给生活资料的分配制度。

【供求】gōngqiú 名 供给和需求(多指商品):～关系|拓宽流通渠道,使～平衡。

【供求率】gōngqiúlù 名 社会总商品量与社会有支付能力的需求量之间的比率。它是商品的生产和消费之间的关系在市场上的反映。

【供销】gōngxiāo 名 供应生产资料和消费品,以及销售各种产品的商业性活动:～合同|～部门。

【供销合作社】gōngxiāo hézuòshè 为满足农村生产和生活需要而设立的销售生产工具、生活用品和收购农产品、副业产品的商业机构。简称供销社。

【供销社】gōngxiāoshè 图供销合作社的简称。

【供需】gōngxū 图供求：避免～脱节。

【供养】gōngyǎng 动供给长辈或年长的人生活所需；赡养：～老人。
另见 480 页 gòngyǎng。

【供应】gōngyìng 动以物资满足需要（有时也指以人力满足需要）：发展生产才能够保证～。

【供应舰】gōngyìngjiàn 图专门担负海上物资补给、修理任务的军舰。也叫补给舰。

肱 gōng 〈书〉胳膊上从肩到肘的部分，也泛指胳膊：股～|曲～而枕。

【肱骨】gōnggǔ 图上臂中的长骨，上端跟肩胛骨相连，下端跟尺骨和桡骨相连。（图见 490 页"人的骨骼"）

宫¹ gōng ❶图帝后太子等居住的房屋：～殿|行～|故～|东～。❷神话中神仙居住的房屋：天～|龙～|月～|蟾～。❸庙宇的名称：碧霞～|雍和～。❹群众文化活动或娱乐用的房屋的名称：少年～|民族～|劳动人民文化～。❺指子宫：～颈|刮～|～外孕。❻(Gōng)图姓。

宫² gōng 古代五音之一，相当于简谱的"1"。参看 1445 页〖五音〗。

【宫灯】gōngdēng 图八角或六角形的灯，每面糊绢或镶玻璃，并画有彩色图画，下面悬挂流苏。原为宫廷使用，因此得名。

【宫殿】gōngdiàn 图泛指帝王居住的高大华丽的房屋。

【宫调】gōngdiào 图我国古乐曲的调式。唐代规定二十八调，即琵琶的四根弦上每根七调。最低的一根弦(宫弦)上的调式叫宫，其余的叫调。后来宫调的数目逐渐减少。元代杂剧，一般只用五个宫(正宫、中吕宫、南吕宫、仙吕宫、黄钟宫)和四个别的弦上的弦(大石调，双调，商调，越调)。这是后世所谓九宫。

【宫娥】gōng'é 图宫女。

【宫禁】gōngjìn 图❶帝王居住的地方：～重地。❷宫阃的禁令。

【宫颈】gōngjǐng 图子宫颈的简称：～癌|～糜烂。

【宫女】gōngnǚ 图被征选入宫廷里服役的女子。

【宫阙】gōngquè 图指宫殿。

【宫室】gōngshì 图古时指房屋，后来特指帝王的宫殿。

【宫廷】gōngtíng 图❶帝王的住所。❷由帝王及其大臣构成的统治集团。

【宫廷政变】gōngtíng zhèngbiàn 原指帝王宫廷内发生篡夺王位的事件。现在一般用来指某个国家统治集团少数人从内部采取行动夺取国家政权。

【宫闱】gōngwéi 〈书〉图宫廷①：～秘事。

【宫刑】gōngxíng 图古代阉割生殖器的残酷肉刑。

【宫掖】gōngyè 〈书〉图宫室；宫廷(掖：披庭：皇宫中的旁舍。

恭 gōng ❶恭敬：～候|～贺|洗耳～听。❷(Gōng)图姓。

【恭贺】gōnghè 动恭敬地祝贺：～新禧。

【恭候】gōnghòu 动恭敬地等候：～光临|我们已经～很久了。

【恭谨】gōngjǐn 形恭敬谨慎：态度～。

【恭敬】gōngjìng 形对尊长或宾客严肃有礼貌。

【恭请】gōngqǐng 动恭敬地邀请。

【恭顺】gōngshùn 形恭敬顺从：为人～有礼。

【恭桶】gōngtǒng 图马桶。

【恭维】(恭惟) gōng·wéi 动为讨好而赞扬：～话|曲意～。

【恭喜】gōngxǐ 动客套话，祝贺人家的喜事：～发财|～! ～! ～你们试验成功。

【恭迎】gōngyíng 动恭敬地迎接。

【恭祝】gōngzhù 动恭敬地祝贺或祝愿：～新春|～各位万事如意。

蚣 gōng 见 1443 页〖蜈蚣〗。

躬(躳) gōng ❶自身；亲自：～逢|反～自问|～行实践。❷弯下(身子)：～身下拜。

【躬逢】gōngféng 〈书〉动亲身遇上：～盛世|～其盛。

【躬逢其盛】gōng féng qí shèng 亲自参加了盛典或亲身经历了盛世。

【躬亲】gōngqīn 〈书〉动亲自去做：事必～。

【躬行】gōngxíng 〈书〉动亲身实行：～节俭。

鸪（鸹） gōng 名 鸟，外形像鸵鸟，大小如鸡，羽毛黑褐色，有横纹，嘴尖而长。善走而不善飞，吃昆虫、蜘蛛等，也吃植物的根和种子。生活在美洲。

龚（龔） Gōng 名 姓。

塨 gōng 用于人名，李塨，清初学者。

觥 gōng 古代用兽角做的酒器：～筹交错（形容许多人相聚饮酒的热闹场面）。

gǒng （ㄍㄨㄥˇ）

巩（鞏） gǒng ❶ 巩固。❷（Gǒng）名 姓。

【巩固】 gǒnggù ❶ 形 坚固；不易动摇（多用于抽象的事物）：基础～|政权～。❷ 动 使坚固：～国防|～工农联盟。

【巩膜】 gǒngmó 名 眼球最外层的纤维膜，白色，很坚韧，前面与角膜相连，有保护眼球内部组织的作用。（图见 1569 页"人的眼"）

汞 gǒng 名 ❶ 金属元素，符号 Hg（hydrargyrum）。银白色液体，内聚力强，蒸气有剧毒，化学性质不活泼，能溶解许多种金属。用来制药品、温度计、气压计等。通称水银。❷（Gǒng）姓。

【汞灯】 gǒngdēng 名 一种照明装置。把汞填充在真空玻璃管或石英玻璃管内，通电后，汞蒸气放电而发出强光。多用于摄影、晒图和街道照明等。也叫水银灯。

【汞溴红】 gǒngxiùhóng 名 有机化合物，蓝绿色或赤褐色的小片或颗粒。水溶液红色，医药上用作消毒防腐剂，通称红药水。

拱[1] gǒng ❶ 两手合抱，臂的前部上举：～手。❷ 环绕：～卫|众星～月|四山环～的大湖。❸ 动 肢体弯曲成弧形：～肩缩背|黑猫～了～腰。❹ 建筑物成弧形的：～门|连～坝。❺（Gǒng）名 姓。

拱[2] gǒng 动 ❶ 用身体撞动别的东西或拨开土地等物体：用身子～开了大门|猪用嘴～地|一个小孩儿从人群里～出去了。❷ 植物生长，从土里向外钻或顶：苗儿～出土了。

【拱抱】 gǒngbào 动（山峦）环绕；环抱：群峰～。

【拱璧】 gǒngbì 〈书〉名 大璧，泛指珍宝：他把这些藏书视如～。

【拱火】 gǒng//huǒ （～儿）〈方〉动 用言行促使人发火或使火气更大：他已经够烦得受的，你就别再～了。

【拱门】 gǒngmén 名 上端是弧形的门，也指门口由弧线相交或由其他对称曲线构成的门。

【拱棚】 gǒngpéng 名 顶部成弧形、上面覆盖塑料薄膜的棚，用于冬季培育花木、蔬菜、秧苗等。

【拱桥】 gǒngqiáo 名 中部高起、桥洞呈弧形的桥：石～。

【拱让】 gǒngràng 动 拱手相让：劳动成果怎能～他人？

【拱手】 gǒng//shǒu 动 两手在胸前相抱，表示恭敬：～相迎|～道别。

【拱卫】 gǒngwèi 动 环绕在周围保卫着：辽东半岛和山东半岛像两个巨人，紧紧环抱着渤海，同时也～着首都北京。

【拱券】 gǒngxuàn 名 桥梁、门窗等建筑物上筑成弧形的部分。也叫券（xuàn）。

珙 gǒng 〈书〉一种玉。

【珙桐】 gǒngtóng 名 落叶乔木，树体高大，叶子卵形，花开时两个苞片张开，样子像飞翔的白鸽，核果长椭圆形。是珍贵的观赏树种。也叫鸽子树。

栱 gǒng 见 330 页【斗拱】（枓栱）。

gòng （ㄍㄨㄥˋ）

共 gòng ❶ 相同的；共同具有的：～性|～通。❷ 共同具有或承受：同甘苦，～患难。❸ 副 在一起；一齐：～鸣|和平～处|～进晚餐。❹ 副 一共；总计：这两个集子～收小说十二篇|全书～十卷。❺ 指共产党：中～。❻（Gòng，也有读 Gòng 的）名 姓。
　〈古〉又同"恭"gōng；又同"供"gōng。

【共产党】 gòngchǎndǎng 名 无产阶级的政党。共产党是无产阶级的先锋队，是无产阶级的阶级组织的最高形式。它的指导思想是马克思列宁主义，目的是领导无产阶级和其他一切被压迫的劳动人民,通过革命斗争夺取政权,用无产阶级专政代替资产阶级专政,实现社会主义和共产主义。中国共产党成立于 1921 年 7 月。

【共产国际】Gòngchǎn Guójì　第三国际。

【共产主义】gòngchǎn zhǔyì ❶ 指无产阶级的整个思想体系。参看 769 页〖科学社会主义〗。❷ 人类最理想的社会制度。它在发展上分两个阶段,初级阶段是社会主义,高级阶段是共产主义。通常所说的共产主义,指共产主义的高级阶段。在这个阶段,生产力高度发展,社会产品极大丰富,人们具有高度的思想觉悟,劳动成为生活的第一需要,分配原则是"各尽所能,按需分配"。

【共产主义青年团】gòngchǎn zhǔyì qīngniántuán　在共产党领导下的先进青年的群众性组织。中国共产主义青年团是党的有力助手,它团结和教育青年一代为共产主义事业而奋斗。简称共青团。

【共处】gòngchǔ　动 相处;共同存在:～一室|和平～。

【共存】gòngcún　动 共同存在。

【共度】gòngdù　共同度过:～佳节。

【共犯】gòngfàn　❶ 动 共同犯罪。❷ 名 参与共同犯罪的人。

【共管】gòngguǎn　动 共同管理:社会治安需要动员全社会的力量齐抓～。

【共和】gònghé　名 ❶ 历史上称西周从厉王失政到宣王执政之间的十四年为共和。共和元年为公元前 841 年。❷ 共和制。

【共和国】gònghéguó　名 实施共和政体的国家。

【共和制】gònghézhì　名 国家元首和国家权力机关定期由选举产生的一种政治制度。

【共话】gònghuà　动 在一起谈论:～美好的未来。

【共计】gòngjì　动 ❶ 合起来计算:几项支出～三千万元。❷ 共同计议;共议:～大事。

【共价键】gòngjiàjiàn　名 一般指两个原子通过形成共有原子对产生的化学键。

【共建】gòngjiàn　动 两个或两个以上的机构或组织共同建设:开展军民～活动。

【共居】gòngjū　动 ❶ 共同居住。❷ 同时

存在(多指抽象事物):矛盾的两个方面因一定的条件～于一个统一体中。

【共聚】gòngjù　动 两种或两种以上的单体聚合成高分子化合物。如丁二烯和苯乙烯聚合成丁苯橡胶。

【共勉】gòngmiǎn　动 共同努力;共同勉励:提出这一希望,并与你～。

【共鸣】gòngmíng　动 ❶ 物体因共振而发声,如两个频率相同的音叉靠近,其中一个振动发声时,另一个也会发声。❷ 由别人的某种情绪引起相同的情绪:诗人的爱国主义思想感染了读者,引起了他们的～。

【共栖】gòngqī　动 偏利共生的旧称。

【共青团】gòngqīngtuán　名 共产主义青年团的简称。

【共生】gòngshēng　动 两种不同的生物生活在一起,相依共存,对彼此都有利,这种生活方式叫做共生。如白蚁肠内的鞭毛虫帮助白蚁消化木材纤维,白蚁给鞭毛虫提供养料,如果分离,二者都不能独立生存。

【共时】gòngshí　形 属性词。指历史发展中同一时代的(跟"历时"相对):语言的～研究。

【共识】gòngshí　名 共同的认识:经过多次讨论,双方消除了分歧,达成～|对国家前途的～使他们成为挚友。

【共事】gòng∥shì　动 在一起工作:我和他～多年,对他比较了解。

【共通】gòngtōng　形 属性词。❶ 通行于或适用于各个方面的:～的道理。❷ 共同①:这三篇习作有一个～的毛病。

【共同】gòngtóng　❶ 形 属性词。属于大家的;彼此都具有的:～点|～语言|搞好经济建设是全国人民的～心愿。❷ 副 大家一起(做):～努力。

【共同市场】gòngtóng shìchǎng　若干国家为了共同的政治、经济利益而组成的相互合作的统一市场。

【共同体】gòngtóngtǐ　名 ❶ 人们在共同条件下结成的集体。❷ 由若干国家在某一方面组成的集体组织。

【共同语】gòngtóngyǔ　名 民族内部共同使用的语言。通常是在政治、经济、文化较发达地区方言的基础上发展起来的。现代汉民族的共同语是普通话。

【共同语言】gòngtóng yǔyán 指相同的思想、认识和生活情趣等：他俩缺乏～，难以长期在一起生活。

【共享】gòngxiǎng 动 共同享有：资源～｜～软件。

【共性】gòngxìng 名 指不同事物所共同具有的普遍性质：各种地方戏都有其个性，但作为戏曲又有其～。

【共议】gòngyì 动 共同商议：～国是。

【共赢】gòngyíng 动 大家都得到利益：各方加强合作，寻求～。

【共振】gòngzhèn 动 两个振动频率相同的物体，当一个发生振动时，引起另一个物体振动。

【共总】gòngzǒng 副 一共；总共：这几笔账～多少?

贡(貢) gòng ❶古代臣民或属国把物品献给朝廷：～奉｜～米。❷贡品：进～。❸封建时代称选拔（人才），荐给朝廷：～生｜～院。❹（Gòng）名姓。

【贡缎】gòngduàn 名 一种纹路像缎子的棉织品，光滑，有亮光，多用来做被面。

【贡奉】gòngfèng 动 向朝廷或官府贡献物品；进贡。

【贡赋】gòngfù 名 贡税。

【贡品】gòngpǐn 名 古代臣民或属国献给帝王的物品。

【贡生】gòngshēng 名 明清两代科举制度中，由府、州、县学推荐到京师国子监学习的人。

【贡税】gòngshuì 名 古代臣民向皇室缴纳的金钱、实物等；赋税。也叫贡赋。

【贡献】gòngxiàn ❶动 拿出物资、力量、经验等献给国家或公众：为祖国～自己的一切。❷名 对国家或公众所做的有益的事：他们为国家作出了新的～。

【贡院】gòngyuàn 名 科举时代举行乡试或会试的场所。

供¹ gòng ❶动 把香烛等放在神佛或先辈的像（或牌位）前面表示敬奉；祭祀时摆设祭品：遗像前～着鲜花。❷陈列的表示虔敬的东西；供品：蜜～｜上～。

供² gòng ❶动 受审者陈述案情：～认｜～出作案同伙。❷名 口供；供词：录～｜问不出～来。
另见 476 页 gōng。

【供案】gòng'àn 名 供桌：雕花～。

【供词】gòngcí 名 受审者所陈述的或所写的与案情有关的话。

【供奉】gòngfèng ❶动 敬奉；供养：～神佛｜～父母。❷名 以某种技艺侍奉帝王的人：内廷～。

【供品】gòngpǐn 名 供奉神佛祖宗用的瓜果酒食等。

【供认】gòngrèn 动 受审讯者承认所做的事情：～不讳。

【供事】gòng∥shì 动 担任职务。

【供述】gòngshù 动 受审者陈述（犯罪事实等）。

【供养】gòngyǎng 动 用供品祭祀（神佛和祖先）。
另见 477 页 gōngyǎng。

【供职】gòng∥zhí 动 担任职务：在海关～三十年。

【供状】gòngzhuàng 名 旧指书面的供词。

【供桌】gòngzhuō 名 陈设供品的桌子。

喷(嗊) gòng 喷呸(Gòngbù)，柬埔寨地名。今作贡布。

gōu（《又）

勾¹(句) gōu ❶动 用笔画出钩形符号，表示删除或截取：～销｜把这篇文章里最精彩的对话～出来。❷动 画出形象的边缘；描画：用铅笔～一个轮廓。❸动 用灰、水泥等涂抹砖石建筑物的缝：～墙缝。❹动 调和使黏：～芡。❺动 招引；引：～引｜～魂｜这件事～起了我的回忆。❻动 结合：～结｜～通。❼（Gōu）名姓。

勾²(句) gōu 我国古代称不等腰直角三角形中较短的直角边。
另见 483 页 gòu；"句"另见 481 页 gōu；739 页 jù。

【勾搭】gōu·da 动 引诱或互相串通做不正当的事：～在一起做坏事｜几个人整天勾勾搭搭的，不知要干什么。

【勾兑】gōuduì 动 把不同的酒适量混合，并添加调味酒，进行配制：～工艺。

【勾股形】gōugǔxíng 名 我国古代称直角三角形。

【勾画】gōuhuà 动 勾勒描绘；用简短的文

字描写：～脸谱|这篇游记～了桂林的秀丽
山水。

【勾魂】gōu//hún （～儿）囫 招引灵魂离开
肉体(迷信)。比喻事物吸引人,使人心神不
定：看他那坐立不安的样子,像是被勾了魂
似的。

【勾魂摄魄】gōu hún shè pò 形容事物具
有强烈的吸引力,使人心神摇荡,不能自
制。

【勾稽】gōujī 同"钩稽"。

【勾结】gōujié 囫 为了进行不正当的活动
暗中互相串通,结合：暗中～|～官府。

【勾栏】gōulán 囵 宋元时称演出杂剧、百
戏的场所,后来指妓院。也作勾阑。

【勾阑】gōulán 同"勾栏"。

【勾勒】gōulè 囫❶ 用线条画出轮廓;双
钩。❷ 用简单的笔墨描写事物的大致情
况：这部小说善于～场面,渲染气氛。

【勾连】(勾联)gōulián 囫❶ 勾结：暗中
～|他们～在一起,干了不少坏事。❷ 牵
涉;牵连：一人做事一人担,绝不～别人。

【勾脸】gōu//liǎn （～儿）囫 在脸上画脸谱。

【勾留】gōuliú 囫 逗留。

【勾描】gōumiáo 囫 勾勒描绘：用细线条
把景物的轮廓～出来。

【勾芡】gōu//qiàn 囫 做菜做汤时加上芡
粉或其他淀粉使汁变稠。

【勾通】gōutōng 囫 暗中串通;勾结。

【勾销】gōuxiāo 囫 取消;抹掉：一笔～。

【勾心斗角】gōu xīn dòu jiǎo 同"钩心斗
角"。

【勾乙】gōuyǐ 囫 在报刊书籍的某些词句
两端,画上形状像"乙"的记号(乚),表示要
抄录下来,作为资料。

【勾引】gōuyǐn 囫❶ 勾结某种势力,或引
诱人做不正当的事：他被坏人～,变成了
一个小偷。❷ 引动;招引：他的话～起我
对往事的回忆。

【勾针】gōuzhēn 同"钩针"。

句 gōu 高句丽(Gāogōulí),古族名,古
国名。也作高骊。又人名用字；春
秋时越国国王勾践也作句践。
另见 480 页 gōu"勾";483 页 gòu
"勾";739 页 jù。

佝 gōu 见下。

【佝偻】gōu·lóu 〈口〉囫 脊背向前弯曲。

【佝偻病】gōulóubìng 囵 病,患者多为婴
幼儿,由缺乏维生素 D,肠道吸收钙、磷的
能力降低等引起。症状是头大,鸡胸,驼
背,两腿弯曲,腹部膨大,发育迟缓。也叫
软骨病。

沟(溝) gōu 囵❶ 人工挖掘的水道
或工事：暗～|交通～。❷
（～儿）浅槽;和沟类似的注处：地面上轧了
一道～|瓦～里流下来水。❸ （～儿）一般
的水道：山～|小河～儿。

【沟渎】gōudú 〈书〉囵 沟渠。

【沟沟坎坎】gōugōukǎnkǎn 囵 比喻遇到
的困难或障碍。

【沟壑】gōuhè 囵 山沟①;坑：～纵横。

【沟堑】gōuqiàn 囵 壕沟。

【沟渠】gōuqú 囵 为灌溉或排水而挖的水
道的统称。

【沟通】gōutōng 囫 使两方能连接：～思
想|～中西文化|～南北的长江大桥。

【沟洫】gōuxù 〈书〉囵 水道;沟渠。

【沟沿儿】gōuyánr 囵 沟渠的边沿。

枸 gōu [枸橘](gōujú)囵 枳(zhǐ)。
另见 483 页 gǒu;738 页 jǔ。

钩(鈎、鉤) gōu ❶（～儿）囵 钩
子①：秤～|钓鱼
～儿|用铁丝钩一个～儿。❷ （～儿）囵 汉字
的笔画,附在横、竖等笔画的末端,成钩
形,形状是"亅、乛、乚、乀"。❸ （～儿）囵
钩形符号,形状是"√",一般用来标志内
容正确的文字、算式或合格的事物,旧时
也用作勾乙或删除的符号。❹ 囫 使用钩
子搭、挂或探取：～住高枝儿采桑叶|把掉
在井里头的东西～上来|杂技演员用脚～
住绳索倒挂在空中。❺ 探求：～沉|～玄。
❻ 囫 用带钩的针编织：～一个针线包。
❼ 囫 缝纫方法,用针粗缝：～贴边。❽
囵 说数字时在某些场合用来代替"9"。
❾ （Gōu）囵 姓。

【钩沉】gōuchén 囫 探索深奥的道理或散
失的内容：《古小说～》。

【钩秤】gōuchèng 囵 杆秤的一种,装有铁
钩,用来挂所称物品。

【钩虫】gōuchóng 囵 寄生虫,成虫线形,
很小,乳白色或淡红色,口部有钩,寄生在
人的小肠内。虫卵随粪便排出体外。幼
虫丝状,钻入人的皮肤,最后进入小肠,吸
人血,能引起丘疹、贫血等。

【钩稽】gōujī〈书〉动❶查考：～文坛故实。❷核算。‖也作勾稽。

【钩心斗角】gōu xīn dòu jiǎo 原指宫室结构精巧工致，后来比喻各用心机，互相排挤。也作勾心斗角。

【钩玄】gōuxuán〈书〉动探求精深的道理：～提要。

【钩针】gōuzhēn（～儿）名编织花边等用的带钩的针。也作勾针。

【钩子】gōu·zi 名❶悬挂东西或探取东西的用具，形状弯曲：火～。❷形状像钩子的东西：蝎子的～有毒。

G

缑（緱）gōu ❶〈书〉刀剑等柄上所缠的绳。❷（Gōu）名姓。

篝 gōu〈书〉笼(lóng)。

【篝火】gōuhuǒ 名 原指用笼子罩着的火，现借指在空旷处或野外架木柴、树枝燃烧的火堆：营火会上燃起熊熊的～。

鞲 gōu［鞲鞴](gōubèi）名 活塞的旧称。

gǒu （ㄍㄡ）

苟[1]（❷茍）gǒu ❶ 随便：一笔不～|不～言笑。❷苟且；姑且：～安|～全。❸（Gǒu）名姓。

苟[2] gǒu〈书〉连 假使；如果：～无民，何以有君。

【苟安】gǒu'ān 动只顾眼前，暂且偷安：～一时。

【苟存】gǒucún〈书〉动苟且生存。

【苟合】gǒuhé 动不正当地结合（指男女间）。

【苟活】gǒuhuó 动苟且图生存：忍辱～。

【苟简】gǒujiǎn〈书〉形苟且简略；草率简陋。

【苟且】gǒuqiě 形❶只顾眼前，得过且过：～偷安。❷敷衍了事；马虎；因循｜他做翻译，一字一句都不敢～。❸不正当的（多指男女关系）。

【苟全】gǒuquán 动苟且保全（生命）：～性命。

【苟同】gǒutóng〈书〉动随便地同意：未敢～。

【苟延残喘】gǒu yán cán chuǎn 勉强拖

延一口没断的气，比喻勉强维持生存。

岣 gǒu 岣嵝(Gǒulǒu)，山名，衡山主峰，也指衡山，在湖南。

狗 gǒu 名哺乳动物，种类很多，嗅觉和听觉都很灵敏，舌长而薄，可散热，毛有黄、白、黑等颜色。是人类最早驯化的家畜，有的可以训练成警犬，有的用来帮助打猎、牧羊等。也叫犬。

【狗宝】gǒubǎo 名狗的胃、胆囊、肾、膀胱中的结石，可入药。

【狗吃屎】gǒu chī shǐ 身体向前跌倒的姿势（含嘲笑意）：摔了个～。

【狗胆包天】gǒu dǎn bāo tiān 指人胆大妄为（骂人的话）。

【狗苟蝇营】gǒu gǒu yíng yíng 见 1635 页[蝇营狗苟]。

【狗獾】gǒuhuān 名哺乳动物，毛一般灰色，腹部和四肢黑色，头部有三条白色纵纹。趾端有长而锐利的爪，善于掘土，穴居在山野中。脂肪炼的獾油用来治疗烫伤等。

【狗急跳墙】gǒu jí tiào qiáng 比喻走投无路时不顾一切地行动。

【狗皮膏药】gǒupí gāo·yao 药膏涂在小块狗皮上的一种膏药，疗效比一般膏药好。旧时走江湖的人常假造这种膏药来骗取钱财，因而用来比喻骗人的货色。

【狗屁】gǒupì 名指毫无可取的话或文章（骂人的话）：～不通｜文章。

【狗屎堆】gǒushǐduī 名比喻令人深恶痛绝的人（骂人的话）。

【狗头军师】gǒutóu jūnshī 指爱给人出主意而主意并不高明的人。

【狗腿子】gǒutuǐ·zi〈口〉名指给有势力的坏人奔走帮凶的人（骂人的话）。

【狗尾草】gǒuwěicǎo 名一年生草本植物，叶子细长，花序圆柱形，穗有毛，像狗的尾巴。也叫莠(yǒu)。

【狗尾续貂】gǒu wěi xù diāo 比喻拿不好的东西接到好的东西后面，显得坏不相称（多指文学作品）。

【狗熊】gǒuxióng 名❶黑熊。❷比喻怯懦无用的人：谁英雄，谁～，咱比比！

【狗血喷头】gǒuxuè pēn tóu 形容骂得很凶。也说狗血淋头。

【狗咬狗】gǒu yǎo gǒu 比喻坏人之间互相倾轧、争斗。

【狗仗人势】gǒu zhàng rén shì 比喻仗势

欺人(骂人的话)。

【狗嘴吐不出象牙】 gǒuzuǐ tǔ ·bu chū xiàngyá 比喻坏人嘴里说不出好话来。也说狗嘴里长不出象牙。

耇(耈)
gǒu 〈书〉年老;长寿。

枸
gǒu [枸杞](gǒuqǐ)名 落叶灌木,叶子卵形或披针形,花淡紫色。果实叫枸杞子(gǒuqǐzǐ),红色浆果,圆形或椭圆形。果实和根皮可入药。
另见 481 页 gōu;738 页 jǔ。

笱
gǒu 〈方〉名 竹制的捕鱼器具,口小,鱼进去出不来。

gòu (ㄍㄡˋ)

勾(句)
gòu ❶ 同"够"(多见于早期白话)。❷(Gòu)名 姓。
另见 480 页 gōu;"句"另见 481 页 gōu;739 页 jù。

【勾当】 gòu·dàng 名 事情,今多指坏事情:罪恶~|从事走私~。

构[1](構)
gòu ❶ 名 构造;组合:~图|~词。❷ 结成(用于抽象事物):虚~|~怨。❸ 指文艺作品:佳~。❹(Gòu)名 姓。

构[2](構)
gòu 名 构树,落叶乔木,叶子卵形,叶子和茎上有硬毛,花淡绿色,雌雄异株。树皮是制造桑皮纸和宣纸的原料。也叫楮或榖。

【构成】 gòuchéng ❶ 动 形成;造成:眼镜由镜片和镜架|违法情节轻微,还没有~犯罪。❷ 名 结构①:研究所目前的人员~不太合理。

【构词法】 gòucífǎ 名 由词素构成词的方式。

【构架】 gòujià ❶ 名 建筑物的框架,比喻事物的组织结构:木~|艺术~。❷ 动 建立(多用于抽象事物):~新理论体系。

【构件】 gòujiàn 名 ❶ 组成机械内部构造的单元,可以是一个零件,也可以是由若干零件构成的刚体。❷ 组成建筑物某一结构的单元,如梁、柱。

【构建】 gòujiàn 动 建立(多用于抽象事物):~新的学科体系。

【构拟】 gòunǐ 动 构思设计:~城市新蓝图。

【构思】 gòusī 动 做文章或制作艺术品时运用心思:~精巧|艺术~|~一篇小说。

【构图】 gòutú 动 绘画时根据题材和主题思想的要求,把要表现的形象适当地组织起来,构成协调的完整的画面。

【构陷】 gòuxiàn 动 定计陷害,使别人落下罪名。

【构想】 gòuxiǎng ❶ 动 构思:~巧妙。❷ 名 形成的想法:提出体制改革的~。

【构象】 gòuxiàng 名 有机化合物分子中,由于碳原子上结合的原子(或原子团)的相对位置改变而产生的不同的空间排列方式。

【构型】 gòuxíng 名 ❶ 共价键化合物分子中各原子在空间的相对排列关系。❷ 事物的结构样式:建筑物~别致。

【构怨】 gòuyuàn 动 结怨。

【构造】 gòuzào ❶ 名 各个组成部分的安排、组织和相互关系:人体~|地层的~|句子的~。❷ 动 建造:~房屋。

【构造地震】 gòuzào dìzhèn 地震的一种,由地层发生断层而引起。波及范围广,破坏性很大。世界上 90% 以上的地震属于构造地震。

【构置】 gòuzhì 动 建构;设置:~防线|~故事情节。

【构筑】 gòuzhù 动 ❶ 建造;修筑:~工事。❷ 构建:~理论框架。

【构筑物】 gòuzhùwù 名 特种工程结构的通称,指一般不直接在里面进行生产和生活活动的工程建筑,如水塔、烟囱等。

购(購)
gòu 动 买:采~|认~公债|去书店~书。

【购并】 gòubìng 动 并购。

【购买】 gòumǎi 动 买:~年货。

【购买力】 gòumǎilì 名 ❶ 指个人或机关团体购买商品和支付生活费用的能力。❷ 指单位货币购买商品的能力。

【购销】 gòuxiāo 名 商业上的购进和销售:~两旺。

【购置】 gòuzhì 动 购买(长期使用的器物):~图书资料|为了扩大生产,这家工厂~了一批新设备。

诟(詬)
gòu 〈书〉❶ 耻辱。❷ 怒骂;辱骂:~病。

【诟病】 gòubìng 〈书〉动 指责:为世~。

【诟骂】 gòumà 〈书〉动 辱骂。

垢 gòu ❶〈书〉污秽;肮脏:蓬头～面。❷ 脏东西:油～|牙～|泥～。❸〈书〉耻辱:含～忍辱。

【垢污】 gòuwū 名 污垢。

姤 gòu 〈书〉❶ 同"遘"(gòu)。❷ 善;美好。

菲 gòu 〈书〉宫室的深处。

够(夠) gòu ❶ 动 数量上可以满足需要:钱～不～?|老觉得时间不～用|这首歌我听多少遍也听不～。❷ 动 达到某一标准或某种程度:～格|条件|绳子～不～长? ❸ 副 表示程度高:天气～冷的|这椅子～结实的。❹ 动(用手等)伸向不易达到的地方去接触或拿来:～不着|～得着。

【够本】 gòu//běn (～儿)动 ❶ 买卖不赔不赚;赌博不输不赢。❷ 比喻得失相当。

【够格】 gòu//gé (～儿)形 符合一定的标准或条件:他体力差,参加抢险不～。

【够交情】 gòu jiāo·qing ❶ 指交情很深。❷ 够朋友。

【够劲儿】 gòujìnr 〈口〉形 担负的分量极重;程度极高:一头骡子拉这么多媒,真～|这辣椒辣得真～。

【够朋友】 gòu péng·you 能尽朋友的情分。

【够呛】 gòuqiàng 同"够戗"。

【够戗】 gòuqiàng 〈方〉形 十分厉害;够受的:累得～。也作够呛。

【够瞧的】 gòuqiáo·de 〈口〉形 十分厉害;够受的:天热得真～,庄稼都晒蔫了|这个人牌气越来越大,真～。

【够受的】 gòushòu·de 〈口〉形 达到或超过人所能忍受的最大限度,含有使人受不了的意思:干了一天活儿,累得真～。

【够味儿】 gòuwèir 〈口〉形 工力达到相当高的水平;意味深长;耐人寻味:这两句他唱得挺～。

【够意思】 gòu yì·si 〈口〉❶ 达到相当的水平(多用来表示赞赏):这篇评论说得头头是道,真～。❷ 够朋友;够交情:他能抽空陪你一天,就～的|他这样做,有点儿不～。

遘 gòu 〈书〉相遇。

搆 gòu 〈书〉同"构¹"①—③。

【搆陷】 gòuxiàn 〈书〉同"构陷"。

彀¹ gòu 〈书〉张满弓弩。

彀² gòu 同"够"。

【彀中】 gòuzhōng 〈书〉名 箭能射及的范围,比喻牢笼、圈套:入我～。

雊 gòu 〈书〉野鸡叫。

媾 gòu 〈书〉❶ 结为婚姻:婚～(两家结亲)。❷ 交好:～和。❸ 交配:交～。

【媾和】 gòuhé 动 交战国缔结和约,结束战争状态。也指一国之内交战团体达成和平协议,结束战争。

觏(覯) gòu 〈书〉遇见:罕～(难得遇见)。

估 gū 动 估计;揣测:～一～这块地能收多少粮食|不要低～他的水平。
另见 492 页 gù。

【估测】 gūcè 动 估计,预测:～房地产业走势。

【估产】 gū//chǎn 动 预先估计农作物等的产量。

【估堆儿】 gū//duīr 〈口〉动 估计成堆商品的数量或价格。

【估计】 gūjì 动 根据某些情况,对事物的性质、数量、变化等做大概的推断:～他今天会来|最近几天～不会下雨。

【估价】 gūjià ❶(-//-)估计商品的价格;请给这件古董估个～价吧。❷ 对人或事物给以评价:对历史人物的～不能离开当时的历史环境。

【估量】 gū·liáng 动 估计:难以～的损失。

【估摸】 gū·mo 〈口〉动 估计:我～着他会来。

【估算】 gūsuàn 动 大致推算:～产量。

苽 gū 〈书〉同"菰"。

咕 gū 拟声 形容母鸡、斑鸠等的叫声。

【咕咚】gūdōng 〔拟声〕形容重东西落下或大口喝水的声音：大石头～一声掉到水里去了｜他拿起啤酒瓶，对着嘴～～地喝了几口。

【咕嘟】gūdū 〔拟声〕形容液体沸腾、水流涌出或大口喝水的声音：锅里的粥～～响｜泉水～～地往外冒｜小刘端起一碗水，～～地喝了下去。

【咕嘟】gū·du 〈方〉动❶长时间煮：把海带～烂了再吃。❷（嘴）撅着；鼓起：他生气了，～着嘴半天不说话。

【咕叽】gūjī 同"咕唧"(gūjī)。

【咕叽】gū·ji 同"咕唧"(gū·ji)。

【咕唧】gūjī 〔拟声〕形容水受压力而向外排出的声音：他在雨地里走着，脚底下～～地直响。也作咕叽。

【咕唧】gū·ji 动小声交谈或自言自语：他们俩交头接耳地～了半天｜他一边想心事，一边～。也作咕叽。

【咕隆】gūlōng 〔拟声〕形容雷声、大车声等：雷声～～，由远而近。

【咕噜】gūlū 〔拟声〕形容水流动或东西滚动的声音：他端起一杯水～一口就喝完了｜石头～～滚下去了。

【咕噜】gū·lu 动咕哝。

【咕哝】gū·nong 动小声说话(多指自言自语，并带不满情绪)：他低着头嘴里不知～些什么。

呱 gū 见下。
另见 495 页 guā；496 页 guǎ。

【呱呱】gūgū 〈书〉〔拟声〕形容小儿哭声：～而泣。
另见 495 页 guāguā。

【呱呱坠地】gūgū zhuì dì 指婴儿出生。

沽¹ gū 〈书〉❶买：～酒。❷卖：待价而～。

沽² Gū 名天津的别称。

【沽名】gūmíng 动故意做作或用某种手段谋取名誉：～钓誉｜～之徒。

孤 gū ❶幼年丧父或父母双亡的：～儿。❷单独；孤单：～雁｜～岛｜～掌难鸣。❸封建王侯的自称。

【孤傲】gū'ào 形孤僻高傲：～不群。

【孤本】gūběn 名指某书仅有一份在世间流传的版本，也指仅存的一份未刊手稿或原物已亡，仅存的一份拓本。

【孤雌生殖】gūcí-shēngzhí 单性生殖。

【孤单】gūdān 形❶单身无靠，感到寂寞：～一人｜她离开家乡后生活很～。❷（力量）单薄：势力～。

【孤胆】gūdǎn 形属性词。单独对许多敌人英勇作战的：～英雄。

【孤岛】gūdǎo 名❶远离大陆和其他岛屿的岛。❷比喻孤立存在的事物或孤立无援的地方：我军重重包围下的山城已成一个～。

【孤独】gūdú 形独自一个；孤单：～的老人｜儿女都出去了，他感到很～。

【孤儿】gū'ér 名❶死了父亲的儿童：～寡母。❷失去父母的儿童：～院。

【孤芳自赏】gū fāng zì shǎng 比喻自命清高，自我欣赏。

【孤负】gūfù 见 487 页【辜负】。

【孤高】gūgāo 〈书〉形高傲，不合群：性情～。

【孤寡】gūguǎ ❶名孤儿和寡妇：老弱～。❷形孤独：～老人｜家里只剩下我一个～老婆子。

【孤拐】gū·guai 〈方〉名❶颧骨。❷脚掌两旁突出的部分。

【孤寂】gūjì 形孤独寂寞：～难耐｜他一个人留在家里，感到十分～。

【孤家寡人】gūjiā guǎrén 古代君主自己谦称为孤或寡人("孤家"多见于戏曲)，现在用"孤家寡人"比喻脱离群众、孤立无助的人。

【孤军】gūjūn 名孤立无援的军队：～作战｜～深入。

【孤苦】gūkǔ 形孤单无靠，生活困苦：～伶仃｜～无依｜～的老人。

【孤苦伶仃】(孤苦零丁) gūkǔ língdīng 形容孤独困苦，无依无靠。

【孤老】gūlǎo ❶形孤独而年老。❷名孤独而年老的人：赡养～。

【孤立】gūlì ❶形同其他事物不相联系：湖心有个～的小岛｜这个事件不是～的。❷形不能得到同情和援助：～无援。❸动使得不到同情和援助：～敌人。

【孤立语】gūlìyǔ 名词根语。

【孤零零】gūlínglíng （～的）形状态词。形容孤单，无依无靠或没有陪衬：家里只剩下他～一个人｜山脚下有一间～的小草房。

【孤陋寡闻】gū lòu guǎ wén 知识浅陋，

见闻不广。

【孤僻】gūpì 形（性格）怪僻，不合群：性情～。

【孤身】gūshēn 名 孤单一人（多指没有亲属或亲属不在身边）：父母早年去世，只剩下他～一人。

【孤孀】gūshuāng 名 寡妇。

【孤行】gūxíng 动 不顾别人反对而独自行事：～己见｜一意～。

【孤掌难鸣】gū zhǎng nán míng 一个巴掌难以拍响，比喻力量单薄，难以成事。

【孤证】gūzhèng 名 单一的证据或例证。

【孤注一掷】gū zhù yī zhì 把所有的钱一下投做赌注，企图最后得胜，比喻在危急时把全部力量拿出来冒一次险。

姑¹ gū ❶（～儿）名 姑母：大～｜二～｜表～。❷ 丈夫的姐妹：大～子｜小～子。❸〈书〉丈夫的母亲：翁～。❹ 出家修行或从事迷信职业的妇女：尼～｜三～六婆。❺（Gū）名 姓。

姑² gū〈书〉副 姑且；暂且：～置勿论。

【姑表】gūbiǎo 形 属性词。一家的父亲和另一家的母亲是兄妹或姐弟的亲戚关系（区别于"姨表"）：～亲｜～兄弟｜～姐妹。

【姑夫】gū·fu 名 姑父。

【姑父】gū·fu 名 姑母的丈夫。

【姑姑】gū·gu 名 姑母。

【姑舅】gūjiù 形 属性词。姑表：～兄弟｜～姐妹。

【姑宽】gūkuān 动 姑息宽容：从严查处，决不～。

【姑老爷】gūlǎo·ye 名 岳家对女婿的尊称。

【姑姥爷】gūlǎo·ye 名 母亲的姑父。

【姑姥姥】gūlǎo·lao 名 母亲的姑母。

【姑妈】gūmā〈口〉名 姑母（指已婚的）。

【姑母】gūmǔ 名 父亲的姐妹。

【姑奶奶】gūnǎi·nai 名 ❶ 父亲的姑母。❷〈口〉娘家称已经出嫁的女儿。

【姑娘】gūniáng〈方〉名 ❶ 姑母。❷ 丈夫的姐妹。

【姑娘】gū·niang 名 ❶ 未婚的女子。❷〈口〉女儿。

【姑娘儿】gū·niangr〈方〉名 称妓女。

【姑婆】gūpó〈方〉名 ❶ 丈夫的姑母。❷ 父亲的姑母。

【姑且】gūqiě 副 表示暂时地：此事～搁

起｜我这里有台旧洗衣机，你～用着。

【姑嫂】gūsǎo 名 女子和她的弟兄的妻子的合称（嫂兼指弟妇）。

【姑妄听之】gū wàng tīng zhī 姑且听听（不必信以为真）。

【姑妄言之】gū wàng yán zhī 姑且说说（对于自己不能深信不疑的事情，说给别人时常用此语以示保留）。

【姑息】gūxī 动 无原则地宽容：决不能～贪污腐化的人。

【姑息养奸】gūxī yǎng jiān 由于无原则地宽容而助长坏人坏事。

【姑爷】gūyé 名 父亲的姑父。

【姑爷】gū·ye〈口〉名 岳家称女婿。

【姑爷爷】gūyé·ye 名 父亲的姑父。

【姑丈】gūzhàng 名 姑父。

【姑子】gū·zi〈口〉名 尼姑。

轱（軲）gū 见下。

【轱轳】gū·lu 同"轱辘"。

【轱辘】gū·lu ❶〈口〉名 车轮子。❷ 动滚动：珠子～到桌子底下去了。‖也作轱轳、毂辘。

轳（軤）gū〈书〉大骨。

骨 gū 见下。
另见 489 页 gǔ。

【骨朵儿】gū·duor〈口〉名 没有开放的花朵：花～。

【骨碌碌】gūlūlū（～的）形 状态词。形容很快地转动：他眼睛～地看看这个，又看看那个。

【骨碌】gū·lu 动 滚动：皮球在地上～｜他一～从床上爬起来。

鹕（鶘）gū 见 105 页〖鹁鸪〗，1727 页〖鹧鸪〗。

罛 gū〈书〉一种大的渔网。

菰 gū ❶ 名 多年生草本植物，生长在池沼里，花单性，紫红色。嫩茎的基部经黑粉菌寄生后，膨大，做蔬菜吃，叫茭白。❷ 同"菇"❶。

菇 gū ❶ 名 蘑菇：香～｜冬～。❷（Gū）名姓。

蛄 gū 见 614 页〖蝼蛄〗、883 页〖蝲蛄〗。
另见 491 页 gǔ。

膏 gū 见下。

【菁菨】gūtū 图骨朵儿。

【菁菨果】gūtūguǒ 图果实的一种，由一个心皮构成，子房只有一个室，成熟时，果皮仅在一面裂开，如芍药、八角茴香的果实。

辜 gū ❶罪：无～｜死有余～。❷〈书〉背弃；违背：～负｜不～信义。❸(Gū)图姓。

【辜负】(孤负) gūfù 动对不住(别人的好意、期望或帮助)：不～您的期望。

酤 gū〈书〉❶薄酒；清酒。❷买(酒)。❸卖(酒)。

觚 gū〈书〉❶古代一种盛酒的器具。❷古代写字用的木板：操～(写文章)。❸〈书〉棱角。

縠(觳) gū ［縠辘］(gū·lu)同"轱辘"。另见492页gǔ。

箍 gū ❶动用竹篾或金属条捆紧；用带子之类勒住：用铁环～木桶｜他头上～着条毛巾。❷(～儿)图紧紧套在东西外面的圈儿：柱子上围了六七道金～｜左胳膊上带着红～儿。

gǔ （ㄍㄨˇ）

古 gǔ ❶古代(跟"今"相对)：远～｜厚今薄～。❷图经历多年的：～画｜～城｜这座庙～得很。❸具有古代风格的：～拙｜～朴。❹真挚纯朴：人心不～。❺古体诗：五～｜七～。❻(Gǔ)图姓。

【古奥】gǔ'ào 形古老深奥，难于理解(多指诗文)：行文～。

【古板】gǔbǎn 形(思想、作风)固执守旧；呆板少变化：为人～｜脾气～。

【古刹】gǔchà 图古老的寺庙。

【古代】gǔdài 图❶过去距离现代较远的时代(区别于"近代、现代")。在我国历史分期上多指19世纪中叶以前。❷特指奴隶社会时代(有时也包括原始公社时代)。

【古道热肠】gǔ dào rè cháng 指待人真挚、热情。

【古典】gǔdiǎn ❶图典故。❷形属性词。古代流传下来的在一定时期认为正宗或典范的：～哲学｜～政治经济学。

【古典文学】gǔdiǎn wénxué 古代优秀的、典范的文学作品。也泛指古代的文学作品。

【古典主义】gǔdiǎn zhǔyì 西欧文学艺术上的一个流派，盛行于17世纪，延续到18世纪后期。主要特点是模仿古希腊、罗马的艺术形式，尊重传统，崇尚理性，要求均衡、简洁，表现出反封建专制和宗教权威的精神。但由于模拟多，创造少，不能反映现实。

【古董】(骨董) gǔdǒng 图❶古代留传下来的器物，可供了解古代文化参考。❷比喻过时的东西或顽固守旧的人。

【古都】gǔdū 图古代的都城：～洛阳。

【古尔邦节】Gǔ'ěrbāng Jié 图宰牲节。［古尔邦，阿拉伯qurbān］

【古方】gǔfāng (～儿)图古代传下来的药方。

【古风】gǔfēng 图❶古代的风俗习惯，多指质朴的生活作风：～犹存。❷古体诗。

【古怪】gǔguài 形跟一般情况很不相同，使人觉得诧异的；稀奇罕见的：脾气～｜样子～。

【古国】gǔguó 图历史悠久的国家。

【古话】gǔhuà 图流传下来的古人的话。

【古籍】gǔjí 图古书。

【古迹】gǔjì 图古代的遗迹，多指古代留下来的建筑物或遗址：名胜～。

【古旧】gǔjiù 形古老陈旧：～建筑。

【古来】gǔlái 副自古以来。

【古兰经】Gǔlánjīng 图伊斯兰教的经典。［古兰，也译作可兰，阿拉伯Qur'ān］

【古老】gǔlǎo 形经历了久远年代的：～的风俗｜～的民族。

【古朴】gǔpǔ 形朴素而有古代的风格：建筑风格～典雅｜笔力苍劲。

【古琴】gǔqín 图我国很古就有的一种弦乐器，用梧桐等木料做成，有五根弦，后来增加为七根，沿用到现代。也叫七弦琴。

【古人】gǔrén 图❶古代的人。❷人类学上指介于猿人与新人之间的人类。生活在距今约20余万年至4万年前。

【古色古香】gǔ sè gǔ xiāng 形容富于古雅的色彩或情调。

【古生物】gǔshēngwù 图地球上曾生存过而现已大部灭绝的古代生物。古生物的遗体、遗物和遗迹有少数变成化石保存下来，如三叶虫、猛犸、粪化石、恐龙脚印等。

【古诗】gǔshī 图❶古体诗。❷泛指古代诗歌。

【古书】gǔshū 名 古代的书籍或著作。

【古体诗】gǔtǐshī 名 唐诗以后指区别于近体诗(律诗、绝句)的一种诗体,有四言、五言、六言、七言等形式,句数没有限制,每句的字数也可以不齐,平仄和用韵都比较自由。也叫古诗或古风。

【古铜色】gǔtóngsè 名 像古代铜器的深褐色。

【古玩】gǔwán 名 古代留传下来的可供玩赏的器物。

【古往今来】gǔ wǎng jīn lái 从古代到现在:他记得许多~的故事。

【古文】gǔwén 名 ❶ 五四以前的文言文的统称(一般不包括"骈文")。❷ 汉代通行隶书,因此把秦以前的字体叫做古文,特指许慎《说文解字》里的古文。

【古文字】gǔwénzì 名 古代的文字。在我国指古代传下的篆文体系的文字,特指秦以前的文字,如甲骨文和金文。

【古物】gǔwù 名 古代的器物。

【古昔】gǔxī〈书〉名 古时候。

【古稀】gǔxī 名 指人七十岁(语本杜甫《曲江》诗"人生七十古来稀"):年近~。

【古训】gǔxùn 名 指古代流传下来的、可以作为准则的话。

【古雅】gǔyǎ 形 古朴雅致(多指器物或诗文):这套瓷器很~。

【古谚】gǔyàn 名 古代流传下来的谚语:中国有句~,只要工夫深,铁杵磨成针。

【古音】gǔyīn 名 ❶ 泛指古代的语音。❷ 专指周秦时期的语音。参看 706 页〖今音〗。

【古语】gǔyǔ 名 ❶ 古代的词语:书中个别~加了注释。❷ 古话:~说,满招损,谦受益。

【古远】gǔyuǎn 形 年代久远:~的民俗。

【古筝】gǔzhēng 名 弦乐器,木制,长形。唐宋时有十三根弦,后增至十六根,现发展到二十五根弦。

【古装】gǔzhuāng 名 古代式样的服装(跟"时装"相对):~戏。

【古拙】gǔzhuō 形 古朴少修饰:这幅画气韵~,大概出自名家之手|这个石刻形式~,看来年代很久远了。

谷¹ gǔ ❶ 两山或两块高地中间的狭长而有出口的地带(特别是当中有水

道的):万丈深~。❷(Gǔ)名 姓。

谷²**(穀)** gǔ ❶ 谷类作物:百~|五~杂粮。❷ 谷子(粟):~草|~穗儿。❸〈方〉名 稻或稻谷。
另见 1667 页 yù。

【谷草】gǔcǎo 名 ❶ 谷子(粟)脱粒后的秆,可做饲料。❷〈方〉稻草。

【谷底】gǔdǐ 名 比喻下降到的最低点:产品销售量大幅度下降,目前已跌至~。

【谷地】gǔdì 名 地面上向一定方向倾斜的低洼地,多呈长条形。如山谷、河谷。

【谷类作物】gǔlèi zuòwù 稻、麦、谷子、高粱、玉米等作物的统称。

【谷物】gǔwù 名 ❶ 谷类作物的子实。❷ 谷类作物的通称。

【谷雨】gǔyǔ 名 二十四节气之一,在 4 月 19、20 或 21 日。参看 696 页〖节气〗、363 页〖二十四节气〗。

【谷子】gǔ·zi 名 ❶ 一年生草本植物,茎直立,叶子条状披针形,有毛,穗状圆锥花序,子实圆形或椭圆形,脱壳后叫小米,我国北方的粮食作物。也叫粟(sù)。❷ 谷子的没有去壳的子实。也叫粟。❸〈方〉稻的没有去壳的子实。

汩 gǔ〈书〉水流的样子。

【汩汩】gǔgǔ 拟声 形容水流动的声音:水车转动了,河水~地流入田里。

【汩没】gǔmò〈书〉动 埋没。

诂(詁) gǔ 用通行的话解释古代语言文字或方言字义:训~|解~。

股¹ gǔ ❶名 大腿。(图见 1209 页"人的身体")❷ 名 机关组织系统中按业务划分的单位(级别一般比较低):总务~|人事~。❸(~儿)名 绳线等的组成部分:三~儿绳|把línes捻成~儿。❹(~儿)名 集合资金的一份或一笔财物平均分配的一份:一份|分~|按~均分,每~五百元。❺ 名 指股票:炒~|绩优~|垃圾~。❻(~儿)量 a)用于成条的东西:一~~线|一~泉水|上山有两~道。b)用于气体、气味、力气等:一~热气|一~香味|一~劲。c)用于成批的人(多含贬义):两~土匪|一~敌军。

股² gǔ 我国古代称不等腰直角三角形中较长的直角边。

【股本】gǔběn 名 股份公司用发行股票方式组成的资本。也指其他合伙经营的工商企业的资本或资金。

【股东】gǔdōng 名 股份公司的股票持有人,有权分享公司收益并对公司债务负责。也指其他合伙经营的工商企业的投资人。

【股东会】gǔdōnghuì 名 由公司全体股东组成的有限责任公司的权力机构。由公司全体股东组成的股份有限公司的权力机构称为股东大会。

【股匪】gǔfěi 名 成批的土匪。

【股份】(股分) gǔfèn 名 ❶ 股份公司或其他合伙经营的企业的资本单位。❷ 投入消费合作社的资金的单位。

【股份公司】gǔfèn gōngsī 实行股份制的公司。根据我国公司法的规定,指股份有限公司和有限责任公司。

【股份有限公司】gǔfèn yǒuxiàn gōngsī 企业的一种组织形式。公司的全部资本分为等额股份,股东以所持股份为限对公司承担责任,公司以其全部资产对公司的债务承担责任。股东大会是公司的权力机构。

【股份制】gǔfènzhì 名 以投资入股或认购股票的方式联合起来的企业财产组织形式,按股份多少进行收入分配。

【股肱】gǔgōng〈书〉名 比喻左右辅助得力的人。

【股骨】gǔgǔ 名 大腿中的长骨,是全身最长的骨,上端跟髋骨相连,下端跟胫骨相连。(图见 490 页“人的骨骼”)

【股海】gǔhǎi 名 比喻变化不定并充满风险的股票市场:~沉浮。

【股价】gǔjià 名 股票的价格。

【股金】gǔjīn 名 投入股份制企业或消费合作社中的股份资金。

【股利】gǔlì 名 股息和红利。

【股迷】gǔmí 名 喜欢炒股而入迷的人。

【股民】gǔmín 名 指从事股票交易的个人投资者。

【股票】gǔpiào 名 股份公司用来表示股份的证券。

【股票价格指数】gǔpiào jiàgé zhǐshù 为反映股票市场总体价格的波动和走势而编制的股价统计指标。它是股市的重要参数,也是反映宏观经济发展趋势的重要指标之一。简称股指。

【股评】gǔpíng 名 对股市行情的分析和评论:晚间~。

【股权】gǔquán 名 股东对所投资的股份公司所享有的权益。

【股市】gǔshì 名 ❶ 买卖股票的市场:香港~。❷ 指股票的行市:~暴跌。

【股息】gǔxī 名 股份公司按照股份的数量分给各股东的利润。是股利的一部分。

【股友】gǔyǒu 名 在炒股中结交的朋友,也用作股民之间的互称。

【股灾】gǔzāi 名 指因股市行情大跌而造成的严重损失。

【股指】gǔzhǐ 名 股票价格指数的简称。

【股子】gǔ·zi 量 股¹⑥。

骨 gǔ ❶ 名 骨头(gǔ·tou)①。❷ 比喻在物体内部支撑的架子:钢~水泥|龙~。❸ 品质;气概:~气|媚~|侠~。
另见 486 页 gū。

【骨刺】gǔcì 名 骨头上增生的针状物,通常引起疼痛或其他神经系统症状。

【骨顶鸡】gǔdǐngjī 名 鸟,体形较大,头颈黑色,额部有白色角质骨顶,羽毛黑灰色,腹部羽色较浅,群栖在河流、沼泽地带,善于游泳,并能潜水,吃植物嫩叶和昆虫、小鱼等。也叫白骨顶。

【骨董】gǔdǒng 见 487 页〖古董〗。

【骨朵】gǔduǒ 名 古代兵器,用铁或硬木制成,像长棍子,顶端瓜形。后来只用作仪仗,叫金瓜。

【骨感】gǔgǎn 形 指人瘦削,脂肪很少而骨头突出,给人一种身材棱角分明的感觉。

【骨干】gǔgàn 名 ❶ 长骨的中央部分,两端跟骨骺相连,里面是髓腔。(图见“骨头”)❷ 比喻在总体中起主要作用的人或事物:~分子|~企业|业务~。

【骨骼】gǔgé 名 人和动物体内或体表坚硬的组织。分两种,人和高等动物的骨骼在体内,由许多块骨头组成,叫内骨骼;节肢动物、软体动物体外的硬壳以及某些脊椎动物(如鱼、龟等)体表的鳞、甲等叫外骨骼。通常说的骨骼指内骨骼。(图见 490 页“人的骨骼”)

【骨骼肌】gǔgéjī 名 由细长圆柱形细胞组成的肌肉,细胞上横列着许多明暗相间的条纹。骨骼肌的两端附着在骨骼上,它的活动受人的意志支配。也叫横纹肌,旧称随意肌。

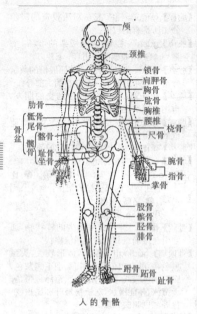


```
               ———颅
              ———颈椎
              ———锁骨
              ———肩胛骨
              ———胸骨
              ———肱骨
              ———胸椎
  肋骨———      ———腰椎
  骶骨———      
  尾骨———      
  骨           ———桡骨
  盆    髂骨—  ———尺骨
        耻骨—
        坐骨—  ———腕骨
                ———指骨
                ———掌骨

              ———股骨
              ———髌骨
              ———胫骨
              ———腓骨

              ———跗骨—跖骨
                    ———趾骨
```

人的骨骼

【骨鲠】gǔgěng〈书〉❶ 图 鱼骨头：～在喉。❷ 形 耿直：～之气｜～之臣。

【骨鲠在喉】gǔgěng zài hóu 鱼骨头卡在喉咙里，比喻心里有话没说出来，非常难受：～，不吐不快。

【骨骺】gǔhóu 图 骺。（图见"骨头"）

【骨灰】gǔhuī 图 人焚化后骨骼烧成的灰。

【骨架】gǔjià 图 骨头架子，比喻在物体内部支撑的架子：这种猪的～大，而且瘦肉率很高｜工地上耸立着房屋的～。

【骨节】gǔjié 图 骨头的关节。

【骨库】gǔkù 图 医院中储存供移植用的骨头的设备。

【骨力】gǔlì 图 ❶ 雄健的笔力：这副对联写得很有～，功夫很深。❷ 刚强不屈的气概。

【骨龄】gǔlíng 图 骨骼年龄。用 X 射线透视手腕部，根据骨骼的钙化程度，可以推测少年儿童的年龄和发育情况。

【骨膜】gǔmó 图 骨头表面的一层薄膜，由结缔组织构成，很坚韧，含有大量的血管

和神经。

【骨牌】gǔpái 图 牌类娱乐用具，每副三十二张，用骨头、竹子或乌木等制成，上面刻着以不同方式排列的从两个到十二个点子。

【骨牌效应】gǔpái xiàoyìng 见 350 页〖多米诺骨牌〗。

【骨盆】gǔpén 图 人和哺乳动物骨骼的一部分，由髋骨、骶骨和尾骨组成，形状像盆，有支撑脊柱和保护膀胱、女性子宫等脏器的作用。（图见 490 页"人的骨骼"）

【骨气】gǔqì 图 ❶ 刚强不屈的气概：他是个有～的人，宁死也不向恶势力低头。❷ 书法所表现的雄健的气势：他的字写得很有～。

【骨肉】gǔròu 图 ❶ 指父母兄弟子女等亲人：～之情｜～团聚｜亲生。❷ 比喻紧密相连、不可分割的关系：子弟兵与人民～相连。

【骨殖】gǔ·shi 图 尸骨。

【骨瘦如柴】gǔ shòu rú chái 形容非常瘦（多用于人）。

【骨髓】gǔsuǐ 图 骨头空腔中柔软像胶的物质。（图见"骨头"）

【骨痛热】gǔtòngrè 图 登革热。

【骨头】gǔ·tou 图

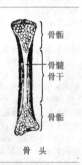

❶ 人和脊椎动物体内支持身体、保护内脏的坚硬组织，主要成分是碳酸钙和磷酸钙。根据形状的不同，分为长骨、短骨、扁骨等。❷ 比喻人的品质：懒～｜硬～。❸〈方〉比喻话里暗含的不满、讽刺等意思：话里有～。

骨　头

（标注：骨骺、骨髓、骨干、骨骺）

【骨头架子】gǔ·tou jià·zi ❶ 人或高等动物的骨骼。❷ 形容极瘦的人。

【骨头节儿】gǔ·toujiér〈方〉图 骨节。

【骨血】gǔxuè 图 骨肉①（多指子女等后代）：她确是这对夫妇的亲～。

【骨折】gǔzhé 动 由于外伤或骨组织的病变，骨头折断、变成碎块或发生裂纹。

【骨子】gǔ·zi 图 东西里面起支撑作用的

架子:伞～|扇～|钢条扎成的～。

【骨子里】gǔ·zili 名 比喻内心或实质上:他表面上不动声色,～却早有打算。

牯 gǔ 牯牛。

【牯牛】gǔniú 名 公牛。

贾(賈) gǔ ❶ 商人(古时"贾"指坐商,"商"指行商):商～|书～。❷ 做买卖:多财善～。❸〈书〉买:～马。❹〈书〉招致;招引:～祸。❺〈书〉卖:余勇可～。

另见 657 页 Jiǎ。

【贾祸】gǔhuò 〈书〉动 招来祸害:骄贪～。

【贾人】gǔrén 〈书〉名 做买卖的人。

眰 gǔ 〈方〉动 瞪大眼睛(表示不满)。

罟 gǔ 〈书〉❶ 捕鱼的网。❷ 用网捕鱼。

钴(鈷) gǔ 名 金属元素,符号 Co(cobaltum)。银白色。用来制合金和瓷器釉料等,医学上用放射性钴(钴-60)治疗恶性肿瘤。

【钴鉧】gǔmǔ 〈书〉名 熨斗。

羖(羖) gǔ 〈书〉公羊。

蛄 gǔ 见 806 页〖蝼蛄〗、806 页〖蟪蛄〗。

另见 486 页 gū。

蛊(蠱) gǔ 古代传说把许多毒虫放在器皿里使互相吞食,最后剩下不死的毒虫叫蛊,用来放在食物里害人。

【蛊惑】gǔhuò 动 毒害;迷惑:～人心。也作鼓惑。

鹄(鵠) gǔ 〈书〉射箭的目标;箭靶子:中～。

另见 576 页 hú。

【鹄的】gǔdì 〈书〉名 ❶ 箭靶子的中心;练习射击的目标:三发连中～。❷ 目的。

馉(餶) gǔ [馉饳](gǔduò)名 古时一种面制食品。

鼓 gǔ ❶(～儿)名 打击乐器,多为圆筒形或扁圆形,中间空,一面或两面蒙着皮革:腰～|手～|花～。❷ 形状、声音、作用像鼓的:石～|蛙～|耳～。❸ 使某些乐器或东西发出声音:敲～|～琴|～掌。❹ 用风箱等扇(风):～风。❺ 动 发动;振奋:～动|～励|～舞|～起勇气。❻ 动 凸

起;胀大:他～着嘴半天没出声|额上的青筋都～起来了。❼ 形 形容凸起的程度高:钱包很～|口袋装得～～的。❽(Gǔ)名 姓。

【鼓包】gǔbāo(～儿)❶(-//-)动 物体或身体上鼓起疙瘩:他的脸上鼓了一个包儿。❷ 名 物体或身体上的凸起物:头上碰了个～。

【鼓吹】gǔchuī 动 ❶ 宣传提倡:～革命。❷ 吹嘘:老在别人面前～自己。

【鼓捣】gǔ·dao 〈方〉动 ❶ 反复摆弄:他一边同我谈话,一边～收音机。❷ 挑拨;设法支使:一定是他～你去干的。

【鼓点】gǔdiǎn(～儿)名 ❶ 打鼓时的音乐节奏。❷ 戏曲中的鼓板的节奏,用来指挥其他乐器。‖也说鼓点子。

【鼓动】gǔdòng 动 ❶ 扇动:小鸟～翅膀。❷ 用语言、文字等激发人们的情绪,使他们行动起来:宣传～|经他一～,不少人都去学习电脑了。

【鼓风机】gǔfēngjī 名 产生气流的机械,常见的是在蜗牛状的外壳里装着叶轮,用于各种炉灶的送风,建筑物和矿井的通风、排气等。

【鼓鼓囊囊】gǔ·gunāngnāng(～的)形 状态词。形容口袋、包裹等填塞得凸起的样子:背包装得～。

【鼓惑】gǔhuò 同"蛊惑"。

【鼓角】gǔjiǎo 名 古代军队中用来发出号令的战鼓和号角:～齐鸣。

【鼓劲】gǔ//jìn(～儿)动 鼓动情绪,使振作起来:互相～。

【鼓励】gǔlì 动 激发;勉励:车间主任～大家努力完成增产指标|大家的赞扬给了他很大的～。

【鼓楼】gǔlóu 名 旧时城市中设置大鼓的楼,楼内按时敲鼓报告时辰。

【鼓膜】gǔmó 名 外耳和中耳之间的薄膜,由纤维组织构成,椭圆形,半透明。内表面与听小骨相连,外界的声波震动鼓膜,使听小骨发生振动。(图见 360 页"人的耳朵")

【鼓弄】gǔ·nong〈口〉动 摆弄:这孩子就喜欢～积木。

【鼓儿词】gǔrcí 名 大鼓的唱词。

【鼓师】gǔshī 名 戏曲乐队中敲击板鼓的人。

【鼓手】gǔshǒu 图 乐队中打鼓的人。

【鼓书】gǔshū 图 大鼓(曲艺的一种)。

【鼓舞】gǔwǔ ❶ 勔 使振作起来,增强信心或勇气:～人心|～士气。❷ 围 兴奋;振作:令人|欢欣～。

【鼓乐】gǔyuè 图 敲鼓声和奏乐声:～齐鸣,～喧天。

【鼓噪】gǔzào 勔 古代指出战时擂鼓呐喊,以壮声势。今泛指喧嚷:～一时。

【鼓掌】gǔzhǎng 勔 拍手,多表示高兴、赞成或欢迎:当贵宾们进入会场时,大家热烈～。

【鼓胀】gǔzhàng ❶ 勔 凸起;胀起:手背上暴出几条～的青筋。❷ 图 中医指由水、气、淤血、寄生虫等原因引起的腹部膨胀的病。也作臌胀。

穀(轂) gǔ 图 车轮的中心部分,有圆孔,可以插轴。(图见898页"轮子")

另见487页 gū。

榾 gǔ [榾柮](gǔduò)〈方〉图 木头块;树根墩子。

縠 gǔ 图 构2。

瞂 gǔ 又 jiǎ 〈书〉福。

鶻(鶻) gǔ [鶻鸼](gǔzhōu)图 古书上说的一种鸟。

另见576页 hú。

穀1 gǔ 〈书〉❶ 善;好:～旦(吉利的日子)。❷ 俸禄。

穀2 gǔ 见488页"谷2"。

盬 gǔ [盬子](gǔ·zi)图 烹饪用具,周围陡直的深锅,一般用沙土烧制,也有铁制的:沙～|瓷～。

臌 gǔ 鼓胀:水～|气～。

瞽 gǔ 〈书〉❶ 眼睛瞎:～者。❷ 指没有识别能力的:～说(不达事理的言论)。

【瞽言】gǔyán 〈书〉图 没有根据或不合情理的话(多用作谦辞):～议。

鹽 gǔ 〈书〉❶ 盐池。❷ 不坚固。❸停止。

濲 gǔ 濲水(Gǔshuǐ),地名,在湖南。今作谷水。

gù （ㄍㄨˋ）

估 gù [估衣](gù·yi)图 出售的旧衣服或原料较次、加工较粗的新衣服:～铺。

另见484页 gū。

固1 gù ❶ 结实;牢固:稳～|加～|本～枝荣。❷ 坚硬:～体|凝～。❸ 坚决地;坚定地:～辞|～请|～守阵地。❹ 使坚固:～本|～防。❺〈书〉鄙陋:～陋。❻ 同"痼":～疾|～习。❼ (Gù)图 姓。

固2 gù 〈书〉❶ 副 本来;原来:～有|～当如此|～所愿也。❷ 连 固然:坐车～可,坐船亦无不可。

【固步自封】gù bù zì fēng 同"故步自封"。

【固辞】gùcí 〈书〉勔 坚决推辞:～不就。

【固氮】gùdàn 勔 土壤中的某些微生物把空气中的氮转变为植物可以吸收和利用的氮或其他含氮有机物。

【固定】gùdìng ❶ 围 不变动或不移动的(跟"流动"相对):～职业|～资产。❷ 勔使固定:把聘任制～下来。

【固定汇率】gùdìng huìlǜ 兑换比例基本稳定,在限定的幅度内波动的汇率。

【固定价格】gùdìng jiàgé 不变价格。

【固定资产】gùdìng zīchǎn 单位价值在规定限额以上、使用期限在一年以上,能作为劳动资料或其他用途的财产,例如厂矿、企业、机关、学校中的房屋、机器、运输设备、家具、图书等(跟"流动资产"相对)。

【固定资金】gùdìng zījīn 企业用于购置机器设备、运输工具和其他耐用器材以及修建厂房、职工住宅等的资金。按用途可分为生产固定资金和非生产固定资金(跟"流动资金"相对)。

【固化】gùhuà 勔 ❶ 使(液体等)凝固:～剂。❷ 使固定;变固定(多用于抽象事物):～双方合作关系|防止观念～。

【固陋】gùlòu 〈书〉围 见闻不广。

【固然】gùrán 连 ❶ 表示承认某个事实,引起下文转折:这样办～稳,但是太费事。❷ 表示承认甲事实,也不否认乙事实:意见对,～应该接受,就是不对也可作为参考。

【固若金汤】gù ruò jīn tāng 形容城池或

阵地坚固,不易攻破(金:指金属造的城;汤:指滚水的护城河)。

【固沙】gùshā 动 使流沙固定不再移动:～造林|～植物。

【固守】gùshǒu 动 ❶ 坚决地守卫:～阵地|据险～。❷ 主观固执地遵循:～成法。

【固态】gùtài 名 物质的固体状态,是物质存在的一种形态。

【固体】gùtǐ 名 有一定体积和一定形状,质地比较坚硬的物体。在常温下,钢、铁、岩石、木材、玻璃等都是固体。

【固习】gùxí 同"痼习"。

【固有】gùyǒu 形 属性词。本来有的;不是外来的:～文化。

【固执】gù·zhi 形 (性情或态度)古板执著,不肯变通:性情～。

【固执己见】gù zhí jǐjiàn 顽固坚持自己的意见,不肯改变。

故¹ gù ❶ 事情;事故:细～|变～。❷ 缘故;原因:无～缺勤|不知何～。❸ 副 故意;有意:～作镇静|明知～犯。❹ 连 因此;所以:因大雨,～未能如期起程。❺ (Gù)名 姓。

故² gù ❶ 原来的;从前的;旧的:～址|～乡|依然～我。❷ 朋友;友情:亲～|沾亲带～。❸ 动 (人)死亡:病～|染病身～|父母早～。

【故步自封】gù bù zì fēng 比喻安于现状,不求进步(故步:走老步子;封:限制住)。也作固步自封。

【故常】gùcháng 〈书〉名 惯例;旧例:习为～|囿于～。

【故此】gùcǐ 连 因此;所以:今天天气不好,登山活动～作罢。

【故道】gùdào 名 ❶ 从前走过的道路;老路。❷ 水流改道后的旧河道:黄河～。

【故地】gùdì 名 曾经居住过的地方:～重游。

【故都】gùdū 名 过去的国都。

【故而】gù'ér 连 因而;所以:听说老人家身体欠安,～特来看望。

【故宫】gùgōng 名 旧王朝的宫殿,特指北京的明清故宫。

【故国】gùguó 〈书〉名 ❶ 历史悠久的国家。❷ 祖国。❸ 故乡。

【故伎】gùjì 同"故技"。

【故技】gùjì 名 老花招;老手法:～重演。

也作故佞。

【故交】gùjiāo 〈书〉名 老朋友:～新知。

【故旧】gùjiù 〈书〉名 故友②(总称):亲戚～。

【故居】gùjū 名 曾经居住过的房子:鲁迅～。

【故里】gùlǐ 名 故乡;老家:荣归～。

【故弄玄虚】gù nòng xuánxū 故意玩弄使人迷惑的花招。

【故去】gùqù 动 死去(多指长辈):父亲～快三年了。

【故人】gùrén 名 ❶ 老朋友;故友②:过访～。❷ 死去的人:不料一别之后,竟成～。

【故杀】gùshā 动 故意杀害(区别于"误杀")。

【故实】gùshí 名 ❶ 以往的有历史意义的事实。❷ 出处;典故。

【故世】gùshì 动 去世。

【故事】gùshì 名 旧日的行事制度;例行的事:虚应～|奉行～(按老规矩办事)。

【故事】gù·shi 名 ❶ 真实的或虚构的用作讲述对象的事情,有连贯性,富吸引力,能感染人:神话～|民间～|讲～。❷ 文艺作品中用来体现主题的情节:～性。

【故事片儿】gù·shipiānr 〈口〉名 故事片。

【故事片】gù·shipiàn 名 表演故事的影片。

【故书】gùshū 名 ❶ 古书。❷ 旧书。

【故态】gùtài 名 旧日的情况或态度。

【故态复萌】gùtài fù méng 旧日的习气或老毛病重新出现。

【故土】gùtǔ 名 故乡:怀念～|～难离。

【故我】gùwǒ 名 旧日的我:依然～。

【故习】gùxí 名 旧习:一改～。

【故乡】gùxiāng 名 出生或长期居住过的地方;家乡;老家。

【故意】gùyì ❶ 副 有意识地(那样做):他～把声音提高,好引起大家的注意|他撞了你并不是～的。❷ 名 法律上指行为人明知自己行为会造成侵害他人或危害社会的后果,而仍然希望或放任结果发生的心理:存在伤害对方的～。

【故友】gùyǒu 名 ❶ 死了的朋友。❷ 旧日的朋友;老朋友:～重逢。

【故园】gùyuán 名 故乡:～风物依旧。

【故障】gùzhàng 名 (机械、仪器等)发生的障碍或毛病:排除～。

【故知】gùzhī〈书〉名 老朋友;故友②。

【故址】gùzhǐ 名 旧址。

【故纸堆】gùzhǐduī 名 指数量很多并且十分陈旧的书籍、资料等。

【故智】gùzhì〈书〉名 以前用过的计谋:袭用前人~。

顾¹(顧) gù ❶ 动 转过头看;看:环~|四~|相~一笑。❷ 动 注意;照管:兼~|事太多,~不过来。❸ 动 拜访:三~茅庐。❹ 动 商店或服务行业指人前来购买东西或要求服务:光~|惠~|~客。❺ 动 珍惜;顾念:~恋|奋不~身。❻ (Gù)名 姓。

顾²(顧) gù〈书〉❶ 连 但是。❷ 副 反而。

【顾此失彼】gù cǐ shī bǐ 顾了这个,顾不了那个。

【顾及】gùjí 动 照顾到;注意到:无暇~|既要~生产,又要~职工生活。

【顾忌】gùjì 动 恐怕对人或对事情不利而有顾虑:无所~。

【顾家】gù//jiā 动 顾念家庭,多指照管家务等:他总是出差,顾不了家。

【顾客】gùkè 名 商店或服务行业称来买东西或要求服务的人:~至上。

【顾怜】gùlián 动 顾念爱怜:我这样做是为了~他。

【顾脸】gù//liǎn〈口〉动 顾惜脸面:不~|都到这份儿上了,你还顾什么脸。

【顾恋】gùliàn 动 顾念;留恋:~老小|~子女。

【顾虑】gùlǜ ❶ 动 恐怕对自己、对别人或对事情不利而不敢照自己本意说话或行动。❷ 名 因担心对自己、对别人或对事情不利而产生的顾忌和忧虑:打消~|~重重。

【顾名思义】gù míng sī yì 看到名称,就联想到它的意义:川剧,~,就是流行于四川一带的地方戏。

【顾念】gùniàn 动 惦念;顾及:承您老人家这样~我们。

【顾盼】gùpàn 动 向两旁或周围看来看去:左右~。

【顾盼自雄】gùpàn zì xióng 形容自以为了不起。

【顾全】gùquán 动 顾及,使不受损害:~大局|~面子。

【顾问】gùwèn 名 有某方面的专门知识,供个人或机关团体咨询的人:法律~。

【顾惜】gùxī 动 ❶ 顾全爱惜:~身体|~国家财产。❷ 照顾怜惜:大家都很~这个没爹没娘的孩子。

【顾绣】gùxiù 名 指沿用明代顾氏绣法制成的刺绣,所绣花鸟人物形象逼真。

【顾影自怜】gù yǐng zì lián 望着自己的影子,自己怜惜自己,形容孤独失意的样子。也指自我欣赏。

【顾主】gùzhǔ 名 顾客。

堌 gù 堤(多用于地名):青~集|龙~(都在山东)。

梏 gù 古代木制的手铐:桎~。

崮 gù 四周陡峭,顶上较平的山(多用于地名):孟良~|抱犊~(都在山东)。

牿 gù〈书〉❶ 绑在牛角上使牛不得顶人的横木。❷ 养牛马的圈(juàn)。

雇(僱) gù ❶ 动 出钱让人给自己做事:~用|~保姆。❷ 动 出钱使别人用车、船等给自己服务:~车|~船。❸ (Gù)名 姓。

【雇工】gùgōng ❶ (-//-)动 雇用工人。❷ 名 受雇用的工人。❸ 名 指雇农。

【雇农】gùnóng 名 旧社会农村中的长工、月工、零工等。没有或只有极少量的土地和生产工具,主要依靠出卖劳动力为生。

【雇请】gùqǐng 动 出钱请人替自己做事:~厨师。

【雇凶】gùxiōng 动 出钱雇用凶手:~杀人。

【雇佣】gùyōng 动 用货币购买劳动力。

【雇佣兵役制】gùyōng bīngyìzhì 某些国家施行的一种招募士兵的制度,形式上是士兵自愿应募,实质上是雇佣。

【雇佣观点】gùyōng guāndiǎn 工作中缺乏主人翁思想而采取的拿一分钱干一分活的消极态度。

【雇佣劳动】gùyōng láodòng 受雇于资本家的工人的劳动。在资本主义制度下,被剥夺了生产资料的劳动者被迫把劳动力当做商品出卖给资本家,为资本家创造剩余价值。

【雇用】gùyòng 动 出钱让人为自己做事:~临时工。

【雇员】gùyuán 名 被雇用的职员或编制

以外的临时工作人员。

【雇主】gùzhǔ 名 雇用雇工或车船等的人。

锢（錮）gù ❶ 熔化金属堵塞（金属器物的缝隙）。❷〈书〉禁锢：党~。

【锢漏】gù·lou 同"锢露"。

【锢露】gù·lou 动 用熔化的金属堵塞金属器物的漏洞：~锅。也作锢漏。

痼gù 经久难治愈的；长期养成不易克服的：~疾｜~习｜~癖。

【痼弊】gùbì 名 长期存在不易消除的弊病。

【痼疾】gùjí 名 经久难治愈的病：医学越来越发达，很多所谓~都能治好。

【痼癖】gùpǐ 名 长期养成不易改掉的癖好。

【痼习】gùxí 名 长期养成不易改掉的习惯。也作固习。

鲴（鯝）gù 名 鱼，体侧扁，长30厘米左右，口小。生活在河流、湖泊中，吃藻类和其他水生植物。

---

guā（ㄍㄨㄚ）

瓜guā 名 ❶ 蔓生植物，叶子像手掌，花多是黄色，果实可以吃。种类很多，如西瓜、南瓜、冬瓜、黄瓜等。❷ 这种植物的果实。❸（Guā）姓。

【瓜代】guādài〈书〉动 春秋时齐襄公叫连称和管至父两个人去戍守葵丘地方，那时正当瓜熟的季节，就对他们说，明年吃瓜的时候叫人来接替（见于《左传·庄公八年》）。后来把任期已满换人接替叫做瓜代。

【瓜分】guāfēn 动 像切瓜一样地分割或分配，多指分割疆土。

【瓜葛】guāgé 名 瓜和葛都是蔓生的植物，能缠绕或攀附在别的物体上，比喻辗转相连的社会关系，也泛指两件事情互相牵连的关系：他与此事没有~。

【瓜农】guānóng 名 以种瓜为主的农民。

【瓜皮帽】guāpímào（~儿）名 像半个西瓜皮形状的旧式便帽，一般用六块黑缎子或绒布连缀制成。

【瓜片】guāpiàn 名 绿茶的一种。产于安徽六安、霍山一带。

【瓜期】guāqī〈书〉名 指任职期满换人接替的日期。参看〖瓜代〗。

【瓜熟蒂落】guā shú dì luò 比喻条件成熟了，事情自然就会成功。

【瓜田李下】guā tián lǐ xià 古诗《君子行》："瓜田不纳履，李下不正冠。"经过瓜田，不弯下身来提鞋，免得人家怀疑摘瓜；走过李树下面，不举起手来整理帽子，免得人家怀疑摘李子。后用"瓜田李下"比喻容易引起嫌疑的地方。

【瓜子】guāzǐ（~儿）名 ❶ 瓜的种子，特指炒熟做食品的西瓜子、南瓜子等。❷ 指葵花子。

【瓜子脸】guāzǐliǎn 名 指微长而窄，上部略圆，下部略尖的面庞。

呱guā 见下。
另见 485 页 gū；496 页 guǎ。

【呱哒】guādā 同"呱嗒"（guādā）。

【呱哒】guā·da 同"呱嗒"（guā·da）。

【呱嗒】guādā 拟声 形容清脆、短促的撞击声：地是冻硬的，走起来~~地响。也作呱哒。

【呱嗒】guā·da〈方〉动 ❶ 因不高兴而板起（脸）：~着脸，半天不说一句话。❷ 说话（含贬义）：乱~一阵。‖也作呱哒。

【呱嗒板儿】guā·dabǎnr 名 ❶ 演唱快板儿等打拍子用的器具，由两块大竹板或若干块小竹板用绳连接而成。❷〈方〉趿拉板儿（tā·labǎnr）。

【呱呱】guāguā 拟声 形容鸭子、青蛙等的响亮的叫声。
另见 485 页 gūgū。

【呱呱叫】guāguājiào〈口〉形 状态词。形容极好：他象棋下得~。也作刮刮叫。

【呱唧】guā·ji ❶ 拟声 形容鼓掌等的声音。❷ 动 指鼓掌：欢迎小王唱个歌，大家给他~~。

刮[1]guā 动 ❶ 用刀等贴着物体的表面移动，把物体表面上的某些东西去掉或取下来：~胡子｜~锅｜~下一层皮。❷ 在物体表面上涂抹（多用于糨糊一类稠东西）：~糨子。❸ 搜刮（财物）。

刮[2]（颳）guā 动（风）吹：又一起风来了！

【刮鼻子】guā bí·zi ❶ 用食指刮对方的鼻子，表示处罚对方（多用在玩牌游戏时）。❷ 刮自己的鼻子，表示使对方感到羞臊或难为情。❸〈方〉比喻训斥或斥责：他让连长狠狠地刮了顿鼻子。

【刮刀】guādāo 名 手工工具,条形,横剖面有扁平形、半圆形、三角形等不同形状。主要用来刮去工件表面的微量金属,提高工件的外形精度,降低粗糙度。

【刮地皮】guā dìpí 比喻搜刮民财。

【刮宫】guā∥gōng 把子宫口扩大,用特制的医疗器械去掉胚胎或子宫的内膜。刮宫手术多用于人工流产。

【刮刮叫】guāguājiào 同"呱呱叫"。

【刮脸】guā∥liǎn 动 用剃刀等把脸上的胡须和汗毛刮掉。

【刮脸皮】guā liǎnpí〈方〉用手指头在脸上划,表示对方不知羞耻。

【刮目】guāmù 动 指彻底改变眼光:令人~|~相看。

【刮目相待】guāmù xiāng dài 刮目相看。

【刮目相看】guāmù xiāng kàn 用新的眼光来看待。也说刮目相待。

【刮痧】guā∥shā 民间治疗某些疾病的方法,用铜钱等物蘸水或油刮患者的胸、背等处,使局部皮肤充血,减轻内部炎症。

【刮舌子】guāshé·zi 名 刮除舌面污垢的用具。

括 guā 见1362页〖挺括〗。
另见802页kuò。

苦

胍 guā〖苦蒌〗(guālóu)同"栝楼"。

guā 名 有机化合物,化学式 CH_5N_3。无色晶体,容易潮解。用来制磺胺类药物和染料等。[英 guanidine]

栝 guā ❶ 古书上指桧(guì)树。❷〈书〉箭末扣弦处。
另见802页kuò。

【栝楼】guālóu 名 ❶ 多年生草本植物,茎上有卷须,叶子心脏形,花白色,果实卵圆形,黄色,种子椭圆形。茎、叶、种子和块根可入药,块根入药叫天花粉。❷ 这种植物的果实。‖也作苦蒌。

绵(綱) guā ❶〈书〉紫青色的绶(丝带)。❷ 图 古时女子头发束为一绵。

骊(騧) guā 古代指黑嘴的黄马。

鸹(鴰) guā 见818页〖老鸹〗。

劀 guā〈书〉刮去。

---

guǎ （ㄍㄨㄚˇ）

呱 guǎ 见804页〖拉呱儿〗。
另见485页 gū;495页 guā。

剐(剮) guǎ 动 ❶ 割肉离骨,指封建时代的凌迟刑:千刀万~。❷ 尖锐的东西划破:手上~了一个口子。

寡 guǎ ❶ 少;缺少(跟"众、多"相对):~欢|~言|~不敌众|孤陋~闻。❷ 淡而无味:清汤~水。❸ 妇女死了丈夫:守~|~居。

【寡不敌众】guǎ bù dí zhòng 人少的一方抵挡不住人多的一方。

【寡淡】guǎdàn 形 ❶（味道）不浓:菜味~。❷ 没有趣味;缺少情趣:兴味~。

【寡妇】guǎ·fu 名 死了丈夫的女人。

【寡合】guǎhé〈书〉动 不易跟人合得来:性情孤僻,落落~。

【寡欢】guǎhuān 形 缺少欢乐,不高兴:郁郁~。

【寡酒】guǎjiǔ 名 喝酒不就菜或无人陪着叫吃寡酒。

【寡居】guǎjū 动 守寡:~多年。

【寡廉鲜耻】guǎ lián xiǎn chǐ 不廉洁,不知羞耻。

【寡情】guǎqíng 形 缺乏情义;薄情。

【寡人】guǎrén 名 古代君主的自称。

【寡头】guǎtóu 名 掌握政治、经济大权的少数头子:金融~。

【寡头政治】guǎtóu zhèngzhì 由少数统治者操纵一切的政治制度,如古代罗马的贵族政权。

【寡味】guǎwèi 形 没有滋味;缺乏意味:茶饭~|他的讲话索然~。

【寡言】guǎyán 形 很少说话;不爱说话:沉默~|憨厚~|~少语。

---

guà （ㄍㄨㄚˋ）

卦 guà 名 古代的占卜符号,后也指迷信占卜活动所用的器具:占~|打~|求签。

【卦辞】guàcí 名 彖辞(tuàncí)。

诖(詿) guà〈书〉❶ 欺骗。❷ 牵累;贻误:~误。

【诖误】guàwù 〈书〉动 被别人牵连而受到处分或损害。也作罣误。

挂(掛) guà ❶ 动 借助于绳子、钩子、钉子等使物体附着于某处的一点或几点:~钟|把大衣~在衣架上|墙上~着一幅世界地图◇一轮明月~在天上。❷ 动 (案件等)悬而未决;搁置:这个案子还~着呢|一时不好处理的问题先~起来。❸ 动 把话筒放回电话机上使电路断开:电话先不要~,等我查一下。❹ 动 指交换机接通电话,也指打电话:请你~总务科|给防汛指挥部一个电话。❺ 动钩:钉子把衣服~住了。❻ 动 (内心)牵挂:他总是~着家里的事。❼ 动 (物体表面)蒙上;糊着:衣服上~了一层尘土|瓦器外面~一层釉◇脸上~着笑。❽ 动 登记:~失|一个~号。❾ 量 多用于成套或成串的东西:一~四轮大车|十多~鞭炮。

【挂碍】guà'ài 动 牵挂;牵掣:心中无所~。

【挂表】guàbiǎo 〈方〉名 怀表。

【挂不住】guà·buzhù 〈方〉动 因羞辱而沉不住气:他受到一点儿批评就~了。

【挂彩】guà//cǎi 动 ❶ 悬挂彩绸,表示庆贺:披红~。❷ 指作战负伤流血:在战斗中,几个战士挂了彩。

【挂车】guàchē 名 由机车或汽车牵引而本身没有动力装置的车辆。

【挂齿】guàchǐ 动 说起;提起(常用作客套话):这点小事,何足~。

【挂锄】guà//chú 动 指一年的锄地工作结束。

【挂单】guàdān 动 (游方和尚)到庙里投宿。

【挂挡】guà//dǎng 动 把汽车、拖拉机等的操纵杆从空挡的位置扳到一定的位置,使变速器中的相关齿轮啮合在一起,以行驶并获得相应的速度。

【挂斗】guàdǒu 名 拖在汽车、拖拉机等后边装货的车辆,一般较小,没有动力装置。

【挂钩】guàgōu ❶ (-/-)动 用钩把两节车厢连接起来。❷ (-/-)动 比喻建立某种联系:企业直接跟原料产地~|这两个单位早就挂起钩来了。❸ 名 用来吊起重物或把车厢等连接起来的钩:吊车~|火车~。

【挂冠】guàguān 〈书〉动 指辞去官职:~归隐。

【挂果】guà//guǒ 动 (果树)结果实:三年成林,五年~|这片苹果树今年第一次挂了果。

【挂号】guà//hào 动 ❶ 为了确定次序并便于查核而编号登记:看病要先~。❷ 重要信件和印刷品付邮时由邮局登记编号,给收据,叫挂号。挂号邮件如有遗失,由邮局负责追查。

【挂花】guà//huā 动 ❶ (树木)开花:正是梨树~的时候,远远望去一片雪白。❷ 指作战负伤流血:排长~了,班长代替指挥他腿上挂过两次花。

【挂怀】guàhuái 动 挂念;挂心:区区小事,不必~。

【挂幌子】guà huǎng·zi 〈方〉❶ 在商店门前悬挂表示所售货物的标志或象征营业的记号,如颜料店漆成五色的小棍,饭铺挂笊篱。❷ 比喻某种迹象显露在外面:他刚才准是喝了酒,脸上都~了(指脸红)。

【挂火】guàhuǒ (~儿)〈方〉动 发怒;生气:有话慢慢说,别~。

【挂机】guà//jī 将话筒放回电话机上使电路断开。

【挂记】guà·jì 动 挂念;惦记:你安心在外面工作,家里的事用不着~。

【挂甲】guàjiǎ 动 指军人退役:~归田◇女排几位老队员先后~离队。

【挂件】guàjiàn 名 挂在墙壁上、脖子上或其他物体上的装饰品:金~|玉石~。

【挂镜线】guàjìngxiàn 名 钉在室内四周墙壁上部的水平木条,用来悬挂镜框、画幅等。也叫画镜线。

【挂靠】guàkào 动 机构或组织从属或依附于另一机构或组织叫挂靠:~单位|旅游协会~在旅游局。

【挂累】guàlèi 动 牵挂;连累:没有任何~|受此事~的人很多。

【挂历】guàlì 名 挂在墙上用的月历。

【挂镰】guà//lián 动 指一年中最后一茬庄稼的收割工作结束。

【挂零】guàlíng (~儿)动 整数外还有少量零数:他看样子顶多四十~儿。

【挂漏】guàlòu 挂一漏万:~之处,在所难免。

【挂虑】guàlǜ 动 挂念,不放心:出差在外,十分～家里的孩子。

【挂面】guàmiàn 名 特制的面条,线状或带状,因悬挂晾干得名。

【挂名】guà∥míng (～儿)动 担当头名义,不做实际工作:～充数|他这个顾问不过是挂个名。

【挂念】guàniàn 动 因想念而放心不下:母亲十分～在外地念书的儿子。

【挂拍】guàpāi 动 ❶ 指乒乓球、羽毛球、网球等运动员结束运动生涯,不再参加正规训练和比赛。❷ 指乒乓球、羽毛球、网球等比赛结束:全国少年乒乓球赛~。

【挂牌】guà∥pái 动 ❶ 指医生、律师等正式开业:他行医多年,在上海和北京都挂过牌。❷ 指某些单位正式成立或开始营业:公司将在年底～营业。❸ 指股票等在证券市场上市。❹ 体育主管部门公布要求转换所属职业体育组织的人员名单叫挂牌。❺ (～儿)医生、售货员、服务员等工作时胸前佩戴印有姓名、号码等的标牌:～服务|～上岗。

【挂屏】guàpíng (～儿)名 贴在带框的木板上或者镶在镜框里悬挂的屏。

【挂牵】guàqiān 动 挂念;牵挂。

【挂欠】guàqiàn 动 赊欠。

【挂失】guà∥shī 动 遗失票据或证件时,到原发的机关去登记,声明作废。

【挂帅】guà∥shuài 动 掌帅印,当元帅,比喻居于领导、统帅地位:厂长～抓环保工作。

【挂锁】guàsuǒ 名 一种用时挂在屈戌儿的环孔中的锁。

【挂毯】guàtǎn 名 壁毯。

【挂图】guàtú 名 挂起来看的大幅地图、图表或图画:地理教学～。

【挂孝】guà∥xiào 动 戴孝。

【挂心】guàxīn 动 牵挂在心上;挂念:他～家里,恨不得马上赶回去。

【挂靴】guàxuē 动 指足球、滑冰、田径等运动员运动生涯结束,不再参加正规训练和比赛。

【挂羊头卖狗肉】guà yángtóu mài gǒuròu 比喻用好的名义做幌子,实际上做坏事。

【挂一漏万】guà yī lòu wàn 形容列举不全,遗漏很多。

【挂账】guà∥zhàng 动 赊账。

【挂职】guàzhí 动 ❶ 临时担任某种职务(以进行锻炼):这位作家～副县长,深入生活搜集创作素材。❷ 保留原职务(下放到基层单位工作):～下放。

【挂钟】guàzhōng 名 挂在墙上的时钟(区别于"座钟")。

【挂轴】guàzhóu (～儿)名 装裱成轴可以悬挂的字画。

绀(絓) guà 〈书〉绊住;阻碍。

罫(罣) guà 同"挂"⑥。

【罫误】guàwù 同"诖误"。

褂 guà (～儿)褂子:短～儿|小～儿(短的)|大～儿(长的)|马～儿。

【褂子】guà·zi 名 中式的单上衣。

guāi(ㄍㄨㄞ)

乖[1] guāi 形 ❶ (小孩儿)不闹;听话:小宝贝很～,阿姨都喜欢他。❷ 伶俐;机警:这孩子嘴～|上了一次当,他也学得～多了。

乖[2] guāi 〈书〉 ❶ 违反;背离:～违|有～人情。❷ (性情、行为)不正常:～戾|～谬。

【乖舛】guāichuǎn 〈书〉形 ❶ 荒谬;错误。❷ 不顺遂:命途～。

【乖乖】guāiguāi ❶ (～儿的)形 顺从;听话:孩子们都～儿地坐着听阿姨讲故事。❷ 名 对小孩儿的爱称。

【乖乖】guāi·guai 叹 表示惊讶或赞叹:～,外边真冷!|～,这艘船真大!

【乖蹇】guāijiǎn 〈书〉形 (命运)不好:时运～。

【乖觉】guāijué 形 机警;聪敏:～伶俐|小松鼠～得很,听到响声就跑了。

【乖剌】guāilà 〈书〉形 违背常情:乖戾;措～。

【乖戾】guāilì 〈书〉形 (性情、言语、行为)别扭,不合情理:性情～|语多～。

【乖谬】guāimiù 形 荒谬反常:这人性情怪僻,行动多有～难解之处。

【乖僻】guāipǐ 形 怪僻;乖戾:性情～。

【乖巧】guāiqiǎo 形 ❶ (言行等)合人心意;讨人喜欢:为人～。❷ 机灵:～伶俐|

又顽皮又～的孩子。

【乖违】guāiwéi 〈书〉动❶错乱反常：寒暑～。❷违背；背离。❸离别；分离。

【乖张】guāizhāng 形❶怪僻，不讲情理：脾气～|行为～。❷〈书〉不顺：命运～。

掴（摑）guāi 又 guó 动 用巴掌打：～了他一记耳光。

guǎi （ㄍㄨㄞˇ）

拐¹（❺柺）guǎi ❶动 转变方向：那人～进胡同里去了|前面不能通行，～回来吧! ❷〈方〉弯曲处；角：墙～|门～。❸动 瘸：他一～一～地走了过来。❹数 说数字时在某些场合用来代替"7"。❺名 下肢患病或有残疾的人走路拄的棍子，上端有短横木便于放在腋下拄着走。

拐² guǎi 动 拐骗：诱～|～款潜逃。

【拐棒】guǎibàng （～儿）名 弯曲的棍子。

【拐脖儿】guǎibór 名 弯成直角的铁皮烟筒，用来连接两节烟筒，使互相垂直。

【拐带】guǎidài 动 用欺骗手段把妇女或小孩儿携带远走：～人口。

【拐点】guǎidiǎn 名❶高等数学上指曲线上凸与下凹的分界点。❷经济学上指某种经济数值持续向高后转低或持续向低后转高的转折点：经济运行出现回升～。

【拐棍】guǎigùn （～儿）名 走路时拄的棍子，手拿的一头多是弯曲的。

【拐角】guǎijiǎo （～儿）名 拐弯儿的地方：那个小商店就在胡同的～。

【拐卖】guǎimài 动 拐骗并卖掉（人）：～妇女|～人口。

【拐骗】guǎipiàn 动 用欺骗手段弄走（人或财物）：～钱财|～儿童。

【拐弯】guǎiwān （～儿）❶（-//-）行路转方向：拐了三道弯儿|车辆～要慢行。❷（-//-）动（思路、语言等）转变方向：她的思想一时拐不过弯儿来。❸名 拐角。

【拐弯抹角】guǎi wān mò jiǎo ❶沿着弯弯曲曲的路走。❷比喻说话、写文章不直截了当。

【拐枣】guǎizǎo 名 枳椇。

【拐杖】guǎizhàng 名 拐棍。

【拐子】¹ guǎi•zi 〈口〉名 腿脚瘸的人。

【拐子】² guǎi•zi 名❶一种简单的木制工具，形状略像"工"字，两头横木短，中间直木长。把丝纱等绕在横木上面，拿下来就可以成桄（guàng）。❷拐¹⑤。

【拐子】³ guǎi•zi 名 拐骗人口、财物的人。

guài （ㄍㄨㄞˋ）

夬guài 名《易经》六十四卦的一个卦名。

怪¹（恠）guài ❶形 奇怪：～事。❷动 觉得奇怪：大惊小～。❸〈口〉副 很；非常：～不好意思的|箱子提着～费劲的。❹名 怪物；妖怪（迷信）：鬼～。

怪² （恠）guài 动 责备；怨：不能～他，只～我没说清楚。

【怪不得】guài•bu•de ❶副 表示明白了原因，对某种情况就不觉得奇怪：天气预报说今晚有雨，～这么闷热。❷动 不能责备；别见怪：昨天下了那么大的雨，他没有赶到，也～他。

【怪诞】guàidàn 形 荒诞离奇；古怪：～不经(不经：不正常)|关于外星人，曾有许多～的传说。

【怪道】guài•dào 〈方〉副 怪不得；难怪：她是我过去的学生，～觉得眼熟。

【怪话】guàihuà 名 怪诞的话，也指无原则的牢骚或议论：～连篇|不要背后说～。

【怪谲】guàijué 〈书〉形 怪异荒诞。

【怪里怪气】guài•liguàiqì 形 状态词。（形状、装束、声音等）奇特，跟一般的不同（含贬义）：戏台上的媒婆总是那么～的。

【怪模怪样】guài mú guài yàng （～儿的）形态奇怪：她这身打扮土不土，洋不洋，～的。

【怪癖】guàipǐ 名 古怪的癖好。

【怪僻】guàipì 形 古怪：性情～。

【怪圈】guàiquān 名 比喻难以摆脱的某种怪现象（多指恶性循环的）：有些地区总跳不出"越穷越多生孩子，越多孩子越穷"的～。

【怪事】guàishì 名 奇怪的事情：咄咄～。

【怪胎】guàitāi 名 发育不正常、形状异样的胎儿，多用于比喻。

【怪物】guài·wu 名❶ 神话中奇形怪状的妖魔,泛指奇异的东西。❷ 称性情非常古怪的人。

【怪异】guàiyì ❶ 形 奇异:行为~|~的声音引起了我的警觉。❷ 名 奇异反常的现象:~丛生。

【怪怨】guàiyuàn 动 责怪埋怨:自己没搞好,不要~别人。

【怪罪】guàizuì 动 责备;埋怨:这事不要~他|要是上面~下来怎么办?

guān （ㄍㄨㄢ）

关(關、関) guān ❶ 动 使开着的物体合拢:~窗户|把抽屉~上。❷ 动 使机器等停止运转;使电气装置结束工作状态:~机|~灯|~电视。❸ 动 放在里面不使出来:鸟儿~在笼子里|监狱里~犯人的。❹ 动 (企业等)倒闭;歇业:门一~,镇上一了好几家店铺。❺ 名 古代在交通险要或边境出入的地方设置的守卫处所:~口|~防|山海~|嘉峪~◇我的责任就是不让废品混过一去。❻ 名 城门外附近的地区:城~|北~|~厢。❼ 名 门闩:门插~儿|斩~落锁。❽ 名 货物出口和进口查验收税的地方:海~|~税。❾ 名 比喻重要的转折点或不容易过的一段时间:难~|只要突破这一~,就好办了。❿ 名 起转折关联作用的部分:机~|~节|~键。⓫ 动 牵连;关系:这些见解至~重要|此事与他无~|~你什么事?⓬ 动 发放或领取(工资):~饷。⓭ （Guān）名 姓。

【关爱】guān'ài 动 关怀爱护:~他人|老师的~使她很受感动。

【关隘】guān'ài ❶ 〈书〉名 险要的关口。

【关碍】guān'ài 动 妨碍;阻碍:这次事故对公司信誉大有~。

【关闭】guānbì 动❶ 关①:门窗都紧紧一着◇~机场。❷ 企业、商店、学校等歇业或停办:~了几家污染严重的工厂。

【关东】Guāndōng 名 指山海关以东一带地区,泛指东北各省;闯~,也叫关外。

【关东糖】guāndōngtáng 名 一种麦芽糖,用麦芽和米或杂粮制成,白色或带黄色。

【关防】guānfáng 名❶ 防止泄露机密的措施:~严密。❷ 旧时政府机关或军队用的印信,多为长方形。❸ 〈书〉有驻军防守的关口要塞。

【关乎】guānhū 动 关系到;涉及;调整物价是~人民生活的大事。

【关怀】guānhuái 动 关心:~备至|亲切~|~青年人的成长。

【关机】guānjī 动❶ 使机器等停止工作。❷ 指电影、电视剧拍摄工作结束:该片预计5月上旬~。

【关键】guānjiàn ❶ 名 门闩或功能类似门闩的东西。❷ 名 比喻事物最关紧要的部分;对情况起决定作用的因素:摸清情况是解决问题的~|办好学校~在于提高教学质量。❸ 形 最紧要的:~问题|~时刻。

【关键词】guānjiàncí 名❶ 指能体现一篇文章或一部著作的中心概念的词语。❷ 指检索资料时所查内容中必须有的词语。

【关节】guānjié 名❶ 骨头与骨头之间相连接的地方,可以活动,如肩关节、膝关节。❷ 指关键性作用的环节:这是问题~的所在|认真分析,找出~。❸ 指暗中行贿勾通官员的事:打通~|暗通~。

【关节炎】guānjiéyán 名 关节发炎的病。症状是关节红肿疼痛,有时体温增高,严重的能使关节变形或脱位。

【关紧】guānjǐn 〈方〉形 要紧。

【关口】guānkǒu 名❶ 来往必须经过的处所:把守~。❷ 关键地方;关头。

【关里】Guānlǐ 名 关内。

【关联】(关连) guānlián 动 事物相互之间发生牵连和影响:国民经济各部门是互相~互相依存的|这可是~着生命安全的大事。

【关联词】guānliáncí 名 在语句中起关联作用的词语。如"因为…所以…"、"一方面…,另一方面…"、"总而言之"等。

【关门】¹ guān//mén ❶ 动 关上门,比喻不愿容纳:~主义。❷ 动 比喻停业。❸ 动 比喻把话说死,没有商量余地。❹ 形 属性词。指最后的:~之作|~弟子。

【关门】² guānmén 名 关口上的门。

【关内】Guānnèi 名 指山海关以西或嘉峪关以东一带地区。

【关卡】guānqiǎ 名 为收税或警备在交通要道上设立的检查站、岗哨。

【关切】guānqiè 动 关心:感谢各位对我的～|对他的处境深表～。

【关塞】guānsài 名 关口上的要塞。

【关山】guānshān 名 关口和山岳:～迢递(形容路途遥远)。

【关涉】guānshè 动 关联;牵涉:他与此案并无～。

【关税】guānshuì 名 国家对进出口商品所征收的税。

【关税壁垒】guānshuì bìlěi 指为阻止外国某些商品输入而采取的对其征收高额关税的措施。

【关说】guānshuō 〈书〉动 代人陈说;从中给人说好话。

【关头】guāntóu 名 起决定作用的时机或转折点:紧要～|危急～。

【关外】Guānwài 名 指山海关以东或嘉峪关以西一带地区。

【关系】guān•xì ❶ 名 事物之间相互作用、相互影响的状态:正确处理科学技术普及和提高的～|这个电门跟那盏灯没有～。❷ 名 人和人或人和事物之间的某种性质的联系:拉～|～户|夫妻～|军民～|社会～。❸ 名 对有关事物的影响或重要性;值得注意的地方(常跟"没有、有"连用):这一点很有～|没有～|修理修理照样儿能用。❹ 名 泛指原因、条件等:由于时间～,暂时谈到这里为止。❺ 名 表明有某种组织关系的证件:随身带上团的～。❻ 动 关联;牵涉:石油是～到国计民生的重要物资。

【关系户】guān•xìhù 名 指在工作或其他方面有联系,彼此关照,给对方提供方便和好处的单位或个人。

【关衔】guānxián 名 区别海关工作人员等级的称号。如海关总监、海关副总监、关务监督、海关督察、关务督察、关务办、关务员等。

【关厢】guānxiāng 名 城门外大街和附近的地区。

【关饷】guān//xiǎng 动(军队)发饷,泛指发工资。

【关心】guān//xīn 动(把人或事物)常放在心上;重视和爱护:～群众生活|这是厂里的大事,希望大家多关点心。

【关押】guānyā 动 把罪犯或犯罪嫌疑人关起来,限制行动自由:～犯人。

【关于】guānyú 介 ❶ 引进某种行为的关系者,组成介词结构做状语:～扶贫工作,上级已经做了指示。❷ 引进某种事物的关系者,组成介词结构做定语(后面要加"的"),或在"是…的"式中做谓语:他读了几本～政治经济学的书|今天在厂里开了一个会,是～环境保护方面的。‖ 注意 a)表示关涉,用"关于"不用"对于",如:～织女星,民间有个美丽的传说。指出对象,用"对于"不用"关于",如:对于文化遗产,我们必须进行研究分析。兼有两种情况的可以用"关于",也可以用"对于",如:～(对于)订立公约,大家都很赞成。b)"关于"有提示性质,用"关于"组成的介词结构,可以单独做文章的题目,如:～人生观|～杂文。用"对于"组成的介词结构,只有跟名词组成偏正词组,才能做题目,如:对于提高教学质量的几点意见。

【关张】guān//zhāng 动 指商店停止营业,也指商店倒闭。

【关照】guānzhào 动 ❶ 关心照顾:我走后,这里的工作请你多多～。❷ 互相照应,全面安排。❸ 口头通知:你～食堂一声,给开会的人留饭。

【关中】Guānzhōng 名 指陕西渭河流域一带。

【关注】guānzhù 动 关心重视:多蒙～|这篇报道引起了各界人士的～。

【关子】guān•zi 名 小说、戏剧情节中最紧要、最吸引人的地方,比喻事情的关键。参看913页〖卖关子〗。

观(觀) guān ❶ 看:～看|走马～花|坐井～天。❷ 景象或样子:奇～|改～。❸ 对事物的认识或看法:乐～|悲～|～世界。
另见505页 guàn。

【观测】guāncè 动 ❶ 观察并测量(天文、地理、气象、方向等):～风力。❷ 观察并测度(情况):～敌情。

【观察】guānchá 动 仔细察看(事物或现象):～地形|～动静|～问题。

【观察家】guānchájiā 名 政治评论家。通常用作报刊上重要政治评论文章作者的署名。

【观察哨】guāncháshào 名 观察敌情的哨兵或哨所。也叫瞭望哨。

【观察所】guānchásuǒ 名 军队作战时,为观察战场而设置的场所,通常设在隐蔽而又视野开阔的地点。

【观察员】guāncháyuán 名 一个国家派遣的列席国际会议的外交代表,依照国际惯例,观察员只有发言权,没有表决权。

【观点】guāndiǎn 名❶ 观察事物时所处的位置或采取的态度:生物学~|纯技术~。❷ 特指政治观点:没有正确的立场,就不会有正确的~。

【观风】guān∥fēng 动 观察动静以相机行事或告警;望风。

【观感】guāngǎn 名 看到事物以后所产生的印象和感想:代表们畅谈访问农村的~|就自己~所及,写出通讯。

【观光】guānguāng 动 参观外国或外地的景物、建设等:~客|有不少外宾前来桂林~|他陪同我们在上海各处~了一番。

【观光农业】guānguāng nóngyè 旅游农业。

【观看】guānkàn 动 特意地看;参观;观察:~景物|~动静|~足球比赛。

【观览】guānlǎn 动❶ 观看:~画展|报纸装订成册,便于~。❷ 参观游览:~市容。

【观礼】guān∥lǐ 动(被邀请)参观典礼:~台|国庆~。

【观摩】guānmó 动 观看学习,多指观看彼此的成绩,交流经验,互相学习:~演出|~教学。

【观念】guānniàn 名❶ 思想意识:破除旧的传统~。❷ 客观事物在人脑里留下的概括的形象(有时指表象)。

【观念形态】guānniàn xíngtài 意识形态。

【观赏】guānshǎng 动 观看欣赏:~热带花卉|~杂技表演。

【观赏鱼】guānshǎngyú 名 形状奇异,颜色美丽,可供观赏的鱼,如金鱼和热带产的许多小鱼。

【观赏植物】guānshǎng zhíwù 专门培植来供观赏的植物,一般都有美丽的花或形态比较奇异。

【观世音】Guānshìyīn 名 佛教菩萨之一,佛教徒认为是救苦救难之神。也叫观自在、观音大士。俗称观音。

【观望】guānwàng 动❶ 怀着犹豫的心情观看事物的发展变化:徘徊~|他没有拿定主意,还在~。❷ 张望:四下~。

【观象台】guānxiàngtái 名 观测天文、气象、地磁、地震等现象的机构,按其任务的不同,现已分别采用天文台、气象台、地磁台、地震台等名称。

【观音】Guānyīn 名 观世音的俗称。

【观音粉】guānyīnfěn 名 观音土。

【观音土】guānyīntǔ 名 一种白色的黏土。

【观瞻】guānzhān ❶ 名 具体的景象和景象给人的印象;外观和对外观发生的反应:以壮~|有碍~。❷〈书〉动 瞻望;观赏。

【观战】guānzhàn 动❶ 从旁观看战争、战斗,自己不参加。❷ 指体育比赛时从旁观看助兴。

【观照】guānzhào 动 原为美学术语,现也指仔细观察,审视:~传统文化|~现实,正视生活。

【观止】guānzhǐ〈书〉动 看到这里就可以不再看了,称赞所看到的事物好到极点:叹为~。参看 1324 页〖叹为观止〗。

【观众】guānzhòng 名 看表演、比赛或看电影、电视的人:电视~|演出结束,~起立鼓掌。

【观自在】Guānzìzài 名 观世音。

纶(綸) guān [纶巾](guānjīn)名 古代配有青丝带的头巾:羽扇~。

另见 897 页 lún。

官[1] guān ❶ 名 政府机关或军队中经过任命的、一定等级以上的公职人员:~员|武~|做~|外交~。❷ 指属于政府的或公家的:~办|~费。❸ 公共的;公用的:~道|~厕所。❹ (Guān)名姓。

官[2] guān 器官:五~|感~。

【官办】guānbàn 形 属性词。政府开办或经营的:~企业。

【官报私仇】guān bào sī chóu 公报私仇。

【官兵】guānbīng 名❶ 军官和士兵:正确处理~关系。❷ 旧时指政府的军队。

【官差】guānchāi 名❶ 官府的公务:出~。❷ 官府的差役。

【官场】guānchǎng 名 指官吏阶层及其活动范围(贬义),强调其中的虚伪、欺诈、逢迎、倾轧等特点。

【官邸】guāndǐ 名 由公家提供的高级官员的住所(区别于"私邸"):首相~。

【官方】guānfāng 名 政府方面：～消息｜～人士｜～评论｜他的发言不代表～。

【官费】guānfèi 名 旧时指由政府供给的费用：～生｜～留学。

【官府】guānfǔ 名 ❶ 旧时称行政机关，特指地方上的。❷ 称封建官吏。

【官官相护】guān guān xiāng hù 当官的人相互包庇、祖护。也说官官相卫。

【官官相卫】guān guān xiāng wèi 官官相护。

【官话】guānhuà 名 ❶ 普通话的旧称。作为汉民族共同语的基础方言的北方话也统称官话。❷ 官腔。

【官宦】guānhuàn 〈书〉名 泛指做官的人：～人家。

【官家】guānjiā 名 ❶ 指官府或朝廷。❷ 古代对皇帝的称呼。❸ 旧时称官吏。

【官价】guānjià 名 指政府规定的价格。

【官阶】guānjiē 名 官员的等级。

【官爵】guānjué 名 官职爵位。

【官吏】guānlì 名 旧时政府工作人员的总称。

【官僚】guānliáo 名 ❶ 官吏。❷ 指官僚主义：耍～。

【官僚主义】guānliáo zhǔyì 指脱离实际，脱离群众，不关心群众利益，只知发号施令而不进行调查研究的工作作风和领导作风。

【官僚资本】guānliáo zīběn 官僚资产阶级所拥有的资本。

【官僚资本主义】guānliáo zīběn zhǔyì 半殖民地半封建国家中的买办的、封建的国家垄断资本主义。

【官僚资产阶级】guānliáo zīchǎn jiējí 半封建半殖民地国家里，勾结帝国主义和地主阶级势力，掌握国家政权，垄断全国经济命脉的买办性的资产阶级。

【官迷】guānmí 名 指一心想做官的人。

【官名】guānmíng 名 ❶ 旧时称在乳名以外起的正式名字。❷ 官衔。

【官能】guānnéng 名 机体器官的功能，例如视觉是眼睛的官能。

【官能团】guānnéngtuán 名 有机化合物分子中能够决定化合物主要化学性质的原子或原子团。如双键、叁键、羟基、羧基等。也叫功能团。

【官气】guānqì 名 官僚主义的作风：～十足。

【官腔】guānqiāng 名 旧时称官场中的门面话，今指利用规章、手续等来敷衍推托或责备的话：打～。

【官人】guānrén 名 ❶ 〈书〉有官职的人。❷ 宋朝对一般男子的尊称。❸ 妻子称呼丈夫（多见于早期白话）。

【官纱】guānshā 名 浙江杭州、绍兴一带产的一种丝织品，经线用生丝，纬线用熟丝织成，质薄而轻，可做夏衣，旧时多贡内廷，所以叫官纱。

【官商】guānshāng 名 ❶ 旧时指官办商业，也指从事这种商业的人。❷ 现指有官僚作风的国有商业部门或这些部门的人员。

【官书】guānshū 名 旧时由官方编修或刊行的书。

【官署】guānshǔ 〈书〉名 官厅。

【官司】guān·si 〈口〉名 指诉讼：打～◇笔墨～｜（书面上的争辩）。

【官厅】guāntīng 名 旧时称政府机关。

【官位】guānwèi 名 官员的职位；官职。

【官衔】guānxián 名 官员的职位名称。

【官样文章】guānyàng-wénzhāng 徒具形式、照例敷衍的虚文滥调。

【官员】guānyuán 名 经过任命的、担任一定职务的政府工作人员：外交～｜地方～｜～问责制。

【官运】guānyùn 名 做官的运气：～亨通。

【官长】guānzhǎng 名 ❶ 指官吏。❷ 旧时指军官。

【官职】guānzhí 名 官吏的职位：在封建时代，宰相是最高的～。

【官佐】guānzuǒ 名 旧时指军官。

冠 guān ❶ 帽子：皇～｜桂～｜衣～整齐｜怒发冲～。❷ 形状像帽子或在顶上的东西：鸡～｜树～。
另见 506 页 guàn。

【冠盖】guāngài 名 古代官吏的帽子和车盖，借指官吏：～相望｜～云集。

【冠冕】guānmiǎn ❶ 名 古代帝王、官员戴的帽子。❷ 形 冠冕堂皇；体面②：尽说些～话有什么用？

【冠冕堂皇】guānmiǎn tánghuáng 形容表面上庄严或正大的样子。

【冠心病】guānxīnbìng 名 冠状动脉性心脏病，因冠状动脉硬化、供血不足等而引起。症状是心绞痛、心律失常、胸闷、憋气等，严重时发生心肌梗死。

【冠状动脉】guānzhuàng-dòngmài 供给心脏养分的动脉，起于主动脉，分左右两条，环绕在心脏的表面，形状像王冠。(图见1511页"人的心")

【冠子】guān·zi 图 鸟类头上红色的肉质突起：鸡~。

矜 guān〈书〉❶同"鳏"。❷同"瘝"。
另见709页 jīn；1106页 qín。

莞 guān 古书上指水葱一类的植物。
另见504页 guǎn；1403页 wǎn。

倌 guān（~儿）❶ 农村中专管饲养某些家畜的人员：羊~儿|猪~儿。❷旧时某些行业中被雇用专做某种活计的人：堂~儿|磨~儿(磨面的人)。

棺 guān 棺材：盖~论定。

【棺材】guān·cai 图 装殓死人的东西，一般用木材制成。

【棺椁】guānguǒ 图 棺和椁，泛指棺材。

【棺木】guānmù 图 棺材。

瘝 guān〈书〉病；痛苦：恫(tōng)~在抱。

鳏(鰥) guān 无妻或丧妻的：~寡孤独|~居。

【鳏夫】guānfū 图 无妻或丧妻的人。

【鳏寡孤独】guān guǎ gū dú 泛指没有或丧失劳动力而又无依无靠的人。

guǎn （ㄍㄨㄢˇ）

莞 guǎn 东莞(Dōngguǎn)，地名，在广东。
另见504页 guǎn；1403页 wǎn。

馆(館、舘) guǎn ❶ 招待宾客居住的房屋：宾~|旅~。❷一个国家在另一国家办理外交的人员常驻的处所：使~|领事~。❸（~儿）某些服务性商店的名称：理发~|照相~|饭~儿。❹ 收藏、陈列文物或进行文体活动的场所：博物~|天文~|文化~|图书~|展览~|体育~。❺旧时指塾师教书的地方：坐~|家~。

【馆藏】guǎncáng ❶ 动 图书馆、博物馆等收藏：~中外书刊七十万册。❷ 图 图书

馆、博物馆等收藏的图书、器物等。

【馆子】guǎn·zi 图 卖酒饭的店铺：下~|吃~(到馆子里吃东西)。

琯 guǎn 古代乐器，用玉制成，六孔，像笛。

輨(輨、錧) guǎn〈书〉包在大车毂头上的铁套。

筦 guǎn ❶ 同"管¹"①—④、"管²"。❷（Guǎn）图 姓。

瘝 guǎn〈书〉❶ 疲劳。❷ 病。

管¹ guǎn ❶（~儿）图 管子：钢~|竹~|水~|气~儿。❷ 吹奏的乐器：黑~|弦乐。❸ 形状像管的电器件：电子~|晶体~。❹ 量 用于细长圆筒形的东西：一~毛笔|两~牙膏。❺（Guǎn）图姓。

管² guǎn ❶ 动 管理；看管：~账|~图书谁|~仓库？|她能同时~十台机器。❷ 动 管辖：这个省~着几十个县。❸ 动 管教：~孩子。❹ 动 担任(工作)：我~宣传，你~文体。❺ 动 过问：这事我们不能~。❻ 动 保证；负责供给：~保|不好~换|~吃~住。❼ 介 作用跟"把"相近，专跟"叫"配合：他长得又矮又胖，大家都~他叫小胖子。❽〈方〉介 作用跟"向"相近：~他借钱|~我要东西。❾〈方〉连 不管；无论：~他是谁，该批评就得批评。❿〈方〉动 关涉；牵涉：他不愿来，~我什么事？

【管保】guǎnbǎo 动 完全有把握；保证：~有效|水和肥足了，~能多打粮食。

【管材】guǎncái 图 管状的材料，如钢管、陶管等。

【管道】guǎndào 图 ❶ 用金属或其他材料制成的管子，用来输送或排除流体(如水蒸气、天然气、石油、水等)。❷〈方〉途径；渠道②：协商~中断。

【管道运输】guǎndào yùnshū 一种运输方式，使用大型管道输送石油、天然气和某些固体(如煤)浆料等。密闭性好，成本低，运量大，适用于单向的远距离连续输送。

【管段】guǎnduàn 图 分段管理的地段：这一~的治安状况良好。

【管风琴】guǎnfēngqín 图 键盘乐器，用几组音色不同的管子构成，由风箱压缩空气

通过管子而发出声音。

【管家】guǎn·jiā 名❶ 旧时称呼为地主、官僚等管理家产和日常事务的地位较高的仆人：女～。❷ 现在指为集体管理财物或日常生活的人：大家都说食堂管理员是群众的好～。

【管家婆】guǎnjiāpó 名❶ 旧时称呼为地主、官僚等管理家务的地位较高的女仆。❷ 主妇。

【管见】guǎnjiàn 名 谦辞，浅陋的见识（像从管子里看东西，看到的范围很小）：略陈～。

【管教】¹ guǎnjiào 〈方〉动 管保。

【管教】² guǎnjiào ❶ 动 约束教导：严加～。❷ 动 管制并教育：～所|解除～。❸ 名 指负责管制、教育的人员。

【管界】guǎnjiè 名❶ 管辖的地区：马路那边不属我派出所的～。❷ 管辖地区的边界。

【管井】guǎnjǐng 名 用机械开凿、装上钢管、铸铁管等而通到深层地下水的井。

【管控】guǎnkòng 动 管理控制；管制：严加～。

【管窥】guǎnkuī 〈书〉动 从管子里看东西，比喻所见片面：～所及。

【管窥蠡测】guǎnkuī lícè 从竹管里看天，用瓢来量海水，比喻眼光狭窄，见识短浅。

【管理】guǎnlǐ 动❶ 负责某项工作使顺利进行：～财务|～国家大事。❷ 保管和料理：～图书|公园～处。❸ 照料并约束（人或动物）：～罪犯|～牲口。

【管片】guǎnpiàn（～儿）名 分片管理的地段：雨季前本～的房屋检修工作已全部完成。

【管区】guǎnqū 名 管辖的区域。

【管事】guǎnshì ❶（－／－）动 负责管理事务。❷（～儿）（－／－）形 管用：这个药很～儿，保你吃了见好。❸ 名 旧时称在企业单位或有钱人家里管总务的人。

【管束】guǎnshù 动 加以约束，使不越轨：严加～。

【管辖】guǎnxiá 动 管理；统辖（人员、事务、区域、案件等）：～范围|直辖市由国务院直接～。

【管弦乐】guǎnxiányuè 名 用管乐器、弦乐器和打击乐器配合演奏的音乐。

【管线】guǎnxiàn 名 各种管道和电线、电

缆等的合称：铺设～。

【管押】guǎnyā 动 临时拘押。

【管涌】guǎnyǒng 名 堤坝渗水严重时，细沙随水带出，形成孔穴而集中涌水，叫做管涌。管涌会引起堤坝下陷，出现溃口，使洪水泛滥。

【管用】guǎn∥yòng 形 有效；起作用：这种眼药水儿挺～|学普通话光听不～，必须常讲多练。

【管乐器】guǎnyuèqì 名 指由于管中空气振动而发音的乐器，如笛、箫、号等。

【管制】guǎnzhì ❶ 动 强制管理：～灯火|交通～。❷ 对犯罪分子施行强制管束，是我国刑法规定的一种主刑。

【管中窥豹】guǎn zhōng kuī bào 通过竹管的小孔来看豹，只看到豹身上的一块斑纹（语出《世说新语·方正》）。比喻只见到事物的一小部分。有时同"可见一斑"连用，比喻从观察到的部分，可以推测全貌。

【管子】guǎn·zi 名 圆而细长中间空的东西：自来水～。

【管自】guǎnzì 〈方〉副❶ 径自：他水也没喝一口，～回家去了。❷ 只管；只顾：让他们去商量吧，我们～干。

鳤（鰥）guǎn 名 鱼，身体圆筒形，长30—60厘米，银白色，鳞小，吃小鱼和浮游生物等。生活在淡水中。

guàn （ㄍㄨㄢˋ）

毌 guàn 〈书〉同"贯"。

丱 guàn 〈书〉形容儿童束发成两角的样子。

观（觀）guàn 名❶ 道教的庙宇：道～|白云～。❷（Guàn）姓。另见 501 页 guān。

贯（貫）guàn ❶ 穿；贯通：如雷～耳|学～古今。❷ 连贯：鱼～而入|累累如～珠。❸ 量 旧时的制钱，用绳子穿上，每一千个叫一贯：万～家私。❹ 世代居住的地方：籍～|乡～。❺〈书〉事例；成例：一仍旧～。❻（Guàn）姓。

【贯彻】guànchè 动 彻底实现或体现（方针、政策、精神、方法等）：～始终|～中央的指示精神。

【贯穿】guànchuān 动❶ 穿过；连通：这条公路～本省十几个县。❷ 贯串①；团结协作的精神～在整个工程的各个环节。

【贯串】guànchuàn 动❶ 从头到尾穿过一个或一系列事物：这部小说的各篇各章都～着一个基本主题。❷ 连贯：这篇文章前后的意思～不起来。

【贯口】guànkǒu 名 曲艺表演中的一种技巧，以很快的速度歌唱、背诵唱词或连续叙述许多事物。一般在不换气或不明显地换气的情况下进行。

【贯通】guàntōng 动❶ （学术、思想等方面）全部透彻地了解：融会～｜中西医学。❷ 连接；沟通：上下～｜武汉长江大桥修成后，京广铁路就全线～了。

【贯注】guànzhù 动❶ （精神、精力）集中：把精力～在工作上｜他全神～地听着。❷ （语意、语气）连贯；贯穿：这两句是一气～下来的。

冠 guàn ❶〈书〉把帽子戴在头上（古代男子二十岁举行冠礼，表示已成年）：未～（不到二十岁）。❷ 动 在前面加上某种名号或文字：县名前～上省名。❸ 居第一位：～军｜名～全球。❹ 指冠军：夺～｜三连～（连续三次获得冠军）。❺ （Guàn）名 姓。

另见503页 guān。

【冠军】guànjūn 名 体育运动等竞赛中的第一名。

【冠军赛】guànjūnsài 名 锦标赛。

【冠名权】guànmíngquán 名 在某种事物前面加上自己名号的权利：一家知名企业取得本次赛事的～。

掼（摜）guàn〈方〉动❶ 扔；摔：～手榴弹｜把棉袄～在床上。❷ 握住东西的一端而摔另一端：～稻。❸ 跌；使跌：他～了一个跟头｜小张抱住他的腰，又把他～倒了。

【掼跤】guàn//jiāo〈方〉动 摔跤。

【掼纱帽】guàn shāmào〈方〉比喻因气愤或不满而辞职。

涫 guàn〈书〉沸。

惯（慣）guàn 动❶ 习以为常，积久成性；习惯：我劳动～了，不干活就不舒服。❷ 纵容（子女等）养成不良习惯或作风：娇生～养｜不能～着孩子。

【惯常】guàncháng ❶ 形 属性词。习以为常的；成了习惯的：从那～的动作上，可以看出他是个熟练的水手。❷ 副 经常：～出门的人，知道旅途上的许多不便。❸ 名 平常；平时：他恢复了～的镇定。

【惯犯】guànfàn 名 经常犯罪而屡教不改的罪犯。

【惯匪】guànfěi 名 经常抢劫、行凶的匪徒。

【惯技】guànjì 名 经常使用的手段（贬义）。

【惯家】guàn·jiā 名 指惯于做某种事情的人；老手（多含贬义）。

【惯例】guànlì 名❶ 一向的做法；常规：打破～｜因循～｜国际～。❷ 司法上指法律没有明文规定，但过去曾经施行，可以仿照办理的做法或事实。

【惯窃】guànqiè 名 经常盗窃的人。

【惯偷】guàntōu 名 惯窃。

【惯性】guànxìng 名 物体保持自身原有运动状态或静止状态的性质，如行驶的机车刹车后不马上停止前进，静止的物体不受外力作用就不变位置，都是由于惯性的作用。

【惯用】guànyòng 动 惯于使用；经常运用：～语｜～伎俩。

【惯用语】guànyòngyǔ 名 熟语的一种，常以口语色彩较浓的固定词组表达一个完整的意思，多用其比喻意义，如"开夜车"、"扯后腿"、"卖关子"等。

【惯于】guànyú 动 对于某种情况习以为常：渔村里的人都～海上生活。

【惯贼】guànzéi 名 惯窃。

【惯纵】guànzòng 动 娇惯纵容：对孩子可不能～。

裸 guàn 古代酹酒灌地的祭礼。

盥 guàn〈书〉❶ 洗（手、脸）：～洗。❷ 洗手洗脸用的器皿。

【盥漱】guànshù 动 洗脸漱口：～室。

【盥洗】guànxǐ 动 洗手洗脸：～室｜～用具。

灌 guàn ❶ 动 浇；灌溉：引水～田｜往麦地里～水。❷ 动 倒进去或装进去（多指液体、气体或颗粒状物体）：～了一瓶热水｜风雪呼呼地～进门来｜那响亮的声音直往他耳朵里～。❸ 动 指录音：～唱片。❹ （Guàn）名 姓。

【灌肠】guàn//cháng 励 为了清洗肠道、治疗疾病等,把水、液体药物等从肛门灌到肠内。

【灌肠】guàn·cháng 名 一种食品,原来是用肠衣塞肉末和淀粉,现在多用淀粉制成,吃时切成片,用油煎熟,放上蒜汁等。

【灌顶】guàndǐng 励 佛教的一种仪式,凡继承阁梨位或弟子入门的,须经师父用水或醍醐灌洒头顶。

【灌溉】guàngài 励 把水输送到田地里:～农田。

【灌浆】guàn//jiāng 励 ❶ 为了使建筑物坚固,把灰浆浇灌到砌起来的砖块或石块之间的空隙中。❷ 谷类作物开花受精后,茎、叶的营养物质输送到子实里去。胚乳逐渐发育成浆液状。❸ 通常指疱疹中的液体变成脓,多见于天花或接种的牛痘。

【灌录】guànlù 励 录制(唱片、磁带)。

【灌米汤】guàn mǐ·tāng 比喻用甜言蜜语奉承人、迷惑人。

【灌木】guànmù 名 矮小而丛生、没有明显主干的木本植物,如荆、玫瑰、茉莉等。

【灌区】guànqū 名 指某一水利灌溉工程的受益区域:韶山～。

【灌输】guànshū 励 ❶ 把流水引导到需要水的地方。❷ 输送(思想、知识等):～爱国主义思想|～文化科学知识。

【灌音】guàn//yīn 励 录音。

【灌制】guànzhì 励 用录音设备录制:～唱片|～教学磁带。

【灌注】guànzhù 励 浇进;注入:把铁水～到砂型里,凝固后就成了铸件◇她把心血全都～在孩子的身上。

瓘 guàn 古书上指一种玉。

鹳(鸛) guàn 名 鸟,外形像白鹤,嘴长而直,羽毛灰色、白色或黑色。生活在水边,吃鱼、虾等。种类很多,如白鹳、黑鹳。

罐(鑵) guàn 名 ❶(～儿)罐子:瓦～|水～儿|煤气～。❷ 煤矿装煤用的斗车。

【罐车】guànchē 名 主要用来装运液体物品的专用货车,车体通常有一个圆筒形的罐子。

【罐笼】guànlóng 名 矿井里的升降机,用于运送人员、矿石、材料等。

【罐头】guàn·tou 名 ❶〈方〉罐子。❷ 罐头食品的简称,是加工后装在密封的铁皮罐或玻璃瓶里的食品,可以存放较长的时间。

【罐子】guàn·zi 名 盛流体、谷物等的器皿,一般口较大,过去多为陶瓷器,现在也有用金属、塑料等制成的:空～|两～水。

guāng 《ㄨㄤ》

光 guāng ❶ 名 通常指照在物体上,使人能看见物体的那种物质,如太阳光、灯光、月光,以及看不见的红外线和紫外线等。也叫光波、光线。❷ 景物:风～|春～明媚。❸ 光彩;荣誉:为国增～。❹ 比喻好处:沾～|叨～|借～。❺ 敬辞,表示光荣,用于对方来临:～临|～顾。❻ 光大;使显耀:～前裕后|～宗耀祖。❼ 明亮:～明|～泽。❽ 形 光滑;光溜:磨～|这种纸很～。❾ 形 一点儿不剩;全没有了;完了:精～|用～|把敌人消灭～。❿ 励(身体)露着:～膀子|～着头。⓫ 副只;单:任务这么重,～靠你们两个人恐怕不行。⓬(Guāng)名 姓。

【光斑】guāngbān 名 太阳表面上特别明亮的纤维状斑点,是太阳活动比较剧烈的部分。

【光板儿】guāngbǎnr 名 ❶ 磨掉了毛的皮衣服或皮褥子。❷ 指没有轧上花纹和字的铜圆。

【光笔】guāngbǐ 名 计算机的一种输入装置,与显示器配合使用。对光敏感,外形像废笔,多用传输线与主机相连。用光笔可以在屏幕上进行绘图、写字等操作。

【光标】guāngbiāo 名 在计算机显示器屏幕上指示当前操作位置的标志。是由若干光点组成的符号,常见的有"|"、"▷"、"✛"、"╋"、"I"等。

【光波】guāngbō 名 光①。因为光是电磁波的一种,所以也叫光波。

【光彩】guāngcǎi ❶ 名 颜色和光泽;光辉:大放～|橱窗里面摆着一夺目的各色丝绸。❷ 形 光荣:小张被评上杰出青年,全公司都很～。

【光彩照人】guāngcǎi zhào rén 形容人或

事物十分美好或艺术成就辉煌,令人注目、敬仰。

【光灿灿】guāngcàncàn （～的）形 状态词。形容光亮耀眼:～的秋阳。

【光赤】guāngchì 动（身体）露着:～着身子。

【光宠】guāngchǒng 〈书〉名（赐给的）荣耀或恩惠。

【光大】guāngdà 〈书〉❶ 动 使显赫盛大:～门楣|发扬～。❷ 形 广大。

【光刀】guāngdāo 名 指激光刀、伽马刀等。

【光导纤维】guāngdǎo-xiānwéi 一种能够导光的纤维。用玻璃或塑料制成。光线在纤维中可以弯曲传导,并能改变像的形状。用于医疗器械、电子光学仪器、光通信线路等方面。简称光纤。

【光电池】guāngdiànchí 名 利用光的照射产生电能的器件,用光电效应强的物质如硒、氧化铜等制成。

【光电子】guāngdiànzǐ 名 物质受光照射时发射的电子。

【光碟】guāngdié 名 光盘。

【光度】guāngdù 名 天文学上指天体的发光能力。由亮到暗可把恒星分为 7 级,即超巨星、亮巨星、巨星、亚巨星、矮星、亚矮星、白矮星。

【光风霁月】guāng fēng jì yuè 雨过天晴时风清月明的景象,比喻开阔的胸襟和坦白的心地,也比喻太平清明的政治局面。也说霁月光风。

【光复】guāngfù 动 恢复(已亡的国家);收回(失去的领土):～旧物|～河山。

【光杆儿】guānggǎnr 名❶ 指花叶尽落的草木或没有叶子衬托的花朵:～牡丹|高粱被霜子打得成了～。❷ 比喻孤独的人或失去群众、没有助手的领导:～司令|他家只剩下他一个～。

【光顾】guānggù 动 敬辞,称客人来到,商家多用来欢迎顾客。

【光怪陆离】guāngguài lùlí 形容现象奇异、色彩繁杂。

【光棍】guāng·gùn 名❶ 地痞;流氓。❷〈方〉指识时务的人:～不吃眼前亏。

【光棍儿】guānggùnr 名 没有妻子的成年人;单身汉:打～。

【光合作用】guānghé-zuòyòng 光化学反应的一类,如绿色植物的叶绿素在光的照射下把水和二氧化碳合成有机物质并放出氧气的过程。

【光华】guānghuá 名 明亮的光辉:日月～。

【光滑】guāng·huá 形 物体表面平滑;不粗糙:皮肤～|大理石的桌面很～。

【光化学反应】guānghuàxué-fǎnyìng 物质由于光的照射而产生化学反应,包括光合作用和光解作用两类。也叫光化作用。

【光化学烟雾】guānghuàxué-yānwù 烟雾的一种,是废气中的氮氧化合物和碳氢化合物经紫外线照射起化学反应形成的。光化学烟雾危害人的健康和动植物的生长。

【光化作用】guānghuà-zuòyòng 光化学反应。

【光环】guānghuán 名❶ 某些行星周围明亮的环状物,由冰和铁等构成,如土星、天王星等有数量不等的光环。❷ 发光的环子:霓虹灯组成了象征奥运会的五彩～。❸ 特指神像或圣像头部周围画的环形光辉;灵光②。

【光辉】guānghuī ❶ 名 闪烁耀目的光:太阳的～。❷ 形 光明;灿烂:～前程。

【光火】guāng∥huǒ 〈方〉动 发怒;恼怒。

【光焦度】guāngjiāodù 名 透镜焦距的倒数。规定凸透镜的光焦度为正,凹透镜的光焦度为负。

【光洁】guāngjié 形 光亮而洁净:在灯光照耀下,平滑的大理石地面显得格外～。

【光洁度】guāngjiédù 名 粗糙度的旧称。

【光解作用】guāngjiě-zuòyòng 光化学反应的一类,物质由于光的作用而分解的过程。如照相材料中可见光的照射下感光,碘化氢在紫外线的照射下分解成氢和碘。

【光景】guāngjǐng 名❶ 风光景物:好一派草原～。❷ 境况;状况;情景:他家的～还不错|我们俩初次见面的～,我还记得清楚。❸ 表示大约的时间或数量(用在表时间或数量的词语后面):半夜～起了风|里面有十几个小孩子,大都有五六岁～。❹〈方〉一般的情况:今天太闷热,～是要下雨。

【光控】guāngkòng 形 属性词。通过光进行控制的:～开关|路灯～器。

【光缆】guānglǎn 名 由许多根经过技术处

理的光导纤维组合而成的缆,用来传输光信号。

【光亮】 guāngliàng ❶ 形 明亮:～的窗子|这套家具油漆得挺～。❷ 名 亮光:山洞里一点儿～也没有。

【光量子】 guāngliàngzǐ 名 光子。

【光临】 guānglín 动 敬辞,称宾客来到:敬请～|欢迎～指导。

【光溜】 guāng·liu 〈口〉形 光滑;滑溜:这种道林纸比电光纸还～。

【光溜溜】 guāngliūliū (～的)形 状态词。❶ 形容光滑的样子:她走在～的冰上有点害怕。❷ 形容地面、物体、身体上没有遮盖的样子:院子里种上点花儿,省得～的不好看|孩子们脱得～的在河里洗澡。

【光芒】 guāngmáng 名 向四面放射的强烈光线:～万丈|～四射。

【光明】 guāngmíng ❶ 名 亮光:黑暗中闪出一线～。❷ 形 明亮:这条街上的路灯,一个个都像通体～的水晶球。❸ 形 比喻正义的或有希望的:～大道|～的远景。❹ 形 (胸襟)坦白;没有私心:～正大|～磊落|心地～。

【光明磊落】 guāngmíng lěiluò 形容没有私心,胸怀坦白。

【光明正大】 guāngmíng zhèngdà 形容襟怀坦白,行为正派。也说正大光明。

【光能】 guāngnéng 名 光所具有的能。

【光年】 guāngnián 名 天文学上的一种距离单位,符号l.y.。光在真空中1年内走过的路程为1光年,约等于94 605亿千米。

【光盘】 guāngpán 名 用激光束记录和读取信息的圆盘形存储载体,分为可擦写型、一写多读型和只读型三类。也叫光碟。

【光盘刻录机】 guāngpán kèlùjī 利用激光技术,能够在可读写光盘上写入数据的专用设备。常用于保存大量的不再变更改的文件和数据,也可制作母盘,供大批量生产只读光盘用。简称刻录机。

【光谱】 guāngpǔ 名 复色光通过棱镜或光栅后,分解成的单色光按波长大小排列的光带。日光的光谱是红、橙、黄、绿、蓝、靛、紫七色。

【光气】 guāngqì 名 有机化合物,化学式 $COCl_2$。无色气体,有剧毒,容易引起窒息。可以制染料、塑料等。

【光前裕后】 guāng qián yù hòu 给前人增光,为后代造福(多用来称颂别人的功业)。

【光球】 guāngqiú 名 太阳大气的最里层,太阳的光大部分从这里发出,肉眼看到的太阳就是这一层,太阳黑子和光斑等也都出现在这里。

【光驱】 guāngqū 名 光盘驱动器,能使光盘转动,以便读出上面存储的信息。

【光圈】 guāngquān 名 摄影机、照相机等光学仪器的镜头中改变通光孔径的大小、调节进入光量的装置。

【光荣】 guāngróng ❶ 形 由于做了有利于人民的和正义的事情而被公认为值得尊敬的:～之家|～入党|～牺牲。❷ 名 荣誉:～归于祖国。

【光荣榜】 guāngróngbǎng 名 表扬先进人物的榜,榜上列出姓名,有时加上照片和先进事迹。

【光润】 guāngrùn 形 光滑润泽(多指皮肤)。

【光栅】 guāngshān 名 能产生衍射现象的光学元件,光线透过它或被它反射时就形成光谱,一般用玻璃或金属制成,上面刻有很密的平行纹线。

【光闪闪】 guāngshǎnshǎn (～的)形 状态词。形容光亮闪烁:～的珍珠。

【光束】 guāngshù 名 呈束状的光线,如探照灯的光。

【光速】 guāngsù 名 光波传播的速度,在真空中每秒约30万千米,在空气中也与这个数值相近。

【光天化日】 guāng tiān huà rì 比喻大家看得很清楚的地方:～之下,竟敢胡作非为。

【光通量】 guāngtōngliàng 名 单位时间内通过某一面积的光的量(以引起人视力明暗感觉的强弱为标准测量)。单位是流明。

【光头】 guāngtóu ❶ (-/-)动 头上不戴帽子:他不习惯戴帽子,一年四季总光着头。❷ 名 剃光的头;没有头发的头;秃头。

【光秃秃】 guāngtūtū (～的)形 状态词。形容没有草木、树叶、毛发等盖着的样子:冬天叶子全掉了,只剩下～的树枝。

【光污染】 guāngwūrǎn 名 指超量或杂乱

的光辐射所造成的环境污染。多指眩光、
电焊弧光等对人的视力和健康的不良影
响。

【光纤】guāngxiān 名 光导纤维的简称：
～通信|～电缆。

【光鲜】guāngxiān 〈方〉形 ❶ 明亮鲜艳：
整洁漂亮：衣着～。❷ 光彩；光荣：总想
把事情办得～体面一点儿。

【光线】guāngxiàn 名 光①。因为一般情
况下光沿直线传播，所以叫光线。

【光绪】Guāngxù 名 清德宗(爱新觉罗·载
湉)年号(公元1875—1908)。

【光学】guāngxué 名 物理学的一个分支，
研究光的本性、光的发射、传播和接收规
律，以及光跟其他物质的相互作用
等。

【光学玻璃】guāngxué bō·lí 用来制造光
学仪器的高级玻璃，具有良好的光学性
能。照相机、摄影机、望远镜、显微镜等的
镜头都用光学玻璃制成。

【光艳】guāngyàn 形 鲜明艳丽。

【光焰】guāngyàn 名 光芒；光辉：万丈～|
～耀目。

【光洋】guāngyáng 〈方〉名 银圆。

【光耀】guāngyào ❶ 名 光辉①：～夺目。
❷ 形 荣耀：立功是～的事。❸ 动 使显
耀；光大：～门庭。❹ 动 光辉照耀(多用
于比喻)：～史册。

【光阴】guāngyīn 名 ❶ 时间：～似箭|青
年时代的～是最宝贵的。❷〈方〉日子③。

【光源】guāngyuán 名 发光(通常指可见
光)的物体，如太阳、灯、火等。

【光泽】guāngzé 名 物体表面反射出来的
亮光：脸盘红润而有～。

【光照】guāngzhào 动 ❶ 光线照射，是生
物生长和发育的必要条件之一。❷ 光辉
照耀(多用于比喻)：～人间。

【光照度】guāngzhàodù 名 物体单位面积
上所得到的光的量，用来表明物体被照亮
的程度。单位是勒克斯。简称照度。

【光柱】guāngzhù 名 光束：探照灯的～划
破长空。

【光子】guāngzǐ 名 构成光的粒子，静止质
量为零，具有一定的能量。光子的能量随
着光的波长而变化，波长愈短，能量愈大。
也叫光量子。

【光宗耀祖】guāng zōng yào zǔ 指为祖
先、宗族增添光彩。

咣 guāng 拟声 形容撞击振动的声音：
～的一声，关上了大门。

【咣当】guāngdāng 拟声 形容撞击振动的
声音：水缸碰得～～响。

洸 guāng 洸洸(Hánguāng)，地名，在
广东。

珖 guāng 〈书〉一种玉(多用于人名)。

桄 guāng ［桄榔］(guāngláng)名 ❶
常绿乔木，羽状复叶丛生在茎端。肉
穗花序，果实倒圆锥形，有辣味。生长在
热带地区。花序的汁液可制砂糖，茎中的
髓可制淀粉，叶柄的纤维可制绳。❷ 这
种植物的果实。
　　另见511页 guàng。

胱 guāng ❶ ［胱氨酸］(guāng'-
ānsuān)名 含有二硫键(—S—S—)
的氨基酸，广泛存在于毛、发、骨、角中。❷
见1023页［膀胱］。

guǎng （ㄍㄨㄤ）

广¹（廣） guǎng ❶ 形 (面积、范围)
宽阔(跟"狭"相对)：～场|地
～人稀|这首歌流行很～。❷ 多：兵多将
～|大庭～众。❸ 扩大；扩充：推～|以～
流传。

广²（廣） Guǎng ❶ 指广东、广州：
～货。注意广西简称广，限
于两广(广东和广西)。❷ 名 姓。
　　另见6页 ān。

【广播】guǎngbō ❶ 动 广播电台、电视台
发射无线电波，播送节目。有线电播送节
目也叫广播。❷ 名 指广播电台或有线电
播送的节目：听～。❸〈书〉动 广泛传
扬：诗名～。

【广播操】guǎngbōcāo 名 广播体操。

【广播电台】guǎngbō diàntái 用无线电波
向外播送新闻、报刊文章、科学常识和文
艺等节目的机构。

【广播剧】guǎngbōjù 名 专供广播电台播
送的戏剧。

【广播体操】guǎngbō tǐcāo 通过广播等
指挥做的健身体操，一般有音乐配合。也
叫广播操。

【广博】guǎngbó 形 范围大,方面多(多指学识):知识~。

【广场】guǎngchǎng 名 面积广阔的场地,特指城市中的广阔场地:天安门~。

【广大】guǎngdà 形 ❶(面积、空间)宽阔:~地区|拖拉机在~的田野上耕作。❷(范围、规模)巨大:有~的组织|掀起~的绿化植树热潮。❸(人数)众多:~群众|~顾客|~读者。

【广东戏】guǎngdōngxì 名 粤剧。

【广东音乐】Guǎngdōng yīnyuè 主要流行于广东一带的民间音乐。演奏时以高胡、扬琴等弦乐器为主,配以笛子、洞箫等。

【广度】guǎngdù 名(事物)广狭的程度:向生产的深度和~进军。

【广泛】guǎngfàn 形(涉及的)方面广,范围大;普遍:内容~|题材~|~征求群众意见。

【广告】guǎnggào 名 向公众介绍商品、服务内容或文娱体育节目的一种宣传方式,一般通过报刊、电视、广播、招贴等形式进行。

【广货】guǎnghuò 名 广东出产的百货。

【广角镜】guǎngjiǎojìng 名 ❶指广角镜头。❷比喻使视角范围广的事物:这部百科全书是开阔眼界、增长知识的~。

【广角镜头】guǎngjiǎo-jìngtóu 镜头的一种,视角比一般镜头广而焦距短,常用于拍摄面积很大的景物。

【广开言路】guǎng kāi yán lù 尽量给下属和群众创造发表意见的条件。

【广阔】guǎngkuò 形 广大宽阔:视野~|~天地|~的平原。

【广袤】guǎngmào〈书〉❶名 土地的长和宽(东西的长度叫"广",南北的长度叫"袤"):~千里。❷形 广阔;宽广:蔚蓝的天空,~无际。

【广漠】guǎngmò 形 广大空旷:~的沙滩上,留着潮水退去后的痕迹。

【广土众民】guǎng tǔ zhòng mín 广阔的土地和众多的人民。

【广绣】guǎngxiù 名 广东出产的刺绣。也叫粤绣。

【广义】guǎngyì 名 范围较宽的定义(跟"狭义"相对):~的杂文也可以包括小品文在内。

【广域网】guǎngyùwǎng 名 指由若干局域网相互连接而成的网络。一般分布在方圆数十公里至数千公里的区域范围内。

【广远】guǎngyuǎn 形 广阔辽远;广大深远:川泽~|~影响~。

【广种薄收】guǎng zhòng bó shōu 农业上一种粗放的经营方式,大面积播种,单位面积产量较低。

【广州起义】Guǎngzhōu Qǐyì 中国共产党为了挽救第一次国内革命战争的失败,于1927年12月11日在广州举行的武装起义。领导人有张太雷、叶挺、叶剑英等。起义部队经过英勇奋战,占领了市内绝大部分地区,建立了工农民主政权——广州公社。后在敌人反扑下失败。

犷(獷)guǎng〈书〉粗野:粗~|~悍。

【犷悍】guǎnghàn 形 粗野强悍。

guàng (ㄍㄨㄤˋ)

桄 guàng ❶动 把线绕在桄子上:把线~上。❷(~儿)在桄子或拐子上绕好后取下来的成圈的线:线~儿。❸(~儿)量 用于线:一~线。
另见510页 guāng。

【桄子】guàng·zi 名 竹木制成的绕线器具。

逛 guàng 动 外出散步;闲游;游览:闲~|~大街|~了一回颐和园。

【逛荡】guàng·dang 动 闲逛;游荡(含贬义)。

【逛灯】guàng//dēng 动 指农历正月十五日前后,夜晚上街观赏花灯。

【逛游】guàng·you 动 闲逛。

guī (ㄍㄨㄟ)

归(歸)guī ❶动 返回:~国华侨|无家可~。❷还给;归还:物~原主。❸动 趋向或集中于一个地方:殊途同~|千条河流~大海|把性质相同的问题~为一类。❹介 由(谁负责):一切杂事都~这一组管。❺动 属于(谁所有):功劳~大家|这些东西~你。❻动 用在相同

的动词之间,表示动作并未引起相应的结果:批评~批评,奖金一分也没少给。❼珠算中一位除数的除法。❽（Guī）名姓。

【归案】guī·àn 动 隐藏或逃走的犯罪嫌疑人或罪犯被逮捕、押解或引渡到有关司法机关,以便审讯结案:将凶手捉拿~。

【归并】guībìng 动❶ 把这个并到那个里头;并入:撤销第三组,把人~到第一组和第二组。❷ 合在一起;归拢:把三笔账~起来,一共是五千五百元。

【归程】guīchéng 名 返回的路程:漂泊多年的游子,终于踏上了~。

【归除】guīchú 名 珠算中两位或两位以上除数的除法。

【归档】guī//dàng 动 把公文、资料等分类保存起来。

【归队】guī//duì 动❶ 回到原来所在的队伍。❷ 比喻回到原来所从事的行业或专业:他是学冶金的,毕业后做了多年行政工作,现在~了。

【归附】guīfù 动 原来不属于这一方面的投到这一方面来。

【归根】guīgēn 动 比喻客居他乡的人最终返回本乡:叶落~|认祖~。

【归根到底】guī gēn dào dǐ 归结到底。

【归根结底】(归根结柢) guī gēn jié dǐ 归结到根本上:~,人民的力量是无敌的,人民的意志是不可违抗的。也说归根结蒂、归根到底。

【归根结蒂】guī gēn jié dì 归根结底。

【归公】guī//gōng 动 交给公家:一切缴获要~。

【归功】guīgōng 动 把功劳归于(某个人或集体):优异成绩的取得~于老师的辛勤教导。

【归还】guīhuán 动 把借来的钱或物还给原主:借图书馆的书要按时~|捡到东西要~失主。

【归回】guīhuí 动 返回;回到:~祖国。

【归结】guījié ❶ 动 总括而得结论:原因很复杂,~起来不外三个方面。❷ 名 结局:这件事儿总算有了一个~。

【归咎】guījiù 动 归罪:把错误都~于客观原因是不对的。

【归口】guī//kǒu 动❶ 按性质分类划归有关部门:~管理。❷ 指回到原来所从事

的行业或专业:他下放到农村十年,~以后感到专业荒疏了许多。

【归来】guīlái 动 从别处回到原来的地方:海外~。

【归里包堆】guī·libāoduī〈方〉总计;拢共:家里~就我和老伴两个人。

【归拢】guī·lǒng 动 把分散着的东西聚集到一起:~农具|把桌上的书~~。

【归谬法】guīmiùfǎ 名 反证法。

【归纳】guīnà ❶ 动 归拢并使有条理(多用于抽象事物):大家提的意见,~起来主要就是这三点。❷ 名 一种推理方法,由一系列具体的事实概括出一般原理(跟"演绎"相对)。

【归宁】guīníng〈书〉回娘家看望父母。

【归期】guīqī 名 返回的日期:~未定。

【归齐】guīqí〈方〉副❶ 到底;结果:他张罗了好几天,~还是没去成。❷ 拢共:连去带回,~不到一个星期。

【归侨】guīqiáo 名 归国的侨民。

【归属】guīshǔ 动 属于;划定从属关系:无所~|~未定。

【归顺】guīshùn 动 归附顺从;向敌对势力屈服。

【归宿】guīsù 名 人或事物最终的着落:人生的~|导河、开湖,让千山万壑的溪流有了~。

【归天】guī//tiān 动 婉辞,指人死。

【归田】guītián〈书〉指退职回乡:解甲~|告老~。

【归途】guītú 名 返回的路途。

【归位】guī//wèi 动 返回到原来的或应有的位置:政府职能~|房价合理。

【归西】guī//xī 动 婉辞,指人死(西:西天)。

【归降】guīxiáng 动 投降;率众~。

【归向】guīxiàng 动 向某一方面靠拢(多指政治上的倾向):人心~。

【归心】guīxīn ❶ 名 回家的念头:~似箭。❷〈书〉动 心悦诚服而归附:四海~。

【归心似箭】guīxīn sì jiàn 形容想回家或返回原地的心情十分急切。

【归省】guīxǐng〈书〉动 回家探亲。

【归依】guīyī ❶ 同"皈依"(guīyī)。❷〈书〉动 投靠;依附:无所~。

【归阴】guī//yīn 动 指死亡(阴:阴间)。

【归隐】guīyǐn〈书〉动 回到民间或故乡隐居:~故园。

【归于】guīyú 囫❶ 属于(多用于抽象事物):光荣~祖国。❷ 趋向;趋于:经过讨论,大家的意见已经~一致了。

【归着】guī·zhe 〈口〉囫 归置。

【归真】guīzhēn ❶ 囫 佛教、伊斯兰教指人死。❷ 见380页〖返璞归真〗。

【归真返璞】guī zhēn fǎn pú 见380页〖返璞归真〗。

【归整】guī·zhěng 〈口〉囫 归置:~家什。

【归置】guī·zhi 〈口〉囫 整理(散乱的东西);收拾:把东西~~,马上就要动身了。

【归总】guīzǒng ❶ 囫 把分散的归并到一处:把各小组报的数字~一下。❷ 副 总共:什么大队人马,~才十几个人!

【归罪】guīzuì 囫 把罪过归于(某个人或集体):~于他人。

圭¹ guī ❶ 古代帝王诸侯举行礼仪时所用的玉器,上尖下方。❷ 指圭表:~臬。❸ (Guī)图 姓。

圭² guī 量 古代容量单位,一升的十万分之一。

【圭表】guībiǎo 图 我国古代天文仪器,是在石座上平放着一个尺(圭),南北两端各立一个标杆(表)。根据日影的长短可以测定节气和一年时间的长短。

【圭角】guījiǎo 〈书〉图 圭的棱角,比喻锋芒,也比喻迹象:初露~|不露~。

【圭臬】guīniè 〈书〉图 指圭表,比喻准则或法度:奉为~。

龟(龜) guī 图 爬行动物,身体长圆而扁,背部隆起,有坚硬的壳,四肢短;趾有蹼,头、尾巴和四肢都能缩入甲壳内。多生活在水边,吃植物或小动物。种类很多,常见的有乌龟。

另见751页jūn;1120页qiū。

【龟板】guībǎn 图 龟甲,中医用作药材。

【龟趺】guīfū 图 碑的龟形底座。

【龟甲】guījiǎ 图 乌龟的硬壳,古人用它来占卜。殷代占卜用的龟甲遗存至今,上面刻着有关占卜的记载。参看656页〖甲骨文〗。

【龟鉴】guījiàn 图 比喻可作借鉴的事物(龟:占卜用的龟甲;鉴:镜子)。

【龟镜】guījìng 图 龟鉴。

【龟缩】guīsuō 囫 比喻像乌龟的头缩在甲壳里那样躲藏在里面不出来:敌军~在碉堡里。

【龟头】guītóu 图 阴茎前端膨大的部分。

【龟足】guīzú 图 甲壳类动物,身体外形像龟的脚,有石灰质的壳,足能从壳口伸出捕取食物。生活在海边的岩石缝里。也叫石蜐(shíjié)。

妫(嬀、㛅) Guī ❶ 妫水河(Guīshuǐ Hé),水名,在北京。❷ 图 姓。

规(規、槻) guī ❶ 画圆形的工具:圆~|两脚~。❷ 规则;成例:校~|革除陋~。❸ 劝告:~劝|~勉。❹ 谋划;打主意:~划|~定。❺ (Guī)图 姓。

【规避】guībì 囫 设法避开;躲避:临场~|~实质性问题。

【规程】guīchéng 图 对某种政策、制度等所做的分章分条的规定:操作~。

【规定】guīdìng ❶ 囫 对一事物作出关于方式、方法或数量、质量的决定:~产品的质量标准|不得超过~的日期。❷ 图 所规定的内容:关于下岗职工的安排问题,上级已经有了~的。

【规定动作】guīdìng dòngzuò 某些体育项目(如跳水、体操等)比赛时,规定运动员必须做的整套或单个的动作。

【规范】guīfàn ❶ 图 约定俗成或明文规定的标准:语音~|道德~。❷ 形 合乎规范:这个词的用法不~。❸ 囫 使合乎规范:用新的社会道德来~人们的行为。

【规范化】guīfànhuà 囫 使合乎一定的标准:语言~|行业服务要~。

【规费】guīfèi 图 国家有关部门为提供某项服务而按规定收取的费用。

【规复】guīfù 〈书〉囫 谋划恢复(失地、制度等):~旧土|~秩序。

【规格】guīgé 图 ❶ 产品质量的标准,如限定的大小、轻重、精密度、性能等:产品合乎~。❷ 泛指规定的要求或条件:接待来宾的~很高。

【规划】guīhuà ❶ 图 比较全面的长远的发展计划:制订~|十年~。❷ 囫 做规划:兴修水利问题,应当全面~。

【规谏】guījiàn 〈书〉囫 忠言劝诫;规劝。

【规诫】(规戒)guījiè 〈书〉囫 规劝告诫。

【规矩】guī·ju ❶ 图 画圆形和方形的两种工具,比喻一定的标准、法则或习惯:老~|立~|守~|按~办事。❷ 形 (行为)端

正老实;合乎标准或常理:～人|字写得很
～。

【规律】guīlǜ 图 事物之间的内在的本质联
系。这种联系不断重复出现,在一定条件
下经常起作用,并且决定着事物必然向着
某种趋向发展。规律是客观存在的,是不
以人的意志为转移的,但人们能够通过
实践认识它,利用它。也作规则。

【规模】guīmó 图(事业、机构、工程、运动
等)所具有的格局、形式或范围:初具～|
～宏大。

【规劝】guīquàn 勔 郑重地劝告,使改正错
误:多次～,他仍无悔改之意。

【规行矩步】guī xíng jǔ bù ❶ 比喻举动
合乎规矩,毫不苟且。❷ 比喻墨守成规,
不知变通。

【规约】guīyuē ❶ 图 经过相互协议规定
下来的共同遵守的条款:竞赛～|履行～。
❷ 勔 限制;约束:用理智～言行。

【规则】guīzé ❶ 图 规定出来供大家共同
遵守的制度或章程:交通～|书刊借阅～|
饭店管理～。❷ 图 规律;法则:自然～|
造字～。❸ 围(在形状、结构或分布上)
合乎一定的方式:整齐;～四边形|这条河
流的水道原来很不～。

【规章】guīzhāng 图 ❶ 规则章程:～制
度。❷ 国家行政机关根据法律和行政法
规在其职权范围内制定的关于行政管理
的规范性文件,分为部门规章和地方政府
规章。

【规整】guīzhěng ❶ 围 合乎一定的规格;
规矩整齐:～的仿宋字|形制|规规整整
的四合院。❷ 勔 整理使规矩整齐:把书
柜里的书整理好～～。

【规正】guīzhèng ❶〈书〉勔 规劝,使改
正;匡正:互相～|～风俗。❷ 围 规整:他
们围坐成一个不很～的圆圈。

【规制】guīzhì 图 ❶ 规则;制度。❷(建筑
物)规模形制:天安门虽经多次修缮,但
～未变。

邦 guī ❶ 下邦(Xiàguī),古地名,在
今陕西渭南。❷(Guī)图 姓。

皈 guī [皈依](guīyī)勔 原指佛教的
入教仪式,后来泛指虔诚地信奉佛教
或参加其他宗教组织。也作归依。

闺(閨) guī ❶〈书〉上圆下方的
小门。❷ 闺房:深～|～门。

【闺范】guīfàn 图 ❶ 封建时代指妇女所
应遵守的道德规范。❷ 指女子的风范:
举止端庄,有大家～。

【闺房】guīfáng 图 旧称女子居住的内室。

【闺阁】guīgé 图 闺房。

【闺阃】guīkǔn 图 旧指妇女居住的地方。

【闺门】guīmén 图 闺房的门,也借指闺
房。

【闺女】guī·nǚ 图 ❶ 没有结婚的女子。❷
〈口〉女儿。

【闺秀】guīxiù 图 旧时称富贵人家的女
儿:大家～。

珪 guī 同"圭"。

硅 guī 图 非金属元素,符号Si(sili-
cium)。黑灰色晶体或粉末,自然界
分布极广,普通的沙子就是不纯的二氧化
硅。硅有单向导电性,是重要的半导体材
料,也可用来制合金等。旧称矽。

【硅肺】guīfèi 图 职业病,由长期吸入含二
氧化硅的灰尘引起,病状是呼吸短促,胸
口发闷或疼痛,咳嗽,体力减弱,常并发肺
结核。旧称矽肺。

【硅钢】guīgāng 图 含硅量高于0.4%的合
金钢。旧称矽钢。

【硅谷】guīgǔ 图 美国加利福尼亚州北部
圣克拉拉谷的电子工业中心,因生产电子
工业基本材料硅片及地处谷地而得名。
常用来借指高新技术工业园区。

【硅化】guīhuà 勔 通常指古代生物遗体由
于其中某些成分被二氧化硅所置换而逐
渐变硬。

瑰 Guī 古山名,在今河南洛阳西。
另见 1421 页 wěi。

瑰 guī〈书〉❶ 一种像玉的石头。❷
珍奇:～丽|～异。

【瑰宝】guībǎo 图 特别珍贵的东西:敦煌
壁画是我国古代艺术中的～。

【瑰丽】guīlì 围 异常美丽:～的江边夜景|
这些作品为我们的文学艺术增添了新的～
花朵。

【瑰奇】guīqí 围 瑰丽奇异:～的黄山云海。

【瑰伟】guīwěi 同"瑰玮"。

【瑰玮】guīwěi〈书〉围 ❶(品质)奇特,
❷(文辞)华丽。‖也作瑰伟。

【瑰异】guīyì 围 瑰奇。

鲑(鮭) guī 图 鱼,身体大,略呈纺锤
形,鳞细而圆,有些生活在海

洋中,有些生活在淡水中,是重要的食用
鱼类。种类很多,常见的有大麻哈鱼。
另见 1507 页 xié。

鳕(鱐) guǐ 古代陶制炊事器具,有三
个空心的足。

瓖 guǐ 〈书〉同"瑰"。

guǐ （ㄍㄨㄟˇ）

氿 guǐ 氿泉,从侧面喷出的泉。
另见 730 页 jiǔ。

宄 guǐ 见 661 页〖奸宄〗。

轨(軌) guǐ ❶ 路轨①:钢～|铁～。
❷ 轨道①:出～|无～电车。
❸ 比喻办法、规矩、秩序等:常～|越～|步
入正～。❹〈书〉依照;遵循:～于法令。

【轨道】guǐdào 图❶ 用钢轨铺成的供火
车、有轨电车等行驶的路线。❷ 天体在
宇宙间运行的路线。也叫轨迹。❸ 物体
运动的路线,多指有一定规则的,如原子
内电子的运动和人造卫星的运行都有一
定的轨道。❹ 应遵循的规则、程序:生产
已经走上～。

【轨道衡】guǐdàohéng 图 铁路上使用的
铺有轨道的地秤。

【轨度】guǐdù 〈书〉图 法度:不循～。

【轨范】guǐfàn 图 行为所遵循的标准。

【轨迹】guǐjì 图❶ 一个点在空间移动,它
所通过的全部路径叫做这个点的轨迹。
❷ 轨道②。❸ 比喻人生经历的或事物发
展的道路:这些诗篇记录了诗人一生的
～|文章勾勒出汉字发展演变的～。

【轨辙】guǐzhé 图 车轮行过留下来的痕
迹。比喻以往曾有人走过的道路或做过
的事情。

【轨枕】guǐzhěn 图 垫在钢轨下面的结构
物,通常用木头或特制的钢筋混凝土制
成,用来固定钢轨的位置,并将火车的压
力传到道床和路基上。

庋(庪) guǐ 〈书〉❶ 放东西的架子。
❷ 放置;保存:～藏。

甌(甌) guǐ 匣子:票～。

佹 guǐ 〈书〉❶ 乖戾。❷ 奇异。❸ 偶然:
～得～失。

诡(詭) guǐ ❶ 欺诈;奸猾:～诈|～
计。❷〈书〉奇异:～形|～观|
～异。

【诡辩】guǐbiàn 动❶ 外表上、形式上好像
是运用正确的推理手段,实际上违反逻辑
规律,做出似是而非的推论。❷ 无理狡
辩:违反了交通法规,就不要再～了。

【诡诞】guǐdàn 形 虚妄荒诞:～不经。

【诡怪】guǐguài 形 奇异怪诞:行事～。

【诡计】guǐjì 图 狡诈的计策:～多端。

【诡谲】guǐjué 〈书〉形❶ 奇异多变。❷
离奇古怪:言语～。❸ 诡诈:为人～。

【诡秘】guǐmì 形 (行动、态度等)隐秘不易
捉摸:行踪～。

【诡奇】guǐqí 形 诡异:～难测|情节～。

【诡异】guǐyì 形 奇异;奇特:～的笔调|故
事～有趣。

【诡诈】guǐzhà 形 狡诈:～异常|阴险～。

垝(陒) guǐ 〈书〉残缺,毁坏:～垣。

鬼 guǐ ❶ 图 迷信的人所说的人死后的
灵魂。❷ 称有不良嗜好或行为的人
(含厌恶意):烟～|讨厌～|吝啬～。❸ 躲
躲闪闪;不光明:～头～脑|～～祟祟。❹
图 不可告人的打算或勾当:捣～|心里有
～。❺ 形 属性词。恶劣;糟糕:～天气|
～主意|这～地方连棵草都不长。❻〈口〉
形 机灵(多指小孩或动物):这孩子～得
很!❼ 二十八宿之一。

【鬼把戏】guǐbǎxì 图❶ 阴险的手段或计
策。❷ 暗中捉弄人的手段。

【鬼才】guǐcái 图 指某种特殊的才能,也指
有某种特殊才能的人:文坛～。

【鬼点子】guǐdiǎn·zi 图 坏主意;巧妙的或
古怪的主意。

【鬼风疙瘩】guǐfēnggē·da 〈方〉图 荨麻疹。

【鬼斧神工】guǐ fǔ shén gōng 形容建筑、
雕塑等技艺的精巧。也说神工鬼斧。

【鬼怪】guǐguài 图 鬼和妖怪:妖魔～。

【鬼画符】guǐhuàfú 图❶ 比喻随意涂抹、
潦草难认的字迹。❷ 比喻虚伪的话;骗
人的伎俩。

【鬼话】guǐhuà 图 不真实的话;谎话:～连
篇。

【鬼魂】guǐhún 图 死人的灵魂(迷信)。

【鬼混】guǐhùn 动❶ 糊里糊涂地生活:在
外～多年,什么也没学到。❷ 过不正当的

生活：两人整天在一起～。

【鬼火】guǐhuǒ 图磷火的俗称。

【鬼哭狼嚎】guǐ kū láng háo 形容大声哭叫，声音凄厉（含贬义）。

【鬼脸】guǐliǎn （～儿）图❶ 用厚纸做成的假面具，是一种玩具，多按照戏曲中的脸谱制作。❷ 故意做出来的滑稽的面部表情：扮～|他把舌头一伸，做了个～儿。

【鬼魅】guǐmèi 〈书〉图鬼怪。

【鬼门关】guǐménguān 图迷信传说中的阴阳交界的关口，比喻凶险的地方。

【鬼迷心窍】guǐ mí xīnqiào 指受迷惑，犯糊涂：我真是～，把坏人当成了好人。

【鬼神】guǐshén 图鬼怪和神灵：不信～|～莫测（形容极其神奇奥妙）。

【鬼使神差】guǐ shǐ shén chāi 好像鬼神暗中差使一样，形容意外地发生某种巧合的事或不由自主地做出某种意想不到的事。也说神差鬼使、神使鬼差。

【鬼祟】guǐsuì ❶ 圈偷偷摸摸；不光明正大：行为～|只见一个人鬼鬼祟祟地探头探脑。❷ 图鬼怪。

【鬼胎】guǐtāi 图比喻不可告人的念头：心怀～。

【鬼剃头】guǐtìtóu 图斑秃的俗称。

【鬼头鬼脑】guǐ tóu guǐ nǎo 形容行为鬼祟。

【鬼物】guǐwù 图鬼；鬼怪。

【鬼雄】guǐxióng 〈书〉图鬼中的雄杰，用于称颂壮烈死去的人：生当作人杰，死亦为～。

【鬼蜮】guǐyù 图鬼怪：～伎俩（比喻阴险害人的卑劣手段）。

【鬼子】guǐ·zi 图对侵略我国的外国人的憎称。

媿 guǐ ［媿嫿］（guǐhuà）〈书〉圈形容女子娴静美好。

癸 guǐ 图天干的第十位。参看440页【干支】。

毁 guǐ 同"簋"，见于金文。

晷 guǐ ❶〈书〉日影，比喻时光：余～|焚膏继～。❷ 古代用来观测日影以定时刻的仪器。

簋 guǐ 古代盛食物的器具，圆口，两耳。

柜（櫃） guì 图❶（～儿）收藏衣物、文件等用的器具，方形或长方形，一般为木制或铁制：衣～|碗～儿|橱～|保险～。❷ 柜房，也指商店：现款都交了～了。
　　另见737页 jǔ。

【柜橱】guìchú 图橱柜。

【柜房】guìfáng 图商店、旅店等的账房。

【柜上】guì·shang 图指柜房，也指店铺。

【柜台】guìtái 图商店营业用的装置，式样像柜而长，用木料、金属或玻璃板制成。

【柜员】guìyuán 图柜台工作人员（多指金融机构的）。

【柜员机】guìyuánjī 图指自动柜员机。

【柜子】guì·zi 图柜①。

炅 Guì 图姓。
　　另见728页 jiǒng。

刿（劌） guì 〈书〉刺伤；割。

刽（劊） guì 〈书〉割断。

【刽子手】guì·zishǒu 图❶ 旧时执行死刑的人。❷ 比喻屠杀人民的人。

妜 Guì 图姓。
　　另见1134页 quē。

贵（貴） guì ❶ 圈价格高；价值大（跟"贱"相对）：绸缎比棉布～|春雨～如油。❷ 评价高；值得珍视或重视：宝～|可～。❸ 圂以某种情况为可贵：人～有自知之明|锻炼身体，～在坚持。❹ 地位优越（跟"贱"相对）：～族|～妇人|达官～人。❺ 敬辞，称与对方有关的事物：～姓|～国|高抬～手。❻（Guì）图姓。

【贵宾】guìbīn 图尊贵的客人。

【贵妃】guìfēi 图次于皇后的地位高的妃子。

【贵干】guìgàn 图敬辞，问人要做什么：有何～？

【贵庚】guìgēng 图敬辞，问人年龄。

【贵贱】guìjiàn ❶ 图价钱的高低：管它～，只要看中了，就买了来。❷ 图地位的高低：无论～，都以礼相待。❸〈方〉圖表示无论如何：他嫌太远，～不肯去。

【贵金属】guìjīnshǔ 名 通常指在自然界含量较少，不易开采，因而价格昂贵的金属，包括金、银和铂族元素（钌、铑、钯、锇、铱、铂）。

【贵客】guìkè 名 尊贵的客人：～临门。

【贵人】guìrén 名 ❶ 尊贵的人：达官～｜～眼高。❷ 古代皇宫中女官名。

【贵姓】guìxìng 名 敬辞，问人姓氏。

【贵恙】guìyàng 名 敬辞，称对方的病。

【贵重】guìzhòng 形 价值高；值得重视：～仪器｜～物品。

【贵胄】guìzhòu〈书〉名 贵族的后代。

【贵子】guìzǐ 名 敬辞，称人的儿子（多含祝福意）：喜生～。

【贵族】guìzú 名 奴隶社会、封建社会以及现代君主国家里统治阶级的上层，享有特权。

桂[1] guì ❶ 名 肉桂：～皮。❷ 名 桂花：金～。❸ 名 月桂树。❹ 名 桂皮树。

桂[2] Guì ❶ 名 桂江，水名，在广西。❷ 名 广西的别称。❸ 名 姓。

【桂冠】guìguān 名 月桂树叶编的帽子，古代希腊人授予杰出的诗人或竞技的优胜者。后来欧洲习俗以桂冠为光荣的称号。现在也用来指竞赛中的冠军：我国选手夺得锦标赛～。

【桂花】guìhuā 名 ❶ 常绿小乔木或灌木，叶子椭圆形，花小，白色或暗黄色，有特殊的香气，核果卵圆形。花供观赏，也可做香料。❷ 这种植物的花。‖也叫木樨。

【桂剧】guìjù 名 广西地方戏曲剧种之一，主要流行于广西汉族说北方话的地区。

【桂皮】guìpí 名 ❶ 桂皮树，常绿乔木，叶子卵形，花黄色，果实黑色。树皮可入药或做香料。❷ 桂皮树的皮。❸ 肉桂树的皮，可入药，也可做香料或制桂油。

【桂圆】guìyuán 名 龙眼。

【桂竹】guìzhú 名 竹子的一种，秆高大、坚韧致密，用作建筑材料，也可制器物。生长在黄河流域及其以南地区。

【桂子】guìzǐ〈书〉名 桂花：～飘香。

桧（檜） guì 名 圆柏。
另见 612 页 huì。

筀 guì ［筀竹］(guìzhú)名 古书上说的一种竹子。

跪 guì 动 两膝弯曲，使一个或两个膝盖着地：下～｜～拜｜～在地上。

【跪拜】guìbài 动 旧时一种礼节，跪在地上磕头。

【跪射】guìshè 名 射击训练和比赛的一种姿势，一条腿跪在地上射击。

鲑（鮭） guì 名 鱼，体侧扁，银灰色，有黑色小点，吻尖，口大。性喜寒冷，生活在溪流中。

鳜（鱖） guì 名 鳜鱼，体侧扁，背部隆起，黄绿色，全身有黑色斑点，口大、鳞片细小。性凶猛，吃鱼、虾等。生活在淡水中，是我国的特产。有的地区叫花鲫鱼。

gǔn （ㄍㄨㄣˇ）

衮（袞） gǔn 古代君王等的礼服：～服｜～冕（衮服和冕旒）。

【衮服】gǔnfú 名 天子的礼服。

【衮衮】gǔngǔn〈书〉形 连续不断、众多。

【衮衮诸公】gǔngǔn zhū gōng 称众多居高位而无所作为的官僚。

绲（緄） gǔn ❶〈书〉织成的带子。❷〈书〉绳。❸ 动 缝纫方法，沿着衣服等的边缘缝上布条、带子等，形成圆棱形的边：～边｜用红绦子在领口上～一道儿。

【绲边】gǔnbiān （～儿）名 在衣服、布鞋等的边缘特别缝制的一种圆棱形的边儿。也作滚边。

辊（輥） gǔn 名 机器上能滚动的圆柱形机件：～轴。

【辊子】gǔn·zi〈口〉名 辊。

滚（滾） gǔn ❶ 动 滚动；翻转：荷叶上～着亮晶晶的水珠儿。❷ 动 走开；离开（含斥责意）：～开｜你给我～！❸ 动 （液体）翻腾，特指受热沸腾：～开的水｜锅里水～了。❹ 动 使滚动；使在滚动中沾上（东西）：～元宵｜～雪球◇利～利。❺ 同"绲"❸。❻ (Gǔn) 名 姓。

【滚边】gǔnbiān 同"绲边"。

【滚齿机】gǔnchǐjī 名 金属切削机床，用来加工齿轮、涡轮和花键轴等的齿形。加工时，工件和滚刀做相对滚动，滚刀一面旋转，一面推进切削。

【滚存】gǔncún 动 簿记用语，指逐日累计的积存。

【滚蛋】gǔn//dàn 励 离开；走开(斥责或骂人的话)。

【滚刀肉】gǔndāoròu 〈方〉名 比喻不通情理、胡搅蛮缠的人。

【滚动】gǔndòng 励 ❶ 一个物体(多为球形或圆柱形)在另一物体上接触面不断改变地移动，如车轮在地上的运动。❷ 逐步积累扩展；不断地周转：～发展|资金～。❸ 一轮接一轮地连续不断进行：～播出。

【滚翻】gǔnfān 名 体操动作，全身向前、向后或向侧翻转：前～|后～。

【滚肥】gǔnféi 形 状态词。非常肥(多指动物)：这头猪喂得～～的。

【滚沸】gǔnfèi 励 (液体)沸腾翻滚：一锅～的汤◇～的感情。

【滚瓜烂熟】gǔnguā-lànshú 形容读书或背书流利纯熟。

【滚瓜溜圆】gǔnguā-liūyuán 滚圆，多用来形容牲畜肥壮。

【滚滚】gǔngǔn 形 ❶ 形容急速地滚动或翻腾：车轮～|大江～东去|狂风卷起了～的黄沙。❷ 形容连续不断：雷声～|财源～。

【滚雷】gǔnléi 名 ❶ 声音连续不断的雷。❷ 从高处滚放的能延时爆炸的地雷。

【滚轮】gǔnlún 名 运动器械的一种，由若干铁棍平行连接两个大小相同的铁环制成。人在轮里手攀脚蹬，使环滚动。旧称虎伏。

【滚木】gǔnmù 名 古代作战时从高处推下以打击敌人的大木头：～礌石。

【滚热】gǔnrè 形 状态词。非常热(多指饮食或体温)：喝一杯～的茶|他额头～，可能是发烧了。

【滚水】gǔnshuǐ 名 正在开着的或刚开过的水：用～冲藕粉。

【滚烫】gǔntàng 形 状态词。滚热。

【滚梯】gǔntī 名 自动扶梯的通称。

【滚筒】gǔntǒng 名 机器上能转动的圆筒形机件：～洗衣机。

【滚雪球】gǔn xuěqiú 在雪地上玩的一种游戏，滚动成团的雪，使体积越来越大，也用于比喻：这家商场的发展资金，不是靠贷款，全靠自己～。

【滚圆】gǔnyuán 形 状态词。非常圆：腰身～的母牛|两只眼睛睁得～～的。

【滚珠】gǔnzhū (～儿)名 钢制的圆珠形零件。

磙(滚) gǔn ❶ 磙子：石～|铁～。❷ 励 用磙子轧：～地|～压。

【磙子】gǔn·zi 名 圆柱形的碾轧器具，多用石头做成，也有铁制的，用来轧场(cháng)、修路等。

鲧(鯀、鮌) Gǔn 古人名，传说是禹的父亲。

gùn (ㄍㄨㄣˋ)

棍[1] gùn (～儿)名 棍子：木～|铁～|小～儿。

棍[2] gùn 无赖；坏人：恶～|赌～|讼～。

【棍棒】gùnbàng 名 ❶ 棍子(总称)。❷ 器械体操用具。

【棍子】gùn·zi 名 用树枝、竹子截成的长条形东西，也有用金属制成的。

guō (ㄍㄨㄛ)

过(過) Guō 名 姓。另见 524 页 guò。

犷(獷、獚) guō 〈书〉拉开弓弦。

呙(咼) Guō 名 姓。

埚(堝) guō 见 441 页【坩埚】。

郭 guō ❶ 古代在城的外围加筑的一道城墙：城～|东～。❷ 物体周围的边或框：耳～。❸ (Guō)名 姓。

涡(渦) Guō 涡河，水名，发源于河南，流入安徽入淮河。另见 1432 页 wō。

嶲 Guō 嶲山，山名，嶲阳(Guōyáng)，地名，都在山西。

聒 guō 声音嘈杂，使人厌烦：～噪|～耳。

【聒耳】guō'ěr 〈方〉形 (声音)嘈杂刺耳。

【聒噪】guōzào 〈方〉形 声音杂乱；吵闹。

锅(鍋) guō ❶ 名 炊事用具，圆形中凹，多用铁、铝等制成：铁～|

沙～|钢精～|一口～。❷ 某些装液体加热用的器具：～炉|火～。❸（～儿）锅子②：烟袋～儿。

【锅巴】 guōbā 图❶ 焖饭时紧贴着锅的焦了的一层饭。❷ 米粟加作料等烘制成的一种食品：三鲜～。

【锅饼】 guō·bing 图 一种较硬较大较厚的烙饼。

【锅伙】 guō·huo （～儿）图 旧时单身工人、小贩等临时组成的集体食宿处，设备简陋。

【锅盔】 guō·kuī 图 较小的锅饼。

【锅炉】 guōlú 图 产生水蒸气或热水的装置，由盛水的钢制容器和烧火的装置构成。产生的水蒸气用来取暖或发动蒸汽机、汽轮机。

【锅台】 guōtái 图 灶上面放东西的平面部分。

【锅贴儿】 guōtiēr 图 在铛（chēng）上加少量的油和水煎熟的饺子。

【锅烟子】 guōyān·zi 图 锅底上的烟子，可做黑色颜料。

【锅庄】 guōzhuāng 图 藏族的民间舞蹈。在节日或农闲时跳，男女围成圆圈，自右而左，边歌边舞。有些彝族地区也流行这种舞蹈。

【锅子】 guō·zi 图❶〈方〉锅①。❷ 某些器物上像锅的部分：烟袋～。❸ 火锅；涮～。

蝈（蟈） guō ［蝈蝈儿](guō·guor)图 昆虫，身体绿色或褐色，腹部大，翅膀短，善于跳跃，吃植物的嫩叶和花。雄的前翅有发音器，能发出清脆的声音。

guó （ㄍㄨㄛ）

国（國、囯） guó ❶ 图 国家：～内|祖～|外～|保家卫～。❷ 代表或象征国家的：～徽|～旗|～花。❸ 在一国内最好的：～手|～色。❹ 指本国的，特指我国的：～产|～术|～画|～药。❺（Guó）图 姓。

【国宝】 guóbǎo 图❶ 国家的宝物：传为～。❷ 比喻对国家有特殊贡献的人：这些老艺术家都是我们的～。

【国本】 guóběn 图 立国的根本：民为～。

【国宾】 guóbīn 图 应本国政府邀请前来访问的外国元首或政府首脑。

【国柄】 guóbǐng 〈书〉图 国家大权。

【国策】 guócè 图 国家的基本政策。

【国产】 guóchǎn 形 属性词。本国生产的：～汽车|～影片。

【国耻】 guóchǐ 图 因外国的侵略而使国家蒙受的耻辱，如割地、签订不平等条约等：洗雪～。

【国仇】 guóchóu 图 因国家受到侵略而产生的仇恨：～家恨。

【国粹】 guócuì 图 指我国固有文化中的精华：国画、京剧堪称～。

【国道】 guódào 图 由国家统一规划修筑和管理的干线公路，一般跨省和直辖市。

【国都】 guódū 图 首都。

【国度】 guódù 图 指国家（多就国家区域而言）：他们来自不同的～。

【国法】 guófǎ 图 国家的法纪：～难容。

【国防】 guófáng 图 一个国家为了保卫自己的领土主权，防备外来侵略，而拥有的人力、物力，以及和军事有关的一切设施：巩固～|～建设。

【国防军】 guófángjūn 图 保卫国家的正规军。

【国父】 guófù 图 尊称为创建国家建立特殊功勋的领导人。

【国歌】 guógē 图 由国家正式规定的代表本国的歌曲。我国国歌是《义勇军进行曲》。

【国格】 guógé 图 指国家的体面和尊严（多体现在涉外活动中）。

【国故】[1] guógù 图 我国固有的文化（多指语言文字、文学、历史等）：整理～。

【国故】[2] guógù 〈书〉图 国家遭受的灾荒、瘟疫、战争等重大变故。

【国号】 guóhào 图 国家的称号，如汉、唐、宋、元、明等。

【国花】 guóhuā 图 国家把本国人民喜爱的花作为国家的象征，这种花叫做国花。

【国画】 guóhuà 图 我国传统的绘画（区别于"西洋画"）。

【国徽】 guóhuī 图 由国家正式规定的代表本国的标志。我国国徽，中间是五星照耀下的天安门，周围是谷穗和齿轮。

【国会】 guóhuì 图 议会。

【国会制】 guóhuìzhì 名 议会制。

【国魂】 guóhún 名 指一个国家国民的特有的精神。

【国货】 guóhuò 名 本国制造的工业品。

【国籍】 guójí 名 ❶ 指个人具有的属于某个国家的身份。❷ 指飞机、船只等属于某个国家的关系：一架中国～的大型客机即将起飞。

【国计民生】 guó jì mín shēng 国家经济和人民生活。

【国际】 guójì ❶ 形 属性词。国与国之间；世界各国之间：～协定|～关系。❷ 名 指世界或世界各国：～惯例|与～接轨|我国在～上的地位不断提高。

【国际标准交谊舞】 guójì biāozhǔn jiāoyìwǔ 见 1342 页〖体育舞蹈〗。

【国际裁判】 guójì cáipàn 经国际体育运动组织批准.具有在国际体育运动竞赛中担任裁判资格的裁判员。

【国际单位制】 guójì dānwèizhì 一种计量制度,国际计量大会 1960 年通过采用。长度的单位米,质量的单位千克(公斤),电流强度的单位安培,时间的单位秒,热力学温度的单位开尔文,物质的量的单位摩尔和发光强度的单位坎德拉,是基本单位；由基本单位推导出来的单位叫导出单位,如面积的单位平方米,速度的单位米/秒等。国际符号是 SI。

【国际儿童节】 Guójì Értóng Jié 见 878 页〖六一儿童节〗。

【国际法】 guójìfǎ 名 国际公法的简称。

【国际妇女节】 Guójì Fùnǚ Jié 见 1170 页〖三八妇女节〗。

【国际歌】 Guójì Gē 名 国际无产阶级革命歌曲。法国鲍狄埃(Eugène Pottier)作词,狄盖特(Pierre Degeyter)配曲。

【国际公法】 guójì gōngfǎ 调整各国之间的政治、经济、军事、文化等各种关系的准则的总称。这些准则是由各国通过协议来制定、修改和执行的,没有统一的立法机关和执行机关,它的渊源是国际条约、国际惯例和国际机构的决议。通常简称国际法。

【国际公制】 guójì gōngzhì 米制。简称公制。

【国际惯例】 guójì guànlì 在国际交往中逐渐形成的一些习惯做法和先例,是国际法的主要渊源之一。

【国际劳动节】 Guójì Láodòng Jié 见 1445 页〖五一劳动节〗。

【国际日期变更线】 guójì rìqī biàngēng xiàn 日界线。

【国际私法】 guójì sīfǎ 国家处理和调整涉及外国公民的民事法律关系的规则的总称。这种关系一般是由于对外贸易和本国人同外国人往来而产生的。

【国际象棋】 guójì xiàngqí 棋类运动的一种,黑白棋子各十六个,分成六种,一王、一后、两象、两车、两马、八兵。棋盘为正方形,由六十四个黑白小方格相间排列而成。两人对下,按规则移动棋子,将(jiāng)死对方的王为胜。

【国际音标】 guójì yīnbiāo 国际语音学会制定的标音符号。初稿在 1888 年发表,后来经过不断的修改,内容逐渐完备,各种语言常用的音都有适当的符号。形式以拉丁字母的小楷为主,加以补充。在各种音标系统中,是通行范围较广的一种。

【国际主义】 guójì zhǔyì 马克思主义关于国际无产阶级团结的思想,是国际共产主义运动的指导原则之一。

【国际纵队】 guójì zòngduì 指 1936—1939 年西班牙内战期间,许多国家的工人、农民等为支援西班牙人民反对佛朗哥反动军队和德、意法西斯武装干涉所组成的志愿军。后泛指为反对侵略,不同国籍的人志愿组成的军队。

【国家】 guójiā 名 ❶ 阶级统治的工具,同时兼有社会管理的职能。国家是阶级矛盾不可调和的产物和表现,它随着阶级的产生而产生,也将随着阶级的消灭而自行消亡。❷ 指一个国家的整个区域：蒙古国是个内陆～。

【国家标准】 guójiā biāozhǔn 国家主管部门对需要在全国范围内统一的重要的工农业产品、工程建设质量和各种计量单位等的技术要求所制定的技术规范。

【国家裁判】 guójiā cáipàn 国家级裁判员的简称,是经我国体育运动组织批准的最高一级裁判员的称号。

【国家公园】 guójiā gōngyuán 国家为保护自然生态系统和自然景观的原始状态,为进行科学研究和科学普及,同时供公众参观旅游而划出的大面积场所。

【国家机关】 guójiā jīguān ❶ 行使国家权力、管理国家事务的机关。包括国家权力机关、国家行政机关、审判机关、检察机关和军队等。如我国的全国人民代表大会、国务院、地方各级人民代表大会和人民政府、各级人民法院、人民检察院、公安机关等。也叫政权机关。❷ 特指中央一级机关。

【国家赔偿】guójiā péicháng 国家机关及其工作人员侵犯公民、法人等的合法权益而造成损害，由国家对受害者给予的赔偿。包括行政赔偿和刑事赔偿。

【国家税】guójiāshuì 〈名〉按照税法规定由国家税务部门征收管理，或由地方征收后划归国家所有的税种，是国家财政的固定收入。简称国税。也叫中央税。

【国家所有制】guójiā suǒyǒuzhì 生产资料归国家所有的制度，它的性质因社会制度的不同而不同。在我国，国家所有制即社会主义全民所有制。

【国脚】guójiǎo 〈名〉指入选国家队的足球运动员。

【国教】guójiào 〈名〉某些国家明文规定的本国所信仰的正统宗教。

【国界】guójiè 〈名〉相邻国家领土之间的分界线：划定～。

【国境】guójìng 〈名〉❶ 一个国家行使主权的领土范围。❷ 指国家的边境：偷越～|～检查站。

【国剧】guójù 〈名〉指一个国家的广为流行的传统剧种，如我国的京剧。

【国君】guójūn 〈名〉君主国家的统治者。

【国库】guókù 〈名〉金库的通称。

【国库券】guókùquàn 〈名〉国家银行发行的一种债券。

【国力】guólì 〈名〉国家在政治、经济、军事、科学技术等方面所具备的实力：综合～|增强～|～强大。

【国立】guólì 〈形〉属性词。由国家设立的（用于学校、医院等）：～大学。

【国脉】guómài 〈名〉国家的命脉：传邮万里，～所系。

【国门】guómén 〈书〉〈名〉指国都的城门，也指边境：拒敌于～之外|产品走出～，打入国际市场。

【国民】guómín 〈名〉具有某国国籍的人是这个国家的国民。

【国民待遇】guómín dàiyù 一国对在本国境内的外国人（自然人或法人）给予的和本国人同等的民事权利的待遇。包括财产所有权、转让权、财产继承权、专利权、商标权、著作权、诉讼权等。一般不包括政治权利。

【国民党】guómíndǎng 〈名〉1912 年 8 月，孙中山在中国同盟会的基础上，合并统一共和党、国民共进会、国民公党等几个党派组建的资产阶级政党。1914 年 7 月改组为中华革命党，1919 年 10 月改名为中国国民党。简称国民党。

【国民经济】guómín jīngjì 一个国家的生产、流通、分配和消费的总体，包括各个生产部门和为生产服务的流通部门，如工业、农业、建筑业、交通运输业、商业等，也包括文化、教育、科学研究、医药卫生等非生产部门。

【国民生产总值】guómín shēngchǎn zǒngzhí 一定时期内一国居民在国内和国外所生产的全部最终产品和劳务的市场价值总额。

【国民收入】guómín shōurù 一个国家国民经济各个生产部门在一个时期内新创造的价值的总和。就是从一个时期内的社会总产品的价值中，减去生产上消耗掉的生产资料的价值后剩余的部分。

【国难】guónàn 〈名〉国家的危难，特指由外国侵略造成的国家灾难：～当头|共赴～。

【国内生产总值】guónèi shēngchǎn zǒngzhí 一定时期内一国居民在本国范围内所生产的全部最终产品和劳务的市场价值总额。

【国戚】guóqī 〈名〉帝王的外戚：皇亲～。

【国旗】guóqí 〈名〉由国家正式规定的代表本国的旗帜。我国国旗是五星红旗。

【国企】guóqǐ 〈名〉国有企业的简称：～改革。

【国情】guóqíng 〈名〉一个国家的社会性质、政治、经济、文化等方面的基本情况和特点，也特指一个国家某一时期的基本情况和特点：适合～|熟悉～。

【国庆】guóqìng 〈名〉开国纪念日。我国国庆是 10 月 1 日。

【国球】guóqiú 〈名〉指在一个国家广泛开展、水平在国际居于领先地位的球类运动，如乒乓球被称为中国的国球。

【国人】guórén 〈书〉〈名〉指本国的人。

【国丧】guósāng 〈名〉封建时代皇帝、皇后、太上皇、太后的丧事叫国丧；现代国家元首的丧事，以及某些在对国家有重大影响的事件中遇难的人的丧事也叫国丧。

【国色】guósè 〈书〉名 在一国内容貌最美的女子；天姿～。

【国色天香】guó sè tiān xiāng 见 1348 页〖天香国色〗。

【国殇】guóshāng 〈书〉名 为国牺牲的人。

【国史】guóshǐ 名 ❶ 一国或一个朝代的历史。❷ 古代的史官。

【国势】guóshì 名 ❶ 国力：～强大|～蒸蒸日上。❷ 国家的形势：～危殆。

【国事】guóshì 名 国家大事：关心～。

【国事访问】guóshì fǎngwèn 一国元首或政府首脑接受他国邀请而进行的正式访问。

【国是】guóshì 〈书〉名 国家大计：共商～。

【国手】guóshǒu 名 精通某种技能（如医道、棋艺等）在国内数一流的人，也指入选国家队的选手。

【国书】guóshū 名 一国派遣或召回大使（或公使）时，由国家元首给驻在国元首的文书。大使（或公使）只有在向所驻国呈递国书以后，才能得到国际法所赋予的地位。

【国术】guóshù 名 指我国传统的武术。

【国税】guóshuì 名 国家税的简称。

【国泰民安】guó tài mín ān 国家太平，人民生活安定。

【国帑】guótǎng 〈书〉名 国家的公款：盗用～|虚耗～。

【国体】guótǐ 名 ❶ 表明国家根本性质的国家体制，是由社会各阶级在国家中的地位来决定的。我国的国体是工人阶级（经过共产党）领导的，以工农联盟为基础的人民民主专政的社会主义国家。❷ 国家的体面。

【国统区】guótǒngqū 名 抗日战争和解放战争时期称国民党政府统治的地区。

【国土】guótǔ 名 国家的领土。

【国王】guówáng 名 古代某些国家的统治者；现代某些君主制国家的元首。

【国威】guówēi 名 国家的声威：大振～。

【国文】guówén 名 ❶ 本国的文字，旧时指汉语语文。❷ 旧时指中小学等的语文课。

【国务】guówù 名 国家的事务：国事：～会议。

【国务卿】guówùqīng 名 ❶ 民国初年协助大总统处理国务的人。❷ 美国国务院的领导人，由总统任命。

【国务委员】guówù wěiyuán 我国国务院组成人员，相当于副总理。

【国务院】guówùyuàn 名 ❶ 我国最高国家权力机关的执行机关，即最高国家行政机关，也就是中央人民政府，由总理、副总理、国务委员、各部部长、各委员会主任等人员组成。国务院对全国人民代表大会和它的常务委员会负责并报告工作。❷ 民国初年的内阁，以国务总理为首。❸ 美国政府中主管外交兼管部分内政的部门，主管者称国务卿。

【国学】guóxué 名 ❶ 称我国传统的学术文化，包括哲学、历史学、考古学、文学、语言学等。❷ 古代指国家设立的学校，如太学、国子监。

【国宴】guóyàn 名 国家元首或政府首脑为招待国宾或在重要节日招待各界人士而举行的隆重宴会。

【国药】guóyào 名 中药。

【国医】guóyī 名 中医。

【国音】guóyīn 名 旧时指国家审定的汉语标准音。

【国营】guóyíng 形 属性词。由国家投资经营的：～农场|～企业。

【国有】guóyǒu 动 国家所有：～化|～企业|土地～|铁路～。

【国有股】guóyǒugǔ 名 由政府或代表政府的机构投资购买的股份公司的股份。在我国，也指国有企业股份制改革中，以国有资产评估后入股的股份。

【国有经济】guóyǒu jīngjì 生产资料归国家所有的经济形式。在我国指社会主义全民所有制经济。

【国有企业】guóyǒu qǐyè 指我国的社会主义全民所有制企业。是国家占有并控制全部或大部分资产的企业。原来由国家直接经营管理，称为国营企业。在经济体制改革中，所有权和经营权开始分离，国家原则上不参与直接经营，改称为国有企业。简称国企。

【国有资产】guóyǒu zīchǎn 归国家所有的资产，包括资金、固定资产、流动资产和各种自然资源等。

【国语】guóyǔ 名 ❶ 指本国人民共同使用的语言。在我国是汉语普通话的旧称。

❷旧时指中小学等的语文课。

【国乐】guóyuè 图指我国传统的音乐。

【国运】guóyùn〈书〉图 国家的命运：～昌隆。

【国葬】guózàng 图以国家名义为有特殊功勋的人举行的葬礼。

【国贼】guózéi 图危害国家或出卖国家主权的败类。

【国债】guózhài 图国家所欠的债务。

【国子监】guózǐjiàn 图我国封建时代最高的教育管理机关，有的朝代兼为最高学府。

掴（摑） guó "掴"guāi的又音。

帼（幗） guó 见705页〖巾帼〗。

涸（漍） guó 北涸(Běiguó)，地名，在江苏。

腘（膕） guó 图膝部的后面。腿弯曲时腘部形成一个窝，叫腘窝。(图见1209页"人的身体")

虢 Guó ❶周朝国名。西虢在今陕西宝鸡东，后来迁到河南陕县东南。东虢在今河南郑州西北。北虢在今河南陕县、山西平陆一带。❷图姓。

馘（聝） guó 古代战争中割掉敌人的左耳计数献功。也指上述情况割下的左耳。

漍 guó〈书〉[拟声]水流声：溪水～～。

guǒ （ㄍㄨㄛˇ）

果¹（❶菓） guǒ ❶（～儿）图 果实①：水～｜开花结～。[注意]"菓"是"水果"、"红果儿"等的"果"的异体字。❷ 事情的结局；结果(跟"因"相对)：成～｜前因后～。❸(Guǒ)图姓。

果² guǒ 图果断：～敢。

果³ guǒ ❶副 果然①：～不出所料。❷ 果然②：如～。

【果报】guǒbào 图因果报应，是起源于佛教的一种宿命论：～不爽。

【果不其然】guǒ·bù qí rán 果然(强调不出所料)：我早说要下雨，～，下了吧！也说果不然。

【果茶】guǒchá 图用山楂、胡萝卜、西红柿、草莓等制成的果肉型果汁饮料。

【果丹皮】guǒdānpí 图一种用干、鲜红果或制作红果脯、苹果脯等的下脚料为原料制成的食品。

【果冻】guǒdòng（～儿）图用水果的汁和糖加工制成的半固体状食品。

【果断】guǒduàn 图有决断；不犹豫：采取～措施｜他处理问题很～。

【果饵】guǒ'ěr〈书〉图糖果点心(总称)。

【果脯】guǒfǔ 图用桃、杏、梨、枣等水果加糖或蜜制成的食品的统称。

【果腹】guǒfù〈书〉动吃饱肚子：食不～。

【果干儿】guǒgānr 图水果经晾晒或烘干而制成的食品的统称。

【果敢】guǒgǎn 图勇敢而有决断：～地发起了冲锋｜他的指挥还不够～。

【果酱】guǒjiàng 图用水果加糖、果胶制成的糊状食品。也叫果子酱。

【果胶】guǒjiāo 图有机化合物的一类，无定形胶状，是植物细胞间质(细胞和细胞之间的物质)的重要成分，在果实和花中含量丰富。是制造果酱、果冻等的原料。

【果酒】guǒjiǔ 图用水果发酵制成的酒。也叫果子酒。

【果决】guǒjué 图果敢坚决：办事～。

【果料儿】guǒliàor 图加在甜点心上的青丝、红丝、松仁、瓜子仁、葡萄干儿等物品的统称。

【果绿】guǒlù 图浅绿色。

【果木】guǒmù 图果树：～园(果园)。

【果农】guǒnóng 图以栽培果树，从事果品生产为主的农民。

【果盘】guǒpán 图专用于盛放果品的盘子，也指装在盘子里的瓜果。

【果皮】guǒpí 图植物果实的皮，分内果皮、中果皮和外果皮三层，一般所指的是外果皮。

【果品】guǒpǐn 图水果和干果的总称：～店｜干鲜～。

【果儿】guǒr〈方〉图鸡蛋：卧～(把去壳的鸡蛋整个儿放在开水里煮)｜甩～(把去壳的鸡蛋搅匀后撒在汤里)。

【果然】guǒrán ❶副表示事实与所说或所料相符：～名不虚传｜他说要下雪，～下雪了。❷连假设事实与所说或所料相符：你～爱她，就该帮助她。

【果肉】guǒròu 名 水果可以吃的部分,一般是中果皮,如桃儿的果肉就是核和外层薄皮之间的部分。

【果实】guǒshí 名❶ 植物体的一部分,花受精后,子房逐渐长大,成为果实。可分为真果、假果,也可分为单果、复果、聚合果。有些果实可供食用。❷ 比喻经过斗争或劳动得到的胜利品或收获:劳动~。

【果树】guǒshù 名 果实主要供食用的树木,如桃树、苹果树等。

【果穗】guǒsuì 名 指某些植物(如玉米、高粱)的聚集在一起的果实。

【果糖】guǒtáng 名 有机化合物,化学式 $C_6H_{12}O_6$。是蔗糖的组成物质,白色结晶、味甜。水果和蜂蜜中含有果糖。

【果园】guǒyuán 名 种植果树的园地。

【果真】guǒzhēn ❶ 副 果然①:这一次劳动竞赛二组一夺到了红旗。❷ 连 果然②:~是这样,那就好办了。

【果汁】guǒzhī 名 用鲜果的汁水制成的饮料。

【果枝】guǒzhī 名❶ 果树上结果实的枝。❷ 棉花植株上结棉铃的枝。

【果子】guǒ·zi 名❶ 指可以吃的果实。❷ 同"馃子"。

【果子酱】guǒ·zijiàng 名 果酱。

【果子酒】guǒ·zijiǔ 名 果酒。

【果子狸】guǒ·zilí 名 花面狸。

【果子露】guǒ·zilù 名 在蒸馏水中加入果汁制成的饮料。

馃(餜) guǒ 馃子。

【馃子】guǒ·zi 名❶ 一种油炸的面食。❷〈方〉旧式点心的统称。‖ 也作果子。

椁(槨) guǒ 古代套在棺材外面的大棺材:棺~。

蜾 guǒ [蜾蠃](guǒluǒ)名 一种寄生蜂。参看959页[螟蛉]。

裹 guǒ ❶ 动(用纸、布或其他片状物)缠绕;包扎:包~|~腿|用绷带把伤口~好。❷ 动 为了不正当的目的把人或物夹杂在别的人或物里面:土匪逃跑时~走了村子里的几个人。❸〈方〉动 吸(奶):小孩儿一生下来就会~奶。❹(Guǒ)名姓。

【裹脚】guǒ//jiǎo 动 旧时一种陋习,用长布条把女孩子的脚紧紧地缠住,为使脚纤

小,而造成脚骨畸形。

【裹脚】guǒ·jiao 名 旧时妇女裹脚用的长布条。也叫裹脚布。

【裹脚布】guǒjiǎobù 名 裹脚(guǒ·jiao)。

【裹乱】guǒ//luàn〈方〉动 加入其中扰乱;搅扰:爸爸正在写文章,别去~。

【裹腿】guǒ·tui 名 缠在裤子外边小腿部分的布条,旧时士兵行军时多打裹腿。

【裹胁】guǒxié 动 用胁迫手段使人跟从(做坏事)。也作裹挟。

【裹挟】guǒxié ❶ 动(风、流水等)把别的东西卷入,使随着移动:河水~着泥沙,滚滚东流。❷ 动(形势、潮流等)把人卷进去,迫使其采取某种态度。❸ 同"裹胁"。

【裹扎】guǒzā 动 包扎:~伤口。

【裹足不前】guǒ zú bù qián 停步不进(多指有所顾虑)。

guò （ㄍㄨㄛˋ）

过(過) guò ❶ 动 从一个地点或时间移到另一个地点或时间;经过某个空间或时间:~来|~去|~河|~桥|~年|~节|日子越来越好~了。❷ 动 从甲方转移到乙方:~户|~账。❸ 动 使经过(某种处理):~罗|~筛子|~滤|~淋|~磅|~秤|~油肉|~~数儿。❹ 动 用眼看或用脑子回忆:~目|把昨天的事在脑子里~了一遍。❺ 动 超过(某个范围和限度):~分|~期|~犹不及|树长得~了房。❻ 分子结构中有过氧基(—O—O—)结构的:~硫酸根(SO_5^{--})|~氧化氢(H_2O_2)。❼〈书〉探望;拜访:~访。❽〈方〉动 去世:老太太~了好几天了。❾ 名 过失(跟"功"相对):~错|记~|勇于改~。❿〈方〉动 传染:这个病~人。

过(過) ·guò 动 趋向动词。❶ 用在动词后,表示经过:走~广场|把他送~了桥。❷ 用在动词后,表示掉转方向:翻~一页|他回~头来看了看。❸ 用在动词后,表示超过或胜过:我比不~你|一匹马抵得~两头驴。

过(過) ·guo 动❶ 用在动词后,表示完毕:吃~饭再去|杏花和碧桃都已经开~了。❷ 用在动词后,表示

某种行为或变化曾经发生,但并未继续到现在:他去年来～北京|我们吃～亏,上～当,有了经验了。

另见 518 页 Guō。

【过半】guòbàn 动 超过总数的一半:时间～,任务～。

【过磅】guò∥bàng 动 用磅秤称。

【过不去】guò·buqù 动 ❶ 有阻碍,通不过:大桥正在修理,这里～。❷ 为难:他成心跟你～。❸ 过意不去;抱歉:让他白跑一趟,我心里真有点～。

【过场】guòchǎng ❶ 动 戏曲中角色上场后,不多停留,就穿过舞台从另一侧下场。❷ 名 戏剧中用来贯串前后情节的简短表演。

【过程】guòchéng 名 事情进行或事物发展所经过的程序:认识～|生产～|到了新地方要有一个适应的～。

【过秤】guò∥chèng 动 用秤称:这筐苹果还没～。

【过从】guòcóng 〈书〉动 来往;交往:两人～甚密。

【过错】guòcuò 名 过失;错误②。

【过当】guòdàng 动 超过适当的数量或限度:防卫～|药剂用量～。

【过道】guòdào (～儿)名 ❶ 新式房子由大门通向各房间的走道。❷ 旧式房子连通各个院子的走道,特指大门所在的一间或半间屋子。

【过得去】guò·deqù 动 ❶ 无阻碍,通得过:这条胡同儿很宽,汽车～。❷(生活)不很困难:现在他家的日子还算～。❸ 说得过去:准备一些茶点招待客人,也就～了。❹ 过意得去(多用于反问):看把您累成这个样子,叫我心里怎么～呢?

【过电】guò∥diàn 动 电流通过(身体);触电。

【过冬】guò∥dōng 动 度过冬天:穿件薄毛衣过得了冬吗?|大雁每年都来这儿～。

【过度】guòdù 形 超过适当的限度:～疲劳|～兴奋|悲伤～。

【过渡】guòdù 动 事物由一个阶段或一种状态逐渐发展变化而转入另一个阶段或另一种状态:～时期|～地带。

【过渡内阁】guòdù nèigé 看守内阁。也叫过渡政府。

【过渡政府】guòdù zhèngfǔ 过渡内阁。

【过房】guòfáng 〈方〉动 过继。

【过访】guòfǎng 〈书〉动 访问。

【过分】guò∥fèn 形 (说话、做事)超过一定的程度或限度:～谦虚,就显得虚伪了|这幅画虽然画得不够好,但你把它说得一文不值,也未免～了。

【过付】guòfù 动 双方交易,由中人经手付钱或货物。

【过关】guò∥guān 动 通过关口,多比喻经审核,达到要求而获得通过或认可:过技术关|蒙混～|产品质量不达标就过不了关。

【过关斩将】guò guān zhǎn jiàng 比喻竞赛中战胜对手,进入下一轮比赛,也比喻在前进中克服困难。

【过河拆桥】guò hé chāi qiáo 比喻达到目的以后,就把曾经帮助过自己的人一脚踢开。

【过后】guòhòu 名 ❶ 往后:这件事暂且这么决定,有什么问题,～再说。❷ 后来:我先去通知了他,～才来通知你的。

【过户】guò∥hù 动 房产、车辆、记名有价证券等在买卖、继承或赠与时,依照法定手续更换所有者姓名:房子已经过完了户。

【过话】guò∥huà (～儿)〈方〉动 ❶ 交谈:我们俩不太熟,只见面打个招呼,没有过过话儿。❷ 传话:请你替我过个话儿,就说明天我不去找他了。

【过活】guòhuó 动 生活;过日子:那时,一家人就靠父亲做工～。

【过火】guò∥huǒ (～儿)形 (说话、做事)超过适当的分寸或限度:这话说得有点～。

【过激】guòjī 形 过于激烈:～的言论|行为～。

【过季】guò∥jì 动 (服装、用品等)过了适用的季节:服装～打折销售。

【过继】guòjì 动 把自己的儿子给没有儿子的兄弟、堂兄弟或亲戚做儿子;没有儿子的人以兄弟、堂兄弟或亲戚的儿子为自己的儿子。

【过家伙】guò jiā·huo 打出手①。

【过奖】guòjiǎng 谦辞,过分地表扬或夸奖(用于对方赞扬自己时):您～了,我不过做了该做的事。

【过街老鼠】guò jiē lǎoshǔ 比喻人人痛恨的坏人坏事。

【过街楼】guòjiēlóu 名 跨在街道或胡同上的楼，底下可以通行。

【过街天桥】guò jiē tiānqiáo 为了行人横穿马路而在马路上空架设的桥。

【过节】guò//jié 动 ❶ 在节日进行庆祝等活动。❷ 指过了节日：这件事等过了节再说。

【过节儿】guò·jiér 〈方〉名 ❶ 待人接物时所应重视的礼节或手续。❷ 嫌隙：你们之间的～，你也有不是的地方。❸ 细节；琐事：这虽是小～，但也不能忽视。

【过境】guò//jìng 动 通过国境或地区管界：～手续│台风～。

【过客】guòkè 名 过路的客人；旅客。

【过来】guò//·lái 动 从另一个地点向说话人（或叙述的对象）所在地来：车来了，赶快～吧！│那边有只小船～了。

【过来】//·guò//·lái 动 趋向动词。❶ 用在动词后，表示时间、能力、数量充分（多跟"得"或"不"连用）：活儿不多，我一个人干得～│这几天我忙不～。❷ 用在动词后，表示来到自己所在的地方：捷报从四面八方七～│敌人几次三番想冲过桥来，都叫我们给打退了。❸ 用在动词后，表示正面对着自己：他转过脸来，我才认出是位老同学。❹ 用在动词后，表示回到原来的、正常的状态：醒～了│觉悟～了│他真固执，简直劝不～│爬到山顶，大家都累得喘不过气来。

【过来人】guò·láirén 名 对某事曾经有过亲身经历和体验的人：你是～，当然明白其中的道理。

【过礼】guò//lǐ 动 旧俗，结婚前男家把彩礼送往女家。

【过量】guò//liàng 动 超过限量：饮酒～│～施肥对作物生长不利。

【过淋】guòlìn 动 过滤：把煎好的药用纱布～一下。

【过录】guòlù 动 把一个本子上的文字抄写到另一个本子上：从流水账～到总账上│把这三种批注用不同颜色的笔～到一个本子上。

【过路】guòlù 动 途中经过某个地方：我是个～的，对这儿的情况不了解。

【过路财神】guòlù cáishén 比喻暂时经手大量钱财而没有所有权和支配权的人。

【过虑】guòlǜ 动 忧虑不必忧虑的事：你

～了，情况没那么严重。

【过滤】guòlǜ 动 使流体通过滤纸或其他多孔材料，把所含的固体颗粒或有害成分分离出去。

【过滤嘴】guòlǜzuǐ 名 一种起过滤作用的烟嘴儿，用泡沫塑料等材料制成，安在香烟的一头。也指带过滤嘴的香烟。

【过门】guò//mén （～儿）动 女子出嫁到男家：刚～的新媳妇。

【过门儿】guòménr 名 唱段或歌曲的前后或中间，由器乐单独演奏的部分，具有承前启后的作用。

【过敏】guòmǐn ❶ 动 机体对某些药物或外界刺激的感受性不正常地增高的现象：药物～│花粉～。❷ 形 过于敏感：你不要太～，没人议论你。

【过目】guò//mù 动 看一遍（多用来表示审核）：名单已经排好，请过一下目。

【过目成诵】guò mù chéng sòng 看了一遍就能背诵出来，形容记忆力强。

【过年】guò//nián 动 ❶ 在新年或春节期间进行庆祝等活动。❷ 指过了新年或过了春节：这事不急，等过了年再说。

【过年】guò·nián 〈口〉名 时间词。明年：这孩子～该上学了。

【过期】guò//qī 动 超过期限：当月有效，～作废。

【过谦】guòqiān 形 过分谦虚（指推让）：这个会由你来主持最合适，不必～了。

【过去】guòqù 名 时间词。现在以前的时期（区别于"现在、将来"）：～的工作只不过像万里长征走完了第一步。

【过去】guò//·qù 动 ❶ 离开或经过说话人（或叙述的对象）所在地向另一个地点去：你在这里等着，我一看看│门口刚～一辆汽车。❷ 婉辞，死亡（后面要加"了"）：他祖父昨天夜里～了。

【过去】//·guò//·qù 动 趋向动词。❶ 用在动词后，表示离开或经过自己所在的地方：我对准了球门一脚把球踢～│老乡又送～几床被子给战士们盖。❷ 用在动词后，表示反面对着自己：我把信翻过～，细看邮戳上的日子。❸ 用在动词后，表示失去原来的、正常的状态：病人晕～了。❹ 用在动词后，表示通过：蒙混不～了。❺ 用在形容词后，表示超过（多跟"得"或"不"连用）：鸡蛋还能硬得过石头去？│天气再热，也热不过乡亲们的心去。

【过儿】guòr 〈方〉量 遍：这衣服洗了三～了｜我把书温了好几～。

【过热】guòrè 形 比喻事物发展的势头猛，超过了应有的限度：经济发展～。

【过人】guòrén 动 超过一般人：聪明～｜他在危难中表现出了～的胆略。

【过日子】guò rì·zi 生活；过活：小两口儿和和美美地～。

【过筛子】guò shāi·zi ❶ 使粮食、矿砂等通过筛子，进行挑选。❷ 比喻选择：先把该解决的问题过一下筛子。

【过山车】guòshānchē 名 游乐场中的一种惊险、刺激的大型娱乐设备，一组车靠惯性沿上下起伏的轨道高速滑行。

【过晌】guòshǎng 〈方〉名 过午。

【过甚】guòshèn 形 过分；夸大（多指说话）：言之～｜～其词。

【过剩】guòshèng 动 ❶ 数量远远超过限度，剩余过多：精力～。❷ 供给远远超过需要或市场购买力：营养～｜生产～。

【过失】guòshī 名 ❶ 因疏忽而犯的错误。❷ 刑法上指应预见却没有预见而发生的危害社会的结果；民法上指应注意却没有注意而造成的损害他人的结果。

【过时】guò//shí ❶ 动 过了规定的时间：～不候。❷ 形 过去流行现在已经不流行；陈旧不合时宜：他戴着一顶～的毡帽。

【过世】guò//shì 动 去世。

【过手】guò//shǒu 动 经手办理（特指钱财）：他～的款项，从未出过差错。

【过数】guò//shù （～儿）动 清点数目：这是货款，你过一下数。

【过堂】guò//táng 动 旧时指诉讼当事人到公堂上受审问。

【过堂风】guòtángfēng （～儿）名 通过穿堂、过道或相对的门窗的风。

【过天】guòtiān 〈方〉副 改天。

【过厅】guòtīng 名 旧式房屋中，前后开门，可以由中间通过的厅堂。

【过头】guò//tóu （～儿）形 超过限度；过分：不说～话，不做～事｜对自己的估计有点儿～。

【过屠门而大嚼】guò túmén ér dà jué 比喻心中羡慕而不能如愿以偿，只好用不实际的办法自慰自己（屠门：肉铺）。

【过往】guòwǎng ❶ 动 来去：～客商｜今

天赶集，路上～的人很多。❷ 动 来往；交往：他们俩是老同学，～甚密。❸ 名 过去（guòqù）；以往：～的时光。

【过望】guòwàng 动 超过自己原来的希望：大喜～。

【过问】guòwèn 动 参与其事；参加意见；表示关心：亲自～｜生产情况｜水泥堆在外面无人～。

【过午】guòwǔ 名 中午以后：上午他不在家，请你～再来吧。

【过细】guòxì 形 十分仔细：～检查一遍｜要～地做工作。

【过心】guòxīn 〈方〉动 ❶ 多心：我直话直说，你别～。❷ 知心：咱俩是～的朋友，有什么话不能说？

【过眼】guò//yǎn 动 过目。

【过眼云烟】guò yǎn yúnyān 比喻很快就消失的事物。也说过眼烟云。

【过夜】guò//yè 动 ❶ 度过一夜（多指在外住宿）：在工地～。❷ 隔夜：不喝～茶。

【过意不去】guò yì bù qù 心中不安（抱歉）：这本书借了这么多日子才还你，真有点～。也说不过意。

【过瘾】guò//yǐn 形 满足某种特别深的癖好，泛指满足爱好：这段唱腔优美，听起来真～。

【过硬】guò//yìng 形 禁受得起严格的考验或检验：过得硬｜技术～｜一本领。

【过犹不及】guò yóu bù jí 事情办得过火，就跟做得不够一样，都是不好的。

【过于】guòyú 副 表示程度或数量过分；太：～劳累｜～迁就｜～乐观。

【过逾】guò·yu 〈方〉形 过分；过甚：小心没～。

【过誉】guòyù 动 过分称赞：您如此～，倒叫我惶恐了｜人们称赞他是人民的公仆，并非～。

【过载】guòzài 动 ❶ 超载。❷ 把一个运输工具上装载的东西卸下来，装到另一个运输工具上。也作过儎。

【过儎】guòzài 同"过载"❷。

【过账】guò//zhàng 动 过去指商业上把账目由甲账转入乙账，现在簿记上指把传票、单据记在总账上或把日记账转登在分类账上：过了半天账。

【过招】guò//zhāo （～儿）动 使用招数较量，也指比赛：与世界强队～。

H

h

hā（ㄏㄚ）

哈¹ hā ❶〔动〕张口呼气：～欠|～了一口气。❷〔拟声〕形容笑声（大多叠用）：～～大笑。❸〔叹〕表示得意或满意（大多叠用）：～～，我猜着了|～～，这回可输给我了。

哈² （躶）hā 另见 528 页 hǎ；528 页 hà。

【哈哈】hā·ha 〔名〕见 244 页【打哈哈】。

【哈哈镜】hāhājìng 〔名〕用凹凸不平的玻璃做成的镜子，照起来奇形怪状，引人发笑。

【哈哈儿】hā·har 〔方〕〔名〕可笑的事：这真是个～|闹了个～。

【哈喇】¹ hā·la 〔口〕〔形〕食油或含油食物日久味道变坏：～味儿|点心～了，不能吃了。

【哈喇】² hā·la 〔动〕杀死（多见于早期白话）。

【哈喇子】hālá·zi 〔方〕〔名〕流出来的口水。

【哈雷彗星】Hāléi huìxīng 肉眼能看到的大彗星之一，英国天文学家哈雷（Edmond Halley）计算出它的轨道，并预计它的通过周期为 76 年，所以叫哈雷彗星。

【哈里发】hālǐfā 〔名〕❶ 穆罕默德逝世（公元 632）后，伊斯兰教国家政教合一的领袖的称呼。❷ 我国伊斯兰教对在寺院中学习伊斯兰经典的人员的称呼。［阿拉伯 khalifah］

【哈密瓜】hāmìguā 〔名〕❶ 甜瓜的一大类，品种很多，果实较大，果肉香甜，多栽培于新疆哈密一带。❷ 这种植物的果实。

【哈尼族】Hānízú 〔名〕我国少数民族之一，分布在云南。

【哈气】hāqì ❶（-//-）〔动〕张口呼气：把手放在嘴边哈了口气。❷〔名〕张口呼出来的气。❸〔名〕指凝结在玻璃等上面的水蒸气。

【哈欠】hā·qian 〔名〕困倦时嘴张开，深深吸气，然后呼出，是血液内二氧化碳增多，刺激脑部的呼吸中枢而引起的生理现象：打～。

【哈萨克族】Hāsàkèzú 〔名〕❶ 我国少数民族之一，主要分布在新疆、甘肃。❷ 哈萨克斯坦共和国人数最多的民族。

【哈腰】hā//yāo 〔口〕〔动〕❶ 弯腰：一～把钢笔掉在地上了。❷ 稍微弯腰表示礼貌（不及鞠躬郑重）：点头～。

铪（鉿）hā 〔名〕金属元素，符号 Hf（hafnium）。银灰色，熔点高。用于制高强度高温合金，也用作 X 射线管的阴极，在核反应堆中做中子吸收剂。

há（ㄏㄚˊ）

虾（蝦）há 见 528 页【蛤蟆】（虾蟆）。另见 1464 页 xiā。

蛤 há 见下。另见 461 页 gé。

【蛤蟆】（虾蟆）há·ma 〔名〕青蛙和蟾蜍的统称。

【蛤蟆镜】há·majìng 〔名〕镜片较大，略呈蛤蟆眼睛形状的太阳镜。

hǎ（ㄏㄚˇ）

哈 hǎ ❶〔方〕〔动〕斥责：～他一顿。❷（Hǎ）〔名〕姓。另见 528 页 hā；528 页 hà。

【哈巴狗】hǎ·bagǒu（～儿）〔名〕❶ 一种体小、毛长、腿短的狗。供玩赏。也叫狮子狗或巴儿狗。❷ 比喻驯顺的奴才。

【哈达】hǎdá 〔名〕藏族和部分蒙古族人表示敬意和祝贺用的长条丝巾或纱巾，多为白色，也有黄、蓝等色。

奤 hǎ 奤夻屯（Hǎbātún），地名，在北京。另见 1317 页 tǎi"呔"。

hà（ㄏㄚˋ）

哈 hà 见下。另见 528 页 hā；528 页 hǎ。

【哈巴】hà·ba 〈方〉劻 走路时两膝向外弯曲。

【哈士蟆】hà·shimá 名 蛙的一种,身体灰褐色,生活在阴湿的地方。雌性的腹内有脂肪状物质,叫哈士蟆油,可入药。哈士蟆是我国特产的动物,主要生活在东北各省。也叫哈什蟆。[满]

【哈什蟆】hà·shimǎ 名 哈士蟆。

hāi（ㄏㄞ）

咍 hāi 〈书〉❶ 讥笑:为众人所～。❷ 欢悦;喜悦:欢～。❸ 同“咳”。

咳 hāi 叹 表示伤感、后悔或惊异:～!我怎么这么糊涂!|～! 真有这种怪事儿!
　　另见 770 页 ké。

嗨 hāi [嗨哟](hāiyō)叹 做重体力劳动(大多集体操作)时呼喊的声音:加油干呐,～!
　　另见 559 页 hēi。

hái （ㄏㄞˊ）

还(還) hái 副 ❶ 表示现象继续存在或动作继续进行;仍旧:十年没见了,她～那么年轻|半夜了,他～在工作。❷ 表示在某种程度之上有所增加或在某个范围之外有所补充:今天比昨天冷|改完作业,～要备课。❸ 用在形容词前,表示程度上勉强过得去(一般是往好的方面说):屋子不大,收拾得倒～干净。❹ 用在上半句话里,表示陪衬,下半句进而推论,多用反问的语气;尚且:你～撬不动,何况我呢? ❺ 表示没想到如此,而居然如此(多含赞叹语气):他～真有办法。❻ 表示早已如此:～在几年以前,我们就研究过这个方案。
　　另见 593 页 huán。

【还是】hái·shi ❶ 副 还(hái)①:今天的会～由他主持。❷ 副 还(hái)⑤:没想到这事儿～真难办。❸ 副 表示希望,含有“这么办比较好”的意思:天气凉了,～多穿点儿吧。❹ 连 表示选择,放在每一个选择的项目的前面,不过第一项之前也可以

不用:你～上午去?～下午去?|去看朋友,～去电影院,～去滑冰场,他一时拿不定主意。

孩 hái 儿童:～子|～提。

【孩儿】hái'ér 名 父母称呼儿女或儿女对父母的自称(多见于早期白话)。

【孩儿】háir 名 孩子:男～|女～|一对夫妻一个～。

【孩提】háití 〈书〉名 ❶ 指幼儿时期。❷ 儿童;幼儿。

【孩童】háitóng 〈书〉名 儿童:三尺～。

【孩子】hái·zi 名 ❶ 儿童:小～|男～。❷ 子女:她有两个～。

【孩子气】hái·ziqì ❶ 名 孩子似的脾气或神气:他一脸的～。❷ 形 脾气或神气像孩子:他越来越～了。

【孩子头】hái·zitóu (～儿)名 ❶ 爱跟孩子们玩的大人。❷ 在一群孩子中充当头头儿的孩子。

【孩子王】hái·ziwáng 名 ❶ 孩子头。❷ 指幼儿园或小学的教师(含戏谑意或轻视意)。

骸 hái ❶ 骸骨:四肢百～。❷ 借指身体:形～|病～|遗～。

【骸骨】háigǔ 名 人的骨头(多指尸骨)。

hǎi （ㄏㄞˇ）

胲 hǎi 名 ❶ 羟胺。❷ 羟胺衍生物的统称。
　　另见 437 页 gǎi。

浬 hǎilǐ 又 lǐ 量 海里旧也作浬。

海 hǎi ❶ 名 大洋靠近陆地的部分,有的大湖也叫海,如青海、里海。❷ 比喻连成一大片的很多同类事物:人～|火～。❸ 大的(器皿或容量等):～碗|～量。❹ 古代指从外国来的:～棠|～枣。❺ 〈方〉形 极多(后面一般跟“了、啦”等):街上的人可～啦! ❻〈方〉副 漫无目标地:～骂|她丢了支笔,～找。❼〈方〉副 毫无节制地:～吃～喝。❽ (Hǎi)名 姓。

【海岸】hǎi'àn 名 邻接海洋边缘的陆地。

【海岸炮】hǎi'ànpào 名 设置在海岸或岛屿上的大炮。简称岸炮。

【海岸线】hǎi'ànxiàn 图 陆地和海洋的分界线。

【海拔】hǎibá 图 从平均海平面起算的高度。

【海报】hǎibào 图 戏剧、电影等演出或球赛等活动的招贴。

【海豹】hǎibào 图 哺乳动物,头圆,四肢扁平像鳍,趾间有蹼,尾巴短,毛灰黄色,带棕黑色斑点。生活在温带和寒带沿海。

【海滨】hǎibīn 图 海边;沿海地带:~浴场|~城市。

【海菜】hǎicài 图 海洋里出产的供食用的植物,也泛指海洋里出产的副食品。

【海产】hǎichǎn ❶ 形 属性词。海洋里出产的:~植物。❷ 图 海洋里出产的动植物,如海蜇、海藻等。

【海潮】hǎicháo 图 海洋潮汐。指海洋水面定时涨落的现象。

【海肠子】hǎicháng·zi 图 蟥。

【海程】hǎichéng 图 船只在海上航行的路程:再有半天的~,我们就可到达目的了。

【海带】hǎidài 图 藻类的一种,生长在海底的岩石上,形状像带子,褐色,含有大量的碘质,可用来提制碘、钾等。供食用,也可入药。

【海岛】hǎidǎo 图 海洋中的岛屿。

【海盗】hǎidào 图 出没在海洋上的强盗。

【海底捞月】hǎi dǐ lāo yuè 比喻根本做不到,白费气力。也说水中捞月。

【海底捞针】hǎi dǐ lāo zhēn 比喻极难找到。也说大海捞针。

【海防】hǎifáng 图 在沿海地区和领海内布置的防务。

【海匪】hǎifěi 图 海盗。

【海风】hǎifēng 图 海上刮的风。

【海港】hǎigǎng 图 沿海停泊船只的港口,有军港、商港、渔港等。

【海沟】hǎigōu 图 深度超过 6 000 米的狭长的海底凹地。两侧坡度陡急,分布于大洋边缘。如太平洋的马里亚纳海沟、大西洋的波多黎各海沟等。

【海狗】hǎigǒu 图 哺乳动物,头圆,额骨高,有耳壳,四肢短,像鳍,趾间有蹼,尾巴短,毛紫褐色或深黑色,雌的毛色淡。生活在海洋中,能在陆地上爬行。也叫腽肭兽。

【海关】hǎiguān 图 对出入国境的一切商品和物品进行监督、检查并照章征收关税的国家机关。

【海归】hǎiguī ❶ 动 在海外留学或工作一段时间后归国,多指归国创业或求职:~派。❷ 图 指在海外留学或工作后归国的人员。

【海龟】hǎiguī 图 爬行动物,外形和普通龟相似,身体大,黑褐色,头大,嘴有钩。吃鱼虾、海藻等。生活在海洋中。

【海涵】hǎihán 动 敬辞,大度包容(用于请人原谅时):由于条件简陋,招待不周,还望~。

【海魂衫】hǎihúnshān 图 水兵穿的横向蓝白条纹相间的汗衫,圆领,长袖。

【海货】hǎihuò 图 指市场上出售的海产品。

【海疆】hǎijiāng 图 指沿海地区和沿海海域:万里~。

【海椒】hǎijiāo〈方〉图 辣椒。

【海角天涯】hǎi jiǎo tiān yá 见 1348 页『天涯海角』。

【海进】hǎijìn 图 海侵。

【海禁】hǎijìn 图 指禁止外国人到中国沿海通商和中国人到海外经商的禁令。明清两代都有过这种禁令。

【海军】hǎijūn 图 在海上作战的军队,通常由水面舰艇、潜艇、海军航空兵、海军陆战队等兵种及各专业部队组成。

【海口】[1] hǎikǒu 图 ❶ 河流通海的地方。❷ 海湾内的港口。

【海口】[2] hǎikǒu 图 见 790 页『夸海口』。

【海枯石烂】hǎi kū shí làn 直到海水枯干,石头粉碎,形容经历极长的时间(多用于誓言,反衬意志坚定,永远不变):~,此心不移。

【海况】hǎikuàng 图 ❶ 指海区的温度、海水成分、浮游生物组成等情况。❷ 指海面在风的作用下波动的情况,根据波浪的大小有无,分为 0—9 共 10 级。见"海况表"。

【海阔天空】hǎi kuò tiān kōng 形容大自然的广阔,也比喻想象或说话毫无拘束,漫无边际:两人都很健谈,~,聊起来没个完。

【海蓝】hǎilán 形 像大海那样的蓝颜色。

【海狸】hǎilí 图 河狸的旧称。

海 况 表

海况等级	海 面 征 状
0	海面光滑如镜。
1	波纹。
2	波浪很小,波峰开始破裂,但浪花不是白色,而是玻璃色。
3	波浪不大,但很触目,波峰破裂,其中有些地方形成白色浪花——白浪。
4	波浪具有很明显的形状,到处形成白浪。
5	出现高大波峰,有浪花的波顶占了波峰上很大的面积,风开始削去波峰上的浪花。
6	波峰上被风削去的浪花开始沿波浪斜面伸长成带状,有时波峰出现风暴波的长波形状。
7	风削去的浪花布布满了波浪的斜面,并且有些地方达到波谷。
8	稠密的浪花带布满了波浪斜面,海面因而变成白色,只在波底有些地方才没有浪花。
9	整个海面布满了稠密的浪花层,空气中充满了水滴和飞沫,能见度显著降低。

【海狸鼠】hǎilíshǔ 名 哺乳动物,外形像水獭,毛灰褐色。生活在水边,善于游泳,吃植物的茎叶等。原产南美洲。

【海里】hǎilǐ 量 计量海洋上距离的长度单位,符号 n mile。1 海里等于 1 852 米。旧也作浬。

【海蛎子】hǎilì•zi 名 牡蛎。

【海量】hǎiliàng 名 ❶ 敬辞,宽宏的度量:对不住的地方,望您~包涵。❷ 指很大的酒量:您是~,不妨多喝几杯。❸ 泛指极大的数量:~存储|~信息。

【海岭】hǎilǐng 名 海底的山脉。一般较陆地的山脉高而长,两侧较陡。

【海流】hǎiliú 名 ❶ 海洋中朝着一定方向流动的水。也叫洋流。❷ 泛指流动的海水。

【海路】hǎilù 名 海上运输的航线。

【海轮】hǎilún 名 专在海洋上航行的轮船。

【海螺】hǎiluó 名 海里产的螺的统称。形体一般较大,壳可做号角或手工艺品。

【海洛因】hǎiluòyīn 名 有机化合物,白色晶体,有苦味,有毒,用吗啡制成。医药上用作镇静、麻醉药。常用成瘾。作为毒品时也叫白面儿。[英 heroin]

【海马】hǎimǎ 名 鱼,体侧扁而弯曲,包在骨质环节形成的硬壳中,长 5—33 厘米,淡褐色,尾巴能蜷曲,头与躯干成直角,略像马头,直立游动。种类较多。

【海米】hǎimǐ 名 海产的小虾去头去壳后晒干而成的食品。

【海绵】hǎimián 名 ❶ 低等多细胞动物,种类很多,多生在海底岩石间,单体或群体附在其他物体上,从水中吸取有机物为食。有的体内有柔软的骨骼。❷ 专指海绵的角质骨骼。❸ 用橡胶或塑料制成的多孔材料,有弹力,像海绵:~底|~球拍。

【海面】hǎimiàn 名 海水的表面。

【海南戏】hǎinánxì 名 琼剧。

【海难】hǎinàn 名 船舶在航行过程中遭遇自然灾害或其他意外事故所发生的灾难。

【海内】hǎinèi 名 古人认为我国疆土四面环海,因此称国境以内为海内:风行~|~孤本。

【海牛】hǎiniú 名 哺乳动物,生活在热带海洋或河流、湖泊中,形状像象鲸,前肢像鳍,后肢已退化,尾巴圆形,全身光滑无毛,皮厚,灰黑色,有很深的皱纹。吃海藻和其他水生植物。

【海鸥】hǎi'ōu 名 鸟,头和颈部褐色,翅膀外缘白色,内缘灰色,躯干白色,爪黑色。常成群在海上或内陆河流附近飞翔,吃鱼、虾、螺、昆虫等,也吃谷物和植物嫩叶。

【海派】hǎipài 名 ❶ 以上海为代表的京剧表演风格。❷ 泛指上海的风格和特色:~川菜|~服装。

【海盆】hǎipén 名 洋盆。

【海侵】hǎiqīn 名 海面相对于陆地上升时,海水进入并淹没陆地的现象。也叫海进。

【海区】hǎiqū 名 海洋上的一定区域。根据军事需要划定的海区,范围一般用坐标标明。

【海撒】hǎisǎ 动 安置死者骨灰的一种方法,将骨灰撒入海洋。

【海参】hǎishēn 图 棘皮动物，身体略呈圆柱形，柔软，口和肛门在两端，口的周围有触手。生活在海底，吃各种小动物。种类很多，常见的有刺参、乌参、梅花参等。有的是珍贵的食品。

【海狮】hǎishī 图 哺乳动物，四肢呈鳍状，尾短，身上的毛很粗。雄兽颈部有长毛，略像狮子。生活在海洋中，吃鱼、乌贼、贝类等。

【海蚀】hǎishí 动 海水的冲击和侵蚀。

【海市蜃楼】hǎi shì shèn lóu ❶ 蜃景的通称。❷ 比喻虚幻的事物。

【海事】hǎishì 图 ❶ 泛指一切有关海上的事情。如航海、造船、验船、海运法规、海损事故处理等。❷ 指船舶在航行或停泊时所发生的事故，如触礁、失火等。

【海誓山盟】hǎi shì shān méng 男女相爱时所立的誓言和盟约，表示爱情要像山和海一样永恒不变。也说山盟海誓。

【海兽】hǎishòu 图 生活在海洋中的哺乳动物，如海豚、鲸等。

【海损】hǎisǔn 图 船舶或所载货物在航行过程中因遇海难而造成的损失。

【海獭】hǎitǎ 图 哺乳动物，身体圆而长，前肢比后肢短，趾间有蹼，尾巴短而扁，毛深褐色。生活在近岸的海洋中，吃鱼和软体动物等。

【海滩】hǎitān 图 海边的沙滩。

【海棠】hǎitáng 图 ❶ 落叶小乔木，叶子卵形或椭圆形，花白色或淡粉红色。果实球形，黄色或红色，味酸甜。❷ 这种植物的果实。

【海塘】hǎitáng 图 防御海潮的堤。

【海图】hǎitú 图 航海用的标明海洋情况的图。

【海涂】hǎitú 图 河流入海处或海岸附近因泥沙沉积而形成的浅海滩。低潮时，其较高部分露出海面。修筑围堤，挡住海水可以垦殖。

【海退】hǎituì 图 海面相对于陆地下降时，海水从淹没的陆地向后退缩的现象。

【海豚】hǎitún 图 哺乳动物，身体纺锤形，长达2米多，鼻孔长在头顶上，喙细长、前肢呈鳍状，背鳍三角形。背部青黑色，腹部白色。生活在海洋中，吃鱼、乌贼、虾等。

【海豚泳】hǎitúnyǒng 图 游泳的一种姿势，属于蝶泳项目，是蝶泳的变形，两臂的动作跟蝶泳相同，两腿同时上下打水，因像海豚游水的姿势而得名。

【海外】hǎiwài 图 国外：销行～｜～奇闻。参看【海内】。

【海外奇谈】hǎiwài qítán 指没有根据的、稀奇古怪的谈论或传说。

【海湾】hǎiwān 图 海洋伸入陆地的部分，如我国的胶州湾。

【海碗】hǎiwǎn 图 特别大的碗。

【海王星】hǎiwángxīng 图 太阳系九大行星之一，按离太阳由近而远的次序计为第八颗，绕太阳公转周期约164.8年，自转周期约22小时。光度较弱，肉眼看不见。(图见1319页"太阳系")

【海味】hǎiwèi 图 海洋里出产的副食品（多指珍贵的）：山珍～。

【海峡】hǎixiá 图 两块陆地之间连接两个海洋的狭窄水道。

【海鲜】hǎixiān 图 供食用的新鲜的海鱼、海虾等。

【海象】hǎixiàng 图 哺乳动物，身体粗壮，长可达3米多，头圆，眼小，嘴短而阔，上颌有两个特别长的牙，四肢呈鳍状。生活在海洋中，也能在陆地上行动，吃贝类等。

【海啸】hǎixiào 图 ❶ 由海底地震或火山爆发引起的海水剧烈波动。海水冲上陆地，往往造成灾害。❷ 风暴潮。

【海星】hǎixīng 图 棘皮动物，种类很多，身体扁平，通常有放射形的五个角，多像五角星，表面有一层石灰质的小刺。生活在浅海石缝中，吃蛤蜊、牡蛎等。

【海选】hǎixuǎn 动 一种不提名候选人的直接选举，由投票人投票选举，得票多者当选。

【海盐】hǎiyán 图 用海水晒成或熬成的盐，是主要的食用盐。

【海蜒】hǎiyán 图 幼鳀(tí)加工制成的鱼干。

【海晏河清】hǎi yàn hé qīng 见552页【河清海晏】。

【海燕】hǎiyàn 图 ❶ 鸟，外形像燕，嘴端钩状，羽毛黑褐色，趾间有蹼。常在海面上游泳和掠飞，吃小鱼、虾等。❷ 海星中的一小类，身体扁平，像五角星，背部稍隆起。可入药。

【海洋】hǎiyáng 图 地球表面连成一体的海和洋的统称。

【海洋生物】hǎiyáng shēngwù 生活在海

洋中的生物。

【海洋性气候】hǎiyángxìng qìhòu 近海地区受海洋影响明显的气候,全年和一天内的气温变化较小,空气湿润,降水量多,分布均匀。

【海鱼】hǎiyú 〚名〛生活在海洋里的鱼,如带鱼、黄鱼等。

【海域】hǎiyù 〚名〛指海洋的一定范围(包括水上和水下)。

【海员】hǎiyuán 〚名〛在海洋轮船上工作的人员。

【海运】hǎiyùn 〚动〛用船舶在海洋上运输。

【海葬】hǎizàng 〚动〛处理死人遗体的一种方法,把尸体投入海洋。也指海撒。

【海藻】hǎizǎo 〚名〛生长在海洋中的藻类,如海带、紫菜、石花菜、龙须菜等。有的可以吃或入药。

【海藻虫】hǎizǎochóng 〚名〛蛴。

【海战】hǎizhàn 〚名〛敌对双方海军兵力在海洋上进行的战役或战斗。

【海蜇】hǎizhé 〚名〛腔肠动物,身体半球形,青蓝色,半透明,上面有伞状部分,下面有八条口腕,口腕下端有丝状器官。生活在海中,靠伞状部分的伸缩而运动。伞状部分叫海蜇皮,口腕叫海蜇头,可以吃。有的地区叫蛇。

【海子】hǎi·zi 〈方〉〚名〛湖。

盍 hǎi 古时的一种酒器。

醢 hǎi ❶〈书〉肉、鱼等制成的酱。❷ 古代把人剁成肉酱的酷刑。

hài (ㄏㄞˋ)

亥 hài 〚名〛地支的第十二位。参看440页〖干支〗。

【亥时】hàishí 〚名〛旧式计时法指夜间九点钟到十一点钟的时间。

恢 hài 〈书〉痛苦;愁苦。

骇(駭) hài 惊吓;震惊:惊涛~浪|~人听闻。

【骇怪】hàiguài 〈书〉〚形〛惊讶;惊诧。

【骇然】hàirán 〚形〛惊讶的样子:~失色|~不知所措。

【骇人听闻】hài rén tīng wén 使人听了非常吃惊(多指社会上发生的坏事)。

【骇异】hàiyì 〈书〉〚形〛惊讶;惊异。

氦 hài 〚名〛气体元素,符号He(helium)。无色无臭无味,在大气中含量极少,化学性质极不活泼。可用来填充电子管、气球、潜水服和飞艇等,也用于核反应堆和加速器等的保护气体,液态的氦常用作冷却剂。

害 hài ❶〚名〛祸害;害处(跟"利、益"相对):灾~|虫~|为民除~|吸烟对身体有~。❷ 有害的(跟"益"相对):~虫|~鸟。❸〚动〛使受损害:~人不浅|你把地址搞错了,~得我白跑了一趟。❹〚动〛杀害:在数日前被~。❺〚动〛发生(疾病):~眼|~了一场大病。❻ 发生(不安的情绪):~羞|~怕。

〈古〉又同"曷"hé。

【害病】hài//bìng 〚动〛生病。

【害虫】hàichóng 〚名〛对人类有害的昆虫。有的传染疾病,如苍蝇、蚊子,有的危害农作物,如蝗虫、螟虫、棉蚜。

【害处】hài·chu 〚名〛对人或事物不利的因素;坏处。

【害口】hài//kǒu 〈方〉〚动〛害喜。

【害怕】hài//pà 〚动〛遇到困难、危险等而心中不安或发慌:~走夜路|洞里阴森森的,叫人~。

【害群之马】hài qún zhī mǎ 比喻危害集体的人。

【害人虫】hàirénchóng 〚名〛比喻害人的人。

【害臊】hài//sào 〈口〉〚形〛害羞。

【害喜】hài//xǐ 〚动〛因怀孕而恶心、呕吐、食欲异常。有的地区说害口。

【害羞】hài//xiū 〚形〛因胆怯、怕生或做错了事怕人嗤笑而心中不安:怕难为情|她是第一次当众讲话,有些~|你平时很老练,怎么这会儿倒害起羞来了?

【害眼】hài//yǎn 〚动〛患眼病。

嗐 hài 〚叹〛表示伤感、惋惜、悔恨等:~!他怎么病成这个样子|~,我当初真不该这么做。

hān (ㄏㄢ)

预(預) hān ❶〈方〉〚形〛粗①:这线太~,换根细一点儿的。❷(Hān)〚名〛姓。

【预实】hān·shi 〈方〉形 (物体)粗而结实:
把挺～的一根棍子弄断(shé)了。

犴 hān 〈方〉名 驼鹿。

蚶

蚶 hān 名 蚶子。

【蚶子】hān·zi 名 软体动物,壳厚而坚硬,
外表淡褐色,有瓦垄状的纵线,内壁白色,
边缘有锯齿。生活在海底泥沙和岩石缝
隙中。肉可以吃。有泥蚶、毛蚶等。

酣 hān ❶ 饮酒尽兴:～饮|半～|酒～
耳热。❷ 泛指尽兴、畅快:～歌|～
睡。

【酣畅】hānchàng 形 畅快:喝得～|睡得
很～。

【酣梦】hānmèng 名 酣畅的睡梦。

【酣眠】hānmián 动 熟睡。

【酣然】hānrán 形 酣畅的样子:～大醉|
～入梦。

【酣睡】hānshuì 动 熟睡。

【酣饮】hānyǐn 动 畅饮。

【酣战】hānzhàn 动 激烈战斗:两军～。

憨 hān ❶ 形 傻;痴呆:～痴|～笑|又
～又傻。❷ 朴实;天真:～直|～厚|
～态可掬。❸ (Hān)名 姓。

【憨厚】hān·hòu 形 朴实厚道:为人～。

【憨实】hān·shí 形 憨厚老实。

【憨态】hāntài 名 天真而略显傻气的神
态:～可掬。

【憨笑】hānxiào 动 傻笑;天真地笑。

【憨直】hānzhí 形 憨实直爽。

【憨子】hān·zi 〈方〉名 傻子。

鼾 hān 睡着时粗重的呼吸:～声|打
～。

【鼾声】hānshēng 名 打呼噜的声音:～如
雷。

【鼾睡】hānshuì 动 熟睡并打呼噜。

hán (ㄏㄢ)

邗 hán 邗江(Hánjiāng),地名,在江
苏。

汗 hán 名 可汗(kèhán)的简称。
另见 537 页 hàn。

邯 hán 邯郸(Hándān),地名,在河北。

【邯郸学步】Hándān xué bù 战国时有个
燕国人到赵国都城邯郸去,看到那里的人
走路的姿势很美,就跟着人家学,结果不
但没学会,连自己原来的走法也忘掉了,
只好爬着回去(见于《庄子·秋水》)。后来
用"邯郸学步"比喻模仿别人不成,反而丧
失了原有的技能。

含 hán 动 ❶ 东西放在嘴里,不咽下也
不吐出:～一口水|～着橄榄。❷ 藏
在里面;包括在内;容纳:～着眼泪|这种
梨～水分很多|工龄满三十年以上(～三十
年)者均可申请。❸ 带有某种意思、情感
等,不完全表露出来:～怒|～羞|谈吐中
～着一种失落感。

【含苞】hánbāo 动 花朵裹着花蕾:～待
放。

【含悲】hánbēi 动 怀着悲痛或悲伤:～忍
泪|～饮泣。

【含垢忍辱】hán gòu rěn rǔ 忍受耻辱。

【含恨】hán∥hèn 动 怀着怨恨或仇恨:～
终生|～离开了人世。

【含糊】(含胡) hán·hu 形 ❶ 不明确;不清
晰:～其辞|他的话很～,不明白是什么意
思。❷ 不认真;马虎:这事一点儿也不能
～。❸ 示弱(多用于否定式):要比就比,
我绝不～。注意"不含糊"常用作赞美的
话,是"有能耐"或"行"的意思。如:他那
手乒乓球可真不含糊|这活儿做得真不含
糊。

【含混】hánhùn 形 模糊;不明确:～不清|
言辞～,令人费解。

【含金量】hánjīnliàng 名 ❶ 物体内黄金
的百分比含量。❷ 比喻事物所包含的实
际价值:这篇论文的学术～相当高。

【含量】hánliàng 名 一种物质中所包含的
某种成分的数量:这种食品的脂肪～很
高。

【含怒】hán∥nù 动 有怒气而没有发作。

【含情】hánqíng 动 脸上带着或内心怀着
情意、情感(多指爱情):～脉脉(mòmò)。

【含沙射影】hán shā shè yǐng 传说水中
有一种叫蜮(yù)的怪物,看到人的影子就
喷沙子,被喷着的人就会得病。比喻暗地
里诽谤中伤。

【含笑】hán∥xiào 动 面带笑容:～点头|
～于九泉。

【含辛茹苦】hán xīn rú kǔ 经受艰辛困苦

（茹:吃）。也说茹苦含辛。

【含羞】hán//xiū 〔动〕脸上带着害羞的神情:～不语|～而去。

【含羞草】hánxiūcǎo 〔名〕多年生草本植物,羽状复叶有长柄,小叶密生,条状长圆形,花淡红色。叶子被触动时,小叶合拢,叶柄下垂。可供观赏,全草入药。

【含蓄】(涵蓄)hánxù ❶〔动〕包含:简短的话语,却～着深刻的意义。❷〔形〕(言语、诗文)意思含而不露,耐人寻味。❸〔形〕(思想、感情)不轻易流露:性格～。

【含血喷人】hán xuè pēn rén 比喻捏造事实,诬赖别人。

【含饴弄孙】hán yí nòng sūn 含着糖逗小孙子,形容老年人闲适生活的乐趣。

【含义】hányì 〔名〕(词句等)所包含的意义:～深奥。也作涵义。

【含意】hányì 〔名〕(诗文、说话等)含有的意思:猜不透她说话的～。

【含英咀华】hán yīng jǔ huá 比喻琢磨和领会诗文的要点和精神。

【含冤】hán//yuān 〔动〕有冤未申:～而死。

【含蕴】hányùn 〔动〕含有(某种思想、感情等);包含:一番话～着丰富的哲理。

函（圅）hán 〔名〕❶〈书〉匣子;封套:石～|镜～|这部《全唐诗》分成十二～。❷信件:公～|来～|～授|发～|致谢。

【函电】hándiàn 〔名〕信和电报的总称。

【函告】hángào 〔动〕用书信告诉:行期如有变化,当及时～。

【函购】hángòu 〔动〕用通信方式向生产或经营者购买:～电视英语教材|开展～业务。

【函件】hánjiàn 〔名〕信件。

【函授】hánshòu 〔动〕以通信辅导为主进行教学:～生|～教材。

【函授教育】hánshòu jiàoyù 以通信方式开展教学的教育。学生以自学教材为主,并由学校给以辅导和考核。

【函售】hánshòu 〔动〕用通信方式向购买者销售:～图书|开展～业务。

【函数】hánshù 〔名〕在某一变化过程中,两个变量 x、y,对于 x 的每一个值,y 都有唯一的值和它对应,y 就是 x 的函数。这种关系一般用 $y = f(x)$ 来表示。其中 x 叫做自变量,y 叫做因变量。

【函索】hánsuǒ 〔动〕用通信方式索取(宣传品、资料等):本公司备有产品说明书,～即寄。

浛 hán 浛洸(Hánguāng),地名,在广东。

𪣻 hán 〈书〉死者口中所含的珠玉。

唅 hán 〈书〉天将明。

焓 hán 〔名〕热学上表示物质系统能量状态的一个参数。数值等于系统的内能加上压强与体积的乘积。单位是焦耳。旧称热函。

涵 hán ❶包含;包容:～养|海～。❷指涵洞:桥～(桥和涵洞)。

【涵洞】hándòng 〔名〕公路或铁路与沟渠相交的地方使水从路下流过的通道,作用和桥类似,但一般孔径较小。

【涵盖】hángài 〔动〕包括;包容:作品题材很广,～了社会各个领域。

【涵容】hánróng 〈书〉〔动〕包容;包涵:不周之处,尚望～。

【涵蓄】hánxù 见 535 页〖含蓄〗。

【涵养】hányǎng ❶〔名〕能控制情绪的功夫;修养②:很有～。❷〔动〕蓄积并保持(水分等):用造林来～水源|改良土壤结构,～地力。

【涵义】hányì 同"含义"。

【涵闸】hánzhá 〔名〕涵洞和水闸的总称。

韩（韓）Hán ❶周朝国名,在今河南中部和山西东南部。❷〔名〕姓。

寒 hán ❶冷(跟"暑"相对):～冬|～风|天～地冻|受了一点～。❷害怕;畏惧:心～|胆～。❸穷困:贫～。❹(Hán)〔名〕姓。

【寒蝉】hánchán 〔名〕❶天冷时不再叫或叫声低微的蝉:凄切|噤若～。❷蝉的一种,身体小,黑色,有黄绿色的斑点,翅膀透明。雄的有发音器,夏末秋初时在树上叫。

【寒潮】háncháo 〔名〕从寒冷地带向中、低纬度地区侵袭的冷空气,寒潮过境时气温显著下降,时常有雨、雪或大风,过境后往往发生霜冻。

【寒碜】(寒伧)hán·chen ❶〔形〕丑陋;难看:这孩子长得不～。❷〔形〕丢脸;不体

面:全班同学就我不及格,真～! ❸ 动 讥笑,揭人短处,使失去体面:你这是存心～我|叫人～了一顿。

【寒窗】hánchuāng 名 比喻艰苦的读书生活:十年～。

【寒带】hándài 名 极圈以内的地带。气候终年寒冷,近两极的地方,半年是白天,半年是黑夜。在南半球的叫南寒带,在北半球的叫北寒带。

【寒冬】hándōng 名 寒冷的冬天;冬季。

【寒冬腊月】hándōng làyuè 指农历十二月天气最冷的时候。泛指寒冷的冬季。

【寒光】hánguāng 名 使人感觉寒冷或害怕的光(多形容刀剑等反射的光):刺刀闪着|眼睛射出两道凶狠的～。

【寒假】hánjià 名 学校中冬季的假期,一般在一二月间。

【寒蜩】hánjiāng 名 古书上说的一种蝉。

【寒噤】hánjìn 名 见 244 页〖打寒噤〗。

【寒苦】hánkǔ 形 贫穷困苦:家境～。

【寒来暑往】hán lái shǔ wǎng 炎夏过去,寒冬来临。指时光流逝。

【寒冷】hánlěng 形 冷①:气候～|～的季节。

【寒流】hánliú 名 ❶ 从高纬度流向低纬度的海流。寒流的水温比它所到区域的水温低。❷ 指寒潮。

【寒露】hánlù 名 二十四节气之一,在 10月 8 日或 9 日。参看 696 页〖节气〗、363页〖二十四节气〗。

【寒毛】hánmáo 名 汗毛。

【寒门】hánmén 〈书〉名 ❶ 贫寒的家庭(旧时多用来谦称自己的家)。❷ 微贱的家庭:出身～。

【寒气】hánqì 名 ❶ 冷的气流:～逼人。❷ 指因受冻而产生的冷的感觉:喝口酒去去～。

【寒峭】hánqiào 〈书〉形 形容冷气逼人:北风～。

【寒秋】hánqiū 名 深秋。

【寒热】hánrè 名 中医指身体发冷发热的症状。

【寒色】hánsè 名 给人以寒冷感的颜色,如青色、绿色、紫色。

【寒舍】hánshè 名 谦辞,对人称自己的家:请光临～一叙。

【寒食】Hánshí 名 节名,在清明前一天。古人从这一天起,三天不生火做饭,所以叫寒食。有的地区清明叫寒食。

【寒士】hánshì 〈书〉名 贫穷的读书人。

【寒暑】hánshǔ 名 ❶ 冷和热:～表。❷ 冬天和夏天,常用来表示整个一年:～易节|经历了十五个～才完成这部书稿。

【寒素】hánsù 〈书〉 ❶ 形 清贫:家世～。❷ 名 清贫的人:拔擢～。❸ 形 朴素;简陋:衣装～。

【寒酸】hánsuān 形 ❶ 形容穷苦读书人的不大方的姿态:～相|～气。❷ 形容简陋或过于俭朴而显得不体面:穿得太～了。

【寒腿】hántuǐ 〈口〉名 腿部的风湿性关节炎。

【寒微】hánwēi 形 指家世、出身贫苦,社会地位低下:出身～。

【寒心】hán//xīn 动 因失望而痛心:孩子这样不争气,真叫人～。

【寒星】hánxīng 名 指寒夜的星斗:～点点|～闪烁。

【寒暄】hánxuān 动 见面时谈天气冷暖之类的应酬话:宾主～了一阵,便转入正题。

【寒衣】hányī 名 御寒的衣服,如棉衣、棉裤等。

【寒意】hányì 名 寒冷的感觉:深秋的夜晚,风吹在身上,已有几分～。

【寒战】hánzhàn 名 见 244 页〖打寒战〗。

hǎn (ㄏㄢˇ)

罕 hǎn ❶ 稀少:稀～|～见|～闻|～有|人迹～至。❷ (Hǎn)名 姓。

【罕见】hǎnjiàn 形 难得见到;很少见到:人迹～|～的奇迹。

喊 hǎn 动 ❶ 大声叫:～口号。❷ 叫(人):你去～他一声。❸ 〈方〉称呼:论辈分他要～我姨妈。

【喊话】hǎn//huà 动 对特定的人大声呼喊,进行宣传或劝说。

【喊价】hǎn//jià 动 叫价:这件拍品～80万元。

【喊叫】hǎnjiào 动 大声叫:大声～。

【喊嗓子】hǎn sǎng·zi 戏曲演员锻炼嗓子,不用乐器伴奏,多在空旷的地方进行。

【喊冤】hǎn//yuān 动 诉说冤枉:～叫屈。

阚(闞) hǎn 〈书〉同"嗐"。
另见 763 页 Kàn。

嗐(嗐) hǎn 〈书〉虎吼叫。

hàn （ㄏㄢ）

汉(漢) Hàn ❶ 汉江,水名,发源于陕西,经湖北流入长江。❷(hàn)指银河:银～|气冲霄～。❸ 名 朝代。a) 公元前 206—公元 220,刘邦所建。参看 1451 页〖西汉〗、324 页〖东汉〗。b) 后汉②。❹ 汉族:～人|～语。❺(hàn)男子:老～|好～|英雄～|彪形大～。❻ 名 姓。

【汉白玉】hànbáiyù 名 一种白色的大理石,质地致密,可以做建筑和雕刻的材料。

【汉堡包】hànbǎobāo 名 夹牛肉、乳酪等的圆面包,因起源于德国海港城市汉堡而得名。[汉堡,英 hamburger]

【汉奸】hànjiān 名 原指汉族的败类,后泛指投靠侵略者、出卖国家民族利益的中华民族的败类。

【汉剧】hànjù 名 湖北地方戏曲剧种之一,腔调以西皮、二黄为主,流行于湖北全省和河南、陕西、湖南的部分地区,历史较久,对京剧的形成有很大的影响。旧称汉调。

【汉民】Hànmín 〈口〉名 指汉族人。

【汉人】Hànrén 名 ❶ 汉族;汉族人。❷ 指西汉、东汉时代的人。

【汉文】Hànwén 名 ❶ 汉语:～翻译|译成～。❷ 汉字:学写～。

【汉姓】hànxìng 名 ❶ 汉族的姓。❷ 特指非汉族的人所用的汉族的姓。

【汉学】hànxué 名 ❶ 汉代人研究经学着重名物、训诂,后世因而称研究经、史、名物、训诂、考据之学为汉学。❷ 外国人指研究中国的文化、历史、语言、文学等方面的学问。

【汉语】Hànyǔ 名 汉族的语言,是我国的主要语言。现代汉语的标准语是普通话。参看 1064 页〖普通话〗。

【汉语拼音方案】Hànyǔ Pīnyīn Fāng'àn 给汉字注音和拼写普通话语音的方案,1958 年 2 月 11 日第一届全国人民代表大会第五次会议批准。这个方案采用拉丁字母,并用附加符号表示声调,是帮助学习汉字和推广普通话的工具。

【汉子】hàn·zi 名 ❶ 男子。❷〈方〉丈夫。

【汉字】Hànzì 名 记录汉语的文字。除极个别的例外,都是一个汉字代表一个音节。

【汉族】Hànzú 名 我国人数最多的民族,分布在全国各地。

扦¹ hàn 同"捍"。

扦² hàn ［扦格］(hàngé)〈书〉动 互相抵触:～不入。
另见 445 页 gǎn "擀"。

闬(閈) hàn ❶〈书〉里巷的门。❷〈书〉墙垣。❸(Hàn)名 姓。

汗 hàn 名 人和高等动物从皮肤排泄出来的液体,是机体通过皮肤散热的主要方式。
另见 534 页 hán。

【汗褂儿】hànguàr 〈口〉名 汗衫①。

【汗碱】hànjiǎn 名 汗干后留在衣帽等上面的白色痕迹。

【汗津津】hànjīnjīn （～的）形 状态词。形容微微出汗的样子:～的头发|脸上～的。

【汗孔】hànkǒng 名 汗腺在皮肤表面的开口,汗从这里排泄出来。也叫毛孔。

【汗淋淋】hànlínlín （口语中也读 hànlīnlīn）（～的）形 状态词。形容汗水往下流的样子:他跑得浑身～的。

【汗流浃背】hàn liú jiā bèi 汗水湿透了背上的衣服,形容汗出得很多。

【汗马功劳】hàn mǎ gōngláo 指战功,后也泛指大的功劳(汗马:将士骑马作战,马累得出汗)。

【汗漫】hànmàn 〈书〉形 ❶ 广泛,无边际:～之言。❷ 形容水势浩荡。

【汗毛】hànmáo 名 人体皮肤表面上的细毛。也叫寒毛。(图见 1037 页"人的皮肤")

【汗牛充栋】hàn niú chōng dòng 形容书籍极多(汗牛:用牛运输,牛累得出汗;充栋:堆满了屋子)。

【汗青】hànqīng ❶ 动 古时在竹简上记事,采来青色的竹子,要用火烤得竹板冒出水分才容易书写,因此后世把著作完成叫做汗青。❷ 名 指史册。

【汗衫】hànshān 名 ❶ 一种上身穿的薄内衣。❷〈方〉衬衫。

【汗水】hànshuǐ 图 汗(指较多的)：～湿透衣衫。

【汗褟儿】hàntār 〈方〉图 夏天贴身穿的中式小褂。

【汗腺】hànxiàn 图 皮肤中分泌汗的腺体，分泌的汗液随外界温度和心理状态的变化而增减。(图见 1037 页"人的皮肤")

【汗颜】hànyán 匣 因羞惭而脸上出汗,泛指惭愧：深感～|～无地(羞愧得无地自容)。

【汗液】hànyè 图 汗①。

【汗珠子】hànzhū·zi 图 成滴的汗。也叫汗珠儿。

【汗渍】hànzì 图 汗迹：衬衣上留下一片片～。

旱 hàn ❶匣 长时间没有降水或降水太少(跟"涝"相对)：～灾|天～|防～|抗～|庄稼～了。❷ 跟水无关的：～烟|～伞|～冰。❸ 非水田的;陆地上的：～地|～稻|～獭|～船。❹ 指陆地交通：～路|～起。

【旱魃】hànbá 图 传说中引起旱灾的怪物：～为虐。

【旱冰】hànbīng 图 穿着带轮子的鞋在坚实的地面上滑行,叫滑旱冰。

【旱船】hànchuán 图 民间舞蹈"跑旱船"所用的船形道具。

【旱道】hàndào (～儿)〈方〉图 旱路。

【旱稻】hàndào 图 陆稻。

【旱地】hàndì 图 旱田。

【旱季】hànjì 图 不下雨或雨水少的季节。

【旱井】hànjǐng 图 在水源缺少的地方为了积蓄雨水而挖的口小肚大的窖。

【旱涝保收】hàn lào bǎo shōu 不管发生旱灾还是涝灾,都能保证收成,比喻无论出现什么情况都能得到好处。

【旱路】hànlù 图 陆地上的交通线。

【旱桥】hànqiáo 图 横跨在经常没有水的山谷、河沟或城市交通要道上空的桥。

【旱情】hànqíng 图 (某个地区)干旱的情况：由于连日降雨,～已得到缓解。

【旱伞】hànsǎn 图 阳伞。

【旱獭】hàntǎ 图 哺乳动物,身体肥而短,耳小,前肢的爪发达,善于掘土,背部黄褐色,腹部土黄色,成群穴居,有冬眠的习性。是鼠疫、布氏杆菌病的主要传播者。也叫土拨鼠。

【旱田】hàntián 图 ❶ 土地表面不蓄水的田地,如种小麦、杂粮、棉花、花生等的田地。❷ 浇不上水的耕地。‖ 也叫旱地。

【旱象】hànxiàng 图 干旱的现象：～严重。

【旱鸭子】hànyā·zi 图 指不会游泳的人(含诙谐意)。

【旱烟】hànyān 图 装在旱烟袋里吸的烟丝或碎烟叶。有的地区叫黄烟。

【旱烟袋】hànyāndài 图 一种吸烟用具,一般在细竹管的一端安着烟袋锅儿,可以装烟,另一端安着玉石、翡翠等制成的嘴儿,可以衔在嘴里吸。通称烟袋。

【旱灾】hànzāi 图 因长期干旱缺水造成作物枯死或大量减产的灾害。

埕 hàn 小堤(多用于地名)：中～(在安徽)。

捍 hàn 保卫;防御：～卫|～御。

【捍卫】hànwèi 匣 保卫：～领空|～主权。

【捍御】hànyù 〈书〉匣 保卫;抵御：～边疆|～外侮。

悍 hàn ❶ 勇猛：强～|剽～|～将。❷凶狠;蛮横：凶～。

【悍妇】hànfù 图 凶悍蛮横的妇女。

【悍然】hànrán 匣 蛮横的样子：～不顾|～撕毁协议。

【悍勇】hànyǒng 匣 强悍勇敢：～好斗。

菡 hàn ［菡萏］(hàndàn)〈书〉图 荷花。

焊(銲、釬) hàn 匣 用熔化的金属把金属工件连接起来,或用熔化的金属修补金属器物：～接|电～。

【焊工】hàngōng 图 ❶ 金属焊接的工作。❷ 做这种工作的技术工人。

【焊剂】hànjì 图 焊接时用的粒状、粉状或糊状的物质,能清除金属工件焊接部分表面的杂质,防止氧化,使容易焊接,如松香等。也叫焊药。

【焊接】hànjiē 匣 ❶ 用加热、加压等方法把金属工件连接起来。如气焊、电焊、冷焊等。❷ 用熔化的焊料把金属连接起来。

【焊炬】hànjù 图 焊枪。

【焊料】hànliào 图 焊接时用来填充工件接合处的材料。分软焊料和硬焊料两种。

软焊料熔点较低,质软,如铅锡合金(焊锡);硬焊料熔点较高,质硬,如铜锌合金。

【焊枪】 hànqiāng 名 气焊用的带活门的工具,形状略像枪,前端有喷嘴。也叫焊炬。

【焊条】 hàntiáo 名 焊接时熔化填充在焊接工件的接合处的金属条。

【焊锡】 hànxī 名 镴的通称。

【焊药】 hànyào 名 焊剂。

晗 hàn 〈书〉眼睛瞪大突出。

颔(頷) hàn 〈书〉❶ 下巴。❷ 点头:～首。

【颔联】 hànlián 名 律诗的第二联(三、四两句),一般要求对仗。

【颔首】 hànshǒu 〈书〉动 点头:～微笑|～赞许。

撖 Hàn 名 姓。

薅 hàn 名 一年生草本植物,叶形变化很大,基部叶子分裂多,茎部叶子长椭圆形,花小,黄色,结角果。嫩茎可以吃,全草入药。

暵 hàn 〈书〉❶ 曝晒。❷ 使干枯。

爕 hàn 〈方〉动 ❶ 焙。❷ 用极少的油煎。❸ 蒸。

撼 hàn 摇;摇动:摇～|震～天地|蚍蜉～大树,可笑不自量。

【撼动】 hàndòng 动 摇动;震动:一声巨响,～山岳|这一重大发现,～了整个世界。

【撼天动地】 hàn tiān dòng dì 形容声音响亮或声势浩大:喊杀声～|～的革命风暴。

翰 hàn ❶ 〈书〉原指羽毛,后来借指毛笔、文字、书信等:挥～|～墨|书～。❷ (Hàn)名 姓。

【翰林】 hànlín 名 唐以后皇帝的文学侍从官,明清两代从进士中选拔。

【翰墨】 hànmò 〈书〉名 笔和墨,借指文章书画等。

憾 hàn 失望;不满足:缺～|遗～|～事|引以为～。

【憾事】 hànshì 名 认为不完美而感到遗憾的事情:终身～。

瀚 hàn 〈书〉广大;浩～。

【瀚海】 hànhǎi 〈书〉名 指沙漠:～无垠。

夯(硪) hāng ❶ 名 砸实地基用的工具或机械,有木夯、石夯、铁夯等:打～。❷ 动 用夯砸:～实|～地|～土。❸ 〈方〉动 用力打:举起拳头向下～|用大板来～。❹ 〈方〉动 用力扛。
另见 66 页 bèn。

【夯歌】 hānggē 名 打夯时唱的歌。

沆 háng 〈书〉同"吭"(háng)。
另见 764 页 kàng。

行 háng ❶ 名 行列:双～|杨柳成～。❷ 动 排行:您～几? |我～三。❸ 名 行业:内～|同～|在～|懂～|改～|各行各业|干一～,爱一～|～～出状元。❹ 名 某些营业机构:商～|银～|车～。❺ 量 用于成行的东西:一～字|几～树|两～眼泪。
另见 541 页 hàng;560 页 héng;1523 页 xíng。

【行帮】 hángbāng 名 同一行业的人为了维护自己的利益而结成的小团体。

【行辈】 hángbèi 名 辈分:他～比我大。

【行当】 háng·dang 名 ❶ (～儿)〈口〉行业:他是哪一个～的? ❷ 戏曲演员专业分工的类别,主要根据角色类型来划分,如京剧的生、旦、净、丑。

【行道】 háng·dao 〈方〉名 行业。
另见 1523 页 xíngdào。

【行规】 hángguī 名 行会所制定的各种章程,由同行业的人共同遵守。

【行话】 hánghuà 名 某个行业的专门用语(一般人不大理解的)。

【行会】 hánghuì 名 旧时城市中同行业的手工业者或商人的联合组织。

【行货】 hánghuò 名 ❶ 加工不精细的器具、服装等商品。❷ 指通过正常途径进出口和销售的货物:～手机。

【行家】 háng·jia ❶ 名 内行人:老～。❷ 〈方〉形 在行(用于肯定式):您对种树挺～呀!

【行间】 hángjiān 名 ❶ 〈书〉行伍之间。

❷ 行与行之间：字里～|栽种向日葵～的距离要宽。

【行距】hángjù 名 相邻的两行之间的距离。

【行款】hángkuǎn 名 书写或排印文字的行列款式。

【行列】hángliè 名 人或物排成的直行和横行的总称：他站在～的最前面◇这家工厂已经进入了同类企业的先进～。

【行情】hángqíng 名 市面上商品的一般价格，也指金融市场上利率、汇率、证券价格等的一般情况：摸～|熟悉～|～看涨。

【行市】háng·shi 名 市面上商品、证券、外汇等的一般价格：～看好|摸准～。

【行伍】hángwǔ 名 旧时称军队的行列，泛指军中：投身～|～出身(当兵出身)。

【行业】hángyè 名 工商业中的类别，泛指职业：饮食～|服务～。

【行业语】hángyèyǔ 名 行话。

【行院】hángyuàn 名 金、元时代指妓女或优伶的住所，有时也指妓女或优伶。也作衏衏。

【行栈】hángzhàn 名 代人存放货物并介绍买卖的行业。

【行子】háng·zi 〈方〉名 称不喜爱的人或东西：我不稀罕这～。

吭 háng 喉咙：引～高歌。
另见 777 页 kēng。

迒 háng 〈书〉❶ 野兽的脚印或车轮的痕迹。❷ 道路。

杭 Háng ❶ 指浙江杭州：～纺(杭州出产的一种纺绸)。❷ 名 姓。

【杭育】hángyō 叹 从事重体力劳动(大多为集体操作)时呼喊的声音。

绗(絎) háng 动 缝纫方法，用针线固定面儿和里子以及所絮的棉花等，缝时针孔疏密相间，线大部分藏在夹层中间，正反两面露出的都很短：～棉袄|～被子。

衏 háng [衏衏](hángyuàn)同“行院”(hángyuàn)。

航 háng ❶〈书〉船。❷ 航行：～海|～空|～线|～向|～程|领～。❸(Háng)名 姓。

【航班】hángbān 名 客轮或客机航行的班次，也指某一班次的客轮或客机。

【航标】hángbiāo 名 指示船舶安全航行的标志：～灯。

【航测】hángcè 动 ❶ 航空摄影测量。在飞机上利用特制的摄影机连续对地面拍摄，根据所摄相片绘制地形图。❷ 运用航空遥感技术对地面物体和环境做出识别和判断，绘制地图。

【航程】hángchéng 名 指飞机、船只航行的路程：～万里。

【航船】hángchuán 名 ❶ 江浙一带定期行驶于城镇之间的载客运货的木船。❷ 泛指航行的船只。

【航次】hángcì 名 ❶ 船舶、飞机出航编排的次序。❷ 出航的次数。

【航道】hángdào 名 船舶或飞机安全航行的通道：主～|疏浚～|开辟新的～。

【航海】hánghǎi 动 驾驶船只在海洋上航行：～家|～日志。

【航空】hángkōng 动 指飞机在空中飞行：～事业|～公司|民用～。

【航空兵】hángkōngbīng 名 装备有各种军用飞机，在空中执行任务的部队。

【航空港】hángkōnggǎng 名 固定航线上的大型机场。简称空港。

【航空母舰】hángkōng mǔjiàn 作为海军飞机海上活动基地的大型军舰。通常与若干艘巡洋舰、驱逐舰、护卫舰等编成航空母舰编队，远离海岸机动作战。按任务和所载飞机的不同，分为攻击航空母舰、反潜航空母舰等。简称航母。

【航空器】hángkōngqì 名 指能够在大气层中飞行的飞行器，如气球、飞艇、飞机、直升机等。

【航空信】hángkōngxìn 名 由飞机运送的信。

【航龄】hánglíng 名 ❶ 飞机、船只等已航行的年数。❷ 飞行员、航天员等从事飞行工作的年数。

【航路】hánglù 名 船只、飞机航行的路线：～畅通。

【航模】hángmó 名 飞机和船只的模型：～表演|～比赛。

【航母】hángmǔ 名 航空母舰的简称。

【航拍】hángpāi 动 利用航空器(如飞机、直升机、气球等)对地面进行拍摄：直升机在会场上空～。

【航速】hángsù 名 航行的速度。

【航天】hángtiān 动 指人造卫星、宇宙飞船等在地球附近空间或太阳系空间飞行：
～技术|～事业。

【航天飞机】hángtiān fēijī 兼有航空和航天功能的空中运载工具。利用助推火箭垂直起飞,然后启动轨道飞行器进行轨道航行,返回地面时滑翔降落。可以重复使用。

【航天器】hángtiānqì 图 指在地球附近空间或太阳系空间飞行的飞行器,如人造地球卫星、宇宙飞船、空间站等。

【航天员】hángtiānyuán 图 驾驶航天器,并在航天中从事科学研究或军事活动的人员。

【航天站】hángtiānzhàn 图 空间站。

【航务】hángwù 图 有关船舶、飞机运输的业务。

【航线】hángxiàn 图 水上和空中航行路线的统称:开辟新～。

【航向】hángxiàng 图 航行的方向,也用于比喻:偏离～|拨正～|指引革命～。

【航行】hángxíng 动 船在水里或飞机在空中行驶。

【航宇】hángyǔ 图 宇航。

【航运】hángyùn 图 水上运输事业,分为内河航运、沿海航运、远洋航运。

颃(頏) háng 见 1507 页【颉颃】。

hàng （ㄏㄤˋ）

行 hàng 见 1270 页【树行子】。
另见 539 页 háng;560 页 héng; 1523 页 xíng。

沆 hàng 〈书〉形容水面辽阔。

【沆瀣】hàngxiè 〈书〉图 夜间的水汽。

【沆瀣一气】hàng xiè yī qì 唐代崔瀣参加科举考试,考官崔沆取中了他。于是当时有人嘲笑说,"座主门生,沆瀣一气"(见于钱易《南部新书》)。后来比喻臭味相投的人结合在一起。

巷 hàng 巷道。
另见 1490 页 xiàng。

【巷道】hàngdào 图 采矿或探矿时在山体中或地下挖掘的大致成水平方向的坑道,一般用于运输和排水,也用于通风。

蒿 hāo ❶ 蒿子。❷ (Hāo)图 姓。

【蒿子】hāo·zi 图 通常指花小、叶子作羽状分裂、有某种特殊气味的草本植物。

【蒿子秆儿】hāo·zigǎnr 图 蒿蒿的嫩茎叶,做蔬菜时叫蒿子秆儿。

薅 hāo 动 ❶ 用手拔(草等):～苗(间苗)。❷〈方〉揪:一把把他从座位上～起来。

【薅锄】hāochú 图 除草用的短柄小锄。

嚆 hāo [嚆矢](hāoshǐ)图 带响声的箭,比喻事物的开端或先行者:人造地球卫星的发射是人类星际旅行的～。

háo （ㄏㄠ）

号(號) háo ❶ 拖长声音大声叫唤:呼～|～叫◇北风怒～。❷ 大声哭:哀～。
另见 545 页 hào。

【号叫】háojiào 动 大声叫:她一面哭,一面～着。

【号哭】háokū 动 连喊带叫地大声哭:～不止。

【号丧】háo//sāng 动 旧俗,家中有丧事,来吊唁的人和守灵的人大声干哭,叫号丧。

【号丧】háo·sang 〈方〉动 哭(骂人的话):谁也没欺负你,你～什么!

【号咷】háotáo 同"号啕"。

【号啕】háotáo 动 形容大声哭:～大哭|～痛哭。也作号咷、嚎啕、嚎咷。

蚝(蠔) háo 图 牡蛎。

【蚝油】háoyóu 图 用牡蛎的肉制成的浓汁,供调味用。

毫 háo ❶ 细长而尖的毛:狼～笔|羊～笔。❷ 指毛笔:挥～。❸ 图 秤或戥子上用手提的绳:头～|二～。❹ 副 一点儿(只用于否定式):～不足怪|～无头绪。❺ (某些计量单位的)千分之一:～米|～升|～克。❻ 量 计量单位名称:a)

长度,10 丝等于 1 毫,10 毫等于 1 厘。b) 质量或重量,10 丝等于 1 毫,10 毫等于 1 厘。❼〈方〉量 货币单位,即角。

【毫发】háofà〈书〉毫毛和头发,比喻极小的数量(多用于否定式):～不爽|～不差。

【毫分】háofēn 名 分毫:不差～。

【毫厘】háolí 名 一毫一厘,形容极少的数量:～不爽|失之～,谬以千里。

【毫毛】háomáo 名 人或鸟兽身上的细毛,多用于比喻:不准你动他一根～。

【毫米】háomǐ 量 长度单位,1 毫米等于 1 米的 1/1 000。公制长度单位的毫米旧称公厘。

【毫米汞柱】háomǐ gǒngzhù 压力、压强的非法定计量单位。测量血压时,汞在标有毫米刻度的玻璃管内上升或下降,形成汞柱,它的端面在多少毫米刻度时,就叫多少毫米汞柱。1 毫米汞柱等于 133. 322 帕。

【毫末】háomò〈书〉毫毛的梢尖,比喻极微小的数量或部分:～之差|～之利。

【毫无二致】háo wú èr zhì 丝毫没有两样;完全一样。

【毫洋】háoyáng〈方〉名 旧时广东、广西等地区通行的本位货币。

【毫针】háozhēn 名 针刺穴位用的针,根据粗细和长短的不同分为若干型号。

【毫子】háo•zi〈方〉❶名 旧时广东、广西等地区使用的一角、二角、五角的银币,二角的最常见。❷量 毫❼。

嗥(嘷) háo 动 (豺狼等)大声叫。

【嗥叫】háojiào 动 号叫(多指豺狼等)。

貉 háo 义同"貉"(hé),专用于"貉绒、貉子"。

另见 555 页 hé;965 页 Mò"貊"。

【貉绒】háoróng 名 拔去硬毛的貉子皮,质地轻软,是珍贵的毛皮。

【貉子】háo•zi 名 貉(hé)的通称。

豪 háo ❶ 具有杰出才能的人:英～|文～。❷ 气魄大;直爽痛快,没有拘束的:～放|～爽|～迈|～言壮语◇～雨。❸ 指有钱有势:～门|～富。❹ 强横:～强|巧取～夺。

【豪赌】háodǔ 动 以巨资为赌注进行赌博:他在一场～中输了几十万元。

【豪放】háofàng 形 气魄大而无所拘束:

～不羁|性情～|文笔～。

【豪富】háofù ❶形 有钱有势:～人家。❷名 指有钱有势的人。

【豪横】háohèng 形 强横;仗势欺人。

【豪横】háo•heng〈方〉形 性格刚强有骨气。

【豪华】háohuá 形 ❶ (生活)过分铺张;奢侈。❷ (建筑、设备或装饰)富丽堂皇;十分华丽:～的客厅|～型轿车|室内摆设非常～。

【豪杰】háojié 名 才能出众的人;英雄。

【豪举】háojǔ 名 指有魄力的行动。也指阔绰的行动。

【豪迈】háomài 形 气魄大;勇往直前:气概～|～的事业。

【豪门】háomén 名 指有钱有势的家庭:～大族|～子弟|出身～。

【豪气】háoqì 名 英雄气概;豪迈的气势。

【豪强】háoqiáng ❶形 强横。❷名 指依仗权势欺压人民的人:剪除～。

【豪情】háoqíng 名 豪迈的情怀:～壮志。

【豪绅】háoshēn 名 旧时指地方上依仗封建势力欺压人民的绅士。

【豪爽】háoshuǎng 形 豪放直爽:性情～。

【豪侠】háoxiá ❶形 勇敢而有义气:～之士。❷名 勇敢而有义气的人:江湖～。

【豪兴】háoxìng 名 好的兴致;浓厚的兴趣:～尽消|老人吟诗作画的～不减当年。

【豪言壮语】háo yán zhuàng yǔ 气魄很大的话。

【豪饮】háoyǐn 动 放量饮酒。

【豪雨】háoyǔ 名 大雨:一夜～。

【豪语】háoyǔ 名 豪迈的话。

【豪宅】háozhái 名 豪华的住宅。

【豪猪】háozhū 名 哺乳动物,全身黑色或褐色,自背部以后长着许多长而硬的刺,遇敌害时竖起,穴居,昼伏夜出,吃植物等,常盗食农作物。

【豪壮】háozhuàng 形 雄壮:～的事业|～的声音。

【豪族】háozú 名 指有钱有势的家族。

壕 háo ❶ 护城河:城～。❷ 壕沟:战～|防空～|沟满～平。

【壕沟】háogōu 名 ❶ 为作战时起掩护作用而挖掘的沟。❷ 沟;沟渠。

【壕堑】háoqiàn 名 堑壕。

嚎 háo ❶ 动 大声叫：一声长～|狼～。❷ 同"号"(háo)②。

【嚎春】háochūn 动 有些动物发情时发出叫声，因多在春季，所以叫嚎春。

【嚎咷】háotáo 同"号啕"。

【嚎啕】háotáo 同"号啕"。

濠 háo ❶ 护城河：城～。❷ (Háo) 濠河，水名，在安徽。

hǎo （ㄏㄠˇ）

好 hǎo ❶ 形 优点多的；使人满意的（跟"坏"相对）：～人|～东西|～事情|～脾气|庄稼长得很～。❷ 形 合宜；妥当：初次见面，不知跟他说些什么～。❸ 用在动词前，表示使人满意的性质在哪方面：～看|～听|～吃。❹ 形 友爱；和睦：友～|～朋友|他跟我～。❺ 形 (身体)健康；(疾病)痊愈：体质～|身子比去年～多了|他的病～了。❻ 形 用于套语：～睡|您～走。❼ 形 用在动词后，表示完成或达到完善的地步：计划订～了|功课准备～了|外边太冷，穿～了衣服再出去|坐～吧，要开会了。❽ 形 表示赞许、同意或结束等语气：～，就这么办|～了，不要再说了。❾ 形 反话，表示不满意：～，这一下可麻烦了。❿ 形 容易(限用于动词前)：那个歌儿～唱|这个问题很～回答。⓫ 动 便于：地整平了～种庄稼|告诉我他在哪儿，我～找他去。⓬ 〈方〉动 应该；可以：我～进来吗？|时间不早了，你～走了。⓭ 副 用在形容词、数量词等前面，表示多或久：～多|～久|～几个|～一会儿。⓮ 副 用在形容词、动词前，表示程度深，并带感叹语气：～冷|～香|～漂亮|～面熟|～大的工程|原来你躲在这儿，害得我～找！⓯ 〈方〉副 用在形容词前面问数量或程度，用法跟"多"相同：哈尔滨离北京～远？

另见 545 页 hào。

【好比】hǎobǐ 动 表示跟以下所说的一样；如同：批评和自我批评就像～洗脸扫地，要经常做。

【好不】hǎobù 副 用在某些双音形容词前面表示程度深，并带感叹语气，跟"多么"相同：～伤心|～亲热|人来人往，～热闹。

【注意】这样用的"好不"都可以换用"好"，如"好热闹"和"好不热闹"的意思都是很热闹，是肯定的。但是在"容易"前面，用"好"或"好不"意思都是否定的，如"好容易才找着他"跟"好不容易才找着他"都是"不容易"的意思。

【好处】hǎo·chu 名 ❶ 对人或事物有利的因素：喝酒过量对身体没有～。❷ 使人有所得而感到满意的事物：他从中得到不少～|给他点～他就晕头转向了。

【好处费】hǎochùfèi 名 托人办事时付给的额外费用。

【好歹】hǎodǎi ❶ 名 好坏：这人真不知～。❷ 名 指危险(多指生命危险)：万一她有个～，这可怎么办？❸ 副 不问条件或好坏，将就地(做某件事)：时间太紧了，～吃点儿就行了！❹ 副 不管怎样；无论如何：她要是在这里，～也能拿个主意。

【好端端】hǎoduānduān （～的）形 状态词。形容情况正常、良好：～的，怎么生起气来了？|～的公路，竟被糟蹋成这个样子。

【好多】hǎoduō ❶ 数 许多：～人|～东西|～位同志。❷ 〈方〉代 疑问代词。多少(问数量)：今天到会的人有～？

【好感】hǎogǎn 名 对人对事满意或喜欢的情绪：有～|产生～。

【好过】hǎoguò 形 ❶ 生活上困难少，日子容易过：她家现在～多了。❷ 好受：他吃了药，觉得～一点儿了。

【好汉】hǎohàn 名 勇敢坚强或有胆识有作为的男子：英雄～|～做事～当。

【好好儿】hǎohāor （～的）❶ 形 状态词。形容情况正常；完好：那棵百年老树，至今还长得～的|一支笔，叫他给弄折(shé)了。❷ 副 尽力地；尽情地；耐心地：大家再～想一想|我得得～谢谢他|咱们～地玩儿几天|你～跟他谈，别着急。

【好好先生】hǎohǎo-xiān·sheng 一团和气、与人无争，不问是非曲直、只求相安无事的人。

【好话】hǎohuà 名 ❶ 有益的话：他们说的都是～，你别当做耳旁风。❷ 赞扬的话；好听的话：～说尽，坏事做绝。❸ 求情的话；表示歉意的话：向他说了不少～，他就是不答应

【好几】hǎojǐ 数 ❶ 用在整数的后面表示有较多的零数：他已经三十～了。❷ 用

在数量词、时间词前面表示多：～倍|～千|两银子|咱们～年没见了。

【好家伙】hǎojiā·huo 叹 表示惊讶或赞叹：～，他们一夜足走了一百里|～，你们怎么干得这么快呀！

【好景】hǎojǐng 名 美好的景况：～不长。

【好久】hǎojiǔ 形 很久，许久：我站在这儿等他～了|～没收到她的来信了。

【好看】hǎokàn 形 ❶ 看着舒服；美观：这花布做裙子穿一定很～。❷ 脸上有光彩；体面：儿子立了功，做娘的脸上也～。❸ 使人难堪叫做看的好看：你让我上台表演，这不是要我的～吗？

【好来宝】hǎoláibǎo 名 蒙古族的一种曲艺，流行于内蒙古自治区，原为民间歌手自拉自唱，现在有独唱、对唱、重唱、合唱等形式，有时还夹有快板节奏的说白，用四胡或马头琴伴奏。也叫好力宝。

【好赖】hǎolài ❶ 名 好歹①。❷ 副 好歹③④。

【好力宝】hǎolìbǎo 名 好来宝。

【好脸】hǎoliǎn （～儿）名 和悦的脸色：你一天到晚没个～，是谁惹你啦？

【好评】hǎopíng 名 好的评价：这次演出获得观众的～。

【好气儿】hǎoqìr 〈口〉名 好态度（多用于否定式）：老人看见别人浪费财物，就没有～。

【好儿】hǎor 名 ❶ 恩惠：人家过去对咱有过～，咱不能忘了。❷ 好处：这事要是让他知道了，还会有你的～？❸ 指问好的话：见着你母亲，给我带个～。

【好人】hǎorén 名 ❶ 品行好的人；先进的人：～～好事。❷ 没有伤、病、残疾的人。❸ 老好人：她只想做个～，不愿意说得罪人的话。

【好人家】hǎorénjiā （～儿）名 清白的人家。

【好日子】hǎorì·zi 名 ❶ 吉利的日子。❷ 办喜事的日子：你们的～定在哪一天？❸ 美好的生活：这几年他才过上～。

【好容易】hǎoróngyì 形 很不容易（才做到某件事）：跑遍了全城，～才买到这本书。参看【好不】。

【好生】hǎoshēng 〈方〉副 ❶ 多么；很；极：这个人～面熟|老太太听了，心中一～不快。❷ 好好儿地：有话～说|～要（好好儿地玩儿）。

【好声好气】hǎo shēng hǎo qì （～的）〈口〉语调柔和，态度温和：人家～地劝他，他倒不耐烦起来。

【好事】hǎoshì 名 ❶ 好事情；有益的事情：好人～。❷ 指僧道拜忏、打醮等事。❸ 喜庆事。
另见 546 页 hàoshì。

【好事多磨】hǎoshì duō mó 好事情在实现、成功前常常会经历许多波折。

【好手】hǎoshǒu 名 精于某种技艺的人；能力很强的人：游泳～|论烹调，他可是一把。

【好受】hǎoshòu 形 感到身心愉快；舒服：出了身汗，现在～多了|你别说了，他心里正不～呢！

【好说】hǎoshuō 动 ❶ 客套话，用在别人向自己致谢时，表示不必客气；用在别人恭维自己时，表示不敢当：～，您太客气了|～，您过奖了。❷ 表示能够同意或好商量：关于参观的事，～|只要你没意见，她那边就～了。

【好说歹说】hǎo shuō dǎi shuō 用各种理由或方式反复请求或劝说：我～，他总算答应了。

【好说话】hǎo shuōhuà （～儿）指脾气好，容易商量、通融：他这人～儿，你只管去找他。

【好似】hǎosì 动 好像。

【好天儿】hǎotiānr 名 指晴朗的天气。

【好听】hǎotīng 形 ❶（声音）听着舒服；悦耳：这段曲子很～。❷（言语）使人满意：话说得～，但还要看行动。

【好玩儿】hǎowánr 形 有趣；能引起兴趣。

【好像】hǎoxiàng ❶ 动 有些像；像：他们俩一见面就～多年的老朋友。❷ 副 似乎；仿佛：他低着头不做声，～在想什么事。

【好笑】hǎoxiào 形 引人发笑；可笑：这件事太～了。

【好些】hǎoxiē 数 许多：他在这里工作～年了。

【好心】hǎoxīn 名 好意：一片～。

【好性儿】hǎoxìngr 名 好脾气。

【好样儿的】hǎoyàngr·de 〈口〉名 有骨气、有胆量或有作为的人。

【好意】hǎoyì 名 善良的心意：好心～|一番～|谢谢你对我的～。

【好意思】hǎoyì·si 动 不害羞；不怕难为

情(多用在反诘句中):做了这种事,亏他还～说呢!

【好运】hǎoyùn 名 好的运气或机遇:交了～。

【好在】hǎozài 副 表示具有某种有利的条件或情况:我有空再来,～离这儿不远。

【好转】hǎozhuǎn 动 向好的方面转变:病情～|局势～。

【好自为之】hǎo zì wéi zhī 自己妥善处置。

郝 Hǎo 名 姓。

hào （ㄏㄠ）

号¹(號) hào ❶ 名 名称:国～|年～。❷ 名 原指名和字以外另起的别号,后来也指名以外另起的字:苏轼字子瞻,～东坡|孔明是诸葛亮的～。❸ 商店:商～|银～|分～|宝～。❹(～儿)名 标志;信号:记～|问～|加减～|暗～儿|击掌为～。❺(～儿)名 排定的次第:挂～|编～。❻(～儿)名 表示等级:大～|中～|小～|五～字。❼(～儿)量 种;类:这～人甭理他|这～生意不能做。❽(～儿)指某种人员:病～|伤～|彩～。❾(～儿)量 表示次序(多放在数字后)a)一般的:第三～简报|门牌二一~。b)特指一个月里的日子:五月一～是国际劳动节。❿(～儿)量 a)用于人数:今天有一百多～人出工。b)用于成交的次数:一会儿工夫就做了几～买卖。⓫ 动 标上记号:～房子|把这些东西都～一~。⓬ 动 切(脉搏):～脉。⓭(Hào)名 姓。

号²(號) hào ❶ 号令:发～施令。❷ 名 号筒。❸ 名 军队或乐队里所用的西式喇叭。❹ 名 用号吹出的表示一定意义的声音:起床～|集合～|冲锋～。

另见 541 页 háo。

【号兵】hàobīng 名 军队中管吹号的士兵。

【号称】hàochēng 动 ❶ 以某种名号著称:四川～天府之国。❷ 对外宣称;名义上称作:敌人的这个师～一万二千人,实际上只有七八千。

【号房】hàofáng 名 旧时指传达室或做传达工作的人。

【号角】hàojiǎo 名 古时军队中传达命令的管乐器,后世泛指喇叭一类的东西◇吹响了向高科技进军的～。

【号坎儿】hàokǎnr 名 旧时车夫、轿夫、搬运工等所穿的有号码的坎肩儿。

【号令】hàolìng ❶ 动 军队中用口说或军号等传达命令:～三军。❷ 名 下达的命令:发布～|一声～,龙舟竞渡开始。

【号码】hàomǎ(～儿)名 表示事物次第的数目字:门牌～|电话～。

【号脉】hào//mài 动 诊脉。

【号炮】hàopào 名 为传达信号而放的炮。

【号手】hàoshǒu 名 吹号的人。

【号筒】hàotǒng 名 旧时军队中传达命令的管乐器,筒状,管细口大,最初用竹、木等制成,后用铜制成。

【号头】hàotóu(～儿)〈口〉名 号码。

【号外】hàowài 名 报社因需要及时报道重要消息而临时增出的小张报纸,因在定期出版的报纸顺序编号之外,所以叫号外。

【号衣】hàoyī 名 旧时兵士、差役等所穿的带号记的衣服。

【号召】hàozhào 动 召唤(群众共同去做某事):响应～|～全市青年积极参加植树造林。

【号志灯】hàozhìdēng 名 铁路通信上用的手提信号灯。

【号子】¹ hào·zi〈方〉名 ❶ 记号;标志。❷ 指监狱里关押犯人的房间,每个房间有统一编排的号码。

【号子】² hào·zi 名 集体劳动中协同用力时,为统一步调、减轻疲劳等所唱的歌,大都由一人领唱,大家应和。

好 hào 动 ❶ 喜爱(跟"恶"wù相对):嗜～|～学|～动脑筋|～吃懒做|他这个人～表现自己。❷ 常容易(发生某种事情):刚会骑车的人～摔跤。

另见 543 页 hǎo。

【好大喜功】hào dà xǐ gōng 指不管条件是否许可,一心想做大事,立大功(多含贬义)。

【好高务远】hào gāo wù yuǎn 同"好高骛远"。

【好高骛远】hào gāo wù yuǎn 不切实际地追求过高的目标。也作好高务远。

【好客】hàokè 形 指乐于接待客人,对客人热情。

【好奇】hàoqí 形 对自己所不了解的事物觉得新奇而感兴趣:～心|孩子们～,什么事都想知道个究竟。

【好强】hàoqiáng 形 要强:她是个～的姑娘,从来不肯落后。

【好色】hàosè 形 (男子)沉溺于情欲,贪恋女色:～之徒。

【好善乐施】hào shàn lè shī 喜欢做善事,乐于拿财物帮助人。

【好尚】hàoshàng〈书〉名 爱好和崇尚:各有～。

【好胜】hàoshèng 形 处处都想胜过别人:～心|争强～。

【好事】hàoshì 形 好管闲事;喜欢多事:～之徒。
另见544页hǎoshì。

【好为人师】hào wéi rén shī 喜欢以教育者自居,不谦虚。

【好恶】hàowù 名 喜好和厌恶,指兴趣:～不同|不能从个人的～出发来评定文章的好坏。

【好逸恶劳】hào yì wù láo 贪图安逸,厌恶劳动。

【好整以暇】hào zhěng yǐ xiá 形容虽在繁忙之中,仍能严整有序,从容不迫。

昊 hào〈书〉❶ 广大无边。❷ 指天。

耗¹ hào 动 ❶ 减损;消耗:点灯～油|锅里的水快～干了。❷〈方〉拖延:你别～着了,快走吧。

耗² hào 坏的音信或消息:噩～|死～|音～。

【耗材】hàocái ❶ 动 耗费材料:～五吨。❷ 名 使用过程中会被消耗掉的材料,如打印用的油墨、纸张。

【耗费】hàofèi 动 消耗:～时间|～人力物力。

【耗竭】hàojié 动 消耗净尽:兵力～|资源～。

【耗能】hàonéng 动 消耗电能、热能等:炼铝是高～行业。

【耗神】hàoshén 动 消耗精力:～费neural。

【耗损】hàosǔn 动 消耗损失:～精神|减少粮食的～。

【耗资】hàozī 动 耗费资财:工程～上亿

元。

【耗子】hào·zi〈方〉名 老鼠。

浩 hào ❶ 浩大:～繁。❷ 多:～博|～如烟海。

【浩博】hàobó〈书〉形 非常多;丰富:征引～。

【浩大】hàodà 形 (气势、规模等)盛大;巨大:声势～|工程～。

【浩荡】hàodàng 形 ❶ 水势大:江水～|烟波～。❷ 形容广阔或壮大:春风～|游行队伍浩浩荡荡地通过天安门广场。

【浩繁】hàofán 形 浩大而繁多;繁重:卷帙～|～的开支。

【浩瀚】hàohàn〈书〉形 ❶ 形容水势盛大:～的大海。❷ 形容广大;繁多:～的沙漠|典籍～。

【浩浩】hàohào 形 ❶ 形容水势浩大:～江水。❷ 广大辽阔:～乾坤。

【浩劫】hàojié 名 大灾难:空前的～|惨遭～。

【浩茫】hàománg 形 广阔无边:～的大地◇心事～。

【浩渺】(浩淼)hàomiǎo 形 形容水面辽阔:烟波～。

【浩气】hàoqì 名 浩然之气;正气:～长存|～凛然。

【浩然】hàorán〈书〉形 ❶ 形容广阔,盛大:江流～|洪波～。❷ 形容正大刚直:～之气。

【浩然之气】hàorán zhī qì 正大刚直的精神。

【浩如烟海】hào rú yānhǎi 形容文献、资料等非常丰富。

【浩叹】hàotàn〈书〉动 大声叹息。

【浩特】hàotè 名 蒙古族牧民居住的自然村,也指城市。[蒙]

淏 hào〈书〉水清。

皓(❶❷皜暠)hào ❶ 白;洁白:～首|明眸～齿。❷ 明亮:～月。❸(Hào)名 姓。
"暠"另见455页gǎo。

【皓首】hàoshǒu〈书〉名 白头(指年老):～穷经(钻研经典到老)。

【皓月】hàoyuè 名 明亮的月亮:～当空。

鄗 Hào ❶ 古县名,在今河北柏乡北。❷ 图姓。

滈 Hào 滈河,水名,在陕西。

镐(鎬) Hào 周朝初年的国都,在今陕西西安西南。

另见 455 页 gǎo。

皞 hào 〈书〉明亮。

滈 hào 〈书〉同"浩"。

颢(顥) hào 〈书〉白而发光。

灏(灝) hào 〈书〉❶ 同"浩"。❷ 同"皓"①②。

<hr>

hē (ㄏㄜ)

诃¹(訶) hē ❶ 同"呵²"(hē)。❷ (Hē)图姓。

诃²(訶) hē [诃子](hēzǐ)图❶ 常绿乔木,叶子卵形或椭圆形。果实像橄榄,可以入药。生长在我国云南、广东一带,以及印度、缅甸、马来西亚等地。❷ 这种植物的果实。‖也叫藏青果。

呵¹ hē 囫呼(气);哈(气):一气~成|一口气|他一边写,一边~手。

呵² hē 呵斥:~责。

呵³ hē 同"嗬"(hē)。

另见 1 页 ā;2 页 á;2 页 ǎ;2 页 à;2 页 ·a"啊";768 页 kē。

【呵叱】hēchì 同"呵斥"。

【呵斥】hēchì 囫大声斥责:把他～了一顿。也作呵叱。

【呵呵】hēhē 拟声形容笑声:～大笑|～地笑了起来。

【呵喝】hēhè 〈书〉囫为了申斥、恫吓而大声喊叫。

【呵护】hēhù 囫爱护;保护:～备至|～儿童。

【呵欠】hē·qiàn 〈方〉图哈欠。

【呵责】hēzé 囫呵斥。

喝¹(飲) hē 囫❶ 把液体或流食咽下去:～水|～茶|～酒|～粥

◇～西北风。❷ 特指喝酒:爱～|～醉了|遇上高兴的事总要～两口。

喝² hē 同"嗬"。

另见 555 页 hè。

【喝闷酒】hē mènjiǔ 烦闷时一人独自饮酒叫喝闷酒。

【喝墨水】hē mòshuǐ (～儿)指上学读书:他没喝过几年墨水。

【喝西北风】hē xīběifēng 指没有东西吃;挨饿。

嗬 hē 囫表示惊讶:～,真不得了!|～,这小伙子真棒!

蔼 hē 〈方〉囫蜇(zhē)。

<hr>

hé (ㄏㄜ)

禾 hé ❶ 禾苗,特指水稻的植株。❷ 古书上指粟。❸ (Hé)图姓。

【禾场】hécháng 〈方〉图打稻子或晒稻子等用的场地。

【禾苗】hémiáo 图谷类作物的幼苗。

合¹(❶❸閤) hé ❶ 囫闭;合拢:～眼|笑得～不上嘴。❷ 囫结合到一起;凑到一起;共同(跟"分"相对):～办|同心～力。❸ 全:～村|～家团聚。❹ 囫符合:～情～理|正～心意。❺ 囫折合;共计:一公顷～十五市亩|这件衣服连工带料~多少钱?❻ 〈书〉应当;应该:理～声明。❼ 量旧小说中指交战的回合:大战三十余~。❽ 图在太阳系中,当行星运行到与太阳、地球成一直线,并且地球不在太阳与该行星之间的位置时,叫做合。❾ (Hé)图姓。

合² hé 图我国民族音乐音阶上的一级,乐谱上用作记音符号,相当于简谱的"5"。参看 468 页〖工尺〗。

另见 462 页 gě。"閤"另见 460 页 gé"阁";另见 555 页 hé"阖"。

【合抱】hébào 囫两臂围拢(多指树木、柱子等的粗细):院里有两棵~的大树。

【合璧】hébì 囫指把不同的东西放在一起而配合得宜,也指两种东西摆在一起对比参照:诗画~|中西~。

【合并】hébìng 囫❶ 结合到一起:~机构|这三个提议~讨论。❷ 指正在患某种

病的同时又发生(另一种疾病)：麻疹～肺炎。

【合并症】hébìngzhèng 名 并发症。

【合不来】hé·bùlái 动 性情不相投，不能相处。

【合不着】hé·buzháo 〈方〉形 不上算；不值得：跑这么远的路去看一场戏，实在～。

【合唱】héchàng 动 由若干人分几个声部共同演唱一首多声部的歌曲，如男声合唱、女声合唱、混声合唱等。

【合称】héchēng ❶ 动 合起来叫做：指挥员和战斗员～指战员。❷ 名 合起来的名称：指战员是指挥员和战斗员的～。

【合成】héchéng 动 ❶ 由部分组成整体：～词|合力是分力～的。❷ 通过化学反应使成分比较简单的物质变成成分复杂的物质。

【合成词】héchéngcí 名 两个或两个以上的词素构成的词(区别于"单纯词")。合成词可以分为两类，a)由两个或两个以上词根合成的，如"朋友、庆祝、火车、立正、照相机、人行道"。b)由词根加词缀构成的，如"桌子、瘦子、花儿、木头、甜头、阿姨"。前一类也叫复合词，后一类也叫派生词。

【合成纤维】héchéng xiānwéi 化学纤维的一类，用煤、石油、天然气、乙炔等为原料制成。合成纤维强度高、耐磨，不缩水，不起皱，用来做衣料，也可制绳索、传送带等。如涤纶、锦纶、维纶等。

【合成橡胶】héchéng xiàngjiāo 高分子化合物，用石油、天然气、煤、电石等为原料合成。种类很多，如丁苯橡胶、异戊橡胶等。

【合得来】hé·délái 动 性情相合，能够相处。

【合得着】hé·dezháo 〈方〉形 上算；值得。

【合度】hédù 形 合乎尺度；合适；适宜。

【合法】héfǎ 形 符合法律规定：～权利|～地位|～斗争|这么做不～。

【合该】hégāi 动 理应；应该：～如此。

【合格】hégé 形 符合标准：质量～|检查～|～产品。

【合共】hégòng 副 一共：两个班～八十人。

【合股】hégǔ 动 若干人聚集资本(经营工商业)：～经营。

【合乎】héhū 动 符合；合于：～事实|～规律|～要求。

【合欢】héhuān ❶ 动 (相爱的男女)欢聚。❷ 名 落叶乔木，树皮灰色，羽状复叶，小叶白天张开，夜间合拢。花萼和花瓣黄绿色，花丝粉红色，荚果扁平。木材用来做家具等。也叫马缨花。

【合伙】héhuǒ (～儿)动 合成一伙(做某事)：～经营|～干坏事。

【合击】héjī 动 几路军队共同进攻同一目标：分进～。

【合计】héjì 动 合在一起计算：两处～六十人。

【合计】hé·ji 动 ❶ 盘算：他心里老～这件事。❷ 商量：大家～～这事该怎么办。

【合剂】héjì 名 由两种或两种以上的药物配制而成的水性药剂，如复方丹参合剂、复方芦笋合剂。

【合家】héjiā 名 全家：～欢乐。

【合家欢】héjiāhuān 名 一家大小合拍的相片儿。

【合脚】hé∥jiǎo 形 (鞋、袜)适合脚的大小和肥瘦。

【合金】héjīn 名 由一种金属元素跟其他金属或非金属元素熔合而成的、具有金属特性的物质。一般合金的熔点比组成它的各金属低，而硬度比组成它的各金属高。

【合卺】héjǐn 〈书〉动 结婚(卺是瓢，把一个匏瓜剖成两个瓢，新郎新娘各拿一个饮酒，是旧时成婚时的一种仪式)。

【合口】¹hé∥kǒu 动 疮口或伤口长好。

【合口】²hékǒu 形 适合口味：咸淡～|味道～。

【合口呼】hékǒuhū 名 见 1294 页〖四呼〗。

【合饹】hé·le 同"饸饹"。

【合理】hélǐ 形 合乎道理或事理：～使用|～密植|他说的话很～。

【合理冲撞】hélǐ chōngzhuàng 指足球比赛中，双方队员在抢球或护球时，用肩以下至肘关节以上部位，以适当力量冲撞对方相应的部位。

【合理化】hélǐhuà 动 设法调整改进，使趋于合理：～建议。

【合力】hélì ❶ 动 一起出力：同心～。❷ 名 一个力对某物体的作用和另外几个力同时对该物体的作用的效果相同，这一个力就是那几个力的合力。

【合流】héliú 动❶（河流）汇合在一起：南运河和大清河在天津～。❷比喻在思想行动上趋于一致。❸学术、艺术等方面的不同流派融为一体。

【合龙】hé//lóng 动 修筑堤坝或桥梁等从两端施工，最后在中间接合，叫做合龙。

【合拢】hé//lǒng 动 合到一起；闭合：～书本|心里焦愁烦躁，到半夜也合不拢眼。

【合谋】hémóu 动 共同策划（进行某种活动）：～作案。

【合拍】[1] hé//pāi 形 符合节奏，比喻协调一致：两个人思路～。

【合拍】[2] hépāi 动❶合作拍摄（电影、电视等）。❷在一起拍照（相片）。

【合情合理】hé qíng hé lǐ 合乎情理。

【合群】héqún （～儿）形 跟大家关系融洽，合得来：她性情孤僻，向来不～。

【合身】hé//shēn （～儿）形（衣服）适合身材：这套衣服做得比较～。

【合十】héshí 动 佛教的一种敬礼方式，两掌在胸前对合（十：十指）：双手～。

【合时】héshí 形 合乎时尚；合乎时宜：穿戴～|这话说得不大～。

【合式】héshì ❶形 合乎一定的规格、程式。❷同"合适"。

【合适】héshì 形 符合实际情况或客观要求：这双鞋你穿着正～|这个字用在这里不～。也作合式。

【合数】héshù 名 在大于1的整数中，除了1和这个数本身，还能被其他正整数整除的数，如4,6,9,15,21。

【合算】hésuàn ❶形 所费人力物力较少而收效较大：花那么多钱买一辆旧车，实在不～。❷动 算计②：去还是不去，得仔细～。

【合体】[1] hé//tǐ 形 合身。

【合体】[2] hétǐ 名 汉字按结构可分独体、合体。合体是由两个或更多的独体合成的，如"解"由"角、刀、牛"合成，"横"由"木"和"黄"合成。

【合同】hé·tong 名 两方面或几方面在办理某事时，为了确定各自的权利和义务而订立的共同遵守的条文：产销～。

【合同工】hé·tonggōng 名 以签订劳动合同的办法招收的工人。

【合围】héwéi 动❶四面包围（敌人或猎物等）。❷合抱：树身粗大，五人才能～。

【合心】hé//xīn 形❶合意：这件衣服挺～|这事办得正合他的心。❷齐心；同心：上下～。

【合眼】hé//yǎn 动❶合拢眼皮。❷指睡觉：他一夜没～|忙了一夜，到早上才合了合眼。❸婉指死亡。

【合演】héyǎn 动 同场表演；同台演出：他们两个人曾一过《兄妹开荒》。

【合叶】héyè 名 由两片金属构成的铰链，大多装在门、窗、箱、柜上面。也作合页。

【合页】héyè 同"合叶"。

【合宜】héyí 形 合适：由他担任这个工作倒很～。

【合议庭】héyìtíng 名 由几名审判员或审判员和陪审员共同审理案件时组成的审判庭。

【合议制】héyìzhì 名 由几名审判员或审判员和陪审员组成合议庭审理判决案件的制度。

【合意】hé//yì 形 合乎心意；中意。

【合营】héyíng 动 共同经营：中外～|～企业。

【合影】héyǐng ❶（－//－）若干人合在一块儿照相：～留念。❷名 若干人合照的相片：这张～是我们毕业时照的。

【合用】héyòng ❶动 共同使用：两家～一个厨房。❷形 适合使用：绳子太短，不～。

【合约】héyuē 名 合同（多指条文比较简单的）。

【合葬】hézàng 动 人死后同葬一个墓穴，特指夫妻死后同葬在一个墓穴里。

【合照】hézhào ❶动 若干人一起照相：～一张照片。❷名 若干人合在一块儿照的相片。

【合辙】hé//zhé （～儿）动❶若干辆车的车轮在地上轧出的痕迹相合，比喻一致：两个人的想法一样，所以一说就～儿。❷（戏曲、小调）押韵：快板～儿，容易记。

【合资】hézī 动 双方或几方共同投资（办企业）：～经营|中外～企业。

【合子】hézǐ 名 生物体进行有性繁殖时，雌性和雄性生殖细胞互相融合形成的一个新细胞。合子逐渐发育，成为新的生物体。

【合子】hé·zi 名 类似馅儿饼的一种食品。

【合奏】hézòu 动 几种乐器或按种类分成

的几组乐器,分别担任某些声部,演奏同一乐曲,如管乐合奏。

【合作】hézuò 动 互相配合做某事或共同完成某项任务:分工|技术~。

【合作化】hézuòhuà 动 用合作社的组织形式,把分散的个体劳动者和小私有者组织起来。

【合作社】hézuòshè 名 劳动人民根据互助合作的原则自愿建立起来的经济组织。合作社按照经营业务的不同,可以分为生产合作社、运输合作社、消费合作社、供销合作社、信用合作社等。

纥(紇)

hé 见 606 页【回纥】。
另见 457 页 gē。

何

hé ❶代 疑问代词。a)什么:~人|~物|~事。b)哪里:~往|从~而来? c)为什么:吾~畏彼哉? ❷代 疑问代词。表示反问:~济于事? |~足挂齿? |谈~容易? |~不可? ❸(Hé)名 姓。
〈古〉又同"荷"hè。

【何必】hébì 副 用反问的语气表示不必:既然不会下雨,~带伞!

【何不】hébù 副 用反问的语气表示应该或可以,意思跟"为什么不"相同:既然有事,~早说? |他也进城,你~搭他的车一同去呢?

【何曾】hécéng 副 用反问的语气表示未曾:这些年来,他~忘记过家乡的一草一木?

【何尝】hécháng 副 用反问的语气表示未曾或并非:我~说过这样的话? |我~不想去,只是没工夫罢了。注意"何尝"用在肯定形式前表示否定;用在否定形式前表示肯定。

【何啻】héchì 〈书〉副 用反问的语气表示不止:今昔生活对比,~天壤之别!

【何等】héděng ❶代 疑问代词。什么样的:你知道他是~人物? ❷副 用感叹的语气表示不同寻常;多么:这是~巧妙的技术! |他们生活得~幸福!

【何妨】héfáng 副 用反问的语气表示不妨:~试试|东西不贵,~买点带回去? |拿出来叫人们见识一下,又~呢?

【何故】hégù 副 为什么;什么原因:他至今未到?

【何苦】hékǔ 副 何必自寻苦恼,用反问的语气表示不值得:你~在这些小事上伤脑

筋呢? |冒着这么大的雨赶去看电影,~呢?也说何苦来。

【何况】hékuàng 连 用反问的语气表示更进一层的意思:他在生人面前都不习惯讲话,~要到大庭广众之中呢?

【何乐而不为】hé lè ér bù wéi 用反问的语气表示很可以做或很愿意做:储蓄对国家对自己都有好处,~?

【何其】héqí 副 多么(多带有不以为然的口气):~糊涂|~相似。

【何去何从】hé qù hé cóng 指在重大问题上采取什么态度,决定做不做或怎么做

【何如】hérú 〈书〉❶代 疑问代词。怎么样:你先试验一下,~? ❷代 疑问代词。怎样的:我还不清楚他是~人。 ❸连 用反问的语气表示不如:与其靠外地供应,~就地取材,自己制造。

【何首乌】héshǒuwū 名 多年生草本植物,茎细长,能缠绕物体,叶子互生,秋天开花,黄白色。根状茎呈块状,可入药。也叫首乌。

【何谓】héwèi 〈书〉动 ❶什么叫做;什么是:~灵感? |~幸福? ❷指什么;是什么意思(后面常带"也"字):此~也?

【何须】héxū 副 用反问的语气表示不须要:详情我都知道, ~再说! |从这里走到车站,~半个钟头?

【何许】héxǔ 〈书〉代 疑问代词。何处:~人(原指什么地方人,后来也指什么样的人)。

【何以】héyǐ 副 ❶〈书〉用什么:~教我? |~为生? ❷为什么:既经说定,~变卦?

【何在】hézài 〈书〉动 在哪里:理由~?

【何止】hézhǐ 动 用反问的语气表示超出某个数目或范围:这个风景区方圆~十里|厂里的先进人物~这几个?

诉(訴)

hé 〈书〉和谐(多用于人名)。

和¹(龢)

hé ❶平和;和缓:温~|柔~|~颜悦色。 ❷形 和谐和睦:~衷共济|弟兄不~。 ❸动 结束战争或争执:讲~|媾~|军阀之间一会儿打,一会儿~,弄得百姓不得安生。 ❹动（下棋或赛球）不分胜负:~棋|~局|末了一盘~了。 ❺(Hé)名 姓。

和² hé ❶ 连带：～盘托出｜～衣而卧（不脱衣服睡觉）。❷ 〔介〕引进相关或比较的对象：他～大家讲他过去的经历｜柜台正～我一样高。❸ 〔连〕表示联合；跟；与：工人～农民都是国家的主人。❹ 〔名〕加法运算中，一个数加上另一个数所得的数，如6＋4＝10中，10是和。也叫和数。

和³ Hé 〔名〕指日本：～服。
另见 555 页 hè；574 页 hú；617 页 huó；623 页 huò。

【和蔼】hé'ǎi 〔形〕态度温和，容易接近：～可亲｜慈祥～的笑容。

【和畅】héchàng 〔形〕温和舒畅：春风～。

【和风】héfēng 〔名〕❶ 温和的风，多指春风：～丽日｜～拂面。❷ 气象学上旧指 4 级风。

【和风细雨】hé fēng xì yǔ 比喻方式和缓，不粗暴。

【和服】héfú 〔名〕日本式的服装。

【和光同尘】hé guāng tóng chén 指不露锋芒、与世无争的处世态度(见于《老子》四章)。

【和好】héhǎo ❶〔形〕和睦：兄弟～。❷〔动〕恢复和睦的感情：～如初｜重新～。

【和缓】héhuǎn ❶〔形〕平和；缓和：态度～｜口气～｜局势～了。❷〔动〕使和缓：～一下紧张气氛。

【和会】héhuì 〔名〕战争双方为了正式结束战争状态而举行的会议。一般在休战之后举行。

【和解】héjiě 〔动〕不再争执或仇视，归于和好：双方～。

【和局】héjú 〔名〕(下棋或赛球)不分胜负的结果：三盘棋却有两盘是～。

【和乐】hélè 〔形〕和睦快乐：～的气氛｜一家大小，～度日。

【和美】héměi 〔形〕和睦美满：～的家庭｜小两口儿日子过得挺～｜和和美美地过日子。

【和睦】hémù 〔形〕相处融洽友爱；不争吵：家庭～｜～相处。

【和暖】hénuǎn 〔形〕暖和：天气～｜～的阳光。

【和盘托出】hé pán tuō chū 比喻全部说出或拿出来，没有保留。

【和平】hépíng ❶〔名〕指没有战争的状态：～环境｜保卫世界～。❷〔形〕温和；不猛烈：药性～。

【和平鸽】hépínggē 〔名〕象征和平的鸽子。西方传说古代洪水后，坐在船里的诺亚(Noah)放出鸽子，鸽子衔着橄榄(齐墩果)树枝回来，证实洪水已经退去(见于《旧约·创世记》八章)。后世就用鸽子和橄榄枝象征和平，并把象征和平的鸽子叫做和平鸽。

【和平共处】hépíng gòngchǔ 指不同社会制度的国家，用和平方式解决彼此争端，在平等互利的基础上，发展彼此间经济和文化联系。

【和平共处五项原则】hépíng gòngchǔ wǔ xiàng yuánzé 我国倡导的处理社会制度不同国家相互关系的重要原则。即：1.互相尊重主权和领土完整；2.互不侵犯；3.互不干涉内政；4.平等互利；5.和平共处。

【和平谈判】hépíng tánpàn 交战双方为了结束战争而进行的谈判。

【和棋】héqí 〔名〕下棋不分胜负的终局。

【和气】hé·qi ❶〔形〕态度温和：对人～。❷〔形〕和睦：和和气气｜他们彼此很～。❸〔名〕和睦的感情：咱们别为小事儿伤了～。

【和洽】héqià 〔形〕和睦融洽：相处～。

【和亲】héqīn 〔动〕指汉族封建王朝与少数民族统治集团之间，或各少数民族统治集团之间，通过结亲建立友好关系。

【和善】héshàn 〔形〕温和而善良；和蔼：态度～｜～待人。

【和尚】hé·shang 〔名〕出家修行的男佛教徒。

【和尚头】hé·shangtóu 〔名〕俗指剃光的头；光头(guāngtóu)。

【和声】héshēng 〔名〕几个乐音的协调的配合。

【和事老】héshìlǎo 〔名〕调停争端的人，特指无原则地进行调解的人。

【和数】héshù 〔名〕和²④。

【和顺】héshùn 〔形〕温和顺从：性情～。

【和谈】hétán 〔动〕和平谈判。

【和田玉】hétiányù 〔名〕指产于新疆和田一带的软玉，以白玉为主。

【和婉】héwǎn 〔形〕温和委婉：语气～。

【和文】héwén 〔名〕日本文。

【和弦】héxián 〔名〕音乐术语之一。指按照某种音程叠加而成的音响结构。一般分为三和弦、七和弦、九和弦等。

【和谐】héxié 〔形〕配合得适当：音调～｜这

张画的颜色很～◇～的气氛。

【和谐社会】héxié shèhuì　指体现民主法制、公平正义、诚信友爱，充满创造活力，人与人、人与自然和睦相处的稳定有序的社会。

【和煦】héxù　㻅温暖：春风～|～的阳光。

【和颜悦色】hé yán yuè sè　形容态度和蔼可亲。

【和议】héyì　㗴交战双方关于恢复和平的谈判。

【和易】héyì　㻅态度温和，容易接近：～近人|性情～。

【和约】héyuē　㗴交战双方订立的结束战争、恢复和平关系的条约。

【和悦】héyuè　㻅和蔼愉悦：神情～。

【和衷共济】hé zhōng gòng jì　比喻同心协力，共同克服困难。

郃　hé　❶郃阳(Héyáng)，地名，在陕西。今作合阳。❷(Hé)㗴姓。

劾　hé　揭发罪状：弹～|参～。

河　hé　❶㗴天然的或人工的大水道：江～|～流|内～|运～|护城～|一条～。❷指银河系：～外星系。❸(Hé)特指黄河：～西|～套。❹(Hé)㗴姓。

【河浜】hébāng　〈方〉㗴小河。

【河北梆子】Héběi bāng·zi　河北地方戏曲剧种之一，由清乾隆年间传入河北的秦腔和山西梆子逐渐演变而成。参看41页【梆子腔】。

【河槽】hécáo　㗴河床。

【河汊子】héchà·zi　㗴大河旁出的小河。

【河川】héchuān　㗴大小河流的统称。

【河床】héchuáng　㗴河流两岸之间容水的部分。也叫河槽、河身。

【河道】hédào　㗴河流的路线，通常指能通航的河：疏通～。

【河段】héduàn　㗴河流的某一段：长江中游～出现洪峰。

【河防】héfáng　㗴❶防止河流水患的工作，特指黄河的河防：～工程。❷指黄河的军事防御：～部队|～主力。

【河工】hégōng　㗴❶治理河道、防止水患的工程，特指治理黄河的工程。❷治河工人。

【河沟】hégōu　㗴小水道。

【河谷】hégǔ　㗴河流两岸之间低于地平面的部分，包括河床和河漫滩。

【河汉】héhàn　〈书〉❶㗴银河。❷㗴比喻不着边际、不可凭信的空话。❸㘄指不相信或忽视(某人的话)：幸毋～斯言。

【河麂】héjǐ　㗴獐子。

【河口】hékǒu　㗴河流流入海洋、湖泊或其他河流的地方。

【河狸】hélí　㗴哺乳动物，外形像老鼠，后肢有蹼，尾巴扁平，毛长而密，背赤褐色，腹部灰色，牙齿锐利，能咬断树干。生活在水边，吃树皮和睡莲等。雄的能分泌河狸香。旧称海狸。

【河流】héliú　㗴陆地表面较大的天然水流，如江、河等。

【河漏】hé·lou　㗴见553页[饸饹]。

【河马】hémǎ　㗴哺乳动物，身体肥大，头大，长方形，嘴宽而大，耳小，尾巴短，皮厚无毛，黑褐色。大部分时间生活在水中，头部露出水面。生活在非洲。

【河漫滩】hémàntān　㗴河两岸由洪水带来的泥沙淤积而成的平地，地势低，汛期常被水淹，枯水期可以种作物。

【河姆渡文化】Hémǔdù wénhuà　我国新石器时代的一种文化，因最早发现于浙江余姚河姆渡村而得名。遗址中有保存好的栽培稻、木建筑等遗存，是和黄河流域仰韶文化不同的文化类型。

【河南梆子】Hénán bāng·zi　豫剧。

【河南坠子】Hénán zhuì·zi　坠子²的通称。

【河清海晏】hé qīng hǎi yàn　黄河的水清了，大海也平静了。用来形容天下太平。也说海晏河清。

【河曲】héqū　㗴河流弯曲的地方。

【河渠】héqú　㗴河和渠，泛指水道：～纵横|兴水利，开～。

【河山】héshān　㗴指国家的疆土：锦绣～|大好～。

【河身】héshēn　㗴河床。

【河滩】hétān　㗴河边水深时淹没、水浅时露出的地方。

【河套】hétào　㗴❶围成大半个圈的河道。也指这样的河道围着的地方。❷(Hétào)指黄河从宁夏横城到陕西府谷的一段。过去也指黄河的这一段围着的地区；现在指黄河的这一段和贺兰山、狼山、大青山之间的地区。

【河豚】hétún　㗴鱼，头圆形，口小，背部黑褐色,腹部白色,鳍常为黄色。肉味鲜美,卵巢、血液和肝脏有剧毒。生活在海中,有些也进入江河。也叫鲀(tún)。

【河外星系】héwài-xīngxì 银河系以外的恒星的集合体。距离地球在数百万光年以上。河外星系是和银河系相当的恒星系。

【河网】héwǎng 名 纵横交错的许多水道所构成的整体:~化|~如织。

【河西走廊】Héxī-zǒuláng 甘肃西北部祁连山以北、合黎山和龙首山以南、乌鞘岭以西的狭长地带,东西长约 1 000 千米,南北宽约 100—200 千米,因在黄河之西而得名。

【河鲜】héxiān 名 供食用的新鲜的河鱼、河虾等。

【河沿】héyán (~儿)名 河流的边沿。

【河鱼】héyú 名 生活在江河里的鱼,如鲫鱼、鲢鱼、鲤鱼等。

【河运】héyùn 动 内河运输。

曷 hé 〈书〉代 疑问代词。❶ 怎么。❷ 何时。

饸(飴) hé [饸饹](hé·le)名 用饸饹床子(做饸饹的工具,底有漏孔)把和(huó)好的荞麦面、高粱面等轧成的长条,煮着吃。也作合饹。也叫河漏(hé·lou)。

阂(閡) hé 阻隔不通:隔~。

盍(盍) hé 〈书〉副 何不:~往视之?

荷[1] hé 名 ❶ 莲。❷ (Hé)姓。

荷[2] Hé 名 指荷兰。
另见 555 页 hè。

【荷包】hé·bāo 名 随身携带、装零钱和零星东西的小包。

【荷包蛋】hé·bāodàn 名 去壳后在开水里煮熟或在滚油里煎熟的整个儿的鸡蛋。

【荷尔蒙】hé'ěrméng 名 激素的旧称。[英hormone]

【荷花】héhuā 名 ❶ 莲的花。❷ 莲。

【荷兰豆】hélándòu 名 食荚豌豆的通称,一年生或二年生草本植物,是豌豆的一个变种,嫩荚是常见蔬菜。原产欧洲。

【荷塘】hétáng 名 种莲的池塘。

核[1] hé ❶ 名 核果中心的坚硬部分,里面有果仁:桃~|杏~。❷ 物体中像

核的部分:细胞~。❸ 指原子核、核能、核武器等:~装置|~讹诈。

核[2](覈) hé ❶ 仔细地对照考察:审~|~算|~实|~准。❷〈书〉真实:其文直,其事~。
另见 576 页 hú。

【核裁军】hécáijūn 名 拥有核武器的国家裁减核军事人员和装备。

【核查】héchá 动 审查核实:对案情认真~|~了工厂的固定资产。

【核磁共振】hécí gòngzhèn 原子核在外加磁场作用下,能对特定频率的电磁波发生共振吸收的现象。利用核磁共振可以测定有机物的结构,医疗上可以通过核磁共振成像技术进行脑部疾病、血管病、肿瘤等的检查和诊断。

【核弹】hédàn 名 原子弹、氢弹等核武器的统称。

【核弹头】hédàntóu 名 指作为导弹或炮弹弹头的原子弹,或作为导弹弹头的氢弹等。

【核蛋白】hédànbái 名 核酸和蛋白质结合而成的复合蛋白,存在于动植物的细胞核和细胞质中,是构成生物体的主要物质。

【核电】hédiàn 名 ❶ 核能发电的简称:~站。❷ 利用核能发电产生的电能。

【核电站】hédiànzhàn 名 利用核能发电的机构。

【核定】hédìng 动 核对审定:~资金|~产量。

【核对】héduì 动 审核查对:~账目|~事实。

【核讹诈】hé'ézhà 动 凭借拥有的核武器进行威胁恫吓。

【核发】héfā 动 核准后发给:~驾驶执照。

【核反应】héfǎnyìng 动 用一定能量的粒子轰击原子核,使原子核的质量、电荷或能量状态发生改变。

【核反应堆】héfǎnyìngduī 名 使铀、钚等的原子核裂变的链式反应能够有控制地持续进行,从而获得核能的装置。简称反应堆。

【核辐射】héfúshè 动 指放射性原子核放射 α 射线、β 射线、γ 射线或中子。

【核果】héguǒ 名 肉果的一种,外果皮很薄,中果皮肉质多汁,内果皮是坚硬的壳,里面包着种子。如桃、梅、李等。

【核计】héjì 〔动〕核算：～成本。

【核减】héjiǎn 〔动〕审核后决定减少：～经费。

【核力】hélì 〔名〕核子之间的相互作用力。在距离不超过原子核的大小时，这种力才起作用。

【核能】hénéng 〔名〕原子核发生裂变或聚变反应时产生的能量，广泛用于工业、军事等方面。也叫原子能。

【核能发电】hénéng fādiàn 利用核能产生动力而发电。简称核电。

【核批】hépī 〔动〕审核批准：主管领导～才能实施。

【核潜艇】héqiántǐng 〔名〕用核能做动力的潜艇。能长时间地连续地在水中进行战斗活动。

【核燃料】héránliào 〔名〕用来在核反应堆中进行核裂变，同时产生核能的放射性物质，主要有铀、钚、钍等。

【核实】héshí 〔动〕❶ 审核是否属实：～情况｜～数据。❷ 审核属实：上报的材料已经～。

【核试验】héshìyàn 〔动〕通过核武器爆炸进行研制、试验工作：地下～。

【核收】héshōu 〔动〕审核收取：～手续费。

【核素】hésù 〔名〕具有一定的质子数和中子数的一类原子核所对应的原子，如铀－234、铀－235 和铀－238 是三种不同的核素，它们的化学性质相同而核性质不同。

【核酸】hésuān 〔名〕有机化合物，存在于生物体中，是细胞核和细胞质中的核蛋白的组成部分，是生命的最基本物质之一，对生物的生长、遗传、变异等都起着决定作用。根据所含成分不同，可分为核糖核酸和脱氧核糖核酸。

【核算】hésuàn 〔动〕企业经营上的核查计算：～成本｜资金～。

【核糖】hétáng 〔名〕有机化合物，含醛基的戊糖，是核糖核酸的组成成分之一。

【核糖核酸】hétáng hésuān 分子中含有核糖的一类核酸，存在于细胞以及某些病毒和噬菌体中。在蛋白质的生物合成上具有重要作用。

【核桃】hé·tao 〔名〕❶ 核桃树，落叶乔木，羽状复叶，小叶椭圆形，核果球形，外果皮平滑，内果皮坚硬，有皱纹。木材坚韧，可以做器物，果仁可以吃，可以榨油，也可以入药。❷ 这种植物的果实。‖ 也叫胡桃。

【核威慑】héwēishè 〔动〕拥有核武器的大国以核军备、核战争进行威胁，作为处理国际事务及推行全球战略的理论和策略。

【核武器】héwǔqì 〔名〕利用核反应放出的能量造成杀伤和破坏的武器，包括原子弹、氢弹、中子弹和放射性战剂等。也叫原子武器。

【核销】héxiāo 〔动〕❶ 审核后销账。❷ 核准后注销。

【核心】héxīn 〔名〕中心；主要部分（就事物之间的关系说）：领导～｜～小组｜～工事｜～作用。

【核验】héyàn 〔动〕审核查验：购买时请～防伪标志。

【核战争】hézhànzhēng 〔名〕用核武器进行的战争。

【核准】hézhǔn 〔动〕审核后批准：施工计划已经上级～。

【核资】hézī 〔动〕核查资金、资产：清产～。

【核子】hézǐ 〔名〕构成原子核的粒子，即质子和中子的统称。

狢 hé 牙齿咬合。

盉 hé 古代温酒的铜制器具，形状像壶，有三条腿，也有四条腿的。

菏 hé 菏泽（Hézé），地名，在山东。

龁(齕) hé 〈书〉咬。

盒 hé （～儿）❶ 〔名〕盒子①：饭～儿｜铅笔～儿｜火柴～儿。❷ 盒子②：花 ～。

【盒带】hédài 〔名〕盒式录音带或录像带。

【盒饭】héfàn 〔名〕装在盒子里出售的份儿饭。

【盒子】hé·zi 〔名〕❶ 盛东西的器物，一般比较小，用纸糊成或用木板、金属、塑料等制成，大多有盖。有的是抽屉式。❷ 一种烟火，外形像盒子。

【盒子枪】hé·ziqiāng 〈方〉〔名〕驳壳枪。也有叫盒子炮的。

涸 hé 干涸：枯～｜～辙之鲋。

【涸辙之鲋】hé zhé zhī fù 在干涸了的车辙里的鲋鱼（鲫鱼）（见于《庄子·外物》）。

比喻处在困境中急待救援的人。

颌（頜）hé 名 构成口腔上部和下部的骨头和肌肉组织。上部叫上颌，下部叫下颌。

另见 461 页 gé。

貉 hé 名 哺乳动物，外形像狐而较小，肥胖，毛棕灰色，两耳短小，两颊有长毛横生。栖息在山林中，昼伏夜出，吃鱼虾和鼠兔等小动物。通称貉子(háo·zi)。

另见 542 页 háo；965 页 Mò"貊"。

阖（闔、閤）hé ❶ 全；总共：～家｜～城。❷ 关闭：～户。

"閤"另见 460 页 gé"阁"；另见 547 页 hé"合"。

【阖府】héfǔ 名 敬辞，称对方全家。

鹖（鶡）hé 古书上说的一种善斗的鸟。

【鹖鸡】héjī 名 褐马鸡。

翮 hé ❶ 名 鸟羽的茎状部分，中空透明。❷〈书〉指鸟的翅膀：振～高飞。

鞨 hé 见 965 页[靺鞨]。

hè（ㄏㄜˋ）

吓（嚇）hè ❶ 恐吓；恫吓。❷ 叹 表示不满：～，怎么能这样呢！

另见 1471 页 xià。

和 hè 动 ❶ 和谐地跟着唱：曲高～寡｜一唱百～。❷ 依照别人诗词的题材和体裁做诗词：奉～一首。

另见 550 页 hé；574 页 hú；617 页 huó；623 页 huò。

【和诗】hèshī ❶（－/－）动 做诗与别人互相唱和：饮酒～。❷ 名 指与别人互相唱和的诗。

佫 Hè 名 姓。

贺（賀）hè ❶ 庆祝；庆贺：祝～｜道～｜～喜｜～信｜～词｜～电。❷（Hè）名 姓。

【贺词】hècí 名 在喜庆的仪式上所说的表示祝贺的话。

【贺电】hèdiàn 名 祝贺的电报。

【贺函】hèhán 名 贺信。

【贺卡】hèkǎ 名 祝贺亲友结婚、生日或节日用的纸片，一般印有祝贺文字和图画。

【贺礼】hèlǐ 名 祝贺时赠送的礼物。

【贺年】hè∥nián 动（向人）庆贺新年：～片。

【贺年片】hèniánpiàn（～儿）名 向亲友、师长等祝贺新年或春节的纸片，一般印有祝贺文字和图画。

【贺岁】hèsuì 动 贺年：～演出。

【贺岁片儿】hèsuìpiānr〈口〉贺岁片。

【贺岁片】hèsuìpiàn 名 为祝贺新年或春节而上映的影片。

【贺喜】hè∥xǐ 动 道喜。

【贺信】hèxìn 名 祝贺的信。也叫贺函。

【贺仪】hèyí〈书〉名 贺礼。

荷 hè ❶ 背(bēi)或扛：～锄｜～枪实弹。❷〈书〉承当：～天下之重任。❸ 负担②：肩负重～。❹ 承受恩惠(多用在书信里表示客气)：感～｜为～。

另见 553 页 hé。

【荷枪实弹】hè qiāng shí dàn 扛着枪，子弹上膛，指军队、警察等处于戒备状态。

【荷载】hèzài ❶ 名 载荷。❷ 动 承载；承重。

【荷重】hèzhòng 名 载荷。

喝 hè 动 大声喊叫：吆～｜～问｜大～一声。

另见 547 页 hē。

【喝彩】hè∥cǎi 动 大声叫好：齐声～｜全场观众都喝起彩来。

【喝倒彩】hè dàocǎi 喊倒好儿。参看 279 页[倒好儿]。

【喝道】hèdào 动 封建时代官员出门时，前面引路的差役喝令行人让路。

【喝令】hèlìng 动 大声命令。

【喝问】hèwèn 动 大声地问：严词～。

猲 hè〈书〉❶ 喘息恐惧的样子。❷ 威胁；吓唬。

另见 1509 页 xiē。

愒 hè〈书〉吓唬：虚～｜恐～。

另见 760 页 kài；1081 页 qì。

赫[1] hè ❶ 显著；盛大：显～｜煊～。❷（Hè）名 姓。

赫[2] hè 量 赫兹的简称。1 秒钟振动一次是 1 赫。

【赫赫】hèhè 形 显著盛大的样子：～有名｜战功～。

【赫连】Hèlián 名 姓。

【赫然】hèrán 形 ❶ 形容令人惊讶或引人注目的事物突然出现：巨幅标语～在目。❷ 形容大怒：～而怒。

【赫哲族】Hèzhézú 名 我国少数民族之一，分布在黑龙江。

【赫兹】hèzī 名 频率单位，符号 Hz。这个单位名称是为纪念德国物理学家赫兹（Heinrich Rudolf Hertz）而定的。简称赫。

褐 hè ❶〈书〉粗布或粗布衣服：短～。❷ 像栗子皮的颜色：～色｜～铁矿。

【褐马鸡】hèmǎjī 名 鸟，体长约 1 米，羽毛大部分黑褐色，尾羽基部白色，末端黑而有紫蓝色光泽，是我国特有的珍禽。也叫鹖鸡。

【褐煤】héméi 名 煤的一种，一般褐色，有的灰黑色，含水分较多。除做燃料外，也用作化工原料。

鹤（鶴）hè 名 鸟，头小颈长，嘴长而直，脚细长，后趾小，高于前三趾，羽毛白色或灰色，群居或双栖，常在河边或沼泽地带捕食鱼和昆虫。种类很多，常见的有丹顶鹤、白鹤、灰鹤等。

【鹤发童颜】hè fà tóng yán 白白的头发，红红的面色，形容老年人气色好，有精神。也说童颜鹤发。

【鹤立鸡群】hè lì jī qún 比喻一个人的才能或仪表在一群人里头显得很突出。

【鹤嘴镐】hèzuǐgǎo 名 挖掘土石用的工具，镐头两头尖，或一头尖一头扁平，中间装着木把。通称洋镐。

鹮 hè ［鹮鹮］(hèhè)〈书〉形 形容羽毛洁白润泽。

壑 hè 山沟或大水坑：丘～｜沟～｜千山万～◇欲～难填。

hēi（ㄏㄟ）

黑 hēi ❶ 形 像煤或墨的颜色（跟"白"相对）：～板｜～头发｜白纸～字｜脸都晒～了。❷ 形 黑暗：天～了｜屋子里很～。❸（～儿）夜晚；黑夜：摸～儿｜起早贪～。❹ 秘密；非法的；不公开的：～市｜～话｜～户。❺ 形 坏；狠毒：～心肠｜这种人心太～。❻（Hēi）名 姓。

【黑暗】hēi'àn 形 ❶ 没有光：山洞里一片

～。❷ 比喻（社会状况）落后；（统治势力）腐败：～势力｜～统治。

【黑白】hēibái 名 ❶ 黑色和白色：～片｜～分明。❷ 比喻是非、善恶：～不分｜颠倒～｜混淆～。

【黑白片儿】hēibáipiānr〈口〉名 黑白片。

【黑白片】hēibáipiàn 名 没有彩色的影片（区别于"彩色片"）。

【黑板】hēibǎn 名 用木头或玻璃等制成的可以在上面用粉笔写字的平板，一般为黑色。

【黑板报】hēibǎnbào 名 工厂、机关、团体、学校等办的报，写在黑板上，内容简短扼要。

【黑帮】hēibāng 名 指社会上暗中活动的犯罪团伙和其他反动集团或其成员：～头目｜～分子。

【黑不溜秋】hēi·buliūqiū（～的）〈方〉形 状态词。形容黑得很难看。

【黑茶】hēichá 名 茶叶的一大类，一般以较粗而老的毛茶为原料。由于制作过程中要经过较长时间潮湿环境下的堆积、发酵，所以叶色呈黑褐色。主要品种有湖南黑茶、老青茶、四川边茶和普洱茶等。

【黑车】hēichē 名 指没有牌照的或非法运营的车辆。

【黑沉沉】hēichénchén（～的）形 状态词。形容黑暗（多指天色）：天～的，像要下雨了。

【黑吃黑】hēi chī hēi 指带有黑社会性质的团伙或个人之间为争夺利益、地盘等互相倾轧、争斗。

【黑道】hēidào（～儿）名 ❶ 夜间没有亮光的道路：拿着电筒，省得走～。❷ 指不当的或非法的行径：～买卖。❸ 指流氓盗匪等结成的黑社会组织：～人物。

【黑灯瞎火】hēidēng-xiāhuǒ〈口〉形容黑暗没有灯光：楼道里～的，下楼时注意点儿。也说黑灯下火。

【黑地】hēidì 名 指没有登记在国家地亩册子上的田地。

【黑店】hēidiàn 名 ❶ 杀人劫货的客店（多见于早期白话）。❷ 指没有营业执照非法经营的商店、客店等。

【黑洞】hēidòng 名 科学上预言的一种天体。它只允许外部物质和辐射进入，而不允许其中的物质和辐射脱离其边界。因此,人们只能通过引力作用来确定它的存在,所以叫做黑洞。也叫坍缩星。

【黑洞洞】 hēidòngdòng （口语中也读 hēidōngdōng）(～的)形 状态词。形容黑暗:隧道里头～的,伸手不见五指。

【黑豆】 hēidòu 名 子实表皮黑色的大豆。多做牲口的饲料。

【黑恶】 hēi'è 形 属性词。具有黑社会性质的;凶恶的:打击～势力。

【黑钙土】 hēigàitǔ 名 暗黑色的土壤,在我国主要分布在东北、西北地区。土层上部腐殖质含量高,养分丰富,下部碳酸钙含量高,是肥沃的土壤之一。

【黑更半夜】 hēigēng-bànyè （～的)〈口〉指深夜。

【黑咕隆咚】 hēi·gulōngdōng （～的)〈口〉形 状态词。形容很黑暗:天还～的,他就起来了|屋里拉上了窗帘,～的。

【黑管】 hēiguǎn 名 单簧管。

【黑鹳】 hēiguàn 名 鹳的一种,身体比白鹳稍小,羽毛黑褐色,胸腹部白色,嘴和腿红色,能长时间在高空飞翔,吃鱼、蛙等。

【黑锅】 hēiguō 名 见 55 页〖背黑锅〗。

【黑乎乎】 hēihūhū 同"黑糊糊"。

【黑糊糊】 hēihūhū （～的)形 状态词。❶ 形容颜色发黑:一个～的沙罐|两手油泥,～的。❷ 光线昏暗:天～的|屋子里的～的。❸ 形容人或东西多,从远处看模糊不清:路旁站着～的一片人。‖ 也作黑乎乎。

【黑户】 hēihù 名 指没有户口的住户。也指没有营业执照的商号。

【黑话】 hēihuà 名 ❶ 帮会、流氓、盗匪等所使用的暗语。❷ 指反动而隐晦的话。

【黑鲩】 hēihuàn 名 青鱼。

【黑货】 hēihuò 名 指漏税或违禁的货物。

【黑胶绸】 hēijiāochóu 名 一种涂有薯莨汁液的平纹丝织品,适于做夏季衣料。主要产于广东。也叫莨绸、拷绸。

【黑金】 hēijīn 名 指官场上用于行贿等非法活动的钱。

【黑颈鹤】 hēijǐnghè 名 鹤的一种,头顶有红色肉冠,头和颈部黑色,身体的羽毛灰白色,翅膀和尾部的羽毛黑色。生活在高原湖泊和沼泽地带,吃鱼、蛙、螺和昆虫等。

【黑客】 hēikè 名 ❶ 指精通计算机技术,善于从互联网中发现漏洞并提出改进措施的人。❷ 指通过互联网非法侵入他人的计算机系统查看、更改、窃取保密数据或干扰计算机程序的人。[英 hacker]

【黑口】 hēikǒu 名 线装书书口的一种格式,版口中心上下端所刻的线条,粗阔的叫大黑口,细狭的叫小黑口(区别于"白口"[1])。

【黑马】 hēimǎ 名 比喻在比赛或选举等活动中出人意料获胜的竞争者。

【黑茫茫】 hēimángmáng （～的)形 状态词。形容一望无边的黑(多用于夜色):～的夜空|眼前～的一片,看不清哪儿是道路。

【黑蒙蒙】 hēiméngméng （～的)形 状态词。形容光线昏暗,看不清楚:部队趁着～的夜色急速前进。

【黑名单】 hēimíngdān 名 ❶ 反动势力为进行政治迫害而开列的革命者和进步人士的名单。❷ 指有关部门对不合格产品或违反规约的企业、个人等开列的,通过一定渠道向社会公布的名单。

【黑幕】 hēimù 名 黑暗的内幕。

【黑钱】 hēiqián 名 指以贪污受贿或敲诈勒索等非法手段得来的钱。

【黑枪】 hēiqiāng 名 ❶ 非法暗藏的枪支。❷ 乘人不备暗中射出的枪弹:挨～。

【黑黢黢】 hēiqūqū （～的)形 状态词。形容很黑:深夜,屋外～的,什么也看不见。

【黑热病】 hēirèbìng 名 寄生虫病,病原体是利什曼原虫,由白蛉传染。症状是发热、鼻和牙龈出血,肝、脾大,贫血,白细胞减少等。

【黑人】[1] Hēirén 名 指黑种人。

【黑人】[2] hēirén 名 ❶ 姓名没有登记在户籍上的人。❷ 躲藏起来不敢公开露面的人。

【黑色火药】 hēisè huǒyào 用 75% 的硝酸钾、10% 的硫和 15% 的木炭混合制成的火药,黑色,粒状,爆炸时烟雾很大。供军用、猎用和爆破用,也用来做烟火、爆竹。黑色火药是我国唐朝时发明的。

【黑色金属】 hēisè jīnshǔ 工业上铁、锰和铬的统称。主要指钢和其他以铁为主的合金。

【黑色食品】 hēisè shípǐn 颜色呈黑色或黑褐色的食品,如黑米、黑豆、黑芝麻、木耳、香菇、黑鱼、乌骨鸡等。营养价值相对较高。

【黑色收入】hēisè shōurù 指通过贪污、受贿等非法手段取得的收入（区别于"白色收入、灰色收入"）。

【黑色素】hēisèsù 图 皮肤、毛发和眼球的虹膜内含的一种色素。这些组织的颜色的深浅由所含黑色素的多少而定。

【黑哨】hēishào 图 指球类比赛中故意做出的不公正的裁判行为。

【黑社会】hēishèhuì 图 指社会上进行犯罪活动及其他违法活动的各种有组织的黑暗势力，如反动帮会、流氓、盗窃集团、走私、贩毒团伙等。

【黑市】hēishì 图 暗中进行非法买卖的市场：～交易。

【黑手】hēishǒu 图 比喻暗中进行阴谋活动的人或势力。

【黑手党】hēishǒudǎng 图 13世纪产生于意大利西西里岛的秘密犯罪组织，因曾在行动后留下黑手印而得名。组织严密，主要从事走私、贩毒、敲诈、勒索和色情业等活动。

【黑死病】hēisǐbìng 图 鼠疫。

【黑糖】hēitáng〈方〉图 红糖。

【黑陶】hēitáo 图 新石器时代的一种陶器，表面漆黑光亮。

【黑体】hēitǐ 图 排版、印刷上指笔画特别粗、撇捺等不尖的字体（区别于"白体"）。

【黑帖】hēitiě（～儿）〈口〉图 无名帖。

【黑头】hēitóu 图 戏曲中花脸的一种，因勾黑脸谱而得名。起初专指扮演包公的角色，后来指偏重唱功的花脸。

【黑土】hēitǔ 图 黑色的土壤，在我国主要分布在东北地区。腐殖质含量高，养分丰富，是肥沃的土壤之一。

【黑窝】hēiwō 图 比喻坏人隐藏或干坏事的地方：掏～。

【黑瞎子】hēixiā·zi〈方〉图 黑熊。

【黑匣子】hēixiá·zi 图 指飞行数据记录仪，因装在座舱中的黑色金属盒里而得名。这种盒子耐高温、高压、防腐、防水，能够自动记录并有效地保存所记录的飞行员对话及各种数据。如果飞机失事，可依据记录分析失事原因。现代的黑匣子为橙色或黄色。

【黑箱】hēixiāng 图 通常指某种结构复杂的电子元件或电子仪器设备，能够对某个系统实行自动控制或自动记录。因使用中可作为一个独立的整体装配或拆卸，其内部工作特性无须透露，所以叫黑箱。

【黑箱操作】hēixiāng cāozuò 暗箱操作。

【黑心】hēixīn ❶ 图 阴险狠毒的心肠：起～。❷ 形 心肠阴险狠毒：～的家伙。

【黑信】hēixìn〈口〉图 匿名信。

【黑猩猩】hēixīng·xing 图 哺乳动物，直立时高可达1.5米，毛黑色，面部灰褐色，无毛，眉骨高。生活在非洲森林中，喜欢群居，吃野果、小鸟和昆虫。是和人类最相似的高等动物。

【黑熊】hēixióng 图 哺乳动物，身体肥大，尾巴短、脚掌大，爪有钩，胸部有新月形白斑，其余部分黑色，性孤独，会游泳，能爬树，也能直立行走。也叫狗熊，有的地区叫黑瞎子。

【黑魆魆】hēixūxū（～的）形 状态词。形容黑暗：洞里～的，什么也看不见。

【黑压压】hēiyāyā（～的）形 状态词。形容密集的人，也形容密集的或大片的东西：广场上～的站满了人｜远处一片，看不清是些什么东西。也作黑鸦鸦。

【黑鸦鸦】hēiyāyā 同"黑压压"。

【黑眼珠】hēiyǎnzhū（～儿）图 眼球上黑色的部分。

【黑夜】hēiyè 图 夜晚；夜里：白天～不停地施工。

【黑幽幽】hēiyōuyōu 形 状态词。黑黝黝②。

【黑油油】hēiyóuyóu（口语中也读 hēi-yōuyōu）（～的）形 状态词。形容黑得发亮：～的头发｜～的土地。

【黑黝黝】hēiyǒuyǒu（口语中也读 hēi-yǒuyǒu）（～的）形 状态词。❶ 黑油油。❷ 光线昏暗，看不清楚：四周～的，没有一点儿光｜一片～的松林。

【黑鱼】hēiyú 图 乌鳢的通称。

【黑灾】hēizāi 图 由于持续干旱，造成牧区牲畜大量死亡的灾害（区别于"白灾"）。

【黑枣】hēizǎo 图 ❶ 落叶乔木，叶子椭圆形，花暗红色或绿白色。果实球形或椭圆形，黄色，贮藏一个时期后变成黑褐色，可以吃，味甜。❷ 这种植物的果实。‖叫软枣。❸〈方〉被枪毙叫吃黑枣（含诙谐意）。

【黑种】Hēizhǒng 图 指主要分布在非洲的尼格罗人种。

【黑子】hēizǐ 名 ❶〈书〉黑色的痣。❷ 指太阳黑子。

嗨 hēi 同"嘿"。
另见 529 页 hāi。

嘿 hēi 叹 ❶ 表示招呼或提起注意：～,老张,快走吧！｜～! 我说的你听见没有? ❷ 表示得意：～,咱们生产的机器可实在不错呀! ❸ 表示惊异：～,下雪了!｜～,想不到他真的来了。
另见 965 页 mò。

【嘿嘿】hēihēi 拟声 形容笑声：他～地冷笑了两声。

镙(鎶) hēi 名 金属元素,符号 Hs (hassium)。有放射性,由人工核反应获得。

hén （ㄏㄣˊ）

痕 hén 痕迹：泪～｜刀～｜伤～｜裂～。

【痕迹】hénjì 名 ❶ 物体留下的印儿：车轮的～｜白衬衣上有墨水～。❷ 残存的迹象：这个山村,旧日的～几乎完全消失了。

【痕量】hénliàng 名 化学上指极小的量,少得只有一点儿痕迹。

hěn （ㄏㄣˇ）

很 hěn 副 表示程度相当高：～快｜～不坏｜～喜欢｜～能办事｜好得～｜大家的意见～接近｜我～知道他的脾气。

狠 [1] hěn ❶ 形 凶恶；残忍：凶～｜～毒｜那家伙比豺狼还～。❷ 动 控制感情,下定决心：～着心把泪止住。❸ 形 坚决：～抓业务。❹ 形 严厉；厉害：对自己人要和,对敌人要～｜～～打击各种犯罪分子。

狠 [2] hěn 同"很"。

【狠毒】hěndú 形 凶狠毒辣：心肠～｜阴险～的家伙。

【狠命】hěnmìng 副 表示用尽全力；拼命：～追赶｜～往人堆里挤。

【狠心】hěnxīn ❶ (－/－)动 下定决心不顾

一切：狠一狠心｜狠了心了｜～大干一场。❷ 形 心肠残忍：～的人。❸ 名 极大的决心：下～离开了他。

hèn （ㄏㄣˋ）

恨 hèn ❶ 动 仇视；怨恨：～入骨髓｜～之入骨。❷ 悔恨；不称心：～事｜遗～。

【恨不得】hèn·bu·de 动 急切希望(实现某事)；巴不得：他～长出翅膀来一下子飞到北京去。也说恨不能。

【恨不能】hèn·bunéng 动 恨不得。

【恨人】hènrén 〈方〉形 使人生气；让人怨恨：他又把饭做煳了,真～!

【恨入骨髓】hèn rù gǔsuǐ 恨之入骨。

【恨事】hènshì 名 憾事：引为～。

【恨铁不成钢】hèn tiě bù chéng gāng 比喻对人要求严格,迫切希望他变得更好。

【恨之入骨】hèn zhī rù gǔ 形容痛恨到了极点。

亨 [1] hēng ❶ 顺利：～通。❷ (Hēng) 名 姓。
〈古〉又同"烹"pēng。

亨 [2] hēng 量 亨利的简称。电路中电流强度在 1 秒钟内的变化为 1 安,产生的电动势为 1 伏时,电感就是 1 亨。

【亨利】hēnglì 量 电感单位,符号 H。这个单位名称是为纪念美国物理学家亨利(Joseph Henry)而定的。简称亨。

【亨通】hēngtōng 形 顺利：万事～｜官运～。

哼 hēng 动 ❶ 鼻子发出声音：痛得～了几声。❷ 低声唱或吟唱：他一边走一边～着小曲儿｜这几首诗是在旅途上～出来的。
另见 562 页 hng。

【哼哧】hēngchī 拟声 形容粗重的喘息声：他累得～～地直喘气。

【哼哈二将】Hēng-Hā èr jiàng 佛教的守护庙门的两个神,形象威武凶恶,《封神演义》把他们描写成有法术的监督押运粮草的官，一个鼻子里哼出白气，一个口中哈出黄气。后多用来比喻有权势者手下得力而盛气凌人的人（如果碰巧是两个）。也比喻狼狈为奸的两个人。

【哼唧】hēng·ji 动 低声说话、歌唱或诵读：他～了半天，也没说明白｜他一边劳动，一边～着小曲儿。

【哼儿哈儿】hēngrhār 拟声 形容鼻子和嘴发出的声音（多表示敷衍或不在意）：他总是～的，问他也没用！

【哼唷】hēngyō 叹 做重体力劳动（大多集体操作）时发出的有节奏的声音。

哼 hēng 〈书〉叹 表示禁止。
另见 562 页 hèng。

膊 hēng 见 1033 页〖膨膊〗。

héng（ㄏㄥˊ）

行 héng 见 281 页〖道行〗。
另见 539 页 háng；541 页 hàng；1523 页 xíng。

恒（恆）héng ❶ 永久；持久；永～｜～心。❷ 恒心：有～｜持之以～。❸ 平常；经常：～态｜～言｜人之～情。❹（Héng）名 姓。

【恒产】héngchǎn 名 指田地房屋等比较固定的产业；不动产。

【恒等式】héngděngshì 名 所含的未知量用任意数代替，等号两边的数值永远相等的式子。如 $\cos^2 x + \sin^2 x = 1$，$(a+b)^2 = a^2 + 2ab + b^2$。

【恒定】héngdìng 动 永恒固定：变星是一种光度不变的星体。

【恒河沙数】Héng Hé shā shù 形容数量极多，像恒河里的沙子一样（原是佛经里的话，恒河是印度的大河）。

【恒久】héngjiǔ 形 永久；持久：～不变。

【恒量】héngliàng 名 常量。

【恒湿】héngshī 名 相对稳定的湿度。

【恒温】héngwēn 名 相对稳定的温度。

【恒温动物】héngwēn dòngwù 能自动调节体温，在外界温度变化的情况下，能保持体温相对稳定的动物，如鸟类和哺乳类。也叫温血动物。

【恒心】héngxīn 名 长久不变的意志：学

习要有～。

【恒星】héngxīng 名 本身能发出光和热的天体，如织女星、太阳。过去认为这些天体的位置是固定不动的，所以叫做恒星。实际上恒星也在运动。

【恒星年】héngxīngnián 名 地球绕太阳一周实际所需的时间，也就是从地球上观测，以太阳和某一个恒星在同一位置上为起点，当观测到太阳再回到这个位置时所需的时间。一个恒星年等于 365 天 6 小时 9 分 10 秒。

【恒星日】héngxīngrì 名 地球自转一周实际所需的时间，或春分点两次经过同一子午圈所需的时间，也就是某一个恒星两次经过同一条子午线所需的时间。一个恒星日等于 23 小时 56 分 4 秒。

【恒星月】héngxīngyuè 名 月球绕地球一周实际所需的时间，也就是以某一恒星为基准，月球连续两次经过该恒星所需的时间。一个恒星月等于 27 天 7 小时 43 分 11.5 秒。

【恒牙】héngyá 名 人和哺乳动物的乳牙脱落后长出的牙齿。恒牙脱落后不再长出牙齿。

姮 héng ［姮娥］(Héng'é)〈书〉名 嫦娥。

珩 héng 古代佩玉上面的横玉，形状像古代的磬。

桁 héng 名 檩(lǐn)。

【桁架】héngjià 名 房屋、桥梁等的架空的骨架式承重结构。

鸻（鴴）héng 名 鸟，体形较小，嘴短而直，前端略膨大，翅膀的羽毛长。只有前趾，没有后趾。多生活在水边、沼泽和海岸。

横 héng ❶ 形 跟地面平行的（跟"竖、直"相对）：～额｜～梁。❷ 形 地理上东西向的（跟"纵¹"相对）：黄河～贯本省。❸ 形 从左到右或从右到左的（跟"竖、直、纵¹"相对）：～队｜墙上～着写着几个大字。❹ 形 跟物体的长的一边垂直的（跟"竖、直、纵¹"相对）：～剖面｜人行～道｜～着切一刀。❺ 动 使物体成横向：把扁担～过来。❻ 纵横杂乱：～生｜～流｜血肉～飞。❼ 蛮横；凶恶：～行｜征暴敛。

注意 与"横"(hèng)①义相近，但只用于

成语或文言词中。❽(～儿)名 汉字的笔画,平着由左向右,形状是"一"。❾〈方〉副 横竖;反正:我～不那么办!|事情是你干的,我～没过问。❿〈方〉副 横是:今天下雨,他～不来了。⓫(Héng)名 姓。

另见562页hèng。

【横标】héngbiāo 名 横幅标语:巨幅～。

【横波】héngbō 名 介质质点振动方向与传播方向垂直的波。(图见101页"横波")

【横冲直撞】héng chōng zhí zhuàng 乱冲乱闯。也说横冲直闯。

【横倒竖歪】héng dǎo shù wāi 形容东西放得纵横杂乱:几条破板凳～地放在屋子里。

【横笛】héngdí 名 见292页"笛"①。

【横渡】héngdù 动 从江河等的这一边过到那一边:～长江。

【横断面】héngduànmiàn 名 横剖面。

【横队】héngduì 名 横的队形:三列～。

【横幅】héngfú 名 横的字画、标语、锦旗等:一条(张、幅)～。

【横膈膜】hénggémó 名 膈的旧称。

【横亘】hénggèn 动 (桥梁、山脉等)横跨;横卧:大桥～在广阔的水面上|两县交界的地方～着一座大山。

【横贯】héngguàn 动 (山脉、河流、道路等)横着通过去:陇海铁路～我国中部。

【横加】héngjiā 动 不讲道理,强行施加:～指责|～阻拦|～干涉。

【横流】héngliú 动 ❶ 形容泪水往四下流:老泪～。❷ 水往四处乱流;泛滥:洪水～◇物欲～。

【横眉】héngméi 动 耸起眉毛,形容怒目而视的样子:～怒目。

【横眉立目】héng méi lì mù 横眉怒目。

【横眉怒目】héng méi nù mù 怒视的样子。多用来形容强横或强硬的神情。也说横眉努目、横眉立目。

【横批】héngpī 名 同对联相配的横幅。

【横披】héngpī 名 长条形的横幅字画。

【横剖面】héngpōumiàn 名 从垂直于物体的轴心线的方向切断物体后所呈现出的表面,如圆柱体的横剖面是一个圆形。也叫横断面、横切面。

【横七竖八】héng qī shù bā 形容纵横杂乱:地上～地放着各种农具。

【横切面】héngqiēmiàn 名 横剖面。

【横肉】héngròu 名 使相貌显得凶恶的肌肉:一脸～。

【横扫】héngsǎo 动 ❶ 扫荡;扫除:～千军。❷ 目光迅速地左右移动着看:他把会场～了一遍也没找到他。

【横生】héngshēng 动 ❶ 纵横杂乱地生长:蔓草～。❷ 意外地发生:～枝节|～是非。❸ 层出不穷地出现:妙趣～。

【横生枝节】héngshēng zhījié 比喻意外地插进了一些问题使主要问题不能顺利解决。

【横是】héng·shi 〈方〉副 表示揣测;大概:他～快四十了吧?|天又闷又热,～要下雨了。

【横竖】héngshù 〈口〉副 反正(表示肯定):他～要来的,不必着急。

【横挑鼻子竖挑眼】héng tiāo bí·zi shù tiāo yǎn 比喻多方挑剔。

【横纹肌】héngwénjī 名 骨骼肌。

【横向】héngxiàng 形 属性词。❶ 平行的;非上下级之间的:～比较|～交流|～协作|～经济联合。❷ 指东西方向的:京广铁路是纵向的,陇海铁路是～的。

【横心】héng∥xīn 动 下决心不顾一切:这一次他可是横了心了。

【横行】héngxíng 动 行动蛮横;倚仗势力做坏事:～不法|～无忌。

【横行霸道】héngxíng bàdào 仗势胡作非为,蛮不讲理。

【横痃】héngxuán 名 由下疳引起的腹股沟淋巴结肿胀、发炎的症状。

【横溢】héngyì 动 ❶ (江河等)泛滥:江河～。❷ (才华等)充分显露:才思～。

【横征暴敛】héng zhēng bào liǎn 强征捐税,搜刮百姓财富。

【横直】héngzhí 〈方〉副 反正;横竖。

【横坐标】héngzuòbiāo 名 平面上任何一点到纵坐标轴的距离叫做这一点的横坐标。

衡 héng ❶ 秤杆,泛指称重量的器具。❷ 称重量:～器。❸ 衡量:～情度(duó)理。❹ 平;不倾斜:平～|均～。❺ (Héng)名 姓。

【衡量】héng·liáng 动 ❶ 比较;评定:～得失。❷ 考虑;斟酌:你～一下这件事该怎么办。

【衡器】héngqì 名 称重量的器具,如秤、天平。

蘅 héng 见338页〖杜蘅〗。

hèng （ㄏㄥˋ）

啈 hèng 〈书〉发狠的声音。
另见560页 hēng。

横 hèng ❶ 形 粗暴;凶暴:蛮～|强～|
这人说话真～。❷ 不吉利的;意外的:
～事|～祸。
另见560页 héng。

【横暴】hèngbào 形 强横凶暴:～不法|～
的行为。

【横财】hèngcái 名 意外得来的钱财(多指
用不正当的手段得来的):发～。

【横祸】hènghuò 名 意外的祸患:飞来～。

【横蛮】hèngmán 形 蛮横。

【横逆】hèngnì 〈书〉名 横暴的行为。

【横事】hèngshì 名 凶事;横祸。

【横死】hèngsǐ 动 指因自杀、被害或意外
事故而死亡。

hm （ㄏㄇ）

噷 hm ［h跟单纯的双唇鼻音拼合的音］
叹 表示申斥或不满意:～,你还闹
哇!|～,你骗得了我?

hng （ㄏㄫ）

哼 hng ［h跟单纯的舌根鼻音拼合的
音］叹 表示不满意或不相信:～,你
信他的!
另见559页 hēng。

hōng （ㄏㄨㄥ）

吽 hōng 佛教咒语用字。

轰（轟、³掍） hōng ❶ 拟声 形容
打雷、放炮、爆炸等巨
大的声音:突然～的一声,震得山鸣谷应。

❷ 动 (雷)鸣;(炮)击;(火药)爆炸:～炸|
～击|雷～电闪|～平了几个山头。❸ 动
赶;驱逐:～麻雀|他摇着鞭子～牲口|把他
～出去。

【轰动】(哄动) hōngdòng 动 同时惊动很
多人:～全国|～一时|全场～。

【轰赶】hōnggǎn 动 驱赶;驱逐:～牲口|
～苍蝇。

【轰轰烈烈】hōnghōnglièliè 形 状态词。
形容气魄雄伟,声势浩大:～地做一番事
业|开展了一个～的群众运动。

【轰击】hōngjī 动 ❶ 用炮火等攻击:～敌
人阵地。❷ 用质子、中子、α射线或阴极
射线等撞击元素的原子核等。

【轰隆】hōnglōng 拟声 形容雷声、爆炸声、
机器声等:炮声～～直响|一声巨响,房
子倒塌下来。

【轰鸣】hōngmíng 动 发出轰隆轰隆的巨
大声音:礼炮～。

【轰然】hōngrán 形 形容声音大:～作响。

【轰响】hōngxiǎng 动 轰鸣:马达～。

【轰炸】hōngzhà 动 从飞机上对地面或水
上各种目标投掷炸弹:轮番～。

【轰炸机】hōngzhàjī 名 用来从空中对地
面或水上、水下目标进行轰炸的飞机,有
装置炸弹、导弹等的专门设备和防御性的
射击武器,载重量大,飞行距离远。

哄 hōng ❶ 拟声 形容许多人大笑声或
喧哗声。❷ 许多人同时发出声音:
～传。
另见567页 hǒng;567页 hòng。

【哄传】hōngchuán 动 纷纷传说:四处～|
这消息很快就～开了。

【哄动】hōngdòng 见562页〖轰动〗。

【哄闹】hōngnào 动 许多人同时喧闹:～
声|别在教室里～。

【哄抢】hōngqiǎng 动 许多人拥上去抢购
或抢夺(财物)。

【哄然】hōngrán 形 形容许多人同时发出
声音:舆论～|～大笑。

【哄抬】hōngtái 投机商人纷纷抬高(价
格):～物价。

【哄堂大笑】hōngtángdàxiào 形容全屋子
的人同时大笑:他一句话把大家逗得～。

【哄笑】hōngxiào 动 许多人大笑:他
的话引得大家～起来。

訇¹ hōng 【拟声】形容大声：～然|～的一声。

訇² hōng 见 1 页［阿訇］。

烘 hōng ❶【动】用火或蒸汽使身体暖和或者使东西变熟、变热或干燥：～箱|～手|把湿衣服～一～。❷ 衬托：～衬|～托。

【烘焙】hōngbèi 【动】用火烘干（茶叶、烟叶等）。

【烘衬】hōngchèn 【动】烘托；陪衬。

【烘烘】hōnghōng 【拟声】形容火着得旺的声音：炉火～～。

【烘篮】hōnglán 【名】中间放小火盆的竹篮，用来取暖。有的地区叫烘笼、火笼。

【烘笼】hōnglóng （～儿）【名】❶ 用竹片、柳条或荆条等编成的笼子，罩在炉子或火盆上，用来烘干衣物。❷〈方〉烘篮。

【烘染】hōngrǎn 【动】烘托渲染：他把自己所听到的，加上许多～之词，活灵活现地讲给大家听。

【烘托】hōngtuō 【动】❶ 国画的一种画法，用水墨或淡的色彩点染轮廓外部，使物象鲜明。❷ 写作时先从侧面描写，然后再引出主题，使要表现的事物鲜明突出。❸ 陪衬，使明显突出：蓝天～着白云|红花还要绿叶～。

【烘箱】hōngxiāng 【名】用加热的方法把潮湿物品中水分去掉的箱形装置，多用于实验室和工业生产中。

【烘云托月】hōng yún tuō yuè 比喻从侧面加以点染以烘托所描绘的事物。

薨 hōng 君主时代称诸侯或大官等的死。

hóng （ㄏㄨㄥˊ）

弘 hóng ❶ 大：～图|～愿|～旨。现多作宏。❷ 扩充；光大：恢～。❸（Hóng）【名】姓。

【弘论】hónglùn 见 566 页［宏论］。

【弘图】hóngtú 见 566 页［宏图］。

【弘扬】（宏扬）hóngyáng 【动】发扬光大：～祖国文化。

【弘愿】hóngyuàn 见 566 页［宏愿］。

【弘旨】hóngzhǐ 见 566 页［宏旨］。

【弘治】Hóngzhì 【名】明孝宗（朱祐樘）年号（公元 1488—1505）。

红（紅） hóng ❶【形】像鲜血的颜色：～枣|～领巾。❷ 象征喜庆的红布：披～|挂～。❸【形】象征顺利、成功或受人重视、欢迎：～运|开门～|满堂～|他唱戏唱～了。❹ 象征革命或政治觉悟高：～军|又～又专。❺ 红利：分～。❻（Hóng）【名】姓。

　　另见 476 页 gōng。

【红案】hóng'àn （～儿）【名】炊事分工上指做菜的工作（区别于"白案"）。

【红白喜事】hóng bái xǐshì 男女结婚是喜事，高寿的人病逝的丧事叫喜丧，统称红白喜事。有时也说红白事。泛指婚丧。

【红斑狼疮】hóngbān lángchuāng 自身免疫性疾病，患者多为年轻女性，主要症状是面部出现蝶形淡红色斑点，发热、疲倦、关节酸痛，有的还发生心、肾等内脏病变。

【红榜】hóngbǎng 【名】指光荣榜，因多用红纸写成，所以叫红榜。

【红包】hóngbāo （～儿）【名】包着钱的红纸包儿，用于馈赠或奖励等：送～|发～。

【红宝石】hóngbǎoshí 【名】红色透明的刚玉。参看 447 页［刚玉］。

【红不棱登】hóng·bulēngdēng （～的）〈口〉【形】状态词。红（含厌恶意）：这件蓝布上衣染得不好，太阳一晒变得～的。

【红茶】hóngchá 【名】茶叶的一大类，是全发酵茶。色泽乌黑油润，沏出的茶色红艳，具有特别的香气和滋味。

【红潮】hóngcháo 【名】❶ 害羞时两颊上泛起的红色。❷ 指月经。❸ 赤潮。

【红尘】hóngchén 【名】指繁华的社会，泛指人世间：看破～。

【红筹股】hóngchóugǔ 【名】指在我国大陆境外注册，在香港上市的内地企业或其控股公司发行的股票。

【红蛋】hóngdàn 【名】用颜料染红的鸡蛋，旧俗生孩子的人家用来分送亲友。

【红灯区】hóngdēngqū 【名】指某些城市中色情场所所集中的地区。

【红点颏】hóngdiǎnké 【名】鸟，羽毛褐色，雄的喉部鲜红色，叫的声音很好听。通称红靛颏儿。

【红豆】hóngdòu 【名】❶ 红豆树，常绿乔木，羽状复叶，小叶长椭圆形，花白色，荚果扁平,种子鲜红色。生长在亚热带地区。❷这种植物的种子。古代文学作品中常用来象征相思。也叫相思子。

【红豆杉】hóngdòushān 名 常绿乔木,小枝秋天变成黄绿色或淡红褐色,叶条形,雌雄异株,种子扁圆形。种子用来榨油,也可入药。

【红矾】hóngfán 〈方〉名 砒霜。

【红股】hónggǔ 名 股份公司向股东赠送的股票,是红利分配的一种形式。

【红光满面】hóngguāng mǎn miàn 形容人的脸色红润,有光泽。也说满面红光。

【红果儿】hóngguǒr 〈方〉名 山楂。

【红火】hóng·huo 形 形容旺盛、兴隆、热闹:五月的石榴花越开越~|小店办得日益~|联欢晚会节目很多,开得很~。

【红货】hónghuò 名 旧时指珠宝一类的贵重物品:~铺。

【红教】Hóngjiào 名 宁玛派的俗称。

【红净】hóngjìng 名 戏曲中净角的一种,专演红色脸谱的人物。

【红角】hóngjué (~儿)名 指受广大观众欢迎的演员。

【红军】Hóngjūn 名 ❶ 第二次国内革命战争时期中国共产党领导下的革命军队,全称中国工农红军。参看 1762 页〖中国工农红军〗。❷ 指 1946 年以前的苏联军队。

【红利】hónglì 名 ❶ 指企业分给股东的利润或分给职工的额外报酬。❷ 参加集体生产单位的个人所得的额外收益。

【红脸】hóng∥liǎn 动 ❶ 指害羞:这小姑娘见了生人就~。❷ 指发怒:我们俩从来没红过脸。

【红磷】hónglín 名 磷的同素异形体,暗红色粉末,无毒,遇热不熔化而直接变成蒸气,蒸气冷却后变成有毒的白磷。红磷用来制造安全火柴。

【红领巾】hónglǐngjīn 名 ❶ 红色的领巾,代表红旗的一角,少年先锋队员的标志。❷ 指少年先锋队员。

【红柳】hóngliǔ 名 柽(chēng)柳。

【红绿灯】hónglǜdēng 名 指挥车辆通行的信号灯,多设在城市的交叉路口,红灯指示停止;绿灯指示通行。

【红马甲】hóngmǎjiǎ 名 指证券交易所市场内的交易员,因工作时穿红色背心而得名。

【红帽子】hóngmào·zi 名 ❶ 在白色恐怖时期,进步人士被反动派指为共产党员或与共产党有联系,叫做被戴上红帽子。❷ 称火车站上装卸货物、搬运行李的工人,他们工作时头戴红色帽子。

【红煤】hóngméi 〈方〉名 无烟煤。

【红棉】hóngmián 名 木棉。

【红模子】hóngmú·zi 名 供儿童练习毛笔字用的纸,印有红色的字,用墨笔顺着红字的笔画摹写。

【红木】hóngmù 名 泛指质硬而重的红褐色木材。大多用来做贵重的家具。

【红男绿女】hóng nán lǜ nǚ 指穿着各种漂亮服装的青年男女。

【红娘】Hóngniáng 名《西厢记》中崔莺莺的侍女,促成了莺莺和张生的结合。后来用作媒人的代称。

【红牌】hóngpái (~儿)名 ❶ 体育比赛中,裁判员对严重犯规的运动员、教练员出示的红色警示牌。足球比赛中被出示红牌的球员须立即退出赛场,并不得参加下一场比赛。❷ 对有违法、违章行为的个人或单位进行严重警告或处罚叫亮红牌。

【红盘】hóngpán 名 指证券交易市场电子显示屏上用红色数字显示的上涨的价格或指数(跟"绿盘"相对)。

【红皮书】hóngpíshū 名 见 26 页〖白皮书〗。

【红票】hóngpiào 名 ❶ 旧时戏剧或杂技等的演出者赠送给人的免费入场券。❷ 旧时戏剧演出以较高价格售出的票(多为硬性摊派)。

【红扑扑】hóngpūpū (~的)形 状态词。形容脸色红:喝了几杯酒,脸上~的。

【红旗】hóngqí 名 ❶ 红色的旗子,是无产阶级革命的象征:~飘飘。❷ 竞赛中用来奖励优胜者的红色旗子。❸ 比喻先进:~手|~单位。

【红契】hóngqì 名 旧时指买田地房产时经过纳税而由官厅盖印的契约(区别于"白契")。

【红区】hóngqū 名 第二次国内革命战争时期共产党建立的农村根据地。

【红壤】hóngrǎng 名 红色的土壤,在我国主要分布在长江以南和台湾地区。铁、铝含量高,酸性强,养分少。

【红热】hóngrè 形 某些物质加高温

(500—1 200℃)后发出暗红色至橙红色的光亮,这种状态叫做红热。如果温度继续升高,就由红热转为白热。

【红人】hóngrén (～儿)名❶称受宠信或重用的人。❷称走红的人。

【红润】hóngrùn 形红而滋润(多指皮肤):孩子的脸像苹果一样～。

【红色】hóngsè ❶名红的颜色。❷形属性词。象征革命或政治觉悟高:～政权 | ～根据地。

【红山文化】Hóngshān wénhuà 我国北方地区新石器时代的一种文化,因最早发现于内蒙古赤峰红山而得名。以发现女神庙、积石冢群和大批玉器闻名。

【红烧】hóngshāo 动烹调方法,把肉、鱼等加油、糖略炒,并加酱油等作料,焖熟使成黑红色:～肉 | ～鲤鱼。

【红苕】hóngsháo〈方〉名甘薯。

【红生】hóngshēng 名戏曲中扮演勾红脸人物的生角。

【红十字会】Hóngshízìhuì 名一种国际性的志愿救济团体,救护战时病伤军人和平民,也从事自然灾害救济、社会救济、社会福利等工作。1864 年日内瓦公约规定以在白地儿上加红十字作为它的标志。在伊斯兰国家称为红新月会,标志是白地儿上加红色新月;在伊朗称为红狮和太阳会,标志是白地儿上加红狮与太阳。

【红薯】hóngshǔ 名甘薯的通称。

【红糖】hóngtáng 名糖的一种,褐黄色、赤褐色或黑色,用甘蔗的糖浆熬成,含有砂糖和糖蜜。供食用。有的地区叫黑糖或黄糖。

【红彤彤】(红通通)hóngtōngtōng (～的)形状态词。形容很红:～的火苗 | ～的晚霞 | 脸上晒得～的。

【红头文件】hóngtóu-wénjiàn 指党政领导机关(多指中央一级)下发的文件,因版头文件名称多印成红色,所以叫红头文件。

【红外线】hóngwàixiàn 名波长比可见光长的电磁波,在光谱上位于红色光的外侧。易于被物体吸收,穿透云雾的能力比可见光强。具有很强的热能。工业上用作烘烤的热源,也用于通信、探测、医疗等方面。

【红细胞】hóngxìbāo 名血细胞的一种,比白细胞小,圆饼状,没有细胞核,含血红蛋白,产生在红骨髓中。作用是输送氧气到各组织并把二氧化碳带到肺泡内。旧称红血球。

【红小豆】hóngxiǎodòu 名赤豆。

【红心】hóngxīn 名比喻忠于无产阶级革命事业的思想:一颗～为人民。

【红星】hóngxīng 名❶红色的五角星。❷指非常受欢迎的明星:影视～。

【红学】hóngxué 名指研究古典小说《红楼梦》的学问:～家。

【红血球】hóngxuèqiú 名红细胞的旧称。

【红颜】hóngyán 名指貌美的女子。

【红眼】hóngyǎn ❶(～儿)动指发怒或发急。❷(～儿)形眼红①。❸名红眼病的俗称。

【红眼病】hóngyǎnbìng 名❶病,因急性出血性结膜炎而眼白发红。俗称红眼。❷羡慕别人有名或有利而心怀忌妒的毛病。

【红艳艳】hóngyànyàn (～的)形状态词。形容红得鲜艳夺目:～的杜鹃花。

【红样】hóngyàng 名用红笔批改过的校样。

【红药水】hóngyàoshuǐ 名汞溴红溶液的通称。

【红叶】hóngyè 名枫树、黄栌、槭树等的叶子秋天变成红色,叫红叶。

【红衣主教】hóngyī-zhǔjiào 见 1263 页『枢机主教』。

【红缨枪】hóngyīngqiāng 名旧式兵器,在长柄的一端装有尖锐的金属枪头,枪头和柄相连的部分装饰着红缨。

【红云】hóngyún 名比喻脸上呈现的红晕:两颊泛起～。

【红运】hóngyùn 名好运气:走～。也作鸿运。

【红晕】hóngyùn 名中心浓而四周渐淡的一团红色:脸上泛出～。

【红妆】hóngzhuāng 同"红装"。

【红装】hóngzhuāng 名❶妇女的红色装饰,泛指妇女的艳丽装束。❷指青年妇女。‖也作红妆。

吰 hóng 见 171 页[嗃吰]。

闳(閎)hóng ❶〈书〉巷门。❷〈书〉宏大。❸(Hóng)名姓。

宏 hóng ❶ 宏大：～伟｜～图｜～愿｜宽～。❷ (Hóng)名姓。

【宏大】hóngdà 形巨大；宏伟：规模～｜～的志愿。

【宏富】hóngfù 〈书〉形丰富：征引～。

【宏观】hóngguān 形属性词。❶不涉及分子、原子、电子等内部结构或机制的(跟"微观"相对，下同)：～世界｜～观察。❷指大范围的或涉及整体的：～经济｜对市场进行～调控。

【宏观经济学】hóngguān jīngjìxué 以整个国民经济活动作为研究对象的经济学。

【宏观世界】hóngguān shìjiè 不涉及分子、原子、电子等结构的物质世界。

【宏丽】hónglì 形宏伟壮丽；富丽：～的建筑物。

【宏论】(弘论) hónglùn 名见识广博的言论：大发～。

【宏赡】hóngshàn 〈书〉形(学识等)丰富：学力～。

【宏图】(鸿图) hóngtú 名远大的设想；宏伟的计划：～大略｜大展～。

【宏伟】hóngwěi 形(规模、计划等)宏大雄伟；气势～｜～的蓝图。

【宏扬】hóngyáng 见563页【弘扬】。

【宏愿】(弘愿) hóngyuàn 名伟大的志愿：报效祖国的～。

【宏旨】(弘旨) hóngzhǐ 名大旨；主要的意思：无关～。

纮(紘) hóng 古代帽子上的带子，用来把帽子系在头上。

泓 hóng 〈书〉❶水深而广。❷量清水一道或一片叫一泓：一～清泉｜一～秋水。

荭(葓) hóng [荭草](hóngcǎo)名一年生草本植物，茎高可达3米，叶子阔卵形，花红色或白色，果实黑色。供观赏，全草入药。

虹 hóng 名大气中一种光的现象，天空中的小水珠经日光照射发生折射和反射作用而形成的弧形彩带，由外圈至内圈呈红、橙、黄、绿、蓝、靛、紫七种颜色。出现在和太阳相对着的方向。也叫彩虹。另见678页jiàng。

【虹膜】hóngmó 名眼球前部含色素的环形薄膜，由结缔组织细胞、肌纤维等构成，当中是瞳孔。眼球的颜色是由虹膜所含色素的多少决定的。(图见1569页"人的眼")

【虹吸管】hóngxīguǎn 名使液体产生虹吸现象所用的弯管，呈倒U字形而一端较长，使用时管内要预先充满液体。

【虹吸现象】hóngxī-xiànxiàng 依靠大气压强，液体从较高的地方通过虹吸管，先向上再向下流到较低地方去的现象。

【虹鳟】hóngzūn 名鱼，体侧扁，长约30厘米。背暗绿色或褐色，有小黑斑，中央有一条红色纵带，像彩虹。生活在清澈、低温的河流湖泊中。原产美国。

鈜(鈜) hóng 〈书〉拟声形容金属撞击的声音。

竑 hóng 〈书〉广大。

洪 hóng ❶大：～水｜～钟｜～炉｜～量。❷指洪水：防～｜蓄～｜分～｜山～。❸ (Hóng)名姓。

【洪帮】Hóng Bāng 名从天地会发展出来的一个帮会，流行于长江流域和珠江流域一带。清末曾参加反清斗争，后来有些派别被反动势力所利用。

【洪大】hóngdà 形(声音等)大：～的回声。

【洪峰】hóngfēng 名河流在涨水期间达到最高点的水位，也指涨达最高水位的洪水。

【洪福】(鸿福) hóngfú 名大福气：～齐天。

【洪害】hónghài 名洪水造成的危害，如引起山体滑坡、房屋倒塌、农田被淹、动植物死亡等。

【洪荒】hónghuāng 名混沌蒙昧的状态，借指太古时代：～时代｜～世界。

【洪亮】hóngliàng 形(声音)大；响亮：～的回声｜嗓音～。

【洪量】hóngliàng 名❶宽宏的气量。❷大的酒量。

【洪流】hóngliú 名巨大的水流：春暖雪融的时候，～的冲刷力特别猛烈◇时代～。

【洪炉】hónglú 名大炉子，多比喻陶冶和锻炼人的环境：革命的～。

【洪魔】hóngmó 名比喻洪水(多指能造成灾害的大的洪水)：战胜～。

【洪水】hóngshuǐ 名河流因大雨或融雪而引起的暴涨的水流：～泛滥。

【洪水猛兽】hóngshuǐ měngshòu 比喻极大的祸害。

【洪武】Hóngwǔ 图 明太祖(朱元璋)年号(公元 1368—1398)。

【洪熙】Hóngxī 图 明仁宗(朱高炽)年号(公元 1425)。

【洪灾】hóngzāi 图 洪水造成的灾害。

【洪钟】hóngzhōng 图 大钟：声如～。

翃(翃) hóng 〈书〉飞。

铁(鈜) hóng 〈书〉弩弓上射箭的装置。

鸿(魟) hóng 图 鱼，身体扁平，略呈方形或圆形，尾呈鞭状，有毒刺。生活在海洋中，吃无脊椎动物和小鱼。种类很多，常见的有赤鸿、光缸等。

鸿(鴻) hóng ❶ 鸿雁①：～毛。❷ 〈书〉指书信：来～(来信)。❸ 大：～儒。❹ (Hóng)图 姓。

【鸿福】hóngfú 见 566 页【洪福】。

【鸿沟】Hónggōu 图 古代运河，在今河南境内，楚汉相争时是两军对峙的临时分界，比喻明显的界线：我们之间并不存在不可逾越的～。

【鸿鹄】hónghú 〈书〉图 天鹅，因飞得很高，所以常用来比喻志向远大的人：～高翔|～之志。

【鸿毛】hóngmáo 图 鸿雁的毛，比喻轻微或不足道的事物：死有重于泰山，有轻于～。

【鸿门宴】Hóngményàn 图 公元前 206 年刘邦攻占秦都咸阳，派兵守函谷关。不久项羽率四十万大军攻入，进驻鸿门(今陕西临潼东)，准备进攻刘邦。刘邦到鸿门跟项羽会见。酒宴中，项羽的谋士范增让项庄舞剑，想乘机杀死刘邦。刘邦在项伯、樊哙等人的护卫下乘隙脱逃(见于《史记·项羽本纪》)。后来用"鸿门宴"指加害客人的宴会。

【鸿蒙】hóngméng 〈书〉图 古人认为天地开辟之前是一团混沌的元气，这种自然的元气叫鸿蒙：～初辟。

【鸿篇巨制】hóng piān jù zhì 指规模宏大的著作。

【鸿儒】hóngrú 〈书〉图 学识渊博的学者。

【鸿图】hóngtú 见 566 页【宏图】。

【鸿雁】hóngyàn 图 ❶ 鸟，嘴扁平，腿短，趾间有蹼，羽毛紫褐色，腹部白色，有黑色条状横纹。群居在水边，吃植物种子，也吃鱼和昆虫。飞时一般排队成列行，是一种冬候鸟。也叫大雁。❷〈书〉比喻书信。

【鸿运】hóngyùn 同"红运"。

蕻 hóng 同"荭"。

蕻 hóng 见 1549 页【雪里蕻】。
另见 567 页 hòng。

黉(黌) hóng 古代的学校。

【黉门】hóngmén 图 古代称学校的门，借指学校：～学子|～秀才。

---

hǒng （ㄏㄨㄥˇ）

哄 hǒng 劻 ❶ 哄骗：你这是～我，我不信。❷ 哄逗，特指看(kān)小孩儿或带小孩儿：奶奶～着孙子玩儿。
另见 562 页 hōng；567 页 hòng。

【哄逗】hǒngdòu 劻 用言语或行动引人高兴：～孩子。

【哄弄】hǒng·nòng 〈方〉劻 欺骗；耍弄。

【哄骗】hǒngpiàn 劻 用假话或手段骗人：你这番话～不了人。

---

hòng （ㄏㄨㄥˋ）

讧(訌) hòng 争吵；混乱：内～。

哄(鬨) hòng 劻 吵闹；开玩笑：起～|一～而散。
另见 562 页 hōng；567 页 hǒng。

洚(澒) hòng ［洚洞］(hòngdòng) 〈书〉形 弥漫无际。

蕻 hòng ❶〈书〉茂盛。❷〈方〉图 某些蔬菜的长茎：菜～。
另见 567 页 hóng。

齁¹ hōu ［齁声］(hōushēng) 图 打呼噜的声音。

齁² hōu ❶ 劻 太甜或太咸的食物使喉咙不舒服：这个菜咸得～人。❷〈方〉副 非常(多表示不满意)：～咸|～

苦|～酸|天气～热。

hóu （ㄏㄡˊ）

侯 hóu ❶ 封建五等爵位的第二等：～爵|公～。❷ 泛指达官贵人：～门似海。❸ (Hóu)图 姓。
另见 572 页 hòu。

喉 hóu 图 介于咽和气管之间的部分，由甲状软骨、环状软骨和会厌软骨等构成。喉是呼吸器官的一部分，喉内有声带，又是发音器官。

【喉擦音】hóucāyīn 图 声带靠近，气流从中挤出而发出的辅音，如上海话的"好、鞋"等字起头的音，国际音标分别用[h]和[ɦ]来表示。

悬雍垂
软腭
硬腭
会厌
声带

人 的 喉

【喉风】hóufēng 图 中医指咽喉发炎、红肿、疼痛等症。

【喉结】hóujié 图 男子颈部由甲状软骨构成的隆起物。

【喉咙】hóu·lóng 图 咽喉①。

【喉塞音】hóusèyīn 图 声带紧闭，然后突然打开而发出的辅音，如上海话的"一、十、百"等字收尾的音，国际音标用[ʔ]来表示。

【喉舌】hóushé 图 指说话的器官，多比喻代为发表言论的舆论或人：我们的报纸是人民的～。

【喉头】hóutóu 图 喉。

猴 hóu ❶ (～儿)图 哺乳动物，种类很多，外形略像人，身上有毛，多为灰色或褐色，有尾巴，行动灵活，好群居，口腔有储存食物的颊囊，吃果实、野菜、鸟卵和昆虫等。通称猴子。❷〈方〉图 乖巧；机灵(多指孩子)：这孩子多～啊！❸〈方〉图 像猴似的蹲着：他～在台阶上嗑瓜子儿。❹ (Hóu)图 姓。

【猴急】hóují〈方〉图 形容人很着急。

【猴年马月】hóu nián mǎ yuè 见 890 页

〖驴年马月〗。

【猴皮筋儿】hóupíjīnr〈口〉图 橡皮筋。也叫猴筋儿。

【猴精】hóujīng〈方〉❶ 图 比喻机灵或顽皮的人。❷ 图 状态词。形容人很精明：这小子～～的。

【猴头】hóutóu 图 真菌的一种，形状像猴子的头，生长在树上。可以吃，也可入药。

【猴戏】hóuxì 图 ❶ 用猴子耍的把戏，猴子穿衣服、戴假面，模仿人的某些动作。❷ 指以孙悟空为主角的戏曲表演。

【猴子】hóu·zi 图 猴的通称。

瞈 hóu 见 899 页〖罗瞈〗。

瘊 hóu〔瘊子〕(hóu·zi)图 寻常疣(yóu)的通称。参看 1649 页"疣"。

骺 hóu 图 长骨两端的部分。也叫骨骺。(图见 490 页"骨头")

篌 hóu 见 781 页〖箜篌〗。

糇(餱) hóu〈书〉干粮：～粮。

hǒu （ㄏㄡˇ）

吼 hǒu ❶ 团 (猛兽)大声叫：牛～|狮子～。❷ 团 发怒或情绪激动时大声叫喊：狂～|大～一声。❸ 团 (风、汽笛、大炮等)发出很大的响声：北风怒～|汽笛长～了一声。❹ (Hǒu)图 姓。

【吼叫】hǒujiào 团 大声叫：狮子～着扑上去|人们愤怒地～起来。

【吼声】hǒushēng 图 吼叫声或大的呼喊声：～震天。

犼 hǒu 古书上说的一种吃人的野兽，形状像狗。

hòu （ㄏㄡˋ）

后[1](後) hòu 图 ❶ 方位词。在背面的(指空间，跟"前"相对)：～门|村前村～。❷ 方位词。未来的；较晚的(指时间，跟"前、先"相对)：～天|日～|～辈|先来～到。❸ 方位词。次序靠近末尾的(跟"前、先"相对)：～排|～十五

名。❹ 后代的人,指子孙等:无~。

后² hòu ❶ 君主的妻子:皇~|~妃。❷ 古代称君主:商之先~。❸ (Hòu)名 姓。

【后半晌】hòubànshǎng (~儿)〈方〉名 下午。也说下半晌。

【后半天】hòubàntiān (~儿)名 时间词。下午。也说下半天。

【后半夜】hòubànyè 名 时间词。从半夜到天亮的一段时间。也说下半夜。

【后备】hòubèi ❶ 形 属性词。为补充而准备的(人员、物资等):~军|~力量。名 指为补充而事先准备好的人员、物资等:~充足|精打细算,留有~。

【后备军】hòubèijūn 名 ❶ 预备役军人的总称。❷ 指某些职业队伍的补充力量:产业~。

【后备役】hòubèiyì 名 预备役。

【后辈】hòubèi 名 ❶ 后代,指子孙。❷ 同行中年轻的或资历浅的人。

【后边】hòu·bian (~儿)名 方位词。后面。

【后步】hòubù 名 说话做事时为了以后伸缩回旋而留的地步:话不要说绝,得给自己留个~。

【后尘】hòuchén 〈书〉走路时后面扬起来的尘土,比喻别人的后面:步人~。

【后代】hòudài 名 ❶ 某一时代以后的时代:这些远古的事,大都是~人们的推测。❷ 后代的人,也指个人的子孙:我们要为~造福|这家人没有~。

【后爹】hòudiē 〈口〉名 继父。

【后盾】hòudùn 名 指背后支持和援助的力量:坚强的~。

【后发制人】hòu fā zhì rén 先退让一步,使自己处于有利的地位后,再制伏对方。

【后方】hòufāng 名 ❶ 方位词。后面;后头:在我舰的~,发现一艘潜艇。❷ 远离战线的地区(跟"前线、前方"相对)。

【后福】hòufú 名 未来的或晚年的幸福:大难不死,必有~。

【后父】hòufù 名 继父。

【后跟】hòugēn (~儿)名 鞋或袜子挨近脚跟的部分:鞋~|袜子~。

【后宫】hòugōng 名 ❶ 君主时代妃嫔住的宫室。❷ 指妃嫔。

【后顾】hòugù 动 ❶ 回过头来照顾:无暇

~|~之忧。❷ 指回忆:~与前瞻。

【后顾之忧】hòu gù zhī yōu 需要回过头来照顾的忧患,泛指来自后方的或家里的忧患:孩子入托了,解除了家长上班的~。

【后果】hòuguǒ 名 最后的结果(多用在坏的方面):~堪虑|检查制度不严,会造成很坏的~。

【后汉】Hòu Hàn 名 ❶ 东汉。❷ 五代之一,公元947—950,刘知远所建。参看1443页〖五代〗。

【后话】hòuhuà 名 在叙述的过程中,指留待以后再说的事情:这是~,暂且不提。

【后患】hòuhuàn 名 以后的祸患:~无穷|根绝~。

【后悔】hòuhuǐ 动 事后懊悔:~莫及|事前要三思,免得将来~。

【后悔药】hòuhuǐyào 名 见179页〖吃后悔药〗。

【后会有期】hòu huì yǒu qī 以后还有相见的时候(多用于离别时安慰对方)。

【后记】hòujì 名 写在书籍、文章等后面的短文,用以说明写作目的、经过或补充个别内容。

【后继】hòujì 动 后面继续跟上来;后来接续前头的(的):~有人|~前赴。

【后脚】hòujiǎo ❶ 名 迈步时在后面的一只脚:前脚一滑,~也站不稳。❷ 副 与"前脚"连说时表示在别人后面(时间上很接近):我前脚进大门,他~就赶到了。

【后金】Hòu Jīn 名 明代建州左卫(在今辽宁新宾一带)都指挥使爱新觉罗·努尔哈赤于公元1616年建立金国,自称金国汗。历史上称为后金,以与12、13世纪的金代相区别。

【后襟】hòujīn 名 上衣、袍子等背后的部分。

【后进】hòujìn ❶ 名 学识或资历较浅的人:提携~。❷ 形 属性词。进步比较慢、水平比较低的:~班组。❸ 名 指进步比较慢、水平比较低的人或集体:学先进,帮~。

【后劲】hòujìn (~儿)名 ❶ 显露较慢的作用或力量:这酒~大。❷ 用在后一阶段的力量:他~足,最后冲刺时超过了对手。

【后晋】Hòu Jìn 名 五代之一,公元936—947,石敬瑭所建。参看1443页〖五代〗。

【后景】hòujǐng 图 画面上衬托在主体后面的景物。

【后来】hòulái ❶ 图 时间词。指在过去某一时间之后的时间：他还是去年二月里来过一封信，～再没有来过信。注意"后来"跟"以后"的分别。a)"以后"可以单用，也可以作为后置成分，"后来"只能单用，例如只能说"七月以后"，不能说"七月后来"。b)"以后"可以指过去，也可以指将来，"后来"只指过去，例如只能说"以后你要注意"，不能说"后来你要注意"。❷ 形 后到的；后成长起来的：～人。

【后来居上】hòu lái jū shàng 后起的超过先前的。

【后浪推前浪】hòu làng tuī qián làng 比喻后面的事物推动前面的事物，不断前进。

【后梁】Hòu Liáng 图 五代之一，公元907—923，朱温(后改名全忠)所建。参看 1443 页〖五代〗。

【后脸儿】hòuliǎnr 〈方〉图 指人或东西的背面：前面走的那个人，看～好像张老师｜怎么把钟的～朝前摆着？

【后路】hòulù 图 ❶ 军队背后的运输线或退路：抄～。❷（～儿）比喻回旋的余地；后步。

【后妈】hòumā 〈口〉图 继母。

【后门】hòumén （～儿）图 ❶ 房子、院子等后面的门。❷ 比喻通融的、舞弊的途径：走～｜开～。

【后面】hòu·miàn （～儿）图 方位词。❶ 空间或位置靠后的部分：房子～有一个花园｜前面坐满了，～还有座位。❷ 次序靠后的部分；文章或讲话中后于现在所叙述的部分：关于这个问题，～还要详细说。

【后母】hòumǔ 图 继母。

【后脑勺儿】hòunǎosháor 〈口〉图 脑袋后面突出的部分。也叫后脑勺子。

【后年】hòunián 图 时间词。明年的明年。

【后娘】hòuniáng 〈口〉图 继母。

【后怕】hòupà 动 事后感到害怕：想起那次海上遇到的风暴，还有些～。

【后期】hòuqī 图 某一时期的后一阶段：19 世纪～｜抗日战争～。

【后起】hòuqǐ 形 属性词。后出现的或新成长起来的(多指人才)：～之秀｜他们大多是球坛上～的好手。

【后起之秀】hòu qǐ zhī xiù 后出现的或新成长起来的优秀人物。

【后勤】hòuqín 图 指后方对前方的一切供应工作。也指机关、团体等的行政事务性工作。

【后鞦】hòuqiū 图 套车时拴在驾辕牲口屁股周围的皮带、帆布带等。

【后儿】hòur 〈口〉图 时间词。后天。也说后儿个。

【后人】hòurén 图 ❶ 后代的人：前人种树，～乘凉。❷ 子孙。

【后任】hòurèn 图 在原来担任某项职务的人去职后继任这个职务的人。

【后厦】hòushà 图 房屋后面的廊子：前廊～。

【后晌】hòushǎng 〈方〉图 下午。

【后晌】hòu·shang 〈方〉图 晚上：～饭。

【后身】hòushēn 图 ❶（～儿）身体后边的部分：我只看见～，认不清是谁。❷（～儿）上衣、袍子等背部的部分：这件衬衫～太长了。❸（～儿）房屋等的后边：房～有几棵枣树。❹ 人或动物来世转生的人或动物(迷信)。❺（机构、制度等)由早先的另一个转变而成的另一个(有的只是改变名称)：八路军、新四军的～是中国人民解放军。

【后生】hòu·shēng 〈方〉❶ 图 青年男子：好～。❷ 形 相貌年轻：他长得～，看不出是四十多岁的人。

【后生可畏】hòushēng kě wèi 指青年人是新生的力量，很容易超过他们的前辈，令人敬畏。

【后世】hòushì 图 ❶ 后代①：《诗经》和《楚辞》对～的文学有很大的影响。❷ 后裔。❸ 佛教指来世。

【后市】hòushì 图 指今后一段时间的证券等交易的行情：～看涨。

【后事】hòushì 图 ❶ 以后的事情：前事不忘，～之师｜欲知～如何，且听下回分解。❷ 指丧事：准备～｜料理～。

【后手】hòushǒu 图 ❶ 旧时指接替的人。❷ 旧时指接受票据的人。❸ 下棋时被动的形势(跟"先手"相对)：～棋｜这一着儿一走错，就变成～了。❹（～儿)后路②。

【后首】hòushǒu 〈方〉图 ❶ 后来：当时没有听懂，～一想才明白了。❷ 后头；后面。

【后嗣】hòusì 图 指子孙。

【后台】hòutái 名 ❶ 剧场中在舞台后面的部分。演出的艺术工作属于后台的范围。❷ 比喻在背后操纵、支持的人或集团。

【后台老板】hòutái lǎobǎn 原指戏班子的班主，借指背后操纵、支持的人或集团。

【后唐】Hòu Táng 名 五代之一，公元923—936，李存勖(xù)所建。参看1443页〖五代〗。

【后天】¹ hòutiān 名 时间词。明天的明天。

【后天】² hòutiān 名 人或动物离开母体后单独生活和成长的时期(跟"先天"相对)：先天不足，～失调。

【后头】hòu·tou 名 ❶ 方位词。后面①：楼～有一片果树林。❷ 方位词。后面②：怎样预防的问题，～还要细谈。❸〈方〉后来①。

【后退】hòutuì 动 向后退；退回(后面的地方或以往的发展阶段)：～两步｜怎么成绩没提高，反而～了？

【后卫】hòuwèi 名 ❶ 军队行军时在后方担任掩护或警戒的部队。❷ 篮球、足球等球类比赛中主要担任防守的队员。

【后效】hòuxiào 名 后来的效果；后来的表现：略示薄惩，以观～。

【后心】hòuxīn 名 脊背当中的部位。

【后行】hòuxíng 动 后进行；以后进行：先行试点，～推广。

【后续】hòuxù ❶ 形 属性词。接着来的：～部队。❷〈方〉动 续娶；续弦。

【后学】hòuxué 名 后进的学者或读书人(常用作谦辞)。

【后遗症】hòuyízhèng 名 ❶ 某种疾病痊愈或主要症状消退之后所遗留下的一些症状。后遗症有的消退得很慢，有的终生不消退。❷ 比喻由于做事情或处理问题不认真、不妥善而留下的消极影响。

【后尾儿】hòuyǐr〈口〉名 最后的部分；后边：车～｜船～｜他走得慢，落在～了。

【后裔】hòuyì 名 已经死去的人的子孙。

【后影】hòuyǐng（～儿）名 从后边看到的人或东西的形状：那人一下就跑过去了，只看见一个～儿。

【后援】hòuyuán 名 援军，泛指支援的力量。

【后院】hòuyuàn（～儿）名 ❶ 正房后面的院落。❷ 比喻后方或内部：～起火(比喻内部闹矛盾或后方出了麻烦事)。

【后账】hòuzhàng 名 ❶ 不公开的账。❷ 以后再算的账，多指事后追究责任的事：只要自己行得正，不怕别人算～。

【后罩房】hòuzhàofáng〈方〉名 四合院中正房后边跟正房平行的一排房屋。

【后肢】hòuzhī 名 昆虫或有四肢的脊椎动物长在身体后部的两条腿。

【后周】Hòu Zhōu 名 五代之一，公元951—960，郭威所建。参看1443页〖五代〗。

【后缀】hòuzhuì 名 加在词根后面的构词成分，如"作家、科学家"里的"家"，"规范化、绿化"里的"化"，"人民性、党性"里的"性"。也叫词尾。

【后坐力】hòuzuòlì 名 指枪弹、炮弹射出时的反冲力。

【郈】Hòu 名 姓。

【厚】hòu ❶ 形 扁平物上下两面之间的距离大(跟"薄"相对)：～木板｜棉衣｜嘴唇很～。❷ 名 厚度：下了两寸～的雪。❸ 形（感情）深：深情～谊｜交情很～。❹ 厚道：宽～｜忠～。❺ 形（利润）大：礼物价值～大：～利｜～礼。❻ 形（味道）浓：酒味很～。❼ 形（家产）富有：殷实：家底儿～。❽ 优待；推崇；重视：～此薄彼｜～今薄古。❾（Hòu）名 姓。

【厚爱】hòu'ài 名 称对方对自己深切的喜爱或爱护：承蒙～。

【厚薄】hòubó 名 ❶ 厚度：这块板子的～正合适。❷ 指重视与轻视，优待与慢待，亲近与疏远：都是朋友，为何要分～？

【厚此薄彼】hòu cǐ bó bǐ 重视或优待一方，轻视或慢待另一方，指对人或事不同等看待。

【厚待】hòudài 动 优厚地对待；优待：人家这样～咱们，心里实在是过意不去。

【厚道】hòu·dao 形 待人诚恳，能宽容，不刻薄：为人～｜他是个～人。

【厚度】hòudù 名 扁的物体上下两面之间的距离。

【厚墩墩】hòudūndūn（～的）形 状态词。形容很厚：～的棉大衣。

【厚古薄今】hòu gǔ bó jīn 指在学术研究等方面，重视古代，轻视现代。

【厚今薄古】hòu jīn bó gǔ 指在学术研究等方面,重视现代,轻视古代。

【厚礼】hòulǐ 〔名〕丰厚的礼物;价值大的礼物:赠以～。

【厚利】hòulì 〔名〕大的利润或高的利息:赚取～。

【厚实】hòu·shi〔口〕〔形〕❶ 厚:这布挺～|炕上厚厚实实地铺着一层稻草。❷ 宽厚结实:～的肩膀。❸（学问等）深厚扎实:功底～|学术基础～。❹ 丰富;富裕:家底～。

【厚望】hòuwàng 〔名〕很大的期望:寄予～。

【厚颜】hòuyán 〔形〕脸皮厚,不知羞耻:～无耻。

【厚谊】hòuyì 〔名〕深厚的情谊:深情～。

【厚意】hòuyì 〔名〕深厚的情意:多谢各位的～。

【厚遇】hòuyù 〔名〕优厚的待遇:得到了～。

【厚葬】hòuzàng 〔动〕用隆重的仪式安葬;耗费大量钱财办理丧事。

【厚重】hòuzhòng 〔形〕❶ 又厚又重:～的棉帘子。❷ 丰厚:～的礼物。❸〈书〉敦厚持重:为人～笃实。

侯 hòu 闽侯(Mǐnhòu),地名,在福建。另见 568 页 hóu。

垕 hòu 神垕(Shénhòu),地名,在河南。

逅 hòu 见 1510 页[邂逅]。

候[1] hòu ❶〔动〕等待:～车|你稍一～,他马上就来。❷ 问候;问好:致～|敬～起居。❸（Hòu）〔名〕姓。

候[2] hòu ❶ 时节:时令|气～|鸟～。❷ 古代五天为一候,现在气象学上仍沿用:～温。❸（～儿）情况:征～|火～。

【候补】hòubǔ 〔动〕等候递补缺额:～委员。

【候场】hòuchǎng 〔动〕等候上场(演出):演员按时到后台～。

【候车】hòuchē 〔动〕等候乘车:～室。

【候虫】hòuchóng 〔名〕随季节而生及鸣叫的昆虫,如夏天的蝉、秋天的蟋蟀等。

【候风地动仪】hòufēng dìdòngyí 我国东汉时天文学家张衡创制的世界上最早的地震仪。简称地动仪。

【候光】hòuguāng 〈书〉〔动〕敬辞,等候光临(多用于请帖):洁樽～。

【候教】hòujiào 〔动〕敬辞,等候指教:本星期日下午在舍下～。

【候鸟】hòuniǎo 〔名〕随季节的变更而迁徙的鸟,如杜鹃、家燕、鸿雁等。

【候审】hòushěn 〔动〕(原告方、被告方)等候审问:出庭～。

【候温】hòuwēn 〔名〕每候(五天)的平均气温。

【候选人】hòuxuǎnrén 〔名〕在选举前预先提名作为选举对象的人。

【候诊】hòuzhěn 〔动〕(病人)门诊时等候诊断治疗:～室。

堠 hòu 古代瞭望敌方情况的土堡。

鲎[1]（鱟）hòu 〔名〕节肢动物,头胸部的甲壳略呈马蹄形,腹部的甲壳呈六角形,尾部呈剑状,生活在浅海中。俗称鲎鱼。

鲎[2]（鱟）hòu 〈方〉〔名〕虹。

【鲎虫】hòuchóng 〔名〕节肢动物,身体扁平,像鲎,头胸部有甲壳,尾部呈叉状。生活在水田或池沼中。通称水鳖子。

【鲎鱼】hòuyú 〔名〕鲎的俗称。

鲘（鮜）hòu 鲘门(Hòumén),地名,在广东。

hū（ㄏㄨ）

乎[1] hū 〈书〉〔助〕❶ 表示疑问或反问,跟"吗"相同:王侯将相宁有种～? ❷ 表示选择的疑问,跟"呢"相同:然～? 否～? ❸ 表示揣度,跟"吧"相同:成败兴亡之机,其在斯～? ❹ 表示祈使,跟"吧"相同:长铗归来～!

乎[2] hū ❶ 动词后缀,作用跟"于"相同:在～|无须～|出～意料|合～规律|超～寻常。❷ 形容词或副词后缀:巍巍～|郁郁～|迥～不同|确～重要。

乎[3] hū 〈书〉〔助〕跟"啊"相同:天～!

戏（戲、戯）hū 见 1436 页[於戏]。另见 1461 页 xì。

恗[1]（幠）hū 〈方〉〔动〕覆盖:小苗让草～住了,赶快锄吧!

恗[2]（幠）hū 〈书〉❶ 宽大;大。❷ 傲慢;怠慢。

呼¹ hū ❶ 〔动〕生物体把体内的气体排出体外（跟"吸"相对）：～吸｜～出一口气。❷ 〔动〕大声喊：～声｜欢～｜～口号｜大声疾～。❸ 〔动〕叫；叫人来：直～其名｜一～百诺｜～之即来，挥之即去。❹（Hū）〔名〕姓。

呼² hū 〔拟声〕形容风声等：北风～～地吹。

【呼哱哱】hūbōbō〔名〕戴胜（鸟）的通称。

【呼哧】hūchī〔拟声〕形容喘息的声音：～～地喘着粗气。也作呼蚩。

【呼蚩】hūchī 同"呼哧"。

【呼风唤雨】hū fēng huàn yǔ 使刮风下雨，原指神仙道士的法力，现在比喻能够支配自然或左右某种局面。有时也比喻进行煽动性的活动。

【呼喊】hūhǎn〔动〕喊；嚷：大声～｜～口号。

【呼号】hūháo〔动〕因极端悲伤而哭叫；因处于困境需要援助而喊叫：仰天～｜奔走～。

【呼号】hūhào〔名〕❶ 无线电通信中使用的各种代号，有时专指广播电台的名称的字母代号。❷ 某些组织专用的口号，如中国少年先锋队的呼号是："准备着，为共产主义事业而奋斗！"

【呼唤】hūhuàn〔动〕❶ 召唤：祖国在～我们！❷ 呼喊：大声～。

【呼机】hūjī〔名〕寻呼机的简称。

【呼叫】hūjiào〔动〕❶ 电台上用呼号叫对方：勇敢号！勇敢号！我在～！｜船长！管理局在～我们。❷ 呼喊：高声～。

【呼救】hūjiù〔动〕呼叫求救：落水儿童大声～｜情况危急，赶快向总部～。

【呼啦】hūlā〔拟声〕形容旗帜飘动等的声音：红旗被风吹得～～地响。也作呼喇。也说呼啦啦。

【呼喇】hūlā 同"呼啦"。

【呼噜】hūlū〔拟声〕形容打鼾或吸食流质食物等发出的声音：他气管炎犯了，嗓子里～～地响。

【呼噜】hū·lu〈口〉〔名〕睡着由于呼吸受阻而发出的粗重的呼吸声；鼾声：打～。

【呼朋引类】hū péng yǐn lèi 招引同类的人，多指坏人结成一伙做坏事。

【呼扇】hū·shan〈口〉〔动〕❶（片状物）颤动：跳板太长，走在上面直～。❷ 用片状物扇风：他满头大汗，摘下草帽不停地

～。‖也作搧扇。

【呼哨】hūshào〔名〕把手指放在嘴里用力吹时，或物体迅速运动时，发出的尖锐的像哨子的声音：打～｜一声～。也作唿哨。

【呼声】hūshēng〔名〕❶ 呼喊的声音：～动天◇此次联赛，北京队夺冠～最高。❷ 指群众的意见和要求：倾听群众的～。

【呼台】hūtái〔名〕寻呼台的简称。

【呼天抢地】hū tiān qiāng dì 大声叫天，用头撞地，形容极度悲痛。

【呼吸】hūxī〔动〕❶ 生物体与外界进行气体交换。人和高等动物用肺呼吸，低等动物靠皮肤呼吸，植物通过表面的组织进行气体交换。❷〈书〉一呼一吸，比喻极短的时间：成败在～之间。

【呼吸道】hūxīdào〔名〕人和高等动物呼吸空气的通路，包括鼻腔、咽、喉、气管和支气管。

【呼吸相通】hūxī xiāng tōng 比喻思想一致，利害相关：～，患难与共。

【呼啸】hūxiào〔动〕发出高而长的声音：北风～｜炮弹从头顶上一而过。

【呼延】Hūyán〔名〕姓。

【呼幺喝六】hū yāo hè liù ❶ 掷色（shǎi）子时的喊声（幺、六是色子的点子），泛指赌博喧嚷哗声。❷〈方〉形容盛气凌人的样子。

【呼应】hūyìng〔动〕一呼一应，互相联系或照应：前后～｜遥相～。

【呼吁】hūyù〔动〕向个人或社会申述，请求援助或主持公道：奔走～｜～各界人士捐款赈济灾区。

【呼之欲出】hū zhī yù chū 指人像等画得逼真，似乎叫他一声他就会从画里走出来，泛指文学作品中人物的描写十分生动。

忽¹ hū ❶ 不注意；不重视：～略｜～视｜～疏～。❷（Hū）〔名〕姓。

忽² hū〔副〕忽而：天气～冷～热｜油灯被风吹得～明～暗。

忽³ hū〔量〕计量单位名称。a) 长度，10忽等于1丝。b) 质量或重量，10忽等于1丝。

【忽地】hūdì〔副〕忽然；突然：灯～灭了｜～下起雨来。

【忽而】hū'ér〔副〕忽然（大多同用在意义相对或相近的动词、形容词等前头）：～说，～笑｜湖上的歌声～高，～低。

【忽忽】hūhū 形 形容时间过得很快：岁月～，不觉又是一年。

【忽律】hūlǜ 同"㦎㥘"。

【忽略】hūlüè 动 没有注意到；疏忽：只追求数量，～了质量。

【忽米】hūmǐ 量 公制长度单位，1 忽米等于 1 米的十万分之一。俗称道或丝。

【忽然】hūrán 副 表示情况发生得迅速而又出乎意料；突然：他正要出去，～下起大雨来了。

【忽闪】hūshǎn 动 形容闪光：闪光弹～一亮，又一亮。

【忽闪】hū·shan 动 闪耀；闪动：小姑娘～着大眼睛看着妈妈。

【忽视】hūshì 动 不注意；不重视：不应该强调一方面而～另一方面｜安全生产，后果将不堪设想。

【忽悠】hū·you〈方〉动 晃动：旗杆叫风吹得直～｜渔船上的灯火～～的。

轷(軤) Hū 名 姓。

烀 hū 动 用少量的水，盖紧锅盖，加热，半蒸半煮，把食物弄熟：～白薯。

唿 hū 见下。

【唿扇】hū·shan 同"呼扇"。

【唿哨】hūshào 同"呼哨"。

㦎 hū [㦎㥘(hūlǜ)] 名 指鳄鱼(见于《水浒传》)。也作忽律。

㥘 hū [㥘浴(hū//yù)]〈方〉动 洗澡。

㥘 hū 见 603 页〖恍惚〗。

嘑 hū〈书〉同"呼"。

滹 hū 滹沱河(Hūtuó Hé)，水名，发源于山西，流入河北，与滏阳河会合后叫子牙河。

糊 hū 动 用较浓的糊状物涂抹缝子、窟窿或平面；用灰把墙缝～上｜往墙上～了一层泥。
另见 576 页 hú；580 页 hù。

hú （ㄏㄨˊ）

抇 hú〈书〉掘；挖。

囫 hú 见下。

【囫囵】húlún 形 完整；整个儿的：～觉｜～吞枣。

【囫囵觉】hú·lúnjiào 名 整夜不被惊醒的睡眠；整宿(xiǔ)的觉：她每天夜里起来给孩子喂奶，换尿布，没睡过一个～。

【囫囵吞枣】húlún tūn zǎo 把枣儿整个儿吞下去，比喻读书等不加分析地笼统接受。

和 hú 动 打麻将或斗纸牌时某一家的牌合乎规定的要求，取得胜利。
另见 550 页 hé；555 页 hè；617 页 huó；623 页 huò。

狐 hú 名 ❶ 哺乳动物，外形略像狼，面部较长，耳朵三角形，尾巴长，毛通常赤黄色。性狡猾多疑，昼伏夜出，吃野鼠、鸟类、家禽等。常见的有赤狐和沙狐。通称狐狸。❷(Hú)姓。

【狐步舞】húbùwǔ 名 现代舞的一种，源于英国，4/4 拍，舞曲抒情优雅。舞步流畅，步幅宽大，富于流动感。

【狐臭】(胡臭) húchòu 名 由于腋窝、阴部等部位的皮肤内汗腺分泌异常而产生的刺鼻臭味。

【狐假虎威】hú jiǎ hǔ wēi 狐狸假借老虎的威势吓跑百兽(见于《战国策·楚策一》)，比喻倚仗别人的势力来欺压人。

【狐狸】hú·li 名 狐的通称。

【狐狸精】hú·lijīng 名 指妖媚迷人的女子(骂人的话)。

【狐狸尾巴】hú·li wěi·ba 传说狐狸变成人形后，尾巴会经常露出来。后来用狐狸尾巴比喻终究要暴露出来的坏主意或坏行为。

【狐媚】húmèi 动 用媚态迷惑人。

【狐朋狗党】hú péng gǒu dǎng 狐群狗党。

【狐朋狗友】hú péng gǒu yǒu 比喻品行不端的朋友。

【狐欨】húqiān 名 毛皮业上指狐狸的胸腹部和腋下的毛皮。

【狐群狗党】hú qún gǒu dǎng 比喻勾结在一起的坏人。也说狐朋狗党。

【狐死首丘】hú sǐ shǒu qiū 古代传说狐狸如果死在外面，一定把头朝着它的洞穴(见于《礼记·檀弓上》)。比喻不忘本或怀念故乡。

【狐疑】húyí 励 怀疑①：满腹～|～不决。

弧 hú ❶ 名 圆周上任意两点间的部分。❷ 古代指弓：弦木为～(用弦绷在树枝上做成弓)。

【弧度】húdù 量 平面角的单位，符号 rad。圆心角所对的弧长和半径相等，这个角就是 1 弧度角，1 弧度约等于 57°17′44.8″。旧称弪(jìng)。

【弧光】húguāng 名 电弧所发出的光。非常明亮，带蓝紫色。

【弧光灯】húguāngdēng 名 用碳质电极产生的电弧做光源的照明用具。能发出极强的光。

胡¹ Hú ❶ 古代泛称北方和西方的民族：～人。❷ (hú)古代称来自北方和西方民族的(东西)，也泛指来自国外的(东西)：～琴|～桃|～椒。❸ 名 姓。

胡² hú 副 表示随意乱来：～闹|～说|～写一气。

胡³ hú〈书〉代 疑问代词。为什么；何故：～不归？

胡⁴(鬍) hú 胡子①：～须。

【胡扯】húchě 励 闲谈；瞎说：两个人～了一通|～，世上哪有这种事！

【胡臭】húchòu 见 574 页〖狐臭〗。

【胡吹】húchuī 胡乱夸口；吹牛。

【胡蝶】húdié 见 576 页〖蝴蝶〗。

【胡豆】húdòu 名 蚕豆。

【胡匪】húfěi〈方〉名 旧时称土匪。也叫胡子。

【胡蜂】húfēng 名 昆虫，头胸部褐色，有黄色斑纹，腹部深黄色，中间有黑褐色横纹。尾部有毒刺，能蜇人。以花蜜和虫类为食物。通称马蜂。

【胡搞】húgǎo 励 胡来；乱搞。

【胡话】húhuà 名 神志不清时说的话：烧得直说～。

【胡笳】hújiā 名 我国古代北方民族的一种乐器，类似笛子。

【胡椒】hújiāo 名 ❶ 常绿藤本植物，叶子卵形或长椭圆形，花黄色。果实小，球形，成熟时红色。未成熟果实干后果皮变黑，叫黑胡椒；成熟的果实去皮后色白，叫白胡椒。有辣味，是调味品，也可入药。❷ 这种植物的果实。

【胡搅】hújiǎo 励 ❶ 瞎捣乱；扰乱。❷ 狡辩；强辩。

【胡搅蛮缠】hú jiǎo mán chán 不讲道理，胡乱纠缠。

【胡来】húlái 励 ❶ 不按程序，任意乱做：既然不会，就别～。❷ 胡闹；胡作非为：放规矩些，不许～。

【胡噜】hú·lu〈方〉励 ❶ 抚摩：他的头碰疼了，你给他～～。❷ 用拂拭的动作把东西除去或归拢在一起：把瓜子皮儿～到簸箕里|把棋子都～到一堆儿。❸ 应付；办理：事太多了，一个人还真～不过来。

【胡乱】húluàn 副 ❶ 马虎；随便：～涂上几笔|～吃了两口就走了。❷ 任意；没有道理：他话还没听完，就～批评一气|粮食不能～糟蹋。

【胡萝卜】húluó·bo 名 ❶ 一年生或二年生草本植物，羽状复叶，开白色小花，果实长圆形。根圆锥形或圆柱形，肉质，有紫红、橘红、黄色等多种，是常见蔬菜。❷ 这种植物的根。

【胡闹】húnào 励 行动没有道理；无理取闹：任意～。

【胡琴】hú·qin（～儿）名 弦乐器，在竹弓上系马尾毛，放在两弦之间拉动。有京胡、二胡等。

【胡说】húshuō ❶ 励 瞎说：信口～。❷ 名 没有根据的或没有道理的话：这纯属～，不必理会。

【胡说八道】hú shuō bā dào 胡说①。

【胡思乱想】hú sī luàn xiǎng 没有根据或不切实际地瞎想。

【胡荽】húsuī 名 芫荽。

【胡桃】hútáo 名 核桃。

【胡同】(衚衕) hú·tòng（～儿）名 巷；小街道。注意 用作巷名时，"同"字轻声不儿化。

【胡涂】hú·tu 见 576 页〖糊涂〗。

【胡须】húxū 名 胡子①。

【胡言】húyán ❶ 励 胡说①：～乱语。❷ 名 胡话：一派～。

【胡诌】húzhōu 励 随口瞎编：顺嘴～|～一气。

【胡子】hú·zi 名 ❶ 嘴周围和连着鬓角长的毛。❷〈方〉胡匪。

【胡子拉碴】hú·zīlāchā（～的）形 状态词。形容满脸胡子未加修饰。

【胡作非为】hú zuò fēi wéi 不顾法纪或

舆论,任意行动。

壶(壺) hú 图❶ 陶瓷或金属等制成的容器,有嘴儿,有把儿或提梁,用来盛液体,从嘴儿往外倒:茶~|酒~|喷~。❷ (Hú)姓。

核 hú [核儿](húr)图 义同"核¹"(hé)①②,用于某些口语词,如"梨核儿、煤核儿、冰核儿"。
另见 553 页 hé。

斛 hú 图❶ 旧量器,方形,口小,底大,容量本为十斗,后来改为五斗。❷ (Hú)姓。
【斛律】Húlǜ 图 姓。

518 hú〈书〉❶ 掘。❷ 搅浑。

葫 Hú 图姓。
【葫芦】hú·lu 图❶ 一年生草本植物,茎蔓生,叶子心脏形,花白色。果实中间细,像两个球连在一起,表面光滑,嫩时可以吃,成熟后可做器皿,也供玩赏。❷ 这种植物的果实。

鹄(鵠) hú〈书〉天鹅。
另见 491 页 gǔ。
【鹄立】húlì〈书〉动 直立:瞻望~。
【鹄望】húwàng〈书〉动 直立而望,形容盼望等待。

猢 hú [猢狲](húsūn)〈方〉图 猴子,特指猕猴。

湖 hú ❶ 图 被陆地围着的大片积水:~泊|洞庭~。❷ (Hú)指浙江湖州:~笔|~绉。❸ (Hú)图 指湖南、湖北:两~。❹ (Hú)图 姓。
【湖笔】húbǐ 图 浙江湖州出产的毛笔,以制造精细著称。
【湖光山色】hú guāng shān sè 湖和山相映衬的秀丽景色。
【湖广】Húguǎng 图指湖北、湖南,原是明代省名。元代的湖广包括两广在内,明代把两广划出,但仍用旧名。
【湖蓝】húlán 形 淡蓝。
【湖绿】húlǜ 形 淡绿。
【湖泊】húpō 图 湖的总称。
【湖色】húsè 图 淡绿色。
【湖泽】húzé 图 湖泊和沼泽。
【湖绉】húzhòu 图 浙江湖州出产的有皱纹的丝织品。

瑚 hú 见 1187 页[珊瑚]。

煳 hú 动 食品经火变焦发黑;衣物等经火变黄、变黑:~锅巴|饭烧~了|衣服烤~了。

鹕(鶘) hú 见 1340 页[鹈鹕]。

嘝 hú 量 蒲式耳的旧称。

鹘(鶻) hú 图 隼(sǔn)的旧称。
另见 492 页 gǔ。

槲 hú 图 落叶乔木,叶子倒卵形,花黄褐色,结坚果,球形,木材坚硬。树皮可制栲胶。叶子和果实可入药。
【槲栎】húlì 图 落叶乔木,高近 30 米,叶子长椭圆形,边缘有波状的齿,背面有灰毛,壳斗杯形,果实长椭圆形。

蝴 hú 见下。
【蝴蝶】(胡蝶) húdié 图 昆虫,翅膀阔大,颜色美丽,静止时四翅竖立在背部,腹部瘦长。吸花蜜。种类很多,有的幼虫吃农作物,是害虫,有的幼虫吃蚜虫,是益虫。简称蝶。
【蝴蝶结】húdiéjié 图 形状像蝴蝶的结子。
【蝴蝶瓦】húdiéwǎ 图 小青瓦。

衚 hú 见 575 页[胡同](衚衕)。

糊¹ hú 动 用黏性物把纸、布等粘起来或粘在别的器物上:~信封|~墙|~顶棚|~风筝。

糊² hú 同"煳"。

糊³(餬) hú 图 粥类食品。
另见 574 页 hū;580 页 hù。
【糊糊】hú·hu (~儿)〈方〉图 用玉米面、面粉等熬成的粥:稀~|棒子~。
【糊口】húkǒu 动 勉强维持生活:养家~|摆小摊赚几个钱~。
【糊涂】(胡涂) hú·tu 形❶ 不明事理;对事物的认识模糊或混乱:他越解释,我越~。❷ 内容混乱的:~账|一塌~。❸〈方〉模糊。
【糊涂虫】hú·tuchóng 图 不明事理的人(骂人的话)。
【糊涂账】hú·tuzhàng 图 混乱不清的账

目：一笔～。

縠 hú 〈书〉有皱纹的纱。

醐 hú 见1341页〔醍醐〕。

轂 hú 〔觳觫〕(húsù)〈书〉动 因恐惧而发抖。

hǔ（ㄏㄨˇ）

虎[1] hǔ ❶ 名 哺乳动物，头大而圆，毛黄色，有黑色横纹。听觉和嗅觉都很敏锐，性凶猛，力气大，善游泳，不善爬树，夜里出来捕食鸟兽。通称老虎。❷ 比喻勇猛威武：～将|～～有生气。❸〈方〉动 露出凶相：～起脸。❹ (Hǔ)名姓。

虎[2] hǔ 同"唬"。
另见579页hù。

【虎背熊腰】hǔ bèi xióng yāo 形容人的身体魁梧强壮。

【虎贲】hǔbēn 名 古代指勇士；武士。

【虎彪彪】hǔbiāobiāo (～的)形 状态词。形容壮实而威风：～的小伙子。

【虎步】hǔbù ❶ 名 矫健威武的脚步：迈着～，噔噔噔地走上台来。❷〈书〉动 形容举止威武，指称雄于一方：～关中。

【虎伏】hǔfú 名 滚轮的旧称。

【虎符】hǔfú 名 古代调兵用的凭证，用铜铸成虎形，分两半，右半存朝廷，左半给统兵将帅。调动军队时须持符验证。

【虎将】hǔjiàng 名 勇猛善战的将领。

【虎劲】hǔjìn (～儿)名 勇猛的劲头儿：他干起活来真有股子～儿。

【虎踞龙盘】hǔ jù lóng pán 像虎蹲着，像龙盘着，形容地势险要。也作虎踞龙蟠，也说龙盘虎踞。

【虎踞龙蟠】hǔ jù lóng pán 同"虎踞龙盘"。

【虎口】[1] hǔkǒu 名 比喻危险的境地：～脱险|逃离～。

【虎口】[2] hǔkǒu 名 大拇指和食指相连的部分。

【虎口拔牙】hǔ kǒu bá yá 比喻做十分危险的事。

【虎口余生】hǔ kǒu yú shēng 比喻经历大难而侥幸保全生命。

【虎狼】hǔláng 名 比喻凶狠残暴的人：～之辈。

【虎魄】hǔpò 见577页〔琥珀〕。

【虎气】hǔ·qì 形 形容有气势：小伙子方脸大眼，瞧着挺～。

【虎钳】hǔqián 名 老虎钳①。

【虎生生】hǔshēngshēng (～的)形 状态词。形容威武而有生气：～的大眼睛|他看着这群～的年轻人，心里特别高兴。

【虎实】hǔ·shi 同"虎势"。

【虎势】hǔ·shi〈方〉形 形容健壮：这小伙子膀大腰粗的，长得真～。也作虎实。

【虎视】hǔshì 动 ❶ 贪婪而凶狠地注视：～眈眈。❷ 威严地注视：战士们～着山下的敌人，抑制不住满腔怒火。

【虎视眈眈】hǔ shì dān dān 形容贪婪而凶狠地注视。

【虎头虎脑】hǔ tóu hǔ nǎo 形容健壮憨厚的样子(多指男孩儿)：小家伙儿～的，非常可爱。

【虎头蛇尾】hǔ tóu shé wěi 比喻做事有始无终，起初声势很大，后来劲头很小。

【虎威】hǔwēi 名 指武将的威风，也指武勇的气概。

【虎穴】hǔxué 名 老虎的窝，比喻危险的境地：龙潭～|不入～，焉得虎子？

【虎穴龙潭】hǔ xué lóng tán 见880页〖龙潭虎穴〗。

【虎牙】hǔyá〈口〉名 突出的尖牙。

【虎跃龙腾】hǔ yuè lóng téng 见880页〖龙腾虎跃〗。

浒(滸) hǔ〈书〉水边。
另见1538页xǔ。

唬 hǔ〈口〉动 虚张声势，夸大事实来吓人或蒙混人：～人|差一点儿叫他～住了。
另见1471页xià。

琥 hǔ 〔琥珀〕(虎魄)(hǔpò)名 古代松柏树脂的化石，成分是 $C_{10}H_{16}O$。淡黄色、褐色或红褐色的固体，质脆，燃烧时有香气，摩擦时生电。用来制造琥珀酸和各种漆，也可做装饰品，可入药。

hù（ㄏㄨˋ）

互 hù ❶ 副 互相：～访|～通|～不干涉|～敬～爱。**注意**"互"一般直接修

饰单音节动词,修饰双音节动词只用于否定式。❷ (Hù)【名】姓。

【互补】hùbǔ【动】❶ 互为补角。❷ 互相补充:沿海和内地互通有无,～有利。

【互动】hùdòng【动】互相作用;互相影响:良性～|形成～效应。

【互访】hùfǎng【动】互相访问;互相走访。

【互感】hùgǎn【动】由于电路中电流的变化,而在邻近的另一电路中产生感应电动势。

【互换】hùhuàn【动】互相交换:～信物|～种子。

【互惠】hùhuì【动】互相给予好处:平等～|～待遇|～关税。

【互见】hùjiàn【动】❶(两处或几处的文字)相互说明补充。❷(两者)都有;同时存在:瑕瑜～。

【互利】hùlì【动】互相有利:平等～。

【互联网】hùliánwǎng【名】指由若干计算机网络相互连接而成的网络。[英 internet]

【互谅】hùliàng【动】彼此谅解:～互让。

【互让】hùràng【动】彼此谦让:同学之间要～。

【互溶】hùróng【动】一般指两种液体(如水和酒精)能以任何比例互相溶解。

【互生】hùshēng【动】叶序的一种,茎的每个节上只长一个叶子,相邻的两个叶子长在相对的两侧,如杨树、桃树等的叶子。

【互通】hùtōng【动】互相沟通、交换:～消息|～有无。

【互相】hùxiāng【副】表示彼此同样对待的关系:～尊重|～帮助|～支持。

【互训】hùxùn【动】(两处或几处的文字)相互注释。

【互余】hùyú【动】互为余角。

【互质】hùzhì【动】两个正整数只有公约数 1 时,它们的关系叫做互质。如 3 和 11 互质。

【互助】hùzhù【动】互相帮助:～合作|～小组。

 户 hù ❶【名】门:门～|夜不闭～。❷【名】人家;住户:～籍|专业～。❸门第:门当～对。❹户头:存～|账～|开～。❺【量】用于家庭:全村有好几百～人家。❻(Hù)【名】姓。

【户籍】hùjí【名】户籍管理机关以户为单位登记本地区内居民的册子,转指作为本地区居民的身份。

【户籍警察】hùjí jǐngchá 负责户籍登记和管理工作的民事警察。简称户籍警。

【户均】hùjūn【动】按每户平均计算:～年收入五万元。

【户口】hùkǒu【名】❶ 住户和人口,例如旧时称某一地有若干户,若干口。❷ 户籍:报～|迁～。

【户口本儿】hùkǒuběnr【名】户口簿。

【户口簿】hùkǒubù【名】记载住户成员的姓名、籍贯、年龄、职业等内容的册子。也叫户口本儿。

【户枢不蠹】hù shū bù dù 门的转轴不会被虫蛀蚀,比喻经常运动着的东西不易被腐蚀:流水不腐,～。

【户头】hùtóu【名】会计部门称账册上有账务关系的个人或团体:开～|这个～很久没有来提款了。

【户限】hùxiàn〈书〉【名】门槛(kǎn):～为穿(形容进出的人很多)。

【户型】hùxíng【名】房屋(多指单元房)内部格局的类型,如朝向、房间数量等。也叫房型。

【户牖】hùyǒu〈书〉【名】门窗;门户①。

【户政】hùzhèng【名】有关户口的登记、管理等方面的行政事务。

【户主】hùzhǔ【名】户籍上一户的负责人。

沍(沍) hù〈书〉❶冻:～寒。❷闭塞。

护(護) hù ❶保护;保卫:爱～|～路|～航|～林。❷【动】袒护;包庇:～短|官官相～|爸爸总是～着弟弟。

【护壁】hùbì【名】墙裙。

【护兵】hùbīng【名】随从官吏的卫兵。

【护城河】hùchénghé【名】人工挖掘的围绕城墙的河,古代为防守用。

【护持】hùchí【动】❶保护维持:交通要道要派专人～。❷爱护照料:她像姐姐似的～我。

【护从】hùcóng ❶【动】跟随保卫。❷【名】跟随保卫的人。

【护犊子】hù dú·zi〈方〉比喻袒护自己的孩子(含贬义)。

【护短】hù//duǎn【动】为自己(或与自己有关的人)的缺点或过失辩护:孩子有了错误,做家长的不应～。

【护耳】hù'ěr 图 保护耳朵使不受冻的用品。

【护法】hùfǎ ❶ 圆 卫护佛法。❷ 图 卫护佛法的人,后来指施舍财物给寺庙的人。❸ 圆 卫护国法。

【护封】hùfēng 图 包在图书外面的纸,一般印着书名或图案,有保护和装饰的作用。

【护工】hùgōng 图 受雇承担住院病人生活护理工作的人员。

【护航】hùháng 圆 护送船只或飞机航行:~舰|专机有战斗机~◇为改革开放保驾~。

【护驾】hùjià 圆 保驾。

【护栏】hùlán 图 ❶ 设置在路边或人行道与车道之间的铁栅栏。❷ 起保护作用的栏杆:草地周围有~。

【护理】hùlǐ 圆 ❶ 配合医生治疗,观察和了解病人的病情,并照料病人的饮食起居等:~病人。❷ 保护管理,使不受损害:~林木|精心~小麦越冬。

【护林】hùlín 圆 保护森林:~防火。

【护领】hùlǐng 图 衬领。

【护坡】hùpō 图 河岸或路旁用石块、水泥等筑成的斜坡,用来防止河流或雨水冲刷。

【护身符】hùshēnfú 图 ❶ 道士或巫师等所画的符或念过咒的物件,迷信的人认为随身佩带,可以驱邪免灾。❷ 比喻保护自己、借以避免困难或惩罚的人或事物。

【护士】hù·shi 图 医疗机构中担任护理工作的人员。

【护送】hùsòng 圆 陪同前往使免遭意外(多指用武装保护):~伤员|~粮草|~出境。

【护腿】hùtuǐ 图 保护小腿的用品。

【护卫】hùwèi ❶ 圆 保护;保卫。❷ 图 执行卫护任务的武装人员。

【护卫舰】hùwèijiàn 图 以导弹、火炮和反潜武器为主要装备的轻型军舰。用于护航、反潜、巡逻、布雷、支援部队登陆等。

【护卫艇】hùwèitǐng 图 以火炮为主要装备的小型舰艇。也叫炮艇。

【护膝】hùxī 图 保护膝部的用品。

【护养】hùyǎng 圆 ❶ 护理培育:~秧苗|精心~子猪。❷ 养护:~公路。

【护佑】hùyòu 圆 保护;保佑:~一方。

【护照】hùzhào 图 ❶ 国家主管机关发给出国执行任务、旅行或在国外居住的本国公民的证件,证明其国籍和身份。❷ 旧时因出差、旅行或运输货物向主管机关领取的凭证。

沪(滬) Hù 图 上海的别称:~剧|京~铁路。

【沪剧】hùjù 图 上海的地方戏曲剧种,由上海滩簧发展而成。

枑 hù 见 75 页[桦枑]。

虎 hù [虎不拉](hù·bulǎ)〈方〉图 伯劳(鸟)。
另见 577 页 hǔ。

岵 hù 〈书〉多草木的山。

怙 hù 〈书〉依靠:失~(指死了父亲)。

【怙恶不悛】hù è bù quān 坚持作恶,不肯悔改。

【怙恃】hùshì 〈书〉❶ 圆 依仗;凭借。❷ 图《诗经·小雅·蓼莪》:"无父何怙,无母何恃。"后来用"怙恃"为父母的代称:少失~。

㕏 hù ❶ 㕏斗,泛指汲水灌田的农具:风~。❷ 圆 汲(水灌田):~水机|~水抗旱。

【㕏斗】hùdǒu 图 汲水灌田的旧式农具,形状略像斗,两边有绳,两人引绳,提斗汲水。

祜 hù 〈书〉福。

笏 hù 古代君臣在朝廷上相见时手中所拿的狭长板子,用玉、象牙或竹片制成,上面可以记事。

瓠 hù 图 瓠瓜。

【瓠瓜】hùguā 图 ❶ 一年生草本植物,茎蔓生,叶心脏形,花白色。果实细长,圆筒形,表皮淡绿色,果肉白色,嫩时可做蔬菜。❷ 这种植物的果实。‖ 也叫瓠子,有的地区叫蒲瓜。

【瓠果】hùguǒ 图 指肉果中属于瓜类的果实,由子房和花托一起发育而成,如西瓜、黄瓜、南瓜等。

【瓠子】hù·zi 图 瓠瓜。

扈 hù ❶〈书〉随从:~从。❷ (Hù)图 姓。

【扈从】hùcóng 〈书〉❶ 名 帝王或官吏的随从。❷ 动 随从;跟随:随驾~|~大帅西征。

楛 hù 古书上指荆一类的植物,茎可制箭杆。
另见 789 页 kǔ。

鄠 Hù 鄠县,地名,在陕西。今作户县。

糊 hù 样子像粥的食物:面~|芝麻~|辣椒~。
另见 574 页 hū;576 页 hú。

【糊弄】hù·nong 〈方〉动 ❶ 欺骗;蒙混:说老实话,别~人。❷ 将就:衣服旧了些,~着穿吧。

【糊弄局】hù·nongjú (~儿)〈方〉名 敷衍蒙混的事情:他马马虎虎拾掇一下就走了,这不是~吗?

鹱(鸌) hù 名 鸟,身体大,嘴的尖端略呈钩状,趾间有蹼。会游泳和潜水,生活在海岸边,吃鱼类和软体动物等。种类很多,常见的有白额鹱。

鳠(鳠) hù 名 鱼,身体细长,灰褐色,有黑色小点,无鳞,口部有四对须。生活在淡水中。

huā（ㄏㄨㄚ）

化 huā 同"花²"。
另见 587 页 huà。

【化子】huā·zi 同"花子"。

花¹ huā ❶ (~儿) 名 种子植物的有性繁殖器官,由花瓣、花萼、花托、花蕊组成,有各种颜色,有的长得很艳丽,有香味:一朵~儿。❷ (~儿) 名 可供观赏的植物:~木|~盆儿|~儿匠|种~儿。❸ (~儿) 形状像花朵的东西:灯~儿|火~|雪~儿。❹ 名 烟火的一种,以黑色火药加其他化学物质制成,在夜间燃放,能喷出许多火花,供人观赏:~炮|礼~|放~。❺ (~儿) 名 花纹:白地蓝~儿|这被面儿太素。❻ 形 颜色或种类错杂的:~白|~猫|~绿绿。❼ 形 (眼睛)模糊迷乱:眼~|昏~。❽〈方〉形 衣服磨损或要破没破的样子:袖子都磨~了。❾ 用来迷惑人的;不真实或不真诚的:~招儿|~账|~言巧语。❿ 名 比喻事业的精华:文艺之~|革命之~。

⓫ 比喻年轻漂亮的女子:校~|交际~。⓬ 指妓女:~魁|街柳巷|寻~问柳。⓭ 名 指棉花:轧~|弹~|~纱布。⓮ (~儿) 指某些小的像花的东西:泪~儿|油~儿|葱~儿。⓯〈方〉指某些幼小动物:蚕~|鱼~。⓰ (~儿) 名 天花:出过~儿了。⓱ 名 作战时受的外伤:挂了两次~。⓲ (Huā) 名 姓。

花

花² huā 动 用;耗费:~费|~钱|~时间|该~的~,该省的省。

【花把势】huābǎ·shi 名 指有经验的花农或花儿匠;泛指擅长种花的人。

【花白】huābái 形 状态词。(须发)黑白混杂:~胡须|才四十岁的人头发都~了。

【花瓣】huābàn 名 花冠的组成部分之一,构造和叶子相似,但细胞里含有各种不同的色素,所以有各种不同的颜色。(图见"花")

【花苞】huābāo 名 苞¹。

【花边】huābiān (~儿) 名 ❶ 带花纹的边缘:瓶口上有一道蓝色的~。❷ 手工艺品,编织或刺绣成各种花样的带子,通常用作衣服的镶边。❸ 报纸、刊物等上面的文字图画的花纹边框。

【花不棱登】huā·bulēngdēng (~的)〈口〉形 状态词。形容颜色错杂(含厌恶意):这件衣服~的,我不喜欢。

【花菜】huācài 〈方〉名 花椰菜。

【花草】huācǎo 名 指供观赏的花和草。

【花插】huāchā 名 ❶ 插花用的底座,一般放在浅口的水盆里。❷ 供插花的各种形状的瓶子。

【花插着】huā·chā·zhe 〈口〉副 交叉;交错:大人、孩子~坐在树荫下听评书。

【花茶】huāchá 〔名〕用茉莉花、白兰、桂花等鲜花熏制的绿茶。也叫香片。

【花车】huāchē 〔名〕举行喜庆典礼或迎接贵宾时特别装饰的汽车、火车或马车。

【花池子】huāchí·zi 〔名〕庭园中四周矮栏围绕、中间种植花草的地方。

【花丛】huācóng 〔名〕丛生在一起的花：蝴蝶在～中飞来飞去。

【花搭着】huā·dā·zhe 〔口〕〔副〕种类或质量不同的东西错综搭配：细粮粗粮～吃。

【花旦】huādàn 〔名〕戏曲中旦角的一种，扮演性格活泼或放荡泼辣的年轻女子。

【花灯】huādēng 〔名〕用花彩装饰的灯，特指元宵节供观赏的灯：闹～｜看～。

【花灯戏】huādēngxì 〔名〕流行于云南、四川等地的地方戏，由民间玩耍花灯的歌舞发展而成，跟花鼓戏相近。

【花点子】huādiǎn·zi 〔名〕❶欺骗人的狡猾手段、计策等。❷不切实际的主意。

【花雕】huādiāo 〔名〕上等的绍兴黄酒，因装在雕花的坛子里而得名。

【花朵】huāduǒ 〔名〕花[1]①（总称）：这株牡丹的～特别大◇儿童是祖国的～。

【花萼】huā'è 〔名〕花的组成部分之一，由若干萼片组成，包在花瓣外面，花开时托着花冠。

【花儿】huā'ér 〔名〕甘肃、青海、宁夏一带流行的一种民间歌曲。

【花房】huāfáng 〔名〕养花草的温室。

【花费】huāfèi 〔动〕因使用而消耗掉：～金钱｜～时间｜～心血。

【花费】huā·fei 〔名〕消耗的钱：这次搬家要不少～。

【花粉】huāfěn 〔名〕花药里的粉粒，多是黄色的，也有青色或黑色的。每个粉粒里都有一个生殖细胞。

【花岗石】huāgāngshí 〔名〕花岗岩的通称。

【花岗岩】huāgāngyán 〔名〕火成岩的一种，在地壳上分布最广，是岩浆在地壳深处逐渐冷却凝结成的结晶岩体，主要成分是石英、长石和云母。通常黄色略带粉红也有灰白色的。质地坚硬，色泽美丽，是很好的建筑材料。通称花岗石。

【花岗岩脑袋】huāgāngyán nǎo·dai 比喻顽固不化的脑筋。

【花梗】huāgěng 〔名〕花的柄，是茎的分枝，构造和茎相同。（图见"花"）

【花骨朵】huāgū·duo 〔名〕花蕾的通称。

【花鼓】huāgǔ 〔名〕一种民间舞蹈，一般由男女两人对舞，一人敲小锣，一人打小鼓，边敲打、边歌舞。

【花鼓戏】huāgǔxì 〔名〕流行于湖北、湖南、安徽等省的地方戏曲剧种，由民间歌舞花鼓发展而成。

【花冠】huāguān [1] 〔名〕花的组成部分之一，由若干花瓣组成。双子叶植物的花冠一般可分为合瓣花冠和离瓣花冠两大类。

【花冠】huāguān [2] 〔名〕旧时妇女出嫁时戴的装饰华丽的帽子。

【花棍舞】huāgùnwǔ 〔名〕见 22 页〖霸王鞭〗。

【花好月圆】huā hǎo yuè yuán 比喻美好团聚（多用作新婚的颂词）。

【花和尚】huāhé·shang 〔名〕指不守戒规（如喝酒、吃肉等)的和尚。

【花红】huāhóng [1] 〔名〕❶落叶小乔木，叶子卵形或椭圆形，花粉红色。果实球形，像苹果而小，黄绿色带微红，是常见的水果。❷这种植物的果实。‖也叫林檎或沙果。

【花红】huāhóng [2] 〔名〕❶指有关婚姻等喜庆事的礼物：～彩礼。❷红利。

【花红柳绿】huā hóng liǔ lǜ ❶形容春天花木繁茂艳丽的景色。❷形容颜色鲜艳多彩：姑娘们一个个打扮得～。

【花花肠子】huā·hua-cháng·zi 〔方〕比喻狡猾的心计：那家伙～可多了。

【花花搭搭】huā·huadādā 〔～的〕〔口〕〔形〕状态词。❶花搭着：米饭、面食～地换着样儿吃。❷形容大小、疏密不一致：天气虽然还冷，树上已经～地开了些花儿｜地太干，高粱苗出得～的。

【花花公子】huāhuā-gōngzǐ 指富贵人家中不务正业，只知吃喝玩乐的子弟。

【花花绿绿】huāhuālǜlǜ 〔～的〕〔形〕状态词。形容颜色鲜艳多彩：墙上贴着～的年画｜姑娘们穿得～的，在广场上跳舞。

【花花世界】huāhuā-shìjiè 指繁华地区或灯红酒绿、寻欢作乐的场所，也指人世间（含贬义）。

【花环】huāhuán 〔名〕用鲜花或纸花扎成的环状物，多用来表演舞蹈、迎接贵宾等。

【花卉】huāhuì 〔名〕❶花草。❷以花草为题材的中国画。

【花会】huāhuì 名❶ 一种民间体育和文艺活动，多在春节期间举行，节目有高跷、狮子舞、龙灯、旱船、中幡等等。❷ 花卉展销大会。有的地方在花会期间同时进行土特产展览交易，有的还演出民间戏曲，表演民间武术等。

【花季】huājì 名 比喻人十五至十八岁青春期前后的年龄段：～少女|～少年。

【花鲫鱼】huājìyú 〈方〉名 鳜鱼。

【花甲】huājiǎ 名 指人六十岁（用干支纪年，错综搭配，六十年周而复始）：～之年|年逾～。

【花架】huājià 名 专用来摆放盆花的架子。

【花架子】huājià·zi 名❶ 指花哨而不实用的武术动作。❷ 比喻外表好看但缺少实用价值的东西，也指形式主义的做法：工作要讲实效，不要做表面文章、摆～。

【花椒】huājiāo 名❶ 落叶灌木或小乔木，枝上有刺，羽状复叶。果实球形，暗红色，种子黑色，可以做调味的香料，也可入药。❷ 这种植物的果实或种子。

【花轿】huājiào 名 结婚时新娘所坐的装饰华丽的轿子。

【花街柳巷】huā jiē liǔ xiàng 指妓院较集中的地方。

【花茎】huājīng 名 花轴。

【花境】huājìng 名 将各种花卉仿照自然生态种植在一起形成的带状花坛，通常以绿篱、矮墙或建筑物为背景。

【花镜】huājìng 名 矫正花眼用的眼镜，镜片是凸透镜。

【花卷】huājuǎn （～儿）名 一种蒸熟吃的面食，多卷成螺旋状。

【花魁】huākuí 名 百花的魁首，多指梅花，旧时也比喻有名的妓女。

【花篮】huālán （～儿）名❶ 装着鲜花的篮子，祝贺时用作礼物，有时吊丧、祭奠也用。❷ 装饰美丽的或编制有图案的篮儿。

【花蕾】huālěi 名 没有开放的花。通称花骨朵。（图见"花"）

【花梨木】huālímù 名 花榈木。

【花里胡哨】huā·lihúshào （～的）〈口〉形 状态词。❶ 形容颜色过分鲜艳繁杂（含厌恶意）：穿得～的。❷ 比喻浮华而不实在。

【花脸】huāliǎn 名 净²的通称。因必须勾脸谱而得名，有铜锤、黑头、架子花等区别。

【花蔺】huālìn 名 多年生草本植物，生在水中，根状茎横生，叶三棱状条形，上部伸出水面，花淡红色。叶子可编织凉帽，根状茎可以吃。也叫莕菜。

【花翎】huālíng 名 清代官吏礼帽上的孔雀翎，根据品级不同有单眼、双眼、三眼的区别（眼：孔雀翎端的圆形纹理）。

【花令】huālìng 名 植物开花的季节：养蜂必须随着～迁移蜂箱。

【花柳病】huāliǔbìng 名 性病。

【花露水】huālùshuǐ 名 一种日用化学制品，由稀酒精加香料等制成，用来祛痱止痒、去除异味等。

【花榈木】huālúmù 名❶ 常绿乔木，叶子椭圆形，花黄白色，种子红色。木材坚硬，花纹美丽，用来制上等家具等。❷ 这种植物的木材。‖ 也叫花梨木。

【花蜜】huāmì 名❶ 花朵分泌出来的甜汁，能引诱蜂蝶等昆虫来传播花粉。❷ 指蜂蜜。

【花面狸】huāmiànlí 名 哺乳动物，身体比家猫细长，毛棕灰色，头部、四肢和尾尖棕黑色，鼻端和眼部有白纹，耳部有白色环纹。生活在山林中，吃果实、谷物、小鸟等。也叫果子狸。

【花名册】huāmíngcè 名 人员名册。

【花木】huāmù 名 供观赏的花和树木。

【花呢】huāní 名 指表面起条、格、点等花纹的一类毛织品。

【花鸟】huāniǎo 名 以花、鸟为题材的中国画。

【花农】huānóng 名 以种植花木为主的农民。

【花炮】huāpào 名 烟火和爆竹。

【花瓶】huāpíng （～儿）名 插花用的瓶子。放在室内，做装饰品。

【花圃】huāpǔ 名 栽培花草等的园地。

【花期】huāqī 名❶ 植物开花的时间：蜡梅的～在冬季。❷ 植物开花持续的时间：凤仙花的～长达四五十天。

【花旗】huāqí 名 指美国，由美国国旗的形象得名。

【花扦儿】huāqiānr 名 连枝折下来的鲜花或人工制成的绢花、纸花。

【花前月下】huā qián yuè xià 花丛前、月

光下,指环境美好,适于男女幽会、谈情说爱的地方。

【花枪】huāqiāng 名❶ 旧式兵器,像矛而较短。❷ 花招②:耍~。

【花腔】huāqiāng 名❶ 有意把歌曲或戏曲的基本腔调复杂化、曲折化的唱法。❷ 比喻花言巧语:耍~。

【花墙】huāqiáng 名上半段砌成镂空花样的墙。

【花圈】huāquān 名用鲜花或纸花等扎成的圆形的祭奠物品:献~。

【花拳绣腿】huā quán xiù tuǐ 指姿势好看而搏斗时用处不大的拳术。

【花儿洞子】huārdòng·zi 名一半在地面以下的养花的温室。

【花儿匠】huārjiàng 名❶ 以种花为业的人。❷ 制作花扦儿的人。

【花儿样子】huāryàng·zi 名绣花用的底样。

【花儿针】huārzhēn 名绣花用的细针。

【花容月貌】huā róng yuè mào 形容女子美丽的容貌。

【花蕊】huāruǐ 名花的雄蕊和雌蕊的统称。

【花色】huāsè 名❶ 花纹和颜色:这布的~很好看。❷ 同一品种的物品从外表上区分的种类:~品种|灯具~繁多。

【花纱布】huāshābù 名棉花、棉纱、棉布的合称。

【花哨】huā·shao 形❶ 颜色鲜艳多彩(指装饰):穿着过于~。❷ 花样多;变化多:鼓点子敲得又响亮又~|电视上的广告越来越~。

【花生】huāshēng 名落花生。

【花生饼】huāshēngbǐng 名花生榨油后剩下的渣滓,成饼状,用作饲料和肥料。

【花生豆儿】huāshēngdòur 名花生米。

【花生酱】huāshēngjiàng 名把花生米炒熟、磨碎制成的糊状食品。

【花生米】huāshēngmǐ 名落花生的果实去壳后剩下的种子。供食用,可以榨油。也叫花生仁儿、花生豆儿。

【花生仁儿】huāshēngrénr 名花生米。

【花生油】huāshēngyóu 名用花生米榨的油,主要供食用。

【花市】huāshì 名集中出售花卉的市场。

【花事】huāshì 名指花卉开花的情况:~

已过|当年,~最盛的去处就数西山了。

【花饰】huāshì 名装饰性的花纹。

【花束】huāshù 名成束的花。

【花说柳说】huā shuō liǔ shuō 〈方〉说虚假而动听的话。

【花丝】huāsī 名雄蕊的下部,多为丝状,作用是支撑花药。(图见"花")

【花坛】huātán 名种植花卉的土台子,四周用矮墙,或堆成梯田形式,边缘砌砖石,用来点缀庭园等。

【花天酒地】huā tiān jiǔ dì 形容沉湎于吃喝嫖赌的荒淫腐化生活。

【花厅】huātīng 名某些住宅中大厅以外的客厅,多盖在跨院或花园中。

【花头】huā·tou 〈方〉名❶ 花纹。❷ 花招:出~。❸ 新奇的主意或办法:这些人里面就数他~最多。❹ 奥妙的地方:这种游戏看起来简单,里面的~还真不少。

【花团锦簇】huā tuán jǐn cù 形容五彩缤纷、十分华丽的形象。

【花托】huātuō 名花的组成部分之一,是花梗顶端长花的部分。有些植物的果实是由花托发育而成的,如苹果和梨。(图见"花")

【花纹】huāwén (~儿)名各种条纹和图形:贝壳上面有绿色的~|他能织各种~的席子。

【花线】huāxiàn 名❶ 电线的一种,由许多根很细的金属丝合为一股,用绝缘材料套起来后,再将两股(或三股)拧在一起,外面多包着有彩色花纹的绝缘层。通常用作没有固定位置的用电设备(如台灯、电熨斗等)的电源线。也叫软线。❷ 绣花用的彩色丝线或棉线。

【花项】huā·xiàng 〈方〉名花钱的项目:没有什么~,要不了这么多的钱。

【花消】huā·xiao 同"花销"。

【花销】huā·xiao 〈口〉❶ 动 花费(钱):他的工资也就只够他一个人~的。❷ 名开支的费用:人口多,~也就大些。❸ 名旧时称买卖产业或商品时的佣金或捐税。‖ 也作花消。

【花心】huāxīn ❶ 名指爱情上不专一的感情(多指男性):婚后不久,丈夫就起了~。❷ 形指爱情上不专一:~丈夫。

【花信】huāxìn 名指花期。

【花序】huāxù 名花在花轴上排列的方

式,分有限花序和无限花序两大类,前者如聚伞花序,后者如总状花序、穗状花序、伞形花序。

【花絮】huāxù 图 比喻各种有趣的零碎新闻(多用于新闻报道的标题):大会~|赛场~。

【花押】huāyā 图 旧时公文契约上的草书签名:画~。

【花言巧语】huā yán qiǎo yǔ ❶ 指虚假而动听的话:他的那套~,我早有领教。❷ 说虚假而动听的话:他整天~,变着法儿骗人。

【花眼】huāyǎn 图 老视的通称。

【花样】huāyàng (~儿)图 ❶ 花纹的式样,泛指各种式样或种类:~繁多|翻新。❷ 绣花用的底样,多用纸剪成或刻成。❸ 花招:玩~|这又是他闹的什么新~。

【花样刀】huāyàngdāo 图 冰刀的一种,装在花样滑冰冰鞋的底下,刀口中间有槽,头部弯曲有齿,尾部直而较短。

【花样滑冰】huāyàng huábīng 冰上运动项目之一。运动员穿花样冰刀鞋,在冰面上表演各种技巧和舞蹈动作。分单人、双人、冰上舞蹈等项。

【花样滑雪】huāyàng huáxuě 滑雪运动项目之一。分为雪上芭蕾、雪上技巧、空中技巧等项。

【花样游泳】huāyàng yóuyǒng 游泳运动项目之一。分为单人、双人、集体等项。每项包括规定动作、技术自选动作、自由自选动作。按照得分总和决定名次。也叫水上芭蕾。

【花椰菜】huāyēcài 图 一年生或二年生草本植物,叶子主长。花呈半球状,黄白色,是常见蔬菜。通称菜花,有的地区叫花菜。

【花园】huāyuán (~儿)图 种植花木供游玩休息的场所。也叫花园子。

【花展】huāzhǎn 图 花卉展览:牡丹~。

【花账】huāzhàng 图 浮报的账目:开~。

【花障】huāzhàng (~儿)图 有花草攀附的篱笆。

【花招】(花着)huāzhāo (~儿)图 ❶ 姿势好看而不实用的武术动作,泛指巧妙的陪衬手法。❷ 欺骗人的狡猾手段、计策等:耍~|玩弄~。

【花朝】huāzhāo 图 农历二月十二日(也有人说是二月初二或二月十五日),相传为百花生日,所以叫花朝。

【花枝招展】huāzhī zhāozhǎn 形容妇女打扮得十分艳丽。

【花轴】huāzhóu 图 生长花的茎。也叫花茎。

【花烛】huāzhú 图 旧式结婚新房里点的蜡烛,上面多用龙凤图案等做装饰:洞房~|~夫妻(旧时指正式结婚的夫妻)。

【花柱】huāzhù 图 雌蕊的一部分,在子房和柱头之间,形状像细长的管。(图见"花")

【花砖】huāzhuān 图 表面光洁,有彩色花纹的砖,主要用来墁地。

【花子】huā·zi 图 乞丐。也作化子。

【花子儿】huāzǐr 图 ❶ 花草的种子。❷〈方〉指棉花的种子。

耆 huā 拟声 形容迅速动作的声音:乌鸦~的一声从树上飞了起来。
另见 1535 页 xū。

哗(嘩) huā 拟声 形容撞击、水流的声音:铁门~的一声拉上了|流水~~地响。
另见 586 页 huá。

【哗啦】huālā 拟声 形容撞击、水流等的声音:~一声,墙倒了|雨~~地下。也说哗啦啦。

huá (ㄏㄨㄚˊ)

划[1] huá 动 拨水前进:~船|~桨。

划[2] huá 合算:~得来|~不来|~得着|~不着。

划[3](劃) huá 动 用尖锐的东西把别的东西分开或在表面上刻过去、擦过去:~玻璃|~根火柴|手上~了一个口子。
另见 588 页 huà;592 页·huai。

【划不来】huá·bulái 形 不合算;不值得:为这点儿小事跑那么远的路~。

【划得来】huá·delái 形 合算;值得:花这么点儿钱,解决那么多问题,~!

【划拉】huá·la〈方〉动 ❶ 用拂拭的方式除去或取去;扫;掸:把身上的泥土~掉|你没事把里外屋~~。❷ 搂(lōu)①:在

山上~千草。❸寻找;设法获取:从仓库里~些旧零件凑合着用|~几个钱花。❹随意涂抹;潦草地写字。

【划拳】(豁拳、搳拳) huá//quán 动饮酒时两人同时伸出手指并各说一个数,谁说的数目跟双方所伸手指的总数相符,谁就算赢,输的人喝酒:~行令。

【划算】huásuàn ❶动计算;盘算:~来,~去,半夜还有合上眼。❷形上算;合算:这块地还是种麦子。

【划艇】huátǐng 名划艇运动中使用的小艇,形状像独木舟,艇身较矮,用胶合板或玻璃钢制成。

【划子】huá·zi 名用桨拨水行驶的小船。

华¹(華) huá ❶名光彩①;光辉:~美|~丽|~灯|光~。❷出现在太阳或月亮周围的彩色光环,内紫外红:日~|月~。❸繁盛:繁~|荣~。❹精华:英~|才~。❺奢侈:浮~|奢~。❻指时光:韶~|年~。❼(头发)花白:~发。❽〈书〉敬辞,用于跟对方有关的事物:~翰|~诞|~宗(称人同姓)。
〈古〉又同"花" huā。

华²(華) huá 泉水中的矿物质由于沉积而形成的物质:石灰~|硅~。

华³(華) Huá ❶名指中国:~夏|~北|~南|驻~大使。❷汉(语):~俄词典。❸名姓(应读 Huà,近年也有读 Huá 的)。
另见 589 页 Huà。

【华北】Huáběi 名指我国北部地区,包括河北、山西、北京、天津和内蒙古中部。

【华表】huábiǎo 名古代宫殿、陵墓等大建筑物前面做装饰用的巨大石柱,柱身多雕刻有龙凤等图案,上部横插着雕花的石板。

【华诞】huádàn 〈书〉敬辞,称人的生日。

【华灯】huádēng 名雕饰华美或光华灿烂的灯:~初上|长安街上~齐放。

【华东】Huádōng 名指我国东部地区,包括山东、江苏、浙江、安徽、江西、福建、台湾七省和上海市。

【华而不实】huá ér bù shí 只开花不结果,比喻外表好看,内容空虚。

【华尔街】Huá'ěr Jiē 名美国纽约的一条街,有许多垄断组织和金融机构的总管理处设在这里。常用作美国财阀的代称。[华尔,英 Wall]

【华尔兹】huá'ěrzī 名现代舞的一种,起源于奥地利民间的一种 3/4 拍中慢板的舞蹈。用圆舞曲伴奏,舞时两人成对旋转,舞姿舒缓、典雅。也叫慢三步。[英 waltz]

【华发】huáfà 〈书〉名花白的头发。

【华盖】huágài 名❶古代帝王所乘车子上伞形的遮蔽物。❷古星名。迷信的人认为运气不好,是有华盖星犯命,叫交华盖运。但据说和尚华盖罩顶是走好运。

【华工】huágōng 名指旧时在国外做工的中国工人。

【华贵】huáguì 形❶华丽珍贵:~的地毯。❷豪华富贵:~之家。

【华翰】huáhàn 〈书〉名敬辞,称对方的书信。

【华里】huálǐ 名指市里。

【华丽】huálì 形美丽而有光彩:服饰~|宏伟的宫殿。

【华美】huáměi 形华丽:~的乐章。

【华南】Huánán 名指我国南部地区,包括广东、广西、海南和香港、澳门。

【华侨】huáqiáo 名旅居国外的中国人。

【华人】huárén 名❶中国人。❷指取得所在国国籍的中国血统的外国公民:美籍~。

【华商】huáshāng 名境外有中国血统的商人。

【华氏温标】Huáshì wēnbiāo 温标的一种,规定在一个标准大气压(101 325 帕)下,纯水的冰点为 32 度,沸点为 212 度,32 至 212 度之间均匀分成 180 份,每份表示 1 度。这种温标是德国物理学家华兰海特(Gabriel Daniel Fahrenheit)制定的。

【华氏温度】Huáshì wēndù 华氏温标的标度,用符号"℉"表示。

【华文】Huáwén 名指中文:~学校|~报纸。

【华西】Huáxī 名指我国长江上游地区四川、重庆一带。

【华夏】Huáxià 名我国的古称,泛指中华民族。

【华严宗】huáyánzōng 名我国佛教宗派

之一,因依《华严经》创立宗派而得名。

【华裔】huáyì 名 华侨在侨居国所生并取得侨居国国籍的子女。

【华语】Huáyǔ 名 指汉语。

【华章】huázhāng 〈书〉华美的诗文(多用于称颂)。

【华中】Huázhōng 名 指我国长江中游湖北、湖南一带。

【华胄】[1] huázhòu 〈书〉名 贵族的后裔。

【华胄】[2] huázhòu 〈书〉名 华夏的后裔。

哗(嘩、譁) huá 喧哗;喧闹:~然|~笑|~变|寂静无~。

另见 584 页 huā。

【哗变】huábiàn 动 (军队)突然叛变。

【哗然】huárán 形 形容许多人吵吵嚷嚷:举座~|舆论~。

【哗众取宠】huá zhòng qǔ chǒng 用言论行动迎合众人,以博得好感或拥护。

骅(驊) huá [骅骝](huáliú)〈书〉名 赤色的骏马。

铧(鏵) huá 名 犁铧。

猾 huá 狡猾:奸~|~吏。

滑 huá ❶ 形 光滑;滑溜:又圆又~的小石子|长满青苔的路很~。❷ 动 滑动;滑行:~冰|~雪|~了一跤。❸ 形 油滑;狡诈:耍~|~头~脑|这个人~得很。❹ 动 跟"过去"连用,表示用搪塞或瞒哄的方法混过去:这次查得很严,想~是~不过去的。❺ (Huá)名 姓。

【滑冰】huábīng ❶ 名 体育运动项目之一。穿着冰鞋在冰上滑行。比赛分花样滑冰和速度滑冰两种。❷ (-//-)动 泛指在冰上滑行。

【滑不唧溜】huá·bujiliū (~的)〈方〉形 状态词。形容很滑(含厌恶意):刚下过雨,地上~的不好走。也说滑不唧溜。

【滑车】huáchē 名 原指绳子或链条顺次绕过几个滑轮所组成的简单起重牵引装置,现泛指简单的吊挂式起重机械。

【滑车神经】huáchē shénjīng 第四对脑神经,从中脑发出,分布在眼球周围的肌肉中,主管眼球的运动。

【滑动】huádòng 动 一个物体在另一物体上接触面不变地移动,如滑冰时冰刀在冰上的运动。

【滑竿】huágān (~儿)名 一种旧式的交通工具,在两根长竹竿中间,架上类似躺椅的座位,讲究的形似轿子而无顶,都由两个人抬着走。

【滑稽】huá·jī (在古书中念 gǔjī) ❶ 形 形容(言语、动作)引人发笑:这个丑角的表演非常~。❷ 名 曲艺的一种,流行于上海、杭州、苏州等地,和北方相声相近。

【滑稽戏】huá·jīxì 名 一种专门以滑稽手段来表现人物的剧种,流行于上海、江苏和浙江的部分地区。也叫滑稽剧。

【滑精】huá//jīng 动 中医指无梦而遗精。

【滑溜】huá·liu 〈口〉形 光滑(含喜爱意):缎子被面摸着挺~。

【滑熘】huáliū 动 烹调方法,把肉、鱼等切好,用淀粉拌匀,再用油炒,加葱、蒜等作料,再勾上芡,使汁变稠:~鱼片|~里脊。

【滑轮】huálún 名 简单机械,是一个装在架子上的周缘有槽的轮子,能穿上绳子或链条,多用来提起重物。

【滑轮组】huálúnzǔ 名 由定滑轮和动滑轮组成的滑轮装置。

【滑腻】huánì 形 光滑细腻(多形容皮肤)。

【滑坡】huápō 动 ❶ 指地表斜坡上大量的土石整体下滑的自然现象。对建筑物、公路、铁路、农田、森林会造成很大破坏。❷ 比喻下降:走下坡路:质量~|经营不善,旅游业出现~。

【滑润】huárùn 形 光滑润泽:肌肤~。

【滑石】huáshí 名 矿物,成分是含水的硅酸镁,有白、浅绿、浅黄等颜色,硬度1—1.9,有脂肪光泽,用手接触时有滑润的感觉。用于橡胶、造纸、医药等方面。

【滑水橇】huáshuǐqiāo 名 水橇。

【滑水运动】huáshuǐ yùndòng 水上运动项目之一。运动员凭借水橇或赤脚,由动力牵引,在水面上滑行。比赛项目有花样滑水、回旋滑水和跳跃滑水等。

【滑膛】huátáng 名 没有膛线的枪膛或炮膛:~炮。

【滑梯】huátī 名 儿童体育活动器械,在高架子的一面装上梯子,另一面装上斜的滑板,儿童从梯子上去,从斜板滑下来。

【滑头】huátóu ❶ 名 油滑不老实的人:老~。❷ 形 油滑,不老实:这家伙~得很。

【滑头滑脑】huá tóu huá nǎo 形容人油滑,不老实。

【滑翔】huáxiáng 〔动〕某些物体不依靠动力,而利用空气的浮力和本身重力的相互作用在空中飘行。

【滑翔机】huáxiángjī 〔名〕没有动力装置,构造简单而轻便的飞行器,有翅膀,用于飞行训练和航空体育运动。一般用飞机、汽车或弹性绳索等来牵引它上升,然后借上升气流在空中滑翔。

【滑行】huáxíng 〔动〕❶滑动前进:他穿着冰鞋在冰上快速~。❷机动车行驶时,不依靠发动机的动力,而依靠惯性前进。

【滑雪】huáxuě ❶(-/-)〔动〕脚蹬滑雪板,手撑滑雪杖在雪地上滑行。❷〔名〕体育运动项目之一。比赛分为高山滑雪、跳台滑雪和花样滑雪等。

【滑雪板】huáxuěbǎn 〔名〕滑雪时固定在滑雪者的长条形薄板,前端稍微翘起。

【滑音】huáyīn 〔名〕音乐上指从一个音向上或向下滑到另一个音的演唱或演奏的方法。

揢 huá 见 585 页【划拳】(揢拳)。

鳊(鯯) huá 〔名〕鱼,体侧扁,长约 30 厘米,头部略尖,有须一对,尾鳍分叉。生活在淡水中。

豁 huá 见 585 页【划拳】(豁拳)。
另见 617 页 huō;625 页 huò。

huà (ㄏㄨㄚˋ)

化[1] huà ❶〔动〕变化;使变化:~脓|~名|~装|顽固不~|泥古不~|~整为零|~悲痛为力量。❷感化:教~|潜移默~。❸〔动〕熔化;融化;溶化:~冻|~铁炉|太阳一出来,冰雪都~了|糖放到水里就~了。❹〔动〕消化;消除:~食|~痰止咳◇食古不~。❺烧化:焚~|火~。❻(僧道死):坐~|羽~。❼指化学:理~|~工|~肥。❽后缀。加在名词或形容词之后构成动词,表示转变成某种性质或状态:绿~|美~|恶~|电气~|机械~|水利~。❾(Huà)〔名〕姓。

化[2] huà 〔动〕(僧道)向人求布施:募~|~缘|~斋|~了些米面来。

另见 580 页 huā。

【化除】huàchú 〔动〕消除(多用于抽象事物):~成见|一经解释,疑虑~。

【化冻】huà//dòng 〔动〕冰冻的江河、土地等融化:河面还没~|化了冻,才能耕地。

【化肥】huàféi 〔名〕化学肥料的简称。

【化干戈为玉帛】huà gāngē wéi yùbó 比喻把战争或争斗变为和平、友好。

【化工】huàgōng 〔名〕化学工业的简称。

【化合】huàhé 〔动〕两种或两种以上的物质经过化学反应而生成另一种物质,如氢与氧化合成水。

【化合价】huàhéjià 〔名〕一种元素的原子跟其他元素原子结合的数目。通常以氢的化合价等于 1 为标准,其他元素的化合价就是该元素的一个原子相化合(或置换出)的氢原子数。简称价。

【化合态】huàhétài 〔名〕元素以化合物的形式存在的状态。

【化合物】huàhéwù 〔名〕由不同种元素组成的纯净物,有固定的组成和性质,如氧化镁、氯酸钾等。

【化解】huàjiě 〔动〕解除;消除:~矛盾|及时~金融风险|心中的疑虑难以~。

【化境】huàjìng 〔名〕幽雅清新的境地;极其高超的境界(多指艺术技巧等):身入~|他的水墨山水已达~。

【化疗】huàliáo ❶〔名〕化学疗法的简称:做~。❷〔动〕用化学疗法治疗,特指治疗恶性肿瘤:手术后~了一段时间。

【化名】huàmíng ❶〔动〕(-/-)为了使人不知道真实姓名而用别的名字:他原叫张杰,~王成|他以为化了名,就没人知道了。❷〔名〕为了使人不知道真实姓名而用的假名字:他原叫张杰,王成是他的~。

【化募】huàmù 〔动〕募化。

【化脓】huà//nóng 〔动〕人或动物体的组织因细菌感染等而生脓。

【化身】huàshēn 〔名〕❶佛教称佛或菩萨暂时出现在人间的形体◇这本小说的主人公正是作者自己的~。❷指抽象观念的具体形象:旧小说里把包公描写成正义的~。

【化石】huàshí 〔名〕古代生物的遗体、遗物或遗迹埋藏在地下变成的跟石头一样的东西。研究化石可以了解生物的演化并能帮助确定地层的年代。

【化外】huàwài 〔名〕旧时指政令教化达不

到的偏远落后的地方：～之民|～之邦。

【化纤】huàxiān 名 化学纤维的简称。

【化险为夷】huà xiǎn wéi yí 使危险的情况或处境变为平安。

【化形】huàxíng 动 指神话中妖魔鬼怪变化形状。

【化学】huàxué 名 研究物质的组成、结构、性质和变化规律的学科，是自然科学中的基础学科之一。

【化学变化】huàxué biànhuà 物质变化中生成其他物质的变化，如木材燃烧后剩下灰，铁在潮湿空气中生锈等。发生化学变化时，物质的组成和化学性质都改变。

【化学电池】huàxué diànchí 把化学能转变为电能的装置。主要部分是电解质溶液和浸在溶液中的正、负电极。使用时用导线接通两极，得到电流。

【化学反应】huàxué fǎnyìng 物质发生化学变化而产生性质、组成、结构与原来不同的新物质的过程。

【化学反应式】huàxué fǎnyìngshì 化学方程式。

【化学方程式】huàxué fāngchéngshì 用化学式表明化学反应开始状态和最终状态的式子。化学方程式中，反应物的化学式写在左边，生成物的化学式写在右边，各元素在两侧的原子数相等。如 $N_2 + 3H_2 \rightleftharpoons 2NH_3$。也叫化学反应式。

【化学肥料】huàxué féiliào 以空气、水、矿物等为原料，经过化学反应或机械加工制成的肥料，肥分多，见效快，通常用作追肥。有氮肥、磷肥、钾肥及微量元素肥料等。简称化肥。

【化学分析】huàxué fēnxī 运用化学原理确定物质化学成分或组成的方法。根据分析要求不同，可分为定性分析和定量分析。

【化学工业】huàxué gōngyè 利用化学反应生产化学产品的工业，包括无机化学工业、基本有机化学工业、高分子化学工业和精细化学工业等。简称化工。

【化学键】huàxuéjiàn 名 分子中相邻原子之间通过电子而产生的相互结合的作用。化学结构式中用短线（—）表示。

【化学疗法】huàxué liáofǎ 一种治疗方法，使化学药物直接作用于病原体，将它杀灭或抑制其增殖，达到治疗目的。简称化疗。

【化学能】huàxuénéng 名 物质进行化学反应时放出的能，如物质燃烧时放出的光和热、化学电池放出的电。

【化学平衡】huàxué pínghéng 可逆反应中，正反应和逆反应速度相等，反应混合物里各组成成分百分含量保持不变的状态。

【化学式】huàxuéshì 名 用化学符号表示物质化学组成的式子，包括分子式、实验式（最简式）、结构式、示性式、电子式等。

【化学武器】huàxué wǔqì 利用毒剂大规模杀伤破坏的武器，包括毒剂和施放毒剂的各种武器弹药。

【化学纤维】huàxué xiānwéi 用高分子化合物为原料制成的纤维。分为人造纤维和合成纤维两类。简称化纤。

【化学性质】huàxué xìngzhì 物质在发生化学变化时才表现出来的性质，如酸性、碱性、化学稳定性等。

【化学元素】huàxué yuánsù 元素③。

【化验】huàyàn 动 用物理的或化学的方法检验物质的组成和性质：～员|药品～|～大便。

【化油器】huàyóuqì 名 汽化器。

【化育】huàyù 动 滋养；养育：阳光雨露，～万物。

【化缘】huà//yuán 动 僧尼或道士向人求布施。

【化斋】huà//zhāi 动 僧道挨门乞讨饭食。

【化妆】huà//zhuāng 动 用脂粉等使容貌美丽。

【化妆品】huàzhuāngpǐn 名 化妆用的物品，如脂粉、唇膏、香水等。

【化装】huà//zhuāng 动 ❶ 演员为了适合所扮演的角色的形象而修饰容貌。❷ 改变装束、容貌；假扮：～舞会|他～成乞丐模样。

划¹（劃）huà ❶ 动 划分：～界|～定范围。❷ 动 划拨：～付|～账|把这笔款～到我的账号上。❸ 名 计划：筹～|策～。

划²（劃）huà 同"画²"。
另见 584 页 huá；592 页 huai。

【划拨】huàbō 动 ❶（把款项或账目）从某一单位或户头转到另一单位或户头：这笔款由银行～。❷ 分出来拨给：～钢材|

~物资。

【划策】huàcè 动 出主意;筹谋计策:出谋~。也作画策。

【划分】huàfēn 动❶ 把整体分成几部分:~行政区域。❷ 区分:~阶级|人民内部矛盾和敌我矛盾。

【划价】huà∥jià 动 (医院药房)计算患者药费和其他医疗费用,把款额写在处方上。

【划清】huà∥qīng 动 区分清楚:~界限。

【划时代】huàshídài 形 属性词。开辟新时代的:~的作品|~的事件|~的文献。

【划一】huàyī ❶ 形 一致;一律:整齐~。❷ 动 使一致:~体例。

【划一不二】huà yī bù èr ❶ 不二价;照定价不折不扣。❷ (做事)一律;刻板:写文章,可长可短,没有~的公式。

【划转】huàzhuǎn 动 划拨转账:~固定资产。

华(華)
Huà ❶ 华山,山名,在陕西。❷ 名 姓(近年也有读 Huá 的)。

另见 585 页 huá。

画¹(畫)
huà ❶ 动 用笔或类似笔的东西做出图形:~山水|~人像|~画儿。❷ (~儿)名 画成的艺术品:年~|壁~|油~|风景~|一幅(张)~儿。❸ 用画儿装饰的:~屏|~堂|~栋雕梁。❹ (Huà)名 姓。

画²(畫)
huà ❶ 动 用笔或类似笔的东西做出线或作为标记的文字:~线|~押|~到|~十字。❷ 量 汉字的一笔叫一画:笔~|"天"字四~。❸ 〈方〉名 汉字的一横叫一画。

【画板】huàbǎn 名 绘画用的板子,画画时画纸钉在上面。

【画报】huàbào 名 以刊登图画和照片为主的期刊或报纸:《儿童~》。

【画笔】huàbǐ 名 绘画用的笔。

【画饼充饥】huà bǐng chōng jī 比喻借空想安慰自己。

【画布】huàbù 名 画油画用的布,多为麻布。

【画册】huàcè 名 装订成本子的画。

【画策】huàcè 同"划策"。

【画到】huà∥dào 动 签到。

【画等号】huà děnghào 比喻把两者等同

看待(多用于否定式):一个人的职务与其人生价值并不能完全~。

【画地为牢】huà dì wéi láo 在地上画一个圈儿当做监狱,比喻只许在指定的范围之内活动。

【画舫】huàfǎng 名 装饰华美专供游人乘坐的船。

【画粉】huàfěn 名 裁剪衣服时用来画线的粉块。

【画符】huà∥fú 动 道士做符箓:~念咒。

【画幅】huàfú 名 ❶ 图画(总称)◇美丽的田野是天然的~。❷ 画的尺寸:~虽然不大,所表现的天地却十分广阔。

【画稿】huàgǎo (~儿)名 图画的底稿。

【画工】huàgōng 名 ❶ 以绘画为职业的人。❷ 指绘画的技法:~精细。也作画功。

【画功】huàgōng 同"画工"②。

【画供】huà∥gòng 动 犯人在供状上画押,表示承认上面记录的供词属实(多见于早期白话)。

【画虎类狗】huà hǔ lèi gǒu 《后汉书·马援传》:"画虎不成反类狗。"比喻模仿得不到家,反而弄得不伦不类。也说画虎类犬。

【画虎类犬】huà hǔ lèi quǎn 画虎类狗。

【画夹】huàjiā 名 绘画用的夹子,较大较硬,绘画时画纸铺在上面。

【画家】huàjiā 名 擅长绘画的人。

【画架】huàjià 名 绘画用的架子,有三条腿,绘画时把画板或蒙画布的框子斜放在上面。

【画匠】huàjiàng 名 绘画的工匠,旧时也指缺乏艺术性的画家。

【画境】huàjìng 名 图画中的境界:风景优美,如入~。

【画镜线】huàjìngxiàn 名 挂镜线。

【画句号】huà jùhào 比喻事情做完或结束。

【画具】huàjù 名 绘画用的工具,如画笔、画板、画架等。

【画卷】huàjuàn 名 ❶ 成卷轴形的画。❷ 比喻壮丽的景色或动人的场面。

【画廊】huàláng 名 ❶ 有彩绘的走廊。❷ 展览图画照片的走廊。

【画龙点睛】huà lóng diǎn jīng 传说梁代张僧繇(yóu)在金陵安乐寺壁上画了四条龙,不点眼睛,说点了就会飞走。听到的人不相信，偏叫他点上。刚点了两条，就雷电大发，震破墙壁，两条龙乘云上天，只剩下没有点眼睛的两条(见于唐张彦远《历代名画记》)。比喻作文或说话时在关键地方加上精辟的语句，使内容更加生动传神。

【画眉】huàméi 图 鸟，身体上部绿褐色，下部棕黄色，腹部灰白色，头、后颈和背部有黑褐色斑纹，有白色的眼圈。叫的声音很好听，雄鸟好斗。

【画面】huàmiàn 图 画幅、银幕、屏幕等上面呈现的形象：～清晰。

【画皮】huàpí 图 传说中妖怪伪装成美女时披在身上的人皮，可以取下来描画(见于《聊斋志异·画皮》)。比喻掩盖狰狞面目或丑恶本质的美丽外表。

【画片儿】huàpiānr〈口〉图 画片。

【画片】huàpiàn 图 印制的小幅图画。

【画屏】huàpíng 图 用图画装饰的屏风。

【画谱】huàpǔ 图 ❶ 画帖。❷ 鉴别图画或评论画法的书。

【画蛇添足】huà shé tiān zú 蛇本来没有脚，画蛇添上脚(见于《战国策·齐策二》)。比喻做多余的事，反而不恰当。

【画师】huàshī 图 ❶ 画家。❷ 以绘画为职业的人。

【画十字】huà shízì ❶ 不识字的人在契约或文书上画个"十"字代替签字。❷ 基督教徒祈祷时的一种仪式，用右手从额上到胸前，再从一肩到另一肩画个"十"字形，纪念耶稣被钉在十字架上。

【画室】huàshì 图 绘画用的房间。

【画坛】huàtán 图 指绘画界。

【画帖】huàtiè 图 临摹用的图画范本。

【画图】huàtú ❶(-/-)勔 画图形(多指图样或地图)：～员。❷ 图 图画，多用于比喻：这些诗篇构成了一幅农村生活的多彩的～。

【画外音】huàwàiyīn 图 电影、电视等指不是由画面中的人或物直接发出的声音。

【画像】huàxiàng ❶(-/-)勔 画人像；给他画个像。❷ 图 画成的人像：一幅鲁迅先生的～。

【画押】huà//yā 勔 旧时在公文、契约或供词上画花押或写"押"字、"十"字，表示认可：签字～。

【画页】huàyè 图 书报里印有图画或照片的一页。

【画院】huàyuàn 图 古代供奉内廷的绘画机构，宋徽宗时代(公元 1101—1125)的最著名，画法往往以工细为特点。后来称这种风格为画院派。现在的某些绘画机构也叫做画院。

【画展】huàzhǎn 图 绘画展览：看～。

【画知】huà//zhī 勔 旧时指在请客通知单上自己的名字下面写一"知"字，表示已经知道。

【画轴】huàzhóu 图 裱后带轴的图画(总称)：仕女～|山水～。

【画字】huà//zì〈方〉勔 画押(多指画一个"十"字的)。

【画作】huàzuò 图 绘画作品。

话(話) huà

❶(～儿)图 说出来的能够表达思想的声音，或者把这种声音记录下来的文字：讲～|会～|土～|这两句～说得不妥当。❷ 勔 说；谈：～别|～家常|茶～会。

【话把儿】huàbàr 图 话柄。

【话白】huàbái ❶ 图 戏曲中的说白。❷ 勔 旧时评书演员登场后，先念上场诗，接着拍醒木，再说几句引入正书的话，叫做话白。

【话本】huàběn 图 宋代兴起的白话小说，用通俗文字写成，多以历史故事和当时社会生活为题材，是宋元民间艺人说唱的底本。今存《清平山堂话本》《全相平话五种》等。

【话别】huà//bié 勔 离别前聚在一块儿谈话：临行～，不胜依依。

【话柄】huàbǐng 图 被人拿来做谈笑资料的言论或行为：留下～。

【话茬儿】huàchár〈方〉图 ❶ 话头：我刚说到这儿，她就接上了～。❷ 口风；口气：听他的～，这件事好办。

【话费】huàfèi 图 电话的使用费：交纳～。

【话锋】huàfēng 图 话头：把～一转|避开～。

【话机】huàjī 图 电话②。

【话旧】huàjiù 勔 跟久别重逢的朋友谈往事；叙旧：围炉～。

【话剧】huàjù 图 用对话和动作来表演的戏剧。

【话口儿】huàkǒur〈方〉图 口气；口风：听

他的～是不想去的意思。

【话里有话】huà·li yǒu huà 话里暗含有别的意思。

【话梅】huàméi 名 把梅子等用糖或蜜等腌渍而成的小食品。

【话说】huàshuō ❶ 旧小说中常用的发语词。❷ 说;讲述:《～长江》。

【话题】huàtí 名 谈话的中心:～转了|换个～接着说。

【话亭】huàtíng 名 电话亭。

【话筒】huàtǒng 名 ❶ 发话器。❷ 传声器的通称。❸ 向附近许多人大声讲话用的类似圆锥形的筒。也叫传声筒。

【话头】huàtóu (～儿)名 谈话的头绪:打断～。

【话网】huàwǎng 名 指电话的通信系统。

【话务员】huàwùyuán 名 使用交换机分配电话线路的工作人员。

【话匣子】huàxiá·zi 〈方〉名 ❶ 原指留声机,后来也指收音机。❷ 比喻话多的人。❸ (话多的人)开始没完没了地说话叫打开话匣子。

【话音】huàyīn (～儿)名 ❶ 说话的声音:～刚落,会场里响起一片掌声。❷〈口〉言外之意:听他的～儿,准是另有打算。

【话语】huàyǔ 名 言语;说的话:天真的～|他～不多,可句句中听。

姱(嫿) huà 〈书〉女子容貌美丽。

桦(樺) huà 名 落叶乔木或灌木,树皮白色、灰色、黄色或黑色,有的是片状或纸状分层剥落,叶子互生。我国多生长在东北地区。有白桦、黑桦、红桦等。

嫿(嬅) huà 见 516 页[姽嫿]。

huái (ㄏㄨㄞˊ)

怀(懷) huái ❶ 名 胸部或胸前:掩着～|小孩儿睡在妈妈～里。❷ 心怀;胸怀:壮～|襟～。❸ 思念;怀念:～乡|～友|～古。❹ 动 腹中有(胎):～胎|～孕。❺ 动 心里存有:～恨|不～好意|少(shào)～大志。❻ (Huái)名 姓。

【怀抱】huáibào ❶ 动 抱在怀里:～着婴儿。❷ 名 胸前:睡在母亲的～里◇回到祖国的～。❸ 动 心里存有:～着远大的理想。❹〈书〉名 心胸;打算:别有～。❺ (～儿)〈方〉名 指婴儿时期。

【怀表】huáibiǎo 名 装在衣袋里使用的表,一般比手表大。

【怀才不遇】huái cái bù yù 有才能而得不到施展的机会。

【怀春】huáichūn 〈书〉动 指少女爱慕异性。

【怀古】huáigǔ 动 追念古代的事情(多用于有关古迹的诗题):赤壁～。

【怀鬼胎】huái guǐtāi 比喻心里藏着不可告人的事或念头。

【怀恨】huái//hèn 动 心里怨恨;记恨:～在心。

【怀旧】huáijiù 动 怀念往事和旧日有来往的人。

【怀恋】huáiliàn 动 怀念:～故园风物。

【怀念】huáiniàn 动 思念:～故乡|～亲人。

【怀柔】huáiróu 动 用政治手段笼络其他的民族或国家,使归附自己:～政策。

【怀胎】huái//tāi 动 怀孕:十月～。

【怀想】huáixiǎng 动 怀念:身在国外,常常～故土。

【怀疑】huáiyí 动 ❶ 疑惑;不很相信:他的话叫人～|对于这个结论谁也没有～。❷ 猜测:我～他今天来不了。

【怀孕】huái//yùn 动 妇女或雌性哺乳动物有了胎。

徊 huái 见 1018 页[徘徊]。另见 609 页 huí。

淮 Huái ❶ 淮河,水名,发源于河南,流经安徽,入江苏洪泽湖。❷ 名 姓。

【淮北】Huáiběi 名 指淮河以北的地区,特指安徽的北部。

【淮海】Huái-Hǎi 名 指以徐州为中心的淮河以北及海州(现在的连云港西南)一带的地区。

【淮剧】huáijù 名 江苏地方戏曲剧种之一,原名江淮戏,流行于淮阴、盐城等地。

【淮南】Huáinán 名 指淮河以南、长江以北的地区,特指安徽的中部。

槐 huái 名 ❶ 槐树,落叶乔木,羽状复叶,花淡黄色,结荚果,圆筒形。花可制黄色染料。花蕾和果实可入药。❷ (Huái) 姓。

踝 huái 名 小腿与脚之间部位的左右两侧的突起，是由胫骨和腓骨下端的膨大部分形成的。(图见 1209 页"人的身体")

【踝子骨】huái·zigǔ 〈口〉名 踝。

糠 huái [糠耙](huái·bà) 名 东北地区一种翻土并播种的农具。

huài （ㄏㄨㄞˋ）

坏(壞) huài ❶ 形 缺点多的；使人不满意的(跟"好"相对)：工作做得不～。❷ 形 品质恶劣的；起破坏作用的：～人｜～事｜这个人～透了。❸ 形 不健全的，无用的，有害的：～鸡蛋｜水果～了｜玩具摔～了。❹ 动 使变坏：吃了不干净的食物容易～肚子。❺ 形 表示身体或精神受到某种影响而达到极不舒服的程度，前面只表示程度深：饿～了｜气～了｜忙～了｜这件事可把他乐～了。❻ 名 坏主意：使～｜一肚子坏主意。

另见 1035 页 pī "坏"。

【坏处】huài·chu 名 对人或事物有害的因素：这么做一点～也没有。

【坏蛋】huàidàn 〈口〉名 坏人(骂人的话)。

【坏东西】huàidōng·xi 名 坏人。

【坏话】huàihuà 名 ❶ 不对的话；不入耳的话；不能光听颂扬，好话～都要听。❷ 对人对事不利的话：有话当面讲，不要在背后说人～。

【坏人】huàirén 名 品质恶劣的人；做坏事的人。

【坏事】huàishì ❶（-//-）动 使事情搞糟：照他说的做，非～不可｜成事不足，～有余。❷ 名 坏事情；有害的事情：坏人～。

【坏水】huàishuǐ （～儿）名 比喻狡诈的心计；坏主意：一肚子～。

【坏死】huàisǐ 动 机体的局部组织或细胞死亡，原有的功能丧失。形成坏死的原因很多，如局部血液循环中断绝，强酸、强碱等化学药品对局部组织的破坏等。

【坏账】huàizhàng 名 会计上指确定无法收回的账。

·huai （·ㄏㄨㄞ）

划(劃) ·huai 见 23 页[刮划]。另见 584 页 huá；588 页 huà。

huān （ㄏㄨㄢ）

欢(歡、懽) huān ❶ 快乐；高兴：～喜｜～乐｜～迎｜～送｜～呼。❷ 指所喜爱的人(多指情人)：新～。❸〈方〉形 起劲；活跃：火着得很～｜雨越下越～｜文娱活动搞得挺～。

【欢蹦乱跳】huān bèng luàn tiào 形容健康、活泼、生命力旺盛：幼儿园里的孩子个个都是～的。也说活蹦乱跳。

【欢畅】huānchàng 形 高兴，痛快：心情～。

【欢度】huāndù 动 欢乐地度过：～晚年。

【欢歌】huāngē ❶ 动 欢乐地歌唱：尽情～◇汽笛在～。❷ 名 欢乐的歌声：～笑语｜远处传来了青年们的阵阵～。

【欢呼】huānhū 动 欢乐地呼喊：热烈～｜～胜利。

【欢聚】huānjù 动 快乐地团聚：～一堂。

【欢快】huānkuài 形 欢乐轻快：～的心情｜～的乐曲。

【欢乐】huānlè 形 快乐(多指集体的)：广场上～的歌声此起彼伏。

【欢闹】huānnào 动 ❶ 高兴地闹着玩：孩子们在操场上～。❷ 喧闹：～的锣鼓声、鞭炮声响成一片。

【欢洽】huānqià 形 欢乐而融洽：两情～｜两人谈得十分～。

【欢声】huānshēng 名 欢呼的声音：～雷动。

【欢实】huān·shi 〈方〉形 起劲；活跃：你看，孩子们多～啊！｜机器转得挺～。也作欢势。

【欢势】huān·shi 同"欢实"。

【欢送】huānsòng 动 高兴地送别(多用集会方式)：～会｜前来～的人很多。

【欢腾】huānténg 动 欢喜得手舞足蹈；喜讯传来，人们立刻～起来。

【欢天喜地】huān tiān xǐ dì　形容非常欢喜。

【欢喜】huānxǐ　❶形 快乐；高兴：满心～｜欢欢喜喜过春节｜她掩藏不住心中的～。❷动 喜欢；喜爱：他一打乒乓球｜他很～这个孩子。

【欢笑】huānxiào　动 快活地笑：室内传出阵阵～声。

【欢心】huānxīn　名 对人或事物喜爱或赏识的心情：讨人～｜这孩子人小嘴甜，最得爷爷奶奶的～。

【欢欣】huānxīn　形 快乐而兴奋：～鼓舞。

【欢颜】huānyán　〈书〉名 快乐的表情；笑容：强作～。

【欢迎】huānyíng　动 ❶ 很高兴地迎接：～贵宾｜～大会。❷ 乐意接受：～你参加我们的工作｜新产品很受消费者的～。

【欢愉】huānyú　形 欢乐而愉快：～的笑容｜人们沉浸在节日的～之中。

【欢悦】huānyuè　形 欢乐喜悦：满心～｜～的笑声。

【欢跃】huānyuè　动 欢腾。

谨（讙、嚾）　huān　〈书〉❶ 喧哗。❷ 同"欢"。

獾（貛）　huān　名 狗獾、猪獾等的统称。

骥（驩）　huān　〈书〉同"欢"。

huán（ㄏㄨㄢˊ）

还（還）　huán　❶ 返回原来的地方或恢复原来的状态：～家｜～乡｜～俗｜退耕～林。❷动 归还：偿～｜～书。❸ 回报别人对自己的行动：～嘴｜～手｜～击｜～价｜～礼｜以牙～牙，以眼～眼。❹（Huán）名 姓。
另见 529 页 hái。

【还报】huánbào　动 报答；回报。

【还本】huán//běn　动 归还借款的本金：～付息。

【还魂】huán//hún　动 死而复活（迷信）。

【还击】huánjī　动 回击。

【还价】huán//jià　（～儿）动 买方因嫌货价高而说出愿付的价格：讨价～。

【还口】huán//kǒu　动 还嘴：骂不～。

【还礼】huán//lǐ　动 ❶ 回答别人的敬礼：连长敬了一个礼，参谋长也举手～。❷ 回赠礼品。

【还迁】huánqiān　动 回迁。

【还情】huán//qíng　动 报答别人的恩情或美意。

【还手】huán//shǒu　动 因被打或受到攻击而反击来打对方：打不～｜无～之力。

【还俗】huán//sú　动 僧尼或出家的道士恢复普通人的身份。

【还席】huán//xí　动 （被人请吃饭之后）回请对方吃饭：明天晚上我～，请诸位光临。

【还阳】huán//yáng　动 死而复活（迷信）。

【还原】huán//yuán　动 ❶ 事物恢复原状。❷ 指含氧物质被夺去氧。也泛指物质在化学反应中得到电子或电子对偏近。如氧化铜和氢气加热后生成铜和水。还原和氧化是伴同发生的。

【还原剂】huányuánjì　名 在化学反应中能还原其他物质而自身被氧化的反应物。

【还愿】huán//yuàn　动 ❶（求神保佑的人）实践对神许下的报酬。❷ 比喻实践诺言。

【还债】huán//zhài　动 归还所欠的债。

【还账】huán//zhàng　动 归还所欠的债或偿付所欠的货款。

【还嘴】huán//zuǐ　动 受到指责时进行辩驳；挨骂时反过来骂对方：他自知理亏，无论你怎么说，都不～。也说还口。

环（環）　huán　❶（～儿）名 圆圈形的东西：耳～｜花～｜铁～。❷量 指击打、射箭比赛中射中环靶的环数，射中靶心，一般以十环计，离靶心远的，所得环数依次递减：三枪打中了二十八～。❸名 环节：从事科学研究、搜集资料是最基本的一～。❹动 围绕：～绕｜～球｜～城铁路。❺（Huán）名 姓。

【环靶】huánbǎ　名 当中一个圆点，外面套着若干层圆圈的靶子。

【环保】huánbǎo　❶名 环境保护。❷形 属性词。符合环保要求的；具有环保性质的：～建材｜～餐盒。

【环抱】huánbào　动 围绕（多用于自然景物）：群山～｜青松翠柏，～陵墓。

【环衬】huánchèn　名 指某些书籍封面后、扉页前的一页，一般不印任何文字。

【环岛】huándǎo 名 指交叉路口中心的高出路面的圆形设置。

【环顾】huángù 〈书〉动 向四周看；环视：～左右｜～四座。

【环合】huánhé 〈书〉动 环绕(多用于自然景物)：四面竹树～,清幽异常。

【环节】huánjié 名❶ 某些低等动物如蚯蚓、蜈蚣等,身体由许多大小差不多的环状结构互相连接组成,这些结构叫做环节,能伸缩。❷ 指互相关联的许多事物中的一个：主要～｜薄弱～。

【环节动物】huánjié dòngwù 动物的一门,身体长而柔软,由许多环节构成,表面有像玻璃的薄膜,头、胸、腹不分明,肠子长而直,前端为口,后端为肛门,如蚯蚓、水蛭等。

【环境】huánjìng 名❶ 周围的地方：～优美｜～卫生。❷ 周围的情况和条件：客观～｜～工作。

【环境保护】huánjìng bǎohù 有关防止自然环境恶化,改善环境使之适于人类劳动和生活的工作。

【环境壁垒】huánjìng bìlěi 绿色壁垒。

【环境标志】huánjìng biāozhì 产品的一种证明性标志,表明产品在生产、使用和废弃处理过程中符合环保要求,对环境无害或危害极小,同时有利于资源的再生和回收利用。我国的环境标志图形由青山、绿水、太阳和十个环组成。也叫绿色标志、生态标志。

【环境激素】huánjìng jīsù 扰乱人和动物的内分泌系统,有类似激素作用的化学物质,能够影响人和动物的生殖、发育等。如二噁英、苯乙烯、滴滴涕、多氯联苯。也叫类激素。

【环境科学】huánjìng kēxué 研究和探索人类与环境相互关系的学科。

【环境污染】huánjìng wūrǎn 由于人为的因素,环境受到有害物质的污染,使生物的生长繁殖和人类的正常生活受到有害影响。

【环境武器】huánjìng wǔqì 专门破坏一定区域的生态环境,以杀伤敌人、摧毁敌方军事设施的武器。如地震武器(靠人为因素引发地震)、海啸武器(人工诱发可以控制的海啸)、生态武器(破坏生态平衡,使人面临生存危机)等。

【环境要素】huánjìng yàosù 构成环境的基本单元,如自然环境要素有水、空气、生物、土壤、岩石以及阳光等。环境要素在形态、组成和性质上各不相同,彼此独立,通过物质转换和能量传递而相互联系,构成环境整体。

【环流】huánliú 动 流体的循环流动,由流体各部分的温度、密度、浓度不同,或由外力的推动而形成：全球大气～｜大洋～。

【环路】huánlù 名 围绕城区修建的环形道路。

【环球】huánqiú ❶ 动 围绕地球：～旅行。❷ 同"寰球"。

【环绕】huánrào 动 围绕：村庄四周有竹林～。

【环绕声】huánràoshēng 名 将左、右、中、后环绕四声道声讯预先编码,使成为双声道信号,播放时通过解码器和功率放大器,借助中置音箱和后环绕音箱加强立体声效果的声音,比双声道的现场效果更为真实。

【环绕速度】huánrào sùdù 第一宇宙速度。

【环生】huánshēng 动 一个接一个地发生：险象～。

【环视】huánshì 动 向周围看：～四周。

【环烃】huántīng 名 分子中碳原子相连成环状结构的烃,如脂环烃、芳香烃。

【环卫】huánwèi 形 属性词。关于环境卫生的：～工人｜～部门。

【环线】huánxiàn 名 环行路线：地铁～｜沿～行驶。

【环行】huánxíng 动 绕着圈子走：～电车｜～公路｜～一周。

【环形】huánxíng 名 圆环,也指这样的形状。

【环形交叉】huánxíng jiāochā 平面交叉的一种,两条或两条以上的道路相交时,通过交叉路口的车辆一律绕环岛单向环形行驶,再转入所去的道路。

【环形山】huánxíngshān 名 月球、火星和水星等表面上的一种特征结构。山呈环形,四周高起,中间平地上又常有小山,多由陨星撞击而形成。

【环宇】huányǔ 同"寰宇"。

【环指】huánzhǐ 名 紧挨着小指的手指头。通称无名指。

【环志】**huánzhì** 图 戴在候鸟身上的金属或塑料环形标志，上面刻有国名、单位、编码等标记，用作研究候鸟迁徙规律的依据。

【环子】**huán·zi** 图 圆圈形的东西：门～。

郇 Huán 图 姓。
另见1553页 Xún。

萑 huán 图 多年生草本植物，没有地上茎，根状茎粗壮，叶子心脏形，花白色带紫色条纹，果实椭圆形。全草入药。

洹 Huán ❶ 洹河，水名，在河南。也叫安阳河。❷ 图 姓。

桓 Huán 图 姓。

萑 huán 萑苻泽(Huánfú Zé)，春秋时郑国泽名。据记载，那里常有盗贼聚集出没。

貆 huán 〈书〉❶ 幼小的貉。❷ 豪猪。
〈古〉同"獾" huān。

镮(鐶) huán 量 古代重量单位，一镮约等于旧制六两。

圜 huán 见1789页〖转圜〗。
另见1679页 yuán。

闤(闤) huán 〖闤闠〗(huánhuì)〈书〉图 街市。

澴 Huán 澴河，水名，在湖北。

寰 huán 图 广大的地域：～宇｜海～人。

【寰球】**huánqiú** 图 整个地球；全世界。也作环球。

【寰宇】**huányǔ** 〈书〉图 寰球；天下：声震～。也作环宇。

嬛 huán 见813页〖琅嬛〗。

缳(繯) huán 〈书〉❶ 绳索的套子：投～(上吊)。❷ 绞杀：～首。

瓛(瓛) huán 古代玉圭的一种。

辕(轅) huán 辕辕(Huányuán)，关名，在河南辕辕山。
另见597页 huàn。

鹮(䴉) huán 图 鸟，身体大，嘴细长而弯曲，腿长。生活在水边。种类较多，如白鹮、朱鹮等。

鬟 huán 妇女梳的环形的发髻：云～。

huǎn （ㄏㄨㄢˇ）

缓(緩) huǎn ❶ 迟；慢：迟～｜～步｜～不济急。❷ 动 延缓；推迟：～办｜～期｜这事～几天再说。❸ 缓和；不紧张：～冲｜～急。❹ 动 恢复正常的生理状态：昏过去又～过来｜蔫了的花，浇上水又～过来了。

【缓兵之计】**huǎn bīng zhī jì** 使敌人延缓进攻的计策，借以使事态暂时缓和同时积极设法应付的策略。

【缓不济急】**huǎn bù jì jí** 指迟缓的行动或办法赶不上迫切需要：临渴掘井，～。

【缓步】**huǎnbù** 动 放慢脚步：～来到纪念碑前。

【缓冲】**huǎnchōng** 动 使冲突缓和：～地带｜～作用。

【缓和】**huǎnhé** ❶ 形 (局势、气氛等)和缓；紧张的心情慢慢～下来了。❷ 动 使和缓：～空气｜～紧张局势。

【缓急】**huǎnjí** 图 ❶ 和缓和急迫：分别轻重～。❷ 〈书〉急迫的事；困难的事：～相助。

【缓颊】**huǎnjiá** 〈书〉动 为人求情。

【缓解】**huǎnjiě** 动 ❶ 剧烈、紧张的程度有所减轻；变缓和：病情～｜展宽马路后，交通阻塞现象有了～。❷ 使缓解：～市内交通拥堵状况。

【缓慢】**huǎnmàn** 形 不迅速；慢：行动～。

【缓坡】**huǎnpō** 图 和水平面所成角度小的地面；坡度小的坡。

【缓期】**huǎnqī** 动 把预定的时间向后推：～执行｜～付款。

【缓气】**huǎn//qì** 动 恢复正常呼吸(多指极度疲劳后的休息)：乘胜追击，不给敌人～的机会。

【缓限】**huǎnxiàn** 动 延缓限期：予以通融，～三天。

【缓刑】**huǎnxíng** 动 对犯人所判处的刑罚在一定条件下暂缓执行或不执行。缓刑期间，如不再犯新罪，就不再执行原判刑罚，否则，就把前后所判处的刑罚合并执行。

【缓行】**huǎnxíng** 动 ❶ 慢慢地走或行驶：扶杖～｜车辆～。❷ 暂缓实行：计划～。

【缓醒】huǎn·xǐng 〈方〉囫 失去知觉之后又恢复过来。

【缓役】huǎnyì 囫 缓期服兵役。

【缓征】huǎnzhēng 囫 缓期征收或征集。

huàn （ㄏㄨㄢ）

幻 huàn ❶ 没有现实根据的;不真实的:虚～|梦～|～想。❷ 奇异地变化:～术|变～。

【幻灯】huàndēng 名 ❶ 利用有强光和透镜等的光学器具,映射在白幕上的图画或文字:放～|看～。❷ 放映幻灯的装置。

【幻化】huànhuà 囫 奇异地变化:雪后的山谷,～成一个奇特的琉璃世界。

【幻景】huànjǐng 名 虚幻的景象;幻想中的景物。

【幻境】huànjìng 名 虚幻奇异的境界:走进原始森林,好像走进了童话的～。

【幻觉】huànjué 名 视觉、听觉、触觉等方面,没有外在刺激而出现的虚假的感觉。患有某种精神病或在催眠状态中的人常出现幻觉。

【幻梦】huànmèng 名 虚幻的梦境;幻想:一场～|从～中醒悟过来。

【幻灭】huànmiè 囫 (希望等)像幻境一样地消失。

【幻视】huànshì 名 幻觉的一种,眼前没有某种影像而视觉映出这种影像。

【幻术】huànshù 名 魔术。

【幻听】huàntīng 名 幻觉的一种,耳旁没有某种声音而听觉感到这种声音。

【幻想】huànxiǎng ❶ 囫 以社会或个人的理想和愿望为依据,对还没有实现的事物有所想象:科学～|～成为一名月球上的公民。❷ 名 幻想出的情景:一个美丽的～。

【幻象】huànxiàng 名 幻想出来的或由幻觉产生的形象。

【幻影】huànyǐng 名 幻想中的景象。

奂(奐) huàn 〈书〉❶ 盛;多。❷ 文采鲜明。

宦 huàn ❶ 名 官吏:～海。❷ 囫 做官:仕～|～游。❸ 名 宦官。❹ (Huàn)名 姓。

【宦官】huànguān 名 君主时代宫廷内侍奉帝王及其家属的男子,由阉割后的男子

充任。也叫太监。

【宦海】huànhǎi 名 比喻官吏争夺功名富贵的场所;官场:～沉浮|～风波。

【宦途】huàntú 〈书〉名 指做官的生活、经历、遭遇等;官场:～失意。

【宦游】huànyóu 〈书〉囫 为求做官而出外奔走:～四方。

换 huàn 囫 ❶ 给人东西同时从他那里取得别的东西;交:～|调～。❷ 变换;更换:～车|～人|～衣服。❸ 兑换。

【换班】huàn//bān 囫 (工作人员)按时轮流替换上班:日班和夜班的工人正在～。

【换茬】huàn//chá 囫 一种农作物收获后,换种另一种农作物。

【换代】huàndài 囫 ❶ 改变朝代:改朝～。❷ 指产品在结构、性能等方面比原来的有明显的改进和发展:～产品|加快产品的更新～。

【换挡】huàn//dǎng 囫 把汽车、拖拉机等的排挡从一个挡位推到所需要的另一个挡位上,如从二挡换到三挡,又如从四挡换到三挡。

【换防】huàn//fáng 囫 原在某处驻防的部队移交防守任务,由新调来的部队接替。

【换岗】huàn//gǎng 囫 ❶ 原来站岗的人下岗,由接替的人上岗,继续执勤:交通警察～。❷ 转换岗位;从一个岗位换到另一个岗位工作:～前要进行培训。

【换个儿】huàn//gèr 〈口〉囫 互相掉换位置:咱俩换个儿坐|这两个抽屉大小不一样,不能～。

【换工】huàn//gōng 囫 农业生产单位之间或农户之间在自愿基础上互相换着干活。

【换汇】huàn//huì 囫 换取外汇:出口～。

【换季】huàn//jì 囫 季节更换:～时注意增减衣服。

【换肩】huàn//jiān 囫 把挑的担子或扛的东西从一个肩上移到另一个肩上。

【换届】huàn//jiè 囫 领导机构一届期满后另行改选或调任:～选举。

【换马】huànmǎ 囫 比喻撤换担负某项职务的人(多含贬义)。

【换脑筋】huàn nǎojīn 指改造思想或改变旧的观念。

【换钱】huàn//qián 囫 ❶ 把整钱换成零钱或把零钱换成整钱;把一种货币换成另一种货币。❷ 把东西卖出得到钱:破铜烂

铁也可以～。

【换亲】huànqīn 动 旧俗两家互娶对方的女儿做媳妇。

【换取】huànqǔ 动 用交换的方法取得：用工业品～农产品。

【换算】huànsuàn 动 把某种单位的数量折合成另一种单位的数量。

【换汤不换药】huàn tāng bù huàn yào 比喻只改变形式，不改变内容。

【换帖】huàn//tiě 动 旧时朋友结拜为异姓兄弟时，交换写着姓名、年龄、籍贯、家世的帖儿：～弟兄。

【换文】huànwén ❶（-//-）动（国家与国家之间）交换文书。❷ 名 国家与国家之间就已经达成协议的事项而交换的内容相同的文书。一般用来补充正式条约或确定已达成的协议，如建立外交关系的换文，处理边界问题的换文等。

【换洗】huànxǐ 动 更换并洗涤（衣服、床单等）：衣服要勤～|这次出门，就带了几件～的衣服。

【换血】huàn//xiě 动 比喻调整、更换组织、机构等的成员。

【换牙】huàn//yá 动 乳牙逐一脱落，恒牙逐一生出来。一般人在 6—8 岁时开始换牙，12—14 岁时全部乳牙被恒牙所代替。

【换言之】huàn yán zhī 〈书〉换句话说。

唤 huàn 动 发出大声，使对方觉醒、注意或随声而来：呼～|～醒|～起。

【唤起】huànqǐ 动 ❶ 号召使奋起：～民众。❷ 引起（注意、回忆等）：这封信～了我对往事的回忆。

【唤头】huàn·tou 名 街头流动的小贩或服务性行业的人（如磨刀的、理发的）用来招引顾客的各种响器。

【唤醒】huànxǐng 动 ❶ 叫醒：他把我从睡梦中～。❷ 使醒悟：～民众。

涣 huàn 消散：～散。

【涣涣】huànhuàn 〈书〉形 形容水势盛大。

【涣然】huànrán 形 形容嫌隙、疑虑、误会等完全消除：～冰释。

【涣散】huànsàn ❶ 形（精神、组织、纪律等）散漫；松懈：士气｜精神～。❷ 动 使涣散：～军心｜～组织。

浣（澣） huàn ❶〈书〉洗：～衣｜～纱。❷ 唐代定制，官吏十天一

次休息沐浴，每月分为上浣、中浣、下浣，后来借作上旬、中旬、下旬的别称。❸（Huàn）名 姓。

患 huàn ❶ 名 祸害；灾难：～难｜水～｜防～未然。❷ 忧虑：忧～｜～得～失。❸ 动 害（病）：～病｜～者。

【患处】huànchù 名 长疮疖或受外伤的地方。

【患得患失】huàn dé huàn shī 《论语·阳货》："其未得之也，患得之；既得之，患失之。"指对于个人的利害得失斤斤计较。

【患难】huànnàn 名 困难和危险的处境：同甘苦，共～｜～之交（共过患难的朋友）。

【患难与共】huànnàn yǔ gòng 在不利处境中，共同承受困难或灾祸。

【患者】huànzhě 名 患某种疾病的人：肺结核～。

焕 huàn ❶ 光明；光亮：～发。❷（Huàn）名 姓。

【焕发】huànfā 动 ❶ 光彩四射：精神～｜容光～。❷ 振作：～激情｜革命精神。

【焕然】huànrán 形 形容有光彩：～一新。

【焕然一新】huànrán yī xīn 形容出现了崭新的面貌：店面经过装饰，～。

逭 huàn 〈书〉逃；避：罪实难～。

睆 huàn 〈书〉❶ 明亮。❷ 美好。

瘓 huàn 见 1321 页〖瘫痪〗。

曼 Huàn 名 姓。

豢 huàn 豢养。

【豢养】huànyǎng 动 喂养（牲畜），比喻收买并利用。

漶 huàn 见 917 页〖漫漶〗。

鲩（鯇） huàn 名 草鱼。

擐 huàn 〈书〉穿：～甲执兵｜躬～甲胄。

辖（轘） huàn 古代一种用车分裂人体的酷刑。

另见 595 页 huán。

huāng（ㄏㄨㄤ）

肓 huāng ❶ 见 100 页〖病入膏肓〗。❷ (Huāng)〔名〕姓。

荒 huāng ❶〔动〕荒芜：地~了。❷ 荒凉：~村|~郊|~岛。❸ 荒歉：~年|备~。❹ 荒地：生~|熟~|开~|垦~。❺〔动〕荒疏：别把功课~了|多年不下棋，~了。❻ 严重的缺乏：粮~|煤~|房~。❼ 不合情理：~谬|~诞。❽〈方〉不确定的：~信|~数儿。❾ 迷乱；放纵：~淫。

【荒草】huāngcǎo〔名〕野草：~丛生。

【荒村】huāngcūn〔名〕荒僻的村落。

【荒诞】huāngdàn〔形〕极不真实；极不近情理：~不经|~无稽|情节~。

【荒诞派】huāngdànpài〔名〕西方现代文学艺术流派之一。第二次世界大战以后出现于法国，后流行于欧美和日本，在戏剧上表现最为集中和突出。以存在主义为思想基础，着重表现世界的非理性和人的异化，常采用象征隐喻、夸张变形等手法来营造荒诞感。

【荒地】huāngdì〔名〕没有开垦或没有耕种的土地。

【荒废】huāngfèi〔动〕❶ 该种而没有耕种：村里没有一亩~的土地。❷ 荒疏：~学业。❸ 不利用；浪费（时间）：他学习抓得很紧，从不~一点工夫。

【荒古】huānggǔ〔名〕太古：~世界。

【荒寂】huāngjì〔形〕荒凉寂静：四周空旷~|~的山谷。

【荒郊】huāngjiāo〔名〕荒凉的郊外：~古寺。

【荒凉】huāngliáng〔形〕人烟少；冷清：一片~。

【荒乱】huāngluàn〔形〕指社会秩序极端不安定：~年月，民不安生。

【荒谬】huāngmiù〔形〕极端错误；非常不合情理：~绝伦|~的论调。

【荒漠】huāngmò ❶〔形〕荒凉而又无边无际：~的草原。❷〔名〕荒凉的沙漠或旷野：渺无人烟的~|变~为绿洲。❸〔名〕由于干旱、水土流失和人类活动等原因造成的不适于耕种、植被稀疏的广大地区。根据地表物质可分为沙漠、砾漠、岩漠、泥漠、盐漠等。

【荒漠化】huāngmòhuà〔动〕指由于气候变异和人类活动等因素造成的干旱、半干旱地区和湿润、半湿润地区的土地退化。包括沙质荒漠化（沙漠化）、石质荒漠化等。

【荒年】huāngnián〔名〕农作物收成很坏或没有收成的年头儿；荒歉的年头儿。

【荒僻】huāngpì〔形〕荒凉偏僻：~的山区。

【荒歉】huāngqiàn〔形〕农作物没有收成或收成很坏：~之年。

【荒山】huāngshān〔名〕荒凉的山：~秀岭。

【荒时暴月】huāng shí bào yuè 指年成很坏或青黄不接的时候。

【荒疏】huāngshū〔动〕（学业、技术）因平时缺乏练习而生疏：因病休学，功课都~了。

【荒数】huāngshù（~儿）〈方〉〔名〕大约的、不确定的数目。

【荒唐】huāng·táng〔形〕❶（思想、言行）错误到使人觉得奇怪的程度：~之言|~无稽|这个想法毫无道理，实在~。❷（行为）放荡，没有节制。

【荒无人烟】huāng wú rén yān 十分荒凉，没有人家。

【荒芜】huāngwú〔形〕（田地）因无人管理而长满野草：田园~。

【荒信】huāngxìn（~儿）〈方〉〔名〕不确定的或没有证实的消息。

【荒野】huāngyě〔名〕荒凉的野外。

【荒淫】huāngyín〔形〕贪恋酒色：~无耻。

【荒原】huāngyuán〔名〕荒凉的原野：过去沙碱为害的~，变成了稻浪翻滚的良田。

【荒置】huāngzhì〔动〕荒废，闲置：土地~。

塃 huāng〈方〉〔名〕开采出来的矿石。

慌 huāng〔形〕慌张：惊~|恐~|心~|~手~脚|沉住气，不要~。

慌 ·huang〔形〕表示难以忍受（用作补语，前面加"得"）：疼得~|累得~|闷得~。

【慌乱】huāngluàn〔形〕慌张而混乱：脚步~|心中一点儿也不~。

【慌忙】huāngmáng〔形〕急忙；不从容：~之中，把衣服都穿反了。

【慌神儿】huāng∥shénr〈口〉〔动〕心慌意乱：考试时不能~|越~，越容易出错。

【慌手慌脚】huāng shǒu huāng jiǎo（~的）形容做事慌张忙乱。

【慌张】huāng·zhāng 〔形〕心里不沉着，动作忙乱：神色～。

huáng （ㄏㄨㄤ）

皇 huáng ❶〈书〉盛大。❷君主；皇帝：～宫|三～五帝。❸(Huáng)〔名〕姓。

【皇朝】huángcháo 封建王朝。

【皇储】huángchǔ 〔名〕确定的继承皇位的人。

【皇帝】huángdì 〔名〕最高封建统治者的称号。在我国皇帝的称号始于秦始皇。

【皇甫】Huángfǔ 〔名〕姓。

【皇宫】huánggōng 〔名〕皇帝居住的地方。

【皇冠】huángguān 〔名〕皇帝戴的帽子，多用来象征皇权。

【皇后】huánghòu 〔名〕皇帝的妻子。

【皇皇】[1] huánghuáng 同"惶惶"。

【皇皇】[2] huánghuáng 同"遑遑"。

【皇皇】[3] huánghuáng 〔形〕形容堂皇，盛大：～文告|～巨著。

【皇家】huángjiā 〔名〕皇室。

【皇历】huáng·li 〈口〉〔名〕历书。也作黄历。

【皇粮】huángliáng 〔名〕❶旧时指官府的粮食；公粮。❷借指国家供给的资金、物资。

【皇亲】huángqīn 〔名〕皇帝的亲属，多指皇帝家族的成员：～国戚。

【皇权】huángquán 〔名〕指皇帝的权力。

【皇上】huáng·shang 〔名〕我国封建时代称在位的皇帝。

【皇室】huángshì 〔名〕❶皇帝的家族。❷指朝廷：效忠～。

【皇太后】huángtàihòu 〔名〕皇帝的母亲。

【皇太子】huángtàizǐ 〔名〕已经确定继承皇位的皇子。

【皇天】huángtiān 〔名〕指天；苍天：～后土|～不负苦心人。

【皇天后土】huáng tiān hòu tǔ 指天和地。古人认为天能主持公道，主宰万物。

【皇位】huángwèi 〔名〕皇帝的地位：继承～。

【皇子】huángzǐ 〔名〕皇帝的儿子。

【皇族】huángzú 〔名〕皇帝的家族。

黄[1] huáng ❶〔形〕像丝瓜花或向日葵花的颜色。❷指黄金：～货|白之物。❸(～儿)指蛋黄：双～蛋。❹〔形〕象征腐化堕落，特指色情：扫～|查禁～书。❺(Huáng)指黄河：治～|引～工程。❻(Huáng)指黄帝，我国古代传说中的帝王：炎～。❼(Huáng)〔名〕姓。

黄[2] huáng 〈口〉〔动〕事情失败或计划不能实现：买卖～了。

【黄斑】huángbān 〔名〕眼球视网膜正中央的一部分，略呈圆形，黄色。黄斑正对瞳孔，物体的影像正落在这一点上时，看得最清楚。(图见 1569 页"人的眼")

【黄包车】huángbāochē 〈方〉〔名〕人力车②。

【黄骠马】huángbiāomǎ 〔名〕一种黄毛夹杂着白点子的马。

【黄表纸】huángbiǎozhǐ 〔名〕迷信的人祭祀用的黄色的纸。

【黄波椤】huángbōluó 〔名〕黄檗。

【黄柏】huángbò 同"黄檗"。

【黄檗】huángbò 〔名〕落叶乔木，树皮淡灰色，羽状复叶，小叶卵形或卵状披针形，花小，黄绿色，果实黑色。木材坚硬，木纹美观，用来做家具等，茎可制黄色染料。树皮和果实可入药。也作黄柏，也叫黄波椤。

【黄菜】huángcài 〈方〉〔名〕用打散了的鸡蛋摊成的菜叫摊黄菜，熘成的菜叫熘黄菜。

【黄灿灿】huángcàncàn (～的)〔形〕状态词。形容金黄而鲜艳：麦苗绿油油，菜花～。

【黄茶】huángchá 〔名〕茶叶的一大类，是通过堆积闷黄制成的，叶色和沏出的茶色为黄色，分为黄大茶、黄小茶、黄芽，主要产于安徽、湖南、湖北。

【黄巢起义】Huáng Cháo Qǐyì 黄巢所领导的唐末农民大起义。公元 875 年，黄巢发动起义，起义军提出"均平"的政治口号。公元 881 年，起义军攻下唐都长安，建立了农民革命政权，国号大齐，也叫齐。后来起义虽被唐王朝所镇压，但却导致了唐王朝的迅速灭亡。

【黄疸】huángdǎn 〔名〕病人的皮肤、黏膜和眼球的巩膜发黄的症状，由血液中胆红素增高而引起。某些肝胆疾病有这种症状。

【黄道】huángdào 名 地球一年绕太阳转一周,我们从地球上看成太阳一年在天空中移动一圈,太阳这样移动的路线叫做黄道。它是天球上假设的一个大圆圈,即地球轨道在天球上的投影。黄道和赤道平面相交于春分点和秋分点。

【黄道带】huángdàodài 名 黄道两旁各宽8°的范围。日、月、行星都在带内运行。

【黄道吉日】huángdào jírì 迷信的人认为宜于办事的好日子。也说黄道日。

【黄道十二宫】huángdào shí'èrgōng 古代把黄道带分为十二等份,叫做黄道十二宫,每宫包括一个星座。它们的名称,从春分点起,依次为白羊、金牛、双子、巨蟹、狮子、室女、天秤、天蝎、人马、摩羯、宝瓶、双鱼。由于春分点移动,现在十二宫和十二星座的划分已不一致。

【黄澄澄】huángdēngdēng (~的)形 状态词。形容金黄色:谷穗儿~的|~的金质奖章。

【黄帝】Huángdì 名 见 1566 页〖炎黄〗。

【黄豆】huángdòu 名 表皮黄色的大豆。

【黄毒】huángdú 名 指毒害人思想的淫秽的书刊、音像制品等;扫除~。

【黄瓜】huáng·guā 名 ❶ 一年生草本植物,茎蔓生,有卷须,叶子大,五角形,花黄色。果实圆柱形,通常有刺,成熟时黄绿色,是常见蔬菜。❷ 这种植物的果实。

【黄花】huánghuā ❶ 名 指菊花。❷(~儿)名 金针菜的迪称。❸〈山〉形 属性词。指没有过性行为的(青年男女):~后生|~女儿。

【黄花女儿】huánghuānǚr 名 处女的俗称。

【黄花鱼】huánghuāyú 名 黄鱼①。

【黄昏】huánghūn 名 时间词。日落以后天黑以前的时候。

【黄昏恋】huánghūnliàn 名 指老年男女之间的恋爱。

【黄酱】huángjiàng 名 黄豆、面粉等发酵后制成的酱,呈红黄色。

【黄教】Huángjiào 名 格鲁派的俗称。

【黄巾起义】Huángjīn Qǐyì 东汉末年张角领导的大规模农民起义。张角创立太平道,组织民众,进行活动,公元 184 年发动起义,头裹黄巾为标志,所以叫黄巾军。起义失败后,余部仍坚持斗争二十多年,沉重打击了东汉王朝的统治。

【黄金】huángjīn ❶ 名 金¹④的通称。❷

形 属性词。比喻宝贵:~地段|电视广播的~时间。

【黄金分割】huángjīn fēngē 把一条线段分成两部分,使其中一部分与全长的比等于另一部分与这部分的比,比值为 $\frac{\sqrt{5}-1}{2}$＝0.618…,这种分割叫做黄金分割,因这种比例在造型上比较美观而得名。也叫中外比。

【黄金时代】huángjīn shídài ❶ 指政治、经济或文化最繁荣的时期。❷ 指人一生中最宝贵的时期。

【黄金时段】huángjīn shíduàn 黄金时间。

【黄金时间】huángjīn shíjiān 比喻极为宝贵的时间。广播、电视部门用来指收听率或收视率最高的时间段。也说黄金时段。

【黄金周】huángjīnzhōu 名 指我国五一、十一、春节各为期一周的节假日,其间购物、旅游等消费活动较为集中、活跃。

【黄獍】huángjīng 名 指某些小型的麂类。参看 643 页"麂"。

【黄酒】huángjiǔ 名 用糯米、大米、黄米等酿造的酒,色黄,含酒精量较低。

【黄口小儿】huáng kǒu xiǎo ér 指婴儿,多用来讥诮无知的年轻人(黄口:雏鸟的嘴)。

【黄蜡】huánglà 名 蜂蜡的通称。

【黄鹂】huánglí 名 鸟,身体黄色,局部间有黑色,嘴红色或黄色。叫的声音很好听,吃森林中的害虫,对林业有益。也叫鸧鹒或黄莺。

【黄历】huáng·li 同"皇历"。

【黄连】huánglián 名 多年生草本植物,有三片小叶的复叶,花小、黄绿色。根状茎味苦,黄色,可入药。

【黄连木】huángliánmù 名 落叶乔木,羽状复叶,小叶披针形,花单性,雌雄异株,果实球形,紫色。种子可以榨油,树皮和叶子可以制栲胶。也叫楷(jiē)。

【黄粱美梦】huángliáng měimèng 黄粱梦。

【黄粱梦】huángliángmèng 名 有个卢生,在邯郸旅店中遇见一个道士吕翁,卢生自叹穷困。道士借给他一个枕头,要他枕着睡觉。这时店家正煮小米饭。卢生在梦中享尽了一生荣华富贵。一觉醒来,小米饭还没有熟(见于唐沈既济《枕中记》)。后用来比喻想要实现的好事落得一场空。

也说黄粱美梦、一枕黄粱。

【黄磷】huánglín 名 白磷。

【黄龙】Huánglóng 名 黄龙府,金国的地名,在今吉林农安。宋金交战时,岳飞曾经说要直捣黄龙府,后来泛指敌方的要地:直捣～|痛饮～。

【黄栌】huánglú 名 落叶灌木或小乔木,叶子卵形或倒卵形,秋季变红,花单性和两性同株共存,果实肾脏形。木材黄色,叫以制染料。

【黄毛丫头】huángmáo yā·tou 年幼的女孩子(含戏谑或轻侮意)。

【黄梅季】huángméijì 名 春末夏初梅子黄熟的一段时期,这段时期我国长江中下游地方连续下雨,空气潮湿,衣物等容易发霉。也叫黄梅天。

【黄梅戏】huángméixì 名 安徽地方戏曲剧种之一,主要流行于该省中部,因基本曲调由湖北黄梅传入而得名。也叫黄梅调。

【黄梅雨】huángméiyǔ 名 黄梅季节下的雨。也叫梅雨。

【黄米】huángmǐ 名 黍子去了壳的子实,比小米稍大,颜色很黄,煮熟后很黏。

【黄鸟】huángniǎo (～儿)名 金丝雀的通称。

【黄牛】huángniú 名 ❶ 牛的一种,角短,皮毛黄褐色或黑色,也有杂色的,毛短。用来耕地或拉车,肉供食用,皮可以制革。❷〈方〉指仗恃力气或利用不正当手法抢购物资以及车票、门票后高价出售而从中取利的人:～党。

【黄牌】huángpái 名 ❶ 体育比赛中,裁判员对严重犯规的运动员、教练员出示的黄色警示牌。黄牌警告比红牌警告轻。❷ 对有违法、违章行为的个人或单位进行警告叫亮黄牌:管理部门向存在安全隐患的单位亮～。

【黄袍加身】huáng páo jiā shēn 五代后周时,赵匡胤在陈桥驿发动兵变,部下给他披上黄袍,拥推为皇帝。后来用"黄袍加身"指政变成功,夺得政权。

【黄皮书】huángpíshū 名 见 26 页〖白皮书〗。

【黄片儿】huángpiānr 〈口〉名 黄片。

【黄片】huángpiàn 名 指内容淫秽的影视片。

【黄芪】huángqí 名 多年生草本植物,羽状复叶,小叶长圆形,花淡黄色。根黄色,可入药。

【黄芩】huángqín 名 多年生草本植物,叶子披针形,花淡紫色。根黄色,可入药。

【黄曲霉菌】huángqūméijūn 名 霉菌的一种,菌落略带黄色,孢子呈球形。所产生的毒素能使人或动物中毒,并有致癌作用。

【黄泉】huángquán 名 地下的泉水,指人死后埋葬的地方,迷信的人指阴间:～之下|命赴～。

【黄壤】huángrǎng 名 黄色的土壤,在我国主要分布在四川、贵州、广西等地。铁、铝含量高,酸性强,养分较丰富。

【黄热病】huángrèbìng 名 急性传染病,由黄热病病毒引起,经蚊子叮咬传播。症状是头痛、低热,严重时出现高热,有黄疸,黏膜出血,全身衰竭以至死亡。多见于南美洲和非洲。

【黄色】huángsè ❶ 名 黄颜色。❷ 形 属性词。象征腐化堕落,特指色情的:～小说|～录像。

【黄色炸药】huángsè zhàyào 烈性炸药,成分是三硝基甲苯,黄色结晶。也叫梯恩梯。

【黄鳝】huángshàn 名 鱼,身体像蛇而无鳞,黄褐色,有黑色斑点。生活在水边泥洞里。

【黄熟】huángshú 动 谷类作物成熟时,子实内部变硬,植株大部分变成黄色,不再生长,叫黄熟。

【黄鼠狼】huángshǔláng 名 黄鼬的通称。

【黄汤】huángtāng 名 指黄酒(骂人喝酒时说):你少灌点儿～吧!

【黄糖】huángtáng 〈方〉名 红糖。

【黄土】huángtǔ 名 粉沙粒、黏土和少量碳酸钙的混合物,浅黄或黄褐色,用手搓揉容易成粉末。我国西北地区是世界有名的黄土地带,土层厚度一般几十米至几百米。

【黄癣】huángxuǎn 名 头癣的一种,在头部发生黄色斑点或小脓疱,有特殊臭味,结痂后,毛发脱落,痊愈后留下疤痕,不生毛发。北方叫秃疮,南方叫癞痢。

【黄芽菜】huángyácài 〈方〉名 大白菜。

【黄烟】huángyān 〈方〉名 旱烟。

【黄羊】huángyáng 名 哺乳动物,角短而稍弯,尾短,四肢细,毛黄白色,有光泽。生活在草原和半沙漠地带,吃草和灌木等。

【黄猺】huángyáo 图青鼬。

【黄页】huángyè 图电话号簿中登记企事业单位(有时也包括住宅)电话号码的部分,因用黄色纸张印刷,所以叫黄页(区别于"白页")。

【黄莺】huángyīng 图黄鹂。

【黄油】huángyóu 图❶从石油中分馏出来的膏状油脂,黄色或褐色,黏度大,多用作润滑油。❷从牛奶或奶油中提取的淡黄色固体,主要成分为脂肪,是一种食品。

【黄鼬】huángyòu 图哺乳动物,身体细长,四肢短,尾蓬松,背部棕灰色。昼伏夜出,主要捕食鼠类,有时也吃家禽。尾毛可制毛笔。通称黄鼠狼,有的地区叫貔子。

【黄鱼】huángyú 图❶鱼,身体侧扁,尾巴狭窄,头大,侧线以下有分泌黄色物质的腺体。生活在海中。分大黄鱼和小黄鱼两种。也叫黄花鱼。❷旧时指轮船水手、汽车司机等为捞取外快而私带的旅客。❸〈方〉指金条。

【黄玉】huángyù 图❶矿物,化学成分是含羟基的铝硅酸盐,透明,有玻璃光泽,韧性大,硬度8,可做研磨材料。其中的上品是宝石,叫托帕石。❷黄色或米黄色的软玉。

【黄账】huángzhàng 〈方〉图收不回来的账。

【黄纸板】huángzhǐbǎn 图用稻草、麦秸等制成的一种纸板,黄色,质地粗糙,多用来制纸盒。俗称马粪纸。

【黄种】Huángzhǒng 图蒙古人种。

【黄钻】huángzuàn 图鳡(gǎn)。

凰
huáng 见413页〖凤凰〗。

隍
huáng 〈书〉没有水的城壕:城~。

喤
huáng 〖喤喤〗(huánghuáng)〈书〗拟声❶形容大而和谐的钟鼓声:钟鼓~。❷形容小儿洪亮的啼哭声。

遑
huáng 〈书〉闲暇:不~。

【遑遑】huánghuáng 〈书〉形匆忙。也作皇皇。

【遑论】huánglùn 〈书〉动不必论及;谈不上:生计无着,~享乐。

徨
huáng 见1023页〖彷徨〗。

馈(餭)
huáng 见1715页〖饧馈〗。

湟
Huáng 湟水,水名,发源于青海,流入甘肃。

惶
huáng 恐惧:~恐|惊~。

【惶惶】huánghuáng 形恐惧不安:人心~|~不可终日(形容非常惊恐,连一天都过不下去)。也作皇皇。

【惶惑】huánghuò 形疑惑畏惧:他整天~不安。

【惶遽】huángjù 〈书〉形惊慌:神色~。

【惶恐】huángkǒng 形惊慌害怕:万分~|~不安。

【惶悚】huángsǒng 〈书〉形惶恐:~不安。

煌
huáng 明亮;辉~。

【煌煌】huánghuáng 〈书〉形形容明亮:明星~。

锽(鍠)
huáng 古代一种兵器。

【锽锽】huánghuáng 〈书〉拟声形容大而和谐的钟鼓声。

潢1
huáng 〈书〉积水池。

潢2
huáng (旧读 huàng)染纸:装~。

璜
huáng 〈书〉半璧形的玉。

蝗
huáng 图蝗虫:飞~|~灾|灭~。

【蝗虫】huángchóng 图昆虫,口器坚硬,前翅狭窄而坚韧,后翅宽大而柔软,后肢很发达,善于跳跃,多数善于飞行。主要危害禾本科植物,是农业害虫。种类很多。有的地区叫蚂蚱(mà•zha)。

【蝗蝻】huángnǎn 图蝗虫的若虫,外形像成虫而翅膀很短,身体小,头大。也叫跳蝻。

【蝗灾】huángzāi 图因成群的蝗虫吃掉大量庄稼、牧草等造成的灾害。

篁
huáng 〈书〉竹林,也指竹子:幽~|修~(长竹子)。

艎 huáng 见 1662 页[舻艎]。

磺 huáng 硫黄旧也作硫磺。

镤(鐄) huáng 同"簧"。

癀 huáng [癀病](huángbìng)〈方〉图 牛、马、猪、羊等家畜的炭疽。

蟥 huáng 见 910 页[蚂蟥]。

簧 huáng 图❶乐器里用铜或其他质料成的发声薄片。❷器物上有弹力的机件:弹~|锁~|闹钟的~拧断了。

鳇(鰉) huáng 图鱼,大的体长可达5米,有 5 行硬鳞,嘴很突出,半月形,两旁有扁平的须。夏季在江河中产卵,过一段时间后,回到海洋中生活。

huǎng （ㄏㄨㄤˇ）

悦 huǎng 见 156 页[恍悦]。

恍 huǎng ❶恍然:~悟。❷仿佛(与"如、若"等连用):~如梦境|~如隔世|~若置身其间。

【恍惚】(恍忽) huǎng·hū 图❶神志不清,精神不集中:精神~。❷(记得、听得、看得)不真切;不清楚:我~听见他回来了。

【恍然】 huǎngrán 图形容忽然醒悟:~大悟。

【恍如隔世】 huǎng rú gé shì 好像隔了一世,多用来形容对时间的变迁、事物的巨大变化的感慨。

【恍悟】 huǎngwù 图忽然醒悟。

晃 huǎng 图❶(光芒)闪耀:太阳一~得眼睛睁不开。❷很快地闪过:虚~一刀|窗外有个人影儿一~就不见了。
另见 603 页 huàng。

【晃眼】 huǎngyǎn 图光线过强,刺得眼睛不舒服:摄影棚内强烈的灯光直~。

谎(謊) huǎng ❶图谎话:说~|撒~|漫天大~。❷不真实;虚假:~话|~报。

【谎报】 huǎngbào 图故意不实地报告:~军情|~成绩。

【谎称】 huǎngchēng 图故意不实地说:

~有病。

【谎花】 huǎnghuā （~儿）图不结果实的花,如南瓜、西瓜等的雄花。

【谎话】 huǎnghuà 图不真实的、骗人的话;假话:~连篇。

【谎价】 huǎngjià （~儿）图出售货物时所要的高于一般的价钱。

【谎信】 huǎngxìn （~儿）〈方〉图荒信。

【谎言】 huǎngyán 图谎话:戳穿~。

幌 huǎng 〈书〉帷幔。

【幌子】 huǎng·zi 图❶商店门外表明所卖商品的标志。❷比喻进行某种活动时所假借的名义:打着开会的~去游山玩水。

huàng （ㄏㄨㄤˋ）

晃¹(提) huàng 图摇动;摆动:摇头~脑|风刮得树枝直~。

晃² Huàng 晃县,旧地名,在湖南,今改称新晃(Xīnhuǎng)侗族自治县。
另见 603 页 huǎng。

【晃荡】 huàng·dang 图❶向两边摆动:小船在水里直~|桶里水很满,一~就撒出来了。❷闲逛;无所事事:他在河边~了一天|正经事儿不做,一天到晚瞎~。

【晃动】 huàngdòng 图摇晃;摆动:小树被风吹得直~。

【晃悠】 huàng·you 图晃荡①:树枝来回~|老太太晃晃悠悠地走来。

滉 huàng 〈书〉水深而广。

榥 huàng 〈书〉窗棂。

皝 huàng 用于人名,慕容皝,东晋初年鲜卑族的首领,建立前燕国。

huī (ㄏㄨㄟ)

灰 huī ❶图物质经过燃烧后剩下的粉末状的东西:炉~|烟~|柴~|~烬|~肥。❷图尘土;某些粉末状的东西:洋~|把桌子上的~掸掉。❸图特指石灰:~墙|~顶|抹~。❹图像草木灰的

颜色,介于黑色和白色之间:银～|～鼠|帽子是～的。❺消沉;失望:心～|意懒|万念俱～。

【灰暗】huī'àn 形 暗淡;不鲜明:天色～|◇前途～。

【灰白】huībái 形 状态词。浅灰色:～的炊烟|头发～。

【灰不溜丢】huī·buliūdiū （～的）〈方〉形 状态词。形容灰色(含厌恶意)。也说灰不溜秋。

【灰菜】huīcài 名 藜。

【灰尘】huīchén 名 尘土:打扫～。

【灰沉沉】huīchénchén （～的）形 状态词。形容灰暗(多指天色):天空～的,像是要下雨的样子。

【灰顶】huīdǐng 名 抹(mò)石灰而不盖瓦的房顶。

【灰分】huīfèn 名 物质燃烧后剩下的灰的质量与原物质质量的比值,叫做这种物质的灰分。如 100 千克的煤,燃烧后剩灰 25 千克,这种煤的灰分就是 25%。

【灰膏】huīgāo 名 除去渣滓沉淀后呈膏状的熟石灰,是常用的建筑材料。

【灰光】huīguāng 名 农历每月月初,月球被地球阴影遮住的部分现出的微光。灰光是地球反射的太阳光照亮了月球,再反射回地球而形成的。发灰光的部分和蛾眉月形成一个整圆。

【灰鹤】huīhè 名 鹤的一种,身体羽毛灰色,颈下黑色,头顶有红色斑点,脚黑色。生活在芦苇丛中或河岸等地,吃植物的浆果和昆虫等。

【灰化土】huīhuàtǔ 名 枯萎凋落的枝叶被真菌分解而成的土壤,灰白色,在我国主要分布在东北、西北的部分林区。这种土壤酸性强,含腐殖质少,缺乏养分。

【灰浆】huījiāng 名 ❶ 石灰、水泥或青灰等加水拌和而成的浆,用来粉刷墙壁。❷砂浆。

【灰烬】huījìn 名 物品燃烧后的灰和烧剩下的东西:化为～。

【灰空间】huīkōngjiān 名 建筑学上指功能上不定性,具有双重或多重意义的空间。如某些传统建筑的檐下外廊,介于室内和庭院之间,是有多种功能的中间性空间,就是灰空间。也叫模糊空间。

【灰溜溜】huīliūliū （～的）形 状态词。❶

形容颜色暗淡(含厌恶意):屋子多年没粉刷,～的。❷形容神情懊丧或消沉:他挨了一顿训斥,～地走出来|不知什么原因,他这阵子显得～的。

【灰蒙蒙】huīméngméng （～的）形 状态词。形容暗淡模糊(多指景色):～的夜色|一起风沙,天地都变得～的。

【灰棚】huīpéng 〈方〉名 ❶ 堆草木灰的矮小的房子。❷（～儿）灰顶的小房子。

【灰色】huīsè ❶ 名 灰颜色。❷ 形 属性词。比喻颓废和失望:～的作品|～的心情。❸ 形 属性词。比喻不明朗的;不正规的:～收入|～市场。

【灰色市场】huīsè shìchǎng 指非正常渠道的、处于地下状态的市场。简称灰市。

【灰色收入】huīsè shōurù 指职工获得的工资、津贴以外的经济收入,如稿酬、兼职收入、专利转让费等,有时也指一些透明度不高,不完全符合法规的收入(区别于"白色收入、黑色收入")。

【灰市】huīshì 名 灰色市场的简称。

【灰头土脸】huī tóu tǔ liǎn （～儿)〈方〉❶满头满脸沾上尘土的样子:他扬完了场,闹了个～。❷形容神情懊丧或消沉:你高高兴兴地去了,可别弄得～地回来。

【灰土】huītǔ 名 尘土:车后卷起一片～。

【灰心】huī∥xīn 动 (因遭到困难、失败)意志消沉:～丧气|不怕失败,只怕～。

【灰质】huīzhì 名 脑和脊髓里的灰色部分,主要由神经细胞组成。

扬(撝、撝) huī 〈书〉指挥。

诙(詼) huī 〈书〉诙谐;戏谑。

【诙谐】huīxié 形 说话有风趣,引人发笑:谈吐～。

挥(揮) huī ❶ 动 挥舞:～手|～拳|～刀|大笔一～。❷ 用手把眼泪、汗珠儿等抹掉:～泪|～汗。❸ 指挥(军队):～师。❹ 散出:散:～发|～～|～金如土。

【挥斥】huīchì 〈书〉形 (意气)奔放。

【挥动】huīdòng 动 挥舞:～手臂|～皮鞭。

【挥发】huīfā 动 液体在低于沸点的温度下变为气体向四周散发,如醚、酒精、汽油等都容易挥发。

【挥戈】huīgē 动 挥动着戈,形容勇猛进

军：～跃马|～上阵。

【挥毫】huīháo 〈书〉动 指用毛笔写字或画画儿：～泼墨|对客～。

【挥霍】huīhuò 动 任意花钱：～无度|～钱财。

【挥金如土】huī jīn rú tǔ 形容任意挥霍钱财，毫不在乎。

【挥洒】huīsǎ 动 ❶ 洒(泪、水等)：～热血。❷ 比喻写文章、画画运笔不拘束：～自如|随意～。

【挥师】huīshī 动 指挥军队：～北上。

【挥手】huī//shǒu 动 举手摆动：～告别|～示意。

【挥舞】huīwǔ 动 举起手臂(连同拿着的东西)摇动：孩子们～着鲜花欢呼。

虺 huī ［虺隤］(huītuí)〈书〉动 疲劳生病(多用于马)。也作虺隤。

另见 609 页 huǐ。

咴 huī ［咴儿咴儿］(huīrhuīr) 拟声 形容马叫的声音。

恢 huī 〈书〉广大；宽广：～弘。

【恢复】huīfù 动 ❶ 变成原来的样子：秩序～了|健康已完全～。❷ 使变成原来的样子；把失去的收回来：～原状|～失地。

【恢弘】huīhóng 〈书〉❶ 形 宽阔；广大：气度～。❷ 动 发扬：～士气。‖也作恢宏。

【恢宏】huīhóng 同"恢弘"。

【恢恢】huīhuī 〈书〉形 形容非常广大：天网～，疏而不漏(形容作恶者一定会受到惩罚)。

【恢廓】huīkuò 〈书〉❶ 形 宽宏：～的胸襟。❷ 动 扩展：～祖业。

袆(禕) huī 古时王后的一种祭服。

珲(琿) huī 瑷珲(Àihuī)，地名，在黑龙江。今作爱辉。

另见 615 页 hún。

豗 huī 见 1542 页〚喧豗〛。

晖(暉) huī ❶ 阳光：春～|朝(zhāo)～|斜～。❷ 同"辉"。

【晖映】huīyìng 见 605 页〚辉映〛。

堕(墮) huī 〈书〉同"隳"。

另见 353 页 duò。

辉(輝、煇) huī ❶ 闪耀的光彩：光～。❷ 照耀：～映|星月交～。

【辉煌】huīhuáng 形 ❶ 光辉灿烂：灯火～|金碧～。❷ (成绩等)显著；卓著：战果～|～的成绩。

【辉映】(晖映) huīyìng 动 照耀；映射：灯光月色，交相～|绚丽的晚霞～着大地。

翚(翬) huī ❶〈书〉飞翔。❷ 古书中指一种有五彩羽毛的野鸡。

麾 huī ❶ 古代指挥军队的旗子。❷〈书〉指挥(军队)：～军前进。

【麾下】huīxià 〈书〉名 ❶ 指将帅的部下。❷ 敬辞，称将帅。

徽[1] huī ❶ 表示某个集体的标志；符号：国～|团～|校～|～章。❷ 美好的：～号。

徽[2] Huī 指徽州(旧府名，府治在今安徽歙县)：～墨|～商。

【徽标】huībiāo 名 徽记；标志：少年儿童活动中心的～格外醒目。

【徽菜】huīcài 名 安徽风味的菜肴。

【徽调】huīdiào 名 ❶ 徽剧所用的腔调。包括吹腔、高拨子、二黄、西皮等。清代传到北京，对京剧腔调的形成有很大的影响。❷ 徽剧的旧称。

【徽号】huīhào 名 美好的称号：同学送给他"诗人"的～。

【徽记】huījì 名 标志：飞机上的～。

【徽剧】huījù 名 安徽地方戏曲剧种之一，流行于该省和江苏、浙江、江西等地区。旧称徽调。

【徽墨】huīmò 名 旧徽州府出产的墨。

【徽章】huīzhāng 名 佩戴在身上用来表示身份、职业等的标志，多用金属制成。

隳 huī 〈书〉毁坏。

huí (ㄏㄨㄟˊ)

回[1](❶迴迴、囘、囬) huí ❶ 曲折环绕：～旋|巡～|迂～|～形针|峰～路转。❷ 动 从别处到原来的地方；还：～家|～乡|送～原处。❸ 动 掉转：～头|～过身来。❹ 动 答复；回报：～信|～敬。

❺ 动 回禀。 ❻ 动 谢绝(邀请);退掉(预定的酒席等);辞去(伙计、佣工);送来的礼物都～了。 ❼ 量 指事情、动作的次数:来了一～|听过两～|那是另一～事。 ❽ 量 说书的一个段落,章回小说的一章:一百二十～抄本《红楼梦》。

回²(囘、迴) Huí ❶ 回族:～民。 ❷ 名 姓。

回(囘、迴) //·huí 趋向动词。用在动词后面,表示人或事物随动作从别处到原处:从邮局取一个包裹|书报阅后,请放～原处。

【回拜】huíbài 动 回访。

【回报】huíbào 动 ❶ 报告(任务、使命等执行的情况)。 ❷ 报答;酬报:做好事不图～。 ❸ 报复:你这样恶意攻击人家,总有一天会遭到～的。

【回避】huíbì 动 ❶ 让开;躲开:～要害问题。 ❷ 司法人员及其他有关人员由于与案件或案件当事人有利害关系,或者可能影响公正处理案件而不参加该案件的诉讼活动。

【回禀】huíbǐng 动 旧时指向上级或长辈报告:～父母。

【回驳】huíbó 动 否定或驳斥别人提出的意见或道理:当面～|据理～。

【回肠】¹huícháng 名 小肠的一部分,上接空肠,下连盲肠,形状弯曲。(图见1493页"人的消化系统")

【回肠】²huícháng 〈书〉 动 形容内心焦虑,好像肠子在旋转:～九转。

【回肠荡气】huí cháng dàng qì 形容文章、乐曲等十分动人。也说荡气回肠。

【回潮】huí//cháo 动 ❶ 已经晒干或烤干的东西又变潮:连下几天雨,晒好的粮食又～了。 ❷ 比喻已经消失了的旧事物、旧习惯、旧思想等重新出现:近几年,一些地方的迷信活动又～。

【回嗔作喜】huí chēn zuò xǐ 由生气变为高兴。

【回程】huíchéng 名 返回的路程:～车。

【回春】huíchūn 动 ❶ 冬天去了,春天到来:大地～。 ❷ 比喻医术高明或药物灵验,能使重病治好:妙手～|～灵药。

【回答】huídá 对问题给予解释;对要求表示意见:～问题|满意的～。

【回单】huídān (～儿)名 回条。

【回荡】huídàng 动 (声音等)来回飘荡:歌声在大厅里～。

【回电】huídiàn ❶ (-//-) 动 接到电报或信件后用电报回复:赶快给他回个电。 ❷ 名 回复的电报:收到一个～。

【回跌】huídiē 动 (价格、指数等)上涨后又往下降:物价～。

【回返】huífǎn 动 往回走;返回:～家乡|～主页。

【回访】huífǎng 动 在对方来拜访以后去拜访对方。

【回放】huífàng 动 已播放过的影视片、录像等的片段重新播放:精彩镜头～。

【回复】huífù 动 ❶ 回答;答复(多指用书信):～群众来信。 ❷ 恢复(原状):～常态。

【回顾】huígù 动 回过头来看◇～过去,展望未来。

【回光返照】huí guāng fǎn zhào ❶ 指太阳刚落到地平线下时,由于反射作用而生的天空中短时发亮的现象。 ❷ 比喻人临死之前精神忽然兴奋的现象,也比喻旧事物灭亡之前暂时兴旺的现象。

【回归】huíguī 动 回到(原来地方);归回:～自然|～祖国。

【回归年】huíguīnián 名 太阳中心连续两次经过春分点所需要的时间。一个回归年等于365天5小时48分46秒,也叫太阳年。

【回归线】huíguīxiàn 名 地球上赤道南北各23°26′处的纬线。北边的叫北回归线,南边的叫南回归线。夏至时,太阳直射在北纬23°26′;冬至时,太阳直射在南纬23°26′。太阳直射的范围限于这两条纬线之间,来回移动,所以叫回归线。

【回锅】huí//guō 动 把已做熟的食物重新加热(已熟或半熟的食品):把这碗菜回回锅再吃。

【回合】huíhé 名 旧小说中描写武将交锋时一方用兵器攻击一次而另一方用兵器招架一次叫一个回合,现在也指双方较量一次:拳击赛进行到第十个～仍不分胜负。

【回纥】Huíhé 名 我国古代民族,主要分布在今鄂尔浑河流域。唐时曾建立回纥政权。也叫回鹘。

【回鹘】Huíhú 名 回纥。

【回护】huíhù 动 袒护;包庇:你老这样～他,他越发放纵了。

【回话】huíhuà ❶（-//-）动 回答别人的问话(旧时多用于下对上)。❷（～儿）名 答复的话(多指由别人转告的)：我一定去，请你带个～给他。

【回还】huíhuán 动 回到原来的地方：～故里｜一去不～。

【回环】huíhuán 〈书〉动 曲折环绕：溪水～。

【回回】Huí•hui 名 旧时称回民。

【回火】huí//huǒ 动 ❶ 把淬火后的工件加热(不超过临界温度)，然后冷却，使能保持一定的硬度，增加韧性。❷ 氧炔吹管等的火焰向反方向燃烧。

【回击】huíjī 动 受到攻击后，反过来攻击对方：奋力～。

【回见】huíjiàn 动 客套话，用于分手时，表示回头再见面。

【回教】Huíjiào 名 我国称伊斯兰教。

【回敬】huíjìng 动 ❶ 回报别人的敬意或馈赠：～你一杯。❷ 用作反话，表示回击：他听到对方骂他，也狠～了几句。

【回绝】huíjué 动 答复对方，表示拒绝：一口～｜～了他的不合理要求。

【回空】huíkōng 动（车船等）回程不载旅客或货物：～车｜～的船。

【回口】huí//kǒu 〈方〉动 还嘴。

【回扣】huíkòu 名 经手采购或代卖主招揽顾客的人向卖主索取的佣钱。这种钱实际上是从买主支付的价款中扣出的，所以叫回扣。有的地区叫回佣(huíyòng)。

【回馈】huíkuì 动 回赠；回报：～社会｜以诚信～消费者。

【回来】huí//•lái 动 从别处到原来的地方来：他刚从外地～｜他每天早晨出去，晚上才～。

【回来】//•huí•lái 动 趋向动词。用在动词后，表示到原来的地方来：跑～｜把借出的书要～。

【回廊】huíláng 名 曲折环绕的走廊。

【回老家】huí lǎojiā 指死去(多含诙谐意)。

【回礼】huílǐ ❶（-//-）动 回答别人的敬礼：首长向站岗的卫兵回了个礼。❷（-//-）动 回赠礼品。❸ 名 回赠的礼品：一份～。

【回历】Huílì 名 伊斯兰历。

【回流】huíliú 动 流过去或流出去的又流回：河水～｜◇人才～。

【回笼】huí//lóng 动 ❶ 把凉了的馒头、包子等放回笼屉再蒸。❷ 在社会上流通的货币回到发行的银行：货币～。

【回炉】huí//lú 动 ❶ 重新熔化(金属)：废铁～｜～重造◇落榜考生～补课。❷ 重新烘烤(烧饼之类)。

【回禄】Huílù 〈书〉名 传说中的火神名，多借指火灾：～之灾｜惨遭～。

【回路】huílù 名 ❶ 返回去的路：～已被截断。❷ 电流通过器件或其他介质后流回电源的通路。通常指闭合电路。

【回落】huíluò 动（水位、物价等）上涨后下降：水位已～到警戒线以下。

【回马枪】huímǎqiāng 名 回过头来给追击者的突然袭击：杀一～。

【回门】huí//mén 动 结婚后若干天内(有的当天，有的三天，长则一月)新婚夫妇一起到女家拜见长辈和亲友，叫做回门。

【回民】Huímín 名 回族人。

【回眸】huímóu 〈书〉动 回转眼睛；回过头看(多指女子)：～一笑。

【回目】huímù 名 章回小说每一回的标题，也指章回小说标题的总目录。

【回念】huíniàn 动 回想；回顾：～往事。

【回暖】huínuǎn 动 天气由冷转暖。

【回聘】huípìn 动 返聘。

【回棋】huí//qí 动 悔棋。

【回迁】huíqiān 动 搬迁后又搬回原住地的新住宅：新楼建好后，居民纷纷～。

【回青】huí//qīng 动 返青：麦苗～。

【回请】huíqǐng 动 被人请后(如请吃饭等)，还(huán)请对方。

【回去】huí//•qù 动 从别处到原来的地方去：离开家乡十年，一次也没～过。

【回去】//•huí•qù 动 趋向动词。用在动词后，表示到原来的地方去：跑～｜把这支笔给他送～。

【回绕】huírào 动 曲折环绕：这里泉水～，古木参天。

【回身】huí//shēn 动 转身：回过身来｜他放下东西，～就走了。

【回神】huí//shén（～儿）动 从惊诧、恐慌、出神等状态中恢复正常：等他回过神来，报信的人早已跑远了。

【回升】huíshēng 动 下降后又往上升：产量～｜物价～｜气温～。

【回生】¹ huíshēng 动 死后再活过来：起死～。

【回生】² huíshēng 动 对前一阶段已经学会的东西又感到生疏：几天不练琴，手指就～。

【回声】huíshēng 名 声波遇到障碍物反射或散射回来再度被听到的声音：山谷中响起他叫喊的～。

【回师】huíshī 〈书〉动 作战时把军队往回调动。

【回收】huíshōu 动❶ 把物品（多指废品或旧货）收回利用：～余热｜～废旧物资。❷ 把发放或发射出的东西收回：～贷款｜～人造卫星。

【回手】huíshǒu 动❶ 把手伸向身后或转回身去伸手：走出了屋子，～把门带上。❷ 还手；还击：打不～。

【回首】huíshǒu 〈书〉动❶ 把头转向后方：屡屡～，不忍离去。❷ 回顾；回忆：～往事。

【回赎】huíshú 动 赎回（抵押的东西）。

【回溯】huísù 动 回顾；回忆：～过去，瞻望未来。

【回天】huítiān 动 形容力量大，能扭转很难挽回的局面：～之力｜～乏术。

【回填】huítián 动 土石方工程上指把挖起来的土重新填回去：～土｜～的时候要逐层夯实。

【回条】huítiáo （～儿）名 收到信件或物品后交来人带回的收据。

【回调】huítiáo 动 （价格、指数等）上涨以后又向下调整：股市缩量～。

【回头】huítóu ❶（－//－）把头转向后方：一～就看见了｜请你回过头来。❷ 动 回来；返回：一去不～。❸ 动 悔悟；改邪归正：浪子～｜现在～还不算晚。❹ 副 少等一会儿，过一段时间以后：你先吃饭，～再谈｜我先走了，～见！

【回头客】huítóukè 名 商店、饭馆、旅馆等指再次光顾的顾客。

【回头路】huítóulù 名 比喻倒退的道路或已经走过的老路。

【回头率】huítóulǜ 名❶ 餐饮、旅店等服务行业指回头客占全部顾客的比率。❷ 回过头来再次观看的比率，指人或物引人注目的程度（含诙谐意）。

【回头人】huítóurén 〈方〉名 指再嫁的寡妇。

【回头是岸】huí tóu shì àn 佛教说"苦海无边，回头是岸"，比喻罪恶虽大，只要悔改，就有出路。

【回味】huíwèi ❶ 名 食物吃过后的余味。❷ 动 从回忆里体会：我一直在～他说的话。

【回文诗】huíwénshī 名 一种诗体。可以倒着或反复回旋地阅读。如诗句"池莲照晓月，幔锦拂朝风"，倒读就是"风朝拂锦幔，月晓照莲池"。多属文字游戏。

【回戏】huí//xì 动 （戏曲）临时因故不能演出。

【回翔】huíxiáng 动 盘旋地飞：鹰在空中～。

【回响】huíxiǎng ❶ 名 回声：歌声在山谷中激起了～。❷ 动 响应：增产节约的倡议得到了全厂各车间的～。❸ 动 声音回旋震荡：山谷中～着开矿的机器声。

【回想】huíxiǎng 动 想（过去的事）：～不起来｜～起不少往事。

【回心转意】huí xīn zhuǎn yì 改变态度，不再坚持过去的成见和主张（多指放弃嫌怨，恢复感情）。

【回信】huíxìn ❶（－//－）动 答复来信：希望早日～｜给他回了一封信。❷ 名 答复的信：给哥写了一封。❸（～儿）名 答复的话：事情办妥了，我给你个～儿。

【回形针】huíxíngzhēn 名 曲别针。

【回旋】huíxuán 动❶ 盘旋；绕来绕去地活动：飞机在上空～着｜～的地区很大。❷ 可进退；可商量：交通：留点儿～的余地，别把话说死了。

【回旋曲】huíxuánqǔ 名 乐曲形式之一，特点是表现基本主题的旋律屡次反复。

【回忆】huíyì 动 回想：～过去｜童年生活的～。

【回忆录】huíyìlù 名 一种文体，记叙个人所经历的生活或所熟悉的历史事件。

【回音】huíyīn 名❶ 回声：礼堂～大，演奏效果差一些。❷ 答复的信；回话：我连去三封信，但一直没有～｜不管行还是不行，请给个～。

【回应】huíyìng 动 回答；答应：对代表们的建议给予积极的～｜叫了半天，也不见有人～。

【回佣】huíyòng 〈方〉名 回扣。

【回游】huíyóu 同"洄游"。

【回赠】huízèng 动 接受赠礼后,还(huán)赠对方礼物:~一束鲜花。

【回涨】huízhǎng (水位、物价等)下降后重新上涨。

【回执】huízhí 名 ❶ 回条。❷ 向寄件人证明某种邮件已经递到的凭据,由收件人盖章或签字交邮局寄回给寄件人。❸ 会议通知或邀请函所附的填写后寄回寄件人的部分,内容包括能否应邀出席等。

【回转】huízhuǎn 动 掉转:他~马头向原地跑去。

【回族】Huízú 名 我国少数民族之一,主要分布在宁夏、甘肃、青海、河南、河北、山东、云南、安徽、新疆、辽宁及北京等地。

【回嘴】huí∥zuǐ 动 还嘴。

茴 huí [茴香](huíxiāng)名 多年生草本植物,叶子分裂成丝状,花黄色。茎叶供食用,果实及根、茎、叶都可入药。果实、根、茎、叶都可入药。

徊 huí 见289页〖低回〗(低徊)。
另见 591 页 huái。

洄 huí 〈书〉水流回旋。

【洄游】huíyóu 动 海洋中一些动物(主要是鱼类)因为产卵、觅食或受季节变化的影响,沿着一定路线有规律地往返迁移。也作回游。

蛔(蚘、蛕) huí 蛔虫。

【蛔虫】huíchóng 名 寄生虫,外形像蚯蚓,白色或米黄色,成虫长 20 厘米左右,雌虫较大。能附着在人的肠壁上引起蛔虫病,进入肝脏、胆道等还会造成其他疾病。

鮰(鮰) huí 古书上指鮠鱼(wéiyú)。

huǐ （ㄏㄨㄟˇ）

虺 huǐ 古书上说的一种毒蛇。
另见 605 页 huī。

【虺虺】huǐhuǐ 〈书〉拟声 打雷的声音。

悔 huǐ 懊悔;后悔:~悟|~过|~忏~。

【悔不当初】huǐ bù dāngchū 后悔当初不该这样做或没有那样做:早知如此,~。

【悔改】huǐgǎi 动 认识错误并加以改正:

他已表示愿意~。

【悔过】huǐguò 动 承认并追悔自己的错误:~自新|诚恳~。

【悔恨】huǐhèn 动 懊悔:~不已。

【悔婚】huǐ∥hūn 动 订婚后一方废弃婚约。

【悔棋】huǐ∥qí 动 棋子下定后收回重下。也说回棋。

【悔悟】huǐwù 动 认识到自己的过错,悔恨而醒悟。

【悔约】huǐ∥yuē 动 废弃原定的协议、条约、合同等。

【悔罪】huǐ∥zuì 动 悔恨自己的罪恶:有~表现。

毁(❷燬、❸譭) huǐ ❶动 破坏;糟蹋:~灭|~销|好好儿的一本书,让你给~了。❷烧掉:烧~|焚~。❸ 说别人坏话;诽谤:~誉|诋~。❹〈方〉动 把成件的旧东西改成别的东西(多指衣服):用一件大褂给孩子~两条裤子。❺(Huǐ)名 姓。

【毁谤】huǐbàng 动 诽谤。

【毁害】huǐhài 动 毁坏;祸害③:这一带常有野兽~庄稼。

【毁坏】huǐhuài 动 损坏;破坏:不许~古迹|~他人名誉。

【毁家纾难】huǐ jiā shū nàn 捐献全部家产,帮助国家减轻困难。

【毁灭】huǐmiè 动 毁坏消灭;摧毁消灭:~证据|~罪恶势力|遭到~性打击。

【毁弃】huǐqì 动 毁坏抛弃。

【毁容】huǐ∥róng 动 毁坏面容。

【毁伤】huǐshāng 动 破坏;伤害。

【毁损】huǐsǔn 动 损伤;损坏:不得~公共财物。

【毁誉】huǐyù 名 毁谤和称赞;说坏话和说好话:~参半|不计~。

【毁誉参半】huǐyù cānbàn 毁谤和赞誉各占一半:对这部电视剧众说纷纭,~。

【毁约】huǐ∥yuē 动 撕毁共同商定的协议、条约、合同等。

huì （ㄏㄨㄟˋ）

卉 huì 各种草(多指供观赏的)的统称:花~|奇花异~。

汇¹（匯、❷❸彙、滙） huì ❶ 动 汇合：百川所以｜～成巨流。❷ 聚集；聚合：～报｜～印成书。❸ 聚集而成的东西：词～｜总～。

汇²（匯、滙） huì ❶ 动 通过邮局、银行等把甲地款项划拨到乙地：电～｜～款｜～给他一笔路费。❷ 指外汇：换～｜创～。

【汇报】huìbào 动 综合材料向上级报告，也指综合材料向群众报告：听～｜～处理结果。

【汇编】huìbiān ❶ 动 把文章、文件等汇总编排在一起：～成书。❷ 名 编在一起的文章、文件等（多用于书名）：法规～｜资料～。

【汇兑】huìduì 动 银行或邮局根据汇款人的委托，把款项交指定的收款人。

【汇费】huìfèi 名 银行或邮局办理汇款业务时，按汇款金额所收的手续费。也叫汇水。

【汇付】huìfù 动 汇兑。

【汇合】huìhé 动（水流）聚集；会合：小河～成大河◇人民的意志～成一支巨大的力量。

【汇集】huìjí 动 聚集：～材料｜把资料～在一起研究｜游行队伍从大街小巷～到天安门广场。也作会集。

【汇价】huìjià 名 汇率。

【汇聚】huìjù 同"会聚"。

【汇款】huìkuǎn ❶（－//－）动 把款汇出：他到邮局～去了。❷ 名 汇出或汇到的款项：收到一笔～。

【汇流】huìliú 动 水流等汇合：数条小溪在这里～成河。

【汇拢】huìlǒng 动 聚集；聚合：几股人群～一起｜～群众的意见。

【汇率】huìlǜ 名 一个国家的货币兑换其他国家的货币的比率。也叫汇价。

【汇民】huìmín 名 指从事外汇交易的个人投资者。

【汇票】huìpiào 名 银行或邮局承办汇兑业务时发给的支取汇款的票据。

【汇市】huìshì 名 ❶ 买卖外汇的市场。❷ 外汇的行市。

【汇水】huìshuǐ 名 汇费。

【汇演】huìyǎn 同"会演"。

【汇映】huìyìng 动 若干部有某种联系的影片在同一时期、同一地点集中上映：法国电影～。

【汇展】huìzhǎn 动（商品等）汇集在一起展览：南北糕点｜名牌时装～。

【汇总】huìzǒng 动（资料、单据、款项等）汇集到一起：等各组的资料到齐后～上报。

会¹（會） huì ❶ 动 聚合；合在一起：～合｜～齐｜～诊｜～审。❷ 动 见面；会见：～面｜～客｜昨天没有～着他。❸ 名 有一定目的的集会：晚～｜舞～｜开～｜报告～｜晚上有一个～。❹ 名 某些团体：工～｜妇女联合～。❺ 名 庙会：赶～。❻ 名 民间朝山进香或酬神赛会等时所组织的集体活动，如香会、迎神赛会等。❼ 名 民间一种小规模经济互助组织，入会成员按期平均交款，分期轮流使用。❽ 名 主要的城市：都～｜省～。❾ 名 时机：机～｜适逢其～。❿〈书〉副 恰巧；正好：～有客来。⓫〈书〉应当：长风破浪～有时。

会²（會） huì ❶ 动 理解；懂得；体～｜误～｜心领神～｜只可意～，不可言传。❷ 动 熟习；通晓：～英文｜～两出京戏。❸ 动 助动词。表示懂得怎样做或有能力做（多半指需要学习的事情）：我不～滑冰｜这孩子刚～走路，还不大～说话。❹ 动 助动词。表示擅长，能说～道｜～写～画的人倒不太讲究纸的好坏。❺ 动 助动词。表示有可能实现：他不～不来｜树上的果子熟了，自然～掉下来。参看989页"能"条 [注意] a, b, c 三项。

会³（會） huì 动 付账：～账｜我～过了。

会⁴（會） huì 见【会儿】、【会子】。

另见 791 页 kuài。

【会标】huìbiāo 名 ❶ 代表某个集会的标志。❷ 写着会议名称的横幅，挂在主席台的上方。

【会餐】huì//cān 动 聚餐：节日～。

【会操】huì//cāo 动 指会合举行军事或体育方面的操演：下午两点在大操场～。

【会场】huìchǎng 名 开会的场所。

【会钞】huì//chāo 动 会账。

【会车】huìchē 动 相向行驶的列车、汽车等同时在某一地点交错通过。

【会党】huìdǎng 名 清末以反清复明为宗

旨的一些原始形式的民间秘密团体的总称。如哥老会、青帮等。

【会道门】huìdàomén （～儿）名 会门和道门的合称。

【会典】huìdiǎn 名 明清时期记载法令制度的书籍，多用于书名，如《明会典》。

【会费】huìfèi 名 会员按期向所属组织交的钱。

【会攻】huìgōng 动 联合进攻：兵分两路，～匪巢。

【会馆】huìguǎn 名 同省、同府、同县或同业的人在京城、省城或大商埠设立的机构，主要以馆址的房屋供同乡、同业聚会或暂住。

【会海】huìhǎi 名 比喻会议极多的现象：文山～。

【会合】huìhé 动 聚集到一起：两军～后继续前进。

【会话】huìhuà 动 对话①（多用于学习别种语言或方言时）。

【会徽】huìhuī 名 代表某个集会的标志：全国运动会～。

【会集】huìjí 同"汇集"。

【会见】huìjiàn 动 跟别人相见：～亲友|友好的～。

【会聚】huìjù 动 聚集。也作汇聚。

【会考】huìkǎo 动 统考。

【会客】huì//kè 动 和来访的客人见面：～室。

【会门】huìmén （～儿）名 旧时某些封建迷信的组织。

【会面】huì//miàn 动 见面。

【会期】huìqī 名❶ 开会的日子：～定在九月一日。❷ 开会的天数：～三天。

【会齐】huì//qí 动 聚齐：各村参加集训的民兵后天到县里来。

【会旗】huìqí 名 某些集会的旗帜：主席台上高悬着绘有骏马和弓箭的那些摹。

【会签】huìqiān 动 双方或多方共同签署。

【会儿】huìr 量 指很短的一段时间：一～|这～|等～|用了不多大～。

【会商】huìshāng 动 双方或多方共同商量：～大计。

【会审】huìshěn 动❶ 会同审理（案件等）。❷ 会同审查：～施工图纸。

【会师】huì//shī 动 几支独立行动的部队在战地会合，也比喻几方面人员会合：胜利～|各地革新能手在首都～。

【会试】huìshì 名 明清两代每三年在京城举行一次的科举考试，由各省举人参加。

【会首】huìshǒu 名 旧时民间各种叫做会的组织的发起人。也叫会头。

【会水】huì//shuǐ 动 会游泳：他从小就～。

【会所】huìsuǒ 名 指某些住宅小区等设立的提供健身、休闲、社交、娱乐等服务的处所。

【会谈】huìtán 动 双方或多方共同商谈：两国～。

【会堂】huìtáng 名 礼堂（多用于建筑物名称）：科学～|人民大～。

【会通】huìtōng 〈书〉动 融会贯通。

【会同】huìtóng 动 跟有关方面会合起来（办事）：这事由商业局～有关部门办理。

【会头】huìtóu 名 会首。

【会务】huìwù 名 集会、会议或某些社会团体的事务：～工作。

【会晤】huìwù 动 会面；会见：两国领导人～|当地知名人士。

【会衔】huìxián 动（两个或两个以上的机关）在发出的公文上共同具名。

【会心】huìxīn 动 领会别人没有明白表示的意思：别有～|～的微笑。

【会演】huìyǎn 动 各地或各单位的文艺节目集中起来，单独或同台演出。具有汇报、互相学习、交流经验的作用。也作汇演。

【会厌】huìyàn 名 喉头上前部的树叶状的结构，由会厌软骨和黏膜构成。呼吸或说话时，会厌向上，使喉腔开放；咽东西时，会厌向下，盖住气管，使东西不至于进入气管内。（图见 568 页"人的喉"）

【会要】huìyào 名 记载某一朝代各项经济政治制度的书籍，多用于书名，如《唐会要》。

【会议】huìyì 名❶ 有组织有领导地商议事情的集会：全体～|厂务～|工作～。❷ 一种经常商讨并处理重要事务的常设机构或组织：中国人民政治协商～|部长～。

【会意】[1] huìyì 名 六书之一。会意是说字的整体的意义由部分的意义合成，如"信"字。"人言为信"，"信"字由"人"字和"言"字合成，表示人说的话有信用。

【会意】[2] huìyì 动 会心。

【会阴】huìyīn 名 肛门与外生殖器之间的

部位。

【会友】huìyǒu ❶ 图 指同一个组织的成员。❷〈书〉动 结交朋友：以文～。

【会元】huìyuán 图 明清两代称会试考取第一名的人。

【会员】huìyuán 图 某些群众组织或政治组织的成员：工会～。

【会展】huìzhǎn 图 会议和展览：～中心。

【会展经济】huìzhǎn jīngjì 指以承办各种会议、展览等为主要内容的经济活动。

【会战】huìzhàn 动 ❶ 战争双方主力在一定地区和时间内进行决战。❷ 比喻集中有关力量，突击完成某项任务：石油大～|水利工程大～。

【会账】huì∥zhàng 动（在饭馆、酒馆、茶馆、澡堂、理发馆等处）付账（多指一人给大家付账）。也说会钞。

【会诊】huì∥zhěn 动 几个医生共同诊断疑难病症：他的病明天由内科医生～。

【会众】huìzhòng 图 旧时指参加某些会道门等组织的人。

【会子】huì·zi 量 指一段时间：说～话儿|喝了～茶|来了～了，该回去了。

讳(諱) huì ❶ 因有所顾忌而不敢说或不愿说，忌讳：隐～|直言不～。❷ 忌讳的事情：犯～。❸ 旧时不敢直称帝王或尊长的名字，叫讳。也指所讳的名字：名～。❹（Huì）图 姓。

【讳疾忌医】huì jí jì yī 怕人知道有病而不肯医治，比喻掩饰缺点，不愿改正。

【讳忌】huìjì 动 忌讳①：毫不～|不～。

【讳莫如深】huì mò rú shēn 紧紧隐瞒。

【讳言】huìyán 动 不敢或不愿说：无可～。

荟(薈) huì〈书〉草木繁盛。

【荟萃】huìcuì 动（英俊的人物或精华的东西）汇集；聚集：一堂|人才～。

哕(噦) huì〈书〉鸟鸣声。另见 1682 页 yuě。

【哕哕】huìhuì〈书〉拟声 形容铃声。

浍(澮) Huì ❶ 浍河，水名，发源于河南，流入安徽。❷ 浍水，水名，汾河的支流，在山西。另见 792 页 kuài。

海(誨) huì 教导；诱导：教～|～人不倦。

【海人不倦】huì rén bù juàn 教育人极有耐心，不知疲倦。

【海淫海盗】huì yín huì dào 引诱人做奸淫、盗窃的事。

绘(繪) huì 动 画'①：描～|～画|～图。

【绘画】huìhuà 动 造型艺术的一种，用色彩、线条把实在的或想象中的物体形象描绘在纸、布或其他底子上。

【绘声绘色】huì shēng huì sè 形容叙述、描写生动逼真。也说绘影绘声、绘声绘影。

【绘声绘影】huì shēng huì yǐng 绘声绘色。

【绘事】huìshì〈书〉图 关于绘画的事情。

【绘图】huìtú 动 绘制图样或地图等。

【绘图仪】huìtúyí 图 能在纸张、胶片或薄膜上绘制图形或图像的装置，绘图的笔可以横向、纵向自由移动，并能自动放下或抬起，实现平面绘图。

【绘影绘声】huì yǐng huì shēng 绘声绘色。

【绘制】huìzhì 动 画（图表）：～工程设计图。

恚 huì〈书〉怨恨：～恨。

桧(檜) huì 用于人名，秦桧，南宋奸臣。另见 517 页 guì。

贿(賄) huì ❶〈书〉财物。❷ 贿赂：行～|受～|纳～|索～。

【贿金】huìjīn 图 贿款。

【贿款】huìkuǎn 图 行贿或受贿的钱。

【贿赂】huìlù ❶ 动 用财物买通别人：～上司。❷ 图 用来买通别人的财物：接受～。

【贿赂公行】huìlù gōng xíng 公开行贿受贿。

【贿选】huìxuǎn 用财物买通选举人使选举自己或跟自己同派系的人。

烩(燴) huì 动 ❶ 烹调方法，炒菜后加少量的水和芡粉：～虾仁|～什锦。❷ 烹调方法，把米饭等和荤菜、素菜混在一起加水煮：～饭|～饼。

彗(篲) huì（旧读 suì）〈书〉扫帚。

【彗星】huìxīng 图 绕着太阳旋转的一种星体，通常在背着太阳的一面拖着一条长帚状的长尾巴,体积很大,密度很小。(图见1319页"太阳系")

硙

石硙镇(Shíhuì Zhèn),地名,在安徽。

晦

huì ❶ 农历每月的末一天:～朔。❷ 昏暗;不明显:～涩|～暝|隐～。❸〈书〉夜晚:风雨如～。❹〈书〉隐藏:～迹|韬～。

【晦暗】huì'àn 形 昏暗;暗淡:天色～◇心情～。

【晦明】huìmíng〈书〉❶ 名 夜间和白天。❷ 形 昏暗和晴朗。

【晦冥】huìmíng 同"晦暝"。

【晦暝】huìmíng〈书〉形 昏暗:风雨～。也作晦冥。

【晦气】huì·qì ❶ 形 不吉利;倒霉:真～,刚出门就遇上大雨。❷ 名 指人倒霉或生病时难看的气色:满脸～。

【晦涩】huìsè 形(诗文、乐曲等的含意)隐晦不易懂:文字～。

【晦朔】huìshuò〈书〉名 ❶ 从农历某月的末一天到下月的第一天。❷ 从天黑到天明。

秽(穢)

huì ❶ 肮脏;污～。❷ 丑恶;丑陋:～行|自惭形～。

【秽迹】huìjì〈书〉名 丑恶的事迹。

【秽气】huìqì 名 难闻的气味;臭气。

【秽土】huìtǔ 名 垃圾。

【秽闻】huìwén〈书〉名 丑恶的名声(多指淫乱的名声):～四播|～远扬。

【秽行】huìxíng〈书〉名 丑恶的行为(多指淫乱的行为)。

【秽语】huìyǔ 名 淫秽的话:市井～。

惠

huì ❶ 给予的或受到的好处;恩惠:小恩小～|施～于人|受～无穷。❷ 给人好处:平等互～。❸ 敬辞,用于对方对待自己的行动:～临|～顾|～存。❹(Huì)名 姓。
〈古〉又同"慧"。

【惠存】huìcún 动 敬辞,请保存(多用于送人相片、书籍等纪念品时所题的上款)。

【惠风】huìfēng〈书〉名 和风:～和畅。

【惠顾】huìgù 动 惠临(多用于商店对顾客):家具展销,敬请～。

【惠及】huìjí〈书〉动 把好处给予某人或某地:～远方。

【惠临】huìlín 动 敬辞,指对方到自己这里

来:日前～,失迎为歉。

【惠允】huìyǔn 动 敬辞,指对方允许自己(做某事)。

【惠赠】huìzèng 动 敬辞,指对方赠予(财物)。

喙

huì〈书〉❶ 鸟兽的嘴:长～|短～。❷ 借指人的嘴:置～|百～莫辩。

翙(翽)

huì [翙翙](huìhuì)〈书〉拟声 形容鸟飞声。

阓(闠)

huì 见595页[阛阓]。

溃(潰)

huì (疮)溃(kuì)烂:～脓。另见799页kuì。

【溃脓】huìnóng 动(疮)溃烂化脓。

缋(繢)

huì〈书〉同"绘"。

殨(殨)

huì 见613页[溃脓](殨脓)。

蕙

huì (旧读 suì)见1408页[王蕙]。

嘒

huì〈书〉形容微小。

儶

huì〈书〉同"惠"。

慧

huì ❶ 聪明:智～|聪～|～心。❷(Huì)名 姓。

【慧根】huìgēn 名 佛教指能透彻领悟佛理的天资,借指人天赋的智慧。

【慧黠】huìxiá〈书〉形 聪明而狡猾:～过人。

【慧心】huìxīn 名 原是佛教用语,指能领悟佛理的心,今泛指智慧。

【慧眼】huìyǎn 名 原是佛教用语,指能认识到过去和未来的能力,今泛指敏锐的眼力:独具～|～识英雄。

蕙

huì ❶ 蕙兰。❷(Huì)名 姓。

【蕙兰】huìlán 名 兰花的一种,初夏开花,黄绿色,有香气。

槥

huì〈书〉粗陋的小棺材。

潓

Huì 古水名。

憓

huì〈书〉同"惠"。

靧(靧)

huì〈书〉洗脸。

蟪 huì [蟪蛄](huìgū)名 蝉的一种,吻长,身体短,紫青色,有黑色条纹,翅膀有黑斑。

---

hūn（ㄏㄨㄣ）

昏 hūn ❶ 天刚黑的时候;黄昏:晨~。❷ 黑暗;模糊:~暗|~黄|~花|天~地暗。❸ 头脑迷糊;神志不清:~庸|~头~脑。❹ 动 失去知觉:~厥|~迷|他~过去了。
〈古〉又同"婚"。

【昏暗】hūn'àn 形 光线不足;暗:灯光~|太阳下山了,屋里渐渐~起来。

【昏沉】hūnchén 形 ❶ 暗淡;暮色~。❷ 头脑迷糊,神志不清:喝醉了酒,头脑昏沉沉的。

【昏黑】hūnhēi 形 黑暗;昏暗:夜色~的小屋。

【昏花】hūnhuā 形(视觉)模糊(多指老年人):老眼~。

【昏话】hūnhuà 名 ❶ 糊涂或荒谬的话。❷ 胡话。

【昏黄】hūnhuáng 形 黄而暗淡模糊(用于天色、灯光等):月色~。

【昏厥】hūnjué 动 因脑部短暂缺血引起供氧不足而短时间失去知觉。心情过分悲痛、精神过度紧张、大出血、心脏疾患等都能引起昏厥。也叫晕厥(yūnjué)。

【昏君】hūnjūn 名 昏庸的帝王。

【昏聩】hūnkuì 形 眼花耳聋,比喻头脑糊涂,不明是非:~无能。

【昏乱】hūnluàn 形 ❶ 头脑迷糊,神志不清:思路~。❷〈书〉政治黑暗,社会混乱。

【昏迷】hūnmí 动 因大脑功能严重受损而长时间失去知觉。严重的外伤、脑出血、脑膜炎等都能引起昏迷。

【昏睡】hūnshuì 动 昏昏沉沉地睡:~不醒|病人仍处在~状态。

【昏天黑地】hūn tiān hēi dì ❶ 形容天色昏暗:到了晚上,~的,山路就更不好走了。❷ 形容神志不清:当时我流血过多,觉得~的。❸ 形容生活荒唐颓废:你今天跟这帮人一地鬼混了。❹ 形容打斗或吵闹得厉害:吵得个~。❺ 形容社会黑暗

或秩序混乱。

【昏头昏脑】hūn tóu hūn nǎo 形容头脑迷糊,神志不清:他一天到晚忙得~的,哪顾得上这件事。也说昏头涨脑。

【昏头涨脑】hūn tóu zhàng nǎo 昏头昏脑。

【昏星】hūnxīng 名 我国古代指日落以后出现在西方的金星或水星。

【昏眩】hūnxuàn 动 头脑昏沉,眼花缭乱:一阵~,便晕倒在地。

【昏庸】hūnyōng 形 糊涂而愚蠢:老朽~。

【昏着】hūnzhāo（~儿）名 ❶ 下棋时,因一时头脑不清楚而下出的拙劣的着数。❷ 泛指不高明的主意或手段。

荤（葷）hūn ❶ 名 指鸡鸭鱼肉等食物(跟"素"相对):~菜|三~一素|她不吃~|饺子馅儿是~的还是素的? ❷ 佛教徒称葱蒜等有特殊气味的菜:五~。❸ 指粗俗的、淫秽的:~话|~口。
另见 1551 页 xūn。

【荤菜】hūncài 名 用鸡鸭鱼肉等做的菜。

【荤话】hūnhuà 名 指粗俗下流的话;脏话。

【荤口】hūnkǒu 名 曲艺表演中指低级、粗俗的话(区别于"净口")。

【荤腥】hūnxīng 名 指鱼肉等食品:老人家常年吃素,不沾~。

【荤油】hūnyóu 名 指食用的猪油。

阍（閽）hūn〈书〉❶ 看门:~者(看门的人)。❷ 门(多指宫门):叩~。

惛 hūn〈书〉糊涂。

婚 hūn ❶ 结婚:未~|新~。❷ 婚姻:~约|结~|离~。

【婚变】hūnbiàn 名 家庭中婚姻关系发生的变化,多指夫妻离异。

【婚典】hūndiǎn 名 结婚典礼:传统~。

【婚嫁】hūnjià 名 泛指男女婚事。

【婚检】hūnjiǎn 动 指结婚前的身体检查。

【婚介】hūnjiè 名 婚姻介绍:~机构。

【婚礼】hūnlǐ 名 结婚仪式:举行~。

【婚恋】hūnliàn 名 结婚和恋爱:云南各民族有着不同的~风情。

【婚龄】hūnlíng 名 ❶ 结婚的年数:他俩的~已有 50 年。❷ 法定的结婚年龄:他俩今年刚够~。

【婚配】hūnpèi 动 结婚(多就已婚未

说）：子女两人,均未～。

【婚庆】hūnqìng 名 结婚的庆祝仪式。

【婚纱】hūnshā 名 结婚时新娘穿的一种特制的礼服。

【婚事】hūnshì 名 有关结婚的事:办～|～新办。

【婚书】hūnshū 名 旧式结婚证书。

【婚俗】hūnsú 名 有关婚姻的习俗:不同民族有不同的～。

【婚外恋】hūnwàiliàn 名 指与配偶以外的人发生的恋情。

【婚外情】hūnwàiqíng 名 婚外恋。

【婚姻】hūnyīn 名 结婚的事;因结婚而产生的夫妻关系:～法|～自主|他们的～十分美满。

【婚姻法】hūnyīnfǎ 名 规定有关婚姻和家庭制度的法律。

【婚约】hūnyuē 名 男女双方对婚姻的约定。

【婚照】hūnzhào 名 结婚照片。

椿 hūn 古书上指合欢树。

hún （ㄏㄨㄣ）

浑(渾) hún ❶ 形 浑浊:～水|把水搅～。❷ 形 糊涂;不明事理:～人|这人真～。❸ 天然的:～朴|～厚|～金璞玉。❹ 全;满:～身|～似。❺(Hún)名 姓。

【浑蛋】húndàn 名 不明事理的人(骂人的话)。也作混蛋。

【浑噩】hún'è 形 形容无知无识、糊里糊涂:～麻木。

【浑厚】húnhòu 形 ❶ 淳朴老实:天性～。❷(艺术风格等)朴实雄厚;不纤巧:笔力～。❸(声音)低沉有力:嗓音～。

【浑话】húnhuà 名 不讲道理的话;混账话。

【浑浑噩噩】húnhún'è'è 形 状态词。形容无知无识、糊里糊涂的样子。

【浑家】húnjiā 名 妻子(qī·zi,多见于早期白话)。

【浑金璞玉】hún jīn pú yù 见 1063 页【璞玉浑金】。

【浑朴】húnpǔ 形 浑厚朴实:字体～|风俗～。

【浑球儿】húnqiúr 〈方〉名 浑蛋。也作混球儿。

【浑然】húnrán ❶ 形 形容完整不可分割:～一体|～天成。❷ 副 完全;全然:～不觉|～不理。

【浑如】húnrú 动 完全像;很像:蜡像做得～真人一样。

【浑身】húnshēn 名 全身:～是汗|～是胆(形容胆量极大)|使出～解数。

【浑水摸鱼】(混水摸鱼)hún shuǐ mō yú 比喻趁混乱的时机捞取利益。

【浑说】húnshuō 动 胡说;乱说:信口～。

【浑似】húnsì 动 非常像;酷似。

【浑天仪】húntiānyí 名 ❶ 浑仪。❷ 浑象。

【浑象】húnxiàng 名 我国古代表示天象运转的仪器,相当于现代的天球仪。也叫浑天仪。

【浑仪】húnyí 名 我国古代测量天体位置的仪器。也叫浑天仪。

【浑圆】húnyuán 形 状态词。很圆:～的珍珠|～的月亮。

【浑浊】húnzhuó 形 混浊(hùnzhuó)。

珲(琿) hún 珲春(Húnchūn),地名,在吉林。
　　另见 605 页 huī。

馄(餛) hún 【馄饨】(hún·tun)名 面食,用薄面片包馅儿,通常是煮熟后带汤吃。

混 hún 同"浑"①②。
　　另见 616 页 hùn。

【混蛋】húndàn 同"浑蛋"。

【混球儿】húnqiúr 同"浑球儿"。

【混水摸鱼】hún shuǐ mō yú 见 615 页【浑水摸鱼】。

魂 hún ❶(～儿)名 灵魂①。❷ 指精神或情绪:梦～萦绕|神～颠倒。❸ 特指崇高的精神:国～|民族～。❹ 泛指事物的人格化精神:花～|诗～。

【魂不附体】hún bù fù tǐ 形容恐惧万分。

【魂不守舍】hún bù shǒu shè 灵魂离开了躯壳,形容精神恍惚、心神不定。也形容惊恐万分。

【魂飞魄散】hún fēi pò sàn 形容非常惊恐。

【魂灵】húnlíng 名 灵魂①。

【魂魄】húnpò 名 迷信的人指附在人体内

可以脱离人体存在的精神。

【魂牵梦萦】hún qiān mèng yíng 形容思念情切：他认出了这正是失散多年、日夜～的儿子。

hùn （ㄏㄨㄣˋ）

诨(諢) hùn 戏谑；开玩笑：～名｜打～。

【诨号】hùnhào 名 诨名。

【诨名】hùnmíng 名 外号。

圂 hùn 〈书〉厕所。

混 hùn ❶动 掺杂：～合｜～为一谈｜两种豆子～在一起。❷动 蒙混：～充｜鱼目～珠｜你是怎么～进来的？❸动 苟且地生活：～日子｜～了半辈子。❹副 胡乱：～出主意。
另见 615 页 hún。

【混充】hùnchōng 动 蒙混冒充：～内行。

【混沌】hùndùn ❶名 我国传说中指宇宙形成以前模糊一团的景象：～初开。❷形 形容糊里糊涂、无知无识的样子。

【混纺】hùnfǎng ❶动 用不同类别的纤维混合在一起纺织。常用化学纤维和天然纤维或不同的化学纤维混纺。可以提高纱线质量，节约原料，增加品种等。❷名 混纺的纺织品。

【混合】hùnhé 动 ❶掺杂在一起：男女～双打｜客货～列车。❷把两种或两种以上相互间不发生化学反应的物质掺和在一起。

【混合面儿】hùnhémiànr 名 抗日战争时期华北、东北沦陷区作为粮食配售的一种用玉米心、豆饼、糠秕等混合磨成的粉。

【混合物】hùnhéwù 名 由两种或两种以上的单质或化合物混合而成的物质，没有固定的组成，各成分仍保持各自原有的性质。如空气是氮气、氧气、二氧化碳、稀有气体等的混合物。

【混合泳】hùnhéyǒng 名 游泳运动项目之一。用蝶泳、蛙泳、仰泳和自由泳的姿势连续游完规定的泳程，分为个人和接力两种形式。

【混混儿】hùn·hunr 〈方〉名 流氓；无赖。

【混迹】hùnjì 〈书〉动 隐蔽本来面目混杂在某种场合：～江湖。

【混交林】hùnjiāolín 名 两种或多种树木混生在一起的森林，如乔木和灌木的混交林，针叶树和阔叶树的混交林（跟"单纯林"相对）。

【混乱】hùnluàn 形 没条理；没秩序：思想～｜秩序～。

【混凝土】hùnníngtǔ 名 一种建筑材料，一般用水泥、沙、石子和水按比例拌和而成，硬结后有耐压、耐水、耐火等性能。

【混世魔王】hùn shì mówáng 比喻扰乱世界、给人民带来严重危害的恶人。

【混事】hùn∥shì 动 只以取得衣食为目的而从事某种职业；谋生（含贬义）。

【混同】hùntóng 动 把本质上有区别的人或事物同样看待。

【混为一谈】hùn wéi yī tán 把不同的事物混在一起，说成是同样的事物。

【混淆】hùnxiáo 动 ❶混杂；界限模糊（多用于抽象事物）：真伪～。❷使混淆；使界限模糊：～黑白｜～是非。

【混血儿】hùnxuè'ér 名 指不同种族的男女相结合所生的孩子。

【混一】hùnyī 动 不同的事物混合成为一体。

【混杂】hùnzá 动 混合掺杂：鱼龙～。

【混战】hùnzhàn 动 进行目标不明或对象多变的战争或战斗：军阀～｜一场～。

【混账】hùnzhàng 形 言语行动无理无耻（骂人的话）：～话｜～小子。

【混浊】hùnzhuó 形（水、空气等）含有杂质，不清洁，不新鲜。

溷 hùn 〈书〉❶混乱：～浊。❷厕所。

【溷浊】hùnzhuó 〈书〉同"混浊"。

恩(慁) hùn 〈书〉❶忧患。❷扰乱。

huō （ㄏㄨㄛ）

耠 huō 动 用耠子翻松（土壤）：～地。

【耠子】huō·zi 名 翻松土壤用的农具，比犁轻巧，多用于中耕。也用来开沟播种。

騞(騞、劐) huō 〈书〉拟声 形容东西破裂的声音。

锪(鍃) huō 勔 一种金属加工方法。用专门的刀具对工件上已有的孔进行加工，刮平端面或切出锥形、圆柱形凹坑。

劐 huō ❶〈口〉用刀尖插入物体然后顺势拉(lá)开：把鱼肚子～开|用刀一～，绳子就断了。❷ 同"㧟"。

嚯 huō 叹 表示惊讶：～! 好大的鱼! 另见 625 页 huò；1011 页 ǒ。

豁¹ huō 勔 裂开：～了一个口子|纽襻儿～了。

豁² huō 勔 狠心付出很高的代价；舍弃：～出三天工夫也得把它做好。另见 587 页 huá；625 页 huò。

【豁出去】huō·chu·qu 勔 表示不惜付出任何代价：事已至此，我也只好～了。

【豁口】huōkǒu （～儿）名 缺口：城墙～|碗边有个～|北风从山的～吹过来。

【豁子】huō·zi〈方〉名 ❶ 豁口：碗上有个～。❷ 指豁嘴的人。

【豁嘴】huōzuǐ （～儿）〈口〉名 ❶ 唇裂。❷ 指唇裂的人。

攉 huō 勔 把堆积的东西倒出来，特指把采出的煤、矿石等铲起来倒到另一个地方或容器中：～土|～煤机。

huó （ㄏㄨㄛˊ）

和 huó 勔 在粉状物中加液体搅拌或揉弄使有黏性：～面|～泥|～点儿水泥把窟窿堵上。另见 550 页 hé；555 页 hè；574 页 hú；623 页 huò。

佸 huó〈书〉相会；聚会。

活¹ huó ❶ 勔 生存；有生命(跟"死"相对)：～人|一～到老，学到老|鱼在水里才能～。❷ 在活的状态下：～捉。❸ 勔 维持生命；救活：养家～口|一人一命。❹ 形 活动；灵活：～水|～结|～页|～塞。❺ 形 生动活泼；不死板：～气|～跃|这一段描写得很～。❻ 副 真正；简直：～现|这孩子说话～像个大人。

活² huó （～儿）名 ❶ 工作(一般指体力劳动的，属于工农业生产或修理服务性质的)：细～|重～|庄稼～|干～儿。❷

产品；制成品：出～儿|箱子上配着铜～|这一批～做得很好。

【活版】huóbǎn 名 活字版：～印刷术。

【活宝】huóbǎo 名 指可笑的人或滑稽的人(多含贬义)。

【活报剧】huóbàojù 名 反映时事新闻的短小活泼的戏剧，可以在街头演出。

【活蹦乱跳】huó bèng luàn tiào 欢蹦乱跳。

【活便】huó·bian〈口〉形 ❶ 灵活：手脚～。❷ 方便；便利：事情还是这么办比较～|开两个门进出一点儿。

【活茬】huóchá （～儿）〈口〉名 农活。

【活地图】huódìtú 名 指对某地区地理情况很熟悉的人。

【活地狱】huódìyù 名 比喻黑暗悲惨的社会环境。

【活动】huó·dòng ❶ 勔 (肢体)动弹；运动：坐久了应该站起来～～|出去散散步，活动一下筋骨。❷ 勔 为某种目的而行动：抗战时这一带常有游击队～。❸ 勔 动摇；不稳定：这个桌子直～|门牙～了。❹ 形 灵活；不固定：～模型|～房屋|条文规定得比较～。❺ 名 为达到某种目的而采取的行动：野外～|文娱～|体育～|政治～。❻ 勔 指钻营、说情、行贿：他为逃避纳税四处～。

【活动家】huódòngjiā 名 在政治生活、社会生活中积极活动并有较大影响的人。

【活法】huó·fǎ （～儿）〈口〉名 指对待生活的态度和所选择的生活方式：各人有各人的～。

【活泛】huó·fan〈口〉形 ❶ 能随机应变；灵活：心眼～|脑筋不～。❷ 指经济宽裕(常与"手头"连用)：钱你先用着，等手头～再还我。

【活佛】huófó 名 ❶ 藏传佛教中用转世制度继位的高僧。❷ 旧小说中称济世救人的僧人。

【活该】huógāi 勔 ❶〈口〉表示应该这样，一点也不委屈(有值不得怜惜的意思)：～如此。❷〈方〉应该；该当(含命中注定意)：我～有救，碰上了这样的好医生。

【活化】huóhuà 勔 使分子或原子的能量增强。如把普通木炭放在密闭器中加热，变成吸附能力较强的活性炭。

【活化石】huóhuàshí 名 指子遗生物，如大熊猫和水杉。也指某些在地质年代就已出现,至今仍广泛分布的生物,如海洋中的舌形贝(一种软体动物)。

【活话】huóhuà (~儿)名 不很肯定的话:他临走的时候留下个~儿,说也许下个月能回来。

【活活】huóhuó (~儿的)副 ❶ 在活的状态下(多指有生命的东西受到损害):~打死|~气死。❷ 简直,表示完全如此或差不多如此:瞧你这个样子,~是个疯子!

【活火山】huóhuǒshān 名 正在喷发的和人类历史上经常作周期性喷发的火山。

【活计】huó·ji 名 ❶ 过去专指手艺或缝纫、刺绣等,现在泛指各种体力劳动:针线~|地里的~快干完了。❷ 做成的或待做的手工制品:她拿着~给大家看。

【活检】huójiǎn 动 医学上指对活体组织进行检验。

【活见鬼】huójiànguǐ 指出现特别离奇古怪的事或无中生有:书明明放在桌子上,怎么忽然不见了,真是~!

【活校】huójiào 动 按照原稿校对,同时检查原稿有无错误、缺漏,叫活校(区别于"死校")。

【活结】huójié 名 一拉就开的绳结(区别于"死结")。

【活局子】huójú·zi 〈方〉名 圈套;骗局。

【活口】huókǒu 名 ❶ 命案发生时在场而没有被杀死,可以提供线索或情况的人。❷ 指可以提供情况的俘虏、罪犯等。

【活扣】huókòu (~儿)〈口〉名 活结。

【活劳动】huóláodòng 名 物质资料生产过程中消耗的脑力或体力劳动(跟"物化劳动"相对)。

【活力】huólì 名 旺盛的生命力:身上充满了青春的~。

【活灵活现】huólínghuóxiàn 形容描述或模仿的人或事物生动逼真。也说活龙活现。

【活龙活现】huólónghuóxiàn 活灵活现。

【活路】huólù 名 ❶ 走得通的路:遇见白杨树向右转是一条~。❷ 比喻行得通的方法:他提出的技术革新方案,大家觉得是条~。❸ 比喻能够生活下去的办法:得找条~,不能等着挨饿。

【活路】huó·lu 名 泛指各种体力劳动:粗

细~他都会干|家里~忙,我抽不开身。

【活络】huóluò 〈方〉❶ 动 (筋骨、器物的零件等)活动:人上了年纪,牙齿也有点~了|板凳腿~了,你抽空修一修。❷ 形 灵活;不确定:头脑~|眼神~|他说得很~,不知道究竟肯不肯去。

【活埋】huómái 动 把活人埋起来弄死。

【活门】huómén 〈口〉名 阀²。

【活命】huómìng ❶ (-//-)动 维持生命:他在旧社会靠卖艺~。❷ (-//-)动 救活性命:~之恩。❸ 名 生命;性命:留他一条~。

【活泼】huó·pō 形 ❶ 生动自然;不呆板:天真~的孩子|这篇报道,文字~。❷ 指某种单质或化合物容易与其他单质或化合物发生化学变化。

【活菩萨】huópú·sa 名 比喻心肠慈善、救苦救难的人。

【活期】huóqī 形 属性词。存户随时可以提取的:~储蓄|这笔存款是~的。

【活气】huóqì 名 生气;活力:这里荒无人烟,没有一点~|车水马龙,插秧的插秧,田里充满了一片~。

【活契】huóqì 名 出卖房地产时所立的契约,上面规定房地产可以赎回的,叫活契。

【活钱】huóqián (~儿)名 ❶ 指现钱:他节假日外出打工,挣些~|把鸡蛋卖了,换几个~花。❷ 指工资外的收入:他每月除工资外,还有些~。

【活塞】huósāi 名 汽缸或泵里往复运动的机件,通常圆盘形或圆柱形。在发动机汽缸里,活塞的作用是把蒸汽或燃料爆发的压力变为机械能,推动机器运转。旧称鞲鞴(gōubèi)。

【活生生】huóshēngshēng (~的)❶ 形 状态词。实际生活中的;发生在眼前的:~的事实|~的例子|这篇小说里的人物都是~的,有血有肉的。❷ 副 活活①:包办的婚姻把她~地断送了。

【活食】huóshí (~儿)名 指某些动物吃的活的蚯蚓、蚂蚱、兔子、小鱼等。

【活受罪】huóshòuzuì 〈口〉活着而遭受苦难,表示抱怨或怜悯(大多是夸张的说法):要我这五音不全的人登台唱歌,简直~!

【活水】huóshuǐ 名 有源头而常流动的水:挖条渠把~引进湖里。

【活体】huótǐ 图 自然科学指具有生命的物体,如活着的动物、植物、人体及其组织。

【活脱儿】huótuōr 〈口〉副(相貌、举止)跟脱胎一样十分相像:他长得～是他爷爷。

【活物】huówù (～儿)图 活着的生物(多指动物,有时也指人)。

【活现】huóxiàn 动 逼真地显现:神气～|他的形象又～在我眼前了。

【活像】huóxiàng 动 极像:这孩子长得～他妈妈。

【活性】huóxìng ❶ 形 属性词。指化学性质活泼,反应快的:～染料。❷ 图 灵活而不僵化的特性:保持大脑的～。

【活性炭】huóxìngtàn 图 吸附能力很强的炭,把硬木、果壳、骨头等放在密闭容器中烧成炭再增加其孔隙后制成。防毒面具中用来过滤气体,工业上用来脱色、使溶液纯净,也可用于医药方面。

【活血】huóxuè 动 中医指使血脉畅通:舒筋～。

【活阎王】huóyán·wang 图 比喻极凶恶残忍的人。

【活页】huóyè 图 不装订成册,可以随意分合的书页:～文选|～笔记本。

【活跃】huóyuè ❶ 形 行动活泼而积极;气氛活泼而热烈:他是文体～分子|学习讨论会开得很～。❷ 动 使活跃:～部队生活|～农村经济。

【活捉】huózhuō 动 活活地抓住,多指在作战中抓住活的敌人。

【活字】huózì 图 印刷上用的泥质、木质或金属的方柱形物体,一头铸着或刻着单个反着的文字或符号,排版时可以自由组合。

【活字版】huózìbǎn 图 ❶ 用金属、木头等制成的活字排成的印刷版。❷ 指用活字排版印刷的书本。

【活字典】huózìdiǎn 图 指字、词等知识特别丰富的人,泛指对某一方面情况非常熟悉,能随时提供情况、数据等的人。

【活字印刷】huózì yìnshuā 采用活字排版的印刷。是我国北宋庆历(1041—1048)年间毕昇首先发明的。

【活罪】huózuì 图 活着所遭受的苦难:受～。

huǒ (ㄏㄨㄛˇ)

火 huǒ ❶(～儿)图 物体燃烧时所发的光和焰:～光|～花|灯～|点～|～越烧越旺。❷ 指枪炮弹药:～器|～力|～网|军～|走～。❸ 图 火气③:上～|败～。❹ 形 容红色:～鸡|～腿。❺ 比喻紧急:～速|～急。❻(～儿)图 怒气:冒～|心头～起。❼(～儿)动 比喻发怒:～性|他～儿了。❽〈口〉形 兴旺;兴隆:买卖很～。❾ 同“伙”¹、“伙”²。❿(Huǒ)图 姓。

【火把】huǒbǎ 图 用于夜间照明的东西,有的用竹篾等编成长条,有的在棍棒的一端扎上棉花,蘸上油。

【火把节】Huǒbǎ Jié 图 彝、白、傈僳、纳西、拉祜等族的传统节日。一般于农历六月二十四日举行。届时人们举行斗牛、赛马、摔跤等各种娱乐活动,夜里燃点火把,奔驰田间,驱除虫害,并饮酒歌舞。

【火伴】huǒbàn 见 623 页〖伙伴〗。

【火棒】huǒbàng 图 游艺用的短棒,一端钉有许多层布,成球形,蘸上酒精或油,点着后挥舞,使火光呈现各种曲线形。

【火暴】huǒbào 形 ❶ 暴躁;急躁:～性子。❷ 旺盛;热闹;红火:牡丹开得真～|这一场戏的场面很～|日子越过越～。‖ 也作火爆。

【火爆】huǒbào 同“火暴”。

【火并】huǒbìng 动 同伙决裂,自相杀伤或并吞。

【火柴】huǒchái 图 用细小的木条蘸上磷或硫的化合物制成的取火的东西。现在常用的是安全火柴。

【火场】huǒchǎng 图 失火的现场。

【火车】huǒchē 图 一种交通工具,由机车牵引若干节车厢在铁路上行驶。

【火车头】huǒchētóu 图 ❶ 机车的通称。❷ 比喻起带头作用或领导作用的人或事物。

【火成岩】huǒchéngyán 图 地壳内部熔融的岩浆侵入地下一定深度或喷出地表后,冷却凝固形成的岩石。按其形成特点分为深成岩、浅成岩和喷出岩。

【火炽】huǒchì 形 旺盛;热闹;紧张②:石榴花开得真～|篮球赛到了最～的阶段。

【火铳】huǒchòng 图旧式管形火器,用火药引燃发射铁弹丸、铅弹丸等。

【火刀】huǒdāo 〈方〉图火镰。

【火电】huǒdiàn 图❶火力发电的简称。❷火力发电产生的电能。

【火电站】huǒdiànzhàn 图利用火力发电的机构。

【火夫】huǒfū 图❶旧时指烧锅炉的工人。❷旧时指军队、机关、学校的厨房中挑水、煮饭的人。也作伙夫。

【火工品】huǒgōngpǐn 图点燃和引爆的器材的统称,包括拉火管、导火索、雷管等。也叫火具。

【火光】huǒguāng 图火发出的光:~冲天。

【火罐儿】huǒguànr 图拔罐子使用的小罐儿。

【火锅】huǒguō （~儿)图金属或陶瓷制成的用具,锅中央有炉膛,置炭火,使菜保持相当热度,或使锅内的汤经常沸腾,把肉片或蔬菜等放在汤里,随煮随吃。也有用酒精、石油液化气等做燃料的。用电加热的叫电火锅。

【火海】huǒhǎi 图指大片的火:太阳的表面像个~|阵地上打成一片~。

【火海刀山】huǒ hǎi dāo shān 见275页〖刀山火海〗。

【火红】huǒhóng 彤状态词。❶像火一样红:~的太阳。❷形容旺盛或热烈:~的青春|日子过得~。

【火候】huǒ·hou （~儿)图❶烧火的火力大小和时间长短:烧窑炼铁都要看~|她炒的菜,作料和~都很到家。❷比喻修养程度的深浅:他的书法到~了。❸比喻紧要的时机:这儿正缺人,你来得正是~。

【火花】[1]huǒhuā 图迸发的火焰:烟火喷出灿烂的~◇生命的~。

【火花】[2]huǒhuā （~儿)图火柴盒上的图案。

【火花塞】huǒhuāsāi 图内燃机上的点火装置,形状像塞子,装在汽缸盖上,通过高压电时能产生火花,使汽缸里的燃料爆燃。

【火化】huǒhuà 动用火焚化尸体。

【火鸡】huǒjī 图鸟,嘴大,头部有红色肉质的瘤状突起,脚生长大,羽毛有黑、白、深黄等色。也叫吐绶鸡。

【火急】huǒjí 彤非常紧急:十万~。

【火急火燎】huǒ jí huǒ liǎo 形容非常焦急:听说发生了事故,他心里~的。

【火剪】huǒjiǎn 图❶生火时夹煤炭、柴火的用具,形状像剪刀而特别长。也叫火钳。❷烫发的用具,形状像剪刀。

【火碱】huǒjiǎn 图烧碱。

【火箭】huǒjiàn 图利用发动机反冲力推进的飞行器。速度很快,用来运载人造卫星、宇宙飞船等,也可以装上弹头和制导系统等制成导弹。

【火箭弹】huǒjiàndàn 图用火箭炮、火箭筒等发射的弹药,由弹头、推进装置和稳定装置构成,有时专指弹头。

【火箭炮】huǒjiànpào 图炮兵装备的发射较大口径火箭弹的武器,分为多管式和多轨式等。能在短时间内依次发射许多火箭弹,火力猛,适于射击大面积目标。

【火箭筒】huǒjiàntǒng 图单人使用的发射火箭弹的反坦克武器,圆筒形。装有红外线瞄准镜,发射时无后坐力,用于摧毁近距离的装甲目标和坚固工事。

【火警】huǒjǐng 图失火的事件(包括成灾的和不成灾的):报~|~电话。

【火居道士】huǒjū dào·shi 不出家,可娶妻的道士。

【火具】huǒjù 图火工品。

【火炬】huǒjù 图火把:~接力赛。

【火炕】huǒkàng 图设有烟道,可以烧火取暖的炕。

【火坑】huǒkēng 图比喻极端悲惨的生活环境:跳出~。

【火筷子】huǒkuài·zi 图夹炉中煤炭或通火的用具,用铁制成,形状像两根筷子,一端由铁链子连起来。有的地区叫火箸。

【火辣辣】huǒlàlà （~的)彤状态词。❶形容酷热:太阳~的。❷形容因被火烧或鞭打等而产生的疼痛的感觉:手烫伤了,疼得~的。❸形容激动的情绪(如兴奋、焦急、暴躁、害羞等):我心里~的,恨不得马上赶到工地去|脸上~的,羞得不敢抬头。❹形容动作、性格泼辣;言辞尖锐:~的性格|~的批评。

【火力】huǒlì 图❶利用煤、石油、天然气等做燃料获得的动力。❷弹药发射、投掷或引爆后所形成的杀伤力和破坏力。❸指人体的抗寒能力:年轻人~旺。

【火力点】huǒlìdiǎn 图 轻重机枪、直接瞄准火炮等配置和发射的地点。

【火力发电】huǒlì fādiàn 利用火力产生动力而发电。简称火电。

【火力圈】huǒlìquān 图 在一个区域内各种火力所及的范围。

【火力网】huǒlìwǎng 图 火网。

【火镰】huǒlián 图 取火的用具,用钢制成,形状像镰刀,打在火石上,发出火星,点着火绒。

【火亮】huǒliàng （～儿）〈方〉图 小的火光:炉子里一点～也没有了。

【火烈鸟】huǒlièniǎo 图 鸟,外形像鹤,嘴弯曲,颈部很长,羽毛白色微红,趾间有蹼。吃鱼、蛤蜊、昆虫和水草等。多生活在地中海沿岸。

【火龙】huǒlóng 图 ❶ 比喻连成一串的灯火或连成一线的火焰:大堤上的灯笼火把像一条～|乘着风势迅速延伸。❷〈方〉从炉灶通向烟囱的倾斜的孔道。

【火笼】huǒlóng 〈方〉图 烘篮。

【火炉】huǒlú （～儿）图 炉子。也叫火炉子。

【火轮船】huǒlúnchuán 图 旧时称轮船。也叫火轮。

【火冒三丈】huǒ mào sān zhàng 形容怒气特别大。

【火媒】huǒméi 同"火煤"。

【火煤】huǒméi （～儿）图 指引柴、纸煤儿等引火用的东西。也作火媒。

【火苗】huǒmiáo （～儿）图 火焰的通称。

【火捻】huǒniǎn （～儿）图 ❶ 火煤。❷ 用纸裹火硝等做成的引火的东西。

【火炮】huǒpào 图 炮①。

【火盆】huǒpén 图 盛炭火等的盆子,用来取暖或烘干衣物。

【火拼】huǒpīn 动 火并。

【火漆】huǒqī 图 用松脂和石蜡等加颜料制成的物质,稍加热就熔化,并有黏性,用来封瓶口、信件等。

【火气】huǒqì 图 ❶ 怒气;暴躁的脾气:压不住心头的～。❷ 指人体中的热量:年轻人～足,不怕冷。❸ 中医指引起发炎、红肿、烦躁等症状的病因。

【火器】huǒqì 图 利用炸药等的爆炸或燃烧性能起杀伤破坏作用的武器,如枪、炮、火箭筒、手榴弹等。

【火钳】huǒqián 图 火剪①。

【火枪】huǒqiāng 图 装火药和铁砂的旧式枪,现多用于打猎。

【火墙】huǒqiáng 图 ❶ 中间有通热气的烟道,可以取暖的墙。❷ 火网。

【火情】huǒqíng 图 ❶ 失火的情况:发现～。❷ 失火时火燃烧的情况:～严重。

【火热】huǒrè 形 ❶ 像火一样热:～的太阳。❷ 形容感情热烈:～的心|～的话语感动了在场的每一个人。❸ 亲热;谈得～|两个人打得～。❹ 紧张激烈:～的斗争。

【火绒】huǒróng 图 用火镰和火石取火时引火的东西,用艾草等蘸硝做成。

【火色】huǒsè 〈方〉图 火候:看～。

【火山】huǒshān 图 因地球表层压力减低,地球深处的岩浆等高温物质从裂缝中喷出地面而形成的锥形山。火山顶部的漏斗状洼地叫做火山口。参看618页【活火山】、1292页【死火山】、1532页【休眠火山】。

【火山地震】huǒshān dìzhèn 地震的一种,由火山爆发而引起。波及范围和破坏性都较小。

【火上加油】huǒ shàng jiā yóu 比喻使人更加愤怒或使事态更加严重。也说火上浇油。

【火上浇油】huǒ shàng jiāo yóu 火上加油。

【火烧】huǒ·shao 图 表面没有芝麻的烧饼。

【火烧鳊】huǒshāobiān 〈方〉图 胭脂鱼。

【火烧火燎】huǒ shāo huǒ liǎo （～的）比喻身上热得难受或心中十分焦灼。

【火烧眉毛】huǒ shāo méi·mao 比喻非常急迫:～眼下急|这是～的事儿,别这么慢条斯理的。

【火烧云】huǒshāoyún 图 日出或日落时出现的红霞。

【火舌】huǒshé 图 比较高的火苗。

【火绳】huǒshéng 图 用艾、蒿子等搓成的绳,燃烧发烟,用来驱除蚊虫,也可以引火。

【火石】huǒshí 图 ❶ 指燧石,因敲击时能迸发出火星,可以取火,所以叫火石。❷ 用铈、镧、铁制成的合金,摩擦时能产生火花。通常用于打火机中。

【火势】huǒshì 图 火燃烧的情势:～已得到控制。

【火树银花】huǒ shù yín huā 形容灿烂的灯火或烟火。

【火速】huǒsù 副 用最快的速度(做紧急的事):~行动|任务紧急,必须~完成。

【火炭】huǒtàn 名 燃烧中的木炭或木柴。

【火塘】huǒtáng 〈方〉名 室内地上挖成的小坑,四周垒砖石,中间生火取暖。

【火烫】huǒtàng ❶ 形 状态词。非常热;滚烫:他正在发烧,脸上~。❷ 动 用烧热的火剪烫发。

【火头】huǒtóu 名 ❶ (~儿)火焰:油灯的~儿太小。❷ (~儿)火候①:~儿不到,饼就烙不好。❸ 火主。❹ (~儿)怒气:你先把~压一压,别着急。

【火头军】huǒtóujūn 名 近代小说戏曲中称军队中的炊事员(现代用作戏谑的话)。

【火头上】huǒtóu·shang 名 发怒的时候:他正在~,等他消消气再跟他细说。

【火腿】huǒtuǐ 名 腌制的猪腿,浙江金华和云南宣威出产的最有名。

【火网】huǒwǎng 名 弹道纵横交织的密集火力。也叫火力网。

【火险】huǒxiǎn 名 ❶ 火灾的保险。❷ 失火的危险:~隐患。

【火线】huǒxiàn 名 ❶ 作战双方对峙的前沿地带。❷ 电路中输送电的电源线。在市电上指对地电压大的导线,在直流电路中指接正极的导线。

【火星】[1] huǒxīng 名 太阳系九大行星之一,按离太阳由近而远的次序计为第四颗,比地球小,绕太阳公转周期约687天,自转周期约24小时37分。(图见1319页"太阳系")

【火星】[2] huǒxīng (~儿)名 极小的火:铁锤打在石头上,进出不少~◇他气得两眼直冒~。

【火性】huǒxìng 名 急躁的,容易发怒的脾气。也说火性子。

【火眼】huǒyǎn 名 中医指急性结膜炎。

【火眼金睛】huǒ yǎn jīn jīng 《西游记》第七回写孙悟空被放在八卦炉里锻炼,他那一双被炉烟熏红的眼叫做火眼金睛,能识别各种妖魔鬼怪。借指能洞察一切的眼力。

【火焰】huǒyàn 名 燃烧着的可燃气体,发光,发热,闪烁向前上升。其他可燃体如石油、蜡烛、木材等,燃烧时产生可燃气体,所以也有火焰。通称火苗。

【火焰喷射器】huǒyàn pēnshèqì 喷火器。

【火药】huǒyào 名 炸药的一类。爆炸时有的有烟,如黑色火药;有的没有烟,如硝酸纤维素。

【火药味】huǒyàowèi (~儿)名 比喻强烈的敌意或激烈的冲突气氛:他今天的发言带~|辩论会上~很浓。

【火印】huǒyìn 名 把烧热的铁器或铁质的图章烙在木器、竹片等物体上而留下的标记。

【火灾】huǒzāi 名 失火造成的灾害:防止森林~。

【火葬】huǒzàng 动 处理死人遗体的一种方法,用火焚化尸体,骨灰装入容器保存、埋葬,或者撒在地上、水里。

【火针】huǒzhēn 名 一种针刺疗法,将特制的针的针尖烧红,迅速刺入一定部位的皮下组织,并立即拔出。也叫燔(fán)针、淬针或烧针。

【火纸】huǒzhǐ 名 ❶ 涂着硝的纸,容易燃烧,多用作火媒。❷ 〈方〉迷信的人祭奠死人时烧的纸钱。

【火中取栗】huǒ zhōng qǔ lì 一只猴子和一只猫看见炉火中烤着栗子,猴子叫猫去偷,猫用爪子从火中取出几个栗子,自己脚上的毛被烧掉,栗子却都被猴子给吃了(见于法国拉·封登[Jean de La Fontaine]的寓言)。比喻冒险给别人出力,自己却上了大当,一无所得。

【火种】huǒzhǒng 名 供引火用的火◇革命的~。

【火烛】huǒzhú 名 泛指可以引起火灾的东西:小心~。

【火主】huǒzhǔ 名 发生火灾的人家。

【火柱】huǒzhù 名 柱状的火焰。

【火箸】huǒzhù 〈方〉名 火筷子。

伙[1]（火）huǒ 伙食:起~|包~。

伙[2]（夥、火）huǒ ❶ 同伴;伙计:~伴|~友。❷ 由同伴组成的集体:合~|入~|成群搭~。❸ 量 用于人群:一~人|分成两~|三个一群,五个一~。❹ 副 共同;联合:~同|~办|几个人～着干。

伙[3] Huǒ 名 姓。

【伙伴】(火伴) huǒbàn 名 古代兵制十人为一火,火长一人管炊事,同火者称为火伴,现在泛指共同参加某种组织或从事某种活动的人,写作伙伴。

【伙房】 huǒfáng 名 学校、部队等集体中的厨房。

【伙夫】 huǒfū 同"火夫"②。

【伙耕】 huǒgēng 动 共同耕种:他们～了十来亩地。

【伙计】 huǒ·ji ❶ 合作的人;伙伴(多用来当面称对方):～,咱得加快干。❷ 旧时指店员或长工:当年我在这个店当～。

【伙食】 huǒ·shí 名 饭食,多指部队、机关、学校等集体中所办的饭食:～费|改善～。

【伙同】 huǒtóng 动 跟别人合在一起(做事):老王～几个退休工人办起了农机修理厂。

【伙种】 huǒzhòng 动 伙耕。

【伙子】 huǒ·zi 同 伙²③;他们是一～。

钬(鈥) huǒ 名 金属元素,符号 Ho (holmium)。是一种稀土元素。银白色,质软。用来制作磁性材料。

潝 huǒ 潝县(Huǒxiàn),地名,在北京。

夥¹ huǒ 〈书〉多:获益甚～。

夥² huǒ 见 622 页"伙²"。

huò （ㄏㄨㄛˋ）

或 huò ❶ 副 或许;也许:慰问团已经起程,明日上午～可到达。❷ 连 或者②③:～多～少|不解决桥～船的问题,过河就是一句空话|他生怕我没听清～不注意,所以嘱咐了一遍。❸〈书〉代 指示代词。某人;有的人:～告之曰。❹〈书〉副 稍微:不可～缺|不可～忽。

【或然】 huòrán 形 属性词。有可能而不一定:～性。

【或然率】 huòránlǜ 名 概率的旧称。

【或许】 huòxǔ 副 也许:他没来,～是病了。

【或则】 huòzé 连 或者②(大多叠用):天晴的日子,老人家～到城外散步,～到河边钓鱼。

【或者】 huòzhě ❶ 副 也许:你快走,～还

赶得上车。❷ 连 用在叙述句里,表示选择关系:这本书～你先看,～我先看。❸ 连 表示等同关系:世界观～宇宙观是人们对整个世界的总的看法。

和¹ huò 动 粉状或粒状物掺和在一起,或加水搅拌使成较稀的东西:～药|藕粉里～点儿糖。

和² huò 量 用于洗东西换水的次数或一剂药煎的次数:衣裳已经洗了三～|二～药。

另见 550 页 hé;555 页 hè;574 页 hú;617 页 huó。

【和弄】 huò·nong 〈方〉动 ❶ 搅拌。❷ 挑拨。

【和稀泥】 huò xī ní 比喻无原则地调解或折中。

货(貨) huò ❶ 名 货币;钱:通～。❷ 名 货物;商品:百～|南～|订～|销～|～真价实|奇～可居|商店来了一批～。❸ 名 指人(骂人的话):笨～|蠢～|好吃懒做的～。❹〈书〉出卖:～卖。❺ (Huò)名 姓。

【货币】 huòbì 名 充当一切商品的等价物的特殊商品。货币是价值的一般代表,可以购买任何别的商品。

【货舱】 huòcāng 名 船或飞机上专用于装载货物的舱。

【货场】 huòchǎng 名 车站、码头、商店、仓库等储存或临时堆放货物的场地。

【货车】 huòchē 名 主要用来载运货物的车辆。

【货船】 huòchuán 名 主要用来载运货物的船只。

【货柜】 huòguì 名 ❶ 摆放货物的柜台。❷〈方〉集装箱。

【货机】 huòjī 名 主要用来载运货物的飞机。

【货架子】 huòjià·zi 名 ❶ 商店里放货物的架子。❷ 自行车的座位后面的架子。

【货款】 huòkuǎn 名 买卖货物的款子。

【货郎】 huòláng 名 在农村、山区或城市小街僻巷流动地贩卖日用品的人,有的也兼营收购:～担(货郎装货物的担子)。

【货郎鼓】 huòlánggǔ 名 货郎招徕顾客用的手摇小鼓,形状跟拨浪鼓相同而比较大。

【货轮】 huòlún 名 主要用来载运货物的

轮船。

【货票】huòpiào 名 运输企业承运货物时开给托运人的票据，是托运人或收货人提货的凭证。

【货品】huòpǐn 名 货物，也指货物的品种：～丰富。

【货色】huòsè ❶ 名 货物（就品种或质量说）：～齐全｜上等～。❷ 指人或思想言论、作品等（多含贬义）：这些人都是一路～。

【货声】huòshēng 名 小贩等叫卖的声音或做某些修补工作的人走街串巷招揽主顾的吆喝声。

【货损】huòsǔn 名 货物在运输过程中发生的损坏：～严重｜禁止野蛮装卸，减少～。

【货摊】huòtān （～儿）名 设在路旁、广场上的售货处：摆～。

【货梯】huòtī 名 主要用来载运货物的电梯。

【货位】huòwèi 名 ❶ 铁路运输上可装满一车皮的货物量，叫一个货位。❷ 车站、商店、仓库等储存或临时堆放货物的位置。

【货物】huòwù 名 供出售的物品。

【货样】huòyàng 名 货物的样品。

【货源】huòyuán 名 货物的来源：～充足｜开辟～｜扩大～。

【货运】huòyùn 名 运输部门承运货物的业务。

【货栈】huòzhàn 名 营业性质的堆放货物的房屋或场地。

【货真价实】huò zhēn jià shí 货物不是冒牌的，价钱也是实在的。原是商人招揽生意的用语。现在引申为实实在在，一点不假。

【货殖】huòzhí 动 古代指经营商业和工矿业。

【货主】huòzhǔ 名 货物的主人。

获（❶❷獲、❸穛） huò ❶ 捉住；擒住：捕～｜俘～。❷ 得到；获得：～胜｜～利｜～奖｜～罪｜～救｜不劳而～。❸ 收割：收～。

【获得】huòdé 动 取得；得到（多用于抽象事物）：～好评｜～宝贵的经验｜～显著的成绩。

【获救】huòjiù 动 得到挽救：食物中毒的民工均已～。

【获取】huòqǔ 动 取得；猎取：～情报｜～利润。

【获释】huòshì 动 得到释放，恢复自由：～出狱。

【获悉】huòxī 动 得到消息知道（某事）：日前～，他已南下探亲。

【获许】huòxǔ 动 得到许可。

【获知】huòzhī 动 获悉：～你已康复出院，大家都十分高兴。

【获致】huòzhì 动 获得；得到：产权纠纷～解决。

【获准】huòzhǔn 动 得到准许：开业申请业已～。

【获罪】huòzuì 动 被判有罪；被加上某种罪名。

祸（禍） huò ❶ 名 祸事；灾难（跟"福"相对）：车～｜闯～｜大～临头｜～不单行。❷ 损害：～国殃民。

【祸不单行】huò bù dān xíng 表示不幸的事接连发生。

【祸从天降】huò cóng tiān jiàng 形容灾祸突然降临，非常意外。

【祸端】huòduān〈书〉名 祸根。

【祸根】huògēn 名 祸事的根源；引起灾难的人或事物：留下～｜铲除～。

【祸国殃民】huò guó yāng mín 使国家受害，人民遭殃。

【祸害】huòhai ❶ 名 祸事：黄河在历史上经常引起～。❷ 名 引起火难的人或事物。❸ 动 损害；损坏：野猪～了一大片庄稼。

【祸患】huòhuàn 名 祸事；灾难：消除～。

【祸乱】huòluàn 名 灾难和变乱；祸事：～不断｜～临头。

【祸起萧墙】huò qǐ xiāoqiáng 祸乱发生在家里，比喻内部发生祸乱。

【祸事】huòshì 名 危害性大的事情。

【祸首】huòshǒu 名 引起祸患的主要人物；罪魁～。

【祸水】huòshuǐ 名 比喻引起祸患的人或事

【祸祟】huòsuì 名 迷信的人指鬼神带给人的灾祸。

【祸胎】huòtāi 名 祸根。

【祸心】huòxīn 名 作恶的念头：包藏～。

【祸殃】huòyāng 名 灾祸；招惹～。

惑 huò ❶ 疑惑;迷惑:惶～|大～不解|智者不～。❷ 使迷惑:～乱|～人耳目|谣言～众。

【惑乱】huòluàn 勔 使迷惑混乱:～人心|～军心。

腄 huò 同"臛"。

霍

霍 huò ❶ 霍然。❷ (Huò) 名 姓。

【霍地】huòdì 副 表示动作突然发生:～闪开|～立起身来。

【霍霍】huòhuò ❶ 拟声 形容磨刀等的声音:磨刀～。❷ 形 形容光闪动的样子:电光～。

【霍乱】huòluàn 名 ❶ 急性肠道传染病,病原体是霍乱弧菌。症状是腹泻,呕吐,大便很稀,像米泔水,四肢痉挛冰冷,休克。患者因脱水而眼窝凹陷,手指、脚趾干瘪。❷ 中医泛指有剧烈吐泻、腹痛等症状的胃肠疾患。

【霍然】huòrán ❶ 副 突然:手电筒～一亮。❷〈书〉形 形容疾病迅速消除:病体～。

【霍闪】huòshǎn 〈方〉名 闪电。

嚄 huò 〈书〉❶ 大呼;大笑。❷ 叹 表示惊讶。
另见 617 页 huō;1011 页 ǒ。

鱯(鱯) huò 名 鱼,体长,侧扁,牙齿呈绒毛状,头上的鳞圆形,其他部分的鳞呈栉状。生活在海洋中。

臛 huò 〈书〉红色或青色的可作颜料的矿物,泛指好的彩色:丹～。

豁 huò ❶ 开阔;开通;通达:～然|～达|显。❷ 免除:～免。
另见 587 页 huá;617 页 huō。

【豁达】huòdá 形 性格开朗;气量大:胸襟～|～大度。

【豁朗】huòlǎng 形 (心情)开朗:他觉得天地是那么广阔,心里是那么～。

【豁亮】huòliàng 形 ❶ 宽敞明亮:这间房子又干净又～。❷ (嗓音)响亮。

【豁免】huòmiǎn 勔 免除(捐税、劳役等)。

【豁然】huòrán 形 形容开阔或通达:～开朗|～贯通|～醒悟。

镬(鑊) huò ❶〈方〉名 锅。❷ 古代的大锅:斧锯鼎～(指古代残酷的刑具)。

【镬子】huò·zi 〈方〉名 锅。

藿 huò 〈书〉豆类作物的叶子。

【藿香】huòxiāng 名 多年生草本植物,叶子长心脏形,花蓝紫色。茎和叶有香气,可入药。

嚄 huò ❶ 叹 表示惊讶或赞叹:～,原来你们也在这儿! ❷ 拟声 形容笑声:～～大笑。

蠖 huò ❶ 见 183 页〖尺蠖〗。❷ (Huò) 名 姓。

貜 huò [貜𤞤](huòjiāpí) 名 哺乳动物,体形像长颈鹿,但小得多,毛赤褐色,臀部与四肢有黑白相间的横纹。生活在非洲原始森林中,吃树叶。[英 okapi]

臛 huò 〈书〉肉羹。

J

j

jī（丩）

几¹ jī ❶（～儿）小桌子：茶～儿|窗明～净。❷（Jǐ）名姓。

几²（幾）jī〈书〉副几乎①：歼灭敌军,～三千人。

另见641页 jǐ。

【几案】jī'àn 名长桌子,也泛指桌子。

【几乎】jīhū 副❶表示十分接近：今天到会的～有五千人。❷差点儿②：要不是你提醒,我～忘了|两条腿一软,～摔倒。也说几几乎。

【几率】jīlù 名概率的旧称。

【几维鸟】jīwéiniǎo 名无翼鸟,因常发出"几维"的声音而得名。[几维,英 kiwi]

讯（譏）jī 讥讽：～笑|～刺|反唇相～。

【讥嘲】jīcháo 动讥讽：～的笔调。

【讥刺】jīcì〈书〉动讥讽。

【讥讽】jīfěng 动用旁敲侧击或尖刻的话指责或嘲笑对方的错误、缺点或某种表现：～的口吻。

【讥诮】jīqiào〈书〉动冷言冷语地讥讽。

【讥笑】jīxiào 动讥讽和嘲笑：别人有缺点要热情帮助,不要～。

击（擊）jī ❶打；敲打：～鼓|～掌|旁敲侧～。❷攻击：袭～|游～|声东～西。❸碰；接触：冲～|撞～◇目～。

【击败】jībài 动打败：～对手,获得冠军。

【击毙】jībì 动打死（多指用枪）。

【击发】jīfā 动射击时用手指扳动扳机。

【击毁】jīhuǐ 动击中并摧毁：～敌方坦克三辆|建筑物被雷电～。

【击剑】jījiàn 名体育运动项目之一,比赛时运动员穿着特制的保护服装,用剑互刺或互劈。比赛项目男子有花剑、重剑和佩剑,女子有花剑、重剑。

【击节】jījié〈书〉动打拍子,表示得意或赞赏：～叹赏（形容对诗文、音乐等的赞赏）。

【击溃】jīkuì 动打垮；打散：～敌军一个师。

【击落】jīluò 动打下来（天空的飞机等）。

【击破】jīpò 动打垮；打败：各个～。

【击赏】jīshǎng〈书〉动击节称赏；赞赏。

【击水】jīshuǐ 动❶〈书〉拍打水面；举翼～。❷指游泳。

【击掌】jīzhǎng 动❶拍手：～称好|～为号。❷双方相互拍击手掌,表示对所立誓言永不反悔,或表示鼓励、庆贺等。

叽（嘰）jī 拟声形容小鸡、小鸟等的叫声：小鸟～～叫。

【叽咕】jī·gu 动小声说话：他们两个叽叽咕咕,不知在说什么。也作唧咕。

【叽叽嘎嘎】jī·jigāgā 拟声形容说笑声等：他们一地嚷着笑着。也作唧唧嘎嘎。

【叽叽喳喳】jī·jizhāzhā 同"唧唧喳喳"。

【叽里旮旯儿】jī·ligālár〈方〉名各个角落：他的工作室里,～都是昆虫标本。

【叽里咕噜】jī·ligūlū 拟声形容别人听不清楚或听不懂的说话声,也形容物体滚动的声音：他们俩～地说了半天|石头～滚下山去。

【叽里呱啦】jī·liguālā 拟声形容大声说话的声音：～说个没完。

饥¹（飢）jī 饿：～餐渴饮|如～似渴。

饥²（饑）jī 农作物歉收或没有收成：连年大～。

【饥不择食】jī bù zé shí 比喻急需的时候顾不得选择。

【饥肠】jīcháng〈书〉名饥饿的肚子：～辘辘（形容非常饥饿）。

【饥饿】jī'è 形饿：～难忍。

【饥寒】jīhán 名饥饿和寒冷：～交迫（形容生活极其贫困）。

【饥荒】jī·huang 名❶因粮食歉收等引起的食物严重缺乏的状况。❷〈口〉经济困难、周转不灵的状况：家里闹～。❸〈口〉债：拉～。

【饥馑】jījǐn〈书〉名饥荒①。

【饥民】jīmín 名因饥荒挨饿的人：赈济

【饥色】jīsè 名 因受饥饿而表现出来的营养不良的脸色：面带～。

玑(璣) jī ❶〈书〉不圆的珠子：珠～。❷ 古代的一种天文仪器。

坂 jī 见803页〖垃圾〗。

芨 jī 见〖芨芨草〗、25页〖白芨〗。

【芨芨草】jījīcǎo 名 多年生草本植物，叶子狭长，花淡绿或紫色。生长在碱性土壤的草滩上，是良好的固沙耐碱植物。可做饲料，也可编织筐、篓、席等。

机(機) jī ❶ 机器：缝纫～｜打字～｜插秧～｜拖拉～。❷ 飞机：客～｜运输～｜～场｜～群。❸ 事情变化的枢纽；有重要关系的环节：事～｜生～｜转～。❹ 机会；时机：乘～｜随～应变｜～不可失。❺ 生活机能：有～体｜无～化学。❻ 重要的事务：日理万～。❼ 心思；念头：动～｜心～｜杀～。❽ 能迅速适应事物的变化的；灵活：～智｜～警。❾ (Jī)姓。

【机变】jībiàn〈书〉动 随机应变：善于～。

【机舱】jīcāng 名 ❶ 轮船上装置动力机器的地方。❷ 飞机内载乘客、装货物的地方。

【机场】jīchǎng 名 飞机起飞、降落、停放的场地。

【机车】jīchē 名 用来牵引车厢在铁路上行驶的动力车。有蒸汽机车、电力机车、内燃机车等。通称火车头。

【机床】jīchuáng 名 用来制造机器和机件的机器：金属切削～｜锻压～。也叫工作母机。

【机电】jīdiàn 名 机械和电力、电子设备的合称：～产品。

【机顶盒】jīdǐnghé 名 数字视频解码接收器。通常放置在电视机的顶部，所以叫机顶盒。

【机动】¹ jīdòng 形 属性词。利用机器开动的：～车。

【机动】² jīdòng 形 ❶ 权宜(处置)；灵活(运用)：这笔经费你们可以～使用。❷ 属性词。准备灵活运用的：～费｜～力量。

【机帆船】jīfānchuán 名 有动力装置的帆船。

【机房】jīfáng 名 ❶ 装置电话总机、放映机、计算机等设备的房屋。❷ 泛指安装机器的房屋。

【机耕】jīgēng 动 用机器耕种：～地｜～面积。

【机构】jīgòu 名 ❶ 机械内部的一个单元，由两个或两个以上的构件连接而成：传动～｜液压～。❷ 指机关、团体等工作单位，也指其内部组织：外交～｜调整～。

【机关】jīguān ❶ 名 控制机械运行的部分：摇动水车的～，把河水引到田里。❷ 形 属性词。用机械控制的：～枪｜～布景。❸ 名 办理事务的部门：行政～｜军事～｜～工作。❹ 名 周密而巧妙的计谋：识破～｜～用尽。

【机关报】jīguānbào 名 国家机关、政党或群众组织出版的报纸。

【机关刊物】jīguān kānwù 国家机关、政党或群众组织出版的刊物。

【机关枪】jīguānqiāng 名 机枪的旧称。

【机徽】jīhuī 名 漆在飞机身上表明飞机所属的标志。

【机会】jī·huì 名 恰好的时候；时机：错过～｜千载一时的好～。

【机会成本】jīhuì chéngběn 将特定的资源用于某种用途而取得的收益是以放弃将该资源用于其他有利可图的用途为代价的，这种代价的最大预期收益就是机会成本。在许多情况下，它不完全都用货币来计算。

【机会主义】jīhuì zhǔyì 工人运动中或无产阶级政党内部的反马克思主义思潮。一种是右倾机会主义，其主要特点是牺牲工人阶级长远的、全局的利益，贪图暂时的、局部的利益，以至向反革命势力投降。一种是"左"倾机会主义，其主要特点是不顾客观实际的可能性，采取盲目的冒险行动。

【机件】jījiàn 名 组成机器的零部件。

【机降】jījiàng 动 利用飞机或直升机运载人员和装备直接降落到地面。

【机井】jījǐng 名 用水泵汲水的深水井。这种井用机械开凿。

【机警】jījǐng 形 对情况的变化觉察得快；机智敏锐：～的目光。

【机具】jījù 名 机械和工具的合称。

【机理】jīlǐ 名 见〖机制〗² ❶❷❸。

【机灵】¹(机伶) jī·ling 形 聪明伶俐；机智：

这孩子怪～的。

【机灵】[2] jī·ling 同"激灵"。

【机米】jīmǐ 名 用机器碾出的大米。现在一般指用机器碾出的籼米。

【机密】jīmì ❶ 形 重要而秘密：～文件。❷ 名 机密的事：保守国家～。

【机敏】jīmǐn 形 机警敏锐：反应～｜～过人。

【机谋】jīmóu 〈书〉名 能迅速适应事物变化的计谋。

【机能】jīnéng 名 细胞组织或器官等的作用和活动能力：人体～。

【机器】jī·qì 名 由零部件组成，能运转、能变换能量或产生有用的功的装置。如发电机、起重机、计算机等。

【机器翻译】jī·qì fānyì 利用计算机一类的装置把一种语言文字译成另一种语言文字。

【机器人】jī·qìrén 名 一种自动机械。由计算机控制，有一定的人工智能，能代替人做某些工作。

【机枪】jīqiāng 名 装有枪架，能自动连续发射的枪，分为轻机枪、重机枪、高射机枪等。旧称机关枪。

【机巧】jīqiǎo 形 灵活巧妙：应对～。

【机群】jīqún 名 编队飞行的一群飞机。

【机师】jīshī 名 ❶ 管理或操作机器的人：汽车测试～。❷ 飞机驾驶员。

【机时】jīshí 名 使用计算机或其他机器、仪器的时间。通常以小时为计时单位。

【机体】jītǐ 名 具有生命的个体的统称，包括植物和动物，如最低等最原始的单细胞生物、最高等最复杂的人类。也叫有机体。

【机务】jīwù 名 指机器或机车的使用、维修、保养等方面的事务：～段｜～员。

【机械】jīxiè ❶ 名 利用力学原理组成的各种装置。杠杆、滑轮、机器以及枪炮等都是机械。❷ 形 比喻方式拘泥死板，没有变化，不是辩证的：工作方法太～。

【机械波】jīxièbō 名 机械振动在介质中传播而形成的波。如水波、声波等。

【机械化】jīxièhuà 动 广泛使用机器装备以代替或减轻体力劳动，提高效能：农业～｜～部队。

【机械论】jīxièlùn 名 机械唯物主义。

【机械能】jīxiènéng 名 机械运动具有的能，包括动能和势能。

【机械手】jīxièshǒu 名 能代替人手做某些动作的机械装置，种类很多。

【机械唯物主义】jīxiè wéiwù zhǔyì 形而上学的唯物主义，17、18 世纪盛行于欧洲。它肯定世界是物质的和运动的，同时用机械力学原理来解释一切现象和过程，用孤立的、片面的观点观察世界，把运动看做是外力的推动，否认事物运动的内部原因、质的变化和发展的飞跃。也叫机械论。

【机械效率】jīxiè xiàolǜ 机械所做的有用功和总功的比值，通常用百分数表示。

【机械油】jīxièyóu 名 机器的轴承或其他摩擦部分的润滑油。通称机油。

【机械运动】jīxiè yùndòng 物体之间或物体中各点之间相对位置改变的运动，是物质最简单、最基本的运动形式，如机械运转、车辆行驶等。

【机心】jīxīn 〈书〉名 狡诈的用心。

【机芯】jīxīn 名 钟表、电视机等内部的机器（对外壳而言）：手机～｜钛钢～。

【机修】jīxiū 名 机器维修：～工。

【机要】jīyào 形 属性词。机密重要的：～工作｜～部门｜～秘书。

【机宜】jīyí 名 针对客观情势处理事务的方针、办法等：面授～。

【机油】jīyóu 名 机械油的通称。特指用于内燃机等的自动润滑系统中的润滑油。

【机遇】jīyù 名 时机；机会（多指有利的）：难得的～。

【机缘】jīyuán 名 机会和缘分：～凑巧。

【机制】[1] jīzhì 形 属性词。用机器制造的：～纸｜～煤球。

【机制】[2] jīzhì 名 ❶ 机器的构造和工作原理，如计算机的机制。❷ 机体的构造、功能和相互关系，如动脉硬化的机制。❸ 指某些自然现象的物理、化学规律。如优选法中优化对象的机制。‖ 也叫机理。❹ 泛指一个工作系统的组织或部分之间相互作用的过程和方式：市场～｜竞争～。

【机智】jīzhì 形 脑筋灵活，能够随机应变：英勇～的战士。

【机杼】jīzhù 〈书〉名 ❶ 指织布机。❷ 比喻诗文的构思和布局：自出～。

【机子】jī·zi 〈口〉名 ❶ 指某些机械或装置，如织布机、电话机、计算机等。❷ 枪上的扳机。

【机组】jīzǔ 名❶ 由几种不同机器组成的一组机器，能够共同完成一项工作。如汽轮机、发电机和其他附属设备组成汽轮发电机组。❷ 一架飞机上的全体工作人员。

乩 jī 见417页〖扶乩〗。

肌 jī 肌肉：平滑～|～肤。

【肌肤】jīfū 〈书〉名 肌肉和皮肤。

【肌腱】jījiàn 名 腱。

【肌理】jīlǐ 〈书〉名 皮肤的纹理：～细腻。

【肌肉】jīròu 名 人和动物体内的一种组织，由许多肌纤维集合构成。上面有神经纤维，在神经冲动的影响下收缩，引起器官运动。可分为骨骼肌、平滑肌和心肌三种。

【肌体】jītǐ 名 指身体，也用来比喻组织机构。

机(磯) jī 〈书〉福；祥。

矶(磯) jī 水边突出的岩石或石滩：钓～|燕子～(在江苏)|采石～(在安徽)。

鸡(鷄、雞) jī 名❶ 家禽，品种很多，嘴短，上嘴稍弯曲，头部有红色的肉冠。翅膀短，不能高飞。也叫家鸡。❷ (Jī)姓。

【鸡雏】jīchú 名 幼小的鸡。

【鸡蛋里挑骨头】jīdàn·li tiāo gǔ·tou 比喻故意找毛病。

【鸡飞蛋打】jī fēi dàn dǎ 鸡飞走了，蛋也打破了。比喻两头落空，毫无所得。

【鸡冠】jīguān 名 鸡头上高起的肉冠。也叫鸡冠子。

【鸡冠花】jīguānhuā 名❶ 一年生草本植物，叶子长椭圆形或披针形，穗状花序，形状像鸡冠，通常红色，也有紫色、黄色的，供观赏。花和种子可入药。❷ 这种植物的花。

【鸡冠石】jīguānshí 名 雄黄。

【鸡奸】jījiān 动 指男人与男人之间发生性行为。也作㚻奸(jījiān)。

【鸡精】jījīng 名 调味品，由鸡肉、鸡蛋、鸡骨和味精等为原料加工制成。淡黄色颗粒，放在菜里或汤里使味道鲜美。

【鸡口牛后】jī kǒu niú hòu 《战国策·韩策一》："宁为鸡口，无为牛后。"比喻宁愿在局面小的地方当家做主，不愿在局面大的地方任人支配。也说鸡尸牛从(尸：主)。

【鸡肋】jīlèi 〈书〉名 鸡的肋骨，吃着没味，扔了可惜。比喻没有多大价值、多大意思的事情(见于《三国志·魏书·武帝纪》注)。

【鸡零狗碎】jī líng gǒu suì 比喻事物零零碎碎，不成片段，也比喻无关紧要的琐碎事物。

【鸡毛店】jīmáodiàn 名 旧时最简陋的小客店。没有被褥，垫鸡毛取暖。

【鸡毛蒜皮】jīmáo suànpí 比喻无关紧要的琐事。

【鸡毛信】jīmáoxìn 名 过去须要火速传递的紧急公文、信件，就插上鸡毛，叫鸡毛信。

【鸡鸣狗盗】jī míng gǒu dào 战国时，齐国孟尝君被秦国扣留，他的一个门客装做狗夜里潜入秦宫，从库本已献给秦王的狐白裘献给秦王的爱姬，才得释放。孟尝君深夜到函谷关，城门紧闭，他的另一个门客学公鸡叫，骗开城门，才得脱险逃回齐国(见于《史记·孟尝君列传》)。后来用"鸡鸣狗盗"比喻微不足道的技能。

【鸡内金】jīnèijīn 名 鸡胗的内皮，黄色，多皱纹，中医用来治疗消化不良、呕吐等。

【鸡皮疙瘩】jīpí gē·da 因受冷或惊恐等皮肤上起的小疙瘩，样子和去掉毛的鸡皮相似。

【鸡犬不宁】jī quǎn bù níng 形容搅扰得很厉害，连鸡狗都不得安宁。

【鸡犬升天】jī quǎn shēng tiān 传说汉代淮南王刘安修炼成仙，连鸡狗吃了剩下的仙药也都升了天(见于汉代王充《论衡·道虚》)。后来用"鸡犬升天"比喻一个人得势，同他有关系的人也跟着沾光。

【鸡尸牛从】jī shī niú cóng 见〖鸡口牛后〗。

【鸡头】jītóu 名 芡。

【鸡头米】jītóumǐ 名 芡实。

【鸡尾酒】jīwěijiǔ 名 用几种酒加果汁、香料等混合起来的酒，多在饮用时临时调制。

【鸡瘟】jīwēn 名 鸡的各种急性传染病。特指鸡新城疫。

【鸡心领】jīxīnlǐng 名 上圆下尖近似心脏形状的衣领。

【鸡新城疫】jīxīnchéngyì 名 鸡瘟的一种，

由病毒引起。症状是鸡冠变成紫色或紫黑色、缩头嗜睡、口鼻流黏液、排黄绿色的稀粪、翅膀和腿麻痹、呼吸困难。病死率高。

【鸡胸】jīxiōng 名 因佝偻病等形成的胸骨畸形，因胸骨突出像鸡的胸脯，所以叫鸡胸。

【鸡血石】jīxuèshí 名 带红色斑点或全红色的昌化石和巴林石，因含朱砂而颜色像鸡血，是珍贵的制印章的材料。

【鸡眼】jīyǎn 名 皮肤病，脚掌或脚趾上角质层增生而形成的小圆硬块，样子像鸡的眼睛，硬块有尖，尖端向内，局部有压痛。

【鸡杂】jīzá （～儿）名 鸡的肫、肝、心等做食物时叫鸡杂。

【鸡子】jī•zi 〈方〉名 鸡。

【鸡子儿】jīzǐr 〈口〉名 鸡蛋。

【鸡枞】jīzōng 名 真菌的一种，菌盖圆锥形，中央凸起，熟时微黄色，可以吃。

其 jī 用于人名，郦食其(Lì Yìjī)，汉朝人。
另见1069页 qí。

奇 jī ❶ 单的；不成对的(跟"偶"相对)：～数｜～偶。❷〈书〉零数：五十有～。
另见1070页 qí。

【奇零】jīlíng 〈书〉名 零数。也作畸零。

【奇数】jīshù 名 不能被2整除的整数，如1，3，5，-7。它的奇数也叫单数。

骘 jī ［骘奸］(jījiān) 同"鸡奸"。

咭 jī 同"叽"。

剞 jī ［剞劂］(jījué)〈书〉❶ 名 雕刻用的弯刀。❷ 动 雕版；刻书。

唧 jī 动 喷射(液体)：～筒｜～他一身水。

【唧咕】jī•gu 同"叽咕"。

【唧唧】jījī 拟声 形容虫叫声等。

【唧唧嘎嘎】jī•jigāgā 同"叽叽嘎嘎"。

【唧唧喳喳】jī•jizhāzhā 拟声 形容杂乱细碎的声音：小鸟儿～地叫。也作叽叽喳喳。

【唧哝】jī•nong 动 小声说话：贴着耳根～了好一会｜他们俩在隔壁唧唧哝哝商量了半天。

【唧筒】jītǒng 名 泵。

积(積) jī ❶ 动 积累；聚集：～成多｜日～月累｜～土成山｜院子

里～了不少水。❷ 长时间积累下来的：～习｜～弊。❸ 名 中医指儿童消化不良的病：食～｜奶～｜捏｜～这个孩子有～了。❹ 名 乘积的简称。

【积案】jī'àn 名 长期积压而未了结的案件：清理～｜～如山。

【积弊】jībì 名 积久相沿的弊病：清除～。

【积不相能】jī bù xiāng néng 〈书〉素来不和睦。

【积储】jīchǔ 动 积存。

【积存】jīcún 动 积聚储存：每月～一点儿钱，以备他用。

【积德】jī/dé 迷信的人指为了求福而做好事，泛指做好事：～行善｜你可积了大德了。

【积淀】jīdiàn ❶ 动 积累沉淀：多年来～了深厚的艺术功底。❷ 名 所积累沉淀下来的事物(多指文化、知识、经验等)：历史的～｜深厚的艺术～。

【积非成是】jī fēi chéng shì 长期沿袭下来的谬误，会被认为是正确的。

【积肥】jī/féi 动 积攒肥料。

【积分】[1] jīfēn 名 参加若干场比赛累计所得的分数：在足球联赛中，北京队～暂居第二。

【积分】[2] jīfēn 名 见1413页［微积分］。

【积愤】jīfèn 名 郁积在心中的愤慨：倾吐胸中的～。

【积极】jījí 形 ❶ 肯定的；正面的；有利于发展的(跟"消极"相对，多用于抽象事物)：起～作用｜从～方面想办法。❷ 进取的；热心的(跟"消极"相对)：～分子｜他对于社会工作一向很～。

【积极分子】jījí fènzǐ ❶ 政治上要求进步，工作上积极负责的人。❷ 在体育、文娱及社会活动等方面比较积极的人。

【积极性】jījíxìng 名 进取向上、努力工作的思想和表现：调动广大群众的～。

【积聚】jījù 动 积累①：把～起来的钱存入银行。

【积劳】jīláo 〈书〉动 长期经受劳累：～成疾。

【积累】jīlěi ❶ 动 (事物)逐渐聚集：～资金｜～材料｜～经验。❷ 名 国民收入中用在扩大再生产的部分。

【积累基金】jīlěi jījīn 指国民收入中用于扩大再生产、进行非生产性基本建设和建立物资储备的那部分基金。

【积木】jīmù 名 儿童玩具,是一套大小和形状不相同的木块或塑料块,大多是彩色的,可以用来摆成多种形式的建筑物等的模型。

【积年】jīnián 〈书〉副 多年;累年:～旧案｜欠薪。

【积年累月】jī nián lěi yuè 形容经历时间很长。

【积贫积弱】jī pín jī ruò (国家、民族)长期贫穷、衰弱。也说积弱积贫。

【积欠】jīqiàn ❶ 动 累次欠下:还清了～的债务。❷ 名 积欠下的亏欠:清理～。

【积弱积贫】jī ruò jī pín 见〖积贫积弱〗。

【积善】jī//shàn 动 积德:～之家。

【积食】jī//shí 〈方〉动 停食(多指儿童)。

【积微成著】jī wēi chéng zhù 细微的事物经过长时期积累,就会逐渐变得显著。

【积温】jīwēn 名 在一定时期内,每日的平均温度或符合特定要求的日平均温度累积的和。

【积习】jīxí 名 长期形成的习惯(多指不良的):～甚深｜～难改。

【积薪厝火】jī xīn cuò huǒ 见 238 页〖厝火积薪〗。

【积蓄】jīxù ❶ 动 积存:～力量。❷ 名 积存的钱:月月都有～。

【积压】jīyā 动 长期积存,未作处理:～物资◇～在心中的疑问。

【积羽沉舟】jī yǔ chén zhōu 羽毛虽轻,堆积多了也可以把船压沉(见于《战国策·魏策一》)。比喻细微的事物积累多了也可以产生巨大的作用。

【积郁】jīyù 动 郁结:～成疾｜发泄～在心中的不满。

【积怨】jīyuàn ❶ (-//-)动 积累怨恨:～成祸｜～已久。❷ 名 蓄积已久的怨恨:～甚多｜消除胸中的～。

【积攒】jīzǎn 动 一点一点地聚集:～肥料｜多年省吃俭用,～了一笔钱。

【积重难返】jī zhòng nán fǎn 指长期形成的不良的风俗、习惯不易改变。

【积铢累寸】jī zhū lěi cùn 见 1776 页〖铢积寸累〗。

笄 jī 古代束发用的簪子:及～。

屐 jī ❶ 名 木头鞋:木～。❷ 泛指鞋:～履。

姬 jī ❶ 古代对妇女的美称。❷ 古代称妾:侍～｜妾～。❸ 旧时称以歌舞为业的女子:歌～。❹ (Jī)名 姓。

基 jī ❶ 基础:房～｜地～｜路～。❷ 起头的;根本的:～层｜～数。❸ 名 化学上指不带电的原子团:羟～｜氨～。❹ (Jī)名 姓。

【基本】jīběn ❶ 名 根本:人民是国家的～。❷ 形 属性词。根本的:～矛盾｜～原理。❸ 形 属性词。主要的:～条件｜～群众。❹ 副 大体上:质量～合格｜大坝工程已经～完成。

【基本词汇】jīběn cíhuì 词汇中最主要的一部分,生存最久、通行最广、构成新词和词组的能力最强,如"人、手、上、下、来、去"等。

【基本单位】jīběn dānwèi 见 520 页〖国际单位制〗。

【基本法】jīběnfǎ 名 ❶ 有些国家指宪法。❷ 某些特定地区的基本法律,如《中华人民共和国香港特别行政区基本法》。

【基本功】jīběngōng 名 从事某种工作所必须掌握的基本的知识和技能。

【基本建设】jīběn jiànshè 名 ❶ 国民经济各部门增添固定资产的建设,如建设厂房、矿井、铁路、桥梁、农田水利、住宅以及安装机器设备,添置船舶、机车、车辆、拖拉机等。❷ 比喻对全局有重大作用的工作:购置图书资料是研究所的一项～。

【基本粒子】jīběn lìzǐ 粒子。

【基本矛盾】jīběn máodùn 规定事物发展全过程的本质,并规定和影响这个过程其他矛盾的存在和发展的矛盾。

【基本上】jīběn·shàng 副 ❶ 主要地:这项任务,～要靠你们车间来完成。❷ 大体上:一年的任务,到十月份已经～完成。

【基层】jīcéng 名 各种组织中最低的一层,它跟群众的联系最直接:～单位｜～干部｜深入～。

【基础】jīchǔ 名 ❶ 建筑物的根脚。❷ 事物发展的根本或起点:～知识｜在原有的～上提高。

【基础代谢】jīchǔ dàixiè 人和动物在清醒而安静的情况下,不受运动、食物、神经紧张、外界温度改变等影响时测得的单位时间的能量消耗水平。

【基础教育】jīchǔ jiàoyù 国家规定的对儿

童实施的最低限度的教育。

【基础科学】jīchǔ kēxué 研究自然现象和物质运动基本规律的科学。一般分为数学、物理学、化学、生物学、地学、天文学六大类。是应用科学的理论基础。

【基础课】jīchǔkè 图 一般指高等学校中，使学生获得有关学科的基本概念、基本规律的知识和技能的课程，是学生进一步学习专门知识的基础。

【基地】jīdì 图 作为某种事业基础的地区：军事～｜工业建设～。

【基点】jīdiǎn 图❶ 作为开展某种活动的基础的地方：以产棉乡为～推广棉花生产新技术。❷ 基础②：通过调查研究弄清情况是解决问题的～。

【基调】jīdiào 图❶ 音乐作品中主要的调，作品通常用基调开始或结束。❷ 主要精神；基本观点：这部作品虽然有缺点，但它的～是鼓舞人向上的。

【基督】Jīdū 图 基督教称救世主。参看733页〖救世主〗。［希腊 Christos］

【基督教】Jīdūjiào 图 世界上主要宗教之一，公元1世纪产生于亚洲的西部地区，奉耶稣为救世主。公元4世纪成为罗马帝国的国教，公元11世纪分裂为天主教和东正教。公元16世纪宗教改革以后，又陆续从天主教分裂出许多新的教派，统称新教。我国所称基督教，多指新教。

【基肥】jīféi 图 在作物播种或移栽前施的肥。厩肥、堆肥、绿肥等肥效较慢的肥料适于做基肥。也叫底肥。

【基干】jīgàn 图 基础；骨干：～民兵。

【基价】jījià 图❶ 计算各个时期的平均物价指数时，用来作为基础的某一固定时期的物价。❷ 对外贸易中，根据双方协议，以商品的一定质量等级为基础所计算的价格。

【基建】jījiàn 图 基本建设：～工程｜～投资。

【基金】jījīn 图 为兴办、维持或发展某种事业而储备的资金或专门拨款。基金必须用于指定的用途，并单独进行核算。如教育基金、福利基金等。

【基尼系数】jīní-xìshù 经济学中指衡量人们收入差异状况的指标。系数数值为0—1。0为收入绝对平均，1为收入绝对不平均。通常认为数值超过0.4为国际警戒线水平，表明贫富差距很大。因意大利经济学家基尼（Corrado Gini）首先提出而得名。

【基诺族】Jīnuòzú 图 我国少数民族之一，分布在云南。

【基期】jīqī 图 统计中计算指数或发展速度等动态指标时，作为对比基础的时期，如1986年同1984年对比物价指数时，1984年为基期。

【基色】jīsè 图 见1675页〖原色〗。

【基石】jīshí 图❶ 做建筑物基础的石头。❷ 比喻基础或中坚力量。

【基数】jīshù 图❶ 一、二、三…一百、三千等普通整数，区别于第一、第二、第三…第一百、第三千等序数。❷ 作为计算标准或起点的数目。

【基态】jītài 图 原子、原子核等所具有的各种状态中能量最低、也最稳定的状态。

【基体】jītǐ 图 由两种或两种以上不同物质制成的材料或物品中，作为主体部分的物质叫做基体。

【基线】jīxiàn 图 测量时作为基准的线段。

【基薪】jīxīn 图 基本工资（多用于实行年薪制的企业负责人）。

【基业】jīyè 图 事业发展的基础：创立～。

【基因】jīyīn 图 生物体遗传的基本单位，存在于细胞的染色体上，作线状排列。［英 gene］

【基因工程】jīyīn gōngchéng 遗传工程。

【基因芯片】jīyīn xīnpiàn 生物芯片的一种。将大量的基因片段有序而高密度地固定在玻璃片或纤维膜等载体上制成。

【基因组】jīyīnzǔ 图 指细胞和生物体的整套基因。也叫染色体组。

【基于】jīyú 介 根据①：～以上理由，我不赞成他的意见。

【基站】jīzhàn 图 通常指移动通信系统中的无线电台，设有发射机和接收机。

【基质】jīzhì 图❶ 植物、微生物从中吸取养分借以生存的物质，如营养液等。❷ 混合物中作为溶剂或起类似溶剂作用的成分：凡士林是许多种药膏的～。

【基准】jīzhǔn 图 测量时的起算标准，泛指标准。

靰（鞿）jī 〈书〉马缰绳。

期（朞）jī 〈书〉一周年；一整月：～年｜～月。

另见 1067 页 qī。

赍(賫、齎) jī 〈书〉❶ 怀着;抱着：～志而殁(志未遂而死去)。❷ 把东西送给人。

【赍恨】jīhèn 〈书〉动 抱恨：～而亡｜机遇若失,将～终身。

【赍赏】jīshǎng 〈书〉动 赏赐。

犄 jī 见下。

【犄角】jījiǎo （～儿）〈口〉名 ❶ 物体两个边沿相接的地方;棱角：桌子～。❷ 角落：屋子～。

【犄角】jī·jiao 〈口〉名 角'①：牛～。

稽 Jī 名 姓。

缉(緝) jī 缉拿：～私｜通～。 另见 1068 页 qī。

【缉捕】jībǔ 动 缉拿：～在逃凶手。

【缉查】jīchá 动 搜查：挨户～。

【缉毒】jīdú 动 检查贩卖毒品的行为,缉捕贩卖毒品的人。

【缉获】jīhuò 动 拿获;查获：～犯罪嫌疑人｜～走私货物。

【缉拿】jīná 动 搜查捉拿(犯罪的人)：～归案。

【缉私】jīsī 动 检查走私行为,缉捕走私的人。

【缉凶】jīxiōng 动 缉拿凶手：～方案。

畸 jī ❶ 偏：～轻～重。❷ 不正常的;不规则的：～变｜～形。❸〈书〉数的零头：～零。

【畸变】jībiàn 动 不正常变化。

【畸恋】jīliàn 名 不合乎常理的恋情。

【畸零】jīlíng ❶ 同"奇零"(jīlíng)。❷ 形 孤零零：～人｜～无侣。

【畸轻畸重】jī qīng jī zhòng 偏轻偏重,形容事物发展不平衡或对人对事的态度偏向一个方面。

【畸形】jīxíng 形 ❶ 生物体某部分发育不正常：～发育｜～胎儿。❷ 泛指事物发展不正常,偏于某一方面：～繁荣｜～发展。

跻(躋) jī 〈书〉登;上升：使中国科学～于世界先进科学之列。

【跻身】jīshēn 动 使自己上升到(某种行列、位置等);置身：～文坛｜～前八名。

锓(鋇) jī 见 1802 页[锓锓]。

襀(襀) jī 〈书〉衣服的褶儿。

箕 ❶ 簸箕：～踞。❷ 簸箕形的指纹：斗～。❸ 二十八宿之一。❹ (Jī)名 姓。

【箕斗】jīdǒu 〈书〉名 ❶ 箕宿和斗宿,泛指群星。❷《诗经·小雅·大东》:"维南有箕,不可以簸扬;维北有斗,不可以挹酒浆。"后来用"箕斗"比喻虚有其名。❸ 手指印;斗箕：验明～。

【箕踞】jījù 〈书〉动 古人席地而坐,坐时臀部紧挨脚后跟,如果随意伸开两腿,像个簸箕,就叫箕踞,是一种不拘礼节、傲慢不敬的坐法。

稽[1] jī ❶ 动 查考：～查｜无～之谈｜有案可～。❷ 计较：反唇相～。❸ (Jī)名 姓。

稽[2] jī 〈书〉停留;拖延：～留｜～延。 另见 1077 页 qǐ。

【稽查】jīchá ❶ 动 检查(走私、偷税、违禁等活动)。❷ 名 担任这种检查工作的人。

【稽核】jīhé 动 查对计算(多指账目)。

【稽考】jīkǎo 〈书〉动 查考：无可～。

【稽留】jīliú 〈书〉动 停留：因事～,未能如期南下。

【稽延】jīyán 〈书〉动 拖延：～时日。

齑(齏) jī 〈书〉❶ 调味用的姜、蒜或韭菜碎末儿。❷ 细;碎：～粉。

【齑粉】jīfěn 〈书〉名 细粉;碎屑：化为～。

畿 jī 国都附近的地区：京～｜～辅。

【畿辅】jīfǔ 〈书〉名 国都附近的地方。

齑 jī 见 1324 页[炭齑]。

激 jī ❶ 动 (水)因受到阻碍或震荡而向上涌：江水冲到礁石上,～起六七尺高◇～起了一场风波。❷ 动 冷水突然刺激身体使得病：他被雨水～着了。❸〈方〉动 用冷水冲或泡食物等使变凉：把西瓜放在冰水里～一～。❹ 动 使发作;使感情冲动：刺～｜～怒｜劝将不如～将｜故意拿话～他。❺ (感情)激动：感～｜～于义愤。❻ 急剧;强烈：～战｜～流｜偏～。❼ (Jī)名 姓。

【激昂】jī'áng 形 (情绪、语调等)激动昂

扬：～慷慨|群情～。

【激昂慷慨】jī'áng kāngkǎi 见 764 页〖慷慨激昂〗。

【激变】jībiàn 动 急剧变化：形势～。

【激磁】jīcí 动 线圈内因有电流通过,受到激发而产生磁场：～线圈|～电流。

【激荡】jīdàng 动 ❶ 因受冲击而动荡：海水～|感情～。❷ 冲击使动荡：～人心。

【激动】jīdòng ❶ 形（感情）因受刺激而冲动：情绪～。❷ 动 使感情冲动：～人心。

【激发】jīfā 动 ❶ 刺激使奋发：～群众的积极性。❷ 使分子、原子等由能量较低的状态变为能量较高的状态。

【激发态】jīfātài 名 原子、原子核等的能量高于基态时所处的状态。

【激奋】jīfèn ❶ 形 激动振奋：精神～。❷ 动 使激动振奋：～人心。

【激愤（激忿）】jīfèn 形 激动而愤怒：群情～。

【激光】jīguāng 名 某些物质原子中的粒子受光或电磁波激发,由低能级的原子跃迁为高能级原子,当高能级原子的数目大于低能级原子的数目,并由高能级跃迁回低能级时,就放射出相位、频率、方向等完全相同的光,这种光叫做激光。颜色很纯,能量高度集中,广泛应用在工业、军事、医学、探测、通信等方面。旧称莱塞。

【激光刀】jīguāngdāo 名 用激光代替手术刀进行手术的医疗装置。用激光刀进行手术,切口平滑,出血少,不易感染。常用的有二氧化碳激光刀、氩激光刀等。

【激光器】jīguāngqì 名 产生激光的装置,有固体、液体、气体、半导体等几种类型。根据工作方式不同又分为连续激光器和脉冲激光器等。旧称莱塞。

【激光武器】jīguāng wǔqì 利用激光束直接攻击并毁伤目标的武器。由激光器、精密瞄准跟踪系统、光束控制与发射系统组成。射击时快速、精确、灵活,不受电磁干扰。

【激光照排】jīguāng zhàopái 印刷业上指利用激光扫描成像技术进行照相排版。这个系统由输入部分、计算机信息处理部分和激光扫描记录部分组成。

【激化】jīhuà 动 ❶（矛盾）向激烈尖锐的方面发展：避免矛盾～。❷ 使激化：～矛盾。

【激活】jīhuó 动 ❶ 刺激机体内某种物质,使其活跃地发挥作用：某些植物成分能～细胞免疫反应。❷ 比喻刺激某事物,使活跃起来：～高科技产业。

【激将】jījiàng 动 用刺激性的话或反面的话鼓动人去做（原来不愿做或不敢做的事）：～法|请将不如～。

【激进】jījìn 形 急进：～派|观点。

【激剧】jījù 形 ❶ 激烈：看样子他是在～地进行思想斗争。❷ 急剧：～发展。

【激浪】jīlàng 名 汹涌急剧的波浪：～滔滔。

【激励】jīlì 动 激发鼓励：～将士。

【激烈】jīliè 形 ❶（动作、言论等）剧烈：百米赛跑是一项很～的运动|大家争论得很～。❷（性情、情怀）激奋刚烈：壮怀～。

【激灵】jī·ling〈方〉动 受惊吓猛然抖动：他吓得一～就醒了。也作机灵。

【激流】jīliú 名 湍急的水流。

【激怒】jīnù 动 刺激使发怒：他这一说更把赵大叔～了。

【激切】jīqiè〈书〉形（言语）激烈而直率：言辞～。

【激情】jīqíng 名 强烈激动的情感：创作～|～满怀。

【激赏】jīshǎng〈书〉动 极其赞赏：～不已。

【激素】jīsù 名 内分泌腺分泌的物质。直接进入血液分布到全身,对机体的代谢、生长、发育和繁殖等起重要调节作用。包括甲状腺素、肾上腺素、胰岛素、性激素等。旧称荷尔蒙。

【激扬】jīyáng ❶ 动 激浊扬清：指点江山,～文字。❷ 形 激动昂扬：～的欢呼声。❸ 动 激励使振作起来：～士气。

【激越】jīyuè 形（声音、情绪等）强烈、高亢：雄浑～的军号声|感情～。

【激增】jīzēng 动（数量等）急速地增长：产值～。

【激战】jīzhàn 动 激烈战斗◇两队～一场,不分胜负。

【激浊扬清】jī zhuó yáng qīng 冲去污水,让清水上来,比喻抨击坏人坏事,奖励好人好事。也说扬清激浊。

羁（覊、羈）jī〈书〉❶ 名 马笼头：无～之马。❷ 动 拘束：～绊|放荡不～。❸ 动 停留;使停留：～旅|

留。

【羁绊】jībàn 〈书〉动 缠住了不能脱身;束缚;挣脱～。

【羁勒】jīlè 〈书〉动 束缚:摆脱礼教的～。

【羁留】jīliú 动 ❶（在外地）停留。❷ 羁押。

【羁旅】jīlǚ 〈书〉动 长久寄居他乡:～异乡。

【羁縻】jīmí 〈书〉动 ❶ 笼络(藩属等)。❷ 羁留。

【羁押】jīyā 动 拘留;拘押。

jí（ㄐㄧˊ）

及¹ jí ❶ 达到:波～|普～|～格|目力所～|由表～里|将～十载。❷ 赶上:～时|～早|望尘莫～。❸ 动 比得上:论学习,我不～他。❹〈书〉推及;顾及:老吾老,以～人之老|攻其一点,不～其余。❺（Jí）名 姓。

及² jí 连 连接并列的名词或名词性词组:图书、仪器、标本～其他。注意 用"及"连接的成分多在意义上有主次之分,主要的成分放在"及"的前面。

【及第】jídì 科举时代考试中选,特指考取进士,明清两代只用于殿试前三名:状元～。

【及格】jí//gé 动 (考试成绩)达到规定的最低标准。

【及冠】jíguàn 〈书〉动 指男子年满二十岁,到了成年(冠:古代男子二十岁举行冠礼,戴上成年人戴的帽子)。

【及笄】jíjī 〈书〉动 指女子年满十五岁(笄:束发用的簪子。古时女子年满十五岁把头发绾起来,戴上簪子)。

【及龄】jílíng 动 达到规定的年龄:～儿童已全部入学。

【及门】jímén 〈书〉动 登门(正式拜师求学):～弟子|～之士。

【及时】jíshí ❶ 形 正赶上时候;适合需要:～雨|他来得很～。❷ 副 不拖延;马上;立刻:有问题就～解决。

【及时雨】jíshíyǔ 名 ❶ 指在农作物需要雨水时下的雨:这场～缓解了旱情。❷ 比喻能在紧急关头解救危难的人或事物。

【及早】jízǎo 副 趁早:生了病要～治。

【及至】jízhì 介 等到某个时间或出现某种情况:～中午,轮船才靠近港口|～上了岸,才知道是个荒岛。

伋 jí 人名用字。孔伋,字子思,孔子的孙子。

吉 jí ❶ 吉利;吉祥(跟"凶"相对):大～|凶多～少。❷（Jí）名 姓。

【吉卜赛人】Jíbǔsàirén 名 原来居住在印度西北部的居民,10世纪时开始向外迁移,流浪在西亚、北非、欧洲、美洲等地,多从事占卜、歌舞等职业。也叫茨冈人。[吉卜赛,英 Gypsy]

【吉光片羽】jíguāng piàn yǔ 古代传说,吉光是神兽,毛皮为裘,入水数日不沉,入火不焦。"吉光片羽"指神兽的一小块毛皮,比喻残存的珍贵的文物:～,弥足珍贵。

【吉剧】jíjù 名 吉林地方戏曲剧种,在曲艺二人转的基础上吸收东北其他民间歌舞和地方戏逐步发展而成。

【吉利】jílì 形 吉祥顺利:～话。

【吉普】jípǔ 名 轻型越野汽车,能适应高低不平的道路。也叫吉普车。[英 jeep]

【吉期】jíqī 名 特指结婚的日子。

【吉庆】jíqìng 形 吉利喜庆:～话|平安～。

【吉人天相】jí rén tiān xiàng 旧时迷信的人认为好人有上天保佑(多用作遭遇危险或困难时的安慰语)。

【吉日】jírì 名 吉利的日子:～良辰。

【吉他】jí·tā 名 六弦琴。[英 guitar]

【吉祥】jíxiáng 形 幸运;吉利:～如意。

【吉祥物】jíxiángwù 名 某些大型运动会、展览会等用来象征吉祥的标记,多选用动物图案或模型。

【吉星】jíxīng 名 迷信的人指显示吉兆的星,借指能带来吉祥的人或事物:～高照。

【吉凶】jíxiōng 名 好运气和坏运气;吉利和凶险:～未卜。

【吉言】jíyán 名 吉利的话。

【吉兆】jízhào 名 吉祥的预兆。

岌 jí 〈书〉山高的样子。

【岌岌】jíjí 〈书〉形 ❶ 形容山势高耸。❷ 形容十分危险,快要倾覆或灭亡:～可危|～不可终日。

汲 jí ❶ 动 从下往上打水;从井里～水。❷（Jí）名 姓。

【汲汲】jíjí 〈书〉形 形容心情急切,努力追求：～于富贵。

【汲取】jíqǔ 动 吸取：～经验｜～营养。

【汲引】jíyǐn〈书〉动 引水，比喻举荐提拔。

汲 jí〈书〉同"急"。

级（級）jí ❶名 等级：高～｜上～｜县～｜～差。❷名 年级：留～｜同～不同班。❸ 台阶儿：石～。❹ 量 a) 用于台阶、楼梯等：十多～台阶。b) 用于等级：三～工｜他的工资比我高一～。

【级别】jíbié 名 等级的区别；等级的高低次序：干部～｜举重比赛已决出三个～的名次。

【级差】jíchā 名 等级之间的差别程度：工资～。

【级任】jírèn 名 中小学校里设过的负责管理一个班级的教师：～老师。

极（極）jí ❶ 顶点；尽头：登峰造～｜无所不用其～。❷ 地球的南北两端；磁体的两端；电源或电器上电流进入或流出的一端：南～｜北～｜阴～｜阳～。❸ 尽；达到顶点：～力｜四目～望｜物～必反｜一时之盛。❹ 最终的；最高的：～度｜～端｜～量。❺ 副 表示达到最高程度：～好｜～重要｜～少数｜～有兴趣。[注意]"极"也可做补语，但前头不能用"得"，后面一般带"了"，如"忙极了"。❻ (Jí)名 姓。

【极地】jídì 名 极圈以内的地区。

【极点】jídiǎn 名 程度上不能再超过的界限：高兴到了～。

【极顶】jídǐng ❶名 山的最高处；山顶：泰山～。❷ 名 极点：他对你佩服到～。❸ 副 表示程度达到极点：～聪明｜～糊涂。

【极度】jídù ❶ 副 表示程度极深：～兴奋｜～疲劳。❷ 名 极点：他的忍耐已经到了～。

【极端】jíduān ❶名 事物顺着某个发展方向达到的顶点：看问题要全面，不要走～。❷ 副 表示程度极深：～苦恼｜～困难。❸ 形 绝对；偏激：这种观点太～。

【极光】jíguāng 名 在高纬度地区，高空中出现的一种光的现象。由太阳发出的高速带电粒子进入两极附近，激发高空大气中的原子和分子而引起。通常呈弧状、带状、幕状或放射状，微弱时白色，明亮时黄绿色，有时还有红、灰、紫、蓝等颜色。

【极口】jíkǒu 副 在言谈中极力(称道、赞扬或抨击、抗辩等)：～称扬｜～诋毁。

【极乐鸟】jílèniǎo 名 鸟，羽毛美丽，雄的翼下两侧有很长的绒毛，尾部中央有一对长羽。边叫边飞舞，声音很好听。主要生活在新几内亚及其附近岛屿。也叫风鸟。

【极乐世界】jílè shìjiè 佛经中指阿弥陀佛所居住的国土。佛教徒认为居住在这个地方，就可获得光明、清净和快乐，摆脱人间一切烦恼。也叫西天。

【极力】jílì 副 用尽一切力量；想尽一切办法：～抢救伤员｜～克服困难。

【极量】jíliàng 名 ❶ 医学上指在一定时间内，允许病人使用药物的最大剂量。❷ 泛指作为极限的数量。

【极目】jímù〈书〉动 用尽目力(远望)：～远眺。

【极品】jípǐn 名 ❶ 最上等的物品：～狼毫(一种毛笔)｜关东人参号称～。❷〈书〉最高的官阶：官居～。

【极其】jíqí 副 非常；极端：～重视｜～光荣｜受到了～深刻的教育。

【极圈】jíquān 名 地球上$66°34'$的纬线所形成的圈，在北半球的叫北极圈，在南半球的叫南极圈。

【极权】jíquán 名 指统治者依靠暴力行使的统治权力。在极权统治下，人民毫无自由。

【极为】jíwéi 副 表示程度达到极点：～勇敢｜～不满｜～贫困。

【极限】jíxiàn 名 ❶ 最高的限度：轮船的载重已经到了～。❷ 如果变量 x 逐渐变化，趋近于定量 a，即它们的差的绝对值可以小于任何已知的正数时，定量 a 叫做变量 x 的极限。可写成 $x \to a$，或 $\lim x = a$。如数列 $\frac{1}{2}$，$\frac{2}{3}$，$\cdots$，$\frac{n}{n+1}$ 的极限是 1，写作 $\lim\limits_{n \to \infty} \frac{n}{n+1} = 1$。

【极限运动】jíxiàn yùndòng 最大限度地发挥自我身心潜能，向自身挑战的娱乐体育运动。带有冒险性和刺激性。如攀岩、高山滑翔、激流皮划艇、水上摩托、冲浪、蹦极等。

【极刑】jíxíng 名 指死刑：处以～。

【极夜】jíyè 名 极圈以内的地区，每年总有一个时期太阳一直在地平线以下,一天24小时都是黑夜,这种现象叫做极夜。

【极意】jíyì 副 用尽心思:～奉承|～模仿。

【极致】jízhì 名 最高境界;最大程度;极限:追求～|～的视觉享受|语到～是平常。

【极昼】jízhòu 名 极圈以内的地区,每年总有一个时期太阳不落到地平线以下,一天24小时都是白天,这种现象叫做极昼。

扊 jí〈书〉门闩。

即¹ jí ❶ 靠近;接触:若～若离|可望而不可～。❷ 到;开始从事:～位。❸ 当下;目前:～日|～期成功在～。❹ 就着(当前环境):～景。❺ (Jí)名 姓。

即² jí〈书〉❶ 就是:荷花～莲花|非此～彼。❷ 副 就;便:一触～发|招之～来|闻过～改。❸ 连 即使:～无他方之支援,也能按期完成任务。参看733页"就²"。

【即便】jíbiàn 连 即使。

【即或】jíhuò 连 即使。

【即将】jíjiāng 副 将要;就要:理想～实现|展览会～闭幕。

【即景】jíjǐng〈书〉动 就眼前的景物(做诗文或绘画):～诗|～生情|西湖～。

【即景生情】jí jǐng shēng qíng 对眼前的情景有所感触而产生种种思想感情。

【即刻】jíkè 副 立刻:～出发。

【即令】jílìng 连 即使。

【即日】jírì 名 ❶ 当天:本条例自～起施行。❷ 最近几天;近日:本片～放映。

【即若】jíruò〈书〉连 即使。

【即时】jíshí 副 立即:～投产。

【即食】jíshí 动 立即可以食用:～面(方便面)|此食品开袋~。

【即使】jíshǐ 连 表示假设的让步:～我们的工作取得了很大的成绩,也不能骄傲自满|～你当时在场,也未必有更好的办法。▷[注意] "即使"所表示的条件,可以是尚未实现的事情,也可以是与既成事实相反的事情。

【即事】jíshì 动 就眼前的事物、情景(做诗文或绘画):～诗。

【即位】jí∥wèi 动 ❶ 就位。❷ 指开始做帝王或诸侯。

【即席】jíxí 动 ❶ 在宴会或集会上:～讲话|～赋诗。❷ 入席;就位。

【即兴】jíxìng 动 就着临时发生的兴致(进行创作、表演等):～诗|～之作|～表演。

佶 jí〈书〉健壮。

【佶屈聱牙】jíqū áoyá (文章)读起来不顺口(佶屈:曲折;聱牙:拗口)。也作诘屈聱牙。

诘(詰) jí [诘屈聱牙](jíqū áoyá) 同"佶屈聱牙"。
另见697页jié。

呕 jí〈书〉副 急迫地:～待解决|～须纠正。
另见1081页qì。

【呕呕】jíjí〈书〉形 急迫;急忙:～奔走|不必～。

革 jí〈书〉(病)危急。
另见459页gé。

笈 jí〈书〉❶ 书箱:负～从师。❷ 书籍;典籍。

急 jí ❶ 形 想要马上达到某种目的而激动不安;着急:～着要走|眼都～红了。❷ 动 使着急:火车快开了,他还不来,真人～人。❸ 形 容易发怒;急躁:～性子|没说上三句话他就～了。❹ 形 很快而且猛烈;急促:～雨|～转弯|水流很～|炮声甚～|话说得很～。❺ 形 急迫;紧急:～事|～件|～中生智|时间紧,任务～。❻ 紧急严重的事情:告～|救～|当务之～。❼ 对大家的事或别人的困难,赶快帮助:～公好义|～人之难(nàn)。

【急巴巴】jíbābā (～的)形 状态词。急迫的样子。

【急变】jíbiàn 名 紧急的事变。

【急病】jíbìng 名 急症:生～|害～。

【急茬儿】jíchár〈方〉名 紧急的事情:这是～,可不能耽误了。

【急赤白脸】jí·chibáiliǎn (～的)〈方〉形 状态词。心里着急,脸色难看:两个人～地吵个没完。也说急扯白脸。

【急匆匆】jícōngcōng (～的)形 状态词。非常匆忙的样子:～走来一个人。

【急促】jícù 形 ❶ 快而短促:呼吸～|～的脚步声。❷ (时间)短促:时间很～,不能再犹豫了。

【急电】jídiàn ❶ 动 紧急发电报(给某人):～上级请求支援。❷ 名 需要赶紧拍发和递送的电报。

【急风暴雨】jí fēng bào yǔ 急剧而猛烈的风雨,多用来形容声势浩大的革命运动。

【急公好义】jí gōng hào yì 热心公益,爱帮助人。

【急功近利】jí gōng jìn lì 急于求目前的成效和利益。

【急火】[1] jíhuǒ 名 指烧煮东西时的猛火:~煮不好饭。

【急火】[2] jíhuǒ 名 因着急而产生的火气:~攻心。

【急急巴巴】jí·jibābā (～的)形 状态词。形容急忙:他的任务还没完成,为什么要～地叫他回来?

【急急风】jíjífēng 名 戏曲打击乐的一种打法,节奏很快,多用来配合紧张、急速的动作。

【急件】jíjiàn 名 须要很快送到或处理的文件、信件等。

【急进】jíjìn 形 急于改革和进取:~派。

【急救】jíjiù 动 紧急救治:~危重病人。

【急救包】jíjiùbāo 名 装有急救药品及消过毒的纱布、绷带等的小包,供急救伤病员使用。

【急就章】jíjiùzhāng 名 为了应付需要,匆忙完成的作品或事情(原为书名,也叫《急就篇》,汉代史游作)。

【急剧】jíjù 形 急速;迅速而剧烈:气温~下降。

【急遽】jíjù 形 急速。

【急口令】jíkǒulìng 〈方〉名 绕口令。

【急流】jíliú 名 湍急的水流:~滚滚|渡过~险滩。

【急流勇退】jí liú yǒng tuì 旧时比喻仕途顺利的时候毅然退出官场,现也比喻在复杂的斗争中及早抽身。

【急忙】jímáng 副 心里着急,行动加快:听说厂里有要紧事儿,他~穿上衣服跑出去|急急忙忙赶着去上班。

【急难】[1] jínàn 〈书〉动 热心地帮助别人摆脱患难:扶危~。

【急难】[2] jínàn 名 危急的事;危难:~之中见人心。

【急迫】jípò 形 马上需要应付或办理,不容许迟延:情况~|~的任务。

【急起直追】jí qǐ zhí zhuī 马上行动起来,迅速赶上进步较快的人或发展水平较高的事物。

【急切】jíqiè 形 ❶ 迫切:需要~|～地盼望成功。❷ 仓促:一时找不着适当的人。

【急如星火】jí rú xīnghuǒ 形容非常急迫。

【急速】jísù 形 非常快:~的脚步声|火车～地向前飞奔。

【急湍】jítuān 〈书〉很急的水流。

【急弯】jíwān 名 ❶ 道路突然转折的地方:前有～,行车小心。❷ 车、船、飞机等行进方向的突然改变:战斗机拐了个～,向西南飞去。

【急务】jíwù 名 紧急的事务:当前~。

【急先锋】jíxiānfēng 名 比喻在行动上积极领头的人。

【急行军】jíxíngjūn 动 部队执行紧急任务时快速行军:战士们连夜~,拂晓前到达指定地点。

【急性】jíxìng ❶ 形 属性词。发作急剧的、变化快的(病):~阑尾炎。❷ (～儿)形 急性子①。❸ (～儿)名 急性子②。

【急性病】jíxìngbìng 名 ❶ 发病急剧、病情变化很快、症状较重的疾病,如霍乱、急性胰腺炎等。❷ 比喻不顾客观实际、急于求成的毛病。

【急性子】jíxìng·zi ❶ 形 性情急躁:~人。❷ 名 性情急躁的人:他是个~,总要一口气把话说完。

【急需】jíxū 动 紧急需要:~处理|以应~。

【急眼】jí∥yǎn 〈方〉动 ❶ 发火;发脾气:人家这么两句话就把你惹~啦? ❷ 着急:他一~,连话都说不出来了。

【急用】jíyòng 动 紧急需用(多指金钱方面):节约储存,以备~。

【急于】jíyú 动 想要马上实现:~求成|他~回厂,准备今天就走。

【急躁】jízào 形 ❶ 碰到不称心的事情马上激动不安:性情~|一听说事情弄糟了,他就～起来了。❷ 想马上达到目的,不做好准备就开始行动:~冒进|别~,大家量好再动手。

【急诊】jízhěn ❶ 动 指病情严重,需要马上诊治:阑尾炎急性发作的病人应及时到医院~。❷ 名 医院为急性病患者进行紧急治疗的门诊:看~。

【急症】jízhèng 名 突然发作、来势很猛的病症。

【急智】jízhì 名 在紧急情况下突然想出来

的应付办法。

【急中生智】jí zhōng shēng zhì 在紧急中想出好的应付办法。

【急骤】jízhòu 〖形〗急速：～的脚步声。

【急转直下】jí zhuǎn zhí xià（形势、故事情节、文笔等）突然转变，并且很快地顺势发展下去。

姞 Jí 〖名〗姓。

疾¹ jí ❶ 疾病：积劳成～。❷ 痛苦：～苦。❸ 痛恨：～恶如仇。

疾² jí 急速；猛烈：～风｜～驰｜～走｜大声～呼。

【疾病】jíbìng 〖名〗病（总称）：预防～｜～缠身。

【疾步】jíbù 〖名〗快步：～如飞｜～行走。

【疾驰】jíchí 〖动〗（车马等）奔驰：汽车～而过。

【疾恶如仇】jí è rú chóu 恨坏人坏事像痛恨仇敌一样。也作嫉恶如仇。

【疾风】jífēng 〖名〗❶ 猛烈的风：～劲草｜～迅雨。❷ 气象学上旧指 7 级风。参看 407 页〖风级〗。

【疾风劲草】jí fēng jìng cǎo 在猛烈的大风中，只有坚韧的草才不会被吹倒。比喻在大风浪或艰苦危急之中，只有立场坚定、意志坚决的人才经得起考验。也说疾风知劲草。

【疾患】jíhuàn〈书〉〖名〗病。

【疾进】jíjìn 〖动〗（队伍）快速行进：部队连夜～。

【疾苦】jíkǔ 〖名〗（人民生活中的）困苦：关心群众的～。

【疾驶】jíshǐ 〖动〗（车辆等）急速行驶：～而去。

【疾首蹙额】jí shǒu cù é 形容厌恶、痛恨的样子（疾首：头痛；蹙额：皱眉）。

【疾书】jíshū 〖动〗迅速地书写：奋笔～。

【疾言厉色】jí yán lì sè 说话急躁，神色严厉，形容发怒时的神情。

棘 jí ❶ 〖名〗酸枣树。❷ 泛指有刺的草木：披荆斩～。❸ 刺；扎：～手。

【棘刺】jícì 〖名〗豪猪等脊背上长的硬而长的刺。泛指动植物体上的针状物。

【棘轮】jílún 〖名〗一种轮状零件，通常是有齿的。棘轮和棘爪、连杆组成间歇运动机构。

【棘皮动物】jípí-dòngwù 无脊椎动物的一门，外皮一般具有石灰质的刺状突起，身体球形、星形或圆棒形，生活在海底，运动缓慢或不运动，如海星、海胆、海参、海百合等。

【棘手】jíshǒu 〖形〗形容事情难办，像荆棘刺手：～的问题｜这件事情非常～。

【棘爪】jízhuǎ 〖名〗拨动棘轮做间歇运动的零件。棘爪由连杆带动做往复运动，从而带动棘轮做单向运动。

殛 jí〈书〉杀死：雷～。

戢 jí ❶〈书〉收敛；收藏：～翼｜～怒｜～兵。❷（Jí）〖名〗姓。

集 jí ❶ 集合；聚集：汇～｜齐～｜～思广益｜惊喜交～。❷ 〖名〗集市：赶～。❸ 集子：诗～｜文～｜全～｜地图～。❹ 〖量〗某些篇幅较长的著作中相对独立的部分：《康熙字典》分为子、丑、寅、卯等十二～｜影片上下两～，一次放映三十一电视连续剧。❺ 〖名〗集合③的简称。❻（Jí）〖名〗姓。

【集部】jíbù 〖名〗我国古代图书分类的一大部类。包括各种体裁的文学著作。也叫丁部。参看 1293 页〖四部〗。

【集藏】jícáng 〖动〗收集保藏：～品｜明清家具～。

【集成】jíchéng 〖动〗同类著作汇集在一起（多用于书名）：《丛书～》《中国古典戏曲论著～》。

【集成电路】jíchéng-diànlù 在同一硅片上制作许多晶体管、电阻、电容等，并将它们联成一定的电路，完成一定的功能。这种电路称为集成电路。具有体积小、焊点少、耗电省、稳定性高等优点。广泛应用于计算机、测量仪器和其他方面。

【集成电路卡】jíchéng-diànlùkǎ 一种将集成电路芯片嵌装于塑料基片上制成的卡片。可以存储和处理数据。也叫智能卡。

【集萃】jícuì 〖名〗荟萃：新闻～。

【集大成】jí dàchéng 集中某类事物的各个方面，达到相当完备的程度：集诗文之大成｜这是一部～的优秀著作。

【集合】jíhé ❶ 〖动〗许多分散的人或物聚在一起：全校同学已经在操场～了。❷ 〖动〗使集合；汇集：～各种材料，加以分析。❸

❷数学上指若干具有共同属性的事物的总体。如全部整数就成一个整数的集合，一个工厂的全体工人就成一个该工厂全体工人的集合。简称集。

【集会】jíhuì ❶动集合在一起开会。❷名集合在一起开的会：盛大～。

【集结】jíjié 动聚集，特指军队等集合到一处：～待命｜～兵力。

【集解】jíjiě 动集注²。

【集锦】jíjǐn 名编辑在一起的精彩的图画、诗文等（多用于标题）：图片～｜邮票～。

【集句】jíjù ❶动摘取前人的诗句拼成诗（多为律诗）。词也有集句而成的。❷名指集句而成的诗。

【集聚】jíjù 动集合；聚合：人们～在老槐树下休息。

【集刊】jíkān 名学术机构刊行的成套的、定期或不定期出版的论文集：《红楼梦研究》～。

【集录】jílù 动（把资料）收集、抄录在一起或编印成书。

【集权】jíquán 动政治、经济、军事大权集中于中央。

【集日】jírì 名有集市的日子：这个镇的～是每旬的三六九。

【集散地】jísàndì 名本地区货物集中外运和外地货物由此分散到区内各地的地方。

【集市】jíshì 名农村或小城市中定期买卖货物的市场：～贸易。

【集释】jíshì 动集注²。

【集思广益】jí sī guǎng yì 集中众人的智慧，广泛吸收有益的意见。

【集体】jítǐ 名许多人合起来的有组织的整体（跟"个人"相对）：～生活｜～领导｜个人利益服从～利益。

【集体经济】jítǐ jīngjì 以生产资料集体所有制和共同劳动为基础的经济形式。

【集体所有制】jítǐ suǒyǒuzhì 社会主义公有制经济形式之一，主要的生产资料、产品等归劳动群众集体所有。

【集体舞】jítǐwǔ 名❶多人共同表演的舞蹈，常用乐器伴奏。也叫群舞。❷形式比较自由、动作比较简单的群众娱乐性的舞蹈。

【集体主义】jítǐ zhǔyì 一切从集体出发，把集体利益放在个人利益之上的思想，是社会主义、共产主义的基本精神之一。

【集团】jítuán 名为了一定的目的组织起来共同行动的团体：统治～｜工商～。

【集团军】jítuánjūn 名军队的一级编组，辖若干个军或师。

【集训】jíxùn 动集中到一个地方训练：干部轮流～｜运动员提前一个月～。

【集腋成裘】jí yè chéng qiú 狐狸腋下的皮虽然很小，但是聚集起来就能缝成一件皮袍。比喻积少成多。

【集邮】jí//yóu 动收集和保存邮票和其他各种邮品。

【集邮册】jíyóucè 名一种特制的用于集邮的本子。也叫插册。

【集约】jíyuē 形❶农业上指在同一土地面积上投入较多的生产资料和劳动，进行精耕细作，用提高单位面积产量的方法来增加产品总量（跟"粗放"相对）。这种经营方式叫做集约经营。❷泛指采用现代化管理方法和科学技术，加强分工、协作，提高资金、资源使用效率的（经营方式）。

【集运】jíyùn 动集中起来运输：～木材。

【集镇】jízhèn 名以非农业人口为主的比城市小的居住区。

【集中】jízhōng ❶动把分散的人、事物、力量等聚集起来；把意见、经验等归纳起来：～兵力｜～资金。❷形专注；不分散：精神很～。

【集中营】jízhōngyíng 名帝国主义国家或反动政权把政治犯、战俘或掳来的非交战人员集中起来监禁或杀害的地方。

【集注】¹jízhù 动（精神、眼光等）集中：代表们的眼光都～在大会主席台上。

【集注】²jízhù 动汇集前人关于某部书的注释再加上自己的见解进行注释，多用于书名。也叫集解或集释。

【集装箱】jízhuāngxiāng 名具有一定规格、便于机械装卸、可以重复使用的装运货物的大型容器，形状像箱子，多用金属材料制成。有的地区叫货柜。

【集资】jízī 动聚集资金：～经营。

【集子】jí·zi 名把许多单篇著作或单张作品收集在一起编成的书：这个～里一共有二十篇小说。

潗 jí 潗滩（Jítān），地名，在河南。

蒺 jí ［蒺藜］（蒺蔾）(jí·li)名❶一年生草本植物，茎平铺在地上，羽状复叶，小叶长椭圆形,花小,黄色,果皮有尖刺。种子可入药。❷这种植物的果实。

楫 jí 〈书〉桨;舟~。

辑(輯) jí ❶编辑;辑录。❷〈量〉整套书籍、资料等按内容或发表先后次序分成的各个部分:新闻简报第一~|这部丛书分为十~,每~五本。

【辑录】jílù〈动〉把有关的资料或著作收集起来编成书。

【辑要】jíyào〈动〉辑录要点(多用于书名):《道藏~》。

【辑佚】jíyì ❶〈动〉辑录前人或今人通行的集子以外的散佚的文章或作品:~并印行古籍数十种。❷〈名〉辑佚而编成的书或文章(多用于书名):《鲁迅著作~》。

嵴 jí 〈书〉山脊。

嫉 jí ❶忌妒:~贤妒能。❷憎恨:~恶如仇。

【嫉妒】jídù〈动〉忌妒。

【嫉恶如仇】jí è rú chóu 同"疾恶如仇"。

【嫉恨】jíhèn 因忌妒而愤怒;憎恨。

【嫉贤妒能】jí xián dù néng 对品德、才能比自己强的人心怀怨恨嫉妒。

耤 Jí 耤河,水名,耤口(Jíkǒu),地名,都在甘肃。

蕺 jí 蕺菜。

【蕺菜】jícài〈名〉多年生草本植物,茎上有节,叶子心脏形,花小而密,结蒴果。茎和叶有鱼腥气。可以吃,全草入药。也叫鱼腥草。

踖 jí 见232页【踧踖】。

瘠 jí 〈书〉❶(身体)瘦弱。❷瘠薄:~土|~田。

【瘠薄】jíbó〈形〉(土地)缺少植物生长所需的养分、水分;不肥沃。

【瘠田】jítián〈书〉〈名〉不肥沃的田地。

鹡(鶺) jí [鹡鸰](jílíng)〈名〉鸟,背部羽毛颜色纯一,中央尾羽比两侧的长,停息时尾上下摆动。生活在水边,吃昆虫等。种类较多,常见的有白鹡鸰。

藉 jí ❶〈书〉践踏;侮辱。❷(Jí)〈名〉

另见704页jiè "借²";705页 jiè。

蹐 jí 〈书〉小步行走。

籍 jí ❶书籍;册子:古~。❷登记:~没。❸籍贯:原~。❹代表个人对国家、组织的隶属关系:国~|党~|学~。❺(Jí)〈名〉姓。

【籍贯】jíguàn〈名〉祖居或个人出生的地方。

【籍没】jímò〈书〉〈动〉登记并没收(家产)。

jǐ (ㄐㄧˇ)

几(幾) jǐ〈数〉❶询问数目(估计数目不太大):来了~个人?|你能在家住~天?❷表示大于一而小于十的不定的数目:~本书|十~岁|~百人。
另见626页 jī。

【几曾】jǐcéng〈书〉〈副〉用反问的语气表示未曾;几时曾经:在他重病期间,我~安睡过一夜?

【几次三番】jǐ cì sān fān 一次又一次;屡次:朋友们~地说说,他都当成了耳旁风。

【几多】jǐduō〈方〉❶〈代〉疑问代词。a)询问数量:~人?|这袋米有~重?b)表示不定的数量:在他身上,父母不知花费了~精力,~钱财。❷〈副〉多么:这孩子~懂事!

【几何】jǐhé ❶〈书〉〈代〉疑问代词。多少:价值~?❷〈名〉几何学。

【几何体】jǐhétǐ〈名〉空间的有限部分,由平面和曲面围成。如棱柱体、正方体、圆柱体、球体。也叫立体。

【几何图形】jǐhé túxíng 点、线、面、体或它们的组合。

【几何学】jǐhéxué〈名〉数学的一个分支,研究空间图形的形状、大小和位置的相互关系等。

【几经】jǐjīng〈动〉经过多次:~波折|~交涉。

【几儿】jǐr〈口〉〈代〉疑问代词。哪一天:你~来的?|今儿是~?

【几时】jǐshí〈代〉疑问代词。什么时候:你们~走?|你~有空儿过来坐吧。

【几许】jǐxǔ〈书〉〈代〉疑问代词。多少:不知~。

己 jǐ ❶ 自己:知～知彼|舍～为人|严于律～。❷ 名 天干的第六位。参看440页[干支]。❸ (Jǐ)名 姓。

【己方】jǐfāng 名 自己这一方面。

【己见】jǐjiàn 名 自己的意见:各抒～|固执～。

【己任】jǐrèn 名 自己的任务:以天下为～。

纪(紀) Jǐ 名 姓(近年也有读Jì的)。另见645页jì。

虮(蟣) jǐ 虮子。

【虮子】jǐ·zi 名 虱子的卵。

挤(擠) jǐ ❶ 动 (人、物)紧紧靠拢在一起(事情集中在同一时间内):～做一团|屋里～满了人|事情全～在一块儿了。❷ 形 地方相对地小而人或物等相对地多:车厢里特别～。❸ 动 在拥挤的环境中用身体排开人或物:人多～不进来。❹ 动 用压力使从孔隙中出来:～牛奶|～牙膏◇～时间学习。❺ 动 排斥;排挤:我的名额被～掉了。

【挤对】jǐ·dui 〈方〉动 ❶ 逼迫使屈从:他不愿意,就别～他了。❷ 排挤;欺负:他初来乍到的时候挺受～的。

【挤兑】jǐduì 动 许多人到银行里挤着兑现。

【挤咕】jǐ·gu 〈方〉动 挤(眼):眼睛里进去了沙子,一个劲儿地～。

【挤眉弄眼】jǐ méi nòng yǎn (～儿)用眼示意:几个人相对他～,叫他别去。

【挤牙膏】jǐ yágāo 比喻说话不爽快,经别人一步一步追问,才一点儿一点儿说出。

【挤轧】jǐyà 动 排挤倾轧:互相～。

【挤占】jǐzhàn 动 强行挤入并占用:～耕地|不得～教育经费。

济(濟) Jǐ ❶ 名 济水,古水名,发源于今河南,流经山东入渤海。现在黄河下游的河道就是原来的济水的河道。今河南济源,山东济南、济宁、济阳,都从济水得名。❷ 名 姓。另见647页jì。

【济济】jǐjǐ 〈书〉形 形容人多:人才～|～一堂。

【济济一堂】jǐjǐ yī táng 形容许多有才能的人聚集在一起。

给(給) jǐ ❶ 供给;供应:补～|配～|自～自足。❷ 富裕充足:家～户足。另见464页gěi。

【给付】jǐfù 动 付给(gěi)(应付的款项等);按保险条例～保险金。

【给水】jǐshuǐ 动 供应生产或生活用水。

【给养】jǐyǎng 名 指军队中人员的伙食、牲畜的饲料以及炊事燃料等物资:补充～。

【给与】jǐyǔ 同"给予"。

【给予】jǐyǔ 〈书〉动 给(gěi):～帮助|～同情|～亲切的关怀。也作给与。

脊 jǐ ❶ 人和动物背上中间的骨头:脊柱:～髓|～椎。❷ 物体上形状像脊柱的部分:山～|屋～|书～。❸ (Jǐ)名 姓。

【脊背】jǐbèi 名 背[①]。

【脊梁】jǐ·liang 名 ❶ 脊背。❷ 脊柱,比喻在国家、民族或团体中起中坚作用的人。

【脊梁骨】jǐ·lianggǔ 名 ❶ 脊柱。❷ 比喻志气、骨气:做人不能没有～。

【脊檩】jǐlǐn 名 架在屋梁或山墙上面最高的一根横木。也叫大梁或正梁。(图见387页"房子")

【脊鳍】jǐqí 名 背鳍。

【脊神经】jǐshénjīng 名 连接在脊髓上的神经。人体有31对,分布在躯干和四肢的肌肉中。主管颈部以下的感觉和运动。

【脊髓】jǐsuǐ 名 人和脊椎动物中枢神经系统的 部分,在椎管(椎孔连接而成的空管)里面,上端连接延髓,两侧发出成对的神经,分布到四肢、体壁和内脏,是周围神经跟脑神经联络的通路,也是许多简单反射(如膝反射)的中枢。

【脊髓灰质炎】jǐsuǐ huīzhìyán 急性传染病,由病毒侵入血液循环系统引起,部分病毒可侵入神经系统。患者多为1—6岁儿童,主要症状是发热,全身不适,严重时肢体疼痛,发生瘫痪。通称小儿麻痹症。

【脊索】jǐsuǒ 名 某些动物身体内部的支柱,略呈棒形,由柔软的大细胞构成。高等动物的脊柱是由胚胎时期的脊索变化而成的,低等动物(如文昌鱼)的脊索终生不变。

【脊索动物】jǐsuǒ dòngwù 动物的一个门,包括原索动物和脊椎动物。

【脊柱】jǐzhù 名 人和脊椎动物背部的主要

支架。人的脊柱由33块椎骨构成,形状像柱子,在背部的中央,中间有椎管,内有脊髓。脊柱分为颈、胸、腰、骶、尾五个部分。也叫脊梁骨。

【脊椎】jǐzhuī 图❶脊柱:～动物。❷椎骨。

【脊椎动物】jǐzhuī dòngwù 有脊椎骨的动物,是脊索动物的一个亚门。这一类动物一般体形左右对称,全身分为头、躯干、尾三个部分,躯干又被膈分成胸部和腹部,有比较完善的感觉器官、运动器官和高度分化的神经系统。包括鱼类、两栖动物、爬行动物、鸟类和哺乳动物等。

【脊椎骨】jǐzhuīgǔ 图椎骨的通称。

掎 jǐ〈书〉❶牵住;拖住。❷牵引;拉。

【掎角之势】jǐ jiǎo zhī shì 比喻作战时分兵牵制或合兵夹击的形势。

魢(魢) jǐ 图鱼,身体侧扁,略呈椭圆形,头小而钝,口小,绿褐色。生活在海底岩石间。

戟 jǐ ❶古代兵器,在长柄的一端装有青铜或铁制成的枪尖,旁边附有月牙形锋刃。❷〈书〉刺激①。

麂 jǐ 图哺乳动物,是小型的鹿,雄的有长牙和短角。腿细而有力,善于跳跃。种类很多,生活在我国的有黑麂、黄麂、小麂等。通称麂子。

jì (丬)

计(計) jì ❶动计算:核～|共～|不～其数|数以万～。❷测量或计算度数、时间等的仪器:体温～|血压～|晴雨～。❸图主意;策略;计划:～策|巧～|缓兵之～|眉头一皱,计上心来|百年大～,质量第一。❹动做计划;打算:设～|为加强安全～,制定了工厂保卫条例。❺计较;考虑:不～成败|无暇～及。❻(Jì)图姓。

【计策】jìcè 图为对付某人或某种情势而预先安排的方法或策略。

【计程车】jìchéngchē〈方〉图小型出租汽车。

【计酬】jìchóu 动计算报酬;按劳～。

【计划】jìhuà ❶图工作或行动以前预

先拟定的具体内容和步骤:科研～|五年～。❷动做计划:先～一下再动手。

【计划单列市】jìhuàdānlièshì 保持省辖市行政隶属关系,但在经济体制和管理权限上相当于省级,经济计划单列,直接向中央政府负责的城市。

【计划经济】jìhuà jīngjì 国家按照统一计划并通过行政手段管理的国民经济。

【计划生育】jìhuà shēngyù 为控制人口增长,采用科学方法,有计划地安排生育。

【计价】jìjià 动计算价钱:～器|标准|按质～。

【计件工资】jìjiàn gōngzī 按照生产的产品合格件数或完成的作业量来计算的工资。

【计较】jìjiào 动❶计算比较:斤斤～|他从不～个人的得失。❷争论:我不同你～,等你气平了再说。❸打算;计议:此事暂且不论,日后再说～。

【计量】jìliàng 动❶把一个暂时未知的量与一个已知的量做比较,如用尺量布,用体温计量体温。❷计算:影响之大,是不可～的。

【计谋】jìmóu 图计策;策略:有～。

【计日程功】jì rì chéng gōng 可以数着日子计算进度,形容在较短期间就可以成功。

【计时】jìshí 动计算时间:开始～|～收费。

【计时工资】jìshí gōngzī 按照劳动时间多少和技术熟练程度来计算的工资。

【计数】jìshǔ 动统计(数目);计算:不可～|难以～。

【计数】jì//shù 动数(shǔ)事物的个数;统计数目:～器|～单位。

【计算】jìsuàn 动❶根据已知数通过数学方法求得未知数:～人数|～产值。❷考虑;筹划:做事要先～一下,不能干到哪儿算哪儿。❸暗中谋划损害别人:当心被小人～。

【计算尺】jìsuànchǐ 图根据对数原理制成的一种辅助计算用的工具,由两个有刻度的尺构成,其中一个嵌在另一个尺的中间并能滑动,把两个尺上一定的刻度对准,即能直接求出运算的结果。应用于乘、除、乘方、开方、三角函数及对数等运算上。也叫算尺。

【计算机】jìsuànjī 名 能进行数学运算的机器。有的用机械装置做成,如手摇计算机;有的用电子元器件组装成,如电子计算机。现特指电子计算机。

【计算机病毒】jìsuànjī bìngdú 计算机程序的一种,在一定条件下会不断地自我复制和扩散,影响计算机的正常运行。一般是人故意设计的破坏性程序。

【计算机层析成像】jìsuànjī céngxī chéngxiàng 用 X 射线透视人体,测定透视后的放射量,经过计算机处理,重建出人体器官断层图像,并做出诊断。也叫计算机断层扫描。

【计算机程序】jìsuànjī chéngxù 为实现某种目的而由计算机执行的代码化指令序列,通过程序设计语言实现。

【计算机断层扫描】jìsuànjī duàncéng sǎomiáo 计算机层析成像。

【计算机网络】jìsuànjī wǎngluò 用通信线路把若干台计算机互相连接起来,用来实现资源共享和信息交换的系统。

【计算机综合征】jìsuànjī zōnghézhēng 因长时间使用计算机,受电磁辐射等影响而出现的眼睛酸胀、头晕目眩、恶心呕吐和注意力不易集中等病征。

【计算器】jìsuànqì 名 指小型的计算装置,种类很多,功能繁简不同。

【计议】jìyì 动 考虑;商议:从长～。

记(記) jì ❶ 动 把印象保持在脑子里：忘｜性｜得｜不清｜好好～住。❷ 记录；记载；登记：～事｜～账｜摘～｜～一大功。❸ 记载、描写事物的书或文章(常用于书名或篇名)：日～｜笔～｜游～《岳阳楼～》。❹ (～儿)标志;符号：标～｜铃～｜暗～儿。❺ 名 皮肤上的生下来就有的深色的斑：左边眉毛上有个黑～。❻ 量 多用于某些动作的次数：打一～耳光｜一～劲射,球应声入网。❼ (Jì) 名姓。

【记仇】jì∥chóu 动 把对别人的仇恨记在心里：他这个人从来不～｜我说了他几句,他就记了仇。

【记得】jì·de 动 想得起来;没有忘掉：他说的话我还～｜这件事不～是在哪一年了。

【记分】jì∥fēn (～儿)动 记录工作、比赛、游戏中得到的分数：～员。

【记工】jì∥gōng 动 记录工作时间或工作量。

【记功】jì∥gōng 动 登记功绩,作为一种奖励：～一次。

【记挂】jìguà 〈方〉动 惦念;挂念：好好养病,不要～厂里的事。

【记过】jì∥guò 动 登记过失,作为一种处分：记了一次过。

【记号】jì·hao 名 为引起注意,帮助识别、记忆而做成的标记：联络～｜有错别字的地方,请你做个～。

【记恨】jì·hèn 动 把对别人的怨恨记在心里：～在心｜咱们俩谁也别～谁。

【记录】jìlù ❶ 动 把听到的话或发生的事写下来：～在案。❷ 名 当场记录下来的材料：会议～。❸ 名 做记录的人：推举他当～。‖也作纪录。❹ 同"纪录"①。

【记录片儿】jìlùpiānr 同"纪录片儿"。

【记录片】jìlùpiàn 同"纪录片"。

【记名】jìmíng 动 记载姓名,表明权利或责任的所在：～证券｜无～投票。

【记名制】jìmíngzhì 名 办理有关手续时登记名字(不一定是真实的)的制度。

【记念】jìniàn 见 645 页〖纪念〗。

【记取】jìqǔ 动 记住(教训、嘱咐等)。

【记认】jìrèn ❶ 动 辨认：她穿着一条黄裙子,最好～｜这个字形体特别,容易～。❷ 〈方〉名 指便于记住和识别的标志：借来各家的椅子要做个～,将来不要还错了。

【记事】jì∥shì 动 ❶ 把事情记录下来：～册。❷ 记述历史经过。

【记事儿】jìshìr 动 指小孩儿对事物已经有记忆的能力：我五岁才～。

【记述】jìshù 动 用文字叙述;记载：～往事｜那篇文章对此事有翔实的～。

【记诵】jìsòng 动 默记和背诵;熟读：他从小就～了许多古代诗文。

【记性】jì·xing 名 记忆力：～好｜没～。

【记叙】jìxù 动 记述：～文｜～体｜书中～了很多名人趣事。

【记叙文】jìxùwén 名 泛指记人、叙事、描写景物的文章。

【记要】jìyào 同"纪要"。

【记忆】jìyì ❶ 动 记住或想起：小时候的事情有些还能～起来。❷ 名 保持在脑子里的过去事物的印象：～犹新。

【记忆合金】jìyì héjīn 形状记忆合金的简称。

【记忆力】jìyìlì 名 记住事物的形象或事情的经过的能力：～强|～弱。

【记载】jìzǎi ❶ 动 把事情写下来：据实～|回忆录～了当年的战斗历程。❷ 名 记载事情的文章：我读过一篇当时写下的～。

【记者】jìzhě 名 通讯社、报刊、广播电台、电视台等采访新闻和写通讯报道的专职人员。

伎 jì ❶ 同"技"①。❷ 古代称以歌舞为业的女子：歌～。

【伎俩】jìliǎng 名 不正当的手段：骗人的～。

齐(齊) jì〈书〉❶ 调味品。❷ 合金(此义今多读 qí)。
另见 1069 页 qí。

纪¹(紀) jì 纪律；法度：军～|政～|风～|违法乱～。

纪²(紀) jì ❶ 义同"记"，主要用于"纪念、纪年、纪元、纪传"等，别的地方多用"记"。❷ 古时以十二年为一纪，今指更长的时间：世～|中世～。❸ 名 地质年代分期的第三级，纪以上为代，如中生代分为三叠纪、侏罗纪和白垩纪。跟纪相应的地层系统分类单位叫做系(xì)。参看 299 页"地质年代简表"。
另见 642 页 Jǐ。

【纪纲】jìgāng〈书〉名 法度。

【纪检】jìjiǎn 名 纪律检查：～工作。

【纪录】jìlù ❶ 名 在一定时期、一定范围以内记载下来的最高成绩：打破～|创造新的世界～。也作记录。❷ 同"记录"①②③。

【纪录片儿】jìlùpiānr〈口〉名 纪录片。也作记录片儿。

【纪录片】jìlùpiàn 名 专门报道某一问题或事件的影片。也作记录片。

【纪律】jìlǜ 名 政党、机关、部队、团体、企业等为了维护集体利益并保证工作的正常进行而制定的要求每个成员遵守的规章、条文：～严明|遵守～。

【纪年】jìnián ❶ 动 记年代，如我国过去用干支纪年，从汉武帝到清末又兼用皇帝的年号纪年，公历纪年用传说的耶稣生年为第一年。❷ 名 史书体裁之一，依照年月先后排列历史事实，如《竹书纪年》。

【纪念】(记念) jìniàn ❶ 动 用事物或行动对人或事表示怀念：用实际行动～先烈。❷ 名 纪念品：这张照片给你做个～吧。

【纪念碑】jìniànbēi 名 为纪念有功绩的人或重大事件而立的石碑：人民英雄～。

【纪念币】jìniànbì 名 为纪念重大事件、著名人物、珍贵物品而发行的一种特殊的货币。一般用金、银等贵重金属铸成。

【纪念册】jìniàncè 名 有纪念性质的册子，上面多有签名、题字、照片等，如毕业纪念册。

【纪念封】jìniànfēng 名 表现一定纪念主题的信封。

【纪念馆】jìniànguǎn 名 为纪念有卓越贡献的人或重大历史事件而建立的陈设实物、图片等的建筑物：鲁迅～|南昌起义～。

【纪念品】jìniànpǐn 名 表示纪念的物品。

【纪念日】jìniànrì 名 发生过重大事情值得纪念的日子，如国庆日、中国共产党成立纪念日、国际劳动节。

【纪念邮票】jìniàn yóupiào 邮政部门为纪念国内、国际上重要人物、重大事件或其他纪念性内容而专门发行的邮票。发行数量有限，发行时间较短，一般不再重印。

【纪念章】jìniànzhāng 名 表示纪念的徽章。

【纪实】jìshí ❶ 动 记录真实情况：～文学。❷ 名 指记录真实情况的文字(多用于标题)：《植树活动～》。

【纪事】jìshì ❶ 动 记录事实：～诗。❷ 名 记载某些事迹、史实的文字(多用于书名)：《唐诗～》。

【纪事本末体】jìshìběnmòtǐ 名 我国传统史书的一种体裁，以重要事件为纲，自始至终有系统地把它记载下来。创始于南宋袁枢的《通鉴纪事本末》。

【纪行】jìxíng 名 记载旅行见闻的文字、图画(多用于标题)：《延安～》。

【纪要】jìyào 名 记录要点的文字：新闻～|会谈～。也作记要。

【纪元】jìyuán 名 纪年的开始，如公历以传说的耶稣出生那一年为元年。

【纪传体】jìzhuàntǐ 名 我国传统史书的一种体裁，主要以人物传记为中心，叙述当时的史实。"纪"是帝王本纪，列在全书的前面，"传"是其他人物的列传。创始于汉代司马迁的《史记》。

技 jì ❶ 技能；本领：～术|～巧|绝～|一～之长|黔驴～穷|无所施其～。❷ (Jì)名姓。

【技法】jìfǎ 名技巧和方法：雕塑～|～纯熟。

【技改】jìgǎi 动技术改革或技术改造：～项目。

【技工】jìgōng 名有专门技术的工人。

【技工学校】jìgōng xuéxiào 培养某种专业技术工人的中等学校。简称技校。

【技击】jìjī 名用于搏斗的武术：精于～。

【技能】jìnéng 名掌握和运用专门技术的能力：基本～|～低下。

【技巧】jìqiǎo 名❶ 表现在艺术、工艺、体育等方面的巧妙的技能：运用～|绘画|熟练的～。❷ 指技巧运动：～比赛。

【技巧运动】jìqiǎo yùndòng 体操运动项目之一。动作以翻腾、抛接、造型等为主，并配有徒手操和舞蹈动作。有单人、双人、三人、四人等项。

【技师】jìshī 名在工人中设置的技术职务，多从有经验的高级技术工人中评聘。

【技术】jìshù 名❶ 人类在认识自然和利用自然的过程中积累起来并在生产劳动中体现出来的经验和知识，也泛指其他操作方面的技巧：钻研～|～先进。❷ 指技术装备：～改造。

【技术改革】jìshù gǎigé 技术革新。

【技术革命】jìshù gémìng 指生产技术上的根本变革，例如从用体力、畜力生产改为用蒸汽做动力生产，用手工工具生产改为用机器生产。

【技术革新】jìshù géxīn 指生产技术上的改进，如工艺流程、机器部件等的改进。也叫技术改革。

【技术科学】jìshù kēxué 应用科学。

【技术性】jìshùxìng 名❶ 指技术含量或技术水准：钳工是～很强的工种|这种工作，～要求较高。❷ 指非原则性、非实质性的方面：～问题。

【技术学校】jìshù xuéxiào 培养某种专业技术人员的中等学校，如铁路技术学校、邮电技术学校。简称技校。

【技术员】jìshùyuán 名技术人员的职称之一，在工程师的指导下，能够完成一定技术任务的技术人员。

【技术装备】jìshù zhuāngbèi 生产上用的各种机械、仪器、仪表、工具等设备。

【技校】jìxiào 名技术学校或技工学校的简称。

【技痒】jìyǎng 形有某种技能的人遇到机会时极想施展：他看别人打球，不觉～。

【技艺】jìyì 名富于技巧性的表演艺术或手艺：～高超|精湛的～。

芰 jì 古书上指菱。

系(繫) jì 动打结；扣：～鞋带|～着裙裙|把领扣儿～上。另见 1462 页 xì。

忌 jì ❶ 忌妒：～刻|猜～。❷ 怕：顾～|～惮。❸ 动认为不适宜而避免：～嘴|～生冷。❹ 动戒除：～烟|～酒。

【忌辰】jìchén 名先辈去世的日子(旧俗这一天忌举行宴会或从事娱乐，所以叫忌辰)。

【忌惮】jìdàn〈书〉动顾忌；畏惧：肆无～。

【忌妒】jì·du 动对才能、名誉、地位或境遇等比自己好的人心怀怨恨：～心|～人。

【忌恨】jìhèn 动因忌妒而怨恨：～他人。

【忌讳】jì·huì 动❶ 因风俗习惯或个人理由等，对某些言语或举动有所顾忌，积久成为禁忌：过年过节～说不吉利的话。❷ 对某些可能产生不利后果的事力求避免：在学习上，最～的是有始无终。

【忌兑】jìke 同"忌刻"。

【忌刻】jìke 动对人忌妒刻薄。也作忌克。

【忌口】jì∥kǒu 动因有病或其他原因忌吃不相宜的食品。也说忌嘴。

【忌日】jìrì 名❶ 忌辰。❷ 迷信的人指不宜做某事的日子。

【忌语】jìyǔ 名认为不适宜而避免说的话：行业～。

【忌嘴】jì∥zuǐ 动忌口。

际(際) jì ❶ 靠边的或分界的地方：边～|分～|天～|一望无～。❷ 里边；中间：脑～|胸～。❸ 彼此之间：国～|星～旅行。❹〈书〉时候：正当革命胜利之～。❺〈书〉正当(指时机、境遇)：～此盛会。❻ 遭遇：遭～|～遇。

【际会】jìhuì〈书〉动际遇；遇合：风云～。

【际涯】jìyá〈书〉名边际：渺无～。

【际遇】jìyù〈书〉动遭遇(多指好的)。

妓 jì 妓女：娼～｜狎～。

【妓女】jìnǚ 名 以卖淫为业的女人。

【妓院】jìyuàn 名 旧时妓女卖淫的处所。

季 jì ❶ 名 一年分春夏秋冬四季，一季三个月。❷（～儿）名 季节：雨～｜旺～｜西瓜～儿｜到什么～儿吃什么菜。❸ 一个时期的末了：清～（清朝末年）｜～世。❹ 指一季的第三个月：～春。参看937页"孟"、1769页"仲"。❺ 在弟兄排行里代表第四或最小的：伯仲叔～｜～弟。❻（Jì）名 姓。

【季春】jìchūn 名 春季的第三个月，即农历三月。

【季冬】jìdōng 名 冬季的第三个月，即农历十二月。

【季度】jìdù 名 以一季为单位时称为季度：～预算｜这本书预定在第二～出版。

【季风】jìfēng 名 随着季节而改变风向的风，主要是海洋和陆地间温度差异造成的。冬季由大陆吹向海洋，夏季由海洋吹向大陆。

【季风气候】jìfēng qìhòu 指受季风影响较显著的地区的气候。特点是夏季受海洋气流影响，高温多雨，冬季受大陆气流影响，低温干燥。

【季候】jìhòu 〈方〉名 季节：隆冬～。

【季节】jìjié 名 一年里的某个有特点的时期：～性｜农忙～｜严寒～。

【季节工】jìjiégōng 名 因季节性的需要而雇用的临时工。

【季军】jìjūn 名 体育运动等竞赛中位于冠军、亚军之后的第三名。

【季刊】jìkān 名 每季出版一次的刊物。

【季秋】jìqiū 名 秋季的第三个月，即农历九月。

【季世】jìshì 〈书〉名 末世；末叶：周末～。

【季夏】jìxià 名 夏季的第三个月，即农历六月。

剂（劑）jì ❶ 调和；调（tiáo）配：调～。❷ 配制的药物：针～｜冲～｜麻醉～。❸ 指某些起化学作用或物理作用的物质：杀虫～｜冷冻～。❹（～儿）名 剂子：面～儿｜做～儿。❺ 量 用于若干味药配合起来的汤药：一～药。也说服（fù）。

【剂量】jìliàng 名 医学上指药物的使用分量，也指化学试剂和用于治疗的放射线等的用量。

【剂型】jìxíng 名 药物加工成成品后的类型，如煎剂、片剂、注射剂等。

【剂子】jì·zi 名 做馒头、饺子等的时候，从和（huó）好了的长条形的面上分出来的小块儿。

垍 jì 〈书〉坚硬的土。

荠（薺）jì 荠菜：其甘如～。
另见 1071 页 qí。

【荠菜】jìcài 名 一年或二年生草本植物，叶子羽状分裂，裂片有缺刻，花白色。嫩株、嫩叶可做蔬菜，全草入药。

唶（嚌）jì 〈书〉尝（滋味）。

【唶唶嘈嘈】jì·jícáocáo 拟声 形容说话声音又急又乱：屋里面～，不知他们在说些什么。

迹（跡、蹟）jì ❶ 留下的印子；痕迹：足～｜血～｜笔～｜踪～。❷ 前人遗留的事物（主要指建筑或器物）：古～｜陈～｜事～｜史～。❸ 形迹：～近违抗（行动近乎违背、抗拒上级指示）。

【迹地】jìdì 名 林业上指采伐之后还没重新种树的土地。

【迹象】jìxiàng 名 指表露出来的不很显著的情况，可借以推断事物的过去或将来：～可疑｜从～看，这事不像是他干的。

洎 jì 〈书〉到；及：自古～今｜～乎近世。

济（濟）jì ❶ 过河；渡：同舟共～。❷ 救；救济：接～｜缓不～急。❸（对事情）有益；成：无～于事｜假公～私。
另见 642 页 Jǐ。

【济贫】jìpín 动 救济贫苦的人：赈灾～。

【济世】jìshì 动 救济世人：行医～｜～安民。

【济事】jìshì 形 能成事；中用（多用于否定式）：人多了浪费，人少了不～。

既 jì ❶ 副 已经：～成事实｜～得利益｜～往不咎。❷ 连 既然：～来之，则安之｜～要做，就一定要做好。❸ 〈书〉完了；尽：食～。❹ 副 跟"且、又、也"等副词呼应，表示两种情况兼而有之：～高且大｜～聪明又用功｜～要有周密的计划，也要有切实的措施。

【既而】jì'ér〈书〉连 用在全句或下半句的头上,表示上文所说的情况或动作发生之后不久:先是惊叹,～大家一起欢呼起来。

【既然】jìrán 连 用在上半句话里,下半句话里往往用副词"就、也、还"跟它呼应,表示先提出前提,而后加以推论:～知道做错了,就应当赶快纠正|你～一定要去,我也不便阻拦。

【既是】jìshì 连 既然:～他不愿意,那就算了吧。

【既往】jìwǎng 名❶以往:一如～。❷指以往的事:不咎～。

【既往不咎】jì wǎng bù jiù 对过去的错误不再责备。也说不咎既往。

【既望】jìwàng〈书〉名 指望日的次日,通常指农历每月十六日。

勣(勣) jì〈书〉功绩。

觊(覬) jì〈书〉希望;希图。

【觊觎】jìyú〈书〉动 希望得到(不应该得到的东西):祖国神圣领土,岂容列强～。

继(繼) jì ❶继续;接续:～任|相~|中～线|前赴后～。❷连 继而:初感头晕,～又吐泻。❸(Jì)名姓。

【继承】jìchéng 动 ❶ 依法承受(死者的遗产等):～权|～人。❷泛指把前人的作风、文化、知识等接受过来:～优良传统|～文化遗产。❸后人继续做前人遗留下来的事业:～先烈的遗业。

【继承权】jìchéngquán 名 依法或遵遗嘱承受死者遗产等的权利。

【继承人】jìchéngrén 名 ❶ 依法或遵遗嘱继承遗产等的人。❷君主国家中指定或依法继承王位的人:王位～。

【继而】jì'ér 连 表示紧随在某一情况或动作之后:人们先是一惊,～哄堂大笑|先是领唱的一个人唱,～全体跟着一起唱。

【继父】jìfù 名 妇女带着子女再嫁,再嫁的丈夫是她原有的子女的继父。

【继母】jìmǔ 名 男子已有子女后续娶,续娶的妻子是他原有的子女的继母。

【继配】jìpèi 名 指在元配死后续娶的妻子。也叫继室。

【继任】jìrèn 动 接替前任职务。

【继室】jìshì 名 继配。

【继嗣】jìsì〈书〉❶动 过继。❷名 继承者。

【继往开来】jì wǎng kāi lái 继承前人的事业,并为将来开辟道路。

【继位】jì//wèi 动 继承皇位或王位:～典礼。

【继武】jìwǔ〈书〉动 接上前面的足迹,比喻继续前人的事业。

【继续】jìxù 动 (活动)连下去;延长下去;不间断:～不停|～工作|大雨～了三昼夜。

【继续教育】jìxù jiàoyù 对专业技术人员进行的补充、提高、更新知识和技能的教育,也指对全民进行传授知识和提高能力的终身教育。

【继子】jìzǐ 名 ❶ 过继来的儿子。❷后夫或后妻原有的儿子。

偈 jì 名 佛经中的唱词。[偈陀之省,梵gāthā,颂]
另见699页jié。

徛

祭 jì 动 ❶ 祭祀:～坛|～祖宗。❷祭奠:～英灵|公～死难烈士。❸使用(法宝)。
另见1710页Zhài。

【祭奠】jìdiàn 动 为死去的人举行仪式,表示追念:～英灵。

【祭礼】jìlǐ 名 ❶ 祭祀或祭奠的仪式。❷祭祀或祭奠用的礼品。

【祭品】jìpǐn 名 祭奠或祭祀时用的供品。

【祭扫】jìsǎo 动 在墓前祭奠并打扫:～烈士陵园。

【祭祀】jì·sì 动 旧俗备供品向神佛或祖先行礼,表示崇敬并求保佑。

【祭坛】jìtán 名 祭祀用的台。

【祭文】jìwén 名 祭祀或祭奠时对神或死者朗读的文章。

【祭灶】jì//zào 动 旧俗腊月二十三或二十四日祭灶神。

悸 jì〈书〉因害怕而心跳得厉害:～动|惊～|心有余～。

寄 jì ❶动 原指托人递送,现在专指通过邮局递送:～信|～钱|包裹已经走了。❷动 付托;寄托:～存|赋诗一怀|～希望于青年。❸ 依附别人;依附别的地方:～食|～居|～人篱下。❹认的(亲属):～父|～母|～儿|～女。❺(Jì)名

姓。

【寄存】jìcún 动 寄放：小件行李～处|把大衣～在衣帽间。

【寄存器】jìcúnqì 名 计算机中用来在操作时暂时存储信息的部件。

【寄递】jìdì 动 邮局递送邮件。

【寄放】jìfàng 动 把东西暂时付托给别人保管：把箱子～在朋友家。

【寄费】jìfèi 名 邮资。

【寄籍】jìjí 名 指长期离开原籍居住外地而有的外地籍贯（区别于"原籍"）。

【寄居】jìjū 动 住在他乡或别人家里：～青岛|她从小就～在外祖父家里。

【寄卖】jìmài 动 委托代为出卖物品或受托代卖：～行|收音机放在信托商店里～。也说寄售。

【寄名】jìmíng 动 旧俗叫幼童认僧尼为师或认他人为义父母，以求长寿，叫做寄名。

【寄情】jìqíng 寄托情怀：～山水。

【寄人篱下】jì rén lí xià 比喻依靠别人过活。

【寄生】jìshēng 动 ❶ 一种生物生活在另一种生物的体内或体表，从中取得养分，维持生活。如动物中的蛔虫、蛲虫、跳蚤、虱子和植物中的菟丝子都以寄生方式生活。❷ 指自己不劳动而靠剥削别人生活：～阶级|～生活。

【寄生虫】jìshēngchóng 名 ❶ 寄生在别的动物或植物体内或体表的动物，如跳蚤、虱子、蛔虫、姜片虫、小麦线虫。寄生虫从宿主取得养分,有的并能传染疾病，对宿主有害。❷ 比喻能劳动而不劳动、依靠剥削为生的人。

【寄食】jìshí 动 依靠别人过活：身处异乡，只能～于亲友。

【寄售】jìshòu 动 寄卖。

【寄宿】jìsù 动 ❶ 借宿：我暂时～在一个朋友家里。❷（学生）在学校宿舍里住宿（区别于"走读"）：～生|～学校。

【寄宿生】jìsùshēng 名 在学校宿舍里住宿的学生。

【寄托】jìtuō 动 ❶ 托付：把孩子～在邻居家里。❷ 把理想、希望、感情等放在（某人身上或某种事物上）：～哀思|作者把自己的思想、情感～在剧中主人公身上。

【寄养】jìyǎng 动 托付别人抚养或饲养：她从小～在姑母家|我出门这几天，把猫～在邻居家里。

【寄予】（寄与）jìyǔ 动 ❶ 寄托②：国家对于青年一代～极大的希望。❷ 给予（同情、关怀等）：～无限同情。

【寄语】jìyǔ ❶ 动 传话；转告话语：～青年朋友。❷ 名 所传的话语,有时也指寄希望的话语：新年～。

【寄寓】jìyù 动 ❶〈书〉寄居：～他乡。❷ 寄托②：小说～着作者对劳动人民的深切同情。

【寄主】jìzhǔ 名 宿主。

寂 jì ❶ 寂静：沉～|～寥|～无一人|万籁俱～。❷ 寂寞：枯～|孤～。

【寂静】jìjìng 形 没有声音；很静：～无声。

【寂寥】jìliáo〈书〉形 寂静；空旷。

【寂寞】jìmò 形 ❶ 孤单冷清：晚上只剩下我一个人在家里，真是～。❷ 清静；寂静：～的原野。

【寂然】jìrán〈书〉形 形容寂静的样子。

绩（績）jì ❶ 动 把麻纤维披开接续起来搓成线：纺～|～麻。❷ 功业；成果：成～|功～|劳～|成～。

【绩效】jìxiào〈书〉名 成绩；成效：～显著。

【绩优股】jìyōugǔ 名 股票市上指业绩优良，具有较高投资价值的股票。

慧 jì〈书〉❶ 怨恨；忌刻。❷ 教；指点。

墍 jì〈书〉❶ 涂屋顶。❷ 休息。❸ 取。

蓟¹（薊）jì 名 多年生草本植物，茎有刺，叶子羽状，花紫红色，瘦果椭圆形。全草入药。也叫大蓟。

蓟²（薊）Jì ❶ 古地名,在今北京城西南,曾为周朝燕国国都。❷ 蓟县,地名,在天津。❸ 名 姓。

霁（霽）jì〈书〉❶ 雨后或雪后转晴：雪～|光风～月。❷ 怒气消散：色～|～颜。

【霁月光风】jì yuè guāng fēng 见508页【光风霁月】。

踑 jì〈书〉双膝着地,上身挺直。

概 jì〈书〉稠密：深耕～种。

鲯（鰭）jì 名 鱼,体小侧扁,头小而尖,尾尖而细,银白色。生活在海洋中,有的春季或初夏到河中产卵。种类较多,常见的有凤鲚、刀鲚等。

漈 jì 〈书〉水边。

暨 jì ❶〈书〉连和;及;与。❷〈书〉到;至:~今。❸(Jì)名姓。

稷 jì ❶ 古代称一种粮食作物,有的书说是黍一类的作物,有的书说是谷子(粟)。❷ 古代以稷为百谷之长,因此帝王奉祀为谷神:社~。❸(Jì)名姓。

鲫(鯽) jì 名鲫鱼,体侧扁,头部尖,中部高,尾部较窄,生活在淡水中,是我国重要的淡水鱼。

髻 jì 在头顶或脑后盘成各种形状的头发:发~|抓~|蝴蝶儿~。

冀[1] jì 〈书〉希望;希图:希~|~求|~盼|~其成功。

冀[2] Jì 名❶ 河北的别称:~中平原。❷ 姓。

【冀求】jìqiú 动希求①:~自由。

【冀图】jìtú 动希图:~东山再起。

【冀望】jìwàng 〈书〉动希望。

穄 jì 穄子

【穄子】jì·zi 名❶ 一年生草本植物,形状跟黍子相似,但子实不黏。❷ 这种植物的子实。‖也叫糜子(méi·zi)。

罽 jì 〈书〉用毛做成的毡子一类的东西:~帐|~幕。

氌(鱀) jì 见25页《白鱀豚》。

檵 jì [檵木](jìmù)名常绿灌木或小乔木,叶子椭圆形或卵圆形,花多白色,结蒴果,褐色。枝条和叶子可以提制栲胶,种子可以榨油,花和茎叶可入药。

鲚(鱭) jì 名鱼,体侧扁,呈长椭圆形,长约20厘米,银灰色。组成背鳍的鳍条中最后一根特别长。生活在东亚和东南亚浅海地区。

骥(驥) jì 〈书〉❶ 好马:按图索~。❷ 比喻贤能。

jiā（ㄐㄧㄚ）

加 jiā ❶ 动两个或两个以上的东西或数目合在一起:二~三等于五|功上~功。❷ 动使数量比原来大或程度比原来高;增加:~大|~强|~快|~速|~多|~急|~了一个人。❸ 动把本来没有的添上去:~符号|~注解。❹ 动加以:不~考虑|严~管束。**注意▶**"加"跟"加以"用法不同之点是"加"多用在单音节动语之后。❺(Jiā)名姓。

【加班】jiā//bān 动在规定以外增加工作时间或班次:~点|~费(加班得到的报酬)。

【加倍】jiābèi ❶(-/-)动增加跟原有数量相等的数量:产量~|偿还。❷ 副表示程度比原来深得多:~努力|~地同情。

【加餐】jiācān ❶(-/-)动在正餐之外增加饭食次数:晚上9点~一次。❷ 名加餐所吃的饭食:今天的~是牛奶和面包。

【加点】jiā//diǎn 动在规定的工作时间终了之后继续工作一段时间:加班~。

【加法】jiāfǎ 名数学中的一种运算方法。最简单的是数的加法,即两个或两个以上的数合成一个数的计算方法。

【加封】[1] jiā//fēng 动贴上封条。

【加封】[2] jiāfēng 动封建时代指在原有的基础上再加封给(名位、土地等)。

【加工】jiā//gōng 动❶ 把原材料、半成品等制成成品,或使达到规定的要求:来料~|~成型|面粉~厂。❷ 指做成成品更完美、精致的各种工作:技术~|艺术~。

【加固】jiāgù 动使建筑物等坚固:~堤坝|~楼房。

【加害】jiāhài 动蓄意施加危害;使人受害:~幼童|~人质。

【加紧】jiājǐn 动加快速度或加大强度:~生产|~训练|~田间管理工作。

【加劲】jiā//jìn (~儿)动增加力量;努力:~工作|再加把劲儿。

【加剧】jiājù 动加深严重程度:病势~|矛盾~。

【加快】jiākuài 动❶ 使变得更快:~建设进度|他~了步子,走到队伍的前面。❷ 铁路部门指持有慢车车票的旅客办理手续后改乘快车。

【加料】jiāliào ❶(-/-)动把原料装进操作的容器里;添加原料:~工人|自动~。❷ 形属性词。原料比一般用得多,质量比一般好的(制成品):~果汁|~药酒。

【加榴炮】jiāliúpào 名加农榴弹炮的简

称。

【加仑】jiālún 量 英美制容量单位,英制 1 加仑等于4.546升,美制 1 加仑等于 3.785升。[英 gallon]

【加码】jiā//mǎ 动 ❶(~儿)指提高商品价格。❷ 指增加赌注。❸ 提高数量指标:层层~。

【加盟】jiāméng 动 加入某个团体或组织:因有世界一流球星~,该队实力大增。

【加密】jiā//mì 动 给计算机、电话、存折等的有关信息编上密码,使不掌握密码的用户无法使用,达到保密的目的。

【加冕】jiā//miǎn 动 某些国家的君主即位时所举行的仪式,把皇冠戴在君主头上。

【加农榴弹炮】jiānóng-liúdànpào 兼有加农炮和榴弹炮弹特点的火炮,主要用来射击较远距离目标和破坏工程设施。简称加榴炮。

【加农炮】jiānóngpào 名 炮身长、炮弹初速大、弹道低伸的火炮,多用于直接瞄准射击,以及射击远距离的目标。[加农,英 cannon]

【加强】jiāqiáng 动 使更坚强或更有效:~团结|~领导|~爱国主义教育。

【加热】jiā//rè 动 使物体的温度增高。

【加人一等】jiā rén yī děng 高出别人一等,形容学问、才能等出众。

【加入】jiārù 动 ❶ 加上;掺进去:~食糖少许。❷ 参加进去:~工会|~足球队。

【加塞儿】jiā//sāir〈口〉动 为了取巧而不守秩序,插进排好的队列里。

【加上】jiā·shàng 连 承接上句,有进一步的意思,下文多表示结果:他不太用功,~基础也差,成绩老是上不去。

【加深】jiāshēn 动 加大深度;变得更深:~了解|矛盾~。

【加时赛】jiāshísài 名 体育竞赛中因双方打成平局按规定增加时间进行的比赛。

【加速】jiāsù 动 ❶ 加快速度:火车正在~运行。❷ 使速度加快:~其自身的灭亡。

【加速度】jiāsùdù 名 速度的变化与发生这种变化所用的时间的比,即单位时间内速度的变化。加速度是矢量,单位是米/秒^2。

【加速器】jiāsùqì 名 用人工方法产生高速运动粒子的装置,主要用来研究原子、原子核和粒子的性质,如静电加速器、回旋

加速器、直线加速器、同步加速器等。

【加压】jiāyā 动 增加压力:加温~|别老给小学生在功课上~。

【加压釜】jiāyāfǔ 名 工业上在高压下进行化学反应的设备,有的附有搅拌或传热装置。也叫热压釜或高压釜。

【加以】jiāyǐ ❶ 动 用在多音节的动词前,表示如何对待或处理前面所提到的事物:施工方案必须~论证|发现问题要及时~解决。[注意]"加以"跟"予以"不同之处是"予以"可以用在一般名词之前,表示给予,如"予以自新之路","加以"没有这种用法。❷ 连 表示进一步的原因或条件:他本来就聪明,~特别用功,所以进步很快。

【加意】jiāyì 副 表示特别注意:~保护|~经营。

【加油】jiā//yóu 动 ❶ 添加燃料油、润滑油等:~站。❷(~儿)比喻进一步努力;加劲儿:~干|大家为运动员鼓掌~。

【加之】jiāzhī 连 表示进一步的原因或条件:天气闷热,~窗外车声不断,简直无法休息。

【加重】jiāzhòng 动 ❶ 增加重量:~负担|~语气|~责任|~了。❷(病情)变得严重:他的病一天天~了。

夹(夾)jiā ❶ 动 从两个相对的方面加压力,使物体固定不动:~菜|用钳子~住烧红的铁。❷ 动 胳膊向胁部用力,使腋下放着的东西不掉下:~着书包|~起铺盖卷儿。❸ 动 处在两者之间:两座大山~着一条小沟|你在左,我在右,他~在中间|把信~在书本里。❹ 动 夹杂;掺杂:~在人群中|风声~着雨声|白话文言,念起来不顺口。❺ 夹子:文件~。

另见 434 页 gā;655 页 jiá。

【夹板】jiābǎn 名 用来夹住物体的板子,多用木头或金属制成。

【夹板气】jiābǎnqì 名 指来自对立的双方的责难:受~。

【夹层】jiācéng 名 双层的墙或其他片状物,中空或夹着别的东西:~墙|~玻璃|这道墙中间有~。

【夹带】jiādài ❶ 动 藏在身上或混杂在其他物品中间偷偷携带:严禁~危险品上车。❷ 名 考试时作弊,暗中携带的与试题有关的材料。

【夹道】jiādào ❶(~儿)名 两边都有墙壁

等的狭窄道路。❷劻（许多人或物）排列在道路的两边：～欢迎｜松柏～。

【夹缝】jiāfèng （～儿）名 两个靠近的物体中间的狭窄空隙：书掉在两张桌子的～里◇在～中求生存。

【夹肝】jiāgān 〈方〉名 牛、羊、猪等动物的胰腺作为食物时叫夹肝。

【夹攻】jiāgōng 劻 从两方面同时进攻：左右～｜内外～。

【夹棍】jiāgùn 名 旧时的一种刑具，用两根木棍做成，行刑时用力夹犯人的腿。

【夹击】jiājī 劻 夹攻：两面～｜前后～。

【夹剪】jiājiǎn 名 夹取物件的工具，用铁制成，形状像剪刀，但没有锋刃，头上较宽而平。

【夹具】jiājù 名 用来夹紧、固定加工工件的机具。

【夹克】（茄克）jiākè 名 一种长短只到腰部，下口束紧的短外套：～衫｜皮～。[英 jacket]

【夹批】jiāpī 名 在书籍、文稿的文字行间所写的批注。

【夹七夹八】jiā qī jiā bā 混杂不清，没有条理（多指说话）：她～地说了许多话，我也没听懂是什么意思。

【夹生】jiāshēng 形（食物）没有熟透：～饭◇这孩子不用功，学的功课都是～的。

【夹生饭】jiāshēngfàn 名 ❶ 半生不熟的饭。❷ 比喻补做没有做好再做也很难做好的事情，或开始没有彻底解决以后也很难解决的问题。

【夹心】jiāxīn （～儿）形 属性词。里面有馅儿的：～饼干｜～糖。

【夹杂】jiāzá 劻 掺杂：脚步声和笑语声～在一起。

【夹竹桃】jiāzhútáo 名 常绿灌木或小乔木，叶子披针形，厚而有韧性，花白色或粉红色，略有香气。供观赏。茎叶有毒，可入药。

【夹注】jiāzhù 名 夹在正文字句中间的注释文字。

【夹子】jiā·zi 名 夹东西的器具：头发～｜讲义～｜把文件放在～里。

伽 jiā [伽倻琴]（jiāyēqín）名 朝鲜族的弦乐器，有些像筝。
另见 434 页 gā；1102 页 qié。

茄 jiā 见【茄克】，1548 页【雪茄】。
另见 1102 页 qié。

【茄克】jiākè 见 652 页【夹克】。

佳 jiā ❶ 形 美；好：～句｜～音｜最～方案｜成绩甚～｜身体欠～。❷（Jiā）名 姓。

【佳宾】jiābīn 见 655 页【嘉宾】。

【佳话】jiāhuà 名 流传开来，当做谈话资料的好事或趣事：传为～｜千秋～。

【佳绩】jiājì 名 优秀的成绩；优良的业绩：再创～。

【佳节】jiājié 名 美好而欢乐的节日：中秋～｜每逢～倍思亲。

【佳境】jiājìng 名 ❶ 风景优美的地方：西山～。❷ 美好的境界；美好的意境：渐入～。

【佳句】jiājù 名 诗文中优美的语句。

【佳丽】jiālì 〈书〉❶ 形（容貌、风景等）美丽；美好。❷ 名 美貌的女子。

【佳酿】jiāniàng 名 美酒：名酒～。

【佳偶】jiā'ǒu 〈书〉名 感情融洽、生活美满的夫妻；美好的配偶。

【佳期】jiāqī 名 ❶ 结婚的日期。❷ 相爱着的男女幽会的日期、时间。

【佳人】jiārén 〈书〉名 美人：才子～｜绝代～。

【佳肴】jiāyáo 名 精美的菜肴：美味～｜～美酒。

【佳音】jiāyīn 〈书〉名 好消息：静候～。

【佳作】jiāzuò 名 优秀的作品：影视～。

狇 jiā 见 625 页[猩狇狓]。

泇 Jiā 泇河，水名，分东泇、西泇两支，均源于山东，至江苏汇合，流入大运河。

迦 jiā 用于译音，也用于专名。

珈 jiā 古代妇女的一种首饰。

挟（挾）jiā 同"夹"（jiā）❷。
另见 1506 页 xié。

枷 jiā 名 旧时套在罪犯脖子上的刑具，用木板制成：披～带锁。

【枷锁】jiāsuǒ 名 枷和锁链，比喻所受的压迫和束缚：精神～｜挣脱封建～。

浃（浹）jiā 〈书〉透；遍及：汗流～背。

痂 jiā 图 伤口或疮口表面上由血小板和纤维蛋白等凝结而成的块状物,伤口或疮口痊愈后自行脱落。

家(❶傢) jiā ❶ 图 家庭;人家:他~有五口人|张~和王~是亲戚。**注意**"傢"是"家伙"、"家具"、"家什"的"家"的繁体字。❷ 图 家庭的住所:回~|这儿就是我的~|我的一在上海。❸ 图 借指部队或机关中某个成员工作的处所:我找到营部,刚好营长不在。❹ 经营某种行业的人家或具有某种身份的人:农~|渔~|船~|东~|行(háng)~。❺ 掌握某种专门学识或从事某种专门活动的人:专~|画~|政治~|科学~|艺术~|社会活动~。❻ 学术流派:儒~|法~|百~争鸣|一~之言。❼ 图 指相对各方中的一方:上~|下~|公~|两~下成和棋。❽ 谦辞,用于对别人称自己的辈分高的或同辈年纪大的亲属:~父|~兄。❾ 人工饲养或培植的(跟"野"相对):~畜|~禽|~兔|~鸽|~花。❿〈方〉厖 饲养后驯服:这只小鸟才养了一个,放了它也不会飞走。⓫ 量 用来计算家庭或企业:一~人家|两~饭馆|三~商店。⓬(Jiā)图 姓。

家 ·jia 后缀。❶〈口〉用在某些名词后面,表示属于那一类人:女人~|孩子~|姑娘~|学生~。❷〈方〉用在男人的名字或排行后面,指他的妻子(qī·zi):秋生~|老三~。
另见 705 页·jie。

【家财】jiācái 图 家庭的钱财;家产:万贯~。

【家蚕】jiācán 图 桑蚕。

【家产】jiāchǎn 图 家庭的财产:继承~。

【家长里短】jiā cháng lǐ duǎn (~儿)〈方〉指家庭日常生活琐事:谈谈~儿。

【家常】jiācháng 图 家庭日常生活:~话|~便饭|拉~|她们俩谈起~来。

【家常便饭】jiācháng biànfàn ❶ 家庭日常的饭食。❷ 比喻经常发生、习以为常的事情:他太忙了,加班熬夜是~。‖也说家常饭。

【家常饭】jiāchángfàn 图 家常便饭。

【家丑】jiāchǒu 图 家庭内部的不体面的事情:~不可外扬。

【家畜】jiāchù 图 人类为了经济或其他目的而驯养的兽类,如猪、牛、羊、马、骆驼、家兔、猫、狗等。广义的家畜也包括家禽。

【家传】jiāchuán 厖 家庭世代相传:~中药秘方。

【家慈】jiācí〈书〉图 谦辞,对人称自己的母亲。

【家当】jiā·dàng (~儿)〈口〉图 家产:置~|好不容易才挣下这份~。

【家道】jiādào 图 家境:~小康|~殷实|~中落。

【家底】jiādǐ (~儿)图 家里长期积累起来的财产:~厚|~薄。

【家电】jiādiàn 图 家用电器的简称:~产品|~维修部。

【家丁】jiādīng 图 旧时大地主或官僚家里雇来保护自己并供差使的仆役。

【家法】jiāfǎ 图 ❶ 古代学者师徒相传的学术理论和治学方法。❷ 封建家长统治本家或本族人的一套法度。❸ 封建家长责打家人的用具。

【家访】jiāfǎng 厖 因工作需要到人家里访问:通过~深入了解学生的情况。

【家父】jiāfù 图 谦辞,对人称自己的父亲。

【家鸽】jiāgē 图 鸽子的一种,身体上面灰黑色,颈部和胸部暗红色。可以饲养。也叫鹁鸽。

【家馆】jiāguǎn 图 旧时设在家里的教学处所,聘请教师教自己的子弟。

【家规】jiāguī 图 家庭中的规矩:国有国法,家有~。

【家伙】jiā·huo〈口〉图 ❶ 指工具或武器。❷ 指人(含轻视或戏谑意):你这个~真会开玩笑|这个卑鄙的~什么事都做得出来。❸ 指牲畜:这~真机灵,见了主人就摇尾巴。

【家鸡】jiājī 图 鸡。

【家给人足】jiā jǐ rén zú 家家户户丰衣足食。

【家计】jiājì 图 家庭生计:维持~|~艰难。

【家家户户】jiājiāhùhù 图 每家每户;各家各户:~都打扫得很干净。

【家教】jiājiào 图 ❶ 家长对子弟进行的关于道德、礼节的教育:有~|没~。❷ 家庭教师的简称:请~。

【家景】jiājǐng 图 家境。

【家境】jiājìng 图 家庭的经济状况:~贫寒|~优裕。

【家居】¹ jiājū 厖 没有就业,在家里闲住。

【家居】[2] jiājū 图指家庭居室：装点～|～陈设。

【家具】jiā·jù 图家庭用具，主要指床、柜、桌、椅等。

【家眷】jiājuàn 图指妻子儿女等(有时专指妻子)。

【家口】jiākǒu 图家中人口：～多，开销大。

【家累】jiālěi 图家庭生活负担：没有～|上有老，下有小，～不轻。

【家门】jiāmén 图❶ 家庭住所的大门，也指家：几天没进～了。❷〈书〉称自己的家族：～不幸|辱没～。❸〈方〉本家：他是我的～堂兄弟。❹ 指个人的家世、经历等基本情况：自报～。

【家母】jiāmǔ 图谦辞，对人称自己的母亲。

【家谱】jiāpǔ 图家族记载本族世系和重要人物事迹的书。

【家雀儿】jiāqiǎor〈方〉图麻雀(鸟名)。

【家禽】jiāqín 图人类为了经济或其他目的而饲养的鸟类，如鸡、鸭、鹅等。

【家人】jiārén 图❶ 一家的人：～团聚。❷ 旧称仆人。

【家什】jiā·shi〈口〉图用具；器物；家具：食堂里的～擦得很干净|锣鼓～打得震天价响。

【家世】jiāshì〈书〉图家庭的世系；门第。

【家事】jiāshì 图❶ 家庭的事情：一切～，都是两个人商量着办。❷〈方〉家境。

【家室】jiāshì 图❶ 家庭；家眷(有时专指妻子)：无～之累|已有～。❷〈书〉房舍；住宅。

【家书】jiāshū 图家信：代写～。

【家塾】jiāshú 图旧时把教师请到家里来教自己的子弟读书的私塾，有的兼收亲友子弟。

【家属】jiāshǔ 图家庭内户主本人以外的成员，也指某人本人以外的家庭成员：职工～|病人～。

【家鼠】jiāshǔ 图哺乳动物，毛褐色或黑灰色，门齿发达，多穴居在住房的墙壁或阴沟中，繁殖力很强，吃粮食，咬衣物，并能传播鼠疫。

【家私】jiāsī 图家产：万贯～|变卖～。

【家庭】jiātíng 图以婚姻和血统关系为基础的社会单位，包括父母、子女和其他共同生活的亲属在内。

【家庭暴力】jiātíng bàolì 指以凌辱、殴打、故意伤害等手段，严重摧残自己家庭成员身心健康的行为。

【家庭病床】jiātíng bìngchuáng 医疗单位在病人家里设置的病床，医生定期上门为病人检查、诊疗。

【家庭妇女】jiātíng fùnǚ 只做家务而没有就业的妇女。

【家庭教师】jiātíng jiàoshī 受雇到家里为学生授课或辅导的人。简称家教。

【家庭医生】jiātíng yīshēng 指在社区服务的全科医生。能深入家庭为病人提供医疗保健服务，所以叫家庭医生。

【家庭影院】jiātíng yǐngyuàn 指图像和音响效果能够达到或接近环绕声影院效果的家用视听系统，通常由大屏幕电视机、视盘机和音响设备等组成。

【家徒壁立】jiā tú bì lì 家徒四壁。

【家徒四壁】jiā tú sì bì 家里只有四堵墙，形容十分贫穷。也说家徒壁立。

【家务】jiāwù 图家庭事务：操持～|～劳动。

【家乡】jiāxiāng 图自己的家庭世代居住的地方。

【家小】jiāxiǎo 图妻子和儿女，有时专指妻子：丢下～无人照料|未娶～。

【家信】jiāxìn 图家庭成员间彼此往来的信件：平安～。

【家兄】jiāxiōng 图谦辞，对人称自己的哥哥。

【家学】jiāxué〈书〉图❶ 家庭里世代相传的学问：～渊源。❷ 家塾。

【家训】jiāxùn 图家族或家庭对子女教导或训诫的话。

【家严】jiāyán〈书〉图谦辞，对人称自己的父亲。

【家宴】jiāyàn 图❶ 在家里举行的宴会：以～招待贵宾显得更加亲切。❷ 家庭成员的宴会：晚上是他们的～，没有客人。

【家燕】jiāyàn 图燕的一种，身体小，背部羽毛黑色，有光泽，腹部白色，颈部有深紫色圆斑，多在屋檐下筑窝。通称燕子。

【家养】jiāyǎng 圈属性词。人工饲养的(区别于"野生")。

【家业】jiāyè 图❶ 家产：重建～|继承～。❷〈书〉家传的事业或学问。

【家用】jiāyòng ❶ 图家庭中的生活费用

贴补~|供给~。❷ 形 属性词。家庭日常使用的:~电器|~小商品。

【家用电器】jiāyòng diànqì 日常生活中使用的各种电气器具,如电视机、录音机、洗衣机、电冰箱等。简称家电。

【家喻户晓】jiā yù hù xiǎo 每家每户都知道。

【家园】jiāyuán 名 家中的庭园,泛指家乡或家庭:返回~|重建~。

【家贼】jiāzéi 名 指偷盗自家财物的人。

【家宅】jiāzhái 名 住宅,也指家庭:一人出事,闹得~不宁。

【家长】jiāzhǎng 名 ❶ 家长制之下的一家中为首的人。❷ 指父母或其他监护人:学校里明天开~座谈会。

【家长制】jiāzhǎngzhì 名 奴隶社会和封建社会的家庭组织制度,产生于原始公社末期。作为家长的男子掌握经济大权,在家庭中居支配地位,其他成员都要绝对服从他。

【家政】jiāzhèng 名 指家庭事务的管理工作,如有关家庭生活中烹调、缝纫、编织及养育婴幼儿等。

【家种】jiāzhòng 形 属性词。❶ 人工种植的:~药材。❷ 自己家里种植的:~的蔬菜。

【家装】jiāzhuāng 名 指家居装修:~设计。

【家资】jiāzī 名 家财;家产:~耗尽。

【家子】jiā·zi 〈口〉名 家庭;人家:这~有八口人,相处得很和睦|那边好几~都是新搬来的。

【家族】jiāzú 名 以婚姻和血统关系为基础而形成的社会组织,包括同一血统的几辈人。

笯 jiā 胡笯。

袈 jiā [袈裟](jiāshā)和尚披在外面的法衣,由许多长方形小块布片拼缀制成。[梵 kaṣāya]

葭 jiā ❶〈书〉初生的芦苇。❷ (Jiā)名 姓。

【葭莩】jiāfú〈书〉名 芦苇茎中的薄膜,比喻关系疏远的亲戚:~之亲。

跏 jiā [跏趺](jiāfū)动 盘腿而坐,脚背放在大腿上,是佛教徒的一种坐法。

筴 (筴、梜) jiā 古代指箸;筷子。另见 138 页 cè。

嘉 jiā ❶ 美好:~宾|~礼(婚礼)。❷ 夸奖;赞许:~奖|~纳(赞许并采纳)|其事可~。❸ (Jiā)名 姓。

【嘉宾】(佳宾)jiābīn 名 尊贵的客人:~如云|~满座。

【嘉奖】jiājiǎng ❶ 动 称赞和奖励:通令~|~有功人员。❷ 名 称赞的话语或奖励的实物:最高的~。

【嘉靖】Jiājìng 名 明世宗(朱厚熜)年号(公元 1522—1566)。

【嘉勉】jiāmiǎn〈书〉动 嘉奖勉励:函电~。

【嘉庆】Jiāqìng 名 清仁宗(爱新觉罗·颙琰)年号(公元 1796—1820)。

【嘉许】jiāxǔ〈书〉动 夸奖;赞许:品学兼优,深得师长~。

【嘉言懿行】jiā yán yì xíng〈书〉有教育意义的好言语和好行为。

镓 (镓) jiā 名 金属元素,符号 Ga(gallium)。银白色,质软。用作制光学玻璃、真空管、半导体等的原料,也用来制高温温度计。

猳 jiā〈书〉公猪。

麚 jiā〈书〉雄鹿。

jiá (ㄐㄧㄚˊ)

夹 (夾、裌、袷) jiá 形 属性词。双层的(衣被等):~袄|~被|这件衣服是~的。
　　另见 434 页 gā;651 页 jiā。"袷"另见 1082 页 qiā。

郏 (郟) Jiá ❶ 郏县,地名,在河南。❷ 名 姓。

荚 (莢) jiá 名 ❶ 通常指豆类植物的果实:豆~|皂~|槐树~。❷ (Jiá)姓。

【荚果】jiáguǒ 名 干果的一种,由一个心皮构成,成熟时一般裂成两片,如豆类的果实。

恝 jiá〈书〉无动于衷;不经心:~然(冷漠不在意的样子)。

【恝置】jiázhì 〈书〉动 淡然置之,不加理会。

戛(戞) jiá 〈书〉轻轻地敲打:~击。

【戛戛】jiájiá 〈书〉形 ❶ 形容困难:~乎难哉! ❷ 形容独创:~独造。

【戛然】jiárán 〈书〉形 ❶ 形容嘹亮的鸟鸣声:~长鸣。 ❷ 形容声音突然中止:~而止。

铗(鋏) jiá 〈书〉❶ 冶铸用的钳:铁~。 ❷ 剑:长~。 ❸ 剑柄。

颊(頰) jiá 名 脸的两侧从眼到下颌的部分:两~。

【颊囊】jiánáng 名 仓鼠等啮齿动物和猿猴的口腔内两侧的囊状构造,用来暂时贮存食物。

蛱(蛺) jiá [蛱蝶](jiádié)名 蝴蝶的一类,成虫赤黄色,翅有鲜艳的色斑,幼虫灰黑色,身上有很多刺。有的吃麻类植物的叶子,对农作物有害。

跲 jiá 〈书〉绊倒。

jiǎ (ㄐㄧㄚˇ)

甲¹ jiǎ ❶ 名 天干的第一位。参看440页〖干支〗。 ❷ 居第一位:~等|桂林山水~天下。 ❸ (Jiǎ)名 姓。

甲² jiǎ ❶ 名 爬行动物和节肢动物身上的硬壳:龟~|~壳。 ❷ 手指和脚趾上的角质硬壳:指~。 ❸ 围在人体或物体外面起保护作用的装备,用金属、皮革等制成:盔~|装~车。

甲³ jiǎ 名 旧时的一种户口编制。参看47页〖保甲〗。

【甲板】jiǎbǎn 名 轮船上分隔上下各层的板(多指最上面即船面的一层)。

【甲苯】jiǎběn 名 有机化合物,化学式 $C_6H_5CH_3$。无色液体,可以从煤焦油中提取,用来制造炸药、染料、合成纤维等。

【甲兵】jiǎbīng 〈书〉名 ❶ 铠甲和兵器,泛指武备、军事。 ❷ 披坚执锐的士卒。

【甲部】jiǎbù 名 经部。

【甲虫】jiǎchóng 名 鞘翅目昆虫的统称,身体外部有硬壳,前翅是角质,厚而硬,后翅是膜质,如金龟子、天牛、象鼻虫等。

【甲醇】jiǎchún 名 有机化合物,化学式 CH_3OH。无色液体,有毒。可用作有机溶剂,也可以用来制造农药、甲醛等。

【甲骨文】jiǎgǔwén 名 古代刻在龟甲和兽骨上的文字,内容多是殷人占卜的记录,现在的汉字就是从甲骨文演变下来的。

【甲亢】jiǎkàng 名 甲状腺功能亢进症的简称。因甲状腺激素分泌过多引起。症状是甲状腺肿大、心悸、手抖、眼突、怕热、食欲增加、体重减轻等。

【甲壳】jiǎqiào 名 虾、蟹等动物的外壳,由石灰质及色素等构成,质地坚硬,有保护身体的作用。

【甲壳动物】jiǎqiào dòngwù 无脊椎动物的一门,全身有甲壳,头部和胸部结合成头胸部,后面是腹部。头胸部前端有大小两对触角,足的数目不等。生活在水中,用鳃呼吸。虾和蟹是最常见的甲壳动物。

【甲醛】jiǎquán 名 有机化合物,化学式 $HCHO$。无色气体,有刺激性臭味。用来制造树脂、炸药、染料等。也叫蚁醛。

【甲烷】jiǎwán 名 最简单的有机化合物,化学式 CH_4。无色无味的可燃气体。是天然气的主要成分。用作燃料和化工原料。

【甲午战争】Jiǎwǔ Zhànzhēng 1894—1895年,日本发动的并吞朝鲜侵略中国的战争。因为1894年是甲午年,所以称甲午战争。

【甲鱼】jiǎyú 名 鳖。

【甲胄】jiǎzhòu 〈书〉名 盔甲。

【甲状软骨】jiǎzhuàng-ruǎngǔ 颈部前面的方形软骨,左右各一,在颈部的正前方连接在一起。男性的特别突出,叫喉结。

【甲状腺】jiǎzhuàngxiàn 名 内分泌腺之一,在甲状软骨下面的两侧,分左右两叶,彼此相连,能分泌甲状腺素。甲状腺素是含碘的化合物,有促进新陈代谢、增加血糖等作用。

【甲子】jiǎzǐ 名 用干支纪年或计算岁数时,六十组干支字轮一周叫一个甲子。参看440页〖干支〗。

岬 jiǎ ❶ 名 岬角(多用于地名):野柳~(在台湾省)。 ❷ 两山之间。

【岬角】jiǎjiǎo 名 突入海中的尖形陆地。

胛 jiǎ 图肩胛：～骨(肩胛骨)。

贾(賈) Jiǎ 图姓。
〈古〉又同"价(價)"jià。
另见491页 gǔ。

【贾宪三角】Jiǎ Xiàn sānjiǎo 见 1577 页【杨辉三角】。

钾(鉀) jiǎ 图金属元素，符号 K(ka-lium)。银白色，质软。化学性质极活泼，容易氧化，燃烧时发出紫色光，遇水剧烈反应，放出氢气，同时燃烧起火。在工农业中用途很广。

【钾肥】jiǎféi 图主要提供钾元素的肥料，能促使作物的茎秆坚韧，提高产量，如氯化钾、硫酸钾、草木灰等。

假 jiǎ ❶ 围虚伪的；不真实的；伪造的；人造的(跟"真"相对)：～话|～发|～山|～证件|～仁～义。❷ 假定：～设|～说。❸ 假如：～若|～使。❹〈书〉借用：久～不归|～公济私◇不～思索。❺ (Jiǎ)图姓。
另见659页 jià。

【假扮】jiǎbàn 囫为了使人错认而装扮成跟本人不同的另一种人或另一个人；化装：他～什么人，就像什么人。

【假币】jiǎbì 图伪造的货币。

【假钞】jiǎchāo 图伪造的纸币。

【假充】jiǎchōng 囫装出某种样子；冒充：～正经|～内行。

【假道学】jiǎdàoxué 图表面上正经，实际上很坏的人；伪君子。

【假定】jiǎdìng ❶囫姑且认定：～他明天起身，后天就可以到达延安。❷图科学上的假设，从前也叫假定。参看【假设】③。

【假根】jiǎgēn 图由单一的细胞发育而成的根，形状像丝，没有维管束，作用与根相同，如苔藓植物的根。

【假公济私】jiǎ gōng jì sī 假借公事的名义，取得私人的利益。

【假果】jiǎguǒ 图果实的食用部分不是子房壁发育而成，而是花托或萼发育而成的叫做假果，如梨、苹果、无花果、桑葚等。

【假借】jiǎjiè ❶囫利用某种名义、力量等来达到目的：～名义，招摇撞骗。❷图六书之一。假借是说借用已有的文字表示语言中同音而不同义的词。如借当小麦讲的"来"作来往的"来"，借当毛皮讲的"求"作请求的"求"。❸〈书〉囫宽容：针砭时弊，不稍～。

【假冒】jiǎmào 囫冒充：认清商标，谨防～。

【假寐】jiǎmèi〈书〉囫不脱衣服小睡：凭几～|闭目～。

【假面具】jiǎmiànjù 图❶仿照人物或兽类脸形制成的面具，古代演戏时化装用，后多用作玩具。❷比喻虚伪的外表。

【假名】jiǎmíng 图日文所用的字母。有平假名、片假名两种字体，平假名多来自汉字的草体；片假名多取自汉字楷体的笔画。

【假模假式】jiǎ·mojiǎshì 装模作样。也说假模假样。

【假模假样】jiǎ·mojiǎyàng 假模假式。

【假撇清】jiǎpiēqīng〈方〉囫假装自己清白，跟坏事无关。

【假球】jiǎqiú 图球类比赛的双方在比赛中通同作弊，弄虚作假，叫打假球。

【假仁假义】jiǎ rén jiǎ yì 虚假的仁义道德。

【假如】jiǎrú 迵如果：～明天不下雨，我一定去。

【假若】jiǎruò 迵如果：～遇见这种事，你该怎么办？

【假嗓子】jiǎsǎng·zi 图歌唱时使用的非本嗓发出的嗓音。

【假山】jiǎshān 图园林中用石块(大多是太湖石)堆砌而成的小山。

【假设】jiǎshè ❶囫姑且认定：这本书印了十万册，～每册只有一个读者，那也就有十万个读者。❷囫虚构：故事情节是～的。❸图科学研究上对客观事物的假定的说明。假设要根据事实提出，经过实践证明是正确的，就成为理论。

【假使】jiǎshǐ 迵如果：～你同意，我们明天一清早就出发。

【假释】jiǎshì 囫依照法律规定的条件，把未满刑期的犯人暂时释放。假释期间，如不再犯新罪，就认为原判刑罚已经执行完毕，否则，就把前后所判处的刑罚合并执行。

【假手】jiǎ//shǒu 囫利用别人做某种事来达到自己的目的：～于人。

【假说】jiǎshuō 图假设③。

【假死】jiǎsǐ 囫❶因触电、癫痫、溺水、中

毒或呼吸道堵塞等，引起呼吸停止，心脏
跳动微弱，面色苍白、四肢冰冷，叫做假
死。婴儿初生，由于肺未张开，不会啼哭，
也不会出气，也叫假死。如果及时抢救，大
都可以救活。❷ 某些动物遇到敌人时，
为了保护自己，装成死的样子。

【假托】jiǎtuō ㊀❶ 推托：他～家里有事，
站起来先走了。❷ 假冒：他～经理的名义
签订合同。❸ 凭借：寓言是～故事来说明
道理的文学作品。

【假戏真做】jiǎ xì zhēn zuò 戏是假的，但
演得逼真，泛指把假事当做真事来做。

【假想】jiǎxiǎng ㊀ 想象；假设②：～敌|～
的故事结局。

【假想敌】jiǎxiǎngdí ㊎ 军事演习时所设
想的敌人。

【假相】jiǎxiàng 同"假象"。

【假象】jiǎxiàng ㊎ 跟事物本质不符合的
表面现象：擦亮眼睛，不要被～所迷惑。
也作假相。

【假小子】jiǎxiǎo·zi ㊎ 指性格泼辣、举止
大胆奔放像男子的女孩子。

【假惺惺】jiǎxīngxīng （～的）㊒ 状态词。
虚情假意的样子。

【假性近视】jiǎxìng-jìnshì 少年儿童由于
阅读时间过长等原因，睫状体过度紧张，
产生疲劳而使视力减退，叫做假性近视。

【假牙】jiǎyá ㊎ 牙齿脱落或拔除后镶上
的牙，多用瓷或塑料等制成。也叫义齿。

【假意】jiǎyì ❶ ㊎ 虚假的心意：虚情～。
❷ 故意（表现或做出）：他～笑着问：
"刚来的这位是谁呢？"

【假造】jiǎzào ㊀❶ 模仿真的造假的：～
证件。❷ 捏造：～理由。

【假账】jiǎzhàng ㊎ 伪造的与事实不符的
账目。

【假肢】jiǎzhī ㊎ 人工制作的上肢和下肢，
供肢体有残疾的人使用。也叫义肢。

【假装】jiǎzhuāng ㊀ 故意做出某种动作
或姿态来掩饰真相：他继续干着手里的
活儿，～没听见|～糊涂。

【假座】jiǎzuò 〈书〉㊀ 借用（某个场所）：
～俱乐部举办联谊会。

斚(斝) jiǎ 古代盛酒的器具，圆口，
三足。

斝 jiǎ "斝"gǔ的又音。

槚(檟) jiǎ 古书上指楸树或茶树。

榎 jiǎ 古同"槚"。

瘕 jiǎ 〈书〉肚子里结块的病。

jià （ㄐㄧㄚˋ）

价(價) jià ❶ ㊎ 价格：物～|调～|
物美～廉|无～之宝|这个～可
不贵。❷ 价值：等～交换。❸ ㊎ 化合价
的简称：氢是一～的元素。❹ （Jià）㊎
姓。

另见 702 页 jiè；705 页·jie。

【价差】jiàchā ㊎ 价格之间的差距。

【价格】jiàgé ㊎ 商品价值的货币表现，如
一件衣服卖五十元人民币，五十元就是衣
服的价格。

【价款】jiàkuǎn ㊎ 买卖货物时收付的款
项。

【价码】jiàmǎ （～儿）〈口〉㊎ 价目；价钱：
标明～。

【价目】jiàmù ㊎ 标明的商品价格：～表。

【价钱】jià·qián ㊎ 价格：～公道。

【价位】jiàwèi ㊎ 某种商品的价格在市场
行情中所处的位置：低～|～合理。

【价值】jiàzhí ㊎❶ 体现在商品里的社会
必要劳动。价值量的大小决定于生产这
一商品所需的社会必要劳动时间的多少。
不经过人类劳动加工的东西，如空气，即
使对人们有使用价值，也不具有价值。❷
用途或积极作用：这些资料很有参考～|
粗制滥造的作品毫无～◇探讨人生的～。

【价值观】jiàzhíguān ㊎ 对经济、政治、道
德、金钱等所持的总的看法。由于人们
的社会地位不同，价值观也有所不同。

【价值规律】jiàzhí guīlǜ 商品生产和交换
的基本经济规律。依照这个规律，商品的
交换是根据商品所包含的社会必要劳动
量(价值量)相等而相互交换。

【价值连城】jiàzhí lián chéng 战国时赵惠
文王得到楚国的和氏璧，秦昭王要用十五
座城池来换取(见于《史记·廉颇蔺相如列
传》)。后用"价值连城"形容物品价值特
别高，极其珍贵。

【价值量】jiàzhíliàng 〔名〕指体现在商品中的社会必要劳动量。劳动生产率越高,单位商品的价值量越低。

【价值形式】jiàzhí xíngshì 商品价值的表现形式,也就是交换价值。一个商品的价值不能由这个商品自身来表现,而必须在同另一种商品交换时,通过所交换的一定数量的商品才能相对地表现出来。如一丈布可以交换二斗米,二斗米就是一丈布的价值形式或交换价值。

驾(駕) jià ❶〔动〕使牲口拉(车或农具):两匹马～着车|～着牲口耕地。❷〔动〕驾驶:～车|～飞机◇腾云～雾。❸指车辆,借用为敬辞,称对方:车～|大～|～劳|～挡。❹特指帝王的车,借指帝王:晏～|～崩(帝王死去)。❺(Jià)〔名〕姓。

【驾到】jiàdào〔动〕敬辞,称客人来到。

【驾临】jiàlín〔动〕敬辞,称对方到来:敬备菲酌,恭候～。

【驾凌】jiàlíng〔动〕凌驾。

【驾龄】jiàlíng〔名〕驾驶汽车、飞机等的年数:他是个老司机,已有二十年～了。

【驾轻就熟】jià qīng jiù shú 驾轻车,就熟路,比喻对事情熟习,做起来容易。

【驾驶】jiàshǐ〔动〕操纵(车、船、飞机、拖拉机等)使行驶:～员|～汽车。

【驾校】jiàxiào〔名〕指汽车驾驶技术学校。

【驾驭】(驾御)jiàyù〔动〕❶驱使车马行进:这匹马不好～。❷使服从自己的意志而行动:～时局。

【驾辕】jià//yuán〔动〕驾着车辕拉车。

【驾照】jiàzhào〔名〕指驾驶证。

架 jià ❶(～儿)〔名〕架子①:房～|书～|衣～儿|脚手～。❷〔动〕支撑;支起:～桥|～电线|梯子～在树旁。❸〔动〕招架:拿枪～住砍过来的刀。❹〔动〕绑架:他爹被土匪～走了。❺〔动〕搀扶;连搀带～|～着伤员慢慢走。❻殴打或争吵的事:打～|吵～|劝～。❼〔量〕a)用于有支柱的或有机械的东西:一～机器|几～飞机|三～钢琴。b)〈方〉用于山,相当于"座":一～山。

【架不住】jià·buzhù〈方〉〔动〕❶禁不住;受不住:双拳难敌四手,好汉～人多|老大娘开始还有些怀疑,～大家七嘴八舌地一说,也就相信了。❷抵不上:你们虽然力

气大,～她们会找窍门。

【架次】jiàcì〔量〕复合量词。表示飞机出动或出现若干次架数的总和。如一架飞机出动三次为三架次,三架飞机出动一次也是三架次。又如在一天内飞机出动三次,第一次三架,第二次六架,第三次九架,那一天总共出动十八架次。

【架得住】jià·dezhù〈方〉〔动〕禁得住;受得住:有的小学给学生留的家庭作业太多,孩子怎能～?

【架构】jiàgòu ❶〔动〕建造;构筑。❷〔名〕框架;支架。❸〔名〕比喻事物的组织、结构、格局:市场～|故事～|庞大。

【架空】jiàkōng〔动〕❶房屋、器物下面用柱子等撑起而离开地面:竹楼是～的,离地约有两米多高。❷比喻没有基础:没有相应的措施,计划就会成为～的东西。❸比喻表面推崇,暗中排挤,使失去实权。

【架设】jiàshè〔动〕支起并安设(凌空的物体):～桥梁|～电线。

【架势】(架式)jià·shi〔名〕❶〈口〉姿势;姿态:双方摆开～准备较量|看他走路的～像是个军人。❷〈方〉势头;形势:看她病的～是不行了|看今春这～,雨水少不了。

【架秧子】jiàyāng·zi〈方〉〔动〕哄闹;起哄:起哄～。

【架子】jià·zi〔名〕❶由若干材料纵横交叉地构成的东西,用来放置器物、支撑物体或安装工具等:花瓶～|骨头～|保险刀的～。❷比喻事物的组织、结构:写文章要先搭好～。❸自高自大、装腔作势的作风:官～|拿～|那位局长一点儿～都没有。❹架势;姿势:锄地有锄地的～,一拿锄头就看出他是内行。

【架子车】jià·zichē〔名〕一种用人力推拉的两轮车。用木料等做车架,上面铺木板、竹板或薄铁板。

【架子工】jià·zigōng〔名〕❶专门搭、拆脚手架的工种。❷做这种工作的建筑工人。

【架子花】jià·zihuā〔名〕戏曲中花脸的一种,因偏重做功和功架而得名。

【架子猪】jià·zizhū〔名〕已长大但没有养肥的猪。有的地区叫壳郎猪(ké·langzhū)。

假 jià 〔名〕按照规定或经过批准暂时不工作或不学习的时间:请～|暑～|病～|婚～|春节有三天～。

另见 657 页 jiǎ。

【假期】jiàqī 名 放假或休假的时期。

【假日】jiàrì 名 放假或休假的日子。

【假日经济】jiàrì jīngjì 利用节假日集中消费从而带动餐饮、旅游、商品供求等发展的一种综合性、系统性的经济模式。

【假条】jiàtiáo (～儿)名 写明请假理由和期限的纸条子。

嫁 jià ❶ 动 女子结婚(跟"娶"相对):出～|改～|～人|～女儿。❷ 转移(罪名、损失、负担等):转～|～祸于人。❸ (Jià)名 姓。

【嫁接】jiàjiē 动 把要繁殖的植物的枝或芽接到另一种植物体上,使它们结合在一起,成为一个独立生长的植株。嫁接能保持植物原有的某些特性,是常用的改良品种的方法。

【嫁妆】(嫁装)jià·zhuang 名 女子出嫁时,从娘家带到丈夫家去的衣被、家具及其他用品。

稼 jià ❶ 种植(谷物):耕～|～穑。❷ 谷物:庄～。

【稼穑】jiàsè 〈书〉动 种植和收割,泛指农业劳动:～艰难。

jiān(ㄐㄧㄢ)

戋(戔) jiān [戋戋](jiānjiān)〈书〉形 少;细微:为数～|～微物。

尖 jiān ❶ 形 末端细小;尖锐:把铅笔削～了|～下巴颏儿。❷ 形 声音高而细:～声～气|～嗓子。❸ 形 (耳、目、鼻子)灵敏:眼～|耳朵～|他鼻子一得很,有一点异味都闻得出。❹ 动 使嗓音高而细:她～着嗓子喊。❺ (～儿)名 物体锐利的末端或细小的头儿:笔～儿|针～儿|刀～儿|塔～儿。❻ (～儿)名 出类拔萃的人或物品:～儿货|姐妹三个里头数她是个～儿。❼〈方〉形 吝啬;抠门儿:这人可～了,一点儿亏也不吃。❽ 形 尖刻:他嘴～,说话不留情面。❾ (Jiān)名 姓。

【尖兵】jiānbīng 名 ❶ 行军时派出的担任警戒任务的分队:～班。❷ 比喻工作上走在前面开创道路的人:我们是地质战线上的～。

【尖刀】jiāndāo 名 比喻作战时最先插入

敌人阵地的个人或集体:～连|～组|～部队。

【尖顶】jiāndǐng 名 顶端;顶点。

【尖端】jiānduān ❶ 名 尖锐的末梢;顶点。❷ 形 发展水平最高的(科学技术等):～科学|～技术|～产品。

【尖晶石】jiānjīngshí 名 矿物,成分是镁铝氧化物,常含有微量的铁、铬、锌、锰等。有红、黄、绿、蓝、褐、紫等颜色,透明或半透明,有玻璃光泽,硬度8,其中的上品是宝石。

【尖刻】jiānkè 形 尖酸刻薄:语言～|他为人～。

【尖厉】jiānlì 形 形容声音高而刺耳:哨声～|厉风～地呼啸着。也作尖利。

【尖利】jiānlì ❶ 形 尖锐;锐利:笔锋～|他的眼光非常～,一眼就看出对方的畏怯。❷ 同"尖厉"。

【尖溜溜】jiānliūliū (～的)〈方〉形 状态词。形容尖细或锋利:～的嗓子。

【尖脐】jiānqí 名 ❶ 螃蟹腹下面中间的一块甲是尖形的,是雄蟹的特征(区别于"团脐")。❷ 指雄蟹。

【尖锐】jiānruì 形 ❶ 物体有锋芒,容易刺破其他物体的:锋利①:把锥子磨得非常～。❷ 认识客观事物灵敏而深刻;敏锐:眼光～|他看问题很～。❸ (声音)高而刺耳:～的哨声|子弹发出～的啸声。❹ (言论、斗争等)激烈:～的批评|进行了～的斗争。

【尖酸】jiānsuān 形 说话带刺,使人难受:～刻薄|气量狭小,口角～。

【尖团音】jiāntuányīn 名 尖音和团音的合称。尖音指 z、c、s 声母拼 i、ü 或 i、ü 起头的韵母,团音指 j、q、x 声母拼 i、ü 或 i、ü 起头的韵母。有的方言中分别"尖团",如把"尖、千、先"读作 ziān、ciān、siān,把"兼、牵、掀"读作 jiān、qiān、xiān。普通话语音中分不出"尖团",如"尖=兼"jiān,"千=牵"qiān,"先=掀"xiān。昆曲所谓尖团音范围还要广些,z、c、s 和 zh、ch、sh 的分别也叫尖团音,如"灾"zāi 是尖音,"斋"zhāi 是团音,"三"sān 是尖音,"山"shān 是团音。

【尖牙】jiānyá 名 牙的一种,人的上下颌各有两枚,在切牙的两侧,牙冠锐利,便于撕裂食物。通称犬牙,也叫犬齿。(图见

1558 页"人的牙")

【尖音】jiānyīn 名 见〖尖团音〗。

【尖子】jiān·zi 名 ❶ 尖⑤。❷ 尖⑥：他是我们班的～，名次总不出前三名。❸ 戏曲中指忽然高亢的唱腔。

【尖嘴薄舌】jiān zuǐ bó shé 形容说话尖酸刻薄。

【尖嘴猴腮】jiān zuǐ hóu sāi 形容人面部瘦削，相貌丑陋。

奸¹ jiān ❶ 奸诈：～笑｜～计｜老～巨猾。❷ 不忠于国家或君主的：～臣。❸ 出卖国家、民族或阶级利益的人：汉～｜内～｜为党除～。❹ 形 自私；取巧；藏～要滑｜这个人才～哪，躲躲闪闪不肯出力。

奸²（姦）jiān 奸淫：通～｜强～。

【奸臣】jiānchén 名 指残害忠良或阴谋篡夺帝位的大臣。

【奸宄】jiānguǐ〈书〉名 坏人（由内而起叫奸，由外而起叫宄）。

【奸猾】jiānhuá 形 诡诈狡猾。也作奸滑。

【奸滑】jiānhuá 同"奸猾"。

【奸计】jiānjì 名 奸诈的计谋：中了～。

【奸佞】jiānnìng〈书〉❶ 形 奸邪谄媚：～小人。❷ 名 奸邪谄媚的人：～专权。

【奸商】jiānshāng 名 用不正当手段牟取暴利的商人。

【奸徒】jiāntú 名 奸险的人。

【奸污】jiānwū 动 强奸或诱奸。

【奸细】jiān·xì 名 给敌人刺探消息的人。

【奸险】jiānxiǎn 形 奸诈阴险：为人～狠毒。

【奸笑】jiānxiào 动 阴险地笑：满脸～。

【奸邪】jiānxié〈书〉❶ 形 奸诈邪恶。❷ 名 奸诈邪恶的人：～当道。

【奸雄】jiānxióng 名 用奸诈手段取得大权高位的人：乱世～。

【奸淫】jiānyín 动 ❶ 男女间发生不正当的性行为。❷ 奸污：～掳掠。

【奸贼】jiānzéi 名 奸险的人：卖国～。

【奸诈】jiānzhà 形 虚伪诡诈。

歼（殲）jiān 歼灭：～匪｜围～｜～敌五千｜聚而～之。

【歼击】jiānjī 动 攻击和歼灭：～逃敌。

【歼击机】jiānjījī 名 主要用来在空中歼灭敌机和其他空袭武器的飞机，装有航空机关炮、火箭弹和导弹等。速度快，爬升迅

速，操纵灵便。也叫战斗机，旧称驱逐机。

【歼灭】jiānmiè 动 消灭（敌人）：集中优势兵力，各个～敌人。

【歼灭战】jiānmièzhàn 名 消灭全部或大部敌人的战役或战斗。

坚（堅）jiān ❶ 硬；坚固：～冰｜～城｜～不可破｜如磐石。❷ 坚固的东西或阵地：攻～｜披～执锐｜无～不摧。❸ 坚定；坚决：～信｜～守阵地。❹ (Jiān) 名 姓。

【坚壁】jiānbì 动 藏起来使不落到敌人的手里（多指藏军用物资）：把粮食～起来。

【坚壁清野】jiānbì qīngyě 作战时采用的一种对付入侵敌人的策略，坚守据点，转移周围的人口、牲畜、财物、粮食，毁掉战地附近的房屋、树木等，使敌人既攻不下据点，也抢不到东西。

【坚不可摧】jiān bù kě cuī 非常坚固，摧毁不了。

【坚持】jiānchí 动 坚决保持、维护或进行：～原则｜～己见｜～不懈｜～工作。

【坚定】jiāndìng ❶ 形 (立场、主张、意志等)稳定坚强；不动摇：～不移｜各级领导要～地贯彻群众路线。❷ 动 使坚定：～立场｜～信念。

【坚固】jiāngù 形 结合紧密，不容易破坏；牢固；结实：阵地～｜～耐用。

【坚果】jiānguǒ 名 干果的一种，果皮坚硬，不开裂，果实里只有一个种子，如板栗、榛子等。

【坚决】jiānjué 形 (态度、主张、行动等)确定不移；不犹豫：态度～｜认识了错误就～改正｜～抓好安全生产的各项工作。

【坚苦】jiānkǔ 形 坚忍刻苦。

【坚苦卓绝】jiānkǔ zhuójué （在艰难困苦中）坚忍刻苦的精神超越寻常。

【坚强】jiānqiáng ❶ 形 强固有力，不可动摇或摧毁：意志～｜～不屈。❷ 动 使坚强：丰富自己的知识，～自己的信心。

【坚忍】jiānrěn 形 （在艰苦困难的情况下）坚持而不动摇：～不拔的意志。

【坚韧】jiānrèn 形 坚固有韧性：质地～。

【坚韧不拔】jiānrèn bù bá 形容信念坚定，意志顽强，不可动摇。

【坚实】jiānshí 形 ❶ 坚固结实：～的基础。❷ 健壮：身体～。

【坚守】jiānshǒu 动 坚决守卫；不离开：～

阵地|~岗位。

【坚挺】jiāntǐng 形❶坚强有力;硬而直:~的身架|枝条上有~的刺。❷指行情上涨或货币汇率上升趋势:价格~|货币~。

【坚信】jiānxìn 动坚决相信:~我们的事业一定会胜利。

【坚毅】jiānyì 形坚定有毅力:性格~|~的神态。

【坚硬】jiānyìng 形又结实又硬:~的山石。

【坚贞】jiānzhēn 形节操坚定不变:~不屈。

间(間、閒) jiān ❶名方位词。中间:彼此~|同志之~|两国之~。❷名方位词。一定的空间或时间里:田~|人~|晚~|一刹那~。❸一间屋子;房间:里~|车~|衣帽~。❹量房屋的最小单位:一~卧室|三~门面。❺(Jiān)名姓。

另见670页jiàn。"閒"另见1474页xián"闲"。

【间冰期】jiānbīngqī 名两个冰期之间相对温暖的时期。

【间不容发】jiān bù róng fà ❶中间容不下一根头发,指事物之间距离极小。❷比喻与灾祸相距极近,情势极其危急。

【间架】jiānjià 名本指房屋的结构形式,借指汉字书写的笔画结构,也指文章的布局。

【间距】jiānjù 名两者之间的距离:从足迹的前后~可以知道动物四肢或躯体的长短。

【间量】jiān·liang (~儿)〈方〉名房间的面积:这间屋子~儿太小。

【间脑】jiānnǎo 名脑的一部分,在大脑两半球的中间,由许多形状不规则的灰质块和神经纤维构成。

【间奏曲】jiānzòuqǔ 名戏曲或歌剧中在两幕(或场)之间演奏的小型器乐曲。

浅(淺) jiān [浅浅](jiānjiān)〈书〉拟声形容流水声。

另见1091页qiǎn。

肩 jiān ❶名肩膀:两~并负。(图见1209页"人的身体")❷担负:息~|身~大任。

【肩膀】jiānbǎng (~儿)名人的胳膊与动

物前肢和躯干相连的部分◇~硬(能担负重大责任)|溜~(比喻不负责任)。

【肩负】jiānfù 动担负:我们~着建设社会主义的伟大任务。

【肩胛】jiānjiǎ 名❶肩膀。❷医学上指肩膀的后部。

【肩胛骨】jiānjiǎgǔ 名人体背部最上部外侧的骨头,左右各一,略呈三角形。肩胛骨和肱骨构成肩关节。也叫胛骨。(图见490页"人的骨骼")

【肩摩毂击】jiān mó gǔ jī 肩膀和肩膀相接触,车轮和车轮相碰撞,形容行人车辆非常拥挤。也说摩肩击毂。

【肩摩踵接】jiān mó zhǒng jiē 见961页【摩肩接踵】。

【肩头】jiāntóu 名❶肩膀上:~的担子不轻。❷〈方〉肩膀:两个~不一般高。

【肩窝】jiānwō (~儿)名肩膀上凹下的部分。

【肩章】jiānzhāng 名军人或某些部门的工作人员佩戴在制服的两肩上用来表示行业、级别等的标志。

艰(艱) jiān 困难:~苦|~深|物力维~。

【艰巨】jiānjù 形困难而繁重:~的任务|这个工程非常~。

【艰苦】jiānkǔ 形艰难困苦:~奋斗|环境~|~的岁月|~的工作。

【艰苦卓绝】jiānkǔ zhuójué 形容斗争十分艰苦,超出寻常。

【艰难】jiānnán 形困难:行动~|生活~|不畏~险阻。

【艰涩】jiānsè 形(文辞)晦涩,不流畅,不易理解。

【艰深】jiānshēn 形(道理、文辞)深奥难懂:文字~|~的哲理。

【艰危】jiānwēi 形艰难危险(多指国家、民族):处境~|形势日益~。

【艰险】jiānxiǎn 形艰难和危险:不避~|路途~。

【艰辛】jiānxīn 形艰苦:历尽~,方有今日。

监(監) jiān ❶从旁察看;监视:~考|~察。❷牢狱:收~|探~。

另见672页jiàn。

【监测】jiāncè 动监视检测:~卫星|环境

~|空气污染~。

【监察】jiānchá 动 监督各级国家机关和机关工作人员的工作并检举违法失职的机关或工作人员。

【监场】jiān∥chǎng 动 监视考场,使应考的人遵守考试纪律。

【监督】jiāndū ❶动 察看并督促:~执行|接受~。❷名 做监督工作的人:舞台~。

【监工】jiāngōng ❶(-∥-)动 在厂矿、工地等做工现场监督工作。❷名 做监工工作的人。

【监管】jiānguǎn 动 监视管理;监督管理:~犯人|加强金融~工作。

【监规】jiānguī 名 监狱中要求犯人遵守的各项规定:违反~。

【监护】jiānhù ❶动 法律上指对无行为能力人或限制行为能力人的人身、财产以及其他一切合法权益的监督和保护。❷动 仔细观察并护理:~病人|新生儿~。

【监护人】jiānhùrén 名 法律上指负有保护监督责任的人。

【监禁】jiānjìn 动 把人押起来,限制他的自由。

【监考】jiānkǎo ❶(-∥-)动 监视考试,使应考的人遵守考试纪律。❷名 做监考工作的人。

【监控】jiānkòng 动❶ 监测和控制(机器、仪表的工作状态或某些事物的变化等)。❷ 监督控制;监视并控制:实行物价~|置于警方~之下。

【监牢】jiānláo〈口〉名 监狱。

【监理】jiānlǐ ❶动 对工程项目等进行监督管理:完善~制度。❷名 做监理工作的人:担任公路建设项目的~。

【监票】jiānpiào 动 在投票选举中,由专人对投票、计票过程进行监督。

【监事】jiānshì 名 监事会的成员。

【监事会】jiānshìhuì 名 某些公司、学校、团体等的监督机构。

【监视】jiānshì 动 从旁严密注视、观察:跟踪~|瞭望哨远远~着敌人。

【监守】jiānshǒu 动 看管:选举时票箱由专人~。

【监守自盗】jiānshǒu zì dào 看管人盗窃自己所看管的财物。

【监听】jiāntīng 动 利用无线电等设备对别人的谈话或发出的无线电信号进行监督。

督。

【监外执行】jiān wài zhíxíng 指法院对具有某种法定原因(如患有严重疾病,怀孕或正在哺乳自己的婴儿)的犯人暂不羁押,而交付一定机关监管。

【监押】jiānyā 动❶ 监禁;关押:~罪犯。❷ 押解:法警~犯罪嫌疑人去受审。

【监狱】jiānyù 名 监禁犯人的处所。

【监制】jiānzhì ❶动 监督制造(商品)。❷动 监督摄制(影片、电视片)。❸名 担任监督影视片摄制工作的人。

兼 jiān ❶ 两倍的:~程|~旬。❷动 同时涉及或具有几个事物:~而有之|~收并蓄|品学~优|他是副厂长~总工程师。❸(Jiān)名 姓。

【兼备】jiānbèi 动 同时具备几个方面:德才~|文武~|形神~。

【兼并】jiānbìng 动 把别的国家的领土并入自己的国家或把别人的产业并为己有。

【兼差】jiānchāi ❶(-∥-)动 兼职①。❷名 兼职②。

【兼程】jiānchéng 动 一天走两天的路;以加倍的速度赶路:~前进|日夜~。

【兼顾】jiāngù 动 同时照顾几个方面:统筹~|公私~。

【兼毫】jiānháo 名 用羊毫和狼毫在一起制造的毛笔(羊毫较软,狼毫较硬,兼毫适中)。

【兼课】jiān∥kè 动 在本职以外兼任教课工作。

【兼任】jiānrèn ❶动 同时担任几个职务:总务主任~学校工会主席。❷形 属性词。不是专任的:~教员。

【兼容】jiānróng 动 同时容纳几个方面:~并包|善恶不能~。

【兼容并包】jiān róng bìng bāo 把各个方面或各种事物都容纳进去。

【兼容并蓄】jiān róng bìng xù 兼收并蓄。

【兼收并蓄】jiān shōu bìng xù 把内容不同、性质相反的东西都吸收进来。也说兼容并蓄。

【兼祧】jiāntiāo〈书〉动 宗法制度下一个男子兼做两房或两家的继承人。

【兼听】jiāntīng〈书〉动 听取双方或多方面的意见:~则明。

【兼之】jiānzhī〈书〉连 加以②:人手不多,~期限迫近,紧张情形可以想见。

【兼职】jiānzhí ❶（-/-儿）动 在本职之外兼任其他职务：～教师|他在学校里兼过职。❷ 名 在本职之外兼任的职务：辞去～。

菅 jiān 名 ❶ 多年生草本植物，叶子细长而尖，花绿色，结颖果，褐色。❷（Jiān）姓。

笺（箋、❷❸牋）jiān ❶ 注解：～注。❷ 写信或题词用的纸：信～|便～。❸ 信札：～札(书信)。

【笺注】jiānzhù 名 古书的注释。

渐（漸）jiān〈书〉❶ 浸：～染。❷ 流入：东～于海。另见 673 页 jiàn。

【渐染】jiānrǎn〈书〉动 因接触久了而逐渐受到影响。

犍 jiān 指犍牛：老～。另见 1090 页 qián。

【犍牛】jiānniú 名 阉割过的公牛。犍牛比较驯顺，容易驾驭，易于肥育。

湔 jiān〈书〉洗：～洗|～雪。

【湔洗】jiānxǐ〈书〉动 ❶ 洗濯。❷ 除去(耻辱、污点等)：～前罪。

【湔雪】jiānxuě〈书〉动 洗雪：～冤屈。

缄（緘）jiān 动 封闭(常用在信封上寄信人姓名后)：王～|上海刘～。

【缄口】jiānkǒu〈书〉动 闭着嘴(不说话)：～不语。

【缄默】jiānmò 动 闭口不说话：保持～|～无言。

瑊 jiān〈书〉瑊玏。

【瑊玏】jiānlè〈书〉名 像玉的美石。

摛 jiān 动（用筷子）夹：～菜。

蒹 jiān 古书上指芦苇一类的植物。

楏 jiān〈书〉同"笺"。

煎 jiān ❶ 动 烹调方法，锅里放少量油，加热后，把食物放进去使表面变黄：～鱼|～豆腐。❷ 动 把东西放在水里煮，使所含的成分进入水中：～茶|～药。❸ 量 煎中药的次数：头～|二～|这病吃一～药就好。

【煎熬】jiān'áo 动 比喻折磨：受尽～。

【煎饼】jiān·bing 名 用高粱、小麦或小米等浸水磨成糊状，在鏊子上摊匀烙熟的薄饼。

【煎剂】jiānjì 名 汤剂。

缣（縑）jiān〈书〉细绢。

【缣帛】jiānbó 名 古代一种质地细薄的丝织品。古人在纸发明以前常在缣帛上书写文字。

鳒（鰜）jiān 名 鱼，身体纺锤形，侧扁，两侧有数条浓青色纵线，头大，吻尖。生活在热带、亚热带海洋中。

【鳒鸟】jiānniǎo 名 鸟，外形像鸭，嘴坚硬，尖端细狭并相向下弯，尾较长而呈楔形，种类多，多生活在热带地区的岛屿上，吃鱼类等。

鹣（鶼）jiān 鹣鹣，古代传说中的比翼鸟。

【鹣鲽】jiāndié〈书〉名 比喻恩爱的夫妻：～情深。

镮（鐶）Jiān 名 姓。

熸 jiān〈书〉❶ 火熄灭。❷ 军队溃败。

鞬 jiān〈书〉马上盛弓箭的器具。

鞯（韉）jiān 见 9 页【鞍鞯】。

鲽（鰈）jiān 名 鱼，体侧扁，长卵圆形，一般两眼都在身体的左侧，也有在右侧的，上方的眼睛靠近头顶，有眼的一侧黄褐色，无眼的一侧白色。生活在海洋中。

櫼 jiān〈书〉木片楔子。

jiǎn （ㄐㄧㄢˇ）

囝 jiǎn〈方〉名 ❶ 儿子。❷ 儿女。另见 979 页 nān"囡"。

绢（繭）jiǎn〈书〉同"茧"。

拣[1]（揀）jiǎn 动 挑选：～选|～择|挑肥～瘦|时间有限，请～要紧的说。

拣²(揀) jiǎn 同"捡"。

【拣选】jiǎnxuǎn 动 选择：～上等药材。

【拣择】jiǎnzé 动 挑选；选择：～吉日。

枧¹(梘) jiǎn 同"笕"。

枧²(梘) jiǎn 〈方〉指肥皂：番～(洗衣服用的肥皂)|香～(香皂)。

茧¹(繭) jiǎn 名 某些昆虫的幼虫在变成蛹之前吐丝做成的壳,通常是白色或黄色的。蚕茧是缫丝的原料。

茧²(繭) jiǎn 同"趼"。

【茧绸】jiǎnchóu 名 柞丝绸的旧称。

【茧子】¹ jiǎn·zi 〈方〉名 蚕茧。

【茧子】² jiǎn·zi 同"趼子"。

柬 jiǎn 信件、名片、帖子等的统称：～札|～帖|请～。

俭(儉) jiǎn ❶ 俭省：勤～|节～|省吃～用|～以养廉。❷ (Jiǎn) 名 姓。

【俭朴】jiǎnpǔ 形 俭省朴素：服装～|生活～。

【俭省】jiǎnshěng 形 爱惜物力；不浪费财物：爷爷过日子很～。

【俭约】jiǎnyuē 〈书〉形 俭省。

捡(撿) jiǎn 动 拾取：～柴|～了芝麻,丢了西瓜(比喻因小失大)。

【捡漏】jiǎn∥lòu 动 检修房顶漏雨的地方。

【捡漏儿】jiǎn∥lòur 〈方〉动 寻找别人说话、做事的漏洞加以利用：抓把柄。

【捡破烂儿】jiǎn pòlànr 拾取别人扔掉的废品。

【捡拾】jiǎnshí 动 拾取：在海滩上～贝壳。

【捡洋落儿】jiǎn yánglàor 〈方〉捡拾外国人丢弃的物品,后来也指得到意外的财物或好处。

笕(筧) jiǎn 〈书〉引水的长竹管,安在房檐下或田间。

检(檢) jiǎn ❶ 查：～验|～阅|体检|～字表。❷ 约束；检点：行为不～|言语失～。❸ 同"捡"。❹ (Jiǎn) 名姓。

【检波】jiǎnbō 动 从高频电波中分离出经过调幅的信号,叫做检波。

【检测】jiǎncè 动 检验测定：质量～。

【检查】jiǎnchá ❶ 动 为了发现问题而用心查看：～身体|～工作。❷ 动 翻检查考(书籍、文件等)。❸ 动 检讨①：～自己的错误。❹ 名 指用口头或书面形式所做的检讨：写了一份～。

【检察】jiǎnchá 动 ❶ 检举核查；考察。❷ 特指国家法律监督机关(检察院)依法定程序进行的法律监督活动。

【检察官】jiǎncháguān 名 检察院中进行法律监督工作、代表国家进行公诉以及对犯罪案件进行侦查的人员的通称。

【检察院】jiǎncháyuàn 名 国家法律监督机关。行使检察、批准逮捕,检察机关直接受理的案件的侦查、提起公诉的职责。在我国,人民检察院也简称检察院。

【检场】jiǎnchǎng ❶ 动 旧时戏曲演出时,在不闭幕的情况下,在舞台上布置或收拾道具。❷ 名 做检场工作的人。

【检点】jiǎndiǎn 动 ❶ 查看符合与否；查点：～行李|～人数。❷ 注意约束(自己的言语行为)：说话失于～|糖尿病人对饮食尤要多加～。

【检定】jiǎndìng 动 检查鉴定：药品～|～计量器具|教师资格～|～考试。

【检核】jiǎnhé 动 检验审核；检查核对：～出口商品。

【检获】jiǎnhuò 动 通过检查而获得(赃物、违禁品等)：～一批赌具。

【检举】jiǎnjǔ 动 向司法机关或其他有关国家机关和组织揭发违法、犯罪行为。

【检控】jiǎnkòng 动 ❶ 检举控告：～交通违章|～不法商贩。❷ 检查并控制：公安局对在逃犯罪嫌疑人部署～工作。

【检录】jiǎnlù 动 比赛前给运动员点名并带领入场：～员|～处。

【检票】jiǎn∥piào 动 检验车船票、选票等。

【检视】jiǎnshì 动 检验查看：～现场。

【检束】jiǎnshù 动 检点,约束：行为有所～。

【检索】jiǎnsuǒ 动 查检寻找(图书、资料等)：数据～|资料按音序排列便于～。

【检讨】jiǎntǎo 动 ❶ 找出缺点和错误,并做自我批评：书面～|工作～|生活～会。❷ 总结分析；研究：原稿不在手边,一时无从～。

【检修】jiǎnxiū 囫 检查并修理(机器、建筑物等):～设备|～工具|～房屋。

【检验】jiǎnyàn 囫 检查验看;检查验证:～汽车机件|实践是～真理的唯一标准。

【检疫】jiǎnyì 囫 为防止传染病在国内蔓延和国际间传播而采取预防措施。如对传染病区来的人或货物、船只等进行检查和消毒,或者采取隔离措施等。

【检阅】jiǎnyuè ❶ 高级首长亲临军队或群众队伍的面前,举行检验仪式:～仪仗队。❷ 翻检阅读:～书稿。

【检字法】jiǎnzìfǎ 囵 字典或其他工具书里文字排列次序的检查方法。检查汉字常用的有部首检字法、音序检字法、笔画检字法、四角号码检字法等。

跰 jiǎn 跰子。

【跰子】jiǎn·zi 囵 手掌、脚掌等部位因摩擦而生成的硬皮。也作茧子。也说老跰。

减(減) jiǎn 囫 ❶ 从总体或某个数量中去掉一部分:削～|裁～|～员|偷工～料|五～三是二。❷ 降低;衰退:～价|～色|工作热情有增无～|人虽老了,干活还是不～当年!

【减仓】jiǎn∥cāng 囫 指投资者抛出部分证券,减轻仓位:逢高～,注意风险。

【减产】jiǎn∥chǎn 囫 产量减少;减少生产:粮食～|采取～措施,降低库存。

【减低】jiǎndī 囫 降低:～物价|～速度。

【减法】jiǎnfǎ 囵 数学中的一种运算方法。最简单的是数的减法,即从一个数减去另一个数的计算方法。

【减肥】jiǎn∥féi 囫 采取节制饮食,增加锻炼等方法减轻肥胖的程度:你太胖,得减减肥了。

【减幅】jiǎnfú 囵 减少的幅度。

【减负】jiǎnfù 囫 减轻过重的、不合理的负担:治理乱收费,给农民～。

【减河】jiǎnhé 囵 为了减少河流的水量,在原来河道之外另开的通入海洋、湖泊、洼地或别的河流的河道。也叫引河。

【减缓】jiǎnhuǎn 囫 (程度)减轻;(速度)变慢:老年人新陈代谢～。

【减价】jiǎn∥jià 囫 降低价钱:～销售。

【减亏】jiǎnkuī 囫 减少亏损(多用于企业):～增盈|这家钢厂今年～三千万元。

【减慢】jiǎnmàn 囫 (速度)变慢:由于原材料供应不上,建筑工程的进度～了。

【减免】jiǎnmiǎn 囫 减轻或免除(捐税、刑罚等):～灾区税收。

【减轻】jiǎnqīng 囫 减少重量、数量或程度:～负担|病势～。

【减弱】jiǎnruò 囫 ❶ (气势、力量等)变弱:风势～|兴趣～|凝聚力～了。❷ 使变弱:暴雨～了大火的威势。

【减色】jiǎnsè 囫 指事物的精彩程度降低:原定的一些节目不能演出,使今天的晚会～不少。

【减少】jiǎnshǎo 囫 减去一部分:～人员|～麻烦|工作中的缺点～了。

【减速】jiǎn∥sù 囫 降低速度:～行驶。

【减损】jiǎnsǔn 囫 减少;减弱:虽经磨难,而斗志丝毫没有～。

【减缩】jiǎnsuō 囫 缩减:～课时|～开支。

【减退】jiǎntuì 囫 (程度)下降;减弱:近年视力有些～|雨后,炎热～了许多。

【减刑】jiǎn∥xíng 囫 法院根据犯人在服刑期间改恶从善的程度,依法把原来判处的刑罚减轻。

【减压】jiǎnyā 囫 降低或减轻压力:～阀|给学生～。

【减员】jiǎn∥yuán 囫 ❶ 由于伤病、死亡等原因而人员减少(多指部队)。❷ 裁减人员。

【减灾】jiǎnzāi 囫 采取措施,减少自然灾害造成的损失:科技～|～贵在预防。

剪 jiǎn ❶ 剪刀。❷ 形状像剪刀的器具:夹～|火～。❸ 囫 用剪刀等使东西断开:～除|～纸|～指甲|～几尺布做衣服。❹ 除去:～除|～灭|～草除根。❺ (Jiǎn)囵 姓。

【剪报】jiǎnbào ❶ (-∥-)囫 把报纸上有参考价值的文字剪下来。❷ 囵 从报纸上剪下来的文章等:她积累的～有两万多张。

【剪裁】jiǎncái 囫 ❶ 缝制衣服时把衣料按照一定尺寸剪断裁开。❷ 比喻做文章时对材料的取舍安排:把情节复杂的小说改编成电影是需要很好地加以～的。

【剪彩】jiǎn∥cǎi 囫 在新造车船出厂、道路桥梁首次通车、大建筑物落成或展览会等开幕时举行的仪式上剪断彩带。

【剪除】jiǎnchú 囫 铲除;消灭:～奸宄。

【剪刀】jiǎndāo 囵 使布、纸、绳等东西断开的铁制器具,两刃交错,可以开合。

【剪刀差】jiǎndāochā 〈名〉两类商品价格的动态比对关系在统计图上表现为逐渐呈剪刀张开的形状,因此的称为剪刀差。多指不合理的工农业产品比价关系。

【剪辑】jiǎnjí ❶〈动〉影片、电视片的一道制作工序,按照剧本结构和创作构思的要求,把拍摄好的许多镜头和声带,经过选择、剪裁、整理,编排成结构完整的影片或电视片。❷〈动〉经过选择、剪裁,重新编排:～照片。❸〈名〉指这样编排的作品:新闻图片～|话剧录音～。

【剪接】jiǎnjiē〈动〉剪辑①。

【剪径】jiǎnjìng〈动〉拦路抢劫(多见于早期白话)。

【剪灭】jiǎnmiè〈动〉剪除;消灭:～群雄。

【剪票】jiǎn//piào〈动〉铁路或公路上上车前查票时,用钳状器具在车票的边缘剪出缺口,表示经过查验。

【剪贴】jiǎntiē〈动〉❶把资料从书报上剪下来,贴在卡片或本子上。❷一种手工工艺,用彩色纸等剪成人或东西的形象,贴在纸或别的东西上。

【剪影】jiǎnyǐng ❶〈动〉照人脸或人体、物体的轮廓剪纸成形。❷〈名〉指剪影作品:人物～。❸〈名〉比喻对于事物轮廓的描写:京华～。

【剪纸】jiǎnzhǐ ❶〈名〉民间工艺,用纸剪成人物、花草、鸟兽等的形象。❷〈名〉指剪纸作品。

【剪纸儿】jiǎnzhǐpiānr〈口〉〈名〉剪纸片。

【剪纸片】jiǎnzhǐpiàn〈名〉美术片的一种,把人、物的表情、动作、变化等剪成许多剪纸,再用摄影机拍摄而成。

【剪子】jiǎn·zi〈名〉剪刀。

揃　jiǎn〈书〉剪断;分割。

硷(鹼、礆、礆)　jiǎn 同"碱"。

睑¹(瞼)　jiǎn〈书〉眼睑;眼皮。

睑²(瞼)　jiǎn 唐代南诏地区的行政单位,大致与州相当。

【睑腺炎】jiǎnxiànyán〈名〉眼病,由葡萄球菌侵入眼睑的皮脂腺引起。症状是眼睑疼痛,眼睑的边缘靠近睫毛处出现粒状的小疙瘩,局部红肿。通称针眼,旧称麦粒

肿。

铜(鐗)　jiǎn 古代兵器,金属制成,长条形,有四棱,无刃,上端略小,下端有柄。
另见673页jiàn。

裥(襇)　jiǎn〈方〉〈名〉衣服上打的褶子。

暕　jiǎn〈书〉明亮(多用于人名)。

简¹(簡)　jiǎn ❶简单(跟"繁"相对):～便|～体|言～意赅|删繁就～。❷使简单;简化:精～|精兵～政。❸(Jiǎn)〈名〉姓。

简²(簡)　jiǎn ❶古代用来写字的竹片:～札|～册|竹～。❷信件:书～|小～。

简³(簡)　jiǎn〈书〉选择(人才):～拔|～选。

【简板】jiǎnbǎn〈名〉打击乐器,用两片一尺多长的木板或竹板制成。用作戏曲或道情的伴奏。

【简报】jiǎnbào〈名〉内容比较简略的报道:新闻～|工作～。

【简本】jiǎnběn〈名〉内容、文字较为简单的或较原著简略的版本。

【简编】jiǎnbiān〈名〉内容比较简略的著作,也指同一著作的内容比较简略的本子(多用于书名):《中国通史～》。

【简便】jiǎnbiàn〈形〉简单方便:～算法|使用方法～|做事要周到,不要光图～。

【简称】jiǎnchēng ❶〈名〉较复杂的名称的简化形式。如中专(中等专业学校)、奥运会(奥林匹克运动会)。❷〈动〉简单地称呼:化学肥料～化肥。

【简单】jiǎndān〈形〉❶结构单纯;头绪少;容易理解、使用或处理:情节～|～扼要|这种机器比较～|他简简单单说了几句话。❷(经历、能力等)平凡(多用于否定式):李队长主意多,有魄力,可真不～。❸草率;不细致:～从事。

【简单机械】jiǎndān jīxiè 杠杆、轮轴、滑轮、斜面、螺旋和劈的统称,是复杂机械的基础。

【简单劳动】jiǎndān láodòng 不需要经过专门训练,一般劳动者都能胜任的劳动(跟"复杂劳动"相对)。

【简单商品生产】jiǎndān shāngpǐn shēngchǎn 以生产资料个体所有制和个体劳动为基础,为交换或出卖而进行的产品生产。也叫小商品生产。

【简单再生产】jiǎndān zàishēngchǎn 按原有生产规模进行的再生产。参看1694页〖再生产〗。

【简短】jiǎnduǎn 〖形〗内容简单,言辞不长:话说得很~|壁报的文章要~|生动。

【简古】jiǎngǔ 〈书〉〖形〗简略古奥,不好懂:文笔~。

【简化】jiǎnhuà 〖动〗把繁杂的变成简单的:~手续|力求~。

【简化汉字】jiǎnhuà Hànzì ❶ 简化汉字的笔画,如把"禮"简化为"礼","動"简化为"动"。同时精简汉字的数目,在异体字里选定一个,不用其余的,如在"勤、懃"里选用"勤",不用"懃";在"劫、刦、刼"里选用"劫",不用"刦、刼、刧"。❷ 经过简化并由国家正式公布使用的汉字,如"礼""动"等。

【简化字】jiǎnhuàzì 〖名〗简化汉字②。

【简洁】jiǎnjié 〖形〗(说话、行文等)简明扼要,没有多余的内容:文笔~|话语~。

【简捷】jiǎnjié 〖形〗❶ 直截了当。也作简截。❷ 简便快捷:算法~。

【简截】jiǎnjié 同"简捷"①。

【简介】jiǎnjiè ❶ 〖动〗简要地介绍:前言中~了作者生平和艺术成就。❷ 〖名〗简要介绍的文字:中国民航事业~。

【简况】jiǎnkuàng 〖名〗简要的情况;概况:介绍候选人~。

【简括】jiǎnkuò 〖形〗简单而概括:~的总结|把意见~地谈一下。

【简历】jiǎnlì 〖名〗简要的履历。

【简练】jiǎnliàn 〖形〗(措辞)简要;精练:文字~|用词~。

【简陋】jiǎnlòu 〖形〗(房屋、设备等)简单粗陋;不完备:设备~|~的工棚。

【简略】jiǎnlüè 〖形〗(言语、文章的内容)简单;不详细:~地说明|叙述过于~,不能说明问题。

【简慢】jiǎnmàn 〖动〗怠慢失礼:今天~你啦|~得很,请多多原谅。

【简明】jiǎnmíng 〖形〗简单明白:~扼要|他的谈话~有力。

【简朴】jiǎnpǔ 〖形〗(语言、文笔、生活作风等)简单朴素:陈设~|衣着~。

【简谱】jiǎnpǔ 〖名〗用阿拉伯数字1、2、3、4、5、6、7及附加符号做音符的乐谱。

【简省】jiǎnshěng 〖动〗把繁杂的、多余的去掉;节省:~手续|~费用。

【简缩】jiǎnsuō 〖动〗缩减:各种报表的数量应该尽量~。

【简体】jiǎntǐ 〖名〗❶ 笔画经简化后变得比较简单的汉字形体:~字。❷ 指简体字:"車"的~是"车"。

【简体字】jiǎntǐzì 〖名〗用简体写法写出的汉字,如刘(劉)、灭(滅)等。

【简写】jiǎnxiě ❶ 〖动〗用汉字的简体写法书写。❷ 〖名〗指汉字的简体写法,如"刘"是"劉"的简写,"灭"是"滅"的简写。

【简讯】jiǎnxùn 〖名〗简短的消息:时事~|科技~。

【简要】jiǎnyào 〖形〗简单扼要:叙述~|~的介绍。

【简易】jiǎnyì 〖形〗❶ 简单而容易的:~办法。❷ 设施简陋的:~公路|~楼房。

【简约】jiǎnyuē 〖形〗❶ 简略:文字~|构图~。❷ 节俭:生活~。

【简则】jiǎnzé 〖名〗简要的规则。

【简章】jiǎnzhāng 〖名〗简要的章程:招生~。

【简直】jiǎnzhí 〖副〗表示完全如此(语气带夸张):屋子里热得~待不住了|街上的汽车一辆跟着一辆,~没个完。

【简装】jiǎnzhuāng 〖形〗属性词。(商品)包装简单(区别于"精装"②):~奶粉。

谏(諫、諌) jiǎn 〈书〉浅薄。

【谏陋】jiǎnlòu 〈书〉〖形〗浅陋:学识~。

戬 jiǎn 〈书〉❶ 剪除;消灭。❷ 福。

碱(城) jiǎn ❶ 〖名〗电解质电离时所生成的负离子全部是氢氧根离子的化合物。能跟酸中和生成盐和水,水溶液有涩味,可使石蕊试纸变蓝。如氢氧化钠、氢氧化钾等。❷ 〖名〗含有10个分子结晶水的碳酸钠,无色晶体,用作洗涤剂,也用来中和发面中的酸味。❸ 〖动〗被盐碱侵蚀:这间房子的墙都~了。

【碱荒】jiǎnhuāng 〖名〗因盐碱化而形成的荒地。

【碱土】jiǎntǔ 〖名〗含可溶性碱类(主要是钠盐)过多,不利于作物生长的土壤。

翦 jiǎn ❶同"剪"①—④。❷（Jiǎn）名姓。

蹇 jiǎn ❶〈书〉跛。❷〈书〉不顺利：命运多～。❸〈书〉指驴，也指驽马。❹（Jiǎn）名姓。

謇 jiǎn 〈书〉❶口吃；言辞不顺畅。❷正直。

劗（劗）jiǎn 〈书〉同"剪"①—④。

髯 jiǎn 〈书〉❶下垂的鬓发：盛～。❷剪须发。

灖 jiǎn 〈方〉动泼（水）；倾倒（液体）。

jiàn （ㄐㄧㄢˋ）

见¹（見）jiàn ❶动看到；看见：罕～｜眼～是实｜喜闻乐～｜视而不～。❷动接触；遇到：这种药怕～光｜冰～热就化。❸动看得出；显现出：～效｜病已～好转｜日久～人心。❹动指明出处或需要参看的地方：～上｜～右图｜本书附录｜～《史记·项羽本纪》。❺动会见；会面；接：他要来～你。❻对于事物的看法；意见：主～｜成～｜解｜固执己～。❼（Jiàn）名姓。

见²（見）jiàn 〈书〉助❶用在动词前面表示被动：～重于当时｜～笑于人。❷用在动词前面表示对我怎么样：～告｜～示｜～教｜～谅。
另见1478页 xiàn。

【见报】jiàn//bào 在报纸上刊登出来：这篇文章明天就可以～。

【见背】jiànbèi 〈书〉动婉辞，指长辈去世。

【见不得】jiàn·bu·dé ❶不能遇见（遇见就有问题）：雪～太阳。❷不能让人看见或知道：不做～人的事。❸〈方〉看不惯；不愿看见：我～懒汉。

【见长】jiàncháng 动在某方面显示出特长：先生学贯古今，尤以诗词～。
另见670页 jiànzhǎng。

【见得】jiàn·dé 动看出来；能确定（只用于否定式或疑问式）：怎么～他来不了？参看113页〖不见得〗。

【见地】jiàndì 名见解：很有～｜～很高。

【见方】jiànfāng 〈口〉名用在表长度的数

量词后，表示以该长度为边的正方形：这间屋子有一丈～。

【见风是雨】jiàn fēng shì yǔ 比喻只看到一点迹象，就轻率地信以为真并做出某种反应。

【见风转舵】jiàn fēng zhuǎn duò 见763页〖看风使舵〗。

【见缝插针】jiàn fèng chā zhēn 比喻尽量利用一切可以利用的空间、时间或机会。

【见怪】jiànguài 动责备；责怪（多指对自己）：事情没给您办好，请不要～。

【见鬼】jiàn//guǐ 动❶比喻离奇古怪：真是～了，怎么一转眼就不见了？❷指死亡或毁灭：让这些害人虫～去吧！

【见好】jiànhǎo 动（病势）有好转。

【见机】jiànjī 看机会；看形势：～行事。

【见教】jiànjiào 〈书〉动客套话，指教（我）：有何～？

【见解】jiànjiě 名对事物的认识和看法：～正确｜他对中医理论有独到的～。

【见老】jiànlǎo 动（相貌）显出比过去老：他这两年真～了。

【见礼】jiàn//lǐ 见面行礼：连忙上前～。

【见谅】jiànliàng 〈书〉动客套话，表示请人谅解（多用于书信）：敬希～。

【见猎心喜】jiàn liè xīn xǐ 原指爱打猎的人见别人打猎，自己也很兴奋，比喻看见别人演的技艺或做的游戏正是自己以往所喜好的，不由得心动，想来试一试。

【见面】jiàn//miàn 动彼此对面相见：跟这位老战友多年没～了◇思想～。

【见面礼】jiànmiànlǐ 名初次见面时赠送的礼物（多指年长对年幼的）。

【见钱眼开】jiàn qián yǎn kāi 见到钱财，眼睛就睁得大大的。形容人非常贪财。

【见轻】jiànqīng 动（病势）显出好转。

【见仁见智】jiàn rén jiàn zhì 《易经·系辞上》："仁者见之谓之仁，智者见之谓之智。"指对于同一个问题各人有各人的见解。

【见识】jiàn·shi ❶动接触事物，扩大见闻：到各处走走，～～也是好的。❷名见闻；知识：长～｜～广。

【见世面】jiàn shìmiàn 在外经历各种事情，熟悉各种情况：经风雨，～。

【见所未见】jiàn suǒ wèi jiàn 见到从来没有看过的，形容事物十分稀罕。

【见天】jiàntiān （～儿）〈口〉副 每天：他～早上出去散步。

【见外】jiànwài 形 当外人看待：你对我这样客气，倒有点～了｜请随便些，不要～。

【见危授命】jiàn wēi shòu mìng 在危亡关头勇于献出生命。

【见微知著】jiàn wēi zhī zhù 见到一点苗头就能知道它的发展趋向或问题的实质。

【见闻】jiànwén 名 见到和听到的事：～广｜增长～。

【见习】jiànxí 动 初到工作岗位的人在现场实习：～技术员｜在工厂～三个月。

【见效】jiànxiào 动 发生效力：～快｜这药吃下去就～。

【见笑】jiànxiào 动 ❶ 被人笑话（多用作谦辞）：写得不好，～方家。❷ 笑话（我）：这是我刚学会的一点粗活儿，您可别～。

【见新】jiàn//xīn 〈方〉动 修理装饰旧房屋、器物，使像新的：把门面油漆一下，见见新。

【见义勇为】jiàn yì yǒng wéi 看到正义的事情奋勇地去做。

【见异思迁】jiàn yì sī qiān 看见不同的事物就改变主意，指意志不坚定，喜爱不专一。

【见于】jiànyú 动 指明文字出处或可以参看的地方：“背私为公”～《韩非子•五蠹篇》。

【见责】jiànzé 〈书〉动 受到责备。

【见长】jiànzhǎng 动 看着比原来高或大：一场春雨后，麦苗～了｜孩子的个头～。

另见 669 页 jiàncháng。

【见证】jiànzhèng ❶ 动 当场目睹可以作证：～人。❷ 名 指见证人或可作证据的物品：他亲眼看见的，可以做～◇历史是最好的～。

【见罪】jiànzuì 〈书〉动 见怪；怪罪：招待不周，请勿～。

件 jiàn ❶ 量 用于个体事物：一～事｜三～公文｜两～衣裳。❷ （～儿）指可以一一计算的事物：铸～｜工～｜零～儿｜案～。❸ 文件：来～｜急～｜密～。❹ （Jiàn）名 姓。

间（間、閒）jiàn ❶ 空隙；乘～。❷ 嫌隙；隔阂：亲密无～。❸ 隔开；不连接：～隔｜黑白相～。❹ 挑拨使人不和；离间：反～。❺ 动 拔去

或锄去（多余的苗）：～萝卜苗。

另见 662 页 jiān。“閒”另见 1474 页 xián“闲”。

【间壁】jiànbì 名 ❶ 隔壁。❷ 〈方〉把房间隔开的简易墙壁。

【间道】jiàndào 〈书〉名 偏僻的或抄近的小路。

【间谍】jiàndié 名 潜入敌方或外国，从事刺探军事情报、国家机密或进行颠覆活动的人。

【间断】jiànduàn 动 （连续的事情）中间隔断，不连接：试验不能～｜他每天都去锻炼身体，从没有～过。

【间伐】jiànfá 动 为加速林木生长或为防止病虫害等，有选择地砍伐部分树木。

【间隔】jiàngé ❶ 名 事物在空间或时间上的距离：菜苗～匀整。❷ 动 隔开；隔绝：两个疗程之间要～一周｜彼此音讯～。

【间隔号】jiàngéhào 名 标点符号（•），表示外国人或我国某些少数民族人名内各部分的分界，也用来表示书名与篇（章、卷）名或朝代与人名之间的分界。

【间或】jiànhuò 副 偶然；有时候：大家聚精会神地听着，～有人笑一两声。

【间接】jiànjiē 形 属性词。通过第三者发生关系的（跟“直接”相对）：～传染｜～选举｜～经验。

【间接经验】jiànjiē jīngyàn 从书本或别人的经验中取得的经验。

【间接税】jiànjiēshuì 名 从出售商品（主要是日用品）或服务性行业中征收的税。这种税不由纳税人负担，间接由消费者等负担，所以叫间接税。

【间接推理】jiànjiē tuīlǐ 由两个以上的前提推出结论的推理。参看 1171 页〖三段论〗。

【间接选举】jiànjiē xuǎnjǔ 由选民选出代表，再由代表选举上一级代表的选举。

【间苗】jiàn//miáo 动 为了使作物的每棵植株有一定的营养面积，按照一定的株距留下幼苗，把多余的苗去掉。

【间色】jiànsè 名 两种原色配合成的颜色，如红和黄配合成的橙色，黄和青配合成的绿色。

【间隙】jiànxì 名 空隙：利用工作～学习｜利用玉米地的～套种绿豆。

【间歇】jiànxiē 动 动作、变化等每隔一定

时间停止一会儿：心脏病患者常常有～脉搏。

【间杂】jiànzá 匽 错杂：红白～。

【间作】jiànzuò 匽 在同一生长期内，同一块耕地上间隔地种植两种或两种以上作物。如玉米和绿豆间作，就是在两行玉米之间种一行或两行绿豆。

诔（諓） jiàn ［诔诔］(jiànjiàn)〈书〉厖❶ 能言善辩：～之辞。❷ 浅薄：～俗子。

饯¹（餞） jiàn 饯行：～别。

饯²（餞） jiàn 浸渍(果品)：蜜～。

【饯别】jiànbié 匽 饯行：～宴会。

【饯行】jiànxíng 匽 设酒食送行：为代表团～。

建¹ jiàn ❶ 匽 建筑：新～｜扩～｜～了一座大楼。❷ 匽 设立；成立：～国｜～都｜～军。❸ 匽 提出；首倡：～议。

建² Jiàn ❶ 匽 建江,水名,就是闽江,在福建。❷ 指福建：～兰｜～漆。❸ 名姓。

【建安】Jiàn'ān 名 汉献帝(刘协)年号(公元 196—220)。

【建白】jiànbái〈书〉匽 提出(建议)；陈述(主张)。

【建材】jiàncái 名 建筑材料：～工业。

【建仓】jiàn//cāng 匽 指投资者买入证券等。

【建档】jiàn//dàng 匽 建立档案：造册～。

【建都】jiàn//dū 匽 建立首都；把首都设在某地。

【建构】jiàngòu 匽 构建；建立(多用于抽象事物)：～良好的人际关系｜～商周史系统。

【建国】jiàn//guó 匽 ❶ 建立国家：～功臣。❷ 建设国家：勤俭～。

【建交】jiàn//jiāo 匽 建立外交关系。

【建兰】jiànlán 名 多年生草本植物，叶子丛生,条状披针形,夏秋季开花,淡黄绿色,有紫色条纹,气味清香,供观赏。

【建立】jiànlì 匽 ❶ 开始成立：～政权｜新的工业基地。❷ 开始产生；开始形成：～友谊｜～邦交。

【建模】jiànmó 匽 为了研究某种现实或事物而建立相应的模型。

【建设】jiànshè 匽 创立新事业；增加新设施：经济～｜～家园｜～现代化强国◇组织～｜思想～。

【建设性】jiànshèxìng 名 积极促进事物发展的性质：～意见｜这次会谈是富有～的。

【建树】jiànshù ❶ 匽 建立(功绩)：～了不朽的功勋。❷ 名 建立的功绩：在事业上颇有～。

【建文】Jiànwén 名 明惠帝(朱允炆[wén])年号(公元 1399—1402)。

【建言】jiànyán 匽 提出建议；陈述主张或意见：～献策｜大胆～。

【建议】jiànyì ❶ 匽 向人提出自己的主张：我～休会一天。❷ 名 向人提出的主张：合理化～。

【建元】jiànyuán〈书〉匽 开国后第一次建立年号,也指建国。

【建造】jiànzào 匽 建筑；修建：～房屋｜～花园。

【建制】jiànzhì 名 机关、军队的组织编制和行政区划等制度的总称。

【建筑】jiànzhù ❶ 匽 修建(房屋、道路、桥梁等)：～桥梁｜～铁路｜这座礼堂～得非常坚固◇不能把自己的幸福～在别人的痛苦上。❷ 名 建筑物：古老的～｜园林～◇上层～。

【建筑物】jiànzhùwù 名 人工建造的供人们进行生产、生活等活动的房屋或场所,如住宅、厂房、车站等。

【建筑学】jiànzhùxué 名 研究建筑艺术的学科,包括建筑材料、结构、施工、设计等。

荐¹（薦） jiàn ❶ 匽 推荐；介绍；举～｜推～。❷〈书〉献；祭。

荐²（薦） jiàn〈书〉❶ 草。❷ 草垫子；草～。

【荐骨】jiàngǔ 名 指动物的骶(dǐ)骨。

【荐举】jiànjǔ 匽 介绍；推荐：～人才。

【荐引】jiànyǐn〈书〉匽 荐举；引荐。

【荐椎】jiànzhuī 名 骶(dǐ)骨。

贱（賤） jiàn ❶ 厖 (价钱)低(跟"贵"相对)：～卖｜～价｜菜～了。❷ 地位低下(跟"贵"相对)：贫～｜卑～。❸ 厖 卑鄙；下贱：～骨头。❹ 谦辞,称有关自己的事物：(您)贵姓？～姓王。

【贱骨头】jiàngǔ·tou 名 ❶ 指不自尊重而不知好歹的人(骂人的话)。❷ 指有福不会享而甘愿受苦的人(含戏谑意)。

【贱货】jiànhuò 〔名〕❶ 不值钱的货物。❷ 指下贱的人(骂人的话)。

【贱民】jiànmín 〔名〕❶ 旧时指社会地位低下,没有选择职业自由的人(区别于"良民"①)。❷ 印度种姓之外的社会地位最低下的阶层。参看 1768 页〖种姓〗。

牮 jiàn ❶〔动〕斜着支撑:打～拨正(房屋倾斜,用长木头支起弄正)|～一下山墙。❷〈书〉用土石挡水。

剑(劍、劒) jiàn 〔名〕❶ 古代兵器,长条形,一端尖,两边有刃,安有短柄。现在击剑运动用的剑,剑身是细长的钢条,无刃,顶端为一小圆球。❷(Jiàn)姓。

【剑拔弩张】jiàn bá nǔ zhāng 形容形势紧张,一触即发。

【剑客】jiànkè 〔名〕旧指精于剑术的人;剑侠。

【剑麻】jiànmá 〔名〕多年生草本植物,叶子剑形,大而肥厚,有钩刺,纤维耐腐蚀、耐磨,是制造缆绳等的重要原料。

【剑眉】jiànméi 〔名〕较直而末端翘起的眉毛。

【剑术】jiànshù 〔名〕武术或击剑运动中用剑的技术。

【剑侠】jiànxiá 〔名〕精于剑术的侠客(多见于旧小说)。

泲 jiàn 北泲(Běijiàn),越南地名。

监(監) jiàn ❶ 古代官府名:钦天～|国子～。❷(Jiàn)〔名〕姓。另见 662 页 jiān。

【监本】jiànběn 〔名〕历代国子监刻印的书。

【监利】Jiànlì 〔名〕地名,在湖北。

【监生】jiànshēng 〔名〕明清两代称在国子监读书或取得进国子监读书资格的人。清代可以用捐纳的办法取得这种称号。

涧(澗) jiàn 山间流水的沟:溪～|山～。

健 jiàn ❶ 强健:～康|～全。❷ 使强健:～身|～胃。❸ 在某一方面显示的程度超过一般:善于:～谈|～忘。❹(Jiàn)〔名〕姓。

【健步】jiànbù 〔名〕轻快有力的脚步:～如飞|～走上讲台。

【健存】jiàncún 〔动〕健在:许多同辈相继去

世,～的屈指可数了。

【健儿】jiàn'ér 〔名〕称体魄强健而富有活力的人(多指英勇善战或长于体育技巧的青壮年):空军～|体坛～。

【健将】jiànjiàng 〔名〕❶ 称某种活动中的能手。❷ 运动员等级中最高一级的称号,由国家授予。

【健康】jiànkāng 〔形〕❶(人体)发育良好,机理正常,有健全的心理和社会适应能力:恢复～|使儿童～地成长。❷(事物)情况正常,没有缺陷:各种课外活动～地开展起来|促进汉语规范化,为祖国语言的纯洁～而奋斗。

【健康寿命】jiànkāng shòumìng 人口学上指人们能够健康生存的平均年龄。

【健美】jiànměi ❶〔形〕健康而优美:～的体魄。❷〔名〕指健美运动:～比赛。

【健美操】jiànměicāo 〔名〕结合体操和舞蹈动作编成的能使身体健美的体操,一般有音乐伴奏。

【健美运动】jiànměi yùndòng 一种使身体强健、肌肉发达的竞技体育运动。主要用哑铃、杠铃、拉力器等器械进行锻炼。

【健全】jiànquán ❶〔形〕强健而没有缺陷:身心～|头脑～。❷〔形〕(事物)完善,没有欠缺:设施～。❸〔动〕使完备:～基层组织|～生产责任制度。

【健身】jiànshēn 〔动〕使身体健康:～操|～房|～强体|饭后散步也是一种～活动。

【健身房】jiànshēnfáng 〔名〕专门为体育锻炼而建筑或装备的屋子。

【健谈】jiàntán 〔形〕善于说话,经久不倦。

【健忘】jiànwàng 〔形〕容易忘事。

【健旺】jiànwàng 〔形〕身体健康,精力旺盛:精神～|年纪虽老,但人还～。

【健在】jiànzài 〔动〕健康地活着(多指上年纪的人):父母都～。

【健壮】jiànzhuàng 〔形〕强健:身体～|牧草肥美,牛羊～。

舰(艦) jiàn 〔名〕大型军用船只;军舰:～队|巡洋～|驱逐～|航空母～。

【舰船】jiànchuán 〔名〕军用和民用船只的统称。

【舰队】jiànduì 〔名〕❶ 担负某一战略海区作战任务的海军兵力,通常由水面舰艇、潜艇、海军航空兵、海军陆战队等部队组成。❷ 根据作战、训练或某种任务的需要，以多艘舰艇临时组成的编队。

【舰日】jiànrì 名 一艘军舰在海上活动一天叫一个舰日。

【舰艇】jiàntǐng 名 各种军用船只（多用于总称）。

【舰只】jiànzhī 名 舰（总称）。

渐（漸） jiàn ❶ 副 逐步；逐渐：天气～冷｜歌声～远。❷（Jiàn）名 姓。
　　　　另见 664 页 jiān。

【渐变】jiànbiàn 动 逐渐变化。

【渐次】jiàncì〈书〉副 渐渐：雨声～停息。

【渐渐】jiànjiàn 副 表示程度或数量逐步缓慢增减：过了清明，天气～暖起来了｜十点钟以后，马路上的行人～少了｜站台上的人群向～远去的火车招着手。

【渐进】jiànjìn 逐渐前进、发展：循序～。

【渐悟】jiànwù 动 佛教指必须不断排除障碍，渐渐觉悟真理。泛指渐渐领悟。

谏（諫） jiàn〈书〉规劝（君主、尊长或朋友），使改正错误：进～｜直言敢～｜从～如流。

【谏诤】jiànzhèng〈书〉动 直爽地说出人的过错，劝人改正。

楗 jiàn〈书〉❶ 插门的木棍子。❷ 堵塞河堤决口所用的竹木土石等材料。

睊（睊、覵） jiàn〈书〉窥视。

践（踐） jiàn ❶ 踩：～踏。❷ 履行；实行：实～｜～约。

【践诺】jiànnuò〈书〉动 履行诺言。

【践踏】jiàntà 动 ❶ 踩：不要～青苗。❷ 比喻摧残：凭借势力～乡邻。

【践行】jiànxíng 动 实行；实践：～诺言｜科学发展观。

【践约】jiàn//yuē 动 履行约定的事情。

【践阼】jiànzuò〈书〉动 即位；登基。

锏（鐧） jiàn 名 嵌在车轴上的铁条，可以保护车轴并减少摩擦。
　　　　另见 667 页 jiǎn。

键 jiàn（～儿）名 毽子：踢～儿。

【毽子】jiàn·zi 名 游戏用具，用布等把铜钱或金属片包扎好，然后装上鸡毛。游戏时，用脚连续向上踢，不让落地。

腱 jiàn 名 连接肌肉与骨骼的结缔组织，白色，质地坚韧。也叫肌腱。

【腱鞘】jiànqiào 名 包着长肌腱的管状纤维组织，手和足部最多，有约束肌腱和减少摩擦的作用。

【腱子】jiàn·zi 名 人身上或牛羊等小腿上肌肉发达的部分。

溅（濺） jiàn 动 液体受冲击向四外射出：水花四～｜～了一身泥。

【溅落】jiànluò 动 重物从高空落入江河湖海中，特指人造卫星、宇宙飞船等返回地球时，按预定计划落入海洋。

鉴（鑒、鑑） jiàn ❶ 名 镜子（古代用铜制成）。❷ 照：水清可～。❸ 仔细看；审察：～别｜～定。❹ 可以作为警戒或引为教训的事：引以为～｜前车之覆，后车之～。❺ 旧式书信套语，用在开头的称呼之后，表示请人看信：惠～｜台～｜钧～。

【鉴别】jiànbié 动 辨别（真假好坏）：～古画｜～真伪。

【鉴定】jiàndìng ❶ 动 鉴别和评定（人的优缺点）：～书｜自我～。❷ 名 评定人的优缺点的文字：写～｜一份～。❸ 动 辨别并确定事物的真伪、优劣等：～碑帖｜～出土文物的年代。

【鉴定人】jiàndìngrén 名 受司法机关等指派或聘请，运用专门知识或技能对案件的专门事项进行鉴别和判断的人。

【鉴戒】jiànjiè 名 可以使人警惕的事情：引为～。

【鉴谅】jiànliàng〈书〉动（请人）体察原谅：照顾不周，务请～。

【鉴赏】jiànshǎng 动 鉴定和欣赏（艺术品、文物等）：～字画。

【鉴于】jiànyú ❶ 介 表示以某种情况为前提加以考虑：～党的领导地位，更加需要向党员提出严格的要求。❷ 连 用在表示因果关系的复句中前一分句句首，指出所凭借的依据、原因或理由：～群众反映，我们准备开展质量检查。

键（鍵） jiàn ❶ 名 使轴与齿轮、皮带轮等连接并固定在一起的零件，一般是用钢制的长方条，装在被连接的两个机件中预先制成的键槽中。❷〈书〉插门的金属棍子。❸ 名 计算机、打字机、某些乐器或其他机器上，使用时按

动的部分：琴～|～盘。❹ 图 在化学结构式中表示元素原子价的短横线。

【键盘】jiànpán 图 钢琴、风琴、计算机、打字机等上面安着很多键的部分。

【键盘乐器】jiànpán yuèqì 指有键盘装置的乐器，如风琴、钢琴等。

【键入】jiànrù 动 按动计算机键盘上的键输入(信息)：～网址。

槛(檻) jiàn ❶ 栏杆。❷ 关禽兽的木笼；囚笼：兽～|～车(古代运送囚犯的车)。

另见 762 页 kǎn。

僭 jiàn 〈书〉超越本分。古时指地位在下的人冒用地位在上的人的名义或礼仪、器物：～号(冒用帝王的称号)|～越(超越本分，冒用在上的人的名义或物品)。

踺 jiàn ［踺子］(jiàn·zi) 图 体操运动等的一种翻身动作。

箭 jiàn 图 ❶ 古代兵器，长约二三尺的细杆装上箭头，杆的末梢附有羽毛，搭在弓弩上发射。现代射箭运动用的箭一般用钢、铝合金、塑料等制成。❷ 指箭能射到的距离：一～之遥|半～多路。

【箭靶子】jiànbǎ·zi 图 练习射箭时用作目标的东西。

【箭步】jiànbù 图 一下子蹿得很远的脚步：他一个～蹿上月台。

【箭垛子】jiànduǒ·zi 图 ❶ 女墙。❷ 箭靶子。

【箭楼】jiànlóu 图 城楼，周围有供瞭望和射箭用的小窗。

【箭头】jiàntóu (～儿) 图 ❶ 箭的尖头。❷ 箭头形符号，常用来指示方向。

【箭在弦上】jiàn zài xián shàng 比喻事情已经到了不得不做或话已经到了不得不说的时候：～，不得不发。

【箭竹】jiànzhú 图 竹子的一种，秆高达 3 米以上，深绿色，嫩枝叶是大熊猫爱吃的食物。

【箭镞】jiànzú 图 箭前端的尖头，多用金属制成。

jiāng（ㄐㄧㄤ）

江 jiāng ❶ 图 大河：长～|珠～|黑龙～。❷ (Jiāng)指长江：～汉|～淮|～南|～左。❸ (Jiāng)图 姓。

【江北】Jiāngběi 图 ❶ 长江下游以北的地区，就是江苏、安徽两省靠近长江北岸的一带。❷ 泛指长江以北。

【江东】Jiāngdōng 图 长江在芜湖、南京之间为西南、东北走向，古代是南北往来主要渡口所在的江段，习惯上称自此以下的南岸地区为江东。也指三国时吴国孙权统治下的全部地区。

【江防】jiāngfáng 图 ❶ 防止江河水患的工作。特指长江的江防。❷ 指长江的军事防御：～工事。

【江河日下】jiāng hé rì xià 江河的水天天向下游流，比喻情况一天天坏下去。

【江湖】jiānghú 图 旧时泛指四方各地：闯～|流落。

【江湖】jiāng·hú 图 旧时指各处流浪靠卖艺、卖药等生活的人，也指这种人所从事的行业。

【江湖骗子】jiānghú piàn·zi 原指闯荡江湖靠卖假药等骗术谋生的人，后泛一味招摇撞骗的人。

【江郎才尽】Jiāngláng cái jìn 南朝江淹年少时以文才著称，晚年诗文无佳句，人们说他才尽了。后用来"江郎才尽"比喻才思枯竭。

【江蓠】jiānglí 图 ❶ 红藻的一种，暗红色，细圆柱形，有不规则的分枝。生在海湾浅水中。可用来制造琼脂。❷ 古书卜说的一种香草。

【江轮】jiānglún 图 专在大的江河中行驶的轮船。

【江米】jiāngmǐ 图 糯米。

【江米酒】jiāngmǐjiǔ 图 糯米加曲酿造的食品，甘甜，酒味淡。也叫酒酿、醪糟。

【江米纸】jiāngmǐzhǐ 图 糯米纸。

【江南】Jiāngnán 图 ❶ 长江下游以南的地区，就是江苏、安徽两省的南部和浙江省的北部。❷ 泛指长江以南。

【江山】jiāngshān 图 江河和山岭，多用来指国家或国家的政权：～如此多娇|打～。

【江天】jiāngtiān 图 江河水面上的广阔空际：万里～。

【江豚】jiāngtún 图 哺乳动物，生活在江中，外形很像鱼，没有背鳍，头圆，眼小，全身黑色。吃小鱼和其他小动物。

【江洋大盗】jiāngyáng dàdào 在江河海

洋上抢劫行凶的强盗。

【江珧】jiāngyáo 名 软体动物,壳略呈三角形,表面苍黑色,直立插入泥沙中,终生不再移动。生活在沿海。

【江珧柱】jiāngyáozhù 名 江珧的闭壳肌干制后叫江珧柱,是珍贵的食品。干贝通常也叫江珧柱。

茳 jiāng [茳芏](jiāngdù)名 多年生草本植物,茎呈三棱形,叶子细长,花小绿褐色。茎可用来织席。

将(將) jiāng ❶〈书〉搀扶;领;带:出郭相扶~。❷保养:~养|~息。❸〈方〉动(牲畜)繁殖;生:~羔。❹〈书〉做(事):慎重~事。❺动下象棋时攻击对方的"将"或"帅"。❻动用言语刺激:他做事稳重,你~他没用。❼介拿❽(多见于成语或方言):~功折罪|~鸡蛋碰石头。❽介把²:~他请来|~门关上。❾副将要:船~启碇。❿〈且(叠用)〉:~信~疑。⓫副表示勉强达到一定的数量或某种程度:这间屋子~能住三个人。⓬〈方〉助用在动词和"进来、出去"等表示趋向的补语中间:走~进去|打~起来。⓭(Jiāng)名姓。
　　另见678页jiàng;1094页qiāng。

【将次】jiāngcì〈书〉副将要;快要。

【将错就错】jiāng cuò jiù cuò 事情既然做错了,索性顺着错误做下去。

【将功补过】jiāng gōng bǔ guò 用建立的功绩来抵偿以前的过失。

【将计就计】jiāng jì jiù jì 利用对方的计策向对方使计策。

【将将】jiāngjiāng 副表示勉强达到一定数量或程度;刚刚:~及格|写够五千字。

【将近】jiāngjìn 副(时间、数量等)快要接近:~掌灯时分|中国有~四千年的有文字可考的历史。

【将就】jiāng·jiu 动勉强适应不很满意的事物或环境:这里的条件不好,你就~点儿吧|衣服稍微小一点,你~着穿吧!

【将军】jiāngjūn ❶名将(jiàng)级军官。❷名泛指高级将领。❸名大黄的旧称。❹(-/-)动将⑤。❺(-/-)动比喻给人出难题,使人为难:他当众将我一军,要我表演舞蹈。

【将军肚】jiāngjūndù 名指男子因发胖而

形成的向前腆起的腹部(含戏谑意)。

【将来】jiānglái 名时间词。现在以后的时间(区别于"过去、现在"):这些资料要妥为保存,以供~参考。

【将息】jiāngxī 动将养:大病初愈,一定要好好~。

【将心比心】jiāng xīn bǐ xīn 拿自己的心去比照别人的心,指遇事设身处地替别人着想。

【将信将疑】jiāng xìn jiāng yí 有些相信,又有些怀疑:我说了半天,他还是~。

【将养】jiāngyǎng 动休息和调养:医生说再~两个礼拜就可以好了。

【将要】jiāngyào 副表示行为或情况不久以后就会发生:他~来北京。

姜¹(薑) jiāng 名 ❶多年生草本植物,叶子披针形,花冠黄绿色,通常不开花。根状茎黄褐色,有辣味,是常用的调味品,也可入药。❷这种植物的根状茎。

姜² Jiāng 名姓。

【姜黄】jiānghuáng ❶名多年生草本植物,叶子很大,根状茎卵圆形,深黄色,花黄色。根状茎可入药,也可做黄色染料。❷形状态词。形容像姜那样的黄色:病人脸色~,气息微弱。

豇 jiāng [豇豆](jiāngdòu)名 ❶一年生草本植物,有的有攀缘茎,有的植株矮小。荚果为圆筒形,种子呈肾脏形。嫩荚是常见蔬菜。❷这种植物的荚果或种子。

浆(漿) jiāng ❶名较浓的液体:豆~|泥~|纸~|粉~。❷动用粉浆或米汤浸纱、布或衣服使干后发硬挺:~洗|衬衫领子要~一下。
　　另见678页jiàng。

【浆果】jiāngguǒ 名肉果的一种,中果皮和内果皮都是肉质,水分很多,如葡萄、番茄等的果实。

【浆洗】jiāngxǐ 动洗并且浆:衣服~得很干净。

【浆液】jiāngyè 名机体内浆膜分泌的液体,无色,透明,有润滑作用。

僵(❶殭) jiāng ❶形僵硬:~尸|手脚都冻~了。❷形事情难于处理,停滞不进:大家一时想不出

适当的话,情形非常~|不要把事情弄~了,以致无法解决。❸〈方〉动 收敛笑容,使表情严肃:他~着脸。

【僵持】jiāngchí 动 相持不下:双方~了好久。

【僵化】jiānghuà 动 变僵硬,停止发展:骄傲自满只能使思想~。

【僵局】jiāngjú 名 僵持的局面:陷入~|打破~。

【僵尸】jiāngshī 名 僵硬的死尸,常用来比喻腐朽的事物。

【僵死】jiāngsǐ 动 僵硬而失去生命力。

【僵硬】jiāngyìng 形 ❶（肢体）不能活动:他的两条腿~了。❷ 呆板;不灵活:表情~|工作方法~。

【僵直】jiāngzhí 形 僵硬,不能弯曲:手指冻得~。

螀（螿）jiāng 见 536 页〖寒螀〗。

繮（繮、韁）jiāng 名 繮绳:信马由~|脱~的野马。

【繮绳】jiāng·shéng 名 牵牲口的绳子。

鳉（鱂）jiāng 名 鱼,体侧扁,长约三厘米,头部扁平,腹部突出,口小,银灰色。生活在淡水中,喜食孑孓。

礓jiāng ❶［礓礤儿］（jiāngcǎr）〈方〉名 台阶。❷ 见 1182 页〖砂礓〗。

疆jiāng ❶ 边界;疆界:边~|~域。❷（Jiāng）指新疆:南~(新疆天山以南的地区)。

【疆场】jiāngchǎng 名 战场:驰骋~。

【疆界】jiāngjiè 名 国家或地域的边界。

【疆土】jiāngtǔ 名 疆域;领土:守卫~。

【疆域】jiāngyì 〈书〉名 ❶ 田边。❷ 边境。

【疆域】jiāngyù 名 国家领土(着重面积大小)。

jiǎng （ㄐㄧㄤˇ）

讲（講）jiǎng ❶ 动 说:~故事|他高兴得话都~不出来了。❷ 动 解释;说明;论述:~书|这个字有几个~法|这本书是~气象的。❸ 动 商量;商议:~价儿。❹ 介 就某方面说;论:~技术他不如你,~干劲儿他比你足。❺ 动 讲

求:~卫生|~团结|~速度。❻（Jiǎng）名 姓。

【讲唱文学】jiǎngchàng wénxué 说唱文学。

【讲法】jiǎng·fǎ 名 ❶ 指措辞。❷ 指意见;见解;解释:这种~过于牵强|这句话可有好几种~。参看 1286 页〖说法〗(shuō·fǎ)。

【讲稿】jiǎnggǎo （~儿）名 讲演、报告或教课前所写的底稿。

【讲古】jiǎnggǔ 动 讲述过去的传说、故事:孩子们围坐树下听老人~。

【讲和】jiǎng//hé 动 结束战争或纠纷,彼此和解。

【讲话】jiǎnghuà ❶ (-//-)动 说话;发言:他很会~|这次座谈会没有一个不~的|来宾也都讲了话。❷ (-//-)动 指责;非议:你这样搞特殊,难怪人家要~了。❸ 名 讲演的话:他的~代表了多数人的要求。❹ 名 一种普及性的著作体裁(多用于书名):《形式逻辑~》。

【讲价】jiǎng//jià （~儿）动 讨价还价。

【讲价钱】jiǎng jià·qián ❶ 讲价:他买东西从不~。❷ 比喻在接受任务或举行谈判时提出要求和条件。

【讲解】jiǎngjiě 动 解释;解说:~员|他指着模型给大家~。

【讲究】jiǎng·jiu ❶ 动 讲求;重视:~卫生|我们一向~实事求是。❷ (~儿)名 值得注意或推敲的内容:翻译的技术大有~。❸ 形 精美:房间布置得很~。

【讲课】jiǎng//kè 动 讲授功课:他在我们学校~|上午讲了三堂课。

【讲理】jiǎng//lǐ ❶ 动 评是非曲直:咱们跟他~去。❷ 形 遵从道理:蛮不~|他是个~的人。

【讲论】jiǎnglùn 动 ❶ 谈论;议论:她从不在背地里~别人。❷ 论述:这是一本~戏剧的书。

【讲评】jiǎngpíng 动 讲述和评论:~作文|文章~。

【讲情】jiǎng//qíng 动 替人求情,请求宽恕。

【讲求】jiǎngqiú 动 重视某一方面,并设法使它实现,满足要求;追求:办事要~效率|要~实际,不要~形式。

【讲师】jiǎngshī 名 高等学校中职别次于

副教授的教师。

【讲史】jiǎngshǐ 图我国古代民间流行的口头文学形式,主要讲述历史上朝代兴亡和战争的故事,篇幅较长,如《三国志平话》《五代史平话》等。

【讲授】jiǎngshòu 动讲解传授:~数学课。

【讲述】jiǎngshù 动把事情或道理讲出来:~事情经过|~机械原理。

【讲台】jiǎngtái 图在教室或会场的一端建造的高出地面的台子,供人在上面讲课或讲演。

【讲坛】jiǎngtán 图讲台;泛指讲演讨论的场所。

【讲堂】jiǎngtáng 图教室(多指较大的)。

【讲习】jiǎngxí 动❶讲授和学习:~班。❷研习:~学问。

【讲学】jiǎng//xué 动公开讲述自己的学术理论:应邀出国~|他在这里讲过学。

【讲演】jiǎngyǎn 动对听众讲述有关某一事物的知识或对某一问题的见解:登台~|他的~很生动。

【讲义】jiǎngyì 图为讲课而编写的教材。

【讲座】jiǎngzuò 图一种教学形式,多利用报告会、广播、电视或刊物连载的方式进行:电脑知识~。

奖(奖) jiǎng ❶动奖励;夸奖:褒~|嘉~|有功者~。❷图为了鼓励或表扬而给予的荣誉或财物等:得~|发~|一等~。

【奖杯】jiǎngbēi 图发给竞赛优胜者的杯状奖品,一般用金属制成。

【奖惩】jiǎngchéng 动奖励和惩罚:~分明|完善考核和~制度。

【奖次】jiǎngcì 图奖励的等次:这次竞赛设有一、二、三等奖和优胜奖等多个~。

【奖额】jiǎng'é 图奖金的数额。

【奖级】jiǎngjí 图奖励的等级:大赛共设五个~。

【奖金】jiǎngjīn 图作奖励用的钱。

【奖励】jiǎnglì 动给予荣誉或财物来鼓励:物质~|~先进生产者。

【奖牌】jiǎngpái 图发给竞赛优胜者的金属牌,有金牌、银牌、铜牌等。

【奖品】jiǎngpǐn 图作奖励用的物品。

【奖旗】jiǎngqí 图为表彰而授予的旗子。

【奖勤罚懒】jiǎng qín fá lǎn 奖励勤奋的,

惩罚懒惰的。

【奖券】jiǎngquàn 图一种证券,上面有图案、编号等,多在游艺、销售等活动中抽得。开奖后,持有符合中奖规定奖券的可以领取。

【奖赏】jiǎngshǎng 动对有功的或在竞赛中获胜的集体或个人给予奖励。

【奖售】jiǎngshòu 动❶用奖励的方法鼓励出售产品。❷作为奖励而售给:这些名牌摩托车是~卖粮食较多的农户的。

【奖项】jiǎngxiàng 图指某一种奖划分的不同类别,也指某一项奖:大赛共设九类~|获得了最高~。

【奖学金】jiǎngxuéjīn 图学校、团体或个人给予学习成绩优良的学生的奖金。

【奖掖】jiǎngyè 〈书〉动奖励提拔:~后进。

【奖挹】jiǎngyì 〈书〉动奖掖。

【奖章】jiǎngzhāng 图发给受奖人佩戴的徽章。

【奖状】jiǎngzhuàng 图为奖励而发给的证书。

桨(槳) jiǎng 图划船用具,多为木制,上半圆柱形,下半扁平而略宽。

蒋(蔣) Jiǎng 图姓。

耩 jiǎng 动用耧来播种:~地|~豆子。也叫耧播。

【耩子】jiǎng·zi 〈方〉图耧。

膙 jiǎng [膙子](jiǎng·zi)〈方〉图胼(jiǎn)子:两手磨起了~。

jiàng （ㄐㄧㄤ）

匠 jiàng ❶图工匠:铁~|铜~|木~|瓦~|石~|能工巧~。❷〈书〉指在某方面很有造诣的人:宗~|文学巨~。

【匠人】jiàngrén 图旧指手艺工人。

【匠心】jiàngxīn 〈书〉图巧妙的心思:独具~|~独运。

【匠心独运】jiàngxīn dú yùn 在文学、艺术等方面独创性地运用巧妙的心思。

降 jiàng ❶动落下(跟"升"相对):~落|~雨|温度~下来了。❷动使落下;降低(跟"升"相对):~价|~级。❸

(Jiàng)名姓。

另见 1487 页 xiáng。

【降班】jiàng∥bān 动（学生）降级；留班。

【降半旗】jiàng bànqí 下半旗。

【降尘】jiàngchén ❶名通常指直径在 30 微米以上，能自然沉降的固体颗粒。❷动使空气中的灰尘降到地面：新型洒水车进行喷雾～作业。

【降低】jiàngdī 动下降；使下降：温度～了｜～物价｜～要求。

【降幅】jiàngfú 名（价格、利润、收入等）降低的幅度：商品零售价平均～2.5％。

【降格】jiàng∥gé 动降低标准、身份等：～以求。

【降耗】jiànghào 动降低能源等的消耗：～节能。

【降级】jiàng∥jí 动从较高的等级或班级降到较低的等级或班级。

【降价】jiàng∥jià 动降低原来的定价：滞销货物～处理。

【降解】jiàngjiě 动有机化合物分子中的碳原子数目减少，分子量降低。特指高分子化合物的大分子分解成较小的分子。

【降临】jiànglín 动来到：夜色～｜大驾～。

【降落】jiàngluò 动落下；下降着落：飞机～在跑道上。

【降落伞】jiàngluòsǎn 名凭借空气阻力使人或物体从空中缓慢下降着陆的伞状器具。

【降旗】jiàng∥qí 动把旗子降下。

【降生】jiàngshēng 动出生；出世（多指宗教的创始人或其他方面的有名人物）。

【降水】jiàngshuǐ ❶名从大气中落到地面的固态或液态的水，主要有雨、雪、霰、雹等。❷动下雨或下雪等：人工～。

【降水量】jiàngshuǐliàng 名一定时间内，降落在水平地面上的水，在未经蒸发、渗漏、流失情况下所积的深度，通常以毫米为单位。雪、雹等固态的水，须折成液态计算。

【降温】jiàng∥wēn 动❶降低温度：防暑～。❷气温下降：北方受冷空气影响大范围～。❸比喻热情下降或事物发展的势头减弱：抢购热已～。

【降噪】jiàngzào 动降低噪声：～材料。

【降职】jiàng∥zhí 动降低职位：～调用。

虹 jiàng〈口〉义同"虹"（hóng），限于单用。

另见 566 页 hóng。

将（將）jiàng ❶名将官；将领；泛指军官：少～｜全军～士。❷〈书〉带（兵）：韩信～兵，多多益善。

另见 675 页 jiāng；1094 页 qiāng。

【将才】jiàngcái 名❶领导、指挥军队的才能：颇具～。❷指有将才的人：一位难得的～。

【将官】jiàngguān 名将级军官，低于元帅，高于校官。

【将领】jiànglǐng 名高级军官：陆军～。

【将令】jiànglìng 名军令（多见于早期白话）。

【将门】jiàngmén 名将帅之家：～虎子。

【将士】jiàngshì 名将领和士兵的统称：～用命（军官和士兵都服从命令）。

【将帅】jiàngshuài 名泛指军队的高级指挥官：～之才。

【将校】jiàngxiào 名将官和校官，泛指高级军官。

【将指】jiàngzhǐ〈书〉名手的中指；脚的大趾。

泾 jiàng〈书〉大水泛滥：～水（洪水）。

绛（絳）jiàng 深红色。

【绛紫】jiàngzǐ 形暗紫中略带红的颜色。也作酱紫。

浆（漿）jiàng 同"糨"（jiàng）。

另见 675 页 jiāng。

弶 jiàng〈书〉❶捕捉老鼠、鸟雀等的工具。❷用弶捕捉。

强（強、彊）jiàng 强硬不屈；固执：倔～。

另见 1094 页 qiáng；1097 页 qiǎng。

【强嘴】jiàngzuǐ 同"犟嘴"。

酱（醬）jiàng ❶名豆、麦发酵后，加上盐做成的糊状调味品：黄～｜甜面～｜炸～。❷动用酱或酱油腌（菜）；用酱油煮（肉）：把萝卜～一～｜～了两斤牛肉。❸像酱的糊状食品：芝麻～｜花生～｜果子～｜辣椒～。

【酱菜】jiàngcài 名用酱或酱油腌制的菜蔬。

【酱豆腐】jiàngdòu·fu 名 豆腐乳。

【酱坊】jiàngfáng 名 酱园。

【酱色】jiàngsè 名 深赭色。

【酱油】jiàngyóu 名 用豆、麦和盐酿造的咸的液体调味品。

【酱园】jiàngyuán 名 制造并出售酱、酱油、酱菜等的作坊、商店。

【酱紫】jiàngzǐ 同 "绛紫"。

犟（勥） jiàng 形 固执；不服劝导：脾气～。

【犟劲】jiàngjìn （～儿）名 顽强的意志、劲头：他～一上来，谁也劝不住。

【犟嘴】jiàngzuǐ 动 顶嘴；强辩。也作强嘴。

糨（糡） jiàng 形 液体很稠：大米粥熬得太～了。

【糨糊】jiàng·hu 名 用面粉等做成的可以粘贴东西的糊状物。

【糨子】jiàng·zi 〈口〉名 糨糊：打～。

jiāo（ㄐㄧㄠ）

芁 jiāo 见 1106 页〖秦芁〗。

交¹ jiāo ❶ 动 把事物转移给有关方面：～活｜～税｜～公粮｜把任务～给我们这个组吧。❷ 动 到（某一时辰或季节）：～子时｜明天就～冬至了｜～九的天气。❸ 动 连接；交叉：～界｜两直线～于一点。❹ 名 相连接的时间或地方：春夏之～｜太行山在河北、山西两省之～。❺ 动 结交；交往：～朋友｜建～。❻ 名 友谊；交情：绝～｜一面之～。❼ 动 (人)性交；(动植物)交配：媾～｜杂～。❽ 动 互相：～换｜～流｜～易｜～谈。❾ 副 一齐；同时（发生）：～加｜～迫｜～集。❿ (Jiāo)名 姓。

交² jiāo 同 "跤"（jiāo）。

【交白卷】jiāo báijuàn （～儿）❶ 考生不能回答试题，把空白试卷交出去。❷ 比喻完全没有完成任务：咱们必须把情况摸清楚，不能回来～。

【交班】jiāo//bān 动 把工作任务交给下一班。

【交办】jiāobàn 动 交给某人、某机构办理（多指上级对下级）：这是上级～的任务。

【交保】jiāo//bǎo 动 司法机关将犯罪嫌疑人交付有信用的担保人，保证他不逃避侦查和审判，随传随到：～释放。

【交杯酒】jiāobēijiǔ 名 旧俗举行婚礼时新婚夫妇饮的酒，把两个酒杯用红丝线系在一起，新婚夫妇交换着喝两个酒杯里的酒。现在也把在婚宴上新婚夫妇手臂相互交叉持杯饮酒叫喝交杯酒。

【交兵】jiāobīng 〈书〉动 交战：两国～。

【交叉】jiāochā 动 ❶ 几个方向不同的线条或线路互相穿过：～火力网｜立体～桥｜公路和铁路～。❷ 有相同有不同的；有相重的：～的意见｜各学科之间相互～、相互渗透。❸ 间隔穿插：～作业。

【交差】jiāo//chāi 动 任务完成后把结果报告上级：事情不办好，怎么回去～？

【交错】jiāocuò 动 交叉；错杂：犬牙～｜纵横～的沟渠。

【交代】jiāodài 动 ❶ 把经手的事务移交给接替的人：～工作。❷ 嘱咐：他一再～我们要注意工程质量。❸ 把事情或意见向有关的人说明；把错误或罪行坦白出来：～政策｜～问题。也作交待。

【交待】jiāodài ❶ 同 "交代"③。❷ 动 完结（指结局不如意的，含诙谐意）：要是飞机出了事，这条命也就～了。

【交道】jiāodào 名 指交际往来的事：打～｜我和他曾有过几次～。

【交底】jiāo//dǐ 动 交代事物的底细：你不向我～，我自然不明白其中奥妙。

【交点】jiāodiǎn 名 数学上指线与线、线与面相交的点。

【交锋】jiāo//fēng 动 ❶ 双方作战：敌人不敢和我们～。❷ 比喻双方比赛或争辩：这两支足球劲旅将在明日～｜讨论会上二人进行了激烈的～。

【交付】jiāofù 动 交给：～定金｜任务｜新楼房已经～使用。

【交感神经】jiāogǎn-shénjīng 从胸部和腰部的脊髓发出的神经，在脊柱两侧形成串状的交感神经节，再由交感神经节发出神经纤维分布到内脏、腺体和血管的壁上。作用跟副交感神经相反，有加强和加速心脏收缩，使瞳孔扩大、肠蠕动减弱等作用。

【交割】jiāogē 动 ❶ 双方结清手续（多用于商业）：这笔货款业已～。❷ 移交；交代

①：工作都～清了。

【交工】jiāo//gōng 动 施工单位把已完成的工程移交给建设单位。

【交媾】jiāogòu 动 性交。

【交关】jiāoguān ❶ 动 相关联：性命～。❷〈方〉副 非常；很：上海今年冬天～冷。❸〈方〉形 很多：公园里人～。

【交管】jiāoguǎn 名 交通管理：～人员。

【交好】jiāohǎo 动 互相往来，结成知己或友邦：两国～|～有年。

【交合】jiāohé 动 ❶ 连接在一起：悲喜～|两旁行道树枝叶～。❷ 指性交。

【交互】jiāohù ❶ 副 互相：教师宣布答案之后，就让同学们～批改。❷ 副 替换着：他两手～地抓住野藤，向山顶上爬。❸ 动 相互联系交流：实现人机～。

【交欢】jiāohuān〈书〉动 ❶ 结交而彼此欢悦；交好：握手～|愿与～。❷ 指性交。

【交还】jiāohuán 动 归还；退还：文件阅后请及时～。

【交换】jiāohuàn 动 ❶ 双方各拿出自己的给对方；互换：～纪念品|～意见|两队～场地。❷ 以商品换商品；买卖商品。

【交换机】jiāohuànjī 名 设在各电话用户之间，能按通话人的要求来接通电话的机器。分为人工的和自动的两类：程控～。

【交换价值】jiāohuàn jiàzhí 某种商品和另一种商品互相交换时的量的比例，例如一把斧子换二十斤粮食，二十斤粮食就是一把斧子的交换价值。商品的交换价值是商品价值的表现形式。

【交汇】jiāohuì 动（水流、气流等）聚集到一起；会合：长江口因为咸水和淡水～，鱼类资源极为丰富。

【交会】jiāohuì 动 会合；相交：郑州是京广、陇海两条铁路的～点。

【交火】jiāo//huǒ 动 交战；互相开火。

【交集】jiāojí 动（不同的感情、事物等）同时出现：百感～|惊喜～|雷雨～。

【交际】jiāojì 动 人与人之间往来接触；社交：语言是人们的～工具|他不善于～。

【交际花】jiāojìhuā 名 在社交场中活跃而有名的女子（含轻蔑意）。

【交际舞】jiāojìwǔ 名 交谊舞。

【交加】jiāojiā 动（两种事物）同时出现或同时加在一个人身上：风雪～|惊喜～|拳脚～。

【交接】jiāojiē 动 ❶ 连接：夏秋～的季节。❷ 移交和接替：新上任的保管和老保管办理～手续。❸ 结交：他～的朋友也是爱好京剧的。

【交结】jiāojié 动 ❶ 结交；交往：～朋友|他在文艺界～很广。❷〈书〉互相连接：～盘错。

【交界】jiāojiè 动 两地相连，有共同的疆界：云南省南部跟越南、老挝和缅甸～。

【交警】jiāojǐng 名 交通警察的简称。

【交九】jiāo//jiǔ 动 进入从冬至开始的“九”。参看730页“九”②。

【交卷】jiāo//juàn （～儿）动 ❶ 应考的人考完交出试卷。❷ 比喻完成所接受的任务：这事交给他办，三天准能～。

【交口】jiāokǒu ❶ 副 众口同声地（说）：～称誉。❷〈方〉动 交谈：他们久已没有～。

【交困】jiāokùn 动 各种困难同时出现：内外～|上下～。

【交流】jiāoliú 动 ❶ 交错地流淌：涕泪～|河港～。❷ 彼此把自己有的供给对方：物资～|文化～|～工作经验。

【交流电】jiāoliúdiàn 名 方向和强度作周期性变化的电流。

【交纳】jiāonà 动 向政府或公共团体交付规定数额的金钱或实物：～会费|～膳费|～个人所得税。

【交配】jiāopèi 动 雌雄动物发生性的行为；植物的雌雄生殖细胞相结合。

【交迫】jiāopò 动（不同的事物）同时逼迫：饥寒～|贫病～。

【交情】jiāo·qing 名 人与人互相交往而发生的感情：～深|他们之间很有～。

【交融】jiāoróng 动 融合在一起：水乳～。

【交涉】jiāoshè 动 跟对方商量解决有关的问题：办～|你去～一下，看能不能提前交货。

【交手】jiāo//shǒu 动 双方搏斗：他俩交过三次手都不分高下。

【交谈】jiāotán 动 互相接触谈话：亲切地～|他们用英语～起来。

【交替】jiāotì 动 ❶ 接替：新旧～。❷ 替换着；轮流：循环～|儿童的作业和休息应当～进行。

【交通】jiāotōng ❶〈书〉动 往来通达：阡

陌~。❷ 名 原是各种运输和邮电事业的统称,仅现指运输事业。❸ 名 抗日战争和解放战争时期指通信和联络工作。❹ 名 指交通员。❺〈书〉动 结交;勾结:~权贵|~官府。

【交通车】 jiāotōngchē 名 机关、团体、企业、学校等为办理公务或接送员工、学生而定时开行的汽车或火车。

【交通岛】 jiāotōngdǎo 名 道路上设置的岛状交通设施,略高于路面或用漆划线表示,以引导行车方向、保障行车和行人的安全。如交叉路口的中心岛(警察站在上面指挥交通)、马路中间的安全岛等。

【交通工具】 jiāotōng gōngjù 运输用的车辆、船只和飞机等。

【交通沟】 jiāotōnggōu 名 交通壕。

【交通壕】 jiāotōngháo 名 阵地内连接堑壕和其他工事以供交通联络的壕沟。在重要地段上有射击设施。也叫交通沟。

【交通警察】 jiāotōng jǐngchá 负责维护交通秩序的警察。简称交警。

【交通线】 jiāotōngxiàn 名 运输的路线,包括铁路线、公路线、航线等。

【交通员】 jiāotōngyuán 名 抗日战争和解放战争中担任通讯联络工作的人员。

【交头接耳】 jiāo tóu jiē ěr 彼此在耳朵边低声说话。

【交投】 jiāotóu 名 交易(多指金融市场):~清淡|~活跃。

【交往】 jiāowǎng 动 互相来往:我跟他没有~|他不大和人~。

【交尾】 jiāowěi 动 动物交配。

【交恶】 jiāowù 动 互相憎恨仇视:二人~已久。

【交相辉映】 jiāo xiāng huī yìng (各种光亮、彩色等)相互映照:星月灯火,~。

【交响诗】 jiāoxiǎngshī 名 只有一个乐章的交响乐曲,常取材于富有诗意的文学作品,是标题音乐的一种。

【交响乐】 jiāoxiǎngyuè 名 由管弦乐队演奏的大型乐曲,通常由四个乐章组成,能够表现出多样的、变化复杂的思想感情。

【交卸】 jiāoxiè 动 旧时官吏卸职,向后任交代。

【交心】 jiāo//xīn 动 把自己内心深处的想法无保留地说出来:通过~,他们相互间加深了了解。

【交椅】 jiāoyǐ 名 ❶ 古代椅子,腿交叉,能折叠:坐第一把~(指当大头领,现比喻当第一把手)。❷〈方〉椅子(多指有扶手的)。

【交易】 jiāoyì ❶ 动 买卖商品:~市场|进行公平~◇不能拿原则做~。❷ 名 生意(shēng·yi)①:谈成了一笔~。

【交易所】 jiāoyìsuǒ 名 进行证券或商品交易的市场,所买卖的可以是现货,也可以是期货。通常有证券交易所和商品交易所两种。

【交谊】 jiāoyì 名 交情;友谊。

【交谊舞】 jiāoyìwǔ 名 一种社交性的舞蹈,男女两人合舞。也叫交际舞。

【交游】 jiāoyóu〈书〉动 结交朋友:~很广。

【交友】 jiāoyǒu 动 结交朋友:~要慎重。

【交战】 jiāo//zhàn 动 双方作战:~国。

【交战国】 jiāozhànguó 名 实际上已交战或彼此宣布处于战争状态的国家。

【交账】 jiāo//zhàng 动 ❶ 移交账务。❷ 比喻向有关的人交代自己承担的事情:把事弄坏了,我怎么向你爸~。

【交织】 jiāozhī 动 ❶ 错综复杂地合在一起:各色各样的烟火在天空中~成一幅美丽的图画。❷ 用不同品种或不同颜色的经纬线织:棉麻|黑白~。

郊 jiāo ❶ 城市周围的地区:四~|~外|~野|~游。❷（Jiāo）名 姓。

【郊区】 jiāoqū 名 城市周围在行政管辖上属于这个城市的地区。

【郊外】 jiāowài 名 城市外面的地方(对某一城市说):古都~名胜很多。

【郊野】 jiāoyě 名 郊区旷野。

【郊游】 jiāoyóu 动 到郊外游览。

莜 jiāo〈书〉喂牲口的干草。

【莜白】 jiāobái 名 菰的嫩茎经茭黑粉菌寄生后膨大,做蔬菜吃叫莜白。

峧 jiāo 地名用字:~头(在浙江)|西~(在河北)。

浇¹（澆） jiāo 动 ❶ 水或别的液体落在物体上:大雨~得全身都湿透了。❷ 让水或别的液体落在物体上:~汁儿丸子|往面上~卤。❸ 用喷、洒等方式给植物供水;灌溉:~花|车水~地|给树~水。❹ 浇灌①:~铸|~铅字|

~版。

浇²（澆） jiāo 〈书〉刻薄：~薄。

【浇薄】jiāobó 〈书〉形（人情、风俗）刻薄；不淳厚：人情~|世风~。

【浇灌】jiāoguàn 动❶ 把流体向模子内灌注：~混凝土。❷ 浇水灌溉。

【浇冷水】jiāo lěngshuǐ 比喻打击别人的热情。也说泼冷水。

【浇漓】jiāolí 〈书〉形（风俗等）不朴素敦厚：世道~，人心日下。

【浇头】jiāo·tou 〈方〉名 加在盛好的面条或米饭上面的菜。

【浇注】jiāozhù 动 把熔化了的金属、混凝土等注入（模型等）。

【浇铸】jiāozhù 动 把熔化了的金属等倒入模型中，铸成物件。

【浇筑】jiāozhù 动 土木建筑工程中指把混凝土等材料灌注到模子里制成预定形体：~大坝。

娇（嬌） jiāo ❶（女子、小孩儿、花朵等）柔嫩、美丽可爱：~娆|嫩红~绿。❷ 形 娇气：才走几里地，就说腿酸，未免太~了。❸ 动 过度爱护：~生惯养|别把孩子~坏了。

【娇嗔】jiāochēn 动（年轻女子）娇媚地嗔怪：她故意~地顶了他一句。

【娇宠】jiāochǒng 动 娇惯宠爱：对孩子不能过于~。

【娇滴滴】jiāodīdī（~的）形 状态词。❶ 形容娇媚：~的声音。❷ 形容过分娇气的样子。

【娇儿】jiāo'ér 名 心爱的儿子，也泛指心爱的幼小儿女。

【娇惯】jiāoguàn 动 宠爱纵容（多指对幼年儿女）：别把孩子~坏了。

【娇贵】jiāo·gui 形 ❶ 看得贵重，过度爱护：这点雨还怕，身子就太~啦！❷（物品）贵重而容易损坏：仪表~，要小心轻放。

【娇憨】jiāohān 形 年幼不懂事而又天真可爱的样子。

【娇客】jiāokè 名 ❶ 指女婿。❷ 娇贵的人。

【娇媚】jiāomèi 形 ❶ 形容撒娇献媚的样子。❷ 妩媚：舞姿~。

【娇嫩】jiāo·nen 形 柔嫩：~的鲜花|她的身体也太~，风一吹就病了。

【娇妻】jiāoqī 名 年轻娇柔的妻子。

【娇气】jiāo·qi ❶ 名 意志脆弱、不能吃苦、习惯于享受的作风。❷ 形 意志脆弱，不能吃苦：这点委屈都受不了，也太~了。❸ 形 指物品、花草等容易损坏。

【娇娆】jiāoráo 〈书〉形 娇艳妖娆：体态~。

【娇柔】jiāoróu 形 娇媚温柔。

【娇生惯养】jiāo shēng guàn yǎng 从小被娇宠纵容。

【娇娃】jiāowá 名 ❶ 美丽的少女（多用于戏曲中）。❷〈方〉指娇生惯养的孩子：这帮大城市来的~都经受了艰苦的考验。

【娇小】jiāoxiǎo 形 娇嫩小巧：~的女孩子|~的野花。

【娇小玲珑】jiāoxiǎo línglóng 小巧灵活；身材~。

【娇羞】jiāoxiū 形 形容少女害羞的样子。

【娇艳】jiāoyàn 形 娇嫩艳丽：~的桃花。

【娇养】jiāoyǎng 动（对小孩）宠爱放任，不加管教。

【娇纵】jiāozòng 动 娇养放纵：~孩子，不是爱他而是害他。

姣 jiāo 〈书〉相貌美：~好。

【姣好】jiāohǎo 形 美丽；美好：姿容~|~的身段。

【姣美】jiāoměi 形 姣好：容颜~|~的体态。

骄（驕） jiāo ❶ 骄傲①：戒~戒躁|胜不~，败不馁。❷〈书〉猛烈：~阳。

【骄傲】jiāo'ào ❶ 形 自以为了不起，看不起别人：~自满|虚心使人进步，~使人落后。❷ 形 自豪：我们都以是炎黄子孙而感到~。❸ 名 值得自豪的人或事物：古代四大发明是中国的~。

【骄横】jiāohèng 形 骄傲专横：~一时。

【骄矜】jiāojīn 〈书〉形 骄傲自大；傲慢：面有~之色。

【骄慢】jiāomàn 形 傲慢：为人~|态度~。

【骄气】jiāo·qi 名 骄傲自满的作风：~十足。

【骄人】jiāorén 形 值得骄傲：业绩~。

【骄奢淫逸】jiāo shē yín yì 骄横奢侈，荒淫无度。

【骄阳】jiāoyáng 〈书〉名 强烈的阳光:~似火。

【骄躁】jiāozào 形 骄傲浮躁:~情绪。

【骄子】jiāozǐ 名 受宠爱的儿子,多用于比喻:天之~|时代的~。

【骄纵】jiāozòng 骄傲放纵。

胶(膠) jiāo ❶名 某些具有黏性的物质,用动物的皮、角等熬成或由植物分泌出来,也有人工合成的。通常用来黏合器物,如鳔胶、桃胶、万能胶,有的供食用或入药,如果胶、阿胶。❷动 用胶粘:~柱鼓瑟|镜框坏了,把它~上◇不可~于成规。❸ 像胶一样黏的:~泥。❹ 指橡胶:~皮|~鞋|~布。❺(Jiāo)名 姓。

【胶版】jiāobǎn 名 胶印的印刷底版。

【胶布】jiāobù 名 ❶ 涂上黏性橡胶的布,多用于包扎电线接头。❷〈口〉橡皮膏。

【胶带】jiāodài 名 用塑料做东西的磁带。

【胶合】jiāohé 动 用胶把东西粘在一起。

【胶合板】jiāohébǎn 名 用多层木质单板黏合、压制成的板材。广泛用于建筑工程和制造家具等。

【胶结】jiāojié 动 糨糊、胶等半流体干燥后变硬黏结在一起。

【胶卷】jiāojuǎn (~儿)名 成卷的照相胶片。

【胶木】jiāomù 名 橡胶和多量硫黄加热制成的硬质材料,多用作电器的绝缘材料,也用来制其他日用品。

【胶囊】jiāonáng 名 医药上指用明胶制成的囊状物,把味苦或刺激性大的药粉按剂量装入胶囊中,便于吞服。

【胶泥】jiāoní 名 含有水分的黏土,黏性很大。

【胶皮】jiāopí〈口〉名 指硫化橡胶。

【胶片】jiāopiàn 名 涂有感光药膜的塑料片,用于摄影。也叫软片。

【胶水】jiāoshuǐ (~儿)名 粘东西用的液体的胶。

【胶体】jiāotǐ 名 呈胶态的物质。由极微小的粒子(1—100 纳米)单独形成(如橡胶)或分散在介质中形成。

【胶体溶液】jiāotǐ róngyè 溶胶。

【胶鞋】jiāoxié 名 用橡胶做的鞋,有时也指橡胶底布面的鞋。

【胶靴】jiāoxuē 名 用橡胶制成的靴子。

【胶印】jiāoyìn 动 印刷方法的一种,印版不直接和纸张接触,先把油墨从印版移印到橡胶布面,由橡胶布面转印到纸上。

【胶柱鼓瑟】jiāo zhù gǔ sè 比喻固执拘泥,不能变通(柱:瑟上调弦的短木。柱被粘住,就不能调整音高):情况变了,办法也要改进,不能~。

【胶着】jiāozhuó 动 比喻相持不下,不能解决:~状态。

教 jiāo 动 把知识或技能传给人:~唱歌|~小孩儿识字|师傅把技术~给徒弟。
另见690页jiào。

【教书】jiāo//shū 动 教学生学习功课:~先生|他在小学里教过书。

【教书匠】jiāoshūjiàng 名 指教师(含轻蔑意)。

【教学】jiāo//xué 动 教书。
另见691页 jiàoxué。

鸡(鵁) jiāo [鸡鶄](jiāojīng)名 古书上说的一种水鸟。

椒 jiāo 指某些果实或种子有刺激性味道的植物:花~|辣~。

【椒盐】jiāoyán (~儿)名 把焙过的花椒和盐轧碎制成的调味品:~排骨|~月饼。

蛟 jiāo 蛟龙。

【蛟龙】jiāolóng 名 古代传说中指兴风作浪、能发洪水的龙。

焦 jiāo ❶形 物体受热后失去水分,呈现黄黑色并发硬、发脆:树烧~了◇舌敝唇~。❷名 焦炭:煤~|炼~。❸ 着急:~急|心~。❹(Jiāo)名 姓。

焦² jiāo 量 焦耳的简称。1牛(牛顿)的力使其作用点在力的方向上位移1米所做的功,就是1焦。

【焦愁】jiāochóu 形 焦急忧愁:母亲为他的病昼夜~。

【焦点】jiāodiǎn 名 ❶ 某些与椭圆、双曲线或抛物线有特殊关系的点。如椭圆的两个焦点到椭圆上任意一点的距离的和是一个常数。❷ 平行光线经透镜折射或抛物面镜反射后的会聚点。❸ 比喻事情或道理引人注意的集中点:争论的~。

【焦耳】jiāo'ěr 量 功、能量和热的单位,符号J。这个单位名称是为纪念英国物理学家焦耳(James Prescott Joule)而定的。简称焦。

【焦黑】jiāohēi 形 状态词。物体燃烧后呈现的黑色。

【焦黄】jiāohuáng 形 状态词。黄而干枯的颜色：面色～｜～的豆荚｜馒头烤得～～的。

【焦急】jiāojí 形 着急：～万分｜心里～。

【焦距】jiāojù 名 抛物面镜的顶点或薄透镜的中心到主焦点的距离。

【焦渴】jiāokě 形 非常口渴：～难耐。

【焦枯】jiāokū 形 （植物）干枯：久旱不雨，禾苗～。

【焦雷】jiāoléi 名 声音响亮的雷。

【焦虑】jiāolù 形 焦急忧虑：～不安｜万分～。

【焦炭】jiāotàn 名 一种固体燃料，质硬，多孔，发热量高。用烟煤高温干馏而成。多用于冶炼。

【焦头烂额】jiāo tóu làn é 比喻十分狼狈窘迫。

【焦土】jiāotǔ 名 烈火烧焦的土地，指建筑物、庄稼等毁于炮火之后的景象。

【焦心】jiāoxīn 形 着急：至今没有接到儿子来信，真叫人～。

【焦油】jiāoyóu 名 由煤、木材等含碳物质干馏得到的油状产物，有煤焦油、木焦油等。旧称溚（tǎ）。

【焦枣】jiāozǎo 名 一种焦而脆的枣，将枣去核，用火烤干而成。有的地区叫脆枣。

【焦躁】jiāozào 形 着急而烦躁：～不安｜心里～。

【焦砟】jiāozhǎ 名 烟煤或煤球燃烧后凝成的块状物。

【焦炙】jiāozhì 形 形容心里像火烤一样焦急：心情～万分。

【焦灼】jiāozhuó 形 非常着急：～不安。

跤 jiāo 跟头①：跌～｜摔了一～。

僬 jiāo ［僬侥］（jiāoyáo）名 古代传说中的矮人。

鲛（鮫） jiāo 名 鲨鱼。

蕉 jiāo ❶ 指某些有像芭蕉那样的大叶子的植物：香～｜美人～。❷（Jiāo）名 姓。
另见 1099 页 qiáo。

【蕉农】jiāonóng 名 以种植香蕉为主的农民。

嫽（嫽）jiāo ［嫽辖］（jiāogé）〈书〉动 交错。

嶕 jiāo ［嶕峣］（jiāoyáo）〈书〉形 高耸的样子。

礁 jiāo ❶ 礁石：暗～｜触～。❷ 由珊瑚虫的遗骸堆积成的岩石状物。

【礁石】jiāoshí 名 河流、海洋中距水面很近的岩石。

鹪（鷦）jiāo ［鹪鹩］（jiāoliáo）名 鸟，体长约10厘米，羽毛赤褐色，略有黑褐色斑点，尾羽短，略向上翘。多在灌木丛中活动，吃昆虫等。

jiáo （ㄐㄧㄠˊ）

矫（矯）jiáo 见下。
另见 686 页 jiǎo。

【矫情】jiáo·qing 〈口〉形 指强词夺理，无理取闹：这个人太～｜犯～。
另见 686 页 jiǎoqíng。

噍 jiáo 动 上下牙齿磨碎食物：细～慢咽｜肉没有烧熟，～不烂◇咬文～字。
另见 691 页 jiào；748 页 jué。

【噍裹儿】jiáo·guor 〈方〉名 指生活费用：辛苦一年，挣的钱刚够～。

【噍舌】jiáoshé 动 ❶ 信口胡说；搬弄是非：有意见当面提，别在背后～。❷ 无谓地争辩：没工夫跟你～。‖也说噍舌头（jiáo shé·tou）、噍舌根（jiáo shé·gen）。

【噍用】jiáo·yong 〈方〉名 生活费用：人口大，～大。

【噍子】jiáo·zi 名 为便于驾驭，横放在牲口嘴里的小铁链，两端连在笼头上。

jiǎo （ㄐㄧㄠˇ）

角¹ jiǎo ❶ 名 牛、羊、鹿等头上长出的坚硬的东西，一般细长而弯曲，上端较尖：牛～｜鹿～｜两只～。❷ 古时军中吹的乐器：号～。❸ 形状像角的东西：皂～｜菱～。❹ 岬角（多用于地名）：成山～（在山东）｜镇海～（在福建）。❺（～儿）名 物体两个边沿相接的地方；角落：桌

子～儿|墙～儿|拐～儿|东南～◇英语～。❻名 从一个点引出两条射线所形成的平面图形；从一条直线上展开的两个平面或从一点上展开的多个平面所形成的立体图形：直～|锐～|两面～|多面～。❼量用于从整体划分成的角形东西：一～饼。❽二十八宿之一。

角² jiǎo 量 我国货币的辅助单位，一角等于一圆的十分之一。

角³ jiǎo 同"饺"。
另见 745 页 jué。

【角尺】jiǎochǐ 名 一种检验或画线用的工具，两边互成直角。木工用的曲尺也叫角尺。

【角度】jiǎodù 名 ❶ 角的大小，通常用度或弧度来表示。❷ 看事情的出发点：如果光从自己的～来看问题，意见就难免有些片面。

【角钢】jiǎogāng 名 见 1526 页【型钢】。

【角弓反张】jiǎogōng-fǎnzhāng 头和颈僵硬、向后仰、胸部向前挺、下肢弯曲的症状，常见于脑膜炎、破伤风等病。

【角果】jiǎoguǒ 名 干果的一种，由两个心皮构成，成熟时果皮由基部向上裂开。如油菜、白菜、荠菜等的果实。

【角楼】jiǎolóu 名 城角上供瞭望和防守用的楼。

【角落】jiǎoluò 名 ❶ 两堵墙或类似墙的东西相接处的凹角：他找遍了屋子的每个～，也没有找到那块表|院子的一个～长着一棵桃树。❷ 指偏僻的地方：他的事迹传遍了祖国的每一个～。

【角门】(脚门) jiǎomén 名 整个建筑物的靠近角的小门，泛指小的旁门。

【角膜】jiǎomó 名 黑眼珠表面的一层透明薄膜，由结缔组织构成，向前凸出，没有血管分布，有很多神经纤维，感觉非常灵敏，周缘与巩膜相连。(图见 1569 页【人的眼】)

【角票】jiǎopiào 名 指票面以角为单位的纸币。也叫毛票。

【角球】jiǎoqiú 名 ❶ 足球比赛守方队员将球踢出或触及本方端线时，判为角球，由攻方在离球出界处较近的角球区内踢球。❷ 水球比赛守方队员触球使球体越出球门界线时，判为角球，由离线最近的攻方队员在二米禁线标志处掷球入场。

【角质】jiǎozhì 名 某些动物体表的一层

有机化合物，由多种结构比较复杂的成分构成，质地坚韧，有保护内部组织的作用。

侥(僥) jiǎo [侥幸](儌倖、徼倖) (jiǎoxìng) 形 由于偶然的原因而得到成功或免去灾害：心存～|～心理。
另见 1582 页 yáo。

佼 jiǎo 〈书〉美好。

【佼佼】jiǎojiǎo 〈书〉形 胜过一般水平的：～者|庸中～。

挢(撟) jiǎo 〈书〉❶ 抬起；举起；翘起：～首高视。❷ 同"矫"¹①(jiǎo)。❸ 同"矫²"(jiǎo)。

狡 jiǎo 狡猾：～计。

【狡辩】jiǎobiàn 动 狡猾地强辩：事实胜于～。

【狡猾】(狡滑) jiǎohuá 形 诡计多端，不可信任。

【狡计】jiǎojì 名 狡猾的计谋。

【狡谲】jiǎojué 〈书〉形 狡诈：为人～。

【狡狯】jiǎokuài 〈书〉形 狡诈。

【狡赖】jiǎolài 动 狡辩抵赖：百般～。

【狡兔三窟】jiǎotùsānkū 狡猾的兔子有三个窝，比喻藏身的地方多。

【狡黠】jiǎoxiá 〈书〉形 狡诈。

【狡诈】jiǎozhà 形 狡猾奸诈：阴险～|为人～。

饺(餃) jiǎo (～儿)饺子：水～儿|烫面～儿。

【饺子】jiǎo·zi 名 半圆形的有馅儿的面食。

绞(絞) jiǎo ❶ 动 把两股以上条状物扭在一起：钢丝绳是许多钢丝～成的◇好多问题～在一起，闹不清楚了。❷ 动 握住条状物的两端同时向相反方向转动，使受到挤压：把毛巾～干◇～尽脑汁。❸ 同"铰"②。❹ 动 勒死；吊死：～杀|～架|～索。❺ 动 把绳索一端系在轮上，转动轮轴，使系在另一端的物体移动：～车|～盘|～着辘轳打水。❻ 量用于纱、毛线等：一～纱。

【绞包针】jiǎobāozhēn 名 缝麻袋等大型包裹用的一种铁针，较粗而长，略呈弯形。

【绞车】jiǎochē 名 卷扬机的通称。

【绞架】jiǎojià 名 把人吊死的刑具，在架子上系着绞索。

【绞脸】jiǎo∥liǎn　妇女修饰容貌时用绞在一起的细线一张一合去掉脸上的汗毛。

【绞脑汁】jiǎo nǎozhī　费思虑；费脑筋。

【绞盘】jiǎopán　名　利用轮轴的原理制成的一种起重机械。船上起锚和用绳索牵引重物等都用绞盘。

【绞杀】jiǎoshā　动❶用绳勒死。❷比喻压制、摧残使不能存在或发展：～革命｜～新生事物。

【绞索】jiǎosuǒ　名　绞刑用的绳子。

【绞刑】jiǎoxíng　名　死刑的一种，用绳子勒死。

 铰(鉸)　jiǎo　❶〈口〉剪③：用剪子～指甲。❷动　用铰链切削：～孔。❸指铰链：～接。

【铰刀】jiǎodāo　名　金属切削工具，用来使工件上原有的孔提高尺寸精度、降低粗糙度。

【铰接】jiǎojiē　动　用铰链连接：～式无轨电车。

【铰链】jiǎoliàn　名　用来连接机器、车辆、门窗、器物的两个部分的装置或零件，所连接的两部分或其中的一部分能绕着铰链的轴转动。

矫¹(矯)　jiǎo　❶　矫正：～枉过正。❷(Jiǎo)名　姓。

矫²(矯)　jiǎo　强壮；勇武：～健｜～若游龙。

矫³(矯)　jiǎo　假托：～饰｜～命。另见 684 页 jiáo。

【矫健】jiǎojiàn　形　强壮有力：身手～｜～的步伐。

【矫捷】jiǎojié　形　矫健而敏捷：他飞速地攀到柱顶，像猿猴那样～。

【矫命】jiǎomìng　〈书〉动　假托上级命令。

【矫情】jiǎoqíng　〈书〉动　故意违反常情，表示与众不同。另见 684 页 jiáo·qing。

【矫揉造作】jiǎo róu zào zuò　形容过分做作，极不自然。

【矫饰】jiǎoshì　动　故意造作来掩饰。

【矫枉过正】jiǎo wǎng guò zhèng　纠正偏差做得过了头：应该纠正浪费的习惯，但是一变而为吝啬，那就是～了。

【矫形】jiǎoxíng　动　用外科手术把人体上畸形的部分改变成正常状态，如矫正畸形

脊柱、关节等。

【矫正】jiǎozhèng　动　改正；纠正：～发音｜～错误｜～偏差。

【矫治】jiǎozhì　动　矫正并医治(斜视、口吃等缺陷)：～口吃｜对视力减退的学生进行药物～。

皎　jiǎo　❶白而亮：～洁｜～月。❷(Jiǎo)名　姓。

【皎皎】jiǎojiǎo　形　形容很白很亮：月光～。

【皎洁】jiǎojié　形　(月亮等)明亮而洁白：～的月色。

脚(腳)　jiǎo　❶名　人和动物的腿的下端，接触地面支持身体的部分：～面｜～背。(图见 1209 页"人的身体")❷物体的最下部：墙～｜山～｜高～杯。❸剩余的废料：下～。❹指跟体力搬运有关的：～夫｜～行｜～力。另见 748 页 jué。

【脚板】jiǎobǎn　名　脚掌。

【脚背】jiǎobèi　名　脚掌的反面。也叫脚面。

【脚本】jiǎoběn　名　表演戏剧、曲艺，摄制电影等所依据的本子，里面记载台词、故事情节等。

【脚脖子】jiǎobó·zi〈方〉名　脚腕子。

【脚步】jiǎobù　名❶指走路时两脚之间的距离：～大。❷指走路时腿和脚的动作：放轻～｜嚓嚓的～声。

【脚踩两只船】jiǎo cǎi liǎng zhī chuán　比喻因为对事物认识不清或存心投机取巧而跟两方面都保持联系。也说脚踏两只船。

【脚灯】jiǎodēng　名❶安装在舞台口边缘向内照射的一排灯。❷贴近地面安设的灯，便于黑暗中行走。

【脚底】jiǎodǐ　名　脚掌：～起了茧。也叫脚底板。

【脚底板】jiǎodǐbǎn　名　脚底。

【脚法】jiǎofǎ　名　足球运动员用脚踢球的技巧和方法：～细腻｜射门｜～欠佳。

【脚夫】jiǎofū　名❶旧称搬运工人。❷旧称赶着牲口供人雇用的人。

【脚跟】(脚根)jiǎogēn　名　脚的后部◇立定～(站得稳，不动摇)。

【脚孤拐】jiǎogū·guai〈方〉名　大趾和脚掌相连向外突出的地方。

【脚行】jiǎoháng　名旧称搬运业或搬运工人。

【脚后跟】jiǎohòu·gen　〈口〉名脚跟。

【脚迹】jiǎojì　名脚印。

【脚尖】jiǎojiān　（～儿）名脚的最前部分：踮着～走。

【脚劲】jiǎojìn　（～儿）〈方〉名两腿的力气：妈妈的眼睛不如从前了，可是～还很足。

【脚扣】jiǎokòu　名套在鞋上爬电线杆子用的一种弧形铁制用具。

【脚力】jiǎolì　名❶两腿的力气：他一天能走八九十里，～很好。❷旧称搬运工人。❸脚钱。❹旧时给前来送礼的夫役的赏钱。

【脚镣】jiǎoliào　名套在犯人脚腕子上使不能快走的刑具，由一条铁链连着两个铁箍做成。

【脚炉】jiǎolú　名冷天烘脚用的小铜炉，外形圆而稍扁，有提梁，盖上有许多小孔，炉中燃烧炭墼、锯末或砻糠。

【脚轮】jiǎolún　名安在提包、箱笼、沙发腿、床腿等底下的小轮子。

【脚门】jiǎomén　见685页〖角门〗。

【脚面】jiǎomiàn　名脚背。

【脚盆】jiǎopén　名洗脚用的盆。

【脚蹼】jiǎopǔ　名一种潜水的用具，仿照动物的蹼，用橡胶或塑料压制而成，戴在脚上，以增加拨水的能力。

【脚气】jiǎoqì　名❶脚癣的通称。❷由于缺乏维生素 B_1 而引起的疾病。症状是患者疲劳软弱，小腿沉重、肌肉疼痛萎缩，手足痉挛，头痛，失眠，下肢水肿，心力衰竭等。❸中医指两脚软弱无力的病。

【脚钱】jiǎoqián　名指付给搬送东西的人的工钱。

【脚手架】jiǎoshǒujià　名为了建筑工人在高处操作而搭的架子。

【脚踏车】jiǎotàchē　〈方〉名自行车。

【脚踏两只船】jiǎo tà liǎng zhī chuán　见〖脚踩两只船〗。

【脚踏实地】jiǎo tà shídì　形容做事踏实认真。

【脚腕子】jiǎowàn·zi　名小腿和脚连接的部分。也叫脚腕儿、脚脖子。

【脚下】jiǎoxià　名❶脚底下。❷〈方〉目前；现时：～农忙季节，要合理使用劳力。❸〈方〉临近的时候：冬～。

【脚心】jiǎoxīn　名脚掌的中央部分。

【脚癣】jiǎoxuǎn　名皮肤病，病原体是一种真菌，多发生在脚趾之间。症状是起水疱，奇痒，抓破后流黄水，严重时溃烂。通称脚气。

【脚丫子】jiǎoyā·zi　〈方〉名脚。也作脚鸭子。

【脚鸭子】jiǎoyā·zi　同"脚丫子"。

【脚印】jiǎoyìn　（～儿）名脚踏过的痕迹。

【脚掌】jiǎozhǎng　名脚接触地面的部分。

【脚爪】jiǎozhǎo　〈方〉名动物的爪子。

【脚指头】jiǎozhǐ·tou（口语中也读 jiǎozhí·tou）〈口〉名脚趾。

【脚趾】jiǎozhǐ　名脚前端的分支。

【脚注】jiǎozhù　名列在一页末了的附注。

【脚镯】jiǎozhuó　名套在脚腕子上的环形装饰品，多用金、银、玉等做成。舞蹈用的脚镯系有小铃铛。

搅（攪）jiǎo　动❶搅拌：茶汤～匀了｜把粥～一～。❷扰乱；打扰：～扰｜胡～｜这宗生意让他～黄了。

【搅拌】jiǎobàn　动用棍子等在混合物中转动、和弄，使均匀：～机｜种子｜混凝土。

【搅动】jiǎo//dòng　动❶用棍子等在液体中翻动或和弄：用铁锹在泥浆池里～。❷搅扰；搅乱：嘈杂的声音～得人心神不宁。

【搅浑】jiǎo//hún　动搅动使浑浊：把水～（比喻故意制造混乱）。

【搅混】jiǎo·hun　〈方〉动混合；掺杂：歌声和笑声～成一片。

【搅和】jiǎo·huo　〈口〉动❶混合；掺杂：惊奇和喜悦的心情～在一起。❷扰乱：事情让他～糟了。

【搅局】jiǎo//jú　动扰乱别人安排好的事情。

【搅乱】jiǎoluàn　动搅扰使混乱；扰乱：～人心｜～会场。

【搅扰】jiǎorǎo　动（动作、声音或用动作、声音）影响别人使人感到不安：姐姐温习功课，别去～她。

笅jiǎo　〈书〉用竹子编的绳索。

湫jiǎo　〈书〉低洼。
另见1121页 qiū。

敿Jiǎo　名姓。

剿（勦） jiǎo 剿灭;讨伐：围～|～匪。
另见160页chāo。

【剿除】jiǎochú 動 剿灭。

【剿灭】jiǎomiè 動 用武力消灭：～土匪。

傲 jiǎo 见685页[侥幸]（傲倖）。

徼 jiǎo 〈书〉求。
另见691页jiào。

【徼倖】jiǎoxìng 见685页[侥幸]。

缴（繳） jiǎo ❶動 交纳;交出（指履行义务或被迫）：上～|～费|～枪不杀。❷動 迫使交出（多指武器）：～了敌人的枪。❸（Jiǎo）名 姓。
另见1800页zhuó。

【缴获】jiǎohuò 動 从战败的敌人或罪犯等那里取得（武器、凶器等）：～敌军大炮三门。

【缴纳】jiǎonà 動 交纳：～税款。

【缴销】jiǎoxiāo 動 缴回注销：汽车报废时应将原牌照～。

【缴械】jiǎo//xiè ❶動 迫使敌人交出武器：缴了敌人的械。❷被迫交出武器：～投降。

皦 jiǎo ❶〈书〉（珠玉）纯白;明亮。❷〈书〉清白;清晰。❸（Jiǎo）名 姓。

jiào （ㄐㄧㄠ）

叫¹（呌） jiào ❶動 人或动物的发音器官发出较大的声音,表示某种情绪、感觉或欲望：鸡～|蝈蝈儿～|拍手～好|一声～汽笛连声。❷動 招呼;呼唤：外边有人～你|把他们都～到这儿来。❸動 告诉某些人员（多为服务行业）送来所需要的东西：～车|～两个菜。❹動 （名称）是;称为：这～不锈钢|您怎么称呼？——我～王勇|那真～好！|这～什么打枪呀？瞧我的。❺〈方〉雄性的（某些家畜和家禽）：～驴|～鸡。

叫²（呌） jiào ❶動 使;命令：～他早点回去|要～穷山变富山。❷動 容许或听任：他不～去,我偏要去。❸介 被❷①：他一～雨淋了|把窗户关上点儿,别～风吹着。

【叫板】jiàobǎn 動 ❶戏曲中把道白的最后一句节奏化,以便引入到下面的唱腔上去。用动作规定下面唱段的节奏也叫叫板。❷（-//-）向对方挑战或挑衅；他们敢于向世界冠军～。

【叫春】jiàochūn 動 指猫发情时发出叫声。

【叫喊】jiàohǎn 動 大声叫;嚷：高声～|～的声音越来越近。

【叫好】jiào//hǎo （～儿）動 对于精彩的表演等大声喊"好",以表示赞赏。

【叫号】jiào//hào （～儿）動 ❶ 呼唤表示先后次序的号：看病的人都坐在门外等候医生～。❷〈方〉喊号子：几个小伙子叫着号把大木头抬起来。❸〈方〉用言语向对方挑战或挑衅：他这样说简直是在～|甭～,这点儿问题难不倒人。

【叫花子】（叫化子）jiàohuā·zi 〈口〉名 乞丐。

【叫唤】jiào·huan 動 ❶ 大声叫：疼得直～。❷（动物）叫：牲口～|小鸟儿在树上唧唧喳喳地～。

【叫魂】jiào//hún （～儿）動 迷信认为人患某些疾病是由于灵魂离开身体所致,呼唤病人的名字能使灵魂回到人的身上,治好疾病,这种做法叫做叫魂。

【叫价】jiào//jià 動 公开报出价格;开价：～竞买。

【叫劲】jiàojìn 同"较劲"。

【叫绝】jiàojué 動 称赞事物好到极点：拍案～。

【叫苦】jiào//kǔ 動 诉说苦处：～不迭。

【叫苦连天】jiào kǔ lián tiān 不断叫苦,形容十分痛苦、烦恼。

【叫骂】jiàomà 動 大声骂人。

【叫卖】jiàomài 動 吆喝着招揽主顾：沿街～。

【叫门】jiào//mén 動 在门外叫里边的人来开门。

【叫名】jiàomíng ❶（～儿）名 名称：活字本是版本方面的～。❷〈方〉動 在名义上叫做：这孩子～十岁,其实还不到九岁。

【叫屈】jiào//qū 動 诉说受到冤屈：鸣冤～。

【叫嚷】jiàorǎng 動 喊叫。

【叫停】jiàotíng 動 ❶ 某些球类比赛中教练员、裁判员、运动员等要求暂停。❷ 有关部门或人员命令停止某种活动或行为：对乱收费现象坚决～。

【叫器】jiàoxiāo 动 大声叫喊吵闹：疯狂
～。

【叫啸】jiàoxiào 动 呼啸：江水在峡谷中
奔腾～。

【叫真】jiào∥zhēn 同"较真"。

【叫阵】jiào∥zhèn 动 在阵前叫喊，挑战。

【叫子】jiào•zi〈方〉名 哨儿。

【叫座】jiàozuò（～儿）形（戏剧、影片或演
员）能吸引观众，看的人多：这出戏连演三
十几场，很～。

【叫做】jiàozuò 动（名称）是；称为：这东
西～三角板|跟纬线垂直的线～经线。

峤（嶠）jiào〈书〉山道。
另见 1099 页 qiáo。

觉（覺）jiào 名 睡眠（指从睡着到睡
醒）：午～|好好地睡一～|一～
醒来，天已经大亮。
另见 746 页 jué。

玫 jiào〈书〉占卜用具，用蚌壳、竹片或
木片制成。也叫杯珓。

校 jiào ❶ 动 订正；校对：～改|～勘|
～稿子|～样。❷ 比较：较量：～场。
另见 1503 页 xiào。

【校本】jiàoběn 名 根据不同版本校勘过
的书本。

【校场】jiàochǎng 名 旧时操演或比武的
场地。也作较场。

【校雠】jiàochóu〈书〉动 校勘。

【校点】jiàodiǎn 动 校订并加标点：～古
籍。

【校订】jiàodìng 动 对照可靠的材料改正
书籍、文件中的错误：～文稿。

【校对】jiàoduì ❶ 动 核对是否符合标准：
一切计量器都必需～合格才可以发售。
动 按原稿核对抄件或付印样张，看有没
有错误。❸ 名 做校对工作的人：他在印
刷厂当～。

【校改】jiàogǎi 动 校对并改正错误。

【校勘】jiàokān 动 用同一部书的不同版
本和有关资料加以比较，考订文字的异
同，目的在于确定原文的真相。

【校勘学】jiàokānxué 名 研究校勘的学
问，是整理古书的专业知识。

【校验】jiàoyàn 动 校准并检验：原子钟的
长期稳定性还要以地球公转周期为准来
～。

【校样】jiàoyàng 名 书刊报纸等印刷品印

刷前供校对用的样张。

【校阅】jiàoyuè 动 ❶ 审阅校订（书刊内
容）。❷〈书〉检阅：～三军|～阵法。

【校正】jiàozhèng 动 校对订正：～错字|
重新～炮位。

【校注】jiàozhù 动 校订并注释。

【校准】jiào∥zhǔn 动 校对机器、仪器等使
准确。

轿（轎）jiào 名 轿子：花～|抬～。

【轿车】jiàochē 名 ❶ 旧时供人乘坐的车，
车厢外面套着帷子，用骡、马等拉着走。
❷ 供人乘坐的、有固定车顶的汽车：大
～|小～。

【轿子】jiào•zi 名 旧时的交通工具，方形，
用竹子或木头制成，外面套着帷子，两边
各有一根杆子，由人抬着走或由骡马驮着
走：坐～|抬～。

较¹（較）jiào ❶ 比较（高低大小
等）：～量|～劲儿。❷ 介 用
于比较性状、程度：产量～去年有显著增
加。❸ 副 表示具有一定程度：用～少的
钱，办～多的事。❹〈书〉计较：锱铢必～。

较²（較）jiào〈书〉明显：彰明～著|
二者～然不同。

【较比】jiàobǐ〈方〉副 表示具有一定程
度；比较：这间屋子～宽绰|这里的气候～
热。

【较场】jiàochǎng 同"校场"。

【较劲】jiàojìn（～儿）动 ❶（-//-）比力
气；较量高低：他们几个你追我赶，暗中较
上了劲儿。❷ 作对；闹别扭；对着干：这天
真～，你越是需要雨，它越是不下。❸ 指特
别需要发挥作用或使用力气：眼下是三夏
时期，正是～的时候。‖也作叫劲。

【较量】jiàoliàng 动 ❶ 用竞赛或斗争的
方式比本领、实力的高低：～枪法。❷
〈方〉计较。

【较为】jiàowéi 副 表示有差别，但程度不
很深（多用于同类事物相比较）：这会儿他
觉得～舒服些|这样做～安全。

【较真】jiào∥zhēn（～儿）〈方〉形 认真：他
办事很～儿。也叫叫真。

【较著】jiàozhù〈书〉形 显著：彰明～。

窖 jiào〈书〉地窖。

教¹ jiào ❶ 🔲 教导;教育:管～|请～|受～|因材施～。❷ 🔲 宗教:佛～|伊斯兰～|信～|在～。❸ (Jiào)🔲 姓。

教² jiào 🔲 使;令;让:～他无计可施|～我十分为难。
另见 683 页 jiāo。

【教案】jiào'àn 🔲 教师在授课前准备的教学方案,内容包括教学目的、时间、方法、步骤、检查以及教材的组织等等。

【教本】jiàoběn 🔲 教科书。

【教鞭】jiàobiān 🔲 教师讲课时指示板书、图片用的棍儿。

【教材】jiàocái 🔲 有关讲授内容的材料,如书籍、讲义、图片、讲授提纲等。

【教参】jiàocān 🔲 指教学参考资料:编～。

【教程】jiàochéng 🔲 专门学科的课程(多用于书名):近代史～|政治经济学～。

【教导】jiàodǎo 🔲 教育指导:～处|～有方。

【教导员】jiàodǎoyuán 🔲 政治教导员的通称。

【教范】jiàofàn 🔲 军事上指技术方面的基本教材,如射击教范、维护修理教范等。

【教辅】jiàofǔ 🔲 属性词。对教学起辅导或辅助作用的:～图书|～人员。

【教父】jiàofù ❶ 基督教指公元2—12世纪在制订或阐述教义方面有权威的神学家。❷ 天主教、正教及新教某些教派新入教者接受洗礼时的男性监护人。

【教改】jiàogǎi 🔲 ❶ 教育改革。❷ 教学改革。

【教工】jiàogōng 🔲 学校里的教员、职员和工人的合称。

【教官】jiàoguān 🔲 军队、军校中担任教练或讲授文化知识的军官。

【教规】jiàoguī 🔲 宗教要求教徒遵守的规则。

【教化】jiàohuà 〈书〉🔲 教育感化。

【教皇】jiàohuáng 🔲 天主教会的最高统治者,由枢机主教选举产生,任期终身,驻在梵蒂冈。

【教会】jiàohuì 🔲 天主教、东正教、新教等基督教各派的信徒的组织。

【教诲】jiàohuì 〈书〉🔲 教训;教导:谆谆～。

【教具】jiàojù 🔲 教学时用来讲解说明某

事某物的模型、实物、图表和幻灯等的统称。

【教科书】jiàokēshū 🔲 按照教学大纲编写的为学生上课和复习用的书。

【教练】jiàoliàn 🔲 ❶ 训练别人使掌握某种技术或动作(如体育运动和驾驶汽车、飞机等):～车|～工作|～得法。❷ 🔲 从事上述工作的人员:足球～。

【教龄】jiàolíng 🔲 教师从事教学工作的年数。

【教令】jiàolìng 🔲 军队中通常以命令形式颁发的带试验性的原则规定,如飞行教令、步兵武器实弹射击教令等。

【教门】jiàomén 🔲 ❶ (～儿)〈口〉指伊斯兰教。❷ 教派。

【教母】jiàomǔ 🔲 天主教、正教及新教某些教派新入教者接受洗礼时的女性监护人。

【教派】jiàopài 🔲 某种宗教内部的派别。

【教区】jiàoqū 🔲 天主教主教管辖的宗教事务行政区。新教的一些教会也用来作为宗教事务行政区的名称。

【教师】jiàoshī 🔲 担任教学工作的专业人员:人民～。

【教师节】Jiàoshī Jié 🔲 教师的节日。我国的教师节是9月10日。

【教士】jiàoshì 🔲 基督教会传教的神职人员。

【教室】jiàoshì 🔲 学校里进行教学的房间。

【教授】jiàoshòu ❶ 🔲 对学生讲解说明教材的内容:～数学|～有方。❷ 🔲 高等学校中职别最高的教师。

【教唆】jiàosuō 🔲 怂恿指使(别人做坏事):这伙人专门～青少年偷窃。

【教唆犯】jiàosuōfàn 🔲 怂恿、指使别人犯罪的罪犯。

【教堂】jiàotáng 🔲 基督教徒举行宗教仪式的场所。

【教条】jiàotiáo ❶ 🔲 宗教上的信条,只要求信徒信从,不容许批评怀疑。❷ 🔲 只凭信仰,不加思考而盲目接受或引用的原则、原理。❸ 🔲 比喻僵化死板,不知变通:你们不从实际出发,盲目照搬别人的经验,未免太～了。❹ 🔲 指教条主义。

【教条主义】jiàotiáo zhǔyì 主观主义的一种,不分析事物的变化、发展,不研究事物矛盾的特殊性,只是生搬硬套现成的原则、概念来处理问题。

【教廷】jiàotíng 名 天主教会的最高统治机构,设在罗马城梵蒂冈。

【教头】jiàotóu 名 宋代军队中教练武艺的人,后来也泛指传授技艺的人。现也指体育运动的教练员(含诙谐意)。

【教徒】jiàotú 名 信仰某一种宗教的人。

【教务】jiàowù 名 学校中跟教学活动有关的行政工作:~处。

【教习】jiàoxí ❶ 名 教员的旧称。❷〈书〉动 教授(学业);教练①:~书法|~水军。

【教学】jiàoxué 名 教师把知识、技能传授给学生的过程。
另见683页 jiāo∥xué。

【教学相长】jiào xué xiāng zhǎng 通过教学,不但学生得到进步,教师自己也得到提高。

【教训】jiào·xun ❶ 动 教育训诫:~孩子。❷ 名 从错误或失败中取得的知识;接受~,改进工作。

【教研室】jiàoyánshì 名 教育厅、局和学校中研究教学问题的组织。

【教研组】jiàoyánzǔ 名 研究教学问题的组织,规模一般比教研室小。

【教养】jiàoyǎng ❶ 动 教育培养:~子女。❷ 名 指一般文化和品德的修养:有~。

【教养员】jiàoyǎngyuán 名 幼儿园负责全面教育儿童的人员。

【教义】jiàoyì 名 某一种宗教所信奉的道理。

【教益】jiàoyì 名 受教导后得到的益处:希望大家对我们的工作提出批评,使我们能够得到~。

【教育】jiàoyù ❶ 名 按一定要求培养人的工作,主要指学校培养人的工作:初等~|高等~|成人~|~方针。❷ 动 按一定要求培养:教师的责任是~下一代成为德、智、体全面发展的有用人才。❸ 动 用道理说服人使照着(规则、指示或要求等)做:说服~|~干部要清正廉洁。

【教育改造】jiàoyù gǎizào 我国对判处徒刑的罪犯实行的一种措施,根据罪犯的不同情况对其进行文化、技术、法制、道德等方面的教育;同时组织他们劳动,培养劳动习惯,学会生产技能,为释放后就业创造条件。

【教员】jiàoyuán 名 教师:中学~。

【教正】jiàozhèng〈书〉动 指教改正(把自己的作品送给人看时用的客套话):送上拙著一册,敬希~。

【教职员】jiàozhíyuán 名 学校里的教员和职员的合称。

【教主】jiàozhǔ 名 ❶ 某一宗教的创始人,如释迦牟尼被尊为佛教的教主。❷ 指某些宗教团体的领导人。

窖 jiào ❶ 名 收藏东西的地洞或坑:花儿~|白菜~|白薯已经入了~。❷ 动 把东西收藏在窖里:把白薯~起来。

【窖藏】jiàocáng 动 用窖储藏:保存白薯的最好办法是~。

【窖肥】jiàoféi〈方〉名 沤肥②。

滘 jiào〈方〉分支的河道(多用于地名):道~|双~(都在广东)。

斠 jiào ❶ 古时量谷物时平斗斛的器具。❷〈书〉校订。

酵 jiào 发酵。

【酵母】jiàomǔ 名 酵母菌的简称。

【酵母菌】jiàomǔjūn 名 真菌的一种,黄白色,圆形或卵形。酿酒、制酱、发面等都是利用酵母菌引起的化学变化。简称酵母。

【酵子】jiào·zi〈方〉名 含有酵母菌的面团。也叫引酵。

滶 jiào 同"滘":东~(在广东)。

嚼 jiào〈书〉嚼;吃东西。

【嚼类】jiàolèi〈书〉名 能吃东西的动物,特指活着的人。

嶶 jiào〈书〉同"叫"。

藠 jiào〈书〉❶ 边界。❷ 巡查。
另见688页 jiǎo。

嚼 jiào [嚼头](jiào·tou)名 薤(xiè)。

醮 jiào ❶ 古代结婚时用酒祭神的礼:再~(旧时称寡妇再嫁)。❷ 打醮。

嚼 jiào 见277页【倒嚼】(dǎojiào)。
另见684页 jiáo;748页 jué。

嚼 jiào〈书〉洁白;干净。

jiē（ㄐㄧㄝ）

节（節） jiē 见下。
另见 695 页 jié。

【节骨眼】jiē·guyǎn （～儿）〈方〉名 比喻紧要的、能起决定作用的环节或时机：眼看就要停工待料了，就在这～上，赶运的原料来了|做工作要抓住～儿，别乱抓一气。

【节子】jiē·zi 名 木材上的疤痕，是树木的分枝砍去后在干枝上留下的疤。

阶（階、堦） jiē ❶ 台阶：～梯。❷ 等级：官～。❸（Jiē）名 姓。

【阶层】jiēcéng 名 ❶ 指在同一个阶级中因社会经济地位不同而分成的层次。如农民阶级分成贫农、中农等。❷ 指由共同的经济状况或其他某种共同特征形成的社会群体：中产～|工薪～。

【阶乘】jiēchéng 名 从 1 到 n 的连续自然数相乘的积，叫做阶乘，用符号 n! 表示。如 5！＝1×2×3×4×5。规定 0！＝1。

【阶地】jiēdì 名 河流、湖泊、海洋等岸边呈阶梯状的地貌。

【阶段】jiēduàn 名 事物发展进程中划分的段落：大桥第一～的工程已经完成。

【阶级】jiējí 名 ❶〈书〉台阶。❷ 旧指官职的等级。❸ 人们在一定的社会生产体系中，由于所处的地位不同和对生产资料关系的不同而分成的集团，如工人阶级、资产阶级等。

【阶级斗争】jiējí dòuzhēng 被剥削阶级和剥削阶级、被统治阶级和统治阶级之间的斗争。

【阶级性】jiējíxìng 名 在有阶级的社会里人的思想意识所必然具有的阶级特性。这种特性是由人的阶级地位决定的，反映着本阶级的特殊利益和要求。

【阶梯】jiētī 名 台阶和梯子，比喻向上的凭借或途径。

【阶下囚】jiēxiàqiú 名 旧时指在公堂台阶下受审的囚犯，泛指在押的犯人或俘虏。

疖（癤） jiē 名 疖子。

【疖子】jiē·zi 名 皮肤病，由葡萄球菌或链状菌侵入毛囊内引起。症状是局部出现充血硬块，化脓，红肿，疼痛。

皆 jiē 副 都；都是：比比～是|尽人～知|有口～碑|放之四海而～准。

【皆大欢喜】jiē dà huān xǐ 大家都很满意，很高兴。

结（結） jiē 动 长出（果实或种子）：树上～了不少苹果|这种花～子儿不～？|园地里的南瓜、豆荚～得又大又多。
另见 697 页 jié。

【结巴】jiē·ba ❶ 动 口吃的通称：他～得厉害，半天说不出一句整话。❷ 名 口吃的人。

【结果】jiē//guǒ 动 长出果实：开花～。
另见 698 页 jiéguǒ。

【结实】jiē·shi 形 ❶ 坚固耐用：这双鞋很～。❷ 健壮：他的身体～。

接 jiē ❶ 动 靠近；接触：邻～|～近|～近交头～耳。❷ 动 连接；使连接：～电线|～纱头|这一句跟上一句～不上。❸ 动 托住；承受：～球|书掉下来了，赶快用手～住。❹ 动 接受：～见|～待|～电话|～到来信。❺ 动 迎接：到车站～人。❻ 动 接替：～任|谁～你的班？❼（Jiē）名 姓。

【接班】jiē//bān （～儿）动 ❶ 接替上一班的工作：我们下午三点～，晚十一点交班。❷ 指接替前辈人的工作、事业：老工人张师傅退休了，由他女儿接了班。

【接班人】jiēbānrén 名 接替上一班工作的人，多用来比喻接替前辈或前任工作、事业的人：培养革命的～。

【接办】jiēbàn 动 接受并办理；接手经办：～业务|～案件。

【接产】jiēchǎn 动 帮助产妇分娩，也指帮助母畜分娩。

【接茬儿】jiēchár 〈方〉❶（-/-）动 接着别人的话头说下去；搭腔：他几次跟我说到老王的事，我都没～。❷ 副（一件事完了）紧接着（做另外一件事）：收拾完屋子，他们～商量晚上开会的事。

【接触】jiēchù ❶ 动 挨上；碰着：皮肤和物体～后产生的感觉就是触觉◇他过去从没有～过农活儿。❷（人跟人）接近并发生交往或冲突：领导应该多跟群众～|先头部队已跟敌人的前哨～。

【接触镜】jiēchùjìng 名 眼镜的一种，镜片用高分子材料制成，很薄，直接贴附在眼球角膜上,以达到矫正视力的作用。通称隐形眼镜。

【接待】jiēdài 动 招待:~室|~来宾。

【接地】jiēdì 动❶ 为了保护人身或设备的安全,把电器的金属外壳接上地线。❷ 接上地线,利用大地做电流回路。

【接二连三】jiē èr lián sān 一个接着一个,形容接连不断:喜讯~地传来。

【接防】jiē//fáng 动(部队)接替原驻守某地部队的防务。

【接访】jiēfǎng 动(领导或上级机关)接待群众上访。

【接风】jiēfēng 动 请刚从远道来的人吃饭:设宴~|~洗尘。

【接羔】jiē//gāo 动 照顾羊、鹿等产羔。

【接骨】jiēgǔ 动 中医指用一定的手法(必要时配合药物和器械)把折断的骨头接起来使它逐渐复原。

【接管】jiēguǎn 动 接收并管理:~政权|~财务。

【接轨】jiē//guǐ 动❶ 连接路轨:新建的铁路已全线~铺通。❷ 比喻两种事物彼此衔接起来:与国际经济~。

【接柜】jiē//guì 动 在柜台接待(储户、顾客等):~员。

【接合】jiēhé 动 连接使合在一起:段落之间~得十分巧妙。

【接火】jiē//huǒ(~儿)〈口〉动❶ 开始用枪炮互相射击:先头部队跟敌人接上火了。❷ 内外电线接通,开始供电:电灯安好了,但是还没~。

【接机】jiē//jī 动 到飞机场接人:由会议接待组~。

【接济】jiējì 动 在物质上援助:~粮草|~物资|他经常~那些穷困的青年。

【接驾】jiējià 动 古代指迎接皇帝。现也指迎接客人(含诙谐意)。

【接见】jiējiàn 动 跟来的人见面(多用于主人接待客人或上级会见下属):~外宾|~与会代表。

【接界】jiējiè 动 交界:这个车站临近两省~的地方。

【接近】jiējìn 动 靠近;相差不远:~群众|时间已~半夜|这项技术已~世界先进水平|大家的意见已经很~,没有多大分歧了。

【接警】jiē//jǐng 动(公安部门)接到报警:~记录|公安人员~后迅速赶赴现场。

【接境】jiējìng 动 交界:山西东部同河北~。

【接客】jiē//kè 动❶ 接待客人。❷ 指妓女接待嫖客。

【接口】jiēkǒu 名 两个不同的系统或一个系统中两个特性不同的部分相互连接的部分。通常分为硬件接口和软件接口两种。

【接力】jiēlì 动 一个接替一个地进行:~赛跑|~运输。

【接力棒】jiēlìbàng 名 接力赛跑时使用的短棒,用木料或金属等制成。

【接力赛跑】jiēlì sàipǎo 径赛项目之一,一般由每队四名运动员一个接一个传递接力棒跑完一定距离。比赛项目有 4×100 米、4×200 米、4×400 米等。

【接连】jiēlián 副 一次跟着一次地;一个跟着一个地:~不断|他~说了三次|我们~打了几个大胜仗。

【接龙】jiē//lóng 动 见 319 页〖顶牛儿〗②。

【接纳】jiēnà 动❶ 接受(个人或团体参加组织、参加活动等):他被~为工会会员|展览会每天~上万人参观。❷ 采纳:他~了大家的意见。

【接气】jiē//qì 动 连贯(多指文章的内容):这一段跟下一段不很~。

【接洽】jiēqià 动 跟人联系,洽谈有关事项:~工作。

【接腔】jiē//qiāng 动 接着别人的话来说:他说完话,大家谁也没有~。

【接亲】jiē//qīn 动 男方到女方家中迎娶新娘。

【接壤】jiērǎng 动 交界:河北西部和山西~。

【接任】jiērèn 动 接替职务:校长一职已由原教务主任~。

【接墒】jiēshāng 动 下雨或浇水后,上下湿土相接,土壤中所含水分能满足农作物出苗或生长的需要。

【接生】jiē//shēng 动 帮助产妇分娩:~员。

【接事】jiēshì 动 接受职务并开始工作。

【接收】jiēshōu 动❶ 收受:~来稿|~无线电信号。❷ 根据法令把机构、财产等拿过来:~逆产。❸ 接纳:~新会员。

【接手】jiēshǒu 动 接替:他走后,俱乐部工作由你~。

【接受】jiēshòu 动 ❶ 收取(给予的东西):～礼品｜～捐款。❷ 对事物容纳而不拒绝:～任务｜～考验｜～教训;虚心～批评。

【接穗】jiēsuì 名 嫁接植物时用来接在砧木上的枝或芽。参看1731页〖砧木〗。

【接榫】jiē∥sǔn 动 ❶ 连接榫头。❷ 比喻前后衔接:这篇文章在前后～的地方处理好,显得不散。

【接谈】jiētán 动 接见并交谈:负责人跟来访的群众～。

【接替】jiētì 动 从别人那里把工作接过来并继续下去;代替:上级已派人去～他的工作。

【接听】jiētīng 动 接(打来的电话):～咨询电话。

【接头】jiē∥tóu 动 ❶ 使两个物体接起来。❷〈口〉接洽;联系:领导叫我来跟你～。❸ 熟悉某事的情况:我刚来,这件事我还不～。

【接头儿】jiē∥tóur 名 两个物体的连接处(多指条状物的):线的～｜这条床单有个～。

【接吻】jiē∥wěn 动 亲嘴。

【接戏】jiē∥xì 演员接受戏剧、影视剧的出演或导演接受戏剧、影视剧的执导工作:她从不为了多上镜而随便～。

【接线】jiē∥xiàn 动 用导线连接线路。

【接线员】jiēxiànyuán 名 话务员。

【接续】jiēxù 动 接着前面的;继续:～前任的工作｜请您～讲下去。

【接应】jiēyìng 动 ❶ 配合自己一方的人行动:你们先冲上去,二排随后～。❷ 接济;供应:粮草～不上。

【接援】jiēyuán 动 接应援助(多用于军队)。

【接站】jiē∥zhàn 动 到车站接人:派专车负责～。

【接着】jiē·zhe 动 连着(上面的话);紧跟着(前面的动作):我～这个话题讲几句｜这本书,你看完了我～看。

【接诊】jiēzhěn 动 接待并诊治(病人)。

【接踵】jiēzhǒng〈书〉动 后面的人的脚尖接着前面的人的脚跟,形容人多,接连不断:摩肩～｜～而来。

【接种】jiēzhòng 动 把疫苗注射到人或动物体内,以预防疾病,如种痘。

秸(稭) jiē 农作物脱粒后剩下的茎:麦～｜秫～｜豆～。

【秸秆】jiēgǎn 名 农作物脱粒后剩下的茎。

痎 jiē 古书上指一种疟疾。

揭 jiē ❶ 动 把附着在物体上的片状物成片取下:～下墙上的画｜～下粘在手上的膏药。❷ 动 把覆盖或遮挡的东西拿开:～幕｜～锅盖。❸ 动 揭露:～他的老底。❹〈书〉高举:～竿而起。❺(Jiē)名 姓。

【揭榜】jiē∥bǎng 动 ❶ 考试后出榜;发榜。❷ 揭下写有招聘或招标等内容的榜,表示应征。

【揭不开锅】jiē·bukāi guō 指断炊。

【揭穿】jiēchuān 动 揭露;揭破:～阴谋｜～谎言｜假面具被～了。

【揭疮疤】jiē chuāngbā 比喻揭露人的短处。

【揭底】jiē∥dǐ (～儿)动 揭露底细:他很怕人家揭他的底。

【揭短】jiē∥duǎn (～儿)动 揭露人的短处:不该当众揭他的短。

【揭发】jiēfā 动 揭露(坏人坏事):～罪行｜检举～。

【揭盖子】jiē gài·zi 比喻揭露矛盾或问题。

【揭竿而起】jiē gān ér qǐ 汉代贾谊《过秦论》:"斩木为兵,揭竿为旗。"后用"揭竿而起"指人民起义。

【揭露】jiēlù 动 使隐蔽的事物显露:～矛盾｜～问题的本质｜阴谋被～出来。

【揭秘】jiēmì 动 揭露秘密:这段历史公案有待～。

【揭幕】jiēmù 动 ❶ 在纪念碑、雕像等落成典礼的仪式上,把蒙在上面的布揭开。❷ 比喻重大活动的开始:展览会～｜国际排球锦标赛～。

【揭牌】jiē∥pái 动 揭开蒙在机关、企业等名称牌子上的布,表示成立、开业:公司在沪正式～｜举行～仪式。

【揭破】jiēpò 动 使掩盖着的真相显露出来:～诡计。

【揭示】jiēshì 动 ❶ 公布(文告等):～牌。❷ 使人看见原来不容易看出的事物:～客观规律。

【揭晓】jiēxiǎo 勔公布(事情的结果):录取名单还没有~|乒乓球赛的结果已经~。

喈 jiē [喈喈](jiējiē)〈书〉拟声 ❶ 形容敲击钟、铃等的声音:钟鼓~。❷ 形容鸟鸣声:鸡鸣~。

嗟 jiē〈书〉❶ 叹招呼声。❷ 叹息:~叹。

【嗟悔】jiēhuǐ〈书〉勔叹息悔恨:~无及。

【嗟来之食】jiē lái zhī shí 春秋时齐国发生灾荒,有人在路上施舍饮食,对一个饥饿的人说"嗟,来食",饥饿的人说,我就是不吃"嗟来之食",才到这个地步的。终于不食而死(见于《礼记·檀弓下》)。今泛指带有侮辱性的施舍。

【嗟叹】jiētàn〈书〉勔叹息:~不已。

街 jiē 名 ❶ 街道;街市:~头|大~小巷|上~买东西|~上很热闹。❷〈方〉集市:赶~。❸(Jiē)姓。

【街道】jiēdào 名 ❶ 旁边有房屋的比较宽阔的道路。❷ 跟街巷居民有关的事务:~工作|~办事处。

【街灯】jiēdēng 名 路灯。

【街坊】jiē·fang〈口〉名 邻居:我们是~。

【街景】jiējǐng 名 街头的景观。

【街垒】jiēlěi 名 用砖、石、车辆、装了泥沙的麻袋等在街道或建筑物间的空地上堆成的障碍物:~战。

【街门】jiēmén 名 院子临街的门。

【街面儿上】jiēmiànr·shang〈口〉名 ❶ 市面:一到春节,~特别热闹。❷ 附近街巷:他在这儿住了几十年,~都知道他。

【街区】jiēqū 名 指城市中的某一片区域,也指以某种特征划分的地区:商业~|文化~。

【街市】jiēshì 名 商店较多的市区。

【街谈巷议】jiē tán xiàng yì 大街小巷里人们的谈论。

【街头】jiētóu 名 街;街上:十字~。

【街头巷尾】jiē tóu xiàng wěi 指大街小巷。

【街舞】jiēwǔ 名 一种源于美国街头的舞蹈。20 世纪 80 年代从欧美传入中国。舞蹈动作由走、跑、跳及头、颈、肩、四肢的屈伸和旋转等连贯而成。分为健身街舞和流行街舞两大类。

【街心】jiēxīn 名 街道的中央部分:~花园。

湝 jiē [湝湝](jiējiē)〈书〉形 形容水流动:淮水~。

楷 jiē 名 黄连木。
另见 760 页 kǎi。

镲(鐂) jiē〈方〉名 割稻子用的镰刀,刃有细齿。

jié (ㄐㄧㄝ)

孑 jié ❶〈书〉单独;孤单:~立|~身。❷(Jié)名 姓。

【孑孓】jiéjué 名 蚊子的幼虫,是蚊子的卵在水中孵化出来的,体细长,游泳时身体一屈一伸。

【孑然】jiérán〈书〉形 形容孤独:~一身。

【孑遗】jiéyí〈书〉名 遭受兵灾等大变故多数人死亡后遗留下的少数人;劫后:~。

【孑遗生物】jiéyí shēngwù 指某些在地质年代中曾繁盛一时,广泛分布,而现在只限于局部地区,数量不多,有可能灭绝的生物。如大熊猫和水杉。

节¹(節) jié ❶ 名 物体各段之间相连的地方:关~|竹~。❷ 段落:~拍|音~。❸ 量 用于分段的事物或文章:两~火车|四~甘蔗|上了三~课|第三章第八~。❹ 名 节日;节气:五一国际劳动~|春~|清明~|这件事过了~再说吧。❺ 删节:~选|~录。❻ 动 节约;节制:~电|~煤|~育|开源~流。❼ 事项:细~|礼~|生活~。❽ 节操:气~|坚守~|保持晚~|高风亮~。❾(Jié)名 姓。

节²(節) jié 量 航海速度单位,符号 kn。每小时航行 1 海里的速度是 1 节。
另见 692 页 jiē。

【节哀】jié'āi〈书〉动 抑制哀痛,不使过分(多用于劝慰死者家属)。

【节本】jiéběn 名 书籍经过删节的版本:《金瓶梅》~。

【节操】jiécāo〈书〉名 气节操守。

【节点】jiédiǎn 名 电路中连接三个或三个以上支路的点。

【节妇】jiéfù 名 旧时指坚守贞节,丈夫死后不改嫁的妇女。

【节假日】jiéjiàrì 名 节日和假日的合称。

【节俭】jiéjiǎn 形 用钱等有节制;俭省。

【节减】jiéjiǎn 动 节省减少(费用):~经

费。

【节礼】jiélǐ 名 过节时赠送的礼物。

【节烈】jiéliè 形 封建礼教上妇女坚守节操，宁死不受辱。

【节令】jiélìng 名 某个节气的气候和物候：～不正|端午节吃粽子,应令。

【节录】jiélù ❶ 动 从整篇文字里摘取重要的部分：这篇文章太长,只能～发表。❷ 名 摘录下来的部分：这里发表的是全文,不是～|这一篇是读者来信的～。

【节律】jiélǜ 名 ❶ 某些物体运动的节奏和规律。❷ 诗词等的节奏和韵律。

【节略】jiélüè ❶ 名 概要;摘要：讲演稿的～。❷ 动 省略：文章的后一部分～了。❸ 名 外交文书的一种,用来说明事实、证据或有关法律的问题,不签字也不用印,重要性次于照会。

【节目】jiémù 名 文艺演出或广播电台、电视台播送的项目：～单|文艺～|今天晚会的～很精彩。

【节能】jiénéng 动 节约能源：～措施。

【节能灯】jiénéngdēng 名 亮度相同时,耗电比其他灯具少得多的灯。

【节拍】jiépāi 名 音乐中每隔一定时间重复出现的有一定强弱分别的一系列拍子,是衡量节奏的单位。如 2/4、3/4、4/4、3/8、6/8 等。

【节气】jié•qi 名 根据昼夜的长短、中午日影的高低等,在一年的时间中定出若干点,每一点叫一个节气。节气表明地球在轨道上的位置,也就是太阳在黄道上的位置。通常也指每一点所在的那一天。参看 363 页〖二十四节气〗。

【节庆】jiéqìng 名 节日;庆祝日：举办～展销活动。

【节日】jiérì 名 ❶ 纪念日,如五一国际劳动节等。❷ 传统的庆祝或祭祀的日子,如清明节、中秋节等。

【节省】jiéshěng 动 使可能被耗费掉的不被耗费掉或少耗费掉：～时间|～劳动力|～开支。

【节食】jiéshí 动 减少饮食量;节制饮食。

【节外生枝】jié wài shēng zhī 比喻在问题之外又岔出了新的问题。

【节下】jié•xia 〈口〉名 指节日或接近节日的日子。

【节选】jiéxuǎn 动 从某篇文章或某本著作中选取某些段落或章节。

【节衣缩食】jié yī suō shí 省吃省穿,泛指节俭。

【节余】jiéyú ❶ 动 因节约而剩下：每月能～三五百元。❷ 名 指节余的钱或东西：把全部～捐给了灾区。

【节育】jiéyù 动 节制生育。

【节欲】jiéyù 动 节制欲望,也特指节制性欲。

【节约】jiéyuē 动 节省(多用于较大的范围)：增产～|～时间。

【节支】jiézhī 动 节约开支：增收～。

【节肢动物】jiézhī-dòngwù 无脊椎动物中最大的一类,身体由许多环节构成,一般分头、胸、腹三部分,表面有壳质的外骨骼保护内部器官,有成对而分节的腿。种类很多,分为螯肢动物(如蝎子、蜘蛛等)、单肢动物(包括昆虫)和甲壳动物(如虾、蟹等)三个门。

【节制】jiézhì 动 ❶ 指挥管辖：这三个团全归你～。❷ 限制或控制：～饮食。

【节奏】jiézòu 名 ❶ 音乐或诗歌中交替出现的有规律的强弱、长短的现象：～明快。❷ 比喻均匀的、有规律的进程：生活～加快|工作要有～地进行。

评(評) jié 〈书〉斥责别人的过失;揭发别人的阴私：攻～。

劫¹(刦、刼、刧) jié ❶ 动 抢劫：打～|永～舍|歹徒～了一辆汽车。❷ 威逼;胁迫：～持。

劫² jié 灾难：浩～|遭～|～后余生。[劫,梵 kalpa 之省]

【劫案】jié'àn 名 抢劫的案件：侦破银行～。

【劫持】jiéchí 动 要挟;挟持：～飞机。

【劫道】jié//dào (～儿)动 拦路抢劫。

【劫夺】jiéduó 动 用武力夺取(财物或人)：～资源。

【劫犯】jiéfàn 名 用暴力抢劫他人财物的人：抓捕～。

【劫匪】jiéfěi 名 进行抢劫或劫持的匪徒。

【劫机】jié//jī 动 劫持飞机。

【劫掠】jiélüè 动 抢劫掠夺。

【劫难】jiénàn 名 灾难;灾祸：历经～。

【劫数】jiéshù 名 佛教徒所谓注定的灾难：～难逃。

【劫狱】jié//yù 动 从监狱里把被拘押的人抢出来。

劼 jié 〈书〉❶谨慎。❷努力。

杰(傑) jié ❶才能出众的人:豪~|俊~。❷杰出:~作。❸(Jié)名姓。

【杰出】jiéchū 形（才能、成就）出众:~人物。

【杰作】jiézuò 名 超过一般水平的好作品。

婕 jié 〈书〉同"捷"①。

诘(詰) jié 〈书〉诘问:盘~|反~|~责。
另见637页jí。

【诘难】jiénàn 〈书〉动 责难。

【诘问】jiéwèn 〈书〉动 追问;责问。

【诘责】jiézé 〈书〉动 责问。

絜 jié 同"洁"①（多用于人名）。

拮 jié [拮据](jiéjū)形 缺少钱,境况窘迫:手头~。

洁(潔) jié ❶清洁:整~|纯~|~白。❷(Jié)名姓。

【洁白】jiébái 形 没有被其他颜色染污的白色:~的床单◇~的心灵。

【洁净】jiéjìng 形 干净①。

【洁具】jiéjù 名 指澡盆、抽水马桶等卫生设备。

【洁癖】jiépǐ 名 过分讲究清洁的癖好。

【洁身自好】jié shēn zì hào 指保持自身纯洁,不同流合污。也指怕招惹是非,只关心自己,不关心公众事情。

结(結) jié ❶动 在条状物上打疙瘩或用这种方式制成物品:~绳|~网|~彩。❷名 条状物打成的疙瘩:打~|活~|死~|蝴蝶~。❸动 发生某种关系;结合:~仇|~社|~为夫妻。❹动 凝聚;凝结:~晶|湖面~了一层冰。❺动 结束;了结:~账|归根~底|你不理他不就~了吗?❻旧时保证负责的字据:保~|具~。❼(Jié)名姓。
另见692页jiē。

【结案】jié//àn 动 对案件做出判决或最后处理,使其结束。

【结拜】jiébài 动 因为感情好或有共同目的而通过一定形式结为兄弟姐妹。

【结伴】jié//bàn （～儿）动 跟人结成同伴;搭伴儿:结个伴儿|~运行|~赶集。

【结彩】jié//cǎi 动 用彩色绸布、纸条或松枝等结成美丽的装饰物:悬灯|国庆节,商店门前都结着彩,喜气洋洋。

【结肠】jiécháng 名 大肠的中段,与盲肠相连的一段向上行叫升结肠,然后在腹腔内横行叫横结肠,向下行叫降结肠,最后在左髂骨附近形成"乙"字形叫乙状结肠。

【结仇】jié//chóu 动 结下仇恨。

【结存】jiécún ❶动 结算后余下（款项、货物）:本月~两千五百元。❷名 结算后余下的款项、货物:这个月有两万多元的~。

【结党营私】jié dǎng yíng sī 结合成集团以谋取私利。

【结缔组织】jiédì-zǔzhī 人和高等动物体内具有支持、营养、保护和连接功能的组织,由细胞和不具有细胞结构的活质构成。如骨、软骨、韧带等。

【结发夫妻】jiéfà fūqī 旧时指初成年结婚的夫妻（结发是束发的意思,指初成年）。也泛指第一次结婚的夫妻。

【结构】jiégòu ❶名 各个组成部分的搭配和排列:文章的~|语言的~|原子~。❷名 建筑物上承担重力或外力的部分的构造:砖木~|钢筋混凝土~。❸动 组织安排（文字、情节等）:根据主线来~故事。

【结构工资】jiégòu gōngzī 工资制度的一种形式。一般由职务工资、岗位津贴、效益工资和工龄补贴等几部分构成。

【结构式】jiégòushì 名 用元素符号通过价键相互连接表示分子中原子的排列顺序和结合方式的式子,在一定程度上反映分子的结构和化学性质。如分子式为C_2H_6O的化合物有两种,用结构式表示,分别为:

$$
\begin{array}{c}
\text{H} \quad \text{H} \\
| \quad\quad | \\
\text{H—C—C—OH(乙醇)}, \\
| \quad\quad | \\
\text{H} \quad \text{H}
\end{array}
$$

$$
\begin{array}{c}
\text{H} \quad\quad \text{H} \\
| \quad\quad | \\
\text{H—C—O—C—H(甲醚)}. \\
| \quad\quad | \\
\text{H} \quad\quad \text{H}
\end{array}
$$

【结关】jié//guān 动 指国际航行船舶于出口前办完海关手续、结清应付的各种款项,海关准许离港出航。

【结果】[1] jiéguǒ ❶ 名 在一定阶段,事物发展所达到的最后状态;优良的成绩,是长期刻苦学习的～。❷ 连 用在下半句,表示在某种条件或情况下产生某种结局:经过一番争论,～他还是让步了。

【结果】[2] jiéguǒ 动 将人杀死(多见于早期白话)。

另见 692 页 jiē//guǒ。

【结合】jiéhé 动 ❶ 人或事物间发生密切联系:理论～实际。❷ 指结为夫妻。

【结合能】jiéhénéng 名 两个或几个自由状态的粒子结合在一起时释放的能量。自由原子结合为分子时放出的能量叫做化学结合能,分散的核子组成原子核时放出的能量叫做原子核结合能。

【结核】jiéhé 名 ❶ 肺、肾、肠、淋巴结等组织由于结核杆菌的侵入而形成的病变。❷ 指结核病。❸ 可以溶解的矿物凝结在一块固体核周围形成的球状物,如钙质结核、铁质结核等。

【结核病】jiéhébìng 名 慢性传染病,病原体是结核杆菌,一般通过呼吸道传染,各个器官都能发生,人的结核病以肺结核为多,还有骨结核、肠结核等。除人外,牛等家畜也能感染。

【结汇】jiéhuì 动 企业或个人按照外汇管理规定向银行买进或卖出外汇。

【结婚】jié//hūn 动 男子和女子经过合法手续结合成为夫妻:～证书|他俩春节～。

【结伙】jiéhuǒ ❶(-//-)动 跟人结成一伙:成群～。❷ 名 法律上指两人及两人以上预先通谋犯罪的组织。

【结集】[1] jiéjí 动 把单篇的文章编在一起;编成集子:～出版。

【结集】[2] jiéjí 动 (军队)调动到某地聚集:～兵力|在这个地区～了三个师。

【结交】jiéjiāo 动 跟人往来交际,使关系密切:～朋友。

【结节】jiéjié 名 生长在皮肤或皮下的圆形的小突起,通常由感染、过敏、代谢物沉积引起。

【结晶】jiéjīng ❶ 动 物质从液态(溶液或熔化状态)或气态形成晶体。❷ 名 晶体。❸ 名 比喻珍贵的成果:劳动的～。

【结晶体】jiéjīngtǐ 名 晶体。

【结局】jiéjú 名 最后的结果;最终的局面:～出人意料|悲惨的～。

【结论】jiélùn 名 ❶ 从推理的前提论证出来的判断。也叫断案。❷ 对人或事物所下的最后的论断。

【结盟】jié//méng 动 结成同盟:不～国家。

【结膜】jiémó 名 从上下眼睑内面到角膜边缘的透明薄膜。(图见1569 页"人的眼")

【结亲】jié//qīn 动 ❶ 结婚。❷ 两家因结婚而成为亲戚。

【结球甘蓝】jiéqiú gānlán 二年生草本植物,叶子大、平滑,层层重叠结成球状,花黄色。是常见蔬菜。通称圆白菜、洋白菜,在不同地区有卷心菜、包心菜等名称。

【结社】jiéshè 动 组织团体:集会～。

【结石】jiéshí 名 某些有空腔的器官及其导管内,由于有机物和无机盐类沉积而形成的坚硬物质。如胆结石、肾结石等。

【结识】jiéshí 动 跟人相识并来往:这次出访,～了许多国际友人。

【结束】jiéshù 动 ❶ 发展或进行到最后阶段,不再继续:秋收快要～了|代表团～了对北京的访问。❷ 装束;打扮(多见于早期白话)。

【结束语】jiéshùyǔ 名 文章或正式讲话末了带有总结性的一段话。

【结算】jiésuàn 动 把一个时期的各项经济收支往来核算清楚。有现金结算和非现金结算(只在银行账above)两种。

【结尾】jiéwěi ❶ 动 结束事情的最后一段;收尾:文章该～了。❷ 名 结束的阶段:～工程|文章的～写得很精彩。

【结业】jié//yè 动 结束学业(多指短期训练的):～考试|～典礼。

【结义】jiéyì 动 结拜。

【结余】jiéyú ❶ 动 结算后余下:这个月～二百元钱。❷ 名 结算后余下的钱:月月有～。

【结语】jiéyǔ 名 结束语。

【结缘】jié//yuán 动 结下缘分:他年轻的时候就和音乐结了缘。

【结怨】jié//yuàn 动 结下仇恨。

【结扎】jiézā 动 外科手术上,用特制的线把血管扎住,制止出血,或把输精管、输卵管等扎住,使管腔不通,达到避孕的目的。

【结账】jié//zhàng 动 结算账目:饭后～,连酒带饭三百多元。

【结子】jié·zi 名 结②。

桔 jié 见下。
另见 737 页 jú。

【桔槔】jiégāo 图 汲水的一种工具,在井旁或水边的树上或架子上挂一杠杆,一端系水桶,一端坠大石块,一起一落,汲水可以省力。

【桔梗】jiégěng 图 多年生草本植物,叶子卵形或卵状披针形,花暗蓝色或暗紫白色。供观赏。根可入药。

健 jié 〈书〉❶ 同"捷¹"①。❷ 同"婕"。
【健仔】jiéyú 同"婕妤"。

桀 Jié 夏朝末代君王,即癸,相传是个暴君。
〈古〉又同"杰(傑)"。
【桀骜】jié'ào 〈书〉形 倔强:～不驯(性情倔强不驯顺)。
【桀犬吠尧】Jié quǎn fèi Yáo《汉书·邹阳传》记载,邹阳从狱中上书:"桀之犬可使吠尧",桀的狗向尧狂吠,比喻走狗一心为它的主子效劳。
【桀纣】Jié-Zhòu 图 桀和纣,相传都是暴君。泛指暴君。

捷¹(捷) jié ❶ 快:敏～|～足先登。❷ (Jié)图 姓。
捷²(捷) jié 战胜:我军大～|连战连～。
【捷报】jiébào 图 胜利的消息:～频传。
【捷径】jiéjìng 图 近路,比喻能较快地达到目的的巧妙手段或办法:另寻～。
【捷足先登】jié zú xiān dēng 比喻行动敏捷,先达到目的。

蛣(蠘) jié 图 节肢动物,体长约三厘米,呈细杆状,胸部有脚七对,第二对特别大。生活在海藻或苔藓虫上。也叫麦秆虫或海藻虫。

偈 jié 〈书〉勇武。
另见 648 页 jì。

袺 jié 〈书〉用衣襟兜着。

婕 jié [婕妤](jiéyú)图 古代女官名,是帝王妃嫔的称号。也作伃。

絜 jié 〈书〉同"洁"①。
另见 1507 页 xié。

颉(頡) jié 用于人名。
另见 1507 页 xié。

楬 jié 〈书〉用作标志的小木桩。

睫 jié 睫毛:目不交～。
【睫毛】jiémáo 图 眼睑上下边缘的细毛。有阻挡灰尘、昆虫等侵入眼内及减弱强烈光线对眼睛的刺激等作用。

蚏 jié 见 1233 页[石蚏]。

截 jié ❶ 动 切断;割断(长条形的东西):～头去尾|把木条～成两段。❷ (～儿)量 段:一～儿木头|话说了半～儿。❸ 动 阻拦:～留|快把马～住,别让它跑了。❹ 截止:～至。❺ (Jié)图 姓。
【截长补短】jié cháng bǔ duǎn 比喻用长处补短处:我们要彼此～,共同提高。
【截断】jié//duàn 动 ❶ 切断:高温的火焰能～钢板。❷ 打断;拦住:电话铃声～了他的话。
【截稿】jiégǎo 动 截止收稿:～日期。
【截获】jiéhuò 动 中途夺取到或捉到:一辆走私车被海关～。
【截击】jiéjī 动 在半路上截住打击(敌人):～敌人的增援部队。
【截留】jiéliú 动 扣留所经手的(物品、款项等):～税款|文稿被～。
【截流】jiéliú 动 在水道中截断水流,以提高水位或改变水流的方向:～工程。
【截门】jiémén 图 阀的一种,一般安在管道中间,把手多呈环状,旋紧时管道阻塞。
【截面】jiémiàn 图 剖面。
【截取】jiéqǔ 动 从中取(一段):～文章开头的几句。
【截然】jiérán 副 形容界限分明,像割断一样:～不同|普及工作和提高工作是不能～分开的。
【截瘫】jiétān 动 腰部以下或下肢全部或部分瘫痪,多由脊髓疾病或外伤引起。
【截肢】jié//zhī 医学上指四肢的某一部分发生严重病变或受到创伤而无法医治时,把这一部分肢体截掉。
【截止】jiézhǐ 动 (到一定期限)停止:报名在昨天已经～。
【截至】jiézhì 动 截止到(某个时候):报名日期～本月底。
【截子】jié·zi 量 截②:活儿干了半～|走了一大～山路|他的外语比你差一大～哪。

檗 jié 〈书〉鸡栖息的横木。

碣 jié 石碑;墓~|残碑断~。

鮚(鮚) jié 古书上说的一种蚌。

竭 jié ❶ 尽:~力|力~声嘶|取之不尽,用之不~。❷〈书〉干涸:枯~|山崩川~。❸ (Jié)名姓。

【竭诚】jiéchéng 副 竭尽忠诚;全心全意:~帮助|~拥护|~为读者服务。

【竭尽】jiéjìn 动 用尽:~全力。

【竭蹶】jiéjué 〈书〉形 原指走路艰难,后用来形容经济困难:~状态|财政~。

【竭力】jiélì 副 尽力地:~避免事故发生|我们一定~完成任务。

【竭泽而渔】jié zé ér yú 排干湖中或池中的水捉鱼,比喻取之不留余地,只顾眼前利益,不顾长远利益。

羯[1] jié 羯羊。

羯[2] Jié 我国古代民族,是匈奴的一个别支,居住在今山西省东南部,东晋时曾在黄河流域建立过后赵国(公元311—334)。

【羯羊】jiéyáng 名 阉割了的公羊。

jiě (ㄐㄧㄝˇ)

姐 jiě 名 ❶ 姐姐:大~|二~|~妹。❷ 亲戚中同辈而年纪比自己大的女子(一般不包括可以称作嫂的人):表~。❸ 称呼年轻的女子:杨三~|空~。❹ (Jiě)姓。

【姐夫】jiě·fu 名 姐姐的丈夫。

【姐姐】jiě·jie 名 ❶ 同父母(或只同父、只同母)而年纪比自己大的女子。❷ 同族同辈而年纪比自己大的女子(一般不包括可以称作嫂的人):叔伯~|远房~。

【姐妹】jiěmèi 名 ❶ 姐姐和妹妹。a)不包括本人:她没有~,只有一个哥哥。b)包括本人:她们~俩都是先进生产者|她就一个(没有姐姐或妹妹)。❷ 弟兄姐妹;同胞。

【姐儿们】jiě·menr 〈口〉名 ❶ 姐妹们:他们家~三个。❷ 女性朋友间互称(带亲热的口气):她跟我是~,帮点儿忙是应该的。‖也说姐儿们(jiěr·men)。

【姐儿】jiěr 〈口〉名 姐妹①b、②:你们~几个?|~里头就数她最会说话。

【姐儿们】jiěr·men 〈口〉名 姐们儿。

【姐丈】jiězhàng 名 姐夫。

娌 jiě 见3页[娭娌]。

驰

解(解) jiě ❶ 分开:~剖|瓦~|难~难分。❷ 动 把束缚着或系着的东西打开:~扣儿|~衣服。❸ 解除:~职|~渴|~乏。❹ 解释:~说|注~。❺ 了解;明白:令人不~|通俗易~。❻ 解手:大~|小~。❼ 名 代数方程式中未知数的值,例如 $x + 16 = 0, x = -16, -16$ 就是 $x + 16 = 0$ 这个方程的解。❽ 动 演算方程式;求方程式中未知数的值:~方程。

另见705页 jiè;1510页 xiè。

【解饱】jiěbǎo〈方〉动 (东西)吃下去不容易饿。

【解馋】jiě//chán 动 在食欲上得到了满足(多指吃到想吃到的食物):这一顿包子真~。

【解嘲】jiěcháo 动 用言语或行动来掩饰被别人嘲笑的事情:自我~|聊以~。

【解愁】jiě//chóu 动 排解忧愁或愁闷。

【解除】jiěchú 去掉;消除:~警报|顾虑|~武装|~职务。

【解答】jiědá 动 解释回答(问题):《几何习题》|他无法~我提出的问题。

【解冻】jiě//dòng 动 ❶ 冰冻的江河、土地融化:一到春天,江河都~了|拖拉机翻耕~的土地◇两国关系开始~。❷ 解除对资金等的冻结。

【解毒】jiě//dú 动 ❶ 中和机体内有危害的物质。❷ 中医指解除上火、发热等症状。

【解读】jiědú 动 ❶ 阅读解释:~信息编码|传统的训诂学以~古籍为主要目的。❷ 分析;研究:~人生|~史前文化。❸ 理解;体会:持不同观点的人对这项政策会有不同的~。

【解饿】jiě//è 动 消除饿的感觉:只吃几块饼干不~。

【解乏】jiě//fá 动 解除疲乏,恢复体力:穿着棉衣睡觉不~。

【解放】jiěfàng 动 ❶ 解除束缚,得到自由或发展:~思想|~生产力。❷ 推翻反动

统治,在我国特指1949年推翻国民党统治:～前|～那年我才15岁。

【解放军】jiěfàngjūn 图 为解放人民而组织起来的军队,特指中国人民解放军。

【解放区】jiěfàngqū 图 推翻了反动统治、建立了人民政权的地区,特指抗日战争和解放战争时期,中国共产党领导的军队从敌伪统治和国民党统治下解放出来的地区。

【解放战争】jiěfàng zhànzhēng 被压迫的民族或阶级为了争取解放而进行的战争,特指我国第三次国内革命战争。

【解构】jiěgòu 动 对某种事物的结构和内容进行剖析:～作品|～传统文化。

【解雇】jiěgù 动 停止雇用。

【解恨】jiě∥hèn 动 消除心中的愤恨。

【解甲归田】jiě jiǎ guī tián 指军人离开军队,回家务农。

【解禁】jiě∥jìn 动 解除禁令。

【解救】jiějiù 动 使脱离危险或困难:～危难|～受灾的同胞。

【解决】jiějué 动 ❶ 处理问题使有结果:～困难|～问题|～矛盾。❷ 消灭(坏人):残余匪徒全给～了。

【解渴】jiě∥kě 动 消除渴的感觉:热天喝酸梅汤最～|喝杯茶解解渴◇张老师的辅导课,分析问题鞭辟入里,很～。

【解困】jiěkùn 动 解决困难;从困境中解脱出来:～房|帮助国有企业～。

【解铃还须系铃人】jiě líng hái xū xì líng rén 见〖解铃系铃〗。

【解铃系铃】jiě líng xì líng 法眼和尚问大家:"老虎脖子上的金铃谁能解下来?"大家回答不出。正好泰钦禅师来了,法眼又问这个问题。泰钦禅师说:"系上去的人能解下来。"(见于《林间集·下·法灯泰钦禅师》)比喻由谁惹出来的麻烦还由谁去解决。也说解铃还须系铃人。

【解码】jiě∥mǎ 动 用特定方法把数码还原成它所代表的内容或将电脑冲信号转换成它所表示的信息、数据等的过程。解码在无线电技术和通信等方面广泛应用。

【解闷】jiě∥mèn (～儿)动 排除烦闷:闲着没事,看小说解解闷儿。

【解密】jiě∥mì 动 ❶ 解除对文件、档案等的保密措施,允许对外公布。❷ 给经过加密的信息除去密码,使还原为加密前的状态,以便获取信息。

【解民倒悬】jiě mín dào xuán 《孟子·公孙丑上》:"万乘之国行仁政,民之悦之,犹解倒悬也。"后用"解民倒悬"比喻把人民从困苦灾难的处境中解救出来。

【解难】jiě∥nán 动 解决困难或疑难:释疑～。

【解难】jiě∥nàn 动 解除危难:排忧～。

【解囊】jiěnáng 动 解开口袋,指拿出财物来(帮助人):慷慨～|～相助。

【解聘】jiě∥pìn 动 解除职务,不再聘用。

【解剖】jiěpōu 动 ❶ 为了研究人体或动植物体各器官的生理构造,用特制的刀、剪把人体或动植物体剖开。❷ 比喻分析;剖析:严于～自己。

【解气】jiě∥qì 动 消除心中的气愤。

【解劝】jiěquàn 动 劝解;安慰。

【解扰】jiěrǎo 动 解除干扰信号:～技术。

【解散】jiěsàn 动 ❶ 集合的人分散开:队伍～后,大家都在操场上休息喝水。❷ 取消(团体或集会)。

【解释】jiěshì 动 ❶ 分析阐明:经过无数次的研究和实验,这种自然现象才得到科学的～。❷ 说明含义、原因、理由等:～词句|～误会。

【解手】jiě∥shǒu (～儿)动 排泄大便或小便。

【解说】jiěshuō 动 解释说明:～词|讲解员给观众～这种机器的构造和性能。

【解套】jiě∥tào 动 被套牢的证券价格回升至持有者最初买入时的价格,从而不再亏本,叫解套。参看1334页〖套牢〗。

【解体】jiětǐ 动 ❶ 物体的结构分解。❷ 崩溃;瓦解:联盟～|封建经济～。

【解调】jiětiáo 动 调制的逆过程,使经过调幅、调频或调相的载波重现原来的调制信号。

【解脱】jiětuō 动 ❶ 佛教用语,摆脱苦恼,得到自在。❷ 摆脱:诸事纷扰,使他难以～。❸ 开脱:为人～罪责。

【解围】jiě∥wéi 动 ❶ 解除敌军的包围。❷ 泛指使人摆脱不利或受窘的处境:要不是你来～,我还真下不了台。

【解悟】jiěwù 动 在认识上由不了解到了解。

【解吸】jiěxī 动 使所吸收或吸附的气体或溶质放出。如用活性炭吸附二氧化氮后,加热或降压化使二氧化氮逸出。

【解析】jiěxī 囫 讲解分析：深入～。

【解析几何】jiěxī jǐhé 几何学的一个分支，用代数方法解决几何学问题。解析几何中，用坐标表示点，用坐标间的关系表示和研究空间图形的性质。

【解严】jiěyán 囫 解除戒严状态。

【解颐】jiěyí 〈书〉囫 开颜而笑（颐：面颊）。

【解疑】jiě//yí 囫 ❶ 消除疑虑：经他一说，我才解了疑。❷ 解释疑难：词典可以为读者释难～。

【解忧】jiě//yōu 囫 排解心中的忧愁：排难～。

【解约】jiě//yuē 囫 取消原来的约定。

【解职】jiě//zhí 囫 解除职务；免职：因工作不力而被～。

榍 jiè 古书上说的一种树。

jiè （ㄐㄧㄝ）

介¹ jiè ❶ 在两者当中：～绍｜媒～｜这座山～于两县之间。❷ 介绍：内容简～。❸ 存留；放在（心里）：～意｜怀～。❹（Jiè）名 姓。

介² jiè ❶ 铠甲：～胄。❷ 甲壳：～虫｜～壳。

介³ jiè 〈书〉耿直；有骨气·耿～。

介⁴ jiè 〈书〉量 用于人，相当于"个"（多表示微贱）：一～书生｜一～武夫。

介⁵ jiè 古典戏曲剧本中，指示角色表演动作时的用语，如笑介、饮酒介等。

【介词】jiècí 名 用在名词、代词或名词性词组的前面，合起来表示方向、对象等的词，如"从、自、往、朝、在、当（方向、处所或时间）、把、对、同、为（对象或目的）、以、按照（方式）、比、跟、同（比较）、被、叫、让（被动）"。

【介怀】jièhuái 〈书〉囫 介意：毫不～。

【介壳】jièqiào 名 蛤、螺等软体动物的外壳，主要由石灰质和色素构成，质地坚硬，有保护身体的作用。

【介入】jièrù 囫 插进两者之间干预其事：不～他们两人之间的争端。

【介绍】jièshào 囫 ❶ 使双方相识或发生

联系：～信｜～人｜我给你～一下，这位是张先生。❷ 引进；带入（新的人或事物）：～入会｜中国京剧已被～到许多国家。❸ 使了解或熟悉：～情况｜～先进经验。

【介意】jiè//yì 囫 把不愉快的事记在心里；在意（多用于否定式）：刚才这句话是开玩笑，你可别～。

【介音】jièyīn 名 韵母中主要元音前面的元音，普通话语音中有"i、u、ü"三个介音，如"天"tiān 的介音是"i"，"多"duō 的介音是"u"，"略"lüè 的介音是"ü"。参看1690页〖韵母〗。

【介质】jièzhì 名 一种物质存在于另一种物质内部时，后者就是前者的介质；某些波状运动（如声波等）借以传播的物质叫做这些波状运动的介质。旧称媒质。

【介子】jièzǐ 名 质量介于电子和核子之间的粒子。种类较多，性质不稳定，有的带正电，有的带负电，有的不带电，能用来轰击原子核，引起核反应。

价 jiè 〈书〉称被派遣传送东西或传达事情的人。
　　另见658页 jià；705页·jie。

戒 jiè ❶ 防备；警惕：～心｜～备｜～骄～躁。❷ 同"诫"。❸ 戒除：～烟｜～毒｜他把酒～了。❹ 指禁止做的事情：开～｜杀～。❺ 佛教戒律：受～。❻ 戒指：钻～。❼（Jiè）名 姓。

【戒备】jièbèi 囫 ❶ 警戒防备：～森严。❷ 对人有戒心而加以防备：你对他应有所～。

【戒尺】jièchǐ 名 旧时教师对学生施行体罚时所用的木板。

【戒除】jièchú 囫 改掉（不良嗜好）：～烟酒。

【戒刀】jièdāo 名 旧时僧人所佩带的刀，按戒律只用来割衣物，不许杀生。

【戒牒】jièdié 名 旧时寺院发给受戒后的和尚、尼姑的证明身份的文书。

【戒毒】jiè//dú 囫 戒除毒瘾：～所。

【戒断】jièduàn 囫 戒除使断绝：～毒瘾｜～烟瘾。

【戒忌】jièjì ❶ 名 禁忌①。❷ 囫 对忌讳的事情存有戒心。

【戒骄戒躁】jiè jiāo jiè zào 警惕自己，防止骄傲和急躁。

【戒惧】jièjù 囫 警惕，畏惧：～心理。

【戒律】jièlǜ 名 多指有条文规定的宗教徒必须遵守的生活准则：犯～|清规～。

【戒条】jiètiáo 名 戒律。

【戒心】jièxīn 名 戒备之心；警惕心：存有～。

【戒严】jiè∥yán 动 国家遇到战争或特殊情况时，在全国或某一地区内采取非常措施，如增设警戒，组织搜查，限制交通等。

【戒指】jiè·zhi 名 套在手指上做纪念或装饰用的小环，用金属、玉石等制成。

芥 jiè ❶芥菜：～末|～子。❷小草，比喻轻微纤细的事物：草～|纤～。
另见 437 页 gài。

【芥菜】jiècài 名 一年或二年生草本植物，开黄色小花，果实细长。种子黄色，有辣味，磨成粉末，叫芥末，用作调味品。芥菜变种很多，形态各异，按用途分为叶用芥菜（如雪里红）、茎用芥菜（如榨菜）和根用芥菜（如大头菜）等。
另见 437 页 gàicài。

【芥蒂】jièdì〈书〉名 梗塞的东西，比喻心里的嫌隙或不快：经过调解，两人心中都不再有什么～了。

【芥黄】jièhuáng 名 芥末。

【芥末】jiè·mo 名 调味品，芥子研成的粉末，味辣。也叫芥黄。

【芥子气】jièzǐqì 名 有机化合物，化学式$(C_2H_4Cl)_2S$。无色油状液体，有芥末或大蒜味。有剧毒，能引起皮肤溃烂，战争中曾用作毒气。

芥 jiè〈方〉山间谷地（多用于地名）：岭下～（在江苏）|大～口（在浙江）。

珋 jiè〈书〉大的圭。

届 jiè ❶ 到（时候）：～时|～期。❷量略同于"次"，用于定期的会议或毕业的班级等：历～|第二～全国人民代表大会|本～毕业生。❸（Jiè）名 姓。

【届满】jièmǎn 动 规定的担任职务的时期已满：～离任。

【届期】jièqī ❶副 到预定的日期：～务请光临。❷名 指每一届任期：章程对代表大会～有明确规定|实行～制，打破终身制。

【届时】jièshí 副 到时候：～务请出席。

界 jiè ❶ 名 界限：地～|边～|省～|国～|山西和陕西以黄河为～。❷一定的范围：眼～|管～。❸职业、工作或性质等相同的一些社会成员的总体：文艺～|科学～|妇女～|各～人士。❹名 生物分类系统中的最高一级，如动物界、植物界、真菌界。界以下是门。❺名 地层系统分类单位的第二级，界以上为宇，如显生宇分为古生界、中生界和新生界，界以下为系。跟界相应的地质年代分期叫做代。

【界碑】jièbēi 名 在交界的地方竖立的碑，用作分界的标志。

【界标】jièbiāo 名 分界的标志，如界碑、界石等。

【界别】jièbié 名 按行业或职业等划分的类别，如教育界、新闻界。

【界尺】jièchǐ 名 画直线用的木条，没有刻度。

【界定】jièdìng 动 划定界限；确定所属范围：两个单位的分工要有明确的～|是优是劣有客观标准来～。

【界河】jièhé 名 两国或两地区分界的河流。

【界面】jièmiàn 名 ❶ 物体和物体之间的接触面。❷ 用户界面的简称。

【界山】jièshān 名 两国或两地区分界的山。

【界石】jièshí 名 用作分界标志的石碑或石桩。

【界说】jièshuō 名 定义的旧称。

【界限】jièxiàn 名 ❶ 不同事物的分界：划清～|～分明。❷ 尽头处；限度：殖民主义者的野心是没有～的。

【界线】jièxiàn 名 ❶ 两个地区分界的线：跨越～。❷ 不同事物的分界。❸ 某些事物的边缘：标出房基地～。

【界域】jièyù 名 事物的界限和范围。

【界约】jièyuē 名 两个国家订立的边界条约。

【界桩】jièzhuāng 名 在交界的地方竖立的桩子，用作分界的标志。

疥 jiè 名 疥疮。

【疥虫】jièchóng 名 疥螨。

【疥疮】jièchuāng 名 传染性皮肤病，病原体是疥螨，多发生在手腕、手指、腋窝、腹股沟等部位。症状是局部起丘疹而不变颜色，非常刺痒。

【疥蛤蟆】jièhá·ma 名 蟾蜍的通称。

【疥螨】jièmǎn 图 寄生虫,体很小,椭圆扁平,身上有毛,有四对脚,脚上有吸盘。寄生在人或哺乳动物的皮肤下,引起疥疮。也叫疥虫。

诚(誡) jiè 警告;劝告:告丨规丨。

【诚勉】jièmiǎn 勔 对思想、工作、作风等方面存在问题的干部进行教育的一种形式,由组织和纪律监察部门对干部谈话规诚、监督管理,并组织跟踪考核。

蚧 jiè 见 461 页〖蛤蚧〗。

借¹ jiè 勔❶ 暂时使用别人的物品或金钱;借进:向他~书丨跟人~钱丨把笔~给我用一下。❷ 把物品或金钱暂时供别人使用;借出:~书给他丨~钱给人。

借²(藉) jiè ❶ 假托:~故丨~端。❷ 凭借;利用:~助丨~手(假手)。❸ 乼(有时像"着"连用)引进动作、行为所利用或凭借的时机、事物等:~着灯光看书丨~出差的机会调查方言。

"藉"另见 641 页 jí;705 页 jiè。

【借词】jiècí 图 从另一种语言中吸收过来的词。参看 1399 页〖外来语〗。

【借代】jièdài 图 修辞方式,不直接把所要说的事物名称说出来,而用跟它有关系的另一种事物名称代替它。如"红领巾参加植树劳动"中的"红领巾"就是代替"少先队员"。

【借贷】jièdài ❶ 勔 借(钱):~无门。❷ 图 指簿记或资产表上的借方和贷方。

【借刀杀人】jiè dāo shā rén 比喻自己不出面,利用别人去害人。

【借调】jièdiào 勔❶ 一个单位临时借用另一单位的工作人员,而不改变其隶属关系。❷ 一个单位临时借用调拨另一单位的物资。

【借读】jièdú 勔 没有本地区正式户口的中、小学生在本地区中、小学就读,叫做借读。没有某校学籍的学生,因故在某校就读,也叫借读。

【借端】jièduān 勔 借口某件事:~生事丨~推托。

【借方】jièfāng 图 簿记账户的左方,记载资产的增加,负债的减少和收入的减少。

【借风使船】jiè fēng shǐ chuán 比喻借用别人的力量以达到自己的目的。也说借

水行舟。

【借古讽今】jiè gǔ fěng jīn 假借评论古代某人某事的是非,影射现实。

【借故】jiègù 勔 借口某种原因:~拖延丨他不愿意再跟他们谈下去,就~走了。

【借光】jiè//guāng 〈口〉勔❶ 分沾他人的利益、好处;沾光:能来这里参观,是借了他哥的光。❷ 客套话,用于请别人给自己方便或向人询问:~让我过去丨~,百货大楼在哪儿?

【借花献佛】jiè huā xiàn fó 比喻拿别人的东西做人情。

【借火】jiè//huǒ (~儿)勔 吸烟时向别人借用引火的东西或利用别人点燃的烟来引火。

【借鉴】jièjiàn 勔 跟别的人或事相对照,以便取长补短或吸取教训:可资~。

【借景】jièjǐng 勔 园林艺术中指借取园外之景或使园内各风景点互相衬托,连成一体。

【借镜】jièjìng 勔 借鉴。

【借据】jièjù 图 借用别人的钱或物品时所立的字据,由出借的人保存。

【借口】jièkǒu ❶ 勔 以(某事)为理由(非真正的理由):不能~快速施工而降低工程质量。❷ 图 假托的理由:别拿忙做~而放松学习。

【借款】jièkuǎn ❶(~//~)勔 向人借钱或借钱给人。❷ 图 借用的钱:一笔~。

【借尸还魂】jiè shī huán hún 迷信传说人死以后灵魂可能借别人的尸体复活,比喻某种已经消灭或没落的思想、行为、势力等假托别的名义重新出现。

【借水行舟】jiè shuǐ xíng zhōu 见〖借风使船〗。

【借宿】jiè//sù 勔 借别人的地方住宿:勘探队在老乡家里~了一夜。

【借题发挥】jiè tí fāhuī 借谈论另一个题目来表达自己真正的意思。

【借条】jiètiáo (~儿)图 便条式的借据。

【借位】jiè//wèi 勔 减法运算中,被减数的某一位数不够减时向前一位借一,化成本位的数量,然后再减。

【借问】jièwèn 勔 敬辞,用于向人打听事情:~这里离城还有多远?

【借以】jièyǐ 连 用在下半句的开头,表示把上半句所说的内容作为凭借,以达到某

种目的：略举几件事实，～证明这项工作的重要性。

【借用】jièyòng 囫❶ 借别人的东西来使用：～一下你的铅笔。❷ 把用于某种用途的事物用于另一种用途："道具"这个名词原来指和尚念经时所用的东西，现在～来演演戏时所用的器物。

【借喻】jièyù 囵比喻的一种，直接借比喻的事物来代替被比喻的事物，被比喻的事物和比喻词都不出现。如"乱石穿空，惊涛拍岸，卷起千堆雪"，"雪"比喻浪花。

【借阅】jièyuè 囫借图书、资料等来阅读：～图书要如期归还。

【借债】jiè／zhài 囫借钱。

【借账】jiè／zhàng 囫借债。

【借支】jièzhī 囫先期支用工资或其他报酬。

【借重】jièzhòng 囫指借用其他的（力量），多用作敬辞：～一切有用的力量｜以后～您的地方还很多，还要常来麻烦您。

【借助】jièzhù 囫靠别的人或事物的帮助：要看到极远的东西，就得～于望远镜。

僺 jiè 〈方〉囵骨节与骨节衔接的地方：脱～（脱臼）。

解（解） jiè 囫解送：押～｜把犯人～到县里。
　　另见700页jiě；1510页xiè。

【解差】jièchāi 囵旧时押送犯人的人。

【解送】jièsòng 囫押送（财物或犯人）。

【解元】jièyuán 囵明清两代称乡试考取第一名的人。

襸 jiè ［襸子］(jiè·zi)〈方〉囵尿布。

藉 jiè 〈书〉❶ 垫在下面的东西。❷ 垫；衬：枕～。
　　另见641页jí；704页jiè"借²"。

·jie （·ㄐㄧㄝ）

价（價） ·jie 囵❶〈方〉用在否定副词后面加强语气：不～｜甭～｜别～。【注意】跟否定副词单独成句，后面不再跟别的成分。❷ 用在某些状语的后面：成天～忙｜震天～响。
　　另见658页jià；702页jiè。

家 ·jie 同"价"(·jie)❷，如"整天家、成年家"。
　　另见653页jiā。

jīn（ㄐㄧㄣ）

巾 jīn 擦东西或包裹、覆盖东西的小块的纺织品：手～｜毛～｜头～｜围～｜领～｜枕～。

【巾帼】jīnguó 囵巾和帼是古代妇女戴的头巾和发饰，借指妇女：～英雄｜～丈夫（有男子气概的女子）。

【巾箱本】jīnxiāngběn 囵本子特小，可以放在巾箱中的古书（巾箱，古时装头巾或手巾的小箱子）。

斤¹（觔） jīn 囗质量或重量单位。旧制1斤等于16两，市制1斤后改10两，合500克。

斤² jīn ❶ 古代砍伐树木的工具：斧～。❷ (Jīn)囵姓。

【斤斗】jīndǒu 〈方〉囵跟头。

【斤斤】jīnjīn 囫过分计较（琐细的或无关紧要的事物）：不要～于表面形式，应该注重实际问题。

【斤斤计较】jīnjīn jìjiào 形容过分计较微小的利益或无关紧要的事情。

【斤两】jīnliǎng 囵分量，多用于比喻：他的话很有～。

今 jīn ❶ 现在；现代（跟"古"相对）：当～｜～人｜厚～薄古｜古为～用。❷ 当前的（年、天及其部分）：～天｜～晨｜～春。❸〈书〉囮指示代词。此；这：～番｜～次。❹ (Jīn)囵姓。

【今草】jīncǎo 囵草书的一种，是由章草结合楷书发展而成的，六朝时为与章草区别，叫今草。

【今后】jīnhòu 囵时间词。从今以后：～更要加倍努力。

【今年】jīnnián 囵时间词。说话时的这一年。

【今儿】jīnr 〈口〉囵时间词。今天：～晚上我值班。也说今儿个(jīnr·ge)。

【今人】jīnrén 囵现代的人；当代的人。

【今日】jīnrì 囵时间词。今天：从上海来的参观团预定～到达。

【今生】jīnshēng 囵这一辈子：～今世。

【今世】jīnshì 名 ❶ 当代：～英杰。❷ 今生。

【今天】jīntiān 名 时间词。❶ 说话时的这一天：～的事不要放到明天做。❷ 现在；目前：～的中国已经不是过去的中国了。

【今文】jīnwén 名 汉代称当时通用的隶书。那时有人把口传的经书用隶书记录下来，后来叫做今文经。

【今昔】jīnxī 名 现在和过去：～对比。

【今译】jīnyì 名 古代文献的现代语译文：古籍～。

【今音】jīnyīn 名 ❶ 现代的语音。❷ 指以《切韵》《广韵》等韵书为代表的隋唐音，跟以《诗经》押韵、《说文》谐声等为代表的"古音"（周秦音）区别。

【今朝】jīnzhāo 名 ❶〈方〉今天①。❷〈书〉今天②：数风流人物，还看～。

纷（紟）jīn〈书〉联结衣襟的带子。

金¹ jīn ❶ 金属，通常指金、银、铜、铁、锡等：五～｜合～。❷ 钱：现～｜基～。❸ 古时金属制的打击乐器，如锣等：～鼓｜鸣～收兵。❹ 名 金属元素，符号 Au（aurum）。黄色，有光泽，质软，延展性强，化学性质稳定。是贵重金属，用来制造货币、装饰品等。通称金子或黄金。❺ 比喻尊贵、贵重：～口玉言。❻ 像金子的颜色：碧眼～发。❼ (Jīn)名 姓。

金² Jīn 名 朝代，公元 1115—1234，女真族完颜阿骨打所建，在我国北部。

【金榜】jīnbǎng 名 科举时代俗称殿试录取的榜：～题名。

【金镑】jīnbàng 名 英国等国本位货币"镑"的别称。

【金杯】jīnbēi 名 奖杯的一种，奖给第一名。

【金本位】jīnběnwèi 名 用黄金做本位货币的货币制度。

【金笔】jīnbǐ 名 笔头用黄金的合金、笔尖用铱的合金制成的高级自来水笔。

【金币】jīnbì 名 用黄金做主要成分铸造的货币。

【金碧辉煌】jīnbì-huīhuáng 形容建筑物等异常华丽，光彩夺目。

【金箔】jīnbó 名 用金子捶成的薄片或涂上金粉的纸片，用来包在佛像或器物等外面做装饰。

【金不换】jīn·buhuàn 用金子都换不来，形容极为可贵：浪子回头～。

【金灿灿】jīncàncàn （～的）形 状态词。形容金光耀眼：～的阳光洒满大地。

【金蝉脱壳】jīnchán tuō qiào 比喻用计脱逃而使对方不能及时发觉。

【金城汤池】jīn chéng tāng chí 金属造的城墙、灌满滚水的护城河，形容坚固不易攻破的城池。

【金疮】jīnchuāng 名 中医指刀枪等金属器械所造成的伤口。

【金点子】jīndiǎn·zi 名 指极有价值的主意、办法。

【金额】jīn'é 名 钱数。

【金饭碗】jīnfànwǎn 名 比喻稳定而待遇非常优厚的职位。

【金刚】¹ Jīngāng 名 佛教称佛的侍从力士，因手拿金刚杵（古印度兵器）而得名。

【金刚】² jīngāng〈方〉名 某些昆虫（如苍蝇）的蛹。

【金刚努目】Jīngāng nǔ mù 形容面目凶恶。也说金刚怒目。

【金刚怒目】Jīngāng nù mù 见〖金刚努目〗。

【金刚砂】jīngāngshā 名 ❶ 指碳化硅，纯的为无色晶体，硬度很大，质脆。工业上用作研磨材料。❷ 用作磨料的金刚石、刚玉、碳化硅等的统称。

【金刚石】jīngāngshí 名 矿物，碳的同素异形体，多为止八面体、菱形十二面体晶体，纯净的无色透明，有耀眼的光泽，有极高的折射率，是已知最硬的物质。用作高级切削和研磨材料等。也叫金刚钻。

【金刚石婚】jīngāngshíhūn 名 西方风俗称结婚六十周年或七十五周年为金刚石婚。也叫钻石婚。

【金刚钻】jīngāngzuàn 名 金刚石。

【金糕】jīngāo 名 山楂糕。

【金工】jīngōng 名 金属的各种加工工作的统称。

【金瓜】jīnguā 名 ❶ 草本植物，茎蔓生，叶片粗糙，边缘有锯齿，花白色，果实卵形，橘红色，有 10 条纵棱。❷ 古代一种兵器，棒端呈瓜形，金色。后来用作仪仗。

【金龟】jīnguī 名 乌龟（爬行动物）。

【金龟子】jīnguīzǐ 名 昆虫，种类很多，身体黑绿色或其他颜色，有光泽，前翅坚硬，后翅呈膜状。幼虫叫蛴螬，是农业害虫。

【金贵】jīn·guì 形 珍贵;贵重:东西越稀少越~|这里水比油还~。

【金衡】jīnhéng 名 英美质量制度,用于金、银等贵重金属(区别于"常衡、药衡")。

【金花茶】jīnhuāchá 名 常绿灌木或小乔木,叶子椭圆形,有光泽,花全黄色,结蒴果,生长在广西、云南等地,是观赏植物。

【金黄】jīnhuáng 形 黄而微红略像金子的颜色:~头发|麦收时节,田野里一片~。

【金煌煌】jīnhuánghuáng (~的)形 状态词。形容像黄金一样发亮的颜色:~的琉璃瓦。

【金晃晃】jīnhuǎnghuǎng (~的)形 状态词。金煌煌。

【金婚】jīnhūn 名 西方风俗称结婚五十周年为金婚。

【金鸡独立】jīnjī dú lì 指用一条腿站立的姿势。

【金鸡纳霜】jīnjīnàshuāng 名 奎宁。[金鸡纳,西 quinquina]

【金奖】jīnjiǎng 名 指一等奖;最高奖(多以金杯等为奖品)。

【金橘】jīnjú 名 ❶ 常绿灌木或小乔木,叶子披针形或长圆形,开白色小花。果实小,长圆形,果皮金黄色,有特殊的香气,味酸甜,可以吃。❷ 这种植物的果实。

【金科玉律】jīn kē yù lǜ 比喻不能更改的信条或法律条文。

【金口玉言】jīnkǒu-yùyán 极难得的可贵的话,封建社会多称皇帝讲的话,后来也用来泛指不能改变的话。

【金库】jīnkù 名 保管和出纳国家预算资金的机构。通称国库。

【金兰】jīnlán 名 原指牢固而融洽的友情(语本《易经·系辞》"二人同心,其利断金;同心之言,其臭如兰"),后来用作结拜为兄弟姐妹的代称:~谱|~义结。

【金莲】jīnlián 名 旧时指缠足妇女的脚。

【金领】jīnlǐng 名 指掌握现代科技,能创造大量财富因而收入较高的高级科学技术人员,如软件设计工程师等;~阶层。

【金绿宝石】jīnlǜ-bǎoshí 矿物,成分是铍、铝的氧化物,常含有微量的铁、钛、铬等,有黄、绿、红、褐等颜色,透明或半透明,硬度8.5,韧性好,可用来做首饰。

【金銮殿】jīnluándiàn 名 唐代宫内有金銮殿,后来小说戏曲中泛称皇帝受朝见的殿。

【金迷纸醉】jīn mí zhǐ zuì 见 1753 页【纸醉金迷】。

【金牛座】jīnniúzuò 名 黄道十二星座之一。参看 600 页【黄道十二宫】。

【金瓯】jīn'ōu 〈书〉名 黄金做的盆类器皿,比喻完整的疆土,泛指国土:~无缺。

【金牌】jīnpái 名 奖牌的一种,奖给第一名:荣获~。

【金钱】jīnqián 名 货币;钱。

【金钱豹】jīnqiánbào 名 哺乳动物,外形像虎而较小,尾长。毛黄色,密布圆形或椭圆形黑褐色斑点或斑环,形状像古钱。行动敏捷,性凶猛。

【金钱松】jīnqiánsōng 名 落叶乔木,高可达 40 米,树冠呈圆锥形,叶子条形,球果卵形。木材耐腐蚀,供建筑和制器物等用。树形优美,秋季叶子金黄色,是著名的观赏树。

【金枪鱼】jīnqiāngyú 名 鱼,身体纺锤形,长 1 米左右,头尖,鳞细。游得很快,生活在海洋中。

【金秋】jīnqiū 名 指秋季:~季节|~菊展。

【金曲】jīnqǔ 名 指深受听众喜爱的歌曲作品:十大~。

【金融】jīnróng 名 指货币的发行、流通和回笼,贷款的发放和收回,存款的存入和提取,汇兑的往来以及证券交易等经济活动。

【金融危机】jīnróng wēijī 金融体系和金融制度发生混乱和动荡。主要表现为:商业信用锐减,大批金融机构破产,银行资金呆滞,有价证券市低落,本位货币贬值等。

【金嗓子】jīnsǎng·zi 名 指音色清脆、圆润悦耳的歌喉。

【金闪闪】jīnshǎnshǎn (~的)形 状态词。形容金光闪烁:~的奖杯。

【金石】jīnshí 名 ❶〈书〉金属和石头,比喻坚硬的东西:精诚所至,~为开(意志坚决,能克服一切困难)。❷ 金指铜器和其他金属器物,石指石制器物等,这些东西上头多有文字记事,所以把这类历史资料叫做金石。

【金属】jīnshǔ 名 具有光泽和延展性,容易导电、传热等性质的单质。除汞以外,在常温下都是固体,如金、银、铜、铁、锰、锌等。

【金属键】jīnshǔjiàn 图 金属原子依靠流动的自由电子相互结合的化学键。金属的导热性、延性、展性等物理性质与金属键有关。

【金丝猴】jīnsīhóu 图 哺乳动物,身体瘦长,毛灰黄色、面孔蓝色、鼻孔向上,尾巴长,背部有金色光亮的长毛。生活在高山的大树上,是我国特产的珍贵动物。

【金丝雀】jīnsīquè 图 鸟,面部至胸部黄色,腰部黄绿色,腹部白色,尾巴和翅膀黑色,叫声很好听。变种很多。供观赏。

【金丝燕】jīnsīyàn 图 鸟,身体小,羽毛黑褐色,翅膀尖而长,足短,淡红色,四趾朝前。生活在热带岛屿,捕食小虫。喉部有很发达的黏液腺,所分泌的唾液在空气中凝成固体,是金丝燕筑巢的主要材料。所筑的巢就是食品中的燕窝。

【金松】jīnsōng 图 常绿大乔木,高可达40米,大叶扁条形,嫩枝上的小叶鳞片状,树冠状狭圆锥形,是著名的观赏树。

【金汤】jīntāng 图 金城汤池的略语:固若~。

【金田起义】Jīntián Qǐyì 1851年洪秀全、杨秀清等在广西桂平金田村领导的农民起义。参看1318页〖太平天国〗。

【金条】jīntiáo 图 铸成长条状的黄金,一般每条重30克、50克、100克、500克等。

【金文】jīnwén 图 古代铜器上铸的或刻的文字,通常专指殷周秦汉铜器上的文字。也叫钟鼎文。

【金乌】jīnwū 〈书〉图 指太阳(传说太阳中有三足乌):~西坠。

【金星】[1] jīnxīng 图 太阳系九大行星之一,按离太阳由近而远的次序计为第二颗,绕太阳公转周期约224.7天,自转周期约243天,自东向西逆转。金星是各大行星中离地球最近的一个。(图见1319页"太阳系")

【金星】[2] jīnxīng 图 ❶ 金黄色的五角星:~勋章。❷ 头晕眼花时所感到的眼前出现的像星星的小点:我跑得上气不接下气,眼前直冒~。

【金银花】jīnyínhuā 图 忍冬。

【金鱼】jīnyú 图 鲫鱼经过人工长期培养形成的变种,身体的颜色有红、黑、蓝、红白花等许多种,是著名的观赏鱼。

【金鱼藻】jīnyúzǎo 图 多年生草本植物,生长在淡水里,叶子条形,没有叶柄,茎细长。常放在金鱼缸中,供观赏。

【金玉】jīnyù 〈书〉图 泛指珍宝,比喻宝贵或华美的事物:~良言|~其外,败絮其中(外表很华美,里头一团糟)。

【金玉良言】jīnyù liángyán 比喻像黄金和美玉一样宝贵的忠告或教诲。

【金圆券】jīnyuánquàn 图 国民党政府在1948年发行的一种纸币。

【金针】jīnzhēn 图 ❶〈书〉缝纫、刺绣用的金属针。❷ 针灸用的针,古时多用金、银或铁制成,现在多用不锈钢制成。参看542页〖毫针〗。❸ 用作食物的金针菜的花。

【金针菜】jīnzhēncài 图 ❶ 多年生草本植物,叶子丛生。花筒长而大、黄色,有香味,早晨开放傍晚凋谢,花蕾可以做蔬菜。❷ 这种植物的花。‖ 通称黄花。

【金枝玉叶】jīn zhī yù yè 旧指皇族,也指出身高贵的公子小姐。

【金子】jīn·zi 图 金[1] ④的通称。

【金字塔】jīnzìtǎ 图 古代埃及、美洲的一种建筑物,是用石头建成的三面或多面的角锥体,远看像汉字的"金"字。埃及金字塔是古代帝王的陵墓。

【金字招牌】jīnzì zhāopái 商店用金粉涂字的招牌,用来显示商店资金雄厚、信誉卓著。比喻向人炫耀的名义或称号。

津[1] jīn ❶ 唾液:~液|生~止渴。❷ 汗:遍体生~。❸ 润泽:~润。

津[2] jīn 〈书〉渡口:~渡|关~|要~。

【津津】jīnjīn 形 ❶ 形容有滋味;有趣味:~有味|~乐道(很感兴趣地谈论)。❷ (汗、水)流出的样子:汗~|水~|淌着~汗水。

【津梁】jīnliáng 〈书〉图 渡口和桥梁,比喻用作引导的事物或过渡的方法、手段。

【津贴】jīntiē ❶ 图 工资以外的补助费,也指供给制人员的生活零用钱。❷ 动 给津贴;补助:每月~他一些钱。

【津要】jīnyào 〈书〉图 ❶ 水陆冲要的地方:扼守~。❷ 比喻显要的地位:身居~。

【津液】jīnyè 图 中医对体内一切液体的统称,包括血液、唾液、泪液、汗液等,有时也专指唾液。

衿 jīn ❶〈书〉同"襟"。❷〈书〉古代读书人穿的衣服。❸系(jì)衣裳的带子

矜 jīn 〈书〉❶怜悯;怜惜:～怜。❷自尊自大;自夸:骄～|不～不伐(不自大自夸)。❸慎重;拘谨:～持。
另见 504 页 guān;1106 页 qín。

【矜持】jīnchí 〖形〗❶庄重;严肃:～不苟|神态～沉稳。❷拘谨;拘束:他第一次上台发言,显得有点～。

【矜夸】jīnkuā〈书〉骄傲自夸:力戒～。

筋(觔) jīn ❶肌肉:～骨。❷(～儿)〈口〉〖名〗肌腱或骨头上的韧带:牛蹄～儿|扭了～了。❸〈口〉〖名〗可以看见的皮下静脉:青～。❹(～儿)像筋的东西:叶～|钢～|铁～|橡皮～儿。

【筋道】jīn·dao〈方〉〖形〗❶指食物有韧性,耐咀嚼:抻面吃到嘴里挺～。❷身体结实(多指老人):老人的身子骨儿倒很～。

【筋斗】jīndǒu〈方〉〖名〗跟头。

【筋骨】jīngǔ〖名〗筋肉和骨头,也指体格:学武术可以锻炼～。

【筋节】jīnjié〖名〗❶肌肉和关节。❷比喻文章或言辞重要而有力的转折承接处。

【筋疲力尽】jīn pí lì jìn 形容非常疲劳,一点力气也没有了。

【筋肉】jīnròu〖名〗肌肉。

禁 jīn ❶〖动〗禁受;耐:弱不～风|这双鞋～穿。❷忍住:不～|情不自～。
另见 715 页 jìn。

【禁不起】jīn·buqǐ〖动〗承受不住(多用于人):～考验。

【禁不住】jīn·buzhù〖动〗❶承受不住(用于人或物):这种植物～霜冻|你怎么这样～批评?❷抑制不住;不由得:～笑了起来。

【禁得起】jīn·deqǐ〖动〗承受得住(多用于人):青年人要～艰苦环境的考验。

【禁得住】jīn·dezhù〖动〗承受得住(用于人或物):河上的冰已经～人走了。

【禁受】jīnshòu〖动〗受;承受:～考验|～不住打击。

襟 jīn ❶上衣、袍子前面的部分:大～|对～。❷指连襟:～兄|～弟。❸指胸襟:～抱|～怀。

【襟抱】jīnbào〈书〉〖名〗胸襟;抱负:满怀爱国～。

【襟怀】jīnhuái〖名〗胸襟;胸怀:～坦白。

jǐn （ㄐㄧㄣ）

仅(僅) jǐn ❶〖副〗仅仅:不～如此|绝无～有|买完这些书,身上～剩下五元钱。❷(Jǐn)〖名〗姓。
另见 711 页 jìn。

【仅见】jǐnjiàn〖动〗极其少见:规模之大是历史上所～的。

【仅仅】jǐnjǐn〖副〗表示限于某个范围,意思跟"只"相同而更强调:这座大桥～半年就完工了|那篇文章我～看了一小部分。

【仅只】jǐnzhǐ〖副〗仅仅:他家～养猪一项,就收入几千元。

尽¹(儘) jǐn ❶〖动〗力求达到最大限度:～早|～着手生的力气往外一推|～可能地减少错误。❷〖介〗(有时跟"着"连用)表示以某个范围为极限,不得超过:～着三天把事情办好。❸〖介〗(有时跟"着"连用)让某些人或事物尽先:先～旧衣服穿|单间房间不多,～着女同志住。❹〖副〗用在表示方位的词前面,跟"最"相同:～前头|～北边。

尽²(儘) jǐn〈方〉〖副〗尽自:这些日子～下雨|事情已经过去了,～责备他也无益。
另见 711 页 jìn。

【尽管】jǐnguǎn ❶〖副〗表示不必考虑别的,放心去做:有意见～提,不要客气|你有什么困难～说,我们一定帮助你解决。❷〈方〉〖副〗老是;总是:有病早些治,～耽搁着也不好。❸〖连〗表示姑且承认某种事实,下文往往有"但是、然而、还是"等表示转折的连词跟它呼应:～他不接受我的意见,我有意见还是要向他提|～以后变化难测,然而大体的趋势还是可以估计的。

【尽快】jǐnkuài〖副〗尽量加快:使新机器～投入生产|～地制订出新的年度计划。

【尽量】jǐnliàng〖副〗表示力求在一定范围内达到最大限度:把你知道的～告诉给大家|工作虽然忙,学习的时间仍然要～保证|写文章要～简明一些。
另见 711 页 jìnliàng。

【尽让】jǐnràng〈方〉〖动〗使别人占先;推让:他们在一起处得很好,凡事彼此都有

个～。

【尽先】jǐnxiān 副 表示尽量放在优先地位：～照顾老年人｜～生产这种轿车。

【尽早】jǐnzǎo 副 表示尽可能地提前：用完请～送回。

【尽自】jǐn·zi〈方〉副 老是；总是：她心里乐滋滋的～笑｜要想办法克服困难，别～诉苦。

叠 jǐn 古代举行婚礼时用作酒器的瓢：合～(指成婚)。

紧(緊) jǐn ❶ 形 物体受到几方面的拉力或压力以后所呈现的状态(跟"松²"相对，②③④⑥同)：绳子拉得很｜鼓面绷得非常～。❷ 形 物体因受外力作用变得固定或牢固：捏一笔杆｜把螺丝钉往～里拧一拧◇眼睛～盯住他｜～记着别忘了。❸ 动 使紧：～了一下腰带｜～一～弦｜～一～螺丝钉。❹ 形 非常接近，空隙极小：抽屉，拉不开｜这双鞋太，穿着不舒服｜他住在我的～隔壁◇全国人民团结～。❺ 形 动作先后密切连接：事情急：～催一个胜利～接着一个胜利｜他～赶了几步,追上老张｜风刮得～,雨下得急｜任务很｜～抓～时间。❻ 形 经济不宽裕；拮据：这个月用项多一些,手头显得一点。

【紧巴巴】jǐnbābā (～的)形 状态词。❶ 形容物体表面绷得很紧：衣服又瘦又小,～地贴在身上。❷ 形容经济不宽裕；拮据：日子过得～的。

【紧绷绷】jǐnbēngbēng (～的)形 状态词。❶ 形容绷或捆扎得很紧：皮带系(jì)得～的。❷ 形容心情很紧张或表情不自然：脸～的,像很生气的样子。

【紧凑】jǐncòu 形 密切连接,中间没有多余的东西或多余的时间：结构｜这部影片很～,没有多余的镜头。

【紧箍咒】jǐngūzhòu 名《西游记》里唐僧用来制伏孙悟空的咒语,能使孙悟空头上套的金箍缩紧,使他头疼,因此叫紧箍咒。比喻束缚人的东西。

【紧急】jǐnjí 形 必须立即采取行动,不容许拖延的：～集合｜～措施｜～关头｜任务｜战事～。

【紧急状态】jǐnjí zhuàngtài 非常紧张的形势,一般指国家面临战争的状态。

【紧邻】jǐnlín 名 紧挨着的邻居。

【紧锣密鼓】jǐn luó mì gǔ 锣鼓点敲得很密,比喻正式或公开活动前的紧张的舆论准备。

【紧密】jǐnmì 形 ❶ 十分密切,不可分隔：～结合｜～联系｜～地团结在一起。❷ 多而连续不断：枪声十分～｜～的雨点。

【紧迫】jǐnpò 形 没有缓冲的余地；急迫：～感｜任务｜形势十分～。

【紧俏】jǐnqiào 形 (商品)销路好,供不应求：～货｜～物资。

【紧缺】jǐnquē 形 (物资等)因短缺而供应紧张：商品｜资金～。

【紧身儿】jǐn·shenr 名 穿在里面的瘦而紧的上衣。

【紧缩】jǐnsuō 动 缩小；压缩：～开支｜～机构。

【紧要】jǐnyào 形 紧急重要；要紧：～关头｜无关～。

【紧张】jǐnzhāng 形 ❶ 精神处于高度准备状态；兴奋不安：第一次登台,免不了有些～。❷ 激烈或紧迫,使人精神紧张：～的劳动｜动人的情节｜球赛已经进入～阶段｜工作～｜局势～。❸ 供应不足,难于应付：粮食｜电力～。

【紧着】jǐn·zhe〈口〉动 加紧：你写得太慢了,应该～点儿｜下星期一就要演出了,咱们得～练。

堇 jǐn 见下。

【堇菜】jǐncài 名 多年生草本植物,叶子略呈肾脏形,边缘有锯齿,花瓣白色,有紫色条纹。也叫堇堇菜。

【堇色】jǐnsè 名 浅紫色。

锦(錦) jǐn ❶ 名 有彩色花纹的丝织品：蜀｜壮～。❷ 形 色彩鲜明华丽：～霞｜～缎。❸ (Jǐn)名 姓。

【锦标】jǐnbiāo 名 授给竞赛中优胜者的奖品,如锦旗、奖杯等。

【锦标赛】jǐnbiāosài 名 获胜的团体或个人取得锦标的体育运动比赛,如世界乒乓球锦标赛。

【锦缎】jǐnduàn 名 表面有彩色花纹的丝织品,可做服装和装饰品等。

【锦鸡】jǐnjī 名 鸟,种类较多,通常指红腹锦鸡,外形跟雉相似,雄的头上有金色的冠毛,颈橙黄色,背暗绿色,杂有紫色,尾巴很长,雌的羽毛暗褐色。

【锦葵】jǐnkuí 名 二年生或多年生草本植

物,叶子掌状,互生,有长柄。夏天开花,
多为紫红色。品种很多,供观赏。

【锦纶】jǐnlún 名 合成纤维的一种,强度
高、耐磨、耐腐蚀,弹性大。用来制袜子、
衣物、绳子、渔网、降落伞等。旧称尼龙。

【锦囊妙计】jǐnnáng miàojì 旧小说上常
描写足智多谋的人,把可能发生的事变以
及应付的办法预先用纸条写好装在锦囊
里,嘱咐带的人在遇到紧急情况时拆
看,并依计行事。现在比喻能及时解决紧
急问题的办法。

【锦旗】jǐnqí 名 用彩色绸缎制成的旗子,
授给竞赛或生产劳动中的优胜者,或者送
给团体或个人表示敬意、谢意等。

【锦上添花】jǐn shàng tiān huā 比喻使美
好的事物更加美好。

【锦心绣腹】jǐn xīn xiù fù 见【锦心绣口】。

【锦心绣口】jǐn xīn xiù kǒu 形容文辞优
美。也说锦心绣腹。

【锦绣】jǐnxiù ❶ 名 精美鲜艳的丝织品。
❷ 形 属性词。比喻美丽或美好:～山
河|～前程。

【锦衣玉食】jǐn yī yù shí 华美的衣服,珍
贵的食品。形容奢侈豪华的生活。

谨(謹) jǐn ❶ 谨慎;小心:勤～|恭
～|拘～|～记在心|～守规程。
❷ 副 郑重地:～启|～领|～具|我们～向
各位代表表示热烈的欢迎。

【谨饬】jǐnchì 〈书〉形 谨慎。

【谨防】jǐnfáng 动 小心地防备:～扒手|
～假冒|～上当。

【谨慎】jǐnshèn 形 对外界事物或自己的
言行密切注意,以免发生不利或不幸的事
情:小心～。

【谨小慎微】jǐn xiǎo shèn wēi 对琐细的
事情过分小心谨慎,以致流于畏缩。

【谨严】jǐnyán 形 ❶ 谨慎严密:治学～|作
风～。❷ 细致严密:文章结构～。

【谨言慎行】jǐn yán shèn xíng 说话做事
都谨慎小心。

馑(饉) jǐn 见 626 页【饥馑】。

廑(廑) jǐn 〈书〉同"仅"①。
另见 1107 页 qín。

瑾 jǐn 〈书〉美玉。

槿 jǐn 见 970 页【木槿】。

jìn（ㄐㄧㄣˋ）

仅(僅) jìn 〈书〉副 将近:士卒～万
人。
另见 709 页 jǐn。

尽(盡) jìn ❶ 动 完:取之不～|知无
不言,言无不～|想～方法节约
资财。❷〈书〉死亡:自～|同归于～。❸
达到极端:～头|～善～美|山穷水～。❹
动 全部用出:～心|～全力|～其所有|人
～其才,物～其用。❺ 动 用力完成:～
职|～责任。❻ 副 全;都:～是些杂事。
❼ 所有的:～数|～人皆知。
另见 709 页 jǐn。

【尽力】jìn∥lì 动 用一切力量:～而为|我
一定～帮助你。

【尽量】jìnliàng 动 达到最大限度:喝了半
斤白酒,还没～。
另见 709 页 jǐnliàng。

【尽七】jìnqī 名 七七。

【尽情】jìnqíng 副 尽量由着自己的情感,
不加拘束:～欢笑|～发泄|孩子们～地唱
着、跳着。

【尽然】jìnrán 形 完全这样(多用于否定
式):未必～|你以为他说的都是事实? 不
～吧。

【尽人皆知】jìn rén jiē zhī 人人都知道:
那是～的事|他的事迹,在厂里～。

【尽人事】jìn rénshì 尽力做人所能做到的
事。

【尽如人意】jìn rú rényì 完全符合心意(多
用于否定式):难以～|不能～。

【尽善尽美】jìn shàn jìn měi 非常完美,没
有缺陷。

【尽数】jìnshù 副 全数;全部:欠款～归还。

【尽头】jìntóu 名 末端;终点:胡同的～有
一所新房子|研究学问是没有～的。

【尽孝】jìn∥xiào 动 (对父母和长辈)努力
履行孝道。

【尽心】jìn∥xīn 动 (别人)费尽心思:～
竭力|对老人你们也算尽到心了。

【尽兴】jìnxìng 动 兴趣得到尽量满足:改
天咱们再～地谈吧|游览了一天,他们还觉
得没有～。

【尽责】jìn∥zé 动 尽力负起责任:尽职～。

【尽职】jìn∥zhí 囫尽力做好本职工作:～尽责|在班主任工作中,他非常～。

【尽忠】jìn∥zhōng 囫❶竭尽忠诚:～报国。❷指竭尽忠诚而牺牲生命:为国～。

进(進) jìn ❶囫向前移动(跟"退"相对):推～|跃～|～军|～一步|更～一层。❷囫从外面到里面(跟"出"相对):～入|～门|～屋来|～工厂当学徒。❸囫接纳;收入①:～人|～款|～货。❹呈上:～奉|～言。❺量平房的住宅内分前后几排的,一排称为一进。❻(Jìn)名姓。

进(進) ∥·jìn 囫趋向动词。用在动词后,表示到里面:走～会场|把衣服放～箱子里去。

【进逼】jìnbī 囫(军队)向前逼近:步步～。

【进兵】jìnbīng 囫军队向执行战斗任务的目的地行进。

【进补】jìnbǔ 囫吃有滋补作用的食物、药物补养身体:冬令～。

【进步】jìnbù ❶囫(人或事物)向前发展,比原来好:虚心使人～,骄傲使人落后。❷形适合时代要求,对社会发展起促进作用的:～思想|～人士。

【进餐】jìn∥cān 囫指吃饭:按时～。

【进谗】jìnchán 〈书〉囫在上级或长辈面前说人坏话:乘机～。

【进程】jìnchéng 名事物发展变化或进行的过程:历史的～|革命的～。

【进尺】jìnchǐ 名井巷掘进、钻探等作业的进度,通常以米为计量单位:钻机钻探的年～|隧道掘进日～十米。

【进出】jìnchū 囫❶进来和出去:住在大院的人由这个门～。❷收入和支出:这个商店每天要～好几万元。

【进抵】jìndǐ 囫(军队)前进到达某地:我部不日可望～江岸。

【进度】jìndù 名工作等进行的速度:工程～大大加快了。

【进而】jìn'ér 连表示在已有的基础上进一步:先提出计划,～落实实施措施。

【进发】jìnfā 囫(车船或人的集体)出发前进:列车向北京～|各小队分头～。

【进犯】jìnfàn 囫(敌军向某处)侵犯。

【进攻】jìngōng 囫❶接近敌人并主动攻击:向山上的敌人～|～敌军盘踞的要

塞。❷在斗争或竞赛中发动攻势:快速～到对方篮下。

【进贡】jìn∥gòng 囫❶封建时代藩属对宗主国或臣民对君主呈献礼品。❷给人送礼求方便(含讥讽意)。

【进化】jìnhuà 囫事物由简单到复杂,由低级到高级逐渐发展变化。

【进化论】jìnhuàlùn 名关于生物界历史发展一般规律的学说,认为现在的生物有着共同的祖先,它们在进化过程中,通过遗传、变异和自然选择,从简单到复杂、从低级到高级、从种类少到种类多逐渐变化发展。

【进货】jìn∥huò 囫商店为销售而购进货物:进了一批货。

【进击】jìnjī 囫(军队)进攻;攻击:向敌军～◇富有开拓～精神。

【进见】jìnjiàn 囫前去会见(多指见首长)。

【进谏】jìnjiàn 〈书〉囫以忠言规劝(君主、尊长等)。

【进军】jìnjūn 囫军队出发向目的地前进:红军渡过乌江,向川滇边境～|～的号角响了◇向科学～。

【进口】jìnkǒu[1] 囫❶(船只)驶进港口。❷运进外国或外地区的货物:～货|～成套设备。

【进口】jìnkǒu[2] (～儿)名进入建筑物或场地所经过的门或口儿。

【进款】jìnkuǎn 〈口〉名个人、家庭、团体等的收入。

【进来】jìn·lái 囫从外面到里面来:你～,咱们俩好好谈谈心|门开着,谁都进得来|门一关,谁也进不来。

【进来】jìn·lái 囫趋向动词。用在动词后,表示到里面来:烟冲～了|他从街上跑～|窗户没糊好,风吹得～|我刚看见从外面走进一个人来。

【进门】jìn∥mén 囫❶走进门:他个儿高,～要低头。❷入门:摸门儿;我做学问还没～,请多指教。❸〈方〉指女子出嫁到男家:她是刚～的儿媳妇。

【进取】jìnqǔ 囫努力向前;立志有所作为:～心|努力～|人要有～的精神。

【进去】jìn·qù 囫从外面到里面去:你看看,我在门口等着你|我有票,进得去;他没票,进不去。

【进去】∥·jìn·qù 囫趋向动词。用在动词

后,表示到里面去:把桌子搬～|瓶口很大,手都伸得～|胡同太窄,卡车开不～|从窗口递进一封信去。

【进入】jìnrù 囫 进到某个范围或某个时期里:～学校|～新阶段◇～角色。

【进深】jìn·shēn 图 院子、房间等的深度:院子的～有多少?

【进食】jìnshí 囫 吃饭:按时～是个好习惯。

【进士】jìnshì 图 科举时代称殿试考取的人。

【进退】jìntuì 囫❶ 前进和后退:～自如|～两难。❷ 应进而进,应退而退,泛指言语行动恰如其分:不知～|～有度。

【进退两难】jìn tuì liǎng nán 进退都不好,形容处境困难。

【进退维谷】jìn tuì wéi gǔ 进退两难(谷:比喻困难的境地)。

【进位】jìnwèi 囫 加法运算中,每位数等于基数向前一位数进一。例如在十进制的算法中,个位满十,在十位中加一,百位满十,在千位中加一。

【进献】jìnxiàn 囫 恭敬地送上:～花篮。

【进香】jìn∥xiāng 囫 佛教徒、道教徒到圣地或名山的庙宇去烧香朝拜,特指从远道去的。

【进项】jìn·xiàng 图 收入的款项:农民的～普遍有了增加。

【进行】jìnxíng 囫❶ 从事(某种活动):～讨论|～工作|～教育和批评|会议正在～。〖注意〗"进行"总是用在持续性的和正式、严肃的行为,短暂性的和日常生活中的行为不用"进行",例如不说"进行午睡"、"进行叫喊"。❷ 前进:～曲。

【进行曲】jìnxíngqǔ 图 适合于队伍行进时演奏或歌唱的乐曲,节奏鲜明,结构严整,由偶数拍子构成,如《中国人民解放军进行曲》等。

【进修】jìnxiū 囫 为了提高政治及业务水平而进一步学习(多指暂时离开职位,参加一定的学习组织)。

【进言】jìn∥yán 囫 向人提出意见(尊敬或客气的口气):大胆～|向您进一言。

【进一步】jìnyībù 圖 表示事情的进行在程度上比以前提高:～实现农业机械化|～加速实现四个现代化的步伐。

【进益】jìnyì 图❶〈书〉指学识修养的进

步:近来学问上大有～。❷ 指经济收入;收益:你一年有多少～?

【进展】jìnzhǎn 囫 (事情)向前发展:～神速|工作有～。

【进占】jìnzhàn 囫 进攻并占领。

【进账】jìnzhàng ❶ (-//-)囫 入账:货款当天～。❷囫 收入①:截至上月底,共～十余万元◇赛程刚刚过半,北京队已有十块金牌。❸图 收入②;进款:每月有两三百元的～。

【进驻】jìnzhù 囫 (军队)开进某一地区驻扎下来。

近 jìn ❶ 囮 空间或时间距离短(跟"远"相对):～郊|～日|～百年史|靠～|附～|歌声由远而～|现在离国庆节很～了。❷ 囫 接近:平易～人|年～三十|两人年龄相～|～朱者赤,～墨者黑。❸ 囮 亲密;关系密切:亲～|～亲|两家的关系～。❹ (Jìn)图 姓。

【近便】jìn·bian 囮 路比较近,容易走到:从小路走要～一些。

【近程导弹】jìnchéng dǎodàn 射程在1 000千米以下的导弹。

【近代】jìndài 图❶ 过去距离现代较近的时代,在我国历史分期上多指19世纪中叶到五四运动之间的时期。❷ 指资本主义时代。

【近道】jìndào 图 距离短的道路(多就比较而言):走～。

【近地点】jìndìdiǎn 图 月球或人造地球卫星绕地球运行的轨道上离地球最近的点。

【近东】Jìndōng 图 见 1762 页〖中东〗。

【近古】jìngǔ 图 最近的古代,在我国历史分期上多指宋元明清(到19世纪中叶)这一时期。

【近海】jìnhǎi 图 靠近陆地的海域:～航行|利用～养殖海带。

【近乎】jìnhū 囫 接近于:脸上露出一种～天真的表情。

【近乎】jìn·hu (～儿)〈方〉囮 关系亲密:套～|他和小王拉～|两个人越谈越～。

【近郊】jìnjiāo 图 城市附近的郊区:北京～。

【近景】jìnjǐng 图❶ 近距离的景物。❷ 当前的景象:～规划。

【近况】jìnkuàng 图 最近一段时间的情况:不知他的～如何。

【近来】jìnlái 名 指过去不久到现在的一段时间：他～工作很忙。

【近邻】jìnlín 名 挨得较近的邻居：远亲不如～|我们是～，经常见面。

【近路】jìnlù 名 近道：抄～可以快一些。

【近旁】jìnpáng 名 附近；旁边：屋子～种着许多竹子。

【近期】jìnqī 名 最近的一个时期：这部影片将于～上映。

【近前】jìnqián 名 附近；跟前：走到～才认出是他。

【近亲】jìnqīn 名 血统关系比较近的亲戚：～之间不可结婚。

【近亲繁殖】jìnqīn fánzhí 比喻在人员培养或使用中，亲属关系或师承关系近的人集中的现象。

【近情】jìnqíng 形 合乎人情；近乎情理：～近理|这样做太不～了。

【近人】jìnrén 名 ❶ 近代的或现代的人。❷〈书〉跟自己关系比较近的人。

【近日】jìnrì 名 最近过去的几天；近来：设计方案的征集工作于～开始。

【近日点】jìnrìdiǎn 名 行星或彗星绕太阳公转的轨道上离太阳最近的点。

【近世】jìnshì 名 近代①。

【近视】jìnshì 形 ❶ 视力缺陷的一种，能看清近处的东西，看不清远处的东西。近视是由于眼球的晶状体和网膜的距离过长或晶状体屈光力过强，使进入眼球的影像不能正落在网膜上而落在网膜的前面。❷ 比喻眼光短浅。

【近水楼台】jìn shuǐ lóu tái 宋代俞文豹《清夜录》引宋人苏麟诗，"近水楼台先得月"。比喻因接近某人或某事物而处于首先获得好处的优越地位。

【近似】jìnsì 动 相近或相像但不相同：这两个地区的方音有些～|他说话的腔调～唐山话。

【近似值】jìnsìzhí 名 计算上接近准确值的数值叫做近似值，如3.1416是圆周率值的近似值。

【近体诗】jìntǐshī 名 唐代形成的律诗和绝句的通称（区别于"古体诗"），句数、字数和平仄、用韵等都有比较严格的规定。

【近因】jìnyīn 名 直接促成结果的原因（区别于"远因"）。

【近影】jìnyǐng 名 最近拍摄的照片。

【近战】jìnzhàn ❶ 动 敌对双方近距离作战：善于～。❷ 名 近距离的战斗。

【近照】jìnzhào 名 近影。

【近朱者赤，近墨者黑】jìn zhū zhě chì，jìn mò zhě hēi 比喻接近好人使人变好，接近坏人使人变坏（见于晋代傅玄《太子少傅箴》）。

妗 jìn 见下。

【妗母】jìnmǔ〈方〉名 舅母。

【妗子】jìn•zi〈口〉名 ❶ 舅母。❷ 妻兄、妻弟的妻子：大～|小～。

劲（勁、劤） jìn 名 ❶（～儿）力气：用～|手～儿。❷（～儿）精神；情绪：干～儿。❸（～儿）神情；态度：瞧他那股骄傲～儿。❹ 趣味：没～。

另见 725 页 jìng。

【劲头】jìntóu（～儿）〈口〉名 ❶ 力量；力气：战士们身体好，～儿大，个个都像小老虎。❷ 积极的情绪：看他那股兴高采烈的～儿|他们学习起来～十足。

荩¹（藎） jìn 荩草

荩²（藎） jìn〈书〉忠诚：忠～|～臣。

【荩草】jìncǎo 名 一年生草本植物，叶子卵状披针形，花灰绿色或带紫色，颖果长圆形。汁液可做黄色染料，纤维可以造纸，全草入药。

浕（濜） Jìn 浕水，古水名，即今沙河，在湖北。

晋¹（晉） jìn ❶ 动 进：～见。❷ 升；升级：～级|～升|加官～爵。

晋²（晉） Jìn ❶ 周朝国名，在今山西、河北南部及陕西东南部、河南西北部。❷ 名 朝代。a) 公元265—420，司马炎所建。参看 1451 页【西晋】、324 页【东晋】。b) 后晋。❸ 名 山西的别称。❹ 名 姓。

【晋级】jìn//jí 动 升到较高的等级。

【晋见】jìnjiàn 动 进见。

【晋剧】jìnjù 名 山西地方戏曲剧种之一，由蒲剧派生而成。主要流行于该省中部地区。也叫山西梆子、中路梆子。

【晋升】jìnshēng 动 提高（职位、级别）：～中将|～一级工资。

【晋谒】jìnyè〈书〉动 进见；谒见。

赆(贐、賮) jìn 〈书〉送别时赠给的财物：～仪(送行的礼物)。

烬(燼) jìn 物体燃烧后剩下的东西：灰～｜余～。

浸(③寖) jìn ❶ 动 泡在液体里：一～｜放在开水里～一～。❷ 液体渗入或渗出：衣服让汗～湿了。❸〈书〉副 逐渐：友情～厚。

【浸沉】jìnchén 动 沉浸。

【浸没】jìnmò 动 ❶ 淹没：漫过去。❷ 沉浸：人们正～在快乐之中。

【浸泡】jìnpào 动 在液体中泡：～蚕豆｜木桩长年～在水里容易朽烂。

【浸染】jìnrǎn 动 ❶ 逐渐沾染或感染。❷ 液体渗入而使染上颜色或被污染：血水～了白衬衣｜这一带的水井和土地被海水～。

【浸润】jìnrùn 动 ❶（液体）渐渐渗入；滋润②：春雨～着大地。❷ 指液体与固体接触时，液体附着在固体的表面上。❸ 医学上指由于细菌等侵入或由于外物刺激，机体的正常组织发生白细胞等的聚集。

【浸透】jìntòu 动 ❶ 泡在液体里以致湿透：他穿的一双布鞋被雨水～了。❷ 液体渗透：汗水～了衬衫。❸ 比喻饱含(某种思想感情等)：这些诗篇～着诗人眷念祖国的深情。

【浸种】jìn∥zhǒng 动 为了使种子发芽快，在播种前用温水或冷水浸泡一定时间。

【浸渍】jìnzì 动 用液体泡；把原料捣碎，放在石灰水里～，再加蒸煮，变成糜烂的纸浆。

琎(璡) jìn 同"瑨"(多用于人名)。

噤 jìn 〈书〉闭口不言。
另见 1625 页 yín "吟"。

祲 jìn 古代迷信称不祥之气；妖气。

搢 jìn 〈书〉❶ 插。❷ 摇。

【搢绅】jìnshēn 同"缙绅"。

靳 jìn ❶〈书〉不肯给予；吝惜。❷（Jìn）名 姓。

禁 jìn ❶ 动 禁止：～赌｜～烟(禁止鸦片)｜严～。❷ 监禁：～闭。❸ 法令或习俗所不允许的事项：犯～｜违～｜入国问

～。❹ 旧时称皇帝住的地方：～中｜～宫～。
另见 709 页 jīn。

【禁闭】jìnbì 把犯错误的人关在屋子里让他反省，是一种处罚：关～｜～三天。

【禁地】jìndì 禁止一般人去的地方。

【禁毒】jìn∥dú 动 禁止制造、贩卖和吸食毒品：开展一统一行动。

【禁赌】jìn∥dǔ 动 禁止赌博活动。

【禁锢】jìngù 动 ❶ 封建时代统治集团禁止异己的人做官或不许他们参加政治活动。❷〈书〉关押；监禁。❸ 束缚；强力限制：这些陈规陋习成了～人们精神的枷锁。

【禁果】jìnguǒ 名《圣经》中上帝禁止亚当、夏娃采食的知善恶树的果子。两人因偷食了这种果子被逐出伊甸园。后多比喻禁止触及的事物。

【禁忌】jìnjì ❶ 名 犯忌讳的话或行动：旧时的许多～大都与迷信有关。❷ 动 指医药上应避免某类事物：～油腻。

【禁绝】jìnjué 动 彻底禁止：～卖淫嫖娼｜～吸食毒品。

【禁军】jìnjūn 名 古代称保卫京城或宫廷的军队。

【禁例】jìnlì 名 禁止某种行为的条例。

【禁猎】jìnliè 动 禁止打猎；禁止猎杀。

【禁令】jìnlìng 名 禁止从事某某项活动的法令：解除～｜违反～。

【禁律】jìnlǜ 名 禁止某种活动或行为的法律或规定。

【禁脔】jìnluán 〈书〉名 比喻独自占有而不容别人分享的东西：视为～。

【禁牧】jìnmù 动 为了使牧场的牧草恢复生长，在一定的时间内禁止放牧。

【禁区】jìnqū 名 ❶ 禁止一般人进入的地区。❷ 因其动植物或地面情况在科学或经济方面有特殊价值而受到特别保护的地区。❸ 医学上指因容易发生危险而禁止动手术或针灸的部位。❹ 在某些球类比赛中，罚球区以内的地方。

【禁赛】jìn∥sài 动 禁止参加体育比赛，是对违犯规则的运动队或运动员的一种处罚：因服用兴奋剂而被～两年。

【禁书】jìnshū 名 禁止刊行或阅读的书籍。

【禁药】jìnyào 名 禁止使用的药物。

【禁渔】jìnyú 动 为了保护渔业资源，在一定时期或一定水域内禁止捕捞。

【禁欲】jìnyù 动 抑制性欲或抑制一般享受的欲望。

【禁运】jìnyùn 动 （一国或数国）禁止向某国输出或由某国输入商品或其他物资。

【禁止】jìnzhǐ 动 不许可：厂房重地，～吸烟｜～车辆通行。

【禁制品】jìnzhìpǐn 名 非经特别许可不得制造的物品。

【禁子】jìn·zi 名 旧时称在牢狱中看守罪犯的人。也叫禁卒。

【禁卒】jìnzú 名 禁子。

【禁阻】jìnzǔ 动 禁止；阻止。

溍 Jìn 古水名。

缙（縉） jìn 〈书〉赤色的帛。

【缙绅】jìnshēn 名 古代称有官职的或做过官的人。也作搢绅。

瑾 jìn 〈书〉像玉的石头。

墐 jìn 〈书〉❶ 用泥涂塞。❷ 同"殣"①。

觐（覲） jìn 朝见（君主）；朝拜（圣地）：～见｜朝～。

【觐见】jìnjiàn 〈书〉动 朝见（君主）。

殣 jìn 〈书〉❶ 掩埋。❷ 饿死。

噤 jìn ❶〈书〉闭口不做声：～声｜～若寒蝉。❷ 因寒冷而发生的哆嗦．寒～。

【噤若寒蝉】jìn ruò hánchán 形容不敢做声。

---

jīng（ㄐㄫ）

茎（莖） jīng 〈书〉水脉。

茎（莖） jīng ❶ 名 植物体的一部分，由胚芽发展而成，下部和根连接，上部一般都生有叶、花和果实。茎能输送水、无机盐和养料到植物体的各部分去，并有贮存养料和支持枝、叶、花、果实等生长的作用。常见的有直立茎、缠绕茎、攀缘茎、匍匐茎等。❷ 像茎的东西：阴～。❸〈书〉量 用于长条形的东西：数～小草｜数～白发。

京¹ jīng ❶ 首都：～城｜～师。❷ (Jīng) 名 指我国首都北京：～剧｜～腔｜～味儿｜进～开会。❸ (Jīng) 名 姓。

京² jīng 数 古代数目名，指一千万。

【京白】jīngbái 名 京剧中指用北京话念的道白。

【京白梨】jīngbáilí 名 北京地区产的一种梨。果实皮薄，肉厚，味甜多汁，香味浓郁。

【京城】jīngchéng 名 指国都。

【京都】jīngdū 名 京城。

【京二胡】jīng'èrhú 名 胡琴的一种，和二胡相似，音响介于京胡二胡之间，用于京剧伴奏等。也叫嗡子。

【京官】jīngguān 名 旧时称在京城供职的官员。

【京胡】jīnghú 名 胡琴的一种，形状跟二胡相似而较小，琴筒用竹子做成，发音较高，主要用于京剧伴奏。

【京华】jīnghuá 名 首都：誉满～。

【京畿】jīngjī 〈书〉名 国都及其附近的地方。

【京剧】jīngjù 名 我国全国性的主要剧种之一。清中叶以来，以西皮、二黄为主要腔调的徽调、汉调相继进入北京，徽汉合流演变为北京皮黄戏，即京剧。

【京派】jīngpài 名 ❶ 京剧的一个流派，以北京的表演风格为代表。❷ 泛指北京的风格和特色：～小说。

【京腔】jīngqiāng 名 指北京语音。

【京师】jīngshī 〈书〉名 首都。

【京味】jīngwèi （～儿）名 北京风味；北京地方特色：～小吃｜～十足的电视剧。

【京戏】jīngxì 〈口〉名 京剧。

【京油子】jīngyóu·zi 名 指久住北京老于世故而油滑的人。

【京韵大鼓】jīngyùn dàgǔ 曲艺，大鼓的一种，形成于北京，流行北方各地。

【京族】Jīngzú 名 ❶ 我国少数民族之一，分布在广西。❷ 越南人数最多的民族。

泾（涇） jīng ❶〈方〉河、沟。❷ (Jīng) 泾河，水名，发源于宁夏，经甘肃、陕西流入渭河。

【泾渭分明】Jīng Wèi fēnmíng 泾河水清，渭河水浑，泾河的水流入渭河时，清浊不混，比喻界限清楚。

经¹(經) jīng

❶ (旧读 jìng)织物上纵的方向的纱或线(跟"纬"相对):~纱|~线。❷ 中医指人体内气血运行通路的主干:~脉|~络。❸ 经度:东~|西~。❹ 经营;治理:~商|整军~武。❺〈书〉上吊:自~。❻ 历久不变的;正常的:~常|不~之谈。❼ 经典:本草~|佛~|念~|十三~。❽ 月经:行~|~血不调。❾ (Jīng)名 姓。

经²(經) jīng

❶ 动 经过:~年累月|几~周折|这件事是~我手办的|他一说,我才知道。❷ 禁(jīn)受:~不起|~得起考验。

另见 726 页 jìng。

【经办】jīngbàn 动 经手办理:这事是他~的。

【经闭】jīngbì 动 闭经。

【经部】jīngbù 名 我国古代图书分类的一大类。包括四书、五经等儒家经典和文字、音韵、训诂方面的著作。也叫甲部。参看 1293 页〖四部〗。

【经常】jīngcháng ❶ 形 属性词。平常;日常:~费用|积肥是农业生产中的一工作。❷ 副 常常;时时:他俩~保持联系|要~注意环境卫生。

【经幢】jīngchuáng 名 刻有佛的名字或经咒的石柱子,柱身多为六角形或圆形。

【经典】jīngdiǎn ❶ 名 指传统的具有权威性的著作:博览~。❷ 名 泛指各宗教宣扬教义的根本性著作。❸ 形 著作具有权威性的:马列主义~著作|~作家。❹ 形 事物具有典型性而影响较大的:~影片。

【经度】jīngdù 名 地球表面东西距离的度数,以本初子午线为 0°,以东为东经,以西为西经,东西各 180°。通过某地的经线与本初子午线相距的度数,就是该地的经度。参看〖经线〗②。

【经费】jīngfèi 名 (机关、学校等)经常支出的费用。

【经管】jīngguǎn 动 经手管理:财务工作设专人~|由~人签字盖章。

【经过】jīngguò ❶ 动 通过(处所、时间、动作等):从北京坐火车到广州要~武汉|屋子~打扫,干净多了|这件事情~领导上缜密考虑过的。❷ 名 过程;经历②:厂长向来宾报告建厂~|说说你探险的~。

【经籍】jīngjí 〈书〉名 ❶ 经书。❷ 泛指图书(多指古代的)。

【经纪】jīngjì ❶ 动 筹划并管理(企业);经营:~不善~。❷ 名 经纪人。❸〈书〉动 料理:~其家。

【经纪人】jīngjìrén 名 ❶ 为买卖或合作双方撮合从中取得佣金的人。❷ 在交易所中代他人进行买卖而取得佣金的人。

【经济】jīngjì ❶ 名 经济学上指社会物质生产和再生产的活动。❷ 名 国民经济的总称,也指国民经济的各部门,如工业经济、农业经济等。❸ 形 属性词。对国民经济有价值或影响的:~作物|~昆虫。❹ 名 个人生活用度:他家~比较宽裕。❺ 形 用较少的人力、物力、时间获得较大的成果:作者用非常~的笔墨写出了一场复杂的斗争。❻〈书〉动 治理国家:~之才。

【经济法】jīngjìfǎ 名 国家机关依立法程序制定和颁布的调整经济关系的规范性文件的统称。如财政法、银行法、税法、价格法等。

【经济犯罪】jīngjì fànzuì 为牟取非法利益,在经济领域中违背经济管理制度,危害正常经济秩序,触犯法律的行为。

【经济杠杆】jīngjì gànggǎn 指国家用以调节社会经济活动,使协调发展的经济手段,如价格、税收、利率等。

【经济核算】jīngjì hésuàn 企业经营管理的一种方式,用货币来衡量经济活动中的劳动消耗、物资消耗和劳动的经济效益,要求最充分、最合理地使用全部劳动力、机器设备、原料、材料和资源等,使它们能够发挥最大的经济效益。

【经济基础】jīngjì jīchǔ 社会发展一定阶段上的社会经济制度,即社会生产关系的总和,它是上层建筑的基础。一定的经济基础和一定的上层建筑构成一定的社会形态。参看 1194 页〖上层建筑〗。

【经济技术开发区】jīngjì jìshù kāifāqū 我国为吸收外资,引进先进技术,开发新产业而在有条件的地区设立的特定区域,在区域内实行一系列优惠政策。

【经济林】jīngjìlín 名 生产木材、油料、干果或其他林产品的树林。狭义的经济林不包括生产木材的树林。

【经济实体】jīngjì shítǐ 实行独立核算的经济单位。如工厂、农场、商店、公司等。

【经济特区】jīngjì tèqū 为有效地吸收外

资和先进技术、发展对外贸易而设置的实行特殊的经济政策和经济管理体制的地区。

【经济体制】jīngjì tǐzhì 整个国民经济的管理制度、管理形式、管理方法的总称。

【经济危机】jīngjì wēijī ❶ 指资本主义社会再生产过程中发生的生产过剩的危机,具体表现是:大量商品找不到销路,许多企业倒闭,生产下降,失业增多,整个社会经济陷于瘫痪和混乱状态。经济危机是资本主义生产方式基本矛盾发展的必然结果,具有周期性。❷ 由于自然灾害、战争或工作严重失误而造成的生产猛烈下降、经济极度混乱和动荡的现象。

【经济效益】jīngjì xiàoyì 经济活动中劳动和物质耗费同劳动成果之间的对比,反映社会生产各个环节对人力、物力、财力的利用效果。

【经济学】jīngjìxué 名 ❶ 研究国民经济各方面问题的学科。包括理论经济学、部门经济学、应用经济学。❷ 指政治经济学。

【经济制度】jīngjì zhìdù 指人类社会发展一定阶段上的生产关系的总和。也指一定社会经济部门或一个方面的具体制度,如工业经济制度、农业经济制度等。

【经济作物】jīngjì zuòwù 供给工业原料的农作物,如棉花、烟草、甘蔗等。

【经久】jīngjiǔ ❶ 动 经过很长的时间:掌声~不息。❷ 形 经过较长时间不变:~耐用。

【经理】jīnglǐ ❶ 动 经营管理:这家商店委托你~。❷ 名 企业中负责经营管理的人。

【经历】jīnglì ❶ 动 亲身见过、做过或遭受过:他一生~过两次世界大战。❷ 名 亲身见过、做过或遭受过的事:生活~。

【经纶】jīnglún 〈书〉名 整理过的蚕丝,比喻规划、管理政治的才能:大展~|满腹~。

【经络】jīngluò 名 中医指人体内气血运行通路的主干和分支。

【经脉】jīngmài 名 中医指人体内气血运行的通路。

【经贸】jīngmào 名 经济和贸易的合称:~公司|~活动。

【经年累月】jīng nián lěi yuè 经历很多年月,形容时间很长:他是个海员,~在海上。

【经期】jīngqī 名 妇女行经的时间,每次约为3—5天。

【经纱】jīngshā 名 织布时同梭的运动方向垂直的纱。

【经商】jīng∥shāng 动 经营商业:弃农~|~多年。

【经史子集】jīng shǐ zǐ jí 我国传统的图书分类法,把所有图书划分为经、史、子、集四大类,称为四部。经部包括儒家经传和小学方面的书。史部包括各种历史书,也包括地理书。子部包括诸子百家的著作。集部包括诗、文、词、赋等。

【经手】jīng∥shǒu 动 经过亲手(办理):~人|这件事是他~的。

【经受】jīngshòu 动 承受;禁受:~考验|~多次打击。

【经售】jīngshòu 动 经销:这家商店专门~医疗器械。

【经书】jīngshū 名 指《易经》《书经》《诗经》《周礼》《仪礼》《礼记》《春秋》《论语》《孝经》等儒家经传,是研究我国古代历史和儒家学术思想的重要资料。

【经天纬地】jīng tiān wěi dì 指谋划天下之事,多用来形容人才能极大:~之才。

【经痛】jīngtòng 动 痛经。

【经纬度】jīngwěidù 名 经度和纬度的合称。某地的经纬度即该地的地理坐标。

【经纬仪】jīngwěiyí 名 测量角度用的仪器,由绕水平轴旋转的望远镜、垂直刻度盘和水平刻度盘等构成。广泛应用在天文、地形和工程测量上。

【经线】jīngxiàn 名 ❶ 经纱或编织品上的纵线。❷ 假定的沿地球表面连接南北两极而跟赤道垂直的线。也叫子午线。参看〖经度〗。

【经销】jīngxiāo 动 经手出卖:~照相器材|本书由新华书店总~。

【经心】jīngxīn 动 在意;留心:漫不~。

【经学】jīngxué 名 把儒家经典当做研究对象的学问,内容包括哲学、史学、语言文字学等。

【经血】jīngxuè 名 中医称月经。

【经验】jīngyàn ❶ 名 由实践得来的知识或技能:他对嫁接果树有丰富的~。❷ 动 经历①;体验:这样的事,我从来没~过。

【经验主义】jīngyàn zhǔyì ❶ 认为感性经验是唯一可靠的哲学学说。经验主义有唯物的唯心的两种。❷ 主观主义的一种表现形式，把局部的、狭隘的经验夸大为普遍真理，只相信局部的直接经验，轻视理论的指导作用。

【经意】jīngyì 动 经心；留意：毫不～。

【经营】jīngyíng 动 ❶ 筹划和管理（企业等）：～商业|～畜牧业|苦心～。❷ 泛指计划和组织：这个展览会是煞费～的。

【经由】jīngyóu 介 路程经过（某些地方或某条路线）：从北京出发～南京到上海。

【经院哲学】jīngyuàn zhéxué 欧洲中世纪在学院中讲授的以解释基督教教义为内容的哲学，实际上是一种神学体系。由于采用烦琐的抽象推理的方法，所以也叫烦琐哲学。

【经传】jīngzhuàn 名 原指经典和古人解释经文的传，泛指比较重要的古书：名不见～。

荆 jīng 名 ❶ 灌木或小乔木，种类很多，多丛生，掌状复叶，花紫色，果实球形，黑色。❷ (Jīng) 姓。

【荆棘】jīngjí 名 泛指山野丛生的带刺小灌木。

【荆棘载途】jīngjí zài tú 沿路都是荆棘，比喻环境困难，障碍极多。

【荆条】jīngtiáo 名 荆的枝条，性柔韧，可编制筐篮、篱笆等。

菁 jīng 见下。

【菁华】jīnghuá 名 精华。

【菁菁】jīngjīng 〈书〉形 草木茂盛。

猄 jīng 见 600 页〖黄猄〗。

旌 jīng ❶ 古代一种旗杆顶上用彩色羽毛做装饰的旗子。❷〈书〉表扬：～表|～其功。

【旌表】jīngbiǎo 动 封建统治者用立牌坊或挂匾额等表扬遵守封建礼教的人。

【旌旗】jīngqí 名 各种旗子：～招展。

惊(驚) jīng 动 ❶ 由于突然来的刺激而精神紧张：～喜|胆战心～。❷ 惊动：～扰|打草～蛇。❸ 骡马因害怕而狂跑不受控制：马～了。

【惊诧】jīngchà 形 惊讶诧异：这是意料不到的事，我们并不感到～。

【惊动】jīngdòng 动 ❶ 举动影响旁人，使吃惊或受侵扰：娘睡了，别～她。❷ 客套话，表示打扰、麻烦了他人：不好意思，为这点小事～了您。

【惊愕】jīng'è 〈书〉形 吃惊而发愣。

【惊弓之鸟】jīng gōng zhī niǎo 被弓箭吓怕了的鸟，比喻受过惊恐见到一点动静就特别害怕的人。

【惊骇】jīnghài 〈书〉形 惊慌害怕。

【惊慌】jīnghuāng 形 害怕慌张：～失措|～神色～。

【惊惶】jīnghuáng 形 惊慌：～不安。

【惊魂】jīnghún 名 惊慌失措的神态：～稍定。

【惊悸】jīngjì 动 因惊慌而心跳得厉害。

【惊厥】jīngjué 动 ❶ 因害怕而晕过去。❷ 医学上指四肢和面部肌肉阵发性抽搐，眼球上翻，神志不清的症状，多见于婴儿或幼儿。

【惊恐】jīngkǒng 形 惊慌恐惧：～失色|～万状。

【惊雷】jīngléi 名 使人震惊的雷声，多用于比喻。

【惊奇】jīngqí 形 觉得很奇怪：～的目光|这里的变化之大，令人～。

【惊扰】jīngrǎo 动 惊动扰乱：自相～。

【惊人】jīngrén 形 使人吃惊：～的消息|～的成就|数字大得～。

【惊世骇俗】jīng shì hài sú 因言行异于寻常而使人震惊。也说惊世震俗。

【惊悚】jīngsǒng 形 惊慌恐惧：～小说|血腥的场面令人～。

【惊叹】jīngtàn 动 惊讶赞叹：精巧的工艺品令人～不已。

【惊叹号】jīngtànhào 名 叹号的旧称。

【惊堂木】jīngtángmù 名 旧时官吏审案时用来拍打桌面以显示声威的长方形木块。

【惊涛骇浪】jīng tāo hài làng ❶ 凶猛而使人害怕的波涛：船在～中前进。❷ 比喻险恶的环境或遭遇。

【惊天】jīngtiān 形 形容事件等令社会震惊，影响非常大：～大案。

【惊天动地】jīng tiān dòng dì ❶ 形容声音特别响亮：～一声巨响。❷ 形容声势浩大或事业伟大：～的伟业。

【惊喜】jīngxǐ 形 又惊又喜：～不已|这件事让人感到十分～。

【惊吓】jīngxià 动 因意外的刺激而害怕：孩子受了～，哭起来了。

【惊险】jīngxiǎn 形（场面、情景）危险，使人惊奇紧张：～小说｜搏斗场面十分～。

【惊羡】jīngxiàn 惊叹羡慕。

【惊心动魄】jīng xīn dòng pò 形容使人感受很深，震动很大。

【惊醒】jīngxǐng 动❶受惊动而醒来：突然从梦中～。❷ 使惊醒：别～了孩子。

【惊醒】jīng·xing 形 睡眠时容易醒来：他睡觉很～，有点儿响动都知道。

【惊讶】jīngyà 形 感到很奇怪；惊异：～的目光｜人们对他的举动感到十分～。

【惊艳】jīngyàn 动 惊讶女性的美艳：她一出场，四座～。

【惊疑】jīngyí 形 惊讶疑惑：他脸上露出～的神色。

【惊异】jīngyì 形 惊奇诧异：令人～。

【惊蛰】jīngzhé 名 二十四节气之一，在3月5、6或7日。参看 696 页〖节气〗、363页〖二十四节气〗。

晶 jīng ❶ 光亮：～莹｜亮～～。❷ 水晶：茶～｜墨～。❸ 晶体：结～。❹（Jīng）名 姓。

【晶体】jīngtǐ 名 原子、离子或分子按一定空间次序排列而成的固体，具有规则的外形。食盐、石英、云母、明矾等都可形成晶体。也叫晶体或结晶。

【晶体管】jīngtǐguǎn 名 一种电子器件，用锗、硅等的晶体制成，功用跟电子管相同，但体积小，不怕震，耗电少。

【晶莹】jīngyíng 形 光亮而透明：草上的露珠～发亮。

【晶状体】jīngzhuàngtǐ 名 眼球的一部分，形状和作用跟凸透镜相似，受睫状肌的调节而改变凸度，能使不同距离的物体的清晰影像投射在视网膜上。（图见 1569 页"人的眼"）

腈 jīng 名 有机化合物的一类，是烃基和氰基的碳原子连接而成的化合物。

【腈纶】jīnglún 名 合成纤维的一种，耐光，耐腐蚀，柔软蓬松像羊毛。用来纺毛线（或与羊毛混纺），制造人造毛皮和经常接触阳光的纺织品，如窗帘、帐篷布等。

鹍（鶄） jīng 见 683 页〖鸥鹍〗。

睛 jīng 眼珠儿：目不转～｜定～一看｜画龙点～。

粳（稉、秔） jīng 粳稻。

【粳稻】jīngdào 名 水稻的一类，茎秆较矮，叶子较窄，深绿色，米粒短而粗。

【粳米】jīngmǐ 名 粳稻碾出的米，黏性强。

兢 jīng〖兢兢业业〗（jīngjīngyèyè）形 状态词。小心谨慎，认真负责：他工作一向～，任劳任怨。

精 jīng ❶ 经过提炼或挑选的：～盐。❷ 提炼出来的精华：酒～｜鱼肝油～。❸ 完美；最好：～彩｜益求～。❹ 形 细（跟"粗"相对）：～密｜～确｜～巧｜～工艺。❺ 形 机灵心细：～明｜～干｜这孩子比大人还～。❻ 形 精通：博而不～｜～于针灸。❼ 精神；精力：聚～会神｜～疲力竭。❽ 精液；精子：遗～｜受～。❾ 名 妖精：修炼成～。❿〈方〉副 用在某些形容词前面，表示"十分"、"非常"：～瘦｜雨把衣服淋得～湿。

【精兵】jīngbīng 名 训练有素、战斗力强的士兵：～猛将｜率～十万。

【精兵简政】jīng bīng jiǎn zhèng 缩小机构，精简人员。

【精博】jīngbó 形 精深博大：～的理论。

【精彩】jīngcǎi ❶ 形（表演、展览、言论、文章等）优美；出色：晚会的节目很～｜在大会上，很多代表做了～的发言。❷〈书〉名 神采；精神。

【精巢】jīngcháo 名❶ 动物产生精子的生殖腺。❷ 睾丸。

【精诚】jīngchéng〈书〉形 真诚：～合作｜～所至，金石为开。

【精赤】jīngchì 动（身体）裸露，毫无遮盖：～着臂膀｜上身脱得～。

【精虫】jīngchóng 名 人的精子的俗称。

【精粹】jīngcuì ❶ 形 精练纯粹：文章要写得短而～。❷ 名（事物）精美纯粹的部分：这种思想正是他的学说的～。

【精打细算】jīng dǎ xì suàn （在使用人力物力上）仔细地计算。

【精当】jīngdàng 形（言论、文章等）精确恰当：用词～。

【精到】jīngdào 形 精细周到：说得～｜这个道理，在那篇文章里发挥得十分～。

【精雕细刻】jīng diāo xì kè 精心细致地雕刻。比喻做事认真细致。也说精雕细镂、精雕细琢。

【精雕细琢】jīng diāo xì zhuó 精雕细刻。

【精读】jīngdú 囲 反复仔细地阅读：有些重要文章需要～。

【精度】jīngdù 图 精确的程度（多用于机械、仪器仪表等方面）：高～｜测量～。

【精干】jīnggàn 彤 精明强干：他年纪虽轻，却是很～老练｜选了些～的小伙子做侦察员。

【精耕细作】jīng gēng xì zuò 细致地耕作。

【精工】jīnggōng 彤 精致工巧：～制作。

【精怪】jīngguài 图 迷信传说里所说多年的鸟兽草木等变成的妖怪。

【精光】jīngguāng 彤 状态词。❶ 一无所有；一点儿不剩：一碗菜吃得～｜杂技团的票，不到一个钟头就卖得～。❷ 光洁：司机把汽车擦得～发亮。

【精悍】jīnghàn 彤 ❶（人）精明能干：办事～。❷（文笔等）精练犀利：笔力～。

【精华】jīnghuá 图 ❶（事物）最重要、最好的部分：取其～，去其糟粕｜展览会集中了全国工艺品的～。❷〈书〉光华；光辉：日月之～。

【精减】jīngjiǎn 囲 经过挑选，去掉或减少不必要的：～人员｜～中间环节。

【精简】jīngjiǎn 囲 去掉不必要的，留下必要的：～节约｜～机构｜～内容。

【精力】jīnglì 图 精神和体力：～充沛｜～旺盛｜耗费～。

【精练】jīngliàn 彤（文章或讲话）扼要，没有多余的词句：语言～｜他的文章写得很～。也作精炼。

【精炼】jīngliàn ❶ 囲 提炼精华，除去杂质：原油送到炼油厂去～。❷ 同"精练"。

【精良】jīngliáng 彤 精致优良；完善：制作～｜装备～。

【精灵】jīng·líng ❶ 图 鬼怪。❷〈方〉彤 机警聪明；机灵：这孩子真～，一说就明白了。

【精美】jīngměi 彤 精致美好：包装～｜我国～的工艺品在国际上享有盛名。

【精密】jīngmì 彤 精确细密：～仪器｜～的观察是科学研究的基础。

【精密度】jīngmìdù 图 要求所加工的零件尺寸达到的精确程度，也就是容许误差的大小，容许误差大的精密度低，要求误差小的精密度高。

【精妙】jīngmiào 彤 精致巧妙：～的手工艺品。

【精明】jīngmíng 彤 精细明察；机警聪明：～强干｜～的小伙子。

【精明强干】jīngmíng qiánggàn 形容人机警聪明，办事能力很强。

【精囊】jīngnáng 图 男子和雄性动物生殖器的一部分，形状像囊，左右各一。精囊的分泌物是精液的一部分。

【精疲力竭】jīng pí lì jié 精神非常疲劳，体力消耗已尽，形容极度疲乏。

【精辟】jīngpì 彤（见解、理论）深刻；透彻：～的分析｜论述十分～。

【精品】jīngpǐn 图 精良的物品；上乘的作品：艺术～。

【精气】jīngqì 图 ❶〈书〉精诚之气。❷〈书〉阴阳元气。❸ 中医指人体维持生理功能的基本物质和活动能力。

【精巧】jīngqiǎo 彤（技术、器物构造等）精细巧妙：制作～｜构思～。

【精确】jīngquè 彤 非常准确；非常正确：～的计算｜～地分析｜论点～，语言明快。

【精确农业】jīngquè nóngyè 精准农业。

【精肉】jīngròu〈方〉图 瘦肉（多指猪肉）。

【精锐】jīngruì 彤（军队）装备优良，战斗力强：～部队。

【精深】jīngshēn 彤（学问或理论）精密深奥；精湛高深：博大～｜学术造诣～。

【精神】jīngshén 图 ❶ 指人的意识、思维活动和一般心理状态：～面貌｜～错乱｜～上的负担。❷ 宗旨；主要的意义：领会文件的～。

【精神】jīng·shen ❶ 图 表现出来的活力：～焕发｜振作～。❷ 彤 活跃；有生气：越干越～｜这孩子大大的眼睛，挺～的。❸ 彤 英俊；相貌、身材好：瞧这小伙儿长得多～！

【精神病】jīngshénbìng 图 人的大脑功能紊乱而突出表现为精神失常的病。症状多为感觉、知觉、记忆、思维、感情、行为等发生异常状态。俗称神经病。

【精神分裂症】jīngshén-fēnlièzhèng 精神病的一种，病因未明，多发于青壮年。症状多为发生幻觉和妄想，沉默，独自发笑，思想、感情和行为不协调等。

【精神赔偿】jīngshén péicháng 公民因他人侵害而遭受精神痛苦向人民法院起诉要求得到的赔偿。

【精神损耗】jīngshén sǔnhào 无形损耗。

【精神头儿】jīng·shentóur 〈名〉表现出来的活力和劲头：他一聊起天儿来，～可大了。

【精神文明】jīngshén wénmíng 人类在社会历史发展过程中所创造的、体现社会发展进步的精神成果，包括思想、文化、道德、教育、科学、艺术等。

【精审】jīngshěn 〈书〉〈形〉（文字、计划、意见等）精密周详：释义～。

【精算】jīngsuàn 〈动〉运用数学、统计、会计、金融、法律等多学科知识进行审理和测算。用于保业业、各种保障业务中需要精确计算的项目，如保险费率和投保额的确定。

【精算师】jīngsuànshī 〈名〉从事精算工作的专业人员。

【精髓】jīngsuǐ 〈名〉比喻事物最重要、最好的部分。

【精通】jīngtōng 〈动〉对学问、技术或业务透彻的了解并熟练地掌握：～医理。

【精微】jīngwēi ❶〈形〉精深微妙：博大～。❷〈名〉精深微妙的地方；奥秘：探索宇宙的～。

【精卫填海】jīngwèi tián hǎi 古代神话，炎帝的女儿在东海淹死，化为精卫鸟，每天衔西山的木石来填东海（见于《山海经·北山经》）。后来用"精卫填海"比喻有深仇大恨，立志必报。也比喻不畏艰难，努力奋斗。

【精细】jīngxì 〈形〉❶精密细致：这座雕像手工十分～|他遇事冷静，考虑问题特别～。❷精明细心：为人～。

【精心】jīngxīn 〈形〉特别用心；细心：～制作|～治疗|～培育良种。

【精选】jīngxuǎn 〈动〉精细地挑选：～良种|这些展品都是从各地～来的。

【精盐】jīngyán 〈名〉经过加工，没有杂质的食盐。

【精要】jīngyào ❶〈名〉精华要点：时政～。❷〈形〉精当切要：内容～|～地分析。

【精液】jīngyè 〈名〉男子和雄性动物生殖腺分泌的含有精子的液体。

【精益求精】jīng yì qiú jīng （学术、技术、作品、产品等）好了还求更好。

【精英】jīngyīng 〈名〉❶精华①。❷出类拔萃的人：象棋～|当代青年的～。

【精湛】jīngzhàn 〈形〉精深：技术～|～的艺术。

【精制】jīngzhì 〈动〉在粗制品上加工；精工制造：～品|在生橡胶里加硫黄～，就成普通的橡胶。

【精致】jīngzhì 〈形〉精巧细致：～的花纹|览会上的工艺品件件都很～。

【精忠】jīngzhōng 〈形〉（对国家、民族）极其忠诚：～报国。

【精装】jīngzhuāng 〈形〉属性词。❶（书籍）装订精美的，一般指封面或书脊上包布的（区别于"平装"）：～本。❷（商品）包装精致的（区别于"简装"）：～香烟。

【精壮】jīngzhuàng 〈形〉强壮：～的小伙子。

【精准】jīngzhǔn 〈形〉非常准确；精准：8号选手的远投～。

【精准农业】jīngzhǔn nóngyè 一种新型农业生产模式，依靠信息技术，根据作物生长的需要，定位、定时、定量地实施现代化管理。其核心是建立一个完善的农田地理信息系统，高效地利用各种农业资源，以最少的投入获取同等的或更多的效益，并使环境得以改善。精准农业并不过分强调高产，而主要强调效益。也叫精确农业。

【精子】jīngzǐ 〈名〉人和动植物的雄性生殖细胞，能运动，与卵结合而产生第二代。人的精子产生于睾丸，形状像蝌蚪。

【精子库】jīngzǐkù 〈名〉医院中保存精子供人工授精用的设备。

鲸（鯨）jīng 〈名〉哺乳动物，种类很多，生活在海洋中，胎生，外形像鱼，体长可达30多米，是现在世界上最大的一类动物，头大，眼小，没有耳壳，前肢形成鳍，后肢完全退化，尾巴变成尾鳍，鼻孔在头的上部，用肺呼吸。俗称鲸鱼。

【鲸鲨】jīngshā 〈名〉鱼，体长可达20米，是现代最大的一种鱼。灰褐色或青褐色，有许多黄色斑纹。口宽大，牙小。性温顺，吃浮游生物和小鱼。生活在热带和温带海洋内。

【鲸吞】jīngtūn 〈动〉像鲸鱼一样地吞食，多用来比喻吞并土地等：蚕食～。

【鲸鱼】jīngyú 〈名〉鲸的俗称。

麖 jīng 古书上指一种鹿。

鯖 jīng 见1127页[鲭鯖]。

jīng（ㄐㄥ）

井¹ jǐng ❶ 名 从地面往下凿成的能取水的深洞,洞壁多砌上砖石:水~|一口~|水眼~。❷ 名 形状像井的东西:矿~|油~|竖~|探~|渗~|天~。❸ 古制八家为一井,后借指人口聚居的地方或乡里:乡~|市~|~邑|背~离乡。❹ 二十八宿之一。❺（Jǐng）名 姓。

井² jǐng 形容整齐:~然|~~有条。

【井底之蛙】jǐng dǐ zhī wā 井底下的青蛙只能看到井口那么大的一块天,比喻见识狭小的人。

【井架】jǐngjià 名 矿井、钻井等井口竖立的金属架,用来装置天车,支撑钻具等。

【井井有条】jǐngjǐng yǒu tiáo 形容条理分明,整齐有序。

【井喷】jǐngpēn 动 油气井在钻进或生产过程中,地下的高压原油,天然气突然大量从井口喷出。

【井然】jǐngrán 〈书〉形 形容整齐的样子:秩序~|条理~|~不紊。

【井水不犯河水】jǐngshuǐ bù fàn héshuǐ 比喻两不相犯。

【井台】jǐngtái （~儿）名 井口周围高出地面的部分。

【井田制】jǐngtiánzhì 名 我国奴隶社会时期的土地制度。奴隶主为计算自己封地的大小和监督奴隶劳动,把土地划分成许多方块,因像"井"字形,所以叫做井田制。

【井筒】jǐngtǒng 名 ❶ 从水井口到井底的筒状四壁或空间。❷ 采矿、修建长隧道和地下铁道时开凿的联系地面和地下巷道的通道。

【井盐】jǐngyán 名 打井汲取含盐量高的地下水制成的食盐。我国四川、云南等地都有出产。

阱（穽）jǐng 捕野兽用的陷阱:陷~。

汫 jǐng 汫洲（Jǐngzhōu）,地名,在广东。

到（刭）jǐng 〈书〉用刀割脖子:自~。

肼 jǐng 名 有机化合物,化学式H_2NNH_2。无色油状液体,有类似氨

的刺激性气味,有剧毒,腐蚀性强,燃烧时发出紫色光。用来制药,也用作火箭燃料。[英 hydrazine]

颈（頸）jǐng ❶ 名 颈项:长~鹿（图见1209页"人的身体"）❷ 物体上的形状像颈或部位相当于颈的部分:瓶~|曲~甑。

　　另见468页 gěng。

【颈联】jǐnglián 名 律诗的第三联（五、六两句）,一般要求作对仗。

【颈项】jǐngxiàng 名 脖子。

【颈椎】jǐngzhuī 名 颈部的椎骨,共有7块,较小的第一颈椎和第二颈椎的构造与其他颈椎不同,分别称为寰椎和枢椎。（图见490页"人的骨骼"）

景¹ jǐng ❶（~儿）名 景致;风景:雪~|十步一~|西湖十~。❷ 情形;情况:远~|背~。❸ 戏剧、电影、电视的布景和摄影棚外的景物:内~|外~。❹ 量 剧本的一幕中因布景不同而划分的段落:第三幕第一~。❺（Jǐng）名 姓。

〈古〉又同"影"yǐng。

景² jǐng 尊敬;佩服:~慕|~仰。

【景点】jǐngdiǎn 名 供游览的风景点:旅游~。

【景观】jǐngguān 名 ❶ 指某地或某种类型的自然景色:草原~|黄山以它独特的~吸引着游客。❷ 泛指可供观赏的景物:人文~|街头雕塑也是这个城市的~之一。

【景况】jǐngkuàng 名 情况;境况:我们的~越来越好。

【景慕】jǐngmù 〈书〉动 景仰:他怀着~的心情参观鲁迅博物馆。

【景颇族】Jǐngpōzú 名 我国少数民族之一,分布在云南。

【景气】jǐngqì ❶ 名 指生产增长、失业减少、信用活跃等经济繁荣现象:~指数上升。❷ 形 兴旺;繁荣（多用于否定式）:市场很不~。

【景区】jǐngqū 名 供游览的风景区:开辟新~。

【景色】jǐngsè 名 景致:~迷人|日出的时候~特别美丽。

【景深】jǐngshēn 名 摄影用语,指用摄影机拍摄某景物时,可保持该景物前后的其他景物成像清晰的范围,使用小光圈、短

焦距和适当地利用暗影,都可以得到较好的景深。

【景泰】Jǐngtài 名 明代宗(朱祁钰)年号(公元1450—1456)。

【景泰蓝】jǐngtàilán 名 我国特种工艺品之一,用紫铜做成器物的胎,把铜丝掐成各种花纹焊在铜胎上,填上珐琅彩釉,然后烧成。明代景泰年间在北京开始大量制造,珐琅彩釉多用蓝色,所以叫景泰蓝。

【景物】jǐngwù 名 可供观赏的景致和事物:山川秀丽,~宜人。

【景象】jǐngxiàng 名 现象;状况:太平|一派欣欣向荣的~。

【景仰】jǐngyǎng 动 佩服尊敬;仰慕:~先生的为人。

【景遇】jǐngyù 名 景况和遭遇:~不佳。

【景致】jǐngzhì 名 风景:西山有几处好~。

儆 jǐng 让人自己觉悟而不犯过错:~戒|以~效尤。

【儆戒】jǐngjiè 同"警戒"①。

憬 jǐng 〈书〉醒悟:闻之~然。

【憬悟】jǐngwù 〈书〉动 醒悟。

璟 jǐng 〈书〉玉的光彩。

警 jǐng ❶ 戒备:~惕|~戒。❷(感觉)敏锐:机~|~觉。❸ 使人注意(情况严重);告诫:~报|~告|~世恤~百。❹ 危险紧急的情况或事情:火~|报~。❺ 警察的简称:民~|武~|交通~。❻(Jǐng)名 姓。

【警报】jǐngbào 名 通过电台、电视台或用汽笛、喇叭等发出的将有危险到来的通知或信号:防空~|台风~|降温~。

【警备】jǐngbèi 动 警戒防备:加强~|~森严。

【警察】jǐngchá 名 ❶ 具有武装性质的国家治安行政人员。包括户籍警察、司法警察、交通警察等。❷ 见1446页【武装警察】。

【警车】jǐngchē 名 警察执行公务用的车辆。

【警灯】jǐngdēng 名 警车上安装的指示灯。也指救护车、抢险车上安装的具有警示作用的灯。

【警笛】jǐngdí 名 ❶ 警察用于示警的哨子。❷ 发警报的汽笛。

【警督】jǐngdū 名 警衔,低于警监,高于警司。

【警方】jǐngfāng 名 警察方面,指公安机关:犯罪嫌疑人已被~抓获。

【警匪片儿】jǐngfěipiānr 〈口〉名 警匪片。

【警匪片】jǐngfěipiàn 名 以表现警察与盗匪的斗争为主要内容的故事片。

【警风】jǐngfēng 名 警察的作风。

【警服】jǐngfú 名 警察穿的制服。

【警告】jǐnggào ❶ 动 提醒,使警惕。❷ 动 对有错误或不正当行为的个人、团体、国家提出告诫,使认识到所应负的责任。❸ 名 对犯错误者的一种处分。

【警官】jǐngguān 名 警察中的官员。有时也用于称呼警察。

【警棍】jǐnggùn 名 警察执行任务时使用的特制棍棒。

【警号】jǐnghào 名 ❶ 报警的信号:以灯光为~。❷ 警察佩戴在警服上的有编号的徽章。

【警花】jǐnghuā 名 对年轻女警察的美称。

【警徽】jǐnghuī 名 警察的标志。我国人民警察警徽图案由国徽、盾牌、长城、松枝和飘带组成。

【警纪】jǐngjì 名 警察的纪律:整顿~。

【警监】jǐngjiān 名 警衔,是警衔的最高等级。

【警戒】jǐngjiè 动 ❶ 告诫人使注意改正错误。也作警诫、儆戒。❷ 军队为防备敌人的侦察和突然袭击而采取保障措施:~哨|加强~。

【警戒色】jǐngjièsè 名 某些动物在进化过程中形成的能起警告敌害、保护自身作用的鲜艳色彩。

【警诫】jǐngjiè 同"警戒"①。

【警句】jǐngjù 名 简练而含义深刻动人的语句。

【警觉】jǐngjué ❶ 名 对危险或情况变化的敏锐感觉:提高~|高度的~性。❷ 动 敏锐地感觉到:他对事态的严重性有所~。

【警力】jǐnglì 名 警察的实力,包括人员和武器装备等:部署~|~不足。

【警龄】jǐnglíng 名 警察从事警务工作的年数:他已有近十年~。

【警犬】jǐngquǎn 名 受过训练,能帮助人侦查、搜捕、巡逻、警戒的狗。

【警容】jǐngróng 名 指警察的外表、纪律、威仪等。

【警嫂】jǐngsǎo 名 对警察妻子的尊称。

【警示】jǐngshì 动 警告;启示:～后人|予以～。

【警世】jǐngshì 动 警戒世人,使醒悟:～之作。

【警司】jǐngsī 名 警衔,低于警督,高于警员。

【警惕】jǐngtì 动 对可能发生的危险情况或错误倾向保持敏锐的感觉:提高～,保卫祖国。

【警卫】jǐngwèi ❶ 动 用武装力量实行警戒、保卫:～连|执行～首长的任务。❷ 名 指执行这种任务的人:门口有一把守。

【警务】jǐngwù 名 警察维持社会治安等的事务:～繁忙。

【警衔】jǐngxián 名 区别警察等级的称号,如警监、警督、警司、警员等。武装警察的警衔和军衔相同。

【警械】jǐngxiè 名 警察执行任务时使用的器械,如警棍、手铐、警绳等。

【警省】jǐngxǐng 同"警醒"②。

【警醒】jǐngxǐng ❶ 形 睡眠时易醒,睡不熟:他睡觉最～不过。❷ 动 警戒醒悟:鉴往知来,值得我们～。也作警省。❸ 动 使警戒醒悟:～世人。

【警用】jǐngyòng 形 属性词。警务上使用的:～专线|～直升机。

【警员】jǐngyuán 名 警衔,低于警司。

【警钟】jǐngzhōng 名 报告发生意外或遇到危险的钟,多用于比喻:这次火灾给那些麻痹大意的人敲了～。

【警种】jǐngzhǒng 名 警察的类别,如户籍警、交通警、刑警等。

jìng (ㄐㄧㄥˋ)

劲(勁) jìng 坚强有力:强～|刚～|～旅|疾风～草。
另见 714 页 jìn。

【劲拔】jìngbá 〈书〉形 雄健挺拔:苍松～。

【劲爆】jìngbào 形 热烈火爆:场面～。

【劲敌】jìngdí 名 强有力的敌人或对手。

【劲歌】jìnggē 名 节奏强烈有力的流行歌曲。

【劲旅】jìnglǚ 名 强大而有实力的队伍。

【劲射】jìngshè 动 强劲有力地射门:一脚～,球应声入网。

【劲升】jìngshēng 动 强有力地上升:股指～。

【劲舞】jìngwǔ 名 节奏强烈有力的现代舞蹈:青春～。

径(徑、^{❶-❸}逕) jìng ❶ 狭窄的道路;小路:山～|曲～。❷ 比喻达到目的的方法:捷～|门～。❸ 副 径直:～行办理|～自答复|取道武汉,～回广州。❹ 直径的简称:口～|半～。

【径流】jìngliú 名 降水除蒸发的、被土地吸收的和被拦截的以外,沿着地面流走的水叫径流。渗入地下的也可以形成地下径流。

【径情直遂】jìng qíng zhí suì 随着意愿顺利地获得成功。

【径赛】jìngsài 名 田径运动中各种赛跑和竞走项目比赛的总称。

【径庭】jìngtíng (旧读 jìngtìng)〈书〉形 相差很远:大有～|大相～。

【径行】jìngxíng 副 表示直接进行;径自:厂商希望能～进口自己所需的产品。

【径直】jìngzhí 副 ❶ 表示直接向某处前进,不绕道,不在中途耽搁:登山队员～地攀登主峰|客机～飞往昆明,不在重庆降落。❷ 表示直接进行某件事,不在事前费周折:你一～写下去吧,等写完了再讨论。

【径自】jìngzì 副 表示自己直接行动:他等会议结束就～离去。

净¹(淨) jìng ❶ 形 清洁;干净:水|脸应洗～。❷ 动 擦洗干净:一～～桌面儿。❸ 形 没有余剩:细收～|打|碗里的水没喝～。❹ 纯:～重|～利。❺ 副 表示单纯而没有别的;只是:书架上～是科技书籍|这几天～下雨别～说些没用的话|他～爱跟人开玩笑。

净²(淨) jìng 名 戏曲角色行当,扮演性格刚烈或粗暴的男性人物。通称花脸。

【净菜】jìngcài 名 经过择洗等加工处理后出售的蔬菜(跟"毛菜"相对):～包装上市。

【净产值】jìngchǎnzhí 名 用货币形式表现的生产部门在一定时期内投入生产的活

劳动所新创造的价值,是总产值减去物质消耗后的剩余。

【净化】jìnghuà 动 清除杂质使物体纯净:~污水|城市空气◇~心灵|~社会风气。

【净尽】jìngjìn 形 一点儿不剩:消灭~。

【净角】jìngjué (~儿)名 净[2]。

【净口】jìngkǒu 名 曲艺表演中指去掉了低级、粗俗成分的话(区别于"荤口")。

【净利】jìnglì 名 企业总收入中除去一切消耗费用和税款、利息等所剩下的利润(区别于"毛利")。

【净手】jìng∥shǒu 动 ❶〈方〉洗手:净一净手|净净手。❷ 婉辞,指排泄大小便。

【净桶】jìngtǒng 名 婉辞,马桶。

【净土】jìngtǔ 名 ❶ 佛教认为佛、菩萨等居住的世界,没有尘世的污染,所以叫净土。❷ 泛指没有受污染的干净地方:这个风景区是难得的一块~。

【净余】jìngyú 动 除去用掉的剩余下来:这个月~了三百元。

【净重】jìngzhòng 名 货物除去包装的封皮盛器或牲畜家禽等除去皮毛的重量(区别于"毛重")。

弪(弳) jìng 量 弧度的旧称。

经(經) jìng 动 织布之前,把纺好的纱或线密密地绷起来,来回梳整,使成为经纱或经线:~纱。
另见 717 页 jīng。

胫(脛) jìng 名 小腿。

【胫骨】jìnggǔ 名 小腿内侧的长骨,上端和下端膨大,中间的横断面为三角形。(图见 490 页"人的骨骼")

惊 jìng〈书〉强。
另见 855 页 liàng。

痉(痙) jìng[痉挛](jìngluán)动 肌肉紧张,不自主地收缩。多由中枢神经系统受刺激引起。

竞(競) jìng ❶ 竞争;竞赛:~走|~技。❷〈书〉强劲:南风不~。

【竞标】jìng∥biāo 动 (投标者)互相竞争以争取中标:这个工程有好几家公司~。

【竞猜】jìngcāi 动 比赛谁先猜出答案或结果:~热线|灯谜~。

【竞答】jìngdá 动 比赛谁先说出答案或结果:法律知识~。

【竞渡】jìngdù 动 ❶ 划船比赛:龙舟~。❷ 渡过江湖等水面的游泳比赛:游泳健儿~昆明湖。

【竞岗】jìnggǎng 动 通过竞争以得到工作岗位。

【竞技】jìngjì 动 指体育竞赛:~场|同场~|~状态。

【竞技体操】jìngjì tǐcāo 竞赛性体操运动项目。男子项目有自由体操、单杠、双杠、吊环、鞍马、跳马等,女子项目有自由体操、平衡木、高低杠、跳马等。

【竞技状态】jìngjì zhuàngtài 参加竞赛的运动员在身体素质、心理素质、技术、战术等方面表现出来的状态:~良好。

【竞价】jìng∥jià 动 竞相报价(以争取成交):举牌~|~轮番。

【竞买】jìngmǎi 动 竞相报价,争取买到:叫价~|~失败。

【竞卖】jìngmài 动 竞相报价,争取卖出:~交易。

【竞拍】jìngpāi 动 ❶ 指拍卖:~活动。❷ 在拍卖中竞相报价(以争取成交):~价格直线上升。

【竞聘】jìngpìn 动 通过竞争争取得到聘任:~执教|推广干部~制。

【竞赛】jìngsài 动 互相比赛,争取优胜:体育~|劳动~。

【竞投】jìngtóu 动 以竞争的方式投标或参与拍卖:无底价~。

【竞相】jìngxiāng 副 互相争着(做):~购买|~发表意见。

【竞销】jìngxiāo 动 争夺销路:这种产品在国际市场上~能力。

【竞选】jìngxuǎn 动 候选人在选举前进行种种活动争取当选:参加总统~|发表~演说。

【竞争】jìngzhēng 动 为了自己方面的利益而跟人争胜:贸易~|~激烈|自由~。

【竞走】jìngzǒu 名 径赛项目之一,走时两脚不得同时离地,脚着地时膝关节不得弯曲。

竟[1] jìng ❶ 完毕:未~之业。❷ 从头到尾;全:~日|~夜。❸〈书〉副 终于:有志者事~成。❹ (Jìng)名 姓。

竟[2] jìng 副 表示出于意料之外:真没想到他~敢当面撒谎|都以为他一定不答应,谁知他~答应了。

【竟然】jìngrán 副 竟²：这样宏伟的建筑，～只用十个月的时间就完成了。

【竟日】jìngrì〈书〉副 终日；整天：～欢乐。

【竟至】jìngzhì 动 竟然至于；竟然达到：～如此之多。

【竟自】jìngzì 副 竟然：虽然没有人教，但他摸索了一段时间，～学会了。

婧 jìng〈书〉女子有才能。

靓（靚） jìng〈书〉妆饰；打扮。另见 855 页 liàng。

【靓妆】jìngzhuāng〈书〉名 美丽的妆饰。

敬 jìng ❶尊敬：～重｜～爱｜～仰｜致～｜肃然起～。❷ 恭敬：～请指教｜～谢不敏。❸ 动 有礼貌地送上（饮食或物品）：～烟｜～酒｜～茶｜～你一杯。❹（Jìng）名 姓。

【敬爱】jìng'ài 动 尊敬热爱：～父母｜～的张老师。

【敬称】jìngchēng ❶动 尊敬地称呼：因为知识广博，同学们都～他"小先生"。❷名 尊敬的称呼："小先生"是同学们对他的～。

【敬辞】jìngcí 名 含恭敬口吻的用语，如"请问、借光"等。

【敬而远之】jìng ér yuǎn zhī 表示尊敬，但不愿接近。

【敬奉】jìngfèng 动 ❶虔诚地供奉（神佛）。❷恭敬地献上：～锦缎一匹。

【敬服】jìngfú 动 敬重佩服：他为人正直，让人～｜人们都～先生的人品才学。

【敬告】jìnggào 动 敬辞，告诉：～读者。

【敬贺】jìnghè 动 敬辞，祝贺。

【敬候】jìnghòu 动 ❶敬辞，等候：～回音｜～光临。❷恭敬地问候：～起居。

【敬酒不吃吃罚酒】jìng jiǔ bù chī chī fá jiǔ 比喻好好地劝说不听，用强迫的手段却接受了。

【敬老院】jìnglǎoyuàn 名 养老院。

【敬礼】jìng∥lǐ 动 ❶立正、举手或鞠躬行礼表示恭敬：向老师敬个礼。❷敬辞，用于书信结尾。

【敬慕】jìngmù 动 尊敬仰慕。

【敬佩】jìngpèi 动 敬重佩服。

【敬畏】jìngwèi 动 又敬重又畏惧：令人～。

【敬羡】jìngxiàn 动 敬重羡慕：他的学问、人品都令人～。

【敬献】jìngxiàn 动 恭敬地献上：向烈士陵墓～花圈。

【敬谢不敏】jìng xiè bù mǐn 表示推辞做某件事的客气话（谢：推辞；不敏：没有才能）。

【敬仰】jìngyǎng 动 敬重仰慕：他是青年们～的导师。

【敬业】jìngyè 动 专心致力于学业或工作：爱岗～｜～精神。

【敬意】jìngyì 名 尊敬的心意：他让我转达对你的～。

【敬赠】jìngzèng 动 恭敬地赠送。

【敬重】jìngzhòng 动 恭敬尊重。

【敬祝】jìngzhù 动 敬辞，祝愿：～身体健康。

靖 jìng ❶没有变故或动乱；平安：地方安～。❷使秩序安定；平定（变乱）：～边｜～乱。❸（Jìng）名 姓。

【靖康】Jìngkāng 名 宋钦宗（赵桓）年号（公元 1126—1127）。

静 jìng ❶形 安定不动（跟"动"相对）：～止｜安～｜风平浪～｜～～的湖水。❷形 没有声响：寂～｜清～｜傍晚，公园里很～。❸动 使平静或安静：～下心来｜请大家～一～。❹（Jìng）名 姓。

【静鞭】jìngbiān 名 鸣鞭②。

【静场】jìng∥chǎng 剧场、电影院等演出结束后，观众退出。

【静电】jìngdiàn 名 不流动的电荷，如摩擦所产生的电荷。

【静电感应】jìngdiàn gǎnyìng 导体接近带电体时，导体表面产生电荷的现象。这时导体两端的电荷相等而正负相反。

【静观】jìngguān 动 冷静地观察：在一旁～｜～事态的发展。

【静候】jìnghòu 动 安静地等候：～佳音。

【静脉】jìngmài 名 把血液送回心脏的血管。静脉中的血液含有较多的二氧化碳，血色暗红。

【静脉曲张】jìngmài qūzhāng 静脉扩张、伸长或弯曲的症状。多由下肢静脉的血液回流受阻，压力增高引起。患者小腿肿胀、沉重，容易疲劳。

【静谧】jìngmì〈书〉形 安静：～的园林。

【静默】jìngmò ❶形 寂静；没有声音：会场上又是一阵～。❷动 肃立不做声，示悼念：～三分钟。

【静穆】jìngmù 形 安静庄严：气氛～｜～的灵堂。

【静悄悄】jìngqiāoqiāo （～的）形 状态词。形容非常安静没有声响：夜深了，四周～的。

【静态】jìngtài ❶名 相对静止状态；非工作状态：～工作点｜～电流。❷形 属性词。从静态角度来考察研究的：～分析｜～研究。

【静物】jìngwù 名 用作绘画、摄影对象的静止的物体，如水果、鲜花、器物等：～画｜～写生｜～摄影。

【静心】jìng∥xīn 动 心情平静；使心神安定：～读书｜你快出去，让我静静心。

【静养】jìngyǎng 动 安静地休养：你这病需要一段时间。

【静园】jìng∥yuán 动 公园在规定时间停止开放，游人退出。

【静止】jìngzhǐ 动 物体不运动：一切物体都在不断地运动，它们的～和平衡只是暂时的，相对的。

【静坐】jìngzuò 动 ❶ 排除思虑，闭目安坐，是气功疗法采用的一种方式。❷ 为了达到某种要求或表示抗议安静地坐着：～示威。

境 jìng ❶ 疆界；边界：国～｜入～。❷ 地方；区域：渐入佳～｜如入无人之～。❸ 境况；境地．家～｜处～｜事过～迁。

【境地】jìngdì 名 ❶ 生活上或工作上遇到的情况：处于孤立的～。❷ 境界②。

【境界】jìngjiè 名 ❶ 土地的界限。❷ 事物所达到的程度或表现的情况：思想～｜他的演技已经达到出神入化的～。

【境况】jìngkuàng 名 状况（多指经济方面的）：近年家庭～略有好转。

【境域】jìngyù 名 ❶ 境地。❷ 境界。

【境遇】jìngyù 名 境况和遭遇：～不佳。

猄 jìng 古书上说的一种像虎豹的兽，生下来就吃生它的母兽。

镜（鏡） jìng ❶ 镜子①：穿衣～｜波平如～。❷ 利用光学原理制成的帮助视力或做光学实验用的器具，镜片一般用玻璃制成：花～｜眼～儿｜凹～｜凸～｜望远～｜三棱～。

【镜花水月】jìng huā shuǐ yuè 镜中的花，水里的月，比喻虚幻的景象。

【镜框】jìngkuàng （～儿）名 在用木头、石膏、塑料等做成的框子中镶上玻璃而制成的东西，用来装照片或字画等。

【镜片】jìngpiàn 名 光学仪器或眼镜等上的透镜。

【镜台】jìngtái 名 装有镜子的梳妆台。

【镜头】jìngtóu 名 ❶ 摄影机、摄像机或放映机上，由透镜组成的光学装置。也称形成影像。❷ 照相的一个画面。❸ 拍摄影片或电视片时，从摄影机或摄像机开始转动到停止时所拍下的一系列画面。

【镜匣】jìngxiá 名 盛梳妆用品的匣子，其中装有可以支起来的镜子。

【镜箱】jìngxiāng 名 ❶ 指照相机的暗箱。❷ 盥洗室内设置的装有长方形镜子的箱状设备。

【镜子】jìng·zi 名 ❶ 有光滑的平面，能照见形象的器具，古代用铜铸厚圆片磨制，现在用平面玻璃镀银或镀铝做成：照～。❷〈口〉眼镜：戴～。

---

jiōng （ㄐㄩㄥ）

垌 jiōng 〈书〉野外。

駉（駉） jiōng 〈书〉❶ 马肥壮：～～牡马。❷ 骏马。

扃 jiōng 〈书〉❶ 自外关闭门户用的门闩、门环等。❷ 门｜门扇。❸ 关门。

---

jiǒng （ㄐㄩㄥˇ）

冏 jiǒng 〈书〉❶ 光。❷ 明亮。

炅 jiǒng 〈书〉❶ 日光。❷ 明亮。
另见 516 页 Guì。

迥 jiǒng 〈书〉❶ 远：山高路～。❷ 差得远：～异｜病前病后～若两人。

【迥别】jiǒngbié 形 大不相同：新城与旧城～。

【迥然】jiǒngrán 形 形容差别很大：一个沉着，一个急躁，他俩的性格～不同。

【迥异】jiǒngyì 形 相差很远；迥别：风格～｜他们二人性情～。

洞 jiǒng 〈书〉❶ 远。❷（水）深而阔。

絅（絅、褧） jiǒng 〈书〉罩在外面的单衣。

炯 jiǒng 〈书〉明亮：～然。

【炯炯】jiǒngjiǒng 形 形容明亮（多用于目光）：目光～｜两眼～有神。

煛 jiǒng 〈书〉日光。

颎（熲） jiǒng 〈书〉火光。

窘 jiǒng ❶ 形 穷困：家境很～。❷ 形 为难：我事前没做准备，当时很～。❸ 动 使为难：用话来～他。

【窘促】jiǒngcù 〈书〉形 窘迫。

【窘境】jiǒngjìng 名 十分为难的处境；困境：陷入～｜摆脱～。

【窘况】jiǒngkuàng 名 非常困难又无法摆脱的境况。

【窘迫】jiǒngpò 形 ❶ 非常穷困：生计～。❷ 十分为难：处境～。

【窘态】jiǒngtài 名 受窘时的神态：他被大家笑得红了脸，站也不是，坐也不是，显出一副～。

---

jiū（ㄐㄧㄡ）

勼 jiū 〈书〉聚集。

纠¹（糾） jiū ❶ 缠绕：～纷｜～缠。❷（Jiū）名 姓。

纠²（糾） jiū 集合：～合｜～集。

纠³（糾） jiū ❶〈书〉督察；检举：～察｜～举（督察检举）。❷ 纠正：～偏｜有错必～。

【纠察】jiūchá ❶ 动 在群众活动中维持秩序：～队。❷ 名 在群众活动中维持秩序的人：担任～。

【纠缠】jiūchán 动 ❶ 绕在一起：问题～不清。❷ 搅扰；找人的麻烦：～不休｜我还有事，别再～了。

【纠错】jiū//cuò 动 纠正错误。

【纠纷】jiūfēn 名 争执的事情：调解～。

【纠风】jiūfēng 动 纠正行业不正之风：抓好～工作。

【纠葛】jiūgé 名 纠缠不清的事情；纠纷：他们之间有过～。

【纠合】（鸠合）jiūhé 动 集合；联合（多用于贬义）：～党羽，图谋不轨。

【纠集】（鸠集）jiūjí 动 纠合（含贬义）。

【纠结】jiūjié 动 互相缠绕：藤蔓～。

【纠偏】jiū//piān 动 纠正偏向或偏差。

【纠正】jiūzhèng 动 改正（缺点、错误）：～姿势｜～偏向｜不良倾向已得到～。

鸠（鳩） jiū 外形像鸽子的一类鸟，常见的有斑鸠。

【鸠合】jiūhé 见 729 页【纠合】。

【鸠集】jiūjí 见 729 页【纠集】。

【鸠形鹄面】jiū xíng hú miàn 形容人因饥饿而很瘦的样子（鸠形：腹部低陷，胸骨突起；鹄面：脸上瘦得没有肉）。

【鸠占鹊巢】jiū zhàn què cháo 见 1136 页【鹊巢鸠占】。

究 jiū ❶ 仔细推求；追查：研～｜追～｜～深。❷〈书〉副 到底；究竟：此事应如何办理？

【究办】jiūbàn 动 追查惩办：依法～。

【究根儿】jiū//gēnr〈口〉动 追问事情的来龙去脉；追究根源：这事已经了结，不必～。

【究诘】jiūjié 〈书〉动 追问结果或原委。

【究竟】jiūjìng ❶ 名 结果；原委：大家都想知道个～。❷ 副 用在问句里，表示追究：～是怎么回事？｜你～答应不答应？ 注意 是非问句（如"你答应吗?"）里不用"究竟"。❸ 副 毕竟；到底：她～是经验丰富，说的话很有道理。

【究问】jiūwèn 动 追究；追问：此事不予～。

赳 jiū [赳赳]（jiūjiū）形 健壮威武的样子：～武夫｜雄～，气昂昂。

阄（鬮） jiū（～儿）名 抓阄时卷起或揉成团的纸片。参看 1785 页【抓阄儿】。

揪 jiū 动 紧紧地抓；抓住并拉：～耳朵｜～着绳子往上爬｜把他～过来。

【揪辫子】jiū biàn·zi 比喻抓住缺点，作为把柄。也说抓辫子。

【揪痧】jiū//shā 动 民间治疗某些疾病的方法，通常用手指揪颈部、额部等，使局部皮肤充血以减轻内部炎症。

【揪心】jiū//xīn〈口〉形 放不下心；担心；挂心：孩子这么晚还没回来，真让人～。

啾

啾 jiū 见下。

【啾唧】jiūjī 拟声 形容虫、鸟等细碎的叫声。

【啾啾】jiūjiū 拟声 形容许多小鸟一齐叫的声音。也形容凄厉的叫声。

樛

樛 jiū 〈书〉树木向下弯曲。

鬏

鬏 jiū （～儿）名 头发盘成的结。

jiǔ （ㄐㄧㄡˇ）

九

九 jiǔ ❶ 数 八加一后所得的数目。参看 1271 页【数字】。❷ 名 从冬至起每九天是一个"九"，从一"九"数起，二"九"、三"九"数到九"九"为止；数～｜冬练三～、夏练三伏｜～尽寒尽。❸ 表示多次或多数：～霄｜～泉｜三～｜～弯～转｜～死一生。❹ （Jiǔ）名 姓。

【九重霄】jiǔchóngxiāo 名 见 190 页【重霄】。

【九鼎】jiǔdǐng 名 ❶ 古代传说夏禹铸了九个鼎，象征九州，成为夏、商、周三代传国的宝物。❷ 比喻分量极重：一言～。

【九宫】jiǔgōng 名 见 477 页【宫调】。

【九宫格儿】jiǔgōnggér 名 练习汉字书法用的方格纸，每个大格再用"井"字形交叉的线分成九个小格。

【九归】jiǔguī 名 珠算中用一到九的九个个位数为除数的除法。

【九角戏】jiǔjiǎoxì 名 高甲戏。

【九九歌】jiǔjiǔgē 名 见 1498 页【小九九】①。

【九九归一】jiǔ jiǔ guī yī 原是珠算中归除和还原的口诀，比喻转来转去最后又还了原，～，还是他的话对。也说九九归原。

【九流三教】jiǔ liú sān jiào 见 1172 页【三教九流】。

【九牛二虎之力】jiǔ niú èr hǔ zhī lì 比喻很大的力量。

【九牛一毛】jiǔ niú yī máo 比喻极大的数量中微不足道的一部分。

【九泉】jiǔquán 名 指人死后埋葬的地方，迷信的人指阴间：～之下｜含笑～。

【九死一生】jiǔ sǐ yī shēng 形容经历极大危险而幸存。

【九天】jiǔtiān 名 极高的天空：～九地（一个在天上，一个在地下，形容差别极大）。

【九霄】jiǔxiāo 名 天空的最高处，比喻极高或极远的地方：豪情冲～。

【九霄云外】jiǔ xiāo yún wài 形容远得无影无踪：他把我们的忠告抛到了～。

【九一八事变】Jiǔ-Yībā Shìbiàn 1931 年 9 月 18 日夜，日本帝国主义大规模武装侵略中国东北的事件。19 日日军侵占沈阳，同时在吉林、黑龙江等省区发动进攻。由于当时国民政府对日本侵略军采取不抵抗政策，致使四个多月内，东北全境沦陷。1945 年日本投降，东北领土才全部收复。

【九音锣】jiǔyīnluó 名 云锣。

【九州】jiǔzhōu 名 传说中的我国上古行政区划，后用作中国的代称。

【九族】jiǔzú 名 旧指本身上及父、祖、曾祖、高祖，下及子、孙、曾孙、玄孙的亲属。也有包括异姓亲属的说法，即父族四代、母族三代、妻族两代。

久

久 jiǔ ❶ 形 时间长（跟"暂"相对）：～别｜～经锻炼｜我离开家乡已经很～了。❷ 名 时间的长短：你来了有多～？｜历时三个月之～。❸ （Jiǔ）名 姓。

【久别】jiǔbié 动 长时间地分别：～重逢。

【久而久之】jiǔ ér jiǔ zhī 经过了相当长的时间：机器要不好好养护，～就要生锈。

【久假不归】jiǔ jiǎ bù guī 长期借去，不归还。

【久久】jiǔjiǔ 副 许久；好久：心情激动，～不能平静。

【久留】jiǔliú 动 长时间地停留：此地不宜～。

【久违】jiǔwéi 动 客套话，好久没见：～了，这几年您上哪儿去啦？

【久仰】jiǔyǎng 动 客套话，仰慕已久（初次见面时说）。

【久已】jiǔyǐ 副 很久以前已经；早就：这件事我～忘了。

【久远】jiǔyuǎn 形 长久：年代～。

汣

汣 jiǔ 东汣（Dōngjiǔ），西汣（Xījiǔ），团汣（Tuánjiǔ），湖名，都在江苏宜兴。另见 515 页 guǐ。

玖

玖¹ jiǔ 数 "九"的大写。参看 1271 页【数字】。

玖² jiǔ 〈书〉像玉的浅黑色石头。

灸 jiǔ 勋 中医的一种治疗方法,用燃烧的艾绒等熏烤一定的穴位或患部。

韭(韮) jiǔ 韭菜。

【韭菜】jiǔcài 名 多年生草本植物,叶子细长而扁,花白色。是常见蔬菜。

【韭黄】jiǔhuáng 名 在黑暗、温湿条件下培育的韭菜,颜色浅黄,嫩而味美。

酒 jiǔ 名❶ 用粮食、水果等含淀粉或糖的物质经过发酵制成的含乙醇的饮料,如葡萄酒、白酒等。❷(Jiǔ)姓。

【酒吧】jiǔbā 名 西餐馆或西式旅馆中卖酒的地方,也有专门开设的。也说酒吧间。[吧,英 bar]

【酒菜】jiǔcài 名❶ 酒和菜。❷ 下酒的菜。

【酒店】jiǔdiàn 名❶ 酒馆。❷ 较大而设备较好的旅馆(多作名称用)。

【酒馆】jiǔguǎn (～儿)名 卖酒和下酒菜等的铺子:下～。也叫酒馆子。

【酒鬼】jiǔguǐ 名 好(hào)酒贪杯的人(骂人的话)。

【酒酣耳热】jiǔ hān ěr rè 形容酒兴正浓。

【酒花】jiǔhuā 名 见 1039 页〖啤酒花〗。

【酒会】jiǔhuì 名 形式比较简单的宴会,用酒和点心待客,不排席次,客人到场、退场都比较自由。

【酒家】jiǔjiā 名 酒馆,现多用于饭馆名称。

【酒浆】jiǔjiāng 〈书〉名 酒。

【酒精】jiǔjīng 名 乙醇的通称。

【酒力】jiǔlì 名 饮酒后,酒对人的刺激作用:不胜～。

【酒帘】jiǔlián 名 酒望。

【酒量】jiǔliàng 名 一次能喝多少酒的限度:～大|他～不行,喝一口就脸红。

【酒令】jiǔlìng (～儿)名 饮酒时所做的可分输赢的游戏,输了的人罚饮酒:行～|出个～儿。

【酒囊饭袋】jiǔ náng fàn dài 比喻无能的人。

【酒酿】jiǔniàng 名 江米酒。

【酒器】jiǔqì 名 饮酒用的器皿。

【酒钱】jiǔqián 名 旧时给服务员或临时服务者的小费。

【酒曲】jiǔqū 名 酿酒用的曲。

【酒肉朋友】jiǔròu péng·you 指只在一起吃喝玩乐、不干正经事的朋友。

【酒色】jiǔsè 名 酒和女色:沉湎～|～之徒。

【酒食】jiǔshí 名 酒和饭菜。

【酒水】jiǔshuǐ 名❶ 酒和汽水等饮料:餐厅备有二十多种～。❷〈方〉指酒席:办了两桌～。

【酒肆】jiǔsì 〈书〉名 酒馆:茶楼～。

【酒徒】jiǔtú 名 好(hào)酒贪杯的人。

【酒望】jiǔwàng 名 旧时酒店的幌子,用布做成。也叫酒望子、酒帘。

【酒涡】jiǔwō 同"酒窝"。

【酒窝】jiǔwō (～儿)名 笑时脸颊上现出的小圆窝。也作酒涡。

【酒席】jiǔxí 名 请客或聚餐用的酒和整桌的菜:摆～|办了三桌～。

【酒兴】jiǔxìng 名 饮酒的兴致:～正浓。

【酒宴】jiǔyàn 名 酒席。

【酒药】jiǔyào 名 小曲(xiǎoqū)。

【酒靥】jiǔyè 〈方〉名 酒窝。

【酒意】jiǔyì 名 将要醉的感觉或神情:有了几分～。

【酒糟】jiǔzāo 名 造酒剩下的渣滓。

【酒糟鼻】jiǔzāobí 名 酒渣鼻。

【酒渣鼻】jiǔzhābí 名 慢性皮肤病,病因不明,鼻子尖出现鲜红色斑点,逐渐变成暗红色,鼻部结缔组织增长,皮脂腺扩大,成小硬结,能挤出皮脂分泌物。也叫酒糟鼻。

【酒盅】jiǔzhōng (～儿)名 小酒杯。也作酒钟。

【酒钟】jiǔzhōng 同"酒盅"。

jiù （ㄐㄧㄡˋ）

旧(舊) jiù ❶ 形 过去的;过时的(跟"新"相对):～时代|～经验|～社会|不要用～脑筋对待新事物。❷ 形 因经过长时间或经过使用而变色或变形的(跟"新"相对):～书|～衣服|窗纱～了。❸ 形 曾经有过的;以前的:张家口是～察哈尔省省会。❹ 老交情;老朋友:怀～|念～|亲戚故～。❺(Jiù)名 姓。

【旧案】jiù'àn 名❶ 历时较久的案件:积年～都已经清理完毕。❷ 过去的条例或事例:优抚工作皆照～办理。

【旧病】jiùbìng 名 历时较久、时犯时愈的病;宿疾:～复发。

【旧部】jiùbù 图 旧日的部属。

【旧地】jiùdì 图 曾经去过或生活过的地方：～重游。

【旧调重弹】jiù diào chóng tán 比喻把陈旧的理论、主张重新搬出来。也说老调重弹。

【旧都】jiùdū 图 故都。

【旧恶】jiù'è〈书〉图 已往的过失或罪恶：不念～。

【旧观】jiùguān 图 原来的样子：迥非～。

【旧国】jiùguó 图 旧都(古称都城为国)。

【旧好】jiùhǎo〈书〉图❶ 指过去的交谊：重修～。❷ 指旧交；老朋友。

【旧交】jiùjiāo 图 老朋友。

【旧教】jiùjiào 图 16 世纪欧洲宗教改革产生基督教新教后，称天主教为旧教。

【旧居】jiùjū 图 从前居住过的住所。

【旧历】jiùlì 图 农历①。

【旧例】jiùlì 图 过去的事例或条例：沿用～。

【旧梦】jiùmèng 图 比喻过去经历过的事：重温～。

【旧情】jiùqíng 图 旧日的情谊：不忘～。

【旧日】jiùrì 图 过去的日子：想起～的情景。

【旧诗】jiùshī 图 指用文言和传统格律写的诗，包括古体诗和近体诗。

【旧石器时代】jiùshíqì shídài 石器时代的早期，也是人类历史的最古阶段。这时人类使用的工具是比较粗糙的打制石器，生产上只有渔猎和采集。

【旧时】jiùshí 图 时间词。过去的时候；从前。

【旧式】jiùshì 形 属性词。旧的、过时的式样或形式：～长袍｜～家具｜～婚礼。

【旧事】jiùshì 图 已往的事：～重提。

【旧书】jiùshū 图❶ 破旧的书。❷ 古书。

【旧俗】jiùsú 图 长期流传下来的风俗习惯；旧有的习俗。

【旧闻】jiùwén 图 指社会上过去发生的事情，特指掌故、逸闻、琐事等。

【旧物】jiùwù 图❶ 先代的遗物，特指典章文物。❷ 指原有的国土：光复～。

【旧习】jiùxí 图 旧的习惯或习俗：难改｜陈规～。

【旧学】jiùxué 图 指我国未受近代西方文化影响前固有的学术：这位老先生～功底

很深。

【旧业】jiùyè 图 曾从事过的行业：重操～。

【旧友】jiùyǒu 图 从前结交的朋友；老朋友。

【旧雨】jiùyǔ〈书〉图 杜甫《秋述》："卧病长安旅次，多雨，…常时车马之客，旧，雨来，今，雨不来。"后人就把"旧"和"雨"联用，比喻老朋友：～新知｜～重逢。

【旧章】jiùzhāng 图 过去的典章制度；老规矩：更定～｜率由～。

【旧账】jiùzhàng 图 旧日欠的账，比喻以前的过失、嫌怨等：不要算～。

【旧知】jiùzhī 图 老朋友；旧友。

【旧址】jiùzhǐ 图 已经迁走或不存在的某个机构或建筑的旧时的地址。

【旧制】jiùzhì 图 旧的制度。特指我国过去使用的一套计量制度。

臼 jiù ❶ 图 舂米的器具，用石头或木头制成，中部凹下。❷ 形状像臼，中间凹下的：～齿。

【臼齿】jiùchǐ 图 磨牙(móyá)的通称。

咎 jiù ❶ 图 过失；罪过：引～自责｜～有应得。❷ 责备：既往不～。❸〈书〉凶：休～(吉凶)。❹(Jiù)图 姓。

【咎由自取】jiù yóu zì qǔ 遭受责备、惩处或祸害是自己造成的。

疚 jiù〈书〉对于自己的错误感到内心痛苦，负～｜内～。

枢 jiù 装着尸体的棺材：棺～｜灵～。

柏 jiù 见 1434 页【乌桕】。

救(捄) jiù 动❶ 援助使脱离灾难或危险：～命｜挽～｜营～｜搭～｜抢～｜一定要把他～出来。❷ 援助人、物使免于(灾难、危险)：～亡｜～荒｜～灾｜～急。

【救兵】jiùbīng 图 情况危急时来援助的军队：搬～。

【救场】jiù∥chǎng 动 戏剧演出中，因演员生病或其他缘故造成误场而有停演可能时，由另外的演员顶替上场：～如救火。

【救国】jiù∥guó 动 拯救祖国，使免于危亡：～救民｜抗日～运动。

【救护】jiùhù ❶ 动 援助伤病人员使得到适时的医疗，泛指援助有生命危险的人：

~队|~车|~伤员。❷ 名 在游泳池、滑雪场等运动场所从事救护工作的人。

【救荒】jiù//huāng 动 采取措施,度过灾荒:~作物|~运动|~生产。

【救火】jiù//huǒ 动 在失火现场进行灭火和救护工作:~车|消防队员正在~。

【救急】jiù//jí 动 帮助解决突然发生的伤病或其他危难。

【救济】jiùjì 动 用金钱或物资帮助灾区和生活困难的人:~费|~粮|~难民。

【救驾】jiù//jià 动 原指救助处于危难中的帝王。现也用来比喻援救处于困境中的人(含诙谐意)。

【救苦救难】jiù kǔ jiù nàn 拯救在苦难中的人。

【救命】jiù//mìng 动 援助有生命危险的人:~恩人|治病~。

【救生】jiùshēng 动 救护生命:水上~|~设备。

【救生服】jiùshēngfú 名 救生衣。

【救生圈】jiùshēngquān 名 水上救生设备的一种,通常是用软木或其他轻质材料做成的圆环,外面包上帆布并涂上油漆。供练习游泳用的救生圈也可用橡胶制成,内充空气。

【救生艇】jiùshēngtǐng 名 在轮船、军舰或港口设置的小船,用来营救水上遇险的人。

【救生衣】jiùshēngyī 名 水上救生设备的一种,通常是用布包裹软木等轻质材料做成的背心。也叫救生服。

【救世主】Jiùshìzhǔ 名 基督教徒对耶稣的称呼。基督教认为耶稣是上帝的儿子,降生为人,是为了拯救世人。

【救市】jiù//shì 动 采用一定的手段或方式对市场施加影响,使其摆脱困境:开会讨论~措施。

【救死扶伤】jiù sǐ fú shāng 救活将死的,照顾受伤的:~,是医务人员的职责。

【救亡】jiù//wáng 动 拯救祖国的危亡:~图存。

【救亡图存】jiù wáng tú cún 拯救国家或民族的危亡,谋求生存。

【救险】jiùxiǎn 动 解救使脱离危险:井下~|海上~队。

【救星】jiùxīng 名 比喻帮助人脱离苦难的集体或个人。

【救应】jiù·ying 动 救援;接应①。

【救援】jiùyuán 动 援救;求援:~|~人员。

【救灾】jiù//zāi 动 ❶ 救济受灾的人民:放粮~。❷ 消除灾害:防洪~。

【救治】jiùzhì 动 医治使脱离危险:全力~伤员。

【救助】jiùzhù 动 拯救和援助:~灾民。

厩(廐、廄) jiù 名 马棚,泛指牲口棚:~肥。

【厩肥】jiùféi 名 家畜的粪尿和垫圈的干土、杂草等混在一起沤成的肥料。也叫圈(juàn)肥,有的地区叫圊(qīng)肥。

就[1] jiù ❶ 动 凑近;靠近:迁~|避难~易。❷ 动 到;开始从事:~位|~业|~寝|~学|~职。❸ 动 被;受:~歼|~擒。❹ 动 完成;确定:成~|功成名~|生铁铸~的,不容易拆掉。❺ 介 趁着(当前的便利);借着(有时跟"着"字连用):~便|~近|~手儿|~着灯光看书。❻ 动 一边儿是菜蔬、果品等,一边儿是主食或酒,两者搭配吃或喝:花生仁儿~酒。❼ 介 表示动作的对象或话题的范围:他们~这个问题进行了讨论|~工作经验来说,他比别人要丰富些。

就[2] jiù 副 ❶ 表示在很短的时间以内:我~来|您稍等一会儿,饭~好了。❷ 表示事情发生得很早或结束得早:他十五岁~参加革命了|大风早晨~住了。❸ 表示前后事情紧接着:想起来~说|卸下了行李,我们~到车间去了。❹ 表示在某种条件或情况下自然怎么样(前面常用"只要、要是、既然"等或者含有这类意思):只要用功,~能学好|他要是不来,我~去找他|谁愿意去,谁~去。❺ 表示对比起来数目大,次数多,能力强等:你们两个小组一共才十个人,我们一个小组~十个人|他三天才一次,你一天~来三次|这块大石头两个人抬都没抬起来,他一个人一~把它抬走了。❻ 放在两个相同的成分之间,表示容忍:大点儿~大点儿吧,买下算了。❼ 仅仅;只:以前~他一个人知道,现在大家都知道了。❽ 表示加强肯定:我~知道他会来的,今天他果然来了|我~不信我学不会|那~是他的家|幼儿园~在这个胡同里。

就[3] jiù 连 表示假设的让步,跟"就是"[2]相同:你~送来,我也不要。

【就伴】jiù//bàn 动 做伴;搭伴:我想跟你~进城。

【就便】jiùbiàn （～儿）副 顺便：你上街～
把这封信发了。

【就餐】jiùcān 动 到供应饭食的地方去吃
饭：他们几个在机关食堂～。

【就此】jiùcǐ 副 就在此地或此时：～前往|
文章～结束。

【就道】jiùdào 〈书〉动 上路；动身：束装
～|来信催他立即～。

【就地】jiùdì 副 就在原处(不到别处)：～
正法|～取材，～使用。

【就读】jiùdú 动 在某个学校读书：早年曾
～于清华大学。

【就范】jiùfàn 动 听从支配和控制；迫使
～。

【就合】jiù·he 〈方〉动 ❶ 凑合；迁就：你
别～他|买包方便面，～着吃一顿算了。❷
蜷曲；不舒展。

【就歼】jiùjiān 动 被歼灭；敌众全部～。

【就教】jiùjiào 动 请教；求教：移樽～|～
于专家。

【就近】jiùjìn 副 在附近(不上远处)：蔬
菜、肉类等副食品～都可买到。

【就里】jiùlǐ 名 内部情况：不知～。

【就擒】jiùqín 动 被捉住：束手～。

【就寝】jiùqǐn 动 上床睡觉：按时～。

【就任】jiùrèn 动 担任(某种职务)：～总
统。

【就势】jiùshì 副 顺着动作姿势上的便利
(紧接着做另一个动作)：他把铺盖放在地
上，～坐在上面。

【就事论事】jiù shì lùn shì 根据事情本身
情况来评论是非得失。

【就是】[1] jiùshì ❶ 助 用在句末表示肯定
(多加"了")：我一定办到，你放心～了。❷
副 单用，表示同意：～，～，您的话很对。

【就是】[2] jiùshì 连 表示假设的让步，下半
句常用"也"呼应：为了祖国，我可以献出
一切，～生命也不吝惜|在日常生活中，也
需要有一定的科学知识。

【就手】jiùshǒu （～儿）副 顺手；顺便：出去
时～儿把门带上。

【就算】jiùsuàn 〈口〉连 即使：～有困难，
也不会太大。

【就位】jiùwèi 动 到自己应到的位置上：
主席团～。

【就绪】jiùxù 动 事情安排妥当：大致～|

一切布置～。

【就学】jiùxué 动 旧指学生到老师所在的
地方去学习，今指进学校学习：～于北京
大学。

【就业】jiù∥yè 动 得到职业；参加工作：劳
动～|～人数逐年增加。

【就医】jiù∥yī 动 病人到医生那里请他治
病：小病可到社区医院～。

【就义】jiùyì 动 为正义事业而被杀害：从
容～。

【就诊】jiù∥zhěn 动 就医。

【就正】jiùzhèng 动 请求指正：现将拙文
公开发表，以～于读者。

【就职】jiù∥zhí 动 正式到任(多指较高的
职位)：～演说|宣誓～。

【就中】jiùzhōng ❶ 副 居中(做某事)：～
调停。❷ 名 方位词。其中：这件事他们
三个人都知道，～老王知道得最清楚。

【就座】(就坐)jiù∥zuò 动 坐到座位上：按
顺序～。

舅 jiù ❶ 名 舅父：大～|二～。❷ 妻的
弟兄：妻～。❸〈书〉丈夫的父亲：～
姑(公公和婆婆)。

【舅父】jiùfù 名 母亲的弟兄。

【舅舅】jiù·jiu 〈口〉名 舅父。

【舅妈】jiùmā 〈口〉名 舅母。

【舅母】jiù·mu 名 舅父的妻子。

【舅嫂】jiùsǎo 〈口〉名 妻子的弟兄的妻
子。

【舅子】jiù·zi 〈口〉名 妻子的弟兄：大～|
小～。

僦 jiù 〈书〉租赁：～屋。

鹫(鷲) jiù 名 秃鹫、兀鹫等的统称。

∙jiu （∙ㄐㄧㄡ）

蹴 ∙jiu 见457页[圪蹴]。
另见232页cù。

$$\boxed{\text{jū（ㄐㄩ）}}$$

车(車) jū 名 象棋棋子的一种。
另见162页chē。

且 jū ❶〈书〉助 相当于"啊":狂童之狂也～。❷用于人名,如范雎,也作范且。

另见 1102 页 qiě。

拘 jū ❶动 逮捕或拘留:～捕|～押|他因盗窃被警察～起来了。❷拘束:～谨|无～无束。❸不变通:～泥。❹动限制:多少不～|不一而足。

【拘板】jūbǎn〈方〉形(举动或谈话)拘束呆板;不活泼:待人接物有些～|自己人随便谈话,不必这么～。

【拘捕】jūbǔ 动 逮捕。

【拘传】jūchuán 司法机关对不正当理由不到案的受传唤人采取措施强制到案。

【拘管】jūguǎn 动 管束;限制:严加～。

【拘谨】jūjǐn 形(言语、行动)过分谨慎;拘束:他是个～的人,从不和人随便谈笑。

【拘禁】jūjìn 动 把被逮捕的人暂时关起来。

【拘控】jūkòng 动 拘留,监控。

【拘礼】jūlǐ 动 拘泥礼节:熟不～。

【拘留】jūliú 动 公安或司法机关依法对特定的人在一定时间内限制其人身自由,是一种强制性措施或处罚。包括刑事拘留、司法拘留和行政拘留。

【拘挛】jūluán 动 ❶肌肉收缩,不能伸展自如:手脚～。❷〈书〉拘泥:～章句。

【拘泥】jūnì ❶动 固执;不知变通:～成说。❷形 拘束;不自然:～不安。

【拘审】jūshěn 动 拘留审查:因涉嫌诈骗被公安机关～。

【拘束】jūshù ❶动 对人的言语行动加以不必要的限制;过分约束:不要～孩子的正当活动。❷形 过分约束自己,显得不自然:她见了生人,显得有点～。

【拘押】jūyā 动 拘禁。

【拘役】jūyì 动 短期(一般为一个月以上六个月以下)剥夺犯罪人自由并关押在一定场所,是一种刑罚。

【拘囿】jūyòu 动 拘泥;局限:不为旧说～。

【拘执】jūzhí 动 拘泥①:～常礼|这些事儿可以变通着办,不要过于～。

苴 jū [苴麻](jūmá)名 大麻的雌株,所生的花都是雌花,开花后结实。

狙 jū ❶古书里指一种猴子。❷〈书〉窥伺:～击。

【狙击】jūjī 动 埋伏在隐蔽地点伺机袭击敌人:～手。

洰 Jū 洰河,水名,发源于河北东北部,流经北京东部和天津北部。

居 jū ❶住:～民|分～。❷住的地方;住所:迁～|民～|故～。❸在(某种位置):～左|～首。❹当;任:～功|以专家自～。❺积蓄;存:～积|奇货可～。❻〈书〉停留;固定:变动不～|岁月不～。❼用于某些商店的名称(多为饭馆):同和～|沙锅～。❽(Jū)名 姓。

【居安思危】jū ān sī wēi 处在安定的环境而想到可能会出现的危难。

【居多】jūduō 动 占多数:他的文章,关于文艺理论方面的～。

【居高临下】jū gāo lín xià 处在高处,俯视下面。形容处于有利的地位。

【居功】jūgōng 动 认为某件事情的成功是由于自己的力量;自认为有功劳:～自傲。

【居积】jūjī〈书〉积累(财物);囤积:不善～|～致富。

【居家】jūjiā 动 住在家里:～过日子。

【居间】jūjiān 副 在双方中间(说合、调解):～调停。

【居留】jūliú 动 停留居住:～证|～权|他在外国～了五年。

【居留权】jūliúquán 名 一国政府根据本国法律规定给予外国人的在本国居留的权利。

【居民】jūmín 名 固定住在某一地方的人:街道～|城镇～。

【居民点】jūmíndiǎn 名 居民集中居住的地方。

【居奇】jūqí 看成是很少有的奇货,留着卖大价钱:囤积～。

【居然】jūrán 副 表示出乎意料;竟然:我真没想到他～会做出这种事来。

【居丧】jūsāng〈书〉动 守孝。

【居士】jūshì 名 不出家的信佛的人。

【居室】jūshì 名 居住的房间:这套房有三～,还有一个过厅。

【居所】jūsuǒ 名 居住的处所;住所:～狭小。

【居心】jū∥xīn 动 怀着某种念头(多用于贬义):～不善|是何～?

【居心叵测】jū xīn pǒ cè 存心险恶,不可推测。

【居于】jūyú 动 处在(某个地位):～领导

地位｜该省粮食产量～全国之首。

【居中】jūzhōng ❶〔动〕位置在中间：标题～。❷〔副〕居间；从中：～调停｜～斡旋。

【居住】jūzhù〔动〕较长时期地住在一个地方：他家一直～在北京。

驹（駒） jū ❶少壮的马：千里～。❷〔～儿〕〔名〕驹子：小驴～儿。

【驹子】jū·zi〔名〕初生或不满一岁的骡、马、驴：马～。

掬 jū〈书〉❶抬土的器具。❷握持。

罝 jū〈书〉捕兔子的网。泛指捕野兽的网。

俱 Jū〔名〕姓。
另见 740 页 jù。

疽 jū〔名〕中医指局部皮肤肿胀坚硬而皮肤不变的毒疮。

掬（匊） jū ❶〈书〉两手捧（东西）◇笑容可～〈笑容露出来，好像可以用手捧住，形容笑得明显〉｜憨态可～。❷（Jū）〔名〕姓。

据 jū 见 697 页〔拮据〕。
另见 741 页 jù。

椐 jū〈书〉走山路乘坐的东西。

琚 jū ❶古人佩带的一种玉。❷（Jū）〔名〕姓。

趄 jū 见 1802 页〔趔趄〕。
另见 1103 页 qiè。

椐 jū 古书上说的一种小树，枝节肿大，可以做拐杖。

跔 jū〈书〉腿脚因寒冷而痉挛。

锔（鋦） jū ❶〔动〕用锔子连合破裂的陶瓷器等：～盆｜～缸｜～锅｜～碗儿的。❷（Jū）〔名〕姓。
另见 737 页 jú。

【锔子】jū·zi〔名〕用铜或铁打成的扁平的两脚钉，用来连接破裂的陶瓷等器物。

腒 jū〈书〉干腌的鸟肉。

睢 jū 用于古人名，如范睢、唐睢，都是战国时人。

【睢鸠】jūjiū〔名〕古书上说的一种鸟。

锯（鋸） jū 同"锔"（jū）①。
另见 741 页 jù。

鮈（鮈） jū〔名〕鱼，体侧扁或近圆筒形，长 6—13 厘米，有须一对，

背鳍一般没有硬棘。生活在温带淡水中。

裾 jū〈书〉❶衣服的大襟。❷衣服的前后部分。

鞠[1] jū ❶〈书〉抚育；养育：～养｜～育。❷〈书〉弯曲：～躬。❸（Jū）〔名〕姓。

鞠[2] jū 古代的一种球：蹴～。

【鞠躬】jūgōng ❶〈书〉〔形〕小心谨慎的样子：～如也｜～尽瘁。❷（－∥－）〔动〕弯身行礼：～道谢｜深深地鞠了个躬。

【鞠躬尽瘁】jūgōng jìn cuì 三国诸葛亮《后出师表》："鞠躬尽力，死而后已"（"力"选本多作"瘁"）。指小心谨慎，贡献出全部精力。

【鞠养】jūyǎng〈书〉〔动〕抚养；养育：～之恩。

斛 jū〈书〉用斗、勺等舀取。

鞠 jū〈书〉审问：～问｜～讯｜～审。

jú（ㄐㄩˊ）

局[1] jú ❶棋盘：棋～。❷棋类等比赛：开～｜对～｜当～者迷。❸棋类等比赛的形势或结局：胜～｜平～｜和～。❹〔量〕下棋或其他比赛一次叫一局：下了一～棋。❺形势；情况；处境：结～｜战～｜顺全大～。❻人的器量：～量｜～度。❼某些聚会：饭～｜赌～。❽圈套：骗～。❾拘束：～促｜～限。❿（Jú）〔名〕姓。

局[2] jú ❶部分：～部。❷〔名〕机关组织系统中按业务划分的单位（级别一般比部低，比处高）：教育～｜商业～。❸〔名〕办理某些业务的机构：邮～｜电话～。❹某些商店的名称：书～。

【局部】júbù〔名〕一部分；非全体：～麻醉｜～地区有小阵雨。

【局促】（偏促、踧促）júcù〔形〕❶狭小：房间太～，走动不便。❷〈方〉（时间）短促：三天太～，恐怕办不成。❸拘谨不自然：～不安。

【局点】júdiǎn〔名〕网球、乒乓球、羽毛球等球类比赛一局进行到最后阶段，一方再得一分即可在此局获胜，这时称为比赛的局

点。

【局蹐】jújí 同"踢蹐"。

【局面】júmiàn 名 ❶ 一个时期内事情的状态：稳定的～|生动活泼的政治～。❷〈方〉规模：这家商店～虽不大,货色倒齐全。

【局内人】júnèirén 名 原指参加下棋的人,泛指参与其事的人：此事非～不得而知。也说局中人。

【局骗】júpiàn 动 设圈套骗人：～财物。

【局势】júshì 名（政治、军事等）一个时期内的发展情况：～平稳|～越来越严重。

【局外】júwài 名 棋局之外,指与某事无关：～人|置身～。

【局外人】júwàirén 名 指与某事无关的人：～不得而知。

【局限】júxiàn 动 限制在某个范围内：～性|提倡艰苦朴素,不能只～在生活问题上。

【局域网】júyùwǎng 名 把小区域范围内的若干计算机和数据通信设备直接连接而成的网络。

【局子】¹ jú·zi〈口〉名 ❶ 旧时指警察局。❷ 指镖局、拳局等。

【局子】² jú·zi 名 圈套（多见于早期白话）。

侷 jú 见 736 页〖侷促〗（侷促）。

桔 jú "橘"俗作桔。
另见 699 页 jié。

菊 jú 名 ❶ 菊花：墨～|赏～。❷（Jú）姓。

【菊花】júhuā 名 ❶ 多年生草本植物,叶子有柄,卵形,边缘有缺刻或锯齿。秋季开花。经人工培育,品种很多,颜色、形状和大小变化很大。是观赏植物。有的品种可入药。❷ 这种植物的花。

【菊坛】jútán 名 指戏曲界（多指京剧界）。

焗 jú〈方〉❶ 动 烹调方法,利用蒸汽使密闭容器中的食物变熟：盐～鸡。❷ 形 因空气不流通或气温高湿度大而感到憋闷。

【焗油】jú//yóu 动 一种染发护发方法,一般是在头发上抹上染发剂或护发膏等,用特制机具放出蒸汽加温,使油质渗入头发。

锔（錒） jú 名 金属元素,符号 Cm（curium）。银白色,有放射性,由人工核反应获得。人造卫星和宇宙飞船上用它作热电源。
另见 736 页 jū。

溴 Jú 溴河,水名,在河南。

鵙（鵙） jú 古书上指伯劳。

蹫 jú〈书〉屈曲不舒展。

【蹫促】júcù 见 736 页〖侷促〗。

【蹫蹐】jújí〈书〉形 ❶ 形容畏缩不安。❷ 狭隘;不舒展。‖ 也作局蹐。

橘 jú 名 ❶ 橘子树,常绿乔木,树枝细,通常有刺,叶子长卵圆形,果实球形稍扁,果皮红黄色,果肉多汁,味酸甜。果皮、种子、叶子等都可入药。❷ 这种植物的果实：蜜～。

【橘柑】júgān〈方〉名 橘子。

【橘红】júhóng ❶ 名 中药指柑橘类干燥的外果皮,可入药。❷ 形 像红色橘子皮那样的颜色。

【橘黄】júhuáng 形 比黄色略深像橘子皮的颜色。

【橘络】júluò 名 橘皮和橘瓣中间的网络形的纤维,可入药。

【橘子】jú·zi 名 ❶ 橘子树。❷ 橘子树的果实。

jǔ （ㄐㄩˇ）

弆 jǔ〈书〉收藏;保藏：藏～。

柜 jǔ [柜柳]（jǔliǔ）名 枫杨。
另见 516 页 guì。

咀 jǔ 嚼：含英～华。
另见 1822 页 zuǐ。

【咀嚼】jǔjué 动 ❶ 用牙齿磨碎食物。❷ 比喻对事物反复体会：诗句的意境,耐人～。

沮 jǔ ❶〈书〉阻止：～其成行。❷（气色）败坏：～丧。
另见 740 页 jù。

【沮遏】jǔ'è〈书〉动 阻止。

【沮丧】jǔsàng ❶ 形 灰心失望：神情～。❷ 动 使灰心失望：～敌人的精神。

莒 Jǔ ❶ 莒县,地名,在山东。❷ 名 姓。

枸 jǔ ［枸橼］(jǔyuán) 名 ❶ 常绿小乔木或大灌木,有短刺,叶子卵圆形,花瓣里面白色,外面淡紫色。果实长圆形,黄色,果皮粗而厚。供观赏,果实、种子、叶和根都可入药。❷ 这种植物的果实。‖ 也叫香橼。

另见 481 页 gōu;483 页 gǒu。

矩(榘) jǔ ❶ 画直角或正方形、矩形用的曲尺:～尺。❷ 法度;规则:循规蹈～。

【矩尺】jǔchǐ 名 曲尺。

【矩形】jǔxíng 名 对边相等(通常邻边不相等)、四个角都是直角的四边形。也叫长方形。

【矩矱】jǔyuē 〈书〉名 规矩;法度。

举(舉、擧) jǔ ❶ 动 往上托;往上伸:～重|～手|高～着红旗。❷ 举动:义～|壮～|一～一动|～两得。❸ 兴起;起:～义|～兵|～火。❹〈书〉生(孩子):～一男。❺ 推选;选举:推～|～代表|公～他做学习组长。❻ 举人的简称:中～|武～。❼ 提出;列～|～一反三|～个例子。❽〈书〉全;一座(所有在座的人)|～国|～世。❾ (Jǔ)名姓。

【举哀】jǔ'āi 动 丧礼用语,指高声号哭。

【举案齐眉】jǔ àn qí méi 汉代梁鸿的妻子孟光给丈夫送饭时,总是把端饭的托盘举得和眉一样高,以表示尊敬(见于《后汉书·逸民传》)。后人用来形容夫妻互敬互爱。

【举办】jǔbàn 动 举行(活动);办理(事业):～展览会|～学术讲座|～训练班|～群众福利事业。

【举报】jǔbào 动 向有关单位检举报告(坏人坏事):～违法犯罪行为。

【举兵】jǔbīng 〈书〉动 出兵;起兵:～出征|～西进。

【举步】jǔbù 〈书〉动 迈步:～维艰。

【举步维艰】jǔ bù wéi jiān 迈步艰难,比喻办事情每向前进行一步都十分不容易。

【举措】jǔcuò 名 举动;措施:新～|～失当。

【举动】jǔdòng 名 动作;行动:～缓慢|近来他有什么新的～?

【举发】jǔfā 动 检举;揭发(坏人、坏事)

【举凡】jǔfán 〈书〉副 凡是(下文大多列举):戏曲表演的手法,内容非常丰富,～喜、怒、哀、乐、惊、恐、愁、急等感情的流露,全都提炼出一套完整的程式。

【举国】jǔguó 名 整个国家;全国:～欢腾|～一致|～上下。

【举火】jǔhuǒ 〈书〉动 ❶ 点火:～为号。❷ 专指生火做饭。

【举荐】jǔjiàn 动 推荐(人):～德才兼备的人来校任教。

【举例】jǔ∥lì 动 提出例子来:～说明。

【举目】jǔmù 〈书〉动 抬起眼睛(看):～远眺|～无亲(指单身在外,见不到家属和亲戚)。

【举棋不定】jǔ qí bù dìng 比喻做事犹豫不决(棋:棋子)。

【举人】jǔrén 名 明清两代称乡试考取的人。

【举世】jǔshì 名 整个世间;全世界:～闻名|～瞩目|～无双。

【举事】jǔshì 〈书〉动 发动武装暴动。

【举手投足】jǔ shǒu tóu zú 一抬手一踏步,泛指一举一动:～显出一种优雅的风度。

【举手之劳】jǔ shǒu zhī láo 形容事情很容易办到;不费事。

【举行】jǔxíng 动 进行(集会、比赛等):～会谈|～球赛|展览会在文化官～。

【举要】jǔ∥yào 动 列举大要,多用于书名,如《唐宋文举要》。

【举一反三】jǔ yī fǎn sān 从一件事情类推而知道许多事情。

【举债】jǔzhài 〈书〉动 借债:～度日。

【举证】jǔzhèng 动 出示证据;提供证据:原告、被告先后～,进行法庭辩论。

【举止】jǔzhǐ 名 指姿态和风度;举动:～大方|言谈～。

【举重】jǔzhòng 名 体育运动项目之一。运动员以抓举、挺举两种举法举起杠铃。

【举重若轻】jǔ zhòng ruò qīng 举重东西就像举轻东西那样,比喻做繁难的事或处理棘手的问题轻松而不费力。

【举足轻重】jǔ zú qīng zhòng 所处地位重要,一举一动都关系到全局。

钼(鉏) jǔ ［钼铻］(jǔyǔ)〈书〉同"龃龉"。

另见 203 页 chú。

槻 jǔ ❶ 见 1755 页〖枳椇〗。❷ 古代祭祀用的架子,用来放置宰杀的牲口。

筥 jǔ 〈书〉圆形的竹筐。

蒟 jǔ 见下。

【蒟酱】jǔjiàng 名 ❶ 蒌叶。❷ 用蒌叶果实做的酱,有辣味,供食用。

【蒟蒻】jǔruò 名 魔芋。

櫸(欅) jǔ 名 榉树,落叶乔木,高可达 30 米,叶卵形或椭圆披针形,秋天鲜黄色或带紫红色,供观赏,木材坚韧,花纹美观,可用来制家具或做建筑材料。

龃(齟) jǔ 〖龃龉〗(jǔyǔ)〈书〉 动 上下牙齿不相对应,比喻意见不合,相抵触;双方发生~。也作鉏铻。

踽 jǔ 〖踽踽〗(jǔjǔ)〈书〉 形 形容一个人走路孤零零的样子:~独行。

jù (ㄐㄩˋ)

巨(❶鉅) jù ❶ 大;很大:~款|~轮|~幅画像|为数甚~。❷ (Jù)名 姓。

【巨变】jùbiàn 名 巨大的变化:这几年家乡的面貌发生了~。

【巨擘】jùbò 〈书〉名 大拇指,比喻在某一方面居于首位的人物:医界~。

【巨大】jùdà 形 (规模、数量等)很大:耗资~|~的工程|~的成就。

【巨额】jù'é 形 属性词。数量很大的(钱财):~贷款|~资金|为国家创造了~财富。

【巨富】jùfù ❶ 形 非常富有:家业~|~人家。❷ 名 非常富有的人或人家:这个家庭没有几年就成了本地~。

【巨匠】jùjiàng 名 指在科学或文学艺术上有极大成就的人:文坛~。

【巨款】jùkuǎn 名 数目很大的钱:一笔~。

【巨浪】jùlàng 名 巨大的波浪,比喻浩大的声势:海啸掀起~◇改革开放的~席卷全国。

【巨流】jùliú 名 巨大的水流,比喻时代潮流:历史~。

【巨轮】jùlún 名 ❶ 巨大的车轮,多用于比喻:历史的~滚滚向前。❷ 载重量很大的轮船:万吨~。

【巨人】jùrén 名 ❶ 身材高大异于常人的人。❷ 童话里指比一般人高大,而往往有神力的人物。❸ 比喻有巨大影响和贡献的人物:一代~。

【巨贪】jùtān 名 贪污数额巨大的人。

【巨头】jùtóu 名 政治、经济界等有较大势力能左右局势的人:金融~。

【巨万】jùwàn 〈书〉形 形容钱财数目极大:家私~|耗资~。

【巨无霸】jùwúbà 名 指在同类中最强或最大的人或事物。

【巨蜥】jùxī 名 爬行动物,长约 2 米,背部黑褐色,尾梢尖细,四肢强壮。生活在热带地区近水处,会游泳,能爬树、吃蛙、蛇和小鸟等。

【巨细】jùxì 名 指大的和小的事情:事无~|~毕究。

【巨蟹座】jùxièzuò 名 黄道十二星座之一。参看 600 页〖黄道十二宫〗。

【巨星】jùxīng 名 ❶ 天文学上指光度大、体积大、密度小的恒星。❷ 比喻杰出的人:影坛~|~陨落。

【巨制】jùzhì 名 指representations巨大的作品,也指规模大的作品:鸿篇~。

【巨著】jùzhù 名 篇幅长或内容博大精深的著作。

【巨资】jùzī 名 大量的钱财;巨额资金:耗费~。

【巨子】jùzǐ 名 在某方面卓有成就、有声望的人物:文坛~|实业界~。

【巨作】jùzuò 名 篇幅或规模巨大的作品。

句 jù ❶ 句子:语~|词~|造~。❷ 量 用于语言:三~话不离本行|写了两~诗。
另见 481 页 gōu。

【句点】jùdiǎn 名 句号。

【句读】jùdòu 名 古时称文辞停顿的地方叫句或读(dòu)。连称句读时,句是语意完整的一小段;读是句中语意未完,语气可停的更小的段落。

【句法】jùfǎ 名 ❶ 句子的结构方式:这两句诗的~很特别。❷ 语法学中研究词组和句子的组织的部分。

【句号】jùhào 名 标点符号(。),表示一个陈述句完了。

【句群】jùqún 名 语段。

【句式】jùshì 名 句子的结构形式。

【句型】jùxíng 名 按一定的标准划分的句子类型。如根据语法结构可分为单句和复句，根据语调和感情色彩等可分为陈述句、疑问句、祈使句和感叹句等。

【句子】jù·zi 名 用词和词组构成的、能够表达完整意思的语言单位。每个句子都有一定的语调，表示陈述、疑问、祈使或感叹的语气。在连续说话时，句子和句子中间有一个较大的停顿。在书面上每个句子的末尾用句号、问号或叹号。

【句子成分】jù·zi chéngfèn 句子的组成部分，包括主语、谓语、宾语、补语、定语、状语六种。

讵(詎) jù 〈书〉副 岂，表示反问：～料突然生变｜～知天气骤寒。

拒 jù ❶ 抵挡；抵抗：～抗｜～敌。❷ 拒绝：来者不～｜～不执行｜～谏饰非。

【拒捕】jùbǔ 动 抗拒逮捕。

【拒谏饰非】jù jiàn shì fēi 拒绝别人的规劝，掩饰自己的错误。

【拒绝】jùjué 动 不接受(请求、意见或赠礼等)：～诱惑｜～贿赂｜无理要求遭到～。

【拒聘】jùpìn 动 拒绝接受聘请或聘用。

【拒签】jùqiān 动 一国主管机关拒绝在本国或外国公民所持有的护照等证件上签注、盖印，不准其出入本国国境。

【拒载】jùzài 动 (出租汽车)拒绝载客：拦了三辆出租车，有两辆～。

苣 jù 见 1432 页〖莴苣〗。
另见 1128 页 qǔ。

具¹ jù ❶ 用具：农～｜文～｜家～｜雨～｜卧～｜餐～。❷〈书〉才干；才能：才～干城之～。❸〈书〉量 用于棺材、尸体和某些器物：座钟一～。

具² jù ❶ 具有：～备｜初～规模｜略～轮廓。❷〈书〉备；办：～呈｜～结｜敬～菲酌。❸〈书〉陈述；写出：～名｜～时弊。

【具保】jùbǎo 动 指找人担保。

【具备】jùbèi 动 具有；齐备：～条件｜青年必须～建设祖国和保卫祖国的双重本领。

【具结】jù//jié 动 旧时对官署提出表示负责的文件：～完案｜～领回失物。

【具名】jù//míng 动 在文件上署名：由双方共同～。

【具体】jùtǐ ❶ 形 细节方面很明确的；不抽象的；不笼统的：～化｜～计划｜深入群众，～地了解情况｜事件的经过，他谈得非常～。❷ 形 属性词。特定的：～的人｜你担任什么～工作? ❸ 动 把理论或原则联系到特定的人或事物上(后面带"到")：贯彻增产节约的方针～到我们这个单位，应该采取下列各种有效措施。

【具体而微】jù tǐ ér wēi 内容大体具备而形状或规模较小。

【具体劳动】jùtǐ láodòng 按一定形式和目的创造使用价值的劳动，如木工做家具，纺织工人纺纱织布等(跟"抽象劳动"相对)。

【具文】jùwén 名 指徒有形式而无实际作用的规章制度：一纸～。

【具象】jùxiàng ❶ 形 具体的；不抽象的：这幅作品过于～。❷ 名 具体的形象。

【具有】jùyǒu 动 有(多用于抽象事物)：～信心｜～伟大的意义。

【具足戒】jùzújiè 名 佛教和尚和尼姑的戒律。戒条数目说法不一。我国隋唐以后，和尚戒 250 条，尼姑戒 348 条。因与沙弥、沙弥尼所受十戒相比，戒条更加完备，所以叫具足戒。也叫大戒。

炬 jù 火把：火～｜目光如～。

沮 jù〔沮洳〕(jùrù)名 由腐烂植物埋在地下而形成的泥沼。
另见 737 页 jǔ。

钜¹(鉅) jù〈书〉❶ 硬铁。❷ 钩子。

钜²(鉅) jù 见 739 页"巨"①。

秬 jù〈书〉黑黍子。

俱 jù〈书〉副 全；都：百废～兴｜面面～到。
另见 736 页 Jū。

【俱乐部】jùlèbù 名 进行社会、文化、艺术、体育、娱乐等活动的团体或场所。〔日，从英 club〕

【俱全】jùquán 形 齐全；完备：一应～｜样样～｜麻雀虽小，五脏～。

倨 jù〈书〉傲慢：前～后恭。

【倨傲】jù'ào 形 骄傲；傲慢：～无礼｜此人态度～，大家都不理他。

粔 jù ［粔籹］(jùnǚ) 名 古代一种用油炸或煎的面食。

剧¹(劇) jù 戏剧：演～|话～|独幕～|这个～的主题很鲜明◇惨～|丑～。② (Jù) 姓。

剧²(劇) jù 猛烈；厉害：～烈|～痛|～饮|～变|加～。

【剧本】jùběn 名 戏剧作品，由人物对话或唱词以及舞台指示组成，是戏剧排练、演出的依据。

【剧变】jùbiàn 动 剧烈变化：形势～。

【剧场】jùchǎng 名 供演出戏剧、歌舞、曲艺等用的场所。

【剧毒】jùdú 名 强烈的毒性：砒霜～。

【剧烈】jùliè 形 猛烈：饭后不宜做～运动。

【剧目】jùmù 名 戏剧的名目：传统～|保留～。

【剧情】jùqíng 名 戏剧的情节：～介绍。

【剧痛】jùtòng 名 剧烈的疼痛：强忍～。

【剧团】jùtuán 名 表演戏剧的团体，由演员、导演和其他有关人员组成。

【剧务】jùwù 名 ① 指剧团里有关排演、演出的各种事务。② 担任剧务工作的人。

【剧院】jùyuàn 名 ① 剧场。② 用作较大剧团的名称：北京人民艺术～|青年艺术～。

【剧增】jùzēng 动 急剧地增加或增长：投资金额～|下半年支出～。

【剧照】jùzhào 名 戏剧中某个场面或电影、电视剧中某个镜头的照片。

【剧种】jùzhǒng 名 ① 戏曲的种类，如京剧、评剧、川剧、越剧、豫剧等。② 戏剧艺术的种类，如话剧、戏曲、歌剧、舞剧等。

【剧组】jùzǔ 名 为演出或拍摄戏剧、电影、电视剧等由编导及演职人员组成的集体。

据(據) jù ① 占据：～为己有。② 凭借；依靠：～点|～险固守。③ 介 按照；依据：～理力争|～实报告|民歌改编。④ 可以用作证明的事物：凭～|证～|字～|论～|票～|实～。⑤ (Jù) 名 姓。

　　另见 736 页 jū。

【据点】jùdiǎn 名 军队用作战斗行动凭借的地点：攻占敌军两个～。

【据守】jùshǒu 动 占据防守：凭险～|～阵地。

【据说】jùshuō 动 据别人说：～今年冬天气温偏高。

【据闻】jùwén 动 听说；据说。

【据悉】jùxī 动 根据得到的消息知道：～，今年入境旅游、观光的人数已超过千万。

距¹ jù ① 动 距离①：两地相～不远|～今已有十年。② 距离②：行(háng)～|株～。

距² jù 名 雄鸡、雉等的腿的后面突出像脚趾的部分。

【距离】jùlí ① 动 在空间或时间上相隔：天津～北京约一百二十公里|现在～唐代已经有一千多年。② 名 相隔的长度：等～拉开一定的～◇他的看法和你有～。

惧(懼) jù 动 害怕；恐惧：畏～|毫无所～|连我也～他三分。

【惧内】jùnèi 〈书〉动 怕老婆。

【惧怕】jùpà 动 害怕：～困难|我们不～任何敌人。

【惧色】jùsè 名 畏惧的神色：他面对凶恶的敌人毫无～。

犋 jù 量 牵引犁、耙等农具的畜力单位，能拉动一种农具的畜力叫一犋，有一头牲口，有时是两头或两头以上。

飓(颶) jù ［飓风］(jùfēng)名 ① 发生在大西洋西部的热带气旋，是一种极强烈的风暴。② 气象学上旧指12级风。参看 407 页[风级]。

虡(簴) jù 古代悬挂钟或磬的架子两旁的柱子。

锯(鋸) jù ① 名 拉(lá)开木料、石料、钢材等的工具，主要部分是具有许多尖齿的薄钢片：拉～|电～|手～|一把～。② 动 用锯拉(lá)：～树|～木头。

　　另见 736 页 jū。

【锯齿】jùchǐ (～儿)名 锯条上的尖齿。

【锯床】jùchuáng 名 金属切削机床，用来锯金属材料。加工时金属材料固定在工作台上，条锯或圆盘锯做往复或旋转运动去锯。

【锯末】jùmò 名 锯木头、竹子等时掉下来的细末。

【锯条】jùtiáo 名 锯的主要部分，长条形薄钢片，上面有许多尖齿。

【锯子】jù·zi 名 锯①。

聚 jù ① 动 聚集：～会|～沙成塔|大家～在一起商量商量|明天星期日，咱们

找个地方～～。❷（Jù）图 姓。

【聚宝盆】jùbǎopén 图 传说中装满金银珠宝而且取之不尽的盆，比喻资源丰富的地方。

【聚变】jùbiàn 动 轻原子核聚合为重原子核并放出巨大能量的过程。如氢弹爆炸就是使氘、氚等聚合为氦核的聚变反应。

【聚餐】jù//cān 动 为了庆祝或联欢大家在一起吃饭。

【聚光灯】jùguāngdēng 图 装有凸透镜，可以调节光束焦点的灯。用于舞台或摄影等的照明。

【聚光镜】jùguāngjìng 图 ❶ 使光线聚成光束的凸透镜。❷ 使平行光线聚焦的凹面镜。

【聚合】jùhé 动 ❶ 聚集到一起。❷ 指单体合成为分子量较大的化合物。生成的高分子化合物叫聚合物。参看 1310 页【缩聚】。

【聚合果】jùhéguǒ 图 果实的一类，由一朵花内聚生的多个成熟子房和花托联合发育而成。如草莓、莲、八角等的果实。

【聚花果】jùhuāguǒ 图 果实的一类，由生长在一个花序上的许多花的成熟子房和其他花器官联合发育而成。如菠萝、无花果等的果实。也叫复果。

【聚会】jùhuì 动 ❶（人）会合；聚集：老同学～在一起很不容易。❷ 图 指聚会的事：明天有个～，你参加不参加？

【聚积】jùjī 动 一点一滴地凑集；积聚。

【聚集】jùjí 动 集合；凑在一起：～力量｜资金｜广场上～了很多人。

【聚集态】jùjítài 图 物质分子集合的状态。常见的有气态、液态和固态。通常把等离子体叫做物质的第四态，把存在于地球内部的超高压、超高温状态叫做物质的第五态。另外，还有超导态和超流态。也叫物态。

【聚歼】jùjiān 动 把敌人包围起来消灭。

【聚焦】jùjiāo 动 ❶ 使光或电子束等聚集于一点：～成像。❷ 比喻视线、注意力等集中于某处：最近，新闻报道～于保护农民工权益这件事。

【聚精会神】jù jīng huì shén 集中精神；集中注意力：同学们～地听老师讲课。

【聚居】jùjū 动 集中地住在某一区域：少数民族～的地方。

【聚敛】jùliǎn 动 用重税等搜刮（民财）。

【聚拢】jùlǒng 动 聚集。

【聚落】jùluò 图 人聚居的地方；村落：原始～。

【聚齐】jù//qí 动（在约定地点）集合：参观的人八时在展览馆门口～。

【聚沙成塔】jù shā chéng tǎ 比喻积少成多。

【聚生】jùshēng 动 聚集在一起生长：草莓和莲的果实都是～的。

【聚首】jùshǒu〈书〉聚会：～一堂。

【聚星】jùxīng 图 聚集成群并有力学联系的几颗恒星叫做聚星。

【聚众】jùzhòng 动 纠集一伙人：～闹事。

娶（孁） jù〈书〉贫穷：贫～。

踞 jù ❶ 蹲或坐：龙盘虎～。❷ 盘踞；占据。

屦（屦） jù 古时用麻、葛等制成的鞋。

遽 jù ❶ 匆忙；急：匆～｜急～。❷ 副 立即；赶快：情况不明，不能～下定论。❸ 惊慌；惶～。❹（Jù）图 姓。

【遽然】jùrán〈书〉副 突然：～离去。

濋 Jù 濋水，水名，在陕西。

镲（鐻） jù ❶ 古乐器，像钟。❷ 同"虡"。

醵 jù〈书〉大家凑钱：～金｜～资。

---

juān（ㄐㄩㄢ）

捐 juān ❶ 舍弃；抛弃：～弃｜～生（舍弃生命）｜～躯。❷ 动 捐助：～献｜～钱｜募～。❸ 图 税收的一种名称：车～｜上了一笔～。

【捐款】juānkuǎn ❶（–/–）动 捐助款项：向灾区～｜～办学。❷ 图 捐助的款项：把～寄给灾区。

【捐弃】juānqì〈书〉动 抛弃：～前嫌。

【捐躯】juānqū 动（为崇高的事业）牺牲生命：为国～。

【捐输】juānshū〈书〉动 捐献：解囊～。

【捐税】juānshuì 图 捐和税的合称。

【捐献】juānxiàn 动 拿出财物献给（国家

或集体：他把全部藏书～给图书馆。

【捐赠】juānzèng 动 赠送(物品给国家或集体)：～图书。

【捐助】juānzhù 动 拿出财物来帮助：～灾区人民。

【捐资】juān//zī 动 捐助资财：～兴学|踊跃～。

涓 juān 〈书〉细小的流水：～埃|～滴。

【涓埃】juān'āi 〈书〉名 细小的水流和尘埃,比喻微小：略尽～之力。

【涓滴】juāndī 〈书〉名 极少量的水,比喻极少量的钱或物：～不漏|～归公(属于公家的收入全部缴给公家)。

【涓涓】juānjuān 〈书〉形 细水慢流的样子：～清泉。

娟 juān 〈书〉美丽：～秀。

【娟秀】juānxiù 〈书〉形 秀丽：字迹～|眉目～。

圈 juān 动 ❶ 用栅栏把家禽家畜围起来：把鸡～起来◇别让暑气～在心里。 ❷ 把人关起来：孩子总～在家里不好。
另见 744 页 juàn；1130 页 quān。

朘 juān 〈书〉❶ 剥削。❷ 减少。
另见 1822 页 zuī。

【朘削】juānxuē 〈书〉动 剥削：～民众。

鹃(鵑) juān 见 338 页〖杜鹃〗。

镌(鎸、鐫) juān 〈书〉雕刻：～刻|～石。

【镌刻】juānkè 动 雕刻：大殿柱子上～着一副对联。

蠲 juān ❶〈书〉免除：～除|～免。❷ 积存(多见于早期白话)。

【蠲除】juānchú 〈书〉动 免除：～旧例。

【蠲免】juānmiǎn 〈书〉动 免除(租税、罚款、劳役等)。

juǎn （ㄐㄩㄢ）

卷(捲、⁴锩) juǎn ❶ 动 把东西弯转裹成圆筒形；把竹帘子～起来|～起袖子就干|烙饼～大葱。 ❷ 动 一种大的力量把东西撮起或裹住：风～着雨点劈面打来|汽车～起尘土,飞驰

而过◇她～入了这场争论。 ❸(～儿)名 裹成圆筒形的东西；铺盖～儿|把挂历裹成一个～儿寄出去。 ❹(～儿)卷子(juǎn·zi)：花～儿|金银～儿。 ❺(～儿)量 用于成卷儿的东西：一～纸|一～铺盖。
另见 743 页 juàn。

【卷尺】juǎnchǐ 名 可以卷起来的尺：钢～|皮～。

【卷帘门】juǎnliánmén 名 用许多条形铝合金材料并排连接制成的门,开门时,门像竹帘一样向上卷起。

【卷铺盖】juǎn pū·gai 比喻被解雇或辞职,离开工作地点。

【卷曲】juǎnqū ❶ 形 弯曲：～的头发。 ❷ 动 使弯曲：把头发～起来。

【卷舌元音】juǎnshé yuányīn 把舌尖卷起来,使舌面和舌尖同时起作用而发出的元音,如普通话中的 er(儿、耳、二)。

【卷逃】juǎntáo 动 (家里的人或本单位的经管者)偷了全部钱财而逃跑。

【卷土重来】juǎn tǔ chóng lái 比喻失败之后重新恢复势力(卷土：卷起尘土,形容人马奔跑)。

【卷心菜】juǎnxīncài 〈方〉名 结球甘蓝。

【卷须】juǎnxū 名 某些植物用来缠绕或附着其他物体的器官。有的卷须是从茎演变而成的,如葡萄的；有的卷须是从叶子演变而成的,如豌豆的。

【卷烟】juǎnyān 名 ❶ 香烟。 ❷ 雪茄。

【卷扬机】juǎnyángjī 名 一种起重机械,由卷筒、钢丝绳等构成,常用于采矿业和建筑工地。通称绞车。

【卷子】juǎn·zi 名 一种面食,和(huó)面制成薄片,一面涂上油盐,再卷起来蒸熟。
另见 744 页 juàn·zi。

帣 juǎn 〈书〉卷袖子。
另见 744 页 juàn。

锩(錈) juǎn 动 刀剑等的刃弯曲。

juàn （ㄐㄩㄢ）

卷 juàn ❶ 书本：～帙|手不释～。 ❷ 量 古时书籍写在帛或纸上,卷起来收藏,因此书籍的数量论卷,一部书可以分成若干卷,每卷的文字自成起讫,后代仍

用来指全书的一部分:～一|第一～|上～|藏书十万～。❸(～儿)图卷子(juàn·zi):答～|交～儿。❹机关里保存的文件:～宗|调～|查～。

另见 743 页 juǎn。

【卷次】juàncì 图书刊分卷的次序。

【卷帙】juànzhì 〈书〉图书籍(就数量说):～浩繁。

【卷轴】juànzhóu 〈书〉图指裱好带轴的书画等。

【卷轴装】juànzhóuzhuāng 图图书装订法的一种,把丝带粘连成长幅,用木棒、玉石等做轴,从左到右卷成一束。

【卷子】juàn·zi 图❶考试写答案的薄本子或单页纸;试卷:发～|改～。❷指可以卷起来的古抄本:敦煌～。

另见 743 页 juǎn·zi。

【卷宗】juànzōng 图❶机关里分类保存的文件。❷保存文件的纸夹子。

衯 juàn 〈书〉囊。

另见 743 页 juǎn。

隽(雋) juàn ❶〈书〉隽永。❷(Juàn)图姓。

另见 751 页 jùn"俊"。

【隽永】juànyǒng 〈书〉形(言语、诗文)意味深长:语颇～,耐人寻味。

【隽语】juànyǔ 〈书〉图寓意深刻、耐人寻味的话语:～箴言。

倦 juàn ❶形疲乏:疲～|人有点～,想睡觉。❷厌倦:孜孜不～|诲人不～。

【倦怠】juàndài 形疲乏困倦:～无力。

【倦容】juànróng 图疲倦的脸色:面带～。

【倦色】juànsè 图倦容。

【倦意】juànyì 图疲乏的感觉;厌倦的感觉:毫无～。

狷(獧) juàn 〈书〉❶狷急。❷狷介。

【狷急】juànjí 〈书〉形性情急躁。

【狷介】juànjiè 〈书〉形性情正直,不肯同流合污:～之士。

桊 juàn (～儿)图穿在牛鼻子上的小木棍儿或小铁环:牛鼻～儿。

绢(絹) juàn 图质地薄而坚韧的丝织品,也指用生丝织成的一种丝织品。

【绢本】juànběn 图写在绢上或画在绢上的字画:这两幅山水都是～。

【绢花】juànhuā 图一种手工艺品,用各种颜色的绢仿制的花卉。

【绢子】juàn·zi 〈方〉图手绢儿。

鄄 juàn 鄄城(Juànchéng),地名,在山东。

圈 juàn 图❶养猪羊等牲畜的简易建筑,有棚和栏:猪～|羊～。❷(Juàn)姓。

另见 743 页 juān;1130 页 quān。

【圈肥】juànféi 图厩肥。

【圈养】juànyǎng 动关在圈里饲养:～牲畜。

眷(❷睊) juàn ❶亲属:～属|家～|亲～|女～。❷〈书〉关心;怀念:～顾|～注|～恋。

【眷顾】juàngù 〈书〉动关心照顾。

【眷眷】juànjuàn 〈书〉形念念不忘;依恋不舍:～之情。

【眷恋】juànliàn 〈书〉动(对自己喜爱的人或地方)深切地留恋:～旧物|～故园。

【眷念】juànniàn 〈书〉动想念:～故土|～亲人。

【眷属】juànshǔ 图❶家眷;亲属。❷特指夫妻:愿天下有情人终成～。

【眷注】juànzhù 〈书〉动关怀;关注:深承～。

睊 juàn [睊睊](juànjuàn)〈书〉形侧目而视的样子。

罥 juàn 〈书〉挂。

---

juē (ㄐㄩㄝ)

屩(屫) juē 〈书〉草鞋。

蹻(蹺) juē 〈书〉同"屩"。

另见 1098 页 qiāo。

撅¹ juē 动❶翘起:～嘴|～着尾巴。❷〈口〉当面使人难堪;顶撞:～人|他平白地～了我一顿。

撅²(撧) juē 〈口〉动折(zhé):～一根柳条当马鞭。

【撅嘴】juē//zuǐ 动翘起嘴唇,表示生气或不满:别老撅着嘴啦,我给你赔不是还不行吗?

噘 juē 同"撅¹"①,用于"噘嘴"。

jué（ㄐㄩㄝˊ）

孑 jué 见695页〖孑孓〗。

决¹（決）jué ❶ 动 决定：表～｜判～｜犹豫不～｜一雌一雄。❷ 副 一定（用在否定词前面）：～不退缩｜～无异言。❸ 动 决定最后胜败：～赛｜～战｜今日乒乓球赛要～出前三名。❹ 执行死刑：枪～｜处～｜立～。

决²（決）jué 动 决口：溃～｜大堤～了一个口子。

【决策】juécè ❶ 动 决定策略或办法：运筹～。❷ 名 决定的策略或办法：明智的～。

【决雌雄】jué cíxióng 决定胜负、高下。

【决定】juédìng ❶ 动 对如何行动做出主张：领导上～派он去学习｜这件事情究竟该怎么办，最好是由大家来～。❷ 名 决定的事项：这个问题尚未作出～｜组长们回去要向本组传达这项～。❸ 动 某事物成为另一事物的先决条件；起主导作用：～性｜存在～意识｜这件事～了他未来的生活道路。

【决定性】juédìngxìng 名 对产生某种结果起决定作用的性质：～的胜利｜在生产中起～作用的是人。

【决斗】juédòu 动 ❶ 过去欧洲流行的一种风俗，两人发生争端，各不相让，约定时间地点，并邀请证人，彼此用武器格斗。❷ 泛指进行你死我活的斗争。

【决断】juéduàn ❶ 动 拿主意；作决定：无从～｜请您最后～。❷ 名 决定事情的魄力：他做事很有～。

【决计】juéjì ❶ 动 拿定主意；决定：无论如何，我～明天就走。❷ 副 表示肯定；一定：这样办～没错儿。

【决绝】juéjué ❶ 动 断绝关系：与不良嗜好～｜～一切往来。❷ 形 非常坚决：态度～｜话说得十分～。

【决口】jué∥kǒu 动（河堤）被水冲出缺口。

【决裂】juéliè 动（谈判、关系、感情）破裂：自她和我～之后，再没有见过面｜五四时代的青年开始和封建主义的传统～。

【决然】juérán 〈书〉副 ❶ 表示很坚决：毅然～｜～返回。❷ 必然；一定：东张西望，道听途说，～得不到什么完全的知识。

【决赛】juésài 动 体育运动等竞赛中决定名次的最后一次或最后一轮比赛。

【决胜】juéshèng 动 决定最后的胜负：～千里之外。

【决死】juésǐ 形 属性词。敌我双方你死我活的（斗争）：～战｜～的斗争。

【决算】juésuàn 名 根据年度预算执行的结果而编制的年度会计报告。

【决心】juéxīn ❶ 名 坚定不移的意志：～书｜下定～。❷ 动 拿定主意；坚定意志：～钻研学问。

【决一死战】jué yī sǐ zhàn 不怕牺牲，对敌人作你死我活的战斗：誓与敌人～。

【决议】juéyì 名 经一定会议讨论通过的决定。

【决意】juéyì 动 拿定主张；决计①：他～明天一早就动身。

【决战】juézhàn 动 敌对双方使用主力进行决定胜负的战役或战斗。

诀¹（訣）jué ❶ 就事物主要内容编成的顺口押韵的、容易记忆的词句：口～｜歌～。❷ 诀窍：秘～｜妙～。

诀²（訣）jué 分别：～别｜永～。

【诀别】juébié 动 分别（多指不易再见的离别）。

【诀窍】juéqiào（～儿）名 关键性的方法：炒菜的～主要是拿准火候儿。

【诀要】juéyào 名 诀窍：深得其中～。

抉 jué〈书〉剔出；剜出：～择。

【抉择】juézé 动 挑选；选择：从速作出～。

【抉摘】juézhāi〈书〉动 ❶ 抉择：～真伪。❷ 揭发指摘：～弊端。

角¹ jué（～儿）❶ 名 角色：主～｜配～｜他在这出戏里扮演哪个～儿？❷ 行当②：丑～｜旦～。❸ 名 演员：名～。

角² jué 竞赛；斗争：～斗｜口～。

角³ jué 古代盛酒的器具，形状像爵。

角⁴ jué 古代五音之一，相当于简谱的"3"。参看1445页〖五音〗。

角⁵ Jué 名 姓。

另见684页 jiǎo。

【角斗】juédòu 动搏斗比赛：～场。

【角力】juélì 动比赛力气。

【角色】(脚色) juésè 名❶ 戏剧或电影、电视中，演员扮演的剧中人物：我在剧中只演一个小～。❷ 比喻生活中某种类型的人物：在这一事件中，他扮演了极不光彩的～。

【角逐】juézhú 动❶ 武力争夺：群雄～。❷ 泛指竞争或竞赛：两队在绿茵场上展开激烈～。

驵(駃) jué ［驵骒］(juétí) 名❶ 公马和母驴交配所生的杂种，身体较马骡小，耳朵较大，尾部的毛较少。也叫驴骡。❷ 古书上说的一种骏马。

块 jué 古时佩带的玉器，半环形，有缺口。

珏(瑴) jué 〈书〉合在一起的两块玉。

砄 jué 〈书〉石头。

缺(駃) jué 古书上指伯劳。

【缺舌】juéshé 〈书〉名指伯劳的叫声，比喻语言难懂。

觉(覺) jué ❶（人或动物的器官）对刺激的感受和辨别：感觉①｜视～｜听～｜味～。❷ 动觉得①；感到：不知不～｜下了雪｜～出冷来了｜干了一天活儿，～着有点儿累。❸〈书〉睡醒：大梦初～。❹ 觉悟：～醒｜自～。❺（Jue）名姓。另见689页 jiào。

【觉察】juéchá 动发觉；看出来：日子长了，她才～出他耳朵有些聋。

【觉得】jué·de 动❶ 产生某种感觉：游兴很浓，一点也不～疲倦。❷ 认为(语气较不肯定)：我～应该先跟他商量一下。

【觉悟】juéwù ❶ 动由迷惑而明白；由模糊而认清；醒悟：经过老师的耐心帮助，他终于～了。❷ 名一定的政治认识：阶级～｜思想～。

【觉醒】juéxǐng 动醒悟；觉悟。

鸩(鵊) jué 见1340页［䴗鸩］。

绝(絕) jué ❶ 断绝：～交｜～缘｜隔～｜络绎不～。❷ 动完全没有了；穷尽；净尽：斩尽杀～｜法子都想～了。❸ 走不通的；没有出路的：～地｜

壁｜～处逢生。❹ 气息中止；死亡：气～｜悲恸欲～。❺ 形独一无二的；没有人能赶上的：～技｜师傅的手艺真～｜他的书画可称双～。❻ 副极；最：～早｜～大多数｜～大部分。❼ 副绝对(用在否定词前面)：～无此意｜～句｜五～｜七～。

【绝版】jué/bǎn 动书籍毁版不再印行。

【绝笔】juébǐ 名❶ 死前最后所写的文字或所作的字画。❷〈书〉指最好的诗文或字画：堪称～。

【绝壁】juébì 名极陡峭不能攀援的山崖：悬崖～。

【绝产】juéchǎn ❶ 动绝收。❷ 名指没有合法继承人或继承人放弃继承权的遗产。

【绝唱】juéchàng 名❶ 指诗文创作的最高造诣：千古～。❷ 死前最后的歌唱：明星已经去世，这盒录音带成了她的～。

【绝处逢生】jué chù féng shēng 陷入绝境的时候又有了生路。

【绝代】juédài 〈书〉动当代独一无二：才华～｜～佳人。

【绝倒】juédǎo〈书〉动❶ 笑得前仰后合：诙谐百出，令人～。❷ 非常佩服：诗文甚妙，令人～。

【绝地】juédì 名❶ 极险恶的地方：这里左边是悬崖，右边是深沟，真是个～。❷ 绝境②：陷于～。

【绝顶】juédǐng ❶ 副极端；非常：～聪明。❷〈书〉名最高峰：会当凌～，一览众山小。

【绝对】juéduì ❶ 形没有任何条件的；不受任何限制的(跟"相对"相对)：～真理｜～服从｜反对～平均主义。❷ 形属性词。只以某一条件为根据，不管其他条件的：～值｜～温度｜～高度。❸ 副完全；一定：～正确｜这些我都检查过，～没有错儿。❹ 副最；极：我们的同志～大多数都是好同志。

【绝对高度】juéduì gāodù 从平均海平面起算的高度。

【绝对零度】juéduì língdù 热力学温标的零度，就是－273.15℃。

【绝对湿度】juéduì shīdù 单位体积空气中所含水蒸气的质量。叫做空气的绝对湿度。

【绝对温标】juéduì wēnbiāo 热力学温标

的旧称。

【绝对真理】juéduì zhēnlǐ 指无数相对真理的总和。参看1484页〖相对真理〗。

【绝对值】juéduìzhí 名 一个实数 a，在不计它的正负号时的值，叫做这个数的绝对值，通常用 $|a|$ 来表示。如 $+5$ 和 -5 的绝对值都是5，记作 $|5|$。

【绝好】juéhǎo 形 特别好，超出一般：～的机遇。

【绝后】jué//hòu ❶ 动 没有后代。❷ 今后不会再有：空前～。

【绝户】jué•hu ❶ 动 绝后①。❷ 名 指没有后代的人或人家。

【绝活】juéhuó （～儿）名 最拿手而有特色的本领；绝技：一定要把师傅的～学到手。

【绝技】juéjì 名 别人不易学会的技艺：身怀～。

【绝迹】jué//jì 动 断绝踪迹；完全不出现：由于乱伐森林，这里的稀有野生动物～了 | 天花在我们这儿已经～。

【绝佳】juéjiā 形 绝好：风景～。

【绝交】jué//jiāo 动 （朋友间或国家间）断绝关系：断然～｜～多年。

【绝经】juéjīng 动 因卵巢功能衰退或遭受破坏而停止月经。女子生理性绝经一般发生在45—50岁之间。

【绝境】juéjìng 名 ❶〈书〉与外界隔绝的境地。❷ 没有出路的境地：濒于～。

【绝句】juéjù 名 旧诗体裁之一，一首四句。每句五个字的叫五言绝句，每句七个字的叫七言绝句。

【绝口】juékǒu ❶ 动 住口（只用在"不"后）：赞不～。❷ 副 因回避而不开口：他～不提此事。

【绝路】jué//lù ❶（～儿）动 断绝了出路：这个办法要是还不行，那就绝了路了。❷ 名 走不通的路；死路：走上～。

【绝伦】juélún 〈书〉动 独一无二；没有可以相比的：荒谬～｜聪颖～。

【绝门】juémén ❶ 名 没有后代的人家：～绝户。❷（～儿）名 比喻没有人从事的工作、事业等：这个行当快成～了。❸（～儿）名 绝技；绝招：这一手是他的～。❹（～儿）形 形容一般人想象不到或做不出来：他在这件事上做得太～啦！

【绝密】juémì 形 极端机密的；必须绝对保密的（文件、消息等）：～材料｜此事～，切勿

外传。

【绝妙】juémiào 形 极美妙；极巧妙：～的音乐｜～的讽刺。

【绝灭】juémiè 动 完全消失；灭绝：恐龙早已～。

【绝命书】juémìngshū 名 指自杀前写的遗书。

【绝情】juéqíng ❶（～儿）动 断绝情谊：～忘义。❷ 形 不讲人情；无情无义：这样做未免太～了｜同志之间不要说这种～的话。

【绝色】juésè〈书〉名 绝顶美丽的容貌（指女子）：～佳人。

【绝食】jué//shí 动 断绝饮食（自杀或表示抗议）。

【绝世】juéshì 动 绝代：～珍品｜佳作。

【绝收】juéshōu 动 完全没有收成。

【绝嗣】juésì〈书〉动 没有子孙。

【绝望】jué//wàng 动 希望断绝；毫无希望：感到～｜～的呼喊。

【绝无仅有】jué wú jǐn yǒu 极其少有：这种奇事是～的。

【绝响】juéxiǎng〈书〉名 本指失传的音乐，后来泛指传统已断的事物：经过努力发掘，这种已成～的技艺后继有人了。

【绝续】juéxù 动 断绝或延续：存亡～的关头（生死存亡的关键时刻）。

【绝学】juéxué〈书〉名 ❶ 失传的学问。❷ 高明而独到的学问：高才～。

【绝艺】juéyì 名 卓绝的技艺；绝技：身怀～｜传授～。

【绝育】jué//yù 动 采取结扎输精管或输卵管等方法使人失去生育能力。

【绝缘】juéyuán 动 ❶ 跟外界或某一事物隔绝，不发生接触。❷ 隔绝电流，使不能通过。具有极高电阻的物质可以用来绝缘。

【绝缘体】juéyuántǐ 名 极不容易传导热或电的物体，分为热的绝缘体（如土、气体、橡胶）和电的绝缘体（如陶瓷、云母、油脂、橡胶）。

【绝缘子】juéyuánzǐ 名 一种电器零件，呈椭圆形、鼓形、圆柱形等，多用瓷或玻璃制成。用来固定导体并使这个导体与其他导体绝缘。俗称瓷瓶。

【绝招】juézhāo （～儿）名 ❶ 绝技：身怀～。❷ 一般人想象不到的手段、计策。‖也作绝着。

【绝着】juézhāo 同"绝招"。

【绝症】juézhèng 图指现在无法治好的疾病；身患～。

【绝种】jué//zhǒng 动某种生物（如恐龙）因不能适应新环境等而逐渐稀少，终于灭绝。

倔 jué 义同"倔"(juè)，只用于"倔犟"。另见 749 页 juè。

【倔强】juéjiàng 同"倔犟"。

【倔犟】juéjiàng 形（性情）刚强不屈；性格～｜他有股～劲儿。也作倔强。

掘 jué 动刨；挖：～井｜～土｜发～。

【掘进】juéjìn 动在采矿等工程中，开凿地下巷道，叫做掘进。通常包括打眼、爆破、通风、清除碎石、安装巷道支柱等。

【掘土机】juétǔjī 图挖土用的机械，由起重装置和土斗构成，常用来进行大量土方挖掘工程，也用于露天矿开采。

桷 jué 〈书〉方形的椽子。

崛 jué 〈书〉崛起。

【崛起】juéqǐ 〈书〉动❶（山峰等）突起：平地上～一座青翠的山峦。❷兴起：太平军～于广西桂平金田村◇为人才～创造条件。

脚(腳) jué 同"角1"(jué)。另见 686 页 jiǎo。

【脚色】juésè 见 746 页〖角色〗。

觖 jué 〈书〉不满足；不满意。

厥1 jué ❶失去知觉，不省人事；晕倒；气闭：痰～｜昏～。❷(Jué)图姓。

厥2 jué 〈书〉❶代指示代词。其；他的：～后｜～父大放～词。❷副乃；才：左丘失明，～有《国语》。

催 jué 用于人名。李催，东汉末人。

阙 jué 见 630 页〖剞劂〗。

谲(譎) jué 〈书〉❶欺诈：正而不～。❷奇特；怪异：诡～。

【谲诈】juézhà 〈书〉形奸诈；虚伪｜～多端。

蕨 jué 图多年生草本植物，生在山野草地里，根茎长，横生地下，羽状复叶，嫩叶可以吃，叫蕨菜，根状

茎可制淀粉，也可入药。

【蕨类植物】juélèi zhíwù 植物的一大类，远古时多为高大树木，现代的多为草本，有根、茎和叶子，茎有维管束，叶子通常较小，用孢子繁殖，生长在森林和山野的阴湿地带，如蕨、石松等。

獗 jué 见 151 页〖猖獗〗。

溑 Jué 溑水，水名，在湖北。

橛(橜) jué （～儿）图橛子：钉上一个小木～儿。

【橛子】jué·zi 图短木桩：木头～。

噱 jué 〈书〉大笑：可发一～。另见 1548 页 xué。

镢(钁) jué 同"镢"。

镰(鐍) jué 〈书〉箱子上安锁的纽。

爵1 jué ❶爵位：公～｜封～。❷(Jué)图姓。

爵2 jué 古代饮酒的器皿，有三条腿。

【爵禄】juélù 〈书〉图爵位和俸禄。

【爵士】juéshì 图欧洲某些君主国最低的封号，不世袭，不在贵族之内。

【爵士乐】juéshìyuè 图一种主要来源于黑人劳动歌曲的流行音乐，19 世纪末、20 世纪初产生于美国。[爵士，英 jazz]

【爵位】juéwèi 图君主国家贵族封号的等级。

蹶(蹷) jué 摔倒，比喻失败或挫折：一～不振。另见 749 页 juě。

矍 jué 〈书〉惊视的样子。

【矍铄】juéshuò 〈书〉形容老年人很有精神的样子：精神～。

嚼 jué 义同"嚼"(jiáo)，用于某些复合词和成语：咀～｜过屠门而大～。另见 684 页 jiáo；691 页 jiào。

爝 jué〖爝火〗(juéhuǒ)〈书〉图火把；小火。

攫 jué 抓；夺：～取｜～为己有。

【攫取】juéqǔ 动掠夺。

镢(钁、镢) jué 〈方〉图镢头。

【镢头】jué·tou 〈方〉名 刨土用的一种农具,类似镐(gǎo)。

juě （ㄐㄩㄝˇ）

蹶 juě [蹶子](juě·zi)名 骡马等用后腿向后踢叫尥(liào)蹶子。
另见 748 页 jué。

juè （ㄐㄩㄝˋ）

倔 juè 形 性子直,态度生硬:～脾气。
另见 748 页 jué。

【倔头倔脑】juè tóu juè nǎo 形容说话、行动生硬的样子。

jūn （ㄐㄩㄣ）

军(軍) jūn 名❶ 军队:我～|陆～|解放～|参～|裁～|◇生产大～|劳动后备～。❷ 军队的编制单位,下辖若干师:第一～|敌人的兵力估计有两个～。❸(Jūn)姓。

【军备】jūnbèi 名 军事编制和军事装备:裁减～|扩充～。

【军车】jūnchē 名 军用机动车辆。

【军刀】jūndāo 名 军人用的长刀。

【军地】jūndì 名 军队和地方:～两用人才。

【军队】jūnduì 名 为政治目的服务的正规武装组织。

【军阀】jūnfá 名❶ 旧时拥有武装部队,割据一方,自成派系的人:北洋～。❷ 泛指控制政治的反动军人。

【军法】jūnfǎ 名 军队中的刑法:违反军纪者将按～处置。

【军费】jūnfèi 名 国家用于军事方面的经费。

【军风】jūnfēng 名 军队的作风。

【军服】jūnfú 名 军人穿的制服。

【军港】jūngǎng 名 军用舰船专用的港口。通常有各种防御设施。

【军歌】jūngē 名❶ 正式规定的代表一支军队的歌曲。❷ 为军人创作的歌曲。

【军工】jūngōng 名❶ 军事工业。❷ 军事工程。

【军功】jūngōng 名 战功;武功:赫赫～。

【军功章】jūngōngzhāng 名 授予有军功的人的荣誉证章。

【军购】jūngòu 动 购买军火:～合同。

【军官】jūnguān 名 被授予尉官以上军衔的军人。也指军队中排长以上的干部。

【军管】jūnguǎn 名 军事管制。

【军国主义】jūnguó zhǔyì 把国家完全置于军事控制之下,一切都为侵略和战争服务的思想和政策。对内实行法西斯军事独裁,扩军备战,向人民灌输侵略思想,强迫人民服兵役。对外掠夺,干涉别国内政,发动侵略战争。

【军号】jūnhào 名 军用的一种喇叭,用来传达简短号令、发布警报等。

【军徽】jūnhuī 名 军队的标志。中国人民解放军的军徽是五角红星镶金黄色边,当中嵌金黄色的"八一"两字。

【军婚】jūnhūn 名 在我国指夫妻一方为现役军人的婚姻。

【军火】jūnhuǒ 名 武器和弹药的总称:～库。

【军机】jūnjī 名❶ 军事机宜:贻误～。❷ 军事机密:泄露～。

【军籍】jūnjí 名 原指登记军人姓名等的簿册,转指军人的身份。

【军纪】jūnjì 名 军队的纪律:～严明。

【军舰】jūnjiàn 名 有武器装备能执行作战任务的军用舰艇的统称,主要有战列舰、巡洋舰、驱逐舰、航空母舰、潜艇、鱼雷艇等。也叫兵舰。

【军阶】jūnjiē 名 军衔的等级。

【军垦】jūnkěn 动 部队开荒搞生产:戍边～|～农场。

【军礼】jūnlǐ 名 军人的礼节,通常包括举手礼、注目礼、举枪礼等:行～。

【军力】jūnlì 名 兵力。

【军粮】jūnliáng 名 供应部队食用的粮食。

【军龄】jūnlíng 名 军人在军队中已服役的年数。

【军令】jūnlìng 名 军事命令:～状|～如山。

【军令状】jūnlìngzhuàng 名 戏曲和旧小说中所说接受军令后写的保证书,表示如不能完成任务,愿依军法受罚。

【军旅】jūnlǚ 〈书〉名 军队,也指军事:～生涯。

【军马】jūnmǎ 名❶ 军用的马:～场。❷〈书〉兵马,泛指军队:各路～。

【军民】jūnmín 名 军队和人民:～鱼水情。

【军品】jūnpǐn 名 军用物品(区别于"民品")。

【军棋】jūnqí 名 棋类游艺的一种。有陆军棋和陆海空军棋,棋子按照军职和军械定名。两人对下,双方按照规则走棋,最后以夺得对方军旗者为胜。

【军旗】jūnqí 名 军队的旗帜。中国人民解放军军旗为红地儿,左上角缀金黄色五角星和"八一"两字。

【军情】jūnqíng 名 军事情况:刺探～。

【军区】jūnqū 名 根据国防和战略需要划分的军事区域。设有领导机构,统一领导该区域内军队的作战、训练、政治、后勤,以及卫戍、兵役、民兵等工作。

【军权】jūnquán 名 指挥和调动军队的权力:掌握～。

【军人】jūnrén 名 有军籍的人;服兵役的人。

【军容】jūnróng 名 指军队和军人的外表、纪律、威仪等:整饬～|～严整。

【军嫂】jūnsǎo 名 对军人妻子的尊称。

【军师】jūn·shī 名❶ 古代官名。掌管监察军务。❷ 旧时小说戏曲中所说在军中担任谋划的人,现泛指给人出主意的人:你要下象棋,我来给你当～。

【军士】jūnshì 名 某些国家高于兵,低于尉官的军人。

【军事】jūnshì 名 与军队或战争有关的事情:～工作|～行动|～基地|～科学。

【军事法庭】jūnshì fǎtíng 军队系统中的审判机关。

【军事管制】jūnshì guǎnzhì 国家在战争或其他特殊情况下采取的一种措施,由军事部门暂时接管特定的单位、局部地区,以至国家政权。简称军管。

【军事基地】jūnshì jīdì 为军事上的进攻或防守而驻扎军队并储备军火和军事物资的地区。

【军事科学】jūnshì kēxué 研究战争和战争指导规律的科学。

【军事体育】jūnshì tǐyù 与军事知识和技能有关的体育运动,如跳伞运动、航空模型运动、摩托车运动、越野、军事五项和海军五项等。

【军事训练】jūnshì xùnliàn 进行与战争有关的知识、技能等方面的教育和培训。

【军事演习】jūnshì yǎnxí 军队为了提高指挥能力和整体作战能力而进行的综合性演练:大规模～。

【军售】jūnshòu 动 出售军火:对外～。

【军属】jūnshǔ 名 现役军人的家属。

【军团】jūntuán 名 我国红军时期相当于集团军的编制单位。某些国家的军团相当于我国的军。

【军团病】jūntuánbìng 名 传染病,病原体是军团菌,多发生于夏秋季节,在封闭式的现代办公环境中容易感染。症状类似肺炎,表现为头晕、烦躁、呼吸困难、发热、咳嗽,甚至出现肾功能衰竭等。这种病因1976 年美国费城退伍军人集会时暴发流行,所以叫军团病。

【军威】jūnwēi 名 军队的声威:～大振。

【军务】jūnwù 名 军队的事务;军事任务:～繁忙|督理～。

【军衔】jūnxián 名 区别军人等级的称号。如元帅、将官、校官、尉官等。

【军饷】jūnxiǎng 名 军人的薪俸和给养。

【军校】jūnxiào 名 专门培养军事干部的学校。

【军械】jūnxiè 名 各种枪械、火炮、弹药及其备件、附件等的统称。

【军心】jūnxīn 名 军队的战斗意志:振奋～|动摇～。

【军需】jūnxū 名❶ 军队所需要的一切物资和器材。特指给养、被服等。❷ 旧时军队中指办理军需业务的人员。

【军训】jūnxùn 动 军事训练。

【军演】jūnyǎn 动 军事演习:举行海陆空联合～。

【军医】jūnyī 名 军队中有军籍的医生。

【军营】jūnyíng 名 兵营。

【军用】jūnyòng 形 属性词。军事上使用的:～物资|～地图|～飞机。

【军邮】jūnyóu 名 军队系统里的邮政。

【军乐】jūnyuè 名 用管乐器和打击乐器演奏的音乐,因为军队中常用而得名:～队。

【军政】jūnzhèng 名❶ 军事和政治。❷ 军事上的行政工作。❸ 指军队和政府。

【军种】jūnzhǒng 名 军队的基本类别。一般分为陆军、海军、空军三个军种，每一军种由几个兵种组成。

【军装】jūnzhuāng 名 军服。

均 jūn ❶形 均匀：平～|～摊|分得不～。❷〈书〉都；全：老幼～安|各项工作～已布置就绪。❸〈Jūn〉名 姓。
〈古〉又同"韵"yùn。

【均等】jūnděng 形 平均；相等：机会～。

【均分】jūnfēn 动 平均分配：大伙～。

【均衡】jūnhéng 形 平衡：国民经济～地发展|走钢丝的演员举着一把伞，保持身体～。

【均价】jūnjià 名 平均价格：新楼每平方米～3 000元。

【均势】jūnshì 名 力量平衡的形势：形成～|保持～。

【均摊】jūntān 动 平均分摊：费用按户～。

【均线】jūnxiàn 名 在坐标图上显示的一段时间内指数、价位等的平均值所连成的线，如五日均线、十日均线等。

【均匀】jūnyún 形 分布或分配在各部分的数量相同；时间的间隔相等：今年的雨水很～|钟摆发出～的声音|把马料拌得均匀匀的。

【均沾】jūnzhān 动 大家平均分享（利益）：利益～。

【均值】jūnzhí 名 几个数平均以后得出的值。

龟(龜) jūn ［龟裂］(jūnliè)❶ 同"皲裂"。❷动 裂开许多缝子；呈现出许多裂纹：天久不雨，田地～。
另见513页 guī；1120页 qiū。

君 jūn ❶君主：国～|～臣。❷对人的尊称：张～|诸～。❸〈Jūn〉名 姓。

【君临】jūnlín〈书〉动 原指君主统辖，后泛指统治或主宰：～天下|～一切。

【君权】jūnquán 名 君主的权力。

【君王】jūnwáng 名 君主；帝王。

【君主】jūnzhǔ 名 古代国家的最高统治者；现代某些国家的元首。有的称国王，有的称皇帝。

【君主国】jūnzhǔguó 名 由君主做元首、实行君主制的国家。

【君主立宪】jūnzhǔ lìxiàn 用宪法限制君主权力的政治制度，是资产阶级专政的一种形式。

【君主制】jūnzhǔzhì 名 君主（国王、皇帝等）独揽国家政权，不受任何限制的政治制度。

【君子】jūnzǐ 名 古代指地位高的人，后来指人格高尚的人：正人～|以小人之心度～之腹。

【君子国】jūnzǐguó 名 传说中人人都有很高的道德的地方。

【君子兰】jūnzǐlán 名 多年生草本植物，根肉质，叶子宽带形，花漏斗状，红黄色，供观赏。

【君子协定】jūnzǐ xiédìng 指国际间不经过书面上共同签字只以口头上承诺或交换函件而订立的协定，它和书面条约具有相同的效力。借指彼此之间相互信任的约定。也叫绅士协定。

钧(鈞) jūn ❶量 古代的重量单位，三十斤是一钧：雷霆万～之势|千～一发。❷ 制陶器所用的转轮。❸〈书〉敬辞，用于有关对方的事物或行为（对尊长或上级用）：～座|～鉴|～启。❹〈Jūn〉名 姓。

菌 jūn ［菌达菜］(jūndácài)名 一年生或二年生草本植物，叶子菱形，有长柄，花绿色。叶子嫩时可以吃。

菌 jūn 名 某些低等生物，以寄生或腐生方式摄取营养，如细菌、黏菌、真菌等。
另见752页 jùn。

【菌落】jūnluò 名 单个菌体或孢子在固体培养基上生长繁殖后形成的肉眼可见的微生物群落。

靸(皸) jūn ［皲裂］(jūnliè)动 皮肤因寒冷干燥而开裂。也作龟裂。

筠 jūn 筠连(Jūnlián)，地名，在四川。
另见1687页 yún。

鲯(鮶) jūn 名 鱼，身体长而侧扁，口大而斜，牙细小，尾鳍呈圆形。生活在海中。

麕(麏) jūn 古书上指獐子。
另见1137页 qún。

jùn （ㄐㄩㄣˋ）

俊(❷隽、儁) jùn ❶形 相貌清秀好看：～秀|～俏|这

个孩子长得好～呀！❷ 才智出众的：～杰|英～|～士。❸〈Jùn〉名姓。

"隽"另见744页 juàn。

【俊杰】jùnjié 名豪杰：识时务者为～。

【俊朗】jùnlǎng 形俊秀爽朗：～聪慧。

【俊美】jùnměi 形俊秀；容貌～。

【俊俏】jùnqiào 〈口〉形（相貌）好看：模样～。

【俊秀】jùnxiù 形清秀美丽；容貌～。

郡 jùn ❶ 古代的行政区划，比县小，秦汉以后，郡比县大：～县|会稽～|秦分天下为三十六～。❷〈Jùn〉名姓。

【郡主】jùnzhǔ 名唐代称太子的女儿，宋代称宗室的女儿，明清称亲王的女儿。

捃（攟、擔） jùn 〈书〉拾取。

峻 jùn ❶（山）高大；险：～岭|高山～岭。❷ 严厉：严～|严刑～法。

【峻拔】jùnbá 形（山）高而陡：山势～。

【峻急】jùnjí 〈书〉形 ❶ 水流急。❷ 性情严厉急躁。

【峻峭】jùnqiào 形形容山高而陡：山势～。

馂（餕） jùn 〈书〉吃剩下的食物。

浚（濬） jùn 挖深；疏通（水道）：疏～|～渠|～河|～泥船。

另见1555页 Xùn。

骏（駿） jùn 好马。

【骏马】jùnmǎ 名跑得快的马；好马。

珺 jùn 〈书〉一种美玉。

菌 jùn 名蕈(xùn)。

另见751页 jūn。

【菌子】jùn·zi 〈方〉名蕈(xùn)。

焌 jùn 〈书〉用火烧。

另见1126页 qū。

畯 jùn 古代管农事的官。

竣 jùn 完毕：完～|告～|～工|～事。

【竣工】jùngōng 动工程完成：～验收|提前～|即将～|全部～。

寯 jùn 〈书〉同"俊"。

K

k

kā（ㄎㄚ）

咔 kā [拟声]形容器物清脆的撞击声：
～的一声关上抽屉。
另见 754 页 kǎ。

【咔吧】kābā [拟声]形容物体断裂的声音：
～一声，棍子撅成两截。也作喀吧。

【咔嚓】kāchā [拟声]形容物体断裂的声音：
～一声，树枝被风吹折(shé)了。也作喀
嚓。

【咔哒】kādā 同"咔嗒"。

【咔嗒】kādā [拟声]形容物体轻微的碰撞
声：～一声，挂断了电话。也作咔哒、喀
哒。

咖 kā 见下。
另见 434 页 gā。

【咖啡】kāfēi [名]❶ 常绿小乔木或灌木，叶
子长卵形，先端尖，花白色，有香气，结浆
果，深红色，内有两颗种子。种子炒熟制
成粉，可以做饮料。生长在热带和亚热带
地区。❷ 炒熟的咖啡种子制成的粉末。
❸ 用咖啡种子的粉末制成的饮料。[英
coffee]

【咖啡碱】kāfēijiǎn [名]咖啡因。

【咖啡色】kāfēisè [名]深棕色。

【咖啡厅】kāfēitīng [名]单独开设的或宾馆
中附设的出售咖啡及其他饮料的地方。

【咖啡因】kāfēiyīn [名]有机化合物，化学式
$C_8H_{10}O_2N_4 \cdot H_2O$。白色有光泽的柱状
晶体，有苦味。多含在咖啡、可可的种子
和茶叶中。可做中枢兴奋药和利尿药等。
也叫咖啡碱。[英 caffeine]

喀 kā [拟声]形容呕吐、咳嗽等的声音。

【喀吧】kābā 同"咔吧"。

【喀嚓】kāchā 同"咔嚓"。

【喀哒】kādā 同"咔嗒"。

【喀斯特】kāsītè [名]指可溶性岩石特别是
碳酸盐类岩石(如石灰岩等)受含有二氧
化碳的流水溶蚀，并加上沉积作用而形成
的地貌。形状奇特，有洞穴也有峭壁。由
亚得里亚海岸的喀斯特(Karst)高地而得
名。我国广西、云南、贵州等地多见这种
地貌。也叫岩溶。

揩 kā〈口〉[动]用刀子等刮。

kǎ（ㄎㄚˇ）

卡 kǎ ❶ [量]卡路里的简称。使 1 克纯
水的温度升高 1℃所需要的热量就是
1 卡。❷ [名]卡片：资料～|年历～|目录～。
❸ [名]磁卡：银行～|刷～|我的～忘带了。
❹ 录音机上放置盒式磁带的仓式装置：
双～录音机。[英 cassette] ❺ 卡车：十
轮～。
另见 1082 页 qiǎ。

【卡宾枪】kǎbīnqiāng [名]枪的一种，枪身
较短，能自动退壳和连续射击，有效射程
较步枪近。[卡宾，英 carbine]

【卡车】kǎchē [名]运输货物、器材等的载重
汽车。[卡，英 car]

【卡尺】kǎchǐ [名]量具的一种，卡(qiǎ)在
工件的内缘或外缘测量长度：游标～。

【卡带】kǎdài [名]盒式录音带：音乐～|一
盒～。

【卡丁车】kǎdīngchē [名]一种微型汽车，结
构简单、操作便捷。可分为娱乐型和竞赛
型等。[卡丁，英 karting]

【卡规】kǎguī [名]一种测量轴或凸形工件
的量具。

【卡介苗】kǎjièmiáo [名]一种预防结核病
的疫苗，除能预防结核病外，还有防治麻
风病的作用。这种疫苗是法国科学家卡尔
梅特(Albert Calmette)和介林(Camille
Guérin)两人首先制成的，所以叫卡介苗。

【卡拉 OK】kǎlā-OK 20 世纪 70 年代中
期由日本发明的一种音响设备，日语是
"无人乐队"的意思。它可以供人欣赏机
内预先录制的音乐，还可以供人在该机的
伴奏下演唱。[卡拉，日から；OK，指英
orchestra]

【卡路里】kǎlùlǐ [量]热量的非法定计量单

位,符号 cal。简称卡。[法 calorie]

【卡片】kǎpiàn 名 用来记录各种事项以便排比、检查、参考的纸片:资料～|～目录。[卡,英 card]

【卡其】kǎqí 名 见 754 页〖咔叽〗。

【卡钳】kǎqián 名 用来测量或比较作件内外直径或两端距离的量具。两个脚可以开合,开口的尺寸可用另外的钢尺量出。

卡 钳

【卡特尔】kǎtè'ěr 名 资本主义垄断组织的形式之一。生产同类商品的企业为了垄断市场,获取高额利润,通过在商品价格、产量和销售等方面订立协定而形成的同盟。参加者在生产上、商业上和法律上仍保持独立性。[法 cartel]

【卡通】kǎtōng 名 ❶ 动画片。❷ 漫画。[英 cartoon]

佧 kǎ [佧佤族](Kǎwǎzú)名 佤族的旧称。

咔 kǎ 见下。
另见 753 页 kā。

【咔叽】kǎjī 名 一种质地较密较厚的斜纹布。也译作卡其。[英 khaki]

【咔唑】kǎzuò 名 有机化合物,化学式 $(C_6H_4)_2NH$。无色晶体,容易升华。是制造合成染料和塑料的原料。[英 carbazole]

咯 kǎ 动 使东西从咽头或气管里出来:～血|把鱼刺～出来。
另见 457 页 gē;879 页 •lo;902 页 luò。

【咯血】kǎ//xiě 动 喉部或喉以下呼吸道出血经口腔排出。咯出的血液鲜红色,常带有泡沫。见于肺结核、肺炎、支气管扩张、肺癌等病或胸部外伤。也说咳血。

胩 kǎ 名 异腈的旧称。[英 carbylamine]

kāi (ㄎㄞ)

开¹(開) kāi ❶ 动 使关闭着的东西不再关闭;打开:～门|锁|～箱子|不～口。❷ 动 打通;开辟:～路|～矿|墙上～了个窗口|～了三千亩水田。❸ 动 (合拢或连接的东西)展开;分离:桃树～花了|扣儿～了|两块木板没粘好,又～了。❹ 动 (河流)解冻:河～了。❺ 动 解除(封锁、禁令、限制等):～戒|～禁|～斋|～释。❻ 动 发动或操纵(枪、炮、车、船、飞机、机器等):～枪|～汽车|～拖拉机|火车～了。❼ 动 (队伍)开拔:昨天来两团人,今天又～走了。❽ 动 开办:～工厂|～医院。❾ 动 开始:～工|～学|～演。❿ 动 举行(会议、座谈会、展览会等):～会|～运动会|～欢送会。⓫ 动 写出(多指单据、信件等);说出(价钱):～价|～发票|～药方|～清单|～介绍信。⓬ 动 支付;付销:～薪|～饷|～工钱。⓭ 〈方〉动 开革;开除:他被老板～掉了。⓮ 动 (液体)受热而沸腾:水～了。⓯ 〈方〉动 吃:他把包子都～了。⓰ 动 指按十分之几的比例分开:三七～。⓱ 量 印刷上指相当于整张纸的若干分之一:三十二～纸。⓲ (Kāi)名 姓。

开²(開) kāi 量 ❶ 开金中含纯金量的计算单位(二十四开为纯金);这条金项链是十八～的。[英 karat] ❷ 开尔文的简称。1 开是水的三相点热力学温度的1/273.16。

开(開) •kāi 动 趋向动词。用在动词或形容词后。a) 表示分开或离开:拉～|躲～|把门推～|窗户关得紧,打不～。b) 表示容下:屋子小,人多了坐不～|这张大床,三个孩子也睡～了。c) 表示扩大或扩展:喜讯传～了。d) 表示开始并继续下去:下了两天雨,天就冷～了|天还没亮,大家就干～了。

【开拔】kāibá 动 (军队)由驻地或休息处出发:拂晓前,部队～了。

【开班】kāi//bān 动 进修班、培训班等第一次上课。

【开办】kāibàn 动 建立(工厂、学校、商店、医院等):～幼儿园|～培训班。

【开本】kāiběn 名 拿整张印书纸裁开的若干等份的数目做标准来表明书刊本子的大小叫开本，如十六开本、三十二开本等。

【开笔】kāi//bǐ ❶ 旧时指开始学做诗文：他八岁～，九岁就成了篇。❷ 旧时指一年中开始写字：新春～。❸ 指开始写某一本书或某篇文章。

【开编】kāibiān 动 开始编写；开始编辑：这部大词典已经～。

【开标】kāi//biāo 动 把投标文件拆封，通常由招标人召集投标人当众举行。

【开播】¹ kāibō 动 开始播种。

【开播】² kāibō 动 ❶ 广播电台、电视台正式播放节目：庆祝电视台～二十周年。❷ 某一节目开始播放：这部电视连续剧～后收到不少观众来信｜春节联欢晚会今晚八点～。

【开采】kāicǎi 动 挖掘(矿物)：～石油｜～地下资源。

【开场】kāi//chǎng 动 演剧或一般文艺演出等开始，也比喻一般活动开始：我们赶到剧院时，戏早就开了场｜他带头发言，话虽不多，倒给会议做了个很好的～。

【开场白】kāichǎngbái 名 戏曲或某些文艺演出开场前引入本题的道白，比喻文章或讲话等开始的部分。

【开车】kāi//chē ❶ 驾驶机动车：路滑，～要注意安全。❷ 泛指开动机器。

【开诚布公】kāi chéng bù gōng 诚意待人，坦白无私。

【开诚相见】kāi chéng xiāng jiàn 跟人接触时，诚恳地对待。

【开秤】kāi//chèng 动 开始交易(多用于收购季节性货物的商业)：果品收购站已经～收购西瓜了。

【开初】kāichū 名 开始的时候；起初：～他们互不了解，日子一久，也就熟了。

【开除】kāichú 动 机关、团体、学校等将成员除名使退出集体：～党籍｜～两名学生｜他被～公职。

【开锄】kāi//chú 动 一年中开始锄地。

【开创】kāichuàng 动 开始建立；创建：～新局面｜这家老店～于十九世纪末。

【开春】kāi//chūn （～儿）动 春天开始；进入春天(一般指农历正月或立春前后)：～，天气就渐渐暖和起来了。

【开打】kāidǎ 动 戏曲中演员演搏斗。

【开裆裤】kāidāngkù 名 幼儿穿的裆里有口的裤子。

【开刀】kāi//dāo 动 ❶ 执行斩刑(多见于早期白话)：～问斩。❷ 比喻先从某方面或某个人下手：为了整顿纪律，领导决定先从迟到、早退现象～。❸ 医生用医疗器械给病人做手术。

【开导】kāidǎo 动 以道理启发劝导：孩子有缺点，还是得耐心～。

【开倒车】kāi dàochē 比喻违反前进的方向，向后退：要顺应历史潮流，不能～。

【开道】kāi//dào 动 ❶ 在前引路：～车｜鸣锣～。❷〈方〉让路。

【开吊】kāidiào 动 办丧事的人家在出殡以前接待亲友来吊唁。

【开动】kāidòng 动 ❶（车辆）开行；（机器）运转：～机车｜轰隆隆机器～了◇～脑筋。❷ 开拔前进：队伍休息了一会儿就～了。

【开冻】kāi//dòng 动 冰冻的江河、土地融化。

【开端】kāiduān 名（事情的）起头；开头：良好的～。

【开恩】kāi//ēn 动 给予宽恕；施与恩惠(多用于向人求情)：求您开开恩，饶了我这回。

【开尔文】kāi'ěrwén 量 热力学温度单位，符号是 K。这个单位名称是为纪念英国物理学家汤姆森(被封为开尔文男爵，William Thomson，Lord Kelvin)而定的。简称开。

【开发】kāifā 动 ❶ 以荒地、矿山、森林、水力等自然资源为对象进行劳动，以达到利用的目的；开拓：～荒山｜～黄河水利｜～边疆。❷ 发现或发掘人才、技术等供利用：～高新技术｜人才～中心。

【开发】kāi·fa 动 支付；分发：～车钱｜～喜钱。

【开饭】kāi//fàn 动 ❶ 把饭菜摆出来准备吃。❷ 食堂开始供应饭菜。

【开方】¹ kāi//fāng （～儿）动 开药方。也说开方子。

【开方】² kāi//fāng 动 求一个数的方根的运算，如 81 开 4 次方得 ±3。

【开房间】kāi fángjiān 〈方〉租用旅馆的房间。

【开放】kāifàng ❶ 动（花）展开：百花～。❷ 动 解除封锁、禁令、限制等：改革～｜公园每天～｜机场关闭了三天，至今日才～。

❸ 〖形〗性格开朗；思想开通，不受拘束：性格～｜思想～。

【开付】kāifù 〖动〗开具并交付：～收据｜～清单。

【开赴】kāifù 〖动〗（队伍）开到（某处）去：～工地｜～前线。

【开革】kāigé 〖动〗开除；除名。

【开工】kāi∥gōng 〖动〗❶（工厂）开始生产。❷（土木工程）开始修建。

【开关】kāiguān 〖名〗❶ 电器装置上接通和截断电路的设备。通称电门。❷ 设在流体管道上控制流量的装置，如油门开关、气门开关。

【开光】kāi∥guāng 〖动〗神佛的偶像雕塑完成后，选择吉日，举行仪式，揭去蒙在脸上的红绸，开始供奉。

【开锅】kāi∥guō 〈口〉〖动〗锅中液体煮沸：柴湿火不旺，烧了半天还没有～｜等开了锅再下面条。

【开国】kāiguó 〖动〗指建立新的国家（在封建时代指建立新的朝代）：～元勋｜～大典。

【开航】kāi∥háng 〖动〗❶ 新开辟的或解冻的河道开始行船；新开辟的民航线开始有飞机航行。❷（船只）开行；起航。

【开河】¹ kāi∥hé 〖动〗河流解冻。

【开河】² kāi∥hé 〖动〗开辟河道。

【开后门】kāi hòumén （～儿）比喻利用职权给予不应有的方便和利益。

【开户】kāi∥hù 〖动〗单位或个人跟银行、证券交易所建立储蓄、信贷、委托代理等业务关系。

【开花】kāi∥huā （～儿）〖动〗❶ 生出花朵；花蕾开放：～结果。❷ 比喻像花朵那样破裂开：～儿馒头｜这只鞋～儿了｜炮弹在敌人的碉堡上开了花。❸ 比喻心里高兴或脸露笑容：心里开了花｜乐开了花。❹ 比喻经验传开或事业兴起：全面～｜遍地～。

【开化】¹ kāihuà ❶ 〖动〗由原始的状态进入文明的状态。❷ 〖形〗思想开通，不封建不守旧：脑筋有～。

【开化】² kāihuà 〖动〗冰、雪开始融化。

【开怀】kāi∥huái 心情无所拘束，十分畅快：～畅饮｜乐开了怀。

【开怀儿】kāi∥huáir 〈口〉〖动〗指妇女第一次生育：没开过怀儿（没有生过孩子）。

【开荒】kāi∥huāng 〖动〗开垦荒地。

【开会】kāi∥huì 〖动〗若干人聚在一起议事、联欢、听报告等。

【开荤】kāi∥hūn 〖动〗❶（信奉佛教等宗教的人）解除吃素的戒律或已满吃斋的期限，开始肉食。也泛指经常素食的人偶然吃荤。❷ 比喻经历某种新奇的事情：生平头一回坐飞机，总算开了个荤。

【开火】kāi∥huǒ 〖动〗❶ 放枪打炮，开始打仗：前线～了。❷ 比喻进行抨击或开展斗争：向腐败现象～。

【开伙】kāi∥huǒ 〖动〗❶ 办伙食：刚开学，学校还没有～。❷ 供应伙食：这个学校的食堂只是中午有饭，早上晚上都不～。

【开豁】kāihuò 〖形〗❶ 宽阔；爽朗：雾气一散，四外都显得十分～。❷（思想、胸怀）开阔：听了报告，他的心里更～了。

【开机】kāi∥jī 〖动〗❶ 开动机器。❷ 指开始拍摄（电影、电视剧等）。

【开价】kāi∥jià （～儿）〖动〗说出价格；要价：～太高。

【开架】kāijià 〖动〗❶ 指由读者直接在书架上选取图书：～借阅。❷ 指由顾客直接在货架上选取商品：～售货。

【开间】kāijiān ❶〈方〉〖量〗旧式房屋的宽度单位，相当于一根檩的长度（约一丈）：单～｜双～。❷ 〖名〗房间的宽度：这间房子～很大。

【开讲】kāijiǎng 〖动〗开始讲课、讲演或开始说书。

【开奖】kāi∥jiǎng 〖动〗在有奖活动中，通过一定的形式，确定获奖的等次和人员：足球彩票今晚当众～。

【开交】kāijiāo 〖动〗结束；解决（多用于否定式）：忙得不可～。

【开胶】kāi∥jiāo 〖动〗用胶黏合的地方裂开：三合板～就没法用了｜这双运动鞋没穿一个月就开了胶。

【开街】kāijiē 〖动〗商业街等建成后正式向公众开放、营业。

【开解】kāijiě 〖动〗开导劝解（忧愁悲痛的人）：大家说了些～的话，她也就想通了。

【开戒】kāi∥jiè 〖动〗原指宗教徒解除戒律，借指一般人解除生活上的禁忌，如吸烟、喝酒等。

【开金】kāijīn 〖名〗含黄金的合金：～首饰。参看"开²"❶。

【开禁】kāijìn 〖动〗解除禁令。

【开镜】kāijìng 动 指影片、电视片开拍：这部影片拟于九月～，年底停机。

【开局】kāijú ❶ 动（下棋或赛球）开始；泛指工作、活动等开始：这盘棋刚～｜今年的工业生产一～就很顺利。❷ 名（下棋或赛球）开始的阶段；泛指工作、活动等开始的阶段：～不太顺利，后来逐渐占了上风｜今年的图书市场～良好。

【开具】kāijù 动 写出(多指内容分项的单据、信件等)；开列：～清单。

【开卷】kāijuàn 动 ❶〈书〉打开书本，借指读书：～有益。❷ 一种考试方法，参加考试的人答题时可自由查阅有关资料(区别于"闭卷")。

【开掘】kāijué 动 ❶ 挖：～新的矿井。❷ 文艺上指对题材、人物思想、现实生活等深入探索并充分表达出来。

【开课】kāi∥kè 动 ❶ 学校开始上课。❷ 设置课程，也指教师(主要是高等学校的教师)担任某一课程的教学：教师～要做充分的准备｜下学期开哪几门课，教研室正在研究。

【开垦】kāikěn 动 把荒地开辟成可以种植的土地。

【开口】¹ kāi∥kǒu 动 张开嘴说话：没等我～，他就抢先替我说了。

【开口】² kāi∥kǒu 动 开刃儿。

【开口饭】kāikǒufàn 名 旧把以表演戏曲、曲艺等为职业叫做吃开口饭。

【开口呼】kāikǒuhū 名 见 1294 页〖四呼〗。

【开口子】kāi kǒu·zi ❶ 指堤岸被河水冲开。❷ 指在某方面破例或放松限制：这样照顾，向无先例，我不能开这个口子。

【开快车】kāi kuàichē 比喻加快工作、学习速度：又要～，又要保证质量。

【开矿】kāi∥kuàng 动 开采矿物。

【开阔】kāikuò ❶ 形（面积或空间范围）宽广：～的广场｜雄鹰在～的天空中翱翔。❷ 形（思想、心胸）宽阔：他是一个思路～、性格活泼的人。❸ 动 使开阔：～眼界｜～面｜～胸襟。

【开阔地】kāikuòdì 名 军事上指没有树林、山丘等遮挡的大片平地。

【开朗】kāilǎng 形 ❶ 地方开阔，光线充足：豁然～。❷（思想、心胸、性格等）乐观、畅快，不阴郁低沉：胸怀～｜精神焕发。

【开犁】kāi∥lí 动 ❶ 一年中开始耕地。❷ 开墒。

【开例】kāi∥lì 动 做出不合规定或尚无规定的事情，让别人可以援例：如果从你这里～，以后事情就不好办了。

【开镰】kāi∥lián 动 指一茬庄稼成熟，开始收割。

【开脸】kāi∥liǎn 动 ❶ 旧俗，女子临出嫁改变头发的梳妆样式，去净脸和脖子上的汗毛，修齐鬓角，叫做开脸。❷ 雕塑工艺中指雕刻人物的脸部。

【开列】kāiliè 动 一项一项写出来：～名单｜按照～的项目进行。

【开裂】kāiliè 动 出现裂缝：木板～｜墙体～。

【开路】kāilù ❶ 动 开辟道路：逢山～，遇水架桥。❷ 动 在前引路：～先锋。❸ 名 电路中的开关呈开启状态或去掉一个负载，使电流不能构成回路的电路。

【开绿灯】kāi lǜdēng 比喻准许做某事：不能给不合格产品上市～。

【开锣】kāi∥luó 动 戏曲开演：～戏(开锣后的第一出戏)｜我们进了剧院，离～的时候还早◇举重锦标赛月底～。

【开门】kāi∥mén 动 ❶ 敞开门，比喻公开做某事或广泛听取意见：～办学｜～整风。❷ 指营业开始：银行九点才～。

【开门红】kāiménhóng 比喻在一年开始或一项工作开始时就获得显著的成绩：争取新学年～。

【开门见山】kāi mén jiàn shān 比喻说话写文章直截了当：这篇文章～，一落笔就点明了主题。

【开门揖盗】kāi mén yī dào 开了门请强盗进来，比喻引进坏人来危害自己。

【开蒙】kāi∥méng 动 旧时私塾教儿童开始识字或学习；儿童开始识字或学习：请王老师教他～｜他六岁开的蒙。

【开明】kāimíng 形 原意是从野蛮进化到文明，后来指人思想开通不顽固保守：～人士｜思想～。

【开幕】kāi∥mù 动 ❶ 一场演出，一个节目或一幕戏开始时打开舞台前的幕。❷（会议、展览会等）开始：～词｜～典礼｜运动会明天～。

【开拍】kāipāi 动 开始拍摄(电影、电视剧等)：这部影片由去年初～，直至今年底才停机。

【开盘】kāi//pán（～儿）动❶指证券、黄金等交易市场营业开始，第一次报告当天行情。❷指棋类比赛开始。

【开炮】kāi//pào 动❶发射炮弹：向敌军阵地～。❷比喻提出严厉的批评。

【开辟】kāipì 动❶打开通路：～航线。❷开拓扩展：～市场|～边疆。❸开天辟地的略语，指宇宙开始。

【开篇】kāipiān 名❶弹词演唱故事之前先弹唱的一段唱词，自为起讫，作为正书的引子，也可以单独表演。江苏、浙江有些地方戏曲演出前，有时附加内容与正戏无关的唱段，也叫开篇。如越剧开篇、沪剧开篇。❷指著作的开头。

【开瓢儿】kāi//piáor〈方〉动指脑袋被打破（多含诙谐意）。

【开票】kāi//piào 动❶投票后打开票箱，统计候选人所得票数：当众～。❷开发票；开单据。

【开启】kāiqǐ 动❶打开：这种灭火器的开关能自动～|～闸门。❷开创：～一代新风。

【开腔】kāi//qiāng 动开口说话：大家都还没说话，他先开了腔。

【开窍】kāi//qiào（～儿）动❶（思想）搞通：思想开了窍，工作才做得好。❷（儿童）开始长见识：现在的孩子～早。

【开缺】kāi//quē 动旧时指官员因故去职或者死亡，职位一时空缺，准备另外选人充任。

【开刃儿】kāi//rènr 动新的刀、剪等在使用前抢（qiǎng）、磨使刃锋利。

【开赛】kāisài 动开始比赛：亚洲杯足球赛～|少年戏曲比赛今天～。

【开山】kāi//shān 动❶因采石、筑路等目的而把山挖开或炸开：～劈岭。❷指在一定时期开放已封的山地，准许进行放牧、采伐等活动。❸佛教用语，指最初在某个名山建立寺院。

【开山】kāi·shān 名开山祖师。

【开山祖师】kāishān zǔshī 原是佛教用语，指最初在某个名山建立寺院的人，后来比喻首创学术技艺的某一派别或首创某一事业的人。也叫开山祖。

【开衫】kāishān（～儿）名两襟在胸前相对的针织上衣：男～|女～。

【开墒】kāi//shāng 动耕地时，先用犁开出一条沟来，以便顺着这条沟犁地。也叫开犁。

【开哨】kāishào 动裁判吹响开赛的哨子，指足球、篮球等体育比赛开始。

【开设】kāishè 动❶设立（店铺、作坊、工厂等）：～洗染店。❷设置（课程）：～公共关系课。

【开始】kāishǐ ❶动从头起；从某一点起：新的一年～了|今天从第五课～。❷动动手做；着手进行：～一项新的工作|提纲已经定了，明天就可以～写。❸名开始的阶段：一种新的工作，～总会遇到一些困难。

【开氏温标】Kāishì wēnbiāo 热力学温标的旧称。因英国物理学家开尔文制定而得名。参看〖开尔文〗。

【开市】kāi//shì 动❶市场、商店等开始交易或营业。❷市场、商店等一天中第一次成交：现在生意难做，有时一整天也开不了市。

【开释】kāishì 动释放（被拘禁的人）：～出狱|无罪～。

【开涮】kāishuàn〈方〉动戏弄（人）；开玩笑。

【开水】kāishuǐ 名煮沸的水。

【开司米】kāisīmǐ 名❶山羊的绒毛，纤维细而轻软，是优良的毛纺原料。原指克什米尔地方所产的山羊绒毛。❷用这种绒毛制成的毛线或织品。［英 cashmere］

【开台】kāitái 动戏曲开演：～锣鼓|戏已～。

【开膛】kāi//táng 动剖开胸腔和腹腔（多指家禽、家畜的）：～母鸡|猪燖毛后就～。

【开题】kāi//tí 动选定科研课题以后对该课题研究的现状及存在问题、研究目标和方法等作出说明。

【开天窗】kāi tiānchuāng 旧时政府检查新闻，禁止发表某些报道或言论，报纸版面上留下成块空白，叫开天窗。现泛指报刊留下成块空白。

【开天辟地】kāi tiān pì dì 神话中说盘古氏开辟天地后才有世界，因此用"开天辟地"指宇宙开始。

【开庭】kāi//tíng 动审判人员在法庭上对当事人及其他有关的人进行审问和询问。

【开通】kāitōng 动❶使原来闭塞的（如思想、风气等）不闭塞：～风气|～民智。❷

交通、通信等线路开始使用：国内卫星通信网昨天～｜这条公路已经竣工并～使用。

【开通】kāi·tong ❶ 〈形〉(思想)不守旧；不拘谨固执：思想～｜老人学了文化，脑筋比～了。❷ 〈动〉使开通：让他多到外面去看看，～～他的思想。

【开头】kāitóu ❶ (～儿)〈动〉事情、行动、现象等最初发生：我们的学习刚～，你现在来参加还赶得上。❷ (～儿)〈动〉使开头：请你先开个头儿。❸ 〈名〉开始的时候或阶段：～我们都在一起，后来就分开了｜这篇文章～就表明了作者的意向。

【开脱】kāituō 〈动〉推卸或解除(罪名或过失的责任)：～罪责｜不要为他～。

【开拓】kāituò 〈动〉❶ 开辟；扩展：～市场｜～处女地◇这一年短篇小说的创作道路～得更广阔了。❷ 采掘矿物前进行的修建巷道等工序的总称。

【开外】kāiwài 〈名〉方位词。超过某一数量；在某一数目之上(多用于年岁、距离)：这位老人，看上去有七十～了，可是精神还很健旺｜南北四十里，东西六十里～。

【开玩笑】kāi wánxiào ❶ 用言语或行动戏弄人：我是跟你～的，你别认真｜随便开两句玩笑。❷ 用不严肃的态度对待；当做儿戏：这事关系许多人的安全，可不是～的事情。

【开胃】kāiwèi 〈动〉增进食欲：这药吃了能～。

【开线】kāi//xiàn 〈动〉衣物等的缝合处因线断而裂开：裤裆开了线了。

【开销】kāi·xiāo ❶ 〈动〉支付(费用)：你带的钱一路够～吗？❷ 〈名〉支付的费用：住在这儿，～不大，也很方便。

【开小差】kāi xiǎochāi (～儿)❶ 军人私自脱离队伍逃跑。❷ 比喻思想不集中：用心听讲，思想就不会～。

【开心】kāixīn ❶ 〈形〉心情快乐舒畅：大伙儿在一起，说说笑笑，十分～。❷ 〈动〉戏弄别人，使自己高兴：别拿他～。

【开心果】kāixīnguǒ 〈名〉阿月浑子(一种落叶小乔木)的果实。成熟时黄绿色或粉红色，果壳裂开，露出种仁，可以叫开心果。可以吃。

【开心丸儿】kāixīnwánr 〈名〉宽心丸儿。

【开行】kāixíng 〈动〉(车或船)启动行驶：火车已经～，站上欢送的人们还在挥手致意。

【开学】kāi//xué 〈动〉学期开始：～典礼。

【开言】kāi//yán 〈动〉开口说话(多用于戏曲中)。

【开颜】kāiyán 〈动〉脸上现出高兴的样子：～而笑｜更喜岷山千里雪，三军过后尽～。

【开眼】kāi//yǎn 〈动〉看到美好的或新奇珍贵的事物，增长了见识：这样好的风景，没来逛过的，来一趟也～｜快把那几幅名画拿出来，让大家开开眼。

【开演】kāiyǎn 〈动〉(戏剧等)开始演出：准时～｜电影～了十分钟他才来。

【开洋】kāiyáng 〈方〉〈名〉虾米①(多指较大的)。

【开业】kāi//yè 〈动〉商店、企业或律师事务所、私人诊所等开始进行业务活动：～行医｜公司近日～。

【开夜车】kāi yèchē 比喻为了赶时间，在夜间继续学习或工作：开了一个夜车，才把这篇稿子赶出来。

【开印】kāiyìn 〈动〉(书报、图片等)开始印刷：本报今日三点十分～。

【开映】kāiyìng 〈动〉(电影)开始放映。

【开元】Kāiyuán 〈名〉唐玄宗(李隆基)年号(公元713—741)。

【开园】kāi//yuán 〈动〉❶ 园子里瓜、果等成熟，开始采摘。❷ 公园等正式开始接待游客。

【开源节流】kāi yuán jié liú 比喻在财政经济上增加收入，节省开支。

【开凿】kāizáo 〈动〉挖掘(河道、隧道等)：修筑这条铁路共～了十几条隧道。

【开斋】kāi//zhāi 〈动〉❶ 指吃素的人恢复吃荤。❷ 伊斯兰教徒结束封斋。

【开斋节】Kāizhāi Jié 〈名〉伊斯兰教的节日。伊斯兰教历九月封斋后的第二十九天黄昏时，如果望见新月，第二天就过开斋节，否则就推迟一天。也叫尔代节。

【开展】[1] kāizhǎn ❶ 〈动〉使从小向大发展；使展开：～批评与自我批评｜科学技术交流活动。❷ 〈动〉从小向大发展：植树造林活动已在全国～起来。❸ 〈形〉开朗；开豁：思想～。

【开展】[2] kāizhǎn 〈动〉展览会开始展出：一年一度的春节花展明天～。

【开战】kāi//zhàn 〈动〉❶ 打起仗来。❷ 比喻开始进行激烈斗争：向制假售假的违法行为～。

【开绽】kāizhàn 动 (原来缝着的地方)裂开：鞋～了。

【开张】kāi//zhāng 动 ❶ 商店等设立后开始营业：择日～|这家药店明日～。❷ 经商的人指一天中第一次成交。❸ 比喻某种事物开始。

【开仗】kāi//zhàng 动 ❶ 开战。❷〈方〉打架。

【开账】kāi//zhàng 动 ❶ 开列账单。❷ 支付账款(多用于吃饭、住旅馆等)。

【开诊】kāizhěn 动 医院、诊所等开始诊治病人。

【开征】kāizhēng 动 开始征收(捐税)：～个人所得税。

【开支】kāizhī ❶ 动 付出(钱)：不应当用的钱，坚决不～。❷ 名 开支的费用：节省～。❸〈方〉动 发工资：每月五号～。

【开宗明义】kāi zōng míng yì 《孝经》第一章的篇名，说明全书宗旨，后来指说话作文一开始就说出主要的意思。

【开罪】kāizuì 动 得罪：从未～于人。

揩 kāi 动 擦；抹：～汗|把桌子～干净。

【揩拭】kāishì 动 擦拭：用抹布～桌面。

【揩油】kāi//yóu 动 比喻占公家或别人的便宜。

锎(鐦) kāi 名 金属元素，符号 Cf (californium)。有放射性，由人工核反应获得。用作实验室的中子源。

kǎi （ㄎㄞˇ）

剀(剴) kǎi ［剀切］(kǎiqiè)〈书〉形 ❶ 跟事理完全相合：～详明。❷ 切实：～教导。

凯(凱) kǎi ❶ 胜利的乐歌：～歌|旋|奏～而归。❷ (Kǎi)名 姓。

【凯歌】kǎigē 名 打了胜仗所唱的歌：～嘹亮|高唱～而归。

【凯旋】kǎixuán 动 战胜归来：战士～|欢迎～的体育健儿。

垲(塏) kǎi〈书〉地势高而且干燥：爽～。

闿(闓) kǎi〈书〉开启。

恺(愷) kǎi〈书〉快乐；和乐。

铠(鎧) kǎi 铠甲：铁～|首～(头盔)。

【铠甲】kǎijiǎ 名 古代军人打仗时穿的护身服装，多用金属片缀成。

蒈 kǎi 名 有机化合物，是莰的同分异构体，天然的蒈尚未发现。[英 carane]

慨(❷嘅) kǎi ❶ 愤激：愤～。❷ 感慨：～叹。❸ 慷慨：～允。

【慨然】kǎirán 副 ❶ 感慨地：～长叹。❷ 慷慨地：～相赠|～应允。

【慨叹】kǎitàn 动 有所感触而叹息：不胜～|～不已。

【慨允】kǎiyǔn 动 慷慨地应许：～捐助百万巨资。

楷 kǎi ❶ 法式；模范：～模。❷ 汉字形体的一种：～书|～体|小～|正～。
另见 695 页 jiē。

【楷模】kǎimó 名 榜样；模范：光辉的～。

【楷书】kǎishū 名 汉字字体，就是现在通行的汉字手写正体字，它是由隶书演变来的。也叫正楷、真书。

【楷体】kǎitǐ 名 ❶ 楷书。❷ 指拼音字母的印刷体。

锴(鍇) kǎi〈书〉好铁。

kài （ㄎㄞˋ）

忾(愾) kài〈书〉愤恨：同仇敌～。

欬 kài〈书〉咳嗽。

愒 kài〈书〉贪。
另见 555 页 hè；1081 页 qì。

kān （ㄎㄢ）

刊(栞) kān ❶ 古时指书版雕刻，现在也指印刷出版：～行|创～|停～。❷ 刊物，也指在报纸上定期出的有

专门内容的一版：办～｜周～｜月～｜副～。
❸ 削除；修改：～误｜～谬补缺。

【刊本】kānběn 名 刻本：原～｜宋～。

【刊播】kānbō 动 在报刊上登载，在电视、广播里播出：～广告｜～讨论文章。

【刊布】kānbù 〈书〉动 通过印刷品来公布。

【刊登】kāndēng 动 刊载：～广告｜～消息。

【刊发】kānfā 动 刊载；发表：本期杂志～了一些新人的习作。

【刊刻】kānkè 动 刻(木板书)。

【刊授】kānshòu 动 以刊物辅导方式为主进行教学。

【刊头】kāntóu 名 指报纸、刊物上标出名称、期数等项目的地方：～题字｜～设计。

【刊物】kānwù 名 登载文章、图片等的定期或不定期的出版物：内部～｜文艺～。

【刊行】kānxíng 动 出版发行(书报)：此书年内将～问世。

【刊印】kānyìn 动 刻板印刷或排版印刷。

【刊载】kānzǎi 动 在报纸刊物上登载：报纸上～了许多有关经济体制改革的文章。

看 kān 动 ❶ 守护照料：～门｜～自行车｜一个工人可以～好几台机器。❷ 看押；监视：～犯人｜～俘房。

另见 762 页 kàn。

【看财奴】kāncáinú 名 守财奴。

【看管】kānguǎn 动 ❶ 看守②：～犯人。❷ 照管：～行李。

【看护】kānhù ❶ 动 护理：～病人。❷ 名 护士的旧称。

【看家】kānjiā ❶ 动 (-//-)在家或在工作单位看守、照管门户。❷ 形 属性词。指本人特别擅长、别人难以胜过的(本领)：～戏｜～的武艺。

【看家狗】kānjiāgǒu 名 看守门户的狗，旧时常用来骂官僚、地主等家里的管家一类的人。

【看家戏】kānjiāxì 名 某个演员或剧团特别擅长的戏剧。

【看青】kān//qīng 动 看守正在结实还未成熟的庄稼，以防偷盗或动物损害。

【看守】kānshǒu ❶ 动 负责守卫、照料：～山林｜～门户。❷ 动 监视和管理(犯人、俘房)。❸ 名 旧时称监狱里看守犯人的人。

【看守内阁】kānshǒu nèigé 指某些国家因故更换内阁，在新内阁组成前，继续留任，处理日常工作的原内阁，或另外组成的临时内阁。也叫看守政府、过渡内阁、过渡政府。

【看守所】kānshǒusuǒ 名 临时拘押犯罪嫌疑人的机关。

【看守政府】kānshǒu zhèngfǔ 看守内阁。

【看摊】kān//tān (～儿)〈口〉动 看屋摊位，泛指照管工作、事务：别人都出差了，只留我一人～儿。

【看押】kānyā 动 临时拘押：～俘房｜把犯罪嫌疑人～起来。

勘 kān ❶ 校订；核对：～误｜校～。❷ 实地查看；探测：～探｜～查｜～验。

【勘测】kāncè 动 勘察和测量：公路～。

【勘查】kānchá 同"勘察"。

【勘察】kānchá 动 进行实地调查或查看(多用于采矿或工程施工前)：～现场｜～地形。也作勘查。

【勘界】kānjiè 动 实地勘测以确定边界。

【勘探】kāntàn 动 查明矿藏分布情况，测定矿体的位置、形状、大小、成矿规律、岩石性质、地质构造等情况。

【勘误】kānwù 动 作者或编者更正书刊中文字上的错误：～表。

【勘验】kānyàn 动 司法人员对案件或民事纠纷的现场、物证等进行实地勘察和检验。

【勘正】kānzhèng 动 校正(文字)。

龛(龕) kān 供奉神佛的小阁子：佛～。

堪 kān ❶ 可；能：～当重任｜不～称楷模。❷ 能忍受；能承受：难～｜不～凌辱。❸ (Kān)名 姓。

【堪布】kānbù 名 ❶ 藏传佛教中佛学知识渊博的僧人。❷ 藏传佛教寺院或各个学院的主持人。❸ 原西藏地方政府的僧官名。

【堪称】kānchēng 动 可以称作；够得上：～一绝｜～典范。

【堪达罕】kāndáhǎn 〈方〉名 驼鹿。[蒙]

【堪舆】kānyú 〈书〉名 风水。

戡 kān 用武力平定(叛乱)：～乱｜平叛乱。

【戡乱】kānluàn 动 平定叛乱。

kǎn （ㄎㄢˇ）

坎[1]（[3]埳） kǎn ❶〈名〉八卦之一，卦形是"☵"，代表水。参看16页〖八卦〗。❷（～儿）〈名〉田野中自然形成的或人工修筑的像台阶形状的东西：土～儿|田～儿|前面有道～儿，当心别绊着。❸〈书〉低洼的地方；坑。❹（Kǎn）〈名〉姓。

坎[2] kǎn 〈量〉坎德拉的简称。一个光源发出频率为 540×10^{12} 赫的单色辐射，并且在这个方向上的辐射强度为 1/683 瓦每球面度时的发光强度就是 1 坎。

【坎德拉】kǎndélā〈量〉发光强度单位，符号 cd。简称坎。[英 candela]

【坎肩】kǎnjiān（～儿）〈名〉不带袖子的上衣（多指夹的、棉的、毛线织的）。

【坎坷】kǎnkě〈形〉❶道路、土地坑坑注注：～不平。❷〈书〉比喻不得志：半世～。

【坎壈】kǎnlǎn〈书〉〈形〉困顿；不得志：一生～。

【坎炁】kǎnqì〈名〉中药上指干燥的脐带，用来治肾虚气喘等。

【坎儿】[1] kǎnr〈口〉〈名〉指最紧要的地方或时机：当口儿｜这话说到～上了｜事情正在～上。

【坎儿】[2] kǎnr 同"侃儿"。

【坎儿井】kǎnrjǐng〈名〉干旱地区的一种灌溉工程，从山坡上直到田地里挖成一连串的井，再把井底挖通，连成暗沟，把山上融化的雪水和地下水引来浇灌田地。我国新疆一带有这种灌溉工程。

【坎子】kǎn·zi〈名〉地面高起的地方：土～。

侃[1] kǎn〈书〉❶刚直。❷和乐的样子。

侃[2] kǎn〈方〉〈动〉闲谈；闲聊：两人～起来没完没了。

【侃大山】kǎn dàshān〈方〉漫无边际地聊天，闲聊。也作砍大山。

【侃侃】kǎnkǎn〈书〉〈形〉形容说话理直气壮，从容不迫：～而谈。

【侃儿】kǎnr〈方〉〈名〉隐语；暗语：调（diào）～｜这是他们古玩行的～。也作坎儿。

砍[1] kǎn〈动〉❶用刀斧等猛力切入物体或将物体断开：～柴｜把树枝一下来｜

肩膀被歹徒～了一刀。❷削减；取消：～价｜从计划中～去一些项目。❸〈方〉把东西扔出去打：拿砖头～狗。

砍[2] kǎn 同"侃[2]"。

【砍大山】kǎn dàshān 同"侃大山"。

【砍刀】kǎndāo〈名〉砍柴用的刀，刀身较长，刀背较厚，柄多为木质。

【砍伐】kǎnfá〈动〉用锯、斧等把树木的枝干弄下来或把树木弄倒。

【砍价】kǎn//jià〈口〉〈动〉买卖东西时买方要求卖方在原有价格上削减一部分。

莰 kǎn〈名〉有机化合物，是莰的同分异构体，白色晶体，有樟脑的香味，容易挥发，化学性质不活泼。[英 camphane]

欿 kǎn〈书〉❶不自满：～然（不自满的样子）。❷忧愁；不得意。

槛（檻） kǎn 门槛；门限。
另见 674 页 jiàn。

颣（顑） kǎn [颣颔]（kǎnhàn）〈书〉〈形〉容容因饥饿而面黄肌瘦。

辕（轗） kǎn [辕轲]（kǎnkě）〈书〉同"坎坷"。

kàn （ㄎㄢˋ）

看 kàn ❶〈动〉使视线接触人或物：～书｜～电影｜～了他一眼。❷〈动〉观察并加以判断：我～他是个可靠的人｜你这个办法好不好。❸〈动〉访问：～望｜～朋友。❹〈动〉对待：～待｜另眼相～｜别拿我当外人～。❺〈动〉诊治：王大夫把我的病～好了。❻〈动〉照料：照～｜衣帽自～。❼〈动〉用在表示动作或变化的词或词组前面，表示预见到某种变化趋势，或者提醒对方注意可能发生或将要发生的某种不好的事情或情况：行情～涨｜跑！～摔着！｜～饭快凉了，快吃吧。❽〈动〉用在动词或动词结构后面，表示试一试（前面的动词常用重叠式）：想想～｜找找～｜等一等～｜评评理～｜先做几天～。
另见 761 页 kān。

【看板】kànbǎn〈名〉用于公布通告、启事，张贴广告等的板子：要闻～｜天气～｜房地产～。

【看病】kàn//bìng〈动〉❶（医生）给人或动

物治病：王大夫不在家,他给人～去了。❷找医生看病;就诊:我下午到医院～去。

【看不起】kàn·buqǐ 〈口〉动 轻视:别～这本小字典,它真能帮助我们解决问题。

【看茶】kànchá 动 旧时吩咐仆人端茶招待客人的用语。

【看承】kànchéng 〈书〉动 看顾照料。

【看穿】kàn//chuān 动 看透:～了对方的心思。

【看待】kàndài 动 对待:把他当亲兄弟～。

【看淡】kàndàn 动 ❶(行情、价格等)将要出现不好的势头:行情～|销路～。❷认为(行情、价格等)将要出现不好的势头:商界普遍～钟表市场。

【看得起】kàn·deqǐ 〈口〉动 重视:你要是～我,就给我这个面子。

【看点】kàndiǎn 名 值得观看、欣赏的地方:众多明星的加盟是这部影片的一大～。

【看跌】kàndiē 动 (市场上股票、商品价格)有下跌的趋势:汽车价格～。

【看法】kàn·fǎ 名 对客观事物所持的见解:谈两点～|两人～一致。

【看风使舵】kàn fēng shǐ duò 比喻跟着情势转变方向(贬义)。也说见风转舵。

【看顾】kàngù 动 照看;照顾:这位护士～病人很周到。

【看好】kànhǎo 动 ❶(事物)将要出现好的势头:旅游市场的前景～|经济前途～。❷认为(人或事物)将要出现好的势头:这场比赛,人们～八一队。

【看见】kàn//·jiàn 动 看到:看得见|看不见|从来没～过这样的怪事。

【看开】kàn//kāi 动 不把不如意的事情放在心上:看得开|看不开|对这件事,你要～些,不要过分生气。

【看客】kànkè 〈方〉名 观众。

【看破】kàn//pò 动 看透:～红尘。

【看破红尘】kàn pò hóngchén 看透人世间的一切,指对生活不再有所追求。

【看齐】kànqí 动 ❶整队时,以指定人为标准排齐站在一条线上。❷拿某人或某种人作为学习的榜样:向先进工作者～。

【看俏】kànqiào 动 商品受消费者欢迎,销售势头良好:数码相机～。

【看轻】kànqīng 动 轻视:不要～环保工作。

【看上】kàn//·shàng 动 看中:看上眼|她～了这件上衣。

【看台】kàntái 名 建筑在场地旁边或周围,供观众看比赛或表演的台(多指运动场上的观众席)。

【看透】kàn//tòu 动 ❶透彻地了解(对手的计策、用意):这一着棋我看不透。❷透彻地认识(对方的缺点或事物的没有价值、没有意义):这个人我～了,没什么真才实学。

【看望】kàn·wàng 动 到长辈或亲友等处问候:～父母|～老战友。

【看相】kàn//xiàng 动 观察人的相貌、骨骼或手掌的纹理等来判断命运好坏(迷信)。

【看笑话】kàn xiào·hua 拿别人不体面的事当做笑料:大家都在看他的笑话|这项工作我们一定要做好,不要给人家～。

【看涨】kànzhǎng 动 (市场上股票、商品价格)有上涨的趋势:黄金继续～|绩优股～。

【看中】kàn//zhòng 动 经过观察,感觉合意:看中看不中|你～哪个就买哪个。

【看重】kànzhòng 动 很看得起;看得很重要:～知识|青年大都热情有为,我们要～他们。

【看座】kàn//zuò 动 旧时吩咐仆人或跑堂的等给客人安排座位的用语。

【看做】kànzuò 动 当做:不要把人家的忍让～软弱可欺。

衎 kàn 〈书〉❶ 快乐。❷ 刚直。

埳 kàn 赤埳(Chìkàn),地名,在台湾省。

嵌 kàn 同"埳"。另见1093页qiàn。

墈 kàn 〈方〉高的堤岸(多用于地名):～上(在江西)。

阚(闞) Kàn 名 姓。另见537页hǎn。

礚 kàn 〈方〉山崖(多用于地名):～头(在安徽)|槐花～(在浙江)。

瞰(❷瞯) kàn ❶ 从高处往下看;俯视:鸟～。❷〈书〉窥;视。

kāng (ㄎㄤ)

闶(閌) kāng [闶阆](kāngláng)〈方〉名 建筑物中空廓的部

分：这井下面的～么大啊！也叫阆阆
子。

另见 765 页 kàng。

康¹ kāng ❶ 健康：安～|～宁|～乐|～
复。❷〈书〉富足；丰盛：～年(丰
年)|小～。❸(Kāng)名姓。

康² kāng 〈书〉同"糠"。

【康拜因】kāngbàiyīn 名 联合机，特指联
合收割机。[英 combine]

【康采恩】kāngcǎi'ēn 名 资本主义垄断组
织的形式之一。它由不同经济部门的许
多企业，包括工业企业、贸易公司、银行、
运输公司和保险公司等联合组成。目的
在于垄断销售市场、争夺原料产地和投资
场所，以攫取高额利润。[德 Konzern]

【康复】kāngfù 动 恢复健康：病体～。

【康健】kāngjiàn 形 健康①：身体～。

【康乐】kānglè 形 安乐。

【康乃馨】kāngnǎixīn 名 香石竹。[英
carnation]

【康宁】kāngníng〈书〉形 健康安宁。

【康衢】kāngqú〈书〉名 宽阔平坦的大路。

【康泰】kāngtài〈书〉形 健康；平安：全家
～|身体～。

【康熙】Kāngxī 名 清圣祖(爱新觉罗·玄
烨)年号(公元 1662—1722)。

【康庄大道】kāngzhuāng-dàdào 宽阔平
坦的大路，比喻光明幸福的前途。

塱 kāng 盛塱镇(Shèngkāngzhèn)，地
名，在湖北。

慷(忼) kāng 见下。

【慷慨】kāngkǎi 形 ❶ 充满正气，情绪激
昂：～陈词。❷ 不吝惜：～无私的援助|
～解囊(毫不吝啬地拿出钱来帮助别人)。

【慷慨激昂】kāngkǎi jī'áng 形容情绪、语
调激动昂扬而充满正气。也说激昂慷慨。

楝 kāng 见 813 页〖椰楝〗。

糠(糠) kāng ❶ 名 稻、谷子等作物
子实的皮或壳(多指脱下来
的)：米～|～菜半年粮(形容生活贫困)。
❷ 形 发空，质地松而不实(多指萝卜因失
掉水分而中空)：～心儿|萝卜～了。

【糠秕】kāngbǐ 名 秕糠。

【糠醛】kāngquán 名 有机化合物，化学式

$C_4H_3O \cdot CHO$。无色液体，用稻糠、玉米
心、花生壳等为原料经水解后制成。是制
造塑料、合成纤维、合成橡胶、药物等的原
料。

鱇(鱇) kāng 见 9 页〖鮟鱇〗。

káng （ㄎㄤ）

扛 káng 动 ❶ 用肩膀承担物体：～枪|
～着锄头◇这个任务你一定要～起来。
❷〈口〉支撑；忍耐：冷得～不住了。

另见 446 页 gāng。

【扛长工】káng chánggōng 做长工；扛活。
也说扛长活。

【扛长活】káng chánghuó 扛长工。

【扛大个儿】káng dàgèr〈方〉指在码头、车
站上用人力搬运重东西：～的。

【扛活】káng∥huó 动 指给地主或富农当
长工。

kàng （ㄎㄤˋ）

亢 kàng ❶ 高：高～。❷ 高傲：不～不
卑。❸ 过度；极；很：～旱|～奋。❹
二十八宿之一。❺(Kàng)名姓。

另见 539 页 háng。

【亢奋】kàngfèn 形 极度兴奋：精神～。

【亢旱】kànghàn 形 长久不下雨，干旱情
形严重；大旱。

【亢进】kàngjìn 动 生理机能超过正常的
情况。如胃肠蠕动亢进、甲状腺功能亢进
等。

伉 kàng ❶〈书〉对等；相称(指配偶)：
～俪。❷〈书〉高大。❸(Kàng)名
姓。

【伉俪】kànglì〈书〉名 夫妻：～之情。

抗 kàng ❶ 动 抵抗；抵挡：顽～|～灾|
～日战争|皮大衣旧点儿没关系，只要
能挡风、冻就行。❷ 拒绝；抗拒：～命|～
税。❸ 对等：～衡|分庭～礼。❹(Kàng)
名姓。

【抗暴】kàngbào 动 抵抗和反击暴力的压
迫：～斗争。

【抗辩】kàngbiàn 动 不接受责难而作辩

护。

【抗毒素】kàngdúsù 名 外毒素（某些致病菌分泌的毒性物质）侵入后，机体内所产生的能中和外毒素的物质。

【抗法】kàngfǎ 动 抗拒法令、法规和法律裁决的执行：暴力～。

【抗旱】kàng∥hàn 动 在天旱时，采取措施使农作物不受或少受损害：积极～。

【抗衡】kànghéng 动 对抗，不相上下：对方实力强大，无法与之～。

【抗洪】kàng∥hóng 动 发生洪水时，采取措施避免造成严重灾害：～救灾。

【抗婚】kànghūn 动 抗拒包办的婚姻。

【抗击】kàngjī 动 抵抗并且反击：～敌人。

【抗拒】kàngjù 动 抵抗和拒绝：～命令。

【抗捐】kàng∥juān 动 拒绝交纳捐税。

【抗菌素】kàngjūnsù 名 抗生素的旧称。

【抗涝】kàng∥lào 动 在雨水过多时，采取措施使农作物不受或少受损害：做好防汛～工作。

【抗命】kàngmìng 动 拒绝接受命令。

【抗日战争】Kàng Rì Zhànzhēng 中国人民抗击日本帝国主义侵略的民族解放战争，从1937年7月7日日寇向我国北平（今北京）西南卢沟桥驻防的军队进攻起，到1945年8月15日日本无条件投降止。

【抗生素】kàngshēngsù 名 某些微生物或动植物所产生的能抑制或杀灭其他微生物的化学物质。如抗菌用的青霉素、链霉素、红霉素、头孢拉定，抗肿瘤用的丝裂霉素，抑制免疫的环孢素等。多用来治疗人或禽畜的传染病。也用作催肥剂、消毒剂、杀虫剂等。旧称抗菌素。

【抗税】kàng∥shuì 动 拒绝履行纳税义务。

【抗诉】kàngsù 动 检察院对法院的判决或裁定提出重新审理的诉讼要求。

【抗体】kàngtǐ 名 人和动物的血清中，由于病菌或病毒的侵入而产生的具有免疫功能的蛋白质。抗体只能跟相应的抗原起作用，如伤寒患者体内所产生的抗体只能对伤寒杆菌起作用。

【抗性】kàngxìng 名 植物抵抗外界不良环境的能力，如有的作物耐干旱，有的作物能抵抗某些害虫为害等。

【抗药性】kàngyàoxìng 名 某些病菌或病毒在含有药物的人和动物体内逐渐产生抵抗药物的能力，使药物失去原有的效力，这种特性叫抗药性。如结核杆菌对链霉素能很快产生抗药性。

【抗议】kàngyì 动 对某人、某团体、某国家的言论、行为、措施等表示强烈的反对：提出～｜举行～示威。

【抗御】kàngyù 动 抵抗和防御：～外侮｜～灾害。

【抗原】kàngyuán 名 进入人和动物体的血液中能使血清产生抗体并与抗体发生化学反应的有机物质。一定种类的抗原只能促使血清中产生相应的抗体。

【抗灾】kàng∥zāi 动 灾害发生时，采取措施减轻灾害造成的损失。

【抗战】kàngzhàn ❶ 动 进行抵抗外国侵略的战争：英勇～。❷ 名 特指我国1937—1945年反抗日本帝国主义侵略的战争。

【抗震】kàngzhèn 动 ❶（建筑物、机器、仪表等）具有承受震动的性能。❷ 对破坏性地震采取各种防御措施，尽量减轻生命财产的损失。

【抗争】kàngzhēng 动 对抗；斗争：据理～。

囥　kàng〈方〉动 藏(cáng)。

闶(閌)　kàng〈书〉高大。
另见763页kāng。

炕　kàng ❶ 名 北方人用土坯或砖砌成的睡觉用的长方台，上面铺席，下面有孔道，跟烟囱相通，可以烧火取暖。❷〈方〉动 烤：白薯还在炉子边上～着呢｜把湿裤子在热炕头上～一～。

【炕梢】kàngshāo（～儿）名 炕离烧火的地方远的一头。

【炕头】kàngtóu（～儿）名 炕离烧火的地方近的一头：热～。

【炕席】kàngxí 名 铺炕的席。

【炕桌儿】kàngzhuōr 名 放在炕上使用的矮小桌子。

钪(鈧)　kàng 名 金属元素，符号Sc（scandium）。是一种稀土元素。银白色，质软。用来制特种玻璃、轻质耐高温合金等。

kāo（ㄎㄠ）

尻　kāo 古书上指屁股。

kǎo （ㄎㄠˇ）

考¹（攷） kǎo ❶ 动 提出难解的问题让对方回答：～问｜～～妈妈｜他被我～住了。❷ 动 考试：期～｜他～上大学了。❸ 检查：～察｜～勤。❹ 推求；研究：～古｜～证。

考² kǎo ❶〈书〉(死去的)父亲：先～｜～妣。❷ (Kǎo)名 姓。

【考妣】kǎobǐ〈书〉名 (死去的)父亲和母亲：如丧～(像死了父母一样的伤心和着急)。

【考博】kǎo//bó 动 通过考试以取得博士研究生入学的资格。

【考查】kǎochá 动 用一定的标准来检查衡量(行为、活动)：～学生的学业成绩。

【考察】kǎochá ❶ 动 实地观察调查：他们到各地～水利工程。❷ 细致深刻地观察：进行科学研究，必须勤于～和思索，才能有成就。

【考场】kǎochǎng 名 举行考试的场所。

【考点】kǎodiǎn 名 进行大型考试时设置的考试地点：今年高考全市共设二十多个～，三百个考场。

【考订】kǎodìng 动 考据订正。

【考分】kǎofēn （～儿）名 考试后评定的分数。

【考风】kǎofēng 名 考试的风气：严肃～考纪。

【考古】kǎogǔ ❶ 动 根据古代的遗迹、遗物和文献研究古代历史。❷ 名 指考古学。

【考古学】kǎogǔxué 名 根据发掘出来的或古代留传下来的遗物和遗迹来研究古代历史的学科。

【考官】kǎoguān 名 旧时政府举行考试时担任出题、监考、阅卷等工作的官员，现也泛指在招生、招工或招干中负责考试工作的人。

【考核】kǎohé 动 考查审核：定期～｜～干部。

【考级】kǎo//jí 动 参加某一专业或技能的定级或晋级考试：英语～｜举办电子琴、手风琴的～活动。

【考纪】kǎojì 名 有关考试的纪律。

【考绩】kǎojì ❶ 动 考核工作人员的成绩。❷ 名 考核的成绩：～优秀。

【考究】kǎo•jiu ❶ 动 查考；研究：这问题很值得～。❷ 动 讲究①：衣服只要穿着暖和就行，不必多去～。❸ 形 精美：这本书的装帧很～。

【考据】kǎojù 动 考证。

【考卷】kǎojuàn 名 试卷。

【考量】kǎo•liáng 动 考虑；思量：这件事我已经～过了，就照你的意思办吧。

【考虑】kǎolǜ 动 思索问题，以便做出决定：这个问题让我～一下再答复你｜你这么做，有点儿欠～。

【考聘】kǎopìn 动 考核聘用：全院医生都是经过～上岗的。

【考评】kǎopíng 动 考核评议：通过～决定干部的聘任｜主管部门要定期对企业进行～。

【考期】kǎoqī 名 考试的日期。

【考勤】kǎoqín 动 考查工作或学习的出勤情况：～簿。

【考求】kǎoqiú 动 探索；探求：～真谛。

【考区】kǎoqū 名 统考中分区考试时设置考场的地区。

【考取】kǎo//qǔ 动 报考被录取：他～了师范大学。

【考任】kǎorèn 动 通过考试选拔任用。

【考生】kǎoshēng 名 报名并参加招生、招工、招干等考试的人。

【考试】kǎo//shì 动 通过书面或口头提问等方式，考查知识或技能。

【考释】kǎoshì 动 考证并解释：古文字～。

【考题】kǎotí 名 考试的题目。

【考问】kǎowèn 动 提出难解的问题让对方回答：我～～你｜我被他～住了。

【考学】kǎo//xué 动 通过考试以取得进入高一级学校学习的资格。

【考研】kǎo//yán 动 通过考试以取得研究生入学的资格，特指通过考试以取得硕士研究生入学的资格。

【考验】kǎoyàn 动 通过具体事件、行动或困难环境来检验(是否坚定、忠诚或正确等)：革命战争～了他｜我们的队伍是一支久经～的队伍。

【考语】kǎoyǔ 名 旧时指对公职人员的工作或其他方面的表现所做的评语。

【考证】kǎozhèng 动 研究文献或历史问

题时,根据资料来考核、证实和说明。

拷[1] kǎo 拷打:～问。

拷[2] kǎo 〔动〕拷贝②:把那份文件～下来。

【拷贝】kǎobèi ❶〔名〕用拍摄成的电影底片洗印来供放映用的胶片。也叫正片。❷〔动〕复制(音像制品、计算机文件等)。❸〔名〕复制出的音像制品和计算机文件等。[英 copy]

【拷绸】kǎochóu 〔名〕黑胶绸。

【拷打】kǎodǎ 〔动〕打(指用刑):严刑～。

【拷纱】kǎoshā 〔名〕香云纱。

【拷问】kǎowèn 〔动〕拷打审问。

栲 kǎo 〔名〕栲树,常绿乔木,叶子长椭圆形,壳斗近球形,表面有短刺。木材致密,供建筑等用,树皮、壳斗含鞣酸,可以制染料和栲胶。

【栲栳】kǎolǎo 〔名〕用柳条编成的容器,形状像斗。也作筹斗。也叫笆斗(bādǒu)。

烤 kǎo ❶〔动〕将物体挨近火使熟或干燥:～肉|～白薯|把湿衣裳～干。❷将身体挨近火取暖:～火。

【烤电】kǎo//diàn 〔动〕指利用高频电流使人体患部位受热来进行治疗。

【烤麸】kǎofū 〔名〕食品,用面筋加调料蒸煮制成。

【烤火】kǎo//huǒ 〔动〕靠近火取暖:坐在炉旁～。

【烤箱】kǎoxiāng 〔名〕用来烘烤食物等的箱形装置。

【烤鸭】kǎoyā 〔名〕挂在特制的炉子里烤熟的鸭子。

【烤烟】kǎoyān 〔名〕在特设的烤房中烤干的烟叶,颜色黄、弹性较大,是香烟的主要原料。也指制造烤烟的烟草。

筹 kǎo 〔筹斗〕(kǎolǎo)同"栲栳"。

kào (ㄎㄠ)

铐(銬) kào ❶〔名〕手铐:镣～|上～。❷〔动〕给人戴上手铐:把犯人～起来。

【铐子】kào·zi 〈方〉〔名〕手铐。

焅 kào 同"犒"。

犒 kào 犒劳:～赏|～师。

【犒劳】kào·láo ❶〔动〕用酒食等慰劳:～将士。❷〔名〕指慰劳的酒食等:吃～(享受犒劳)。

【犒赏】kàoshǎng 〔动〕犒劳赏赐:～三军。

靠[1] kào ❶〔动〕(人)坐着或站着时,让身体一部分重量由别人或物体支持着;倚靠:～枕|～垫|两人背～背坐着|～着椅子打盹儿。❷〔动〕(物体)凭借别的东西的支持立着或竖起来:扁担～在门背后|把梯子～在墙上。❸〔动〕接近;挨近:～拢|船～岸。❹〔动〕依靠:～劳动生活|学习全～自己的努力。❺信赖:可～|～得住。

靠[2] kào 〔名〕戏曲中古代武将所穿的铠甲:扎～。

【靠背】kàobèi 〔名〕椅子、沙发等供人背部倚靠的部分。

【靠边】kào//biān (～儿)❶〔动〕靠近边缘;靠到旁边:行人～走。❷〔形〕比喻近乎情理;挨边:这话说得还～儿。

【靠边儿站】kàobiānrzhàn 站到旁边去,比喻离开职位或失去权力(多指被迫的)。

【靠不住】kào·buzhù 〔形〕不可靠;不能相信:他这话～。

【靠得住】kào·dezhù 〔形〕可靠;可以相信:这个消息～吗?|这个人～,这件事就交他办吧。

【靠垫】kàodiàn 〔名〕半躺着或坐着时靠在腰后的垫子,例如沙发靠垫。

【靠近】kàojìn 〔动〕❶彼此间的距离近:他家～运河|～沙发的墙里有一个茶几。❷向一定目标运动,使彼此间的距离缩小:船慢慢地～码头了。

【靠拢】kàolǒng 〔动〕挨近;靠近:大家～一点儿。

【靠谱儿】kào//pǔr 〔形〕靠边②:他说话太不～。

【靠旗】kàoqí 〔名〕戏曲中扎靠的武将背后插的三角形绣旗。

【靠山】kàoshān 〔名〕比喻可以依靠的有力量的人或集体。

【靠山吃山,靠水吃水】kào shān chī shān, kào shuǐ chī shuǐ 比喻为了实现某种目的,充分利用周围现成的有利条件。

【靠手】kàoshǒu 〔名〕椅子边上的扶手。

【靠枕】kàozhěn 名 半躺半坐时靠在腰后的枕头。

【靠准】kào∥zhǔn (~儿)〈方〉形 可靠:这个消息不~|他很~,有要紧的事可以交给他办。

燆 kào 动 用微火使鱼、肉等菜肴的汤汁变浓或耗干。

kē (ㄎㄜ)

屼 kē [屼亩](kē·lā) 同"坷垃"。

坷 kē 见下。
另见 773 页 kě。

【坷垃】kē·lā 〈方〉名 土块:土~|打~。也作坷拉。

【坷拉】kē·lā 同"坷垃"。

苛 kē ❶ 形 苛刻;过于严厉:~求|对方提出的条件太~了。❷ 烦琐:~礼(烦琐的礼节)|~杂税。

【苛察】kēchá 〈书〉动 苛刻烦琐,显示精明。

【苛待】kēdài 动 苛刻地对待:~下级。

【苛捐杂税】kē juān zá shuì 指繁重的捐税。

【苛刻】kēkè 形 (条件、要求等)过高,过于严厉;刻薄:这个条件太~,接受不了。

【苛评】kēpíng 动 苛刻地评论:不必妄加~。

【苛求】kēqiú 动 过严地要求:不要~于人。

【苛细】kēxì 〈书〉形 苛刻烦琐。

【苛杂】kēzá 名 苛捐杂税:免除~。

【苛责】kēzé 动 过严地责备。

【苛政】kēzhèng 名 指残酷压迫、剥削人民的政治:~猛于虎。

匼 kē 匼河(Kēhé),地名,在山西。

呵 kē 呵叻(Kēlè),泰国地名。
另见 1 页 ā;2 页 á;2 页 ǎ;2 页 à;2 页 ·a"啊";547 页 hē。

珂 kē 〈书〉❶ 像玉的石头。❷ 马笼头上的装饰。

【珂罗版】kēluóbǎn 名 印刷上用的一种照相版,把要复制的字、画的底片,晒在涂过感光胶层的玻璃版上做成,多用于印制美术品。也作珂珑版。[英 collotype]

【珂珑版】kēluóbǎn 同"珂罗版"。

柯 kē ❶〈书〉草木的枝茎:枝~|交错~。❷〈书〉斧子的柄:斧~。❸ (Kē)名 姓。

【柯尔克孜族】Kē'ěrkèzīzú 名 我国少数民族之一,主要分布在新疆、黑龙江。

轲(軻) kē ❶ 用于人名,孟子,名轲,战国时人。❷ (Kē)名 姓。
另见 773 页 kě。

科¹ kē ❶ 名 学术或业务的类别:~目|文~|理~|专~|牙~|妇~。❷ 名 机关组织系统中按业务划分的单位(级别比处低,比股高):秘书~|财务~|总务处下面分三个~。❸ 科举考试,也指科举考试的科目:~场|登~|开~取士。❹ 科班:坐~|出~。❺ 名 生物学中把同一目的生物按照彼此相似的特征分为若干群,每一群叫一科,如松柏目分为松科、杉科、柏科等,鸡形目分为雉科、松鸡科等。科以下为属。❻ (Kē)名 姓。

科² kē 〈书〉❶ 法律条文:金~玉律|作奸犯~。❷ 判定(刑罚):~刑|~罪|~以罚金。

科³ kē 古典戏曲剧本中,指示角色表演动作时的用语,如笑科、饮酒科等。

【科白】kēbái 名 戏曲中角色的动作和道白。

【科班】kēbān (~儿)名 旧时招收儿童,培养成为戏曲演员的教学组织。常用来比喻正规的教育或训练:~出身。

【科场】kēchǎng 名 科举时代举行考试的场所。

【科处】kēchǔ 动 判决处罚:~徒刑|附加刑既可以单独使用,又可以与主刑合并~。

【科第】kēdì 名 科举制度考选官吏后备人员时,分科录取,每科按成绩排列等第,叫做科第。

【科幻】kēhuàn 名 科学幻想:~小说。

【科技】kējì 名 科学技术:高~|~信息|~工作者。

【科甲】kējiǎ 名 汉唐两代考选官吏后备人员分甲、乙等科,后因称科举为科甲:~出身(清代称考上进士、举人的人为科甲出身)。

【科教】kējiào 名 科学教育:~片|~战线。

【科教片儿】kējiàopiānr 〈口〉名 科教片儿。

【科教片】kējiàopiàn 名 科学教育影片的

简称。

【科教兴国】kējiào xīngguó 通过发展科学和教育来振兴国家。

【科举】kējǔ 名 从隋唐到清代朝廷通过分科考试选拔官吏的制度。唐代文科的科目很多,每年举行。明清两代文科只设进士一科,考八股文,武科考骑射、举重等武艺,每三年举行一次。

【科考】[1] kēkǎo 动 科学考察:深入南极腹地进行～。

【科考】[2] kēkǎo 〈书〉动 科举考试:上京～|～落第。

【科盲】kēmáng 名 指缺乏科学常识的人。

【科目】kēmù 名 ❶ 按事物的性质划分的类别(多指关于学术或账目的)。❷ 科举考试分科取士的名目。

【科普】kēpǔ 名 科学普及:～读物。

【科室】kēshì 名 企业或机关中管理部门的各科、各室的总称:～人员。

【科头跣足】kē tóu xiǎn zú 不戴帽子,不穿鞋袜,形容生活贫困或行为散漫不受拘束。

【科学】kēxué ❶ 名 反映自然、社会、思维等的客观规律的分科的知识体系。❷ 形 合乎科学的:～种田|这种说法不～|革命精神和～态度相结合。

【科学发展观】kēxué fāzhǎnguān 关于我国现阶段发展的符合科学的总体看法和根本观点,其基本内容为:坚持以人为本,通过统筹城乡发展、区域发展、经济社会发展、人与自然和谐发展、国内发展和对外开放等,实现全面、协调、可持续的发展。

【科学共产主义】kēxué gòngchǎn zhǔyì 科学社会主义。

【科学家】kēxuéjiā 名 从事科学研究工作有一定成就的人。

【科学教育影片】kēxué jiàoyù yǐngpiàn 介绍科学知识的影片。简称科教片。

【科学社会主义】kēxué shèhuì zhǔyì 马克思主义的三个组成部分之一。主张依靠工人阶级和革命人民实行无产阶级革命并建立无产阶级专政,从而建立取代资本主义社会形态的社会主义制度并最终实现共产主义理想的学说。马克思提出的唯物史观和剩余价值理论使社会主义从空想变成了科学。也叫科学共产主义。

【科学学】kēxuéxué 名 探索和研究现代科学的自身结构和演化规律,预测各个学科的发展趋势,为科学活动提供最佳决策和最佳管理的科学。

【科学院】kēxuéyuàn 名 规模较大的从事科学研究的机关,有综合性质的和专门性质的两种。

【科研】kēyán 动 科学研究:～计划|推广～成果。

牁 kē 牁牁(Zāngkē),古代郡名,在今贵州境内。

砢 kē [砢碜](kē·chen)〈方〉❶ 形 寒碜①②。❷ 动 寒碜③。

疴 kē (旧读ē)〈书〉病:沉～(长久而严重的病)|养～。

稞 kē 量 多用于植物:一～树|一～草|一～牡丹。

【稞儿】kēr 名 植株大小的程度:这稞花～小|拣～大的菜拔。

【稞子】kē·zi 〈方〉名 植物的茎和枝叶(多指庄稼的):青～|树～|玉米～长得很高。

颏(頦) kē 脸的最下部分,在嘴的下面。通称下巴或下巴颏儿。
另见 770 页 ké。

搕 kē 动 把东西向别的物体上碰,使附着的东西掉下来:把筐里的土～一～。

嗑 kē (～儿)〈方〉名 话,有时特指现成的话:唠～|他的嘴老不闲着,～真多。
另见 776 页 kè。

稞 kē [稞麦](kēmài)名 青稞。

窠 kē 名 鸟兽昆虫的窝:狗～|蜂～|鸟在树上做～。

【窠臼】kējiù 〈书〉名 现成格式;老套子(多指文章或其他艺术作品):不落～|作品摆脱前人～,独创一格。

榼 kē 古时盛酒的器具。

颗(顆) kē 量 多用于颗粒状的东西:一～珠子|一～子弹|一～牙齿|一～～汗珠子往下掉。

【颗粒】kēlì 名 ❶ 小而圆的东西:珍珠的～大小不一|这个玉米棒子上有多少～? ❷ (粮食)一颗一粒:～无收|精收细打,～归仓。

磕 kē 动 ❶ 碰在硬东西上:碗边儿～掉一块|脸上～破了块皮。❷ 磕打:～

烟袋锅子｜～掉鞋底的泥。

【磕巴】kē·ba 〈方〉❶ 动 口吃：说话～。
❷ 名 口吃的人。

【磕打】kē·da 动 把东西(主要是盛东西的器物)向地上或较硬的东西上碰,使附着的东西掉下来：他～了一下烟袋锅儿｜抽屉里的土太多,拿到外边去～～吧｜。

【磕磕绊绊】kē·kebànbàn 形 状态词。❶形容路不好走或腿脚有毛病而行走不灵便。❷ 形容事情遇到困难、挫折,不称心,不顺利。

【磕磕撞撞】kē·kezhuàngzhuàng 形 状态词。形容走路不稳、东倒西歪的样子。

【磕碰】kēpèng 动 ❶ 东西互相撞击：还是买几个塑料的盘子好,禁得起一｜这一箱瓷器没包装好,一路磕磕碰碰的,碎了不少。❷ 〈方〉人和东西相撞：衣架放在走廊里,晚上走路的时候总是～。❸ 比喻冲突：几家住在一个院子,有点～是难免的。

【磕碰儿】kē·pengr 〈方〉名 ❶ 器物上碰伤的痕迹：花瓶口上有个～。❷ 比喻挫折：不能遇到点～就泄气。

【磕头】kē//tóu 动 旧时的礼节,跪在地上,两手扶地,头近地或着地。

【磕头碰脑】kē tóu pèng nǎo ❶ 形容人多而相挤相碰或东西多而人跟东西相挤相碰：一大群人～地挤着看热闹。❷ 指经常碰见、往来：都住在一条胡同里,成天～的,低头不见抬头见。❸ 比喻发生冲突、闹矛盾：老人家热心肠,街坊四邻有个～的事,他都出面调停。

瞌 kē 见下。

【瞌铳】kē·chòng 〈方〉动 瞌睡：打～。

【瞌睡】kēshuì 动 由于困倦而进入睡眠或半睡眠状态；想睡觉：打～｜夜里没睡好,白天～得很。

【瞌睡虫】kēshuìchóng 名 ❶ 旧小说中指能使人打瞌睡的虫子。❷ 指爱打瞌睡的人(含讥讽意)。

蝌 kē ［蝌蚪](kēdǒu)名 蛙或蟾蜍等两栖动物的幼体,黑色,椭圆形,像小鱼,有鳃和尾巴。生活在水中,用尾巴运动,逐渐发育生出四肢,尾巴逐渐变短而消失,最后变成蛙或蟾蜍等。

髁 kē 名 骨头上的突起,多在骨头的两端。

ké (ㄎㄜˊ)

壳(殻) ké (～儿)〈口〉名 义同"壳"(qiào)：贝～｜脑～｜鸡蛋～儿｜子弹～儿。
另见 1100 页 qiào。

【壳郎猪】ké·langzhū 〈方〉名 架子猪。

咳 ké 动 咳嗽：干～｜百日～｜连～带喘。
另见 529 页 hāi。

【咳嗽】ké·sou 动 喉部或气管的黏膜受到刺激时迅速吸气,随即强烈地呼气,声带振动发声。咳嗽是保护性的反射动作,能清除呼吸道中的异物或分泌物,也是某些疾病的症状。

【咳血】ké//xiě 动 咯(kǎ)血。

揢 ké 〈方〉动 ❶ 卡住：抽屉～住了,拉不开｜这双鞋又小又瘦,穿着～脚。❷ 刁难：～人。

颏(頦) ké 见 563 页〖红点颏〗、810页〖蓝点颏〗。
另见 769 页 kē。

kě (ㄎㄜˇ)

可¹ kě ❶ 动 表示同意：许～｜认～｜不加～否。❷ 动 助动词。表示许可或可能,跟"可以"的意思相同：两～｜见｜牢不～破｜～大～小｜榆木～制家具。❸ 动 助动词。表示值得：～爱｜～贵｜这出戏～看。[注意]a) 多跟单音动词组合。b)"可"有表示被动的作用,整个组合是形容词性质,如"这孩子很可爱","他非常可靠"。唯有"可怜"表示被动的作用时,是形容词性质,如"这个人可怜"；表示主动的作用时,是动词性质,如"我很可怜她"。参看 989 页"能"条[注意]d、e 两项。❹〈书〉副 大约：年～二十｜长～七尺。❺〈方〉介 可着：～劲儿吃｜疼得他～地打滚儿。❻〔病〕好；痊愈(多见于早期白话)。❼(Kě)名 姓。

可² kě ❶ 连 表示转折,意思跟"可是"相同：虽然立春了,～天气还很冷。❷ 副 表示强调：她待人～好了,谁都喜欢她｜昨儿夜里的风～大了｜记着点儿,～别忘

了|大家的干劲～足了|你～来了,让我好等啊! ❸副 用在反问句里加强反问的语气:这件事我～怎么知道呢?|都这样说,～谁见过呢? ❹副 用在疑问句里加强疑问的语气:这件事他～愿意?|你～曾跟他谈过这个问题?

可³ kě 励 适合:～人意|这回倒～了他的心了。
另见 773 页 kè。

【可爱】kě'ài 形 令人喜爱:这孩子真～。

【可悲】kěbēi 形 令人悲伤;使人痛心:结局～。

【可比价格】kěbǐ-jiàgé 不变价格。

【可鄙】kěbǐ 形 令人鄙视:～的剽窃行为|损人利己是最～的。

【可不】kěbù 副 表示附和赞同对方的话:您老有七十岁了吧? ～,今年五月就整七十啦! 也说可不是。

【可操左券】kě cāo zuǒ quàn 古代称契约为券,用竹做成,分左右两片,立约的人各拿一片,左券常用作索偿的凭证。"可操左券"比喻成功有把握。

【可乘之机】kě chéng zhī jī 可以利用的机会。也说可乘之隙。

【可乘之隙】kě chéng zhī xì 可乘之机。

【可持续发展】kěchíxù fāzhǎn 指自然、经济、社会的协调统一发展,这种发展既能满足当代人的需求,又不损害后代人的长远利益。

【可耻】kěchǐ 形 应当认为羞耻:节约光荣、浪费～。

【可丁可卯】kě dīng kě mǎo (～儿)❶ 就着某个数量不多不少或就着某个范围不大不小:每月工资总是～,全部花光。❷ 指严格遵守制度,不通融:他办事～,从不给人开后门儿。‖也作可钉可铆。

【可钉可铆】kě dīng kě mǎo 同"可丁可卯"。

【可读性】kědúxìng 名 指书籍、文章等所具有的内容吸引人、文笔流畅等使人爱看的特性。

【可锻铸铁】kěduàn-zhùtiě 用白口铸铁经过热处理后制成的有韧性的铸铁。有较高的强度和可塑性,广泛应用于机器制造业。也叫马铁、玛钢。参看 1785 页〖铸铁〗。

【可歌可泣】kě gē kě qì 值得歌颂,使人感动得流泪,指悲壮的事迹使人非常感动。

【可更新资源】kěgēngxīn zīyuán 指通过天然作用或人工经营,在合理开发条件下,消耗速度和恢复速度达到平衡,能够为人类反复利用的各种自然资源,如土壤、水、动植物等。也叫可再生资源。

【可观】kěguān 形 ❶ 值得看:两岸峰峦青翠,花草丛生,风景着实～。❷ 指达到的程度比较高:规模～|三十万元这个数目也就很～了。

【可贵】kěguì 形 值得珍视或重视:难能～|～的品质|这种精神是十分～的。

【可好】kěhǎo 副 正好;恰巧:我正想找他,～他来了。

【可恨】kěhèn 形 令人痛恨;使人憎恨:他这是明知故犯,你说～不～?

【可见】kějiàn 连 承接上文,表示可以做出判断或结论:接连来了几次电话,～情况十分紧急。

【可见度】kějiàndù 名 物体能被正常目力看见的清晰程度。可见度的大小主要决定于光线的强弱及介质传播光线的能力。

【可见光】kějiànguāng 名 肉眼可以看见的光,即从红到紫的光波。参看 507 页"光"①。

【可敬】kějìng 形 值得尊敬:他为人正直,教学尽心尽力,是一位～的老师。

【可卡因】kěkǎyīn 名 药名,有机化合物,化学式 $C_{17}H_{21}O_4N$。白色晶体状粉末,有使血管收缩的作用,可以做局部麻醉药。[英 cocaine]

【可靠】kěkào 形 ❶ 可以信赖依靠:他忠诚老实,为人很～。❷ 真实可信:这个消息～不～?

【可可】kěkě 名 ❶ 可可树,常绿乔木,叶子卵形,花冠带黄色,花萼粉色,果实卵形,红色或黄色。种子炒熟制成粉可以做饮料,榨的油可供药用。产在热带地区。❷ 可可树种子制成的粉末。❸ 用可可树种子的粉做成的饮料。‖也译作蔻蔻(kòukòu)。[英 cocoa]

【可可儿的】kěkěr·de 〈方〉副 恰巧;不迟不早,正好赶上:我刚出门,～就遇着下雨。

【可口】kěkǒu (～儿)形 食品、饮料适合口味或冷热适宜:吃着家乡菜,觉得特别～。

【可兰经】Kělánjīng 名 古兰经。

【可乐】kělè 名 一种饮料,用可乐果树的

K

子实为原料加工配制而成,含二氧化碳,不含酒精、味甜,呈棕色。也指其他类似的饮料。[英 cola]

【可怜】kělián ❶〈形〉值得怜悯:他刚三岁就死了父母,真~! ❷〈动〉怜悯:对这种一贯做坏事的人,绝不能~。❸〈形〉(数量少或质量坏到)不值得一提:少得~|知识贫乏得~。

【可怜巴巴】kěliánbābā (~的)〈形〉状态词。形容可怜的样子:小姑娘又黄又瘦,~的|儿子眼里含着泪,~地瞅着他。

【可怜虫】kěliánchóng 〈名〉比喻可怜的人(含鄙视意)。

【可怜见】kěliánjiàn (~儿)〈口〉〈形〉值得怜悯:这孩子小小年纪就没了爹娘,怪~的。

【可能】kěnéng ❶〈形〉可以实现的;能成为事实的:~性|团结一切~团结的力量|提前完成任务是完全~的。❷〈名〉能成为事实的属性;可能性:根据需要和~安排工作|事情的发展不外有两种~。❸〈助动〉词。表示估计,不很确定:他~开会去了。

【可逆反应】kěnì-fǎnyìng 在一定条件下,既可向生成物方向进行,同时也可向反应物方向进行的化学反应。在化学方程式中常用⇌来表示。

【可怕】kěpà 〈形〉使人害怕:~的事情|后果不堪设想,实在~。

【可气】kěqì 〈形〉令人气愤:怎么说也不听,你说~不~!

【可巧】kěqiǎo 〈副〉恰好;凑巧:母亲正在念叨他,~他就来了。

【可亲】kěqīn 〈形〉使人愿意亲近:和蔼~。

【可取】kěqǔ 〈形〉可以采纳接受;值得学习或赞许:他的意见确有~之处|我认为临阵磨枪的做法不~。

【可圈可点】kě quān kě diǎn 文章精彩,值得加以圈点,形容表现好,值得肯定或赞扬:影片中男女主角的表演~。

【可燃冰】kěránbīng 〈名〉指天然气水合物结晶,外形像冰。是在海水低温和高压作用下形成的,可以燃烧。

【可人】kěrén 〈书〉❶〈名〉有长处可取的人;能干的人。❷〈名〉可爱的人;意中人。❸〈形〉可人意;使人满意:楚楚~|风味~。

【可身】kěshēn (~儿)〈方〉〈形〉可体:这件大衣长短、肥瘦都合适,穿着真~。

【可视电话】kěshì-diànhuà 既能通话,又能传送通话对方图像(或文字、图片等)的电话。

【可视性】kěshìxìng 〈名〉指影视作品等所具有的内容吸引人、使观众爱看的特性。

【可是】kěshì ❶〈连〉表示转折,前面常有“虽然”之类表示让步的连词呼应:大家虽然很累,~都很愉快。❷〈副〉真是;实在是:她家媳妇那个贤惠,~百里挑一。

【可塑性】kěsùxìng 〈名〉❶ 固体在外力作用下产生形变并保持形变的性质,多指胶泥、塑料、大部分金属等在常温下或加热后能改变形状的特性。❷ 生物体在不同的生活环境影响下,某些性质能发生变化,逐渐形成新类型的特性。

【可叹】kětàn 〈形〉令人叹息;令人感叹。

【可体】kětǐ 〈形〉衣服的尺寸跟身材正好合适;合身。

【可望】kěwàng 〈动〉可以指望;有希望:今年粮食~获得丰收。

【可望而不可即】kě wàng ér bù kě jí 只能够望见而不能够接近,形容看来可以实现而实际难以实现。

【可谓】kěwèi 〈书〉〈动〉可以说。

【可恶】kěwù 〈形〉令人厌恶,使人恼恨:在别人背后搬弄是非,~透了。

【可吸入颗粒物】kěxīrù kēlìwù 飘浮在空气中的可被人吸入呼吸器官的极微小颗粒。

【可惜】kěxī 〈形〉令人惋惜:机会难得,错过了实在~。

【可惜了儿的】kěxīliǎor·de 〈方〉〈形〉令人惋惜:材料白白糟蹋了,怪~。

【可喜】kěxǐ 〈形〉令人高兴;值得欣喜:取得了~的进步。

【可想而知】kě xiǎng ér zhī 能够经过推想而知道;可以想见。

【可笑】kěxiào 〈形〉❶ 令人耻笑:荒唐~。❷ 引人发笑:滑稽~|说到~的地方,连他自己也忍不住笑了起来。

【可心】kě∥xīn 〈形〉恰合心愿;合意:~如意|买了件~的皮夹克。

【可信度】kěxìndù 〈名〉值得信赖的程度:提高~。

【可行】kěxíng 〈形〉行得通;可以实行:方案切实~。

【可行性】kěxíngxìng 〈名〉指(方案、计划等)所具备的可以实施的特性:设计方案需要进行～论证。

【可疑】kěyí 〔形〕值得怀疑：形迹～。

【可以】[1] kěyǐ 〔助〕助动词。❶ 表示可能或能够：不会的事情,用心去学,是～学会的｜这片麦子已经熟了,～割了。❷ 表示许可：你～走了。参看 989 页"能"条〔注意〕d、e 两项。

【可以】[2] kěyǐ 〈口〉〔形〕❶ 好；不坏：过得去：这篇文章写得还～。❷ 厉害：你这张嘴真～｜天气实在热得～。

【可意】kě//yì 〔形〕可心；如意：这套房子你觉得还～吗？

【可再生资源】kězàishēng zīyuán 〔名〕可更新资源。

【可憎】kězēng 〔形〕令人厌恶；可恨：面目～。

【可着】kě·zhe 〈口〉〔介〕表示在某个范围内达到最大限度；尽(jǐn)着：～劲儿干｜～嗓子叫唤｜～这块布料,能做什么就做什么。

【可知论】kězhīlùn 〔名〕主张世界是可以认识的哲学学说。

坷 kě 见 762 页〖坎坷〗。
另见 768 页 kē。

岢 kě 岢岚(Kělán),地名,在山西。

轲(軻) kě 见 762 页〖轹轲〗。
另见 768 页 kē。

渴 kě ❶〔形〕口干想喝水：解～｜又～又饿｜临～掘井。❷ 迫切地：～望｜～念。❸ (Kě)〔名〕姓。

【渴慕】kěmù 〔动〕非常思慕：～已久｜大家怀着～的心情访问了这位劳动模范。

【渴念】kěniàn 〔动〕渴想：～远方的亲人。

【渴盼】kěpàn 〔动〕迫切地盼望：离散几十年的亲人～早日团圆。

【渴求】kěqiú 〔动〕迫切地要求或追求：～进步。

【渴望】kěwàng 〔动〕迫切地希望：～和平｜同学们都～着和这位作家见面。

【渴想】kěxiǎng 〔动〕非常想念。

kè （ㄎㄜˋ）

可 kè 〖可汗〗(kèhán)〔名〕古代鲜卑、突厥、回纥、蒙古等族最高统治者的称号。

另见 770 页 kě。

克[1] (❸❹剋尅) kè ❶ 能：～勤～俭｜不～分身。❷ 克服；克制：～己以柔～刚。❸ 攻下据点；战胜：～复｜～敌｜攻必～。❹ 消化：～食｜～化。❺ (Kè)〔名〕姓。

克[2] (剋、尅) kè 严格限定(期限)：～期｜～日。

克[3] kè 〔量〕质量或重量单位,符号 g。1 克等于 1 千克(公斤)的千分之一。〔法 gramme〕

克[4] kè 〔量〕❶ 藏族地区容量单位,1 克青稞约重 25 市斤。❷ 藏族地区面积单位,播种 1 克(约 25 市斤)种子的土地称为 1 克地,1 克约合 1 市亩。
"剋(尅)"另见 776 页 kēi。

【克敌制胜】kè dí zhì shèng 打败敌人,取得胜利。

【克服】kèfú 〔动〕❶ 用坚强的意志和力量战胜(缺点、错误、坏现象、不利条件等)：～急躁情绪｜～不良习气｜群策群力,～重重困难。❷〈口〉克制；忍受(困难)：这儿的生活条件不太好,请将就～一下。

【克复】kèfù 〔动〕经过战斗而夺回(被敌人占领的地方)：～失地。

【克格勃】Kègébó 〔名〕原苏联"国家安全委员会"的俄文(Комитет государственной безопасности)缩写(КГБ)的音译。也指克格勃的人员。

【克化】kèhuà 〈方〉〔动〕消化(食物)。

【克己】kèjǐ ❶〔动〕克制自己的私心；对自己要求严格：～奉公。❷〔形〕商店自称货价便宜,不多赚钱。❸〔形〕节俭；俭省：自奉～。

【克己奉公】kè jǐ fèng gōng 严格要求自己,奉行公事。

【克扣】kèkòu 〔动〕私自扣减应该发给别人的财物：～工钱。

【克拉】kèlā 〔量〕宝石的质量或重量单位,符号 k。1 克拉等于 0.2 克。〔法 carat〕

【克朗】kèlǎng 〔名〕瑞典、挪威、冰岛、丹麦等国家的本位货币。

【克里姆林宫】Kèlǐmǔlín Gōng 〔名〕俄国沙皇的宫殿,在莫斯科市中心。十月革命后是苏联最高党政机关的所在地,现俄罗斯联邦政府设在这里。常用作苏联和现俄罗斯联邦官方的代称。〔英 Kremlin,从

俄 Кремль]

【克隆】kèlóng 动❶生物体通过体细胞进行无性繁殖,复制出遗传性状完全相同的生命物质或生命体。❷比喻复制(强调跟原来的一模一样)。[英 clone]

【克期】(刻期)kèqī 约定或限定日期:～完工|～送达。

【克勤克俭】kè qín kè jiǎn 既能勤劳,又能节俭:～是我国人民的优良传统。

【克日】(刻日)kèrì 副 克期:～动工。

【克食】kèshí 动 帮助消化食物:山楂能～。

【克星】kèxīng 名 迷信的人用五行相生相克的道理推论,认为有些人的命运是相克的,把相克的人叫做克星。现多用来比喻能对某种对象起制伏作用的人或事物:猫头鹰是鼠类的～。

【克制】kèzhì 动 抑制(多指情感):采取～的态度|他很能～自己的情感,冷静地处理问题。

刻 kè ❶动 用刀子在竹、木、玉、石、金属等物品上雕成花纹、文字:雕～|篆～|～石|～字|～图章。❷量 古代用漏壶计时,一昼夜共一百刻。参看 883 页【漏壶】。❸量 用钟表计时,以十五分钟为一刻:下午五点一～开车。❹时间:顷～|立～|即～|此～。❺形容程度极深:深～|～苦。❻刻薄:尖～|苛～。❼同"克²"。

【刻板】kèbǎn ❶动 在木板或金属板上刻字或图(或用化学方法腐蚀而成),使成为印刷用的底版。也作刻版。❷形 比喻死板没有变化:表情～|别人的经验是应该学习的,但是不能一地照搬。

【刻版】kèbǎn 同"刻板"①。

【刻本】kèběn 名 用木刻版印成的书籍:宋～。

【刻薄】kèbó 形 (待人、说话)冷酷无情;过分苛求:尖酸～|待人～。

【刻不容缓】kè bù róng huǎn 片刻也不能拖延,形容形势紧迫。

【刻毒】kèdú 形 刻薄狠毒:为人～|～的语言。

【刻度】kèdù 名 量具、仪表等上面刻画的表示量(如尺寸、温度、电压等)的大小的条纹。

【刻工】kègōng 名 ❶ 雕刻的技术:～精

细。❷ 从事雕刻工作的工人。

【刻骨】kègǔ 形 比喻感念或仇恨很深,牢记不忘:～铭心|～的仇恨。

【刻骨铭心】kè gǔ míng xīn 比喻牢记在心上,永远不忘。也说镂骨铭心、铭心刻骨。

【刻画】kèhuà 动 ❶ 刻或画:不得在古建筑物上～。❷ 用文字描写或用其他艺术手段表现(人物的形象、性格):～入微|鲁迅先生成功地～了阿 Q 这个形象。

【刻苦】kèkǔ 形 ❶ 肯下苦工夫;很能吃苦:～钻研|学习～。❷ 俭朴:他生活一向很～。

【刻录机】kèlùjī 名 光盘刻录机的简称。

【刻期】kèqī 见 774 页【克期】。

【刻日】kèrì 见 774 页【克日】。

【刻丝】kèsī 同"缂丝"。

【刻下】kèxià 名 目前;眼下:～家里有事,暂时不能离开。

【刻写】kèxiě 动 把蜡纸铺在誊写钢版上用铁笔书写:～蜡纸。

【刻意】kèyì 副 用尽心思:～求工|～经营。

【刻舟求剑】kè zhōu qiú jiàn 楚国有个人过江时把剑掉在水里,他在船帮上剑落的地方刻上记号,等船停下,从刻记号的地方下水找剑,结果自然找不到(见于《吕氏春秋·慎大览·察今》)。比喻拘泥成例,不知道跟着情势的变化而改变看法或办法。

恪 kè 〈书〉谨慎而恭敬:～守|～遵。

【恪尽职守】kè jìn zhí shǒu 谨慎认真地做好本职工作:每个公务员都应该～。

【恪守】kèshǒu 〈书〉动 严格遵守:～中立|～不渝。

客 kè ❶名 客人(跟"主"相对):宾～|请～|会～|家里来～了。❷旅客:车～|～店。❸寄居或迁居外地:～居|～籍|作～他乡。❹客商:珠宝～。❺顾客:乘～～满。❻对某些奔走各地从事某种活动的人的称呼:说～|政～|侠～。❼非本地区或非本单位、非本行业的;外来的:～队|～座|～串。❽在人类意识外独立存在的:～观|～体。❾〈方〉量 用于论份儿出售的食品、饮料:一～蛋炒饭|三～冰激凌。❿(Kè)名 姓。

【客舱】kècāng 名 船或飞机中用于载运

旅客的舱。

【客场】kèchǎng 名 体育比赛中,主队所在的场地对客队来说叫客场。

【客车】kèchē 名 铁路、公路上载运旅客用的车辆。铁路上的客车还包括餐车、邮车和行李车。

【客串】kèchuàn 动 非专业演员临时参加专业剧团演出,也指非本地或本单位的演员临时参加演出。

【客店】kèdiàn 名 规模小设备简陋的旅馆。

【客队】kèduì 名 体育比赛中,被邀请或按赛程前来参加比赛的外单位或外地、外国的运动队叫客队。

【客饭】kèfàn 名 ❶ 机关团体的食堂里临时给来客开的饭。❷ 饭馆、火车、轮船等处论份儿卖的饭。

【客房】kèfáng 名 供旅客或来客住宿的房间。

【客观】kèguān 形 ❶ 属性词。在意识之外,不依赖主观意识而存在的(跟"主观"相对,下同):～存在|～事物|～规律。❷ 按照事物的本来面目去考察,不加个人偏见:他看问题比较~。

【客观唯心主义】kèguān wéixīn zhǔyì 唯心主义的一个派别,主张有不依赖人的意识而存在的"精神"或"理",认为物质世界是这种"精神"或"理"的体现或产物。

【客官】kèguān 名 旧时店家、船家等对顾客、旅客的尊称。

【客户】kèhù 名 ❶ 旧时指外地迁来的住户。❷ 工商企业或经纪人称来往的主顾;商:这次展销的新产品受到国内外~的欢迎。

【客机】kèjī 名 载运旅客的飞机。

【客籍】kèjí 名 ❶ 寄居的籍贯(区别于"原籍")。❷ 寄居本地的外地人。

【客家】Kèjiā 名 指在4世纪初(西晋末年)、9世纪末(唐朝末年)和13世纪初(南宋末年)从黄河流域逐渐迁徙到南方的汉人,现在分布在广东、福建、广西、江西、湖南、台湾等省区。

【客家话】kèjiāhuà 名 汉语方言之一,分布在广东、福建、广西、江西、湖南、台湾省区。

【客居】kèjū 动 在外地居住;旅居:二十岁时告别故乡,以后一直~成都。

【客流】kèliú 名 ❶ 运输部门指在一定时间内,向一定方向流动的旅客。❷ 商业部门指在一定时间内进出商场的顾客。

【客轮】kèlún 名 载运旅客的轮船。

【客票】kèpiào 名 旅客乘火车、飞机、轮船等的票。

【客气】kè·qi ❶ 形 对人谦让、有礼貌:说话挺～|不～地回绝了他。❷ 动 说客气的话;做客气的动作:您坐,别~|他～了一番,把礼物收下了。

【客卿】kèqīng 名 古代指在本国做官的其他诸侯国的人。

【客人】kè·rén 名 ❶ 被邀请受招待的人;为了交际或事务的目的来探访的人(跟"主人"相对)。❷ 旅客。❸ 客商。

【客商】kèshāng 名 往来各地进行贸易的商人:过往～|各国～齐集广州交易会。

【客死】kèsǐ 〈书〉动 死在他乡或外国:～异域。

【客岁】kèsuì 〈书〉名 去年。

【客套】kètào ❶ 名 表示客气的套语:我们是老朋友,用不着讲～。❷ 动 说客气话:见了面,彼此～了几句。

【客套话】kètàohuà 名 表示客气的话,如"劳驾、借光、慢走、留步"等。

【客体】kètǐ 名 ❶ 哲学上指主体以外的客观事物,是主体认识和实践的对象。❷ 法律上指主体的权利和义务所指向的对象,包括物品、行为等。

【客厅】kètīng 名 接待客人用的房间。

【客土】kètǔ 名 ❶ 〈书〉寄居的地方;异乡:侨居～。❷ 为改良本处土壤而从别处移来的土。

【客位】kèwèi 名 宾客的席位,特指乘客、顾客等的席位。

【客星】kèxīng 名 我国古代指新星、彗星、超新星等。

【客姓】kèxìng 名 指聚族而居的村庄中外来户的姓,如王家庄中的张姓、李姓。

【客源】kèyuán 名 顾客、乘客、游客等的来源:扩大～|～锐减。

【客运】kèyùn 名 运输部门载运旅客的业务:增加车次,缓和～紧张状况。

【客栈】kèzhàn 名 设备简陋的旅馆,有的兼供客商堆货并代办转运。

【客座】kèzuò ❶ 名 宾客的座位。❷ 形 属性词。指应邀在外单位或外地、外国不定期讲学、演出等而不在编制的：～教授｜～演员｜～研究员。

课¹（課）kè 名❶ 有计划的分段教学：上～｜下～｜星期五下午没～。❷ 教学的科目：主～｜语文～｜这学期共有五门～。❸ 教学的时间单位：一节～。❹ 教材的段落：这本教科书共有二十五～。❺ 旧时某些机关、学校、工厂等按工作性质分设的行政单位：秘书～｜会计～。

课²（課）kè ❶ 旧指赋税：国～｜完粮交～。❷ 动 征收（赋税）：～税。

课³（課）kè 占卜的一种：起～｜卜～。

【课本】kèběn 名 教科书：数学～。

【课表】kèbiǎo 名 课程表。

【课程】kèchéng 名 学校教学的科目和进程：～表｜安排～。

【课间操】kèjiāncāo 名 学校在课间集体做的体操。

【课件】kèjiàn 名 一种辅助性教学工具，利用计算机将授课内容的文字、图形等制作成多媒体形式，可以在课堂上演示。

【课卷】kèjuàn 名 学生的书面作业。

【课目】kèmù 名❶ 课程的项目。❷ 军事训练中进行讲解和训练的项目。

【课时】kèshí 名 学时：我担任两班的语文课，每周共有十～。

【课室】kèshì 名 教室。

【课堂】kètáng 名 教室在用来进行教学活动时叫课堂，泛指进行各种教学活动的场所：～讨论｜～作业。

【课题】kètí 名 研究或讨论的主要问题或亟待解决的重大事项：科研～｜严重缺水给我们提出一个新～。

【课外】kèwài 名 学校上课以外的时间：～作业｜～活动｜～辅导。

【课文】kèwén 名 教科书中的正文（区别于注释和习题等）：朗读～。

【课业】kèyè 名 功课；学业：要好好用功，不可荒废～。

【课余】kèyú 名 上课时间以外的时间：～她喜欢唱唱歌，打打球｜丰富多彩的～生活。

氪 kè 名 气体元素，符号 Kr(Krypton-num)。无色无臭无味，大气中含量极少，化学性质不活泼。能吸收 X 射线，用作 X 射线的屏蔽材料。

骒（騍）kè 雌性的（骡、马）：～马。

缂（緙）kè [缂丝](kèsī)❶ 动 我国特有的一种丝织手工艺。织时先架好经线，按照底稿在上面描出图画或文字的轮廓，然后对照底稿的色彩，用小梭子引着各种颜色的纬线，断断续续地织出图画或文字，同时衣料或物品也一起织成。❷ 名 用缂丝法织成的衣料或物品。‖ 也作刻丝。

蚵（蚵）kè 同"嗑"。另见 1082 页 qiā。

嗑 kè 动 用上下门牙咬有壳的或硬的东西：～瓜子儿｜老鼠把箱子～破了。另见 769 页 kē。

锞（錁）kè 锞子：金～｜银～。

【锞子】kè·zi 名 旧时作货币用的小金锭或银锭。

溘 kè 〈书〉副 忽然；突然：～然｜～逝（称人突然去世）。

【溘然】kèrán 〈书〉副 忽然；突然：～长逝。

愙 kè 〈书〉同"恪"(kè)。

剋（尅）kēi 〈方〉动❶ 打；打架：挨了一顿～｜鼻青脸肿的｜吵着吵着，俩人动手～起来了。❷ 骂；申斥：你做错了事，妈妈～你几句还不应该吗？另见 773 页 kè"克"。

肯¹（肎）kěn 附着在骨头上的肉：中～｜～綮。

肯² kěn 动❶ 表示同意：首～｜我劝说了半天，他才～了。❷ 助动词。表示主观上乐意，表示接受要求：～虚心接受意见｜我请他来，他怎么也不～来。

【肯定】kěndìng ❶ 动 承认事物的存在或事物的真实性（跟"否定"相对）：～成绩

❷ 〔形〕属性词。表示承认的;正面的(跟"否定"相对):~判断|我们都赞成不赞成,他的回答是~的(=赞成)。❸ 〔形〕确定;明确:他今天来不来还不能~|请给我一个~的答复。❹ 〔副〕表示无疑问;必定:他~会同意|情况~是有利的。

【肯綮】kěnqìng 〈书〉〔名〕筋骨结合的地方,比喻事物的关键:深中~。

垦(墾) kěn 翻土;开垦(荒地):~地|~荒|~殖。

【垦荒】kěnhuāng 〔动〕开垦荒地。

【垦区】kěnqū 〔名〕规模较大的开荒生产的地区。

【垦殖】kěnzhí 〔动〕开垦荒地,进行生产:~场。

【垦种】kěnzhòng 〔动〕开垦种植:那里有大片可以~的沙荒地。

恳(懇) kěn ❶ 真诚;诚恳:~求|托|~谈|勤~。❷ 请求:转~|敬。

【恳切】kěnqiè 〔形〕诚恳而殷切:言辞~|情意~|~地希望得到大家的帮助。

【恳请】kěnqǐng 〔动〕诚恳地邀请或请求:~出席|~原谅。

【恳求】kěnqiú 〔动〕恳切地请求:我~他不要这样做。

【恳谈】kěntán 〔动〕恳切地交谈:~会。

【恳托】kěntuō 〔动〕恳切地托付:~你把这封信带给他。

【恳挚】kěnzhì 〔形〕(态度或言辞)诚恳真挚:~的期望|词意~动人。

啃 kěn 〔动〕一点儿一点儿地往下咬:~骨头|~老玉米◇~书本。

【啃青】kěnqīng 〈方〉〔动〕❶ 指庄稼未完全成熟就收下来吃。❷ 指牲畜吃青苗。

龈(齦) kěn 同"啃"。
另见 1626 页 yín。

kèn （ㄎㄣˋ）

掯 kèn 〈方〉❶ 〔动〕按;压:~住牛脖子。❷ 刁难;勒~。❸ 〔动〕(眼里)含;噙:~着泪花。

裉(裉) kèn 〔名〕上衣靠腋下的接缝部分:抬~(上衣从肩头到腋下的尺寸)|煞~(把裉缝上)。

坑 kēng ❶ (~儿)〔名〕洼下去的地方:泥~|弹~|刨个~儿|一个萝卜一个~。❷ 地洞;地道:~道|矿~。❸ 古时指活埋人:~杀|焚书~儒。❹ 〔动〕坑害:~人|她被人~了。❺ (Kēng)〔名〕姓。

【坑道】kēngdào 〔名〕❶ 开矿时在地下挖成的通道。❷ 互相连通的地下工事,用来进行战斗、隐蔽人员或储藏物资。

【坑害】kēnghài 〔动〕用狡诈、狠毒的手段使人受到损害:不法商人销售伪劣商品~消费者。

【坑井】kēngjǐng 〔名〕坑道和矿井。

【坑洼注洼】kēng·kengwāwā (~的)〔形〕状态词。形容地面或器物表面高一块低一块:路面~,车走在上面颠簸得厉害。

【坑蒙】kēngmēng 〔动〕坑害,蒙骗:以次充好,~顾客。

【坑木】kēngmù 〔名〕矿井里用作支柱的木料。

【坑农】kēngnóng 〔动〕坑害农民:打击出售伪劣化肥和种子的~行为。

【坑骗】kēngpiàn 〔动〕用欺骗的手段使人受到损害:有的小贩漫天要价,~外地游客。

【坑子】kēng·zi 〈口〉〔名〕坑 ①:水~。

吭 kēng 〔动〕出声;说话:一声不~|有什么需要帮忙的事儿,你就~一声。
另见 540 页 háng。

【吭哧】kēng·chi ❶ 〔拟声〕形容某些重浊的声音:马~~地喘着粗气|列车启动时发出~~的响声。❷ 〔动〕因用力而不自主地发出声音:他背起一麻袋粮食走着,嘴里直~◇他~了好几天才写出这篇文章。❸ 〔动〕形容说话吞吞吐吐:他~了半天我也没有听明白。

【吭气】kēng//qì (~儿)〔动〕吭声:我怕老人知道了着急,一直没敢~|不管你怎么追问,他就是不~。

【吭声】kēng//shēng (~儿)〔动〕出声;说话(多用于否定式):任凭她说什么你都别~|他受了很多累,可是从来也不吭一声。

砼(硁、硜) kēng 〈书〉〔拟声〕敲打石头的声音。

【砼砼】kēngkēng 〈书〉〔形〕形容浅薄固执

～自守|～之见(谦辞,称自己的见解)。

铿(鏗) kēng 拟声 形容响亮的声音:铁轮大车走在石头路上～～地响。

【铿锵】kēngqiāng 形 形容有节奏而响亮的声音:～悦耳|～有力的歌声|这首诗读起来音调～。

【铿然】kēngrán 〈书〉形 形容声音响亮有力:铃声～|溪水奔流,～有声。

kōng (ㄎㄨㄥ)

空 kōng ❶ 形 不包含什么;里面没有东西或没有内容;不切实际的:～箱子|～想|～谈|～话|把房子腾～了|操场上～无一人。❷ 天空:晴～|高～|当～|领～|中楼阁|对～射击。❸ 副 没有结果的;白白地:～忙|～跑一趟。❹ (Kōng)名 姓。

另见 782 页 kòng。

【空包弹】kōngbāodàn 名 一种没有弹头的枪弹或炮弹,通常用于礼炮或部队演习。

【空仓】kōng∥cāng 动 指投资者将所持有的证券等全部卖出,手中只有资金。

【空巢家庭】kōngcháo jiātíng 指子女长大成人离开后,只有老人单独生活的家庭。

【空城计】kōngchéngjì 名 小说《三国演义》中的故事。蜀将马谡失守街亭后,魏将司马懿率兵直逼西城,诸葛亮本无兵御敌,但沉着镇定,大开城门,自己在城楼上弹琴。司马懿怀疑设有埋伏,引兵退去。后来用"空城计"泛指掩饰力量空虚,骗过对方的策略。

【空乘】kōngchéng 名 ❶ 航空乘务,客机上为乘客服务的各种事务:～人员。❷ 指客机上的乘务员:一名男～。

【空挡】kōngdǎng 名 汽车或其他机器上,当从动齿轮与主动齿轮分离时机器的状态。

【空荡荡】kōngdàngdàng (～的)形 状态词。形容房屋、场地等很空:同学们都回家了,教室里～的|广场上～的,只有两个人。

【空洞】[1] kōngdòng 名 物体内部的窟窿,

如铸件里的砂眼、肺结核病人肺部形成的窟窿等。

【空洞】[2] kōngdòng 形 没有内容或内容不切实际:～无物|～的说教。

【空洞洞】(～的)形 状态词。形容房屋、洞穴等很空,没有人或没有东西:房间里～的,连张桌子也没有。

【空乏】kōngfá 形 ❶ 穷困。❷ 空洞乏味:内容～。

【空翻】kōngfān 名 一种体操动作,身体腾空向前、向后或向侧面翻转一周或一周以上。

【空泛】kōngfàn 形 内容空洞浮泛,不着边际:～的议论|八股文语言干瘪,内容～。

【空房】kōngfáng 名 ❶ 没放东西或无人居住的房子。❷ 见 1257 页〖守空房〗。

【空腹】kōngfù 动 空着肚子,没有吃东西:～抽血化验。

【空港】kōnggǎng 名 航空港的简称。

【空谷足音】kōng gǔ zú yīn 在空寂的山谷里听到人的脚步声(语本《庄子·徐无鬼》:"夫逃虚空者…闻人足音跫然而喜矣")。比喻难得的音信、言论或事物。

【空喊】kōnghǎn 动 只是口头上叫嚷,并无实际行动:～口号。

【空耗】kōnghào 动 白白地消耗:～时间|～精力。

【空话】kōnghuà 名 内容空洞或不能实现的话:～连篇|说～解决不了实际问题。

【空怀】kōnghuái 动 适龄的母畜交配或人工授精后没有怀孕。

【空幻】kōnghuàn 形 空虚而不真实;虚幻。

【空际】kōngjì 名 空中:山顶的纪念碑高耸～|广场上掌声和欢呼声回荡在～。

【空寂】kōngjì 形 空旷而寂静;寂寥:～的山野|湖岸～无人。

【空架子】kōngjià·zi 名 只有形式或外表,没有实际内容的东西(多指文章、组织机构等)。

【空间】kōngjiān 名 物质存在的一种客观形式,由长度、宽度、高度表现出来,是物质存在的广延性和伸张性的表现:三维～。

【空间波】kōngjiānbō 名 从发射点在空间直线传播到达接收点的无线电波。

【空间技术】kōngjiān jìshù 探索、开发、利

用宇宙空间以及地球以外天体的综合性工程技术。其中包括运载工具和宇航器的设计、制造、试验、发射、运行、返回等全过程中的各有关技术。也叫宇航技术。

【空间科学】kōngjiān kēxué 研究地球系统、太阳系、银河系、局部宇宙、生命物质起源等自然现象及其规律的科学。主要包括空间物理学、空间化学、空间地质学、空间生命科学、空间天文学等。

【空间通信】kōngjiān tōngxìn 以人造卫星、宇宙飞船或星体为对象的无线电通信。包括卫星通信、空间站与地面站的通信以及空间站之间的通信等。

【空间站】kōngjiānzhàn 名❶一种在地球卫星轨道上航行的载人航天器，设置有通信、计算等设备，能够进行天文、生物和空间加工等方面的科学技术研究。❷设置在月球、行星或宇宙飞船等上面的空间通信设施。‖也叫航天站。

【空降】kōngjiàng 动 利用飞机、直升机、降落伞由空中着陆：～部队。

【空降兵】kōngjiàngbīng 名 空降作战的兵种，能够空降到敌方阵地上或敌人后方作战。也称这一兵种的士兵。

【空姐】kōngjiě 名 空中小姐的简称。

【空警】kōngjǐng 名 空中警察的简称。

【空军】kōngjūn 名 在空中作战的军队，通常由各种航空兵部队和空军地面部队组成。

【空空如也】kōngkōng rú yě 空空的什么也没有（语出《论语·子罕》）：有些人喜欢夸夸其谈，其实肚子里却是～。

【空口】kōngkǒu 副❶不就饭或酒（而吃菜蔬或果品）；不就菜蔬或果品（而吃饭、饮酒）。❷不拿出事实或采取措施，只是嘴说：光～说不行，得真抓实干。

【空口说白话】kōngkǒu shuō bái huà 形容光说不做，或只是嘴说而没有事实证明。

【空口无凭】kōng kǒu wú píng 只是嘴说而没有真凭实据。

【空旷】kōngkuàng 形 地方广阔，没有树木、建筑物等：～的原野|砍掉了这棵树儿院里显着～点儿。

【空阔】kōngkuò 形 空旷：高原上，到处都是一样的～。

【空廓】kōngkuò 形 空旷。

【空灵】kōnglíng 形 灵活而不可捉摸：～的笔触|这～的妙趣难以描绘。

【空论】kōnglùn 名 空洞的言论：不切实际的～|少发～，多做实事。

【空落落】kōngluòluò （～的）形 状态词。空旷而冷冷清清：落了叶子的树林子～的|他送走孩子回到家来，心里觉得～的，像少了点儿什么似的。

【空茫】kōngmáng 形❶空旷而迷茫：～的沙漠。❷形容心里空落落的，没有着落：心里一片～。

【空门】¹ kōngmén 名 指佛教，因佛教认为世界是一切皆空的：遁入～（出家为僧尼）。

【空门】² kōngmén 名 指某球类比赛中因守门员离开而无人把守的球门：面对～却把球踢飞了。

【空濛】kōngméng 〈书〉形 形容景物迷茫：山色～|烟雨～。

【空名】kōngmíng 名 和实际情况不相符合的名义；虚名：他在公司只挂个～，不担任具体职务。

【空难】kōngnàn 名 飞机等在空中飞行时发生的灾难，如失火、坠毁等。

【空气】kōngqì 名❶构成地球周围大气的气体。无色，无味，主要成分是氮气和氧气，还有极少量的氦、氖、氩、氪、氙、氡等稀有气体和水蒸气、二氧化碳等。❷气氛：学习～浓厚|不要人为地制造紧张。

【空气锤】kōngqìchuí 名 利用压缩空气产生动力的锻锤。简称气锤。

【空气污染】kōngqì wūrǎn 通常指接近地面的低层大气污染。参看255页〖大气污染〗。

【空气污染指数】kōngqì wūrǎn zhǐshù 根据空气质量标准和各种污染物对人体健康和生态环境的影响来确定的污染物浓度的值，是评估空气质量的一种依据。计算方法为：将各种空气污染物的浓度分别除以国家标准，再乘以100，得到各种污染物指数，取其中最高的一项作为空气污染指数。我国目前计入空气污染指数的污染物项目有二氧化硫、一氧化碳、臭氧、二氧化氮、可吸入颗粒物等。

【空气质量】kōngqì zhìliàng 指空气的清洁程度。检测空气质量的项目主要有二氧化硫、一氧化碳、臭氧、二氧化氮、可吸入颗

K

粒物等。我国现将空气质量分为五级：

级别	空气污染指数	空气质量
Ⅰ	0～50	优
Ⅱ	51～100	良
Ⅲ₁	101～150	轻微污染
Ⅲ₂	151～200	轻度污染
Ⅳ₁	201～250	中度污染
Ⅳ₂	251～300	中度重污染
Ⅴ	301 以上	重度污染

【空前】kōngqián 〖动〗以前所没有：盛况～|生产力得到了～发展。

【空前绝后】kōng qián jué hòu 以前没有过,以后也不会有,多用来形容非凡的成就或盛况。

【空勤】kōngqín 〖名〗航空部门指在空中进行的各种工作(区别于“地勤”)。

【空嫂】kōngsǎo 〖名〗指已婚的客机女乘务员。

【空身】kōng∥shēn (～儿)〖动〗指身边没有携带东西：他什么都没带,就～儿去了广州。

【空驶】kōngshǐ 〖动〗(机动车辆等)没有载货或载客而空着行驶。

【空手】kōng∥shǒu 〖动〗❶ 手中没有拿东西：～对打|～夺刀。❷ 指身上没有携带东西：他行李都没带,一个人～去旅行了。

【空手道】kōngshǒudào 〖名〗日本的一种拳术,源于中国少林寺的技击。不使用器械进行格斗,分为进攻和防御两部分。

【空疏】kōngshū 〈书〉〖形〗(学问、文章、议论等)空虚;空洞：才学～|～之论。

【空谈】kōngtán ❶ 〖动〗只说不做;有言论无行动：提倡实干,切忌～。❷ 〖名〗不切合实际的言论：那些所谓的道理不过是娓娓动听的～。

【空天飞机】kōngtiān-fēijī 航空航天飞机的简称。能在机场跑道上水平起飞和降落,既可在大气层内飞行,也可在大气层外飞行的飞行器。动力装置在大气层内用吸气式发动机,在大气层外用火箭发动机。

【空调】kōngtiáo 〖名〗空气调节器,能够调节房屋、机舱、船舱、车厢等内部的空气温度、湿度、洁净度、气流速度等,使达到一定的要求：安装～|开～。

【空头】kōngtóu ❶ 〖名〗从事商品、有价证券交易的人,预料货价将跌而卖出现货或

期货,伺机买进相抵,这种做法叫空头(因为卖出的货尚未买进,所以叫“空头”;跟“多头”相对)。参看 911 页〖买空卖空〗。❷ 〖形〗属性词。指有名无实,不发生作用的：～人情|～政治家。

【空头支票】kōngtóu zhīpiào ❶ 因票面金额超过存款余额或透支额而不能生效的支票。❷ 比喻不能或不想实践的诺言。

【空投】kōngtóu 〖动〗从飞机上投下：飞往灾区～救灾物资。

【空文】kōngwén 〖名〗❶ 说空话的文章;没有实用价值的文章。❷ 有名无实的规章条文：一纸～。

【空袭】kōngxí 〖动〗用飞机、导弹等从空中进行袭击。

【空想】kōngxiǎng ❶ 〖动〗凭空设想：不要闭门～,还是下去调查一下情况吧。❷ 〖名〗不切实际的想法：离开了客观现实的想象就成了～。

【空想社会主义】kōngxiǎng shèhuì zhǔyì 19 世纪初期建立在唯心主义基础上的社会主义学说。以圣西门(Claude-Henri Saint-Simon)、傅立叶(Charles Fourier)、欧文(Robert Owen)的学说为代表。它揭示了资本主义社会的矛盾,确信社会主义必然代替资本主义,但它不能科学地揭示其中的历史规律,也没有发现实现这种变革的社会力量和现实道路。空想社会主义是马克思主义科学社会主义理论来源之一。

【空心】kōngxīn ❶ (～儿)〖动〗树干髓部变空或蔬菜中心没长实：老槐树～了|大白菜空了心了。❷ 〖形〗属性词。东西的内部是空的：～坝|～面。
　　另见 782 页 kòngxīn。

【空心菜】kōngxīncài 〖名〗蕹菜(wèng-cài)。

【空心砖】kōngxīnzhuān 〖名〗中心空的砖。这种砖有较好的保暖和隔音性能,用在结构上不承重的部分,可以减轻建筑物的重量和节约材料。

【空虚】kōngxū 〖形〗里面没有什么实在的东西;不充实：后方～|精神～。

【空穴来风】kōng xué lái fēng 有了洞穴才有风进来(语出宋玉《风赋》)。比喻消息和传说不是完全没有原因的,现多用来比喻消息和传说毫无根据。

【空域】kōngyù 图指空中划定的一定范围:战斗~|搜索~。

【空运】kōngyùn 勔用飞机运输:~救灾物资。

【空载】kōngzài 勔指机器、设备、车辆等在没有负载的情况下运转:加强调度工作,减少车辆~。

【空战】kōngzhàn 勔敌对双方用飞机等在空中进行战斗。

【空置】kōngzhì 勔(房屋)没有人居住或使用:客房~率较高|那栋楼已经~了一年。

【空中】kōngzhōng ❶图天空中:~飘着白云。❷形属性词。指通过无线电信号传播而形成的:~信箱|~书场。

【空中警察】kōngzhōng jǐngchá 维护民用航空治安,保证飞机顺利运行和旅客安全的警察。简称空警。

【空中楼阁】kōng zhōng lóu gé 指海市蜃楼,多用来比喻虚幻的事物或脱离实际的理论、计划等。

【空中小姐】kōngzhōng xiǎojiě 指客机上的女乘务员。简称空姐。

【空钟】kōng·zhong 〈口〉图空竹。

【空竹】kōngzhú 图用竹木制成的玩具,在圆柱的一端或两端安上周围有几个小孔的圆盒,用绳子抖动圆柱,圆盒就迅速旋转,发出嗡嗡的声音。

【空转】kōngzhuàn ❶机器在没有负载时运转。❷由于摩擦力太小或车轮速急剧增加,机车或汽车等的动轮在轨道上或路面上滑转而不前进。

倥 kōng [倥侗](kōngtóng)〈书〉形蒙昧无知。
另见 782 页 kǒng。

崆 kōng 崆峒(Kōngtóng),山名,在甘肃。又岛名,在山东。

悾 kōng [悾悾](kōngkōng)〈书〉形形容诚恳。

箜 kōng [箜篌](kōnghóu)图古代弦乐器,分卧式、竖式两种,弦数因乐器大小而不同,最少的五根弦,最多的二十五根弦。

kǒng （ㄎㄨㄥˇ）

孔 kǒng ❶图洞;窟窿;眼儿:鼻~|毛~|胃穿~|这座石桥有七个~|水银泻地,无~不入。❷〈方〉量用于窑洞:一~土窑。❸(Kǒng)图姓。

【孔道】kǒngdào 图通往某处必经的关口;交通:~。

【孔洞】kǒngdòng 图窟窿(多指在器物上人工做的)。

【孔方兄】kǒngfāngxiōng 图指钱,因旧时的铜钱有方形的孔(诙谐兼含鄙视意)。

【孔径】kǒngjìng 图机件上圆孔的直径或桥孔、涵洞等的跨度。

【孔孟之道】Kǒng Mèng zhī dào 孔子和孟子的思想和主张,指儒家学说。

【孔庙】Kǒngmiào 图纪念和祭祀孔子的庙。

【孔雀】kǒngquè 图鸟,头上有羽冠,雄的尾巴的羽毛很长,颜色绚丽,展开时像扇子。常见的有绿孔雀和白孔雀两种。成群居住在热带森林中或河岸边,吃谷类和果实等。多饲养来供观赏。

【孔雀石】kǒngquèshí 图矿物,成分是铜的碱式碳酸盐,翠绿色,有的上面有像孔雀尾羽的花纹,有光泽,多作葡萄状或肾状,硬度3.5—4。可作为寻找原生铜矿的标志,也用来做装饰品。

【孔隙】kǒngxì 图窟窿眼儿;缝儿。

【孔穴】kǒngxué 图窟窿眼儿;孔洞。

【孔眼】kǒngyǎn 图小孔;眼儿:叶子上有虫吃的~|这些筛子的~大小不同。

恐 kǒng ❶害怕;畏惧:~慌|惊~|有恃无~|诚惶诚~。❷使害怕:~吓。❸副恐怕:~难胜任|他不出席~有原因。

【恐怖】kǒngbù 形由于生命受到威胁而恐惧:白色~|~手段|~分子(进行恐怖活动的人)。

【恐怖主义】kǒngbù zhǔyì 蓄意通过暴力手段(如制造爆炸事件、劫持飞机、绑架等),造成平民或非战斗人员伤亡与财产损失,以达到某种政治目的的行为和主张。

【恐吓】kǒnghè 勔以要挟的话或手段威胁人;吓唬:~信。

【恐慌】kǒnghuāng 形因担忧、害怕而慌张不安:~万状|洪水要来的消息使人十分~。

【恐惧】kǒngjù 形惊慌害怕:~不安。

【恐龙】kǒnglóng 图古爬行动物,种类很多,大的长达几十米,小的不足一米,生活在陆地或沼泽附近。繁盛于中生代,在中生代末期灭绝。

【恐怕】kǒngpà ❶动 害怕;担心：他～把事情闹僵,所以做出了让步。❷副 表示估计兼担心：～他不会同意这样做,效果～不好。❸副 表示估计：他走了～有二十天了。

【恐水病】kǒngshuǐbìng 名 狂犬病。

悾 kǒng ［悾悾］(kǒngzǒng)〈书〉形 ❶(事情)急迫匆忙：戎马～。❷ 穷困。

另见 781 页 kōng。

kòng （ㄎㄨㄥˋ）

空 kòng ❶动 腾出来;使空：文章每段开头要～两格|～出一天时间参观游览|把前面几排座位～出来。❷形 没有被利用或里面缺少东西：～白|～地|车厢里～得很。❸(～儿)名 尚未占用的地方或时间：填～|屋里堆得连下脚的～儿都没有|抽～儿到我这儿来一趟。❹同"控³"。

另见 778 页 kōng。

【空白】kòngbái 名(版面、书页、画幅等上面)空着,没有填满或没有被利用的部分：版面上还有块～,可以补一篇短文◇点|这项新产品又填补了一项～。

【空白点】kòngbáidiǎn 名 工作没有达到的方面或部分：计划生育宣传不要留～。

【空当】kòngdāng (～儿)名 空隙：趁这～儿,你去了解一下|书架上摆满了书,没有～。也说空当子。

【空地】kòngdì 名❶ 没有被利用的土地：门前有一块～可以种菜。❷(～儿)空着的地方;空隙：床边还有点～儿,正好放一个小柜。

【空额】kòng'é 名 空着的名额：编制已满,没有～了。

【空岗】kònggǎng 名 人员空缺的岗位。

【空缺】kòngquē 名❶ 空着的职位;缺额：还有一个副主任的～。❷ 泛指事物中空着的或缺少的部分：填补～。

【空隙】kòngxì 名❶ 中间空着的地方;尚未占用的时间：农作物行间要有一定的～|工人们利用生产～抓紧学习。❷ 空子②。

【空暇】kòngxiá 名 没有事情的时候;空着的时间。

【空闲】kòngxián ❶形 有空;不忙：最近我比较～。❷名 空着的时间;闲暇：他一有～就练习书法。❸形 空着不用的;闲置的：充分利用～设备。

【空心】kòngxīn (～儿)动 没吃东西,空着肚子：这剂药～吃|先吃点菜垫一垫,免得待会儿喝～酒。

另见 780 页 kōngxīn。

【空余】kòngyú 形 空闲③：～房屋|～时间。

【空子】kòng·zi 名❶ 尚未占用的地方或时间：找了个～往里挤|抽个～到我们这里看一看。❷ 可乘的机会(多指做坏事的)：钻～。

控¹ kòng 告发;控告：～诉|指～。

控² kòng 控制：遥～|失～。

控³ kòng 动❶ 使身体或身体的一部分悬空或处于失去支撑的状态：腿都～肿了|枕头掉了,～着脑袋睡觉。❷ 使容器口儿(或人的头儿)朝下,让里边的液体慢慢流出：把瓶里的油～干净。

【控告】kònggào 动 向国家机关、司法机关告发(违法失职或犯罪的个人或集体)：～信。

【控购】kònggòu 动 控制社会集团购买：～指标|～商品。

【控股】kòng∥gǔ 动 指掌握一定数量(半数以上或相对多数)的股份,而取得对公司生产经营活动的控制权。

【控盘】kòngpán 动 操纵、控制股市行情：庄家～。

【控诉】kòngsù 动 向有关机关或公众陈述受害经过,请求对于加害者做出法律的或舆论的制裁：～大会|～旧礼教。

【控制】kòngzhì 动❶ 掌握住不使任意活动或越出范围;操纵：自动～|～人数。❷ 使处于自己的占有、管理或影响之下：殖民地的经济为宗主国所～|制高点的火力～了整片开阔地。

【控制论】kòngzhìlùn 名 研究生物(包括人类)和机器中的操纵、控制和信息传递的一般规律的基础理论。主要研究操纵、控制和信息传递过程中的数学关系,而不涉及过程内在的物理、化学、生物、经济或其他方面的现象。

鞚 kòng〈书〉马笼头。

kōu（丂又）

抠（摳） kōu ❶ 动 用手指或细小的东西从里面往外挖：把掉在砖缝里的豆粒～出来。❷ 动 雕刻（花纹）：在镜框边上～出花儿来。❸ 动 不必要的深究；向一个狭窄的方面深求：～字眼儿｜死～书本儿。❹ 形 吝啬：这个人～得很，一分钱都舍不得花。

【抠门儿】kōuménr〈方〉形 吝啬：这人真～，一块钱也舍不得出。

【抠搜】kōu·sou ❶ 动 抠①。❷ 形 吝啬：这人真～，像个守财奴｜大方点儿，别这么抠抠搜搜的。‖也说抠唆。

【抠唆】kōu·suo ❶ 动 抠搜①。❷ 形 抠搜②。

【抠字眼儿】kōu zìyǎnr 在字句上钻研或挑毛病。

芤 kōu 古书上指葱。

【芤脉】kōumài 名 中医指重按时中间无而两边有的脉搏，好像手指按在葱管的感觉。多见于大出血。

驱（彄） kōu〈书〉弓弩两端系弦的地方。

眍（瞘） kōu 动 眼珠子深陷在眼眶里边：他病了一场，眼睛都～进去了。

【眍䁖】kōu·lou 动 眍。

kǒu（丂ㄡ）

口 kǒu ❶ 名 人或动物进饮食的器官，有的也是发声器官的一部分。通称嘴。❷ 指口味：～轻｜～重。❸ 指人口：户～｜家～｜拖家带～。❹（～儿）名 容器通外面的地方：瓶子～儿｜碗～儿。❺（～儿）名 出入通过的地方：出～｜入～｜门～儿｜海～｜关～｜胡同～儿。❻ 长城的关口，多用于地名，也泛指这些关口：～外｜喜峰

～｜古北～｜～蘑｜西～。❼（～儿）名 口子²②：伤～｜衣服撕了个～儿。❽ 名 性质相同或相近的单位形成的管理系统：归～｜财贸～。❾ 名 刀、剑、剪刀等的刃：卷～了。❿ 名 指马、驴、骡等的年龄（因可以由牙齿的多少看出来）：六岁～｜这马～还轻。⓫ 量 a）用于人：一家五～人。b）用于某些家畜或器物等：三～猪｜一～钢刀｜一～缸。⓬（Kǒu）名 姓。

【口岸】kǒu'àn 名 港口：通商～｜～城市。

【口杯】kǒubēi 名 喝水、漱口等用的杯子。

【口碑】kǒubēi 名 比喻群众口头上的称颂（称颂的文字有很多是刻在碑上的），有时也指群众口头上的评价：～载道｜～欠佳。

【口碑载道】kǒubēi zài dào 形容到处都是群众称颂的声音。

【口北】Kǒuběi 名 长城以北的地方，主要指张家口以北的河北省北部和内蒙古自治区中部。也叫口外。

【口才】kǒucái 名 说话的才能：有～｜他～好，说起故事来有声有色。

【口彩】kǒucǎi 名 指吉利话：讨个～。

【口吃】kǒuchī 动 说话时字音重复或词句中断，是一种习惯性的语言缺陷。通称结巴。

【口齿】¹ kǒuchǐ 名 说话的发音；说话的本领：～清楚（咬字儿正确）｜～伶俐（说话流畅）。

【口齿】² kǒuchǐ 名 指马、驴、骡等的年龄。

【口臭】kǒuchòu 名 嘴里发出难闻的气味。引起这种症状的主要原因是龋齿、牙槽化脓、慢性口炎、消化不良等。❷ 名 嘴里发出的难闻的气味：消除～。

【口传】kǒuchuán 动 口头传授：～心授｜民间艺人大都用～的方法来教徒弟。

【口疮】kǒuchuāng 名 口腔黏膜发炎形成的溃疡，边缘红肿，中间灰白或淡黄色，能反复发作。

【口袋】kǒu·dai（～儿）名 ❶ 用布、皮等做成的装东西的用具：面～｜纸～儿。❷ 衣兜：这件制服上有四个～儿。

【口淡】kǒudàn〈方〉形 口轻¹。

【口风】kǒu·fēng 名 指话中透露出来的意思：你先探探他的～，看他愿意不愿意去。

【口服】¹ kǒufú 动 口头上表示信服：～心不服。

【口服】[2] kǒufú 动 内服：～药。

【口福】kǒufú 名 能吃到好东西的福气（含诙谐意）：～不浅｜很有～。

【口腹】kǒufù 名 指饮食：～之欲｜不贪～。

【口感】kǒugǎn 名 食物吃到嘴里时的感觉：这种面条不但吃起来～好，而且营养也丰富。

【口供】kǒugòng 名 受审讯者口头陈述的与案情有关的话：问～｜不轻信～。

【口号】kǒuhào 名 ❶ 供口头呼喊的有纲领性和鼓动作用的简短句子：呼～｜标语～。❷ 旧指"口令"②。

【口红】kǒuhóng 名 化妆品，用来涂在嘴唇上使颜色红润。

【口惠】kǒuhuì〈书〉动 口头上许给人好处（并不实行）：～而实不至。

【口技】kǒujì 名 杂技的一种，表演者运用口部发音技巧来模仿各种声音。

【口角】kǒujiǎo 名 嘴边：～流涎｜～生风（形容说话流利）。
　　另见 kǒujué。

【口紧】kǒujǐn 形 说话小心，不乱讲；不轻易透露情况或答应别人。

【口噤】kǒujìn 名 中医指牙关紧闭、口不能张开的症状。

【口径】kǒujìng 名 ❶ 器物圆口的直径：这架天文望远镜～500 毫米。❷ 泛指要求的规格、性能等：螺钉与螺母的～不合。❸ 比喻对问题的看法和处理问题的原则：开会统一～｜咱俩说的～要一致。

【口诀】kǒujué 名 根据事物的内容要点编成的便于记诵的语句：珠算～。

【口角】kǒujiǎo 动 争吵：不要为了一点小事儿就和人家～起来。
　　另见 kǒujiǎo。

【口口声声】kǒu·koushēngshēng 副 形容不止一次地陈说、表白或把某一说法经常挂在口头上：他～说不是他干的。

【口粮】kǒuliáng 名 原指军队中按人发给的粮食，后来泛指每个人日常生活所需要的粮食。

【口令】kǒulìng 名 ❶ 战斗、练兵或做体操时以简短的术语下达的口头命令：喊～。❷ 在能见度不良等情况下识别敌我的一种口头暗号，一般以单词或数字表示：问～｜对～。

【口马】kǒumǎ 名 口北出产的马。

【口蜜腹剑】kǒu mì fù jiàn 嘴上说的很甜，肚子里却怀着害人的坏主意。形容人阴险。

【口蘑】kǒumó 名 真菌的一种，有白色肥厚的菌盖，多生在牧场的草地上，可以吃。张家口一带出产的最著名。

【口气】kǒu·qì 名 ❶ 说话的气势：他的～真不小。❷ 言外之意；口风：探探他的～｜听他的～，好像对这件事感到为难。❸ 说话时流露出来的感情色彩：严肃的～｜诙谐的～｜埋怨的～。

【口器】kǒuqì 名 节肢动物口周围的器官，有摄取食物及感觉等作用。

【口腔】kǒuqiāng 名 口内的空腔，由两唇、两颊、硬腭、软腭等构成。口腔内有牙、舌、唾液腺等器官。

【口琴】kǒuqín 名 一种乐器，一般上面有两行开列的小孔，里面装着铜制的簧，用口吹或吸小孔发出声响。

【口轻】[1] kǒuqīng 形 ❶ 菜或汤的味儿不咸：我喜欢吃～的，请你少放点儿盐。❷ 人爱吃味道淡一些的饮食：他～，不喜欢吃太咸的东西。

【口轻】[2] kǒuqīng 形 （驴、马等）年龄小：～的骡子。也说口小。

【口若悬河】kǒu ruò xuán hé 形容能言善辩，说话滔滔不绝。

【口哨儿】kǒushàor 名 双唇合拢，中间留一小孔（有的把手指插在口内），使气流通过而发出的像吹哨子的声音：吹～。

【口舌】kǒushé 名 ❶ 因说话而引起的误会或纠纷：～是非。❷ 指说说、争辩、交涉时说的话：班长费了很多的～，才说服他躺下来休息。

【口实】kǒushí〈书〉名 假托的理由；可以利用的借口：贻人～。

【口试】kǒushì 动 要求口头回答问题的考试（区别于"笔试"）。

【口是心非】kǒu shì xīn fēi 指嘴里说的是一套，心里想的又是一套，心口不一致。

【口授】kǒushòu 动 ❶ 口头传授（还没有文字记录的歌曲、方技等）：我国许多地方戏曲都是由民间艺人世代～而保存下来的。❷ 口头述说而由别人代写：～作战命令。

【口述】kǒushù 动 口头叙述：他～，由秘书记录。

【口水】kǒushuǐ 名 唾液的通称：流～。

【口水战】kǒushuǐzhàn 名 双方用言语相互攻击或进行激烈的争辩叫做打口水战。

【口算】kǒusuàn 动 边心算边说出运算结果。

【口蹄疫】kǒutíyì 名 偶蹄类动物（牛、猪、羊等）的急性传染病,病原体是病毒,经接触传播。主要症状是体温升高,口腔黏膜和蹄部发生水疱并且溃烂,嘴里流白沫,跛行。有时人也能感染。

【口条】kǒu•tiáo 名 用作食品的猪舌或牛舌：酱～。

【口头】kǒutóu ❶ 名 嘴（指说话时的）：他总把这句话挂在～上。❷ 形 属性词。用说话方式来表达的（区别于"书面"）：～汇报｜～翻译｜～文学。

【口头禅】kǒutóuchán 名 原指有的禅宗和尚只空谈禅理而不实行,也指借用禅宗常用语作为谈话的点缀。今指经常挂在口头的词句。

【口头文学】kǒutóu wénxué 口耳相传,没有书面记载的民间文学。

【口头语】kǒutóuyǔ （～儿）名 说话时经常不自觉地说出来的词句："瞧着办"三个字几乎成了他的～。

【口外】Kǒuwài 名 口北。

【口腕】kǒuwàn 名 某些低等动物（如水母）生在口旁的器官,有捕食的作用。

【口味】kǒuwèi （～儿）名 ❶ 食品的滋味：这个菜的～很好。❷ 各人对于味道的爱好：食堂里的菜不对我的～。❸ 比喻个人的情趣、爱好：联欢晚会的节目难以适合所有观众的～。

【口吻】kǒuwěn 名 ❶ 某些动物（如鱼、狗等）头部向前突出的部分,包括嘴、鼻子等。❷ 口气③：玩笑的～｜教训人的～。

【口误】kǒuwù ❶ 动 因疏忽而说错了话或念错了字。❷ 名 因疏忽而说错的话或念错的字。

【口香糖】kǒuxiāngtáng 名 糖果的一种,用人心果树分泌的胶质加糖和香料制成,只可咀嚼,不能吞下。

【口小】kǒuxiǎo 形 口轻²。

【口信】kǒuxìn （～儿）名 口头转告的话：请你给我家里捎个～儿,说我今天不回家了。

【口形】kǒuxíng 名 人的口部形状,语音学上特指在发某个声音时两唇的形状。

【口型】kǒuxíng 名 指说话或发音时的口部形状。

【口血未干】kǒu xuè wèi gān 古人订立盟约时要在嘴上涂上牲畜的血。"口血未干"指订立盟约不久（多用于订立盟约不久就毁约）。

【口译】kǒuyì 动 口头翻译（区别于"笔译"）。

【口音】kǒuyīn 名 发音时软腭上升,阻住鼻腔的通道,气流专从口腔出来的叫做口音,对鼻音和鼻化元音而言。普通话语音中 m, n, ng 三个是鼻音;ng 尾韵儿化以后前面的元音变成鼻化元音,其余都是口音,如 a, e, o, b, p,f 等。

【口音】kǒu•yīn 名 ❶ 说话的声音：听他的～,好像是山东人。❷ 方音：有～（说话带方音）｜～很重。

【口语】kǒuyǔ 名 ❶ 谈话时使用的语言（区别于"书面语"）。❷〈书〉毁谤的话。

【口谕】kǒuyù 名 旧指上司或尊长口头的指示。

【口占】kǒuzhàn〈书〉动 ❶ 不打草稿,口头述说出来：～电文。❷ 指即兴做诗词,不打草稿,随口吟诵出来：～一绝。

【口罩】kǒuzhào （～儿）名 卫生用品,用纱布等制成,罩在嘴和鼻子上,防止灰尘和病菌侵入。

【口重】kǒuzhòng 形 ❶ 菜或汤的味儿咸：我知道你爱吃～的,所以多搁了些酱油。❷ 指人爱吃味道咸一些的饮食：我～,不喜欢吃太淡的东西。

【口诛笔伐】kǒu zhū bǐ fá 用语言文字宣布罪状,进行声讨。

【口子】¹ kǒu•zi〈口〉量 用于人：你们家有几～?

【口子】² kǒu•zi 名 ❶ （山谷、水道等）大的豁口：山谷的～上有一座选矿厂。❷ （人体、物体的表层）破裂的地方：不小心手上拉(lá)了一个～。

kòu （ㄎㄡˋ）

叩（❶敲） kòu ❶ 动 敲;打：～门。❷ 磕头：～首｜～头｜～谢。❸〈书〉询问;打听：略～生平｜～以文义。

❹（Kòu）名 姓。

【叩拜】kòubài 动 叩头下拜，一种旧式的礼节。

【叩打】kòudǎ 动 敲；打：他用手指轻轻地～着房门。

【叩阍】kòuhūn 〈书〉动 官吏、百姓到朝廷诉冤：～无门（无处申冤）。

【叩见】kòujiàn 〈书〉动 进见；拜见。

【叩首】kòushǒu 动 磕头：三跪九～。

【叩头】kòu∥tóu 动 磕头。

【叩谢】kòuxiè 动 磕头感谢，泛指表示深切的谢意：登门～。

【叩诊】kòuzhěn 动 西医指用手指或锤状器械叩击人体胸、腹等部位，借以诊断疾病。

扣（❼釦）kòu ❶ 动 套住或搭住：～扣子｜把门～上。❷ 动 器物口朝下放置或覆盖别的东西：把碗～在桌子上｜用盘子把碗里的菜～住，免得凉了。❸ 动 比喻安上（罪名或不好的名义）：～帽子。❹ 动 扣留：把犯罪嫌疑人～起来。❺ 动 从原数额中减去一部分：～除｜～分｜不折不～｜打九～（减去十分之一）。❻（～儿）名 扣子①：绳～儿｜系（jì）一个活～儿。❼（～儿）名 扣子②：衣～。❽ 动 用力朝下击打：～球。❾ 同"筘"：丝丝入～。❿ 名 指螺纹：螺丝～｜勘（yì）了。⓫（Kòu）名 姓。

【扣除】kòuchú 动 从总额中减去：～损耗｜～伙食费还有节余。

【扣发】kòufā 动 ❶ 扣下（工资、奖金等）不发给：～事故责任者当月奖金。❷ 扣住（文件、稿件等）不发出或不发表：～新闻稿。

【扣减】kòujiǎn 动 扣除；减去：通话费将自动从账户中～。

【扣缴】kòujiǎo 动 扣下一部分钱用来缴纳税款等：个人所得税已从稿费中～。

【扣留】kòuliú 动 用强制手段把人或钱财、物品留住不放：由于违章，交通警～了他的驾驶证。

【扣帽子】kòu mào·zi 对人或事强加上现成的不好的名目，如"落后分子"、"自由主义"等；别随便给人扣"自由主义"的帽子。

【扣人心弦】kòu rén xīnxián 形容诗文、表演等有感染力，使人心情激动。

【扣肉】kòuròu 名 一种菜肴，把肉块煮至半熟，油炸后切片，肉皮朝下挨次码放在碗里，加入作料蒸熟后再扣在盘子里。

【扣题】kòutí 动 围绕主题；切题：作文要注意～。

【扣头】kòu·tou 名 打折扣时扣除的金额。

【扣压】kòuyā 动 把文件、意见等扣留下来不办理：群众的举报信被他～了。

【扣押】kòuyā 动 拘留；扣留：～人质｜～赃物。

【扣眼】kòuyǎn （～儿）名 套住纽扣的小孔。

【扣子】kòu·zi 名 ❶ 条状物打成的疙瘩。❷ 纽扣。❸ 章回小说或说书在最紧要、热闹时突然停顿的地方。扣子能引起人对下面情节的关切。

寇 kòu ❶ 强盗或外来的侵略者（也指敌人）：～仇｜海～｜外～（入侵的敌寇）。❷ 敌人来侵略：入～｜～边。❸（Kòu）名 姓。

【寇仇】kòuchóu 名 仇敌：视者～。

筘（篗）kòu 名 织布机上的主要机件之一，形状像梳子，用来确定经纱的密度，保持经纱的位置，并把纬纱打紧。也叫杼（zhù）。

蔻 kòu 见下。

【蔻丹】kòudān 名 染指甲的油。[英 Cutex]

【蔻蔻】kòukòu 见 771 页[可可]。

彀（縠）kòu 〈书〉初生的小鸟儿。

kū（ㄎㄨ）

矻 kū [矻矻]（kūkū）〈书〉形 勤劳不懈的样子：孜孜～｜～终日。

刳 kū 〈书〉剖开；挖空：～木为舟。

枯 kū ❶ 形（植物等）失去水分：～萎｜～槁｜～草｜～骨。❷ 形（井、河流等）变得没有水：～井｜海～石烂。❸ 肌肉干瘪：～瘦。❹ 没有生趣；枯燥：～坐。❺〈方〉芝麻、大豆、油茶等榨油后的渣滓：菜～｜茶～｜麻～。❻（Kū）名 姓。

【枯肠】kūcháng 〈书〉名 比喻写诗作文时贫乏的思路：搜～，不成一句。

【枯干】kūgān 形 干枯;枯槁:河流～。

【枯槁】kūgǎo 形❶(草木)干枯:禾苗～。❷(面容)憔悴:形容～。

【枯骨】kūgǔ 名 尸体腐烂后剩下的骨头。

【枯黄】kūhuáng 形 干枯焦黄:～的禾苗|过了中秋,树叶逐渐～。

【枯寂】kūjì 形 枯燥寂寞:～的生活|他们人多,虽然在沙漠中行进,也不感到～。

【枯焦】kūjiāo 形 焦枯;干枯:久旱不雨,禾苗～。

【枯竭】kūjié 形❶(水源)干涸;断绝:水源～|河道～。❷(体力、资财等)用尽;穷竭:精力～|资源～。

【枯井】kūjǐng 名 干枯没有水的井。

【枯窘】kūjiǒng 〈书〉形 枯竭贫乏:文思～。

【枯木逢春】kū mù féng chūn 比喻重获生机。

【枯涩】kūsè 形❶枯燥不流畅:文字～。❷干燥不滑润:两眼～。

【枯瘦】kūshòu 形 干瘪消瘦:～的手|～如柴。

【枯水期】kūshuǐqī 名 河流、湖泊处于最低水位的时期。

【枯萎】kūwěi 形 干枯萎缩:荷叶完全～了。

【枯朽】kūxiǔ 形 干枯腐朽:这棵老树已经～了。

【枯燥】kūzào 形 单调,没有趣味:生活～|～无味。

【枯坐】kūzuò 动 无所事事地干坐着。

哭 kū 动 因痛苦悲哀或感情激动而流泪,有时候还发出声音:～诉|放声大～。

【哭鼻子】kū bí·zi 〈口〉哭(含诙谐意):输了不许～。

【哭哭啼啼】kū·kūtítí 形 状态词。哭个没完了。

【哭灵】kū//líng 动 在灵柩或灵位前痛哭。

【哭泣】kūqì 动 轻声哭。

【哭腔】kūqiāng (～儿)名❶戏曲演唱中表示哭泣的行腔。❷说话时带哭泣的声音。

【哭穷】kū//qióng 动 口头上向人叫苦装穷。

【哭丧】kū//sāng 动 号丧(háo//sāng)。

【哭丧棒】kūsāngbàng 名 旧俗出殡时孝子拄的棍子,上面缠着白纸。

【哭丧着脸】kū·sang·zhe liǎn 心里不痛快,脸上流露出很不高兴的样子。

【哭诉】kūsù 动 哭着诉说或控诉:她向大伙儿～自己的不幸遭遇。

【哭天抹泪】kū tiān mǒ lèi 哭哭啼啼的样子(多含厌恶意)。

【哭笑不得】kū xiào bù dé 哭也不是,笑也不是,形容处境尴尬,不知如何是好。

堀 kū 〈书〉❶同"窟"。❷穿穴。

圐圙(啰) kū [圐圙](kūlüè)名 蒙语指围起来的草场,现多用于村镇名称:马家～(在内蒙古)。也译作库伦。

窟 kū ❶洞穴:石～|山～|狡兔三～。❷某类人聚集或聚居的场所:匪～|盗～|赌～|贫民～。

【窟窿】kū·long 名❶洞:冰～|老鼠～|鞋底磨了个大～。❷比喻亏空。

【窟窿眼儿】kū·longyǎnr 名 小窟窿;小孔:这块木头上有好些虫蛀的～。

【窟穴】kūxué 名 洞穴;巢穴(多指坏人隐藏的地方)。

【窟宅】kūzhái 名 巢穴,多指盗匪盘踞的地方。

骷 kū [骷髅](kūlóu)名 干枯无肉的死人头骨或全副骨骼。

kǔ （ㄎㄨˇ）

苦 kǔ ❶形 像胆汁或黄连的味道(跟"甘、甜"相对):～胆|这药～极了。❷形 难受;痛苦:～笑|艰～|愁眉～脸|～日子过去了|～尽甘来。❸动 使痛苦;使难受:一家五口都仗着他养活,可～了他了。❹苦于:～旱|～夏。❺副 有耐心地;尽力地:～劝|～干|～思|勤学～练。❻〈方〉形 除去得太多;损耗太过:指甲剪得太～了|这双鞋窄得太～了,不能修理了。❼(Kǔ)名 姓。

【苦熬】kǔ'áo 动 忍受着痛苦度日:～岁月。

【苦差】kǔchāi 名 艰苦的差事;没有什么好处可得的差事:出了一趟～。

【苦楚】kǔchǔ 形 痛苦(多指生活上受折磨)：辛酸～|满腹～,无处倾诉。

【苦处】kǔ·chu 名 所受的痛苦：这些～,向谁去说?

【苦胆】kǔdǎn 名 指胆囊,因胆汁味苦,所以叫苦胆。

【苦工】kǔgōng 名❶ 被迫从事的辛苦繁重的体力劳动：做～。❷ 被迫做苦工的体力劳动者：解放前他在煤矿当过～。

【苦功】kǔgōng 名 刻苦的功夫：语言这东西不是随便可以学好的,非下～不可。

【苦瓜】kǔguā 名❶ 一年生草本植物,叶子掌状深裂,花黄色。果实长圆形或卵圆形,两头尖,表面有许多瘤状突起,未熟时绿色,熟时橘黄色,略有苦味,可做蔬菜。❷ 这种植物的果实。

【苦果】kǔguǒ 名 比喻坏的结果;使人痛苦的结果：自食～。

【苦海】kǔhǎi 名 原是佛教用语,后来比喻很困苦的环境：脱离～。

【苦寒】kǔhán 形❶ 极端严寒;严寒：气候～。❷ 贫寒;寒苦：世代～。

【苦活儿】kǔhuór 名 费力多而报酬少的工作(跟"甜活儿"相对)。

【苦尽甘来】kǔ jìn gān lái 比喻艰苦的境况过去,美好的境况到来。也说苦尽甜来。

【苦境】kǔjìng 名 痛苦艰难的境地。

【苦酒】kǔjiǔ 名 质劣味苦的酒,比喻令人痛苦的结果：饮下了自酿的～。

【苦口】kǔkǒu ❶ 副 不辞烦劳,反复恳切地(说)：～相劝。❷ 动 引起苦的味觉：良药～利于病。

【苦口婆心】kǔ kǒu pó xīn 劝说不辞烦劳,用心像老太太那样慈爱,形容怀着好心再三恳切劝告。

【苦力】kǔlì 名❶ 帝国主义者到殖民地或半殖民地奴役劳动者,把出卖力气干重活的工人叫做苦力。❷ 干重活所付出的劳力：卖～。

【苦旅】kǔlǚ 名 艰辛的旅程,多用于比喻：人生～。

【苦闷】kǔmèn 形 苦恼烦闷：心情～。

【苦命】kǔmìng 名 不好的命运;注定受苦的(迷信)：～人。

【苦难】kǔnàn 名 痛苦和灾难：～深重|～的日子|永远不能忘记旧社会的～。

【苦恼】kǔnǎo 形 痛苦烦恼：自寻～|为此事他～了好几天。

【苦肉计】kǔròujì 名 故意伤害自己身体,骗取敌方信任,以便借机行事的计谋。

【苦涩】kǔsè 形❶ (味道)又苦又涩。❷ 形容内心痛苦：～的表情|他～地笑了笑。

【苦水】kǔshuǐ 名❶ 因含有硫酸钠、硫酸镁等无机盐而味道苦的水。❷ 因患某种疾病而从口中吐出的苦的液体,通常是消化液和食物的混合物。❸ 比喻心中藏的痛苦：她哭着对妈妈倒出了满肚子～。

【苦思冥想】kǔ sī míng xiǎng 深沉地思索。

【苦痛】kǔtòng 形 痛苦。

【苦头】kǔtóu (～儿) 名 稍苦的味道：这个井的水带点～儿。

【苦头】kǔ·tóu (～儿) 名 苦痛;磨难;不幸：吃尽～|什么～我都尝过了。

【苦夏】kǔxià 动 指夏天食量减少,身体消瘦。有的地区叫疰夏(zhùxià)。

【苦笑】kǔxiào 动 心情不愉快而勉强做出笑容。

【苦心】kǔxīn ❶ 名 辛苦地用在某些事情上的心思或精力：煞费～|一片～。❷ 副费尽心思：～研究|～经营。

【苦心孤诣】kǔ xīn gū yì 费尽心思钻研或经营(孤诣：别人所达不到的)。

【苦刑】kǔxíng 名 酷刑：受～。

【苦行】kǔxíng 动 某些宗教徒在修行中意用一般人难以忍受的种种痛苦来磨炼自己,是一种修行手段。

【苦行僧】kǔxíngsēng 名 用苦行的手段修行的宗教徒。

【苦役】kǔyì 名 旧时统治者强迫人民从事的艰苦繁重的体力劳动：服～。

【苦于】kǔyú 动 对于某种情况感到苦恼：～力不从心|～没有时间。

【苦雨】kǔyǔ 名 连绵不停的雨;久下成灾的雨：凄风～。

【苦战】kǔzhàn 动 艰苦地奋战：通宵～。

【苦衷】kǔzhōng 名 痛苦或为难的心情：你应该体谅他的～。

【苦槠】kǔzhū 名 常绿乔木,叶子椭圆形,果实扁圆形。木材содержащ密坚韧,是建筑、制造家具等的良好材料。

【苦主】kǔzhǔ 名 指人命案件中被害人的家属。

楉 kǔ 〈书〉粗劣;不坚固;不精致。
另见580页hù。

kù （ㄎㄨˋ）

库¹（庫）kù 图❶储存大量东西的建筑物:水～|材料～|入～。❷(Kù)姓。

库²（庫）kù 量库仑的简称。电流强度为1安时,1秒钟内通过导体横截面的电量为1库。

【库藏】kùcáng 动库房里储藏:清点～物资|～图书三十万册。
另见kùzàng。

【库存】kùcún 图指库中现存的现金或物资:清点～。

【库缎】kùduàn 图一种提花缎子,因清代宫廷入库收藏而得名。

【库房】kùfáng 图储存财物的房屋。

【库锦】kùjǐn 图用金线、银线和彩色绒线织成花纹的锦。

【库仑】kùlún 量电量单位,符号C。这个单位名称是为纪念法国物理学家库仑(Charles de Coulomb)而定的。简称库。

【库伦】kùlún 见787页[圐圙]。

【库容】kùróng 图水库、仓库、冷库等的容积。

【库藏】kùzàng 〈书〉图仓库。
另见kùcáng。

绔（絝）kù 同"裤",用于"纨绔"。

袴（褲）kù 同"裤"。

嚳（嚳）Kù 传说中的上古帝王名。

裤（褲）kù 裤子:短～|棉～|毛～|灯笼～。

【裤衩儿】kùchǎr 图短裤(多指贴身穿的):三角～。

【裤裆】kùdāng 图两条裤腿相连的地方。

【裤兜】kùdōu （～儿）图裤子上的口袋。

【裤管】kùguǎn 〈方〉图裤腿。也叫裤脚管。

【裤脚】kùjiǎo 图❶(～儿)裤腿的最下端。❷〈方〉裤腿。

【裤头】kùtóu （～儿)〈方〉图裤衩儿:游泳～儿。

【裤腿】kùtuǐ （～儿)图裤子穿在两腿上的筒状部分。

【裤线】kùxiàn 图指裤腿前后正中从上到下熨成的褶子。

【裤腰】kùyāo 图裤子的最上端,系腰带的地方。

【裤子】kù·zi 图穿在腰部以下的衣服,有裤腰、裤裆和两条裤腿:一条～。

酷¹ kù ❶残酷:～刑|～吏。❷程度深的;极:～热|～寒|～似|～肖。

酷² kù 形形容人外表英俊潇洒,表情冷峻坚毅,有个性。[英cool]

【酷爱】kù'ài 动非常爱好:～书法|～音乐。

【酷吏】kùlì 〈书〉图滥用刑罚,残害百姓的官吏。

【酷烈】kùliè 〈书〉形❶残酷:中国人民在反动统治时期遭受的苦难极为～。❷(香气)很浓:异香～。❸炽烈:～的阳光。

【酷虐】kùnüè 形阴险狠毒:～成性。

【酷热】kùrè 形(天气)极热:～的盛夏。

【酷暑】kùshǔ 图指极热的夏天:～难耐。

【酷似】kùsì 动极像:她长得～母亲。

【酷肖】kùxiào 〈书〉动酷似:～其父。

【酷刑】kùxíng 图残暴狠毒的刑罚:～逼供。

夸（誇）kuā 动❶夸大:～口|他把这点小事～得比天还大。❷夸奖:人人都～她学习刻苦。

【夸大】kuādà 动把事情说得超过了实际的程度:～缺点|～成绩。

【夸大其词】kuādà qí cí 说话或写文章不切实际,扩大了事实。也作夸大其辞。

【夸大其辞】kuādà qí cí 同"夸大其词"。

【夸诞】kuādàn 〈书〉形(言谈)虚夸不实:～之词,不足为信。

【夸父追日】Kuāfù zhuī rì 古代神话,夸父为了追赶太阳,渴极了,喝了黄河、渭河的水还不够,又往别处去找水,半路上就渴死了。他遗下的木杖,后来变成一片树林,叫做邓林(见于《山海经·海外北经》)。

后来用"夸父追日"比喻决心大或不自量力。

【夸海口】kuā hǎikǒu 漫无边际地说大话。

【夸奖】kuājiǎng 动 称赞：大家～他做了一件好事。

【夸克】kuākè 名 组成质子、中子等粒子的更小的粒子。[英 quark]

【夸口】kuā//kǒu 动 说大话：你别～，先做给大家看看。

【夸夸其谈】kuākuā qí tán 说话或写文章浮夸，不切实际。

【夸示】kuāshì 动 向人吹嘘或显示（自己的东西、长处等）。

【夸饰】kuāshì 动 夸张地描绘：文笔朴实，没有半点～。

【夸耀】kuāyào 动 向人显示（自己有本领、有功劳、有地位势力等）：他从不在人面前～自己。

【夸赞】kuāzàn 动 夸奖：人们都～她心灵手巧。

【夸张】kuāzhāng ❶ 形 夸大；言过其实：这种说法实在太～了。❷ 名 修辞方式，指为了启发听者或读者的想象力和加强所说的话的力量，用夸大的词句来形容事物。如"他的嗓子像铜钟一样，十里地都能听见"。❸ 名 指文艺创作中突出描写对象某些特点的手法。

【夸嘴】kuā//zuǐ 〈口〉动 夸口。

姱 kuā 〈书〉美好。

kuǎ （ㄎㄨㄚ）

侉（咵） kuǎ 〈方〉形 ❶ 语音不正，特指口音跟本地语音不同。❷ 粗大；不细巧：几年不见，长成个～大个儿｜这个箱子太～了，携带不方便。

【侉子】kuǎ·zi 〈方〉名 指口音跟本地不同的人（含轻蔑意）。

垮 kuǎ 动 ❶ 倒塌；坍下来：洪水再大也冲不～一坚固的堤坝◇别把身体累～了。❷ 崩溃；溃败：～台｜打～了敌人。

【垮塌】kuǎtā 动 倒塌；坍塌：河堤～｜桥身突然～。

【垮台】kuǎ//tái 动 比喻崩溃瓦解。

kuà （ㄎㄨㄚˋ）

挎 kuà 动 ❶ 胳膊弯起来挂住或钩住东西：～着篮子｜两个女孩子～着胳膊向学校走去。❷ 把东西挂在肩头、脖颈或腰里：～着照相机。

【挎包】kuàbāo （～儿）名 带子较长的可以挂在肩膀上背的袋子。

【挎斗】kuàdǒu （～儿）名 安装在摩托车右侧的斗形装置，可供人乘坐。

胯 kuà 名 腰的两侧和大腿之间的部分：～下｜～骨。

【胯裆】kuàdāng 名 两条腿的中间。

【胯骨】kuàgǔ 名 髋骨的通称。

跨 kuà ❶ 动 抬起一只脚向前或向左右迈（一大步）：～进门｜向左～一步。❷ 动 两腿分在物体的两边坐着或立着：～在马上｜铁桥横～长江两岸。❸ 动 超越一定数量、时间、地区等的界限：～年度｜～地区｜～行业。❹ 附在旁边的：～间｜～院儿。

【跨度】kuàdù 名 ❶ 房屋、桥梁等建筑物中，梁、屋架、拱券两端的支柱、桥墩或墙等承重结构之间的距离。❷ 泛指距离：时间～大。

【跨国公司】kuàguó-gōngsī 通过直接投资、转让技术等活动，在国外设立分支机构或与当地资本合股拥有企业的国际性公司。也叫多国公司。

【跨栏】kuàlán 名 田径运动项目之一，在规定的竞赛距离内每隔一定距离摆设栏架，运动员要依次跨过栏架跑到终点。

【跨年度】kuà niándù （任务、计划、预算等）跨着两个年度：越过一个年度进入另一个年度：～工程｜～预算。

【跨院儿】kuàyuànr 名 正院旁边的院子。

【跨越】kuàyuè 动 越过地区或时期的界限：～障碍｜～长江天堑｜～了几个世纪。

kuǎi （ㄎㄨㄞˇ）

㧟¹（擓） kuǎi 〈方〉动 用指甲抓：搔：～痒痒｜～破了皮。

㧟²（擓） kuǎi 〈方〉动 ❶ 挎①：～着小篮。❷ 舀：从桶里～水。

蒯 kuǎi 名❶蒯草,多年生草本植物,叶子条形,花褐色。生长在水边或阴湿的地方。茎可用来编席,也可造纸。❷(Kuǎi)姓。

kuài （ㄎㄨㄞˋ）

出 kuài 〈书〉土块。

会(會) kuài 总计:～计。另见610页 huì。

【会计】kuài·jì 名❶ 监督和管理财务的工作,主要内容有填制各种记账凭证,处理账务,编制各种有关报表等。❷ 担任会计工作的人员。

【会计师】kuàijìshī 名❶ 企业、机关中会计人员的职务名称之一。❷ 由政府或权威机构发给证书并受当事人委托承办会计、审计等业务的会计人员。如中国的注册会计师,美国的职业会计师等。

块(塊) kuài ❶(～儿)名 成疙瘩或成团儿的东西:糖～儿|把肉切成～儿。❷量 用于块状或某些片状的东西:两～香皂|三～手表|一～桌布|一～试验田。❸〈口〉量 用于银钱或纸币,等于“圆”:三～钱。

【块儿八毛】kuài·er-bāmáo 〈口〉一元钱或比一元钱略少。也说块儿八角。

【块根】kuàigēn 名 根的一种,呈块状,无定形,含有大量的淀粉和料料,如甘薯供食用的部分就是块根。

【块茎】kuàijīng 名 地下茎的一种,呈块状,含有大量的淀粉和料料,上面有凹的芽眼,芽眼中的芽可以长成地上茎,如马铃薯供食用的部分就是块茎。

【块垒】kuàilěi 〈书〉名 比喻郁积在心中的气愤或愁闷:借酒浇心中～。

【块儿】kuàir 名❶〈口〉指人身材的高矮胖瘦:这人～很大。❷〈方〉处;地方:这一带我熟得很,哪～都去过|你哪～摔痛了?|我在这～工作好几年了。

【块头】kuàitóu 〈方〉名 指人身材的高矮胖瘦:大～。

快 kuài ❶形 速度高;走路、做事等费的时间短(跟“慢”相对):～车|～步|又～又好|他进步很～。❷名 快慢的程度:这种汽车在柏油路上能跑多～?❸副赶快:～来帮忙|～送医院抢救。❹副 快要;将要:你再等一会儿,他～回来了|他从事教育工作～四十年了。❺形 灵敏:脑子～|眼疾手～。❻形 (刀、剪、斧子等)锋利(跟“钝”相对):菜刀不～了,你去磨一磨。❼ 爽快;痛快:直截了当:～人～语。❽ 愉快;高兴;舒服:～感|拍手称～|大～人心。❾ 旧时指专管缉捕的差役:捕～|马～。❿(Kuài)名 姓。

【快板儿】kuàibǎnr 名 曲艺的一种,词儿合辙押韵,说时用竹板打节拍,节奏较快。

【快报】kuàibào 名 机关团体等自办的小型的、能及时反映情况的报纸或墙报。

【快步流星】kuàibù liúxīng 大步流星。

【快步舞】kuàibùwǔ 名 现代舞的一种,起源于美国。舞曲明亮欢快,节奏为 4/4 拍。舞步轻快灵活,跳跃感强。

【快餐】kuàicān 名 能够迅速提供顾客食用的饭食,如汉堡包、盒饭等。

【快车】kuàichē 名 中途停站较少、全程行车时间较短的火车或汽车(多用于客运)。

【快车道】kuàichēdào 名 机动车分道行驶时,专供快速行驶的车道;一般在内侧。

【快当】kuài·dang 形 迅速敏捷;不拖拉。

【快刀斩乱麻】kuàidāo zhǎn luànmá 比喻用果断的办法迅速解决复杂的问题。

【快递】kuàidì 名 特快专递的简称。

【快感】kuàigǎn 名 愉快或痛快的感觉:好的歌舞节目能给人以～。

【快活】kuài·huo 形 愉快;快乐:提前完成了任务,心里觉得很～。

【快货】kuàihuò 名 卖得快的货物;畅销的商品。

【快件】kuàijiàn 名❶ 运输部门把托运的货物分为快件、慢件两种,运输速度较慢、运费较低的叫慢件,运输速度较快、运费较高的叫快件。快件一般凭火车票办理托运,物品随旅客所乘列车同时到达。❷ 邮政部门指需要快速递送的邮件。

【快捷】kuàijié 形 (速度)快;(行动)敏捷:动作～|他迈着～的步伐走在最前头。

【快捷键】kuàijiéjiàn 名 计算机键盘中的特殊键,使用快捷键能够快速实现某些功能,提高工作效率。

【快镜头】kuàijìngtóu 名 拍摄影片或电视

片时,用慢速拍摄的方法拍摄,再用正常速度放映或播映,从而产生人、物动作的速度比实际快的效果。这样的镜头叫做快镜头。

【快乐】kuàilè 〔形〕感到幸福或满意:～的微笑|祝您生日～。

【快马加鞭】kuài mǎ jiā biān 对快跑的马再打几鞭子,使它跑得更快,比喻快上加快。

【快慢】kuàimàn 〔名〕指速度:这艘轮船的～怎么样?

【快门】kuàimén (～儿)〔名〕照相机中控制曝光时间的装置,由薄金属片或不透光的布帘构成。拍照时快门的开启时间可以是数秒、一秒、几分之一秒以至千分之一秒或更短。

【快枪】kuàiqiāng 〔名〕泛指能较快地上子弹的枪(对"土枪、鸟枪"而言)。

【快人快语】kuài rén kuài yǔ 爽快的人说爽快的话,指人性格直爽。

【快三步】kuàisānbù 〔名〕维也纳华尔兹。

【快事】kuàishì 〔名〕令人痛快满意的事:好友相逢,畅叙别情,实为一大～。

【快手】kuàishǒu (～儿)〔名〕指做事敏捷的人。

【快书】kuàishū 〔名〕曲艺的一种,用铜板或竹板伴奏,词儿合辙押韵,说时节奏较快,有山东快书、竹板快书等。

【快速】kuàisù 〔形〕速度快的;迅速:～炼钢|～行军|～前进。

【快艇】kuàitǐng 〔名〕汽艇。

【快慰】kuàiwèi 〔形〕痛快而感到安慰;欣慰:得知近况,不胜～。

【快信】kuàixìn 〔名〕邮政部门指需要快速投递的信件。

【快性】kuài·xing 〔方〕〔形〕性情爽快:他是个～人,想到什么就说什么。

【快婿】kuàixù 〔书〕〔名〕指为岳父岳母所满意的女婿:乘龙～。

【快讯】kuàixùn 〔名〕指迅速采访、刊出或播发的消息。

【快要】kuàiyào 〔副〕表示在很短的时间以内就要出现某种情况:铅笔～用完了,再买几支吧|国庆节～到了|她长得～跟妈妈一样高了。

【快意】kuàiyì 〔形〕心情爽快舒适:微风吹来,感到十分～。

【快鱼】kuàiyú 同"鲙鱼"。

【快运】kuàiyùn 〔动〕快速运送(货物等)。

【快嘴】kuàizuǐ 〔名〕指不加考虑、有话就说或好传闲话的人。

佲(儈) kuài 旧指以拉拢买卖从中取利为职业的人:市～|牙～|驵～(zǎngkuài)。

邻(鄶) Kuài ❶ 周朝国名,在今河南新密东北。❷〔名〕姓。

哙(噲) kuài 〔书〕咽下去。

狯(獪) kuài 〔书〕狡猾:狡～。

浍(澮) kuài 〔书〕田间的水沟。
另见 612 页 Huì。

脍(膾) kuài 〔书〕❶ 切得很细的鱼或肉。❷ 把鱼、肉切成薄片:～鲤。

【脍炙人口】kuài zhì rén kǒu 美味人人都爱吃,比喻好的诗文或事物人们都称赞(炙:烤熟的肉)。

筷 kuài 筷子:碗～。

【筷子】kuài·zi 〔名〕用竹、木、金属等制的夹饭菜或其他东西的细长棍儿:一双～|竹～|火～(夹炭火用的)。

鲙(鱠) kuài [鲙鱼](kuàiyú)〔名〕鳓(lè)。也作快鱼。

kuān(ㄎㄨㄢ)

宽(寬) kuān ❶〔形〕横的距离大;范围广(跟"窄"相对):～银幕|这条马路很～|他为集体想得周到,管得～。❷〔名〕宽度:我国国旗的～是长的三分之二|这条河有一里～。❸〔动〕放宽;使松缓:～限|～心|听说孩子已经脱险,心就～了一半。❹〔形〕宽大;不严厉;不苛求:～容|～处理|对己严,待人～。❺〔形〕宽裕;宽绰:他虽然手头比过去～多了,但仍很注意节约。❻(Kuān)〔名〕姓。

【宽敞】kuān·chang 〔形〕宽阔;宽大:这间屋子很～。

【宽畅】kuānchàng 〔形〕(心里)舒畅:胸怀～。

【宽绰】kuān·chuo 〔形〕❶ 宽阔;不狭窄;

~的礼堂|人口不多,虽然只两间房子,倒也宽宽绰绰的。❷(心胸)开阔:听了他的话,心里觉着~多了。❸富余:乡亲们的生活越来越~了。

【宽打窄用】kuān dǎ zhǎi yòng 订计划的时候打得宽裕一些,而实际使用的时候节约一些。

【宽大】kuāndà 形❶面积或容量大:衣袖~|豁亮的客厅。❷对人宽容厚道:襟怀~。❸对犯错误或犯罪的人从宽处理:~政策|~处理。

【宽大为怀】kuāndà wéi huái 待人接物胸怀开阔,态度宽容厚道。

【宽带】kuāndài 名模拟通信中指频率大大高于话音的带宽,数字通信中通常指传输速率超过1兆比特/秒的带宽。

【宽贷】kuāndài 动宽容;饶恕:如果再犯,决不~。

【宽待】kuāndài 动宽大对待:~俘虏。

【宽度】kuāndù 名宽窄的程度;横的距离(长方形多指两条长边之间的距离)。

【宽泛】kuānfàn 形(内容、意义)涉及的面宽:这个词的含义很~。

【宽广】kuānguǎng 形❶面积大:~的原野|道路越走越~。❷范围大:题材~|~的艺术领域。❸(心胸)开阔;(见识)广博:胸怀~|眼界~。

【宽和】kuānhé 形宽厚温和:待人~|性情~。

【宽宏】kuānhóng 形(度量)大:~大量。也作宽洪。

【宽宏大量】kuānhóng dàliàng 形容人度量大。也作宽洪大量。也说宽宏大度。

【宽洪】kuānhóng 形❶(嗓音)宽而洪亮:~的歌声。❷同"宽宏"。

【宽洪大量】kuānhóng dàliàng 同"宽宏大量"。

【宽厚】kuānhòu 形❶宽而厚:~的胸膛。❷(待人)宽容厚道:为人~。❸(嗓音)浑厚:唱腔高亢~。

【宽假】kuānjiǎ〈书〉动宽贷;宽恕。

【宽解】kuānjiě 动使宽心;使烦恼解除:母亲生气的时候,姐姐总能设法~。

【宽旷】kuānkuàng 形宽广空旷:~的草原。

【宽阔】kuānkuò 形❶宽①;阔①:~无垠|~平坦的大道。❷(心胸、见识等)开

阔,不狭隘:胸襟~|思路~。

【宽让】kuānràng 动让着别人,不争执;宽容忍让。

【宽饶】kuānráo 动宽恕;饶恕:依法惩治,决不~。

【宽容】kuānróng 动宽大有气量,不计较或追究:大度~|对损害群众利益的行为绝不能~。

【宽赦】kuānshè 动宽大赦免;宽恕。

【宽舒】kuānshū 形❶舒畅:心境~。❷宽敞舒展:青石板铺成的街道平整~。

【宽恕】kuānshù 动宽容饶恕。

【宽松】kuān·sōng 形❶宽绰;不拥挤:列车开动以后,拥挤的车厢略为~了一些。❷(衣服)肥大:~衫|~式的连衣裙。❸宽畅;松快:~和谐的环境|她听了同事们劝慰的话,心里~多了。❹宽裕:工资提高了,手头~多了。

【宽慰】kuānwèi ❶动宽解安慰:她用温和的话语~着妈妈。❷形宽畅欣慰:儿子总算理解了自己的苦心,她感到很~。

【宽限】kuān//xiàn 动放宽限期:我们借的东西还要用,请你~几天。

【宽心】kuān//xīn 动解除心中的焦急愁闷:大家去陪她玩儿玩儿,让她宽心。

【宽心丸儿】kuānxīnwánr 名比喻宽慰人的话。也说开心丸儿。

【宽衣】kuān//yī 动敬辞,用于请人脱衣:屋里热,请~。

【宽银幕电影】kuānyínmù diànyǐng 电影的一种,银幕略作弧形,比普通电影的银幕宽,使观众看到的画面大而完整,并有身临其境的感觉。这种电影的配音多是立体声。

【宽宥】kuānyòu〈书〉宽恕;饶恕。

【宽余】kuānyú 形❶宽阔舒畅。❷宽裕:他近两年手头~多了。

【宽裕】kuānyù 形宽绰富余:生活一天天~起来|时间很~。

【宽窄】kuānzhǎi 名面积、范围大小的程度。

【宽展】kuānzhǎn〈方〉形❶(心里)舒畅:听他们一说,心里~多了。❷(地方)宽阔:~的院落。❸宽裕:手头不~|日子过得还算~。

【宽纵】kuānzòng 动宽容放纵;不加约束:对孩子要严加管教,不要一味~。

髋（髖） kuān [髋骨] (kuāngǔ) 名 组成骨盆的大骨，左右各一，形状规则，是由髂骨、坐骨和耻骨合成的。通称胯骨。(图见 490 页"人的骨骼")

kuǎn （ㄎㄨㄢˇ）

款¹（欵） kuǎn ❶ 诚恳：～留｜～曲。❷ 招待：款待：～客。

款²（欵） kuǎn ❶ 名 法令、规章、条约等条文里分的项目，通常在条下分款，款下分项：条～｜～项。❷ 名 款项①；钱：现～｜公～｜汇～｜～～。❸ (～儿)名 书画上题的作者或赠送对象的姓名：上～｜下～｜落～儿。❹ (～儿)名 款式：这是刚出厂的新～风衣｜橱窗里摆着各～鞋帽。❺ 量 a) 用于款式的种类：两～风衣｜五～西式点心。b) 用于条文里的项目：第二条第一～。

款³（欵） kuǎn 〈书〉敲①：～门｜～关。

款⁴（欵） kuǎn 缓；慢：～步｜清风徐来，柳丝～摆。

【款步】kuǎnbù 动 缓慢地步行：～向前｜～漫游。

【款待】kuǎndài 动 亲切优厚地招待：～客人｜盛情～。

【款冬】kuǎndōng 名 多年生草本植物，叶子略呈心脏形，有长柄，花黄色。花蕾可入药。

【款额】kuǎn'é 名 经费或款项的数额。

【款款】kuǎnkuǎn 〈书〉❶ 形 诚恳；忠诚：～深情。❷ 副 慢慢地：～而行｜花香～飘来。

【款留】kuǎnliú 动 诚恳地挽留(宾客)：再三～。

【款洽】kuǎnqià 形 亲切融洽：情意～。

【款曲】kuǎnqū 〈书〉❶ 动 殷勤应酬：不善与人～。❷ 名 殷勤的心意：互通～。

【款式】kuǎnshì 名 格式；样式：～新颖｜这个书柜的～很好。

【款项】kuǎnxiàng 名 ❶ 为某种用途而储存或支出的钱(多指机关、团体等进出的数目较大的钱)。❷ (法令、规章、条约等)条文的项目。

【款型】kuǎnxíng 名 (服装等的)款式：时髦的～。

【款识】kuǎnzhì 名 ❶ 钟、鼎等器物上所刻的文字。❷ 书信、书画上面的落款。

【款子】kuǎn·zi 〔口〕名 款项①；钱(数目较大的)：汇来一笔～。

窾 kuǎn 〈书〉空。

kuāng （ㄎㄨㄤ）

匡 kuāng ❶〈书〉纠正：～谬。❷〈书〉救；帮助：～助｜～我不逮(帮助我所做不到的)。❸〈方〉动 粗略地计算：估计：～计｜～算｜～一～。❹ 料想(多见于早期白话)：～他不敢。❺ (Kuāng) 名 姓。

【匡扶】kuāngfú〈书〉动 匡正扶持；辅佐：～汉室。

【匡复】kuāngfù〈书〉动 挽救国家，使转危为安：～社稷。

【匡计】kuāngjì 动 粗略计算：以每亩增产六十斤～，全村能增产粮食十来万斤。

【匡救】kuāngjiù 动 挽救而使回到正路上来。

【匡谬】kuāngmiù〈书〉动 纠正错误：～正俗。

【匡时】kuāngshí〈书〉动 挽救危难的时局：～救世。

【匡算】kuāngsuàn 动 粗略计算：据初步～，今年棉花将增产百分之十二。

【匡正】kuāngzhèng 动 纠正；改正：～时弊。

【匡助】kuāngzhù 动 辅助；扶助。

劻 kuāng [劻勷] (kuāngráng)〈书〉形 急迫不安的样子。也作恇儴。

恇 kuāng [恇儴] (kuāngráng)〈书〉同"劻勷"。

诓（誆） kuāng 动 诓骗；哄骗：～人｜又让他～了一回。

【诓骗】kuāngpiàn 动 说谎话骗人。

哐 kuāng 拟声 形容撞击震动的声音：～的一声，脸盆掉地上了。

【哐当】kuāngdāng 拟声 形容器物撞击的声音：～一声，门被踢开了。

【哐啷】kuānglāng 拟声 形容器物撞击的声音：他回身把门一～一声关上了。

洭 Kuāng 洭河,古水名,在今广东。

恇 kuāng 〈书〉害怕;惊慌:～惧|～怯。

筐 kuāng (～儿)名用竹篾、柳条、荆条等编的容器:抬～|粪～|编竹～儿|两～土。

【筐子】kuāng·zi 名筐(多指较小的):菜～。

kuáng (ㄎㄨㄤˊ)

狂 kuáng ❶精神失常;疯狂:发～◇丧心病～。❷猛烈;声势大:～风|～奔。❸纵情地、无拘束地(多指欢乐):～喜|～欢。❹形狂妄:～言|你这话可说得有点儿～。

【狂暴】kuángbào 形猛烈而凶暴:性情～|～的北风。

【狂奔】kuángbēn 动迅猛地奔跑:战马～◇洪水～而来。

【狂飙】kuángbiāo 名急骤的暴风,比喻猛烈的潮流或力量。

【狂草】kuángcǎo 名草书的一种,笔势奔放,连绵回绕,字形变化繁多。

【狂潮】kuángcháo 名汹涌的潮水,比喻声势浩大的局面。

【狂放】kuángfàng 形任性放荡:性情～。

【狂吠】kuángfèi 动狗狂叫,借指疯狂地叫喊(骂人的话)。

【狂风】kuángfēng 名❶猛烈的风:～暴雨。❷气象学上旧指 10 级风。参看407页『风级』。

【狂欢】kuánghuān 动纵情欢乐:～之夜。

【狂劲】kuángjìn (～儿)名张狂的劲头。

【狂劲】kuángjìng 形狂放刚劲:～的黑人音乐。

【狂澜】kuánglán 名巨大的波浪,比喻动荡不定的局势或猛烈的潮流:力挽～。

【狂怒】kuángnù 形极端愤怒。

【狂气】kuáng·qi 形狂妄自傲的样子。

【狂犬病】kuángquǎnbìng 名急性传染病,病原体是狂犬病病毒,常见于狗、猫等家畜,人或其他家畜被患狂犬病的狗或猫咬伤时也能感染。人患狂犬病时,症状是精神失常、恶心、流涎,看见水就恐惧,肌肉痉挛,呼吸困难,最后全身瘫痪而死亡。也叫恐水病。

【狂热】kuángrè 形一时激起的极度热情(多含贬义):～情绪|～购物。

【狂人】kuángrén 名❶疯狂的人。❷极端狂妄自大的人。

【狂胜】kuángshèng 动指体育比赛中,以非常大的优势取胜:主队以 8 比 0 ～客队。

【狂涛】kuángtāo 名汹涌的波涛,比喻浩大的声势。

【狂妄】kuángwàng 形极端的自高自大:～自大|态度～。

【狂喜】kuángxǐ 形极端高兴:他们相见时～地拥抱在一起。

【狂想】kuángxiǎng 名❶幻想:～曲。❷妄想。

【狂想曲】kuángxiǎngqǔ 名一种富于幻想或叙事性的器乐曲,根据民歌或民间舞曲的主题改编而成。

【狂笑】kuángxiào 动放纵地大笑。

【狂言】kuángyán 名狂妄的话:口出～。

【狂躁】kuángzào 形非常焦躁,不沉着:多次的挫折,使他变得越来越～。

诳(誑) kuáng ❶欺骗;骗:～语|别～我。❷〈方〉用言语或行动逗引人以取乐:他是和你～哩。

【诳话】kuánghuà 名诳语。

【诳语】kuángyǔ 名骗人的话。也说诳话。

鵟(鵟) kuáng 名鸟,外形像老鹰,但尾部羽毛不分叉,全身褐色,尾部稍淡。吃鼠类等,是益鸟。

kuǎng (ㄎㄨㄤˇ)

夼 kuǎng 〈方〉名两山之间的谷地;洼地(多用于地名):大～|刘家～|马草～(都在山东)。

kuàng (ㄎㄨㄤˋ)

圹 kuàng (旧读 gǒng)〈书〉同"矿"。

邝(鄺) Kuàng 名姓。

圹（壙） kuàng ❶ 名 墓穴：～穴｜打～。❷〈书〉原野。

【圹埌】kuànglàng〈书〉形 形容原野空旷辽阔，一望无际。

纩（纊） kuàng〈书〉丝绵。

旷（曠） kuàng ❶ 空而宽阔：～野｜地～人稀。❷ 心境开阔：～达｜心～神怡。❸ 耽误；荒废：～课｜～工｜～日废时。❹ 形 相互配合的两个零件（如轴和孔、键和键槽等）的间隙大于所要求的范围，衣着过于肥大，不合体：车轴～了｜螺丝～了｜这双鞋我穿着太～了。❺（Kuàng）名 姓。

【旷达】kuàngdá〈书〉形 心胸开阔，想得开：胸襟～。

【旷代】kuàngdài〈书〉动 ❶ 当代没人比得上：～文豪。❷ 经历很长久的时间：～难逢的盛事。

【旷荡】kuàngdàng 形 ❶ 空阔；宽广：～的草原。❷（思想、心胸）开朗：心怀～。

【旷废】kuàngfèi 动 耽误；荒废：～学业。

【旷费】kuàngfèi 动 浪费：～时间。

【旷工】kuàng∥gōng 动（职工）不请假而缺勤。

【旷古】kuànggǔ ❶ 动 自古以来（都没有）：～未闻｜～绝伦。❷ 名 远古；往昔。

【旷课】kuàng∥kè 动（学生）不请假而缺课。

【旷日持久】kuàng rì chí jiǔ 多费时日，拖得很久。

【旷世】kuàngshì〈书〉动 ❶ 当代没有人或事物能够相比：～功勋。❷ 经历很长久的时间：～难成之业。

【旷野】kuàngyě 名 空旷的原野。

【旷远】kuàngyuǎn 形 ❶ 空旷辽远：江面浩渺～。❷〈书〉久远：年代～。

【旷职】kuàng∥zhí 动（工作人员）不请假而缺勤。

况¹（況） kuàng ❶ 情形：情～｜状～｜概～｜盛～｜近～。❷ 比方：比～｜以古～今。❸（Kuàng）名 姓。

况²（況） kuàng〈书〉连 况且；何况。

【况且】kuàngqiě 连 表示更进一层，多用来补充说明理由：上海地方那么大，～你又不知道地址，一下子怎么能找到他呢？

【况味】kuàngwèi〈书〉名 境况和情味：个中～，难以尽言。

矿（礦、鑛） kuàng（旧读 gǒng）名 ❶ 矿床。❷ 指矿石：～车｜精～｜安全采～｜拉来一车～。❸ 开采矿石的场所：露天～。❹（Kuàng）姓。

【矿藏】kuàngcáng 名 地下埋藏的各种矿物的统称：我国的～很丰富。

【矿层】kuàngcéng 名 地层中作层状分布的矿物。

【矿产】kuàngchǎn 名 地壳中有开采价值的矿物，如铜、云母、煤等。

【矿床】kuàngchuáng 名 地表或地壳里由于地质作用形成的并在现有条件下可以开采和利用的矿物的集合体。

【矿灯】kuàngdēng 名 矿工在矿井工作时随身携带的特制的照明灯。

【矿工】kuànggōng 名 开采矿物的工人。

【矿井】kuàngjǐng 名 为采矿而在地下修建的井筒和巷道的统称。

【矿警】kuàngjǐng 名 维护矿区治安的警察。

【矿坑】kuàngkēng 名 开矿挖掘的坑和坑道。

【矿脉】kuàngmài 名 填充在岩石裂缝中成脉状的矿体，常跟地层形成一定角度。金、银、铜、钨、锑等常产于矿脉中。

【矿苗】kuàngmiáo 名 见 890 页【露头】（lùtóu）。

【矿难】kuàngnàn 名 矿井发生的重大事故（多指有人员伤亡的）。

【矿区】kuàngqū 名 开采矿石的地区。

【矿泉】kuàngquán 名 含有较多矿物质的泉。一般是温泉，有盐泉、铁质泉、硫黄泉等。有些矿泉可以用来治疗疾病。

【矿泉水】kuàngquánshuǐ 名 含有较多对人体有益的矿物质的地下水。

【矿砂】kuàngshā 名 从矿床中开采的或由贫矿经选矿加工制成的砂状矿物。

【矿山】kuàngshān 名 开采矿物的地方，包括矿井和露天采矿场。

【矿石】kuàngshí 名 ❶ 含有有用矿物并有开采价值的岩石。❷ 在无线电收音机上特指能做检波器的方铅矿、黄铁矿等。

【矿物】kuàngwù 名 地壳中由地质作用形成的天然化合物和单质。通常具有固定的化学成分、原子排列规则和性质,是组成岩石和矿石的基本单元。绝大部分是固态的(如石英),极个别是液态的(如自然汞)。

【矿物纤维】kuàngwù xiānwéi 从岩石中取得的纤维,如石棉的纤维。

【矿物油】kuàngwùyóu 图 分馏石油或干馏页岩等所得到的油质产品,如汽油、煤油、柴油、润滑油等。

【矿业】kuàngyè 图 开采矿物的事业:招商引资,开发~。

【矿源】kuàngyuán 图 矿产资源:勘察~。

【矿渣】kuàngzhā 图 矿山开采、选矿及加工冶炼过程中产生的固体废物。

【矿脂】kuàngzhī 图 凡士林。

【矿柱】kuàngzhù 图 地下采矿过程中保留下来的矿体,用来支撑顶板,也有保护巷道和地面建筑物的作用。

觃(覎) kuàng 〈书〉赠;赐。

绖(絓) kuàng 〈书〉同"纩"。

框¹ kuàng 图❶ 嵌在墙上为安装门窗用的架子。❷(~儿)镶在器物周围起约束、支撑或保护作用的东西:镜~儿。

框² kuàng(旧读 kuāng)❶ 图 框框:这条消息被人用红笔加了个~。❷ 动 在文字、图片的周围加上线条:把这几个字~起来。❸ 动 约束;限制:不能~得太死。

【框定】kuàngdìng 动 限定(在一定的范围内):公安人员经过反复排查,~了作案人的范围。

【框架】kuàngjià 图❶ 建筑工程中,由梁、柱等联结而成的结构:完成主体~工程。❷ 比喻事物的基本组织、结构:这部长篇小说已经有了一个大致的~。

【框框】kuàng·kuang(~儿)图❶ 周围的圈:他拿红铅笔在图片四周画了个~。❷(事物)固有的格式;传统的做法;事先划定的范围:突破旧~的限制。

【框子】kuàng·zi 图 框¹②(多指较小的):眼镜~|玻璃~。

眶 kuàng 眼的四周;眼眶子:热泪盈~|眼泪夺~而出。

---

kuī(ㄎㄨㄟ)

亏(虧) kuī 动❶ 受损失:亏折|~本|盈~|~损|做生意~了。❷ 欠缺;短少:血~|理~|功~一篑。❸ 亏负:~心|人不~地,地不~人|你放心吧,我~不了你。❹ 多亏:~他提醒我,我才想起来。❺ 反说,表示讥讽:这样不合理的话,倒~你说得出来|你还是哥哥,一点儿也不知道让着弟弟。

【亏本】kuī∥běn(~儿)动 损失本钱;赔本:~生意|做这种买卖亏不了本儿。

【亏产】kuīchǎn 动 没有达到原定生产数量;欠产:上半年~原煤五百多万吨|改进管理制度,变~为超产。

【亏秤】kuī∥chèng 动❶ 用秤称东西卖时不给够分量:无论老人、小孩儿去买东西,他从不~。❷ 亏秤(shé∥chèng):青菜水分大,一放就会~。

【亏待】kuīdài 动 待人不公平或不尽心:你放心吧,我一定不~他。

【亏得】kuī·de 动❶ 多亏:~厂里帮助我,才渡过了难关。❷ 反说,表示讥讽:这么长时间才还给我,~你还记得。

【亏短】kuīduǎn 动 数量不足;缺少:~分量|账上~1 000元。

【亏负】kuīfù 动❶ 辜负:他~了大家的期望。❷ 使吃亏:大家没有~你的地方。

【亏耗】kuīhào ❶ 动 亏损消耗:久病之后,元气~,需要好好调养。❷ 图 损耗②:这批水果运输时间长,~很大。

【亏空】kuī∥kong 动❶ 图 支出超过收入而入不敷财物:没有精打细算,上月~了100元。❷ 图 所欠的财物:过日子要是精打细算,就拉不了~。

【亏累】kuīlěi 动 一次又一次地亏空:由于经营不善,这个商店连年~。

【亏欠】kuīqiàn 动 亏空。

【亏折】kuīshé 动 损失(本钱):~血本。

【亏蚀】kuīshí ❶ 图 指日食和月食。❷ 动 亏本:资金~。❸ 动 损耗:瓜果在运输途中总是要~一些。

【亏损】kuīsǔn 动❶ 支出超过收入;亏折:企业经营不善,连年~。❷ 身体因受到摧残或缺乏营养以致虚弱:气血~。

【亏心】kuī//xīn 〈形〉感觉到自己的言行违背良心：你说这话，也不～！|为人不做一事，半夜敲门心不惊。

刲 kuī〈书〉割。

岿（巋） kuī 见下。

【岿然】kuīrán〈书〉形 高大独立的样子：～不动|～独存。

【岿巍】kuīwēi〈书〉形 高大矗立的样子：山峰～。

悝 kuī 用于人名，李悝，战国时政治家。另见835页 lǐ。

盔 kuī ❶（～儿）名 盔子。❷ 军人、消防人员等用来保护头的金属帽子：～甲|钢～|铝～。❸（～儿）形状像盔或半个球形的帽子：白～|帽～儿。

【盔甲】kuījiǎ 名 古代打仗穿的服装，盔保护头，甲保护身体，用金属或皮革制成。

【盔头】kuī·tou 名 戏曲演员扮演角色时戴的各种帽子，着重于装饰性，按剧中人物的年龄、性别、身份、地位的不同而分别使用。

【盔子】kuī·zi 名 像瓦盆而略深的容器，多用陶瓷制成。

窥（窺、闚） kuī ❶ 从小孔或缝隙里看：管中～豹。❷ 暗中察看：～探|～测。

【窥豹一斑】kuī bào yī bān 比喻只见到事物的一小部分。参看505页〖管中窥豹〗。

【窥测】kuīcè 动 窥探推测：～动向。

【窥察】kuīchá 动 偷偷地察看；窥探：～地形|敌人的动静。

【窥度】kuīduó 动 暗中猜度。

【窥见】kuījiàn 动 看出来或觉察到：从这首诗里可以～作者的广阔胸怀。

【窥视】kuīshì 动 窥探：～敌情|他探头向门外～。

【窥视镜】kuīshìjìng 名 门镜。

【窥伺】kuīsì 动 暗中观望动静，等待机会（多含贬义）：～可乘之机。

【窥探】kuītàn 动 暗中察看：～虚实。

kuí（ㄎㄨㄟ）

奎 kuí ❶ 二十八宿之一。❷（Kuí）名 姓。

奎宁 kuíníng 名 药名，化学式 $C_{20}H_{24}O_2N_2 \cdot 3H_2O$。是从金鸡纳树等植物的皮中提制出来的白色晶体或无定形粉末，有苦味。用于治疗疟疾。也叫金鸡纳霜。[英 quinine]

逵 kuí〈书〉道路。

馗 kuí 同"逵"。

隗 Kuí 名 姓。另见1421页 Wěi。

揆 kuí〈书〉❶ 推测揣度：～其本意|～情度理。❷ 准则；道理：古今同～。❸ 管理；掌管：总～百事。❹ 指宰相，后来指相当于宰相的官：首～|阁～（内阁的首席长官）。

【揆度】kuíduó〈书〉动 估量；揣测：～得失。

【揆情度理】kuí qíng duó lǐ 按照一般情理推测揣度。

葵 kuí ❶ 指某些开大花的草本植物：锦～|蒲～|向日～。❷（Kuí）名 姓。

【葵花】kuíhuā 名 向日葵。

【葵花子】kuíhuāzǐ（～儿）名 向日葵的种子，可以吃，也可以榨油。

【葵扇】kuíshàn 名 用蒲葵叶制成的扇子。俗称芭蕉扇。

喹 kuí [喹啉](kuílín)名 有机化合物，化学式 $C_9H_6(CH)_2N$。无色液体，有特殊臭味。用来制药，也可制染料。[英 quinoline]

骙（騤） kuí [骙骙](kuíkuí)〈书〉形 形容马强壮。

暌 kuí〈书〉(人跟人或跟地方)隔开；分离：～离|～隔|～违。

【暌别】kuíbié〈书〉动 分别；离别：～多日|～经年。

【暌隔】kuígé〈书〉动 暌离：故乡山川，十年～。

【暌离】kuílí〈书〉动 离别；分离：～有年。

【暌违】kuíwéi〈书〉动 分离；不在一起(旧时书信用语)：～数载。

魁 kuí ❶ 为首的；居第一位的：～首|～罪|～夺|～花|～元。❷（身体）高大：～梧|～伟。❸ 魁星①。❹（Kuí）名 姓。

【魁岸】kuí'àn〈书〉形 魁梧；身材～。

【魁首】kuíshǒu 名 ❶ 指在同辈中才华居

首位的人：文章～｜女中～。❷ 首领。

【魁伟】kuíwěi 形 魁梧；身材～。

【魁梧】kuí·wú 形（身体）强壮高大：这个战士宽肩膀,粗胳膊,身量很～。

【魁星】kuíxīng 名❶ 北斗七星中成斗形的四颗星。一说指其中离斗柄最远的一颗。❷（Kuíxīng）神话中所说的主宰文章兴衰的神。旧时很多地方都有魁星楼、魁星阁等建筑物。

【魁元】kuíyuán 〈书〉名❶ 在同辈中才华居首位的人；魁首。❷ 第一名：秋试得中～。

戣 kuí 古代戟一类的兵器。

睽 kuí 〈书〉❶ 同"暌"。❷ 违背；不合。

【睽睽】kuíkuí 形 形容注视：众目～。

【睽异】kuíyì 〈书〉动（意见）不合。

蝰 kuí ［蝰蛇］（kuíshé）名 毒蛇的一种,体长1米左右,背部暗褐色,背脊有黑色的链状条纹,身体两侧有不规则的斑点,腹部黑色,多生活在森林或草地里,吃小鸟、蜥蜴、青蛙等。

槻 kuí 〈书〉北斗星。

夔 kuí 古代传说中一种像龙的独脚怪兽。

夔 Kuí ❶ 夔州,旧府名,府治在今重庆奉节。❷ 名 姓。

kuǐ （ㄎㄨㄟˇ）

傀 kuǐ 见下。

【傀儡】kuǐlěi 名❶ 木偶戏里的木头人。❷ 比喻受人操纵的人或组织（多用于政治方面）：～政权。

【傀儡戏】kuǐlěixì 名 木偶戏。

跬 kuǐ 古代称半步,一只脚迈出去的距离,相当于今天的一步：～步。

【跬步】kuǐbù 〈书〉名 半步：～不离｜～千里（比喻做事只要努力不懈,总可以获得成功）。

磈 kuǐ ［磈磊］（kuǐlěi）〈书〉名❶ 成堆的石块。❷ 比喻心中郁积的不平之气；块垒。

kuì （ㄎㄨㄟˋ）

匮（匱） kuì 〈书〉缺乏：～乏｜～竭。〈古〉又同"柜" guì。

【匮乏】kuìfá 〈书〉形（物资）缺乏；贫乏：药品～｜极度～。

【匮竭】kuìjié 〈书〉动 贫乏,以至于枯竭：精力～｜被困山谷,粮食～。

【匮缺】kuìquē 〈书〉动 缺乏：器材～｜能源～。

蒉（蕢） kuì 〈书〉盛土的草包。

喟 kuì 〈书〉叹气：～叹｜感～。

【喟然】kuìrán 〈书〉形 叹气的样子：～长叹｜～太息。

【喟叹】kuìtàn 〈书〉动 因感慨而叹气：～不已。

馈（饋、餽） kuì ❶ 馈赠：～送｜以鲜果～。❷ 传输：～线｜反～。

【馈送】kuìsòng 动 馈赠。

【馈线】kuìxiàn 名 发射机和天线之间的传输线。

【馈赠】kuìzèng 动 赠送（礼品）：带些土产～亲友。

溃（潰） kuì ❶（水）冲破（堤坝）：～堤｜～决。❷〈书〉突破（包围）：～围。❸ 溃败；溃散：～兵｜～退｜～不成军。❹ 肌肉组织腐烂：～烂。

另见613页 huì。

【溃败】kuìbài 动（军队）被打垮：敌军～南逃。

【溃不成军】kuì bù chéng jūn 军队被打得七零八落,不成队伍,形容打仗败得无法收拾。

【溃决】kuìjué 动 大水冲开（堤坝）：～成灾。

【溃口】kuì∥kǒu 动（堤坝）坍塌决口。

【溃烂】kuìlàn 动 伤口或发生溃疡的组织由于病菌的感染而化脓。

【溃乱】kuìluàn 动 崩溃混乱：敌军全线～。

【溃灭】kuìmiè 动 崩溃灭亡：邪恶势力必定～。

【溃散】kuìsàn 动 (军队)被打垮而逃散。

【溃逃】kuìtáo 动 (军队)被打垮而逃跑：闻风～。

【溃退】kuìtuì 动 (军队)被打垮而后退：敌军狼狈～。

【溃围】kuìwéi〈书〉动 突破包围；乘势～而逃。

【溃疡】kuìyáng 动 皮肤或黏膜组织缺损、溃烂。如胃溃疡、口腔溃疡等。

愦(愦) kuì〈书〉糊涂；昏乱：昏～｜～乱。

【愦乱】kuìluàn〈书〉形 昏乱。

愧(媿) kuì 形 惭愧；羞～｜问心无～｜～不敢当(感到惭愧，承当不起)。

【愧汗】kuìhàn〈书〉动 因羞愧而流汗，形容羞愧到了极点：忆及往事，不胜～。

【愧恨】kuìhèn 因羞愧而自恨：他明白了自己的不对，内心深自～。

【愧悔】kuìhuǐ 动 羞愧悔恨：～不及｜提起这些事，～难言。

【愧疚】kuìjiù 形 惭愧不安：～的心情｜内心深感～。

【愧领】kuìlǐng 动 领受别人的情谊、馈赠时说的客套话：您的心意，我～啦。

【愧色】kuìsè 名 惭愧的脸色：面带～。

【愧痛】kuìtòng 形 因羞愧而感到痛苦：脸上流露出～的表情。

【愧作】kuìzuò〈书〉形 惭愧。

褛(褛) kuì〈方〉❶ (～儿)名 用绳子、带子等拴成的结：活～儿｜死～儿。❷ 动 拴；系(jì)：～个褛儿｜把牲口～上。

聩(聩) kuì〈书〉聋：发聋振～。

篑(篑) kuì〈书〉盛土的筐子：功亏一～。

坤 kūn ❶ 名 八卦之一，卦形是"☷"，代表地。参看 16 页〖八卦〗。❷ 指女性的：～造(旧时称婚姻中的女方)｜～宅(旧时称婚姻中的女家)｜～表｜～车｜～包。

【坤包】kūnbāo 名 妇女用的挎包、手提包等，一般比较小巧。

【坤表】kūnbiǎo 名 女式手表，比较小巧。

【坤角】kūnjué (～儿)名 旧时指戏剧女演员。

【坤伶】kūnlíng 名 坤角。

昆 kūn ❶〈书〉哥哥：～仲｜～季。❷〈书〉子孙；后嗣：后～。❸ (Kūn)名 姓。

【昆布】kūnbù 名 一种海藻，生长在温带海洋中，长 1 米左右，黑褐色，固着在岩礁上。基部叉状分枝，柄部圆柱状，像叶子的部分扁平，含有丰富的碘和氨基酸等，可入药。

【昆虫】kūnchóng 名 节肢动物的一纲，身体分头、胸、腹三部。头部有触角、眼、口器等。胸部有足三对，翅膀两对或一对，也有没翅膀的。腹部有节，两侧有气孔，是呼吸器官。多数昆虫经过卵、幼虫、蛹、成虫等发育阶段。如蜜蜂、蚊、蝇、跳蚤、蝗虫、蚜虫等。

【昆季】kūnjì〈书〉名 兄弟(xiōngdì)。

【昆腔】kūnqiāng 名 戏曲声腔之一，元代在江苏昆山产生。明代至清中叶以前非常流行，对许多剧种的形成和发展都有影响。也叫昆曲、昆山腔。

【昆曲】kūnqǔ ❶ 流行于江苏南部(南昆)及北京、河北(北昆)等地的地方戏曲剧种，用昆腔演唱。也叫昆剧。❷ 昆腔。

【昆仲】kūnzhòng〈书〉名 对别人兄弟(xiōngdì)的称呼。

崑 kūn 崑崙(Kūnlún)，山名，在新疆、西藏和青海。今作昆仑。

堃 kūn 同"坤"(多用于人名)。

裈(褌、幝、裩) kūn〈书〉裤子。

琨 kūn〈书〉一种美玉。

焜 kūn〈书〉明亮。

髡(髠) kūn 古代剃去男子头发的刑罚。

鹍(鶤、鵾) kūn 鹍鸡，古书上指像鹤的一种鸟。

锟(錕) kūn 锟铻(Kūnwú)，古书上记载的山名。所产的铁可以铸刀剑，因此锟铻也指宝剑。

醌 kūn 名 有机化合物的一类，是芳香族母核的两个氢原子各由一个氧原

子所代替而成的化合物。[英 quinone]

鲲（鯤） kūn 古代传说中的一种大鱼。

【鲲鹏】 kūnpéng 名 古代传说中的大鱼和大鸟，也指鲲化成的大鹏鸟（见于《庄子·逍遥游》）。

kǔn （ㄎㄨㄣˇ）

捆（綑） kǔn ❶ 动 用绳子等把东西缠紧打结：～行李|把麦子～起来。❷（～儿）名 捆成的东西：秫秸～儿。❸（～儿）量 用于捆起来的东西：一～柴火。

【捆绑】 kǔnbǎng 动 用绳子等捆（多用于人）。

【捆扎】 kǔnzā 动 把东西捆在一起，使不分散：把布袋口儿～好|这批货物运送的时候，应该受为包装心。

【捆子】 kǔn·zi 名 捆②：把芦苇扎成～。

阃（閫） kǔn 〈书〉❶ 门槛。❷ 指妇女居住的内室：～闱。❸ 借指妇女：～范（女子的品德规范）。

悃 kǔn 〈书〉真心诚意：～诚|聊表谢～。

壸（壼） kǔn 〈书〉宫里的路。

kùn （ㄎㄨㄣˋ）

困（❺❻睏） kùn ❶ 动 陷在艰难痛苦中或受环境、条件的限制无法摆脱：为病所～|想当年当（dàng）无可当，卖无可卖，真把我给～住了。❷ 动 控制在一定范围里；围困：～守|把敌人～在山沟里。❸ 困难：～苦|～厄。❹ 疲乏：～乏|～顿。❺ 形 疲乏想睡：你～了就先睡。❻〈方〉动 睡：～觉|天不早了，快点～吧。

【困惫】 kùnbèi 〈书〉形 非常疲乏：～不堪。

【困顿】 kùndùn 形 ❶ 劳累到不能支持：终日劳碌，十分～。❷（生计或遭遇）艰难窘迫：漂泊在外，～潦倒。

【困厄】 kùn'è 形〈处境〉艰难窘迫：从艰难～中闯出一番事业。

【困乏】 kùnfá 形 ❶ 疲乏：走了一天路，大家都～极了。❷〈书〉（经济、生活）困难：连年歉收，百姓～。

【困惑】 kùnhuò ❶ 形 感到疑难，不知道该怎么办：～不解|十分～。❷ 动 使困惑：这个问题一直～着他们。

【困觉】 kùn//jiào 〈方〉动 睡觉。

【困境】 kùnjìng 名 困难的处境：陷入～|摆脱～|处于～。

【困窘】 kùnjiǒng 形 ❶ 为难：他～地站在那里，一句话也说不出来。❷ 穷困：家境～|～的生活。

【困局】 kùnjú 名 困难的局面：陷入～|摆脱～。

【困倦】 kùnjuàn 形 疲乏想睡：一连忙了几天，大家都十分～。

【困苦】 kùnkǔ 形（生活上）艰难痛苦：生活～|～的日子过去了。

【困难】 kùn·nan ❶ 形 事情复杂，阻碍多：这件事做起来很～。❷ 形 穷困，不好过：生活～。❸ 名 工作、生活中遇到的不易解决的问题或障碍：克服～。

【困扰】 kùnrǎo 动 围困并搅扰；使处于困境而难以摆脱：游击队四处出击，～敌军|这几天被一种莫名的烦乱所～。

【困守】 kùnshǒu 动 在被围困的情况下坚守（防地）：～孤城。

【困兽犹斗】 kùn shòu yóu dòu 比喻陷于绝境的人（多指坏人）虽然走投无路，还要顽强抵抗。

kuò （ㄎㄨㄛˋ）

扩（擴） kuò 动 扩大：～展|～版|～建|～音机。

【扩版】 kuòbǎn 动 报刊扩大版面或增加版数：晚报将于7月1日～，由四版增为八版。

【扩编】 kuòbiān 动 扩大编制：把三个师～为三个军。

【扩产】 kuòchǎn 动 扩大产量；扩大生产：增资～。

【扩充】 kuòchōng 动 扩大充实：～内容|～设备|教师队伍在不断～。

【扩大】 kuòdà 动 使（范围、规模等）比原来大：～生产|～战果|～眼界|～影响|～耕

地面积。

【扩大再生产】kuòdà zàishēngchǎn 扩大原有规模的再生产。参看 1694 页〖再生产〗。

【扩股】kuò//gǔ 动 股份公司或其他合股企业发行新股以增加资本：公司决定～吸收新股东。

【扩建】kuòjiàn 动 把厂矿企业等的原有建筑规模加大：～厂房|大力～高科技园区。

【扩军】kuòjūn 动 扩充军备。

【扩权】kuòquán 动 扩大权限。

【扩容】kuòróng 动 ❶ 扩大通信设备等的容量：电信～工程。❷ 泛指扩大规模、范围、数量等：去年股市～较快。

【扩散】kuòsàn 动 扩大分散出去：～影响|毒素已～到全身。

【扩销】kuòxiāo 动 扩展销路；增加销量：增产～。

【扩胸器】kuòxiōngqì 名 拉力器。

【扩音机】kuòyīnjī 名 用来扩大声音的设备，多用于有线广播。

【扩印】kuòyìn 动 放大洗印(照片)：～机|～彩色照片。

【扩展】kuòzhǎn 动 向外伸展；扩大：小巷～成了马路|五年内全省林地将～到一千万亩。

【扩张】kuòzhāng 动 扩大（势力、疆土等）：向外～|这药能使血管～。

【扩招】kuòzhāo 动 扩大名额招收：今年我校又～了二百多名新生。

括 kuò ❶ 扎；束：～约肌。❷ 包括：总～|概～。❸ 动 对部分文字加上括号：把这几个字用括号～起来。❹ (Kuò) 名 姓。

另见 496 页 guā。

【括号】kuòhào 名 ❶ 算术式或代数式中表示几个数或项的结合关系和先后顺序的符号，形式有( )、[ ]、〈 〉三种，分别叫做小括号、中括号、大括号或圆括号、方括号、花括号。中括号用在小括号的外层，大括号用在中括号的外层，运算时先从小括号内的式子算起。❷ 标点符号，最常用的形式是圆括号，与数学上的小括号相同，还有方括号([ ])、六角括号(〔 〕)、尖括号(〈 〉)、方头括号(【 】)等几种，主要表示文中注释的部分。

【括弧】kuòhú 名 ❶ 小括号。参看〖括号〗①。❷ 括号②。

【括约肌】kuòyuējī 名 肛门、尿道口、幽门等处的环状肌肉，能收缩和舒张，收缩时使肛门、尿道口、幽门等关闭，舒张时使它们开放。

适 kuò ❶ 同"适"。❷ (Kuò) 名 姓。

另见 1249 页 shì。

栝 kuò 见 1629 页〖檃栝〗。

另见 496 页 guā。

适 kuò 〈书〉疾速(多用于人名)。

蛞 kuò 见下。

【蛞蝼】kuòlóu 名 古书上指蝼蛄。

【蛞蝓】kuòyú 名 软体动物，外形像去壳的蜗牛，表面多黏液，头上有长短触角各一对，眼长在长触角上。背面淡褐色或黑色，腹面白色。昼伏夜出，吃植物的叶子，危害蔬菜、果树等农作物。也叫鼻涕虫，有的地区叫蜒蚰。

筈 kuò 〈书〉箭尾扣弦的部分。

阔(闊、濶) kuò ❶ (面积)宽；宽广：广～|辽～|海～天空◇～别。❷ 空泛；不切实际：迂～|高谈～论。❸ 形 阔绰；有钱：摆～|他～起来了。❹ (Kuò) 名 姓。

【阔别】kuòbié 动 长时间的分别：～多年。

【阔步】kuòbù 动 迈大步：～前进|昂首～。

【阔绰】kuòchuò 形 排场大，生活奢侈。

【阔佬】(阔老) kuòlǎo 名 有钱的人。

【阔气】kuò·qi 形 豪华奢侈；摆～。

【阔少】kuòshào 名 有钱人家的子弟。

【阔野】kuòyě 名 广阔的原野：一望无际的～。

【阔叶树】kuòyèshù 名 叶子形状宽阔的树木，如白杨、枫树(区别于"针叶树")。

廓 kuò ❶ 广阔；寥～|～落。❷ 物体的外缘：轮～|耳～。

【廓落】kuòluò 〈书〉形 空阔寂静的样子：～的夜空。

【廓清】kuòqīng 动 ❶ 澄清②；肃清：～天下|～邪说。❷ 清除：～障碍。

【廓张】kuòzhāng 〈书〉动 扩散；扩大：吵闹声不断～开去。

鞟(鞹) kuò 〈书〉去毛的兽皮。

L

l

lā（ㄌㄚ）

舀 lā 见768页[旮旯]。

垃 lā 见下。

【垃圾】lājī 名❶ 脏土或扔掉的破烂东西。❷ 比喻失去价值的或有不良作用的事物：～邮件|清除社会～。

【垃圾股】lājīgǔ 名 股市上指业绩差、没有投资价值的股票。

【垃圾邮件】lājī yóujiàn 指向没有同意接收的用户发送的广告、文章、资料或含虚假信息等的电子邮件。

拉¹ lā ❶ 动 用力使朝自己所在的方向或跟着自己移动：～锯|～纤|把车～过来。❷ 动 用车载运：平板车能～货,也能～人。❸ 动 带领转移(多用于队伍)：把二连～到河那边去。❹ 动 牵引乐器的某一部分使乐器发出声音：～胡琴|～手风琴。❺ 动 拖长；使延长：～长声音说话|快跟上,不要～开距离! ❻ 动 拖欠：～亏空|～下不少账。❼〈方〉动 抚养：他母亲很不容易地把他～大。❽ 动 帮助：人家有困难,咱们应该～他一把。❾ 动 牵累；拉扯：自己的事,为什么要～上别人? ❿ 动 拉拢；联络：～关系|～交情。⓫ 动 组织(队伍、团伙等)：～队伍|～帮结伙。⓬ 动 招揽：～买卖|～生意。⓭〈方〉动 闲谈：～话|～家常。

拉² lā 动 排泄(大便)：～屎|～肚子。
另见805页lá；805页lǎ；805页là。

【拉帮结伙】lā bāng jié huǒ 拉起一帮人结成集团。也说拉帮结派。

【拉帮结派】lā bāng jié pài 拉帮结伙。

【拉场子】lā chǎng·zi ❶ 指艺人在街头空地招引观众围成场子,进行表演。❷ 指撑场面或打开局面：请客～。

【拉扯】lā·che〈口〉动 ❶ 拉¹①：你～住他,别让他再出去。❷ 辛勤抚养：屎一把,尿一把,大妈才把你～大。❸ 扶助；提拔：师傅见他有出息,愿意特别～他一把。❹ 勾结；拉拢。❺ 牵扯；牵涉：你自己做事自己承当,不要～别人。❻ 闲谈：李大嫂急着要出门,无心跟他～。

【拉床】lāchuáng 名 金属切削机床,用来加工孔眼或键槽。加工时,一般工件不动,拉刀做直线运动切削。

【拉大片】lā dàpiān 拉洋片。

【拉大旗,作虎皮】lā dàqí, zuò hǔpí 比喻打着某种旗号以张声势,来吓唬人、蒙骗人。

【拉倒】lādǎo〈口〉动 算了；作罢：你不去就～。

【拉丁】lā∥dīng 动 ❶ 旧时军队抓青壮年男子当兵。❷ 拉夫。

【拉丁舞】lādīngwǔ 名 体育舞蹈的一类,包括伦巴、桑巴、恰恰、斗牛舞和牛仔舞。

【拉丁字母】Lādīng zìmǔ 拉丁文(古代罗马人所用文字)的字母。一般泛指根据拉丁文字母加以补充的字母,如英文、法文、西班牙文的字母。《汉语拼音方案》也采用拉丁字母。[拉丁,英 Latin]

拉丁字母表

大写	小写	名称*	大写	小写	名称*
A	a	a	N	n	nê
B	b	bê	O	o	o
C	c	cê	P	p	pê
D	d	dê	Q	q	qiu
E	e	e	R	r	ar
F	f	êf	S	s	ês
G	g	gê	T	t	tê
H	h	ha	U	u	wu
I	i	yi	V	v	vê
J	j	jie	W	w	wa
K	k	kê	X	x	xi
L	l	êl	Y	y	ya
M	m	êm	Z	z	zê

* 按照《汉语拼音方案》的规定。

【拉动】lādòng 动 采取措施使提高、增长或发展：～内需｜～产值｜～文化市场。

【拉肚子】lā dù·zi 〈口〉指腹泻。

【拉夫】lā/fū 动 旧时军队抓老百姓充当夫役。

【拉杆】lāgān（～儿）名 ❶ 安装在机械或建筑物上起牵引作用的杆形构件，如自行车闸上的长铁棍。❷ 由不同直径的管状物套接而成的杆，能拉长或缩短：～支架｜～天线。

【拉钩】lā/gōu（～儿）动 两人用右手食指或小拇指互相钩着拉一下，表示守信用，不反悔。

【拉关系】lā guān·xi 跟关系较疏远的人联络、拉拢，使有某种关系（多含贬义）。

【拉管】lāguǎn 名 长号的俗称。

【拉呱儿】lā/guǎr 〈方〉动 闲谈：歇着的时候，几个老乡儿就凑到一起～。

【拉后腿】lā hòutuǐ 拖后腿。

【拉祜族】Lāhùzú 名 我国少数民族之一，分布在云南。

【拉花儿】lāhuār 名 一种彩色纸花，可以拉成长串，多在节日、喜庆时悬挂。

【拉饥荒】lā jī·huang 〈口〉欠债。

【拉家带口】lā jiā dài kǒu 带着一家大小（多指受家属的拖累）：那时工资低，～的，日子过得挺艰难。

【拉架】lā/jià 动 拉开打架的人，从中调解。

【拉交情】lā jiāo·qing 拉拢感情；攀交情（多含贬义）。

【拉脚】lā/jiǎo（～儿）动 用大车等载旅客或为人运货。

【拉近乎】lā jìn·hu 套近乎。

【拉锯】lā/jù 两个人用大锯一来一往地锯东西，比喻双方来回往复：～式｜～战。

【拉客】lā/kè 动 ❶（饭馆、旅店等）招揽顾客或旅客。❷（三轮车、出租汽车等）载运乘客。❸ 指招引嫖客。

【拉亏空】lā kuī·kong 欠债：他家由于老人住院拉下了亏空。

【拉拉队】lālāduì 名 体育运动比赛时，在现场给运动员呐喊助威的一组人。

【拉郎配】lā láng pèi 比喻不顾实际，用行政手段强行使双方联合或合并。

【拉力】lālì 动 ❶ 拉拽的力量。❷ 物体所承受的拉拽的力。

【拉力器】lālìqì 名 体育运动用的一种辅助器械，上面装有弹簧，练习时用双手把它拉开，能增强胸部和臂部肌肉的力量。也叫扩胸器。

【拉力赛】lālìsài 名 一种汽车或摩托车比赛，赛程较长，一般为连续性地分站进行。［拉力，英 rally］

【拉练】lāliàn 动 野营训练。多指部队离开营房，在长途行军和野营过程中，按照战时要求进行训练。

【拉链】lāliàn（～儿）名 拉锁。

【拉拢】lā·lǒng 动 为对自己有利，用手段使别人靠拢到自己方面来：～人｜～感情。

【拉买卖】lā mǎi·mai 招揽生意。

【拉面】lāmiàn 〈方〉名 抻面。

【拉尼娜现象】lānínà xiànxiàng 指赤道附近东太平洋水域大范围海水反常降温的现象。每隔几年发生一次，多出现在厄尔尼诺现象之后，持续时间长，对全球气候有重大影响。也叫反厄尔尼诺现象。［拉尼娜，西 La Niña］

【拉皮条】lā pítiáo 撮合男女发生不正当的关系。

【拉偏架】lā piānjià 拉偏手儿。

【拉偏手儿】lā piānshǒur 指拉架时有意偏袒一方。也说拉偏架。

【拉平】lā/píng 动 使有高有低的变成相等的：甲队反攻频频得手，双方比分渐～。

【拉纤】lā/qiàn 动 ❶ 在岸上用绳子拉船前进。❷ 为双方介绍、说合并从中谋取利益：说媒～｜这笔生意是他拉的纤。

【拉山头】lā shāntóu 指组织人马，结成宗派。

【拉手】lā·shou 名 安装在门窗或抽屉等上面便于用手开关的物件，用金属、木头、塑料等制成。

【拉锁】lāsuǒ（～儿）名 一种可以分开和锁合的链条形的金属或塑料制品，用来缝在衣服、口袋或皮包等上面。也叫拉链。

【拉套】lā/tào 动 ❶ 在车辕的前面或侧面帮着拉车：这匹马是～的。❷〈方〉比喻帮助别人，替人出力。

【拉稀】lā/xī 〈口〉动 腹泻。

【拉下脸】lā·xià liǎn ❶ 指不顾情面：他办事大公无私，对谁都能～来。❷ 指露出不高兴的表情：他听了这句话,立刻～来。

【拉下水】lā•xià shuǐ 比喻引诱人和自己一起做坏事。

【拉线】lā//xiàn 勔 比喻从中撮合：他俩交朋友是我拉的线。

【拉秧】lā//yāng 勔 瓜类和某些蔬菜过了收获期,把秧子拔掉。

【拉洋片】lā yángpiàn 一种民间文娱活动,在装有凸透镜的木箱中挂着各种画片,表演者一面换画片,一面说唱画片的内容。观众从透镜里可以看到放大的画面。也叫拉大片。

【拉杂】lāzá 形 没有条理;杂乱：这篇文章写得太～,使人不得要领|我拉杂杂谈了这些,请大家指教。

【拉账】lā//zhàng 勔 欠债：拉了一屁股账。

啦 lā 见 830 页【哩哩啦啦】。
另见 807 页•la。

喇 lā 见 573 页【呼喇】、1395 页【哇喇】。
另见 805 页 lá;805 页 Lǎ。

邋 lā 【邋遢】(lā•tā)〈口〉形 不整洁;不利落：～鬼|办事真～。

---

lá（ㄌㄚˊ）

屃 lá 见 434 页[旮旯儿]。

拉(剌) lá 勔 刀刃与物件接触,由一端向另一端移动,使物件破裂或断开;割：把皮子～开|手上～了个口子。
另见 803 页 lā;805 页 lǎ;805 页 là。"剌"另见 805 页 là。

砬(砬) lá 〈方〉砬子(多用于地名)：青石～(在河北)。

【砬子】lá•zi 〈方〉名 山上耸立的大岩石(多用于地名)：白石～(在黑龙江)。

捋 lá 【捋子】(lá•zi)〈方〉名 玻璃瓶。

喇 lá 见 528 页【哈喇子】。
另见 805 页 lā;805 页 Lǎ。

---

lǎ（ㄌㄚˇ）

拉 lǎ 见 38 页【半拉】、579 页【虎不拉】。

另见 803 页 lā;805 页 lá;805 页 là。

【拉忽】lǎ•hu 〈方〉形 马虎：这人太～,办事靠不住。

喇 Lǎ 名 姓。
另见 805 页 lā;805 页 lá。

【喇叭】lǎ•ba 名 ❶ 管乐器,上细下粗,最下端的口部向四周张开,可以扩大声音。❷ 有扩音作用的、喇叭筒状的东西：汽车～|无线电～|扬声器)。

【喇叭花】lǎ•bahuā 名 牵牛花的通称。

【喇嘛】lǎ•ma 名 藏传佛教的僧人,原为一种尊称。[藏]

【喇嘛教】Lǎ•majiào 名 藏传佛教的俗称。

---

là（ㄌㄚˋ）

拉[1] là 同"落"(là)。

拉[2] là [拉拉蛄](làlàgǔ)同"蝲蝲蛄"。
另见 803 页 lā;805 页 lǎ。

剌 là 〈书〉乖戾;乖张：乖～。
另见 805 页 lá"拉"。

落 là 勔 ❶ 遗漏：这里～了两个字,应该添上。❷ 把东西放在一个地方,忘记拿走：我忙着出来,把书～在家里了。❸ 因为跟不上而被丢在后面：大家都努力干,谁也不愿意～在后面。
另见 823 页 lào;899 页 luō;902 页 luò。

腊(臘、膱) là ❶ 古代在农历十二月里合祭众神叫做腊,因此农历十二月叫腊月。❷ 冬天(多在腊月)腌制后风干或熏干的(鱼、肉、鸡、鸭等)：～肉|～鱼|～味。❸ (Là)名 姓。
另见 1456 页 xī。

【腊八】Làbā （～儿)名 农历十二月(腊月)初八日。民间在这一天有喝腊八粥的习俗。

【腊八粥】làbāzhōu 名 在腊八这一天,用米、豆等谷物和枣、栗、莲子等干果煮成的粥。起源于佛教,传说释迦牟尼在这一天成道,因此寺院每逢这一天煮粥供佛,以后民间相沿成俗。

【腊肠】làcháng （～儿）名 熟肉食的一种，猪的瘦肉泥加肥肉丁和淀粉、作料，灌入肠衣，再经煮和烤制成。

【腊梅】làméi 同"蜡梅"。

【腊日】làrì 名 古时岁终祭祀百神的日子，一般指腊八。

【腊味】làwèi 名 腊鱼、腊肉、腊肠、腊鸡等食品的统称。

【腊月】làyuè 名 农历十二月。

蜡（蠟）là 名❶ 动物、植物所产生的，或石油、煤、油页岩中所含的油质,常温下多为固体,具有可塑性,能燃烧,易熔化,不溶于水,如蜂蜡、白蜡、石蜡等。用作防水剂,也可做蜡烛。❷ 蜡烛:点上一支～。

另见 1708 页 zhà。

【蜡白】làbái 形 状态词。(脸)没有血色；煞白。

【蜡版】làbǎn 名 用蜡纸打字或刻写成的供油印的底版。

【蜡笔】làbǐ 名 颜料掺在蜡里制成的笔,画画儿用。

【蜡花】làhuā （～儿）名 蜡烛点了一些时候之后烛心结成的像花一样的东西。

【蜡黄】làhuáng 形 状态词。形容颜色黄得像蜡:～色的琥珀|病人面色～。

【蜡泪】làlèi 名 蜡烛燃烧时流下的蜡烛油。

【蜡梅】làméi 名❶ 落叶灌木,叶长椭圆形或卵形,开花以后才长叶子。冬季开花,花瓣外层黄色,内层暗紫色,香气浓。供观赏。❷ 这种植物的花。‖也作腊梅。

【蜡扦】làqiān （～儿）名 上有尖钉下有底座可以插蜡烛的器物。

【蜡染】làrǎn ❶ 动 一种染花布的工艺,用熔化的黄蜡在白布上绘制图案,染色后羡去蜡质,现出白色图案。❷ 名 指蜡染制品。

【蜡台】làtái 名 上面有槽用来插蜡烛的器物。

【蜡丸】làwán （～儿）名❶ 用蜡做成的圆形外壳,内装药丸,古代也在蜡壳里面放传递的机密文书。❷ 外面包有蜡皮的丸药。

【蜡像】làxiàng 名 用蜡做成的人或物的形象。

【蜡纸】làzhǐ 名❶ 表面涂蜡的纸,用来包裹东西,可以防潮。❷ 用蜡浸过的纸,刻写或打字后用来做油印底版。

【蜡烛】làzhú 名 用蜡或其他油脂制成的供照明用的东西,多为圆柱形。

瘌 là 见下。

【瘌痢】là·lì 〈方〉名 黄癣。也作鬎鬁、癞痢。

【瘌痢头】là·lìtóu 〈方〉名❶ 长黄癣的脑袋。❷ 指头上长黄癣的人。

辣 là ❶ 形 像姜、蒜、辣椒等有刺激性的味道:酸甜苦～。❷ 动 辣味刺激(口、鼻或眼):～眼睛|他吃到一口芥末,～得直缩脖子。❸ 形 狠毒:心狠手～。

【辣乎乎】làhūhū （～的）形 状态词。形容辣的感觉:芥菜疙瘩～的◇他想起自己的错误,心里不由得一阵～地发烧。

【辣酱】làjiàng 名 用辣椒、大豆等制成的酱。

【辣椒】làjiāo 名❶ 一年生草本植物,叶子卵状披针形,花白色。果实呈圆锥形,也有灯笼形、心脏形等,青色,成熟后变成红色,一般都有辣味,可做蔬菜。❷ 这种植物的果实。

【辣手】làshǒu ❶ 名 毒辣的手段:下～。❷〈方〉形 手段厉害或毒辣:～神探。❸ 形 棘手;难办:这件事真～。

【辣丝丝】làsīsī （～儿的）形 状态词。形容有点儿辣。

【辣酥酥】làsūsū （～儿的）形 状态词。形容有点儿辣。

【辣子】là·zi 〈口〉名 辣椒。

蜊 là 见下。

【蜊蛄】làgǔ 名 甲壳动物,外形像龙虾而小,第一对足发达,呈螯状。生活在淡水中,是肺吸虫的中间宿主。

【蜊蜊蛄】làlàgǔ 名 蝼蛄。也作拉拉蛄。

鯻（鯻）là 名 鱼,体侧扁,灰白色,有黑色纵条纹,口小。生活在热带和亚热带近海。

癞（癩）là ［瘌痢］(là·lì)同"瘌痢"。

另见 809 页 lài。

鬎 là ［鬎鬁］(là·lì)同"瘌痢"。

鑞（鑞、鑞）là 名 锡和铅的合金,熔点较低,用于焊接

铁、铜等金属物件。通常称焊锡,也叫锡镴。

•la （•ㄌㄚ）

啦 •la 助 "了"（•le）和"啊"（•a）的合音,兼有"了"②和"啊"的作用:二组跟咱们挑战～!|他真来～?

另见805页 lā。

鞡 •la 见1450页〖靰鞡〗。

lái （ㄌㄞˊ）

来¹（來） lái ❶ 动 从别的地方到说话人所在的地方(跟"去"¹①相对):～往|～宾|～信|从县里～了几个干部。❷ 动 (问题、事情等)发生;来到:问题～了|开春以后,农忙～了。❸ 动 做某个动作(代替意义更具体的动词):胡～|～一盘棋|～一场篮球比赛|你唱歌,让我～|何必～这一套。❹ 动 趋向动词。跟"得"或"不"连用,表示可能或不可能:他们俩很谈得～|这个歌我唱不～。❺ 动 用在另一动词前面,表示要做某件事:你～念一遍|大家～想办法。❻ 动 用在另一动词或动词结构后面,表示来做某件事:我们贺喜～了|他回家探亲～了。❼ 动 在动词结构(或介词结构)与动词(或动词结构)之间,表示前者是方法、方向或态度,后者是目的:他摘了一个荷叶～当雨伞|你又能用什么理由～说服他呢? ❽ 动 着:这话我多会儿说～? ❾ 形 未来的:～年|～日方长。❿ 名 方位词。从过去到现在:从～|向～|近～|别～无恙|两千年～。参看1610页〖以来〗。⓫ 助 用在"十、百、千"等数词或数量词后面表示概数:十～天|五十～岁|三百～人|三斤～重|二里～地。⓬ 助 用在"一、二、三"等数词后面,列举理由:他这次进城,一～是汇报工作,二～是修理机器,三～是采购图书。⓭ (Lái) 名 姓。

来²（來） lái 诗歌、熟语、叫卖声里用作衬字:正月里～是新春|不愁吃～不愁穿|黑白桑葚～大樱桃。

来（來） //•lái 动 趋向动词。❶ 用在动词后,表示动作朝着说话人

所在的地方:把锄头拿～|各条战线传～了振奋人心的消息。❷ 用在动词后,表示结果:信笔写～|一觉醒～|说～话长|看～今年超产没有问题|想～你是早有准备的了。

【来宾】láibīn 名 来的客人,特指国家、团体邀请的客人:接待～|各位～。

【来不得】lái•bu•de 动 不能有;不应有:科学研究～半点虚假。

【来不及】lái•bují 动 因时间短促,无法顾到或赶上:还有一个钟头就开车,～看他去了。

【来潮】lái∥cháo 动 ❶ 潮水上涨◇心血～。❷ 指女子来月经。

【来得】¹ lái•de 〈口〉动 胜任:粗细活儿她都～|他说话有点儿口吃,笔底下倒～。

【来得】² lái•de 〈口〉动 (相比之下)显得:海水比淡水重,因此压力也～大|下棋太沉闷,还是打球～痛快。

【来得及】lái•dejí 动 还有时间,能够顾到或赶上:电影是七点开演,现在刚六点半,你马上去还～。

【来电】láidiàn ❶ 动 打来电报或电话:各界～祝贺。❷ 名 打来的电报或电话:～收到,货款不日即可汇出。

【来犯】láifàn 动 前来侵犯或进犯:坚决消灭一切～之敌。

【来访】láifǎng 动 前来访问:报社热情接待～的读者。

【来复枪】láifùqiāng 名 旧时指膛内刻有来复线的步枪。[来复,英 rifle]

【来复线】láifùxiàn 名 膛线。[来复,英 rifle]

【来稿】láigǎo ❶ (－∥－)动 编辑、出版单位指作者投来稿件:上月共～350 篇。❷ 名 编辑、出版单位指作者投来的稿件:编辑部收到很多～。

【来归】láiguī 动 ❶ 归顺;归附。❷ 古代称女子出嫁(从夫家方面说)。

【来函】láihán ❶ (－∥－)动 来信①:旅行社昨日～,告知旅游有关注意事项。❷ 名 来信②:～敬悉。

【来鸿】láihóng 〈书〉名 来信:远方～。

【来回】láihuí ❶ 动 在一段距离之内往了再回来:从机关到宿舍～有一里地。❷ (～儿)动 往返一次:从北京到天津,一天

可以打好几个～儿。❸ 副 表示来来去去不止一次：大家抬着土筐～跑｜织布机上的梭～地动。

【来回来去】lái huí lái qù 指动作或言语来回不断地重复：他～地走着｜他怕别人不明白，总是～地说。

【来火】lái∥huǒ （～儿）动 指生气：他一听这话就来了火。

【来件】láijiàn 名 寄来或送来的文件或物件。

【来劲】lái∥jìn （～儿）〈口〉形 ❶ 有劲头儿：他越干越～。❷ 使人振奋：足球比赛又赢了，可真～!

【来客】láikè 名 来访的客人：欢迎远方～。

【来历】láilì 名 人或事物的历史或背景：查明～｜～不明|提起这面红旗，可大有～。

【来临】láilín 动 来到；到来：暴风雨即将～｜每当春天～，这里就成了花的世界。

【来龙去脉】lái lóng qù mài 山形地势像龙一样连贯着。本是迷信的人讲风水的话，后来比喻人、物的来历或事情的前因后果。

【来路】láilù 名 ❶ 向这里来的道路：洪水挡住了运输队的～。❷ 来源：断了生活～。

【来路】lái·lu 名 来历：～不明的人。

【来年】láinián 名 时间词。明年：估计～的收成会比今年好。

【来去】láiqù 动 ❶ 往返：～共用了两天时间。❷ 到来或离去：～自由。

【来人】láirén 名 临时派来取送东西或联系事情的人：收条儿请交～带回。

【来日】láirì 名 时间词。未来的日子；将来：～方长|以待～。

【来日方长】láirì fāng cháng 未来的日子还很长，表示事有可为，或劝人不必急于做某事。

【来生】láishēng 名 指人死了以后再转生到世上来的那一辈子(迷信)。

【来使】láishǐ 名 奉命前来办交涉的使者：两国交战，不斩～。

【来世】láishì 名 来生。

【来势】láishì 名 人或事物到来的气势：～汹汹|海潮～很猛。

【来事】láishì （～儿）〈口〉动 处事(多指处理人与人之间的关系)：他头脑灵活，挺会～的。

【来书】láishū 〈书〉名 来信。

【来头】lái·tou （～儿）名 ❶ 来历(多指人的资历或背景)：这个人～不小。❷ 来由；缘由(多指言语有所为而发)：他这些话是有～的，是冲着咱们说的。❸ 来势：对方～不善，要小心应付。❹ 做某种活动的兴趣：棋没有什么～，不如打球。

【来往】láiwǎng 动 来和去：大街上～的人很多|翻路路面，禁止车辆～|车站上每天都有不少来来往往的旅客。

【来往】lái·wǎng 动 交际往来：两家经常～。

【来文】láiwén 名 送来或寄来的文件。

【来向】láixiàng 名 来的方向：根据风的～调整扬场机的位置。

【来项】lái·xiang 〈方〉名 收入的钱；进项：他家最近增加了～。

【来信】láixìn ❶ (–//–) 动 寄信来或送信来：在国外的儿子经常～|到了那里请来一封信。❷ 名 寄来或送来的信件：人民～|～收到了。

【来意】láiyì 名 到这里来的意图：说明～。

【来由】láiyóu 名 缘故；原因：这些话不是没有～的。

【来源】láiyuán ❶ 名 事物所从来的地方；事物的根源：经济～。❷ 动 (事物)起源；发生(后面跟"于")：神话的内容也是～于生活的。

【来者】láizhě 名 ❶ 将来出现的事或人：～犹可追。❷ 到来的人或物：～不拒。

【来着】lái·zhe 〈口〉助 表示曾经发生过什么事情：你刚才说什么～? |他去年冬天还回家～|你忘记小时候爸爸怎么教导咱们～。

莱（萊）lái 〈书〉藜。❷ 古时指郊外轮休的田地，也指荒地。

【莱菔】láifú 名 萝卜。

【莱塞】láisè 名 ❶ 激光的旧称。❷ 激光器的旧称。[英 laser]

崃（崍）lái 邛崃(Qiónglái)，山名，又地名，都在四川。

徕（徠、俫）lái 见 1719 页〖招徕〗。另见 809 页 lài。

涞（淶）Lái 涞水，古水名，即今拒马河。今河北涞源、涞水(地名)，都从涞水得名。

株(株) lái [株木](láimù) 名 落叶乔木,叶子近卵形,花黄白色,核果椭圆形,紫色。种子榨的油可制肥皂和润滑油,树皮和叶子可制栲胶。

鵣(鵣) lái [鵣鵣](lái'ǎo) 名 美洲鸵 Rhea]

铼(铼) lái 名 金属元素,符号 Re(rhenium)。银白色,质硬,机械性能好,电阻高。用来制电极、热电偶、耐高温和耐腐蚀的合金,也用作催化剂。

lài (ㄌㄞˋ)

徕(徕) lài 〈书〉慰劳:劳~(慰勉)。
另见 808 页 lái。

赉(賚) lài 〈书〉赏赐:赏~。

睐(睐) lài 〈书〉❶ 瞳人不正。❷ 看:向旁边看:青~。

赖¹(賴) lài ❶ 依赖;依靠:仰~|完成任务,有~于大家的努力。❷ 形 指无赖:耍~|~皮|他说话不算数,太~了。❸ 动 留在某处不肯走开:孩子看到橱窗里的玩具,~着不肯走。❹ 动 不承认自己的错误或责任;抵赖:~债|婚|事实俱在,~是~不掉的。❺ 动 硬说别人有错误;诬赖:自己做错了,不能~别人。❻ 动 责怪:大家都有责任,不能~一个人。❼ (Lài)名 姓。

赖²(賴) lài 〈口〉形 不好;坏:好~|今年庄稼长得真不~|不论好的~的我都能吃。

【赖婚】lài//hūn 动 订婚后反悔不履行婚约。

【赖皮】làipí ❶ 名 无赖的作风和行为:耍~。❷ 动 耍无赖:别在这儿~了,快走吧!

【赖账】lài//zhàng 动 欠账不还,反而抵赖(不承认欠账或说已还清等)◇你说的话要算话,不能~。

【赖子】lài·zi 名 耍无赖的人。

濑(瀨) lài 〈书〉湍急的水。

癞(癩) lài 〈方〉名 黄癣。
另见 806 页 là。

【癞蛤蟆】làihá·ma 名 蟾蜍的通称。

【癞皮狗】làipígǒu 名 比喻卑鄙无耻的人。

【癞头鼋】làitóuyuán 名 鼋鱼。

【癞子】lài·zi 〈方〉名 ❶ 黄癣:长了一头~。❷ 头上长黄癣的人。

籁(籟) lài ❶ 古代的一种箫。❷ 从孔穴里发出的声音,泛指声音:天~|万~俱寂。

·lai (·ㄌㄞ)

唻(唻) ·lai 〈方〉助 ❶ 用在疑问句(特指问、正反问)的末尾,相当于"呢":你们敲锣打鼓的干什么~?|人~? 怎么找不到了?|你们都有了,我~? ❷ 相当于"啦":大伙儿干得可欢~。❸ 相当于"来着":娘怎么说~,怎么都忘了?

lán (ㄌㄢˊ)

兰(蘭) lán ❶ 名 兰花。❷ 名 兰草。❸ 古书上指木兰:~桨。❹ (Lán)名 姓。

【兰草】láncǎo 名 ❶ 古书上指泽兰。❷ 兰花的俗称。

【兰花】lánhuā 名 多年生草本植物,种类很多,叶子丛生,条形,花有多种颜色,气味芳香,供观赏。花可制香料。俗称兰草。

【兰花指】lánhuāzhǐ 名 拇指和中指相对拳曲,其余三个手指翘起的姿势。也叫兰花手。

【兰谱】lánpǔ 名 结拜盟兄弟时互相交换的帖子,上面写着自己家族的谱系(兰味香,比喻情投意合,《易经·系辞》:同心之言,其臭如兰)。

【兰若】lánrě 名 寺庙。[阿兰若之省,梵aranya 阿兰若:树林,寂静处]

【兰章】lánzhāng 〈书〉美好的文辞(多用于称颂)。

岚(嵐) lán 山里的雾气:山~|晓~。

【岚烟】lányān 名 山间雾气:~缥缈。

拦(攔) lán 动 ❶ 不让通过;阻挡:前面有一道河~住了去路|你愿意去就去吧,家里决不~你|他刚要说话

被他哥哥～回去了。❷ 当;正对着(某个部位):～头一棍|～腰斩断。

【拦挡】lándǎng 不使通过;使中途停止:路上有障碍物～,车辆过不去。

【拦道木】lándàomù 拦挡行人、车辆等的横杆或横木,多设在与铁路交叉的公路口。

【拦堵】lándǔ 拦截堵截:～肇事车辆。

【拦柜】lánguì 柜台。也作拦柜。

【拦河坝】lánhébà 拦截河水的构筑物,多筑在河身狭窄、地基坚实的地方。

【拦洪坝】lánhóngbà 拦截洪水的构筑物。

【拦击】lánjī 拦住并打击:～敌人。

【拦劫】lánjié 拦住并抢劫:～商船|半路遭遇匪徒～。

【拦截】lánjié 中途阻挡,不让通过:～洪水|～歹徒。

【拦路】lán//lù 拦住去路:～抢劫。

【拦路虎】lánlùhǔ 过去指拦路打劫的匪徒,现在指前进道路上的障碍和困难。

【拦网】lán//wǎng 排球队员拦阻球网上方对方打过来的球。

【拦蓄】lánxù 修筑堤坝把水流拦住并蓄积起来:～山洪。

【拦腰】lányāo 从半中腰(截住、切断等):～抱住|大坝把黄河～截断。

【拦阻】lánzǔ 阻挡。

栏(欄) lán ❶ 栏杆:石～|桥～|凭～远望。❷ 养家畜的圈:牛～|用干土垫～。❸ 报刊书籍在每版或每页上用线条或空白隔开的部分,有时也指性质相同的一整页或若干页:左～|专～|广告～|书评～。❹ 表格中区分项目的大格儿;备注一～|这一～的数字还没有核对。❺ 专供张贴布告、报纸等的装置:布告～|宣传～。

【栏杆】lángān 桥两侧或凉台、看台等边上起拦挡作用的东西:桥～|石～。

【栏柜】lánguì 同"拦柜"。

【栏目】lánmù 报纸、杂志等版面上按内容性质分成的标有名称的部分:小说～|每逢寒暑假,报纸增设《假期生活》～。

婪 lán 见 1320 页〖贪婪〗。

阑¹(闌) lán 〈书〉❶ 同"栏"①。❷ 同"拦"。

阑²(闌) lán 〈书〉❶ 将尽:岁～|夜～人静。❷ 擅自(出入):～出|～入。

【阑干】lángān 〈书〉 形容纵横交错;参差错落的样子:星斗～。❷ 同"栏杆"。

【阑入】lánrù 〈书〉 擅自进入不应进去的地方。❷ 掺杂进去。

【阑珊】lánshān 〈书〉 将尽;衰落:春意～|意兴～。

【阑尾】lánwěi 盲肠下端蚯蚓状的突起,一般长 7—9 厘米。人的阑尾在消化过程中没有作用。管腔狭窄,容易阻塞而引发炎症。(图见 1493 页"人的消化系统")

【阑尾炎】lánwěiyán 阑尾发炎的病,由于病菌、寄生虫或其他异物侵入阑尾引起。主要症状是右下腹疼痛、恶心、呕吐等。俗称盲肠炎。

蓝(藍) lán ❶ 形 像晴天天空的颜色:蔚～|～布。❷ 蓼蓝。❸ (Lán)姓。

【蓝宝石】lánbǎoshí 蓝色的或红色以外其他颜色的透明刚玉,也有无色的。硬度大,用来做首饰和精密仪器的轴承等。参看 447 页〖刚玉〗。

【蓝本】lánběn 著作所根据的底本:这部电视剧以同名小说为～改编而成。

【蓝筹股】lánchóugǔ 指在某一行业内占有重要支配地位、业绩优良的大公司的股票。蓝筹是西方对赌博中使用的最高筹码的称呼。

【蓝点颏】lándiǎnké 鸟,身体大小和麻雀相似,羽毛褐色。雄的喉部天蓝色,叫的声音很好听。通称蓝靛颏儿。

【蓝靛】lándiàn 靛蓝的通称。

【蓝靛颏儿】lándiànkér 蓝点颏的通称。

【蓝晶晶】lánjīngjīng (～的)形 状态词。蓝而发亮(多用来形容水、宝石等)。

【蓝鲸】lánjīng 鲸的一种,是现在世界上最大的动物,体长可达 30 多米。身体灰蓝色,有白色斑点。也叫剃刀鲸。

【蓝领】lánlǐng 某些国家或地区指从事体力劳动的工人,他们劳动时一般穿蓝色工作服。

【蓝缕】lánlǚ 见 811 页〖褴褛〗。

【蓝皮书】lánpíshū 见 26 页〖白皮书〗。

【蓝青官话】lánqīng-guānhuà 方言地区的人说的普通话,夹杂着方音,旧时称为蓝青官话(蓝青:比喻不纯粹)。

【蓝色农业】lánsè nóngyè 指近海水产养殖业,因海水是蓝色的,所以叫蓝色农业。

【蓝田猿人】Lántián yuánrén 中国猿人的一种,大约生活在 60 多万年以前,化石在 1963 年发现于陕西蓝田的公王岭。也叫蓝田人。

【蓝图】lántú 〈名〉❶用感光后变成蓝色(或其他颜色)的感光纸制成的图纸。❷比喻建设计划:国家建设的~。

【蓝牙】lányá 〈名〉一种近距离的无线传输应用技术,在 10—100 米范围内,把专用的半导体装入机器中,无须借助电缆就可连接计算机、打印机、数字相机、电视机、手机、微波炉等,并能同时进行数据和语音传输。是英语 blue tooth 的直译。

【蓝盈盈】lányíngyíng (~的)〈形〉状态词。形容蓝得发亮:~的天空。

【蓝莹莹】lányíngyíng 同"蓝盈盈"。

礁(礁) lán 干礁镇(Gānlán Zhèn),地名,在浙江。

谰(讕) lán 〈书〉❶诬赖。❷抵赖。

【谰言】lányán 〈名〉诬赖的话;没有根据的话:无耻~。

澜(瀾) lán 大波浪;波浪:波~|微~|力挽狂~|推波助~。

褴(襤) lán［褴褛](lánlǚ)〈形〉〈衣服〉破烂:衣衫~。

篮(籃) lán ❶(~儿)〈名〉篮子:竹~|网~|花~。❷(~儿)〈名〉篮圈:投~儿。❸指篮球运动:男~|女~。❹(Lán)〈名〉姓。

【篮板】lánbǎn 〈名〉❶篮球架上固定篮圈的长方形板。❷指篮板球。

【篮板球】lánbǎnqiú 〈名〉篮球运动中指投篮未中,从篮板或篮圈上反弹回来的球。

【篮球】lánqiú 〈名〉❶球类运动项目之一,把球投入对方的篮圈中算得分,得分多的获胜。❷篮球运动使用的球,用牛皮做壳、橡胶做胆,也有全用橡胶制成的。

【篮圈】lánquān 〈名〉固定在篮板上的铁圈,用实心铁条制成,圆形。圈下装有线网。

【篮坛】lántán 〈名〉指篮球界:~劲旅。

【篮子】lán·zi 〈名〉用藤、竹、柳条、塑料等编成的容器,上面有提梁:菜~|草~。

斓(斕) lán 见 34 页［斑斓］。

镧(鑭) lán 〈名〉金属元素,符号 La (lanthanum)。是一种稀土元素。银白色,质软,在空气中容易氧化。用于制备钐、铕和镱,镧的化合物用来制光学玻璃、高温超导体等。

襕(襕、襴) lán 古时上下衣相连的服装。

簖(簖、韊) lán 古时盛弩箭的器具。

lǎn (ㄌㄢˇ)

览(覽) lǎn 看:游~|展~|浏~|阅~|一~无余。

【览胜】lǎnshèng 〈书〉观赏胜景或游览胜地:到黄山~。

揽(攬) lǎn 〈动〉❶用胳膊围住别人使靠近自己:母亲把孩子~在怀里。❷用绳子等把松散的东西聚拢到一起,使不散开:把车上的柴火~上点。❸拉到自己这方面或自己身上来:包~|~买卖|他把责任~到自己身上了。❹把持:独~大权。

【揽承】lǎnchéng 〈动〉应承;承揽。

【揽储】lǎnchǔ 〈动〉招揽储蓄存款:制止违规~行为。也说揽存。

【揽存】lǎncún 〈动〉揽储。

【揽活】lǎn//huó (~儿)〈动〉承揽活计:他在外面揽了许多活儿。

【揽总】lǎnzǒng (~儿)〈动〉全面掌握(工作);总揽。

缆(纜) lǎn ❶拴船用的铁索或许多股拧成的粗绳:~绳|解~(开船)。❷许多股拧成或结成的像缆的东西:钢~|电~|光~。❸〈动〉用绳索拴(船):~舟|把船~住。

【缆车】lǎnchē 〈名〉❶在斜坡上沿轨道上下行驶的运输设备。用缆绳把车厢系在电动机带动的绞车上,转动绞车,缆车行驶。❷指索道上用来运输的设备。

【缆绳】lǎnshéng 〈名〉许多股棕、麻、金属丝等拧成的粗绳。

【缆索】lǎnsuǒ 〈名〉缆绳。

榄(欖) lǎn 见 445 页［橄榄］。

罱 lǎn 〈方〉❶〈名〉捕鱼或捞水草、河泥的工具,在两根平行的短竹竿上张一

个网,再装两根交叉的长竹柄做成,两手握住竹柄使网开合。❷ 励 用罱捞:～河泥|～泥船。

漤(灠) lǎn 励 ❶ 用盐或其他调味品拌(生的鱼、肉、蔬菜)。❷(柿子)放在热水或石灰水里泡,除去涩味:～柿子。

壈 lǎn 见 762 页〖坎壈〗。

懒(懶、孏) lǎn 形 ❶ 懒惰(跟"勤"相对):腿一|好吃～做◇人勤地不～。❷ 疲倦;没力气:身子发～,大概是感冒了。

【懒虫】lǎnchóng 〈口〉名 懒惰的人(骂人或含诙谐意味的话)。

【懒怠】lǎn·dai ❶ 形 懒惰。❷ 励 没兴趣;不愿意(做某件事):身体不好,话也一说了。

【懒得】lǎn·de 励 厌烦;不愿意(做某件事):天太热,我～上街。

【懒惰】lǎnduò 形 不爱劳动和工作;不勤快:这人太～了,在家里什么事都不愿意干。

【懒骨头】lǎngǔ·tou 名 懒惰的人(骂人的话)。

【懒汉】lǎnhàn 名 懒惰的人。

【懒汉鞋】lǎnhànxié 名 鞋口有松紧带,便于穿、脱的布鞋。

【懒猴】lǎnhóu 名 猴的一种,头圆,耳小,眼大而圆,四肢粗短,生活在热带和亚热带森林中,白天在树上睡觉,夜间活动,行动缓慢。也叫蜂猴。

【懒散】lǎnsǎn 形 形容人精神松懈,行动散漫;不振作:他平时～惯了,受不了这种约束。

【懒洋洋】lǎnyángyáng (～的)形 状态词。没精打采的样子。

làn (ㄌㄢ)

烂(爛) làn ❶ 形 某些固体物质组织被破坏或水分增加后松软:～泥|牛肉煮得很～。❷ 形 腐烂:～苹果|樱桃和葡萄容易～。❸ 形 破碎;破烂:～纸|破铜～铁|衣服穿～了。❹ 形 头绪乱:～账|～摊子。❺ 表示程度极深:～

醉|～熟。

【烂糊】làn·hu 形 很烂(多指食物):老年人吃～的好。

【烂漫】(烂熳、烂缦) lànmàn 形 ❶ 颜色鲜明而美丽:山花～。❷ 坦率自然,毫不做作:天真～。

【烂泥】lànní 名 稀烂的泥:～坑|一摊～。

【烂熟】lànshú 形 ❶ 肉、菜等煮得十分熟。❷ 十分熟悉;十分熟练:台词背得～。

【烂摊子】làntān·zi 名 比喻不易收拾的局面或混乱难于整顿的单位。

【烂尾】lànwěi 形 属性词。指建筑工程由于盲目上马、供大于求、资金不足等导致中途停建或无法竣工:～楼|～工程。

【烂账】lànzhàng 名 ❶ 头绪混乱没法弄清楚的账目。❷ 指拖得很久、收不回来的账。

【烂醉】lànzuì 励 大醉:喝得～|～如泥。

滥(濫) làn ❶ 励 泛滥。❷ 形 过度;没有限制:宁缺毋～|～用职权。

【滥调】làndiào 名 叫人腻烦的、不切实际的言辞或论调:陈词～。

【滥情】lànqíng 励 毫无约束地放纵感情:纵欲～。

【滥权】lànquán 励 滥用职权:～渎职|因贪污～被判刑。

【滥觞】lànshāng 〈书〉❶ 名 江河发源的地方,水少只能浮起酒杯,比喻事物的起源。❷ 励 起源:词～于唐,兴盛于宋。

【滥套子】làntào·zi 名 文章中浮泛不切实际的套语或格式。

【滥用】lànyòng 励 胡乱地或过度地使用:行文～方言|～职权。

【滥竽充数】làn yú chōng shù 齐宣王使三百人吹竽,南郭先生不会吹,混在中间充数(见于《韩非子·内储说上》)。比喻没有真正的才干,而混在行家里面充数,或拿不好的东西混在好的里面充数。

lāng (ㄌㄤ)

啷 lāng [啷当] (lāngdāng) 〈方〉励 左右;上下(用于表示年龄):他二十～岁,正是年轻力壮的时候。

láng （ㄌㄤ）

郎 láng ❶ 古代官名：侍～|员外～。❷ 对某人的称呼：货～|放牛～|女～。❸ 女子称丈夫或情人：～君|情～。❹ 旧时称别人的儿子：大～|令～。❺（Láng）姓。

另见 814 页 làng。

【郎才女貌】láng cái nǚ mào 男的才华出众，女的姿容出色，形容男女双方非常相配。

【郎当】[1] lángdāng 同"锒铛"（lángdāng）。

【郎当】[2] lángdāng 形 ❶ （衣服）不合身；不整齐：衣裤～。❷ 颓唐的样子：看他走起路来郎郎当当的。❸ 形容不成器。

【郎舅】lángjiù 名 男子和他妻子的弟兄的合称。

【郎猫】lángmāo〈口〉名 雄猫。

【郎中】lángzhōng 名 ❶ 古代一种官职。❷〈方〉中医医生。

狼 láng 名 哺乳动物，外形像狗，面部长，耳朵直立，毛黄色或灰褐色，尾巴向下垂。昼伏夜出，冬天常聚集成群，性凶暴，吃野生动物和家畜等，有时也伤害人。

【狼狈】lángbèi 形 形容困苦或受窘的样子：十分～|今天外出遇到大雨，弄得～不堪。

【狼狈为奸】láng bèi wéi jiān 传说狈是一种兽，前腿特别短，走路时要趴在狼身上，没有狼，它就不能行动。比喻互相勾结做坏事。

【狼奔豕突】láng bēn shǐ tū 狼和猪东奔西跑，比喻成群的坏人乱窜乱撞。

【狼疮】lángchuāng 名 皮肤病，病原体是结核杆菌，多发生在面部，症状是皮肤出现暗红色的结节，逐渐增大，形成溃疡，结黄褐色痂，常形成瘢痕。

【狼狗】lánggǒu 名 狗的一个品种，外形像狼，性凶猛，嗅觉敏锐。多饲养来帮助打猎或牧羊。

【狼毫】lángháo 名 用黄鼠狼的毛做成的毛笔：小楷～。

【狼獾】lánghuān 名 貂熊。

【狼藉】（狼籍）lángjí〈书〉形 乱七八糟；杂乱不堪：声名～（形容名声极坏）|杯盘～。

【狼头】láng·tou 见 813 页【榔头】。

【狼吞虎咽】láng tūn hǔ yàn 形容吃东西又猛又急。

【狼尾草】lángwěicǎo 名 多年生草本植物，丛生，叶子条形，花穗暗紫色，上面有刚毛，像狼的尾巴。茎叶可用来造纸。也叫莨草。

【狼心狗肺】láng xīn gǒu fèi 比喻心肠狠毒或忘恩负义。

【狼烟】lángyān 名 古代边防报警时烧狼粪升起的烟，借指战火：～滚滚|～四起。

【狼烟四起】lángyān sì qǐ 四处有报警的烽火，指边疆不平靖。

【狼主】lángzhǔ 名 旧小说、戏曲中称北方民族的君主。

【狼子野心】lángzǐ yěxīn 比喻凶暴的人用心狠毒。

阆（閬）láng 见 763 页【阆阆】。

另见 814 页 làng。

琅（瑯）láng〈书〉❶ 一种玉石。❷ 洁白。

【琅玕】lánggān〈书〉名 像珠子的美石。

【琅嬛】lánghuán〈书〉名 神话中天帝藏书的地方。也作嫏嬛。

【琅琅】lángláng 拟声 形容金石相击声、响亮的读书声等：书声～。

根 láng ［根根］（lángláng）〈书〉拟声 形容木头相撞击的声音。

廊 láng 廊子：走～|长～|回～|前～后厦。

【廊庙】lángmiào〈书〉名 指朝廷。

【廊檐】lángyán 名 廊顶突出在柱子外边的部分。

【廊子】láng·zi 名 屋檐下的过道或独立的有顶的过道。

嫏 láng ［嫏嬛］（lánghuán）同"琅嬛"。

榔 láng 见下。

【榔槺】láng·kāng〈方〉形 器物长大、笨重，用起来不方便。

【榔头】（狼头、锒头）láng·tou 名 锤子（多指比较大的）。

硠 láng〈书〉拟声 形容水石撞击声。

银(銀) láng [银铛](lángdāng) ❶〈书〉名铁锁链：～入狱(被铁锁链锁着进监狱)。❷ 拟声 形容金属撞击的声音：铁索～。‖也作郎当。

稂 láng ❶ 古书上指狼尾草。❷(Láng)名姓。

【稂莠】lángyǒu 名稂和莠，都是形状像禾苗而妨害禾苗生长的杂草，比喻坏人。

锒(鋃) láng 见 813 页【桹头】(锒头)。

螂(蜋) láng 见 1329 页【螳螂】、1094 页【蜣螂】、1716 页[蟑螂]、463 页【蚵螂】。

lǎng （ㄌㄤˇ）

朗 lǎng ❶ 光线充足；明亮：明～|晴～|开～|天～|气清。❷ 声音清晰响亮：～诵|～读。❸(Lǎng)名姓。

【朗读】lǎngdú 清晰响亮地把文章念出来：～课文。

【朗朗】lǎnglǎng 形 ❶ 形容声音清晰响亮：～上口|笑语～。❷ 形容明亮：～星光|～乾坤。

【朗生】lǎngshēng 名 囊生。

【朗声】lǎngshēng 副 高声；大声：～大笑。

【朗诵】lǎngsòng 动 大声诵读诗或散文，把作品的感情表达出来：诗歌～会。

烺 lǎng〈书〉明朗(多用于人名)。

塱(塱) lǎng 元塱(Yuánlǎng)，地名，在香港。今作元朗。

蒗 lǎng〈方〉指沼泽地或滩涂(多用于地名)：～底|南～(都在广东)。

㮚 lǎng 㮚梨(Lǎnglí)，地名，在湖南。

làng （ㄌㄤˋ）

郎 làng 见 1242 页【屎壳郎】。
另见 813 页 láng。

埌 làng 见 796 页【圹埌】。

莨 làng [莨菪](làngdàng)名 多年生草本植物，根状茎呈块状，灰黑色，叶

子互生，长椭圆形，花紫黄色，结蒴果。有毒。全草入药。
另见 851 页 liáng。

崀 làng 崀山(Làngshān)，地名，在湖南。

阆(閬) làng 阆中(Làngzhōng)，地名，在四川。
另见 813 页 láng。

【阆苑】làngyuàn〈书〉名 传说中神仙居住的地方，诗文中常用来指宫苑。

浪 làng ❶ 名 波浪：风平～静|乘风破～|白～滔天。❷ 像波浪起伏的东西：麦～|声～。❸ 没有约束；放纵：放～|～费。❹〈方〉动 逛：到街上～了一天。❺(Làng)名姓。

【浪潮】làngcháo 名 比喻大规模的社会运动或声势浩大的群众性行动：改革～。

【浪船】làngchuán 名 儿童体育活动器械，用木制的船挂在架下，坐在上面，可以来回摇荡。

【浪荡】làngdàng ❶ 动 到处游逛，不务正业；游荡：终日～。❷ 形 行为不检点；放荡：～公子。

【浪费】làngfèi 动 对人力、财物、时间等用得不当或没有节制：不要～水。

【浪花】lànghuā 名 ❶ 波浪激起的四溅的水：～飞溅。❷ 比喻生活中的特殊片段或现象：生活的～。

【浪迹】làngjì 动 到处漂泊，没有固定的住处：～江湖|～天涯。

【浪漫】làngmàn 形 ❶ 富有诗意，充满幻想：富有～色彩。❷ 行为放荡，不拘小节(常指男女关系而言)。[英 romantic]

【浪漫主义】làngmàn zhǔyì 文学艺术上的一种创作方法，运用丰富的想象和夸张的手法，塑造人物形象，反映现实生活。浪漫主义有几种类型，如消极的浪漫主义和积极的浪漫主义。前者粉饰现实或留恋过去；后者能突破现状，预示事物发展的方向。

【浪木】làngmù 名 体育运动器械。用一根长木头挂在架下，人在上面用力使木头摇荡，顺势做各种动作。也叫浪桥。

【浪桥】làngqiáo 名 浪木。

【浪人】làngrén 名 ❶ 到处流浪的人。❷ 指日本流浪武士。

【浪涛】làngtāo 名 波涛：～滚滚。

【浪头】làng·tou 名 ❶〈口〉涌起的波浪：

风大，～高。❷ 比喻潮流：赶～。

【浪游】lànɡyóu 动 漫无目标地到处游逛：
～四方。

【浪子】lànɡzǐ 名 游荡不务正业的青年人：
～回头。

【浪子回头金不换】lànɡzǐ huí tóu jīn bù
huàn 指做了坏事的人改过自新后极为
可贵。

眼 lànɡ〈方〉动 晾①②。

蒗 lànɡ 宁蒗（Nínɡlànɡ），地名，在云
南。

---

lāo（ㄌㄠ）

捞（撈）lāo 动 ❶ 从水或其他液体
里取东西：打～|～饭|～鱼。
❷ 用不正当的手段取得：趁机～一把。
❸〈方〉顺手拿：披上衣服，～起铁锹就
走。

【捞本】lāo∥běn （～儿）动 赌博时赢回输
掉的本钱，泛指采取办法把损失了的补偿
上（多含贬义）。

【捞稻草】lāo dàocǎo 快要淹死的人，抓
住一根稻草，想借此活命，比喻在绝境中
作徒劳无益的挣扎。

【捞取】lāoqǔ 动 ❶ 从水里取东西：塘里
的鱼可以随时～。❷ 用不正当的手段取
得：～暴利。

【捞着】lāo∥zháo 动 得到机会（做某事）：
那天的联欢会，我没～参加。

---

láo（ㄌㄠˊ）

劳（勞）láo ❶ 劳动：按～分配|不～
而获。❷ 动 烦劳（请别人做
事所用的客气话）：～驾|～您走一趟。❸
劳苦；疲劳：任～任怨|积～成疾。❹ 功
劳：勋～|汗马之～。❺ 慰劳：犒～|～军。
❻（Láo）名 姓。

【劳保】láobǎo 名 ❶ 劳动保险。❷ 劳动
保护。

【劳步】láobù 动 敬辞，用于谢人来访：您
公事忙，千万不要～。

【劳瘁】láocuì〈书〉形 辛苦劳累；不辞～。

【劳动】láodònɡ ❶ 名 人类创造物质或精
神财富的活动：体力～|脑力～。❷ 名 专
指体力劳动：～锻炼。❸ 动 进行体力劳
动：他～去了。

【劳动】láo·donɡ 动 敬辞，烦劳：～您跑
一趟|不敢～大驾。

【劳动保护】láodònɡ bǎohù 为了保护劳
动者在劳动过程中的安全和健康而采取
的各种措施。

【劳动保险】láodònɡ bǎoxiǎn 工人、职员
在患病、年老、丧失工作能力或其他特殊
情况下享受生活保障的一种制度。

【劳动布】láodònɡbù 名 用较粗的棉纱、
棉线织成的斜纹布，质地紧密厚实，坚实
耐穿，多用来做工作服。

【劳动对象】láodònɡ duìxiànɡ 政治经济
学上指在劳动中被采掘和加工的东西。
它可以是自然界原来有的，如地下矿石；
也可以是加过工的原材料，如棉花、钢材
等。

【劳动法】láodònɡfǎ 名 调整劳动关系以
及与劳动关系密切联系的社会关系的法
律规范。如有关劳动合同、劳动争议、劳
动报酬、劳动保护、劳动纪律等方面的法
规。

【劳动改造】láodònɡ ɡǎizào 我国对判处
徒刑的罪犯实行的一种改造措施。凡有
劳动能力的，强迫他们劳动，在劳动中改
造成为新人。

【劳动教养】láodònɡ jiàoyǎnɡ 我国对违
反法纪而又可以不追究刑事责任的有
劳动能力的人实行强制性教育改造的一
种措施，对他们采取劳动生产和政治
思想教育相结合的方针，帮助他们学习劳
动生产技术，树立爱国守法和劳动光荣的
观念。

【劳动节】Láodònɡ Jié 名 见1445页【五
一劳动节】。

【劳动力】láodònɡlì 名 ❶ 人用来生产物
质资料的体力和脑力的总和，即人的劳动
能力。❷ 相当于一个成年人所具有的体
力劳动的能力，有时指参加劳动的人：全
～|半～|辅助～。

【劳动模范】láodònɡ mófàn 我国授予在
生产建设中成绩卓著或有重大贡献的先
进人物的一种光荣称号。简称劳模。

【劳动强度】láodònɡ qiánɡdù 劳动的紧

张程度。也就是在单位时间内劳动力消耗的程度。

【劳动日】láodòngrì 名 计算劳动时间的单位,一般以八小时为一个劳动日。

【劳动生产率】láodòng shēngchǎnlǜ 单位时间内劳动的生产效果或能力,用单位时间内所生产的产品数量或单位产品所需要的劳动时间来表示。也叫生产率。

【劳动手段】láodòng shǒuduàn 劳动资料的旧称。

【劳动者】láodòngzhě 名 参加体力劳动或脑力劳动并以自己的劳动收入为生活资料主要来源的人,有时专指参加体力劳动的人。

【劳动资料】láodòng zīliào 人用来影响和改变劳动对象的一切物质资料的总和,包括生产工具、土地、建筑物、道路、运河、仓库等等,其中起决定作用的是生产工具。旧称劳动手段。

【劳顿】láodùn〈书〉形 劳累:旅途~|鞍马~。

【劳乏】láofá 形 疲倦;劳累。

【劳烦】láofán〈方〉动 烦劳:~尊驾|您走一趟。

【劳方】láofāng 名 指私营工商业中的职工一方。

【劳改】láogǎi 动 劳动改造:~人员。

【劳工】láogōng 名❶ 旧时称工人:~运动。❷ 做苦工的人;苦力。

【劳绩】láojì 名 功劳和成绩:~卓著。

【劳驾】láo∥jià 动 客套话,用于请别人做事或让路:~,把那本书递给我|劳您驾,替我写封信吧!|~,请让让路。

【劳教】láojiào 动 劳动教养:~人员。

【劳金】láojīn 名 旧时店主或地主等付给店员或长工的工钱。

【劳倦】láojuàn 形 疲劳;疲倦:不辞~|他连续工作了一整天也不觉得~。

【劳军】láo∥jūn 动 慰劳军队:各界代表到前线~。

【劳苦】láokǔ 形 劳累辛苦:~大众|不辞~。

【劳苦功高】láo kǔ gōng gāo 做事勤苦,功劳很大。

【劳累】láolèi ❶ 形 由于过度的劳动而感到疲乏:工作~。❷ 动 敬辞,指让人受累(用于请人帮忙做事):这件事还得~你~。

去一趟。

【劳力】láolì ❶ 名 体力劳动时所用的气力。❷ 名 有劳动能力的人:壮~|农村剩余~。❸〈书〉动 从事体力劳动。

【劳碌】láolù 形 事情多而辛苦:终日~。

【劳民伤财】láo mín shāng cái 既使人民劳苦,又浪费钱财。

【劳模】láomó 名 劳动模范的简称。

【劳神】láo∥shén 动❶ 耗费精神:你身体不好,不要多~。❷ 客套话,用于请人办事:~代为照顾一下。

【劳师】láoshī〈书〉动 慰劳军队。

【劳师动众】láo shī dòng zhòng 原指出动大批军队,现多指动用大批人力(含小题大做之意)。

【劳什子】láoshí·zi〈方〉名 使人讨厌的东西。也作牢什子。

【劳损】láosǔn 动 因疲劳过度而损伤:腰肌~|脏腑~。

【劳务】láowù 名 指不以实物形式而以劳动形式为他人提供种种效用的活动:~市场|出口~|~输出。

【劳务费】láowùfèi 名 指提供劳动服务所取得的报酬。

【劳心】láoxīn 动❶ 费心;操心:不为小事~。❷〈书〉从事脑力劳动。❸〈书〉忧心。

【劳燕分飞】láo yàn fēn fēi 古乐府《东飞伯劳歌》:"东飞伯劳西飞燕。"后世用"劳燕分飞"比喻人别离(多用于夫妻)。

【劳役】láoyì ❶ 名 指强迫的劳动:服~|~繁重。❷ 动 指(牲畜)供使用:他家有三头能~的牛。

【劳逸】láoyì 名 劳动和休息:~结合。

【劳资】láozī 名 指私营企业中的工人和资产阶级所有者。

【劳作】láozuò ❶ 名 旧时小学课程之一,教学生做手工或进行其他体力劳动。❷ 动 劳动,多指体力劳动:农民在田间~。

牢 láo ❶ 名 养牲畜的圈:亡羊补~。❷ 名 古代祭祀用的牲畜;牺牲①:太~(原指牛、羊、猪三牲,后专指祭祀用的牛)。❸ 名 监狱:监~|坐~|关进~里。❹ 形 牢固;经久:~不可破|把床固定一下|多温习几遍,就能记得更~。❺ (Láo)名 姓。

【牢不可破】láo bù kě pò 坚固得不可摧毁(多用于抽象事物):我们的友谊是~的。

【牢房】láofáng 名 监狱里监禁犯人的房间。

【牢固】láogù 形 结实；坚固：基础～|～的大坝挡住了洪水。

【牢记】láojì 动 牢牢地记住：～在心|～老师的教导。

【牢靠】láo·kào 形 ❶ 坚固；稳固：这套家具做得挺～。❷ 稳妥可靠：办事～。

【牢笼】láolóng ❶ 名 关住鸟兽的东西，比喻束缚人的事物：冲破旧思想的～。❷ 名 骗人的圈套：堕入～。❸〈书〉动 用手段笼络：～诱骗。❹ 动 束缚：不为旧礼教所～。

【牢骚】láo·sāo ❶ 名 烦闷不满的情绪：发～|满腹～。❷ 动 说抱怨的话：～了半天。

【牢什子】láoshí·zi 同"劳什子"。

【牢实】láo·shi 形 牢固结实：基础～|～的铁门。

【牢稳】láowěn 形 稳妥可靠：重要文件放在保险柜里比较～。

【牢稳】láo·wen 形〈物体〉稳定，不摇晃：机器摆放得很～。

【牢狱】láoyù 名 监狱。

𡏡（𡏡） láo 见 457 页〖圪𡏡〗。

唠（嘮） láo ［唠叨］（láo·dao）动 说起来没完没了；絮叨：～了半天|唠唠叨叨的让人心烦。
另见 822 页 lào。

崂（嶗） láo 崂山，山名，在山东。也作劳山。

铹（鐒） láo 名 金属元素，符号 Lr（lawrencium）。有放射性，由人工核反应获得。

痨（癆） láo 痨病：肺～|肠～|干血～。

【痨病】láobìng 名 中医指结核病。

篓（簩） láo 见 1291 页〖筶篓竹〗。

醪 láo〈书〉❶ 浊酒。❷ 醇酒。

【醪糟】láozāo 名 江米酒。

老 lǎo （ㄌㄠˇ）

老 lǎo ❶ 形 年岁大（跟"少、幼"相对）：～人|～大爷|他六十多岁了，可是一

点儿也不显～。❷ 老年人（多用作尊称）：徐～|敬～院|扶～携幼。❸ 动 婉辞，指人死（多指老人，必带"了"）：隔壁前天～了人了。❹ 对某些方面富有经验；老练：～手|～于世故。❺ 形 很久以前就存在的（跟"新"相对，下⑥同）：～厂|～朋友|～根据地|这种纸牌牌子很～了。❻ 形 陈旧：～脑筋|～机器|这所房子太～了。❼ 形 原来的；～脾气|～地方。❽ 形〈蔬菜〉长得过了适口的时期〈跟"嫩"相对，下⑨同〉：油菜太～了。❾ 形〈食物〉火候大：鸡蛋煮～了|青菜不要炒得太～。❿〈某些高分子化合物〉变质：～化|防～剂。⓫ 形〈某些颜色〉深：～绿|～红。⓬ 副 很久：老张近来很忙吧，～没见他了。⓭ 副 经常：人家～提前完成任务，咱们呢？⓮ 副 很；极：～早|～远|太阳已经～高了。⓯ 形 排行在末了的：～儿子|～闺女|～妹子。⓰ 前缀，用于称人、排行次序、某些动植物名：～王|～三|～虎|～玉米。⓱（Lǎo）名 姓。

【老媪】lǎo'ǎo〈书〉名 年老的妇女。

【老八板儿】lǎobābǎnr〈方〉❶ 形 拘谨守旧。❷ 名 指拘谨守旧的人。

【老八辈子】lǎobābèi·zi〈口〉形容年代久远及古老、陈腐：这是～的话了，没人听了。

【老白干儿】lǎobáigānr〈方〉名 白干儿。

【老百姓】lǎobǎixìng〈口〉名 人民；居民（区别于军人和政府工作人员）。

【老板】lǎobǎn 名 ❶ 私营工商业的财产所有者；掌柜的。❷ 旧时对著名戏曲演员或组织戏班的戏曲演员的尊称。

【老板娘】lǎobǎnniáng 名 老板的妻子。

【老半天】lǎobàntiān 数量词。指相当长的一段时间（多就说话者的感觉而言）：怎么才来，我们等你～了。

【老伴】lǎobàn（～儿）名 老年夫妇的一方。

【老鸨】lǎobǎo 名 鸨母。也叫老鸨子。

【老辈】lǎobèi 名 ❶（～儿）前代；前辈：他家～都是木匠。❷ 年长或行辈较高的人。

【老本】lǎoběn（～儿）名 ❶ 最初的本钱：做生意赔了～。❷ 比喻原有的基础或过去的成绩：要学习新知识，光靠～不行|不要躺在功劳簿上吃～。

【老鼻子】lǎobí·zi〈方〉形 多极了（后边带"了"字）：书市上的书可多～了。

【老表】lǎobiǎo 名 ❶ 表兄弟。❷ 江西省

以外的人对江西人的称呼(含戏谑意)。❸〈方〉对年龄相近的、不相识的男子的客气称呼。

【老病】lǎobìng ❶图经久难治的病;没有完全治好、经常发作的病:天一冷,～就犯。❷动指人年老多病:我～无能,多亏他处处关照我。

【老伯】lǎobó 图对父亲的朋友或朋友的父亲的尊称。也用来尊称年老男子。

【老财】lǎocái 〈方〉图财主(多指地主)。

【老巢】lǎocháo 图鸟的老窝,比喻匪徒盘踞的地方:捣毁土匪的～。

【老成】lǎochéng 形经历多,做事稳重:少年～|～持重。

【老成持重】lǎochéng chízhòng 阅历多,办事稳重。

【老诚】lǎochéng 形老实诚恳;诚实:～忠厚|他是个～孩子,从来不说谎话。

【老粗】lǎocū (～儿)图指没有文化的人(多用作谦辞)。

【老搭档】lǎodādàng 图经常协作或多年在一起共事的人。

【老大】lǎodà ❶〈书〉形年老:少壮不努力,～徒伤悲。❷图排行第一的人。❸〈方〉图木船上主要的船夫,也泛指船夫。❹图某些帮会或黑社会团伙对首领的称呼。❺副很;非常(多用于否定式):～不高兴|心中～不忍。

【老大不小】lǎo dà bù xiǎo 指人已经长大,达到或接近成年人的年龄:他～了,还跟孩子似的。

【老大难】lǎodànán 形属性词。形容问题错综复杂,难于解决:～单位|～问题|这个班秩序乱,成绩差,是全校有名的～班级。

【老大娘】lǎodà·niáng 〈口〉图对年老妇女的尊称(多用于不相识的)。

【老大爷】lǎodà·yé 〈口〉图对年老男子的尊称(多用于不相识的)。

【老旦】lǎodàn 图戏曲中旦角的一种,扮演年老的妇女。

【老当益壮】lǎo dāng yì zhuàng 年纪虽老,志向更高,劲头儿更大。

【老到】lǎo·dào 形❶(做事)老练周到。❷(功夫)精深:文笔～,风格苍劲。

【老道】lǎodào 〈口〉图道士。

【老底】lǎodǐ (～儿)图❶内情;底细:揭～。❷指祖上留下的财产;老本:他家

～儿厚|那家伙不务正业,几年工夫就把～儿败光了。

【老弟】lǎodì 图称比自己年纪小的男性朋友。

【老调】lǎodiào 图❶指说过多次使人厌烦的话;陈旧的话。❷河北地方戏曲剧种之一,流行于保定等地区。也叫老调梆子。

【老调重弹】lǎo diào chóng tán 旧调重弹。

【老掉牙】lǎodiàoyá 形形容事物、言论等陈旧过时。

【老爹】lǎodiē 〈方〉图对年老男子的尊称。

【老豆腐】lǎodòu·fu 图❶北方小吃,豆浆煮开后点上石膏或盐卤凝成块(比豆腐脑儿老些),吃时浇上麻酱、韭菜花、辣椒油等调料。❷〈方〉北豆腐。

【老坟】lǎofén 图祖坟。

【老夫】lǎofū 〈书〉图年老男子的自称。

【老夫子】lǎofūzǐ 图❶旧时称家馆或私塾的教师。❷清代称幕宾。❸称迂阔的读书人。

【老赶】lǎogǎn 〈方〉❶形指没见过世面:你真～,连这个也不懂。❷图指没见过世面的人;外行的人:别把我当～。

【老干部】lǎogànbù 图年纪大的或资格老的干部,特指1949年10月1日以前参加革命的干部。

【老疙瘩】lǎogē·da 〈方〉图指最小的儿子或女儿。

【老公】lǎogōng 〈口〉图丈夫(zhàng·fu)。

【老公】lǎo·gong 〈口〉图太监。

【老公公】lǎogōng·gong 〈方〉图❶小孩子称呼年老的男人。❷丈夫的父亲。

【老姑娘】lǎogū·niang 图❶年纪大了还没结婚的女子。❷最小的女儿。

【老古董】lǎogǔdǒng 图❶陈旧过时的东西。❷比喻思想陈腐或生活习惯陈旧的人。

【老鸹】lǎo·guā 〈方〉图乌鸦。

【老汉】lǎohàn 图❶年老的男子。❷年老男子的自称。

【老好人】lǎohǎorén 〈口〉图脾气随和,待人厚道,不得罪人的人。

【老狐狸】lǎohú·li 图比喻非常狡猾的人。

【老虎】lǎohǔ 图❶ 虎的通称。❷ 比喻大量耗费能源或原材料的设备：煤～|电～。❸ 比喻有大量贪污、盗窃或偷漏税行为的人。

【老虎凳】lǎohǔdèng 图旧时的残酷刑具。是一条长凳，让人坐在上面，两腿平放在凳子上，膝盖紧紧绑住，然后在脚跟下垫砖瓦，垫得越高，痛苦越大。

【老虎机】lǎohǔjī 图一种赌博机器，内有计算机装置，参赌者将硬币投入机器，如获胜，机器会将储藏在内的硬币自动吐出，否则硬币便被机器吞掉。

【老虎钳】lǎohǔqián 图❶ 台虎钳。❷ 手工工具，钳口有刃，多用来起钉子或夹断钉子和铁丝。

【老虎灶】lǎohǔzào〈方〉图烧开水的一种大灶，也指出售热水、开水的地方。

【老花眼】lǎohuāyǎn 图老视的通称。

【老化】lǎohuà 動❶ 橡胶、塑料等高分子化合物，在光、热、空气、机械力等的作用下变得黏软或硬脆。❷ 指在一定范围内老人的比重增长：人口～|领导班子～。❸ 知识等变得陈旧过时：知识～。

【老话】lǎohuà 图❶ 流传已久的话："世上无难事，只怕有心人"，这是很有道理的一句～。❷（～儿）指说过去事情的话：～重提|咱们谈的这些～，年轻人都不大明白了。

【老皇历】lǎohuáng·li 比喻陈旧过时的规矩：情况变了，不能再照～办事。

【老黄牛】lǎohuángniú 图比喻老老实实勤勤恳恳工作的人。

【老几】lǎojǐ 图❶ 排行第几。❷ 用于反问，表示在某个范围内数不上、不够格（多用于自谦或轻视别人）：我不行，在他们中间我算～?

【老骥伏枥】lǎo jì fú lì 曹操《步出夏门行》诗："老骥伏枥，志在千里。烈士暮年，壮心不已。"比喻有志的人虽年老而仍有雄心壮志。

【老家】lǎojiā 图❶ 在外面成立了家庭的人称故乡的家庭。❷ 指原籍：我～是湖南。

【老家儿】lǎojiār〈方〉图指父母及尊亲。

【老奸巨猾】lǎo jiān jù huá 形容十分奸诈狡猾。

【老茧】lǎojiǎn 同"老趼"。

【老趼】lǎojiǎn 图趼子。也作老茧。

【老江湖】lǎojiānghú 图指在外多年、很有阅历，处世圆滑的人。

【老将】lǎojiàng 图年老的将领；宿将（多用于比喻）：～出马，一个顶俩。

【老景】lǎojǐng 图老年时的境况：～凄凉|～堪怜。

【老境】lǎojìng 图❶ 老年时期：渐入～。❷ 老年时的境况：他的～倒也平顺。

【老酒】lǎojiǔ〈方〉图酒，特指绍兴酒。

【老辣】lǎolà 形❶ 老练狠毒：手段～。❷ 圆熟泼辣：画风质朴淳厚、～苍劲。

【老老】lǎo·lao 同"姥姥"。

【老例】lǎolì 图旧规矩；旧习惯。

【老脸】lǎoliǎn 图❶ 谦辞，年老人称自己的面子。❷ 厚脸皮。

【老练】lǎoliàn 形阅历深、经验多，稳重而有办法：他年纪不大，处事却很～。

【老林】lǎolín 图没有开发的森林：深山～。

【老龄】lǎolíng 形属性词。老年的：～化（人口的年龄结构变老）|～大学。

【老路】lǎolù 图❶ 以前走过的那条旧道路。❷ 比喻旧办法、旧路子。

【老妈子】lǎomā·zi 图旧时指年龄较大的女仆。也叫老妈儿。

【老马识途】lǎo mǎ shí tú 管仲随从齐桓公去打仗，回来时迷失了路途。管仲放老马在前面走，就找到了道路（见于《韩非子·说林上》）。比喻阅历多的人富有经验，熟悉情况，能起引导作用。

【老迈】lǎomài 形年老（常含衰老意）。

【老帽儿】lǎomàor〈方〉图指没见过世面而又带傻气的人。

【老面】lǎomiàn〈方〉图面肥。

【老谋深算】lǎo móu shēn suàn 周密的筹划、深远的打算。形容人办事精明老练。

【老衲】lǎonà〈书〉图年老的僧人，也用作老僧人的自称。

【老奶奶】lǎonǎi·nai 图❶ 曾祖母。❷ 小孩子尊称年老的妇女。

【老蔫儿】lǎoniānr〈方〉图指不爽朗、不爱讲话、不善交际的人。

【老年】lǎonián 图六七十岁以上的年纪。

【老年斑】lǎoniánbān 图老年人皮肤上出现的黑色或褐色的斑（多指脸上的）。也叫寿斑、老人斑。

【老年间】lǎoniánjiān 名 很早以前;古时候。

【老年性痴呆】lǎoniánxìng chīdāi 由于老年性脑萎缩所导致的进行性智能缺损,不易被发现,病程进展缓慢,主要症状有个性改变,记忆力和判断力下降以至丧失等。

【老娘】lǎoniáng 名❶ 老母亲。❷〈方〉已婚中年或老年妇女的自称(含自负意)。

【老娘】lǎo•niang 名❶〈口〉旧称接生婆。❷〈方〉外祖母。

【老娘们儿】lǎoniáng•menr〈方〉名❶ 指已婚女子:虽然我是个~,我的见识可不比你们男人低。❷ 指成年妇女(含贬义):你们~,少管这些闲事。❸ 指妻子:他~病了。

【老牛破车】lǎo niú pò chē 比喻做事慢慢腾腾,像老牛拉破车一样。

【老牛舐犊】lǎo niú shì dú 比喻父母疼爱子女。

【老农】lǎonóng 名 年老而有农业生产经验的农民。

【老牌】lǎopái（～儿）名❶ 创制多年,质量好,被人信任的商标、牌号:顾客公认的~。❷ 形 属性词。比喻资格老,人所公认的:~足球劲旅。

【老派】lǎopài（～儿）❶ 形 举止、气派陈旧:他穿着绸子裤,裤脚系着带儿,未免太~了。❷ 名 指举止、气派陈旧的人。

【老婆】lǎo•po〈口〉名 妻子(qī•zi)。

【老婆婆】lǎopó•po〈方〉名❶ 小孩子称呼年老的妇人。❷ 丈夫的母亲。

【老婆儿】lǎopór 名 年老的妇女(多含亲热意)。

【老婆子】lǎopó•zi 名❶ 年老的妇女(多含厌恶意)。❷ 丈夫称妻子(用于年老的)。

【老气】lǎo•qì 形❶ 老成的样子:别看他年纪小,说话倒很~。❷ 形容服装等的颜色深暗、样式陈旧:她打扮得有点儿~。

【老气横秋】lǎo qì héng qiū ❶ 形容人摆老资格,自以为了不起的样子。❷ 形容人没有朝气,暮气沉沉的样子。

【老前辈】lǎoqiánbèi 名 对同行里年纪较大、资格较老、经验较丰富的人的尊称。

【老亲】lǎoqīn 名❶ 多年的亲戚:~旧邻。❷ 年老的父母:奉养~。

【老区】lǎoqū 名 指老解放区;老革命根据地。

【老拳】lǎoquán 名 拳头(用于打人时):饱以~(用拳头狠狠地打)。

【老人】lǎo•rén 名❶ 老年人。❷ 指上了年纪的父母或祖父母:你到了天津寄封信,免得家里~惦记着。

【老人斑】lǎorénbān 名 老年斑。

【老人家】lǎo•ren jia〈口〉名❶ 尊称年老的人:您~|他~|这两位~在一起合作几十年了。❷ 对人称自己的或对方的父亲或母亲:你们~今年有七十了吧?

【老人星】lǎorénxīng 名 南部天空的一颗星,亮度仅次于天狼星。我国南方可以看到它在近地平线处出现。古人认为它象征长寿,也称它为寿星。

【老弱残兵】lǎo ruò cán bīng 比喻由于年老、体弱以及其他原因而工作能力较差的人。

【老三届】lǎosānjiè 名 指 1966、1967、1968 年三届的初、高中毕业生。

【老少】lǎoshào 名 老年人和少年人,泛指家属或不同年龄的所有的人:~皆宜|一家~大团圆。

【老身】lǎoshēn 名 老年妇女的自称(多见于早期白话)。

【老生】lǎoshēng 名 戏曲中生角的一种,扮演中年以上男子,在古典戏中挂髯口(胡须)。分文武两门。也叫须生。

【老生常谈】lǎo shēng cháng tán 原指老书生的平凡议论,今指很平常的老话。

【老师】lǎoshī 名 对教师的尊称,泛指传授文化、技术的人或在某方面值得学习的人。

【老师傅】lǎoshī•fu 名 尊称擅长某种技能的年纪大的人。

【老实】lǎo•shi 形❶ 诚实:忠诚~|当一人,说~话,办~事。❷ 规规矩矩;不惹事:这孩子很~,从来不跟人吵架。❸ 婉辞,指人不聪明。

【老实巴交】lǎo•shibājiāo 形 状态词。形容人老实、本分:他是个~的人,从不惹是生非。

【老式】lǎoshì 形 属性词。陈旧的式样或形式:~家具。

【老视】lǎoshì 名 年老的人由于眼球的调节能力减退而形成的视力缺陷,表现为近处物体看不清。用凸透镜制成的眼镜可以矫正。通称花镜或老花眼。

【老是】lǎo·shì 〈口〉副 总是；表示一直如此（多含不满或厌恶意）：～感冒｜～发脾气｜～埋怨别人｜～把朋友的劝告当成耳旁风。

【老手】lǎoshǒu （～儿）名 对于某种事情富有经验的人：驾轮～｜开车的～。

【老寿星】lǎoshòu·xing 名 ❶ 对高寿人的尊称。❷ 称被祝寿的老年人。

【老鼠】lǎoshǔ 名 鼠的通称（多指家鼠）。

【老鼠过街，人人喊打】lǎoshǔ guò jiē，rén rén hǎn dǎ 形容危害人的人和事人人都痛恨。

【老死】lǎosǐ 动 由于年老体衰而死亡（区别于"病死"）。

【老死不相往来】lǎo sǐ bù xiāng wǎng lái 形容相互之间一直不发生联系。

【老宋体】lǎosòngtǐ 名 见 1297 页〖宋体字〗。

【老太婆】lǎotàipó 名 老年的妇女。

【老太太】lǎotài·tai 名 ❶ 尊称年老的妇女。❷ 对人称自己的或对方的年老的母亲、婆婆、岳母。

【老太爷】lǎotàiyé 名 ❶ 尊称年老的男子。❷ 尊称别人的父亲（也对人称自己的父亲或公公、岳父）。

【老态龙钟】lǎotài lóngzhōng 形容年老体弱、行动不灵便的样子。

【老汤】lǎotāng 名 ❶ 炖过多次鸡、鸭、肉等的陈汤。❷〈方〉腌咸菜、泡菜的陈汤。

【老套子】lǎotào·zi 名 老一套。也说老套。

【老天爷】lǎotiānyé 名 迷信的人认为天上有个主宰一切的神，尊称这个神叫老天爷。现多用来表示惊叹：～，这是怎么回事儿！

【老头儿】lǎotóur 名 年老的男子（多含亲热意）。

【老头儿鱼】lǎotóuryú 〈方〉名 鮟鱇（ān-kāng）。

【老头子】lǎotóu·zi 名 ❶ 年老的男子（多含厌恶意）。❷ 妻子称丈夫（用于年老的）。❸ 帮会中人称首领。

【老外】lǎowài 〈口〉名 ❶ 外行：一看你这架势就是个～。❷ 指外国人（含诙谐意）。

【老顽固】lǎowángù 名 思想极守旧，不肯

接受新事物的人。

【老翁】lǎowēng 〈书〉名 年老的男子。

【老窝】lǎowō 名 ❶ 鸟、兽长期栖息的处所。❷ 比喻坏人盘踞的地方：端敌人的～。

【老弦】lǎoxián 名 京胡、二胡等乐器上用的粗弦。

【老乡】lǎoxiāng 名 ❶ 同乡：听你口音，咱们好像是～。❷ 对不知姓名的农民的称呼。

【老相】lǎo·xiàng 形 相貌显得比实际年龄老：他长得有点儿～，才四十出头，就满脸皱纹了。

【老小】lǎoxiǎo 名 老人和小孩儿，泛指家属或从老人到小孩儿所有的人：全村～｜一家～。

【老兄】lǎoxiōng 名 男性的朋友或熟人相互间的尊称。

【老羞成怒】lǎo xiū chéng nù 因羞愧到了极点而发怒。

【老朽】lǎoxiǔ ❶ 形 衰老陈腐：昏庸～｜～无能。❷ 名 谦辞，老年人的自称。

【老鸦】lǎoyā 〈方〉名 乌鸦。

【老眼昏花】lǎo yǎn hūn huā 指老年人视力差，看东西模糊。

【老爷】lǎo·ye ❶ 名 旧社会对官吏及有权势的人的称呼，现在用时含讽刺的意思：干部是为人民服务的，不是做官当～的。❷ 名 旧社会官僚、地主人家的仆人等称男主人。❸ 同"姥爷"。❹ 形 属性词。比喻陈旧的、式样老的（车、船等）：～车｜～船。

【老爷们儿】lǎoyé·menr 〈方〉名 ❶ 指成年男子：谁家的～不干活，光让老娘们儿去干？❷ 指丈夫（zhàng·fu）：她～在外地做买卖。

【老爷爷】lǎoyé·ye 名 ❶ 曾祖父。❷ 小孩子尊称年老的男子。

【老爷子】lǎoyé·zi 〈口〉名 ❶ 尊称年老的男子。❷ 对人称自己的或对方的年老的父亲、公公、岳父。

【老一套】lǎoyītào 名 陈旧的一套，多指没有改变的习俗或工作方法。也说老套子。

【老鹰】lǎoyīng 名 鸟，嘴蓝黑色，上嘴弯曲，脚强健有力，趾有锐利的爪，翼大善飞。是猛禽，吃蛇、鼠和其他鸟类。也叫鸢。

【老营】lǎoyíng 图❶ 旧时指军队长期居住的营房。❷ 旧时指歹人、匪徒等长期盘踞的地方。

【老油条】lǎoyóutiáo 图 老油子。

【老油子】lǎoyóu·zi 图 处世经验多而油滑的人。也说老油条。

【老幼】lǎoyòu 图 老人和小孩儿：~咸宜。

【老于世故】lǎo yú shìgù 形容富有处世经验(多含贬义)。

【老玉米】lǎoyù·mi 〈方〉图 玉米。

【老妪】lǎoyù〈书〉图 年老的妇女。

【老丈】lǎozhàng〈书〉图 尊称年老的男子。

【老账】lǎozhàng 图❶ 旧账：陈年~|~未还，又欠新账。❷ 比喻已经过了很久的事：不要翻过去的~了。

【老者】lǎozhě〈书〉图 年老的男子。

【老着脸皮】lǎo·zhe liǎnpí 不顾丢面子。

【老子】lǎo·zi〈口〉图❶ 父亲。❷ 男性的自称(含傲慢意,用于气愤或开玩笑的场合)：~就是不怕,他还能吃了我!

【老字号】lǎozì·hao 图 开设年代久的商店：这是一家有近百年历史的~。

【老总】lǎozǒng 图❶ 旧时对一般军人和警察的称呼。❷ 尊称中国人民解放军的某些高级领导(多和姓连用)。❸ 尊称有总工程师、总经理、总编辑等头衔的人。

佬 lǎo 成年的男子(含轻视意)：阔~。

拷 lǎo〈方〉匭 绰(chāo);抓取：天一亮,他就一起锄头出去了。

姥 lǎo 见下。
另见 969 页 mǔ。

【姥姥】lǎo·lao 图❶ 外祖母。❷〈方〉收生婆。‖也作老老。

【姥爷】lǎo·ye 图 外祖父。也作老爷。

栳 lǎo 见 767 页〖栲栳〗。

铑(銠) lǎo 图 金属元素,符号 Rh(rhodium)。银白色,质硬。常镀在探照灯等的反射镜上,也用来制热电偶和铂铑合金等。

笔 lǎo 见 767 页〖等笔〗。

潦 lǎo〈书〉❶ 雨水大。❷ 路上的流水、积水。
另见 857 页 liáo。

lào （ㄌㄠˋ）

络(絡) lào 义同"络"(luò)①—④。
另见 902 页 luò。

【络子】lào·zi 图❶ 依照所装的物件的形状,用线结成的网状的小袋子。❷ 绕线绕纱的器具,多用竹子或木条交叉构成,中有小孔,安装在有轴的座子上,用手摇动旋转。

唠(嘮) lào〈方〉匭 说;谈(话)：有话慢慢~|大家在一起~得很热闹|有什么问题,咱们~~吧。
另见 817 页 láo。

【唠扯】lào·che〈方〉匭 闲谈;聊天儿：来,咱们坐下~~|几个人在屋里~起来。

【唠嗑】lào//kē(~儿)〈方〉匭 闲谈;聊天儿：没事的时候,几个人就凑在一块儿~|昨天我跟我大哥唠了会儿嗑。

烙 lào 匭❶ 用烧热了的金属器物烫,使衣服平整或在物体上留下标志：印|~衣服。❷ 把面食放在烧热的铛或锅上加热使熟：~馅儿饼。
另见 902 页 luò。

【烙饼】làobǐng 图 烙成的饼(饼内一般加油盐)。

【烙花】lào//huā 匭 一种工艺,用烧热的铁扦子,在扇骨、梳篦、芭蕉扇和木制家具等上面烫出各种图案、花纹。也叫烫花。

【烙铁】lào·tie 图❶ 烧热后可以烫平衣服的铁器,底面平滑,上面安一头儿有把儿(bàr)。❷ 焊接时熔化焊锡用的工具,一端有柄,另一端为紫铜制成的头,有刃。

【烙印】làoyìn ❶ 图 在牲畜或器物上烫的火印,作为标记,比喻不易磨灭的痕迹：时代~。❷ 匭 用火烧铁在牲畜或器物上烫成痕迹,比喻深刻地留下印象：这些生动的艺术形象,将~在广大观众的心头。

涝(澇) lào ❶ 形 庄稼因雨水过多而被淹(跟"旱"相对)：防旱防~|庄稼~了。❷ 因雨水过多而积在田里的水：排~。

【涝害】làohài 图 因雨水过多农田被淹造成的危害,如引起农作物机体破坏和死亡。

【涝灾】làozāi 图 因涝害而造成农作物减产或绝收的灾害。

落 lào 义同"落"(luò)①②⑥⑨⑩，用于下列各条。
另见 805 页 là；899 页 luō；902 页 luò。

【落包涵】lào bāo·han 〈方〉受埋怨；受责难：帮他半天忙，倒落了包涵。

【落不是】lào bù·shi 被认为有过失而受责难：他怕～，不想多管这件事｜跟他跑里跑外忙了半天，反落一身不是。

【落汗】lào∥hàn 勔 身上的汗水消下去：累了半天，等着汗再接着干吧。

【落价】lào∥jià （～儿）勔 降价；减价。

【落架】lào∥jià 〈方〉勔 房屋的木架倒塌，比喻家业败落。

【落忍】làorěn 〈方〉勔 心里过意得去（多用于否定式）：老麻烦人，心里怪不～的。

【落色】lào∥shǎi 勔 布匹、衣服等的颜色逐渐脱落；退色。

【落枕】lào∥zhěn 勔 睡觉时脖子受寒，或因枕枕头的姿势不合适，以致脖子疼痛，转动不便。

【落子】lào·zi 图 ❶〈方〉指莲花落等曲艺形式：～馆。❷ 评剧的旧称：唐山～。

耢(橯) lào ❶ 图 平整土地用的一种农具，长方形，用藤条或荆条编成。功用和耙差不多，通常在耙过以后用耢进一步平整土地，弄碎土块。也叫糖(mò)或盖。❷ 勔 用耢平整土地。

酪 lào ❶ 用牛、羊、马的乳汁做成的半凝固食品：奶～。❷ 用果子或果子的仁做的糊状食品：杏仁～｜核桃～。

嫪 lào 嫪毐(Lào'ǎi)，战国时秦国人。

---

lē (ㄌㄜ)

肋 lē ［肋脦］(lē·de 又 lē·te)〈方〉彤 (衣服)不整洁，不利落。
另见 826 页 lèi。

嘞 lē ［嘞嘞］(lē·le)〈方〉勔 唠叨；瞎～你穷～什么｜少～两句行不行？
另见 827 页 ·lei。

---

lè (ㄌㄜ)

仂 lè 〈书〉余数。

【仂语】lèyǔ 图 词组的旧称。

叻 lè 见 900 页〖萝叻〗。

芳 Lè 指新加坡(我国侨民称新加坡为石叻、叻埠)：～币。

乐(樂) lè ❶ 彤 快乐：欢～｜～事｜不可支｜心里～得像开了花。❷ 乐于：～此不疲。❸ 勔 笑：他说了个笑话把大家逗～了。❹ （Lè）图 姓（与 Yuè 不同姓）。
另见 1683 页 yuè。

【乐不可支】lè bù kě zhī 形容快乐到了极点。

【乐不思蜀】lè bù sī Shǔ 蜀汉亡国后，后主刘禅被安置在魏国的都城洛阳。一天，司马昭问他想念不想念西蜀，他说"此间乐，不思蜀"(见于《三国志·蜀书·后主传》注引《汉晋春秋》)。后来泛指乐而忘返。

【乐此不疲】lè cǐ bù pí 因喜欢做某件事而不知疲倦。形容对某事特别爱好而沉浸其中。也说乐此不倦。

【乐得】lèdé 勔 某种情况或安排恰合自己心意，因而顺其自然：主席让他等一会儿再发言，他也～先听听别人的意见｜他们都出去旅游了，我一个人在家也～清静。

【乐观】lèguān 彤 精神愉快，对事物的发展充满信心(跟"悲观"相对)：～情绪｜不要盲目～。

【乐呵呵】lèhēhē （～的）彤 状态词。形容高兴的样子：老远就看见他～地向这边走来。

【乐和】lè·he 〈方〉彤 快乐(多指生活幸福)：日子过得挺～｜人们辛苦了一年，春节的时候都愿意～。

【乐极生悲】lè jí shēng bēi 快乐到了极点的时候，发生悲痛的事情。

【乐趣】lèqù 图 使人感到快乐的意味：工作中的～是无穷的｜只有乐观的人才能随时享受生活中的～。

【乐儿】lèr 〈方〉图 乐子。

【乐善好施】lè shàn hào shī 爱做好事，喜欢施舍。

【乐事】lèshì 图 令人高兴的事情：人生～。

【乐陶陶】lètáotáo 彤 状态词。形容很快乐的样子：船家生活～，赶潮撒网月儿高。

【乐天】lètiān 勔 安于自己的处境而没有任何忧虑：～派。

【乐天知命】lè tiān zhī mìng 相信宿命论

的人认为自己的一切都由命运支配,于是安于自己的处境,没有任何忧虑。

【乐土】lètǔ 名 安乐的地方;人间～。

【乐意】lèyì ❶动 甘心愿意:这件事只要一办,保险办得好。❷形 满意;高兴①;你的话说得太生硬,他听了有些不个。

【乐于】lèyú 动 对于做某种事情感到快乐:～助人。

【乐园】lèyuán 名 ❶ 快乐的园地;儿童～。❷ 基督教指天堂或伊甸园。

【乐滋滋】lèzīzī (～的)形 状态词。形容因为满意而喜悦的样子:他听得心里～的,把原来的烦恼事儿都忘了。

【乐子】lè·zi〈方〉名 ❶ 快乐的事:下雨天出不了门儿,下两盘棋,也是个～。❷ 惹人笑的事:他捧了一跤,把端着的金鱼缸也砸了,这个～可真不小。

劝 lè 见664页〖𫍲劝〗。

渤 lè〈书〉❶ 石头顺着纹理裂开。❷ 书写:手～。❸同"勒"(lè)。

勒[1] lè ❶〈书〉带嚼子的马笼头。❷动 收住缰绳不让骡马等前进:悬崖～马。❸强制;逼迫:～令|～派|～索。❹〈书〉统率:亲～六军。❺ (Lè)名 姓。

勒[2] lè〈书〉雕刻:～石|～碑。

勒[3] lè 量 勒克斯的简称。1流(流明)的光通量均匀地照在1平方米面积上时的光照度是1勒。
另见824页 lēi。

【勒逼】lèbī 动 强迫;逼迫。

【勒克斯】lèkèsī 量 光照度单位。符号lx。简称勒。[英 lux]

【勒令】lèlìng 动 用命令方式强制人做某事:～停业。

【勒派】lèpài 动 强行摊派:～苛捐杂税。

【勒索】lèsuǒ 动 用威胁手段向别人要财物:敲诈～|～钱财。

【勒抑】lèyì 动 ❶ 指用压力迫使降低售价。❷ 勒索压制。

【勒诈】lèzhà 动 勒索敲诈:～钱财。

筋 lè 见下。

【筋樬】lèdǎng 名 常绿灌木或乔木,枝上有刺,小叶长圆形,花淡青色,蒴果紫红色,种子黑色,可提制芳香油。根可入药。

【筋竹】lèzhú 名 竹子的一种,高达15米左右,枝上有锐利硬刺,叶子披针形,背面有稀疏的短毛。

鳓(鰳) lè 名 鱼,体侧扁,银白色,鳞小,鳃孔大,无侧线。生活在海中,是重要的食用鱼类。也叫鲙鱼、曹白鱼。

·le （·ㄌㄜ）

了 ·le 助 ❶ 用在动词或形容词后面,表示动作或变化已经完成。a)用于实际已经发生的动作或变化:这个小组受到～表扬|水位已经低～两米。b)用于预期的或假设的动作:你先去,我下一班就去|他要知道～这个消息,一定也很高兴。❷ 用在句子的末尾或句中停顿的地方,表示变化或出现新的情况。a)表示已经出现或将要出现某种情况:下雨～|春天～、桃花都开～|他吃了饭～|天快黑～,今天去不成～。b)表示在某种条件之下出现某种情况:天一下雨,我就不出门～|你早来一天就见着他～。c)表示认识、想法、主张、行动等有变化:我现在明白他的意思～|他本来不想去,后来还是去～。d)表示催促或劝止:走～、走～,不能再等～!|好～,不要老说这些事～!
另见857页 liǎo。

饹(餎) ·le 见533页〖饸饹〗。
另见458页 gē。

勒 lēi 动 用绳子等捆住或套住,再用力拉紧;系紧:行李没有捆紧,再～一～|中间再～根绳子就不会散了|裤带儿太紧,～得腿肚子不舒服。
另见824页 lè。

【勒掯】lēi·kèn〈方〉动 强迫或故意为难。

léi （ㄌㄟˊ）

累(纍) léi 见下。
另见826页 lèi;827页 lèi。

【累累】[1] léiléi 〈书〉[形]憔悴颓丧的样子：～若丧家之狗。也作儽儽。

【累累】[2] léiléi 〈书〉[形]接连成串：果实～。另见826页 lěiléi。

【累赘】(累坠) léi·zhui ❶[形](事物)多余、麻烦；(文字)不简洁：这段话显得有些～。❷[动]使人感到多余或麻烦：我不想再～你们了,明天就回乡下去。❸[动]使人感到多余、麻烦的事物：行李带多了,是个～。

雷 léi ❶[名]云层放电时发出的响声：打～｜春～。❷[名]军事上用的爆炸武器：地～｜水～｜鱼～｜布～｜扫～。❸(Léi)[名]姓。

【雷暴】léibào [名]由积雨云产生的雷电现象,有时伴有阵雨或冰雹。

【雷场】léichǎng [名]布设许多地雷的地段。

【雷池】Léichí [名]古水名,在今安徽望江。东晋时庾亮写给温峤的信里有"足下无过雷池一步"的话,是叫温峤不要越过雷池到京城(今南京)来(见于《晋书·庾亮传》)。现在只用于"不敢越雷池一步"这个成语中,比喻不敢越出一定的范围。

【雷达】léidá [名]利用发射和接收无线电波进行目标探测和定位的装置。主要由发射机、天线、接收机和显示器等组成。目标的距离可通过电磁波从雷达到目标、又反射回雷达的时间测定。广泛应用在军事、天文、气象、航海、航空等方面。[英radar]

【雷达兵】léidábīng [名]以雷达为基本装备的部队。也称这一部队的士兵。

【雷打不动】léi dǎ bù dòng 形容坚定,不可动摇：他每天早晨坚持跑步,～。

【雷电】léidiàn [名]雷和闪电的合称。

【雷动】léidòng [动](声音)像打雷一样：掌声～｜～的欢呼声响彻云霄。

【雷公】Léigōng [名]神话中管打雷的神。

【雷管】léiguǎn [名]弹药、炸药等的引爆装置。一般用容易发火的化学药品(如雷汞)装在金属等的管里制成。

【雷击】léijī [动]雷电发生时,由于强大电流的通过而杀伤或破坏(人、畜、树木或建筑物等)。

【雷厉风行】léi lì fēng xíng 像雷一样猛烈,像风一样快,形容执行政策法令等严格而迅速。

【雷鸣】léimíng [动]❶打雷：～电闪。❷像打雷那么响(多用于掌声)：掌声～。

【雷区】léiqū [名]埋设地雷的区域,也用来比喻存在敏感而棘手的问题的地方。

【雷声大,雨点小】léishēng dà, yǔdiǎn xiǎo 比喻话说得很有气势或计划订得很大而实际行动却很少。

【雷霆】léitíng [名]❶雷暴；霹雳。❷比喻威力或怒气：～万钧｜大发～(大怒)。

【雷霆万钧】léitíng wàn jūn 比喻威力极大：排山倒海之势,～之力。

【雷同】léitóng [动]指随声附和,也指不该相同而相同(旧说打雷时,许多东西都同时响应)。

【雷雨】léiyǔ [名]伴有雷电的雨,多发生在夏天的下午。

【雷阵雨】léizhènyǔ [名]伴有雷电的阵雨。

蔂(蘽) léi 〈书〉土筐。

嫘 léi 嫘祖(Léizǔ),传说中黄帝的妻子,发明养蚕。

缧(縲) léi ［缧绁](léixiè)〈书〉[名]捆绑犯人的绳索,借指牢狱：身陷～。

㭨 léi 〈书〉牡牛。

擂 léi [动]❶〈方〉研磨：～米粉。❷打：～鼓｜自吹自～｜～了一拳。另见827页 lèi。

榗 léi 古代作战时从高处推下大木头,以打击敌人。

【榗木】léimù [名]古代作战时从高处往下推以打击敌人的大木头。

礧(礌) léi ❶古代作战时从高处推下大石头,以打击敌人。❷〈书〉击。

【礧石】léishí [名]古代作战时从高处往下推以打击敌人的大石头。

镭(鐳) léi [名]金属元素,符号 Ra(radium)。银白色,质软,有放射性。用来治疗恶性肿瘤,镭盐和铍粉的混合制剂可制成中子源。

蠃 léi ❶〈书〉瘦：～弱｜～瘦。❷〈书〉疲劳：～意｜～顿。❸(Léi)[名]姓。

【蠃顿】léidùn 〈书〉[形]❶瘦弱困顿。❷疲惫困顿。

【蠃弱】léiruò 〈书〉[形]瘦弱。

罍
儽
欙

罍 léi 古代一种盛酒的器具,形状像壶。

儽 léi 〔儽儽〕(léiléi)同"累累"[1]。

欙 léi 古代走山路乘坐的器具。

léi (ㄌㄟˊ)

耒

耒 léi ❶ 古代的一种农具,形状像木叉。❷ 古代农具耒粗上的木柄。

【耒耜】léisì 图 古代一种像犁的农具,也用作农具的统称。

誄(誄)

誄 léi 〈书〉❶ 叙述死者事迹表示哀悼(多用于上对下)。❷ 这类哀悼死者的文章。

垒¹(壘)

垒¹ léi 用砖、石、土块等砌或筑:~猪圈|一道墙|把井口~高点儿。

垒²(壘)

垒² léi ❶ 军营的墙壁或工事:壁~|堡~|深沟高~|两军对~。❷ 图 棒球、垒球运动的守方据点:跑~。

【垒球】léiqiú 图 ❶ 球类运动项目之一,球场呈直角扇形,四角各设一垒(守方据点)。比赛双方每局交换一次攻守,攻方(击球一方)的一位球员按一定规则安全通过全部的垒即得一分,累计得分多的一方获胜。❷ 垒球运动使用的球,比棒球略大些。里面用丝或其他纤维缠成硬团,外面包着软皮。

累¹(纍)

累¹ léi ❶ 积累:日积月~|成千上万。❷ 屡次;连续:~教不改|连篇~牍|欢聚一日。❸ 同"垒[1]"。

累²

累² léi 牵连:牵~|连~|~及。
另见 824 页 léi;827 页 lèi。

【累次】léicì 副 屡次:~三番|~获奖。

【累犯】léifàn 图 指被判处有期徒刑以上刑罚,服刑完毕或者赦免后,在一定期限内又犯必须判处有期徒刑以上刑罚的人。

【累积】léijī 动 层层增加;积聚:~资料|财富|前八个月完成的工程量~起来,已达到全年任务的 90%。

【累及】léijí 动 连累到:~无辜|~亲友。

【累计】léijì 动 加起来计算;总计:一场球打下来,~要跑几十里呢。

【累教不改】léi jiào bù gǎi 屡教不改。

【累进】léijìn 动 以某数为基数,另一数与它的比值按等差数列(如 1%,2%,3%,4%)、等比数列(如 1%,2%,4%,8%)或其他方式逐步增加,叫做累进:~率|~税。

【累进税率】léijìn shuìlǜ 随纳税者收入或财产数额增加而递增的税率。

【累累】léiléi ❶ 副 屡屡:~失误。❷ 形 形容累积得多:罪行~。
另见 825 页 léiléi。

【累卵】léiluǎn 图 一层层堆起来的蛋,比喻极不稳定,随时可能垮台的局势:危如~|~之急。

【累年】léinián 动 连年:~丰收|~平均气温|沉疴~。

【累世】léishì 动 接连几个世代:~之功|~侨居海外。

磊

磊 léi 见下。

【磊磊】léiléi 〈书〉形 形容石头很多:怪石~|~涧中石。

【磊落】léiluò 形 ❶ (心地)正大光明:光明~|~的胸怀。❷ 〈书〉多而错杂的样子:山岳~|巨岩~,石径崎岖。

蕾

蕾 léi 花蕾:~铃|蓓~|护苗保~。

【蕾铃】léilíng 图 棉花的花蕾和棉铃。

儡

儡 léi 见 799 页〖傀儡〗。

藟

藟 léi 〈书〉❶ 藤:葛~。❷ 缠绕。❸ 同"蕾"。

瘰

瘰 léi 图 中医指皮肤上起的小疙瘩。

癗

癗 léi 见 1028 页〖痞癗〗。

灅

灅 Léi 古水名,上游即今桑干河,中游即今永定河,下游即今海河。

lèi (ㄌㄟˋ)

肋

肋 lèi 图 胸部的侧面:两~|左~|~骨。
另见 823 页 lè。

【肋骨】lèigǔ 图 人和高等动物胸壁两侧的长条形的骨。人有 12 对肋骨,形状扁而弯,后接脊柱,前连胸骨,有保护胸腔内脏的作用。有的地区叫肋条。(图见490页"人的骨骼")

【肋膜】lèimó 名 胸膜的旧称。

【肋条】lèi·tiáo 〈方〉名 ❶ 肋骨。❷ 作为食品的带肉的肋骨：～肉。

泪(淚) lèi 名 眼泪;泪液：～痕｜热～｜～如雨下◇烛～。

【泪痕】lèihén 名 眼泪流过后所留下的痕迹：满脸～。

【泪花】lèihuā （～儿）名 含在眼里要流还没有流下来的泪珠：两眼含着～。

【泪涟涟】lèiliánlián 形 状态词。形容不断流泪的样子。

【泪人儿】lèirén 名 形容哭得泪流满面的人：哭得成了个～了。

【泪水】lèishuǐ 名 眼泪。

【泪汪汪】lèiwāngwāng （～的）形 状态词。形容眼里充满了泪水。

【泪腺】lèixiàn 名 眼睑外上方分泌泪液的腺体,略呈椭圆形,受副交感神经纤维的支配。

【泪眼】lèiyǎn 名 含着眼泪的眼睛：～模糊。

【泪液】lèiyè 名 眼内泪腺分泌的无色透明液体。泪液有保持眼球表面湿润、清洗眼球的作用。通称眼泪。

【泪珠】lèizhū （～儿）名 一滴一滴的眼泪。

类(類) lèi ❶ 名 许多相似或相同事物的综合：种～｜分～｜同～。❷ 量 用于性质或特征相同或相似的事物：分成几～｜两～性质的问题。❸ 类似：～人猿｜～新星｜画虎不成反～狗。❹ (Lèi)名 姓。

【类比】lèibǐ ❶ 名 一种推理方法,根据两种事物在某些特征上的相似,做出它们在其他特征上也可能相似的结论。类比推理是一种或然性的推理,其结论是否正确还有待实践证明。❷ 动 进行类比;比较。

【类别】lèibié 名 不同的种类;按种类的不同而做出的区别：这一章讨论土壤的～｜～一栏中填写商品种类的名称。

【类地行星】lèidì-xíngxīng 行星的一类,物理性质和天体特点跟地球相似,体积小,密度大,自转慢,卫星少。包括地球、水星、金星、火星和冥王星。

【类固醇】lèigùchún 名 甾。

【类乎】lèi·hū 动 好像;近于：这个故事很离奇,～神话。

【类激素】lèijīsù 名 环境激素。

【类木行星】lèimù-xíngxīng 行星的一类,物理性质和天体特点跟木星相似,体积大,密度小,自转快,卫星多。包括木星、土星、天王星和海王星。

【类人猿】lèirényuán 名 外貌和举动较其他猿类更像人的猿类,如猩猩、黑猩猩、大猩猩、长臂猿等。

【类书】lèishū 名 摘录各种书上有关的材料并依照内容分门别类地编排起来以备检索的书籍,例如《太平御览》《古今图书集成》。

【类似】lèisì 动 大致相像：找出犯错误的原因,避免再犯～的错误。

【类同】lèitóng 动 大致相同：样式～。

【类推】lèituī 动 比照某一事物的道理推出跟它同类的其他事物的道理：照此～｜其余～。

【类型】lèixíng 名 具有共同特征的事物所形成的种类。

累 lèi ❶ 形 疲劳：越干越有劲头,一点儿也不觉得～。❷ 动 使疲劳;使劳累：眼睛刚好,别～着它｜这件事别人做不了,还得～你。❸ 动 操劳：～了一天,该休息了。

另见824页 léi;826页 lěi。

酹 lèi 〈书〉把酒浇在地上,表示祭奠。

擂 lèi 〈书〉擂台：打～｜守～｜～主。

另见825页 léi。

【擂台】lèitái 名 原指为比武所搭的台子。"摆擂台"指搭了台欢迎人来比武,"打擂台"是上擂台参加比武。现比赛中多用"摆擂台"比喻向人挑战,用"打擂台"比喻应战。

颣(纇) lèi 〈书〉缺点;毛病：瑕～。

·lei （·ㄌㄟ）

嘞 ·lei 助 用法跟"喽"（·lou）②相似,语气更轻快些：好～,我这就去｜雨不下了,走～!

另见823页 lē。

L

棱 柱　　　　　　棱 锥

lēng（ㄌㄥ）

棱 lēng 见 221 页〖刺棱〗、563 页〖红不棱登〗、580 页〖花不棱登〗、1061 页〖扑棱〗。

另见 828 页 léng；868 页 líng。

嘞 lēng 〖拟声〗形容纺车等转动的声音：纺车～～转得欢。

léng（ㄌㄥˊ）

崚 léng 〖崚嶒〗（léngcéng）〈书〉〖形〗形容山高。

塄 léng 〈方〉田地边上的坡儿：～坎｜～。

【塄坎】léngkǎn 〈方〉〖名〗田地边上的坡儿和田埂子。也作棱坎。

棱（稜） léng （～儿）〖名〗❶ 物体上不同方向的两个平面连接的部分：见～棱角｜桌子～儿。❷ 物体上条状的突起部分：瓦～｜眉～｜搓板的～儿。

另见 828 页 lēng；868 页 líng。

【棱缝儿】léng·fengr 〈方〉〖名〗❶ 物体的接缝的地方，特指砖墙的接缝的地方。❷ 比喻事物有毛病的地方：找不出～｜一眼就看出了～。

【棱角】léngjiǎo 〖名〗❶ 棱和角：河沟里的石头多半没有～。❷ 比喻显露出来的锋芒：他很有心计，但表面不露～。

【棱镜】léngjìng 〖名〗用透明材料做成的多面体光学器件，在光学仪器中用来把复合光分解成光谱或用来改变光线的方向。常见的是三棱镜。

【棱坎】léngkǎn 同"塄坎"。

【棱台】léngtái 〖名〗棱锥的底面和平行于底面的一个截面间的部分，叫做棱台。

【棱柱】léngzhù 〖名〗两个底面是平行的全等多边形，侧面都是平行四边形的多面体。

【棱锥】léngzhuī 〖名〗一个多边形和若干个同一顶点的三角形所围成的多面体。

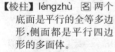

棱 台

【棱子】léng·zi 〈方〉〖名〗棱①：木头～。

楞 léng 同"棱"（léng）。

薐 léng 见 103 页〖菠薐菜〗。

lěng（ㄌㄥˇ）

冷 lěng ❶〖形〗温度低；感觉温度低（跟"热"相对）：～水｜现在还不算～，雪后才～呢｜你～不～? ❷〈方〉〖动〗使冷（多指食物）：太烫了，～一下再吃。❸〖形〗不热情；不温和：～面孔｜～言～语｜～～地说了声"好吧"。❹ 寂静；不热闹：～落｜～清清。❺ 生僻；少见的：～僻｜～字。❻ 不受欢迎的；没人过问的：～货｜～门。❼ 乘人不备的；暗中的；突然的：～箭｜～枪｜～不防。❽〖形〗比喻灰心或失望：心灰意～｜看到他严厉的目光，我的心～了半截。❾（Lěng）〖名〗姓。

【冷傲】lěng'ào 〖形〗冷峻高傲：表情～。

【冷板凳】lěngbǎndèng 〖名〗见 1828 页〖坐冷板凳〗。

【冷冰冰】lěngbīngbīng （～的）〖形〗状态词。❶ 形容不热情或不温和：～的脸色。❷ 形容物体很冷：～的石凳。

【冷兵器】lěngbīngqì 〖名〗指用于砍杀、撞击、刺杀的不带爆炸或燃烧物质的武器，如刀、剑、矛、锤、棍、刺刀、匕首等（区别于"火器"）。

【冷不丁】lěng·budīng 〈方〉〖副〗冷不防：～吓了一跳。

【冷不防】lěng·bufáng 〖副〗没有预料到；突然：～摔了一跤。

【冷布】lěngbù 〖名〗防蚊蝇、糊窗户等用的很稀疏的布。

【冷藏】lěngcáng 动 把食物、药品等贮存在低温设备里,以免变质、腐烂:~库|把海鲜~起来。

【冷场】lěng//chǎng 动 ❶ 戏剧、曲艺等演出时因演员迟到或忘记台词而演出不能正常进行。❷ 指开会时没有人发言。❸ 指文艺演出或体育比赛时没有观众或只有很少的观众观看。

【冷嘲热讽】lěng cháo rè fěng 尖刻地嘲笑和讥讽。

【冷处理】lěngchǔlǐ ❶ 材料淬火冷却到常温后,继续在0℃以下的环境中冷却,叫做冷处理。材料经过冷处理以后,机械性能较高,规格比较稳定。❷ 比喻事情发生后暂时搁置起来,等适当机会再作处理。

【冷淡】lěngdàn ❶ 形 不热闹;不兴盛:生意~。❷ 形 不热情;不亲热;不关心:态度~。❸ 动 使受到冷淡的待遇:他强打着精神说话,怕~了朋友。

【冷点】lěngdiǎn 名 指某一时期不受人注意的地方或问题(对"热点"而言)。

【冷碟儿】lěngdiér 〈方〉名 凉碟儿。

【冷冻】lěngdòng 动 降低温度使肉、鱼等所含的水分凝结:~设备|把鱼虾~起来。

【冷风】lěngfēng 名 ❶ 寒冷的风。❷ 比喻背地里散布的消极言论:吹~|刮~。

【冷锋】lěngfēng 名 冷气团插入暖气团的底部,并推着暖气团向前移动,在这种情况下,冷、暖气团接触的地带叫做冷锋。

【冷敷】lěngfū 动 用冰袋或冷水浸湿的毛巾放在身体的局部,以降低温度、减轻疼痛、控制炎症等。

【冷宫】lěnggōng 名 戏曲、旧小说中指君主安置失宠的后妃的地方,现说存放不用的东西的地方:打入~。

【冷光】lěngguāng 名 ❶ 指荧光和磷光,因为这种光线所含的热量极少,所以叫冷光。❷ 指冷酷严峻的目光:眼里闪烁着逼人的~。

【冷柜】lěngguì 名 冰柜。

【冷害】lěnghài 名 气候寒冷造成的危害,如引起植物生长缓慢、发育不良等。

【冷汗】lěnghàn 名 由惊恐或休克等原因而出的汗,出汗时手足发冷,所以叫冷汗。

【冷荤】lěnghūn 名 荤的凉菜。

【冷货】lěnghuò 名 不容易卖出去的货物。也说冷门货。

【冷寂】lěngjì 形 清冷而寂静:~的秋夜。

【冷加工】lěngjiāgōng 动 指对在常温下的金属进行加工,如车削、铣削等。

【冷箭】lěngjiàn 名 乘人不备暗中射出的箭,也用来比喻暗地里害人的手段。

【冷噤】lěngjìn 名 冷战;寒噤:打了个~。

【冷静】lěngjìng 形 ❶ 人少而静;不热闹:夜深了,街上显得很~。❷ 沉着而不感情用事:头脑~|~下来,好好儿想想。

【冷峻】lěngjùn 形 冷酷严峻;沉着而严肃:神色~|~的目光。

【冷库】lěngkù 名 冷藏食物或药品的仓库。也叫冷藏库。

【冷酷】lěngkù 形 (待人)冷淡苛刻:~无情。

【冷厉】lěnglì 形 冷峻严厉:~的目光。

【冷脸子】lěngliǎn·zi 〈方〉名 冷淡的脸色;不温和的脸色。

【冷落】lěngluò ❶ 形 不热闹:门庭~|过去这里很~,现在变得热闹了。❷ 动 使受到冷淡的待遇:别~了他|受到~。

【冷门】lěngmén (~儿)名 ❶ 原指赌博时很少有人下注的一门,比现比喻很少有人从事的、不时兴的工作或事业等:过去地质学是~儿。❷ 见54页【爆冷门】。

【冷门货】lěngménhuò 名 冷货。

【冷漠】lěngmò 形 (对人或事物)冷淡,不关心:神情~|~的态度。

【冷凝】lěngníng 动 气体或液体遇冷而凝结,如水蒸气遇冷变成水,水遇冷变成冰。

【冷暖】lěngnuǎn 名 ❶ 寒冷和温暖,泛指人的生活起居:关心群众的~。❷ 指世态炎凉:饱尝人间~。

【冷盘】lěngpán (~儿)名 盛在盘子里的凉菜(多作下酒用)。

【冷僻】lěngpì 形 ❶ 冷落偏僻:地段~|~的山乡。❷ 不常见的(字、名称、典故、书籍等):~字。

【冷气】lěngqì 名 ❶ 利用空调制冷等方式产生的低温空气。❷ 指能产生冷气的空调机。

【冷气团】lěngqìtuán 名 一种移动的气团,本身的温度比到达区域的地面温度低,多在极地和西伯利亚大陆上形成。

【冷枪】lěngqiāng 名 乘人不备暗中射出的枪弹:打~。

【冷峭】lěngqiào 形 ❶ 形容寒气逼人:北

风~。❷形容态度严峻,话语尖刻。

【冷清】lěng·qīng 形 冷静而凄凉:冷冷清清|~的深夜|后山游人少,显得很~。

【冷清清】lěngqīngqīng (~的)形 状态词。形容冷落、幽静、凄凉、寂寞:~的小巷|的月色|通跨院儿的月亮门|~地开着。

【冷泉】lěngquán 名 泉水温度在当地年平均气温以下的泉。

【冷却】lěngquè 动 物体的温度降低;使物体的温度降低:自然~|~剂。

【冷热病】lěngrèbìng 名 ❶〈方〉疟疾。❷比喻情绪忽高忽低的毛病。

【冷若冰霜】lěng ruò bīng shuāng 形容人不热情、不温和。也形容态度严肃,使人不易接近。

【冷色】lěngsè 名 给人以凉爽的感觉的颜色,如白色、绿色、蓝色。

【冷森森】lěngsēnsēn (~的)形 状态词。形容寒气逼人:山洞里~的。

【冷杉】lěngshān 名 常绿大乔木,高可达40米,树皮灰色,小枝平滑,叶子条形,果实椭圆形,暗紫色。耐寒,木材可制器具。

【冷食】lěngshí 名 温度低的食品,大多是甜的,如冰棍儿、冰激凌等;病人忌~。

【冷水】lěngshuǐ 名 ❶温度低的水:泼~|~浇头(比喻受到意外的打击或希望突然破灭)。❷生水:喝~容易得病。

【冷丝丝】lěngsīsī (~的)形 状态词。形容有点冷:细雨打在脸上~的。

【冷飕飕】lěngsōusōu (~的)形 状态词。形容很冷:初冬的风~的。

【冷烫】lěngtàng 动 烫发的一种方法,用药水而不用热量,所以叫冷烫。

【冷天】lěngtiān 名 寒冷的天气。

【冷笑】lěngxiào 动 含有讽刺、不满意、无可奈何、不屑、不以为然等意味或怒意的笑:~了一声|嘴角挂着一丝~。

【冷血动物】lěngxuè dòngwù ❶变温动物的俗称。❷比喻没有感情的人。

【冷言冷语】lěng yán lěng yǔ 含有讥讽意味的冷冰冰的话。

【冷眼】lěngyǎn 名 ❶指冷静客观的态度:他坐在墙角里,~观察来客的言谈举止。❷指冷淡的待遇:~相待。

【冷眼旁观】lěng yǎn páng guān 指用冷静或冷淡的态度从旁观看(多指可以参与而不愿参与)。

【冷饮】lěngyǐn 名 饮食业中指温度低的饮料,大多是甜的,如汽水、酸梅汤等。

【冷语冰人】lěng yǔ bīng rén 用尖酸刻薄的话伤害人。

【冷遇】lěngyù 名 冷淡的待遇:遭到~。

【冷战】lěngzhàn 名 指国际间进行的战争形式之外的敌对行动。

【冷战】lěng·zhan 名 见245页〖打冷战〗。也作冷颤。

【冷颤】lěng·zhan 同"冷战"(lěng·zhan)。

【冷招】lěngzhāo (~儿)名 指不常使用的、出其不意的招数。

【冷字】lěngzì 名 冷僻的字。

lèng （ㄌㄥˋ）

堎 lèng 地名用字:长~(在江西)。

愣 lèng ❶动 失神;呆:发~|他~了半天没说话。❷〈口〉形 说话做事不考虑后果:鲁莽:~小子|开车小心点,别那么~。❸〈口〉副 偏偏;偏要:明知不对,他~那么做。

【愣神儿】lèng//shénr 〈方〉动 发呆;发愣。

【愣头愣脑】lèng tóu lèng nǎo 形容鲁莽冒失的样子。

【愣头儿青】lèngtóurqīng 〈方〉名 指鲁莽的人。

【愣怔】lèng·zheng 同"睖睁"。

睖 lèng 〈方〉动 睁大眼睛注视,表示不满意:她狠狠地~了他一眼。

【睖睁】lèng·zheng 动 ❶发呆地直视:~着眼睛。❷发愣。‖也作愣怔。

lī （ㄌㄧ）

哩 lī 见下。
另见835页 li;843页·li;1632页yīnglǐ。

【哩哩啦啦】lī·lilālā 〈口〉形 状态词。零零散散或断断续续的样子:他不会挑水,~洒了一地|雨很大,客人~的直到中午还没到齐。

【哩哩啰啰】lī·liluōluō 〈口〉形 状态词。

形容说话啰唆不清楚：他～地讲了半天，我还是没听明白。

lí（ㄌ一）

枙 lí 〈书〉同"篱²"。
另见 353 页 duò"枙"；1605 页 yí"枙"。

丽（麗） lí ❶ 丽水（Líshuǐ），地名，在浙江。❷ 见 452 页〖高丽〗。❸ 见 481 页"句"下〖高句丽〗。
另见 840 页 lì。

厘（釐） lí ❶（某些计量单位的）百分之一：～米｜～升。❷ 量 计量单位名称。a）长度，10 毫等于 1 厘，10 厘等于 1 分。b）质量或重量，10 毫等于 1 厘，10 厘等于 1 分。c）地积，10 毫等于 1 分。❸ 量 利率，年利率 1 厘是每年百分之一，月利率 1 厘是每月千分之一。❹〈书〉整理；治理：～定。
"釐"另见 1461 页 xǐ"禧"。

【厘定】lídìng〈书〉动 整理规定：重新～规章制度。

【厘米】límǐ 量 长度单位，1 厘米等于 1 米的 1/100。公制长度单位的厘米旧称公分。

【厘正】lízhèng〈书〉动 订正：～遗文。

狸 lí〖狸猫〗（límāo）名 豹猫。

离¹（離） lí ❶ 动 分离；离开：～别｜悲欢～合｜貌合神～｜他～家已经两年了。❷ 动 距离①：我们村～车站很近｜两个地方～得不远｜～国庆节只有十天了。❸ 动 缺少：发展工业～不了钢铁。❹（Lí）名 姓。

离²（離） lí 名 八卦之一，卦形是"☲"，代表火。参看 16 页〖八卦〗。

【离别】líbié 动 比较长久地跟熟悉的人或地方分开：三天之后咱们就要～了｜～母校已经两年了。

【离愁】líchóu 名 离别的愁苦：～别绪（离别的愁苦心情）。

【离岛】lídǎo 名 指大岛屿周围的小岛。

【离队】lí//duì 动 脱离队伍；离开岗位：不得擅自～。

【离格儿】lí//gér 形 离谱儿：你办的这事儿也太～了。

【离宫】lígōng 名 帝王在都城之外的宫殿，也泛指皇帝出巡时的住所。

【离合】líhé 动 分离和聚合：悲欢～。

【离合器】líhéqì 名 汽车、拖拉机或其他机器上的一种装置。用离合器连接的两个轴或两个零件通过操纵系统控制，可以结合或分开。

【离婚】lí//hūn 动 依照法定手续解除婚姻关系。

【离间】líjiàn 动 从中挑拨使不团结、不和睦：挑拨～｜～上下关系。

【离解】líjiě 动 在可逆反应中，分子分解为离子、原子、原子团或较简单的分子。如醋酸分解成氢离子和醋酸根离子，碳酸钙分解成氧化钙和二氧化碳。

【离经叛道】lí jīng pàn dào 原指不遵循经书所说的道理，背离儒家的道统。现多比喻背离占主导地位的思想或传统。

【离开】lí//kāi 动 跟人、物或地方分开：得开｜离不开｜鱼～了水就不能活｜他已经～北京了。

【离乱】líluàn 动 乱离：八年～｜～中更觉友情的可贵。

【离谱儿】lí//pǔr 形（说话或做事）不合公认的准则：说话～。

【离奇】líqí 形 不平常；出人意料：情节～｜～古怪｜～的故事。

【离弃】líqì 动 离开，抛弃（工作、地点、人等）。

【离情】líqíng 名 离别的情怀：～别绪。

【离群索居】lí qún suǒ jū 离开同伴而过孤独的生活。

【离任】lí//rèn 动 不再担任原来的职务：大使～回国。

【离散】lísàn ❶ 分散不能团聚（多指亲属）：家人～。❷ 分散，不连续：～信号。

【离世】líshì 动 ❶ 指洁身自好，与世隔绝：绝俗～。❷ 离开人世，指死亡。

【离索】lísuǒ〈书〉动 因分居而孤独；离散：～之感。

【离题】lí//tí 动（文章或议论的内容）离开主题：～万里｜他说着说着就离了题。

【离析】líxī〈书〉动 ❶ 分离；离散：分崩～。❷ 分析；辨析：～章句。

【离弦走板】lí xián zǒu bǎn　比喻说话或做事偏离公认的准则。

【离乡背井】lí xiāng bèi jǐng　见60页[背井离乡]。

【离心】líxīn　勔❶ 跟集体或领导不是一条心：有异心｜～离德。❷ 离开中心：～力｜～作用。

【离心离德】lí xīn lí dé　集体中的人不是一条心，不团结。

【离心力】líxīnlì　图 物体沿曲线运动或作圆周运动时所产生的离开中心的力。

【离休】líxiū　勔 具有一定资历、符合规定条件的老年干部离职休养：～干部｜这位老红军战士已经～多年了。

【离异】líyì　勔 离婚：夫妻～。

【离辙】lí//zhé　〈口〉勔 比喻离开正确的道路或正题。

【离职】lí//zhí　勔❶ 暂时离开职位：～学习。❷ 离开工作岗位，不再回来。

【离子】lízǐ　图 原子或原子团失去或得到电子后叫做离子。失去电子的带正电荷，叫正离子（或阳离子）；得到电子的带负电荷，叫负离子（或阴离子）。

【离子键】lízǐjiàn　图 正离子和负离子之间通过静电作用力形成的化学键，如氯化钠（NaCl）分子中钠离子（Na$^+$）和氯离子（Cl$^-$）之间的键。

骊(驪)　lí 〈书〉纯黑色的马。

缡(縭)　lí 见863页[褵缡]。
另见1460页 xǐ。

桸　lí 〈书〉锹一类的器具。

梨(棃)　lí 图❶ 梨树，落叶乔木或灌木，叶子卵形，花一般白色。果实是常见水果。品种很多。❷ 这种植物的果实。❸ (Lí)图 姓。

【梨膏】lígāo　图 用梨汁和蜜制成的膏，有止咳作用。

【梨果】líguǒ　图 肉果的一类，果肉主要由花托的一部分形成，如梨、苹果等。

【梨园】Líyuán　图 据说唐玄宗曾教乐工、宫女在"梨园"演习音乐舞蹈，后来沿用梨园为戏院或戏曲界的别称：～世家。

【梨园弟子】líyuán dìzǐ　梨园弟子。

【梨园戏】líyuánxì　图 福建地方戏曲剧种之一，流行于该省南部地区。

【梨园子弟】líyuán zǐdì　旧称戏曲演员。也说梨园弟子。

犁(犂)　lí ❶ 图 翻土用的农具，有许多种，用畜力或机器（如拖拉机）牵引：扶～｜一张～。❷ 勔 用犁耕地：～田。❸ (Lí)图 姓。

【犁铧】líhuá　图 安装在犁的下端，用来翻土的铁器，略呈三角形。

【犁镜】líjìng　图 犁上的零件，是用铸铁或钢制成的一块弯板。安在犁铧上方，并向一侧倾斜，表面光滑，作用是把犁起的土翻在一边。

【犁杖】lí·zhang　〈方〉图 犁。

鹂(鸝)　lí 见600页[黄鹂]。

喱　lí 见434页[咖喱]。

剺　lí 〈书〉用刀划；割。

蓠(蘺)　lí 见674页[江蓠]。

蜊　lí 见461页[蛤蜊]。

鸳(鷟)　lí 〈书〉同"鹂"。

漓^1　lí 见863页[淋漓]。

漓^2(灘)　Lí 漓江，水名，在广西。

缡(縭、褵)　lí 古时妇女的佩巾：结～（古时指女子出嫁）。

璃(瓈)　lí 见102页[玻璃]、876页[琉璃]。

嫠　lí 〈书〉寡妇：～妇。

【嫠妇】lífù　〈书〉图 寡妇。

犛　lí 牦牛。

藜　lí 见640页[蒺藜]（蒺藜）。

黎　lí ❶〈书〉众：～民。❷〈书〉黑。❸ (Lí)图 姓。

【黎黑】líhēi　见833页[黧黑]。

【黎锦】líjǐn　图 黎族人民织的一种锦，上面有人物花鸟等图案。

【黎民】límín　〈书〉图 百姓；民众。

【黎明】límíng　图 时间词。天快要亮或刚亮的时候：～即起｜～时分。

【黎庶】líshù 〈书〉名 百姓;民众。

【黎族】Lízú 名 我国少数民族之一,主要分布在海南。

鲡(鱺) lí 见914页[鳗鲡]。

罹

【罹难】línàn 〈书〉动 遇灾、遇险而死;被害:不幸~。

篱1 lí 见1722页[笊篱]。

篱2(籬) lí 篱笆:樊~|竹~茅舍。

【篱笆】lí·ba 名 用竹子、芦苇、树枝等编成的遮拦的东西,一般环境在房屋、场地的周围。

【篱落】líluò 〈书〉名 篱笆。

【篱栅】lízhà 名 用竹子、树枝等做成的栅栏。

醨 lí 〈书〉名 薄酒。

藜 lí ❶名 一年生草本植物,茎直立,叶子略呈三角形,花小、黄绿色。嫩叶可以吃。全草入药。也叫灰菜。❷ 见640页[蒺藜]。

【藜藿】líhuò 〈书〉名 藜和藿,指粗劣的饭菜。

黧 lí 〈书〉名 黑;色黑而黄。

【黧黑】(黎黑) líhēi 〈书〉形 (脸色)黑:面目~。

蠡 lí 〈书〉❶ 瓢。❷ 贝壳。
另见836页 lǐ。

【蠡测】lícè 〈书〉动 以蠡测海的略语,比喻以浅见揣度:管窥~。

劙 lí 〈书〉刺破;割破。

lǐ (ㄌㄧˇ)

礼(禮) lǐ ❶名 社会生活中由于风俗习惯而形成的为大家共同遵守的仪式:婚~|丧~。❷名 表示尊敬的言语或动作:~节|敬个~。❸名 礼物:送~|献~|千里送鹅毛,~轻情意重。❹〈书〉以礼相待:~贤下士。❺(Lǐ)名 姓。

【礼拜】lǐbài ❶动 宗教徒向所信奉的神行礼:~堂|做~。❷〈口〉名 星期:下~|开学已经三个~了。❸〈口〉名 跟"天(或日)、一、二、三、四、五、六"连用,表示一星期中间的某一天:~三|~六。❹〈口〉名 指礼拜天:过~。

【礼拜寺】lǐbàisì 名 清真寺。

【礼拜堂】lǐbàitáng 名 基督教(新教)教徒举行宗教仪式的场所。

【礼拜天】lǐbàitiān 〈口〉名 星期日(因基督教徒在这一天做礼拜)。也叫礼拜日。

【礼包】lǐbāo 名 用作礼品的装有食品、用品等的包,多有精美装饰:新年~。

【礼宾】lǐbīn 形 属性词。按一定的礼仪接待宾客的(多用在外交场合):~服|~司|~用车。

【礼兵】lǐbīng 名 在隆重的庆典和迎宾、葬礼等活动中接受检阅或担任升旗、护卫灵柩等工作的士兵:人民解放军~。

【礼成】lǐchéng 动 仪式结束。

【礼单】lǐdān 名 送礼时开列礼物名称和数目的单子。也叫礼帖。

【礼法】lǐfǎ 名 社会上通行的法纪和礼仪。

【礼佛】lǐ∥fó 拜佛:烧香~。

【礼服】lǐfú 名 在庄重的场合或举行仪式时穿的服装。

【礼花】lǐhuā 名 举行庆祝典礼时放的烟火。

【礼教】lǐjiào 名 礼仪教化,特指旧传统中束缚人的思想行动的礼节和道德。

【礼节】lǐjié 名 表示尊敬、祝颂、哀悼之类的各种惯用形式,如鞠躬、握手、献花圈、献哈达、鸣礼炮等。

【礼金】lǐjīn 名 作为礼物的现金。

【礼帽】lǐmào 名 跟礼服相配的帽子。

【礼貌】lǐmào ❶名 言语动作谦虚恭敬的表现:有~|讲~。❷形 有礼貌:他很~地给大家鞠了一个躬|~待人。

【礼炮】lǐpào 名 表示敬礼或举行庆祝典礼时放的炮。

【礼品】lǐpǐn 名 礼物。

【礼聘】lǐpìn 动 用尊敬的方式(如拜访、送礼)聘请:重金~|~名师。

【礼器】lǐqì 名 古代在婚丧、祭祀等活动中所使用的器物,如鼎、彝、簋、瓿、镈等。

【礼券】lǐquàn 名 由商店发行的一种代替礼物的凭证,持券人可到发券商店选购与券面指明的或与券面标出的金额等价的物品。

【礼让】lǐràng 劻 礼貌地谦让：互相~｜在人行横道处,机动车应~行人。

【礼尚往来】lǐ shàng wǎng lái 在礼节上讲究有来有往。现也指你对我怎么样,我也对你怎么样。

【礼数】lǐshù 名 礼貌；礼节：不懂~｜~周到。

【礼俗】lǐsú 名 泛指婚丧、祭祀、交往等的礼节与习俗：不拘~。

【礼堂】lǐtáng 名 供开会或举行典礼用的大厅。

【礼物】lǐwù 名 为了表示尊敬或庆贺而赠送的物品,泛指赠送的物品：生日~。

【礼贤下士】lǐ xián xià shì 封建时代指帝王或大臣敬重有才德的人,降低自己的身份与他们结交。现多指社会地位高的人重视和延揽人才。

【礼仪】lǐyí 名 礼节和仪式：~之邦｜~简｜~小姐｜外交~。

【礼仪小姐】lǐyí xiǎojiě 在宾馆、酒店或大型仪式、活动中从事礼节性服务工作的年轻女子。

【礼义廉耻】lǐ yì lián chǐ 指崇礼、行义、廉洁、知耻,是古代推行的道德准则。

【礼遇】lǐyù 名 尊敬有礼的待遇：受到隆重的~。

【礼赞】lǐzàn 劻 怀着敬意地赞扬：这种为人类谋利益的高贵品质,是值得人民~的。

李 lǐ 名 ❶李子树,落叶灌木或小乔木,叶子倒卵形,花白色,果实球形,黄色或紫红色,是常见水果。❷ 这种植物的果实。❸ (Lǐ)姓。

【李代桃僵】lǐ dài táo jiāng 古乐府《鸡鸣》:"桃生露井上,李树生桃旁。虫来啮桃根,李树代桃僵。树木身相代,兄弟还相忘。"后来用"李代桃僵"比喻以此代彼或代人受过。

【李逵】Lǐ Kuí 名《水浒传》中梁山泊好汉之一,绰号"黑旋风",具有农民的纯朴、粗豪的品质,反抗性很强,对正义事业和朋友很忠诚,但性情急躁。是刚直、勇猛而又鲁莽的人物典型,元代以来民间有许多关于他的故事。

【李子】lǐ·zi 名 ❶李子树。❷ 李子树的果实。

【李自成起义】Lǐ Zìchéng Qǐyì 明末李自成领导的农民起义。起义军提出"均田免粮"的政治主张,队伍发展到百万人。公元1644年起义军在西安建立"大顺"农民政权,不久攻克北京,推翻了明王朝的统治。后明将吴三桂勾结满洲贵族共同镇压起义军,起义失败。

里[1](裹、裡) lǐ 名 ❶ (~儿)衣服、被褥等东西不露在外面的那一层；纺织品的反面：被~儿｜衣服~儿｜这面是~儿,那面是面儿。❷ 方位词。里边(跟"外"相对)：~屋｜~圈｜往~走。

里[2] lǐ ❶ 街坊：邻~｜~弄。❷ 家乡：故~｜乡~。❸ 古代五家为邻,五邻为里。❹ (Lǐ)名 姓。

里[3] lǐ 量 长度单位,1 市里等于 150 丈,合 500 米。

里(裹、裡) ·li 名 方位词。❶ 里面；内部(跟"外"相对)：手~｜箱子~｜话~有话。❷ 附在"这、那、哪"等字后边表示地点：这~｜那~｜头~。

【里边】lǐ·bian (~儿)名 方位词。一定的时间、空间或某种范围以内：柜子~｜他一年~没有请过一次假｜这件事~有问题。

【里程】lǐchéng 名 ❶ 路程：~表｜往返~。❷ 指发展的过程：革命的~。

【里程碑】lǐchéngbēi 名 ❶ 设于道路旁边用以记载里数的标志。❷ 比喻在历史发展过程中可以作为标志的大事。

【里出外进】lǐ chū wài jìn 不平整；参差不齐：墙砌得~｜牙长得~的。

【里带】lǐdài 名 内胎的通称。

【里勾外连】lǐ gōu wài lián 同"里勾外联"。

【里勾外联】lǐ gōu wài lián 内外勾结,串通一气。也作里勾外连。

【里急后重】lǐ jí hòu zhòng 痢疾的症状,有急于排泄粪便的感觉,但排不出去或不能排净。

【里脊】lǐ·ji 名 牛、羊、猪脊椎骨内侧的条状嫩肉,做肉食时称为里脊：~丝｜滑溜~｜糖醋~。

【里间】lǐjiān (~儿)名 相连的几间屋子里不直接通到外边的房间。

【里拉】lǐlā 名 意大利的旧本位货币。[意 lira]

【里弄】lǐlòng 〈方〉名 巷;小胡同(总称)。

【里面】lǐ·miàn (～儿)名 方位词。里边:衣服放在箱子～|这句话～有很深的含义。

【里手】[1] lǐshǒu (～儿)名 赶车或操纵机械时指车或器械的左边:骑自行车的人大都是从～上车。

【里手】[2] lǐshǒu 〈方〉名 内行;行家:行家～。

【里通外国】lǐ tōng wàiguó 暗中与外国勾结,进行背叛祖国的活动。

【里头】lǐ·tou 名 方位词。里边:屋子～坐满了人|炉子～的煤已经烧得很红了。

【里外里】lǐwàilǐ 副 ❶ 两方面合计。a)减少收入加上增加支出;b)减少支出加上增加收入;c)预料的收入加上意外的收入;d)预料的支出加上意外的支出:这个月省了五十块钱,爱人又多寄来五十块,～有一百块的富余。❷ 表示不论怎么计算(结果还是一样):三个人干五天跟五个人干三天,～是一样。

【里屋】lǐwū 名 里间。

【里巷】lǐxiàng 名 小街小巷;小胡同:～深处|他所写的多半是～间的琐事。

【里应外合】lǐ yìng wài hé 外面攻打,里面接应。

【里子】lǐ·zi 名 里[1]①:棉袄～。

俚

lǐ 俚俗:～语|～歌。

【俚歌】lǐgē 名 民间歌谣。

【俚曲】lǐqǔ 名 通俗的歌曲。也叫俗曲。

【俚俗】lǐsú 形 粗俗。

【俚语】lǐyǔ 名 粗俗的或通行面极窄的方言词,如北京话里的"撒丫子"(放开步子跑)、"开瓢儿"(脑袋被打破)。

逦(邐)

lǐ 见1611页〖迤逦〗。

哩

lǐ 又 yīnglǐ 量 英里旧也作哩。
另见830页 li;843页 ·li。

浬

lǐ 又 hǎilǐ 量 海里旧也作浬。

悝

lǐ 〈书〉忧;悲。
另见798页 kuī。

娌

lǐ 见1773页〖妯娌〗。

理

lǐ ❶ 名 物质组织的条纹;纹理:木～|肌～|◇条～。❷ 名 道理;事理:合～|～屈|～当如此。❸ 名 自然科学,有时特指物理学:～科|数～化。❹ 管理;办理:处～|～财|当家～事。❺ 动 整理;使整齐:～发|～一～书籍。❻ 动 对别人的言语行动表示态度;表示意见(多用于否定式):路上碰见了,谁也没～谁|置之不～。❼ (Lǐ)名 姓。

【理财】lǐ∥cái 动 管理财物或财务:当家～|～之道。

【理睬】lǐcǎi 动 理⑥:不加～|大家都不～他。

【理茬儿】lǐ∥chár 〈方〉动 对别人提到的事情或刚说完的话表示意见(多用于否定式):人家跟你说话,你怎么不～?|别理他的茬儿。

【理当】lǐdāng 动 应当;理所当然:～如此。

【理短】lǐduǎn 形 理亏:他认为自己没有什么～的地方。

【理发】lǐ∥fà 动 剪短并修整头发:～师|我去理个发。

【理该】lǐgāi 动 照理应该;理当:您年纪这么大,我们～照顾您。

【理合】lǐhé 动 按理应当(旧时公文用语):～备文呈报。

【理化】lǐhuà 名 物理学和化学的合称。

【理会】lǐhuì 动 ❶ 懂得;领会:这段话的意思并不难～。❷ 注意(多用于否定式):人家说了半天,他也没有～。❸ 理睬;过问(多用于否定式):他在旁边站了半天,谁也没～他。❹ 理论②;交涉(多见于早期白话)。❺ 照料;处理(多见于早期白话)。

【理解】lǐjiě 动 懂;了解:互相～|加深～|～文件精神|你的意思我完全～。

【理据】lǐjù 名 理由;根据:这篇论文观点明确,～充足。

【理科】lǐkē 名 教学上对物理、化学、数学、生物等学科的统称。

【理亏】lǐkuī 形 理由不足;(行为)不合道理:他自知～,慢慢地低下了头。

【理疗】lǐliáo ❶ 名 物理疗法的简称:做～。❷ 动 用物理疗法治疗。

【理路】lǐlù 名 ❶ 思想或文章的条理:～不清的文章最难修改。❷ 〈方〉道理:他每句话都在理上,使人听了不能不心服。

【理论】lǐlùn ❶ 名 人们由实践概括出来的关于自然界和社会的知识的有系统的

结论。❷〔动〕辩论是非；争论；讲理①：他正在气头上，我不想和他多～。

【理念】lǐniàn 〔名〕❶ 信念：人生～。❷ 思想；观念；经营～|文化～。

【理赔】lǐpéi 〔动〕合同双方中的一方在对方要求赔偿时进行处理：保险公司按约～。

【理气】lǐqì 〔动〕中医指用药物来治疗气滞、气逆或气虚。

【理屈】lǐqū 〔形〕理亏：他觉得自己有点～，没再说下去。

【理屈词穷】lǐ qū cí qióng 理由已被驳倒，无话可说。

【理事】lǐshì ❶〔动〕处理事务；过问事情：他是个不当家不～的人。❷〔名〕代表团体行使职权并处理事情的人：～会|常务～。

【理所当然】lǐ suǒ dāng rán 从道理上说应当这样。

【理想】lǐxiǎng ❶〔名〕对未来事物的想象或希望（多指有根据的、合理的，跟空想、幻想不同）：当一名医生是我的～。❷〔形〕符合希望的；使人满意的：这件事办得很～|这个办法还不够～，需要再改进。

【理性】lǐxìng ❶〔形〕属性词。指属于判断、推理等活动的（跟"感性"相对）：～认识。❷〔名〕从理智上控制行为的能力：失去～。

【理性认识】lǐxìng rèn·shi 认识的高级阶段。在感性认识的基础上，把所获得的感觉材料，经过思考、分析，加以去粗取精、去伪存真、由此及彼、由表及里的整理和改造，形成概念、判断、推理。理性认识是感性认识的飞跃，它反映事物的全体、本质和内部联系。参看444页〖感性认识〗。

【理学】lǐxué 〔名〕宋明时期的一种哲学思想。主要有以周敦颐、程颢、程颐、朱熹为代表的客观唯心主义和以陆九渊、王守仁为代表的主观唯心主义。前者认为"理"是永恒的、先于世界而存在的精神实体，世界万物只能由"理"派生。后者提出"心外无物，心外无理"，认为主观意识是派生世界万物的本原。也叫道学。

【理应】lǐyīng 〔动〕照理应该：灾区有困难，我们～帮助。

【理由】lǐyóu 〔名〕事情为什么这样做或那样做的道理：～充足|毫无～。

【理喻】lǐyù 〔动〕用道理来解说；使人明

白：不可～|可以～|难以～。

【理直气壮】lǐ zhí qì zhuàng 理由充分，因而说话气势旺盛。

【理智】lǐzhì ❶〔名〕辨别是非、利害关系以及控制自己行为的能力：丧失～。❷〔形〕有理智：当时他表现得非常～。

锂(鋰)lǐ 〔名〕金属元素，符号 Li (lithium)。银白色，在空气中易氧化而变暗，质软，是最轻的金属元素，化学性质活泼。用于核工业和冶金工业，也用来制特种合金，特种玻璃等。

鲤(鯉)lǐ 〔名〕鲤鱼，体侧扁而长，背部苍黑色，腹部黄白色，有的尾部或全身红色，口边有须两对。是我国重要的淡水鱼。

澧 Lǐ 澧水，水名，在湖南。

醴 lǐ 〈书〉❶ 甜酒。❷ 甘甜的泉水。

鳢(鱧)lǐ 〔名〕鱼，身体圆筒形，头扁，背鳍和臀鳍很长，尾鳍圆形，头部和躯干部都有鳞片。种类很多，最常见的是乌鳢。

蠡 lǐ ❶ 用于人名，范蠡，春秋时人。❷ (Lǐ)蠡县，地名，在河北。
另见833页lí。

lì （ㄌㄧ）

力 lì ❶〔名〕物体之间的相互作用，是使物体获得加速度和发生形变的外因。力有三个要素，即力的大小、方向和作用点。❷ 力量；能力：人～|物～|目～|脑～|药～|理解～|说服～|战斗～。❸〔名〕特指体力：大～士|四肢无～|用～推车。❹ 尽力；努力：～争上游|维护甚～。❺ (Lì)〔名〕姓。

【力臂】lìbì 〔名〕物体在外力作用下发生转动时，力的作用线与转轴间的垂直距离。

【力避】lìbì 〔动〕尽力避免：～被动|～事故发生。

【力不从心】lì bù cóng xīn 心里想要做，可是能力或力量够不上。

【力持】lìchí 〔动〕努力坚持：～异议|～正义。

【力畜】lìchù 〔名〕用来耕地、运输等的家畜，如牛、马、骡子、驴、骆驼等。也叫役畜。

【力促】lìcù 尽力促使：～此事成功。

【力挫】lìcuò 奋力击败：～对手|～上届冠军。

【力度】lìdù 名❶ 力量大小的程度；力量的强度：风的～足以吹折这棵小树。❷ 指曲谱或音乐表演中音响的强度。从弱到强可分为最弱、更弱、弱、中弱、中强、强、更强、最强等。❸ 功力的深度；内涵的深度：这是一部有激情、有～的好作品。

【力荐】lìjiàn 动 竭力推荐：～贤能|～有真才实学的人担任此职。

【力竭声嘶】lì jié shēng sī 见 1223 页〖声嘶力竭〗。

【力戒】lìjiè 动 极力防止：～骄傲|～急躁。

【力矩】lìjǔ 名 表示力对物体产生转动效应的物理量，数值上等于力和力臂的乘积。

【力克】lìkè 动 尽力克服；奋力战胜：～积习|甲队以 1：0～乙队。

【力量】lì·liàng 名❶ 力气：人多～大|别看他个子小，～可不小。❷ 能力：尽一切～完成任务。❸ 作用；效力：这种农药的～大。❹ 能够发挥作用的人或集体：新生～。

【力偶】lì'ǒu 名 作用于物体上的大小相等，方向相反而且不在一直线上的两个力。力偶能使物体转动或改变转动状态。

【力拼】lìpīn 动 奋力拼争。

【力气】lì·qi 名 肌肉的效能；气力：他的～大，一个人就搬起了这块大石头|累得连说话的～也没有了。

【力气活】lì·qihuó（～儿）名 费力的体力劳动：从前的搬运工干的都是～儿。

【力求】lìqiú 动 极力追求；尽力谋求：～公正|～提高产品质量。

【力士】lìshì 名 力气大的人。

【力所能及】lì suǒ néng jí 自己的能力所能办到的：让学生参加一些～的劳动。

【力透纸背】lì tòu zhǐ bèi ❶ 形容书法遒劲有力。❷ 形容文章深刻有力。

【力图】lìtú 动 极力谋求；竭力打算：～实现自己的抱负。

【力挽狂澜】lì wǎn kuáng lán 比喻尽力挽回险恶的局势。

【力行】lìxíng 动 努力实践：身体～|～诚信原则。

【力学】lìxué 名 物理学的一个分支，研究物体机械运动规律及其应用。

【力战】lìzhàn 动 努力奋战。

【力争】lìzhēng 动❶ 极力争取：～上游|～超额完成生产任务。❷ 极力争辩：据理～。

【力争上游】lìzhēng shàngyóu 努力奋斗，争取先进。

【力证】lìzhèng 名 有力的证据。

【力主】lìzhǔ 动 极力主张：～和谈|因为天气要变,他～提前出发。

【力作】lìzuò 名 精心完成的功力深厚的作品：这个剧本是他晚年的～。

历¹（歷）lì ❶ 经历；经过：来～|～程|～时半年|身～其境。❷ 统指过去的各个或各次：～年|～代|～次|～届。❸〈书〉副 遍；一个一个地：～访各校|～试诸方，均无成效。❹（Lì）名姓。

历²（曆、厤、歷）lì ❶ 推算年月日和节气的方法；历法：阳～|阴～|农～。❷ 记录年月日和节气的书、表等：日～|挂～|天文～。

【历朝】lìcháo 名❶ 历代：～官制。❷ 指同一朝代各个君主的统治时期：明代营建北京宫城,永乐十八年基本建成,以后～续建,到正统六年才全部完成。

【历陈】lìchén 动 一条一条地陈述。

【历程】lìchéng 名 经历的过程：成长～|光辉的～。

【历次】lìcì 形 属性词。过去各次的：在～竞赛中他都表现得很突出。

【历代】lìdài 名❶ 过去的各个朝代：～名画。❷ 过去的许多世代：～务农。

【历法】lìfǎ 名 用年、月、日计算时间的方法。主要分为阳历、阴历和阴阳历三类。具体的历法还包括纪年的方法。

【历届】lìjiè 形 属性词。过去各届的：～毕业生|～人民代表大会。

【历尽】lìjìn 动 多次经历或遭受：～沧桑|～磨难|～千辛万苦。

【历经】lìjīng 动 经历,多次经过：～劫难|小庙～百余年的风雨剥蚀,已残破不堪。

【历久】lìjiǔ 动 经过很长的时间：～不衰。

【历来】lìlái 副 从来;一向：～如此|老校长～重视学生素质教育|我国人民～就有勤劳勇敢的优良传统。

【历历】lìlì 形 (物体或景象)一个一个清清楚楚的：~可数|~在目。

【历练】lìliàn ❶ 动 经历世事；锻炼：孩子大了，要到外边~~。❷ 形 阅历多而有经验：他~老成，办事稳重。

【历年】lìnián 名 过去的很多年；以往各年：~的积蓄|比照，今年的收成算中上。

【历任】lìrèn ❶ 动 多次担任；先后担任：~要职|参军后，~排长、连长等职。❷ 形 属性词。以往各任的：~所长中，她是唯一的女性。

【历时】lìshí ❶ 动 (事情)经过时日：这一战役~六十五天。❷ 形 属性词。指历史发展中不同时代的(跟"共时"相对)：语言的~研究。

【历史】lìshǐ 名 ❶ 自然界和人类社会的发展过程，也指某种事物的发展过程和个人的经历：地球的~|人类的~。❷ 过去的事实：这件事早已成为~。❸ 过去事实的记载。❹ 指历史学。

【历史观】lìshǐguān 名 人们对社会历史的总的看法，属于世界观的一部分。唯物史观和唯心史观是两种对立的历史观。

【历史剧】lìshǐjù 名 指以历史故事为题材的戏剧。

【历史唯物主义】lìshǐ wéiwù zhǔyì 马克思、恩格斯所创立的关于人类社会发展最一般规律的科学，认为社会历史发展具有自身固有的客观规律；物质资料的生产方式是社会发展的决定力量；社会存在决定社会意识，社会意识又反作用于社会存在；生产力和生产关系之间的矛盾，经济基础和上层建筑之间的矛盾是社会发展的基本矛盾；人民群众是历史的创造者。也叫唯物史观。

【历史唯心主义】lìshǐ wéixīn zhǔyì 关于人类社会发展的非科学的历史观，认为社会意识决定社会存在，人们的思想动机是社会发展的根本原因，否认社会发展的客观规律。也叫唯心史观。

【历史学】lìshǐxué 名 以人类历史为研究对象的学科。也叫史学。

【历世】lìshì 名 历代。

【历书】lìshū 名 按照一定历法排列年、月、日、节气、纪念日等供查考的书。

【历数】lìshǔ 动 一个一个地举出来：~敌人的罪行|当面~对方违反协定的事实。

【历险】lìxiǎn 动 经历危险：山中~记。

厉（厲）lì ❶ 严格：~行|~禁文物走私。❷ 严肃；猛烈：严~|~色|雷~风行|声色俱~。❸ (Lì)名 姓。
〈古〉又同"砺"；又同"癞"lài。

【厉兵秣马】lì bīng mò mǎ 见 965 页【秣马厉兵】。

【厉鬼】lìguǐ 名 恶鬼；鬼怪。

【厉害】lì·hai 形 ❶ 难以对付或忍受：剧烈；凶猛：心跳得~|天热得~|这着棋十分~。❷ 严厉：这个老师很~，学生都怕他。‖也作利害。

【厉色】lìsè 名 严厉的面色；愤怒的表情：正言~。

【厉声】lìshēng 副 (说话)声音严厉地：~斥责。

【厉行】lìxíng 动 严格实行：~节约。

立 lì ❶ 动 站¹：~正|~肃|~坐~不安。❷ 动 使竖立；使物件的上端向上：~竿见影|把梯子~起来。❸ 动 直立的：~柜|~轴|~领。❹ 动 建立；树立：~功~志。❺ 动 制定；订立：~法|~约|~个字据。❻ 指君主即位。❼ 动 指确定继承地位；确立：~嗣|~皇太子。❽ 存在；生存：自~|独~。❾ 副 立刻：~奏奇效|~候回音。❿ (Lì)名 姓。

【立案】lì//àn 动 ❶ 在主管机关注册登记；备案：办厂须向主管机关~。❷ 设立专案：~审查。❸ 指把案件纳入诉讼处理的程序。

【立场】lìchǎng 名 ❶ 认识和处理问题时所处的地位和所抱的态度。❷ 特指政治立场：~坚定。

【立春】lìchūn ❶ 名 二十四节气之一，在2月3、4或5日。我国以立春为春季的开始。参看 696 页【节气】、363 页【二十四节气】。❷ (-/-)动 交立春节气；春季开始：立了春，天气就要暖和了。

【立此存照】lì cǐ cún zhào 立下这个(契约、字据)，保存起来以备查考核对(旧时契约等文书中的习惯用语)。

【立等】lìděng 动 ❶ 站着等候，指等候时间很短；稍等一会儿：~可取。❷ 立刻等着(办)：~回信。

【立地】¹ lìdì ❶ 动 立在地上：顶天~|一书

橱(比喻学识渊博的人)。❷图林业上指树木生长的地方和气候、水文等条件：～不同，树木的生长就有差异。

【立地】² lìdì 副立刻：放下屠刀，～成佛。

【立定】lìdìng 动❶军事或体操口令，命令正在行进的队伍(也可以是一个人)停下并立正。❷站稳：～脚跟。❸牢固地确定：～主意｜～志向。

【立冬】lìdōng ❶图二十四节气之一，在11月7日或8日。我国以立冬为冬季的开始。参看696页〖节气〗、363页〖二十四节气〗。❷(-//-)动交立冬节气；冬季开始：立了冬，天气就冷了。

【立法】lì//fǎ 动国家权力机关按照一定程序制定或修改法律：～机关｜～程序｜立了法就要严格执行。

【立法法】lìfǎfǎ 图规范国家权力机关创制、修改法律法规的各项制度的法律。包括立法权限、立案程序、法律解释等各项制度。

【立法权】lìfǎquán 图制定、修改、废止法律的权力。

【立方】lìfāng ❶图指数是3的乘方，如 $a^3(a \cdot a \cdot a)$，$4^3(4 \times 4 \times 4)$。❷图立方体的简称。❸量指立方米。

【立方米】lìfāngmǐ 量体积单位，边长1米的立方体的体积是1立方米，符号为 m^3。

【立方体】lìfāngtǐ 图六个面积相等的正方形所围成的立体。简称立方。也叫正方体。

【立竿见影】lì gān jiàn yǐng 比喻立见功效。

【立功】lì//gōng 动建立功绩：～受奖｜一人～，全家光荣｜在救灾中他可立了大功。

【立功赎罪】lì gōng shú zuì 建立功劳以抵消所犯的罪过。也说立功自赎。

【立柜】lìguì 图一种直立的较高的柜子，前面开门，有的装有隔板或若干抽屉，多用来存放衣物等。

【立国】lìguó 动建立或建设国家。

【立候】lìhòu 动❶站着等候：～多时。❷立等②：～回音。

【立户】lì//hù 动❶组织家庭：立户口。❷建立户头。

【立即】lìjí 副立刻：接到命令，～出发。

【立交】lìjiāo 动立体交叉：～桥｜～工程。

【立交桥】lìjiāoqiáo 图使道路形成立体交叉的桥梁，不同去向的车辆等可以同时通行。

【立脚】lì//jiǎo 动立足：～点｜～不稳｜地方大小，立不住脚。

【立脚点】lìjiǎodiǎn 图立足点。

【立决】lìjué 〈书〉立即处决(死刑犯)。

【立克次体】lìkècìtǐ 图微生物的一类，比细菌小，在普通显微镜下看得见。种类很多，多以虱、蚤、壁虱等为传播媒介。只有少数能引起人类疾病，如斑疹伤寒、恙虫病等。由美国病理学家立克次(Howard Taylor Ricketts)发现而得名。

【立刻】lìkè 副表示紧接着某个时候：马上：请大家～到会议室去｜同学们听到这句话，～鼓起掌来。

【立领】lìlǐng (～儿)图衣服领子的一种样式，衣领不向外翻(区别于"翻领")：～衬衫。

【立论】lìlùn 动对某个问题提出自己的看法，表示自己的意见：～精当。

【立马】lìmǎ (～儿)〈方〉副立刻：事情打听清楚了，～给我回话。

【立米】lìmǐ 量指立方米。

【立秋】lìqiū ❶图二十四节气之一，在8月7、8或9日。我国以立秋为秋季的开始。参看696页〖节气〗、363页〖二十四节气〗。❷(-//-)动交立秋节气；秋季开始：立了秋，把扇丢

【立射】lìshè 图射击训练和比赛的一种姿势，站着射击。

【立身处世】lì shēn chǔ shì 指做人和在社会上待人接物的种种活动。也说立身行事。

【立时】lìshí 副立刻：他～醒悟过来｜剧团一到，～就来了许多人。

【立誓】lì//shì 动发誓。

【立嗣】lìsì 〈书〉动没有儿子的人以别人(通常是本家族的同辈人)的儿子承继；立继承人。

【立体】lìtǐ ❶形属性词。具有长、宽、厚的(物体)：～图形。❷图几何体。❸形属性词。上下多层次的；包括各方面的：～交叉｜～气候｜～战争。❹形属性词。具有立体感的：～声｜～电影。

【立体电影】lìtǐ diànyǐng 使观众对画面和音响有立体感觉的电影。

【立体几何】lìtǐ jǐhé 几何学的一个分支,研究立体图形的性质,如形状、大小、位置等。

【立体交叉】lìtǐ jiāochā 利用跨线桥、地下通道等使相交的道路在不同的平面上交叉。

【立体角】lìtǐjiǎo 图一个锥面所围成的空间部分。

【立体声】lìtǐshēng 图使人感到声源分布在空间的声音。适当组合和安排传声器、放大系统和扬声器,能产生立体声效果。宽银幕电影、环幕电影或某些电视机、音响设备等多采用立体声。

【立体图】lìtǐtú 图利用透视原理,对物体的形状绘出的图形。

【立体战争】lìtǐ zhànzhēng 指交战方在陆地、海洋、天空等多方位进行的战争。

【立夏】lìxià ❶图二十四节气之一,在5月5、6或7日。我国以立夏为夏季的开始。参看 696 页〖节气〗、363 页〖二十四节气〗。❷(--/-)动交立夏节气;夏季开始:立了夏,把扇扇。

【立宪】lìxiàn 动君主国家制定宪法,实行议会制度:君主～。

【立项】lì∥xiàng 动某项建设工程、研究课题等经有关部门批准立为项目。

【立言】lìyán〈书〉动指著书立说:～传世。

【立业】lì∥yè 动❶建立事业:建功～。❷置办产业:成家～。

【立意】lìyì 动❶打定主意:他～要出外闯一闯。❷命意:这幅画～新颖|作文时要注意审题。

【立约】lì∥yuē 动订立契约或公约:～签字|租房先得立个约。

【立账】lì∥zhàng 动建立账簿,记载货币、货物等进出事项。

【立正】lìzhèng 动军事或体操口令,命令队伍(也可以是一个人)在原地站好。

【立志】lì∥zhì 动立定志愿:～做一名教师。

【立轴】lìzhóu 图长条形的字画,高而窄,尺寸比中堂小:一幅～。

【立锥之地】lì zhuī zhī dì 形容极小的一块地方(多用于"无立锥之地"):贫无～。

【立字】lì∥zì(～儿)动写下字据:借钱得立个字儿|空口无凭,～为据。

【立足】lìzú 动❶站得住脚,能住下去或生存下去:～未稳|～之地。❷处于某种立场:～基层,面向群众。

【立足点】lìzúdiǎn 图❶观察或判断事物时所处的地位:为消费者着想,是产品设计的～。❷生存或占有的地方:先巩固～,再求发展。‖也说立脚点。

吏 lì ❶旧时没有品级的小公务人员:胥～。❷旧时泛指官吏:大～|酷～。❸(Lì)图姓。

【吏治】lìzhì 图官吏的作风和政绩:澄清～|～严明。

坜(壢) lì 中坜(Zhōnglì),地名,在台湾省。

苈(藶) lì 见 1362 页〖葶苈〗。

丽¹(麗) lì ❶好看;美丽:壮～|秀～|风和日～。❷(Lì)姓。

丽²(麗) lì〈书〉附着:附～。另见 831 页 lí。

【丽人】lìrén〈书〉图美貌的女子:白领～。

【丽日】lìrì〈书〉图明亮的太阳:晴空～。

【丽质】lìzhì 图(妇女)美好的品貌:天生～。

励(勵) lì ❶劝勉:勉～|鼓～|奖～。❷〈书〉振奋;振作:～精图治。❸(Lì)图姓。

【励精图治】lì jīng tú zhì 振作精神,想办法把国家治理好。

【励志】lìzhì〈书〉动奋发志气,把精力集中在某方面:～读书|～图强。

呖(嚦) lì [呖呖](lìlì)〈书〉拟声形容鸟类清脆的叫声:莺声～。

利 lì ❶锋利;锐利(跟"钝"相对):～刃|～爪。❷顺利;便利:不～|成败～钝。❸利益(跟"害、弊"相对):～弊|兴～除害。❹图利润或利息:暴～|薄～多销|本～两清。❺使有利:～国利民|毫不～己,专门～人。❻(Lì)图姓。

【利弊】lìbì 图好处和害处:权衡～|两种方法各有～。

【利差】lìchā 图利率之间的差额:缩小存贷～。

【利淡】lìdàn 图利空。

【利钝】lìdùn 名❶ 锋利或不锋利：刀剑有～。❷ 顺利或不顺利：成败～。

【利多】lìduō 名利好。

【利滚利】lì gǔn lì 高利贷的一种，利息变本金再生利息，利上加利，越滚越多。

【利害】lìhài 名利益和损害：不计～|～得失|～攸关(指有密切的利害关系)。

【利害】lì·hai 同"厉害"。

【利好】lìhǎo 名指对市场行情有利，可能引起价格上涨的消息。也说利多。

【利己主义】lìjǐ zhǔyì 只顾自己利益而不顾别人利益和集体利益的思想。

【利金】lìjīn〈方〉名利息。

【利空】lìkōng 名指对市场行情不利，可能引起价格下跌的消息。也说利淡。

【利令智昏】lì lìng zhì hūn 贪图私利使头脑发昏，丧失理智。

【利禄】lìlù〈书〉名(官吏的)钱财和爵禄：功名～|～小人。

【利率】lìlǜ 名利息和本金的比率。

【利落】lì·luo 形❶(言语、动作)灵活敏捷，不拖泥带水：说话～|动作挺～。❷ 整齐有条理：身上穿得干净～。❸ 妥当；完毕：事情已经办～了|病还没有好～。

【利尿】lìniào 动促进排尿：吃西瓜～。

【利器】lìqì 名❶ 锋利的兵器：精兵～。❷ 有效的工具：计算机是统计工作的～。

【利钱】lìqián 名利息。

【利权】lìquán 名经济上的权益(多指国家的)：～外溢|挽回～。

【利刃】lìrèn 名❶ 锋利的刀刃。❷ 指锋利的刀、剑：手持～。

【利润】lìrùn 名经营工商业等赚的钱。

【利市】lìshì ❶〈书〉名利润：～三倍。❷〈方〉名买卖顺利的预兆：发个～。❸〈方〉形吉利：～之日|讨个～。❹〈方〉名送给办事人的赏钱：封了二十元钱的～。

【利税】lìshuì 名利润和税金：该企业全年创～三亿元。

【利索】lì·suo 形利落：手脚～|把屋子收拾～了|脚伤早就好～了。

【利息】lìxī 名因存款、放款而得到的本金以外的钱(区别于"本金")。

【利息所得税】lìxī suǒdéshuì 国家对个人存款、有价证券等的利息收入所征收的税。

【利益】lìyì 名好处：物质～|个人～服从集体～。

【利用】lìyòng 动❶ 使事物或人发挥效能：废物～|～当地的有利条件发展畜牧业。❷ 用手段使人或事物为自己服务：互相～。

【利诱】lìyòu 动用利益引诱：威逼～。

【利于】lìyú 动对某人或某事物有利：忠言逆耳～行。

【利欲熏心】lì yù xūn xīn 贪财图利的欲望迷住了心窍。

【利嘴】lìzuǐ 名能说会道的嘴：～不饶人。

沥（瀝）lì ❶ 液体一滴一滴地落下：～血。❷ 一滴一滴落下的液体：余～。

【沥涝】lìlào 动沥水淹了庄稼：～成灾。

【沥沥】lìlì〈书〉拟声形容水声或风声：泉声～|风吹～有声。

【沥青】lìqīng 名有机化合物的混合物，黑色或棕黑色，呈胶状，有天然产的，也有分馏石油或煤焦油得到的。用来铺路面，也用作防水材料、防腐材料等。

【沥水】lìshuǐ 名降雨之后，留在地面上的积水：这里地势低洼，～常淹左庄稼。

枥（櫪）lì〈书〉❶ 名马槽：老骥伏～。❷ 同"栎"(lì)。

例 lì ❶ 名用来帮助说明或证明某种情况或说法的事物：举～|～证。❷ 从前有过，后来可以仿效或依据的事情：援～|先～|史无前～。❸ 名调查或统计时指合于某种条件的事例：病～|十五～中，八～有显著进步，四～进步不明显，三～无变化。❹ 名规则；体例：条～|发凡起～。❺ 按条例规定的；照成规进行的：～会|～行公事。

【例规】lìguī 名❶ 沿袭下来一贯实行的规矩；惯例。❷ 旧时指按照惯例给的钱物：交～。❸ 条例和规章。

【例会】lìhuì 名按照规定定期举行的会。

【例假】lìjià 名❶ 依照规定放的假，如元旦、春节、五一、国庆等。❷ 婉辞，指月经或月经期。

【例禁】lìjìn〈书〉名法规明令禁止的事情：有干～。

【例句】lìjù 名用来作为例子的句子。

【例如】lìrú 动举例用语,放在所举的例子前面,表示下面就是例子:田径运动的项目很多,～跳高、跳远、百米赛跑等。

【例题】lìtí 名说明某一定理或定律时用来做例子的问题。

【例外】lìwài 动在一般的规律、规定之外:大家都得遵守规定,谁也不能～。名在一般的规律、规定之外的情况:一般讲,纬度越高,气温越低,但也有～。

【例行公事】lìxíng-gōngshì 按照惯例处理的公事,多借指只重形式,不讲实效的工作。

【例言】lìyán 名书的正文前头说明体例等的文字;凡例。

【例证】lìzhèng 名用来证明一个事实或理论的例子。

【例子】lì·zi 名例①:举个～。

疠（癘）lì〈书〉❶瘟疫:～疫。❷恶疮。

【疠疫】lìyì〈书〉名瘟疫。

诊lì〈书〉❶指灾气。❷伤害。

【诊孽】lìniè〈书〉名妖孽。

戾lì〈书〉❶罪过:罪～。❷乖张:暴～|乖～。

隶（隸、隷）lì❶附属:～属。❷旧社会里地位低下被奴役的人:奴～|仆～。❸衙役:皂～|～卒。❹汉字形体的一种:～书|汉～。

【隶书】lìshū 名汉字字体,由篆书简化演变而成,汉朝的隶书笔画比较简单,是汉朝通行的字体。

【隶属】lìshǔ 动(区域、机构等)受管辖;从属:直辖市直接～国务院。

【隶字】lìzì 名隶书。

【隶卒】lìzú〈书〉名衙门里的差役。

珕（瓅）lì 见299页[玓珕]。

荔lì❶指荔枝:鲜～|～肉。❷(Lì)名姓。

【荔枝】lìzhī 名❶常绿乔木,羽状复叶,小叶长椭圆形,花绿白色,果实球形或卵形,外皮有瘤状突起,熟时紫红色,果肉白色,多汁,味道很甜,是我国的特产。❷这种植物的果实。

栎（櫟）lì 名栎树,乔木或灌木,有锯齿或分裂,柔荑花序,果

实为坚果。种类很多,如栓皮栎、麻栎等。通称橡树。

另见1684页yuè。

郦（酈）Lì 名姓。

轹（轢）lì〈书〉❶车轮碾轧。❷欺压:陵～。

俪（儷）lì❶成对的;双的:骈～|～句|～辞。❷指夫妇:～影(夫妇的合影)。

俐lì 见865页[伶俐]。

痢（癧）lì 见902页[瘰痢]。

莉lì 见964页[茉莉]。

莅（涖、蒞）lì〈书〉到:～临|～会|～任。

【莅会】lìhuì〈书〉动到会;参加会议:～讲话。

【莅临】lìlín〈书〉动来到;来临(多用于贵宾):～会场|敬请～指导。

【莅任】lìrèn〈书〉动(官员)到职:～视事。

鬲（鬲、厤）lì 名古代炊具,样子像鼎,足部中空。

另见460页gé。

栗¹ lì 名❶栗子树,落叶乔木,叶子长圆形,花黄白色。果实为坚果,包在多刺的壳斗内,成熟时壳斗裂开而散出。果实可以吃。种类很多,通常指板栗。❷这种植物的果实。❸(Lì)姓。

栗²（慄）lì 发抖;哆嗦:战～|不寒而～。

【栗暴】lìbào 名把手指弯曲起来打人头顶叫凿栗暴或打栗暴:头上挨了几个～。也说栗凿。

【栗钙土】lìgàitǔ 名栗色的土壤。在我国主要分布于西北地区和内蒙古。含栗色腐殖质,是比较肥沃的土壤。

【栗然】lìrán〈书〉形战栗的样子。

【栗色】lìsè 名像栗子皮那样的颜色。

【栗凿】lìzáo 名栗暴。

【栗子】lì·zi 名❶栗子树。❷栗子树的果实。

砺（礪）lì〈书〉❶磨刀石。❷磨(刀):砥～|磨～。

【砺石】lìshí〈书〉名❶磨刀石。❷粗石。

砾(礫) lì 小石块;碎石：沙～|瓦～|～石|～岩。

【砾漠】lìmò 图 地表几乎全为砾石所覆盖的荒漠,没有土壤,植物稀少。

【砾石】lìshí 图 经水流冲击磨去棱角的石块。

猁 lì 见 1202 页[猞猁]。

猁 Lì 猁江,水名,在广东。
另见 849 页 lián。

茢 lì [茢草](lìcǎo)图 狼尾草。

欐(欐) lì 〈书〉正梁;栋。

蛎(蠣) lì 指牡蛎：～黄(牡蛎的肉)。

唳 lì 〈书〉(鹤、鸿雁等)鸣叫：风声鹤～。

笠 lì 用竹或草编成的帽子,可以遮雨、遮阳光：斗～|竹～|草～。

糲(糲、糷) lì 〈书〉糙米;粗。

粒 lì ❶(～儿)图 小圆珠形或小碎块形的东西：豆～儿|米～儿|盐～儿|颗～|微～。❷量 用于粒状的东西：一～米|三～子弹。

【粒子】lìzǐ 图 构成物体的比原子核更简单的物质,包括电子、质子、中子、光子、介子、超子和各种反粒子等。也叫基本粒子。

【粒子】lì·zi 图 粒①：豆～|盐～。

缫(繰) lì [缫木](lìmù)图 落叶灌木或小乔木,叶子卵状椭圆形,花冠白色。

霶(靂) lì 见 1036 页[霹雳]。

跞(躒) lì 〈书〉走动：骐骥一～,不能千里。
另见 904 页 luò。

詈 lì 〈书〉骂：～骂|～辞(骂人的话)。

傈 lì [傈僳族](Lìsùzú)图 我国少数民族之一,分布在云南和四川。

溧 lì 〈书〉寒冷：～冽(非常寒冷)。

痢 lì 痢疾：赤～|白～。

【痢疾】lì·ji 图 传染病,按病原体的不同,可分为细菌性痢疾和阿米巴痢疾两种。前者较为常见,主要症状是发热、腹痛、腹泻、里急后重,大便有脓血和黏液等。

溧 lì 溧水(Lìshuǐ)、溧阳(Lìyáng),地名,都在江苏。❷(Lì)图 姓。

箓 lì 见 77 页[薜箓]。

髬 lì 见 806 页[髬髢]。

鳌 lì 〈书〉凶狠;乖戾。

·li （·ㄌ丨）

哩 ·li 〈方〉助 ❶ 跟普通话的"呢"相同,但只用于非疑问句：山上的雪还没有化～。❷ 用于列举,跟普通话的"啦"相同：碗～、筷子～,都已经摆好了。
另见 830 页 lǐ;835 页 lǐ;1632 页 yīnglǐ。

liǎ （ㄌ丨ㄚˇ）

俩(倆) liǎ 〈口〉数量词。❶ 两个：咱～|你们～|一共五个,我吃了～,他吃了仨。❷ 不多;几个：就是有～钱儿,也不能乱花呀|一共只有这么～人,恐怕还不够。注意"俩"后面不再接"个"字或其他量词。
另见 854 页 liǎng。

lián （ㄌ丨ㄢˊ）

奁(奩、匲、匳、籢) lián 古代妇女梳妆用的镜匣：镜～|妆～。

连¹(連) lián ❶动 连接：心～心|骨肉相～|天～水,水～天|藕断丝～|这两句话～不起来。❷副 连续;接续：～演一个多月|～打几枪。❸介 包括在内：～我三个人|～皮三十斤|～根拔。❹图 军队的编制单位,隶属于营,下辖若干排。❺(Lián)图 姓。

连²（連）

lián 〈介〉表示强调某一词或某一词组（下文多有"也、都"等跟它呼应），含有"甚而至于"的意思：～爷爷都笑了｜她臊得～脖子都红了｜你怎么～他也不认识？｜～下棋也不会｜～一天都没休息。

【连鬓胡子】liánbìn-hú·zi 络腮胡子。

【连播】liánbō 〈动〉广播电台或电视台把一个内容较长的节目分若干次连续播出：长篇评书～。

【连词】liáncí 〈名〉连接词、词组或句子的词，如"和、与、而且、但是、因为、如果"。

【连带】liándài ❶〈动〉互相关联：人的作风与思想感情是有～关系的。❷牵连：不但大人遭殃，还～孩子受罪。❸附带；捎带：修房顶的时候，～把门窗也修一修。

【连…带…】lián…dài… ❶表示前后两项包括在一起：～本～利｜车～牲口都借来了｜一老～小一共去了二十三个。❷表示两种动作紧接着，差不多同时发生：～说～唱｜～滚～爬｜～蹦～跳。

【连裆裤】liándāngkù 〈名〉❶裆里不开口的裤子（对"开裆裤"而言）。❷互相勾结、包庇叫穿连裆裤。

【连队】liánduì 〈名〉军队中对连以及相当于连的单位的习惯称呼。

【连根拔】liángēnbá 〈动〉比喻彻底铲除或消灭。

【连亘】liángèn 〈动〉接连不断（多指山脉等）：山岭～｜长城～万里。

【连贯】（联贯）liánguàn 〈动〉连接贯通：上下句意要～｜长江大桥把南北交通～起来了。

【连锅端】liánguōduān 〈动〉比喻全部除掉或移走：据点的敌人，已经被我们～了｜整个单位，迁到外地去了。

【连环】liánhuán ❶〈名〉一个套着一个的一串环：九～。❷〈形〉属性词。比喻一个接着一个互相关联的：～计｜～画｜～债。

【连环保】liánhuánbǎo 〈名〉旧时官府统治人民的一种手段，把住在一起的几个人或几户人家组织起来，强迫他们相互监督，如果一人或一家出事，其余各人或各家都得连带负责。

【连环画】liánhuánhuà 〈名〉按故事情节连续排列的许多幅画，一般每幅画都有文字说明。

【连枷】liánjiā 〈名〉农具，由一个长柄和一组平排的竹条或木条构成，用来拍打谷物，使子粒掉下来。也作梿枷。

【连脚裤】liánjiǎokù 〈名〉婴儿穿的一种裤子，裤脚不开口，包住脚底。

【连接】（联接）liánjiē 〈动〉❶（事物）互相衔接：山岭～。❷使连接：～线路。

【连接号】liánjiēhào 〈名〉标点符号（一），表示把意义密切相关的词语连成一个整体。

【连结】liánjié 见847页〖联结〗。

【连襟】liánjīn （～儿）〈名〉姐姐的丈夫和妹妹的丈夫之间的亲戚关系：他是我的～｜他们是同事又是～。

【连累】lián·lěi 〈动〉因事牵连别人，使别人也受到损害：一家失火，～了邻居｜一人做事一人当，决不～大家。

【连类】liánlèi 〈动〉把同类的事物连在一起：～而及。

【连理】liánlǐ 〈书〉❶〈动〉不同根的草木枝干连生在一起，古人认为是吉祥的征兆：～枝｜嘉禾。❷〈名〉比喻恩爱夫妻：结为～。

【连理枝】liánlǐzhī 〈名〉枝干连生在一处的两棵树，多比喻恩爱夫妻。

【连连】liánlián 〈副〉表示连续不断：～称赞｜爷爷～点头。

【连忙】liánmáng 〈副〉赶紧；急忙：老大娘一上车，乘客就～让座。

【连袂】liánmèi 见847页〖联袂〗。

【连绵】（联绵）liánmián 〈动〉（山脉、河流、雨雪等）接连不断：～起伏｜阴雨～｜～不断的思绪。

【连年】liánnián 〈动〉接连许多年：灾荒～｜～大丰收。

【连篇】liánpiān 〈动〉❶（文字）一篇接一篇：～累牍。❷充满整个篇幅：白字～。

【连篇累牍】lián piān lěi dú 表示用过多篇幅叙述。

【连翩】liánpiān 见847页〖联翩〗。

【连翘】liánqiáo 〈名〉落叶灌木，叶子卵形或长椭圆形。先开花后长叶，花黄色，供观赏。果实可入药。

【连任】liánrèn 〈动〉连续担任（同一职务）：连选～｜～两届工会主席。

【连日】liánrì 〈动〉接连几天：暴雨～｜～赶路｜这个车间～超产。

【连射】liánshè 〈动〉用机枪、冲锋枪、自动步枪等自动武器进行连续射击。

【连声】liánshēng 副 一声紧接一声：～称赞｜～答应｜～呼救。

【连锁】liánsuǒ 形 属性词。一环扣一环，像锁链似的，形容连续不断：～反应｜～商店。

【连锁店】liánsuǒdiàn 名 一个公司或集团开设的经营业务相关、方式相同的若干个商店。

【连锁反应】liánsuǒ fǎnyìng ❶ 链式反应①。❷ 链式反应②。❸ 比喻若干个相关的事物，只要一个发生变化，其他都跟着发生变化：商品市场扩大了，就会引起工业生产的～。

【连台本戏】liántái-běnxì 分好多次演出的很长的本戏，每次只演一两本。

【连天】liántiān 动 ❶ 接连几天：～阴雨｜～赶路。❷ 连续不间断：叫苦～。❸ 形容远望山水、光焰等与天空相接：湖水～｜芳草～｜炮火～。

【连通】liántōng 动 接连而又相通：大海和大洋是～的｜住宅区四周有道路～。也作联通。

【连通器】liántōngqì 名 底部彼此连通的容器，同一种液体在连通器里液面永远保持相同的高度。

【连同】liántóng 连 连；和：货物～清单一并送去｜今年～去年下半年，公司赢利几十万元。

【连雾】liánwù 同"莲雾"。

【连写】liánxiě 动 ❶ 指汉字用拼音字母注音时把每一个复音词的几个音节连起来写，如"rénmín（人民）、tuōlājī（拖拉机）"。❷ 书写时笔画之间连续不断。

【连续】liánxù 动 一个接一个：～不断｜十年无事故｜这个车间～创造了高产纪录。

【连续剧】liánxùjù 名 分为若干集，在广播电台或电视台连续播放的情节连贯的戏剧：广播～｜电视～。

【连夜】liányè ❶ 副 当天夜里（就做）：医护人员～赶到现场抢救伤员。❷ 动 接连几夜：连天～。

【连衣裙】liányīqún 名 上衣和裙子连在一起的女装。

【连阴天】liányīntiān 名 接连多日阴雨的天气。

【连阴雨】liányīnyǔ 名 很多天连续不断的雨。

【连用】liányòng 动 ❶ 连起来使用："俩"（liǎ）和"个"这两个字不能～。❷ 连续使用：这把笤帚～了三年还没坏。

【连载】liánzǎi 动 一个篇幅较长的作品在同一报纸或刊物上分若干次连续刊载：小说～。

【连中三元】lián zhòng sān yuán ❶ 旧时指在乡试、会试、殿试中接连考取解元、会元、状元。❷ 比喻在三次考试或比赛中连续得胜，或在一项比赛中连续三次取得成功。

【连轴转】liánzhóuzhuàn 动 比喻夜以继日地劳动或工作：工作一忙，我们几个人就得～。

【连珠】liánzhū 名 连接成串的珠子，比喻连续不断的声音等：～炮｜妙语～｜～似的机枪声｜捷报～似地传来。

【连属】liánzhǔ〈书〉动 连接；结：两地～｜～成篇。也作联属。

【连缀】（联缀）liánzhuì 动 联结：孤立地看，每一个情节都很平淡，～在一起，就有趣了。

【连作】liánzuò 动 在一块田地上连续种植同一种作物。

【连坐】liánzuò 动 旧时一个人犯法，他的家属、亲族、邻居等连带受处罚。

怜（憐）lián ❶ 怜悯：可～｜～惜｜同病相～。❷ 爱：～爱｜～爱～。

【怜爱】lián'ài 动 疼爱：这孩子胖胖的、大眼睛，真叫人～。

【怜悯】liánmǐn 动 对遭遇不幸的人表示同情：～之心｜我不需要别人的～，只希望得到大家的理解。

【怜贫惜老】lián pín xī lǎo 见 1455 页〖惜老怜贫〗。

【怜惜】liánxī 动 同情爱护：决不～恶人。

【怜恤】liánxù 动 怜悯：孤寡老人得到四邻的～和多方面的照顾。

帘（❷簾）lián （～儿）❶ 用布做成的望子：酒～。❷ 名 用布、竹子、苇子等做的有遮蔽作用的器物：竹～｜窗～儿｜门～儿。

【帘布】liánbù 名 轮胎里面所衬的布，作用是保护橡胶，抵抗张力。也叫帘子布。

【帘子】lián·zi 名 帘②：竹～｜窗～。

莲(蓮) lián ❶ 名 多年生草本植物，生在浅水中，地下茎肥大而长，有节，叶子圆形，高出水面，花大，淡红色或白色，有香气。地下茎叫藕，种子叫莲子，都可以吃。也叫荷或芙蓉。❷ 指莲子：建~(福建产的莲子)|湘~(湖南产的莲子)。❸ (Lián)名姓。

【莲步】liánbù 〈书〉名 指美女的脚步：轻移~。

【莲菜】liáncài 〈方〉用作蔬菜的藕。

【莲房】liánfáng 〈书〉名 ❶ 莲蓬。❷ 指僧人的居室。

【莲花】liánhuā 名 ❶ 莲的花。❷ 指莲。

【莲花白】liánhuābái 〈方〉名 结球甘蓝。

【莲花落】liánhuālào 名 曲艺的一种，用竹板打节拍，每段常以"莲花落、落莲花"一类的句子做衬腔或尾声。

【莲藕】lián'ǒu 名 ❶ 指莲的地上茎和地下茎：~同根(比喻不可分离的密切关系)。❷ 指藕：种植~。

【莲蓬】lián·peng 名 莲花开过后的花托，倒圆锥形，里面有莲子。

【莲蓬头】lián·pengtóu 〈方〉名 喷头，因形状略像莲蓬，所以叫莲蓬头。

【莲蓉】liánróng 名 莲子煮熟晒干后磨成的粉，用来做糕点的馅儿：~月饼。

【莲台】liántái 名 莲座②。

【莲雾】liánwù 名 ❶ 常绿乔木，叶子椭圆形，花白色，果实钟形或梨形，粉红色至鲜红色，可以吃。原生长在马来半岛。❷ 这种植物的果实。‖也作莲雾

【莲心】liánxīn 名 ❶ 莲子中的胚芽，绿色，有苦味，可入药。❷〈方〉莲子。

【莲子】liánzǐ 名 莲的种子，椭圆形，当中有绿色的莲心，肉呈乳白色，可以吃，也可入药。

【莲座】liánzuò 名 ❶ 莲花的底部，呈倒锥形。❷ 佛像的底座，多呈莲花形。

涟(漣) lián 〈书〉❶ 名 风吹水面所形成的波纹：~漪。❷ 泪流不断的样子：~洏|泣涕~~。

【涟洏】lián'ér 〈书〉形 形容涕泪交流。

【涟漪】liányī 〈书〉名 细小的波纹：微风吹过，湖面上泛起层层~。

梿(槤) lián [梿枷](liánjiā)同"连枷"。

联(聯) lián ❶ 联结；联合：~盟|~系|~络|~欢|~名|三~单。❷ 对联：春~|挽~。❸ (Lián)名姓。

【联办】liánbàn 动 联合办理；联合举办：本届画展由文化局和美术学院~。

【联邦】liánbāng 名 由若干具有国家性质的行政区域(有国、邦、州等不同名称)联合而成的统一国家，各行政区域有自己的宪法、立法机关和政府，联邦也有统一的宪法、立法机关和政府。国际交往以联邦政府为主体。

【联保】liánbǎo 动 若干家商店或维修点对同一厂家的产品联合保修。

【联播】liánbō 动 若干广播电台或电视台同时转播(某电台或电视台播送的节目)：新闻~。

【联产】liánchǎn 动 ❶ 跟产量相联系：~承包。❷ 联合生产：实行~联销。

【联唱】liánchàng 动 两个以上的人连接着演唱或一个人、一个合唱队连着演唱两个以上的歌、曲牌等：诗歌~。

【联电】liándiàn 动 联合通电，联名拍发宣布政治上某种主张的电报。

【联动】liándòng 动 若干个相关联的事物，一个运动或变化时，其他的也跟着运动或变化：空调降价可能产生~效应。

【联防】liánfáng 动 ❶ 若干组织联合起来，共同防御、防范：军民~|治安~。❷ 球赛中的联合防守。

【联贯】liánguàn 见 844 页【连贯】。

【联合】liánhé ❶ 动 联系使不分散；结合：全世界无产者，~起来！❷ 形 属性词。结合在一起的；共同：~收割机|~声明|~招生。❸ 动 两块以上的骨头长在一起或固定在一起，叫做联合，如耻骨联合、下颌骨联合等。

【联合国】Liánhéguó 名 第二次世界大战结束后于 1945 年成立的国际组织，总部设在美国纽约。主要机构有联合国大会、安全理事会、经济和社会理事会、秘书处等。其主要宗旨是维护国际和平与安全，发展国际友好关系，促进经济文化等方面的国际合作。中国是联合国创始会员国之一。

【联合收割机】liánhé shōugējī 收割农作物的联合机，能同时完成多种工作。也叫康拜因。

【联合战线】liánhé zhànxiàn 统一战线。

【联合政府】liánhé zhèngfǔ 两个或两个

以上党派联合组成的政府。

【联欢】liánhuān 动（一个集体的成员或两个以上的集体）为了庆祝或加强团结，在一起欢聚：～会|军民～。

【联机】liánjī 动 指某台计算机与网络或其他计算机相连接，也指把一部设备（如打印机）与计算机相连接，并在其控制下运行。

【联建】liánjiàn 动 联合建造；联合建设：集资～教师住宅。

【联接】liánjiē 见 844 页〖连接〗。

【联结】（连结）liánjié 动 结合（在一起）：画一条直线把这两点～起来|锦州是～东北和华北的战略要点。

【联句】liánjù 动 旧时做诗的一种方式，两人或多人各做一句或两句，相联成篇（多用于宴席及朋友间酬应）：～赋诗|即景～。

【联军】liánjūn 名 由两支或两支以上的武装组织联合而成的军队：东北抗日～。

【联络】liánluò 动 彼此交接；接上关系：～员|～站|失掉～|～感情|他～了一些人办了一个读书会。

【联袂】（连袂）liánmèi〈书〉动 手拉着手，比喻一同（来、去等）：～而往|～而至|～登台献艺。

【联盟】liánméng 名 ❶ 两个或两个以上的国家为了共同行动而订立盟约所结成的集团：反法西斯～。❷ 指个人、集体或阶级的联合体：工农～。

【联绵】liánmián 见 844 页〖连绵〗。

【联绵字】liánmiánzì 名 旧时指双音节的单纯词，包括：a）双声的，如"仿佛、伶俐"；b）叠韵的，如"阑干、逍遥"；c）非双声非叠韵的，如"妯娌、玛瑙"。也叫联绵词。

【联名】liánmíng 动 由若干人或若干团体共同具名：～发起|～写信。

【联翩】（连翩）liánpiān 形 鸟飞的样子，形容连续不断：浮想～|～而至。

【联赛】liánsài 名（在篮球、排球、足球等比赛中）三个以上同等级的球队之间的比赛：全国足球甲级～。

【联手】liánshǒu 动 联合；彼此合作：十多位科学家～进行实地调查|这部电视剧由两家电视台～摄制。

【联通】liántōng 同"连通"。

【联网】lián//wǎng 动 供电网络、电信网络、计算机网络等同类的网络之间互相连接，形成更大的网络：～发电|计算机～。

【联席会议】liánxí huìyì 不同的单位、团体为了解决彼此有关的问题而联合举行的会议。

【联系】liánxì 动 彼此接上关系：保持～|理论～实际|密切～群众|以后多写信，不要失掉～。

【联想】liánxiǎng 动 由于某人或某事物而想起其他相关的人或事物；由于某概念而引起其他相关的概念：～丰富|看到他，使我～起许多往事。

【联销】liánxiāo 动 联合销售；联产～。

【联谊】liányì 动 联络友谊：～会|～活动。

【联姻】liányīn 动 ❶ 两家由婚姻关系结成亲戚。❷ 比喻双方或多方联合或合作：企业和科研机构～，开发新的产品。

【联营】liányíng 动 联合经营：～企业|这个煤矿由三个县～。

【联运】liányùn 动 不同的交通部门或分段的交通路线之间建立联系，连续运输，旅客或托运者只要买一次票或办一次手续，如水陆联运、国际联运等。

【联展】liánzhǎn 动 联合展览或展销：书画～|老年用品～。

【联属】liánzhǔ 同"连属"。

【联缀】liánzhuì 见 845 页〖连缀〗。

【联宗】lián//zōng 动 同姓不同宗族的人互相承认同属一个宗族：他们联了宗，以兄弟相称。

褴(襤) lián 见 241 页〖褴褛〗。

廉(廉) lián ❶ 廉洁：清～|～耻。❷（价钱）低；便宜：低～|价～物美。❸（Lián）名姓。

【廉耻】liánchǐ 名 廉洁的操守和羞耻的感觉：不顾～。

【廉价】liánjià 名 便宜的价钱：～书|～出售。

【廉洁】liánjié 形 不损公肥私；不贪污：～奉公|刚正～。

【廉明】liánmíng 形 廉洁而清明：为官～|～公正。

【廉正】liánzhèng 形 廉洁正直：～无私。

【廉政】liánzhèng 动 使政治廉洁：～爱民|～措施|搞好～建设。

【廉直】liánzhí〈书〉形 廉正：～之士。

【廉租】liánzū 动 以低廉的价格出租：～房。

碄 lián 〈书〉一种磨刀石。
另见 1087 页 qiān。

鲢(鰱) lián 名 鲢鱼，体侧扁，鳞细，背部银灰色，腹部白色，是我国重要的淡水鱼。也叫鲢(xù)。

濂 Lián ❶ 濂江，水名，在江西。❷ 名 姓。

臁 lián 小腿的两侧：～骨｜～疮。

镰(鐮、鎌) lián ❶ 镰刀：钐～｜开～｜挂～。❷ (Lián) 名 姓。

【镰刀】liándāo 名 收割庄稼和割草的农具，由刀片和木把构成，有的刀片上带小锯齿。

蠊 lián 见 396 页〖蜚蠊〗。

鬑 lián 〈书〉形容须发长。

liǎn （ㄌㄧㄢˇ）

琏(璉) liǎn 古代宗庙盛黍稷的器具。

敛(斂) liǎn ❶〈书〉收起；收住：～容｜～足。❷〈书〉约束：～迹。❸ 动 收集；征收：～钱｜横征暴～｜把工具～起来。

【敛步】liǎnbù 〈书〉动 收住脚步，不往前走。

【敛财】liǎn∥cái 动 搜刮钱财。

【敛迹】liǎnjì 〈书〉动 ❶ 隐蔽起来，不敢再出头露面：盗匪～｜～潜踪。❷ 约束自己的言行：屏气～。❸ 退隐：～山林｜～避贤。

【敛钱】liǎn∥qián 动 向大家收取费用或捐款：～办学。

【敛衽】liǎnrèn 〈书〉动 ❶ 整整衣襟，表示恭敬：～而拜。❷ 指妇女行礼。也作袷衽。

【敛容】liǎnróng 〈书〉动 收起笑容；脸色变得严肃：～正色。

【敛足】liǎnzú 〈书〉动 收住脚步，不往前走。

脸(臉) liǎn 名 ❶ 头的前部，从额到下巴：圆～｜洗～。❷ (～儿) 某些物体的前部：门～儿｜鞋～儿。❸ 情面；面子：丢～｜不要～。❹ (～儿) 脸上的表情：笑～儿｜把～一变。

【脸蛋儿】liǎndànr 名 脸的两旁部分，也泛指脸（多用于年幼的人）：小姑娘的～红得像苹果。也说脸蛋子。

【脸红】liǎn∥hóng 动 指害臊：说这话也不～?

【脸红脖子粗】liǎn hóng bó·zi cū 形容发急、发怒或激动时面部颈部红涨：一点儿小事，何必争得～的。

【脸颊】liǎnjiá 名 脸的两旁部分：红润的～｜汗珠子顺着～直往下淌。

【脸面】liǎnmiàn 名 ❶ 脸①：～消瘦。❷ 情面；面子：看我的～，不要生他的气了。

【脸庞】liǎnpáng 名 脸盘儿：鸭蛋形～。

【脸盘儿】liǎnpánr 名 指脸的形状、轮廓：圆～｜大～。也说脸盘子。

【脸皮】liǎnpí 名 ❶ 脸上的皮肤：白净｜黑黄的～。❷ 指情面：撕不破～。❸ 指羞耻的心理，容易害羞叫脸皮薄，不容易害羞叫脸皮厚。

【脸谱】liǎnpǔ 名 戏曲中某些角色（多为净角）脸上画的各种图案，用来表现人物的性格和特征。

【脸谱化】liǎnpǔhuà 动 指在文艺作品中，按照某个固定模式塑造人物，从而使人物失去个性、脱离生活。

【脸热】liǎn∥rè 形 ❶ 脸上发热，指害臊：她听大娘说要给她介绍对象，觉得有些～。❷ 过分重情面：他～，心肠软。

【脸软】liǎn∥ruǎn 形 过分重情面：他一向～，总是不好意思拒绝别人的要求。

【脸色】liǎnsè 名 ❶ 脸的颜色：～微红｜灰白。❷ 脸上表现出来的健康情况；气色：经过几个月调养，他的～比过去好多了。❸ 脸上的表情：～温和｜～阴沉｜一看他的～，我就知道准是有什么好消息。

【脸膛儿】liǎntángr 〈方〉名 脸①：四方～｜～晒得黑黑的。

【脸形】liǎnxíng 名 脸的形状：～端正｜长方～。也作脸型。

【脸型】liǎnxíng 同"脸形"。

【脸子】liǎn·zi 〈方〉名 ❶ 容貌（多指美貌，用于不庄重的口气）。❷ 不愉快的脸色:他不会给你～看的。❸ 情面;面子:他是要～的人,不能当着大伙儿丢这个丑。

裣(襝) liǎn [裣衽](liǎnrèn)同"敛衽"②。

蔹(蘞) liǎn 见 25 页[白蔹]。

liàn (ㄌㄧㄢˋ)

练(練) liàn ❶〈书〉白绢:江平如～。❷ 囫 把生丝煮熟,使它柔软洁白:～丝。❸ 囫 练习;训练:～兵|～功夫|～毛笔字。❹ 经验多;纯熟:老～|干～|熟～。❺(Liàn)囝 姓。

【练笔】liàn//bǐ 囫 ❶ 练习写作。❷ 练习写字或画画儿。

【练兵】liàn//bīng 囫 ❶ 训练军队。❷ 泛指训练各种人员:乒乓球队正抓紧赛前～。

【练达】liàndá〈书〉囲 阅历多而通达人情世故:～老成。

【练队】liàn//duì 囫 参加游行或检阅之前练习队形、步伐等。

【练功】liàn//gōng 囫 训练技能;练习功夫,有时特指练气功或武功:～房|演员坚持～|练过几年功,有两下子。

【练手】liàn//shǒu (～儿)囫 练习做活儿技能:初学裁缝,先做点儿小孩儿衣服练练手。

【练武】liànwǔ 囫 ❶ 学习或练习武艺:～强身。❷ 学习或练习军事技术:民兵利用生产空隙～。

【练习】liànxí ❶ 囫 反复学习,以求熟练:～心算|～写文章。❷ 囝 为巩固学习效果而安排的作业等:～题|～本|做～|交～。

炼(煉、鍊) liàn ❶ 囫 用加热等办法使物质纯净或坚韧:～铁|～钢|～乳|猪油～过了。❷ 囫 烧:真金不怕火～。❸ 用心琢磨,使词句简洁优美:～字|～句。❹(Liàn)囝 姓。

【炼丹】liàn//dān 囫 指道教徒用朱砂炼药。

【炼焦】liàn//jiāo 囫 在隔绝空气的条件下,经高温加热,使煤分解,得到焦炭、煤气、煤焦油等。

【炼句】liànjù 囫 写作时斟酌语句,使简洁

优美:要写好文章,还须炼字～。

【炼乳】liànrǔ 囝 用鲜牛奶或羊奶经消毒浓缩加糖制成的饮料,可贮存较长时间。

【炼油】liàn//yóu 囫 ❶ 分馏石油。❷ 用加热的方法从含油的物质中把油分离出来。❸ 把动物油或植物油加热使适于食用。

【炼狱】liànyù 囝 ❶ 天主教指人生前罪恶没有赎尽,死后灵魂暂时受罚的地方。❷ 比喻人经受磨炼的艰苦环境。

【炼制】liànzhì 囫 提炼制造:～焦油。

【炼字】liànzì 囫 写作时推敲用字,使准确生动。

恋(戀) liàn ❶ 恋爱:初～|失～|～人。❷ 想念不忘;不忍分离:留～|～家|～～不舍。❸(Liàn)囝 姓。

【恋爱】liàn'ài ❶ 囫 男女互相爱慕:自由～。❷ 囝 男女互相爱慕的行动表现:谈～。

【恋歌】liàngē 囝 表达爱情的歌曲。

【恋家】liàn//jiā 囫 舍不得离开家:这孩子～,不愿意到外地去。

【恋旧】liànjiù 囫 怀恋往日的生活或熟识的人和事物。

【恋恋不舍】liànliàn bù shě 形容舍不得离开:孩子们～,抱住他不放他走。

【恋慕】liànmù 囫 眷恋;爱慕:～之情。

【恋念】liànniàn 囫 眷恋思念:～的心情|侨胞们～着祖国。

【恋情】liànqíng 囝 ❶ 依恋的感情:他对母校的房屋、树木、水塘有了故乡一样的～。❷ 爱恋的感情;爱情:两个人的～已到如胶似漆的程度。

【恋群】liànqún 囫 舍不得离开群体:猕猴～|他从小～,出门在外,时常怀念家乡的亲友。

【恋人】liànrén 囝 恋爱中男女的一方:一对～。

【恋栈】liànzhàn 囫 马舍不得离开马棚,比喻做官的人舍不得离开自己的职位。

【恋战】liànzhàn 囫 贪图获得战果,舍不得退出战斗(多用于否定式):无心～。

潾 liàn 潾潾(Pínglián),地名,在江苏。另见 843 页 Lì。

殓(殮) liàn 把死人装进棺材:入～成～|装～|～葬。

链（鏈、鍊） liàn ❶（～儿）图链子：锁～|铁～|怀表的～儿断了。❷ 量 计量海洋上距离的长度单位，1 链等于 1/10 海里，合 185.2 米。

【链轨】liànguǐ 图 履带。

【链接】liànjiē 动 指在计算机程序的各模块之间传递参数和控制命令，并把它们组成一个可执行的整体的过程。

【链球】liànqiú 图 ❶ 田径运动田赛项目之一，运动员两手握着链球的把手，人和球同时旋转，最后加力使球脱手而出。❷ 链球运动使用的投掷器械，球体用铁或铜制成，上面安有链子和把手。

【链式反应】liànshì fǎnyìng ❶ 铀、钚等重元素的原子核受中子轰击时，裂变成几个碎片，并放出两到三个中子，这些中子再打入其他铀或钚的原子核，就再引起裂变，这种连续不断的核反应叫链式反应。链式反应能产生巨大的能量。❷ 由于一个单独分子的变化而引起一连串分子变化的化学反应，如燃烧过程、爆炸过程。‖也叫连锁反应。❸ 由少数光子引起许多原子辐射的过程。

【链条】liàntiáo 图 ❶ 机械上传动用的链子。❷〈方〉链子①。

【链烃】liàntīng 图 分子中碳原子排列成链状的碳氢化合物，如丙烷（分子中的三个碳原子排成链状）。

【链子】liàn·zi 图 ❶ 用金属的小环连起来制成的像绳子的东西：铁～。❷〈口〉自行车、摩托车等的链条。

楝 liàn 图 楝树，落叶乔木，叶子互生，小叶卵形或披针形，花小，淡紫色，果实椭圆形，褐色。木材可以制器具，种子、树皮、根皮都可入药。

潋（瀲） liàn ［潋滟］(liànyàn)〈书〉形 ❶ 形容水满或满而溢出：金樽～。❷ 形容水波流动：湖光～。

鲢（鰱） liàn 图 鲱(fēi)。

liáng （ㄌㄧㄤˊ）

良 liáng ❶ 形 好：优～|～好|善～|～药|消化不～。❷ 善良的人：除暴安～。❸〈书〉副 很：～久|用心～苦|获益～多。❹（Liáng）图 姓。

【良策】liángcè 图 高明的计策；好的办法：别无～。

【良辰】liángchén 图 ❶ 美好的日子：～吉日。❷ 美好的时光：～美景。

【良方】liángfāng 图 好的药方，多比喻好的办法：救急～。

【良好】liánghǎo 形 令人满意；好：手术经过～|养成讲卫生的～习惯。

【良机】liángjī 图 好机会：莫失～。

【良家】liángjiā 图 指清白人家：～妇女|～子弟。

【良久】liángjiǔ〈书〉形 很久：沉思～。

【良民】liángmín 图 ❶ 旧时指一般的平民（区别于"贱民"①）。❷ 旧时指安分守己的百姓。

【良人】liángrén 图 ❶ 古代女子称丈夫。❷ 古代指普通百姓（区别于"奴、婢"）。

【良师益友】liáng shī yì yǒu 使人得到教益和帮助的好老师、好朋友。

【良田】liángtián 图 肥沃的田地：～千顷|荒漠变成～。

【良宵】liángxiāo〈书〉图 美好的夜晚：大家欢聚一堂，共度～。

【良心】liángxīn 图 本指人天生的善良的心地，后多指内心对是非、善恶的正确认识，特别是跟自己的行为有关的：有～|说～话|～发现。

【良性】liángxìng 形 属性词。❶ 能产生好的结果的：～循环。❷ 不至于产生严重后果的：～肿瘤。

【良性肿瘤】liángxìng zhǒngliú 肿瘤的一种，周围有包膜，生长缓慢，细胞的形状和大小比较规则，肿瘤组织与正常组织之间的界限明显，在体内不会转移。如脂肪瘤、血管瘤等。

【良言】liángyán 图 有益的话；好话：～相劝|金玉～。

【良药】liángyào 图 好的药，多用于比喻：对症～|～苦口利于病。

【良莠不齐】liáng yǒu bù qí 指好人坏人都有（莠：狗尾草，比喻品质坏的人）。

【良缘】liángyuán 图 美好的姻缘：喜结～。

【良知】liángzhī 图 良心：～未泯|唤起～。

【良知良能】liángzhī liángnéng 我国古代唯心主义哲学家指人类不学而知

的、不学而能的、先天具有的判断是非善恶的本能。

【良种】 liángzhǒng 名 家畜或作物中经济价值较高的品种。

【良渚文化】 Liángzhǔ wénhuà 我国新石器时代晚期的一种文化,距今5 200~4 200年,因最早发现于浙江余杭良渚镇而得名。出土的大量玉器纹饰精湛,技艺高超,手工业、农业的分化已十分明显。

俍 liáng 〈书〉完美;良好。

莨 liáng ❶ 指薯莨:~绸。❷ (Liáng)名 姓。
另见814页 làng。

凉(涼) liáng ❶ 形 温度低;冷(指天气时,比"冷"的程度浅):阴~|~水|过了秋分天就~了。❷ 形 比喻灰心或失望:听到这消息,他心里就~了。❸ 悲伤;愁苦:凄~|悲~。❹ 冷落;不热闹:荒~|~落。❺ (Liáng)名 姓。
另见855页 liàng。

【凉白开】 liángbáikāi 名 放凉了的白开水。

【凉拌】 liángbàn 动 把凉的食品加调料拌和:~粉皮|黄瓜可以~着吃。

【凉菜】 liángcài 名 凉着吃的菜。

【凉碟】 liángdié (~儿)名 盛在碟子里或小盘子里的凉菜。

【凉粉】 liángfěn (~儿)名 一种食品,用绿豆粉等制成,多用作拌凉吃。

【凉快】 liáng·kuai ❶ 形 清凉爽快:下了一阵雨,天气~多了。❷ 动 使身体清凉爽快:坐下来~~|再接着干|到树荫下~一下。

【凉帽】 liángmào 名 夏天戴的遮挡阳光的帽子。

【凉棚】 liángpéng 名 夏天搭起来遮蔽太阳的棚❖手搭~(把手掌平放在额前)往前看。也叫天棚。

【凉薯】 liángshǔ 〈方〉名 豆薯。

【凉爽】 liángshuǎng 形 清凉爽快:晚风习习,十分~。

【凉水】 liángshuǐ 名 ❶ 温度低的水。❷ 生水。

【凉丝丝】 liángsīsī (~的)形 状态词。形容稍微有点儿凉:清晨的空气~的,沁人心肺。

【凉飕飕】 liángsōusōu (~的)形 状态词。

形容有些凉:早立秋,~;晚立秋,热死牛。

【凉台】 liángtái 名 可供乘凉的阳台或晒台。

【凉亭】 liángtíng 名 供休息或避雨的亭子。

【凉席】 liángxí 名 夏天坐卧时铺的席,多用竹篾、草等编成。

【凉鞋】 liángxié 名 夏天穿的鞋帮上有空隙,可以通风透气的鞋。

【凉药】 liángyào 名 一般指败火、解热的中药,如黄连、大黄、黄芩等。

【凉意】 liángyì 名 凉的感觉:立秋过后,早晚有些~了。

梁¹(樑) liáng ❶ 名 水平方向的长条形承重构件。木结构屋架中专指顺着前后方向架在柱子上的木。(图见387页"房子")❷ 名 通常也指檩:正~|二~|无~~殿。❸ 桥:桥~|津~。❹ 名 物体中间隆起成长条的部分:鼻~|山~|一道~。

梁² Liáng 名 ❶ 战国时魏国迁都大梁(今河南开封)后,改称梁。❷ 朝代。a)南朝之一,公元502~557,萧衍所建。参看979页〖南北朝〗。b)后梁。❸ 姓。

【梁上君子】 liáng shàng jūnzǐ 汉代陈寔的家里,夜间来了一个窃贼,躲在屋梁上,陈寔把他叫做梁上君子(见于《后汉书·陈寔传》),后来就用"梁上君子"做窃贼的代称。

【梁子】¹ liáng·zi 〈方〉名 山脊。

【梁子】² liáng·zi 名 评书、大鼓等曲艺曲目的故事提纲。

椋 liáng [椋鸟](liángniǎo)名 鸟,种类很多,性喜群飞,吃种子和昆虫,有的善于模仿别的鸟叫。如八哥、灰椋鸟等。

辌(輬) liáng 见1426页〖辒辌〗。

量 liáng ❶ 动 用尺、容器或其他作为标准的东西来确定事物的长短、大小、多少或其他性质:~地|~体温|用尺~布|用斗~米。❷ 估量:端~|思~|~~。
另见855页 liàng。

【量杯】 liángbēi 名 量液体体积的器具,形状像杯,口比底大,多用玻璃制成,杯上有刻度。

【量程】 liángchéng 名 测量仪表或仪器所

能测试各种参数的范围。

【量度】liángdù 动 测定长度、重量、容量以及功、能等各种量。

【量规】liángguī 名 量具的一种,有两个测量端,没有刻度,只能确认某些尺寸是否合格。测量轴或凸形工件的叫卡(kǎ)规;测量孔眼或凹形工件的叫塞(sāi)规。

【量角器】liángjiǎoqì 名 量角度或画角用的器具,一般是半圆形透明薄片,在圆周上刻着0—180的度数。

【量具】liángjù 名 计量和检验用的器具,如尺子、天平、量规、卡钳等。

【量瓶】liángpíng 名 配制一定体积、一定浓度的溶液所用的器具,形状像瓶,颈细长,用玻璃制成,上面有刻度。也叫容量瓶。

【量筒】liángtǒng 名 量液体体积的器具,呈直筒形,多用玻璃制成,上面有刻度。

粮(糧) liáng ● 名 粮食:杂~|口~|~仓。 ❷ 作为农业税的粮食:钱~|公~|完~。 ❸(Liáng)名 姓。

【粮仓】liángcāng 名 ❶ 储存粮食的仓库。❷ 比喻盛产粮食的地方。

【粮草】liángcǎo 名 军用的粮食和草料:兵马未动,~先行。

【粮荒】liánghuāng 名 指粮食严重缺乏的现象:闹~。

【粮秣】liángmò 名 粮草:成群结队的大车装着军火,~去支援前线。

【粮农】liángnóng 名 以种植粮食作物为主的农民。

【粮食】liáng·shi 名 供食用的谷物、豆类和薯类的统称。

【粮食作物】liáng·shi zuòwù 稻、小麦和杂粮作物的统称。

【粮饷】liángxiǎng 名 旧时指军队中发给官、兵的口粮和钱。

【粮栈】liángzhàn 名 旧时经营批发业务的粮店,存放粮食的货栈。

【粮站】liángzhàn 名 调拨、管理粮食的机构。

梁 liáng ❶〈书〉谷子的优良品种的统称。❷〈书〉精美的主食:膏~|~肉。 ❸(Liáng)名 姓。

【梁肉】liángròu 〈书〉名 指精美的饭食。

墚 liáng 名 我国西北地区称条状的黄土山岗。

跟 liáng 见1355页【跳跟】。 另见856页 liàng。

liǎng (ㄌㄧㄤˇ)

两¹(兩) liǎng ❶ 数 一个加一个是两个。"两"字一般用于量词和"半、千、万、亿"前:~扇门|~本书|~匹马|~个半月|~半儿|~千块钱。[注意] "两"和"二"用法不同。读数目字时只用"二"不用"两",如一、二、三、四。小数和分数只用"二"不用"两",如"零点二(0.2),三分之二"。序数也只用"二",如"第二、二哥"。在一般量词前,用"两"不用"二"。在传统的度量衡单位前,"两"和"二"一般都可用,用"二"为多("二两"不能说"两两")。新的度量衡单位前一般用"两",如"两吨、两公里"。在多位数中,百、十、个位前用"二"不用"两",如"二百二十二"。"千、万、亿"的前面,"两"和"二"一般都可用,但如"三万二千"、"两亿二千万","千"在"万、亿"后,以用"二"为常。❷ 数 双方:~便|~可|~全其美|~相情愿。❸ 数 表示不定的数目,和"几"差不多:过~天再说|他真有~下子|我跟你说~句话。❹(Liǎng)名 姓。

两²(兩) liǎng 量 质量或重量单位,10钱等于1两,旧制16两等于1斤,1两合31.25克;后改为10市两等于1市斤,1两合50克。

【两岸】liǎng'àn 名 ❶ 江河、海峡等两边的地方。❷ 特指台湾海峡两岸,即我国的大陆和台湾省。

【两败俱伤】liǎng bài jù shāng 争斗的双方都受到损失。

【两边】liǎngbiān 名 方位词。❶ 物体的两个边儿:这张纸~长短不齐。❷ 两个方向或地方:这间屋子~有窗户,光线很好|老大娘常常~走动,看望两个外孙女儿。❸ 双方;两方面:~都说好了,明儿下午赛球。

【两边倒】liǎngbiāndǎo 形容动摇不定,缺乏坚定的立场和主张。

【两便】liǎngbiàn 形 ❶ 彼此方便(多用作套语):您甭等我了,咱们~。❷ 对双方或两件事都有好处:~之法|公私~。

【两不找】liǎng bù zhǎo 买货时货价与所

付货款相当或交换货物时价值相当,彼此不用找补。

【两重性】liǎngchóngxìng 名 二重性。

【两党制】liǎngdǎngzhì 名 某些国家两个主要政党交替执政的制度。通常由在议会中,特别是下议院中占有多数议席或在总统选举中获胜的一个政党作为执政党,组织内阁,行使统治权。

【两抵】liǎngdǐ 动 两相抵消:收支～。

【两点论】liǎngdiǎnlùn 名 指辩证法的全面观点,即全面地看问题,分清主次,不但看到事物的正面,也要看到它的反面;不但看到事物的现状,也要看到矛盾的双方经过斗争在一定条件下可以互相转化。

【两广】Liǎng Guǎng 名 广东和广西的合称。

【两汉】Liǎng Hàn 名 西汉和东汉的合称。

【两湖】Liǎng Hú 名 湖北和湖南的合称。

【两回事】liǎng huí shì 指彼此无关的两种事物:善意的批评跟恶意的攻击完全是～。也说两码事。

【两极】liǎngjí 名 ❶ 地球的南极和北极。❷ 电极的阴极和阳极;磁极的南极和北极。❸ 比喻两个极端或两个对立面:～分化。

【两江】Liǎng Jiāng 名 清初江南省和江西省合称"两江",康熙后江南省分为江苏、安徽两省,三省地区仍沿称两江。

【两晋】Liǎng Jìn 名 西晋和东晋的合称。

【两可】liǎngkě 动 ❶ 可以这样,也可以那样;两者都可以:模棱～|这种会议参加不参加～。❷ 可能这样,也可能那样;两者都可能:行不行还在～哪!

【两口儿】liǎngkǒur 名 两口子:小～|老～。

【两口子】liǎngkǒu·zi 名 指夫妻俩:～和和美美地过日子。

【两利】liǎnglì 形 两方面都得到便利或利益:公私～|合则～,分则俱伤。

【两码事】liǎng mǎ shì 两回事。

【两面】liǎngmiàn 名 方位词。❶ 正面和反面:这张纸～都写满了字。❷ 两边②:～夹攻|左右～都是高山。❸ 事物相对的两方面:～性|～讨好|问题的～我们要看到。

【两面光】liǎngmiànguāng 比喻两方面讨好:他说～的话是怕得罪人。

【两面派】liǎngmiànpài 名 ❶ 指要两面手法的人,也指对斗争的双方都敷衍的人。❷ 指两面手法:要～。

【两面三刀】liǎng miàn sān dāo 指要两面手法:嘴甜心毒,～。

【两面性】liǎngmiànxìng 名 一个人或一个事物同时存在的两种互相矛盾的性质或倾向。

【两难】liǎngnán 形 这样或那样都有困难:进退～|去也不好,不去也不好,真是～。

【两旁】liǎngpáng 名 方位词。左右两边:卫队站在门口～|马路一种着整齐的梧桐树。

【两栖】liǎngqī 动 ❶ 可以在水中生活,也可以在陆地上生活:～动物|水陆～◇～作战。❷ 比喻工作或活动在两种领域:影视～明星。

【两栖动物】liǎngqī dòngwù 脊椎动物的一纲,通常没有鳞或甲片,皮肤没有毛,四肢有趾,没有爪,体温随着气温的高低而改变,卵生。幼时生活在水中,用鳃呼吸,长大时可以生活在陆地上,用肺和皮肤呼吸,如青蛙、蟾蜍、蝾螈等。

【两栖植物】liǎngqī zhíwù 既能在陆地上生长,也可以在水中生长的高等植物,如水蓼、蕹菜、池杉等。

【两歧】liǎngqí 〈书〉动 (两种意见、方法)不统一,有分歧:办法应该划一,不能～。

【两讫】liǎngqì 动 商业用语,指卖方已将货付清,买方已将款付清,交易手续已了:货款～。

【两清】liǎngqīng 动 借贷或买卖双方账目已经结清:谁也不欠谁,咱们～了。

【两全】liǎngquán 动 顾全两个方面:～其美|想个～的办法。

【两全其美】liǎng quán qí měi 做一件事顾全两个方面,使两方面都很好。

【两世为人】liǎng shì wéi rén 指死里逃生,好像重到人世。

【两手】liǎngshǒu 名 ❶ (～儿)指本领或技能:有～儿|留一～儿|给大家露～。❷ 指相对的两个方面的手段、办法等:为防不测做～准备。

【两下子】liǎngxià·zi ❶ 数量词。(动作)几次:轻轻搔了～。❷ 名 指本领或技能:

别看他眼睛不好,干活儿可真有~|他就会这~,别的本事没有。

【两相情愿】liǎng xiāng qíngyuàn 双方都愿意。也作两厢情愿。

【两厢】liǎngxiāng 名❶ 两边的厢房。❷ 两旁:站立~。

【两厢情愿】liǎng xiāng qíngyuàn 同"两相情愿"。

【两响】liǎngxiǎng〈方〉名 双响。

【两小无猜】liǎng xiǎo wú cāi 男女小的时候在一起玩耍,天真烂漫,没有猜疑。

【两性】liǎngxìng 名❶ 雄性和雌性;男性和女性:~生殖。❷ 两种性质:~化合物|氨基酸既有酸性也有碱性,它是~的。

【两性人】liǎngxìngrén 名 由于胚胎畸形发育而形成的具有男性和女性两种生殖器官的人。

【两性生殖】liǎngxìng shēngzhí 有性生殖。

【两袖清风】liǎng xiù qīng fēng 比喻做官廉洁。

【两样】liǎngyàng 形 不一样;不同:一样的客人,不能~待遇|他的态度前后~。

【两姨】liǎngyí 形 属性词。姨表:~亲|~兄弟|~姐妹。

【两翼】liǎngyì 名❶ 两个翅膀;鸟的~|飞机的~。❷ 军队作战时,在正面部队两侧的部队:敌人的正面和~都遭到了猛烈的攻击。

【两院制】liǎngyuànzhì 名 某些国家议会分设两院的制度。两院议员一般都由选举产生并定期改选,两院都有立法和监督行政的权力,但名称各不相同,如英国叫上议院和下议院,美国、日本叫参议院和众议院,法国叫参议院和国民议会。

【两造】liǎngzào 名 旧时指诉讼的双方:~具结完案。

俩(倆) liǎng 见645页〖伎俩〗。另见843页 liǎ。

蒴(蒴) liǎng〈方〉靠近水的平缓高地(多用于地名):~塘|沙~圩(都在广东)。

唡(啢) liǎng 又 yīngliǎng 量 英两(盎司)旧也作唡。

纻(緉) liǎng〈书〉量 双,用于鞋袜:一~丝履|绫袜一~。

裲(裲) liǎng〖裲裆〗(liǎngdāng) 名 古代指背心。

蛃(蛃) liǎng 见1410页〖魉魉〗(魍魉)。

魉(魎) liǎng 见1410页〖魍魉〗。

liàng (ㄌㄧㄤˋ)

亮 liàng ❶ 形 光线强:明~|豁~|这盏灯不~。❷ 动 发光:天~了|手电筒~了一下|屋子里~着灯光。❸ 形(声音)强;响亮:洪~|她的歌声脆而~。❹ 动 使声音响亮:~起嗓子。❺ 形(心胸、思想等)开朗;清楚:心明眼~|听他这么一说,心里就~了。❻ 动 显露;显示:~相|把底儿~出来|这种热带的蝙蝠,一~翅膀足有脸盆大。❼ (Liàng) 名 姓。

【亮底】liàng//dǐ 动❶ 把底细公开出来:别让大家瞎猜了,你就~吧。❷ 显示出结局:这场围棋赛还没~呢。

【亮点】liàngdiǎn 名❶ 比喻有光彩而引人注目的人或事物:在全国排球联赛上,几位再度出山的教练成为~|作者亲笔签名的旧书是此次拍卖会的~。❷ 比喻突出的优点:他的身上有着许多~。

【亮度】liàngdù 名 发光体或反光体使人眼睛感到的明亮程度。亮度和所看到的物体的大小、发光或反光的强度及距离有关。

【亮分】liàng//fēn (~儿) 动 进行某些比赛时,评分的人亮出所评的分数:请评委~|裁判们亮出各人打的分儿。

【亮光】liàngguāng (~儿) 名❶ 黑暗中的一点或一道光:夜已经很深了,他家的窗户上还有~。❷ 物体表面反射的光:这种布有~儿。

【亮光光】liàngguāngguāng (~的) 形 状态词。形容物体光亮:一把~的镰刀。

【亮化】liànghuà 动 使明亮起来:~城市。

【亮话】liànghuà 名 明白而不加掩饰的话:打开天窗说~|说~吧,我不能帮你这个忙。

【亮晶晶】liàngjīngjīng (~的) 形 状态词。形容物体明亮,闪烁发光:~的露珠|小星星,~。

【亮丽】liànglì 形❶ 明亮美丽：色彩～｜～的风景线。❷ 美好；优美：他的诗歌很有韵味，散文也写得～。

【亮牌子】liàng pái·zi 亮出牌子，比喻说出名字、表明身份等。

【亮儿】liàngr 名❶ 灯火：拿个～来。❷ 亮光：远远看见有一点～。

【亮色】liàngsè 名明亮的色彩，也用于比喻：两个小演员的出色表演为该剧增添了不少～。

【亮闪闪】liàngshǎnshǎn（～的）形 状态词。形容明亮发光：～的眼睛｜～的启明星。

【亮堂】liàng·tang 形❶ 敞亮；明朗：新盖的商场又高大，又～。❷（胸怀、思想等）开朗；清楚：经过学习，心里更～了。❸（声音）响亮：嗓门～｜清清嗓子，唱～点儿。

【亮堂堂】liàngtángtáng（口语中也读liàngtāngtāng）（～的）形 状态词。形容很亮：灯火通明，照得礼堂里～。

【亮相】liàng∥xiàng 动❶ 戏曲演员上下场时或表演舞蹈时由动的身段变为短时的静止的姿势，目的是突出角色情绪，加强戏剧气氛。❷ 比喻公开露面或表演：刚刚结束冬训的国家女排，今晚在福建省体育馆首次～。❸ 比喻公开表示态度，亮明观点。

【亮眼人】liàngyǎnrén 名盲人称眼睛看得见的人。

【亮铮铮】liàngzhēngzhēng（～的）形 状态词。形容闪光耀眼：一把～的利剑。

倞 liàng 〈书〉索取；求③。
另见 726 页 jìng。

凉(涼) liàng 把热的东西放一会儿，使温度降低：粥太烫，～一～再喝。
另见 851 页 liáng。

悢 liàng 〈书〉悲伤：～然。

【悢悢】liàngliàng 〈书〉形❶ 悲伤；怅惘。❷ 形容眷念。

谅¹(諒) liàng 原谅：～解｜体～。

谅²(諒) liàng 动料想：～不见怪｜～他不能来。

【谅察】liàngchá 动（请人）体察原谅（多用于书信）：不当之处，尚希～。

【谅解】liàngjiě 动了解实情后原谅或消除意见：他很～你的苦衷｜大家应当互相～，搞好关系。

辆(輛) liàng 量用于车：一～汽车｜一～三轮｜一～坦克。

靓(靚) liàng 〈方〉形漂亮；好看：～仔｜～女｜生得好～。
另见 727 页 jìng。

【靓丽】liànglì 形漂亮；美丽：扮相～｜～的容颜。

【靓女】liàngnǚ 〈方〉名漂亮的女子（多指年轻的）。

【靓仔】liàngzǎi 〈方〉名漂亮的小伙子。

量 liàng❶ 古代指测量东西多少的器物，如斗、升等。❷ 能容纳或禁受的限度：饭～｜气～｜胆～｜力～。❸ 名数量；数目：流～｜降雨～｜饱和～｜质～并重（质量和数量并重）。❹ 估计；衡量：～力｜～入为出｜～才录用。
另见 851 页 liáng。

【量变】liàngbiàn 名事物在数量上、程度上的变化。是一种逐渐的不显著的变化，是质变的准备。参看 1757 页〖质变〗。

【量词】liàngcí 名表示人、事物或动作的单位的词，如"寸、斗、斤、升、两、个、只（zhī）、支、匹、件、条、根、块、种、双、对、副、打（dá）、队、群、次、回、遍、趟（tàng）、阵、顿"等。量词经常跟数词一起用。

【量贩店】liàngfàndiàn 〈方〉名以批量销售为主的商店，价格多比一般零售商店便宜。

【量化】liànghuà 动使可以用数量来衡量：评定产品质量已经定出～标准。

【量力】liànglì 动衡量自己的力量：度德～｜～而行｜你这是鸡蛋碰石头，太不～了。

【量入为出】liàng rù wéi chū 根据收入的多少来定支出的限度。

【量体裁衣】liàng tǐ cái yī 按照身材剪裁衣裳，比喻根据实际情况办事。

【量刑】liàngxíng 动法院根据犯罪者所犯罪行的性质、情节，对社会危害的程度，以及认罪的表现，依法判处一定的刑罚。

【量子】liàngzǐ 名在微观领域中，某些物理量的变化是以最小的单位跳跃式进行的，而不是连续的，这个最小的单位叫做量子。

晾 liàng❶ 动把东西放在通风或阴凉的地方，使干燥：～干菜。❷ 动晒

(东西):～衣服|海滩上～着渔网。❸ 动 撇在一边不理睬;冷落:他俩说个没完,把 我～在一边。❹ 同"凉"(liàng)。❺ (Liàng)名 姓。

【晾晒】liàngshài 动 把东西摊开让日光 晒:～粮食|被褥要经常～。

【晾台】liàngtái 名 楼顶上晾晒衣物的平 台。

哴 liàng 见 857 页[嘹亮](嘹哴)。

跟 liàng 见下。
另见 852 页 liáng。

【跟跄】(跟跄) liàngqiàng 动 走路不稳: 他～了一下,险些跌倒。

---

liāo (ㄌㄧㄠ)

撩 liāo 动❶ 把东西垂下的部分掀起 来:～起帘子|把头发～上去。❷ 用 手舀水由下往上甩出去:先～些水然后再 扫地。
另见 857 页 liáo;858 页 liào "撂"。

蹽 liāo 〈方〉动❶ 放开脚步走;跑:一 气～了二十多里路。❷ 偷偷地走开: 他一看形势不妙就～了。

---

liáo (ㄌㄧㄠ)

辽[1](遼) liáo 远:～远|～阔。

辽[2](遼) Liáo 名❶ 朝代,公元 907—1125,契丹人耶律阿 保机所建,在我国北部,初名契丹,938 年 (一说 947 年)改称辽。❷ 姓。

【辽阔】liáokuò 形 广阔;宽广:～的土地| ～的海洋|幅员～。

【辽远】liáoyuǎn 形 遥远:～的边疆|～的 天空。

疗(療) liáo 医治:医～|治～|诊～| 理～|电～|～养。

【疗程】liáochéng 名 医疗上对某些疾病 所规定的连续治疗的一段时间叫做一个 疗程:理疗了两个～,腿疼就好了。

【疗饥】liáojī 〈书〉动 解除饥饿;充饥。

【疗效】liáoxiào 名 药物或医疗方法治疗 疾病的效果:～显著。

【疗养】liáoyǎng 动 患有慢性病或身体衰 弱的人,在特设的医疗机构进行以休养为 主的治疗:～院|他在海滨～了半年。

【疗养院】liáoyǎngyuàn 名 专用于疗养的 医疗机构,多设在环境幽静的地方。

【疗治】liáozhì 动 治疗:～烧伤。

肾(膋) liáo 古书上指肠子上的脂 肪。

聊[1] liáo ❶〈书〉副 姑且:～以自慰|～ 备一格。❷〈书〉副 略微:～表寸 心。❸(Liáo)名 姓。

聊[2] liáo 〈书〉依赖;凭借:～赖|民不~ 生。

聊[3] liáo 〈口〉闲谈:闲～|～天儿|有 空儿咱们~~。

【聊备一格】liáo bèi yī gé 姑且当做一种 规格,表示暂且用来充数。

【聊赖】liáolài 名 精神上或生活上的寄 托、凭借等(多用于否定式):无～|百无 ~。

【聊且】liáoqiě 〈书〉副 姑且。

【聊胜于无】liáo shèng yú wú 比完全没 有好一点。

【聊天儿】liáo//tiānr 〈口〉动 谈天:他一边 喝茶,一边和战士～|俩人聊了一会儿天儿。

【聊以自慰】liáo yǐ zì wèi 姑且用来安慰 自己。

【聊以卒岁】liáo yǐ zú suì 〈书〉勉强度过 一年。多形容生活艰难,勉强度日。

僚 liáo ❶ 官吏:官～。❷ 同一官署的 官吏:同～|~属。

【僚机】liáojī 名 编队飞行中跟随长 (zhǎng)机的飞机。

【僚属】liáoshǔ 名 旧时指下属的官吏。

【僚友】liáoyǒu 名 旧时指在同一个官署 任职的官吏。

【僚佐】liáozuǒ 名 旧时官署中的助理人 员。

漻 liáo 〈书〉水清而深。

寥 liáo ❶ 稀少:～落|～若晨星。❷ 静寂:寂～。❸〈书〉空虚;空旷:～ 廓|～无人烟。❹(Liáo)名 姓。

【寥廓】liáokuò 〈书〉形 高远空旷:视野 ～|～的天空。

【寥寥】liáoliáo 形 非常少：～可数｜～无几｜～数语,就点出了问题的实质。

【寥落】liáoluò 形 ❶ 稀少：疏星～。❷ 冷落;冷清：荒园～｜～的小巷。

【寥若晨星】liáo ruò chén xīng 稀少得好像早晨的星星。

撩 liáo 动 撩拨：～逗｜春色～人｜一番话～得他动心了。
  另见 856 页 liāo;858 页 liào"撂"。

【撩拨】liáobō 动 挑逗;招惹：任你百般～,他就是不动声色。

【撩动】liáodòng 动 拨动,拂动：～心弦｜微风～着垂柳的枝条。

【撩逗】liáodòu 动 挑逗;招惹：他生气了,别再～他了。

【撩乱】liáoluàn 见 857 页[缭乱]。

【撩惹】liáorě 动 挑逗;招惹：他脾气暴,千万不能～他。

嘹 liáo ［嘹亮］(嘹喨)(liáoliàng)形 (声音)清晰响亮：歌声～｜阵地上吹起了～的冲锋号。

獠 liáo ［獠牙］(liáoyá)名 露在嘴外的长牙：青面～。

潦 liáo 见下。
  另见 822 页 lǎo。

【潦草】liáocǎo 形 ❶ (字)不工整：字迹～。❷ (做事)不仔细,不认真：浮皮～。

【潦倒】liáodǎo 形 颓丧;失意：穷困～。

寮 liáo 〈方〉名 小屋：茅～｜竹～｜茶～｜酒肆。

【寮房】liáofáng 名 ❶ 寺院里僧人的住房。❷〈方〉简陋的住房。

嫽 liáo 〈书〉美好。

缭(繚) liáo ❶ 缠绕：～乱｜～绕。❷ 动 缝纫方法,用针斜着缝：～缝儿｜把贴边～上。

【缭乱】(撩乱) liáoluàn 形 纷乱：眼花～｜心绪～。

【缭绕】liáorào 动 回环旋转：白云～｜炊烟～｜歌声～。

燎 liáo 延烧;烧：～原。
  另见 858 页 liǎo。

【燎泡】liáopào 名 由于烧伤或烫伤,在皮肤或黏膜的表面形成的水疱。

【燎原】liáoyuán 动 (大火)延烧原野：～

烈火｜星星之火,可以～。

鹩(鷯) liáo 见 684 页[鹪鹩]。

簝 liáo 古代祭祀时盛肉的竹器。

髎 liáo 名 中医指骨节间的空隙,多用于穴位名。

liǎo （ㄌㄧㄠˇ）

了[1] liǎo ❶ 动 完毕;结束：～结｜～账｜没完没～｜一～百～｜不～～之｜这事儿已经～啦! ❷ 放在动词后,跟"得、不"连用,表示可能或不可能：办得～｜做得～｜来不～｜受不～。❸〈书〉副 完全(不);一点(也没有)：～不相涉｜～无惧色｜～无进展。❹ (Liǎo)名 姓。

了[2](瞭) liǎo 明白;懂得：～然｜～解｜明～｜一目～如指掌。
  另见 824 页·le;"瞭"另见 859 页 liào。

【了不得】liǎo·bu·dé 形 ❶ 大大超过寻常;很突出：高兴得～｜多得～｜山沟里通了火车,在当地是一件～的大事。❷ 表示情况严重,没法收拾：可～,他昏过去了!

【了不起】liǎo·buqǐ 形 ❶ 不平凡;(优点)突出：他的本事真～｜一位～的发明家。❷ 重大;严重：没有什么～的困难。

【了当】liǎodàng ❶ 形 爽快：他说话脆快～。❷ 形 停当;完备：安排～｜收拾～。❸ 动 处理;了结(多见于早期白话)：自能～得来｜费了许多手脚,才得～。

【了得】liǎo·dé 形 ❶ 用在惊讶、反诘或责备等语气的句子末尾,表示情况严重,没法收拾(多跟在"还"的后面)：哎呀! 这还～!｜如果一跌跌下去,那还～! ❷ 不平常;很突出(多见于早期白话)：这个人武艺十分～。

【了断】liǎoduàn 动 了结。

【了结】liǎojié 动 解决;结束(事情)：案子已经～｜了了一桩心愿。

【了解】liǎojiě 动 ❶ 知道得清楚：只有眼睛向下,才能真正～群众的愿望和要求。❷ 打听;调查：先去～情况｜这究竟是怎么回事? 你去～一下。

【了局】liǎojú ❶ 动 结束;了结：后来呢,

你猜怎样～?|事情弄得没法～|不知何日～。❷〔名〕解决的办法;长久之计:你这病应该赶快治,拖下去不是个～|在那儿住下去,终久不是～。

【了了】liǎoliǎo 〈书〉〔形〕明白;清楚:心中～|不甚～。

【了却】liǎoquè〔动〕了结:～一桩心事。

【了然】liǎorán〔形〕明白;清楚:一目～|真相如何,我也不大～。

【了如指掌】liǎo rú zhǐ zhǎng 形容对情况非常清楚,好像指着自己的手掌给人看:他对这一带的地形～。

【了事】liǎo//shì〔动〕使事情得到平息或结束(多指不彻底或不得已):含糊～|草草～|应付～|他想尽快了了(•le)这件事。

【了无】liǎowú〔动〕一点儿也没有:～睡意|～痕迹|洁如冰雪,～纤尘。

【了悟】liǎowù〈书〉〔动〕领悟;明白:其中奥妙,尚未～。

【了账】liǎo//zhàng〔动〕结清账目,比喻结束事情:就此～。

钌(釕) liǎo〔名〕金属元素,符号 Ru(ruthenium)。银灰色,质硬而脆,存在于铂矿中,含量极少。用来制耐磨硬质合金和催化剂等。

另见 858 页 liào。

蓼 liǎo〔名〕一年生或多年生草本植物,叶子互生,花多为淡红色或白色,结瘦果。种类很多,常见的有蓼蓝、水蓼、荭草等。

另见 889 页 lù。

【蓼蓝】liǎolán〔名〕一年生草本植物,茎红紫色,叶子长椭圆形,干时暗蓝色,花小,淡红色;瘦果黑褐色。叶子含蓝汁,可做蓝色染料,也可入药。也叫蓝。

**憭
燎** liǎo 〈书〉明白;明了。

燎 liǎo〔动〕挨近火而烧焦(多用于毛发):火苗一蹿,～了眉毛。

另见 857 页 liáo。

liào（ㄌㄧㄠˋ）

尥 liào [尥蹶子](liào juě•zi) 骡马等跳起来用后腿向后踢:这马好(hào)～,小心别让它踢着。

钌(釕) liào [钌铞儿](liàodiàor)〔名〕扣住门窗等的铁片,一端钌在门窗上,另一端有钩子钩在屈戌儿里,或者有眼儿套在屈戌儿上。

另见 858 页 liǎo。

料[1] liào ❶〔动〕预料;料想:～事如神|不出所～|～不到他会来。❷ 照看;管理:照～|～理。

料[2] liào ❶(～儿)〔名〕材料;原料:木～|燃～|布～|加～|备～|资～|◇他就这么块～。❷〔名〕喂牲口用的谷物:草～|～豆儿|多给牲口加点～。❸〔量〕用于中医配制丸药,处方规定剂量的全份为一料:配一～药。❹〔量〕过去计算木材的单位,两端截面是一平方尺,长足七尺的木材叫一料。

【料定】liàodìng〔动〕预料并断定:我～他会来的。

【料豆儿】liàodòur〔名〕喂牲口的黑豆、黄豆等,一般煮熟或炒熟。也说料豆子。

【料及】liàojí〈书〉〔动〕料想到:中途大雨,原未～。

【料酒】liàojiǔ〔名〕烹调时当作料用的黄酒。

【料理】liàolǐ ❶〔动〕办理;处理:～家务|～后事|事情还没～好,我怎么能走。❷〈方〉〔动〕烹调制作:名厨～。❸〈方〉〔名〕菜肴:日本～|韩国～。

【料器】liàoqì〔名〕用玻璃的原料加颜料制成的手工艺品。

【料峭】liàoqiào〈书〉〔形〕形容微寒(多指春寒):春寒～。

【料想】liàoxiǎng〔动〕猜测(未来的事);预料:～不到|他～事情定能成功。

【料子】liào•zi ❶〔名〕衣料:一块衣裳～。❷〈方〉特指毛料:穿着一身～中山装。❸〈口〉比喻适于做某种事情的人才:不是搞科研的～|他是个下棋的～。

撩(撩) liào 〈口〉❶〔动〕放;搁:他～下饭碗,又上工地去了|事儿～下半个月了。❷ 弄倒:他脚下使了个绊儿,一下子把对手～在地上。❸ 抛;扔:别我们～在半路不管|他出门在外,把家全～给妻子了。

"撩"另见 856 页 liāo;857 页 liáo。

【撩地】liàodì(～儿)〔动〕指艺人在庙会、集市、街头空地上演出：～卖艺。也说撂地摊。

【撂地摊】liào dìtān 撂地。

【撂荒】liào//huāng 〈方〉动 不继续耕种土地,任它荒芜：减少～面积。

【撂跤】liào//jiāo 〈方〉动 摔跤②。

【撂手】liào//shǒu 动 不继续做下去；丢开：～不管|事情没有完,哪能就～?

【撂挑子】liào tiāo•zi 放下挑子,比喻丢下应担负的工作,甩手不干：有意见归有意见,决不能～。

墝 liào 圪墝(Gēliào),地名,在山西。

廖 Liào 名 姓。

瞭 liào 动 瞭望：在高处～着点儿。
另见857页 liǎo"了²"。

【瞭哨】liàoshào 动 放哨；巡营～。

【瞭望】liàowàng 动❶ 登高远望；极目～,海天茫茫。❷ 特指从高处或远处监视敌情：～哨|海防战士～着广阔的海面。

【瞭望哨】liàowàngshào 名 观察哨。

镣(鐐) liào 脚镣：～铐|铁～。

【镣铐】liàokào 名 脚镣和手铐。

---

liē（ㄌㄧㄝ）

咧 liē 见下。
另见859页 liě；861页•lie。

【咧咧】liēliē 见 249页〖大大咧咧〗、910页〖骂骂咧咧〗。

【咧咧】liē•lie 〈方〉动❶ 乱说；乱讲：瞎～什么? ❷ 小儿哭：别在这儿～了,快走吧!

---

liě（ㄌㄧㄝ）

咧 liě 动❶ 嘴角向两边展：～着嘴笑|把嘴一～。❷〈方〉说(含贬义)：胡～|胡诌八～。
另见859页 liē；861页•lie。

【咧嘴】liě//zuǐ 动 向两边延伸嘴角：龇牙～|咧开嘴笑起来。

裂 liě 〈方〉动 东西的两部分向两旁分开：衣服没扣好,～着怀。

另见860页 liè。

liè（ㄌㄧㄝ）

列 liè ❶动 排列：罗～|～队|按清单上～的一项一项地清点。❷ 动 安排到某类事物之中：～入议程|把发展教育事业～为重要任务之一。❸ 行列：出～|前～。❹ 量 用于成行列的事物：一～火车。❺ 类：不在此～。❻ 各；众：～国|～位观众。❼ (Liè)名 姓。

【列兵】lièbīng 名 军衔,兵的最低一级。

【列车】lièchē 名 配有机车、工作人员和规定信号的连挂成列的火车：国际～|旅客～|15 次～。

【列车员】lièchēyuán 名 在客运列车上服务的工作人员。

【列岛】lièdǎo 名 群岛的一种,一般指排列成线形或弧形的,如我国的澎湖列岛、嵊泗列岛等。

【列队】liè//duì 动 排列成队伍：～游行|群众～欢迎贵宾。

【列国】lièguó 名 某一时期内并存的各国：～相争|周游～。

【列举】lièjǔ 动 一个一个地举出来：～事实|指示中～了各种具体办法。

【列宁主义】Lièníng zhǔyì 帝国主义和无产阶级革命时代的马克思主义。列宁(Владимир Ильич Ленин)在领导俄国革命以及在同第二国际修正主义的斗争中,继承、捍卫了马克思主义,并在关于帝国主义的理论,关于社会主义可能首先在一国取得胜利,关于建立无产阶级新型政党,关于无产阶级革命和无产阶级专政等问题上,发展了马克思主义。

【列强】lièqiáng 名 旧时指世界上同一时期内的各个资本主义强国。

【列位】lièwèi 代 人称代词。诸位：～请坐。

【列席】liè//xí 动 参加会议,有发言权而没有表决权：～代表|～代表大会。

【列支】lièzhī 动 列入项目支出：仪器购置款在科研经费中～。

【列传】lièzhuàn 名 纪传体史书中一般人物的传记,如《史记·廉颇蔺相如列传》。

劣 liè 坏；不好(跟"优"相对)：～等|～势|～马|恶～|低～|优～。

【劣等】lièděng 形 属性词。低等；下等：～货。

【劣根性】lièɡēnxìng 名 长期养成的、根深蒂固的不良习性。

【劣弧】lièhú 名 小于半圆的弧。

【劣迹】lièjì 名 恶劣的事迹（指损害人民的）：～昭彰｜～斑斑。

【劣马】lièmǎ 名 不好的马。

【劣品】lièpǐn 名 劣质产品：谨防～。

【劣绅】lièshēn 名 品行恶劣的绅士：土豪～。

【劣势】lièshì 名 情况或条件比较差的形势：处于～｜变～为优势。

【劣质】lièzhì 形 属性词。质量低劣：～煤｜～烟酒。

冽 liè 〈书〉冷；凛～｜山高风～。

峛 liè 峛屿(Lièyǔ)，地名，在福建。

洌 liè 〈书〉(水、酒)清：泉香而酒～。

埒 liè 〈书〉❶ 同等；(相)等：富～皇室｜二人才力相～。❷ 指矮墙、田埂、堤防等：河～。

烈 liè ❶ 形 强烈；猛烈：～火｜～日｜～酒｜性子～｜轰轰～～｜兴高采～。❷ 刚直；严正：刚～。❸ 为正义而死难的：～士｜先～。❹〈书〉功业：功～(功绩)。

【烈度】lièdù 名 地震在地面上造成的影响或破坏的程度，与地震震级、震源深度、离震中的距离等因素有关，分为 12 度。

【烈风】lièfēng 名 ❶ 猛烈的风：～卷起沙砾。❷ 气象学上旧指 9 级风。参看 407 页〖风级〗。

【烈火】lièhuǒ 名 猛烈的火：～熊熊◇斗争的～。

【烈火见真金】lièhuǒ jiàn zhēnjīn 只有在烈火中烧炼才能辨别金子的真假，比喻关键时刻才能考验出人的品质。

【烈马】lièmǎ 名 性情暴烈不容易驾驭的马：制伏～。

【烈女】liènǚ 名 ❶ 旧指刚正有节操的女子。❷ 旧指拼死保全贞节的女子。

【烈日】lièrì 名 炎热的太阳：～当空。

【烈士】lièshì 名 ❶ 为正义事业而牺牲的人：革命～｜～陵园。❷〈书〉有志于建立功业的人：～暮年，壮心不已。

【烈属】lièshǔ 名 烈士家属。

【烈性】lièxìng 形 属性词。❶ 性格刚烈：～汉子。❷ 性质猛烈：～酒｜～炸药。

【烈焰】lièyàn 名 猛烈的火焰：～腾空。

捩 liè 〈书〉扭转：～转｜转～点。

鴷(鴷) liè 〈书〉啄木鸟。

猎(獵) liè ❶ 捕捉禽兽；打猎：狩～｜渔～｜～人｜～户｜～狗｜～枪。❷ 搜寻：～色｜～奇。

【猎场】lièchǎng 名 划定范围供人打猎的山林或草原。

【猎狗】lièɡǒu 名 受过训练，能帮助打猎的狗。也叫猎犬。

【猎户】lièhù 名 ❶ 以打猎为业的人家。❷ 猎人。

【猎户座】lièhùzuò 名 星座，位置在天球赤道上。其中有两个一等星，五个二等星和其他更暗的星。猎户座即我国古代所说的参(shēn)宿。

【猎猎】lièliè 〈书〉拟声 形容风声及旗帜等被风吹动的声音：北风～｜红旗～，歌声嘹亮。

【猎奇】lièqí 动 搜寻奇异的事情(多含贬义)。

【猎潜艇】lièqiántǐng 名 搜索、攻击敌潜艇的小型舰艇。装备有声呐、雷达等设备和深水炸弹、小口径火炮等武器。

【猎枪】lièqiāng 名 打猎用的枪：双筒～。

【猎取】lièqǔ 动 ❶ 通过打猎取得：原始社会的人用粗糙的石器～野兽。❷ 夺取(名利)：～功名｜～高额利润。

【猎犬】lièquǎn 名 猎狗。

【猎人】lièrén 名 以打猎为业的人。

【猎手】lièshǒu 名 打猎的人(多指技术熟练的)。

【猎头】liètóu 名 ❶ 指受企业等委托为其物色、挖掘高级人才的工作：～公司｜～服务。❷ 指从事这种工作的人：人才～。‖是英语 head hunting 的直译。

【猎物】lièwù 名 猎取到的或作为猎取对象的鸟兽。

裂 liè ❶ 动 破而分开；破成两部分或几部分：分～｜破～｜决～｜～纹｜～开｜四分五～｜手ూ～了。❷ 名 叶子或花冠的边缘上较大较深的缺口。

另见859页 liě。

【裂变】lièbiàn 〈动〉❶ 重原子核(如铀核、钚核)分裂成两个(或更多个)轻原子核(如钡核和氪核、氙核和锶核),并放出巨大的能量。❷ 泛指分裂变化:家庭～|思想～。

【裂缝】lièfèng (～儿)❶ (-/-)〈动〉裂成狭长的缝儿:做门的木料没有干透,风一吹都～了|墙裂了一道缝。❷〈名〉裂开的缝儿:墙上有一条～。

【裂果】lièguǒ 〈名〉干果的一类,果实成熟后果皮裂开,如菁葖果、荚果、蒴果、角果等。

【裂痕】lièhén 〈名〉器物破裂的痕迹:玻璃中间有一道～◇两人之间一度有过～。

【裂口】lièkǒu (～儿)❶ (-/-)〈动〉裂成口儿:手冻得～了|西瓜裂了口儿。❷〈名〉裂开的口儿。

【裂纹】lièwén 〈名〉❶ 裂璺②。❷ 瓷器在烧制时有意做成的像裂璺的花纹。

【裂璺】lièwèn ❶ (-/-)〈动〉器物现出将要裂开的痕迹:～的破锅|水缸裂了一道璺。❷〈名〉器物将要裂开的痕迹:茶碗有一道～。

【裂隙】lièxì 〈名〉裂开的缝儿:桌面上有一道～◇弥合双方感情上的～。

趔 liè [趔趄](liè·qie)〈动〉身体歪斜,脚步不稳:他～着走进屋来|打了个～,摔倒了|口袋很重,他～了几下,没扛起来。

躐 liè〈书〉❶ 超越:～等|～级。❷ 践踏。

【躐等】lièděng〈书〉〈动〉超越等级;不按次序:学不～|～求进。

鱲(鱲) liè〈名〉鱼,体长10—15厘米,侧扁,两侧银白色,雄鱼带红色,有蓝色斑纹,生殖季节色泽鲜艳。种类较多,生活在淡水中。也叫桃花鱼。

鬣 liè 某些兽类(如马、狮子等)颈上的长毛。

【鬣狗】liègǒu 〈名〉哺乳动物,外形略像狗,颈后有长鬣毛,头比狗的头短而圆,额部宽,尾巴短,前腿长,后腿短,毛棕黄色或棕褐色,有许多不规则的黑褐色斑点。多生活在热带或亚热带地区,吃兽类尸体腐烂的肉。

【鬣羚】lièlíng 〈名〉哺乳动物,外形像山羊而

略大,毛黑色,颈背有长鬣毛,尾短,四肢长,雌雄都有角。生活在高山峻岩地带。也叫苏门羚。

•lie (•ㄌㄧㄝ)

咧 •lie〈方〉〈助〉用法跟"了"、"啦"、"哩"相同:好～|来～|他愿意～!
另见859页 liē;859页 liě。

---

līn (ㄌㄧㄣ)

拎 līn〈动〉用手提:～着一兜水果|他～了个木桶到河边去打水。

【拎包】līnbāo〈方〉〈名〉提包。

---

lín (ㄌㄧㄣ)

邻(鄰、隣) lín ❶ 住处接近的人家:四～|东～|～人|远亲不如近～。❷ 邻接的;邻近的:～国|～县|～家|～座。❸ 古代五家为邻。

【邻邦】línbāng 〈名〉接壤的国家:友好～。

【邻接】línjiē 〈动〉(地区)接连:河北省西边～山西省。

【邻近】línjìn ❶〈动〉位置接近:～边界|我国东部跟朝鲜接壤,跟日本～。❷〈名〉附近:学校～有文化馆|～的一家姓赵的搬走了。

【邻近色】línjìnsè 〈名〉色相接近的颜色。如红色与橙色、橙色与黄色、黄色与绿色、绿色与青色、青色与紫色、紫色与红色。

【邻居】línjū 〈名〉住家接近的人或人家。

【邻里】línlǐ 〈名〉❶ 指家庭所在的乡里,也指市镇上互相邻接的一些街道:～服务站。❷ 同一乡里的人:～纷纷前来祝贺。

【邻舍】línshè 〈方〉〈名〉邻居:街坊～|左右～。

林 lín ❶ 成片的树木或竹子:树～|竹～|山～|防风～。❷ 聚集在一起的同类的人或事物:儒～|艺～|碑～。❸ 林业:农～牧副渔。❹ (Lín)〈名〉姓。

【林产】línchǎn 〈名〉林业产物,包括木材,森林植物的根、茎、叶、皮、花、果实、种子、树

脂,菌类以及森林中的动物等。

【林场】línchǎng 名❶ 从事培育、管理、采伐森林等工作的单位。❷ 培育或采伐森林的地方。

【林丛】líncóng 名 树林子;树木丛生的地方:两岸的~,一望无边。

【林带】líndài 名 为了防风、防沙等而培植的带状树林:防护~|防风~|防沙~。

【林地】líndì 名 生长着成片树木的土地。

【林冠】línguān 名 森林中互相连接在一起的树冠的总体。

【林海】línhǎi 名 像海洋一样一望无际的森林:茫茫~。

【林垦】línkěn 动 开垦荒山,植树造林:~事业。

【林立】línlì 动 像树林一样密集地竖立着,形容很多:高楼~|帆樯~|郊区工厂~。

【林林总总】línlínzǒngzǒng 形 状态词。形容繁多:展销会上的商品~,不下数万种。

【林莽】línmǎng 名 茂密的林木和草丛:~地带。

【林木】línmù 名❶ 树林。❷ 生长在森林中的树木。

【林农】línnóng 名 主要从事森林的培育、管理、保护等工作的农民。

【林檎】línqín 名 花红(植物)。

【林区】línqū 名❶ 生长着成片树木的地区。❷ 行政区划单位,与县同级,目前我国有一个林区,即神农架林区,在湖北。

【林泉】línquán 〈书〉名❶ 林木山泉:~幽静。❷ 借指隐居的地方:退隐~。

【林薮】línsǒu 〈书〉名❶ 指山林水泽,草木丛生的地方。❷ 比喻事物聚集的处所:古小说~。

【林涛】líntāo 名 森林被风吹动发出的像波涛一样的声音:~呼啸。

【林网】línwǎng 名 指纵横交错,像网一样的林带。

【林下】línxià 〈书〉名 山林田野,借指退隐的地方:优游~|退隐~。

【林业】línyè 名 培育和保护森林以合理开发利用木材和其他林产品的生产事业。

【林狸】línyì 名 猞猁(shēlì)。

【林阴道】línyīndào 同"林荫道"。

【林荫道】línyīndào 名 两旁有茂密树木的道路(一般比较宽)。也作林阴道。

【林苑】línyuàn 名 古代专供统治者打猎玩乐的园林。

【林政】línzhèng 名 有关森林的保护、培植,采伐等的管理事务。

【林子】lín•zi 〈口〉名 树林。

临(臨)

临 lín ❶ 动 靠近;对着:~街|~河|背山~水|居高~下|如~大敌。❷ 来到;到达:光~|莅~|身~其境|双喜~门。❸ 介 临近;临到(某一行为发生的时间),含有将要、快要的意思:~睡|~毕业|这是我~离开北京的时候买的。❹ 动 照着字画模仿:~摹|~帖|~画|~得挺像。❺ (Lín)名 姓。

【临别】línbié 动 将要分别:~赠言|~纪念。

【临产】línchǎn 动 (孕妇)快要生小孩儿。

【临场】línchǎng 动❶ 在考场参加考试;在竞赛场地参加竞赛:缺乏~经验|~要沉着镇静。❷ 亲自到现场:~指导。

【临池】línchí 〈书〉相传汉代书法家张芝在水池旁边练习写字,经常用池水洗砚台,使一池子的水都变黑了。后因称练习书法为临池。

【临床】línchuáng 动 医学上称医生给病人诊断和治疗疾病:~经验|~教学。

【临到】líndào ❶ 介 接近到(某件事情):~开会,我才准备好。❷ 动 (事情)落到(身上):这事~他的头上,他会有办法。

【临风】línfēng 〈书〉动 当风;迎风.旌旗~招展。

【临机】línjī 副 掌握时机(行动):~应变|~立断|~制胜。

【临街】línjiē 动 对着街道;靠着街道:~的窗口|这三间平房~|~有三棵柳树。

【临界】línjiè 形 属性词。由一种状态或物理量转变为另一种状态或物理量的:~点|~角|~温度。

【临近】línjìn 动 (时间、地区)靠近;接近:春节~了|他住在~太湖的一所疗养院里。

【临渴掘井】lín kě jué jǐng 感到渴了才掘井,比喻平时没有准备,事到临头才想办法。

【临客】línkè 名 临时加开的旅客列车:春运增开~。

【临了】línliǎo (~儿)〈口〉副 到最后;到末了:~还是决定由老王执笔。

【临门】línmén 动❶ 来到家门:贵客~|

双喜～。❷ 到达球门前：～一脚。

【临摹】línmó 动 模仿(书画)：～碑帖。

【临盆】línpén 动 临产。

【临蓐】línrù 动 临产。

【临深履薄】lín shēn lǚ bó 《诗经·小雅·小旻》："战战兢兢，如临深渊，如履薄冰。"后用"临深履薄"比喻谨慎戒惧。

【临时】línshí ❶ 副 临到事情发生的时候：～抱佛脚｜事先准备好，省得～着急。❷ 形 属性词。暂时的；短期的：～工｜～政府｜～借用一下，明天就还。

【临时代办】línshí dàibàn 临时代理大使职务的外交官员。

【临帖】lín∥tiè 动 照着字帖练习写字(多指毛笔字)。

【临头】líntóu 动 (为难或不幸的事情)落到身上：大祸～｜事到～，要沉住气。

【临危】línwēi 动 ❶ (人)病重将死：这是他～时留下的话。❷ 面临生命的危险：～不惧。

【临危受命】lín wēi shòu mìng 在危难之时接受任命。

【临危授命】lín wēi shòu mìng 在危亡关头勇于献出生命：～，视死如归。

【临刑】línxíng 动 将要受死刑。

【临渊羡鱼】lín yuān xiàn yú 《汉书·董仲舒传》："临渊羡鱼，不如退而结网。"后用"临渊羡鱼"比喻只有愿望，不去实干，就无济于事。

【临月】línyuè (～儿) 动 妇女怀孕足月，到了产期。

【临战】línzhàn 动 将要进行战斗，也用于比喻：～状态｜运动员以～的姿态投入赛前训练。

【临阵】línzhèn 动 ❶ 临近阵地；到阵前要进行战斗的时候：～脱逃｜～磨枪。❷ 指实地参加战斗：～指挥｜他有多年的～经验。

【临阵磨枪】lín zhèn mó qiāng 到阵前要作战时才磨枪，比喻事到临头才做准备。

【临阵脱逃】lín zhèn tuō táo 军人到阵前要作战时逃跑，也比喻事到临头而退缩逃避。

【临终】línzhōng 动 人将要死(指时间)：～遗言。

【临终关怀】línzhōng guānhuái 对将要死亡的病人给予心理和生理上的关心照顾，使减轻痛苦，平静地度过人生的最后时间。

啉 lín 见 108 页[卟啉]、798 页[喹啉]。

淋 lín 动 ❶ 水或别的液体落在物体上：日晒雨～｜衣服都～湿了。❷ 使水或别的液体落在物体上：在凉拌菜上～上点儿香油。

另见 865 页 lìn。

【淋巴】línbā 名 人和动物体内的无色透明液体，内含淋巴细胞，由组织液渗入淋巴管后形成。淋巴管是结构跟静脉相似的管子，分布在全身各部。淋巴在淋巴管内循环，最后流入静脉，是组织液流入血液的媒介。也叫淋巴液。[拉 lympha]

【淋巴结】línbājié 名 由网状结缔组织构成的豆状体，分布在淋巴管的径路中，颈部、腋窝部和腹股沟部最多，能产生淋巴细胞并有过滤的作用，阻止和消灭侵入体内的有害微生物。

【淋巴细胞】línbā xìbāo 白细胞的一种，产生于脾脏、淋巴结等器官，有产生和储存抗体的作用。

【淋巴液】línbāyè 名 淋巴。

【淋漓】línlí 形 ❶ 形容湿淋淋地往下滴：大汗～｜墨迹～｜鲜血～。❷ 形容畅快：痛快～｜～尽致。

【淋漓尽致】línlí jìn zhì 形容文章或谈话详尽透彻，也指暴露得很彻底。

【淋漓柯】línlíkē 名 常绿乔木，叶子披针形，壳斗单生，坚果宽卵形。也叫槵仔。

【淋淋】línlín 形 形容水、汗等向下流的样子：汗～｜湿～｜秋雨～。

【淋浴】línyù 动 一种洗澡方式，让水从上面喷下来，人在下面冲洗。

𬘭(綝) lín [𬘭缅](línlí)〈书〉形 盛装的样子。也作𬘭缡。

另见 165 页 chēn。

琳 lín 〈书〉美玉。

【琳琅】línláng 名 美玉，比喻优美珍贵的东西：～满目。

【琳琅满目】línláng mǎn mù 比喻各种美好的东西很多(多指书籍或工艺品)：在这次展览会上，真是～，美不胜收。

粼 lín [粼粼](línlín)〈书〉形 形容水、石等明净：～碧波｜白石～。

L

嶙 lín 见下。

【嶙嶙】línlín 〈书〉形 嶙峋：礁石～。

【嶙峋】línxún 〈书〉形 ❶ 形容山石等突兀、重叠：怪石～|～的山峦。❷ 形容人消瘦露骨：瘦骨～。❸ 形容人刚正有骨气：气节|傲骨～。

遴 lín 谨慎选择：～选|～派|～聘。
〈古〉又同"吝"lìn。

【遴选】línxuǎn 动 ❶ 选拔(人才)：～德才兼备的人担任领导干部。❷ 泛指挑选：该厂生产的彩电被～为展览样品。

潾 lín ［潾潾］(línlín)形 形容水清：～的水波|春水～。

璘 lín 〈书〉玉的光彩。

霖 lín 霖雨：秋～|甘～。

【霖雨】línyǔ 名 连下几天的大雨。

辚(轔) lín ［辚辚］(línlín)〈书〉拟声 形容车行走时的声音：车～，马萧萧。

磷(燐) lín 名 非金属元素，符号 P(phosphorum)。同素异形体有白磷、红磷和黑磷。磷是生命活动不可缺少的元素。牙齿、骨骼和脱氧核糖核酸中都含有磷。

【磷肥】línféi 名 主要提供磷元素的肥料，能促使作物的子粒饱满，提早成熟，如骨粉、过磷酸钙、磷矿粉等。

【磷光】línguāng 名 某些物质受摩擦、振动或光、热、电波的作用所发的光，如金刚石经日光照射后，在暗处发出的青绿色光。方解石、萤石、石英、重晶石以及钙、钡、锶等的硫化物都能发出磷光。

【磷火】línhuǒ 名 磷化氢燃烧时的火焰。人和动物的尸体腐烂时分解出磷化氢，并自动燃烧。夜间在野地里有时看到的白色带蓝绿色火焰就是磷火。俗称鬼火。

【磷酸】línsuān 名 无机化合物，化学式 H_3PO_4。无色透明的晶体，在空气中容易潮解，呈酸性，通常所用的是稠的液体。用作试剂，也用来制肥料、药品等。

【磷脂】línzhī 名 含有磷和氮的油脂，存在于动植物的细胞中，在脂肪代谢等生化过程中起重要作用。主要包括卵磷脂和脑磷脂。

瞵 lín 〈书〉瞪着眼睛看：鹰～鹗视。

鳞(鳞) lín ❶ 名 鱼类、爬行动物和少数哺乳动物身体表面具有保护作用的薄片状组织，由角质、骨质等构成。❷ 像鱼鳞的；～茎|～波|遍体～伤。❸ (Lín)名 姓。

【鳞波】línbō 名 像鱼鳞一样的波纹：～荡漾。

【鳞次栉比】lín cì zhì bǐ 像鱼鳞和梳子的齿一样，一个挨着一个地排列着，多用来形容房屋等密集：路旁各种建筑～。也说栉比鳞次。

【鳞介】línjiè 〈书〉名 有鳞和甲壳的水生动物的统称。

【鳞茎】línjīng 名 地下茎的一种，形状像圆盘，下部有不定根，上部有许多变态的叶子，内含营养物质，肥厚多肉，从鳞茎的中心生出地上茎。如洋葱、水仙等的地下茎。

【鳞片】línpiàn ❶ 名 鱼或某些爬行动物、哺乳动物身上一片一片的鳞。❷ 覆盖在昆虫翅膀或躯体上的壳质小片，带有颜色，或能折光，因而使昆虫具有鲜艳的光彩。❸ 覆盖在芽的外面像鱼鳞的薄片，主要作用是保护嫩芽。春季植物发芽时，鳞片即脱落。

【鳞爪】línzhǎo 〈书〉名 鳞和爪，比喻事情的片段。

麟(麐) lín 〈书〉麒麟：凤毛～角。

【麟凤龟龙】lín fèng guī lóng 古代称麟凤龟龙为四灵，用来比喻品德高尚的人。

lǐn (ㄌㄧㄣˇ)

菻 lín 拂菻(Fúlǐn)，我国古代称东罗马帝国。

凛(凜) lín ❶ 寒冷：～冽。❷ 严肃厉害：～遵(严肃地遵照)|～然|～若冰霜。❸ 〈书〉畏惧；害怕：～于夜行。

【凛冽】lǐnliè 形 刺骨地寒冷：北风～。

【凛凛】lǐnlǐn 形 ❶ 寒冷：寒风～。❷ 严肃；可敬畏的样子：～正气|威风～。

【凛然】lǐnrán 形 严肃而可敬畏的样子：大义～|态度～|～不可侵犯。

廪（廩）lǐn 〈书〉❶ 粮仓：仓～。❷ 指粮食。

【廪生】lǐnshēng ❷ 明清两代称由府、州、县按时发给银子和粮食补助生活的生员。也叫廪膳生、廪膳生员。

懔（懍）lǐn 同"凛"②③。

檩（檁）lǐn ❷ 架在屋架或山墙上面用来支持椽子或屋面板的长条形构件。也叫檩或檩条。（图见 387 页"房子"）

【檩条】lǐntiáo （～儿）❷ 檩：一根～。

【檩子】lǐn·zi 〈方〉❷ 檩。

lìn （ㄌㄧㄣ）

吝 lìn ❶ 吝啬：～惜｜悭～｜尚请不～赐教（书信用语）。❷（Lìn）❷ 姓。

【吝色】lìnsè ❷ 舍不得的神色：倾囊相助，毫无～。

【吝啬】lìnsè ❶ 过分爱惜自己的财物，当用不用：～鬼｜大方些，别那么～。

【吝惜】lìnxī ❸ 过分爱惜，舍不得拿出（自己的）东西或力量）：～钱｜他干活儿从不～力气。

赁（賃）lìn ❶ ❸ 租用：租～｜～了一辆车。❷ ❸ 出租：出～｜～出两间房子。❸（Lìn）❷ 姓。

淋 lìn ❸ 滤：过～｜～盐｜把这药用纱布～一下。
　　另见 863 页 lín。

【淋病】lìnbìng ❷ 性病的一种，病原体是淋球菌，主要发生在尿道和生殖系统。患者尿道发炎，排尿疼痛，尿道内带有脓性分泌物。

蔺（藺）lìn ❶ 见 908 页〖马蔺〗。❷（Lìn）❷ 姓。

膦 lìn ❷ 有机化合物的一类，是磷化氢的氢原子部分或全部被烃基代而成的衍生物。

躏（躪）lìn 见 1157 页〖蹂躏〗。

líng （ㄌㄧㄥ）

〇 líng ❷ 数的空位，同"零"，多用于数字中：三～六号｜二～～五年。

令 líng ［令狐］（Línghú）❷ ❶ 古地名，在今山西临猗一带。❷ 姓。
　　另见 869 页 lǐng；871 页 lìng。

伶 líng 旧时指戏曲演员：～人｜名～｜坤～｜老～工（年老有经验的演员）。

【伶仃】língdīng ❸ ❶ 孤独；没有依靠：孤苦～。❷ 瘦弱：瘦骨～。

【伶俐】líng·lì ❸ 聪明；灵活：口齿～｜这孩子真～。

【伶俜】língpīng 〈书〉❸ 孤独；孤单：～独居｜～无依。

【伶牙俐齿】líng yá lì chǐ 形容口齿伶俐，能说会道。

灵（靈、霛）líng ❶ ❸ 灵活；灵巧：～敏｜～机｜～便｜心～手巧｜机件失～｜资金周转不～。❷ 精神；灵魂：心～｜英～。❸ 神仙或关于神仙的：神～｜～怪。❹ ❸ 灵验：～药｜这个法子很～。❺ ❷ 灵柩或关于死人的：守～｜移～｜停～｜～位｜～前摆满了花圈。❻（Líng）❷ 姓。

【灵便】líng·bian ❸ ❶（四肢、五官）灵活；灵敏：手脚～｜我耳朵不～，你说话大声点。❷（工具等）轻巧，使用方便：这把钳子使着真～。

【灵车】língchē ❷ 运送灵柩或骨灰盒的车。

【灵榇】língchèn 〈书〉❷ 灵柩。

【灵床】língchuáng ❷ ❶ 停放尸体的床铺。❷ 为死者虚设的床铺。

【灵丹妙药】líng dān miào yào 灵验有效、能治百病的奇药，比喻能解决一切问题的办法。也说灵丹圣药。

【灵动】língdòng ❸ 活泼不呆板，富于变化：色彩～｜天真～的童心。

【灵幡】língfān （～儿）❷ 旧俗出殡时孝子打的幡儿。

【灵符】língfú ❷ 灵验的符箓（迷信）。

【灵感】línggǎn ❷ 在文学、艺术、科学、技术等活动中，由于艰苦学习、长期实践，不断积累经验和知识而突然产生的富有创造性的思路。

【灵怪】língguài ❶ ❷ 传说中的神灵和妖怪：～故事。❷〈书〉❸ 神奇怪异。

【灵光】língguāng ❶ ❷ 旧时指神异的光辉。❷ ❷ 指画在神像头部四周的光辉。❸〈方〉❸ 好；效果好：她手艺蛮～的。

【灵慧】línghuì 形 灵敏聪慧；赋性～。

【灵魂】línghún 名❶ 迷信的人认为附在人的躯体上作为主宰的一种非物质的东西，灵魂离开躯体后人即死亡。❷ 心灵；思想：纯洁的～|～深处。❸ 人格；良心：出卖～。❹ 比喻起主导和决定作用的因素：德育是素质教育的～。

【灵活】línghuó 形❶ 敏捷；不呆板：手脚～|脑筋～。❷ 善于随机应变；不拘泥：～性|～运用|～调配人力物力。

【灵机】língjī 名 灵巧的心思：～一动，想出个主意来。

【灵境】língjìng〈书〉名 仙境：仙山～|～缥缈。

【灵柩】língjiù 名 死者已经入殓的棺材。

【灵猫】língmāo 名 哺乳动物，嘴尖，耳朵窄，毛灰黄色，有黑褐色斑纹。身体下部有分泌腺，能分泌油质芳香液体。吃野果和小动物。生活在浙江、福建、广东等省和东南亚。

【灵妙】língmiào 形 神妙；巧妙：壁画中人物形象的勾勒自然，独具一格。

【灵敏】língmǐn 形 反应快；能对极其微弱的刺激迅速反应：动作～|军犬的嗅觉特别～。

【灵敏度】língmǐndù 名 指仪器、设备、试剂等对微小的外加作用显示的灵敏程度。如无线电接收机接收弱电信号的能力，就是它的灵敏度。

【灵牌】língpái 名 灵位。

【灵气】língqì 名❶ 机灵劲儿；悟性：两眼透着～|她很有～，一定能成为出色的服装设计师。❷ 神话中的超自然的力量；神奇的能力。

【灵巧】língqiǎo 形 灵活而巧妙：心思～|他的手挺～，能做各种精致的小玩意儿。

【灵寝】língqǐn 名 停放灵柩的地方。

【灵台】língtái 名❶ 停灵柩、放骨灰盒或设置死者遗像、灵位的台：～左右排列着花圈。❷〈书〉指心灵。

【灵堂】língtáng 名 停灵柩、放骨灰盒或设置死者遗像、灵位供人吊唁的屋子（一般是正房）或大厅。

【灵通】língtōng 形❶（消息）来得快来源广：他消息特别～。❷〈方〉有效；顶用：这法子真～。❸〈方〉灵活：心眼儿～。

【灵童】língtóng 名 藏传佛教活佛圆寂后，通过占卜等仪式认定的前世活佛的转世继承人。

【灵透】líng·tou〈方〉形 聪明；机敏：心眼儿～|好一个～的孩子。

【灵位】língwèi 名 人死后暂时设的木牌，上面写着死者的名字，用作供奉对象。

【灵犀】língxī 名 古代传说，犀牛角有白纹，感应灵敏，所以称犀牛角为"灵犀"。现在用唐代李商隐诗句"心有灵犀一点通"比喻心领神会，感情共鸣。

【灵性】língxìng 名❶ 指人的天赋的智慧；聪明才智：他具有当导演的～。❷ 指动物经过人的驯养、训练而具有的智慧：那匹马很有～，知道主人受了伤，就驮着他往回跑。

【灵秀】língxiù 形 灵巧秀丽：聪慧～|模样～的姑娘。

【灵验】língyàn 形❶（办法、药物等）有效验：药到病除，非常～。❷（预言）能够应验：气象台的天气预报果然～，今天是个大晴天。

【灵异】língyì ❶ 名 指神怪。❷ 形 神奇；奇异：～的岩洞|山水～。

【灵长目】língzhǎngmù 名 哺乳动物的一目，猴、类人猿属于这一目，是最高等的哺乳动物，大脑较发达，面部短，锁骨发育良好，四肢都有五趾，便于握物。

【灵芝】língzhī 名 真菌的一种，菌盖肾脏形，赤褐色或暗紫色，有环纹，并有光泽。可入药，有滋补作用。我国古代用来象征祥瑞。

苓 líng 见419页[茯苓]。

图 líng ［图圈］（图圈）（língyǔ）〈书〉名 监狱：身陷～。

泠 líng ❶〈书〉清凉：～风|清～。❷（Líng）名 姓。

【泠泠】línglíng〈书〉形❶ 形容清凉：晨风～。❷ 形容声音清越：泉水激石，～作响。

【泠然】língrán〈书〉形 形容声音清越：钟磬～。

玲 Líng 名 姓。

【玲玲】línglíng〈书〉拟声 形容玉碰击的声音：～盈耳。

【玲珑】línglóng 形 ❶（东西）精巧细致：小巧～。❷（人）灵活敏捷：娇小～｜八面～。

【玲珑剔透】línglóng tītòu ❶ 形容器物精致，孔穴明晰，结构奇巧（多指镂空的工艺品和供玩赏的太湖石等）。❷ 形容人聪明伶俐。

枒 líng ［枒木］(língmù) 名 常绿灌木或小乔木，叶椭圆形或披针形，花小，白色，浆果球形。茎、叶、果实可入药。

瓴 líng ❶〈书〉盛水的瓶子。参看453页〖高屋建瓴〗。❷（Líng）名 姓。

铃（鈴） líng ❶（～儿）名 用金属制成的响器。最常见的是球形而下开一条口，里面放金属丸；也有钟形而里面悬着金属小锤的，振动时相击发声。此外有电铃、车铃等，形式不一。❷ 形状像铃的东西：哑～｜杠～｜棉～。❸ 名 蕾铃：落～｜结～。❹（Líng）名 姓。

【铃铛】líng·dang 名 指悬荡而发声的铃，球形或扁圆形而下部或中部开一条口，里面放金属丸或小石子，式样大小不一，有骡马带的、儿童玩的或做服饰的。

【铃铎】língduó 名 挂在宫殿、楼阁等檐下的铃。

鸰（鴒） líng 见641页〖鹡鸰〗。

凌¹（淩） líng ❶ 侵犯；欺侮：欺～｜～辱｜盛气～人。❷ 逼近：～晨。❸ 升高；在空中：～空｜～云｜～霄。❹（Líng）名 姓。

凌² líng〈方〉名 冰（多指块状或锥状的）：冰～｜～锥｜河里起了～。

【凌晨】língchén 名 时间词。天快亮的时候：～三点。

【凌迟】língchí 动 古代一种残酷的死刑，先分割犯人的肢体，然后割断咽喉。也作陵迟。

【凌泽】língduó〈方〉名 冰锥。

【凌驾】língjià 动 高出（别人）；压倒（别的事物）：不能把自己～于群众之上｜救人的念头～一切，他转身向大火冲去。

【凌空】língkōng 动 高高地在空中或高升到空中：高阁～｜雪花～飞舞｜飞机～而过。

【凌厉】línglì 形 形容迅速而气势猛烈：朔风～｜～的攻势。

【凌轹】línglì〈书〉动 ❶ 欺压：～乡里。❷

排挤：～同人。‖ 也作陵轹。

【凌乱】língluàn 形 不整齐；没有秩序：～不堪｜楼上传来～的脚步声。也作零乱。

【凌虐】língnüè〈书〉动 欺侮；虐待：～百姓｜备受～。

【凌辱】língrǔ 动 欺侮；侮辱：～弱小｜受尽～。

【凌侮】língwǔ 动 欺侮；侮辱：饱受～｜不堪～。

【凌霄花】língxiāohuā 名 落叶藤本植物，攀缘茎，羽状复叶，小叶卵形，边缘有锯齿，花鲜红色，花冠漏斗形，结蒴果。花、茎、叶都可入药。也叫紫葳。

【凌汛】língxùn 名 江河上游冰雪融化，下游还没有解冻而造成的洪水。

【凌夷】língyí〈书〉动 衰败；走下坡路：风俗～｜国势～。也作陵夷。

【凌云】língyún 动 直上云霄：高耸～｜～壮志。

【凌杂】língzá 形 错杂凌乱。

【凌灾】língzāi 名 江河解冻时，由于冰凌堵塞河道造成河水泛滥的灾害。

【凌锥】língzhuī〈方〉名 冰锥：屋檐上挂着一尺来长的～。

陵 líng ❶ 丘陵：～谷变迁（比喻世事发生极大的变迁）。❷ 陵墓：中山～｜十三～｜谒～。❸〈书〉欺侮；侵犯：～压。❹（Líng）名 姓。

【陵迟】língchí ❶〈书〉动 衰落。❷ 同“凌迟”。

【陵轹】línglì 同“凌轹”。

【陵墓】língmù 名 领袖或革命烈士的坟墓；帝王或诸侯的坟墓。

【陵寝】língqǐn〈书〉名 帝王的坟墓及墓地的宫殿建筑。

【陵替】língtì〈书〉动 ❶ 纲纪废弛：朝政～。❷ 衰落：家道～。

【陵夷】língyí 同“凌夷”。

【陵园】língyuán 名 以陵墓为主的园林：烈士～。

聆 líng〈书〉听：～听｜～教。

【聆教】língjiào〈书〉动 听取教诲：当面～。

【聆取】língqǔ〈书〉动 听取：～各方意见。

【聆听】língtīng〈书〉动 听：凝神～｜～教诲。

菱 líng 〈名〉❶ 一年生草本植物，生在池沼中，根生在泥里，浮在水面的叶子略呈三角形，花白色。果实的硬壳大都有角，绿色或褐色，果肉可以吃。❷ 这种植物的果实。‖ 通称菱角。

菱 形

【菱角】líng·jiao 〈名〉菱的通称。

【菱形】língxíng 〈名〉邻边相等的平行四边形。

棂（櫺、欞） líng 旧式窗户的窗格子：窗～。

蛉 líng 见 25 页〖白蛉〗、959 页〖螟蛉〗。

笭 líng ［笭箵］(língxīng)〈书〉〈名〉打鱼时用的竹子编的盛器。

舲 líng 〈书〉❶ 有窗户的船：～船。❷ 小船。

翎 líng ❶（～儿）鸟的翅膀或尾巴上的长而硬的羽毛，有的颜色很美丽，可以做装饰品：雁～｜鸡～｜鹅～儿｜扇～翎子①：花～。

【翎毛】língmáo 〈名〉❶ 羽毛。❷ 指以鸟类为题材的中国画。

【翎子】líng·zi 〈名〉❶ 清代官吏礼帽上装饰的表示品级的翎毛。❷ 戏曲中武将帽子上所插的雉尾。

羚 líng ❶〈名〉羚羊。❷ 指羚羊角。

【羚牛】língniú 〈名〉哺乳动物，外形像水牛，雌雄都有黑色的短角，肩部比臀部高，尾巴短，毛棕黄色或褐色。生活在高山上，吃青草、树枝、竹笋等。也叫扭角羚。

【羚羊】língyáng 〈名〉哺乳动物，外形像山羊，四肢细长，轻盈矫捷。生活在我国的有原羚、藏羚、斑羚、高鼻羚羊等。也叫羚。

绫（綾） líng 绫子：红～｜～罗绸缎。

【绫子】líng·zi 〈名〉像缎子而比缎子薄的丝织品。

棱（稜） líng 穆棱(Mùlíng)，地名，在黑龙江。
另见 828 页 lēng；828 页 léng。

祾 líng 〈书〉福。

零1 líng ❶〈形〉零碎；小数目的(跟"整"相对)：～用｜～售｜化整为～。❷（～儿）〈名〉零头；零数：挂一儿年纪已经八十有～。❸〈名〉放在两个数量中间，表示单位较高的量之下附有单位较低的量：一年～三天｜八元～二分。❹〈数〉数的空位，在数码中用作"〇"：三一号｜二～～年。❺〈数〉表示没有数量：一减一等于～◇这种药的效力等于～。❻〈数〉某些量度的计算起点：～点｜下十摄氏度。❼(Líng)〈名〉姓。

零2 líng ❶（草木花叶）枯萎而落下：～落｜凋～。❷〈书〉(雨、泪等)落下：涕～。

【零部件】língbùjiàn 〈名〉零件和部件的合称。

【零打碎敲】líng dǎ suì qiāo 见〖零敲碎打〗。

【零担】língdàn 〈名〉托运的货物不需要一辆货车运送的叫零担：～货物｜～运输。

【零蛋】língdàn 〈名〉表示没有数量，由于阿拉伯数字的"0"略呈蛋形，所以叫零蛋(只用于考试、比赛所得的分数，含诙谐意)：考试得了个～。

【零点】língdiǎn 〈名〉时间词。夜里十二点钟：～十分。

【零丁】língdīng 见 865 页〖伶仃〗。

【零风险】língfēngxiǎn 〈名〉指没有风险：～购物｜商业经营没有～。

【零工】línggōng 〈名〉❶ 短工：打～。❷ 做零工的人：雇～。

【零花】línghuā ❶〈动〉零碎地花(钱)：这点儿钱，你留着～吧。❷（～儿）〈名〉零碎用的钱：妈妈给他五十块钱做～儿。

【零活儿】línghuór 〈名〉零碎的工作或家务事：重活儿他干不了，做点儿～还行。

【零件】língjiàn 〈名〉可以用来装配成机器、部件等的单个工件。

【零距离】língjùlí 〈名〉指没有距离(多用来强调距离极近，可以忽略)：～接触。

【零乱】língluàn 同"凌乱"。

【零落】língluò ❶〈动〉(花叶)脱落；草木～。❷〈动〉(事物)衰败：家道～｜一片凄凉～的景象。❸〈形〉稀疏不集中：～的枪声此起彼伏｜村庄零零落落地散布在河边。

【零配件】língpèijiàn 名 零件和配件的合称。

【零七八碎】língqībāsuì ❶（～的）零碎而杂乱：～的东西放满了一屋子|被～的事儿缠住了，走不开。❷（～儿）零散没系统的事情或没有大用的东西：整天忙些个～儿|桌上放着些他喜欢的。

【零钱】língqián 名 ❶ 币值小的钱：把大票换成～。❷ 零花的钱：我不抽烟，也不喝酒，一个月花不了多少～。❸ 指工资以外的零碎收入。

【零敲碎打】líng qiāo suì dǎ 指以零零碎碎、断断续续的方式进行或处理。也说零打碎敲。

【零散】líng·sǎn 形 分散；不集中：把～的材料归并在一起|桌子上～地放着几本书|二十多户人家零零散散地分布在几个山沟里。

【零声母】língshēngmǔ 名 指以 a、e、o、i、u、ü 等元音起头的字音的声母，如"爱"（ài）、"鹅"（é）、"藕"（ǒu）、"烟"（iān）、"弯"（uān）、"渊"（uān）等。参看 1222 页〖声母〗。

【零食】língshí 名 正常饭食以外的零星食品：不吃～是好习惯。

【零售】língshòu 动 把商品不成批地卖给消费者：～店|～价格|本店只～，不批发。

【零数】língshù （～儿）名 以某位数为标准，不足整数的尾数，比如一千八百三十，以百位数为标准，三十是零数。

【零碎】língsuì ❶ 形 细碎；琐碎：～活儿|～东西|这些材料零零碎碎的，用处不大。❷（～儿）名 零碎的事物：他正在拾掇～儿。

【零头】líng·tóu （～儿）名 ❶ 不够一定单位（如计算单位、包装单位等）的零碎数量：整五元，没有～儿|装了六盒，还剩这点儿～儿。❷ 材料使用后剩下的零碎部分：没有整料，都是～儿。

【零销】língxiāo 动 零售：～商。

【零星】língxīng 形 属性词。❶ 零碎的；少量的：～材料|～土地|我零零星星地听到一些消息。❷ 零散：～的枪声|下着零零星星的小雨|草丛间零零星星地点缀着一些小花。

【零讯】língxùn 名 零星的消息（多用于报刊专栏的名称）。

【零用】língyòng ❶ 动 零碎地花（钱）；零碎地使用：一百块钱交书费，五十块来这里拿吧。❷ 名 指零碎用的钱：如果缺～，就来我这里拿吧。

【零增长】língzēngzhǎng 动 指增长率为零，即数量上与原数量相比没有增长。

【零嘴】língzuǐ （～儿）〈方〉名 零食：吃～。

龄（齡） líng ❶ 名 岁数：年～|学～|高～。❷ 泛指年数：工～|党～|军～|舰～|炉～。❸ 某些生物体发育过程中不同的阶段。如昆虫的幼虫第一次蜕皮前叫一龄虫，水稻长到七个叶叫七叶龄。

鲮（鯪） líng 名 鱼，体侧扁，头短，口小，背部青灰色，腹部银白色。生活在淡水中，不耐低温，是珠江流域等地区的重要经济鱼类。也叫土鲮鱼。

【鲮鲤】línglǐ 名 穿山甲。

酃 Líng 酃县，旧地名，在湖南。今改称炎陵县。

醽 líng ［醽醁］（línglù）〈书〉名 美酒名。

lǐng（ㄌㄧㄥˇ）

令 lǐng 量 原张的纸五百张为一令：五～白报纸。［英 ream］
另见 865 页 líng；871 页 lìng。

岭（嶺） lǐng ❶ 名 顶上有路可通行的山：一道～|崇山峻～|翻山越～。❷ 名 高大的山脉：南～|秦～|大兴安～。❸ 专指大庾岭等五岭：～南。❹（Lǐng）名 姓。

【岭南】Lǐngnán 名 指五岭以南的地区，就是广东、广西一带。

领（領） lǐng ❶ 名 颈；脖子：～巾|引～而望。❷（～儿）名 领子：衣～|翻～儿。❸（～儿）名 领口①：圆～儿|尖～儿|和尚～儿。❹ 大纲；要点：要～|提纲挈～。❺ 量 a)〈书〉长袍或上衣一件叫一领。b)席一张叫一领。❻ 带；引：率～|～导|～队|把客人～到餐厅去。❼ 领有；领有的：占～|～土|～海|～空。❽ 动 领取：招～|～工资|～材料。❾ 动 接受：～教|～情|你的好意我～了。❿ 了解（意思）：～略|～会|～悟。⓫（Lǐng）名

姓。

【领班】lǐngbān ❶（－儿／－）动 在厂矿、饭店等单位里带领一班人工作。❷名 担任领班工作的人。

【领唱】lǐngchàng ❶ 动 合唱时，由一个或几个人领头唱。❷名 担任领唱的人。

【领带】lǐngdài 名系(jì)在衬衫领子上而悬在胸前的带子。

【领导】lǐngdǎo ❶ 动 率领并引导：集体～|党～人民从胜利走向胜利。❷名 担任领导工作的人：～和群众相结合。

【领道】lǐng∥dào （～儿）〈口〉动 带路：路不熟，找个人～儿|你给我们领个道儿吧。

【领地】lǐngdì 名❶ 奴隶社会、封建社会中领主所占有的土地。❷ 领土。

【领队】lǐngduì ❶ 动 率领队伍：老张～参加比赛|～的一架敌机首先被击中。❷名 率领队伍的人。

【领港】lǐnggǎng ❶ 动 引导船舶进出港口。❷名 担任领港工作的人。‖也叫引港。

【领钩】lǐnggōu （～儿）名 扣住衣领的金属钩，包括钩儿和环两部分，分别钉在领口上：一副～。

【领海】lǐnghǎi 名 距离一国海岸线一定宽度的海域，是该国领土的组成部分。

【领航】lǐngháng ❶ 动 引导船舶或飞机航行。❷名 担任领航工作的人。也叫领航员。

【领花】lǐnghuā 名❶ 领结。❷ 军人、警察等戴在制服领子上表示军种、专业等的标志。

【领会】lǐnghuì 动 领略事物而有所体会：认真～文件的精神|你把他的意思～错了。

【领江】lǐngjiāng ❶ 动 在江河上引导船舶航行。❷名 担任领江工作的人。

【领教】lǐngjiào 动❶ 接受人的教益或欣赏人的表演时说的客气话：老先生说得很对，～～！|请你弹一个曲子，让我们～一下。❷ 请教：有点儿小事向您～。❸ 体验；经受：在北疆哨所～了冬天的严寒|这种场面我从没有～过。

【领结】lǐngjié 名系(jì)在衬衫领子前的横结。

【领巾】lǐngjīn 名系(jì)在脖子上的三角形的纺织品：红～。

【领军】lǐngjūn 动 率领军队，多比喻在某个行业或集体中起领头作用：目前男子体操队选手实力平均，缺少～人物。

【领空】lǐngkōng 名 一个国家的领陆、领水和领海上的空气空间，是该国领土的组成部分。

【领口】lǐngkǒu 名❶ 衣服上两肩之间套住脖子的孔及其边缘：这件毛衣～太小。❷ 领子两头相合的地方：～上别着一个宝石别针。

【领陆】lǐnglù 名 构成领土的陆地，包括边界以内的大陆部分和岛屿的陆地。

【领路】lǐng∥lù 动 带路：他在前面～|这地方你熟悉吗？别领错了路。

【领略】lǐnglüè 动 了解事物的情况，进而认识它的意义，或者辨别它的滋味：～江南风味。

【领情】lǐng∥qíng 动 接受礼物或好意而心怀感激：同志们的好意，我十分～|我领这个情，但东西不能收。

【领取】lǐngqǔ 动 取(多指经过一定手续)：～工资|～护照。

【领事】lǐngshì 名 由一国政府派驻外国某一城市或地区的外交官员，主要任务是保护本国和它的侨民在该领事区内的法律权利和经济利益，管理侨民事务等。

【领事裁判权】lǐngshì cáipànquán 帝国主义国家通过不平等条约，在半殖民地或附属国攫取的一种特权，即它的侨民在当地的民刑事诉讼，所在国法庭无权审理，而由它派驻当地的领事依照本国法律审判。

【领事馆】lǐngshìguǎn 名 一国政府驻在他国城市或某地区的领事代表机关。

【领受】lǐngshòu 动 接受(多指接受好意)：～任务|这些礼物，我不能～|他怀着激动的心情～了同志们的慰问。

【领属】lǐngshǔ 动 彼此之间一方领有或具有而另一方隶属或从属：～关系。

【领水】lǐngshuǐ 名❶ 分布在一个国家领土内的河流、湖泊、运河、港口、海湾等。❷ 领海。

【领头】lǐng∥tóu （～儿）〈口〉动 带头：他～干了起来|我领个头儿，大家跟着一起唱。

【领土】lǐngtǔ 名 在一国主权管辖下的区域，包括领陆、领水、海海和领空。

【领舞】lǐngwǔ ❶ 动 群舞的时候，由一个或几个人领头舞蹈。❷名 担任领舞的人。

【领悟】lǐngwù 囫 领会;理解:我说的那些话,他好像还没~过来。

【领洗】lǐng∥xǐ 囫 领受洗礼,成为基督教徒。

【领先】lǐng∥xiān 囫 ❶ 共同前进时走在最前面:他迈开大步,~登上了山顶。❷ 比喻水平、成绩等处于最前列:这个县的粮食产量处于全国~地位|上半场二比一,北京足球队~。

【领衔】lǐngxián 囫 在共同署名的文件上署名在最前面◇这部影片由一位新星~主演。

【领袖】lǐngxiù 图 国家、政治团体、群众组织等的领导人。

【领养】lǐngyǎng 囫 把别人家的孩子领来抚养,当做自己的子女◇我们班~了一片绿地。

【领有】lǐngyǒu 囫 ❶ 拥有(人口)或占有(土地)。❷ 领取而具有:~营业执照。

【领域】lǐngyù 图 ❶ 一个国家行使主权的区域。❷ 学术思想或社会活动的范围:思想~|生活~|在自然科学~内,数学是最重要的基础。

【领章】lǐngzhāng 图 军人或某些部门的工作人员佩戴在制服的领子上的标志。

【领主】lǐngzhǔ 图 奴隶社会和封建社会中受封在一个区域里掌握权力的人。在经济上是土地所有者,在政治上是统治者。

【领子】lǐng·zi 图 衣服上围绕脖子的部分。

【领奏】lǐngzòu ❶ 囫 合奏的时候,由一个或几个人领头演奏:~乐器|~一曲。❷ 图 担任领奏的人。

【领罪】lǐngzuì 囫 承认自己的罪过:甘愿~|~伏法。

lìng （ㄌㄧㄥˋ）

另 lìng ❶ 图 指示代词。另外①:~一回事|~纸抄寄|走了~一条路。❷ 副 另外②:~议|~有任务|~找门路。❸ (Lìng)图 姓。

【另案】lìng'àn 图 另外的案件:作~处理。

【另册】lìngcè 图 旧时户口册的一种,统治者把盗匪、坏人的户口登记在上面。后常用来比喻受歧视的人或事物所归入的范围:打入~。

【另类】lìnglèi ❶ 图 另外的一类,指与众不同的、非常特殊的人或事物:这样的孩子可以归入~|这部片子是当代电影中的~。❷ 圂 与众不同;特殊:~服装|她打扮得很~。

【另起炉灶】lìng qǐ lú zào ❶ 比喻重新做起:这次试验失败了,咱们~。❷ 比喻另立门户或另搞一套:这个分厂计划脱离总厂,~。

【另外】lìngwài ❶ 代 指示代词。指所说范围之外的人或事:我还要跟你谈~一件事情。❷ 副 表示在所说的范围之外:我~又补充了几点意见。❸ 连 此外:他家新买了一台拖拉机,~还买了脱粒机。

【另行】lìngxíng 囫 另外进行(某种活动):~通知|~规定。

【另眼相看】lìng yǎn xiāng kàn 用另一种眼光看待,多指看待某个人(或某种人)不同于一般。

令 1 lìng ❶ 囫 命令①:~各校切实执行。❷ 图 命令②:法~|指~|军~|口~|上级有~。❸ 囫 使:~人兴奋|~人肃然起敬。❹ 酒令:猜拳行~。❺ 古代官名:县~|太史~。

令 2 lìng 时节:时~|节~|夏~|冬~|当~。

令 3 lìng ❶〈书〉美好:~德|~名|~闻。❷ 敬辞,用于对方的亲属或有关系的人:~尊|~兄|~侄|~亲。

令 4 lìng 小令(多用于词调、曲调名):如梦~|叨叨~|十六字~。
另见 865 页 líng;869 页 lǐng。

【令爱】lìng'ài 图 敬辞,称对方的女儿。也作令嫒。

【令嫒】lìng'ài 同"令爱"。

【令出法随】lìng chū fǎ suí 法令发布了就要执行,违犯了法令就要依法惩处。

【令箭】lìngjiàn 图 古代军队中发布命令时用作凭据的东西,形状像箭。

【令郎】lìngláng 图 敬辞,称对方的儿子。

【令名】lìngmíng〈书〉图 美名;好名声:~远播。

【令亲】lìngqīn 图 敬辞,称对方的亲戚。

【令堂】lìngtáng 图 敬辞，称对方的母亲。

【令闻】lìngwén〈书〉图 美好的名声。

【令行禁止】lìng xíng jìn zhǐ 有令必行，有禁必止，形容严格执行法令。

【令尊】lìngzūn 图 敬辞，称对方的父亲。

吟 lìng 见1046页〖嘌吟〗。

---

liū（ㄌㄧㄡ）

溜[1] liū ❶ 动 滑行；（往下）滑：～冰丨从山坡上～下来。❷ 动 偷偷地走开或进入：一说打牌，他就～了丨几个歹徒～进仓库里。❸ 光滑；平滑：～光丨滑～。❹〈方〉动 看：～一眼心里就有了数。❺ 动 顺着：沿～边丨～墙根儿走。❻〈方〉副 很；非常（用在某些单音节形容词前）：～直丨～齐丨～满。

溜[2] liū 同"熘"。
另见878页liù。

【溜边】liū//biān （～儿）〈口〉动 ❶ 靠着边：道儿窄，～走吧。❷ 比喻遇事躲在一旁，不参与：他一向怕事，碰到矛盾就～了。

【溜冰】liū//bīng 动 滑冰。

【溜达】（蹓跶）liū·da〈口〉动 散步；闲走：吃过晚饭，到街上～～。

【溜光】liūguāng〈方〉形 状态词。❶ 很光滑：头发梳得～丨的鹅卵石。❷ 一点儿不剩：山上的树砍得～。

【溜号】liū//hào （～儿）〈方〉动 溜走：会没散，他就～了◇人在课堂上，思想却～了。

【溜肩膀】liūjiānbǎng （～儿）❶ 图 指向下倾斜的双肩。❷〈方〉比喻不负责任。

【溜溜儿】liūliūr （～的）〈方〉副 整整：～等了一天，始终没见动静。

【溜溜转】liūliūzhuàn 动 形容东西（多指圆的）不停地转动：两只大眼～◇把人支使得～。

【溜门】liūmén （～儿）动 乘人不备进入住宅（行窃）：～贼丨～撬锁（指行窃）。

【溜平】liūpíng〈方〉形 状态词。很平：～的路面丨菜地整得～。

【溜须拍马】liū xū pāi mǎ〈口〉比喻谄媚奉承。

【溜圆】liūyuán〈方〉形 状态词。很圆：～的皮球丨两眼瞪得～。

【溜之大吉】liū zhī dà jí 偷偷地走开；一走了事（含诙谐意）：他一看势头不对，转身就从后门～。

【溜之乎也】liū zhī hū yě 偷偷地走开（含诙谐意）：大家干得正欢，他却～。

【溜桌】liū//zhuō 动 因饮酒过量而滑到酒席桌下：酒已经喝多了，再喝我非～不可。

熘（溜）liū 动 烹调方法，炸或炒后，加上作料和淀粉汁：～肝尖丨醋～白菜丨滑～里脊。

瞜 liū〈方〉动 看；斜视：那人正斜着眼向这边。

蹓 liū 动 偷偷地走开：他说着，一转身就想～。
另见879页liù。

【蹓跶】liū·da 见872页〖溜达〗。

---

liú （ㄌㄧㄡ）

刘（劉）Liú 图 姓。

【刘海儿】liúhǎir 图 ❶（Liú Hǎir）传说中的仙童，前额垂着短发，骑在蟾上，手里舞着一串钱。❷ 妇女或儿童垂在前额的整齐的短发。

浏（瀏）liú〈书〉形容水流清澈。

【浏览】liúlǎn 动 大略地看：～市容丨这本书我只～了一遍，还没仔细看。

【浏览器】liúlǎnqì 图 指计算机系统中用来查找、浏览或下载网站信息的应用程序。

留（畱）liú ❶ 动 停止在某一个处所或地位上不动；不离去：～校丨～任丨他～在农村工作了。❷ 动 留学：～洋丨～英。❸ 动 使留；不使离去：挽～丨拘～丨～客人吃饭。❹ 注意力放在某方面：～心丨～神。❺ 动 保留：自～地丨～底稿丨～胡子丨鸡犬不～。❻ 动 接受；收下：礼物先～下来丨书店送来的碑帖我～了三本。❼ 动 遗留：旅客～言簿丨祖先～给了我们丰富的文化遗产。❽（Liú）图 姓。

【留别】liúbié〈书〉动 离开某地时赠送礼品或做诗词留在那里的亲友。

【留步】liúbù 动 客套话，用于主人送客时客人请主人不要送出去。

【留成】liú∥chéng （～儿）动 从钱财的总数中按一定成数留下来：利润～。

【留传】liúchuán 动 遗留下来传给后代：祖辈～下来的秘方。

【留存】liúcún 动❶ 保存;存放：这份文件～备查。❷ 事物持续存在,没有消失：湖边的古碑一直～到今天|他的光辉业绩将永远～在人们的心中。

【留待】liúdài 动 搁置下来等待(处理)：这些问题～下次会议讨论。

【留得青山在,不怕没柴烧】liú dé qīng-shān zài,bù pà méi chái shāo 比喻只要把人或实力保存下来,将来还会得到恢复和发展。

【留都】liúdū 名 迁都之后,称原来的都城为留都。如明代迁都北京后称南京为留都。

【留后路】liú hòulù （～儿）办事时防备万一不成而预先留下退路。

【留后手】liú hòushǒu （～儿）为避免将来发生困难而采取留有余地的措施。

【留级】liú∥jí 动 学生学年成绩不及格,不能升级,留在原来的年级重新学习。

【留连】liúlián 见 874 页〖流连〗。

【留恋】liúliàn 动 不忍舍弃或离开：～故土|就要离开学校了,大家十分～。

【留门】liú∥mén 动 夜里等人回来而不插门或不锁门：他估计半夜才能回家,交代家里给他～。

【留难】liúnàn 动 无理阻止,故意刁难：手续齐备的,都要及时办理,不得～。

【留念】liúniàn 动 留做纪念(多用于临别馈赠)：合影～|离京时送她一支钢笔～。

【留鸟】liúniǎo 名 终年生活在一个地区,不到远方去的鸟,如麻雀、画眉、喜鹊等。

【留聘】liúpìn 动 留下来继续聘用：由于工作需要,他被原单位～。

【留情】liú∥qíng 动 由于照顾情面而宽恕或原谅：手下～|毫不～。

【留任】liúrèn 动 留下来继续任职：降级～|新内阁已经组成,原外长～。

【留神】liú∥shén 动 注意;小心(多指防备危险或错误)：车辆很多,过马路要～|留点儿神,可别上当。

【留声机】liúshēngjī 名 把录在唱片上的声音放出来的机器。有的地区叫话匣子。

【留守】liúshǒu 动❶ 皇帝离开京城,命大

臣驻守,叫做留守。平时在陪都也有大臣留守。❷ 部队、机关、团体等离开原驻地时留下少数人在原驻地担任守卫、联系等工作：～处。

【留宿】liúsù 动❶ 留客人住宿：不得～闲人。❷ 停留下来住宿：今晚在同学家～。

【留题】liútí ❶ 动 在参观或游览的地方写下(意见、感想等)：～簿。❷〈书〉名 游览名胜时因有所感而题写的诗句。

【留尾巴】liú wěi·ba 比喻事情做得不彻底,还留有问题：工程要按期搞完,不能～。

【留心】liú∥xīn 动 注意：～听讲|参观的时候他很～,不放过一件展品。

【留学】liú∥xué 动 留居外国学习或研究：～生|～美国|早年他到欧洲留过学。

【留学生】liúxuéshēng 名 在外国学习的学生。

【留言】liúyán ❶（-∥-）动 用书面形式等留下要说的话：～牌|～簿|电话～|临别时留了言。❷ 名 指用书面形式等留下的话：旅客～|观众～。

【留洋】liú∥yáng 动 旧时指留学。

【留一手】liú yī shǒu （～儿）不把本事全部拿出来：老师傅把全部技艺传给徒工,再不像从前那样～了。

【留医】liúyī 动（病人）留在医院治疗;住院：由于病情严重,大夫坚持让病人～。

【留意】liú∥yì 动 注意;小心：路面很滑,一不～,就会摔跤。

【留影】liúyǐng ❶（-∥-）动 照相以留纪念：在天安门前留个影。❷ 名 为留做纪念而照的相：这是我们的毕业～。

【留用】liúyòng 动❶（人员）留下来继续任用：～察看|～人员|降职～。❷（物品）留下来继续使用：把要～的衣物挑出来,其他的就处理了。

【留余地】liú yúdì（说话、办事）不走极端,留下回旋的地步。

【留职】liúzhí 动 保留职务：～察看|～停薪。

【留驻】liúzhù 动 留下来驻扎。

流¹ liú ❶ 动 液体移动;流动①：～汗|～血|鼻涕|水往低处～|◇资金外～。❷ 移动不定：～转|～通|～沙|～星。❸ 流传;传播：～芳|～言。❹ 向坏的方面转变：～于形式|放任自～。❺ 旧时的刑

罚,把犯人送到边远地区去:～放。❻ 指江河的流水:河～|洪～|急～|中～◇开源节～。❼ 像水流的东西:气～|暖～|寒～|电～。❽ 品类;等级:名～|女～|一～|不入～|三教九～。❾ (Liú)名姓。

流² liú 量 流明的简称。发光强度为 1 坎的点光源在单位立体角(1 球面度)内发出的光通量为 1 流。

【流弊】liúbì 名 滋生的或相沿而成的弊端:革除～。

【流变】liúbiàn 动 发展变化;演变:语言～。

【流标】liúbiāo 动❶ 拍卖时,拍品因无人出价竞买而未成交:一百多件拍品全部成交,无一～。❷ 招标项目因所有投标者都没有达到招标者的要求而导致招标失败。

【流别】liúbié 名❶ 江河的支流。❷(文章或学术)源流和派别。

【流播】liúbō〈书〉动❶ 流传;传播:惠泽～|～世间。❷ 流徙;播迁:～异域。

【流布】liúbù 动 传布;广为:～四海。

【流产】liú∥chǎn 动❶ 通常指怀孕后,胎儿未满 28 周就产出。多由内分泌异常、剧烈运动等引起。产出的胎儿一般不能成活。参看 1145 页〖人工流产〗。❷ 比喻事情在酝酿或进行中遭到挫折而不能实现:计划～|这个项目因几家协作单位中途退出而～。

【流畅】liúchàng 形 流利;通畅;文字～|线条～|动作协调～。

【流程】liúchéng 名❶ 水流的路程:水流湍急,个把小时,就能越过百里～◇生命的～。❷ 工艺流程的简称。

【流传】liúchuán 动 传下来或传播开:大禹治水的故事,一直～到今天|消息很快就～开了。

【流窜】liúcuàn 动 到处流动转移;乱逃(多指盗匪或敌人):～作案|追歼～的残匪。

【流弹】liúdàn 名 乱飞的或无端飞来的子弹:为～所伤|中(zhòng)～牺牲。

【流荡】liúdàng 动❶ 流动;飘荡:天空中～着朵朵白云。❷ 流浪;漂泊:在外～。

【流动】liúdòng 动❶(液体或气体)移动:溪水缓缓地～|空气一～就形成风。❷ 经常变换位置(跟"固定"相对):～哨|～人口|人才～|电影放映队常年在农村～。

【流动资产】liúdòng zīchǎn 在企业的生产经营过程中,经常改变其存在状态的那些资产,例如原料、燃料、在制品、半成品、成品、现金和银行存款等(跟"固定资产"相对)。

【流动资金】liúdòng zījīn 企业用以购买原材料、支付工资等的资金(跟"固定资金"相对)。

【流毒】liúdú ❶ 动 毒害流传:～四方|～无穷。❷ 名 流传的毒害:肃清～|封建礼教的～,千百年来不知戕害了多少青年男女。

【流芳】liúfāng〈书〉动 流传美名:～百世|万古～。

【流放】¹ liúfàng 动 把犯人放逐到边远地方。

【流放】² liúfàng 动 把原木放在江河中顺流运输。

【流风】liúfēng〈书〉名 前代流传下来的风尚;遗风:～遗俗|～余韵。

【流贯】liúguàn 动 流动贯穿:这条河～几个省市。

【流光】liúguāng〈书〉名❶ 光阴;岁月:～如箭|～易逝。❷ 闪烁流动的光,特指月光。

【流光溢彩】liú guāng yì cǎi 形容光彩流动闪烁:华灯闪烁,～。

【流会】liúhuì 动 指会议由于不足法定人数而不能举行。

【流金铄石】liú jīn shuò shí 能使金石熔化,比喻天气极热(语出《楚辞·招魂》)。也说铄石流金。

【流寇】liúkòu 名 流窜不定的土匪。

【流浪】liúlàng 动 生活没有着落,到处转移,随地谋生:～汉|～街头。

【流离】liúlí〈书〉动 由于灾荒战乱而流转离散:颠沛～|～转徙。

【流离失所】liúlí shī suǒ 到处流浪,没有安身的地方。

【流丽】liúlì 形(诗文、书法等)流畅而华美:文笔～|～的音乐。

【流利】liúlì 形❶ 话说得快而清楚;文章读起来通畅:文章写得～|他的英语说得很～。❷ 灵活;不凝滞:钢笔尖在纸上～地滑动着。

【流连】(留连)liúlián 动 留恋不止,舍不得离去:～忘返。

【流量】liúliàng 名❶ 流体在单位时间内

通过河、渠或管道某处横断面的量。通常以立方米/秒为单位。❷ 单位时间内,通过一定道路的人员、车辆等的数量:旅客～|交通～。

【流露】liúlù 动 (意思、感情)不自觉地表现出来:～出真情|他的每一首诗,字里行间都～出对祖国的热爱。

【流落】liúluò 动 穷困潦倒,漂泊外地:～街头|～他乡|～江湖。

【流氓】liúmáng 名 ❶ 原指无业游民,后来指不务正业、为非作歹的人。❷ 指调戏妇女等恶劣行为:耍～。

【流氓无产者】liúmáng wúchǎnzhě 旧社会没有固定职业的一部分人或集团,大都是破产农民和失业的手工业者。也叫游民无产者。

【流民】liúmín 名 因遭遇灾害而流亡外地,生活没有着落的人。

【流明】liúmíng 名 光通量单位。符号lm。简称流。[英 lumen]

【流年】liúnián 名 ❶〈书〉光阴:似水～。❷ 迷信的人称一年的运气:～不利。

【流派】liúpài 名 指学术思想或文艺创作方面的派别。

【流盼】liúpàn 动 转动目光看:左右～。

【流气】liú•qi ❶ 形 轻浮油滑,不正派:举止～|歪戴着帽子,耸着肩膀,满脸～。❷ 名 流氓习气。

【流散】liúsàn 动 流转散失;流落分散:有的文物～国外|当年～在外的灾民陆续返回了家乡。

【流沙】liúshā 名 ❶ 沙漠地区中不固定的、常常随风流动转移的沙。❷ 堆积在河底或河口的松散、不稳定的沙。❸ 地层中能随地下水流动转移的沙。

【流觞】liúshāng 动 古人每逢农历三月上巳日于弯曲的水渠旁集会,在上游放置酒杯,杯随水流,流到谁面前,谁就取杯把酒喝下,叫做流觞。

【流失】liúshī 动 ❶ 指自然界的矿石、土壤自己散失或被水、风力带走,也指河水等白白地流掉:水土～|建造水库蓄积汛期的河水,以免～。❷ 泛指有用的东西流散失去:肥效～|抢救～的文物。❸ 比喻人员离开本地或本单位:人才～。

【流失生】liúshīshēng 名 指中途辍学的没有完成义务教育学业的学生。

【流食】liúshí 名 液体食物,如牛奶、米汤、果汁等。

【流矢】liúshǐ〈书〉名 乱飞的或无端飞来的箭:身中(zhòng)～。

【流势】liúshì 名 指水流的快慢和强弱:河水～很急|洪水经过闸门,～稳定。

【流逝】liúshì 动 像流水一样消逝:时光～|岁月～。

【流水】liúshuǐ 名 ❶ 流动的水,比喻接连不断:～潺潺|～作业。❷ 指商店的销货额:本月做了十五万元的～。

【流水不腐,户枢不蠹】liúshuǐ bù fǔ, hùshū bù dù 流动的水不会腐臭,经常转动的门轴不会被虫蛀,比喻经常运动的东西不易受侵蚀。

【流水席】liúshuǐxí 名 客人陆续来到,随到随吃随走的宴客方式。

【流水线】liúshuǐxiàn 名 指按流水作业特点所组成的生产程序。

【流水账】liúshuǐzhàng 名 ❶ 每天记载金钱或货物出入的、不分类别的账目,也指记流水账的账簿。❷ 比喻不加分析地罗列现象的叙述或记载。

【流水作业】liúshuǐ zuòyè 一种生产组织方式,把整个的加工过程分成若干不同的工序,按照顺序像流水似地不断进行。

【流苏】liúsū 名 装在车马、楼台、帐幕、锦旗等上面的穗状饰物。

【流俗】liúsú 名 一般的风俗习惯(含贬义)。

【流速】liúsù 名 流体在单位时间内流过的距离,一般用米/秒表示。

【流淌】liútǎng 动 液体流动:热血～|山泉在石涧中～。

【流体】liútǐ 名 液体和气体的统称,因它们都没有一定的形状,容易流动。

【流通】liútōng 动 ❶ 流转通行;不停滞:空气～。❷ 指商品、货币流转。

【流亡】liúwáng 动 因灾害或政治原因而被迫离开家乡或祖国:～海外|～政府。

【流徙】liúxǐ 动 ❶ 到处流动转移,没有安定的生活。❷〈书〉流放:～边远。

【流线型】liúxiànxíng 名 前圆后尖,表面光滑,略像水滴的形状。具有这种形状的物体在流体中运动时所受阻力最小,所以汽车、火车、飞机机身、潜水艇等的外形常做成流线型。

【流向】liúxiàng 图❶ 水流的方向：地下水也有一定的～。❷ 指人员、货物、资金等的流动去向：掌握旅客的～｜重视人才的～问题｜确定商品的合理～。

【流泻】liúxiè 动（液体、光线等）迅速地流出，射出、跑过：泉水从山涧里～出来｜一缕阳光～进来。

【流星】¹ liúxīng 图 分布在星际空间的细小物体和尘粒，叫做流星体。它们飞入地球大气层，跟大气摩擦发生热和光，这种现象叫流星。通常所说的流星指这种短时间发光的流星体。俗称贼星。

【流星】² liúxīng 图❶ 古代兵器，在铁链的两端各系一个铁锤。❷ 杂技的一种，在长绳的两端拴上盛着水的碗或火球，用手摆动绳子，使水碗或火球在空中飞舞。

【流星赶月】liúxīng gǎn yuè 形容非常迅速，好像流星追赶月亮一样：他～似地奔向渡口。

【流星雨】liúxīngyǔ 图 短时间内出现许多流星的现象。

【流刑】liúxíng 图 古代把犯人押送到边远地方服劳役的刑罚。

【流行】liúxíng 动 广泛散布；盛行：～色｜～性感冒｜这首民歌在我们家乡很～。

【流行病】liúxíngbìng 图❶ 能在较短的时间内广泛蔓延的传染病，如流行性感冒、霍乱等。❷ 比喻广泛流传的社会弊病。

【流行歌曲】liúxíng gēqǔ ❶ 在一定时期内受到普遍欢迎，广泛传唱的歌曲。❷ 指通俗歌曲。

【流行色】liúxíngsè 图 在一定时期内被人们普遍喜爱的颜色（多指服装）。

【流行性腮腺炎】liúxíngxìng sāixiànyán 急性传染病，病原体是腮腺炎病毒，患者多为儿童。症状是发热，耳朵前部和下部肿大。

【流行语】liúxíngyǔ 图 某一时期社会上广泛流行的语汇。

【流血】liúxuè 动 特指牺牲生命或负伤：～惨案｜～斗争｜～牺牲。

【流言】liúyán 图 没有根据的话（多指背后议论、诬蔑或挑拨的话）：～飞语｜散布～。

【流溢】liúyì 动 充满而流出来；漫溢：泉水～｜园中百花竞艳，芳香～。

【流萤】liúyíng 图 指飞行不定的萤火虫：几点～，上下飞舞。

【流域】liúyù 图 一个水系的干流和支流所流过的整个地区，如长江流域、黄河流域、珠江流域。

【流质】liúzhì ❶ 形 属性词。医疗上指食物是属于液态的：～食品。❷ 图 指液态的食物。

【流转】liúzhuǎn ❶ 动 流动转移，不固定在一个地方：岁月～｜～四方｜～的眼波。❷ 动 指商品或资金在流通过程中周转。❸〈书〉形 指诗文等流畅而圆浑：诗笔～｜声调和谐。

琉（瑠）liú 见下。

【琉璃】liú·li 图 用某些矿物原料烧成的半透明釉料，常见的有绿色、蓝色和金黄色等，多加在黏土的外层，烧制成缸、盆、砖瓦等。

【琉璃瓦】liú·liwǎ 图 内层用较好的黏土，表面用琉璃烧制成的瓦。形状和普通瓦相似而略长，外部多呈绿色或金黄色，鲜艳发光，多用来修盖宫殿或庙宇等。

硫 liú 图 非金属元素，符号 S（sulphur）。有多种同素异形体，黄色，能与氧、氢、卤素（除碘外）和大多数金属化合。用来制造硫酸、火药、火柴、硫化橡胶、杀虫剂等，也用来治疗皮肤病。通称硫黄。

【硫化】liúhuà 动 把生橡胶、硫黄和炭黑等填料放在容器里，通入高压蒸气加热，使变成硫化橡胶。

【硫化橡胶】liúhuà xiàngjiāo 经过硫化的橡胶，弹性较好，耐热，不易折断，橡胶制品大都用这种橡胶制成。也叫熟橡胶。

【硫黄】liúhuáng 图 硫的通称。旧也作硫磺。

【硫磺】liúhuáng 图 硫黄旧也作硫磺。

【硫酸】liúsuān 图 无机化合物，化学式 H_2SO_4。无色油状液体，含杂质时为黄色或棕色，是一种强酸，用来制造肥料、染料、炸药、药品等，也用于石油工业和冶金工业。

【硫酸雾】liúsuānwù 图 由燃烧时产生的二氧化硫氧化成三氧化硫后和大气中的雾滴结合形成的烟雾，有很强的腐蚀作用。也叫酸雾。

嶱 liú 地名用字：～隍｜东～(都在广东)。

遛 liú 见333页[逗遛](逗遛)。
另见878页 liù。

馏(餾) liú 蒸馏。
另见878页 liù。

【馏分】liúfèn 名 分馏石油、煤焦油等液体时,在一定温度范围内蒸馏出来的成分。

旒 liú ❶〈书〉旗子上的飘带。❷古代帝王礼帽前后的玉串：冕～。

骝(騮) liú 古书上指黑鬃黑尾巴的红马。

榴 liú 石榴。

【榴弹】liúdàn 名 ❶ 一种依靠炸药爆炸后产生的碎片、冲击波来杀伤或摧毁目标的炮弹。❷ 泛指手榴弹、枪榴弹和用炮发射的榴弹等。

【榴弹炮】liúdànpào 名 炮身较短、炮弹初速小、弹道弯曲的火炮,可用来射击各种地形上不同性质的目标。

【榴火】liúhuǒ〈书〉名 石榴花的火红的颜色。

【榴莲】liúlián 名 ❶ 常绿乔木,叶子长椭圆形。果实球形,表面有很多硬刺,果肉白色,可以吃。原产马来群岛。❷ 这种植物的果实。‖ 也作榴梿。

【榴梿】liúlián 同"榴莲"。

【榴霰弹】liúxiàndàn 名 炮弹的一种,弹壁薄,内装黑色炸药和小钢球、钢柱、钢箭等,弹头装有定时的引信,能在预定的目标上空及其附近爆炸,杀伤敌方的密集人员。也叫子母弹。

飗(飀) liú [飗飗](liúliú)〈书〉形 微风吹动的样子。

镏(鎦) liú [镏金](liújīn)动 把溶解在水银里的金子涂在器物表面,用来装饰器物。
另见879页 liù。

鹠(鶹) liú 见1534页[鸺鹠]。

瘤 liú 名 肿瘤：毒～｜肉～。

【瘤胃】liúwèi 名 反刍动物的胃的第一部分,内壁有很多瘤状突起。食物先在瘤胃里消化,再入网胃。

【瘤子】liú·zi〈口〉名 肿瘤。

镠 liú〈书〉成色好的金子。

鎏 liú〈书〉❶ 成色好的金子。❷ 同"镏"(liú)。

liǔ（ㄌㄧㄡˇ）

柳 liǔ ❶ 名 柳树,落叶乔木或灌木,枝条柔韧,叶子狭长,柔夷花序,种类很多,有垂柳、旱柳等。❷ 二十八宿之一。❸ (Liǔ)名 姓。

【柳暗花明】liǔ àn huā míng 形 形容柳树成荫,繁花耀眼的美景。宋代陆游有"山重水复疑无路,柳暗花明又一村"的诗句,后多用来比喻在困境中看到希望。

【柳编】liǔbiān 名 用柳条编制的工艺品,如果篮、提篮、食品筐等。

【柳眉】liǔméi 名 指女子细长秀美的眉毛：～吐眼｜倒竖(形容女子发怒时耸眉的样子)。也叫柳叶眉。

【柳腔】liǔqiāng 名 山东地方戏曲剧种之一,流行于青岛及附近地区。

【柳琴】liǔqín 名 弦乐器,外形像琵琶,比琵琶小,有四根弦。

【柳丝】liǔsī 名 指垂柳细长的枝条。

【柳体】Liǔ tǐ 名 唐代柳公权所写的字体,笔画遒劲,较颜体为瘦。

【柳条】liǔtiáo（～儿）名 柳树的枝条,特指杞柳的枝条,可以编筐、篮子等。

【柳絮】liǔxù 名 柳树种子上面像棉絮的白色绒毛,能随风飞散。

【柳腰】liǔyāo 名 指女子柔软的细腰。

【柳叶眉】liǔyèméi 名 柳眉。

【柳子戏】liǔ·zixì 名 山东地方戏曲剧种之一,流行于山东西部和江苏北部、河南东部一带。也叫弦子戏。

绺(綹) liǔ（～儿）量 线、麻、头发、胡须等许多根顺着聚在一起叫一绺：一～丝线｜三～头发。

【绺子】¹ liǔ·zi 量 ～儿：一～头发。

【绺子】² liǔ·zi〈方〉名 土匪帮伙。

锍(鋶) liǔ 名 有色金属硫化物的互熔体,是铜、镍等冶炼过程中的中间产品。锍中含有贵重金属。

罶(罶) liǔ〈书〉捕鱼的竹篓子,鱼进去就出不来。

liù （ㄌㄧㄡˋ）

六¹ liù 〔数〕五加一后所得的数目。参看 1271 页〖数字〗。

六² liù 〔名〕我国民族音乐音阶上的一级，乐谱上用作记音符号，相当于简谱的"5"。参看 468 页〖工尺〗。

【六部】liùbù 〔名〕从隋唐开始，中国封建王朝的中央行政机构一般分为吏、户、礼、兵、刑、工各部，合称六部。

【六朝】Liù Cháo 〔名〕❶ 吴、东晋、宋、齐、梁、陈，先后建都于建康（吴称建业，今南京），合称六朝。❷ 泛指南北朝时期：～文｜～书法。参看 979 页〖南北朝〗。

【六畜】liùchù 〔名〕指猪、牛、羊、马、鸡、狗，也泛指各种家畜、家禽：五谷丰登、～兴旺。

【六腑】liùfǔ 〔名〕中医称胃、胆、三焦、膀胱、大肠、小肠为六腑。

【六根】liùgēn 〔名〕佛教指眼、耳、鼻、舌、身、意，认为这六者是罪孽的根源：～清净。

【六合】liùhé 〈书〉〔名〕指上下和东西南北四方，泛指天下或宇宙。

【六甲】liùjiǎ 〔名〕❶ 古代用甲、乙、丙、丁、戊、己、庚、辛、壬、癸十干和子、丑、寅、卯、辰、巳、午、未、申、酉、戌、亥十二支依次相配成六十组干支，其中起头是"甲"字的有六组，所以叫六甲。因笔画比较简单，多为儿童练字之用：学～。❷ 妇女怀孕称身怀六甲。

【六路】liùlù 〔名〕指上、下、前、后、左、右，泛指周围，各个方面：眼观～，耳听八方。

【六亲】liùqīn 〔名〕六种亲属，究竟指哪些亲属说法不一，较早的一种说法是指父、母、兄、弟、妻、子，泛指亲属：～不认。

【六亲不认】liùqīn bù rèn 形容人没有情义，不讲情面。

【六神】liùshén 〔名〕古人指主宰心、肺、肝、肾、脾、胆六脏之神，泛指心神：～不安｜～无主。

【六神无主】liùshén wú zhǔ 形容惊慌或着急而没有主意。

【六书】liùshū 〔名〕古人分析汉字而归纳出来的六种条例，即指事、象形、形声、会意、转注、假借。

【六弦琴】liùxiánqín 〔名〕弦乐器，有六根弦。一手按弦，一手拨弦。也叫吉他。

【六一儿童节】Liù-Yī Értóng Jié 全世界儿童的节日。国际民主妇女联合会为保障全世界儿童的权利，于 1949 年在莫斯科举行的会议上，决定以 6 月 1 日为国际儿童节。也叫六一国际儿童节、国际儿童节、儿童节。

【六艺】liùyì 〔名〕❶ 古代指礼（礼仪）、乐（音乐）、射（射箭）、御（驾车）、书（识字）、数（计算）等六种科目。❷ 古代指《诗》、《书》、《礼》、《乐》、《易》、《春秋》六种儒家经书。

【六欲】liùyù 〔名〕佛教指色欲、形貌欲等六种欲望，泛指人的各种欲望：七情～。

【六指儿】liùzhǐr 〔名〕❶ 长了六个指头的手或脚。❷ 指手或脚上长有六个指头的人。

陆（陸）liù 〔数〕"六"的大写。参看 1271 页〖数字〗。
另见 887 页 lù。

碌 liù 〔碌碡〕（liù·zhou）〔名〕农具，用石头做成，圆柱形，用来轧谷物，平场地。也作磟碡。也叫石磙。
另见 888 页 lù。

遛 liù 〔动〕❶ 慢慢走；散步：～大街｜闲得慌，出去～～｜下午到市场～了一趟。❷ 牵着牲畜或带着鸟慢慢走：～鸟｜～狗｜～一～马。
另见 877 页 liú。

【遛马】liù//mǎ 〔动〕牵着马慢慢走，使马除疲劳或减轻病势。

【遛鸟】liù//niǎo 带着鸟到幽静的地方去溜达。

【遛弯儿】liù//wānr 〔动〕散步：您到哪儿～去啦？晚饭后到公园遛了个弯儿。也作蹓弯儿。

【遛早儿】liùzǎor 〔动〕早晨散步。也作蹓早儿。

馏（餾）liù 〔动〕把凉了的熟食蒸热：～馒头｜把剩饭～一～再吃。
另见 877 页 liú。

溜¹（❸❹霤）liù ❶ 〔名〕迅速的水流：大～｜河里～很大。❷ 〈方〉〔形〕迅速；敏捷：眼尖手～｜走得很～。❸ 房顶上流下来的雨水：檐～｜承～。❹ 檐沟：水～。❺ （～儿）〔量〕排；条：一～三间房。❻ （～儿）〔名〕某一地点附近的地方:这~的果木树很多。❼〈方〉动练:～嗓子。

溜² liù 〈方〉动 用石灰、水泥等抹(墙缝)、堵、糊(缝隙):墙砌好了,就剩下～缝了|天冷了,拿纸条把窗户缝~上。

另见 872 页 liū。

镏(鎦) liù [镏子](liù·zi)〈方〉名 戒指:金～。

另见 877 页。

磟 liù [磟碡](liù·zhou)同"碌碡"。

鹨(鷚) liù 名 鸟,身体较小,嘴细长,尾巴长。种类较多,常见的有田鹨、树鹨等。

蹓 liù 动 慢慢走;散步:～大街|到公园去一~。

另见 872 页 liū。

【蹓弯儿】liù wānr 同"遛弯儿"。

【蹓早儿】liùzǎor 同"遛早儿"。

·lo (·ㄌㄛ)

咯 ·lo 助 用法如"了"(·le)②,语气较重:当然～。

另见 457 页 gē;754 页 kǎ;902 页 luò。

lōng (ㄌㄨㄥ)

隆 lōng 见 557 页〖黑咕隆咚〗、562 页〖轰隆〗。

另见 881 页 lóng。

lóng (ㄌㄨㄥˊ)

龙(龍) lóng ❶ 名 我国古代传说中的神异动物,身体长,有鳞有角,有脚,能走,能飞,能游泳,能兴云降雨。❷ 封建时代用龙作为帝王的象征,也用来指帝王使用的东西:～颜|～廷|～袍|～床。❸ 形状像龙的或装有龙的图案的:～舟|～灯|～车|～旗。❹ 古生物学上指古代某些爬行动物,如恐龙、翼手龙等。❺ (Lóng)名 姓。

【龙船】lóngchuán 名 装饰成龙形的船,有的地区端午节用来举行划船竞赛。

【龙胆】lóngdǎn 名 多年生草本植物,叶子卵状披针形,花紫色。根可入药。

【龙胆紫】lóngdǎnzǐ 名 有机染料的一种,绿色有金属光泽的结晶,溶于水和酒精。医药上用作消毒防腐剂,杀菌力很强而没有刺激性,又可以做驱除蛲虫的药物。溶液为紫色,通称紫药水。

【龙灯】lóngdēng 名 民间舞蹈用具,用布或纸做成的龙形的灯,灯架由许多环节构成,每节下面有一根棍子。表演时每人举着一节,同时舞动,用锣鼓伴奏:耍～。

【龙飞凤舞】lóng fēi fèng wǔ 形容山势蜿蜒雄壮,也形容书法笔势舒展活泼。

【龙宫】lónggōng 名 神话中龙王的宫殿。

【龙骨】lónggǔ 名 ❶ 鸟类的胸骨,善于飞翔的鸟类这块骨头形成较高的突起。❷ 指古代某些哺乳动物、犀牛等骨骼的化石。可入药。❸ 船只、飞机、建筑物等的像脊椎和肋骨那样的支撑和承重结构。

【龙虎榜】lónghǔbǎng 名 指排行榜。

【龙江剧】lóngjiāngjù 名 黑龙江地方戏曲剧种,在曲艺二人转的基础上吸收当地民间音乐发展而成。

【龙井】lóngjǐng 名 绿茶的一种,形状扁平而直,色泽翠绿,产于浙江杭州龙井一带。

【龙卷】lóngjuǎn 名 风力极强而范围不大的旋风,形状像一个从云中垂下的大漏斗,破坏力极大。在陆地上,能把大树连根拔起,毁坏各种建筑物和农作物;在海洋上,能把海水吸到空中,形成水柱。通称龙卷风。

【龙卷风】lóngjuǎnfēng 名 龙卷的通称。

【龙马精神】lóngmǎ jīngshén 唐代李郢《上裴晋公》诗:"四朝忧国鬓如丝,龙马精神海鹤姿。"后用来比喻健旺的精神。

【龙门阵】lóngménzhèn 名 见 31 页〖摆龙门阵〗。

【龙脑】lóngnǎo 名 有机化合物,化学式 $C_{10}H_{17}OH$。白色半透明晶体,存在于龙脑树树干中,通常由人工合成。有清凉气味,可制香料,也可入药,入药后也叫冰片。

【龙盘虎踞】lóng pán hǔ jù 见 577 页〖虎踞龙盘〗。

【龙山文化】Lóngshān wénhuà 名 我国新石器时代晚期的一种文化。晚于仰韶文化因最早发现于山东济南附近龙山镇而得名。遗物中常有黑而亮的陶器,所以也曾称为黑陶文化。

【龙生九子】lóng shēng jiǔ zǐ 古代传说,一龙所生的九条小龙,形状性格都不相同。比喻同胞弟兄志趣各有差别,并不一样。也说龙生九种。

【龙潭虎穴】lóng tán hǔ xué 比喻危险的境地。也说虎穴龙潭。

【龙套】lóngtào 图❶ 传统戏曲中成队的随从或兵卒所穿的戏装,因绣有龙纹而得名。❷ 穿龙套的演员,也指这样的角色。

【龙腾虎跃】lóng téng hǔ yuè 形容威武雄壮,非常活跃:工地上~,热火朝天。也说虎跃龙腾。

【龙头】[1] lóngtóu 图❶ 自来水管的放水活门,有旋转装置可以打开或关上。龙头也用在其他液体容器上。❷〈方〉自行车的把(bǎ)。

【龙头】[2] lóngtóu 图❶ 比喻带头的、起主导作用的事物:~企业|~产品。❷〈方〉江湖上称帮会的头领。

【龙王】Lóngwáng 图神话中在水里统领水族的王,掌管兴云降雨。迷信的人向龙王求雨。

【龙虾】lóngxiā 图节肢动物,身体圆柱形而略扁,长30厘米左右,色彩鲜艳,常有美丽斑纹。生活在海底。肉味鲜美。我国南海和东海南部都有出产。

【龙涎香】lóngxiánxiāng 图灰色或黑色的蜡状芳香物质。是抹香鲸肠胃的病态分泌物,类似结石,可做香料。

【龙须面】lóngxūmiàn 图一种非常细的面条儿。

【龙眼】lóngyǎn 图❶ 常绿乔木,羽状复叶,花黄白色,果实球形,外皮黄褐色,果肉白色、味甜,可以吃,也可入药。生长在福建、广东等地。❷ 这种植物的果实。‖也叫桂圆。

【龙爪槐】lóngzhǎohuái 图槐树的一个变种,枝条弯曲下垂。

【龙争虎斗】lóng zhēng hǔ dòu 比喻双方势均力敌,斗争激烈。

【龙钟】lóngzhōng〈书〉厖身体衰老、行动不灵便的样子:老态~。

【龙舟】lóngzhōu 图龙船:~竞渡。

茏(蘢) lóng 见【茏葱】、227页【葱茏】。

【茏葱】lóngcōng 厖(草木)青翠茂盛:林木~。

咙(嚨) lóng 见568页【喉咙】。

泷(瀧) lóng〈方〉急流的水(多用于地名):七里~(在浙江)。
另见1276页Shuāng。

珑(瓏) lóng 见下。

【珑璁】lóngcōng〈书〉❶ 拟声形容金属、玉石等撞击的声音。❷ 同"茏葱"。

【珑玲】lónglíng〈书〉❶ 拟声形容金属、玉石等撞击的声音。❷ 厖光辉②;明亮。

栊(櫳、欞) lóng〈书〉❶ 窗户;房~|帘~(带帘子的窗户)。❷ 养兽的栅栏。

昽(曨) lóng 见936页【曚昽】。

胧(朧) lóng 见936页【朦胧】。

砻(礱) lóng〈方〉❶ 图去掉稻壳的工具,形状像磨,多用木料制成。❷ 囝用砻去掉稻壳:~了两担稻子。

【砻糠】lóngkāng〈方〉图稻谷砻过后脱下的外壳。

眬(矓) lóng 见935页【矇眬】。

竜 lóng ❶〈书〉同"龙"。❷ 用于地名:~名~(在甘肃)。

聋(聾) lóng 厖耳朵听不见声音,通常把听觉迟钝也叫聋:~哑|耳~眼花。

【聋子】lóng·zi 图耳聋的人。

笼(籠) lóng ❶ 图笼子:竹~|兔~|鸡从~里跑出来了。❷ 旧时囚禁犯人的刑具:囚~。❸ 图蒸笼:小~包子|馒头刚上~。❹〈方〉囝把手放在袖筒里:~着手。
另见881页lǒng。

【笼火】lóng//huǒ 囝用柴引火使煤炭燃烧;生火:今天不冷,甭~了。

【笼屉】lóngtì 图竹、木、铁皮等制成的器具,用来蒸食物。

【笼头】lóng·tou 图套在骡马等头上的东西,用皮条或绳子做成,用来系缰绳,有的并挂嚼子。

【笼中鸟】lóngzhōngniǎo 图比喻受过而

丧失自由的人。

【笼子】lóng·zi 名 用竹篾、木条、树枝或铁丝等制成的器具，用来养虫鸟或装东西。

另见 881 页 lǒng·zi。

【笼嘴】lóng·zui 名 使用牲口时，套在牲口嘴上，使它不能吃东西的器物，用铁丝、树条、竹篾等做成。

舫（艫）lóng 〈书〉有篷的小船。

隆 lóng ❶ 形 盛大：～重。❷ 兴盛：兴～|～盛。❸ 深厚；程度深：～冬|～恩|～情厚谊。❹ 凸出：～起。❺（Lóng）名 姓。

另见 879 页 lōng。

【隆冬】lóngdōng 名 冬天最冷的一段时期；严冬：～季节|数九～。

【隆隆】lónglóng 拟声 形容剧烈震动的声音：雷声～|炮声～。

【隆情】lóngqíng 名 深厚的感情：～厚谊。

【隆庆】Lóngqìng 名 明穆宗（朱载坖）年号（公元 1567—1572）。

【隆乳】lóngrǔ 动 隆胸。

【隆盛】lóngshèng 〈书〉形 ❶ 昌盛；兴盛：国势～。❷ 盛大。

【隆胸】lóngxiōng 动 通过手术等使女性乳房丰满隆起。也说隆乳。

【隆重】lóngzhòng 形 盛大庄重：～的典礼|大会在北京～召开。

【隆准】lóngzhǔn 〈书〉名 高鼻梁。

潍 lóng 永潍河（Yǒnglónghé），地名，在湖北。

癃 lóng ❶〈书〉衰弱多病：疲～。❷癃闭。

【癃闭】lóngbì 名 中医指小便量少，甚至不通的病。

窿 lóng 〈方〉名 煤矿坑道：～工|清理废～|把煤桶堆在～门口。

lǒng （ㄌㄨㄥˇ）

优（傯）lǒng ［优侗］（lǒngtǒng）〈书〉同"统统"。

陇（隴）Lǒng ❶ 陇山，山名，在陕西、甘肃交界的地方。❷ 名 甘肃的别称。

【陇剧】lǒngjù 名 甘肃地方戏曲剧种之一，由甘肃东部的皮影戏、陇东道情发展而成。

拢（攏）lǒng ❶ 动 合上：他笑得嘴都合不～了。❷ 动 靠近；到达：～岸|靠～。❸ 动 总合：～共|～总|把账一～一～。❹ 动 使不松散或不离开；收拢：～音|归～|用绳子把柴火一～|把孩子～在怀里|～住他的心。❺ 动 梳（头发）：她用梳子～了～头发。❻（Lǒng）名姓。

【拢岸】lǒng//àn 动（船只）靠岸。

【拢共】lǒnggòng 副 一共；总共：镇上～不过三百户人家。

【拢音】lǒng//yīn 动 使声波在一定范围内不分散，听起来声音更清晰：在露天剧场唱不～。

【拢子】lǒng·zi 名 齿小而密的梳子。

【拢总】lǒngzǒng 副 一共；总共：站上职工～五十个人。

垄（壟、壠）lǒng ❶ 名 在耕地上培成的一行一行的土埂，在上面种植农作物：～沟。❷ 名 田地分界的稍稍高起的小路；田埂。❸ 形状像"垄"①的东西：瓦～。❹（Lǒng）名姓。

【垄断】lǒngduàn 动《孟子·公孙丑》："必求垄断而登之，以左右望而罔市利。"原指站在市集的高地上操纵贸易，后泛指把持和独占：～市场|～集团。

【垄沟】lǒnggōu 名 垄和垄之间的沟，用来灌溉、排水或施肥。

【垄作】lǒngzuò 动 把农作物种在垄上，或把行间的土逐渐培在作物的根部形成垄，如甘薯就是用垄作的方法种植的。

笼（籠）lǒng ❶ 动 笼罩：暮色～住了大地|整个山村～在烟雨之中。❷ 笼子（lǒng·zi）：箱～。

另见 880 页 lóng。

【笼络】lǒngluò 动 用手段拉拢：～人心。

【笼统】lǒngtǒng 形 缺乏具体分析，不明确；含混：他的话说得非常～|他只是笼笼统统地解释一下。

【笼罩】lǒngzhào 动 像笼子（lóng·zi）似地罩在上面：晨雾～在湖面上|朦胧的月光～着原野。

【笼子】lǒng·zi 〈方〉名 比较大的箱子。

另见 881 页 lóng·zi。

篢(篢) lǒng ❶〈方〉同"笼"(lǒng)②。❷ 织篢(Zhīlǒng),地名,在广东。

lòng (ㄌㄨㄥˋ)

弄 lòng〈方〉 图 小巷,胡同(多用于巷名):里~|~堂|一条小~。
另见 1006 页 nòng。

【弄堂】lòngtáng〈方〉图 巷;弄:~口|~门|~房子|三条~。

哢 lòng〈书〉鸟叫。

崣

崣 lòng 石山间的小片平地。[壮]

lōu (ㄌㄡ)

摟(摟) lōu 动 ❶ 用手或工具把东西聚集到自己面前:~柴火|~点儿干草烧。❷ 用手拢着提起来(指衣服):~起袖子|她~着裙子蹚水过河。❸ 搜刮(财物);尽力赚(钱):~钱。❹〈方〉向自己的方向拨;扳:~扳机。❺〈方〉核算:~算|把账~一~。
另见 883 页 lǒu。

【摟头盖脸】lōu tóu gài liǎn 正对着头和脸:她抄起个碗对着那个人~扔过去。也说摟头盖顶。

䁖(瞜) lōu〈方〉 动 看(口气不庄重):这是你新买的吗?我~~|这玩意儿不错,让我~一眼。

lóu (ㄌㄡ)

刬(劃) lóu〈方〉图 堤坝下面排水、灌水的口子;横穿河堤的水道:~口|~嘴。

娄(婁) lóu ❶〈方〉 形 (身体)虚弱:他动不动就病,身子骨儿可~啦。❷〈方〉 形 (某些瓜类)过熟而变质:西瓜~了保换。❸ 二十八宿之一。❹(Lóu)图 姓。

【娄子】 lóu·zi〈口〉图 乱子;纠纷;祸事:惹~|捅~|出~。

偻(僂) lóu ❶ 见 481 页【佝偻病】。❷ 见 882 页【喽啰】(偻㑩)。
另见 892 页 lǚ。

蒌(蔞) lóu 见下。

【蒌蒿】lóuhāo 图 多年生草本植物,叶子互生,背面密生灰白色细毛,花冠筒状,淡黄色。叶子可以做艾的代用品。

【蒌叶】lóuyè 图 常绿藤本植物,叶子椭圆形,花绿色。果实有辣味,可用来制调味品。叶和果实可入药。也叫蒟酱(jǔjiàng)。

喽(嘍) lóu [喽啰](偻㑩)(lóu·luó)图 旧时称强盗头目的部下,现多比喻追随恶人的人。
另见 884 页 ·lou。

溇(漊) Lóu 溇水,水名,在湖南。

楼(樓) lóu ❶ 图 楼房:大~|教学~|高~大厦|一座~。❷ 图 楼房的一层:一~(平地的一层)|一口气爬上十~。❸ (~儿)房屋或其他建筑物上加盖的一层房子:城~|箭~|钟~。❹ 用于某些店铺的名称:茶~|酒~|银~。❺(Lóu)图 姓。

【楼板】lóubǎn 图 楼房中上下两层之间的木板或水泥板。

【楼层】lóucéng 图 指楼房的一层:每个~都设有消火栓。

【楼道】lóudào 图 楼房内部的走道:~里不要堆放杂物。

【楼房】lóufáng 图 两层或两层以上的房子。

【楼阁】lóugé 图 楼和阁,泛指楼房。

【楼花】lóuhuā 图 指预售的尚未竣工的楼房:出售~。

【楼盘】lóupán 图 在建的或正在出售的商品楼:开发新~|推销~。

【楼市】lóushì 图 楼房市场,也泛指房产市场。

【楼台】lóutái 图 ❶〈方〉凉台。❷ 泛指楼(多用于诗词戏曲):近水~。

【楼梯】lóutī 图 架设在楼房的两层之间供人上下的设备,形状像台阶。

【楼宇】lóuyǔ 图 楼房。

耧（耬） lóu 〔名〕播种用的农具，由牲畜牵引，后面有人扶着，可以同时开沟、下种并自行覆土。有的地区叫耩子（jiǎng·zi）。

【耧播】lóubō 〔动〕耩（jiǎng）。

蝼（螻） lóu 蝼蛄：～蚁。

【蝼蛄】lóugū 〔名〕昆虫，背部茶褐色，腹面灰黄色。前足发达，呈铲状，适于掘土，有尾须。生活在泥土中，昼伏夜出，吃农作物嫩茎。也叫蝲蝲蛄（làlàgǔ）。

【蝼蚁】lóuyǐ 〔名〕蝼蛄和蚂蚁，用来代表微小的生物，比喻力量薄弱或地位低微的人。

【蝼螲】lóuzhì 〔古〕古书上指蝼蛄。

髅（髏） lóu 见 337 页〔髑髅〕、787 页〔骷髅〕。

lǒu （ㄌㄡˇ）

搂（摟） lǒu ❶〔动〕拢抱：妈妈把孩子～在怀里。❷〔量〕两臂合抱的量为一搂：抱来一～麦秸｜两～粗的大树。
另见 882 页 lōu。

【搂抱】lǒubào 〔动〕两臂合抱；用胳膊拢着：小姑娘亲热地～着小猫。

嵝（嶁） lǒu 岣嵝（Gǒulǒu），山名，衡山主峰，也指衡山，在湖南。

篓（簍） lǒu （～儿）〔名〕篓子：竹～｜背～｜油～｜字纸～儿。

【篓子】lǒu·zi 〔名〕用竹子、荆条、苇篾儿等编成的盛东西的器具，从口到底比较深。

lòu （ㄌㄡˋ）

陋 lòu ❶ 不好看；丑：丑～。❷ 粗劣，不精致：粗～｜因～就简。❸（住的地方）狭小，不华美：～室｜～巷。❹ 不文明，不合理：～俗｜～习。❺（见闻）少：浅～｜孤～寡闻。

【陋规】lòuguī 〔名〕不好的规矩、惯例：革除～。

【陋室】lòushì 〔名〕简陋的房屋：身居～。

【陋俗】lòusú 〔名〕不好的风俗。

【陋习】lòuxí 〔名〕不好的习惯：陈规～。

【陋巷】lòuxiàng 〔名〕狭窄破旧的街巷：穷街～。

镂（鏤） lòu 雕刻：雕～｜～刻｜～花｜～空。

【镂骨铭心】lòu gǔ míng xīn 刻骨铭心。

【镂刻】lòukè 〔动〕❶ 雕刻：～花纹◇岁月在他的额头上～下深深的皱纹。❷ 深深地记在心里；铭记：动人的话语～在她的心中。

【镂空】lòukōng 〔动〕在物体上雕刻出穿透物体的花纹或文字：～的象牙球。

瘘（瘻、屚） lòu ❶ 人和动物体内发生脓肿时生成的管子，也有手术后安装的，管子的开口或在皮肤表面，或与其他内脏相通，病灶内的分泌物等可以从这里流出来：肛～｜膀胱阴道～。也叫瘘管。❷〈书〉瘰疬。

【瘘管】lòuguǎn 〔名〕瘘①。

漏 lòu ❶〔动〕东西从孔或缝中滴下、透出或掉出：壶里的水～光了。❷〔动〕物体有孔或缝，东西能滴下、透出或掉出：～勺｜锅～了｜那间房子～雨。❸ 漏壶的简称，借指时刻：～尽更深。❹〔动〕泄露：走～风声｜说～了嘴。❺〔动〕遗漏：挂一～万｜这一行～了两个字｜点名的时候，把他的名字给～了。

【漏乘】lòuchéng 乘客购票后因误点或其他原因未能乘上应乘坐的火车、飞机等。

【漏窗】lòuchuāng 〔名〕园林建筑中不糊纸或不安玻璃的窗户。

【漏电】lòu∥diàn 〔动〕跑电。

【漏洞】lòudòng 〔名〕❶ 能让东西漏过去的不应有的缝隙或小孔儿。❷（说话、做事、办法等）不周密的地方；破绽：堵塞工作的～｜他的话里～百出。

【漏斗】lòudǒu 〔名〕把液体或颗粒、粉末灌到小口的容器里用的器具，一般是由一个锥形的斗和一个管子构成。

【漏风】lòu∥fēng 〔动〕❶ 物有空隙，风能出入：这个风箱～｜窗户有缝儿，到冬天～。❷ 因为牙齿脱落，说话时拢不住气：安上了假牙以后，他说话再不～了。❸ 走漏风声；这件事先别漏出风去。

【漏光】lòu∥guāng 〔动〕跑光。

【漏壶】lòuhú 〔名〕古代计时的器具，用铜制成，分播水壶、受水壶两部。播水壶分二至四层,均有小孔,可以滴水,最后流入受水壶,受水壶里有立箭,箭上划分一百刻,箭随蓄水逐渐上升,露出刻数,用以表示时间。也有不用水而用沙的。也叫漏刻。简称漏。

【漏勺】lòusháo 名 炊事用具,有许多小孔的金属勺子,用来捞东西。

【漏失】lòushī 动 ❶ 漏而失掉:水分~。❷ 疏漏;失误:这一工作不能有半点~。

【漏税】lòu//shuì 动 (纳税者)由于疏忽大意或者不了解税收法令而没有缴纳应缴的税款,通常指有意违反税收法令逃避应该缴纳的税款。

【漏题】lòu//tí 动 ❶ 泄露试题:防止~|英语考试漏了题。❷ 漏做试题:他马马虎虎,考试时经常~。

【漏网】lòu//wǎng 动 (罪犯、敌人等)没有被逮捕或歼灭:无一~|~之鱼。

【漏网之鱼】lòu wǎng zhī yú 比喻侥幸脱逃的罪犯、敌人等。

【漏泄】lòuxiè 动 ❶ (水、光线等)流出或透出:煤气管道~|阳光从枝叶的缝隙中~下来。❷ 泄露;走漏:~试题|~天机。

【漏夜】lòuyè 名 深夜。

【漏诊】lòuzhěn 动 医生没有把病人的病症诊断出来:哮喘的发病原因很复杂,容易被误诊,~。

【漏卮】lòuzhī 〈书〉名 有漏洞的盛酒器,比喻国家利益外溢的漏洞。

【漏子】lòu·zi 名 ❶〈口〉漏斗。❷ 漏洞:这戏法儿变得让人看不出~来。

【漏嘴】lòu//zuǐ 动 说话不留神把不该说或不想说的话说了出来。

露 lòu 动 义同"露²"(lù),用于下列各词。
　　另见890页 lù。

【露白】lòu//bái 动 指在人前露出自己带的财物。

【露丑】lòu//chǒu 动 出丑;丢丑:出乖~。

【露底】lòu//dǐ 动 泄露底细:这事一定要保密,千万不能露了底。

【露风】lòu//fēng 动 走漏风声。

【露富】lòu//fù 动 显出有钱。

【露脸】lòu//liǎn 动 ❶ 指因获得荣誉或受到赞扬,脸上有光彩:干出点儿名堂来,也露露脸。❷(~儿)〈方〉露面:他有好几天

没在村里~了。

【露马脚】lòu mǎjiǎo 比喻隐蔽的事实真相泄露出来:说谎早晚总要~。

【露面】lòu//miàn (~儿)动 出现在一定的场合(多指人出来交际应酬):公开~。

【露苗】lòu//miáo 动 种子萌发后,幼苗露出地表面。也叫出苗。

【露怯】lòu//qiè〈方〉动 因为缺乏知识,言谈举止发生可笑的错误:从小长在城市里,乍到农村难免~。

【露头】lòu//tóu (~儿)动 ❶ 露出头部:他从洞里爬出来,刚一~儿就被我们发现了。❷ 比喻刚出现;显出迹象:旱象已经~。
　　另见890页 lùtóu。

【露相】lòu//xiàng (~儿)〈方〉动 露出本来面目。

【露馅儿】lòu//xiànr 动 比喻不愿意让人知道的事暴露出来:这本来是捏造的,一对证,就~了。

【露一手】lòu yī shǒu (在某一方面或某件事上)显示本领:他唱歌真不错,每次联欢总要~。

【露拙】lòuzhuō 动 显露出自己的弱点或不足:藏巧~,后发制人。

•lou（·ㄌㄡ）

喽（嘍） •lou 助 ❶ 用法如"了"(·le)①,用于预期的或假设的动作:吃~饭就走|他要知道一定很高兴。❷ 用法如"了"(·le)②,带有提醒注意的语气:水开~|起来~。
　　另见882页 lóu。

lū（ㄌㄨ）

撸（擼） lū〈方〉动 ❶ 捋(luō):挽着裤脚,~起袖子|把树枝上的叶子~下来。❷ 撤销(职务):他因犯了错误,职务也给~了。❸ 训斥;斥责:挨了一顿~。

噜（嚕） lū [噜苏](lū·sū)〈方〉形 啰唆。

lú（ㄌㄨˊ）

卢（盧） Lú 图 姓。

【卢比】lúbǐ 图 印度、巴基斯坦、孟加拉、尼泊尔、斯里兰卡等国的本位货币。[英 rupee]

【卢布】lúbù 图 俄罗斯等国的本位货币。[俄 рубль]

【卢沟桥事变】Lúgōuqiáo Shìbiàn 七七事变。

芦（蘆） lú ❶ 芦苇：～花｜～根｜～席。❷（Lú）图 姓。
　另见 886 页 lǔ。

【芦荡】lúdàng 图 苇荡。

【芦箙】lúfèi 〈方〉图 芦席。

【芦柑】lúgān 图 椪柑。

【芦花】lúhuā 图 芦苇花轴上密生的白毛。

【芦荟】lúhuì 图 多年生草本植物，叶子大，长披针形，边缘有黄色小齿，肉质肥厚。生长在地中海沿岸和热带地区，我国华南地区也有。汁液可入药。

【芦笙】lúshēng 图 苗、侗等少数民族的管乐器，用若干根芦竹管和一根吹气管装在木制的座子上制成。

【芦笋】lúsǔn 图 石刁柏的通称。

【芦苇】lúwěi 图 多年生草本植物，多生在水边，叶子披针形，茎中空，光滑，花紫色。茎可以编席，也可以造纸。根状茎入药。也叫苇子。

【芦席】lúxí 图 用苇篾编成的席子。

庐¹（廬） lú 简陋的房屋：茅～｜～舍。

庐²（廬） Lú ❶ 指庐州（旧府名，府治在今安徽合肥）：～剧。❷ 图 姓。

【庐山真面】Lú Shān zhēn miàn 宋代苏轼《题西林壁》诗："横看成岭侧成峰，远近高低各不同，不识庐山真面目，只缘身在此山中。"后来用"庐山真面"比喻事物的真相或人的本来面目。也说庐山真面目。

【庐舍】lúshè 〈书〉图 房屋；田舍。

垆¹（壚） lú 黑色的土壤：～土。

垆²（壚、鑪） lú 酒店里安放酒瓮的土台子，借指酒店：酒～｜当～（卖酒）。

【垆坶】lúmǔ 图 壤土旧称垆坶。[英 loam]

【垆埴】lúzhí 〈书〉图 黑色的黏土。

炉（爐、鑪） lú ❶ 炉子：火～｜锅～｜电～｜高～｜围～｜取暖。❷（Lú）图 姓。
　"鑪"另见 886 页"铲"。

【炉箅子】lúbì·zi 图 炉膛和炉底之间承煤漏灰的铁屉子。

【炉衬】lúchèn 图 用耐火材料砌成的冶炼炉的内壁。

【炉火纯青】lú huǒ chún qīng 相传道家炼丹，到炉子里的火发出纯青色的火焰的时候，就算成功了。比喻学问、技术或办事达到了纯熟完美的地步。

【炉龄】lúlíng 图 工业上指炉衬的使用期限，一般根据两次大修之间冶炼的次数和时数来计算。

【炉台】lútái 图 炉子上面可以放东西的平面部分。

【炉膛】lútáng （～儿）图 炉子里面烧火的地方：把～改小一点儿，就能省煤。

【炉条】lútiáo 图 炉膛与炉底之间承燃料的铁条，作用与炉箅子相同。

【炉瓦】lúwǎ 图 用耐火材料做成的瓦状物，砌在炉内作为内衬。

【炉灶】lúzào 图 炉子和灶的统称：修理～｜◇另起～。

【炉渣】lúzhā 图 ❶ 冶炼时杂质经氧化与金属分离形成的渣滓。有些炉渣可用来制炉渣水泥、炉渣砖、炉渣玻璃等。❷ 煤燃烧后结成的焦渣。

【炉子】lú·zi 图 供做饭、烧水、取暖、冶炼等用的器具或装置。

泸（瀘） Lú ❶ 泸水，古水名，即今金沙江在四川宜宾以上、云南四川交界处的一段。❷ 泸水，古水名，即今怒江。❸ 泸州（Lúzhōu），地名，在四川。

绐（纑） lú ❶ 〈书〉织细麻布的线坯子。❷ 古书上指苎麻一类的植物。

栌（櫨） lú 见 106 页[檘栌]、601 页[黄栌]。

轳（轤） lú 见 889 页[辘轳]。

胪(臚) lú 〈书〉陈列：～列｜～陈｜一一举。

【胪陈】lúchén 〈书〉动 一一陈述(多用于旧式公文或书信)：谨将经过实情,～如左。

【胪列】lúliè 〈书〉动 ❶ 列举：～三种方案,以供采择。❷ 陈列：珍馐～。

鸬(鸕) lú[鸬鹚](lúcí)名 水鸟,羽毛黑色,有绿、蓝、紫色光泽,嘴扁而长,暗黑色,上嘴的尖端有钩。能游泳,善于捕鱼,喉下的皮肤扩大成囊状,捕得鱼可以放在囊内。我国南方多饲养来帮助捕鱼。通称鱼鹰,有的地区叫墨鸦。

眹(矑) lú 〈书〉瞳人。

轳(轤) lú 名 金属元素,符号 Rf (rutherfordium)。有放射性,由人工核反应获得。
"轤"另见 885 页"炉"。

颅(顱) lú 名 头的上部,包括颅骨和脑。也指头。(图见 490 页"人的骨骼")

【颅骨】lúgǔ 名 构成头颅的骨头,包括额骨、顶骨、颞骨、枕骨、蝶骨等。

【颅腔】lúqiāng 名 颅内的空腔,顶部略呈半球形,底部高低不平。颅腔内有脑子。

舻(艫) lú 见 1777 页[舳舻]。

鲈(鱸) lú 名 鲈鱼,体侧扁,上部青灰色,下部灰白色,背部和背鳍有黑斑,口大,下颌突出。性凶猛,吃鱼虾等。生活在近海,秋末到河口产卵。

lǔ (ㄌㄨˇ)

芦(蘆) lǔ 见 1648 页[油葫芦]。
另见 885 页 lú。

卤(鹵、滷) lǔ ❶ 名 盐卤。❷ 名 卤素。❸ 动 用盐水加五香或用酱油煮：～味｜～鸡｜～鸭｜～口条(卤煮猪舌)。❹ 名 用肉类、鸡蛋等做汤加淀粉而成的浓汁,用来浇在面条等食物上：打～面。❺ (～儿)名 饮料的浓汁：茶～儿。

【卤菜】lǔcài 名 卤制的荤菜。

【卤莽】lǔmǎng 见 886 页[鲁莽]。

【卤水】lǔshuǐ 名 ❶ 盐卤。❷ 矿化度很高的地下水,常用来提取食盐、碘、溴、硼等。

【卤素】lǔsù 名 卤族元素,包括氟、氯、溴、碘、砹五种元素,它们的化学性质相似,是很强的氧化剂。

【卤味】lǔwèi 名 卤制的冷菜,如卤鸡、卤肉等。

【卤虾】lǔxiā 名 食品,把虾磨成糊状,加盐制成。

【卤虾油】lǔxiāyóu 名 卤虾的清汁。

【卤制】lǔzhì 动 用卤的方法制作；卤③。

虏(虜) lǔ ❶ 俘虏①：～获。❷ 俘虏②。❸ 古代指奴隶。❹ 〈书〉对敌方的蔑称：敌～｜强～。

【虏获】lǔhuò 动 俘虏敌人；缴获武器。

掳(擄) lǔ 把人抢走：～掠｜～人勒赎。

【掳掠】lǔlüè 动 抢劫人和财物：奸淫～。

鲁¹(魯) lǔ ❶ 迟钝；笨：愚～｜～钝。❷ 形 莽撞；粗野：粗～｜～莽｜这人办事挺～的。

鲁²(魯) Lǔ ❶ 周朝国名,在今山东曲阜一带。❷ 名 山东的别称：～菜。❸ 名 姓。

【鲁班尺】lǔbānchǐ 名 指木工所用的曲尺。

【鲁菜】lǔcài 名 山东风味的菜肴。

【鲁钝】lǔdùn 形 愚笨；不敏锐：赋性～。

【鲁莽】(卤莽)lǔmǎng 形 说话做事不经过考虑；轻率：说话～｜～从事。

【鲁鱼亥豕】lǔ yú hài shǐ 把"鲁"字写成"鱼"字,把"亥"字写成"豕"字。指文字传写刊刻错误。

【鲁直】lǔzhí 形 鲁莽而直率：性情～。

澛(澛) lǔ 澛港(Lǔgǎng),地名,在安徽。

橹¹(櫓、樐、艣、艪) lǔ 名 使船前进的工具,比桨长而大,安在船尾或船旁,用人摇。

橹²(櫓) lǔ 〈书〉大盾牌。

镥(鑥) lǔ 名 金属元素,符号 Lu (lutetium)。是一种稀土元素。银白色,质软。用于核工业。

lù （ㄌㄨˋ）

用 lù ❶ 甪直(Lùzhí),地名,在江苏。❷ 甪堰(Lùyàn),地名,在浙江。

【甪里】Lùlǐ 名❶ 古地名,在今江苏吴中西南。❷ 姓。

陆(陸) lù ❶ 陆地:大~|登~|~路|水~交通。❷ (Lù)名姓。
　　另见878页 liù。

【陆沉】lùchén 动陆地下沉或沉没,比喻国土沦丧。

【陆稻】lùdào 名种在旱地里的稻;抗旱能力比水稻强,根系比较发达,叶片较宽,米质软,光泽少。也叫旱稻。

【陆地】lùdì 名地球表面除去海洋(有时也除去江河湖泊)的部分。

【陆费】Lùfèi 名姓。

【陆军】lùjūn 名陆地作战的军队。现代陆军通常由步兵、炮兵、装甲兵、工程兵等兵种和各专业部队组成。

【陆离】lùlí 形形容色彩繁杂:光怪~|斑驳~。

【陆路】lùlù 名旱路:~交通。

【陆桥】lùqiáo 名❶ 连接两块大陆的陆地,如地质史上的连接亚洲和北美洲的陆地,又如现在连接北美洲和南美洲的巴拿马地峡。陆桥往往用于说明生物和古人类的迁移路线。❷ 海运的货物到达港口后,改为陆运,到另一港口再改为海运,两个港口之间的这一段陆地叫陆桥。

【陆禽】lùqín 名鸟的一类,翅膀短圆,不能远飞,善于在陆地上行走,如原鸽、原鸡、鹌鹑等。

【陆续】lùxù 副表示前后相继,时断时续:来宾~地到了|一到三月,桃花、李花和海棠陆陆续续地开了。

【陆运】lùyùn 动用火车、汽车等在陆路上运输。

【陆战】lùzhàn 名敌对双方的军队在地面上进行的战斗。

录(録) lù ❶ 记载;抄写:记~|登~|抄|~摘|~过|有闻必~。
❷ 动录制:~音|~像|~放|~了一首歌。
❸ 原指为备用而登记,后转指采收或任

用:收~|~用。❹ 用作记载物的名称:目~|语~|同学~|回忆~。❺ (Lù)名姓。

【录播】lùbō 动录制后再播放:世界杯足球赛直播和~相结合。

【录放】lùfàng 动录音或录像并放出所录的声音或图像:定时~。

【录供】lùgòng 动法律上指讯问时记录当事人说的话。

【录取】lùqǔ 动选定(考试合格的人):择优~|~新生三百名。

【录入】lùrù 动把文字等输入到计算机里:~员|平均每分钟~一百个汉字。

【录像】lùxiàng ❶ (-/-)动用光学、电磁等方法把图像和伴音信号记录下来:~机|当时的场面都录了像。❷ 名用录像机、摄像机记录下来的图像:放~|看~。

【录像带】lùxiàngdài 名记录图像和声音用的磁带。

【录像机】lùxiàngjī 名把图像和声音记录下来并能重新放出的机器。有磁带录像机、数字录像机等。

【录像片儿】lùxiàngpiānr 〈口〉名录像片。

【录像片】lùxiàngpiàn 名用放录像的方式映出的影片、电视片(一般单独发行,不在电视台播映)。

【录音】lùyīn ❶ (-/-)动用机械、光学或电磁等方法把声音记录下来:~机|~棚|两位学者的对话已经录了音。❷ 名用录音机记录下来的声音:放~|听~。

【录音笔】lùyīnbǐ 名一种外形像笔的小型录音设备。

【录音带】lùyīndài 名记录声音用的磁带。

【录音电话】lùyīn diànhuà 装有录音设备的电话,能自动录下通话内容。

【录音机】lùyīnjī 名把声音记录下来并能重新放出的机器。有不同的类型,通常指磁带录音机。

【录影】lùyǐng 〈方〉❶ (-/-)动录像①。❷ 名录像②。

【录用】lùyòng 动收录(人员);任用:量材~|择优~。

【录制】lùzhì 动用录音机或录像机把声音或形象记录下来,加工制成某种作品:~唱片|~电视剧。

辂(輅) lù ❶ 古代车辕上用来挽车的横木。❷ 古代的一种大车。

赂(賂) lù 〈书〉❶ 赠送财物;贿赂。❷ 财物,特指赠送的财物。

菉 lù 梅菉(Méilù),地名,在广东。
另见 893 页 lǜ。

崇 lù 土山间的小片平地。[壮]

鹿 lù 图❶ 哺乳动物,反刍类,种类很多,四肢细长,尾巴短,一般雄的头上有角,个别种类雌的也有角,毛多为褐色,有的有花斑或条纹,听觉和嗅觉都很灵敏。有梅花鹿、马鹿等。❷ (Lù)姓。

【鹿角】lùjiǎo 图❶ 鹿的角,特指雄鹿的角,可入药:~胶|~霜。❷ 鹿砦。

【鹿茸】lùróng 图雄鹿的嫩角没有长成硬骨时,带茸毛,含有血液,叫做鹿茸。是一种贵重的中药。

【鹿死谁手】lù sǐ shéi shǒu 以追逐野鹿比喻争夺天下,"不知鹿死谁手"表示不知道谁能获胜,现多用于比赛或竞争。

【鹿砦】lùzhài 图一种军用障碍物,把树木的枝干交叉放置,用来阻止敌人的步兵或坦克。因形状像鹿角而得名。也作鹿寨。

【鹿寨】lùzhài 同"鹿砦"。

渌 Lù 渌水,水名,发源于江西,流入湖南。也叫渌江。

逯 Lù 图姓。

绿(綠) lù 义同"绿"(lǜ),用于"绿林、绿营、鸭绿江"等。
另见 893 页 lǜ。

【绿林】lùlín 图绿林山(今湖北大洪山一带),西汉末年绿林起义的根据地。后来用"绿林"泛指聚集山林反抗官府或抢劫财物的集团):~好汉|称雄~。

【绿林起义】Lùlín Qǐyì 西汉末年的农民起义。公元 17 年,王匡、王凤在绿林山(今湖北大洪山一带)组织农民起义,称绿林军,反对王莽政权。公元 23 年,起义军建立更始政权。同年在昆阳大败王莽军,乘胜西进,攻占长安,推翻了王莽政权。

【绿营】lùyíng 图清代由汉人编成的分驻在地方的武装力量,用绿旗做标志。

骍(騄) lù [骍駬](lù'ěr)图古代骏马名。也作绿耳。

球 lù [球球](lùlù)〈书〉图形容稀少:~如玉。

禄 lù ❶ 古代称官吏的俸给:俸~|高官厚~|无功受~。❷ (Lù)图姓。

【禄蠹】lùdù 〈书〉图指追求功名利禄的人。

【禄位】lùwèi 〈书〉图俸禄和官职。

碌 lù ❶ 平凡(指人);庸~。❷ 事务繁杂;忙~|劳~。
另见 878 页 liù。

【碌碌】lùlù 图❶ 平庸,没有特殊能力:庸庸~|~无为。❷ 形容事务繁杂、辛辛苦苦的样子:~半生。

睩 lù 〈书〉眼珠转动。

路 lù ❶ 图道路:陆~|水~|大~|同~。❷ 图路程:八千里~|~遥知马力。❸ (~儿)途径;门路:生~|活~儿。❹ 条理:理~|思~|笔~。❺ 图地区;方面:南~货|外~人|各~英雄。❻ 图路线:三~进军|七~公共汽车。❼ 圖种类;等次:这一~人|哪一~病?|头~货|纸有好几~|二三~角色。❽ 圖用于队伍的行列,相当于"排"、"行":四~纵队。❾ (Lù)图姓。

【路霸】lùbà 图指非法在路上拦截过往车辆和行人强行收费的人:严厉打击车匪~。

【路标】lùbiāo 图❶ 交通标志。❷ 队伍行动时沿路所做的联络标志。

【路不拾遗】lù bù shí yí 东西掉在路上没有人捡走据为己有,形容社会风气很好。也说道不拾遗。

【路程】lùchéng 图❶ 运动的物体从起点到终点经过路线的总长度。❷ 泛指道路的远近:五百里~|三天~|打听前面的~◇革命的~。

【路道】lùdào 〈方〉图❶ 途径;门路:~熟|~粗(形容门路广)。❷ 人的行径(多用于贬义):来人~不正。

【路灯】lùdēng 图装在道路上照明用的灯。

【路堤】lùdī 图在低地上修筑的高于原地面的路基。

【路段】lùduàn 图道路的一段:有的~,推土机、压路机一齐上,修得很快。

【路费】lùfèi 图旅程中所用的钱,包括交通、伙食、住宿等方面的费用。

【路风】lùfēng 图指铁路、公路部门的工作作风和风气。

【路规】lùguī 名 铁路、公路上指有关车辆运行的规章制度。

【路轨】lùguǐ 名❶ 铺设火车道或电车道用的钢轨。❷ 轨道。

【路过】lùguò 动 途中经过(某地):从北京到上海,～济南。

【路徽】lùhuī 名 铁路系统使用的标志。我国铁路路徽❻为机车正面轮廓,由"人"字和钢轨横断面的形状构成图案,象征人民铁道的意思。

【路基】lùjī 名 铁路和公路的基础,一般分为路堤和路堑。

【路祭】lùjì 动 旧俗出殡时亲友在灵柩经过的路旁祭奠。

【路肩】lùjiān 名❶ 公路路基两边没有铺路面的部分,用来支承路面、停靠车辆等。❷ 铁路路基上道床两侧的部分。

【路检】lùjiǎn 动 在道路上对机动车进行检查:加强～,减少事故。

【路劫】lùjié 动 (盗匪)拦路抢劫。

【路警】lùjǐng 名 铁路或公路上维持秩序、保护交通安全的警察。

【路径】lùjìng 名❶ 道路(指如何到达目的地说):～不熟|迷失～。❷ 门路:经过多次试验,找到了成功的～。

【路局】lùjú 名 指铁路或公路的管理机构。

【路考】lùkǎo 动 让司机在指定的道路上驾驶汽车,以考查其技术是否合格。是汽车驾驶员资格考试的项目之一。

【路口】lùkǒu (～儿)名 道路会合的地方:三岔～|十字～|丁字～|把住～。

【路况】lùkuàng 名 道路的情况(指路面、交通流量等)。

【路面】lùmiàn 名 道路的表层,用土、小石块、混凝土或沥青等铺成:～平整。

【路牌】lùpái 名 标明交通路线或地名的牌子。

【路签】lùqiān 名 火车站上准许列车通行的凭证,列车到站后,如果不发给路签就不能通行。

【路堑】lùqiàn 名 在高地上挖的低于原地面的路基。

【路桥】lùqiáo 名 道路和桥梁:～建设。

【路人】lùrén 名 行路的人,比喻不相干的人:～皆知|视若～。

【路上】lù·shang 名❶ 道路上面:～停着一辆车。❷ 路途中:～要注意饮食。

【路数】lùshù 名❶ 路子。❷ 招数(zhāo-shù):学两手散打的～。❸ 底细:摸不清来人的～。

【路条】lùtiáo 名 一种简便的通行凭证。

【路途】lùtú 名❶ 道路:他经常到那里去,熟识～。❷ 路程:～遥远。

【路线】lùxiàn 名❶ 从一地到另一地所经过的道路(多指规定或选定的):行车～。❷ 思想上、政治上或工作上所遵循的根本途径或基本准则:坚持群众～。

【路向】lùxiàng 〈方〉道路延伸的方向,多用于比喻:青少年成长的～。

【路演】lùyǎn 名 指股份公司为了与投资者沟通和交流而举行的股票发行推介会。是英语 road show 的直译。

【路椅】lùyǐ 名 固定在路旁供人休息的椅子。

【路由器】lùyóuqì 名 计算机网络中的一种设备,用来连接若干网络协议不同的网络,使信息经过转换,从一个网络传送到另一个网络。

【路障】lùzhàng 名 设置在道路上的障碍物:清除～。

【路政】lùzhèng 名 公路、铁路的管理工作。

【路子】lù·zi 名 途径;门路:～广|走～。

僇 lù〈书〉❶ 侮辱。❷ 同"戮"。

蓼 lù〈书〉形容植物高大。
另见 858 页 liǎo。

簏 lù 见 421 页〖符箓〗。

漉（錄） lù 动 液体往下渗;滤:～网|～酒。

醁 lù 见 869 页〖醽醁〗。

辘（轆） lù 见下。

【辘轳】lù·lu 名 利用轮轴原理制成的一种起重工具,通常安在井上汲水。机械上的绞盘有的也叫辘轳。

【辘辘】lùlù 拟声 形容车轮等的声音:风车～而动|牛车发出笨重的～声◇饥肠～。

戮[1] lù 杀:杀～|屠～。

戮[2]（勠） lù〈书〉并;合:～力。

【戮力同心】lù lì tóng xīn 齐心合力，团结一致。

麗 lù〈书〉小渔网。

【麗籔】lùsù 同"簏簌"。

鵱（鵱）lù 名鱼，体侧扁，灰褐色，有黑色斑纹，眼和嘴都大，鳞呈栉状。生活在近海岩石间。

潞 Lù ❶ 潞水，古水名，即今山西的浊漳河。❷ 潞江，水名，就是怒江。❸ 名姓。

璐 lù〈书〉美玉。

簏 lù ❶〈书〉竹箱：书～。❷〈方〉名竹篾、柳条等编成的圆筒形器具，多用于盛零碎东西：婆儿｜字纸～。

【簏簌】lùsù〈书〉形形容下垂。也作麗籔。

鷺（鷺）lù 名鸟，嘴直而尖，颈长，飞翔时缩着颈，生活在水边。种类很多，常见的有白鹭、苍鹭。

【鷺鸶】lùsī 名白鹭。

麓 lù〈书〉山脚：山～｜泰山南～。

露[1] lù ❶ 名凝结在地面或靠近地面的物体表面上的水珠。是接近地面的空气温度逐渐下降(仍高于0℃)时，使所含水汽达到饱和后形成的。通称露水。❷ 用花、叶、果子等蒸馏，或在蒸馏液中加入果汁等制成的饮料：荷叶～｜果子～｜玫瑰～。

露[2] lù ❶ 在房屋、帐篷等的外面，没有遮盖：～天｜～营｜～宿。❷ 动显露，表现：揭～｜暴～｜吐～｜披～｜藏头～尾｜脸上～出了笑容。
另见 884 页 lòu。

【露布】lùbù 名 ❶〈书〉檄文。❷〈书〉军中捷报。❸ 古代不封口的诏书或奏章。❹〈方〉指布告、海报等。

【露点】lùdiǎn 名空气在气压不变的条件下冷却，使所含的水汽达到饱和状态的温度。气温与露点的差叫温度露点差，差值越小，表示空气湿度越接近饱和。

【露骨】lùgǔ 形用意十分显露，毫不含蓄：你说得这样～，我不相信他没听懂。

【露酒】lùjiǔ 名含有果汁或花香味的酒。

【露水】lù·shui 名露[1]①的通称◇～夫妻(指短暂同居的男女)。

【露宿】lùsù 动在室外或野外住宿：～街头｜风餐～。

【露宿风餐】lù sù fēng cān 见 406 页[风餐露宿]。

【露台】lùtái 名晒台。

【露天】lùtiān ❶名指房屋外面：～电影｜把金鱼缸放在～里。❷形属性词。上面没有遮盖物的：～剧场｜～煤矿。

【露头】lùtóu 名岩石和矿体露出地面的部分。矿体的露头是矿床存在的直接标记。也叫矿苗。
另见 884 页 lòu∥tóu。

【露头角】lù tóujiǎo 比喻初次显露才能。

【露营】lùyíng 动 ❶ 军队在房舍外宿营。❷ 以军队组织形式到野外过夜，晚间有行军、营火会等活动。

【露珠】lùzhū （～儿）名指凝聚像珠子的露水。

·lu （·ㄌㄨ）

氇（氇）·lu 见1064 页[氆氇]。

lú （ㄌㄨˊ）

驴（驢）lú 名哺乳动物，比马小，耳朵长，胸部稍窄，毛多为灰褐色，尾端有毛。多用作力畜。

【驴唇不对马嘴】lú chún bù duì mǎ zuǐ 比喻答非所问或事物两下不相合：这个比方打得不妥当，有点～。也说牛头不对马嘴。

【驴打滚】lúdǎgǔn （～儿）名 ❶ 高利贷的一种。放债时规定，到期不还，利息加倍。利上加利，越滚越多，如驴翻身打滚，所以叫驴打滚。❷ 食品，用黄米面夹糖做成，蒸熟后，滚上熟黄豆面。

【驴肝肺】lúgānfèi 名比喻极坏的心肠：好心当做～。

【驴骡】lúluó 名驮骡(juétí)。

【驴年马月】lú nián mǎ yuè 指不可知的年月(就事情遥遥无期，不能实现说）：照你这么磨磨蹭蹭，～也干不成。也说猴年马月。

【驴皮胶】lǘpíjiāo 图 阿胶（ējiāo）。

【驴皮影】lǘpíyǐng〈方〉图 皮影戏，因剧中人物剪影用驴皮做成而得名。

【驴子】lǘ·zi〈方〉图 驴。

闾（閭）lǘ ❶〈书〉里巷的门：倚～而望。❷〈书〉里巷；邻里；乡～|～里|～巷。❸古代二十五家为一闾。❹（Lǘ）图 姓。

【闾里】lǘlǐ〈书〉图 乡里。

【闾丘】Lǘqiū 图 姓。

【闾巷】lǘxiàng〈书〉图 小的街道，借指民间。

【闾阎】lǘyán〈书〉图 ❶ 平民居住的地区，借指民间：～繁富，库藏充足。❷ 指平民。

【闾左】lǘzuǒ〈书〉图 贫苦人民居住的地区，借指贫苦人民：陈胜、吴广起于～。

梧（梧）lǘ 见 1813 页〖棕梧〗，582 页〖花梧木〗。

lǚ（ㄌㄩˇ）

吕 lǚ ❶ 见 892 页〖律吕〗。❷（Lǚ）图 姓。

【吕剧】lǚjù 图 山东地方戏曲剧种之一，腔调由山东琴书发展而成。

【吕宋烟】lǚsòngyān 图 雪茄烟的旧称，因菲律宾吕宋岛所产的质量好而得名。

侣 lǚ ❶ 同伴：伴～|旧～|情～。❷（Lǚ）图 姓。

【侣伴】lǚbàn 图 伴侣。

捋 lǚ 动 用手指顺着抹过去，使物体顺溜或干净：～胡子|～麻绳。
另见 899 页 luō。

旅¹ lǚ ❶ 在外地做客；旅行：～客|～途|～日侨胞|～京同学会。❷ 旅行的人；离家在外的人：行～|商～。❸〈书〉同"稆"。

旅² lǚ ❶ 图 军队的编制单位，隶属于军或集团军，下辖若干营。❷ 指军队：劲～|军～之事。❸〈书〉副 共同：～进～退。

【旅伴】lǚbàn 图 旅途中的同伴。

【旅程】lǚchéng 图 旅行的路程：万里～|踏上～。

【旅次】lǚcì〈书〉图 旅途中暂居的地方。

【旅店】lǚdiàn 图 旅馆。

【旅费】lǚfèi 图 路费。

【旅馆】lǚguǎn 图 营业性的供旅客住宿的地方。

【旅进旅退】lǚ jìn lǚ tuì 跟大家同进同退，形容自己没有什么主张，跟着别人走。

【旅居】lǚjū 动 在外地或外国居住：～巴黎|这几张照片是我～成都时照的。

【旅客】lǚkè 图 旅行的人。

【旅鸟】lǚniǎo 图 候鸟在迁徙途中有规律地从某地经过而不在那里繁殖或越冬，这种鸟叫做该地区的旅鸟。

【旅社】lǚshè 图 旅馆（多用于旅馆的名称）。

【旅舍】lǚshè〈书〉图 旅馆。

【旅途】lǚtú 图 旅行途中：～风光|～见闻|～劳顿|踏上～。

【旅行】lǚxíng 动 为了办事或游览从一个地方去到另一个地方（多指路程较远的）：～团|～结婚|春季～|到海南岛去～。

【旅行车】lǚxíngchē 图 主要供旅行用的小型载客汽车，外形略呈长方体。

【旅行社】lǚxíngshè 图 专门办理各种旅行业务的服务机构，给旅行的人安排食宿、交通工具等。

【旅游】lǚyóu 动 旅行游览：～胜地|～旺季|放假后我们将到青岛～。

【旅游农业】lǚyóu nóngyè 农事活动与旅游相结合的农业发展形式。利用农村的自然风光作为旅游资源，提供必要的生活设施，让游客从事农耕、收获、采摘、垂钓、饲养等活动，享受回归自然的乐趣。也叫观光农业。

【旅游鞋】lǚyóuxié 图 适宜旅行走路穿的鞋，鞋底厚而软，呈坡形，衬有海绵等松软材料。

铝（鋁）lǚ 图 金属元素，符号 Al（aluminum）。银白色，质轻，化学性质活泼，延展性强，导电、导热性能好，是重要的工业原料，用途广泛。

【铝粉】lǚfěn 图 银色的金属颜料，用纯铝加工制成，用来配制油漆、油墨等。俗称银粉。

稆(稆) lǔ 谷物等不种自生的：～生。

偻¹(僂) lǔ 〈书〉弯曲(指身体)：伛（yǔ）～。

偻²(僂) lǔ 〈书〉迅速：不能～指(不能迅速指出来)。
另见882页 lóu。

屡(屢) lǔ 圖屡次：～见不鲜|～教不改|～战～胜。

【屡次】lǔcì 圖一次又一次：他们～创造新纪录。

【屡次三番】lǔ cì sān fān 形容次数很多：我出门之前，母亲～地叮嘱我注意身体。

【屡见不鲜】lǔ jiàn bù xiān 经常看见，并不新奇。也说数(shuò)见不鲜。

【屡教不改】lǔ jiào bù gǎi 多次教育，仍不改正。也说累教不改。

【屡屡】lǔlǔ 圖屡次：～碰壁|他写这篇回忆录的时候，～搁笔沉思。

【屡试不爽】lǔ shì bù shuǎng 屡次试验都没有差错。

缕(縷) lǔ ❶线：细针密～|千丝万～|不绝如～。❷一条一条，详详细细：～述|条分～析。❸圖用于细的东西：一～麻|一～头发|一～炊烟。

【缕陈】lǔchén 〈书〉缕述(多指下级向上级陈述意见)：具函～。

【缕缕】lǔlǔ 圈形容一条一条，连续不断：村中炊烟～上升。

【缕述】lǔshù 劚详细叙述：人所共知的事实，这里不拟～。

【缕析】lǔxī 劚详细地分析：条分～。

膂 lǔ 〈书〉脊骨。

【膂力】lǔlì 图体力：～过人。

褛(褸) lǔ 见811页［褴褛］。

履 lǔ ❶鞋：衣～|革～|削足适～。❷踩；走：～险如夷|如～薄冰。❸脚步：步～。❹履行：～约。

【履带】lǔdài 图围绕在拖拉机、坦克等车轮上的钢质链带。装上履带可以减少对地面的压强，并能增加牵引能力。也叫链轨。

【履历】lǔlì 图❶个人的经历：～表|他的～很简单。❷记载履历的文件：请填一

份～。

【履任】lǔrèn 〈书〉劚指官员上任。

【履险如夷】lǔ xiǎn rú yí 行走在险峻的地方像走在平地上一样，比喻处于险境而毫不畏惧，也比喻经历危险，但很平安。

【履新】lǔxīn 〈书〉劚指官吏就任新职。

【履行】lǔxíng 劚实践(自己答应做的或应该做的事)：～诺言|～合同|～手续。

【履约】lǔyuē 〈书〉劚实践约定的事；践约。

【履职】lǔzhí 劚履行职务。

lǜ （ㄌㄩˋ）

律 lǜ ❶法律；规则：定～|规～|纪～。❷我国古代审定乐音高低的标准，把乐音分为六律和六吕，合称十二律。❸旧诗的一种体裁：五～|七～|排～。参看【律诗】。❹〈书〉约束：～己|～人|自～。❺(Lǜ)图姓。

【律动】lǜdòng 劚有节奏地跳动；有规律地运动：脉搏在～|天体～不已|古城伴着现代化的～呈现出新的面貌。

【律己】lǜjǐ 劚约束自己：严于～。

【律令】lǜlìng 图法律条令；法令。

【律吕】lǜlǚ 图古代用竹管制成的校正乐律的器具，以管的长短(各管的管径相等)来确定音的不同高度。从低音管算起，奇数的六个管叫做"律"；成偶数的六个管叫做"吕"。后来用"律吕"作为音律的统称。

【律师】lǜshī 图受当事人委托或法院指定，依法协助当事人进行诉讼，出庭辩护，以及处理有关法律事务的专业人员。

【律诗】lǜshī 图旧诗体裁之一，形成于唐初。格律较严，每首八句(句二、四、六、八句要押韵，三四两句、五六两句要对偶，字的平仄有定规。每句五个字的叫五言律诗，七个字的叫七言律诗。

【律条】lǜtiáo 图❶法律条文：触犯～。❷泛指准则：做人的～。

【律宗】lǜzōng 图我国佛教宗派之一，唐代道宣所创，以注重戒律著称。

𫚒 lǜ 见574页［嵂𫚒］。

虑（慮）lǜ ❶ 思考：考～|深谋远～|千～一得。❷ 担忧；发愁：忧～|疑～|顾～|过～|不足为～。

菉 lù 见 893 页〖绿豆〗（菉豆）。
另见 888 页 lù。

率 lǜ 两个相关的数在一定条件下的比值：效～|速～|税～|圆周～|废品～|出勤～。
另见 1274 页 shuài。

绿（綠）lǜ 〔形〕像草和树叶茂盛时的颜色，由蓝和黄混合而成：嫩～|浓～|桃红柳～|青山～水。
另见 888 页 lù。

【绿菜花】lǜcàihuā 〔名〕西蓝花的通称。

【绿茶】lǜchá 〔名〕茶叶的一大类，是用高温破坏鲜叶中的酶，制止发酵制成的，沏出来的茶保持鲜茶叶原有的绿色。种类很多，如龙井、毛尖等。

【绿灯】lǜdēng 〔名〕安装在交叉路口，指示可以通行的绿色信号灯◇开～。

【绿地】lǜdì 〔名〕指城镇中经过绿化的空地。

【绿豆】（菉豆）lǜdòu 〔名〕一年生草本植物，叶子为三片小叶组成的复叶，花小、黄色，结荚果，种子绿色。种子供食用，也可酿酒。种子、花、叶和种皮均可入药。

【绿肥】lǜféi 〔名〕把植物的嫩茎叶翻压在地里，经过发酵分解而成的肥料。

【绿肺】lǜfèi 〔名〕比喻能吸收二氧化碳并释放出氧气的绿地、森林等：东郊公园被称为城市东部的～。

【绿化】lǜhuà 〔动〕种植树木花草，使环境优美卫生，防止水土流失：～山区|城市的～。

【绿卡】lǜkǎ 〔名〕指某些国家发给外国侨民的长期居留证。

【绿篱】lǜlí 〔名〕用木本或草本植物密植而成的围墙。

【绿帽子】lǜmào·zi 〔名〕绿头巾。

【绿内障】lǜnèizhàng 〔名〕青光眼。

【绿盘】lǜpán 〔名〕指证券交易市场电子显示屏上用绿色数字显示的下跌的价格或指数（跟"红盘"相对）。

【绿茸茸】lǜróngróng （～的）〔形〕状态词。形容碧绿而稠密：～的稻田|～的羊胡子草像绒毯子一样铺在地上。

【绿色】lǜsè ❶ 〔名〕绿的颜色。❷ 〔形〕属性词。指符合环保要求，无公害、无污染的：～食品|～能源。

【绿色壁垒】lǜsè bìlěi 指为了保护本国或本地区环境和经济利益而附加的进出口贸易条件及限制措施，如提高进口产品质量标准或实行高额征税等。也叫环境壁垒。

【绿色标志】lǜsè biāozhì 环境标志。

【绿色食品】lǜsè shípǐn 指无公害、无污染的安全营养型食品。

【绿色通道】lǜsè tōngdào 指医疗、交通运输等部门设置的手续简便、安全快捷的通道；泛指简便、安全、快捷的途径或渠道。

【绿生生】lǜshēngshēng （～的）〔形〕状态词。形容碧绿而鲜嫩：～的菠菜|田野披上了～的春装。

【绿视率】lǜshìlǜ 〔名〕绿色在人的视野中所占的比率。一般认为，绿视率在 25% 时，人眼的感觉最为舒适。

【绿松石】lǜsōngshí 〔名〕矿物，成分是含水的铜铝磷酸盐，多为蓝色或白色微蓝，常有不均匀的条纹或斑点，蜡状光泽，硬度 5—6。可做装饰品或雕刻材料。

【绿头巾】lǜtóujīn 〔名〕元明两代规定娼家男子戴绿头巾。后来称人妻子有外遇为戴绿头巾。也说绿帽子。

【绿头鸭】lǜtóuyā 〔名〕野鸭的一种，雄的头颈绿色，因而得名。

【绿阴】lǜyīn 同"绿荫"。

【绿茵】lǜyīn 〔名〕绿草地：～场（指足球场）。

【绿荫】lǜyīn 〔名〕指树荫：～蔽日。也作绿阴。

【绿莹莹】lǜyíngyíng （～的）〔形〕状态词。形容晶莹碧绿：～的宝石|秧苗在雨中显得～的。

【绿油油】lǜyóuyóu （口语中也读 lǜyōuyōu）（～的）〔形〕状态词。形容浓绿而润泽：～的麦苗|鹦鹉一身～的羽毛，真叫人喜欢。

【绿洲】lǜzhōu 〔名〕沙漠中有水、草的地方。

【绿柱石】lǜzhùshí 〔名〕矿物，成分是铍铝硅酸盐。常见的有绿色或蓝色的，也有黄色或粉红色的，多透明，有玻璃光泽，硬度 7—8。是提制铍的主要原料，其中的上品是宝石（如祖母绿、海蓝宝石等）。

葎 lǜ ［葎草］（lǜcǎo）〔名〕一年生或多年生草本植物，密生短刺，叶子掌状分裂，花淡黄绿色，果穗略呈球形。全草入药。

氯 lǜ 名❶ 气体元素,符号 Cl(chlorum)。黄绿色,有毒,有腐蚀性,有强烈的刺激性气味,容易液化。用来漂白、杀菌或制造漂白粉、染料、颜料、农药、塑料等。❷ lùqì 指氯气。

【氯纶】lùlún 名 合成纤维的一种,即聚氯乙烯纤维,能耐强酸强碱,遇火不燃烧,用来做工厂的滤布、工作服和电缆的绝缘材料。氯纶的保暖性能好,也用来编织衣物和絮衣被等。

【氯气】lùqì 名 氯分子(Cl₂)组成的气态物质。

滤(濾) lǜ 动 使液体通过纱布、木炭或沙子等,除去杂质,变为纯净(间或用于气体):过~|~器|~纸|~药。

【滤波】lùbō 动 用一定的装置把不同频率的电信号分离开,只让某一频率范围内的电信号通过。

【滤尘】lùchén 动 用滤器过滤,使所含的尘土微粒分离出去。

【滤器】lùqì 名 过滤用的装置,用多孔性材料、松散的固体颗粒、织品等装在管子或容器中构成。滤器只让液体和气体通过,把其中所含的固体微粒分离出去。

【滤色镜】lùsèjìng 名 有色透明镜片。只能透过某种色光,而吸收掉其他色光。在摄影中利用它吸收一部分色光,改变拍摄所得影像的色调。最常用的是黄色和黄绿色的,多用玻璃或塑料制成。

【滤液】lùyè 名 过滤后得到的澄清液体。

【滤渣】lùzhā 名 过滤时分离出来的固体颗粒。

【滤纸】lùzhǐ 名 用纯洁纤维制成的质地疏松的纸,一般裁成圆形,用时卷成锥形放在漏斗中,可以过滤溶液。

镥(鑥) lǜ 〈书〉❶ 打磨铜、铁、骨、角等的工具。❷ 打磨。

luán (ㄌㄨㄢ)

峦(巒) luán 〈书〉山(多指连绵的):山~|冈~|峰~|重~叠嶂。

【峦嶂】luánzhàng 名 直立像屏障的山峦。

孪(孿) luán 〈书〉孪生:~子。

【孪生】luánshēng 形 属性词。(两人)同一胎出生的:~子|~兄弟。通称双生。

娈(孌) luán 〈书〉相貌美。

栾(欒) luán 名❶ 栾树,落叶乔木,羽状复叶,小叶卵形,花黄色,蒴果长椭圆形,种子球形。叶子可制栲胶,花可做黄色染料,种子可用来榨油。❷(Luán) 姓。

挛(攣) luán 蜷曲不能伸直:~缩|拘~|痉~。

【挛缩】luánsuō 动 蜷曲收缩:局部软组织~,血液循环不良。

鸾(鸞) luán 传说中凤凰一类的鸟。

【鸾俦】luánchóu 〈书〉名 比喻夫妻:永结~|~凤侣。

【鸾凤】luánfèng 名 比喻夫妻:~和鸣(夫妻和美)|~分飞(夫妻离散)。

脔(臠) luán 〈书〉切成小片的肉:~割|尝鼎一~。

【脔割】luángē 〈书〉动 分割;切碎。

圝(圞、圝) luán 〈方〉形❶ 圆:~桌。❷ 整个的:~蛋。

滦(灤) Luán ❶ 滦河,水名,在河北。❷ 名 姓。

銮(鑾) luán ❶ 铃铛:~铃。❷ 皇帝车驾上有銮铃,借指皇帝的车驾:迎~。❸(Luán)名 姓。

【銮驾】luánjià 名 銮舆。

【銮铃】luánlíng 名 旧时车马上系的铃铛。

【銮舆】luányú 名 皇帝的车驾。

luǎn (ㄌㄨㄢˇ)

卵 luǎn 名❶ 动植物的雌性生殖细胞,与精子结合后产生第二代。❷ 昆虫学上特指受精的卵,是昆虫生活周期的第一个发育阶段。❸ 某些动物由卵细胞发育成的借以繁殖传代的物质,如鸟卵、蛇卵、龟卵等。❹〈方〉称睾丸或阴茎(多指人的)。

【卵巢】luǎncháo 名 女子和雌性动物的生殖器的一部分。除产生卵子外,还分泌激

素促进子宫、阴道、乳腺等的发育。人的
卵巢在腹腔的下部骨盆内,扁椭圆形,左
右各一,分列在子宫的两侧。

【卵黄】luǎnhuáng 〔名〕蛋黄。

【卵块】luǎnkuài 〔名〕某些卵生动物的卵产
生后粘在一起,形成块状,叫做卵块。

【卵磷脂】luǎnlínzhī 〔名〕磷脂的一种,由甘
油、脂肪酸、磷酸和胆碱组成,白色蜡状物
质,在蛋黄、神经细胞、大豆里含量丰富,
是细胞膜和细胞器膜的重要组成成分。

【卵泡】luǎnpāo 〔名〕卵巢内的囊泡,由卵细
胞及其周围的细胞所组成。

【卵生】luǎnshēng 〔形〕属性词。动物由脱
离母体的卵孵化出来,这种生殖方式叫做
卵生。卵生动物胚胎发育全靠卵中的营
养。

【卵石】luǎnshí 〔名〕岩石经自然风化、水流
冲击和摩擦所形成的卵形或接近卵形的
石块,表面光滑。是天然建筑材料,用于
铺路、制混凝土等。

【卵胎生】luǎntāishēng 〔形〕属性词。某些
动物(如鲨),卵在母体内孵化,母体不产
卵而产出幼小的动物。这种生殖方式叫
做卵胎生。卵胎生动物胚胎发育仍靠卵
自身的营养。

【卵翼】luǎnyì 〔动〕鸟用翼护卵,孵出小鸟,
比喻养育或庇护(多含贬义):～之下。

【卵用鸡】luǎnyòngjī 〔名〕主要为产蛋而饲
养的鸡。

【卵子】luǎnzǐ 〔名〕卵①。

【卵子】luǎn·zi 〈方〉〔名〕卵④。

luàn （ㄌㄨㄢˋ）

乱(亂) luàn ❶〔形〕没有秩序;没有
条理:一团～麻|～七八糟|人
声马声～成一片|这篇稿子改得太～了,要
重抄一下。❷ 战争;武装骚扰:变～|叛
～|兵～|避～。❸〔动〕使混乱;使紊乱:扰
～|惑～|以假～真|别～了阵脚。❹〔形〕
(心绪)不宁:心烦意～|他的心里～得一
点儿主意也没有。❺〔副〕任意;随便:～跑
|～出主意。❻ 不正当的男女关系:淫～。

【乱兵】luànbīng 〔名〕叛变或溃散的兵。

【乱臣】luànchén 〔名〕作乱的臣子:～贼子。

【乱纷纷】luànfēnfēn （～的）〔形〕状态词。

形容杂乱纷扰:～的人群|他心里～的,怎
么也安静不下来。

【乱坟岗】luànféngǎng 〔名〕乱葬岗子。

【乱哄哄】luànhōnghōng （～的）〔形〕状态
词。形容声音嘈杂:～地嚷成一片。

【乱乎】luàn·hu 〈方〉〔形〕混乱。也作乱
糊。

【乱糊】luàn·hu 同"乱乎"。

【乱局】luànjú 〔名〕混乱的局面。

【乱离】luànlí 〔动〕因遭战乱而流离失所。

【乱伦】luànlún 〔动〕指在法律或风俗习惯
不允许的情况下近亲属之间发生性行为。

【乱码】luànmǎ 〔名〕计算机或通信系统中
因出现某种错误而造成的内容、次序等混
乱的编码或不能识别的字符。

【乱民】luànmín 〔名〕旧时统治者指造反作
乱的百姓。

【乱蓬蓬】luànpéngpéng （口语中也读
luànpēngpēng）（～的）〔形〕状态词。形
容须发或草木凌乱:衣冠不整,头发也～
的|～的茅草。

【乱七八糟】luànqībāzāo 形容混乱;乱糟
糟:稿子涂改得～,很多字都看不清楚|
他越想越没主意,心里～的。

【乱世】luànshì 〔名〕混乱动荡的时代。

【乱弹】luàntán 〔名〕清代乾隆(1736—
1795)、嘉庆(1796—1820)年间对昆腔
以外的戏曲腔调的统称。

【乱弹琴】luàntánqín 比喻胡闹或胡扯:
在这关键时刻,人都走了,真是～!

【乱套】luàn∥tào 〈方〉〔动〕乱了次序或秩
序:会场上吵成一片,乱了套了。

【乱腾】luàn·teng 〔形〕混乱;不安静,没有
秩序:刚说到这里,会场上就～起来了。

【乱腾腾】luànténgténg（口语中也读
luàntēngtēng）（～的）〔形〕状态词。形容
混乱或骚动:心里～的,不知怎么办才好。

【乱营】luàn∥yíng 〈方〉〔动〕比喻秩序混
乱:枪声一响,敌人～了|老师刚走开,教室
里就乱了营了。

【乱葬岗子】luànzàng-gǎng·zi 旧时无人
管理任人埋葬尸首的土岗子。也叫乱坟
岗。

【乱糟糟】luànzāozāo （～的）〔形〕状态词。
形容事物杂乱无章或心里烦乱:桌子上～
的|坐也不是,站也不是,心里～的。

【乱真】luànzhēn 〔动〕模仿得很像,使人不

辨真伪(多指古玩、书画):以假～|复制精细,几可～。

【乱子】luàn·zi 名 祸事;纠纷:闹一|出～。

lüè (ㄌㄩㄝ)

掠 lüè ❶ 动 掠夺(多指财物):抢～|取|奸淫掳～。❷ 动 轻轻擦过或拂过:凉风～面|燕子～过水面|炮弹～过夜空|他用手～一下额前的头发◇嘴角上～过一丝微笑。❸〈书〉用棍子或鞭子打:拷～|答～。

【掠夺】lüèduó 动 抢劫;夺取:～财物|经济～。

【掠夺婚】lüèduóhūn 名 原始社会的一种婚姻习俗,男子用抢劫女子的方式成亲,是对偶婚向一夫一妻制过渡的重要标志。这种习俗在某些地区曾长期留存。也叫抢婚。

【掠美】lüèměi 动 掠取别人的美名:这是名家的手笔,我不敢～。

【掠取】lüèqǔ 动 夺取;抢夺:～财物|～资源。

【掠视】lüèshì 动 目光迅速地扫过;扫视:站在房门口向室内～一周。

【掠影】lüèyǐng 名 一掠而过的影像,指某些场面的大致情况(多用于标题):浮光～|《自然博物馆～》。

略[1]（畧）lüè ❶ 形 简单(跟"详"相对):大～|粗～|～图|～读|这个提纲写得太～了。❷ 简单扼要的叙述:史～|事～|节～|要～。❸ 动 省去;简化:从～|省～|中间的部分一去不说。❹ 副 略微:～知一二|～有所闻|他的成绩比我～好一些。

略[2]（畧）lüè 计划;计谋:方～|策～|谋～|战～|雄才大～。

略[3]（畧）lüè 夺取(多指土地):侵～|攻城～地。

【略称】lüèchēng ❶ 名 简称①。❷ 动 简称②。

【略略】lüèlüè 副 稍微:微风吹来,湖面上～漾起波纹|我～说了几句,他就明白了。

【略识之无】lüè shí zhī wú 指识字不多("之"和"无"是古汉语常用的字)。

【略图】lüètú 名 简略的图形;简单的图画。

【略微】lüèwēi 副 稍微:～歇一会儿|擦破了皮,～流了点血。

【略为】lüèwéi 副 稍微:他～定了定神|人数～多了一些。

【略语】lüèyǔ 名 由词组紧缩而成的合成词,如:计生(计划生育)、通胀(通货膨胀)、沧桑(沧海桑田)。

锊（鋝）lüè 量 古代重量单位,约合六两。

圙（嘝）lüè 见787页[圐圙]。

抡（掄）lūn 动 ❶ 用力挥动:～拳|～刀|～起铁锤打炮眼。❷ 挥动胳膊抛出去;扔:把菜～了一地。
另见897页lún。

lún (ㄌㄨㄣ)

仑（侖）lún〈书〉条理;伦次。

伦（倫）lún ❶ 名 人伦:～常|～理|五～|天～。❷ 条理;次序:～次。❸ 同类;同等:不～不类|比拟不～|英勇绝～。❹（Lún）名 姓。

【伦巴】lúnbā 名 拉丁舞的一种,原是古巴的黑人舞,4/4拍。[西 rumba]

【伦比】lúnbǐ〈书〉动 同等;匹敌:史无～|无与～。

【伦常】lúncháng 名 我国封建社会的伦理道德。封建时代称君臣、父子、夫妇、兄弟、朋友五种关系为五伦,认为这种尊卑、长幼的关系是不可改变的常道,称为伦常。

【伦次】lúncì 名 语言、文章的条理次序:语无～|文笔错杂,毫无～。

【伦理】lúnlǐ 名 指人与人相处的各种道德准则:～道德|～观念。

【伦理学】lúnlǐxué 名 关于道德的起源、发展,人的行为准则和人与人之间的义务关系的学说。

【伦琴】lúnqín 量 X射线或γ射线的照射量单位,1伦琴约等于1居里的放射线在

1 小时内所放出的射线量。这个单位名称是为纪念德国物理学家伦琴(Wilhelm Konrad Röntgen)而定的。

【伦琴射线】Lúnqín shèxiàn X 射线。因德国物理学家伦琴(Wilhelm Konrad Röntgen)首先发现而得名。

论(論) Lún 论语(古书名,内容主要是记录孔子及其门徒的言行):上~|下~。
另见 898 页 lùn。

抡(掄) lún 〈书〉挑选;选拔:~材。
另见 896 页 lūn。

岺(崙) lún 崑岺(Kūnlún),山名,在新疆、西藏和青海。今作昆仑。

囵(圇) lún 见 574 页〖囫囵〗。

沦(淪) lún ❶沉没:沉~|~于海底。❷没落;陷入(不利的境地):~落|~陷|~为奴隶。

【沦肌浃髓】lún jī jiā suǐ 浸透肌肉,深入骨髓,比喻感受或受影响极深。

【沦落】lúnluò 勔 ❶ 流落:~街头。❷〈书〉没落;衰落:道德~|家境~。❸ 沉沦:~风尘|半壁江山|~敌手。

【沦没】lúnmò 〈书〉勔 ❶沉没;湮没。❷(人)死亡。也作沦殁。

【沦殁】lúnmò 同"沦没"。

【沦丧】lúnsàng 消亡;丧失:国土~。

【沦亡】lúnwáng 勔 ❶(国土)失陷;(国家)灭亡。❷沦落;丧失:道德~。

【沦陷】lúnxiàn 勔 ❶(领土)被敌人占领;失陷:~区|国土~。❷〈书〉淹没。

纶(綸) lún ❶〈书〉青丝带子。❷〈书〉钓鱼用的丝线:垂~。❸指某些合成纤维:锦~|涤~|腈~|丙~。
另见 502 页 guān。

轮(輪) lún ❶(~儿)名 轮子:车~|齿~儿|三~摩托◇历史的巨~。❷形状像轮子的东西:日~|月~|年~|耳~。❸轮船:江~|油~|渡~|~埠。❹勔 依照次序一个接替一个(做事):~换|~班|~值|~训|一个人一天|你快准备好,马上~到你了。❺图 a)多用于红日、明月等:一~红日|一~明月。b)(~儿)用于循环的事物或动作:头~|影院

我大哥也属马,比我大一~(即大十二岁)|篮球冠军赛已经打了一~儿。

【轮班】lún∥bān (~儿)勔 分班轮流:~替换|民兵轮着班守哨。

【轮埠】lúnbù 名 轮船码头。

【轮唱】lúnchàng 勔 演唱者分成两个或两个以上的组,按一定时距先后错综演唱同一旋律的歌曲。

【轮船】lúnchuán 名 利用机器推动的船,船身一般用钢铁制成。

【轮次】lúncì ❶副 按次序轮流:~入内|~上场。❷名 轮流的次数,轮换一遍叫一个轮次:每日由一人值班,十个人轮流,一个月也就三个~。

【轮带】lúndài 名 轮胎。

【轮渡】lúndù 名 运载行人、车辆等渡过河流、湖泊、海峡的轮船以及其他设备。

【轮番】lúnfān 副 轮流(做某件事):~上阵。

【轮辐】lúnfú 名 车轮上连接轮辋和轮毂的部分。

【轮岗】lún∥gǎng 勔 轮换工作岗位:实行定期~交流制度。

【轮毂】lúngǔ 名 车轮的中心装轴的部分。

【轮滑】lúnhuá 名 体育运动项目之一,运动员穿着底下装有小轮的专用鞋在坚实的地面上滑行。比赛分花样轮滑和速度轮滑。

【轮换】lúnhuàn 勔 轮流替换:~休息|剧目~演出|干部~着去参加学习。

【轮回】lúnhuí 勔 ❶佛教指有生命的东西永远像车轮运转一样在天堂、地狱、人间等六个范围内循环转化。❷循环:四季~。

【轮机】lúnjī 名 轮船上的发动机。

【轮奸】lúnjiān 名 两个或两个以上男子轮流强奸同一女子。

【轮空】lúnkōng 勔 在分几轮的比赛中,某队或某人在某一轮(多为第一、二轮)没有安排对手而直接进入下一轮比赛,叫做轮空。

【轮廓】lúnkuò 名 ❶构成图形或物体的外缘的线条:他画了一个人体的~|城楼在月光下面显出朦胧的~。❷(事情的)概况:我只知道个~,详情并不清楚。

【轮流】lúnliú 勔 依照次序一个接替一个,周而复始:~值日|~坐庄。

【轮牧】lúnmù 动 把一定范围的草原划为几个区,轮流牧放。可以保证牧草轮流恢复生长,使牲畜经常吃到好草,也有利于保护草原生态。

【轮生】lúnshēng 动 叶序的一种,茎的每个节上长三个或更多的叶子,环列在节的周围,如夹竹桃、梓树等的叶子都是轮生叶。

【轮胎】lúntāi 名 汽车、拖拉机、自行车等的轮子外围安装的环形橡胶制品,一般分内胎、外胎两层。内胎较薄,可以充气;外胎较厚、耐磨,可以保护内胎。轮胎充气后,能够减弱沿地面行驶时产生的震动。通称车胎。

【轮辋】lúnwǎng 名 车轮周围边缘的部分。

【轮系】lúnxì 名 机器上互相啮合以传递轴的运动的齿轮传动系统。

【轮休】lúnxiū 动❶ 某一个耕种时期不种植农作物,让土地空闲起来,以恢复地力。❷(职工)轮流休息。

【轮训】lúnxùn 动(人员)轮流训练:干部～|脱产～。

【轮养】lúnyǎng 动 渔业上指一个养鱼塘里,轮换着饲养不同种类的鱼。

【轮椅】lúnyǐ 名 装有轮子的椅子,通常供行走困难的人使用。

【轮值】lúnzhí 动 轮流值班:清洁卫生工作由大家～。

【轮轴】lúnzhóu 名 简单机械,由一个轮和同心轴组成,实质是可以连续旋转的杠杆。轮子半径是轴半径的几倍,作用在轮上的动力就是作用在轴上阻力的几分之一。轮和轴的半径相差越大就越省力。辘轳、纺车等都属于这一类。

【轮转】lúnzhuàn ❶ 动 旋转;循环:四时～。❷〈方〉轮流:～着值夜班。

【轮子】lún·zi 名 车辆或机械上能够旋转的圆形部件。

【轮作】lúnzuò 动 在一块田地上依次轮换种植几种作物。

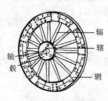

轮子(旧式的)

轮作可以改善土壤肥力,减少病害。也叫倒茬(dǎochá)或调茬(diàochá)。

lǔn （ㄌㄨㄣˇ）

埨(埨) lǔn 〈方〉名 田地中的土垄。

lùn （ㄌㄨㄣˋ）

论(論) lùn ❶ 分析和说明事理:议～|讨～|辩～|就事～事。❷ 分析和说明事理的话或文章:舆～|立～|社～。❸ 学说:唯物～|进化～|相对～。❹ 说;看待:相提并～|不能一概而～。❺ 衡量;评定:～罪|～功行赏。❻ 介 按照某种单位或类别说:～天计算|～件出售|买鸡蛋是～斤还是～个儿?|～庄稼活儿,他是把好手。❼(Lùn)名 姓。
另见 897 页 Lún。

【论辩】lùnbiàn 动 辩论:～有力|针锋相对地进行～。

【论处】lùnchǔ 动 判定处分:依法～|以渎职罪～。

【论敌】lùndí 名 指政治、学术等方面的争论的对手。

【论点】lùndiǎn 名 议论中的确定意见以及论证这一意见的理由:这篇文章～突出,条理分明。

【论调】lùndiào 名 议论的倾向;意见(多含贬义):悲观的～|这种～貌似公允,很容易迷惑人。

【论断】lùnduàn ❶ 动 推论判断。❷ 名 经过推论做出的判断:科学的～|这个～令人信服。

【论据】lùnjù 名 ❶ 逻辑学指用来证明论题的判断。❷ 立论的根据(多指事实):充足的～。

【论理】lùnlǐ ❶(－/－)动 讲道理:当面～|他为什么那样说?把他找来论理。❷ 副按理说:～我应该亲自去一趟。

【论理学】lùnlǐxué 名 逻辑学的旧称。

【论难】lùnnàn 动 针对对方的论点进行辩论:两个学派各执一说,互相～。

【论述】lùnshù 动 叙述和分析:把自己的

观点～清楚|本文准备就以下三个问题分别加以～。

【论说】lùnshuō ❶ 动 议论(多指书面的)：～文|～体|文章立意正确,～充分。❷〈口〉副 按照情理说：～这个会他应该参加,不知道为什么没有来。

【论坛】lùntán 名 对公众发表议论的地方,指报刊、座谈会等：工人～|这是最近～上引起激烈争论的问题。

【论题】lùntí 名 ❶ 真实性需要证明的命题。❷ 讨论的题目。

【论文】lùnwén 名 讨论或研究某种问题的文章：学术～|毕业～。

【论战】lùnzhàn 动 指在政治、学术等问题上因意见不同互相争论：～不休|挑起～。

【论争】lùnzhēng 动 论战：学术～|两派意见～得十分激烈。

【论证】lùnzhèng ❶ 名 逻辑学指引用论据来证明论题的真实性的论述过程,是由论据推出论题时所使用的推理形式。❷ 动 论述并证明：～会|经过调查、综合研究,确定具体措施。❸ 名 立论的根据。

【论著】lùnzhù 名 带有研究性的著作。

【论资排辈】lùn zī pái bèi 指按资历辈分决定级别、待遇的高低：在用人上,要打破～的旧观念。

【论罪】lùn//zuì 动 判定罪行：依法～|按贪污～。

luō （ㄌㄨㄛ）

捋 luō 动 用手握住条状物向一端滑动：～榆钱儿|～起袖子。
另见 891 页 lǚ。

【捋虎须】luō hǔxū 捋老虎的胡须,比喻触犯有权势的人或做冒险的事情。

啰（囉）luō 见下。
另见 900 页 luó；904 页 ·luo。

【啰唆】luō·suō 形 ❶（言语）繁复：老太太嘴碎,爱～|他啰啰唆唆说了半天,还是没把问题说清楚。❷（事情）琐碎、麻烦：事情倒不难做,就是～|手续办起来才知道挺～。‖ 也作啰嗦。

【啰嗦】luō·suō 同"啰唆"。

落 luō 见 249 页〖大大落落〗。
另见 805 页 là；823 页 lào；902

页 luò。

luó （ㄌㄨㄛˊ）

罗¹（羅）luó ❶ 捕鸟的网：～网◇天～地网。❷ 张网捕(鸟)：门可～雀。❸ 招请;搜集：～致|网～|搜～。❹ 陈列：～列|星～棋布。❺ 名 一种器具,在木框或竹框上张网状物,用来使细的粉末或流质漏下去,留下粗的粉末或渣滓：绢～|铜丝～|把面过一次～。❻ 动 过罗：～面|把面再一～过儿。❼ 质地稀疏的丝织品：～衣|～扇|轻～|绫～绸缎。❽（Luó）名 姓。

罗²（羅）luó 量 用于商业,12 打（144 件）为 1 罗。[英 gross]

【罗布】luóbù 动 罗列;分布：营地上帐篷～。

【罗非鱼】luófēiyú 名 非洲鲫鱼。

【罗锅】luóguō ❶（～儿）名 驼背：他有点～儿。❷（～儿）名 指驼背的人：这人是个～儿。也叫罗锅子。❸ 形 拱形：～桥。

【罗锅】luó·guo 〈口〉动 弯(腰)：～着腰坐在炕上。

【罗汉】luóhàn 名 佛教称断绝了一切嗜欲,解脱了烦恼的僧人。[阿罗汉之省,梵 arhat]

【罗汉豆】luóhàndòu 〈方〉名 蚕豆。

【罗汉果】luóhànguǒ 名 ❶ 多年生藤本植物,叶卵形或长卵形,花淡黄色。果实近球形,味甜,可入药。❷ 这种植物的果实。

【罗睺】luóhóu 名 占星的人所说的星名,认为它能支配人间的吉凶祸福。

【罗经】luójīng 名 见 900 页〖罗盘〗。

【罗掘】luójué 〈书〉原指城被围困、粮食断绝,只得罗雀(张网捕麻雀)掘鼠(挖洞捕老鼠)来充饥的困窘情况(见于《新唐书·张巡传》)。后用来比喻尽力筹措或搜索财物：多方～|～俱穷|～一空。

【罗口】luókǒu 名 针织衣物的袖口、袜口等能伸缩的部分。

【罗勒】luólè 名 一年生草本植物,叶子卵圆形,略带紫色,花白色或略带紫色。茎和叶有香气,可做香料,全草可入药。也作萝芳。

【罗列】luóliè 动❶ 分布;陈列:亭台楼阁,～山上。❷ 列举:～现象|仅仅一事实是不够的,必须加以分析。

【罗马公教】Luómǎ gōngjiào 天主教。

【罗马数字】Luómǎ shùzì 古代罗马人记数用的符号。数字有 I, V, X, L, C, D, M 七个,依次表示下列数值:1,5,10,50,100,500,1 000。记数的方法如下:a) 相同的数字并列,表示相加,如III = 3,XX = 20。b) 不同的数字并列,右边的小于左边的,表示相加,如VIII是 5 + 3 = 8。c) 不同的数字并列,左边的小于右边的,表示右边的减去左边的,如IX是 10 − 1 = 9。d) 数字上加一条横线,表示一千倍,如 x̄ 是 10 × 1 000 = 10 000。这几个方法结合起来,就可以表示所有的数,如XIV是 10 + (5 − 1) = 14。

【罗曼蒂克】luómàndìkè 形 浪漫的。[英 romantic]

【罗曼史】luómànshǐ 名 富有浪漫色彩的恋爱故事或惊险故事。也译作罗曼司。[英 romance]

【罗盘】luópán 名 测定方向的仪器,由有方位刻度的圆盘和装在中间的指南针构成。飞机、船舶上使用的还配有提高精度的复杂装置,叫做罗经。

【罗圈】luóquān (～儿)名 罗[5]的圆形框子。

【罗圈儿揖】luóquānryī 名 指旋转身体向周围的人作的揖。

【罗圈腿】luóquāntuǐ 名 向外弯曲成弧形的两条腿,这种畸形多由佝偻病引起。

【罗网】luówǎng 名 捕鸟的罗和捕鱼的网 ◇自投～|冲决世俗的～。

【罗纹】luówén 同"螺纹"①。

【罗织】luózhī〈书〉动 虚构罪状,陷害无辜的人:～诬陷|～罪名。

【罗致】luózhì 动 延聘;搜罗(人才):～贤士。

觊(覶) luó [觊缕](luólǚ)〈书〉动 详细叙述:不烦～|非片言所能～。

儸(儸) luó 见 882 页[喽儸](偻儸)。

萝(蘿) luó 通常指某些能爬蔓的植物:藤～|茑～|女～|松～。

【萝卜】luó·bo 名❶ 二年生草本植物,叶子羽状分裂,花白色或淡紫色。主根肥大,圆柱形或近球形,皮的颜色因品种不同而异,是常见蔬菜。❷ 这种植物的根。‖也叫莱菔。

【萝卜花】luó·bohuā 名 眼球角膜发生溃疡,好转后,在角膜上遗留下的白色瘢痕,俗称萝卜花。

【萝艻】luólè 同"罗勒"。

【萝藦】luómó 名 多年生蔓生草本植物,叶子心脏形,花白色带淡紫色斑纹,果实纺锤形,种子扁卵形。全草入药。

啰(囉) luó [啰唣](luózào)动 吵闹寻事(多见于早期白话)。 另见 899 页 luo;904 页·luo。

逻(邏) luó 巡察:巡～|～骑|～卒。

【逻辑】luó·ji 名❶ 思维的规律:这几句话不合～。❷ 客观的规律性:生活的～|事物发展的～。❸ 逻辑学。[英 logic]

【逻辑思维】luó·ji sīwéi 指人在认识过程中借助于概念、判断、推理反映现实的思维方式。它以抽象性为特征,撇开具体形象,揭示事物的本质属性。也叫抽象思维。

【逻辑学】luó·jixué 名 哲学的一个分支,研究思维的形式和规律。旧称名学、辩学、论理学。

胳(腡) luó 手指纹。

猡(玀) luó 见 1776 页[猪猡]。

锣(鑼) luó 见 75 页[伴锣]。

琭(瓅) luó 见 768 页[珂琭版]。

椤(欏) luó 见 1309 页[桫椤]、599 页[黄波椤]。

锣(鑼) luó 名 打击乐器,用铜制成,形状像盘子,用锣槌敲打:敲～打鼓|鸣～开道。

【锣鼓】luógǔ 名 锣和鼓,泛指各种打击乐器:～喧天。

箩(籮) luó 名 用竹子编的器具,大多方底圆口,制作比较细致,用来盛粮食或淘米等:稻～|淘～。

【箩筐】luókuāng 名 用竹子或柳条等编的器具,或圆或方,或方底圆口,用来盛粮食、蔬菜等。

骡（**騾**、**𱉭**）luó 名 骡子。

【骡子】luó·zi 名 哺乳动物，驴和马交配所生的杂种，比驴大，毛多为黑褐色。寿命长，体力大，我国北方多用作力畜。一般不能生殖。参看 746 页［驮骠］、908 页〖马骡〗。

螺luó 名 ❶ 软体动物，体外包着锥形、纺锤形或扁椭圆形的硬壳，上有旋纹，种类很多，如田螺、海螺、钉螺。❷ 螺旋形的指纹。

【螺甸】luódiàn 同"螺钿"。

【螺钿】luódiàn 名 一种手工艺品，用螺壳或贝壳镶嵌在漆器、硬木家具或雕镂器物的表面，做成有天然彩色光泽的花纹、图形。也作螺甸。

【螺钉】luódīng 名 圆柱形或圆锥形金属杆上带螺纹的零件，一端有帽。也叫螺丝钉或螺丝。

【螺号】luóhào 名 用大的海螺壳做成的号角。

【螺母】luómǔ 名 跟螺栓配合使用的零件，中心有圆孔，孔内有螺纹，跟螺栓的螺纹相啮合，用来使两个零件固定在一起。也叫螺帽、螺丝母或螺丝帽。

【螺栓】luóshuān 名 跟螺母配合使用的零件，圆柱状，有螺纹，跟螺母的螺纹相啮合，用来使两个零件固定在一起。

【螺丝】luósī 名 螺钉。

【螺丝刀】luósīdāo 名 装卸螺钉用的工具，尖端有扁平、十字等形状，适用于钉帽上有槽纹的螺钉。也叫改锥，有的地区叫起子。

【螺丝钉】luósīdīng〈口〉名 螺钉。

【螺丝扣】luósīkòu〈口〉名 螺纹②。

【螺丝帽】luósīmào〈口〉名 螺母。

【螺丝母】luósīmǔ〈口〉名 螺母。

【螺蛳】luó·sī 名 淡水螺的通称，一般较小。

【螺纹】luówén 名 ❶ 手指上的纹理，也指脚趾上的纹理。也作罗纹。❷ 机件的外表面或内孔表面上制成的螺旋线形的凸棱。也叫螺丝扣。

【螺旋】luóxuán 名 ❶ 像螺蛳壳纹理的曲线形：～体｜～桨。❷ 简单机械，圆柱体表面有像螺蛳壳上的螺纹的叫螺旋，在物体孔眼里的螺纹叫阴螺旋。阴阳螺旋配合，旋转其中一个就可以使两者沿螺旋移动，螺纹越密，螺旋直径越大越省力。螺钉、螺栓、压榨机、螺旋千斤顶等都是螺旋的利用。

【螺旋桨】luóxuánjiǎng 名 产生推力使飞机或船只航行的一种装置，由螺旋形的桨叶和桨毂构成，发动机带动旋转时，桨叶的斜面拨动流体靠反作用而产生推力。

【螺旋体】luóxuántǐ 名 介于细菌和原生动物之间的一类微生物，弯曲呈螺旋状，不产生芽孢，没有细胞膜，有伸缩能力。梅毒、回归热等都是这类微生物引起的。

【螺旋藻】luóxuánzǎo 名 一种单细胞藻类，含有丰富的蛋白质、碳水化合物、脂肪、维生素和微量元素等。可用作保健食品。

luǒ （ㄌㄨㄛˇ）

傈luǒ〈书〉同"裸"。

蓏luǒ 古书上指瓜类植物的果实。

裸（**躶**、**𱉭**）luǒ 动 露出，没有遮盖：～露｜～体｜半～｜赤～～｜～着身子。

【裸大麦】luǒdàmài 名 青稞。

【裸机】luǒjī 名 ❶ 指没有加入通信网的手机、寻呼机。❷ 指没有配置操作系统和其他软件的计算机。

【裸露】luǒlù 动 没有东西遮盖：岩石～｜～在地面上的煤层。

【裸麦】luǒmài 名 青稞。

【裸视】luǒshì ❶ 动 用裸眼看：～视力。❷ 名 裸眼的视力：～达到一定标准的才能报考。

【裸体】luǒtǐ 动 光着身子：～画｜赤身～。

【裸线】luǒxiàn 名 没有绝缘材料包裹的金属导线，如电车的架空线。

【裸眼】luǒyǎn 名 指不戴眼镜进行目力测试的眼睛：～视力。

【裸照】luǒzhào 名 裸体照片。

【裸子植物】luǒzǐ-zhíwù 种子植物的一大类，胚珠和种子都是裸露的，胚珠外面没有子房，种子外面没有果皮包着，松、杉、银杏等都属于裸子植物（区别于"被子植物"）。

瘰 luǒ ［瘰疬］(luǒlì)名 病，多发生在颈部，有时也发生在腋窝部，由于结核杆菌侵入淋巴结而引起，症状是局部发生硬块，溃烂后经常流脓，不易愈合。

蠃 luǒ 见 524 页［螺蠃］。

luò （ㄌㄨㄛˋ）

泺(濼) Luò 泺河，水名，在山东。
另见 1057 页 pō。

荦(犖) luò 〈书〉明显：卓～。
【荦荦】luòluò 〈书〉形（事理）明显：～大端（明显的要点或主要的项目）。

咯 luò 见 71 页［吡咯］。
另见 457 页 gē；754 页 kǎ；879 页 ·lo。

洛 Luò ❶洛河，水名，在陕西。❷洛河，水名，发源于陕西，流入河南。古时作"雒"。❸名 姓。
【洛阳纸贵】Luòyáng zhǐ guì 晋代左思《三都赋》写成以后，抄写的人非常多，洛阳的纸都因此涨价了（见于《晋书·文苑传》）。指著作广泛流传，风行一时。

骆(駱) luò ❶古书上指黑鬃的白马。❷(Luò)名 姓。
【骆驼】luò·tuo 名 哺乳动物，反刍类，身体高大，头小颈长，背上有驼峰，蹄扁平，蹄底有肉质的垫，适于在沙漠中行走。有双重眼睑，不怕风沙。有高度耐饥渴的能力。嗅觉灵敏，能嗅出远处的水源，又能预感大风的到来。供骑乘或运货，是沙漠地区主要的力畜。
【骆驼绒】luò·tuoróng 名 呢绒的一种，背面用棉纱织成，正面用粗纺毛纱织成一层细密而蓬松的毛绒，多用来做衣帽的里子。也叫驼绒。

络(絡) luò ❶网状的东西：橘～｜丝瓜～｜网～。❷中医指人体内气血运行通路的旁支或小支：经～。❸动 用网状物兜住：头上～着一个发网。❹动 缠绕：～纱｜～丝｜～线｜树身被藤蔓～住。❺(Luò)名 姓。
另见 822 页 lào。
【络腮胡子】(落腮胡子)luòsāi-hú·zi 连着鬓角的胡子。

【络绎】luòyì 〈书〉形（人、马、车、船等）前后相接，连续不断：～不绝。

珞 luò ❶见［珞巴族］、1170 页［赛璐珞］、1633 页［璎珞］。❷(Luò)名 姓。
【珞巴族】Luòbāzú 名 我国少数民族之一，分布在西藏。

烙 luò 见 1025 页［炮烙］。
另见 822 页 lào。

硌 luò 〈书〉山上的大石。
另见 463 页 gè。

落 luò ❶动 物体因失去支持而下来：～泪｜花瓣～了。❷动 下降：～潮｜太阳～山｜飞机从天空中～下来。❸动 使下降：～幕｜把帘子～下来。❹衰败；飘零：衰～｜破～｜没～｜零～｜沦～。❺遗留在后面：～选｜～后｜～伍｜名～孙山。❻动 停留；留下：～脚｜～户｜不～痕迹。❼停留的地方：下～｜着～。❽聚居的地方：村～｜聚～。❾动 归属：政权～在人民手里｜这副重担～到我们肩上。❿动 得到：～空｜～个清闲。⓫用笔写：～款｜～账。⓬(Luò)名 姓。
另见 805 页 là；823 页 lào；899 页 luō。
【落败】luòbài 动 遭到失败；被击败：竞选～。
【落榜】luò∥bǎng 动 指考试没有被录取。
【落笔】luòbǐ 动 下笔：他的画是在先有了生活体验而后才～的。
【落标】luò∥biāo 动 指在招标中没有中标。
【落膘】luò∥biāo （～儿）动（牲畜）变瘦：由于饲养不经心，牛羊都落了膘儿。
【落泊】luòbó 〈书〉形 ❶潦倒失意：家贫～。❷豪迈，不拘束。‖也作落魄。
【落魄】luòbó 同"落泊"。
另见 luòpò。
【落槽】luò∥cáo 动 ❶河流水位降低，归入河槽。❷〈方〉家道衰落。❸（～儿）榫头放入卯眼安好。❹〈方〉指心里平静；熨帖：事情没办好，心里总是不～。
【落草】luòcǎo 动 到山林当强盗（多见于早期白话）：～为寇。
【落草】luòcǎo （～儿）〈方〉动 指婴儿出生。
【落差】luòchā 名 ❶由于河床高度的变化所产生的水位的差数，如甲地水面海拔

为 20 米,乙地为 18 米,这一段的落差就是 2 米。❷ 比喻对比中的差距或差异:调整心理上的～|两种工资之间的～差大。

【落潮】luò//cháo 动 退潮。

【落成】luòchéng 动(建筑物)完工:～典礼|大桥已经～,日内即可正式通车。

【落槌】luò//chuí 动 ❶ 拍卖物品时,拍卖师最后用槌敲一下台子表示成交:～价|那幅国画最终以一万元人民币～。❷ 指拍卖会结束:春季拍卖会已于昨日～。

【落得】luò·de 落到(某种境遇):倒行逆施,～身败名裂的可耻下场|退休以后,～清闲自在。

【落地】luò//dì 动 ❶ (物体)落在地上:花轿～◇心里一块石头落了地。❷ 指婴儿刚生下来:呱呱～。

【落地窗】luòdìchuāng 名 下端直到地面或楼板的高而长的窗子。

【落地灯】luòdìdēng 名 放在室内地上的有立柱和底座的电灯。

【落第】luò//dì 动 科举考试(乡试以上)没考中。

【落发】luò//fà 动 剃掉头发(出家做僧尼):～为僧。

【落后】luò//hòu ❶ 动 在行进中落在别人后面:我们的船先过了桥洞,他们的船稍微～一点儿。❷ 动 工作进度迟缓,落在原定计划的后面。❸ 形 发展水平较低;不进步:思想～|～的生产工具。

【落户】luò//hù 动 ❶ 在他乡安家长期居住:在边疆～已有三年|我祖父那一辈就在北京落了户。❷ 登记户籍;报户口:新生婴儿应及时～。

【落花流水】luò huā liú shuǐ 原来形容春景衰败,现在比喻惨败。

【落花生】luòhuāshēng 名 ❶ 一年生草本植物,叶子互生,有长柄,小叶倒卵形或卵形,花黄色,子房下的柄伸入地下才结果。果仁(多指炒熟的)可以吃。是重要的油料作物之一。❷ 这种植物的果实。‖也叫花生。

【落荒】luòhuāng 动 离开大路,向荒野逃去(多见于早期白话):～而逃。

【落脚】luò//jiǎo (～儿)动 指临时停留或暂住:～点|这几天旅馆大多客满,差点儿找不到～的地方。

【落井下石】luò jǐng xià shí 比喻乘人危急的时候加以陷害。

【落空】luò//kōng 动 没有达到目的或目标;没有着落:希望～|两头落个空。

【落款】luòkuǎn (～儿)❶ (-//-)动 在书画、书信、礼品等上面题上款和下款。❷ 名 在书画、书信、礼品等上面题的上款和下款。

【落雷】luòléi 名 霹雳。

【落落】luòluò 形 ❶ 形容举止潇洒自然:～大方。❷ 形容跟别人合不来:～寡合。

【落马】luò//mǎ 动 骑马驰骋时,从马上掉下来,也比喻打败仗或竞赛失利:中弹～|半决赛中,上届冠亚军双双～。

【落寞】(落漠、落莫)luòmò 形 寂寞;冷落。

【落墨】luòmò 动 落笔:思绪万千,无从～|写画画贵在大处～,得其神似。

【落幕】luò//mù 动 闭幕。

【落难】luò//nàn 动 遭遇灾难,陷入困境。

【落聘】luò//pìn 动 在招聘或选聘中没有被聘用:～人员|在人事改革中原副校长～了。

【落魄】luòpò 又 luòtuó 〈书〉形 ❶ 潦倒失意:～江湖。❷ 豪迈,不拘束。
另见 luòbó。

【落日】luòrì 名 夕阳:～的余晖。

【落腮胡子】luòsāi-hú·zi 见902页【络腮胡子】。

【落生】luòshēng 〈方〉动(婴儿)出生。

【落实】luòshí ❶ 动(计划、政策、措施等)具体明确,能够实现:生产计划要订得～。❷ 动 使落实:～政策|要～计划,～措施,并层层～责任。❸ 〈方〉形(心情)安稳;踏实:事情没结果,心里总是不～。

【落水】luò//shuǐ 动 掉在水里,比喻堕落。

【落水狗】luòshuǐgǒu 名 比喻失势的坏人。

【落汤鸡】luòtāngjī 名 掉在热水里的鸡,用来比喻人浑身湿透的狼狈相。

【落套】luòtào 动 指文艺作品的内容、形式、手法等陷入老一套,没有创新:创作一定要有新意,要有新的东西,才能不～。

【落体】luòtǐ 名 因受重力作用由空中落下的物体:自由～运动。

【落拓】luòtuò 〈书〉形 ❶ 潦倒失意:自嗟～。❷ 豪迈,不拘束:～不羁。

【落网】luò//wǎng 动 指犯罪嫌疑人被捕:三名贩毒分子先后～。

【落伍】luò∥wǔ 劻❶掉队：他不愿～，一脚高一脚低地紧跟着走。❷比喻人或事物跟不上时代：产品设计～。

【落选】luò∥xuǎn 劻没有被选上。

【落叶归根】luò yè guī gēn 见 1590 页〖叶落归根〗。

【落音】luò∥yīn (～儿)劻(说话、歌唱的声音)停止：他的话刚～，你就进来了。

【落英】luòyīng 〈书〉名❶落下的花：～缤纷。❷初开的花。

【落账】luò∥zhàng 劻登上账簿：这笔款还没～。

【落照】luòzhào 名落日的光辉。

【落座】luò∥zuò 劻坐到座位上：各位观众请～,表演就要开始了|先是互致问候,然后各自落了座。

跺(蹸) luò 见 1799 页〖卓跺〗。
另见 843 页 lì。

摞 luò ❶劻把东西重叠地往上放：补丁～补丁|把箱子～起来。❷量用于重叠放置的东西：一～碗|一～书|一～竹筐。

雒 Luò ❶同"洛"②。❷名姓。

漯 luò 漯河(Luòhé),地名,在河南。
另见 1315 页 Tà。

·luo (·ㄌㄨㄛ)

啰(囉) ·luo 劻用在句末,表示肯定语气：你放心好～|照章纳税,自然是应该的～!
另见 899 页 luō;900 页 luó。

L

M

m

姆 m̄[姆妈]（m̄mā）〈方〉名❶母亲。❷尊称年长的已婚妇女：张家～。
另见969页 mǔ。

ḿ（ㄇˊ）

呒（嘸） ḿ 〈方〉动没有：～办法。

呣 ḿ 叹表示疑问：～,什么?
另见905页 m̀。

m̀（ㄇˋ）

呣 m̀ 叹表示应诺：～,我知道了。
另见905页 ḿ。

孖 mā 〈方〉成对;双：～譬山(山名,在广东)|～仔。
【孖女】mānǚ 〈方〉名双生女。
【孖仔】māzǎi 〈方〉名双生子。

妈（媽） mā ❶〈口〉名母亲。❷称长一辈或年长的已婚妇女：姑～|姨～|大～。❸旧时连着姓称中年或老年的女仆：王～|鲁～。
【妈妈】mā·ma 名❶〈口〉母亲。❷〈方〉对上年纪的妇女的尊称。
【妈祖】Māzǔ 名我国东南沿海地区传说中的海上女神。

抹（²擦） mā 动❶擦②：～桌子。❷用手按着并向下移动：

把帽子～下来。
另见963页 mǒ;964页 mò。
【抹布】mābù 名擦器物用的布块等。
【抹搭】mā·da 〈方〉动（眼皮）向下而不合拢：～着眼皮。
【抹脸】mā∥liǎn 〈口〉动突然改变脸色,多指由和气变得严厉：抹不下脸来(碍于情面,不能严厉对待)。

蚂（螞） mā [蚂螂]（mā·lang）〈方〉名蜻蜓。
另见910页 mǎ;910页 mà。

麻 mā 见下。
另见905页 má。
【麻麻黑】mā·mahēi 〈方〉形状态词。(天)快黑或刚黑：天～了,村头一带灰色的砖墙逐渐模糊起来。
【麻麻亮】mā·maliàng 〈方〉形状态词。(天)刚有些亮：天～他就起床了。

摩 mā 见下。
另见961页 mó。
【摩挲】mā·sā 动用手轻轻按着并一下一下地移动：～衣裳。
另见962页 mósuō。

吗（嗎） má 〈方〉代疑问代词。什么：干～? |～事? |你说～? |要～有～。
另见909页 mǎ;910页 ·ma。

麻¹（蔴） má ❶名大麻、亚麻、苎麻、黄麻、剑麻、蕉麻等植物的统称。❷名麻类植物的纤维,是纺织等工业的重要原料。❸芝麻：～酱|～油。

麻² má ❶形表面不平,不光滑：这种纸一面光,一面～。❷麻子①：～脸。❸带细碎斑点的：～蝇|～雀。❹(Má)名姓。

麻³ má 形身体某部分发生像蚂蚁爬那样不舒服的感觉或轻度丧失感觉：腿～了|吃了花椒,舌头有点儿发～。
另见905页 mā。
【麻包】mábāo 名麻袋。
【麻痹】(麻痹) mábì ❶动身体某一部分的感觉能力和运动功能丧失,由神经系统

的病变而引起。❷形 失去警惕性;疏忽:
～大意。❸动 使麻痹:～敌人。

【麻布】mábù 名 用麻织成的布,多用来做
衬里或包装物品。细麻布叫夏布,可以做
衣料。

【麻袋】mádài 名 用粗麻布做的袋子。

【麻刀】má·dao 名 跟石灰和在一起抹墙
用的碎麻。

【麻捣】mádǎo 〈书〉名 麻刀。

【麻豆腐】mádòu·fu 名 用绿豆做团粉等
剩下的渣滓,可以做菜吃。

【麻烦】má·fan ❶形 烦琐;费事:～得很|
这个问题很～|服务周到,不怕～。❷动
使人费事或增加负担:～您啦!|自己能
做的事,决不～别人。❸名 烦琐难办的事
情:给你添了不少～|他现在有～了。

【麻纺】máfǎng 形 属性词。用麻的纤维
纺织的:～产品。

【麻风】(痲风) máfēng 名 慢性传染病,病
原体是麻风杆菌。症状是皮肤麻木,变
厚,颜色变深,表面形成结节,毛发脱落,
手指脚趾变形等。

【麻花】[1] máhuā (～儿)名 食品,把两三股
条状的面拧在一起,用油炸熟。

【麻花】[2] máhuā (～儿)〈方〉形 形容衣服
因穿久了磨损成要破没破的样子:两只
袖子都～了。

【麻黄】máhuáng 名 多年生小灌木,茎细
长,丛生,叶子鳞片状,带红紫色,种子圆
形,茎是提制麻黄素的原料。

【麻将】májiàng 名 牌类娱乐用具,用竹
子、骨头或塑料等制成,上面刻有花纹或
字样,共 136 张。也叫麻雀。

【麻酱】májiàng 名 芝麻酱。

【麻秸】má·jie 名 剥掉皮的麻秆。

【麻经儿】májīngr 名 缕状的生麻,捆扎小
物件用。

【麻雷子】máléi·zi 名 一种爆竹,放起来响
声很大。

【麻利】má·li ❶形 敏捷:手脚～|他干
活儿很～。❷〈方〉副 迅速;赶快:单位开
会,叫你～回去。

【麻栎】málì 名 落叶乔木,叶子长椭圆形,
边缘像锯齿,坚果卵形球。叶子是柞蚕的
饲料,木材可以用来做枕木、制家具等。也
叫栎、橡树。

【麻脸】máliǎn 名 有麻子的脸。

【麻木】mámù 形❶ 身体某部分发麻以至
丧失感觉:浑身～|手脚～。❷ 比喻思想
不敏锐,反应迟钝:思想～。

【麻木不仁】mámù bù rén 肢体麻痹,没
有感觉,比喻对外界的事物反应迟钝或漠
不关心。

【麻雀】máquè 名 ❶ 鸟,头圆,尾短,嘴呈
圆锥状,头顶和颈部栗褐色,背面褐色,杂
有黑褐色斑点,尾羽暗褐色,翅膀短小,不
能远飞,善于跳跃,啄食谷粒和昆虫。有
的地区叫家雀儿(jiāqiǎor)。❷ 麻将。

【麻纱】máshā 名 ❶ 用麻的细纤维纺成
的纱。❷ 用细棉纱或棉麻混纺织成的平
纹布,常有纵向的突起条纹。多用来做夏
季的衣服。

【麻绳】máshéng (～儿)名 麻制的绳子。

【麻石】máshí 名 凿成的石块,用于建筑
或铺路:～板|栏杆。

【麻酥酥】másūsū (～的)形 状态词。形
容轻微地发麻:天气越来越冷了,脚放到
水里去,冻得～的。

【麻糖】mátáng 名 用芝麻加米粉和糖加
工成的食品。

【麻线】máxiàn (～儿)名 麻制的线。

【麻药】máyào 名 麻醉药。

【麻衣】máyī 名 麻布做成的衣服,旧俗用
作孝服。

【麻油】máyóu 名 芝麻油。

【麻渣】mázhā 名 亚麻、芝麻等种子榨油
后留下的渣滓。

【麻疹】(痲疹) mázhěn 名 急性传染病,病
原体是麻疹病毒。儿童最易感染,发病时
先发高热,上呼吸道和结膜发炎,两三天
后全身起红色丘疹。能并发肺炎、中耳
炎、百日咳、腮腺炎等疾病。有的地区叫
痧子。

【麻织品】mázhīpǐn 名 用麻做原料织成的
物品,如夏布、工业用的亚麻帆布、包装用
的麻袋等。

【麻子】má·zi 名❶ 人出天花后留下的疤
痕:他脸上有几个～。❷ 脸上有麻子的
人。

【麻醉】mázuì 动❶ 用药物或针刺等方法
使全身或局部暂时失去知觉,多在外科手
术时采用。❷ 比喻用某种手段使人认识
模糊、意志消沉。

【麻醉药】mázuìyào 名 能引起麻醉现象

的药物。如乙醚、普鲁卡因等。也叫麻药。

痳 má 见下。

【痳痹】mábì 见 905 页〖麻痹〗。

【痳风】máfēng 见 906 页〖麻风〗。

【痳疹】mázhěn 见 906 页〖麻疹〗。

蟆(蟇) má 见 528 页〖蛤蟆〗。

mǎ （ㄇㄚˇ）

马(馬) mǎ ❶ 名 哺乳动物，头小，面部长，耳壳直立，颈部有鬃，四肢强健，每肢各有一蹄，善跑，尾生有长毛。是重要的力畜之一，可供拉车、耕地、乘骑等用。皮可制革。❷ 大：～蜂｜～勺。❸(Mǎ)名姓。

【马鞍】mǎ'ān 名 马鞍子，也用来形容或比喻两头高起中间低落的事物。

【马鞍子】mǎ'ān·zi 名 放在骡马背上供骑坐的器具，两头高，中间低。

【马帮】mǎbāng 名 驮运货物的马队。

【马䂞儿】mǎbáor 名 一年生蔓草，茎细，叶三角形或扁心脏形，花小，白色，果实近球形，种子灰白色，扁平。全草入药。

【马鞭】mǎbiān 名 驱使坐骑的鞭子，泛指赶牲口的鞭子。也叫马鞭子。

【马弁】mǎbiàn 名 旧时军官的护兵。

【马鳖】mǎbiē 名 水蛭。

【马不停蹄】mǎ bù tíng tí 比喻一刻也不停留，一直向前进。

【马车】mǎchē 名 ❶ 马拉的载人的车，有的轿式，有的敞篷式，有的双轮，有的四轮。❷ 骡马拉的大车。

【马齿徒增】mǎ chǐ tú zēng 《谷梁传·僖公二年》："璧则犹是也，而马齿加长矣。"后用"马齿徒增"谦称自己虚度年华，没有成就。

【马齿苋】mǎchǐxiàn 名 一年生草本植物，茎匍匐地面，叶子小，倒卵形，花小，黄色。茎可以吃，也可入药。

【马褡子】mǎdā·zi 名 挂在马身上的大型褡裢。

【马达】mǎdá 名 电动机。[英 motor]

【马大哈】mǎdàhā ❶ 形 粗心大意：保管文件，可不能～。❷ 名 指粗心大意的人：

他是个～，做事总是丢三落四的。

【马刀】mǎdāo 名 一种供劈刺用的长刀，刀身微弯，长约 1 米，是骑兵冲锋时的武器。也叫战刀。

【马到成功】mǎ dào chéng gōng 战马一到就取胜，形容人一到马上取得成果。

【马道】mǎdào 名 旧时校场或城墙上跑马的路。

【马灯】mǎdēng 名 一种手提的能防风雨的煤油灯。骑马夜行时能挂在马身上。

【马镫】mǎdèng 名 挂在马鞍子两旁供骑马人踏脚的东西。

【马店】mǎdiàn 名 主要供马帮客人投宿的客店。

【马队】mǎduì 名 ❶ 成队的马，多用于运输货物。❷ 骑兵队伍。

【马翻人仰】mǎ fān rén yǎng 见 1148 页〖人仰马翻〗。

【马粪纸】mǎfènzhǐ 名 黄纸板的俗称。

【马蜂(蚂蜂)】mǎfēng 名 胡蜂的通称。

【马蜂窝】mǎfēngwō 名 马蜂的窝，比喻难于对付的人或能引起麻烦和纠纷的事：她捅了个～谁也惹不起。

【马夫】mǎfū 名 旧时称饲养马的人。

【马竿】mǎgān (～儿)名 盲人探路用的竿儿。

【马革裹尸】mǎ gé guǒ shī 用马皮把尸体包裹起来，指军人战死于战场。

【马褂】mǎguà (～儿)名 旧时男子穿在长袍外面的对襟的短褂，以黑色的为最普通。原来是满族人骑马时所穿的服装。

【马倌】mǎguān (～儿)名 专职养马的人。

【马锅头】mǎguōtóu 〈方〉名 率领马帮的人。

【马海毛】mǎhǎimáo 名 安哥拉山羊的毛，弹性好，耐压，有特殊光泽，是制造长毛绒织物的优良原料。

【马号】¹ mǎhào 名 公家养马的地方。

【马号】² mǎhào 名 骑兵用的较细长的军号。

【马赫数】mǎhèshù 名 飞机、火箭等在空气中移动的速度与声速的比。因奥地利物理学家马赫(Ernst Mach)首先提出而得名。

【马后炮】mǎhòupào 名 象棋术语，借来比喻不及时的举动：事情都做完了，你才说要帮忙，这不是～吗？

M

【马虎】(马糊) mǎ·hu 〖形〗草率;敷衍;疏忽大意;不细心：这人太～|做事要认真,马马虎虎可不行!

【马甲】mǎjiǎ 〈方〉〖名〗背心。

【马架】mǎjià 〈方〉〖名〗❶ 小窝棚。❷ 用来背东西的三角形的木架。‖也叫马架子。

【马鲛】mǎjiāo 〖名〗鱼,体侧扁而长,银灰色,有暗色横纹或斑点。性凶猛,吃小鱼等。生活在海洋中。也叫鲛。

【马脚】mǎjiǎo 〖名〗比喻破绽;露出～。

【马厩】mǎjiù 〖名〗饲养马的房子。

【马驹子】mǎjū·zi 〈口〉〖名〗小马。

【马克】mǎkè 〖名〗德国、芬兰等国的旧本位货币。[德 Mark]

【马克思列宁主义】Mǎkèsī-Lièníng zhǔyì 马克思主义和列宁主义的合称。简称马列主义。参看〖马克思主义〗,859 页〖列宁主义〗。

【马克思主义】Mǎkèsī zhǔyì 马克思(Karl Marx)和恩格斯(Friedrich Engels)所创立的无产阶级思想体系。其基本组成部分是马克思主义哲学,即辩证唯物主义和历史唯物主义、政治经济学和科学社会主义。三者构成有机的统一体。马克思主义科学地阐明了自然界、人类社会和思维发展的一般规律,揭露了资本主义的剥削本质,指明资本主义必然灭亡,社会主义必然胜利。它是无产阶级和劳动人民进行革命的科学,是无产阶级政党指导思想的理论基础。

【马口铁】mǎkǒutiě 〖名〗镀锡铁。

【马裤】mǎkù 〖名〗特为骑马方便而做的一种裤子,膝部以上肥大,以下极瘦。

【马裤呢】mǎkùní 〖名〗用精梳毛线织成的呢子,表面有明显斜纹,质地厚实,因最初多用来做马裤而得名。也适于做外套、大衣等。

【马快】mǎkuài 〖名〗旧时官署里从事侦查、逮捕罪犯的差役。

【马拉松】mǎlāsōng ❶〖名〗指马拉松赛跑。❷〖形〗属性词。比喻时间持续得很久的(多含贬义)：～会议|～演说。[英 marathon]

【马拉松赛跑】mǎlāsōng sàipǎo 一种超长距离赛跑,比赛距离为 42 195 米。古代希腊人在马拉松镇击败入侵的波斯军队,希腊士兵斐迪辟从马拉松一气跑到雅典(全程 42 195 米)报捷后即死去。为了纪念这一事迹,1896 年在雅典举行的近代第一届奥林匹克运动会中,用这个距离作为一个竞赛项目,定名为马拉松赛跑。

【马兰】mǎlán 〖名〗多年生草本植物,叶子长椭圆形,披针形,边缘有粗锯齿,花外缘紫色,中间黄色,形状跟菊花相似。全草入药。

【马蓝】mǎlán 〖名〗常绿草本植物,呈灌木状,叶子有柄,椭圆形,边缘有锯齿,暗绿色,花紫色。茎叶可制蓝靛,根和叶子可入药。

【马力】mǎlì 〖量〗功率的非法定计量单位,符号 HP,hp。在标准重力加速度下,每秒钟把 75 千克的物体提高 1 米所做的功就是 1 马力,1 马力约合 735 瓦。

【马利亚】Mǎlìyà 〖名〗《圣经》中耶稣的母亲。据《福音书》记载,她是童贞女,由圣灵感孕而生耶稣。"马"也写作玛。

【马莲】mǎlián 〖名〗马蔺。

【马列主义】Mǎ-Liè zhǔyì 马克思列宁主义的简称。

【马蔺】mǎlìn 〖名〗多年生草本植物,根状茎粗,叶子条形,花蓝紫色。叶子富于韧性,可以用来捆东西,也可以造纸,根可制刷子,花和种子可入药。也叫马莲。

【马铃薯】mǎlíngshǔ 〖名〗❶ 一年生草本植物,羽状复叶,小叶有柄,卵圆形,花白色或蓝紫色。地下块茎肥大,可以吃。❷ 这种植物的块茎。‖通称土豆,有的地区叫洋芋、山药蛋。

【马陆】mǎlù 〖名〗节肢动物,身体圆长,由很多环节构成,除前四和末节外,每节有足两对,头部有短触须一对,背面有黄黑色相间的环纹。生活在阴湿的地方,有臭腺。昼伏夜出,吃草根或腐败的植物。

【马鹿】mǎlù 〖名〗鹿的一种,雄鹿的角粗而多叉,毛夏季红褐色,冬季灰褐色,尾较短,有的有白色臀斑。生活在高山密林或丘陵深谷,随季节迁徙。也叫赤鹿。

【马路】mǎlù 〖名〗❶ 供车马行走的宽阔平坦的道路。❷ 泛指公路。

【马路新闻】mǎlù xīnwén 指道听途说的消息：～,不要轻信。也说马路消息。

【马骡】mǎluó 〖名〗公驴和母马交配所生的杂种,身体较大,耳朵较小,尾部的毛蓬松。

【马马虎虎】mǎ·mǎhūhū 〖形〗状态词。❶

马虎;随随便便;终身大事要慎重,怎么能
~? ❷ 勉强;凑合: 近来身体还~|日子~
过得去。

【马趴】mǎpā 图 身体向前跌倒的姿势:
摔了个大~。

【马匹】mǎpǐ 图 马(总称)。

【马屁精】mǎpìjīng 图 指善于拍马屁的
人。

【马前卒】mǎqiánzú 图 旧指在马前供奔
走役使的人,现用来比喻为别人效力的人
(多含贬义)。

【马枪】mǎqiāng 图 骑枪。

【马赛克】mǎsàikè 图 ❶ 一种小型瓷砖,
方形或六角形,有各种颜色,多用来装饰
室内地面或墙面。❷ 用马赛克做成的图
案。❸ 电视、电脑、手机等屏幕图像中出
现的像马赛克的图案,有时是故意加上去
的,用来掩盖某些画面。[英 mosaic]

【马上】mǎshàng 副 立刻: 快进去吧,电影
~就要开演了。

【马勺】mǎsháo 图 盛粥或盛饭用的大勺,
多用木头制成。

【马失前蹄】mǎ shī qián tí 比喻偶然发生
差错而受挫。

【马首是瞻】mǎ shǒu shì zhān 古代作战
时士兵看着主将的马头决定进退,比喻跟
随别人行动或听从别人指挥。

【马术】mǎshù 图 骑马或驾驭马车,比赛
技巧或速度的体育运动。比赛项目有超
越障碍、盛装舞步、三日赛和四轮马车赛
等。

【马蹄】mǎtí 图 ❶ 马的蹄子。❷〈方〉荸
荠。

【马蹄表】mǎtíbiǎo 图 圆形或马蹄形的小
钟,多为闹钟。

【马蹄莲】mǎtílián 图 多年生草本植物,
块茎肉质,叶椭圆形或箭形,肉穗花序,外有
漏斗状的大型苞片,白色,像花冠,供观
赏。

【马蹄铁】mǎtítiě 图 ❶ 钉在马、驴、骡子
的蹄子底下的 U 字形的铁,作用是使蹄
子耐磨。通称马掌。❷ U 字形的磁铁。

【马蹄形】mǎtíxíng 图 三面构成 U 字
形而一面是直线的形状。❷ U 字形。

【马蹄袖】mǎtíxiù 图 清代男子礼服的袖
口,马蹄形。

【马铁】mǎtiě 图 可锻铸铁。

【马桶】mǎtǒng 图 大小便用的有盖的桶,
多用木头或搪瓷制成。有的地区叫马子
(mǎ·zi)。

【马头琴】mǎtóuqín 图 蒙古族弦乐器,有
两根弦,琴身呈梯形,琴柄顶端刻有马头
做装饰。

【马尾辫】mǎwěibiàn (~儿)图 一种发式,
头发在脑后扎成一束,像马尾。

【马尾松】mǎwěisōng 图 常绿乔木,针叶
细长柔软,淡绿色,果实长卵形,暗褐色。
木材富含油脂,用途很广。

【马戏】mǎxì 图 原来指人骑在马上所做
的各种表演,现在指节目中有经过训练的
动物,如狗熊、马、猴子、小狗等参加的杂
技表演: ~团。

【马靴】mǎxuē 图 骑马人穿的长筒靴子,
也指一般的长筒靴子。

【马仰人翻】mǎ yǎng rén fān 见 1148 页
〖人仰马翻〗。

【马缨花】mǎyīnghuā 图 合欢②。

【马贼】mǎzéi 图 旧时称成群骑马抢劫的
盗匪。

【马扎】(马劄)mǎzhá (~儿)图 一种小型
的坐具,腿交叉,上面绷帆布或麻绳等,可
以合拢,便于携带。

【马掌】mǎzhǎng 图 ❶ 马蹄下面的角质
皮。❷ 马蹄铁①的通称。

【马桩】mǎzhuāng 图 拴马的木桩。

【马子】mǎ·zi〈方〉图 马桶。

【马鬃】mǎzōng 图 马颈上的长毛。

【马醉木】mǎzuìmù 图 常绿灌木或小乔
木,叶片长卵形,花小,生在枝头顶端,白
色,花冠呈壶状,向下垂,供观赏。叶有剧
毒,可做杀虫药,牛马误食后会发生醉态。
也叫桾木(qīnmù)。

吗(嗎) mǎ [吗啡](mǎfēi)图 药
名,有机化合物,化学式
$C_{17}H_{19}O_3N \cdot H_2O$。白色结晶粉末,味
苦,有毒,是由鸦片制成的。用作镇痛药,
连续使用容易成瘾。[英 morphine]
另见 905 页 má;910 页·ma。

犸(獁) mǎ 见 936 页〖猛犸〗。

玛(瑪) Mǎ 图 姓。

【玛钢】mǎgāng 图 可锻铸铁。

【玛瑙】mǎnǎo 图 一种玉石,主要成分

二氧化硅,有各种颜色,多呈层状或环状,质地坚硬耐磨,可用作磨具、仪表轴承等,也用来做贵重的装饰品。

码¹（碼） mǎ ❶（～儿）表示数目的符号:数～|号～|页～|价～。❷ 表示数目的用具:筹～|砝～。❸ 圖 用于事情:这是两～事|你说的跟他说的是一～事。

码²（碼） mǎ 劻 堆叠:把这些砖～齐了。

码³（碼） mǎ 圖 英美制长度单位,符号 yd。1 码等于 3 英尺,合 0.914 4 米。

【码放】mǎfàng 劻 有次序地摆放:按一定位置堆放:～整齐|各种器材～得井井有条。

【码头】mǎ·tou 名 ❶ 在江河沿岸及港湾内,供停船时装卸货物和乘客上下的建筑。❷〈方〉指交通便利的商业城市;水陆～。

【码洋】mǎyáng 名 图书出版发行部门指全部图书定价的总额:这次全国书市共投入图书品种两万多个,订货量超过十亿～。

【码子】mǎ·zi 名 ❶ 表示数目的符号:苏州～|洋～（旧指阿拉伯数字）。❷ 圆形的筹码。❸ 解放前金融界称自己能调度的现款。

蚂（螞） mǎ 见下。另见 905 页 mā;910 页 mà。

【蚂蜂】mǎfēng 见 907 页〖马蜂〗。

【蚂蟥】mǎhuáng 名 蛭的通称。

【蚂蚁】mǎyǐ 名 昆虫,体小而长,黑色或褐色,头大,有一对复眼,触角长,腹部卵形。雌蚁和雄蚁有翅膀,工蚁没有。在地下筑巢,成群穴居。

【蚂蚁搬泰山】mǎyǐ bān Tài Shān 比喻群众力量大,齐心协力,就可以完成巨大的任务。

【蚂蚁啃骨头】mǎyǐ kěn gǔ·tou 指利用小型设备或小的力量一点一点地苦干完成一项巨大的任务。

mà （ㄇㄚˋ）

杩（榪） mà [杩头](mà·tou)名 床两头或门扇上下两端的横木。

袐（禡） mà 古代在军队驻扎的地方举行的祭礼。

蚂（螞） mà [蚂蚱](mà·zha)〈方〉名 蝗虫。另见 905 页 mā;910 页 mǎ。

骂（罵、駡） mà 劻 ❶ 用粗野或恶意的话侮辱人:～街|张嘴就～。❷ 斥责:他爹～他～不长进。

【骂大街】mà dàjiē 骂街。

【骂架】mà//jià 〈方〉劻 吵架;相互对骂。

【骂街】mà//jiē 劻 不指明对象当众漫骂。

【骂咧咧】mà·maliēliē 形 状态词。指在说话中夹杂着骂人的话:有话好好说,不要～的。

【骂名】màmíng 名 挨骂的名声:蒙受～|留下千古～。

【骂娘】màniáng 劻 骂人时恶毒地侮辱别人的母亲,泛指骂人。

【骂阵】mà//zhèn 劻 ❶ 在阵前叫骂挑战,以激怒敌方应战（多见于旧戏曲、小说）。❷〈方〉骂街。

·ma （·ㄇㄚ）

么（麽） ·ma ❶ 同“吗”(·ma)。❷ 同“嘛”(·ma)。另见 925 页 me;1580 页 yāo“幺”。“麽”另见 961 页 mó。

吗（嗎） ·ma 劻 ❶ 用在句末表示疑问:明天他来～?|你找我有事～? ❷ 用在句末表示反问:你这样做对得起朋友～? ❸ 用在句中停顿处,点出话题:这件事～,其实也不能怪你|钱～,能省点就省点。另见 905 页 má;909 页 mǎ。

嘛 ·ma 劻 ❶ 表示道理显而易见:有意见就提～|这也不能怪他,头一回做～|他自己要去～,我有什么办法? ❷ 表示期望、劝阻:你走快点儿～!|不让你去,别去～。❸ 用在句中停顿处,唤起听话人对于下文的注意:科学～,就得讲究实事求是|其实～,责任在领导,不能怪群众。

注意▶表示疑问语气用“吗”,不用“嘛”。

mái （ㄇㄞˊ）

埋 mái ❶ 劻（用土、沙、雪、落叶等）盖住;掩～|～地雷|道路被大雪～住了。

❷藏;隐没：～伏｜～名。
　　另见914页mán。

【埋藏】máicáng 囮❶藏在土中：山下～
　着丰富的煤和铁。❷隐藏：他是个直爽
　人，从来不把自己想说的话～在心里。❸
　把某种制剂放在人或动物的皮下组织内。
　对于人是为了医疗，对于家畜大多是为了
　催肥。

【埋单】máidān〈方〉囮在饭馆用餐后结
　账付款，泛指付款。原为粤语，传入北方
　话地区后多说买单。

【埋伏】mái·fú 囮❶在估计敌人要经过
　的地方秘密布置兵力，伺机出击：中
　(zhòng)～｜四面～｜把人马分做三路，两
　路～，一路出击。❷潜伏：这是一支～在
　敌占区的别动队。

【埋名】máimíng 囮隐瞒真实名字，不让
　人家知道：隐姓～。

【埋没】máimò 囮❶掩埋;埋起来：耕地
　被流沙～。❷使显不出来;使不发挥作
　用：～人才。

【埋设】máishè 囮挖开土安设并埋好：～
　地雷｜～管道。

【埋汰】mái·tai〈方〉❶囮脏;不干净：这
　床被子太～了。❷囮用尖刻的话挖苦
　人：别拿话～人。

【埋头】mái//tóu 囮专心，下工夫：～业
　务｜～苦干。

【埋葬】máizàng 囮❶掩埋尸体：他死
　后～在公墓里。❷比喻消灭;清除：～旧
　世界。

【埋置】máizhì 囮埋设：～电缆。

霾 mái 囘空气中悬浮着大量的烟、
　尘等微粒而形成的混浊现象，能见度
　小于10千米。通称阴霾。

mǎi （ㄇㄞˇ）

买(買)　mǎi ❶囮拿钱换东西(跟
　　　　　 "卖"相对)：～票｜～布｜卖出粮
　食，～进化肥。❷(Mǎi)囘姓。

【买办】mǎibàn 囘殖民地、半殖民地国家
　里替外国资本家在本国市场上经营企业、
　推销商品的代理人。

【买办资本】mǎibàn zīběn 殖民地、半殖
　民地中买办资产阶级所拥有的资本。

【买办资产阶级】mǎibàn zīchǎn jiējí 殖
　民地、半殖民地国家里，勾结帝国主义并
　为帝国主义侵略政策服务的大资产阶级。
　买办资产阶级依靠帝国主义，跟本国的封
　建势力也有极密切的联系。在旧中国，买
　办资产阶级掌握政权，发展成为官僚资产
　阶级。也叫买办阶级。

【买单】¹ mǎidān 囘金融市场作为买入凭
　证的单据。

【买单】² mǎidān 囮见911页〖埋单〗。

【买点】mǎidiǎn 囘❶商品所具有的让消
　费者乐于购买的地方。❷指买入证券、
　期货等的理想价位。

【买椟还珠】mǎi dú huán zhū 楚国人到
　郑国去卖珍珠，把珍珠装在匣子里，匣子
　装饰得很华贵。郑国人就买下匣子，把珍
　珠退还了(见于《韩非子·外储说左上》)。
　比喻没有眼光，取舍不当。

【买断】mǎiduàn 囮买下交易对象的全部
　占有权，卖主该对象有关的经济关系终
　止：～经营权。

【买方市场】mǎifāng shìchǎng 市场上商
　品供大于求，买方处于有利地位并对价格
　起主导作用的现象(跟"卖方市场"相对)。

【买关节】mǎi guānjié 用财物买通别人：
　行贿。

【买好】mǎi//hǎo （～儿)囮(言语行动上)
　故意讨人喜欢：献媚～。

【买空卖空】mǎi kōng mài kōng ❶一种
　商业投机行为，投机的对象多为股票、公
　债、外币、黄金等，或者预料价格要涨而买
　进后再卖出,或者预料价格要跌而卖出后
　再买进，买时并不付款取货，卖时也并不
　交货收款，只是就一进一出间的差价结算
　盈余或亏损。❷比喻招摇撞骗，搞投机
　活动。

【买路钱】mǎilùqián 囘❶旧时指行人被
　强盗拦住被迫交出的钱物。❷比喻车辆
　在公路上向关卡交付的费用(含诙谐意)。

【买卖】mǎi·mai 囘❶生意(shēng·yi)
　①：～兴隆｜做了一笔～。❷指商店：他
　在城里开了个店。

【买卖人】mǎi·mairén〈口〉囘指商人。

【买面子】mǎi miàn·zi 看对方的情面表示
　可以通融：不是我不买你的面子，实在这
　事不好办。

【买通】mǎitōng 囮用金钱等收买人以便
　达到自己的目的。

【买账】**mǎi//zhàng** 勔 承认对方的长处或力量而表示佩服或服从(多用于否定式):不买他的账。

【买主】**mǎizhǔ** 名 货物或房产等的购买者:这批货有了～了。

【买醉】**mǎizuì** 勔 买酒痛饮,多指借酒行乐或消愁。

荬(蕒) mǎi 见 1128 页[苣荬菜]。

mài (ㄇㄞ)

劢(勱) mài 〈书〉勉力;努力。

迈¹(邁) mài ❶ 勔 提脚向前走;跨:～步 | ～进 | ～过门槛。❷(Mài)名姓。

迈²(邁) mài 老:老～ | 年～。

迈³(邁) mài 量 英里。用于机动车行车的时速,每小时行驶多少英里就叫多少迈,也有把每小时行驶多少千米(公里)叫多少迈的:以 80～的车速行驶。[英 mile]

【迈步】**mài//bù** 勔 提脚向前走;迈出步子:向前～ | 不敢～ | 迈一大步。

【迈方步】**mài fāngbù** (～儿)很稳很慢地走路(多用来形容旧时书生、官吏的文绉绉的动作)。也说迈四方步。

【迈进】**màijìn** 勔 大踏步地前进。

麦(麥) mài 名 ❶ 一年生或二年生草本植物,子实用来磨面粉,也可以用来制糖或酿酒,是我国北方重要的粮食作物。有小麦、大麦、黑麦、燕麦等多种。❷ 专指小麦。‖ 通称麦子。❸(Mài)姓。

【麦茬】**màichá** (～儿)名 ❶ 麦子收割后,遗留在地里的根和茎的基部。❷ 指麦子收割以后准备种植或已经种植的(土地或作物):～地 | ～白薯。

【麦冬】**màidōng** 名 多年生草本植物,叶子条形,丛生,花小,淡紫色,果实裂开露出种子。块根略呈纺锤形,可入药。

【麦饭石】**màifànshí** 名 某些火成岩部分风化的产物。含多种对人体有益的元素,有较强的吸附能力,能净化水质。它的浸出液有促进生长发育、调节新陈代谢等作用。可入药。

【麦秆虫】**màigǎnchóng** 名 蚜。

【麦季】**màijì** 名 收割麦子的季节:～里农活最紧 | 今年～收成好。

【麦秸】**màijiē** 名 脱粒后的麦秆。

【麦酒】**màijiǔ** 名 啤酒。

【麦糠】**màikāng** 名 紧贴在麦粒外面的皮儿,脱下后叫麦糠。

【麦克风】**màikèfēng** 名 传声器的通称。[英 microphone]

【麦客】**màikè** 〈方〉名 麦收季节受雇为人收麦或干其他活儿的短工。

【麦口】**màikǒu** (～儿)〈方〉名 麦子将熟未熟的时候。也说麦口期、麦口上。

【麦浪】**màilàng** 名 指田地里大片麦子被风吹得起伏像波浪的样子:～滚滚。

【麦粒肿】**màilìzhǒng** 名 睑腺炎的旧称。

【麦芒】**màimáng** (～儿)名 麦穗上的芒。

【麦片】**màipiàn** 名 食品,是用燕麦或大麦粒压成的小片。

【麦秋】**màiqiū** 名 收割麦子的时候,收割的日期各地不同,一般是在夏季。

【麦收】**màishōu** 勔 收割麦子:～季节。

【麦莛】**màitíng** (～儿)名 麦秆上连着穗儿的那一段。

【麦芽糖】**màiyátáng** 名 糖的一种,化学式 $C_{12}H_{22}O_{11} \cdot H_2O$。白色晶体,不如蔗糖甜,能分解成葡萄糖,是饴糖的主要成分。用来制糖果或药品。

【麦子】**mài·zi** 名 麦①②的通称。

卖(賣) mài ❶ 勔 拿东西换钱(跟"买"相对):～房子 | 把余粮～给国家。❷ 勔 为了自己的利益出卖祖国或亲友:～国 | 把朋友给～了。❸ 勔 尽量用出来;不吝惜:～劲儿 | ～力气。❹ 故意表现在外面,让人看见:～功 | 弄～ | ～俏。❺ 勔 旧时饭馆中称一个菜为一卖:一～炒腰花。❻(Mài)名姓。

【卖场】**màichǎng** 名 比较大的出售商品的场所:仓储式～。

【卖唱】**mài//chàng** 勔 在街头或公共场所歌唱挣钱。

【卖春】**màichūn** 勔 指卖淫。

【卖呆】**mài//dāi** (～儿)〈方〉勔 ❶ 在大门外呆呆地看(多用于妇女)。❷ 发愣:别～了,快走吧! ❸ 看热闹:许多人围在那里～。

【卖单】màidān 图 金融市场作为卖出凭证的单据。

【卖底】mài//dǐ 〈方〉故意泄露底细。

【卖点】màidiǎn 图❶ 商品所具有的能够吸引消费者而易于销售的地方：经济、实用是目前商品房的最佳～。❷ 指卖出证券、期货等的理想价位。

【卖方市场】màifāng shìchǎng 市场上商品供不应求，卖方处于有利地位并对价格起主导作用的现象（跟"买方市场"相对）。

【卖功】mài//gōng 囫 在人前夸耀自己的功劳：～邀赏。

【卖狗皮膏药】mài gǒupí gāo·yao 比喻说得好听，实际上是骗人：不要～了，谁不知道你那两下子?

【卖乖】mài//guāi 囫 自鸣乖巧；卖弄聪明：得了便宜还～。

【卖关节】mài guānjié 指暗中接受贿赂，给人好处。

【卖关子】mài guān·zi ❶ 说书人说长篇故事，在说到重要关节处停止，借以吸引听众接着往下听，叫卖关子。❷ 比喻说话、做事在紧要的时候，故弄玄虚，使对方着急而顺应自己的要求：有话快说，别～了!

【卖官鬻爵】mài guān yù jué 旧时指当权者出卖官职、爵位，聚敛财富。

【卖国】mài//guó 囫 为了私利投靠敌人，出卖祖国和人民利益：～贼|求荣。

【卖国贼】màiguózéi 图 出卖祖国的叛徒。

【卖好】mài//hǎo （～儿）用手段向别人讨好。

【卖劲】mài//jìn （～儿）囮 把劲头使出来；卖力气①：很～|多卖点劲儿。

【卖老】mài//lǎo 囫 摆老资格：倚老～|我不敢在你跟前～。

【卖力】màilì 囮 卖力气①。

【卖力气】mài lì·qi ❶ 尽量使出自己的力量：他做事很～。❷ 指靠出卖劳动力（主要是体力劳动）来维持生活。

【卖命】mài//mìng ❶ 囫 指为某人、某集团所利用或为生活所迫而拼命干活儿。❷ 囮 下最大力气做工作：悠着点儿干，不要太～了。

【卖弄】mài·nong 囫 有意显示、炫耀（自己的本领）：～小聪明|别在大伙儿跟前

～。

【卖俏】mài//qiào 囫 装出娇媚的姿态诱惑人：倚门～。

【卖人情】mài rénqíng 故意给人好处，使人感激自己。

【卖身】mài//shēn 囫 ❶ 把自己或妻子儿女等卖给别人（多生活所迫）：～契。❷ 指卖淫。

【卖身投靠】màishēn tóukào 出卖自己，投靠有财有势的人，比喻丧失人格，充当坏人的工具。

【卖笑】màixiào 囫 指娼妓或歌女为生活所迫，用声色供人取乐：～生涯。

【卖解】màixiè 囫 旧时指以表演各种杂技挣钱谋生：～班子|跑马～。

【卖艺】mài//yì 囫 指在街头或娱乐场所表演杂技、武术、曲艺等挣钱：街头～。

【卖淫】mài//yín 囫 妇女出卖肉体。

【卖友】màiyǒu 囫 出卖朋友：～求荣。

【卖主】màizhǔ 图 货物或房产等的出售者：跟～当面议价。

【卖嘴】mài//zuǐ 囫 用说话来显示自己本领高或心肠好：他只会～，一动真的就不行了。

【卖座】màizuò （～儿）❶ 图 指戏院、饭馆、茶馆等顾客上座的情况：～率|这是一出～好、质量高的大戏。❷ 囮 上座的情况：最～的影片|这出戏不～。

脉（脈、衇） ⓵ mài ❶ 血管：动～|静～。❷ 图 脉搏：～象|切～。❸ 植物叶子、昆虫翅膀上像血管的组织：叶～。❹ 像血管一样连贯而成系统的东西：山～|矿～。
另见 965 页 mò。

【脉案】mài'àn 图 中医对病症的断语，一般写在处方上。

【脉搏】màibó 图 ❶ 心脏收缩时，由于输出血液的冲击引起的动脉的跳动。医生可根据脉搏来诊断疾病。❷ 比喻社会、生活等发展、变化的情况或趋势：时代的～|把握生活的～。

【脉冲】màichōng 图 ❶ 指电流或电压的短暂的起伏变化。各种高频脉冲广泛在无线电技术中。❷ 指变化规律类似电脉冲的现象，如脉冲激光器。

【脉动】màidòng 囫 像脉搏那样地周期性运动或变化。

【脉金】[1] màijīn 名 中医指给医生的酬金。

【脉金】[2] màijīn 名 石英脉中含的粒状金子。也叫山金。

【脉理】màilǐ 名 ❶〈书〉脉络条理:山川～。❷ 指中医医理:精通～。

【脉络】màiluò 名 ❶ 中医指全身的血管和经络。❷ 比喻条理或头绪:～分明|这篇文章的～很清楚。

【脉石】màishí 名 矿石中与有用矿物伴生的废石。

【脉息】màixī 名 中医指脉搏。

【脉象】màixiàng 名 中医指脉搏所表现的快慢、强弱、深浅等情况,分为浮、沉、迟、数(shuò)等。人有疾病,脉象常发生相应的变化。

【脉压】màiyā 名 血压收缩压(高压)和舒张压(低压)的差值。

【脉枕】màizhěn 名 中医诊脉时,垫在患者手腕下的小枕头。

唛(嘜) mài 〈方〉名 商标。[英 mark]

铸(鿏) mài 名 金属元素,符号 Mt (meitnerium)。有放射性,由人工核反应获得。

霢(霡) mài [霢霂](màimù)〈书〉名 小雨。

mān (ㄇㄢ)

嫚 mān (～儿)〈方〉名 女孩子。也说嫚子。
另见 918 页 màn。

颟(顢) mān [颟顸](mān·hān) 形 糊涂而又马虎:颟顸|那人太～,什么事都做不好。

mán (ㄇㄢ)

埋 mán [埋怨](mányuàn) 动 因为事情不如意而对自己认为原因所在的人或事物表示不满:互相～|落～|只能怪你自己没有处理好,不能～别人。
另见 910 页 mái。

蛮(蠻) mán ❶ 粗野,不通情理:野～|～横|～不讲理。❷ 鲁莽;

强悍:～干|～劲。❸ 我国古代称南方的民族。❹〈方〉副 很;挺:～好|～大|～有意思|你装得倒～像!

【蛮不讲理】mán bù jiǎng lǐ 蛮横而不讲道理。

【蛮干】mángàn 动 不顾客观规律或实际情况去硬干:要实干巧干,不能～。

【蛮横】mánhèng 形 (态度)粗暴而不讲理:态度～|～无理。

【蛮荒】mánhuāng ❶ 形 野蛮荒凉:～时代。❷〈书〉名 指文化落后的偏远地方:历险阻,入～。

【蛮劲】mánjìn (～儿)名 猛而死的力气:他有股子～|干活不能光靠～,要会找窍门。

【蛮子】mán·zi 名 旧时北方人称口音跟自己语音不同的南方人:南～。

谩(謾) mán 〈书〉欺瞒;蒙蔽。
另见 916 页 màn。

蔓 mán [蔓菁](mán·jing)名 芜菁。
另见 916 页 màn;1407 页 wàn。

馒(饅) mán 见下。

【馒首】mánshǒu 〈方〉名 馒头。

【馒头】mán·tou 名 ❶ 面粉发酵后蒸成的食品,一般上圆而下平,没有馅儿。❷〈方〉包子:肉～。

瞒(瞞) mán 动 把真实情况隐藏起来,不让别人知道;隐瞒:欺～|上不～下|这事～不过人。

【瞒报】mánbào 动 应上报而隐瞒不报:～工伤事故是严重的违法行为。

【瞒哄】mánhǒng 动 欺骗;哄骗:你这话只能～小孩儿。

【瞒上欺下】mán shàng qī xià 瞒哄上级,欺压下属和群众。

【瞒天过海】mán tiān guò hǎi 比喻用欺骗的手段,暗中行动。

鞔 mán 动 ❶ 把皮革固定在鼓框的周围,做成鼓面:牛皮可以～鼓。❷ 把布蒙在鞋帮上:～鞋。

鳗(鰻) mán 名 鳗鲡的简称。

【鳗鲡】mánlí 名 鱼,体细长像蛇,表面多黏液,上部灰黑色,下部白色,前部近圆筒形,后部侧扁,鳞小,埋在皮肤下面。头尖,背鳍、臀鳍和尾鳍连在一起,无腹鳍。生活在淡水中,成熟后到海洋中产卵。捕食小动物。简称鳗,也叫白鳝。

鬘 mán 〈书〉形容头发美。

mǎn (ㄇㄢˇ)

满[1]**(滿)** mǎn ❶ 形 全部充实;达到容量的极点:会场里人都～了|装得太～了。❷ 动 使满:～上这一杯吧! ❸ 动 达到一定期限:假期已～|不～一年。❹ 形 全;整个:～身油泥|一屋子的烟。❺ 副 完全:～不在乎|～有资格。❻ 满足:～意|心～意足。❼ 骄傲:自～|～招损,谦受益。❽ (Mǎn)名 姓。

满[2]**(滿)** Mǎn 满族:～人。

【满不在乎】mǎn bù zài·hu 完全不放在心上:别人都在替他着急,他却～。

【满仓】mǎn//cāng 动 指投资者将所持有的资金全部买成证券等。

【满城风雨】mǎn chéng fēngyǔ 形容事情传遍各处,到处都在议论着(多指坏事)。

【满打满算】mǎn dǎ mǎn suàn 全部算在内:～也只有半天时间,怎么也赶不到了。

【满当当】mǎndāngdāng (～的)形 状态词。很满的样子:家具、电器把屋里摆得～的|大厅里人坐得～的。

【满登登】mǎndēngdēng (～的)形 状态词。很满的样子:今年收成好,仓库里装得～的。

【满点】mǎndiǎn 动 达到规定的钟点:出满勤,干～|这个商店坚持～营业。

【满额】mǎn//é 动 名额已满:报名已经～。

【满分】mǎnfēn (～儿)名 指规定的最高的分数:打～|得～。

【满服】mǎnfú 动 满孝。

【满负荷】mǎn fùhè 机器设备的功率、承载量的最大限度,也比喻人所能承受的最大工作量:～运转。

【满腹】mǎnfù 动 充满肚皮;充满心中:～心事|～疑云|～文章|～牢骚。

【满腹经纶】mǎn fù jīnglún 比喻人很有政治才能,也比喻很有才学。

【满共】mǎngòng 〈方〉副 总共;一共:三个班级～是九十八个学生。

【满怀】[1] mǎnhuái ❶ 动 心中充满:～信

心|豪情～。❷ 名 指整个前胸部分:跟他撞了一个～。

【满怀】[2] mǎnhuái 动 指所饲养的适龄的母畜全部怀孕。

【满坑满谷】mǎn kēng mǎn gǔ 形容到处都是,多得很。

【满口】mǎnkǒu ❶ 名 整个口腔:～都是假牙。❷ 名 指说话的全部内容或口音:～普通话|～谎言|～之乎者也。❸ 副 表示口气肯定,没有保留:～答应。

【满满当当】mǎnmǎndāngdāng (～的)形 状态词。很满:挑着～的两桶水|过往的车子,都～地载着建筑材料。

【满满登登】mǎnmǎndēngdēng (～的)形 状态词。很满:工作日程排得～的。

【满门】mǎnmén 名 全家:～抄斩|祸及～。

【满面】mǎnmiàn 动 布满面部:笑容～|～春风。

【满面春风】mǎn miàn chūnfēng 形容愉快和蔼的面容。也说春风满面。

【满面红光】mǎn miàn hóngguāng 见564页[红光满面]。

【满目】mǎnmù 动 充满视野:琳琅～|～凄凉。

【满目疮痍】mǎn mù chuāngyí 见213页[疮痍满目]。

【满拧】mǎnnǐng 〈方〉形 完全相反;根本不一致。

【满七】mǎnqī 名 七七。

【满腔】mǎnqiāng 动 充满心中:～热情|怒火～|～的热血已经沸腾。

【满勤】mǎnqín 动 全勤:出～|他每月都是～。

【满山遍野】mǎn shān biàn yě 遍布山野,形容很多。

【满师】mǎn//shī 动 学徒学习期满;出师:学徒三年～。

【满世界】mǎn shì·jie 〈方〉到处:你这孩子在家干点儿什么不好,～瞎跑什么?

【满堂】mǎntáng ❶ 名 全场,也指全场的人:～喝彩。❷ 〈方〉动 满座:近来剧院天天～,票不好买。❸ 动 充满厅堂:金玉～。

【满堂彩】mǎntángcǎi (演出时)全场喝彩:他唱的一句倒板就得了个～。

【满堂灌】mǎntángguàn 指上课完全由教

师讲授的一种教学方式。

【满堂红】mǎntánghóng ❶ 形容全面胜利或到处兴旺。❷ 名 紫薇。

【满天飞】mǎntiānfēi 形容到处乱跑或到处都有：钦差大臣～｜他这人～，让我到哪儿去找？｜这种药品的宣传广告现在是～。

【满孝】mǎn∥xiào 动 指为尊长服丧期满。

【满心】mǎnxīn 副 整个心里（充满某种情绪）；一个心思（想做某事）：～欢喜｜～愿意｜～想的是做生意赚钱。

【满眼】mǎnyǎn ❶ 名 整个眼睛：他一连两夜没有睡，～都是红丝。❷ 整个视野：走到山腰，看见～的山花。

【满意】mǎnyì 动 满足自己的愿望；符合自己的心意：他非常～这个工作｜顾客对他的热诚服务感到很～。

【满员】mǎn∥yuán 动（人员）达到规定的数额。

【满月】[1] mǎn∥yuè 动（婴儿）出生后满一个月。

【满月】[2] mǎnyuè 名 望月。

【满载】mǎnzài 动 ❶ 运输工具装满了东西或装足了规定的载重量。❷ 指机器、设备等在工作时达到额定的负载。

【满载而归】mǎnzài ér guī 装满了东西回来，形容收获极丰富。

【满洲】Mǎnzhōu 名 ❶ 满族的旧称。❷ 旧指我国东北一带。

【满足】mǎnzú 动 ❶ 感到已经足够了：只要能不亏本，我就～了｜他从不～于已有的成绩。❷ 使满足：提高生产，～人民的需要。

【满族】Mǎnzú 名 我国少数民族之一，主要分布在辽宁、黑龙江、吉林、河北、北京和内蒙古。

【满嘴】mǎnzuǐ 名 满口①②：～起疱｜～喷粪（指所说的话全是胡说八道或尽是脏字）。

【满座】mǎn∥zuò （～儿）动（剧场等公共场所）座位坐满或按座位出售的票卖完：这部影片很受欢迎，场场～。

螨（蟎）mǎn 名 节肢动物，种类很多，大多数是圆形或椭圆形，分节不明显。体小，繁殖快。有的寄居在人或动物体上，吸血液，能传染疾病。

【螨虫】mǎnchóng 名 螨。

màn （ㄇㄢˋ）

苘（萠）màn 苘山镇（Mànshānzhèn），地名，在山东。

曼 màn ❶ 柔美；细腻：～舞。❷ 长；远：～延｜～声。❸（Màn）名 姓。

【曼德琳】màndélín 名 弦乐器，有四对金属弦。也译作曼陀林，曼陀铃。［英 mandoline］

【曼妙】mànmiào 〈书〉形（音乐、舞姿等）柔美：姿态～｜～的琴声。

【曼声】mànshēng 名 拉得很长的声音：～吟哦｜～歌唱。

【曼陀罗】màntuóluó 名 一年生草本植物，叶子卵形，花白色，花冠像喇叭，结蒴果，表面多刺。全株有毒，花、叶、种子等可入药。

【曼延】mànyán 动 连绵不断：～曲折的羊肠小道。

谩（謾）màn 轻慢，没有礼貌：～骂。另见 914 页 mán。

【谩骂】mànmà 动 用轻慢、嘲笑的态度骂。

墁 màn 动 用砖、石等铺地面：花砖～地。

蔓 màn 义同"蔓"（wàn），多用于合成词。另见 914 页 mán；1407 页 wàn。

【蔓草】màncǎo 名 爬蔓（wàn）的草。

【蔓草难除】màncǎo nán chú 蔓（wàn）生的杂草难以铲除干净，比喻邪恶势力或不良现象等一旦蔓延开来就很难根除。

【蔓延】mànyán 动 像蔓草一样不断向周围扩展：～滋长｜火势～。

幔 màn 名 为遮挡而悬挂起来的布、绸子、丝绒等：布～｜窗～。

【幔帐】mànzhàng 名 幔。

【幔子】màn·zi 〈方〉名 幔。

漫 màn ❶ 动 水过满，向外流：水～出来了。❷ 动 淹没：大水～过了庄稼。❸ 到处都是；遍：～山遍野｜黄沙～天｜～天大雾。❹ 广阔；长：～长｜长夜～～。❺ 不受约束；随便：散～｜～谈｜～无限制｜～无目的。❻ 莫；不要：～道～说。

【漫笔】mànbǐ 名 随手写来没有一定形式

的文章(多用于文章的题目):灯下～。

【漫不经心】 màn bù jīngxīn　随随便便,不放在心上。也说漫不经意。

【漫不经意】 màn bù jīngyì　漫不经心。

【漫步】 mànbù　动 没有目的而悠闲地走:～江岸|独自在田间小道上～。

【漫长】 màncháng　形 长得看不见尽头的(时间、道路等):～的岁月|～的河流。

【漫道】 màndào　同"慢道"。

【漫灌】 mànguàn　动❶ (洪水)流入;漫进(某地区):大水～,城郊街道都被淹了。❷ 一种粗放的灌溉方法,不平整土地,也不筑畦,让水顺着坡往地里流。

【漫画】 mànhuà　名 用简单而夸张的手法来描绘生活或时事的图画。一般运用变形、比拟、象征的方法,构成幽默、诙谐的画面,以取得讽刺或歌颂的效果。

【漫话】 mànhuà　动 不拘形式地随意谈论:～家常。

【漫漶】 mànhuàn　形 文字、图画等因磨损或浸水受潮而模糊不清:字迹～。

【漫记】 mànjì　名 随手记下的文字(多用于书名或篇名):《西行～》。

【漫卷】 mànjuǎn　动 (旗帜)随风翻卷:彩旗～。

【漫流】 mànliú　动 水过满而向外流:沿湖筑堤,不让湖水～。

【漫骂】 mànmà　动 乱骂。

【漫漫】 mànmàn　形 (时间、地方)长而无边的样子:～长夜|路途～|四野都是一眼望不到头的～白雪。

【漫儿】 mànr　名 指金属钱币没有字的一面。

【漫山遍野】 màn shān biàn yě　遍布山野,形容很多:羊群～,到处都是。

【漫说】 mànshuō　同"慢说"。

【漫谈】 màntán　动 不拘形式地就某问题谈自己的体会或意见:～形势。

【漫天】 màntiān　❶ 动 布满了天空:～大雪|～尘土。❷ 形 属性词。形容没边儿的;没限度的:～大谎|～要价。

【漫无边际】 màn wú biānjì　❶ 非常广阔,一眼望不到边:大青山下是～的草原。❷ 指谈话、写文章等没有中心,离题很远:～地谈些与问题无关的话。

【漫延】 mànyán　动 曼延:沙漠一直～到遥远的天边。

【漫溢】 mànyì　动 水过满,向外流:洪流～。

【漫游】 mànyóu　动❶ 随意游览:～西湖|～世界。❷ 移动电话或寻呼机离开注册登记的服务区域而到另一个区域后,通过网络进行通信联络。这种功能叫漫游。

【漫语】 mànyǔ　名❶ 泛泛的话;不着边际的话:～空言。❷ 不拘形式的随意谈论(多用于书名或文章标题):《青春～》。

慢1 màn　❶ 形 速度低;走路、做事等费的时间长(跟"快"相对):～车|～走～手～脚|你走～一点儿,等着他。❷ 形 从缓:且～|～点儿告诉他,等两天再说。❸ 莫;不要:～道|～说。❹ (Màn)名 姓。

慢2 màn　态度冷淡,没有礼貌:傲～|怠～。

【慢车】 mànchē　名 中途停站较多,全程行车时间较长的火车或汽车(多用于客运)。

【慢车道】 mànchēdào　名 机动车分道行驶时,专供慢速行驶用的车道,一般在外侧。

【慢词】 màncí　名 长的、节奏缓慢的词叫慢词,如《木兰花慢》《沁园春》。

【慢待】 màndài　❶ (对人)冷淡:不能～了朋友。❷ 客套话,指招待不周:今天太～了,请多包涵。

【慢道】 màndào　连 慢说;别说:～群众有意见,连我们自己也感到不满意。也作漫道。

【慢火】 mànhuǒ　名 文火;微火:～炖肉。

【慢件】 mànjiàn　名 见791页〖快件〗①。

【慢镜头】 mànjìngtóu　名 拍摄影片或电视片时,用快速拍摄的方法拍摄,再用正常速度放映或播映,从而产生人、物动作的速度比实际慢的效果。这样的镜头叫做慢镜头。

【慢慢腾腾】 màn·manténgtēng　(～的)形 状态词。慢腾腾。也说慢慢吞吞。

【慢慢吞吞】 màn·mantūntūn　(～的)形 状态词。慢腾腾。

【慢慢悠悠】 màn·manyōuyōu　(～的)形 状态词。慢悠悠。

【慢坡】 mànpō　名 坡度很小的坡。

【慢三步】 mànsānbù　名 华尔兹。

【慢说】 mànshuō　连 别说:这种动物,～国内少有,全世界也不多。也作漫说。

【慢腾腾】mànténgténg （口语中也读 màntēngtēng）（～的）形 状态词。形容 缓慢：这样～地走，什么时候才能走到呢| 他低下头，拖长了声音,一字一句～地念着。 也说慢腾腾、慢吞吞。

【慢条斯理】màntiáo-sīlǐ 形容动作缓慢, 不慌不忙：他说话做事总是～的。

【慢吞吞】màntūntūn （～的）形 状态词。 慢腾腾。

【慢性】mànxìng ❶ 形 属性词。发作得 缓慢的；时间拖得长久的：～病|～中毒| ～痢疾。❷（～儿）形 慢性子①。 ❸ （～儿）名 慢性子②。

【慢性病】mànxìngbìng 名 病理变化缓慢 或不能在短时期内治好的病症,如高血 压、糖尿病、心脏病等。

【慢性子】mànxìng·zi ❶ 形 性情迟缓：～ 人。❷ 名 指慢性子的人：她是个～,家里 失了火也不会着急。

【慢悠悠】mànyōuyōu （～的）形 状态词。 形容缓慢：他做事说话总是～的|她～地 向我们走来。也说慢悠悠。

嫚 màn 〈书〉轻视；侮辱。 另见914页 mān。

【嫚骂】mànmà 〈书〉动 谩骂。

缦(縵) màn 〈书〉没有花纹的丝织 品。

熳 màn 〈书〉色彩艳丽。

镘(鏝、槾) màn 〈书〉抹墙用的 抹子(mǒ·zi)。

牻(牻) māng 见下。

【牻牛】māngniú 〈方〉名 公牛。

【牻子】māng·zi 〈方〉名 公牛。

邙 Máng 邙山,山名,在河南。

芒 máng 名 ❶ 多年生草本植物,生在 山地和田野间,叶片条形,秋天茎顶生

穗,黄褐色,果实多毛。❷ 某些禾本科植 物(如大麦、小麦)子实的外壳上长的针状 物。❸ （Máng）姓。

【芒草】mángcǎo 名 芒①。

【芒刺在背】máng cì zài bèi 形容坐立不 安,像芒和刺扎在背上一样。也说如芒在 背。

【芒果】mángguǒ 同"杧果"。

【芒硝】mángxiāo 名 无机化合物,是含有 10 个分子结晶水的硫酸钠(Na_2SO_4· $10H_2O$)。白色或无色,是化学工业、玻 璃工业、造纸工业的原料,医药上用作泻 药。也作硭硝。

【芒种】mángzhòng 名 二十四节气之一, 在 6 月 5、6 或 7 日。参看696页〖节气〗、 363 页〖二十四节气〗。

忙 máng ❶ 形 事情多,不得空(跟"闲" 相对)：繁～|这几天很～|～里偷闲。 ❷ 动 急迫不停地、加紧地做：你近来～ 些什么？|他一个人～不过来。

【忙不迭】mángbùdié 副 急忙；连忙：～地 跑了过来|～地赔不是。

【忙叨】máng·dao 〈方〉形 匆忙；忙碌：啥 事儿这样～？也说忙叨叨(mángdāo- dāo)。

【忙乎】máng·hu 〈口〉动 忙碌地做：他 了一天,但一点儿也不觉得累。

【忙活】mánghuó （～儿）❶ (-//-) 动 急 着做活：这几天正～|你忙什么活？❷ 名 需要赶快做的活：这是件～,要先做。

【忙活】máng·huo 〈口〉动 忙碌地做：他 们俩已经～了一早上了。

【忙季】mángjì 名 农活多的季节,泛指工 作或事务繁忙的时期：眼下正是夏收～| 节假日是商场的～。

【忙里偷闲】máng lǐ tōu xián 在忙碌中 抽出一点空闲时间。

【忙碌】mánglù 形 事情多,不得闲：忙忙 碌碌|为了大家的事情,他一天到晚十分～。

【忙乱】mángluàn 形 事情繁忙而没有条 理：工作～|克服～现象。

【忙叨叨】máng·mangdāodāo （～的） 形 状态词。形容非常忙碌的样子：一天 到晚～的|说完就～地走了。

【忙音】mángyīn 名 电话机拨号后由于对 方占线而发出的连续而短促的嘟嘟声,表 示不能接通。

【忙于】mángyú 动 忙着做(某方面的事情):～收集资料|整天～家务。

【忙月】mángyuè 名 指农事繁忙的月份:一到～,全家都搞农活儿。

杧 máng [杧果](mángguǒ)名 ❶ 常绿乔木,叶子互生,长椭圆形。花黄色。果实略呈肾脏形,熟时黄色,核大,果肉黄色,可以吃。生长在热带地区。❷ 这种植物的果实。‖也作芒果。

尨 máng 〈书〉❶ 长毛的狗。❷ 杂色。另见 934 页 méng。

盲 máng ❶ 看不见东西;瞎:～人|夜～。❷ 比喻对某种事物不能辨别或分辨不清:文～|色～|法～。❸ 盲目地:～动|～从。

【盲肠】mángcháng 名 大肠的一段,上接回肠,下连结肠,下端有阑尾。(图见 1493 页"人的消化系统")

【盲肠炎】mángchángyán 名 ❶ 盲肠发炎的病,多由阑尾炎引起。阑尾部发炎后蔓延到整个盲肠,就成为盲肠炎。❷ 阑尾炎的俗称。

【盲从】mángcóng 动 不问是非地附和别人;盲目随从:遇事要多动动脑子,不能～。

【盲打】mángdǎ 动 打字时眼睛不看键盘敲击按键,叫盲打。

【盲道】mángdào 名 在人行道上或其他场所为方便盲人行走而铺设的道路,用特制的砖块铺成,砖块上有凸出的条纹、圆点等。

【盲点】mángdiǎn 名 ❶ 眼球后部视网膜上的一点,和黄斑相邻,没有感光细胞,不能接受光的刺激,物体的影像落在这一点上不能引起视觉,所以叫盲点。(图见 1569 页"人的眼")❷ 比喻认识不到的或被忽略的地方:当前家庭教育存在着一些～。

【盲动】mángdòng 动 没有经过慎重考虑,没有明确的目的就行动:遇事要冷静,不可浮躁～。

【盲干】mánggàn 动 不顾主客观条件或目的不明确地去干:只凭热情～是不行的。

【盲降】mángjiàng 动 航空上指飞机在能见度很低的情况下,依靠地面导航设备在机场上降落。

【盲井】mángjǐng 名 暗井。

【盲流】mángliú 名 指盲目流入某地的人

(多指从农村流入城市的)。

【盲目】mángmù 形 眼睛看不见东西,比喻认识不清:～行动|～崇拜|～乐观。

【盲棋】mángqí 名 眼睛不看棋盘而下的棋,多为中国象棋。下盲棋的人用话说出每一步棋的下法。

【盲区】mángqū 名 ❶ 指雷达、探照灯、胃镜等探测或观察不到的地方:雷达～|胃镜～。❷ 比喻认识不到的或被忽略的领域、方面:心理素质的培养成了一些学校教育的～。

【盲人】mángrén 名 失去视力的人。

【盲人摸象】mángrén mō xiàng 传说几个瞎子摸一只大象,摸到腿的说大象像一根柱子,摸到身躯的说大象像一堵墙,摸到尾巴的说大象像一条蛇,各执己见,争论不休。用来比喻对事物了解不全面,固执一点,乱加揣测。

【盲人瞎马】mángrén xiāmǎ 《世说新语·排调》:"盲人骑瞎马,夜半临深池。"比喻境况极端危险。

【盲蛇】mángshé 名 一类无毒蛇,长 15~40 厘米,是我国蛇类中最小的。外形像蚯蚓,尾极短,鳞片圆形,体暗绿色。吃昆虫等。

【盲文】mángwén 名 ❶ 盲字。❷ 用盲字刻写或印刷的文字。

【盲信】mángxìn 名 见 1465 页【瞎信】。

【盲杖】mángzhàng 名 盲人探路用的竿儿。

【盲字】mángzì 名 专供盲人使用的拼音文字,字母由不同排列的凸出的点子组成。

氓 máng 见 875 页【流氓】。另见 934 页 méng。

茫 máng ❶ 形 容水或其他事物没有边际、看不清楚:渺～|～无头绪。❷ 无所知:～然。

【茫茫】mángmáng 形 没有边际看不清楚(多形容水):～大海|前途～|一片白雾。

【茫昧】mángmèi 〈书〉形 模糊不清:往事多已～。

【茫然】mángrán 形 ❶ 完全不知道的样子:事情发生的原因和经过我都～。❷ 失意的样子:～自失。

【茫然若失】mángrán ruò shī 神情迷茫,好像丢失了什么。

M

【茫无头绪】máng wú tóuxù 一点头绪也没有;事情摸不着边儿。

碐 máng ［碐硝］(mángxiāo) 同"芒硝"。

铓(鋩) máng 见 412 页〖锋芒〗(锋铓)。

【铓锣】mángluó 图 云南少数民族的打击乐器,用铜制成,有大中小多种。有时将多面大小不同的锣挂在木架上,交错敲击。

牻 máng 〈书〉毛色黑白相间的牛。

mǎng (ㄇㄤˇ)

莽¹ mǎng ❶ 密生的草:丛~|草~。❷〈书〉大。❸(Mǎng)图姓。

莽² mǎng 鲁莽:~撞|~汉。

【莽苍】mǎngcāng ❶ 彤(原野)景色迷茫。❷ 图指原野。

【莽汉】mǎnghàn 图 粗鲁冒失的男子。

【莽莽】mǎngmǎng 彤 ❶ 形容草木茂盛:杂草~。❷ 形容原野辽阔,无边无际:~雪原。

【莽原】mǎngyuán 图 草长得很茂盛的原野:无垠的~。

【莽撞】mǎngzhuàng 彤 鲁莽冒失:行动~|恕我~。

漭 mǎng ［漭漭](mǎngmǎng)〈书〉彤形容水面广阔无边。

蟒 mǎng ❶ 图蟒蛇。❷ 蟒袍的简称。

【蟒袍】mǎngpáo 图 明清时大臣所穿的礼服,上面绣有金黄色的蟒。

【蟒蛇】mǎngshé 图 一种无毒蛇,体长可达 6 米,是我国蛇类中最大的。头部长,口大,舌的尖端有分叉,背部黑褐色,有暗色斑点,腹部白色。多生活在热带近水的森林里,捕食蛇、蛙、鼠、鸟等。也叫蚺蛇(ránshé)。

---

māo (ㄇㄠ)

猫(貓) māo ❶ 图 哺乳动物,面部略圆,躯干长,耳壳短小,眼大,瞳孔随光线强弱而缩小放大,四肢较短,掌部有肉质的垫,行动敏捷,善跳跃,能捕鼠,毛柔软,有黑、白、黄、灰褐等色。种类很多。❷〈方〉励 躲藏:~在家里不敢出来。

另见 923 页 máo。

【猫步】māobù 图指时装模特儿表演时走的台步,因为这种步子类似猫行走的样子,所以叫猫步。

【猫哭老鼠】māo kū lǎoshǔ 比喻假慈悲;假装同情。也说猫哭耗子。

【猫儿腻】māornì 〈方〉图 指隐秘的或暧昧的事;花招:他们之间的~,我早就看出来了。

【猫食】māorshí 图 比喻很小的饭量。

【猫儿眼】māoryǎn 图 金绿宝石的一种,做装饰品时多磨成圆球形,中间有一道竖的亮光,能随视角变动而移动,看起来很像猫的眼睛。

【猫头鹰】māotóuyīng 图 鸟,身体淡褐色,多黑斑,头部有角状的羽毛,眼睛大而圆,昼伏夜出,吃鼠、麻雀等,对人类有益。常在深夜发出凄厉的叫声,迷信的人认为是一种不吉祥的鸟。有的地区叫夜猫子。

【猫熊】māoxióng 图 大熊猫。

【猫眼】māoyǎn (~儿)图 门镜的俗称。

【猫眼道钉】māoyǎn dàodīng 图 道钉②的俗称。

【猫鱼】māoyú (~儿)图 用来喂猫的小鱼。

---

máo (ㄇㄠˊ)

毛¹ máo ❶ 图 动植物的皮上所生的丝状物;鸟类的羽毛:羊~|鸡~|枇杷树叶子上有许多细~。❷ 图 东西上长的霉:馒头放久了就要长~。❸ 粗糙;还没有加工的:~坯|~铁。❹ 不纯净的:~利|~重。❺ 粗略:~估|~算。❻ 小:~孩子|~贼(小偷儿)。❼ 彤指货币贬值:钱~了。❽(Máo)图姓。

毛² máo ❶ 彤 做事粗心,不细致:~手~脚|~头~脑。❷ 彤 惊慌;心里有点儿~|这下可把他吓~了。❸〈方〉励发怒;发火:把他惹~了,你们要吃大亏。

毛³ máo 〈口〉量 一圆的十分之一;角。

【毛白杨】máobáiyáng 图 落叶乔木,幼树树皮光滑,青白色,老树树皮有裂沟,叶子卵形,边缘有波状的齿。木材可供建筑,也用来造船、造纸等。也叫大叶杨、响杨或白杨。

【毛笔】máobǐ 名 用羊毛、鼬毛等制成的笔,供写字、画画等用。

【毛边】máobiān 名❶经裁剪而没有锁边的布边儿;书籍装订后未经裁切的边缘:~书。❷毛边纸的简称。

【毛边纸】máobiānzhǐ 名 用竹纤维制成的纸,淡黄色,适合用毛笔书写,也用来印书。简称毛边。

【毛病】máo·bìng 名❶指器物发生的损伤或故障,也比喻工作上的失误:一听声音就知道这台机器有~|他做事容易出~。❷缺点;坏习惯:这孩子上课时有做小动作的~。❸〈方〉病:孩子有~,不要让他受凉了。

【毛玻璃】máobō·lí 名 用金刚砂等磨过或用氢氟酸浸蚀过而表面粗糙的玻璃。半透明,多用在建筑物的门窗上。也叫磨砂玻璃。

【毛布】máobù 名 用较粗的棉纱织成的布。

【毛菜】máocài 名 采摘后未经洗等加工处理的蔬菜(跟"净菜"相对)。

【毛糙】máo·cao 形 粗糙;不细致:他干的活儿太~。

【毛茶】máochá 名 供制红茶、绿茶、黑茶等的原料茶。也叫茶条。

【毛虫】máochóng 名 某些鳞翅目昆虫的幼虫,每环节的疣状突起上丛生着毛。也叫毛毛虫。

【毛刺】máocì (~儿)名 金属工件的边缘或较光滑的平面上因某种原因而产生的不光、不平的部分。通常应加工去掉毛刺。

【毛豆】máodòu 名 大豆的嫩荚,外皮多毛,种子青色,可做蔬菜。

【毛发】máofà 名 人体上的毛和头发:~直立(形容极度惊恐)。

【毛纺】máofǎng 形 属性词。用动物纤维(主要是羊毛、兔毛)和人造毛为原料纺织的:~厂|~面料。

【毛茛】máogèn 名 多年生草本植物,茎叶有茸毛,单叶,掌状分裂,花黄色,有光泽。植株有毒,可入药。

【毛估】máogū 动 粗略地估计:~一下,这片早稻亩产不会低于八百斤。

【毛咕】máo·gu 〈方〉形 有所疑惧而惊慌:走进荒滩,心里直~。

【毛骨悚然】máo gǔ sǒngrán 形容很害怕的样子。

【毛孩】máohái (~儿)名 指生下来在面部和身上长有较长的毛的孩子。

【毛孩子】máohái·zi 名 小孩儿,也指年轻无知的人:十年前你还是一个不懂事的~呢!

【毛蚶】máohān 〈方〉名 蚶子的一种。

【毛烘烘】máohōnghōng (~的)形 状态词。形容毛很多的样子。

【毛乎乎】máohūhū (~的)形 状态词。形容毛密而多。

【毛活】máohuó (~儿)〈口〉名❶用毛线等编织的各种衣物:这件~儿织得十分合身。❷用毛线等编织衣物的工作:她正在做~。

【毛尖】máojiān 名 绿茶的一种,用精细挑选的幼嫩芽叶加工而成,如信阳毛尖(产于河南)、都匀毛尖(产于贵州)。

【毛巾】máojīn 名 擦脸和擦身体用的针织品,织成后经纱拳曲,露在表面,质地松软而不光滑。

【毛巾被】máojīnbèi 名 质地跟毛巾相同的被子。

【毛举细故】máo jǔ xì gù 烦琐地列举细小的事情。也说毛举细务。

【毛孔】máokǒng 名 汗孔。

【毛拉】máolā 名❶对伊斯兰教学者的尊称。❷我国新疆地区某些穆斯林对阿訇的称呼。[阿拉伯 mawla]

【毛蓝】máolán 形 比深蓝色稍浅的蓝色:~布。

【毛利】máolì 名 经营工商业初步结算时,总收入中只除去成本而没有除去其他费用的利润(区别于"净利")。

【毛料】máoliào 名 用兽毛纤维或人造毛等纺织成的料子。

【毛驴】máolú (~儿)名 驴,多指身体矮小的驴。

【毛毛虫】máo·maochóng 名 毛虫。

【毛毛雨】máo·maoyǔ 名❶指形成雨的水滴极细小(直径小于 0.5 毫米),下降时随气流在空中飘动,不能形成雨丝的雨。

通常指很小的雨。❷ 事前有意放出风声、信息让人有所准备叫做下毛毛雨。

【毛南族】Máonánzú 名 我国少数民族之一,分布在广西。

【毛囊】máonáng 名 包裹在毛发根部的囊。(图见 1037 页"人的皮肤")

【毛坯】máopī 名 ❶ 已具有所要求的形体,还需要加工的制造品;半成品。❷ 机器制造中,材料经过初步加工,需要进一步加工才能制成零件的半成品,多指铸件或锻件。

【毛坯房】máopīfáng 名 建成后,还没有进行装修的房屋。

【毛皮】máopí 名 带毛的兽皮,可用来制衣、帽、褥子等。

【毛片儿】máopiānr〈口〉名 毛片。

【毛片】máopiàn 名 ❶ 指拍摄后未经加工的影片或电视片。❷ 指带有淫秽内容的影片或电视片。

【毛票】máopiào（～儿）〈口〉名 角票。

【毛渠】máoqú 名 从斗(dǒu)渠引水送到每一块田地里的小渠道。

【毛茸茸】máoróngróng（～的）形 状态词。形容动植物细毛丛生的样子:～的小白兔。

【毛瑟枪】máosèqiāng 名 旧时对德国毛瑟(Mauser)工厂制造的各种枪的统称。通常多指该厂制造的步枪。

【毛手毛脚】máo shǒu máo jiǎo 做事粗心大意,不沉着。

【毛遂自荐】Máo Suì zì jiàn 毛遂是战国时代赵国平原君的门客。秦兵攻打赵国,平原君奉命到楚国求救,毛遂自动请求跟着去。到了楚国,平原君跟楚王谈了一上午没有结果。毛遂挺身而出,陈述利害,楚王才答应派春申君带兵去救赵国(见于《史记·平原君列传》)。后来用"毛遂自荐"比喻自己推荐自己。

【毛毯】máotǎn 名 用兽毛纤维、化学纤维等织成的毯子。

【毛桃】máotáo 名 ❶ 毛桃树,野生的桃树。❷ 毛桃树的果实。

【毛条】máotiáo 名 毛茶。

【毛窝】máowō〈方〉名 棉鞋。

【毛细管】máoxìguǎn 名 直径特别小的细管子。参看[毛细现象]。

【毛细现象】máoxì-xiànxiàng 毛细管插入浸润液体中,管内液面上升,高于管外,毛

细管插入不浸润液体中,管内液面下降,低于管外的现象。毛巾吸水,地下水沿土壤上升都是毛细现象。

【毛细血管】máoxì-xuèguǎn 连接在小动脉和小静脉之间的最细小的血管,血液中的氧与细胞组织内的二氧化碳在毛细血管里进行交换。也叫微血管。

【毛虾】máoxiā 名 虾的一类,身体约长 3 厘米,生活在浅海中。煮熟晒干后叫虾皮,供食用。

【毛线】máoxiàn 名 通常指羊毛纺成的线,也指羊毛和人造毛混合纺成的线或人造毛纺成的线。

【毛丫头】máoyā·tou〈口〉名 指年幼无知的女孩子。

【毛样】máoyàng 名 还没有按照版面的形式拼版的校样。

【毛腰】máo∥yāo〈方〉动 弯腰:一～钻进山洞。也作猫腰。

【毛衣】máoyī 名 用毛线织成的上衣。

【毛蚴】máoyòu 名 长着毛的幼虫的总称。

【毛躁】máo·zao 形 ❶ (性情)急躁:脾气～。❷ 不沉着;不细心:他做事有些～|毛毛躁躁是办不好事的。

【毛泽东思想】Máo Zédōng sīxiǎng 马克思列宁主义的普遍真理和中国革命具体实践相结合而形成的思想体系,是以毛泽东为主要代表的中国共产党,在马克思列宁主义指导下,在半个多世纪中领导中国人民进行民主革命和社会主义革命、社会主义建设的实践经验的结晶。

【毛毡】máozhān 名 毡子。

【毛织品】máozhīpǐn 名 ❶ 用兽毛纤维或人造毛等纺织成的料子。❷ 用毛线编织的衣物。

【毛重】máozhòng 名 货物连同包装的东西或牲畜家禽等连同毛皮在内的重量(区别于"净重")。

【毛猪】máozhū 名 活猪(多用于商业)。

【毛竹】máozhú 名 竹的一种,通常高达10 米左右,叶子披针形,茎的壁厚而坚韧,是优良的建筑材料,也可用来制造器物。也叫南竹。

【毛装】máozhuāng 形 属性词。(书籍)不切边的装订:～本。

【毛子】máo·zi 名 ❶ 旧时称西洋人(含贬义)。❷〈方〉旧时指土匪。❸〈方〉细碎

的毛或线：没做什么针线活儿,倒沾了一身布～。

矛 máo ❶ 古代兵器,在长杆的一端装有青铜或铁制成的枪头：长～|～盾。❷ (Máo)名姓。

【矛盾】 máodùn ❶ 名矛和盾是古代两种作用不同的武器。古代故事传说,有一个人卖矛和盾,夸他的盾最坚固,什么东西也戳不破；又夸他的矛最锐利,什么东西都能刺进去。旁人问他,"拿你的矛来刺你的盾怎么样?"那人没法回答了(见于《韩非子·难一》)。后来"矛盾"连用,比喻言语或行为自相抵触的现象：～百出|你的观点前后有～。❷ 名因认识不同或言行冲突而造成的隔阂、嫌隙：他们俩的～很深。❸ 动泛指事物互相抵触或排斥：自相～。❹ 名辩证法上指客观事物和人类思维内部各个对立面之间的互相依赖而又互相排斥的关系。❺ 名形式逻辑中指两个概念互相排斥或两个判断不能同时是真也不能同时是假的关系。❻ 形具有互相排斥的性质：去还是不去,他心里很～。

【矛盾律】 máodùnlǜ 名形式逻辑的基本规律之一,要求在同一思维过程中,对同一对象不能同时作出两个矛盾的判断,即不能既肯定它,又否定它。如不能说"水是物质",同时又说"水不是物质",这个判断中必有一个是假的。矛盾律要求思想前后一贯,不能自相矛盾。公式是："甲不是非甲"或"甲不能既是乙又不是乙"。

【矛头】 máotóu 名矛的尖端,比喻批评、攻击的方向：把讽刺的～指向坏人坏事。

茆茅 máo ❶ 同"茅"①。❷ (Máo)姓。
máo 名❶ 白茅。❷ (Máo)姓。

【茅草】 máocǎo 名❶ 白茅。❷ 泛指白茅一类的植物。

【茅厕】 máo·cè (方言中读 máo·si)〈方〉名厕所。

【茅房】 máofáng 〈口〉名厕所。

【茅坑】 máokēng 名❶〈口〉厕所里的粪坑。❷〈方〉厕所(多指简陋的)。

【茅庐】 máolú 名草屋。

【茅棚】 máopéng 名用茅草等搭的棚子。

【茅塞顿开】 máo sè dùn kāi 原来心里好

像有茅草堵塞着,现在忽然被打开了。形容忽然理解、领会。也说顿开茅塞。

【茅舍】 máoshè 〈书〉名茅屋：竹篱～。

【茅台酒】 máotáijiǔ 名贵州仁怀市茅台镇出产的白酒,酒味香美。简称茅台。

【茅屋】 máowū 名屋顶用茅草、稻草等盖的房子,大多简陋矮小。

牦(氂) máo [牦牛](máoniú)名牛的一种,全身有长毛,黑褐色、棕色或白色,腿短。是我国青藏高原地区的主要力畜。

旄 máo 古代在旗杆头上用牦牛尾做装饰的旗子。〈古〉又同"耄"mào。

酕 máo [酕醄](máotáo)〈书〉形大醉的样子：～大醉。

猫(貓) máo [猫腰](máo//yāo)同"毛腰"。另见920页 māo。

锚(錨) máo 名船停泊时所用的器具,用铁制成。一端有两个或两个以上带倒钩的爪儿,另一端用铁链连在船上,抛到水底或岸边用来稳定船舶。

【锚泊】 máobó 动(船舶等)借助于锚而停留在水面某处。

【锚地】 máodì 名水域中专供船舶抛锚停泊及船队编组的地点。

【锚位】 máowèi 名船舶抛锚处的地理位置。

髦 máo 古代称幼儿垂在前额的短头发。

髳 Máo 周朝国名,在今山西南部。

蝥 máo 见34页【斑蝥】。

蟊 máo 吃苗根的害虫。

【蟊贼】 máozéi 名危害人民或国家的人。

mǎo (ㄇㄠˇ)

有 mǎo 〈方〉❶ 动没有[1]。❷ 副没有[2]。

卯[1] mǎo 名❶ 地支的第四位。参看440页【干支】。❷ (Mǎo)姓。

卯[2] mǎo 卯眼。

【卯时】mǎoshí 名 旧式计时法指早晨五点钟到七点钟的时间。

【卯榫】mǎosǔn 名 卯眼和榫头。

【卯眼】mǎoyǎn 名 器物的零件或部件利用凹凸方式相连接的地方的凹进部分：凿个～儿。

峁 mǎo 名 我国西北地区称顶部浑圆、斜坡较陡的黄土小丘。

泖 mǎo 〈书〉水面平静的小湖。

昴 mǎo 二十八宿之一。

铆（鉚） mǎo 动 ❶ 铆接。❷ 指铆接时锤打铆钉。❸〈口〉把力气集中地使出来：～劲儿。

【铆钉】mǎodīng 名 铆接用的金属零件，圆柱形，一头有帽。

【铆钉枪】mǎodīngqiāng 名 敲打铆钉用的风动工具，形状略像枪。

【铆工】mǎogōng 名 ❶ 金属铆接工作。❷ 做这种工作的技术工人。

【铆接】mǎojiē 动 连接金属板或其他器件的一种方法，把要连接的器件打眼，用铆钉穿在一起，在没有帽的一端锤打出一个帽，使器件固定在一起。

【铆劲儿】mǎo//jìnr 〈口〉动 集中力气，一下子使出来：几个人一～，就把大石头抬走了｜铆着劲儿干。

mào （ㄇㄠˋ）

茆 mào 〈书〉拔取（菜、草）。

皃 mào 〈书〉同"貌"。

茂 mào ❶ 茂盛：～密｜根深叶～。❷ 丰富精美：图文并～｜声情并～。❸（Mào）名 姓。

【茂密】màomì 形（草木）茂盛而繁密：树木～｜～的竹林。

【茂盛】màoshèng 形 ❶（植物）生长得多而茁壮：庄稼长得很～。❷ 比喻经济等兴旺：财源～。

眊 mào 〈书〉眼睛昏花。

冒 mào ❶ 动 向外透；往上升：～烟｜～泡｜～汗｜热气直往外～｜墙头～出一

个人头来。❷ 动 不顾（危险、恶劣环境等）：～雨｜～风险｜～天下之大不韪。❸ 冒失；冒昧：～进｜～犯。❹ 冒充：～领｜～认｜谨防假～。❺（Mào）名 姓。

另见 965 页 mò。

【冒充】màochōng 动 假的充当真的：～内行｜用党参～人参。

【冒顶】mào//dǐng 动 地下采矿时，巷（hàng）道或开采区的顶板塌下来，造成事故。

【冒渎】màodú 〈书〉动 冒犯亵渎：～神灵。

【冒犯】màofàn 动 言语或行动没有礼貌，冲撞了对方：～尊严｜孩子不懂事，对您多有～，请原谅。

【冒功】mào//gōng 动 把别人的功劳说成自己的功劳：～请赏。

【冒号】màohào 名 标点符号（：），表示提示下文。主要用在提示性话语之后。

【冒火】mào//huǒ （～儿）动 生气；发怒：他气得直～｜有话好好说，冒什么火！

【冒尖】mào//jiān （～儿）动 ❶ 装满而且稍高出容器：筐里的菜已经～了。❷ 稍稍超过一定的数量：弟弟十岁刚～。❸ 突出：他在班上学习～。❹ 露出苗头：问题一～，就要及时加以解决。

【冒进】màojìn 动 超过具体条件和实际情况的可能，工作开始得过早，进行得过快。

【冒领】màolǐng 动 冒充他人领取：～存款｜～失物｜～材料。

【冒昧】màomèi 形（言行）不顾地位、能力、场合是否适宜（多用作谦辞）：不揣～｜～陈辞。

【冒名】mào//míng 动 假冒别人的名义：～顶替。

【冒牌】màopái （～儿）形 属性词。冒充名牌的：～货。

【冒傻气】mào shǎqì 言谈举止中显露出愚蠢或糊涂：他在会上说那些不合时宜的话，有点～。

【冒失】mào·shi 形 鲁莽；轻率：～鬼｜说话不要太～。

【冒失鬼】mào·shiguǐ 名 做事莽撞的人：这个～差点儿把我撞倒。

【冒死】màosǐ 副 不顾自己的生命危险（做某事）：～抢救国家财产｜～救出落水儿童。

【冒天下之大不韪】mào tiānxià zhī dà bù wěi 不顾天下人的反对，公然做罪恶极大的事。

【冒头】mào∥tóu （～儿）❶ 露出苗头：骄傲情绪已经～了。❷ 出头④：看上去他的年纪有三十～。

【冒险】mào∥xiǎn 动 不顾危险地进行某种活动：～家｜～行为｜～突围｜我劝你别去～。

贸¹（貿）mào 交易：贸易。

贸²（貿）mào 轻率；鲁莽：～然。

【贸然】màorán 副 轻率地；不加考虑地：～从事｜这样～下结论，不好。

【贸易】màoyì 名 商业活动：对外～｜～公司。

【贸易壁垒】màoyì bìlěi 一国为限制和禁止外国商品进口而规定的各种措施。通常分为关税壁垒和非关税壁垒两类。

【贸易风】màoyìfēng 名 信风，因古代通商，在海上航行时主要借助信风而得名。

耄 mào 〈书〉指八九十岁的年纪，泛指老年：老～｜～耋（dié）。

【耄耋】màodié 〈书〉名 指老年；高龄（耋：七八十岁的年纪）：～之年｜寿登～。

鄮（鄮）Mào 古县名，在今浙江宁波一带。

袤 mào 长度，也指南北的长度：延～万余里。

鄚 mào（旧读 mò）鄚州（Màozhōu），地名，在河北。

莪 mào ［莪薽］（màosào）名 花蕾。

帽 mào 名 ❶ 帽子：呢～｜草～｜衣～整齐。❷（～儿）罩或套在器物上头，作用或形状像帽子的东西：笔～儿｜螺丝～儿｜笔屉～儿。

【帽翅】màochì （～儿）名 纱帽后面伸向左右像翅膀的部分。

【帽耳】mào·ěr 名 帽子两旁护耳朵的部分。

【帽花】màohuā （～儿）〈口〉名 帽徽。

【帽徽】màohuī 名 安在制服帽子前面正中的徽章。

【帽盔儿】màokuīr 名 没有帽檐帽舌的硬壳帽子。帽顶上一般缀有硬疙瘩。

【帽舌】màoshé 名 帽子前面的檐，形状像舌头，用来遮挡阳光。有的地区叫帽舌头。

【帽檐】màoyán （～儿）名 帽子前面或四周突出的部分。

【帽子】mào·zi 名 ❶ 戴在头上保暖、防雨、遮日光等或做装饰的用品：一顶～。❷ 比喻罪名或坏名义：批评应该切合实际，有内容，不要光扣大～。

【帽子戏法】mào·zi xìfǎ （～儿）英国作家刘易斯·卡洛尔的童话《爱丽丝漫游奇境记》里，有一位做帽子的匠人能用帽子变出各种戏法。后来把在一场足球比赛中一名队员攻进对方球门三个球叫做上演帽子戏法。

媚 mào 〈书〉嫉妒：～嫉。

瑁 mào 见 261 页［玳瑁］。

氇 mào ［氇氉］（màosào）〈书〉形 烦恼。

貌 mào ❶ 相貌：面～｜容～｜以～取人。❷ 外表的形象；样子：全～｜～合神离。❸（Mào）名 姓。

【貌合神离】mào hé shén lí 表面上关系很密切而实际上怀着两条心。

【貌似】màosì 动 表面上很像：～公允｜～强大。

【貌相】màoxiàng ❶ 名 相貌。❷ 动 看相貌；看外表：人不可～，海水不可斗量。

瞀 mào 〈书〉❶ 目眩。❷ 心绪纷乱。❸ 愚昧。

懋 mào 〈书〉❶ 劝勉；勉励：～赏。❷ 盛大：～典｜～勋。

·me （·ㄇㄜ）

么（麽、¹末）·me ❶ 后缀：这～｜那～｜怎～｜多～。❷ 歌词中的衬字：五月的花儿红呀～红似火。

另见 910 页·ma；1580 页 yāo"幺"。"麽"另见 961 页 mó。"末"另见 963 页 mò。

嚜 ·me 助 跟"嘛"的用法相同。

méi（ㄇㄟˊ）

没¹ méi 〖动〗没有¹。

没² méi 〖副〗没有²。

另见964页 mò。

【没边儿】méibiānr 〈方〉〖动〗❶ 没有根据：别说这～的话。❷ 没有边际：吹牛吹得～了｜这孩子淘气淘得～。

【没词儿】méi∥cír 〖口〗〖动〗没话可说(指理由被驳倒)：在大家的反驳下，他～了。

【没大没小】méi dà méi xiǎo 指说话做事不顾长幼尊卑，不顾及长辈的尊严：就是老太太不计较，你也不能总这么～的！

【没的说】méi·deshuō 见926页【没说的】。

【没底】méi∥dǐ 〖动〗没有把握；没有信心：能不能考上大学，他心里～。

【没关系】méi guān·xi 不要紧；不用顾虑。

【没劲】méijìn ❶（～儿）〖动〗没有力气：浑身～。❷〖形〗没有趣味：这电影真～。

【没精打采】méi jīng dǎ cǎi 形容不高兴，不振作：他～地坐在地上，低着头，不吭声。也说无精打采。

【没来由】méi láiyóu 无缘无故；无端。

【没脸】méi∥liǎn 〖动〗没有脸面：～见人｜～出门。

【没…没…】méi…méi… ❶ 用在两个同义的名词、动词或形容词前面，强调没有：～皮～脸｜～羞～臊｜～着～落｜～完～了。❷ 用在两个反义的形容词前面，多表示应区别而未区别(有不以为然的意思)：～大～小｜～深～浅｜～老～少。

【没门儿】méi∥ménr 〈方〉〖动〗❶ 没有门路；没有办法：让我去办这样的事，我可～。❷ 表示不可能：凭这成绩想考大学，～。❸ 表示不同意：他想一个人独占，～！

【没命】méimìng 〖动〗❶ 指死亡：不是他及时把我送到医院，我早～了。❷ 拼命；不顾一切：受了伤的小鹿没命地奔跑｜这些生长在河边的孩子一见了水就玩得～啦！❸（-/-）指没有福气：没享福的命。

【没跑儿】méipǎor 〈口〉〖动〗表示必定如此；无疑：这次你算输定了，～！

【没谱儿】méi∥pǔr 〈口〉〖动〗心中无数；没有一定的计划：这事怎么办，我还没个谱儿。

【没轻没重】méi qīng méi zhòng 指言行鲁莽，没有分寸：这孩子做事总是这么～的。

【没趣】méiqù （～儿）〖形〗没有面子；难堪：自讨～｜他觉得挺～，只好走开了。

【没日没夜】méi rì méi yè 指不分昼夜(做事情)：他这么～地干，迟早得把身体累垮了。

【没商量】méi shāng·liáng 没有讨论的可能；没有回旋的余地：你一点儿不让步，这事儿就～了。

【没什么】méi shén·me 没关系：碰破了一点儿皮，～｜～，请进来吧！

【没事】méi∥shì 〖动〗❶ 没有事情做，指有空闲时间：～在家看书，别到外边瞎跑。❷ 没有职业：他近来～，在家闲着。❸ 没有事故或意外：经过医生抢救，他～了，大家才放心。❹ 没有干系或责任：你只要把问题说清楚就～了。

【没事人】méishìrén （～儿）〖名〗与某事无关的人；对某种情况毫不在乎的人：他捅了那么大的娄子，却像个～似的。

【没说的】méishuō·de ❶ 指没有可以指责的缺点：这小伙子既能干又积极，真是～。❷ 指没有商量或分辩的余地：这车你们使了三天了，今天该我们使了，～！❸ 指不成问题，没有申说的必要：咱们哥儿俩，这点小事儿还不好办，～。‖ 也说没有说的、没的说。

【没挑儿】méitiāor 〖动〗没有可指摘的毛病：这筐橘子真～｜她的服务态度那是～了。

【没头没脑】méi tóu méi nǎo ❶（说话、做事）头绪不清或缺乏条理：他听了这句～的话愣住了。❷ 没有来由：我被他～地训了一顿。❸ 指不顾一切：举起拳头～地打。

【没完】méi∥wán 〖动〗(事情)没有了结：你欺负人，我跟他～。

【没戏】méi∥xì 〈方〉〖动〗没指望；没希望：他老想中大奖，我看～。

【没心没肺】méi xīn méi fèi ❶ 形容不动脑筋，没有心计：他是个炮筒子，说话做事～。❷ 指没有良心。

【没羞】méixiū 〖形〗脸皮厚；不害羞。

【没样儿】méi∥yàngr 〖动〗没规矩：这孩子给大人宠得真～了。

【没意思】méi yì·si ❶ 无聊：一个人待在家里实在～。❷ 没有趣味：这个电影平淡无奇，真～!

【没影儿】méiyǐngr 〈动〉❶ 没有踪影；等我追出门，他早跑得～了。❷ 没有根据：你说他去过，这是～的事。

【没有】[1] méi·yǒu 〈动〉❶ 表示"领有、具有"等的否定：～票|～理由。❷ 表示存在的否定：屋里～人。❸ 用在"谁、哪个"等前面，表示"全都不"：～谁会同意这样做|哪个说过这样的话。❹ 不如；不及：你～他高|谁都～他会说话。❺ 不够；不到：来了～三天就走了。

【没有】[2] méi·yǒu 〈副〉❶ 表示"已然"的否定：他还～回来|天还～黑呢。❷ 表示"曾经"的否定：老张上个星期～回来过|银行昨天～开门。

【没缘】méiyuán 〈动〉没有缘分；无缘。

【没辙】méi//zhé 〈口〉没有办法：他不肯去，我也～|这下子可没了辙。

【没治】méizhì 〈口〉❶ 〈动〉情况坏得无法挽救。❷ 〈动〉无可奈何：我真拿他～。❸ 〈形〉(人或事)好得不得了：这么精致的牙雕简直～了。

【没准儿】méi//zhǔnr 〈动〉不一定；说不定：这事～能成|去不去还没个准呢。

玫 méi 〈书〉一种玉石。

【玫瑰】méi·gui 〈名〉❶ 落叶灌木，茎干直立，刺很密，羽状复叶，小叶椭圆形，花多为紫红色，也有白色的，有香气，果实扁圆形。供观赏，花瓣可用来窨茶、做香料、制蜜饯等。❷ 这种植物的花。

【玫瑰红】méi·guihóng 〈形〉玫瑰紫。

【玫瑰紫】méi·guizǐ 〈形〉像紫红色玫瑰花的颜色。也叫玫瑰红。

枚 méi ❶ 〈量〉跟"个"相近，多用于形体小的东西：三～奖章|不胜～举(无法一个一个地全举出来)。❷ (Méi)〈名〉姓。

眉 méi ❶ 〈名〉眉毛：浓～|～开眼笑。❷ 指书页上方空白的地方：书～|～批。❸ (Méi)〈名〉姓。

【眉笔】méibǐ 〈名〉化妆品，用来描画眉毛的笔。

【眉端】méiduān 〈名〉❶ 两眉之间：愁上～。❷ 指书页的上端。

【眉飞色舞】méi fēi sè wǔ 形容喜悦或得

意：说到得意的地方，他不禁～。

【眉峰】méifēng 〈名〉指眉毛；眉头：～紧皱。

【眉高眼低】méi gāo yǎn dī 指脸上的表情、神色：他就是不愿看人～来行事。也说眉眼高低。

【眉睫】méijié 〈名〉眉毛和眼睫毛，比喻近在眼前：失之～(在眼前错过)|迫在～。

【眉开眼笑】méi kāi yǎn xiào 形容高兴愉快的样子。

【眉来眼去】méi lái yǎn qù 形容以眉眼传情。也用来形容暗中勾结。

【眉毛】méi·mao 〈名〉生在眼眶上缘的毛。

【眉毛胡子一把抓】méi·mao hú·zi yī bǎ zhuā 比喻做事不分主次轻重缓急，一齐下手。

【眉目】méimù 〈名〉❶ 眉毛和眼睛，泛指容貌：～清秀。❷ (文章、文字的)纲要；条理：～不清|在重要的字句下面划上红道，以清～。

【眉目】méi·mu 〈名〉事情的头绪：把事情弄出点～再走。

【眉批】méipī 〈名〉在书眉或文稿上方空白处所写的批注。

【眉清目秀】méi qīng mù xiù 形容容貌俊秀。

【眉梢】méishāo 〈名〉眉毛的末尾部分：喜上～|间显露出忧郁的神色。

【眉题】méití 〈名〉报刊等排在正式标题上方的提示性标题。字号比正式标题略小。

【眉头】méitóu 〈名〉两眉附近的地方：皱～|～紧锁|一皱～，计上心来。

【眉心】méixīn 〈名〉两眉之间的地方。

【眉眼】méiyǎn 〈名〉眉毛和眼睛，泛指容貌、神情：小姑娘～长得很俊。

【眉眼高低】méiyǎn gāodī 眉高眼低。

【眉宇】méiyǔ 〈名〉两眉上面的地方，泛指容貌：～不凡。

莓(苺) méi 〈名〉指某些果实很小、聚生在球形花托上的植物：草～|蛇～。

姆 méi 人名用字。

梅(楳、槑) méi 〈名〉❶ 落叶乔木，品种很多，性耐寒，叶子卵形，早春开花，花瓣五片，有粉红、白、红等颜色，气味清香。果实球形，青色，成熟的黄色,都可以吃,味酸。❷ 这种植物的花。❸ 这种植物的果实。❹（Méi）姓。

【梅毒】méidú 名 性病的一种,病原体是梅毒螺旋体。症状是:初期,出现硬性下疳,发生淋巴结肿胀;第二期,出现各种皮疹,个别内脏器官发生病变;第三期,皮肤、黏膜形成梅毒瘤,循环系统或中枢神经系统发生病变。有的地区叫杨梅疮。

【梅干菜】méigāncài 同"霉干菜"。

【梅花】méihuā 名 ❶ 梅树的花。❷〈方〉指蜡梅。

【梅花鹿】méihuālù 名 鹿的一种,夏季毛栗红色,背部有白斑,冬季毛变成棕黄色,白斑变得不明显。四肢细而强壮,善跑。雄鹿有角,初生的角叫鹿茸,可入药。

【梅花针】méihuāzhēn 名 皮肤针的一种,因针柄的一端装五枚小针,形状像梅花,所以叫梅花针。参看 1037 页[皮肤针]。

【梅雨】méiyǔ 名 黄梅雨。也作霉雨。

【梅子】méi·zi 名 ❶ 梅树。❷ 梅树的果实。

脄（脄） méi 背脊肉:～子肉(里脊)。

郿 Méi 郿县,地名,在陕西。今作眉县。

嵋 méi 峨嵋（Éméi）,山名,在四川。今作峨眉。

猸 méi [猸子](méi·zi)名 鼬獾。

湄 méi〈书〉水边;岸旁。

媒 méi ❶ 媒人:做～|～妁。❷ 媒介:～质|触～。

【媒介】méijiè 名 使双方（人或事物）发生关系的人或事物:苍蝇是传染疾病的～。

【媒婆】méipó （～儿）名 以做媒为职业的妇女。

【媒染剂】méirǎnjì 名 起媒介作用,帮助染料固着于纤维上的物质。通常用铝盐、铬盐、单宁酸等。

【媒人】méi·ren 名 男女婚事的撮合者;婚姻介绍人。

【媒妁】méishuò〈书〉名 媒人:父母之命,～之言。

【媒体】méitǐ 名 指交流、传播信息的工具,如报刊、广播、广告等:新闻～。

【媒质】méizhì 名 介质的旧称。

【媒子】méi·zi〈方〉名 用来诱骗同类上当的人或动物。

楣 méi 门框上边的横木:门～。

煤 méi 名 一种可以燃烧的黑色固体,主要成分是碳、氢、氧和氮。是古代植物埋在地下,经历复杂的化学变化和高温高压而形成的。按形成阶段和煤化程度的不同,可分为泥炭、褐煤、烟煤和无烟煤。主要用作燃料和化工原料。也叫煤炭。

【煤层】méicéng 名 地下上下两个岩层之间分布着煤炭的一层。

【煤耗】méihào 名 用煤做燃料的机器装置,做出单位数量的功或生产出单位数量的产品所消耗的煤量。

【煤化】méihuà 动 古代的植物埋藏在地下,在一定的压力、温度等的作用下逐渐变成煤的过程。

【煤核儿】méihúr 名 没烧透的煤块或煤球。

【煤斤】méijīn 名 煤(总称)。

【煤精】méijīng 名 煤的一种,质地致密均匀,色黑有光泽。多用来雕刻工艺品。

【煤末】méimò （～儿）名 细碎成面儿的煤。也叫煤末子。

【煤气】méiqì 名 ❶ 干馏煤炭等所得的气体,主要成分是氢、甲烷、乙烯、一氧化碳,并有少量的氮、二氧化碳等。无色无味无臭,有毒。用作燃料或化工原料。❷ 煤不完全燃烧时产生的气体,主要成分是一氧化碳,无色无臭,有毒,被人和动物吸入后与血液中的血红蛋白结合引起全身缺氧。❸ 指液化石油气。

【煤气机】méiqìjī 名 用煤气、天然气、沼气等做燃料的内燃机。

【煤球】méiqiú （～儿）名 煤末加水和黄土制成的小圆球,是做饭取暖等的燃料。

【煤炭】méitàn 名 煤。

【煤田】méitián 名 可以开采的大面积的煤层分布地带。

【煤烟子】méiyān·zi 名 物体燃烧时,冒出的烟聚积成的黑灰,是制墨的主要原料。

【煤窑】méiyáo 名 用手工开采的小型煤矿。

【煤油】méiyóu 名 轻质石油产品的一类,

由石油中经分馏或裂化得到。无色液体，挥发性比汽油低，比柴油高，用作燃料。

【煤渣】méizhā 名 煤燃烧后剩下的东西。

【煤矸子】méizhǎ·zi 名 小块的煤。

【煤砖】méizhuān 名 煤末加水制成的砖形的煤块。用作燃料。

祺 méi 古代求子的祭祀。

酶 méi 名 生物体的细胞产生的有机胶状物质，由蛋白质组成，作用是加速机体内进行的化学变化，如促进体内的氧化作用、消化作用、发酵等。一种酶只能对某一类或某一个化学变化起催化作用。

镅（鎇）méi 名 金属元素，符号 Am（americium）。银白色，有放射性，由人工核反应获得。

鹛（鶥）méi 名 鸟，羽毛多为棕褐色，嘴尖，尾巴长。栖息在丛林中，叫的声音婉转好听。种类较多，常见的有画眉、红顶鹛等。

霉（①黴）méi ❶ 名 霉菌。❷ 动 东西因霉菌的作用而变质：～烂｜发～｜衣服～了。

【霉变】méibiàn 动 (物品)由于发霉而变质：～食品。

【霉干菜】méigāncài 名 以雪里蕻等为原料加工成的盐渍干菜。也作梅干菜。

【霉菌】méijūn 名 真菌的一类，用孢子繁殖，种类很多，如天气湿热时衣物上长的黑霉，制造青霉素用的青霉，手癣、脚癣等皮肤病的病原体。

【霉烂】méilàn 动 发霉腐烂。

【霉气】méi·qì ❶ 名 霉烂的气味：破烂衣裳散发着～。❷ 〈方〉形 不吉利；倒霉：刚出门就下雨，真～。

【霉头】méitóu 名 见 206 页〖触霉头〗。

【霉雨】méiyǔ 同"梅雨"。

糜（糜、䵃）méi 糜子：～黍。另见 939 页 mí。

【糜子】méi·zi 名 穄子(jì·zi)。

méi （ㄇㄟ）

每 méi ❶ 代 指示代词。指全体中的任何一个或一组(偏重个体之间的共性)：把节省下来的～一分钱都用在生产

上｜～两个星期开一次小组会｜～人做自己能做的事。❷ 副 表示同一动作行为有规律地反复出现：这个月刊～逢十五日出版｜最简单的秧歌舞是～跨三步退一步。❸ 副 每每：春秋佳日，～作郊游。❹ (Měi) 名 姓。

【每常】měicháng ❶ 名 往常。❷ 副 常常。

【每况愈下】měi kuàng yù xià 本作"每下愈况"(语出《庄子·知北游》，意思是愈下愈甚。况：甚)。后用来指情况越来越坏。

【每每】měiměi 副 表示同样的事情发生多次，跟"往往"相同(一般用于过去的或经常性的事情)：他们常在一起，～一谈就是半天。

美[1] měi ❶ 形 美丽；好看(跟"丑"相对)：这小姑娘长得真～｜这里的风景多～呀! ❷ 使美丽：～容｜～发。❸ 形 令人满意的；好：～酒｜价廉物～｜日子过得挺～。❹ 美好的事物；好事：～不胜收｜成人之～。❺〈方〉形 得意：老师夸了他几句，他就～得不得了。❻ (Měi) 名 姓。

美[2] Měi 名 ❶ 指美洲：南～｜北～。❷ 指美国：～圆｜～籍华人。

【美不胜收】měi bù shèng shōu 美好的东西太多，一时接受不完(看不过来)：展览会上的工艺品，琳琅满目，～。

【美餐】měicān ❶ 名 可口的饭食：～佳肴。❷ 动 痛快地吃：～一顿。

【美差】měichāi 名 指肥缺，泛指好差事(多就个人好处而言)：到桂林出差可是件～。

【美称】měichēng 名 赞美的称呼：四川向有天府之国的～。

【美德】měidé 名 美好的品德：勤劳节俭是我国人民的传统～。

【美发】měifà 动 梳理修饰头发，使美观：～师｜～厅｜美容。

【美感】měigǎn 名 对于美的感受或体会：她的舞姿富有～。

【美工】měigōng 名 ❶ 电影等的美术工作，包括布景的设计，道具、服装的设计和选择等。❷ 担任电影等的美术工作的人。

【美观】měiguān 形 (形式)好看；漂亮：房屋布置得很～｜～大方。

【美好】měihǎo 形 好(多用于生活、前途、

愿望等或抽象事物)：～的愿望｜～的未来。

【美化】měihuà 动 加以装饰或点缀使美观或美好：～校园｜～市容。

【美金】měijīn 名 美圆。

【美景】měijǐng 名 美好的景色：良辰～。

【美酒】měijiǔ 名 味道醇美的酒；好酒：～佳肴。

【美丽】měilì 形 使人看了产生快感的；好看：～的花朵｜祖国的山河是多么庄严～!

【美轮美奂】měi lún měi huàn 《礼记·檀弓下》里说，春秋时晋国大夫赵武建造宫室落成后，人们前去庆贺。大夫张老说：“美哉轮焉，美哉奂焉！”后来用“美轮美奂”形容新屋高大美观，也形容装饰、布置等美好漂亮(轮：高大；奂：众多)。

【美满】měimǎn 形 美好圆满：～姻缘｜～的生活｜小两口儿日子过得挺～。

【美貌】měimào ❶ 名 美丽的容貌：天生～。❷ 形 容貌美丽：她长得十分～｜～的年轻女子。

【美美】měiměi (～的)副 尽兴地；尽情地；痛快地：～地吃一顿｜～地睡上一觉。

【美梦】měimèng 名 比喻美好的幻想(多指不切实际的)：～破灭。

【美妙】měimiào 形 美好，奇妙：～的歌喉｜～的诗句。

【美名】měimíng 名 美好的名誉或名称：英雄～｜流芳百世。

【美女】měinǚ 名 美貌的年轻女子。

【美气】měiqì 〈方〉形 舒服；安逸：日子过得挺～。

【美人】měirén (～儿)名 美貌的女子。

【美人计】měirénjì 名 用美女引诱人上圈套的计谋。

【美人蕉】měirénjiāo 名 多年生草本植物，叶片大，长椭圆形，有羽状脉。花红色或黄色。供观赏。

【美容】měiróng 动 使容貌美丽：～院｜～手术。

【美色】měisè 名 美丽的姿色，借指美女：不近～。

【美声】měishēng 名 一种产生于意大利的歌唱发声方法，特点是花腔装饰乐句流利灵活，音与音的连接平滑匀净：～唱法。

【美食】měishí 名 精美的饮食：讲究～｜～街。

【美食家】měishíjiā 名 精于品尝菜肴的

人。

【美事】měishì 名 好事；美好的事情：没想到这样的～会轮到我！

【美术】měishù 名 ❶ 造型艺术。❷ 专指绘画。

【美术片儿】měishùpiānr 〈口〉名 美术片。

【美术片】měishùpiàn 名 利用各种美术创作手段拍摄的影片，如动画片、木偶片、剪纸片等。

【美术字】měishùzì 名 有图案意味或装饰意味的字体。

【美谈】měitán 名 使人称颂的故事：千古～｜廉颇负荆请罪，至今传为～。

【美体】měitǐ 动 使形体变美好：健身～。

【美味】měiwèi 名 味道鲜美的食品：～佳肴｜珍馐。

【美学】měixué 名 研究自然界、社会和艺术领域中美的一般规律与原则的科学。主要探讨美的本质，艺术和现实的关系，艺术创作的一般规律等。

【美言】měiyán ❶ 动 代人说好话：～几句｜～一番。❷〈书〉名 美好的言辞。

【美艳】měiyàn 形 美丽而光彩照人：姿容～。

【美意】měiyì 名 好心意：谢谢您的～。

【美育】měiyù 名 以培养审美的能力、美的情操和对艺术的兴趣为主要任务的教育。音乐和美术是美育的重要内容。

【美誉】měiyù 名 美好的名誉：教师享有辛勤的园丁的～。

【美元】měiyuán 同“美圆”。

【美圆】měiyuán 名 美国的本位货币。也作美元。也叫美金。

【美展】měizhǎn 名 美术作品展览。

【美制】měizhì 名 单位制的一种，长度的主单位是英尺，质量的主单位是磅，时间的主单位是秒。美制的某些单位在实际数值上与英制的相应单位略有差别。

【美中不足】měi zhōng bù zú 虽然很好，但还有缺陷：登泰山而没能看到日出，总觉得～。

【美洲鸵】měizhōutuó 名 鸟，外形像鸵鸟而较小，足有三趾，善走。生活在美洲草原地带。也叫鹈鹕(lái’ǎo)。

【美滋滋】měizīzī (～的)形 状态词。形容很高兴或很得意的样子：他听到老师的表扬，心里～的｜看着茂盛的庄稼，他～地咧着嘴笑了。

浼 měi 〈书〉❶ 污染。❷ 请托：央～。

渼 měi 〈书〉波纹。

镁（鎂） měi 名 金属元素，符号 Mg（magnesium）。银白色，质轻，燃烧时发出炫目的白色光。用来制闪光粉、烟火等，镁铝合金用于航空器材方面。

【镁光】 měiguāng 名 镁粉燃烧所发的强光：～灯。

mèi（ㄇㄟˋ）

沬 Mèi 商朝的都城，又称朝歌（Zhāo-gē），在今河南汤阴南。

妹 mèi ❶ 名 妹妹：姐～｜兄～。❷ 名 亲戚中同辈而年纪比自己小的女子：表～。❸〈方〉年轻女子；女孩子：外来｜农家～。❹（Mèi）名 姓。

【妹夫】 mèi·fu 名 妹妹的丈夫。

【妹妹】 mèi·mei 名 ❶ 同父母（或只同父、只同母）而年纪比自己小的女子。❷ 同族同辈而年纪比自己小的女子：叔伯～｜远房～。

【妹婿】 mèixù 〈书〉名 妹夫。

【妹子】 mèi·zi〈方〉名 ❶ 妹妹。❷ 女孩子。

昧 mèi ❶ 糊涂，不明白：蒙～｜愚～｜素～平生（一向不认识）。❷ 隐藏：拾金不～◇～良心。❸〈书〉昏暗：幽～。❹〈书〉冒犯：冒昧：～死。

【昧良心】 mèi liángxīn 违背良心（做坏事）：可不能～赚黑钱！

【昧死】 mèisǐ〈书〉动 冒死罪（多用于臣下向君主上书时）：～上言｜～以闻。

【昧心】 mèixīn 动 昧良心：不说～话。

袂 mèi 〈书〉袖子：分～｜联～而往。

谜（謎） mèi ［谜儿］（mèir）〈方〉名 谜（mí）语。参看 122 页【猜谜儿】、1059 页【破谜儿】。

另见 939 页 mí。

痗 mèi 〈书〉忧思成病。

寐 mèi 〈书〉睡：假～｜喜而不～｜梦～以求。

媚 mèi ❶ 有意讨人喜欢：巴结：谄～｜献～。❷ 美好；可爱：妩～｜明～。

【媚骨】 mèigǔ 名 比喻谄媚阿谀的品性：奴颜～。

【媚世】 mèishì 动 讨好世俗：～之作。

【媚俗】 mèisú 动 媚世：趋时～。

【媚态】 mèitài 名 ❶ 讨好别人的姿态：种种～，一副奴才相。❷ 妩媚的姿态。

【媚外】 mèiwài 动 对外国奉承巴结：崇洋～。

【媚眼】 mèiyǎn （～儿）名 娇媚的眼睛或眼神：～传情。

【媚悦】 mèiyuè 动 有意讨人喜欢：～流俗。

魅 mèi 传说中的鬼怪：鬼～｜魑～。

【魅惑】 mèihuò 动 诱惑：～力。

【魅力】 mèilì 名 很能吸引人的力量：富有～｜艺术～。

【魅人】 mèirén 形 使人陶醉；吸引人：景色～。

mēn（ㄇㄣ）

闷（悶） mēn ❶ 形 气压低或空气不流通而引起的不舒畅的感觉：～热｜打开窗户吧，屋里太～了。❷ 动 使不透气：茶刚泡上，～一会儿再喝。❸ 动 不吭声；不声张：～头儿｜～声不响。❹〈方〉形 声音不响亮：他说话～声～气的。❺ 动 在屋里呆着，不到外面去：他整天～在家里看书。

另见 934 页 mèn。

【闷沉沉】 mēnchénchén （～的）形 状态词。❶ 形容因气压低或空气不流通而感觉不舒畅：～的房间。❷ 形容声音低沉：雷在远处～地响。

另见 934 页 mènchénchén。

【闷气】 mēnqì 形 闷（mēn）①：这间地下室闷久不用了，又～又潮湿。

另见 934 页 mènqì。

【闷热】 mēnrè 形 天气很热，气压低，湿度大，使人感到呼吸不畅快：今天这样～，怕是要下雨了。

【闷声闷气】mēn shēng mēn qì （～的）形容声音低沉,不响亮:他感冒了,说话有些～的。

【闷头儿】mēn//tóur 副 不声不响地(做某事):～干|～写作。

mén （ㄇㄣˊ）

门(門) mén ❶名 房屋、车船或用围墙、篱笆围起来的地方的出入口:前～|屋～|送货上～。(图见387页"房子")❷名 装置在上述出入口,能开关的障碍物,多用木料或金属材料做成:铁～|栅栏～儿|两扇红漆大～。❸(～儿)名 器物可以开关的部分:柜～儿|炉～儿。❹名 形状或作用像门的东西:电～|闸～|球进～了。❺(～儿)名 门径:窍～|打网球我也摸着点～儿了。❻旧时指封建家族或家族的一支,现在指一般的家庭:张～王氏|长～长子|满～|双喜临～。❼宗教、学术思想上的派别:儒～|佛～|左道旁～。❽传统指称跟师傅有关的:拜～|同～|～徒。❾一般事物的分类:分～别类|五花八～。❿名 生物学中把具有最基本最显著的共同特征的生物分为若干群,每一群叫一门,如原生动物门、裸子植物门等。门以下为纲。⓫压宝时下赌注的位置名称,也用来表示赌博者的位置,有"天门"、"青龙"等名目。⓬量 a)用于炮:一～大炮。b)用于功课、技术等:三～功课|两～技术。c)用于亲戚、婚事等:两～亲戚|一～婚事。⓭(Mén)名姓。

【门巴】ménbā 名 医生。[藏]

【门巴族】Ménbāzú 名 我国少数民族之一,分布在西藏。

【门板】ménbǎn 名 ❶房屋的比较简陋的木板门(多指取下来做别的用处的)。❷店铺临街的一面作像门的木板,早晨卸下,晚上装上。

【门匾】ménbiǎn 名 安置在门额上的匾。

【门鼻儿】ménbír 名 钉在门上的铜制或铁制半圆形物,可以跟钉锔儿、铁棍等配合把门扣住或加锁。

【门钹】ménbó 名 旧式大门上所安的像钹的东西,上边有环,叩门时用环敲门钹发出声音。

【门插关儿】ménchā·guanr 名 安在门上的短横闩,关门时插上,开门时拔出来。

【门齿】ménchǐ 名 切牙。

【门当户对】mén dāng hù duì 指男女双方家庭的社会地位和经济状况相当,结亲很合适。

【门道】méndào 名 门洞儿。

【门道】mén·dao〈口〉名 门路①:农业增产的～很多|外行看热闹,内行看～。

【门第】méndì 名 指整个家庭的社会地位和家庭成员的文化程度等:书香～|～相当。

【门店】méndiàn 名 商店;门市部。

【门丁】méndīng 名 旧时给官府或大户人家看门的人。

【门钉】méndīng （～儿)名 宫殿、庙宇等大门上成排成列的圆头装饰物。

【门洞儿】méndòngr 名 ❶大门里面有顶的较长的过道:～风大,别着凉了。❷泛指住家的大门:他家就是东边第三个～。

【门斗】méndǒu （～儿)名 在屋门外设置的小间,有挡风、防寒作用。

【门对】ménduì （～儿)名 门上的对联。

【门墩】méndūn 名 托住门扇转轴的墩子,用木头或石头做成。

【门额】mén'é 名 门楣上边的部分。

【门阀】ménfá 名 旧时在社会上有权有势的家庭、家族。

【门房】ménfáng （～儿)名 ❶大门口看门用的房子。❷看门的人。

【门扉】ménfēi 名 门扇:半掩着～◇打开心灵的～。

【门风】ménfēng 名 指一家或一族世代相传的道德准则和处世方法:败坏～。

【门岗】méngǎng 名 大门口所设的岗哨。

【门馆】ménguǎn 名 ❶家塾:～先生。❷家塾教师。❸官僚、贵族供门客住的房屋。

【门户】ménhù 名 ❶门(总称):～紧闭|小心～。❷比喻出入必经的要地:塘沽新港是北京东通海洋的～。❸指家①:兄弟分居,自立～。❹派别:～之见。❺门第:～相当。

【门户之见】ménhù zhī jiàn 学术、艺术等领域中由宗派情绪产生的偏见。

【门环】ménhuán 名 装在门上的铜环或铁环。也叫门环子。

【门将】 ménjiàng 图 指某些球类运动（如足球、手球、冰球）的守门员。

【门禁】 ménjìn 图 机关团体、富豪人家等门口的戒备防范措施：～森严。

【门警】 ménjǐng 图 守门的警卫。

【门径】 ménjìng 图 门路①；找到了解决问题的～。

【门镜】 ménjìng 图 一种安装在房门上的透明小圆镜，屋里人可通过它看清门外的来人。也叫窥视镜，俗称猫眼儿。

【门槛】(门坎) ménkǎn 图❶（～儿）门框下部挨着地面的横木（也有用石头的）。（图见 387 页"房子"）❷（～儿）比喻标准或条件：名牌大学～高，多数考生望而生畏。❸〈方〉窍门，也指找窍门或占便宜的本领：你不懂｜他～精，不会上当。

【门可罗雀】 mén kě luó què 大门前面可以张网捕雀，形容宾客稀少，十分冷落。

【门客】 ménkè 图 封建官僚贵族家里养的帮闲或帮忙的人。

【门口】 ménkǒu （～儿）图 门跟前：学校～。

【门框】 ménkuàng 图 门扇四周固定在墙上的框子。（图见 387 页"房子"）

【门廊】 ménláng 图❶ 连接房门和屋门的廊子。❷ 屋门前的廊子。

【门类】 ménlèi 图 依照事物的特性把相同的集中在一起而分成的类：～繁多｜～齐全。

【门里出身】 mén·li chūshēn 〈方〉出身于具有某种专业或技术传统的家庭或行业：说到变戏法，他是～。

【门帘】 ménlián （～儿）图 门上挂的帘子。也叫门帘子。

【门联】 ménlián （～儿）图 门上的对联。

【门脸儿】 ménliǎnr 〈方〉图❶ 城门附近的地方。❷ 商店的门面。

【门铃】 ménlíng （～儿）图 安装在门里或门边的铃铛或电铃，门外的人可在门上拉铃或按电钮唤人开门。

【门楼】 ménlóu （～儿）图 大门上边牌楼式的顶。

【门路】 mén·lu❶ 做事的诀窍；解决问题的途径：广开生产～。❷ 特指能达到个人目的的途径：走～｜钻～。

【门楣】 ménméi 图❶ 门框上端的横木。（图见 387 页"房子"）❷ 指门第：光耀

【门面】 mén·mian 图 商店房屋沿街的部分，比喻外表：装修～｜支撑～。

【门面话】 mén·mianhuà 图 应酬的或冠冕堂皇而不解决问题的话。

【门牌】 ménpái 图 钉在大门外的牌子，上面标明地区或街道名称和房子号码等。

【门派】 ménpài 图 派别；流派。

【门票】 ménpiào 图 公园、博物馆等的入场券。

【门球】 ménqiú 图❶ 球类运动项目之一。用 T 形球棒按规则依次击打球，使球通过三个球门并撞击终点柱得分。❷ 门球运动使用的球，用合成树脂制成。

【门儿清】 ménrqīng 〈方〉形 了解得非常清楚；很懂行。

【门人】 ménrén 图❶ 学生②。❷ 门客。

【门扇】 ménshàn 图 门②：～上贴着春联。

【门神】 mén·shén 图 旧俗门上贴的神像，用来驱逐鬼怪（迷信）。

【门生】 ménshēng 图❶ 学生②：得意～。❷ 科举考试及第的人对主考官的自称。

【门市】 ménshì 图 商店零售货物或某些服务性行业的业务：～部｜今天是星期天，所以～很旺。

【门闩】 ménshuān 图 门关上后，插在门内使门推不开的木棍或铁棍。也作门栓。

【门栓】 ménshuān 同"门闩"。

【门厅】 méntīng 图 大门内的厅堂。

【门庭】 méntíng 图❶ 门口和庭院：洒扫～｜～若市。❷ 指家庭或门第：改换～｜光耀～。

【门庭若市】 méntíng ruò shì 门口和庭院里热闹得像市场一样，形容交际来往的人很多。

【门徒】 méntú 图 学生②；弟子。

【门外汉】 ménwàihàn 图 外行人：他在体育方面完全是个～。

【门卫】 ménwèi 图 守卫在门口的人。

【门下】 ménxià 图❶ 门客。❷ 学生②。❸ 指可以传授知识或技艺的人的跟前：我想投在您老的～｜许多青年作家都出于他的～。

【门限】 ménxiàn 〈书〉图 门槛①。

【门牙】 ményá 图 切牙的通称。

【门诊】 ménzhěn 动 医生在医院或诊所里给不住院的病人看病：节假日照常～。

【门子】mén·zi ❶ 图 指衙门里或贵族、达官家里看门管传达的人。❷ 图 门路②；找～。❸〈方〉量 用于亲戚、婚事等；这～亲事老两口很称心。

们(們) mén 图 们江（Túmén Jiāng），水名，发源于吉林，流入日本海。图们(Túmén)，地名，在吉林。
另见 934 页·men。

扪(捫) mén〈书〉按；摸：～心。
【扪心】ménxīn〈书〉动 摸摸胸口，表示反省：～自问｜清夜～。

钔(鍆) mén 图 金属元素，符号 Md（mendelevium）。有放射性，由人工核反应获得。

璊(璊) mén〈书〉赤色的玉。

亹 mén 亹源(Ményuán)，地名，在青海。今作门源。
另见 1421 页 wěi。

mèn（ㄇㄣˋ）

闷(悶) mèn ❶ 形 心情不舒畅；心烦：愁～｜～～不乐｜心里～得慌。❷ 密闭；不透气：～葫芦｜～子车。
另见 931 页 mēn。

【闷沉沉】mènchénchén （～的）形 状态词。形容心情郁闷：整天呆在家里，心里～的。
另见 931 页 mēnchénchén。

【闷罐车】mènguànchē〈方〉图 闷子车。

【闷棍】mèngùn 图 乘人不备时狠狠打的一棍，比喻突如其来的沉重打击：打～｜为了这事我吃了他一～。

【闷葫芦】mènhú·lu 图 ❶ 比喻极难猜透而令人纳闷的话或事情：这几句没头没脑的话真是个～。❷ 比喻不爱说话的人：她是个～，一天到晚难得张口。

【闷倦】mènjuàn 形 烦闷厌倦，无精打采：无所事事，～难耐。

【闷雷】mènléi 图 声音低沉的雷。比喻精神上突然受到的打击。

【闷闷不乐】mènmèn bù lè 因有不如意的事而心里不快活：他这几天～，不知出了什么事儿。

【闷气】mènqì 图 郁结在心里没有发泄的怨恨或愤怒：有意见就提，别生～！
另见 931 页 mēnqì。

【闷子车】mèn·zichē 图 铁路上指带有铁棚的货车（就没有窗户不通气而言）。有的地区叫闷罐车。

焖(燜) mèn 动 紧盖锅盖，用微火把食物煮熟或炖熟：～饭｜油焖笋｜～一锅肉。

懑(懑) mèn〈书〉❶ 烦闷。❷ 愤慨；生气：愤～。

·men（·ㄇㄣ）

们(們) ·men 后缀。用在代词或指人的名词后面，表示复数：我～｜你～｜乡亲～｜同志～。 [注意▶ 名词前有数量词时，后面不加"们"，例如不说"三个孩子～"。
另见 934 页 mén。

mēng（ㄇㄥ）

蒙[1](矇) mēng 动 ❶ 欺骗：欺上～下别～人，谁不知道你的用意！❷ 胡乱猜测：想好了再回答，别瞎～。

蒙[2] mēng 动 昏迷；神志不清：头发～｜他被球打～了。
另见 935 页 méng；936 页 Měng。
"矇"另见 936 页 méng。

【蒙蒙亮】mēngmēngliàng 形 状态词。（天）刚有些亮。

【蒙骗】mēngpiàn 动 欺骗：不能～顾客。

【蒙事】mēngshì〈方〉动 做假骗人。

【蒙头转向】mēng tóu zhuàn xiàng 形容头脑昏乱，辨不清方向。

méng（ㄇㄥˊ）

龙 méng ［龙茸］(méngróng)〈书〉形 蓬松。
另见 919 页 máng。

氓(甿) méng 古代称百姓（多指外来的）。也作萌。

另见 919 页 máng。

虻（蝱） méng 〈名〉昆虫,体长椭圆形,头阔,触角短,复眼大,黑绿色,口吻粗,腹部长大。生活在田野杂草中,雄的吸植物的汁液或花蜜,雌的吸人和动物的血液。幼虫生活在泥土、池沼、稻田中,吃昆虫、草根等。种类很多,如牛虻。

萌¹ méng ❶ 萌芽;萌生:故态复～。❷（Méng）〈名〉姓。

萌² méng 古同"氓"(méng)。

【萌动】méngdòng 〈动〉❶（植物）开始发芽:草木～。❷（事物）开始发动:春意～。

【萌发】méngfā 〈动〉❶ 种子或孢子发芽:雨后杂草～。❷ 比喻事物发生:～一种强烈的求知欲望。

【萌生】méngshēng 〈动〉开始发生;产生(多用于抽象事物):～邪念|～一线希望。

【萌芽】méngyá ❶〈动〉植物生芽,比喻事物刚发生:～状态。❷〈名〉比喻新生的未长成的事物:新型生产关系的～。

蒙 méng ❶〈动〉遮盖:～头盖脑|用手～住眼|上一张纸。❷〈动〉受:～难|～你照料,非常感谢。❸ 蒙昧:启～。❹（Méng）〈名〉姓。

另见 934 页 mēng;936 页 Měng。

【蒙蔽】méngbì 〈动〉隐瞒真相,使人上当:花言巧语～不了人。

【蒙尘】méngchén 〈书〉〈动〉蒙受风尘(特指君主因战乱逃亡在外):天子～。

【蒙垢】ménggòu 〈书〉〈动〉蒙受耻辱。

【蒙馆】méngguǎn 〈名〉旧时指对儿童进行启蒙教育的私塾。

【蒙汗药】ménghànyào 〈名〉戏曲小说中指能使人暂时失去知觉的药。

【蒙哄】ménghǒng 〈动〉哄骗:你别拿假话～人。

【蒙混】ménghùn 〈动〉用欺骗的手段使人相信虚假的事物:～过关。

【蒙眬】ménglóng 〈形〉快要睡着或刚醒时,两眼半开半闭,看东西模糊的样子:睡眼～。也作矇眬。

【蒙昧】méngmèi 〈形〉❶ 未开化;没有文化:～时代。❷ 不懂事理;愚昧:～无知。

【蒙昧主义】méngmèi zhǔyì 一种认为人

类社会的种种罪恶都是文明和科学发展的结果,主张回复到原始的蒙昧状态的思想。

【蒙蒙】méngméng 〈形〉❶ 雨点很细小:～细雨。也作濛濛。❷ 模糊不清的样子:云雾～。

【蒙难】méng//nàn 〈动〉(有名、有地位的人)遭受到灾祸。

【蒙师】méngshī 〈名〉旧时指对学童进行启蒙教育的老师。后泛指启蒙老师。

【蒙受】méngshòu 〈动〉受到;遭受:～恩惠|～耻辱|～不白之冤。

【蒙太奇】méngtàiqí 〈名〉电影用语,有剪辑和组合的意思。它是电影导演的重要表现方法之一,为表现影片的主题思想,把许多镜头组织起来,使构成一部前后连贯、首尾完整的电影片。[法 montage]

【蒙童】méngtóng 〈名〉旧时称刚刚读书识字的儿童。

【蒙学】méngxué 〈名〉蒙馆。

【蒙药】méngyào 〈口〉〈名〉指麻醉药。

另见 937 页 měngyào。

【蒙冤】méng//yuān 〈动〉蒙受冤枉:亲人～。

盟¹ méng ❶〈动〉旧时指宣誓缔约,现在指团体和团体、阶级和阶级或国和国的联合:工农联～|同～国。❷ 结拜的(弟兄):～兄|～弟。❸〈名〉内蒙古自治区的行政区域,包括若干旗、县、市。❹（Méng）〈名〉姓。

盟² méng（旧读 míng）发(誓)。

【盟邦】méngbāng 〈名〉结成同盟的国家。

【盟国】méngguó 〈名〉盟邦。

【盟军】méngjūn 〈名〉结成同盟的军队;盟国的军队。

【盟誓】¹ méng//shì（旧读 míng//shì）〈动〉发誓;宣誓:盟个誓|对天～。也说明誓。

【盟誓】² méngshì 〈书〉〈名〉盟约。

【盟兄弟】méngxiōngdì 〈名〉把兄弟。

【盟友】méngyǒu 〈名〉❶ 结成同盟的朋友。❷ 指盟国。

【盟约】méngyuē 〈名〉缔结同盟时所订立的誓约或条约。

【盟主】méngzhǔ 〈名〉古代诸侯同盟中的领袖。后用来称一些集体活动的首领或倡导者。

甍 méng 〈书〉屋脊；雕～。

瞢 méng 〈书〉目不明：目光～然。

幪 méng 见1056页［䙵幪］。

濛 méng 〈书〉形容细雨：细雨其～。

【濛濛】méngméng 同"蒙蒙"①。

檬 méng 见1001页［柠檬］。

曚 méng ［曚昽］(ménglóng)〈书〉形 日光不明。

矇 méng ［朦胧］(ménglóng) 形 ❶ 月光不明。❷ 不清楚；模糊：暮色～｜烟雾～。

鹲(鸏) méng 名 鸟，种类较多，身体大，灰色或白色，嘴大而直，尾部有长羽毛。生活在热带海洋上，吃鱼类等。

礞 méng ［礞石］(méngshí)名 岩石，结构较松散，有青礞石和金礞石两种。青礞石呈不规则的块状，青灰色或灰绿色。金礞石呈不规则的块状或粒状，棕黄色。可入药。

矒 méng 〈书〉眼睛失明。
另见934页 měng"蒙¹"。

【朦胧】ménglóng 同"蒙胧"。

艨 méng ［艨艟］(méngchōng)名 古代战船。

měng （ㄇㄥˇ）

勐¹ měng 〈书〉勇敢。

勐² měng 名 云南西双版纳傣族地区旧时的行政区划单位。

猛 měng 猛鸡特(Měngjītè)，地名，在广西。

猛 měng ❶ 形 猛烈：勇～｜突飞～进｜炮火很～。❷ 副 忽然；突然：他听到枪声，～地从屋里跳出来。❸ 把力气集中地使出来：～着劲儿干。❹ (Měng) 名 姓。

【猛不丁】měng·budīng 〈方〉副 猛然：他～地大喊了一声。

【猛不防】měng·bufáng 副 突然到来而来不及

防备：他正说得起劲，～背后被人推了一把。

【猛孤丁】měng·gudīng 〈方〉副 猛然；突然。

【猛将】měngjiàng 名 勇猛的将领，比喻不顾艰险而勇往直前的人。

【猛进】měngjìn 动 不怕困难，勇敢前进；很快地前进：高歌～｜突飞～。

【猛劲儿】měngjìnr 〈口〉❶ (～儿) 动 集中用力气：一～，就超过了前边的人。❷ 名 集中起来一下子使出来的力量：搬重东西要用～。❸ 名 勇猛的力量：这小伙子干活有股子～。

【猛可】měngkě (～地) 副 突然(多见于早期白话)。

【猛烈】měngliè 形 ❶ 气势大，力量大：～的炮火｜这里气候寒冷，风势～。❷ 急剧：心脏～地跳动着。

【猛犸】měngmǎ 名 古哺乳动物，外形跟现代的象相似，全身有棕色长毛，门齿向上弯曲。第四纪时生存于寒冷地带，现已灭绝。

【猛禽】měngqín 名 凶猛的鸟类，如鹫、鸢、鹗、隼、鸮、雕等。

【猛然】měngrán 副 忽然；骤然：～回头｜～一惊。

【猛士】měngshì 名 勇敢有力的人；勇士。

【猛兽】měngshòu 名 凶猛的兽类，如虎、狮、豹等。

【猛省】měngxǐng 同"猛醒"。

【猛醒】měngxǐng 动 猛然觉悟；忽然明白过来。也作猛省。

【猛鸷】měngzhì 名 指鹰。

【猛子】měng·zi 名 游泳时头朝下钻入水中的动作：扎～｜他身子一纵，一个～就不见了。

蒙 Měng 蒙古族。
另见934页 méng；935页 méng。

【蒙古包】měnggǔbāo 名 蒙古族牧民居住的圆顶帐篷，用毡子做成。

【蒙古剧】měnggǔjù 名 蒙古族戏曲剧种，流行于辽宁阜新一带蒙古族聚居区。音乐唱腔为民歌体，伴奏乐器有胡琴、马头琴等。

【蒙古人种】Měnggǔ rénzhǒng 世界三大人种之一，体质特征是皮肤黄色，头发黑而直，脸平，主要分布在亚洲东部和东南部。也叫黄种。

【蒙古族】Měnggǔzú 名❶ 我国少数民族之一,主要分布在内蒙古、吉林、黑龙江、辽宁、宁夏、新疆、甘肃、青海、河北、河南。❷ 蒙古国人数最多的民族。

【蒙药】měngyào 名 蒙医所用的药物,以植物的为最多。

　　另见 935 页 méngyào。

【蒙医】měngyī 名❶ 蒙古族的传统医学。❷ 用蒙古族传统医学理论和方法治病的医生。

【蒙族】Měngzú 名 蒙古族的简称。

锰(錳) měng 名 金属元素,符号 Mn(manganum)。银白色,质硬而脆。主要用来制造锰钢等合金。

【锰结核】měngjiéhé 名 大洋底部的矿物团块,主要成分是锰和铁,也含有铜、镍、钴等三十多种元素,是一种深海底金属矿产资源。

蜢 měng 见 1708 页〖蚱蜢〗。

艋 měng 见 1703 页〖舴艋〗。

獴 měng 名 哺乳动物,身体长,脚短,口吻尖,耳朵小。捕食蛇、蛙、鼠、鱼、蟹等。生活在我国的有红颊獴、蟹獴。

懵(懜) měng 懵懂:～然无知。

【懵懂】měngdǒng 形 糊涂;不明事理:懵懵懂懂|聪明一世,～一时。

蠓 měng 名 昆虫,种类很多,成虫很小,褐色或黑色,触角细长,翅短而宽。某些雌蠓吸食人畜的血液。有些蠓能传染疾病。

【蠓虫儿】měngchóngr 〈口〉名 蠓。

mèng （ㄇㄥˋ）

孟 mèng ❶ 指农历一季的第一个月。参看 1769 页"仲"、647 页"季"。❷ 旧时在兄弟姐妹排行的次序里代表最大的。❸ (Mèng)名 姓。

【孟春】mèngchūn 名 春季的第一个月,即农历正月。

【孟冬】mèngdōng 名 冬季的第一个月,即农历十月。

【孟浪】mènglàng 〈书〉形 鲁莽;冒失:～

从事|话语～。

【孟秋】mèngqiū 名 秋季的第一个月,即农历七月。

【孟什维克】mèngshíwéikè 名 俄国社会民主工党的一个机会主义派别。因在 1903 年俄国社会民主工党第二次代表大会上选举党的领导机构时获得少数选票而得名。[俄 меньшевик,少数派]

【孟夏】mèngxià 名 夏季的第一个月,即农历四月。

梦(夢) mèng ❶ 名 睡眠时局部大脑皮质还没有完全停止活动而引起的脑中的表象活动。❷ 动 做梦:～见。❸ 比喻幻想:～想。❹ (Mèng) 名 姓。

【梦笔生花】mèng bǐ shēng huā 见 1218 页〖生花之笔〗。

【梦话】mènghuà 名❶ 睡梦中说的话。睡眠时抑制作用没有扩散到大脑皮质的全部,语言中枢有时还能活动,这时就会有说梦话的现象。也叫梦呓。❷ 比喻不切实际,不能实现的话。

【梦幻】mènghuàn 名 如梦的幻境;梦境:离奇的遭遇犹如～|从～中醒来。

【梦幻泡影】mènghuàn pàoyǐng 原是佛经的话,说世界上的事物都像梦境、幻术、水泡和影子一样空虚。今比喻空虚而容易破灭的幻想。

【梦境】mèngjìng 名 梦中经历的情境,多用来比喻美妙的境界:乍到这山水如画的胜地,如入～一般。

【梦寐】mèngmèi 名 睡梦:～难忘|～以求。

【梦寐以求】mèngmèi yǐ qiú 睡梦中都想着寻找,形容迫切地希望着。

【梦乡】mèngxiāng 名 指睡熟时候的境界:他实在太疲倦了,一躺下便进入了～。

【梦想】mèngxiǎng ❶ 动 幻想;妄想:这件事根本不可能,你别～了。❷ 动 渴望:他小时候～着当一名飞行员。❸ 名 梦想的事情:实现了自己的～。

【梦魇】mèngyǎn 动 睡梦中,因受惊吓而喊叫,或觉得有东西压在身上,不能动弹。

【梦遗】mèngyí 名 梦中遗精。

【梦呓】mèngyì 名 梦话。

mī（ㄇㄧ）

咪 mī 见下。

【咪表】mībiǎo 〈名〉在城市街道边设置的停车计时收费器。[咪,英 metre]

【咪咪】mīmī〈拟声〉形容猫叫的声音：小猫～叫。

眯（瞇） mī 〈动〉❶ 眼皮微微合上：～缝|～着眼睛笑。❷〈方〉小睡：～一会儿。

另见 939 页 mí。

【眯瞪】mī•deng〈方〉〈动〉小睡：困了,就先～一会儿。

【眯盹儿】mī//dǔnr〈方〉〈动〉打盹儿：困极了先眯个盹儿。

【眯缝】mī•feng〈动〉眼皮合拢而不全闭：他不说话,只是～着眼睛笑。

mí（ㄇㄧˊ）

弥（彌、瀰） mí ❶ 遍；满：～漫|～天。❷ 填满,遮掩：～补|～缝。❸〈书〉更加：欲盖～彰。❹（Mí）〈名〉姓。

【弥补】míbǔ〈动〉把不够的部分填足：～缺陷|不可～的损失。

【弥封】mífēng〈动〉把试卷上填写姓名的地方折角或盖纸糊住,目的是防止舞弊。

【弥缝】míféng〈动〉设法遮掩或补救缺点、错误,不使别人发觉。

【弥合】míhé〈动〉使愈合：～伤口◇～感情上的裂痕。

【弥勒】Mílè〈名〉佛教菩萨之一,佛寺中常有的塑像,胸腹袒露,满面笑容。[梵 Maitreya]

【弥留】míliú〈书〉病重将要死亡：～之际。

【弥漫】mímàn〈动〉（烟尘、雾气、水等）充满；布满：烟雾～|乌云～了天空。

【弥蒙】míméng〈形〉形容烟雾等茫茫一片看不分明：云雾～|硝烟～。

【弥撒】mí•sa〈名〉天主教的一种宗教仪式,用面饼和葡萄酒表示耶稣的身体和血来祭祀天主。[拉 missa]

【弥散】mísàn〈动〉（光线、气体、声音等）向四外扩散。

【弥天】mítiān〈动〉充满了天空,形容极大：～大祸|～大罪|～大雾。

【弥天大谎】mí tiān dà huǎng 极大的谎话。

【弥陀】Mítuó〈名〉阿弥陀佛的简称。也叫弥陀佛。

【弥望】míwàng〈书〉〈动〉充满视野：春色～。

【弥月】míyuè〈书〉〈动〉❶（初生婴儿）满月。❷满一个月：新婚～。

迷 mí ❶〈动〉分辨不清,失去判断能力：～了路|～了方向。❷〈动〉因对某人或某一事物发生特殊爱好而沉醉：～恋|他～上了武侠小说。❸沉醉于某一事物的人：球～|戏～。❹〈动〉使看不清；使迷惑；使陶醉：～人|财～心窍。

【迷彩】mícǎi〈名〉指能起迷惑作用使人不易分辨的色彩：～服。

【迷彩服】mícǎifú〈名〉采用迷彩面料制成的服装（多用于军队和警察）。

【迷瞪】mí•deng〈方〉〈形〉心里迷惑；糊涂：迷迷瞪瞪。

【迷宫】mígōng〈名〉门户道路复杂难辨,人进去不容易出来的建筑物。比喻充满奥秘不易探索的领域：数学～。

【迷航】míháng〈动〉（飞机、轮船等）迷失航行方向。

【迷糊】mí•hu〈形〉（神志或眼睛）模糊不清：病人有时清楚,有时～。

【迷幻药】míhuànyào〈名〉一种麻醉毒品,服后能令人产生幻觉。

【迷魂汤】míhúntāng〈名〉迷信说所地狱中使灵魂迷失本性的汤药,比喻迷惑人的语言或行为。也说迷药。

【迷魂阵】míhúnzhèn〈名〉比喻能使人迷惑的圈套、计谋。

【迷惑】mí•huò ❶〈形〉辨不清是非；摸不着头脑：～不解。❷〈动〉使迷惑：花言巧语～不了人。

【迷津】míjīn〈书〉〈名〉使人迷惑的错误道路（津原指渡河的地方,后来多指处世的方向）；指破～（点破错误的方向）。

【迷离】mílí〈形〉模糊而难以分辨清楚：～恍惚|睡眼～。

【迷恋】míliàn 劻 对某一事物过度爱好而难以舍弃：～酒色｜～家乡的特产。

【迷路】mí∥lù 劻❶ 迷失道路：山林中容易～｜走到半道上迷了路。❷ 比喻失去了正确的方向。

【迷漫】mímàn 劻 漫天遍野，茫茫一片，看不分明：风雪～｜山中～着一层烟雾。

【迷茫】mímáng 彤❶ 广阔而看不清的样子：大雪铺天盖地，原野一片～。❷（神情）迷离恍惚：神色～｜小姑娘用～的眼光打量着陌生的来客。

【迷蒙】míméng 彤❶ 昏暗看不分明；迷茫①：烟雨～｜暮色～。也作迷濛。❷（神志）模糊不清：醉意～。

【迷濛】míméng 同"迷蒙"①。

【迷梦】mímèng 名 沉迷不悟的梦想：他终于从～中觉醒过来。

【迷你】mínǐ 彤 属性词。指同类物品中较小的；小型的：～裙（超短裙）。[英 mini]

【迷人】mírén 彤 使人陶醉；使人迷恋：景色～。

【迷失】míshī 劻 弄不清（方向）；走错（道路）：～方向。

【迷途】mítú ❶ 劻 迷失道路：～知返｜～的羔羊。❷ 名 错误的道路：误入～。

【迷惘】míwǎng 彤 由于分辨不清而困惑，不知怎么办：精神～。

【迷雾】míwù 名❶ 浓厚的雾：在～中看不清航道。❷ 比喻使人迷失方向的事物。

【迷信】míxìn 劻❶ 相信神灵鬼怪等超自然的东西存在。❷ 泛指盲目地信仰崇拜：～权威｜破除～，解放思想。

【迷走神经】mízǒu-shénjīng 第十对脑神经，由延髓发出，分布在头、颈、胸、腹等部，支配呼吸、消化两系统的绝大部分器官和心脏的感觉、运动及腺体的分泌。

【迷醉】mízuì 劻 迷恋，陶醉；沉迷：采茶姑娘的歌声此起彼落，令人～｜一于过去，就会妨碍更好地前进。

祢（禰） mí 名 姓。

眯（瞇） mí 劻 尘埃等杂物进入眼中，使一时不能睁开眼来：沙子～了眼。
另见 938 页 mī。

猕（獼） mí 见下。

【猕猴】míhóu 名 猴的一种，上身毛灰褐色，腰部以下橙黄色，有光泽，面部微红色，两颊有颊囊，臀部的皮特别厚，不生毛，尾短。吃野果、野菜等。

【猕猴桃】míhóutáo 名❶ 落叶藤本植物，叶子互生，圆形或卵形，花黄色，浆果近球形。果实可以吃，也可入药，茎皮纤维可以做纸，花可提制香料。❷ 这种植物的果实。

谜（謎） mí 名❶ 谜语：灯～｜哑～｜猜～。❷ 比喻还没有弄明白的或难以理解的事物：这个问题到现在还是一个～。
另见 931 页 mèi。

【谜底】mídǐ 名❶ 谜语的答案。❷ 比喻事情的真相：揭开～，真相大白。

【谜面】mímiàn 名 指猜谜语时说出来或写出来供人做猜测线索的话。

【谜团】mítuán 名 比喻一连串捉摸不定的事物；疑团。

【谜语】míyǔ 名 暗射事物或文字等供人猜测的隐语。如"麻屋子，红帐子，里头住着白胖子"射"花生"；"齿在口外"射"呀"字。

筭（彌） mí （～儿）名 竹篾、苇篾等：席～儿。也叫笢子。

醚 mí 名 有机化合物的一类，是一个氧原子连接两个烃基而成的化合物。如甲醚、乙醚等。

糜 mí 名❶ 粥：肉～。❷ 烂：～烂。❸ 浪费：～费。❹（Mí）名 姓。
另见 929 页 méi。

【糜费】mífèi 见 939 页〖靡费〗。

【糜烂】mílàn ❶ 劻 烂到不可收拾：伤口～。❷ 彤 腐化堕落：生活～｜～不堪。

縻 mí〈书〉系住：羁～。

麋 mí 麋鹿。

【麋鹿】mílù 名 哺乳动物，毛淡褐色，雄的有角，角像鹿，尾像驴，蹄像牛，颈像骆驼，但从整个来看哪一种动物都不像。性温顺，吃植物。原生活在我国，是一种珍稀动物。也叫四不像。

靡 mí 浪费：～费｜～奢。
另见 940 页 mǐ。

【靡费】（糜费）mífèi 劻 浪费：节约开支，

防止～。

蘪 mí 见 1379 页【荼蘪】。

蘼 mí 【蘼芜】(míwú)名 古书上指芎䓖(xiōngqióng)的苗。

醾(醾、醿) mí 见 1380 页【酴醾】。

mǐ （ㄇㄧˇ）

米[1] mǐ ❶名 稻米;大米:机～|糯～。❷ 泛指去掉壳或皮后的种子,多指可以吃的:小～|高粱～|花生～|菱角～。❸ 小粒像米的东西:海～|虾～。❹(Mǐ)名 姓。

米[2] mǐ 量 长度单位,符号 m。1 米等于 10 分米。

【米波】mǐbō 名 超短波。

【米醋】mǐcù 名 以大米等为原料酿制的食醋。

【米豆腐】mǐdòu·fu 〈方〉名 一种食品,用大米磨成的浆制成,形状像豆腐。

【米饭】mǐfàn 名 用大米或小米做成的饭。特指用大米做成的饭。

【米粉】mǐfěn 名 ❶ 大米磨成的粉:～肉。❷ 大米加水磨成浆,过滤后弄成团,然后制成的细条食品,可煮食。也指米面③。

【米粉肉】mǐfěnròu 名 把肉切成片,加米粉、作料,蒸熟,叫米粉肉。也叫粉蒸肉。有的地区叫鲊(zhǎ)肉。

【米黄】mǐhuáng 形 白而微黄的颜色。

【米酒】mǐjiǔ 名 用糯米、黄米等酿成的酒。

【米糠】mǐkāng 名 紧贴在稻子、谷子的米粒外面的皮,脱下后叫米糠。

【米粒】mǐlì （～儿）名 米的颗粒。

【米粮川】mǐliángchuān 名 盛产粮食的大片平地:荒滩变成～。

【米面】mǐmiàn 名 ❶ 大米和面。❷(～儿)米粉①。❸〈方〉一种食品,把大米加水磨成的浆,用旋子(xuàn·zi)做成像粉皮的薄片,再切成细条而成。

【米色】mǐsè 名 米黄色。

【米汤】mǐ·tāng 名 ❶ 煮米饭时取出的汤。❷ 用少量的大米或小米等熬成的稀饭。

【米线】mǐxiàn 〈方〉名 米粉②。

【米象】mǐxiàng 名 昆虫,成虫身体红褐色,头部前伸,像鼻子,鞘翅上有四个橙黄色斑点。成虫和幼虫吃稻、麦等粮食,是仓库中的害虫。

【米制】mǐzhì 名 一种计量制度,创始于法国,1875 年十七个国家的代表在法国巴黎开会议定为国际通用的计量制度。长度的主单位是米,质量的主单位是公斤,容量的主单位是升。1960 年为国际单位制所取代。也叫国际公制。[法 système métrique]

【米珠薪桂】mǐ zhū xīn guì 米像珍珠,柴像桂木,形容物价昂贵,生活困难。

【米猪】mǐzhū 名 豆猪。

芈 mǐ ❶拟声 羊的叫声。❷(Mǐ)名 姓。

洣(灖) mǐ 〈书〉水满。

洣 Mǐ 洣水,水名,在湖南。

弭 mǐ ❶〈书〉平息;消灭:消～|～患|～战。❷(Mǐ)名 姓。

【弭谤】mǐbàng 〈书〉动 止息诽谤。

【弭兵】mǐbīng 〈书〉动 平息战争。

【弭除】mǐchú 〈书〉动 消除:～成见。

【弭患】mǐhuàn 〈书〉动 消除祸患。

【弭乱】mǐluàn 〈书〉动 平息战乱。

脒 mǐ 名 有机化合物的一类,是含有—CNHNH₂ 原子团的化合物,如磺胺脒。[英 amidine]

敉 mǐ 〈书〉安抚;安定:～平。

【敉平】mǐpíng 〈书〉动 平定:～叛乱。

靡[1] mǐ 〈书〉❶ 顺风倒下:风～|披～。❷ 美好:～丽。

靡[2] mǐ 〈书〉无;没有:～日不思。另见 939 页 mí。

【靡丽】mǐlì 〈书〉形 华丽;奢华。

【靡靡】mǐmǐ 形 颓废淫荡;低级趣味的(乐曲):～之音。

【靡然】mǐrán 〈书〉形 一边倒的样子:天下～从之。

mì （ㄇㄧˋ）

汩 mì 汨罗江(Mìluó Jiāng),水名,发源于江西,流入湖南洞庭湖。

觅(覓、覔)

mì 寻找：寻～｜～食。

【觅求】mìqiú 动 寻找；寻求：四处～｜～乐趣。

【觅取】mìqǔ 动 寻求取得：到深山老林～珍贵药材。

泌

mì 分泌：～乳量｜～尿器。
另见 75 页 bì。

【泌尿器】mìniàoqì 名 分泌尿和排泄尿的器官，是肾脏、输尿管、膀胱、尿道等的统称。

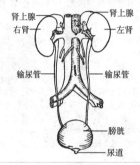

肾上腺　　肾上腺
右肾　　　左肾

输尿管　　输尿管

膀胱

尿道

人的泌尿器

宓

mì ①〈书〉安静。② (Mì)名 姓。
另见 419 页 Fú。

秘(祕)

mì ① 秘密：～诀｜～室｜～事。② 保守秘密：～而不宣｜～不示人。③ 罕见；稀有：～宝｜～籍。
另见 75 页 bì。

【秘宝】mìbǎo 名 罕见的珍宝。

【秘本】mìběn 名 珍藏的罕见的图书或版本。

【秘而不宣】mì ér bù xuān 守住秘密，不肯宣布。

【秘方】mìfāng 名 不公开的有显著医疗效果的药方：祖传～。

【秘府】mìfǔ 名 宫廷中收藏图书秘籍的地方。

【秘笈】mìjí 同"秘籍"。

【秘籍】mìjí 名 珍贵罕见的书籍：孤本～。也作秘笈。

【秘诀】mìjué 名 能解决问题的不公开的巧妙办法：成功的～。

【秘密】mìmì ① 形 有所隐蔽，不让人知道的(跟"公开"相对)：～文件｜～来往。② 名 秘密的事情：保守｜军事～。

【秘史】mìshǐ 名 指统治阶级内部没有公开的历史，也指关于私人生活琐事(多是腐朽生活作风)的记载：宫廷～。

【秘书】mìshū 名 ① 掌管文书并协助机关或部门负责人处理日常工作的人员：～长｜部长～。② 秘书职务：～处｜担任～工作。

【秘闻】mìwén 名 罕为人知的传闻(多指有关私人生活的)：～轶事｜宫闱～｜披露～。

密

mì ① 形 事物之间距离近；事物的部分之间空隙小(跟"稀、疏"相对)：～植｜稠～｜紧～｜严～｜这一带的树长得太～了。② 关系近；感情好：～友｜亲～。③ 精致；细致：细～｜精～。④ 秘密：～电｜～谈｜～约｜机～｜保～。⑤ (Mì)名 姓。

【密报】mìbào ① 动 秘密地报告：是谁～了这件事？② 名 秘密的报告：得到～。

【密闭】mìbì 动 严密封闭：门窗～｜～的容器。

【密布】mìbù 动 分布得很稠密：繁星～｜阴云～。

【密电】mìdiàn ① 名 密码电报；秘密的电报。② 动 指拍发密电。

【密度】mìdù 名 ① 疏密的程度：人口～｜果树的～不宜太大。② 物质的质量跟它的体积的比值，即物质单位体积的质量。常用单位是克/厘米³

【密封】mìfēng 动 严密封闭：～舱｜一听～的果汁｜用白蜡～瓶口，以防药物受潮或挥发。

【密告】mìgào ① 动 密报①。② 名 密报②。

【密会】mìhuì ① 动 秘密会见。② 名 秘密会议。

【密级】mìjí 名 指国家事务秘密程度的等级，一般分为绝密、机密、秘密三级。

【密集】mìjí ① 动 数量很多地聚集在一处：人们～在广场上。② 形 稠密：人口十分～。

【密件】mìjiàn 名 需要保密的信件或文件。

【密林】mìlín 名 茂密的树林(多指大片的)：～深处。

M

【密令】mìlìng ❶ 动 秘密下达命令、指令。❷ 名 秘密下达的命令、指令。

【密麻麻】mìmámá （～的）形 状态词。密密麻麻。

【密码】mìmǎ 名 在约定的人中间使用的特别编定的秘密电码或号码（区别于"明码"）：破译～｜～锁。

【密码箱】mìmǎxiāng 名 一种装有密码锁的小型手提箱，用来放现金、票据、贵重物品或文件等。

【密密层层】mì·mícéngcéng （～的）形 状态词。形容很密很多：山坡上有～的酸枣树。

【密密丛丛】mì·mícóngcóng （～的）形 状态词。形容茂密：～的杨树林。

【密密麻麻】mì·mímámá （～的）形 状态词。又多又密（多指小的东西）：纸上写着～的小字。也说麻麻密密。

【密密匝匝】mì·mìzāzā （～的）形 状态词。很稠密的样子：车厢里的人挤得～的。也说匝匝密密。

【密谋】mìmóu 动 秘密地计划（多指坏事）：～叛变。

【密切】mìqiè ❶ 形 关系近：两人关系很～。❷ 动 使关系近：进一步～干部与群众的关系。❸ 形 （对问题等）重视，照顾得周到：～注意｜～配合。

【密商】mìshāng 动 秘密商议：～对策。

【密实】mì·shi 形 细密；紧密：鞋底是手工纳的，针脚很～。

【密使】mìshǐ 名 秘密派遣的使者；负有秘密使命的使者。

【密室】mìshì 名 四面严密关闭的房间；秘密的房间（指不让外人知道的地方）：策划于～。

【密谈】mìtán 动 秘密交谈：附耳～｜两个人～了一阵。

【密探】mìtàn 名 做秘密侦探工作的人（多用来称对方的）。

【密信】mìxìn 名 需要保密的信件。

【密友】mìyǒu 名 友谊特别深的朋友：至亲～。

【密语】mìyǔ ❶ 名 秘密的通信用语。为了保密，通常用数字、字母、某些特定词语等代替真实的通信内容。❷ 动 秘密交谈：他俩正在低头～。

【密约】mìyuē ❶ 动 秘密约定：～幽会。❷ 名 秘密签订的条约；签订～。

【密钥】mìyuè 名 密码和明码之间的对应替代关系。如以 00,01,02,03 代替字母 A,B,C,D,那么 00 译成 A,01 译成 B,02 译成 C,03 译成 D 就是密钥。

【密云不雨】mì yún bù yǔ 满天浓云而不下雨，比喻事情正在酝酿，尚未发作。

【密匝匝】mìzāzā （～的）形 状态词。密匝匝。

【密召】mìzhào 动 秘密召唤：～回京。

【密诏】mìzhào 名 秘密的诏书。

【密植】mìzhí 动 在单位面积土地上适当缩小作物行距和株距，增加播种量，增加株数。

【密旨】mìzhǐ 名 秘密的谕旨。

【密致】mìzhì 形 （物质）结构紧密；致密：质地～。

幂（冪） mì ❶ 〈书〉覆盖东西的巾。❷ 〈书〉覆盖；罩。❸ 名 表示一个数自乘若干次的形式叫幂。如 t 乘 n 次的幂为 t^n。参看 177 页〖乘方〗。

谧（謐） mì 〈书〉安宁；平静：安～｜静～｜恬～。

蓂 mì 见 1454 页〖蓂荚〗。另见 959 页 míng。

幙 mì 〈书〉同"幂"。

嘧 mì ［嘧啶］(mìdìng) 名 有机化合物，化学式 $C_4H_4N_2$。无色液体或结晶物质，有刺激性气味。用来制化学药品。［英 pyrimidine］

蜜 mì ❶ 名 蜂蜜：酿～｜割～。❷ 像蜂蜜的东西：糖～。❸ 甜美：甜～｜甜言～语。

【蜜蜂】mìfēng 名 昆虫，体表有很密的绒毛，前翅比后翅大，雄蜂触角较长，母蜂和工蜂有毒刺，能蜇人。成群居住。工蜂能采花粉酿蜜，帮助某些植物传粉。蜂蜜、蜂蜡、蜂王浆有很高的经济价值。

【蜜饯】mìjiàn ❶ 动 用浓糖浆浸渍果品等：～海棠。❷ 名 蜜饯的果品等。

【蜜色】mìsè 名 像蜂蜜那样的颜色；淡黄色。

【蜜腺】mìxiàn 名 某些植物的花上分泌糖汁的腺。有的植物蜜腺长在雄蕊或雌蕊的基部，如白菜；有的植物蜜腺长在花冠上，如萝卜。

【蜜月】mìyuè 名 新婚第一个月：～旅行

度～。

【蜜枣】mìzǎo （～儿）名 蜜饯的枣儿。

mián （ㄇㄧㄢˊ）

眠 mián ❶ 睡眠：失～|安～|长～(指死亡)。❷ 动 某些动物的一种生理现象，在一个较长时间内不动不吃：冬～|蚕三～了。

绵(綿、緜) mián ❶ 丝绵。❷ 绵延：～亘|～长|连～。❸ 薄弱；柔软：～薄|～软。

【绵白糖】miánbáitáng 名 颗粒很小，略呈粉末状的白糖。

【绵薄】miánbó 名 谦辞，指自己薄弱的能力：愿在文化工作方面，稍尽～。

【绵长】miáncháng 形 延续很长：～岁月|福寿～(对老年人的祝词)。

【绵绸】miánchóu 名 用碎丝、废丝等为原料纺成丝后织成的丝织品，表面不平整，不光滑。

【绵亘】miángèn 动 接连不断(多指山脉等)：大别山～在河南、安徽和湖北三省的边界上。

【绵里藏针】mián lǐ cáng zhēn ❶ 形容柔中有刚。❷ 比喻外貌柔和，内心刻毒。

【绵力】miánlì 〈书〉名 微薄的力量，多用于谦辞：略尽～。

【绵连】(绵联)miánlián 动 连绵：群山～。

【绵密】miánmì 形 (言行、思虑)细密周到：文思～。

【绵绵】miánmián 形 连续不断的样子：秋雨～|情意～。

【绵软】miánruǎn 形 ❶ 柔软(多用于毛发、衣被、纸张等)：～的羊毛。❷ 形容身体无力：他觉得浑身～，脑袋昏沉沉的。

【绵甜】miántián 形 (味道)柔和而甘甜(多指酒类)。

【绵延】miányán 动 延续不断：～千里的山脉。

【绵羊】miányáng 名 羊的一种，公羊多有螺旋状大角，母羊角细小或无角，口吻长，四肢短，趾有蹄，尾肥大，毛白色，长而卷曲。性温顺。变种很多，有灰黑等颜色。毛是纺织品的重要原料，皮可制革。

【绵纸】miánzhǐ 名 用树木的韧皮纤维制的纸，色白，柔软而有韧性，纤维细长如绵，所以叫绵纸。多用作皮衣衬垫、鞭炮捻子等。

【绵子】mián·zi 〈方〉名 丝绵。

棉 mián ❶ 名 一年生或多年生草本植物或灌木，栽培品种有陆地棉、海岛棉、树棉、草棉等，其中陆地棉栽培最广。果实中的棉纤维是重要的纺织原料，棉子可以榨油。通称棉花。❷ 名 棉花②。❸ 像棉花的絮状物：石～|腈纶～|膨松～。❹ (Mián)名 姓。

【棉饼】miánbǐng 名 棉子榨油后剩下的压成饼状的渣滓。可做饲料或肥料。

【棉布】miánbù 名 用棉纱织成的布。

【棉纺】miánfǎng 形 属性词。用棉花纺织的：～制品|～行业。

【棉猴儿】miánhóur 〈口〉名 风帽连着衣领的棉大衣。

【棉花】mián·hua 名 ❶ 棉的通称。❷ 棉桃中的纤维，吸湿、保温、透气，用来纺纱、絮衣服被褥等。

【棉铃】miánlíng 名 棉花的果实，初长时形状像铃，叫棉铃，长成后像桃，叫棉桃。一般不加分别，通称棉桃。

【棉毛裤】miánmáokù 名 一种棉针织品的裤子，多作内衣用。

【棉毛衫】miánmáoshān 名 一种棉针织品的上衣，多作内衣用。

【棉农】miánnóng 名 以种植棉花为主的农民。

【棉签】miánqiān （～儿）名 一端裹有少许棉花的小细棍，用于医疗上皮肤局部消毒或处理伤口等。

【棉纱】miánshā 名 用棉花纺成的纱。

【棉桃】miántáo 名 棉花的果实，特指长成后形状像桃的。参看【棉铃】。

【棉套】miántào 名 絮了棉花的套子，套在茶壶、饭桶等外面起保暖作用。

【棉线】miánxiàn 名 用棉纱制成的线。

【棉絮】miánxù 名 ❶ 棉花的纤维：这种棉花的～长。❷ 用棉花纤维做成的可以絮被褥等的胎。

【棉织品】miánzhīpǐn 名 用棉纱或棉线织成的布和衣物。

【棉子】miánzǐ 名 棉花的种子，可以榨油。也作棉籽。

M

【棉籽】miánzǐ 同"棉子"。

miǎn （ㄇㄧㄢˇ）

丏 miǎn ❶〈书〉遮蔽；看不见。❷（Miǎn）图姓。

免 miǎn ❶ 励去掉；除掉：～税|～费|任～名单|俗礼都～了。❷避免：难～|幸～|～疫性。❸不可；不要：闲人～进|～开尊口。

【免不得】miǎn·bu·de 励免不了：在这个问题上他们的看法分歧很大，～有一场争论。

【免不了】miǎn·buliǎo 励不可避免；难免：在前进的道路上，困难是～的|刚会走的孩子～要摔跤。

【免除】miǎnchú 励免去；除掉：兴修水利，～水旱灾害。

【免得】miǎn·de 连以免：多问几句，～走错路|我再说明一下，～引起误会|经常来个电话，～老人牵挂。

【免费】miǎn//fèi 励免缴费用；不收费：～医疗|展览会～参观。

【免冠】miǎnguān 励 ❶ 脱帽，古时表示谢罪，后来表示敬意。❷不戴帽子：交一寸半身～相片两张。

【免检】miǎnjiǎn 励免除检查：～物品。

【免考】miǎnkǎo 励免试①。

【免礼】miǎnlǐ 励客套话，让人不必行礼（用于对方要给自己行礼时）：～，请坐。

【免票】miǎnpiào ❶ 励（入场、乘车等）不要票：本公园老人～。❷图不收费的票：每人发一张火车～。

【免签】miǎnqiān 励免予签证。

【免试】miǎnshì 励 ❶ 允许不经过考试（升学或晋职等）。也说免考。❷免除测试。

【免税】miǎn//shuì 励免缴税款：～商店。

【免俗】miǎnsú 励言行不拘于世俗常情（多用于否定式）：未能～。

【免刑】miǎnxíng 励经法院判决决定，免予刑事处分。

【免修】miǎnxiū 励允许不学习（某种课程）：～外语。

【免验】miǎnyàn 励免除检验：～产品。

【免役】miǎnyì 励免除某种规定的服役，如兵役、劳役。

【免疫】miǎnyì 励由于具有抵抗力而不患某种传染病，通常分为先天性免疫和获得性免疫两种：～力|终生～。

【免战牌】miǎnzhànpái 图向对方表示不应战的牌子（多见于旧小说、戏曲）。

【免征】miǎnzhēng 励免予征收（税款等）。

【免职】miǎn//zhí 励免去职务。

【免罪】miǎn//zuì 励不以犯罪论处：～释放。

沔 Miǎn ❶ 沔水，水名，汉水的上游，在陕西，古代也指整个汉水。❷图姓。

黽 miǎn 〈书〉同"渑"。
（黽）另见 952 页 mǐn。

眄 miǎn "眄" miàn 的又音。

俛 miǎn 见 953 页[俛俛]。
另见 423 页 fǔ。

勉 miǎn ❶ 励 ❶ 努力；奋～。❷ 勉励：自～|互～|有则改之，无则加～。❸ 力量不够而尽力做：～强|～为其难。❹（Miǎn）图姓。

【勉力】miǎnlì 励努力；尽力：～为之。

【勉励】miǎnlì 励劝人努力；鼓励：互相～|老师～同学继续努力。

【勉强】miǎnqiǎng ❶ 形 能力不够，还尽力做：这项工作我还能～坚持下来。❷ 形不是甘心情愿的：碍着面子，～答应下来了。❸ 励 使人做他自己不愿意做的事：他不去算了，不要～他了。❹ 形牵强；理由不充足：这种说法很～，怕站不住脚。❺ 形将就；凑合：这点儿草料～够牲口吃一天。

【勉为其难】miǎn wéi qí nán 勉强做能力所不及的事。

娩（㛚） miǎn 分娩。

【娩出】miǎnchū 励胎儿、胎盘和胎膜等从母体内产出来。

勔 miǎn 〈书〉勤勉。

冕 miǎn 天子、诸侯、卿、大夫所戴的礼帽，后来专指帝王的礼帽：加～礼。

【冕旒】miǎnliú 图天子的礼帽和礼帽前后的玉串。

偭 miǎn 〈书〉❶向；面向。❷违背：～规越矩（违背正常的法度）。

渑（澠） miǎn 渑池（Miǎnchí），地名，在河南。

另见 1223 页 Shéng。

湎 miǎn 见 167 页〖沉湎〗。

愐 miǎn 〈书〉❶ 思;想。❷ 勤勉。

缅¹（緬） miǎn 遥远:～怀|～想。

缅²（緬） miǎn 〈方〉❶ 卷（juǎn）:～上袖子|把边儿～过去。

【缅怀】 miǎnhuái ❶ 深情地怀念;追想(已往的人或事):～先烈创业的艰难。

【缅想】 miǎnxiǎng ❶ 缅怀。

眄（睲） miǎn 见 945 页〖腼腆〗（睲睲）。

另见 1351 页 tiǎn。

腼 miǎn 〖腼腆〗（睲睲）（miǎn·tiǎn）❶ 因怕生或害羞而神情不自然:小孩儿见了生人有点～。

鮸（鮸） miǎn 鱼,体侧扁而长,棕褐色,口大而微斜,尾鳍呈楔形。生活在海中,吃小鱼、虾等。

miàn （ㄇㄧㄢˋ）

面¹（面） miàn ❶ 头的前部;脸:～孔|～带微笑。❷ ❶ 向着;朝着:背山～水|这所房子～南坐北。❸ （～儿）❶ 物体的表面,有时特指某些物体的上部的一层:水～|地～|路～|圆桌～儿|～儿磨得很光。❹ 当面:～谈|～洽|～交。❺ （～儿）❶ 东西露在外面的那一层或纺织品的正面:鞋～儿|这块布做里儿,那块布做～儿。❻ 几何学上指一条线移动所构成的图形,有长有宽,没有厚。❼ 部位或方面:正～|反～|片～|全～|多～手|～～俱到。❽ 方位词后缀:上～|前～|外～|左～|西～。❾ ❶ a)用于扁平的物件:一～镜子|两～旗子。b)用于会见的次数:见过一～。❿（Miàn）❶ 姓。

面²（麵、麪） miàn ❶ ❶ 粮食磨成的粉,特指小麦磨成的粉:白～|豆～|小米～|玉米～|高粱～。❷ （～儿）❶ 粉末:药～儿|胡椒～儿。

❸ ❶ 面条:挂～|切～|汤～|一碗～。❹ 〈方〉❶ 指某些食物纤维少而柔软:～倭瓜|煮的红薯很～|这个瓜是脆的,那个瓜是～的。

【面案】 miàn'àn ❶ 炊事分工上指煮饭、烙饼、蒸馒头之类的工作;白案。

【面包】 miànbāo ❶ 食品,把面粉加水等调匀,发酵后烤制而成。

【面包车】 miànbāochē ❶ 指车厢外形略呈长方体的中小型载客汽车,因外形像面包而得名。

【面包圈】 miànbāoquān （～儿）❶ 炸成的或烤成的环形面包。

【面壁】 miànbì ❶ ❶ 脸对着墙,指对事情不介意或无所用心。❷ 佛教指脸对着墙静坐默念。南北朝时印度僧达摩来华,据传在嵩山少林寺面壁面坐九年,潜心修道。后来用"面壁"指专心于学业。❸ 旧时一种体罚,脸对着墙站着。

【面茶】 miànchá ❶ 食品,糜子面等加水煮成糊状,吃时加麻酱、椒盐等。

【面陈】 miànchén ❶ 当面陈述:～良策|～时政得失。

【面呈】 miànchéng ❶ 当面呈交(信件等)。

【面的】 miàndī 〈方〉❶ 用作出租车的小型面包车。

【面点】 miàndiǎn ❶ 以面粉、米粉为主要原料制作的点心。

【面对面】 miàn duì miàn 脸对着脸;当面:两个人～坐着|～地提意见。

【面额】 miàn'é ❶ 票面的数额:大～|各种～的人民币。

【面坊】 miànfáng ❶ 磨面粉的作坊。

【面访】 miànfǎng ❶ 当面询问;访问:调查采取问卷或～方式。

【面肥】 miànféi ❶ 发面时用来引起发酵的面块,内含大量酵母。有的地区叫老面、面头。

【面粉】 miànfěn ❶ 小麦磨成的粉。

【面馆】 miànguǎn （～儿）❶ 出售面条、馄饨等面食的馆子。

【面红耳赤】 miàn hóng ěr chì 形容因急躁、害羞等脸上发红的样子。

【面糊】 miànhù ❶ ❶ 用面粉加水调匀而成的糊状物。❷ 〈方〉糨糊。

【面糊】 miàn·hu 〈口〉❶ 食物纤维少而柔

软：白薯蒸熟了，很～。

【面黄肌瘦】miàn huáng jī shòu 脸色发黄、肌肉消瘦，形容营养不良或有病的样子。

【面积】miànjī 名 平面或物体表面的大小：土地～|建筑～。

【面颊】miànjiá 名 脸蛋儿：～红润。

【面巾】miànjīn 〈方〉名 洗脸的布；毛巾。

【面巾纸】miànjīnzhǐ 名 用来擦嘴、脸的纸巾。

【面筋】miàn·jīn 名 食品，用面粉加水拌和，洗去其中所含的淀粉，剩下的混合蛋白质就是面筋。

【面具】miànjù 名 ❶ 戴在面部起遮挡保护作用的东西：防毒～。❷ 假面具。

【面孔】miànkǒng 名 脸：和蔼的～|板着～◇这些产品样式陈旧，一副老～。

【面料】miànliào 名 ❶ 做衣服鞋帽等的面儿用的料子：大衣～。❷ 用来贴在物件表层的材料：家具～。

【面临】miànlín 动 面前遇到（问题、形势等）；面对：我们～着极其艰巨而又十分光荣的任务。

【面码儿】miànmǎr 名 吃面条时用来拌面的蔬菜。

【面貌】miànmào 名 ❶ 脸的形状；相貌。❷ 比喻事物所呈现的景象、状态：社会～|精神～。

【面面观】miàn miàn guān 从各个方面进行的观察（多用作文章标题）：婚恋问题～。

【面面俱到】miàn miàn jù dào 各方面都照顾到，没有遗漏：写文章要突出重点，不必～。

【面面相觑】miàn miàn xiāng qù 你看我，我看你，形容大家因惊惧或无可奈何而互相望着，不说话。

【面膜】miànmó 名 一种敷在面部的美容护肤用品，可以吸收毛孔深处的污垢和过剩的油脂，起到清洁、滋养面部皮肤的作用。

【面目】miànmù 名 ❶ 面貌①：～狰狞|～可憎。❷ 面貌②：政治～|不见庐山真～|～全非。❸ 面子；脸面：要是任务完不成，我有何～回去见首长和同志们。

【面目全非】miànmù quán fēi 事物的样子改变得很厉害（多含贬义）。

【面目一新】miànmù yī xīn 样子完全变新（指变好）：这个工厂经过改建，已经～了。

【面庞】miànpáng 名 脸的轮廓：小孩儿圆圆的～，水汪汪的大眼睛，真惹人喜欢。

【面盆】¹ miànpén 〈方〉名 洗脸用的盆。

【面盆】² miànpén 名 和（huó）面用的盆。

【面坯儿】miànpīr 名 已煮好而未加作料的面条。

【面皮】¹ miànpí 〈方〉名 脸皮。

【面皮】² miànpí （～儿）〈方〉名 包子、饺子、馄饨等的皮儿。

【面洽】miànqià 动 当面接洽：～公事|详情请和来人～。

【面前】miànqián 名 方位词。面对着的地方：～是一条大河|艰巨的任务摆在我们～。

【面人儿】miànrénr 名 用染色的糯米面捏成的人物像。

【面容】miànróng 名 面貌；容貌：～枯槁|～和蔼。

【面如土色】miàn rú tǔ sè 脸色跟土的颜色一样，没有血色。形容极端惊恐：吓得～。

【面软】miànruǎn 形 过分重情面；心软拉不下脸：心慈～。

【面色】miànsè 名 脸上的气色：他～红润，身体很健康。

【面纱】miànshā 名 ❶ 妇女蒙在脸上的纱巾。❷ 比喻掩盖真实面目的东西：揭开宫廷的神秘～。

【面善】miànshàn 形 ❶ 面熟：这人好～，就是一下子想不起名字。❷ 面容和蔼：心恶～|碰见一位～的老人。

【面商】miànshāng 动 当面商量：～大计。

【面神经】miànshénjīng 名 第七对脑神经，分布在面部的两侧，主管面部肌肉的动作、泪腺和唾液腺的分泌以及舌前部的味觉。

【面生】miànshēng 形 面貌生疏；不熟识：当着～的人，他显得十分拘谨。

【面食】miànshí 名 用面粉做的食品的统称。

【面世】miànshì 动 指作品、产品与世人见面；问世：诗人两本新作～|更新换代产品即将～。

【面市】miànshì 动 （产品）开始供应市场：

一种新型移动电话即将～。

【面试】miànshì 动 对应试者进行当面考查测试：通过～，破格录取。

【面首】miànshǒu〈书〉名 指供贵妇人玩弄的美男子（面：指脸；首：指头发）。

【面授】miànshòu 动❶ 当面传授：～机宜。❷ 用当面讲授的方式进行教学（区别于"函授"）：对面授学员每学期～一周。

【面熟】miànshú 形 面貌熟悉（但说不出是谁）：这人看着～，像在哪儿见过。

【面塑】miànsù 名 民间工艺，用加彩色的糯米面捏成各种形象。

【面谈】miàntán 动 当面商谈；当面交谈：改日～｜～招考问题。

【面汤】¹ miàntāng〈方〉名 洗脸的热水。

【面汤】² miàntāng 名 煮过面条的水。

【面条】miàntiáo（～儿）名 用面粉做的细条状的食品。

【面头】miàntóu〈方〉名 面肥。

【面团】miàntuán（～儿）名 和(huó)好了的成块的面。

【面无人色】miàn wú rén sè 脸上没有血色，形容极端恐惧。

【面相】miànxiàng 名 相貌；样子：因为天黑，没有看清他是什么～。

【面叙】miànxù 动 当面叙谈：就此搁笔，余容～。

【面议】miànyì 动 当面商议：价格～。

【面罩】miànzhào 名 挡在或戴在面部起遮蔽或保护作用的罩子。

【面值】miànzhí 名 票据等上面标明的金额。

【面砖】miànzhuān 名 陶土烧制的砖，有的有装饰性花纹，多用来砌在外墙的表面。

【面子】¹ miàn·zi 名❶ 物体的表面：被～这件袍子的～很好看。❷ 表面的虚荣：爱～要～｜你这话伤了他的～。❸ 情面：给～｜碍于～，只好答应了。

【面子】² miàn·zi〈口〉名 粉末：药～。

晒 miàn 又miǎn〈书〉晒视。

【晒视】miànshì〈书〉动 斜着眼看。

miāo（ㄇㄧㄠ）

喵 miāo 拟声 形容猫叫的声音。

miáo（ㄇㄧㄠ）

苗 miáo ❶（～儿）名 初生的种子植物，有时专指某些蔬菜的嫩茎或嫩叶：幼～青～｜麦～儿｜豆～儿｜蒜～｜韭菜～｜间～补～。❷ 事物显露出来的迹象：～头｜矿～。❸ 名 后代｜他们家就这么一根～儿。❹ 某些初生的饲养的动物：鱼～｜猪～。❺ 疫苗：牛痘～｜卡介～。❻（～儿）形状像苗的东西：火～儿。❼（Miáo）名姓。

【苗床】miáochuáng 名 培育作物幼苗的场所，有温床、冷床、露地苗床等。

【苗而不秀】miáo ér bù xiù《论语·子罕》："苗而不秀者有矣夫!"只长了苗而没有秀穗。比喻资质虽好，但是没有成就。也比喻虚有其表。

【苗剧】miáojù 名 苗族戏曲剧种，源于民间歌舞，流行于湘西苗族聚居的地区。

【苗木】miáomù 名 培育的树木幼株。一般种植在苗圃里，可以用种子繁殖，也可以用嫁接、扦插等方法取得。

【苗圃】miáopǔ 名 培育苗木的园地。

【苗情】miáoqíng 名 农作物幼苗生长的情况：今年小麦～很好。

【苗儿】miáor〈方〉名 苗头：这事情有点～了｜猪瘟刚露～就被控制住了。

【苗条】miáo·tiao 形（妇女身材）细长柔美。

【苗头】miáo·tou 名 略微显露的发展的趋势或情况：注意抓事故～。

【苗绣】miáoxiù 名 苗族妇女制作的刺绣。

【苗裔】miáoyì〈书〉名 后代。

【苗猪】miáozhū 名 子猪。

【苗子】miáo·zi 名❶〈方〉苗①。❷ 比喻继承某种事业的年轻人：他是个好～，有培养前途。❸〈方〉苗头。

【苗族】Miáozú 名 我国少数民族之一，分布在贵州和湖南、云南、广西、四川、广东、湖北。

描 miáo 动❶ 照底样画（多指用薄纸蒙在底样上画）：～花｜～图｜～张花样子。❷ 在原来颜色淡或需要改正的地方重复地涂抹：～红｜～眉打鬓｜写毛笔字，一笔是一笔，不要～。

【描红】miáohóng ❶ 动 儿童用毛笔蘸墨

在红模子上描着写字：先～，后临帖。❷ 图 红模子：写一张～。

【描画】miáohuà 动 画；描写：～治山改水的蓝图。

【描绘】miáohuì 动 描画：这些作品生动地～了我国农村的新气象。

【描金】miáojīn 动 用金银粉在器物或墙、柱图案上勾勒描画，作为装饰。

【描摹】miáomó 动 ❶ 照着底样写和画：～肖像｜开始习字时只是对着字帖～。❷ 用语言文字表现人或事物的形象、情状、特性等：小说和戏剧常常用对话～一个人的性格。

【描述】miáoshù 动 形象地叙述；描写叙述：他生动地～了那件事的经过｜作品朴实地～了农民的生活。

【描图】miáo∥tú 动 在原图上覆盖透明或半透明的纸，用绘图仪器照图样描绘墨线：～纸。

【描写】miáoxiě 动 用语言文字等把事物的形象表现出来：～风景｜～人物的内心活动。

M

鹋(鶓) miáo 见 360 页[鸸鹋]。

瞄 miáo 动 把视力集中在一点上；注视：枪～得准。

【瞄准】miáo∥zhǔn （～儿）动 ❶ 射击时为使子弹、炮弹打中一定目标，调整枪口、炮口的方位和高低：～靶子｜把枪口～侵略者。❷ 泛指对准：这个工厂～市场的需求，生产出多种规格的产品。

miǎo （ㄇㄧㄠˇ）

杪 miǎo 〈书〉❶ 树梢。❷ 指年月或四季的末尾：岁～｜月～｜秋～。

肭 miǎo 中医指腹部两侧，第十二肋软骨下方、髂骨上方的软组织部分。

眇 miǎo 〈书〉❶ 原指一只眼睛瞎，后来也指两只眼睛瞎。❷ 渺小；微小。

秒 miǎo 量 计量单位名称。a)时间，60秒等于 1 分。b)弧或角，60 秒等于 1分。c)经度或纬度，60 秒等于 1 分。

【秒表】miǎobiǎo 图 体育运动、科学研究等常用的一种计时表，测量的最小数值可达 1/5 秒、1/10 秒、1/50 秒、1/100 秒、1/1 000 秒等。也叫跑表。

【秒差距】miǎochājù 量 计量天体距离的长度单位，1 秒差距等于 3.262 光年，约30 万亿千米。

淼 miǎo ❶〈书〉形容水大：碧波～～。❷ (Miǎo)图 姓。

【淼茫】miǎománg 形 渺茫。

渺 miǎo ❶ 形容水大：浩～。❷ 渺茫：～若烟云｜～无人迹｜～无声息。❸ 渺小：～不足道。

【渺茫】miǎománg 形 ❶ 因遥远而模糊不清：音信～。❷ 因没有把握而难以预期：前途～。

【渺然】miǎorán 形 渺茫，不见踪影：音信～｜踪迹～。

【渺无人烟】miǎo wú rényān 迷茫一片，没有人家，形容十分荒凉：原野茫茫，～。

【渺小】miǎoxiǎo 形 藐小。

【渺远】miǎoyuǎn 同“邈远”。

缈(緲) miǎo 见 1044 页[缥缈]。

藐 miǎo ❶ 小：～小。❷ 轻视；小看：言者谆谆，听者～～(教诲的言辞恳切，而听的人却不以为然)。

【藐视】miǎoshì 动 轻视；小看：在战略上要～敌人，在战术上要重视敌人。

【藐小】miǎoxiǎo 形 微小：集体的力量是伟大的，个人的力量是～的。

邈 miǎo 〈书〉遥远。

【邈远】miǎoyuǎn 形 遥远：～的古代｜～的蓝天。也作渺远。

miào （ㄇㄧㄠˋ）

妙 miào ❶ 形 好；美妙：～品｜～境｜～不可言｜这个办法真～。❷ 形 神奇；巧妙；奥妙：～计｜～策｜～用｜～算｜～诀｜～手回春｜莫名其～。❸ (Miào)图 姓。

【妙笔】miàobǐ 图 神妙的笔法或文笔：～生花。

【妙计】miàojì 图 巧妙的计策：锦囊～｜想了个～。

【妙诀】miàojué 图 高妙的诀窍：农业增产的～在于科学种田。

【妙龄】 miàolíng 名 指女子的青春时期：
～女郎｜正值青春～。

【妙趣】 miàoqù 名 美妙的意趣：～天成｜
～无穷。

【妙趣横生】 miàoqù héngshēng 洋溢着
美妙意趣（多指语言、文章或美术品）。

【妙手】 miàoshǒu 名 技艺高超的人：绝
代～｜回春。

【妙手回春】 miào shǒu huí chūn 称赞医
生医道高明，能把垂危的病人治好。也说
着(zhuó)手成春。

【妙药】 miàoyào 名 灵验的药：灵丹～。

【妙用】 miàoyòng ❶ 动 巧妙地运用：他
善于～成语。❷ 名 奇妙的作用：～无穷。

【妙语】 miàoyǔ 名 有意味或动听的言语：
～双关｜～惊人。

【妙招】 miàozhāo （～儿）名 奇妙高超的招
数。也作妙着。

【妙着】 miàozhāo 同"妙招"。

庙(廟) miào ❶ 名 旧时供祖宗神
位的处所：宗～｜家～。❷ 名
供神佛或历史上有名人物的处所：寺～｜
土地～｜文～｜岳～｜山顶上有一座～。❸
〈书〉指朝廷：～堂｜廊～。❹〈书〉已死皇
帝的代称：～号｜～讳。❺ 名 庙会：赶～。

【庙号】 miàohào 名 我国封建时代，皇帝
死后，在太庙立室奉祀时特起的名号，如
高祖、太宗等。

【庙会】 miàohuì 名 设在寺庙里边或附近
的集市，在节日或规定的日子举行。

【庙堂】 miàotáng 名 ❶ 庙宇。❷〈书〉指
朝廷。

【庙宇】 miàoyǔ 名 庙②。

【庙主】 miàozhǔ 名 ❶ 主持庙中事务的
和尚或道士。❷〈书〉指宗庙里的牌位。

【庙祝】 miàozhù 名 寺庙中管香火的人。

玅 miào 〈书〉同"妙"。

缪(繆) Miào 名 姓。
另见 960 页 miù；968 页
móu。

<hr>

乜 | mie (ㄇㄧㄝ)

乜 miē 〈方〉动 乜斜①。
另见 999 页 Niè。

<hr>

【乜斜】 miē·xie 动 ❶ 眼睛略眯而斜着看
（多表示瞧不起或不满意）：他～着眼睛，
眼角挂着讥诮的笑意。❷ 眼睛因困倦眯
成一条缝：～的睡眼。

咩(哶) miē 拟声 形容羊叫的声音。

<hr>

miè (ㄇㄧㄝ)

灭(滅) miè ❶ 动 熄灭（跟"着
(zháo)"相对）：火～了｜灯～
了。❷ 动 使熄灭：～灯｜～火。❸ 淹没：
～顶。❹ 消灭；灭亡：自生自～｜物质不
～。❺ 动 使不存在；使消灭：～蝇｜长自
己的志气，～敌人的威风。

【灭此朝食】 miè cǐ zhāo shí 消灭了敌人
以后再吃早饭（语本《左传·成公二年》：
"余姑翦灭此而朝食。"此"指敌人）。形
容痛恨敌人，希望立刻加以消灭。

【灭顶】 miè//dǐng 动 水漫过头顶，指淹
死：～之灾（指致命的灾祸）。

【灭火】 miè//huǒ 动 把火弄灭：～沙｜～
器。

【灭火器】 mièhuǒqì 名 消防用具，通常是
在钢筒里面装着可以产生灭火气体、泡沫
等的化学物质，用时喷射在火焰上。

【灭迹】 miè//jì 动 消灭做坏事时留下的痕
迹：毁尸～｜销赃～。

【灭绝】 mièjué 动 ❶ 完全消灭：使苍蝇蚊
子死净～。❷ 完全丧失：～人性。

【灭口】 miè//kǒu 动 害怕泄露秘密而害死
知道内情的人：杀人～。

【灭门】 mièmén 动 一家人都被杀害；一家
人全死光：～绝户｜～之祸。

【灭杀】 mièshā 动 用药物杀死；消灭：～
蚊蝇。

【灭失】 mièshī 动 法律上指物品因自然灾
害、被盗、遗失等原因不复存在。

【灭亡】 mièwáng 动 （国家、种族等）不再
存在或使不存在：自取～。

【灭种】 mièzhǒng 动 ❶ 消灭种族：亡国
～。❷ 绝种：这种动物已濒临～。

【灭族】 mièzú 动 古代的残酷刑罚，一人犯
罪，他的父母兄弟妻子等亲属都一齐被
杀。

蔑1 miè 〈书〉❶ 小；轻：～视。❷ 副
无；没有：～以复加。

蔑²（衊） miè 见 1436 页〖诬蔑〗、1435 页〖污蔑〗。

【蔑称】mièchēng ❶ 动 轻蔑地称呼。❷ 名 轻蔑的称呼。

【蔑视】mièshì 动 轻视；小看：～困难｜脸上流露出～的神情。

篾 miè 名 竹子劈成的薄片，也泛指苇子或高粱秆上劈下的皮：～席｜～匠。

【篾黄】mièhuáng 名 竹子的篾青以里的部分，质地较脆。

【篾匠】mièjiàng 名 用竹篾制造器物的小手工业者。

【篾片】mièpiàn 名 ❶ 竹子劈成的薄片。❷ 旧时在豪富人家帮闲凑趣的人。

【篾青】mièqīng 名 竹子的外皮，质地较韧。

【篾条】miètiáo 名 条状的篾，用来编制器物。

【篾子】miè·zi 名 篾条；篾片：竹～。

蠛 miè 〖蠛蠓〗(mièměng) 名 古书上指蠓。

mín （ㄇㄧㄣˊ）

民 mín ❶ 人民：国泰～安｜为～除害。❷ 指某种人：藏～｜回～｜农～｜渔～｜牧～｜居～｜侨～。❸ 民间的：～歌｜～谣。❹ 非军人；非军事的：拥军爱～｜～航｜～用。❺（Mín）名 姓。

【民办】mínbàn 形 属性词。群众集体创办的；私人创办的：～小学｜～企业。

【民变】mínbiàn 名 旧时指人民群众对统治者的反抗运动：～蜂起｜激起～。

【民兵】mínbīng 名 不脱离生产的、群众性的人民武装组织。也称这种组织的成员。

【民不聊生】mín bù liáo shēng 人民没办法生活：军阀混战，～。

【民船】mínchuán 名 载客和运货的船；民用船只。

【民法】mínfǎ 名 规定公民和法人的财产关系（如债权、继承权等）以及跟它相联系的人身非财产关系（如劳动、婚姻、家庭等）的各种法律。

【民房】mínfáng 名 属于私人所有的住房；民用住房。

【民愤】mínfèn 名 人民大众的愤恨：激起～｜不杀不足以平～。

【民风】mínfēng 名 社会上的风气；民间风尚：～淳朴｜～强悍。

【民夫】mínfū 名 旧时称为官府、军队服劳役的人。也作民伕。

【民伕】mínfū 同"民夫"。

【民负】mínfù 名 人民的负担：减轻～。

【民歌】míngē 名 民间口头流传的诗歌或歌曲，多不知作者姓名。

【民工】míngōng 名 ❶ 在政府动员或号召下参加修筑公路、堤坝或帮助军队运输等工作的人。❷ 指到城市打工的农民。

【民国】Mínguó 名 指中华民国。

【民航】mínháng 名 民用航空的简称：～班机。

【民间】mínjiān 名 ❶ 人民中间：～文学｜～音乐｜这个故事多少年来一直在～流传。❷ 人民之间（指非官方的）：～贸易｜～往来。

【民间文学】mínjiān wénxué 在人民中间广泛流传的文学，主要是口头文学，包括神话、传说、民间故事、民间戏曲、民间曲艺、歌谣等。

【民间艺术】mínjiān yìshù 劳动人民直接创造的或在劳动群众中广泛流传的艺术，包括音乐、舞蹈、造型艺术、工艺美术等。

【民警】mínjǐng 名 人民警察的简称。

【民居】mínjū 名 民房：江南～。

【民力】mínlì 名 人民的财力：珍惜～。

【民命】mínmìng 名 人民的生命。

【民瘼】mínmò〈书〉名 人民的疾苦。

【民女】mínnǚ 名 百姓家的女子。

【民品】mínpǐn 名 民用物品（区别于"军品"）。

【民企】mínqǐ 名 民营企业的简称。

【民气】mínqì 名 人民对关系国家、民族安危存亡的重大局势所表现的意志：～旺盛。

【民情】mínqíng 名 ❶ 人民的生产活动、风俗习惯等情况：熟悉～。❷ 指人民的心情、愿望等：体恤～。

【民权】mínquán 名 指人民在政治上的民主权利。

【民权主义】mínquán zhǔyì 三民主义的一个组成部分。参看 1173 页〖三民主义〗。

【民生】mínshēng 名 人民的生计：国计～｜～凋敝。

【民生主义】mínshēng zhǔyì 三民主义的一个组成部分。参看 1173 页〖三民主义〗。

【民事】mínshì 厖 属性词。有关民法的：～权利｜～诉讼。

【民事案件】mínshì ànjiàn 有关民事纠纷或争议的案件。如财产权益案件、婚姻家庭案件等。

【民事法庭】mínshì fǎtíng 负责审理民事案件的法庭。简称民庭。

【民事权利】mínshì quánlì 民法上所规定的权利。

【民事诉讼】mínshì sùsòng 关于民事案件的诉讼。

【民事责任】mínshì zérèn 违反民法所必须承担的法律责任。

【民俗】mínsú 名 民间的风俗习惯：考察～。

【民俗学】·mínsúxué 名 以民间风俗、传说、口头文学等为研究对象的学科。

【民庭】míntíng 名 民事法庭的简称。

【民团】míntuán 名 旧时地主豪绅组织的地方武装。

【民校】mínxiào 名 ❶ 成年人利用闲暇时间学习文化的学校。❷ 民间开办的学校。

【民心】mínxīn 名 人民共同的心意：深得～｜～所向。

【民选】mínxuǎn 动 由人民群众选举：～代表。

【民谚】mínyàn 名 民间谚语，如："人不可貌相，海水不可斗量"，"路遥知马力，日久见人心"。

【民谣】mínyáo 名 民间歌谣，多指与时事政治有关的。

【民意】mínyì 名 人民共同的意见和愿望：～测验｜～不可侮。

【民意测验】mínyì cèyàn 通过一定方法和步骤，了解公众对时下各种特定问题的看法和意见。广泛用于政治、经济等社会生活领域。

【民营】mínyíng 厖 属性词。人民群众投资经营的；私人经营的：～企业。

【民营经济】mínyíng jīngjì 国有经济以外的集体经济、合作经济、民间持股的股份制经济、个体经济、私营经济等经济成分的统称。

【民用】mínyòng 厖 属性词。人民生活所使用的：～航空｜～建筑｜～五金器材。

【民怨】mínyuàn 名 人民群众的怨恨：～沸腾。

【民乐】mínyuè 名 民间器乐：～队｜～合奏。

【民运】¹ mínyùn 名 ❶ 有关人民生活物资的运输工作。❷ 民营的运输业。

【民运】² mínyùn 名 指民众运动：～工作｜～干事。

【民贼】mínzéi 名 对国家和人民犯了严重罪行的人：独夫～。

【民宅】mínzhái 名 民居；民房。

【民政】mínzhèng 名 国内行政事务的一部分，在我国，民政包括民间组织管理、优抚安置、救灾救济、基层政权和社区建设、行政区划、地名和边界管理、社会福利和社会事务等。

【民脂民膏】mín zhī mín gāo 比喻人民用血汗换来的财富。

【民智】mínzhì 名 指一个国家的人民所具有的文化知识：开发～｜～渐开。

【民众】mínzhòng 名 人民大众：唤起～。

【民主】mínzhǔ ❶ 名 指人民有参与国事或对国事有自由发表意见的权利。❷ 厖 合于民主原则：作风～｜～办厂。

【民主党派】mínzhǔ dǎngpài 接受中国共产党的领导、参加爱国统一战线的其他党派的统称。有中国国民党革命委员会、中国民主同盟、中国民主建国会、中国民主促进会、中国农工民主党、中国致公党、九三学社和台湾民主自治同盟等。

【民主改革】mínzhǔ gǎigé 废除封建制度、建立民主制度的各项社会改革，包括土地制度的改革，婚姻制度的改革，企业经营管理的民主化，以及某些少数民族地区的农奴解放、奴隶解放等。

【民主革命】mínzhǔ gémìng 以反封建为目的的资产阶级性质的革命，如法国大革命和我国的新民主主义革命。

【民主集中制】mínzhǔ-jízhōngzhì 在民主基础上的集中和在集中指导下的民主相结合的制度。民主集中制是马克思列宁主义政党，社会主义国家机关和人民团体的组织原则。

【民族】mínzú 名 ❶ 指历史上形成的、处于不同社会发展阶段的各种人的共同体。❷ 特指具有共同语言、共同地域、共同经

M

济生活以及表现于共同文化上的共同心理素质的人的共同体。

【民族共同语】mínzú gòngtóngyǔ 一个民族共同使用的语言。现在我国汉民族的共同语就是普通话。

【民族区域自治】mínzú qūyù zìzhì 中国共产党运用马克思列宁主义关于民族问题的理论，结合我国具体情况而制定的解决民族问题的基本政策。根据这一政策，各少数民族以自己的聚居区域的大小不同而建立自治区、自治州和自治县等自治机关，在国务院统一领导下，除行使一般地方国家机关职权外，可以依照法律规定的权限行使自治权。

【民族体育】mínzú tǐyù 各民族带有显著民俗特点的体育活动。如蒙古族的赛马、朝鲜族的荡秋千等。

【民族乡】mínzúxiāng 图 我国在少数民族聚居区建立的相当于乡的基层行政单位。

【民族形式】mínzú xíngshì 一个民族所独有，为本民族人民大众所习惯、所爱好的表现形式。

【民族学】mínzúxué 图 以氏族、部落、部族、民族等人们的共同体为研究对象的学科。

【民族英雄】mínzú yīngxióng 捍卫本民族的独立、自由和利益，在抗击外来侵略的斗争中表现无比英勇的人。

【民族运动】mínzú yùndòng 为反对民族压迫，争取民族平等和民族独立而进行的斗争。

【民族主义】mínzú zhǔyì ❶ 资产阶级对于民族的看法及其处理民族问题的纲领和政策。在资本主义上升时期的民族运动中，在殖民地、半殖民地国家争取国家独立和民族解放的运动中，民族主义具有一定的进步性。❷ 三民主义的一个组成部分。参看 1173 页【三民主义】。

【民族资本】mínzú zīběn 殖民地、半殖民地或民族独立国家中民族资产阶级所拥有的资本。

【民族资产阶级】mínzú zīchǎn jiējí 殖民地、半殖民地国家和某些新独立国家里的中等资产阶级。

玟 mín 同"珉"。
另见 1429 页 wén。

芪 mín 厖 庄稼生长期较长，成熟期较晚：～高粱|黄谷子比白谷子～。

旻 mín 〈书〉❶ 秋天。❷ 天空：苍～。

【旻天】míntiān 〈书〉图 ❶ 秋天。❷ 泛指天。

岷 Mín ❶ 岷山，山名，在四川、甘肃交界的地方。❷ 岷江，水名，在四川。❸ 岷县，地名，在甘肃。

忞 mín 〈书〉勉力。

珉(瑉、碈) mín 〈书〉像玉的石头。

緡(緍、緍) mín 〈书〉❶ 穿铜钱用的绳子。❷ 量 用于成串的铜钱，每串一千文：钱三百～。

mǐn （ㄇㄧㄣˇ）

皿 mǐn 见 1082 页【器皿】。

闵(閔) mǐn 图 姓。

抿[1] mǐn 勋 用小刷子蘸水或油抹（头发等）：～了一头发。

捪[2] mǐn 勋 ❶（嘴、耳朵、翅膀等）稍稍合拢；收敛：～着嘴笑|小兔子跑着跑着，忽然两耳向后一～，站住了|水鸟儿一～翅膀，钻入水中。❷ 嘴唇轻轻地沾一下碗或杯子，略微喝一点：～了一口酒。

【抿子】mǐn·zi 图 妇女梳头时抹油等用的小刷子。也作笢子。

黾(黽) mǐn [黾勉]（mǐnmiǎn）〈书〉勋 努力；勉力：～从事。也作僶俛。
另见 944 页 miǎn。

泯 mǐn 消灭；丧失：～灭|～没|良心未～。

【泯灭】mǐnmiè 勋（形迹、印象等）消灭：这几部影片给人留下了难以～的印象。

【泯没】mǐnmò 勋（形迹、功绩等）消灭；消失：烈士的功绩是不会～的。

闽(閩) Mǐn ❶ 闽江，水名，在福建。❷ 图 福建的别称。❸ 图 姓。

【闽菜】mǐncài 图 福建风味的菜肴。

【闽剧】mǐnjù 图 福建地方戏曲剧种之一，流行于该省东北部。也叫福州戏。

【闽语】mǐnyǔ 图汉语方言之一，分布在福建、台湾、海南和广东东部一带。

傂（僶） mǐn [傂俛](mǐnmiǎn) 同"黾勉"。

悯（憫） mǐn ❶怜悯：其情可～。❷〈书〉忧愁：～然涕下。

【悯惜】mǐnxī 〈书〉囤怜惜。

【悯恤】mǐnxù 〈书〉囤怜悯：～孤儿。

筲 mǐn 竹篾。

【筲子】mǐn·zi 同"抿子"。

敏 mǐn ❶疾速；敏捷：～感|灵～。❷聪明；机警：聪～|机～。❸(Mǐn)图姓。

【敏感】mǐngǎn 围生理上或心理上对外界事物反应很快：有些动物对天气的变化非常～|他是一个～的人，接受新事物很快。

【敏慧】mǐnhuì 围聪明，有智慧：～的姑娘。

【敏捷】mǐnjié 围(动作、思路等)迅速而灵敏：行动～|思维～。

【敏锐】mǐnruì 围(感觉)灵敏；(眼光)尖锐：思想～|目光～|～的洞察力。

湣 mǐn 古代谥号用字，如《史记》有鲁湣公(《春秋》作鲁闵公)。

瞀（敃） mǐn 〈书〉强横。

愍（愡） mǐn 〈书〉同"悯"。

慜 mǐn 〈书〉聪明敏捷。

鳘（鰵） mǐn ❶图鳕。❷古书上指鮸。

míng （ㄇㄧㄥˊ）

名 míng ❶(～儿)图名字；名称：人～|书～|命～|报～|给他起个～儿。❷囤名字叫做：这位女英雄姓∽～胡兰。❸图义：你不该以出差为～，到处游山玩水。❹名声；名誉：出～|有～|世界闻～。❺出名的；有名声的：～医|～著|～画|～山。❻〈书〉说出：莫～其妙|不可～状。❼〈书〉占有：一文不～|不～一钱。❽量a)用于人：三百多～工作人员|录取新生

四十～。b)用于名次：第三～。❾(Míng)图姓。

【名不符实】míng bù fú shí 名不副实。

【名不副实】míng bù fù shí 名称或名声与实际不相符；有名无实。也说名不符实。

【名不虚传】míng bù xū chuán 确实很好，不是空有虚名。

【名册】míngcè 图登记姓名的簿子。

【名产】míngchǎn 图著名的产品：织锦是我国杭州的～。

【名称】míngchēng 图事物的名字(也用于人的集体)。

【名厨】míngchú 图有名的厨师：汇集各地～。

【名垂千古】míng chuí qiāngǔ 好的名声永远流传。也说名垂千秋。

【名垂青史】míng chuí qīngshǐ 好的名声和事迹载入史籍永远流传。

【名词】míngcí 图❶表示人或事物名称的词，如"人、牛、水、友谊、今天、中间、北京、孔子"。❷(～儿)术语或近似术语的字眼(不限于语法上的名词)：化学～|新～儿。❸表达三段论法结构中的概念的词。

【名次】míngcì 图依照一定标准排列的姓名或名称的次序：比赛中他成绩较好，所以～也靠前。

【名刺】míngcì 〈书〉图名片。

【名存实亡】míng cún shí wáng 名义上还有，实际上已经不存在。

【名单】míngdān (～儿)图记录人名的单子：开列～|受奖人～。

【名额】míng'é 图人员的数额：～有限，报名从速。

【名分】míngfèn 图指人的名义、身份和地位：正～。

【名符其实】míng fú qí shí 名副其实。

【名副其实】míng fù qí shí 名称或名声与实际相符合。也说名符其实。

【名贵】míngguì 围著名而且珍贵：～的字画|鹿茸、麝香等都是～的药材。

【名号】mínghào 图名字和别号。

【名讳】mínghuì 图旧时指尊长或所尊敬的人的名字。

【名迹】míngjì 图❶著名的古迹。❷名家的手迹。❸〈书〉声誉功业。

M

【名家】[1] Míngjiā 图 先秦时期以辩论名实问题为中心的一个思想派别,以惠施、公孙龙为代表。名家的特点是用比较严格的推理形式来辩论问题,但有时流于诡辩。它对我国古代逻辑学的发展有一定贡献。

【名家】[2] míngjiā 图 在某种学术或技能方面有特殊贡献的著名人物。

【名缰利锁】míng jiāng lì suǒ 名和利像缰绳和锁链,会把人束缚住。

【名教】míngjiào 图 以儒家所定的名分和儒家的教训为准则的道德观念,曾在思想上起过维护封建统治的作用。

【名节】míngjié 图 名誉和节操:保全～。

【名句】míngjù 图 著名的句子或词组:千古传诵的～。

【名角】míngjué (～儿)图 著名的演员(多指戏曲演员)。

【名款】míngkuǎn 图 书画上题的作者姓名:这幅古画没有～,需请专家考证。

【名利】mínglì 图 指个人的名位和利益:不求～|～双收。

【名利场】mínglìchǎng 图 指世人争名逐利的场所。

【名列前茅】míng liè qiánmáo 指名次列在前面(前茅:春秋时代楚国行军,有人拿着茅当旗子走在队伍的前面)。

【名伶】mínglíng 图 旧时称著名的戏剧演员:一代～。

【名流】míngliú 图 著名的人士(多指学术界、政治界的):社会～|学界～。

【名录】mínglù 图 登记人名或其他事物名称的簿子;名册。

【名落孙山】míng luò Sūn Shān 宋代人孙山考中了末一名回家,有人向他打听自己的儿子考中了没有,孙山说:“解名尽处是孙山,贤郎更在孙山外。”(见于宋范公偁《过庭录》)后用来婉言应考不中或选拔时落选。

【名门】míngmén 图 指有声望的人家:～贵族|～闺秀。

【名模】míngmó 图 著名的时装模特儿:超级～。

【名目】míngmù 图 事物的名称:巧立～|～繁多。

【名牌】míngpái 图 ❶(～儿)出名的牌子:～货|～商品|～大学。 ❷ 写着人名的牌子;标明物品名称等的牌子:席位摆放着代表们的～。

【名篇】míngpiān 图 著名的文章作品。

【名片】míngpiàn (～儿)图 交际时所用的向人介绍自己的长方形硬纸片,上面印着自己的姓名、职务、地址等。

【名票】míngpiào 图 有名气的票友。

【名品】míngpǐn 图 有名的产品、物品、作品等。

【名气】míng·qi 图 名声:小有～|他是一位很有～的医生。

【名签】míngqiān 图 会议、宴会等场合放置在座位上写有就座人姓名的标签,用来引导就座。

【名人】míngrén 图 著名的人物:文化～|～墨迹。

【名山】míngshān 图 著名的大山:～大川。

【名山事业】míngshān shìyè 《史记·太史公自序》:“藏之名山,副在京师,俟后世圣人君子。”后来称著书立说为“名山事业”。

【名声】míngshēng 图 在社会上流传的评价:好～|～很坏|～在外。

【名胜】míngshèng 图 有古迹或优美风景的著名的地方:游览～|～古迹。

【名师】míngshī 图 有名的教师或师傅:～出高徒。

【名士】míngshì 图 ❶ 旧时指以诗文等著称的人。 ❷ 旧时指名望很高而不做官的人。

【名氏】míngshì 图 姓名。

【名手】míngshǒu 图 因文笔、技艺等高超而著名的人:国术～。

【名数】míngshù 图 带有单位名称的数,如3千克、5本、4分20秒等。

【名宿】míngsù 图 出名的老前辈:武林～|教育界的～。

【名堂】míng·tang 图 ❶ 花样;名目:联欢会上～真多,又有舞蹈,又有杂耍。 ❷ 成就;结果:依靠群众一定会搞出～来的|跟他讨论了半天,也没讨论出个～来。 ❸ 道理;内容:真不简单,这里面还有～呢。

【名帖】míngtiě 图 名片。

【名望】míngwàng 图 好的名声;声望:～高|张大夫医术高明,在这一带很有～。

【名位】míngwèi 图 名声和地位:埋头苦

干,不计～。

【名物】 míngwù 图 事物及其名称。

【名下】 míngxià 图 某人名义之下,指属于某人或跟某人有关:今天下午的活儿是小李替我干的,工作量不能记在我的～|这事怎么搞得我～来了?

【名衔】 míngxián 图 头衔。

【名学】 míngxué 图 逻辑学的旧称。

【名言】 míngyán 图 著名的话:至理～。

【名义】 míngyì 图❶ 做某事时用来作为依据的名称或称号:这件事是以我个人的～做的,与其他人无关。❷ 表面上;形式上(后面多带"上"字):她～上是总管,实际上却什么都不管。

【名义工资】 míngyì gōngzī 以货币数量表示的工资。名义工资不能确切反映出工资的实际水平,因为名义工资不变,实际工资可以因物价的涨跌而降低或上升。参看 1237 页〖实际工资〗。

【名优】[1] míngyōu 图 名伶:一代～。

【名优】[2] míngyōu 形 属性词。有名的,高质量的(商品):～产品。

【名誉】 míngyù ❶ 图 名声:爱惜～。❷ 形 属性词。名义上的(多指赠给的名义,含尊重意):～会员|～主席。

【名媛】 míngyuàn 〈书〉图 有名的女子。

【名章】 míngzhāng 图 刻着人名的图章。

【名正言顺】 míng zhèng yán shùn 名义正当,道理也讲得通。

【名著】 míngzhù 图 有价值的出名著作:文学～|世界～。

【名状】 míngzhuàng 动 说出事物的状态(多用在否定词后面):兴奋之情,不可～。

【名字】 míng·zi 图❶ 一个或几个字,跟姓合在一起,用来代表一个人,区别于别的人:他现在的～是上学时老师给起的。❷ 一个或几个字,用来代表一种事物,区别于别种事物:这村子的～叫张各庄。

【名作】 míngzuò 图 有名的作品:名家～|书画～。

明[1] míng ❶ 形 明亮(跟"暗"相对):～月|天～|灯火通～。❷ 形 明白;清楚:问～|讲～|分～|去向不～。❸ 公开;显露在外;不隐蔽(跟"暗"相对):～说|～令|～沟|～枪易躲,暗箭难防。❹ 眼力好;眼光正确;对事物现象看得清:聪～|英～|精～强干|耳聪目～|眼～手快。❺ 光明;弃暗投～|～人不做暗事。❻ 视觉:双目失

～。❼ 懂得;了解:深～大义|不～事理。❽〈书〉表明;显示:开宗～义|赋诗～志。❾ 副 明明:你～知道他不会,干吗还要为难他呀?

明[2] míng 次于今年、今天的:～天|～晨|～年|～春。

明[3] Míng 图❶ 朝代,公元 1368—1644,朱元璋所建。先定都南京,永乐年间迁都北京。❷ 姓。

【明白】 míng·bai ❶ 形 内容、意思等使人容易了解;清楚;明确:他讲得十分～。❷ 形 公开的;不含糊的:有意见就～提出来。❸ 形 聪明;懂道理:他是个～人,不用多说就知道。❹ 动 知道;了解:～其中的奥妙。

【明摆着】 míngbǎi·zhe 动 明显地摆在眼前,容易看得清楚:～有困难,他还是硬把这活儿揽下来了。

【明辨是非】 míng biàn shì fēi 把是非分清楚。

【明察】 míngchá 动 清楚地看到:～秋毫|～其奸。

【明察暗访】 míng chá àn fǎng 明里观察,暗里询问了解(情况等)。

【明察秋毫】 míng chá qiūháo 比喻为人非常精明,任何小问题都看得很清楚(秋毫:秋天鸟兽身上新长的细毛,比喻微小的事物)。

【明畅】 míngchàng 形 (语言、文字等)明白流畅:行文～,寓意深远。

【明澈】 míngchè 形 明亮而清澈:一双～的眼睛|池水～如镜。

【明处】 míng·chù 图❶ 明亮的地方;有光亮的地方:拿到～一看,才知道是张地图。❷ 公开的场合:有话就说在～。

【明达】 míngdá ❶ 动 对事理有明确透彻的认识:～事理。❷ 形 通达;公正。

【明灯】 míngdēng 图 比喻指引群众朝光明正确方向前进的人或事物:指路～。

【明兜】 míngdōu 图 贴兜。

【明断】 míngduàn 动 明确地辨别案件或纠纷的是非,做出公正的判决或判断。

【明矾】 míngfán 图 无机化合物,含有结晶水的硫酸钾和硫酸铝复盐。化学式 $KAl(SO_4)_2 \cdot 12H_2O$。无色晶体,水溶液有涩味。用来制革、造纸等。也可做媒染剂和净水剂,医药上用作收敛剂。通称

M

【明沟】mínggōu 图露天的排水沟。也叫阳沟。

【明后天】mínghòutiān 图时间词。明天或后天:他~来。

【明黄】mínghuáng 形纯正鲜亮的黄色。

【明晃晃】mínghuǎnghuǎng (~的)形状态词。光亮闪烁:~的马刀|他的胸前~地挂满了奖章。

【明慧】mínghuì〈书〉聪明;聪慧。

【明火】mínghuǒ ❶图古代用铜镜等映日聚光所取的火。❷图有火焰的火(区别于"暗火")。❸动指点着火把(抢劫):~抢劫。

【明火执仗】mínghuǒzhízhàng 点着火把,拿着武器,公开活动(多指抢劫)。

【明间儿】míngjiānr 图直接跟外面相通的房间。

【明鉴】míngjiàn ❶图明镜。❷图指可为借鉴的明显的前例。❸动明察,旧时常用来称颂人见识高明。

【明教】míngjiào 图敬辞,高明的指教(多用于书信):敬聆~。

【明旌】míngjīng 同"铭旌"。

【明净】míngjìng 形明而洁净:~的橱窗|湖水~|北京秋天的天空分外~。

【明镜】míngjìng 图明亮的镜子:湖水清澈,犹如~。

【明镜高悬】míngjìnggāoxuán 传说秦始皇有一面镜子,能照见人心的善恶(见于东晋葛洪《西京杂记》),后来用"明镜高悬"比喻法官判案的公正严明。也说秦镜高悬。

【明快】míngkuài 形❶(语言、文字等)明白通畅,不晦涩不呆板:笔法~。❷性格开朗直爽,办事有决断:她为人~达观,工作起来雷厉风行。

【明来暗往】mínglái'ànwǎng 公开或暗地里来往,形容关系密切,来往频繁(多含贬义)。

【明朗】mínglǎng 形❶光线充足(多指室外):那天晚上的月色格外~|初秋的天气是这样~清新。❷明显;清晰:态度~|听了报告,他的心里~了。❸光明磊落;开朗②;爽快:性格~|这些作品都具有~的风格。

【明里】míng·lǐ 图明处②:~支持,暗里反对。

【明理】mínglǐ ❶动明白道理:读书~|他是个~的人。❷(~儿)图明显的道理:~不用细讲。

【明丽】mínglì 形(景物)明净美丽:山川~|阳光~。

【明亮】míngliàng 形❶光线充足:灯光~|打开窗户,屋子就会~些。❷发亮的:小姑娘有一双~的眼睛。❸明白;清楚:听了这番解释,老张心里~了。

【明了】míngliǎo ❶动清楚地知道或懂得:你的意思我~,就这样办吧!|不~实际情况就不能做出正确的判断。❷形清晰;明白:简单~。

【明令】mínglìng 图明文宣布的命令:~禁止|~实施。

【明码】míngmǎ 图❶公开通用的电码(区别于"密码"):~电报。❷商业上指公开标明的价格:~标价|~售货。

【明媒正娶】míngméizhèngqǔ 旧时指有媒人说合,按传统结婚仪式迎娶的婚姻。

【明媚】míngmèi 形❶(景物)鲜明可爱:春光~|河山~。❷(眼睛)明亮动人。

【明面】míngmiàn (~儿)图表面;明处:他~上是说儿子,其实是说给别人听的|把问题摆到~上倒好econ解决。

【明灭】míngmiè 动时隐时现;忽明忽暗:星光~。

【明明】míngmíng 副表示显然如此或确实(下文意思往往转折):这话~是他说的,怎么转眼就不认账了?

【明眸】míngmóu 图明亮的眼睛:~皓齿(形容女子的美貌)。

【明目张胆】míngmùzhāngdǎn 形容公开地大胆地做坏事。

【明年】míngnián 图时间词。今年的下一年。

【明盘】míngpán (~儿)图商业用语,指买卖双方在市场上公开议定的价格。

【明器】míngqì 图古代陪葬的器物。最初的明器是死者生前用的器物,后来是用陶土、木头等仿制的模型。也作冥器。

【明前】míngqián 图绿茶的一种,用清明前采摘的细嫩芽尖制成。

【明枪暗箭】míngqiāng'ànjiàn 比喻公开的和隐蔽的攻击。

【明抢】míngqiǎng 勔 公然抢劫：～暗偷｜～明夺。

【明渠】míngqú 名 露在地面上的渠道。

【明确】míngquè ❶ 形 清晰明白而确定不移：目的～｜～表示态度｜大家～分工，各有专责。❷ 勔 使清晰明白而确定不移：这次会议～了我们的方针任务。

【明儿】míngr（口）名 时间词。❶ 明天①：～见｜他一～一早就动身。也说明儿个。❷ 明天②：～你长大了，也学开飞机。

【明人】míngrén 名 ❶ 眼睛能看见东西的人（区别于"盲人"）。❷ 指心地光明的人：～不做暗事。

【明日】míngrì 名 时间词。明天。

【明日黄花】míngrì huánghuā 苏轼《九日次韵王巩》诗："相逢不用忙归去，明日黄花蝶也愁"。原指重阳节过后，菊花即将枯萎，便再没有什么好玩赏的了。后来用"明日黄花"比喻已失去新闻价值的报道或已失去应时作用的事物。

【明锐】míngruì 形 ❶ 明亮而锐利：目光～｜～的刀锋。❷〈书〉聪敏机敏：性～，有决断。

【明闪闪】míngshǎnshǎn （～的）形 状态词。形容闪烁发光：～的灯光。

【明示】míngshì 勔 明确地指示；明白地表示：～后学｜敬请～。

【明室】míngshì 名 可直接从室外采光的居室。

【明誓】míng∥shì 勔 见935页〖盟誓〗'。

【明说】míngshuō 勔 明白说出：这事不便于～｜话里虽没～，心里却有暗意。

【明堂】míngtáng 名 ❶ 古代帝王宣明政教、举行典礼等活动的地方。❷〈方〉打晒粮食的场地。❸〈方〉院子。

【明天】míngtiān 名 时间词。❶ 今天的下一天。❷ 不远的将来：展望美好的～。

【明文】míngwén 名 明确的文字记载；公开发布的文件（多指法令、规章等）：～规定。

【明晰】míngxī 形 清楚；不模糊：雾散了，远处的村庄越来越～了｜现在他对全部操作过程有了一个～的印象。

【明细】míngxì 形 明确而详细：分工～。

【明虾】míngxiā 名 对虾。

【明显】míngxiǎn 形 清楚地显露出来，容易让人看出或感觉到：字迹～｜目标～。

【明线】míngxiàn 名 文学作品中人物活动或事件发展所直接呈现出来的线索。

【明晓】míngxiǎo 勔 明白④；通晓：～音律。

【明效大验】míng xiào dà yàn 很显著的效验。

【明信片】míngxìnpiàn 名 专供写信用的硬纸片，邮寄时不用信封。也指用明信片写成的信。

【明星】míngxīng 名 ❶ 古书上指金星。❷ 称有名的演员、运动员等：电影～｜足球～｜交际～。

【明修栈道，暗度陈仓】míng xiū zhàndào, àn dù Chéncāng 公元前206年，刘邦攻下咸阳，被项羽封为汉王，带着人马到南郑去，途中烧毁了栈道。不久绕道北上，在陈仓（今陕西宝鸡东）打败秦将章邯的军队，回到咸阳（见《史记·高祖本纪》）。小说家把这段历史演义为"明修栈道，暗度陈仓"，后用来比喻用假象迷惑对方以达到某种目的。

【明眼人】míngyǎnrén 名 对事物观察得很清楚的人；有见识的人：～都知道，他这一套是蒙人的。

【明艳】míngyàn 形 鲜明艳丽；明丽：风光～｜服饰～｜～的石榴花。

【明油】míngyóu 名 在烹调好的菜肴上浇的油叫明油。

【明喻】míngyù 名 比喻的一种，明显地用另外的事物来比拟某事物，表示两者之间的相似关系。常用"如"、"像"、"似"、"好像"、"像…似的"、"如同"、"好比"等比喻词，如"此时心情，正像这无水的枯井"。

【明杖】míngzhàng （～儿）名 指盲人用来探路的手杖。

【明朝】míngzhāo〈方〉名 明天。

【明哲保身】míng zhé bǎo shēn 原指明智的人不参与可能给自己带来危险的事，现在指因怕犯错误或有损自己利益而对原则性问题不置可否的处世态度。

【明争暗斗】míng zhēng àn dòu 明里暗里都在进行争斗。

【明正典刑】míng zhèng diǎn xíng 依照法律，处以极刑。

【明证】míngzhèng 名 明显的证据。

【明知】míngzhī 勔 明明知道：～故问｜～

故犯|你～他不愿意参加,为什么又去约他?

【明志】míngzhì 勔 表明志向:淡泊～|这首诗是借菊花～。

【明智】míngzhì 形 懂事理;有远见;想得周到:决策～|～的举动。

【明珠】míngzhū 名 比喻珍爱的人或美好的事物:掌上～。

【明珠暗投】míngzhū àn tóu 比喻怀才不遇或好人失足参加坏集团,也泛指珍贵的东西得不到赏识。

【明子】míng·zi 名 松明。

鸣(鳴) míng ❶ 勔 (鸟兽或昆虫)叫:鸟～|蝉～|虫～。❷ 勔 发出声音;使发出声音:耳～|雷～|自鸣钟|孤掌难～|礼炮齐～|～鼓|～锣开道。❸ 表达;发表(情感、意见、主张):～谢|～冤|～不平|百家争～。❹ (Míng)名 姓。

【鸣鞭】míngbiān ❶ 勔 挥动鞭子使发出响声:～走马。❷ 名 古代皇帝仪仗中的一种鞭形,挥动发出响声,使人肃静。也叫静鞭。

【鸣笛】míng//dí 勔 为引起注意而拉汽笛、按汽车喇叭等:～致意|禁止车辆～。

【鸣镝】míngdí 名 古代一种射出时带响的箭。

【鸣鼓而攻之】míng gǔ ér gōng zhī 指公开宣布罪状,加以声讨(语出《论语·先进》)。

【鸣叫】míngjiào 勔 (鸟、昆虫等)叫:蟋蟀～◇汽笛～。

【鸣金】míngjīn 勔 敲锣,古代作战时作为收兵的信号:～收兵。

【鸣锣开道】míng luó kāi dào 封建官车出行时,前面有人敲锣要行人让路。现比喻为某事物的出现制造舆论。

【鸣禽】míngqín 名 鸟的一类,叫声悦耳,如伯劳、画眉、黄鹂等。

【鸣谢】míngxiè 勔 表示谢意(多指公开表示):～启事|登报～。

【鸣冤】míngyuān 勔 喊叫冤屈:击鼓～|～叫屈。

【鸣啭】míngzhuàn 勔 (鸟)婉转地鸣叫:黄莺～|云雀～着冲向天空。

茗 míng 原指某种茶叶,今泛指喝的茶:香～|品～。

洺 Míng 洺河,水名,在河北。

冥 míng ❶ 昏暗:幽～|晦～。❷ 深奥;深沉:～思|～想。❸ 糊涂;愚昧:～昧|～顽。❹ 迷信的人称人死后进入的世界;阴间:～府。

【冥暗】míng'àn 形 昏暗:日落西山,天渐～。

【冥钞】míngchāo 名 迷信的人给死人烧的假钞票。

【冥府】míngfǔ 名 迷信的人指人死后鬼魂所在的地方。

【冥茫】míngmáng 〈书〉形 苍茫;迷茫:夜色～。也作溟茫。

【冥蒙】míngméng 同"溟濛"。

【冥冥】míngmíng 〈书〉❶ 形 昏暗:暮色～。❷ 形 愚昧无知;昏昧。❸ 形 渺茫;高远:鸿飞～。❹ 名 指阴间。

【冥器】míngqì 同"明器"。

【冥寿】míngshòu 名 指已经死去的人的寿辰。

【冥思苦索】míng sī kǔ suǒ 冥思苦想。

【冥思苦想】míng sī kǔ xiǎng 深沉地思索。也说冥思苦索。

【冥顽】míngwán 〈书〉形 昏庸顽钝:～不灵。

【冥王星】míngwángxīng 名 太阳系九大行星之一。按离太阳由近而远的次序计为第九颗,绕太阳公转周期约为248年,自转周期约6.4天。是九大行星中最小的行星。(图见1319页"太阳系")

【冥想】míngxiǎng 勔 深沉地思索和想象;苦思|歌声把我们带到对内蒙古大草原的美丽的～中去了。

【冥衣】míngyī 名 迷信的人给死人烧的纸衣。

铭(銘) míng ❶ 在器物、碑碣等上面记述事实、功德等的文字(大多铸成或刻成);鞭策、勉励自己的文字(写出或刻出):墓志～|碑～|座右～。❷ 在器物上刻字,表示纪念;比喻深刻记住:～功|～心|肌镂骨(比喻感恩极深)|～诸肺腑(比喻永记不忘)。❸ (Míng)名 姓。

【铭感】mínggǎn 〈书〉勔 深刻地记在心中,感激不忘:大家对我如此关切和照顾,使我终身～。

【铭记】míngjì ❶ 勔 深深地记在心里:～教诲。❷ 名 铭文。

【铭旌】míngjīng 名 旧时竖在灵柩前标志死者官衔和姓名的长幡。也作明旌。

【铭刻】míngkè ❶ 名 铸在器物上面或刻在器物、碑碣等上面的记述事实、功德等的文字：古代～。❷ 动 铭记①；沉痛的教训～在心中。

【铭牌】míngpái 名 装在机器、仪表、机动车等上面的标牌，上面标有名称、型号、性能、规格及出厂日期、制造者等字样。

【铭文】míngwén 名 器物、碑碣等上面的文字(大多铸成或刻成)：铜器～。

【铭心】míngxīn 动 比喻感念不忘；刻骨～。

【铭心刻骨】míng xīn kè gǔ 见 774 页[刻骨铭心]。

冥 míng [冥荚](míngjiá)名 古代传说中一种象征祥瑞的草。
另见 942 页 mì。

溟 míng〈书〉海：东～|北～。

【溟茫】míngmáng 同"冥茫"。

【溟濛】míngméng〈书〉形 形容烟雾弥漫，景色模糊。也作冥蒙。

榠 míng [榠楂](míngzhā)名 指木瓜。

暝 míng〈书〉❶ 日落；天黑：日将～|天已～。❷ 黄昏。

瞑 míng ❶ 闭眼：～目。❷ 眼花：耳聋目～。

【瞑目】míngmù 动 闭上眼睛(多指人死时心中没有牵挂)：死不～。

螟 míng 名 螟虫。

【螟虫】míngchóng 名 昆虫，种类很多，主要侵害水稻，也侵害高粱、玉米、甘蔗等。

【螟蛉】mínglíng 名《诗经·小雅·小宛》："螟蛉有子，蜾蠃负之。"螟蛉是一种绿色小虫，蜾蠃是一种寄生蜂。蜾蠃常捕捉螟蛉存放在窝里，产卵在它们身体里，卵孵化后就拿螟蛉作食物。古人误认为螟蛉不产子，喂养螟蛉为子，因此用"螟蛉"比喻义子。

mǐng （ㄇ丨ㄥˇ）

酩 mǐng [酩酊](mǐngdǐng)形 形容大醉：～大醉。

mìng （ㄇ丨ㄥˋ）

命¹ mìng 名 ❶ 生命；性命：一条～|救～|丧了～。❷ 寿命：短～|长～|百岁。❸ 命运①：～苦|认～|算～|宿～|论。

命² mìng ❶ 动 命令①；指派：～驾|连长～你立即归队。❷ 命令②；指示：奉～|待～。❸ 给予(名称等)：～名|～题。

【命案】mìng'àn 名 杀人的案件：一桩～。

【命笔】mìngbǐ〈书〉动 执笔做诗文或书画：欣然～。

【命大】mìngdà 形 命运好；幸运：～福大|他从六楼跌下来没摔死，真是～。

【命定】mìngdìng 动 命中注定(迷信)。

【命妇】mìngfù 名 封建时代被赐予封号的妇女，一般为官员的母亲、妻子。

【命根】mìnggēn 名 比喻最受某人重视的晚辈，也比喻最重要或最受重视的事物。也说命根子。

【命官】mìngguān 名 封建时代由朝廷任命的官员。

【命驾】mìngjià〈书〉动 吩咐人驾车，也指乘车出发：敬希早日～来京。

【命令】mìnglìng ❶ 动 上级对下级有所指示：连长～一排担任警戒。❷ 名 上级给下级的指示：司令部昨天先后来了两道～。

【命令句】mìnglìngjù 名 祈使句。

【命脉】mìngmài 名 生命和血脉，比喻关系重大的事物：经济～|水利是农业的～。

【命名】mìng∥míng 动 授予名称：～典礼。

【命数】mìngshù 名 命运①。

【命题】¹ mìng∥tí 动 出题目：～作文|统一～。

【命题】² mìngtí 名 逻辑学指表达判断的语言形式，由系词把主词和宾词联系而成。例如："北京是中国的首都"，这个句子就是一个命题。

【命途】mìngtú〈书〉名 指平生的遭遇、经历：～坎坷|～多舛(chuǎn)。

【命相】mìngxiàng 名 旧时指生辰八字、生肖等。迷信的人认为根据人的生辰八字可以推算出一个人命运的好坏，根据男女双方的生肖可以推测成为配偶是否相宜。

【命意】mìngyì ❶ 勔（作文、绘画等）确定主题。❷ 名 含意：大家不了解他这句话的～所在。

【命运】mìngyùn 名 ❶ 指生死、贫富和一切遭遇（迷信的人认为是生来注定的）：悲惨的～|～不济。❷ 比喻发展变化的趋向：关心国家的前途和～。

【命中】mìngzhòng 勔 射中；打中（目标）：～目标|～率。

miù （ㄇㄧㄡˋ）

谬（謬）miù ❶ 错误；差错：荒～|～论|大～不然|差之毫厘，～以千里。❷（Miù）名 姓。

【谬错】miùcuò 名 谬误。

【谬奖】miùjiǎng〈书〉勔 过奖：多承～，实不敢当。

【谬论】miùlùn 名 荒谬的言论：批驳～。

【谬说】miùshuō 名 谬论。

【谬误】miùwù 名 错误；差错：真理总是在同～的斗争中发展的。

【谬种】miùzhǒng 名 ❶ 指荒谬错误的言论、学术流派等：～流传。❷ 坏东西；坏蛋（骂人的话）。

缪（繆）miù 见 1035 页〖纰缪〗。
另见 949 页 Miào；968 页 móu。

---

mō（ㄇㄛ）

摸 mō 勔 ❶ 用手接触一下（物体）或接触后轻轻移动：我～了～他的脸，觉得有点儿发烧。❷ 用手探取：～鱼|他在口袋里～了半天，～出一张纸条来。❸ 试着了解；试着做：～底|逐渐～出一套种水稻的经验来。❹ 在黑暗中行动；在认不清的道路上行走：～到床边开亮了灯|～了半夜才到家。

【摸彩】mō//cǎi 勔 摸奖。

【摸底】mō//dǐ 勔 了解底细：～测验|几个人的技术水平，他都～。

【摸高】mōgāo 勔 ❶ 体育上指人跳起后

伸直胳膊用手触摸到最高点。❷ 商品、证券、期货等价位达到一段时期以来的高点。

【摸黑儿】mō//hēir〈口〉勔 在黑夜中摸索着（行动）：～赶路。

【摸奖】mō//jiǎng 勔 从许多奖券中摸取一张或几张，根据票面所示确定是否中奖。

【摸门儿】mō//ménr〈口〉勔 比喻初步找到做某件事情的方法：摸着点儿门儿|～不～。

【摸排】mōpái 勔（为侦破案件）对一定范围内的人进行逐个摸底调查。

【摸哨】mō//shào 勔 暗中袭击敌方的岗哨。

【摸索】mō·suǒ 勔 ❶ 试探着（行进）：他们在暴风雨的黑夜里～着前进。❷ 寻找（方向、方法、经验等）：在工作中初步～出一些经验。

【摸头】mō//tóu（～儿）〈口〉勔 由于接触客观事物而有所了解（多用于否定式）：我刚来，对这件事一点不～。

【摸营】mō//yíng 勔 暗中袭击敌人的兵营。

---

mó（ㄇㄛˊ）

无（無）mó 见 974 页〖南无〗（nā-mó）。
另见 1436 页 wú。

谟（謨）mó〈书〉计划①；策略：宏～。

馍（饃、饝、𩟄）mó〈方〉名 馒头：蒸～|白面～。也叫馍馍。

嫫 mó 用于人名，嫫母，传说中的丑妇。

摹 mó 照着样子写或画，特指用薄纸蒙在原字或原画上写或画：描～|临～|～写|～本。

【摹本】móběn 名 临摹或翻刻的书画本。

【摹仿】mófǎng 见 961 页〖模仿〗。

【摹绘】móhuì〈书〉勔 依原样绘制；描画：～官廷图样。

【摹刻】mókè ❶ 勔 摹写书画等并雕刻。❷ 名 摹刻的成品。

【摹拟】mónǐ 见 961 页〖模拟〗。

【摹效】móxiào 勔 模仿；仿效。也作～

效。

【摹写】(摹写) móxiě　动❶ 照着样子写。❷ 泛指描写：～人物情状。

【摹印】móyìn　❶ 名 古代用于印玺的一种字体。❷ 动 摹写书画等并印刷。

【摹状】mózhuàng　动 描摹。

模 mó　❶ 法式；规范；标准：～型｜～式｜楷～。❷ 仿效：～仿｜～拟。❸ 指模范：劳～｜评～。❹ (Mó)名 姓。

另见 968 页 mú。

【模本】móběn　名 供临摹用的底本。

【模范】mófàn　❶ 名 值得学习的、作为榜样的人：劳动～｜选～。❷ 形 可以作为榜样的；值得学习的：～事迹｜～人物。

【模仿】(摹仿) mófǎng　动 照某种现成的样子学着做：小孩儿总爱～大人的动作。

【模仿秀】mófǎngxiù　名 在形象、声音或外观上模仿名人或某些事物的表演。[秀，英 show]

【模糊】(模胡) mó·hu　❶ 形 不分明；不清楚：字迹｜～神志｜～认识｜～概念｜睡梦中模模糊糊觉得有人敲门。❷ 动 使模糊：不要～了是非界限。

【模糊空间】mó·hu kōngjiān　灰空间。

【模块】mókuài　名❶ 可以组合和更换的标准硬件部件。❷ 大型软件系统中的一个具有独立功能的组成部分。

【模棱】móléng　形 (态度、意见等)含糊；不明确：～两可。

【模拟】(摹拟) mónǐ　动 模仿：～动作｜～考试。

【模拟通信】mónǐ tōngxìn　传送模拟信号的通信方式。可用传送电话、电报、数据和图像等。

【模拟信号】mónǐ xìnhào　时间上连续的信号，通过电磁波的幅度、频率或相位的变化来表示要传输的数据。传统的电话、传真、广播、电视的信号都是模拟信号。

【模式】móshì　名 某种事物的标准形式或使人可以照着做的标准样式：～图｜～化。

【模特儿】mótèr　名❶ 艺术家用来写生、雕塑的描写对象或参考对象，如人体、实物、模型等。也指文学家借以塑造人物形象的原型。❷ 用来展示服装的人或人体模型：时装～。[法 modèle]

【模效】móxiào　同"摹效"。

【模写】móxiě　见 961 页【摹写】。

【模型】móxíng　名❶ 依照实物的形状和结构按比例制成的物品，多用来展览或实验：建筑～。❷ 铸造中制砂型用的工具，大小、形状和要制造的铸件相同，常用木料制成。❸ 用压制或浇灌的方法使材料成为一定形状的工具。通称模子(mú·zi)。

膜 mó　(～儿)名❶ 人和动植物体内像薄皮的组织：鼓～｜腹～｜肋～。❷ 像膜的薄皮：橡皮～｜纸浆表面结成薄～。

【膜拜】móbài　动 跪在地上举两手虔诚地行礼：顶礼～。

麽 mó　❶ 见 1581 页〖幺麽〗(yāo-mó)。❷ (Mó)名 姓。

另见 910 页·ma "么"；925 页·me "么"。

摩¹ mó　❶ 动 摩擦；接触：～拳擦掌｜～肩擦背。❷ 抚摩；按～。❸ 研究切磋：观～｜揣～。❹ (Mó)名 姓。

摩² mó　量 摩尔的简称。当分子、原子或其他粒子等的个数约为 6.02×10^{23} 时，就是 1 摩。

另见 905 页 mā。

【摩擦】(磨擦) mócā　❶ 动 物体和物体紧密接触，来回移动。❷ 名 两个相互接触的物体，当有相对运动或有相对运动趋势时，在接触面上产生的阻碍运动的作用。❸ 名 (个人或党派团体间)因彼此利害矛盾而引起的冲突。

【摩擦力】mócālì　名 两个相互接触的物体，当有相对运动或有相对运动趋势时，在接触面上产生的阻碍运动的作用力。

【摩擦音】mócāyīn　名 擦音。

【摩登】módēng　形 指式样合乎时兴的；时髦：～家具｜～女郎。[英 modern]

【摩登舞】módēngwǔ　名 现代舞。

【摩尔】mó'ěr　量 物质的量的单位，符号mol。简称摩。[英 mole]

【摩尔质量】mó'ěr zhìliàng　1 摩物质的质量是该物质的摩尔质量。单位是千克/摩。

【摩肩击毂】mó jiān jī gǔ　见 662 页〖肩摩毂击〗。

【摩肩接踵】mó jiān jiē zhǒng　肩碰肩，脚碰脚，形容人很多，很拥挤。也说肩摩踵接。

【摩羯座】mójiézuò　名 黄道十二星座之一。参看 600 页〖黄道十二宫〗。

【摩拳擦掌】mó quán cā zhǎng 形容战斗、竞赛或劳动前精神振奋的样子。

【摩丝】mósī 名 一种能固定发型并有护发作用的化妆品。[英 mousse]

【摩挲】mósuō 动 用手抚摩。
另见 905 页 mā·sā。

【摩天】mótiān 动 跟天接触,形容很高:～岭|～大楼。

【摩托】mótuō 名❶ 内燃机。❷ 装有内燃发动机的两轮车或三轮车。也叫摩托车。[英 motor]

【摩托车】mótuōchē 名 摩托②。

【摩托艇】mótuōtǐng 名❶ 汽艇。❷ 水上体育运动项目之一,运动员驾驶摩托艇在规定的距离内比赛速度,根据摩托艇的重量和汽缸容积分为 50 多个等级。

【摩崖】móyá 名 在山崖上刻的文字、佛像等:～石刻。

磨 mó ❶动 摩擦:脚上～了几个大泡◇我劝了他半天,嘴唇都快～破了。❷动 用磨料磨物体使光滑、锋利或达到其他目的:～刀|～墨|～玻璃|铁杵～成针。❸动 折磨:他被这场病～得改了样子了。❹动 纠缠;磨烦(mò·fan):这孩子可真～人。❺消灭;磨灭:百世不～。❻动 消耗时间;拖延:～洋工|～工夫。
另见 967 页 mò。

【磨擦】mócā 见 961 页〖摩擦〗。

【磨蹭】mó·ceng 动❶ (轻微)摩擦:右脚轻轻地在地上～着。❷ 缓慢地向前行进,比喻做事动作迟缓:他的腿病已有好转,拄着棍儿可以往前～了|你们magny磨蹭蹭的,事情什么时候能做完?❸ 纠缠:我跟爸爸～了半天,他才答应明天带咱们到动物园玩去。

【磨穿铁砚】mó chuān tiě yàn 比喻用功读书,持久不懈。

【磨床】móchuáng 名 用砂轮磨削工件表面的机床。加工时,砂轮高速旋转,打磨工件,提高工件的精度,降低表面粗糙度。

【磨刀不误砍柴工】mó dāo bù wù kǎn chái gōng 比喻花时间做好准备工作,不会耽误工作的进度。

【磨工】mógōng 名❶ 用磨床进行磨削的工作。❷ 做这种工作的工人。

【磨工夫】mó gōng·fu 耗费时间:跟他商量事真～。

【磨耗】móhào 动 磨损。

【磨合】móhé 动❶ 新组装的机器,通过一定时期的使用,把摩擦面上的加工痕迹磨光而变得更加密合。也叫走合。❷ 比喻在彼此合作的过程中逐渐相互适应、协调:新组建的国家队还需要～。

【磨砺】mólì 动 摩擦使锐利,比喻磨炼:他知道只有时时刻刻～自己,才能战胜更大的困难。

【磨练】móliàn 同〖磨炼〗。

【磨炼】móliàn 动 (在艰难困苦的环境中)锻炼:～才干|～意志。也作磨练。

【磨料】móliào 名 工业上用的研磨材料,硬度大,机械强度高。金刚石、石英、刚玉等是天然磨料,人造刚玉、碳化硅等是人造磨料。

【磨灭】mómiè 动 (痕迹、印象、功绩、事实、道理等)经过相当时期逐渐消失:不可～的功绩|年深月久,碑文已经～。

【磨难】(魔难)mónàn 动 在困苦的境遇中遭受的折磨:童年的～铸就了他那刚强的性格。

【磨砂玻璃】móshā-bō·li 毛玻璃。

【磨蚀】móshí 动❶ 流水、波浪、冰川、风等所携带的沙石等磨损地表,也指这些被携带的沙石之间相互摩擦而破坏。❷ 使逐渐消失:岁月流逝～了他年轻时的锐气。

【磨损】mósǔn 动 机件或其他物体由于摩擦和使用而造成损耗。

【磨牙】[1] mó/yá 〈方〉动 指多费口舌;无意义地争辩。

【磨牙】[2] móyá 名 牙的一种,成人的磨牙上下颌各有六个,在口腔后方的两侧,牙冠上有疣状突起,便于磨碎食物。通称槽牙或白齿。(图见 1558 页"人的牙")

【磨洋工】mó yánggōng 工作时拖延时间,也泛指工作懒散拖沓。

【磨折】mózhé 动 折磨。

【磨嘴】mó/zuǐ 〈方〉动 磨牙(mó/yá)。也说磨嘴皮子。

嬷 mó [嬷嬷](mó·mo)〈方〉名❶ 称呼年老的妇女。❷ 奶妈。

蘑 mó 见 900 页〖萝藦〗。

蘑 mó 蘑菇:口～|鲜～|白～。

【蘑菇】[1] mó·gu 名 某些可以食用的真菌，特指口蘑。

【蘑菇】[2] mó·gu 动 ❶ 故意纠缠：你跟我～，我还有要紧事儿。❷ 行动迟缓、拖延时间：你再这么一～下去，非误了火车不可!

【蘑菇云】mó·guyún 名 由于原子弹、氢弹爆炸而产生的蘑菇形的云状物，其中含有大量烟尘。火山爆发及星体碰撞等也能形成蘑菇云。

魔 mó ❶ 魔鬼：恶～|妖～|病～|旱～。❷ 神秘；奇异：～力|～术。[魔罗之省，梵 māra]

【魔法】mófǎ 名 妖魔的法术；妖术。

【魔方】mófāng 名 一种智力玩具，是一个可以变换拼装的正方体，由若干块小正方体组成，六个平面色彩不同。游戏时使六面颜色混杂，经过转换以恢复原状。

【魔怪】móguài 名 妖魔鬼怪，比喻邪恶的人或势力。

【魔鬼】móguǐ 名 ❶ 宗教或神话中指迷惑人、害人性命的鬼怪。❷ 比喻邪恶的人或势力。

【魔幻】móhuàn 形 神秘而富于变幻的：～手法。

【魔窟】mókū 名 魔怪的巢穴，比喻邪恶势力盘踞的地方。

【魔力】mólì 名 使人爱好、沉迷的吸引力：这个故事有一种～抓住我的心。

【魔难】mónàn 见 962 页〖磨难〗。

【魔术】móshù 名 杂技的一种，以迅速敏捷的技巧或特殊装置把实在的动作掩盖起来，使观众感觉到物体忽有忽无，变化不测。也叫幻术或戏法。

【魔王】mówáng 名 ❶ 佛教用语，指专做破坏活动的恶鬼。❷ 比喻非常凶暴的恶人；混世～|杀人～。

【魔芋】móyù 名 ❶ 多年生草本植物，掌状复叶，小叶羽状分裂，花轴下部棒形，淡黄色，下部紫红色，块茎扁圆形，可入药，生吃有毒，需加工后才可做食品。❷ 这种植物的地下茎。‖ 也叫蒟蒻(jǔruò)。

【魔掌】mózhǎng 名 比喻凶恶势力的控制：逃出～。

【魔杖】mózhàng 名 魔术师所用的棍儿。

【魔障】mózhàng 名 佛教用语，恶魔所设的障碍，后泛指人所遇到的波折或磨难。

【魔爪】mózhǎo 名 比喻凶恶的势力：斩断侵略者的～。

【魔怔】mó·zheng〈口〉形 举动异常，像有精神病一样。

劘 mó〈书〉削；切。

mǒ（ㄇㄛˇ）

抹 mǒ ❶ 动 涂抹：～粉|～上点药膏|～一层糨糊◇月光在淡灰色的墙上～了一层银色。❷ 动 擦：他吃完饭把嘴一～就走了。❸ 动 勾掉；除去；不计在内：～杀|～零|把这行字～了。❹ 量 用于云霞等：一～彩霞。
另见 905 页 mā；964 页 mò。

【抹脖子】mǒ bó·zi 拿刀割脖子，多指自杀。

【抹刀】mǒdāo 名 抹(mǒ)子。

【抹黑】mǒ//hēi 涂抹黑色，比喻丑化：干吗要往自己脸上～?|他决不会给集体～的。

【抹零】mǒ//líng（～儿）动 付钱时不计算整数之外的尾数。

【抹杀】mǒshā 动 一概不计；完全勾销：一笔～|这个事实谁也～不了。也作抹煞。

【抹煞】mǒshā 同"抹杀"。

【抹稀泥】mǒ xīní〈方〉和(huò)稀泥。

【抹一鼻子灰】mǒ yī bí·zi huī 想讨好而结果落得没趣。

【抹子】mǒ·zi 名 瓦工用来抹灰泥的器具。也叫抹刀。

mò（ㄇㄛˋ）

万 mò [万俟](Mòqí)名 姓。
另见 1405 页 wàn。

末 [1] mò 名 ❶ 东西的梢；尽头：～梢|秋毫之～。❷ 不是根本的、主要的事物（跟"本"相对）：本～倒置|舍本逐～。❸ 名 最后；终了；末尾：春～|明～|班车上世纪～。❹（～儿）名 末子，锯～|茶叶～儿|把药研成～儿。❺（Mò）名 姓。

末 [2] mò 名 戏曲角色行当，扮演中年男子，京剧归入老生一类。

另见 925 页 •me "么"。

【末班车】mòbānchē 名❶ 按班次行驶的最后一班车。也说末车。❷ 比喻最后的一次机会。

【末车】mòchē 名 末班车①。

【末代】mòdài 名 指一个朝代的最后一代;末世:～皇帝|～子孙。

【末伏】mòfú 名❶ 立秋后的第一个庚日,是最后的一伏。❷ 通常也指从立秋后第一个庚日起到第二个庚日前一天(共十天)的一段时间。‖也叫终伏、三伏。

【末后】mòhòu 名 最后:～,主席宣布散会。

【末节】mòjié 名 小节;细枝～。

【末了】mòliǎo (～儿)名 最后:第五行～的那个字我不认识|大家猜了半天,～还是小伍猜中了。也说末末了儿。

【末流】mòliú 名❶ 已经衰落并失去原有的精神实质的学术、文艺等流派。❷ 最低的等级或品类:～演员|技术水平在同行业中居于～。

【末路】mòlù 名 路途的终点,比喻没落衰亡的境地:穷途～。

M

【末年】mònián 名 (历史上一个朝代或一个君主在位期间)最后的一段时期:明朝～|道光～。

【末期】mòqī 名 最后的一段时期:唐代～|新石器时代～。

【末日】mòrì 名 基督教指世界的最后一天,泛指死亡或灭亡的日子。

【末梢】mòshāo 名 末尾:五月～|她在辫子的～打了一个花结。

【末梢神经】mòshāo shénjīng 神经从神经中枢发出后分布到各组织的部分,作用是感受外来的刺激并把这些刺激传达到神经中枢,又把神经中枢的命令传达到各部组织。

【末世】mòshì 名 一个历史阶段的末尾时期:封建～。

【末尾】mòwěi 名 最后的部分:排在～|文章～还需斟酌。

【末叶】mòyè 名 (一个世纪或一个朝代)最后一段时期:18 世纪～|清朝～。

【末子】mò•zi 名 细碎的或成面儿的东西:煤～。

【末座】mòzuò 名 座位分尊卑时,最卑的座位叫末座。

没¹ mò ❶ 动 (人或物)沉下或沉没:～入水中|太阳将～未～的时候,水面泛起了一片红光。❷ 动 漫过或高过(人或物):雪深～膝|河水～了马背。❸ 隐藏;隐没:出～。❹ 没收:抄～。❺ 一直到完了;尽;终:～世～齿(齿:年岁)。❻ 同"殁"。

没² mò 见〖没奈何〗。
另见 926 页 méi。

【没齿不忘】mò chǐ bù wàng 终身不能忘记。也说没世不忘。

【没落】mòluò 动 衰败,趋向灭亡:～贵族|家道～|腐朽～。

【没奈何】mònàihé 实在没有办法;无可奈何:小黄等了很久不见他来,～只好一个人去了。

【没世】mòshì 名 指终身;一辈子:～不忘。

【没世不忘】mò shì bù wàng 没齿不忘。

【没收】mòshōu 动 把犯罪的个人或集团的财产强制地收归公有,也指把违反禁令或规定的东西收去归公。

抹 mò 动❶ 把和好了的泥或灰等涂上后再用抹(mǒ)子弄平:～墙。❷ 紧挨着绕过:转弯～角。
另见 905 页 mā;963 页 mǒ。

【抹不开】mò•bukāi 同"磨不开"。

【抹得开】mò•dekāi 同"磨得开"。

茉 mò [茉莉](mò•lì)名❶ 常绿灌木,叶子卵形或椭圆形,有光泽,花白色,香气浓。供观赏,花可用来窨制茶叶,根、叶可入药。❷ 这种植物的花。

殁 mò 〈书〉死;病～。也作没。

沫 mò ❶ (～儿)名 沫子:泡～|肥皂～儿|马跑得满身是汗,口里流着白～。❷〈书〉唾液:相濡以～。❸ (Mò)名 姓。

【沫子】mò•zi 名 液体形成的许多小泡;泡沫。

陌 mò 田间东西方向的道路,泛指道路:阡～|～头杨柳|巷～|～路。

【陌路】mòlù 〈书〉指路上碰到的不相识的人:视同～。也说陌路人。

【陌路人】mòlùrén 名 陌路。

【陌生】mòshēng 形 生疏;不熟悉:～人|我们虽然是第一次见面,并不感到～。

妹 mò 用于人名,妹喜,传说中夏王桀的妃子。

冒 mò 冒顿(Mòdú)，汉初匈奴族一个单于(chányú)的名字。

另见 924 页 mào。

脉(脉) mò [脉脉](眽眽)(mòmò) [形]默默地用眼神或行动表达情意的样子：～含情|她～地注视着远去的孩子们。

另见 913 页 mài。

莫 mò ❶〈书〉[副]表示"没有谁"或"没有哪一种东西"：～不欣喜|～名其妙。❷〈书〉[副]不：～如|一筹～展|爱～能助|～衷一是。❸[副]不要：～哭|我不懂这里的规矩，请～见怪。❹表示揣测或反问：～非|～不是。❺(Mò)[名]姓。

〈古〉又同"暮"mù。

【莫不】mòbù [副]没有一个不：铁路通车以后，这里的各族人民～欢欣鼓舞。

【莫不是】mòbùshì [副]莫非：～他又责怪你了?

【莫测高深】mò cè gāoshēn 没法揣测究竟高深到什么程度，多指言行使人难以了解或理解。

【莫大】mòdà [形]没有比这个再大；极大：～的光荣|～的幸福。

【莫非】mòfēi [副]表示揣测或反问，常跟"不成"呼应：他将信将疑地说，～我听错了?|今天她没来，～又生病了不成?

【莫可指数】mò kě zhǐ shǔ 掰着指头也数不过来，形容数量很多。

【莫名其妙】mò míng qí miào 没有人能说明它的奥妙(道理)，表示事情很奇怪，使人不明白。也作莫明其妙。

【莫明其妙】mò míng qí miào 同"莫名其妙"。

【莫逆】mònì [形]彼此情投意合，非常相好：～之交|在中学时代，他们二人最称～。

【莫如】mòrú [连]不如(用于对事物的不同处理方法的比较选择)：他想，既然来到了门口，～跟着进去看看|与其你去，～他来。

[注意]"不如"除了比较得失之外，还可以比较高下，如"这个办法不如那个好"，"莫如"没有这一种用法。

【莫若】mòruò [连]莫如。

【莫氏硬度表】Mòshì yìngdùbiǎo 测定矿物硬度最常用的标准，是德国矿物学家莫氏(Friedrich Mohs)制定的。取十种常见的矿物，按由软到硬的次序排列：1. 滑石；2. 石膏；3. 方解石；4. 萤石；5. 磷灰石；6. 长石；7. 石英；8. 黄玉；9. 刚玉；10. 金刚石。其他矿物可以依次和这些矿物比较，以决定其硬度。

【莫须有】mòxūyǒu 宋朝奸臣秦桧诬陷岳飞谋反，韩世忠不平，去质问他有没有证据，秦桧回答说"莫须有"，意思是"也许有吧"。后用来表示凭空捏造：～的罪名。

【莫邪】mòyé 同"镆铘"(mòyé)。

【莫衷一是】mò zhōng yī shì 不能得出一致的结论：对于这个问题，大家意见纷纷，～。

眛 mò〈书〉❶目不明；目不正。❷不顾(危险、恶劣环境等)；冒：～险搜奇。

秣 mò ❶牲口的饲料：粮～。❷喂牲口：～马厉兵。

【秣马厉兵】mò mǎ lì bīng 喂饱马，磨快兵器，指准备作战["厉"古同"砺"]。也说厉兵秣马。

眽 mò 见 965 页[脉脉](眽眽)。

蓦(驀) mò 突然：～地|～然。

【蓦地】mòdì [副]出乎意料地；突然：～大叫一声。

【蓦然】mòrán [副]猛然；不经心地：～醒悟|～看去，这石头像一头卧牛。

貊(貉) Mò ❶我国古代称东北方的民族。❷[名]姓。

"貉"另见 542 页 háo；555 页 hé。

漠 mò ❶沙漠：大～|～北。❷冷淡；不经心地：～视|～不关心。

【漠不关心】mò bù guānxīn 形容对人或事物冷淡，一点也不关心。

【漠漠】mòmò [形]❶云烟密布的样子：湖面升起一层～的烟雾。❷广漠而沉寂：远处是～的平原。

【漠然】mòrán [形]不关心不在意的样子：～置之|处之～|～无动于衷(毫不动心)。

【漠视】mòshì [动]冷淡地对待；不注意：不能～群众的根本利益。

寞 mò 安静；冷落：寂～|～落～。

鞨 mò [靺鞨](Mòhé)[名]我国古代东北方的民族。

嘿 mò 同"默"。

另见 559 页 hēi。

墨**1** mò ❶名 写字绘画的用品,是用煤烟或松烟等制成的黑色块状物,间或有用其他材料制成别种颜色的,也指墨和水研出来的汁:一块～|一锭～|研～|笔～纸砚|～太稠了。❷ 泛指写字、绘画或印刷用的某种颜料:～水|油～。❸ 借指写的字和画的画:～宝|遗～。❹ 比喻学问或读书识字的能力:胸无点～。❺ 木工打直线用的墨线,借指规矩、准则:绳～|矩～。❻ 黑或近于黑的:～菊|～镜。❼〈书〉贪污:贪～|～吏。❽ 古代的一种刑罚,刺面或额,染上黑色,作为标记。也叫黥。❾(Mò)指墨家。❿(Mò)名姓。

墨**2** Mò 名 指墨西哥:～洋(墨西哥银圆)。

【墨宝】mòbǎo 名 指可宝贵的字画,也用来尊称别人写的字或画的画:请赐～。

【墨斗】mòdǒu 名 木工用来打直线的工具。从墨斗中拉出墨线,放到木材上,绷紧,提起墨线后松手,着着弹力打上黑线。

【墨斗鱼】mòdǒuyú 名 乌贼的俗称。

【墨海】mòhǎi 名 盆状的大砚台。

【墨盒】mòhé (～儿)名 ❶ 文具,方形或圆形的小盒子,内放丝绵,灌上墨汁,供毛笔蘸用。❷ 打印机或复印机内用来装墨水或墨粉的装置。

【墨黑】mòhēi 形 状态词。非常黑;很暗:天阴得～,恐怕要下大雨◇两眼～(比喻对事物一无所知)。

【墨迹】mòjì 名 ❶ 墨的痕迹:～未干。❷ 某人亲手写的字或画的画。

【墨家】Mòjiā 名 先秦时期的一个政治思想派别,以墨子(名翟 dí)为创始人。主张人与人平等相爱(兼爱),反对侵略战争(非攻)。墨家同时也是有组织的团体,在战争中扶助弱小抵抗强暴。但相信有鬼(明鬼),相信天的意志(天志)。墨家后期发展了墨翟思想的积极部分,对朴素唯物主义、古代逻辑学的发展都有一定贡献。

【墨晶】mòjīng 名 水晶的一种,深棕色,略近黑色。可做眼镜片。

【墨镜】mòjìng 名 用墨晶制成的眼镜。泛指用黑色或墨绿色等镜片做的眼镜,有养目和避免强烈光线刺眼的作用。

【墨客】mòkè 〈书〉名 指文人:骚人～。

【墨吏】mòlì 〈书〉名 贪污的官吏。

【墨绿】mòlǜ 形 状态词。(颜色)深绿:那湖水～～的,让人心醉。

【墨守成规】Mò shǒu chéngguī 战国时墨子善于守城,后来用"墨守成规"形容因循守旧,不肯改进。

【墨水】mòshuǐ (～儿)名 ❶ 墨汁。❷ 写钢笔字用的各种颜色的水:蓝～|红～。❸ 比喻学问或读书识字的能力:他肚子里还有点儿～。

【墨线】mòxiàn 名 ❶ 装在墨斗上的线绳,木工用来在木料上打直线。❷ 用墨线打出来的直线。

【墨刑】mòxíng 名 古代的刑罚,在罪犯脸上刺字并涂墨。

【墨鸦】mòyā 名 ❶〈书〉比喻拙劣的书画。❷〈方〉鸬鹚。

【墨鱼】mòyú 名 乌贼的俗称。

【墨玉】mòyù 名 黑色或近于黑色的软玉。

【墨汁】mòzhī (～儿)名 用墨加水研成的汁,也指用黑色颜料加水和少量胶质制成的液体。

镆(鏌) mò [镆铘](mòyé)名 古代宝剑名,常跟"干将"并说,泛指宝剑。也作莫邪。

瘼 mò〈书〉病;疾苦:民～。

默 mò ❶ 不说话;不出声:～读|～认|沉～|～不做声。❷动 默写:～生字。❸(Mò)名 姓。

【默哀】mò'āi 动 为表示悼念,低下头默默地肃立着。

【默祷】mòdǎo 动 不出声地祈祷;心中祷告。

【默读】mòdú 动 不出声地读书,是语文教学上训练阅读能力的一种方法:～课文。

【默剧】mòjù 名 哑剧。

【默默】mòmò 副 不说话;不出声:～无言|～地低下了头。

【默默无闻】mòmò wú wén 不出名;不为人知道:他经常～地为大伙儿做好事。

【默念】mòniàn 动 ❶ 默读:～一首古诗。❷ 暗暗地想:～当年情景,如在昨日。

【默片儿】mòpiānr〈口〉名 默片。

【默片】mòpiàn 名 无声片。

【默契】mòqì ❶ 形 双方的意思没有明白说出而彼此有一致的了解:配合～。❷ 名 秘密的条约或口头协定。

【默然】mòrán 形 沉默无言的样子:二人～相对。

【默认】mòrèn 动 心里承认,但不表示出来:你不申辩,不就等于～了吗?

【默诵】mòsòng 动 ❶ 不出声地背诵。❷ 默读。

【默算】mòsuàn 动 ❶ 心中暗自盘算。❷ 心算。

【默写】mòxiě 动 凭着记忆把读过的文字写出来。

【默许】mòxǔ 动 没有明白表示同意,但是暗示已经许可:他不说话,就是～了。

磨 mò ❶ 名 把粮食弄碎的工具,通常是两个圆石盘做成的:一盘～|电～|推～。❷ 动 用磨把粮食弄碎:～面|～豆腐|～麦子。❸ 动 掉转;转变:把汽车～过来◇我几次三番劝他,他还是～不过来。
另见 962 页 mó。

【磨不开】mò·bukāi 动 ❶ 脸上下不来:本想当面说他两句,又怕他脸上～。❷ 不好意思:他有错误,就该批评他,有什么～的? ❸〈方〉想不通;行不通:我有了～的事,就找他去商量。‖也作抹不开。

【磨叨】mò·dao 动 ❶〈口〉翻来覆去地说:说两句就行了,别再～啦。❷〈方〉谈论:你们刚才又在～啥?

【磨得开】mò·dekāi 动 ❶ 脸上下得来:你当众挖苦人,人家脸上～吗? ❷ 好意思:她请客你不去,你～吗? ❸〈方〉想得通;行得通:这个理我～,您就放心吧。‖也作抹得开。

【磨烦】mò·fan 动 ❶ 没完没了地纠缠(多指向人要求什么):这孩子常常～姐姐给他讲故事。❷ 动作迟缓拖延:别～了,说办就办吧。

【磨坊】mòfáng 名 磨面粉等的作坊。也作磨房。

【磨房】mòfáng 同“磨坊”。

【磨盘】mòpán 名 ❶ 托着磨的圆形底盘。❷〈方〉磨(mò)①。

【磨扇】mòshàn 名 磨的上下两片石盘。

貘(貘) mò 名 哺乳动物,外形略像犀牛而矮小,尾短,鼻子突出很长,能自由伸缩,皮厚毛少,前肢四趾,后肢三趾,善于游泳。生活在热带密林中,吃嫩枝叶等。

缪(繆) mò 〈书〉绳索。

磘 mò 磘石渠(Mòshíqú),地名,在山

磥 mò ❶ 名 耢(lào)①。❷ 动 用耢平整土地。

哞 mōu 拟声 形容牛叫的声音。

牟 móu ❶ 牟取:～利。❷（Móu）名 姓。
另见 972 页 mù。

【牟利】móu//lì 动 谋取私利:非法～。

【牟取】móuqǔ 动 谋取(名利):～暴利。

侔 móu 〈书〉相等;齐:相～。

眸 móu 眸子:凝～|明～。

【眸子】móuzǐ 名 本指瞳人,泛指眼睛。

谋(謀) móu ❶ 名 主意;计谋;计策:阴～|足智多～。❷ 动 图谋;谋求:～生|～害|为人类～福利。❸ 商议:不～而合。❹（Móu）名 姓。

【谋反】móufǎn 动 暗中谋划反叛(国家或政治集团):蓄意～。

【谋害】móuhài 动 谋划杀害或陷害:～忠良。

【谋和】móuhé 动 谋求和平或和解。

【谋划】móuhuà 动 筹划;想办法:仔细～|～赈灾义演。

【谋虑】móulǜ 动 谋划;考虑:尽心～。

【谋略】móulüè 名 计谋策略:运用～|～深远。

【谋面】móumiàn 〈书〉动 彼此见面,相识:素未～。

【谋求】móuqiú 动 设法寻求:～解决办法。

【谋取】móuqǔ 动 设法取得:～利益。

【谋杀】móushā 动 谋划杀害:惨遭～|一桩～案。

【谋生】móushēng 动 设法寻求维持生活

的门路：出外～。

【谋士】móushì 名 出谋献计的人。

【谋事】móushì 动 ❶ 计划事情：～在人。❷ 指找职业：设法～。

【谋私】móusī 动 谋取私利：以权～。

【谋陷】móuxiàn 动 设法陷害：～忠良|遭人～。

【谋职】móuzhí 动 谋取职业或职位：出外～|四处～。

蛑 móu 见 1651 页[蟊蛑]。

蜉(蜉) móu 古代称大麦。

缪(繆) móu 见 193 页【绸缪】。另见 949 页 Miào；960 页 miù。

鍪 móu 见 330 页【兜鍪】。

mǒu （ㄇㄡˇ）

某 mǒu 代 指示代词。❶ 指一定的人或事物（知道名称而不说出）：张～|解放军～部。❷ 指不定的人或事物：～人|～地|～年|～月|～种线索。❸ 用来代替自己或自己的名字，如"某，张飞是也。"又如姓张的自称"张某"或"张某人"。❹ 用来代替别人的名字（常含不客气意）：请转告刘～，做事不要太过分。‖ 注意▶ 有时叠用，如：～～人|～～学校。

mú （ㄇㄨˊ）

毪 mú 毪子。

【毪子】mú•zi 名 西藏产的一种氆氇。

模 mú （～儿）模子：铅～|铜～儿。另见 961 页 mó。

【模板】múbǎn 名 浇灌混凝土工程时定型用的板，一般用竹木料或钢材制成。

【模具】mújù 名 生产上使用的各种模型。

【模样】múyàng （～儿）名 ❶ 人的长相或装束打扮的样子：这孩子的～像他爸爸|看你打扮成这～，我几乎认不出来了。❷ 表示约略的情况（只用于时间、年岁）：等了大概有半个小时｜这个人有三十岁～。

❸ 形势；趋势；情况：不像要留客人吃饭的～|看～，这家饭馆儿是快要关张了。

【模子】mú•zi （口）名 模型③：铜～|石膏～|糕饼～。

mǔ （ㄇㄨˇ）

母 mǔ ❶ 母亲：～女|老～|◇～校。❷ 家族或亲戚中的长辈女子：祖～|伯～|姑～|姨～|舅～。❸ 形 属性词。（禽兽）雌性的（跟"公"相对）：～鸡|～牛|这头驴是～的。❹ （～儿）名 指一凸一凹配套的两件东西里的凹的一件：这套螺丝的～儿毛了。❺ 有产生出其他事物的能力或作用的：工作～机|失败乃成功之～。❻ （Mǔ）名 姓。

【母爱】mǔ'ài 名 母亲对于儿女的爱：无私的～|从小失去～。

【母本】mǔběn 名 生物繁殖过程中雌性的亲代。

【母畜】mǔchù 名 雌性牲畜。畜牧业上通常指能生小牲畜的雌性牲畜。

【母带】mǔdài 名 原始的录音带、录像带；可供翻录的录音带、录像带。

【母法】mǔfǎ 名 ❶ 指根本法，即宪法（跟"子法"相对，下同）。❷ 一国的立法如果源于或模仿外国的法律，则称该外国的法律为母法。

【母公司】mǔgōngsī 名 具有独立法人资格，对别的公司进行控股的公司（跟"子公司"相对）。

【母金】mǔjīn 名 本金。

【母老虎】mǔlǎohǔ 名 比喻凶悍的妇女。

【母盘】mǔpán 名 指光盘制作中原始主光盘的第一个拷贝盘，一般为金属盘。光盘生产线上的光盘都是以母盘为模，经注塑、压制成型等工序制成。

【母亲】mǔ•qīn 名 有子女的女子，是子女的母亲◇祖国，我的～！

【母亲河】mǔqīnhé 名 对与民族世代繁衍生息息息相关的河流的亲切称呼。如长江、黄河被称作中华民族的母亲河。

【母权制】mǔquánzhì 名 原始公社初期形成的女子在经济上和社会关系上占支配地位的制度。由于经营农业、饲养家畜和管理事务都以妇女为主，又由于群婚，子女只能认定生母，这样就形成了以女子为中心的母系氏族公社。后来被父权制所代替。

【母乳】mǔrǔ 名 母亲的奶汁。

【母树】mǔshù 名 迹地上保留的采种用的树木,也泛指专供采集种子或枝条用的树:~林。

【母体】mǔtǐ 名 指孕育幼体的人或雌性动物的身体。

【母系】mǔxì 形 属性词。❶ 在血统上属于母亲方面的:~亲属。❷ 母女相承的:~家族制度。

【母校】mǔxiào 名 称本人曾经在那里毕业或学习过的学校。

【母性】mǔxìng 名 母亲爱护子女的本能。

【母液】mǔyè 名 化学沉淀或结晶过程中分离出沉淀或晶体后剩下的饱和溶液。

【母音】mǔyīn 名 元音。

【母语】mǔyǔ 名 ❶ 一个人最初学会的一种语言,在一般情况下是本民族的标准语或某一种方言。❷ 有些语言是从一个语言演变出来的,那个共同的来源,就是这些语言的母语。

【母质】mǔzhì 名 某种物质由另一种物质生成,后者就是前者的母质,如成土母质、生油母质。

【母钟】mǔzhōng 名 见 1803 页《子母钟》。

牡 mǔ 雄性的(跟"牝"相对):~牛。

【牡丹】mǔ·dan 名 ❶ 落叶灌木,叶子有柄,羽状复叶,小叶卵形或长椭圆形,花大,单生,通常深红、粉红或白色,是著名的观赏植物。根皮入药,叫丹皮。❷ 这种植物的花。

【牡蛎】mǔlì 名 软体动物,有两个贝壳,一个小而平,另一个大而隆起,壳的表面凹凸不平。肉可以吃,又能提制蚝油。肉、壳、油都可入药。也叫蚝或海蛎子。

亩(畝) mǔ 量 地积单位,10 分等于 1 亩,100 亩等于 1 顷。1 市亩等于 60 平方丈,合 666.7 平方米。

姆 mǔ 见 885 页《炉姆》。

拇 mǔ 拇指。

【拇战】mǔzhàn 动 指划拳。

【拇指】mǔzhǐ 名 手和脚的第一个指头。

峨 mǔ 峨矶角(Mǔjī Jiǎo),岬角名,在山东。

姆 mǔ 见 48 页《保姆》。
另见 905 页 m。

姥 mǔ 〈书〉年老的妇女。
另见 822 页 lǎo。

锅(鉧) mǔ 见 491 页《钴锅》。

嗷 mǔ 又 yīngmǔ 量 英亩旧也作嗷。

mù　(ㄇㄨˋ)

木 mù ❶ 树木:伐~|果~|独~不成林。❷ 木头:枣~|榆~|檀香~。❸ 棺材:棺~|行将就~。❹ 质朴:~讷。❺ 形 反应迟钝:~然|~头~脑|他反应有点~。❻ 形 麻木:两脚冻~了|舌头~了,什么味道也尝不出来。❼ (Mù)名 姓。

【木板】mùbǎn 名 ❶ (~儿) 板状的木材。❷ 同"木版"。

【木版】mùbǎn 名 上面刻出文字或图画的木制印刷板:~水印。也作木板。

【木版画】mùbǎnhuà 名 木刻。

【木本】mùběn 形 属性词。有木质茎的(植物)。

【木本水源】mù běn shuǐ yuán 比喻事物的根本。

【木本植物】mùběn zhíwù 有木质茎的植物,如杨、柳等乔木和玫瑰、丁香等灌木。

【木波罗】mùbōluó 名 波罗蜜[2]。

【木材】mùcái 名 树木采伐后经过初步加工的材料。

【木柴】mùchái 名 作燃料或引火用的小块木头。

【木船】mùchuán 名 木制的船,通常用橹、桨等行驶。

【木呆呆】mùdāidāi (~的)形 状态词。形容发呆的样子:他像失去了知觉似的,~地站在窗前。

【木雕】mùdiāo 名 在木头上雕刻形象、花纹的艺术。也指用木头雕刻成的作品:大型~|~艺人。

【木雕泥塑】mù diāo ní sù 用木头雕刻或泥土塑造的偶像,形容人呆板或静止不动。也说泥塑木雕。

【木豆】mùdòu 名 ❶ 常绿灌木,小叶三片,披针形,花黄色,结荚果,种子圆而略扁,褐色,生长在热带和亚热带。种子供食用,也用来榨油,叶子可做饲料,根可入药。❷ 这种植物的种子。

【木耳】mù'ěr 名 真菌的一种,生长在腐朽的树干上,形状如人耳,黑褐色,胶质,外面密生柔软的短毛。可以吃。

【木筏】mùfá 名 用长木材结成的筏子。也叫木筏子。

【木芙蓉】mùfúróng 名 ❶ 落叶灌木,叶子阔卵形,有深裂,花白色、粉红色或红色,蒴果扁球形。花、根和叶子可入药。❷ 这种植物的花。‖ 也叫芙蓉花。

【木工】mùgōng 名 ❶ 制造或修理木器、制造和安装房屋的木制构件的工作:~活。❷ 做这种工作的技术工人:请~来修理。

【木瓜】mùguā 名 ❶ 落叶灌木或小乔木,叶子长椭圆形,花淡红色,果实长椭圆形,黄色,有香气,可入药。❷ 这种植物的果实。

【木屐】mùjī 名 木板拖鞋。

【木简】mùjiǎn 名 古代用来写字的木片。

【木匠】mù·jiang 名 制造或修理木器、制造和安装房屋的木制构件的工人。

【木槿】mùjǐn 名 落叶灌木或小乔木,叶子卵形,掌状分裂,花钟形,单生,通常有白、红、紫等颜色,供观赏。茎皮纤维有韧性,可用来做造纸原料,花、根和树皮可入药。

【木刻】mùkè 名 版画的一种,在木板上刻成图形,再印在纸上。也叫木版画。

【木刻水印】mùkè shuǐyìn 一种彩色套印技术,用于复制美术品,根据画稿着色浓淡、阴阳向背的不同,分别刻成许多块版,依照色调进行套印或叠印。旧称饾版。

【木料】mùliào 名 初步加工后具有一定形状的木材。

【木马】mùmǎ 名 ❶ 木头制成的马。❷ 木制的运动器械,略像马,背上安双环的叫鞍马,没有环的叫跳马。❸ 形状像马的儿童游戏器械,可以坐在上面前后摇动。

【木马计】mùmǎjì 名 传说古代希腊人攻打特洛伊城九年不下,后来用了一个计策,把一批勇士藏在一只特制的木马中,佯装撤退,扔下木马。特洛伊人把木马当做战利品运进城内。夜里木马中的勇士出来打开城门,与攻城军队里应外合,占领了特洛伊城。后来用特洛伊木马指潜伏在内部的敌人,把潜伏到敌方内部进行

破坏和颠覆活动的办法叫木马计。

【木棉】mùmián 名 ❶ 落叶大乔木,高可达 40 米,掌状复叶,小叶椭圆形,花红色,蒴果卵圆形,内有白色纤维,质柔软,可用来装枕头、垫褥等。也叫红棉、攀枝花。❷ 木棉果实内的纤维。

【木乃伊】mùnǎiyī 名 ❶ 长久保存下来的干燥的尸体,特指古代埃及人用特殊的防腐药品和埋葬方法保存下来的没有腐烂的尸体。❷ 比喻僵化的事物。

【木讷】mùnè 〈书〉形 朴实迟钝,不善于说话:~寡言。

【木偶】mù'ǒu 名 木头做的人像,常用形容痴呆的神情:他像一个~似的靠在墙上出神。

【木偶片儿】mù'ǒupiānr〈口〉名 木偶片。

【木偶片】mù'ǒupiàn 名 美术片的一种,用摄影机连续拍摄木偶表演的各种动作而成。

【木偶戏】mù'ǒuxì 名 用木偶来表演故事的戏剧。表演时,演员在幕后一边操纵木偶,一边演唱,并配以音乐。由于木偶形体和操纵技术的不同,有布袋木偶、提线木偶、杖头木偶等。也叫傀儡戏。

【木排】mùpái 名 放在江河里的成排地结起来的木材。为了从林场外运的方便,有水道的地方常把木材结成木排,使顺流而下。

【木器】mùqì 名 用木材制造的家具。

【木琴】mùqín 名 打击乐器,由若干长短不同的短木条组成,按音高顺序排列架上,多排成两排,用两根小木槌敲打,声音清脆。

【木然】mùrán 形 一时痴呆不知所措的样子:~地望着远方。

【木薯】mùshǔ 名 ❶ 常绿灌木,叶子掌状深裂,蒴果球形,有纵棱。块根肉质,含淀粉,生吃有毒,可用来做饲料或制淀粉。❷ 这种植物的块根。

【木炭】mùtàn 名 木材在隔绝空气的条件下干馏得到的东西,常保留木材原来的形状,质硬,有很多细孔。有黑炭和白炭两种。用作燃料,也用来过滤液体和气体,还可做黑色火药。

【木炭画】mùtànhuà 名 用木炭条绘成的画。

【木糖醇】mùtángchún 名 有机化合物,化

学式$C_5H_{12}O_5$。白色粉状或颗粒状晶体，味甜。代替蔗糖可预防龋齿，也可供糖尿病人食用。

【木头】mù·tou 图 木材和木料的统称：一块～|一根～|～桌子。

【木头人儿】mù·tóurénr 图 比喻愚笨或不灵活的人。

【木犀】mù·xi 同"木樨"。

【木樨】mù·xi 图❶桂花。❷指经过烹调的打碎的鸡蛋，像黄色的桂花（多用于菜名、汤名）：～肉|～汤|～饭。‖也作木犀。

【木星】mùxīng 图 太阳系九大行星之一，按离太阳由近而远的次序计为第五颗，绕太阳公转周期约11.86年，自转周期约9小时50分。是九大行星中体积最大的一个。（图见1319页"太阳系"）

【木已成舟】mù yǐ chéng zhōu 比喻事情已成定局，不能改变。

【木鱼】mùyú （～儿）图 打击乐器，也是僧尼念经、化缘时敲打的响器，用木头做成，中间镂空。

【木质部】mùzhìbù 图 茎的最坚硬的部分，由长形的木质细胞构成。木质部很发达的茎就是通常使用的树干。

【木质茎】mùzhìjīng 图 木质部发达、质地比较坚硬的茎，如松、杉、槐的茎。

目 mù ❶ 图 眼睛：有～共睹|历历在～。❷ 图 网眼：孔：八十～筛|一方寸的网上，竟有百～之多。❸〈书〉看：～为奇迹。❹ 大项中再分的小项：项～|细～。❺ 图 生物学中把同一纲的生物按照彼此相似的特征分为若干群，每一群叫一目，如鸟纲分为雁形目、鸡形目、鹳形目等，松柏纲分为银杏目、松柏目等。目以下为科。❻ 图 目录：书～|药～|剧～。❼ 名称：题～|名～。❽ 量 下围棋时所围的空白交叉点，一个点为一目：中方棋手仅以～半之优获胜。❾（Mù）图 姓。

【目标】mùbiāo 图❶射击、攻击或寻求的对象：看清～|发现～。❷想要达到的境地或标准：奋斗～。

【目不见睫】mù bù jiàn jié 眼睛看不见自己的睫毛，比喻没有自知之明。

【目不交睫】mù bù jiāo jié 形容夜间不睡觉或睡不着觉。

【目不窥园】mù bù kuī yuán 西汉董仲舒专心读书，"三年目不窥园"（见于《汉书·董仲舒传》）。后世用来形容埋头读书。

【目不忍睹】mù bù rěn dǔ 形容景象十分凄惨，使人不忍心看。也说目不忍视。

【目不识丁】mù bù shí dīng 《旧唐书·张弘靖传》："今天下无事，汝辈挽得两石力弓，不如识一丁字。"据说"丁"应写作"个"，因为字形相近而误。后来形容人不识字说"不识一丁"或"目不识丁"。

【目不暇给】mù bù xiá jǐ 目不暇接。

【目不暇接】mù bù xiá jiē 东西太多，眼睛看不过来：春节期间，文艺节目多得令人～。也说目不暇给(jǐ)。

【目不转睛】mù bù zhuǎn jīng 不转眼珠地（看），形容注意力集中。

【目测】mùcè 动 不用仪器仅用肉眼测量。

【目次】mùcì 图 目录②。

【目瞪口呆】mù dèng kǒu dāi 形容受惊而愣住的样子。

【目的】mùdì 图 想要达到的地点或境地；想要得到的结果：～地|～是想探索问题的由来。

【目睹】mùdǔ 动 亲眼看到：耳闻～。

【目光】mùguāng 图❶指视线：大家的～都投向发言者。❷眼睛的神采：～炯炯。❸眼光；见识：～如豆|～远大。

【目光短浅】mùguāng duǎnqiǎn 形容缺乏远见。

【目光如豆】mùguāng rú dòu 形容目光短浅。

【目光如炬】mùguāng rú jù 眼光像火炬那样亮，形容见识远大。

【目击】mùjī 动 亲眼看到：～者|～其事。

【目见】mùjiàn 动 亲眼看到：耳闻不如～。

【目今】mùjīn 图 现今。

【目镜】mùjìng 图 显微镜、望远镜等光学仪器上接近眼睛的透镜或透镜组。

【目空一切】mù kōng yīqiè 形容骄傲自大，什么都看不起。

【目力】mùlì 图 视力。

【目录】mùlù 图❶按一定次序列出来以供查考的事物名目：图书～|财产～。❷书刊上列出的篇章名目（多放在正文前）。

【目论】mùlùn〈书〉图 比喻没有自知之明或浅陋狭隘的见解。

【目迷五色】mù mí wǔ sè 形容颜色又杂又多，因而看不清楚。比喻事物错综复杂,分辨不清。

【目前】mùqián 图 时间词。指说话的时候:~形势|到~为止。

【目送】mùsòng 匭 眼睛注视着离去的人或载人的车、船等:~亲人远去。

【目无全牛】mù wú quán niú 一个杀牛的人最初杀牛,眼睛看见的是整个的牛(全牛),三年以后,技术纯熟了,动刀时只看到皮骨间隙,而看不到全牛(见于《庄子·养生主》)。用来形容技艺已达到十分纯熟的地步。

【目无余子】mù wú yú zǐ 眼睛里没有旁人,形容骄傲自大。

【目下】mùxià 图 目前;眼下:~较忙,过几天再来看你。

【目眩】mùxuàn 圈 眼花:头晕|灯光强烈,令人~。

【目验】mùyàn 匭 不用仪器仅用肉眼查看或验看:~产品|~实况。

【目语】mùyǔ 〈书〉匭 用眼睛传达意思。

【目中无人】mù zhōng wú rén 形容骄傲自大,看不起人。

仫 mù [仫佬族](Mùlǎozú)图 我国少数民族之一,分布在广西。

牟 mù 地名用字:~平(在山东)|中~(在河南)。
另见 967 页 móu。

沐 mù ❶ 洗头发,也泛指洗涤:~浴|栉风~雨。❷〈书〉借指蒙受:~恩。❸(Mù)图 姓。

【沐恩】mù'ēn 〈书〉匭 蒙受恩惠。

【沐猴而冠】mùhóu ér guàn 沐猴(猕猴)戴帽子,装成人的样子。比喻装扮得像个人物,而实际并不像。

【沐浴】mùyù 匭 ❶ 洗澡。❷ 比喻受润泽:每朵花,每棵树,每根草都~在阳光里。❸ 比喻沉浸在某种环境中:他们~在青春的欢乐里。

苜 mù [苜蓿](mù·xu)图 多年生草本植物,叶子为三片小叶组成的复叶,小叶长圆形。开蝶形花,结荚果。是一种重要的牧草和绿肥作物。种类很多,常见的有紫花苜蓿。

牧 mù ❶ 牧放:畜~|游~|~区|~羊。❷(Mù)图 姓。

【牧草】mùcǎo 图 野生或人工栽培的可供牲畜放牧时吃的草。

【牧场】mùchǎng 图 ❶ 放牧牲畜的草地。❷ 牧养牲畜的企业单位。

【牧放】mùfàng 匭 放牧。

【牧歌】mùgē 图 牧人、牧童放牧时唱的歌谣,泛指以农村生活情趣为题材的诗歌和乐曲。

【牧工】mùgōng 图 受雇放牧的人;牧场工人。

【牧民】mùmín 图 牧区中以畜牧为生的人。

【牧区】mùqū 图 ❶ 放牧的地方。❷ 以畜牧为主的地区。

【牧犬】mùquǎn 图 经过训练能帮助人放牧的狗。

【牧人】mùrén 图 放牧牲畜的人。

【牧师】mù·shī 图 新教的一种神职人员,负责教徒宗教生活和管理教堂事务。

【牧童】mùtóng 图 放牛放羊的孩子(多见于诗词和早期白话)。

【牧畜】mùxù 图 畜牧:当地居民大都以~为生。

【牧业】mùyè 图 畜牧业。

【牧主】mùzhǔ 图 牧区中占有牧场、牲畜,雇用牧工的人。

钼(鉬) mù 图 金属元素,符号 Mo(molybdaenum)。银白色,用来制特种钢,也用于制作电器元件。

募 mù 募集(财物或兵员等):~捐|~款|招~。

【募兵制】mùbīngzhì 图 以雇佣形式招募兵员的制度。

【募股】mù//gǔ 匭 募集股金。

【募化】mùhuà 匭 (和尚、道士等)求人施舍财物:四方~。

【募集】mùjí 匭 广泛征集:~经费。

【募捐】mù//juān 匭 募集捐款或物品:为残疾人~|~赈灾。

墓 mù 图 ❶ 坟墓:公~|烈士~|扫~。❷(Mù)图 姓。

【墓碑】mùbēi 图 立在坟墓前面或后面的石碑,上面刻有关于死者姓名、事迹等的文字。

【墓表】mùbiǎo 图 墓碑,也指碑上刻的关于死者生平事迹的文字。

【墓道】mùdào 图 坟墓前面的甬道,也指墓室前面的甬道。

【墓地】mùdì 图 埋葬死人的地方;坟地。

【墓祭】mùjì 动 在坟墓前祭奠;扫墓。

【墓室】mùshì 名 坟墓中放棺椁的处所。

【墓穴】mùxué 名 埋棺材或骨灰的坑。

【墓茔】mùyíng 名 坟茔。

【墓葬】mùzàng 名 考古学上指坟墓:~群。

【墓志】mùzhì 名 放在墓里刻有死者生平事迹的石刻。也指墓志上的文字。有的有韵语结尾的铭,也叫墓志铭。

幕 mù ❶ 覆盖在上面的大块的布、绸、毡子等;帐篷:帐~◇~夜~。❷ 名 挂着的大块的布、绸、丝绒等(演戏或放映电影、幻灯所用的):开~|闭~|银~。❸ 古代战争时将帅的帐幕;古代将帅或行政长官办公的地方:~府|~僚。❹ 量 戏剧较完整的段落,每幕可以分若干场:第二~第一场◇看了这幅画,我不禁回忆起儿时生活的一~来。❺ (Mù) 名 姓。

【幕宾】mùbīn 名 幕僚或幕友:聘为~。

【幕布】mùbù 名 幕②。

【幕府】mùfǔ 名 ❶ 古代将帅办公的地方。❷ 日本明治以前执掌全国政权的军阀。

【幕后】mùhòu 名 舞台帐幕的后面,多用于比喻(多含贬义):~策划|~交易。

【幕僚】mùliáo 名 古代将帅幕府中的参谋、书记等,后泛指文武官署中的佐助人员(一般指有官职的)。

【幕墙】mùqiáng 名 建筑物的装配式板材外墙。因远看墙体像舞台上的大幕,所以叫幕墙。幕墙自身重量轻、工业化程度高,但玻璃幕墙常造成眩光污染。

【幕友】mùyǒu 名 明清地方官署中无官职的佐助人员,分管刑名、钱谷、文案等事务,由长官私人聘请。俗称师爷。

睦 mù ❶ 和睦:~邻|婆媳不~。❷ (Mù) 名 姓。

【睦邻】mùlín 动 跟邻居或相邻的国家和睦相处:~息兵|~政策。

慕 mù ❶ 羡慕;仰慕:景~|名~。❷ 依恋;思念:爱~|思~。❸ (Mù) 名 姓。

【慕名】mù∥míng 动 仰慕别人的名气:~而来。

【慕尼黑】Mùníhēi 名 德国南部城市。1938 年英、法、德、意四国首脑在这里举行会议,签订了慕尼黑协定,英法以出卖捷克斯洛伐克向德国求得妥协。后来用"慕尼黑"指外交上牺牲别国利益而与对方妥协的阴谋。[德 München,英 Munich]

【慕求】mùqiú 动 因仰慕而希望得到:已久的荣誉。

【慕容】Mùróng 名 姓。

暮 mù ❶ 傍晚:~色|朝三~四。❷ (时间)将尽;晚:~春|~年|天寒岁~。❸ (Mù) 名 姓。

【暮霭】mù'ǎi 名 傍晚的云雾:~沉沉|森林被~笼罩着,黄昏临降了。

【暮春】mùchūn 名 春季的末期;农历的三月。

【暮鼓晨钟】mù gǔ chén zhōng 佛教规矩,寺庙中晚上打鼓,早晨敲钟。比喻可以使人警觉醒悟的话。也说晨钟暮鼓。

【暮景】mùjǐng 名 ❶ 傍晚的景色。❷ 老年时的景况:桑榆~。

【暮年】mùnián 名 晚年:烈士~,壮心不已。

【暮气】mùqì 名 不振作的精神和疲疲沓沓不求进取的作风(跟"朝气"相对):~沉沉。

【暮秋】mùqiū 名 秋季的末期;农历的九月。

【暮色】mùsè 名 傍晚昏暗的天色:~苍茫。

【暮生儿】mù·shengr〈方〉名 父亲死后才出生的子女;遗腹子。

【暮岁】mùsuì 名 ❶ 一年将尽的时候。❷ 晚年。

霂 mù 见 914 页[霡霂]。

穆 mù ❶ 恭敬;严肃:静~|肃~。❷ (Mù) 名 姓。

【穆斯林】mùsīlín 名 伊斯兰教信徒。[阿拉伯 muslim]

N

n

ń (ㄥˊ)

嗯(唔) ń "嗯"ńg的又音。

ň (ㄥˇ)

嗯(呒) ň "嗯"ňg的又音。

ǹ (ㄥˋ)

嗯(呢) ǹ "嗯"ǹg的又音。

nā (ㄋㄚ)

那 Nā 名姓。
另见 975 页 nǎ "哪";975 页 nà。

南 nā [南无](nāmó)佛教用语,表示对佛尊敬或皈依。[梵 namas]
另见 979 页 nán。

ná (ㄋㄚˊ)

拿(拏) ná ❶ 动 用手或用其他方式抓住、搬动(东西):他手里～着一把扇子|把这些东西～走。❷ 动 用强力取;捉:～下敌人的碉堡|～住一个小偷 ◇凭他多年的教学经验,这门课他～得下来。❸ 动 掌握:～权|～事|这事儿你～得稳吗? ❹ 动 刁难;要挟:这件事谁都干得了,你～不住人。❺ 动 装出;故意做出:～架子|～腔作势。❻ 动 领取;得到:～

工资|～一等奖。❼ 动 强烈的作用使物体变坏:这块木头让药水～白了|碱搁得太多,把馒头～黄了。❽ 介 引进所凭借的工具、材料、方法等,意思跟"用"相同:～尺量|～眼睛看|～事实证明。❾ 介 引进所处置或所关涉的对象:别～我开玩笑。

【拿办】nábàn 动 把犯罪的人捉住法办:一经查实,立即～。

【拿大】ná//dà〈方〉动 自以为比别人强,看不起人;摆架子:他待人谦和,从不～|人家虚心求教,他倒拿起大来了。

【拿大顶】ná dàdǐng 拿顶。

【拿顶】ná//dǐng 用手撑在地上或物体上,头朝下而两脚腾空。也说拿大顶。

【拿获】náhuò 动 捉住(犯罪的人):将犯罪嫌疑人～归案。

【拿架子】ná jià·zi 摆架子。

【拿捏】ná·niē ❶ 动 把握;掌握:～分寸|传球时机～准确。❷〈方〉形 扭捏:有话快说,～个什么劲儿! ❸〈方〉动 刁难;要挟:你别～人。

【拿腔拿调】ná qiāng ná diào 指说话时故意装出某种声音、语气。

【拿乔】ná//qiáo 动 装模作样或故意表示为难,以抬高自己的身价。

【拿权】ná//quán 动 掌握权柄。

【拿人】ná//rén〈方〉❶ 动 刁难人;要挟人:别～了,没有你,我们也能干。❷ 形 指吸引人:他说评书特别～。

【拿事】ná//shì 动 负责主持事务:偏巧父母都出门了,家里连个～的人也没有。

【拿手】náshǒu ❶ 形 (对某种技艺)擅长:～好戏|～节目|画山水画儿他很～。❷ 名 成功的信心;把握:有～|没～。

【拿手好戏】náshǒu hǎoxì ❶ 指某演员特别擅长的戏。❷ 比喻某人特别擅长的本领。‖也说拿手戏。

【拿手戏】náshǒuxì 名 拿手好戏。

【拿糖】ná//táng〈口〉动 拿乔。

【拿问】náwèn 动 逮捕审问:革职～。

【拿印把儿】ná yìnbàr 指做官;掌权。也说拿印把子。

【拿主意】ná zhǔ·yi 决定处理事情的方法或对策:究竟去不去,你自己～吧。

挐 ná〈书〉❶ 牵引。❷ 纷乱。

锿(錗) ná 〈名〉金属元素,符号 Np (neptunium)。银白色,有放射性。可用于制备钚-238。

nǎ (ㄋㄚˇ)

嬭 nǎ 〈方〉雌;母的:鸡~(母鸡)。

哪(那) nǎ 〈代〉疑问代词。❶ 后面跟量词或数词加量词,表示要求在几个人或事物中确定其中的一部分:我们这里有两位张师傅,您要见的是~位?|这些诗里头~两首是你写的?❷ 单用,跟"什么"相同,常和"什么"交互着用:什么叫吃亏,~叫上算,全都谈不到。❸ 虚指,表示不能确定的某一个:~天有空你来我家坐坐。❹ 任指,表示任何一个(常跟"都、也"等呼应):你~天来都可以。‖〈注意〉"哪"后面跟量词或数词加量词的时候,在口语里常说 něi 或 nǎi,单用的"哪"在口语里只说 nǎ。以下【哪个】①、【哪会儿】、【哪门子】、【哪些】、【哪样】各条在口语里都常说 něi-或 nǎi-。❺ 表示反问:没有革命前辈的流血牺牲,~有今天的幸福生活?

另见 977 页•na;986 页 né。"那"另见 974 页 Nā;975 页 nà。

【哪个】 nǎ•ge 〈代〉疑问代词。❶ 哪一个:你们是~学校的?❷〈方〉谁:~敲门?

【哪会儿】 nǎhuìr 〈代〉疑问代词。❶ 问过去或将来的某个时间:你是~从广州回来的?|这篇文章~才能脱稿?❷ 泛指不确定的时间:赶紧把粮食晒干入仓,说不定~天气变|你要~来就~来。‖也说哪会子。

【哪里】 nǎ•lǐ 〈代〉疑问代词。❶ 问什么处所:你住在~?|这话你是从~听来的?❷ 泛指任何处所:农村和城市,无论~,都是一片欣欣向荣的气象|她走到~,就把好事做到~。❸ 虚指某一处所:我好像在~见过他。❹ 用于反问句,表示意在否定:这样美好的生活,~是过去能想到的?(=不是…)|~知道刚走出七八里地,天就下起雨来了?(=不料…)❺ 谦辞,用来婉转地推辞对自己的褒奖:"您这篇文章写得好!""~,~!"

【哪门子】 nǎmén•zi 〈方〉〈代〉疑问代词。什么,用于反问的语气,表示没有来由:好好儿的,你哭~呀?

【哪怕】 nǎpà 〈连〉表示姑且承认某种事实;即使:~他是三头六臂,一个人也顶不了事|衣服只要干净就行,~是旧点儿。

【哪儿】 nǎr 〈口〉〈代〉疑问代词。哪里:你上~去?|~有困难,他就出现在~|当初~会想到这些荒地也能长出这么好的庄稼?

【哪些】 nǎxiē 〈代〉疑问代词。哪一些:这次会议都有~人参加?|你们要讨论~问题?

【哪样】 nǎyàng (~儿)〈代〉疑问代词。❶ 问性质、状态等:你要~儿颜色的毛线?❷ 泛指性质、状态:这儿的毛线颜色齐全,你要~的就有~的。

nà (ㄋㄚˋ)

那¹ nà 〈代〉指示代词。❶ 指示比较远的人或事物。a) 后面跟量词、数词加量词,或直接跟名词:~老头儿|~棵树|~两棵树|~地方|~时候。b) 单用:~是谁?|~是邻居的|~是我的两个朋友|~是 1937 年。〈注意〉在口语里,"那"单用或者后面直接跟名词,说 nà 或 nè;"那"后面跟量词或数词加量词时常说 nèi 或 nè。以下【那程子】、【那个】、【那会儿】、【那些】、【那样】各条在口语里都常说 nèi-或 nè-,【那么】、【那么点儿】、【那么些】、【那么着】各条在口语里都常说 nè-。❷ 跟"这"对举,表示众多事物,不确指某人或某事物:说这道~的|看看这,看看~,真有说不出的高兴。

那² nà 〈连〉跟"那么"③相同:~就好好儿干吧!|你不拿走,~你不要啦?

另见 974 页 Nā;975 页 nǎ"哪"。

【那程子】 nàchéng•zi 〈方〉〈代〉指示代词。那些日子(指过去的一段时间):~我很忙,没有工夫来看你。

【那达慕】 nàdámù 〈名〉内蒙古地区蒙古族人民传统的群众性集会,过去多在祭敖包时举行,内容有摔跤、赛马、射箭、舞蹈等。解放后,还在集会上进行物资交流、交流生产经验等活动。

【那个】nà•ge 代 指示代词。❶ 那一个：～院子里花草很多儿|～比这个结实点儿。❷ 那东西;那事情；那是画儿用的,你要～干什么？|你别为～担心,不会出事儿。❸ 用在动词、形容词之前,表示夸张：他干得～欢喜,就甭提了！|瞧你们～嚷嚷,安静点吧！❹〈口〉代替不便直说的话(含有婉转或诙谐的意味)：你刚才的脾气也太～了(＝不好)|他这人做事,真有点儿～(＝不应当)。

【那会儿】nàhuìr〈口〉代 指示代词。指示过去或将来的时候：记得～他还是个小孩子|到了～,农业就全部机械化了。也说那会子。

【那里】nà•lǐ 代 指示代词。指示比较远的处所：～出产香蕉和荔枝|我刚从～回来|他们～气候怎么样？

【那么】(那末)nà•me ❶ 代 指示代词。指示性质、状态、方式、程度等：我不好意思～说|像油菜花～黄|来了～多的人。❷ 代 指示代词。指示数量：借～二三十个麻袋就够了|我只见过他一两次。❸ 连 表示顺着上文的语意,申说应有的结果或作出判断(上文可以是对方的话,也可以是自己提出的问题或假设)：这样做既然不行,～你打算怎么办呢？|如果你认为可以这么办,～咱们就赶紧去办吧！

【那么点儿】nà•mediǎnr 代 指示数量小：～东西,一个箱子就装下了|～事儿,一天就办完了,哪儿要三天？

【那么些】nà•mexiē 代 指示代词。指示数量大：～书,一个星期哪看得完？

【那么着】nà•me•zhe 代 指示代词。指示行动或方式：你再～,我可要恼了！|你帮病人翻个身,～睡他也许舒服点儿。

【那摩温】nàmówēn 名 解放前上海等地用来称工头。也译作那摩温。[英number one]

【那儿】nàr〈口〉代 指示代词。❶ 那里：～的天气很热。❷ 那时候(用在"打、从、由"后面)：打～起,他就每天早晨用半小时来锻炼身体。

【那些】nàxiē 代 指示代词。指示两个以上的人或事物：奶奶爱把早年间的～事儿讲给孩子们听。

【那样】nàyàng(～儿)代 指示代词。指示性质、状态、方式、程度等：～儿也好,先试试再说|他不像你～拘谨|这个消息还没有证实,你怎么就急得～儿了！|别这样～的了,你还是去一趟的好。注意▶"那(么)样"可以做定语或状语,也可以做补语。"那么"不做补语。比如"急得那样儿",不能说成"急得那么"。

【那阵儿】nàzhènr〈口〉代 指示代词。指过去的或未来的一段时间：刚才～,好大的雨呀！|昨天吃晚饭～,你上哪儿了？|等到放假～,咱们去泰山旅游。也说那阵子。

邶(邶) Nà 周朝国名,在今湖北荆门东南。

呐 nà [呐喊](nàhǎn)动 大声喊叫助威：摇旗～。
　　另见 977 页•na"哪";986 页 nè;986 页•ne"呢"。

纳¹(納) nà ❶ 收进来；放进来：出～|闭门不～。❷ 接受：～降|采～。❸ 享受：～凉。❹ 放进去：～入正轨。❺ 动 交付(捐税、公粮等)：～税|～粮。❻(Nà)名 姓。

纳²(納) nà 动 缝纫方法,在鞋底、袜底等上面密密地缝,使它结实耐磨：～鞋底子。

【纳彩】nàcǎi 名 古代定亲时男方送给女方聘礼叫做纳彩。

【纳粹】Nàcuì 名 第一次世界大战后兴起的德国国民社会主义工人党,是以希特勒为头子的最反动的法西斯主义政党。[德 Nazi, 是 Nationalsozialistische (Partei)的缩写]

【纳福】nàfú 动 享福(多指安闲地在家居住,旧时也用作问安的客套话)。

【纳贡】nà//gòng 动 进贡①：称臣～。

【纳罕】nàhǎn 形 诧异；惊奇：他一看家里一个人也没有,心里很～。

【纳贿】nàhuì 动 ❶ 受贿。❷ 行贿。

【纳谏】nàjiàn 动 古代指君主采纳臣下的进谏,后泛指尊长等接受规劝：～知流。

【纳凉】nàliáng 动 乘凉：在树下～。

【纳粮】nà//liáng 动 旧指交纳钱粮。

【纳闷儿】nà//mènr〈口〉动 疑惑不解：他听说有上海来的长途电话找他,一时想不出是谁,心里有些～。

【纳米】nàmǐ 量 长度单位,1 纳米等于一百万分之一毫米。

【纳米材料】nàmǐ cáiliào 由直径 1—50 纳米的极小微粒所构成的固体材料,具有高强度、高韧性、高比热、高膨胀率、高电导率等特性,有极强的电磁波吸收能力。可用来制高性能陶瓷和特种合金、红外吸收材料等。

【纳米技术】nàmǐ jìshù 在纳米尺度(0.1—100 纳米)上,能够操纵单个原子或分子进行加工制作的技术。

【纳米科学】nàmǐ kēxué 在纳米尺度(0.1—100 纳米)上研究物质的特征和相互作用,以及如何利用这些特征的科学。包括纳米生物学、纳米机械学、纳米材料学、原子/分子操纵和表征学、纳米制造学等。

【纳聘】nà∥pìn 囫 旧俗订婚时男方给女方聘礼。

【纳妾】nà∥qiè 囫 旧指娶小老婆。

【纳入】nàrù 囫 放进;归入(多用于抽象事物):～正轨|～计划。

【纳税】nà∥shuì 囫 交纳税款;依法～。

【纳税人】nàshuìrén 囵 依法直接负有纳税义务的企业、单位和个人。也叫纳税主体、纳税义务人。

【纳西族】Nàxīzú 囵 我国少数民族之一,分布在云南、四川。

【纳降】nàxiáng 囫 接受敌人的投降。

肭 nà 见 1396 页【䐃肭】。

菈 nà 菈拔林(Nàbálín),地名,在台湾省。
另见 1010 页 nuó。

钠(鈉) nà 囵 金属元素,符号 Na (natrium)。银白色,质软,有延性,化学性质极活泼,容易氧化,燃烧时发出黄色光。在工业上用途很广。

【钠灯】nàdēng 囵 灯的一种,把钠填充在真空的玻璃外壳中制成,通电时发出黄色光。用于街道、广场照明等。

衲 nà ❶ 补缀:百～衣|百～本。❷ 和尚穿的衣服,常用作和尚的自称:老～。

娜 nà ❶ 人名用字。❷ (Nà)囵 姓。
另见 1010 页 nuó。

捺 nà ❶ 囫 按;摁:～手印。❷ 囫 忍耐;抑制:～着性子|勉强～住心头的怒火。❸ (～儿)囵 汉字的笔画,向右斜下,近末端微有波折,形状是"乀"。

·na (·ㄋㄚ)

哪(哪) ·na 囲 前一字韵尾是-n,"啊"(·a)变成"哪"(·na):谢谢您～|你得留神～!|同志们加油干～! 参看 2 页"啊"·a。
另见 975 页 nǎ;986 页 né。"哪"另见 976 页 nà;986 页 nè;986 页·ne"呢"。

nǎi (ㄋㄞˇ)

乃(迺、廼) nǎi〈书〉❶ 囲 是;就是;实在是:《红楼梦》～一代奇书|失败～成功之母。❷ 囲 于是:因山势高峻,～在山腰休息片时。❸ 囲 才²③:唯虚心～能进步。❹ 囮 人称代词。你;你的:～父|～兄。

【乃尔】nǎi'ěr〈书〉囮 指示代词。如此;像这样:何其相似～!

【乃至】nǎizhì 囲 甚至:他的发明,引起了全国～国际上的重视。也说乃至于。

【乃至于】nǎizhìyú 囲 乃至。

芀 nǎi 见 1667 页【芋芀】。

奶(嬭) nǎi ❶〈方〉囵 乳房。❷ 囵 乳汁的通称:牛～|羊～|给孩子吃。❸ 囫 用自己的乳汁喂孩子:～孩子。

【奶茶】nǎichá 囵 掺和着牛奶或羊奶的茶。

【奶粉】nǎifěn 囵 牛奶、羊奶除去水分制成的粉末,易于保存,食用时用开水冲成液体。

【奶酒】nǎijiǔ 囵 用牛奶等为原料制成的发酵饮料。也叫奶子酒。

【奶酪】nǎilào 囵 用牛、羊等的奶汁做成的半凝固食品。

【奶妈】nǎimā 囵 受雇给人家奶孩子的妇女。

【奶毛】nǎimáo (～儿)〈口〉囵 婴儿出生后尚未剃过的头发。

【奶名】nǎimíng (～儿)囵 童年时期的名

字;小名。

【奶奶】nǎi·nai 名❶〈口〉祖母。❷〈口〉称跟祖母辈分相同或年纪相仿的妇女。❸〈方〉少奶奶。

【奶娘】nǎiniáng 〈方〉名 奶妈。

【奶牛】nǎiniú 名 乳牛。

【奶皮】nǎipí （～儿）名 牛奶、羊奶等煮过后表面上凝结的含脂肪的薄皮。

【奶声奶气】nǎi shēng nǎi qì （～的）形容小孩子稚嫩的声音和腔调。

【奶水】nǎishuǐ〈口〉名 乳汁：～足。

【奶头】nǎitóu （～儿）名❶〈口〉乳头。❷奶嘴。

【奶牙】nǎiyá 名 乳牙。

【奶羊】nǎiyáng 名 专门用来产奶的羊。

【奶油】nǎiyóu 名 从牛奶中提出的半固体物质，白色，微黄，脂肪含量较黄油为低。通常用作制糕点和糖果的原料。

【奶油小生】nǎiyóu xiǎoshēng 指相貌俊秀但缺乏阳刚之气的年轻男子。

【奶罩】nǎizhào 名 乳罩。

【奶子】nǎi·zi 名❶〈口〉统称牛奶、羊奶等供食用的动物的乳汁。❷〈方〉乳房。❸〈方〉奶妈。

【奶嘴】nǎizuǐ （～儿）名 装在奶瓶口上的像奶头的东西，用橡胶等制成。

氖 nǎi 名 气体元素，符号 Ne（neonum）。无色无臭无味，大气中含量极少，化学性质不活泼。放电时发出红色光，用来制霓虹灯等。

【氖灯】nǎidēng 名 灯的一种，把氖填充在真空的玻璃外壳中制成，通电时发出红色光，光线能透过烟雾，可用作信号灯等。

遖 nǎi ❶ 见 977 页"乃"。❷（Nǎi）名 姓。

哪 nǎi "哪"（nǎ）的口语音，参看975 页"哪"条注意▶。

侬 nǎi〈方〉代 人称代词。你。

nài （ㄋㄞˋ）

奈 nài ❶ 奈何：无～｜怎～。❷〈书〉怎奈；无奈。❸（Nài）名 姓。

【奈何】nàihé ❶ 动 意思跟"怎么办"相似，用于反问或否定式，表示没有办法：无可～｜～不得。❷〈书〉代 疑问代词。用反问的方式表示如何：民不畏死，～以死惧之？❸（－／－）动 中间加代词，表示"拿他怎么办"：凭你怎么说，他就是不答应，你又奈他何！

佴 Nài 名 姓。
另见 364 页 èr。

奈 nài 古书上指一种类似花红的果子。

耐 nài 动 受得住；禁得起：～烦｜～用｜～火砖｜吃苦～劳｜锦纶袜子～穿。

【耐烦】nàifán 形 不急躁，不怕麻烦，不厌烦（多用于否定式）：见你迟迟不来，他已经等得不～了。

【耐火材料】nàihuǒ cáiliào 熔点一般在1 580℃ 以上的材料，用于锅炉、冶金炉、坩埚、玻璃窑等。常用的耐火材料有耐火黏土、石英、白云石、石墨、菱镁矿等。

【耐久】nàijiǔ 形 能够经久；坚固：～。

【耐看】nàikàn 形（景物、艺术作品等）禁得起反复观看、欣赏：书中的插图精美～。

【耐劳】nài∥láo 动 禁得起劳累：吃苦～。

【耐力】nàilì 名 耐久的能力：长跑能锻炼～。

【耐人寻味】nài rén xún wèi 意味深长，值得仔细体会琢磨。

【耐心】nàixīn ❶ 形 心里不急躁，不厌烦：～说服｜只要～地学，什么技术都能学会。❷ 名 耐性：做小学教师得有～。

【耐性】nàixìng 名 能忍耐、不急躁的性格：越是复杂艰巨的工作，越需要～。

【耐用】nàiyòng 形 禁得起长久使用；不容易用坏：搪瓷器具比玻璃器具经久～。

能 nài ❶〈书〉同"耐"。❷（Nài）名 姓。
另见 989 页 néng。

萘 nài 名❶ 有机化合物，化学式 $C_{10}H_8$。白色晶体，有特殊气味，容易升华。用来制染料、树脂、药品等。[英 naphthalene] ❷（Nài）姓。

鼐 nài〈书〉大鼎。

褦 nài [褦襶]（nàidài）〈书〉形 不晓事；不懂事：～子（不晓事的人）。

nān（ㄋㄢ）

囡（囝） nān 〈方〉名 ❶ 小孩儿：小～|男小～|女小～。❷ 女儿：她有一个儿子一个～。

"囝"另见 664 页 jiǎn。

【囡囡】nānnān 〈方〉名 对小孩儿的亲热称呼。

nán（ㄋㄢˊ）

男¹ nán ❶ 形 属性词。男性（跟"女"相对）：～学生|一～一女。❷ 儿子：长～。❸（Nán）名 姓。

男² nán 封建五等爵位的第五等：～爵。

【男盗女娼】nán dào nǚ chāng 男的偷盗，女的卖淫，指男女做坏事或思想行为极其卑鄙恶劣。

【男儿】nán'ér 名 男子汉：好～志在四方。

【男方】nánfāng 名 男的一方面（多用于有关婚事的场合）。

【男家】nánjiā 名 婚姻关系中男方的家；男方。

【男科】nánkē 名 医院中专门医治男性生殖系统疾病的一科。

【男男女女】nánnánnǚnǚ 名 指有男有女的一群人：大街上，～个个都衣着整齐。

【男女】nánnǚ 名 ❶ 男性和女性：青年～|～青年|～平等|～老少。❷〈方〉儿女。

【男人】nánrén 名 男性的成年人。

【男人】nán·ren 〈口〉名 丈夫（zhàng·fu）。

【男生】nánshēng 名 ❶ 男学生。❷〈方〉男青年；小伙子。

【男声】nánshēng 名 声乐中的男子声部，一般分男高音、男中音、男低音。

【男士】nánshì 名 对成年男子的尊称。

【男性】nánxìng 名 人类两性之一，能在体内产生精子。

【男友】nányǒu 名 ❶ 男性朋友。❷ 指恋爱对象中的男方。

【男子】nánzǐ 名 男性的人。

【男子汉】nánzǐhàn 名 男人（nánrén，强调男性的健壮或刚强）：我们村的妇女干起活儿来，赛过～。

南 nán ❶ 名 方位词。四个主要方向之一，清晨面对太阳时右手的一边：～边儿|～头儿|～方|～风|山～|坐北朝～。❷ 南部地区，在我国通常指长江流域及其以南的地区：～味|～货。❸（Nán）名姓。

另见 974 页 nā。

【南半球】nánbànqiú 名 地球赤道以南的部分。

【南梆子】nánbāng·zi 名 京剧中西皮唱腔的一种。

【南北】nánběi 名 方位词。❶ 南边和北边。❷ 从南到北（指距离）：这个水库～足有两千米。

【南北朝】Nán-Běi Cháo 名 4 世纪末叶至 6 世纪末叶，宋、齐（南齐）、梁、陈四朝先后在我国南方建立政权，叫南朝（公元 420—589），北魏（后分裂为东魏和西魏）、北齐、北周先后在我国北方建立政权，叫北朝（公元 386—581），合称为南北朝。

【南边】nán·bian 名 ❶（～儿）方位词。南①。❷ 指南②。

【南昌起义】Nánchāng Qǐyì 见 17 页〖八一南昌起义〗。

【南朝】Nán Cháo 名 宋、齐、梁、陈四朝的合称。参看〖南北朝〗。

【南斗】nándǒu 名 斗（dǒu）⑥的通称，由六颗星组成。

【南豆腐】nándòu·fu 名 食品，豆浆煮开后加入石膏使凝结成块而成，比北豆腐水多而嫩。有的地区叫嫩豆腐。

【南方】nánfāng 名 ❶ 方位词。南①。❷ 南②。

【南非】Nán Fēi 名 ❶ 非洲南部，包括马拉维、赞比亚、博茨瓦纳、斯威士兰、莱索托、马达加斯加、毛里求斯、莫桑比克、安哥拉、科摩罗、津巴布韦、南非（共和国）、纳米比亚、圣赫勒拿、留尼汪等。❷（Nán-fēi）指南非共和国。

【南宫】Nángōng 名 姓。

【南瓜】nán·guā 名 ❶ 一年生草本植物，茎蔓生，呈五棱形。叶子心脏形，花黄色，果实一般扁圆形或梨形，成熟时红褐色。果实可做蔬菜，种子可以吃，也可入药。

❷ 这种植物的果实。‖在不同地区有倭瓜、北瓜等名称。

【南管】nánguǎn 图南音②。

【南国】nánguó 〈书〉图指我国的南部。

【南寒带】nánhándài 图南半球的寒带,在南极与南极圈之间。参看536页〖寒带〗。

【南胡】nánhú 图二胡,因原先流行在南方得名。

【南回归线】nánhuíguīxiàn 图南纬23°26′的纬线。参看606页〖回归线〗。

【南货】nánhuò 图南方所产的食品,如笋干、火腿等。

【南极】nánjí 图❶地轴的南端,南半球的顶点。❷地球的南磁极,用S来表示。

【南极圈】nánjíquān 图南半球的极圈,是南寒带和南温带的分界线。参看636页〖极圈〗。

【南柯一梦】Nánkē yī mèng 淳于棼做梦到一大槐安国做了南柯郡太守,享尽富贵荣华,醒来才知道是一场大梦,原来大槐安国就是住宅南边大槐树下的蚁穴,南柯郡就是大槐树南边的树枝(见于唐代李公佐《南柯太守传》)。后来用"南柯一梦"泛指一场梦,或比喻一场空欢喜。

【南门】Nánmén 图姓。

【南面】nánmiàn 动面朝南。古代以面朝南为尊位,君主临朝南面而坐,因此把为君叫做"南面为王"、"南面称孤"等。

【南面】nán·miàn (~儿)图方位词。南边。

【南明】Nán Míng 图明朝灭亡后,明皇室后裔先后在我国南方建立的政权,史称南明。

【南欧】Nán Ōu 图欧洲南部,包括罗马尼亚、保加利亚、塞尔维亚和黑山、斯洛文尼亚、克罗地亚、波斯尼亚和黑塞哥维那、马其顿、阿尔巴尼亚、希腊、意大利、梵蒂冈、圣马力诺、马耳他、西班牙、安道尔和葡萄牙等国。

【南齐】Nán Qí 图南朝之一,公元479—502,萧道成所建。参看〖南北朝〗。

【南腔北调】nán qiāng běi diào 形容口音不纯,掺杂方音。

【南曲】nánqǔ 图❶宋元明时流行于南方的各种曲调的统称,调子柔和婉转,用管乐器伴奏。❷指南曲演唱的戏曲。

【南式】nánshì 形属性词。北京一带指某些手工业品、食品的南方的式样或制法:~盆桶|~糕点。

【南宋】Nán Sòng 图朝代,公元1127—1279,自高宗(赵构)建炎元年起到帝昺(赵昺)祥兴二年宋朝灭亡止。建都临安(今浙江杭州)。

【南糖】nántáng 图南式糖果;南方生产的糖食。

【南纬】nánwěi 图赤道以南的纬度或纬线。参看1419页〖纬度〗、1420页〖纬线〗。

【南味】nánwèi (~儿)图南方风味:~糕点。

【南温带】nánwēndài 图南半球的温带,在南极圈与南回归线之间。参看1425页〖温带〗。

【南戏】nánxì 图古典地方戏的一种,南宋初年形成于浙江温州一带,用南曲演唱。到明朝演变为传奇。也叫戏文。

【南下】nánxià 动我国古代以北为上,以南为下,后来把去本地以南的某地叫南下(跟"北上"相对):近日将~广州。

【南亚】Nán Yà 图亚洲南部,包括巴基斯坦、印度、孟加拉国、尼泊尔、不丹、马尔代夫和斯里兰卡等国。

【南洋】Nányáng 图❶清末指江苏、浙江、福建、广东沿海地区。特设南洋通商大臣,由两江总督兼任,管理对外贸易、交涉事务。❷指南洋群岛,现称马来群岛。

【南音】nányīn 图❶曲艺的一种,流行于珠江三角洲,唱词基本为七字句,格律严谨,用扬琴、椰胡、三弦、洞箫、琵琶等伴奏。❷流行于福建的古典音乐,格调高雅,旋律优美。也叫南管、南乐。

【南辕北辙】nán yuán běi zhé 心里想往南去,却驾车往北走。比喻行动和目的相反。

【南乐】nányuè 图南音②。

【南针】nánzhēn 图指南针。

【南征北战】nán zhēng běi zhàn 到处征战作战,形容经历的战斗很多。

【南竹】nánzhú 图毛竹。

难(難) nán ❶形不容易;做起来费事(跟"易"相对):~免|~办|笔画多的字很~写|这条路~走。❷动使感到困难:这一下子可把我~住了。❸不好:~听|~看。

〈古〉又同"傩"nuó。

另见982页nàn。

【难熬】nán'áo 形难以忍受(疼痛或艰苦

的生活等)：饥饿～。

【难保】nánbǎo 勔 不敢保证；难以保证：今天～下不下雨。

【难缠】nánchán 形 指人不讲道理，胡乱纠缠，使别人难于应付。

【难产】nánchǎn 勔❶ 分娩时胎儿不易产出。难产的原因主要是产妇的骨盆狭小，胎儿过大或胎位不正常等。❷ 比喻著作、计划等不易完成。

【难处】nánchǔ 形 不容易相处：他只是脾气暴躁些，并不算～。

【难处】nán·chu 名 困难：各有各的～|工作中还没有碰到什么～。

【难当】nándāng 勔❶ 难以担当或充当：～重任|好人～。❷ 难以禁受：羞愧～。

【难道】nándào 副 加强反问的语气：河水～会倒流吗？|他们做得到，～我们就做不到吗？ 也说难道说。【注意】句末可以用"不成"呼应，如：～他病了不成？|就罢了不成!

【难得】nándé 形❶ 不容易得到或办到(有可贵意)：人才～|灵芝是非常～的药草|他在一年之内两次打破世界记录，这是十分～的。❷ 表示不常常(发生)：这样大的雨是很～遇到的。

【难点】nándiǎn 名 问题不容易解决的地方：突破～。

【难度】nándù 名 工作或技术等方面困难的程度：～大。

【难分难解】nán fēn nán jiě ❶ 双方相持不下(多指竞争或争吵、打斗)，难以分出胜负。❷ 形容双方关系异常亲密，难于分离。‖也说难解难分。

【难分难舍】nán fēn nán shě 见【难舍难分】。

【难怪】nánguài ❶ 副 怪不得①：～他今天这么高兴，原来新机器试验成功了。❷ 勔 不应当责怪(含有谅解的意思)：这也～，一个七十多岁的人，怎能看得清这么小的字呢?

【难关】nánguān 名 难通过的关口，比喻不易克服的困难：突破～|攻克一道道～。

【难过】nánguò 形❶ 不容易过活：那时家里人口多，收入少，日子真～。❷ 难受：肚子里一得很|他听到老师逝世的消息，心里非常～。

【难解难分】nán jiě nán fēn 见【难分难解】。

【难堪】nánkān ❶ 勔 难以忍受：～重负|天气闷热～。❷ 形 难为情：他感到有点～，微微涨红了脸。

【难看】nánkàn 形❶ 丑陋，不好看：这匹马毛都快掉光了，实在～。❷ 不光荣；不体面：小伙子干活儿要是比不上老年人，那就太～了。❸ (神情、气色等)不和悦；不正常：他的脸色很～，像是在生气。

【难免】nánmiǎn 形 不容易避免；没有经验，～要走弯路|搞新工作，困难是～的。

【难能可贵】nán néng kě guì 难做的事居然能做到，值得珍视：过去草都不长的盐碱地，今天能收这么多粮食，的确～。

【难人】nánrén ❶ 勔 使人为难：这种～的事，不好办。❷ 名 担当为难的事情的人：有问题我们帮助你解决，决不叫你做～。

【难色】nánsè 名 为难的表情：面有～。

【难舍难分】nán shě nán fēn 形容彼此感情很好，难以抛舍分离。也说难分难舍。

【难事】nánshì 名 困难的事情：天下无～，只怕有心人。

【难受】nánshòu 形❶ 身体不舒服：浑身疼得～。❷ 伤心；不痛快：他知道事情做错了，心里很～。

【难说】nánshuō 勔❶ 不容易说；不好说；难于确切地说：在这场纠纷里，很～谁对谁不对|他什么时候回来还很～。❷ 难于说出口：你就照着事实说，没有什么～的。

【难题】nántí 名 不容易解决或解答的问题：出～|数学～|再大的～也难不倒咱们。

【难听】nántīng 形❶ (声音)听着不舒服；不悦耳：这个曲子怪声怪调的，真～。❷ (言语)粗俗刺耳：开口骂人，多～! ❸ (事情)不体面：这种事情说出去多～!

【难为】nán·wei 勔❶ 使人为难：她不会唱歌，就别再～她了。❷ 多亏(指做了不容易做的事)：这个人带好十多个孩子，真～了她。❸ 客套话，用于感谢别人代自己做事：～你给我提一桶水来|车票也替我买好了，真～你呀。

【难为情】nánwéiqíng 形❶ 脸上下不来，不好意思：别人都学会了，就我学不会，多～啊! ❷ 情面上过不去：答应吧，办不到；不答应吧，又有点～。

【难兄难弟】nánxiōng-nándì 东汉陈元方的儿子和陈季方的儿子是堂兄弟，都夸耀自己父亲的功德，争个不休，就去问祖父陈寔。陈寔说："元方难为弟，季方难为兄"(见于《世说新语·德行》)。意思是元方好得做他弟弟难，季方好得做他哥哥难。后来用"难兄难弟"形容兄弟都非常好。今多反用，讥讽两人同样坏。

另见 982 页 nànxiōng-nàndì。

【难言之隐】nán yán zhī yǐn 难于说出口的藏在内心深处的事情。

【难以】nányǐ 动 难于：～形容|～置信|心情～平静。

【难于】nányú 动 不容易；不易于：～收效|～启齿。

喃 nán ［喃喃］(nánnán) 拟声 连续不断地小声说话的声音：～自语。

楠(柟) nán ［楠木］(nánmù) 名 ❶ 常绿乔木，叶子椭圆形或长披针形，表面光滑，背面有软毛，花小，绿色，浆果蓝黑色。木材是贵重的建筑材料，也可供造船用。生长在贵州、四川等地。❷ 这种植物的木材。

nǎn （ㄋㄢˇ）

赧(赧) nǎn 因羞愧而脸红：～颜。

【赧然】nǎnrán 〈书〉 形 形容难为情的样子：～一笑。

【赧颜】nǎnyán 〈书〉 动 因害羞而脸红：～苟活|～汗下。

腩 nǎn 肚子上松软的肌肉：牛～|鱼～。

蝻 nǎn 名 蝗蝻。

nàn （ㄋㄢˋ）

难(難) nàn ❶ 不幸的遭遇；灾难：遭～|遇～|空～|大～临头|多～兴邦。❷ 质问：非～|责～|问～。

另见 980 页 nán。

【难胞】nànbāo 名 称本国的难民(多指在国外遭受迫害的侨胞)。

【难民】nànmín 名 由于战乱、自然灾害等原因而流离失所、生活困难的人：救济～。

【难侨】nànqiáo 名 称在国外遭遇灾难的侨胞。

【难兄难弟】nànxiōng-nàndì 彼此曾共患难的人；彼此处于同样困难境地的人。

另见 981 页 nánxiōng-nándì。

【难友】nànyǒu 名 一同蒙难的人。

nāng （ㄋㄤ）

囊 nāng 见下。

另见 982 页 náng。

【囊揣】nāngchuài ❶ 形 虚弱；懦弱(多见于早期白话)。❷ 同"囊膪"。

【囊膪】nāngchuài 名 猪胸腹部的肥而松的肉。也作囊揣。

曩 nāng ［曩曩］(nāng·nang) 动 小声说话。

náng （ㄋㄤˊ）

囊 náng ❶ 口袋：药～|琴～|皮～|探～取物。❷ 像口袋的东西：肾～|胆～。❸〈书〉用袋子装：～括。

另见 982 页 nāng。

【囊空如洗】náng kōng rú xǐ 口袋里空得像洗过了一样，形容一个钱都没有。

【囊括】nángkuò 动 把全部包罗在内：～四海(指封建君主统一全国)|这个队～了田赛的全部冠军。

【囊生】nángshēng 名 西藏农奴主家的奴隶。也译作朗生。

【囊中物】nángzhōngwù 名 比喻不用费多大力气就可以得到的东西。

【囊肿】nángzhǒng 名 良性肿瘤的一种，多呈球形，有包膜，内有液体或半固体的物质。肺、卵巢、肝、肾等器官内都能发生。

馕(饢) náng 名 一种烤制成的面饼，维吾尔、哈萨克等民族当做主食。

另见 983 页 nǎng。

nǎng （ㄋㄤˇ）

曩 nǎng 〈书〉以往；从前；过去的：～日|～年|～时|～者(从前)。

攮 nǎng 〔动〕(用刀)刺：～了一刀|一刀
～在腿上。
【攮子】nǎng·zi 〔名〕短而尖的刀，是一种旧
式的武器。

馕(饢) nǎng 〔动〕拼命地往嘴里塞食
物。
另见 982 页 náng。

nàng（ㄋㄤ）

齉 nàng 〔形〕鼻子不通气，发音不清：受
了凉，鼻子发～。
【齉鼻儿】nàngbír ❶〔形〕(语音)发齉：他感
冒了，说话有点～。❷〔名〕指说话时鼻音
特别重的人。

nāo（ㄋㄠ）

孬 nāo 〈方〉〔形〕❶ 坏；不好：这个牌子
的电器最～。❷ 怯懦；没有勇气：～
种。
【孬种】nāozhǒng 〈方〉怯懦无能的人；
坏家伙(骂人的话)。

náo（ㄋㄠ）

呶 náo 〈书〉叫嚷；喧～。
另见 1007 页 nǔ "努"。
【呶呶】náonáo 〈书〉〔形〕形容说起话来没
完没了使人讨厌：～不休。

譊(譊) náo 〈书〉喧闹；争辩。
【譊譊】náonáo 〈书〉〔拟声〕形容争辩的声
音。

挠(撓) náo ❶〔动〕(用手指)轻轻地
抓：～痒痒|抓耳～腮。❷ 使
别人的事情不能顺利进行；阻止：阻～。
❸ 弯曲，比喻屈服：不屈不～|百折不～。
【挠度】náodù 〔名〕表示构件(如梁、柱、板
等)受到外力时发生弯曲变形的程度，以
构件弯曲后各横截面的中心至原轴线的
距离来度量。
【挠钩】náogōu 〔名〕顶端有大铁钩的带长
柄的工具。

挠头 náotóu 〔形〕用手抓头，形容事情麻
烦复杂，使人难以处理：遇到了～的事|这
种事情真叫人～。
【挠秧】náoyāng 〔动〕除净稻田中的杂草，
使根部泥土变松。挠秧可以促进秧苗根
系的发育，并能促进分蘖。

恼(憹) náo 见 15 页【懊恼】。

猱(嶩) Náo 古山名，在今山东临淄
一带。

硇(硇、磠) náo 见下。
【硇砂】náoshā 〔名〕矿物，就是天然产的氯
化铵，可入药。
【硇洲】Náozhōu 〔名〕岛名，在广东。[注意]
硇字有的书中误作"碙"，误读 gāng。

铙(鐃) náo ❶〔名〕打击乐器，像钹，
中间突起部分比钹的小。❷
古代军中乐器，像铃铛，中间没有舌。❸
(Náo)〔名〕姓。
【铙钹】náobó 〔名〕大型的钹。

蛲(蟯) náo 〔蛲虫〕(náochóng)
〔名〕寄生虫，身体很小，白色，像
线头。寄生在人体的小肠下部和大肠里，
雌虫常从肛门爬出来产卵。患者常觉肛
门奇痒，并有消瘦、食欲不振等症状。

猱 náo 古书上说的一种猴。

夒 náo 〈书〉同"猱"。

巎 náo 〈书〉同"猱"。元代书法家巎巎
(Náonáo)，字子山。

nǎo（ㄋㄠ）

垴(堖) nǎo 〈方〉〔名〕山岗、丘陵较平
的顶部(多用于地名)：削～填
沟|南～(地名，在山西)|沙洲～(地名，在湖
南)。

恼(惱) nǎo ❶〔动〕生气；使生气：～
恨|把他惹～了|你别～我！❷
烦闷；心里不痛快：烦～|苦～|懊～。
【恼恨】nǎohèn 〔动〕生气和怨恨：我说了你
不愿意听的话，心里可别～我！
【恼火】nǎohuǒ 〔形〕生气：大为～。
【恼怒】nǎonù ❶〔形〕生气；发怒：这些恶毒

N

的攻击,使他十分～。❷ 〈动〉使恼怒;触怒:一句话～了他,于是再也不和我说话了。

【恼人】nǎorén 〈形〉令人感觉焦急烦恼。

【恼羞成怒】nǎo xiū chéng nù 由于羞愧和恼恨而发怒。

脑(腦) nǎo

❶ 〈名〉动物中枢神经的主要部分,位于头部。人脑管全身知觉、运动和思维、记忆等活动,由大脑、小脑和脑干等部分构成。❷ 指头(tóu):～袋|探头探～。❸ 〈名〉脑筋①:人人动～,个个动手,大抓生产潜力。❹ 指从物体中提炼出的精华部分:樟～|薄荷～。❺ 事物剩下的零碎部分:田地的边角地方:针头线～|田头地～。

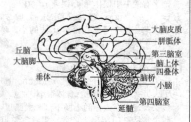

大脑皮质
胼胝体
丘脑
第三脑室
大脑脚
脑上体
垂体
四叠体
脑桥
小脑
延髓
第四脑室

人的脑

【脑出血】nǎochūxuè 〈名〉病,脑血管发生病变,血液流出管壁,使脑功能遭受破坏。血管硬化、血压突然上升等都能引起脑出血。发病前有头痛、头晕、麻木、抽搐等症状。也叫脑溢血。

【脑卒中】nǎocùzhòng 〈名〉卒中①。

【脑袋】nǎo·dai 〈口〉〈名〉❶ 头(tóu)①:秃～|耷拉着～。❷ 脑筋①:你的～真好使,几十年前的事还能记得。

【脑袋瓜儿】nǎo·daiguār 〈口〉〈名〉脑袋。也说脑袋瓜子。

【脑电图】nǎodiàntú 〈名〉用特制的仪器把大脑皮质活动所产生的电效应放大,在纸上画出来的波状条纹的图形。可以帮助诊断脑部的多种疾病。

【脑干】nǎogàn 〈名〉脑的一部分,包括延髓、脑桥和中脑。连接着许多神经通路,控制头部、面部的感觉和运动,以及呼吸、心跳等的持续。

【脑瓜】nǎoguā 〈口〉〈名〉脑袋。也说脑瓜子。

【脑海】nǎohǎi 〈名〉指脑子(就思想、记忆的器官说):十五年前的旧事,重又浮上他的～|烈士英勇的形象时时涌现在我的～中。

【脑脊液】nǎojǐyè 〈名〉无色透明液体,充满于脑室、脊髓中央管和蛛网膜(脑膜的中层)下腔中,并在这些地方循环活动。有保护中枢神经系统和运走中枢神经系统代谢产物等作用。

【脑际】nǎojì 〈名〉脑海(就记忆、印象说)。

【脑浆】nǎojiāng 〈名〉颅骨破裂时流出来的脑髓。

【脑筋】nǎojīn 〈名〉❶ 指思考、记忆等能力:动～|他～好,多少年前的事还记得清楚。❷ 指意识:旧～|老～|新～|～开通。

【脑疽】nǎojū 〈名〉中医指生在脑后,部位跟口相对的疽。也叫对口疽。

【脑壳】nǎoké 〈方〉〈名〉头(tóu)①。

【脑库】nǎokù 〈名〉指拥有各方面的专门人才,能为决策提供服务的咨询机构。

【脑力】nǎolì 〈名〉人的记忆、理解、推理、想象等的能力。

【脑力劳动】nǎolì láodòng 以消耗脑力为主的劳动,如管理国家事务,组织生产,以及从事政治、文化和科学研究等活动。

【脑磷脂】nǎolínzhī 〈名〉磷脂的一种,由甘油、脂肪酸、磷酸乙醇胺组成,无色固体,在脑、神经细胞、大豆里含量丰富,是细胞膜和细胞器膜的重要组成成分。

【脑满肠肥】nǎo mǎn cháng féi 形容不劳而食的人吃得很饱,养得很胖。

【脑门儿】nǎoménr 〈口〉〈名〉前额。也叫脑门子。

【脑膜】nǎomó 〈名〉脑表面的一层薄膜,由结缔组织构成,有三层,最外层是硬脑膜,中间一层是脑蛛网膜,里层是软脑膜。脑膜和脊膜相连,中间有脑脊液。脑膜有保护脑的作用。

【脑桥】nǎoqiáo 〈名〉脑干的一部分,在中脑与延髓之间。因有横行纤维构成的连接小脑左右两侧的桥样结构,所以叫脑桥。(图见984页"人的脑")

【脑儿】nǎor 〈名〉供食用的动物脑髓或像脑髓的食品:猪～|羊～|豆腐～。

【脑勺】nǎosháo 〈~儿〉〈方〉〈名〉头的后部:后～。也叫脑勺子。

【脑神经】nǎoshénjīng 〈名〉在人体脑颅的

底部,由延髓、脑桥、中脑、间脑等发出的神经,共有 12 对。除迷走神经支配心脏和胃肠的活动外,其余都管颈部以上的知觉和运动。

【脑栓塞】nǎoshuānsè 图病,血管中脱落的血栓运行到脑部引起血管阻塞。多见于心脏病病人,发病较急,可产生偏瘫或失语。

【脑死亡】nǎosǐwáng 图指以脑功能永久性丧失为死亡标准认定的死亡。深度昏迷,瞳孔放大、固定,脑干反应能力消失,脑电波无起伏,呼吸停止,脑血液循环完全停止,就可以认定为脑死亡。

【脑髓】nǎosuǐ 图指脑①。

【脑血栓】nǎoxuèshuān 图病,因脑动脉硬化、血液黏稠度高等原因,脑血管中形成血栓,阻碍血液正常流动。发病较慢,一般症状较轻,有的出现头部和肢体麻木,严重的出现偏瘫和失语。

【脑溢血】nǎoyìxuè 图脑出血。

【脑汁】nǎozhī 图见 686 页〖绞脑汁〗。

【脑子】nǎo·zi 图①〈口〉脑①。②脑筋①:他～好,用功,学习成绩很好|这个人太没～了,才几天的事儿就忘了。

瑙 nǎo 见 909 页〖玛瑙〗。

nào (ㄋㄠ)

闹(鬧) nào ①图喧哗;不安静:热～|～哄哄|这里一得很,没法儿看书。②动吵;扰乱:又哭又|两个人又～翻了|孙悟空大～天官。③动发泄(感情):～情绪|～脾气。④动害(病);发生(灾害或不好的事):～病|～肚子|～水灾|～矛盾|～笑话。⑤动干;弄;搞:～革命|～生产|把问题一清楚。⑥动开玩笑;逗;打:～一～洞房。

【闹别扭】nào biè·niu 彼此有意见而合不来;因不满意对方而故意为难:两个人常～|这不是成心跟我～吗?

【闹洞房】nào dòngfáng 闹房。

【闹肚子】nào dù·zi 〈口〉腹泻。

【闹房】nào//fáng 动新婚的晚上,亲友们在新房里跟新婚夫妇说笑逗乐。也说闹新房、闹洞房。

【闹鬼】nào//guǐ 动①发生鬼怪作祟的事情(迷信)。②比喻背地里做坏事;捣鬼。

【闹哄】nào·hong 〈方〉动①吵闹;喧闹:有意见你就提,～什么!|一下子,村前村后～开了。②许多人在一起忙着办事:大家～了好一阵子,才算把那堆土给平了。

【闹哄哄】nàohōnghōng (～的)形状态词。形容人声杂乱:逢集的日子,大街上总是～的。

【闹荒】nào//huāng 动旧社会里农民遇到荒年时进行抗租、吃大户等活动。

【闹饥荒】nào jī·huang ①指遭遇荒年:从前我们那里三年两头～。②〈方〉比喻经济困难。

【闹架】nào//jià 〈方〉动吵嘴打架。

【闹剧】nàojù 图①喜剧的一种,通过滑稽情节和热闹场面,来揭示剧中人物行为的矛盾,比一般喜剧更夸张。也叫笑剧。②比喻滑稽、荒谬的事情。

【闹乱子】nào luàn·zi 惹祸;惹出麻烦:骑快车容易～。

【闹脾气】nào pí·qi 发脾气;生气。

【闹气】nào//qì (～儿)〈方〉动跟人生气吵架。

【闹情绪】nào qíngxù 因工作、学习等不合意而情绪不安定,表示不满。

【闹嚷嚷】nàorāngrāng (～的)形状态词。形容喧哗:窗外～的,发生了什么事情?

【闹热】nàorè 〈方〉形热闹。

【闹市】nàoshì 图繁华热闹的街市。

【闹事】nào//shì 动聚众捣乱,破坏社会秩序。

【闹腾】nào·teng 动①吵闹;扰乱:又哭又喊,～了好一阵子。②说笑打闹:屋里嘻嘻哈哈的～得挺欢。③搞:这些节目都是他们几个人自发～起来的。

【闹天儿】nào//tiānr 〈方〉动天气不好(多指下雨或下雪):一连好几天都～,好容易才遇见这么一个晴天儿。

【闹笑话】nào xiào·hua (～儿)因粗心大意或缺乏知识经验而发生可笑的错误:我刚到广州的时候,因为不懂广州话,常常～。

【闹心】nàoxīn 〈口〉①形烦心:买了假货,让人挺～。②动感觉胃里不舒服:刚吃了冷饭就～。

【闹新房】nào xīnfáng 闹房。

【闹玄虚】nào xuánxū 玩弄手段迷惑人。

【闹意见】nào yìjiàn 因意见不合而彼此不满。

【闹意气】nào yìqì 由于情绪偏激而闹矛盾;意气用事:开展批评和自我批评是为了增进团结,不能~,泄私愤。

【闹灾】nào//zāi 囫 发生灾害。

【闹贼】nào//zéi 〈口〉囫 指发生盗窃事件。

【闹着玩儿】nào•zhe wánr ❶ 做游戏。❷ 用言语或行动戏弄人。❸ 用轻率的态度来对待人或事情:你要是不会游泳,就别到水深的地方去,这可不是~的。

【闹钟】nàozhōng 呂 能够在预定时间发出铃声的钟。

淖 nào 〈书〉烂泥;泥坑:泥~。

【淖尔】nào'ěr 呂 湖泊(多用于地名):罗布~(罗布泊,在新疆)|达里~(达里泊,在内蒙古)。也译作诺尔。[蒙]

臑 nào ❶ 呂 中医学上指自肩至肘前侧靠近腋部的隆起的肌肉。❷ 古书上指牲畜的前肢。

né (ㄋㄜˊ)

哪 né 哪吒(Né•zhā),神话中神的名字。
另见 975 页 nǎ;977 页•na。

nè (ㄋㄜˋ)

讷(訥) nè 〈书〉(说话)迟钝:木~|口~。

【讷讷】nènè 〈书〉囮 形容说话迟钝:~不出于口。

那 nè "那"(nà)的口语音,参看 975 页"那"条注意▶。

呐 nè 同"讷"。
另见 976 页 nà;977 页•na"哪";986 页•ne"呢"。

•ne (•ㄋㄜ)

呢(呐) •ne 囮 ❶ 用在疑问句(特指问、选择问、正反问)的末尾,表示疑问的语气:这个道理在哪儿~? |你学提琴~,还是学钢琴~? |你们劳动力够不够~? |人~? 都到哪儿去了? |他们都有任务了,我~? ❷ 用在陈述句的末尾,表示确认事实,使对方信服(多含夸张的语气):收获不小~|晚场电影八点才开~|远得很,有两三千里地~|这个药灵得很~,敷上就不疼。❸ 用在陈述句的末尾,表示动作或情况正在继续:她在井边打水~|别走了,外面下着雨~|老张,门外有人找你~。❹ 用在句中表示停顿(多为对举):如今~,可比往年强多了|喜欢~,就买下,不喜欢~,就别买。

另见 991 页 ní。"呐"另见 976 页 nà;977 页•na "哪";986 页 nè。

něi (ㄋㄟˇ)

哪(那) něi "哪"nǎ 的口语音,参看 975 页"哪"条注意▶。

馁(餒) něi ❶ 〈书〉饥饿:冻~。❷ 失掉勇气:气~|自~。❸ 〈书〉(鱼)腐烂:鱼~肉败。

nèi (ㄋㄟˋ)

内 nèi ❶ 呂 方位词。里头(跟"外"相对):~衣|~部|室~|国~|年~。❷ 指妻或妻的亲属:~人|~侄|~弟。❸ 指内心或内脏:~省|~疾|五~俱焚。❹ 〈书〉指皇宫:大~。

〈古〉又同"纳"nà。

【内宾】nèibīn 呂 本国客人(区别于"外宾")。

【内部】nèibù 呂 某一范围以内:~联系|~消息。

【内臣】nèichén 呂 ❶ 宫廷的近臣。❷ 指宦官。

【内出血】nèichūxuè 呂 出血的一种,流出血管的血液停留在身体内部而不排至体外,如脑出血、胰出血等。

【内存】nèicún 呂 ❶ 内存储器的简称。❷ 也指内存储器的存储量。

【内存储器】nèicúnchǔqì 呂 装在计算机中央处理器内的存储器。简称内存。

【内当家】nèidāngjiā〈方〉图❶ 指妻子。❷ 特指东家的妻子。‖也说内当家的。

【内地】nèidì 图 距离边疆(或沿海)较远的地区。

【内弟】nèidì 图 妻子的弟弟。

【内定】nèidìng 动 在内部决定(多指人事安排):出场队员已经～。

【内毒素】nèidúsù 图 含在病菌体内,只有等病菌死亡后细菌体分解时才放出来的毒素,性质稳定,耐高温。

【内耳】nèi'ěr 图 耳朵最里面的一部分,是由复杂的管状物构成的,分为半规管、前庭和耳蜗三部分,主管听觉和身体的平衡。(图见 360 页"人的耳朵")

【内分泌】nèifēnmì 图 人和高等动物体内有些腺体或器官能分泌激素,不通过导管,由血液带到全身,从而调节机体的生长、发育和生理机能,这种分泌叫做内分泌。

【内封】nèifēng 图 扉页。

【内服】nèifú 动 把药吃下去(区别于"外敷")。

【内阁】nèigé 图❶ 某些国家中的最高行政机关,由内阁总理(或首相)和若干阁员(部长、总长、大臣或相)组成。❷ 明清两代的中央政务机构。

【内功】nèigōng 图❶ 锻炼身体内部器官的功夫(区别于"外功")。❷ 指人的内在的能力及修养:驾驭重大历史题材,编剧、导演首先要练好～◇公司苦练～,重新赢得了市场。

【内骨骼】nèigǔgé 图 人或高等动物体内的支架,是由许多块骨头和软骨组成的。参看 489 页〖骨骼〗。

【内海】nèihǎi 图❶ 除了有狭窄水道跟外海或大洋相通外,全部为陆地所包围的海,如地中海、波罗的海等。也叫内陆海。❷ 沿岸全属于一个国家因而本身也属于该国家的海,如渤海是我国的内海。

【内涵】nèihán 图❶ 一个概念所反映的事物的本质属性的总和,也就是概念的内容。例如"人"这个概念的内涵是能制造工具并使用工具进行劳动的动物。参看 1400 页〖外延〗。❷ 内在的涵养:他是个～很深厚的青年。

【内行】nèiháng ❶ 形 对某事情或工作有丰富的知识和经验:他对养蜂养蚕很～。❷ 图 内行的人:向～请教。

【内耗】nèihào 图❶ 机器或其他装置本身所消耗的没有对外做功的能量。❷ 比喻社会或部门内部因不协调、闹矛盾等造成的人力物力的无谓消耗。

【内河】nèihé 图 处于一个国家之中的河流叫做该国家的内河。

【内讧】nèihòng 动 集团内部由于争权夺利等原因而发生冲突或战争。

【内画】nèihuà 图 在以玛瑙、玻璃、水晶等为原料的透明或半透明器皿内壁绘制的图画。是我国独有的一门艺术。

【内踝】nèihuái 图 踝部内侧的突起部分,是由胫骨下端构成的。

【内急】nèijí 动 指着急要解手。

【内寄生】nèijìshēng 图 一种生物寄生在另一种生物的体内,叫做内寄生。如蛔虫寄生在人的肠子里。

【内奸】nèijiān 图 暗藏在内部做破坏活动的敌对分子:铲除～。

【内艰】nèijiān〈书〉图 母亲的丧事:丁～。

【内景】nèijǐng 图 戏剧方面指舞台上的室内布景,电影、电视方面指摄影棚内的布景。

【内径】nèijìng 图 断面为圆环状的工件内缘的直径。

【内镜】nèijìng 图 能够深入体内观察内部情况的装置。如胃镜、肠镜、腹腔镜等。旧称内窥镜。

【内疚】nèijiù 形 内心感觉惭愧不安:不慎出了事故,心里十分～。

【内聚力】nèijùlì 图❶ 同种物质内部相邻各部分之间的吸引力,是分子力的一种表现,能使物体聚集成液体或固体。❷ 比喻群体内部的凝聚力:营造民主和谐的氛围,增强～。

【内眷】nèijuàn 图 指女眷。

【内科】nèikē 图 医院中主要用药物而不用手术来治疗内脏疾病的一科。

【内控】nèikòng 动 内部控制:完善企业～机制。

【内裤】nèikù 图 贴身穿的单裤。

【内窥镜】nèikuījìng 图 内镜的旧称。

【内涝】nèilào 图 由于雨量过多,积水不能及时排除而造成的涝灾。

【内里】nèilǐ 图 内部;内中:这件事儿～还

有不少曲折。

【内力】nèilì 图指一个体系内各部分间的相互作用力。

【内敛】nèiliǎn 形❶（性格、思想感情等）深沉，不外露：班长一向少言寡语，性格～。❷（艺术风格）含蓄，耐人寻味：她的诗像清清的流水，一而平静。

【内流河】nèiliúhé 图不流入海洋而注入内陆湖或消失在沙漠里的河流，如我国的塔里木河。也叫内陆河。

【内陆】nèilù 图大陆远离海岸的部分。

【内陆国】nèilùguó 图周围与邻国土地毗连，没有海岸线的国家，如亚洲的蒙古、非洲的乌干达等国。

【内陆海】nèilùhǎi 图内海①。

【内陆河】nèilùhé 图内流河。

【内陆湖】nèilùhú 图在大陆内部不通海洋的湖，湖水含盐分和矿物质较多，如我国的青海湖。

【内乱】nèiluàn 图指国内的动乱或统治阶级内部的倾轧甚至战争：发生～｜平定～。

【内贸】nèimào 图国内贸易（区别于"外贸"）。

【内幕】nèimù 图外界不知道的内部情况（多指不好的）：揭开～。

【内难】nèinàn 图国内的灾难或变乱。

【内能】nèinéng 图物质系统由其内部状态所决定的能量，包括分子、原子无规则运动产生的动能和分子间、原子间相对位置所决定的势能等。

【内企】nèiqǐ 图全部资本来自国内的企业。

【内亲】nèiqīn 图和妻子有亲属关系的亲戚的统称，如内兄、连襟等。

【内勤】nèiqín 图❶部队以及有外勤工作的机关、企业称在内部进行的工作：～人员。❷从事内勤工作的人。

【内情】nèiqíng 图内部情况：熟悉～。

【内燃机】nèiránjī 图热机的一种，燃料在汽缸里燃烧，产生膨胀气体，推动活塞，由活塞带动连杆转动机轴。内燃机用汽油、柴油或煤气做燃料。

【内热】nèirè 图中医指由阴虚或阳盛而导致的病理现象，患者有心烦、口渴、便秘、口舌生疮等症候。

【内人】nèi·rén 图对人称自己的妻子。

【内容】nèiróng 图事物内部所含的实质或存在的情况：这次谈话的～牵涉的面很广｜这个刊物～丰富。

【内伤】nèishāng 图❶中医指因饮食不适、过度劳累、忧虑或悲伤等原因引起的病症。❷泛指由跌、碰、挤、压、踢、打等原因引起的气、血、脏腑、经络的损伤。

【内室】nèishì 图里间，多指卧室。

【内水】nèishuǐ 图一个国家领陆范围以内的河流、湖泊和领海基线沿陆一面的内海、海港、海湾、海峡内的水域。

【内胎】nèitāi 图轮胎的一部分，用薄橡胶制成，装在外胎里边，充气后产生弹性。通称里带。

【内廷】nèitíng 图帝王的住所。

【内退】nèituì 动不到国家规定的退休年龄，在单位内部办理退休手续，叫内退。

【内外】nèiwài 图方位词。❶内部和外部；里面和外面：～有别｜长城～。❷表示概数：一个月～｜三百米～。

【内外交困】nèi wài jiāo kùn 内部和外部都处于困难境地，多指国内的政治经济等方面和对外关系方面都处于十分困难的地步。

【内务】nèiwù 图❶指国内事务（多指民政）：～部。❷集体生活室内的日常事务，如整理床铺、按规定放置衣物、做清洁卫生等。

【内线】nèixiàn 图❶安置在对方内部探听消息或进行其他活动的人，也指这种工作。❷处在敌方包围形势下的作战线：～作战。❸一个单位内的电话总机所控制的、只供内部用的线路。❹指内部的关系或门路：走～。

【内详】nèixiáng 动在信封上写"内详"，代替发信人的姓名地址。

【内向】nèixiàng 形❶（性格、思想感情等）深沉，不外露：小王性格～｜他是～人，不轻易发表意见。❷属性词。指面向国内市场的：～型经济。

【内销】nèixiāo 动本国或本地区生产的商品在国内或本地区市场上销售（区别于"外销"）：～商品｜出口转～。

【内斜视】nèixiéshì 图病，一眼或两眼的瞳孔经常向中间倾斜。参看1507页〖斜视〗。

【内心】[1] nèixīn 图心里头：～深处｜发自

～的笑。

【内心】[2] nèixīn 图 三角形三个内角的平分线相交于一点,这个点叫做三角形的内心。内心也是三角形内切圆的圆心。

【内省】nèixǐng 勋 在心里进行反省。

【内兄】nèixiōng 图 妻子的哥哥。

【内秀】nèixiù 图 外表似乎粗鲁或笨拙但实际上聪明而细心。

【内需】nèixū 图 国内市场的需求(区别于"外需"):扩大～,拉动经济增长。

【内衣】nèiyī 图 指衬衫、衬裤等贴身穿的衣服。

【内因】nèiyīn 图 事物发展变化的内部原因,即事物内部的矛盾性。内因是事物发展的根本原因。

【内应】nèiyìng ❶ 勋 隐藏在对方内部做策应工作:～外合。❷ 图 指做内应的人。

【内忧】nèiyōu 图 内部的忧患,多指国家内部的不安定:～外患。

【内疚】nèijiù 〈书〉勋 内心忧虑惭愧。

【内兄】《书》勋 指母亲丧。

【内援】nèiyuán 图 来自内部的援助,有时也特指运动队中来自国内其他运动队的选手。

【内在】nèizài 形 ❶ 属性词。事物本身所固有的(跟"外在"相对):～规律|～因素。❷ 存于内心,不表露在外面:感情～。

【内脏】nèizàng 图 人和动物胸腔和腹腔内器官的统称。包括心、肺、胃、肝、脾、肾、肠等。

【内宅】nèizhái 图 指住宅内女眷的住处。

【内债】nèizhài 图 国家向本国公民借的债。

【内战】nèizhàn 图 一个国家内部的战争。

【内掌柜】nèizhǎngguì 图 指"掌柜"的妻子。也说内掌柜的。

【内争】nèizhēng 图 内部斗争。

【内政】nèizhèng 图 国家内部的政治事务:不干涉国～。

【内侄】nèizhí 图 妻子的弟兄的儿子。

【内侄女】nèizhínǚ 图 妻子的弟兄的女儿。

【内质】nèizhì 图 内在的性质;本质:～善良。

【内痔】nèizhì 图 肛门内部黏膜上长的痔疮。

【内中】nèizhōng 图 里头(多指抽象的):

～情形非常复杂|你不晓得～的事。

【内助】nèizhù 〈书〉图 指妻子:贤～。

【内传】nèizhuàn 图 ❶ 一种传记小说,以记载人物的遗闻逸事为主。❷ 古代指专门解释经义的书。

【内资】nèizī 图 国内的资本(区别于"外资"):～企业。

【内子】nèizǐ 〈书〉图 内人。

那 nèi "那"(nà)的口语音,参看 975 页"那"条注意。

nèn (ㄋㄣˋ)

恁 nèn 〈方〉代 指示代词。❶ 那么;那样:～大胆|～有劲儿|要不了～些(那么多)。❷ 那:～时|～时节。❸ 这么;这样:这几棵牡丹,正不知费了多少工夫,方培植得～茂盛。
另见 1000 页 nín。

【恁地】nèndì 〈方〉代 ❶ 指示代词。这么;那么。不要～说。❷ 疑问代词。怎么;如何:这人看着面熟,～想不起来?

嫩 nèn 形 ❶ 初生而柔弱;娇嫩(跟"老"相对):～叶|～芽|小孩儿肉皮儿～◇小姑娘脸皮～,不肯表演。❷ 指某些食物烹调时间短,容易咀嚼(跟"老"相对):这肉片炒得很～。❸ (某些颜色)浅:～黄|～绿。❹ 阅历浅,不老练:他担任总指挥还嫌～了点儿。

【嫩豆腐】nèndòu·fu 〈方〉图 南豆腐。

【嫩红】nènhóng 形 像初开杏花那样的浅红色。

【嫩黄】nènhuáng 形 像韭黄那样的浅黄色。

【嫩绿】nènlǜ 形 像刚长出来的树叶那样的浅绿色。

【嫩生】nèn·sheng 〈方〉形 ❶ 嫩:这韭菜真～,包饺子最好。❷ 不成熟;不老练:我侄子还～,您多照顾点儿。

néng (ㄋㄥˊ)

能 néng ❶ 能力;才干:技～|耐|无～之辈。❷ 图 能量的简称。❸ 形 有能力的:～人|～手|～者多劳|这几个人

就数他～。❹ 励 助动词。能够：蜜蜂～酿蜜|咱们一定～完成任务|这本书什么时候～出版？ 注意 a)"能"表示具备某种能力或达到某种效率，"会"表示学得某种本领。初次学会某种动作用"会"，恢复某种能力用"能"，如：小弟弟会走路了|他病好了，能下床了。具备某种技能可以用"能"，也可以用"会"，如：他能写会算。达到某种效率，用"能"，不用"会"，如：她一分钟能打一百五十个字。b)名词前面文言可以用"能"，白话只用"会"，如：能诗善画|会英文|会象棋。c)跟"不…不"组成双重否定，"不能不"表示必须，"不会不"表示一定，如：你不能不来啊！|他不会不来的。在疑问或揣测的句子里都表示可能，如：他不能(会)不答应吧？d)对于尚未实现的自然现象的推测，用"能(够)"，不用"可(以)"，如：这雨能下多大？e)用在跟某些动词结合表示被动的可能性时，用"可"，不用"能"，如：我们是不可战胜的。
另见 978 页 nài。

【能动】néngdòng 形 属性词。自觉努力、积极活动的：主观～性|～地争取胜利。

【能干】nénggàn 形 有才能，会办事：她精明～，算得个女中豪杰。

【能工巧匠】néng gōng qiǎo jiàng 工艺技术高明的人。

【能够】nénggòu 励 助动词。❶ 表示具备某种能力，或达到某种程度：人类～创造工具|他～独立工作了。❷ 表示有条件或情理上许可：下游～行驶轮船|明天的晚会家属也～参加。

【能耗】nénghào 名 能源的消耗：降低～。

【能级】néngjí 名 ❶ 原子、分子、原子核等在不同状态下运动所具有的能量值。这种数值是不连续的，好像台阶一样，所以叫能级。❷ 能力高低的等级。

【能见度】néngjiàndù 名 物体能被正常目力看到的最大距离，也指物体在一定距离时被正常目力看到的清晰程度。能见度好坏通常是由空气中悬浮着的细微水珠、尘埃等的多少决定的。

【能力】nénglì 名 能胜任某项任务的主观条件：～强|他经验丰富，有～担当这项工作。

【能量】néngliàng 名 ❶ 表示物体做功能力大小的物理量，可分为动能、势能、热

能、电能、光能、化学能、核能等。一种能量形式可以转换为另一种能量形式。单位是焦耳。简称能。❷ 比喻人显示出来的活动能力：别看人不多，～可不小。

【能耐】néng·nai〈口〉名 技能；本领：他的～真不小，一个人能管这么多机器。❷ 形 有能耐：你真～，一个人干了两个人的活儿。

【能掐会算】néng qiā huì suàn 迷信的人指会掐诀算卦，泛指能推测事物的发展，预知未来。

【能屈能伸】néng qū néng shēn 能弯曲也能伸展，指人在不得志的时候能忍耐，在得志的时候施展才干、抱负。

【能人】néngrén 名 指在某方面才能出众的人：～辈出。

【能事】néngshì 名 擅长的本领(常跟"尽"字配合)：～已尽|在会演中，各剧种百花齐放，极尽推陈出新之～。

【能手】néngshǒu 名 具有某种技能，对某项工作、运动特别熟练的人：织布～|射箭～。

【能说会道】néng shuō huì dào 指善于用言辞表达，很会说话。

【能效】néngxiào 名 物质的能量所产生的效率。

【能言善辩】néng yán shàn biàn 很会说话，善于辩论。

【能源】néngyuán 名 能够产生能量的物质，如燃料，水力、风力等。

【能者多劳】néng zhě duō láo 能干的人多劳累一些(常用来劝勉或赞赏能力强的人多承担工作)。

ńg (兀)

嗯(唔) ńg 又 ń 叹 表示疑问：～? 你说什么？|～? 这是什么字？
"唔"另见 1442 页 wú。

ňg (兀)

嗯(吥) ňg 又 ň 叹 表示出乎意外或认为不该是这样：～! 钢笔怎么又不出水啦！|～! 你怎么还没去？

ńg（兀）

嗯（吤）ńg 又 ǹ 叹 表示答应：他～了一声,就走了|～,就照你说的办吧。

---

nī（3）

妮 nī [妮子](nī·zi)〈方〉名 女孩儿。也说妮儿。

---

ní（3）

尼 ní ❶尼姑：～庵|僧～。❷(Ní)名 姓。

【尼格罗人种】Nígéluó rénzhǒng 世界三大人种之一,体质特征是皮肤黑、嘴唇厚、鼻子扁宽、头发鬈曲,主要分布在非洲、大洋洲、印度南部、斯里兰卡等地。也叫黑种、尼格罗－澳大利亚人种。[尼格罗,英 Negro]

【尼姑】nígū 名 出家修行的女佛教徒。

【尼古丁】nígǔdīng 名 有机化合物,是含于烟草中的生物碱,化学式 $C_{10}H_{14}N_2$。有刺激性气味,有剧毒,能使神经系统先兴奋然后抑制,农业上用作杀虫剂。[英 nicotine]

【尼龙】nílóng 名 锦纶的旧称。[英 nylon]

坭 ní 用于地名：白～(在广东)。

呢 ní 呢子：毛～|厚～|大衣～|绒哔叽。

另见 986 页 ·ne。

【呢喃】nínán 拟声 ❶形容燕子的叫声。❷〈书〉形容小声说话的声音：～细语。

【呢绒】níróng 名 毛织品的统称。泛指用兽毛或人造毛等原料织成的织物。

【呢子】ní·zi 名 一种较厚较密的毛织品,多用来做制服、大衣等。

兒[1] Ní 周朝国名,在今山东滕州东南。

兒[2] Ní 名 姓,同"倪"。

另见 359 页 ér "儿"。

泥 ní ❶名 含水的半固体状的土：～坑|烂～。❷ 半固体状的像泥的东西：印～|枣～|蒜～。❸(Ní)名 姓。

另见 993 页 nì。

【泥巴】níbā 〈方〉名 泥。

【泥饭碗】nífànwǎn 名 比喻不稳定的职业、职位。

【泥工】nígōng 〈方〉名 瓦工。

【泥垢】nígòu 名 泥和污垢：满身～。

【泥浆】níjiāng 名 黏土和水混合成的半流体,通常指泥土和水混合成的半流体。

【泥金】níjīn 名 一种用金属粉末制成的颜料,用来涂饰笺纸,或调和在油漆里涂饰器物。

【泥坑】níkēng 名 烂泥淤积的低洼地。

【泥煤】níméi 名 泥炭。

【泥淖】nínào 名 烂泥；泥坑。也用于比喻。

【泥泞】nínìng ❶形 因有烂泥而不好走：雨后道路～。❷名 淤积的烂泥：汽车陷入～。

【泥牛入海】ní niú rù hǎi 比喻一去不复返。

【泥鳅】ní·qiū 名 鱼,身体圆柱形,尾端侧扁,鳞小,有黏液,背部黑色,有斑点。头小而尖,嘴有须 5 对。常生活在河湖、池沼、水田等处,潜伏泥中。

【泥人】nírén (～儿)名 用黏土捏成的人的形象。

【泥沙俱下】ní shā jù xià 泥土和沙子都跟着流下来,比喻好坏不同的人或事物混杂在一起。

【泥石流】níshíliú 名 山坡上大量泥沙、石块等经山洪冲击而形成的突发性急流。泥石流对建筑物、公路、铁路、农田等有很大破坏作用。

【泥水匠】níshuǐjiàng 名 泥瓦匠。

【泥塑】nísù 名 民间工艺,用黏土捏成各种人物形象。也指用黏土捏成的工艺品。

【泥塑木雕】ní sù mù diāo 见 969 页【木雕泥塑】。

【泥胎】nítāi 名 尚未用金粉(或金箔)、颜料装饰过的泥塑的偶像。

【泥胎儿】nítāir 名 没有经过烧制的陶器坯子。

【泥潭】**nítán** 图 泥坑◇侵略者陷入战争的～。

【泥炭】**nítàn** 图 煤的一种,煤化程度最低,像泥土,黑色、褐色或棕色,是古代埋藏在地下、未完全腐烂分解的植物体。农业上可做有机肥料,工业上用来制煤气、水煤气、甲醇等,也可用作燃料。也叫泥煤。

【泥塘】**nítáng** 图 烂泥淤积的洼地。

【泥土】**nítǔ** 图 ❶ 土壤。❷ 黏土。

【泥腿】**nítuǐ** 图 旧时对农民的蔑称。也说泥腿子。

【泥瓦匠】**níwǎjiàng** 图 做砌砖、盖瓦等工作的建筑工匠。也叫泥水匠。

【泥雨】**níyǔ** 图 水滴中含有大量尘土微粒的雨。

【泥沼】**nízhǎo** 图 烂泥坑。也用于比喻。

【泥足巨人】**nízú jùrén** 比喻实际非常虚弱的庞然大物。

怩 **ní** 见 1004 页[忸怩]。

铌(鈮) **ní** 图 金属元素,符号 Nb(niobium)。钢灰色,质硬,有超导性。用来制耐高温合金、电子管和超导材料等。

倪 **ní** ❶ 见 339 页[端倪]。❷ (Ní)图 姓。

猊 **ní** 见 1304 页[狻猊]。

婗 **ní** 见 1604 页[婴婗]。

輗(輗) **ní** 古代大车辕端与横木相接的关键。

蜺 **ní** 〈书〉❶ 寒蝉。❷ 见 992 页"霓"。

霓(蜺) **ní** 图 大气中有时跟虹同时出现的一种光的现象。形成的原因和虹相同,只是光线在水珠中的反射比形成虹时多了一次,彩带排列的顺序和虹相反,红色在内,紫色在外。颜色比虹淡。也叫副虹。参看 566 页"虹"(hóng)。

【霓虹灯】**níhóngdēng** 图 灯的一种,把氖或氩等稀有气体填充在真空的玻璃外壳中制成,通电时发出红色、蓝色或其他颜色的光。多用作广告灯或信号灯。[霓虹,英 neon]

齯(齯) **ní** 〈书〉老年人牙齿落尽后重生的细齿,古时作为长寿的象征。

鲵(鯢) **ní** 图 大鲵、小鲵的统称。

麛 **ní** 古书上指小鹿。

nǐ （ㄋㄧˇ）

拟(擬) **nǐ** ❶ 囫 设计;起草:～了一个计划草案。❷ 囫 打算;想要:～于明天起程。❸ 模仿:～态|模～。❹ 相比:比～|～于不伦。❺ 猜测;假设:虚～。

【拟订】**nǐdìng** 囫 草拟:～计划|～方案。

【拟定】**nǐdìng** 囫 ❶ 起草制定:～远景规划。❷ 揣测断定。

【拟稿】**nǐ//gǎo** (～儿)囫 起草稿子(多指公文):校长亲自～|秘书拟了一个稿儿。

【拟古】**nǐgǔ** 囫 模仿古代的风格、艺术形式:～之作。

【拟人】**nǐrén** 图 修辞方式,把事物人格化。例如童话里的动物能说话。

【拟声词】**nǐshēngcí** 图 模拟事物的声音的词,如"哗、轰、乒乓、叮咚、扑哧"。也叫象声词。

【拟态】**nǐtài** 图 某些动物的形态、斑纹、颜色等跟另外一种动物、植物或周围自然界的物体相似,借以保护自身,免受侵害的现象。如木叶蝶的外形像枯叶,竹节虫的身体像竹节。

【拟物】**nǐwù** 图 修辞方式,把人比拟成物或把甲物比作乙物。例如说"敌人张牙舞爪"。

【拟议】**nǐyì** ❶ 图 事先的考虑:事实证明了他的～是完全正确的。❷ 囫 草拟:小组一致通过了他所～的工作计划。

【拟音】**nǐyīn** 囫 影视片制作、戏曲表演中模拟自然界和社会生活中的各种音响效果,如雷声、马蹄声等。

【拟于不伦】**nǐ yú bù lún** 拿不能相比的人或事物来比方。

【拟作】**nǐzuò** 图 模拟别人的风格或假托别人的口吻而写的作品。

你 **nǐ** 囮 人称代词。❶ 称对方(一个人)。[注意] 有时也用来指称"你们",

如：～校|～局|～公司。❷ 泛指任何人（有时实际上指我）：他的才学叫～不得不佩服|这孩子要我给他买手风琴，一天到晚老缠着～没完。**注意** "你" 跟 "我" 或 "他" 配合，表示 "这个…" 和 "那个…" 的意思：三个人～看看我，我看看～，谁也没说话|～一条，他一条，一共提出了五六十条建议。

【你们】nǐ·men **代** 人称代词。称不止一个人的对方或包括对方在内的若干人：～歇一会儿，让我们接着干|～几个谁年龄大？

【你死我活】nǐ sǐ wǒ huó 形容斗争非常激烈。

旎 nǐ 见1611页[旖旎]。

儗 nǐ 〈书〉同 "拟"。

薿 nǐ [薿薿] (nǐnǐ) 〈书〉 **形** 形容茂盛：黍稷～～。

nì (ㄋㄧˋ)

伲 nì 〈方〉 **代** 人称代词。我；我们。

泥 nì ❶ **动** 用土、灰等涂抹墙壁或器物：～墙|把炉子一～～|窗户玻璃的四周用油灰～上。❷ 固执：拘～|～古。
另见991页ní。

【泥古】nìgǔ **动** 拘泥古代的制度或说法，不知结合具体情况加以变通：～不化。

【泥子】nì·zi **名** 油漆木器或铁器时为了使表面平整而涂抹的泥状物，通常用桐油、石膏、松香等制成。也作腻子。

昵(暱) nì 亲热：亲～。

【昵称】nìchēng **名** 表示亲昵的称呼。

逆 nì ❶ **动** 向着相反的方向(跟 "顺" 相对)：～风|～流|～定理|倒行～施。❷ 抵触；不顺从：忤～|～耳|顺者昌，～者亡。❸ 不顺当：～境。❹ 背叛者：叛～|～产。❺ 〈书〉迎接：～旅|～战。❻ 事先：～料|～知。

【逆差】nìchā **名** 对外贸易上输入超过输出的贸易差额(跟 "顺差" 相对)。

【逆产】nìchǎn **名** 背叛国家民族的人的财产：抄没～。

【逆定理】nìdìnglǐ **名** 将某一定理的条件和结论互换所得的定理就是原来定理的逆定理。如定理 "在一个三角形中，如果两条边相等，它们所对的角也相等"，它的逆定理是 "在一个三角形中，如果两个角相等，则它们所对的边也相等"。

【逆耳】nì'ěr **动** (某些尖锐中肯的话)听起来使人感到不舒服：忠言～|～之言。

【逆反】nìfǎn **动** 一种心理现象，对事情所作的反应跟当事人的意愿或多数人的反应完全相反。如有的人的逆反心理表现为别人都反对的事，他偏要赞成；越是不希望他做的事，他越是要做。

【逆反应】nìfǎnyìng **名** 在可逆反应中向反应物方向进行的化学反应。

【逆风】nìfēng ❶ (-//-) **动** 迎面对着风：扬场时不要站在～的位置。❷ **名** 跟行进方向相反的风：遇上了～，船就走不快了。

【逆光】nìguāng **动** 摄影时利用光线的一种方法。光线从被摄物体的背后(即对着摄影机镜头)而来，运用逆光对勾画物体轮廓和表现透明的或毛茸茸的物体，效果较好。

【逆价】nìjià **名** 销售价低于收购价的现象叫做逆价(跟 "顺价" 相对)。

【逆境】nìjìng **名** 不顺利的境遇：身处～。

【逆来顺受】nì lái shùn shòu 对别人的欺负或无理的待遇采取忍受的态度。

【逆料】nìliào **动** 预料：事态的发展难以～。

【逆流】nìliú ❶ **动** 逆着水流方向：～而上。❷ **名** 跟主流方向相反的水流，用来比喻反动的潮流。

【逆旅】nìlǚ 〈书〉 **名** 旅馆。

【逆时针】nìshízhēn **形** 属性词。跟钟表上时针的运转方向相反的：～方向。

【逆市】nìshì **动** 跟整个市场的行情走势相违：这只股票在大盘连日下跌时仍～上涨。

【逆水】nì//shuǐ **动** (行驶或游动的方向)跟水流方向相反(跟 "顺水" 相对)。

【逆水行舟】nì shuǐ xíng zhōu 谚语："逆水行舟，不进则退"。比喻学习或做事就好像逆水行船，不努力就要退步。

【逆温层】nìwēncéng **名** 在对流层中，一般情况下，距离地面越高，气温越低，但有时在某一层空气中出现气温随高度增高而增高或保持不变的现象，有这种现象的大气层就叫做逆温层。

【逆向】nìxiàng 动 反着原来的或规定的方向：～行驶。

【逆行】nìxíng 动（车辆等）反着规定的方向走：单行线，车辆不得～。

【逆序】nìxù 名 跟通常相反的排列次序：～编排｜～词典（按～排列）。也说倒序。

【逆运算】nìyùnsuàn 动 在一个等式中，用相反的运算方法，从得数求出原式中某一个数的方法。如在 $2+4=6$ 的等式中，可以用减号由得数 6 求出该式中的加数 2 或加数 4。

【逆转】nìzhuǎn 动 向相反的方向或坏的方面转变；倒转：局势～｜自然规律不可～。

【逆子】nìzǐ 名 忤逆不孝的儿子。

匿 nì 隐藏；不让人知道：隐～｜～名｜居深山｜～影藏形。

【匿藏】nìcáng 动 隐藏；藏匿：～逃犯｜枪支弹药。

【匿迹】nìjì 动 躲藏起来，不露形迹：销声～｜～海外。

【匿名】nìmíng 动 不具名或不写真实姓名：～信｜～举报。

【匿名信】nìmíngxìn 名 不具名或不写真实姓名的信。

【匿影藏形】nì yǐng cáng xíng 隐藏形迹，不露真相。也说匿影潜形。

【匿影潜形】nì yǐng qián xíng 匿影藏形。

堄 nì 见 1040 页〖埤堄〗。

怒 nì〈书〉忧思。

睨 nì〈书〉斜着眼睛看：睥～｜～视。

腻（膩）nì ❶ 形 食品中油脂过多：油～｜炖肉有点～。❷ 动 因食品中油脂过多而使人不想吃：肥肉～人。❸ 形 腻烦；厌烦：～得慌｜他那些话我都听～了。❹ 形 细致：细～。❺ 形 黏：油漆布沾手很～｜～友。❻ 污垢：尘～｜垢～。

【腻虫】nìchóng 名 蚜虫的通称。

【腻烦】nì·fan〈口〉❶ 形 因次数过多或时间过长而感觉厌烦：老哼这个小曲儿你不觉得～吗？｜等了半天还不见人来，他心里有点儿～了。❷ 动 厌恶：他身着打扮，真叫人～。

【腻歪】nì·wai〈方〉❶ 形 腻烦①。❷ 动 腻烦②。

【腻味】nì·wei〈方〉❶ 形 腻烦①。❷ 动 腻烦②。

【腻友】nìyǒu〈书〉名 亲密的朋友。

【腻子】nì·zi 同"泥子"（nì·zi）。

溺 nì ❶ 动 淹没在水里：～死。❷ 沉迷不悟;过分：～信｜～爱。
另见 999 页nào。

【溺爱】nì'ài 动 过分宠爱（自己的孩子）。

【溺水】nìshuǐ 动 淹没在水里：～身亡。

【溺婴】nìyīng 动 把刚生下来的婴儿淹死叫溺婴。

榸 nì 〖榸木〗(nìmù) 名 八角枫。

蠤（蠤）nì 名 中医指虫咬的病。参看 1622 页〖阴蠤〗。

拈 niān 动 用两个手指头夹取（东西）；捏：～阄儿｜～弓搭箭｜从罐子里拈出一块糖◇～轻怕重。

【拈花惹草】niān huā rě cǎo 指男子乱搞男女关系或狎妓。也说惹草拈花。

【拈阄儿】niān//jiūr 动 抓阄儿。

【拈轻怕重】niān qīng pà zhòng 接受工作时挑拣轻易的，害怕繁重的。

【拈香】niānxiāng 动 信神佛的人到寺庙里烧香。

蔫 niān 形 ❶ 花木、水果等因失去所含的水分而萎缩：常浇水，别让花儿～了｜苹果搁～了，皱皱巴巴的。❷ 精神不振：孩子有些～，像是生病了。❸〈方〉（性子）慢;不爽利：～性子｜别看他人～，却很有主见。

【蔫不唧】niān·bujī（～儿的）〈方〉 形 状态词。❶ 形容人情绪低落、精神不振的样子：他这两天老那么～的，是不是哪儿不舒服了？❷ 不声不响;悄悄：我还想跟他再谈谈，没想到他～地走了。

【蔫呼呼】niānhūhū（～的）形 状态词。形容人性子慢，做事不干脆利索。

【蔫坏】niānhuài 形 指惯于暗中淘气或暗中使坏：这个人～，你要留神。

【蔫头耷脑】niān tóu dā nǎo（～的）形容

耷拉着脑袋,没精打采的样子:他干了一天的活,累得~的,连句话也不愿意说◇地里的茄秧被晒得~的。

nián (ㄋㄧㄢˊ)

年(秊) nián ❶ 图 时间的单位,公历1年是地球绕太阳一周的时间,平年365天,闰年366天,每4年有1个闰年:今~|去~。❷ 量 用于计算年数:三~五载|在广州住了两~。❸ 图 每年的:~会|~鉴|~产量。❹ 岁数:~纪|~龄|忘~交|益寿延~。❺ 一生中按年龄划分的阶段:童~|幼~|少~|青~|中~|老~。❻ 时期;时代:近~|明朝末~|歉~。❽ 图 年节:新~|过~|给大家拜~。❾ 有关年节的(用品):~糕|~货|~画。❿ 科举时代同年登科的关系:~兄|~谊|同~。⓫ (Nián)图 姓。

【年辈】niánbèi 图 年龄和辈分:~相当。

【年表】niánbiǎo 图 将重大历史事件按年月编排的表格:世界历史~。

【年菜】niáncài 图 过农历年时做的比平日丰盛的蔬菜鱼肉等食品。

【年成】nián·cheng 图 一年的收成:~不坏|今年~好~。

【年齿】niánchǐ 〈书〉图 年纪:~渐长(zhǎng)。

【年初】niánchū 图 一年开头的一段时间。

【年代】niándài 图 ❶ 时代;时期;时间(多指过去较远的):~久远|黑暗~|这件古董恐怕有~了。❷ 每一世纪中从"…十"到"…九"的十年,如1990—1999 是 20 世纪 90 年代。

【年底】niándǐ 图 一年最后的一段时间。

【年度】niándù 图 根据业务性质和需要而有一定起讫日期的十二个月:会计~|财政~|~计划|~预算。

【年饭】niánfàn 图 农历除夕全家人团聚在一起吃的饭。

【年份】niánfèn 图 ❶ 指某一年:这两笔开支不在一个~。❷ 经历年代的长短:这件瓷器的~比那件久。

【年富力强】nián fù lì qiáng 年纪轻,精力旺盛(富:指未来的年岁多)。

【年高德劭】nián gāo dé shào 年纪大,品德好。

【年糕】niángāo 图 用黏性大的米或米粉蒸成的糕,是农历年的应时食品。

【年根】niángēn (~儿)〈口〉图 年底。

【年庚】niángēng 图 指一个人出生的年月日时。

【年关】niánguān 图 年底。旧例在农历年底结账,欠租、负债的人觉得过年像过关一样难,所以称为年关。

【年光】niánguāng 图 ❶ 年华;时光:~易逝。❷ 年成;年景:今年~不好。❸〈方〉年头儿:那~,不得不靠借债过日子。

【年号】niánhào 图 纪年的名称,多指帝王用的,如"贞观"是唐太宗(李世民)的年号,现在也指公元纪年。

【年华】niánhuá 图 时光;年岁:虚度~|青春~。

【年画】niánhuà 图 民间过农历年时,张贴的表现欢乐吉庆气象的图画。

【年会】niánhuì 图 (社会团体等)一年一度举行的集会。

【年货】niánhuò 图 过农历年时的应时物品,如糕点、年画、花炮等。

【年级】niánjí 图 学校中依据学生修业年限分成的班级,如规定小学修业年限为六年,学校中就编为六个年级。

【年纪】niánjì 图 (人的)年龄;岁数:~轻轻|小小~,懂得什么。

【年假】niánjià 图 ❶ 寒假。❷ 过年期间放的假。

【年间】niánjiān 图 指在某个时期,某个年代内:唐宋~|明朝洪武~。

【年检】niánjiǎn 动 每年一次的例行检查或检验:汽车~|对金融机构进行~。

【年鉴】niánjiàn 图 汇集截至出版年为止(着重最近一年)的各方面或某一方面的情况、统计等资料的参考书,一般逐年出版,如世界年鉴、经济年鉴。

【年节】niánjié 图 农历新年;春节。

【年馑】niánjǐn 〈方〉图 荒年。

【年景】niánjǐng 图 ❶ 年成:好~|正常~。❷ 过年的景象:一派热闹的~。

【年均】niánjūn 动 按年平均计算:~增长率。

【年来】niánlái 图 一年以来;近年以来:~这里的旅游业有很大的发展。

【年历】niánlì 名 印有一年的月份、星期、日期、节气等的印刷品：～卡片。

【年利】niánlì 名 年息。

【年龄】niánlíng 名 人或动植物已经生存的年数：入学～|退休～|根据年轮可以知道树木的～◇科学家认为地球的～至少有四十五亿年。

【年轮】niánlún 名 木本植物的主干由于季节变化生长快慢不同，在木质部的断面显出的环形纹理。年轮的总数大体相当于树的年龄。

【年迈】niánmài 形 年纪老：～力衰。

【年貌】niánmào 名 年岁和相貌：两人～相当。

【年末】niánmò 名 一年末尾的一段时间；年底。

【年谱】niánpǔ 名 用编年体裁记载某个人生平事迹的著作。

【年青】niánqīng 形 处在青少年时期：～的一代|你正～，应把精力用到学习上去。

【年轻】niánqīng 形 ❶ 年纪不大（多指十几岁到二十几岁）：～人|～力壮◇～的学科。❷ 年纪比相比较的对象小：他今年四十，你比他小～。

【年三十】niánsānshí 名 大年三十。

【年少】niánshào ❶ 形 年轻①：青春|～有为。❷ 名 青少年（多指男子）：翩翩～。

【年深日久】nián shēn rì jiǔ 指时间久远：这已经是～的事情了。也说年深月久、年深岁久。

【年审】niánshěn 动 每年一次的例行审查或审验：～不合格的单位要限期整改。

【年时】niánshí 名 ❶〈方〉年头儿②。❷〈书〉往年。

【年时】nián·shi〈方〉去年：他们是～才结婚的。

【年事】niánshì〈书〉名 年纪：～已高。

【年岁】niánsuì 名 ❶ 年纪：他虽然上了～，干起活儿来可不服老。❷ 年代；年头儿：从前遇到灾荒～，就得出外逃荒|因为～久远，大家早把这件事忘了。❸〈方〉年成：他问了我家乡的～如何。

【年头儿】niántóur 名 ❶ 年份：我到北京已经三个～了（前年到北京，前年、去年、今年是三个年头儿）。❷ 时间（指年数）：～可不短了|他干这一行，有～了。❸ 时代：

这～可不兴那一套了。❹ 年成：今年～好，麦子比去年多收两三成。

【年尾】niánwěi 名 年底；年终。

【年息】niánxī 名 按年计算的利息。

【年下】nián·xia〈口〉过农历年的时候（多指年底和年初的一段时间）。

【年限】niánxiàn 名 规定的或作为一般标准的年数：修业～|延长农机的使用～。

【年薪】niánxīn 名 按年计算的工资。

【年夜】niányè 名 农历一年最后一天的夜晚：～饭。

【年月】nián·yue 名 ❶ 时代；年头儿：战争～。❷ 日子；岁月：漫长的～。

【年中】niánzhōng 名 一年里中间的一段，多指六七月间：～考核。

【年终】niánzhōng 名 一年的末了：～结账|～鉴定。

【年资】niánzī 名 年龄和资历：她是本医院～较高的医生。

【年尊】niánzūn 形 年纪大：～辈长(zhǎng)。

粘 nián ❶ 同"黏"。❷ (Nián)名 姓。另见 1710 页 zhān。

鲇(鮎、鯰) nián 名 鲇鱼，体表多黏液，无鳞，背部苍黑色，头扁口阔，有须两对，尾圆而短，不分叉，背鳍小，臀鳍与尾鳍相连。生活在淡水中，吃小鱼、贝类、蛙等。

黏 nián 形 像糨糊或胶水等所具有的、能使一个物体附着在另一物体上的性质：～液|～米|胶水很～。

【黏虫】niánchóng 名 昆虫，成虫前翅中央有两个淡黄色的圆形斑纹，后翅尖与边缘黑灰色，昼伏夜出。幼虫头部褐色，背上和两侧有黄黑色纵线。是稻、麦、高粱、玉米等的主要害虫。有的地区叫蚧蛴。

【黏度】niándù 名 液体或半流体流动难易的程度，越难流动的物质黏度越大，如胶水、凡士林等都是黏度较大的物质。

【黏附】niánfù 动 黏性的东西附着在其他物体上。

【黏合】niánhé 动 黏性的东西使两个或几个物体粘(zhān)在一起：～剂。

【黏糊】nián·hu 形 ❶ 形容东西黏：大米粥里头加点儿白薯又～又好吃|他刚糊完窗户，弄了黏黏糊糊的一手糨子。❷ 形容人行动缓慢，精神不振作：别看他平时很～，

有事的时候比谁都利索。‖ 也说黏糊糊、黏糊糊儿的(niánhūhūr·de)。

【黏结】niánjié 励 黏合在一起：~力|互相~。

【黏菌】niánjūn 名 介于动物和植物之间的微生物，形态各异，无叶绿素，多数为腐生，少数为寄生，是研究生物化学、遗传学的重要材料。

【黏米】niánmǐ 〈方〉名 黄米。

【黏膜】niánmó 名 口腔、气管、胃、肠、尿道等器官里面的一层薄膜，内有血管和神经等，能分泌黏液。

【黏儿】niánr 〈方〉名 像糨糊或胶的半流体：枣~|松树出~了。

【黏土】niántǔ 名 含沙粒很少，有黏性的土壤。养分较丰富，能保水、保肥，但通气透水性差，耕种时需要改良。

【黏涎】nián·xian 〈方〉形 (说话、动作、表演等)不爽快；冗长而无味。

【黏涎子】niánxián·zi 〈方〉名 人嘴里的黏液。

【黏液】niányè 名 人和动植物体内分泌出来的黏稠液体。

【黏着】niánzhuó 励 用胶质把物体固定在一起：~力。

【黏着语】niánzhuóyǔ 名 词的语法意义主要由附加在词根上的词缀来表示的语言，如土耳其语、日语等。

niǎn （ㄋㄧㄢˇ）

涊 niǎn 〈书〉形容出汗。

捻(撚) niǎn ❶ 励 用手指搓：~线|~绳子。❷ (~儿)名 捻子：纸~儿|灯~儿。❸ 〈方〉励 靥：~河泥。

【捻捻转儿】niǎn·nianzhuànr 名 儿童玩具，用木头或塑料等制成，扁圆形，中间有轴，一头尖，玩时用手捻轴使旋转。

【捻子】niǎn·zi 名 用纸搓成的条状物或用线织成的带状物：药~|纸~。

辇(輦) niǎn 古代用人拉的车，后来多指皇帝、皇后坐的车：龙车凤~。

辗(輾) niǎn 〈书〉同"碾"。另见 1712 页 zhǎn。

撵(攆) niǎn 励 ❶ 驱逐；赶走：把他~出去。❷ 〈方〉追赶：他走得快，我~不上他。

碾 niǎn ❶ 名 碾子：石~。❷ 励 滚动碾磙子等使谷物去皮、破碎，或使其他物体破碎、变平：~米|把盐粒一~碎。❸ 〈书〉磨制；雕琢玉石。

【碾场】niǎn//cháng 〈方〉励 在场上轧谷物；打场。

【碾坊】niǎnfáng 名 把谷物碾成米或面的作坊。也作碾房。

【碾房】niǎnfáng 同"碾坊"。

【碾磙子】niǎngǔn·zi 名 碾子①的主要部分，是一个圆柱形的石头，可以轧碎粮食或去掉粮食的皮。也叫碾砣。

【碾盘】niǎnpán 名 承受碾磙子的石头底盘。

【碾砣】niǎntuó 名 碾磙子。

【碾子】niǎn·zi 名 ❶ 轧碎谷物或去掉谷物皮的石制工具，由碾磙子和碾盘组成。❷ 泛指碾轧东西的工具：汽~|药~。

蹨 niǎn 〈方〉励 踩。

niàn （ㄋㄧㄢˋ）

廿 niàn 数 二十。

念[1] niàn ❶ 励 想念：惦~|怀~|你回来得正好，娘正~着你呢! ❷ 念头：杂~|一~之差。❸ (Niàn)名 姓。

念[2] (唸) niàn ❶ 读①：~信|~口诀|他把上级的指示~给大家听。❷ 读③：他~过中学。

念[3] niàn 数 "廿"的大写。

【念白】niànbái 名 道白。

【念叨】niàn·dao 励 ❶ 因惦记或想念而在谈话中提到：这位就是我们常~的老校长。❷ 〈方〉说；谈论：我有个事儿跟大家~~。‖ 也作念道。

【念道】niàn·dao 同"念叨"。

【念佛】niànfó 励 信佛的人念"阿弥陀佛"或"南无(nāmó)阿弥陀佛"：吃斋~|诵经~。

【念经】niàn//jīng 励 信仰宗教的人朗读

或背诵经文。

【念旧】niànjiù 劻 不忘旧日的交情;要是他还~,应该出席这次聚会。

【念念不忘】niànniàn bù wàng 牢记在心,时刻不忘:他所~的是祖国的命运和民族的前途。

【念念有词】niànniàn yǒu cí ❶ 旧时迷信的人小声念咒语或说祈祷的话。❷ 指人不停地自言自语。

【念书】niàn//shū 劻 读书。

【念头】niàn·tou 图 心里的打算:转~|邪恶的~。

【念物】niàn·wù 〈方〉图 纪念品:这本画册送给你做个~吧。

【念心儿】niàn·xinr 〈方〉图 纪念品。也说念想儿(niàn·xiangr)。

【念珠】niànzhū (~儿)图 数珠(shùzhū)。

埝 niàn 图 田里或浅水里用来挡水的土埂:堤~。

niáng （ㄋㄧㄤ）

娘（孃）niáng ❶ 图 母亲:爹~|亲~。❷ 称长一辈或年长的已婚妇女:大~|婶~。❸ 年轻妇女:渔~|新~。

【娘家】niáng·jia 图 已婚女子的自己父母的家(区别于"婆家"):回~。

【娘舅】niángjiù 〈方〉图 舅父。

【娘娘】niáng·niang 图 ❶ 指皇后或贵妃:正宫~。❷ 信神的人称呼女神:~庙。

【娘娘腔】niáng·niangqiāng 图 指男人像女人那样细声细气说话的声音和腔调。

【娘儿】niángr 〈口〉图 长辈妇女和男女晚辈的合称,如母亲和子女、姑母和侄子侄女(后面必带数量词):~俩|三个合计了半天,才想出个好主意来。

【娘儿们】niángr·men ❶ 〈口〉图 长辈妇女和男女晚辈的合称。❷ 〈方〉称成年妇女(含轻蔑意,可以用于单数)。❸ 〈方〉妻子。

【娘胎】niángtāi 图 怀着胎儿的母体。人尚未出生,说"在娘胎里";已经出生,说"出了娘胎";生来就具有某种特征,说"从娘胎带来的"。

【娘姨】niángyí 〈方〉图 保姆;女佣人。

【娘子】niáng·zǐ 图 ❶ 〈方〉妻子。❷ 对中青年妇女的尊称(多见于早期白话)。

【娘子军】niáng·zǐjūn 图 隋末李渊的女儿统率的军队号称娘子军,后用来泛称由女子组成的队伍。

niàng （ㄋㄧㄤ）

酿（釀）niàng ❶ 劻 酿造:~酒。❷ 劻 蜜蜂做蜜:~蜜。❸ 劻 逐渐形成:~成大祸。❹ 劻 烹调方法,将肉、鱼、虾等剁碎做成的馅儿填或塞入掏空的柿子椒、冬瓜等里面,然后蒸或用油煎。❺ 酒:佳~。

【酿母菌】niàngmǔjūn 图 酵母。

【酿热物】niàngrèwù 图 发酵时能产生热的有机物,如牛马粪、稻草、麦秸、玉米秸、草叶等。可以用来为温床加热。

【酿造】niàngzào 劻 利用发酵作用制造(酒、醋、酱油等)。

niǎo （ㄋㄧㄠ）

鸟（鳥）niǎo 图 ❶ 脊椎动物的一大类,体温恒定,卵生,嘴内无齿,全身有羽毛,胸部有龙骨突起,前肢变成翼,后肢能行走。一般的鸟都会飞,也有的两翼退化,不能飞行。如燕、鹰、鸡、鸭、鸵鸟等都属于鸟类。❷ (Niǎo)姓。
另见 313 页 diǎo。

【鸟尽弓藏】niǎo jìn gōng cáng 比喻事情成功以后,把曾经出过力的人一脚踢开。参看 1382 页〖兔死狗烹〗。

【鸟瞰】niǎokàn ❶ 劻 从高处往下看:登上西山,可以~整个京城。❷ 图 事物的概括描述(多用于文章标题):世界大势~。

【鸟枪】niǎoqiāng 图 ❶ 打鸟用的火枪。❷ 气枪。

【鸟枪换炮】niǎoqiāng huàn pào 比喻情况有很大的好转或条件有很大的改善。

【鸟儿】niǎor 〈口〉图 指较小的能飞的鸟。

【鸟兽散】niǎo shòu sàn 比喻成群的人四处逃散(含贬义):如~|作~。

【鸟语花香】niǎo yǔ huā xiāng 鸟儿叫,花儿飘香,多形容春天魅人的景象:桃红柳绿,～。

茑(蔦) niǎo [茑萝](niǎoluó) 名 一年生草本植物,茎细长而缠绕,叶子互生,花红色或白色,蒴果卵圆形。供观赏。

袅(褭) niǎo 〈书〉同"袅"。

袅(嫋、嬝、嬲) niǎo 细长柔弱:～娜。

【袅袅】niǎoniǎo 形 ❶ 形容烟气缭绕上升:炊烟～|～腾腾的烟雾。❷ 形容细长柔软的东西随风摇摆:垂杨～。❸ 形容声音延长不绝:余音～。

【袅袅婷婷】niǎoniǎotíngtíng 〈书〉形 形容女子走路体态轻盈柔美。

【袅娜】niǎonuó (旧读 niǎonuǒ)〈书〉形 ❶ 形容草木柔软细长:春风吹着～的柳丝。❷ 形容女子姿态优美。

【袅绕】niǎorào 〈书〉动 缭绕不断:歌声～。

嬲 niǎo 〈书〉❶ 戏弄。❷ 纠缠。

niào (ㄋㄧㄠˋ)

尿 niào ❶ 名 人和动物体内,由肾脏产生,从尿道排泄出来的液体。❷ 动 撒尿:～尿。
　　另见 1305 页 suī。

【尿布】niàobù 名 包裹婴儿身体下部或铺在婴儿床上接尿用的布。有的地区叫褯子(jiè·zi)。

【尿床】niào∥chuáng 动 在床上遗尿。

【尿道】niàodào 名 把尿输送出体外的管道,自膀胱通向体外,有括约肌控制开闭。(图见 941 页"人的泌尿器")

【尿毒症】niàodúzhèng 名 由于肾功能衰竭,体内废物不能充分排除而引起全身中毒的病症。症状是头晕、恶心、呕吐、抽搐、昏迷等。

【尿检】niàojiǎn 动 ❶ 通过化验尿样检查健康情况。❷ 特指检验参加体育比赛的运动员尿液中是否含有违禁药品。

【尿炕】niào∥kàng 动 在炕上遗尿。

【尿素】niàosù 名 ❶ 有机化合物,化学式 $CO(NH_2)_2$。无色晶体,溶于水,人尿中

约含有 2%。用作肥料、饲料等,也用于制造炸药、塑料。也叫脲(niào)。

【尿血】niào∥xiě 动 尿中带血或只排血液而没有尿。

【尿液】niàoyè 名 尿①。

脲 niào 名 尿素。

溺 niào 同"尿"(niào)。
　　另见 994 页 nì。

niē (ㄋㄧㄝ)

捏(揑) niē ❶ 动 用拇指和别的手指夹:～住鼻子|～着张钞票|把米里的虫子～出来◇命～在人家手里。❷ 动 用手指把软东西弄成一定的形状:～泥人儿|～饺子。❸ 动 使合在一起:～合|两人性格不合,～不到一块儿去。❹ 故意把事实说成是事实:～造。

【捏合】niēhé 动 ❶ 使合在一起。❷ 凭空虚造;捏造(多见于早期白话)。

【捏积】niējī 动 捏脊。

【捏脊】niējǐ 动 中医指用手捏小儿的脊柱两旁以治疗消化不良、腹泻等疾病。也说捏积。

【捏弄】niē·nong 动 ❶ 用手来回捏:说话时,她下意识地～着胸前的纽扣。❷ 摆布;耍弄:我们得自己拿主意,不能由着他们～。❸ 私下里商量:这事他俩一～,就那么办了。❹ 编造;捏造。

【捏一把汗】niē yī bǎ hàn 因担心而手心出汗,形容心情极度紧张:杂技演员表演走钢丝,观众都替他～。也说捏把汗。

【捏造】niēzào 动 假造事实:～罪名。

nié (ㄋㄧㄝˊ)

苶 nié 〈方〉形 疲倦;精神不振:发～|他今天有点～。

niè (ㄋㄧㄝˋ)

乜 Niè 名 姓。
　　另见 949 页 miē。

陧(隉) niè 见 1448 页【杌陧】。

聂(聶) Niè 名 姓。

臬 niè 〈书〉❶ 射箭的目标;靶子。❷ 古代测日影的标杆。❸ 法度;标准。
【臬兀】nièwù 同"鳃臲"(nièwù)。

涅 niè 〈书〉❶ 可做黑色染料的矾石。❷ 染黑。
【涅而不缁】niè ér bù zī 用涅染也染不黑(语出《论语·阳货》)。比喻品格高尚,不受外界污染。
【涅槃】nièpán 动 佛教用语,原指超脱生死的境界,现用作死(指佛或僧人)的代称。[梵 nirvāṇa]

薴 niè 见 297 页【地薴】。

啮(嚙、齧、囓) niè 〈书〉(鼠、兔等动物)用牙啃或咬。
【啮合】nièhé 动 上下牙齿咬紧;像上下牙齿那样咬紧:两个齿轮～得很严密。
【啮噬】nièshì 动 咬,比喻折磨:失子的悲痛,～着母亲的心。

笯(籋) niè 〈书〉同"镊"。

嗫(囁) niè [嗫嚅](nièrú)〈书〉形 形容想说话而又吞吞吐吐不敢说出来的样子。

嵲 niè 见 317 页[嵽嵲]。

槷 niè 〈书〉❶ 箭靶子的中心。❷ 古代测日影的标杆。

镊(鑷) niè ❶ 镊子。❷ 动(用镊子)夹:把瓶子里的酒精棉球～出来。
【镊子】niè·zi 名 拔除毛或夹取细小东西的用具,一般用金属制成。

镍(鎳) niè 名 金属元素,符号 Ni(niccolum)。银白色,质坚韧,延展性强,有磁性,在常温中不跟空气中的氧起作用。用来制特种钢和其他合金、催化剂等,也用于电镀。
【镍币】nièbì 名 镍质的货币。

颞(顳) niè 见下。
【颞骨】nièqǔ 名 颞颥部的骨头,位于顶骨

的下方,形状扁平。
【颞颥】nièrú 名 头颅的两侧靠近耳朵上方的部位。

鳃(鳃) niè [鳃臲](nièwù)〈书〉形 不安定。也作臬兀。

蹑(躡) niè ❶ 动 放轻(脚步):他轻轻地站起来,～着脚走过去。❷ 追随;跟踪:～踪。❸〈书〉踩:～足。
【蹑手蹑脚】niè shǒu niè jiǎo (～的)形容走路时脚步放得很轻:他～地走进了病房。
【蹑踪】nièzōng 〈书〉动 追踪。
【蹑足】nièzú 动 ❶ 放轻脚步:他～走到门口。❷〈书〉插足,比喻参加:～其间(参加进去)。

孽(孼) niè ❶ 邪恶:妖～。❷ 罪恶:造～|罪～。❸〈书〉不忠或不孝:～臣|～子。
【孽根】nièɡēn 名 罪恶的根源;祸根。
【孽海】nièhǎi 名 业海。
【孽债】nièzhài 名 造孽所负的债(迷信的人认为造孽会遭到报应,犯下过错一定会受到惩罚,就像欠债一定要偿还一样)。
【孽障】nièzhàng 名 业障。
【孽种】nièzhǒng ❶ 名 祸根。❷ 旧时长辈骂不肖子弟为孽种。

蘖 niè 树枝砍去后又长出来的新芽,泛指植物由茎的基部长出的分枝。

蘗(糵) niè 〈书〉酿酒的曲。

nín (ㄋㄧㄣˊ)

恁 nín 同"您"(多见于早期白话)。另见 989 页 nèn。

您 nín 代 人称代词。你;你们(含敬意):老师,～早!|～二位想吃点儿什么?

níng (ㄋㄧㄥˊ)

宁(寧、❶-❹甯) níng ❶ 安宁:～静|坐卧不～。❷〈书〉使安宁:～边(使边境不受侵扰)|息事～人。❸〈书〉省视:探望(父母):～

亲|归~。❹(Níng)名江苏南京的别称：沪~铁路。❺(Níng)名姓。

另见 1002 页 nìng。"甯"另见 1002 页 nìng。

【宁靖】níngjìng〈书〉形(地方秩序)安定。

【宁静】níngjìng 形(环境、心情)安静：游人很少,湖边十分~|心里渐渐~下来。

【宁玛派】níngmǎpài 名藏传佛教的重要宗派之一,俗称红教。

【宁亲】níngqīn〈书〉动省(xǐng)亲。

【宁日】níngrì名安宁的日子：匪患不除,永无~。

【宁帖】níngtiē 形(心境)宁静；安稳：夜间总咳嗽,睡不~。

【宁馨儿】níngxīn'ér〈书〉名原意是"这么样的孩子",后来用作赞美孩子的话。

拧(擰) níng 动❶用两只手握住物体的两端分别向相反的方向用力转动：~手巾|把麻~成绳子。❷用两三个手指扭住皮肉使劲转动：~了他一把。

另见 1002 页 nǐng；1002 页 nìng。

苧(薴) níng 名有机化合物,化学式 $C_{10}H_{16}$。无色液体,有香味,存在于柑橘类的果皮以及松科植物中。用来制香料等。[英 limonene]

另见 1781 页 zhù"苎"。

咛(嚀) níng 见 318 页【叮咛】。

狞(獰) níng(面目)凶恶：~恶|~笑。

【狞笑】níngxiào 动凶恶地笑：发出一阵~。

柠(檸) níng [柠檬](níngméng) 名❶柠檬树,常绿小乔木,叶子长椭圆形,质厚,花单生,外面粉红色,里面白色。果实长椭圆形或卵形,果肉味极酸,可制饮料,果皮黄色,可提取柠檬油。❷这种植物的果实。

聍(聹) níng 见 319 页【耵聍】。

髻(鬡) níng 见 1736 页[鬇髻]。

凝 níng ❶动凝结：~固|冷~|窗户上了一层冰花。❷注意力集中：~思|~视。

【凝冻】níngdòng 动凝结；冻结：河水~。

【凝固】nínggù 动❶由液体变成固体：蛋白质遇热会~。❷比喻固定不变；停滞：思想~|~的目光。

【凝固点】nínggùdiǎn 名晶体物质凝固时的温度,也就是这种物质液态和固态可以平衡共存的温度。

【凝固汽油弹】nínggù qìyóudàn 一种爆炸时能发出高温火焰的炸弹,内装用汽油和其他化学药品制成的胶状物,爆炸时向四周溅射,发出1000℃左右的高温,并能粘在其他物体上长时间燃烧。

【凝固热】nínggùrè 名单位质量的某种物质在熔点时,从液态变成固态所放出的热量,叫做这种物质的凝固热。

【凝合】nínghé 动凝结,聚合。

【凝华】nínghuá 动物质由气态不经液态直接变为固态。

【凝集】níngjí 动凝结在一起；聚集：心中疑云~|诗篇~着诗人对祖国的真挚感情。

【凝结】níngjié 动由气体变成液体或由液体变成固体：池面上~了薄薄的一层冰◇鲜血~成的战斗友谊。

【凝聚】níngjù 动❶气体由稀变浓或变成液体：荷叶上~着晶莹的露珠。❷聚集；积聚：这部作品~着他一生的心血。

【凝聚力】níngjùlì 名❶内聚力。❷泛指使人或物聚集到一起的力量：增强社会和民族的~。

【凝聚体】níngjùtǐ 名物理学上指固体和液体。

【凝练(凝炼)】níngliàn 形(文字)紧凑简练：文笔~。

【凝眸】níngmóu〈书〉动凝视：~远望。

【凝目】níngmù 动目不转睛地(看)：~注视。

【凝神】níngshén 动聚精会神：~思索|~端详。

【凝视】níngshì 动聚精会神地看：~着对方。

【凝思】níngsī 动集中精神思考：闭目~。

【凝缩】níngsuō 动凝聚,紧缩：丰富的人生经验~成宝贵的智慧。

【凝望】níngwàng 动目不转睛地看；注目远望。

【凝想】níngxiǎng 动凝思：他时而奋笔疾书,时而又搁笔~。

【凝脂】níngzhī〈书〉名凝固了的油脂,多用来比喻洁白细嫩的皮肤：肤如～。

【凝滞】níngzhì 〈动〉❶ 停止流动；不灵活：两颗～的眼珠出神地望着窗外。❷〈书〉凝聚。

【凝重】níngzhòng 〈形〉❶ 端庄；庄重：雍容～|神态～。❷（声音）浑厚：～深沉的乐曲|声音～有力。❸ 浓重：～的乌云。

nǐng （ㄋㄧㄥˇ）

拧（擰） nǐng ❶〈动〉控制住物体并向里转或向外转：～螺丝|墨水瓶盖儿太紧，～不开了。❷〈形〉颠倒；错：他想说"狗嘴里长不出象牙"，说～了，说成"象嘴里长不出狗牙"，引得大家哄堂大笑。❸〈形〉别扭；抵触：两个人越说越～。

另见 1001 页 níng；1002 页 nìng。

nìng （ㄋㄧㄥˋ）

宁（寧、甯） nìng 〈副〉❶ 宁可：～死不屈|～为玉碎，不为瓦全（比喻宁愿壮烈地死去，不愿苟且偷生）。❷〈书〉岂；难道：山之险峻，～有逾此？

另见 1000 页 níng。

【宁可】nìngkě 〈副〉表示比较两方面的利害得失后选取的一面（常带有两害权衡取其轻的意味，多跟上文的"与其"或下文的"也不"相呼应）：与其在这儿等车，～走着去|他～自己吃点亏，也不愿亏了别人。**注意**如果舍弃的一面不明显或无须说出，可以单说选取的一面（常常加"的好"，意思等于"最好是…"），如：我们～警惕一点儿的好。

【宁肯】nìngkěn 〈副〉宁可。

【宁缺毋滥】nìng quē wú làn 宁可缺少一些，不要不顾质量一味求多。

【宁死不屈】nìng sǐ bù qū 宁可死去，也不屈服。

【宁愿】nìngyuàn 〈副〉宁可：～牺牲，也不退却。

佞 nìng ❶ 惯于用花言巧语谄媚人；谄：～人|～妅|～人|～臣。❷〈书〉有才智：不～（谦称自己）。

【佞臣】nìngchén 〈书〉〈名〉奸佞的臣子：～当道。

【佞笑】nìngxiào 〈动〉奸笑；谄笑。

【佞幸】nìngxìng 〈书〉❶〈动〉以谄媚而得到宠幸。❷〈名〉以谄媚得到君主宠幸的人；任用～。

拧（擰） nìng 〈方〉〈形〉倔（juè）；固执：这孩子脾气真～，不叫他去他偏要去。

另见 1001 页 níng；1002 页 nǐng。

泞（濘） nìng 〈书〉烂泥：泥～|路～难行。

甯 nìng ❶ 同 1002 页"宁"(nìng)。❷（Nìng）〈名〉姓。

另见 1000 页 níng"宁"。

niū （ㄋㄧㄡ）

妞 niū （～儿）〈方〉〈名〉女孩子：大～|他家有两个～儿。

【妞妞】niūniū 〈方〉〈名〉小女孩儿。

【妞子】niū·zi 〈方〉〈名〉小女孩儿。

niú （ㄋㄧㄡˊ）

牛¹ niú ❶〈名〉哺乳动物，反刍类，身体大，趾端有蹄，头上长有一对角，尾巴尖端有长毛。力气大，供役使，乳用或乳肉两用，皮、毛、骨等都有用处。我国常见的有黄牛、水牛、牦牛等。❷〈形〉比喻固执或骄傲：～气|～脾气。❸ 二十八宿之一。❹（Niú）〈名〉姓。

牛² niú 〈量〉牛顿的简称。使质量 1 千克的物体产生 1 米/秒² 的加速度所需的力就是 1 牛。

【牛蒡】niúbàng 〈名〉二年生草本植物，叶子心脏形，有长柄，背面有毛，花淡紫色，根肉质。根和嫩叶可做蔬菜，果实、茎叶和根可入药。

【牛鼻子】niúbí·zi 〈名〉比喻事物的关键或要害：弄清词义古今异同的情况，就牵住了学习古代汉语的～。

【牛脖子】niúbó·zi 〈方〉〈名〉牛脾气：犯～。

【牛刀小试】niú dāo xiǎo shì 比喻有很大的本领，先在小事情上施展一下。参看

458 页〖割鸡焉用牛刀〗。

【牛痘】niúdòu 名❶ 牛的一种急性传染病,病原体和症状与天花极相近。❷ 痘苗:种~。

【牛痘苗】niúdòumiáo 名 痘苗。

【牛犊】niúdú 名 小牛。也叫牛犊子。

【牛顿】niúdùn 量 力的单位,符号 N。这个单位名称是为纪念英国科学家牛顿(Sir Isaac Newton)而定的。简称牛。

【牛耳】niú'ěr 名 见 1747 页〖执牛耳〗。

【牛鬼蛇神】niúguǐ-shéshén 奇形怪状的鬼神。比喻社会上的丑恶事物和形形色色的坏人。

【牛黄】niúhuáng 名 中药指牛的干燥的胆结石,黄色、粒状或块状,是珍贵的药材。

【牛角尖】niújiǎojiān (~儿)名 比喻无法解决的问题或不值得研究的小问题:钻~。

【牛劲】niújìn (~儿)名❶ 大力气:费了~。❷ 牛脾气:犯~。

【牛郎星】niúlángxīng 名 牵牛星的通称。

【牛郎织女】niúláng zhīnǔ ❶ 指牵牛星和织女星。❷ (Niúláng Zhīnǔ)神话中人物。织女是天帝的孙女,与牛郎结合后,不再给天帝织云锦,天帝用天河将他们隔开,只准每年农历七月七日相会一次。相会时喜鹊在银河上给他们搭桥,称为鹊桥。现多用"牛郎织女"比喻长期分居两地的夫妻。

【牛马】niúmǎ 名 比喻为生活所迫供人驱使从事艰苦劳动的人。

【牛毛】niúmáo 名 牛的毛,比喻很多、很密或很细:~细雨|苛捐杂税,多如~。

【牛虻】niúméng 名 虻的一种,身体长椭圆形,有灰、黑、黄褐等色,胸部和腹部有花纹。雄的吸食植物的汁液和花蜜,雌的吸食牛、马等家畜或人的血液。

【牛腩】niúnǎn〈方〉名 牛肚子上和近肋骨处的松软肌肉,也指用这种肉做成的菜肴。

【牛排】niúpái 名 大而厚的牛肉片,也指用大而厚的牛肉片做成的菜肴。

【牛皮】niúpí 名❶ 牛的皮(多指经过鞣制的)。❷ 说大话叫吹牛皮。

【牛皮癣】niúpíxuǎn 名 银屑病的俗称。

【牛皮纸】niúpízhǐ 名 质地坚韧,拉力强的纸,黄褐色,用硫酸盐木浆制成,多用于包装。

【牛脾气】niúpí·qi 名 倔强执拗的脾气。

【牛气】niú·qi〈口〉形 形容自高自大的骄傲神气。

【牛市】niúshì 名 指价格持续上涨,成交额上升,交易活跃的证券市场行情(跟"熊市"相对)。

【牛溲马勃】niúsōu mǎbó 牛溲是牛尿(一说车前草),马勃是一种菌类,都可做药用,比喻虽然微贱但是有用的东西。

【牛头不对马嘴】niú tóu bù duì mǎ zuǐ 见 890 页〖驴唇不对马嘴〗。

【牛头马面】Niútóu Mǎmiàn 迷信传说阎王手下的两个鬼卒,一个头像牛,一个头像马。比喻各种阴险丑恶的人。

【牛蛙】niúwā 名 蛙的一种,身体比普通青蛙大得多,四肢特别发达。生活在池沼、水田等处,叫的声音像牛,吃昆虫、鱼虾等。原产于北美洲。肉味鲜美,皮可以制革。

【牛性】niúxìng 名 牛脾气。也说牛性子。

【牛轭】niúyàng 名 牛拉东西时架在脖子上的器具。也叫牛鞅子。

【牛饮】niúyǐn〈书〉动 像牛一样大口地喝。

【牛仔裤】(牛崽裤)niúzǎikù 名 紧腰身、浅裆、裤腿很瘦的裤子,多用较厚实的布制成。

【牛仔舞】niúzǎiwǔ 名 拉丁舞的一种,源于美国。4/4 拍,旋律热情欢快,舞步敏捷跳跃,体现美国西部牛仔刚健、豪爽的风格。

niǔ (ㄋㄧㄡˇ)

扭 niǔ ❶ 动 掉转;转动:~过头来向后看。❷ 动 拧(nǐng):把树枝子~断。❸ 动 拧伤(筋骨):~了腰。❹ 动 身体左右摆动(多指走路时):~秧歌|~了两步。❺ 动 揪住:~打|两人~在一起。❻ 不正:七~八~|歪歪~~。

【扭摆】niǔbǎi 动 (身体)扭动摇摆:推手车的人左右~着身子|她~着腰走过来。

【扭搭】niǔ·da〈口〉动 走路时肩膀随着腰一前一后地扭动:那女人~~地走了。

【扭打】niǔdǎ 动 互相揪住对打:他俩~在

一起，拉也拉不开。

【扭股儿糖】niǔgǔrtáng 名 用麦芽糖制成的两股或三股扭在一起的食品，多用来形容扭动或缠绕的形状。

【扭角羚】niǔjiǎolíng 名 羚牛。

【扭结】niǔjié 动 纠缠；缠绕在一起：在织布以前要将棉纱捋湿混，才不会～｜几件事～在一起，一时想不出解决的办法。

【扭亏】niǔkuī 动 扭转亏损局面：～为盈。

【扭捏】niǔ·nie ❶ 动 指走路时身体故意左右摇摆。❷ 形 形容举止言谈不大方：她～了大半天，才说出一句话来｜有话直截了当地说，别扭扭捏捏的。

【扭曲】niǔqū 动 ❶ 扭转变形：地震发生后，房屋倒塌，铁轨～。❷ 比喻歪曲；颠倒（事实、形象等）：被～的历史恢复了本来面目。

【扭送】niǔsòng 动 揪住违法犯罪分子送交司法机关。

【扭头】niǔ∥tóu （～儿）动 ❶（人）转动头：～不顾｜他扭过头去，不理人家。❷ 转身：大妈二话没说，～就走。

【扭秧歌】niǔ yāng·ge 跳秧歌舞。

【扭转】niǔzhuǎn 动 ❶ 掉转：他～身子，向大门走去。❷ 纠正或改变事物的发展方向或目前的状况：～局面｜～乾坤｜必须～理论脱离实际的现象。

狃 niǔ 〈书〉因袭；拘泥：～于习俗｜～于成见。

忸 niǔ ［忸怩］（niǔní）形 形容不好意思或不大方的样子：～的神情｜别忸忸怩怩的，大方一些。

纽(紐) niǔ ❶ 器物上可以抓住而提起来的部分：秤～｜印～。❷ （～儿）名 纽扣：～襻｜衣～｜把～儿扣上，别着了凉。❸ 枢纽：～带。❹ （～儿）瓜果等刚结的果实：南瓜～。❺ (Niǔ)名 姓。

【纽带】niǔdài 名 指能够联系作用的人或事物：批评和自我批评是团结的～，是进步的保证。

【纽扣】niǔkòu （～儿）名 可以把衣服扣起来的小形球状物或片状物。

【纽襻】niǔpàn （～儿）名 扣住纽扣的套儿。

【纽子】niǔ·zi 名 纽扣。

杻 niǔ 古书上说的一种树。
另见 195 页 chǒu。

钮(鈕) niǔ ❶ 同"纽"①②。❷ 名 器物上起开关、调节等作用的部件：按～｜旋～｜电～。❸ (Niǔ)名 姓。

niù （ㄋㄧㄡˋ）

拗(拗) niù 形 固执；不随和；不驯顺：执～｜脾气很～。
另见 14 页 ǎo；15 页 ào。

【拗不过】niù·buguò 动 无法改变（别人的坚决的意见）：他～老大娘，只好答应了。

nóng （ㄋㄨㄥˊ）

农(農、辳) nóng ❶ 农业：务～｜～具｜～田水利｜～林牧副渔。❷ 农民：老～｜茶～｜菜～。❸ (Nóng)名 姓。

【农产品】nóngchǎnpǐn 名 农业中生产的物品，如稻子、小麦、高粱、棉花、烟叶、甘蔗等。

【农场】nóngchǎng 名 使用机器、大规模进行农业生产的企业单位。

【农村】nóngcūn 名 以从事农业生产为主的人聚居的地方。

【农夫】nóngfū 名 旧时称从事农业生产的男子。

【农妇】nóngfù 名 农家妇女。

【农耕】nónggēng 动 农业耕种；农作：不事～｜～劳作。

【农工】nónggōng 名 ❶ 农民和工人：扶助～。❷ 农业工人的简称。

【农户】nónghù 名 从事农业生产的人家。

【农活】nónghuó （～儿）名 农业生产的工作，如耕地、播种、施肥、收割等。

【农机】nóngjī 名 农业机械：～部门｜～厂。

【农家】[1] nóngjiā 名 从事农业生产的人家：～生活｜～子弟。

【农家】[2] Nóngjiā 名 先秦时期反映农业生产和农民思想的学术派别。著作目录见于《汉书·艺文志》，多已失传。

【农家肥料】nóngjiā féiliào 农家或饲养场生产的肥料，如粪肥、绿肥等（区别于作为商品的化学肥料）。

【农具】nóngjù 名 进行农业生产所使用的

工具,如犁、耙、耧等。

【农垦】nóngkěn 动 农业垦殖:～事业。

【农历】nónglì 名❶ 阴阳历的一种,是我
国的传统历法,通常所说的阴历即指农
历。平年 12 个月,大月 30 天,小月 29
天,全年 354 天或 355 天(一年中哪一月
大,哪一月小,年年不同)。由于平均每年
的天数比太阳年约差 11 天,所以在 19 年
里设置 7 个闰月,有闰月的年份全年 383
天或 384 天。又根据太阳的位置,把一个
太阳年分成 24 个节气,便于农事。纪年
用天干地支搭配,60 年周而复始。这种
历法相传创始于夏代,所以又称夏历。也
叫旧历。❷ 农业上使用的历书。

【农林】nónglín 名 农业和林业的合称。

【农忙】nóngmáng 名 指春、夏、秋三季农
事繁忙的时节。

【农贸市场】nóngmào shìchǎng 以农副
业产品贸易为主的个体摊贩市场。俗称
自由市场。

【农民】nóngmín 名 在农村从事农业生产
的劳动者。

【农民起义】nóngmín qǐyì 农民为了反抗
地主阶级的政治压迫和经济剥削而进行
的武装斗争。

【农民战争】nóngmín zhànzhēng 封建社
会农民为反对地主阶级的反动统治而进
行的革命战争。一般有鲜明的战斗口号,
活动范围较大,例如清代的太平天国革
命。

【农奴】nóngnú 名 封建社会中隶属于农
奴主或封建主的农业生产劳动者。在经
济上受剥削,没有人身自由和任何政治权
利。

【农奴主】nóngnúzhǔ 名 占有农奴和生产
资料的人。

【农人】nóngrén 名 农民。

【农舍】nóngshè 名 农民住的房屋。

【农时】nóngshí 名 农业生产中,配合季节
气候,每种作物都有一定的耕作时间,称
为农时:不误～。

【农事】nóngshì 名 农业生产中的各项工
作:～繁忙。

【农田】nóngtián 名 耕种的田地:～水利。

【农闲】nóngxián 名 指农事较少的时节
(一般指冬季):利用～兴修水利。

【农学】nóngxué 名 研究农业生产的科
学,内容包括作物栽培、育种、土壤、气象、
肥料、农业病虫害等。

【农谚】nóngyàn 名 有关农业生产的谚
语,是农民从长期生产实践中总结出来的
经验,对于农业生产有一定的指导作用。
如"谷雨前后,种瓜点豆","头伏萝卜二伏
菜"。

【农药】nóngyào 名 农业上用来杀虫、杀
菌、除草、灭鼠等以及调节农作物生长发
育的药物的统称。

【农业】nóngyè 名 栽培农作物和饲养牲
畜的生产事业。在国民经济中的农业,还
包括林业、畜牧业、渔业和农村副业等项
生产在内。

【农业工人】nóngyè gōngrén 在农场从事
农业生产的工人。简称农工。

【农业国】nóngyèguó 名 工业不发达,国
民经济收入中以农业收入为主要部分的
国家。

【农业合作化】nóngyè hézuòhuà 用合作
社的组织形式,把个体的、分散的农业经
济改变成比较大规模的、集体的社会主义
农业经济。也叫农业集体化。

【农业税】nóngyèshuì 名 国家对从事农
业生产、有农业收入的单位或个人所征收
的税。

【农艺】nóngyì 名 指农作物的栽培、管理
等技术:～师｜学习～。

【农用】nóngyòng 形 属性词。指为农业
或农民所使用的:～物资。

【农庄】nóngzhuāng 名❶ 村庄:生长在
山区的一个小～里。❷ 农场;庄园。

【农作物】nóngzuòwù 名 农业上栽培的
各种植物,包括粮食作物、油料作物、蔬
菜、果树和做工业原料用的棉花、烟草等。
简称作物。

依(儂) nóng ❶〈方〉代 人称代词。
你。❷ 代 人称代词。我(多
见于旧诗文)。❸ (Nóng)名 姓。

哝(噥) nóng [哝哝](nóng·nong)
动 小声说话:她在姐姐的耳
边～了好半天。

浓(濃) nóng ❶ 形 液体或气体中
所含的某种成分多;稠密(跟
"淡"相对):～墨｜～云｜～茶◇～眉。❷
形 程度深:兴趣很～｜睡意正～。❸
(Nóng)名 姓。

【浓淡】nóngdàn 名(颜色)深浅的程度；(味道的)浓重和淡薄：～适宜。

【浓度】nóngdù 名 一定量溶液中所含溶质的量，通常用所含溶质质量占全部溶液质量的百分比来表示。

【浓厚】nónghòu 形❶(烟雾、云层等)很浓：～的黑烟。❷(色彩、意识、气氛)重：～的地方色彩|～的封建意识。❸(兴趣)大：孩子们对打乒乓球兴趣都很～。

【浓烈】nóngliè 形浓重强烈：香气～|～的色彩|～的乡土气息。

【浓眉】nóngméi 名黑而密的眉毛：两道～|～大眼。

【浓密】nóngmì 形稠密(多指枝叶、烟雾、须发等)。

【浓墨重彩】nóng mò zhòng cǎi 指绘画或描述着墨多。

【浓缩】nóngsuō 动❶用加热等方法使溶液中的溶剂蒸发而溶液的浓度增高。❷泛指用一定的方法使物体中不需要的部分减少，从而使需要部分的相对含量增加：～铀|～食品◇这个建筑～了中国数千年来的装饰艺术。

【浓艳】nóngyàn 形(色彩)浓重而艳丽。

【浓郁】¹ nóngyù 形(花草等的香气)浓重：～的花香迎面扑来。

【浓郁】² nóngyù 形❶繁密：～的松林。❷(色彩、情感、气氛)重：春意～|语调～|感情～|～的生活气息|这个歌曲抒情气氛十分～。❸(兴趣)大：兴致～|～的兴趣。

【浓重】nóngzhòng 形(烟雾、气味、色彩等)浓很重：山谷中的雾越发～了|桂花散发出～的香气|他说话带有～的乡音|这位老人画的花卉，设色十分～。

【浓妆】nóngzhuāng ❶动 浓重地化妆：～艳抹。❷名浓艳的妆饰：特意化了～。

【浓妆艳抹】nóng zhuāng yàn mǒ 形容女子妆饰艳丽。

脓(膿) nóng 名某些炎症病变所形成的黄绿色汁液，含大量白细胞、细菌、蛋白质、脂肪以及组织分解的产物。

【脓包】nóngbāo 名❶身体某部组织化脓时因脓液积聚所形成的隆起。❷比喻无用的人：真是个～，什么事也办不成。

【脓肿】nóngzhǒng 名发炎的组织坏死、分解产生的脓液在局部积聚所形成的肿块。

秾(穠) nóng 〈书〉草木茂盛：夭桃～李。

酽(醲) nóng 〈书〉酒味厚。

nòng (ㄋㄨㄥˋ)

弄 nòng 动❶手拿着、摆弄着或逗引着玩儿：他又～鸽子去了|小孩儿爱～沙土。❷做；干；办；搞：～饭|这活儿我做不好，请你帮我～～|把书～坏了|这件事得～出个结果来才成。❸设法取得：～点水来。❹耍；玩弄：～手段|舞文～墨。
另见882页 lòng。

【弄潮儿】nòngcháo'ér 名❶在潮水中搏击、嬉戏的年轻人，也指驾驶船只的人。❷比喻敢于在风险中拼搏的人。

【弄鬼】nòng∥guǐ〈方〉捣鬼。

【弄假成真】nòng jiǎ chéng zhēn 本来是假装的，结果却变成真事。

【弄巧成拙】nòng qiǎo chéng zhuō 想要用巧妙的手段，结果反而坏了事。

【弄权】nòngquán〈书〉动把持权柄，滥用权力：奸臣～。

【弄瓦】nòngwǎ〈书〉动指生下女孩子(古人把瓦给女孩子玩。瓦：原始的纺锤)。

【弄虚作假】nòng xū zuò jiǎ 耍花招，欺骗人。

【弄璋】nòngzhāng〈书〉动指生下男孩子(古人把璋给男孩子玩。璋：一种玉器)。

nòu (ㄋㄡˋ)

耨(鎒) nòu〈书〉❶锄草的农具。❷锄草：深耕细～。

nú (ㄋㄨˊ)

伩 nú 人名用字。

奴 nú ❶旧社会中受压迫、剥削、役使而没有人身自由等政治权利的人(跟

"主"相对):～隶｜农～。❷ 青年女子的自称(多见于早期白话)。❸ 像对待奴隶一样地(蹂躏、使用):～役。

【奴婢】núbì 名 男女奴仆。太监对皇帝、后妃等也自称奴婢。

【奴才】nú·cai 名 ❶ 家奴;奴仆(明清两代宦官和清代满人、武臣对皇帝的自称;清代满人家庭奴仆对主人的自称)。❷ 指甘心供人驱使,帮助作恶的人。

【奴化】núhuà 动 (侵略者及其帮凶)用各种方法使被侵略的民族甘心受奴役:～教育｜～思想。

【奴家】nújiā 名 青年女子的自称(多见于早期白话)。

【奴隶】núlì 名 为奴隶主劳动而没有人身自由的人,常常被奴隶主任意买卖或杀害。

【奴隶社会】núlì shèhuì 一种社会形态,以奴隶主占有奴隶和生产资料为基础。奴隶社会的生产力比原始公社有所提高,手工业、农业和畜牧业、脑力劳动和体力劳动都有了分工,奴隶主和奴隶形成两个对立阶级,奴隶主为了镇压奴隶的反抗建立了奴隶主专政的国家。

【奴隶主】núlìzhǔ 名 占有奴隶和生产资料的人,是奴隶社会里的统治阶级。

【奴仆】núpú 名 旧时在主人家里从事杂役的人(总称)。

【奴性】núxìng 名 甘心受人奴役的品性:～十足的汉奸。

【奴颜婢膝】nú yán bì xī 形容卑躬屈膝奉承巴结的样子。

【奴颜媚骨】nú yán mèi gǔ 形容卑躬屈膝谄媚讨好的样子。

【奴役】núyì 动 把人当做奴隶使用。

孥 nú 〈书〉❶ 儿女:妻～。❷ 妻子和儿女。

弩(駑) nú 〈书〉❶ 驽马。❷ 比喻人没有能力:～钝｜～才。

【驽钝】núdùn 〈书〉形 愚笨;迟钝。

【驽马】númǎ 〈书〉名 跑不快的马。

nǔ (ㄋㄨˇ)

努(❷拗呦唠) nǔ 动 ❶ 使出(力气):～力｜～

劲儿。❷ 凸出:～着眼睛｜～着嘴。❸〈方〉用力太过,身体内部受伤:别用力过猛,当心～了腰。

"呶"另见983页náo。

【努力】nǔlì ❶ (-/-)动 把力量尽量使出来:大家再努一把力。❷ 形 指花的精力多,下的工夫大:～工作｜学习很～。

【努嘴】nǔ//zuǐ (～儿)动 向人撅嘴示意:奶奶直～儿,让他别再往下说。

弩 nǔ 弩弓:万～齐发｜剑拔～张。

【弩弓】nǔgōng 名 古代兵器,一种利用机械力量射箭的弓。

【弩箭】nǔjiàn 名 用弩弓发射的箭。

砮 nǔ 〈书〉可做箭镞的石头。

胬 nǔ [胬肉](nǔròu)名 中医指眼球结膜增生而突起的肉状物。未遮蔽住角膜的称"胬肉",遮蔽住角膜的称"胬肉攀睛"。

nù (ㄋㄨˋ)

怒 nù ❶ 动 愤怒:恼～｜发～｜～容满面｜恼羞成～｜一句话惹～了他。❷ 形容气势盛:～涛｜狂风～号｜百花～放。

【怒不可遏】nù bù kě è 愤怒得不能抑制,形容愤怒到了极点。

【怒潮】nùcháo 名 ❶ 汹涌澎湃的浪潮,比喻声势浩大的反抗运动。❷ 涌潮。

【怒叱】nùchì 动 愤怒地责骂。

【怒斥】nùchì 动 愤怒地斥责:～叛徒。

【怒冲冲】nùchōngchōng (～的)形 状态词。形容非常生气的样子:他～地раскрыл开门走了。

【怒发冲冠】nù fà chōng guān 因愤怒而头发直竖,把帽子都顶起来了,形容非常愤怒。

【怒放】nùfàng 动 (花)盛开:春天,桃花、杏花争相～∨心花～。

【怒号】nùháo 动 大声叫唤(多用来形容大风):狂风～。

【怒吼】nùhǒu 动 猛兽发威吼叫,比喻发出雄壮的声音:狂风大作,海水～。

【怒火】nùhuǒ 名 指极大的愤怒:压不住心头的～｜～中烧。

【怒火中烧】nùhuǒ zhōng shāo 怒火在心中燃烧,形容愤怒的情绪非常激烈。

【怒目】nùmù ❶ 动 发怒时瞪着两眼:横眉～|～而视。❷ 名 发怒时瞪着的眼睛:～圆睁。

【怒气】nùqì 名 愤怒的情绪:～冲冲。

【怒容】nùróng 名 怒色:～满面。

【怒色】nùsè 名 愤怒的表情:面带～。

【怒视】nùshì 动 愤怒地注视:～着凶残的敌人。

【怒涛】nùtāo 名 汹涌的波涛:～拍岸。

【怒族】Nùzú 名 我国少数民族之一,分布在云南。

偌 nù 用于人名,秃发偌檀,东晋时南凉国君。

nǔ（ㄋㄩˇ）

女 nǔ ❶ 形 属性词。女性(跟"男"相对):～工|～学生|男～平等。❷ 名 女儿:长～|生儿育～。❸ 二十八宿之一。〈古〉又同"汝"rǔ。

【女儿】nǔ'ér 名 女孩子(对父母而言)。

【女儿墙】nǔ'érqiáng 名 女墙。

【女方】nǔfāng 名 女的一方面(多用于有关婚事的场合)。

【女工】[1] nǔgōng 名 ❶ 女性的工人。❷ 旧时指女佣人。

【女工】[2] nǔgōng 名 旧时指女子所做的纺织、缝纫、刺绣等工作和这些工作的成品。

【女公子】nǔgōngzǐ 名 对别人的女儿的尊称。

【女红】nǔgōng 〈书〉同"女工"[2]。

【女皇】nǔhuáng 名 女性皇帝。

【女家】nǔjiā 名 婚姻关系中女方的家;女方。

【女眷】nǔjuàn 名 指女性眷属。

【女郎】nǔláng 名 指年轻的女子:妙龄～|摩登～。

【女伶】nǔlíng 名 女优。

【女流】nǔliú 名 妇女(含轻蔑意):～之辈。

【女气】nǔ·qì 形 形容男子的举止神态像女子。

【女强人】nǔqiángrén 名 指精明强干、勇于进取,事业有成的女子。

【女墙】nǔqiáng 名 城墙上面呈凹凸形的短墙。也叫女儿墙。

【女权】nǔquán 名 妇女在社会上应享有的权利:尊重～。

【女人】nǔrén 名 女性的成年人。

【女人】nǔ·ren 〈口〉名 妻子。

【女色】nǔsè 名 女子的美色:贪恋～。

【女神】nǔshén 名 神话中的女性神。

【女生】nǔshēng 名 ❶ 女学生:～宿舍。❷〈方〉女青年;年轻女子。

【女声】nǔshēng 名 声乐中的女子声部,一般分女高音、女中音、女低音。

【女史】nǔshǐ 名 本为古代女官的名称,旧时借用为对妇女知识分子的尊称。

【女士】nǔshì 名 对妇女的尊称。

【女王】nǔwáng 名 女性国王。

【女巫】nǔwū 名 以装神弄鬼、搞迷信活动为业的女人。也叫巫婆。

【女性】nǔxìng 名 ❶ 人类两性之一,能在体内产生卵子。❷ 妇女:新～。

【女婿】nǔ·xu 名 ❶ 女儿的丈夫。❷〈方〉丈夫(zhàng·fu)。

【女优】nǔyōu 名 旧时称戏曲女演员。

【女友】nǔyǒu 名 ❶ 女性朋友。❷ 指恋爱对象中的女方。

【女招待】nǔzhāodài 名 旧时饮食店、娱乐场所等雇佣来招待顾客的青年妇女。

【女真】Nǔzhēn 名 我国古代民族,满族的祖先,居住在今吉林和黑龙江一带,公元1115年建立金国。参看706页"金[2]"。

【女主人】nǔzhǔ·ren 名 一家的女性主人。

【女子】nǔzǐ 名 女性的人。

钕（鈮） nǔ 名 金属元素,符号 Nd（neodymium）。是一种稀土元素。银白色,在空气中容易氧化。用来制合金和光学玻璃等,也用于激光材料。

籹 nǔ 见741页[粔籹]。

nù（ㄋㄩˋ）

恧 nù 〈书〉惭愧:惭～。

衄（衂、䶊） nù 〈书〉❶ 鼻孔出血,泛指出血:鼻～|齿～。❷ 战败:败～。

朒 nù 〈书〉❶ 指农历月初月亮出现在东方,也指那时的月光。❷ 欠缺不足。

nuǎn （ㄋㄨㄢˇ）

暖（煖、烜、暅） nuǎn ❶ 形 暖和：风和日～|春～花开|天～了,不用穿大衣了。❷ 动 使变温暖：～酒|～一～手。

"煖"另见 1542 页 xuān。

【暖冬】nuǎndōng 名 大范围地区冬季三个月的平均气温比常年同期明显偏高,这样的冬季称为暖冬。

【暖房】[1] nuǎn·fáng 动 ❶ 旧俗在亲友结婚的前一天前往新房贺喜。❷ 温居。

【暖房】[2] nuǎnfáng 名 温室。

【暖锋】nuǎnfēng 名 暖气团沿着冷气团慢慢上升,并推着冷气团向前移动,在这种情况下,冷、暖气团接触的地带叫做暖锋。

【暖阁】nuǎngé 名 旧时为了设炉取暖在大屋子里隔出来的小房间。

【暖烘烘】nuǎnhōnghōng （～的）形 状态词。形容温暖宜人。

【暖呼呼】nuǎnhūhū （～的）形 状态词。形容暖和◇听了老师这番话,孩子们心里～的。

【暖壶】nuǎnhú 名 ❶ 暖水瓶。❷ 有棉套等保暖的水壶。❸ 汤壶。

【暖和】nuǎn·huo ❶ 形 （气候、环境等）不冷也不太热：北京一过三月,天气就～了|这屋子向阳,很～。❷ 动 使暖和：屋里有暖气,快进来～～吧!

【暖帘】nuǎnlián 名 冬天用的棉门帘,能挡风保暖。

【暖流】nuǎnliú 名 ❶ 从低纬度流向高纬度的海流。暖流的水温比它所到区域的水温高。❷ 比喻心中的温暖的感觉：一股～涌上心头。

【暖棚】nuǎnpéng 名 简易的温室。

【暖瓶】nuǎnpíng 名 暖水瓶。

【暖气】nuǎnqì 名 ❶ 利用锅炉烧出蒸汽或热水,通过管道输送到建筑物内的散热器(俗称暖气片)中,散出热量,使室温增高。管道中的蒸汽或热水叫做暖气。❷ 指上述的设备。❸ 暖和的气体。

【暖气团】nuǎnqìtuán 名 一种移动的气

团,本身的温度比到达区域的地面温度高,多在热带大陆或海洋上形成。

【暖融融】nuǎnróngróng （～的）形 状态词。暖烘烘：炭火驱走了寒气,整个房间～的。

【暖色】nuǎnsè 名 给人以温暖的感觉的颜色,如红色、橙色、黄色。

【暖寿】nuǎnshòu 动 旧俗在过生日的前一天,家里的人和关系较近的亲友来祝寿。

【暖水瓶】nuǎnshuǐpíng 名 保温瓶的一种,瓶口较小,通常用来保存热水。也叫暖壶、暖瓶、热水瓶。

【暖洋洋】nuǎnyángyáng （～的）形 状态词。形容温暖：～的春风◇几句话说得我心里～的。

nüè （ㄋㄩㄝˋ）

疟（瘧） nüè 疟疾。另见 1585 页 yào。

【疟疾】nüè·ji 名 急性传染病,病原体是疟原虫,由蚊子传播,周期性发作。症状是发冷发热,热后大量出汗,头痛,口渴,全身无力。有的地区叫冷热病。

虐 nüè ❶ 残暴狠毒：暴～|酷～|～待|～政。❷〈书〉灾害：乱～并生。

【虐待】nüèdài 动 用残暴狠毒的手段待人：～狂|受～|不许～老人。

【虐俘】nüèfú 动 虐待俘虏。

【虐囚】nüèqiú 动 虐待囚犯。

【虐杀】nüèshā 动 虐待人而致死。

【虐政】nüèzhèng 名 暴虐的政策法令。

nún （ㄋㄨㄣˊ）

麕 nún〈书〉香气：温～(温暖芳香)。

nuó （ㄋㄨㄛˊ）

挪 nuó 动 挪动;转移：～用|把桌子～一下。

【挪动】nuó·dong 动 移动位置：往前～了

N

几步|把墙边儿的东西~~,腾出地方放书柜。

【挪借】nuójiè 〔动〕暂时借用(别人的钱)。

【挪窝儿】nuó//wōr 〈口〉〔动〕离开原来所在的地方;搬家:他在这单位工作了十来年,始终没挪过窝儿。

【挪移】nuóyí 〈方〉〔动〕❶ 挪借:~款项。❷ 挪动;移动:向前~了几步。

【挪用】nuóyòng 〔动〕❶ 把原定用于某方面的钱移到别的方面来用:专款专用,不得~。❷ 私自用(公家的钱):~公款。

莏 nuó 莏溪(Nuóxī),地名,在湖南。
另见 977 页 nà。

娜 nuó (旧读 nuǒ)见 354 页〔婀娜〕、999 页〔袅娜〕。
另见 977 页 nà。

傩(儺) nuó 旧时迎神赛会,驱逐疫鬼。

【傩神】nuóshén 〔名〕驱除瘟疫的神。

nuò （ㄋㄨㄛˋ）

诺(諾) nuò ❶ 答应;允许:~言|许~。❷ 答应的声音(表示同意):唯唯~~|~~连声。❸ (Nuò)〔名〕姓。

【诺尔】nuò'ěr 〔名〕淖尔(多用于地名):达来~|查干~(都在内蒙古)。

【诺言】nuòyán 〔名〕应允别人的话:信守~。

喏[1] nuò 〈方〉〔叹〕表示让人注意自己所指示的事物:~,这不就是你的那把雨伞?|~,~,要这样挖才挖得快。

喏[2] nuò 〈书〉同"诺"。
另见 1141 页 rě。

搦 nuò 〈书〉❶ 持;握;拿着:~管。❷ 挑;惹:~战。

【搦管】nuòguǎn 〈书〉〔动〕执笔,也指写诗文。

【搦战】nuòzhàn 〔动〕挑战(多见于早期白话)。

锘(鍩) nuò 〔名〕金属元素,符号 No (nobelium)。有放射性,由人工核反应获得。

懦 nuò 懦弱:怯~。

【懦夫】nuòfū 〔名〕软弱胆小的人。

【懦弱】nuòruò 〔形〕软弱,不坚强:~无能。

糯(糯、稬) nuò 黏性的(米谷):~米|~高粱。

【糯稻】nuòdào 〔名〕米粒富于黏性的稻子。

【糯米】nuòmǐ 〔名〕糯稻碾出的米,可以做糕点,也可以酿酒。也叫江米。

【糯米纸】nuòmǐzhǐ 〔名〕用淀粉加工制成的像纸的薄膜,可以吃,用作糖果、糕点等的内层包装。也叫江米纸。

O

o

---

o

噢 ō 叹 表示了解：～,原来是他!

ó（ㄜ）

哦 ó 叹 表示将信将疑：～,他也要来参加我们的会?
另见 354 页 é;1011 页 ò。

ǒ（ㄜ）

噷 ǒ 叹 表示惊讶：～,你们也去呀!
另见 617 页 huō;625 页 huò。

ò（ㄜ）

哦 ò 叹 表示领会、醒悟：～,我懂了|～,我想起来了。
另见 354 页 é;1011 页 ó。

ōu（ㄡ）

区（區） Ōu 名 姓。
另见 1124 页 qū。

讴（謳） ōu ❶ 歌唱：～歌。❷ 民歌：吴～|越～。

【讴歌】 ōugē〈书〉动 歌颂：～伟大的祖国。

【讴吟】 ōuyín〈书〉动 歌吟;歌唱:时而低声细语,时而高声～。

沤（漚） ōu 水泡：浮～。
另见 1012 页 òu。

瓯[1]（甌） ōu〈方〉名 瓯子：茶～|酒～。

瓯[2]（甌） Ōu 名 浙江温州的别称。

【瓯绣】 ōuxiù 名 浙江温州出产的刺绣。

【瓯子】 ōu•zi〈方〉名 盅。

欧[1]（歐） Ōu 名 姓。

欧[2]（歐） Ōu 名 指欧洲：西～|～化。

欧[3]（歐） ōu 量 欧姆的简称。导体上的电压是 1 伏,通过的电流是 1 安时,电阻就是 1 欧。

【欧化】 ōuhuà 动 指模仿欧洲的风俗习惯、语言文化等。

【欧椋鸟】 ōuliángniǎo 名 鸟,羽毛蓝色,有光泽,带乳白色斑点,常群居,吃植物的果实或种子。

【欧罗巴人种】 Ōuluóbā rénzhǒng 世界三大人种之一,体质特征是肤色较淡,头发柔软而呈波形,鼻子较高,分布在欧洲、美洲、亚洲西部和南部。也叫白种。[欧罗巴,拉 Europa]

【欧姆】 ōumǔ 量 电阻单位,符号 Ω。这个单位名称是为纪念德国物理学家欧姆(Georg Simon Ohm)而定的。简称欧。

【欧体】 Ōu tǐ 名 唐代欧阳询及其子欧阳通所写的字体,笔画刚劲,结构谨严。

【欧阳】 Ōuyáng 名 姓。

【欧元】 ōuyuán 名 欧洲经济和货币联盟确定的欧洲统一货币。1999 年 1 月 1 日正式启用,2002 年 1 月 1 日现钞开始流通。

殴（毆） ōu 打(人)：斗～|～伤。

【殴打】 ōudǎ 动 打(人)：互相～|遭到歹徒～。

鸥（鷗） ōu 名 鸟,头大,嘴扁平,前趾有蹼,翼长而尖,羽毛多为白色。多生活在海边,主要捕食鱼类,种类很多,如海鸥、黑尾鸥等。

噢（嘔） ōu ❶ 叹 表示醒悟、惊异或赞叹：～,我想起来了|～,你们俩倒挺好脾气。❷ 拟声 形容哭、叫等的声音：他急得～～地哭。
另见 1012 页 óu;1012 页 ǒu;1013 页 òu。

óu （ㄡˊ）

噢(噳) óu 叹 表示惊讶：～,你也病了|～,你怎么也来了?

另见 1011 页 ōu；1012 页 ǒu；1013 页 òu。

ǒu （ㄡˇ）

讴 ǒu 讴山,山名,又地名,都在安徽。

呕(嘔) ǒu 动 吐(tù)：～血|作～|刚喝下的药,全～出来了。

【呕吐】ǒutù 动 膈、腹部肌肉突然收缩,胃内食物被压迫经食管、口腔而排出体外。

【呕心】ǒuxīn 动 形容费尽心思(多用于文艺创作)：～之作。

【呕心沥血】ǒu xīn lì xuè 形容费尽心思：为教育事业～。

【呕血】ǒu//xuè 动 食管、胃、肠等消化器官出血经口腔排出。呕出的血液呈暗红色,常混有食物的渣滓。

怄(慪) ǒu 动 ❶ 烧火时柴草等没有充分燃烧而产生大量的烟：～了一屋子烟。❷ 冒烟,不起火苗地烧：把这堆柴火～了。❸ 用燃烧艾草等的烟驱蚊蝇：～蚊子。

嗷(噳) ǒu 叹 表示惊讶,语气较重：～,你也是上海人啊!

另见 1011 页 ōu；1012 页 óu；1013 页 òu。

偶[1] ǒu 用木头、泥土等制成的人像：木～|～像。

偶[2] ǒu ❶ 双数；成对的(跟"奇(jī)"相对)：～数|～蹄类|无独有～。❷ 配偶：佳～。❸ (Ǒu)名 姓。

偶[3] ǒu 副 偶然；偶尔：中途～遇|一为之|～感风寒。

【偶尔】ǒu'ěr ❶ 副 间或；有时候：他经常写小说,～也写诗。❷ 形 属性词。偶然发生的：～的事。

【偶发】ǒufā 形 属性词。偶然发生的：～事件。

【偶感】ǒugǎn 动 ❶ 偶然感到：～不适。

❷ 偶然感染：～风寒。

【偶合】ǒuhé 动 无意中恰巧相合：我们两人看法一致完全是～,事先并没有商量过。

【偶或】ǒuhuò 副 偶尔①：～迟到一次,就感到内心不安。

【偶然】ǒurán ❶ 形 事理上不一定要发生而发生的；超出一般规律的：～事故|～因素|出现这一情况十分～。❷ 副 偶尔①：闹市里～也能听到几声鸟鸣。

【偶然性】ǒuránxìng 名 指事物发展、变化中可能出现也可能不出现,可以这样发生也可以那样发生的情况。偶然性和事物发展过程的本质没有直接关系,但它的后面常常隐藏着必然性。(跟"必然性"相对)。

【偶数】ǒushù 名 能够被 2 整除的整数,如 2,4,6,－8。正的偶数也叫双数。

【偶像】ǒuxiàng 名 用木头、泥土等雕塑的供迷信的人敬奉的人像,比喻崇拜的对象。

耦 ǒu 〈书〉❶ 两人并耕。❷ 同"偶[2]"。

【耦合】ǒuhé 动 物理学上指两个或两个以上的体系或两种运动形式间通过相互作用而彼此影响以至联合起来的现象。如放大器级与级之间信号的逐级放大量通过阻容耦合或变压器耦合；两个线圈之间的互感是通过磁场的耦合。

藕(蕅) ǒu 名 ❶ 莲的地下茎,长形,肥大有节,白色,中间有许多管状的孔,折断后有丝。可以吃。也叫莲藕。❷ (Ǒu)姓。

【藕断丝连】ǒu duàn sī lián 比喻表面上好像已断了关系,实际上仍然挂牵着(多指爱情上的)。

【藕粉】ǒufěn 名 用藕制成的粉。

【藕合】ǒuhé 同"藕荷"。

【藕荷】ǒuhé 形 浅紫而微红的颜色。也作藕合。

【藕灰】ǒuhuī 形 浅灰而微红的颜色。

【藕色】ǒusè 名 藕灰色。

òu （ㄡˋ）

沤(漚) òu 动 长时间地浸泡,使起变化：～麻|～粪。

另见 1011 页 ōu。

【沤肥】òuféi ❶（-//-）动 将垃圾、青草、树叶、厩肥、人粪尿、河泥等放在坑内，加水浸泡，经分解发酵制成肥料。❷ 名 指用这种方法制成的肥料。有的地区叫窖肥。

怄（慪） òu〈方〉动 ❶ 怄气。❷ 使怄气；使不愉快：你别故意～

我。

【怄气】òu∥qì 动 闹别扭，生闷气：不要～｜怄了一肚子气。

噢（嚘） òu 叹 表示醒悟：～，原来是这么回事。

另见 1011 页 ōu；1012 页 óu；1012 页 ǒu。

O

P

p

pā（ㄆㄚ）

炮 pā 〈方〉形 ❶（食物等）烂糊；软和：老牛筋炖不~｜饭煮~了。❷ 软；软弱：经劝解,他的口气~多了。

趴 pā 动 ❶ 胸腹朝下卧倒：~在地上射击。❷ 身体向前靠在物体上；伏：~在桌子上画图。

【趴活儿】pā//huór 〈方〉动 出租汽车、三轮车等守候在某处等顾客。

【趴窝】pā//wō 〈方〉动 ❶ 母鸡下蛋或孵小鸡时趴在鸡窝里。❷ 比喻人因生病、劳累、没活儿干等原因歇在家中,也比喻车、马等由于故障、伤病而不能工作：这台老爷车又~了。

派 pā 【派司】(pā·si) ❶ 名 旧指厚纸印成的或订成本儿的出入证、通行证等。❷ 动 指通过；准予通过(检查、关卡、考试等)。[英 pass]
另见 1018 页 pài。

啪 pā 拟声 形容放枪、拍掌或东西撞击等声音：鞭子甩得~~地响。

【啪嚓】pāchā 拟声 形容东西落地、撞击或器物碰碎的声音：~一声,碗掉在地上碎了。

葩 pā 〈书〉花：奇~。

pá（ㄆㄚˊ）

扒 pá 动 ❶ 用手或用耙子一类的工具使东西聚拢或散开：~草｜〈方〉用手搔；抓；挠：~痒。❸ 扒窃：钱包被小偷~走了。❹ 一种煨烂的烹调方法：~羊肉｜~白菜。

另见 18 页 bā。

【扒糕】págāo 名 用荞麦面制成的凉拌食物。

【扒灰】pá//huī 同"爬灰"。

【扒拉】pá·la 〈方〉动 用筷子把饭拨到嘴里：他~了两口饭就跑出去了。
另见 18 页 bā·la。

【扒犁】pá·li 同"爬犁"。

【扒窃】páqiè 动 从别人身上偷窃(财物)。

【扒手】(掱手) páshǒu 名 从别人身上偷窃财物的小偷◇政治~。

杷 pá 见 1038 页[枇杷]。

爬 pá 动 ❶ 昆虫、爬行动物等行动或人用手和脚一起着地向前移动：蝎子~进了墙缝｜这孩子会~了。❷ 抓着东西往上去；攀登：~树｜~绳｜~山◇墙上~满了藤蔓。❸ 由倒卧而坐起或站起(多指起床)：他病得已经~不起来了◇在哪里跌倒,就在哪里~起来。

【爬虫】páchóng 名 爬行动物的旧称。

【爬格子】pá gé·zi 在有格子的稿纸上一格一格地写字,指辛勤地写作。

【爬灰】pá//huī 动 俗指公公跟儿媳妇儿通奸。也作扒灰。

【爬犁】pá·li 〈方〉名 雪橇(qiāo)。也作扒犁。

【爬坡】pápō 动 往坡上爬,比喻克服困难和阻力,向好的方面努力或向着更高的目标前进。

【爬山虎】páshānhǔ 名 ❶ 落叶藤本植物,叶子阔卵形,多三裂,叶柄细长,花黄绿色。浆果球形。茎上有卷须,先端有吸盘,能附着在岩石或墙壁上。❷ 〈方〉山轿。

【爬升】páshēng 动 ❶（飞机、火箭等)向高处飞行。❷ 比喻逐步提高：商品销售额~。

【爬藤榕】páténgróng 名 常绿灌木,攀缘茎,叶子椭圆形或椭圆状披针形;绿色,背面灰白色。攀缘在树干或墙壁上。

【爬梯】pátī 名 ❶ 坡度较陡,人上下时需双手扶梯的楼梯。❷ 铁链或绳索做成的直上直下的梯子。

【爬行】páxíng 动 ❶ 爬：~动物。❷ 比喻墨守成规,慢腾腾地干：~思想。

【爬行动物】páxíng dòngwù 脊椎动物的

一纲,体表有鳞或甲,体温随着气温的高低而改变,用肺呼吸,卵生或卵胎生,无变态。如蛇、蜥蜴、龟、鳖、玳瑁等。旧称爬虫。

【爬泳】 **páyǒng** 图 游泳的一种姿势,身体俯卧在水面上,两腿打水,两臂交替划水。用这种姿势游泳,速度最快。通称自由泳。

钯(鈀) **pá** 同"耙"(pá)。
另见 21 页 bǎ。

耙 **pá** ❶ 图 耙子:钉～|粪～。❷ 动 用耙子平整土地或聚拢、散开柴草、谷物等:地已～好了|把麦子～开晒晒。
另见 21 页 bà。

【耙子】 **pá·zi** 图 聚拢和散开柴草、谷物或平整土地的农具,有长柄,一端有铁齿、木齿或竹齿。

琶 **pá** 见 1039 页[琵琶]。

鿒 **pá** 见 1014 页[扒手](鿒手)。

筢 **pá** [筢子](pá·zi)图 搂(lōu)柴草的器具,多用竹子、铁丝等制成。

潖 **Pá** 潖江,水名,在广东。

pà（ㄆㄚˋ）

帊 **pà** 〈书〉同"帕"。

帕¹ **pà** 用来擦手擦脸的纺织品,多为方形:手～。

帕² **pà** 量 帕斯卡的简称。物体每平方米的面积上受到的压力为 1 牛时,压强就是 1 帕。

【帕金森病】 **pàjīnsēnbìng** 图 病,因脑部神经元变性而引起。主要症状是肌肉强直,双手震颤,动作缓慢,步态慌张,表情淡漠等。这种病由英国医生帕金森(James Parkinson)最先描述,所以叫帕金森病。也叫震颤麻痹。

【帕金森综合征】 **Pàjīnsēn zōnghézhēng** 因脑动脉硬化、脑炎、一氧化碳中毒等引起的类似帕金森病症状的一系列表现。

【帕斯卡】 **pàsīkǎ** 量 压强单位,符号 Pa。这个单位名称是为纪念法国科学家帕斯卡(Blaise Pascal)而定的。简称帕。

怕 **pà** ❶ 动 害怕;畏惧:老鼠～猫|任何困难都不～。❷ 动 禁受不住:瓷器～摔。❸ 动 担心:他～你不知道,要我告诉你一声。❹ 副 表示估计,有时还含有忧虑、担心的意思:这个瓜～有十几斤吧|如果不采取果断措施,～要出大问题。

【怕人】 **pàrén** ❶ 动 见人害怕:怕见生人:这小孩有点～。❷ 形 使人害怕;可怕:洞里黑得～。

【怕生】 **pàshēng** 动 (小孩儿)怕见生人;认生:孩子小,～。

【怕事】 **pà//shì** 动 怕惹是非:胆小～。

【怕羞】 **pà//xiū** 动 怕难为情;害臊:小姑娘～,躲到姑姑身后去了。

---

pāi（ㄆㄞ）

拍 **pāi** ❶ 动 用手掌或片状物打:～球|～手|～掉身上的土◇惊涛～岸。❷ (～儿)图 拍子①:蝇～儿。❸ 图 拍子②:合～|二分之一～。❹ 动 拍摄:～电影|～照片。❺ 动 发(电报等):～发|～电报。❻ 动 拍马屁:吹吹～～。❼ (Pāi) 图 姓。

【拍案】 **pāi'àn** 动 拍桌子(表示强烈的愤怒、惊异、赞赏等感情):～而起(形容十分愤怒)|～叫绝(形容非常赞赏)。

【拍板】 **pāibǎn** ❶ (－儿)动 打拍板:你唱,我来～。❷ (－儿)动 商行拍卖货物,为表示成交而拍打木板。❸ (－儿)动 比喻主事人做出决定:～定案|这件事由厂长～。❹ 图 打击乐器,用来打拍子。一般用三块硬质木板做成,互相打击能发出清脆的声音。

【拍打】 **pāi·da** 动 ❶ 轻轻地打:～身上的雪。❷ 扇动(翅膀):小鸟～着翅膀。

【拍档】 **pāidàng** 〈方〉❶ 动 协作;合作:两位名演员在这部影片中～饰演男女主角。❷ 图 协作或合作的人:最佳～。[英 partner]

【拍发】 **pāifā** 动 发出(电报)。

【拍花】 **pāihuā** 动 指用能使人迷糊的药诱拐小孩儿。

【拍价】 **pāijià** 图 物品拍卖的价格。

【拍马】 **pāimǎ** 动 拍马屁:逢迎～|溜须～。

【拍马屁】pāi mǎpì 〈口〉指谄媚奉承。

【拍卖】pāimài 勔❶以委托寄售为业的商行当众出卖寄售的货物,由许多顾客出价争购,到没有人再出更高的价时,就拍板或击槌,表示成交。❷称减价抛售;甩卖:大～。

【拍品】pāipǐn 名拍卖的物品:古籍～中,明代刻本颇受关注。

【拍摄】pāishè 勔用摄影机或摄像机把人、物的形象记录在底片、磁带或其他存储介质上:～电影。

【拍手】pāi//shǒu 勔两手相拍,表示欢迎、赞成、感谢等;鼓掌:～叫好|～称快(拍着手喊痛快,多指仇恨得到消除)。

【拍拖】pāituō 〈方〉勔指谈恋爱。

【拍戏】pāi//xì 勔指拍摄电影或电视剧:这位著名演员一年内拍了三部戏。

【拍胸脯】pāi xiōngpú 表示没有问题,可以担保:你放心,我就放心了。

【拍照】pāi//zhào 勔照相:～留念。

【拍纸簿】pāizhǐbù 名纸的一边用胶粘住,便于一页一页撕下来的本子。[拍,英pad]

【拍子】pāi·zi 名❶拍打东西的用具:苍蝇～|网球～。❷音乐中,计算乐音历时长短的单位:打～(按照乐曲的节奏挥手或敲打)。

pái （ㄆㄞˊ）

俳 pái ❶古代指滑稽戏,也指演滑稽戏的艺人。❷〈书〉诙谐;滑稽:～谐。

【俳句】páijù 名日本的一种短诗,以十七个音为一首,首句五个音,中句七个音,末句五个音。

【俳谐】páixié 〈书〉形诙谐:～文(古代指隐喻、调笑、讥讽的文章)。

【俳优】páiyōu 名古代指演滑稽戏的艺人。

排1 pái ❶勔一个挨一个地按着次序摆:～队|～字|把椅子～成一行。❷名排成的行列:他坐在后~。❸名军队的编制单位,隶属于连,下辖若干班。❹指排球运动:～坛|中国女~。❺量用于成列的东西:一～子弹|一～椅子|上下

两～牙齿。❻名一种水上交通工具,用竹子或木头平排地连在一起做成。❼名指扎(zā)成排的竹子或木头,便于放在水里运走。❽一种西式食品,用大而厚的肉片煎成:牛～|猪～。❾勔排演:彩～|这是一出新~的京剧。

排2 pái ❶勔用力除去:～除|～挤|～涝|～灌|把水～出去。❷推;推开:～闼(tà)直入|～门而出。
另见 1018 页 pǎi。

【排奡】pái'ào 〈书〉形(文笔)矫健:其文纵横～。

【排版】pái//bǎn 勔依照稿本把文字、图版等排在一起,拼成版面。

【排比】páibǐ 名修辞方式,用一连串内容相关、结构类似的句子成分或句子来表示强调和一层层的深入。如:"我们说,长征是历史纪录上的第一次,长征是宣言书,长征是宣传队,长征是播种机。"

【排笔】páibǐ 名油漆、粉刷或画家染色用的一种笔,由平列的一排笔毛或几支笔连成一排做成。

【排查】páichá 勔对一定范围内的人、单位、设备等进行逐个检查或审查:～安全隐患|～犯罪嫌疑人。

【排场】pái·chǎng ❶名表现在外面的铺张奢侈的形式或场面:～大|讲～。❷形铺张而奢侈。❸形体面;光彩:集体婚礼又～,又省钱。

【排叉儿】páichàr 名食品,长方形的薄面片(多为两层),中间划三条口子,把面片的一头从口子中掏出来,用油炸熟。也作排权儿。

【排权儿】páichàr ❶名室内较矮而窄的隔断。❷同"排叉儿"。

【排斥】páichì 勔使别的人或事物离开自己这方面:～异己|带同种电荷的物体相～|现实主义的创作方法并不～艺术上的夸张。

【排除】páichú 勔除掉;消除:～积水|～险情|～万难,奋勇直前。

【排挡】páidǎng 名汽车、拖拉机等用来改变牵引力的装置,用于改变行车速度或倒车。简称挡。

【排档】páidàng 〈方〉名设在路旁、广场上的售货处:服装～|个体～。

【排队】pái//duì 勔一个挨一个顺次排列

成行：～上车◇把问题排排队,依次解决。

【排筏】páifá 名 杉木、毛竹等编成的筏子。

【排放】páifàng 动❶ 排出(废气、废水、废渣)：～污水|～瓦斯。❷ 动物排精或排卵。

【排风扇】páifēngshàn 名 换气扇。

【排骨】páigǔ 名 供食用的猪、牛、羊等的肋骨、脊椎骨。

【排灌】páiguàn 动 排水和灌溉：机械～|～设备。

【排行】páiháng 动 (兄弟姐妹)依长幼排列次序：他～第二。

【排行榜】páihángbǎng 名 公布出来的按某种统计结果排列顺序的名单：流行歌曲～|国内汽车销量～。

【排挤】páijǐ 动 利用势力或手段使不利于自己的人失去地位或利益。

【排检】páijiǎn 动 (图书、资料等)排列和检索：～法|汉字～知识。

【排解】páijiě 动❶ 调解(纠纷)：经过～,一场冲突才算平息。❷ 排遣：～愁闷。

【排涝】pái//lào 动 排除田地里过多的积水,使农作物免受涝害。

【排雷】pái//léi 动 排除地雷或水雷。

【排练】páiliàn 动 排演练习：～文艺节目。

【排列】páiliè 动❶ 按次序站立或摆放：十几名卫士～在两旁|按字母次序～|依姓氏笔画多少～。❷ 数学上由 m 个不同的元素中取出 n(n≤m) 个,按一定的顺序排成一列,叫做从 m 中取 n 的排列。排列数记作 P_m^n,公式是 $P_m^n = m(m-1)(m-2)\cdots(m-n+1)$。

【排律】páilǜ 名 长篇的律诗。一般是五言。

【排卵】pái//luǎn 动 发育成熟的卵子从卵巢排出。人的排卵期通常在下次月经开始前的第 14 天左右。

【排名】pái//míng 动 排列名次：他的成绩在比赛中～第五。

【排难解纷】pái nàn jiě fēn 排除危难,调解纠纷。

【排偶】pái'ǒu 名 〈文〉排比对偶。

【排炮】páipào 名❶ 许多门炮同时向同一方向、目标进行射击的炮火。❷ 开山筑路、开矿掘巷道等工程中,连接许多炮眼同时进行的爆破。

【排遣】páiqiǎn 动 借某种事消除(寂寞和烦闷)：心中的郁闷难以～。

【排枪】páiqiāng 名 许多支枪同时向同一方向、目标进行射击的火力。

【排球】páiqiú 名❶ 球类运动项目之一,球场长方形,中间隔有高网,比赛双方(每方六人)各占球场的一方,用手把球从网上空打来打去。❷ 排球运动使用的球,用羊皮或人造革做壳,橡胶做胆,大小和足球相似。

【排山倒海】pái shān dǎo hǎi 形容力量强,声势大。

【排水量】páishuǐliàng 名❶ 船舶在水中所排开的水的重量,分为空船排水量和满载排水量。满载排水量用来表示船只的大小,通常以吨为单位。❷ 河道或渠道在单位时间内排出水的量,通常以立方米/秒为单位。

【排他性】páitāxìng 名 一事物不容许另一事物与自己在同一范围内并存的性质。

【排头】páitóu 名 队伍的最前面,也指站在队伍最前面的人：站在～|向～看齐|～是小队长。

【排头兵】páitóubīng 名 站在队伍最前面的兵,比喻带头的人。

【排外】páiwài 动 排斥外国、外地或本党派、本集团以外的人。

【排尾】páiwěi 名 队伍的最后面,也指站在队伍最后面的人：站在～|～是副队长。

【排污】pái//wū 动 排放废水、废气等污染物：～泵|提高汽车发动机的动力性能,降低～量。

【排戏】pái//xì 动 排演戏剧。

【排险】pái//xiǎn 动 排除险情：紧急～|～抢救。

【排泄】páixiè 动❶ 使雨水、污水等流走。❷ 生物把体内新陈代谢产生的废物排出体外。如动物排尿、排汗,植物把多余的水分和无机盐排出体外。

【排揎】pái·xuan 〈方〉动 数说责备；训斥：他已经认错了,你别再～他了。

【排演】páiyǎn 动 戏剧等上演前,演员在导演的指导下逐段练习。

【排印】páiyìn 动 排版和印刷：～书稿|文稿已交付～。

【排忧解难】pái yōu jiě nàn 排除忧虑,解

除危难。

【排阵】páizhèn 劚安排阵形;布置阵容。多比喻在一些大型活动或体育比赛中安排项目、确定人员配置和上场次序等:春节晚会的节目是经过精心~的。

【排中律】páizhōnglǜ 图形式逻辑基本规律之一,在同一时间和同一条件下,对同一对象所作的两个矛盾判断不能同时都假,必有一真。如一个是假的,另一个一定是真的,不能有中间情况。公式是:"甲或非甲"或"甲是乙或甲不是乙"。

【排字】pái//zì 劚印刷以前按一定的格式排出印刷物的文字。

徘 pái ［徘徊］(páihuái) 劚❶ 在一个地方来回走:他独自在江边~。❷ 比喻犹疑不决:~歧路。❸ 比喻事物在某个范围内来回浮动、起伏:这个厂每月的产值一直在三百万元左右~。

排 pái 同"排¹"❻❼。

牌 pái ❶(~儿)图牌子①:广告~|标语~。❷(~儿)图牌子②:门~|自行车~儿。❸(~儿)图牌子③:冒~儿|英雄~金笔。❹ 图一种娱乐用品(也用为赌具):纸~|扑克~|打~。❺ 牌子④:词~|曲~。❻(Pái)图姓。

【牌匾】páibiǎn 图挂在门楣上或墙上,题着字的木板或金属板。

【牌坊】pái·fāng 图形状像牌楼的构筑物,旧时多用来表彰忠孝节义的人物,如功德牌坊、贞节牌坊。

【牌号】páihào (~儿)图❶ 商店的字号:这家餐馆换了~。❷ 商标;牌子③:货架上陈列着各种~的电视机|这种~的香水是上等货。

【牌价】páijià 图规定的价格(多用牌子公布):零售~|批发~。

【牌九】páijiǔ 图骨牌。

【牌楼】pái·lou 图做装饰用的构筑物,多建于街市要冲或名胜之处,由两个或并列的柱子构成,上面有檐。为庆祝用的牌楼是临时用竹、木等扎彩搭成的。

【牌位】páiwèi 图指神主、灵位或其他题着名字作为祭祀对象的木牌。

【牌照】páizhào 图政府发给的行车的凭证,也指发给某些特种营业的执照。

【牌证】páizhèng 图牌照;证件:~齐全。

【牌子】pái·zi 图❶ 张贴文告、广告、标语等的板状物:球场四周竖立着各种广告~。❷ 用木板或其他材料做的标志,上边多有文字:菜~|水~。❸ 企业单位为自己的产品起的专用的名称:老~|闻~。❹ 词曲的调子的名称。

【牌子曲】pái·ziqǔ 图指把若干民歌小调和若干曲艺曲牌连串起来演唱一段故事的一类曲。

箄 pái 同"簰"。
另见 56 页 bēi。

簰(簰) pái 同"排¹"❻❼。

pǎi （夊艻）

迫(迫) pǎi ［迫击炮］(pǎijīpào)图从炮口装弹,以曲射为主的火炮,炮身短,射程较近,轻便灵活,能射击遮蔽物后方的目标。
另见 1058 页 pò。

排 pǎi 〈方〉劚用楦子填紧或撑大新鞋的中空部分使合于某种形状:把这双鞋~一~。
另见 1016 页 pái。

【排子车】pǎizichē 图用人力拉的一种车,没有车厢,多用于运货或搬运器物。也叫大板车。

pài （夊艻）

哌 pài ［哌嗪］(pàiqín)图药名,有机化合物,化学式 $C_4H_{10}N_2$。白色晶体,有驱除蛔虫和蛲虫的作用。［英 piperazine］

派¹ pài ❶图指立场、见解或作风、习气相同的一些人:党~|学~|宗~|乐观~。❷图作风或风度:气~|~头。❸〈方〉圈有派头儿;有风度:小王穿上这身衣服真够~的。❹ 量 a)用于派别:两~学者对这个问题有两种不同的看法。b)用于景色、气象、声音、语言等(前面用"一"字):好一~北国风光|一~新气象|一~胡言。❺〈书〉江河的支流,泛指分支。❻劚分配:派遣;委派;安排:分~|调

(diào)~|~人送去|~用场。❼ 动 摊派：~粮~款。❽ 动 指摘(别人过失)：~不是。

派² pài 名 一种带馅儿的西式点心：苹果~|巧克力~。[英 pie]
另见 1014 页 pā。

【派别】pàibié 名 学术、宗教、政党等内部因主张不同而形成的分支或小团体。

【派不是】pài bù•shi 指摘别人的过失：自己不认错,还派别人的不是。

【派出所】pàichūsuǒ 名 我国公安部门的基层机构,管理户口和基层治安等工作。

【派对】pàiduì〈方〉名 指小型的聚会：生日~。[英 party]

【派发】pàifā 动 ❶ 分发;发放：街头常有人~商品广告。❷ 指卖出(证券等)：逢高~。

【派力司】pàilìsī 名 用羊毛织成的平纹毛织品,表面现出纵横交错的隐约的线条,适宜于做夏季服装。[英 palace]

【派遣】pàiqiǎn 动(政府、机关、团体等)命人到某处做某项工作：~代表团出国访问。

【派生】pàishēng 动 从一个主要事物的发展中分化出来：~词。

【派生词】pàishēngcí 名 见 548 页〖合成词〗。

【派送】pàisòng 动 分发赠送：这家餐厅节日期间将向客人~小礼品。

【派头】pàitóu(~儿)名 气派：~十足|很有~。

【派位】pài//wèi 动 把适龄儿童或考生按照一定原则分配到招生学校：录取工作采用电脑~。

【派系】pàixì 名 指某些政党或集团内部的派别。

【派性】pàixìng 名 指维护派系私利的表现：闹~|消除~。

【派驻】pàizhù 动 受到派遣驻在某地(执行任务)：~国外|~维和部队。

蒎 pài [蒎烯](pàixī)名 有机化合物,化学式 $C_{10}H_{16}$。无色液体,是松节油的主要成分。用作溶剂,也是制造合成树脂、合成樟脑等的原料。[英 pinene]

湃 pài 见 1022 页〖滂湃〗、1033 页〖澎湃〗。

扳 pān 同"攀"。
另见 33 页 bān。

番 pān ❶ 番禺(Pānyú),地名,在广东。❷(Pān)名 姓。
另见 372 页 fān。

潘 Pān 名 姓。

攀 pān ❶ 动 抓住东西向上爬：~登|~树|~着绳子往上爬。❷ 用手拉：抓住：~折|~缘。❸ 动 指跟地位高的人结亲戚或拉关系：高~|~龙附凤|~上了一门好亲戚。❹ 动 设法接触;牵扯：~谈|~扯|~供|你自己的事儿,别总~着别人。❺(Pān)名 姓。

【攀比】pānbǐ 动 援引事例比附：互相~。

【攀扯】pānchě 动 牵连拉扯：这件事跟他没关系,你别~他。

【攀登】pāndēng 动 抓住东西爬上去◇~科学高峰。

【攀附】pānfù 动 ❶ 附着东西往上爬：藤蔓~树木。❷ 比喻投靠有权势的人,以求高升：~权贵。

【攀高】pāngāo 动 ❶ 攀升：入夏以来,空调销量不断~。❷ 跟在某方面高于自己的人攀比：~心理。❸ 高攀：不敢~。

【攀高枝儿】pān gāozhīr 指跟社会地位比自己高的人交朋友或结成亲戚。

【攀供】pāngòng 动 指招供的时候凭空牵扯别人。

【攀龙附凤】pān lóng fù fèng 巴结或投靠有权势的人。也说附凤攀龙。

【攀亲】pān//qīn 动 ❶ 拉亲戚关系：~道故。❷〈方〉议婚;订婚：给儿子攀了一门亲。

【攀禽】pānqín 名 鸟的一类,脚短而健壮,善于攀树,嘴坚硬,有的有锋利的钩,常捕食害虫。如啄木鸟、杜鹃等。

【攀升】pānshēng 动(数量等)向上升：市场行情一路~|成交额逐年~。

【攀谈】pāntán 动 拉扯闲谈：两人~起来很相投。

【攀诬】pānwū 动 牵连;诬陷：~好人。

【攀岩】pānyán 名 一种体育运动,只使用

P

少量器具,主要利用双手和双脚攀登岩石峭壁。

【攀援】pānyuán 同"攀缘"。

【攀缘】pānyuán 动❶ 抓着东西往上爬。❷ 比喻投靠有钱有势的人往上爬。‖也作攀援。

【攀缘茎】pānyuánjīng 名 不能直立,靠卷须或吸盘状的器官等附着在别的东西上生长的茎,如葡萄、黄瓜、常春藤、爬山虎等的茎。

【攀越】pānyuè 动 攀缘并越过;攀登并越过:严禁~公路护栏。

【攀折】pānzhé 动 拉下来折断(花木):爱护花木,请勿~。

【攀枝花】pānzhīhuā 名 木棉①。

pán （ㄆㄢˊ）

爿 pán 〈方〉❶ 劈成片的竹木等:柴~|竹~。❷ 量 a)田地一片叫一爿。b)商店、工厂等一家叫一爿。

胖 pán 〈书〉安泰舒适:心广体~。
另见 1024 页 pàng。

般 pán 〈书〉欢乐:~乐。
另见 34 页 bān;102 页 bō。

盘(盤) pán ❶ 古代盥洗用具的一种。❷(~儿)名 盘子①:茶~儿|托~。❸(~儿)形状或功用像盘子的东西:磨~|算~|字~|棋~|◇地~。❹(~儿)指商品行情:开~|收~|平~。❺ 动 回旋地绕:~山|杠子|马夸号|树上~着一条蛇。❻ 动 垒、砌、搭(炕、灶):南屋的炕拆了还没~。❼ 动 仔细查问或清点:~问|~根究底|~货|一年~一次账。❽ 动 指转让(工商企业):出~|招~|受~|~店|把铺子~出去了。❾ 动 搬运:~运|由仓库朝外头~东西。❿ 量 a)用于形状或功用像盘子的东西:一~磨|一~土炕。b)用于回旋盘绕的东西:一~电线|一~蚊香。c)用于棋类、球类等比赛:下几~棋|乒乓球赛进行了两~单打和一~双打。⓫(Pán)名姓。

【盘剥】pánbō 动 指利上加利地剥削:重利~。

【盘查】pánchá 动 盘问检查:~过路行人。

【盘缠】pán·chan 〈口〉名 路费。

【盘川】pánchuān 〈方〉名 路费。

【盘存】páncún 动 用清点、过秤、对账等方法检查现有资产的数量和情况。

【盘错】páncuò 〈书〉动(树根或树枝)盘绕交错,也用来比喻事情错综复杂:枝丫|问题~,一时难以解决。

【盘道】pándào 名 弯曲的路,多在山地。

【盘点】pándiǎn 动 清点(存货):~库存。

【盘店】pándiàn 动 指把店铺全部的货物器具等转让给人。

【盘跌】pándiē 动(股价、期价等)缓慢小幅下跌:股市大盘震荡~。

【盘费】pán·fei 〈口〉名 路费。

【盘根错节】pán gēn cuò jié 树根盘绕,木节交错。比喻事情复杂,不易解决。

【盘根究底】pán gēn jiū dǐ 盘根问底。

【盘根问底】pán gēn wèn dǐ 盘问事情的根由底细。也说盘根究底。

【盘亘】pángèn 〈书〉动(山)互相连接:山岭~交错。

【盘古】Pángǔ 名 神话中的开天辟地的人物。

【盘桓】pánhuán 动 ❶〈书〉逗留;徘徊①:~终日|在杭州~了几天,游览了各处名胜。❷ 回环旋绕:这个想法一直~脑际。

【盘活】pánhuó 动 采取措施,使资产、资金等恢复运作,产生效益:~资金|~了两家工厂。

【盘货】pán//huò 动 商店等清点和检查实存货物:今日~,暂停营业。

【盘诘】pánjié 动 仔细追问(可疑的人):对形迹可疑的人要严加~。

【盘结】pánjié 动 旋绕:森林里古木参天,粗藤~。

【盘究】pánjiū 动 盘问追究:~根底。

【盘踞】(盘据)pánjù 动 非法占据;霸占(地方):一股海匪~小岛。

【盘口】pánkǒu 名 指现时的股票、期货等价格涨跌及成交额增减的情况。

【盘库】pán//kù 动 查点仓库物品。

【盘落】pánluò 动 盘跌:股市逐步~。

【盘马弯弓】pán mǎ wān gōng 韩愈《雉带箭》诗:"将军欲以巧伏人,盘马弯弓惜不发。"比喻先做出惊人的姿势,不立刻行动(盘马:骑着马绕圈子;弯弓:张了弓要射箭)。

【盘面】pánmiàn 图 指某一时点或某一时段的股市、期市等的交易状况。

【盘尼西林】pánníxīlín 图 青霉素的旧称。[英 penicillin]

【盘曲】(蟠曲) pánqū 〈书〉厖 形容曲折环绕：古树枝干～|山路～而上。

【盘绕】pánrào 围 围绕在别的东西上面：长长的藤葛～在树身上。

【盘儿菜】pánrcài 图 切好并适当搭配，放在盘子中出售的生菜肴。

【盘山】pánshān 围 在山上环绕着：～道|～水渠|公路～而上。

【盘跚】pánshān 见 1021 页[蹒跚]。

【盘升】pánshēng 围 (股价、期价等)缓慢小幅上升：股市持续～。

【盘石】pánshí 见 1021 页[磐石]。

【盘算】pán•suan 围 心里算计或筹划：这笔钱添置什么东西，老汉～了好几天。

【盘梯】pántī 图 一种扶梯，中间竖立一根圆柱，柱旁辐射式地安装若干折扇形的梯级，盘旋而上，多用于瞭望台或塔中。

【盘腿】pán∥tuǐ 围 坐时两腿弯曲交叉地平放着。

【盘陀】(盘陁) pántuó 〈书〉厖 ❶ 形容石头不平的样子。❷ 形容曲折回旋的样子：～路。

【盘问】pánwèn 围 仔细查问：再三～，他才说出实情。

【盘膝】pánxī 围 盘腿：～而坐。

【盘香】pánxiāng 图 绕成螺旋形的线香。

【盘旋】pánxuán 围 ❶ 环绕着飞或走：飞机在天空～|山路曲折，游人～而上◇这件事在我脑子里～了好久。❷ 徘徊；逗留：他在花房里～了半天才离开。

【盘羊】pányáng 图 羊的一种，野生，头部很大，角粗大而向下弯曲，略呈螺旋形，毛厚而长，棕灰色，尾短，四肢强健有力，能爬高山。生活在华北、西北等地区。

【盘账】pán∥zhàng 围 查核账目。

【盘整】pánzhěng 围 ❶ (价格等)在一定范围内小幅调整：大盘行情处于～格局之中。❷ 整顿；调整：音像制品市场的～已刻不容缓。

【盘子】pán•zi 图 ❶ 盛放物品的浅底的器具，比碟子大，多为圆形。❷ 指商品行情。❸ 比喻事物的规模、范围：确定年度

的财政收支～。

槃 pán 〈书〉同"盘"①②⑤。

磐 pán 〈书〉大石头：～石。

【磐石】(盘石) pánshí 图 厚而大的石头：安如～。

碻 Pán 碻溪河(Pánxī Hé)，水名，在陕西。

蹒(蹣) pán [蹒跚](盘跚)(pánshān)厖 腿脚不灵便，走路缓慢、摇摆的样子：步履～。

蟠 pán 盘曲。

【蟠曲】pánqū 见 1021 页[盘曲]。

【蟠桃】pántáo 图 ❶ 桃的一种，果实扁圆形，果肉味甜。❷ 这种植物的果实。‖ 有的地区叫扁桃。❸ 神话中的仙桃。

鞶(❷繁) pán 〈书〉❶ 大带子。❷ 小囊。

pàn (ㄆㄢˋ)

判 pàn ❶ 分开；分辨：～别|～断|～明。❷ 明显(有区别)：新旧社会～然不同|前后～若两人。❸ 围 评定：裁～|评～|～卷子。❹ 围 判决：审～|～案|公～|～了徒刑。

【判别】pànbié 围 辨别(不同之处)：～是非|提高～能力。

【判处】pànchǔ 围 判决处以某种刑罚：～有期徒刑一年。

【判词】pàncí 图 ❶ 判决书的旧称。❷ 断语；结论。

【判定】pàndìng 围 分辨断定：～去向|从一句话里很难～他的看法。

【判读】pàndú 围 利用已知的视觉信息符号来判断新获得的视觉信息的含义：卫星照片～|通过图像分析，把断层的活动性质～出来。

【判断】pànduàn ❶ 图 思维的基本形式之一，就是肯定或否定某种事物的存在，或指明它是否具有某种属性的思维过程。在形式逻辑上用一个命题表达出来。❷ 围 断定：你～得很正确|正确的～。❸ 〈书〉围 判决(案件)。

【判罚】pànfá 动 根据有关规定判以处罚：尊重裁判的～｜运动员在禁区犯规，～点球。

【判分】pàn∥fēn （～儿）动 对试卷或参加比赛人员的表演、动作等判定分数：～严｜～标准。

【判官】pànguān 名 ❶ 唐宋时期辅助地方长官处理公事的人员。❷ 迷信传说中指阎王手下掌管生死簿的官。

【判决】pànjué 动 ❶ 法院对审理结束的案件做出决定：～书。❷ 判断，决定：比赛中队员要服从裁判的～。

【判决书】pànjuéshū 名 法院根据判决写成的文书。

【判例】pànlì 名 已经生效的判决。法院在判决类似案件时可以援用为先例，这种被援用的先例叫做判例。判例有时具有与法律同等的效力。

【判明】pànmíng 动 分辨清楚；弄清楚：～是非｜～真相。

【判若鸿沟】pàn ruò Hónggōu 形容界线很清楚，区别很明显。参看 567 页〖鸿沟〗。

【判若天渊】pàn ruò tiān yuān 判若云泥（天渊：天上和深渊）。

【判若云泥】pàn ruò yún ní 高低差别好像天上的云彩和地下的泥土的距离那样远。也说判若天渊。

【判刑】pàn∥xíng 动 判处刑罚。

【判罪】pàn∥zuì 动 法院根据法律给犯罪的人定罪。

拚 pàn 舍弃不顾：～弃｜～命。另见 1047 页 pīn "拼"。

泮 pàn ❶〈书〉融解。❷ 指泮宫。清代称考中秀才为"入泮"。❸（Pàn）名 姓。

【泮宫】pàngōng 名 古代的学校。

盼 pàn ❶ 动 盼望：切～｜星星～月亮，才～到亲人归来。❷ 看：左顾右～。❸（Pàn）名 姓。

【盼头】pàn·tou 名 指可能实现的良好愿望：这年月呀，越活越有～啦！

【盼望】pànwàng 动 殷切地期望：他～早日与亲人团聚。

叛 pàn 背叛：～贼｜～匪｜反～｜众～亲离｜离经～道。

【叛变】pànbiàn 动 背叛自己的一方，采取敌对行动或投向敌对的一方：～投敌。

【叛国】pàn∥guó 动 背叛祖国：～罪｜～分子｜～出逃。

【叛离】pànlí 动 背叛：～祖国。

【叛乱】pànluàn 动 武装叛变：发动～｜～分子。

【叛卖】pànmài 动 背叛并出卖（祖国、革命）：～民族利益。

【叛逆】pànnì ❶ 动 背叛：～行为｜～封建礼教。❷ 名 有背叛行为的人：旧制度的～。

【叛逃】pàntáo 动 背叛逃亡，特指叛国出逃。

【叛徒】pàntú 名 有背叛行为的人，特指背叛祖国或背叛革命的人。

畔 pàn ❶（江、湖、道路等）旁边；附近：湖～｜路～｜桥～｜枕～。❷ 田地的边界：田～。〈古〉又同"叛"。

祥 pàn ❶ 同"襻"。❷ 见 1082 页〖袷祥〗。

鋬 pàn〈方〉名 器物上用手提的部分：壶～｜桶～。

襻 pàn ❶（～儿）名 用布做的扣住纽扣的套：纽～儿。❷（～儿）名 形状或功用像襻的东西：车～｜鞋～儿｜篮子～儿。❸ 动 用绳子、线等绕住，使分开的东西连在一起：～上几针｜用绳子～住。

乓 pāng 拟声 形容枪声、关门声、东西砸破声等：～的一声枪响｜乒乓～～响成一片。

霶（霶、霶）pāng〈书〉❶ 雪下得很大。❷ 同"滂"。

滂 pāng〈书〉❶ 水势浩大的样子。❷ 形容水涌出。

【滂湃】pāngpài 形 形容水势浩大。

【滂沱】pāngtuó 形 形容雨下得很大：大雨～｜～涕泗～（形容哭得很厉害，眼泪、鼻涕流得很多）。

膀（髈）pāng 动 浮肿：～肿｜他的心脏病不轻，脸都～了。另见 41 页 bǎng；42 页 bàng；1023 页 páng。

páng（ㄆㄤ）

彷（徬） páng ［彷徨］（pánghuáng）动 走来走去，犹疑不决，不知往哪个方向去：～歧途｜～失措。
另见 388 页 fǎng。

庞¹（龐、❶❷厐） páng ❶ 庞大：～然大物。❷ 多而杂乱：～杂。❸ (Páng)名 姓。

庞²（龐） páng （～儿）脸盘：脸～｜面～。

【庞大】pángdà 形 很大（常含过大或大而无当的意思，指形体、组织或数量等）：体积～｜机构～｜开支～。

【庞然大物】pángrán dà wù 外表上庞大的东西。

【庞杂】pángzá 形 多而杂乱：机构～｜内容～｜文字～。

逄 Páng 名 姓。

旁 páng ❶ 名 方位词。旁边：路～｜～观｜～门｜～若无人｜目不～视。❷ 代 指示代词。其他；另外：～人｜他有～的事先走了。❸ （～儿）名 汉字的偏旁：竖心～儿｜这个字是什么～儿？❹ 广泛：～征博引。❺ (Páng)名 姓。
〈古〉又同"傍"bàng。

【旁白】pángbái 名 戏剧角色背着台上其他剧中人对观众说的话。

【旁边】pángbiān （～儿）名 方位词。左右两边；靠近的地方：马路～停着许多汽车｜小区的～有一个公园。

【旁出】pángchū 动（支脉、枝杈等）从旁边分出去：歧路～。

【旁顾】pánggù 动 顾及其他事物：无暇～｜～左右。

【旁观】pángguān 动 置身局外，在一边看：冷眼～｜袖手～。

【旁观者清】páng guān zhě qīng 旁观的人看得清楚。参看 271 页〖当局者迷〗。

【旁皇】pánghuáng 见 1023 页〖彷徨〗。

【旁及】pángjí 动 连带涉及：～他人。

【旁落】pángluò 动（应有的权力或荣誉等）落到别人手中：大权～。

【旁门】pángmén （～儿）名 正门旁边的或整个建筑物侧面的门。

【旁门左道】páng mén zuǒ dào 见 1825 页〖左道旁门〗。

【旁敲侧击】páng qiāo cè jī 比喻说话或写文章不从正面直接说明，而从侧面曲折表达。

【旁人】pángrén 代 人称代词。其他的人；另外的人：这件事由我负责，跟～不相干。

【旁若无人】páng ruò wú rén 好像旁边没有人，形容态度自然或高傲。

【旁听】pángtīng 动 ❶ 参加会议而没有发言权和表决权。❷ 非正式地随班听课：～生｜他在北京大学～过课。

【旁骛】pángwù〈书〉动 在正业以外有所追求：驰心～。

【旁系亲属】pángxì qīnshǔ 直系亲属以外在血统上和自己同出一源的人及其配偶，如兄、弟、姐、妹、伯父、叔父、伯母、婶母等。

【旁征博引】páng zhēng bó yǐn 为了表示论证充足而广泛地引用材料。

【旁证】pángzhèng 名 主要证据以外的证据；间接的证据。

【旁支】pángzhī 名 家族、集团等系统中不属于嫡系的支派。

蒡 páng ［蒡䓖］（pángbó）名 古书上指茼蒿。
另见 42 页 bàng。

膀 páng ［膀胱］（pángguāng）名 人和高等动物体内储存尿的器官，囊状，位于盆腔内。由平滑肌等构成，有很大的伸缩性。尿从肾脏顺着输尿管进入膀胱。有的地区叫尿脬（suī·pāo）。（图见 941 页"人的泌尿器"）
另见 41 页 bǎng；42 页 bàng；1022 页 pāng。

磅 páng ［磅礴］（pángbó）❶ 形（气势）盛大：气势～。❷ 动（气势）充满：～宇内。
另见 42 页 bàng。

螃 páng ［螃蟹］（pángxiè）名 节肢动物，全身有甲壳，眼有柄，足有五对，前面一对长成钳状，横着爬。种类很多，通常生活在淡水里的叫河蟹，生活在海里的叫海蟹。

鳑（鰟） páng ［鳑鲏］（pángpí）名 鱼，体侧扁，卵圆形，银灰色，多带橙黄色或蓝色斑纹，背鳍和臀鳍较长。生活在淡水中,吃水生植物,卵产在蚌壳里。

pǎng （ㄆㄤˇ）

嗙 pǎng 〈方〉动 自夸;吹牛:开～|胡吹乱～。

耪 pǎng 动 用锄锄草并翻松土地:～地|～谷子。

髈 pǎng 〈方〉名 大腿。
另见42页bǎng。

pàng （ㄆㄤˋ）

胖(胖) pàng 形 (人体)脂肪多,肉多(跟"瘦"相对):肥～|这孩子真～。
另见1020页pán。

【胖大海】pàngdàhǎi 名❶ 落叶乔木,叶子卵形,互生,圆锥花序。种子椭圆形,种皮黑褐色,有皱纹,浸在水中,即膨大呈海绵状,可入药。❷ 这种植物的种子。

【胖墩墩】pàngdūndūn （～的)形 状态词。形容人矮胖而结实。

【胖墩儿】pàngdūnr 〈口〉名 称矮而胖的人(多指儿童)。

【胖乎乎】pànghūhū （～的)形 状态词。形容人肥胖。

【胖头鱼】pàngtóuyú 名 鳙(yōng)。

【胖子】pàng·zi 名 肥胖的人。

pāo （ㄆㄠ）

抛(拋) pāo ❶ 动 扔;投掷:～球|～物线|～砖引玉。❷ 动 丢下:～妻别子|跑到第三圈,他已经把别人远远地～在后面了。❸ 暴露:～头露面。❹ 动 抛售:～出股票。

【抛光】pāoguāng 动 对工件等表面加工,使高度光洁。通常用附有磨料的布、皮革等制的抛光轮来进行,还有液体抛光、电解抛光和化学抛光等。

【抛荒】pāo//huāng 动❶ 土地不继续耕种,任它荒芜。❷ (学业、业务)荒废。

【抛锚】pāo//máo 动❶ 把锚投入水中,使船停稳。汽车等中途发生故障而停止行驶,也叫抛锚。❷ 比喻进行中的事情因故中止。

【抛盘】pāopán ❶ 动 指卖出证券、期货等。❷ 名 指一定时间内市场上卖出的证券、期货等。

【抛弃】pāoqì 动 扔掉不要:～家园|～旧观念。

【抛却】pāoquè 动 抛掉;抛弃:～不切实际的幻想。

【抛舍】pāoshě 动 抛掉;舍弃:怎么也～不下骨肉亲情。

【抛射】pāoshè 动 利用弹力或推力送出。

【抛售】pāoshòu 动 预料价格将跌或为压低价格等原因而大量卖出(商品)。

【抛头露面】pāo tóu lù miàn 旧时指妇女出现在大庭广众之中(封建道德认为是丢脸的事)。现在指某人公开露面(多含贬义)。

【抛物面】pāowùmiàn 名 与一定方向的平面的交线是抛物线的曲面。分为椭圆抛物面和双曲抛物面。

【抛物面镜】pāowùmiànjìng 名 反射面为抛物面的镜子。光源在焦点上时,光线经镜面反射后变成平行光束。汽车灯、探照灯中装有抛物面镜。

【抛物线】pāowùxiàn 名 平面上到定点O和定直线l距离相等的动点P的轨迹。定点O叫做抛物线的焦点。将一物体向上斜抛出去所经的路线就是抛物线。

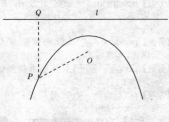

抛 物 线

【抛掷】pāozhì 动 扔;丢弃:～雪球|莫把年华轻～。

【抛砖引玉】pāo zhuān yǐn yù 谦辞,比喻

用粗浅的、不成熟的意见引出别人高明的、成熟的意见。

泡¹ pāo ❶（～儿）鼓起而松软的东西：豆～儿｜眼～。❷〈方〉形 虚而松软；不坚硬：～枣｜～线｜这块木料发～。

泡² pāo 〈方〉小湖（多用于地名）：月亮～（在吉林）｜莲花～（在黑龙江）。

泡³ pāo 量 用于屎和尿。
    另见 1026 页 pào。

【泡货】pāohuò〈方〉名 体积大而分量小的物品。

【泡桐】pāotóng 名 落叶或常绿乔木，叶子大，卵形或心脏形，花紫色，蒴果长圆形。木材质地疏松，可制乐器、模型等。也叫桐。

【泡子】pāo·zi〈方〉名 小湖（多用于地名）：～沿（在辽宁）｜双～（在内蒙古）。
    另见 1027 页 pào·zi。

脬 pāo ❶ 见 1305 页〖尿脬〗(suī·pāo)。❷同"泡³"(pāo)。

páo （ㄆㄠˊ）

刨 páo 动❶ 使用镐、锄头等向下向里用力：～土｜～坑｜～白薯。❷〈口〉刨除：十五天～去五天，只剩下十天了。
    另见 52 页 bào。

【刨除】páochú 动 从原有的事物中除去；减去。

【刨根儿】páo//gēnr 动 比喻追究底细：～问底儿(追究底细)｜这件事非得刨刨根儿不可。

咆 páo〈书〉(猛兽)怒吼；嗥：～哮。

【咆哮】páoxiào 动❶(猛兽)怒吼。❷形容水流的奔腾轰鸣，也形容人的暴怒喊叫：黄河～｜～如雷。

狍(麅) páo 名 狍子。

【狍子】páo·zi 名 鹿的一种，耳朵和眼都大，颈长，尾很短，后肢略比前肢长，冬季毛棕褐色，夏季毛栗红色，臀部灰白色，雄的有角。吃青草、野果和野菌等。

庖 páo〈书〉❶ 厨房：～厨。❷ 厨名～(有名的厨师)。

【庖厨】páochú〈书〉名❶ 厨房。❷ 厨师。

【庖代】páodài〈书〉动 替别人做他分内的事。参看 1685 页〖越俎代庖〗。

炮 páo 动❶ 炮制中药的一种方法，把生药放在热铁锅里炒，使它焦黄爆裂，如用这种方法炮制的姜叫炮姜。❷〈书〉烧；烤(食物)。
    另见 45 页 bāo；1027 页 pào。

【炮格】páogé 动 古代的一种酷刑。

【炮炼】páoliàn 动 用加热的方法把中药原料里的水分和杂质除去。

【炮烙】páoluò（旧读 páogé）动 就是"炮格"，古代的一种酷刑。

【炮制】páozhì 动❶ 用中草药原料制成药物的过程。方法有烘、炮、炒、洗、泡、漂、蒸、煮等。❷ 泛指编造；制订(含贬义)。

袍 páo（～儿）名 袍子：皮～｜棉～儿｜长～｜旗～儿。

【袍笏登场】páo hù dēng chǎng 身穿官服，手执笏板，登台演剧，比喻上台做官（含讽刺意）。

【袍泽】páozé〈书〉名《诗经·秦风·无衣》："岂曰无衣？与子同袍。王于兴师，修我戈矛，与子同仇。岂曰无衣？与子同泽。"这首诗讲兵士出征的故事，"袍"和"泽"都是古代的衣服名称，后来称军队中的同事叫袍泽：～之谊｜～故旧。

【袍子】páo·zi 名 中式的长衣服。

匏 páo〔匏瓜〕(páoguā) 名❶ 一年生草本植物，叶子掌状分裂，茎上有卷须。果实比葫芦大，对半剖开可做水瓢。❷ 这种植物的果实。

跑 páo 动 走兽用脚刨地：～槽(牲口刨槽根)｜虎～泉(泉名，在杭州)。
    另见 1025 页 pǎo。

pǎo （ㄆㄠˇ）

跑 pǎo 动❶ 两只脚或四条腿迅速前进：赛～｜～了一圈儿｜鹿～得很快｜火车在飞～。❷ 逃走：别让兔子～了｜～了和尚～不了庙。❸〈方〉走：～路。❹ 为某种事务而奔走：～码头｜～材料｜～买卖。❺ 物体离开了应该在的位置：～电｜～油｜～气｜信纸叫风刮到～了。❻ 液体因挥发而损耗：瓶子没盖严，汽油都～了。

另见 1025 页 páo。

【跑表】pǎobiǎo 名 秒表。

【跑步】pǎo∥bù 动 按照规定姿势往前跑。

【跑车】[1] pǎo∥chē 〈口〉列车员随车工作。

【跑车】[2] pǎochē 名 ❶ 赛车②。❷ 林区运木材用的一种车。

【跑单帮】pǎo dānbāng 指个人往来各地贩卖货物。

【跑刀】pǎodāo 名 冰刀的一种,装在速度滑冰冰鞋的底下,刀口较窄而平直。

【跑道】pǎodào 名 ❶ 供飞机起飞和降落时滑行用的路。❷ 运动场中赛跑用的路,也指速度滑冰比赛用的路。

【跑电】pǎo∥diàn 动 由于绝缘部分损坏,电流逸出电线或电器的外部。也说漏电。

【跑调儿】pǎo∥diàor 动 走调儿。

【跑肚】pǎo∥dù 〈口〉动 泻肚。

【跑反】pǎo∥fǎn 旧时指为躲避兵乱或匪患而逃往外地。也说逃反。

【跑官】pǎo∥guān 动 指通过行贿、拉关系等不正当手段谋取官职。

【跑光】pǎo∥guāng 动 感光材料(如胶片、感光纸)因封闭不严而感光。也说漏光。

【跑旱船】pǎo hànchuán 一种民间舞蹈,扮演女子的人站在用竹片等和布扎成的无底船中间,船舷系在身上。另一人扮艄公,手持木桨,作划船状。艄公与船上的人合演,或边舞或划,如船漂浮在水面之上。有的地区叫采莲船。

【跑江湖】pǎo jiānghú 指以卖艺、算卦、相面等为职业,来往各地求生活。

【跑龙套】pǎo lóngtào ❶ 在戏曲中扮演随从或兵卒。❷ 比喻在人手下做无关紧要的事。

【跑马】pǎo∥mǎ 动 ❶ 骑着马跑。❷ 指赛马:~场。❸〈方〉遗精。

【跑马卖解】pǎo mǎ mài xiè 旧时指骑马表演各种技艺,以此赚钱谋生。也说跑马解、跑解马。

【跑码头】pǎo mǎ·tou 指在沿海沿江河的大城市往来做买卖。

【跑买卖】pǎo mǎi·mai 来往各地做生意。

【跑跑颠颠】pǎopǎodiāndiān (~的)形 状态词。形容奔走忙碌:她一天到晚~,热心为群众服务。

【跑偏】pǎo∥piān 动 ❶(车辆行驶)偏离正常轨道:汽车~。❷ 泛指说话、做事偏离一定的规范或要求:行为~|讨论的话题~。

【跑生意】pǎo shēng·yi 跑买卖。

【跑堂儿的】pǎotángr·de 名 旧时指饭馆中的服务员。

【跑题】pǎo∥tí 动 走题:这段话~了,应该删去。

【跑腿儿】pǎo∥tuǐr 〈口〉动 为人奔走做杂事。

【跑外】pǎowài 动 (商店或作坊等的工作人员)专门在外面办货、收账或兜揽生意:他是供销科的,经常~。

【跑鞋】pǎoxié 名 参加赛跑时穿的鞋,用皮革等材料制成。鞋底窄而薄,前掌装有钉子。是钉鞋的一种。

【跑圆场】pǎo yuánchǎng 戏曲演员表演长途行走时,围着舞台中心快步绕圈子。

pào (ㄆㄠˋ)

奅 pào ❶〈书〉大。❷〈方〉说大话:大~佬(说大话的人)。

泡 pào ❶(~儿)名 气体在液体内使液体鼓起来造成的球状或半球状体:水~|肥皂~儿。❷(~儿)名 像泡一样的东西:灯~儿|手上起了~。❸ 动 较长时间地放在液体中:两手在水里~得发白。❹ 动 故意消磨(时间):在茶馆~了俩钟头。
另见 1025 页 pāo。

【泡吧】pàobā 动 长时间地待在酒吧、网吧等场所(多指消磨时光)。

【泡病号】pào bìnghào (~儿)指借故称病不上班,或小病大养。

【泡菜】pàocài 名 把洋白菜、萝卜等放在加了盐、酒、花椒等的凉开水里泡制成的一种带酸味的菜。

【泡饭】pàofàn 名 加水重煮的或用开水泡的比较稀的米饭。

【泡蘑菇】pào mó·gu 故意纠缠,拖延时间:别~了,快点干活儿吧。

【泡沫】pàomò 名 ❶ 聚在一起的许多小泡。❷ 比喻某一事物所存在的表面上繁荣、兴旺而实际上虚浮不实的成分:~经济|房地产~。

【泡沫经济】pàomò jīngjì 指因投机交易极度活跃,金融证券、房地产等的市场价格脱离实际价值大幅上涨,造成表面繁荣的经济现象。

【泡沫塑料】pàomò sùliào 有很多小气孔的海绵状塑料,用树脂经机械搅拌发泡或加入起泡剂制成。质轻、耐湿、耐腐蚀,有隔热、隔音、减震等作用。

【泡泡纱】pào·paoshā 名 一种棉织品,布面呈凹凸状的皱纹。

【泡泡糖】pào·paotáng 名 口香糖的一种,咀嚼后可以吹出泡泡儿。

【泡汤】pào//tāng〈口〉动 落空:这笔买卖～了。

【泡影】pàoyǐng 名 比喻落空的事情或希望:梦幻一|满腔热望,化为～。

【泡子】pào·zi〈口〉名 灯泡。
　　另见 1025 页 pāo·zi。

炮(砲、礮) pào 名 ❶ 口径在 2 厘米以上,能发射炮弹的重型射击武器,火力强,射程远。种类很多,有迫击炮、榴弹炮、加农炮、高射炮等。也叫火炮。我国古代的炮最早是用机械发射石头的。火药发明后,改为用火药发射铁弹丸。❷ 爆竹:鞭～|花～。❸ 爆破土石等在凿眼里装上炸药后叫做炮。
　　另见 45 页 bāo;1025 页 páo。

【炮兵】pàobīng 名 以火炮为基本装备,用火力进行战斗的兵种。也称这一兵种的士兵。

【炮车】pàochē 名 有车轮的炮架子。

【炮铳】pào·chong〈方〉爆竹。

【炮弹】pàodàn 名 用火炮发射的弹药,通常由弹头、药筒、引信、发射药、底火等部分构成,弹头能爆炸。按用途分为穿甲弹、爆破弹、燃烧弹、烟幕弹等。有时专指弹头。

【炮灰】pàohuī 名 比喻参加非正义战争而送命的士兵。

【炮火】pàohuǒ 名 指战场上发射的炮弹与炮弹爆炸后发出的火焰:～连天。

【炮击】pàojī 动 用炮火轰击:停止～。

【炮舰】pàojiàn 名 以火炮为主要装备的轻型军舰,主要用来保护沿海地区和近海交通线,轰击敌人海岸目标,掩护部队登陆等。

【炮舰外交】pàojiàn wàijiāo 指为达到侵略、扩张的目的而推行的以武力作后盾的外交政策。也叫炮舰政策。

【炮楼】pàolóu 名 高的碉堡,四周有枪眼,可以瞭望、射击。

【炮手】pàoshǒu 名 操作火炮的士兵。

【炮塔】pàotǎ 名 火炮上的装甲防护体。坦克、自行火炮、军舰上的主炮等,一般都采用炮塔装置,有旋转式和固定式两种。

【炮台】pàotái 名 旧时在江海口岸和其他要塞上构筑的供发射火炮的永久性工事。

【炮膛】pàotáng 名 炮筒里放置炮弹和射击时炮弹穿过的圆筒状空腔。

【炮艇】pàotǐng 名 护卫艇。

【炮筒子】pàotǒng·zi 名 比喻性情急躁、心直口快、好发议论的人。

【炮眼】pàoyǎn 名 ❶ 掩蔽工事的火炮射击口。❷ 爆破前在岩石等上面凿的孔,用来装炸药。

【炮衣】pàoyī 名 套在炮外面的布套。

【炮仗】pào·zhang 名 爆竹。

疱(皰) pào 名 皮肤上长的像水泡的小疙瘩。

pēi（ㄆㄟ）

呸 pēi 叹 表示唾弃或斥责:～! 你怎么干那种损人利己的事!

胚(肧) pēi 初期发育的生物体,由精子和卵子结合发展而成,也有由未受精的卵发育而成的。

【胚层】pēicéng 名 指构成动物早期胚胎的细胞层。人和高等动物的胚层有三层,即外胚层、中胚层和内胚层。

胚 层

【胚胎】pēitāi 名 ❶ 在母体内初期发育的动物体,由卵受精后发育而成。人的胚胎借脐带与胎盘相连,通过胎盘从母体吸取营养。❷ 比喻事物的萌芽。

【胚芽】pēiyá 名 ❶ 植物胚的组成部分之一,胚芽突破种子的皮后发育成叶和茎。

❷ 比喻刚萌生的事物:矛盾的～。

【胚珠】 pēizhū 名 种子植物的大孢子囊,受精后发育成为种子。

衃 pēi 〈书〉凝聚的血。

痦 pēi 又 pèi 中医指疮。

【痦瘟】 pēiléi 名 中医指荨麻疹。

醅 pēi 〈书〉没过滤的酒。

péi (ㄆㄟˊ)

陪 péi ❶ 动 陪伴:失～|～客人|～她逛商店。❷ 从旁协助:～审。

【陪伴】 péibàn 动 随同做伴:她住院期间,丈夫一直在身边～。

【陪绑】 péibǎng 动 ❶ 旧时处决犯人时,为了逼出口供或迫使投降,把不够死刑的犯人,暂缓执行死刑的犯人和即将处决的犯人一起绑赴刑场。❷ 比喻没有做错事的人跟着做错事的人一起受责问。

【陪衬】 péichèn ❶ 动 附加其他事物使主要事物更突出;衬托:雕梁画栋～着壁画,使大殿显得格外华丽。❷ 名 陪衬的事物。

【陪床】 péi∥chuáng 动 指病人家属等留在病房照料住院的病人。

【陪吊】 péidiào 动 旧时丧家开吊时设专人招待来客叫陪吊。

【陪都】 péidū 名 旧时在首都以外另设的一个首都。

【陪读】 péidú 动 陪伴他人读书,特指留学生在国外学习期间,其配偶前往陪伴。

【陪房】 péi·fang 名 旧时指随嫁的女仆。

【陪护】 péihù 动 陪伴护理(住院病人):母亲住院了,她每天要去～。

【陪祭】 péijì 祭礼中陪同主祭人主持仪式。

【陪嫁】 péijià 名 嫁妆。

【陪酒】 péi∥jiǔ 陪着别人(多指客人)饮酒。

【陪客】 péi·kè 名 主人邀来陪伴客人的人。

【陪练】 péiliàn ❶ 动 陪同训练:～队员。❷ 名 陪同训练的人:他是女子柔道队的～。

【陪审】 péishěn 动 非职业审判人员到法院参加案件审判工作。

【陪审员】 péishěnyuán 名 人民陪审员的简称。

【陪侍】 péishì 动 陪伴服侍:老人病重期间一直有儿女～。

【陪送】 péi·song 〈口〉❶ 动 旧俗结婚时娘家送给新娘(嫁妆)。❷ 名 嫁妆:她结婚时什么～也不要。

【陪同】 péitóng 动 陪伴着一同(进行某一活动):～前往参观。

【陪音】 péiyīn 名 泛音。

【陪葬】 péizàng 动 ❶ 殉葬。❷ 古代指臣子或妻妾的灵柩葬在皇帝或丈夫的灵柩或坟墓的近旁。

培 péi ❶ 动 为了保护植物或墙、堤等,在根基部分堆上土:玉米根部要多～点儿土|将堤坝加高～厚。❷ 培养(人):～训。❸ (Péi)名 姓。

【培训】 péixùn 动 培养和训练(技术工人、专业干部等):～班|～业务骨干。

【培养】 péiyǎng 动 ❶ 以适宜的条件使繁殖:～细菌。❷ 按照一定目的长期地教育和训练使成长:～人才|～接班人。

【培育】 péiyù 动 ❶ 培养幼小的生物,使它发育成长:～树苗|选择优良品种进行～。❷ 培养❷:～一代新人。

【培植】 péizhí 动 ❶ 栽种并细心管理(植物):许多野生草药已开始用人工～。❷ 培养(人才);扶植(势力)使壮大:～新生力量|～亲信。

赔(賠) péi 动 ❶ 赔偿:～款|这块玻璃是我碰破的,由我来～。❷ 向受损害或受侵害的人道歉或认错:～礼|～罪|～不是。❸ 做买卖损失本钱(跟"赚"相对):～本|～钱|年终结账,算算是～是赚。

【赔本】 péi∥běn 动 本钱、资金亏损:～生意|做买卖赔了本。

【赔不是】 péi bù·shi 向人认错;道歉:给他赔个不是。

【赔偿】 péicháng 动 因自己的行动使他人或集体受到损失而给予补偿:照价～|～损失。

【赔付】 péifù 动 赔偿支付:保险公司～金额二百万元。

【赔话】péi∥huà 动 说道歉的话：你得罪了人家，总得赔个话才是。

【赔款】péikuǎn ❶（－∥－）动 损坏、遗失别人或集体的东西用钱来补偿。❷ 名 赔偿别人或集体受损失的钱。❸（－∥－）动 战败国向战胜国赔偿损失和作战费用。❹ 名 战败国向战胜国赔偿损失和作战费用的钱。

【赔了夫人又折兵】péi ·le fū·rén yòu zhé bīng 《三国演义》里说，周瑜出谋划策，把孙权的妹妹许配刘备，让刘备到东吴成婚，想乘机扣留，夺回荆州。结果刘备成婚后带着夫人逃出吴国。周瑜带兵追赶，又被诸葛亮的伏兵打败。人们讥笑周瑜"赔了夫人又折兵"。后用来比喻想占便宜，没有占到便宜，反而遭受损失。

【赔礼】péi∥lǐ 动 向人施礼认错：我错怪了人，应该向人～|向他赔了个礼。

【赔钱】péi∥qián 动 ❶ 赔本：～的买卖。❷ 损坏或遗失别人的东西用钱来补偿：碰坏了人家的东西要～。

【赔情】péi∥qíng 〈方〉动 赔罪：你既然错怪了他，那就赶快给他赔个情吧！

【赔小心】péi xiǎo·xīn 以谨慎、迁就的态度对人，博得人的好感或使息怒。

【赔笑】péi∥xiào 动 以笑脸对人，使人息怒或愉快。也说赔笑脸。

【赔账】péi∥zhàng 动 ❶ 因经手财物时出了差错而赔偿损失。❷〈方〉赔本儿。

【赔罪】péi∥zuì 动 得罪了人，向人道歉。

毰 péi ［毰毸］(péisāi)〈书〉形 形容羽毛披散。

锫（錇）péi 名 金属元素，符号 Bk (berkelium)。有放射性，由人工核反应获得。

裴 Péi 名 姓。

pèi（ㄆㄟˋ）

沛 pèi ❶〈书〉盛大；旺盛：～然|充～|丰～。❷（Pèi）名 姓。

浿（湏）pèi 虎浿（Hǔpèi），地名，在福建。

帔 pèi 古代披在肩背上的服饰，妇女用的帔绣着各种花纹：凤冠霞～。

佩（❷珮）pèi ❶ 动 佩带：～刀|腰～手枪。❷ 古时系在衣带上的装饰品：玉～。❸ 佩服：钦～|这种精神可敬可～。

【佩带】pèidài ❶ 动（把手枪、刀、剑等）插在或挂在腰部：～武器。❷ 同"佩戴"。

【佩戴】pèidài 动（把徽章、符号等）挂在胸前、臂上、肩上等部位：～校徽|～肩章。也作佩带。

【佩服】pèi·fú 动 感到可敬而心服：这姑娘真能干，我不禁暗暗地～她。

配 pèi ❶ 动 两性结合：～偶|婚～|英雄～模范，真是美满姻缘。❷ 配偶，多指妻子：择～|元～。❸ 动 使（动物）交配：～马|～种。❹ 动 按适当的标准或比例加以调和或凑在一起：～颜色|～药|搭～。❺ 动 有计划地分派：～售|支～|分～|每辆车的司机都～了副手。❻ 动 把缺少的一定规格的物品补足：～零件|～钥匙|～套。❼ 动 衬托；陪衬：～角|红花～绿叶|这段二黄用唢呐来～。❽ 动 助动词。够得上；符合：只有这样的人，才～称为先进工作者。❾ 形 相当；般配：相～|他的发型和衣服不很～。❿ 充军：发～|～军。

【配备】pèibèi ❶ 动 根据需要分配（人力或物力）：～骨干力量|～三辆吉普车。❷ 动 布置（兵力）：按地形～火力。❸ 名 成套的设备、装备等：现代化的～。

【配比】pèibǐ 名 组成某种物质的各种成分在数量上的比例关系。

【配餐】pèicān ❶ 动 按照一定标准把各种食品搭配在一起：根据病人的不同需要～。❷ 名 搭配在一起的各种食品（如合装在一起的面包片、香肠、火腿等）：方便～|营养～。

【配搭】pèidā 动 ❶ 跟主要的人或事物合在一起做陪衬：这出戏，配角儿～得不错。❷ 搭配。

【配搭儿】pèi·dar 名 帮助或陪衬主要的人或事物的人或物：我唱不了主角，给你当个～还行。

【配电盘】pèidiànpán 名 分配电量的设备，安装在发电站、变电站以及用电量较大的电力用户中，上面装着各种控制开关、监视仪表及保护装置。

【配殿】pèidiàn 名 宫殿或庙宇中正殿两旁的殿。

P

【配对】pèi//duì （～儿）动❶ 配合成双：这两名选手～参加双打比赛。❷〈口〉(动物)交尾。

【配额】pèi'é 名 分配的数额：进口物资实行～管理。

【配发】pèifā 动❶（报刊）配合所刊登的内容发表（图片、评论等）：～现场照片。❷ 按规定或要求发给：为工作方便，每组～一台电脑。

【配方】¹ pèi//fāng 动 把不完全平方式变为完全平方式，叫做配方。如把 $x^2 + 6x$ 加上 $(\frac{6}{2})^2$，得 $x^2 + 6x + 9$，即 $(x + 3)^2$。

【配方】² pèifāng ❶（－/－）动 根据处方配制药品。❷ 名 指药品、化学制品、冶金产品等的配制方法。

【配房】pèifáng 名 厢房。

【配股】pèigǔ 动 股份公司为进一步筹资，向股东按比例配售股票。

【配合】pèihé 动❶ 各方面分工合作来完成共同的任务：他两人的双打～得很好。❷ 机械或仪器上关系密切的零件结合在一起，如轴与轴瓦之间。

【配合】pèi·he 形 合在一起显得合适；相称：绿油油的枝叶衬托着红艳艳的花朵，那么～，那么美丽。

【配给】pèijǐ 动 配售。

【配件】pèijiàn 名❶ 指装配机器的零件或部件。❷（～儿）供替换用的备用零件或部件。

【配角】pèijué （～儿）❶（－/－）动 合演一出戏，都扮主要角色：他们俩常在一起～，合演过《将相和》《群英会》等。❷ 名 戏剧、电影等艺术表演中的次要角色。❸ 名 比喻辅助工作或次要工作的人。

【配军】pèijūn 名 被发配充军的罪犯（多见于早期白话）。

【配料】pèi//liào 动 生产过程中，把某些原料按一定比例混合在一起：～车间。

【配楼】pèilóu 名 主楼两旁的楼房。

【配偶】pèi'ǒu 名 指丈夫或妻子（多用于法律文件）。

【配平】pèipíng 动 通过计算，给化学方程式的两边各项各自配上不同的系数，使反应前后各种原子的个数分别相等。

【配器】pèiqì 动 根据乐谱安排一种或多种相互配合的乐器(演奏)。

【配色】pèisè 动 把各种颜色按照适当的标准调配。

【配饰】pèishì 名 起陪衬装饰作用的物品：围巾、手袋是时装的重要～。

【配售】pèishòu 动 某些产品，特别是生活必需品在不能充分供应的情况下，按限定的数量和价格卖给消费者。

【配送】pèisòng 动 把某一类货物按规格搭配好并负责运送：建立农副产品～中心|加工、包装蔬菜，～到各大超市。

【配套】pèi//tào 动 把若干相关的事物组合成一整套：～工程|各类工厂～成龙，分工协作，提高生产水平。

【配套成龙】pèi tào chéng lóng 见 172 页〖成龙配套〗。

【配伍】pèiwǔ 动 把两种或两种以上的药物配合起来同时使用：～禁忌。

【配戏】pèi//xì 动 指配合主角演戏。

【配药】pèi//yào 动 根据处方配制药物。

【配音】pèi//yīn 动 译制影片或电视剧时，用某种语言的录音代替原片或原剧上的录音.摄制影片或电视剧时，摄像完成后配上说话的声音或其他音响，也叫配音。

【配乐】pèi//yuè 动 诗朗诵、话剧等按照情节的需要配上音乐，以增强艺术效果：～诗歌朗诵。

【配制】pèizhì 动❶ 把两种以上的原料按一定的比例和方法合在一起制造：～药剂|～鸡尾酒。❷ 为配合主体而制作(陪衬事物)：书内～了多幅精美插图。

【配置】pèizhì 动 配备布置：～兵力。

【配种】pèi//zhǒng 动 使雌雄两性动物的生殖细胞结合以繁殖后代，分为天然交配和人工授精两种。

【配子】pèizǐ 名 生物体进行有性生殖时所产生的性细胞。雌雄两性的配子融合后形成合子。

旆（旆） pèi ❶ 古时末端形状像燕尾的旗。❷〈书〉泛指旌旗。

辔（轡） pèi 名 驾驭牲口用的嚼子和缰绳：鞍～|按～徐行。

【辔头】pèitóu 名 辔。

痦 pèi "痦"pēi 的又音。

霈 pèi〈书〉❶ 大雨：甘～。❷ 雨多的样子。

颗粒)。

【喷射】 pēnshè 动 利用压力把液体、气体或固体颗粒喷出去。

【喷水池】 pēnshuǐchí 名 为了点缀风景装有人造喷泉的水池。

【喷嚏】 pēntì 名 由于鼻黏膜受刺激,急剧吸气,然后很快地由鼻孔喷出并发出声音,这种现象叫打喷嚏。也叫嚏喷。

【喷头】 pēntóu 名 喷壶、淋浴设备等出水口上的一种装置,形状像莲蓬,有许多细孔。有的地区叫莲蓬头。

【喷涂】 pēntú 动 用喷的方式来涂(油漆等涂料)。

【喷吐】 pēntǔ 动 喷出(光、火、气等):炉口～着鲜红的火苗。

【喷雾器】 pēnwùqì 名 利用空吸作用将药水或其他液体变成雾状,均匀地喷射到其他物体上的器具,由压缩空气的装置和细管、喷嘴等组成。

【喷涌】 pēnyǒng 动 (液体)迅速地往外冒:山泉～|黑褐色的原油从钻井台上～出来◇激情～。

【喷云吐雾】 pēn yún tǔ wù 喷吐云雾,多用来形容吸烟,因吸烟时喷吐出的烟像云雾一样。

【喷子】 pēn•zi 名 喷射液体的器具。

【喷嘴】 pēnzuǐ (～儿)名 喷射流体物质用的零件,一般呈管状,出口的一端管孔较小。

pēn (ㄆㄣ)

喷(噴) pēn 动 (液体、气体、粉末等)受压力而射出:～泻|～泉|～药水|火山～火。
另见 1032 页 pèn。

【喷薄】 pēnbó 形 形容水涌起或太阳上升的样子:～欲出的一轮红日。

【喷发】 pēnfā 动 喷出来,特指火山口喷出熔岩等。

【喷饭】 pēnfàn 动 吃饭时看到或听到可笑的事,突然发笑,把嘴里的饭喷出来,所以形容事情可笑说"令人喷饭"。

【喷粪】 pēn//fèn 动 比喻说脏话或说没有根据、没有道理的话(骂人的话):满嘴～。

【喷灌】 pēnguàn 动 灌溉的一种方法,利用压力将水通过喷头喷到空中,形成细小的水滴,再落到地面或植物体上。

【喷壶】 pēnhú 名 盛水浇花的壶,喷水的部分像莲蓬。

【喷火器】 pēnhuǒqì 名 一种喷射火焰的近战武器。主要用来消灭敌人和烧毁敌方武器、装备器材等。也叫火焰喷射器。

【喷溅】 pēnjiàn 动 (汁液等)受压力向四外射出:鲜血～。

【喷口】 pēnkǒu 名 戏曲演出中指道白或演唱时对字音有力的喷发,作用是使字音刚劲有力,送得远。

【喷漆】 pēnqī ❶ (－//－)动 用压缩空气将涂料喷成雾状涂在物体表面上。❷ 名 人造漆的一种,用硝酸纤维素、树脂、颜料、溶剂等制成。通常用喷枪均匀地喷在物体表面,耐油,耐机油,干得快,用于漆汽车、飞机、木器、皮革等。

【喷气发动机】 pēnqì fādòngjī 使燃料燃烧时产生的气体高速喷射而产生动力的发动机。喷气式飞机和火箭都使用这种发动机。

【喷气式飞机】 pēnqìshì fēijī 用喷气发动机做动力装置的飞机。速度很高,超声速飞机都是这种类型的飞机。

【喷泉】 pēnquán 名 向外喷水的泉,也指为美化环境而设的喷水装置。

【喷洒】 pēnsǎ 动 喷射散落(多用于液体):～农药。

【喷撒】 pēnsǎ 动 喷射散落(多用于粉末、

pén (ㄆㄣ)

盆 pén ❶ (～儿)名 盛东西或洗东西用的器具,口大,底小,多为圆形:花～儿|脸～|澡～。❷ 形状略像盆的东西:骨～|～地。❸ (Pén)姓。

【盆地】 péndì 名 被山或高地围绕的平地。

【盆花】 pénhuā (～儿)名 栽种在花盆里供观赏的花草。

【盆景】 pénjǐng (～儿)名 一种陈设品,盆中栽小巧的花草,配以小树和小山等,像真的风景一样。

【盆满钵满】 pén mǎn bō mǎn 形容赚的钱很多。

【盆腔】 pénqiāng 名 骨盆内部的空腔。膀胱、直肠和女子的子宫、卵巢等都在盆腔内。

【盆汤】péntāng 名 澡堂中设有澡盆的部分(区别于"池汤")。也说盆塘。

【盆塘】péntáng 名 盆汤。

【盆浴】pényù 动 在澡盆里洗澡。

【盆栽】pénzāi ❶ 动 在花盆里栽种:～花卉|～葡萄。❷ 名 指盆栽的花木:案头摆着常绿的～。

【盆子】pén·zi〈口〉名 盆。

溢 pén〈书〉水往上涌:～涌|～溢(水涨满泛溢)。

pèn (ㄆㄣˋ)

喷(噴) pèn (～儿)〈方〉❶ 名 果品、蔬菜、鱼虾等大量上市的时期:对虾～儿|西瓜正在～上。❷ 量 开花结实的次数;成熟收割的次数:头～棉花|绿豆结二～角了。
另见 1031 页 pēn。

【喷香】pènxiāng 形 状态词。香气浓厚:～扑鼻|～的小米饭。也说喷喷香。

pēng (ㄆㄥ)

93 pēng〈书〉同"砰"。

抨 pēng〈书〉弹劾(tánhé)。

【抨击】pēngjī 动 用言语或评论来攻击(某人或某种言论、行动):～时弊。

【抨弹】pēngtán〈书〉动 ❶ 抨击。❷ 弹劾。

怦 pēng 拟声 形容心跳的声音:～然心动|吓得心里～～直跳。

砰 pēng 拟声 形容撞击或重物落地的声音:～的一声,木板倒了。

烹 pēng ❶ 煮(菜、茶):～任|～调。❷ 动 烹调方法,先用热油略炒,然后加酱油等作料搅拌,随即盛出:～对虾。

【烹茶】pēng∥chá 动 煮茶或沏茶:～待客。

【烹饪】pēngrèn 动 做饭做菜:～法|擅长～。

【烹调】pēngtiáo 动 烹炒调制(菜肴):～

五味|～能手。

嘭 pēng 拟声 形容敲门、器物撞击等的声音:一阵～～～的敲门声。

澎 pēng〈方〉动 溅:～了一身水。
另见 1033 页 péng。

péng (ㄆㄥˊ)

芃 péng [芃芃](péngpéng)〈书〉形 形容植物茂盛。

朋 péng ❶ 朋友:良～|宾～满座。❷〈书〉结党:～比为奸。❸〈书〉伦比:硕大无～。❹ (Péng) 名 姓。

【朋比为奸】péng bǐ wéi jiān 互相勾结干坏事。

【朋党】péngdǎng〈书〉名 指为争权夺利、排斥异己而结合起来的集团:～之争。

【朋友】péng·you 名 ❶ 彼此有交情的人。❷ 指恋爱的对象:姑娘多大了,有～了没有?

堋 péng 我国战国时代科学家李冰在修建都江堰时所创造的分水堤,作用是减弱水势。

溯 péng 地名用字:普～|上～(都在云南)。

弸 péng〈书〉充满。

彭 Péng 名 姓。

棚 péng 名 ❶ 遮蔽太阳或风雨的设备,用竹木等搭架子,上面覆盖草席等:天～|凉～|在园子里搭一个～。❷ 简陋的房屋:牲口～|工～|碾～。❸ 天花板:顶～|～棚。

【棚车】péngchē 同"篷车"。

【棚户】pénghù 名 住在简陋房屋里的人家。

【棚子】péng·zi 名 棚②:草～。

搒(榜) péng〈书〉用棍子或竹板子打。
另见 42 页 bàng。"榜"另见 41 页 bǎng。

蓬 péng ❶ 名 指飞蓬。❷ 动 使蓬松:～着头。❸ 量 用于枝叶茂盛的花草:一～凤尾竹。❹ (Péng) 名 姓。

【蓬荜生辉】péng bì shēng huī 蓬荜增

辉。

【蓬荜增辉】péng bì zēng huī 谦辞,表示由于别人到自己家里来或张挂别人给自己题赠的字画等而使自己非常光荣(蓬荜:蓬门荜户的略语)。也说蓬荜生辉。

【蓬勃】péngbó 形 繁荣;旺盛:～发展|朝气～|一片蓬蓬勃勃的气象。

【蓬蒿】pénghāo 名 ❶〈方〉茼蒿。❷ 飞蓬和蒿子,借指草野。

【蓬户瓮牖】péng hù wèng yǒu 用蓬草编成的门,破瓮做的窗户,形容穷苦人家的简陋房屋。

【蓬莱】Pénglái 名 神话中渤海里仙人居住的山。

【蓬乱】péngluàn 形 形容草、头发等松散杂乱:头发～。

【蓬门荜户】péng mén bì hù 用草、树枝等做成的门户,形容穷苦人家所住的简陋的房屋。

【蓬茸】péngróng〈书〉形 形容草生长得很多很密:绿草～|蓬蓬茸茸的杂草。

【蓬松】péngsōng 形 形容草、叶子、头发、绒毛等松散开。

【蓬头垢面】péng tóu gòu miàn 形容头发很乱,脸上很脏的样子。

硼
péng 名 非金属元素,符号 B(borum)。无定形硼为粉末状,暗棕色;晶体硼黑色,有金属光泽,质硬而脆,和金刚石接近。用来制合金、火箭燃料等,在医药、农业和玻璃等工业中应用广泛。

鹏(鵬)
péng 古代传说中最大的鸟。

【鹏程万里】péng chéng wàn lǐ 比喻前程远大。

澎
péng 澎湖列岛(Pénghú Lièdǎo),我国群岛名,在台湾海峡中。
另见 1032 页 pēng。

【澎湃】péngpài 形 ❶ 形容波浪互相撞击:波涛汹涌～。❷ 比喻声势浩大,气势雄伟:激情～的诗篇。

篷
péng 名 ❶(～儿)遮蔽日光、风、雨的设备,用竹木、苇席或帆布等制成(多指车船上用的):船～|窗～(帆船窗户)|敞～汽车|把～撑起来。❷ 船帆:扯起～来。

【篷车】péngchē 名 ❶ 有顶的货车。❷

旧时带篷的马车。‖也作棚车。

【篷子】péng·zi 名 篷①。

膨
péng 胀大:～胀。

【膨大】péngdà 动 体积增大。

【膨脝】pénghēng 形 ❶〈书〉肚子胀的样子:～大腹。❷〈方〉物体庞大,不灵便。

【膨化】pénghuà 动（谷物等）由于在加热、加压的情况下突然减压而膨胀:～米|～食品。

【膨胀】péngzhàng 动 ❶ 由于温度升高或其他因素,物体的长度增加或体积增大。❷ 借指某些事物扩大或增长:通货～。

髼
péng〈书〉形 容头发松散:～松。

【髼髿】péngsēng〈书〉形 头发散乱的样子。

【髼松】péngsōng 形 形容头发蓬松。

蟛
péng [蟛蜞](péngqí)名 螃蟹的一种,体小,头胸甲略呈方形。生活在水边泥穴中。

pěng（ㄆㄥˇ）

捧
pěng ❶ 动 用双手托:～着花生米|双手～住孩子的脸。❷ 量 用于能捧的东西:一～枣儿|捧了两～米。❸ 动 奉承人或代人吹嘘:一场|你别再～我了。

【捧杯】pěng//bēi 动 获得奖杯,特指在竞赛中夺得冠军。

【捧场】pěng//chǎng 动 原指特意到剧场去赞赏戏曲演员表演,今泛指特意到场对别人的某种活动表示支持,或对别人的某种活动说赞扬的话。

【捧腹】pěngfù 动 捧着肚子,形容大笑的样子,也借指大笑:～大笑|令人～。

【捧哏】pěnggén ❶(－儿)动 相声的配角用话或表情来配合主角逗人发笑。❷ 名指相声表演中的配角。

【捧角】pěng//jué（～儿）动 给某个演员捧场。

【捧杀】pěngshā 动 过分地夸奖或吹捧,使人骄傲自满、停滞退步甚至导致堕落、失败：不要～有才华的青年演员。

pèng （ㄆㄥˋ）

椪 pèng [椪柑](pènggān) 名 ❶ 常绿小乔木，叶片小，椭圆形，花白色，果实大，皮橙黄色，汁多味甜。❷ 这种植物的果实。‖也叫芦柑。

碰(掽、踫) pèng 动 ❶ 运动着的物体跟别的物体突然接触：～杯|不小心腿在门上～了一下。❷ 碰见；遇到：～面|在路上～到一位熟人。❸ 试探：～～机会|我去～一下看，说不定他在家。

【碰杯】pèng∥bēi 动 饮酒前举杯轻轻相碰，表示祝贺。

【碰壁】pèng∥bì 比喻遇到严重阻碍或受到拒绝，事情行不通：到处～。

【碰钉子】pèng dīng•zi 比喻遭到拒绝或受到斥责。

【碰见】pèng∥•jiàn 动 事先没有约定而见到：昨天我在街上～他。

【碰面】pèng∥miàn 动 会面；相见：我同他约定今天在这里～。

【碰碰车】pèng•pengchē 名 一种供游乐用的电动车，在特定的场地上开动，以车与车互相撞击取乐。

【碰巧】pèngqiǎo 副 凑巧；恰巧：我正想找你，～你来了。

【碰头】pèng∥tóu （～儿）动 会面；短时间地聚会：请他带女儿来吧，他们天天都～。

【碰头会】pèngtóuhuì 名 以交换情况为主要内容的会，一般时间很短。

【碰一鼻子灰】pèng yī bí•zi huī 比喻遭到拒绝或斥责，落得没趣。

【碰撞】pèngzhuàng 动 ❶ 物体相碰或相撞；撞击：搬运瓷器要避免～。❷ 冒犯；冲犯：不要拿话去～他。

pī （ㄆㄧ）

丕 pī 〈书〉大：～业|～变。

批[1] pī 〈书〉❶ 用手掌打：～颊（打嘴巴）。❷ 刮；削。

批[2] pī 动 ❶ 对下级文件表示意见或对文章予以评判（多指写在原件上）：～示|～改|审|～公文。❷ 批判；批评：～驳|挨了一通～。

批[3] pī ❶ 大量或成批（买卖货物）：～发|～购。❷ 动 指批发或批购：～了点儿货。❸ 量 用于大宗的货物或多数的人：一～纸张|今年第一～到边疆去的同学已经出发。

批[4] pī （～儿）〈口〉名 棉麻等未捻成线、绳时的细缕：线～儿|麻～儿。

【批驳】pībó 动 批评或否决（别人的意见、要求）：～错误论调。

【批捕】pībǔ 动 批准逮捕：检察院已经～此案的犯罪嫌疑人。

【批次】pīcì 量 复合量词。表示物品成批生产、运输、检验等的次数的总和：共抽查各类产品三十五～。

【批点】pīdiǎn 动 在书刊、文章上加评语和圈点。

【批发】pīfā 动 成批地出售（商品）：～部|～价格|～化工原料。

【批复】pīfù 动 对下级的书面报告批注意见答复。

【批改】pīgǎi 动 修改文章、作业等并加批语：～作文。

【批购】pīgòu 动 成批地购买：～水果。

【批件】pījiàn 名 经上级批示过的文件。

【批量】pīliàng ❶ 副 成批地：这种仪器已开始～生产。❷ 名 指成批的数量：大～|～小。

【批零】pīlíng 动 批发和零售：～兼营|～差价。

【批判】pīpàn 动 ❶ 对错误的思想、言论或行为做系统的分析，加以否定：～虚无主义。❷ 分析判别，评论好坏：～地继承文学艺术遗产。

【批评】pīpíng 动 ❶ 指出优点和缺点；评论好坏：文艺～。❷ 专指对缺点和错误提出意见：～她对顾客的傲慢态度。

【批示】pīshì ❶ 动（上级对下级的公文）用书面表示意见：计划已经呈报上去，领导还没有～。❷ 名 批示的文字：这个材料上有张局长的～。

【批售】pīshòu 动 批量销售。

【批文】pīwén 名（上级或有关部门）批复的文字或文件。

【批销】pīxiāo 动 成批地销售；批发销售：～报刊。

【批语】pīyǔ 名❶ 对文章、作业等的评语。❷ 批示公文的话。

【批阅】pīyuè 动 阅读并加以批示或批改：～文件。

【批注】pīzhù ❶ 动 加批语和注解。❷ 名 指批评和注解的文字：书眉有小字～。

【批转】pīzhuǎn 动 上级对下级的书面报告批示并转发。

【批准】pī//zhǔn 动 上级对下级的意见、建议或请求表示同意：～他休假一个月。

【批租】pīzū 动 批准租用（土地）：工业～用地呈上升势头。

邳 Pī ❶ 邳州（Pīzhōu），地名，在江苏。❷ 名 姓。

伾 pī ［伾伾］(pīpī)〈书〉形 有力气的样子。

纰(紕) pī 动 布帛丝缕等破坏，披散：线～了。

【纰漏】pīlòu 名 因粗心而产生的差错；小事故或漏洞：出～。

【纰缪】pīmiù 名 错误。

坯(坏) pī 名❶ 砖瓦、陶瓷、景泰蓝等制造过程中，用原料做成器物的形状，还没有放在窑里或炉里烧的，叫做坯：砖～。❷ 特指土坯：打～｜脱～。❸（～儿）〈方〉指半成品：面～（已煮好而未加作料的面条）｜酱～儿｜钢～｜布。

"坏"另见 592 页 huài。

【坯布】pībù 名 织成后还没有经过印染加工的布。

【坯料】pīliào 名 毛坯。

【坯胎】pītāi 名 某些器物的坯：搪瓷的金属～。

【坯子】pī·zi 名❶ 坯①：砖～。❷ 坯③：酱～｜线～。❸ 指将来可能成为做某事的人（多指青少年）。

披 pī ❶ 动 覆盖或搭在肩背上：～着斗篷◇～星戴月。❷ 打开；散开：～卷｜纷～。❸ 动（竹木等）裂开：这根竹竿～了。

【披发左衽】pī fà zuǒ rèn 古代指东方、北方少数民族的装束（左衽：大襟开在左边儿）。

【披风】pīfēng 名 斗篷①。

【披拂】pīfú〈书〉动 飘动；（微风）吹动：枝

叶～｜春风～。

【披肝沥胆】pī gān lì dǎn 比喻开诚相见，也比喻极尽忠诚。

【披挂】pīguà ❶ 动 旧指穿戴盔甲，后也泛指穿戴衣装：猎人们～整齐，准备上路◇几从足坛老将再次～上阵。❷ 名 指穿戴的盔甲（多见于早期白话）。

【披红】pīhóng 动 把红绸披在人的身上或物体上，表示喜庆或光荣：～戴花。

【披坚执锐】pī jiān zhí ruì 穿上坚固的铠甲，拿起锋利的武器。多指将领亲赴战场打仗。

【披肩】pījiān 名❶ 披在肩上的服饰。❷ 妇女披在上身的一种无袖短外衣。

【披肩发】pījiānfà 名 一种发型，头发留得较长，披散着垂落在肩头。

【披荆斩棘】pī jīng zhǎn jí ❶ 比喻扫除前进中的困难和障碍。❷ 比喻克服创业中的种种艰难。

【披卷】pījuàn〈书〉翻阅书籍：挑灯～。

【披览】pīlǎn〈书〉动 翻阅：～群书。

【披露】pīlù 动❶ 发表；公布：全文～｜会谈内容。❷ 表露：～心迹｜～真情。

【披麻戴孝】pī má dài xiào 旧俗子女为父母居丧，要服重孝，如身穿粗麻布孝服，腰系麻绳等，叫披麻戴孝。

【披靡】pīmǐ 动❶（草木）随风散乱地倒下。❷（军队）溃散：望风～｜所向～。

【披散】pī·san 动（毛发、枝条等）散着下垂。

【披沙拣金】pī shā jiǎn jīn 比喻从大量的事物中选择精华。

【披头散发】pī tóu sàn fà 形容头发长而散乱。

【披屋】pīwū 名 同正房两侧或后面相连的小屋，多用来堆放杂物。

【披星戴月】pī xīng dài yuè 形容早出晚归，辛勤劳动，或昼夜赶路，旅途劳顿。

【披阅】pīyuè〈书〉动 披览；阅读：～文稿。

【披针形】pīzhēnxíng 名 叶片的一种形状，基部较宽，前端渐尖，叶子的长度为宽度的三四倍。

狉 pī 见下。

【狉狉】pīpī〈书〉形 形容野兽蠢动：鹿豕～。

【狉獉】pīzhēn〈书〉形 形容草木丛杂，野兽出没。

砒 pī ❶ 图砷的旧称。❷ 砒霜：红～｜白～。

【砒霜】pīshuāng 图无机化合物，是不纯的三氧化二砷。白色粉末，有时略带黄色或红色，有剧毒。用来制杀虫剂或除草剂等。也叫信石，有的地区叫红矾。

铋（鈚、錍） pī 〈书〉铋箭，箭头较薄而阔，箭杆较长。

铍（鈹） pī 〈书〉❶针砭用的长针。❷长矛。
另见 1038 页 pí。

悂 pī 〈书〉谬误。

辟（闢） pī [辟头]（pītóu）同"劈头"❷。
另见 76 页 bì；1040 页 pì。

锫（錇） pī 〈书〉箭镞。
另见 68 页 bù。

劈 pī ❶ 动用刀斧等砍或由纵面破开：～木柴｜～成两半◇～风斩浪。❷ 动（木头等）裂开：板子～了｜钢笔尖写～了。❸〈方〉动（嗓音）变得嘶哑：他喊了半天，声音都快～了。❹ 正对着；冲着（人的头、脸、胸部）：～头｜～脸。❺ 动雷电毁坏或击毙：老树让雷～了。❻ 图简单机械，由两个斜面合成，纵剖面呈三角形，如楔子和刀、斧等的刃儿都属于这一类。
另见 1040 页 pǐ。

【劈波斩浪】pī bō zhǎn làng 船只行进时冲开波浪，比喻排除前进中的困难和障碍。

【劈刺】pīcì 动军事上劈杀和刺杀的合称。

【劈刀】[1] pīdāo 图刀背较厚的刀，用来劈竹子、木头等。

【劈刀】[2] pīdāo 图用军刀劈杀的技术。

【劈里啪啦】pī·lipālā 同"噼里啪啦"。

【劈脸】pīliǎn 副正冲着脸；迎面：～就是一个大嘴巴。

【劈面】pīmiàn 副劈脸。

【劈啪】pīpā 同"噼啪"。

【劈杀】pīshā 动用刀砍杀（多指军人骑在马上用军刀杀敌）。

【劈山】pīshān 动用人力或爆破等方式开山：～引水｜～筑路。

【劈手】pīshǒu 副形容手的动作迅速，使人来不及防备：～一巴掌｜～夺过球拍。

【劈头】pītóu 副❶正冲着头；迎头：走到门口～碰见老王从里边出来。❷一开头；起首：他进来～就问试验成功了没有。也作辟头。

【劈头盖顶】pī tóu gài dǐng 劈头盖脸。

【劈头盖脸】pī tóu gài liǎn 正对着头和脸盖下来，形容来势凶猛：瓢泼似的大雨～地浇下来。也说劈头盖脑、劈头盖顶。

【劈胸】pīxiōng 副对准胸前：～一把抓住。

噼 pī 见下。

【噼里啪啦】pī·lipālā 拟声形容连续不断的爆裂、拍打等的声音：窗外传来～的鞭炮声｜掌声～地响起来。也作劈里啪啦。

【噼啪】pīpā 拟声形容爆裂、拍打等的声音：～的枪声｜孩子们噼噼啪啪地鼓起掌来。也作劈啪。

霹 pī 见下。

【霹雷】pīléi 〈口〉图霹雳。

【霹雳】pīlì 图云和地面之间发生的一种强烈雷电现象。响声很大，能对人畜、植物、建筑物等造成很大的危害。也叫落雷。

【霹雳舞】pīlìwǔ 图产生于美国贫民区黑人中间的一种舞蹈，舞姿有翻转、旋转、摆动、模拟表演以及飘浮、滑动等动作。

pí （夂）

皮 pí ❶ 图人或生物体表面的一层组织：牛～｜荞麦～｜碰掉了一块～。❷ 图皮子：～箱｜～鞋｜～袄。❸（～儿）图包在或围在外面的一层东西：包袱～儿｜新书最好包上～儿。❹（～儿）图表面：地～｜水～儿。❺（～儿）图某些薄片状的东西：铅～｜豆腐～儿。❻ 有韧性的：～糖。❼ 图酥脆的东西受潮后变韧：花生放～了，吃起来不香了。❽ 图顽劣：调～｜这孩子真～。❾ 图由于受申斥或责罚次数过多而感觉无所谓：老挨说，他早就～了。❿指橡胶：橡～｜～筋。⓫（Pí）图姓。

【皮板儿】píbǎnr 图指皮桶子毛下面的皮。

【皮包】píbāo 图用皮革制成的提包。

【皮包公司】píbāo gōngsī 指没有固定资

产、没有固定经营地点及定额人员,只提着皮包,从事社会经济活动的人或集体,多挂有公司的名义。有时也叫皮包商。

【皮包骨】pí bāo gǔ 形容极端消瘦。也说皮包骨头。

【皮包商】píbāoshāng 名 皮包公司。

【皮草】pícǎo 〈方〉名 指裘皮及裘皮制品:优质~|时装。

【皮层】pícéng 名 生物体组织表面的一层:植物茎的~。

【皮尺】píchǐ 名 用漆布等做的卷尺。

【皮带】pídài 名 用皮革制成的带子,特指用皮革制成的腰带。

【皮蛋】pídàn 名 松花。

【皮肤】pífū ❶ 名 身体表面包在肌肉外部的组织,人和高等动物的皮肤由表皮、真皮和皮下组织三层组成,有保护身体、调节体温、排泄废物等作用。❷〈书〉形 比喻肤浅:~之见。

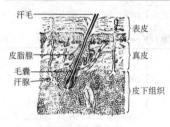

人的皮肤

（图中标注）汗毛、皮脂腺、毛囊、汗腺、表皮、真皮、皮下组织

【皮肤针】pífūzhēn 名 ❶ 一种针刺用的针,由数枚小针固定在细柄上构成,装五枚的叫梅花针,装七枚的叫七星针。治疗时,手持细柄,用针尖在一定部位的皮肤上扣打。❷ 用这种针进行治疗的方法。

【皮傅】pífù 〈书〉动 凭肤浅的认识牵强附会。

【皮革】pígé 名 用牛、羊、猪等的皮去毛后鞣制成的熟皮,可以做鞋、箱及其他用品。

【皮猴儿】píhóur 名 称风帽连着衣领的皮大衣或这种式样的人造毛、呢绒做衬里的大衣。

【皮划艇】píhuátǐng 名 ❶ 皮艇和划艇的合称。❷ 指皮艇和划艇运动,在规定的航道内用人力划桨使皮艇或划艇前进。

【皮黄】píhuáng 名 戏曲声腔,西皮和二黄的合称。也作皮簧。

【皮簧】píhuáng 同"皮黄"。

【皮货】píhuò 名 毛皮或皮革制品的统称:~商|出售~。

【皮夹子】píjiā•zi 用薄而软的皮革等做成的扁平小袋,带在身边装钱或其他小的用品。也叫皮夹儿。

【皮匠】pí•jiang 名 ❶ 修补旧鞋或制鞋的小手工业者。❷ 制造皮革的小手工业者。

【皮筋儿】píjīnr 名 橡皮筋;跳~。也叫猴皮筋儿。

【皮具】píjù 名 皮革制作的用品,如皮包、皮夹子、皮带等。

【皮开肉绽】pí kāi ròu zhàn 指人因被毒打,皮肉开裂。

【皮库】píkù 名 医院中保存皮肤组织供移植用的设备。

【皮里阳秋】pí lǐ Yángqiū 指藏在心里不说出来的评论。"阳秋"即"春秋",晋简文帝(司马昱)母郑后名阿春,避讳"春"字改称。这里用来代表"批评",因为相传孔子修《春秋》,意含褒贬。

【皮毛】pímáo 名 ❶ 带毛的兽皮的总称:貂皮、狐皮都是很贵重的~。❷ 比喻事物的浅层或表面:只伤了点~,没动根本。❸ 比喻表面的知识:略知一~。

【皮棉】pímián 名 棉花轧去种子后还没有进一步加工的纤维。

【皮囊】pínáng 名 皮制的口袋,常比喻人的躯体(含贬义):臭~|空有~。

【皮球】píqiú 名 游戏用具,是一种有弹性的空心球,多用橡胶制成。

【皮肉】píròu 名 皮和肉,指肉体:我不过伤了点儿~,没什么|~之苦|~生涯(指女子卖淫的生活)。

【皮实】pí•shi 形 ❶ 身体结实,不易得病:这孩子真~,从来没闹过病。❷(器物)耐用而不易破损。

【皮试】píshì 名 皮肤过敏试验的简称。多指为检验病人对某种药物(如青霉素)或某种东西(如花粉、尘螨)是否过敏,在皮下注入少量针剂,并观察有无过敏反应。

【皮糖】pítáng 名 用糖加适量的淀粉熬制成的糖果,韧性很强。

【皮艇】pítǐng 名 皮艇运动中使用的艇,原为北美洲因纽特人使用的兽皮船,现多用胶木、玻璃钢等制成。

【皮桶子】pítǒng·zi 名 做皮衣用的成件的毛皮。也说皮桶儿。

【皮下组织】píxià zǔzhī 皮肤下面的结缔组织,含脂肪较多,质地疏松,其中有血管、淋巴管、神经等。可以保持体温、缓和机械压力等。(图见 1037 页"人的皮肤")

【皮相】píxiàng 形 指只从表面看到的;不深入:~之谈。

【皮硝】píxiāo 名 朴硝(pòxiāo)的通称。

【皮笑肉不笑】pí xiào ròu bù xiào 形容虚伪地笑、阴险地笑或不自然地笑。

【皮影戏】píyǐngxì 名 用兽皮或纸板做成的人物剪影来表演故事的戏曲,民间流行很广。表演时,用灯光把剪影照射在幕上,艺人在幕后一边操纵剪影,一边演唱,并配以音乐。也叫影戏。有的地区叫驴皮影。

【皮张】pízhāng 名 做制革原料用的兽皮(总称)。

【皮疹】pízhěn 名 皮肤表面出现的各种疹子,常成片出现。

【皮之不存,毛将焉附】pí zhī bù cún,máo jiāng yān fù 皮都没有了,毛还长在哪儿?(语本《左传·僖公十四年》。"焉附"原作"安傅"。)比喻事物没有基础,就不能存在。

【皮脂】pízhī 名 指人或动物的皮肤分泌出来的油脂。

【皮脂腺】pízhīxiàn 名 人或动物体上分泌油脂的腺,在真皮中,很小,多为囊状,开口在毛囊中。(图见 1037 页"人的皮肤")

【皮质】pízhì 名 ❶ 某些内脏器官的表层组织。❷ 大脑皮质的简称。

【皮重】pízhòng 名 货物包装材料的重量,也指称东西时用的盛器的重量。

【皮子】pí·zi 名 皮革或毛皮。

芘 pí [芘芣](pífú)名 古书上指锦葵。
另见 71 页 bǐ。

陂 pí 黄陂(Huángpí),地名,在湖北。
另见 55 页 bēi;1056 页 pō。

枇 pí [枇杷](pí·pá)名 ❶ 常绿小乔木,叶子长椭圆形,花大,白色。果实淡黄色或橙黄色,外皮上有细毛。生长在较温暖的地区,果实可以吃,叶子和核可入药。❷ 这种植物的果实。

狓 pí 见 625 页[貔狓]。

毗(毘) pí 〈书〉❶ 毗连:~邻。❷ 辅助。

【毗连】pílián 动 连接:檐楹~|江苏省北部跟山东省~。

【毗邻】pílín 动 (地方)毗连。

蚍 pí 见下。

【蚍蜉】pífú 〈书〉名 大蚂蚁。

【蚍蜉撼大树】pífú hàn dà shù 比喻力量很小而想动摇强大的事物,不自量力。

铍(鈹) pí 名 金属元素,符号 Be (beryllium)。钢灰色,质硬而轻。用于核工业中,铍铝合金用来制飞机、火箭等。
另见 1036 页 pī。

郫 pí 郫县,地名,在四川。

疲 pí ❶ 疲乏;劳累:精~力尽|~于奔命。❷ 疲软②:及时更新换代,使产品畅销不~。

【疲惫】píbèi 形 非常疲乏:~不堪。

【疲敝】píbì 形 人力、物力受到消耗,不充足。

【疲顿】pídùn 〈书〉形 非常疲乏:~不堪。

【疲乏】pífá 形 疲劳①②。

【疲倦】píjuàn 形 疲乏;困倦。

【疲困】píkùn 形 ❶ 他日夜操劳,不顾~。❷ (经济状况等)疲软:~不振。

【疲劳】píláo 形 ❶ 因体力或脑力消耗过多而需要休息。❷ 因运动过度或刺激过强,细胞、组织或器官的功能或反应能力减弱:听觉~|肌肉~。❸ 因外力过强或作用时间过久而不能继续起正常的反应:弹性~|磁性~。

【疲软】píruǎn 形 ❶ 疲乏无力:身子~。❷ 指行情低落、货物销售不畅或货币汇率呈下降趋势:价格~|市场~。

【疲弱】píruò 形 ❶ 疲乏无力;衰弱:身体~|他拖着~的双腿继续前进。❷ 疲软②。

【疲沓】(疲塌)pí·ta 形 松懈拖沓:工作~|作风疲疲沓沓。

【疲于奔命】pí yú bēn mìng 原指不断受到命令或逼迫而疲劳奔走,后来也指事情繁多忙不过来。

陴 pí 〈书〉女墙。

埤 pí 〈书〉增加。
另见 1040 页 pì。

啤

啤 pí 见下。

【啤酒】 píjiǔ 名 以大麦和啤酒花为主要原料发酵制成的酒,有泡沫和特殊的香味,味道微苦,含酒精量较低。也叫麦酒。[啤,英 beer]

【啤酒肚】 píjiǔdù 名 指肥胖的人向前凸起的腹部,一般认为是多饮啤酒容易形成这样的体形,所以叫啤酒肚。

【啤酒花】 píjiǔhuā 名 ❶ 多年生草本植物,蔓生,茎和叶柄上有刺,叶子卵形,雌雄异株。果穗呈球果状,用来使啤酒具有苦味和香味,又可入药。❷ 这种植物的果穗。

舣

舣 pí 越南地名用字,如丐舣(Gàipí)。

琵

琵 pí [琵琶](pí•pá)名 弦乐器,用木料制成,有四根弦,下部为瓜子形的盘,上部为长柄,柄端弯曲。

椑

椑 pí 古时一种椭圆形的酒器。另见 55 页 bēi。

脾

脾 pí 名 人和高等动物的内脏之一,椭圆形,赤褐色,质柔软,在胃的左侧。脾的作用是制造新的血细胞与破坏衰老的血细胞,产生淋巴细胞与抗体,贮藏铁质,调节脂肪、蛋白质的新陈代谢等。也叫脾脏。

【脾气】 pí•qi 名 ❶ 性情:她的～很好,从来不急躁。❷ 容易发怒的性情;急躁的情绪:发～|这个人有～。

【脾胃】 píwèi 名 比喻对事物爱好、憎恶的习性:两人～相投|这事不合他的～。

【脾性】 píxìng 〈方〉名 性格;习性:一个人有一个人的～◇摸清了秋苗的～。

【脾脏】 pízàng 名 脾。

皯(皯)

皯 pí 见 1023 页[鳑皯]。

裨

裨 pí 〈书〉辅佐的;副:偏～|～将。另见 76 页 bì。

【裨将】 píjiàng 名 古代指副将。

蜱

蜱 pí 名 节肢动物,身体椭圆形,头胸部和腹部合在一起,有四对足。种类很多,有的吸植物的汁液,对农作物有害;有的吸人畜的血,能传染脑炎、回归热等。也叫壁虱。

羆(羆)

羆 pí 名 棕熊。

膍

膍 pí 古代指牛的百叶。

【膍胵】 píchī 〈方〉名 鸟类的胃:鸡～。

貔

貔 pí 古书上说的一种野兽。

【貔虎】 píhǔ 名 比喻勇猛的军队。

【貔貅】 píxiū 名 ❶ 古书上说的一种猛兽。❷ 比喻勇猛的军队。

【貔子】 pí•zi 〈方〉名 黄鼬。

鼙

鼙 pí [鼙鼓](pígǔ)名 古代军队中用的小鼓:～喧天。

pǐ (ㄆ丨)

匹

匹¹ pǐ ❶ 比得上;相当;相配:～配|难与为～。❷ 单独:～夫。❸ (Pǐ)名姓。

匹² (❷疋) pǐ 量 ❶ 用于马、骡等:两～骡子|三～马。❷ 用于整卷的绸或布(五十尺、一百尺不等):一～绸子|两～布。"疋"另见 1560 页 yǎ。

【匹敌】 pǐdí 动 对等;相当:两方势力～|无与～。

【匹夫】 pǐfū 名 ❶ 一个人,泛指平常人:国家兴亡,～有责。❷ 指无学识、无智谋的人(多见于早期白话):～之辈。

【匹夫之勇】 pǐfū zhī yǒng 指不用智谋,只凭个人蛮干的勇气。

【匹马单枪】 pǐ mǎ dān qiāng 见 265 页[单枪匹马]。

【匹配】 pǐpèi 动 ❶〈书〉结成婚姻;婚配:～良缘。❷(元器件等)配合:功率～|阻抗～。

【匹头】 pǐ•tou 〈方〉名 ❶ 指布或绸缎等剪好的成件或成套的衣料。❷ 布匹。

庀

庀 pí 〈书〉❶ 具备。❷ 治理。

圮

圮 pǐ 〈书〉毁坏;倒塌:倾～。

仳

仳 pǐ [仳离](pǐlí)〈书〉动 夫妻分离,特指妻子被遗弃。

否

否 pǐ ❶ 坏;恶:～极泰来。❷ 贬斥:臧～人物(评论人物的优劣)。另见 415 页 fǒu。

【否极泰来】 pǐ jí tài lái 坏的到了尽头,好的就才了(否,泰:六十四卦中的卦名,否是坏的卦,泰是好的卦)。

吡 pǐ 〈书〉诋毁;斥责。
另见 71 页 bǐ。

痞 pǐ ❶ 图 痞块。❷ 图 恶棍;流氓:～子|兵～|地～。

【痞块】pǐkuài 图 中医指腹腔内可以摸得到的硬块。

【痞子】pǐ·zi 图 恶棍;流氓。

劈 pǐ 囝 ❶ 分开;分:～成三股。❷ 分裂:使离开原物体:～莴苣叶。❸ 腿或手指等过分叉开。
另见 1036 页 pī。

【劈叉】pǐ//chà 囝 体操、武术等的一种动作,两腿向相反方向分开,臀部着地。

【劈柴】pǐ·chái 图 木头劈成的木块或小木条,供烧火做饭、取暖用,小块的多用来引火。

【劈账】pǐ//zhàng 囝 拆账:三七～。

擗 pǐ 囝 ❶ 用力使离开原物体:～棒子(玉米)。❷ 〈书〉用手拍胸:～踊。

【擗踊】pǐyǒng 〈书〉囝 悲痛时捶胸顿足。

癖 pǐ 癖好:嗜好:烟～|洁～|嗜酒成～,于健康不利。

【癖好】pǐhào 图 对某种事物的特别爱好:他对于书画有很深的～。

【癖习】pǐxí 图 个人所特有的嗜好和习惯。

【癖性】pǐxìng 图 个人所特有的癖好和习性。

嚭(噽) pǐ 〈书〉大。

pì 〈ㄆㄧˋ〉

屁 pì 图 ❶ 由肛门排出的臭气:放～。❷ 比喻没用的或不足道的事物:～话|～大点事也值得大惊小怪。❸ 泛指任何事物,相当于"什么"(多用于否定或斥责):你懂个～|别翻了,包里一～都没有。

【屁股】pì·gu 图 ❶〈口〉臀部。❷ 泛指动物身体后端靠近肛门的部分:胡蜂的～上有刺。❸ 借指某些事物末尾的部分:香烟～|汽车一冒烟了|紧紧咬住敌人～不放。

【屁股蛋儿】pì·gudànr〈方〉图 臀部。也说屁股蛋子。

【屁股蹲儿】pì·gudūnr〈方〉图 身体失去平衡但未倒下而臀部着地的姿势:摔了个～。

【屁滚尿流】pì gǔn niào liú 形容非常惊恐或十分狼狈的样子:吓得～。

【屁话】pìhuà 图 指毫无价值或随意乱说的话(含厌恶意)。

铍(鈹、鎞) pì 〈书〉裁截;割裂。

埤 pì [埤堄](pìnì)〈书〉图 城上矮墙。
另见 1038 页 pí。

淠 Pì 淠河,水名,在安徽。

睥 pì [睥睨](pìnì)〈书〉囝 眼睛斜着看,表示傲视或厌恶:～一切。

辟[1] pì ❶ 囝 开辟:各家自～园地,培育树苗|这一带将～为新的旅游区。❷ 透彻:精|～|透～。❸ 驳斥或排除(不正确的言论或谣言):～谣|～邪说。

辟[2] pì 〈书〉法律;法:大～(古代指死刑)。
另见 76 页 bì;1036 页 pī。

【辟谣】pì//yáo 囝 说明真相,驳斥谣言。

媲 pì 匹敌;比得上:～美。

【媲美】pìměi 囝 美(好)的程度差不多;比美:该产品可与世界名牌货～。

僻 pì ❶ 偏僻:～巷|荒～|～处一隅。❷ 性情古怪,跟一般人合不来:怪～|孤～。❸ 不常见的(多指文字):生～|冷～|～字(冷僻的字)。

【僻静】pìjìng 圉 背静。

【僻陋】pìlòu 圉 (地区)偏僻荒凉:(住所)偏僻简陋。

【僻壤】pìrǎng 图 偏僻的地方:穷乡～|荒山～。

【僻野】pìyě 图 偏僻的野外。

【僻远】pìyuǎn 圉 偏僻而遥远:～的边寨。

澼 pì 见 1056 页[洴澼]。

甓 pì 〈书〉砖。

䴙(鷿) pì [䴙䴘](pìtī)图 鸟,外形略像鸭而小,翅膀短短,不善飞,生活在河流湖泊上的植物丛中,善于潜水,捕食小鱼、昆虫等。

譬 pì 比喻;比方:～喻|～如|设～。

【譬方】pìfāng ❶ 囫 比方①。❷ 图 比方②。❸ 困 比方④。

【譬如】pìrú 囫 比如。

【譬喻】pìyù 囫 比喻②。

---

piān（ㄆㄧㄢ）

片 piān 见下。
另见 1043 页 piàn。

【片儿】piānr 图 同"片"(piàn)①,用于"相片儿、画片儿、唱片儿、影片儿"等词。

【片子】piān·zi 图 ❶ 电影胶片,泛指影片:换～|送～|这部～获奖了。❷ X 光照相的底片:拍～。❸ 唱片。
另见 1044 页 piàn·zi。

扁 piān ［扁舟］(piānzhōu)图 小船:一叶～。
另见 82 页 biǎn。

偏¹ piān ❶ 图 不正;倾斜(跟"正"相对):～锋|太阳～西了。❷ 图 仅注重一方面或对人对事不公正:～重|～爱|兼听则明,～信则暗|～于基础理论的研究。❸ 辅助的;不占主要地位的:～将|～师。❹ 囫 与某个标准相比有差距:体温～高|工资～低|收入中等～上。❺ 囫 客套话,表示先用或已用过茶饭等(多接用"了"字):我～过了,您请用吧。❻ (Piān)图 姓。

偏² piān 圃 偏偏:不让我去我～去|庄稼正需要雨水的时候,可天～不下雨。

【偏爱】piān'ài 囫 在几个人或几件事物中特别喜爱其中的一个或一件:在国画中,他～写意画。

【偏安】piān'ān 囫 指封建王朝失去国家的中心地带(多指中原)而苟安于仅存的部分领土:～一隅。

【偏差】piānchā 图 ❶ 运动的物体离开确定方向的角度:校正射击～。❷ 工作上产生的过分或不及的差错:及时纠正工作中的～。

【偏饭】piānfàn 图 见 180 页【吃偏饭】。

【偏方】piānfāng (～儿)图 民间流传不见于古典医学著作的中药方。

【偏房】piānfáng 图 ❶ 指四合院中东西

两厢的房子。❷ 妾①。

【偏废】piānfèi 囫 重视几件事情中的某件或某些事而忽视其他:工作与学习,二者不可～。

【偏锋】piānfēng 图 ❶ 书法上指用毛笔写字时笔锋斜出的笔势:他的楷书常用～,别具一格。❷ 泛指写文章、说话等从侧面着手的方法。

【偏好】piānhǎo 〈方〉圃 恰巧:我正去他家找他,～在街上碰见了。

【偏好】piānhào 囫 对某种事物特别爱好:在曲艺中他～京韵大鼓|防止凭个人的～处理问题。

【偏护】piānhù 囫 偏私袒护:一味～孩子,不利于他们健康成长。

【偏激】piānjī 图 (意见、主张等)过火:言辞～|～情绪。

【偏见】piānjiàn 图 偏于一方面的见解;成见:消除～。

【偏科】piānkē 囫 在教学或学习过程中偏重某些学科而忽视其他学科:纠正学生～倾向。

【偏口鱼】piānkǒuyú 图 比目鱼。

【偏枯】piānkū ❶ 图 中医指半身不遂的病。❷ 图 比喻偏于一方面,发展不平衡。

【偏劳】piānláo 〈口〉囫 客套话,用于请人帮忙或谢人代自己做事:请你～吧,我实在脱不开身|谢谢你,多～了。

【偏离】piānlí 囫 指因出现偏差而离开确定的轨道、方向等:炮弹～了射击目标|飞机～了航线。

【偏利共栖】piānlìgòngqī 囫 偏利共生。

【偏利共生】piānlìgòngshēng 囫 两种不同的生物生活在一起,对其中一种有利,而对另一种无害,这种生活方式叫做偏利共生。如文鸟专在胡蜂窝的附近筑巢,因为胡蜂有毒刺,许多动物不敢接近,文鸟得到保护,但对胡蜂却无害。也叫偏利共栖,旧称共栖。

【偏盲】piānmáng 囫 指一只眼失明。

【偏旁】piānpáng (～儿)图 在汉字形体中常常出现的某些组成部分,如"位、住、俭、停"中的"亻","国、固、圈、围"中的"囗","偏、翩、篇、匾"中的"扁","拎、伶、翎、零"中的"令",都是偏旁。

【偏僻】piānpì 图 离城市或中心区远,交

通不便：～的山区|地点～。

【偏偏】**piānpiān** 副❶ 表示故意跟客观要求或现实情况相反：经过大家讨论，问题都解决了，他～还要钻牛角尖。❷ 表示事实跟所希望或期待的恰恰相反：星期天他来找我，～我不在家。❸ 表示范围，跟"单单"略同：别的人都早来了，～他迟到了。

【偏颇】**piānpō** 〈书〉形 偏于一方面；不公平：这篇文章的立论失之～。

【偏巧】**piānqiǎo** 副❶ 恰巧：我们正在找他，～他来了。❷ 偏偏②：我找他两次，都不在家。

【偏厦】**piānshà** 〈儿〉名 就着房屋侧面墙壁盖的小房。

【偏衫】**piānshān** 名 僧尼的一种服装，斜披在左肩上。

【偏师】**piānshī** 〈书〉名 指在主力军翼侧协助作战的部队。

【偏食】**piānshí**[1] 名 日偏食和月偏食的统称。参看 1153 页〖日食〗、1683 页〖月食〗。

【偏食】**piānshí**[2] 动 只喜欢吃某几种食物，如只喜欢吃鱼、肉，而不喜欢吃蔬菜。

【偏手儿】**piānshǒur** 名 见 804 页〖拉偏手儿〗。

【偏私】**piānsī** 动 照顾私情。

【偏瘫】**piāntān** 动 身体一侧发生瘫痪，多由脑中风等导致脑组织损伤引起。也叫半身不遂。

【偏袒】**piāntǎn** 动 袒护双方中的一方。参看 1825 页〖左袒〗。

【偏疼】**piānténg** 〈口〉动 对晚辈中某个人或某些人特别疼爱。

【偏题】**piāntí** 名 冷僻的考题：出～。

【偏听偏信】**piān tīng piān xìn** 只听信一方面的话：这件事谁是谁非，双方意见都得听听，不能～。

【偏误】**piānwù** 名 偏差和失误：纠正～。

【偏析】**piānxī** 动 合金的不同部分在凝固过程中形成化学成分不均匀的现象。

【偏向】**piānxiàng** ❶ 名 不正确的倾向（多指掌握政策过左或过右，或在几项工作中只注重某一项）：发现～，要及时纠正。❷ 动 偏于赞成（某一方面）：今年春游我～于去香山。❸ 动（对某一方）无原则地支持或袒护。

【偏心】**piānxīn** 形 偏向一方面；不公正，

～话|对待学生不能～。

【偏心眼儿】**piānxīnyǎnr** ❶ 名 指偏向一方的心地。❷ 形 偏心：我爷爷特别～，让哥哥去，就是不让我去。

【偏移】**piānyí** 动 偏离确定的或正常的位置、轨道、方向等：重心～。

【偏远】**piānyuǎn** 形 偏僻而遥远：～地区。

【偏振】**piānzhèn** 动 横波的振动矢量（垂直于波的传播方向）偏于某些方向的现象。纵波只沿着波的方向振动，所以没有偏振。

【偏执】**piānzhí** 形 偏激而固执：～狂|性格～|～的见解。

【偏重】**piānzhòng** 动 着重一方面：学习只～记忆而忽略理解是不行的。

【偏转】**piānzhuǎn** 动 射线、磁针、仪表指针等因受力而改变方向或位置。

编 **piān** [犏牛]（**piānniú**）名 公黄牛和母牦牛交配所生的第一代杂种牛，比牦牛驯顺，比黄牛力气大。母犏牛产乳量高，公犏牛没有生殖能力，母犏牛可以和黄牛或牦牛交配繁殖后代。产于我国西南地区。

篇 **piān** ❶ 首尾完整的文章：～章|《荀子·劝学》。❷（～儿）名 写着或印着文字的单张纸：单～儿讲义。❸（～儿）量 用于文章、纸张、书页（一篇是两页）等：一～论文|三～儿纸|这本书缺了一～儿。

【篇幅】**piān·fu** 名❶ 文章的长短：这评论的～只有一千来字。❷ 书籍报刊等篇页的数量：用整版～刊登这篇文章。

【篇目】**piānmù** 名❶ 书籍中篇章的标题。❷ 书籍中篇章标题的目录。

【篇页】**piānyè** 名 篇和页，泛指篇章：这个问题在全书的不少～中都有论述。

【篇章】**piānzhāng** 名 篇和章，泛指文章：～结构|～段落◇历史～。

【篇子】**piān·zi** 〈口〉名 篇②。

翩 **piān** 〈书〉很快地飞，形容动作轻快：～然|～若惊鸿。

【翩翩】**piānpiān** 形❶ 形容轻快地跳舞，也形容动物飞舞：～起舞|～飞鸟。❷〈书〉形容举止洒脱（多指青年男子）：～少年|～风度～。

【翩然】piānrán 〈书〉形 形容动作轻快的样子：～飞舞｜～而至。

【翩跹】piānxiān 〈书〉形 形容舞姿轻快飘逸：～起舞。

pián （ㄆㄧㄢˊ）

便 pián 见下。
另见 85 页 biàn。

【便便】piánpián 形 形容肥胖：大腹～。

【便宜】pián·yi ❶形 价钱低。❷名 不应得的利益：占～。❸动 使得到便宜：～了你。
另见 86 页 biànyí。

骈(駢) pián ❶ 并列的；对偶的：～句｜～肩(肩挨着肩，形容人多)。❷ (Pián)名 姓。

【骈俪】piánlì 名 文章的对偶句法。

【骈拇枝指】pián mǔ zhī zhǐ 骈拇，指脚的大拇指旁二拇指相连；枝指，指手的大拇指或小拇指旁边多长出来的一个手指。骈拇枝指比喻多余的或不必要的事物。

【骈体】piántǐ 名 要求词句整齐对偶的文体，重视声韵的和谐和辞藻的华丽，盛行于六朝(区别于"散体")。

【骈阗】piántián 〈书〉动 聚集；罗列：士女～。也作骈填、骈田。

【骈文】piánwén 名 用骈体写的文章。

【骈枝】piánzhī 〈书〉名 骈拇枝指的略语：～机构。

胼 pián 见下。

【胼胝】piánzhī 名 趼子(jiǎn·zi)。也作骈胝。

【胼胝体】piánzhītǐ 名 大脑两半球的底部联合大脑两半球的神经纤维组织。(图见984 页"人的脑")

缏(緶) pián 〈方〉动 用针缝。
另见 86 页 biàn。

楩 pián 古书上说的一种树。

骿 pián ［骿胝］(piánzhī) 同"胼胝"。

蹁 pián 〈书〉形 形容走路脚不正。

蹁 piánxiān 〈书〉形 形容旋转舞动。

piǎn （ㄆㄧㄢˇ）

谝(諞) piǎn 〈方〉动 夸耀；显示：～能。

塥 piǎn 长河塥(Chánghépiǎn)，地名，在四川。

piàn （ㄆㄧㄢˋ）

片 piàn ❶(～儿)名 平而薄的东西，一般不很大：布～儿｜玻璃～儿｜纸～儿｜明信～儿。❷ 指电影、电视剧等：～约｜～酬。❸(～儿)名 指较大地区内划分的较小地区：分～传达。❹动 用刀横割成薄片(多指肉)：～肉片儿。❺ 不全的；零星的；简短的：～面｜～刻｜～言｜～纸只字。❻(～儿)量 a)用于成片的东西：两～药｜一～树叶｜几～面包。b)用于地面和水面等：一～草地｜一～汪洋。c)用于景色、气象、声音、语言、心意等(前面用"一"字)：一～新气象｜一～欢腾｜一～脚步声｜一～胡言｜一～真心。❼ (Piàn)名 姓。
另见 1041 页 piān。

【片酬】piànchóu 名 付给参加拍摄电影或电视剧的演员的报酬。

【片段】piànduàn 名 整体当中的一段(多指文章、小说、戏剧、生活、经历等)。也作片断。

【片断】piànduàn ❶ 同"片段"。❷形 属性词。零碎；不完整：～经验｜～的社会现象。

【片甲不存】piàn jiǎ bù cún 形容全军被消灭。也说片甲不留。

【片刻】piànkè 名 极短的时间；一会儿：～不离｜稍等～。

【片面】piànmiàn ❶名 单方面；一个方面：～之词。❷形 偏于一面的(跟"全面"相对)：～性｜～地看问题｜这种观点太～。

【片面性】piànmiànxìng 名 形而上学思想方法的一种表现。在认识事物时，不是全面地去分析具体事物的矛盾，抹杀事物所固有的共性与个性、绝对与相对的辩证关系。

【片儿会】piànrhuì 名 按地区临时分组召开的会。

【片儿警】piànrjǐng 〈口〉名 负责某一片地区社会治安工作的警察。

【片儿汤】piànrtāng 名 一种面食,用和好的面擀成薄片,弄成小块儿,煮熟连汤吃。

【片时】piànshí 名 片刻。

【片头】piàntóu 名 电影片、电视片主要内容前面的部分,一般有片名、制片厂名、演职员名等。

【片瓦无存】piàn wǎ wú cún 一块整瓦也没有了,形容房屋全被破坏。

【片尾】piànwěi 名 电影片、电视片主要内容后面的部分,一般有演职员名和协助拍摄单位名等。

【片言】piànyán 名 简短的几句话:~只字|~可决。

【片言只字】piàn yán zhī zì 见【片纸只字】。

【片源】piànyuán 名 放映、播放的电影片或电视片的来源:~丰富。

【片约】piànyuē 名 约请演员参加拍摄某部电影或电视剧所签订的协议。

【片纸只字】piàn zhǐ zhī zì 指零碎的文字材料。也说片言只字。

【片子】piàn·zi 名 ❶ 片①:铁~。❷ 名片。

另见 1041 页 piān·zi。

骗¹(騙) piàn 动 ❶ 用谎言或诡计使人上当;欺骗:~人|受~。❷ 用欺骗的手段取得:~钱。

骗²(騙、騗) piàn 见【骗马】、【骗腿儿】。

【骗汇】piànhuì 动 用虚假无效的凭证、单据或其他手段骗购外汇。

【骗局】piànjú 名 骗人的圈套:设下~。

【骗马】piànmǎ 动 骗腿儿上马。

【骗取】piànqǔ 动 用欺骗的手段取得:~钱财|~爱情|~上级的信任。

【骗术】piànshù 名 骗人的伎俩。

【骗税】piàn//shuì 动 用假报出口或其他非法手段骗取国家出口退税款。

【骗腿儿】piàntuǐr 〈口〉动 侧身抬起一条腿:他一~跳上自行车就走了。

【骗子】piàn·zi 名 骗取财物、名誉的人;玩弄骗术搞阴谋的人:江湖~|政治~。

piāo（ㄆㄧㄠ）

剽 piāo ❶ 抢劫;掠夺:~掠|~窃。❷ 动作敏捷:~悍。

【剽悍】piāohàn 形 敏捷而勇猛。也作慓悍。

【剽窃】piāoqiè 动 抄袭窃取(别人的著作):涉嫌~|~行为。

【剽取】piāoqǔ 动 剽窃。

【剽袭】piāoxí 动 剽窃;抄袭。

漂 piāo 动 ❶ 停留在液体表面不下沉:树叶在水面上~着。❷ 浮在液体表面顺着液体流动或风吹动的方向移动:远远~过来一只小船。

另见 1046 页 piǎo;1046 页 piào。

【漂泊】(飘泊) piāobó 动 ❶ 随波浮动或停泊:游艇~在附近的海面上。❷ 比喻职业、生活不固定,东奔西走:~异乡。

【漂荡】piāodàng 动 ❶ 随波漂动:小船在水中~。❷ 漂泊②。

【漂动】piāodòng 动 随着波浪等移动;漂②:竹筏在水面上~。

【漂浮】piāofú ❶ 动 漂①:水上~着几只小船◇离开了幼儿园,孩子们的笑容总是~在我的脑海里。❷ 形 比喻工作、学习等不踏实,不深入:作风~。‖也作飘浮。

【漂流】(飘流) piāoliú 动 ❶ 漂在水面随水浮动:沿江~进行科学考察。❷ 漂泊;流浪:~四海。

【漂儿】piāor 〈方〉名 鱼漂。

【漂洋过海】piāo yáng guò hǎi 乘船渡过海洋,指远离家乡,前往海外异国他乡。

【漂移】piāoyí 动 物体在液体表面漂浮移动。

【漂游】piāoyóu ❶ 轻缓地漂动:顺水~。❷ 漂泊②:四处~。

慓 piāo 〈书〉同"剽"②。

【慓悍】piāohàn 同"剽悍"。

缥(縹) piāo [缥缈](piāomiǎo) 形 形容隐隐约约,若有若无:虚无~|云雾~。也作飘渺。

另见 1046 页 piǎo。

飘(飄、飃) piāo ❶ 动 随风摇动或飞扬:~动|~摇|~落|红旗~~|外面~着雪花。❷ 形 形容

腿部发软,走路不稳:两腿发～。❸ 形轻浮;不踏实:作风有点儿～。❹ (Piāo) 名姓。

【飘泊】piāobó 见1044页〖漂泊〗。

【飘尘】piāochén 名颗粒极小(直径小于10微米)能够长时间在空中飘浮的灰尘,可以随气流飘到很远的地方,造成大范围污染。

【飘带】piāodài (～儿)名旗帜、衣帽等上面做装饰的带子,可随风飘动。

【飘荡】piāodàng 动❶ 随风飘动:红旗在空中～|校园里～着欢乐的歌声。❷ 漂泊②:弃家避难,四处～。

【飘动】piāodòng 动(随着风等)摆动;飘:白云在天空中～。

【飘拂】piāofú 动轻轻飘动:白云～。

【飘浮】piāofú 动❶ 飘①。❷ 同"漂浮"。

【飘红】piāohóng 动指股票等证券的价格普遍上涨。证券交易场所的电子显示屏上显示价格上涨时用红色,价格普遍上涨时显示屏上以红色为主,所以说飘红。

【飘忽】piāohū 动❶ (风、云等)轻快地移动:烟雾～。❷ 摇摆;浮动:情绪～不定。

【飘零】piāolíng 动❶ (花、叶等)坠落;飘落:秋叶～|雪花～。❷ 比喻失去依靠,生活不安定:四处～|～半世。

【飘流】piāoliú 见1044页〖漂流〗。

【飘绿】piāolǜ 动指股票等证券的价格普遍下跌。证券交易场所的电子显示屏上显示价格下跌时用绿色,价格普遍下跌时显示屏上以绿色为主,所以说飘绿。

【飘落】piāoluò 动飘着降下来:黄叶～|伞兵徐徐～。

【飘渺】piāomiǎo 同"缥缈"。

【飘飘然】piāopiāorán 形❶ 轻身飘飘的,好像浮在空中:喝了几杯酒,脚下不觉有些～。❷ 形容很得意(多含贬义):听了几句奉承话,他不由得～起来。

【飘然】piāorán 形❶ 形容飘摇的样子:浮云～而过。❷ 形容轻捷或迅速的样子:他骑上白马～而去。❸ 形容轻松愉快的样子:～自在。

【飘洒】piāosǎ 动飘舞着落下来:细雨～|天空～着雪花。

【飘洒】piāo·sǎ 形(姿态)自然;不呆板:他写的字很～|仪态～。

【飘散】piāosàn 动(烟雾、气体等)飘扬散

开;飞散:炊烟随着晚风袅袅～|微风里～着一股清香。

【飘逝】piāoshì 动❶ 飘动流散:白云～。❷ 消逝;岁月～。

【飘舞】piāowǔ 动随风飞舞或摇摆:雪花漫天～|柳条迎风～。

【飘扬】piāoyáng 动在空中随风摆动:彩旗迎风～。也作飘飏。

【飘摇】(飘飖) piāoyáo 动❶ 随风飘动摇摆:烟云缭绕,～上升。❷ 动荡不安:四处漂泊:风雨～。

【飘曳】piāoyè 动随风摆动;摇曳:柳枝在晨风中～。

【飘移】piāoyí 动在空中随风移动:降落伞向着目标方向～。

【飘逸】piāoyì ❶〈书〉形洒脱,自然,与众不同:神采～|字体凝重而～。❷ 动飘浮;飘散:白云～|院子里～着花香。

【飘溢】piāoyì 动飘荡洋溢:公园里～着兰花的阵阵清香。

【飘悠】piāo·you 动在空中或水面上轻缓地浮动:小船在水里慢慢地～着|几片树叶飘飘悠悠地落下来。

【飘游】piāoyóu 动❶ 轻缓地飘动:云烟在山间～。❷ 漂泊②:四处～。

螵 piāo [螵蛸](piāoxiāo)名螳螂的卵块,干燥后可入药。

piáo （ㄆㄧㄠˊ）

朴 Piáo 名姓。
另见1056页 pō;1058页 pò;1063页 pǔ。

嫖(闝) piáo 动男子玩弄妓女:～妓|～娼。

【嫖客】piáokè 名指玩弄妓女的男子。

【嫖宿】piáosù 动嫖妓(强调在一起过夜)。

瓢 piáo (～儿)名用来舀(yǎo)水或撮取面粉等的器具,多用对半剖开的匏瓜做成,也有用木头挖成的。

【瓢虫】piáochóng 名昆虫,成虫半球形,头小,颜色不一,前翅坚硬,多有黑色或黄色斑点。幼虫体略长,尾端细小。种类很多,多数吃蚜虫、介壳虫等害虫,对农业、林业有益。

P

【瓢泼】piáopō 动 形容雨大：～大雨|暴雨～。

瀿 piáo 〈方〉名 浮萍。

piǎo （ㄆㄧㄠˇ）

莩 piǎo 同"殍"。
另见 419 页 fú。

殍 piǎo 见 357 页【饿殍】。

漂 piǎo 动 ❶ 漂白：～过的布特别白。❷ 用水冲去杂质：～朱砂。
另见 1044 页 piāo；1046 页 piào。

【漂白】piǎobái 动 使本色或带颜色的纤维、织品等变成白色，通常使用过氧化氢、次氯酸钠和二氧化硫等。

【漂白粉】piǎobáifěn 名 无机化合物，化学式 $Ca(ClO)_2$。白色粉末，有氯气的气味，是常用的消毒剂和漂白剂。

【漂染】piǎorǎn 动 对纺织品进行漂白和染色。

【漂洗】piǎoxǐ 动 用水冲洗：～衣裳。

缥（縹）piǎo 〈书〉❶ 青白色。❷ 青白色丝织品。
另见 1044 页 piāo。

瞟 piǎo 动 斜着眼睛看：他一面说话，一面用眼～老李。

piào （ㄆㄧㄠˋ）

票 piào ❶ 名 作为凭证的纸片：车～|戏～|投～。❷（～儿）名 钞票：大～|零～儿。❸（～儿）名 指绑架者用来勒索钱财的人质：绑～儿|赎～儿。❹〈方〉量 批；桩：一～货|一～生意|一～买卖。❺ 指非职业性的戏曲表演：玩儿～|～友儿。❻（Piào）名 姓。

【票额】piào'é 名 票面数额。

【票贩子】piàofàn·zi 名 倒卖车票、船票或入场券等从中非法牟利的人。

【票房】[1] piàofáng 名 戏院、火车站、轮船码头等处的售票处。

【票房】[2] piàofáng （～儿）名 旧时指票友聚会练习的处所。

【票房价值】piàofáng jiàzhí 指上演电影、戏剧等因卖票而获得的经济效益。

【票根】piàogēn 名 票据的存根。

【票号】piàohào 名 旧时指山西商人所经营的以汇兑为主要业务的钱庄。在清末曾操纵全国的金融，是当时最大的商业资本。也叫票庄。

【票汇】piàohuì 动 凭邮局或银行签发的汇款票据领取汇款的汇兑。

【票据】piàojù 名 ❶ 按照法律规定形式制成的写明有支付一定货币金额义务的证券。❷ 出纳或运送货物的凭证。

【票款】piàokuǎn 名 ❶ 买票或卖票的钱：垫付～|～收入。❷ 票据和款项：～两清|～分离。

【票面】piàomiàn 名 钞票和某些票据上所标明的金额。

【票品】piàopǐn 名 邮票、明信片、小型张等邮品的统称。

【票箱】piàoxiāng 名 用来投入选票或门票等的箱子，上部有投票口。

【票选】piàoxuǎn 动 用投票的方式选举。

【票友】piàoyǒu 名 称业余的戏曲演员。

【票证】piàozhèng 名 由有关部门发的购买某些物品等的凭证，如我国曾经使用过的粮票、油票、布票等。

【票庄】piàozhuāng 名 票号。

【票子】piào·zi 名 钞票。

僄 piào 〈书〉❶ 轻便敏捷：～悍（轻捷勇猛）。❷ 轻薄。

嘌 piào 〈书〉疾速。

【嘌呤】piàolíng 名 有机化合物，化学式 $C_5H_4N_4$。无色晶体，它的衍生物腺嘌呤、鸟嘌呤是核酸的重要组成成分。[英 purine]

漂 piào 〈方〉动（事情、账目等）落空：那事没有什么指望，～了。
另见 1044 页 piāo；1046 页 piǎo。

【漂亮】piào·liang 形 ❶ 好看；美观：她长得～|衣服～|节日里，孩子们打扮得漂漂亮亮的。❷ 出色：事情办得～|打了一个～仗|普通话说得很～。

【漂亮话】piào·lianghuà 名 说得好听而不兑现的话：说～没有用，做出来才算。

骠（驃）piào 〈书〉❶ 形容马快跑。❷ 勇猛：～勇。

另见 89 页 biāo。

【骠骑】piàoqí 名古代将军的名号：～将军。

---

piē（ㄆㄧㄝ）

气 piē 名氢的同位素之一，符号¹H（protium）。原子核中有一个质子，是氢的主要成分，普通的氢中含有99.98%的氕。

撇¹ piē 动弃置不顾；抛弃：～开｜把老一套都～了。

撇² piē 动从液体表面上轻轻地舀：～油｜～沫儿。
另见 1047 页 piě。

【撇开】piē//·kāi 放在一边；丢开不管：撇得开｜撇不开｜先～次要问题不谈，只谈主要的两点。

【撇弃】piēqì 动抛弃；丢开：～不顾。

瞥 piē 动很快地看一下：一～｜弟弟要插嘴，哥哥～了他一眼。

【瞥见】piējiàn 动一眼看见：在街上，无意间～了多年不见的老朋友。

【瞥视】piēshì 动很快地看一下：他和蔼地～了一下每个听讲学生。

---

piě （ㄆㄧㄝˇ）

莱 piě [莱蓝](piě·lan) 名❶ 甘蓝的一种，叶子卵形或长圆形，有长柄，花黄白色。茎部发达，扁圆形，肉质，是常见蔬菜。❷ 这种植物的茎。‖也叫球茎甘蓝。

撇 piě ❶ 动平着扔出去：～砖头｜～手榴弹◇把早晨说的事一～到脑后去了。❷ 动倾斜：他是八字脚，走起路来向外～。❸ 动用撇嘴的动作表示轻视、不以为然或不高兴等：她嘴一～，什么也没说，走了。❹ (～儿)名汉字的笔画，向左斜下，形状是"丿"。❺ 量用于像撇儿的东西：他留着两～儿胡子。
另见 1047 页 piē。

【撇嘴】piě//zuǐ 下唇向前伸，嘴角向下，表示轻视、不以为然或不高兴：～摇头｜小孩儿一～要哭。

镢(鐉) piē 〈方〉烧盐用的敞口锅，用于地名，表示是烧盐的地方：潘家～(在江苏)。

---

piè （ㄆㄧㄝˋ）

嫳 piè [嫳屑](pièxiè) 〈书〉形 形容衣服飘动。

---

pīn（ㄆㄧㄣ）

拼¹(拚) pīn 动合在一起；连合：～音｜～版｜把两块木板～起来。

拼²(拚) pīn 动 不顾一切地干；豁出去：～命｜跟敌人～到底。
"拚"另见 1022 页 pàn。

【拼版】pīn//bǎn 按书刊要求的大小和式样，把排好顺序的文字、图版等拼成版面。

【拼比】pīnbǐ 比拼；拼争：～实力。

【拼搏】pīnbó 动使出全部力量搏斗或争取：顽强～｜～精神｜日夜奋战，与洪水～。

【拼刺】pīncì 动❶ 军事训练时拿着木枪两人对刺。❷ 步兵打仗时短距离接触，用枪刺格斗。

【拼凑】pīncòu 动把零碎的或分散的合在一起：她把零碎的花布～起来做了个靠垫｜东借一点儿，西借一点儿，～了几千元。

【拼合】pīnhé 动合在一起；组合：把七巧板重新～起来。

【拼接】pīnjiē 动拼合连接：把几块木板～在一起。

【拼力】pīnlì 副使出全部力量：登山队员～登顶｜～挣脱束缚。

【拼命】pīn//mìng ❶ 动把性命豁出去；以性命相拼：跟歹徒～。❷ 副尽最大的力量；极度地：～地工作｜～往山顶爬。

【拼盘】pīnpán (～儿)名用两种以上的凉菜(多为卤肉、海蜇、松花等冷荤)摆在一个菜盘里拼成的菜。

【拼抢】pīnqiǎng 动拼力争抢；奋力争夺：我队队员积极～，遏制住了对方进攻的势头。

【拼杀】pīnshā 动拼命搏杀，泛指奋力争胜：双方～得异常激烈。

【拼死】pīnsǐ 副 拼命②。

【拼死拼活】pīn sǐ pīn huó ❶ 不顾一切地斗争;拼个死活。❷ 用尽全部精力:他整天～地干。

【拼图】pīntú ❶（－//－）动 拼合图形,特指把零散无序的图形拼合成完整的图形,是一种智力游戏。❷ 名 拼合图形的玩具或教具:给孩子买了一幅～。

【拼写】pīnxiě 动 用拼音字母按照拼音规则书写。

【拼音】pīnyīn 动 把两个或两个以上的音素结合起来成为一个复合的音,如 b 和 iāo 拼成 biāo(标)。

【拼音文字】pīnyīn wénzì 用符号(字母)来表示语音的文字。现代世界各国所用的文字多数是拼音文字,我国的藏文、蒙文、维吾尔文等也都是拼音文字。参看 1623 页〖音素文字〗、〖音节文字〗。

【拼音字母】pīnyīn zìmǔ ❶ 拼音文字所用的字母。❷ 指汉语拼音方案采用的为汉字注音的二十六个拉丁字母。

【拼争】pīnzhēng 动 尽全力争夺;奋力抗争:奋力～|～到底。

【拼装】pīnzhuāng 动 拼合组装:这辆车是用废旧零件～起来的。

【拼缀】pīnzhuì 动 连接;组合:图案由许多大小不等的三角形～而成。

姘 pīn 非夫妻关系而发生性行为:～夫|～妇。

【姘居】pīnjū 动 非夫妻关系而同居。

【姘头】pīn·tou 名 非夫妻关系而发生性行为的男女,也指有这种关系的男方或女方。

pín （ㄆㄧㄣˊ）

批(蠙) pín 〈书〉蚌珠。

贫¹(貧) pín ❶ 穷(跟"富"相对):～农|～民|～苦。❷ 缺少;不足:～血。❸ 用于僧道的自称:～僧|～道。❹（Pín）名 姓。

贫²(貧) pín 〈方〉形 絮叨可厌:这个人嘴真～|你老说那些话,听着怪～的。

【贫乏】pínfá ❶ 贫穷:家境～。❷ 缺

少;不丰富:内容～|知识～|生活经验～。

【贫寒】pínhán 形 穷苦:家境～|～人家。

【贫化铀】pínhuàyóu 名 从金属铀中提炼出铀－235 后的副产品,主要成分是铀－238,有低放射性。简称贫铀。

【贫瘠】pínjí 形（土地)薄;不肥沃。

【贫贱】pínjiàn 形 指贫穷而社会地位低下:～不移(不因贫贱而改变志向)。

【贫窭】pínjù 〈书〉形 贫穷。

【贫苦】pínkǔ 形 贫困穷苦;生活资料不足:～出身|家境～。

【贫矿】pínkuàng 名 品位较低的矿石或矿体。

【贫困】pínkùn 形 生活困难;贫穷:～潦倒|～的山区改变了面貌。

【贫困线】pínkùnxiàn 名 ❶ 贫穷困苦的边缘。❷ 政府部门根据当地经济发展水平规定的最低生活保障标准。

【贫民】pínmín 名 职业不固定而生活穷苦的人。

【贫民窟】pínmínkū 名 指城市中贫苦人聚居的地方。

【贫农】pínnóng 名 完全没有土地或只占有极少的土地和一些小农具的人。一般依靠租种土地生活,也出卖一部分劳动力。

【贫气】pín·qi 形 行动态度不大方;小气。

【贫气】pín·qi 形 絮叨可厌:一句话说了又说,真～。

【贫穷】pínqióng 形 生产资料和生活资料缺乏:消除～|～的山村变得富裕起来。

【贫弱】pínruò 形 贫穷衰弱(多指国家、民族):旧中国国力～。

【贫水】pínshuǐ 动 缺乏水资源:～地区。

【贫血】pínxuè 动 人体的血液中红细胞的数量或血红蛋白的含量低于正常的数值时叫做贫血。通常局部血量减少也叫贫血,如脑贫血。

【贫油】pínyóu 动 缺乏石油资源。

【贫铀】pínyóu 名 贫化铀的简称。

【贫铀弹】pínyóudàn 名 指以贫化铀为主要原料制成的炸弹、炮弹或枪弹,穿甲能力强,爆炸威力大。其中的放射性物质会长期污染环境,损害人的健康。

【贫嘴】pínzuǐ 形 爱多说废话或开玩笑的话:耍～|～滑舌。

【贫嘴薄舌】pín zuǐ bó shé 指话多而尖酸

刻薄,使人讨厌。也说贫嘴贱舌。

频(頻) pín ❶ 屡次;连续几次:~传|~~点头。❷ 频率:高~|调~|一~段。

【频传】pínchuán 囲 接连不断地传来(多指好的消息):捷报~|喜讯~。

【频次】píncì 名 指某事物在一定时间、一定范围内重复出现的次数。

【频带】píndài 名 介于两个特定频率之间的所有频率的连续范围。

【频道】píndào 名 在电视广播中,高频影像信号和伴音信号占有的一定宽度的频带。

【频度】píndù 名 通常指频率。

【频段】pínduàn 名 把无线电波按频率不同而分成的段,有低频、中频、高频、超高频等。

【频发】pínfā 囲 频繁地发生;经常发生(多指不好的事情):电脑病毒~|这个急转弯路段~交通事故。

【频繁】pínfán 形 (次数)多:交往~|~接触。

【频率】pínlǜ 名 ❶ 物体每秒振动的次数,单位是赫兹。❷ 在单位时间内某种事情发生的次数。

【频密】pínmì 形 (次数)多而密;频繁:由于赛事过于~,队员的体力普遍下降。

【频频】pínpín 副 连续不断地:~举杯|~得手。

【频谱】pínpǔ 名 复杂振动分解为振幅不同和频率不同的简单的振动,它们的幅值按频率排列的图形叫做频谱。广泛应用在声学、光学和无线电技术等方面。

【频仍】pínréng 〈书〉形 连续不断(多用于坏的方面):灾害~。

【频数】pínshuò 〈书〉形 次数多而密:病人腹泻~。

嫔(嬪) pín 〈书〉皇帝的妾;皇宫中的女官:妃~。

蘋(蘋) pín 名 蕨类植物,生在浅水中,茎横生在泥中,质柔软,有分枝,叶有长柄,四片小叶在叶柄顶端,像"田"字。也叫田字草。
　　"蘋"另见 1055 页 píng "苹"。

嚬(嚬) pín 〈书〉同"颦"。

颦(顰) pín 〈书〉皱眉:~眉|一~一笑。

【颦蹙】píncù 〈书〉囲 皱着眉头,形容忧愁:双眉~。

pǐn (ㄆㄧㄣˇ)

品 pǐn ❶ 物品:商~|产~|战利~。❷ 等级:上~|下~|精~|极~。❸ 封建时代官吏的级别,共分九品。❹ 种类:~种|~类。❺ 品质:人~|~德。❻ 囲 辨别好坏;品评:~茶|这人究竟怎么样,你慢慢就~出来了。❼ 囲 吹(管乐器,多指箫):~箫|~竹弹丝。❽ (Pǐn)名 姓。

【品尝】pǐncháng 囲 仔细地辨别;尝试(滋味):~鲜桃|~名酒。

【品德】pǐndé 名 品质道德:~高尚。

【品第】pǐndì 〈书〉❶ 囲 评定高低,分列等次。❷ 名 指等级、地位。

【品读】pǐndú 囲 仔细阅读、品味:有些老书多年后再来~,仍能读出新意。

【品格】pǐngé 名 ❶ 品性;品行:~高尚。❷ 指文学、艺术作品的质量和风格:他近期和早期的绘画~迥异。

【品红】pǐnhóng 形 比大红略浅的红色。

【品级】pǐnjí 名 ❶ 古代官吏的等级。❷ 各种产品、商品的等级。

【品节】pǐnjié 名 品行节操:~卓异。

【品蓝】pǐnlán 形 略带红的蓝色。

【品类】pǐnlèi 名 种类:~繁多。

【品绿】pǐnlǜ 形 像青竹那样的绿色。

【品貌】pǐnmào 名 ❶ 相貌:~俊俏。❷ 人品和相貌:~兼优。

【品名】pǐnmíng 名 物品的名称。

【品目】pǐnmù 名 物品的名目:~繁多。

【品牌】pǐnpái 名 产品的牌子,特指著名产品的牌子:新~|~机|~效应。

【品评】pǐnpíng 囲 评论高下:~诗文|~产品质量|服饰设计~。

【品色】pǐnsè 名 ❶ 品种花色:~齐全。❷ 指品红、品蓝、品绿等颜色。

【品赏】pǐnshǎng 囲 品味;欣赏:~历代名画。

【品题】pǐntí 〈书〉囲 评论(人物、作品等)。

【品头论足】pǐn tóu lùn zú 见 1055 页【评头论足】。

【品玩】pǐnwán 囲 品评赏玩:~奇石。

【品位】pǐnwèi 名 ❶ 〈书〉指官吏的品级;

官阶。❷ 矿石中有用元素或有用矿物含量的百分率,百分率愈大,品位愈高。❸ 泛指人或事物的品质、水平:高~的蚕丝|节目的艺术~较高|他的谈吐很有~。

【品味】pǐnwèi ❶ 动 尝试滋味;品尝:经专家~,认为酒质优良。❷ 动 仔细体会;玩味:他经过细细~,才明白了那句话的含义。❸ 名(物品的)品质和风味:由于吸收了异味,茶叶~大受影响。❹ 名 格调和趣味:~高雅。

【品系】pǐnxì 名 指来源于同一祖先,性状表现大致相同的一群个体。

【品相】pǐnxiàng 名 邮品、书籍、艺术品等外观的完美程度。泛指物品的外观。

【品行】pǐnxíng 名 有关道德的行为:~端正。

【品性】pǐnxìng 名 品质性格:~敦厚。

【品议】pǐnyì 动 品评。

【品月】pǐnyuè 形 浅蓝色。

【品藻】pǐnzǎo 〈书〉动 品评;评论(人物等)。

【品质】pǐnzhì 名❶ 行为、作风上所表现的思想、认识、品性等的本质:道德~。❷ 物品的质量:江西瓷~优良。

【品种】pǐnzhǒng 名❶ 经过人工选择和培育,具有一定经济价值和共同遗传特点的一群生物体(通常指栽培植物、牲畜、家禽等)。❷ 泛指产品的种类:增加花色~|~齐全。

榀 pǐn 量 一个屋架叫一榀。

pìn (ㄆㄧㄣˋ)

牝 pìn 雌性的(指鸟兽,跟"牡"相对):~牛|~鸡。

聘 pìn ❶ 动 聘请:~任|~用|~他当顾问。❷〈书〉聘问:报~|使往来。❸ 定亲:~礼。❹〈口〉动 女子出嫁:出~|~姑娘。

【聘金】pìnjīn 名❶ 旧俗订婚时,男方送给女方的钱财。❷ 聘请人做事所付给的钱。

【聘礼】pìnlǐ 名❶ 聘请时表示敬意的礼物。❷ 订婚时,男家向女家下的彩礼。

【聘请】pìnqǐng 动 请人承担工作或担任

职务:~教师|~专家指导。

【聘任】pìnrèn 动 聘请人担任(职务):~制|工厂~他为总工程师。

【聘书】pìnshū 名 聘请某人承担工作或担任职务的文书。

【聘问】pìnwèn 动 古代指代表本国政府访问友邦。

【聘用】pìnyòng 动 聘请任用;聘任:~贤能|~技术人员。

【聘约】pìnyuē 名 聘用人的合约:解除~。

pīng (ㄆㄧㄥ)

乒 pīng ❶ 拟声 形容放枪或东西撞击的声音:~的一声枪响。❷ 指乒乓球:~赛(乒乓球比赛)|~坛(乒乓球界)。

【乒乓】pīngpāng ❶ 拟声 形容东西撞击的声音:雹子打在屋顶上~乱响。❷ 名 乒乓球①。

【乒乓球】pīngpāngqiú 名❶ 球类运动项目之一,在球台中央支着球网,双方分站在球台两端用球拍把球打来打去。有单打和双打两种。❷ 乒乓球运动使用的球,用赛璐珞制成。

傽 pīng 见 865 页【伶傽】。

娉 pīng [娉婷](pīngtíng)〈书〉形 形容女子的姿态美:体态~|举止~。

píng (ㄆㄧㄥˊ)

平 píng ❶ 形 表面没有高低凹凸,不倾斜:~坦|马路很~|把纸铺~了。❷ 动 使平:~了三亩地|把沟~了种庄稼。❸ 形 两相比较没有高低、先后;不相上下:~辈|~列|~局|~起~坐|这场球赛双方打~了。❹ 动 达到相同的高度:~槽|~了世界记录。❺ 平均;公平:~分|~持|~之论。❻ 安定:风~浪静|心~气和。❼ 用武力镇压;平定:~叛|~乱。❽ 动 抑止(怒气):你先把气~下去再说。❾ 经常的;普通的:~时|~淡。❿ 平声:~仄|~上去入。⓫ (Píng)名 姓。

【平安】píng'ān 形 没有事故,没有危险:平安无事|一路~|平平安安地到

达目的地。

【平白】píngbái ❶ 副 无缘无故：～无故｜～地挨了他一顿骂。❷ 形（文辞等）浅显通俗：诗句～如话。

【平板】píngbǎn 形 平淡死板，没有曲折变化：样式～｜他一句一句～地说下去。

【平板车】píngbǎnchē 名 ❶ 运货的三轮车，载货的部分是平板。也叫平板三轮。❷ 没有车帮的大型运货卡车。

【平板仪】píngbǎnyí 名 测量地形用的仪器，可以测量高度和距离，由照准仪（用于瞄准方向和测距的仪器）、图板和三脚架等组成。

【平版】píngbǎn 名 版面空白部分和印刷部分都没有凹凸纹的印刷版，如石版、金属平版等。

【平辈】píngbèi 名 相同的辈分。

【平步青云】píng bù qīng yún 比喻一下子达到很高的地位。

【平仓】píngcāng 动 指在证券投资中为保持证券持有量不变而进行的先买后卖或先卖后买的交易过程。

【平槽】píng∥cáo 动 江河的水面高达河岸：雨下得平了槽。

【平产】píngchǎn 动 与相比较的产量大体相当：今年全县各乡粮食增产的多，～减产的少。

【平常】píngcháng ❶ 形 普通；不特别：话虽～，意义却很深刻。❷ 名 平时：他虽然身体不好，但～很少请假。

【平车】píngchē 名 ❶ 铁路货车的一种，没有车顶和车壁，用来装运大型建筑材料、压延钢材或各种机器等。❷ 没有车帮的兽力车或人力车。❸ 医院里来运送病人的车子，病人可以平躺在上面。

【平畴】píngchóu 〈书〉名 平坦的田地：千里～｜～沃野。

【平川】píngchuān 名 地势平坦的地方：～广野｜一马～。

【平旦】píngdàn 〈书〉名 天亮的时候。

【平淡】píngdàn 形（事物、文章等）平常，没有曲折：～无奇｜～无味｜语调～。

【平等】píngděng 形 ❶ 指人们在社会、政治、经济、法律等方面享有相等待遇。❷ 泛指地位相等：～互利｜男女～。

【平籴】píngdí 旧时指官府在丰收时用平价买进谷物，以待荒年卖出。

【平地】píngdì ❶（-∥-）动 把土地整平：播种前要翻地，～。❷ 名 平坦的土地：找一块～修操场。

【平地风波】píngdì fēngbō 比喻突然发生的事故或纠纷。

【平地楼台】píngdì lóutái 比喻原来没有基础而白手建立起来的事业。

【平地一声雷】píngdì yī shēng léi 比喻名声地位突然升高。也比喻突然发生一件可喜的大事。

【平定】píngdìng ❶ 形 平稳安定：局势～｜他的情绪逐渐～下来。❷ 动 使平稳安定：～情绪｜局面。❸ 动 平息（叛乱等）：～暴乱。

【平动】píngdòng 动 物体运动时，物体内任何两点连成的直线始终保持它的方向不变，这种运动叫做平动。也叫平移。

【平凡】píngfán 形 平常；不稀奇：他们在～的工作中做出了不～的成绩。

【平反】píngfǎn 动 把判错的案件或做错的政治结论改正过来：～昭雪｜～冤案。

【平方】píngfāng ❶ 名 指数是 2 的乘方，如 $a^2(a \cdot a)$，$3^2(3 \times 3)$。❷ 量 指平方米。

【平方米】píngfāngmǐ 量 面积单位，边长 1 米的正方形的面积是 1 平方米，符号为 m^2。

【平房】píngfáng 名 ❶ 只有一层的房子（区别于"楼房"）。❷〈方〉用灰土做顶的平顶房屋。

【平分】píngfēn 动 平均分配。

【平分秋色】píngfēn qiūsè 比喻双方各占一半。

【平服】píngfú ❶ 形 安定：心情难以～。❷ 动 服气：拿出真本事，才能叫人心里～。

【平复】píng·fù 动 ❶ 恢复平静：风浪渐渐～｜等他情绪～后再说。❷（疾病或创伤）痊愈复原：病体日渐～。

【平光】píngguāng 形 属性词。屈光度为零的（眼镜），如太阳镜和防护眼镜都是平光的。

【平和】pínghé ❶ 形（性情或言行）温和：语气～｜态度～。❷ 形（药物）作用温和，不剧烈。❸ 形 平静；安宁：气氛～。❹〈方〉动（纷扰）停息：这场争端终于～下来。

【平衡】pínghéng 形❶对立的各方面在数量或质量上相等或相抵：产销～|收支～。❷几个力同时作用在一个物体上，各个力互相抵消，物体保持相对静止状态、匀速直线运动状态或绕轴匀速转动状态。

【平衡感觉】pínghéng gǎnjué 因身体所处位置的变化而引起的感觉。内耳中的半规管和前庭等是平衡感觉的器官。

【平衡木】pínghéngmù 名❶女子体操器械的一种，是一根长而窄的方木头，两端支起并固定在支架上。❷女子竞技体操项目之一，运动员在平衡木上做各种动作。

【平滑】pínghuá 形 平而光滑：冰面～如镜。

【平滑肌】pínghuájī 名 由长纺锤形细胞组成的肌肉，平滑，没有横纹。是构成胃、肠、膀胱等内脏的肌肉，它的运动不受人的意志支配。旧称不随意肌。

【平话】pínghuà 名 我国古代民间流行的口头文学形式，有说有唱，宋代盛行，由韵体散体相间发展为单纯散体，例如以散文为主的《三国志平话》《五代史平话》。也作评话。

【平缓】pínghuǎn 形❶（地势）平坦，倾斜度小：黄河中下游地势～。❷平稳；缓慢：气温变化～|水流～。❸（心情、声音等）缓和；平和：语调～。

【平价】píngjià ❶动 平抑上涨的物价。❷名 平抑了的货物价格：～米|～收购。❸形 普通的价格；公平的价格。❹名 指一国本位货币规定的含金量。也指两个金本位（或银本位）国家间本位货币法定含金量（或含银量）的比值。

【平交】píngjiāo 动 平面交叉。

【平角】píngjiǎo 名 一条射线以端点为定点在平面上旋转半周所成的角。角的一条边是另一条边的反向延长线。平角为180°。

【平金】píngjīn 名 一种刺绣，在缎面上用金银色线盘成各种花纹。

【平靖】píngjìng ❶动 用武力镇压叛乱，使趋于安定：～内乱。❷形（社会秩序）稳定安静：时局～。

【平静】píngjìng 形（心情、环境等）没有不安或动荡：激动的心情久久不能～|风浪已经～下去了|他说话的声音仍然很～。

【平局】píngjú 名 比赛不分胜负的局面：双方战成～。

【平均】píngjūn ❶动 把总数按份儿均匀计算：10 筐梨重 500 斤，～每筐重 50 斤。❷形 没有轻重或多少的分别：～发展|～分摊|数量不大～。

【平均海平面】píngjūn hǎipíngmiàn 通过长期观测而确定的海平面的平均位置，用作测量高度的起点。我国现以 1987 年计算出的黄海平均海平面为测量起点。

【平均期望寿命】píngjūn qīwàng shòumìng 人口学中反映人寿命长短的统计指标之一，指人活到某一年龄后还能继续生存的平均年数。出生时的平均期望寿命常简称为平均寿命。

【平均主义】píngjūn zhǔyì 主张人们在工资、劳动、勤务各方面享受一律的待遇的思想，认为只有绝对平均才算是平等，是个体手工业和小农经济的产物。

【平空】píngkōng 见 1055 页〖凭空〗。

【平列】píngliè 动 平着排列；平等列举：不能把客观原因与主观原因～起来分析。

【平流层】píngliúcéng 名 大气圈中的一层，位于对流层顶部到距地面约 50 千米的高度范围。层内气温通常随高度的增加而上升，大气平稳，以平流运动为主，能见度好，适合高空飞行。

【平炉】pínglú 名 炼钢炉的一种，放原料的炉底像浅盆，炉体用耐火材料砌成，燃烧用的煤气和热空气由两侧的开口通入。

【平米】píngmǐ 量 指平方米。

【平面】píngmiàn 名 最简单的面。在一个面内任取两点连成直线，如直线上所有的点都在这个面上，这个面就是平面。

【平面几何】píngmiàn jǐhé 几何学的一个分支，研究平面图形的性质，如形状、大小、位置等。

【平面交叉】píngmiàn jiāochā 两条或两条以上相交的道路在同一平面上交叉，常见的有十字形交叉、丁字形交叉、环形交叉等。

【平面角】píngmiànjiǎo 名 以二面角的棱上任意一点为端点，在两个面内分别做垂直于棱的射线，这两条射线所成的角叫做二面角的平面角。

【平面镜】píngmiànjìng 名 反射面是平面的镜子，日常所用的镜子就属于这一种。镜前的物体在镜中形成虚像，像和物体的大小相同,跟镜面的距离相等,左右方向相反。

【平面图】píngmiàntú 图❶ 在平面上所示的图形。❷ 构成物体形状的所有线段垂直投影于平面上所示的图形。

【平民】píngmín 图泛指普通的人(区别于贵族或特权阶级):~百姓。

【平明】píngmíng 〈书〉图天亮的时候。

【平年】píngnián 图❶ 阳历没有闰日或农历没有闰月的年份。阳历平年 365 天,农历平年 354 天或 355 天。❷ 农作物收成平常的年头儿。

【平盘】píngpán 图交易市场上的平稳行情,证券交易市场指电子显示屏上显示的不涨不跌的价格或指数。

【平叛】píngpàn 动平定叛乱。

【平平】píngpíng 形不好不坏;寻常:表现~|成绩~。

【平铺直叙】píng pū zhí xù 说话或写文章时不讲求修辞,只把意思简单而直接地叙述出来。

【平起平坐】píng qǐ píng zuò 比喻地位或权力平等。

【平权】píngquán 动权利平等,没有大小之分:男女~。

【平日】píngrì 图一般的日子(区别于特定的日子,如节假日或特指的某一天)。

【平绒】píngróng 图织物表面有平整而短密的绒毛的棉织品。

【平射炮】píngshèpào 图炮弹初速大,弹道低伸的一类火炮,如加农炮、反坦克炮等。

【平身】píngshēn 动旧时指行跪拜礼后立起身子(多见于旧小说、戏曲)。

【平生】píngshēng 图❶ 终身;一生:他~第一次看到大海。❷ 平素;素昧~|他~是很节俭的。

【平声】píngshēng 图古汉语四声的第一声。古汉语的平声字在普通话里分化成阴平和阳平两类。参看 1294 页〖四声〗。

【平时】píngshí 图❶ 一般的、通常的时候(区别于特定的或特指的时候)。❷ 指平常时期(区别于非常时期,如战时、戒严时)。

【平实】píngshí 形平易朴实:待人~|文笔~。

【平视】píngshì 动两眼平着向前看:立正

时两眼要~。

【平手】píngshǒu (~儿)图不分高下的比赛结果:甲乙两队打了个~儿。

【平水期】píngshuǐqī 图河流、湖泊处于正常水位的时期。

【平顺】píngshùn 形平稳顺畅;没有波折:发展~|呼吸~|生活~如常。

【平素】píngsù 图平时;素日:他这个人~不好说话|张师傅~对自己要求很严。

【平台】píngtái 图❶ 晒台。❷ 生产和施工过程中,为操作方便而设置的工作台,有的能移动和升降。❸ 指计算机硬件或软件的操作环境。❹ 泛指进行某项工作所需要的环境或条件:科技推广站为农民学习科学知识、获取市场信息提供了~。

【平摊】píngtān 动平均分摊或摊派:全楼卫生费由各家~。

【平坦】píngtǎn 形没有高低凹凸(多指地势):宽阔~的马路。

【平添】píngtiān 动❶ 自然而然地增添:新建的街心公园给周围居民~了许多乐趣。❷ 无端地增添:~烦恼。

【平粜】píngtiào 动旧时遇到荒年,官府把仓库里的粮食按平价卖出。

【平头】píngtóu 图男子发式,顶上头发剪平,从脑后到两鬓的头发全部推光。

【平头百姓】píngtóu bǎixìng 普通百姓:~也要关心国家大事。

【平头数】píngtóushù 〈方〉图十、百、千、万等不带零头的整数。

【平头正脸】píng tóu zhèng liǎn (~儿的)形容相貌端正。

【平妥】píngtuǒ 形平稳妥帖:文章措辞~。

【平纹】píngwén 图单根经纱和单根纬纱交织成的简单纹路:~布。

【平稳】píngwěn 形❶ 平安稳定,没有波动或危险:局势~|物价~|病情~|今年汛期,海河的水情一直~。❷ (物体)稳定,不摇晃:把桌子放~了。

【平西】píngxī 动太阳在西方将要落下:太阳已经~了,还是这么热。

【平昔】píngxī 图往常:一如~|我~对语法很少研究,现在开始感到一点儿兴趣了。

【平息】píngxī 动❶ (风势、纷乱等)变得平静或停止:一场风波~了|枪声渐渐~下来。❷ 用武力平定:~骚乱|~叛乱。

【平销】píngxiāo 劻 销售平稳;销售情况一般:高档西服热销,中档西服~。

【平心而论】píng xīn ér lùn 平心静气地评论。

【平心静气】píng xīn jìng qì 心情平和,态度冷静。

【平信】píngxìn 名 不挂号的一般信件。

【平行】píngxíng ❶ 形 属性词。等级相同,没有隶属关系的:~机关。❷ 劻 两个平面、一个平面内的两条直线或一条直线与一个平面始终不能相交,叫做平行。❸ 形 属性词。同时进行的:~作业|~发展。

【平行四边形】píngxíng sìbiānxíng 两组对边分别平行的四边形。矩形、菱形、正方形都是平行四边形的特殊形式。

【平行线】píngxíngxiàn 名 在同一平面内不相交的两条直线。

【平行作业】píngxíng zuòyè 在同一施工场所,使尽可能多的工种在相互配合、相互制约的条件下同时作业。

【平野】píngyě 名 城市以外的广阔平地。

【平一】píngyī 〈书〉平定统一:~宇内。

【平移】píngyí 劻 平动。

【平议】píngyì ❶ 公平地论定是非曲直。❷〈书〉评论;评议。

【平抑】píngyì 劻 抑制使稳定:~物价|他尽力使自己的怒火~下来。

【平易】píngyì 形 ❶ (性情或态度)谦逊和蔼:~近人|~可亲。❷ (文章)浅近易懂:语言简洁~。

【平易近人】píngyì jìn rén ❶ 态度谦逊和蔼,使人容易接近。❷ (文字)浅显,容易了解。

【平庸】píngyōng 形 寻常而不突出;平凡:才能~|相貌~|~的一生。

【平鱼】píngyú 名 鲳鱼。

【平原】píngyuán 名 起伏极小、海拔较低的广大平地。

【平月】píngyuè 名 阳历平年的二月叫平月,有28天。

【平允】píngyǔn 形 公平适当:分配得很~|话说得很~,令人心服。

【平仄】píngzè 名 平声和仄声,泛指由平仄构成的诗文的韵律。

【平展】píngzhǎn 形 ❶ (地势)平坦而宽敞:地势~|~的场院。❷ 平面舒展:他

穿一身~可体的新军装。

【平展展】píngzhǎnzhǎn (～的)形 状态词。形容平坦或平整:~的大马路。

【平账】píng∥zhàng 劻 使账面上收支平衡。

【平整】píngzhěng ❶ 劻 填挖土方使土地平坦整齐:~土地。❷ 形 平正整齐;(土地)平坦整齐:马路又宽又~。

【平正】píng·zheng 形 ❶ 没有皱褶:这张纸很~。❷ 不歪斜:地面铺的砖又~又密合。

【平直】píngzhí 形 ❶ 又平又直:汽车进入平原,驶上~的大路。❷ (言语、文字)平白直截:他那~的话语感动了在场的每个人。

【平装】píngzhuāng 形 属性词。(书籍)用单层的纸做封面,书脊不成弧形装订的(区别于"精装"):~本。

【平足】píngzú 名 扁平足。

冯(馮) píng ❶ 见 53 页〖暴虎冯河〗。❷ 古同"凭"(凭)。
另见 413 页 Féng。

评(評) píng ❶ 劻 评论;批评:短~|书~|获得好~|~一部电影。❷ 劻 评判:~分儿|~选|~一~谁写得好。❸ (Píng)名 姓。

【评比】píngbǐ 劻 通过比较,评定高低:卫生~|~生产成绩。

【评标】píngbiāo 劻 招标人组织专家对投标人的基本条件、报价、技术、资信等进行比较、评审,以推荐或确定中标人。

【评点】píngdiǎn 劻 批评并圈点(诗文)。

【评定】píngdìng 劻 经过评判或审核来决定:~职称|考试成绩已经~完毕。

【评断】píngduàn 劻 评论判断:~是非。

【评分】píngfēn (～儿)❶ (-/-) 劻 根据成绩评定分数(用于生产、教育、体育等)。❷ 名 评定的分数:他以最高的~,获得本届大赛的第一名。

【评改】pínggǎi 劻 批改:~作文。

【评功】píng∥gōng 劻 评定功绩:~授奖|给他评了三等功。

【评估】pínggū 劻 评议估计;评价:资产~|定期对学校的办学水平进行~。

【评话】pínghuà ❶ 同"平话"。❷ 名 曲艺的一种,由一个人用当地方言说讲,如苏州评话。

【评级】píng//jí 劢 根据一定的条件、要求评定等级。

【评价】píngjià ❶ 劢 评定价值高低:～文学作品。❷ 名 评定的价值:观众给予这部电影很高的～。

【评奖】píng//jiǎng 劢 评出应获得奖励的人或单位等:年终～|每学期评一次奖。

【评介】píngjiè 劢 评论介绍:新书～。

【评剧】píngjù 名 流行于华北、东北等地的地方戏曲剧种,最早产生于河北东部滦县一带,吸收了河北梆子、京剧等艺术成就。早期叫蹦蹦儿戏,也叫落子(lào·zi)。

【评理】píng//lǐ 劢 评断是非:谁对谁错,大家给评一评理。

【评论】pínglùn ❶ 劢 批评或议论:～好坏。❷ 名 批评或议论的文章:发表一篇～。

【评判】píngpàn 劢 判定(是非、胜负或优劣):～员|～公允|妄加～。

【评聘】píngpìn 劢 评定(专业技术职务)并加以聘请:～教授。

【评审】píngshěn ❶ 劢 评议审查:～员|～验收|～文艺作品。❷ 名 担任评审工作的人:这次大奖赛共有九名～。

【评书】píngshū 名 曲艺的一种,多讲说长篇故事,用折扇、手帕、醒木等做道具。

【评述】píngshù 劢 评论和叙述:新闻～。

【评说】píngshuō 劢 评论;评价:～古人|任人～|是非功过,自有～。

【评弹】píngtán 名 ❶ 曲艺的一种,流行于江苏、浙江一带,有说有唱,由评话和弹词结合而成。❷ 评话和弹词的合称。

【评头论足】píng tóu lùn zú 指无聊的人随便谈论妇女的容貌;也比喻在小节上多方挑剔。也说评头品足、品头论足。

【评头品足】píng tóu pǐn zú 评头论足。

【评委】píngwěi 名 评审委员或评选委员的简称。

【评析】píngxī 劢 评论分析:～剧中主要角色|对比赛结果进行全面～。

【评戏】píngxì 名 评剧。

【评选】píngxuǎn 劢 评比并推选:～先进工作者|去年十大新闻～揭晓。

【评议】píngyì 劢 经过商讨而评定:民主～|～等级。

【评语】píngyǔ 名 评论的话:操行～。

【评阅】píngyuè 劢 阅览并评定(试卷或作品):～作文|考卷已经～完毕。

【评骘】píngzhì 〈书〉 劢 评定:～书画。

【评注】píngzhù 劢 评论并注解:～《聊斋志异》。

【评传】píngzhuàn 名 带有评论的传记。

坪

坪 píng ❶ 平地(原指山区或黄土高原上的,多用于地名):草～|停机～|杨家～(在陕西)。❷〈方〉量 土地或房屋面积单位,1 坪约合 3.3 平方米。

【坪坝】píngbà 〈方〉名 平坦的场地。

苹(蘋)

苹(蘋) píng 见下。
"蘋"另见 1049 页 pín "蘋"。

【苹果】píngguǒ 名 ❶ 落叶乔木,叶子椭圆形,花白色带有红晕。果实圆形、味甜或略酸,是常见水果。❷ 这种植物的果实。

【苹果绿】píngguǒlǜ 形 浅绿色。

凭

凭¹(憑、凴) píng ❶ (身子)靠着:～几。❷ 劢 倚靠;倚仗:这事～能不能办成,就全～你了。❸ 证据:～据|文～|不足为～。❹ 介 表示凭借、根据:～票付款|经验判断|劳动人民～着智慧和双手创造世界。❺ (Píng)名 姓。

凭²(憑、凴) píng 连 无论:～你跑多快,我也赶得上。

【凭单】píngdān 名 做凭证的单据。

【凭吊】píngdiào 劢 对着遗迹、坟墓等怀念(古人或旧事):～烈士墓|到杭州西湖去的人,总要到岳王坟前～一番。

【凭借】píngjiè 劢 依靠:他们的成功主要是～集体的智慧。

【凭据】píngjù 名 作为凭证的事物。

【凭空】(平空)píngkōng 副 没有依据地:～捏造|～想象。

【凭栏】pínglán 劢 靠着栏杆:～眺望。

【凭恃】píngshì 劢 倚仗;仗恃:～天险。

【凭眺】píngtiào 劢 在高处向远看(多指欣赏风景):依栏～。

【凭险】píngxiǎn 劢 依靠险要的地势:～抵抗|～据守。

【凭信】píngxìn ❶ 劢 信赖;相信:不足～。❷ 名 凭证:立字据作为～。

【凭依】píngyī 劢 根据;倚靠:无所～。

【凭仗】píngzhàng 劢 倚仗:～着顽强不屈的精神克服了重重困难。

【凭照】píngzhào 名 证件或执照:领取

~。

【凭证】píngzhèng 图证据。

枰 píng 棋盘:棋~|推~认负。

岼
洴 píng [岼嵊](píngméng)❶图古代称帐幕之类覆盖用的东西。在旁的叫岼,在上的叫嵊。❷〈书〉囫庇护。

píng [洴澼](píngpì)〈书〉囫漂洗(丝绵)。

屏 píng ❶屏风:画~◇孔雀开~。❷(~儿)图屏条:四扇~儿。❸遮挡:~蔽。

另见 97 页 bīng;98 页 bǐng。

【屏蔽】píngbì ❶囫像屏风似的遮挡着:~一方。❷图屏障:东海岛是雷州湾的~。❸囫在无线电技术中,常用金属网或金属盒等导体与地线相连,把电子设备、泄漏源等包围封闭起来,以避免外来电磁波干扰或内部产生的高频信号辐射,这种方法叫屏蔽。

【屏藩】píngfān 〈书〉❶图屏风和藩篱,比喻周围的疆土,也比喻卫国的重臣。❷囫保护捍卫。‖也说藩屏。

【屏风】píngfēng 图放在室内用来挡风或隔断视线的用具,有的单扇,有的多扇相连,可以折叠。

【屏门】píngmén 图隔断里院和外院或隔断正院和跨院的门,最少的四扇。

【屏幕】píngmù 图❶指荧光屏。❷泛指供投射或显示文字、图像的装置。

【屏条】píngtiáo (~儿)图成组的条幅,通常四幅合成一组。

【屏障】píngzhàng ❶图像屏风那样遮挡着的东西(多指山岭、岛屿等):燕山山地和西山山地是北京天然的~。❷〈书〉囫遮挡着:~中原。

瓶(缾) píng (~儿)图瓶子:~胆|花~儿|~里的水喝光了。

【瓶胆】píngdǎn 图保温瓶中间装水或其他东西的部分。参看 48 页[保温瓶]。

【瓶颈】píngjǐng 图❶瓶子的上部较细的部分。❷比喻事情进行中容易发生阻碍的关键环节:电力供应不足成为经济发展的~。

【瓶啤】píngpí 图用玻璃瓶装的啤酒。

【瓶子】píng·zi 图容器,一般口较小,颈细肚大,多用瓷、玻璃、塑料等制成。

萍(蓱) píng ❶浮萍。❷(Píng)图姓。

【萍水相逢】píng shuǐ xiāng féng 比喻向来不认识的人偶然相遇。

【萍踪】píngzōng 〈书〉图像浮萍那样漂泊不定的行踪:~浪迹。

幧 píng 同"屏"(píng)。

鲆(鮃) píng 图鱼,种类很多,体侧扁,呈片状,长椭圆形,有细鳞,左侧灰褐色,有黑色斑点,右侧白色,两眼在左侧。生活在浅海中,右侧向下卧在沙底,吃小鱼、软体动物、甲壳动物等。

pō（ㄆㄛ）

朴 pō [朴刀](pōdāo)图旧式兵器,刀身狭长,刀柄略长,双手使用。

另见 1045 页 Piáo;1058 页 pò;1063 页 pǔ。

钋(釙) pō 图金属元素,符号 Po(polonium)。银白色,有放射性。钋和铍混合可制备中子源。

陂 pō [陂陀](pōtuó)〈书〉囮倾斜不平,不平坦:山势~。

另见 55 页 bēi;1038 页 pí。

坡 pō ❶(~儿)图地形倾斜的地方:山~|高~|爬~。❷囮倾斜:~度|板子~着放。

【坡道】pōdào 图有一定坡度的道路。

【坡地】pōdì 图山坡上倾斜的田地。

【坡度】pōdù 图斜坡起止点的高度差与水平距离的比值。如起止点的高度差为 12 米,水平距离为 1 000 米,坡度是 0.012。

【坡垒】pōlěi 图常绿乔木,叶子椭圆形,圆锥花序。种类很多,生长在热带和亚热带地区。木材坚硬而重,可供造船、建筑用。

【坡鹿】pōlù 图鹿的一种,体形略像梅花鹿,四肢细长。全身棕褐色,腹部白色或淡黄色,体侧有白斑,脊背上有一条黑褐色线纹,雄鹿有角,角形奇特。生活在灌木林和草坡等处,吃青草和嫩叶等。

泊 pō 湖(多用于湖名):湖~|梁山~(在今山东)|罗布~(在新疆)◇血~。

另见 104 页 bó。

泺(濼) pō 同"泊"(pō)。
另见 902 页 Luò。

泼¹(潑) pō 动 用力把液体向外倒或向外洒,使散开:扫地时,~一点水,免得尘土飞扬。

泼²(潑) pō 形 ❶ 蛮横不讲理;撒~。❷〈方〉有魄力;有生气;有活力:他做事很~|大伙儿干得真~。

【泼妇】pōfù 名 指凶悍不讲理的妇女。

【泼刺】pōlà 拟声 形容鱼在水里跳跃的声音。

【泼辣】pō·la 形 ❶ 凶悍而不讲理。❷ 有魄力;勇猛;大胆~|干活儿很~。

【泼冷水】pō lěngshuǐ 比喻打击人的热情或让人头脑清醒。

【泼墨】pōmò ❶ 名 国画的一种画法,用笔蘸墨汁大片地洒在纸上或绢上,画出物体形象,像把墨汁泼上去一样:~山水|擅长~。❷ 动 指用墨画画儿或写字:~作画|挥毫~。

【泼皮】pōpí 名 流氓;无赖。

【泼洒】pōsǎ 动 泼下(液体等);洒:他手一抖,杯子里的茶水~出来◇月光如水,~在静谧的原野上。

【泼水节】Pōshuǐ Jié 名 我国傣族和中南半岛某些民族的传统节日,在公历 4 月中旬。节日期间,人们穿着盛装,互相泼水祝福,并进行拜佛、赛龙舟、文艺会演、物资交流等活动。

【泼天】pōtiān 形 形容极大、极多(多见于早期白话):~大祸|~家业|~本事。

钹(鏺) pō 〈方〉❶ 动 用镰刀、钐(shàn)刀等抡开来割(草、谷物等)。❷ 名 一种镰刀。

颇¹(頗) pō 〈书〉偏;不正:偏~。

颇²(頗) pō 〈书〉副 很;相当地:~佳|~为费解|~感兴趣|~不以为然。

酦(醱) pō 〈书〉酿(酒)。
另见 369 页 fā。

pó (ㄆㄛˊ)

婆 pó ❶ 年老的妇女:老太~。❷ (~儿)旧时指某些职业妇女:媒

~儿|收生~|三姑六~。❸ 丈夫的母亲:公~|~媳。

【婆家】pó·jia 名 丈夫的家(区别于"娘家")。也说婆婆家。

【婆罗门教】Póluóménjiào 名 印度古代的宗教,崇拜梵天(最高的神),后来经过改革,称为印度教。[婆罗门,梵 brāhmaṇa]

【婆母】pómǔ 〈方〉名 婆婆①。

【婆娘】póniáng 〈方〉名 ❶ 泛指已婚的妇女。❷ 妻子(qī·zi)。

【婆婆】pó·po 名 ❶ 丈夫的母亲◇基层单位上面的~太多,层层审批,难以办事。❷〈方〉祖母;外祖母。❸〈方〉对老年妇女的尊称。

【婆婆妈妈】pó·pomāmā (~的)形 状态词。形容人行动缓慢、言语啰唆或感情脆弱:你快一点儿吧,别这么~的了|他就是这么~的,动不动就掉眼泪。

【婆婆嘴】pó·pozuǐ 名 ❶ 说话絮叨的嘴:一张~。❷ 指说话絮叨的人。

【婆娑】pósuō 〈书〉形 ❶ 盘旋舞动的样子:~起舞。❷ 枝叶扶疏的样子:杨柳~|树影~。❸ 眼泪下滴的样子:泪眼~。

【婆媳】póxí 名 婆婆和儿媳妇:~关系。

【婆姨】póyí 〈方〉名 ❶ 泛指已婚妇女。❷ 妻子(qī·zi)。

鄱 pó ❶ 鄱阳(Póyáng),湖名,又地名,都在江西。❷ (Pó)名 姓。
Pó 名 姓。
另见 376 页 fán。

繁 pó 〈书〉❶ 白色:白发~然。❷ 大(腹):~其腹。

pǒ (ㄆㄛˇ)

叵 pǒ 〈书〉副 ❶ 不可。❷ 便;就。

【叵测】pǒcè 动 不可推测(含贬义):居心~|心怀~。

【叵奈】pǒnài 同"叵耐"。

【叵耐】pǒnài ❶ 动 不可容忍;可恨(多见于早期白话,下同)。❷ 动 无奈①。❸ 连 无奈②。‖也作叵奈。

钷(鉕) pǒ 名 金属元素,符号 Pm (promethium)。是一种稀

P

土元素。银白色，有放射性。用作示踪原子，也用来制荧光粉、核能电池等。

筥 pǒ 见下。

【筥篓】pǒlán 〈名〉用柳条或篾条等编成的筥子。

【筥箩】pǒ·luo 〈名〉用柳条或篾条编成的器物，帮较浅，有圆形的，也有略呈长方形的：针线～。

pò （ㄆㄛˋ）

朴 pò 〈名〉朴树，落叶乔木，叶子卵形或长椭圆形，花小，淡黄色，核果卵形或球形。木材可制器具。

另见 1045 页 Piáo；1056 页 pō；1063 页 pǔ。

【朴硝】pòxiāo 〈名〉含有食盐、硝酸钾和其他杂质的硫酸钠，是海水或盐湖水熬之后沉淀出来的结晶体。可用来硝皮革，医药上用作泻药或利尿药。通称皮硝。

迫（迫） pò ❶〈动〉逼迫；强迫：压～|～害|饥寒交～|被～出走。❷急促：急～|窘～|～不及待|从容不～。❸接近：～近。

另见 1018 页 pǎi。

【迫不得已】pò bù dé yǐ 迫于无奈，不由得不那样（做）。

【迫不及待】pò bù jí dài 急迫得不能再等待。

【迫害】pòhài 〈动〉压迫使受害（多指政治性的）：遭受～|～致死。

【迫降】pòjiàng 〈动〉❶ 飞机因迷航、燃料用尽或发生故障等不能继续飞行而被迫降落。❷强迫擅自越境或严重违反飞行纪律的飞机在指定的机场降落。

另见 pòxiáng。

【迫近】pòjìn 〈动〉逼近：～年关|～胜利。

【迫临】pòlín 〈动〉逼近：～考期。

【迫切】pòqiè 〈形〉需要到难以等待的程度；十分急切：经济发展～要求加强道德建设|他回国创业的心情越来越～了。

【迫使】pòshǐ 〈动〉用强力或压力使（做某事）：～对方让步|时间～我们不得不改变计划。

【迫降】pòxiáng 〈动〉逼迫敌人投降。

另见 pòjiàng。

【迫在眉睫】pò zài méi jié 比喻事情临近眼前，十分紧迫。

珀 pò 见 577 页〖琥珀〗。

破 pò ❶〈动〉完整的东西受到损伤变得不完整：手～了|纸戳～了|袜子～了一个洞。❷〈动〉使损坏；使分裂：劈开～釜沉舟|势如～竹|～开西瓜。❸〈动〉整的换成零的：一元的票子～成两张五角的。❹〈动〉突破；破除（规定、习惯、思想等）：～格|～例|～纪录。❺〈动〉打败（敌人）；打下（据点）：攻～城池|大～敌军。❻〈动〉花费：～钞|～费|～工夫。❼〈动〉使真相露出；揭穿：说～|一语道～|案子已经～了。❽〈形〉受过损伤的；破烂的：～衣服|房子很～了。❾〈形〉讥讽东西或人不好（含厌恶意）：谁看那～戏!

【破案】pò//àn 〈动〉查出刑事案件的真相：限期～。

【破败】pòbài ❶〈形〉残破：山上的小庙已经～不堪。❷〈动〉破落；衰败：～的家庭。

【破冰船】pòbīngchuán 〈名〉一种特制的轮船，能用尖而硬的船头冲破较薄的冰层，或使船身左右摇摆，压破较厚的冰层。主要用于开辟冰区航路。

【破财】pò//cái 〈动〉破费钱财，多指遭遇意外的损失，如失窃等：～免灾|这事情又叫你劳神～了。

【破产】pò//chǎn 〈动〉❶ 丧失全部财产：一场大火使村上的许多农家破了产。❷债务人不能偿还债务时，法院根据本人或债权人的申请，做出裁定，把债务人的财产变价依法归还各债主，其不足之数不再偿付。❸比喻事情失败（多含贬义）：计划～|阴谋～。

【破钞】pòchāo 〈动〉为请客、送礼、资助、捐献等而破费钱（大多在感谢别人因为自己而花钱时用作客气话）。

【破除】pòchú 〈动〉除去（原来被人尊重或信仰的事物）：～情面|～迷信。

【破的】pòdì 〈动〉射中目标，多比喻话说中了要害：一语～。

【破读】pòdú 〈名〉见 336 页〖读破〗。

【破读字】pòdúzì 〈名〉指读破的字。参看 336 页〖读破〗。

【破费】pòfèi 〈动〉花费（金钱或时间）：不要

多～,吃顿便饭就行了|要完成这项工程,还得～工夫。

【破釜沉舟】pò fǔ chén zhōu 项羽跟秦兵打仗,过河后把锅都打破,船都弄沉,表示不再回来(见于《史记·项羽本纪》)。比喻下决心,不顾一切干到底。

【破格】pògé 动 打破既定规格的约束:～提升|～录用。

【破罐破摔】pò guàn pò shuāi 比喻有了缺点、错误,不加改正,任其自流,或反而有意朝更坏的方向发展。

【破坏】pòhuài 动❶ 使建筑物等损坏:～桥梁|～文物。❷ 使事物受到损害:～生产|～名誉。❸ 变革(社会制度、风俗习惯等)。❹ 违反(规章、条约等):～协定|～规矩。❺ (物体的组织或结构)损坏:维生素 C 因受热而～。

【破获】pòhuò 动❶ 破案并捕获犯罪嫌疑人。❷ 识破并获得秘密。

【破解】pòjiě 动❶ 揭破;解开:～难题|～生命之谜。❷ 迷信指用法术破除(灾难):～之术。

【破戒】pò//jiè 动❶ 信教或受过戒的人违反宗教戒律。❷ 戒烟、戒酒以后重新吸烟、喝酒。

【破镜重圆】pò jìng chóng yuán 南朝陈代将要灭亡的时候,驸马徐德言把一个铜镜破开,跟妻子乐昌公主各藏一半,预备失散后当做信物,以后果然由这个线索而夫妻团圆(见于唐代孟棨《本事诗》)。后来用"破镜重圆"比喻夫妻失散或决裂后重又团圆。

【破旧】pòjiù 形 又破又旧:～衣服|院墙和屋子都很～。

【破旧立新】pò jiù lì xīn 破除旧的,建立新的:～,移风易俗。

【破句】pòjù 动 指在不是一句的地方读断或点断。

【破口大骂】pò kǒu dà mà 指用恶语大声地骂。

【破烂】pòlàn ❶ 形 残破;破碎:～不堪|衣衫～。❷ (～儿)〈口〉名 破烂的东西;废品:捡～|收～|一堆～儿。

【破浪】pòlàng 动 (船只)冲过波浪:乘风～|在急流中～前进。

【破例】pò//lì 动 打破常例:～放行|制度要严格遵守,不能～。

【破裂】pòliè 动❶ (完整的东西)出现裂缝;开裂:棉桃成熟了,果皮～。❷ 双方的感情、关系等遭破坏而分裂:谈判～。

【破裂摩擦音】pòliè mócāyīn 塞擦音的旧称。

【破裂音】pòlièyīn 名 塞音的旧称。

【破陋】pòlòu 形 破且简陋:房屋～。

【破落】pòluò ❶ 动 (家境)由盛而衰:～户|家业～。❷ 形 破败:～的茅屋。

【破落户】pòluòhù 名 指先前有钱有势而后来败落的人家。

【破谜儿】pò//mèir 〈方〉动❶ 猜谜。❷ 出谜语给人猜。

【破门】pòmén 动❶ 通过砸或撞等把门打开:～而入。❷ 足球、冰球、手球等运动指将球攻进球门:～得分。❸ 开除出教会。

【破灭】pòmiè 动 (幻想或希望)落空。

【破墨】pòmò 名 国画的一种画法。为使墨色浓淡相互渗透,使画面滋润鲜明,用浓墨破淡墨,或用淡墨破浓墨。

【破伤风】pòshāngfēng 名 急性传染病,病原体是破伤风杆菌,从伤口侵入体内,症状是肌肉痉挛,牙关紧闭,呼吸困难,角弓反张,甚至死亡。

【破碎】pòsuì 动❶ 破成碎块:这纸年代太久,一翻就～了◇山河～。❷ 使破成碎块:这破碎机每小时可以～多少吨矿石?

【破损】pòsǔn 动 残破损坏:托运的木箱已经～。

【破题】pòtí ❶ 名 八股文的第一股,用一两句话,说破题目的要义。参看 16 页〖八股〗。❷ 动 泛指写文章时点明题意。

【破题儿第一遭】pò tí•er dì yī zāo 比喻第一次做某件事:登台演戏我还是～。

【破涕】pòtì 动 停止哭:～为笑。

【破天荒】pòtiānhuāng 动 唐代以前荆州每年送举人去考进士都考不中,当时称天荒(天荒:从未开垦过的土地),后来刘蜕考中了,称为破天荒(见于宋代孙光宪《北梦琐言》卷四)。比喻事情第一次出现。

【破土】pò//tǔ 动❶ 挖地动土,多表示建筑开始动工。❷ 指春天土地解冻后翻松泥土,开始耕种。❸ 指种子发芽后幼苗钻出地面。

【破网】pòwǎng 动 破门②:一记劲射～。

【破五】pòwǔ (～儿)名 旧俗指农历正月初

五，过去一般商店多在破五以后才开始营业。

【破相】pò//xiàng 动 指由于脸部受伤或其他原因而失去原来的相貌。

【破晓】pòxiǎo 动 (天)刚亮：天色~。

【破鞋】pòxié 名 指乱搞男女关系的女人。

【破颜】pòyán 动 转为笑容：~一笑。

【破译】pòyì 动 识破并译出获得的未知信息，如密码、古代曲谱或文字等。

【破绽】pòzhàn 名 衣物的裂口，比喻说话做事时露出的漏洞：~百出。

【破折号】pòzhéhào 名 标点符号(——)，表示话题的转换，或者表示底下有个注释性的部分。

粕 pò 〈书〉渣滓：糟|豆~。

魄 pò ❶迷信的人指依附于人的身体而存在的精神：魂~。❷魄力或精力：气~|体~。

另见 106 页 bó；1394 页 tuò。

【魄力】pòlì 名 指处置事情所具有的胆识和果断的作风。

·po (·ㄆㄛ)

桲 ·po 见1426 页[榅桲]。

pōu (ㄆㄡ)

剖 pōu ❶动 破开：解~|腹|横~面|一~两半。❷分辨：分析：~析|~明事理。

【剖白】pōubái 动 分辩表白：~心迹|总想找个机会向他~几句。

【剖腹】pōufù 动 破开腹腔：~自尽|~手术。

【剖腹藏珠】pōu fù cáng zhū 剖开肚子来藏珍珠，比喻为物伤身，轻重倒置。

【剖腹产】pōufùchǎn 动 剖宫产的通称。

【剖宫产】pōugōngchǎn 动 医生用手术刀切开孕妇的腹壁和子宫壁，取出胎儿。通称剖腹产。

【剖解】pōujiě 动 分析(道理等)：~细密。

【剖面】pōumiàn 名 物体切断后呈现出的表面，如球体的剖面是个圆形。也叫截面、切面或断面。

【剖视】pōushì 动 剖析观察(多用于抽象事物)：~人物的精神世界。

【剖视图】pōushìtú 名 用一假想平面剖切物体的某一部分，然后把观察者与剖开平面之间的部分移开，余下部分的视图叫剖视图。

【剖析】pōuxī 动 分析：这篇文章~事理十分透彻。

póu (ㄆㄡˊ)

抔 póu 〈书〉❶用手捧东西。❷量把；捧：一~土。

掊 póu 〈书〉❶聚敛；搜括。❷挖掘。

另见 1060 页 pǒu。

裒 póu 〈书〉❶聚：~辑|~然成集。❷取出：~多益寡(取有余，补不足)。

【裒辑】póují 〈书〉动 辑录：此书系从类书中~而成。

pǒu (ㄆㄡˇ)

掊 pǒu 〈书〉❶击：~击(抨击)。❷破开。

另见 1060 页 póu。

pū (ㄆㄨ)

仆 pū 向前跌倒：前~后继。

另见 1062 页 pú。

扑(撲) pū ❶动 用力向前冲，使全身突然伏在物体上：孩子高兴得一下~到我怀里来◇和风~面|香气~鼻。❷动 把全部心力用到(工作、事业等上面)：他一心~在教育事业上。❸动 扑打；拍打：~蝇|海鸥~着翅膀，直冲海空|小孩的身上~了一层痱子粉。❹〈方〉动 伏：~在桌上看地图。❺(Pū)名 姓。

【扑鼻】pūbí 动 (气味)直扑鼻孔，形容气味浓烈：香气~|玫瑰发出~的芳香。

【扑哧】pūchī 拟声 形容笑声或水、气挤出的声音：~一笑|~一声，皮球撒了气。也

作噗嗤。

【扑打】pūdǎ 劻 用扁平的东西猛然朝下打：～蝗虫。

【扑打】pū·da 劻 轻轻地拍：～身上的雪花。

【扑跌】pūdiē ❶ 名 指相扑或摔跤。❷ 劻 向前跌倒：他脚下一绊，～在地上。

【扑粉】pūfěn 名 ❶ 化妆用的香粉。❷ 爽身粉。

【扑救】pūjiù 劻 扑灭火灾，抢救人和财物。

【扑克】pūkè 名 一种纸牌，共 52 张，分黑桃、红桃、方块、梅花四种花色，每种有 A，K，Q，J，10，9，8，7，6，5，4，3，2 各一张，现在一般都另增大王、小王各一张，玩法很多。[英 poker]

【扑空】pū//kōng 劻 ❶ 扑上去没有扑到。❷ 没有在目的地找到要找的对象：我到他家里去找他，扑了个空。

【扑棱】pūlēng 拟声 形容翅膀抖动的声音：～一声，飞起一只小鸟。

【扑棱】pū·leng 劻 抖动或张开：翅膀一～，飞走了｜穗子～开像一把小伞。

【扑满】pūmǎn 名 用来存钱的瓦器，像没口的小酒坛，上面有一个细长的孔。钱币放进去之后，要打破扑满才能取出来。

【扑面】pūmiàn 劻 迎着脸来：清风～。

【扑灭】pū//miè 劻 ❶ 扑打消灭：～蚊蝇。❷ 扑打使熄灭：～大火。

【扑闪】pū·shan 劻 眨；闪动：他～着一双大眼睛。

【扑扇】pū·shan 〈方〉扑棱(pū·leng)：～翅膀。

【扑朔迷离】pūshuò mílí 《木兰辞》："雄兔脚扑朔，雌兔眼迷离，两兔傍地走，安能辨我是雄雌。"雄兔脚乱动、雌兔眼半闭着，但是跑起来的时候就很难辨别是雄的，哪是雌的。比喻事物错综复杂，难于辨别。

【扑簌】pūsù 形 形容眼泪向下掉的样子：～～掉下眼泪。也说扑簌簌。

【扑腾】pūtēng 拟声 形容重物落地的声音：小王～一声，从墙上跳下来。

【扑腾】pū·teng 劻 ❶ 游泳时用脚打水。也说打扑腾。❷ 跳动：他吓得心里直～｜鱼卡在水窟窿中直～。❸〈方〉活动：这个人挺能～。❹ 挥霍；浪费：钱全～完了。

【扑通】pūtōng 拟声 形容重物落地或落水

的声音：～一声，跳进水里。也作噗通。

铺（鋪）pū ❶ 劻 把东西展开或摊平：～床｜～轨｜～被褥｜～平道路◇平～直叙。❷〈方〉量 用于炕：一～炕。

另见 1064 页 pù。

【铺陈】pūchén 劻 ❶〈方〉摆设；布置：～酒器。❷ 铺叙：～经过。

【铺陈】[2] pūchén 〈方〉名 指被褥和枕头等床上用品。

【铺衬】pū·chen 名 碎的布头或旧布，做补丁或袼褙用。

【铺床】pū//chuáng 劻 把被褥铺在床上。

【铺垫】pūdiàn ❶ 劻 铺；垫：床上一了厚厚的褥子。❷（～儿）名 铺在床上的卧具。❸ 劻 陪衬；衬托：由于作者对情节的发展事先作了～，因而后来发生的故事并不使读者感到突然。

【铺盖】pūgài 劻 平铺着盖：把草木灰～在苗床上。

【铺盖】pū·gai 名 褥子和被子。

【铺盖卷儿】pū·gaijuǎnr 名 搬运时卷成卷儿的被褥。也叫行李卷儿。

【铺轨】pū//guǐ 劻 铺设铁轨。

【铺路】pū//lù 劻 ❶ 铺设道路：～石｜修桥～。❷ 比喻为做某件事创造条件。

【铺排】pūpái ❶ 劻 布置；安排：大小事都～得停停当当。❷ 形 铺张：～太过。

【铺砌】pūqì 劻 用砖、石等覆盖地面或建筑物的表面，使之平整：广场用方砖～。

【铺设】pūshè 劻 铺（铁轨、管线）；修（铁路）。

【铺天盖地】pū tiān gài dì 形容声势大，来势猛，到处都是。

【铺叙】pūxù 劻（文章）详细地叙述：～事实。

【铺展】pūzhǎn 劻 铺开并向四外伸展：蔚蓝的天空～着一片片的白云。

【铺张】pūzhāng 形 ❶ 追求形式上好看，过分讲究排场：反对～浪费。❷ 夸张；描写过于～，让人看了生疑。

【铺张扬厉】pūzhāng yánglì 原指极力宣扬，后多形容极其铺张。

噗 pū 拟声 形容水、气挤出等声音：～，一口气吹灭了灯。

【噗哧】pūchī 同"扑哧"。

【噗碌碌】pūlūlū 同"噗噜噜"。

【噗噜噜】pūlūlū 〈拟声〉形容泪珠等一个劲儿地往下掉：一阵心酸,眼泪~地往下掉。也作噗碌碌。

【噗通】pūtōng 同"扑通"。

潽 pū 〈口〉〈动〉液体沸腾溢出：快关火,牛奶~出来了。

pú（ㄆㄨˊ）

仆（僕） pú ❶ 仆人(跟"主"相对)：男~|女~。❷ 古时男子谦称自己：~不敏。❸(Pú)〈名〉姓。
另见 1060 页 pū。

【仆从】púcóng〈名〉旧时指跟随在身旁的仆人,现比喻跟随别人,自己不能做主的人或集体：~国家。

【仆妇】púfù〈名〉旧时指年龄较大的女仆。

【仆固】Púgù〈名〉姓。

【仆仆】púpú〈形〉形容旅途劳累：风尘~。

【仆人】púrén〈名〉指被雇到家庭中做杂事、供役使的人。

【仆役】púyì〈名〉仆人。

匍 pú 见下。

【匍匐】púfú〈动〉❶ 爬行：~前进|~奔丧(形容匆忙奔丧)。❷ 趴：孩子们~在炕上画画儿|有些植物的茎~在地面上。

【匍匐茎】púfújīng〈名〉不能直立向上生长、平铺在地面上的茎。这种茎的节上长叶和根,如甘薯、草莓等的茎。

莆 pú ❶ 莆田(Pútián),地名,在福建。❷(Pú)〈名〉姓。

【莆仙戏】púxiānxì〈名〉福建地方戏曲剧种之一,流行于莆田、仙游一带。也叫兴化戏。

菩 pú 见下。

【菩萨】pú·sà〈名〉❶ 佛教指修行到了一定程度,地位仅次于佛的人。[菩提萨埵之省,梵 bodhi-sattva]❷ 泛指佛和某些神。❸ 比喻心肠慈善的人。

【菩提】pútí〈名〉佛教用语,指觉悟的境界。[梵 bodhi]

【菩提树】pútíshù〈名〉常绿乔木,叶子卵圆形,前端细长,花托略作球形,花隐藏在花托内,果实扁圆形。从树干中取出的乳状汁液可制硬树胶。原产印度,相传释迦牟尼曾坐菩提树下顿悟佛理,所以菩提树被佛教称为圣树。

脯 pú 指胸脯。
另见 424 页 fǔ。

【脯子】pú·zi〈名〉鸡、鸭等胸部的肉：鸡~。

葡 pú 见下。

【葡萄】pú·táo〈名〉❶ 落叶藤本植物,叶子掌状分裂,开黄绿色小花。浆果球形或椭圆形,成熟时多为紫色或黄绿色,味酸甜,多汁,是常见水果,也用来酿酒。❷ 这种植物的果实。

【葡萄干】pú·táogān (~儿)〈名〉晾干的葡萄。

【葡萄灰】pú·táohuī〈形〉浅灰而微红的颜色。

【葡萄酒】pú·táojiǔ〈名〉用经过发酵的葡萄制成的酒,含酒精量较低。

【葡萄胎】pú·táotāi〈名〉一种肿瘤,妇女怀孕后胚胎发育异常,在子宫内形成许多成串的葡萄状小囊,囊内含有液体。能引起子宫穿孔或严重贫血。

【葡萄糖】pú·táotáng〈名〉有机化合物,化学式 $C_6H_{12}O_6$。无色或白色细小晶体,有甜味,是一种最普通的单糖。广泛存在于生物体中,特别是葡萄中,是人和动物能量的主要来源。医药上用作滋补剂,也用来制糖果等。

【葡萄紫】pú·táozǐ〈形〉深紫中带灰的颜色。

蒲[1] pú ❶ 指香蒲：~棒|~草。❷ 指菖蒲：~剑。

蒲[2] Pú ❶ 指蒲州(旧府名,府治在今山西永济西)。❷〈名〉姓。

【蒲棒】púbàng (~儿)〈名〉香蒲的花穗,黄褐色,形状像棒子。

【蒲包】púbāo (~儿)〈名〉❶ 用香蒲叶编的装东西的用具。❷ 旧时指用蒲包儿装着水果或点心的礼品：点心~。

【蒲草】púcǎo〈名〉香蒲的茎叶,可供编织用。

【蒲墩】púdūn (~儿)〈名〉用香蒲叶、麦秸等编成的厚而圆的垫子,农村中用作坐具。

【蒲公英】púgōngyīng〈名〉❶ 多年生草本植物,全株含白色乳状汁液,叶子倒披针形,羽状分裂,花黄色,结瘦果,褐色,有白色软毛。根状茎入药。❷ 这种植物的花。

【蒲瓜】púguā〈方〉图瓠瓜。

【蒲节】Pú Jié 图端午（因旧时风俗端午在门上挂菖蒲叶避邪而得名）。

【蒲剧】pújù 图山西地方戏曲剧种之一，流行于该省南部地区。也叫蒲州梆子。

【蒲葵】púkuí 图常绿乔木，叶子大，大部分掌状分裂，裂片长披针形，花小，黄绿色，果实椭圆形，成熟时黑色。生长在热带和亚热带地区，叶子可以做扇子。

【蒲柳】púliǔ 图水杨，是秋天很早就凋零的树木;旧时用来谦称自己体质衰弱或地位低下：～之姿｜～庸材。

【蒲茸】púróng 同"蒲绒"。

【蒲绒】púróng 图香蒲的雌花穗上长的白绒毛，可以用来絮枕头。也作蒲茸。

【蒲扇】púshàn（～儿）图用香蒲叶或蒲葵叶做成的扇子。

【蒲式耳】púshì'ěr 量英美制容量单位(计量干散颗粒用)，1蒲式耳等于8加仑。英制1蒲式耳合36.37升，美制1蒲式耳合35.24升。旧称嘛。［英bushel］

【蒲团】pútuán 图用香蒲草、麦秸等编成的圆形的垫子。

醋 pú〈书〉聚会饮酒。

璞 pú ❶含玉的石头，也指没有琢磨的玉。❷(Pú)图姓。

【璞玉浑金】pú yù hún jīn 没有经过琢磨的玉，没有经过提炼的金。比喻未加修饰的天然美质。也说浑金璞玉。

镤(鏷) pú 图金属元素，符号 Pa (protactinium)。银白色，有放射性。

濮 Pú ❶濮水，古水名，今河南濮阳从濮水得名。❷图姓。

【濮阳】Púyáng 图❶地名，在河南。❷姓。

pǔ (ㄆㄨˇ)

朴(樸) pǔ 朴实;朴质：俭～｜诚～｜～素。
另见 1045 页 Piáo;1056 页 pō;1058 页 pò。

【朴厚】pǔhòu 形朴实厚道：心地～。

【朴陋】pǔlòu 形朴素简陋：陈设～。

【朴实】pǔshí 形❶朴素：他穿得很～｜客厅布置得～而雅致。❷质朴诚实：言行～｜性格～。❸踏实;不浮夸：演唱风格～｜作品～地描写了山区人民的生活。

【朴素】pǔsù 形❶（颜色、式样等）不浓艳，不华丽：她穿得～大方◇他的诗～而感情真挚。❷（生活）节约，不奢侈：艰苦～｜生活～。❸朴实，不浮夸;不虚假：～的感情｜～的语言。❹萌芽状态的;未发展的：古代～的唯物主义哲学。

【朴学】pǔxué 图朴实的学问，后来特指清代的考据学。

【朴直】pǔzhí 形朴实直率：语言～｜文笔～。

【朴质】pǔzhì 形纯真朴实;不矫饰：语言～｜为人～。

埔 pǔ 地名用字：黄～(在广东)。
另见 120 页 bù。

圃 pǔ 种菜蔬、花草的园子或园地：菜～｜苗～｜花～。

浦 pǔ ❶水边或河流入海的地方(多用于地名)：乍～(在浙江)｜～口(在江苏)。❷(Pǔ)图姓。

普 pǔ ❶普遍;全面：～选｜～查｜～照｜～天同庆。❷(Pǔ)图姓。

【普遍】pǔbiàn 形存在的面很广泛;具有共同性的：～现象｜～提高人民的科学文化水平｜乒乓球运动在我国十分～。

【普查】pǔchá 动普遍调查：人口～｜地质～。

【普度】pǔdù 动佛教用语,指广施法力,使众生得到解脱：～众生。

【普洱茶】pǔ'ěrchá 图云南西南部出产的一种黑茶,多压制成块。因产地的部分地区在清代属于普洱府而得名。

【普法】pǔfǎ 动普及法律知识：～教育｜～工作。

【普惠制】pǔhuìzhì 图发达国家给予发展中国家出口成品和半成品普遍的、非歧视的、非互惠的一种关税优惠制度。

【普及】pǔjí 动❶普遍地传到(地区、范围等);身手操已～全国。❷普遍推广,使大众化：～卫生常识｜在～的基础上提高。

【普及本】pǔjíběn 图大量销行的书籍,在原有版本外,发行的用纸较差、开本较小、装订从简、定价较低的版本。

【普教】pǔjiào 图 普通教育的简称：～系统。

【普快】pǔkuài 图 铁路部门指普通旅客快车。

【普米族】Pǔmǐzú 图 我国少数民族之一，分布在云南、四川。

【普天同庆】pǔ tiān tóng qìng 天下的人一同庆祝。

【普通】pǔtōng 形 平常的；一般的：～人｜～劳动者｜这种款式很～。

【普通话】pǔtōnghuà 图 我国国家通用语言，现代汉民族的共同语，以北京语音为标准音，以北方话为基础方言，以典范的现代白话文著作作为语法规范。

【普通教育】pǔtōng jiàoyù 指实施一般文化科学知识的教育。我国实施普通教育的机构主要为中小学。简称普教。

【普通邮票】pǔtōng yóupiào 邮政部门发行的供邮寄各种邮件用的通用邮票，发行量较大，发售时间较长。

【普选】pǔxuǎn 动 一种选举方式，有选举权的公民普遍地参加国家权力机关代表的选举。

【普照】pǔzhào 动 普遍地照耀：阳光～大地。

溏 pǔ 山；山岭（多用于地名）：～门｜～寨（都在广西）。[壮]

溥 pǔ ❶〈书〉广大。❷〈书〉普遍。❸（Pǔ）图 姓。

谱（譜） pǔ ❶ 按照对象的类别或系统，采取表格或其他比较整齐的形式，编辑起来供参考的书：年～｜食～。❷ 可以用来指导练习的格式或图形：画～｜棋～。❸ 图 曲谱：歌～｜乐～｜根据这首歌的～另外配了一段词。❹ 动 就歌词配曲：把这首诗～成歌曲。❺（～儿）图 大致的标准；把握：他做事有～儿｜心里没个～。❻（～儿）图 显示出来的派头、排场等：摆～。

【谱表】pǔbiǎo 图 乐谱中用来记载音符的五根平行横线。

【谱牒】pǔdié 〈书〉图 家谱。

【谱号】pǔhào 图 确定五线谱上音高位置的符号。

【谱系】pǔxì 图 ❶ 家谱上的系统。❷ 泛指事物发展变化的系统。

【谱写】pǔxiě 动 写作（乐曲等）：这支曲子

是他～的◇革命先烈抛头颅，洒热血，～下可歌可泣的壮丽诗篇。

【谱子】pǔ·zi 图 曲谱。

氆 pǔ [氆氇](pǔ·lu)图 藏族地区出产的一种羊毛织品，可做床毯、衣服等。

镨（鐠） pǔ 图 金属元素，符号 Pr（praseodymium）。是一种稀土元素。银白色。用来制特种合金、有色玻璃、陶瓷、搪瓷，也用作催化剂。

蹼 pǔ 图 某些两栖动物、爬行动物、鸟类和哺乳动物脚趾中间的薄膜，用来拨水。青蛙、龟、鸭、水獭等都有蹼。

【蹼泳】pǔyǒng 图 潜水运动项目之一，比赛时运动员胸穿脚蹼、戴水镜，口衔呼吸管等，以潜水游泳速度快慢决定胜负。

pù （ㄆㄨˋ）

铺¹（鋪、舖） pù （～儿）铺子；商店：肉～｜杂货～。

铺²（鋪、舖） pù 图 用板子搭的床：床～｜搭一个～。

铺³（鋪、舖） pù 驿站（今多用于地名）：五里～（在湖北）｜十里～（在浙江）。

另见 1061 页 pū。

【铺板】pùbǎn 图 搭铺用的木板。

【铺保】pùbǎo 图 旧时称以商店名义所做的保证，在保单上盖有商店的图章。

【铺底】pùdǐ 图 ❶ 旧时商店、作坊等营业上应用的家具、杂物的总称。❷ 旧时指商店、作坊等房屋的租赁权；转租商店、作坊等房屋时，在租金之外付给原承租人的费用。

【铺户】pùhù 图 商店（多指较小的）。

【铺面】pùmiàn 图 商店的门面：沿街～装修一新。

【铺面房】pùmiànfáng 图 临街有门面，可以开设商店的房屋。

【铺位】pùwèi 图 设有床铺的位置（多指轮船、火车、旅馆等为旅客安排的）。

【铺子】pù·zi 图 设有门面出售商品的处所。

堡 pù 多用于地名。五里铺、十里铺的"铺"字，有的地区写作"堡"。

另见 50 页 bǎo；109 页 bǔ。

暴 pù 〈书〉同"曝"。
另见 53 页 bào。

瀑 pù 瀑布:飞～。
另见 54 页 Bào。

【瀑布】pùbù 图 从山壁上或河床突然降落的地方流下的水,远看好像挂着的白布。

曝 pù 〈书〉晒:一～十寒。
另见 54 页 bào。

【曝露】pùlù 〈书〉囷 露在外头:～于原野之中。

【曝晒】pùshài 囷 晒:经过夏季烈日～,他的脸变得黑红黑红的。

P`

Q

q

qī（ㄑㄧ）

七 qī ❶ 〚数〛六加一后所得的数目。参看 1271 页〚数字〛。❷ 〚名〛旧时人死后每隔七天祭奠一次，直到第四十九天为止，共分七个"七"。❸ （Qī）〚名〛姓。

【七…八…】 qī…bā… 嵌用名词或动词(包括语素)，表示多或多而杂乱：～手～脚｜～嘴～舌｜～拼～凑｜～颠～倒｜～零～落｜～上～下｜～长～短｜～扭～歪｜～折～扣(折扣大)。

【七步之才】 qī bù zhī cái 指敏捷的文才。参看 1781 页〚煮豆燃萁〛。

【七彩】 qīcǎi 〚名〛日光光谱的七种颜色，即红、橙、黄、绿、蓝、靛、紫，泛指很多种颜色：～云霞。

【七古】 qīgǔ 〚名〛每句七字的古体诗。参看 488 页〚古体诗〛。

【七绝】 qījué 〚名〛绝句的一种。一首四句，每句七个字。参看 747 页〚绝句〛。

【七老八十】 qīlǎobāshí 七八十岁，指年纪很老：别看他～的，身体硬朗着呢。

【七律】 qīlǜ 〚名〛律诗的一种。一首八句，每句七个字。参看 892 页〚律诗〛。

【七七】 qīqī 〚名〛旧俗人死后每七天祭奠一次，最后一次是第四十九天，叫七七。也叫尽七、满七、断七。

【七七事变】 Qī-Qī Shìbiàn 1937 年 7 月 7 日，日本侵略军突然向我国北平(今北京)西南卢沟桥驻军进攻，驻军奋起抗击，抗日战争从此开始。这次事变叫做七七事变。也叫卢沟桥事变。

【七巧板】 qīqiǎobǎn 〚名〛一种玩具，用正方形薄板或厚纸裁成形状不同的七小块，可以拼成各种图形。

【七窍】 qīqiào 〚名〛指两眼、两耳、两鼻孔和口：～流血。

【七窍生烟】 qīqiào shēng yān 形容气愤之极，好像耳目口鼻都冒火。

【七情】 qīqíng 〚名〛人的七种感情，一般指喜、怒、哀、惧、爱、恶、欲。

【七情六欲】 qī qíng liù yù 指人的各种情感和欲望。参看〚七情〛、878 页〚六欲〛。

【七十二行】 qīshí'èr háng 泛指工、农、商等各种行各业：～，行行出状元。

【七夕】 qīxī 〚名〛农历七月初七的晚上。神话传说，天上的牛郎织女每年在这天晚上相会。

【七弦琴】 qīxiánqín 〚名〛古琴。

【七项全能】 qīxiàng quánnéng 田径综合性比赛项目之一。为奥运会女子比赛项目。运动员在两天内依次完成 100 米跨栏、跳高、铅球、200 米跑、跳远、标枪、800 米跑等七项比赛。

【七言诗】 qīyánshī 〚名〛每句七字的旧诗，有七言古诗、七言律诗和七言绝句。

【七一】 Qī-Yī 〚名〛中国共产党建党纪念日。1921 年 7 月下旬中国共产党召开第一次全国代表大会，1941 年党中央决定以召开这次大会的 7 月份的第一天，即 7 月 1 日，为党的生日。

沏 qī 〚动〛(用开水)冲；泡：～茶｜用开水把糖～开。

妻 qī 妻子(qī•zi)：夫～｜未婚～｜～离子散｜～儿老小。
　　另见 1081 页 qì。

【妻弟】 qīdì 〚名〛妻子的弟弟。

【妻儿老小】 qī ér lǎo xiǎo 指全体家属(就家中有父母妻子等的人而言)。

【妻舅】 qījiù 〚名〛妻子的弟兄。

【妻离子散】 qī lí zǐ sàn 形容一家人由于战乱、自然灾害等变故被迫四处离散。

【妻室】 qīshì 〈书〉〚名〛妻子(qī•zi)。

【妻小】 qīxiǎo 〚名〛妻子和儿女(多见于早期白话)。

【妻子】 qīzǐ 〈书〉〚名〛妻子和儿女。

【妻子】 qī•zi 〚名〛男女两人结婚后，女子是男子的妻子。

柒 qī ❶ 〚数〛"七"的大写。参看 1271 页〚数字〛。❷ （Qī）〚名〛姓。

栖（棲） qī 本指鸟停在树上，泛指停住或停留：～息｜两～。
　　另见 1454 页 xī。

【栖居】 qījū 〚动〛栖息；居住。

【栖身】qīshēn 勔 居住(多指暂时的)：无处~｜～之所。

【栖息】qīxī 勔 停留；休息(多指鸟类)。

【栖止】qīzhǐ 〈书〉勔 栖身。

桤(榿) qī 名 桤木：~林。

【桤木】qīmù 名 落叶大乔木，叶子长倒卵形，果穗椭圆形，木材质较软。

郪 Qī 郪江，水名，在四川，流入涪江。

凄(❶❷凄、❸悽) qī ❶ 寒冷：风雨~~。❷ 形容冷落萧条：~凉｜~清。❸ 形容悲伤难过：~然｜~切。

【凄惨】qīcǎn 形 凄凉悲惨：晚境~｜~地叫喊。

【凄恻】qīcè 〈书〉形 哀伤；悲痛：缠绵~。

【凄楚】qīchǔ 〈书〉形 凄惨痛苦：~的目光。

【凄怆】qīchuàng 〈书〉形 凄惨；悲伤。

【凄风苦雨】qī fēng kǔ yǔ 形容天气恶劣，比喻境遇悲惨凄凉。也说凄风冷雨。

【凄风冷雨】qī fēng lěng yǔ 凄风苦雨。

【凄苦】qīkǔ 形 凄惨痛苦：表情~｜~的岁月。

【凄冷】qīlěng 形 ❶ 寒冷：~的夜晚。❷ 凄凉：内心十分~。

【凄厉】qīlì 形 (声音)凄凉而尖锐：~的喊叫声｜风声~。

【凄凉】qīliáng 形 ❶ 寂寞冷落(多用来形容环境或景物)：残垣断壁，一片~。❷ 凄惨：身世~｜~的岁月。

【凄迷】qīmí 〈书〉形 ❶ (景物)凄凉而模糊：月色~。❷ 悲伤；怅惘：神情~。

【凄切】qīqiè 形 凄凉而悲哀，多形容声音：寒蝉~。

【凄清】qīqīng 形 ❶ 形容清冷：~的月光｜秋景~。❷ 凄凉：琴声~。

【凄然】qīrán 〈书〉形 形容悲伤：~泪下。

【凄婉】qīwǎn 形 ❶ 哀伤：流露出不胜~之情。❷ (声音)悲哀而婉转：~的笛声。

【凄惘】qīwǎng 形 悲伤失意；怅惘：内心~｜~之情。

萋 qī [萋萋](qīqī)〈书〉形 形容草长得茂盛的样子：芳草~。

黍 qī 〈书〉同"漆"。

戚¹ qī ❶ 亲戚：~谊(亲戚关系)｜～友(亲戚朋友)。❷ (Qī)名 姓。

戚²(慽) qī 忧愁；悲哀：哀～｜休～相关。

戚³(鏚) qī 古代兵器，像斧。

期 qī ❶ 预定的时日；日期：定～｜限～｜到～｜过～作废。❷ 一段时间：学～｜假～｜潜伏～。❸ 量 用于分期的事物：训练班先后办了三～｜这个刊物已经出版了十九～。❹ 约定时日：不～而遇。❺ 等候所约的人，泛指等待或盼望：～待｜～望。

另见 632 页 jī。

【期待】qīdài 勔 期望；等待：~着你早日学成归来。

【期房】qīfáng 名 房产市场上指约定期限建成交付使用的房子(区别于"现房")。

【期货】qīhuò 名 按双方商定的条件在约定日期交割和清算的货物、股票、外汇、债券等(区别于"现货")。

【期价】qījià 名 期货的价格。

【期间】qījiān 名 某个时期里面：农忙～｜春节～｜抗战～。

【期刊】qīkān 名 定期出版的刊物，如周刊、月刊、季刊等。

【期考】qīkǎo 名 学校在学期结束前举行的考试。

【期满】qīmǎn 勔 达到了规定的期限：任职～｜服刑～。

【期末】qīmò 名 一学期末尾的一段时间：～总复习。

【期盼】qīpàn 勔 期待；盼望：～你们早日归来。

【期票】qīpiào 名 定期支付商品、货币的票据。

【期期艾艾】qīqī ài'ài 汉代周昌口吃，有一次跟汉高祖争论一件事，说："臣口不能言，然臣期期知其不可"(见于《史记·张丞相列传》)。又三国魏邓艾也口吃，说到自己的时候连说"艾艾"(见于《世说新语·言语》)。后来用"期期艾艾"形容口吃。

【期求】qīqiú 勔 希望得到：无所~。

【期市】qīshì 名 ❶ 进行期货交易的市场。❷ 指期货的行情。

【期望】qīwàng 勔 对未来的事物或人的前途有所希望和等待：～这条铁路早日建

成通车|决不辜负大家的~。

【期望值】qīwàngzhí 名 对人或事物所抱希望的程度。

【期限】qīxiàn 名 限定的一段时间，也指所限时间的最后界限：～很短|～三个月|限你五天～|～快到了。

【期许】qīxǔ〈书〉动 期望(多用于对晚辈)：有负师长～。

【期颐】qīyí〈书〉名《礼记·曲礼上》："百岁曰期，颐。"指百岁高龄的人需要颐养。后来用"期颐"指人一百岁。

【期于】qīyú〈书〉动 希望达到；目的在于：～至善。

【期中】qīzhōng 名 一学期中间的一段时间：～考试。

【期终】qīzhōng 名 期末。

欺 qī ❶ 欺骗：自～～人|童叟无～。❷欺负：仗势～人|～人太甚。

【欺负】qī·fu 动 用蛮横无理的手段侵犯、压迫或侮辱：～人|受尽～。

【欺行霸市】qī háng bà shì 欺负同行，称霸市场，形容蛮横经商。

【欺哄】qīhǒng 动 说假话骗人：这话只能～三岁小孩儿。

【欺凌】qīlíng 动 欺负；凌辱：～百姓。

【欺瞒】qīmán 动 欺骗蒙混。

【欺蒙】qīméng 动 隐瞒事物真相来骗人：不许用虚假广告～客户。

【欺骗】qīpiàn 动 用虚假的言语或行动来掩盖事实真相，使人上当：～社会舆论。

【欺辱】qīrǔ 动 欺负；凌辱：受尽～。

【欺软怕硬】qī ruǎn pà yìng 欺负软弱的，害怕强硬的。

【欺上瞒下】qī shàng mán xià 欺骗上级，蒙蔽下属和群众。

【欺生】qīshēng 动 ❶ 欺负新来的人。❷驴马等对不常使用它的人不驯服：这马～，我使唤不了。

【欺世盗名】qī shì dào míng 欺骗世人，窃取名誉。

【欺侮】qīwǔ 动 欺负：备受～|～弱者。

【欺压】qīyā 动 欺负压迫：～百姓|受尽～。

【欺诈】qīzhà 动 用狡诈的手段骗人。

攲 qī〈书〉倾斜；歪：～斜|～侧(倾斜；歪斜)。

欹 qī 同"攲"。
另见 1604 页 yī。

蜞 qī [蟛蜞](qīqiāng)名 古书上指蝗螂。

缉(緝) qī 动 缝纫方法，用相连的针脚密密地缝：～边儿|～鞋口。
另见 633 页 jī。

颣(顜、䫞) qī ❶ 古代驱疫时扮神的人所蒙的面具，形状很丑恶。❷〈书〉丑陋。

嘁 qī 见下。

【嘁里喀喳】qī·likāchā 形 状态词。形容做事干脆、利索。也作嘁里喀嚓。

【嘁里喀嚓】qī·likāchā 同"嘁里喀喳"。

【嘁嘁喳喳】qīqīchāchā 拟声 形容细碎的说话声音。也作嘁嘁嚓嚓。

【嘁嘁嚓嚓】qīqīchāchā 同"嘁嘁喳喳"。

漆 qī ❶ 名 黏液状涂料的统称。涂在物体表面，干燥后形成坚韧的薄膜，有保护和装饰作用。分为天然漆和人造漆两类。❷ 动 把涂料涂在器物上：把大门～成红色的。❸ (Qī)名 姓。

【漆包线】qībāoxiàn 名 表面涂着一层薄绝缘漆的金属导线，多用于制造电机和电信等装置中的线圈。

【漆布】qībù 名 用漆或其他涂料涂过的布，可用来铺桌面或做书皮等。

【漆雕】qīdiāo 名 ❶ 雕漆。❷ (Qīdiāo)姓。

【漆工】qīgōng 名 ❶ 油漆门窗、器物等的工作。❷ 做上述工作的工人。

【漆黑】qīhēi 形 状态词。非常黑；很暗：～的头发|～的夜|洞内一片～。

【漆黑一团】qīhēi yī tuán ❶ 形容非常黑暗，没有一点光明。❷ 形容一无所知。‖ 也说一团漆黑。

【漆匠】qī·jiang 名 称制作油漆器物的小手工业者。

【漆皮】qīpí (～儿)名 器具表面涂漆的一层。

【漆器】qīqì 名 一种手工艺品，表面上有一层漆。也泛指表面上涂有漆的器物。

【漆树】qīshù 名 落叶乔木，羽状复叶，小叶卵形或椭圆形，花小，黄绿色，果实扁圆形。树的液汁与空气接触后呈暗褐色，叫生漆，可用作涂料，液汁干后可入药。

蹊 qī [蹊跷](qīqiāo)形 奇怪;可疑:
这件事来得有点～。也说跷蹊。
另见 1458 页 xī。

蛴 qī 名 一类软体动物的统称。这类
动物的背壳隆起,略呈圆锥形,没有螺
旋纹。生活在海边礁石上,吃浮游生物和
藻类。

曬 qī 动 ❶东西湿了之后将要干,未全
干:雨过了,太阳一晒,路上就渐渐～
了。❷用沙土等吸收水分:地上有水,铺
上点儿沙子～一～。

qí（ㄑㄧˊ）

亓 Qí 名 姓。
[亓官] Qíguān 名 姓。

齐¹（齊） qí ❶形 整齐:队伍排得
很～。❷动 达到同样的高
度:水涨得～了岸|向日葵都～了房檐了。
❸形 同样;一致:～名|人心～,泰山移。
❹副 一块儿;同时:百花～放|并驾～驱|
男女老幼一齐动手。❺形 完备;全:东西预
备～了|人还没有来|钱都凑～了。❻介
跟某一点或某一直线取齐:～着根儿剪
断|～着边儿画一道线。❼(旧读 jì)指合
金:锰镍铜～。
〈古〉又同斋戒的"斋"zhāi。

齐²（齊） Qí ❶周朝国名,在今山东
北部和河北东南部。❷名
朝代。a)指南齐。b)指北齐。❸唐末农
民起义军领袖黄巢所建国号。❹名 姓。
另见 645 页 jì。

【齐备】qíbèi 形 齐全(多指物品):货色～|
行装～,马上出发。
【齐步走】qíbù zǒu 军事或体操口令,令队
伍保持整齐的行列,以整齐的步伐前进。
【齐唱】qíchàng 动 两个以上的歌唱者按
同一旋律同时演唱。
【齐齿呼】qíchǐhū 名 见 1294 页[四呼]。
【齐楚】qíchǔ 形 整齐(多指服装):衣冠
～。
【齐东野语】Qí dōng yě yǔ 《孟子·万章
上》:"此非君子之言,齐东野人之语也。"后
用"齐东野语"比喻道听途说,不足为凭的
话。

【齐墩果】qídūnguǒ 名 油橄榄。
【齐集】qíjí 动 聚集;集拢:各国朋友～北
京。
【齐眉穗儿】qíméisuìr 名 妇女或儿童垂在
前额与眉相齐的短发。
【齐名】qímíng 动 有同样的名望:唐代诗
人中,李白与杜甫～。
【齐全】qíquán 形 应有尽有(多指物品):
商品～|门类～|功能～。
【齐声】qíshēng 副 (许多人)一齐发出同
样的声音:～歌唱|～高呼口号。
【齐刷刷】qíshuāshuā （～的)形 状态词。
形容整齐一致:地里的麦子长得～|接
受检阅的队伍～地前进。
【齐头并进】qí tóu bìng jìn 不分先后地一
齐前进或同时进行。
【齐心】qíxīn 形 思想认识一致:～协力|
只要大家～了,事情就好办了。
【齐心协力】qí xīn xié lì 思想认识一致,
共同努力:大家～抗击洪涝灾害。
【齐整】qízhěng 形 整齐:公路两旁的杨树
长得很～。
【齐奏】qízòu 动 两个以上的演奏者同时
演奏同一曲调。

祁 Qí ❶指安徽祁门:～红(祁门出的
红茶)。❷指湖南祁阳:～剧。❸名
姓。

圻 qí ❶〈书〉边界。❷(Qí)名 姓。
另见 1625 页 yín。

芪 qí 见 601 页[黄芪]。

岐 qí ❶岐山(Qí Shān),山名,又地
名,在陕西。❷〈书〉同"歧"。❸
(Qí)名 姓。
【岐黄】qíhuáng 名 指黄帝和岐伯,传说是
中医的始祖。古代医书《黄帝内经·素问》
多用黄帝和岐伯问答的形式写成。后来
用"岐黄"作为中医学术的代称:～之术。

其¹ qí ❶代 人称代词。他(她、它)的;
他(她、它)们的:各得～所|自圆～
说。❷代 人称代词。他(她、它);他(她、
它)们:促～早日实现|不能任～自流。❸
代 指示代词。那个;那样:查无～事|不
厌～烦。❹代 指示代词。虚指:忘～所
以。❺(Qí)名 姓。

其² qí 〈书〉副 ❶表示揣测、反诘:岂
～然乎?|～奈我何? ❷表示请求或

命令：子～勉之！

其³ qí 词缀：极～｜尤～｜如～。
另见630页jī。

【其次】qícì 代 指示代词。❶ 次第较后；第二(用于列举事项)：他第一个发言，就轮到了我。❷ 次要的地位：内容是主要的，形式还在～。

【其间】qíjiān 名 方位词。❶ 那中间；其中：厕身～｜～必定有缘故。❷ 指某一段时间：离开学校已经好几年了，这～，他在科学研究上取得了显著成绩。

【其貌不扬】qí mào bù yáng 指人的容貌平常或丑陋。

【其实】qíshí 副 表示所说的是实际情况(承上文，多含转折意)：这个问题从表面上看似乎很难，～并不难。

【其他】qítā 代 指示代词。别的：今天的文娱晚会，除了京剧、曲艺以外，还有～精彩节目。

【其它】qítā 同"其他"(用于事物)。

【其余】qíyú 代 指示代词。剩下的：除了有两人请假，～的人都到了。

【其中】qízhōng 名 方位词。那里面：不知～奥妙｜气象站一共五个人，～三个是新来的。

奇 qí ❶ 罕见的；特殊的；非常的：～事｜～闻｜～志｜～勋｜～耻大辱｜商品缺｜山势～险。❷ 出人意料的；令人难测的：～兵｜～袭｜～制胜。❸ 惊异：惊～｜不足为～。❹ (Qí)名 姓。
另见630页jī。

【奇案】qí'àn 名 离奇的案件；特别的案件。

【奇拔】qíbá 形 奇特挺拔：山峰～。

【奇兵】qíbīng 名 出乎敌人意料而突然袭击的军队：出～取胜。

【奇才】qícái 名 ❶ 杰出的才能：这一战显出他的指挥～。❷ 具有杰出才能的人。

【奇耻大辱】qí chǐ dà rǔ 极大的耻辱。

【奇峰】qífēng 名 奇特的山峰：～突起。

【奇功】qígōng 名 特殊的功绩：屡建～。

【奇怪】qíguài ❶ 形 跟平常的不一样：海里有不少～的动植物。❷ 动 感到出乎意料，难以理解：我～为什么这时候他还不来。

【奇观】qíguān 名 指雄伟美丽而又罕见的景象或出奇少见的事情：《今古～》｜钱塘江的潮汐是一大～。

【奇光异彩】qí guāng yì cǎi 奇特瑰丽的光芒和色彩。

【奇花异草】qí huā yì cǎo 奇异的花草：植物园的温室里有很多～。

【奇幻】qíhuàn 形 ❶ 奇异而虚幻：～的遐想。❷ 奇异变幻：景色～。

【奇货可居】qí huò kě jū 指商人把难得的货物囤积起来，等待高价出售。比喻人有某种独特的技能或成就，拿它作为要求名利地位的本钱。

【奇迹】qíjì 名 想象不到的不平凡的事情：创造～｜她的病居然一般地好起来了。

【奇景】qíjǐng 名 奇特而又罕见的景象。

【奇绝】qíjué 形 神奇绝妙：怪石嶙峋，山势～。

【奇崛】qíjué 〈书〉形 奇特突出：文笔～。

【奇丽】qílì 形 奇特而美丽：山河～｜景色～。

【奇美】qíměi 形 奇特美丽；奇妙美好：风光～｜～的景致。

【奇妙】qímiào 形 稀奇巧妙(多用来形容令人感兴趣的新奇事物)：构思～｜～世界。

【奇葩】qípā 名 奇特而美丽的花朵：～斗妍◇这篇小说是近来文坛上出现的一朵～。

【奇巧】qíqiǎo 形 奇特巧妙；新奇精巧：～的玉雕｜园内假山造型～。

【奇趣】qíqù 名 奇妙的趣味：～横生。

【奇缺】qíquē 动 非常缺乏：水源～｜～的商品。

【奇谈】qítán 名 令人觉得奇怪的言论或见解：海外～｜～怪论。

【奇谈怪论】qí tán guài lùn 荒唐不近情理的言论。

【奇特】qítè 形 跟寻常的不一样；奇怪而特别：装束～｜在沙漠地区常常可以看到一些～的景象。

【奇伟】qíwěi 形 奇特雄伟：山势～。

【奇文】qíwén 名 新奇的文章；奇特的文字(有时含贬义)：～共欣赏｜晦涩难解的～。

【奇文共赏】qí wén gòng shǎng 新奇的文章共同欣赏(语本晋陶潜《移居》诗："奇文共欣赏，疑义相与析")。现多指把荒谬、错误的文章发表出来供大家识别和批判。

【奇闻】qíwén 名 奇特动听的事情：～趣事｜天下～。

【奇袭】qíxí 动 出其不意地打击敌人（多指军事上）。

【奇想】qíxiǎng 名 奇特的想法：突发～。

【奇效】qíxiào 名 预想不到的效果或效力：这种药对治疗风湿病有～。

【奇形怪状】qí xíng guài zhuàng 不正常的、奇奇怪怪的形状：在石灰岩洞里，到处是～的钟乳石。

【奇勋】qíxūn 〈书〉名 特殊的功勋：屡建～。

【奇异】qíyì 形 ❶ 奇特：海底是一个～的世界。❷ 惊异：路上的人都用～的眼光看着这些来自远方的客人。

【奇遇】qíyù 名 意外的、奇特的相逢或遇合（多指好的事）：深山～｜他俩多年失去联系，想不到会上见面，真是～！

【奇装异服】qí zhuāng yì fú 与现时社会上一般人衣着式样不同的服装（多含贬义）。

歧 qí ❶ 岔（道）；大路分出的（路）：～途。❷ 不相同；不一致：～义｜～视。

【歧出】qíchū 动 指一本书、一篇文章之内文字前后不符（多指术语等）。

【歧化】qíhuà 动 指在化学反应中，同一种元素的一部分原子（或离子）被氧化，另一部分原子（或离子）被还原。

【歧见】qíjiàn 名 不一致的见解或意见：消除～，增进共识。

【歧路】qílù 名 从大路上分出来的小路。

【歧路亡羊】qílù wáng yáng 杨子的邻居把羊丢了，没有找着。杨子问："为什么这么多人去找羊？"邻人说："岔路很多，岔路上又有岔路，不知道往哪儿去了"（见于《列子·说符》）。比喻因情况复杂多变而迷失方向，误入歧途。

【歧视】qíshì 动 不平等地看待：种族～。

【歧途】qítú 名 歧路，比喻错误的道路：受人蒙骗，误入～。

【歧义】qíyì 名（语言文字）两种或多种不同的意义，有两种或几种可能的解释。

【歧异】qíyì 形 有分歧差异；不相同：观点～。

祈 qí ❶ 祈祷：～福。❷ 请求；希望：～求｜～望｜敬～指导。❸（Qí）名 姓。

【祈祷】qídǎo 动 一种宗教仪式，信仰宗教的人向神默告自己的愿望。

【祈盼】qípàn 动 恳切盼望：～他早日康复｜发展经济，过上幸福生活是山里人的～。

【祈求】qíqiú 动 恳切地希望或请求：～来年有个好收成｜脸上流露出～的神情。

【祈使句】qíshǐjù 名 要求或者希望别人做什么事或者不做什么事时用的句子，如："你过来。""把书递给我。""大家别闹了！"在书面上，句末用句号或叹号。

祇 qí 〈书〉地神。参看1213页【神祇】。另见1751页 zhǐ "只"。

荠(薺) qí 见68页【荸荠】。另见647页 jì。

俟 qí 见963页【万俟】(Mòqí)。另见1295页 sì。

痕 qí 〈书〉病。

耆 qí 〈书〉六十岁以上的（人）：～老｜～年。
〈古〉又同"嗜"shì。

【耆老】qílǎo 〈书〉名 老年人。特指德行高尚受敬重的老人。

【耆宿】qísù 〈书〉名 指在社会上有名望的老年人。

顾(頎) qí 〈书〉（身体）修长：～长。

【顾长】qícháng 形（身量）高：身材～。

【顾伟】qíwěi 〈书〉形（身材）高大魁梧。

脐(臍) qí ❶ 肚脐：～带。❷ 螃蟹腹下中间的甲壳：尖～｜团～。

【脐带】qídài 名 连接胎儿与胎盘的带状物，由两条动脉和一条静脉构成。胎儿依靠脐带与母体联系，是胎儿吸取养料和排出废料的通道。

旂 qí ❶ 古代一种旗子。❷ 见1072页"旗"。

埼(碕) qí 〈书〉弯曲的岸。

其 qí 〈方〉豆秸：豆～。

畦 qí 名 有土埂围着的一块块排列整齐的田地，一般是长方形的：～田｜菜～｜种了一～韭菜。

【畦灌】qíguàn 动 灌溉的一种方法，把灌溉的土地分成面积较小的畦，灌溉时，每个畦依次灌水。

【畦田】qítián 名 周围筑埂可以灌溉和蓄

水的田。

跂 qí 〈书〉❶ 多出的脚趾。❷ 形容虫子爬行。
另见 1081 页 qǐ。

崎 qí 〈书〉倾斜;不平坦:～径。

【崎岖】qíqū 〔形〕形容山路不平,也比喻处境艰难:山路～|～坎坷的一生。

淇 Qí 淇河,水名,在河南。

骐(騏) qí 〈书〉青黑色的马:～骥(骏马)。

骑(騎) qí ❶〔动〕两腿跨坐(在牲口或自行车等上面):～马|自行车。❷ 兼跨两边:～缝。❸ 骑的马,泛指人乘坐的动物:坐～。❹ 骑兵,也泛指骑马的人:轻～|铁～|车～。

【骑兵】qíbīng 〔名〕骑马作战的兵种,也称这一兵种的士兵。

【骑缝】qífèng 〔名〕两张纸的交接处(多指单据和存根连接的地方):在三联单的～上盖印。

【骑虎难下】qí hǔ nán xià 比喻事情中途遇到困难,为形势所迫,又难以中止。

【骑警】qíjǐng 〔名〕骑着马或摩托车等执行巡逻任务的警察。

【骑楼】qílóu 〈方〉〔名〕楼房向外伸出在人行道上的部分。骑楼下的人行道叫骑楼底。

【骑马找马】qí mǎ zhǎo mǎ 比喻东西就在自己这里,还到处去找。也比喻一面占着现在的位置,一面另找更称心的工作。

【骑枪】qíqiāng 〔名〕骑兵使用的一种枪,构造跟步枪相似,但枪身较短而轻便,射程较步枪近。也叫马枪。

【骑墙】qíqiáng 〔动〕比喻立场不明确,站在斗争双方的中间,哪一方面也不得罪:～派|～观望。

【骑士】qíshì 〔名〕欧洲中世纪封建主阶级的最低阶层,是领有土地的军人,为大封建主服骑兵兵役。

【骑手】qíshǒu 〔名〕擅长骑马的人,特指马术比赛中的运动员。

【骑术】qíshù 〔名〕骑马的技术:～表演|精于～。

琪 qí ❶〈书〉美玉。❷ (Qí)〔名〕姓。

琦 qí 〈书〉❶ 美玉。❷ 不凡的;美好的:～行(美好的品德)。

棋(棊、碁) qí ❶〔名〕文娱项目的一类,一副棋包括若干颗棋子和一个棋盘,下棋的人按一定的规则摆上或移动棋子来比输赢,有象棋、围棋、军棋、跳棋等。中国象棋、国际象棋、围棋等也是体育运动项目。❷ 指棋子儿:落～无悔。

【棋布】qíbù 〔动〕像棋子似地分布着,形容多而密集:星罗～。

【棋逢对手】qí féng duìshǒu 比喻双方本领不相上下。也说棋逢敌手。

【棋局】qíjú 〔名〕❶ 下棋过程中双方对阵的形势。❷〈书〉棋盘。

【棋路】qílù 〔名〕下棋的路数:～高明。

【棋迷】qímí 〔名〕喜欢下棋或看下棋而入迷的人。

【棋盘】qípán 〔名〕下棋时摆棋子用的盘,上面画着一定形式的格子。

【棋谱】qípǔ 〔名〕用图和文字说明下棋的基本技术或解释棋局的书或图谱。

【棋赛】qísài 〔名〕棋类比赛:～夺冠。

【棋坛】qítán 〔名〕指棋类运动界:～宿将。

【棋艺】qíyì 〔名〕下棋的技艺:钻研～。

【棋子】qízǐ (～儿)〔名〕用木头或其他材料制成的下棋用的小块儿。通常用颜色分为数目相等的两部分或几部分,下棋的人各使用一部分。

蛴(蠐) qí [蛴螬](cícáo)〔名〕金龟子的幼虫,白色,圆柱状,向腹面弯曲。种类很多,生活在土里,吃农作物的地下部分,是害虫。

祺 qí 〈书〉吉祥。

锜(錡) qí ❶ 古代的烹煮器皿,底下有三足。❷ 古代一种凿子。

綦 qí ❶〈书〉〔副〕极;很:言之～详|希望～切。❷ (Qí)〔名〕姓。

蜞 qí 见 1033 页[蟛蜞]。

旗(❶旂) qí ❶〔名〕旗子:国～|红～|挂～。❷ 指八旗:汉军～。❸ 属于八旗的,特指属于满族的:～人|～袍。❹ 八旗兵驻屯的地方,现在地名沿用:正黄～。❺〔名〕内蒙古自治区的行政区划单位,相当于县。❻ (Qí)〔名〕

姓。

【旗杆】qígān 名 悬挂旗子用的杆子。

【旗鼓相当】qí gǔ xiāng dāng 比喻双方力量不相上下：这两个足球队～，一定有一场精彩的比赛。

【旗号】qíhào 名 旧时标明军队名称或将领姓氏的旗子，现用来比喻某种名义（多指借来做坏事）。

【旗舰】qíjiàn 名 ❶ 某些国家的海军舰队司令、编队司令所在的军舰，因舰上挂有司令旗（夜间加挂司令灯），所以叫旗舰。中国人民解放军海军叫指挥舰。❷ 比喻带头的、起主导作用的事物：～店｜～企业。

【旗开得胜】qí kāi dé shèng 军队的战旗刚一展开就打了胜仗，比喻事情一开始就取得好成绩。

【旗袍】qípáo （～儿）名 妇女穿的一种长袍，原为满族妇女所穿。

【旗人】Qírén 名 旧称清代隶属八旗的人，特指满族。

【旗手】qíshǒu 名 在行列前打旗子的人，比喻领导人或先行者：鲁迅先生是新文化运动的～。

【旗下】qíxià 名 下属；部下：他的一个个精明强干。

【旗语】qíyǔ 名 航海上或军事上，在距离较远，说话不能听见的场合，用旗子来通信的方法。单手执旗或双手各执一旗，以不同的挥旗动作表达通信内容。

【旗帜】qízhì 名 ❶ 旗子：节日的首都到处飘扬着五彩缤纷的～。❷ 比喻榜样或模范：培养典型，树立～。❸ 比喻有代表性或号召力的某种思想、学说或政治力量等。

【旗帜鲜明】qízhì xiānmíng 比喻观点、立场非常明确。

【旗子】qí·zi 名 用绸、布、纸等做成的方形、长方形或三角形的标志，大多挂在杆子上或墙壁上。

薪¹（薪）qí 〈书〉求。

薪²（薪）Qí ❶ 指薪州（旧州名，州治在今湖北薪春南）。❷ 名姓。

【薪求】qíqiú 〈书〉动 祈求。

鯕（鯕）qí ［鯕鳅］（qíqiū）名 鱼，体侧扁而长，黑褐色，头高而大，眼小，背鳍很长，尾鳍分叉深。生活在海洋中。

鳍（鳍）qí 名 鱼类的运动器官，由刺状的硬骨或软骨支撑薄膜构成。按所在的部位，可分为胸鳍、腹鳍、背鳍、臀鳍和尾鳍。有调节速度、变换方向等作用。

1．背鳍 2．尾鳍 3．胸鳍
4．腹鳍 5．臀鳍

鳍

麒 qí ❶ 见［麒麟］。❷ （Qí）名 姓。

【麒麟】qílín 名 古代传说中的一种动物，形状像鹿，头上有角，全身有鳞甲，有尾。古人拿它象征祥瑞。简称麟。

鬐 qí 〈书〉马鬃。

qǐ （ㄑㄧˇ）

乞 qǐ ❶ 向人讨；乞求：～怜｜～食｜～援。❷ （Qǐ）名 姓。

【乞哀告怜】qǐ āi gào lián 乞求别人哀怜和帮助。

【乞丐】qǐgài 名 靠向人要饭要钱过活的人。

【乞怜】qǐlián 动 显出可怜相，希望得到别人的同情：摇尾～。

【乞灵】qǐlíng 〈书〉动 向神佛求助（迷信），比喻乞求不可靠的帮助。

【乞巧】qǐqiǎo 动 旧俗，农历七月初七的晚上，妇女在院子里陈设瓜果，向织女星祈祷，请求帮助她们提高刺绣缝纫的技巧。

【乞求】qǐqiú 动 请求给予：～施舍｜～宽恕。

【乞食】qǐshí 〈书〉动 要饭。

【乞讨】qǐtǎo 动 向人要钱要饭等：沿街～。

【乞降】qǐxiáng 动 请求对方接受投降。

【乞援】qǐyuán 动 请求援助：四处～。

芑 qǐ 古书上说的一种植物。

屺 qǐ 〈书〉没有草木的山。

岂(豈) qǐ ❶〈书〉副 表示反问：～有此理｜如此而已，～有他哉？❷(Qǐ)名 姓。

〈古〉又同"恺"kǎi；又同"凯"kǎi。

【岂但】qǐdàn 连 用反问的语气表示"不但"：～你不知道，连我自己也不清楚呢。

【岂非】qǐfēi 副 用反问的语气表示"难道不是"：～怪事？这样解释～自相矛盾？

【岂敢】qǐgǎn 动 怎么敢；哪里敢(多用作客套话)：我～擅自做主｜～～,些许小事,何足挂齿？

【岂可】qǐkě 动 用反问的语气表示"不可以"：～言而无信｜～坐以待毙？

【岂有此理】qǐ yǒu cǐ lǐ 哪有这样的道理(对不合情理的事表示气愤)：做错了事,还要怪别人,真是～！

【岂止】qǐzhǐ 副 用反问的语气表示"不止"：为难的事还多着呢,～这一件？

企 qǐ 抬起脚后跟站等,今用为盼望的意思：～盼｜～望。

【企鹅】qǐ'é 名 水鸟,体长近1米,嘴很坚硬,头和背部黑色,腹部白色,足短,尾巴短,翅膀小,不能飞,善于潜水,在陆地上直立时像有所企望的样子,多群居在南极洲及附近岛屿上。

【企改】qǐgǎi 动 企业改革：～工作｜对～充满信心。

【企管】qǐguǎn 名 企业管理：～部门。

【企划】qǐhuà 动 策划；谋划：广告～｜～人员。

【企及】qǐjí 动 盼望达到；希望赶上：难以～。

【企口板】qǐkǒubǎn 名 一侧有凹槽,另一侧有凸榫的木板,拼接后结合紧密,不易翘起。多用作地板等。

【企慕】qǐmù 动 仰慕：～已久。

【企盼】qǐpàn 动 盼望：～未来｜～合家欢聚。

【企求】qǐqiú 动 希望得到：他一心只想把工作搞好,从不～什么。

【企图】qǐtú ❶动 图谋；打算(多含贬义)：敌军～逃跑,没能得逞。❷名 意图(多含贬义)：政治～｜识破了奸商以次充好的～。

【企望】qǐwàng 动 希望：翘首～。

【企稳】qǐwěn 〈方〉动 指在某一价位上趋

于稳定：股指止跌～。

【企业】qǐyè 名 从事生产、运输、贸易等经济活动的部门,如工厂、矿山、铁路、公司等。

【企业法人】qǐyè fǎrén 以营利为目的,独立从事生产经营活动的法人组织。在我国,企业法人指有符合国家规定的资金数额,有组织章程、组织机构和场所,能够独立承担民事责任的企业组织。

【企业化】qǐyèhuà 动 ❶工业、商业、运输等单位按照经济核算的原则,独立计算盈亏。❷使事业单位能有正常收入,不需要国家开支经费,并能自行进行经济核算。

【企业所得税】qǐyè suǒdéshuì 国家对企业和经营单位按其生产、经营所得和其他所得依法征收的税。

【企足而待】qǐ zú ér dài 抬起脚后跟来等着,比喻不久的将来就能实现。

玘 qǐ 〈书〉一种玉。

杞 Qǐ ❶ 周朝国名,在今河南杞县。❷名 姓。

【杞柳】qǐliǔ 名 落叶灌木,叶子长椭圆形,花暗紫绿色,柔黄花序,雌雄异株,生在水边,枝条可用来编器物。

【杞人忧天】Qǐ rén yōu tiān 传说杞国有个人怕天塌下来,吃饭睡觉都感到不安(见于《列子·天瑞》)。比喻不必要的忧虑。也说杞人之忧。

【杞人之忧】Qǐ rén zhī yōu 杞人忧天。

启(啓、啟) qǐ ❶ 打开：～封｜门｜某某～(信封上用语,表示由某人拆信)。❷ 开导：～蒙｜～发。❸ 开始：～行｜～用。❹ 陈述：敬～者(旧时用于书信的开端)｜某某～(用于书信末署名处)。❺ 旧时文体之一,较简短的书信：小～｜谢～。❻ (Qǐ)名 姓。

【启禀】qǐbǐng 〈书〉动 禀报；禀告。

【启程】qǐchéng 同"起程"。

【启齿】qǐchǐ 动 开口(多指向别人有所请求)：难以～｜不便～。

【启迪】qǐdí 动 开导；启发：～后人。

【启碇】qǐ//dìng 动 起锚。

【启动】qǐdòng 动 ❶(机器、仪表、电气设备等)开始工作：～电流｜～继电器｜车轮～。❷(法令、规划、方案等)开始实施或

进行：扶贫工程已正式～。❸ 开拓；发动：～农村市场|大力～消费需求。

【启发】qǐfā 〔动〕阐明事例，引起对方联想而有所领悟：～性报告|～群众的积极性。

【启封】qǐ∥fēng 〔动〕❶ 打开封条。❷ 拆开封着的信件等。

【启蒙】qǐméng 〔动〕❶ 使初学的人得到基本的、入门的知识：～老师|～读物。❷ 普及新知识，使摆脱愚昧和迷信：～运动。

【启蒙运动】qǐméng yùndòng ❶ 17—18世纪欧洲资产阶级的民主文化运动。启发人们反对封建传统思想和宗教的束缚，提倡思想自由、个性发展等。❷ 泛指通过宣传教育使社会接受新事物而得到进步的运动。

【启明】qǐmíng 〔名〕我国古代指日出以前，出现在东方天空的金星。参看 708 页〖金星〗'。

【启幕】qǐmù 〔动〕开幕：国际音乐节～。

【启示】qǐshì ❶ 〔动〕启发提示，使有所领悟：这本书～我们应该怎样度过自己的一生。❷ 〔名〕通过启发提示领悟的道理：影片给了我们有益的～。

【启事】qǐshì 〔名〕为了说明某事而登在报刊上或贴在墙壁上的文字：征稿～|寻人～。

【启衅】qǐxìn 〈书〉〔动〕挑起争端：乘隙～。也作起衅。

【启用】qǐyòng 〔动〕开始使用：～印章|～新域名|铁路已建成～。

【启运】qǐyùn 同"起运"。

【启奏】qǐzòu 〈书〉臣子向帝王陈述意见或报告事情。

起¹ qǐ ❶ 〔动〕由坐卧趴伏而站立或由躺而坐：～来|～立|～床|早睡早～。❷ 离开原来的位置：～身|～飞。❸ 〔动〕物体由下往上升：皮球不～了。❹ 〔动〕长出（疱、疙瘩、痱子）：夏天小孩儿身上爱～痱子。❺ 〔动〕把收藏或嵌入的东西弄出来：～货|～钉子。❻ 〔动〕发生：～风了|～疑心|～作用。❼ 发动；兴起：～兵|～事。❽ 〔动〕拟写：～稿子|～草。❾ 〔动〕建立：～伙|～会|白手～家|平地～高楼。❿ 〔动〕领取（凭证）：～行李票|～护照。⓫ 〔动〕（从、由…）开始：～止|～讫|由这儿～就只有小路了。⓬ 〔动〕用在动词后，表示（从、由…）开始：从二号算～|从头学～|从何说

～!⓭〈方〉〔介〕放在时间或处所词的前面，表示起点：您～哪儿来？|～这儿往北～前天开始计算。⓮〈方〉〔介〕放在处所词前面，表示经过的地点：看见一个人～窗户外面走过去。⓯（Qǐ）〔名〕姓。

起² qǐ 〔量〕❶ 件；次：这样的案子每年总有几～|防止了一～事故。❷ 群；批：外面进来一～人|他们分六～往地里送肥料。

起 ∥·qǐ 趋向动词。❶ 用在动词后，表示向上：抬～箱子往外走。❷ 用在动词后，表示力量够得上或够不上：经得～考验|太贵了，买不～。〔注意〕动词和"起"之间常有"得"字或"不"字。❸ 用在动词后，表示事物随动作出现：乐队奏～迎宾曲|会场响～热烈掌声。❹ 用在动词后，表示动作涉及人或事：他多次问～过你|想～一件事。

【起岸】qǐ∥àn 〔动〕把货物从船上搬运到岸上：缩短货物～时间。

【起爆】qǐbào 〔动〕点燃引信或按动电钮使爆炸物爆炸：～药|准时～。

【起笔】qǐbǐ ❶ 〔动〕书法上指每一笔开始：写字的时候～要顿一顿。❷ 〔名〕检字法上指一个字的第一笔。❸ 〔名〕指文章的开头：这篇文章～不落俗套。

【起兵】qǐ∥bīng 〔动〕出动军队；发动武装斗争：～抗敌。

【起搏器】qǐbóqì 〔名〕用来维持心脏跳动和正常心律的医疗器械，内装电池，植于皮下。适用于心脏传导阻滞等患者。

【起步】qǐ∥bù 〔动〕❶ 开始走：车子～了。❷ 比喻事业、工作等开始：我国女子举重虽然～晚，但已具有相当高的水平。

【起步价】qǐbùjià 〔名〕出租车运营中的最低价格，泛指各种商品的最低价或起始价。

【起草】qǐ∥cǎo 〔动〕打草稿：～文件|这个报告是谁起的草？

【起场】qǐ∥cháng 〔动〕把摊晒在场上经过碾轧的谷物收起来。

【起承转合】qǐ chéng zhuǎn hé 旧时写文章常用的行文的顺序，"起"是开始，"承"是承接上文，"转"是转折，"合"是全文的结束。泛指文章做法。

【起程】qǐchéng 〔动〕上路；行程开始：连夜～。也作启程。

【起初】qǐchū 名 最初;起先:～我不同意,后来才觉得他说的有道理|他一个字不识,现在已经能看报写信了。

【起床】qǐ∥chuáng 动 睡醒后下床(多指早晨):他每天总是天刚亮就～。

【起点】qǐdiǎn 名 ❶ 开始的地方或时间:～站|任何伟大的成就都只是继续前进的新的◇拆整卖零,降低零售。❷ 特指径赛中起跑的地点。

【起吊】qǐdiào 动 用起重机吊起重物。

【起碇】qǐ∥dìng 动 起锚。

【起飞】qǐfēi 动 ❶ (飞机、火箭等)开始飞行。❷ 比喻事业开始上升、发展:经济～|这个厂所以能～,主要靠科学管理。

【起伏】qǐfú 动 ❶ 一起一落:麦浪～|这一带全是连绵～的群山。❷ 比喻感情、关系等起落变化:思绪～|病情～不定|两国关系出现了一些～。

【起复】qǐfù ❶ 古代官吏遭父母丧,守制未满期而应召任职。明清两代专指服父母丧期满后重新出来做官。❷ 指官吏革职后重新被起用。

【起稿】qǐ∥gǎo 动 打草稿。

【起更】qǐ∥gēng 动 旧时指夜间第一次打更。

【起旱】qǐhàn 动 不走水路,走陆路(多指步行或乘坐旧式交通工具)。

【起航】qǐháng 动 (轮船、飞机等)开始航行:天气恶劣,不能～。

【起哄】qǐ∥hòng 动 ❶ (许多人在一起)胡闹、捣乱:不得聚众～。❷ 许多人向一两个人开玩笑:人家拿我开心,你也～。

【起火】qǐ∥huǒ 动 ❶ 点火做饭:星期天你家～不～?|在食堂吃饭比自己～方便。❷ 发生火警:仓库～了。❸ 着急发脾气:你别～,听我慢慢儿对你说。

【起火】qǐ·huo 名 带着苇子秆的花炮,点着后能升得很高。

【起获】qǐhuò 动 从窝藏的地方搜出(赃物、违禁品等):～一批黄色书刊。

【起急】qǐjí 〈方〉动 心中焦急或以急躁态度对人:你先别～,好好听我说。

【起家】qǐ∥jiā 动 ❶ 兴家立业;发家:他们靠勤劳～。❷ 创立事业:白手～。

【起价】qǐjià ❶ 动 从某一价格开始出售或计算:每平方米八十八百元～。❷ 名 招标、拍卖、售房等开始的报价,一般为最

低价;起步价:该拍品的～为两万元。

【起见】qǐjiàn 动 "为(wèi)…起见",表示为达到某种目的:为安全～,必须系上保险带。

【起降】qǐjiàng 动 (飞机等)起飞和降落:确保航班安全～。

【起解】qǐjiè 动 旧时指犯人被押送。

【起劲】qǐjìn (～儿)形 (工作、游戏等)情绪高,劲头大:大家干得很～|同学们又说又笑,玩得很～。

【起敬】qǐjìng 动 产生敬意;肃然～|令人～。

【起居】qǐjū 名 指日常生活:孩子在托儿所饮食～都有规律。

【起圈】qǐ∥juàn 动 把猪圈、羊圈、牛栏等里面的粪便和所垫的草、土弄出来,用作肥料。有的地区叫清栏或出圈。

【起开】qǐ·kai 〈方〉动 走开;让开:请你～一点,让我过去。

【起课】qǐ∥kè 动 一种占卜法,摇铜钱看正反面或掐指头算干支,推断吉凶。

【起来】qǐ∥·lái 动 ❶ 由躺、卧而坐,由坐、跪而站:你～,让老太太坐下。❷ 起床:刚～就忙着下地干活儿。❸ 泛指兴起、奋起、升起等:群众～了|飞机～了。

【起来】qǐ·lái 趋向动词。❶ 用在动词后,表示向上:中国人民站～了。❷ 用在动词或形容词后,表示动作或情况开始并且继续:一句话把屋子里的人都引得笑～|唱起歌来|天气渐渐暖和～。❸ 用在动词后,表示动作完成或达到目的:我们组是今年组织～的|想～了,这是鲁迅的话。❹ 用在动词后,表示估计或着眼于某一方面:看～,他不会来了。

【起立】qǐlì 动 站起来(多用作口令):～,敬礼|全体～。

【起灵】qǐ∥líng 动 把停着的灵柩运走。

【起落】qǐluò 动 升起和降落:飞机～|价格～|船身随浪～◇心潮～。

【起码】qǐmǎ 形 属性词。最低限度:～的条件|我这次出差,～要一个月才能回来。

【起锚】qǐ∥máo 动 把锚拔起,船开始航行。

【起名儿】qǐ∥míngr 动 取名字;给予名称:给孩子起个名儿。

【起拍】qǐpāi 动 从某一价格开始拍卖:～价|从两千元～,连叫五次无人应拍。

【起跑】qǐpǎo 劻赛跑时按比赛规则在起点做好预备姿势后开始跑。

【起跑线】qǐpǎoxiàn 名赛跑起点的标志线◇在同一～上展开公平竞争。

【起讫】qǐqì 劻起止：写明～日期。

【起色】qǐsè 名好转的样子（多指沉重的疾病或做得不好的工作）：她的病已有～｜经过整顿，生产大有～。

【起身】qǐ//shēn 劻❶动身：我明天～去上海。❷起床：他每天～后就打扫院子。❸身子由坐、卧状态站立起来：～回礼。

【起始】qǐshǐ ❶劻（从某时或某地）开始：～点｜唐山陶瓷～于明代。❷名开始的阶段：破案工作～遇到了很多阻力。

【起事】qǐshì 劻发动武装斗争。

【起誓】qǐ//shì 劻发誓：对天～。

【起首】qǐshǒu 名起先；开头：～我并不会下棋，是他教我的。

【起死回生】qǐ sǐ huí shēng 使死人复活，多形容医术或技术高明，也比喻把处于毁灭境地的事物挽救过来。

【起诉】qǐsù 劻向法院提起诉讼：～状。

【起诉状】qǐsùzhuàng 名见 1301 页〖诉状〗。

【起跳】qǐtiào 劻跳高、跳远、跳水等开始跳跃时的动作。

【起头】qǐtóu（～儿）❶（-//-）劻开头；开端：先从我这儿～｜你先给大家起个头儿吧｜这事情是谁起的头儿？❷名开始的时候：～他答应来的，后来因为有别的事不能来了。❸名开始的地方：你刚才说的话我没听清楚，你从～儿再说一遍。

【起先】qǐxiān 名最初；开始：这样做，～我有些想不通，后来才想通了｜蒙眬中听见外面树叶哗哗响，～还以为是下雨，仔细一听，才知道是刮风。

【起小儿】qǐxiǎor〈口〉副从幼年时候起；从小：他～身体就很结实。

【起衅】qǐxìn 同"启衅"。

【起行】qǐxíng 劻起程；动身：他今天下午三点钟就要～。

【起眼儿】qǐyǎnr 形看起来醒目，惹人重视（多用于否定式）：别看这些东西不怎么～，日常生活却离不了它们。

【起夜】qǐyè 劻夜间起来小便。

【起疑】qǐ//yí 劻发生疑惑；产生疑心：他的举动反常，让人～。

【起义】qǐyì 劻❶为了反抗反动统治而发动武装革命：农民～｜南昌～。❷背叛所属的集团，投到正义方面：阵前～。

【起意】qǐ·yì 劻产生某种念头（多指坏的）：见财～。

【起因】qǐyīn 名（事件）发生的原因：事故的～正在调查。

【起用】qǐyòng 劻❶重新任用已退职或免职的官员。❷提拔使用：～新人｜大胆～年轻干部。

【起源】qǐyuán ❶劻开始发生：秦腔～于陕西｜世界上一切知识无不～于劳动。❷名事物发生的根源：生命的～。

【起运】qǐyùn 劻（货物）开始运出（多指运往外地）：办理～手续｜救灾物资正在～。也作启运。

【起赃】qǐ//zāng 从窝藏处把赃款、赃物搜出来。

【起早摸黑】qǐ zǎo mō hēi 起早贪黑。

【起早贪黑】qǐ zǎo tān hēi 起得早，睡得晚，形容人勤劳劳动。也说起早摸黑。

【起止】qǐzhǐ 劻开始和结束：～日期。

【起重船】qǐzhòngchuán 名能在水上移动，进行起重作业的船。通称浮吊。

【起重机】qǐzhòngjī 名提起或移动重物用的机器，种类很多，广泛用于仓库、码头、车站、矿山、建筑工地等。通称吊车。

【起子】¹ qǐ·zi 名❶开瓶盖的工具，前端是椭圆形的环，后面有柄，多用金属制成。❷〈方〉螺丝刀。❸〈方〉焙（bèi）粉。

【起子】² qǐ·zi 量群；批：一～客人。

绮（綺）qǐ ❶有花纹或图案的丝织品：～罗。❷美丽；美妙：～丽。

【绮丽】qǐlì 形鲜艳美丽（多用来形容风景）：～的景色｜风和日暖，西湖显得更加～。

棨 qǐ 古代官吏出行时用来证明身份的东西，用木制成，形状像戟。

綮 qǐ 古书上指肥肠肌。

綮 qǐ ❶同"棨"。❷（Qǐ）名姓。
另见 1119 页 qìng。

稽 qǐ〔稽首〕（qǐshǒu）古时的一种礼节，跪下，拱手至地，头也至地。
另见 633 页 jī。

qì（ㄑㄧˋ）

气（氣） qì ❶〈名〉气体：毒～｜煤～｜沼～。❷〈名〉特指空气：～压｜打开窗子透一透～。❸（～儿）〈名〉气息①：没～儿了｜上～不接下～。❹ 指自然界冷热阴晴等现象：天～｜～候｜～象｜秋高～爽。❺ 气味①：香～｜臭～｜泥土～。❻ 人的精神状态：勇～｜朝～。❼ 气势：吞山河。❽ 人的作风习气：官～｜娇～｜孩子～。❾〈动〉生气；发怒：他～得直哆嗦。❿〈动〉使人生气：故意～他一下｜你别～我了！⓫ 欺负；欺压：受～。⓬〈名〉中医指人体内能使各器官正常发挥功能的原动力：元～｜～虚。⓭ 中医指某种病象：湿～｜痰～。⓮（Qì）〈名〉姓。

【气昂昂】qì áng'áng （～的）〈形〉状态词。形容人精神振作，气势威武：雄赳赳，～。

【气泵】qìbèng 〈名〉用来抽气或压缩气体的泵。

【气不忿儿】qì bù fènr 〈方〉看到不平的事，心中不服气。

【气层】qìcéng 〈名〉积聚着天然气的地层。

【气冲冲】qìchōngchōng （～的）〈形〉状态词。形容非常生气的样子。

【气冲牛斗】qì chōng niú dǒu 形容气势或怒气很盛（牛斗：二十八宿的牛宿和斗宿，泛指天空）。也说气冲斗牛。

【气冲霄汉】qì chōng xiāohàn 形容大无畏的精神和气概。

【气喘】qìchuǎn 〈动〉每分钟呼吸次数增多或深度增加，并伴有吸气费力的症状。也说喘。

【气窗】qìchuāng 〈名〉主要用来通风透气的窗子，一般开在房屋的顶部。

【气锤】qìchuí 〈名〉空气锤的简称。

【气粗】qìcū 〈形〉❶ 脾气暴躁：我这个人～，大家多担待着点。❷ 气势很盛：～胆壮｜财大～。

【气垫】qìdiàn 〈名〉❶ 一种可以注入空气的橡皮垫子，多用来放在长期卧床病人的受压部位下，缓解局部压力。❷ 从气垫船底喷出的高压空气。

【气垫船】qìdiànchuán 〈名〉利用高压空气的支承力而离开水面或地面行驶的船。

高压空气从船底喷出，把船身托离水面或地面，以减少航行阻力。一般用螺旋桨或喷气推进。

【气度】qìdù 〈名〉气魄和度量；气概：～不凡。

【气短】qìduǎn 〈形〉❶ 因疲劳、空气稀薄等原因而呼吸短促：爬到半山，感到有点～。❷ 志气沮丧或情绪低落：试验失败并没有使他～。

【气氛】qìfēn 〈名〉一定环境中给人某种强烈感觉的精神表现或景象：会场上充满了团结友好的～。

【气愤】qìfèn 〈形〉生气；愤恨：他听了这种不三不四的话非常～。

【气概】qìgài 〈名〉在对待重大问题上表现的态度、举动或气势（专指正直、豪迈的）：英雄～｜～非凡。

【气割】qìgē 〈动〉用氧炔吹管或氢氧吹管的火焰切割金属材料。

【气根】qìgēn 〈名〉气生根的通称。

【气功】qìgōng 〈名〉我国特有的一种健身术。基本分两大类，一类以静为主，静立、静坐或静卧，使精神集中，并且用特殊的方式进行呼吸，促进循环、消化等系统的功能。另一类以动为主，一般用柔和的运动操、按摩等方法，坚持经常锻炼，以增强体质。

【气鼓鼓】qìgǔgǔ （～的）〈形〉状态词。形容很生气的样子：她～地瞪着对方。

【气管】qìguǎn 〈名〉呼吸器官的一部分，管状，是由半环状软骨构成的，有弹性，上部接喉头，下部分成两支，通入左右两肺。（图见 396 页"人的肺"）

【气贯长虹】qì guàn cháng hóng 形容正气磅礴，像是要贯通天空的长虹一样。

【气锅】qìguō 〈名〉一种沙锅，中央有通到锅底而不伸出锅盖的管儿，烹调时在管儿周围放食物，连沙锅放在锅里蒸，水蒸气从管儿进入沙锅，食物蒸熟并得浓汁：～鸡。

【气焊】qìhàn 〈动〉用氧炔吹管或氢氧吹管的火焰焊接金属材料。

【气哼哼】qìhēnghēng （～的）〈形〉状态词。形容生气发怒的样子：他～地走了。

【气候】qìhòu 〈名〉❶ 一定地区里经过多年观察所得到的概括性的气象情况。它与气流、纬度、海拔、地形等有关。❷ 比喻动向或情势：政治～。❸ 比喻结果或成就：

几个人瞎闹腾,成不了～。参看172页〖成气候〗。

【气候带】qìhòudài 图 根据气候带状分布特征,按地球纬度划分的区域。通常分为热带、亚热带、温带、寒带。

【气呼呼】qìhūhū (～的)图 状态词。形容生气时呼吸急促的样子。

【气话】qìhuà 图 在气头上说的过激的话:我刚才说的都是～,你千万不要介意。

【气急】qìjí 形 呼吸急促,上气不接下气,多由缺氧、情绪紧张等引起。

【气急败坏】qìjí bàihuài 上气不接下气,狼狈不堪,形容十分慌张或恼怒。

【气节】qìjié 图 坚持正义,在敌人或压力面前不屈服的品质:民族～|革命～。

【气井】qìjǐng 图 为开采天然气用钻机从地面打到气层的井。

【气孔】qìkǒng 图❶ 植物体表皮细胞之间的小孔,是植物体水分蒸腾以及与外界交换气体的出入口。主要分布在叶子的背面,用显微镜才能看见。❷ 气门①。❸ 铸件内部的孔洞,是铸造过程中产生的或进入的空气造成的。气孔是铸件的一种缺陷。也叫气眼。❹ 建筑物或其他物体上用来使空气或其他气体通过的孔。也叫气眼。

【气力】qìlì 图 力气:用尽～|年纪大了,～不如以前了。

【气量】qìliàng 图❶ 指能容纳不同意见的度量:这个人很有～,从不计较别人说他些什么。❷ 指容忍谦让的限度:～大的人对这点儿小事是不会介意的。

【气流】qìliú 图❶ 流动的空气。❷ 由肺的膨胀或收缩而吸入或呼出的气,是发音的动力。

【气楼】qìlóu 图 房屋顶上突起来的部分,两侧有窗,用来通风或透光。

【气脉】qìmài 图❶ 血气和脉息:～调和。❷ 指诗文中贯穿前后的思路、脉络。

【气门】qìmén 图❶ 昆虫等陆栖的节肢动物呼吸器官的一部分,在身体的表面,是空气的出入口。也叫气孔。❷ 轮胎等充气的活门,主要由气门芯和金属圈构成。空气由气门压入后不易逸出。❸ 某些机器上进出气体的装置。

【气门心】qìménxīn 同"气门芯"。

【气门芯】qìménxīn 图❶ 充气轮胎等的气门上用弹簧或橡皮管做成的活门,空气压入不易逸出。❷ 做气门芯用的橡皮管。‖也作气门心。

【气囊】qìnáng 图❶ 鸟类呼吸器官的一部分,是由薄膜构成的许多小囊,分布在体腔内各个器官的空隙中,有些气囊在皮下或骨的内部。❷ 用涂有橡胶的布做成的囊,里面充满比空气轻的气体,多用来做高空气球或带动飞船上升。

【气恼】qìnǎo 形 生气;恼怒。

【气馁】qìněi 形 失掉勇气:胜利了不要骄傲,失败了不要～。

【气派】qìpài ❶图 指人的态度作风或某些事物所表现的气势:大国～。❷ 形 神气;有精神:他穿上这身服装,多～!

【气泡】qìpào 图 气体在固体、液体的内部或表面形成的球状或半球状体。

【气魄】qìpò 图❶ 魄力:他办事很有～。❷ 气势:天安门城楼的～十分雄伟。

【气枪】qìqiāng 图 利用压缩空气发射铅弹的枪。

【气球】qìqiú 图 在薄橡皮、橡胶布、塑料等制成的囊中灌入氢、氦、空气等所制成的球。气球充入比空气轻的气体时,可以上升。种类很多,小型的可用作玩具,大型的可用作运载工具等。

【气色】qìsè 图 人的精神和面色:近来他的～很好,满面红光。

【气盛】qìshèng 形❶ 火气大,容易冲动:他年轻～,说话常得罪人。❷ 气势盛大:～言宜(文章的气势盛大,言辞得当)。

【气生根】qìshēnggēn 图 由植物茎部生出,生长在空气中的不定根,能吸收大气中的水分或其他植物的营养等。玉米、石斛、榕树等有气生根。通称气根。

【气势】qìshì 图(人或事物)表现出的某种力量和形势:～磅礴|人民大会堂～雄伟。

【气势汹汹】qìshì xiōngxiōng (～的)形容态度、声势凶猛而嚣张。

【气数】qì·shu 图 指人生存或事物存在的期限;命运(用于大事情,含有迷信色彩):～将尽。

【气态】qìtài 图 物质的气体状态,是物质存在的一种形态。

【气体】qìtǐ 图 没有一定形状,没有一定体积,可以流动的物体。在常温下,空气、氧气、沼气等都是气体。

【气体摩尔体积】qìtǐ mó'ěr tǐjī 在标准状况下,1 摩任何气体的体积都约为22.4升,这个体积叫做气体摩尔体积。

【气田】qìtián 名 可以开采的蕴藏大量天然气的地带。

【气筒】qìtǒng 名 产生压缩空气的工具,由圆形金属筒、活塞等构成,多用来给轮胎和球胆打气。

【气头上】qìtóu·shang 名 发怒的时候:他正在~,别人的话听不进去。

【气团】qìtuán 名 在水平方向上温度、湿度等比较均匀的空气团。高可达数千米,宽可达数千千米。在冷、暖气团相接触的地带,常有显著的天气变化。

【气吞山河】qì tūn shān hé 形容气魄很大。

【气味】qìwèi 名 ❶ 鼻子可以闻到的味儿:~芬芳|丁香花的~很好闻。❷ 比喻性格和志趣(多含贬义):~相投。

【气温】qìwēn 名 空气的温度:~下降。

【气息】qìxī 名 ❶ 呼吸时出入的气:~奄奄。❷ 气味:一阵芬芳的~从花丛中吹过来◇生活~|时代~。

【气象】qìxiàng 名 ❶ 大气的状态和现象,例如刮风、闪电、打雷、结霜、下雪等。❷ 气象学。❸ 情景;情况:一片新~。❹ 气派;气势:~宏伟。

【气象台】qìxiàngtái 名 对大气进行观测、研究并预报天气的机构。规模较小的还有气象站、气象哨等。

【气象万千】qìxiàng wànqiān 形容景色和事物种类多样,非常壮观。

【气象学】qìxiàngxué 名 研究天气现象和变化规律等的学科。20 世纪 60 年代发展为大气科学。

【气性】qì·xing 名 ❶ 脾气;性格:~温顺。❷ 指容易生气或生气后一时不易消除的性质:这孩子~大。

【气咻咻】qìxiūxiū (~的)形 状态词。气吁吁。

【气呼呼】qìxūxū (~的)形 状态词。形容大声喘气的样子。

【气虚】qìxū 形 中医指面色苍白,呼吸短促,四肢无力,常出虚汗的症状。

【气旋】qìxuán 名 直径达数百千米的空气旋涡。旋涡的中心是低气压区,风从四周向中心刮。气旋过境时往往降雨或降雪。

【气血】qìxuè 名 中医指人体内的精气和血液:~不衰。

【气压】qìyā 名 气体的压强,通常指大气的压强。

【气眼】qìyǎn 名 气孔③④。

【气焰】qìyàn 名 比喻威风气势(多含贬义):~万丈|~嚣张。

【气宇】qìyǔ 名 气度;气概:~不凡|~轩昂。

【气韵】qìyùn 名 文章或书法绘画的意趣或韵味:~生动|画面简洁,~无穷。

【气质】qìzhì 名 ❶ 指人的相当稳定的个性特点,如活泼、直爽、沉静、浮躁等。是高级神经活动在人的行动上的表现。❷ 风格;气度:革命者的~。

【气壮山河】qì zhuàng shān hé 形容气概像高山大河那样雄伟豪迈。

讫(訖) qì ❶ (事情)完结:收~|付~|验~。❷ 截止:起~。

迄 qì ❶ 到:~今。❷ 副 始终;一直(用于"未"或"无"前):~未见效|~无音信。

【迄今】qìjīn 动 到现在:自古~|~为止。

汔 qì 〈书〉副 庶几。

弃(棄) qì ❶ 放弃;扔掉:抛~|舍~|遗~|~权|~之可惜。❷ (Qì)名 姓。

【弃暗投明】qì àn tóu míng 离开黑暗,投向光明,比喻与黑暗势力断绝关系走向光明的道路。

【弃儿】qì'ér 名 被父母遗弃的小孩儿。

【弃妇】qìfù 〈书〉名 被丈夫遗弃的妇女。

【弃耕】qìgēng 动 放弃耕作:环境的恶化,导致~农田增多。

【弃甲曳兵】qì jiǎ yè bīng 丢掉铠甲,拖着兵器,形容打败仗逃跑时十分狼狈的样子。

【弃奖】qìjiǎng 动 放弃所得的奖金或奖品:逾期不兑奖者,将被视为~。

【弃旧图新】qì jiù tú xīn 抛弃旧的,谋求新的,多指由坏的转向好的,由邪路走上正路:翻然改悔,~。

【弃权】qì//quán 动 放弃权利(用于选举、表决、比赛等)。

【弃世】qìshì 〈书〉动 离开人世;去世。

【弃养】qìyǎng 〈书〉动 婉辞,指父母死亡。

【弃婴】qìyīng ❶ 勔 遗弃婴儿：～或溺婴都要追究法律责任。❷ 图 被遗弃的婴儿：领养～。

【弃置】qìzhì 勔 扔在一旁：～不顾｜～不用。

汽 qì 图❶ 液体或某些固体受热而变成的气体，例如水变成的水蒸气。❷ 特指水蒸气：～机｜～船。

【汽车】qìchē 图 一种交通工具，用内燃机做发动机，主要在公路上或马路上行驶，通常有四个或四个以上的轮子。

【汽船】qìchuán 图❶ 用蒸汽机做发动机的船，多指小型的。❷ 汽艇。

【汽锤】qìchuí 图 蒸汽锤的简称。

【汽灯】qìdēng 图 灯的一种，点着后，利用本身的热量把煤油变成蒸气，喷射在炽热的纱罩上，发出白色光。

【汽笛】qìdí 图 轮船、火车等装置的发声器，使蒸汽由气孔中喷出，发出大的声响。

【汽缸】qìgāng 图 内燃机或蒸汽机中装有活塞的部分，呈圆筒形。

【汽化】qìhuà 勔 液体变为气体。参看397页〖沸腾〗、1736页〖蒸发〗。

【汽化器】qìhuàqì 图 汽油机上的部件，作用是把汽油变成雾状，按一定比例和空气混合，形成供汽缸燃烧的混合气。也叫化油器。

【汽化热】qìhuàrè 图 单位质量的物质在温度不变的情况下，从液态变成气态时所吸收的热量，叫做这种物质的汽化热。

【汽酒】qìjiǔ 图 含有二氧化碳的酒，用某些水果酿成，有葡萄汽酒、菠萝汽酒等。

【汽轮机】qìlúnjī 图 涡轮机的一种，利用高压蒸汽推动叶轮转动，产生动力。转速高，功率大，较为经济。

【汽暖】qìnuǎn 图 锅炉烧出的蒸汽通过暖气设备散发热量而使室温增高的供暖方式。

【汽水】qìshuǐ （～儿）图 加一定压力，使二氧化碳溶于水中，加糖、果汁、香料等制成的冷饮料。

【汽艇】qìtǐng 图 用内燃机做发动机的小型船舰，速度高。也叫汽船、快艇、摩托艇。

【汽油】qìyóu 图 轻质石油产品的一类，由石油分馏或裂化得到。易挥发，容易燃烧，用作内燃机燃料、溶剂等。

【汽油机】qìyóujī 图 用汽油做燃料的内燃机。主要用作汽车的发动机。

妻 qì 〈书〉把女子嫁给（某人）。

炁 qì 同"气"。如"坎炁"（kǎnqì），中药上指干燥的脐带。

泣 qì ❶ 小声哭：暗～｜哭～｜～不成声。❷ 眼泪：饮～｜～下如雨。

【泣不成声】qì bù chéng shēng 哭得喉咙哽住，出不来声音，形容极度悲伤。

【泣诉】qìsù 勔 哭着诉说：呜咽～。

呕 qì 〈书〉勔 屡次：～来问讯。
另见637页 jí。

契（栔） qì ❶ 〈书〉用刀雕刻。❷ 〈书〉刻的文字：书～｜殷～。❸ 买卖房地产等的文书，也是所有权的凭证：地～｜房～。❹ 投合：～友｜默～｜投～。
另见1509页 Xiè。

【契丹】Qìdān 图 我国古代民族，是东胡的一支，在今辽河上游西剌木伦河一带，过着游牧生活。10世纪初耶律阿保机统一各族，建立契丹国。参看856页"辽²"。

【契合】qìhé ❶ 勔 符合：扮演屈原的那个演员，无论是表情还是服装都很～屈原的身份。❷ 圈 合得来；意气相投：他俩说话投机，感情～。

【契机】qìjī 图 指事物转化（多指向积极的方向）的关键：抓住～，扭转局面。

【契据】qìjù 图 契约、借据、收据等的总称。

【契税】qìshuì 图 指在土地、房屋所有权转移时向所有权承受者征收的税。

【契友】qìyǒu 图 情意相投的朋友。

【契约】qìyuē 图 证明出卖、抵押、租赁等关系的文书。

砌 qì ❶ 勔 用和（huó）好的灰泥把砖、石等一层层地垒起：堆～｜～墙｜～烟囱。❷ 台阶：雕栏玉～。
另见1103页 qiè。

跂 qì 〈书〉抬起脚后跟站着：～望。
另见1072页 qí。

葺 qì 〈书〉用茅草覆盖房顶，今指修理房屋：修～。

愒 qì 〈书〉同"憩"：小～。
另见555页 hè；760页 kài。

碛(磧) qì ❶ 沙石积成的浅滩。❷〈方〉沙漠。

碈 qì 〈方〉名 用石头砌的水闸：～闸｜截江筑～。

槭 qì 名 槭树，乔木或灌木，种类很多，叶子对生，秋季变成红色或黄色，结翅果。木材坚韧，可用来制造器具。

礋 qì 小礋(Xiǎoqì)，地名，在江西。礋头(Qìtóu)，地名，在福建。

器(噐) qì ❶ 器具：瓷～｜木～｜铁～｜～物。❷ 器官：消化～｜生殖～。❸ 度量：～量。❹ 才能；人才：大～晚成。❺〈书〉器重。

【器材】qìcái 名 器具和材料的合称：照相～｜无线电～｜铁路～。

【器官】qìguān 名 构成生物体的一部分，由数种细胞组织构成，能担任某种独立的生理机能，例如由上皮组织、结缔组织等构成的、有泌尿功能的肾脏。

【器件】qìjiàn 名 电子、电工仪器上能独立起控制变换作用的单元，常由几个元件组成，有时也指较大的元件。

【器具】qìjù 名 用具；工具。

【器量】qìliàng 名 气量；度量·～大。

【器皿】qìmǐn 名 某些盛东西的日常用具的统称，如缸、盆、碗、碟等。

【器物】qìwù 名 各种用具的统称。

【器械】qìxiè 名 ❶ 有专门用途的或构造较精密的器具：体育～｜医疗～。❷ 武器。

【器械体操】qìxiè tǐcāo 凭借体育器械(如单杠、鞍马、平衡木等)做的体操。

【器宇】qìyǔ〈书〉名 人的外表；风度：～不凡｜～轩昂。

【器乐】qìyuè 名 用乐器演奏的音乐(区别于"声乐")。

【器质】qìzhì 名 ❶ 指身体器官的组织结构：～性病变。❷〈书〉才识和素质；资质：非凡的～｜～深厚。

【器重】qìzhòng 动 (长辈对晚辈，上级对下级)看重；重视：他的工作能力强，对自己要求严，领导上很～他。

憩(憇) qì〈书〉休息：小～｜同作同～。

【憩室】qìshì 名 心脏、胃、肠、气管、喉头等器官上因发育异常而形成的囊状或袋状物。

【憩息】qìxī〈书〉动 休息：～片刻。

---

qiā 〈ㄑㄧㄚ〉

掐 qiā ❶ 动 用指甲按；用拇指和另一个指头使劲捏或截断：～两下也可以止痒｜不要～公园里的花儿｜把豆芽菜的须子～一～。❷ 动 用手的虎口紧紧按住：一把～住。❸（～儿）〈方〉量 拇指和另一手指尖相对握着的数量：一～儿韭菜。

【掐诀】qiājué 动 和尚、道士念咒时用拇指指着其他指头的关节：～念咒。

【掐算】qiāsuàn 动 用拇指掐着别的指头来计算。

【掐头去尾】qiā tóu qù wěi 除去前头后头两部分，也比喻除去无用的或不重要的部分。

袷 qiā [袷袢](qiāpàn)名 维吾尔、塔吉克等民族所穿的对襟长袍。另见 655 页 jiá"夹"。

葜 qiā 见 19 页[菝葜]。

齘(齘) qiā 动 咬，比喻相斗：～架。另见 776 页 kè。

---

qiá 〈ㄑㄧㄚˊ〉

抲 qiá 动 用两手掐住：～着腰。

---

qiǎ 〈ㄑㄧㄚˇ〉

卡 qiǎ ❶ 动 夹在中间，不能活动：鱼刺～在嗓子里。❷ 动 把人或财物留住(不肯调拨或发给)；阻挡：会计对不必要的开支～得很紧｜～住敌人的退路。❸ 动 用手的虎口紧紧按住：～脖子。❹ 卡子①：发～。❺ 名 卡子②：税～｜关～｜设～。❻ (Qiǎ)名 姓。另见 753 页 kǎ。

【卡脖子】qiǎ bó·zi 用双手掐住别人的脖子，多比喻抓住要害，置对方于死地：～旱(农作物秀穗时遭受的干旱)。

【卡具】qiǎjù 名 夹具。

【卡壳】qiǎ//ké 动 ❶ 枪膛、炮膛里的弹壳退不出来。❷ 比喻办事等遇到困难而暂时停顿。❸ 比喻人说话中断，说不出来：他说着说着就～了。

【卡子】qiǎ·zi 名❶ 夹东西的器具：头发～。❷ 为收税或警备而设置的检查站或岗哨。

qià（ㄑㄧㄚˋ）

洽 qià ❶ 和睦；相互协调一致：融～|意见不～。❷ 商量；接洽：～借|～妥|面～。❸ 广博，周遍：博识～闻。

【洽购】qiàgòu 动 商洽购买：～版权|其他设备正在～之中。

【洽商】qiàshāng 动 接洽商谈：～有关事宜。

【洽谈】qiàtán 动 洽商：～生意。

恰 qià ❶ 恰当：措辞不～。❷ 副 恰恰；正：～到好处|～如其分。

【恰当】qiàdàng 形 合适；妥当：这篇文章里有些字眼儿用得不～|事情处理得很～。

【恰到好处】qià dào hǎo chù （说话、办事等）正好达到适当的地步。

【恰好】qiàhǎo 副 正好；刚好：你来得～，我正要找你去呢|你看的那本书～我这里有。

【恰恰】qiàqià¹ 副 刚好；正：～相反|我跑到那里～十二点。

【恰恰】qiàqià² 名 拉丁舞的一种，源于墨西哥。4/4拍，舞曲节奏轻快，胯部摆动明显，舞姿诙谐风趣。[英 cha-cha]

【恰巧】qiàqiǎo 副 恰好；凑巧：他正愁没人帮他卸车，～这时候老张来了。

【恰如】qiàrú 动 正好像：晚霞～一幅图画。

【恰如其分】qià rú qí fèn 办事或说话正合分寸：～的批评|措辞～。

【恰似】qiàsì 动 恰如：这消息～晴天霹雳，令人十分震惊。

落 qià [落草]（qiàcǎo）名 多年生草本植物，秆直立，簇生，叶片狭窄，灰绿色，圆锥花序。是良好的牧草。

髂 qià [髂骨]（qiàgǔ）名 腰部下面腹部两侧的骨，左右各一，略呈方形，上缘略呈弓形，下缘与耻骨和坐骨相连而形成髋骨。（图见490页"人的骨骼"）

qiān（ㄑㄧㄢ）

千¹ qiān ❶ 数 十个百：亩产～斤。❷ 表示很多：～方百计。❸（Qiān）名 姓。

千²（韆） qiān 见1121页〖秋千〗。

【千层底】qiāncéngdǐ （～儿）名 用若干层袼褙重叠起来制成的鞋底。

【千疮百孔】qiān chuāng bǎi kǒng 见29页〖百孔千疮〗。

【千锤百炼】qiān chuí bǎi liàn ❶ 比喻多次的斗争和考验。❷ 比喻对诗文等做多次的精细修改。

【千儿八百】qiān·er-bābǎi 〈口〉一千或比一千略少：～人|一块钱。

【千方百计】qiān fāng bǎi jì 形容想尽或用尽种种方法。

【千分表】qiānfēnbiǎo 名 一种精度很高的量具。参看28页〖百分表〗。

【千分尺】qiānfēnchǐ 名 利用螺旋原理制成的精度很高的量具。参看29页〖百分尺〗。

【千分点】qiānfēndiǎn 名 统计学上指以千分数形式表示的不同时期相对指标的变动幅度，千分之一为一个千分点。

【千分号】qiānfēnhào 名 表示分数的分母是1 000的符号（‰），如千分之三写作3‰。

【千分数】qiānfēnshù 名 分母是1 000的分数，通常用千分号来表示，如 $\frac{19}{1\ 000}$ 写作19‰。

【千夫】qiānfū〈书〉名 指众多的人：～所指（为众人所指责）。

【千古】qiāngǔ ❶ 名 长远的年代：～奇闻|～绝唱。❷ 动 婉辞，哀悼死者，表示永别（多用于挽联、花圈等的上款）。

【千斤】qiānjīn 数量词。比喻责任重：～重担|～重（zhòng）担。

【千斤】qiān·jin 名❶ 千斤顶的简称。❷ 机器中防止齿轮倒转的装置，由安置在轴上的有齿零件和弹簧等组成。

【千斤顶】qiānjīndǐng 名 一种顶起重物的工具，常用的有液压式和螺旋式两种。简称千斤（qiān·jin）。

【千金】qiānjīn 名❶ 指很多的钱：～难

买。❷ 比喻贵重；珍贵：一字～|～之躯。❸ 敬辞，称别人的女儿。

【千钧一发】 qiān jūn yī fà 千钧的重量系在一根头发上，比喻极其危险(钧：古代重量单位，一钧等于三十斤)。也说一发千钧。

【千克】 qiānkè 量 质量或重量单位，符号 kg。1 千克等于1 000克，合 2 市斤。

【千里鹅毛】 qiān lǐ émáo 谚语："千里送鹅毛，礼轻情意重。"从很远的地方带来极轻微的礼物，表示礼轻情意重。

【千里马】 qiānlǐmǎ 名 指骏马，比喻有才干的人才。

【千里眼】 qiānlǐyǎn 名 ❶ 旧小说中指能看到很远地方的人。❷ 旧时称望远镜。

【千里之堤，溃于蚁穴】 qiān lǐ zhī dī, kuì yú yǐxué 千里长的大堤，由于小小的一个蚂蚁洞而溃决。比喻小事不注意，就会出大问题(语本《韩非子·喻老》："千丈之堤，以蝼蚁之穴溃"。)。

【千里之行，始于足下】 qiān lǐ zhī xíng, shǐ yú zú xià 一千里的路程是从迈第一步开始的，比喻事情的成功都是由小到大逐渐积累的(语出《老子》六十四章)。

【千粒重】 qiānlìzhòng 名 1 000粒种子的重量。表示种子的饱满程度。用来鉴定种子的品质，估计农作物的产量。

【千虑一得】 qiān lǜ yī dé 《史记·淮阴侯列传》："智者千虑，必有一失；愚者千虑，必有一得。""千虑一得"指平凡的人的考虑也会有可取的地方。也用为发表意见时自谦的话。

【千虑一失】 qiān lǜ yī shī 指聪明人的考虑也会有疏漏的地方。参看〖千虑一得〗。

【千米】 qiānmǐ 量 长度单位，符号 km。1 千米等于1 000米。

【千篇一律】 qiān piān yī lǜ 指诗文公式化，泛指事物只有一种形式，毫无变化。

【千奇百怪】 qiān qí bǎi guài 形容事物奇异而多样。

【千秋】 qiānqiū 名 ❶ 一千年，泛指很久的时间：～万代|～功过。❷ 敬辞，称人寿辰。

【千岁】 qiānsuì 名 封建时代尊称王公等(多见于旧小说、戏曲)：～爷。

【千瓦】 qiānwǎ 量 功率单位，符号 kW。1 千瓦等于1 000瓦。旧作瓩。

【千万】 qiānwàn 副 务必(表示恳切叮咛)；～不可大意|这件事你～记着。

【千…万…】 qiān… wàn… ❶ 形容非常多：～山～水(形容道路遥远而险阻)|～军～马(形容雄壮的队伍和浩大的声势)|～秋～岁|～头～绪|～丝～缕(形容关系非常密切)|～言～语|～呼～唤|～变～化|～辛～苦|～差～别。❷ 表示强调：～真～确|～难～难。

【千载难逢】 qiān zǎi nán féng 一千年也难得遇到，形容机会难得。

【千载一时】 qiān zǎi yī shí 一千年才有这么一个时机，形容机会难得。

【千张】 qiān·zhang 名 食品，是一种薄的豆腐干片。

【千姿百态】 qiān zī bǎi tài 形容姿态多种多样，各不相同。

仟 qiān 数 "千"的大写。

阡 qiān 〈书〉❶ 田地中间南北方向的小路：～陌。❷ 通往坟墓的道路。

【阡陌】 qiānmò 〈书〉名 田地中间纵横交错的小路：～纵横|～交通。

扦 qiān ❶ (～儿)扦子①：蜡～儿。❷ 打①②。❸❹〈方〉动 插：～门|把花～在瓶里。❹〈方〉动 修(脚)；削：～脚|～苹果。

【扦插】 qiānchā 动 截取植物的根、茎、叶等的一段插在土壤里，使长成新的植株。

【扦子】 qiān·zi 名 ❶ 金属、竹子等制成的针状物或主要部分是针状的器物：铁～|竹～。❷ 插进装着粉末状或颗粒状货物的麻袋等从里面取出样品的金属器具，形状像中空的山羊角。也叫签筒。

芊 qiān 见下。

【芊眠】 qiānmián 同"芊绵"。

【芊绵】 qiānmián 〈书〉形 草木茂密繁盛。也作芊眠。

【芊芊】 qiānqiān 〈书〉形 草木茂盛：青草～。

迁(遷) qiān ❶ 动 迁移：～居|～葬|拆～|他家～到外地去了。❷ 转变：变～|事过境～。❸〈书〉调动官职：左～。

【迁都】 qiān//dū 动 迁移国都。

【迁飞】 qiānfēi 动 某些鸟类或昆虫离开原来生活的地方，成群飞到较远的地方去。

吟)；～不可大意|这件事你～记着。

【迁建】qiānjiàn 劻 迁移后重建：～古庙｜移民～工程。

【迁就】qiānjiù 劻 将就别人：坚持原则，不能～你越～他，他越贪得无厌。也作牵就。

【迁居】qiānjū 劻 搬家：～外地。

【迁流】qiānliú 〈书〉劻 迁移流动：岁月～｜世事～｜～无定。

【迁怒】qiānnù 劻 把对甲的怒气发到乙身上，或自己不如意时跟别人生气：～于人。

【迁徙】qiānxǐ 劻 迁移：人口～｜候鸟随气候变化而～。

【迁延】qiānyán 劻 拖延：～时日。

【迁移】qiānyí 劻 离开原来的所在地而另换地点：～户口｜工厂由城内～到郊区◇随着时间的～，这件事逐渐被淡忘了。

瓩
岍
qiānwǎ 量 千瓦旧也作瓩。

Qiān 岍山，山名，在陕西。今作千山。

佥¹（僉）
qiān〈书〉副 全；都：～同（一致赞成）。

佥²（僉）
qiān 同"签"。

汧
Qiān 汧河，水名，在陕西，今作千河。汧阳（Qiānyáng），地名，在陕西，今作千阳。

钎（釬）
qiān 钎子：钢～。

【钎子】qiān·zi 名 在岩石上凿孔的工具，用六角、八角或圆形的钢棍制成，有的头上有刃，用压缩空气旋转的钎子当中是空的。

牵（牽）
qiān ❶劻 拉着使行走或移动：～引｜～着一头牛往地里走。❷ 牵涉：～连｜～制。❸（Qiān）名姓。

【牵缠】qiānchán 劻 牵扯；纠缠：家事～｜这件事～了许多人。

【牵肠挂肚】qiān cháng guà dù 形容非常挂念，很不放心。

【牵扯】qiānchě 劻 牵连；有联系：别把～进去｜这两件事～不到一块儿。

【牵掣】qiānchè 劻 ❶ 因牵连而受影响或阻碍：互相～｜抓住主要问题，不要被枝节问题～住。❷ 牵制。

【牵动】qiāndòng 劻 ❶ 因一部分的变动而使其他部分跟着变动：～全局。❷ 触

动：一谈到上海，就～了他的乡思。

【牵挂】qiānguà 劻 挂念：爸爸妈妈嘱咐他在外边要好好工作，家里的事不用～。

【牵记】qiānjì 劻 牵挂；惦念：老奶奶～着出门在外的孙子。

【牵就】qiānjiù 同"迁就"。

【牵累】qiānlěi 劻 ❶ 因牵制而使受累：家务～。❷ 因牵连而使受累；连累：～无辜。

【牵连】qiānlián 劻 ❶ 因某个人或某件事产生的影响而使别的人或别的事不利：清朝的几次文字狱都～了很多人。❷ 联系在一起：这两件事是互相～的，一定要妥善处理。

【牵念】qiānniàn 劻 挂念：时时～远方的亲人。

【牵牛花】qiānniúhuā 名 一年生草本植物，缠绕茎，叶心脏形，通常三裂，有长柄，花冠喇叭形，紫红、蓝色或白色，蒴果球形。种子黑色，可入药。通称喇叭花。

【牵牛星】qiānniúxīng 名 天鹰座中最亮的一颗星，是一等星，隔银河与织女星相对。通称牛郎星。

【牵强】qiānqiǎng 形 勉强把两件没有关系或关系很远的事物拉在一起：～附会｜这条理由有些～。

【牵强附会】qiānqiǎng fùhuì 把关系不大的事物勉强地扯在一起；勉强比附。

【牵涉】qiānshè 劻 一件事情关联到其他的事情或人：这案件～到很多人。

【牵手】qiānshǒu 劻 ❶（－∥－）手拉着手。❷ 比喻共同做某事；联手：两大航空公司～开辟新的航线。

【牵头】qiān∥tóu 劻 出面临时负责某事；领头：由研究所～，几个大学参加，承担了国家的重点课题｜这件事你来牵个头吧。

【牵线】qiān∥xiàn 劻 ❶ 耍木偶牵引提线，比喻在背后操纵。❷ 撮合；介绍①：他们俩谈恋爱是我牵的线。

【牵线搭桥】qiān xiàn dā qiáo 比喻从中撮合，使建立某种关系。

【牵一发而动全身】qiān yī fà ér dòng quán shēn 比喻动一个极小的部分就影响全局。

【牵引】qiānyǐn 劻（机器或牲畜）拉（车辆、农具等）：机车～车厢前进｜在甘肃河西走廊，可以见到骆驼～的大车。

【牵制】qiānzhì 劻 拖住使不能自由活动

（多用于军事）：我军用两个团的兵力～了敌人的右翼。

铅（鉛） qiān 名 ❶ 金属元素，符号 Pb（plumbum）。银白略带蓝色，质软而重，延性弱，展性强，容易氧化。用来制合金、蓄电池、电缆的外皮等。❷ 铅笔芯。

另见 1567 页 yán。

【铅版】qiānbǎn 名 把铅合金熔化后灌入纸型压成的印刷版。

【铅笔】qiānbǐ 名 用石墨或加颜料的黏土做笔芯的笔。

【铅笔画】qiānbǐhuà 名 用铅笔绘成的画。描绘方法和木炭画类似，但较木炭画明暗层次更分明，笔法更细致。

【铅垂线】qiānchuíxiàn 名 把铅锤或其他重锤悬挂于细线上，使它自由下垂，沿下垂方向的直线叫做铅垂线。铅垂线与水平面相垂直。

【铅灰】qiānhuī 形 像铅一样的浅灰色：～的天空飘着雪花。

【铅球】qiānqiú 名 ❶ 田径运动项目之一，运动员用手托住铅球，然后用力推出去。❷ 田径运动使用的投掷器械之一，球形，用铁或铜做外壳，中心灌铅。

【铅丝】qiānsī 名 镀锌的铁丝，不易生锈。因颜色像铅，所以叫铅丝。

【铅印】qiānyìn 动 印刷方法的一种，用铅字排版印刷，大量印刷时，排版后制成纸型，再浇制铅版。

【铅字】qiānzì 名 用铅、锑、锡合金铸成的印刷或打字用的活字。

悭（慳） qiān ❶ 吝啬。❷ 缺欠：缘一面（缺少一面之缘）。

【悭吝】qiānlìn 形 吝啬；小气：～鬼。

谦（謙） qiān 谦虚：～恭｜～让｜自～｜满招损，～受益。

【谦卑】qiānbēi 形 谦虚，不自高自大（多用于晚辈对长辈）。

【谦称】qiānchēng ❶ 动 谦虚地称说：张老常常～自己为小学生。❷ 名 表示谦虚的称谓，如"敝人、舍下"等。

【谦辞】[1] qiāncí 名 表示谦虚的言辞，如"过奖、不敢当"等。

【谦辞】[2] qiāncí 动 谦让推辞：大家诚意推举你，你就别～了。

【谦恭】qiāngōng 形 谦虚而有礼貌。

【谦和】qiānhé 形 谦虚和蔼：为人～。

【谦谦君子】qiānqiān jūnzǐ 指谦虚谨慎、能严格要求自己、品格高尚的人。

【谦让】qiānràng 动 谦虚地不肯担任，不肯接受或不肯占先：您当发起人最合适，不必～了｜客人互相～了一下，然后落了座。

【谦顺】qiānshùn 形 谦虚恭顺：态度～。

【谦虚】qiānxū ❶ 形 虚心，不自满，肯接受批评：～谨慎。❷ 动 说谦虚的话：他～了一番，终于答应了我的请求。

【谦逊】qiānxùn 形 谦虚恭谨。

签[1]（簽） qiān 动 ❶ 为了表示负责而在文件、单据上亲自写上姓名或画上记号：～发｜～押｜请你～个字。❷ 用比较简单的文字提出要点或意见：～呈｜领导在报告上～了意见。

签[2]（籤、簽） qiān ❶ （～儿）名 上面刻着文字符号用于占卜或赌博、比赛等的细长小竹片或小细棍：抽～儿｜求～（送信）。❷ （～儿）名 作为标志用的小条儿：标～儿｜书～儿｜在书套上贴一个浮～儿。❸ （～儿）名 竹子或木材削成的有尖儿的小棍子：牙～儿。❹ 动 粗粗地缝合：～上贴边。

【签单】qiān//dān 动 购物、用餐等消费后，不付现款，在单据上签署姓名，作为日后结账的凭据。

【签到】qiān//dào 动 参加会议等或上班时在簿子上写上名字或在印就的名字下面写个"到"字，表示已经到了：～簿。

【签订】qiāndìng 动 订立条约或合同并签字：两国～贸易协定书和支付协定。

【签发】qiānfā 动 由主管人审核同意后，签名正式发出（公文、证件）：施工单位～工程任务单｜～护照。

【签名】qiān//míng 动 写上自己的名字。

【签批】qiānpī 动 签署批准：所需经费由主管经理～。

【签收】qiānshōu 动 收到公文信件等后，在送信人指定的单据上签字，表示已经收到：～文件｜挂号信须由收件人～。

【签售】qiānshòu 动 （作者、演唱者等）签名销售自己的著作、音像制品等：音像商场举办专场～活动。

【签署】qiānshǔ 动 在重要文件上正式签字：～联合公报。

【签筒】qiāntǒng 名 ❶ 一种竹筒，装占卜或赌博用的签子。❷ 扦子②。

【签押】qiānyā 勔 旧时在文书上签名或画记号，表示负责。

【签约】qiānyuē 勔 签订合约或条约。

【签证】qiānzhèng ❶ 勔 指一国主管机关在本国或外国公民所持的护照或其他旅行证件上签注、盖印，表示准其出入本国国境。❷ 名 指经过上述手续的护照或证件。

【签注】qiānzhù 勔 ❶ 在文稿或书籍中贴上或夹上纸条，写出可供参考的材料。今多指在送首长批阅的文件上，由经办人注出拟如何处理的初步意见。❷ 在证件表册上批注意见或有关事项。

【签子】qiān·zi〈口〉名 签²①③。

【签字】qiān∥zì 勔 在文件上写上自己的名字，表示负责。

愆 qiān〈书〉❶ 名 罪过；过失：～尤｜前～。❷ 错过(时期)。

【愆期】qiānqī〈书〉勔 延误日期。

【愆尤】qiānyóu〈书〉名 过失；罪过。

鸰（鸰） qiān 勔（尖嘴的鸟）啄：别让鸡～了地里的麦穗。

骞（騫） qiān ❶〈书〉高举。❷ 同"搴"。❸（Qiān）名 姓。

搴 qiān ❶〈书〉拔：斩将～旗。❷ 同"褰"。

磏 qiān 大磏(Dàqiān)，地名，在贵州。另见848页lián。

臀 qiān 同"愆"。

褰 qiān〈书〉撩起；揭起(衣服、帐子等)。

---

qián（ㄑㄧㄢˊ）

荨（蕁、蕁） qián [荨麻](qián-má) 名 ❶ 多年生草本植物，叶子对生，卵形，开穗状小花，茎和叶子都有细毛，皮肤接触时能引起刺痛。茎皮纤维可以做纺织原料。❷ 这种植物的茎皮纤维。

另见1553页xún。

钤（鈐） qián ❶ 图章。❷ 盖(图章)：～印。❸〈书〉锁，比喻管束：～束。

【钤记】qiánjì 名 旧时机关团体使用的图章，多为长形，不及印或关防郑重。

前 qián ❶ 在正面的(指空间，跟"后"相对)：～门｜村～村后。❷ 往前走：勇往直～｜畏缩不～。❸ 名 方位词。次序靠近头里的(跟"后"相对)：一排｜他的成绩在班里总是～三名。❹ 名 方位词。过去的；较早的(指时间，跟"后"相对)：～天｜从～｜～几年｜功尽弃｜～所未有｜～无古人，后无来者。❺ 名 方位词。从前的(指现在改变了名称的机构等)：～政务院。❻ 名 方位词。指某事物产生之前：～科学(科学产生之前)｜～资本主义(资本主义产生之前)。❼ 名 方位词。未来的(用于展望)：～程｜～景｜事情要往～看，不要往后看。❽ 前线；前方：支～。❾（Qián）名 姓。

【前半晌】qiánbànshǎng（～儿）〈方〉名 上午。也说上半晌。

【前半天】qiánbàntiān（～儿）名 时间词。上午。也说上半天。

【前半夜】qiánbànyè 名 时间词。从天黑到半夜的一段时间。也说上半夜。

【前辈】qiánbèi 名 年长的，资历深的人。

【前臂】qiánbì 名 胳膊上由肘至腕的部分。(图见1209页"人的身体")

【前边】qián·bian（～儿）名 方位词。前面。

【前车之鉴】qián chē zhī jiàn《汉书·贾谊传》："前车覆，后车诫。"比喻当做鉴戒的前人的失败教训。

【前尘】qiánchén〈书〉名 指从前的或从前经历的事：回首～。

【前程】qiánchéng 名 ❶ 前途：锦绣～｜～远大。❷ 旧时指读书人或官员企求的功名职位。

【前导】qiándǎo ❶ 勔 在前面引路。❷ 名 在前面引路的人或事物。

【前敌】qiándí 名 前方面对敌人的地方：身临～｜～指挥部。

【前额】qián'é 名 额，因位于头的前部，所以叫前额。

【前方】qiánfāng 名 ❶ 方位词。前面①：他的目光注视着～。❷ 接近战线的地区(跟"后方"相对)：支援～｜开赴～。

【前房】qiánfáng 名 称死去的妻子(区别于现在的妻子)。

【前锋】qiánfēng 名❶ 先头部队:红军的～渡过了大渡河。❷ 篮球、足球等球类比赛中主要担任进攻的队员。

【前夫】qiánfū 名 死去的或离了婚的丈夫(区别于现在的丈夫)。

【前俯后仰】qián fǔ hòu yǎng 前仰后合。

【前赴后继】qián fù hòu jì 前面的人上去,后面的人就跟上去,形容奋勇前进,连续不断。

【前功尽弃】qián gōng jìn qì 以前的成绩全部废弃,指以前的努力完全白费。

【前汉】Qián Hàn 名 西汉。

【前后】qiánhòu 名 方位词。❶ 比某一特定时间稍早或稍晚的一段时间:国庆节～。❷ (时间)从开始到末了:这项工程从动工到完成～仅用了半年时间。❸ 在某一种东西的前面和后面:村子的～各有一条公路。

【前…后…】qián…hòu… ❶ 表示两种事物或行为在空间或时间上一先一后:～街～巷|～因～果|～思～想|～呼～拥|倨～恭(形容对人态度前后截然不同;倨:傲慢)。❷ 表示动作的向前向后:～俯～仰|～仰～合。

【前后脚儿】qiánhòujiǎor 〈口〉副 ❶ 指两个人或几个人离去或到来的时间很接近:我们俩～进的门。❷ 指两件事情相继发生(强调相隔的时间不长):她们俩是～结的婚。

【前脚】qiánjiǎo (～儿)❶ 名 迈步时在前面的一只脚:～一滑,后脚也站不稳。❷ 副 与"后脚"连说时表示在别人前面(时间上很接近):我～进大门,他后脚就赶到了。

【前襟】qiánjīn 名 上衣、袍子等前面的部分。

【前进】qiánjìn 动 向前行动或发展。

【前景】¹ qiánjǐng 名 图画、舞台、银幕、屏幕上看上去离观者最近的景物。

【前景】² qiánjǐng 名 将要出现的景象:大丰收的～令人欣喜。

【前科】qiánkē 名 曾被判处有期徒刑刑罚并已执行完毕的人又犯新罪,其前罪的处刑事实叫做前科。

【前例】qiánlì 名 可以供后人援用或参考的事例:史无～|这件事情有～可援。

【前列】qiánliè 名 最前面的一列,比喻带头或领先的地位;站在斗争的最～。

【前列腺】qiánlièxiàn 名 男子和雄性哺乳动物生殖器官的一个腺体,人体在膀胱的下面,大小和形状跟栗子相似,所分泌的液体是精液的一部分。

【前面】qián·miàn (～儿)名 方位词。❶ 空间或位置靠前的部分:亭子～有一棵松树|～陈列的都是新式农具。❷ 次序靠前的部分;文章或讲话中先于现在所叙述的部分:这个道理,～已经讲得很详细了。

【前年】qiánnián 名 时间词。去年的前一年。

【前怕狼后怕虎】qián pà láng hòu pà hǔ 形容顾虑重重,畏缩不前。也说前怕龙后怕虎。

【前仆后继】qián pū hòu jì 前面的人倒下了,后面的人继续跟上去,形容英勇奋斗,不怕牺牲。

【前妻】qiánqī 名 死去的或离了婚的妻子(区别于现在的妻子)。

【前期】qiánqī 名 某一时期的前一阶段:～工程。

【前愆】qiánqiān 〈书〉名 以前的过失:追悔～。

【前驱】qiánqū 名 在前面起引导作用的人或事物:革命～。

【前儿】qiánr 〈口〉名 时间词。前天。也说前儿个。

【前人】qiánrén 名 古人;以前的人:～种树,后人乘凉|我们现在进行的伟大事业,是～所不能想象的。

【前任】qiánrèn 名 在担任某项职务的人之前担任这个职务的人:老张是他的～|他是工会的～主席。

【前日】qiánrì 名 时间词。前天。

【前晌】qiánshǎng 〈方〉名 上午。

【前哨】qiánshào 名 向敌军所在方向派出的警戒小分队。

【前身】qiánshēn 名 ❶ 本为佛教用语,指前世的身体,今指事物演变中原来的组织形态或名称等:人民解放军的～是工农红军。❷ (～儿)上衣、袍子等前面的部分;前襟。

【前生】qiánshēng 名 前世。

【前世】qiánshì 名 迷信指人生的前一辈子。

【前事不忘,后事之师】qián shì bù wàng, hòu shì zhī shī 《战国策·赵策一》:"前事

之不忘,后事之师。"指记住过去的经验教训,可以作为以后的借鉴。

【前所未有】qián suǒ wèi yǒu 历史上从来没有过:~的规模。

【前台】qiántái 图❶剧场中在舞台之前的部分。演出的事务工作属于前台的范围。❷舞台面对观众的部分,是演员表演的地方。❸比喻公开的地方(含贬义):他只是在~表演,背后还有人指挥。❹指酒店、旅馆、歌舞厅等负责接待、登记、结账工作的柜台。

【前提】qiántí 图❶在推理上可以推出另一个判断来的判断,如三段论中的大前提、小前提。❷事物发生或发展的先决条件。

【前天】qiántiān 图时间词。昨天的前一天。

【前庭蜗神经】qiántíngwō-shénjīng 第八对脑神经,从脑桥和延髓之间发出,分布在内耳,主管听觉和身体平衡的感觉。也叫位听神经。

【前头】qián·tou 图方位词。前面。

【前途】qiántú 图原指前面的路程,比喻将来的光景:光明的~|~远大。

【前往】qiánwǎng 动前去;去:起程~|陪同~。

【前卫】qiánwèi ❶图军队行军时在前方担任警戒的部队。❷图足球、手球等球类比赛中担任助攻与助守的队员,位置在前锋与后卫之间。❸形具有新异的特点而领先于潮流的:~作品|~的服装。

【前无古人】qián wú gǔ rén 前人从来没有做过的;空前:他们创造了~的奇迹。

【前夕】qiánxī 图❶前一天的晚上:国庆节的~。❷比喻事情即将发生的时刻:大决战的~。

【前贤】qiánxián 〈书〉图有才德的前辈。

【前嫌】qiánxián 图以前的嫌隙:~冰释|捐弃~。

【前线】qiánxiàn 图作战时双方军队接近的地带(跟"后方"相对)。

【前言】qiányán 图❶写在书前或文章前面类似序言或导言的短文;引言。❷前面说过的话:~不搭后语。

【前沿】qiányán 图❶防御阵地最前面的边沿:~阵地。❷比喻科学研究中最新或领先的领域。

【前仰后合】qián yǎng hòu hé 形容身体前后晃动(多指大笑时)。也说前俯后合、前俯后仰。

【前夜】qiányè 图前夕:激战~。

【前因后果】qiányīn hòuguǒ 事情的起因和其后的结果,指事情的全过程。

【前瞻】qiánzhān 动❶向前面看:极目~。❷展望,预测:~性。

【前站】qiánzhàn 图行军或集体出行时将要停留的地点或将要到达的地点。参看246页【打前站】。

【前兆】qiánzhào 图某些事物在将要暴露或发作之前的一些征兆:由于地球内部地质结构千差万别,各地出现的地震~也不尽相同。

【前震】qiánzhèn 图大地震之前发生的小地震。

【前肢】qiánzhī 图昆虫或有四肢的脊椎动物身体前面靠近头部的两条腿。

【前缀】qiánzhuì 图加在词根前面的构词成分,如"老鼠、老虎"里的"老","阿姨"里的"阿"。也叫词头。

【前奏】qiánzòu 图❶前奏曲。❷比喻事情的先声。

【前奏曲】qiánzòuqǔ 图大型器乐曲的序曲,是为大型乐曲创造气氛的短小器乐曲,一般跟整部乐曲有统一的情调。

虔

虔 qián 恭敬:~诚|~心。

【虔诚】qiánchéng 形恭敬而有诚意(多指宗教信仰):~的信徒。

【虔敬】qiánjìng 形恭敬:态度~。

【虔心】qiánxīn ❶图虔诚的心:一片~。❷形虔诚:~忏悔。

钱¹(錢)

钱¹(錢) qián 图❶铜钱:一个~|一串儿。❷图货币:银~|一块~。❸图款子:饭~|车~|买书的~|一笔~。❹图钱财:有~|有势。❺(~儿)形状像铜钱的东西:纸~|榆~儿。❻(Qián)图姓。

钱²(錢)

钱²(錢) qián 量重量单位,10分等于1钱,10钱等于1两。1市钱合5克。

【钱包】qiánbāo (~儿)图装钱用的小包儿,多用皮革、塑料等制成。

【钱币】qiánbì 图钱(多指金属的货币)。

【钱财】qiáncái 图金钱。

【钱串子】qiánchuàn·zi 名 ❶ 穿铜钱的绳子，比喻过分看重金钱的人。❷ 节肢动物，身体细长，约3—6厘米，由许多环节构成，每个环节有一对细长的脚，触角很长。生活在墙角、石缝等潮湿的地方，吃小虫。也叫钱龙。

【钱谷】qiángǔ 名 ❶ 货币和谷物。❷ 清代指地方上财政方面的事务：～师爷。

【钱款】qiánkuǎn 名 数量较多或有专项用途的钱；款子：筹集～。

【钱粮】qiánliáng 名 ❶ 旧时指田赋：完～。❷ 钱谷②：～师爷。

【钱龙】qiánlóng 名 钱串子②。

【钱眼】qiányǎn （～儿）名 铜钱当中的方孔：钻～儿(形容人贪财好利)。

【钱庄】qiánzhuāng 名 旧时由私人经营的以存款、放款、汇兑为主要业务的金融业商店。

钳（鉗、箝、²拑）qián ❶ 名 钳子①：老虎～｜～形攻势。❷ 动 用钳子夹：钉子太小，～不住。❸ 限制；约束：～制｜～口结舌。

【钳工】qiángōng 名 ❶ 以锉、钻、铰刀等手工工具为主进行机器装配和零部件修整的工作。❷ 做这种工作的技术工人。

【钳击】qiánjī 动 夹击：两翼～。

【钳口结舌】qián kǒu jié shé 形容不敢说话。

【钳制】qiánzhì 动 用强力限制，使不能自由行动：～言论｜～住敌人的兵力。

【钳子】qián·zi 名 ❶ 用来夹住或夹断东西的器具。❷ 〈方〉耳环。

捐 qián 〈方〉动 用肩扛(东西)：～着行李到车站去。

【捐客】qiánkè 名 指替人介绍买卖，从中赚取佣金的人◇政治～。

乾 qián ❶ 名 八卦之一，卦形是"☰"，代表天。参看16页〖八卦〗。❷ 旧时称男性的：～造(婚姻中的男方)｜～宅(婚姻中的男家)。❸ (Qián)名 姓。

　　另见438页 gān "干⁵"。

【乾坤】qiánkūn 名 象征天地、阴阳等：扭转～(根本改变已成的局面)。

【乾隆】Qiánlóng 名 清高宗(爱新觉罗·弘历)年号(公元1736—1795)。

轩 qián 骊轩(Líqián)，汉朝县名，在今甘肃永昌。

犍 qián 犍为(Qiánwéi)，地名，在四川。

　　另见664页 jiān。

堎 qián 车路堎(Chēlùqián)，地名，在台湾省。

潜（潛）qián ❶ 动 隐在水下：～泳｜～到海底。❷ 隐藏；不露在表面：～伏｜～流｜移默化。❸ 秘密地：～逃。❹ 指潜力：革新挖～。❺ (Qián)名 姓。

【潜藏】qiáncáng 动 隐藏：～在心里的痛苦｜把～的坏人清除出去。

【潜伏】qiánfú 动 隐藏；埋伏：～着危险。

【潜伏期】qiánfúqī 名 病毒或细菌等病原体侵入人体后，要经过一定的时期才发病，这段时期，医学上叫做潜伏期。

【潜航】qiánháng 动 在水下航行：潜艇连续～了二十天。

【潜居】qiánjū 动 隐居：～乡间。

【潜亏】qiánkuī 动 潜在亏损：下大力气解决企业的～问题。

【潜力】qiánlì 名 潜在的力量：挖掘～。

【潜流】qiánliú 名 潜藏在地底下的水流◇作品着力发掘人心灵深处的情感～。

【潜能】qiánnéng 名 ❶ 潜在的能量：地下～。❷ 潜在的能力：科技人员的～得到发挥。

【潜热】qiánrè 名 单位质量的物质在温度不变的情况下从一个相转变到另一个相(如从固体变为液体)所放出或吸收的热。有熔化热、汽化热等。

【潜入】qiánrù 动 ❶ 钻进(水中)：～海底。❷ 偷偷地进入：～国境。

【潜水】qiánshuǐ 动 在水面以下活动：～衣｜～艇｜～员｜海豹善于～。

【潜水艇】qiánshuǐtǐng 名 潜艇。

【潜水衣】qiánshuǐyī 名 潜水员在水面以下工作时穿的服装，包括衣服、鞋、帽三部分，不漏水，一般附有贮藏氧气的装置。

【潜水员】qiánshuǐyuán 名 穿着潜水衣在水面以下工作的人员。

【潜台词】qiántáicí 名 ❶ 指台词中所包含的或未能由台词完全表达出来的言外之意。❷ 比喻不明说的言外之意。

【潜逃】qiántáo 动 偷偷地逃跑(多指犯罪嫌疑人)：～在外｜携款～。

【潜艇】qiántǐng 名 主要在水面下进行作

战等活动的舰艇。以鱼雷或导弹等袭击敌人舰船和岸上目标,并担任战役侦察。也叫潜水艇。

【潜望镜】qiánwàngjìng 名 在潜艇或地下掩蔽工事里观察水面或地面以上敌情所用的光学仪器,由一系列折光镜组成。

【潜心】qiánxīn 动 用心专而深:～研究|～于典籍四十年。

【潜行】qiánxíng 动 ❶ 在水面以下行动:潜艇在海底～。❷ 秘密行走:狮子在草丛中～。

【潜血】qiánxuè 名 因体内某部分出血而出现在粪便或脑脊液中的血液,肉眼看不到,用显微镜也不能查出。

【潜移默化】qián yí mò huà 指人的思想或性格受其他方面的感染而不知不觉地起了变化。

【潜意识】qiányì·shí 名 心理学上指不知不觉、没有意识的心理活动。是机体对外界刺激的本能反应。也说下意识。

【潜泳】qiányǒng 动 指游泳时身体在水面下游动。

【潜在】qiánzài 形 属性词。存在于事物内部不容易发现或发觉的:～意识|～力量|～危险|～威胁。

【潜质】qiánzhì 名 潜在的素质:她是位很有表演天赋和～的新秀。

【潜踪】qiánzōng 动 隐藏踪迹(多含贬义)。

黔[1] qián 〈书〉黑色。

黔[2] Qián 名 贵州的别称。

【黔剧】qiánjù 名 贵州地方戏曲剧种,由曲艺文琴(一种用扬琴伴奏的说唱形式)发展而成,原来叫文琴戏。

【黔驴技穷】Qián lǘ jì qióng 比喻仅有的一点伎俩也用完了。参看【黔驴之技】。

【黔驴之技】Qián lǘ zhī jì 唐柳宗元的《三戒·黔之驴》说,黔(现在贵州一带)这个地方没有驴,有人从外地带来一头,因为用不着,放在山下。老虎看见驴个子很大,又听见它的叫声很响,起初很害怕,老远就躲开。后来逐渐接近它,驴只踢了老虎一脚。老虎看见驴的技能只不过如此,就把它吃了。后来用"黔驴之技"比喻虚有其表,本领有限。

【黔首】qiánshǒu 名 古代称老百姓。

灊 Qián 古地名,在今安徽霍山东北。

qiǎn（ㄑㄧㄢˇ）

肷(膁) qiǎn 名 身体两旁肋骨和胯骨之间的部分(多指兽类的)。参看574页【狐肷】。

浅(淺) qiǎn 形 ❶ 从上到下或从外到里的距离小(跟"深"相对,②—⑤同):～滩|水～|屋子的进深～。❷ 浅显:～易|这些读物内容～,容易懂。❸ 浅薄:功夫～。❹ (感情)不深厚:交情～。❺ (颜色)淡:～红|～绿。❻ (时间)短:年代～|相处的日子还～。
　　　另见662页 jiān。

【浅薄】qiǎnbó 形 ❶ 缺乏学识或修养:知识～。❷ (感情等)不深;微薄:缘分～|情意～。❸ 轻浮;不淳朴:时俗～。

【浅尝辄止】qiǎn cháng zhé zhǐ 略微尝试一下就停下来,专指对知识、问题等不作深入研究。

【浅海】qiǎnhǎi 名 通常指水深在200米以内的海域。

【浅见】qiǎnjiàn 名 肤浅的见解,常用来谦称自己的意见:略陈～,敬请批评指正。

【浅近】qiǎnjìn 形 浅显:～易懂|文字～。

【浅陋】qiǎnlòu 形 见识贫乏;见闻不广。

【浅露】qiǎnlù 形 (措辞)不委婉,不含蓄:词意～。

【浅明】qiǎnmíng 形 浅显:～的道理。

【浅儿】qiǎnr 名 浅子。

【浅说】qiǎnshuō 动 浅显易懂地解说(多用于书名或文章标题):～语文教学法|《无线电～》。

【浅滩】qiǎntān 名 海、湖、河中水很浅的地方。

【浅谈】qiǎntán 动 浅显地谈论(多用于书名或文章标题):～环境保护问题|《诗词格律～》。

【浅显】qiǎnxiǎn 形 (字句、内容)简明易懂:～而有趣的通俗科学读物。

【浅学】qiǎnxué 形 学识浅薄。

【浅易】qiǎnyì 形 浅显:～的英语读物。

【浅子】qiǎn·zi 名 一种盛东西的用具,一般是圆形,周围的边儿较浅。也说浅儿。

Q

遣 qiǎn ❶ 派遣;打发:~送|调兵~将。
❷ 消除;发泄:消~|~闷。

【遣词】qiǎncí (说话、写文章)运用词语:~造句。也作遣辞。

【遣辞】qiǎncí 同"遣词"。

【遣返】qiǎnfǎn 励 遣送回到原来的地方:~战俘。

【遣散】qiǎnsàn 励❶ 旧时机关、团体、军队等改组或解散时,将人员解职或使退伍:~费。❷ 解散并遣送所俘获的敌方军队、机关等人员:全部伪军立即缴械~。

【遣送】qiǎnsòng 励 把不合居留条件的人送走:~出境|~回原籍。

嗛 qiǎn 名 猴子的颊囊。

〈古〉又同"谦"qiān;又同"歉"qiàn。

谴(譴) qiǎn ❶ 责备;申斥:~责|自~|~过己。❷〈书〉官员获罪降职:~谪。

【谴责】qiǎnzé 励 责备;严正申斥:世界进步舆论都~这一侵略行径。

【谴谪】qiǎnzhé〈书〉励 官吏因犯罪而遭贬谪。

缱(繾) qiǎn [缱绻](qiǎnquǎn)〈书〉形 形容情投意合,难舍难分:缠绵。

qiàn (ㄑㄧㄢˋ)

欠¹ qiàn ❶ 困倦时张口出气:~伸。❷ 励 身体一部分稍微向上移动:~脚|~了~身子。

欠² qiàn 励❶ 借别人的财物等没有还或应当给人的事物还没有给:赊~|~账|~债|~情|~着一笔钱没还。❷ 不够;缺乏:~佳|~妥|~火|~考虑|万事俱备,只~东风。

【欠安】qiàn'ān 励 婉辞,称人生病。

【欠产】qiàn//chǎn 励 产量未达到规定的指标。

【欠火】qiàn//huǒ 励 指饭、菜等的火候不够:这屉馒头还欠点儿火。

【欠佳】qiànjiā 励 不够好:身体~|产品质量~。

【欠款】qiànkuǎn ❶ (-//-)励 借的或赊的账款没有归还:不借债,不~|欠了一笔款。❷ 名 尚未归还的钱:追讨~。

【欠情】qiàn//qíng (~儿)励 得到别人的好处还没有酬谢:人家热情接待,我还没有道谢,觉得有点~|咱俩谁也不欠谁的情。

【欠缺】qiànquē ❶ 励 缺乏;不够:~经验。❷ 名 不够的地方:事情办得很圆满,没有什么~。

【欠伸】qiànshēn 励 打呵欠,伸懒腰。

【欠身】qiàn//shēn 稍微起身向前,多表示对人恭敬:他欠了欠身,和客人打招呼。

【欠条】qiàntiáo (~儿)名 欠别人财物所立的字据;借条。

【欠债】qiànzhài ❶ (-//-)励 借别人的钱没有还,也比喻该做的或承诺要做的事没有做:由于经营不善,企业欠了不少债|城市基本建设~太多。❷ 名 所欠的钱或没有兑现的承诺:偿还~。

【欠账】qiànzhàng ❶ (-//-)励 欠债①。❷ 名 欠债②。

【欠资】qiànzī 励 指寄邮件时未付或未付足邮资。这种欠资邮件,邮局要向收件人补收邮资,或退给寄件人补足邮资。

纤(縴) qiàn 名 拉船用的绳子:~绳|拉~。

另见 1473 页 xiān。

【纤夫】qiànfū 名 指以背纤拉船为生的人。

【纤绳】qiànshéng 名 拉船用的绳子。

【纤手】qiànshǒu 名 给人介绍买卖的人(多指介绍房地产交易的人)。也叫拉纤的。

芡 qiàn 名❶ 多年生草本植物,生在水池中,全株有刺,叶子圆形,像荷叶,浮在水面。花紫色,浆果球形,略像鸡头,种仁可以吃,根、花茎、种仁可入药。也叫鸡头。❷ 做菜时用芡粉调成的汁:勾~。

【芡粉】qiànfěn 名 用芡实做的粉,勾芡用。一般用其他淀粉代替芡粉。

【芡实】qiànshí 名 芡的种子。也叫鸡头米。

茜(蒨) qiàn ❶ 名 茜草。❷ 红色:~纱。

另见 1454 页 xī。

【茜草】qiàncǎo 名 多年生草本植物,根圆锥形,黄赤色,茎有倒生刺,叶子轮生,心脏形或长卵形,花冠黄色,果实球形,红色或黑色。根可做红色染料,也可入药。

倩[1] qiàn 〈书〉美丽：～装|～影。

倩[2] qiàn 动 请(别人代替自己做事)：～人执笔。

【倩影】qiànyǐng 名 美丽的身影(多指女子)。

堑(塹) qiàn 隔断交通的沟：～壕|长江天～◇吃一～，长一智。

【堑壕】qiànháo 名 在阵地前方挖掘的、修有射击掩体的壕沟，多为曲线形或折线形。

绮(綪) qiàn 〈书〉青赤色丝织品。

椠(槧) qiàn ❶ 古代记事用的木板。❷〈书〉书的刻本：宋～|元～。

嵌 qiàn 动 把较小的东西卡进较大东西上面的凹处(多指美术品的装饰)：镶～|～石|～银|戒指上～着钻石。

另见763页 kàn。

慊 qiàn 〈书〉憾；恨。

另见1103页 qiè。

歉 qiàn ❶ 收成不好：～年|以丰补～。❷ 对不住人的心情：抱～|道～|深致～意。

【歉疚】qiànjiù 形 觉得对不住别人，对自己过意不去而感到不安：～心情|深感～。

【歉年】qiànnián 名 农作物歉收的年头儿(跟"丰年"相对)：去年是～，今年是丰年。

【歉然】qiànrán 形 形容歉疚的样子：～不语。

【歉收】qiànshōu 动 收成不好(跟"丰收"相对)：粮食～。

【歉岁】qiànsuì 名 收成不好的年份。

【歉意】qiànyì 名 抱歉的意思：表示～。

---

qiāng 〈ㄑㄧㄤ〉

抢(搶) qiāng ❶〈书〉触；撞：呼天～地。❷ 同"戗"(qiāng)①。

另见1096页 qiǎng。

呛(嗆) qiāng 动 因水或食物进入气管引起咳嗽，又突然喷出：吃饭吃～了|喝得太猛，～着了。

另见1097页 qiàng。

羌 Qiāng ❶ 我国古代民族，原住在以今青海为中心，南至四川，北接新疆的一带地区，东汉时移居今甘肃一带，东晋时建立后秦政权(公元384—417)。❷ 指羌族：～笛|～语。❸ 名 姓。

【羌笛】qiāngdí 名 羌族管乐器，双管在一起，每管各有六个音孔，上端装有竹簧口哨，竖着吹。

【羌族】Qiāngzú 名 我国少数民族之一，分布在四川。

玱(瑲) qiāng 〈书〉拟声 形容玉器相撞的声音。

枪[1](槍、鎗) qiāng ❶ 名 旧式兵器，在长柄的一端装有尖锐的金属头，如红缨枪、标枪。❷ 名 口径在2厘米以下，发射枪弹的武器，如手枪、步枪、机枪等。❸ 性能或形状像枪的器械，如发射电子的电子枪，气焊用的焊枪。❹(Qiāng)名 姓。

枪[2](槍) qiāng 枪替：打～|～手。

【枪毙】qiāngbì 动 ❶ 用枪打死(多用于执行死刑)。❷ 比喻建议等被否定或文稿等不予发表(含谐谑意)：他提的方案被～了|文章改了又改，还是让编辑部给～了。

【枪刺】qiāngcì 名 安在步枪、冲锋枪枪头上的钢刀或钢锥，用于刺杀。

【枪打出头鸟】qiāng dǎ chūtóuniǎo 比喻首先打击或惩办带头的人。

【枪弹】qiāngdàn 名 用枪发射的弹药，由药筒、底火、发射药、弹头构成。有时专指弹头。通称子弹。

【枪法】qiāngfǎ 名 ❶ 用枪射击的技术：他～高明，百发百中。❷ 使用长枪(旧式兵器)的技术：～纯熟。

【枪杆】qiānggǎn (～儿)名 枪身，泛指武器或武装力量。也说枪杆子。

【枪击】qiāngjī 动 用枪射击：遭～身亡|双方展开～。

【枪机】qiāngjī 名 扳机。

【枪决】qiāngjué 动 枪毙①。

【枪口】qiāngkǒu 名 枪膛最前端的圆孔：～对准目标。

【枪林弹雨】qiāng lín dàn yǔ 枪支如林，子弹如雨，形容激战的战场：他是个老战士，在～中多次立功。

【枪榴弹】qiāngliúdàn 名 用步枪和枪弹发射的榴弹，分为杀伤枪榴弹、反坦克枪榴弹等。

【枪杀】qiāngshā 囧用枪打死：惨遭～。

【枪手】qiāngshǒu 囝❶旧时指持枪(旧式兵器)的兵。❷射击手。

【枪手】qiāng·shǒu 囝枪替的人。

【枪栓】qiāngshuān 囝枪上的机件，前端的撞针可以撞击枪弹发火，射出弹头。

【枪膛】qiāngtáng 囝枪里放子弹和射击时子弹通过的地方。

【枪替】qiāngtì 囧指考试时冒名替别人做文章或答题。也说打枪。

【枪乌贼】qiāngwūzéi 囝软体动物，外形略像乌贼而稍长，体苍白色，有淡褐色的斑点，尾端呈菱形，触角短，有吸盘。生活在海洋里。通称鱿鱼。

【枪械】qiāngxiè 囝枪(总称)。

【枪眼】qiāngyǎn 囝❶碉堡或墙壁上开的供向外开枪射击的小孔。❷(～儿)枪弹打的洞。

【枪战】qiāngzhàn 囝互相用枪射击的战斗：激烈的～。

【枪支】qiāngzhī 囝枪(总称)：～弹药。

【枪子儿】qiāngzǐr 〈口〉囝枪弹。

戗(戧) qiāng 囧❶方向相对；逆：～风|～辙儿走(逆着规定的交通方向走)。❷(言语)冲突：两人说～了，吵了起来。
　　另见 1097 页 qiàng。

【戗风】qiāng∥fēng 囧逆风；顶风：回来的路上～，车骑得很慢。

戕 qiāng 〈书〉杀害；残害：自～(自杀)。

【戕害】qiānghài 囧严重损害；伤害：～健康|～心灵。

【戕贼】qiāngzéi 〈书〉囧伤害；损害：～骨肉|～身体。

斨 qiāng 古代的一种斧子。

将(將) qiāng 〈书〉愿；请：～进酒。
　　另见 675 页 jiāng；678 页 jiàng。

酩(醻) qiāng 囝藏族用青稞酿成的一种酒。

腔 qiāng ❶动物身体内部空的部分：口～|鼻～|胸～|腹～|满～热血。❷(～儿)话：开～|答～。❸(～儿)乐曲的调子：高～|花～|昆～|唱～|唱走了～儿。❹(～儿)囝说话的腔调：京～|山

东～|学生～。❺量用于宰杀过的羊(多见于早期白话)：一～羊。

【腔肠动物】qiāngcháng-dòngwù 无脊椎动物的一门，体壁由内外两胚层构成，两层之间为胶质，身体中间有一个空腔，既是消化器官，又是体腔。体形有两种，一为钟形或伞形，如水母，一为圆筒形，如水螅和珊瑚。多生活在海洋中。

【腔调】qiāngdiào 囝❶戏曲中成系统的曲调，如西皮、二黄等。❷调子。❸指说话的声音、语气等：听他说话的～是山东人。

【腔子】qiāng·zi 〈口〉囝❶胸腔。❷动物割去头后的躯干。

蜣 qiāng 【蜣螂】(qiānglánɡ)囝昆虫，全身黑色，胸部和脚有黑褐色的长毛，吃动物的尸体和粪尿等，常把粪滚成球形。有的地区叫屎壳郎。

锖(錆) qiāng 【锖色】(qiāngsè)囝某些矿物表面的氧化薄膜所呈现的色彩，常常不同于矿物固有的颜色。

锵(鏘) qiāng 拟声形容金属或玉石撞击的声音：锣声～～|玉佩～～。

蹌(蹌) qiāng 【蹌蹌】(qiāngqiāng)〈书〉彤形容行走合乎礼节。
　　另见 1098 页 qiàng。

锖(鏹) qiāng 【锖水】(qiāngshuǐ)囝强酸的俗称。
　　另见 1097 页 qiǎng。

qiáng （ㄑㄧㄤˊ）

强(強、彊) qiáng ❶彤力量大(跟"弱"相对)：～国|富～|身～体壮|工作能力～。❷彤感情或意志所要求达到的程度高；坚强：要～|责任心～，工作就做得好。❸使用强力；强迫：～制|～渡|～占|～索财物。❹使强大或强壮：富国～兵|～身之道。❺彤优越；好(多用于比较)：今年的庄稼比去年更～。❻彤用在分数或小数后面，表示略多于此数(跟"弱"相对)：实际产量超过原定计划 12％～。❼(Qiáng)囝姓。

另见 678 页 jiàng；1097 页 qiǎng。

【强暴】 qiángbào ❶ 厖 强横凶暴：～的行为。❷ 名 强暴的势力：不畏～|铲除～。❸ 动 指强奸：遭歹徒～。

【强大】 qiángdà 厖（力量）坚强雄厚：～的国家|阵容～|国力日益～。

【强档】 qiángdàng 厖 属性词。实力强、档次高的：～组合。

【强盗】 qiángdào 名 用暴力抢夺别人财物的人◇法西斯～。

【强敌】 qiángdí 名 强大的敌人，也指竞赛中实力强大的对手：不畏～|面对～，敢于拼搏。

【强调】 qiángdiào 动 特别着重或着重提出：我们～自力更生|不要～客观原因。

【强度】 qiángdù 名 ❶ 作用力的大小及声、光、电、磁等的强弱：音响～|磁场～◇劳动～。❷ 物体抵抗外力作用的能力：抗震～。

【强渡】 qiángdù 动 强行渡过，多指用炮火掩护强行渡过敌人防守的江河。

【强风】 qiángfēng 名 ❶ 强劲的风：～肆虐。❷ 气象学上旧指 6 级风。参看 407 页〖风级〗。

【强攻】 qiánggōng 动 用强力攻击；强行进攻：～敌营|～篮下，投进一球。

【强固】 qiánggù 厖 坚固：～的工事|为国家工业化打下～的基础。

【强国】 qiángguó ❶ 名 国力强大的国家：建设现代化～。❷ 动 使国家强大：～之本在于发展经济。

【强悍】 qiánghàn 厖 强壮勇猛。

【强横】 qiánghèng 厖 强硬蛮横，不讲道理：～无理|态度～。

【强化】 qiánghuà 动 加强；使坚强巩固：～记忆|～训练。

【强击机】 qiángjījī 名 用来从低空、超低空对敌方目标强行攻击的飞机。也叫攻击机，旧称冲击机。

【强加】 qiángjiā 动 强迫人家接受某种意见或做法：～于人。

【强奸】 qiángjiān 动 男子使用暴力与女子性交◇～民意（指统治者把自己的意见强加于人民，硬说成是人民的意见）。

【强碱】 qiángjiǎn 名 碱性反应很强烈的碱，腐蚀性很强，在水溶液中能产生大量的氢氧根离子，如氢氧化钾、氢氧化钠等。

【强健】 qiángjiàn 厖（身体）强壮：筋骨～|～的体魄。

【强劲】 qiángjìng 厖 强有力的：～的对手|～的海风。

【强力】 qiánglì 名 ❶ 强大的力量：～夺取|～压下自己的感情。❷ 物体抵抗外力作用的能力：由于纱支改细，纱的～随之下降。

【强梁】 qiángliáng〈书〉厖 ❶ 强横；强暴。❷ 强劲；勇武。

【强烈】 qiángliè 厖 ❶ 极强的；力量很大的：～的求知欲|太阳光十分～。❷ 鲜明的；程度很高的：～的对比|～的民族感情。❸ 强硬激亢：～反对|～的要求。

【强令】 qiánglìng 动 用强制的方式命令：原计划已被～取消。

【强弩之末】 qiáng nǔ zhī mò《汉书·韩安国传》："强弩之末，力不能入鲁缟。"强弩射出的箭，到最后力量弱了，连鲁缟（薄绸子）都穿不透，比喻很强的力量已经微弱。

【强权】 qiángquán 名 指对别的国家进行欺压、侵略所凭借的军事、政治、经济的强大势力：～政治。

【强人】 qiángrén 名 ❶ 强有力的人：坚强能干的人：经理是一个女～，几年工夫，把企业搞得十分红火。❷ 强盗（多见于早期白话）。

【强如】 qiángrú 动 强似。

【强身】 qiángshēn 动 通过体育锻炼或服用药物等使身体强壮：～术|习武～。

【强盛】 qiángshèng 厖 强大而昌盛（多指国家）。

【强势】 qiángshì 名 ❶ 强劲的势头：宣传要形成～。❷ 强大的势力：～地位|处于～。

【强手】 qiángshǒu 名 水平高、能力强的人。

【强似】 qiángsì 动 较胜于；超过：今年的收成又～去年。也说强如。

【强酸】 qiángsuān 名 酸性反应很强烈的酸，腐蚀性很强，在水溶液中能产生大量的氢离子，如硫酸、硝酸、盐酸等。俗称镪水。

【强项】[1] qiángxiàng 名 实力强的项目（多指体育竞赛项目）。

【强项】[2] qiángxiàng〈书〉厖 不肯低头，形容刚正不屈服。

Q

【强心药】qiángxīnyào 名 药物的一类，能使心脏肌肉收缩力量增加和心脏搏动次数减慢，从而改进血液循环，如蟾酥、洋地黄等。

【强行】qiángxíng 副 用强制的方式进行：~通过|~登陆。

【强行军】qiángxíngjūn 动 部队执行紧急任务时进行高速行军。

【强压】qiángyā 动 用强力压制：~怒火。

【强硬】qiángyìng 形 强有力的；不肯退让的：~的对手|态度~。

【强占】qiángzhàn 动 ❶ 用暴力侵占：~地盘。❷ 用武力攻占：~有利地形。

【强直】qiángzhí 形 ❶ 肌肉、关节等由于病变不能活动。❷〈书〉刚强正直。

【强制】qiángzhì 动 用政治或经济力量强迫：~执行。

【强壮】qiángzhuàng ❶ 形（身体）结实，有力气：~的体魄。❷ 动 使强壮：~剂|这药能~病人体质。

墙（墙、牆）qiáng ❶ 名 砖、石、土等筑成的屏障或外围：~壁|土~|院~|城~|一堵~|◇人~。（图见387页"房子"）❷ 器物上像墙或起隔断作用的部分。

【墙报】qiángbào 名 壁报。

【墙壁】qiángbì 名 墙①。

【墙倒众人推】qiáng dǎo zhòng rén tuī 比喻在失势或倒霉时，备受欺负。

【墙根】qiánggēn（～儿）名 墙的下段跟地面接近的部分。也叫墙脚。

【墙角】qiángjiǎo 名 两堵墙相接而形成的角（指角本身，也指这里外附近的地方）。

【墙脚】qiángjiǎo 名 ❶ 墙根。❷ 比喻基础。

【墙裙】qiángqún 名 加在室内墙壁下半部起装饰和保护作用的表面层，用水泥、瓷砖、木板等材料做成。一般高1—2米。也叫护壁。

【墙头】qiángtóu 名 ❶（～儿）墙的上部或顶端。❷ 矮而短的围墙。❸〈方〉墙①。

【墙头草】qiángtóucǎo 名 比喻善于随情势而改变立场的人。

【墙垣】qiángyuán〈书〉名 墙①：～坍塌，杂草丛生。

【墙纸】qiángzhǐ 名 壁纸。

蔷（薔）qiáng [蔷薇]（qiángwēi）名 ❶ 落叶或常绿灌木，种类很多，茎直立、攀缘或蔓生，枝上密生小刺，羽状复叶，小叶倒卵形或长圆形，花有多种颜色，有芳香。有的花、果、根可药。❷ 这种植物的花。

嫱（嬙）qiáng 古代宫廷里的女官。

樯（樯、艢）qiáng〈书〉桅杆：桅~|帆~|~如林。

qiǎng（ㄑㄧㄤˇ）

抢¹（搶）qiǎng 动 ❶ 抢夺；争夺：~劫|~球|他把书一~走了。❷ 抢先；争先：~步上前|~着说了几句|大家都~着参加义务劳动。❸ 突击：~修|~收|~种|大家齐心协力，只用三天时间就把活儿~完了。

抢²（搶）qiáng 动 刮掉或擦掉物体表面的一层：磨剪子~菜刀|锅底有锅巴，~一~再洗|摔了一跤，膝盖上~去了一块皮。

另见1093页qiāng。

【抢白】qiǎngbái 动 当面责备或讽刺：~了他几句。

【抢答】qiǎngdá 动 抢先回答（问题）：百科知识~比赛。

【抢点】¹ qiǎngdiǎn 动 晚点的车、船、飞机，为赶正点而加快行驶速度：列车正~运行。

【抢点】² qiǎngdiǎn 动 ❶ 足球等比赛时球员抢占最佳位置：6号队员～射门。❷ 泛指抢先占据有利的位置：保险公司～寿险市场。

【抢渡】qiǎngdù 动 抢时间迅速渡过（江河）：红军~金沙江。

【抢断】qiǎngduàn 动（足球、篮球等比赛中）拦截对方并把球抢过来：甲队～十分积极，占据了主动。

【抢夺】qiǎngduó 动 用强力把别人的东西夺过来：~财物。

【抢匪】qiǎngfěi 名 用暴力抢劫别人财物的匪徒。

【抢工】qiǎng//gōng 动 指在工程建设中为保证或缩短工期而加快进度，突击施工。

【抢攻】qiǎnggōng 勔 抢先进攻：～军事重镇|投球～。

【抢购】qiǎnggòu 勔 抢着购买。

【抢婚】qiǎnghūn 名 掠夺婚。

【抢劫】qiǎngjié 勔 用暴力把别人的东西夺过来，据为己有：～财物|拦路～。

【抢镜头】qiǎng jìngtóu ❶ 拍摄时及时抓住精彩的场面：记者～捕捉到动人的一幕。❷ 抢占镜头前的最佳位置，也用来比喻吸引别人的注意：她是晚会上最～的人物。

【抢救】qiǎngjiù 勔 在紧急危险的情况下迅速救护：～伤员|～危险的堤防。

【抢掠】qiǎnglüè 勔 强力夺取（多指财物）。

【抢亲】qiǎng//qīn 勔 一种婚姻风俗，男方通过抢劫女子的方式来成亲。也指抢劫妇女成亲。

【抢墒】qiǎngshāng 勔 趁着土壤湿润时赶快播种。

【抢收】qiǎngshōu 勔 庄稼成熟时，为了避免遭受损害而赶紧突击收割。

【抢手】qiǎngshǒu 形（货物等）很受欢迎，人们争先购买：～货|球赛门票十分～。

【抢滩】qiǎngtān 勔 ❶ 船只有沉没危险时，设法使船只搁浅在浅滩上，防止沉没。❷ 军事上指抢占滩头阵地：我海军陆战队快速～登陆。❸ 商业上指抢占市场：各种品牌的空调～京城。

【抢先】qiǎng//xiān（～儿）勔 赶在别人前头；争先：～发言|～一步|青年人热情高，干什么活儿都爱～儿。

【抢险】qiǎngxiǎn 勔 发生险情时迅速抢救，以避免或减少损失：抗洪～。

【抢修】qiǎngxiū 勔 房屋、道路、桥梁、机械等遭到损坏时立即突击修理：～线路。

【抢眼】qiǎngyǎn 形 引人注目；显眼：她的衣着打扮，在人群中格外～。

【抢占】qiǎngzhàn 勔 ❶ 抢先占领：～高地。❷ 非法占有：～集体财产。

【抢种】qiǎngzhòng 勔 抓紧时机，突击播种。

【抢嘴】qiǎngzuǐ 勔 ❶〈方〉抢先说话：按次序发言，谁也别～。❷ 抢着吃。

羟（羥） qiǎng 见下。

【羟胺】qiǎng'àn 名 有机化合物，化学式

NH₂OH。白色薄片状、针状晶体或无色油状液体，有腐蚀性。可用作还原剂或用于有机合成。也叫胲。

【羟基】qiǎngjī 名 由氢和氧两种原子组成的一价原子团（—OH）。也叫氢氧基。

强（強、彊） qiǎng 勉强：～笑|～辩 ～不知以为知。
另见 678 页 jiàng；1094 页 qiáng。

【强逼】qiǎngbī 勔 强迫：自愿参加，不～。

【强辩】qiǎngbiàn 勔 把没有理的事硬说成有理。

【强词夺理】qiǎng cí duó lǐ 本来没有理，硬说成有理。

【强迫】qiǎngpò 勔 施加压力使服从：～命令|个人意见不要～别人接受。

【强迫症】qiǎngpòzhèng 名 神经症的一种，症状是明知某种想法或做法不必要，但无法控制自己而反复地想或做。如由于怕脏而反复反复地洗手。

【强求】qiǎngqiú 勔 硬要求：写文章可以有各种风格，不必～一律。

【强人所难】qiǎng rén suǒ nán 勉强别人做为难的事：他不会唱戏，你偏要他唱，这不是～吗？

【强使】qiǎngshǐ 勔 施加压力使做某事：～服从。

【强颜】qiǎngyán〈书〉勔 勉强做出（笑容）：～欢笑。

镪（鏹） qiǎng 古代称成串的钱。
另见 1094 页 qiǎng。

襁（繈） qiǎng〈书〉背小孩子用的宽带子。

【襁褓】qiǎngbǎo 名 包裹婴儿的被子和带子：母亲历尽辛苦，把他从～中抚育成人。

qiàng （ㄑㄧㄤˋ）

呛（嗆） qiàng 勔 有刺激性的气体进入呼吸器官而感觉难受：油烟～人|炒辣椒的味儿～得人直咳嗽。
另见 1093 页 qiāng。

戗（戧） qiàng ❶ 名 斜对着墙角的屋架。❷ 名 支撑柱子或墙壁使免于倾倒的木头。❸ 勔 支撑：用两根木头来～住这堵墙。
另见 1094 页 qiāng。

【戗面】qiàngmiàn ❶ 勔 揉面时，一面揉一面加进干面粉。❷（～儿）图 揉进了干面粉的发面：～馒头|～大饼。

炝（熗）qiàng 勔 ❶ 烹调方法，将菜放在沸水中略煮，取出后再用酱油、醋等作料来拌：～蛤蜊|～芹菜。❷ 烹调方法，先把肉、葱花等用热油略炒，再加主菜炒或加水煮：～锅肉丝面|用葱花儿～～锅。

跄（蹡）qiàng［跄跟］(qiàngliàng)〈书〉勔 跟跄。也作踉跄。

蹡（蹡）qiàng［蹡跄］(qiàngliàng) 同"跄跄"。

另见 1094 页 qiāng。

qiāo （ㄑㄧㄠ）

硗（墝）qiāo 〈书〉(土地)不肥沃：～瘠。

悄 qiāo 见下。
另见 1100 页 qiǎo。

【悄悄】qiāoqiāo（～儿）副 没有声音或声音很低；(行动)不让人知道：我生怕惊醒了他，～走了出去|部队在深夜里～地出了村。

【悄悄话】qiāo·qiāohuà 图 低声说的不让局外人知道的话；私下说的梯己话。

硗（磽）qiāo 见下。

【硗薄】qiāobó 〈书〉厖 (土地)坚硬不肥沃；瘠薄：田地～。

【硗确】qiāoquè 〈书〉厖 硗薄。

雀 qiāo［雀子]（qiāo·zi）〈口〉图 雀斑(quèbān)。
另见 1100 页 qiǎo；1135 页 què。

跷（蹺）qiāo ❶ 勔 抬起(腿)；竖起(指头)：把腿～起来|～着大拇指。❷ 勔 脚后跟抬起，脚尖着地：～起脚看墙上的布告。❸ 图 高跷：登在二尺多高的～上扭秧歌。❹〈方〉勔 跛(bǒ)；瘸。

【跷蹊】qiāo·qi 厖 见1069 页[蹊跷]。

【跷跷板】qiāoqiāobǎn 图 儿童游戏用具，在狭长而厚的木板中间装上轴，再装在支柱上，两端坐人，一起一落游戏。

跻（躋）qiāo 同"跷"。
另见 744 页 juē。

锹（鍬、鋟）qiāo 图 铁锹。

劁 qiāo 勔 阉割：～猪。

敲 qiāo 勔 ❶ 在物体上面打，使发出声音：～门|～锣打鼓。❷〈口〉敲竹杠；敲诈：有的商人一听顾客是外乡口音，往往要～一下子。

【敲边鼓】qiāo biāngǔ 比喻从旁帮腔；从旁助势：这件事你出马，我给你～。也说打边鼓。

【敲打】qiāo·dǎ 勔 ❶ 敲①：锣鼓～得很热闹。❷〈方〉指用言语刺激或批评别人：冷言冷语～人|我这人缺点很多，往后还得请您常～着点儿。

【敲定】qiāodìng 勔 确定下来；决定：方案有待最后～|这事还得他当场～。

【敲骨吸髓】qiāo gǔ xī suǐ 比喻残酷剥削。

【敲门砖】qiāoménzhuān 图 比喻借以得名得利的初步手段：封建时代的文人常读书当成～，一旦功名到手，书籍也就被束之高阁了。

【敲诈】qiāozhà 勔 依仗势力或用威胁、欺骗手段，索取财物。

【敲竹杠】qiāo zhúgàng 利用别人的弱点或借某种口实抬高价格或索取财物。

橇 qiāo ❶ 在冰雪上滑行的交通工具，如雪橇。❷ 古时在泥路上行走的用具。

幞 qiāo［幞头]（qiāotóu）图 古代男子束发用的头巾。也叫帩头。

缲（繰、缲）qiāo 勔 缝纫方法，做衣服边或带子时把布边儿往里头卷进去，然后藏着针脚缝：～边儿。
另见 1177 页 sāo。

qiáo （ㄑㄧㄠ）

乔[1]（喬）qiáo ❶ 高：～木。❷ (Qiáo)图 姓。

乔[2]（喬）qiáo 假(扮)：～装。

【乔扮】qiáobàn 勔 乔装打扮：记者～成服务员进行调查。

【乔木】qiáomù 名 树干高大,主干和分枝有明显的区别的木本植物,如松、柏、杨、白桦等。

【乔其纱】qiáoqíshā 名 一种有细微均匀皱纹的丝织品,薄而透明,多用来做窗帘、舞裙、夏季妇女衣服等。[法 crêpe georgette]

【乔迁】qiáoqiān 动《诗经·小雅·伐木》:"出自幽谷,迁于乔木。"比喻人搬到好的地方去住或官职高升(多用于祝贺):～之喜。

【乔装】qiáozhuāng 动 改换服装以隐瞒自己的身份:～打扮。

侨(僑) qiáo ❶ 侨居:～民｜～胞。❷ 侨民:华～｜外～。❸ (Qiáo)名 姓。

【侨胞】qiáobāo 名 侨居国外的同胞。

【侨汇】qiáohuì 名 侨民汇回国内的款项。

【侨居】qiáojū 动 在外国居住,古代也指在外乡居住:～海外。

【侨眷】qiáojuàn 名 指侨民在国内的家眷。

【侨领】qiáolǐng 名 侨民领袖:爱国～。

【侨民】qiáomín 名 住在外国而保留本国国籍的居民。

【侨商】qiáoshāng 名 身份为侨民的商人,特指华侨商人:吸引～投资。

【侨属】qiáoshǔ 名 指侨民在国内的家属。

【侨务】qiáowù 名 有关侨民的事务:～工作。

【侨资】qiáozī 名 侨民的资金;侨民的投资:～企业。

荞(蕎) qiáo [荞麦](qiáomài)名 ❶ 一年生草本植物,茎略带红色,叶子三角状心脏形,有长柄,花白色或淡红色,瘦果三角形,有棱,子实磨成粉供食用。❷ 这种植物的子实。

莜 qiáo ❶ 古书上指锦葵。❷ 同"荞"。

峤(嶠) qiáo 〈书〉山尖而高。另见 689 页 jiào。

桥(橋) qiáo 名 ❶ 桥梁①:木～｜石～｜铁～｜一座～。❷ (Qiáo)姓。

【桥洞】qiáodòng (～儿)〈口〉名 桥孔。

【桥墩】qiáodūn 名 桥梁下面的墩子,起承重作用,用石头或混凝土等做成。

【桥涵】qiáohán 名 桥梁和涵洞的合称。

【桥孔】qiáokǒng 名 桥梁下面的孔。

【桥梁】qiáoliáng 名 ❶ 架在水面上或空中以便行人、车辆等通行的构筑物。❷ 比喻能起沟通作用的人或事物:～作用。

【桥牌】qiáopái 名 一种扑克牌游戏。四个人分两组对抗,按规则叫牌、出牌,以得分多的一方为胜。

【桥头】qiáotóu 名 桥两头和岸接连的地方。

【桥头堡】qiáotóubǎo 名 ❶ 为控制重要桥梁、渡口而设立的碉堡、地堡或据点。❷ 设在大桥桥头的像碉堡的装饰构筑物。❸ 泛指作为进攻的据点。

【桥堍】qiáotù 名 桥头。

硚(礄) qiáo ❶ 地名用字:～头(在四川)｜～口(在湖北武汉)。❷ (Qiáo)名 姓。

盂(盉) qiáo 古代碗一类的器皿。

翘(翹) qiáo ❶ 抬(起)头:～首。❷ 动(木、纸等)平的东西因由湿变干而不平。另见 1101 页 qiào。

【翘楚】qiáochǔ 〈书〉名《诗经·周南·汉广》:"翘翘错薪,言刈其楚。"郑玄注:"楚,杂薪之中尤翘翘者。"原指高出杂树丛的荆树,后用来比喻杰出的人才:医中～。

【翘棱】qiáo·leng 〈方〉动 翘②。

【翘盼】qiáopàn 动 翘首盼望,指急切地盼望或期待:～和平。

【翘企】qiáoqǐ 〈书〉动 翘首企足,形容盼望殷切:不胜～。

【翘首】qiáoshǒu 〈书〉动 抬起头来(望):～瞻仰｜～星空｜～故国。

【翘望】qiáowàng 动 ❶ 抬起头来望。❷ 殷切盼望:观众～已久的电影周下月初在北京开幕。

谯(譙) qiáo 名 ❶ 谯楼。❷ (Qiáo)名 姓。另见 1101 页 qiào。

【谯楼】qiáolóu 〈书〉名 ❶ 城门上的瞭望楼。❷ 鼓楼。

鞒(鞽) qiáo 名 马鞍上拱起的部分。

蕉 qiáo 见 1100 页[憔悴](蕉萃)。另见 684 页 jiāo。

憔(顦) qiáo [憔悴](蕉萃)(qiáo-cuì)〈形〉形容人瘦弱,面色不好看:她病了一场,显得~多了。

樵 qiáo ❶〈方〉〈名〉柴:砍~。❷〈书〉打柴:~夫|渔~。❸(Qiáo)〈名〉姓。

【樵夫】qiáofū〈名〉旧称以打柴为生的男子。

瞧 qiáo〈口〉〈动〉看:~见|~书|~病|~热闹|~一~|他~亲戚去了。

【瞧不起】qiáo·buqǐ〈口〉〈动〉看不起。

【瞧得起】qiáo·deqǐ〈口〉〈动〉看得起。

【瞧见】qiáo∥·jiàn〈口〉〈动〉看见:瞧得见|瞧不见|他~光荣榜上有自己的名字。

qiǎo (ㄑㄧㄠˇ)

巧 qiǎo ❶〈形〉心思灵敏,技术高明:~干|能工~匠|他的手艺很~。❷〈形〉(手、口)灵巧:心灵手~|他嘴~,学谁像谁。❸〈形〉恰好:正遇在某种机会上:恰~|偏~|~遇|~遇|来得真~|我一出大门就碰到他,真~极了。❹虚浮不实的(话):花言~语。❺(Qiǎo)〈名〉姓。

【巧夺天工】qiǎo duó tiān gōng 精巧的人工胜过天然,形容技艺极其精巧。

【巧妇难为无米之炊】qiǎo fù nán wéi wú mǐ zhī chuī 没有米,再能干的妇女也做不出饭,比喻缺少必要的条件,再能干的人也很难做成事。

【巧合】qiǎohé〈形〉(事情)凑巧相合或相同:他们俩同年,生日又是同一天,真是~。

【巧计】qiǎojì〈名〉巧妙的计策:施~。

【巧匠】qiǎojiàng〈名〉工艺技术高明的人:能工~。

【巧劲儿】qiǎojìnr〈方〉〈名〉❶巧妙的手法:常常练习,慢慢就找着~了。❷凑巧的事:我正找他,他就来了,真是~。

【巧克力】qiǎokèlì〈名〉以可可粉为主要原料,再加上白糖、香料制成的食品。[英chocolate]

【巧立名目】qiǎo lì míngmù 定出许多名目,以达到某种不正当的目的。

【巧妙】qiǎomiào〈形〉(方法或技术等)灵巧高明,超过寻常的:构思~|~的计策|地运用比喻,可以使语言生动活泼。

【巧取豪夺】qiǎo qǔ háo duó 用欺诈的手段取得或凭强力夺取(财物、权利)。

【巧舌如簧】qiǎo shé rú huáng 舌头灵巧得就像乐器里的簧片一样,形容能说会道,善于狡辩。

【巧言令色】qiǎo yán lìng sè 指用花言巧语和假装和善来讨好别人(令:美好)。

【巧遇】qiǎoyù〈动〉凑巧遇到:抵达云南的当天,~泼水节。

悄 qiǎo ❶没有声音或声音很低:~声。❷〈书〉忧愁。
另见1098页qiāo。

【悄寂】qiǎojì〈形〉寂静无声:山野~。

【悄没声儿】qiǎo·moshēngr (~的)〈方〉形容没有声音或声音很低。

【悄然】qiǎorán〈形〉❶形容忧愁的样子:~落泪。❷形容寂静无声:~离去。

【悄声】qiǎoshēng〈形〉没有声音或声音很低:~细语|他蹑手蹑脚,~走进房间。

雀 qiǎo 义同"雀"(què),用于"家雀儿、雀盲眼"。
另见1098页qiāo;1135页què。

【雀盲眼】qiǎo·mangyǎn〈方〉〈名〉夜盲。

愀 qiǎo [愀然](qiǎorán)〈书〉〈形〉形容神色严肃或不愉快:~作色|~不悦。

qiào (ㄑㄧㄠˋ)

壳(殼) qiào 坚硬的外皮:甲~|~|金蝉脱~。
另见770页ké。

【壳菜】qiàocài〈名〉贻贝,通常指贻贝的肉。

【壳斗】qiàodǒu〈名〉某些植物果实特有的一种外壳,如包在栗子外面的有刺硬壳。

俏 qiào ❶〈形〉俊俏:样子好看;动作灵活:打扮得真~|走着~步儿。❷〈形〉指货物的销路好:~货|行情看~。❸〈方〉〈动〉烹调时加上(俏头):~点儿韭菜。

【俏货】qiàohuò〈名〉畅销的商品。

【俏丽】qiàolì〈形〉俊俏美丽;容貌~。

【俏卖】qiàomài〈动〉畅销;很好卖:气温下降,冬装~。

【俏皮】qiào·pi〈形〉❶容貌或装饰好看:长得挺~。❷举止活泼或谈话风趣:话|说得很~。

【俏皮话】qiào·pihuà（～儿）名❶ 含讽刺口吻的或开玩笑的话。❷ 歇后语。

【俏式】qiào·shi〈方〉形 俊俏。

【俏头】qiào·tou 名❶ 烹调时为增加滋味或色泽而附加的东西，如香菜、青蒜、木耳、辣椒等。❷ 戏曲、评书中引人喜爱的身段、道白或穿插。

【俏销】qiàoxiāo 动 畅销：新式披肩～各地。

诮（誚）qiào〈书〉❶ 责备：～呵｜～责。❷ 讥讽：讥～｜～讽。

【诮呵】qiàohē〈书〉动 责备：呵斥：～之词。

峭（陗）qiào ❶ 山势又高又陡：～立｜陡～。❷ 比喻严厉：～直｜冷～。

【峭拔】qiàobá 形❶（山）高而陡：山势～。❷ 形容文笔雄健：笔锋～刚劲。

【峭壁】qiàobì 名 陡直的山崖：悬崖～。

【峭立】qiàolì 动 陡立：～的山峰｜岩石～。

【峭直】qiàozhí〈书〉形 严峻刚直：秉性～。

帩 qiào［帩头］(qiàotóu)名 帻(qiāo)头。

窍（竅）qiào ❶ 窟窿：七～。❷ 比喻事情的关键：诀～｜门儿～｜一～不通。

【窍门】qiàomén（～儿）名 能解决困难问题的好方法：开动脑筋找～。

偢 qiào〈方〉傻：～货(傻子)。
另见 195 页 chǒu。

翘（翹、翘）qiào 动 一头儿向上仰起：板凳没放稳，这头儿一压，那头儿就往上一～。
另见 1099 页 qiáo。

【翘辫子】qiào biàn·zi 死(含讥笑或诙谐意)：袁世凯做皇帝没几天就～了。

【翘尾巴】qiào wěi·ba 比喻骄傲自大。

谯（譙）qiào 同“诮”。
另见 1099 页 qiáo。

撬 qiào 动 把棍棒或刀、锥等的一头插入缝中或孔中，用力扳(或压)另一头：～石头｜～起箱子盖｜钥匙丢了，只好把门一～开。

【撬杠】qiàogàng 名 一端锻成扁平状的铁棍，用来撬起或移动重物。

撖 qiào〈书〉从旁边敲打。

鞘 qiào 名 装刀剑的套子：剑～｜刀出～。
另见 1199 页 shāo。

【鞘翅】qiàochì 名 瓢虫、金龟子等昆虫的前翅，质地坚硬，静止时，覆盖在膜质的后翅上，好像鞘一样。

躈 qiào〈书〉牲畜的肛门。

qiē（くl世）

切 qiē 动❶ 用刀把物品分成若干部分：～西瓜｜把肉～成丝儿◇～断敌军退路。❷ 直线与圆、直线与球、圆与圆、平面与球或球与球只有一个交点时叫做切。
另见 1102 页 qiè。

【切除】qiēchú 动 用外科手术把身体上发生病变的部分切掉：～肿瘤｜他最近做了一次外科～手术。

【切磋】qiēcuō 动 比喻相互商量、研讨：～学问。参看【切磋琢磨】。

【切磋琢磨】qiē cuō zhuó mó 古代把骨头加工成器物叫“切”，把象牙加工成器物叫“磋”，把玉加工成器物叫“琢”，把石头加工成器物叫“磨”。比喻互相商量研究，学习长处，纠正缺点。

【切点】qiēdiǎn 名 直线与圆、直线与球、圆与圆、平面与球或球与球相切的交点。

【切分】qiēfēn 动 把整体的事物分割开：～蛋糕｜～零售市场。

【切糕】qiēgāo 名 用糯米或黄米面做的大块的糕，多加红枣、豆沙等，卖时用刀切开，所以叫切糕。

【切割】qiēgē 动❶ 用刀等把物品截断。❷ 利用机床切断或用火焰、电弧烧断金属材料。

【切花】qiēhuā 名 从活的植株上剪下的花枝或叶枝，供瓶养或装饰等用：鲜～｜一束～。

【切换】qiēhuàn 动 影片、电视片等从某一镜头或画面迅速转换到另一镜头或画面，也泛指转换：这部影片采取同期录音，现场～镜头的方法摄制｜股市在调整中完成热点的～。

【切汇】qiēhuì 劢 指在外汇黑市交易中,买进外汇的人用手法骗过卖主,暗中扣下一部分应付的钱。

【切口】qiēkǒu 名 书页裁切一边的空白处。

另见1102页 qièkǒu。

【切面】[1] qiēmiàn 名 切成的面条。

【切面】[2] qiēmiàn 名 ❶ 剖面。❷ 和球面只有一个交点的平面叫做球的切面;只包含圆柱、圆锥的一条母线的平面叫做圆柱或圆锥的切面。

【切片】qiēpiàn ❶ (－//－) 劢 把物体切成薄片。❷ 名 用特制的刀具把生物体的组织或矿物切成的薄片。切片用来在显微镜下进行观察和研究。

【切入】qiērù 劢 (从某个地方)深入进去:～点|写到这里,文章已～正题。

【切线】qiēxiàn 名 平面内和圆只有一个交点的直线叫做圆的切线;和球面只有一个交点的直线叫做球的切线。

【切削】qiēxiāo 劢 利用机床的刀具或砂轮等削去工件的一部分,使工件具有一定形状、尺寸和表面粗糙度。

【切牙】qiēyá 名 牙的一种,人的上下颌各有四枚,在上下颌前方的中央部位,牙冠呈凿形,便于切断食物。通称门牙,也叫门齿。(图见1558页"人的牙")

qié (ㄑㄧㄝˊ)

伽 qié 见下。

另见434页 gā;652页 jiā。

【伽蓝】qiélán 名 佛寺。〔僧伽蓝摩之省,梵 saṃghārāma〕

【伽南香】qiénánxiāng 名 沉香。

茄 qié 茄子:拌～泥。

另见652页 jiā。

【茄子】qié·zi 名 ❶ 一年生草本植物,叶椭圆形,花紫色。果实球形或长圆形,紫色,也有白色或浅绿色的,表面有光泽,是常见蔬菜。❷ 这种植物的果实。

qiě (ㄑㄧㄝˇ)

且 [1] qiě ❶ 副 暂且;姑且:～慢|他一会儿就回来,你～等一下。❷〈方〉副

表示经久(常跟"呢"同用):买支钢笔～使呢|他要一说话,～完不了呢。❸ (Qiě) 名 姓。

且 [2] qiě〈书〉连 ❶ 尚且:死～不怕,困难又算什么? |君～如此,况他人乎? ❷ 并且;而且:既高～大|他很聪明,～十分努力,因此成绩优异。

另见735页 jū。

【且慢】qiěmàn 劢 暂时慢着(含阻止意):～,听我把话说完。

【且…且…】qiě…qiě… 分别用在两个动词前面,表示两个动作同时进行:～谈～走|～战～退。

【且说】qiěshuō 劢 旧小说中的发语词。

qiè (ㄑㄧㄝˋ)

切 qiè ❶ 劢 合;符合:文章～题|说话不～实际。❷ 贴近;亲近:～身|亲～。❸ 急切;殷切:迫～|恳～|回国心～。❹ 副 切实;务必:～记|～忌|～不可骄傲。❺ 劢 用在反切上头,表示前两字是注音用的反切。如"塑,桑故切"。参看378页〖反切〗。❻ (Qiè) 名 姓。

另见1101页 qiē。

【切齿】qièchǐ 劢 咬紧牙齿,形容非常愤恨:～痛恨|～之仇。

【切当】qièdàng 形 恰当:用词～。

【切肤之痛】qiè fū zhī tòng 切身感受到的痛苦。

【切骨之仇】qiè gǔ zhī chóu 形容极深的仇恨。

【切合】qièhé 劢 十分符合:～实际。

【切记】qièjì 劢 牢牢记住:遇事～要冷静。

【切忌】qièjì 劢 切实避免或防止:～滋长骄傲情绪。

【切近】qièjìn 劢 ❶ 贴近;靠近:远大的事业要从～处做起。❷ (情况)相近;接近:这样注解比较～原作之意。

【切口】qièkǒu 名 帮会或某些行业中的暗语。

另见1102页 qiēkǒu。

【切脉】qièmài 劢 诊脉。

【切末】qiè·mò 名 戏曲舞台上所用的简单布景和大小道具。名称起于元曲,原作砌末。

【切盼】qièpàn 动 急切地盼望;殷切地期望:~他早日归来|~你们取得更好的成绩。

【切切】qièqiè ❶ 副 千万;务必(多用于书信中):~不可忘记。❷ 形 用于布告、条令等末尾,表示叮咛:此布。❸ 形 恳切;迫切:~请求。❹ 同"窃窃"①。

【切身】qièshēn 形 属性词。❶ 跟自己有密切关系的:~利益|这事跟我有~关系。❷ 亲身:~体验|他说的是个人~的体会。

【切实】qièshí 形 切合实际;实实在在:~可行|~改正|切实实地做好工作。

【切题】qiètí 动 切合题目,没有离题:文不~。

【切要】qièyào 形 十分必要;紧要:~的知识|眼前~解决的是原材料问题。

【切音】qièyīn 动 用两字拼成另一个字的音。参看 378 页〖反切〗。

【切中】qièzhòng 动 (言论或办法)正好击中(某种弊病):~要害|~时弊。

郄 Qiè 名 姓。〈古〉又同"郤"xì。

妾 qiè ❶ 名 旧时男子在妻子以外娶的女子。❷ 古时女子谦称自己。

怯 qiè ❶ 胆小;害怕:胆~|~场。❷ 形 北京人贬称外地方音(指北方各省):他说话有点儿~。❸〈方〉形 不大方,不合时;俗气:这两种颜色配起来显得~。❹〈方〉缺乏知识;外行:露~。

【怯场】qiè//chǎng 动 在人多的场面上发言、表演等,因紧张害怕而神态举动不自然。

【怯懦】qiènuò 形 胆小怕事:生性~。

【怯弱】qièruò 形 胆小软弱:性格~|~女子。

【怯生】qièshēng〈方〉形 见到不熟识的人有些害怕和不自然;怕生:孩子~,客人一抱他就哭。

【怯生生】qièshēngshēng (~的)形 状态词。形容胆怯畏缩的样子。

【怯声怯气】qiè shēng qiè qì 形容说话时带有胆小和不自然的语气:他说话~的。

【怯阵】qiè//zhèn 动 临阵胆怯,也借指怯场:初次出战,有点~。

砌 qiè〖砌末〗(qiè·mò)见 1102 页〖切末〗。

另见 1081 页 qì。

窃(竊) qiè ❶ 偷:行~|~案◇~国。❷ 偷偷地:~笑|~听。❸〈书〉谦指自己(意见):~谓|~以为不可。

【窃案】qiè'àn 名 偷窃的案件。

【窃夺】qièduó 动 用非法手段夺取;窃取。

【窃国】qièguó 动 篡夺国家政权:~大盗。

【窃据】qièjù 动 用不正当手段占据(土地、职位):~高位|~要津。

【窃密】qiè//mì 动 盗窃机密。

【窃窃】qièqiè ❶ 形 形容声音细小:~私语。也作切切。❷ 副 暗地里;偷偷地:~自喜。

【窃窃私语】qièqiè sī yǔ 私下里小声交谈:两个人躲在角落里~。

【窃取】qièqǔ 动 偷窃,多用于比喻:~职位|~胜利果实。

【窃听】qiètīng 动 暗中偷听,通常指利用电子设备偷听别人的谈话。

【窃喜】qièxǐ 动 暗自高兴:心中~。

【窃笑】qièxiào 动 偷偷地笑;暗中讥笑:心中~|遭人~。

【窃贼】qièzéi 名 小偷儿。

挈 qiè〈书〉❶ 举;提:提纲~领。❷ 挈带;带领:~眷|扶老~幼。

【挈带】qièdài〈书〉动 携带;带领:~行李|~眷属返乡。

惬(愜、慊) qiè〈书〉(心里)满足:~意。

【惬当】qièdàng〈书〉形 恰如其分;适当。

【惬怀】qièhuái〈书〉形 称心;满意。

【惬意】qièyì 形 满意;称心;舒服:~的微笑|树荫下凉风习习,十分~。

趄 qiè 动 倾斜:~坡儿|~着身子。另见 736 页 jū。

慊 qiè〈书〉满足;满意:意犹未~。另见 1093 页 qiàn。

揭 qiè〈书〉❶ 去;离去。❷ 勇武。

锲(鍥) qiè〈书〉雕刻:~而不舍。

【锲而不舍】qiè ér bù shě 雕刻一件东西,一直刻下去不放手,比喻有恒心,有毅力:学习要有~的精神。

箧(篋) qiè〈书〉小箱子:书~|藤~|行~。

qīn（ㄑㄧㄣ）

钦（欽）qīn ❶ 敬重：～佩｜～仰。❷ 指皇帝亲自（做）：～定｜～赐。❸（Qīn）名姓。

【钦差】qīnchāi 名 由皇帝派遣，代表皇帝出外办理重大事件的官员。

【钦差大臣】qīnchāi dàchén 钦差。现多指上级机关派来的、握有大权的工作人员（多含讥讽意）。

【钦定】qīndìng 动 由君主亲自裁定：《乾隆～传世藏帖》。

【钦敬】qīnjìng 动 钦佩尊敬：受人～。

【钦慕】qīnmù 动 敬慕：～不已｜～之情，溢于言表。

【钦佩】qīnpèi 动 敬重佩服：～的目光｜他这种舍己为人的精神，使人十分～。

【钦羡】qīnxiàn 动 钦佩羡慕：～的目光。

【钦仰】qīnyǎng〈书〉动 钦佩景仰：令人～。

侵qīn ❶ 侵入：～害｜入～。❷〈书〉接近（天明）：～晓｜～晨。❸（Qīn）名姓。

【侵晨】qīnchén〈书〉名 天快亮的时候。

【侵夺】qīnduó 动 凭势力夺取（别人财产）。

【侵犯】qīnfàn 动 ❶ 非法干涉别人，损害其权利：～版权｜～农民利益。❷ 侵入别国领域：～领空。

【侵害】qīnhài 动 ❶ 侵入而损害：防止害虫～农作物。❷ 用暴力或非法手段损害：不得～人民群众利益。

【侵凌】qīnlíng 动 侵犯欺负：遭～。

【侵略】qīnlüè 动 指侵犯别国的领土、主权，掠夺财富并奴役别国的人民。侵略的主要形式是武装入侵，有时也采用政治干涉、经济和文化渗透等方式：～战争｜文化～。

【侵权】qīnquán 动 侵犯、损害他人的合法权益。

【侵扰】qīnrǎo 动 侵犯骚扰：～边境。

【侵入】qīnrù 动 ❶ 用武力强行进入（境内）：～边境。❷（外来的或有害的事物）进入（内部）：由于冷空气～，气温急剧下降。

【侵蚀】qīnshí 动 ❶ 逐渐侵害使变坏：病菌～人体。❷ 暗中一点一点地侵占（财物）：～公款。

【侵吞】qīntūn 动 ❶ 暗中非法占有（别人的东西或公共的财物、土地等）：～公款。❷ 用武力吞并或占有（别国的领土）。

【侵袭】qīnxí 动 侵入并袭击：～领空◇沿海一带常遭台风～。

【侵越】qīnyuè 动 侵犯超越（权限）。

【侵占】qīnzhàn 动 ❶ 非法占有（别人的财产）。❷ 用侵略手段占有（别国的领土）。

亲（親）qīn ❶ 父母：父～｜母～｜双～。❷ 形 属性词。亲生：～女儿。❸ 形 属性词。血统最接近的：～弟兄（同父母的弟兄）｜～叔叔（父亲的亲弟弟）。❹ 有血统或婚姻关系的：～属｜～戚｜～人｜～友｜姑表～沾～带故。❺ 婚姻：结～｜定～｜～事。❻ 指新妇：娶～｜送～｜迎～。❼ 形 关系近；感情好（跟"疏"相对）：～近｜～密｜不分～疏｜她是姥姥带大的，跟姥姥最～。❽ 亲自：～手｜～口｜～眼。❾ 跟人亲近（多指国家）：～华｜～美。❿ 动 用嘴唇接触（人或东西），表示亲热、喜爱：～嘴｜他～了～孩子。

另见 1119 页 qìng。

【亲爱】qīn'ài 形 属性词。关系密切的，感情深厚的：～的祖国｜～的同志｜～的母亲。

【亲本】qīnběn 名 杂交时所选用的父本和母本的统称。

【亲笔】qīnbǐ ❶ 副 亲自动笔（写）：～信｜这是他～写的。❷ 名 指亲自写的字：这几个字是鲁迅先生的～。

【亲传】qīnchuán 动 亲身传授：～弟子｜得名家～。

【亲代】qīndài 名 产生后一代生物的生物，对后一代生物来说是亲代，所产生的后一代叫子代。

【亲等】qīnděng 名 计算亲属关系亲疏远近的单位，如父母和子女为一亲等，祖父母和孙子女为二亲等。

【亲故】qīngù 名 亲戚故旧：遍访～。

【亲和力】qīnhélì 名 ❶ 两种或两种以上的物质结合成化合物时互相作用的力。❷ 比喻使人亲近、愿意接触的力量：她平易近人,很具~。

【亲近】qīnjìn ❶ 形（双方）亲密;关系密切:这两个小同学很~。❷ 动（一方对另一方）亲密地接近:他热情诚恳,大家都愿意~他。

【亲眷】qīnjuàn 名 ❶ 亲戚。❷ 眷属。

【亲口】qīnkǒu 副（话）出于本人的嘴:这是他~告诉我的。

【亲历】qīnlì 动 亲身经历:~其境|这是我~的事,所以印象极深。

【亲临】qīnlín 动 亲自到(某处):~其境|~现场|~指导|~抗洪前线。

【亲密】qīnmì 形 感情好,关系密切:他俩非常~|~的战友。

【亲昵】qīnnì 形 十分亲密:她~地依偎在母亲怀里。

【亲朋】qīnpéng 名 亲戚朋友:~好友。

【亲戚】qīn·qi 名 跟自己家庭有婚姻关系或血统关系的家庭或它的成员:一门~|我们两家是~|他在北京的~不多,只有一个表姐。

【亲切】qīnqiè 形 ❶ 亲近;亲密:他想起延安,像想起家乡一样~。❷ 形容热情而关心:老师的~教导。

【亲情】qīnqíng 名 亲人的情义:父女~|不念~|祖国处处有~。

【亲热】qīnrè ❶ 形 亲密而热情:大伙儿就像久别重逢的亲人一样,~极了|乡亲们围着子弟兵,亲亲热热地问长问短。❷ 动 表示亲密和喜爱:每次出差回家,总要先跟孩子~~。

【亲人】qīnrén 名 ❶ 直系亲属或配偶:他家里除母亲以外,没有别的~。❷ 比喻关系密切、感情深厚的人。

【亲善】qīnshàn 形 亲近而友好:两国~。

【亲身】qīnshēn 副 亲自:~经历了这一考验。

【亲生】qīnshēng 形 属性词。自己生育的或生育自己的:~子女|~父母。

【亲事】qīn·shì 名 婚事;操办~。

【亲手】qīnshǒu 副 用自己的手(做):你~种的两棵枣树,现在长得可大啦。

【亲疏】qīnshū 名 关系的亲近和疏远:不分~,一视同仁。

【亲属】qīnshǔ 名 跟自己有血统关系或婚姻关系的人:直系~|旁系~。

【亲体】qīntǐ 名 产生后一代生物的雌性个体和雄性个体的统称。

【亲痛仇快】qīn tòng chóu kuài 亲人痛心,仇人高兴:决不能做~的事。也说亲者痛,仇者快。

【亲王】qīnwáng 名 皇帝或国王的亲属中封王的人。

【亲吻】qīnwěn 动 用嘴唇接触(人或物),表示亲热、喜爱。

【亲信】qīnxìn ❶ 动 亲近而信任:~小人。❷ 名 亲近而信任的人(多含贬义):培植~。

【亲眼】qīnyǎn 副 用自己的眼睛(看):~所见|~看到了这几年人民生活的巨大变化。

【亲友】qīnyǒu 名 亲戚朋友。

【亲鱼】qīnyú 名 指发育到性成熟阶段,有繁殖能力的雄鱼或雌鱼。

【亲缘】qīnyuán 名 指血缘关系;亲代遗传关系。

【亲征】qīnzhēng 动 亲自出征(多指帝王)。

【亲政】qīnzhèng 动 幼年继位的帝王成年后亲自处理政事。

【亲知】qīnzhī 动 亲身知道:真正~的是天下实践着的人。

【亲炙】qīnzhì〈书〉动 直接受到教诲或传授:久仰大名,无由~。

【亲子】qīnzǐ ❶ 名 人或动物的上一代跟下一代的血缘关系,也指父母与子女:~沟通|~鉴定。❷ 名 亲生子女,特指亲生儿子。❸ 动 指父母对子女进行培养教育:~有方。

【亲子鉴定】qīnzǐ jiàndìng 用测试双方遗传标记(如 DNA、血型等)的方法,来确定两个人是否为亲生父子(女)或亲生母子(女)的关系。

【亲自】qīnzì 副 自己直接(做):~主持会议|你~去一趟吧|库房的门总是由他~开关,别人从来不经手。

【亲族】qīnzú 名 家属和同族;家族。

【亲嘴】qīn∥zuǐ（～儿）动 两个人以嘴唇相接触,表示亲爱。

衾 qīn〈书〉❶ 被子:~枕。❷ 尸体入殓时盖尸体的东西:衣~|棺~。

骎(駸) qīn［骎骎］(qīnqīn)〈书〉形 形容马跑得很快的样子,比喻事业进展得很快；祖国建设～日上。

嵚（嵚）qīn ［嵚崟］(qīnyín)〈书〉形 形容山高。

qín （ㄑㄧㄣ）

芹 qín ❶ 芹菜：西～。❷ (Qín)名 姓。

【芹菜】qíncài 名 一年生或二年生草本植物，羽状复叶，小叶卵形，叶柄肥大，绿色或黄白色，花绿白色，果实扁圆形。是常见蔬菜。

【芹献】qínxiàn 〈书〉名 谦称赠人的礼品或对人的建议。参看 1482 页[献芹]。

芩 qín ❶ 古书上指芦苇一类的植物。❷ (Qín)名 姓。

矜（矜）qín 古代指矛柄。
另见 504 页 guān；709 页 jīn。

秦 Qín ❶ 周朝国名，在今陕西中部、甘肃东部。公元前 221 年统一中国，建立秦朝。❷ 朝代，公元前 221—公元前 206，秦始皇嬴政所建，建都咸阳(在今陕西咸阳东)。❸ 名 指陕西和甘肃，特指陕西。❹ 名 姓。

【秦吉了】qínjíliǎo 名 文学作品中所说的一种鸟，样子和八哥儿相似，能模仿人说话的声音。据说产于陕西，所以叫秦吉了。

【秦艽】qínjiāo 名 多年生草本植物，根土黄色，互相缠在一起，叶子和茎相连，花紫色。根可入药。

【秦椒】qínjiāo 〈方〉名 细长的辣椒。

【秦晋】Qín Jìn 名 春秋时秦、晋两国国君几代都互相通婚，后用"秦晋"指两姓联姻：愿偕～|结～之好。

【秦镜高悬】Qín jìng gāo xuán 见 956 页[明镜高悬]。

【秦楼楚馆】Qín lóu Chǔ guǎn 旧时指歌舞场所，也指妓院。

【秦腔】qínqiāng 名 ❶ 流行于西北各省的地方戏曲剧种，由陕西、甘肃一带的民歌发展而成，是梆子腔的一种。也叫陕西梆子。❷ 北方梆子的统称。

【秦篆】qínzhuàn 名 小篆。

撳 qín 〈书〉同"擒"。

椝 qín "椝"chén 的又音。

栞 qín 〈书〉同"琴"。

琴 qín 名 ❶ 古琴。❷ 某些乐器的统称，如风琴、钢琴、提琴、口琴、胡琴等。❸ (Qín)姓。

【琴键】qínjiàn 名 风琴、钢琴等上装置的白色和黑色的键。

【琴瑟】qínsè 名 琴和瑟两种乐器一起合奏，声音和谐，用来比喻融洽的感情(多用于夫妇)：～甚笃。

【琴师】qínshī 名 戏曲乐队中操琴伴奏的人。

【琴书】qínshū 名 曲艺的一种，说唱故事，用扬琴伴奏，有山东琴书、徐州琴书等。

覃 Qín 名 姓。
另见 1323 页 tán。

禽 qín ❶ 鸟类：飞～|鸣～|家～。❷〈书〉鸟兽的总称。
〈古〉又同"擒"。

【禽流感】qínliúgǎn 名 禽流行性感冒的简称，是由 A 型流感病毒引起的禽类传染病。

【禽兽】qínshòu 名 鸟和兽，比喻行为卑鄙恶劣的人：衣冠～|～行为。

勤 qín ❶ 形 尽力多做或不断地做(跟"懒、惰"相对)：手～|～学苦练|人～地不懒。❷ 形 次数多；经常：～洗澡|夏季雨水～|他来得最～，差不多天天来。❸ 勤务：内～|外～。❹ 在规定时间内准时到班的工作或劳动：出～|缺～|考～|执～|空～|地～。❺ (Qín)名 姓。

【勤奋】qínfèn 形 不懈地努力(工作或学习)。

【勤工俭学】qín gōng jiǎn xué ❶ 利用学习以外的时间参加劳动，把劳动所得作为学习、生活费用。❷ 我国某些学校采取的办学的一种方式，学生在学习期间从事一定的劳动，学校以学生劳动的收入作为办学资金。

【勤俭】qínjiǎn 形 勤劳而节俭：～建国|～过日子。

【勤谨】qín•jin 〈方〉形 勤劳，勤快：她是个～人，一会儿都不肯闲着。

【勤恳】qínkěn 形 勤劳而踏实：～地劳动|勤勤恳恳地工作。

【勤苦】qínkǔ 形 勤劳刻苦：～练习｜～的生活。

【勤快】qín·kuai 〈口〉形 手脚勤，爱劳动：手脚～｜他们很～，天一亮，就下地干活。

【勤劳】qínláo 形 努力劳动，不怕辛苦：～致富｜～勇敢的人民。

【勤勉】qínmiǎn 形 勤奋：工作～｜～学习。

【勤勤】qínqín 〈书〉形 形容诚恳或殷勤：雅意～。

【勤王】qínwáng 〈书〉动 ❶ 君主的统治地位受到内乱或外患的威胁而动摇时，臣子发兵援救：～之师。❷ 为王朝尽力。

【勤务】qínwù 名 ❶ 公家分派的公共事务。❷ 军队中专门做杂务工作的人。

【勤务兵】qínwùbīng 名 旧时军队中给军官办理杂务的士兵。

【勤务员】qínwùyuán 名 部队或机关里担任杂务工作的人员◇做人民的～。

【勤杂】qínzá 名 指后勤和杂务：～工｜～人员。

【勤政】qínzhèng 动 指官员为政事勤勉尽责：～爱民。

嗪 qín 译音用字，如吖嗪、哒嗪、哌嗪。

溱 qín 溱潼（Qíntóng），地名，在江苏。
另见 1731 页 Zhēn。

廑 qín 〈书〉同"勤"。
另见 711 页 jǐn。

擒 qín 动 抓；捉拿：生～｜欲～故纵｜～贼先～王。

【擒获】qínhuò 动 捉住；抓获：～歹徒。

【擒拿】qínná ❶ 名 拳术中一种针对人的各部关节和穴位，用各种方法使对方无法反抗的技法。❷ 动 泛指捉拿：～罪犯。

【擒贼擒王】qín zéi qín wáng 捉拿贼寇应当先捉住贼寇的头领，有时用来比喻做事要抓住关键。也说擒贼先擒王。

噙 qín 动 （嘴或眼里）含：～着烟袋｜～着眼泪。

檎 qín 见 862 页【林檎】。

蟛 qín 古书上指一种像蝉的昆虫。

勤 qín 见 1624 页【殷勤】（慇懃）。

qīn （ㄑㄧㄣ）

梫 qǐn ❶ 古书上指肉桂。❷ 梫木。

【梫木】qǐnmù 名 马醉木。

锓（鋟）qǐn 〈书〉雕刻：～版。

寝（寢）qǐn ❶ 睡：废～忘食。❷ 卧室：入～｜就～｜寿终正～。❸ 帝王的坟墓：陵～。❹ 〈书〉停止；平息：其议遂～（那种议论于是平息）。

【寝车】qǐnchē 名 指火车的卧铺车厢。

【寝宫】qǐngōng 名 ❶ 帝、后等居住的宫殿。❷ 帝王的陵墓中的墓室。

【寝具】qǐnjù 名 睡觉时用的东西，如枕头、被褥、席子等。

【寝食】qǐnshí 名 睡觉和吃饭，泛指日常生活：～不安。

【寝室】qǐnshì 名 卧室（多指集体宿舍中的）。

qìn （ㄑㄧㄣ）

唚（吢、嗪）qìn 动 ❶ 猫、狗呕吐。❷ 〈口〉漫骂：满嘴胡～。

沁 qìn 动 ❶ （香气、液体等）渗入或透出：～人心脾｜额上～出了汗珠。❷ 〈方〉头向下垂：～着头。❸ 〈方〉往水里放。

【沁人心脾】qìn rén xīn pí 指呼吸到新鲜空气或喝了清凉饮料使人感到舒适。现也用来形容欣赏了美好的诗文、乐曲等给人以清新、爽朗的感觉。

撳（撳、搇）qìn 〈方〉动 按：～电铃。

qīng （ㄑㄧㄥ）

青 qīng ❶ 形 蓝色或绿色：～天｜～山绿水｜～苔。❷ 形 黑色：～布。❸ 青草或没有成熟的庄稼：踏～｜看（kān）～。❹ 比喻年轻：～年。❺ 指青年：～工（青

年工人)|知～。❻ (Qīng)图 姓。

【青帮】Qīng Bāng 图 帮会的一种,最初参加的人多半以漕运为职业,在长江南北的大中城市里活动。后来由于组成成员复杂,为首的人勾结官府,变成反动统治阶级的爪牙。

【青菜】qīngcài 图❶〈方〉小白菜。❷ 蔬菜的统称。

【青菜头】qīngcàitóu 图 二年生草本植物,芥菜(jiècài)的变种,叶子椭圆形或长卵形。茎膨大成瘤状,可以吃。

【青草】qīngcǎo 图 绿色的草(区别于"干草")。

【青茶】qīngchá 图 茶叶的一大类,为半发酵茶。沏出的茶色泽橙黄。如乌龙、铁观音等。

【青出于蓝】qīng chū yú lán 《荀子·劝学》:"青,取之于蓝,而青于蓝。"蓝色从蓼蓝提炼而成,但是颜色比蓼蓝更深。后来用"青出于蓝"比喻学生胜过老师,后人胜过前人。

【青春】qīngchūn 图❶ 青年时期:把～献给祖国❷老厂恢复了～。❷指青年人的年龄(多见于早期白话):～几何?

【青春痘】qīngchūndòu 图 痤疮,因多生在青年人的面部,所以叫青春痘。

【青春期】qīngchūnqī 图 男女生殖器官发育成熟的时期。通常男子的青春期是14—16岁,女子的青春期是13—14岁。

【青瓷】qīngcí 图 不绘画只涂上淡青色釉的瓷器。

【青葱】qīngcōng 圈 形容植物浓绿:～的草地|窗外长着几棵竹子,～可爱。

【青翠】qīngcuì 圈 鲜绿色:～的西山|雨后,垂柳显得格外～。

【青翠欲滴】qīngcuì yù dī 形容草木茂盛润泽,颜色浓郁得好像要滴下来一样。

【青豆】qīngdòu 图 子实表皮是绿色的大豆。

【青蚨】qīngfú 图 传说中的虫名,古代借指铜钱。

【青冈】qīnggāng 图 常绿乔木,高可达20米,叶子椭圆形,果的壳斗碗形,果卵形。木材坚韧,可以制车船,树皮和壳斗可制栲胶。也作青枫。

【青枫】qīnggāng 同"青冈"。

【青工】qīnggōng 图 青年工人。

【青光眼】qīngguāngyǎn 图 眼内的压力增高引起的眼病,症状是瞳孔放大,角膜水肿,呈灰绿色,剧烈头痛,呕吐,视力急剧减退。也叫绿内障。

【青果】qīngguǒ 〈方〉图 橄榄❷。

【青红皂白】qīng hóng zào bái 比喻是非,情由等:不分～|不问～。

【青黄不接】qīng huáng bù jiē 指庄稼还没有成熟,陈粮已经吃完,比喻人力或物力等暂时的缺乏。

【青灰】qīnghuī 图❶ 掺有烟灰等的石灰浆,是建筑材料。❷ 一种含有杂质的石墨,青黑色,常用来刷外墙面或搪炉子,也可做颜料。

【青椒】qīngjiāo 图 柿子椒。

【青衿】qīngjīn 图 旧时读书人穿的一种衣服,借指读书人。

【青筋】qīngjīn 图 指皮肤下可以看见的静脉血管。

【青稞】qīngkē 图❶ 大麦的一种,粒大,皮薄。主要产于西藏、青海等地,可做糌粑,也可酿酒。❷ 这种植物的子实。‖ 也叫稞麦、裸麦或裸大麦。

【青睐】qīnglài 〈书〉团 比喻喜爱或重视:深受读者～。

【青莲色】qīngliánsè 图 浅紫色。

【青龙】qīnglóng 图❶ 苍龙①。❷ 道教所奉的东方的神。

【青楼】qīnglóu 〈书〉图 妓院。

【青绿】qīnglǜ 圈 深绿色:～的松林。

【青麻】qīngmá 图 苘(qǐng)麻的通称。

【青梅】qīngméi 图 青色的梅子。

【青梅竹马】qīngméi zhúmǎ 李白《长干行》:"郎骑竹马来,绕床弄青梅。同居长干里,两小无嫌猜。"后来用"青梅竹马"形容男女小的时候天真无邪,在一起玩耍(竹马:儿童放在胯下当马骑的竹竿)。

【青霉素】qīngméisù 图 抗生素的一种,是从青霉菌培养液中提制的药物。常用的是青霉素的钾盐或钠盐。对链球菌、淋菌、肺炎球菌等有抑制作用。旧称盘尼西林。

【青面獠牙】qīng miàn liáo yá 形容面貌狰狞凶恶。

【青苗】qīngmiáo 图 没有成熟的庄稼(多指粮食作物)。

【青年】qīngnián 图❶ 指人十五六岁到

三十岁左右的阶段:～人|～时代。❷ 指上述年龄的人:新～|好～。

【青年节】Qīngnián Jié 图 见 1444 页〖五四青年节〗。

【青皮】¹ qīngpí 〈方〉图 无赖:～|流氓。

【青皮】² qīngpí 图 中药上指未成熟的橘子的果皮或叶片。

【青涩】qīngsè 囷 果实尚未成熟时果皮颜色发青、口感发涩,多形容不成熟:～年华。

【青纱帐】qīngshāzhàng 图 指长得高而密的大面积高粱、玉米等。

【青史】qīngshǐ 图 史书:～留名|永垂～。

【青丝】¹ qīngsī 〈书〉图 黑发,多指女子的头发:一缕～|三尺～。

【青丝】² qīngsī 图 青梅等切成的细丝,放在糕点馅内,或放在糕点面上做点缀。

【青饲料】qīngsìliào 图 绿色的饲料,如新鲜的野草、野菜、绿树叶等。

【青蒜】qīngsuàn 图 嫩的蒜梗和蒜叶,做菜用。

【青苔】qīngtái 图 指阴湿的地方生长的绿色的苔藓植物。

【青檀】qīngtán 图 落叶乔木,高可达 20 米,叶子卵形,雌花单生,雄花簇生,果实有圆形的翅。木质坚硬,用来制造家具、农具和乐器。

【青天】qīngtiān 图 ❶ 蓝色的天空。❷ 比喻清官:老百姓管包公叫包～。

【青天白日】qīng tiān bái rì 白天(含强调意):～的,竟敢拦路抢劫。

【青天霹雳】qīngtiān pīlì 晴天霹雳。

【青田石】qīngtiánshí 图 一种石料,多为青绿色,有蜡状光泽、稍透明,产于浙江青田,是制印章和工艺品的名贵材料。

【青铜】qīngtóng 图 铜、锡等的合金,青灰色或灰黄色,硬度大,耐磨,抗腐蚀,多用来做铸件和制造零件。

【青铜时代】qīngtóng shídài 考古学上指石器时代后、铁器时代前的一个时代。这时人类已经能用青铜制成工具,农业和畜牧业有了很大的发展。我国在公元前 2500 年左右已能用青铜铸造器物。也叫铜器时代。

【青蛙】qīngwā 图 两栖动物,头部扁而宽,口阔,眼大,皮肤光滑,颜色因环境而不同,通常为绿色,有灰色斑纹,趾间有

蹼。生活在水中或近水的地方,善跳跃,会游泳,多在夜间活动,雄的叫声响亮。吃田间的害虫,对农业有益。通称田鸡。

【青箱】qīngxiāng 图 一年生草本植物,叶子卵形至披针形,花淡红色,供观赏。种子叫青箱子(qīngxiāngzǐ),可入药。

【青眼】qīngyǎn 图 眼睛正着看,黑色的眼珠在中间,是对人喜爱或重视的一种表情(跟"白眼"相对)。

【青衣】qīngyī 图 ❶ 黑色的衣服:～小帽。❷ 古代指婢女。❸ 戏曲中旦角的一种,扮演中年或青年妇女,因穿青衫而得名。

【青鼬】qīngyòu 图 哺乳动物,外形略像家猫,头的背面和侧面、四肢和尾巴都呈棕黑色,肩部黄色,腹部黄灰色。吃鼠类、蜜蜂等。也叫黄猺。

【青鱼】qīngyú 图 鱼,外形像草鱼,但较细而圆,青黑色,腹部色较浅。是我国重要的淡水鱼类之一。也叫黑鲩(hēihuàn)。

【青玉】qīngyù 图 淡青色或淡青而微绿的软玉。

【青云】qīngyún 图 比喻高的地位:平步～。

【青云直上】qīngyún zhí shàng 比喻官职升得很快很高。

【青紫】qīngzǐ ❶ 〈书〉图 指古代高官印绶、服饰的颜色,比喻高官显爵。❷ 囷 发绀。

轻(輕) qīng ❶ 囷 重量小;比重小(跟"重"相对):身～如燕|油比水～,所以油浮在水面上。❷ 负载小;装备简单:～装|～骑兵|～车简从。❸ 囷 数量少;程度浅:年纪～|工作很～|～伤。❹ 轻松:～音乐|无病一身～。❺ 囷 不重要:责任～|关系不～。❻ 囷 用力不猛:～抬～放|～～推了他一下。❼ 轻率:～信|～举妄动。❽ 不庄重:～佻|～薄。❾ 轻视:～慢|～敌|财重义。

【轻便】qīngbiàn 囷 ❶ 重量较小,建造较易,或使用方便:小巧～|～铁路|～摩托车。❷ 轻松;容易:贪图～,反而误事。

【轻薄】qīngbó 囷 言语举动带有轻佻和玩弄意味(多指对女性):态度～。

【轻车简从】qīng chē jiǎn cóng 指有地位的人出门时,行装简单,跟随的人不多。也说轻装简从。

【轻车熟路】qīng chē shú lù 驾着轻便的

车在熟路上走,比喻对情况熟悉,做起来容易。

【轻淡】qīngdàn 形 轻微;淡薄:童年的经历只有一点儿～的记忆了|他把名利看得很～。

【轻敌】qīngdí 动 轻视敌人或对手,不加警惕:麻痹～|～思想。

【轻而易举】qīng ér yì jǔ 形容事情很容易做。

【轻风】qīngfēng 名 ❶ 轻微的风:～细雨。❷ 气象学上旧指 2 级风。参看 407 页〖风级〗。

【轻浮】qīngfú 形 言语举动随便,不严肃不庄重:举止～。

【轻歌曼舞】qīng gē màn wǔ 轻松愉快的音乐和柔和优美的舞蹈。

【轻工业】qīnggōngyè 名 以生产生活资料为主的工业,包括纺织工业、食品工业、制药工业等。

【轻轨铁路】qīngguǐ tiělù 城市公共交通所使用的铁路,列车由电力机车牵引,在地面下和地面上沿轻型轨道行驶。

【轻忽】qīnghū 动 不重视;不注意;轻率疏忽:～职守|事关重大,不容～。

【轻活儿】qīnghuór 名 不大费力气的活儿。

【轻机枪】qīngjīqiāng 名 机枪的一种。装有两脚架,重量较轻,可由单人携带和使用,有效射程 500～800 米。

【轻贱】qīngjiàn ❶ 形 低贱;下贱:自重些,别那么～。❷ 动 看不起;小看:受人～。

【轻健】qīngjiàn 形 轻快而矫健:步履～。

【轻捷】qīngjié 形 轻快敏捷:～的脚步|～地跳上马来。

【轻金属】qīngjīnshǔ 名 通常指密度小于 $5g/cm^3$ 的金属,如钠、钾、镁、钙、铝、钛等。

【轻举妄动】qīng jǔ wàng dòng 不经慎重考虑,盲目行动。

【轻口薄舌】qīng kǒu bó shé 形容说话刻薄。也说轻嘴薄舌。

【轻快】qīngkuài 形 ❶（动作）不费力:脚步～。❷ 轻松愉快:～的曲调|洗完澡,身上～多了。

【轻狂】qīngkuáng 形 非常轻浮:举止～|～放纵。

【轻慢】qīngmàn 动 对人不敬重,态度傲慢:～失礼|不可～客人。

【轻描淡写】qīng miáo dàn xiě 着力不多地描写或叙述;谈问题时把重要问题轻轻带过。

【轻蔑】qīngmiè 动 轻视;不放在眼里:～的眼光。

【轻诺寡信】qīng nuò guǎ xìn 随便答应人,很少能守信用。

【轻飘】qīngpiāo 形 ❶ 轻飘飘:～的柳絮。❷ 轻浮不踏实:作风～。

【轻飘飘】qīngpiāopiāo （～的）形 状态词。❶ 形容轻得像要飘起来的样子:垂柳～地摆动。❷（动作）轻快灵活;（心情）轻松、自在:他高兴地走着,脚底下～的。

【轻骑】qīngqí 名 ❶ 轻装的骑兵。❷ 指轻便的两轮摩托车。

【轻巧】qīng·qiǎo 形 ❶ 重量小而灵巧:这小车真～|他身子很～。❷ 轻松灵巧:动作～|他操纵机器,就像船夫划小船一样～。❸ 简单容易:说得倒～。

【轻取】qīngqǔ 动 轻而易举地战胜对手:这场比赛北京队以 5 比 0 ～客队。

【轻柔】qīngróu 形 轻而柔和:衣料质地～|～的枝条|声音～。

【轻生】qīngshēng 动 不爱惜自己的生命（多指自杀）。

【轻声】qīngshēng 名 说话的时候有些字音很轻很短,叫做"轻声"。如普通话中的"了、着、的"等虚词和做后缀的"子、头"等字都念轻声。有些双音词的第二字也念轻声,如"萝卜"的"卜","地方"的"方"。

【轻省】qīng·sheng 〈方〉形 ❶ 轻松:如今添了个助手,你可以稍微～点儿。❷ 重量小;轻便:这个箱子挺～。

【轻视】qīngshì 动 不重视;不认真对待:～劳动|受人～。

【轻手轻脚】qīng shǒu qīng jiǎo 手脚动作很轻,尽量少发出响声。

【轻率】qīngshuài 形（说话做事）随随便便,没有经过慎重考虑:举止～|～从事|结论过于～。

【轻水】qīngshuǐ 名 普通水（H_2O）经过净化,用作反应堆的冷却剂和中子的慢化剂,叫做轻水。

【轻松】qīngsōng 形 不感到有负担;不紧张:～活儿|～愉快。

【轻佻】qīngtiāo 形（言语举动等）不庄重,不严肃:举止～|妖冶～。

【轻微】qīngwēi　形 不重的;程度浅的:～劳动|～脑震荡|他睡着了,发出～的鼾声。

【轻武器】qīngwǔqì　名 射程较近,便于携带的武器。如步枪、冲锋枪、机枪、反坦克火箭筒等。

【轻侮】qīngwǔ　动 轻蔑侮辱:国家的尊严岂容～!

【轻闲】qīngxián　形 轻松安闲;(活儿)不重。

【轻信】qīngxìn　动 轻易相信:～谣言。

【轻型】qīngxíng　形 属性词。(机器、武器等)在重量、体积、功效或威力上比较小的:～汽车|～建材|～飞机|～坦克。

【轻扬】qīngyáng　同“轻飏”。

【轻飏】qīngyáng　动 轻轻飘扬:柳絮～。也作轻扬。

【轻易】qīng·yì　❶ 形 简单容易:胜利不是～得到的。❷ 副 随随便便:他从不～发表意见。

【轻音乐】qīngyīnyuè　名 指轻快活泼、以抒情为主、结构简单的乐曲,包括器乐曲、舞曲等。

【轻盈】qīngyíng　形 ❶ 形容女子身材苗条,动作轻快:体态～|～的舞步。❷ 轻松:～的笑语。

【轻悠悠】qīngyōuyōu　(～的)形 状态词。❶ 形容轻飘飘的样子:只见蝴蝶在花丛中～地飞来飞去。❷ 形容声音轻柔:～的琴声由远处传来。

【轻于鸿毛】qīng yú hóngmáo　比喻死得不值得(鸿毛:大雁的毛):死有重于泰山,有～。

【轻元素】qīngyuánsù　名 原子量较小的元素,如氢、氦等。

【轻重】qīngzhòng　名 ❶ 重量的大小;用力的大小。❷ 程度的深浅;事情的主次:大夫根据病情～来决定病人要不要住院|工作要分～缓急,不能一把抓。❸ (说话做事的)适当限度:小孩子说话不知～。

【轻重倒置】qīng zhòng dào zhì　把重要的和不重要的弄颠倒了。

【轻重缓急】qīng zhòng huǎn jí　指事情有次要的、主要的、缓办的、急办的区别:做工作要注意～。

【轻舟】qīngzhōu　〈书〉名 小船:一叶～|～荡漾。

【轻装】qīngzhuāng　名 ❶ 轻便的行装:～就道。❷ 轻便的装备:～部队。

【轻装简从】qīng zhuāng jiǎn cóng　轻车简从。

【轻装上阵】qīng zhuāng shàng zhèn　为了行动便利,只携带轻便的装备上战场。也比喻去除思想顾虑,轻松地投入到工作或学习中。

氢(氫) qīng　名 ❶ 气体元素,符号 H(hydrogenium)。无色无臭无味,是密度最小的元素。氢的同位素有氕、氘、氚三种。在工业上用途很广。❷ 指氢气。

【氢弹】qīngdàn　名 核武器的一种,用氢的同位素氘和氚为原料,用特制的原子弹作为引起爆炸的装置,当原子弹爆炸时,所产生的高温使氘和氚发生聚合反应形成氦核子而产生巨大能量并引起猛烈爆炸。氢弹的威力比原子弹大得多。也叫热核武器。

【氢离子浓度指数】qīnglízǐ nóngdù zhǐshù　表示溶液酸性或碱性程度的数值,即所含氢离子浓度的常用对数的负值。如某溶液所含氢离子的浓度为每升 10^{-5} 克,它的氢离子浓度指数就是 5。氢离子浓度指数一般在 0 至 14 之间,当它为 7 时,溶液呈中性;小于 7 时呈酸性,值愈小,酸性愈强;大于 7 时呈碱性,值愈大,碱性愈强。通称 pH 值。

【氢硫基】qīngliújī　名 巯基。

【氢气】qīngqì　名 氢分子(H_2)组成的气态物质。

【氢氧根】qīngyǎnggēn　名 由氢和氧两种原子组成的带负电荷的一价原子团(OH^-)。

【氢氧基】qīngyǎngjī　名 羟基。

倾(傾) qīng　❶ 动 歪;斜:～斜|身子向前～着。❷ 倾向:左～|右～。❸ 倒塌:～覆|大厦将～。❹ 使器物反转或歪斜,尽数倒出里面的东西:～箱倒箧|～盆大雨。❺ 用尽(力量):～听|～诉|～全力把工作做好。❻〈书〉压倒:权～朝野。

【倾侧】qīngcè　动 倾斜:塔身～|身子稍一～就倒在地上。

【倾巢】qīngcháo　动 出动全部力量(多含贬义):～来犯|～出动。

【倾城倾国】qīng chéng qīng guó　形容女

子容貌很美。(语本《汉书·外戚传》:"一顾倾人城,再顾倾人国。")

【倾倒】qīngdǎo 动❶ 由歪斜而倒下。❷ 十分佩服或爱慕:他的演技,令全场观众为之~。

【倾倒】qīngdào 动 倒转或倾斜容器使里面的东西全部出来:他猛一使劲儿把一车土都~到沟里了◇~内心的苦闷一时。

【倾动】qīngdòng 动 使人佩服感动:~一时。

【倾覆】qīngfù 动❶(物体)倒下。❷ 使失败;颠覆:~国家。

【倾家荡产】qīng jiā dàng chǎn 把全部家产丧失净尽。

【倾角】qīngjiǎo 名 直线或平面与水平线或水平面所成的角,或一直线与其在平面上的射影所成的角。

【倾力】qīnglì 动 倾注全部力量:~打造新品牌|~于新产品的研发。

【倾慕】qīngmù 动 倾心爱慕:彼此~|~的心情。

【倾盆】qīngpén 动 形容雨极大:大雨~。

【倾情】qīngqíng 动 倾注全部情感:~之作|歌手~演唱。

【倾诉】qīngsù 动 完全说出(心里的话):~衷情|尽情~。

【倾塌】qīngtā 动 倒塌:房舍~。

【倾谈】qīngtán 动 真诚而尽情地交谈:促膝~。

【倾听】qīngtīng 动 细心地听取(多用于上对下):~群众的意见。

【倾吐】qīngtǔ 动 倾诉:~衷肠。

【倾箱倒箧】qīng xiāng dào qiè 把箱子里的东西都倒出来,比喻尽其所有。

【倾向】qīngxiàng ❶ 动 偏于赞成(对立的事物中的一方):两种意见我比较~于前一种。❷ 名 发展的方向;趋势:纠正不良~。

【倾向性】qīngxiàngxìng 名❶ 指文学家、艺术家在作品中流露出来的对现实生活的爱憎情绪。❷ 泛指对某方面的爱憎、褒贬倾向。

【倾销】qīngxiāo 动 在市场上用低于平均市场价格(甚至低于成本)的价格,大量抛售商品。目的在于击败竞争对手、夺取市场。

【倾斜】qīngxié 动❶ 歪斜:屋子年久失

修,有些~。❷ 比喻偏向于某一方:投资向西部地区~。

【倾泻】qīngxiè 动(大量的水)很快地从高处流下:大雨之后,山水~下来,汇成了奔腾的急流。

【倾心】qīngxīn 动❶ 一心向往;爱慕:一见~。❷ 拿出真诚的心:~交谈,互相勉励。

【倾轧】qīngyà 动 在同一组织中排挤打击不同派系的人:勾心斗角,互相~。

【倾注】qīngzhù 动❶ 由上而下地流入:一股泉水~到深潭里。❷(感情、力量等)集中到一个目标上:母亲的爱~在儿女身上|毕生精力~于教育事业。

卿 qīng ❶ 古时高级官名:~相。❷ 古时君称臣。❸ 古时夫妻或好朋友之间表示亲爱的称呼。❹(Qīng)名 姓。

【卿卿我我】qīng qīng wǒ wǒ 形容男女间非常亲昵。

圊 qīng〈书〉厕所:~土|~粪。

【圊肥】qīngféi〈方〉名 厩(jiù)肥。

清¹ qīng ❶ 形(液体或气体)纯净没有混杂的东西(跟"浊"相对):水~见底|天朗气~。❷ 寂静:~静|冷~。❸ 公正廉洁:~官|~廉。❹ 形 清楚:说不~|问~细底。❺ 单纯;不配别的东西:~唱|~茶。❻ 动 一点不留:把账还~了。❼ 清除不纯的成分,使组织纯洁:~党。❽ 动(账目)还清;结清:~欠|账已经~了。❾ 动 点验:~一一行李的件数。

清² Qīng 名❶ 朝代,公元 1616—1911,满族人爱新觉罗·努尔哈赤所建,初名后金,1636 年改为清。1644 年入关,定都北京。❷ 姓。

【清白】qīngbái 形❶ 纯洁;没有污点:历史~。❷〈方〉清楚;明白:他说了半天也没把问题说~。

【清仓】qīng∥cāng 动❶ 清理库存:~核资。❷ 将库存商品或持有的证券等全部卖出:~甩卖。

【清册】qīngcè 名 详细登记有关项目的册子:材料~|固定财产~。

【清茶】qīngchá 名❶ 用绿茶泡成的茶水。❷ 指不配糖果点心的单纯的茶水。

【清查】qīngchá 动 彻底检查:~仓库。

【清偿】qīngcháng 动 全部偿还(债务)。

【清场】qīng//chǎng 团 清理公共场所：散戏后,再一打扫。

【清唱】qīngchàng ❶ 名 不化装的戏曲演唱形式,一般只唱某出戏中的一段或数段。❷ 动 用清唱的形式演唱。

【清澈】(清彻) qīngchè 形 清而透明：湖水~见底。

【清晨】qīngchén 名 时间词。日出前后的一段时间。

【清除】qīngchú 动 扫除净尽;全部去掉：~积雪|~积弊|~内奸。

【清楚】qīng·chu ❶ 形 事物容易让人了解、辨认：字迹~|话说得不~|把工作交代~。❷ 形 对事物了解很透彻：头脑~。❸ 动 了解：我真不~他为什么要这样做|这个问题你~不~?

【清纯】qīngchún 形 ❶ 清秀纯洁：~秀丽|她~得像一朵玉兰。❷ 清新纯净：泉水~|雨后空气~。

【清醇】qīngchún 形 (气味、滋味)清而纯正：酒味~可口。

【清脆】qīngcuì 形 ❶ (声音)清楚悦耳：~的鸟语声|~的歌声。❷ (食物)脆而清香：鲜黄瓜~可口。

【清单】qīngdān 名 详细登记有关项目的单子：开一|物资~|列一个~。

【清淡】qīngdàn 形 ❶ (颜色、气味)清而淡;不浓：一杯~的龙井茶|~的荷花香气。❷ (食物)含油脂少：我这两天感冒了,想吃点~的菜。❸ 清新淡雅：~的艺术风格。❹ 营业数额少：这两天顾客不多,生意比较~。

【清道】qīngdào 动 ❶ 打扫街道;清除路上的障碍。❷ 古代帝王或官吏外出时在前引路,驱散行人。

【清道夫】qīngdàofū 名 旧时称打扫街道的工人。

【清点】qīngdiǎn 动 清理查点：~物资。

【清炖】qīngdùn 动 烹调方法,汤中不放酱油慢慢炖(肉类)：~鸡。

【清风】qīngfēng 名 凉爽的风：~徐来。

【清福】qīngfú 名 指清闲安适的生活：享~。

【清高】qīnggāo 形 ❶ 指人品纯洁高尚,不同流合污。❷ 指人孤高,不合群。

【清稿】qīnggǎo 名 誊清了的稿子。

【清供】qīnggòng 名 ❶ 清雅的供品,如松、竹、梅、鲜花、香火和素的食物等。❷ 指古董、盆景等供玩赏的东西：案头~。

【清官】qīngguān 名 称廉洁公正的官。

【清规】qīngguī 名 佛教规定的僧尼必须遵守的规则。

【清规戒律】qīngguī jièlǜ ❶ 僧尼、道士必须遵守的规则和戒律。❷ 泛指规章制度,多指束缚人的死板的规章制度。

【清寒】qīnghán 形 ❶ 清贫：家境~。❷ 清朗而有寒意：月色~。

【清还】qīnghuán 动 清理归还;清偿：~图书。

【清火】qīng//huǒ 动 败火。

【清寂】qīngjì 形 冷清寂静：~的月夜。

【清减】qīngjiǎn 〈书〉形 婉辞,指人消瘦。

【清剿】qīngjiǎo 动 全部消灭;肃清：~土匪。

【清洁】qīngjié 形 没有尘土、油垢等：~剂|屋子里很~|注意~卫生。

【清洁生产】qīngjié shēngchǎn 指使用清洁能源和原料,提高资源利用率,减轻或消除对人类健康和环境造成的危害的生产方式。

【清劲风】qīngjìngfēng 名 气象学上旧指5级风。参看407页〖风级〗。

【清净】qīngjìng 形 ❶ 没有事物打扰：耳根~。❷ 清澈：湖水~见底。

【清静】qīngjìng 形 (环境)安静;不嘈杂：我们找个~的地方谈谈。

【清君侧】qīng jūn cè 《公羊传·定公十三年》："晋赵鞅取晋阳之甲,以逐荀寅与士吉射。荀寅与士吉射者曷为者也? 君侧之恶人也。""清君侧"指清除君主身边的奸佞。

【清客】qīngkè 名 旧指在官僚地主家里帮闲的门客：豪门~。

【清口】qīngkǒu 形 爽口：拌黄瓜吃着~。

【清苦】qīngkǔ 形 贫苦(旧时多形容读书人)：~生活~。

【清栏】qīng//lán 〈方〉动 起圈(juàn)。

【清朗】qīnglǎng 形 ❶ 凉爽晴朗：~的月夜|天气~。❷ 清净明亮：眉目~|一双大眼~有神。❸ 清楚响亮：~的声音。❹ 清新明快：笔调~。

【清冷】qīnglěng 形 ❶ 凉爽而略带寒意：~的秋夜。❷ 冷清：旅客们都走了,站台上十分~。

【清理】qīnglǐ 动 彻底整理或处理：～仓库|～账目|～积案|～古代文献。

【清丽】qīnglì 形 清雅秀丽：文章～|气质～|～的景色。

【清廉】qīnglián 形 清白廉洁：为政～。

【清凉】qīngliáng 形 凉而使人感觉爽快：泉水～|澄澈|～的薄荷味儿。

【清凉油】qīngliángyóu 名 用薄荷油、樟脑等加凡士林制成的外敷用膏状药物。对头痛、皮肤瘙痒、轻微烫伤等有一定疗效，但不能根治。旧称万金油。

【清亮】qīngliàng 形 清脆响亮：嗓音～|～的歌声。

【清亮】qīng·liang 形 ❶ 清澈。❷ 明白：心里一下子～了。❸〈方〉清楚；清晰：石碑上的字迹看不～。

【清冽】qīngliè 形 清冷①；清凉：溪水～。

【清泠泠】qīnglínglíng 同"清凌凌"。

【清凌凌】qīnglínglíng （～的）形 状态词。形容水清澈而有波纹。也作清泠泠。

【清明】[1] qīngmíng 形 ❶（政治）有法度，有条理：～之治。❷（头脑）清楚；清醒；神志～。❸ 清澈而明朗：月色～。

【清明】[2] qīngmíng 名 二十四节气之一，在4月4,5或6日。民间习惯在这天扫墓。参看696页〖节气〗、363页〖二十四节气〗。

【清盘】qīng//pán 动 ❶ 企业由于某种原因不再继续经营时，变卖资产以偿还债务、分配剩余财产等，叫清盘。❷ 指将房屋、货物、股票等全部卖出。

【清贫】qīngpín 形 贫穷(旧时多形容读书人)：家道～|～自守。

【清平】qīngpíng 形 太平：～世界|海内～。

【清漆】qīngqī 名 油漆的一类，用树脂、干性油等制成，不含颜料，涂在器物表面形成一层透明薄膜，能增加光泽并使器物原有的纹理、颜色。也用来制造磁漆等。

【清讫】qīngqì 收付了结(多指款项)。

【清欠】qīngqiàn 动 清还欠款：加大货款～力度。

【清切】qīngqiè 形 ❶ 清晰真切：她说话的声音太低，听不～|泪眼模糊，看不～。❷ 凄切：不时传来孤雁的哀鸣。

【清秋】qīngqiū 名 秋季，特指深秋：～天气，西山红叶正艳。

【清癯】qīngqú〈书〉形 清瘦：面容～。

【清泉】qīngquán 名 清澈的泉水：～喷涌。

【清热】qīng//rè 动 中医指用药物清除内热：～解毒|～化痰。

【清扫】qīngsǎo 动 彻底扫除：～街道。

【清瘦】qīngshòu 形 婉辞，指人瘦：～的脸庞。

【清爽】qīngshuǎng 形 ❶ 清洁凉爽：雨后空气～。❷ 轻松爽快：任务完成了，心里很～。❸〈方〉整洁；干净：把屋子收拾～。❹〈方〉清楚；明白：神志～|把话讲～。❺〈方〉清淡爽口：滋味～。

【清水衙门】qīngshuǐ yá·men 旧指不经手钱财，不能从中捞取油水的官府，现多用来比喻经费少、福利少的政府部门或事业单位。

【清算】qīngsuàn 动 ❶ 彻底地计算：～账目。❷ 列举全部罪恶或错误并做出相应的处理：～恶霸的罪恶。

【清谈】qīngtán 动 本指魏晋间一些士大夫不务实际，空谈哲理，后世泛指一般不切实际的谈论：～误国。

【清汤】qīngtāng 名 没有菜的汤(有时搁点儿葱花或豌豆苗等)。

【清汤寡水】qīng tāng guǎ shuǐ 形容汤或菜肴里面油水很少。

【清通】qīngtōng 形（文章）层次清楚，文句通顺：文章要写得～，必须下一番苦功。

【清退】qīngtuì 动 清理退回或交还：～多占的办公用房。

【清玩】qīngwán ❶ 名 供赏玩的雅致的东西，如盆景、金石、书画等。❷ 动 赏玩：～之物|以供～。

【清婉】qīngwǎn 形 清越婉转：歌声～。

【清污】qīngwū 动 清除污物。

【清晰】qīngxī 形 清楚：发音～|～可辨。

【清洗】qīngxǐ 动 ❶ 洗干净：炊具要经常～消毒。❷ 清除(不能容留于内部的人)：～内奸。

【清闲】qīngxián 形 清静闲暇：～自在|他一时过不惯～的退休生活。

【清香】qīngxiāng 名 清淡的香味：～可口|晨风吹来野花的～。

【清心】qīngxīn ❶ 形 心境恬静，没有挂虑：～修行|～苦读。❷ 动 使清心：～寡

欲。❸ 动 中医指清除心火：～明目|～安神。

【清新】qīngxīn 形 ❶ 清爽而新鲜：刚下过雨,空气～。❷ 新颖不俗气：色调～|画报的版面～活泼。

【清馨】qīngxīn 〈书〉形 香而不浓烈：满园～。

【清醒】qīngxǐng ❶ 形 (头脑)清楚;明白：早晨起来,头脑特别～。❷ 动 (神志)由昏迷而恢复正常：病人已经～过来。

【清秀】qīngxiù 形 美丽而不俗气：面貌～|妹妹比姐姐长得～一些。

【清雅】qīngyǎ 形 ❶ 清新高雅：风格～|言辞～。❷ 清秀文雅：仪容～。

【清样】qīngyàng 名 从最后校改的印刷版上打下来的校样,有时也指最后一次校定的校样。

【清夜】qīngyè 名 寂静的深夜：～自思。

【清一色】qīngyīsè ❶ 名 指打麻将牌时某一家由一种花色组成的一副牌。❷ 形 属性词。比喻全部由一种成分构成或全部一个样子的：到会的人穿的都是～的中山装。

【清议】qīngyì 动 旧时指名流对当代政治或政治人物进行议论：～时政。

【清逸】qīngyì 形 清新脱俗：笔调～|琴声～悦耳。

【清音】qīngyīn¹ 名 ❶ 曲艺的一种,流行于四川、重庆,用琵琶、二胡等伴奏。❷ 旧时婚丧仪式中所用的吹奏乐。

【清音】qīngyīn² 名 发音时声带不振动的音。参看262页〖带音〗。

【清莹】qīngyíng 形 清澈而明亮：～的泪珠|～的湖水。

【清幽】qīngyōu 形 (风景)秀丽而幽静：月色～|～的山谷。

【清油】qīngyóu 〈方〉名 ❶ 菜油。❷ 素油：～大饼。

【清淤】qīngyū 动 清除水底的淤泥：河道～。

【清誉】qīngyù 名 清白的声誉：此事有损于他一生的～。

【清越】qīngyuè 形 (声音)清脆悠扬：～的歌声。

【清早】qīngzǎo 〈口〉名 时间词。清晨：明日～出发。

【清湛】qīngzhàn 〈书〉形 清澈：池水～。

【清丈】qīngzhàng 动 详细地丈量(土地)：～田亩。

【清账】qīngzhàng ❶ (-/-)动 结清账目。❷ 名 经过整理的详细账目：开一篇～。

【清障】qīngzhàng 动 清除(道路、河道等处的)障碍物：～排堵|汛期前河床要及时～。

【清真】qīngzhēn 形 ❶ 〈书〉纯洁质朴：诗贵～,更要有寄托。❷ 属性词。伊斯兰教的：～寺|～餐厅|～点心。

【清真教】Qīngzhēnjiào 名 见1602页〖伊斯兰教〗。

【清真寺】qīngzhēnsì 名 伊斯兰教的寺院。也叫礼拜寺。

【清蒸】qīngzhēng 动 烹调方法,不放酱油带汤蒸(鸡、鱼、肉等)：～鲥鱼。

【清整】qīngzhěng ❶ 动 清理整顿：～街道环境。❷ 形 清楚工整;清秀整齐：字迹～。

【清正】qīngzhèng 形 清廉公正：为官～。

蜻 qīng 见下。

【蜻蜓】qīngtíng 名 昆虫,身体细长,胸部的背面有两对膜状的翅,生活在水边,捕食蚊子等小飞虫,能高飞。雌的用尾点水而产卵于水中。幼虫叫水虿,生活在水中。是益虫。有的地区叫蚂螂(mā-·lang)。

【蜻蜓点水】qīngtíng diǎn shuǐ 比喻做事肤浅不深入。

鲭(鯖) qīng 名 鱼,身体呈梭形而侧扁,鳞圆而细小,头尖,口大。种类很多,常见的有鲐、马鲛等。
另见1736页zhēng。

qíng （ㄑㄧㄥˊ）

勍 qíng 〈书〉强：～敌。

情 qíng ❶ 感情：热～|有～|无～|温～。❷ 情面：人～|讲～|托～|求～。❸ 爱情：～书|～话|谈～。❹ 情欲;性欲：春～|催～|发～|～期。❺ 情形;情况：病～|军～|实～|灾～。❻ 情理;道理：合～合理|不～之请。

【情爱】qíng'ài 名 ❶ 爱情。❷ 指人与人互相爱护的感情。

【情报】qíngbào 图 关于某种情况的消息和报告,多带机密性质:～员|军事～|科学技术～。

【情变】qíngbiàn 图 爱情的突然变化,多指恋人分手:在他周围,男男女女～、婚变的事情确实不少。

【情不自禁】qíng bù zì jīn 抑制不住自己的感情。

【情操】qíngcāo 图 由感情和思想综合起来的,不轻易改变的心理状态:高尚的～。

【情场】qíngchǎng 图 指有关谈情说爱的事:～风波|～失意。

【情敌】qíngdí 图 因追求同一异性而彼此发生矛盾的人。

【情调】qíngdiào 图 思想感情所表现出来的格调;事物所具有的能引起人的各种不同感情的性质:～健康|异国～。

【情窦初开】qíngdòu chū kāi 指刚懂得爱情(多指少女)。

【情分】qíng·fèn 图 人与人相处的情感;情义:朋友～|兄弟～|两家素来～好。

【情夫】qíngfū 图 男女两人,一方或双方已有配偶,他们之间保持性爱关系,男方是女方的情夫。

【情妇】qíngfù 图 男女两人,一方或双方已有配偶,他们之间保持性爱关系,女方是男方的情妇。

【情感】qínggǎn 图❶ 对外界刺激肯定或否定的心理反应,如喜欢、愤怒、悲伤、恐惧、爱慕、厌恶等。❷ 感情:两人～很深。

【情歌】qínggē 图 表现男女爱情的歌曲。

【情话】qínghuà 图❶ 男女间表示爱情的话。❷〈书〉知心话。

【情怀】qínghuái 图 含有某种感情的心境:抒发～。

【情急】qíngjí 囫 因为希望马上避免或获得某种事物而心中着急:～智生(心中着急而突然想出聪明的办法)|一时～,做出失礼的事来。

【情节】qíngjié 图 事情的变化和经过:故事～|～生动|根据～轻重分别处理。

【情结】qíngjié 图 心中的感情纠葛:深藏心底的感情:化解不开的～|浓重的思乡～。

【情景】qíngjǐng 图(具体场合的)情形;景象:比起广州来,北京的冬天另是一番。

【情景交融】qíng jǐng jiāoróng 指文学作品把写景和抒情紧密地结合起来。

【情境】qíngjìng 图 情景;境地。

【情况】qíngkuàng 图❶ 情形:思想～|工作～|～特殊。❷ 指军事上的变化,泛指事情的变化、动向:这两天前线没有什么～|他俩的关系最近又有了新的～。

【情郎】qíngláng 图 相恋的青年男女中的男子。

【情理】qínglǐ 图 人的常情和事情的一般道理:不近～|难容|话很合乎～。

【情侣】qínglǚ 图 相恋的男女或其中的一方。

【情面】qíngmiàn 图 私人间的情分和面子:顾～|留～|不讲～。

【情趣】qíngqù 图❶ 性情志趣:二人～相投。❷ 情调趣味:～正浓|这首诗写得很有～。

【情人】qíngrén 图❶ 相爱中的男女的一方。❷ 特指情夫或情妇。

【情杀】qíngshā 囫 因爱情纠纷而引起的凶杀:～案。

【情商】qíngshāng 图 心理学上指人的情绪品质和对社会的适应能力。

【情诗】qíngshī 图 男女间表示爱情的诗。

【情势】qíngshì 图 事情的状况和发展的趋势;形势②:～紧迫|洞察敌我～。

【情事】qíngshì 图 情况;现象:详细询问家乡～。

【情书】qíngshū 图 男女间表示爱情的信。

【情丝】qíngsī 图 指缠绵的情意:～万缕。

【情思】qíngsī 图❶ 情意;情感。❷ 情绪;心思。

【情死】qíngsǐ 囫 指相爱的男女因婚姻不遂而死。

【情愫(情素)】qíngsù〈书〉图❶ 感情:朝夕相处,增加了他们之间的～。❷ 本心;真情实意:互倾～。

【情随事迁】qíng suí shì qiān 思想感情随着情况的变迁而发生变化。

【情态】qíngtài 图 神态:塑像～逼真。

【情同手足】qíng tóng shǒuzú 彼此之间的感情如同亲兄弟一样亲爱。

【情投意合】qíng tóu yì hé 双方思想感情融洽,心意相合。

【情网】qíngwǎng 图 指不能摆脱的爱情:坠入～。

【情味】qíngwèi 名 情调;意味:这幅画充满了田园味。

【情形】qíng·xing 名 事物呈现出来的样子:生活~｜村里的~｜如何办理,到时候看~再说。

【情绪】qíngxù 名 ❶ 人从事某种活动时产生的兴奋心理状态:生产~｜急躁~｜~高涨。❷ 指不愉快的情感:闹~｜他有点儿~。

【情义】qíngyì 名 亲属、同志、朋友相互间应有的感情:姐姐待他很有~。

【情谊】qíngyì 名 人与人相互关切、爱护的感情:深厚的~。

【情意】qíngyì 名 对人的感情:~绵绵。

【情由】qíngyóu 名 事情的内容和原因:问清~,再作处理。

【情有独钟】qíng yǒu dú zhōng 因对某人或某事物特别喜爱而感情专注:她对舞蹈艺术可谓~。

【情有可原】qíng yǒu kě yuán 按照情理,对出现的某种情况有可以原谅的地方:他是不得已才这样做的,~。

【情欲】qíngyù 名 对异性的欲望。

【情缘】qíngyuán 名 男女相爱的缘分:~已断｜~未了。

【情愿】qíngyuàn ❶ 动 心里愿意:甘心~｜两相~。❷ 副 宁愿;宁可:~死,也不屈服。

【情韵】qíngyùn 名 情调韵味:东方~。

【情债】qíngzhài 名 在感情上对别人的亏负(多指爱情方面的)。

【情真意切】qíng zhēn yì qiè 感情真挚,心意殷切。

【情知】qíngzhī 明明知道:~情况不妙却故作镇静。

【情致】qíngzhì 名 情趣;兴致:~各异｜别有~。

【情种】qíngzhǒng 名 感情特别丰富的人;特别钟情的人。

【情状】qíngzhuàng 名 情形;状况:其中~,难以言述。

晴 qíng 形 天空无云或云很少:~天｜天~了。

【晴好】qínghǎo 形 晴朗:天气~。

【晴和】qínghé 形 晴朗暖和:天气~。

【晴空】qíngkōng 名 晴朗的天空:~万里。

【晴朗】qínglǎng 形 没有云雾,阳光充足:天气~｜~的天空。

【晴天霹雳】qíngtiān pīlì 比喻突然发生的意外事件。也说青天霹雳。

【晴雨表】qíngyǔbiǎo 名 预测天气晴或雨的气压表,比喻能敏锐地反映某种变化的事物:股市是经济发展的~。

赌(賭) qíng 动 承受:~受｜别净~现成的。

【赌等】qíngděng 〈方〉动 ❶ 坐等(责备、惩罚)。❷ 坐享(现成的)。

【赌受】qíngshòu 动 承受;继承:~财产。

氰 qíng 名 碳和氮的化合物,化学式$(CN)_2$。无色气体,有刺激性气味,剧毒,燃烧时发桃红色火焰。

【氰基】qíngjī 名 由碳和氮两种原子组成的一价原子团($—C≡N$ 或 $—CN$)。

檠(橄) qíng 〈书〉❶ 灯台;蜡台。❷ 矫正弓弩的器具。

擎 qíng 动 往上托;举:众~易举｜高~着红旗。

黥(剠) qíng 〈书〉❶ 在脸上刺上记号或文字并涂上墨,古代用作刑罚,后来也施于士兵,以防逃跑。❷ 在人体上刺上带颜色的文字、花纹或图形。

qǐng (ㄑㄧㄥˇ)

苘(檾、苘) qǐng 苘麻。

【苘麻】qǐngmá 名 ❶ 一年生草本植物,茎皮多纤维,叶子大,心脏形,密生柔毛。花黄色。是重要的纤维植物之一,茎皮纤维可用来制绳索或织麻袋,种子可入药。❷ 这种植物的茎皮纤维。‖ 通称青麻。

顷¹(頃) qǐng 量 地积单位,100 亩等于 1 顷,1 市顷约合 66 667 米²:两~地｜碧波万~。

顷²(頃) qǐng 〈书〉❶ 顷刻:少~｜有~｜俄~。❷ 副 不久以前;刚才:~闻｜~接来信。❸ 左右(指时间):光绪二十年~。

〈古〉又同"倾"qīng。

【顷刻】qǐngkè 名 极短的时间:一阵狂风吹来,江面上~间掀起了巨浪。

请(請)

请(請) qǐng 劢 ❶ 请求：~教|~假|~人帮忙|你可以~老师给你开个书目。❷ 邀请；聘请：催~|~客|~医生|~人作报告。❸ 敬辞，用于希望对方做某事：您~坐|~准时出席。❹ 旧时指买香烛、纸马、佛龛等。❺（Qǐng）名姓。

【请安】qǐng//ān 劢 ❶ 问安。❷〈方〉打千儿。

【请便】qǐngbiàn 劢 请对方自便：我不愿意去，你要是想去，那就~吧。

【请春客】qǐng chūnkè 旧时民间的一种习俗，过春节后，宴请亲友邻居。

【请调】qǐngdiào 劢 请求调动（工作）：~报告。

【请功】qǐnggōng 劢 请求上级给有功人员记功：全连干部战士为炊事班~。

【请假】qǐng//jià 劢 因病或因事请求准许在一定时期内不做工作或不学习：因病~一天|他请了十天假回家探亲。

【请柬】qǐngjiǎn 名 请帖。

【请教】qǐngjiào 劢 请求指教：虚心向别人~|我想~您一件事。

【请君入瓮】qǐng jūn rù wèng 武则天命令来俊臣审问周兴，周兴还不知道。来俊臣假意问周兴："犯人不肯认罪怎么办？"周兴说："拿个大瓮，周围用炭火烤，把犯人装进去，什么事他会不承认呢？"来俊臣叫人搬来一个大瓮，四面加火，对周兴说："奉令审问老兄，请老兄入瓮！"周兴吓得连忙磕头认罪（见于《资治通鉴·唐则天后天授二年》）。比喻拿某人整治别人的法子来整治他自己。

【请客】qǐng//kè 劢 请人吃饭、看戏等。

【请命】qǐngmìng 劢 ❶ 代人请求保全生命或解除困苦：为民~。❷ 旧时下级向上司请示。

【请求】qǐngqiú ❶ 劢 说明要求，希望得到满足：~援助|他~上级给他最艰巨的任务。❷ 名 所提出的要求：领导上接受了他的~。

【请赏】qǐng//shǎng 劢 请求给予奖赏：邀功~。

【请示】qǐngshì 劢（向上级）请求指示：这件事须~上级后才能决定。

【请帖】qǐngtiě 名 邀请人参加典礼、出席会议、观看演出等送去的通知。

【请托】qǐngtuō 劢 请求和托付（别人办事）：说情~|接受他人~。

【请问】qǐngwèn 劢 敬辞，用于请求对方回答问题：~这个字怎么读？

【请降】qǐng//xiáng 劢 向对方请求投降。

【请缨】qǐngyīng〈书〉劢《汉书·终军传》："南越（粤）与汉和亲，乃遣「终」军使南越说其王，欲令入朝，比内诸侯。军自请，愿受长缨，必羁南越王而致之阙下。"后用来请求杀敌或请求给予任务（缨：带子）。

【请愿】qǐng//yuàn 劢 采取集体行动要求政府或主管当局满足某些愿望，或改变某种政策措施。

【请战】qǐng//zhàn 劢 请求上级准予参加战斗：~书|主动~。

【请罪】qǐng//zuì 劢 自己犯了错误，主动请求处分；道歉：负荆~。

顾

顾（廎、高） qǐng〈书〉小厅堂。

謦

謦 qǐng〔謦欬〕（qǐngkài）〈书〉劢 ❶ 咳嗽。❷ 借指谈笑：亲承~。

qìng （ㄑㄧㄥˋ）

庆(慶)

庆(慶) qìng ❶ 劢 庆祝；庆贺：~寿|~丰收|~功大会。❷ 值得庆祝的周年纪念日：国~|校~。❸（Qìng）名姓。

【庆典】qìngdiǎn 名 隆重的庆祝典礼：建校十周年~|长江大桥落成~。

【庆父不死，鲁难未已】Qìngfù bù sǐ, Lǔ nàn wèi yǐ《左传·闵公元年》："不去庆父，鲁难未已。"庆父是鲁国公子，曾一再制造内乱，先后杀死两个国君。后来用"庆父不死，鲁难未已"比喻不除掉制造内乱的罪魁祸首，国家就不得安宁。

【庆功】qìnggōng 劢 庆祝取得的功绩或胜利：~大会。

【庆贺】qìnghè 劢 为共同的喜事表示庆祝或向有喜事的人道喜：~丰收|~胜利。

【庆历】Qìnglì 名 宋仁宗（赵祯）年号（公元1041—1048）。

【庆幸】qìngxìng 劢 为事情意外地得到好的结局而感到高兴：暗自~。

【庆祝】qìngzhù 劢 为共同的喜事进行一些活动表示高兴或纪念：~国庆|~元旦。

亲(親) qìng 见下。

另见1104页 qīn。

【亲家】qìng·jia 图❶ 两家儿女相婚配的亲戚关系：儿女～。❷ 称儿子的丈人、丈母或女儿的公公、婆婆。

【亲家公】qìng·jiagōng 图 称儿子的丈人或女儿的公公。

【亲家母】qìng·jiamǔ 图 称儿子的丈母或女儿的婆婆。

清 qìng 〈书〉凉。

箐 qìng 〈方〉山间的大竹林，泛指树木丛生的山谷(多用于地名)：梅子～(在云南)|龙家～(在贵州)。

繁 qìng 见777页〖肯綮〗。

另见1077页 qǐ。

磬 qìng ❶ 古代打击乐器，形状像曲尺，用玉或石制成。❷ 图 佛教的打击乐器，形状像钵，用铜制成。

馨 qìng 〈书〉尽；空：告～|售～|～其所有。

【馨尽】qìngjìn 动 没有剩余：家资～。

【馨竹难书】qìng zhú nán shū 把竹子用完了都写不完，比喻事实(多指罪恶)很多，难以说完(古人写字用竹简，竹子是制竹简的材料)。

qióng 〈ㄥㄥ〉

邛 qióng 邛崃(Qiónglái)，山名，在四川。

穷(窮) qióng ❶ 形 生活贫困，缺少钱财(跟"富"相对)：贫～|改变一～二白的面貌。❷ 穷尽：无～|无尽|理屈辞～|日暮途～。❸ 用尽；费尽：～兵黩武|～目远望。❹ 彻底(追究)：～究|～追猛打。❺ 极为：～凶极恶|～奢极侈。❻ 副 表示在财力、能力方面不够条件却还勉强去做或本来不应该这样做却还要这样做：～讲究|～折腾|～开心。

【穷兵黩武】qióng bīng dú wǔ 使用全部武力，任意发动侵略战争。

【穷愁】qióngchóu 形 穷困愁苦：～潦倒。

【穷措大】qióngcuòdà 图 旧时称穷困的读书人(含轻蔑意)。也说穷醋大。

【穷乏】qióngfá 形 贫穷，没有积蓄。

【穷光蛋】qióngguāngdàn 〈口〉图 穷苦人(含轻蔑意)。

【穷极无聊】qióng jí wúliáo 指困窘到极点，无所依托；无事可做，非常无聊。

【穷家富路】qióng jiā fù lù 指居家可以俭省些，而外出最好多带些钱物，以备不时之需。

【穷竭】qióngjié 〈书〉动 费尽；用尽：～心计。

【穷尽】qióngjìn ❶ 动 到尽头：不可～|无法～。❷ 图 尽头：群众的智慧是没有～的。

【穷寇】qióngkòu 图 穷途末路的贼寇，泛指残敌。

【穷苦】qióngkǔ 形 贫穷困苦：～人。

【穷匮】qióngkuì 〈书〉形 贫穷匮乏；财用～。

【穷困】qióngkùn 形 生活贫穷，经济困难：～潦倒。

【穷忙】qióngmáng 动 ❶ 旧指为了生计而忙碌奔走。❷ 事情繁杂，非常忙碌。

【穷年累月】qióng nián lěi yuè 指接连不断，时间长久：～潜心治学。

【穷人】qióngrén 图 穷苦的人。

【穷山恶水】qióng shān è shuǐ 形容自然条件很差，物产不丰富的地方：把～改造成了米粮川。

【穷奢极侈】qióng shē jí chǐ 极端奢侈，极度享受。也说穷奢极欲。

【穷奢极欲】qióng shē jí yù 穷奢极侈。

【穷酸】qióngsuān 形 贫穷寒酸；穷而迂腐(旧时用来讥讽文人)。

【穷途】qióngtú 图 路的尽头，比喻穷困的境况：～末路。

【穷途潦倒】qióngtú liáodǎo 形容无路可走，非常失意。

【穷途末路】qióngtú mòlù 形容无路可走。

【穷乡僻壤】qióng xiāng pì rǎng 荒凉贫穷而偏僻的地方。

【穷形尽相】qióng xíng jìn xiàng 原指描写刻画十分细致生动，现在也用来指丑态毕露。

【穷凶极恶】qióng xiōng jí è 形容极端残暴恶毒。

【穷原竟委】qióng yuán jìng wěi 深入探求事物的始末。

Q

【穷源溯流】 qióng yuán sù liú 追究事物的根源并探寻其发展的经过。

茕(嫈、惸) qióng 〈书〉❶孤单;孤独。❷忧愁。

【茕茕】 qióngqióng 〈书〉形 形容孤孤单单,无依无靠:～孑立。

穹 qióng 〈书〉穹隆,借指天空:苍～。

【穹苍】 qióngcāng 〈书〉名 天空。

【穹隆】 qiónglóng 〈书〉形 指天空中间高四周下垂的样子,也泛指高起成拱形的。

【穹庐】 qiónglú 〈书〉名 游牧民族居住的圆顶帐篷,用毡子做成。

劳(藭) qióng 见 1529 页[芎劳]。

筇 qióng [筇竹](qióngzhú)名 竹子的一种,可以做手杖。

琼(瓊) qióng ❶〈书〉美玉,泛指精美的东西:～浆|楼玉宇(华丽的房屋)。❷(Qióng)名 海南的别称。

【琼浆】 qióngjiāng 名 指美酒:～玉液。

【琼剧】 qióngjù 名 海南的地方曲剧剧种。由潮剧、闽南梨园戏吸收当地人民的歌谣曲调发展而成。也叫海南戏。

【琼脂】 qióngzhī 名 植物胶的一种,用海产的石花菜类制成,无色、无固定形状的固体,溶于热水。可用来制冷食以及微生物和植物组织的培养基等。

蛩 qióng 古书上指蟋蟀。

跫 qióng [跫然](qióngrán)〈书〉形 形容脚步声:足音～。

銎 qióng 〈书〉斧子上安柄的孔。

藭 qióng [藭茅](qióngmáo)名 古书上说的一种草。

qiū（ㄑㄧㄡ）

丘(❹坵) qiū ❶小土山;土堆:荒～|沙～。❷〈书〉坟墓:～墓|～冢。❸动 浮厝:先把棺材～起来。❹量 水田分隔成大小不同的块,一块叫一丘:一～田。❺(Qiū)名 姓。

【丘八】 qiūbā 名 旧时称兵("丘"字加"八"字成为"兵"字,含贬义)。

【丘陵】 qiūlíng 名 连绵成片的小山:～起伏|～地带|一片～。

【丘墓】 qiūmù 〈书〉名 坟墓。

【丘疹】 qiūzhěn 名 皮肤表面由于某些疾病而起的小疙瘩,半球形,多为红色。

邱 qiū ❶同"丘"①—④。❷(Qiū)名 姓。

龟(龜) qiū 龟兹(Qiūcí),古代西域国名,在今新疆库车一带。
另见 513 页 guī;751 页 jūn。

秋¹(秌) qiū ❶名 秋季:深～|～风|～雨|～高气爽。❷庄稼成熟或成熟时节:麦～|大～。❸指一年的时间:千～万岁|一日不见,如隔三～。❹指某个时期(多指不好的):多事之～|危急存亡之～。❺(Qiū)名 姓。

秋²(鞦) qiū 见[秋千]。

【秋波】 qiūbō 名 比喻美女的眼睛或眼神:暗送～。

【秋分】 qiūfēn 名 二十四节气之一,在 9 月 22、23 或 24 日。这一天南北半球昼夜都一样长。参看 696 页[节气]、363 页[二十四节气]。

【秋分点】 qiūfēndiǎn 名 赤道平面和黄道的两个相交点的一个,夏至以后,太阳从北向南移动,在秋分那一天通过这一点。

【秋风】 qiūfēng 名 ❶秋天的风:～萧瑟。❷见 246 页[打秋风]。

【秋风扫落叶】 qiūfēng sǎo luòyè 比喻强大的力量扫荡衰败的势力。

【秋高气爽】 qiū gāo qì shuǎng 形容秋天天空晴朗洁净,气候凉爽宜人。

【秋海棠】 qiūhǎitáng 名 ❶多年生草本植物,地下茎球形,叶子斜卵形,叶背和叶柄带紫红色,花淡红色。供观赏。全草入药。❷这种植物的花。

【秋毫】 qiūháo 名 鸟兽在秋天新长的细毛,比喻微小的事物:～无犯|明察～。

【秋毫无犯】 qiūháo wú fàn 形容军队纪律严明,丝毫不侵犯群众的利益。

【秋后算账】 qiū hòu suàn zhàng 比喻等事情发展到最后阶段再判断谁是谁非,也比喻事后等待时机进行报复。

【秋季】 qiūjì 名 一年的第三季,我国习惯指立秋到立冬的三个月时间,也指农历

七、八、九三个月。参看 1294 页〖四季〗。

【秋假】qiūjià 图 学校在秋季放的假。

【秋景】qiūjǐng 图 ❶ 秋天的景色：香山～。❷ 秋天的收成：今年～好于去年。

【秋老虎】qiūlǎohǔ 图 指立秋以后仍然十分炎热的天气。

【秋凉】qiūliáng 图 指秋季凉爽的时候：等～再去吧。

【秋粮】qiūliáng 图 秋季收获的粮食。

【秋令】qiūlìng 图 ❶ 秋季。❷ 秋季的气候：冬行～（冬天的气候像秋天）。

【秋千】(鞦韆) qiūqiān 图 运动和游戏用具，在木架或铁架上系两根长绳，下面拴上一块板子。人在板上利用脚蹬板的力量在空中前后摆动。

【秋色】qiūsè 图 秋天的景色：～宜人。

【秋试】qiūshì 图 明清两代科举制度，乡试在秋季举行，叫做秋试。

【秋收】qiūshōu ❶ 动 秋季收获农作物：人们都在忙着～。❷ 图 秋季的收成：今年～比去年强。

【秋收起义】Qiūshōu Qǐyì 1927 年 9 月毛泽东发动和领导湖南东部和江西西部一带工农举行的武装起义。这次起义成立了工农革命军第一军第一师，在井冈山创立了第一个农村革命根据地。

【秋水】qiūshuǐ 图 比喻人的眼睛（多指女子的）：望穿～。

【秋天】qiūtiān 图 秋季。

【秋闱】qiūwéi 〈书〉图 秋试。

【秋汛】qiūxùn 图 从立秋到霜降的一段时间内发生的河水暴涨。

【秋游】qiūyóu 动 秋天出去游玩（多指集体组织的）。

蚯 qiū [蚯蚓](qiūyǐn) 图 环节动物，身体柔软，圆而长，环节上有刚毛，生活在土壤中，能使土壤疏松，它的粪便能使土壤肥沃，是益虫。

萩 qiū 古书上说的一种蒿类植物。

穐(龝) qiū 〈书〉同“秋”。

湫 qiū 水池：大龙～(瀑布名，在浙江雁荡山)。
另见 687 页 jiǎo。

楸 qiū 图 楸树，落叶乔木，高可达 30 米，叶子三角状卵形或椭圆形，花冠白色，有紫色斑点。木材供建筑用。树皮、叶、种子可入药。

鹙(鶖) qiū 古书上说的一种水鸟，头和颈上都没有毛。

鳅(鰍) qiū 见 991 页〖泥鳅〗、1073 页〖鱼酋鳅〗。

鳍(鰌) qiū 同“鳅”(泥鳅)。

鞦 qiū ❶ 见 570 页〖后鞦〗。❷〈方〉动 收缩：～着眉毛|大辕马～着屁股向后退。

qiú （ㄑㄧㄡˊ）

仇 Qiú 图 姓。
另见 192 页 chóu。

囚 qiú ❶ 动 关押；囚禁：被～|～在牢房里。❷ 囚犯：罪～|死～。

【囚车】qiúchē 图 解送犯人用的车。

【囚犯】qiúfàn 图 关在监狱里的犯人。

【囚禁】qiújìn 动 把人关在监狱里：他被单独～在一间小牢房里。

【囚笼】qiúlóng 图 古代解送或囚禁犯人的木笼。

【囚首垢面】qiú shǒu gòu miàn 形容久未梳头和洗脸，像囚犯的样子。

【囚徒】qiútú 图 囚犯。

【囚衣】qiúyī 图 供囚犯穿的特别衣服。

犰 qiú [犰狳](qiúyú) 图 哺乳动物，身体分前、中、后三段，头顶、背部、尾部和四肢有角质鳞片，中段的鳞片有筋肉相连接，可以伸缩，腹部多毛，趾有锐利的爪，善于掘土。昼伏夜出，吃昆虫、蚁和鸟卵等。生活在美洲。

求 qiú ❶ 动 请求：～救|～教|～您帮我做一件事。❷ 动 要求：力～改进|精益～精|生物都有～生存的本能。❸ 动 追求；探求；寻求：～学问|实事～是|刻舟～剑|不～名利。❹ 需求；需要：供～关系|供过于～。❺ (Qiú)图 姓。

【求爱】qiú'ài 动 向异性提出请求，希望得到对方的爱情。

【求告】qiúgào 动 央告（别人帮助或宽恕自己）：四处～|～无门。

【求购】qiúgòu 动 要求购买：～二手车。

【求和】qiú//hé 动 ❶ 战败的一方向对方

请求停止作战，恢复和平。❷（打球或下棋竞赛不利的一方估计不能取胜，设法形成平局。

【求婚】qiú//hūn 囫 男女的一方请求对方跟自己结婚。

【求见】qiújiàn 囫 请求进见（多指下对上）。

【求教】qiújiào 囫 请教：登门～|不懂的事要向别人～。

【求解】qiújiě 囫 数学上指从已知条件出发，根据定律、定理等寻求未知问题的答案。

【求借】qiújiè 囫 请求别人借给（钱或物）。

【求救】qiújiù 囫 请求援救（多用于遇到灾难和危险时）：紧急～|发出～信号。

【求靠】qiúkào 囫 求助；投靠：～亲友。

【求偶】qiú'ǒu 囫 追求异性；寻求配偶。

【求聘】qiúpìn 囫 ❶ 招聘：公司～软件工程师。❷ 寻求被聘用：他想～一个能发挥自己专长的职位。

【求乞】qiúqǐ 囫 请求人家救济；讨饭：沿街～。

【求签】qiú//qiān 囫 迷信的人在神佛面前抽签来占吉凶：～问卜。

【求亲】qiú//qīn 囫 男女一方的家庭向对方的家庭请求结亲。

【求情】qiú//qíng 囫 请求对方答应或宽恕：～告饶|托人～。

【求全】qiúquán 囫 ❶ 要求完美无缺（多含贬义）：～思想。❷ 希望事情成全：委曲～。

【求全责备】qiú quán zé bèi 苛责别人，要求完美无缺：对人不～。

【求饶】qiú//ráo 囫 请求饶恕：跪地～。

【求人】qiú//rén 囫 请求别人帮助：要靠自己努力，不能事事～。

【求生】qiúshēng 囫 谋求活路；设法活下去：～的欲望|地震～训练。

【求实】qiúshí 囫 讲求实际：提倡～精神。

【求是】qiúshì 囫 探求真知：实事～|创新|发扬～精神与务实作风。

【求索】qiúsuǒ 囫 寻求探索：～新的路子。

【求同存异】qiú tóng cún yì 找出共同点，保留不同点。

【求贤若渴】qiú xián ruò kě 形容寻求贤才的心情非常迫切。也说求贤如渴。

【求学】qiúxué 囫 ❶ 到学校学习：赴京

～。❷ 探求学问：刻苦～。

【求医】qiúyī 囫 寻求医生治病：四处～|～问药。

【求援】qiúyuán 囫 请求援助：向友军～。

【求战】qiúzhàn 囫 ❶ 寻求战斗；寻找对方与之作战：敌军进入山口，～不得，只得退却。❷ 要求参加战斗：战士们～心切。

【求真务实】qiú zhēn wù shí 追求真理，讲求实际。

【求诊】qiúzhěn 囫 请求给以诊治；求医：因患急性肠炎到医院～。

【求证】qiúzhèng 囫 寻找证据或求得证实。

【求之不得】qiú zhī bù dé 想找都找不到（多用于意外地得到时）：这真是～的好事啊！

【求知】qiúzhī 囫 探求知识：～欲|～若渴。

【求职】qiúzhí 囫 谋求职业；寻求工作。

【求治】qiúzhì 囫 请求给以治疗。

【求助】qiúzhù 囫 请求援助：遇到困难向民警～。

虬（虯） qiú ❶ 虬龙。❷〈书〉拳曲：～须|～枝（拳曲的枝条）。

【虬龙】qiúlóng 图 古代传说中的有角的小龙。

【虬髯】qiúrán 〈书〉图 拳曲的胡子，特指两腮上的。

【虬须】qiúxū 〈书〉图 拳曲的胡子。

泅 qiú 浮水：～渡|～水而过。

【泅渡】qiúdù 囫 游泳而过（江、河、湖、海）：武装～。

俅 ¹ Qiú 俅人，独龙族的旧称。

俅 ² qiú ［俅俅］(qiúqiú)〈书〉圈 恭顺的样子。

觓 qiú 〈书〉逼迫。

酋 qiú ❶ 酋长。❷（盗匪、侵略者的）首领：匪～|贼～|敌～。❸（Qiú）姓。

【酋长】qiúzhǎng 图 部落的首领。

【酋长国】qiúzhǎngguó 图 以部落首领为最高统治者的国家。封建关系占统治地位，有的还保留氏族制度的残余。

述 qiú 〈书〉配偶。

尿 qiú 〈方〉图 男性生殖器。

球(❸**毬**) qiú ❶ 图 以半圆的直径为轴,使半圆旋转一周而成的立体;由中心到表面各点距离都相等的立体:～体|～面|～心。❷(～儿)图 球形或接近球形的物体:煤～儿|棉～儿。❸(～儿)图 指某些体育用品:篮～|乒乓～儿|冰～。❹ 图 指球类运动:～技|～迷|看～去。❺ 特指地球:全～|寰～|北半～。

【球场】qiúchǎng 图 球类运动用的场地,如篮球场、足球场、网球场等。其形式大小根据各种球类的要求而定。

【球胆】qiúdǎn 图 篮球、排球或足球等内层的空气囊,用薄橡皮制成,打足空气后,球就富于弹性。

【球刀】qiúdāo 图 冰刀的一种,装在冰鞋的底下,刀口较厚,两端稍翘起,用于冰球运动。

【球果】qiúguǒ 图 松、杉等植物的果实,球形或圆锥形,由许多覆瓦状的木质鳞片组成,长成之后,鳞片常木质化,内侧有种子。

【球技】qiújì 图 球类运动的技巧。

【球茎】qiújīng 图 地下茎的一种,球状,多肉质,如荸荠的地下茎。

【球茎甘蓝】qiújīng gānlán 茎 蓝(piělan)。

【球菌】qiújūn 图 细菌的一类,圆球形、卵圆形或肾脏形,种类很多,如双球菌、链球菌、葡萄球菌等。

【球路】qiúlù 图 打球、踢球等的路数:～习钻|不了解对方的～,连连失误。

【球门】qiúmén 图 足球、冰球等运动中在球场两端设置的像门框的架子,是射球的目标。架子后面有网,球射进球门后落在网里。

【球迷】qiúmí 图 喜欢打球或看球赛而入迷的人。

【球面】qiúmiàn 图 半圆以直径为轴旋转而形成的曲面;球的表面。

【球面度】qiúmiàndù 量 立体角的单位,符号 sr。当立体角的顶点位于球心,它在球面上所截取的面积等于以球半径为边长的正方形面积时,这个角就是 1 球面度角。

【球面镜】qiúmiànjìng 图 反射面是球面的镜子,根据反射面凹凸的不同,分为凹面镜和凸面镜。

【球拍】qiúpāi 图 用来打乒乓球、羽毛球、网球等的拍子。也叫球拍子。

【球儿】qiúr 图 ❶ 小的球。❷ 特指小孩儿玩的小玻璃球(也有用石头做的)。

【球赛】qiúsài 图 球类比赛。

【球市】qiúshì 图 球类比赛中门票销售市场的情势:～火爆。

【球台】qiútái 图 球体被两个平行平面所截而夹在两平面中间的部分。

【球台】² qiútái 图 打台球、乒乓球等用的像桌子的东西。

【球体】qiútǐ 图 球面所围成的立体。

【球鞋】qiúxié 图 一种帆布帮儿、橡胶底的鞋。

【球心】qiúxīn 图 与球面各点距离相等的一点,球的中心。

【球星】qiúxīng 图 著名的球类运动员。

【球衣】qiúyī 图 球类运动员训练或比赛时穿的服装,泛指类似这种款式的服装。

【球艺】qiúyì 图 球类运动的技巧:切磋～。

【球员】qiúyuán 图 球类运动员。

赇(賕) qiú 〈书〉贿赂:受～枉法。

铼(銶) qiú 古代一种凿子。

遒 qiú 〈书〉强健;有力:～劲|～健。

【遒劲】qiújìng 〈书〉形 雄健有力:笔力～|风骨～|苍老～的古松。

巯(巰) qiú [巯基](qiújī)图 由氢和硫两种原子组成的一价原子团(—SH)。也叫氢硫基。

裘 qiú 〈书〉毛皮的衣服:狐～|轻～|集腋成～。❷(Qiú)图 姓。

【裘皮】qiúpí 图 毛皮:～服装|～制品。

璆 qiú 〈书〉美玉。

蟒 qiú [蟒蛴](qiúqí)图 古书上指天牛的幼虫,白色。
另见 1651 页 yóu。

鼽 qiú 〈书〉鼻子堵塞不通。

Q

qiǔ （ㄑㄧㄡˇ）

糗 qiǔ ❶ 古代指干粮。❷〈方〉劢 饭或面食成块状或糊状：面条儿都～了。

---

qū （ㄑㄩ）

区（區） qū ❶ 区别；划分：～分。❷ 地区；区域：山～|市～|解放～|工业～|风景～。❸ 图 行政区划单位，如自治区、市辖区、县辖区等。

另见 1011 页 Ōu。

【区别】qūbié ❶ 劢 把两个以上的对象加以比较，认识它们不同的地方；分别：～好坏|～对待。❷ 图 彼此不同的地方：我看不出这两个词在意义上有什么～。

【区分】qūfēn 劢 区别①：～优劣|严格～不同性质的矛盾。

【区划】qūhuà 图 地区的划分：行政～。

【区徽】qūhuī 图 ❶ 特别行政区正式规定的代表本行政区的标志。❷ 自然保护区、社区等代表本区域的标志。

【区间】qūjiān 图 ❶ 交通运输、通信联络上指全程线路中的一段：～车(某条交通线上只行驶于某一地段的车)。❷ 指数字增减变化的一定范围：价格～。

【区旗】qūqí 图 特别行政区正式规定的代表本行政区的旗帜。

【区区】qūqū ❶ 冠 (数量)少；(人或事物)不重要：～之数，不必计较|～小事，何足挂齿！❷ 图 旧时谦辞，用于自称(语气不庄重)：此人非他，就是～。

【区位】qūwèi 图 地区位置：依托海岛的～优势，积极发展养殖业。

【区域】qūyù 图 地区范围：～自治|～经济。

曲¹ qū ❶ 弯曲(跟"直"相对)：～线|～尺|～腰～背|山回水～|～径通幽。❷ 使弯曲：～肱而枕(肱：胳膊)|～突徙薪。❸ 弯曲的地方：河～。❹ 不公正；无理：是非～～直。❺ (Qū)图 姓。

曲²（麴、粬） qū 图 用曲霉和它的培养基(多为麦子、麸皮、大豆的混合物)制成的块状物，用来酿酒或制酱。

另见 1127 页 qǔ。

【曲笔】qūbǐ 图 ❶ 古时指史官不据事直书，有意掩盖真相的记载。❷ 写文章时故意离开本题，而不直书其事的笔法：故作～。

【曲别针】qūbiézhēn 图 用金属丝来回折弯做成的夹纸片的东西。也叫回形针。

【曲尺】qūchǐ 图 木工用来求直角的尺，用木或金属制成，像直角三角形的勾股二边。也叫矩尺或角尺。

【曲棍球】qūgùnqiú 图 ❶ 球类运动项目之一，用下端弯曲的棍子把球击向对方球门，射入对方球门多的为胜。❷ 曲棍球运动使用的球。球心用麻线缠绕软木而成，表面用皮革缝合，体小而硬。

【曲解】qūjiě 劢 错误地解释客观事实或别人的原意(多指故意地)。

【曲颈甑】qūjǐngzèng 图 蒸馏物质或使物质分解用的一种器皿，多用玻璃制成，形状略像梨，颈部弯向一侧。

【曲径】qūjìng 图 弯弯曲曲的小路：～通幽。

【曲里拐弯】qū·liguǎiwān (～儿的)〈口〉冠 状态词。弯弯曲曲：树林里的小路～儿的。

【曲率】qūlǜ 图 表明曲线在其上某一点的弯曲程度的数值。曲率越大，表示曲线的弯曲程度越大。

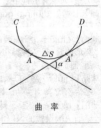

曲率

【曲霉】qūméi 图 真菌的一类，菌体由许多丝状细胞组成，有些分枝的顶端为球形，上面生有许多孢子。可用来酿酒、制酱油和酱等。能引起食物等霉烂，少数种类能引起疾病。

【曲面】qūmiàn 图 曲线按一定条件运动的轨迹，如球面、圆柱面。

【曲奇】qūqí 图 奶油饼干；小甜饼。[英cookie]

【曲曲弯弯】qūqūwānwān (～的)冠 状态词。形容弯曲很多：山坳里尽是～的羊肠小道|黄河～地流过河套。

【曲蟮】qū·shàn 〈口〉名 蚯蚓。也作蛐蟮。

【曲射炮】qūshèpào 名 炮弹初速小、弹道弯曲的一类火炮,如迫击炮、榴弹炮等。

【曲突徙薪】qū tū xǐ xīn 有一家的烟囱很直,旁边堆着许多柴火,有人劝主人改建弯曲的烟囱,把柴火搬开,不然有着火的危险,主人不听,不久果然发生了火灾(见于《汉书·霍光传》)。比喻事先采取措施,防止危险发生。

【曲线】qūxiàn 名 ❶ 按一定条件运动的动点的轨迹,如圆、螺旋线。❷ 在平面上表示的物理、化学、统计学过程等随参数变化的线。

【曲意逢迎】qū yì féng yíng 违背自己的本心去迎合别人的意思。

【曲折】qūzhé 形 ❶ 弯曲:沿着池塘有一条～的小路。❷(事情发展、故事情节)复杂,变化多:破案过程惊险~|~动人的评书片段子。

【曲直】qūzhí 名 无理和有理:分清是非～。

坵(塸) qū 地名用字:邹～(在江苏)|陈～(在山西)。

岖(嶇) qū 见1072页〖崎岖〗。

佉 qū〈书〉驱逐;除去。

诎(詘) qū ❶〈书〉缩短。❷〈书〉言语迟钝。❸ 同"屈"。❹(Qū)名 姓。

驱(驅、敺) qū ❶ 赶(牲口):～马前进。❷ 快跑:长～直入|并驾齐～。❸ 赶走:～逐|～除|~虫剂。

【驱策】qūcè〈书〉动 用鞭子赶;驱使。

【驱车】qūchē 动 驾驶或乘坐车辆(多指汽车):～前往。

【驱除】qūchú 动 赶走;除掉:～蚊蝇|～邪恶|~不良情绪。

【驱动】qūdòng 动 ❶ 施加外力,使动起来:这个泵可以用压缩空气来～。❷ 驱使;推动:不法商贩为利益～,制造仿冒名牌的假货。

【驱动器】qūdòngqì 名 计算机中驱动磁盘或光盘运转,以便读出其中存储信息的部件。

【驱赶】qūgǎn 动 ❶ 赶④:～马车。❷ 赶走:～苍蝇。

【驱迫】qūpò 动 驱使;逼迫:为良心所~。

【驱遣】qūqiǎn 动 ❶ 驱使①:任人~。❷〈书〉赶走。❸ 消除;排除(情绪):～烦闷。

【驱散】qūsàn 动 ❶ 赶走,使散开:～围观的人|大风～了乌云。❷ 消除;排除:习习的晚风～了一天的闷热。

【驱使】qūshǐ 动 ❶ 强迫人按照自己的意志行动:不堪～。❷ 推动:被好奇心所~。

【驱邪】qūxié 动(用符咒等)驱逐邪祟(迷信):～避祸|降魔。

【驱逐】qūzhú 动 赶走:～出境|~入侵者。

【驱逐机】qūzhújī 名 歼击机的旧称。

【驱逐舰】qūzhújiàn 名 以导弹、火炮、鱼雷和反潜武器为主要装备的中型军舰,主要用于护航、警戒和反潜。

屈 qū ❶ 动 弯曲;使弯曲:～指|~膝猫～着后腿,竖着尾巴。❷ 屈服;使服:宁死不~|威武不能～。❸ 理亏:心理~|词穷。❹ 动 委屈;冤枉:受~|叫~|你可～死我了。❺(Qū)名 姓。

【屈才】qū//cái 动 大材小用,指人的才能不能充分发挥。

【屈从】qūcóng 动 对外来压力不敢反抗,勉强服从:决不~于恶势力。

【屈打成招】qū dǎ chéng zhāo 清白无罪的人冤枉受刑,被迫招认。

【屈伏】qūfú 同"屈服"。

【屈服】qūfú 动 对外来的压力妥协让步,放弃斗争:～投降。也作屈伏。

【屈光度】qūguāngdù 量 透镜的折光强度单位,数值上等于焦距(以米表示)除1。如透镜的焦距为2米,它的屈光度就是1/2。

【屈驾】qūjià 敬辞,委屈大驾(多用于邀请人):明日请~来舍一叙。

【屈节】qūjié〈书〉动 ❶ 失去气节:～事仇|~辱命。❷ 降低身份:卑躬~。

【屈就】qūjiù 客套话,用于请人担任职务:要是您肯～,那就太好了。

【屈居】qūjū 动 委屈地处于(较低的地位):～亚军|~人下。

【屈戌儿】qū·qur 名 铜制或铁制的带两个脚的小环儿,钉在门窗边上或箱、柜正面,用来挂上钉锔或锁，或者成对地钉在抽屉正面或箱子侧面，用来固定 U 字形的环儿。

【屈辱】qūrǔ 名 受到的压迫和侮辱。

【屈枉】qū·wang 动 冤枉；别—了好人。

【屈膝】qūxī 动 下跪，比喻屈服：～投降 | 卑躬～。

【屈心】qūxīn 〈口〉形 亏心；昧心。

【屈戌】qūxū〈书〉名 屈戌儿(qū·qur)。

【屈折语】qūzhéyǔ 名 词的语法作用主要由词的形式变化来表示的语言，如俄语、德语。

【屈指】qūzhǐ 动 弯着手指头计算数目：～可数(形容数目很少) | 一～算，离家已经十五年了。

【屈尊】qūzūn 动 客套话，降低身份俯就：～求教。

岨 qū 岞岨(Zuòqū)，地名，在河南。

胠

qū〈书〉❶ 腋下腰上的部位。❷ 从旁边打开：～箧(指偷窃)。

袪 qū 动 袪除：～痰 | ～暑 | ～疑。

【袪除】qūchú 动 除去(疾病、疑惧、邪祟等)：～风寒 | ～紧张心理。

【袪疑】qūyí〈书〉动 消除别人的疑惑：～解惑。

祛 qū〈书〉❶ 袖口。❷ 同"袪"。

蛆 qū 名 苍蝇的幼虫，体柔软，有环节，白色，前端尖，尾端钝，或有长尾。多生在粪便、动物尸体和不洁净的地方。

【蛆虫】qūchóng 名 蛆，比喻专干坏事的卑鄙可耻的人。

躯(軀) qū 名 身体：身～ | 七尺之～ | 为国捐～。

【躯干】qūgàn 名 人体除去头部、四肢所余下的部分叫躯干。也叫胴(dòng)。

【躯壳】qūqiào 名 肉体(对"精神"而言)。

【躯体】qūtǐ 名 身躯；身体：～魁梧。

焌

qū〈口〉动 ❶ 把燃烧物放入水中使熄灭：把香火儿～了。❷ 烹调方法，烧热油锅，先放作料，再放蔬菜迅速地炒熟：～豆芽。

另见 752 页 jùn。

【焌油】qūyóu〈方〉动 烹调方法，把油加热后浇在菜上。

趋(趨) qū ❶ 快走：～前 | 疾～而过。❷ 趋向；归向：大势所～ | 日～繁荣 | 意见～于一致。

〈古〉又同"促"cù。

【趋避】qūbì 动 快走躲开；规避：～不及 | 见车飞驰而来，赶紧～一旁。

【趋奉】qūfèng 动 趋附奉承：阿谀～。

【趋附】qūfù 动 迎合依附：～权贵。

【趋光性】qūguāngxìng 名 某些昆虫或鱼类常常奔向有光的地方，这种特性叫做趋光性。

【趋时】qūshí〈书〉动 迎合时尚；赶时髦：～穿戴。

【趋势】qūshì 名 事物发展的动向：历史发展的必然～。

【趋同】qūtóng 动 趋于一致：重复建设，产业～，是众多产品供过于求的主要原因。

【趋向】qūxiàng ❶ 动 朝着某个方向发展：病情～好转 | 这个工厂由小到大，由简陋～完善。❷ 名 趋势：农业发展的总～。

【趋向动词】qūxiàng dòngcí 动词的附类，表示从近到远、从远到近、从低到高、从高到低、从里到外、从外到里等趋向或其他虚化的意义，分单纯的和合成的两种。单纯的趋向动词是"来、去、进、出、上、下、回、过、起、开"等。合成的趋向动词由单纯的趋向动词组成，如"进来、进去、出来、出去、上来、上去、下来、下去、回来、回去、过来、过去、起来"等。

【趋炎附势】qū yán fù shì 奉承依附有权有势的人。

【趋之若鹜】qū zhī ruò wù 像鸭子一样，成群地跑过去，多比喻许多人争着去追逐(不好的事物)。

蛐 qū 见下。

【蛐蛐儿】qū·qur〈方〉名 蟋蟀。

【蛐蟮】qū·shàn 同"曲蟮"。

麯(麴) qū ❶ 同"曲²"。❷ (Qū)名 姓。

覷(覻、覰、觑) qū 动 把眼睛合成一条细缝(注意地看)：偷偷儿地～了他一眼 | 他微微低着头，～着细眼 | ～起眼睛，看看地面上有没有痕迹。

另见 1129 页 qù。

黢 qū 黑：～黑 | 黑～～。

【黢黑】qūhēi 形 状态词。很黑；很暗：两手尽是墨，～｜山洞里～，什么也看不见。

嘛 qū 拟声 形容吹哨子的声音或蟋蟀叫的声音。

qú （ㄑㄩ）

劬 qú 〈书〉劳苦；勤劳：～劳。

【劬劳】qúláo 〈书〉形 劳累：不辞～。

朐 qú 临朐(Línqú)，地名，在山东。

鸲(鴝) qú 名 鸟，身体小，尾巴长，羽毛美丽，嘴短而尖。种类较多。

【鸲鹆】qúyù 名 八哥(鸟)。

渠¹ qú ❶名 人工开凿的水道：沟～｜河～｜水到～成｜这条～的最深处是四米五。❷〈书〉大：～帅(首领)。❸(Qú)名 姓。

渠² (佢) qú 〈方〉代 人称代词。他。

【渠道】qúdào 名 ❶ 在河湖或水库等的周围开挖的水道，用来引水排灌。❷ 途径；门路：扩大商品流通～。

蕖 qú 见 418 页[芙蕖]。

磲 qú 见 164 页[砗磲]。

璩 qú ❶〈书〉玉环。❷(Qú)名 姓。

瞿 Qú 名 姓。

鼩 qú [鼩鼱](qújīng) 哺乳动物，身体小，外形像老鼠，但吻部细而尖，头部和背部棕褐色，腹部棕灰色或灰白色。多生活在山林中，捕食昆虫、蜗牛、蚯蚓等小动物，也吃植物种子和谷物。

蘧 qú ❶[蘧然](qúrán)〈书〉形 惊喜的样子。❷(Qú)名 姓。

欋 qú 古代指四齿的耙子。

氍(𣰦) qú [氍毹](qúshū) 名 毛织的地毯，演戏多用来铺在地上，因此用"氍毹"或"红氍毹"借指舞台。

籧 qú [籧篨](qúchú) 名 古代指用竹或苇编的粗席。

臞 qú 〈书〉同"癯"。

鸜(鸜) qú [鸜鹆](qúyù)〈书〉同"鸲鹆"。

癯 qú 〈书〉瘦：清～。

蠷 qú [蠷螋](qúsōu) 名 昆虫，身体扁平狭长，黑褐色，前翅短而硬，后翅大，折在前翅下，有些种类无翅，尾端有角质的尾铗，多生活在潮湿的地方。也作蠼螋。

衢 qú 〈书〉大路：通～。

蟝 qú [蟝螋](qúsōu) 同"蠷螋"。

qǔ （ㄑㄩˇ）

曲 qǔ 名 ❶ 一种韵文形式，出现于南宋和金代，盛行于元代，是受民间歌曲的影响而形成的，句法较词更为灵活，多用口语，用韵也更接近口语。一支曲可以单唱，几支曲可以合成一套，也可以用几套曲子写成戏曲。❷(～儿)歌曲：～调｜戏～｜小～儿｜高歌一～。❸ 歌谱：《义勇军进行曲》是聂耳作的～。
　　另见 1124 页 qū。

【曲调】qǔdiào 名 戏曲或歌曲的调子：～优美。

【曲高和寡】qǔ gāo hè guǎ 曲调高深，能跟着唱的人很少。旧指知音难得。现比喻言论或艺术作品不通俗，能理解或欣赏的人很少。

【曲剧】qǔjù 名 ❶ 泛指解放后由曲艺发展而成的新型戏曲。有北京曲剧、河南曲剧、安徽曲子戏等。也叫曲艺剧。❷ 特指北京曲剧，以单弦为主，吸收其他曲种发展而成。

【曲目】qǔmù 名 歌曲、乐曲或戏曲的名目：这次演唱会演出的～有三十多个｜评弹《真情假意》是个中篇～。

【曲牌】qǔpái 名 曲的调子的名称，如"滚绣球"、"一枝花"等。

【曲谱】qǔpǔ 名 ❶ 辑录并分析各种曲调格式供人作曲时参考的书，如清人王奕清等所编的《曲谱》。❷ 戏曲或歌曲等不包括词的部分；乐谱。

【曲艺】qǔyì 名 富有地方色彩的各种说唱

艺术,如弹词、大鼓、相声、快板儿等。

【曲艺剧】qǔyìjù 名 曲剧①。

【曲终人散】qǔ zhōng rén sàn 乐曲终了,听众散去,比喻事情结束,人们各自离去。

【曲子】qǔ•zi 名 曲(qǔ):这支~好听。

苣 qǔ [苣荬菜](qǔ•mǎicài)名 多年生草本植物,野生,叶子互生,长椭圆披针形,花黄色。茎叶嫩时可以吃,全草入药。
另见 740 页 jù。

取 qǔ ❶ 动 拿到手里:~款|~行李|把电灯泡~下来。❷ 得到;招致:~乐|~暖|自~灭亡。❸ 采取;选取:~道|录~可|给孩子~个名儿。❹ (Qǔ) 名 姓。

【取保】qǔ//bǎo 动 找保证人(多用于司法上):~候审。

【取保候审】qǔbǎo hòushěn 司法机关责令犯罪嫌疑人、刑事被告人提出保证人或交纳保证金,保证不逃避侦查、起诉和审判,并且随传随到的强制措施。

【取材】qǔcái 动 选取材料:就地~|这本小说~于炼钢工人的生活。

【取长补短】qǔ cháng bǔ duǎn 吸取长处来弥补短处。

【取代】qǔdài 动 ❶ 排除别人或别的事物而占有其位置:用机器~手工生产。❷ 化学上指有机物分子里的某些原子或原子团通过化学反应被其他原子或原子团所代替。

【取道】qǔdào 动 指选取由某地经过的路线:~武汉,前往广州。

【取得】qǔdé 动 得到:~联系|~经验。

【取缔】qǔdì 动 明令取消或禁止:~无照商贩。

【取而代之】qǔ ér dài zhī 排除别人或别的事物而代替其位置。

【取法】qǔfǎ 动 效法:~乎上,仅得其中。

【取给】qǔjǐ 动 取得供给(后面多跟有"于"字):人类的生活物质~于自然。

【取经】qǔ//jīng 动 本指佛教徒到印度去求取佛经,现也比喻向先进人物、单位或地区吸取经验。

【取精用弘】qǔ jīng yòng hóng 从大量的材料里提取精华。也作取精用宏。

【取精用宏】qǔ jīng yòng hóng 同"取精用弘"。

【取景】qǔ//jǐng 动 摄影或写生时选取景物做对象。

【取决】qǔjué 动 由某方面或某种情况决定(后面多跟着"于"字):成绩的大小往往~于努力的程度。

【取乐】qǔlè (~儿) 动 寻求快乐:说笑话~|你别拿我~儿。

【取闹】qǔnào 动 ❶ (跟人)吵闹;捣乱:无理~。❷ 对人开玩笑;取乐:不该拿有残疾的同学~。

【取暖】qǔnuǎn 动 利用热能使身体暖和:~设备|生火~。

【取齐】qǔqí 动 ❶ 使数量、长度或高度等与某一标准相等:衣服的长短可照老师~。❷ 聚齐;集合:上午九点在大门口~,一块儿出发。

【取巧】qǔ//qiǎo 动 用巧妙的手段谋取利益(多指不正当的)或躲避困难:投机~|~图便。

【取舍】qǔshě 动 要或不要;选择:~得宜|对文化遗产,应该有批判地加以~。

【取胜】qǔshèng 动 取得胜利。

【取向】qǔxiàng 名 选取的方向;趋向:价值~|审美~。

【取消】qǔxiāo 动 使原有的制度、规章、资格、权利等失去效力:~资格|不合理的规章制度。也作取销。

【取销】qǔxiāo 同"取消"。

【取笑】qǔxiào 动 开玩笑;嘲笑:被别人~|他说话有点口吃,你别~他。

【取信】qǔxìn 动 取得别人的信任:~于人。

【取样】qǔyàng 动 抽样。

【取悦】qǔyuè 动 取得别人的喜欢;讨好:~于人|~上司。

【取证】qǔzhèng 动 取得证据:广泛~|调查~。

【取之不尽,用之不竭】qǔ zhī bù jìn, yòng zhī bù jié 形容很丰富,用不完。

娶 qǔ 动 把女子接过来成亲(跟"嫁"相对):嫁~|~妻|~媳妇儿。

【娶亲】qǔ//qīn 动 男子结婚,也指男子到女家迎娶。

龋(齲) qǔ 牙齿有病而残缺。

【龋齿】qǔchǐ 名 ❶ 病,食物残渣在牙缝中发酵,产生酸类,破坏牙齿的釉质,形成空洞,症状是牙疼、牙龈肿胀等。❷ 患这种病的牙。‖也叫蛀牙,俗称虫牙。

qù 〈ㄑㄩˋ〉

去[1] qù ❶ 动 从所在地到别的地方(跟"来"①相对):～路|～向|从成都到重庆|他～了三天,还没回来。❷ 动 离开:～国|～世|～职|～留两便。❸ 失去;失掉:大势已～。❹ 动 除去;除掉:～病|～火|～皮|这句话～几个字就简洁了。❺ 〈书〉距离:两地相～四十里|～今五十年。❻ 过去的(时间,多指过去的一年):～年|～秋(去年秋天)|～冬今春。❼ 动 婉辞,指人死:他不到四十岁就先～了。❽ 动 用在另一动词前表示要做某事:你们～考虑考虑|自己～想办法。**注意** 表示离开说话人所在地自行做某件事时用"去",表示到说话人所在地参与某件事时用"来"。❾ 动 用在动词或动词结构后面表示去做某件事:游泳～了|他听报告～了|回家吃饭～了。**注意** ⑧⑨的"去"可以一前一后同时用,表示去了要做某件事,如:他～听报告～了。❿ 动 用在动词结构(或介词结构)与动词(或动词结构)之间,表示前者是后者的方法、方向或态度,后者是前者的目的:提了一桶水～浇花|要从主要方面～检查|用辩证唯物主义的观点～观察事物。⓫〈方〉动 用在"大、多、远"等形容词后,表示"非常…","…极了"的意思(后面加"了"):这座楼可大了～了!|他到过的地方多了～了!⓬ 去声:平上～入。

去[2] qù 动 扮演(戏曲里的角色):在《断桥》中,他～白娘子。

去 //·qù 趋向动词。❶ 用在动词后,表示人或事物随动作离开原来的地方:拿～|捎～。❷ 用在动词后,表示动作的继续等:信步走～(=过去)|让他说～(=下去)|一眼看～(=上去)。

【去除】qùchú 动 除掉;除去:～污迹|～顾虑。

【去处】qùchù 名 ❶ 去的地方:我知道他的～。❷ 场所;地方:那里林木幽深,风景秀丽,是一个避暑的好～。

【去火】qù//huǒ 动 中医指消除身体里的火气:消痰～|喝点绿豆汤,去去火。

【去就】qùjiù 动 担任或不担任职务:～未定。

【去留】qùliú 动 离去或留下:～自由。

【去路】qùlù 名 前进的道路;去某处的道路:挡住他的～。

【去年】qùnián 名 时间词。今年的前一年。

【去任】qù//rèn 动 (官吏)去职。

【去日】qùrì〈书〉名 已过去的岁月:～苦多。

【去声】qùshēng 名 ❶ 古汉语四声的第三声。❷ 普通话字调的第四声。‖参看 1294 页{四声}。

【去世】qùshì 动 (成年人)死去;逝世。

【去暑】qù//shǔ 动 驱除暑气:～降温。

【去岁】qùsuì 名 去年。

【去向】qùxiàng 名 去的方向:不知～。

【去职】qù//zhí 动 不再担任原来的职务。

阒(闃) qù〈书〉形容没有声音:～寂|～然|～无一人。

【阒然】qùrán〈书〉形 形容寂静无声的样子:四野～。

趣 qù ❶(～儿)趣味;兴味:有～|没～|桃红柳绿,相映成～。❷ 有趣味的:～事|～闻。❸ 志趣:异～(志趣不同)。❹(Qù)名 姓。
〈古〉又同"促"cù。

【趣话】qùhuà 名 有趣的话语或故事:一段～|文坛～。

【趣事】qùshì 名 有趣的事:逸闻～|说起学生时代的一些～,大家都笑了。

【趣谈】qùtán ❶ 动 有趣地谈论(多用于书名或文章标题):《边寨风情～》。❷ 名 趣话。

【趣味】qùwèi 名 使人愉快、使人感到有意思、有吸引力的特性:很有～|～无穷。

【趣闻】qùwén 名 有趣的传闻:轶事～。

觑(覷、覰、覷) qù〈书〉看;瞧:～视|～伺|小～|面面相～|冷眼相～。
另见 1126 页 qū。

·qu 〈·ㄑㄩ〉

戌 ·qu 见 1125 页{屈戌儿}。
另见 1535 页 xū。

quān（ㄑㄩㄢ）

悫 quān 〈书〉弩弓。

悛 quān 〈书〉悔改：怙恶不～（坚持作恶,不肯悔改）。

圈 quān ❶（～儿）名 圈子①：铁～儿|项～|画了一个～儿|桌子周围挤着一～儿人|跑了三～儿。❷ 名 圈子②：～内|～外|包围～。❸ 动 在四周加上限制（多指地方）；围：～地|用篱笆把菜地～起来。❹ 动 画圈做记号：～选|数目字都用笔～出来|把这个错字～了。

另见 743 页 juān；744 页 juàn。

【圈点】quāndiǎn 动 在书或文稿上加圆圈或点,作为句读的记号,或用来标出认为值得注意的语句。

【圈定】quāndìng 动 用画圈的方式确定（人选、范围等）。

【圈拢】quān·long 〈方〉动 ❶ 团结；使不分散：～志趣相投的一块儿干。❷ 拉拢：他受坏人～,被拉下了水。

【圈套】quāntào 名 使人上当受骗的计策：设下～|落入～。

【圈椅】quānyǐ 名 靠背和扶手接连成半圆形的椅子。

【圈阅】quānyuè 动 领导人审阅文件后,在自己的名字处画圈,表示已经看过。

【圈子】quān·zi 名 ❶ 圆面中空的平面形；环形；环形的东西：大家在操场上围成一个～◇到公园去兜个～|说话不要绕～。❷ 集体的范围或活动的范围：小～|生活～|他陷入敌人～里去。

棬 quān 〈书〉曲木制成的饮器。

鄿 quān 地名用字：柳树～（在河北）|蒙～（在天津）。

quán（ㄑㄩㄢ）

权（權） quán ❶〈书〉秤锤。❷〈书〉权衡：～其轻重。❸ 名 权力：当～|有职有～|掌握大～|生杀予夺之～。❹ 名 权利：人～|公民～|选举～|

发言～。❺ 有利的形势：主动～|制空～。❻ 权变；权宜：～诈|～谋|通～达变。❼ 副 权且；姑且：～充|死马～当活马医。❽（Quán）名 姓。

〈古〉又同"颧"。

【权变】quánbiàn 动 随机应变。

【权标】quánbiāo 名 中间插着一把斧头的一捆木棍,古代罗马把它作为权力的象征。"权标"的译音是"法西斯"。意大利独裁者墨索里尼的法西斯党名称由此而来。

【权柄】quánbǐng 名 所掌握的权力。

【权臣】quánchén 名 掌握大权而专横的大臣：～用事|～祸国。

【权贵】quánguì 名 居高位、掌大权的人。

【权衡】quánhéng 动 秤锤和秤杆,比喻衡量、考虑：～轻重|～利弊|～得失。

【权奸】quánjiān 〈书〉名 掌握大权的奸臣：～秉政。

【权力】quánlì 名 ❶ 政治上的强制力量：国家～|全国人民代表大会是最高国家机关。❷ 职责范围内的支配力量：行使大会主席的～。

【权利】quánlì 名 公民或法人依法行使的权力和享受的利益（跟"义务"相对）。

【权利能力】quánlì nénglì 指依法能够享有一定权利和承担一定义务的资格。是行为能力的前提。参见 1524 页〖行为能力〗。

【权略】quánlüè 〈书〉名 随机应变的谋略；权谋。

【权门】quánmén 名 权贵人家：依附～。

【权谋】quánmóu 名 随机应变的计谋。

【权能】quánnéng 名 权力和职能。

【权且】quánqiě 副 暂且；姑且：～如此|吃几片饼干～充饥。

【权势】quánshì 名 权柄和势力：依仗～。

【权属】quánshǔ 名（房地产、作品、发明等）所有权的归属：～登记|～纠纷。

【权术】quánshù 名 权谋；手段（多含贬义）：玩弄～。

【权威】quánwēi 名 ❶ 使人信服的力量和威望：～著作|维护政府～。❷ 在某种范围里最有威望、地位的人或事物：他是医学～|这部著作是物理学界的～。

【权位】quánwèi 名 权力和地位：不谋～。

【权限】quánxiàn 名 职权范围：管理～|

超越～。

【权要】quányào〈书〉名❶掌握大权的地位;显要的职位:居～。❷权贵:不避～。

【权宜】quányí 形暂时适宜;变通的:～之计。

【权益】quányì 名应该享受的不容侵犯的权利:合法～。

【权舆】quányú〈书〉动❶萌芽①:百草～。❷(事物)开始。

【权欲】quányù 名追求权力的欲望:难以满足的～使他走上了犯罪的道路。

【权诈】quánzhà〈书〉形奸诈。

全 quán ❶形完备;齐全:这部书不～|东西预备～了|棉花苗已出～。❷保全;使完整不缺:两～其美。❸形整个:～神贯注|一家光荣|～书十五卷。❹副完全;都:～不是新的|不～是新的|他讲的话我～记下来了。❺(Quán)名姓。

【全般】quánbān 形整个;全面:～工作。

【全豹】quánbào 名比喻事物的全部。参看505页〖管中窥豹〗。

【全本】quánběn(～儿)形属性词。指演出时间较长、故事情节完整的(戏曲):～《西游记》。❷名足本。

【全部】quánbù 名各个部分的总和;整个:～力量|工程已～竣工|问题～解决。

【全才】quáncái 名在一定范围内各方面都擅长的人才:文武～|在文娱体育活动方面他是个～。

【全称】quánchēng 名名称未简化前的完整形式:少先队的～是少年先锋队。

【全程】quánchéng 名全部路程:运动员都坚持跑完～。

【全都】quándōu 副全;都:人～到齐了|去年种的树～活了。

【全方位】quánfāngwèi 名指四面八方;各个方向或位置;所有的方面:～外交|～出击|～经济协作。

【全份】quánfèn(～儿)名完整的一份儿:～茶点|～表册。

【全副】quánfù 形属性词。整套;全部的(多用于精神、力量或成套的物件):～精力|～武装。

【全乎】quán·hu(～儿)〈口〉形齐全:这家商店虽小,货物倒是很～。

【全会】quánhuì 名(政党、团体)全体会议的简称:中央～|～公报。

【全集】quánjí 名一个作者(有时是两个或几个关系密切的作者)的全部著作编在一起的书(多用于书名):《列宁～》《鲁迅～》《马克思恩格斯～》。

【全家福】quánjiāfú 名❶一家大小合拍的相片儿。❷荤的杂烩。

【全价】quánjià ❶名商品不打折的价格:～商品。❷形属性词。指配料完备或营养成分齐全:～饲料。

【全局】quánjú 名整个的局面:～观念|胸怀～。

【全开】quánkāi 形属性词。印刷上指整张的(纸):～宣传画。

【全科医生】quánkē yīshēng 指掌握医学各科知识,在社区和家庭为病人提供医疗保健服务的医生。

【全力】quánlì 名全部力量或精力;用尽～|～支持|～以赴。

【全貌】quánmào 名事物的全部情况;全部面貌:先弄清楚问题的～,再决定处理办法|仅据一点,难以推想～。

【全面】quánmiàn ❶名所有方面;各个方面的总和:照顾～|～情况。❷形完整周密;兼顾各方面的(跟"片面"相对):～发展|他的讲话很～。

【全民】quánmín 名一个国家内的全体人民:～公决|～动员。

【全民所有制】quánmín suǒyǒuzhì 生产资料归全体人民所有的制度,是社会主义所有制的基本形式。

【全能】quánnéng 形属性词。在一定范围内样样都擅长的:～冠军|十项～运动员。

【全能运动】quánnéng yùndòng 某些运动项目(如田径、体操等)中的综合性比赛项目,要求运动员在一天或两天内把几个比赛项目按照规定的顺序比赛完毕,按各项成绩所得分数的总和判定名次。

【全盘】quánpán 形属性词。全部的;全面的(多用于抽象事物):～计划|～考虑。

【全票】quánpiào 名❶全价的车票、门票等。❷指选举中的全部选票:他以～当选为职工代表。

【全勤】quánqín 动指在一定时期内不缺勤:出～|他这个月～。

【全情】quánqíng 图 全部感情：～投入｜～奉献。

【全球】quánqiú 图 整个地球；全世界：誉满～。

【全球定位系统】quánqiú dìngwèi xìtǒng 通过导航卫星对地球上任何地点的用户进行定位并报时的系统。由导航卫星、地面台站和用户定位设备组成。用于军事，也用于其他领域。

【全权】quánquán 图（处理事情的）全部的权力：～代表｜～处理。

【全权代表】quánquán dàibiǎo 对某件事有全权处理和决定的代表。外交上的全权代表须持有国家元首的全权证书。

【全然】quánrán 副 完全地（多用于否定式）：他一切为了集体，～不考虑个人的得失。

【全身】quánshēn 图 整个身体：用尽了～的力气。

【全神贯注】quán shén guàn zhù 全副精神高度集中。

【全盛】quánshèng 形 极其兴盛或强盛（多指时期）：唐朝是律诗的～时期。

【全食】quánshí 图 日全食和月全食的统称。参看 1153 页〖日食〗、1683 页〖月食〗。

【全始全终】quán shǐ quán zhōng（做事）从头到尾都很完美一致。

【全数】quánshù 图 全部（可以计数的东西）：借款～归还。

【全速】quánsù 图 所能达到的最高速度：～航行｜部队～前进。

【全体】quántǐ 图 各部分的总和；各个个体的总和（多指人）：～会员｜～出席｜看问题不但要看到部分，而且要看到～。

【全天候】quántiānhòu 形 属性词。❶ 不受天气限制的，在任何气候条件下都能使用或工作的：～公路｜～飞机。❷ 每天 24 小时不受任何条件限制提供服务的：～服务。

【全托】quántuō 动 把幼儿托付给托儿所或幼儿园昼夜照管，只在节假日接回家，叫全托（区别于"日托"）。

【全文】quánwén 图 指文章、文件的全部文字：～转载。

【全武行】quánwǔháng 图 ❶ 戏曲中指规模较大的武打：排演一出～好戏。❷ 泛

指暴力行为（多指人多的）。

【全息】quánxī 形 属性词。反映物体在空间存在时整个情况的全部信息的：～摄影。

【全息照相】quánxī zhàoxiàng 记录被物体反射或透射的波的全部信息的照相技术。全息照相有光学、声学、X 射线、微波等多种。用这种技术照的相富有立体感。在某些检验技术和信息存储、立体电影等方面有广泛的用途。

【全线】quánxiàn 图 ❶ 全部战线：～反攻｜～出击。❷ 整条路线：这条铁路已～通车｜～工程，克期完成。

【全心全意】quán xīn quán yì 用全部的精力：～为人民服务。

【全休】quánxiū 动 指职工因病在一定时期内不工作：医嘱～两周。

【全音】quányīn 图 包括两个半音的音程叫全音。参看 38 页〖半音〗。

【全优】quányōu 形 属性词。全部或全面优秀的：～工程。

【全员】quányuán 图 全体职工；全体成员：～培训｜～劳动生产率。

【全知全能】quán zhī quán néng 无所不知，无所不能。

【全职】quánzhí 形 属性词。专门担任某种职务的（区别于"兼职"）：～教师。

佺 quán 偓佺（Wòquán），古代传说中的仙人。

诠（詮） quán 〈书〉❶ 诠释：～解。❷ 事理，真理：真～。

【诠次】quáncì〈书〉❶ 动 编次；排列。❷ 图 层次①；伦次：辞无～。

【诠释】quánshì 动 说明；解释。

【诠注】quánzhù 动 注解并说明。

荃 quán 古书上说的一种香草。

泉 quán ❶ 泉水：温～｜矿～｜清～｜甘～。❷ 图 泉眼。❸ 钱币的古称：～币。❹（Quán）图 姓。

【泉流】quánliú 图 泉水形成的水流。

【泉水】quánshuǐ 图 从地下流出来的水。

【泉下】quánxià 图 黄泉之下，指阴间。参看 601 页〖黄泉〗。

【泉眼】quányǎn 图 流出泉水的小洞或裂缝。

【泉涌】quányǒng 动 像泉水一样不断涌

出来：泪如～|文思～。

【泉源】quányuán 名 源泉。

轻(輇) quán 〈书〉❶ 没有辐的车轮。❷ 浅薄：～才(浅薄的才气或才能)。

拳 quán ❶ 名 拳头：双手握～|～打脚踢。❷ 名 拳术：打～|练～|一套～|几手好～|太极～。❸ 动 拳曲：老大娘～着腿坐在炕上。

【拳棒】quánbàng 名 指武术。

【拳击】quánjī 名 体育运动项目之一。比赛时两个人戴着特制的皮手套互相击打，以击倒对方或击中对方有效部位次数多为胜。

【拳脚】quánjiǎo 名 ❶ 拳头和脚：～相加。❷ 指拳术：会几手～。

【拳曲】quánqū 动 (物体)弯曲：～着双腿|～的头发。

【拳拳】(惓惓) quánquán 〈书〉形 形容恳切：情意～|～之忱。

【拳师】quánshī 名 以教授或表演拳术为职业的人。

【拳手】quánshǒu 名 拳击运动员。

【拳术】quánshù 名 徒手的武术。

【拳头】quán·tóu 名 手指向内弯曲合拢的手：把～握得紧紧的|举起～喊口号。

【拳头产品】quán·tóu chǎnpǐn 指优异的、有市场竞争能力的产品。

铨(銓) quán 〈书〉❶ 选拔：～叙。❷ 衡量轻重。

【铨叙】quánxù 动 旧时政府审定官员的资历，确定级别、职位。

痊 quán 病愈：～愈。

【痊愈】quányù 动 病好了。

悁 quán 见 1133 页【拳拳】(惓惓)。

筌 quán 〈书〉捕鱼的竹器：得鱼忘～。

蜷(蜷) quán 动 蜷曲：～缩|花猫～作一团睡觉。

【蜷伏】quánfú 动 弯着身体卧着：他喜欢～着睡觉。

【蜷曲】quánqū 动 弯曲(多用于人或动物的肢体)：两腿～起来|草丛里有一条～着的赤练蛇。

【蜷缩】quánsuō 动 蜷曲而收缩：小虫子

～成一个小球儿。

醛 quán 名 有机化合物的一类，是醛基和烃基(或氢原子)连接而成的化合物，如甲醛、乙醛等。

【醛基】quánjī 名 羰基中的一个单键和氢原子连接而成的一价原子团(—CHO)。

鳈(鰁) quán 名 鱼，体长 10 厘米左右，身体深棕色，有斑纹，口小。生活在淡水中。种类较多，常见的有华鳈、黑鳍鳈等。

鬈 quán ❶ (头发)弯曲：～发。❷ 形容头发美。

颧(顴) quán [颧骨](quángǔ)名 眼睛下边两腮上面突出的骨头。

quǎn （ㄑㄩㄢˇ）

犬 quǎn 狗：警～|猎～|牧～|军用～|丧家之～|鸡鸣～吠。

【犬齿】quǎnchǐ 名 尖牙。

【犬马】quǎnmǎ 名 古时臣下对君主自比为犬马，表示愿供驱使：效～之劳。

【犬儒】quǎnrú 名 原指古希腊抱有玩世不恭思想的一派哲学家，后来泛指玩世不恭的人。

【犬牙】quǎnyá 名 ❶ 尖牙。❷ 狗牙。

【犬牙交错】quǎnyá jiāocuò 形容交界处参差不齐，像狗牙一样。泛指局面错综复杂。

【犬子】quǎnzǐ 名 谦辞，对人称自己的儿子。

畎 quǎn 〈书〉田间小沟。

【畎亩】quǎnmǔ 〈书〉名 田间；田地。

缱(繾) quǎn 见 1092 页[缱绻]。

quàn （ㄑㄩㄢˋ）

劝(勸) quàn ❶ 动 拿道理说服人，使人听从：规～|～导|～解|他身体不好，你应该～他休息休息。❷ 〈书〉勉励：～勉|～学。❸ (Quàn) 名

姓。

【劝导】quàndǎo 动 规劝开导：耐心～|听从～。

【劝告】quàngào ❶ 动 拿道理说服人，使人改正错误或接受意见：再三～。❷ 名 希望人改正错误或接受意见而说的话：你多听听大家的～。

【劝和】quànhé 动 劝人和解。

【劝化】quànhuà 动 ❶ 佛教指劝人为善，泛指劝勉感化。❷ 募化。

【劝驾】quàn∥jià 动 劝人出去担任职务或做客。

【劝架】quàn∥jià 动 劝人停止争吵、打架。

【劝谏】quànjiàn 动 旧时臣子对君主进言规劝，后泛指规劝上级或长辈改正错误。

【劝解】quànjiě 动 ❶ 劝导宽解：经过大家～，他想通了。❷ 劝架：从旁～。

【劝诫】（劝戒）quànjiè 动 劝告人改正缺点错误，警惕未来：他把我当成亲兄弟一样，时时～我，帮助我。

【劝进】quànjìn 动 指劝说实际上已经掌握政权而有意做皇帝的人做皇帝。

【劝酒】quàn∥jiǔ 动 （酒席上）劝人喝酒：主人举杯频频～。

【劝勉】quànmiǎn 动 劝导并勉励：互相～。

【劝募】quànmù 动 用劝说的方式募捐：多方～，集资百万。

【劝说】quànshuō 动 劝人做某种事情或使对某种事情表示同意：反复～|不听～。

【劝退】quàntuì 动 劝告使退出（某一职位或团体等）：对长期不起作用的人员予以～。

【劝慰】quànwèi 动 劝解安慰：他多次来信～我，嘱咐我不要泄气。

【劝降】quàn∥xiáng 动 劝人投降。

【劝诱】quànyòu 动 劝说诱导。

【劝止】quànzhǐ 动 劝阻。

【劝阻】quànzǔ 动 劝人不要做某事或进行某种活动：好言～|极力～。

券¹ quàn 名 票据或作为凭证的纸片：公债～|入场～。

券² quàn "券"xuàn 的又音。

【券种】quànzhǒng 名 债券的种类：短期～。

---

quē（くⅡせ）

炔 quē 炔烃。
另见 516 页 Guì。

【炔烃】quētīng 名 不饱和烃的一类，分子中含有三键结构（—C≡C—）的链烃，通式为 C_nH_{2n-2}，如乙炔等。

缺 quē ❶ 动 缺乏；短少：～人|～材料|庄稼～肥～水就长不好。❷ 动 残破；残缺：～口|完满无～|这本书～了两页。❸ 动 该到而未到：～勤|～课|～席。❹ 名 旧时指官职的空额，也泛指一般职务的空额：出～|肥～|补一个～。

【缺编】quēbiān 动 现有人员少于编制规定的数额：偏远地区教师～严重。

【缺德】quē∥dé 形 缺乏好的品德，指人做坏事，恶作剧，开玩笑，使人为难等等：～话|～事|真～。

【缺点】quēdiǎn 名 欠缺或不完善的地方（跟"优点"相对）：克服～|这种浅色花布很好看，～是不禁脏。

【缺额】quē'é 名 现有人员少于规定人员的数额；空额：还有五十名～。

【缺乏】quēfá 动 （所需要的、想要的或一般应有的事物）没有或不够：材料～|～经验|～锻炼。

【缺憾】quēhàn 名 不够完美，令人感到遗憾的地方：未能赶上参加开幕式，实在是个～。

【缺斤短两】quē jīn duǎn liǎng （售出的商品）不够分量。也说缺斤少两。

【缺考】quēkǎo 动 考试缺席；没有参加应该参加的考试：因病～。

【缺刻】quēkè 名 指叶子边缘上的凹缺。

【缺口】quēkǒu 名 ❶ （～儿）物体上缺掉一块而形成的空隙：围墙上有个～|碗边儿碰了个～儿。❷ 指（经费、物资等）短缺的部分：原材料～很大。

【缺漏】quēlòu 名 欠缺遗漏的地方：弥缝～。

【缺略】quēlüè 动 欠缺；不完整：释文～。

【缺门】quēmén （～儿）名 空白的门类：～产品|填补～。

【缺欠】quēqiàn ❶ 名 缺点：工作上有～。❷ 动 缺少：～科技人才|资金还～不少。

【缺勤】quē//qín 动 在规定时间内没有上班工作：～半｜因病～。

【缺少】quēshǎo 动 缺乏（多指人或物数量不够）：～零件｜雨水～｜人手。

【缺失】quēshī ❶ 名 缺陷；缺点：公司的经营有很多～。❷ 动 缺少；失去：体育比赛不能～公平公正的原则。

【缺损】quēsǔn ❶ 动 破损：如有～，照价赔偿。❷ 医学上指身体的某个部分或器官缺少或发育不完全。

【缺位】quēwèi ❶ 动 职位等空缺：总经理一职暂时～。❷ 名 空缺的职位：营销部还有一个～。❸ 动 达不到标准或要求：管理～｜服务～。

【缺席】quē//xí 动 开会或上课时没有到：因事～｜他这学期没有缺过席。

【缺陷】quēxiàn 名 欠缺或不够完备的地方：生理～。

【缺员】quēyuán 动 人员短缺，多指机关、单位等达不到编制规定的人数：年老教师退休，造成这所学校教师～。

【缺阵】quē//zhèn 动 指运动员因故不能上场参加比赛：多名主力～使球队实力大受影响。

【缺嘴】quē//zuǐ 〈方〉动 指在吃的方面没有得到满足：这孩子不～，可总也胖不起来。

阙（闕） quē 〈书〉❶ 过失；疏失：衮职有～。❷ 同"缺"。
另见 1136 页 què。

【阙如】quērú 〈书〉动 欠缺；空缺：暂付～。

【阙疑】quēyí 动 把疑难问题留着，不下判断：暂作～。

qué （ㄑㄩㄝ）

癯 qué 动 行走时身体不稳，跛（bǒ）：～腿｜～着走｜摔～了腿。

【瘸子】qué·zi 名 瘸腿的人：跛子。

què （ㄑㄩㄝ）

却¹（卻） què ❶ 后退：退～｜～步。❷ 使退却：～敌。❸ 推辞；拒绝：推～｜～之不恭｜盛情难～。❹ 去；掉：冷～｜忘～｜失～信心。❺（Què）名姓。

却²（卻） què 副 表示转折，比"倒"、"可"的语气略轻：有许多话要说，一时～说不出来｜文章虽短～很有力。

【却病】quèbìng 〈书〉避免生病；消除疾病：～延年。

【却步】quèbù 动 因畏惧或厌恶而向后退：望而～｜～不前｜不因困难而～。

【却说】quèshuō 动 旧小说的发语词，"却说"后头往往重提上文说过的事。

【却之不恭】què zhī bù gōng 对于别人的馈赠、邀请等，如果拒绝，就显得不恭敬，是接受别人馈赠或邀请时说的客套话：～，受之有愧。

埆 què 〈书〉（土地）不肥沃。

岩（礐） què 〈书〉山多大石（多用于地名）：～石（在广东）。

悫（愨、愿） què 〈书〉诚实。

雀 què 名 ❶ 鸟，体形较小，发声器官较发达，有的叫声很好听，嘴呈圆锥状，翼长，雌雄羽毛的颜色多不相同，雄鸟的颜色常随气候改变，吃植物的果实或种子，也吃昆虫。种类很多，常见的有燕雀、锡嘴等。❷（Què）姓。
另见 1098 页 qiāo；1100 页 qiǎo。

【雀斑】quèbān 名 皮肤病，患者多为女性。症状是面部出现黄褐色或黑褐色的小斑点，不疼不痒。

【雀鹰】quèyīng 名 鸟，体形小，羽毛灰褐色，腹部白色并有赤褐色横斑，脚黄色。雌的比雄的稍大。是猛禽，捕食小鸟。通称鹞子。

【雀跃】quèyuè 动 高兴得像雀儿一样地跳跃：欢欣～｜～欢呼。

确¹（確、塙、碻） què ❶ 符合事实的；真实的：～正～｜～证。❷ 副 的确；确乎：～有此事。❸ 坚固；坚定：～立｜～信｜～守。

确² què 〈书〉（土地）不肥沃：硗～。

【确保】quèbǎo 动 确实地保持或保证：～交通畅通｜加强田间管理，～粮食丰收。

【确当】quèdàng 形 正确恰当；适当：立论

～|措辞十分～。

【确定】quèdìng ❶ 形 明确而肯定：～的答复|～的胜利。❷ 动 使确定：～了工作之后就上班|还没有～候选人名单。

【确乎】quèhū 副 的确：经过试验,这办法～有效|屋子又宽绰又豁亮,～不坏。

【确立】quèlì 动 稳固地建立或树立：～制度|～信念。

【确切】quèqiè 形 ❶ 准确;恰当：～不移|用字～。❷ 确实：消息～|～的保证。

【确认】quèrèn 动 明确承认;确定认可(事实、原则等)：参加会议的各国～了这些原则|这些文物的年代尚未经专家～。

【确实】quèshí ❶ 形 真实可靠：～性|～的消息|这件事他亲眼看到,说得确确实实。❷ 副 对客观情况的真实性表示肯定：他最近～有些进步|这件事～不是他干的。

【确守】quèshǒu 动 确实地遵守：～合同|～信义。

【确信】quèxìn ❶ 动 确实地相信;坚信：我们～这一崇高理想一定能实现。❷(～儿)名 确实的信息：不管事成与否,请尽速给个～儿。

【确凿】quèzáo (旧读 quèzuò)形 非常确实：～不移|～的事实|证据～。

【确诊】quèzhěn 动 诊断确实：经过检查,～为肺炎。

【确证】quèzhèng ❶ 动 确切地证实：我们可以～他的论断是错误的。❷ 名 确切的证据或证明：在～面前他不得不承认自己的罪行。

阕（闋）què ❶〈书〉终了;乐～。❷ 量 a)歌曲或词一首叫一阕：弹琴一～|填一～词。b)一首词的一段叫一阕。❸ (Què)名 姓。

鹊（鵲）què 名 喜鹊。

【鹊巢鸠占】què cháo jiū zhàn 比喻强占别人的房屋、土地、产业等。

【鹊起】quèqǐ 比喻名声兴起,传扬：声誉～|文名～。

【鹊桥】quèqiáo 名 民间传说天上的织女七夕渡银河与牛郎相会,喜鹊来搭成桥,叫做鹊桥：～相会(比喻夫妻或情人久别后团聚)|搭～(比喻为男女撮合婚姻)。

碏què 用于人名,石碏,春秋时卫国大夫。

阙（闕）què ❶ 古代皇宫大门前两边供瞭望的楼,泛指帝王的住所：宫～|伏～(跪在官门前)。❷ 神庙、陵墓前竖立的石雕。❸ (Què)名 姓。
另见 1135 页 quē。

榷¹ què〈书〉专卖：～茶|～税(专卖业的税)。

榷²（搉）què 商讨：商～。

---

qūn （ㄑㄩㄣ）

囷qūn 古代一种圆形的谷仓。

逡qūn〈书〉退让;退。

【逡巡】qūnxún〈书〉动 有所顾虑而徘徊或不敢前进：～不前。

---

qún （ㄑㄩㄣ）

宭qún〈书〉❶ 群居。❷ 某种事物荟萃的地方：学～。

裙（帬）qún 名 ❶ 裙子：布～|短～|连衣～|百褶～。❷ 形状或作用像裙子的东西：围～|墙～。

【裙钗】qúnchāi 名 旧时妇女的服饰,借指妇女。

【裙带】qúndài 形 属性词。比喻跟妻女姊妹等有关的(含讽刺意)：～官(因妻女姊妹的关系而得到的官职)|～关系(被利用来相互勾结攀缘的姻亲关系)|～风(搞裙带关系的风气)。

【裙带菜】qúndàicài 名 藻类植物,生长在海水中,长可达 1 米多,褐色,有多数羽状的柔软裂片,扁平如带状,边缘有缺刻。可以吃。

【裙房】qúnfáng 名 像裙子一样围绕在高大主楼周围,层数较少的建筑物。

【裙服】qúnfú 名 下身为裙子的女式套装。

【裙裤】qúnkù 名 一种裤筒肥大,穿在身上看上去像裙子的女裤。

【裙子】qún·zi 名 一种围在腰部以下的服装。

群（羣）qún ❶ 聚在一起的人或物：人～|鸡～|建筑～|成～结队。

❷ 众多的人：超～|～言堂|～策～力。❸ 成群的：～峰|～居|～集。❹ 量 用于成群的人或东西：一～孩子|一～马。❺（Qún）名 姓。

【群策群力】qún cè qún lì 大家共同出主意,出力量。

【群唱】qúnchàng 名 一种演唱形式,三个或三个以上的人交替着唱。

【群岛】qúndǎo 名 海洋中彼此相距很近的一群岛屿,如我国的舟山群岛、西沙群岛、南沙群岛等。

【群雕】qúndiāo 名 ❶ 众多相关人物、动物等组成的雕像：雨花台烈士～。❷ 由许多雕像有机地组成的一组雕像。

【群芳】qúnfāng 名 各种美丽芳香的花草,比喻众多的女子：～谱|～竞艳|技压～。

【群婚】qúnhūn 名 原始社会的一种婚姻形式,几个女子共同跟别的氏族的几个男子结婚。同一氏族内的人禁止通婚。

【群集】qúnjí 动 成群地聚集：人们～在广上。

【群居】qúnjū 动 ❶ 成群聚居：～穴处。❷〈书〉很多人聚在一起：～终日。

【群龙无首】qún lóng wú shǒu 比喻一群人中没有领头的人。

【群落】qúnluò 名 ❶ 生存在一起并与一定的生存条件相适应的生物的总体。❷ 同类事物聚集起来形成的群：风景～|古建筑～。

【群氓】qúnméng〈书〉名 统治者对百姓的蔑称。

【群魔乱舞】qún mó luàn wǔ 形容一群坏人猖狂活动。

【群殴】qún'ōu 动 打群架。

【群起】qúnqǐ 动 很多人一同起来(做某事)：～响应|～而攻之。

【群轻折轴】qún qīng zhé zhóu 许多不重的东西累积起来也能压断车轴。比喻小的坏事如果任其发展下去,也能造成严重后果(语出《战国策·魏策一》："臣闻积羽沉舟,群轻折轴,众口铄金")。

【群情】qúnqíng 名 群众的情绪：～欢洽|～激奋|～鼎沸。

【群山】qúnshān 名 连绵不断或聚集成群的山：～环抱。

【群体】qúntǐ 名 ❶ 由许多在生理上发生联系的同种生物个体组成的整体,如动物中的海绵、珊瑚和植物中的某些藻类。❷ 泛指本质上有共同点的个体组成的整体：英雄～|企业～|建筑～。

【群威群胆】qún wēi qún dǎn 很多人团结一致所表现的力量和勇敢精神。

【群舞】qúnwǔ 名 集体舞。

【群星】qúnxīng 名 ❶ 众多的星星：～闪烁。❷ 比喻众多的有名的人物：体坛～|晚会现场～云集。

【群雄】qúnxióng 名 ❶ 旧时称在时局混乱中称王称霸的一些人：～割据。❷ 指众多英雄人物：～聚会。

【群言堂】qúnyántáng 名 指领导干部贯彻群众路线,充分发扬民主,广泛听取意见,并能集中正确意见的工作作风(跟"一言堂"相对)。

【群英】qúnyīng 名 指许多有才干的人,也指许多英雄人物：～会|～欢聚。

【群英会】qúnyīnghuì 名 赤壁之战的前夕,在东吴文官武将的一次宴会上,周瑜说："今日此会可名群英会。"(见于《三国演义》四十五回)现借指先进人物的集会。

【群众】qúnzhòng 名 ❶ 泛指人民大众：～大会|深入～|听取～的意见。❷ 指没有加入共产党、共青团组织的人。❸ 指不担任领导职务的人。

【群众关系】qúnzhòng guān·xì 指个人和他周围的人们相处的情况。

【群众路线】qúnzhòng lùxiàn 中国共产党的一切工作的根本路线。一方面要求在一切工作或斗争中,必须相信群众、依靠群众并组织群众用自己的力量去解决自己的问题。另一方面要求领导贯彻"从群众中来到群众中去"的原则,即在集中群众意见的基础上制定方针、政策,交给群众讨论、执行,并在讨论、执行过程中,不断根据群众意见进行修改,使之逐渐完善。

【群众运动】qúnzhòng yùndòng 有广大人民参加的政治运动或社会运动。

【群众组织】qúnzhòng zǔzhī 有广大群众参加的非国家政权性质的团体,如工会、妇联、共青团、学生会等。

麇(麕) qún〈书〉成群：～集|～至。另见 751 页 jūn。

【麇集】qúnjí〈书〉动 聚集；群集。

R

r

rán （ㄖㄢˊ）

蚺(蚦) rán ［蚺蛇］(ránshé) 名 蟒蛇。

然 rán ❶ 对;不错:不以为～。❷〈书〉指示代词。如此;这样;那样:不尽～|知其～,不知其所以～。❸〈书〉连然而:此事虽小,～亦不可忽视。❹ 副词或形容词后缀:忽～|突～|显～|欣～|飘飘～。❺(Rán)名 姓。
〈古〉又同"燃"。

【然而】 rán'ér 连 用在后半句话的开头,表示转折:他虽然失败了很多次,～并不灰心。

【然后】 ránhòu 连 表示一件事情之后接着又发生另一件事情:学～知不足|先研究一下,～再决定。

【然诺】 ránnuò〈书〉动 允诺;答应②:重～(不轻易答应别人,答应了就一定履行)。

【然则】 ránzé〈书〉连 用在句子的开头,表示"既然这样,那么…":～如之何而可?(那么怎么办才好?)

髯(髥) rán 两腮的胡子,也泛指胡须:美～|虬～|白发苍～。

【髯口】 rán·kou 名 戏曲演出时所戴的假胡子。

燃 rán 动 ❶ 燃烧:自～|～料|篝火起来了。❷ 引火点着:～灯|～香|～起火把。

【燃点】[1] rándiǎn 动 加热使燃烧;点着:～灯火。

【燃点】[2] rándiǎn 名 某种物质着火燃烧所需要的最低温度叫做这种物质的燃点。也叫着火点。

【燃放】 ránfàng 动 点着爆竹等使爆发:～鞭炮|～烟火。

【燃具】 ránjù 名 燃气用具。

【燃料】 ránliào 名 能产生热能或动力的可燃物质,主要是含碳物质或碳氢化合物。按形态可分为固体燃料(如煤、炭、木材)、液体燃料(如汽油、煤油)和气体燃料(如煤气、沼气)。也指能产生核能的物质,如铀、钚等。

【燃眉之急】 rán méi zhī jí 像火烧眉毛那样的紧急,比喻非常紧迫的情况。

【燃煤】 ránméi 名 做燃料用的煤:～锅炉。

【燃气】 ránqì 名 做燃料用的气体,如煤气、天然气等。

【燃气轮机】 ránqì-lúnjī 涡轮机的一种,利用高压的燃烧气体推动叶轮转动,产生动力。体积小,重量轻,功率大,效率高。

【燃情】 ránqíng 形 情感火热炽烈的:～岁月。

【燃烧】 ránshāo 动 ❶ 物质剧烈氧化而发光、发热。可燃物质和空气中的氧剧烈化合是最常见的燃烧现象。❷ 比喻某种感情、欲望高涨:怒火在胸中～。

【燃烧弹】 ránshāodàn 名 能使目标燃烧的枪弹或炸弹,一般用黄磷、凝固汽油等作为燃烧剂。旧称燃夷弹。

【燃烧瓶】 ránshāopíng 名 装有液体燃烧剂的玻璃瓶,投掷后玻璃瓶破碎而燃烧。

【燃油】 rányóu 名 做燃料用的油,如汽油、柴油等:保证～供应。

rǎn （ㄖㄢˇ）

冉(冄) Rǎn 名 姓。

【冉冉】 rǎnrǎn〈书〉❶ 形(毛、枝条等)柔软下垂的样子。❷ 副 慢慢地:～而来|月亮～上升。

苒(荇) rǎn 见 1149 页［荏苒］。

染 rǎn ❶ 动 用染料着色:印～|～布◇夕阳～红了天空。❷ 动 感染;沾染:传～|～上一身恶习|一尘不～。❸(Rǎn)名 姓。

【染病】 rǎn∥bìng 动 得病;患病:～在床。

【染坊】 rǎnfáng 名 染绸、布、衣服等的作坊。

【染缸】 rǎngāng 名 染东西的大缸。比喻对人的思想产生坏影响的地方或环境。

【染料】rǎnliào 名 直接或经媒染剂作用而能附着在纤维和其他材料上的有色物质,有的可以跟被染物质化合。种类很多,以有机化合物为主。

【染色】rǎnsè 动❶ 用染料使纤维等材料着色。有时需要用媒染剂。❷ 为了便于观察机体组织和细胞,把它们染成蓝、红、紫等颜色。

【染色体】rǎnsètǐ 名 存在于细胞核中能被碱性染料染色的丝状或棒状体,由核酸和蛋白质组成,是遗传的主要物质基础。各种生物的染色体有一定的大小、形态和数目。

【染指】rǎnzhǐ 春秋时,郑灵公请大臣们吃甲鱼,故意不给子公吃,子公很生气,就伸手指在盛甲鱼的鼎里蘸上点儿汤,尝尝滋味走了(见于《左传·宣公四年》)。后来用"染指"比喻分取非分的利益,也比喻插手或参与分外的某种事情。

rāng（ㄖㄤ）

嚷 rāng 义同"嚷"(rǎng),只用于"嚷嚷"。
另见 1139 页 rǎng。

【嚷嚷】rāng·rang〈口〉动❶ 喧哗;吵闹:别~,人家还在休息。❷ 声张:这事~出去,对谁都不好。

ráng（ㄖㄤ）

儴 ráng 见 794 页[俇儴]。

勷 ráng 见 794 页[劻勷]。

蘘 ráng [蘘荷](ránghé)名 多年生草本植物。根状茎圆柱形,淡黄色,叶子椭圆状披针形,花大,白色或淡黄色,蒴果卵形。花穗和嫩芽可以吃,根状茎可入药。

瀼 Ráng 瀼河,水名,在河南。
另见 1140 页 ràng。

【瀼瀼】rángráng〈书〉形 形容露水多。

禳 ráng〈书〉禳解:~灾。

【禳解】rángjiě〈书〉动 迷信的人向鬼神祈祷消除灾殃。

穰 ráng ❶〈方〉名 稻、麦等的秆子:~草。❷ 同"瓤"①②。

【穰穰】rángráng〈书〉形 五谷丰饶:~满家。

瓤 ráng ❶（～儿）名 瓤子①:橘子~儿|黑瓜红~儿的西瓜。❷（～儿）名 泛指某些皮或壳里包着的东西:秫秸~|信~儿。❸〈方〉形 不好;软弱:你赶车的技术真不~|病后身体~。

【瓤子】ráng·zi 名 ❶ 瓜果里包着种子的肉或瓣儿。❷ 瓤②:表~|秫秸~。

禳 ráng 形 脏(见于旧小说):衣服~了。

rǎng（ㄖㄤ）

壤 rǎng ❶ 土壤:沃~。❷〈书〉地:天~之别|霄~。❸ 地区:接~|穷乡僻~。

【壤土】rǎngtǔ 名 ❶ 细沙和黏土含量比较接近的土壤。土粒粗大而疏松,能保水、保肥,适于种植各种作物。❷〈书〉土地;国土。

攘（❸纕）rǎng〈书〉❶ 排斥:~除|~外(抵御外患)。❷ 抢:~夺。❸ 捋起(袖子):~臂。❹ 纷乱:扰~。

【攘臂】rǎngbì〈书〉动 捋起袖子,伸出胳膊(表示激奋或发怒):~高呼|~瞋目(捋袖伸臂,瞪着眼睛,形容发怒)。

【攘除】rǎngchú〈书〉动 排除:~奸邪。

【攘夺】rǎngduó〈书〉动 夺取:~政权。

【攘攘】rǎngrǎng〈书〉形 形容纷乱。

嚷 rǎng 动 ❶ 喊叫:别~了,人家都睡觉了。❷〈口〉吵闹:~也没用,还是另想别的办法吧。❸〈方〉责备;训斥:这事让妈妈知道了又该~我了。
另见 1139 页 rāng。

ràng（ㄖㄤ）

让（讓）ràng ❶ 动 把方便或好处给别人:弟弟小,哥哥~着他

点儿|见困难就上，见荣誉就~。❷动请人接受招待：～茶|把大家～进屋里。❸动索取一定的代价，把财物的所有权转移给别人：出～|转～|那辆旧车～出去了。❹动表示使令、许可或听任：谁～你来的？|我仔细想想|要是～事态发展下去，后果会不堪设想。❺动避开；躲闪：～路|请～开点儿。❻介被③：行李～雨给淋了。**注意**"被"字后面的施事有时可以省略，但"让"字后面的施事一般不能省略，如可说"行李被淋了"，不说"行李让淋了"。❼(Ràng)名姓。

【让步】ràng//bù 动在争执中部分地或全部地放弃自己的意见或利益：相互～|在原则问题上决不～。

【让利】ràng//lì 动把部分利益或利润让给别人：～销售。

【让零】ràng//líng 动指商家或服务行业人员等放弃应收款数的零头：出租车司机主动给乘客～。

【让路】ràng//lù 动给对方让开道路◇各项工作都要为中心工作～。

【让位】ràng//wèi 动❶让出统治地位或领导职位：老干部主动～，退居二线。❷〈方〉让座①。

【让贤】ràng//xián 动把职位让给有才干的人：退位～。

【让座】ràng//zuò (～儿)动❶把座位让给别人：电车上青年人都给老年人～。❷请客人入座：主人～又让茶，十分热情。

攘 **瀼** ràng 瀼渡河(Ràngdù Hé)，水名，在重庆。
另见1139页Ráng。

ráo (ㄖㄠˊ)

莈 **蕘** ráo ❶〈书〉柴火：刍～。❷(Ráo)名姓。

饶 **饒** ráo ❶丰富；多：富～|丰～|～有风趣。❷动没有代价地增添；另外添：～一头|有两人去就行了，不要把他也～在里头。❸动饶恕；宽容：～他这一回。❹〈口〉连表示让步，跟"虽然、尽管"意思相近：～这么让着他，他还不满意。❺(Ráo)名姓。

【饶命】ráo//mìng 动免予处死；给予活命。

【饶舌】ráoshé 动唠叨；多嘴：对这个问题我不想多～。

【饶恕】ráoshù 动免予责罚。

【饶头】ráo·tou 〈口〉名多给的少量东西(多用于买卖场合)：这个小的是个～。

娆 **嬈** ráo 见682页【娇娆】、1581页【妖娆】。
另见1140页rǎo。

桡 **橈** ráo 〈书〉划船的桨。

【桡骨】ráogǔ 名前臂靠拇指一侧的长骨，与尺骨并排，上端与尺骨、肱骨相接，下端与腕骨相接。(图见490页"人的骨骼")

rǎo (ㄖㄠˇ)

扰 **擾** rǎo ❶扰乱；搅乱：干～|打～。❷〈书〉混乱；紊乱：素乱～|～攘。❸动客套话，因受人款待而表示客气：叨～|我～了他一顿饭。

【扰动】rǎodòng 动❶动荡；骚动：明朝末年，农民纷纷起义，～及于全国。❷干扰；搅动：地面温度升高，～气流迅速增强。

【扰乱】rǎoluàn 动搅扰；使混乱或不安：～治安|～思路|～睡眠。

【扰民】rǎo//mín 动搅扰百姓：噪声～|防止夜间施工～。

【扰攘】rǎorǎng 〈书〉形骚乱；纷乱：干戈～。

【扰扰】rǎorǎo 〈书〉形形容纷乱。

娆 **嬈** rǎo 〈书〉烦扰；扰乱。
另见1140页ráo。

rào (ㄖㄠˋ)

绕 **繞、❷❸遶** rào 动❶缠绕：～线。❷围着转动：运动员～场一周。❸不从正面通过，从侧面或后面迂回过去：～行|～远儿|把握船舵～过暗礁。❹(问题、事情)纠缠：一些问题～在他的脑子里|我一时～住了，账目没算对。❺(Rào)名姓。

【绕脖子】rào bó·zi 〈方〉❶形容说话办事曲折，不直截了当：你简单地说吧，别净

～。❷ 形容言语、事情曲折费思索：这道题真～|他尽说些～的话。

【绕道】rào//dào （～儿）动 不走直接的路，改由较远的路过去：～而行。

【绕口令】ràokǒulìng （～儿）名 一种语言游戏，用声、韵、调极易混同的字交叉重叠编成句子，要求一口气急速念出，说快了读音容易发生错误。也叫拗口令，有的地区叫急口令。

【绕圈子】rào quān·zi ❶ 走迂回曲折的路：人地生疏，难免～走冤枉路。❷ 比喻不照直说话：有话直说，别～。

【绕弯儿】rào//wānr 动 ❶〈方〉散步：他刚吃完饭，在院子里～|我出去绕个弯儿就回来。❷ 绕弯子。

【绕弯子】rào wān·zi 比喻不照直说话：有意见，就直截了当地说出来，不要～。

【绕远儿】rào//yuǎnr ❶ 形（路线）迂回曲折而遥远：这条路很好走，可就是太～。❷ 动 走迂回曲折而较远的路：我宁可绕点儿远儿也不翻山。

【绕组】ràozǔ 名 电机或电器中用漆包线等绕成的许多线圈的组合。

【绕嘴】ràozuǐ 形 不顺口：这话说起来～。

rě （ㄖㄜˇ）

若 rě 见 1 页〖阿兰若〗、102 页〖般若〗(bōrě)、809 页〖兰若〗。
另见 1166 页 ruò。

喏 rě 见 157 页〖唱喏〗。
另见 1010 页 nuò。

惹 rě 动 ❶ 招引；引起（不好的事情）：～事|～祸|～麻烦。❷（言语、行动）触动对方：不要把他～翻了|这人脾气大，不好～。❸（人或事物的特点）引起爱憎等的反应：～人注意|～人讨厌|一句话把大家～得哈哈大笑。

【惹草拈花】rě cǎo niān huā 见 994 页〖拈花惹草〗。

【惹火烧身】rě huǒ shāo shēn 引火烧身①。

【惹祸】rě//huò 动 引起祸事：～招灾|他惹了祸，吓得躲起来了。

【惹乱子】rě luàn·zi 闯祸；惹祸。

【惹气】rě//qì 动 引起恼怒：别为这点儿小

事|没想到因一句话惹了一肚子气。

【惹事】rě//shì 动 引起麻烦或祸害：你别给我～|他在外也～了不少事。

【惹是非】rě shì·fēi 引起麻烦或争端。

【惹是生非】rě shì shēng fēi 惹是非。

【惹眼】rěyǎn 形 显眼；引人注意。

rè （ㄖㄜˋ）

热(熱) rè ❶ 名 物体内部分子不规则运动放出的一种能量。物质燃烧都能产生热。❷ 形 温度高；感觉温度高（跟"冷"相对）：～水|趁～打铁|三伏天很～。❸ 动 使热；加热（多指食物）：～一～饭|把菜汤～一下。❹ 名 生病引起的高体温：发～|退～。❺ 情意深厚：亲～|～爱|～心肠儿。❻ 形容非常羡慕或急切想得到：眼～|～门。❼ 形 受很多人欢迎的：～货|～门儿|现在对外汉语教学很～。❽ 加在名词、动词或词组后，表示形成的某种热潮：足球～|旅游～|自学～。❾ 放射性强：～原子。❿（Rè）名 姓。

【热爱】rè'ài 动（对国家、人民、事业等）热烈地爱：～工作|～祖国。

【热播】rèbō 动 某一节目受欢迎，一个时期内在多家广播电台、电视台重要时段播放。

【热层】rècéng 名 大气圈中的一层，位于中间层顶部到距地面约 250 千米（太阳平静时）或 500 千米（太阳活动强烈时）的高度范围。由于吸收太阳的紫外线辐射，层内气温随高度增加而增加，顶部可达 1 200℃。

【热肠】rècháng 名 热心肠；热情①：～人|古道～。

【热潮】rècháo 名 指蓬勃发展、热火朝天的形势：掀起植树造林～。

【热炒】¹ rèchǎo 名 炒出来趁热吃的菜肴（区别于"冷盘"）。

【热炒】² rèchǎo 动 大事炒作：赛事题材一再被媒体～。

【热忱】rèchén 名 热情：满腔～|爱国～。

【热诚】rèchéng 形 热心而诚恳：～地欢迎|待人十分～。

【热处理】rèchǔlǐ 动 把金属、玻璃等材料加热到一定温度，然后进行不同程度的冷却,叫做热处理。材料经过热处理以后,内部结构发生变化,性能得到改善。

【热传导】 rèchuándǎo 图 热从物体温度较高的部分沿着物体传到温度较低的部分,是固体传热的主要方式。也叫导热。

【热带】 rèdài 图 赤道两侧南北回归线之间的地带。终年炎热,冬季夏季的昼夜长短相差不多,降雨多而均匀。

【热带鱼】 rèdàiyú 图 生活在热带或亚热带海中的鱼类,一般指其中可供观赏的。这些鱼体小、活泼,形状奇异,颜色美丽。

【热带雨林】 rèdài yǔlín 赤道附近终年高温多雨地区的常绿森林。植物种类很多,除高大乔木和灌木外,还有藤本植物、草本植物等。主要分布在南美洲亚马孙河流域、非洲刚果盆地,以及亚洲的马来群岛等地。

【热岛效应】 rèdǎo xiàoyìng 城市热岛效应的简称。

【热点】 rèdiǎn 图 指某时期引人注目的地方或问题:古都西安成为旅游的～。

【热电厂】 rèdiànchǎng 图 在供电的同时,还利用汽轮机所排出的蒸气供热的火力发电厂。

【热度】 rèdù 图❶ 冷热的程度:物体燃烧需要一定的～。❷ 指高于正常的体温:打了一针,～已经退了。❸ 指热情:搞实验,要持之以恒,不能只有五分钟的～。

【热对流】 rèduìliú 图 液体或气体中较热的部分和较冷的部分通过循环流动使温度趋于均匀,是流体传热的主要方式。简称对流。

【热风】 rèfēng 图 干燥的热空气流动形成的风。

【热敷】 rèfū 勔 用热的湿毛巾、热沙或热水袋等放在身体的局部来治疗疾病。热敷能促进局部血液循环,加速炎症消退。

【热辐射】 rèfúshè 图 热从热源沿直线向四周发散出去,是传热的一种方式。

【热狗】 règǒu 图 中间夹有热香肠、酸菜、芥末油等的面包。是英语 hot dog 的直译。

【热购】 règòu 勔 因商品等受欢迎而踊跃购买:～应季服装。

【热管】 règuǎn 图 一种用作传热元件的金属管,两端密封,管壁附有多孔材料,管内充有一定量液体。广泛用于航天、冶金、电子、轻工业等部门。

【热函】 rèhán 图 焓的旧称。

【热核反应】 rèhé-fǎnyìng 在极高温度下,

轻元素的原子核产生极大的热运动而互相碰撞,聚变为较重的原子核,同时放出巨大能量。

【热核武器】 rèhé-wǔqì 氢弹。

【热烘烘】 rèhōnghōng (～的)形 状态词。形容很热:炉火很旺,屋子里～的。

【热乎】(热呼) rè•hu 形 热和(rè•huo)。

【热乎乎】(热呼呼) rèhūhū (～的)形 状态词。形容热和(rè•huo)。

【热火】 rè•huo 形❶ 热烈:广场上锣鼓喧天,场面可～啦。❷ 热和(rè•huo):两个人谈得很～。

【热火朝天】 rè huǒ cháo tiān 形容场面、情绪或气氛热烈高涨。

【热和】 rè•huo 形❶ 热(多表示满意):锅里的粥还挺～。❷ 亲热:同志们一见就这么～。

【热货】 rèhuò 图 受人欢迎而畅销的货物。也说热门货。

【热机】 rèjī 图 各种变热能为机械能的机器的统称,如蒸汽机、内燃机、汽轮机等。

【热加工】 rèjiāgōng 勔 指对在高温状态下的金属进行加工。一般有铸造、热轧、热处理、锻造等,有时也包括焊接。

【热键】 rèjiàn 图 快捷键。是英语 hotkey 的直译。

【热辣】 rèlà 形 形容热烈而充满激情:～的劲舞。

【热辣辣】 rèlàlà (～的)形 状态词。形容热得像被火烫着一样:太阳晒得人～的|他听了大家的批评,脸上～的。

【热浪】 rèlàng 图❶ 猛烈的热气。❷ 比喻热烈的场面、气氛等。❸ 指热的辐射。

【热泪】 rèlèi 图 因非常高兴、感激或悲伤而流的眼泪:～盈眶|两眼含着～。

【热力】 rèlì 图 由热能产生的做功的力。

【热力学温标】 rèlìxué wēnbiāo 温标的一种,单位是开尔文,它的零点叫做绝对零度,就是－273.15℃。旧称开氏温标,绝对温标。

【热力学温度】 rèlìxué wēndù 热力学温标的标度,用符号 T 表示。

【热恋】 rèliàn 勔❶ 热烈地恋爱:这对青年男女正在～。❷ 深深地留恋:～故土。

【热量】 rèliàng 图 温度高的物体把能量传递到温度低的物体上,所传递的能量叫做热量。通常指热能的多少,单位是焦耳,通常也用卡。

【热烈】rèliè 形 情绪高昂,兴奋激动:气氛～|～响应|～的掌声|小组会上发言很～。

【热流】rèliú 名❶ 指激动振奋的感受:读了由各地寄来的慰问信,不由得一股～传遍全身。❷ 热潮:改革～。

【热卖】rèmài 动 热购:～国库券。

【热卖】rèmài 动(商品)受欢迎而卖得快;畅销:初夏的京城,空调正在～中。

【热门】rèmén (～儿)名 吸引许多人的事物:～货|～话题|这个学科是～儿。

【热门货】rèménhuò 名 热货。

【热闹】rè·nao ❶ 形(景象)繁盛活跃:～的大街|广场上人山人海,十分～。❷ 动使场面活跃,精神愉快:我们准备组织文娱活动,来～一下|到了节日大家～～吧!❸(～儿)名 热闹的景象:他只顾着瞧～,忘了回家了。

【热能】rènéng 名 物质燃烧或物体内部分子不规则地运动时放出的能量。通常也指热量。

【热膨胀】rèpéngzhàng 名 物体在温度变化时体积发生变化的现象。

【热平衡】rèpínghéng 名❶ 指与外界接触的物体,它的内部温度各处均匀并与外界温度相等的现象。❷ 指物体在同一时间内释放的热量和吸收的热量相等而相互抵消的现象。

【热气】rèqì 名 热的空气,比喻热烈的情绪或气氛:～腾腾|人多议论多,～高,干劲大。

【热切】rèqiè 形 热烈恳切:～的愿望|期待你早日回来。

【热情】rèqíng ❶ 名 热烈的感情:爱国～|工作～|满腔～|～洋溢|～奔放。❷ 形有热情:～服务|他待人非常～。

【热容】rèróng 名 热容量的简称。

【热容量】rèróngliàng 名 物体温度升高(或降低)1℃所吸收(或放出)的热量,叫做该物体的热容量。数值上等于该物体的比热和它的质量的乘积。简称热容。

【热身】rè∥shēn 动 正式比赛前进行训练、比赛,使适应正式比赛并达到最佳竞技状态:～赛|～训练|这场比赛只以练兵、～为目的。

【热水袋】rèshuǐdài 名 盛热水的橡胶袋,用于热敷或取暖。

【热水瓶】rèshuǐpíng 名 暖水瓶。

【热水器】rèshuǐqì 名 利用燃气或电使水升温的器具,用于淋浴、洗涤等。

【热腾腾】rèténgténg(口语中也读rètēngtēng)(～的)形 状态词。形容热气蒸腾的样子:一笼～的包子|太阳落了山,地上还是～的。

【热天】rètiān 名 炎热的天气:一到～,他这病就好了。

【热土】rètǔ 名 指长期居住过的或有深厚感情的地方:～难离|不忘家乡一片～。

【热瓦普】rèwǎpǔ 名 维吾尔、塔吉克、乌孜别克等民族的弦乐器。用木料制成,共鸣箱像半个球形,蒙蟒皮或驴皮等。琴杆细长,顶部弯曲,通常有五根金属弦。用拨子弹奏。音色清脆。

【热望】rèwàng ❶ 动 热烈盼望:～的目光|～取得成功。❷ 名 热切的希望:满怀～|不负您的一片～。

【热污染】rèwūrǎn 名 通常指人类生活和生产活动排放废热等造成的环境污染。

【热舞】rèwǔ 名 热烈奔放的舞蹈:演唱会以～开场。

【热线】rèxiàn 名❶ 为了便于马上联系而经常准备着的直接连通的电话或电报线路:～点播|～联系|～服务。❷ 运送旅客、货物繁忙的交通路线:旅游～。

【热销】rèxiāo 动(商品)受欢迎而销售得快:～书|今冬羽绒服～。

【热孝】rèxiào 名 祖父母、父母或丈夫去世不久身穿孝服,叫热孝在身。

【热效率】rèxiàolǜ 名 发动机中转变为机械功的热量与所消耗的热量的比值。

【热效应】rèxiàoyìng 名 指物质系统在物理的或化学的等温过程中只做膨胀功时所吸收或放出的热量。根据反应性质的不同,分为燃烧热、生成热、中和热、溶解热等。

【热心】rèxīn 形 有热情,有兴趣,肯尽力:～人|～给大家办事|他对工会工作很～。

【热心肠】rèxīncháng (～儿)名 待人热情、做事积极的性情:她有一副～。

【热学】rèxué 名 物理学的一个分支,研究热的性质、热的传播、热效应、物体受热后的变化、温度的测定等。

【热血】rèxuè 名 比喻为正义事业而献身的热情:满腔～|～男儿|～沸腾。

R

【热血沸腾】rèxuè fèiténg 比喻情绪高涨、激动。

【热压釜】rèyāfǔ 图加压釜。

【热饮】rèyǐn 图饮食业中指热的饮料,如热茶、热咖啡等。

【热映】rèyìng 动某一影片受欢迎,一个时期内在多家影院多次放映。

【热源】rèyuán 图发出热量的物体,如燃烧的木柴、煤炭等。

【热战】rèzhàn 图指使用武器的实际战争(对"冷战"而言)。

【热障】rèzhàng 图飞机、火箭等在空中超声速飞行时,其表面气流的温度很高,使金属外层强度降低,甚至熔化或烧毁,这种现象叫做热障。

【热衷】(热中)rèzhōng 动❶急切盼望得到(个人的地位或利益):～名利。❷十分爱好(某种活动):～于滑冰。

rén （ㄖㄣˊ）

人 rén 图❶能制造工具并使用工具进行劳动的高等动物:男～|女～|～们|～类。❷每人;一般人:～手一册|～所共知。❸指成年人:长大成～。❹指某种人:工～|军～|主～|介绍～。❺别人:～云亦云|待～诚恳。❻指人的品质、性格或名誉:丢～|这个同志～很好|他～老实。❼指人的身体或意识:这两天～不大舒服|送到医院～已经昏迷过去了。❽指人手、人才:～浮于事|我们这里正缺～。❾(Rén)姓。

【人才】(人材)réncái 图❶德才兼备的人;有某种特长的人:～难得|～辈出。❷〈口〉指美丽端正的相貌:一表～|有几分～。

【人潮】réncháo 图像潮水般的人群:～涌动。

【人称】rénchēng 图某些语言中动词跟名词或代词相应的语法范畴。代词所指的是说话的人叫第一人称,如"我、我们";所指的是听话的人叫第二人称,如"你、你们";所指的是其他的人或事物叫第三人称,如"他、她、它、他们"。名词一般是第三人称。有人称范畴的语言,动词的形式跟着主语的人称变化,有的语言还跟着宾语的人称变化。

【人次】réncì 量复合量词。表示若干次人数的总和。如以参观为例,第一次三百人,第二次五百人,第三次七百人,总共是一千五百人次。

【人大】réndà 图人民代表大会的简称:～代表|省～。

【人道】[1] réndào ❶图指爱护人的生命、关怀人的幸福、尊重人的人格和权利的道德。❷圈合乎人道的:这样做很不～。❸图古代指封建礼教所规定的人伦。❹〈书〉图泛指人事或为人之道。

【人道】[2] réndào 动指人性交(就能力说,多用于否定式)。

【人道主义】réndào zhǔyì 起源于欧洲文艺复兴时期的一种思想体系。提倡关怀人、尊重人、以人为中心的世界观。法国资产阶级革命时期,把它具体化为"自由"、"平等"、"博爱"等口号。它在资产阶级革命时期起过反封建的积极作用。

【人地生疏】rén dì shēngshū 指初到一个地方,对那里的情况和那里的人都不熟悉。

【人丁】réndīng 图❶旧时指成年人。❷人口:～兴旺。

【人定胜天】rén dìng shèng tiān 指人力能够战胜自然。

【人犯】rénfàn 图泛指某一案件中的被告或牵连在内的人:一干～。

【人贩子】rénfàn·zi 图贩卖人口的人。

【人份】rénfèn 量复合量词。以一个人需要的量为一人份:麻疹疫苗三十万～。

【人夫】rénfū 图旧时指受雇用或被征发服差役的人。

【人浮于事】rén fú yú shì 工作人员的数目超过工作的需要;事少人多。

【人格】réngé 图❶人的性格、气质、能力等特征的总和。❷个人的道德品质:～高尚。❸人作为权利、义务主体的资格:不得侵犯公民的～。

【人格化】réngéhuà 动童话、寓言等文艺作品中常用的一种创作手法,对动物、植物以及非生物赋予人的特征,使它们具有人的思想、感情和行为。

【人格权】réngéquán 图人身权的一种,指公民本身固有的权利,包括生命健康权、姓名权、肖像权、名誉权等。参看〖人身权〗。

【人工】réngōng ❶ 形 属性词。人为的(区别于"天然"):～湖|～呼吸|～降雨。❷ 名 人力做的工:～操作|抽水机坏了,暂时用～车水。❸ 名 工作量的计算单位,指一个人做工一天:修建这条水渠需用很多～。

【人工呼吸】réngōng hūxī 用人工帮助呼吸的急救方法,一般中毒、触电、溺水、休克等患者,在呼吸停止而心脏还在跳动时可以用人工呼吸的方法来急救。

【人工湖】réngōnghú 名 人工修建的湖泊。

【人工降水】réngōng jiàngshuǐ 用人工使还没有达到降水阶段的云变成雨或雪降下。

【人工流产】réngōng liúchǎn 在胚胎发育的早期,利用药物、物理性刺激或手术使胎儿脱离母体的方法。简称人流。也叫堕胎。

【人工授精】réngōng shòujīng 用人工方法采取男子或雄性动物的精液,输入女子或雌性动物的子宫里,使卵子受精。

【人工智能】réngōng zhìnéng 计算机科学技术的一个分支,利用计算机模拟人类智力活动。

【人公里】réngōnglǐ 量 复合量词。运输企业计算客运工作量的单位,把 1 个旅客运送 1 公里为 1 人公里。

【人海】rénhǎi 名 ❶ 像汪洋大海一样的人群:人山～。❷〈书〉比喻社会:～沧桑。

【人海战术】rénhǎi zhànshù 指单纯靠投入大量兵员作战的战术,后也指投入大量人力,单纯依靠人多做事的工作方法。

【人和】rénhé 指人心归向,上下团结:～百事兴|天时不如地利,地利不如～。

【人寰】rénhuán〈书〉名 人间:惨绝～。

【人祸】rénhuò 名 人为的祸害:天灾～。

【人机界面】rén-jī jièmiàn 用户界面。

【人际】rénjì 形 属性词。指人与人之间:～关系|～交往。

【人迹】rénjì 名 人的足迹:～罕至。

【人家】rénjiā (～儿)名 ❶ 住户:这个村子有百十户～。❷ 家庭:勤俭～。❸ 指女子未来的丈夫家:她已经有了～儿了。

【人家】rén•jia 代 人称代词。❶ 指自己或某人以外的人;别人:～都不怕,就你怕|～是人,我也是人,我就学不会?❷ 指某个

人或某些人,意思跟"他"或"他们"相近:你把东西快给～送回去吧。❸ 指"我"(有亲热或俏皮的意味):原来是你呀,差点儿没把～吓死!

【人尖子】rénjiān•zi 名 出类拔萃的人;特别优秀的人:要论庄稼活儿,在村里他可是个～。也说人尖儿。

【人间】rénjiān 名 人类社会;世间:～乐园|～地狱|春满～。

【人杰】rénjié〈书〉名 杰出的人。

【人杰地灵】rén jié dì líng 指杰出的人物出生到或过的地方成为名胜之区。

【人精】rénjīng 名 ❶ 老于世故的人。❷ 特别聪明伶俐的小孩儿。

【人居】rénjū 形 属性词。人居住的(地方、环境等):～环境|改善～条件。

【人均】rénjūn 动 按每人平均计算:～收入|全村栽了四万多株树,～一百株。

【人口】rénkǒu 名 ❶ 居住在一定地区内的人的总数:～普查|这个区的～有一百三十多万。❷ 一户人家的人的总数:他们家～不多。❸ 人(总称):添～|拐带～。

【人口学】rénkǒuxué 名 社会学的一个分支,以人口现象、人口发展条件和发展规律为研究对象。

【人困马乏】rén kùn mǎ fá 形容体力疲劳不堪(不一定有马)。

【人来疯】rénláifēng 指小孩儿在有客人来时撒娇、胡闹。

【人老珠黄】rén lǎo zhū huáng 比喻妇女老了被轻视,像珍珠年代久了变黄就不值钱一样。

【人类】rénlèi 名 人的总称:～社会|造福～。

【人类学】rénlèixué 名 研究人类起源、进化和人种分类等的学科。

【人力】rénlì 名 人的劳力;人的力量:爱惜～|物力|用机械代替～|非～所及。

【人力车】rénlìchē 名 ❶ 由人推或拉的车(区别于"兽力车"和"机动车")。❷ 旧时一种用人拉的车,有两个橡胶车轮,车身前有两根长柄,柄端有横木相连,主要用来载人。

【人流】[1] rénliú 名 像河流似的连续不断的人群:不尽的～涌向广场。

【人流】[2] rénliú 名 人工流产的简称。

【人伦】rénlún 名 封建礼教所规定的人与

R

人之间的关系,特指尊卑长幼之间的关系,如君臣、父子、夫妇、兄弟、朋友的关系。

【人马】rénmǎ ❶指军队:全部～安然渡过了长江。❷指某个集体的人员:原班～|我们编辑部的～比较整齐。

【人马座】rénmǎzuò 图 黄道十二星座之一。参看 600 页〖黄道十二宫〗。

【人脉】rénmài 图 指人各方面的社会关系:～网。

【人们】rén·men 图 指许多人:天冷了,～都穿上了冬装。

【人面兽心】rén miàn shòu xīn 面貌虽然是人,但心肠像野兽一样凶恶凶暴。

【人民】rénmín 图 以劳动群众为主体的社会基本成员。

【人民币】rénmínbì 图 我国法定货币。以圆为单位。

【人民代表大会】rénmín dàibiǎo dàhuì 我国人民行使国家权力的机关。全国人民代表大会和地方各级人民代表大会代表由民主选举产生。简称人大。

【人民法院】rénmín fǎyuàn 我国行使审判权的国家机关,分最高人民法院、地方各级人民法院和专门人民法院。

【人民公社】rénmín gōngshè 1958—1982 年我国农村中的集体所有制经济组织,在高级农业生产合作社的基础上建立,实行各尽所能,按劳分配的原则。一般一乡建立一社,政社合一。1978 年中国共产党十一届三中全会后,农村普遍实行了家庭联产承包责任制。1982 年制定的宪法规定农村设立乡人民政府和村民委员会后,人民公社遂告解体。

【人民检察院】rénmín jiǎncháyuàn 我国的法律监督机关,依照法律规定独立行使检察权。分最高人民检察院、地方各级人民检察院和专门人民检察院。

【人民警察】rénmín jǐngchá 我国的公安人员,是武装性质的治安行政力量。简称民警。

【人民民主专政】rénmín mínzhǔ zhuānzhèng 工人阶级(经过共产党)领导的、以工农联盟为基础的人民民主政权。

【人民内部矛盾】rénmín nèibù máodùn 指在人民利益根本一致的基础上的矛盾,是非对抗性的。

【人民陪审员】rénmín péishěnyuán 我国司法机关从人民群众中吸收的参加审判

的人员。在人民法院执行职务期间,同审判员有同等权力。简称陪审员。

【人民团体】rénmín tuántǐ 民间的群众性组织,如红十字会、中华医学会、中国人民外交学会等。

【人民武装】rénmín wǔzhuāng 属于人民的武装力量。在我国,指人民解放军和民兵等武装组织,特指民兵等群众性武装组织。

【人民性】rénmínxìng 图 指文艺作品中对人民大众的生活、思想、情感、愿望等的反映。

【人民战争】rénmín zhànzhēng 以人民军队为骨干、有广大人民群众参加的革命战争。

【人民政府】rénmín zhèngfǔ 我国各级人民代表大会的执行机关和国家行政机关。

【人命】rénmìng 图 人的生命(多用于受到伤害时):一条～|～关天。

【人莫予毒】rén mò yú dú 目空一切,认为没有人能伤害我(毒:伤害)。

【人品】rénpǐn 图 ❶人的品质:～高尚。❷〈口〉人的仪表:～出众。

【人气】rénqì 图 ❶人或事物受欢迎的程度:由于该影片获奖,扮演女主角的演员～急升。❷〈方〉指人的品格:这人好～|村里谁不知道他的～!

【人情】rénqíng 图 ❶人的感情;人之常情:不近～。❷情面:托～|不讲～。❸恩惠;情谊:做个～|空头～。❹指礼节应酬等习俗:行～|风土～。❺礼物:送～。

【人情世故】rénqíng shìgù 为人处世的道理:不懂～。

【人情味】rénqíngwèi (～儿)图 指人通常具有的情感:他的话富于～。

【人权】rénquán 图 人和群体在社会关系中应享有的平等权利。包括人和群体的生存权、人身权、政治权以及在经济、文化、社会各方面享有的民主权利。

【人群】rénqún 图 成群的人:他在～里挤来挤去。

【人儿】rénr 图 ❶小的人形:捏了一个泥～。❷〈方〉指人的行为、仪表:他～很不错。

【人人】rénrén 图 所有的人;每人:我为～,～为我|～都有一双手,别人能干的活儿我也能干。

【人日】rénrì 名 旧称正月初七。

【人瑞】rénruì 名 指年岁特别大的人：盛世|百岁～。

【人山人海】rén shān rén hǎi 形容聚集的人极多：体育场上,观众～。

【人蛇】rénshé 〈方〉名 指偷渡的人。

【人身】rénshēn 名 指个人的生命、健康、行动、名誉等(着眼于保护或损害)：～自由|～攻击。

【人身保险】rénshēn bǎoxiǎn 以人的生命和身体为标的的保险。可分为人寿保险、健康保险、人身意外伤害保险等。

【人身权】rénshēnquán 名 与公民人身不能分离而又不直接与经济利益相联系的民事权利,分为人格权和身份权两类。

【人身事故】rénshēn shìgù 生产劳动中发生的伤亡事件。

【人身自由】rénshēn zìyóu 指公民的身体不受侵犯的自由。如不得非法逮捕、搜查和拘留等。

【人参】rénshēn 名 多年生草本植物,主根肥大、圆柱状,肉质,黄白色;掌状复叶,小叶卵形,花小,淡黄绿色,果实扁球形。根和叶都可入药。

【人生】rénshēng 名 人的生存和生活：～观|～大事|～两件宝,双手与大脑。

【人生观】rénshēngguān 名 对人生的看法,也就是对于人类生存的目的、价值和意义的看法。人生观是由世界观决定的。参看1243页〖世界观〗。

【人声】rénshēng 名 人发出的声音：～鼎沸|～嘈杂。

【人声鼎沸】rénshēng dǐngfèi 人群发出的声音像水在锅里沸腾一样,形容人声嘈杂喧闹。

【人士】rénshì 名 有一定社会影响的人物：民主～|各界～|党外～|爱国～。

【人氏】rénshì 名 人(指籍贯说,多见于早期白话)：当地～|你姓什么? 哪里～?

【人世】rénshì 名 人间;世间。也说人世间。

【人世间】rénshìjiān 名 人世。

【人事】rénshì 名 ❶ 人的离合、境遇、存亡等情况。❷ 关于工作人员的录用、培养、调配、奖惩等工作：～科|～材料|～安排。❸ 指人与人之间的关系：～纠纷|～摩擦。❹ 事理人情：不懂～。❺ 人力能做到的事：尽～。❻ 人的意识的对象：不省～|他昏迷过去,～不知。❼〈方〉礼物：这次回去得给老大娘送点儿～,表表我的心意。

【人手】rénshǒu 名 指做事的人：～不足。

【人寿保险】rénshòu bǎoxiǎn 以被保险人在保险有效期内的死亡或生存为条件的一种保险方式。简称寿险。也叫生命保险。

【人寿年丰】rén shòu nián fēng 人健康,年成好,形容生活安乐美好。

【人梯】réntī 名 ❶ 一个人接一个人踩着肩膀向高处攀登叫搭人梯。❷ 指为别人的成功而作自我牺牲的人：甘当～。

【人体】réntǐ 名 人的身体：～模型|～生理学。

【人同此心,心同此理】rén tóng cǐ xīn, xīn tóng cǐ lǐ 指对某些事情,大多数人的感受和想法大致相同。

【人头】réntóu 名 ❶ 人的头。❷ 指人：按～分|～税(旧时以人口为课税对象所征收的税)。❸ (～儿)指跟人的关系：～熟。❹ (～儿)〈方〉指人的品质：～儿次(人品差)。

【人望】rénwàng 名 声望;威望：素有～。

【人微言轻】rén wēi yán qīng 指地位低,言论主张不受人重视。

【人为】rénwéi ❶ 动 人去做：事在～。❷ 形 属性词。人造成的(用于不如意的事)：～的障碍|～的困难。

【人为刀俎,我为鱼肉】rén wéi dāo zǔ, wǒ wéi yú ròu 比喻人家掌握生杀大权,自己处在被宰割的地位。

【人文】rénwén 名 ❶ 指人类社会的各种文化现象：～科学|～景观。❷ 指强调以人为主体,尊重人的价值,关心人的利益的思想观念：～精神。

【人文精神】rénwén jīngshén 一种主张以人为本,重视人的价值,尊重人的尊严和权利,关怀人的现实生活,追求人的自由、平等和解放的思想和行为。

【人文科学】rénwén kēxué 原指区别于神学的同人类利益相关的学问,后来一般指研究社会现象和文化艺术的科学。

【人文主义】rénwén zhǔyì 欧洲文艺复兴时期的主要思潮,反对宗教教义和中古时期的经院哲学;提倡学术研究,主张思想自由和个性解放,肯定人是世界的中心。

R

是资本主义萌芽时期的先进思想,但缺乏广泛的民主基础,有很大的局限性。参看1428页〖文艺复兴〗。

【人物】rénwù 名❶ 在某方面有代表性或具有突出特点的人:英雄~|风流~。❷ 特指重要人物:别看他才二十几岁,在村里也是个~。❸ 文学和艺术作品中所描写的人。❹ 以人物为题材的中国画。

【人像】rénxiàng 名 刻画人体或相貌的绘画、雕塑、摄影等艺术品。

【人心】rénxīn 名❶ 指众人的感情、愿望等:振奋~|大快~|~所向|~惶惶。❷ 指人的心地,特指善良的心地:~不古|他并不是没有~的人。

【人心果】rénxīnguǒ 名❶ 常绿乔木,叶互生,椭圆形,表面光滑,花小,黄白色,结浆果,心脏形,种子扁平。生长在热带地方。果实可以吃,也可制饮料,树干中流出的乳汁是制口香糖的主要原料。❷ 这种植物的果实。

【人行道】rénxíngdào 名 马路两旁供人步行的便道。

【人行横道】rénxíng-héngdào 城市马路上划出的供行人横穿马路的一段道,一般画有斑马线的标志。

【人性】rénxìng 名 在一定的社会制度和一定的历史条件下形成的人的本性。

【人性】rén•xing 名 人所具有的正常的感情和理性:不通~。

【人性化】rénxìnghuà 动 设法使符合人性发展的要求:管理~|~设计。

【人性论】rénxìnglùn 名 一种主张人类具有先天的、固定不变的共同本性的观点。

【人选】rénxuǎn 名 为一定目的挑选出来的人:适当~|决定秘书长的~。

【人烟】rényān 名 指人家;住户(烟:炊烟):~稠密|荒无~。

【人仰马翻】rén yǎng mǎ fān 形容混乱或忙乱得不可收拾的样子。也说马翻人仰、马仰人翻。

【人样】rényàng (~儿)名❶ 人的形状;人应具有的仪表、礼貌等:身上脏得不像~|把孩子惯成一点儿~都没有。❷ 指有出息的人:不混出个~儿来,不要回来见我。

【人妖】rényāo 名 指生理变态的人,特指一些国家中男人经变性手术等,表现出女性形体的人。

【人意】rényì 名 人的意愿、想法:尽如~|善解~。

【人影儿】rényǐngr 名❶ 人的影子:窗帘上有个~。❷ 人的形象或踪影;天黑得对面看不见~|他一出去,连~也不见了。

【人鱼】rényú 名 儒艮的俗称。

【人员】rényuán 名 担任某种职务的人:机关工作~|值班~|~配备。

【人缘儿】rényuánr 名 跟人相处的关系(有时指良好的关系):没~|有~|~不错。

【人云亦云】rén yún yì yún 人家说什么自己也跟着说什么,形容没有主见。

【人造】rénzào 形 属性词。人工制造的;非天然的:~纤维|~地球卫星。

【人造地球卫星】rénzào dìqiú wèixīng 用火箭发射到天空,按一定轨道绕地球运行的人造天体。

【人造革】rénzàogé 名 类似皮革的塑料制品,通常将熔化的树脂加配料涂在纺织品上,经加热处理而成。也有用加配料的树脂经滚筒压制而成的,有的有衬布。

【人造石油】rénzào shíyóu 从油页岩或煤中提炼的或化工合成的类似天然石油的液体。

【人造土】rénzàotǔ 名 用某些废弃物与有机材料研磨混合而成的培养土,重量轻,没有污染,可以取代自然土壤栽培植物。

【人造卫星】rénzào wèixīng 用火箭发射到天空,按一定轨道绕地球或其他行星运行的人造天体。通常指人造地球卫星。

【人造纤维】rénzào xiānwéi 用人工方法制成的纤维,是用竹子、木材、甘蔗渣等天然高分子化合物为原料制成的。根据人造纤维的形状和用途,分为人造丝、人造棉和人造毛三种。

【人造行星】rénzào xíngxīng 用火箭发射到星际空间,摆脱地球的引力,按一定轨道绕太阳运行的人造天体。

【人渣】rénzhā 名 人类社会的渣滓;败类。也说人渣滓。

【人证】rénzhèng 名 由证人提供的有关案件事实的证据(区别于"物证")。

【人质】rénzhì 名 一方拘留的对方的人,用来迫使对方履行诺言或接受某些条件。

【人治】rénzhì 名 先秦时期儒家的政治思想,主张君主依靠贤能来治理国家。

【人中】rénzhōng 名 人的上唇正中凹下

的部分。

【人种】rénzhǒng 图 具有共同起源和共同遗传特征的人群。世界上的人种主要有尼格罗人种(即黑种)、蒙古人种(即黄种)、欧罗巴人种(即白种)。

壬 rén 图❶ 天干的第九位。参看 440 页〖干支〗。❷ (Rén)姓。

仁¹ rén ❶ 仁爱:～心|～政|～至义尽。❷ 敬辞,用于对对方的尊称:～兄|～弟|～伯。❸ (Rén)图 姓。

仁² rén (～儿)图 果核或果壳最里头较柔软的部分,大多可以吃:杏～儿|核桃～儿|花生～儿◇虾～儿。

【仁爱】rén'ài 图 能同情、爱护和帮助人;宽厚:～之心。

【仁慈】réncí 形 仁爱慈善:～的老人。

【仁道】réndào 图 古代儒家提倡的仁爱之道。

【仁弟】réndì 图 对比自己年轻的朋友的尊称,老师对学生也用(多用于书信等)。

【仁厚】rénhòu 形 仁爱宽厚:～待人。

【仁人君子】rénrén jūnzǐ 能热心助人的人,也指心地纯正、道德高尚的人。

【仁人志士】rénrén zhìshì 仁爱而有节操的人。

【仁兄】rénxiōng 图 对朋友的尊称(多用于书信等)。

【仁义】rényì 图 仁爱和正义:～道德。

【仁义】rén·yi 〈口〉形 性情和顺善良。

【仁者见仁,智者见智】rén zhě jiàn rén, zhì zhě jiàn zhì 见 669 页〖见仁见智〗。

【仁政】rénzhèng 图 仁慈的政治措施:施行～。

【仁至义尽】rén zhì yì jìn 形容对人的善意和帮助已经做到最大的限度。

任 rén ❶ 任县 (Rén Xiàn)、任丘(Rénqiū),地名,都在河北。❷ (Rén)图 姓。
另见 1150 页 rèn。

rěn (ㄖㄣˇ)

忍 rěn ❶ 囫 忍耐;忍受:容～|～痛|～不住笑了|是可～,孰不可～? ❷ 忍心:残～|于心不～。

【忍冬】rěndōng 图 半常绿灌木,茎蔓生,

叶子卵形或长椭圆形,花初开时白色,后变成黄色,有香气,果实黑色。花、茎、叶都可入药。也叫金银花。

【忍俊不禁】rěn jùn bù jīn 忍不住笑。

【忍耐】rěnnài 囫 把痛苦的感觉或某种情绪抑制住不使表现出来。

【忍气吞声】rěn qì tūn shēng 形容受了气而强自忍耐,不说什么话。

【忍让】rěnràng 囫 容忍退让:互相～|一再～。

【忍辱负重】rěn rǔ fù zhòng 为了完成艰巨的任务,忍受屈辱,承担重任。

【忍辱含垢】rěn rǔ hán gòu 忍受耻辱。

【忍受】rěnshòu 囫 把痛苦、困难、不幸的遭遇等勉强承受下来:无法～|～苦难。

【忍痛】rěntòng 囫 忍受痛苦(多形容不情愿):～不言|～割爱|～离去。

【忍无可忍】rěn wú kě rěn 要忍受也没法儿忍受。

【忍心】rěn//xīn 囫 能硬着心肠(做不忍做的事):实在不～再去伤害她。

荏¹ rěn 古代指白苏。

荏² rěn 〈书〉软弱:色厉内～。

【荏苒】rěnrǎn 〈书〉囫 (时间)渐渐过去:光阴～,转瞬已是三年。

【荏弱】rěnruò 〈书〉形 软弱。

稔 rěn 〈书〉❶ 庄稼成熟:丰～。❷ 年;一年:不及三～而衰。❸ 熟悉(多指对人):素～|～知。

【稔知】rěnzhī 〈书〉囫 熟知:～其为人。

rèn (ㄖㄣˋ)

刃(刄) rèn ❶ (～儿)图 刀剪等的锋利部分;刀口:刀～|这把斧子镂了～了。❷ 刀:利～|白～战。❸ 〈书〉用刀杀:自～|手～奸贼。

【刃具】rènjù 图 刀具。

认(認) rèn 囫❶ 认识;分辨:～字|～清是非|自己的东西,自己来～。❷ 跟本来没有关系的人建立某种关系:～了一门亲|～老师。❸ 表示同意;承认:公～|否～|～可|～输|～错儿。❹ 认吃亏(后面要带"了"):你不用管,这事我～

了。

【认不是】rèn bù·shi 认错。

【认错】rèn//cuò （～儿）励 承认错误：他既然～了，就原谅他这一次吧。

【认得】rèn·de 励 认识①：我不～这种花｜我～这位先生。

【认定】rèndìng 励❶ 确定地认为：我们～一切事物都是在矛盾中不断向前发展的。❷ 明确承认；确定：审核～技术合同｜犯罪事实清楚，证据确定、充分，足以～。

【认罚】rèn//fá 励 同意受罚：情愿～｜说错了，我～。

【认负】rènfù 励 认输：白棋大势已去，只好投子～。

【认购】rèngòu 励 应承购买（公债等）：自愿～｜～债券。

【认股】rèngǔ 励 认购股票：职工自愿～。

【认脚】rènjiǎo 〈方〉形 鞋左右两只不能换着穿。

【认缴】rènjiǎo 励 应承缴纳；同意缴纳：～罚金。

【认可】rènkě 励 许可；承认：点头～｜这个方案被双方～。

【认领】rènlǐng 励❶ 辨认并领取：拾得金笔一支，希望失主前来～。❷ 把别人的孩子当做自己的领来抚养。

【认命】rèn//mìng 励 承认不幸的遭遇是命中注定的（迷信）。

【认生】rènshēng 形（小孩子）怕见生人。

【认识】rèn·shi ❶ 励 能够确定某一人或事物是这个人或事物而不是别的：我～他｜他认不～这种草药。❷ 名 指人的头脑对客观世界的反映：感性～｜理性～。

【认识论】rèn·shilùn 名 关于人类认识的来源、发展过程，以及认识与实践的关系的学说。由于对思维和存在何者为第一性的不同回答，分成唯心主义认识论和唯物主义认识论。

【认输】rèn//shū 励 承认失败：他没认过输。

【认死理】rèn sǐlǐ （～儿）坚持某种道理或理由，不知变通：这个人就是有点儿～，心还是好的。

【认同】rèntóng 励❶ 认为跟自己有共同之处而感到亲切：民族～感。❷ 承认；认可：这种研究方法已经得到学术界的～。

【认头】rèn//tóu 〈口〉励 不情愿而勉强承

受；认吃亏：明知不合算也只好～。

【认为】rènwéi 励 对人或事物确定某种看法，做出某种判断：我～他可以担任这项工作。

【认养】rènyǎng 励❶ 认领并抚养：从孤儿院～了一个女儿。❷ 经有关部门确认而负责养护（花木、动物等）：今年本市开展了绿地～活动。

【认贼作父】rèn zéi zuò fù 比喻把敌人当亲人。

【认账】rèn//zhàng 励 承认所欠的账，比喻承认自己说过的话或做过的事（多用于否定或反问）：不肯～｜隔了那么久，他能认这个账？

【认真】rènzhēn ❶（－//－）励 信以为真；当真：人家说着玩儿，你怎么就认起真来了？❷ 形 严肃对待，不马虎：～学习｜工作｜认认真真去做。

【认证】rènzhèng 励 证明产品、技术等达到某种质量标准的合格评定。通常由国家质量监督机构或其授权的质量评定机构进行验证：合格～｜国际～｜～书。

【认知】rènzhī 励 通过思维活动认识、了解。

【认罪】rèn//zuì 励 承认自己的罪行：低头～｜～悔过。

仞 rèn 量 古时八尺或七尺叫做一仞：万～高山｜为山九～，功亏一篑。

认(訒) rèn 〈书〉(言语)迟钝。

任¹ rèn ❶ 励 任用：委～｜被～为厂长。❷ 励 担任：～职｜连选连～。❸ 担当；承受：～劳｜～怨。❹ 职务：就～｜担负重～。❺ 量 用于担任官职的次数。

任² rèn ❶ 励 任凭；听凭：放～｜～意｜听之～之｜衣服的花色很多，～你挑选。❷ 连 不论；无论：东西放在这里，什么也短不了｜～谁也不准乱动这里的东西。

另见 1149 页 rén。

【任便】rèn//biàn 励 任凭方便；听便：你来不来～。

【任从】rèncóng 〈书〉励 任凭；听凭。

【任何】rènhé 代 指示代词。不论什么：～人都要遵纪守法｜我们能够战胜～困难。

【任教】rèn//jiào 励 担任教师工作：他在大学～｜我在这所学校里任过教。

【任课】rèn∥kè 动 担任讲课工作：～教师。

【任劳任怨】rèn láo rèn yuàn 做事不辞劳苦,不怕别人埋怨。

【任免】rènmiǎn 动 任命和免职：～名单｜～了一批干部。

【任命】rènmìng 动 下命令任用：～他为处长｜公司～了新总经理。

【任凭】rènpíng ❶ 动 听凭：去还是不去,～你自己｜～风浪起,稳坐钓鱼船。❷ 连 无论;不管：～什么困难也阻挡不住我们。❸ 连 即使：～他说得再好,我们也不能轻信。

【任期】rènqī 名 担任职务的规定期限：～将满｜～三年。

【任情】rènqíng 〈书〉❶ 副 尽情。❷ 形 任性;放纵感情：～率性。

【任人唯亲】rèn rén wéi qīn 任用跟自己关系密切的人,而不管他德才如何。

【任人唯贤】rèn rén wéi xián 任用德才兼备的人,而不管他跟自己的关系是否密切。

【任务】rèn·wu 名 指定担任的工作;指定担负的责任：生产～｜超额完成～｜本校今年的招生～是五百名。

【任性】rènxìng 形 放任自己的性子,不加约束：～胡闹｜他有时不免孩子气,有点儿～。

【任意】rènyì ❶ 副 没有拘束,不加限制,爱怎么样就怎么样：～行动｜～畅谈。❷ 形 属性词。没有任何条件的：～三角形。

【任用】rènyòng 动 委派人员担任职务：～贤能｜～得人。

【任职】rèn∥zhí 动 担任职务：～财政部｜他在交通部门任过职。

【任重道远】rèn zhòng dào yuǎn 担子很重,路程又长,比喻责任重大。

纫(紉) rèn ❶ 动 引线穿过针鼻儿：老太太眼花了,～不上针。❷ 用针缝：缝～。❸〈书〉深深感激(多用于书信)：至～高谊。

【纫佩】rènpèi〈书〉动 感激佩服。

韧(靭、靱) rèn 受外力作用时,虽然变形而不易折断；柔软而结实(跟"脆"相对)：坚～｜柔～｜～度｜～性。

【韧带】rèndài 名 白色带状的结缔组织,质坚韧,有弹性,能把骨骼连接在一起,并能固定某些脏器如肝、脾、肾等的位置。

【韧劲】rènjìn (～儿)名 顽强持久的劲头：他做事有一股～。

【韧皮部】rènpíbù 名 植物学上指茎的组成部分之一,由筛管和韧皮纤维等构成,可以输导有机养料。

【韧性】rènxìng 名 ❶ 物体受外力作用时,产生变形而不易折断的性质。❷ 指顽强持久的精神：工作任务越艰巨越需要～。

轫(轫) rèn〈书〉支住车轮不使旋转的木头：发～。

轫 rèn〈书〉充满：充～。

饪(飪、餁) rèn 做饭做菜：烹～。

妊(姙) rèn 妊娠：～妇。

【妊妇】rènfù 名 孕妇。

【妊娠】rènshēn 动 人和动物母体内有胚胎发育成长;怀孕：～期。

纴(紝、絍) rèn〈书〉纺织。

袵(袵) rèn〈书〉❶ 衣襟。❷ 睡觉用的席子：～席。

葚 rèn 见 1176 页【桑葚儿】。另见 1215 页 shèn。

rēng (ㄖㄥ)

扔 rēng 动 ❶ 挥动手臂,使拿着的东西离开手：～球｜～手榴弹。❷ 抛弃;丢：这条鱼臭了,把它～了吧｜这事他早就～在脖子后边了。

réng (ㄖㄥ)

仍 réng ❶ 依照：一～其旧(完全照旧)。❷〈书〉频繁：频～。❸ 副 仍然：～须努力｜病～不见好。

【仍旧】réngjiù ❶ 动 照旧：修订版体例～。❷ 副 仍然：他虽然屡遭挫折,可是意志～那样坚强。

【仍然】réngrán 副 表示情况持续不变或

恢复原状：他～保持着老红军艰苦奋斗的作风|他把信看完，～装在信封里。

礽 réng 〈书〉福。

rì（ㄖˋ）

日 rì ❶ 名 太阳：～出|～落。❷（Rì）名 指日本：～圆|～语。❸ 名 从天亮到天黑的一段时间；白天（跟"夜"相对）：～班|～场|～～夜夜|夜以继～。❹ 名 地球自转一周的时间；一昼夜；天：今～|明～|改～再谈。❺ 量 用于计算天数：十～|多～不见。❻ 名 每天；一天天：～记|～产量|～新月异|生产～有增加|经济～趋繁荣。❼ 泛指一段时间：往～|来～|昔～。❽ 特指某一天：假～|生～|国庆～。❾（Rì）名 姓。

【日班】rìbān 名 白天工作的班次。

【日斑】rìbān 名 太阳黑子。

【日报】rìbào 名 每天出版的报纸。

【日薄西山】rì bó xī shān 太阳快要落山了，比喻衰老的人或腐朽的事物临近死亡。

【日不暇给】rì bù xiá jǐ 形容事务繁忙，没有空闲。

【日常】rìcháng 形 属性词。属于平时的：～生活|～工作|～用品。

【日场】rìchǎng 名 戏剧、电影等在白天演出的场次：～戏|～电影。

【日程】rìchéng 名 按日排定的行事程序：议事～|工作～|此事已提到～上。

【日戳】rìchuō 名 刻有年月日的戳子。

【日耳曼人】Rì'ěrmànrén 名 约公元前5世纪起分布在欧洲斯堪的纳维亚半岛南部、日德兰半岛、波罗的海和北海南岸的一些部落。

【日珥】rì'ěr 名 太阳表面上红色火焰状的炽热气体，由氢、氦、钙等元素组成。日全食时肉眼能看见，平时要用分光镜才能看见。

【日工】rìgōng 名 ❶ 白天的活儿。❷ 按天数计算工资的临时工人，也指这种临时工作。

【日光】rìguāng 名 太阳发出的光。

【日光灯】rìguāngdēng 名 荧光灯的俗称。

【日光浴】rìguāngyù 动 一种健身方法，光着身子让日光照射以促进新陈代谢，增强身体抵抗力。

【日晷】rìguǐ 名 古代一种利用太阳投射的影子来测定时刻的装置。一般是在有刻度的盘的中央装着一根与盘垂直的金属棍儿。

【日后】rìhòu 名 将来；以后：这孩子～一定有出息|～出了问题，你可不要怪我。

【日华】rìhuá 名 日光通过云中的小水滴或冰粒时发生衍射，在太阳周围形成的彩色光环，内紫外红。

【日化】rìhuà 名 指日用化学工业：～产品。

【日环食】rìhuánshí 名 见【日食】。

【日积月累】rì jī yuè lěi 长时间地积累：每天读几页书，～就读了很多书。

【日记】rìjì 名 每天所遇到的和所做的事情的记录，有的兼记对这些事情的感受：～本|工作～|记～。

【日记账】rìjìzhàng 名 簿记中主要账簿的一种，按日期先后记载各项账目，不分类。根据日记账记载总账。也叫序时账。

【日间】rìjiān 名 白天。

【日见】rìjiàn 副 一天一天地显示出；逐渐地：～好转。

【日渐】rìjiàn 副 一天一天慢慢地：～进步|～萎缩。

【日界线】rìjièxiàn 名 地球表面上的一条假想线，与地球180°经线大致相合，用作日期变更的地理界线。也叫国际日期变更线。

【日久天长】rì jiǔ tiān cháng 时间长，日子久：～，养成坏习惯就不好了。

【日就月将】rì jiù yuè jiāng 每天有成就，每月有进步，形容积少成多（就：成就；将：前进）。

【日均】rìjūn 动 按每日平均计算：春运期间～客流量猛增。

【日来】rìlái 名 近几天来：～偶染小恙。

【日理万机】rì lǐ wàn jī 形容政务繁忙（多指高级领导人）。

【日历】rìlì 名 记有年、月、日、星期、节气、纪念日等的本子，一年一本，每日一页，逐日揭去。

【日冕】rìmiǎn 名 太阳大气的最外层，亮度约为光球的一百万分之一。日全食时，可以看到黑暗的太阳表面周围有一层淡黄色光芒。

【日暮途穷】 rì mù tú qióng　天黑下去了，路走到头了，比喻到了末日。

【日内】 rìnèi　名 最近几天里：大会将于～举行。

【日偏食】 rìpiānshí　名 见〖日食〗。

【日期】 rìqī　名 发生某一事情的确定的年、月、日或时期：发信的～｜开会的～是 6 月 21 日到 27 日。

【日前】 rìqián　名 几天前：～他曾来过一次。

【日趋】 rìqū　副 一天一天地走向；逐渐地：～繁荣｜～没落。

【日全食】 rìquánshí　名 见〖日食〗。

【日色】 rìsè　名 太阳的光，指时间的早晚：～不早了，快点赶路吧。

【日上三竿】 rì shàng sān gān　太阳升起来离地已有三根竹竿那么高，多用来形容人起床晚。

【日食】 rìshí　名 月球运行到地球和太阳的中间时，太阳的光被月球挡住，不能射到地球上来，这种现象叫日食。太阳全部被月球挡住时叫日全食，部分被挡住时叫日偏食，中央部分被挡住时叫日环食。日食都发生在农历初一。

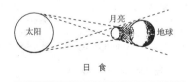

日　食

【日头】 rì·tou　〈方〉名 太阳。

【日托】 rìtuō　动 白天把幼儿托付给托儿所或幼儿园照管，晚上接回家，叫日托（区别于"全托"）。

【日夕】 rìxī　〈书〉副 朝夕：～相处。

【日心说】 rìxīnshuō　名 古时天文学上的一种学说，认为太阳处于宇宙的中心，地球和其他行星都围绕太阳运动。

【日新月异】 rì xīn yuè yì　每天每月都有新的变化，形容进步、发展很快。

【日薪】 rìxīn　名 按日计算的工资。

【日夜】 rìyè　名 白天黑夜：～兼程｜三班轮流生产。

【日以继夜】 rì yǐ jì yè　见 1592 页〖夜以继日〗。

【日益】 rìyì　副 一天比一天更加：生活～改善。

【日用】 rìyòng　❶ 形 属性词。日常生活应用的：～品｜～百货。❷ 名 日常生活的费用：一部分钱做～，其余的都储蓄起来。

【日用品】 rìyòngpǐn　名 日常应用的物品，如毛巾、肥皂、暖水瓶等。

【日元】 rìyuán　同"日圆"。

【日圆】 rìyuán　名 日本的本位货币。也作日元。

【日月】 rìyuè　名 ❶ 日子③：战斗的～｜幸福的～。❷ 时间；时光。

【日月如梭】 rì yuè rú suō　太阳和月亮像穿梭似的来去，形容时间过得很快。

【日晕】 rìyùn　名 日光通过云层中的冰晶时，经折射而形成的光现象。在太阳周围形成彩色光环，内红外紫。日晕常被看做天气变化的预兆。

【日照】 rìzhào　名 一天中太阳光照射的时间。日照长短随纬度高低和季节而变化，并和云量、云的厚度以及地形有关。夏季我国北方日照长，南方日照短，冬季相反。

【日臻】 rìzhēn　副 一天一天地达到；逐渐地：～完善｜～成熟。

【日志】 rìzhì　名 日记（多指非个人的）：教室～｜工作～。

【日中】 rìzhōng　名 正午。

【日妆】 rìzhuāng　名 适合白天活动的化妆：～以淡雅为主。

【日子】 rì·zi　名 ❶ 日期：这个～好容易盼到了。❷ 时间（指天数）：他走了有些～了。❸ 指生活或生计：～越过越美。

驲（駅）

rì　古代驿站用的马车。

róng（ㄖㄨㄥˊ）

戎[1] róng　〈书〉❶ 兵器；武器：兵～。❷ 军事；军队：～马｜～装｜投笔从～。

戎[2] Róng　❶ 我国古代称西方的民族。❷ 名 姓。

【戎行】 rónghàng　〈书〉名 军旅；行伍：久历～。

【戎机】 róngjī　〈书〉名 ❶ 指战争；军事：

迅赴～｜通晓～。❷指战机：贻误～。

【戎马】róngmǎ 〈书〉图军马，借指军旅、军务：～生涯｜～倥偬(形容军务繁忙)。

【戎装】róngzhuāng 〈书〉图军装。

彤 róng ❶古代的一种祭祀。❷(Róng)图姓。

茸 róng ❶草初生纤细柔软的样子。❷指鹿茸：参～(人参和鹿茸)。

【茸毛】róngmáo 图指人或动物的绒毛；植物体上的细毛。

【茸茸】róngróng 圐(草、毛发等)又短又软又密：～的绿草｜这孩子长着一头～的黑发。

荣(榮) róng ❶草木茂盛：欣欣向～｜本固枝～。❷兴盛：繁～。❸光荣(跟"辱"相对)：～誉｜～耀｜虚～｜～获冠军。❹(Róng)图姓。

【荣光】róngguāng 圐荣耀；光荣：无上～。

【荣归】róngguī 囵光荣地归来：～故里｜衣锦～。

【荣华】rónghuá 〈书〉圐草木开花，比喻兴盛或显达：～富贵。

【荣获】rónghuò 囵光荣地获得：～冠军。

【荣军】róngjūn 图荣誉军人的简称。

【荣任】róngrèn 囵指人担任要职(多用于称颂)。

【荣辱】róngrǔ 图光荣和耻辱：～与共｜将个人的～得失置之度外。

【荣升】róngshēng 囵指人升迁(多用于称颂)。

【荣幸】róngxìng 圐光荣而幸运：见到您感到十分～｜躬逢盛会，不胜～之至。

【荣耀】róngyào 圐光荣。

【荣膺】róngyīng 〈书〉囵光荣地接受或承当：～模范教师的称号。

【荣誉】róngyù 图光荣的名誉：～感｜～称号｜爱护集体的～。

【荣誉军人】róngyù jūnrén 对革命伤残军人的尊称。简称荣军。

绒(絨、羢、毧) róng ❶图绒毛①：鸭～｜驼～。❷上面有一层绒毛的纺织品：棉～丝～｜长毛～｜灯芯～。❸(～儿)刺绣用的细丝：红绿～儿。

【绒布】róngbù 图有绒毛的棉布，柔软而保暖。

【绒花】rónghuā (～儿)图用丝绒制成的花、鸟等。

【绒毛】róngmáo 图❶人或动物身体表面和某些器官内壁长的短而柔软的毛。❷织物上连成一片的纤细而柔软的短毛。

【绒线】róngxiàn 图❶刺绣用的粗丝线。❷〈方〉毛线。

容¹ róng ❶囵容纳；包含：～量｜无地自～｜这个礼堂能～两千人。❷囵宽容；原谅：～忍｜大度～人｜情理难～。❸囵允许；让：～许｜不～分说｜～我再想想。❹〈书〉囷或许；也许：～或｜辗转传抄，～有异同。❺(Róng)图姓。

容² róng ❶脸上的神情和气色：笑～｜愁～｜怒～｜～光｜病～。❷相貌：～貌｜～颜｜仪～｜整～。❸比喻事物所呈现的景象、状态：军～｜市～｜阵～。

【容错】róngcuò 囵指计算机系统在硬件发生故障或软件出现问题时，能自行采取补救措施，不会影响整个系统的正常工作。

【容光】róngguāng 图脸上的光彩：～焕发。

【容或】rónghuò 〈书〉囷或许；也许：这篇文章是根据本人回忆写的，与事实～有些出入。

【容积】róngjī 图容器或其他能容纳物质的物体的内部体积。

【容量】róngliàng 图❶容积的大小叫做容量。❷容纳的数量：热～｜版面～。

【容量瓶】róngliàngpíng 图量(liáng)瓶。

【容留】róngliú 囵容纳；收留。

【容貌】róngmào 图相貌：～端庄｜～秀丽。

【容纳】róngnà 囵在固定的空间或范围内接受(人或事物)：这个广场可以～十万人｜修建了一个可以～上千张床位的疗养院。

【容器】róngqì 图盛物品的器具，如盒子、箩筐、搪瓷盆、玻璃杯等。

【容情】róngqíng 囵加以宽容(多用于否定式)：对坏人坏事决不～。

【容人】róng∥rén 囵指宽容待人：～的雅量｜心胸狭隘，容不得人。

【容忍】róngrěn 囵宽容忍耐：他的错行为使人能～。

【容身】róng∥shēn 囵安身：无处～｜～之

地。

【容许】rónɡxǔ ❶〔动〕许可：原则问题决不～｜让步。❷〈书〉〔副〕或许；也许：此类事件，十年前～有之。

【容颜】rónɡyán 〔名〕容貌；脸色：～秀美。

【容易】rónɡyì 〔形〕❶ 做起来不费事的：说时～做时难｜这篇文章写得很通俗，～看。❷ 发生某种变化的可能性大：～生病｜白衣服～脏｜这种麦子不～倒伏。

【容止】rónɡzhǐ 〈书〉〔名〕仪容举止：～俊雅。

嵘(嶸) ｜ rónɡ 见 1735 页［峥嵘］。

蓉 rónɡ ❶ 用某些植物的果肉或种子制成的粉状物：豆～｜椰～。❷ 见 418 页［芙蓉］、227 页［苁蓉］。❸（Rónɡ）〔名〕四川成都的别称。❹（Rónɡ）〔名〕姓。

溶 rónɡ 〔动〕溶化；溶解：～液｜～剂｜樟脑～于酒精而不～于水。

【溶洞】rónɡdònɡ 〔名〕石灰岩等易溶岩石被流水所溶解而形成的天然洞穴。

【溶化】rónɡhuà ❶〔动〕（固体）溶解：砂糖放在热水中就会～。❷ 同“融化”。

【溶剂】rónɡjì 〔名〕能溶解其他物质的物质，如食盐溶解在水里，水就是溶剂。

【溶胶】rónɡjiāo 〔名〕直径 1—100 纳米的质点分布于介质中所形成的物质。介质为气体的叫气溶胶，如烟；介质为液体的叫液溶胶，如墨汁；介质为固体的叫固溶胶，如泡沫玻璃。也叫胶体溶液。

【溶解】rónɡjiě 〔动〕一种物质以分子或离子等状态均匀地分散在另一种物质中。如把一勺儿糖放进一杯水中，就成为糖水。

【溶解度】rónɡjiědù 〔名〕在一定温度和压力下，物质在一定量溶剂中溶解的最高量。通常以在 100 克溶剂中达到饱和时所溶解的克数来表示。

【溶解热】rónɡjiěrè 〔名〕单位质量的物质在溶解过程中吸收或放出的热量。溶解热的大小与温度、压力、溶质和溶剂的种类以及溶液浓度等有关。

【溶溶】rónɡrónɡ 〈书〉〔形〕（水）宽广的样子：～的江水◇月色～。

【溶蚀】rónɡshí 〔动〕水流溶解并搬移岩石中的可溶物质，这种作用在石灰岩地区最为明显。

【溶血】rónɡxuè 〔动〕红细胞破裂，红细胞内的血红蛋白逸出。

【溶液】rónɡyè 〔名〕两种或两种以上的不同物质以分子、原子或离子形式组成的均匀、稳定的混合物。有固态的，如合金；有液态的，如糖水；有气态的，如空气。通常指液态溶液。

【溶胀】rónɡzhànɡ 〔动〕高分子化合物吸收液体而体积膨大，如明胶在水中、橡胶在苯中都会发生溶胀。

【溶质】rónɡzhì 〔名〕溶解在溶剂中的物质，如食盐溶解在水里，食盐就是溶质。

瑢 rónɡ 见 227 页［珫瑢］。

榕 rónɡ 〔名〕❶ 榕树，常绿大乔木，树干分枝多，有气根，树冠大，叶子椭圆形或卵形，花黄色或淡红色，果实倒卵形，黄色或黑褐色。生长在热带地区。木材可制器具，叶、气根、树皮可入药。❷（Rónɡ）福建福州的别称。

熔 rónɡ 〔动〕熔化：～点｜～焊｜～炉。

【熔点】rónɡdiǎn 〔名〕晶体物质开始熔化为液体时的温度。不同晶体物质熔点不同，非晶体物质（如玻璃、石蜡、塑料等）没有熔点可言。

【熔合】rónɡhé 〔动〕两种或两种以上固态金属熔化后合为一体。

【熔化】rónɡhuà 〔动〕固体加热到一定温度变为液体，如铁加热至 1 530℃以上就熔化成铁水。大多数物质熔化后体积膨胀。也叫熔解、熔融。

【熔化热】rónɡhuàrè 〔名〕单位质量的晶体物质在熔点时，从固态变成液态所吸收的热量，叫做这种物质的熔化热。

【熔剂】rónɡjì 〔名〕熔炼、焊接或锻接时，为促进原料、矿石或金属的熔化而加进的物质，如石灰石等。

【熔解】rónɡjiě 〔动〕熔化。

【熔炼】rónɡliàn 〔动〕❶ 熔化炼制：把矿石跟焦炭一起放在高炉里～。❷ 比喻锻炼：战火～了战士们的钢铁意志。

【熔炉】rónɡlú 〔名〕❶ 熔炼金属的炉子。❷ 比喻锻炼思想品质的环境：革命的～。

【熔融】rónɡrónɡ 〔动〕熔化：～状态。

【熔岩】rónɡyán 〔名〕从火山口或裂缝中喷溢出来的高温岩浆，也指这种岩浆冷却后凝固成的岩石。

R

【熔铸】 róngzhù 动 熔化并铸造：～生铁◇对生活素材加以概括和提炼，进而～成为有血有肉的艺术形象。

蝾（蠑） róng ［蝾螈］（róngyuán）名 两栖动物，外形像蜥蜴，头扁，表皮粗糙，背面黑色，腹面红黄色，四肢短，尾侧扁。生活在水中，卵生。吃小动物。

镕（鎔） róng ❶〈书〉熔铸金属的模具。❷〈书〉比喻规范；模式。❸ 同"熔"。

融 róng ❶ 动 融化：消～｜春雪易～。❷ 动 融合；调和：～洽｜水乳交～。❸ 流通：金～。❹（Róng）名 姓。

【融合】 rónghé 动 几种不同的事物合成一体：文化～｜各家之长。也作融和。

【融和】 rónghé ❶ 形 和暖：天气～。❷ 形 融洽；和谐：感情～｜气氛～。❸ 同"融合"。

【融化】 rónghuà 动（冰、雪等）变成水。也作溶化。

【融汇】 rónghuì 动 融合汇聚：～古今｜把普及科学知识～到群众文化活动之中。

【融会】 rónghuì 动 融合：～贯通｜把人物形象的温柔和刚毅很好地～在一起。

【融会贯通】 rónghuì guàntōng 参合多方面的知识或道理而得到全面的透彻的领悟。

【融解】 róngjiě 动 融化：春天来了，山顶的积雪～了。

【融洽】 róngqià 形 彼此感情好，没有抵触：关系～｜～无间。

【融融】 róngróng〈书〉形 ❶ 形容和睦快乐的样子：大家欢聚一堂，其乐～。❷ 形容暖和：春光～。

【融通】 róngtōng 动 ❶ 使（资金）流通：～资金。❷ 融会贯通：～古今。❸ 使融洽；相互沟通：～感情。

【融资】 róngzī ❶（－//－）动 通过借贷、租赁、集资等方式而使资金得以融合并流通。❷ 名 通过借贷、租赁、集资等方式而得以融合并流通的资金。

冗（冗） rǒng ❶ 多余的：～员｜～词赘句。❷ 烦琐：～杂。❸ 繁

忙的事：希拨～出席。

【冗笔】 rǒngbǐ 名 指文章或图画中多余无用的笔墨。

【冗长】 rǒngcháng 形（文章、讲话等）废话多，拉得很长。

【冗繁】 rǒngfán 形 冗杂：他整天被～的琐事拖住了腿。

【冗务】 rǒngwù 名 繁杂的事务：～缠身。

【冗员】 rǒngyuán 名 指单位中超过工作需要的人员：裁减～。

【冗杂】 rǒngzá 形（事务）繁杂。

【冗赘】 rǒngzhuì 形（文章、讲话等）冗长，不简练：讲演稿发表时，删去了一些～的词句。

氄（氄、毧） rǒng 形（毛）细而软：～毛｜羽毛发～。

【氄毛】 rǒngmáo 名 细而软的毛：刚孵出来的小鸡长着一身～。

róu （ㄖㄡˊ）

柔 róu ❶ 软（跟"刚"相对）：～软｜～韧｜～枝嫩叶。❷ 动 使变软：～麻。❸ 形 柔和（跟"刚"相对）：～情｜温～｜她的性子很～。❹（Róu）名 姓。

【柔肠】 róucháng 名 温柔的心肠，比喻缠绵的情意：～寸断｜～百结。

【柔道】 róudào 名 体育运动项目之一，近似摔跤。两人徒手赤手足搏击，以摔倒对方或使对方背着地 30 秒为胜。

【柔和】 róuhé 形 ❶ 温和而不强烈：声音～｜光线～。❷ 柔软；软和：线条～｜手感～。

【柔滑】 róuhuá 形 柔软而光滑：～如脂｜丝绸手感～。

【柔美】 róuměi 形 柔和而优美：音色～。

【柔媚】 róumèi 形 ❶ 柔和可爱：～的晚霞｜舞姿轻盈～。❷ 温柔和顺，讨人喜欢：～谦恭。

【柔嫩】 róunèn 形 软而嫩：～的幼苗。

【柔情】 róuqíng 名 温柔的感情：～蜜意｜～似水。

【柔韧】 róurèn 形 柔软而有韧性：枝条～｜～的皮革。

【柔软】 róuruǎn 形 软和；不坚硬：～体操｜～的毛皮。

【柔润】róurùn 形 柔和润泽：皮肤～|～的嗓音。

【柔弱】róuruò 形 软弱：生性～|～的幼芽。

【柔顺】róushùn 形 温柔和顺：性情～。

【柔婉】róuwǎn 形 ❶ 柔和而婉转：唱腔～|～的语调。❷ 柔顺：性格～。

【柔细】róuxì 形 柔和而细：声音～|～的柳枝。

【柔性】róuxìng ❶ 名 温柔的性格；柔软的特性(跟"刚性"相对,下同)。❷ 形 属性词。柔软而易变形的：～材料。❸ 形 属性词。可以改变或通融的：～处理。

揉 róu ❶ 动 用手来回擦或搓：～眼睛|把纸都～碎了。❷ 动 团弄：～面|把泥～成小球。❸〈书〉使东西弯曲：～木为耒。

【揉搓】róu·cuo 动 ❶ 揉①。❷〈方〉折磨。

輮(輮) róu〈书〉❶ 车轮的外框。❷ 同"揉"③。

煣 róu〈书〉用火烤木材使弯曲。

糅 róu 混杂：杂～|～合。

【糅合】róuhé 动 掺和；混合(多指不适宜合在一起的)。

【糅杂】róuzá 动 杂糅。

蹂 róu〈书〉踩；践踏：～踏|～躏。

【蹂躏】róulìn 动 践踏,比喻用暴力欺压、侮辱、侵害：～人权。

鰇(鰇) róu 古书上指枪乌贼。

鞣 róu 动 用鞣料使兽皮变柔软,制成皮革：～皮子|这皮子～得不够熟。

【鞣料】róuliào 名 能使兽皮柔软的物质,如铬盐、栲胶、鱼油等。

【鞣制】róuzhì 动 用鞣料加工兽皮,制成皮革：把～皮子的手艺传给徒弟。

ròu （ㄖㄡˋ）

肉 ròu ❶ 名 人和动物体内接近皮的部分的柔韧的物质。某些动物的肉可以吃。❷ 名 某些瓜果里可以吃的部分：枣～|冬瓜～厚。❸〈方〉形 不脆；不酥：～瓤儿西瓜。❹〈方〉形 性子慢,动作迟缓：～脾气|那个人太～,一点儿利索劲儿也没有。

【肉搏】ròubó 动 徒手或用短兵器搏斗：～战|战士们用刺刀跟敌人～。

【肉搏战】ròubózhàn 名 白刃战。

【肉畜】ròuchù 名 专门饲养的供食用的牲畜。

【肉苁蓉】ròucōngróng 名 多年生草本植物,多寄生在某些植物的根上,茎肉质,叶子鳞片状,叶和茎黄褐色,花蓝紫色。茎可入药。

【肉感】ròugǎn 形 性感(多指女性)。

【肉冠】ròuguān 名 鸟类头顶上长的肉质突起,形状略像鸡冠,红色或略带紫色。

【肉桂】ròuguì 名 常绿乔木,叶子长椭圆形,有三条叶脉,夏小,白色。树皮叫桂皮,可入药或做香料,叶、枝和树皮磨碎后,可以蒸制桂油。也叫桂。

【肉果】ròuguǒ 名 单果的一大类,包括浆果、瓠果、柑果、梨果等。通常指多汁或多肉质的果实,如番茄、西瓜、柚子、苹果等。

【肉红】ròuhóng 形 像肌肉那样的浅红色。

【肉鸡】ròujī 名 肉用鸡。

【肉瘤】ròuliú 名 骨头、淋巴组织、造血组织等部位发生的恶性肿瘤,如骨肉瘤。

【肉麻】ròumá 形 由轻佻的或虚伪的言语、举动所引起的不舒服的感觉。

【肉糜】ròumí 名 细碎的肉。

【肉牛】ròuniú 名 菜牛。

【肉排】ròupái 名 牛排或猪排。

【肉皮】ròupí 名 通常指猪肉的皮。

【肉皮儿】ròupír〈方〉名 人的皮肤。

【肉票】ròupiào （～儿）名 指被盗匪掳去当人质的人,盗匪借以向他的家属勒索钱财。

【肉鳍】ròuqí 名 乌贼、枪乌贼等软体动物体上的鳍状物,用来帮助游泳。

【肉禽】ròuqín 名 专门饲养的供食用的家禽。

【肉色】ròusè 名 像皮肤那样浅黄带红的颜色：～丝袜。

【肉身】ròushēn 名 佛教用语,指肉体。

【肉食】ròushí ❶ 形 属性词。以肉类为食物的：～动物。❷ 名 肉类食物：多吃点素食,少吃点~。

【肉松】ròusōng 名 用牛、猪等的瘦肉加工制成的绒状或碎末状的食品,干而松散。

【肉体】ròutǐ 名 人的身体(区别于"精神"):备受肉体和~的苦痛。

【肉痛】ròutòng 〈方〉动 心疼;舍不得。

【肉头】ròutóu 〈方〉形 ❶ 软弱无能;软弱可欺。❷ 傻:他净办这种~事! ❸ 动作迟缓,做事不利索:这人干活儿可真~。

【肉头】ròu•tou 〈方〉形 丰满而柔软;软和:这孩子的手多~! |这种米做出来的饭挺~。

【肉刑】ròuxíng 名 摧残人的肉体的刑罚。

【肉眼】ròuyǎn 名 ❶ 人的眼睛(表明不靠光学仪器的帮助):~看不见细菌。❷ 比喻平庸的眼光:凡夫~。

【肉用鸡】ròuyòngjī 名 主要供食用而饲养的鸡。

【肉欲】ròuyù 名 性欲(含贬义)。

【肉质】ròuzhì 名 生物学上指松软肥厚像肉一样的物质:仙人掌有~茎。

【肉中刺】ròuzhōngcì 名 比喻最痛恨而急于除掉的东西(常跟"眼中钉"连用)。

rú （ㄖㄨˊ）

如¹ rú ❶ 适合;依照:~意|~愿|~期|~数。❷ 动 如同:爱厂~家|十年~一日|~临大敌。❸ 动 及;比得上(只用于否定式,比较得失或高下):我不~他|百闻不~一见|与其那样,不~这样。❹ 介 用于比较超过:光景一年强~一年。❺ 动 表示举例:唐朝有很多大诗人,~李白、杜甫、白居易等。❻〈书〉到;往:~厕。❼(Rú)名 姓。

如² rú 连 如果:~不及早准备,恐临时措手不及。

如³ rú 古汉语形容词后缀,表示状态:空空~也|侃侃~也。

【如臂使指】rú bì shǐ zhǐ 《汉书·贾谊传》:"如身之使臂,臂之使指。"比喻指挥如意。

【如厕】rúcè 〈书〉动 上厕所。

【如常】rúcháng 动 跟平常一样;照常:平静~|起居~。

【如出一辙】rú chū yī zhé 形容两件事情非常相像。

【如初】rúchū 动 跟当初一样:消除嫌隙,两人和好~。

【如此】rúcǐ 代 指示代词。这样:~勇敢|~关心|天天~|理当~|事已~,后悔也是枉然。

【如次】rúcì 动 如下:其理由~。

【如弟】rúdì 名 旧时称结拜的弟弟。

【如堕五里雾中】rú duò wǔ lǐ wù zhōng 好像掉在很大的烟雾里,形容模模糊糊,摸不着头脑或认不清方向。

【如法炮制】rú fǎ páozhì 依照成法炮制药剂,泛指照现成的方法办事。

【如故】rúgù 动 ❶ 跟原来一样;依然。❷ 如同老朋友一样:一见~。

【如果】rúguǒ 连 表示假设:你~有困难,我可以帮助你。

【如何】rúhé 代 疑问代词。怎么;怎么样:近况~?|此事~办理? |不要老说别人~~不好|该~处置就~处置。

【如虎添翼】rú hǔ tiān yì 比喻强大的得到援助后更加强大,也比喻凶恶的得到援助后更加凶恶。

【如花似锦】rú huā sì jǐn 形容风景、前程等十分美好。

【如火如荼】rú huǒ rú tú 像火那样红,像荼(茅草的白花)那样白。原比喻军容之盛(语本《国语·吴语》),现用来形容旺盛、热烈或激烈。

【如饥似渴】rú jī sì kě 形容要求非常迫切。也说如饥如渴。

【如胶似漆】rú jiāo sì qī 形容感情深厚,难舍难分。

【如今】rújīn 名 时间词。现在:事到~,只好不了了之|~再用老眼光看问题可行不了。▶注意▶"现在"可以指较长的一段时间,也可以指较短的时间,"如今"只能指较长的一段时间。

【如来】Rúlái 名 释迦牟尼的十种称号之一。意思是从如实之道来,开创并揭示真理的人。

【如雷贯耳】rú léi guàn ěr 形容人的名声很大:久闻大名,~。

【如芒在背】rú máng zài bèi 见 918 页〖芒刺在背〗。

【如梦初醒】rú mèng chū xǐng 好像刚从梦中醒过来,比喻从糊涂、错误的境地中刚刚醒悟过来。

【如鸟兽散】rú niǎo shòu sàn 像受惊的鸟兽一样四处逃散(含贬义)。

【如期】rúqī 副 按照期限:～完成|～抵达目的地。

【如其】rúqí 〈书〉连 如果。

【如泣如诉】rú qì rú sù 好像在哭泣,又好像在诉说,形容声音凄切、悲苦。

【如日中天】rú rì zhōng tiān 比喻事物正发展到十分兴盛的阶段。

【如若】rúruò 〈书〉连 如果。

【如丧考妣】rú sàng kǎo bǐ 像死了父母一样的伤心和着急(含贬义)。

【如上】rúshàng 动 如同上面所叙述或列举的:～所述|特将经过详情报告～。

【如实】rúshí 副 按照实际情况:～汇报。

【如释重负】rú shì zhòng fù 像放下重担子一样,形容心情紧张后的轻松愉快。

【如数家珍】rú shǔ jiā zhēn 数自己家里的珍宝一样,形容对列举的事物或叙述的故事十分熟悉。

【如数】rúshù 副 按照原来的或规定的数目:～归还|～交纳税款。

【如汤沃雪】rú tāng wò xuě 像热水浇在雪上,比喻事情很容易解决。

【如同】rútóng 动 好像:灯火通明,～白昼|工厂绿化得～花园一般。

【如下】rúxià 动 如同下面所叙述或列举的:列举～|现将应注意的事情说明～。

【如兄】rúxiōng 名 旧时称结拜的哥哥。

【如许】rúxǔ 〈书〉代 指示代词。❶ 如此;这样:泉水清～|～非凡的才智。❷ 这么些;那么些:枉费～工力。

【如一】rúyī 动 没有变化;完全一致:始终～|表里～。

【如蚁附膻】rú yǐ fù shān 像蚂蚁附着在有膻味的东西上,比喻许多臭味相投的人追求某种恶劣的事物,也比喻依附有钱有势的人。

【如意】rúyì ❶(-/-/)动 符合心意:称心～|事事不如他的意。❷ 名 一种象征吉祥的器物,用玉、竹、骨等制成,头尖呈芝形或云形,柄微曲,供赏玩。

【如意算盘】rúyì suàn·pán 比喻只从好的一方面着想的打算。

【如影随形】rú yǐng suí xíng 好像影子老是跟着身体一样,比喻两个人常在一起,十分亲密。

【如鱼得水】rú yú dé shuǐ 比喻得到跟自己很投合的人或对自己很适合的环境。

【如愿】rú//yuàn 动 符合愿望:～以偿(愿望实现)|这回可如了老人的愿。

【如字】rúzì 见 336 页〖读破〗。

【如坐针毡】rú zuò zhēn zhān 形容心神不宁。

茹 rú ❶〈书〉吃:～素|含辛～苦。❷(Rú)名 姓。

【茹苦含辛】rú kǔ hán xīn 见 534 页〖含辛茹苦〗。

【茹毛饮血】rú máo yǐn xuè 原始人不会用火,连毛带血地生吃禽兽,叫做茹毛饮血。

铷(銣) rú 名 金属元素,符号 Rb (rubidium)。银白色,质软,化学性质极活泼,在光的作用下易放出电子,遇水发生爆炸。用来制光电池和真空管等。

儒 rú ❶(Rú)指儒家:～术|～生。❷ 旧时指读书人:腐～|～医|老～。❸(Rú)名 姓。

【儒艮】rúgèn 名 哺乳动物,全身灰褐色,腹部色淡,无毛,头圆,眼小,无耳壳,吻部有刚毛,前肢作鳍形,后肢退化,母兽有一对乳头。生活在海洋中,吃海草等。俗称人鱼。

【儒家】Rújiā 名 先秦时期的一个思想流派,以孔子为代表,主张礼治,强调传统的伦常关系等。

【儒将】rújiàng 名 有读书人风度的将帅。

【儒教】Rújiào 名 指儒家。从南北朝开始叫做儒教,跟佛教、道教并称。参看〖儒家〗。

【儒商】rúshāng 名 有读书人儒雅风度的商人。

【儒生】rúshēng 名 原指信奉儒家学说的读书人,后来泛指读书人。

【儒术】rúshù 名 儒家的学术。

【儒学】rúxué 名 ❶ 儒家的学说。❷ 元明清时代各州、府、县设立的供生员读书的学校。

【儒雅】rúyǎ 〈书〉形 ❶ 学问精深。❷ 气度温文尔雅:风流～。

【儒医】rúyī 名 旧时指读书人出身的中医。

薷 rú 见 1486 页〖香薷〗。

嚅 rú 见下。

【嚅动】rúdòng 动 想要说话而嘴唇微动：她～着嘴唇,想要说什么。

【嚅嗫】rúniè 形 嗫嚅。

濡 rú 〈书〉❶ 沾湿;沾上：～笔|～湿|耳～目染。❷ 停留;迟滞：～滞|～迹。

【濡染】rúrǎn 〈书〉动 ❶ 沾染。❷ 浸润。

【濡湿】rúshī 动 沾湿;变潮湿。

孺 rú 小孩子：妇～|～子。

【孺人】rúrén 名 古代称大夫的妻子,明清七品官的母亲或妻子封孺人。也通用为妇人的尊称。

【孺子】rúzǐ 〈书〉名 小孩子：黄口～。

【孺子可教】rúzǐ kě jiào 指年轻人有出息,可以把本事传授给他。

【孺子牛】rúzǐniú 〈口〉春秋时,齐景公与儿子嬉戏,景公叼着绳子当牛,让儿子牵着走(见于《左传·哀公六年》)。后来用"孺子牛"比喻甘愿为人民大众服务的人：横眉冷对千夫指,俯首甘为～。

褕 rú 〈书〉短衣;短袄。

颥 (顬) rú 见1000页〖颞颥〗。

蠕 (蝡) rú (旧读 ruǎn) 蠕动：～形动物。

【蠕动】rúdòng 动 像蚯蚓爬行那样动：小肠是经常在～着的。

【蠕蠕】rúrú 形 形容慢慢移动的样子：～而动。

【蠕形动物】rúxíng dòngwù 旧时指无脊椎动物的一大类,构造比腔肠动物复杂,身体长形,左右对称,质柔软,没有骨骼,没有脚。现已分别归入扁形动物门(如血吸虫、绦虫)、环节动物门(如蚯蚓、蛭)等。

rǔ （ㄖㄨˇ）

汝 rǔ ❶〈书〉代 人称代词。你：～曹|～辈|～亦知射乎? ❷ (Rǔ)名 姓。

乳 rǔ ❶ 生殖：孳～。❷ 乳房：～罩|～腺。❸ 奶汁：母～|～牛|代～粉|水～交融。❹ 像奶汁的东西：豆～|～胶。

❺ 初生的;幼小的：～燕|～猪|～牙。

【乳白】rǔbái 形 像奶汁的颜色：～的烟云。

【乳钵】rǔbō 名 研药末等的器具,形状略像碗。

【乳齿】rǔchǐ 名 乳牙。

【乳畜】rǔchù 名 专门养来产奶的家畜,如乳牛、乳用山羊等。

【乳儿】rǔ'ér 名 以乳汁为主要食物的小儿,通常指一周岁以下的婴儿。

【乳房】rǔfáng 名 人和哺乳动物乳腺集合的部分。发育成熟的女子和雌性哺乳动物的乳房比较膨大。

【乳腐】rǔfǔ 〈方〉名 豆腐乳。

【乳化】rǔhuà 动 为使原来互不相混的两种液体混合起来,把其中一种液体变成微小颗粒分散在另一液体中,叫做乳化。如把肥皂水和油充分搅动,油变成微小颗粒就可悬浮在肥皂水中。

【乳黄】rǔhuáng 形 像奶油那样的淡黄色：～的围墙。

【乳剂】rǔjì 名 经过乳化的溶液。通常是水和油的混合液,有两种类型,一种是水分散在油中,一种是油分散在水中。

【乳胶】rǔjiāo 名 粘木板等用的一种胶,成分是聚乙酸乙烯树脂,乳白色液体,直接使用或加少量水调制,胶合强度较高。

【乳酪】rǔlào 名 酪。

【乳糜】rǔmí 名 肠壁淋巴管内的液体跟胰液、胆汁、肠液等混合而失去酸性所成的乳状液体。乳糜被吸收到血液中,是体内各种组织的营养物质。

【乳名】rǔmíng 名 小名;奶名。

【乳母】rǔmǔ 名 奶妈。

【乳牛】rǔniú 名 专门养来产奶的牛,产奶量比一般的母牛高。也叫奶牛。

【乳熟】rǔshú 动 谷类作物成熟的初期,子实灌浆后逐渐膨大,内含乳白色浆液,叫乳熟。

【乳糖】rǔtáng 名 有机化合物,化学式 $C_{12}H_{22}O_{11}$。白色晶体或粉末,存在于哺乳动物的乳汁中,人奶中含有 5%—8%。用来制作婴儿食品,也用来配制药品。

【乳头】rǔtóu 名 ❶ 乳房上圆球形的突起,尖端有小孔,乳汁从小孔流出。也叫奶头。❷ 像乳头的东西：真皮～|视神经～。

【乳腺】rǔxiàn 名 人和哺乳动物乳房内的

腺体。发育成熟的女子和雌性哺乳动物的乳腺发达,能分泌乳汁。

【乳臭】rǔxiù 名 奶腥气:～未干|～小儿。

【乳臭未干】rǔxiù wèi gān 身上的奶腥气还没有完全退掉,形容人幼稚不懂事理(含讥讽意),有时用来表示对年轻人的轻蔑或不信任。

【乳牙】rǔyá 名 人和哺乳动物出生后不久长出来的牙。婴儿乳牙在出生后6—9个月开始长出,2—3岁长全,共20个,6—8岁时乳牙开始脱落,换成恒牙。也叫乳齿、奶牙。

【乳罩】rǔzhào 名 胸罩。

【乳汁】rǔzhī 名 由乳腺分泌出来的白色液体,含有水、蛋白质、乳糖、盐类等营养物质。通称奶。

【乳脂】rǔzhī 名 从动物乳汁中提取的脂肪,有牛乳脂(黄油)、羊乳脂等,可供食用或制糕点、糖果等。

【乳浊液】rǔzhuóyè 名 一种液体的小滴分散在另一种液体中形成的混合物。乳浊液是浑浊的,静置相当时间后,它的组成部分会按密度不同分为上下两层,如牛奶。

辱 rǔ ❶ 耻辱(跟"荣"相对):羞～|屈～|奇耻大～。❷ 使受耻辱;侮辱:折～|～骂|丧权～国。❸ 玷辱:～没|～命。❹〈书〉谦辞,表示承蒙:～临|～承指教。

【辱骂】rǔmà 污辱谩骂。

【辱命】rǔmìng〈书〉没有完成上级的命令或朋友的嘱咐:幸不～。

【辱没】rǔmò 动 玷污;使不光彩:我们一定完成任务,决不～先进集体的光荣称号。

郦 rǔ 郏郦(Jiárǔ),古山名,在今河南洛阳西北。

擩 rǔ〈方〉动 插;塞:一只脚～到泥里了|那本小说不知～到哪里去了。

rù (ㄖㄨˋ)

入 rù ❶ 动 进来或进去(跟"出"相对):投～|～冬|由浅～深|纳～正轨。❷ 动 参加到某种组织中,成为它的成员:～学|～伍。❸ 动 收入:岁～|入不敷出|量～为出。❹ 合乎:～时|～情～理。❺ 入声:平上去～。

【入保】rù//bǎo 动 向保险公司投保;参加保险。

【入不敷出】rù bù fū chū 收入不够开支。

【入场券】rùchǎngquàn 名 进入某些活动场所的凭证,也比喻参加某种赛事或活动的资格:争夺参加世界杯赛的～。

【入超】rùchāo 动 在一定时期(一般为一年)内,对外贸易中进口货物的总值超过出口货物的总值(跟"出超"相对)。

【入定】rùdìng 动 佛教徒的一种修行方法,闭着眼睛静坐,控制身心各种活动。

【入耳】rù'ěr 形 中听:不～|这句话十分～。

【入伏】rù//fú 动 进入伏天;伏天开始。

【入港】rùgǎng 形 (交谈)投机(多见于早期白话):二人说得～。

【入彀】rùgòu〈书〉动 ❶ 唐太宗在端门看见新进士鱼贯而出,高兴地说,"天下英雄入吾彀中矣。"(见于《唐摭言·述进士》)"彀"是使劲张弓,"彀中"指箭能射及的范围。后来用"入彀"比喻受人牢笼,由他操纵。❷ 动 比喻合乎一般程式或要求。❸ 形 投合;入神:听得～|两人谈得～。

【入股】rù//gǔ 动 加入股份:踊跃～。

【入骨】rùgǔ 形 形容仇恨等达到极点:恨之～。

【入国问禁】rù guó wèn jìn 进入别的国家,先问清他们的禁令。参看【入境问俗】。

【入画】rùhuà 动 画入图画,多用来形容景物优美:桂林山水,处处可以～。

【入伙】[1] rù//huǒ 动 加入某个集体或集团。

【入伙】[2] rù//huǒ 动 加入集体伙食。

【入寂】rùjì 动 佛教用语,称僧尼死亡。

【入境】rù//jìng 动 进入国境:～签证|办理～手续。

【入境问俗】rù jìng wèn sú 《礼记·曲礼上》:"入竟(境)而问禁,入国而问俗。"进入别国的境界,先问清他们的禁令;进入别国的都城,先问清他们的风俗。现在说成"入国问禁"和"入境问俗"。

【入镜】rùjìng 动 (把人物、景色等)摄入影视镜头。

【入口】[1] rù//kǒu 动 进入嘴中。

【入口】[2] rù//kǒu 动 外国的货物运来,有时也指外地的货物运进本地区。

【人口】³ rùkǒu （～儿）名 进入建筑物或场地所经过的门或口儿：～处|车站～。

【人寇】rùkòu 〈书〉动 入侵：～边关。

【人殓】rù∥liàn 动 把死者放进棺材里。

【人列】rùliè 动 (出列的或迟到的人)进入队伍行列。

【人流】rùliú 动 ❶ 封建王朝把官员分成九品(九个等级)，九品以外的官员进入九品以内叫人流。❷ 泛指进入某个等级：他演技拙劣，是个不～的演员。

【人垄】rùlǒng 〈方〉形 (交谈)投机。

【人梅】rù∥méi 动 进入黄梅季。参看601页〖黄梅季〗。

【人寐】rùmèi 动 入睡：思绪万千，辗转不能～。

【人门】rùmén ❶ (－//－)（～儿）动 得到门径；初步学会：～既不难，深造也是办得到的。❷ 名 指初级读物(多用于书名)：《摄影～》|《国际象棋～》。

【人梦】rùmèng 动 进入梦境，指睡着(zháo)，有时也指别人出现在自己的梦中。

【人迷】rù∥mí 动 喜欢某种事物到了沉迷的程度：老爷爷讲故事，孩子们听得入了迷。

【人眠】rùmián 动 入睡：由于过度兴奋，久久不能～。

【人魔】rù∥mó 动 迷恋某种事物到了失去理智的地步。

【人木三分】rù mù sān fēn 相传晋代书法家王羲之在木板上写字，刻字的人发现墨汁透入木板有三分深(见于唐张怀瓘《书断》)。用来形容书法有力，也用来比喻议论、见解深刻。

【人侵】rùqīn 动 ❶ (敌军)侵入国境：全歼～之敌。❷ (外来的或有害的)事物入内部：冷空气～|病毒～。

【人情人理】rù qíng rù lǐ 合乎情理：他说得～，大家听着心服口服。

【人神】rù∥shén ❶ 动 对眼前的事物发生浓厚的兴趣而注意力高度集中：他越说越起劲，大家越听越～。❷ 形 达到精妙的境地：这幅画画得很～。

【人声】rùshēng 名 古汉语四声的第四声。普通话没有人声，古入声字分别读成阴平(如"屋、出")、阳平(如"国、直")、上声(如"铁、北")、去声(如"客、绿")。有些方言有

人声，入声字发音一般比较短促，有时还带辅音韵尾。

【人时】rùshí 形 合乎时尚(多指装束)：打扮～|穿着～。

【人世】rùshì 动 投身到社会里：他刚毕业，～不深。

【人手】rùshǒu 动 着手；开始做：从调查研究～|音乐教育应当从儿童时代～。

【人睡】rùshuì 动 睡着(zháo)。

【人土】rù∥tǔ 动 埋到坟墓里：～为安|半截儿～(指离死亡不远了)。

【人托】rùtuō 动 (把小孩儿)送人托儿所。

【人网】rù∥wǎng 动 指手机、寻呼机等加入某个通信网，也指计算机加入网络。

【人微】rùwēi 形 达到十分细致或深刻的地步：体贴～|演员的表情细腻～。

【人围】rù∥wéi 动 经选拔进入某一范围：中国象棋锦标赛八强产生，广东两名选手～|经过评选，这部长篇小说～茅盾文学奖。

【人闱】rùwéi 动 科举时代应考的或监考的人进入考场。

【人味】rùwèi （～儿）形 ❶ 有滋味：菜做得很～。❷ 有趣味：这出戏我们越看越～。

【人伍】rù∥wǔ 动 参加部队：他去年应征～。

【人席】rù∥xí 动 举行宴会或仪式时各就位次：来宾～|依次～。

【人戏】rù∥xì 动 (演戏时)进入角色：～是演员的基本功。

【人乡随俗】rù xiāng suí sú 到一个地方就按照当地的风俗习惯生活。也说人乡随乡、随乡人乡。

【人选】rùxuǎn 动 中选。

【人学】rù∥xué 动 ❶ 开始进某个学校学习：～考试|明天检查体格，后天就～。❷ 开始进小学学习：～年龄。

【人眼】rù∥yǎn 形 中看：看得～|看不～|其他裙子都不怎么样，只有这条还～。

【人药】rùyào 动 用作药物：龟甲中医～。

【人夜】rùyè 动 到了晚上：～时分|～灯火通明。

【人狱】rù∥yù 动 被关进监狱：锒铛～。

【人院】rù∥yuàn 动 (需要住在医院里治疗的人)进入医院：办理～手续。

【人账】rù∥zhàng 动 记入账簿中：货款已

R

经～|昨天送来的礼物尚未～。

【入蛰】rùzhé 动动物停止活动,进入休眠状态。

【入主出奴】rù zhǔ chū nú 韩愈《原道》:"入于彼,必出于此;入者主之,出者奴之;入者附之,出者污之。"意思是说崇信了一种说法,就必然会排斥另一种说法;把前者奉做主人,把后者当做奴仆;附和前者,污蔑后者。后来用"入主出奴"比喻在学术上持门户之见。

【入住】rùzhù 动住进去:小区八月竣工,年底～|代表团抵京后,～北京饭店。

【入赘】rùzhuì 动男子到女家结婚并成为女家的家庭成员。

【入座】(入坐) rù//zuò 动就位:宾主～|对号～。

洳 rù 见740页[沮洳]。

蓐 rù 〈书〉草席;草垫子(多指产妇的床铺):坐～(坐月子)。

溽 rù 〈书〉湿润:～热|～暑。

【溽热】rùrè 形潮湿而闷热。

【溽暑】rùshǔ 名夏天潮湿而闷热的气候。

缛(縟) rù 〈书〉烦琐;繁重:～礼|繁文～节。

褥 rù 褥子:被～|～单。

【褥疮】rùchuāng 名由于局部组织长期受压迫,血液循环发生障碍而引起的皮肤、肌肉等的溃疡。长期卧床不能自己移动的病人,骶部和髋部都容易发生褥疮。

【褥单】rùdān (～儿)名蒙在褥子上的布。也叫褥单子。

【褥套】rùtào 名❶出门时装被褥等的布套,反面中间开口,两头各有一个兜儿,步行时搭在肩上,骑牲口时搭在牲口背上。❷做褥子用的棉花胎。

【褥子】rù·zi 名睡觉时垫在身体下面的东西,用棉花做成,也有用兽皮等制成的。

ruá (ㄖㄨㄚˊ)

挼 ruá 〈方〉形❶(纸、布等)皱;不平展:这张纸～了。❷(布)快要磨破:衬衫穿了几年,都～了。

另见1166页ruó。

ruán (ㄖㄨㄢˊ)

堧(壖) ruán 〈书〉城郭旁、宫殿庙宇外或河边的空地。

ruǎn (ㄖㄨㄢˇ)

阮 ruǎn 名❶阮咸(乐器)的简称:大～|中～。❷(Ruǎn)姓。

【阮咸】ruǎnxián 名弦乐器,形状略像月琴,柄长而直,有四根弦,现在也有三根弦的。相传因西晋阮咸善弹这种乐器而得名。简称阮。

软(軟、輭) ruǎn ❶形物体内部的组织疏松,受外力作用后,容易改变形状(跟"硬"相对):柔～|～木|柳条很～。❷形柔和:～风|语话说得很～。❸形软弱:两腿发～|欺～怕硬。❹形能力弱;质量差:功夫～|货色～。❺形容易被感动或动摇:心～|耳朵～。❻(Ruǎn)名姓。

【软包装】ruǎnbāozhuāng 名用塑料袋、铝箔等质地较软的包装材料做的密封包装:～饮料|～烧鸡。

【软磁盘】ruǎncípán 名以塑料膜片为基底的磁盘。不固定装在计算机内,存取方便。简称软盘。

【软刀子】ruǎndāo·zi 比喻使人在不知不觉中受到折磨或腐蚀的手段:～杀人。

【软缎】ruǎnduàn 名一种丝织品,质地柔软,光泽很强,多用来做刺绣用料和装饰品等。

【软腭】ruǎn'è 名腭的后部,是由结缔组织和肌肉构成的。(图见568页"人的喉")

【软耳朵】ruǎn'ěr·duo 名指没有主见容易听信别人的话的人。

【软风】ruǎnfēng 名❶微风;和风:～拂面。❷气象学上旧指1级风。参见407页〖风级〗。

【软膏】ruǎngāo 名用油脂或凡士林等和药物混合制成的半固体的外用药物,如硫黄软膏、青霉素软膏等。

【软骨】ruǎngǔ 图 人和脊椎动物体内的一种结缔组织。在胚胎时期，人的大部分骨骼是由软骨组成的。成年人的身体上只有少数部位还存在着软骨。

【软骨病】ruǎngǔbìng 图 ❶ 指发生在软骨部位的病，如软骨炎、软骨瘤等。❷〈口〉佝偻病。

【软骨头】ruǎngǔ·tou 图 比喻没有气节的人。

【软骨鱼】ruǎngǔyú 图 鱼的一大类，骨骼全由软骨构成，鳞片多为粒状，或全体无鳞，体内受精。多生活在海洋中。常见的有鲨鱼、鳐等。

【软广告】ruǎnguǎnggào 图 通过广播、影视节目、报刊等，用间接的形式（如情节、对话、道具、新闻报道）对某种商品所作的宣传。

【软化】ruǎnhuà 动 ❶（物体）由硬变软：骨质～。❷（态度、意志）由坚定变成动摇；由倔强变成顺从：态度逐渐～。❸ 使软化：～血管。❹ 指用化学方法减少或除去水中钙、镁等的离子，使符合生产用水的要求。

【软话】ruǎnhuà 图 温和的话，多指表示歉意、告饶或抚慰的话：你就说几句～让老太太消消气吧。

【软环境】ruǎnhuánjìng 图 指物质条件以外的环境，如政策、法规、管理、服务、人员素质等方面的状况：提高办事效率，改善投资～。

【软和】ruǎn·huo〈口〉形 柔软；柔和：～的羊毛｜～话儿｜木棉枕头很～。

【软件】ruǎnjiàn 图 ❶ 计算机系统的组成部分，是指挥计算机进行计算、判断、处理信息的程序系统。通常分为系统软件和应用软件两类。❷ 借指生产、科研、经营等过程中的人员素质、管理水平、服务质量等。

【软禁】ruǎnjìn 动 不关进牢狱但是不许自由行动。

【软科学】ruǎnkēxué 图 运用自然科学和社会科学，研究决策和管理的综合性科学，如科学学、管理学等。

【软绵绵】ruǎnmiánmián（～的）形 状态词。❶ 形容柔软：鞋底～的，穿起来特别舒服。❷ 形容软弱无力：病虽好了，身子还是～的。

【软磨】ruǎnmó 动 用和缓的手段纠缠：～硬抗。

【软磨硬泡】ruǎn mó yìng pào 指用各种手段纠缠不休。

【软木】ruǎnmù 图 栓皮。

【软盘】ruǎnpán 图 软磁盘的简称。

【软片】ruǎnpiàn 图 胶片（跟"硬片"相对）。

【软驱】ruǎnqū 图 软盘驱动器的简称。参看 224 页〖磁盘驱动器〗。

【软任务】ruǎnrènwù 图 指在时间、数量、质量等方面没有明确要求的任务。

【软弱】ruǎnruò 形 ❶ 缺乏力气：病后身体～。❷ 不坚强：～无能。

【软食】ruǎnshí 图 容易咀嚼和消化的食物。

【软水】ruǎnshuǐ 图 不含或只含少量钙、镁、铁、锰的可溶性盐类的水，如雨水。

【软梯】ruǎntī〈口〉图 绳梯。

【软体动物】ruǎntǐ-dòngwù 图 无脊椎动物的一门，体柔软，没有环节，两侧对称，足是肉质，多数具有钙质的硬壳，生活在水中或陆地上，包括腹足类、头足类、双壳类等。

【软通货】ruǎntōnghuò 图 国际金融市场上指币值不稳定，不能用作支付、结算手段的货币（区别于"硬通货"）。

【软卧】ruǎnwò 图 火车卧车上的软席铺位。

【软武器】ruǎnwǔqì 图 指用来破坏敌人无线电设备效能的电子干扰装备等。

【软席】ruǎnxí 图 火车上比较舒适的、软的座位或铺位。

【软线】ruǎnxiàn 图 花线①。

【软饮料】ruǎnyǐnliào 图 不含酒精的饮料，如汽水、橘子水等。

【软硬兼施】ruǎn yìng jiān shī 软的手段和硬的手段一齐并用（含贬义）。

【软玉】ruǎnyù 图 闪石（成分是一种硅酸盐）类矿物组成的集合体，质地坚韧，是名贵的玉石，有白玉、青玉、黄玉、碧玉和墨玉等。

【软枣】ruǎnzǎo 图 黑枣。

【软着陆】ruǎnzhuólù 动 ❶ 人造卫星、宇宙飞船等利用一定装置，改变运行轨道，逐渐减低降落速度，最后不受损坏地降到地面或其他星体表面上。❷ 比喻采取稳妥的措施使某些重大问题和缓地得到解决：扩大内需，实现经济的～。

【软资源】ruǎnzīyuán 图 指科学技术、信息等，它们在发展生产力中起着重要作用，又不同于矿产、水力等天然资源，所以叫软资源。

【软组织】ruǎnzǔzhī 图 医学上指肌肉、韧带等。

朊 ruǎn 图 蛋白质的旧称。

奭 ruǎn 〈书〉同"软"。

ruí （ㄖㄨㄟˊ）

绥（綏）ruí 〈书〉帽子上或旗杆顶上的缨子。

蕤 ruí 见 1413 页[葳蕤]。

ruǐ （ㄖㄨㄟˇ）

桵 ruǐ 古书上指一种植物。

蕊（蕋、蘂）ruǐ 花蕊：雄～|雌～。

橤（蘂、蕋）ruǐ 〈书〉形容下垂。

ruì （ㄖㄨㄟˋ）

芮 Ruì 图 姓。

汭 ruì 〈书〉河流汇合或弯曲的地方。

枘 ruì 〈书〉榫子：方～圆凿（形容格格不入）。

【枘凿】ruìzáo （旧读 ruìzuò）〈书〉图 见 1699 页[凿枘]。

蚋（蜹）ruì 图 昆虫，体长 2—5 毫米，黑色，头小，触角粗短，复眼明显、翅圆透明，吸食人畜的血液。幼虫头部方形，尾部稍膨大，生活在水中。

锐（銳）ruì ❶ 锐利（跟"钝"相对）：尖～◇敏～|～不可当。❷ 锐

气：养精蓄～。❸ 急剧：～进|～减。

【锐不可当】ruì bù kě dāng 形容来势凶猛，不可阻挡：～的攻势。

【锐减】ruìjiǎn 勔 急剧减少或下降：进入冬季，景点游客～。

【锐角】ruìjiǎo 图 大于 0°而小于直角(90°)的角。

【锐利】ruìlì 圐 ❶（刃锋等）尖而快：～的匕首。❷（目光、言论、文笔等）尖锐：眼光～|～的笔锋。

【锐敏】ruìmǐn 圐（感觉）灵敏；(眼光)尖锐。

【锐气】ruìqì 图 勇往直前的气势：挫其～。

【锐意】ruìyì 勖 意志坚决，勇往直前：～进取|～兴革，励精图治。

【锐增】ruìzēng 勔 急剧增加或上升：外汇储备～。

瑞 ruì ❶ 吉祥：祥～|～雪。❷（Ruì）图 姓。

【瑞签】ruìqiān 图 写着吉利话的纸条，多用红纸，在春节期间张贴。

【瑞雪】ruìxuě 图 应时的好雪：～兆丰年|华北各省普降～。

睿（叡）ruì 〈书〉看得深远：～智|～哲。

【睿智】ruìzhì 〈书〉圐 英明有远见：～过人。

rún （ㄖㄨㄣˊ）

瞤（瞤）rún 〈书〉❶ 眼皮跳动。❷ 肌肉抽缩跳动。

rùn （ㄖㄨㄣˋ）

闰（閏）rùn ❶ 勔 一回归年的时间为 365 天 5 时 48 分 46 秒。阳历把一年定为 365 天，所余的时间约每四年积累成一天，加在二月里；农历把一年定为 354 天或 355 天，所余的时间约每三年积累成一个月，加在一年里。这样的办法，在历法上叫做闰：～年|今年～五月。❷（Rùn）图 姓。

【闰年】rùnnián 图 阳历有闰日的一年叫闰年，这年有 366 天。农历有闰月的一年

也叫闰年,这年有 13 个月,即 383 天或384 天。

【闰日】rùnrì 名 阳历四年一闰,在二月末加一天,这一天叫做闰日。

【闰月】rùnyuè 名 农历三年一闰,五年两闰,十九年七闰,每逢闰年所加的一个月叫闰月。闰月加在某月之后就称闰某月。

润(潤) rùn ❶ 形 细腻光滑;滋润:光～|～泽|墨色很～|珠圆玉～。❷ 动 加油或水,使不干燥:浸～|～肠|～肤|～～嗓子。❸ 使有光彩(指修改文章):～色|～饰。❹ 利益;好处:分～|利～。

【润笔】rùnbǐ 名 指给做诗文书画的人的报酬。

【润格】rùngé 名 指为人做诗文书画所定的报酬标准。

【润滑】rùnhuá ❶ 形 细腻光滑:肌肤～。❷ 动 加油脂等以减少物体之间的摩擦,使物体便于运动。

【润滑油】rùnhuáyóu 名 涂在机器轴承等摩擦部分的油质,作用是润滑、冷却和密封等,一般是分馏石油的产物,也有从动植物油中提炼的。

【润例】rùnlì 名 润格。

【润色】rùnsè 动 修饰文字:这篇译稿太粗糙,你把它～一下。

【润饰】rùnshì 动 润色:～文稿。

【润泽】rùnzé ❶ 形 滋润;不干枯:～如玉|雨后荷花显得更加～可爱了。❷ 动 使滋润:用油～轮轴。

【润资】rùnzī 名 润笔。

R

ruó (ㄖㄨㄛˊ)

挼 ruó 〈书〉揉搓:～搓(摩搓;搓)。另见 1163 页 ruá。

【挼搓】ruó·cuo 动 揉搓:别把鲜花～坏了。

ruò (ㄖㄨㄛˋ)

若1 ruò ❶ 如;好像:安之～素|欣喜～狂|～隐～现|旁～无人|～无其事。
❷ (Ruò) 名 姓。

若2 ruò 连 如果:人不犯我,我不犯人;人～犯我,我必犯人。

若3 ruò 〈书〉代 人称代词。你:～辈。另见 1141 页 rě。

【若虫】ruòchóng 名 蝗虫、椿象等不完全变态的昆虫,在卵孵化之后,翅膀还没有长成期间,外形跟成虫相似,但较小,生殖器官发育不全,这个阶段的昆虫叫做若虫,例如蝗蝻就是蝗虫的若虫。

【若非】ruòfēi 〈书〉连 要不是:～亲身经历,岂知其中甘苦。

【若夫】ruòfú 〈书〉助 用在句子的开头。a)表示发端。b)表示意思转向另一方面。

【若干】ruògān 代 疑问代词。多少(问数量或指不定量):价值～?|关于发展教育的～问题。

【若何】ruòhé 〈书〉代 疑问代词。如何:结果～,还不得而知。

【若即若离】ruò jí ruò lí 好像接近,又好像不接近。

【若明若暗】ruò míng ruò àn 比喻对问题或情况有所认识却不很清楚,也指对某事态度不明朗。

【若是】ruòshì 连 如果;如果是:他～不来,咱们就找他去。

【若无其事】ruò wú qí shì 好像没有那么回事似的,形容不动声色或漠不关心。

【若隐若现】ruò yǐn ruò xiàn 形容隐隐约约:远望白云缭绕,峰峦～。

【若有所失】ruò yǒu suǒ shī 感觉好像丢掉了什么,形容心情怅惘。

都 Ruò 春秋时楚国的都城,在今湖北宜城东南。

偌 ruò 代 指示代词。这么;那么(多见于早期白话)。

【偌大】ruòdà 形 这么大;那么大:～年纪|～的京城。

弱 ruò ❶ 形 力气小;势力差(跟"强"相对):软～|衰～|他年纪虽老,干活并不～。❷ 年幼:老～。❸ 形 差;不如:他的本领不～于那些人。❹ 〈书〉丧失(指人死):又～一个。❺ 形 用在分数或小数后面,表示略少于此数(跟"强"相对):三分之二～。

【弱不禁风】ruò bù jīn fēng 形容身体虚弱,连风吹都禁不住。

【弱点】ruòdiǎn 名 不足的地方;力量薄弱

的方面：他的～是爱听奉承话|相持能力差是这个乒乓球运动员的～。

【弱冠】ruòguàn 〈书〉名 古代男子二十岁行冠礼，表示已经成人。因为还没达到壮年，叫做弱冠，后来泛指男子二十岁左右的年纪：年方～。

【弱化】ruòhuà 动 变弱；使变弱：由于老队员退役，球队后卫线优势在～|作品有意～生活的阴暗面，力图展现乐观的未来。

【弱碱】ruòjiǎn 名 碱性反应微弱的碱，在水溶液中只能产生少量的氢氧根离子，如氢氧化铵。

【弱旅】ruòlǚ 名 实力较弱的队伍：上届冠军被～逼平。

【弱能】ruònéng 形 属性词。身体的某种器官功能低下的：～儿童。

【弱肉强食】ruò ròu qiáng shí 指动物中弱者被强者吃掉，借指弱者被强者欺凌、吞并。

【弱势】ruòshì 名 ❶ 变弱的趋势：股票市场渐显。❷ 弱小的势力：处于～|未成年人是社会的～群体，应该得到更多的保护。

【弱视】ruòshì 形 眼球无器质性病变而视觉减弱。

【弱酸】ruòsuān 名 酸性反应弱的酸，在水溶液中只能产生少量的氢离子，如乙酸、碳酸等。

【弱项】ruòxiàng 名 实力弱的项目（多指体育比赛项目）。

【弱小】ruòxiǎo 形 又弱又小：实力～|～国家|～的婴儿。

【弱智】ruòzhì 形 指智力发育低于正常水平：～儿童。

婼 ruò 婼羌（Ruòqiāng），地名，在新疆。今作若羌。
另见 220 页 chuò。

蒻 ruò 古书上指嫩的香蒲。

箬（篛） ruò ❶ 箬竹。❷ 箬竹的叶子。

【箬帽】ruòmào 名 箬竹的篾或叶子制成的帽子，用来遮雨和遮阳光：蓑衣～。

【箬竹】ruòzhú 名 竹的一种，叶子宽而大，秋季叶子的边缘变白色，叶可以编制器物或竹笠，还可以包粽子。

爇（焫） ruò 〈书〉点燃；焚烧：～烛。

S

S

sā（ㄙㄚ）

仨 sā 〈口〉数量词。三个：～人｜哥儿～｜～瓜俩枣（比喻一星半点的小事、小东西）。**注意**"仨"后面不再接"个"字或其他量词。

挲（挱） sā 见 905 页【摩挲】（mā·sā）。
另见 1183 页 shā；1309 页 suō。

撒 sā 动❶放开；张开：～手｜～网｜一～线，风筝就上去了。❷ 尽量使出来或施展出来（贬义）：～赖｜～酒疯。
另见 1168 页 sǎ。

【撒村】sā//cūn 〈方〉动 说粗鲁下流的话：～骂街。

【撒旦】sādàn 名 犹太教、基督教用语，指魔鬼。[希伯来 śāṭan]

【撒刁】sā//diāo 动 狡猾要赖：别～，没人吃你那一套。

【撒谎】sā//huǎng 〈口〉动 说谎。

【撒欢儿】sā//huānr 〈方〉动 因兴奋而连跑带跳（多指动物）。

【撒娇】sā//jiāo 动 仗着受人宠爱故意作态：～使性｜小女孩儿爱～。

【撒酒疯】sā jiǔfēng （～儿）喝酒过量后，借着酒劲任性胡闹。也说发酒疯。

【撒拉族】Sālāzú 名 我国少数民族之一，主要分布在青海和甘肃。

【撒赖】sā//lài 动 蛮横胡闹；耍无赖：她又是哭，又是闹，躺在地上～。

【撒尿】sā//niào 〈口〉动 排泄尿。

【撒泼】sā//pō 动 大哭大闹，不讲道理：～放刁｜～打滚。

【撒气】sā//qì 动❶（球、车胎等）空气放出或漏出。❷ 拿旁人或借其他事物发泄怒气：你心里不痛快，也不能拿孩子～。

【撒手】sā//shǒu 动 放开手；松手：～不管｜你拿稳，我～了◇～人世（指死亡）。

【撒手锏】sāshǒujiǎn 名 旧小说中指厮杀时出其不意地用铜投掷敌手的招数，比喻最关键的时刻使出的最拿手的本领。也说杀手锏。

【撒腿】sā//tuǐ 动 放开脚步（跑）：他听说哥哥回来了，～就往家里跑。

【撒野】sā//yě 动（对人）粗野、放肆；任意妄为，不讲情理。

【撒吆挣】sā yì·zheng 〈口〉熟睡时说话或动作。

sǎ（ㄙㄚˇ）

洒（灑） sǎ ❶ 动 使（水或其他东西）分散地落下：扫地的时候先洒些水。❷ 动 分散地落下：把～在地上的粮食捡起来。❸（Sǎ）名 姓。
〈古〉又同"洗" xǐ。

【洒狗血】sǎ gǒuxiě （戏曲演员）脱离情节而卖弄滑稽、武艺或做其他过火的表演。

【洒家】sǎjiā 代 人称代词。我（早期白话中用于男性自称）。

【洒泪】sǎlèi 动 掉泪；落泪：～而别。

【洒落】[1] sǎluò 动 分散地落下：一串串汗珠～在地上。

【洒落】[2] sǎluò 〈书〉形 潇洒；洒脱：谈笑～｜风姿～。

【洒洒】sǎsǎ 形 形容众多（多指文辞）：洋洋～｜～万言。

【洒扫】sǎsǎo 〈书〉动 洒水扫地：～庭除。

【洒脱】sǎtuō 形（言谈、举止、风格）自然，不拘束。

靸 sǎ 〈方〉动 把鞋后帮踩在脚后跟下穿（拖鞋）：别～着鞋往外面跑。

【靸鞋】sǎxié 名 鞋帮纳得很密，前脸较深，上面缝着皮梁或三角形皮子的布鞋。

撒 sǎ ❶ 动 把颗粒状的东西分散着扔出去；散布（东西）：～种｜年糕上～了一层白糖。❷ 动 散落；洒：把碗端平，别～了汤。❸（Sǎ）名 姓。
另见 1168 页 sā。

【撒播】sǎbō 动 把作物的种子均匀地撒在田地里，必要时进行覆土。

澈 **Sǎ** 澈河,水名,在河北。

sà (ㄙㄚˋ)

卅 sà 〔数〕三十:五~运动。

挱(挱) sà 〔书〕侧手击。
另见1182页 shā。

飒(颯) sà 见下。

【飒然】sàrán 〔书〕〔形〕形容风声:有风~而至。

【飒飒】sàsà 〔拟声〕形容风、雨声:秋风~|白杨树迎风~地响。

【飒爽】sàshuǎng 〔书〕〔形〕豪迈而矫健:~英姿。

脎 sà 〔名〕有机化合物的一类,是含有相邻的两个羰基的化合物和两个分子苯肼缩水而成的衍生物。[英 osazone]

萨(薩) Sà 〔名〕姓。

【萨噶达娃节】Sàgádáwá Jié 〔名〕藏族地区纪念释迦牟尼诞生的节日,在藏历三月三十日至四月十五日之间。

【萨克斯管】sàkèsīguǎn 〔名〕管乐器,有音键和嘴子,用于管弦乐队中,也可以用作独奏乐器。为比利时人萨克斯(Adolphe Sax)所创造。

【萨满教】Sàmǎnjiào 〔名〕一种原始宗教,流行于亚洲、欧洲的北部等地区。萨满是跳神作法的巫师。[萨满·满]

【萨其马】sàqímǎ 〔名〕一种糕点,把油炸的短面条用糖等黏合起来,切成方块儿。[满]

sāi (ㄙㄞ)

思 sāi 见1658页〖于思〗。
另见1290页 sī。

摋(攃) sāi 同"塞"(sāi)①。

毢 sāi 见1029页〖毰毢〗。

腮(顋) sāi 〔名〕两颊的下半部:双手托~。

【腮帮子】sāibāng·zi 〔口〕〔名〕腮。

【腮颊】sāijiá 〔名〕腮。

【腮腺】sāixiàn 〔名〕两耳下部的唾液腺,是唾液腺中最大的一对,所分泌的唾液含大量消化酶。参看1394页〖唾液腺〗。(图见1493页"人的消化系统")

塞 sāi ❶〔动〕把东西放进有空隙的地方;填入:箱子里还可~几件衣服|把窟窿~住。❷(~儿)〔名〕塞子:软木~|瓶~。
另见1169页 sài;1179页 sè。

【塞车】sāi∥chē 〔方〕〔动〕堵车。

【塞子】sāi·zi 〔名〕塞住容器口使内外隔绝的东西:瓶~。

噻 sāi 见下。

【噻吩】sāifēn 〔名〕有机化合物,化学式 C_4H_4S。无色液体,有特殊气味,溶于乙醇和乙醚,不溶于水。是制造染料、药物等的原料。[英 thiophene]

【噻唑】sāizuò 〔名〕有机化合物,化学式 C_3H_3NS。无色或淡黄色液体,容易挥发。用于合成药物、染料等。[英 thiazole]

鳃(鰓) sāi 〔名〕某些水生动物的呼吸器官,多为羽毛状、板状或丝状,用来吸取溶解在水中的氧。

sài (ㄙㄞˋ)

塞 sài 可做屏障的险要地方:边~|要~。
另见1169页 sāi;1179页 sè。

【塞北】Sàiběi 〔名〕塞外:~江南。

【塞外】Sàiwài 〔名〕指长城以北的地区:~风光。

【塞翁失马】sài wēng shī mǎ 边塞上一个老头儿丢了一匹马,别人来安慰他,他说:"怎么知道这不是福呢?"后来这匹马竟带着一匹好马回来了(见于《淮南子·人间训》)。比喻坏事在一定条件下可以变为好事。

赛[1](賽) sài ❶〔动〕比赛:~跑|~诗会|足球~。❷〔动〕胜;比得上:这些姑娘干活~过小伙子。❸(Sài)〔名〕姓。

赛[2](賽) sài 旧时祭祀酬报神恩(迷信):祭~|~神。

【赛场】 sàichǎng 图 比赛的场所。

【赛车】 sàichē ❶ (～儿) 动 比赛自行车、摩托车、汽车等。❷ 图 专供比赛用的自行车、汽车等。也叫跑车。❸ 图 泛指专供比赛用的车。

【赛程】 sàichéng 图 ❶ 体育比赛途经的路程或距离：自行车公路赛～为 70 公里。❷ 比赛的程序或日程：～过半 | ～因故将重新排定。

【赛点】 sàidiǎn 图 网球、乒乓球、羽毛球等球类比赛一场进行到最后阶段，一方再得一分即可获胜，这时称为比赛的赛点。

【赛会】 sàihuì 图 旧时的一种民俗活动，用仪仗和吹打演唱迎神像出庙，巡游于街巷或村庄间。

【赛季】 sàijì 图 某些体育项目每年或跨年度集中比赛的一段时间：全国足球联赛本～已进行了五轮比赛。

【赛绩】 sàijì 图 比赛取得的成绩：～卓著 | 上佳的～。

【赛况】 sàikuàng 图 比赛的情况：中央电视台将现场直播这场决赛的～。

【赛璐玢】 sàilùfēn 图 玻璃纸的旧称。[英 cellophane]

【赛璐珞】 sàilùluò 图 塑料的一种，透明，坚韧，容易燃烧，可以染成各种颜色。用来制造玩具、文具等。[英 celluloid]

【赛马】 sàimǎ ❶ (～儿) 动 运动项目的一种，比赛骑马速度。❷ 图 比赛用的马。

【赛跑】 sàipǎo 动 比赛跑步速度的运动，有短距离、中距离、长距离和超长距离赛跑。另外还有跨栏、接力、障碍和越野赛跑等。

【赛期】 sàiqī 图 比赛的日期，多指大型体育比赛从开始到结束的这段时间：～延长一天。

【赛区】 sàiqū 图 举行综合性的或大型的比赛划分的比赛地区。

【赛事】 sàishì 图 比赛活动：～频繁。

【赛艇】 sàitǐng 图 ❶ 体育运动项目之一。在比赛航道内用人力划桨使艇前进。分为单人、双人、四人和八人。❷ 赛艇运动用的小艇，形状像梭子，多用玻璃钢制成。

【赛项】 sàixiàng 图 比赛项目。

【赛制】 sàizhì 图 关于比赛的规则和具体安排，如循环赛制、主客场赛制等。

sān（ㄙㄢ）

三 sān ❶ 数 二加一后所得的数目。参看 1271 页〖数字〗。❷ 表示多数或多次：～思 | ～缄其口。❸ (Sān) 图 姓。

【三八妇女节】 Sān-Bā Fùnǚ Jié 国际妇女斗争的纪念日。1909 年 3 月 8 日，美国芝加哥女工因要求男女权利而举行示威，次年 8 月在丹麦哥本哈根召开的国际第二次社会主义者妇女大会上决定，为了促进国际劳动妇女的团结和解放，以每年 3 月 8 日为妇女节。也叫国际妇女节。

【三百六十行】 sānbǎi liùshí háng 泛指各种行业：～，行行出状元。

【三班倒】 sānbāndǎo 动 生产或其他工作上指早、中、夜三个班次轮流倒换(每班工作八小时)。

【三包】 sānbāo 图 ❶ 包修、包换、包退的合称，是厂家或商店对商品实行的售后服务内容。❷ 单位对门前包绿化、包清洁、包秩序的合称。

【三宝】 sānbǎo 图 佛教指佛、法、僧。佛指创教者释迦牟尼和一切修行圆满的人，法指佛教教义，僧指继承或宣扬教义的出家人。

【三北】 Sān Běi 图 指我国东北、西北、华北：～防护林体系，被称为北方"绿色万里长城"。

【三不管】 sānbùguǎn 指没人管的(事情或地区)：～地区。

【三不知】 sānbùzhī 原指对事情的开头、中间和结尾一无所知，后泛指什么都不知道：一问～。

【三叉神经】 sānchā-shénjīng 第五对脑神经，主要管头部、面部的感觉和咀嚼肌的运动。

【三岔路口】 sān chà lùkǒu 不同去向的三条路交叉的地方。

【三产】 sānchǎn 图 第三产业的简称。

【三长两短】 sān cháng liǎng duǎn 指意外的灾祸、事故，特指人的死亡。

【三春】 sānchūn 〈书〉图 指春季的三个月。也指春季的第三个月，即农历三月。

【三春柳】 sānchūnliǔ 图 柽柳。

【三从四德】 sāncóng sìdé 封建礼教束缚、压迫妇女的道德标准之一。三从是

"未嫁从父,既嫁从夫,夫死从子"。四德是"妇德、妇言、妇容、妇功"(妇女的品德、辞令、仪态、女工)。

【三寸不烂之舌】sān cùn bù làn zhī shé 指能言善辩的口才。也说三寸舌。

【三大差别】sān dà chābié 指社会主义国家中存在的工农之间、城乡之间、脑力劳动和体力劳动之间的差别。

【三代】Sān Dài 图 夏、商、周三个朝代的合称。

【三点式】sāndiǎnshì 图 见 69 页〖比基尼〗。

【三冬】sāndōng 〈书〉图 指冬季的三个月。也指冬季的第三个月,即农历十二月。

【三段论】sānduànlùn 图 形式逻辑间接推理的基本形式之一,由大前提和小前提推出结论。如"凡金属都能导电"(大前提),"铜是金属"(小前提),"所以铜能导电"(结论)。也叫三段论法或三段论式。

【三番五次】sān fān wǔ cì 屡次。

【三废】sānfèi 图 在工业生产中所产生的废气、废水、废渣的合称。

【三伏】sānfú 图 ❶ 初伏、中伏、末伏的合称。夏至后第三个庚日是初伏第一天,第四个庚日是中伏第一天,立秋后第一个庚日是末伏第一天,初伏、末伏各十天,中伏十天或二十天。通常也指从初伏第一天到末伏第十天的一段时间。三伏天一般是一年中天气最热的时期。❷ 特指末伏。

【三副】sānfù 图 轮船上船员的职务名称,职位次于二副。参看 250 页〖大副〗。

【三纲五常】sāngāng wǔcháng 封建礼教所提倡的人与人之间的道德标准。三纲指父为子纲,君为臣纲,夫为妻纲。五常传说不一,通常指仁、义、礼、智、信。

【三个臭皮匠,赛过诸葛亮】sān gè chòupíjiàng,sài guò Zhūgě Liàng 比喻人多智慧多,有事情大家商量,就能想出好办法来。

【三个代表】sān gè dàibiǎo 指中国共产党要始终代表中国先进生产力的发展要求,代表中国先进文化的前进方向,代表中国最广大人民的根本利益。"三个代表"重要思想是对马克思列宁主义、毛泽东思想和邓小平理论的继承和发展,是中国共产党集体智慧的结晶和要长期坚持的指导思想。

【三更半夜】sāngēng bànyè 见 38 页〖半夜三更〗。

【三姑六婆】sāngū liùpó 三姑指尼姑、道姑、卦姑(占卦的),六婆指牙婆(以介绍人口买卖为业从中取利的妇女)、媒婆、师婆(女巫)、虔婆(鸨母)、药婆(给人治病的妇女)、稳婆(以接生为业的妇女)(见于元代陶宗仪《辍耕录》卷十)。旧社会里三姑六婆往往借着这类身份干坏事,因此通常用"三姑六婆"比喻不务正业的妇女。

【三顾茅庐】sān gù máolú 东汉末年,刘备请隐居在隆中(今湖北襄阳附近)草舍的诸葛亮出来运筹划策,去了三次才见到。后用来指诚心诚意一再邀请。

【三国】Sān Guó 图 魏、蜀、吴三国并立的时期(魏,公元 220—265;蜀,公元 221—263;吴,公元 222—280)。参看 1425 页"魏"、1267 页"蜀"、1442 页"吴"。

【三合板】sānhébǎn 图 用三层薄木胶合而成的板材,是最常见的一种胶合板。

【三合房】sānhéfáng 图 三合院。

【三合土】sānhétǔ 图 石灰、砂和碎砖加水拌和后,经浇灌夯实而成的建筑材料,干燥后坚硬,可用来打地基或修筑道路。也有用石灰、黏土和砂加水拌和而成的。

【三合院】sānhéyuàn (～儿)图 一种旧式房子,三面是屋子,前面是墙,中间是院子。也叫三合房。

【三花脸】sānhuāliǎn (～儿)图 戏曲角色行当中的丑。

【三皇五帝】Sān Huáng Wǔ Dì 指古代传说中的帝王,说法不一,通常称伏羲、燧人、神农为三皇。或者称天皇、地皇、人皇为三皇。五帝通常指黄帝、颛顼(Zhuānxū)、帝喾(Dìkù)、唐尧、虞舜。

【三级跳远】sānjí tiàoyuǎn 田径运动项目之一,运动员经过快速助跑后连续跳三步。第一步用起跳的脚落地。第二步用另一只脚落地,第三步两脚落地。

【三缄其口】sān jiān qí kǒu 形容说话十分谨慎,不肯或不敢开口(语出《说苑·敬慎》)。

【三键】sānjiàn 图 化合物分子中两个原子以共用三对电子形成的共价键。通常用三条短线(≡)表示。

【三焦】sānjiāo 图 中医指自舌的下部沿胸腔至腹腔的部分。参看 1195 页〖上焦〗、1763 页〖中焦〗、1468 页〖下焦〗。

S

【三角】sānjiǎo ❶ 名 三角学。❷ 名 形状像三角形的东西:糖~(食品)|~铁|~洲。❸ 形 属性词。涉及三方关系的:~债|~恋爱。

【三角板】sānjiǎobǎn 名 绘图用具,是用木头或塑料等制成的三角形薄片。其中一角为直角,其他两角或各为 45°,或一角为 60°,另一角为 30°。也叫三角尺。

【三角尺】sānjiǎochǐ 名 三角板。

【三角函数】sānjiǎo hánshù 在直角三角形中,各边长度两两之间的比值是锐角的函数。每个锐角有六个三角函数,记做正弦(sin)、余弦(cos)、正切(tan,或 tg)、余切(cot,或 ctg)、正割(sec)、余割(csc)。例如锐角 ∠A 的三角函数:

$$\sin A = \frac{a}{c}, \cos A$$
$$= \frac{b}{c}, \tan A = \frac{a}{b},$$
$$\cot A = \frac{b}{a}, \sec A$$
$$= \frac{c}{b}, \csc A = \frac{c}{a},$$

三角函数(一)

见图(一)。三角函数的概念可推广到任意角。对于任意角 α,以角的顶点为原点,角的始边 X 轴正方向,建立平面直角坐标系 XOY,设 $P(x, y)$ 为角 α 终边上任意一点,P 点到原点距离为 $r = \sqrt{x^2 + y^2}$ >0。则 $\sin\alpha = \frac{y}{r}, \cos\alpha = \frac{x}{r}, \tan\alpha = \frac{y}{x}, \cot\alpha = \frac{x}{y}, \sec\alpha = \frac{r}{x}, \csc\alpha = \frac{r}{y}$,见图(二)。

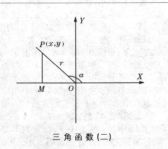

三角函数(二)

【三角恋爱】sānjiǎo liàn'ài 指两个男子和一个女子或两个女子和一个男子之间的恋爱。

【三角铁】sānjiǎotiě 名 ❶〈口〉角钢的俗称。❷ 打击乐器,用于管弦乐队,是一根弯成三角形的细金属条,用金属槌敲打发音。

【三角形】sānjiǎoxíng 名 平面上三条直线或球面上三条弧线所围成的图形。三条直线所围成的图形叫平面三角形;三条弧线所围成的图形叫球面三角形。

【三角学】sānjiǎoxué 名 数学的一个分支,主要研究三角函数和它的性质,以及三角函数在几何学上的应用。

【三角债】sānjiǎozhài 名 一方是另一方的债务人或债权人,同时又是第三方的债权人或债务人,这三方之间的债务,叫三角债。

【三角洲】sānjiǎozhōu 名 河口地区的冲积平原,大致成三角形,如我国的长江三角洲。

【三脚架】sānjiǎojià 名 安放照相机、测量仪器等用的有三个支柱的架子。

【三教九流】sānjiào jiǔliú 三教指儒教、佛教、道教;九流指儒家、道家、阴阳家、法家、名家、墨家、纵横家、杂家、农家。泛指宗教、学术中各种流派或社会上各种行业。也用来泛称江湖上各种各样的人。也说九流三教。

【三节】sānjié 名 端午、中秋、春节合称三节。

【三九】sānjiǔ 名 冬至后第十九天至第二十七天的一段时间,一般是一年中天气最冷的时期:~天气|~严寒。

【三军】sān-jūn 名 ❶ 指陆军、海军、空军。❷ 对军队的统称。

【三K党】Sān K dǎng 名 美国的一个反动恐怖组织。提倡种族歧视,迫害黑人和一切进步人士,并从事其他破坏活动。[英 K. K. K.(三 K)是 Ku Klux Klan 的缩写]

【三联单】sānliándān 名 一式三份合印一页的空白单据,在骑缝处编号盖章。三联单填写后,其中一联由本单位存查,其余两联分送有关方面。

【三令五申】sān lìng wǔ shēn 再三地命令和告诫。

【三六九等】sān liù jiǔ děng 泛指许多等

级,种种差别。

【三轮车】sānlúnchē 图 安装三个轮的脚踏车,装置车厢或平板,用来载人或装货。也叫三轮儿。

【三昧】sānmèi 图 佛教用语,意思是使心神平静,杂念止息,是佛教的重要修行方法之一。借指事物的诀窍:深得其中~。〔梵 samādhi〕

【三民主义】sānmín zhǔyì 孙中山在他所领导的中国资产阶级民主革命中提出的政治纲领,即民族主义、民权主义和民生主义。在十月革命的影响和中国共产党的帮助下,孙中山制定了联俄、联共、扶助农工三大政策,并于1924年重新解释了三民主义。民族主义是反对帝国主义、主张国内各民族一律平等;民权主义是建立为一般平民所共有、非少数人所得而私的民主政治;民生主义是平均地权,节制资本。

【三明治】sānmíngzhì 图 夹有肉、干酪等的面包。〔英 sandwich〕

【三拇指】sān·muzhǐ 〈口〉图 中指。

【三农】sānnóng 图 指农业、农村、农民:解决好~问题,仍然是全部工作的重中之重。

【三七】sānqī 图 多年生草本植物,根茎质,圆锥形,掌状复叶,花淡黄绿色,果实扁球形,红色。块根可入药。也叫田七。

【三亲六故】sān qīn liù gù 泛指亲戚和故旧。

【三秋】sānqiū 图 ❶ 秋收、秋耕和秋播的合称。❷〈书〉指秋季的三个月。也指秋季的第三个月,即农历九月。❸〈书〉指三个秋天;三年:一日不见,如隔~。

【三三两两】sānsānliǎngliǎng 三个一群两个一伙(多指人);傍晚,人们~地在河边散步。

【三色堇】sānsèjǐn 图 ❶ 一、二年生或多年生草本植物,有分枝,叶子长椭圆形,花大,每朵有黄、白、紫三色,供观赏。❷ 这种植物的花。

【三生有幸】sān shēng yǒu xìng 客套话,表示难得的好运气(佛教称前生、今生和来生为三生)。

【三牲】sānshēng 图 指用于祭祀的牛、羊、猪。

【三思】sānsī 勔 反复考虑:事关重大,请你~|~而后行。

【三天打鱼,两天晒网】sān tiān dǎ yú, liǎng tiān shài wǎng 比喻学习或做事缺乏恒心,时常中断,不能坚持。

【三天两头儿】sān tiān liǎng tóur 〈口〉指隔一天,或几乎每天:他~地来找你干什么?

【三通】sāntōng 勔 指我国大陆与台湾地区之间实行通商、通邮和通航。

【三头对案】sān tóu duì àn 指与事情有关的双方及中间人(或见证人)在一起对质,弄清真相。

【三头六臂】sān tóu liù bì 比喻了不起的本领:离开群众,你就是有~也不顶用。

【三围】sānwéi 图 指人的胸围、腰围和臀围。

【三维动画】sānwéi dònghuà 利用计算机技术生成的、模拟三维空间中场景和实物的动画。

【三维空间】sānwéi kōngjiān 点的位置由三个坐标决定的空间。客观存在的现实空间就是三维空间,具有长、宽、高三种度量。

【三位一体】sān wèi yī tǐ 基督教称耶和华为圣父,耶稣为圣子,圣父、圣子共有的神的性质为圣灵。虽然父子有别,而其神一般来说可以叫三位一体。一般用来比喻三个人、三件事或三个方面联成的一个整体。

【三…五…】sān…wǔ… ❶ 表示次数多:~番~次|~令~申。❷ 表示不太大的大概数量:~年~载(几年)。

【三下五除二】sān xià wǔ chú èr 珠算口诀之一,常用来形容做事及动作敏捷利索。·

【三夏】sānxià 图 ❶ 夏收、夏种和夏管的合称。❷〈书〉指夏季的三个月。也指夏季的第三个月,即农历六月。

【三弦】sānxián (~儿)图 弦乐器,木筒两面蒙蟒皮,上端有长柄,有三根弦。分大三弦和小三弦两种,大三弦又叫大鼓三弦,用作大鼓书的伴奏乐器;小三弦又叫曲弦,用作昆曲、弹词等的伴奏乐器。通称弦子。

【三线】sānxiàn 图 我国国防上指后方,是支援前线的战略基地。

【三心二意】sān xīn èr yì 形容犹豫不决、意志不坚定或用心不专一:既然决定了,就不能~。

【三星】sānxīng 名❶ 猎户座中央三颗明亮的星,冬季天将黑时从东方升起,天将明时在西方落下,常根据它的位置估计时间。❷ 民间称福、禄、寿三神为三星。

【三星堆遗址】Sānxīngduī yízhǐ 夏商时代我国巴蜀地区的古代文化遗存。距今4 800—4 000年,因最早发现于四川广汉县真武村三星堆而得名。发现经系统规划的古城,大量金、铜、玉、象牙等珍贵文物。

【三言两语】sān yán liǎng yǔ 指很少的几句话:这个问题很复杂,不是～说得清楚的。

【三叶虫】sānyèchóng 名 古节肢动物,有壳质背甲,体分头、胸、尾三部分,生活在海洋中,种类很多。繁盛于寒武纪至奥陶纪,在二叠纪末灭绝。

【三一三十一】sān yī sānshí yī 珠算口诀之一,常用来指按三份平均分配:所付的费用,咱们～分摊。

【三元】sānyuán 名❶ 旧俗以农历正月十五日为上元,七月十五日为中元,十月十五日为下元,合称三元。❷ 农历正月初一,为年月日三者之始,旧时称为三元。❸ 科举时代乡试、会试、殿试的第一名(解元、会元、状元):连中～。

【三灾八难】sān zāi bā nàn 佛教指水灾、火灾、风灾为大三灾;刀兵、饥馑、疫疠为小三灾。八难指影响见佛求道的八种障碍,如作恶多端、安逸享受、盲聋残疾、自恃聪明才智等。后泛指各种灾难、疾病。

【三藏】Sān Zàng 名 佛教经典分为经、律、论三个部分,总称三藏。经,总说根本教义;律,述说戒律;论,阐发教义。

【三只手】sānzhīshǒu 名 指从别人身上偷东西的小偷;扒(pá)手。

【三资企业】sānzī qǐyè 依法在我国境内建立的中外合资经营企业、中外合作经营企业、外商独资经营企业的合称。

【三足鼎立】sān zú dǐng lì 像鼎的三条腿那样站立着,比喻三方面的势力对峙。

【三座大山】sān zuò dà shān 比喻我国新民主主义革命时期的三大敌人,即帝国主义、封建主义和官僚资本主义。

弎 sān 同"三"。

叁 sān 数 "三"的大写。参看1271页【数字】。

毵(毿) sān [毵毵](sānsān)〈书〉形 毛发、枝条等细长的样子:～下垂|柳枝～。

sǎn (ㄙㄢˇ)

伞(傘、❶繖) sǎn ❶ 名 挡雨或遮太阳的用具,用油纸、布、塑料等制成,中间有柄,可以张合:一把～|旱～|雨～。❷ 形状像伞的东西:降落～|灯～。❸ (Sǎn)名 姓。

【伞兵】sǎnbīng 名 用降落伞着陆的空降兵。

散 sǎn ❶ 动 没有约束;松开;分散:～漫|松～|行李没打好,都一了|队伍别走一了。❷ 零碎的;不集中的:～装|～居。❸ 药末(多用于中药名):健胃～|丸～膏丹。❹ (Sǎn)名 姓。
另见1175页 sàn。

【散兵游勇】sǎnbīng yóuyǒng 指失去统属的士兵。现也比喻没有加入到某项集体活动中而独自行动的人。

【散打】sǎndǎ 名 体育运动项目之一。双方按照规则,利用踢、打、摔等攻防战术进行徒手搏击、对抗。

【散工】sǎngōng 名 零工;短工。
另见1175页 sàn∥gōng。

【散光】sǎnguāng 形 视力缺陷的一种,有散光眼的人看东西模糊不清,由角膜或晶状体表面的弯曲不规则,使进入眼球中的影像分散成许多部分引起。

【散户】sǎnhù 名❶ 指零散的住户、客户等。❷ 证券市场上指分散的个人投资者。

【散记】sǎnjì 名 关于某一事物或活动的零碎记述(多用于书名或文章标题):《旅美～》。

【散剂】sǎnjì 名 干燥而疏松的粉末状或颗粒状制剂,分内服和外用两种。也叫粉剂。

【散架】sǎn∥jià 动 完整的东西散开,比喻散(sàn)伙或垮台:木盆～了|浑身酸疼,骨头像散了架似的|这个小组要不是你们几个撑着,早就～了。

【散件】sǎnjiàn 名 没有组装的元器件(跟"整机"相对):电脑～。

【散居】sǎnjū 劻 分散居住：一家人～各地。

【散漫】sǎnmàn 囮 ❶ 随随便便，不守纪律；自由～。❷ 分散；不集中：文章～乱，层次不清。

【散曲】sǎnqǔ 名 盛行于元、明、清三代的没有宾白的曲子形式，内容以抒情为主，有小令和散套两种。

【散射】sǎnshè 劻 ❶ 光线通过有尘埃的空气等介质时，部分光线向多方面改变方向。超短波发射到电离层时也发生散射。❷ 两个粒子碰撞时，运动方向改变。❸ 在某些情况下，声波投射到不平的分界面或介质中的微粒上而向不同方向传播。

【散套】sǎntào 名 散曲的一种，由同一宫调的若干支曲子组成的套曲。

【散体】sǎntǐ 名 不要求词句齐整对偶的文体（区别于"骈体"）。

【散文】sǎnwén 名 ❶ 指不讲究韵律的文章（区别于"韵文"）。❷ 指除诗歌、戏剧、小说外的文学作品，包括杂文、随笔、特写等。

【散文诗】sǎnwénshī 名 兼有散文和诗的特点的一种文学形式，不押韵，写法同散文一样，但注重语言的节奏，内容富于诗意。

【散养】sǎnyǎng 劻 分散饲养或放养（禽、畜等）：变～为圈养。

【散装】sǎnzhuāng 囮 属性词。指原来整包整桶的商品，出售时临时分成小包小袋，或零星出售不加包装：～洗衣粉｜～白酒。

【散座】sǎnzuò （～儿）名 ❶ 旧指剧场中包厢以外的座位。❷ 旧指人力车夫拉的不固定的主顾。❸ 饭馆指为零散客人设的座位。

糁（糝） sǎn 〈方〉米饭粒儿。
另见 1211 页 shēn。

馓 （饊） sǎn ［馓子］(sǎn·zi)名 油炸的面食，细条相连扭成花样。

sàn （ㄙㄢˋ）

散 sàn 劻 ❶ 由聚集而分离：一场｜解～｜烟消云～｜会还没有～。❷ 散布；分发：发～｜公园里～满花香｜～传单。❸

排除；排遣：～闷｜～心。
另见 1174 页 sǎn。

【散播】sànbō 劻 散布开：～谣言｜～种子。

【散布】sànbù 劻 ❶ 分散到各处：羊群～在山坡上吃草。❷ 广泛传播（多含贬义）：～流言飞语。

【散步】sàn∥bù 劻 随便走走（作为一种休息方式）：休息时，到河边散散步。

【散场】sàn∥chǎng 劻 演出或比赛等结束，观众离开：电影～了。

【散发】sànfā 劻 发出；分发：花儿～着阵阵的芳香｜～文件。

【散工】sàn∥gōng 劻 收工；放工：今天提前～。
另见 1174 页 sǎngōng。

【散会】sàn∥huì 劻 会议结束，参加的人离开会场。

【散伙】sàn∥huǒ 劻 （团体、组织等）解散。

【散落】sànluò 劻 ❶ 分散地往下落：花瓣～了一地。❷ 分散；不集中：草原上～着数不清的牛羊。❸ 因分散而失落或流落；失散：书卷～｜一家骨肉不知～何方。

【散闷】sàn∥mèn 劻 排遣烦闷：～消愁｜到公园散散闷。

【散热器】sànrèqì 名 利用辐射、对流和传导作用把热量发散到周围空间去的装置。在内燃机中借水箱中冷却的水或冷空气散掉机器所产生的热量。取暖用的暖气装置也是散热器的一种。

【散失】sànshī 劻 ❶ 分散遗失：那部书稿在战乱中～了。❷ （水分等）消散失去：水果、蔬菜贮藏在地窖里，水分不容易～。

【散水】sàn·shuǐ 名 在房屋等建筑物外墙的墙脚周围，用砖石、混凝土铺成的斜坡。宽度多在1米左右，作用是把雨水排离墙脚，以保护地基。

【散摊子】sàn tān·zi 散伙。也说散摊儿。

【散戏】sàn∥xì 劻 戏剧演出结束，观众离开剧场。

【散心】sàn∥xīn 劻 使心情舒畅；解闷：出去走走，散散心。

sāng （ㄙㄤ）

丧（喪、丧） sāng 跟死了人有关的（事情）：～事｜治

~。
　　另见 1176 页 sàng。

【丧服】sāngfú 图 为哀悼死者而穿的服装。我国旧时习俗用本色的粗布或麻布做成。

【丧家】sāngjiā 图 有丧事的人家。

【丧礼】sānglǐ 图 有关丧事的礼仪。

【丧乱】sāngluàn 〈书〉图 指死亡祸乱等事。

【丧事】sāngshì 图 人死后处置遗体、进行悼念活动等事：办~｜~从简。

【丧葬】sāngzàng 图 指办理丧事，埋葬死者等事情：~费。

【丧钟】sāngzhōng 图 西方风俗，教堂在宣告本区教徒死亡或为死者举行宗教仪式时敲钟叫做敲丧钟。因此用敲丧钟来比喻死亡或灭亡。

桑 sāng 图 ❶ 桑树，落叶乔木，树皮有浅裂，叶子卵形，花黄绿色。叶子是蚕的饲料，嫩枝的韧皮纤维可造纸，果穗可以吃，嫩枝、根皮、叶和果实均可入药。❷ (Sāng)姓。

【桑巴】sāngbā 图 拉丁舞的一种，源于巴西。2/4 或 4/4 拍，舞曲欢快热烈，以膝部的屈伸带动上身摇摆，风格奔放。[英 samba]

【桑蚕】sāngcán 图 昆虫，幼虫灰白色，吃桑叶，蜕皮四次，吐丝做茧，变成蛹，蛹变成蚕蛾。蚕蛾交尾产卵后就死去。幼虫吐的丝是重要的纺织原料。也叫家蚕。

【桑拿浴】sāngnáyù 图 一种利用蒸汽排汗的沐浴方式。起源于芬兰。[桑拿，也译作桑那，英 sauna]

【桑葚儿】sāngrènr 〈口〉图 桑葚(sāng-shèn)。

【桑葚】sāngshèn 图 桑树的果穗，成熟时黑紫色或白色，味甜，可以吃，也用来酿酒。也叫桑葚子(sāngshèn·zi)。

【桑田沧海】sāng tián cāng hǎi 见 133 页〖沧海桑田〗。

【桑榆暮景】sāng yú mù jǐng 落日的余晖照在桑榆树梢上，比喻老年时的时光。

【桑梓】sāngzǐ 〈书〉图《诗经·小雅·小弁》：“维桑与梓，必恭敬止。”是说家乡的桑树和梓树是父母亲种的，对它要表示敬意。后人用来借指故乡。

sǎng （ㄙㄤ）

搡 sǎng 〈方〉囫 猛推：推推~~｜把他~了个跟头。

嗓 sǎng ❶ 嗓子①。❷ (~儿)嗓音：小~儿｜哑~儿。

【嗓门儿】sǎngménr 图 嗓音：~大。

【嗓音】sǎngyīn 图 说话或歌唱的声音：~洪亮。

【嗓子】sǎng·zi 图 ❶ 喉咙：~疼。❷ 嗓音：放开~唱。

磉 sǎng 〈方〉柱子底下的石礅：石~。

颡(顙) sǎng 〈书〉额；脑门子。

sàng （ㄙㄤ）

丧(喪、丧) sàng ❶ 丢掉；失去：~尽天良｜~权辱国。❷ 情绪低落；失意：懊~｜颓~。
　　另见 1175 页 sāng。

【丧胆】sàng//dǎn 囫 吓破了胆，形容非常恐惧：敌军闻风~。

【丧魂落魄】sàng hún luò pò 形容非常恐惧的样子。也说丧魂失魄。

【丧家之犬】sàng jiā zhī quǎn 比喻失去靠山，到处乱窜，无处投奔的人。也说丧家之狗。

【丧命】sàng//mìng 囫 死亡(多指凶死或死于暴病)。

【丧偶】sàng'ǒu 囫 死了配偶：中年~。

【丧气】sàng//qì 囫 因事情不顺利而情绪低落：灰心~｜垂头~。

【丧气】sàng·qi 〈口〉圉 倒霉；不吉利：~话。

【丧权辱国】sàng quán rǔ guó 丧失主权，使国家蒙受耻辱。

【丧生】sàng//shēng 囫 丧命：一百余人在这次地震中~。

【丧失】sàngshī 囫 失去：~信心｜~工作能力。

【丧亡】sàngwáng 〈书〉囫 死亡；亡亡。

【丧心病狂】sàng xīn bìng kuáng 丧失理智，像发了疯一样，形容言行昏乱而荒谬或残忍可恶到了极点。

sāo（ㄙㄠ）

搔 sāo 囫 用指甲挠：～头皮｜～到痒处（比喻说到点子上）｜～首弄姿（形容卖弄姿容）。

骚¹（騷） sāo 扰乱；不安定：～乱｜～扰。

骚²（騷） sāo ❶ 指屈原的《离骚》：～体。❷〈书〉泛指诗文：～人。

骚³（騷） sāo 囮 ❶ 指举止轻佻，作风下流：风～｜～货（对举止轻佻的妇女的蔑称）。❷〈方〉雄性的（某些家畜）：～马｜～驴。❸ 同"臊"（sāo）。

【骚动】sāodòng 囫 ❶ 扰乱，使地方不安宁。❷ 秩序紊乱；动乱：会场～｜在人群里引起一阵～。

【骚客】sāokè〈书〉囵 诗人。

【骚乱】sāoluàn 囫 混乱不安。

【骚扰】sāorǎo 囫 使不安宁；扰乱：外敌～边境｜土匪～村寨。

【骚人】sāorén〈书〉囵 诗人。

【骚体】sāotǐ 囵 古典文学体裁的一种，以模仿屈原的《离骚》的形式得名。

缫（繅） sāo 囫 把蚕茧浸在热水里，抽出蚕丝。

缲（繰） sāo 同"缫"。
另见 1098 页 qiāo。

臊 sāo 囮 像尿或狐狸的气味：～气｜腥～｜又臊又～。
另见 1178 页 sào。

sǎo（ㄙㄠ）

扫（掃） sǎo ❶ 囫 用笤帚、扫帚除去尘土、垃圾等：～雪｜把地～一～。❷ 囫 除去；消灭：～雷｜～盲。❸ 囫 很快地左右移动：～射｜眼光向人群一～。❹ 归拢在一起：～数。
另见 1178 页 sào。

【扫除】sǎochú ❶ 囫 清除肮脏的东西：大～｜室内室外要天天～。❷ 除去有碍前进的事物：～障碍｜～文盲。

【扫荡】sǎodàng 囫 ❶ 用武力或其他手段肃清敌人。❷ 泛指彻底清除：旧社会遗留下来的腐朽东西，都应当～。

【扫地】sǎo∥dì 囫 ❶ 用笤帚、扫帚清除地上的脏东西。❷ 比喻名誉、威风等完全丧失：威信～｜斯文～。

【扫地出门】sǎo dì chū mén 没收全部财产，赶出家门。

【扫毒】sǎo∥dú 囫 扫除制造、贩卖毒品等违法犯罪活动：～斗争。

【扫黄】sǎo∥huáng 囫 扫除卖淫嫖娼等非法活动；扫除黄色书刊、音像制品等。

【扫雷】sǎo∥léi 囫 排除敷设的地雷或水雷等：～车｜～舰。

【扫盲】sǎo∥máng 囫 扫除文盲，对不识字或识字很少的成年人进行识字教育，使他们脱离文盲状态。

【扫描】sǎomiáo 囫 电子束、无线电波等在特定区域按一定规律移动而描绘出画面、物体等图形：～仪。

【扫描仪】sǎomiáoyí 囵 用于扫描的仪器。利用光敏感设备扫描图形或文字，将其转换为数字形式，以供计算机识别和处理。

【扫墓】sǎo∥mù 囫 在墓地祭奠、培土和打扫，现也指在烈士墓或纪念碑前举行纪念活动：清明～。

【扫平】sǎopíng 囫 扫荡平定：～匪患。

【扫射】sǎoshè 囫 ❶ 用机枪、冲锋枪等左右移动连续射击。❷ 指目光或灯光向四周掠过。

【扫视】sǎoshì 囫 目光迅速地向周围看：向台下～了一下。

【扫数】sǎoshù 囶 尽数；全数：～还清｜～入库。

【扫榻】sǎotà〈书〉囫 打扫床上灰尘，表示欢迎客人：～以待。

【扫堂腿】sǎotángtuǐ 囵 武术招数，用一只腿猛力横扫以绊倒对方。也说扫腿。

【扫听】sǎo·ting〈方〉囫 探询；从旁打听。

【扫腿】sǎotuǐ 囵 扫堂腿。

【扫尾】sǎo∥wěi 囫 结束最后部分的工作。

【扫兴】sǎo∥xìng 囮 正当高兴时遇到不愉快的事情而兴致低落：别说～的话｜令人十分～｜你要不去，岂不扫了大伙儿的兴。

嫂 sǎo 名❶ 哥哥的妻子：兄～｜表～。❷ 称呼年纪不大的已婚妇女：王～｜大～。

【嫂夫人】sǎofū·ren 名 对朋友尊称他的妻子。

【嫂嫂】sǎo·sao 〈方〉名 嫂子。

【嫂子】sǎo·zi 〈口〉名 哥哥的妻子：二～｜堂房～。

薮 sǎo 见 925 页[薅薮]。

sào （ㄙㄠ）

扫（掃） sào 义同"扫"（sǎo），用于"扫帚"、"扫把"等。
另见 1177 页 sǎo。

【扫把】sàobǎ 〈方〉名 扫帚。

【扫帚】sào·zhou 名 除去尘土、垃圾等的用具，多用竹枝扎成，比笤帚大。

【扫帚菜】sào·zhoucài 名 地肤的通称。

【扫帚星】sào·zhouxīng 〈口〉名 彗星。迷信的人认为出现扫帚星就会发生灾难，因此扫帚星也用为骂人的话，如果认为发生的祸害是由某人带来的，就说某人是扫帚星。

埽 sào 名❶ 用树枝、秫秸、芦苇、石头等捆紧做成的圆柱形的东西，用作保护堤岸防水冲刷的材料。❷ 用许多埽做成的临时性堤坝或护堤。

梢 sào 名 锥度。
另见 1199 页 shāo。

瘙 sào 古代指疥疮。

【瘙痒】sàoyǎng 形〈皮肤〉发痒：～难忍。

毿 sào 见 925 页[罷毿]。

臊 sào 动 羞①：害～｜～得脸通红。
另见 1177 页 sāo。

【臊子】sào·zi 〈方〉名 肉末或肉丁（多指烹调好加在别的食物中的）：羊肉～面。

sè （ㄙㄜ）

色 sè ❶ 颜色：红～｜三～版｜五颜六～。❷ 脸上表现的神情：神色：喜形于～｜面不改～｜和颜悦～。❸ 种类：货～｜各～各样。❹ 情景；景象：景～｜夜～｜行～匆匆。❺ 物品的质量：成～｜足～。❻ 指妇女美貌：姿～｜～艺双绝。❼ 指情欲：～情｜～胆。❽ (Sè)名 姓。
另见 1184 页 shǎi。

【色彩】sècǎi 名❶ 颜色：～鲜明。❷ 比喻人的某种思想倾向或事物的某种情调：感情～｜地方～。

【色调】sèdiào 名❶ 指画面上表现思想、情感的色彩及色彩的浓淡。各种红色或黄色构成的色调属于暖色调，用来表现兴奋、快乐等情感；各种蓝色或绿色构成的色调属于寒色调，用来表现忧郁、悲哀等情感。❷ 比喻文艺作品中思想感情的色彩：作品含有忧郁、悲凉的～。

【色光】sèguāng 名 带颜色的光。白色的光通过棱镜分解成七种色光。

【色鬼】sèguǐ 名 贪色成性的人（含厌恶意）。

【色觉】sèjué 名 各种有色光反映到视网膜上所产生的感觉。

【色块】sèkuài 名 成块或成片相同的颜色（多用于美术）。

【色拉】sèlā 名 西餐中的一种凉拌菜，一般是由熟土豆丁、香肠丁、水果或蔬菜等加调味汁拌和而成。也译作沙拉。[英salad]

【色狼】sèláng 名 指贪色而凶恶地对女性进行性侵犯的坏人。

【色厉内荏】sè lì nèi rěn 外表强硬而内心怯懦。

【色盲】sèmáng 名 眼睛不能辨别颜色的病，多为先天性的。常见的是红绿色盲，患者不能区别红绿两种颜色。也有只能区别明暗不能区别色彩的全色盲。

【色魔】sèmó 名 指贪色并以凶残的暴力手段对女性进行性侵犯的坏人。

【色情】sèqíng 名 男女情欲：～狂｜～小说。

【色球】sèqiú 名 太阳大气的中间一层，颜色暗红。日全食时，明亮的光球被月球遮挡，肉眼可以看见色球。

【色弱】sèruò 名 程度较轻的色盲，辨别颜色的能力低。

【色散】sèsàn 名 复色光被分解成单色光而形成光谱的现象。

【色素】sèsù 名 使机体具有各种不同颜色

的物质,某些色素在生理过程中起很重要的作用,如植物体中的叶绿素能进行光合作用。

【色相】sèxiàng 名❶色彩所呈现出来的质的面貌。如日光通过三棱镜分解出的红、橙、黄、绿、青、紫六种色相。❷佛教一切物体的形状外貌。❸指女子的容貌和体态。

【色欲】sèyù 名性欲;情欲。

【色泽】sèzé 名颜色和光泽:～鲜明。

涩(澀、澁) sè ❶形 像明矾或不熟的柿子那样使舌头感到麻木干燥的味道。❷形 摩擦时阻力大;不滑润:～滞|轮轴发～,该上油了。❸(文句)难读;难懂:晦～|艰～。

【涩滞】sèzhì 形 呆滞;不流畅:声音～|文笔～|一双～失神的眼睛。

啬(嗇) sè 吝啬。

【啬刻】sèkè 〈方〉形 吝啬。

铯(銫) sè 名 金属元素,符号 Cs (caesium)。银白色,质软,化学性质极活泼,在光的作用下易放出电子,遇水发生爆炸。用在制光电池和火箭推进器等方面。

瑟 sè 古代弦乐器,像琴。现在所用的瑟有两种,一种有二十五根弦,另一种有十六根弦。

【瑟瑟】sèsè ❶拟声 形容轻微的声音:秋风～。❷形 形容颤抖:～发抖。

【瑟缩】sèsuō 动 身体因寒冷、受惊等而蜷缩或兼抖动。

塞 sè 义同"塞"(sāi),用于某些合成词中。
另见 1169 页 sāi;1169 页 sài。

【塞擦音】sècāyīn 名 气流通路紧闭然后逐渐打开而摩擦发出的辅音,如普通话语音的 z、c、zh、ch、j、q。塞擦音的起头近似塞音,末了近似擦音,所以叫塞擦音。旧称破裂擦音。

【塞音】sèyīn 名 气流通路紧闭然后突然打开而发出的辅音,如普通话语音的 b、p、d、t、g、k。也叫爆发音,旧称破裂音。

【塞责】sèzé 动 对自己应负的责任敷衍了事:敷衍～。

瀒(瀒) sè 〈书〉同"涩"。

穑(穡) sè 见 660 页〖稼穑〗。

sēn (ㄙㄣ)

森 sēn ❶形 容树木多:～林。❷〈书〉繁密;众多:～罗万象(纷然罗列的各种事物现象)。❸阴暗:阴～。❹(Sēn)名 姓。

【森林】sēnlín 名 通常指大片生长的树木;林业上指在相当广阔的土地上生长的很多树木,连同在这块土地上的动物以及其他植物所构成的整体。森林有保持水土,调节气候,防止水、旱、风、沙等灾害的作用。

【森林警察】sēnlín jǐngchá 保护森林资源及其生态环境,维护林区社会治安,并担负消防任务的警察。

【森林浴】sēnlínyù 名 到森林中呼吸清新空气的健身方法。

【森罗殿】sēnluódiàn 名 迷信传说指阎罗所居住的殿堂。

【森然】sēnrán 〈书〉形 ❶形容繁密直立:林木～。❷形容森严可畏:大殿幽暗～。

【森森】sēnsēn 形 ❶形容树木茂盛繁密:松柏～。❷形容阴森岑寂:阴～。

【森严】sēnyán 形 整齐严肃;(防备)严密:壁垒～|戒备～。

sēng (ㄙㄥ)

僧 sēng ❶ 出家修行的男性佛教徒;和尚:～人|～衣。[僧伽之省,梵 saṃgha]❷(Sēng)名 姓。

【僧多粥少】sēng duō zhōu shǎo 比喻人多东西少,不够分配。

【僧侣】sēnglǚ 名 僧徒,也借来称某些别的宗教(如古印度婆罗门教、中世纪天主教)的修道人。

【僧尼】sēngní 名 僧尼和一般人。

【僧俗】sēngsú 名 和尚的总称。

【僧徒】sēngtú 名 和尚的总称。

鬙 sēng 见 1033 页〖鬅鬙〗。

shā（ㄕㄚ）

杀（殺） shā ❶〔动〕使人或动物失去生命；弄死：～虫｜～鸡｜～敌。❷〔动〕战斗：～出重围。❸〔动〕削弱；减少；消除：减～｜～价｜～暑气｜风势稍～。❹ 同"煞"①：～笔｜～尾。❺〔动〕用在动词或形容词后，表示程度深：气～｜恨～｜热～人。❻〔方〕药物等刺激皮肤或黏膜使感觉疼痛：伤口用酒精消毒～得慌｜肥皂水～眼睛。

【杀跌】shādiē 指投资者在股票、债券等证券市场行情下跌时卖出持有的证券。

【杀毒】shā//dú ❶ 用物理方法或化学药品杀死致病的微生物；消毒。❷ 用特别编制的程序清除存在于软件或存储载体中的计算机病毒。

【杀风景】shā fēngjǐng 损坏美好的景色，比喻在兴高采烈的场合使人扫兴。也作煞风景。

【杀害】shāhài 〔动〕杀死；害死（多指为了不正当目的）：惨遭～｜～野生动物。

【杀机】shājī 〔名〕杀人的念头：动～。

【杀鸡取卵】shā jī qǔ luǎn 比喻只图眼前的好处而损害长远的利益。

【杀鸡吓猴】shā jī xià hóu 比喻惩罚一个人来吓唬或警戒另外的人。也说杀鸡给猴看。

【杀价】shā//jià 〔动〕压低价格，指买主利用卖主急于出售的机会，大幅度地压低价格。

【杀戒】shājiè 〔名〕佛教、道教指禁止杀害生灵的戒律：大开～。

【杀菌】shā//jūn 〔动〕用日光、高温、过氧乙酸、酒精、抗生素等杀死病菌。

【杀戮】shālù 〔动〕杀害（多指大量地）；屠杀：～无辜。

【杀灭】shāmiè 〔动〕杀死；消灭（病菌、害虫等）：～蟑螂。

【杀气】¹ shāqì 〔名〕凶恶的气势：～腾腾。

【杀气】² shā//qì 〔动〕发泄不愉快的情绪；出气：你有委屈就说出来，不该拿别人～。

【杀青】shāqīng ❶ 古人著书写在竹简上，为了便于书写和防止虫蛀，先把青竹简用火烤干水分，叫做杀青。后来泛指写

定著作。❷ 绿茶加工制作的第一道工序，把摘下的嫩叶加高温，抑制发酵，使茶叶保持固有的绿色，同时减少叶中水分，使叶片变软，便于进一步加工。

【杀人不见血】shā rén bù jiàn xiě 比喻害人的手段非常阴险毒辣，人受了害还一时察觉不出。

【杀人不眨眼】shā rén bù zhǎ yǎn 形容极其凶狠残忍，杀人成性。

【杀人越货】shā rén yuè huò 杀害人的性命，抢夺人的财物（越：抢夺），指盗匪的行为。

【杀伤】shāshāng 〔动〕打死打伤：～力。

【杀身成仁】shā shēn chéng rén 为正义或崇高的理想而牺牲生命。

【杀生】shāshēng 〔动〕指杀死动物：不～。

【杀手】shāshǒu 〔名〕❶ 刺杀人的人；职业～。❷ 比喻危害人生命的某些疾病、物质等：癌症是威胁人类生命的一～。

【杀手锏】shāshǒujiǎn 〔名〕见 1168 页〖撒手锏〗。

【杀熟】shāshú 〔动〕做生意时，利用熟人对自己的信任，采取不正当手段赚取熟人钱财。

【杀一儆百】（杀一警百）shā yī jǐng bǎi 杀一个人来警戒许多人。

杉 shā 义同"杉"(shān)①，用于"杉木、杉篙"。
另见 1187 页 shān。

【杉篙】shāgāo 〔名〕杉(shān)树一类的树干砍去枝叶后制成的细而长的杆子，通常用来搭脚手架或撑船。

【杉木】shāmù 〔名〕杉(shān)树的木材。

沙¹ shā ❶〔名〕细小的石粒：风～｜防～林｜飞～走石。❷ 像沙的东西：豆～。❸（Shā）〔名〕姓。

沙² shā （嗓音）不清脆，不响亮：～哑｜～音。

沙³ shā 沙皇：～俄。
另见 1183 页 shà。

【沙包】shābāo 〔名〕❶ 像小山一样的大沙堆。❷ 沙袋。❸（～儿）儿童玩具，小布袋里装上沙子或其他颗粒物后缝上口，可以投掷。

【沙暴】shābào 〔名〕沙尘暴。

【沙场】shāchǎng 〔名〕广阔的沙地，多指战场：久经～。

【沙尘】shāchén 名（在空中飘浮的）沙粒和尘土：～天气|加强城市绿化，减少～。

【沙尘暴】shāchénbào 名 挟带大量沙尘的风暴，发生时空气混浊，天色昏黄，水平能见度小于1 000米。春季在我国西北部和北部地区多有发生。也叫沙暴、尘暴。

【沙袋】shādài 名 装着沙子的袋子，打仗时堆积起来，用来掩护，也用于防洪、防火、体育锻炼等。

【沙雕】shādiāo 名 用沙土做堆积材料的造型艺术。也指这样的雕塑作品。

【沙丁鱼】shādīngyú 名 鱼，体侧扁而长，银白色，生活在海洋中，吃浮游生物等。是重要的经济鱼类之一，通常用来制罐头。[沙丁，英 sardine]

【沙俄】Shā'é 名 指沙皇统治下的俄国。

【沙发】shāfā 名 装有弹簧或厚泡沫塑料等的坐具，一般有靠背和扶手。[英 sofa]

【沙肝儿】shāgānr 牛、羊、猪的脾脏作为食品时叫沙肝儿。

【沙锅】shāguō 名 用陶土和沙烧制成的锅，不易与酸或碱起化学变化，大多用来做菜或熬药。也作砂锅。

【沙锅浅儿】shāguōqiǎnr 名 沙浅儿。

【沙果】shāguǒ （～儿）名 花红[1]。

【沙害】shāhài 名 由于土地沙化而造成的危害，如沙化引起的耕地荒芜、居民迁移、动植物死亡等。

【沙狐球】shāhúqiú 名 ❶ 室内运动项目之一。在一条撒有细沙的滑道上，比赛者站在一端把球推向另一端，球停的位置越接近另一端的边缘得分越高。❷ 沙狐球运动使用的球，扁圆形，由金属和塑料盖两部分组成。‖ 也作沙壶球。

【沙壶球】shāhúqiú 同"沙狐球"。

【沙化】shāhuà 动 土地因受侵蚀或水土流失等原因含沙量增加而退化，不利于作物、牧草等生长：退耕还林，防止土壤～。

【沙獾】shāhuān 名 猪獾。

【沙荒】shāhuāng 名 因沙化形成的荒地。

【沙皇】shāhuáng 名 俄罗斯和保加利亚过去皇帝的称号。[沙，俄 царь]

【沙浆】shājiāng 同"砂浆"。

【沙金】shājīn 名 自然界中混合在沙里的粒状金子。

【沙坑】shākēng 名 跳远、跳高等运动项目使用的方形或长方形的坑，里面铺着细

沙。

【沙拉】shālā 名 色拉。

【沙里淘金】shā lǐ táo jīn 从沙子里淘出黄金，比喻费力大而成效少，也比喻从大量的材料中选取精华。

【沙砾】shālì 名 沙和碎石块。

【沙龙】shālóng 名 ❶ 17 世纪末叶和 18 世纪法国巴黎的文人和艺术家常接受贵族妇女的招待，在客厅集会，谈论文艺，后来因而把文人雅士的清谈集会或集会的场所叫做沙龙。❷ 泛指文学、艺术等方面人士的小型聚会：艺术～|摄影～。[法 salon，客厅]

【沙门】shāmén 名 出家的佛教徒的总称。[梵 śramaṇa]

【沙弥】shāmí 名 指初出家的年轻的和尚。[梵 śrāmaṇera]

【沙弥尼】shāmíní 名 指初出家的年轻的尼姑。[梵 śrāmaṇerikā]

【沙漠】shāmò 名 地面完全为沙所覆盖，缺乏流水，气候干燥，植物稀少的地区。

【沙漠化】shāmòhuà 动 指沙质荒漠化，干旱、半干旱地区土地严重退化，地表渐渐被流沙覆盖。

【沙鸥】shā'ōu 名 栖息在沙滩或沙洲上的鸥一类的鸟。

【沙盘】shāpán 名 ❶ 盛着细沙的盘子，可在上面写字。❷ 用沙土做成的地形模型，一般用木盘盛着。

【沙碛】shāqì〈书〉名 沙漠。

【沙浅儿】shāqiǎnr 名 比较浅的沙锅。也叫沙锅浅儿。

【沙丘】shāqiū 名 沙漠、河岸、海滨等地由风吹而堆成的沙堆，多呈丘状、垄状或新月状。

【沙瓤】shāráng （～儿）名 某些种西瓜熟透时瓤变松散而呈细粒状，叫沙瓤。

【沙壤土】shārǎngtǔ 名 含沙粒较多，细土较少的土壤。土质松散，宜于耕作。

【沙沙】shāshā 拟声 形容踩着沙子、飞沙击物或风吹草木等的声音：走在河滩上，脚下～地响|风吹枯叶，～作响。

【沙参】shāshēn 名 多年生草本植物，叶子长椭圆形，花冠钟形，紫色。根可入药。

【沙滩】shātān 名 水中或水边由沙子淤积成的陆地。

【沙滩排球】shātān páiqiú ❶ 球类运动

S

项目之一，在沙滩场地上进行比赛，场地面积和比赛规则与排球基本相同。比赛有两人制、四人制和男女混合制，队员穿泳装、赤脚。❷ 沙滩排球运动使用的球，用不吸水的柔软皮革制成，大小与排球相同，颜色为黄色或橙色。

【沙土】 shātǔ 图 由 80% 以上的沙和20% 以下的黏土混合而成的土壤。泛指含沙很多的土。这种土壤土质疏松，透水通气性好，但保水、保肥能力差，耕种时需要改良。

【沙文主义】 Shāwén zhǔyì 一种把本民族利益看得高于一切，主张征服和奴役其他民族的思想和主张。因拿破仑手下的军人沙文(Nicolas Chauvin)狂热地拥护拿破仑用暴力向外扩张法国的势力，所以把这种思想叫做沙文主义。

【沙哑】 shāyǎ 圈 (嗓子)发音困难，声音低沉而不圆润。

【沙眼】 shāyǎn 图 眼的慢性传染病，病原体是沙眼衣原体，症状是结膜上形成灰白色颗粒，逐渐形成瘢痕，刺激角膜，使角膜发生溃疡。

【沙鱼】 shāyú 见 1183 页〖鲨鱼〗。

【沙灾】 shāzāi 图 因沙害造成的灾害：治理～。

【沙洲】 shāzhōu 图 江河、湖泊或浅海里由泥沙淤积成的陆地。

【沙子】 shā·zi 图 ❶ 细小的石粒。❷ 像沙的东西：铁～。

【沙钻】 shāzuàn 图 鲨。

【沙嘴】 shāzuǐ 图 由河流挟带的泥沙构成的一种海岸堆积地貌，形状像镰刀，基部与岸相连，前端伸入海中。

纱(紗) shā 图 ❶ 棉花、麻等纺成的较松的细丝，可以捻成线或织成布：～厂｜棉～｜纺～｜60 支～。❷ 用纱织成的经纬线很稀的织品：窗～｜～布。❸ 像窗纱一样的制品：铁～｜塑料～。❹ 某些纺织品的类名：乔其～｜泡泡～。

【纱布】 shābù 图 包扎伤口用的消过毒的经纬纱很稀疏的棉织品。

【纱橱】 shāchú 图 蒙有冷布或铁纱的储存食物的橱柜。

【纱窗】 shāchuāng 图 蒙有冷布或铁纱等的窗户。

【纱灯】 shādēng 图 用薄纱糊成的灯笼。

【纱锭】 shādìng 图 纺纱机上的主要部件，

用来把纤维捻成纱并把纱绕在筒管上成一定形状。通常用纱锭的数目来表示纱厂规模的大小。也叫纺锭、锭子。

【纱笼】 shālóng 图 东南亚一带人穿的用长布裹住身体的服装。[马来 saroṅ]

【纱帽】 shāmào 图 古代文官戴的一种帽子，后用作官职的代称。也叫乌纱帽。

【纱罩】 shāzhào 图 ❶ 罩食物的器具，用竹木等制成架子，蒙上冷布或铁纱等，防止苍蝇落在食物上。❷ 煤气灯或挥发油灯口上的罩，用亚麻等纤维编成网状再在硝酸钍、硝酸锶溶液中浸制而成，遇热即发强光。

刹 shā 囵 止住(车、机器等)：把车～住｜◇～住不正之风。
另见 144 页 chà。

【刹车】 shāchē ❶ (-/-)囵 用闸等止住车的行进。❷ (-/-)囵 停止动力来源，使机器停止运转。❸ (-/-)囵 比喻停止或制止：浮夸风必须～。❹ 图 指机动车的制动器。‖ 也作煞车。

挱(挱) shā 〈书〉杂糅。
另见 1169 页 sà。

砂 shā 同"沙1"❶。

【砂布】 shābù 图 粘有金刚砂的布，用来磨光金属器物或木器等的表面。

【砂锅】 shāguō 同"沙锅"。

【砂姜】 shājiāng 图 土壤中的石灰质结核体，质地坚硬，不透水，大的块状，小的颗粒状。可用来代替砖石做建筑材料。也作砂礓。

【砂浆】 shājiāng 图 建筑上砌砖石用的黏结物质，由一定比例的沙子和胶结材料(水泥、石灰膏、黏土等)加水和成。也作沙浆。也叫灰浆。

【砂礓】 shājiāng 同"砂姜"。

【砂轮】 shālún (～儿)图 磨刀具和零件的工具，用磨料和胶结物质混合后，在高温下烧结制成，多作轮状。

【砂囊】 shānáng 图 ❶ 指鸟类的胃，胃里贮有吞入的砂粒，用来磨碎食物。❷ 指蚯蚓的胃。

【砂仁】 shārén (～儿)图 ❶ 多年生草本植物，匍匐茎，叶子披针形，花白色，形状像喇叭，蒴果紫红色。果实和种子可入药。❷ 这种植物的种子。

【砂糖】 shātáng 图 结晶颗粒较大、像砂粒的糖。分赤砂糖和白砂糖两种，赤砂糖含少量的糖蜜，白砂糖纯度较高。

【砂型】shāxíng 名 铸造中用潮湿型砂制成铸件模型，把铸件模型用一定方法埋在砂子里，然后取出，模型在砂中留下形状相同的空隙，就是砂型。

【砂眼】shāyǎn 名 铸造过程中，气体或杂质在铸件内部或表面形成的小孔，是铸件的一种缺陷。

【砂样】shāyàng 名 勘探时取得的供化验分析用的岩石碎屑样品。

【砂纸】shāzhǐ 名 粘有玻璃粉的纸，用来磨光竹木器物等的表面。

莎 shā ❶ 用于地名、人名。莎车(Shāchē)，地名，在新疆。❷(Shā)名 姓。
另见1309页 suō。

铩(鎩) shā ❶ 古代兵器，跟长矛相似。❷〈书〉摧残；伤害：～羽。

【铩羽】shāyǔ 〈书〉动 翅膀被摧残，比喻失意或失败：～而归。

挲(抄) shā 见1706页[挓挲]。
另见1168页sā；1309页suō。

痧 shā 名 中医指霍乱、中暑等急性病：绞肠～。

【痧子】shā·zi 〈方〉名 麻疹。

煞 shā ❶ 动 结束；收束：～尾｜～账｜锣鼓～住后，一个男孩儿领头唱起来。❷ 动 勒紧；扣紧：～车｜～一～腰带。❸同"杀"③⑤。
另见1184页 shà。

【煞笔】shābǐ ❶(-//-)动 写文章、书信等结束时停笔。❷ 名 文章最后的结束语：这篇散文的～很精彩。

【煞车】[1] shā//chē 动 把车上装载的东西用绳索紧勒在车身上。

【煞车】[2] shāchē 同"刹车"。

【煞风景】shā fēngjǐng 同"杀风景"。

【煞尾】shāwěi ❶(-//-)动 结束事情的最后一段；收尾：事情不多了，马上就可以～。❷ 名 北曲套数中最后的一支曲子。❸ 名 文章、事情等的最后一段。

裟 shā 见655页[袈裟]。

鲨(鯊) shā [鲨鱼](沙鱼)(shāyú) 名 鱼，身体纺锤形，稍扁，鳞为盾状，胸鳍、腹鳍大，尾鳍发达。生活在海洋中，性凶猛，行动敏捷，捕食其他鱼类。经济价值很高。种类很多，常见的有真鲨、角鲨等。也叫鲛。

shá (ㄕㄚˊ)

啥 shá 〈方〉代 疑问代词。什么：有～说～｜到～地方去？

【啥子】shá·zi 〈方〉代 疑问代词。什么；什么东西。

shǎ (ㄕㄚˇ)

傻(儍) shǎ 形 ❶ 头脑糊涂，不明事理：～头～脑｜装疯卖～｜吓～了。❷ 死心眼，不知变通：～干｜～等。

【傻瓜】shǎguā 名 傻子(用于骂人或开玩笑)。

【傻瓜相机】shǎguā xiàngjī 自动或半自动照相机的俗称。操作比较简单，一般不需要调焦距和测算曝光时间。

【傻呵呵】shǎhēhē (～的)形 状态词。糊涂不懂事或老实的样子：孩子听故事听得入了神，～地瞪大了两只眼睛｜别看他～的，心里可有数。也说傻乎乎。

【傻乎乎】shǎhūhū (～的)形 状态词。傻呵呵。

【傻劲儿】shǎjìnr 名 ❶ 傻气①。❷ 比喻做事时使出的蛮劲和死力气：光靠～蛮干是不行的，得找窍门。

【傻帽儿】shǎmàor 〈方〉❶ 形 形容人傻，没见过世面。❷ 名 指因没见过世面而呆头呆脑的人(含讥讽意)。

【傻气】shǎqì ❶ 名 愚蠢糊涂的神态。❷ 形 形容愚蠢、糊涂。

【傻笑】shǎxiào 动 无意义地一个劲儿地笑。

【傻眼】shǎ//yǎn 动 因出现某种意外情况而目瞪口呆，不知所措。

【傻子】shǎ·zi 名 智力低下，不明事理的人。

shà (ㄕㄚˋ)

沙 shà 〈方〉动 摇动，使东西里的杂物集中，以便清除：把米里的沙子～一

S

~。

另见 1180 页 shā。

嗻 shà ❶同"嗻"。❷同"歃"。
另见 317 页 dié。

嗻 shà ［嗻喋］(shàzhá)〈书〉拟声形容成群的鱼、水鸟等吃东西的声音。

厦(廈) shà ❶(高大的)房子：广～|高楼大～。❷〈方〉房子里靠后墙的部分，在柁以外：前廊后～。
另见 1471 页 xià。

嗄 shà 〈书〉嗓音嘶哑。
另见 2 页 á。

歃 shà 〈书〉用嘴吸取。

【歃血】shàxuè 动 古代举行盟会时，嘴唇涂上牲畜的血，表示诚意：～为盟。

煞 shà 迷信的人指凶神：凶神恶～。

煞 shà 极；很：～费苦心。
另见 1183 页 shā。

【煞白】shàbái 形 状态词。由于恐惧、愤怒或某些疾病等原因，面色极白，没有血色。

【煞费苦心】shà fèi kǔxīn 费尽心思。

【煞气】shà/qì 动 内充气体的器物因有小孔而慢慢漏气：车带～了。

【煞气】shàqì 名 ❶凶恶的神色。❷迷信的人指邪气。

【煞有介事】shà yǒu jiè shì 见 1491 页【像煞有介事】。

箑 shà 〈书〉扇子。

霎 shà 短时间；一会儿：一～|～时。

【霎时】shàshí 名 霎时间。

【霎时间】shàshíjiān 名 极短时间：一声巨响，～天空中出现了千万朵美丽的火花。也说霎时。

筛 shāi ❶筛子。❷动 把东西放在罗或筛子里，来回摇动，使细碎的漏下去，粗的留在上头：～沙子|把绿豆～净。❸动 比喻经挑选后淘汰：他担心考不好给～下来。

筛 shāi 动 ❶使酒热：把酒～一～再喝。❷斟(酒或茶)。

筛 shāi 〈方〉动 敲(锣)：～了三下锣。

【筛管】shāiguǎn 名 韧皮的组成部分之一，由许多管状细胞上下相接而成，相接处的细胞壁有许多小孔，形状像筛子，主要功能是输送养分。

【筛糠】shāi/kāng 〈口〉动 比喻因惊吓或受冻而身体发抖。

【筛选】shāixuǎn 动 ❶利用筛子进行选种、选矿等。❷泛指通过淘汰的方法挑选：经过多年的杂交试验，～出优质高产的西瓜新品种。

【筛子】shāi·zi 名 用竹篾、铁丝等编成的有许多小孔的器具，可以把细碎的东西漏下去，较粗的成块的留在上头。

釃(釃) shāi "釃"shī 的又音。

色 shǎi (～儿)〈口〉名 颜色：掉～|套～|不变～儿。
另见 1178 页 sè。

【色酒】shǎijiǔ 〈方〉名 用葡萄或其他水果为原料制成的酒，一般带有颜色，酒精含量较低。

【色子】shǎi·zi 名 一种游戏用具或赌具，用骨头、木头等制成的立体小方块，六面分刻一、二、三、四、五、六点。有的地区叫骰子(tóu·zi)。

晒(曬) shài 动 ❶太阳把光和热照射到物体上：烈日～得人头昏眼花。❷在阳光下吸收光和热：～粮食|让孩子们多～太阳。❸〈方〉比喻置之不理；慢待：把他给～在那儿了。

【晒垡】shàifá 动 使已经用犁翻起来的土在阳光下曝晒。能改善土壤结构，提高土壤温度，有利于种子发芽和根系生长。

【晒台】shàitái 名 在楼房屋顶设置的露天

小平台,供晒衣物或乘凉用。

【晒图】shài//tú 〔动〕把描在透明或半透明纸上的图和感光纸重叠在一起,利用日光或灯光照射,复制图纸。

---

shān (ㄕㄢ)

山 shān ❶〔名〕地面上由土、石形成的高耸的部分:一座～|高～。❷ 形状像山的东西:冰～。❸〔方〕〔名〕蚕蔟;蚕上～了。❹ 指山墙:房～。❺(Shān)〔名〕姓。

【山坳】shān'ào 〔名〕山间的平地。

【山包】shānbāo 〔方〕〔名〕小山。

【山崩】shānbēng 〔动〕山上大量的岩石和土壤塌下来。

【山茶】shānchá 〔名〕常绿小乔木或灌木,叶子卵形或椭圆形,有光泽,花红色或白色,蒴果球形,种子球形,黑色。是一种著名的观赏植物,花很美丽,通常叫茶花。种子可榨油,花可入药。

【山城】shānchéng 〔名〕山上的或靠山的城市。

【山川】shānchuān 〔名〕山和河流:～壮丽。

【山村】shāncūn 〔名〕山区的村庄。

【山地】shāndì 〔名〕❶ 多山的地带:开发～资源。❷ 在山上的农业用地:种了几亩～。

【山巅】shāndiān 〔名〕山顶。

【山顶】shāndǐng 〔名〕山的顶部;山最高的地方。

【山顶洞人】Shāndǐngdòngrén 〔名〕古代人类的一种,生活在旧石器时代晚期,距今约一万八千年。化石在 1933 年发现于北京西南周口店龙骨山山顶洞中。

【山东梆子】Shāndōng bāng·zi 山东地方戏曲剧种之一,流行于山东大部分地区和河北河南的部分地区。

【山东快书】Shāndōng kuàishū 曲艺的一种,说唱合辙押韵,表演者一面叙说,一面击铜板伴奏,节奏较快。流行于山东、华北、东北等地。

【山峰】shānfēng 〔名〕山的突出的尖顶。

【山旮旯儿】shāngālár 〔方〕〔名〕偏僻的山沟。

【山冈】shāngāng 〔名〕不高的山。

【山岗子】shāngǎng·zi 〔口〕〔名〕山冈。

【山高皇帝远】shān gāo huángdì yuǎn 指地处偏远,法律、制度管束不到。也说天高皇帝远。

【山高水低】shān gāo shuǐ dī 比喻意外发生的不幸事情(多指死亡)。

【山歌】shāngē 〔名〕形式短小、曲调爽朗质朴、节奏自由的民间歌曲,流行于农村或山区,多在山野劳动时歌唱。

【山根】shāngēn (～儿)〔口〕〔名〕山脚。

【山沟】shāngōu 〔名〕❶ 山间的流水沟。❷ 山谷。❸ 指偏僻的山区:过去的穷～,如今富裕起来了。

【山谷】shāngǔ 〔名〕两山之间低凹而狭长的地方,中间多有溪流。

【山国】shānguó 〔名〕指多山的国家或多山的地方。

【山河】shānhé 〔名〕山和河流,指国家的疆土:大好～|锦绣～。

【山核桃】shānhé·tao 〔名〕❶ 落叶乔木,羽状复叶,小叶披针形或倒卵形。果实表面有皱纹,果仁可以吃,也可榨油。❷ 这种植物的果实。‖有的地区叫小核桃。

【山洪】shānhóng 〔名〕因下大雨或积雪融化,由山上突然流下来的大水:～暴发。

【山货】shānhuò 〔名〕❶ 山区的一般土产,如山楂、榛子、栗子、胡桃等。❷ 指用竹子、木头、苘麻、陶土等制成的日用器物,如扫帚、簸箕、麻绳、沙锅、瓦盆等:～铺。

【山鸡】shānjī 〔方〕〔名〕雉。

【山积】shānjī 〔书〕〔动〕像山那样高高堆积着,指东西极多:货物～。

【山脊】shānjǐ 〔名〕山的高处像兽类的脊梁骨似的高起部分。

【山涧】shānjiàn 〔名〕山间的小水流。

【山脚】shānjiǎo 〔名〕山的靠近平地的部分。

【山轿】shānjiào 〔名〕把椅子绑在杠子上做成的乘坐用具,由人抬着走。

【山结】shānjié 〔名〕几条山脉的接合处,如帕米尔山结。

【山金】shānjīn 〔名〕脉金²。

【山口】shānkǒu 〔名〕连绵的山岭中间较低处,多为通道经过的地方。

【山岚】shānlán 〔书〕〔名〕山间的云雾:～瘴气。

【山里红】shān·lihóng 〔名〕山楂。

【山梁】shānliáng 名 山脊。

【山林】shānlín 名 有山有树林的地方。

【山陵】shānlíng 〈书〉名 ❶ 山岳。❷ 指帝王的坟墓。

【山岭】shānlǐng 名 连绵的高山。

【山路】shānlù 名 山间的道路：～崎岖。

【山麓】shānlù 〈书〉名 山脚。

【山峦】shānluán 名 连绵的山：～起伏。

【山脉】shānmài 名 成行列的群山，山势起伏，向一定方向延展，好像脉络似的，所以叫做山脉。

【山猫】shānmāo 名 豹猫。

【山门】shānmén 名 ❶ 佛教寺院的大门。❷ 指佛教。

【山盟海誓】shān méng hǎi shì 见532页【海誓山盟】。

【山明水秀】shān míng shuǐ xiù 山清水秀。

【山南海北】shān nán hǎi běi 天南地北。

【山炮】shānpào 名 一种用于山地作战的轻型榴弹炮，重量较轻，能迅速分解结合，便于搬运。现已逐渐淘汰。

【山坡】shānpō 名 山顶与平地之间的倾斜面。

【山墙】shānqiáng 名 人字形屋顶的房屋两侧的墙壁。也叫房山。（图见387页"房子"）

【山清水秀】shān qīng shuǐ xiù 形容山水风景优美。也说山明水秀。

【山穷水尽】shān qióng shuǐ jìn 山和水都到了尽头，前面再没有路可走了，比喻陷入绝境。

【山区】shānqū 名 多山的地区：支援～建设。

【山泉】shānquán 名 山中的泉水。

【山势】shānshì 名 山的形势或气势：～险峻｜～雄伟。

【山水】shānshuǐ 名 ❶ 山上流下来的水。❷ 山和水，泛指有山有水的风景：桂林～甲天下。❸ 指山水画：泼墨～。

【山水画】shānshuǐhuà 名 以山水等自然风景为题材的中国画。

【山桐子】shāntóngzǐ 名 落叶乔木，叶子卵形，花黄绿色，有香气，浆果球形，红色或红褐色。木材可以制器具。也叫椅(yī)。

【山头】shāntóu 名 ❶ 山的顶部；山峰。

❷ 设立山寨的山头，比喻独霸一方的宗派：拉～。

【山洼】shānwā 名 山中的洼地；山谷。

【山窝】shānwō 名 偏僻的山区。也说山窝窝(shānwō·wo)。

【山坞】shānwù 名 山间平地；山坳。

【山西梆子】Shānxī bāng·zi 见714页【晋剧】。

【山系】shānxì 名 同一造山运动形成，并沿一定走向规律分布的若干相邻山脉的总体，叫做山系。

【山峡】shānxiá 名 两山夹水的地方；两山夹着的水道。

【山险】shānxiǎn 名 山势险要的地方。

【山乡】shānxiāng 名 山区的乡村，泛指山区：～人家｜～巨变。

【山响】shānxiǎng 形 状态词。形容响声极大：北风刮得门窗乒乒～。

【山魈】shānxiāo 名 ❶ 猕猴的一种，体长约1米，尾巴很短，鼻子深红色，面部皮肤蓝色，有微紫的皱纹，颊部有白须，全身毛黑褐色，腹部灰白色，臀部鲜红色。生活在非洲西部，多群居，吃小鸟、野鼠等。❷ 传说中山里的独脚鬼怪。

【山崖】shānyá 名 山的陡立的侧面。

【山羊】shānyáng 名 ❶ 羊的一种，角的基部略作三角形，角尖向后，四肢强壮，善于跳跃，毛不弯曲，公羊有须，变种很多，有黑、灰等颜色。皮可以制革，绒毛是优质的纺织原料。❷ 跳跃器：跳～。

【山腰】shānyāo 名 山脚和山顶之间大约一半的地方。也叫半山腰。

【山药】shān·yao 名 ❶ 薯蓣的通称。❷〈方〉甘薯。

【山药蛋】shān·yaodàn 〈方〉名 马铃薯。

【山野】shānyě 名 ❶ 山和原野：小白花开遍～。❷ 草野：～小民。

【山雨欲来风满楼】shān yǔ yù lái fēng mǎn lóu 唐代许浑《咸阳城东楼》诗句，现多用来比喻冲突或战争爆发之前的紧张气氛。

【山芋】shānyù 〈方〉名 甘薯。

【山岳】shānyuè 名 高大的山。

【山楂】(山查) shānzhā 名 ❶ 落叶乔木，叶子近于卵形，有羽状深裂，花白色。果实球形，深红色，有小斑点，味酸，可以吃，也可入药。❷ 这种植物的果实。也叫山里红。有的地区叫红果儿。

【山楂糕】shānzhāgāo 名食品,用去核的山楂磨碎,加糖、淀粉等煮熟,凉后凝冻而成。

【山寨】shānzhài 名❶ 在山林中设有防守的栅栏的地方。❷ 有寨子的山区村庄。

【山珍海味】shān zhēn hǎi wèi 山野和海洋里的各种珍贵的食品,多指丰盛的菜肴。也说山珍海错。

【山茱萸】shānzhūyú 名落叶小乔木,叶子长椭圆形,花黄色。果实为核果,长椭圆形,枣红色,可入药。

【山庄】shānzhuāng 名❶ 山村。❷ 山中住所;别墅:避暑～。

【山子】shān·zi〈方〉名假山。也叫山子石。

【山子石】shān·zishí 名山子。

【山嘴】shānzuǐ 名伸出去的山脚的尖端。

芟 shān ❶ 割(草)。❷ 除去:～除。

【芟除】shānchú 动❶ 除去(草):～杂草。❷ 删除:文辞烦冗,～未尽。

【芟秋】shānqiū 动立秋以后在农作物地里锄草、松土,使农作物早熟、子实饱满,并防止杂草结子。也作删秋。

【芟夷】shānyí〈书〉动❶ 除(草)。❷ 铲除或消灭(某种势力)。‖也作芟荑。

【芟荑】shānyí 同"芟夷"。

杉 shān ❶ 杉树,常绿乔木,高可达30米,树冠的形状像塔,叶子长披针形,花单性,果实球形。木材白色,质轻,有香气,供建筑和制造器具等用。❷ (Shān)姓。

另见1180页 shā。

删(刪) shān 动去掉(文辞中的某些字句):～繁就简|这一段可以～去。

【删除】shānchú 动删去:～多余的文字。

【删繁就简】shān fán jiù jiǎn 删去多余的文字或内容使简明扼要:教材要～。

【删改】shāngǎi 动删削并改动:～原稿。

【删节】shānjié 动删去文字中可有可无或比较次要的部分:～本|文章太长,需要～一部分内容。

【删节号】shānjiéhào 名省略号的旧称。

【删略】shānlüè 动删节省略:文章转载时

作了～。

【删秋】shānqiū 同"芟秋"。

【删汰】shāntài〈书〉动删削淘汰:～冗文。

【删削】shānxuē 动删节削减(文字):小说正式出版时～了不少内容。

苫 shān ❶ 用草做成的盖东西或垫东西的器物:草～子。❷ (Shàn)名姓。

另见1189页 shàn。

钐(釤) shān 名金属元素,符号Sm(samarium)。是一种稀土元素。银白色,质硬。用作激光材料等,也用于核工业。

另见1189页 shàn。

衫 shān ❶ 单上衣:衬～|汗～|棉毛～。❷ 泛指衣服:衣～|长～。

姗(姍) shān [姗姗](shānshān)形容走路缓慢从容的姿态:～来迟(形容来得很晚)。

珊(珊) shān 见下。

【珊瑚】shānhú 名许多珊瑚虫的石灰质骨骼聚集而成的东西。形状有树枝状、盘状、块状等,有红、白、黑等颜色。可供玩赏,也用作装饰品。

【珊瑚虫】shānhúchóng 名腔肠动物,身体呈圆筒形,有8个或8个以上的触手,触手中央有口。多群居,结合成一个群体,呈树枝状、盘状、块状等。产在热带海洋中。

【珊瑚岛】shānhúdǎo 名主要由珊瑚虫的石灰质骨骼堆积成的岛屿。

【珊瑚礁】shānhújiāo 名主要由珊瑚虫的石灰质骨骼堆积成的礁石。

埏 shān〈书〉动用水和(huó)土;和泥。

栅(柵) shān [栅极](shānjí)名多极电子管中最靠近阴极的一个电极,具有细丝网或螺旋线的形状,有控制板极电流的强度,改变电子管的性能等作用。

另见1707页 zhà。

舢 shān [舢板](舢舨)(shānbǎn)名近海或江河上用桨划的小船,一般只能坐两三个人;海军用的较窄而长,一般可坐十人左右。

疝 shān 古书上指疝疾。

扇(❶❷搧) shān ❶ 囲 摇动扇子或其他薄片,加速空气流动:~煤炉子|~扇(shàn)子。❷ 囲 用手掌打:~了他一耳光。❸ 同"煽"②。
另见 1189 页 shàn。

【扇动】shāndòng ❶ 囲 摇动(像扇子的东西):~翅膀。❷ 同"煽动"。

姍 shān 见 1021 页【蹒姍】。

煽 shān ❶ 同"扇"(shān)①。❷ 鼓动(别人做不应该做的事):~动|~惑。

【煽动】shāndòng 囲 鼓动(别人去做坏事):~闹事|~暴乱。也作扇动。

【煽风点火】shān fēng diǎn huǒ 比喻鼓动别人做某件事(多指坏的)。

【煽惑】shānhuò 囲 鼓动诱惑(别人去做坏事)。

【煽情】shānqíng 囲 煽动人的感情或情绪:导演很会营造氛围~。

潸(潸) shān 〈书〉形容流泪。

【潸然】shānrán 〈书〉围 流泪的样子:~泪下。

【潸潸】shānshān 〈书〉围 形容流泪不止:热泪~|不禁~。

膻(羶) shān 围 像羊肉的气味:~气|~味|吃起来有点~。

羴 shān 〈书〉同"膻"。

shǎn （ㄕㄢˇ）

闪(閃) shǎn ❶ 囲 闪避:~开|~过去|~在树后。❷ 囲 (身体)猛然晃动:他脚下一滑,~了~,差点跌倒。❸ 囲 因动作过猛,使一部分筋肉受伤而疼痛:~了腰。❹ 囝 闪电:打~。❺ 囲 突然出现:~念|山后~出一条小路来。❻ 囲 闪耀:~金光|电~雷鸣|眼里~着泪花。❼〈方〉闪下:丢下;出发时有了事来叫他,不会把你~下。❽ (Shǎn) 囝 姓。

【闪避】shǎnbì 囲 迅速侧转身子向旁边躲避:~不及。

【闪存】shǎncún 囝 一种在断电时数据不会丢失的半导体存储芯片,具有体积小、功耗低、不易受物理破坏的优点。"闪"是英语 flash 的直译。

【闪电】shǎndiàn 囝 云与云之间或云与地面之间所发生的放电现象,会发出很强的电光。

【闪电战】shǎndiànzhàn 囝 闪击战。

【闪躲】shǎnduǒ 囲 躲闪;躲避:~不开|他有意~我的目光。

【闪光】shǎnguāng ❶ (-∥-) 囲 现出光亮;发光:萤火虫在草丛中闪着光。❷ 囝 突然一现的或忽明忽暗的光亮:流星变成一道~,划破黑夜的长空。

【闪光灯】shǎnguāngdēng 囝 一种照明装置,能产生亮度很大而持续时间很短的闪光,用于摄影。

【闪光点】shǎnguāngdiǎn 囝 指人或事物在某一方面比较突出的优点。

【闪击】shǎnjī 囲 集中兵力突然袭击。

【闪击战】shǎnjīzhàn 囝 利用大量快速部队和新式武器突然发动猛烈的进攻,企图迅速取得战争胜利的一种作战方法。也叫闪电战。

【闪念】shǎnniàn 囝 突然一现的念头。

【闪盘】shǎnpán 囝 闪存盘,利用闪存制造的袖珍型移动存储器。也叫优盘。

【闪闪】shǎnshǎn 围 光亮四射;闪烁不定:电光~|~发光。

【闪射】shǎnshè 囲 闪耀;放射(光芒):远处有车灯~|眼睛里~着幸福的光芒。

【闪身】shǎn∥shēn (~儿) 囲 ❶ 侧着身子:~挤进门去。❷ 身体很快地躲开:他向旁边一~儿,石子儿没有打着。

【闪失】shǎnshī 囝 意外的损失;岔子:万一有个~,后悔就晚了。

【闪烁】shǎnshuò 囲 ❶ (光亮)动摇不定,忽明忽暗:江面上隐约~着夜航船的灯光。❷ (说话)稍微露出一点想法,但不肯说明确;吞吞吐吐:~其词(形容说话吞吞吐吐,躲躲闪闪)|他闪闪烁烁,不做肯定答复。

【闪现】shǎnxiàn 囲 一瞬间出现;呈现:往事又~在眼前。

【闪耀】shǎnyào 囲 闪烁①;光彩耀眼:繁星~|塔顶~着金光。

陕(陝) Shǎn 囝 ❶ 指陕西。❷ 姓。

【陕西梆子】Shǎnxī bāng·zi 秦腔①。

掺(摻) shǎn 〈书〉持；握：～手。
另见 132 页 càn；147 页 chān。

睒(睒) shǎn 动 眨巴眼；眼睛很快地开闭：那飞机飞得非常快，一～眼就不见了。

shàn （ㄕㄢˋ）

讪(訕) shàn ❶〈书〉讥讽：～笑。❷ 难为情的样子：脸上发～。

【讪脸】shànliǎn 〈方〉小孩子在大人面前嬉皮笑脸。

【讪讪】shànshàn 形 形容不好意思、难为情的样子：他觉得没趣，只好～地走开了。

【讪笑】shànxiào 〈书〉动 讥笑。

汕 shàn 汕头(Shàntóu)，汕尾(Shànwěi)，地名，都在广东。

苫 shàn 动 用席、布等遮盖：要下雨了，快把场里的麦子～上。
另见 1187 页 shān。

【苫背】shàn//bèi 动 盖房子时，在草、席等上面抹上灰和泥土做成房顶底层。

【苫布】shànbù 名 遮盖货物用的大雨布。

钐(釤、鐥、鐥) shàn 动 抢开镰刀或钐镰大片地割：～草。
另见 1187 页 shān。

【钐刀】shàndāo 名 钐镰。

【钐镰】shànlián 名 一种把儿很长的大镰刀。也叫钐刀。

疝 shàn 名 病，某一脏器通过周围组织较薄弱的地方而隆起。头、膈、腹股沟等部都能发生这种病。

【疝气】shànqì 名 通常指腹股沟部的疝，症状是腹股沟凸起或阴囊肿大，时有剧痛。

单(單) Shàn ❶ 单县，地名，在山东。❷ 名 姓。
另见 147 页 chán；264 页 dān。

赸 shàn 〈书〉躲开；走开。

剡 Shàn 剡溪，水名，曹娥江上游的一段，在浙江。
另见 1568 页 yǎn。

扇 shàn ❶（～儿）扇子：蒲～｜电～｜折～儿。❷ 指板状或片状的东西：门～｜隔～。❸ 量 用于门窗等：一～门｜一～磨｜两～窗子。
另见 1188 页 shān。

【扇贝】shànbèi 名 软体动物，壳略作扇形，色彩多样，表面有很多纵沟，生活在海中。体内闭壳肌的干制品叫做干贝，是珍贵的食品。

【扇骨】shàngǔ（～儿）名 折扇的骨架，多用竹、木等制成。也说扇骨子。

【扇面儿】shànmiànr 名 折扇或团扇的面儿，用纸、绢等做成。

【扇形】shànxíng 名 圆的两个半径和所夹的弧围成的图形。

【扇坠】shànzhuì（～儿）名 系在扇柄下端的装饰物，多用玉石等制成。

【扇子】shàn·zi 名 摇动生风的用具：一把～｜扇(shān)～。

墠(墠) shàn 古代祭祀用的平地。

掸(撣) Shàn ❶ 我国史书上对傣族的一种称呼。❷ 缅甸民族之一，大部分居住在掸邦(自治邦名)。
另见 267 页 dǎn。

掞 shàn 〈书〉舒展；铺张。

善 shàn ❶ 形 善良；慈善(跟"恶"相对)：～举｜～事｜心怀不～。❷ 善行；善事(跟"恶"相对)：行～｜劝～规过。❸ 良好：～策｜～本。❹ 友好；和好：友～｜相～｜亲～。❺ 熟悉：面～。❻ 办好；弄好：～后｜～始～终｜工欲～其事，必先利其器。❼ 擅长；长于：～战｜多谋～断。❽ 好好地：～自保重｜～为说辞。❾ 容易；易于：～变｜～忘。❿（Shàn）名 姓。

【善罢甘休】shàn bà gān xiū 好好地了结纠纷，不闹下去(多用于否定式)：决不能～。

【善报】shànbào 名 佛教指做好事得到的好的报应。

【善本】shànběn 名 古代书籍在学术或艺术价值上比一般本子优异的刻本或写本：～书｜～目录。

【善处】shànchǔ〈书〉动 妥善地处理。

【善待】shàndài 动 友善地对待；好好对待：～野生动物｜～生命。

【善感】shàngǎn 形 容易引起感触：多愁～。

【善后】shànhòu 动 妥善地料理和解决事件发生以后遗留的问题：处理～问题。

【善举】shànjǔ〈书〉名 慈善的事情：共襄～。

【善款】shànkuǎn 名 用于捐助慈善事业的钱款。

【善类】shànlèi〈书〉名 善良的人(多用于否定式)：此人行迹诡秘，定非～。

【善良】shànliáng 形 心地纯洁，没有恶意：心地～|～的愿望。

【善男信女】shànnán-xìnnǚ 佛教用语，指信仰佛教的人们。

【善始善终】shàn shǐ shàn zhōng 事情从开头到结束都做得很好。

【善事】shànshì 名 慈善的事。

【善心】shànxīn 名 好心肠：发～。

【善行】shànxíng 名 慈善的行为。

【善意】shànyì 名 善良的心意；好意：～的批评|他这样做是出于～。

【善于】shànyú 动 在某方面具有特长：～辞令|～团结群众。

【善战】shànzhàn 形 善于打仗：英勇～。

【善终】shànzhōng 动 ❶ 指人因衰老而死亡，不是死于意外的灾祸。❷ 把事情的最后阶段工作做完做好：善始～。

禅(禪) shàn 禅让：受～|～位。另见147页chán。

【禅让】shànràng 动 帝王把帝位让给别人。

骟(騸) shàn 动 割掉牲畜的睾丸或卵巢：～马。

鄯 shàn 鄯善(Shànshàn)，地名，在新疆。

墡 shàn 古书上指白色黏土。

缮(繕) shàn ❶ 修补：修～。❷ 缮写。

【缮发】shànfā 动 缮写后发出：～公文。

【缮写】shànxiě 动 誊写；抄写：～书稿。

擅 shàn ❶ 独揽：～权。❷ 副 擅自：～离职守。❸ 长于；善于：不～辞令。

【擅长】shàncháng 动 在某方面有特长：～书法。

【擅场】shànchǎng〈书〉动 压倒全场；在某种专长方面超过一般人：～之作。

【擅权】shànquán 动 独揽权力；专权。

【擅自】shànzì 副 对不在自己职权范围内的事情自作主张：～决定|不得～改变安全操作规程。

膳(饍) shàn 饭食：早～|午～|晚～|用～。

【膳费】shànfèi 名 膳食所需的费用。

【膳食】shànshí 名 日常吃的饭和菜。

【膳宿】shànsù 名 吃饭和住宿：～自理|料理～|安排～。

嬗 shàn〈书〉❶ 更替；蜕变。❷ 同"禅"(shàn)。

【嬗变】shànbiàn〈书〉动 演变。

赡(贍) shàn ❶ 赡养。❷〈书〉丰富；充足：宏～|力不～(力不足)。

【赡养】shànyǎng 动 供给生活所需，特指子女对父母在物质上和生活上进行帮助：～费|～父母。

蟮 shàn 见1125页〖曲蟮〗。

鳝(鱓、鱔) shàn 名 鳝鱼，通常指黄鳝。

shāng(ㄕㄤ)

伤(傷) shāng ❶ 名 人体或其他物体受到的损害：内～|虫～|探～|轻～不下火线。❷ 动 伤害；损害：～了筋骨|出口～人|～感情。❸ 悲伤：忧～|哀～|～感。❹ 动 因过度而感到厌烦(多指饮食)：～食|吃糖吃～了。❺ 妨碍：无～大雅|有～风化。

【伤疤】shāngbā 名 ❶ 伤口愈合后留下的痕迹。❷ 比喻过去的错误、隐私、耻辱等：揭～。

【伤兵】shāngbīng 名 作战受伤的士兵。

【伤残】shāngcán 动 ❶ 受伤致残：～儿童|你为保卫国家财产而～，是人民的功臣。❷ 破损：这块皮子有了～，只可以做低档鞋料。

【伤悼】shāngdào〈书〉动 怀念死者而感到悲伤：顷得噩耗，～不已。

【伤风】shāngfēng ❶ 名 感冒。❷(-//-) 动 患感冒。

【伤风败俗】shāng fēng bài sú 指败坏风

俗,多用来谴责道德败坏。

【伤感】shānggǎn 形 因感触而悲伤:对景思人,无限~。

【伤害】shānghài 动 使身体组织或思想感情等受到损害:睡眠过少会~身体|自尊心。

【伤寒】shānghán 名❶急性肠道传染病,病原体是伤寒杆菌,症状是体温持续在39—40℃,脉搏缓慢,脾大,白细胞减少,腹部出现玫瑰色疹。❷中医指外感发热的病,特指发热、恶寒无汗、头痛项僵的病。

【伤号】shānghào 名 受伤的人(多用于军队)。

【伤耗】shāng·hao 〈口〉❶动 损害;毁坏:蝗虫~了几百亩庄稼。❷动 损失:这一仗我们~了好几十个弟兄。❸名 损耗②:库存水果要注意保管,减少~。

【伤痕】shānghén 名 伤疤,也指物体受损害后留下的痕迹:~累累。

【伤口】shāngkǒu 名 皮肤、肌肉、黏膜等受伤破裂的地方。

【伤脑筋】shāng nǎojīn 形容事情难办,费心思:这件事真让人~。

【伤热】shāng//rè 动 (蔬菜、水果等)受热而损坏。

【伤神】shāng//shén ❶动 过度耗费精神:做这事真够~的。❷形 伤心。

【伤生】shāng//shēng 动 伤害生命。

【伤势】shāngshì 名 受伤的情况:~严重。

【伤逝】shāngshì 〈书〉动 悲伤地怀念去世的人。

【伤天害理】shāng tiān hài lǐ 指做事残忍,灭绝人性。

【伤痛】shāngtòng ❶形 伤心痛苦:心中万分~。❷名 身体受伤的痛苦:他忍着浑身的~站了起来。

【伤亡】shāngwáng ❶动 受伤和死亡:~惨重|~了数千人。❷名 受伤和死亡的人:交战双方各有~。

【伤心】shāng//xīn 形 由于遭受不幸或不如意的事而心里痛苦:~事|~落泪。

【伤心惨目】shāng xīn cǎn mù 非常悲惨,使人不忍心看。

【伤员】shāngyuán 名 受伤的人员(多用于军队)。

汤(湯) shāng [汤汤](shāngshāng)〈书〉形 水流大而急:河水~|

浩浩~。

另见 1326 页 tāng。

殇(殤) shāng 〈书〉没有到成年就死去。

商¹ shāng ❶商量:协~|面~|有要事相~。❷商业:经~|通~。❸商人:布~|~旅。❹ 名 除法运算中,被除数除以除数所得的数。如 $10 \div 2 = 5$ 中,5 是商。也叫商数。❺ 动 用某数做商:八除以二~四。

商² shāng ❶古代五音之一,相当于简谱的"2"。参看 1445 页〖五音〗。❷二十八宿中的心宿。

商³ Shāng ❶朝代,公元前 1600—公元前 1046,汤所建。❷姓。

【商标】shāngbiāo 名 企业用来使自己的产品或服务与其他企业的产品或服务相区别的具有明显特征的标志。包括工业、商业或服务业商标等。商标经注册后受法律保护。

【商埠】shāngbù 名❶旧时与外国通商的城镇。❷指商业发达的城市。

【商场】shāngchǎng 名❶聚集在一个或相连的几个建筑物内的各种商店、摊位所组成的市场。❷面积较大、商品比较齐全的综合商店:百货~。❸指商界。

【商船】shāngchuán 名 运载货物和旅客的船。

【商德】shāngdé 名 经商者应该具备的品德。

【商店】shāngdiàn 名 在室内出售商品的场所:副食~|零售~。

【商调】shāngdiào 动 通过协商调动(人员、物资等):他是由~单位~进京工作的。

【商定】shāngdìng 动 商量决定:这事如何处理还没有最后~。

【商法】shāngfǎ 名 调整市场经济关系中商人、商业组织和商业活动的法律规范的统称。狭义的商法包括商业登记、公司法、票据法、证券法、保险法、海商法等。

【商贩】shāngfàn 名 指现买现卖的小商人。

【商港】shānggǎng 名 停泊商船的港口。

【商贾】shānggǔ 〈书〉名 商人(总称)。

【商海】shānghǎi 名 比喻充满竞争和风险的商业领域:投身~|在~中拼搏。

【商行】shāngháng 名 商店(多指较大

S

【商号】shānghào 名 商店。

【商户】shānghù 名 商家;商店(一般指较小的)。

【商会】shānghuì 名 商人为了维护自己利益而组成的团体。

【商机】shāngjī 名 商业经营的机遇:把握～|西部开发带来了许多～。

【商家】shāngjiā 名 商品的经营者。

【商检】shāngjiǎn 名 商品检验:～部门|～工作。

【商界】shāngjiè 名 指商业界。

【商籁体】shānglàitǐ 名 见 1232 页〖十四行诗〗。[商籁,法 sonnet]

【商量】shāng·liang 动 交换意见:遇事要多和群众～|这件事要跟他～一下。

【商旅】shānglǚ 〈书〉名 指往来各地买卖货物的商人。

【商贸】shāngmào 名 商业和贸易:～系统|～活动。

【商品】shāngpǐn 名 ❶ 为交换而生产的劳动产品。具有使用价值和价值的两重性。商品在不同的社会制度中,体现着不同的生产关系。❷ 泛指市场上买卖的物品。

【商品房】shāngpǐnfáng 名 指作为商品出售的房屋。

【商品交易所】shāngpǐn jiāoyìsuǒ 买卖大宗商品的一种特殊形式的交易场所。可以经营一种商品,也可以经营几种商品。分现货交易和期货交易两种。

【商品经济】shāngpǐn jīngjì 以交换为目的而进行生产的经济形式。参看〖商品生产〗。

【商品粮】shāngpǐnliáng 名 指作为商品出售的粮食。

【商品流通】shāngpǐn liútōng 以货币为媒介的商品交换。

【商品生产】shāngpǐn shēngchǎn 以交换为目的而进行的产品生产。

【商洽】shāngqià 动 接洽商谈:为落实双方合作事宜,请速派人前来～。

【商情】shāngqíng 名 指市场上的商品价格和供销情况:～调查|熟悉～|～资料。

【商榷】shāngquè 动 商讨:这个问题尚待～|他的论点还有值得～的地方。

【商人】shāngrén 名 贩卖商品从中获取利润的人。

【商厦】shāngshà 名 指多层的大型商场:百货～|家电～。

【商社】shāngshè 名 商业方面的公司(多用于商业组织的名称)。

【商数】shāngshù 名 商'④。

【商谈】shāngtán 动 口头商量:～工作|对这个问题双方进行了长时间的～。

【商讨】shāngtǎo 动 为了解决较大的、较复杂的问题而交换意见;商量讨论:会议～了两国的经济合作问题。

【商亭】shāngtíng 名 出售商品的像亭子的小房子。

【商务】shāngwù 名 商业上的事务:～往来。

【商业】shāngyè 名 以买卖方式使商品流通的经济活动,也指组织商品流通的国民经济部门。

【商业街】shāngyèjiē 名 商店、商场等密集的街道:王府井～。

【商业片儿】shāngyèpiānr 〈口〉名 商业片。

【商业片】shāngyèpiàn 名 以营利为主要目的的影片。

【商业银行】shāngyè yínháng 主要经营工商企业及个人存贷款、证券投资等业务,实行企业化经营的综合性金融机构。

【商议】shāngyì 动 为了对某些问题取得一致意见而进行讨论:这个问题如何解决,还须好好～一下。

【商誉】shāngyù 名 商业信誉。

【商战】shāngzhàn 名 指商业上的激烈竞争。

【商酌】shāngzhuó 动 商量斟酌:此项工作有待进一步～。

觞(觴) shāng 古代称酒杯:举～相庆。

墒(畼) shāng 土壤适合种子发芽和作物生长的湿度:抢～|保～|跑～。

【墒情】shāngqíng 名 土壤湿度的情况。

熵 shāng 名 ❶ 热力体系中,不能利用来做功的热能可以用热能的变化量除以温度所得的商来表示,这个商叫做熵。❷ 科学技术上泛指某些物质系统状态的一种量度或者某些物质系统状态可能出现的程度。

shǎng （ㄕㄤˇ）

上 shǎng 指上声，"上²"shàng⑭的又音。

【上声】shǎngshēng 名"上声"shàngshēng的又音。

垧 shǎng 量旧时土地面积单位，各地不同。东北地区多数地方1垧合15亩，西北地区1垧合3亩或5亩。

晌 shǎng ❶（～儿）量一天以内的一段时间：工作了一～｜前半～儿｜晚半～儿。❷〈方〉晌午：～觉｜歇～。

【晌饭】shǎngfàn〈方〉名午饭。也叫晌午饭。

【晌觉】shǎngjiào〈方〉名午觉：睡～。也叫晌午觉。

【晌午】shǎng·wu〈方〉名中午。

垧 shǎng 同"垧"。
另见1329页tǎng。

赏¹（賞）shǎng ❶动赏赐；奖赏：有～有罚。❷名赏赐或奖赏的东西：悬～｜领～。❸（Shǎng）名姓。

赏²（賞）shǎng ❶动欣赏；观赏：～月｜～花｜雅俗共～。❷赏识：赞～。

【赏赐】shǎngcì ❶动指地位高的人或长辈把财物送给地位低的人或晚辈。❷名指赏赐的财物。

【赏罚】shǎngfá 动奖赏有功的人，处罚有过失的人：～分明。

【赏封】shǎngfēng 名旧时指装在红封套里的或者用红纸包起来的赏钱。

【赏格】shǎnggé 名悬赏所定的报酬数。

【赏光】shǎng//guāng 动客套话，用于请对方接受自己的邀请。

【赏鉴】shǎngjiàn 动欣赏鉴别（多指艺术品）：～名画。

【赏赉】shǎnglài〈书〉❶动赏赐①。❷名赏赐②。

【赏脸】shǎng//liǎn 动客套话，用于请对方接受自己的要求或赠品。

【赏钱】shǎng·qián 名赏给人的钱。

【赏识】shǎngshí 动认识到别人的才能或作品的价值而予以重视或赞扬。

【赏玩】shǎngwán 动欣赏玩味（景物、艺术品等）：～山景｜～古董。

【赏析】shǎngxī 动欣赏并分析（诗文等）：唐诗～｜近代文学名作～。

【赏心悦目】shǎng xīn yuè mù 指因欣赏美好的情景而心情舒畅。

【赏阅】shǎngyuè 动欣赏阅读（诗文等）：～佳作。

shàng （ㄕㄤˋ）

上¹ shàng ❶名方位词。位置在高处的：～部｜～游｜往～看。❷等级或品质高的：～等｜～级｜～品。❸名方位词。次序或时间在前的：～卷｜～次｜～半年。❹旧时指皇帝：～谕。❺向上面：～缴｜～升｜～进。❻（Shàng）名姓。

上² shàng ❶动由低处到高处：～山｜～楼｜～车。❷动到；去（某个地方）：～街｜～工厂｜他～哪儿去了？❸动向上呈递：～书。❹动向前进：老张快～，投篮｜困难就～，见荣誉就让。❺动出场：这一场戏，你应该从左边的旁门～｜这一场球，你们五个先～。❻动把饭菜等端上桌子：～饭｜～菜｜～茶。❼动添补；增加：～水｜～货。❽动把一件东西安装在另一件东西上；把一件东西的两部分安装在一起：～刺刀｜～螺丝。❾动涂；搽：～颜色｜～药。❿动登载；电视上播映：～报｜～账｜～电视。⓫动拧紧：～弦｜表该～了。⓬动到规定时间开始工作或学习等：～班｜～课。⓭动达到；够（一定数量或程度）：～百人｜～年纪。⓮（又shǎng）上声：平～去入。

上³ shàng 名我国民族音乐音阶上的一级，乐谱上用作记音符号，相当于简谱的"1"。参看468页〖工尺〗。

上 //·shàng 动趋向动词。用在动词后。❶表示由低处向高处：爬～山顶。❷表示有了结果或达到目的：锁～门｜考～了大学｜那时他家穷得连饭都吃不～。❸表示开始并继续：爱～了农村。

上 ·shàng 名方位词。❶用在名词后，表示在物体的表面：脸～｜墙～｜桌子～。❷用在名词后，表示在某种事物的范围以内：会～｜书～｜课堂～｜报纸～。❸

表示某一方面：组织～|事实～|思想～。

【上班】shàng//bān （～儿）囫 在规定的时间到工作地点工作。

【上班族】shàngbānzú 囵 指在机关、企事业单位工作的人，因为这些人需按时上下班，所以叫上班族。

【上半场】shàngbànchǎng 囵 上半时。

【上半晌】shàngbànshǎng （～儿）〈方〉囵 上午。

【上半时】shàngbànshí 囵 足球、水球等球类比赛，全场比赛分作两段时间进行，前一段时间叫上半时。也说上半场。

【上半天】shàngbàntiān （～儿）〈口〉囵 时间词。上午。

【上半夜】shàngbànyè 囵 时间词。前半夜。

【上报】[1] shàng//bào 囫 刊登在报纸上：老张的模范事迹上了报了。

【上报】[2] shàngbào 囫 向上级报告：年终决算要及时填报～。

【上辈】shàngbèi （～儿）囵 ❶ 祖先①：我们～在清朝初年就从山西迁到这个地方了。❷ 家族中的上一代。

【上辈子】shàngbèi·zi 囵 ❶ 上辈①。❷ 前世（迷信）。

【上边】shàng·bian （～儿）囵 方位词。上面。

【上膘】shàng//biāo 囫 （牲畜）长肉：精心饲养，耕畜就容易～。

【上宾】shàngbīn 囵 尊贵的客人：待为～。

【上苍】shàngcāng 囵 苍天。

【上操】shàng//cāo 囫 出操。

【上策】shàngcè 囵 高明的计策或办法。

【上层】shàngcéng 囵 上面的一层或几层（多指机构、组织、阶层）：～领导|～人物。

【上层建筑】shàngcéng jiànzhù 指建立在经济基础上的政治、法律、宗教、艺术、哲学等的观点，以及适合这些观点的政治、法律等制度。经济基础决定上层建筑，上层建筑反映经济基础。

【上场】shàng//chǎng 囫 演员或运动员出场。

【上朝】shàng//cháo 囫 ❶ 臣子到朝廷上拜见君主奏事议事。❷ 君主到朝廷上处理政事。

【上乘】shàngchéng ❶ 囵 本佛教用语，就是"大乘"。一般借指文学艺术的高妙境界或上品。❷ 圊 事物质量好或水平高：～之作|质量～。

【上传】shàngchuán 囫 将数据、信息等从某台计算机上传递到其他计算机或某些电子装置上（跟"下载"相对）。也叫上载。

【上蔟】shàng//cù 囫 家蚕发育至一定时期，停止吃东西，爬到蔟上吐丝做茧，叫做上蔟。

【上蹿下跳】shàng cuān xià tiào ❶ （动物）到处蹿蹦：小松鼠～，寻找食物。❷ 比喻人到处活动（贬义）：～，煽风点火。

【上代】shàngdài 囵 家族或民族的较早的一代或几代叫上代。

【上党梆子】Shàngdǎng bāng·zi 山西地方戏曲剧种之一，流行于该省东南部（古上党郡）地区。

【上当】shàng//dàng 囫 受骗吃亏。

【上等】shàngděng 圊 属性词。等级高的；质量高的：～货|～衣料。

【上等兵】shàngděngbīng 囵 军衔，高于列兵。

【上帝】Shàngdì 囵 ❶ 我国古代指天上主宰万物的神。❷ 基督教所崇奉的神，被认为是宇宙万物的创造者和主宰者。

【上吊】shàng//diào 囫 用绳子等吊在高处套着脖子自杀。

【上调】shàngdiào 囫 ❶ 调到上面工作：他已经从车间～到厂部了。❷ 上级调用（财物等）：这是～的木材。

另见 1197 页 shàngtiáo。

【上冻】shàng//dòng 囫 结冰；因冷凝结：今年冬天不冷，快到冬至了还没～|地上了冻了。

【上颚】shàng'è 囵 ❶ 某些节肢动物的第一对摄取食物的器官，生在口两旁的上方，上面长着许多短毛。❷ 脊椎动物的上颌。

【上方宝剑】shàngfāng bǎojiàn 皇帝用的宝剑。戏曲和近代小说中常说持有皇帝赏赐的上方宝剑的大臣，有先斩后奏的权力（上方：制作或储藏御用器物的官署）。也作尚方。现多比喻上级特许的权力。

【上房】shàngfáng 囵 正房①。

【上访】shàng//fǎng 囫 人民群众到上级机关反映问题并要求解决。

【上坟】shàng//fén 囫 到坟前祭奠死者。

【上风】shàngfēng 囵 ❶ 风刮来的那一

方：烟气从～刮过来。❷ 比喻作战或比赛的一方所处的有利地位：这场球赛，上半场甲队占～。

【上峰】shàngfēng 名 旧时指上级长官。

【上浮】shàngfú 动（价格、利率、工资等）向上浮动：～一级工资│物价指数～一个百分点。

【上感】shànggǎn 名 上呼吸道感染的简称。

【上岗】shàng∥gǎng 动 ❶ 到执行守卫、警戒等任务的岗位：警察～指挥交通。❷ 到工作岗位工作：持证～│只有达到服务标准的营业员才能～。

【上告】shànggào 动 ❶ 向上级机关或司法部门告状。❷ 向上级报告。

【上工】shàng∥gōng 动 ❶（从事集体劳动的人）每天开始工作。❷ 雇工第一天到雇主家干活。

【上供】shàng∥gòng 动 ❶ 指摆上祭祀物品。❷ 比喻向有权势的人送礼以求得到照顾。

【上钩】shàng∥gōu 动 鱼吃了鱼饵被钩住，比喻人被引诱上当。

【上古】shànggǔ 名 较早的古代，在我国历史分期上多指夏商周秦汉这个时期。

【上官】Shàngguān 名 姓。

【上轨道】shàng guǐdào 比喻事情开始正常而有秩序地进行。

【上好】shànghǎo 形 顶好；最好（多指用品的质量）：～的茶叶│～的绸缎。

【上颌】shànghé 名 口腔的上部。也叫上颚。

【上呼吸道】shànghūxīdào 名 呼吸道的上部，包括鼻腔、咽、喉，内壁有黏膜。

【上呼吸道感染】shànghūxīdào gǎnrǎn 以鼻咽部为主的呼吸道炎症，多由病毒引起。症状通常是流鼻涕、鼻塞、打喷嚏、咳嗽等，有的还发热、呕吐，容易并发支气管炎或肺炎。简称上感。

【上火】shàng∥huǒ 动 ❶ 中医把大便干燥或鼻腔黏膜、口腔黏膜、结膜等发炎的症状叫上火：他～了，眼睛红红的。❷（～儿）〈方〉发怒。

【上级】shàngjí 名 同一组织系统中等级较高的组织或人员：～机关│～组织│～领导深入下层│完成～交给的任务。

【上佳】shàngjiā 形 上好；非常好：竞技状

态～│～的营销业绩。

【上家】shàngjiā 名 ❶ 几个人打牌、掷色子、行酒令等的时候，如轮流的次序是甲乙丙丁…，乙是甲的下家，丙的上家，丙是乙的下家，丁的上家。❷ 商业活动中指交付给自己货物的人或单位。

【上江】Shàngjiāng 名 ❶ 长江上游地区。❷ 清代安徽、江苏两省称上下江，上江指安徽，下江指江苏。

【上浆】shàng∥jiāng 动 用淀粉等加水制成的黏性液体浸润纱、布、衣服等物，使增加光滑耐磨的性能。

【上将】shàngjiàng 名 军衔，将官的一级，高于中将。

【上焦】shàngjiāo 名 中医指胃的上口到舌头的下部，包括心、肺、食管等，主要功能是呼吸、血液循环等。参看1763页〖中焦〗、1468页〖下焦〗。

【上缴】shàngjiǎo 动 把收入的财物等缴给上级：～税收│～国库。

【上界】shàngjiè 名 迷信的人指天上神仙居住的地方。

【上紧】shàngjǐn〈方〉副 赶快；加紧：麦子都熟了，得～割啦！

【上进】shàngjìn 动 向上；进步：～心│发愤～│不求～。

【上劲】shàng∥jìn（～儿）形 精神振奋，劲头儿大；来劲：越干越～儿。

【上镜】shàngjìng ❶ 动 出现在电影、电视中：她还在电影学院学习期间就已经多次～。❷ 形 在电影、电视中的形象好：这位节目主持人很～。

【上课】shàng∥kè 动 教师讲课或学生听课：学校里八点钟开始～。

【上空】shàngkōng 名 指一定地点上面的天空：接受检阅的机群在天安门～飞过。

【上口】shàngkǒu 形 ❶ 指诵读诗文等纯熟时，能顺口而出：琅琅～。❷ 诗文写得流利，读起来顺口。

【上口字】shàngkǒuzì 名 京剧中指按照传统念法念的字，某些字跟北京音略有区别，如"尖、千、先"念 zīan、cīan、sīan，不念 jiān、qiān、xiān；"脸"念 jiǎn，不念 liǎn；"哥、可、何"念 guō、kǔo、húo，不念 gē、kě、hé。

【上款】shàngkuǎn（～儿）名 书画家为人写字绘画，一般人写信或送人礼品时，在这些东西上面所题的对方的名字、称呼等。

【上来】shànglái 劢❶ 开始;起头:一~就很卖力气|~先少说话。❷〈书〉总括以上叙述:~所言。

【上来】shàng∥·lái 劢 由低处到高处来:他在楼下看书,半天没~。

【上来】∥·shàng∥·lái 劢 趋向动词。❶ 用在动词后,表示由低处到高处或由远处向近处来:部队从两路增援~|端上饭来。❷ 用在动词后,表示成功(指说、唱、背诵等):那首诗他念了两遍就背~了|这个问题你一定答得~。❸〈方〉用在形容词后面,表示程度的增加:天色黑~了|中秋节后,天气慢慢凉~。

【上联】shànglián (~儿)名 对联的上一半。

【上脸】shàng∥liǎn 劢❶ 指人喝酒后脸发红。❷〈方〉受人抬举,自以为得意而更加放肆:这孩子不懂事,才夸他两句就~了。

【上梁不正下梁歪】shàngliáng bù zhèng xiàliáng wāi 比喻上面的人行为不正,下面的人也就跟着学坏。

【上列】shàngliè 属性词 上面所列的:~各项工作都要抓紧抓好。

【上流】shàngliú 名❶ 上游:长江~。❷ 指较高的社会地位:~社会。

【上路】shàng∥lù 劢❶ 走上路程;动身:你几时~? ❷ 上轨道:工作还没有~。

【上马】shàng∥mǎ 比喻开始某项较大的工作或工程:这项工程即将~。

【上门】¹ shàng∥mén 劢❶ 到别人家里去;登门:送货~。❷〈方〉指入赘:~女婿。

【上门】² shàng∥mén 劢❶ 上门闩。❷ 指商店停止营业。

【上面】shàng·miàn (~儿)名 方位词。❶ 位置较高的地方:小河~跨着一座石桥。❷ 次序靠前的部分;文章或讲话中前于现在所叙述的部分:~列举了各种实例。❸ 物体的表面:墙~贴着标语。❹ 方面:他在品种改良~下了很多工夫。❺ 指上级:~派了两名干部到我们这儿帮助工作。❻ 指家族的上一辈。

【上年】shàngnián 名 时间词。去年:~我们俩见过一面。

【上年纪】shàng nián·ji 年老:上了年纪了,腿脚不那么灵便了。

【上皮组织】shàngpí zǔzhī 由许多密集的细胞和少量的细胞间质(黏合细胞的物质)构成的一种组织,覆盖在身体的外表面、体腔和有腔器官的内壁。

【上品】shàngpǐn 名 上等品级:龙井是绿茶中的~。

【上坡路】shàngpōlù 名❶ 由低处通向高处的道路。❷ 比喻向好的或繁荣的方向发展的道路。

【上去】shàng∥·qù 劢 由低处到高处去:登着梯子~。

【上去】∥·shàng∥·qù 劢 趋向动词。用在动词后,表示由低处向高处,或由近处向远处去:顺着山坡爬~|大家连忙迎~|把所有的力量都使~了。

【上人】shàng∥rén (~儿)〈方〉劢 饭馆、剧场等处陆续有顾客、观众来。

【上任】¹ shàng∥rèn 劢 指官吏就职:走马~。

【上任】² shàngrèn 名 称前一任的官吏。

【上色】shàngsè 形 属性词。(货品)上等;高级:~绿茶|~材料。

【上色】shàng∥shǎi 劢 (在图画、工艺美术品等上面)加颜色:地图的轮廓已经画好,还没~。

【上山】shàng∥shān 劢❶ 到山上去;到山区去:~砍柴|~下乡。❷〈方〉婉辞,指人死亡,埋入坟地。❸〈方〉指蚕上蔟:再过一两天,蚕就要~了。

【上上】shàngshàng 属性词❶ 最好:~策。❷ 指比前一时期再往前的(一个时期):~星期|~月。

【上身】¹ shàng∥shēn 劢 新衣初次穿在身上:这件新褂子刚~就撕了个口子。

【上身】² shàngshēn 名❶ 身体的上半部:他~只穿一件衬衫。❷ (~儿)上衣:她穿着白~,花裙子。

【上升】shàngshēng 劢❶ 由低处往高处移动:一缕炊烟袅袅~。❷ (等级、程度、数量)升高;增加:气温~|产量大幅度~。

【上声】shàngshēng 又 shǎngshēng 名❶ 古汉语四声的第二声。❷ 普通话字调的第三声。‖ 参看 1294 页《四声》。

【上士】shàngshì 名 某些国家的军衔,军士的最高一级。

【上市】shàng//shì 劢❶（货物）开始在市场上出售：六月里西红柿大量～|这是刚～的苹果。❷股票、债券、基金等经批准后在证券交易所挂牌交易：新股～|～公司。❸到市场上：～买菜去。

【上市公司】shàngshì gōngsī 经有关部门核准，公开发行股票并在证券交易所上市交易的股份有限公司。

【上世】shàngshì 名上代。

【上手】¹ shàngshǒu （～儿）名❶位置较尊的一侧。也作上首。❷上家。

【上手】² shàng//shǒu 劢❶〈方〉动手：这事我一个人干就行了，你们就不用～了。❷开始：今天这场球一～就打得很顺利。

【上首】shàngshǒu 同"上手"¹①。

【上书】shàng//shū 劢给地位高的人写信（多陈述政治见解）：～中央。

【上述】shàngshù 形属性词。上面所说的：～各条，望切实执行。

【上水】shàngshuǐ ❶名上游。❷劢向上游航行：～船。

【上水】shàng·shui〈方〉名食用的牲畜的心、肝、肺。

【上水道】shàngshuǐdào 名供给生活、消防或工业生产上用的清洁水的管道。

【上税】shàng//shuì 劢纳税。

【上司】shàng·si 名上级领导：顶头～。

【上诉】shàngsù 劢诉讼当事人不服第一审的判决或裁定，在法定期限内按照法律规定的程序向上一级法院请求改判。

【上溯】shàngsù 劢❶逆着水流往上游走。❷从现在往上推（过去的年代）。

【上算】shàngsuàn 形合算：不～|烧煤气比烧煤～。

【上岁数】shàng suì·shu （～儿）〈口〉·上年纪。

【上台】shàng//tái 劢❶到舞台或讲台上去：～表演|～讲话。❷比喻出任官职或掌权（多含贬义）。

【上台阶】shàng táijiē 比喻社会发展、工作、生产等达到一个新的高度：粮食产量～|本市经济又上了新台阶。

【上膛】shàng//táng 劢把枪弹推进枪膛里或把炮弹推进炮膛里准备发射。

【上体】shàngtǐ〈书〉名"上身"²①。

【上天】¹ shàng//tiān 劢❶上升到天空：人造卫星～。❷迷信的人指神佛仙人所在的地方。也用作婉辞，指人死亡。

【上天】² shàngtiān 名迷信的人指主宰自然和人类的天：～保佑。

【上调】shàngtiáo 劢（价格、利率等）向上调整；提高（价格等）。
　　另见 1194 页 shàngdiào。

【上头】¹ shàng//tóu 旧时女子未出嫁时梳辫子，临出嫁才把头发拢上去结成发髻，叫做上头。

【上头】² shàng·tou 名方位词。上面。

【上网】shàng//wǎng 劢操作计算机等进入互联网，在网络上进行信息检索、查询等操作（跟"下网"相对）。

【上网卡】shàngwǎngkǎ 名在进入特定的计算机网络前，用来确认上网者合法身份的卡。卡上通常记有用户账号和密码，输入账号和密码即可登录上网，获取和使用相关信息。

【上尉】shàngwèi 名军衔，尉官的一级，高于中尉。

【上文】shàngwén 名书中或文章中某一段或某一句以前的部分。

【上午】shàngwǔ 名时间词。指清晨到正午十二点的一段时间。

【上下】¹ shàngxià 名方位词。❶在职位、辈分上较高的人和较低的人：机关里～都很忙|孩子考上大学，全家上上下下都很高兴。❷从上到下：摩天岭～有十五里|我～打量着这位客人。❸（程度）高低；好坏；优劣：不相～|难分～。❹用在数量词后面，表示大致是这个数量：这里一亩地能有一千斤～的收成。

【上下】² shàngxià 劢从低处到高处或从高处到低处：山上修了公路，汽车～很方便。

【上下其手】shàng xià qí shǒu 比喻玩弄手法，暗中作弊。

【上下文】shàngxiàwén 名指文章或说话中与某一词语或文句相连的上文和下文：这个词的含义联系～不难理解。

【上弦】shàngxián 名月相的一种，农历每月初七或初八，太阳跟地球的连线和地球跟月亮的连线成直角时，在地球上看到月亮呈 D 形，这种月相叫上弦，这时的月亮叫上弦月。

【上限】shàngxiàn 名时间最早或数量最大的限度（跟"下限"相对）。

【上相】shàngxiàng 〔形〕指某人在相片上的面貌比本人好看。

【上校】shàngxiào 〔名〕军衔,校官的一级,高于中校。

【上鞋】shàng//xié 同"绱鞋"。

【上心】shàng//xīn 〔形〕对要办的事情留心;用心:这孩子读书不大~。

【上刑】shàng//xíng 〔动〕为了逼供,对受审人使用刑具。

【上行】shàngxíng 〔动〕❶ 我国铁路部门规定,列车在干线上朝着首都的方向行驶,在支线上朝着连接干线的车站行驶,叫做上行。上行列车编号用偶数,如 12 次、104 次等。❷ 船从下游向上游行驶。❸ 公文由下级送往上级。

【上行下效】shàng xíng xià xiào 上面或上辈的人怎样做,下面或下辈的人就学着怎样做(多指不好的事)。

【上学】shàng//xué 〔动〕❶ 到学校学习:我每天早晨七点钟~。❷ 开始到小学学习:现在孩子一般六岁~。

【上旬】shàngxún 〔名〕每月一日到十日的十天。

【上演】shàngyǎn 〔动〕(戏剧、舞蹈等)演出:这个月~了三台新戏。

【上扬】shàngyáng 〔动〕(数量、价格等)上升:收视率~|租金~。

【上衣】shàngyī 〔名〕上身穿的衣服。

【上议院】shàngyìyuàn 〔名〕某些国家两院制议会的组成部分。议员由选举产生或由国家元首指定,任期一般较长,有的终身任职,也有世袭的。上议院享有立法权和监督行政权。名称各国叫法不一,如英国叫贵族院,美国、日本叫参议院,瑞士叫联邦院等(跟"下议院"相对)。

【上瘾】shàng//yǐn 〔动〕爱好某种事物而成为癖好:喝茶喝上了瘾,一天不喝就难受。

【上映】shàngyìng 〔动〕(电影)放映:近来常有新片~。

【上游】shàngyóu 〔名〕❶ 河流接近发源地的部分。❷ 比喻先进的地位:力争~。

【上谕】shàngyù 〔名〕皇帝发布的命令。

【上元节】Shàngyuán Jié 〔名〕元宵节。

【上载】shàngzài 〔动〕上传。

【上涨】shàngzhǎng 〔动〕(水位、商品价格等)上升:河水~|物价~。

【上账】shàng//zhàng 〔动〕登上账簿:刚收到的款子已经~了。

【上阵】shàng//zhèn 〔动〕上战场打仗,比喻参加比赛、劳动等。

【上肢】shàngzhī 〔名〕人体的一部分,包括上臂、前臂、腕和手。

【上装】[1] shàng//zhuāng 〔动〕(演员)化装。

【上装】[2] shàngzhuāng 〔名〕上衣。

【上座】shàngzuò 〔名〕座位分尊卑时,最尊的座位叫上座。

【上座儿】shàng//zuòr 〔动〕指戏院、饭馆等处有顾客到来:戏园子里~已到八成。

尚[1] shàng ❶ 尊崇;注重:崇~|~武。❷ 风尚:时~。❸ (Shàng)〔名〕姓。

尚[2] shàng 〈书〉❶ 〔副〕还(hái)①:为时~早|~待研究。❷ 〔连〕尚且。

【尚方宝剑】shàngfāng bǎojiàn 同"上方宝剑"。

【尚且】shàngqiě 〔连〕提出程度更甚的事例作为衬托,下文常用"何况"等呼应,表示进一层的意思:为了人民的事业,流血~不惜,何况流这点儿汗呢!

【尚书】shàngshū 〔名〕古代官名。明清两代是政府各部的最高长官。

【尚武】shàngwǔ 〈书〉〔动〕注重军事或武术:~精神。

绱(緔、鞝) shàng 〔动〕绱鞋。

【绱鞋】shàng//xié 〔动〕把鞋帮跟鞋底缝在一起。也作上鞋。

• shang (• ㄕㄤ)

裳 • shang 见1602页〖衣裳〗。
另见 155 页 cháng。

shāo (ㄕㄠ)

捎 shāo 〔动〕顺便带:~封信|~件衣服|~个口信。
另见 1201 页 shào。

【捎带】shāodài ❶ 〔动〕顺便带:让城里回来的空车~一点货物。❷ 〔副〕顺便;附带:你上街时~把信发了。

【捎带脚儿】shāodàijiǎor 〈方〉〔副〕顺便:

你要的东西我～就买来了。

【捎脚】shāo//jiǎo （～儿）动 运输中顺便载客或捎带货物：回去是空车，捎个脚儿吧!

烧(燒)

shāo ❶ 动 使东西着火；燃烧：～毁|～煤取暖。❷ 动 加热或接触某些化学药品、放射性物质等使物体起变化：～水|～饭|～砖|～炭|盐酸把衣服～坏了。❸ 动 烹调方法，先用油炸，再加汤汁来炒或炖，或先煮熟再用油炸：～茄子|红～鲤鱼|～羊肉。❹ 动 烹调方法，就是烤：叉～|～鸡。❺ 动 发烧：他现在～得厉害。❻ 名 比正常体温高的体温：～退了|退～了。❼ 动 过多的肥料使植物体枯萎或死亡。❽ 动 因富多而忘乎所以：有两个钱就～得不知怎么好了!

【烧包】shāobāo 〈方〉动 由于变得富有或得势而忘乎所以。

【烧杯】shāobēi 名 实验室中配制溶液或加热液体用的玻璃杯，杯口上有便于倒出液体的嘴。

【烧饼】shāo·bing 名 烤熟的小的发面饼，表面多有芝麻。

【烧化】shāohuà 动 烧掉(尸首、祭品等)。

【烧荒】shāo//huāng 动 开垦前烧掉荒地上的野草。

【烧毁】shāohuǐ 动 焚烧毁灭；烧坏。

【烧火】shāo//huǒ 动 使柴、煤等燃烧(多指炊事)：～做饭。

【烧碱】shāojiǎn 名 一种强碱，成分是氢氧化钠(NaOH)，白色固体。可用于制肥皂、颜料、人造丝、玻璃等，又可用来精炼石油等。也叫火碱。

【烧酒】shāojiǔ 名 白酒。

【烧烤】shāokǎo 名 烧制或烤制的肉食品的统称。

【烧卖】shāo·mai 名 食品，用很薄的烫面皮包馅儿，顶上捏成褶儿，然后蒸熟。俗误作烧麦。

【烧瓶】shāopíng 名 实验室中加热或蒸馏液体用的玻璃瓶，常见的有圆底烧瓶、平底烧瓶、锥形烧瓶、蒸馏烧瓶等。

【烧伤】shāoshāng 名 火焰的高温或强酸、强碱以及 X 射线等跟身体接触后使皮肤和组织受到的损伤。

【烧香】shāo//xiāng 动 ❶ 信仰佛教、道教

或有迷信思想的人拜神佛时把香点着插在香炉中，叫烧香。❷ 比喻给人送礼，请求关照。

【烧心】shāoxīn 动 ❶〈口〉胃部有烧灼的感觉，多由胃酸过多刺激胃黏膜引起。❷(-/-)(～儿)〈方〉(包心的蔬菜)菜心因发生病害而发黄。

【烧心壶】shāoxīnhú 〈方〉名 茶炊。

【烧夷弹】shāoyídàn 名 燃烧弹的旧称。

【烧针】shāozhēn 名 火针。

【烧纸】shāo//zhǐ 动 迷信的人烧纸钱等，认为可供死者在阴间使用。

【烧纸】shāo·zhǐ 名 纸钱的一种，在较大的纸片上刻出或印上钱形。

【烧灼】shāozhuó 动 烧、烫，使受伤。

梢

shāo （～儿）名 条状物的较细的一头：树～|眉～|辫～。
另见 1178 页 sào。

【梢公】shāogōng 见 1199 页〖艄公〗。

【梢头】shāotóu 名 树枝的顶端：月上柳～。

稍

shāo ❶ 副 稍微：衣服～长了一点|你～等一等。❷ (Shāo)名 姓。
另见 1201 页 shào。

【稍稍】shāoshāo 副 稍微：～休息一下|～有点儿疲倦。

【稍微】shāowēi 副 表示数量不多或程度不深：～放点糖就好吃了|～大意一点就要出毛病|今天～有点冷。

【稍为】shāowéi 副 稍微。

【稍许】shāoxǔ 副 稍微：接到他的电话，心里～安定了些。

【稍纵即逝】shāo zòng jí shì 稍微一放松就溜过去了，形容时间、机会等极易失去：战机～。

蛸

shāo 见 1495 页〖螵蛸〗。
另见 1495 页 xiāo。

筲

shāo 名 水桶，多用竹子或木头制成。

【筲箕】shāojī 名 淘米洗菜等用的竹器，形状像簸箕。

艄

shāo ❶ 名 船尾：船～。❷ 名 舵：掌～|撑～。

【艄公】(梢公)shāogōng 名 船尾掌舵的人，也指撑船的人。

鞘

shāo （～儿）名 鞭鞘，拴在鞭子头上的细皮条等。

另见 1101 页 qiào。

sháo （ㄕㄠ）

勺(●杓) sháo ❶（～儿）图勺子：一把～儿丨马～丨铁～。❷ 量 容量单位，10 撮等于 1 勺，10 勺等于 1 合(gě)。

"杓"另见 87 页 biāo。

【勺子】sháo•zi 图舀东西的用具，略作半球形，有柄。

芍 sháo ［芍药](sháo•yao) 图❶ 多年生草本植物，羽状复叶，小叶卵形或披针形，花大而美丽，有紫红、粉红、白等颜色，供观赏。根可人药。❷ 这种植物的花。

苕 sháo 〈方〉甘薯。也叫红苕。
另见 1353 页 tiáo。

韶 sháo ❶〈书〉美：～光。❷ (Sháo) 图姓。

【韶光】sháoguāng 〈书〉图❶ 美丽的春光。❷ 比喻美好的青年时代。

【韶华】sháohuá 〈书〉图韶光。

【韶秀】sháoxiù 〈书〉形清秀：仪容～。

shǎo （ㄕㄠ）

少 shǎo ❶ 形 数量小（跟"多"相对）：～量丨～见多怪。❷ 动 不够原有或应有的数目；缺少（跟"多"相对）：账算错了，～一块钱丨全体同学都来了，一个没～。❸ 动 丢；遗失：屋里～了东西。❹ 动 亏欠：～人家的钱都还清了。❺ 副 暂时；稍微：～候丨～待。
另见 1200 页 shào。

【少安毋躁】shǎo ān wú zào 耐心等待一下，不要急躁。

【少不得】shǎo•bude 动 少不了：得到别人的帮助，～登门致谢。

【少不了】shǎo•buliǎo 动 不能缺少：办这个事儿，一定～你。

【少见】shǎojiàn ❶ 动 客套话，表示很久见到对方：～了，您近来好吗？❷ 形 难得见到；罕见：这种情景一般很～。

【少见多怪】shǎo jiàn duō guài 由于见闻少，遇见平常的事情也感到奇怪。

【少礼】shǎolǐ 动 客套话。❶ 请人不必拘于礼节。❷ 称自己礼貌不周到。

【少量】shǎoliàng 形 属性词。数量和分量比较少的。

【少陪】shǎopéi 动 客套话，对人表示因事不能相陪。

【少时】shǎoshí 图 不大一会儿；不多时：～雨过天晴，院子里又热闹起来了。

【少数】shǎoshù 图 较小的数量：～服从多数。

【少数民族】shǎoshù mínzú 多民族国家中人数最多的民族以外的民族，在我国指汉族以外的民族，如蒙古、回、藏、维吾尔、哈萨克、苗、彝、壮、布依、朝鲜、满等民族。

【少许】shǎoxǔ 〈书〉形一点儿；少量。

shào （ㄕㄠ）

少 shào ❶ 年纪轻（跟"老"相对）：～年丨～女丨老～丨青春年～。❷ 少爷：恶～丨阔～。❸ (Shào) 图姓。
另见 1200 页 shǎo。

【少白头】shàobáitóu ❶ 动 年纪不大而头发已经变白。❷ 图指年纪不大而头发已经变白的人。

【少不更事】shào bù gēng shì 指人年纪轻，经历的事不多，缺少经验。

【少东家】shàodōng•jia 图旧时称东家的儿子。

【少儿】shào'ér 图少年儿童：～读物。

【少妇】shàofù 图年轻的已婚女子。

【少将】shàojiàng 图军衔，将官的一级，低于中将。

【少林拳】shàolínquán 图拳术的一派，因唐初嵩山少林寺僧徒练习这种拳术而得名。

【少奶奶】shàonǎi•nai 图❶ 旧时仆人称少爷的妻子。❷ 旧时尊称别人的儿媳妇。

【少男】shàonán 图 未婚的少年男子：～少女。

【少年】shàonián 图❶ 人十岁左右到十五六岁的阶段：～时代。❷ 指上述年龄的人：～宫丨～之家。❸〈书〉指青年男子：翩翩～。

【少年犯】shàoniánfàn 图 在我国指年满

十四周岁不满十八周岁因犯罪而被依法
判处徒刑的人。

【少年宫】shàoniángōng 名 在学校以外
对少年儿童进行教育和开展集体文化活
动的机构。

【少年老成】shàonián lǎochéng 原指人
虽年轻,却很老练,举动谨慎,现在多指年
轻人缺乏朝气。

【少年先锋队】shàonián xiānfēngduì 我
国和某些国家的少年儿童的群众性组织。
简称少先队。

【少女】shàonǚ 名 未婚的少年女子。

【少尉】shàowèi 名 军衔,尉官的一级,低
于中尉。

【少先队】shàoxiānduì 少年先锋队的
简称。

【少相】shào·xiang 形 相貌显得比实际年
龄年轻:她长得～,岁数儿可不小了。

【少校】shàoxiào 名 军衔,校官的一级,低
于中校。

【少爷】shào·ye 名 ❶ 旧时仆人称主人的
儿子。❷ 旧时尊称别人的儿子。❸ 旧时
称官僚、地主和有钱人家的男性青少年◇
～作风(指好逸恶劳、挥霍浪费的作风)。

【少壮】shàozhuàng 形 年轻力壮:～派|
～不努力,老大徒伤悲。

召 Shào ❶ 周朝国名,在今陕西凤翔
一带。❷ 名 姓。
另见 1722 页 zhào。

卲 shào 同"劭"❷。

邵 Shào 名 姓。

劭 shào 〈书〉❶ 劝勉:先帝～农。❷
美好(多指道德品质):年高德～。

绍(紹) shào 〈书〉继续;继承。

绍²(紹) Shào ❶ 指浙江绍兴:～
酒。❷ 名 姓。

【绍介】shàojiè 动 介绍。

【绍剧】shàojù 名 浙江地方戏曲剧种之
一,原名绍兴乱弹,通称绍兴大班,流行于
绍兴一带。

【绍兴酒】shàoxīngjiǔ 名 浙江绍兴出产
的黄酒。也叫绍酒。

捎 shào 动 稍微向后倒退(多指骡马
等)。

另见 1198 页 shāo。

【捎色】shào∥shǎi 动 退色。

哨¹ shào ❶ 侦察;巡逻:～探。❷
名 为警戒、侦察等任务而设的岗位:～
卡|岗|观察|放。❸ 量 支(用于
军队)。❹ (Shào)名 姓。

哨² shào ❶ 动(鸟)叫。❷〈方〉动 说
话;闲谈(含贬义):神聊海～。❸
(～儿)名 哨子:吹～儿。

【哨兵】shàobīng 名 执行警戒任务的士兵
的统称。

【哨卡】shàoqiǎ 名 设在边境或要道的哨
所。

【哨所】shàosuǒ 名 警戒分队或哨兵所在
的处所:边防～。

【哨位】shàowèi 名 哨兵执行任务的岗
位。

【哨子】shào·zi 名 用金属或塑料等制成
的能吹响的器物,多在集合人员、操练或
体育运动时使用。

睄 shào 〈方〉动 略看一眼。

稍 shào [稍息](shàoxī)动 军事或体
操口令,命令从立正姿势变为休息姿
势。
另见 1199 页 shāo。

潲¹ shào 动 ❶ 雨斜着落下来:快关窗
户,别让雨点～进来。❷〈方〉洒水:
打桶水～～院子|往菜上～水。

潲² shào 〈方〉名 用泔水、米糠、野菜
等煮成的饲料:猪～。

【潲水】shàoshuǐ 〈方〉名 泔水。

畲 Shē 同"畲"。

奢(奓) shē ❶ 奢侈:穷～极欲。❷ 过分
的:～望。

【奢侈】shēchǐ 形 花费钱财过多,享受过
分:～品|生活～。

【奢华】shēhuá 形 奢侈豪华:陈设～。

【奢靡】(奢糜) shēmí 形 奢侈浪费:生活
～。

【奢求】shēqiú ❶ 动 过高地要求:只希望
有个稳定的工作,不～更高的收入。❷ 名

过高的要求：我只想有一个安静的工作环境，别无～。

【奢谈】shētán 动 不切实际地谈论；浮夸地谈论：球员没有个人技术，球队还～什么战术配合？

【奢望】shēwàng ❶ 动 过高地希望：不敢～。❷ 名 过高的希望：心存～。

【奢想】shēxiǎng ❶ 动 奢望①。❷ 名 奢望②。

赊（賒） shē 动 赊欠：～购｜～销｜前账未清，不能再～。

【赊购】shēgòu 动 用赊欠的方式购买。

【赊欠】shēqiàn 动 买卖货物时买方延期交款，卖方延期收款。

【赊销】shēxiāo 动 用赊欠的方式销售。

【赊账】shē//zhàng 动 把买卖的货款记在账上延期付付；赊欠：现金买卖，概不～。

猞 shē 〔猞猁〕(shēlì) 名 哺乳动物，外形像猫，但大得多。尾巴短，耳的尖端有长毛，两颊的毛也长。全身毛棕黄色，厚而软，有灰褐色斑点，尾端黑色。善于爬树，行动敏捷，性凶猛。也叫林独(línyì)。

畲 Shē 指畲族。

【畲族】Shēzú 名 我国少数民族之一，主要分布在福建、浙江、江西、广东、安徽。

畬 shē 〈书〉焚烧田地里的草木，用草木灰做肥料的耕作方法。这样耕种的田地叫畬田。
另见 1661 页 yú。

shé （ㄕㄜˊ）

舌 shé ❶ 名 舌头。❷ 像舌头的东西：帽～｜火～。❸ 铃或铎中的锤。

【舌敝唇焦】shé bì chún jiāo 形容话说得太多，费尽唇舌。也说唇焦舌敝。

【舌根音】shégēnyīn 名 舌面后部上升，靠着或接近软腭（或硬腭和软腭中间）发出的辅音，如普通话语音中的 g、k、h。也叫舌面后音。

【舌耕】shégēng 〈书〉动 指依靠教书谋生。

【舌尖音】shéjiānyīn 名 舌尖顶住或接近门齿、上齿龈、硬腭前部发出的辅音。普

通话语音中的 z、c、s、d、t、n、l、zh、ch、sh、r 都是舌尖音。细分起来，z、c、s 是舌尖前音，d、t、n、l 是舌尖中音，zh、ch、sh、r 是舌尖后音。

【舌剑唇枪】shé jiàn chún qiāng 见 219 页〖唇枪舌剑〗。

【舌面后音】shémiànhòuyīn 名 舌根音。

【舌面前音】shémiànqiányīn 名 舌面前部上升，靠着或接近齿龈、前硬腭发出的辅音，如普通话语音中的 j、q、x。

【舌苔】shétāi 名 舌头表面上滑腻的物质。健康的人，舌苔薄白而润。医生常根据病人舌苔的情况来诊断病情。

【舌头】shé·tou 名 ❶ 辨别滋味、帮助咀嚼和发音的器官，在口腔底部，根部固定在口腔底上。❷ 指为侦察和了解敌情而活捉来的敌人：抓了个～。

【舌下神经】shéxià-shénjīng 第十二对脑神经，从延髓发出，分布在舌的肌肉中，管舌肌的运动。

【舌咽神经】shéyān-shénjīng 第九对脑神经，从延髓发出，分布在咽头、舌头等处，主要管咽头肌肉运动、唾腺分泌和味觉。

【舌战】shézhàn 动 激烈辩论：一场～｜诸葛亮～群儒。

折 shé ❶ 动 断（多用于长条形的东西）：树枝～了｜桌子腿撞～了。❷ 动 亏损：～本儿｜～耗。❸ (Shé) 名 姓。
另见 1724 页 zhē；1724 页 zhé。

【折本】shé//běn (～儿) 动 赔本：～生意｜做买卖折了本儿。

【折秤】shé//chèng 动 货物重新过秤时因为已经损耗而分量减少，或货物大宗称进，零星称出而分量减少。

【折耗】shéhào 动 物品或商品在制造、运输、保管等过程中造成数量上的损失：用鲜菜腌成咸菜，～很大｜蔬菜在转运中～了几百斤。

佘 Shé 名 姓。

蛇（虵） shé 名 爬行动物，身体圆而细长，有鳞，没有四肢。种类很多，有的有毒。吃青蛙等小动物，大蛇也能吞食大的兽类。
另见 1606 页 yí。

【蛇胆】shédǎn 名 中药上指蝮蛇的胆，有清热、杀虫等作用。

【蛇豆】shédòu 名蛇瓜。

【蛇毒】shédú 名毒蛇体内所含的有毒物质。提炼后可入药。

【蛇瓜】shéguā 名❶一年生草本植物,茎蔓生,叶子掌状分裂,花白色,果实圆柱形,长可达1米以上,嫩时灰白色,外形略像蛇。是常见蔬菜。❷这种植物的果实。‖也叫蛇豆。

【蛇头】shétóu 〈方〉名称组织偷渡并从中获取钱财的坏人。

【蛇蜕】shétuì 名中药上指蛇蜕下来的皮,用来治惊风、抽搐、癫痫等。

【蛇纹石】shéwénshí 名矿物,成分主要是镁硅酸盐。常见的为绿色,并有青绿相间的像蛇皮的斑纹。有蜡样光泽,硬度2.5—3。

【蛇蝎】shéxiē 名蛇和蝎子,比喻狠毒的人。

【蛇行】shéxíng 动❶全身伏在地上,曲折地爬着前进。❷像蛇一样蜿蜒曲折前行:小溪～,绕林而过。

【蛇足】shézú 名比喻多余无用的事物。参看590页〖画蛇添足〗。

阇(闍)
shé [阇梨](shélí)名高僧,也泛指僧。[阿阇梨之省,梵ācārya]
另见333页dū。

搓
shé 古代用蓍草占卦时,数蓍草的数目,把它分成几份儿。
另见317页dié。

shě (ㄕㄜˇ)

舍(捨)
shě 动❶舍弃:四～五入|～近求远。❷施舍:～粥|～药。
另见1205页shè。

【舍本逐末】shě běn zhú mò 舍弃事物的根本的、主要的部分,而去追求细枝末节,形容轻重倒置。

【舍不得】shě·bu·de 动很爱惜,不忍放弃或离开,不愿意使用或处置:妈妈～孩子出远门|他从来～乱花一分钱。

【舍得】shě·de 动愿意割舍,不吝惜:你～把这本书送给他吗?|他学起技术来,真～下工夫。

【舍己为公】shě jǐ wèi gōng 为了公共的利益而牺牲个人的利益。

【舍己为人】shě jǐ wèi rén 为了他人而牺牲自己的利益。

【舍近求远】shě jìn qiú yuǎn 舍弃近的寻找远的,形容做事走弯路或追求不切实际的东西。也说舍近图远。

【舍脸】shě//liǎn 〈方〉动不顾面子向人求助(多指出于不得已)。

【舍命】shě//mìng 动不顾性命:拼命:～抢救国家财产。

【舍弃】shěqì 动丢开;抛弃;放弃:～舒适的生活,主动要求到边远地区工作。

【舍身】shěshēn 动原指佛教徒牺牲肉体表示虔诚,后来泛指为祖国或他人而牺牲自己:～为国。

【舍生取义】shě shēng qǔ yì 为正义而牺牲生命。

【舍生忘死】shě shēng wàng sǐ 形容不顾性命危险。也说舍死忘生。

【舍死忘生】shě sǐ wàng shēng 见〖舍生忘死〗。

shè (ㄕㄜˋ)

库(庫)
shè ❶〈方〉村庄(多用于村庄名)。❷(Shè)名姓。

设(設)
shè ❶动设立;布置:～防|～宴|总部～在北京。❷筹划:～计|想方～法。❸动假设:～想|x=1|～长方形的宽是x米。❹〈书〉连假如;倘若:～有困难,当助一臂之力。

【设备】shèbèi ❶动设置以备应用:新建的工人俱乐部～得很不错。❷名进行某项工作或供应某种需要所必需的成套建筑或器物:厂房～|机器～|自来水～。

【设法】shèfǎ 动想办法:～解决|～克服困难。

【设防】shèfáng 动设置防卫力量:步步～◇两人朝夕相处,思想上互不～。

【设伏】shèfú 动布置伏兵:～擒敌。

【设或】shèhuò 〈书〉连假如。

【设计】shèjì ❶动在正式做某项工作之前,根据一定的目的要求,预先制定方法、图样等:～师|～图纸。❷名设计的方案或规划的蓝图等:那两项～已经完成。

【设立】shèlì 囫 成立；建立（组织、机构等）：～监察小组|新住宅区～了学校、医院和商店。

【设若】shèruò 〈书〉连 假如。

【设色】shèsè 囫（绘画）涂色；着色：这幅画布局新颖，～柔和。

【设身处地】shè shēn chǔ dì 设想自己处在别人的地位或境遇中。

【设施】shèshī 名 为进行某项工作或满足某种需要而建立起来的机构、系统、组织、建筑等：生活～|服务～相当齐全。

【设使】shèshǐ 连 假如；如果：～他没有时间，不妨派别人去。

【设想】shèxiǎng 囫❶ 想象；假想：不堪～|他提出了关于技术改造的大胆～。❷ 着想：应该处处替国家～。

【设置】shèzhì 囫❶ 设立：这座剧院是为儿童～的。❷ 安放；安装：～障碍。

社 shè ❶名 某些集体组织：诗～|报～|通讯～|合作～|集会结～。❷名 某些服务性单位：茶～|旅～|旅行～。❸ 古代把土神和祭土神的地方、日子和祭礼都叫社：春～|秋～|～日|～稷。❹（Shè）名 姓。

【社保】shèbǎo 名 社会保险的简称。

【社会】shèhuì 名❶ 指由一定的经济基础和上层建筑构成的整体。也叫社会形态。原始共产主义社会、奴隶社会、封建社会、资本主义社会、共产主义社会是人类社会的五种基本形态。❷ 泛指由于共同物质条件而互相联系起来的人群。

【社会保险】shèhuì bǎoxiǎn 国家以保险形式实行的社会保障制度，在劳动者或公民暂时或永久丧失劳动能力以及发生其他困难时，由国家、社会对他们给予物质生活保证。简称社保。

【社会必要劳动】shèhuì bìyào láodòng 指在现有社会正常的生产条件下，在社会平均劳动熟练程度和强度下，生产某种产品所需要的劳动。用劳动时间来衡量。

【社会存在】shèhuì cúnzài 指社会物质生活条件的总和，主要指物质资料的生产方式。社会存在决定社会意识，社会意识又反作用于社会存在。

【社会福利】shèhuì fúlì 国家和社会在物质方面为个人、群体和社区提供公益服务，如文化、教育、卫生等事业，也指在城乡中为孤、老、残、幼及精神病患者提供物质帮助和特殊服务。

【社会工作】shèhuì gōngzuò 本职工作之外没有报酬的为群众服务的工作。

【社会关系】shèhuì guān·xì ❶ 指个人的亲戚朋友关系。❷ 人们在共同活动的过程中彼此间结成的关系。一切社会关系中最主要的是生产关系，即经济关系，其他政治、法律等关系的性质都决定于生产关系。

【社会活动】shèhuì huó·dòng 本职工作以外的集体活动，如党团活动、工会活动等。

【社会教育】shèhuì jiàoyù 指学校以外的文化教育机关（如图书馆、博物馆、文化宫、展览会、俱乐部、少年宫等）对人民群众和少年儿童所进行的教育。

【社会科学】shèhuì kēxué 研究各种社会现象的科学，包括政治经济学、法律学、历史学、文艺学、美学、伦理学等。

【社会青年】shèhuì qīngnián 指既不上学也未就业的青年。

【社会效益】shèhuì xiàoyì 各种经济活动及科学技术、教育、文学、艺术等在社会上产生的非经济性效果和利益。

【社会形态】shèhuì xíngtài 见〖社会〗①。

【社会学】shèhuìxué 名 研究社会生活、社会制度、社会行为、社会变迁和发展及其他社会问题的综合性学科。

【社会意识】shèhuì yìshí 指政治、法律、道德、艺术、哲学、宗教等观点。参看〖社会存在〗。

【社会制度】shèhuì zhìdù 社会的经济、政治、法律等制度的总称。

【社会主义】shèhuì zhǔyì ❶ 指科学社会主义。❷ 指社会主义社会，是共产主义的初级阶段。是无产阶级通过革命斗争，夺取政权后产生的。我国在社会主义初级阶段，坚持公有制为主体、多种所有制经济共同发展的基本经济制度，坚持按劳分配为主体、多种分配方式并存的分配制度。社会主义的本质是解放生产力，发展生产力，消灭剥削，消除两极分化，最终达到共同富裕。

【社会主义革命】shèhuì zhǔyì gémìng 由无产阶级及其先锋队共产党领导的，以推翻资本主义制度、建立社会主义制度和实现共产主义为目的的革命。也叫无产阶级革命。

【社会主义所有制】shèhuì zhǔyì suǒyǒuzhì 生产资料和劳动产品归社会公有的制度,是社会主义生产关系的基础。我国目前主要有两种基本形式,即全民所有制和劳动群众集体所有制。也叫社会主义公有制。

【社火】shèhuǒ 名 民间在节日举行的传统集体游艺活动,如狮舞、龙灯等：玩~。

【社稷】shèjì 名 "社"指土神,"稷"指谷神,古代君主都祭社稷,后来就用"社稷"代表国家。

【社交】shèjiāo 名 指社会上人与人的交际往来：～活动｜～场合。

【社论】shèlùn 名 报社或杂志社在自己的报纸或刊物上,以本社名义发表的评论当前重大问题的文章。

【社评】shèpíng 名 社论的旧称。

【社情】shèqíng 名 社会情况：了解～民意｜该地区～十分复杂。

【社区】shèqū 名 ❶ 城市中以某种社会特征划分的居住区：旧金山华人～。❷ 我国城镇按地理位置划分的居民区：～服务｜～文化活动。

【社群】shèqún 名 社会群体：华人～。

【社团】shètuán 名 各种群众性的组织的总称,如工会、妇女联合会、学生会、各种学术团体等。

【社戏】shèxì 名 旧时某些地区农村中迎神赛会时演出的戏。一般在庙上戏台上演出,也有露天搭台演出的。

【社员】shèyuán 名 某些以社命名的组织的成员。

舍¹ shè ❶ 名 房屋：宿～｜校～。❷ 舍间：敝～｜寒～。❸ 养家畜的圈：猪～｜牛～。❹ 谦辞,用于对别人称自己的辈分低的或同辈年纪小的亲属：～侄｜～弟。❺ (Shè) 名 姓。

舍² shè 量 古代行军三十里为一舍：退避三～。

另见 1203 页 shě。

【舍间】shèjiān 名 谦辞,对人称自己的家：请来～一叙。也说舍下。

【舍利】shèlì 名 佛教称释迦牟尼遗体焚烧之后结成的珠状的东西,后来也泛指佛教修行者死后火化的剩余物。也叫舍利子(shèlìzǐ)。〔梵 śarīra〕

【舍亲】shèqīn 名 谦辞,对人称自己的亲戚。

【舍下】shèxià 名 〈书〉舍间。

拾 shí 〈书〉轻步而上。

另见 1238 页 shí。

【拾级】shèjí 〈书〉动 逐步登阶：我们～而上,登上了顶峰。

射 shè ❶ 动 用推力或弹力送出(箭、子弹、足球等)：发～｜扫～｜～箭｜～出三发炮弹｜右边锋乘机～入一球。❷ 动 液体受到压力通过小孔迅速挤出：喷～｜注～｜管子坏了,～了他一身的水。❸ 动 放出(光、热、电波等)：反～｜辐～｜～线｜光芒四～｜月光从树梢的空隙里～到地上。❹ 有所指：暗～｜影～。

【射程】shèchéng 名 弹头等射出后所能达到的距离。

【射电望远镜】shèdiàn wàngyuǎnjìng 利用定向天线和灵敏度很高的微波接收装置来接收天体发出的无线电波以观测天体的设备。

【射击】shèjī ❶ 动 用枪炮等火器向目标发射弹头。❷ 名 体育运动项目之一,按照比赛时所用枪支、射击距离、射击目标和射击姿势,分为不同项目。

【射箭】shèjiàn ❶ (-/-) 动 用弓把箭射出去。❷ 名 体育运动项目之一,在一定的距离外用箭射靶。

【射界】shèjiè 名 指火器射击时所能达到的范围。

【射猎】shèliè 动 打猎。

【射流】shèliú 名 喷射成束状的流体。如空气从气管中喷出,水从水枪中喷出等都能形成射流。

【射门】shè//mén 动 足球、手球等比赛时把球踢向或投向对方的球门。

【射频】shèpín 名 无线电波的频率,频率范围是 3 千赫—3 000 吉赫。这个频率范围内的电波,可以用天线辐射出去。

【射手】shèshǒu 名 ❶ 指射箭或放枪炮的人(多指熟练的)：机枪～。❷ 指足球等比赛中射门技术熟练的运动员。

【射线】shèxiàn 名 ❶ 波长较短的电磁波,包括红外线、可见光、紫外线、X 射线、γ 射线等。速度高、能量大的粒子流也叫射线,如 α 射线、β 射线和阴极射线等。❷ 数学上指从一个定点出发,沿着单一方向运动的点的轨迹;直线上某一点一旁的部分。

【射影】shèyǐng 图❶ 从一点向一条直线或一个平面作垂线,垂足叫做这点在这条直线或平面上的射影;一条线段的各点在一条直线或一个平面上射影的连线叫做这条线段在这条直线或平面上的射影。❷ 传说水中有一种叫"蜮"的动物能含沙喷射人影使人致病。"射影"也是"蜮"的别名。参看 534 页〖含沙射影〗。

涉 shè ❶ 徒步过水;泛指从水上经过:~渡 | 跋山~水 | 远~重洋。❷ 经历:~险。❸ 牵涉:~及 | ~嫌。

【涉案】shè'àn 囫 牵涉到案件之中;涉及案件:这起经济案件~人员七人,~金额一千多万元 | 众多人员,令人震惊。

【涉笔】shèbǐ 〈书〉囫 用笔写作;动笔:~成趣。

【涉及】shèjí 囫 牵涉到;关联到:案子好几个人 | 这个问题~面很广。

【涉猎】shèliè 囫❶ 粗略地阅读:有的书必须精读,有的只要稍加~即可。❷ 接触;涉及:学生生活是作家们较少~的领域。

【涉密】shèmì 囫 涉及机密:因为~,这些数据不能公布。

【涉禽】shèqín 图 鸟的一类,这类鸟的颈、嘴、脚和趾都长,适于在浅水中涉行并捕食水中鱼虾等,如鹤、鹭等。

【涉世】shèshì 囫 经历世事:~未深。

【涉讼】shèsòng 囫 牵涉到诉讼之中。

【涉外】shèwài 囮 属性词。涉及与外国有关的:~工作 | ~问题。

【涉嫌】shèxián 囫 有跟某件事情有关的嫌疑:~人犯。

【涉险】shèxiǎn 囫 经历危险;冒着危险:~过关 | ~救助落水儿童。

【涉足】shèzú 〈书〉囫 指进入某种环境或范围:~其间 | 后山较为荒僻,游人很少~。

赦 shè 赦免:大~ | 特~ | 十恶不~。

【赦免】shèmiǎn 囫 以国家命令的方式减轻或免除对罪犯的刑罚。参看 255 页〖大赦〗、1335 页〖特赦〗。

摄¹(攝) shè ❶ 吸取:~取 | ~食。❷ 摄影:~制。

摄²(攝) shè 〈书〉保养:~生 | ~护(调护)。

摄³(攝) shè 代理:~政。

【摄理】shèlǐ 囫 代理:~国政。

【摄录】shèlù 囫 拍摄录制:~电视片 | ~设备。

【摄取】shèqǔ 囫❶ 吸收(营养等):~食物 | ~氧气。❷ 拍摄(照片或电影、电视镜头):~几个镜头。

【摄生】shèshēng 〈书〉囫 保养身体:~性 | ~之道。

【摄食】shèshí 囫 摄取食物(多指动物)。

【摄氏度】shèshìdù 曌 摄氏温标的单位,符号℃。参看〖摄氏温标〗。

【摄氏温标】Shèshì wēnbiāo 温标的一种,规定在一个标准大气压(101 325 帕)下,纯水的冰点为 0 摄氏度,沸点为 100 摄氏度,在 0 摄氏度和 100 摄氏度之间均匀分成 100 份,每份表示 1 摄氏度。这种温标是瑞典天文学家摄尔修斯(Anders Celsius)制定的。

【摄氏温度】Shèshì wēndù 摄氏温标的标度,用符号"℃"表示。

【摄像】shèxiàng 囫 用摄像机拍摄实物影像:~师。

【摄像机】shèxiàngjī 图 用来摄取人物、景物并记录声音的装置。它可将图像分解并变成电信号,用来拍摄文体节目、集会实况等。通常有光学摄像机、数字摄像机等。

【摄行】shèxíng 〈书〉囫 代行职务:~政事。

【摄影】shèyǐng 囫❶ 用照相机拍下实物影像。通称照相。❷ 拍电影。

【摄影机】shèyǐngjī 图❶ 照相机的旧称。❷ 电影摄影机的简称。

【摄政】shèzhèng 囫 代君主处理政务。

【摄制】shèzhì 囫 拍摄并制作(电影片、电视片等)。

滠(灄) Shè 滠水,水名,在湖北,流入长江。

慑(慴、懾) shè 〈书〉害怕;使害怕:~服 | 威~。

【慑服】shèfú 囫❶ 因恐惧而顺从。❷ 使恐惧而屈服。

歙 Shè 歙县,地名,在安徽。
另见1457页 xī。

麝 shè 图❶哺乳动物,外形像鹿而
小,无角,前腿短,后腿长,善于跳跃,
尾巴短,毛黑褐色或灰褐色。雄麝的犬齿
很发达,肚脐和生殖器之间有腺囊,能分
泌麝香。也叫香獐子。❷ 麝香的简
称。

【麝牛】shèniú 图 哺乳动物,外形像牛而
稍小,头大而阔,四肢较短,颈和尾都很
短,毛长,褐色,皮下有腺体,分泌物有麝
香气味。生活在北美洲的极北地区。

【麝香】shèxiāng 图 雄麝腺囊(在肚脐和
生殖器之间)的分泌物,干燥后呈颗粒状
或块状,有特殊的香气,有苦味,可以制香
料,也可入药。简称麝。

shéi （ㄕㄟˊ）

谁(誰) shéi 又 shuí 代 疑问代词。❶
问人:你找~?|今天~值日?
【注意】"谁"可以指一个人或几个人,方言
中有用"谁们"表示复数的。❷ 用在反问
句里,表示没有一个人:~不说他好。
【注意】反问句中用"谁知道"有时候是"不
料"的意思:我本是跟他开玩笑,~知道他
真急了。❸ 虚指,表示不知道的人或无
须说出姓名和说不出姓名的人:我的书不
知道被~拿走了|今天没有~来过。❹ 任
指,表示任何人。a)用在"也"或"都"前面,
表示所说的范围之内没有例外:这件事~
也不知道|大家比着干,~都不肯落后。b)
主语和宾语都用"谁",指不同的人,表示
彼此一样:他们俩~也说不服~。c)两个
"谁"字前后照应,指相同的人:大家看~
合适,就选~当代表。

【谁边】shéibiān 代 疑问代词。何处;哪
里:知向~?

【谁个】shéigè 〈方〉代 疑问代词。哪一个
人;谁:~不服他|此事~不知,~不晓?

【谁人】shéirén 代 疑问代词。谁;什么
人:这是~造的谣?|~不知,他是技术革
新的能手。

【谁谁】shéishéi 代 疑问代词。用来表示
无须说出的某些人的名字:乡亲们传说着
~立了大功,~当了英雄。

shēn （ㄕㄣ）

申¹ shēn 说明;申述:~说|重~|三令
五~。

申² shēn 图 地支的第九位。参看440
页〖干支〗。

申³ Shēn 图❶ 上海的别称。❷ 姓。

【申办】shēnbàn 动 申请办理或举办:~
下届运动会。

【申报】shēnbào 动 用书面形式向上级或
有关部门报告:向税务部门如实~营业
额。

【申辩】shēnbiàn 动 (对受人指责的事)
申述理由,加以辩解:允许受批评的人
~。

【申斥】shēnchì 动 斥责(多用于对下属):
严厉~了他一顿。也作申饬。

【申饬】shēnchì ❶〈书〉动 告诫。也作申
敕。❷ 同"申斥"。

【申敕】shēnchì 同"申饬"①。

【申购】shēngòu 动 申请购买:~新股|
经济适用房。

【申领】shēnlǐng 动 申请领取:~牌证。

【申令】shēnlìng 动 下令;命令:~全国。

【申论】shēnlùn ❶ 动 申述论证:他再次
~了自己的见解。❷ 图 指申论考试,国
家公务员的一项考试科目,考生根据指定
的材料进行分析,提出见解,并加以论
证。

【申明】shēnmíng 动 郑重说明:~理由。

【申请】shēnqǐng 动 向上级或有关部门说
明理由,提出请求:~书|~助学贷款。

【申时】shēnshí 图 旧式计时法指下午三
点钟到五点钟的时间。

【申述】shēnshù 动 详细说明:~理由|~
来意。

【申说】shēnshuō 动 说明(理由):反复
~。

【申诉】shēnsù 动 ❶ 诉讼当事人或其他
公民对已发生法律效力的判决或裁定不
服时,依法向法院或检察院提出重新处理
的要求。❷ 国家机关工作人员和政党、
团体成员等对所受处分不服时,向原机关
或上级机关提出自己的意见。

S

【申讨】shēntǎo 励 声讨。

【申屠】Shēntú 名 姓。

【申谢】shēnxiè 励 表示谢意。

【申雪】(伸雪) shēnxuě 励 表白或洗雪冤屈。

【申冤】shēn∥yuān 励 ❶ 洗雪冤屈：～吐气｜为民～。也作伸冤。❷ 自己申诉所受的冤屈，希望得到洗雪。

屾 shēn 〈书〉两山并立。

伸 shēn ❶ 励（肢体或物体的一部分）展开：～直｜～展｜延～。❷ (Shēn)名姓。

【伸懒腰】shēn lǎnyāo 人疲乏时伸展腰和上肢。

【伸手】shēn∥shǒu ❶ 伸出手，比喻向别人或组织要(东西、荣誉等)：有困难我们自己解决，不向国家～。❷ 指插手(含贬义)。

【伸缩】shēnsuō 励 ❶ 引长和缩短；伸出和缩进：有的照相机的镜头能够前后～。❷ 比喻在数量或规模上作有限的或局部的变动：～性｜没有～的余地。

【伸腿】shēn∥tuǐ 励 ❶ 钻入；插足；占一份好处(含厌恶意)。❷ (～儿)〈口〉指人死亡(含诙谐意)。

【伸雪】shēnxuě 见 1208 页〖申雪〗。

【伸延】shēnyán 励 延伸：公路一直～到山脚下。

【伸腰】shēn∥yāo 励 挺直身体，比喻不再受人欺侮。

【伸冤】shēn∥yuān 同"申冤"❶。

【伸展】shēnzhǎn 励 向一定方向延长或扩展：麦田一直～到远远的天边。

【伸张】shēnzhāng 励 扩大(多指抽象事物)：～正义。

身 shēn ❶ 名 身体：～上｜转过～去｜～高五尺｜翻了一个～。❷ 指生命：奋不顾～。❸ 自己；本身：以～作则｜先士卒｜临其境｜～为领导，当然应该走在群众的前面。❹ 人的品格和修养：修～｜立～处世。❺ 物体的中部或主要部分：车～｜河～｜船～｜机～。❻ (～儿)量 用于衣服：换了～衣裳｜做两～制服。

【身败名裂】shēn bài míng liè 地位丧失，名誉扫地。

【身板】shēnbǎn (～儿)〈方〉名 身体；体格：他七十多了，～儿还挺结实。

【身边】shēnbiān 名 ❶ 身体的近旁：年老多病的人～需要有人照料。❷ 身上❷：我～没有带钱，你给我先垫一下。

【身材】shēncái 名 身体的高矮和胖瘦：～高大｜～苗条。

【身长】shēncháng 名 ❶ 人体的高度。❷ 衣服从肩到下摆的长度。

【身段】shēnduàn 名 ❶ 女性的身材或身体的姿态：～优美。❷ 戏曲演员在舞台上表演的各种舞蹈化的动作。

【身分】shēn·fen 名 同"身份"。

【身份】shēn·fen 名 ❶ 指自身所处的地位：他是什么～？｜她以主人的～发出邀请。❷ 指受人尊重的地位：有失～｜他是位有～的人。‖也作身分。

【身份权】shēnfènquán 名 人身权的一种，公民基于特定身份依法享有的权利，如监护权、荣誉权、署名权、抚养权等。

【身高】shēngāo 名 人体的高度。

【身故】shēngù 励 (人)死；因病～。

【身后】shēnhòu 名 指死后。

【身家】shēnjiā 名 ❶ 本人和家庭：～性命。❷ 旧时指家庭出身：～清白。

【身价】shēnjià 名 ❶ 旧社会里人身买卖的价格。❷ 指一个人的社会地位：～百倍。

【身教】shēnjiào 励 用自己的行动做榜样：言传～｜～重于言教。

【身历声】shēnlìshēng 〈方〉名 立体声。

【身量】shēn·liang (～儿)〈口〉名 人的身材；个子：～不高。

【身强力壮】shēn qiáng lì zhuàng 身体强壮有力。

【身躯】shēnqū 名 身体；身材：健壮的～｜～高大。

【身上】shēn·shang 名 ❶ 身体上：～穿一件灰色制服｜你～不舒服，早点去休息吧◇希望寄托在青年人～。❷ 随身可以携带钱、物的地方：～没带笔。

【身世】shēnshì 名 指人生的经历、遭遇(多指不幸的)：～凄凉。

【身手】shēnshǒu 名 本领：～不凡｜大显～。

【身受】shēnshòu 励 亲身受到：感同～｜～其害。

【身体】shēntǐ 名 一个人或一个动物的生理组织的整体，有时专指躯干和四肢。

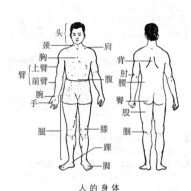

人的身体

【身体力行】 shēn tǐ lì xíng 亲身体验，努力实行。

【身条儿】 shēntiáor 〈口〉**名** 身材；个子：瘦瘦的~|~匀称。

【身外之物】 shēn wài zhī wù 个人身体以外的东西(指财产等，表示无足轻重的意思)。

【身先士卒】 shēn xiān shìzú 作战时将帅亲自带头，冲在士兵前面，现多用来比喻领导带头走在群众前面。

【身心】 shēnxīn **名** 身体和精神：大力开展文娱体育活动，增进职工~健康。

【身影】 shēnyǐng **名** 从远处看到的身体的模糊形象。

【身孕】 shēnyùn **名** 怀了胎儿的现象：有了三个月的~。

【身姿】 shēnzī **名** 身体的姿态：矫健的~。

【身子】 shēn·zi 〈口〉**名** ❶ 身体：~不大舒服。❷ 身孕：她已经有了六七个月的~。

【身子骨儿】 shēn·zigǔr 〈口〉**名** 体格；身体：~结实。

呻 shēn [呻吟](shēnyín)**动** 指人因痛苦而发出声音：病人在床上~。

优 shēn [优优](shēnshēn)〈书〉**形** 形容众多。

诜(詵) shēn [诜诜](shēnshēn)〈书〉**形** 形容众多。

参¹(参、蓡、葠) shēn **名** 人参、党参等的统称，通常指人参：~茸(人参和鹿茸)|~须。

参²(参) shēn 二十八宿之一：~商。

另见 128 页 cān；138 页 cēn。

【参商】 shēnshāng 〈书〉**名** 参和商都是二十八宿之一，两者不同时在天空中出现，比喻亲友不能会面，也比喻感情不和睦：~之阔|兄弟~。

绅(紳) shēn ❶ 古代士大夫束在腰间的大带子。❷ 绅士：乡~|土豪劣~。

【绅士】 shēnshì **名** 指旧时地方上有势力、有功名的人，一般是地主或退职官僚：开明~|~风度。

【绅士协定】 shēnshì xiédìng 见 751 页【君子协定】。

珅 shēn 〈书〉一种玉。

駪(駪) shēn [駪駪](shēnshēn)〈书〉**形** 形容众多。

莘¹ shēn [莘莘](shēnshēn)〈书〉**形** 形容众多：~学子。

莘² Shēn ❶ 莘县，地名，在山东。❷ **名** 姓。

另见 1515 页 xīn。

砷 shēn **名** ❶ 非金属元素，符号 As (arsenium)。有灰、黄、黑褐三种同素异形体，有毒。用于制硬质合金，砷的化合物用作杀菌剂和杀虫剂。旧称砒(pī)。❷ (Shēn)姓。

牲 shēn [牲牲](shēnshēn)〈书〉**形** 形容众多。

娠 shēn 怀孕：妊~。

深 shēn ❶ **形** 从上到下或从外到里的距离大(跟"浅"相对，③—⑥同)：~耕|~山|这院子很~。❷ **名** 深度：这里的河水只有三尺~|这间屋子宽一丈，~一丈四。❸ **形** 深奥：由浅入~|这本书很~，初学的人不容易看懂。❹ **形** 深刻；深入：~谈|影响很~。❺ **形** (感情)厚：(关系)密切：~情|两人的关系很~。❻ **形** (颜色)浓：~红|~绿|颜色太~。❼ **形** 距离开始的时间很久：~秋|夜已经很~。❽ **副** 很；十分：~知|~信|~恐|表同情~有此感。

【深谙】 shēn'ān **动** 十分熟悉：~世情。

【深奥】 shēn'ào **形** (道理、含义)高深不易了解：~的道理。

【深闭固拒】 shēn bì gù jù 比喻坚决不接

受新事物或别人的意见。

【深藏若虚】shēn cáng ruò xū　形容把宝贵的东西藏起来，好像没有这东西似的（语出《史记·老庄申韩列传》）。比喻人有知识才能但不爱在人前表现。

【深层】shēncéng　❶名 较深的层次。❷形 属性词。深入的；更进一步的：～原因｜～意义。

【深长】shēncháng　形（意思）深刻而耐人寻味：意味～｜用意～。

【深沉】shēnchén　形 ❶ 形容程度深：暮色～｜～的夜｜～的哀悼。❷（声音）低沉：铁镐碰着冻硬的土地，发出～的声响。❸ 沉着持重；思想感情不外露：～的微笑｜这人很～，不容易捉摸。

【深仇大恨】shēn chóu dà hèn　极深极大的仇恨。

【深笃】shēndǔ　形（感情）深厚诚挚：情义～。

【深度】shēndù　❶名 深浅的程度；向下或向里的距离：测量河水的～。❷名（工作、认识）触及事物本质的程度：对这个问题大家理解的～不一致。❸名 事物向更高阶段发展的程度：向生产的～和广度进军。❹形 属性词。程度很深的：～近视。

【深更半夜】shēngēng-bànyè　深夜。

【深沟高垒】shēn gōu gāo lěi　深挖壕沟，高筑营垒，指修筑坚固的防御工事。

【深广】shēnguǎng　形 程度深，范围大：影响～｜见识～。

【深闺】shēnguī　名 旧时指富贵人家的女子所住的闺房（多在住宅的最里面）。

【深海】shēnhǎi　名 通常指水深超过200米的海域。

【深厚】shēnhòu　形 ❶（感情）浓厚：～的友谊｜～的感情。❷（基础）坚实：这一带是老根据地，群众基础非常～。

【深呼吸】shēnhūxī　动 尽力吸气然后尽力呼出。

【深化】shēnhuà　动 ❶ 向更深的阶段发展：矛盾～｜认识不断～。❷ 使向更深的阶段发展：～改革。

【深加工】shēnjiāgōng　动 对原料或初级产品作进一步的、更精细的加工，使成为更高层次的产品：逐步提高～产品出口的比重。

【深交】shēnjiāo　❶名 深厚的交情：我和

他往日并无～。❷动 密切地交往：你不愿和他～，也不要得罪他。

【深究】shēnjiū　动 认真追究：对这些小事不必～。

【深居简出】shēn jū jiǎn chū　平日老在家里待着，很少出门。

【深刻】shēnkè　形 ❶ 达到事情或问题的本质的：～剖析｜这篇文章内容～，见解精辟。❷ 内心感受程度很深的：印象～｜～的体会。

【深谋远虑】shēn móu yuǎn lǜ　周密地计划，往长远里考虑。

【深浅】shēnqiǎn　名 ❶ 深浅的程度：你去打听一下这里河水的～，能不能蹚水过去。❷ 比喻分寸：说话没～。

【深切】shēnqiè　形 ❶ 深挚而亲切：～的关怀｜～的怀念。❷ 深刻而切实：～地了解。

【深情】shēnqíng　❶名 深厚的感情：无限～｜满怀～｜～厚谊。❷形 感情深厚：他站在高台上，～地望着家乡的土地。

【深秋】shēnqiū　名 秋季的末期。

【深入】shēnrù　❶动 透过外部，达到事物内部或中心：孤军～｜～实际｜～人心。❷形 深刻；透彻：～地分析｜这个问题需要～的调查研究。

【深入浅出】shēn rù qiǎn chū　指文章或言论的内容很深刻，措辞却浅显易懂。

【深山】shēnshān　名 山里山外距离远、人不常到的山岭：～老林常有野兽出没。

【深水炸弹】shēnshuǐ zhàdàn　一种到水下预定深度时爆炸的炸弹。由舰艇或飞机投放，主要用于炸毁水下的敌方潜艇等。

【深思】shēnsī　动 深刻地思考：好学～｜熟虑（深入细致地考虑）。

【深邃】shēnsuì　形 ❶ 深①：～的山谷。❷ 深奥：哲理～。

【深谈】shēntán　动 深入地交谈：我们见过面，但没有～。

【深通】shēntōng　动 精通：～傣语。

【深透】shēntòu　形 深刻而且透彻：分析～。

【深望】shēnwàng　动 深切地盼望：～诸位通力合作。

【深为】shēnwéi　副 表示程度很深；极为：～不满｜～敬佩｜～失望｜～感激。

【深文周纳】shēn wén zhōu nà 定罪名很苛刻,想尽方法把无罪的人定成有罪,泛指不根据事实而牵强附会地妄加罪名。

【深恶痛绝】shēn wù tòng jué 厌恶、痛恨到极点。

【深信】shēnxìn 动 非常相信:～不疑|～这种说法。

【深省】shēnxǐng 动 深刻地醒悟:发人～。也作深醒。

【深醒】shēnxǐng 同"深省"。

【深夜】shēnyè 名 指半夜以后。

【深意】shēnyì 名 深刻的含意:话说得扼要而有～。

【深渊】shēnyuān 名 很深的水:万丈～。

【深远】shēnyuǎn 形 (影响、意义等)深刻而长远。

【深造】shēnzào 动 进一步学习以达到更高的程度:出国～。

【深宅大院】shēn zhái dà yuàn 一家居住的房屋多而有围墙的大院子。

【深湛】shēnzhàn 形 精深:～的著作|学识～|功夫～。

【深挚】shēnzhì 形 深厚而真诚:～的友谊。

【深重】shēnzhòng 形 (罪孽、灾难、危机、苦闷等)程度高:罪孽～|～的灾难。

葇 shēn [葇葇](shēnshēn)〈书〉形 形容繁盛茂密。

糝(糝、糁) shēn (～儿)名 谷类磨成的碎粒:玉米～儿。另见1175页 sǎn。

鯵(鯵) shēn 名 鱼,体侧扁,尾柄细,胸鳍呈镰刀状,尾鳍分叉。生活在海洋中。种类很多,常见的有鲹、圆鲹、竹筴鱼等。

桑 shēn 〈书〉炽盛。

shén (ㄕㄣˊ)

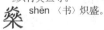

什(甚) shén 见下。另见1232页 shí;"甚"另见1215页 shèn。

【什么】shén·me 代 疑问代词。❶ 表示疑问。a)单用,问事物:这是～?|你找～?|他说～?|～叫押韵? b)用在名词前面,问

人或事物:～人?|～事儿?|～颜色?|～地方? ❷ 虚指,表示不确定的事物:他们仿佛在谈论～|我饿了,想吃点儿。❸ 任指:a)用在"也"或"都"前面,表示所说的范围之内没有例外:他～也不怕|只要认真学,～都能学会。b)两个"什么"前后照应,表示由前者决定后者:想～时候去,我也～时候去。❹ 表示惊讶或不满:～!九点了,车还没有开!|这是～鞋!一只大一只小的! ❺ 表示责难:你笑～?(不应该笑)|你说呀!装～哑巴?(不必装哑巴) ❻ 表示不同意对方说的话:～晒一天?晒三天也晒不干。❼ 用在几个并列成分前面,表示列举不尽:～送个信儿啊,跑个腿儿啊,他都干得了。

【什么的】shén·me·de 助 用在一个成分或并列的几个成分之后,表示"…之类"的意思:他就喜欢看文艺作品|修修机器,画个图样～,他都能对付。

神 shén ❶ 名 宗教指天地万物的创造者和统治者,迷信的人指神仙或能力、德行高超的人物死后的精灵:～位|财～|无～论|多～教。❷ 名 神话中的人物,有超人的能力:料事如～|用兵如～。❸ 形 特别高超或出奇,令人惊异的;神妙:～速|～效|这事真是越说越～了。❹ 名 精神;精力:凝～|费～|聚精会～|双目炯炯有～。❺ (～儿)名 神气:～色|～情|瞧他那个～儿,准是有什么心事。❻〈方〉形 聪明;机灵:瞧!这孩子真～。❼ (Shén)名 姓。

【神不守舍】shén bù shǒu shè 指心神不定(舍:这里指人的躯体)。

【神不知鬼不觉】shén bù zhī guǐ bù jué 形容做事极为隐秘,别人一点也不知道。

【神采】shéncǎi 名 人面部的神气和光彩:～飞扬|～奕奕(精神饱满的样子)。

【神差鬼使】shén chāi guǐ shǐ 见516页〖鬼使神差〗。

【神驰】shénchí 动 心思飞向(某种境界):～心往|～故国。

【神出鬼没】shén chū guǐ mò 比喻变化巧妙迅速,或一会儿出现,一会儿隐没,不容易提提(多指用兵出奇制胜,让敌人摸不着头脑)。

【神道】[1] shéndào 名 ❶ 迷信的人关于鬼神祸福的说法。❷〈口〉神❶。

【神道】² shéndào 图墓道:～碑。

【神道】 shén·dao 〈方〉形❶精神旺盛:这个孩子特别～。❷言谈举止异乎寻常:他最近祖～的,不知道在干些什么。

【神道碑】 shéndàobēi 图墓道前记载死者事迹的石碑,也指这种碑上的文字。

【神父】 shén·fu 同"神甫"。

【神甫】 shén·fu 图天主教、东正教的神职人员。过去也作神父。也叫司铎。

【神工鬼斧】 shén gōng guǐ fǔ 见515页〖鬼斧神工〗。

【神怪】 shénguài 图神仙和鬼怪:～小说。

【神汉】 shénhàn 〈方〉图男巫师。

【神乎其神】 shén hū qí shén 神秘奇妙到了极点。

【神化】 shénhuà 动把人或物当做神来看待。

【神话】 shénhuà 图❶关于神仙或神化的古代英雄的故事,是古代人民对自然现象和社会生活的一种天真的解释和美丽的向往。❷指荒诞的无稽之谈。

【神魂】 shénhún 图精神;神志(多用于不正常时):～颠倒|～不定。

【神机妙算】 shén jī miào suàn 惊人的机智,巧妙的谋划,形容有预见性,善于估计客观情势,决定策略。

【神交】 shénjiāo ❶〈书〉图指心意投合、相知很深的朋友。❷动彼此没有见过面,但精神相通,互相倾慕:二人～已久,今日才得相见。

【神经】 shénjīng 图❶把中枢神经系统的兴奋传递给各个器官,或把各个器官的兴奋传递给中枢神经系统的组织,是由许多神经纤维构成的。❷〈口〉指精神失常的状态:犯～。

【神经病】 shénjīngbìng 图❶神经系统的组织发生病变或功能发生障碍的疾病,症状是麻木、瘫痪、抽搐、昏迷等。❷精神病的俗称。

【神经错乱】 shénjīng cuòluàn 通常指犯精神病。

【神经官能症】 shénjīng guānnéngzhèng 神经症的旧称。

【神经过敏】 shénjīng guòmǐn ❶神经系统的感觉功能异常锐敏的症状,神经衰弱的患者多有这种症状。❷通常指多疑,好大惊小怪。

【神经末梢】 shénjīng mòshāo 神经的末端,能感受外来刺激并传递给神经中枢,或把神经中枢的冲动传递给各有关组织。

【神经衰弱】 shénjīng shuāiruò 一种神经活动功能失调的病。症状是头痛、耳鸣、健忘、失眠、容易兴奋激动并且容易疲劳等。

【神经系统】 shénjīng xìtǒng 人和动物体内由神经元组成的系统,包括中枢神经系统和周围神经系统,主要作用是使机体内部各个器官成为统一体,并能使机体适应外界的环境。

【神经细胞】 shénjīng xìbāo 神经元。

【神经元】 shénjīngyuán 图神经组织的基本单位,每个神经元包括细胞体和从细胞体伸出的突起两部分。也作神经原。也叫神经细胞。

【神经原】 shénjīngyuán 同"神经元"。

【神经症】 shénjīngzhèng 图神经衰弱、焦虑症、强迫症、恐惧症等的总称。多因自身素质、心理和社会因素共同作用而引起。旧称神经官能症。

【神经质】 shénjīngzhì 图指人的神经过敏、胆小怯懦、情感容易冲动的气质。

【神龛】 shénkān 图供奉神像或祖宗牌位的小阁子。

【神侃】 shénkǎn 〈方〉动神聊:两人边吃饭边～。

【神来之笔】 shén lái zhī bǐ 指绝妙的文思或词句。

【神聊】 shénliáo 〈口〉动漫无边际地闲聊:他俩天南海北地～起来。

【神灵】 shénlíng 图神①的总称。

【神秘】 shénmì 形使人摸不透的;高深莫测的:科学技术并不是那么～,只要努力钻研,就可以掌握它。

【神妙】 shénmiào 形非常高明、巧妙:～莫测|笔法～。

【神明】 shénmíng 图神①的总称:奉若～。

【神农】 Shénnóng 图我国古代传说中的人物,相传他教人从事农业生产,又尝百草,发明医药。

【神女】 shénnǚ 图❶女神。❷旧时指妓女。

【神品】 shénpǐn 图绝妙的作品(多指书画)。

【神婆】shénpó 〈方〉名 女巫。也叫神婆子。

【神奇】shénqí 形 非常奇妙：这一古代传说被人们渲染上一层~的色彩。

【神祇】shénqí 〈书〉名"神"指天神，"祇"指地神，"神祇"泛指神。

【神气】shén·qì ❶名 神情：团长的~很严肃|他说话的~特别认真。❷形 精神饱满：战士们穿上新军装，显得很~。❸形 自以为优越而得意或傲慢：有了几个钱，他就~起来了。

【神枪手】shénqiāngshǒu 名 用枪射击非常准确的人。

【神情】shénqíng 名 人脸上所显露的内心活动：~抑郁|他脸上露出愉快的~。

【神权】shénquán 名 ❶迷信的人认为鬼神所具有的支配人们命运的权力。❷奴隶社会、封建社会的最高统治者宣扬他们的统治权力是神所赋予的，所以把这种统治权力叫做神权。

【神人】shénrén 名 ❶神仙；道家指得道的人。❷仪表不凡的人。

【神色】shénsè 名 神情：~匆忙|~自若。

【神伤】shénshāng 〈书〉形 心中伤感；精神颓丧：黯然~。

【神神叨叨】shén·shendāodāo 同"神神道道"。

【神神道道】shén·shendāodāo 〈口〉形 状态词。形容言谈举止失常的样子：他成天~的，好像走火入魔了似的。也作神神叨叨。

【神圣】shénshèng 形 极其崇高而庄严；不可亵渎：~的使命|我国的~领土不容侵犯。

【神圣同盟】Shénshèng Tóngméng 1815年拿破仑一世的帝国崩溃后，俄国、普鲁士和奥地利三国君主在巴黎缔约结成的反动同盟。它的目的是为了镇压欧洲各国人民的革命运动和民族解放运动。现也用来指反动势力之间的同盟或合作。

【神使鬼差】shén shǐ guǐ chāi 见516页〖鬼使神差〗。

【神思】shénsī 名 精神；心绪：~不定。

【神似】shénsì 形 精神实质上相似；极相似：他画的虫鸟，栩栩如生，十分~。

【神速】shénsù 形 速度快得惊人：收效~|兵贵~。

【神算】shénsuàn 名 ❶准确的推测。❷神妙的计谋。

【神态】shéntài 名 神情态度：~自若。

【神通】shéntōng 名 原是佛教用语，指无所不能的力量，今指特别高明的本领：~广大|大显~。

【神童】shéntóng 名 指特别聪明的儿童。

【神往】shénwǎng 动 心里向往：心驰神~|黄山云海，令人~。

【神威】shénwēi 名 神奇的威力：大显~。

【神位】shénwèi 名 宗庙、祠堂中或祭祀时设立的牌位。

【神武】shénwǔ 〈书〉形 英明威武（多用于称道帝王将相）：~雄才。

【神物】shénwù 〈书〉名 ❶神奇的东西。❷指神仙。

【神仙】shén·xiān 名 ❶神话中的人物，有超人的能力，可以超脱尘世，长生不老。❷比喻能预料或猜透事情的人。❸比喻逍遥自在、毫无拘束和牵挂的人。

【神像】shénxiàng 名 ❶神佛的图像、塑像。❷旧时指遗像。

【神效】shénxiào 名 惊人的效验；神奇的功效。

【神学】shénxué 名 援用唯心主义哲学来论证神的存在、本质和宗教教义的一种学说。

【神医】shényī 名 指医术非常高明的医生。

【神异】shényì ❶名 神怪：~小说。❷形 神奇：~景色。

【神勇】shényǒng 形 形容人非常勇猛：~无敌。

【神游】shényóu 〈书〉动 感觉中好像亲游某地：故国~|~天外。

【神宇】shényǔ 〈书〉名 神情仪表。

【神韵】shényùn 名 精神韵致（多用于艺术作品）：他不过淡淡几笔，却把这幅山水点染得很有~。

【神职人员】shénzhí rényuán 天主教、东正教等教会中负责宗教事务的专职人员。

【神志】shénzhì 名 知觉和理智：~不清|~模糊。

【神智】shénzhì 名 精神智慧。

【神州】Shénzhōu 名 战国时人驺衍称中国为"赤县神州"（见于《史记·孟子荀卿列传》），后来用"神州"做中国的代称。

【神主】shénzhǔ 名 写着死人名字的狭长的小木牌,是供奉和祭祀的对象。

shěn（ㄕㄣˇ）

沈[1]（瀋） shěn 沈阳（Shěnyáng），地名,在辽宁。

沈[2]（瀋） shěn 〈书〉汁:墨～未干。

沈[3] Shěn 名 姓。
另见166页 chén "沉"。

审[1]（審） shěn ❶ 详细;周密:～慎｜～视。❷ 动 审查:～阅｜～稿。❸ 动 审讯:～案｜公～｜三堂会～。❹ (Shěn)名 姓。

审[2]（審） shěn 〈书〉知道:～悉。

审[3]（審） shěn 〈书〉副 的确;果然:～如其言。

【审查】shěnchá 动 检查核对是否正确、妥当(多指计划、提案、著作、个人的资历等):～提案｜～经费｜～属实。

【审察】shěnchá 动 ❶ 仔细观察。❷ 审查。

【审处】shěnchǔ 动 ❶ 审判处理。❷ 审查处理。

【审订】shěndìng 动 审阅修订:～书稿。

【审定】shěndìng 动 审查决定:～计划。

【审读】shěndú 动 审阅:～书稿。

【审改】shěngǎi 动 审查修改:～文稿。

【审核】shěnhé 动 审查核定(多指书面材料或数字材料):～经费｜～预算。

【审计】shěnjì 动 指由专设机关依照法律对国家各级政府及金融机构、企业事业组织的重大项目和财务收支进行事前和事后的审查。

【审计师】shěnjìshī 名 从事审计工作的专门人员。

【审校】shěnjiào 动 审查校订(书刊内容)。

【审结】shěnjié 动 审理结束,做出判决:这一刑事案件已经～。

【审理】shěnlǐ 动 审查处理(案件):依法～｜这一案件的～工作正在进行。

【审美】shěnměi 动 领会事物或艺术品的美:～观点。

【审判】shěnpàn 动 审理和判决(案件)。

【审判员】shěnpànyuán 名 我国各级人民法院中依法行使审判权的人。

【审判长】shěnpànzhǎng 名 人民法院中主持合议庭审判的审判人员。

【审批】shěnpī 动 审查批示(下级呈报上级的书面计划、报告等);报请上级～。

【审慎】shěnshèn 形 周密而谨慎:～地考虑。

【审时度势】shěn shí duó shì 了解时势的特点,估计情况的变化。

【审视】shěnshì 动 仔细看:～图纸。

【审题】shěn//tí 动 做文章或答题前仔细了解题目的要求。

【审问】shěnwèn 动 审讯。

【审讯】shěnxùn 动 公安机关、检察机关或法院向犯罪嫌疑人或刑事案件中的被告人查问有关案件的事实。

【审验】shěnyàn 动 审核查验;审查检验:～驾驶证｜～商店的注册资金和经营范围。

【审议】shěnyì 动 审查讨论:将计划草案提交大会～。

【审阅】shěnyuè 动 审查阅读:～制订的方案｜～各单位送来的报告。

哂 shěn 〈书〉微笑:不值一～。

【哂纳】shěnnà 〈书〉动 客套话,用于请人收下礼物。

【哂笑】shěnxiào 〈书〉动 讥笑:为行家所～。

矧 shěn 〈书〉连 况且。

谂（諗） shěn 〈书〉❶ 知道:～知｜～悉。❷ 劝告。

谉（讅） shěn 〈书〉知道。

婶（嬸） shěn （～儿）名 ❶ 婶母:二～｜三～儿。❷ 称呼跟母亲辈分相同而年纪较小的已婚妇女:大～儿｜张二～。

【婶母】shěnmǔ 名 叔父的妻子。

【婶娘】shěnniáng 〈方〉名 婶母。

【婶婆】shěnpó 名 丈夫的婶母。

【婶婶】shěn·shen 〈方〉名 婶母。

【婶子】shěn·zi 〈口〉名 婶母。

瞫 shěn〈书〉往深处看。

shèn （ㄕㄣˋ）

肾（腎）shèn 名❶ 人和高等动物的主要排泄器官,形如蚕豆,在脊柱的两侧,左右各一,表面有纤维组织构成的薄膜,有血管从内缘通入肾内。血液流过时,血内的水分和溶解在水里的代谢物质被肾吸收,分解后形成尿,经输尿管输出。也叫肾脏。(图见941页"人的泌尿器")❷ 中医指外肾,即男人的睾丸。

【肾上腺】shènshàngxiàn 名 内分泌腺之一,位于肾的上端,左右各一,分皮质和髓质两部分。髓质分泌肾上腺素,皮质分泌肾上腺皮质激素。(图见941页"人的泌尿器")

【肾图】shèntú 名 放射性同位素肾图的简称。将含放射性同位素碘-131的药剂注入静脉,测定其通过肾脏时放射性高低随时间变化的曲线,以判断肾脏分泌和排泄放射性药物的功能,可以帮助诊断肾脏的各种疾病。

【肾脏】shènzàng 名 肾。

甚¹ shèn ❶ 形 过分:欺人太～。❷ 动 超过;胜过:日～一日|他关心他人于关心自己。❸ 副 很;极:～佳|所言～当。❹ (Shèn)名 姓。

甚² shèn 〈方〉代 疑问代词。什么①②③:～ 事?|有一说～|那有～要紧?
另见1211页shén"什"。

【甚而】shèn'ér 连 甚至。

【甚或】shènhuò 〈书〉连 甚至。

【甚为】shènwéi 副 表示程度相当高:～热情|～不满|～短缺。

【甚嚣尘上】shèn xiāo chén shàng 楚国跟晋国作战,楚王登车窥探敌情,守侍臣说:"甚嚣,且尘上矣。"意思是晋军喧哗纷乱得很厉害,而且尘土也飞扬起来了(见于《左传·成公十六年》)。后来用"甚嚣尘上"形容对传闻之事议论纷纷。现多指某种言论十分嚣张(含贬义)。

【甚至】shènzhì 连 强调突出的事例(有更进一层的意思):参加晚会的人很多,～不少老年人也来了。

吞（昚）shèn 〈书〉同"慎"①(多用于人名)。

脬shèn 名 有机化合物的一类,是砷化氢分子中的氢原子部分或全部被烃基取代而成的衍生物。[英 arsine]

渗（滲）shèn 动 液体慢慢地透过或漏出:～水|包扎伤口的绷带上～出了血|雨水都～到地里去了。

【渗流】shènliú 动 液体在土壤空隙或其他透水介质中流动,如地下水的流动、地下石油的流动。

【渗入】shènrù 动 ❶ 液体慢慢地渗到里面去:融化了的雪水～大地。❷ 比喻某种势力无孔不入地钻进来(多含贬义)。

【渗透】shèntòu 动 ❶ 两种气体或两种可以互相混合的液体,彼此通过多孔性的薄膜而混合。❷ 液体从物体的细小空隙中透过:雨水～了泥土。❸ 比喻一种事物或势力逐渐进入到其他方面(多用于抽象事物):经济～|在每一项建设工程上都～着设计人员和工人的心血。

【渗析】shènxī 动 利用半透膜(如羊皮纸、膀胱膜)使溶胶和其中所含的杂质分离。用来提纯核酸、蛋白质等高分子化合物和精制胶体溶液。也叫透析。

葚 shèn 见1176页〔桑葚〕。
另见1151页rèn。

椹 shèn 〈书〉同"葚"。
另见1731页zhēn。

蜃 shèn 〈书〉大蛤蜊。

【蜃景】shènjǐng 名 大气中由于光线的折射作用而形成的一种自然现象。当空气各层的密度有较大的差异时,远处的光线通过密度不同的空气层就发生折射或全反射,这时可以看见在空中或地面以下有远处物体的影像。这种现象多在夏天出现在沿海一带或沙漠地方。古人误认为是蜃吐气而成,所以叫蜃景。通称海市蜃楼。

瘆（瘆）shèn 动 使人害怕;可怕:～人|夜里一个人走山路真有点儿～得慌。

慎 shèn ❶ 谨慎;小心:不～|～重。❷ (Shèn)名 姓。

【慎独】shèndú 动 古人的一种修养方法,指人独处时谨慎不苟。

【慎重】shènzhòng 形 谨慎认真:～处理|态度～。

比原来提高。

shēng (ㄕㄥ)

升¹(昇、²陞) **shēng** 动 ❶ 由低往高移动(跟"降"相对):~旗|上~|旭日东~。❷(等级)提高(跟"降"相对):~级。

升² **shēng** ❶ 量 容量单位,符号 L(l)。1 升等于 1 000 毫升。❷ 量 容量单位,10 合(gě)等于 1 升,10 升等于 1 斗。1 市升合 1 升。❸ 名 量粮食的器具,容量为斗的十分之一。❹(Shēng)名 姓。

【升班】shēng∥bān〈口〉(学生)升级。

【升班马】shēngbānmǎ 名 指在分级的体育比赛中由低一级升入高一级的运动队。

【升幅】shēngfú 名(价格、利润、收入等)上升的幅度:消费品价格~较大。

【升格】shēng∥gé 动 身份、地位等升高:公使~为大使。

【升官】shēng∥guān 动 提升官职。

【升华】shēnghuá 动 ❶ 固态物质不经液态直接变为气态。樟脑、碘、萘等都容易升华。❷ 比喻事物的提高和精炼:艺术不就是现实生活,而是现实生活~的结果。

【升华热】shēnghuárè 名 单位质量的固态物质直接变成气体时需要吸收的热量,叫做该固态物质的升华热。

【升级】shēng∥jí 动 ❶ 从较低的等级或班级升到较高的等级或班级:产品~换代|考试及格,方可~。❷ 指战争的规模扩大、事态的紧张程度加深等:战争~。

【升降】shēngjiàng 动 上升和下降。

【升降舵】shēngjiàngduò 名 用来调节飞机上升或下降,并起平衡稳定作用的片状装置,装在飞机的尾部和水平面平行。

【升降机】shēngjiàngjī 名 建筑工地、高层建筑物等载人或载物升降的机械设备。由动力机和用钢丝绳吊着的箱状装置、料车或平台构成,多用电做动力。有的也叫电梯。

【升力】shēnglì 名 空气和物体相对运动时,空气把物体向上托的力。

【升平】shēngpíng 形 太平:~气象。

【升旗】shēng∥qí 动 把国旗、军旗等慢慢地升到旗杆顶上:~仪式。

【升迁】shēngqiān 动 调到另一部门,职位

【升任】shēngrèn 动 提升担任(职务):他由排长~连长。

【升势】shēngshì 名 上升的趋势:~趋缓|展开新一轮~。

【升堂入室】shēng táng rù shì 比喻学问或技能由浅入深,循序渐进,达到更高的水平。也说登堂入室。

【升腾】shēngténg 动(火焰、气体等)向上升起:火光~|山头上~起白蒙蒙的雾气。

【升天】shēng∥tiān 动 ❶ 升上天空:卫星~。❷ 称人死亡(迷信)。

【升位】shēng∥wèi 动(电话等)号码位数增加:身份证号码~|电话号码由七位数~为八位数。

【升温】shēngwēn 动 ❶ 温度上升。❷ 比喻事物发展程度加深或提高:当猪肉供不应求时,养猪业骤然~。

【升学】shēng∥xué 动 由低一级的学校进入高一级的学校。

【升涨】shēngzhǎng 动 上升;高涨:革命潮流不断~。

【升帐】shēngzhàng 动 指元帅在帐中召集将士议事或发令(多见于早期白话)。现多用于比喻。

【升值】shēngzhí 动 ❶ 增加本国单位货币的含金量或提高本国货币对外币的比价,叫做升值。❷ 价值提高:股票~|知识~。

【升职】shēng∥zhí 动 提升职位:~加薪。

生¹ **shēng** ❶ 动 生育;出生:胎~|卵~|~孩子|优~优育|~于北京。❷ 动 生长:~根|~芽。❸ 生存;活(跟"死"相对):舍~忘死|同~共死。❹ 生计:谋~|营~。❺ 生命:丧~|舍~取义。❻ 生平:一~一世|今~今世。❼ 具有生命力的;活的:~物|~龙活虎。❽ 动 产生;发生:~病|~效|惹是~非。❾ 动 使柴、煤等燃烧:~火|~炉子。❿(Shēng)名 姓。

生² **shēng** ❶ 形 果实没有成熟(跟"熟"相对,下②~④同):~柿子|这西瓜~的。❷ 形(食物)没有煮过或煮得不够的:夹~饭|~吃瓜果生洗净。❸ 形 没有进一步加工或炼过的:~石膏|~铁。❹ 形 生疏:~人|~字|~认|刚到这里,工作很~。❺ 副 生硬;勉强:~凑(勉

强凑成)|～搬硬套。❻副很(用在少数表示感情、感觉的词的前面)：～怕|～恐|～疼。

生³ shēng ❶学习的人；学生：师～|招～|毕业。❷旧时称读书人：书～。❸名戏曲角色行当，扮演男子，有老生、小生、武生等区别。❹某些指人的名词后缀：医～。

生⁴ shēng 某些副词的后缀，如"好生、怎生"等。

【生搬硬套】shēng bān yìng tào 不顾实际情况机械地搬用别人的方法、经验等。

【生变】shēngbiàn 动发生变故：急则～。

【生病】shēng//bìng 动(人体或动物体)发生疾病。

【生财】shēngcái 动指增加财富：和气～|～有道。

【生财有道】shēng cái yǒu dào 很会发财的办法(多含贬义)。

【生菜】shēngcài 名❶一年生或二年生草本植物，是莴苣的变种，叶子狭长，也有宽阔或包成球形的，花黄色。叶子可做蔬菜。❷这种植物的叶子。

【生产】shēngchǎn 动❶人们使用工具来创造各种生产资料和生活资料：工业～|发展～|～出更好的产品。❷生孩子。

【生产方式】shēngchǎn fāngshì 人们取得物质资料的方式，包括生产力和生产关系两个方面。生产方式决定社会的性质。

【生产工具】shēngchǎn gōngjù 人在生产过程中用来改变劳动对象的器具，如机器、农具、仪器等等。生产工具的发展水平标志着生产力发展的水平。

【生产关系】shēngchǎn guānxì 人们在物质资料的生产过程中形成的社会关系。它包括生产资料所制的形式，人们在生产中的地位和相互关系，产品分配的形式。其中起决定作用的是生产资料所制的形式。

【生产过剩】shēngchǎn guòshèng 指商品因社会购买力不足，找不到销路而造成的剩余现象。它是资本主义经济危机的基本特征。

【生产基金】shēngchǎn jījīn 企业所拥有的、处在生产领域中的那部分基金。

【生产力】shēngchǎnlì 名人类在生产过程中自然物改造成为适合自己需要的物质资料的力量，包括具有一定知识、经验和技能的劳动者，以生产工具为主的劳动资料，以及劳动对象。其中劳动者是首要的、能动的因素。科学技术的广泛运用促进或决定生产力的发展。从这一意义上讲，科学技术是第一生产力。

【生产率】shēngchǎnlǜ 名❶见 816 页〖劳动生产率〗。❷生产设备在生产过程中的效率。

【生产能力】shēngchǎn nénglì 生产单位在最有效地利用机器设备、先进生产方法和劳动组织的条件下，在一定时间内生产某种产品的最大限度的能力。

【生产手段】shēngchǎn shǒuduàn 生产资料。

【生产线】shēngchǎnxiàn 名指工业企业内部为生产某种产品设计的从材料投入到产品制成的连贯的工序，也指完成这些工序的整套设备：电视机～。

【生产要素】shēngchǎn yàosù 指生产某种商品时投入的各种经济资源。社会生产力发展阶段不同，其所含内容也不同。最早是指土地、资本、劳动；在知识经济得到发展后，科技、管理等也成为重要的生产要素。

【生产资料】shēngchǎn zīliào 劳动资料和劳动对象的总和，是从事生产时所必需的物质条件。生产工具是基本的劳动资料。也叫生产手段。参看 816 页〖劳动资料〗、815 页〖劳动对象〗。

【生辰】shēngchén 〈书〉名生日。

【生成】shēngchéng 动❶(自然现象)形成；经过化学反应而形成；产生：台风的～必须具有一定的环境|锌加硫酸→硫酸锌和氢气。❷生就：他～一张乳嘴。

【生齿】shēngchǐ 〈书〉名长出乳齿，古时把已经长出乳齿的男女登入户籍，后来借指人口、家口：～日繁。

【生词】shēngcí 名不认识的或不懂得的词。

【生存】shēngcún 动保存生命(跟"死亡"相对)：没有空气和水，人就无法～。

【生存竞争】shēngcún jìngzhēng 同种或异种生物个体相互竞争，来维持个体生存和族繁衍的自然现象。达尔文自然选择学说认为它是推动生物进化的重要因素。

【生地】¹ shēngdì 名❶陌生的地方。❷生荒地。

S

【生地】² shēngdì 图 药名，未经蒸制的地黄的根，鲜的淡黄色，干的灰褐色。也叫生地黄。

【生地黄】shēngdìhuáng 图 生地²。

【生动】shēngdòng 形 具有活力能感动人的：～活泼|～的语言。

【生发】shēngfā 劲 滋生；发展：万年青默默地～着根须，把嫩芽变成宽大的绿叶。

【生番】shēngfān 图 旧时对开化较晚的民族的蔑称。

【生分】shēng·fen 形 （感情）疏远：都是自家人，一客气倒显得～了。

【生俘】shēngfú 劲 生擒；活捉（敌人）。

【生父】shēngfù 图 生身父亲。

【生根】shēng∥gēn 劲 比喻事物建立起牢固的基础：在群众中～。

【生光】shēngguāng 图 日食和月食的过程中，月亮阴影和太阳圆面或地球阴影和月亮圆面第二次内切时的位置关系，也指发生这种位置关系的时刻。生光发生在食甚之后。参看 1240 页〖食相〗。

【生花之笔】shēng huā zhī bǐ 传说李白少年时梦见笔头生花，从此才华横溢，名闻天下（见于五代王仁裕《开元天宝遗事》）。比喻杰出的写作才能。也说生花妙笔、梦笔生花。

【生还】shēnghuán 劲 脱离危险，活着回来：这次空难，旅客和机组人员无一～。

【生荒】shēnghuāng 图 生荒地。

【生荒地】shēnghuāngdì 图 未曾开垦的土地。也叫生地或生荒。

【生活】shēnghuó ❶ 图 人或生物为了生存和发展而进行的各种活动：政治～|日常～|观察蜜蜂和蚂蚁的～。❷ 劲 进行各种活动：老人一直和儿孙们～在一起。❸ 劲 生存：一个人脱离了社会就不能～下去。❹ 图 衣、食、住、行等方面的情况：人民的～不断提高。❺〈方〉图 活儿（主要指工业、农业、手工业方面的）：做～|～忙。

【生活费】shēnghuófèi 图 维持生活的费用。

【生活资料】shēnghuó zīliào 供人们物质文化生活需要的那部分社会产品，如食品、衣服、住房以及学习、娱乐用品等等。也叫消费资料。

【生火】shēng∥huǒ 劲 把柴、煤等燃起来：～做饭|～取暖。

【生机】shēngjī 图 ❶ 生存的机会：一线～。❷ 生命力；活力：～勃勃|春风吹过，大地上充满了～。

【生计】shēngjì 图 维持生活的办法；生活④：家庭～|另谋～。

【生境】shēngjìng 图 指生物的个体、种群或群落生活地域的环境，包括必需的生存条件和其他对生物起作用的生态因素。

【生就】shēngjiù 劲 生来就有：他～一张能说会道的嘴。

【生角】shēngjué （～儿）图 生³③，通常专指老生。

【生客】shēngkè 图 不认识的客人。

【生恐】shēngkǒng 劲 很怕；唯恐：他～掉队，在后面紧追。

【生圹】shēngkuàng 图 生前营造的墓穴；寿穴。

【生拉硬扯】shēng lā yìng chě ❶ 形容用力拉扯，强使人听从自己。❷ 比喻牵强附会。‖也说生拉硬拽。

【生拉硬拽】shēng lā yìng zhuài 生拉硬扯。

【生来】shēnglái 副 从小时候起：他～就这脾气|这孩子身体一～就结实。

【生老病死】shēng lǎo bìng sǐ 佛教认为"生、老、病、死"是人生的四苦，今泛指生活中生育、养老、医疗、殡葬等事。

【生冷】shēnglěng 图 指生的和冷的食物：病人忌～。

【生离死别】shēng lí sǐ bié 很难再见面的离别或永久的离别。

【生理】shēnglǐ 图 机体的生命活动和体内各器官的功能：～学|～特点。

【生理学】shēnglǐxué 图 生物学的一个分支，研究生物的功能，包括人体生理学、动物生理学、植物生理学等。

【生理盐水】shēnglǐ yánshuǐ 生理学实验或临床上常用的渗透压与动物或人体血浆的渗透压相等的氯化钠溶液。

【生力军】shēnglìjūn 图 ❶ 新加入作战具有强大作战能力的军队。❷ 比喻新加入某种工作或活动能起积极作用的人员：青年人是祖国建设的～。

【生料】shēngliào 图 未经加工，不能直接制成产品的原料。

【生灵】shēnglíng 图 ❶〈书〉指人民：～涂炭。❷ 指有生命的东西：草木～|这里

有云雀、黄鹂、画眉,都是些可爱的小~。

【生灵涂炭】shēnglíng túntàn 形容政治混乱时期人民处在极端困苦的环境中。

【生龙活虎】shēng lóng huó hǔ 形容很有生气和活力。

【生路】shēnglù 图❶ 维持生活的办法:另谋~。❷ 保全生命的途径:从包围中杀出一条~。

【生猛】shēngměng 〈方〉形❶ 指活蹦乱跳的(鱼虾等):~海鲜。❷ 富有生气和活力的:~的武打动作。

【生米煮成熟饭】shēng mǐ zhǔ chéng shú fàn 比喻事情已经做成,不能再改变(多含无可奈何之意)。

【生命】shēngmìng 图生物体所具有的活动能力,生命是蛋白质存在的一种形式:牺牲~|~不息,工作不止◇学习古人语言中有~的东西。

【生命保险】shēngmìng bǎoxiǎn 人寿保险。

【生命科学】shēngmìng kēxué 以生物学为基础,多学科、多分支(如分子生物学、细胞遗传学、生物化学)相互交融,系统、完整地研究生命的科学。

【生命力】shēngmìnglì 图指事物具有的生存、发展的能力:新生事物具有强大的~。

【生命线】shēngmìngxiàn 图比喻保证生存和发展的最根本的因素。

【生母】shēngmǔ 图生身母亲。

【生怕】shēngpà 团很怕:我们在泥泞的山路上小心地走着,~滑倒了。

【生僻】shēngpì 形不常见的;不熟悉的(词语、文字、书籍等):~字|~的典故。

【生平】shēngpíng 图❶ 一个人生活的整个过程;一辈子:~事迹。❷ 有生以来;平生:这幅画是他~最满意的作品。

【生漆】shēngqī 图漆树树干的表皮割开后流出的树脂,乳白色,跟空气接触后逐渐变成黑色。用作涂料,也是制油漆的原料。

【生气】¹ shēng // qì 团因不合心意而不愉快:孩子考试成绩差,妈妈非常~|快去认个错吧,他还在生你的气呢!

【生气】² shēngqì 图生命力;活力:~勃勃|青年是最有~的。

【生前】shēngqián 图指死者还活着的时候:~友好。

【生擒】shēngqín 团活捉(敌人、盗匪等):~活捉。

【生趣】shēngqù 图生活的情趣:~盎然。

【生人】¹ shēng // rén 团(人)出生:他1949 年~。

【生人】² shēngrén 图不认识的人(跟"熟人"相对):孩子怕见~。

【生日】shēng·rì 图(人)出生的日子,也指每年满周岁的那一天◇七月一日是中国共产党的~。

【生色】shēngsè 团增添光彩:他的精彩表演使晚会~不少。

【生涩】shēngsè 形(言辞、文字等)不流畅,不纯熟。

【生杀予夺】shēng shā yǔ duó 指统治者掌握生死、赏罚的大权。

【生身】shēngshēn 形属性词。生育自己的:~父母。

【生生世世】shēngshēngshìshì 佛教认为众生不断轮回,"生生世世"指每次生在世上的时候,就是每一辈子的意思。现在借指一代又一代;辈辈。

【生石膏】shēngshígāo 图石膏。

【生石灰】shēngshíhuī 图无机化合物,化学式 CaO。白色无定形固体,由石灰石煅烧而成。遇水碎裂,并放出大量的热。是常用的建筑材料,也用作杀虫剂和杀菌剂。

【生事】shēng // shì 团制造纠纷;惹事:造谣~|这人脾气很坏,容易~。

【生手】shēngshǒu 图新做某项工作,对工作还不熟悉的人。

【生疏】shēngshū 形❶ 没有接触过或很少接触的:人地~|业务~。❷ 因长期不用而不熟练:技艺~|手法~。❸ 疏远;不亲近:感情~。

【生水】shēngshuǐ 图没有烧开过的水。

【生丝】shēngsī 图用茧缫制成的丝,是丝纺工业的原料。

【生死】shēngsǐ ❶ 图生存和死亡:~关头|~与共|同~,共患难。❷ 形属性词。同生共死,形容情谊极深:~弟兄|~之交。

【生死存亡】shēng sǐ cún wáng 或者生存,或者死亡,形容事关重大或形势极端危急。

【生死攸关】shēng sǐ yōu guān 关系到人的生存和死亡(攸：所)。

【生与共】shēng yǔ gòng 生一起生，死一起死，形容情谊很深。

【生态】shēngtài 图 指生物在一定的自然环境下生存和发展的状态，也指生物的生理特性和生活习性：～平衡。

【生态标志】shēngtài biāozhì 环境标志。

【生态工程】shēngtài gōngchéng 运用生态学和系统工程原理建立的生产工艺体系。结构复杂、相对稳定的生态系统，能在有限空间养育最多的生物种类，各种有机物质和无机物质资源能被不同营养级的生物充分利用。

【生态环境】shēngtài huánjìng 生物和影响生物生存与发展的一切外界条件的总和。由许多生态因素综合而成，其中非生物因素有光、温度、水分、大气、土壤和无机盐类等，生物因素有植物、动物、微生物等。在自然界，生态因素相互联系，相互影响，共同对生物发生作用。

【生态建筑】shēngtài jiànzhù 根据当地自然生态环境，运用生态学、建筑学和其他科学技术建造的建筑。它与周围环境成为有机的整体，实现自然、建筑与人的和谐统一，符合可持续发展的要求。

【生态科学】shēngtài kēxué 研究生命系统与环境相互作用规律的学科。研究的热点包括生物多样性的保护和利用，受害生态系统的恢复和重建，全球变化对陆地生态系统的影响及生态系统的管理等。

【生态旅游】shēngtài lǚyóu 注重保护自然环境，以有特色的生态环境为景观的旅游。

【生态农业】shēngtài nóngyè 一种新型农业，按照生态学原理，应用现代科学技术进行集约经营管理，是综合农业生产体系。

【生态平衡】shēngtài pínghéng 一个生物群落及其生态系统之中，各种对立因素互相制约而达到的相对稳定的平衡。如麻雀吃果树害虫，同时它的数量又受到天敌(如猛禽等)的控制，三者的数量在自然界中达到一定的平衡，要是为了防止麻雀偷吃谷物而滥杀，就会破坏这种平衡，造成果树害虫猖獗。

【生态系统】shēngtài xìtǒng 生物群落中的各种生物之间，以及生物和周围环境之间相互作用构成的整个体系，叫做生态系统。

【生态学】shēngtàixué 图 生物学的一个分支，研究生物之间及生物与非生物环境之间的相互关系。

【生铁】shēngtiě 图 用铁矿石炼成的铁。含碳量大于 2%，并含有磷、硫、硅等杂质。质脆。按用途可分为铸造生铁(铸铁)、炼钢生铁、合金生铁。

【生土】shēngtǔ 图 未经熟化的土壤，不适于耕作。

【生吞活剥】shēng tūn huó bō 比喻生硬地接受或机械地搬用(别人的理论、经验、方法等)。

【生物】shēngwù 图 自然界中所有具有生长、发育、繁殖等能力的物体。生物能通过新陈代谢作用跟周围环境进行物质交换。动物、植物、真菌、细菌、病毒等都是生物。

【生物安全】shēngwù ānquán 指采取有效措施，预防或控制在现代生物技术开发、应用中可能产生的负面影响，以保护生物的多样性，保护生态环境和人体健康。

【生物电】shēngwùdiàn 图 生物体神经活动和肌肉运动时所显示的电现象。表现为产生微弱的电流和电势变化。心电图、脑电图就是利用生物电来检查疾病的。

【生物防治】shēngwù fángzhì 利用某些生物来防治对人类有害的生物的方法。如用鸭群消灭蝗螂和稻田害虫，用寄生蜂消灭螟虫，用细菌消灭田鼠等。

【生物工程】shēngwù gōngchéng 借助生命物质参与改造自然现象的生物学技术。酶工程、基因工程、细胞工程等都属于生物工程。

【生物光】shēngwùguāng 图 指某些生物由体内器官中特殊的化学反应而产生的光，如萤火虫发出的带绿色的光。

【生物技术】shēngwù jìshù 运用分子生物学、生物信息学等手段，研究生命系统，以改良或创造新的生物品种的技术。也指运用生物体系与工程学相结合的手段，生产产品和提供服务的技术。

【生物碱】shēngwùjiǎn 图 一类碱性的含氮有机化合物，通常存在于植物体中，有些存在于动物体中。大多是不挥发的晶体。味苦，有毒性，可作药用，如吗啡、尼古丁、可卡因、奎宁等。

【生物圈】shēngwùquān 名 生物活动的范围和生物本身的统称。生物活动的范围包括地球大气圈的下部、岩石圈的上部和整个水圈。

【生物污染】shēngwù wūrǎn 寄生虫、细菌和病毒等有害生物对大气、水源、土壤、食物所造成的污染，主要由医院污水、肉类加工和食品加工产生的废水、污浊空气等引起。

【生物武器】shēngwù wǔqì 利用生物战剂大规模伤害人和其他生物的武器，包括生物战剂和施放生物战剂的各种武器弹药。国际公约禁止在战争中使用生物武器。旧称细菌武器。

【生物芯片】shēngwù xīnpiàn 以生物大分子为材料制造的分子电路系统，集成度高，能耗小，速度快，生物体系中的生物分子可以自我修复、自我复制。主要包括基因芯片、蛋白质芯片等。

【生物学】shēngwùxué 名 研究生物的结构、功能、发生和发展规律的学科，包括动物学、植物学、微生物学、古生物学等。

【生物战剂】shēngwùzhànjì 军事行动中，用来使人和其他生物致病的各种细菌、病毒等和所产生的毒素的统称。旧称细菌战剂。

【生物钟】shēngwùzhōng 名 生物生命活动的周期性节律。这种节律，经过长时期的适应，与自然界的节律(如昼夜变化、四季变化)相一致。植物在每年的一定季节开花、结果，候鸟在每年的一定时间迁徙，就是生物钟的表现。

【生息】[1] shēng∥xī 动 取得利息。

【生息】[2] shēngxī 动 ❶ 生活；生存：我们的祖先曾在这块土地上劳动、~过。❷〈书〉繁殖(人口)：休养~。❸〈书〉使生长：~力量。

【生相】shēngxiàng 名 相貌：长相。

【生橡胶】shēngxiàngjiāo 名 未经硫化的橡胶。多指胶乳经过初步加工而成的半透明胶片。

【生肖】shēngxiào 名 代表十二地支而用来记人的出生年的十二种动物，即鼠、牛、虎、兔、龙、蛇、马、羊、猴、鸡、狗、猪。如子年生的人属鼠，丑年生的人属牛等。也叫属相。

【生效】shēng∥xiào 动 发生效力：条约自

签订之日起~。

【生性】shēngxìng 名 从小养成的性格、习惯：~活泼。

【生涯】shēngyá 名 指从事某种工作或职业的生活：教书~|舞台~。

【生养】shēngyǎng〈口〉动 生育。

【生药】shēngyào 名 直接从植物体或动物采来，经过干燥加工而未精炼的药物。通常所说的生药多指植物性的，如甘草、麻黄等。

【生意】shēngyì 名 富有生命力的气象；生机❷：~盎然|大地上一片蓬勃的~。

【生意】shēng·yi 名 ❶ 指商业经营：做~|~兴隆。❷〈方〉指职业：停~(解雇)。

【生意经】shēng·yijīng 名 做生意的方法或门路。

【生硬】shēngyìng 形 ❶ 勉强做的；不自然；不熟练：这几个字用得很~。❷ 不柔和；不细致：态度~|作风~。

【生油】[1] shēngyóu 名 没有熬过的油。

【生油】[2] shēngyóu〈方〉名 花生油。

【生育】shēngyù 动 生孩子：计划~。

【生员】shēngyuán 名 明清两代称通过最低一级考试得以在府、县学读书的人，生员有应乡试的资格。通称秀才。

【生源】shēngyuán 名 学生的来源(多就招生而言)：~不足。

【生造】shēngzào 动 凭空制造(词语等)：~词。

【生长】shēngzhǎng 动 ❶ 生物体在一定的生活条件下，体积和重量逐渐增加：~期。❷ 出生和成长；产生和增长：他~在北京|新生力量不断~。

【生长点】shēngzhǎngdiǎn 名 ❶ 植物根和茎的顶端不断进行细胞分裂，生长旺盛的部位。❷ 比喻事物借以迅速增长，蓬勃发展的部分：经济~。

【生殖】shēngzhí 动 生物产生幼小的个体以繁殖后代。分有性生殖和无性生殖两种。生殖是生命的基本特征之一。

【生殖器】shēngzhíqì 名 生物体产生生殖细胞用来繁殖后代的器官。高等植物的生殖器是花(包括雄蕊和雌蕊)。人和高等动物的生殖器包括雄性的精囊、输精管、睾丸、阴茎等，雌性的卵巢、输卵管、子宫、阴道等。

【生猪】shēngzhū 名 活猪(多用于商业)。

【生字】shēngzì 名 不认识的字。

声(聲) shēng ❶(~儿)名 声音:雨~|小~儿说话。❷量 表示声音发出的次数。喊了两~。❸ 发出声音;宣布;陈述:~明|不~不响|~东击西。❹ 名声:~誉|~望。❺ 声母:双~叠韵。❻ 字调:平~|四~。❼(Shēng)名 姓。

【声辩】shēngbiàn 动 公开辩白;辩解:不容~|受到指责,他也不为自己~一句。

【声波】shēngbō 名 能引起听觉的机械波。频率在20—20 000赫之间,一般在空气中传播,也可在液体或固体中传播。

【声部】shēngbù 名 包含两个或两个以上同时进行的不同旋律的声乐曲或器乐曲,称为多声部音乐,其中的每一个旋律叫做一个声部。如二重唱包含两个声部,三重唱包含三个声部。

【声场】shēngchǎng 名 介质中存在着声波的空间范围。

【声称】shēngchēng 动 声言:他~自己与这件事无关。

【声带】shēngdài 名 ❶ 发音器官的主要部分,是两片带状的纤维质薄膜,附在喉部的勺状软骨上,肺内呼出气流振动声带,即发出声音。(图见568页"人的喉")❷ 录有声音的胶片或磁带。

【声调】shēngdiào 名 ❶ 音调。❷ 字调。

【声东击西】shēng dōng jī xī 为了迷惑敌人,表面上宣扬要攻打这一边,其实是攻打另一边(语本《通典·兵典六》:"声言击东,其实击西")。

【声卡】shēngkǎ 名 计算机中的一种扩展卡,能将音频的模拟信号转变为数字信号,并以音频形式保存在计算机中,也可将音频文件转变为扬声器可以播放的电信号。

【声控】shēngkòng 形 属性词。用声音控制的:~电灯|~功能。

【声口】shēngkǒu〈方〉名 ❶ 指说话的口音、语调:听他的~,不是北方人。❷ 口气;口吻:理直气壮的~。

【声浪】shēnglàng 名 指许多人呼喊的声音:喝彩的~一阵高过一阵。

【声泪俱下】shēng lèi jù xià 边诉说、边哭泣,形容极其悲恸:慷慨陈词,~。

【声名】shēngmíng 名 名声:~狼藉(形容名声极坏)|~鹊起(形容名声迅速提高)。

【声明】shēngmíng ❶ 动 公开表示态度或说明真相:郑重~。❷ 名 声明的文告:发表联合~。

【声母】shēngmǔ 名 汉语音音可以分成声母、韵母、字调三部分。一个字起头的音叫声母,其余的音叫韵母,字音的高低升降叫字调。例如"报(bào)告(gào)、丰(fēng)收(shōu)"的b,g,f,sh 是声母;"报"和"告"的ao,"丰"的eng,"收"的ou是韵母;"报"和"告"的字调都是去声,"丰"和"收"都是阴平。大部分字的声母是辅音声母,只有小部分的字拿元音起头(就是直接拿韵母起头),它的声母叫"零声母",如"爱"(ài)、"鹅"(é)、"藕"(ǒu)字。

【声呐】shēngnà 名 利用声波在水中的传播和反射来进行导航和测距的技术或设备。[英 sonar]

【声旁】shēngpáng 名 汉字形声字中和全字的读音有关的部分。参看1525页〖形声〗。

【声频】shēngpín 名 人的耳朵能听见的振动频率(20—20 000赫)。旧称音频。

【声谱】shēngpǔ 名 描绘声音成分(频率、幅度等)的图表或记录。

【声气】shēngqì 名 ❶ 消息:互通~。❷〈方〉说话时的语气、声音:听他说话的~像是生了气。

【声腔】shēngqiāng 名 许多剧种所共有的、成系统的腔调,如昆腔、高腔、梆子腔、皮黄等。

【声强】shēngqiáng 名 单位时间内通过与声音传播方向相垂直的单位面积的声能,单位是瓦/米²。旧称音强。

【声情并茂】shēng qíng bìng mào (演唱、朗诵等)声音优美,感情丰富。

【声请】shēngqǐng 动 申请。

【声色】¹ shēngsè 名 说话时的声音和脸色:~俱厉|不动~。

【声色】² shēngsè 名 ❶ 指诗文等艺术表现出的格调、色彩:他的《空城计》演唱得别具~。❷ 指生气和活力:这群青年人的到来给县城增添了不少~。

【声色】³ shēngsè〈书〉名 指歌舞和女色:不近~|~犬马(指纵情淫乐的生活)。

【声势】shēngshì 名 声威和气势:虚张~|~浩大。

【声嘶力竭】shēng sī lì jié　嗓子喊哑，力气用尽，形容拼命叫喊、呼号。也说力竭声嘶。

【声速】shēngsù　名　声波传播的速度。不同的介质中声速不同，在 15℃ 的空气中每秒为 340 米，在水中每秒为 1 440 米。旧称音速。

【声讨】shēngtǎo　动　公开谴责：愤怒～侵略者的暴行。

【声望】shēngwàng　名　为众人所仰望的名声；社会～｜～很高。

【声威】shēngwēi　名　❶ 名声和威望：～大震。❷ 声势；威势①：摇旗呐喊，以助～。

【声息】shēngxī　名　❶ 声音(多用于否定)：院子里静悄悄的，没有一点～。❷ 声气①；消息：～相通。

【声响】shēngxiǎng　名　声音：山谷里洪水发出巨大的～。

【声像】shēngxiàng　名　录制下来的声音和图像。

【声学】shēngxué　名　物理学的一个分支，研究声波的产生、传播、接收和作用等。

【声讯】shēngxùn　名　由专设的电话提供的各类信息咨询业务：～台｜求职者可拨打～电话查询有关事宜。

【声讯台】shēngxùntái　名　从事有偿电话信息服务的机构。

【声言】shēngyán　动　公开地用语言或文字表示：他～不达目的，决不罢休。

【声扬】shēngyáng　动　声张；宣扬。

【声音】shēngyīn　名　声波通过听觉所产生的印象：～大｜他听见了敲门的～◇报纸反映了群众的～。

【声誉】shēngyù　名　声望名誉：有损～｜～卓著。

【声援】shēngyuán　动　公开发表言论支援。

【声源】shēngyuán　名　振动着的发声物体。

【声乐】shēngyuè　名　歌唱的音乐，可以有乐器伴奏(区别于"器乐")。

【声韵学】shēngyùnxué　名　见 1624 页〖音韵学〗。

【声张】shēngzhāng　动　把消息、事情等传出去：这件事不要～出去。

【声障】shēngzhàng　名　高速飞行的飞机、火箭等，速度增加到接近声速时，前方的空气因来不及散开而受到压缩，密度、温度突然增加，阻碍其向前飞行，这种现象叫做声障。旧称音障。

狌 shēng　〈书〉同"鼪"。
另见 1521 页 xīng。

牲 shēng　❶ 家畜：～口｜～畜。❷ 古代祭神用的牛、羊、猪等：献～。

【牲畜】shēngchù　名　家畜：～家禽。

【牲口】shēng·kou　名　用来帮助人做活的家畜，如牛、马、骡、驴等。

胜 shēng　名　肽的旧称。
另见 1225 页 shèng。

笙 shēng　名　管乐器，常见的有大小数种，用若干根装有簧的竹管和一根吹气管装在一个锅形的座子上制成。

【笙歌】shēnggē　〈书〉动　泛指奏乐唱歌：～达旦。

甥 shēng　外甥：～女(外甥女)。

渑 shēng　人名用字。

鼪 shēng　〈书〉黄鼬。

shéng （ㄕㄥˊ）

渑(澠) Shéng　古水名，在今山东。
另见 945 页 miǎn。

绳(繩) shéng　❶（～儿）名　绳子：麻～｜线～｜钢～。❷〈书〉纠正；约束；制裁：～之以法。❸〈书〉继续。❹(Shéng)名　姓。

【绳锯木断】shéng jù mù duàn　比喻力量虽小，只要坚持不懈，事情就能成功。

【绳墨】shéngmò　名　木工打直线的工具，比喻规矩或法度：不中～｜拘守～。参看 966 页〖墨斗〗。

【绳索】shéngsuǒ　名　粗的绳子。

【绳梯】shéngtī　名　用绳做的梯子，在两根平行的绳子中间横向而等距离地拴上许多短的木棍。

【绳之以法】shéng zhī yǐ fǎ　以法律为准绳，给以制裁或治。

【绳子】shéng·zi　名　用两股以上的苘麻、棕毛或稻草等拧成的条状物，主要用来捆东

S

西。

绩)。

shěng（ㄕㄥˇ）

省¹ shěng ❶ 〔动〕俭省；节约（跟"费"相对）：～钱｜～吃俭用。❷ 〔动〕免掉；减去：～一道工序｜这两个字不能～。❸ (Shěng)〔名〕姓。

省² shěng 〔名〕❶ 行政区划单位，直属中央：河北～｜台湾～。❷ 指省会：进～｜抵～。

　　另见 1526 页 xǐng。

【省便】shěngbiàn 〔形〕省事方便：做事不能只图～。

【省城】shěngchéng 〔名〕省会。

【省得】shěng·de 〔连〕不使发生某种（不好的）情况；免得：穿厚一点，～着凉｜你就住在这儿，～天天来回跑｜快告诉我吧，～我着急。

【省份】shěngfèn 〔名〕省（不和专名连用）：台湾是中国的一个～｜许多～连年丰收。

【省会】shěnghuì 〔名〕省行政机关所在地，一般也是全省的经济、文化中心。也叫省城。

【省略】shěnglüè 〔动〕❶ 免掉；除去（没有必要的手续、言语等）：～这几段风景描写，可以使全篇显得更加紧凑。❷ 在一定条件下省去一个或几个句子成分，如祈使句中常常省去主语"你(们)"或"咱们"，答话中常常省去跟问话中相同的词或词组。

【省略号】shěnglüèhào 〔名〕标点符号（……），表示引文中省略的部分或话语中没有说完全的部分，或者表示断断续续的话语中的停顿。旧称删节号。

【省却】shěngquè 〔动〕❶ 节省：这样做，可以～不少时间。❷ 去掉；免除：～烦恼。

【省事】shěng//shì ❶ 〔动〕减少办事手续：办法一改就可以省许多事。❷ 〔形〕方便；不费事：在食堂里吃饭，～。

【省心】shěng//xīn 〔动〕少操心：孩子进了托儿所，我～多了。

【省垣】shěngyuán 〈书〉〔名〕省城。

【省治】shěngzhì 〔名〕旧时指省会。

眚 shěng 〈书〉❶ 眼睛长白翳。❷ 灾异。❸ 过错：不以一～掩大德（不因为一个人有个别的错误而抹杀他的大功

shèng（ㄕㄥˋ）

圣(聖) shèng ❶ 最崇高的：～地｜神～。❷ 称学识或技能有极高成就的：～手｜诗～。❸ 指圣人：～贤。❹ 封建社会尊称帝王：～上｜～旨。❺ 宗教徒对所崇拜的事物的尊称：～经｜～灵。❻ (Shèng)〔名〕姓。

【圣诞】shèngdàn 〔名〕❶ 旧时称孔子的生日。❷ 基督教徒称耶稣的生日。

【圣诞节】Shèngdàn Jié 〔名〕基督教徒纪念耶稣诞生的节日，在 12 月 25 日。

【圣诞老人】Shèngdàn Lǎorén 西方童话故事人物，据说是一个穿红袍的白须老人，在圣诞节夜到各家分送礼物给儿童。西方各国在圣诞节晚上有扮成圣诞老人分送礼物给儿童的风俗。

【圣诞树】shèngdànshù 〔名〕圣诞节用的松树、枞树等常绿树。树上点缀着彩灯、玩具和赠送的物品等。

【圣地】shèngdì 〔名〕❶ 宗教徒称与教主生平事迹有重大关系的地方，如基督教徒称耶路撒冷为圣地，伊斯兰教徒称麦加为圣地。❷ 指具有重大历史意义和作用的地方：革命～。

【圣火】shènghuǒ 〔名〕神圣的火焰，特指奥林匹克运动会的火炬：点燃奥运～。

【圣洁】shèngjié 〔形〕神圣而纯洁：～的心灵。

【圣经】Shèngjīng 〔名〕基督教的经典，包括《旧约全书》（原为犹太教的经典，叙述世界和人类的起源，以及法典、教义、格言等）和《新约全书》（叙述耶稣言行、基督教的早期发展情况等）。

【圣经贤传】shèngjīng-xiánzhuàn 旧称儒家的代表性著作为圣经贤传（圣经：传说经圣人手订的著作。贤传：贤人阐释经书的著作）。

【圣灵】shènglíng 〔名〕神灵。

【圣庙】shèngmiào 〔名〕奉祀孔子的庙。

【圣明】shèngmíng 〔形〕认识清楚，见解高明（多用来称颂皇帝）。

【圣母】shèngmǔ 〔名〕❶ 神话中称某些女神。❷ 天主教徒尊称耶稣的母亲马利

亚。

【圣人】shèngrén 图❶ 旧时指品格最高尚、智慧最高超的人物,如孔子从汉朝以后被历代帝王推崇为圣人。❷ 封建时代臣子对君主的尊称。

【圣上】shèngshàng 图 封建社会称在位的皇帝。

【圣手】shèngshǒu 图 指某些方面技艺高超的人:国医～。

【圣水】shèngshuǐ 图 迷信的人指用来降福、驱鬼或治病的水。

【圣贤】shèngxián 图 圣人和贤人:人非～,孰能无过?

【圣旨】shèngzhǐ 图 封建社会里称皇帝的命令,现多用于比喻:他的话你就当成～啦!

胜¹(勝) shèng ❶ 劻 胜利(跟"负、败"相对):打～仗|取～。❷ 劻 打败(别人):以少～多|战～敌人。❸ 劻 比另一个优越(后面常带"于、过"等):事实～于雄辩|实际行动～过空洞的言辞。❹ 优美的(景物、境界等):～景|～境|引人入～。❺ (Shèng)图 姓。

胜²(勝) shèng (旧读 shēng)能够承担或承受:～任|不～。

胜³(勝) shèng 古代戴在头上的一种首饰:方～。

另见 1223 页 shēng。

【胜败】shèngbài 图 胜利和失败:不分～。

【胜朝】shèngcháo 〈书〉图 指前一个朝代(被战胜而灭亡的朝代):～遗老。

【胜出】shèngchū 劻(在比赛或竞争中)胜过对手:在大选中～|甲队在比赛中以3∶1～。

【胜地】shèngdì 图 有名的风景优美的地方:避暑～。

【胜负】shèngfù 图 胜败:从长远看,战争的～决定于战争的性质。

【胜果】shèngguǒ 图 指比赛或竞争中获得的胜利果实;获胜的结局:主队苦战五局,终尝～。

【胜机】shèngjī 图 取胜的机会:痛失～|把握～。

【胜迹】shèngjì 图 有名的古迹:名山～。

【胜绩】shèngjì 图 在比赛或竞争中获胜的成绩:自开赛以来,该队尚无～。

【胜景】shèngjǐng 图 优美的风景:园林～|佳卉娱目,～怡情。

【胜境】shèngjìng 图❶ 风景优美的地方:名山～。❷ 极美好的意境。

【胜局】shèngjú 图 胜利的局势或局面:～已定。

【胜利】shènglì 劻❶ 在斗争或竞赛中打败对方(跟"失败"相对):抗战～。❷ 工作、事业达到预定的目的:大会～闭幕|生产任务～完成。

【胜利果实】shènglì guǒshí 指斗争胜利所取得的成果(政权、物资等):保卫～。

【胜率】shènglǜ 图❶ 获胜的概率:乙队的～略高于甲队。❷ 获胜的次数与参加比赛等的总次数的比率,如某选手参加比赛 10 场,获胜 6 场,胜率为 60%。

【胜面】shèngmiàn 图 胜率①。

【胜券】shèngquàn 图 指胜利的把握:稳操～|～在握。

【胜任】shèngrèn 劻 能力足以担任:～工作|力能～。

【胜势】shèngshì 图 能够获胜的局势:将优势转化为～。

【胜似】shèngsì 劻 胜过;超过:不是亲人,～亲人。

【胜诉】shèngsù 劻 诉讼当事人的一方受到有利的判决。

【胜算】shèngsuàn 〈书〉图 能够取得胜利的计谋:操～|用妙计。

【胜仗】shèngzhàng 图 打赢了的战役或战斗:打了一个大～。

晟 shèng 〈书〉❶ 光明。❷ 旺盛;兴盛。

另见 176 页 Chéng。

乘¹ shèng 春秋时晋国的史书叫"乘",后来泛指一般史书:史～|野～。

乘² shèng 量 古代称四匹马拉的车一辆为一乘:千～之国。

另见 176 页 chéng。

盛 shèng ❶ 圃 兴盛;繁盛:全～时期|桃花开得很～。❷ 圃 强烈;旺盛:年轻气～|火势很～。❸ 盛大;隆重:～会|～宴。❹ 丰富;丰盛:～馔。❺ 深厚:～情|～意。❻ 普遍;广泛:～行|～传。❼ 用力大;程度深:～赞。❽ (Shèng)图 姓。

另见 177 页 chéng。

【盛产】shèngchǎn 劻 大量地出产:～木

材。

【盛传】shèngchuán 动 广泛流传：这地区～着他的英雄事迹。

【盛大】shèngdà 形 规模大，仪式隆重的（集体活动）：～的宴会｜～的阅兵式。

【盛典】shèngdiǎn 名 盛大的典礼：开国～。

【盛服】shèngfú〈书〉名 盛装。

【盛会】shènghuì 名 盛大的会：团结～。

【盛举】shèngjǔ 名 盛大的活动。

【盛开】shèngkāi 动（花）茂盛地开放：百花～。

【盛况】shèngkuàng 名 盛大热烈的情景或场面：～空前｜电视台将转播大会的～。

【盛名】shèngmíng 名 很大的名望：享有～｜～之下，其实难副（名望很大，而实际情况难以和名望相称）。

【盛年】shèngnián〈书〉名 壮年；正值～。

【盛怒】shèngnù 动 大怒。

【盛评】shèngpíng 名 高度的评价：获得广泛～。

【盛气凌人】shèng qì líng rén 傲慢的气势逼人。

【盛情】shèngqíng 名 深厚的情意：～厚谊｜～难却。

【盛世】shèngshì 名 兴盛的时代：太平～。

【盛事】shèngshì 名 盛大的事情：文坛～。

【盛暑】shèngshǔ 名 大热天。

【盛夏】shèngxià 名 夏天最热的时候。

【盛销】shèngxiāo 动 旺销；畅销：～不衰｜～海内外。

【盛行】shèngxíng 动 广泛流行：～一时。

【盛宴】shèngyàn 名 盛大的宴会。

【盛意】shèngyì 名 盛情：～可感。

【盛誉】shèngyù 名 很高的荣誉：享有～。

【盛赞】shèngzàn 动 极力称赞：～这次演出成功。

【盛馔】shèngzhuàn〈书〉名 丰盛的饮食。

【盛装】shèngzhuāng 名 华丽的装束：姑娘们换上了节日的～。

剩（賸）shèng ❶ 动 剩余：～饭｜～货｜大家都走了，只～下他一个人。❷（Shèng）名 姓。

【剩磁】shèngcí 名 磁性物质在外界磁场消除后保留的磁性。永久磁铁的磁化和磁性录音都是剩磁作用的应用。

【剩余】shèngyú 动 从某个数量里减去一部分以后遗留下来：不但没有亏欠，还～了不少。

【剩余产品】shèngyú chǎnpǐn 由劳动者的剩余劳动生产出来的产品（跟"必要产品"相对）。

【剩余价值】shèngyú jiàzhí 由工人剩余劳动创造的完全被资本家所占有的那部分价值。

【剩余劳动】shèngyú láodòng 劳动者在必要劳动之外所付出的劳动（跟"必要劳动"相对）。

桑 shèng〈书〉同"乘"。
另见 178 页 chéng。

嵊 Shèng 嵊州（Shèngzhōu），嵊泗（Shèngsì），地名，都在浙江。

<hr>

shī（ㄕ）

尸（❶屍）shī ❶ 尸体：死～｜僵～｜行～走肉。❷ 古代祭祀时代表死者受祭的人。

【尸骨】shīgǔ 名 ❶ 尸体腐烂后剩下的骨头：～无存。❷ 借指尸体：～未寒（指人刚死不久）。

【尸骸】shīhái 名 尸骨。

【尸检】shījiǎn 动 对尸体进行病理解剖学或法医学的检查。

【尸身】shīshēn 名 尸体。

【尸首】shī·shou 名 人的尸体。

【尸体】shītǐ 名 人或动物死后的身体。

【尸位】shīwèi〈书〉动 空占着职位而不做事：～误国。

【尸位素餐】shī wèi sù cān 空占着职位，不做事而白吃饭。

失 shī ❶ 动 失掉；丢掉（跟"得"相对）：遗～｜丧～｜～血｜坐～良机｜不要～了信心。❷ 没有把握住：～手｜～足｜～于检点｜百无一～。❸ 找不着：迷～方向｜群之雁。❹ 没有达到目的：～望｜～意。❺ 改变（常态）：～声｜～色｜～神。❻ 违背；背弃：～信｜～约。❼ 错误；过失：～误｜唯恐有～。

【失败】shībài 动 ❶ 在斗争或竞赛中被对方打败（跟"胜利"相对）；非正义的战争注定是要～的。❷ 工作没有达到预定的目

的(跟"成功"相对):试验～|～是成功之母。

【失策】shīcè 励 策略上有错误;失算。

【失察】shīchá 励 在所负的督察责任上有疏失。

【失常】shīcháng 形 失去正常状态:精神～|举动～。

【失宠】shī//chǒng 励 失掉别人的宠爱(含贬义)。

【失传】shīchuán 励 没有流传下来:北曲的曲谱早已～了。

【失聪】shīcōng 励 失去听力;变聋:双耳～。

【失措】shīcuò 励 举动失常,不知怎么办才好:茫然～|惊慌～。

【失单】shīdān 名 被窃、被劫或失落的财物的清单。

【失当】shīdàng 形 不适宜;不恰当:处理～。

【失盗】shī//dào 励 失窃。

【失道寡助】shī dào guǎ zhù 违背正义必然陷于孤立(语本《孟子·公孙丑下》):"得道者多助,失道者寡助")。

【失地】shīdì ❶励 丧失国土:～千里。❷名 丧失的国土:收复～。

【失掉】shīdiào 励❶ 原有的不再具有;没有了:～联络|～作用。❷ 没有取得或没有把握住:～机会。

【失范】shīfàn 励 失去规范;违背规范:严重的市场～会危及整个经济秩序。

【失和】shīhé 励 双方由和睦变为不和睦。

【失衡】shīhéng 励 失去平衡:产销～|比例～|◇心理～。

【失欢】shī//huān 励 失掉别人的欢心。

【失悔】shīhuǐ 励 后悔:他～没有听从老人的劝告。

【失婚】shīhūn 励 指离婚或丧偶后未再婚。

【失魂落魄】shī hún luò pò 形容心神不定非常惊慌的样子。

【失火】shī//huǒ 励 发生火灾。

【失计】shījì〈书〉励 失策;失算。

【失记】shījì〈书〉励 忘记;不记得:年远～。

【失检】shījiǎn 励 失于检点:行为～。

【失脚】shī//jiǎo 励 失足①。

【失节】shī//jié 励❶ 失去气节。❷ 封建

礼教指妇女失去贞操。

【失禁】shī//jìn 励 指控制大小便的器官完全或部分失去控制能力。

【失敬】shījìng 励 客套话,向对方表示歉意·责备自己礼貌不周。

【失据】shījù 励 失掉凭借:进退～。

【失控】shīkòng 励 失去控制:物价～。

【失礼】shīlǐ 励❶ 违背礼节。❷ 失敬。

【失利】shī//lì 励 打败仗;战败;在比赛中输了:吸取战斗～的教训,以利再战|青年足球队初战～。

【失恋】shī//liàn 励 恋爱的一方失去另一方的爱情。

【失灵】shīlíng 励(机器、仪器、某些器官等)变得不灵敏或失去应有的功能:发动机～|听觉～|◇指挥～。

【失落】shīluò ❶励 遗失;丢失:不慎～了一块手表。❷形 精神上空虚或失去寄托:刚从岗位上退下来,他内心很～。

【失落感】shīluògǎn 名 精神上产生的空虚或失去寄托的感觉。

【失迷】shīmí 励 走错(方向、道路等)。

【失密】shī//mì 励 泄露机密。

【失眠】shī//mián 励 夜间睡不着或醒后不能再入睡。

【失明】shī//míng 励 失去视力;变瞎:双目～。

【失能武器】shīnéng wǔqì 非致命武器。

【失陪】shīpéi 励 客套话,表示不能陪伴对方:你们多谈一会儿,我有事～了。

【失窃】shī//qiè 励 财物被人偷走。也说失盗。

【失去】shīqù 励 失掉:～知觉|～效力。

【失却】shīquè〈书〉励 失掉:～记忆|～活力。

【失散】shīsàn 励 离散;散失:找到了～多年的亲人。

【失色】shīsè 励❶ 失去本来的色彩或光彩:壁画年久～。❷ 因受惊或害怕而面色苍白:大惊～|相顾～。

【失闪】shī·shan〈口〉名 意外的差错;闪失:要是有个～,可不是闹着玩的。

【失身】shī//shēn 励 失节②。

【失神】shīshén 励❶ 疏忽;不注意:稍一～就会出差错。❷ 形容人的精神委靡或精神状态不正常。

【失慎】shīshèn 励❶ 疏忽;不谨慎:行动

～。❷〈书〉指失火。

【失声】shī//shēng 动❶ 不自主地发出声音：～喊叫｜～大笑。❷ 因悲痛过度而哽咽，哭不出声来：痛哭～。❸ 由喉部肌肉或声带发生病变引起的发音障碍。患者说话时声调变低，声音微弱，严重时发不出声音。也叫失音。

【失时】shī//shí 错过时机：播种不能～。

【失实】shīshí 动 跟事实不符：传闻～。

【失势】shī//shì 动 失去权势。

【失事】shī//shì 动 发生不幸的事故：飞机～。

【失收】shīshōu 动❶ 农作物、果树等因遭受灾害而没有收成：因遇大旱，夏季作物全部～。❷ 该收录而没有收录：辑录《全唐诗》～的诗。

【失手】shī//shǒu 动❶ 因手没有把握住或没有掌握好分寸，而造成不好的后果：～伤人｜一～把碗摔破了。❷ 比喻失利（多指意外的）：赛场～。

【失守】shīshǒu 动 防守的地区被敌方占领：阵地～。

【失算】shīsuàn 动 没有算计或算计得不好；谋划不当：一着～，全盘被动。

【失态】shītài 动 态度举止不合乎应有的礼貌：酒后～。

【失调】shītiáo 动❶ 失去平衡；调配不当：供求～｜雨水～。❷ 没有得到适当的调养：产后～｜先天不足，后天～。

【失望】shīwàng ❶ 动 感到没有希望，失去信心；希望落了空：多次抢救无效，彻底～。❷ 形 因希望未实现而不愉快：孩子不争气，真令人～。

【失物】shīwù 名 遗失的物品：寻找～｜～招领。

【失误】shīwù 动 由于疏忽或水平不高而造成差错：传球～｜一着～，全盘皆输。

【失陷】shīxiàn 动（领土、城市）被敌人侵占。

【失笑】shīxiào 动 不自主地发笑：哑然～。

【失效】shī//xiào 动 失去效力：药剂～。

【失信】shī//xìn 动 答应别人的事没做，失去信用：～于人｜准时归还，决不～。

【失修】shīxiū 动 没有维护修理（多指建筑物）：年久～。

【失序】shīxù 动 失去正常的秩序：一旦企业管理～，生产就会瘫痪。

【失学】shī//xué 动 因家庭困难、疾病等失去上学机会或中途退学。

【失血】shīxuè 动 由于大量出血而体内血液含量减少：～过多，病势危险。

【失言】shī//yán 动 无意中说出不该说的话：一时～。

【失业】shī//yè 动 有劳动能力的人找不到工作。

【失业保险】shīyè bǎoxiǎn 社会保险的一种。国家和社会在劳动者失业后提供经济困难时提供失业保险金等物质帮助。

【失宜】shīyí〈书〉形 不得当：处置～｜决策～。

【失意】shī//yì 形 不得志；不如意：情场～。

【失音】shī//yīn 动 失声③。

【失迎】shīyíng 动 客套话，因没有亲自迎接客人而向对方表示歉意。

【失语】shīyǔ 动❶〈书〉失言。❷ 指说话困难或不能说话：～症。

【失约】shī//yuē 动 没有履行约会。

【失着】shī//zhāo 动 行动疏忽或方法错误；失策。

【失真】shī//zhēn 动❶ 跟原来的有出入（指声音、形象或语言内容等）：传写～。❷ 无线电技术中指输出信号与输入信号不一致。如音质变化、图像变形等。

【失之东隅，收之桑榆】shī zhī dōng yú，shōu zhī sāng yú 比喻这个时候失去了，另一个时候得到了补偿（语出《后汉书·冯异传》）。东隅：东方日出处，指早晨；桑榆：西方日落处，日落时太阳的余晖照在桑榆树梢上，指傍晚）。

【失之毫厘，谬以千里】shī zhī háo lí，miù yǐ qiān lǐ 开始稍微差一点儿，结果会造成很大的错误。

【失之交臂】shī zhī jiāo bì 形容当面错过，失掉好机会（交臂：因彼此走得很靠近而胳膊碰胳膊；机会难得，幸勿～。

【失职】shī//zhí 动 没有尽到职责：由于值班人员～，造成了严重的后果。

【失重】shī//zhòng 动 物体失去原有的重量。是由于物体在高空中所受地心引力变小或由于物体向地球中心方向作加速运动而引起的。如升降机开始下降时就有失重现象。

【失主】 shīzhǔ 名 失落或失窃的财物的所有者。

【失准】 shīzhǔn 形 ❶ 不准确；对灾情估计～。❷ 指没有发挥出应有的水平(多指体育比赛)：该球队在高水平的对抗中表现～。

【失踪】 shī//zōng 动 下落不明(多指人)。

【失足】 shī//zú 动 ❶ 行走时不小心跌倒：～落水｜他一～从土坡上滑了下来。❷ 比喻人堕落或犯严重错误：一～成千古恨｜耐心做～青少年的教育工作。

师¹(師) shī ❶ 称某些传授知识技术的人：教～｜～傅｜～徒关系。❷ 学习的榜样：前事不忘,后事之～。❸ 掌握专门学术或技艺的人：工程～｜技～｜医～。❹ 对和尚、道士的尊称：法～｜禅～。❺ 指由师徒关系产生的：～母｜～兄｜～弟。❻〈书〉仿效；学习：～法｜～其意～～其辞。❼ (Shī) 名 姓。

师²(師) shī 名 ❶ 军队的编制单位,隶属于军或集团军,下辖若干团。❷ 军队：出～｜班～。

【师表】 shībiǎo〈书〉名 品德学问上值得学习的榜样：为人～。

【师承】 shīchéng ❶ 动 效法某人或某个流派并继承其传统：～前贤。❷ 名 师徒相传的系统：这些艺人各有自己的～。

【师出无名】 shī chū wú míng 没有理由而出兵打仗,泛指做某件事缺乏正当理由。

【师从】 shīcóng 动 在学术或技艺上以某人为师。

【师德】 shīdé 名 指教师应具备的道德品质和应遵从的行为规范。

【师弟】 shīdì 名 ❶ 称同从一个师傅而拜师的时间在后的男子。❷ 称师傅的儿子或父亲的男徒弟中年龄比自己小的人。❸〈书〉老师和学生(弟：弟子)。

【师法】 shīfǎ〈书〉❶ 动 在学术或文艺上效法(某人或某个流派)。❷ 名 师徒相传的学问和技术。

【师范】 shīfàn 名 ❶ 师范学校的简称。❷〈书〉学习的榜样：为世～。

【师范学校】 shīfàn xuéxiào 专门培养师资的学校。简称师范。

【师父】 shī·fu 名 ❶ 师傅。❷ 对和尚、尼姑、道士的尊称。

【师傅】 shī·fu 名 ❶ 工、商、戏剧等行业中传授技艺的人。❷ 对有技艺的人的尊称：老～｜厨～｜木匠～。

【师姐】 shījiě 名 ❶ 称同从一个师傅或老师学习而拜师的时间在前的女子。❷ 称师傅的女儿或父亲的女弟子中年龄比自己大的人。

【师妹】 shīmèi 名 ❶ 称同从一个师傅或老师学习而拜师的时间在后的女子。❷ 称师傅的女儿或父亲的女弟子中年龄比自己小的人。

【师母】 shīmǔ 名 称自己的老师的妻子或师傅的妻子。

【师娘】 shīniáng〈口〉名 师母。

【师事】 shīshì〈书〉动 拜某人为师或对某人以师傅的礼节相待。

【师心自用】 shī xīn zì yòng 固执己见,自以为是。

【师兄】 shīxiōng 名 ❶ 称同从一个师傅或老师学习而拜师的时间在前的男子。❷ 称师傅的儿子或父亲的男徒弟中年龄比自己大的人。

【师爷】 shīyé 名 称师父的父亲或师父。

【师爷】 shī·ye 名 幕友的俗称：钱粮～｜刑名～｜包揽讼词的～。

【师长】 shīzhǎng 名 老师和尊长,也特指老师：尊敬～。

【师资】 shīzī 名 指可以当教师的人才：培养～｜解决～不足的问题。

诗(詩) shī 名 ❶ 文学体裁的一种,通过有节奏、韵律的语言集中地反映生活,抒发情感。❷ (Shī) 姓。

【诗抄】 shīchāo 名 抄取别人的诗作编辑而成的书籍(多用于书名)：《革命烈士～》。

【诗词】 shīcí 名 诗和词的合称。

【诗风】 shīfēng 名 诗歌创作的风格。

【诗歌】 shīgē 名 泛指各种体裁的诗。

【诗话】 shīhuà 名 ❶ 评论诗人和诗的书,多为随笔性质。❷ 我国早期的有诗有话的小说,可以说唱。

【诗集】 shījí 名 编辑一个人或许多人的诗而成的书。

【诗句】 shījù 名 诗的句子,泛指诗作：优美动人的～。

【诗律】 shīlǜ 名 诗的格律。

S

【诗篇】shīpiān 名❶ 诗(总称)：这些～写得很动人。❷ 比喻生动而有意义的故事、文章等：光辉的～|英雄的～。

【诗情画意】shī qíng huà yì 诗画一般的美好意境：这里是一派田园景色，充满～。

【诗人】shīrén 名 写诗的作家。

【诗史】shīshǐ 名❶ 诗歌发展的历史。❷ 指反映一个时代的面貌，具有历史意义的诗歌。

【诗坛】shītán 名 指诗歌界：～盛会。

【诗兴】shīxìng 名 做诗的兴致：～大发。

【诗意】shīyì 名 像诗里表达的那样给人以美感的意境：富有～。

【诗余】shīyú 名 词②的别称，意思是说词是由诗发展而来的。

【诗韵】shīyùn 名❶ 做诗所押的韵。❷ 做诗所依据的韵书，一般指旧诗所依据的《平水韵》，平、上、去、入四声共 106 韵。

【诗章】shīzhāng 名 诗篇。

【诗作】shīzuò 名 诗歌作品。

鹇（鶥）shī ［鹇鸼］(shījiū)名 古书上指布谷鸟。

虱（蝨）shī 名 虱子。

【虱子】shī·zi 名 昆虫，灰白色、浅黄色或灰黑色，有短毛，头小，没有翅膀，腹部大，卵白色，椭圆形。常寄生在人和猪、牛等身体上，吸食血液，能传染斑疹伤寒和回归热等疾病。

绝（絁）shī 〈书〉一种粗绸子。

鸼（鶐）shī 名 鸟，种类很多，常见的是普通鸼，身体长 12 厘米左右，嘴长而尖，背部蓝灰色，腹部棕黄色。生活在森林中，吃害虫。

狮（獅）shī 名 狮子。

【狮子】shī·zi 名 哺乳动物，身体长约 3 米，四肢强壮，有钩爪，掌部有肉块，尾巴细长，末端有一丛毛，雄狮的颈部有长鬣，全身毛棕黄色。生活在非洲和亚洲西部。捕食羚羊、斑马等动物，吼声很大，有"兽王"之称。

【狮子搏兔】shī·zi bó tù 比喻对小事情也拿出全部力量，不轻视(搏：扑上去抓)。

【狮子大开口】shī·zi dà kāi kǒu 比喻要大价钱或提出很高的物质要求。

【狮子狗】shī·zigǒu 名 哈巴狗(hǎ·ba gǒu)。

【狮子舞】shī·ziwǔ 名 流行很广的一种民间舞蹈，通常由两人扮成狮子的样子，另一人持绣球，引逗狮子舞蹈。

【狮子座】shī·zizuò 名 黄道十二星座之一。参看 600 页【黄道十二宫】。

施 shī ❶ 施行②；施展：实～|措～|～工|无计可～。❷ 动 给予：～礼|～压力。❸ 施舍：～诊|～与。❹ 动 在物体上加某种东西：～粉(搽粉)|～化肥。❺ (Shī)名 姓。

【施暴】shībào 动❶ 采取暴力行动。❷ 指强奸。

【施放】shīfàng 动 放出；发出：～烟幕。

【施肥】shī//féi 动 给植物施肥。

【施工】shī//gōng 动 按照设计的规格和要求建筑房屋、桥梁、道路、水利工程等。

【施加】shījiā 动 给予(压力、影响等)。

【施礼】shī//lǐ 动 行礼。

【施舍】shīshě 动 把财物送给穷人或出家人。

【施事】shīshì 名 语法上指动作的主体，也就是发出动作或发生变化的人或事物，如"爷爷笑了"里的"爷爷"，"水结成冰"里的"水"。表示施事的名词不一定做句子的主语，如"鱼叫猫吃了"里的施事是"猫"，但主语是"鱼"。

【施威】shīwēi 动 施展威风。

【施行】shīxíng 动❶ 法令、规章等公布后从某时起发生效力；执行：本条例自公布之日起～。❷ 按照某种方式或办法去做；实行：～手术。

【施压】shīyā 动 施加压力：给谈判对手～。

【施用】shīyòng 动 使用；施④：～化肥。

【施与】shīyǔ 动 以财物周济人；给予(恩惠)。

【施斋】shī//zhāi 动 给出家人食物。

【施展】shīzhǎn 动 发挥(能力等)：～本领|他把全部技术都～出来了。

【施诊】shī//zhěn 动 给贫苦的人看病，不收诊费。

【施政】shīzhèng 动 施行政治措施：～方针。

【施主】shīzhǔ 名 和尚或道士称施舍财物给佛寺或道观的人，通常用来称呼一般的在家人。

浉(漪) Shī 浉河,水名,在河南。

葹 shī 古书上说的一种植物。

湿(濕、溼) shī 形 沾了水的或显含水分多的(跟"干"相对):～度|潮～|地皮很～|衣服都给雨淋～了。

【湿地】shīdì 名 靠近江河湖海而地表有浅层积水的地带,包括沼泽、滩涂、湿草地等,也包括低潮时水深不超过 6 米的水域。湿地中水生动植物多,有利于净化水源、蓄洪抗旱等,对生态环境的保护有着重要作用。

【湿度】shīdù 名 ❶ 空气内含水分的多少,分为绝对湿度、相对湿度等。 ❷ 泛指某些物质中所含水分的多少:土壤～。

【湿季】shījì 名 热带地区潮湿多雨的季节。

【湿淋淋】shīlínlín (口语中也读 shīlínlín)(～的)形 状态词。形容物体湿得往下滴水:全身被雨浇得～的。

【湿漉漉】(湿渌渌) shīlùlù (口语中也读 shīlūlū)(～的)形 状态词。形容物体潮湿的样子:天气返潮,晾了一天的衣服还是～的。

【湿润】shīrùn 形 潮湿润泽:～的土地|空气清新～|他有点激动,眼睛也～了。

【湿疹】shīzhěn 名 皮肤病,常发生在面部、阴囊或四肢弯曲的部位。多由神经系统功能障碍等引起。症状是皮肤发红、发痒,形成丘疹或水疱。

【湿租】shīzū 动 一种租赁方式,在租赁设备、交通工具等时,同时配备操纵、维修人员(跟"干租"相对):～大型客机。

蓍 shī 名 蓍草,多年生草本植物,茎有棱,叶子披针形,羽状深裂,花白色,结瘦果,扁平。全草入药,茎、叶含芳香油,可做香料。我国古代用它的茎占卜。

醯¹(釃) shī 又 shāi ❶〈书〉滤(酒)。 ❷〈方〉动 斟(酒)。

醯²(釃) shī〈书〉疏导(河渠)。

嘘 shī 叹 表示制止、驱逐等:～! 别做声。
另见 1538 页 xū。

鰤(鰤) shī 名 鱼,体侧扁,背部蓝褐色,鳞小而圆,尾鳍分叉。生活在我国近海中。

鰤(鰃) shī 名 节肢动物,身体扁圆形,像水虫,头部有一对吸盘。寄生在鱼类身体的表面。

shí （ㄕ）

十 shí ❶ 数 九加一后所得的数目。参看 1271 页〖数字〗。❷ 表示达到顶点:～足|～分|～成的把握。❸ (Shí) 名 姓。

【十八般武艺】shíbā bān wǔyì 指使用刀、枪、剑、戟等十八种古代兵器的武艺,一般用来比喻各种技能。

【十八罗汉】shíbā-luóhàn 佛教对传说中奉释迦牟尼之命等住人世的十六个弟子和降龙伏虎两罗汉的合称。多塑在佛寺里,或作为绘画的题材。

【十不闲儿】shíbùxiánr 同"什不闲儿"。

【十冬腊月】shí dōng là yuè 指农历十月、十一月(冬月)、十二月(腊月),天气寒冷的季节。

【十恶不赦】shí è bù shè 形容罪大恶极,不可饶恕(十恶:古代刑法指不可赦免的十种重大罪名,即:谋反、谋大逆、谋叛、恶逆、不道、大不敬、不孝、不睦、不义、内乱,现在借指重大的罪行)。

【十二分】shí'èrfēn 副 形容程度极深(比用"十分"的语气更强):对你的意见我～赞同。

【十二指肠】shí'èrzhǐcháng 名 小肠的第一段,较粗,长约 25 厘米(相当于十二指头并列的宽度),上接胃,下接空肠。胰腺和胆囊的开口都在这里。(图见 1493 页"人的消化系统")

【十番乐】shífānyuè 名 一种民间音乐,乐队由十种乐器组成(包括管乐器、弦乐器和打击乐器)。通称十番锣鼓,简称十番。

【十方】shífāng 名 佛教用语,指东、西、南、北、东南、西南、东北、西北、上、下十个方位。

【十分】shífēn 副 很:～满意|～过意不去。

【十戒】shíjiè 名 佛教指沙弥和沙弥尼所受的不杀生、不偷盗等十条戒律。

【十锦】shíjǐn 见 1232 页〖什锦〗。

S

【十进对数】shíjìn-duìshù 常用对数。

【十进制】shíjìnzhì 图 一种记数法,采用 0,1,2,3,4,5,6,7,8,9 十个数码,逢十进位。如 9 加 1 为 10,90 加 10 为 100,900 加 100 为 1 000。

【十目所视,十手所指】shí mù suǒ shì, shí shǒu suǒ zhǐ 表示监督的人很多,不允许做坏事,做了也隐瞒不住(语出《礼记·大学》)。

【十拿九稳】shí ná jiǔ wěn 比喻很有把握。也说十拿九准。

【十年九不遇】shí nián jiǔ bù yù 指某种情况多年难遇到:今年这么大的雨量,真是～。

【十年树木,百年树人】shí nián shù mù,bǎi nián shù rén 培植树木需要十年,培育人才需要百年(语本《管子·权修》:"十年之计,莫如树木;终身之计,莫如树人")。比喻培养人才是长久之计,也形容培养人才很不容易。

【十全十美】shí quán shí měi 各方面都非常完美,毫无缺陷:人都有缺点,哪能～呢?

【十三点】shísāndiǎn 〈方〉❶ 彤 形容人傻里傻气或言行不合情理:这个人有点～。❷ 图 指傻里傻气,言行不合情理的人。

【十三经】Shísān Jīng 图 指《易经》《书经》《诗经》《周礼》《仪礼》《礼记》《春秋左传》《春秋公羊传》《春秋谷梁传》《论语》《孝经》《尔雅》《孟子》十三种儒家的经传。

【十三辙】shísān zhé 图 指皮黄、鼓儿词等戏剧曲艺中押韵的十三个大类,也叫十三道辙,就是:中东、江阳、衣期、姑苏、怀来、灰堆、人辰、言前、梭波、麻沙、乜邪、遥迢、由求。

【十室九空】shí shì jiǔ kōng 十户人家九家空,形容天灾人祸使得人民流离失所的悲惨景象。

【十四行诗】shísìhángshī 图 欧洲的一种抒情诗体,每首十四行,格律上分为好几种。也译作商籁体。

【十万八千里】shí wàn bā qiān lǐ 形容极远的距离或极大的差距:他说了半天,离正题还差～呢!|这两个厂相比,经济效益相差～。

【十万火急】shí wàn huǒ jí 形容事情紧

急到了极点。

【十项全能】shíxiàng quánnéng 田径综合性比赛项目之一。运动员在两天内依次完成 100 米跑、跳远、铅球、跳高、400 米跑、110 米栏、铁饼、撑竿跳高、标枪、1 500 米跑等十项比赛。

【十一】Shí-Yī 图 10 月 1 日,中华人民共和国国庆日。1949 年 10 月 1 日中华人民共和国成立。

【十月革命】Shíyuè Gémìng 1917 年 11 月 7 日(俄历 10 月 25 日)俄国工人阶级和农民在以列宁为首的布尔什维克党的领导下进行的社会主义革命。十月革命推翻了俄国资产阶级临时政府,建立了世界上第一个无产阶级专政的社会主义国家。

【十指连心】shí zhǐ lián xīn 手指头感觉灵敏,十个手指碰伤了哪一个,心里都感到疼痛,常用来比喻某人和有关的人或事具有极密切的关系。

【十字架】shízìjià 图 罗马帝国时代的一种刑具,是一个十字形的木架,把人的两手、两脚钉在上面,任他慢慢死去。据基督教《新约全书》中记载,耶稣被钉死在十字架上。因此基督教徒就把十字架作为信仰的标记,也看做受难或死亡的象征。

【十字街头】shízì jiētóu 指道路交叉,行人往来频繁的热闹街市。

【十字路口】shízì lùkǒu (～儿)两条路纵横交叉的地方,比喻在重大问题上需要对去向作出选择的境地:处在人生的～,他将何去何从呢?

【十足】shízú 彤 ❶ 成色纯:～的黄金。❷ 十分充足:～的理由|神气～|干劲～。

什 shí ❶ 〈书〉同"十"(多用于分数或倍数):～一(十分之一)|～九(十分之九)|～百(十倍或百倍)。❷ 多种的;杂样的:～物|～件|家～。❸ (Shí)图 姓。
另见 1211 页 shén。

【什不闲儿】shíbùxiánr 图 曲艺的一种,由莲花落发展而成,用锣、鼓、铙、钹等伴奏。也作十不闲儿。

【什件儿】shíjiànr 图 ❶ 鸡鸭等的内脏做食品时的总称:炒～。❷ 〈方〉箱柜、马车、刀剑等上面所附的各样起加固作用的金属装饰品:黄铜～。

【什锦】(十锦) shíjǐn ❶ 彤 属性词。多种原料制成或多种花样的:～饼干|～糖|～锉。❷ 图 多种原料制成或多种花样拼成

的食品：素～。

【什物】shíwù 图指家庭日常应用的衣物及其他零碎用品。

辻 shí 日本汉字，十字路口。多用于日本姓名。

石 shí ❶ 图构成地壳的坚硬物质，是由矿物集合而成的：花岗～｜石灰～｜～碑｜～板｜～器。参看 1566 页〖岩石〗。❷ 指石刻：金～。❸ 古代用来治病的石针：药～。❹（Shí）图姓。
另见 268 页 dàn。

【石板】shíbǎn 图❶ 片状的石头，多用为建筑材料。❷ 文具，用薄的方形板岩制成，周围镶木框，用石笔在上面写字。

【石版】shíbǎn 图石印的印刷版状，用一种多孔质的石料制成。参看〖石印〗。

【石笔】shíbǐ 图用滑石制成的笔，用来在石板上写字。

【石材】shícái 图供建筑、筑路、雕刻等用的石料。

【石沉大海】shí chén dà hǎi 像石头掉到大海里一样，不见踪影，比喻始终没有消息。

【石担】shídàn 图体育锻炼用的器械，在竹杠或木杠两端安着石轮。

【石刁柏】shídiāobǎi 图多年生草本植物，小枝很细，叶子退化，花黄绿色，形状像钟。浆果红色，种子黑色，嫩茎可做蔬菜。通称芦笋。

【石雕】shídiāo 图在石头上雕刻形象、花纹的艺术。也指用石头雕刻成的作品。

【石方】shífāng 图❶ 采石、填方或运输石头的工作通常都用立方米来计算，一立方米称为一个石方。❷ 上述工作叫石方工程，有时也简称石方。

【石舫】shífǎng 图园林中用石头建成的船形建筑物。

【石膏】shígāo 图无机化合物，化学式 $CaSO_4 \cdot 2H_2O$。透明或半透明晶体，白色、淡黄色、粉红色或灰色。大部分为天然产，用于建筑、装饰、塑造和制造水泥等。中医用作解热药，农业上用来改良碱化土壤。也叫生石膏。

【石膏像】shígāoxiàng 图用石膏做成的人物形象，是一种美术品。

【石工】shígōng 图❶ 开采石料或用石料制作器物的工作。❷ 做这种工作的工

人。也叫石匠。

【石鼓文】shígǔwén 图石鼓上刻的铭文或石鼓上镂刻的字体，叫石鼓文。石鼓是战国时秦国留存下来的文物，形状略像鼓，共有十个，上面刻有四言诗铭文。唐代初年在今陕西凤翔发现，现存北京。

【石碨】shígǔn 图见 878 页〖碌碡〗。

【石斛】shíhú 图多年生草本植物，生在高山的岩石上或树上，茎多节，绿褐色，叶子披针形，花白色，花瓣的顶端淡紫色。茎可入药。

【石化】shíhuà 图指石油化学工业。

【石灰】shíhuī 图生石灰和熟石灰的统称，特指生石灰。通称白灰。

【石级】shíjí 图用石头砌的台阶。

【石匠】shí·jiang 图石工②。

【石蜐】shíjié 图见 513 页〖龟足〗。

【石刻】shíkè 图刻有文字、图画的碑碣等石制品或石壁，也指上面刻的文字、图画。

【石窟】shíkū 图古时一种就着山崖开凿成的寺庙建筑，里面有佛像或佛教故事的壁画和石刻等，如我国的敦煌、云冈和龙门等石窟。

【石蜡】shílà 图从石油中提炼的固态混合物，白色或淡黄色，溶于苯、氯仿、松节油、橄榄油等。用来制脂肪酸、高级醇以及蜡烛、绝缘物、药剂等。

【石料】shíliào 图做建筑、筑路、雕刻等材料用的岩石或类似岩石的物质，分为天然石料（如花岗石，石灰石）和人造石料（如人造大理石、水磨石）。

【石林】shílín 图地表林立的柱状石灰岩，是水流沿岩石的垂直裂隙溶蚀或侵蚀而形成的。

【石榴】shí·liu 图❶ 落叶灌木或小乔木，叶子长圆形，花多为红色，也有白色或黄色的。果实球形，内有很多种子，种子的外种皮多汁，可以吃。果皮可入药。❷ 这种植物的果实。

【石榴裙】shíliúqún 图红裙子，借指女人。

【石榴石】shíliúzhìshí 图矿物，成分是铁、钙、镁、锰的铝硅酸盐。晶体呈粒状，像石榴子颜色很多，通常分为红色、黄色和绿色三个系列，透明或半透明，有光泽，硬度 7—8，其中的上品是宝石。

【石煤】shíméi 图含大量矿物质的煤，外观像黑色的岩石，发热量较低，可用作燃

料等。

【石棉】shímián 名 纤维状镁、铁硅酸盐矿物的总称，多为白色、灰色或浅绿色。纤维柔软，耐高温，耐酸碱，是热和电的绝缘体。

【石漠】shímò 名 地表几乎完全为石块或裸露的岩石所覆盖，没有沙的荒漠。

【石墨】shímò 名 矿物，碳的同素异形体，灰黑色，有金属光泽，硬度很小，熔点高，导电性强，化学性质稳定。用来制造坩埚、电极、铅笔芯、润滑剂、颜料、防锈涂料等。

【石女】shínǚ 名 先天性无阴道或阴道发育不全的女子。

【石破天惊】shí pò tiān jīng 唐代李贺《李凭箜篌引》诗："女娲炼石补天处，石破天惊逗秋雨。"形容箜篌的声音忽而高亢，忽而低沉，出人意外，有不可名状的奇境。后多用来比喻文章议论新奇惊人。

【石器时代】shíqì shídài 考古学分期中最早的一个时代，从有人类起到青铜器的出现止，共二三百万年。这时人类主要用石头制造劳动工具，还不知道利用金属。按照石器的加工情况又可分为旧石器时代、中石器时代和新石器时代。

【石蕊】shíruǐ 名 ❶ 地衣的一种，生长在寒冷地带，灰白色或淡黄色。可以用来制石蕊试纸、石蕊溶液等。❷ 用石蕊制成的蓝色无定形粉末，溶于水，在分析化学上用作指示剂。

【石笋】shísǔn 名 溶洞中直立的像笋的物体，常与钟乳石上下相对，是由洞顶滴下的水滴中所含的碳酸钙沉淀堆积而成的。

【石锁】shísuǒ 名 体育锻炼用的器械，形状像旧式的锁，用石料制成。

【石头】shí·tou 名 石①。

【石头子儿】shí·touzǐr 〈口〉名 小石块。

【石羊】shíyáng 名 岩羊。

【石印】shíyìn 动 印刷方法的一种，用石版印刷。先把原稿用特制的墨写在药纸上，再轧印在石版上，再经处理后涂油墨印刷。

【石英】shíyīng 名 矿物，成分是二氧化硅，晶体叫做水晶，硬度 7，一般乳白色，半透明或不透明。工业上用来制造耐火材料、玻璃或陶瓷等。

【石英钟】shíyīngzhōng 名 一种计时仪器，利用石英晶体的振荡代替普通钟摆的

运动。具有很高的精确性和稳定性。

【石油】shíyóu 名 具有不同结构的碳氢化合物的混合物，液体，以可燃烧，一般呈褐色、暗绿色或黑色，聚集在岩石的空隙中。从石油中可以提取汽油、煤油、柴油、润滑油、石蜡、沥青等。

【石油气】shíyóuqì 名 开采石油或在炼油厂加工石油时产生的气体，主要成分是低分子的烷烃和氢气。用作燃料和化工原料等。

【石钟乳】shízhōngrǔ 名 钟乳石。

【石柱】shízhù 名 ❶ 石头做的柱子。❷ 溶洞中的石笋和钟乳石连接起来形成的柱形物体。

【石子儿】shízǐr 〈口〉名 石头子儿：碎～。

时（時）shí ❶ 名 指比较长的一段时间：古～｜宋～｜盛极一～。❷ 名 规定的时候；时候：按～｜准～｜八点出发，过～不候｜上课～专心听讲。❸ 季节：四～｜农～｜应～。❹ 当前；现在：～下｜～新｜～事。❺ 时俗；时尚：入～｜合～。❻ 时辰①：卯～｜辰～。❼ 量 计时的单位，小时（点）：上午八～。❽ 时机：失～｜待～而动。❾ 副 时常：～～｜～有出现。❿ 副 叠用，跟"时而…时而…"相同；有时候：～断～续｜～快～慢。〖注意〗"时…时…"后面通常用单音词，"时而…时而…"没有限制。⓫ 名 一种语法范畴，表示动词所指动作在什么时候发生。很多语言的动词分现在时、过去时和将来时，有些语言分得更细。⓬（Shí）名 姓。

【时弊】shíbì 名 当前社会的弊病：切中～｜针砭～。

【时不时】shíbùshí 〈方〉副 时常。

【时不我待】shí bù wǒ dài 时间不等人，指要抓紧时间：任务紧迫，～。

【时差】shíchā 名 ❶ 平太阳时和真太阳时的差。一年之中时差是不断改变的，最大正值是 +14 分 24 秒，最大负值是 −16 分 24 秒，有四次等于零。参见 1319 页〖太阳时〗。❷ 不同时区之间的时间差别。

【时长】shícháng 名 时间的长短：这个节目的～是 11 分钟｜根据通话～收费。

【时常】shícháng 副 常常；经常：～发生｜～受到表扬。

【时辰】shí·chen 名 ❶ 旧时计时的单位。把一昼夜平分为十二段，每段叫做一个时

辰,合现在的两小时。十二个时辰用地支做名称,从半夜起算,半夜十一点到一点是子时,中午十一点到一点是午时。❷时间;时候:～不早了,快睡吧。

【时代】shídài 名❶指历史上以经济、政治、文化等状况为依据而划分的某个时期:石器～|封建～|五四～|～潮流。❷指个人生命中的某个时期:青年～。

【时点】shídiǎn 名时间上的某一点,如说某年某月某日零点整。在计算人口、物资储备等时,都是以一个时点为限。

【时调】shídiào 名在一个地区流行的各种时兴小调、小曲,有的已发展成曲艺,有演唱,有伴奏,如天津时调。

【时段】shíduàn 名指某一段时间:新闻节目安排在最佳～播出|秋季是该市旅游的黄金～。

【时而】shí'ér 副❶表示不定时地重复发生:天空中～飘过几片薄薄的白云。❷叠用,表示不同的现象或事情在一定时间内交替发生:这几天～晴天,～下雨|他们兴高采烈,～引吭高歌,～婆娑起舞。

【时分】shífēn (旧读 shífèn)名 时候:三更～|掌灯～。

【时乖运蹇】shí guāi yùn jiǎn 指时运不好。也说时乖命蹇。

【时光】shíguāng 名❶时间;光阴:～易逝|消磨～。❷时期:他是抗日战争～入伍的。❸日子:过着丰衣足食的好～。

【时过境迁】shí guò jìng qiān 随着时间的推移,境况发生变化。

【时候】shí·hou 名❶时间②:你写这篇文章用了多少～? ❷时间③:现在是什么～了? |到～请叫我一声。

【时机】shíjī 名具有时间性的客观条件(多指有利的):掌握～|错过～|有利～。

【时价】shíjià 名现时的价格:～稍减|～起落不大。

【时间】shíjiān 名❶物质运动中的一种存在方式,由过去、现在、将来构成的连绵不断的系统。是物质的运动、变化的持续性、顺序性的表现。❷有起点和终点的一段时间:地球自转一周的～是二十四小时|盖这么一所房子要多少～? ❸时间里的某一点:现在的～是三点十五分。

【时间差】shíjiānchā 名❶排球运动上指守方队员跳起拦网下落后攻方队员才攻

球,这两者之间短暂的时间差距,这种进攻方法叫打时间差。❷泛指两事之间的时间差距:商贩利用南北方水果成熟期不同的～获利。

【时间词】shíjiāncí 名表示时间的名词,如"过去、现在、将来、早晨、今天、去年"等。

【时间性】shíjiānxìng 名事物在某一段时间内才有效、有意义或有作用的特征:新闻报道的～强,要及时发表。

【时节】shíjié 名❶节令;季节:清明～|农忙～。❷时候:开始学戏那～她才六岁。

【时局】shíjú 名当前的政治局势:～稳定。

【时刻】shíkè ❶名时间③:关键～|严守～,准时到会。❷副每时每刻;经常:时时刻刻|～准备贡献出我们的力量。

【时空】shíkōng 名时间和空间:～观(人们对于时间和空间的根本观点)。

【时来运转】shí lái yùn zhuǎn 时机来了,运气有了好转。

【时令】shílìng 名季节:～已交初秋,天气逐渐凉爽。

【时令】shí·ling〈方〉指时令病:闹～。

【时令病】shí·lìngbìng 名中医指某一季节的多发病,如夏季的痢疾、中暑,秋季的疟疾等。

【时令河】shílìnghé 名季节性的河流,雨季或冰雪融化期有水,其他时期无水或断续有水。

【时髦】shímáo 形形容人的装饰衣着或其他事物新颖入时:赶～|～服饰|她的穿戴很～。

【时评】shípíng 名指评论时事的文章、言论。

【时期】shíqī 名一段时间(多指具有某种特征的):抗战～|社会主义建设～。

【时气】shí·qi〈方〉名❶一时的运气,特指一时的幸运:～好|碰～|有～。❷因气候失常而流行的疾病。

【时区】shíqū 名标准时区。

【时人】shírén 名❶当时的人:～有诗为证。❷旧时指社会上一个时期里最活跃的人。

【时日】shírì 名❶时间和日期:不计～|延误～。❷较长的时间:这项工程需要～。

【时尚】shíshàng ❶ 名 当时的风尚;时兴的风尚:不合～。❷ 形 合于时尚:衣着很～。

【时时】shíshí 副 常常:～不忘自己是人民的公仆|二十年来我～想起这件事。

【时世】shíshì 名 ❶ 时代①:艰难～。❷ 指当前的社会:他对～有深刻的认识。

【时式】shíshì 名 时新的式样(多指服装)。

【时势】shíshì 名 某一时期的客观形势:当时为～所迫,只好离家出走。

【时事】shíshì 名 最近期间的国内外大事:关心～|～报告|～述评。

【时蔬】shíshū 名 正当时令的蔬菜:新鲜～。

【时俗】shísú 名 当时的习俗;流俗:囿于～|不落～。

【时速】shísù 名 以小时为时间单位的速度。

【时务】shíwù 名 当前的重大事情或客观形势:不识～|识～者为俊杰。

【时下】shíxià 时间词。当前;眼下:这是～流行的款式。

【时鲜】shíxiān 名 少量上市的应时的新鲜蔬菜、鱼虾等。

【时贤】shíxián 〈书〉名 指当代贤能的有声望的人。

【时限】shíxiàn 名 完成某项工作的期限:～紧迫|以三天为～完成这项任务。

【时效】shíxiào 名 ❶ 指在一定时间内能起的作用。❷ 法律上所规定的刑事责任和民事诉讼权利的有效期限。

【时新】shíxīn 形 某一时期最新的(多指服装样式):～款式。

【时兴】shíxīng 动 一时流行:那种款式～了一阵子|现在正～这种服装。

【时行】shíxíng 动 时兴。

【时序】shíxù 名 季节变化的次序:～推移,秋去冬来。

【时宜】shíyí 名 当时的需要:不合～。

【时疫】shíyì 名 指某个季节流行的传染病。

【时运】shíyùn 名 一时的运气:～不济。

【时针】shízhēn 名 ❶ 钟表面上的针形零件,短针指示"时",长针指示"分",还有指示"秒"的。❷ 钟表上指示"时"的短针。

【时政】shízhèng 名 指当时的政治情况。

【时钟】shízhōng 名 能报时的钟。

【时装】shízhuāng 名 ❶ 式样新颖的服装:～展览。❷ 当代通行的服装(跟"古装"相对):～戏。

识(識) shí ❶ 动 认识:～字|相～。❷ 见识;知有眼不～泰山。识:卓～|有～之士|常～|学～。
另见 1756 页 zhì。

【识别】shíbié 动 辨别;辨认:～真伪。

【识货】shí∥huò 形 能鉴别货物的好坏:不怕不～,就怕货比货。

【识家】shíjiā 名 识货的人:货卖～|只要东西好,不怕没～。

【识见】shíjiàn 〈书〉名 知识和见闻;见识②。

【识荆】shíjīng 〈书〉动 敬辞,指初次见面或结识(语本李白《与韩荆州书》:"生不用封万户侯,但愿一识韩荆州")。

【识破】shípò 动 看穿(别人的内心秘密或阴谋诡计):～机关|～阴谋。

【识趣】shíqù 形 知趣。

【识时务者为俊杰】shí shíwù zhě wéi jùnjié 能认清当前的重大事情或客观形势的才是杰出的人物(语本《三国志·蜀书·诸葛亮传》注引《襄阳耆旧传》:"识时务者,在乎俊杰")。

【识文断字】shí wén duàn zì 识字(就能力说):他～,在民办小学当了教师。

【识相】shíxiàng 〈方〉形 会看别人的神色行事;知趣:我劝你～点,别自讨没趣。

【识羞】shíxiū 形 自觉羞耻(多用于否定式):好不～。

【识字】shí∥zì 动 认识文字:读书～|注音～|～课本。

实(實) shí ❶ 形 内部完全填满,没有空隙:～心儿|把窟窿填～了。❷ 形 真实;实在(跟"虚"相对):～话|～心眼儿|～事求是。❸ 名 实际;事实:失～|名～相副。❹ 名 果实;种子:荚～(鸡头米)|开花结～。❺ (Shí)名 姓。

【实报实销】shí bào shí xiāo 支出多少报销多少。

【实测】shícè 动 用工具、仪器等进行实际测量或检测。

【实诚】shí·cheng 形 诚实;老实:～话|这个人～,答应了的事一定会做到。

【实处】shíchù 名 指起实际作用的地方:干劲用在～|措施落到～。

【实词】shící 名 意义比较具体的词。汉语的实词包括名词、动词、形容词、数词、量词、代词、拟声词七类。

【实打实】shí dǎ shí 实实在在：～的硬功夫|～地说吧。

【实弹】shídàn ❶ 动 装上枪弹或炮弹：荷枪～。❷ 名 真的枪弹或炮弹：真枪～|～演习。

【实底】shídǐ 名 真实的底数；实情：深入调查，摸清～。

【实地】shídì 副 ❶ 在现场（做某事）：～考察|～试验。❷ 实实在在（做某事）：～去做。

【实感】shígǎn 名 真实的感情；实际的感受：真情～。

【实干】shígàn 动 实地去做：～家|发扬～精神。

【实话】shíhuà 名 真实的话：～实说。

【实惠】shíhuì ❶ 名 实际的好处：得到～。❷ 形 有实际的好处：经济～的小吃|这种产品外表好看，却不～。

【实际】shíjì ❶ 名 客观存在的事物或情况：一切从～出发|理论联系～。❷ 形 实有的；具体的：举一个～的例子来说明|～工作|～行动。❸ 形 合乎事实的：这种想法不～|计划订得很～。

【实际工资】shíjì gōngzī 以所得的货币工资实际上能购买多少生活消费品、开销多少服务费做标准来衡量的工资。参看955页〖名义工资〗。

【实际上】shíjì·shang 副 其实（多含转折意）：他说听懂了，～并没有懂|她看起来不过二十四五岁，～已经三十出头了。

【实寄封】shíjìfēng 名 集邮中指经过实际投递的信封。

【实绩】shíjì 名 实际的成绩：考察工作～。

【实践】shíjiàn ❶ 动 实行（自己的主张）；履行（自己的诺言）。❷ 名 人们改造自然和改造社会的有意识的活动：～出真知|～是检验真理的唯一标准。

【实景】shíjǐng 名 拍摄电影、电视时作为背景的真实的景物（区别于"布景"）。

【实据】shíjù 名 确实的证据：真凭～。

【实况】shíkuàng 名 现场的实际情况：～报道|～录像|转播大会～。

【实力】shílì 名 实在的力量（多指军事或经济方面）：经济～|～雄厚|增强～。

【实例】shílì 名 实际的例子：用～说明。

【实录】shílù ❶ 名 按照真实情况记载的文字：这本日记是他晚年生活的～。❷ 名 编年体史书的一种，专记某一皇帝统治时期的大事，如唐代韩愈的《顺宗实录》、宋代钱若水等的《太宗实录》等。私人记载祖先事迹的文字，有的也叫实录，如唐代李翱的《皇祖实录》。❸ 动 把实况记录或录制下来。

【实落】shí·luo〈方〉形 ❶ 诚实；不虚伪：他有点执拗，对人心地可～。❷（心情）安稳踏实：听他这样一说，我心里才感到～。❸ 确切：你究竟哪天动身，请告诉我个～的日子。❹ 结实；牢固：这把椅子做得可真～。

【实名】shímíng 名 真实的姓名：存款～制。

【实名制】shímíngzhì 名 办理有关手续时必须填写真实姓名并出示有效的身份证明的制度。

【实木】shímù 形 属性词。用木材制成的：～地板|～家具。

【实拍】shípāi 动 摄制影视片时指正式拍摄或实地拍摄：～现场|影片开始～。

【实情】shíqíng 名 真实的情况：了解～。

【实权】shíquán 名 实际的权力：握有～。

【实生】shíshēng 形 属性词。直接用种子播种培育的（苗木等）：～苗|～毛竹造林。

【实施】shíshī 动 实行（法令、政策等）：付诸～|～细则|～新的办法。

【实时】shíshí 副 与某事发生、发展过程同时（做某事）：进行～报道|～传递股市行情。

【实事】shíshì 名 ❶ 实有的事：此剧取材于京城～。❷ 具体的事；实在的事：少讲空话，多办～。

【实事求是】shí shì qiú shì 从实际情况出发，不夸大，不缩小，正确地对待和处理问题。

【实数】shíshù 名 ❶ 有理数和无理数的统称。❷ 实在的数字：开会的人有多少，报个～来。

【实说】shíshuō 动 如实地说：实话～。

【实体】shítǐ 名 ❶ 马克思主义以前的哲学上的一个概念，认为实体是万物不变的基础和本原。唯心主义者所说的"精神"、形而上学的唯物主义者所说的"物质"都是这样的实体。❷ 指实际存在的起作用的组织或机构：经济～｜政治～。

【实体法】shítǐfǎ 名 规定公民和法人依法享有权利和承担义务的法律，如民法、刑法、婚姻法等（跟"程序法"相对）。

【实物】shíwù 名 ❶ 实际应用的东西。❷ 真实的东西：～教学。❸ 物质存在的一种基本形式，指具有相对静止状态的质量的粒子所组成的物质。任何实物粒子都不能脱离有关的场而独立存在。

【实习】shíxí 动 把学到的理论知识拿到实际工作中去应用和检验，以锻炼工作能力。

【实现】shíxiàn 动 使成为事实：～理想。

【实像】shíxiàng 名 物体发出的光线经凹面镜、凸透镜反射或折射后会聚而形成的影像叫做实像。实像可以显现在屏幕上，能使照相片感光。光源在主焦点以外时才能产生实像，摄影和放映电影都必须利用实像。

【实效】shíxiào 名 实际的效果：讲求～。

【实心】shíxīn 形 ❶ 心地诚实：～话｜～实意。❷（～儿）属性词。物体内部是实的：～球。

【实心球】shíxīnqiú 名 体育运动的辅助器具。用皮革或人造革做外壳，里面填棉花、布片或沙子。可用来做抛接、投掷等动作。

【实心眼儿】shíxīnyǎnr ❶ 形 心地诚实：～的小伙子。❷ 名 心地诚实的人：他是个～，不会说假话。

【实行】shíxíng 动 用行动来实现（纲领、政策、计划等）：～改革｜～承包责任制。

【实学】shíxué 名 踏实而有根底的学问：真才～。

【实验】shíyàn ❶ 动 为了检验某种科学理论或假设而进行某种操作或从事某种活动。❷ 名 指实验的工作：做～｜科学～。

【实验式】shíyànshì 名 用元素符号表示化合物分子中各元素原子数最简整数比的式子。如氯化钠的实验式是 NaCl，表示氯化钠晶体中钠（Na）和氯（Cl）原子数的比例是 1∶1，并不意味着有氯化钠分子存在。也叫最简式。

【实业】shíyè 名 指工商企业：～家｜兴办

【实用】shíyòng ❶ 动 实际使用：切合～。❷ 形 有实际使用价值的：这种家具又美观，又～。

【实用主义】shíyòng zhǔyì ❶ 以实用价值来评判事物、指导行动的思想观念：他的人生观一向是～的。❷ 现代西方哲学的一个派别，主要内容是否认世界的物质性和真理的客观性，认为有用的就是真理。

【实在】shízài ❶ 形 诚实；不虚假：～的本事｜心肠儿～。❷ 副 的确：～太好了｜～不知道。❸ 副 其实：他说他懂了，～并没懂。

【实在】shí·zai 〈口〉形（工作、活儿）扎实；地道；不马虎：工作做得很～。

【实在法】shízàifǎ 名 西方法学家对法律的分类之一，指各国在各个历史时期制定或认可的法律（跟"自然法"相对）。

【实则】shízé 副 实际上；其实：他表面上赞成，～是敷衍大家。

【实战】shízhàn 名 实际作战：～演习｜要从～出发，苦练杀敌本领。

【实证】shízhèng 名 实际的证据：这些涂改过的单据是他犯罪活动的～。

【实职】shízhí 名 既有名义又有实际工作和权力的职务。

【实至名归】shí zhì míng guī 有了真正的学识、本领或业绩，相应的声誉自然就随之而来。也说实至名随。

【实质】shízhì 名 本质。

【实字】shízì 名 有实在意义的字（跟"虚字"相对）。

【实足】shízú 形 属性词。确实足数的：～年龄｜～一百人。

旹 shí 〈书〉同"时"。

拾¹ shí ❶ 动 把地上的东西拿起来；捡：～粪｜～麦穗儿｜～金不昧。❷ 收拾：～掇。

拾² shí 数 "十"的大写。参见 1271 页【数字】。
另见 1205 页 shè。

【拾掇】shí·duo 动 ❶ 整理；归拢：屋里～得整整齐齐的。❷ 修理：～钟表。❸〈口〉惩治：他要是说瞎话，得狠狠地～他！

【拾荒】shíhuāng 动 因生活贫困等原因而拾取柴草、田地间遗留的谷物、别人扔掉的废品等。

【拾金不昧】 shí jīn bù mèi 拾到钱财不藏起来据为己有。

【拾零】 shílíng 励 指把某方面的零碎的材料收集起来(多用于标题):赛场～。

【拾取】 shíqǔ 励 拾①:在海滩上～贝壳。

【拾趣】 shíqù 励 指把某方面的有趣的材料收集起来(多用于标题):峨眉～。

【拾人牙慧】 shí rén yá huì 拾取人家的只言片语当做自己的话。

【拾物】 shíwù 名 拾到的别人遗失的东西:～招领处。

【拾遗】 shíyí 〈书〉励 ❶ 拾取旁人遗失的东西,据为己有:夜不闭户,道不～。❷ 补充旁人所遗漏的事物:～补阙。

【拾音器】 shíyīnqì 名 电唱机中把唱针的振动变成电能的装置。在放大器上由扬声器发出声音。也叫电唱头。

食 shí ❶ 励 吃:～肉|应多～蔬菜。❷ 专指吃饭:～堂|废寝忘～。❸ 人吃的东西:肉～|面～|主～|副～|消～|丰衣足～。❹ (～儿)名 一般动物吃的东西;饲料:猪～|鸡没～儿了|鸟儿出来找～儿。❺ 供食用或调味用的:～物|～油|～盐。❻ 月球走到地球太阳之间遮蔽了太阳,或地球走到太阳月球之间遮蔽了月球时,人所看到的日月亏缺或完全不见的现象:日～|月～。

　　另见 1295 页 sì;1616 页 yì。

【食补】 shíbǔ 励 吃有滋补作用的饮食养身体:药补不如～。

【食不甘味】 shí bù gān wèi 形容心里有事,吃东西都不知道滋味。

【食道】 shídào 名 食管。

【食分】 shífēn 名 发生日食或月食时,日、月被遮蔽的程度。以太阳或月球的直径为单位来计算,如日食的食分为 0.3,就是说太阳的直径被月球遮住 3/10。

【食古不化】 shí gǔ bù huà 指学了古代的文化知识不善于理解和应用,跟吃了东西不能消化一样。

【食管】 shíguǎn 名 连接咽和胃的管状器官,食物经口腔从咽进入食管,食管肌肉收缩的蠕动把食物送到胃里。也叫食道。(图见 1493 页"人的消化系统")

【食积】 shíjī 名 中医指因饮食没有节制而引起的消化不良的病。症状是胸部、腹部胀满,吐酸水,便秘或腹泻。

【食既】 shíjì 名 日全食或月全食过程中,月亮阴影与太阳圆面或地球阴影与月亮圆面第一次内切时的位置关系,也指这种位置关系的时刻。食既发生在初亏之后。参看【食相】。

【食客】 shíkè 名 ❶ 古代寄食在贵族官僚家里,为主人策划、奔走的人。❷ 饮食店的顾客。

【食口】 shíkǒu 名 ❶ 指家里吃饭的人。❷ 〈方〉指牲畜的食欲:新买的这头小猪～好,长得快。

【食粮】 shíliáng 名 人吃的粮食:～供应◇精神～|煤是工业的～。

【食量】 shíliàng 名 饭量。

【食疗】 shíliáo 励 中医指通过饮食调养身体,治疗疾病。

【食品】 shípǐn 名 商店出售的经过加工制作的食物:罐头～|～公司。

【食谱】 shípǔ 名 ❶ 介绍菜肴等制作方法的书。❷ 制定的每顿饭菜的单子:幼儿园～|一周～。

【食亲财黑】 shí qīn cái hēi 〈方〉指人贪财自私,爱占便宜。

【食甚】 shíshèn 名 日偏食或月偏食过程中,太阳被月亮阴影遮盖最多或月亮被地球阴影遮盖最多时的位置关系;日全食或月全食过程中,太阳被月亮阴影全部遮盖或月亮完全走进地球阴影里而两个中心距离最近时,两者之间的位置关系。也指发生上述位置关系的时刻。食甚发生在食既之后。参看【食相】。

【食堂】 shítáng 名 机关、团体中供应本单位成员吃饭的地方。

【食糖】 shítáng 名 食用的糖,主要成分是蔗糖,有甜味,常见的有白糖、红糖、冰糖等。通称糖。

【食物】 shíwù 名 可以充饥的东西。

【食物链】 shíwùliàn 名 乙种生物吃甲种生物,丙种生物吃乙种生物,丁种生物又吃丙种生物…。这种一连串的食与被食的关系,叫做食物链。草食动物吃绿色植物,肉食动物吃草食动物,是最基本的食物链。

【食物中毒】 shíwù zhòngdú 因吃了含有有毒或有害物质的食物而引起的疾病,一般症状是呕吐、腹泻、心血管功能障碢等。

【食相】shíxiàng 图 日食(或月食)时,月球阴影与太阳(或地球阴影与月球)的不同位置关系,也指不同位置发生的时刻。全食时有初亏、食既、食甚、生光、复圆五种食相;偏食时有初亏、食甚、复圆三种食相。

【食性】shíxìng 图❶ 动物吃食物的习性。以动物为食的叫肉食性,以植物为食的叫草食性,以动物和植物为食的叫杂食性。❷ 指各人对食物味道的爱好;口味。

【食言】shíyán 动 不履行诺言;失信;决不~。

【食言而肥】shí yán ér féi 形容为了自己占便宜而说话不算数,不守信用(语本《左传・哀公二十五年》:"是食言多矣,能无肥乎!")。

【食盐】shíyán 图 无机化合物,成分是氯化钠,有海盐、池盐、岩盐和井盐四种。无色或白色晶体,有咸味。用于制染料、玻璃、肥皂等,也是重要的调味剂和防腐剂。通称盐。

【食蚁兽】shíyǐshòu 图 哺乳动物,体长1米多,全身毛棕褐色,吻部尖长,呈管状,没有牙齿,舌细长,能伸缩舔食蚂蚁、白蚁等。生活在美洲热带地区。

【食用】shíyòng 动 做食物用:~油|~植物。

【食油】shíyóu 图 供食用的油,如芝麻油、花生油、菜油、豆油等。

【食欲】shíyù 图 人进食的要求:~不振|适当运动能促进~。

【食指】shízhǐ 图 示指的通称。

【食茱萸】shízhūyú 图 落叶乔木,枝上多刺,羽状复叶,小叶近披针形,花淡绿黄色。果实球形,成熟时红色,可入药,也可提制芳香油。

蚀(蝕) shí ❶ 动 损失;损伤;亏耗:~本|侵~|腐~|剥~。❷ 同"食"⑥。

【蚀本】shí/běn 动 赔本。

炻 shí [炻器](shíqì)图 介于陶器和瓷器之间的陶瓷制品,多呈棕色、黄褐色或灰蓝色,质地致密坚硬,跟瓷器相似。如水缸、沙锅等。

祏 shí 古代宗庙中藏神主的石室。

坧(墭) shí 〈书〉在墙上凿的鸡窝。

莳(蒔) shí [莳萝](shíluó)图 一年生或二年生草本植物,羽状复叶,花小、黄色,果实椭圆形。嫩叶可吃,子实含有芳香油,可制香精。
另见 1250 页 shì。

湜 shí 〈书〉水清见底的样子。

寔 shí 〈书〉❶ 放置。❷ 同"实"。❸ 此。

鰤(鰤) shí 图 鰤鱼,体侧扁,背部黑绿色,腹部银白色,眼周围银白色带金光。鳞下脂肪丰富,肉鲜嫩,是名贵的食用鱼。生活在海洋中,春季进入河流中产卵。

鼫 shí 古书上指鼫鼠一类的动物。

shǐ (ㄕˇ)

史 shǐ ❶ 图 历史:~学|近代~|世界~|有~以来。❷ 古代掌管记载史实的官。❸ 古代图书四部分类法(经史子集)中的第二类:~书|~部。❹ (Shǐ) 姓。

【史部】shǐbù 图 我国古代图书分类的一大部类。包括各种体裁的历史著作。也叫乙部。参看 1293 页〖四部〗。

【史册】shǐcè 图 历史记录:名垂~。也作史策。

【史策】shǐcè 同"史册"。

【史官】shǐguān 图 古代朝廷中专门负责整理编纂前朝史料史书和搜集记录本朝史实的官。

【史馆】shǐguǎn 图 旧时指编纂国史的机构。

【史话】shǐhuà 图 叙述史事或某种事物发展过程的以故事或漫笔等形式写成的作品(多用于书名):《太平天国~》|《辞书~》。

【史籍】shǐjí 图 历史书籍。

【史迹】shǐjì 图 历史遗迹:革命~。

【史料】shǐliào 图 历史资料。

【史略】shǐlüè 图 对历史的概要叙述(多用于书名):《中国小说~》。

【史评】shǐpíng 图 评论史事或史书的著作。

【史前】shǐqián 名 没有书面记录的远古：～时代|～考古学。

【史乘】shǐshèng 〈书〉名 史书。

【史诗】shǐshī 名 叙述英雄传说或重大历史事件的叙事长诗。

【史实】shǐshí 名 历史上的事实：《三国演义》中的故事, 大部分都有～根据。

【史书】shǐshū 名 记载历史的书籍。

【史无前例】shǐ wú qián lì 历史上从来没有过；前所未有。

【史学】shǐxué 名 历史学。

矢¹ shǐ 箭：流～|飞～|镞|有的放～。

矢² shǐ 〈书〉发誓：～口|～志|～忠(发誓尽忠)。

矢³ shǐ 〈书〉同"屎"：遗～|蝇～。

【矢车菊】shǐchējú 名 ❶ 一年生草本植物, 茎细长, 叶子条形, 花有蓝、紫、粉红、白等颜色。供观赏。原产欧洲。❷ 这种植物的花。

【矢口】shǐkǒu 副 一口咬定：～否认|～抵赖。

【矢量】shǐliàng 名 有大小也有方向的物理量, 如速度、动量、力等。也叫向量。

【矢志】shǐzhì 〈书〉动 发誓立志：～不渝|～于科学。

叟 shǐ 〈书〉同"史"。

豕 shǐ 〈书〉猪：狼奔～突。

使¹ shǐ ❶动 派遣；支使：～唤|～人去打听消息。❷动 使用：～拖拉机耕地|这支笔很好～|～上点肥料。❸动 让；叫；致使：办事～群众满意|加强质量管理, ～产品合格率不断上升。❹〈书〉连 假如。

使² shǐ 奉使办事的人：～节|大～|公～|特～|学～(科举时代派到各省去主持考试的官员)。

【使绊儿】shǐ bànr 〈口〉动 ❶ 摔跤时用腿脚勾住对方的腿脚使跌倒。❷ 比喻用不正当手段暗算别人：嘴上说话比蜜甜, 暗中～算计人。‖也说使绊子。

【使不得】shǐ·bu·de ❶ 不能使用：这支笔坏了, ～|情况改变了, 老办法～。❷ 不行；不可以：病刚好, 走远路～。

【使得】shǐ·de¹ ❶ 可以使用：这支笔～使不得? ❷ 能行；可以：这个主意倒～|你不去如何～?

【使得】shǐ·de² 动 (意图、计划、事物)引起一定的结果：科学种田～粮食产量有了大幅度提高|这个想法～他忘记了一切困难。

【使馆】shǐguǎn 名 外交使节在所驻国家的办公机关。外交使节是大使的叫大使馆, 是公使的叫公使馆。

【使坏】shǐ//huài 〈口〉动 出坏主意；耍狡猾手段：暗中～。

【使唤】shǐ·huan 动 ❶ 叫人替自己做事：孩子大了, 不～不动了。❷〈口〉使用(工具、牲口等)：新式农具～起来很得劲儿|这匹马不听生人～。

【使假】shǐ//jiǎ 动 以次充好；掺假：掺杂～。

【使节】shǐjié 名 由一个国家派驻在另一个国家的外交代表, 或由一个国家派遣到另一国家去办理事务的代表。

【使劲】shǐ//jìn (～儿)动 用力：～划船|我们俩使足了劲儿才把这块石头搬开。

【使命】shǐmìng 名 派人办事的命令, 多比喻重大的责任：历史～|神圣～。

【使女】shǐnǚ 名 婢女。

【使然】shǐrán 〈书〉动 (由于某种原因)致使这样：他之所以离去, 实为当时处境～。

【使团】shǐtuán 名 奉本国命令到别国办理事务的团体：外交～。

【使性子】shǐ xìng·zi 动 发脾气；任性：不要动不动就～|你真不能～胡来。也说使性。

【使眼色】shǐ yǎn·sè 用眼睛向人暗示自己的意思。

【使役】shǐyì 动 使用(牲畜等)。

【使用】shǐyòng 动 使人员、器物、资金等为某目的服务：～干部|合理～资金。

【使用价值】shǐyòng jiàzhí 物品所具有的能够满足人们某种需要的属性, 如粮食能充饥, 衣服能御寒等。

【使者】shǐzhě 名 奉使命办事的人(现多指从事外交人员)。

始 shǐ ❶ 最初；起头(跟"终"相对)：～祖|从～至终。❷ 开始①：周而复～|不自今日～|不知～于何时。❸〈书〉副 用法跟"才"相同：会议昨天下午～告结束|不断学习～能进步。❹ (Shǐ)名 姓。

【始创】shǐchuàng 动 开始创立；最初创

建：乒乓球运动～于19世纪末。

【始发】shǐfā 〔动〕（列车、汽车等）从行驶路线的第一站发出：～车｜～站｜列车正点～。

【始末】shǐmò 〔名〕（事情）从头到尾的经过：他把这件事情的～对大家说了一遍。

【始业】shǐyè 〔动〕学业开始，特指大、中、小学的各个阶段开始：春季～｜秋季～。

【始终】shǐzhōng ❶ 〔名〕指从开始到最后的整个过程：贯彻～。❷ 〔副〕表示从头到尾；一直：～不懈｜～不赞成他的看法。

【始祖】shǐzǔ 〔名〕❶ 有世系可考的最初的祖先。❷ 比喻某一学派或某一行业的创始人。

【始祖鸟】shǐzǔniǎo 〔名〕古脊椎动物，头部像鸟，有爪和翅膀，嘴能飞行，有牙齿，尾巴很长，由多数尾椎骨构成，除身上有鸟类的羽毛外，跟爬行动物相似。一般认为它是爬行动物进化到鸟类的中间类型，是原始鸟类，出现在侏罗纪。

【始作俑者】shǐ zuò yǒng zhě 孔子反对用俑殉葬，他说，开始用俑殉葬的人，大概没有后嗣子孙吧！（见于《孟子·梁惠王上》）比喻恶劣风气的创始者。

驶（駛）shǐ 〔动〕❶（车马等）飞快地跑：急～而过。❷ 开动（车船等）：驾～｜～行｜～向远方｜轮船因故停～。

屎 shǐ ❶ 〔名〕从肛门里出来的排泄物；粪：拉～。❷ 眼睛、耳朵等器官里分泌出来的东西：眼～｜耳～。

【屎壳郎】shǐ·kelàng 〔方〕〔名〕蜣螂。

shì （尸）

士 shì ❶ 古代指未婚的男子。❷ 古代介于大夫和庶民之间的阶层。❸ 士人：～农工商。❹ 军人：～兵｜～气。❺ 某些国家军人的一级，在尉以下：上～｜中～｜下～。❻ 指某些技术人员：医～｜护～｜技～｜助产～。❼ 对人的美称：烈～｜勇～｜女～。❽（Shì）〔名〕姓。

【士兵】shìbīng 〔名〕战士①；兵③。

【士大夫】shìdàfū 〔名〕封建时代泛指官僚阶层，有时也包括还没有做官的读书人。

【士官】shìguān 〔名〕我国志愿兵役制士兵称士官，一般从服役期满的义务兵中选取，必要时也从军外具有专业技能的公民

中招收。士官的军衔分为三等六级。

【士女】shìnǚ ❶ 〔名〕古代指未婚的男女，后来泛指男女。❷ 同"仕女"③。

【士气】shìqì 〔名〕军队的战斗意志，也指群众的斗争意志：～旺盛｜鼓舞～。

【士人】shìrén 〔名〕封建时代称读书人。

【士绅】shìshēn 〔名〕绅士。

【士卒】shìzú 〔名〕士兵：身先～。

【士族】shìzú 〔名〕东汉魏晋南北朝时期地主阶级内部逐渐形成的世代读书做官的大族，在政治经济各方面享有特权。

氏 shì ❶ 姓（张氏="姓张的"）：张～兄弟。❷ 旧时放在已婚妇女的姓后，通常在父姓前再加夫姓，作为称呼：赵王～（夫姓赵，父姓王）。❸ 对名人专家的称呼：顾～（顾炎武）《日知录》｜摄～温度计｜近～文～。❹〔书〕用在亲属关系字的后面称自己的亲属：舅～（母舅）｜母～。❺（Shì）〔名〕姓。

另见1744页 zhī。

【氏族】shìzú 〔名〕原始社会由血统关系联系起来的人的集体，氏族内部实行禁婚，集体占有生产资料，集体生产，集体消费。也叫氏族公社。

示 shì 把事物摆出来或指出来使人知道；表示：告～｜指～｜显～｜暗～｜～意｜～范｜～威｜～众。

【示爱】shì·ài 〔动〕表示爱慕之情：向意中人～｜壮族青年常常以山歌～。

【示波器】shìbōqì 〔名〕用来测验交流电或脉动电流波形的仪器，由电子管放大器、扫描振荡器、阴极射线管等组成。除观测电流的波形外，还可以测定频率、电压等。

【示范】shìfàn 〔动〕做出某种可供大家学习的典范：～操作｜～作用。

【示警】shìjǐng 〔动〕用某种动作或信号使人注意（危险或紧急情况）：鸣锣～｜以红灯～。

【示例】shìlì ❶ 〔动〕举出或做出具有代表性的例子：～说明。❷ 〔名〕举出的例子：实战～。

【示人】shìrén 〔动〕拿出来给人看：秘不～｜他珍藏的古董从不轻易～。

【示弱】shìruò 〔动〕表示比对方软弱，不敢较量（多用于否定式）：不甘～。

【示威】shìwēi 〔动〕❶ 有所抗议或要求而进行的显示自身威力的集体行动：游行

～。❷ 向对方显示自己的力量：你不要向我～,我不怕你。

【示性式】shìxìngshì 图 表示含有官能团的化合物分子的简化结构式,如乙醇、甲醚的 示性式 分别为 CH_3CH_2OH 和 CH_3OCH_3。参看 697 页〖结构式〗。

【示意】shìyì 团 用表情、动作、含蓄的话或图形表示意思：以目～|老师指了指门,～他把门关上。

【示意图】shìyìtú 图 为了说明内容较复杂的事物的原理或具体轮廓而绘成的略图：水利工程～|人造卫星运行～。

【示指】shìzhǐ 图 紧挨着拇指的手指头。通称食指。

【示众】shìzhòng 团 给大家看,特指当众惩罚犯人：游街～。

【示踪元素】shìzōng-yuánsù 用来显示或追踪某种物质的运行和变化过程的同位素。也叫标记元素。

世(丗) shì ❶ 人的一辈子：一生一～。❷ 图 有血统关系的人相传而成的辈分：第十一～孙。❸ 一代又一代：～交|～仇|～道|～医。❹ 指有世交的关系：～兄|～叔。❺ 时代：近～|当～。❻ 社会;人间：问～|～人|～道|～上|公之于～。❼ (Shì)图 姓。

【世弊】shìbì 图 当代的弊病;社会上的弊病。

【世变】shìbiàn 图 世间的变化、变故：历经～。

【世仇】shìchóu 图 世世代代有仇的人或人家,也指世世代代的冤仇。

【世传】shìchuán 团 世世代代相传下来：～名医。

【世代】shìdài 图 ❶ (很多)年代：那些格言不知流传了多少～。❷ 好几辈子：～相传|～务农。

【世代交替】shìdài jiāotì 某些生物有性生殖和无性生殖交替进行的现象。动物中如水螅,植物中如藻类都有这种现象。

【世道】shìdào 图 指社会状况。

【世风】shìfēng 图 社会风气：～日下|～淳厚。

【世故】shìgù 图 处世经验：人情～|老于～。

【世故】shì·gu 厖 (处事待人)圆滑,不得罪人：这人有些～,不大愿意给人提意见。

【世纪】shìjì 图 计算年代的单位,一百年为一个世纪。

【世纪末】shìjìmò 图 原指 19 世纪末叶,这个时期欧洲资本主义进入腐朽阶段,各方面潜伏着危机,泛指一某社会的没落阶段。

【世家】shìjiā 图 ❶ 封建社会中门第高、世代做大官的人家。❷《史记》中诸侯的传记,按着诸侯的世代编排。❸ 指以某种专长世代相承的家族：游泳～|梨园～。

【世间】shìjiān 图 社会上;人间：～的事没有一成不变的。

【世交】shìjiāo 图 ❶ 上代就有交情的人或人家：朱先生是我的老～|王家跟李家是～。❷ 两代以上的交谊。

【世界】shìjiè 图 ❶ 自然界和人类社会的一切事物的总和：～观|～之大,无奇不有。❷ 佛教用语,指宇宙：大千～。❸ 地球上所有地方：～各地|周游～。❹ 指社会的形势、风气：现在是什么～,还允许你不讲理? ❺ 领域；人的某种活动范围：内心～|主观～|科学～|儿童～。

【世界观】shìjièguān 图 人们对世界的总的根本的看法。由于人们的社会地位不同,观察问题的角度不同,形成不同的世界观。也叫宇宙观。

【世界贸易组织】Shìjiè Màoyì Zǔzhī 世界性的贸易组织。主要职责是规范、协调、促进世界范围内的贸易活动,消除关贸壁垒,降低关税,处理贸易纠纷等。1995 年 1 月 1 日成立,总部设在日内瓦。其前身是关税与贸易总协定。

【世界时】shìjièshí 图 以本初子午线所在时区为标准的时间。世界时用于无线电通信和科学数据记录等,以便各国取得一致。也叫格林尼治时间。

【世界市场】shìjiè shìchǎng 国际间进行商品交换的市场的总称。

【世界银行】Shìjiè Yínháng 国际复兴开发银行的通称。是联合国经营国际金融业务的专门机构。成立于 1945 年 12 月。总部设在美国的华盛顿。宗旨是向成员国提供贷款和投资,推进国际贸易均衡发展。我国于 1980 年加入该机构。

【世界语】Shìjièyǔ 图 指 1887 年波兰人柴门霍夫(Ludwig Lazarus Zamenhof)创造的国际辅助语,语法比较简单。

【世局】shìjú 名 世界局势：～动荡。

【世面】shìmiàn 名 社会上各方面的情况：见识～(指阅历多)。

【世情】shìqíng 名 社会上的情况；世态人情：不懂～|～冷暖。

【世人】shìrén 名 世界上的人；一般的人。

【世上】shìshàng 名 世界上；社会上：～无难事，只怕有心人。

【世事】shìshì 名 世上的事：～多变。

【世俗】shìsú 名 ❶ 流俗：～之见。❷ 指人世间(对"宗教"而言)。

【世态】shìtài 名 指社会上人对人的态度：～人情。

【世态炎凉】shìtài yánliáng 指有钱有势时，人就巴结，无钱无势时，人就冷淡。

【世外桃源】shì wài Táoyuán 晋代陶潜在《桃花源记》中描述了一个与世隔绝的不遭战祸的安乐而美好的地方。后借指不受外界影响的地方或幻想中的美好世界。

【世袭】shìxí 动 指帝位、爵位等世代相传。

【世系】shìxì 名 指家族世代相承的系统。

【世兄】shìxiōng 名 旧时对辈分相同的世交(如父亲的门生，老师的儿子)的称呼，对辈分较低的世交也尊称为世兄。

【世医】shìyī 名 世代为医的中医。

【世族】shìzú 名 封建社会中世代相传的官僚地主家族。

仕 shì ❶ 旧指做官：出～。❷ (Shì)名姓。

【仕宦】shìhuàn 〈书〉动 指做官：～之家|～子弟。

【仕进】shìjìn 〈书〉动 指做官而谋发展：不求～。

【仕女】shìnǚ 名 ❶ 宫女。❷ 旧时指官宦人家的女子。❸ 以美女为题材的中国画。也作士女。

【仕途】shìtú 〈书〉名 指做官的道路：～多舛|～得意。

市 shì ❶ 名 集中买卖货物的固定场所；市场：米～|菜～|夜～|上～。❷ 〈书〉买卖货物◇～惠。❸ 名 城市：～容|～民|～区|都～。❹ 名 行政区划单位，分直辖市和省辖市等。设市的地方都是工商业集中处或政治、文化的中心。❺ 属于市制的(度量衡单位)：～尺|～升|～斤。

【市标】shìbiāo 名 象征某个城市的标志。

【市布】shìbù 名 一种原色平纹棉布，质地比较细密。

【市场】shìchǎng 名 ❶ 商品交易的场所：集贸～。❷ 商品行销的区域：国内～|国外～◇悲观主义的论调，越来越没有～。

【市场机制】shìchǎng jīzhì 市场经济体系中各种要素之间的有机联系和相互作用及其对资源配置的调节功能，是价值规律调节商品生产和流通的主要形式。在社会主义市场经济中，市场机制在国家宏观调控下对资源配置起基础性作用。

【市场经济】shìchǎng jīngjì 以市场作为资源配置的基础，通过市场机制进行调节的国民经济。

【市场调节】shìchǎng tiáojié 以供求、价格、竞争和利益分配等为手段，通过市场对资源进行配置、调整。是市场经济的基本特征。

【市道】shìdào 名 市场价格的状况；行市：～转暖|～低迷。

【市电】shìdiàn 名 指城市里主要供居民使用的电源，电压一般是 220 伏，也有110 伏的。

【市花】shìhuā 名 为某城市市民普遍喜爱、种植并经确认作为该市象征的花。

【市话】shìhuà 名 市区电话。

【市徽】shìhuī 名 一个城市所规定的代表这个城市的标志。

【市惠】shìhuì 〈书〉动 买好儿；讨好①。

【市价】shìjià 名 商品的市场价格。

【市郊】shìjiāo 名 城市所属的郊区。

【市井】shìjǐng 〈书〉名 街市；市场①：～小人|～之徒(含轻视意)。

【市侩】shìkuài 名 本指买卖的中间人，后指唯利是图的奸商，也指贪图私利的人：～习气|～作风。

【市况】shìkuàng 名 市场的交易状况：鲜花～日益看好。

【市貌】shìmào 名 城市的面貌：美化市容～。

【市面】shìmiàn 名 ❶ 街上商店或摊点多的地方：～上空房空地很少。❷ (～儿)城市工商业活动的一般状况：～繁荣|～萧条。

【市民】shìmín 名 城市居民。

【市区】shìqū 名 属于城市范围的地区，一般人口及房屋建筑比较集中。

【市容】shìróng 名 城市的面貌(指街道、房屋建筑、橱窗陈列等)：北京～比前几年更加壮观了。

【市声】shìshēng 名 街市上喧闹嘈杂的声音：恬静的乡村没有那种扰人的～。

【市树】shìshù 名 为某城市市民普遍喜爱、种植并经确认作为该市象征的树。

【市肆】shìsì 〈书〉名 商店。

【市镇】shìzhèn 名 较大的集镇。

【市政】shìzhèng 名 城市管理工作，包括工商业、交通、公安、卫生、公用事业、基本建设、文化教育等。

【市值】shìzhí 名 按照现时的市场行情计算的价值：这所老房子～至少要值百万元|他拥有的个人股份～有七十多万元。

【市制】shìzhì 名 单位制的一种，以米制为基础，结合我国人民习用的计量名称制定。长度的主单位是市尺，质量的主单位是市斤，容量的主单位是市升。

式 shì ❶ 样式：新～|旧～|西～。❷ 格式：程～|法～。❸ 仪式：典礼 开幕～|毕业～|阅兵～。❹ 自然科学中表明某种规律的一组符号：分子～|方程～。❺ 名 一种语法范畴，表示说话者对所说事情的主观态度。如叙述式、命令式、条件式。

【式微】shìwēi 〈书〉动 原为《诗经·邶风》篇名，借指国家或世族衰落，也泛指事物衰落：家道～|制造业日趋～。

【式样】shìyàng 名 人造的物体的形状：各种～的服装|楼房～很美观。

【式子】shìzi 名 ❶ 姿势：他练的这套拳，～摆得很好。❷ 算式、代数式、方程式等的统称。

似 shì [似的](shì·de)助 用在名词、代词或动词后面，表示跟某种事物或情况相似：像雪～那么白|乐得什么～|仿佛睡着了～。也作是的。

另见 1295 页 sì。

势(勢) shì ❶ 势力：权～|人多～众|仗～欺人。❷ 一切事物力量表现出来的趋向：来～|～如破竹。❸ 自然界的现象或形势：山～|地～|水～|涸涌。❹ 政治、军事或其他社会活动方面的状况或情势：局～|时～。❺ 姿态：手～|姿～。❻ 雄性生殖器：去～。

【势必】shìbì 副 根据形势推测必然会怎样：不努力学习，～要落后。

【势不可当】shì bù kě dāng 来势迅猛，不可抵挡。也说势不可挡。

【势不可挡】shì bù kě dāng 势不可当。

【势不两立】shì bù liǎng lì 指敌对的事物不能同时存在。

【势均力敌】shì jūn lì dí 双方势力相等，不分高低。

【势力】shì·lì 名 政治、经济、军事等方面的力量。

【势利】shì·li 形 形容看财产、地位分别对待人的表现：～眼|～小人|这个人很～。

【势利眼】shì·liyǎn ❶ 形 作风势利。❷ 名 作风势利的人。

【势能】shìnéng 名 相互作用的物体由于所处的位置或弹性形变等而具有的能量。如水的落差和发条做功的能力都是势能。旧称位能。

【势派】shì·pai （～儿）〈方〉名 ❶ 排场①；气派①；讲～|好大的～。❷ 形势②。

【势如破竹】shì rú pò zhú 形势像劈竹子一样，劈开上端之后，底下的都随着刀刃分开了，比喻节节胜利，毫无阻碍。

【势态】shìtài 名 态势；情势：～严重。

【势头】shì·tóu 〈口〉名 形势②；情势：他一看～不对，转身就走|最近生产～很好。

【势焰】shìyàn 名 势力和气焰(含贬义)：～万丈|～熏天。

【势在必行】shì zài bì xíng 指某事根据事物的发展趋势必须做。

事 shì ❶ （～儿）名 事情：婚～|新人新～|～儿容易办。❷ （～儿）名 事故：出～|平安无～|什么～也没有。❸ （～儿）名 职业；工作：谋～|找～。❹ 关系或责任：回去吧，没有你的～了。❺ 〈书〉侍奉：～父母至孝。❻ 从事：大～宣扬|不～劳动|无所～事。

【事半功倍】shì bàn gōng bèi 形容花费的力气小，收到的成效大。

【事倍功半】shì bèi gōng bàn 形容花费的力气大，收到的成效小。

【事必躬亲】shì bì gōng qīn 不管什么事一定亲自去做。

【事变】shìbiàn 名 ❶ 突然发生的重大政治、军事性事件：七七～|西安～。❷ 政治、军事方面的重大变化。❸ 泛指事物的变化：找出周围～的内部联系，作为我们

行动的向导。

【事出有因】shì chū yǒu yīn 事情的发生有它的原因。

【事典】shìdiǎn 图❶〈书〉专门辑录有关礼制事件的类书。❷指辑录某方面事物的工具书,如《中华人民共和国四十年成就事典》。

【事端】shìduān 图纠纷;挑起～。

【事故】shìgù 图意外的损失或灾祸(多指在生产、工作上发生的):工伤｜责任～｜防止发生～。

【事过境迁】shì guò jìng qiān 事情已经过去,客观环境也改变了。

【事后】shìhòu 图事情发生以后,也指事情处理、了结以后:～方知其中真相｜事先周密考虑,～认真总结。

【事机】shìjī 图❶需要保守机密的事情:～败露。❷情势;行事的时机:延误～。

【事迹】shìjì 图个人或集体过去做过的比较重要的事情:生平～｜模范～。

【事假】shìjià 图因办理个人的事而请的假。

【事件】shìjiàn 图历史上或社会上发生的不平常的大事情:政治～。

【事理】shìlǐ 图事情的道理:明白～｜不合～。

【事例】shìlì 图具有代表性的、可以做例子的事情:结合实际～对学生进行爱国主义教育。

【事略】shìlüè 图传记文体的一种,记述人的生平大概。

【事前】shìqián 图事情发生以前,也指事情处理、了结以前:～一无所知｜做好充分准备,免得到时忙乱。

【事情】shì·qing 图❶人类生活中的一切活动和所遇到的一切社会现象:～多,忙不过来。❷事故;差错:不能马虎,出了～就麻烦了。❸职业;工作:在公司里找了一个～。

【事实】shìshí 图事情的真实情况:～胜于雄辩｜传闻与～不符。

【事态】shìtài 图局势;情况(多指坏的):～严重｜～扩大｜～有所缓和。

【事体】shìtǐ 〈方〉图❶事情②:出了啥～? ❷事情③:托朋友寻个～做。

【事务】shìwù 图❶所做的或要做的事情:～繁忙。❷总务:～员｜～工作。

【事务主义】shìwù zhǔyì 没有计划,不分轻重、主次,不注意方针、政策和政治思想教育,而只埋头于日常琐碎事务的工作作风。

【事物】shìwù 图指客观存在的一切物体和现象。

【事先】shìxiān 图事前:这件事～我一点儿也不知道。

【事项】shìxiàng 图事情的项目:注意～。

【事业】shìyè 图❶人所从事的,具有一定目标、规模和系统而对社会发展有影响的经常活动:革命～｜科学文化～｜～心。❷特指没有生产收入,由国家经费开支,不进行经济核算的事业(区别于"企业"):～费｜～单位。

【事宜】shìyí 图关于事情的安排、处理(多用于公文、法令):商谈呈递国书～。

【事由】shìyóu 图❶事情的原委:把～交代明白。❷公文用语,指本件公文的主要内容。❸(～儿)指借口;理由:找个～离开会场。❹(～儿)〈方〉职业;工作:找个正经～干。

【事与愿违】shì yǔ yuàn wéi 事情的发展跟主观愿望相反。

【事在人为】shì zài rén wéi 事情能否成功,取决于人是否努力去做。

【事主】shìzhǔ 图❶某些刑事案件(如偷窃、抢劫等)中的被害人。❷旧指办理婚丧喜事的人家。

侍 shì ❶陪伴侍候:服～｜～立。❷(Shì)姓。

【侍从】shìcóng 图指在皇帝或官员左右侍候卫护的人。

【侍奉】shìfèng 囤侍候奉养(长辈):～父母｜～老人。

【侍候】shìhòu 囤服侍:～父母｜～病人。

【侍郎】shìláng 图古代官名。明清两代是政府各部的副长官,地位次于尚书。

【侍立】shìlì 囤指恭敬地站在上级或长辈左右侍候:垂手～。

【侍弄】shìnòng 〈方〉囤❶经营照管(庄稼、家禽、家畜等):～猪｜把荒地～成了丰产田。❷摆弄;修理:～锄头｜～机器。

【侍女】shìnǚ 图旧时供有钱人家使唤的年轻妇女。

【侍卫】shìwèi ❶囤卫护。❷图在帝王左右卫护的武官。

【侍养】shìyǎng 囤 奉养：～老人。

【侍者】shìzhě 图 侍候人的人，也特指旅馆、饭店中接待顾客的人。

饰（飾）shì ❶ 装饰：修～｜润～｜涂～。❷ 掩饰：～词｜文过～非。❸ 装饰品：首～｜衣～｜窗～。❹ 囤 扮演：他在京剧《空城计》里～诸葛亮。

【饰词】shìcí 图 掩蔽真相的话；托词。

【饰品】shìpǐn 图 首饰：黄金～。

【饰物】shìwù 图 ❶ 首饰。❷ 器物上的装饰品，如花边、流苏等。

【饰演】shìyǎn 囤 扮演。

试（試）shì ❶ 囤 试验；尝试：～行｜～航｜～制｜你去～～｜先这么～一下看，再作决定。❷ 考试：～题｜～场｜～卷｜口～｜笔～｜初～｜复～。

【试笔】shìbǐ 囤 试着写作或写字作画：新春～。

【试表】shì//biǎo 囤 用体温计测试体温：给病人～。

【试播】[1] shìbō ❶ 新建立的广播电台或电视台进行试验性播放，以检验设备的性能是否合乎要求。❷ 节目正式播放前为听取意见先在一定范围内播放。

【试播】[2] shìbō 囤 新种子、新播种方法推广前，先在小范围内进行试验性播种，以检验其质量。

【试场】shìchǎng 图 举行考试的场所。

【试车】shì//chē 囤 机动车、机器等在装配好以后，正式使用之前，先进行试验性操作，看它的性能是否合乎标准。

【试点】shìdiǎn ❶ 囤 正式进行某项工作之前，先做小型试验，以便取得经验：先～，再推广。❷ 图 正式进行某项工作之前做小型试验的地方。

【试电笔】shìdiànbǐ 图 检测电源相线是否带电或电气设备是否漏电的工具，形状像自来水笔，笔尖由金属制成，笔中有电阻和小灯泡。检测时，笔尖接触电源相线或电气设备上一点，并使试电笔和人体形成一个回路，如小灯泡亮了，就证明其带电或漏电。也叫电笔。

【试飞】shì//fēi ❶ 飞机在正式使用前进行试验性飞行，用来检查飞机的设备和验证飞机的性能等。❷ 飞机沿着正式使用前的航线飞行。

【试岗】shì//gǎng 囤 在某个工作岗位先试着工作一段时间，以考察是否适合这一岗位。

【试工】shì//gōng 囤（工人或佣工）在正式被录用之前试做一个短时期的工作。

【试管】shìguǎn 图 化学实验用的圆柱形管，管底半球形或圆锥形，一般用玻璃制成。

【试管婴儿】shìguǎn yīng'ér 指体外受精成功后，受精卵在试管或器皿中培育一段时间再移入妇女子宫内发育诞生的婴儿。

【试航】shìháng 囤 飞机、船只等在正式航行前进行试验性航行。

【试机】shì//jī 囤 机器正式使用前进行试验性操作，看它的性能是否合乎要求：新建成的水电站将～运行。

【试剂】shìjì 图 做化学实验用的化学物质，一般对纯度要求较高。

【试金石】shìjīnshí 图 ❶ 通常指黑色坚硬致密的硅质岩石。用黄金在试金石上画一条纹就可以看出黄金的成色。❷ 比喻精确可靠的检验方法和依据。

【试镜】shì//jìng 囤 在影片、电视片正式拍摄前，先让演员拍摄一些镜头，以确定该演员是否适合所扮演的角色：首次～即被选中。

【试卷】shìjuàn 图 考试时准备应试人写答案或应试人已经写上答案的卷子。

【试看】shìkàn 试着看看；请看：军民团结如一人，～天下谁能敌。

【试手】shì//shǒu（～儿）囤 ❶ 试工。❷ 试做。

【试水】shì//shuǐ 囤 ❶ 水利工程、水暖设备等正式使用之前，先放水进行试验性操作，看它的性能和质量是否合乎要求。❷ 试探水的深浅、冷暖等，多比喻进行尝试、试探：一些厂家谨慎～，小批量生产。

【试探】shìtàn 囤 试着探索（某种问题）：～找出解决问题的更为妥善的办法。

【试探】shì•tan 囤 用含义不很明显的言语或举动引起对方的反应，借以了解对方的意思：先～一下他的口气。

【试题】shìtí 图 考试的题目。

【试图】shìtú 囤 打算：～闯出一条新路。

【试问】shìwèn 囤 试着提出问题（用于质问对方或者表示不同意对方的意见）：～你这么说有什么根据?

【试想】shìxiǎng 囤 试着想想（用于质问）：

～你这样做会有好的结果吗?

【试销】shìxiāo 动 新产品未正式大量生产前,先试制一部分销售,征求用户意见和检验产品质量。

【试行】shìxíng 动 实行起来试试:先～,再推广|这项措施已经～了半年。

【试验】shìyàn 动 ❶ 为了察看某事的结果或某物的性能而从事某种活动:～新机器|新办法～后推广。❷ 旧时指考试。

【试验田】shìyàntián 名 ❶ 进行农业试验的田地。❷ 比喻试点或试点工作。

【试用】shìyòng 动 在正式使用以前,先试一个时期,看是否合适:～品|～本|～期|～人员。

【试纸】shìzhǐ 名 用指示剂或试剂浸过的干燥纸条,用来检验溶液的酸碱性和各种化合物、元素或离子的存在。如石蕊试纸、碘化钾淀粉试纸等。

【试制】shìzhì 动 试着制作:新产品～成功。

视(視、眂、眎) shì ❶看:～力|～线|近～|熟～无睹。❷ 看待:轻～|重～|藐～|一～同仁。❸ 考察:～察|巡～|监～。❹ (Shì)名姓。

【视差】shìchā 名 直接用肉眼观测时产生的误差。

【视察】shìchá 动 ❶ 上级人员到下级机构检查工作。❷ 察看:～地形。

【视点】shìdiǎn 名 观察或分析事物的着眼点:作者的～比较独特,文章很有新意。

【视而不见】shì ér bù jiàn 尽管睁着眼睛看,却什么也没看见,指不重视或不注意。

【视感】shìgǎn 名 眼睛看上去的感觉:～舒适。

【视角】shìjiǎo 名 ❶ 由物体两端射出的两条光线在眼球内交叉而成的角。物体越小或距离越远,视角越小。❷ 摄影镜头所能摄取的场面上距离最大的两点与镜头连线的夹角。短焦距镜头视角大,长焦距镜头视角小。❸ 指观察问题的角度:影片以久居闹市的青年人的～反映了山区人民的文化生活。

【视界】shìjiè 名 视野;眼界:船刚转弯,几点灯火进入～|参观了科技新成果展览,～大开。

【视觉】shìjué 名 物体的影像刺激视网膜所产生的感觉。

【视力】shìlì 名 在一定距离内眼睛辨别物体形象的能力。也叫目力。

【视盘】shìpán 名 视频光盘或数字视频光盘的简称。

【视盘机】shìpánjī 名 一种放像设备,用激光光束将光盘上存储的数字视频和伴音信息读出并转换为视频信号和音频信号。根据记录密度和格式的不同,可分为VCD 和 DVD 等。有的地区叫碟机。

【视频】shìpín 名 在电视或雷达等系统中,图像信号所包括的频率范围,一般在零到几兆赫之间。

【视频电话】shìpín diànhuà 可视电话。

【视频光盘】shìpín guāngpán 一种只读型光盘,可以存储图像信息。制作时,把记录的视频信号加以转换处理,刻录在光盘上。通过视盘机播放,再现动态的图像和声音。简称视盘。

【视屏】shìpíng 名 指显示屏:荧光屏。

【视若无睹】shì ruò wú dǔ 虽然看了却像没有看见一样,形容对眼前事物漠不关心。

【视神经】shìshénjīng 名 第二对脑神经,由间脑的底部发出,末端分布成眼球的视网膜。能把视觉的刺激传递给大脑皮质的视觉中枢。(图见 1569 页"人的眼")

【视事】shìshì 〈书〉动 指官吏到职开始工作:就职～。

【视死如归】shì sǐ rú guī 把死看做像回家一样,形容不怕死。

【视听】shìtīng 名 看和听的范围;看到的和听到的事情:组织参观,以广～|混淆～。

【视图】shìtú 名 根据物体的正投影绘出的图形。

【视网膜】shìwǎngmó 名 眼球最内层的薄膜,由神经组织构成,外面跟脉络膜相连,里面是眼球的玻璃体,是接受光线刺激的部分。(图见 1569 页"人的眼")

【视线】shìxiàn 名 ❶ 用眼睛看东西时,眼睛和物体之间的假想直线。❷ 比喻注意力:转移～。

【视野】shìyě 名 眼睛看到的空间范围;眼界:～宽广|开阔～。

【视域】shìyù 同"视阈"②。

【视阈】shìyù 名 ❶ 能产生视觉的最高限度和最低限度的刺激强度。❷ 指视野:丰富游人的～。也作视域。

拭 shì 擦②：拂～|～泪。

【拭目以待】shì mù yǐ dài 擦亮眼睛等待着，形容殷切期望或等待某件事情的实现。

贳（貰）shì ❶〈书〉出赁；出借。❷〈书〉赊欠。❸〈书〉宽纵；赦免。❹(Shì)名姓。

【贳器店】shìqìdiàn 〈方〉名出租婚丧喜庆应用的某些器物和陈设的铺子。

柿（柹）shì 名柿树，落叶乔木，品种很多，叶子椭圆形或倒卵形，花黄白色。结浆果，扁圆形或圆锥形，橙黄色或红色，可以吃。

【柿饼】shìbǐng 名用柿子制成的饼状食品。

【柿霜】shìshuāng 名柿子去皮晾干后，表面形成的白霜，味道很甜，可入药。

【柿子】shì·zi 名❶柿树。❷柿树的果实。

【柿子椒】shì·zijiāo 名❶辣椒的一个品种。果实近球形，略扁，表面有纵沟，味不很辣，略带甜味，是常见蔬菜。也叫青椒。❷这种植物的果实。

昰 shì 同"是"（多用于人名）。

是¹ shì ❶形对；正确（跟"非"相对）：一无一处|自以为～|实事求～|你说得极～|应当早做准备才～。❷〈书〉认为正确：～古非今|深～其言。❸动表示答应的词：～，我知道|～，我就去。❹(Shì)名姓。

是² shì 〈书〉代指示代词。这；这个：如～|由～可知|～可忍，孰不可忍?|～日天气晴朗。

是³ shì 动❶联系两种事物，表明两者同一或后者说明前者的种类、属性：《阿Q正传》的作者～鲁迅|节约～不浪费的意思。❷与"的"字配合使用，有分类的作用：这张桌子～石头的|那瓶墨水～红的|我～来看他的。❸联系两种事物，表示陈述的对象属于"是"后面所说的情况：他～一片好心|咱们～好汉一言，快马一鞭|院子里～冬天，屋子里～春天。❹表示存在，主语通常是表处所的词语，"是"后面表示存在的事物：村子前面～一片水田|他跑得满身～汗。❺"是"前后用相同的名词或动词，连用两个这样的格式，表示

所说的几桩事物互不相干，不能混淆：去年～去年，今年～今年，你当年年～一个样哪！|说～说，做～做，有意思也不能耽误干活儿。❻在上半句里"是"前后用相同的名词、形容词或动词，表示让步，含有"虽然"的意思：诗～好诗，就是长了点|东西旧～旧，可是还能用|我去～去，可是不在那儿吃饭。❼用在句首，加重语气：～谁告诉你的?|～国防战士，日日夜夜保卫着祖国，咱们才能过幸福的日子。❽用在名词前面，含有"凡是"的意思：～有利于群众的事情他都肯干。❾用在名词前面，含有"适合"的意思：他想的很～路|这场雨下的～时候|东西放的都挺～地方。❿用在选择问句、是非问句或反问句里：你～吃米饭～吃面?|他不～走了吗?|你～累了不～?|⓫（必须重读）表示坚决肯定，含有"的确、实在"的意思：我打听清楚了，他那天～没去|这本书～好，你可以看看。

【是的】shì·de 同"似的"（shì·de）。

【是凡】shìfán 〈方〉副凡是。

【是非】shìfēi 名❶事理的正确和错误：明辨～|～曲直。❷口舌：惹起～|搬弄～。

【是非窝】shìfēiwō 名矛盾、纠纷多的地方。

【是否】shìfǒu 副是不是：他～能来，还不一定。

【是个儿】shì//gèr 〈口〉动是对手：论干力气活我不是他的个儿|跟我下棋，你～吗?

【是味儿】shì//wèir 〈口〉形❶（食品等）味道正：合口味。❷（心里感到）好受；舒服。

【是样儿】shì//yàngr 〈口〉形样式好看：衣服做得很～。

崼 shì 繁崼（Fánshì），地名，在山西。另见1758页zhì。

适¹（適）shì ❶适合：～口|～用。❷恰好：～得其反|～可而止。❸舒服：舒～|不～。

适²（適）shì ❶去；往：无所～从。❷〈书〉出嫁：～人。另见802页kuò。

【适才】shìcái 副刚才（多见于早期白话）。

【适当】shìdàng 形合适；妥当：措辞～|～的机会|由他去办这件事再～不过了。

【适得其反】shì dé qí fǎn 结果跟希望正

好相反。

【适度】shìdù 形 程度适当：繁简～。

【适逢其会】shì féng qí huì 恰巧碰到那个时机。

【适合】shìhé 动 符合(实际情况或客观要求)：过去的经验未必～当前的情况。

【适婚】shìhūn 形 属性词。(年龄和身心方面)适合结婚的：～青年。

【适可而止】shì kě ér zhǐ 到了适当的程度就停止(指做事不过分)。

【适口】shìkǒu 形 适合口味：还是家乡菜吃起来～。

【适量】shìliàng 形 数量适宜：饮酒要～。

【适龄】shìlíng 形 属性词。年龄适合某种要求的(多指入学年龄和兵役应征年龄)：～儿童都已入学｜青年踊跃报名参军。

【适时】shìshí 形 适合时宜；不太早也不太晚：播种～｜～收割。

【适销】shìxiāo 动 (商品)适合于消费者需要，卖得快：产品～对路。

【适宜】shìyí 形 合适；相宜：浓淡～｜气候～｜应对～。

【适意】shìyì 形 舒适：微风徐徐，～极了。

【适应】shìyìng 动 适合(客观条件或需要)：～环境。

【适用】shìyòng 形 适合使用：这套耕作方法，在我们这个地区也完全～。

【适值】shìzhí 〈书〉动 恰好遇到：上次赴京，～全国运动会开幕。

【适中】shìzhōng 形 ❶ 既不是太过，又不是不及：冷热～｜身材～。❷ 位置不偏于哪一面：地点～。

恃

shì 依赖；倚仗：有～无恐。

【恃才傲物】shì cái ào wù 依仗自己的才能而骄傲自大，轻视旁人(物：众人)。

室

shì ❶ 名 屋子：教～｜卧～｜休息～｜～外。❷ 名 机关、工厂、学校等内部的工作单位：档案～｜图书～。❸ 妻子：妻～｜继～。❹ 家；家族：皇～｜十～九空。❺ 器官、机器等内部的空腔：脑～｜心～。❻ 二十八宿之一。

【室颤】shìchàn 名 心室由正常跳动转为快而不规则乱颤的症状，是一种严重的心律失常。

【室内乐】shìnèiyuè 名 原指西洋宫廷内演奏的世俗音乐，区别于教堂音

乐。现在泛指区别于管弦乐曲的各种重奏、重唱曲或独奏、独唱曲。

【室女】shìnǚ 名 旧时称未婚的女子。

【室女座】shìnǚzuò 名 黄道十二星座之一。参看600页〖黄道十二宫〗。

逝

shì ❶ (时间、水流等)过去：岁月易逝～｜～去的时光。❷ 死亡：病～｜永～｜长～。

【逝世】shìshì 动 去世(含庄重意)。

莳(蒔)

shì ❶〈方〉动 移植(秧苗)：～秧。❷〈书〉栽种。❸ (Shì)名 姓。

另见1240页shí。

栻

shì 古代占卜用的器具。

轼(軾)

shì 古代车厢前面用作扶手的横木。

铈(鈰)

shì 名 金属元素，符号Ce (cerium)。是一种稀土元素。铁灰色，质较软，化学性质活泼。用作还原剂、催化剂，也用来制合金等。

舐

shì 〈书〉舔：老牛～犊｜吮痈～痔。

【舐犊情深】shì dú qíng shēn 比喻对子女关心、疼爱的感情非常深。

【舐痔】shìzhì 〈书〉动 舔别人的痔疮(语出《庄子·列御寇》："秦王有病召医。破痈溃痤者得车一乘，舐痔者得车五乘")。比喻无耻的谄媚行为。

弑

shì 〈书〉臣杀死君主或子女杀死父母：～君｜～父。

释¹(釋)

shì ❶ 解释：～义｜注～。❷ 消除：～疑｜冰～。❸ 放开；放下：～手｜手不～卷｜爱不忍～。❹ 释放：开～｜保～。

释²(釋)

Shì ❶ 释迦牟尼(佛教创始人)的简称，泛指佛教：～门｜～家｜～子。❷ 名 姓。

【释典】shìdiǎn 名 佛经。

【释放】shìfàng 动 ❶ 恢复被拘押者或服刑者的人身自由：～战俘｜刑满～。❷ 把所含的物质或能量放出来：这种肥料的养分～缓慢｜核反应堆能有效地～核能。

【释怀】shìhuái 动 (爱憎、悲喜、思念等感情)在心中消除(多用于否定)：久病在床的母亲让他挂念，难以～。

【释教】Shìjiào 名 佛教。

【释然】shìrán 〈书〉形 形容疑虑、嫌隙等消释而心中平静。

【释文】shìwén 名 用来解释文字、词语的文字：～力求简明。

【释疑】shìyí 动 解释疑难；消除疑虑：～解难｜～消嫌。

【释义】shìyì ❶ 动 解释词义或文义。❷ 名 用来释义的文字。

【释藏】Shìzàng 名 佛教经典的总汇，分经、律、论三藏，包括汉译佛经和中国的一些佛教著述。

【释子】shìzǐ 〈书〉名 和尚。

谥（謚、諡）shì ❶ 君主时代帝王、贵族、大臣等死后，依其生前事迹所给予的称号。例如齐宣王的"宣"，楚庄王的"庄"；诸葛亮谥"忠武"，岳飞谥"武穆"。❷〈书〉称（做）；叫（做）：～之为保守主义。

嗜 shì 特别爱好：～好｜～酒。

【嗜好】shìhào 名 特殊的爱好（多指不良的）：他没有别的～，就喜欢喝点儿酒。

【嗜痂之癖】shì jiā zhī pǐ 《南史·刘穆之传》："穆之孙邕，性嗜食疮痂，以为味似鳆鱼"。后来用"嗜痂之癖"比喻人的乖僻嗜好，也用"嗜痂成癖"比喻形成乖僻嗜好。

【嗜欲】shìyù 名 指耳目口鼻等方面贪图享受的要求。

筮 shì 古代用蓍草占卜。

誓 shì ❶ 动 表示决心依照说的话实行；发誓：～师｜～不甘休｜～为死难烈士报仇。❷ 名 表示决心的话：宣～｜起～｜发个～。

【誓不两立】shì bù liǎng lì 发誓不跟对方同时存在，形容双方矛盾或仇恨很深，无法化解或调和。

【誓词】shìcí 名 誓言。

【誓师】shìshī 动 军队出征前，统帅向将士宣示作战意义，表示坚决的战斗意志，也指群众集会庄严地表示完成某项重要任务的决心：～大会。

【誓死】shìsǐ 副 立下誓愿，表示至死不变：～不屈。

【誓言】shìyán 名 宣誓时说的话：立下～。

【誓愿】shìyuàn 名 表示决心时许下的心愿。

【誓约】shìyuē 名 宣誓时订下的必须遵守的条款。

奭 shì ❶〈书〉盛大的样子。❷（Shì）名 姓。

噬 shì 咬：吞～｜反～。

【噬菌体】shìjūntǐ 名 病毒的一类，能侵入细菌体内，并在其中大量繁殖使细菌裂解。某一种噬菌体只能对相应的细菌起作用，例如伤寒杆菌噬菌体只能使伤寒杆菌裂解。

【噬脐莫及】shì qí mò jí 《左传·庄公六年》："若不早图，后君噬齐（齐：同'脐'），其及图之乎？"杜预注："若啮腹齐，喻不可及。"意思是咬自己的肚脐是够不着的，后来用"噬脐莫及"比喻后悔莫及。

潨 shì 〈书〉水边。

螫 shì 〈书〉蜇（zhē）。

【螫针】shìzhēn 名 蜜蜂、胡蜂等尾部的毒刺，尖端有倒钩。

褷 shì 见 105 页〖褵褷〗。

•shi （·ㄕ）

•shi 见 1587 页〖钥匙〗。
另见 183 页 chí。

•shi 见 490 页〖骨殖〗。
另见 1751 页 zhí。

shōu（ㄕㄡ）

收（収）shōu 动 ❶ 把外面的事物拿到里面；把摊开的或分散的事物聚起：～拾｜～藏｜～集｜～篷｜衣裳～进来了没有？❷ 取自己有权取的东西或原来属于自己的东西：～回｜～复｜～税｜没～｜～归国有。❸ 获得（经济利益）：～入｜～益｜～支。❹ 收获；收割：～成｜秋～｜麦～｜今年早稻～得多。❺ 接；接受；容纳：～报｜～留｜～容｜～礼物｜～徒弟。❻ 约束；控制（感情或行动）：～心｜我的心像断了线的风筝似的，简直～不住了。❼ 逮捕；拘禁：～监。❽ 结束；停止（工作）：

~工|~操|~场。

【收报】shōu//bào 动 用无线电或有线电等装置接收发报者发出的信号：~员。

【收编】shōubiān 动 收容并改编（武装力量）：~起义部队。

【收兵】shōubīng 动 ❶撤回军队，结束战斗：鸣金～。❷比喻结束工作：清理工作不可草率～。

【收藏】shōucáng 动 收集保藏：~文物。

【收操】shōu//cāo 动 结束操练。

【收场】shōuchǎng ❶（-//-）动 结束：草草~|他的话匣子一打开，就不容易~。❷名 结局；下场：没料到事情落到这样的～。

【收车】shōu//chē 动 运输工作完毕把车辆开回或拉回：下班时间到了，该～了。

【收成】shōu·cheng 名 庄稼、蔬菜、果品等收获的成绩，有时也指鱼虾等捕捞的成绩。

【收存】shōucún 动 收集保存：他～了很多宝贵资料。

【收发】shōufā ❶动（机关、学校等）收进和发出公文、信件：~室|~工作。❷名 担任收发工作的人。

【收服】（收伏）shōufú 动 制伏对方使顺从自己。

【收抚】shōufǔ 动 ❶收容安抚：~难民。❷收留抚养：~烈士遗孤。

【收复】shōufù 动 夺回（失去的领土、阵地）：~失地。

【收割】shōugē 动 割取（成熟的农作物）：~小麦。

【收工】shōu//gōng 动（在田间或工地上干活儿的人）结束工作。

【收购】shōugòu 动 从各处买进：~棉花|~粮食|完成羊毛~计划。

【收红】shōuhóng 动 证券交易市场上指以红盘报收。

【收回】shōu//huí 动 ❶把发出去或借出去的东西、借出去或用出去的钱取回来：~贷款|~成本|借出的书，应该～了。❷撤销；取消（意见、命令等）：~原议|~成命。

【收活】shōu//huó （~儿）动 ❶（加工、修理等部门）接收顾客要加工或修理的物品。❷（方）收工；赶早～|准时～。

【收获】shōuhuò 动 ❶取得成熟的农作物：春天播种，秋天～。❷名 比喻心得、

战果等；畅谈学习～。

【收集】shōují 动 使聚集在一起：~资料|~废品。

【收监】shōu//jiān 动 指把犯人关进监狱。

【收缴】shōujiǎo 动 ❶接收，缴获：~武器。❷征收上交：~税款。

【收据】shōujù 名 收到钱或东西后写给对方的字据。

【收看】shōukàn 动 看（电视节目）：~实况转播。

【收口】shōu//kǒu （~儿）动 ❶编织东西时把开口的地方结起来：这件毛线衣再打几针该～了吧？ ❷（伤口）愈合：刀伤还没有～，要注意防止感染。

【收揽】shōulǎn 动 笼络：~人心。

【收镰】shōu//lián 动 指停止或结束收割工作：今年麦子开镰早了，～也早。

【收敛】shōuliǎn 动 ❶（笑容、光线等）减弱或消失：她的笑容突然～了|夕阳已经～了余晖。❷减轻放纵的程度（指言行）：狂妄的态度有所～。❸引起机体组织收缩，减少腺体分泌：~剂。

【收殓】shōuliàn 动 把人的尸体放进棺材。

【收留】shōuliú 动 把生活困难或有特殊要求的人接收下来并给予帮助：父母死后，一位远房叔叔～了他。

【收拢】shōulǒng 动 ❶把散开的聚集起来；合拢：~队伍。❷收买拉拢：~人心。

【收录】shōulù 动 ❶吸收任用（人员）：~旧部。❷编集子时采用（诗文等）：《短篇小说选》中～了他的作品。

【收录机】shōulùjī 名 具有收音机和录音机功能的机器。

【收绿】shōulǜ 动 证券交易市场上指以绿盘报收。

【收罗】shōuluó 动 把人或物聚集在一起：~人才|~材料。

【收买】shōumǎi 动 ❶收购：~旧书|~废铜烂铁。❷用钱财或其他好处笼络人，使受利用：~人心。

【收纳】shōunà 动 收进来；收容：如数～。

【收盘】shōu//pán 动 ❶指证券、黄金等交易市场营业终了，最后一次报告当天行情。❷指棋类比赛结束。

【收篷】shōu//péng 〈方〉动 降下船帆，比喻结束；收场：自动～|趁势～。

【收讫】shōuqì 动 收清(收讫这两个字常刻成戳子,加盖在发票或其他单据上)。

【收清】shōuqīng 动 全部如数收到(多指款项)。

【收秋】shōu//qiū 动 秋季收获农作物:农民正忙着～。

【收取】shōuqǔ 动 收下(交来或取来的款项):～手续费。

【收容】shōuróng 动 (有关的组织、机构等)收留:～所|～队|～伤员。

【收入】shōurù ❶ 动 收进来:每天～的现金都存入银行。❷ 名 收进来的钱:财政～|个人的～有所增加。

【收审】shōushěn 动 拘留审查。

【收生】shōushēng 动 旧时指接生:～婆(以旧法接生为业的妇女)。

【收尸】shōu//shī 动 收拾尸体火化或埋葬,不使暴露。

【收拾】shōu·shi 动 ❶ 整顿;整理:～残局|～屋子。❷ 修理:～皮鞋。❸〈口〉整治②:你要不听话,看你爸爸回来～你!❹〈口〉消灭;杀死:据点的敌人,全叫我们～了。

【收市】shōu//shì 动 指市场、商店等停止交易或营业。

【收视】shōushì 动 收看:～率|～效果。

【收手】shōu//shǒu〈方〉动 洗手不干;罢手:劝诫赌徒立即～。

【收受】shōushòu 动 接受;收取:～贿赂|他不～任何礼物。

【收束】shōushù 动 ❶ 收拾(行李):～停当就出发。❷ 约束:把游玩的心思～一下,准备下学期的功课。❸ 结束:蜡烛已经燃尽,我的信也该～了。

【收缩】shōusuō 动 ❶ (物体)由大变小或由长变短:铁受了热就会膨胀,遇到冷就会～。❷ 紧缩:～开支。

【收缩压】shōusuōyā 名 心脏收缩时血对血管的压力。通称高压。

【收摊儿】shōu//tānr 动 摊贩把摆着的货收起来,比喻结束手头的工作:下班时间到了,～吧。

【收条】shōutiáo（～儿）名 收据:打～。

【收听】shōutīng 动 听(广播):～天气预报。

【收尾】shōuwěi ❶ (-//-) 动 结束事情的

最后一段;煞尾:麦收已到～阶段。❷ 名 文章的末尾:文章的～有些松懈。

【收文】shōuwén 名 本单位收到的公文:～簿(登记收文的本子)。

【收效】shōu//xiào 动 收到效果:～显著。

【收心】shōu//xīn 动 把放纵散漫的心思收起来,也指把做坏事的念头收起来:该～用功了|强盗～做好人。

【收押】shōuyā 动 拘留:～候审。

【收阳】shōuyáng 动 证券交易市场上指以阳线收盘。

【收养】shōuyǎng 动 把别人的儿女收下来当做自己家里的人来抚养:～弃婴。

【收益】shōuyì 名 生产上或商业上的收入:增加～|～甚少。

【收阴】shōuyīn 动 证券交易市场上指以阴线收盘。

【收音】shōuyīn 动 ❶ 集中声波,使人听得清楚:露天剧场不～。❷ 接收无线电广播:～机|～站|～网|～员。

【收音机】shōuyīnjī 名 接收无线电广播的装置。把无线电波变为低频的电信号,经过放大而变成声音。

【收银】shōuyín〈方〉动 收款:～员|～台。

【收支】shōuzhī 名 收入和支出:～平衡。

【收执】shōuzhí ❶ 动 公文用语,收下并保存。❷ 名 政府机关收到税金或其他东西时发给的书面凭证。

【收治】shōuzhì 动 接收(病人)并治疗:医院增加床位,～病人。

shóu（ㄕㄡˊ）

熟 shóu〈口〉义同"熟"(shú)。
另见 1266 页 shú。

shǒu（ㄕㄡˇ）

手 shǒu ❶ 名 人体上肢前端能拿东西的部分。(图见 1209 页"人的身体") ❷ 拿着:人～一册。❸ 小巧而便于拿的:～册|～折。❹ 亲手:～订|～抄。❺ 手段;手法:～辣|眼high～低。❻（～儿）量 用于技能,本领等:他真有两～|他有一～绝活儿。❼ 擅长某种技能的人或做某种事

的人：选～|能～|拖拉机～。

【手把手】shǒu bǎ shǒu 指亲自(指点、传授技艺等)：爷爷～地教我写字。

【手把】shǒubà （～儿)名手柄。

【手板】shǒubǎn ❶〈方〉名手掌。❷同"手版"。

【手版】shǒubǎn 名❶笏。❷手本①。‖也作手板。

【手包】shǒubāo （～儿)名手拿的较小的包儿，多用皮革等制成。

【手背】shǒubèi 名手掌的反面。

【手本】shǒuběn 名❶明清时代门生见老师或下属见上司所用的帖子，上面写着自己的姓名、职位等。

【手笔】shǒubǐ 名❶亲手做的文章、写的字或画的画(多指名人的)：这篇杂文像是鲁迅先生的～。❷文字技巧的造诣：大～(指名作家)。❸指办事、用钱的气派：阔～。

【手臂】shǒubì 名❶胳膊。❷比喻助手：他是王队长的得力～。

【手边】shǒubiān （～儿)名手头①：你要的那张画，不在～，等找出来给你。

【手表】shǒubiǎo 名戴在手腕上的表。

【手柄】shǒubǐng 名操纵机器时手握着的把儿(bàr)。也叫手把(bà)。

【手不释卷】shǒu bù shì juàn 手里的书舍不得放下，形容读书勤奋或看书入迷。

【手不稳】shǒu bù wěn 〈方〉指爱偷窃。

【手册】shǒucè 名❶介绍一般性的或某种专业知识的参考书(多用于书名)：《时事～》|《物理～》。❷专做某种记录用的本子：劳动～。

【手钏】shǒuchuàn 〈方〉名手镯。

【手戳】shǒuchuō （～儿)〈口〉名刻有某人姓名的图章。

【手大】shǒu//dà 形指花钱不在乎。

【手袋】shǒudài 〈方〉名手包(多指女用的)。

【手到擒来】shǒu dào qín lái 手一到就把敌人捉拿过来，比喻做事很有把握或毫不费力就能成功。

【手底下】shǒudǐ•xia 名手下。

【手电】shǒudiàn 名手电筒。

【手电筒】shǒudiàntǒng 名利用干电池做电源的小型筒状照明用具。也叫手电、电筒或电棒。

【手段】shǒuduàn 名❶为达到某种目的而采取的具体方法：革命的战争是夺取政权的～。❷本领；能耐：～高强。❸指待人处世所用的不正当的方法：要～骗人。

【手法】shǒufǎ 名❶(艺术品或文学作品的)技巧：白描～|表现～独特。❷手段③：两面～。

【手风琴】shǒufēngqín 名风琴的一种，由金属簧、折叠的皮制风箱和键盘组成。演奏时左手拉动风箱，右手按键盘。

【手感】shǒugǎn 名用手抚摸时的感觉：这种面料～柔和。

【手稿】shǒugǎo 名亲手写成的底稿。

【手工】shǒugōng 名❶靠手的技能做出的工作：做～。❷用手操作的方式：～劳动|这件衣服完全是用～缝制出来的。❸〈口〉给予手工劳动的报酬：～很贵|做这件衣服要多少～?

【手工业】shǒugōngyè 名只靠手工或只用简单工具从事生产的工业。

【手工艺】shǒugōngyì 名指具有高度技巧性、艺术性的手工，如挑花、刺绣、缂(kè)丝等。

【手鼓】shǒugǔ 名维吾尔、哈萨克等少数民族的打击乐器，扁圆形，一面蒙皮，周围有金属片或环，常用作舞蹈的伴奏乐器。

【手黑】shǒu//hēi 形手段狠毒：心狠～。

【手机】shǒujī 名手持式移动电话机的简称。

【手疾眼快】shǒu jí yǎn kuài 形容做事机警敏捷。也说眼疾手快。

【手记】shǒujì ❶动亲手记录。❷名亲手写下的记录。

【手技】shǒujì 名❶手艺。❷杂技的一种，运用手的技巧抛接、耍弄各种物件。

【手迹】shǒujì 名亲手写的字或画的画：这是鲁迅先生的～。

【手脚】shǒujiǎo 名❶指举动或动作：～利落|～灵敏。❷为了实现某种企图而暗中采取的行动(含贬义)：做～。

【手巾】shǒu•jīn 名❶土布做的擦脸巾：毛巾。❷〈方〉手绢。

【手紧】shǒu//jǐn 形❶指不随便花钱或给人东西：他一向～，不会买这种玩意儿的。❷指缺钱用：这几天～，过两天再买吧。也说手头紧。

【手卷】shǒujuàn 名横幅书画长卷，只供案头观赏,不能悬挂。

【手绢】shǒujuàn (～儿)名 随身携带的方形小块织物,用来擦汗或擦鼻涕等。

【手铐】shǒukào 名 束缚犯人两手的刑具。

【手快】shǒu∥kuài 形 形容动作敏捷,做事快:眼疾～。

【手辣】shǒu∥là 形 手段毒辣:心狠～。

【手雷】shǒuléi 名 一种大型手榴弹,无柄,多用于反坦克。

【手链】shǒuliàn (～儿)名 戴在手腕子上的链形装饰品,多用金、银、玉石等制成。

【手令】shǒulìng 名 亲手写的命令。

【手榴弹】shǒuliúdàn 名 ❶ 一种用手投掷的小型炸弹,有的装有木柄。❷ 田径运动使用的投掷器械之一,形状跟军用的装有木柄的手榴弹一样。

【手炉】shǒulú 名 冷天暖手用的小炉,多为圆形或椭圆形,直径约半尺,有提梁,盖上有许多小孔,炉中燃烧炭墼、锯末或砻糠。可以随身携带。

【手锣】shǒuluó 名 小锣。

【手慢】shǒu∥màn 形 形容动作迟缓,做事慢:这个人～,老赶不上趟儿。

【手忙脚乱】shǒu máng jiǎo luàn 形容做事慌张而没有条理,也形容惊慌失措。

【手面】shǒumiàn 〈方〉名 指用钱的宽紧:你～太阔了,要节约一点才好。

【手民】shǒumín 名 指刻字或排字的工人:～之误(指印刷上发生的错误)。

【手模】shǒumó 名 手印。

【手帕】shǒupà 名 手绢。

【手旗】shǒuqí 名 打旗语用的旗子:～通信。

【手气】shǒuqì 名 指赌博或抓彩时的运气,又特指赢钱或得彩的运气:～好|有～。

【手枪】shǒuqiāng 名 单手发射的短枪,用于近距离射击,有效射程一般 50 米。

【手巧】shǒu∥qiǎo 形 手灵巧,手艺高:心灵～。

【手勤】shǒu∥qín 形 指做事勤快:这小姑娘～脚快,干活儿麻利。

【手轻】shǒu∥qīng 形 动作时手用力较小:换药时～一点儿,减少患者的痛苦。

【手球】shǒuqiú 名 ❶ 球类运动项目之一。球场呈长方形,比赛时每队上场七

人,一人守球门,用手把球掷进对方球门算得分,得分多的获胜。❷ 手球运动使用的球,形状像足球,但比足球略小。❸ 足球运动中的犯规动作。指守门员在禁区外或其他队员故意用手或臂部携带或击、推球。

【手软】shǒu∥ruǎn 形 形容不忍下手或因心慌而下手不狠:心慈～。

【手生】shǒu∥shēng 形 指对所做的事不熟悉或原来熟悉因长久不做而不熟练:这种活儿多年没做,～了。

【手势】shǒushì 名 表示意思时用手(有时连同身体别的部分)所做的姿势:交通警打～指挥车辆。

【手书】shǒushū ❶ 动 亲笔书写:横幅上"天下为公"四个字为孙中山先生～。❷ 名 亲笔写的信:今天接到了家父～。

【手术】shǒushù ❶ 名 医生用医疗器械在病人的身体上进行的切除、缝合等治疗:大～|动～。❷ 动 进行手术:病情严重,要住院～。

【手松】shǒu∥sōng 形 指随便花钱或给人东西。

【手谈】shǒután 〈书〉动 指下围棋。

【手套】shǒutào (～儿)名 套在手上的物品,用棉纱、毛线、皮革、橡胶等制成,用来防寒或保护手。

【手提包】shǒutíbāo 名 提包。

【手提箱】shǒutíxiāng 名 提箱。

【手头】shǒutóu (～儿)名 ❶ 指伸手可以拿到的地方:这部书我倒有,可惜不在～。❷ 指个人某一时候的经济情况:～宽裕|～紧。❸ 指写作或办事的能力:～利落。

【手头紧】shǒutóu jǐn 手紧②。

【手头字】shǒutóuzì 名 简体字的旧称。

【手推车】shǒutuīchē 名 用人力推动的小车,用来装运物品。

【手腕】shǒuwàn (～儿)名 ❶ 手腕子。❷ 手段②③:耍～。

【手腕子】shǒuwàn·zi 名 手和臂相接的部分。

【手无寸铁】shǒu wú cùn tiě 形容手里没有任何武器。

【手无缚鸡之力】shǒu wú fù jī zhī lì 形容力气很小。

【手舞足蹈】shǒu wǔ zú dǎo 双手舞动,两只脚也跳起来,形容高兴到极点。

【手下】shǒuxià 名❶领属下;管辖下:他在总工程师的～当过技术员。❷部下;下级:他是我的～。❸手头①:东西不在～。❹手头②:用钱无计划,月底～就紧了。❺下手的时候;出手:～留情。

【手写】shǒuxiě 动用手写;亲自记录:口问～。

【手写体】shǒuxiětǐ 名文字或拼音字母的手写形式(区别于"印刷体")。如:

直　　　　　直
zhí　　　　zhí
(印刷体)　(手写体)

【手心】shǒuxīn 名❶手掌的中心部分。❷(～儿)比喻所控制的范围:跳不出他的～。

【手续】shǒuxù 名(办事的)程序:报名～|借款～|办理转学～。

【手癣】shǒuxuǎn 名皮肤病,病原体是一种真菌,发生在手部。症状是手心出现红斑,刺痒,脱皮,严重时发生糜烂。中医叫鹅掌风。

【手眼】shǒuyǎn 名手段②③:～通天。

【手眼通天】shǒuyǎn tōng tiān 形容手段高超,善于钻营,也比喻跟有权势的高层人物有交往。

【手艺】shǒuyì 名手工业工人的技术:～人|这位木匠师傅的～很好。

【手淫】shǒuyín 名自己用手刺激生殖器以满足性欲。

【手印】shǒuyìn (～儿)名❶手留下的痕迹。❷特指按在契约、证件等上面的指纹。

【手语】shǒuyǔ 名以手指字母和手势代替语言进行交际的方式(多用于聋哑人)。

【手谕】shǒuyù〈书〉名指上级或尊长亲笔写的指示。

【手泽】shǒuzé〈书〉名先人的遗物或手迹。

【手札】shǒuzhá〈书〉名亲笔写的信。

【手掌】shǒuzhǎng 名手在握拳时指尖触着的一面。

【手杖】shǒuzhàng 名走路时拄着的棍子,手拿的一头有柄。

【手植】shǒuzhí 动亲手种植:这棵树乃先父～。

【手纸】shǒuzhǐ 名解手时使用的纸。

【手指】shǒuzhǐ 名人手前端的五个分支。

【手指头】shǒuzhǐ·tou (口语中也读 shǒuzhǐ·tou)〈口〉名手指。

【手指肚儿】shǒuzhǐ·toudùr (口语中也读 shǒuzhǐ·toudùr)〈口〉名手指末端有指纹的略微隆起的部分。

【手指字母】shǒuzhǐ zìmǔ 用手指屈伸的各种姿势代表不同的字母,可以组成文字,供聋哑人使用。

【手重】shǒu//zhòng 形动作时手用力较猛:换药时一了,病人会感到疼痛。

【手镯】shǒuzhuó 名戴在手腕子上的环形装饰品,多用金、银、玉石等制成。

【手足】shǒuzú 名❶指举动、动作:～无措。❷比喻弟兄:情同～。

【手足无措】shǒu zú wú cuò 形容举动慌乱或没有办法应付。

守 shǒu ❶动防守(跟"攻"相对):把～|看～|～卫|～住阵地。❷动守候;看护:～护|医生～着伤员。❸动遵守;遵循:～法|～约|～纪律|～时间。❹动靠近;依傍:～着水的地方,可多种稻子。❺(Shǒu)名姓。

【守备】shǒubèi 动防守戒备:加强～。

【守财奴】shǒucáinú 名指有钱而非常吝啬的人(含讥讽意)。也说看财奴(kāncáinú)。

【守车】shǒuchē 名货运列车中车长办公用的车厢,车身较短,挂在列车的最后。

【守成】shǒuchéng〈书〉动在事业上保持前人的成就:守业～业。

【守敌】shǒudí 名守备某据点的敌人。

【守法】shǒu//fǎ 动遵守法律或法令:～户|奉公～|遵纪～。

【守服】shǒufú 动服丧;守孝。

【守宫】shǒugōng 名壁虎的旧称。

【守寡】shǒu//guǎ 动妇女死了丈夫后,不再结婚。

【守恒】shǒuhéng 动(数值)保持恒定:能量～|动量～。

【守候】shǒuhòu 动❶等待:他～着家乡的信息。❷看护:护士日夜～着伤员。

【守护】shǒuhù 动看守保护:～仓库|战士们日夜～着祖国的边疆。

【守活寡】shǒu huóguǎ 已婚妇女因丈夫长期外出不归,一个人留在家里,叫守活寡。

【守节】shǒu//jié 动旧时指不改变节操,

特指妇女受封建宗法的强制或封建道德观念的影响,在丈夫死后不再结婚或未婚夫死后终身不结婚。

【守旧】shǒujiù 〔形〕拘泥于过时的看法或做法而不愿改变:～思想|办法过于～。

【守空房】shǒu kōngfáng 指丈夫长期外出,妻子一人住在家里。

【守口如瓶】shǒu kǒu rú píng 形容说话慎重或严守秘密。

【守灵】shǒu∥líng 〔动〕守在灵床、灵柩或灵位的旁边。

【守门】shǒu∥mén 〔动〕❶ 看守门户。❷指足球、手球、冰球等球类比赛中守卫球门。

【守门员】shǒuményuán 〔名〕足球、手球、冰球等球类比赛中守卫球门的队员。

【守丧】shǒu∥sāng 〔动〕守灵。

【守时】shǒu∥shí 〔动〕遵守规定的或约定的时间:～赴约是对对方的尊重。

【守势】shǒushì 〔名〕防御敌方进攻的态势:采取～|处于～。

【守岁】shǒu∥suì 〔动〕在农历除夕晚上不睡觉,直到天亮:围炉～。

【守土】shǒutǔ 〈书〉〔动〕保卫领土:～有责。

【守望】shǒuwàng 〔动〕看守瞭望:～塔。

【守望相助】shǒu wàng xiāng zhù 为了防御外来的侵害,邻近的村落协同看守瞭望,遇警互相帮助。

【守卫】shǒuwèi 〔动〕防守保卫:～边疆。

【守孝】shǒu∥xiào 〔动〕旧俗尊亲死后,在服满以前停止娱乐和交际,表示哀悼。

【守信】shǒu∥xìn 〔动〕讲信用;不失信:他是个～的人,不会失约的。

【守业】shǒu∥yè 〔动〕守住前人所创立的事业:不要只～,而且要创业。

【守夜】shǒuyè 〔动〕夜间守卫:值班～。

【守则】shǒuzé 〔名〕共同遵守的规则:学生～。

【守职】shǒu∥zhí 〔动〕坚守岗位,忠于职守:～尽责。

【守制】shǒuzhì 〔动〕封建时代,儿子在父母死后,在家守孝二十七个月,谢绝应酬,做官的在这期间必须离职,叫做守制。

【守株待兔】shǒu zhū dài tù 传说战国时宋国有一个农夫看见一只兔子撞在树桩上死了,他便放下手里的农具在那里等待,希望再得到撞死的兔子(见于《韩非子·五蠹》)。比喻不主动地努力,而存万一的侥幸心理,希望得到意外的收获。

首¹ shǒu ❶ 头:昂～|搔～|～饰|～级。❷ 第一;最高的:～相|～席。❸ 首领:～长|～脑|～祸。❹ 首先:～创|～义。❺ 出头告发:自～|出～。❻ (Shǒu)〔名〕姓。

首² shǒu 〔量〕用于诗词歌曲等:一～诗。

【首班车】shǒubānchē 〔名〕❶ 按班次行驶的第一班车。也叫首车。❷ 比喻第一次机会。

【首播】shǒubō (广播电台、电视台节目)第一次播放:这个节目每周二 19 时 40 分～,周六 21 时 50 分重播。

【首倡】shǒuchàng 〔动〕首先提倡。

【首车】shǒuchē 〔名〕首班车①。

【首创】shǒuchuàng 〔动〕最先创造;创始:这种产品在国内还是～|尊重科学家们的～精神。

【首次】shǒucì 数量词。第一次;头一回:这是本地～举办的大型展览会。

【首当其冲】shǒu dāng qí chōng 比喻最先受到攻击或遭遇灾难(冲:要冲)。

【首都】shǒudū 〔名〕国家最高政权机关所在地,是全国的政治中心。我国首都是北京。

【首度】shǒudù 数量词。第一次:～拨款。

【首恶】shǒu'è 〔名〕作恶犯法集团的头子:～必办。

【首发】shǒufā 〔动〕❶ 第一次发车:这路公共汽车每天早晨五点半～。❷ 第一次发放、发行等:新式军服～仪式。❸ 球类比赛中首先出场:～阵容。

【首发式】shǒufāshì 〔名〕出版物、纪念品等在第一次发行时举行的仪式。

【首犯】shǒufàn 〔名〕组织、带领犯罪集团或团伙进行犯罪活动的首要分子。

【首府】shǒufǔ 〔名〕❶ 旧时称省会所在的府为首府;现多指自治区或自治州人民政府所在地。❷ 附属国和殖民地的最高政府机关所在地。

【首富】shǒufù 〔名〕指某个地区最富有的人或人家。

【首告】shǒugào 〈书〉〔动〕出面告发(别人的犯罪行为)。

S

【首功】shǒugōng 图❶ 第一等的功劳;最高的功劳:～不可没。❷ 指第一个功劳:旗开得胜,立下～。

【首户】shǒuhù 图首富。

【首级】shǒují 图古代指作战时斩下的人头(秦法,斩下敌人一个人头,加爵一级,后来就把斩下的敌人的头颅叫首级)。

【首届】shǒujiè 数量词。第一次;第一期:～运动会|～毕业生。

【首肯】shǒukěn 动点头表示同意。

【首领】shǒulǐng 图❶〈书〉头和脖子:保全～。❷ 借指某些集团的领导人:义军～。

【首脑】shǒunǎo 图为首的人、机关等;领导人:政府～|～会议。

【首屈一指】shǒu qū yī zhǐ 弯下手指头计数,首先弯下大拇指,表示第一。

【首日封】shǒurìfēng 图邮政部门发行新邮票的当天,把新邮票贴在特制的信封上,并盖上邮戳,这种信封叫做首日封。

【首善之区】shǒu shàn zhī qū〈书〉最好的地方,指首都。

【首饰】shǒu·shì 图本指戴在头上的装饰品,今泛指耳环、项链、戒指、手镯等。

【首鼠两端】shǒushǔ liǎng duān 迟疑不决或动摇不定(语出《史记·魏其武安侯列传》。首鼠:踌躇)。

【首途】shǒutú〈书〉动动身;上路:～赴任。

【首推】shǒutuī 动首先推选;首先举出:中国的名山～黄山。

【首尾】shǒuwěi 图❶ 起头的部分和末尾的部分:～呼应。❷ 从开始到末了的整个过程:这次旅行,～经过了一个多月。

【首位】shǒuwèi 图第一位:这个省的粮食产量居全国～。

【首乌】shǒuwū 图何首乌。

【首席】shǒuxí ❶ 图最高的席位:坐～。❷ 形属性词。职位最高的:～代表|～顾问。

【首先】shǒuxiān ❶ 副最先;最早:～报名。❷ 连第一(用于列举事项):～,是大会主席报告;其次,是代表发言。

【首相】shǒuxiàng 图君主立宪制国家内阁的最高官职,如英国、日本,在日本又称总理大臣。

【首选】shǒuxuǎn 动首先选中;优先选择:～药物|几个旅游点,我～北戴河。

【首演】shǒuyǎn 动首次演出:这部话剧昨日在京～。

【首要】shǒuyào ❶ 形属性词。摆在第一位的;最重要的:～任务|～分子。❷ 图首脑:政府～。

【首义】shǒuyì〈书〉动首先起义:辛亥～(指辛亥革命时武昌首先起义)。

【首映】shǒuyìng 动(影片)首次公映:这部影片将在月底～。

【首战】shǒuzhàn 动第一次交战,也比喻第一次进行竞赛:～告捷。

【首长】shǒuzhǎng 图政府各部门中的高级领导人或部队中较高级的领导人:部～|团～。

【首座】(❶首坐)shǒuzuò 图❶ 筵席上最尊贵的席位。❷ 佛寺里地位仅次于住持的和尚。

艏 shǒu 船的前端或前部。

shòu （ㄕㄡˋ）

寿（壽、夀）shòu ❶ 活得岁数大;长命:福～|人～年丰。❷ 年岁;生命:长～|～命。❸ 寿辰:做～|～面。❹〈书〉祝人寿辰。❺ 婉辞,生前预备的;装殓死人的:～材|～衣。❻ (Shòu)图姓。

【寿斑】shòubān 图老年斑。

【寿比南山】shòu bǐ nánshān 寿命像终南山一样长久。用作对老年人的祝颂(多与"福如东海"连用):南山,指终南山,在陕西西安南。

【寿材】shòucái 图指生前准备的棺材,也泛指棺材。

【寿辰】shòuchén 图生日(一般用于老年人):八十～。

【寿诞】shòudàn 图寿辰。

【寿礼】shòulǐ 图祝寿的礼品。

【寿联】shòulián 图祝寿的对联。

【寿面】shòumiàn 图祝寿时吃的面条。

【寿命】shòumìng 图❶ 生存的年限:人类平均～在不断提高。❷ 比喻使用的期限或存在的期限:延长机车的～。

【寿木】shòumù 图寿材。

【寿山石】shòushānshí 图一种石料,质地致密,有蜡状光泽,灰色或黄色,产于福建闽侯的寿山,是制印章的名贵材料。

【寿数】shòu·shu 名 迷信的人指命中注定的岁数:~已尽。

【寿桃】shòutáo 名 祝寿所用的桃,一般用面粉制成,也有用鲜桃的。神话中,西王母做寿,设蟠桃会招待群仙,所以一般习俗用桃来做庆寿的物品。

【寿险】shòuxiǎn 名 人寿保险的简称。

【寿星】shòu·xing 名 ❶ 指老人星,自古以来用作长寿的象征,称为寿星,民间常把它画成老人的样子,额部长而隆起。也叫寿星老儿。❷ 称长寿的老人或被祝寿的人。

【寿星老儿】shòu·xinglǎor 名 寿星①。

【寿穴】shòuxué 名 生前营造的墓穴。

【寿筵】shòuyán 名 庆贺寿辰的筵席。

【寿衣】shòuyī 名 装殓死人的衣服,老年人往往生前做好备用。

【寿幛】shòuzhàng 名 祝寿时送的幛子。

【寿终正寝】shòu zhōng zhèng qǐn 旧时指年老病死在家中。比喻事物的消亡(正寝:旧式住宅的正屋。人死后,一般停灵在正屋正中的房间)。

受 shòu 动 ❶ 接受:~贿|~教育|~到帮助。❷ 遭受:~灾|~批评|~委屈。❸ 忍受;禁受:~不了|~得住。❹ 适合:~吃(吃着有味)|~看(看着舒服)|~听(听着入耳)。

【受案】shòu·àn 受理案件:依法~|规范~范围。

【受病】shòu//bìng 动 得病(多指不立即发作的):你身体不好,在风口站着会~的。

【受潮】shòu//cháo 动 (物体)被潮气渗入:屋子老不见太阳,东西容易~。

【受宠若惊】shòu chǒng ruò jīng 受到过分的宠爱待遇而感到意外的惊喜。

【受挫】shòucuò 动 遭到挫折:~而气不馁。

【受敌】shòudí 动 遭受敌方的攻击:四面~|腹背~。

【受罚】shòu//fá 动 遭到处罚:违章~。

【受粉】shòu//fěn 动 雌蕊的花粉传到雌蕊的柱头上,就雌蕊来说,叫做受粉。

【受过】shòu//guò 动 承担过失的责任(多指不应承担的):代人~。

【受害】shòu//hài 动 遭到损害或杀害:~不浅|无辜~。

【受话器】shòuhuàqì 名 电话机等的一个部件,能把强弱不同的电流变成声音信号。也叫听筒或耳机。

【受贿】shòu//huì 动 接受贿赂:贪污~。

【受检】shòujiǎn 动 接受检查或检验:在海关排队~。

【受奖】shòu//jiǎng 动 得到奖励:立功~。

【受戒】shòu//jiè 动 ❶ 佛教、道教用语,在一定的宗教仪式下接受戒律。初学佛教、道教或初出家的人,须在受戒之后才能称作正式的居士、僧尼或道士。❷ 伊斯兰教朝觐时的仪式。

【受惊】shòu//jīng 动 受到突然的刺激或威胁而害怕。

【受精】shòu//jīng 动 精子和卵子相结合形成受精卵。

【受窘】shòu//jiǒng 动 陷入为难的境地。

【受苦】shòu//kǔ 动 遭受痛苦:~受难。

【受累】shòu//lěi 动 受到拖累或连累:一人出事,全家~。

【受累】shòu//lèi 动 受到劳累;消耗精神气力(也常用作客气话):这么远来看我,让您~了。

【受礼】shòu//lǐ 动 接受别人赠送的礼物。

【受理】shòulǐ 动 ❶ 接受并办理:~快件专递业务。❷ 司法机关接受案件,进行处理:法院已~此案。

【受凉】shòu//liáng 动 受到低温的影响而患感冒等疾病。

【受命】shòumìng 动 接受命令或任务:~办理。

【受难】shòu//nàn 动 受到灾难:受苦~。

【受盘】shòupán 动 指工商业主购买别人企业的全部财产(如房屋、机器、设备、货物等)继续经营。

【受骗】shòu//piàn 动 被骗:~上当。

【受聘】shòu//pìn 动 ❶ 旧俗定亲时女方接受男方的聘礼。❷ 接受聘请:他~当了排球教练。

【受气】shòu//qì 动 遭受欺侮:里外~|受了半辈子气。

【受气包】shòuqìbāo (~儿)名 比喻经常被当做抱怨或泄愤的对象的人。

【受穷】shòu//qióng 动 遭受穷困:吃苦~。

【受屈】shòu//qū 动 受到委屈或冤屈。

S

【受权】shòuquán 劻 接受委托有权力做某事：外交部～发表声明。

【受让】shòuràng 劻 接受别人转让的物品、权利等：～股权。

【受热】shòu//rè 劻 ❶ 受到高温的影响：绝大部分物体～则膨胀。❷ 中暑：他路上～了,有点头痛。

【受辱】shòu//rǔ 劻 受到侮辱或羞辱：无故｜当场～。

【受伤】shòu//shāng 劻 身体或物体部分地受到损伤。

【受赏】shòu//shǎng 劻 得到奖赏：立功～。

【受审】shòu//shěn 劻 接受审讯：到庭～。

【受事】shòushì 名 语法上指动作的对象,也就是受动作支配的人或事物,如"我看报"里的"报","老鹰抓小鸡"里的"小鸡"。表示受事的名词不一定做句子的宾语,如"衣服送来了"里的"衣服"是受事,但是做句子的主语。

【受胎】shòu//tāi 劻 受孕。

【受托】shòu//tuō 劻 接受人家的委托。

【受洗】shòuxǐ 劻 (基督教徒入教时)接受洗礼。

【受降】shòu//xiáng 劻 接受敌方投降。

【受刑】shòu//xíng 劻 遭受刑罚,特指遭受肉刑。

【受训】shòu//xùn 劻 接受训练：在训练班～半年。

【受业】shòuyè 〈书〉❶ 劻 跟随老师学习。❷ 名 学生对老师的自称。

【受益】shòuyì 劻 得到好处；受到利益：～良多｜水库修好后,～地区很大。

【受用】shòuyòng 劻 享用；得益：学会这种本领,一辈子～不尽。

【受用】shòu·yong 形 身心舒服(多用于否定式)：听了这番话,他心里很不～。

【受阅】shòuyuè 劻 接受检阅：～部队。

【受孕】shòu//yùn 劻 妇女或雌性动物体内受精。也叫受胎。

【受灾】shòu//zāi 劻 遭受灾害：～地区｜赈济～群众。

【受制】shòu//zhì 劻 ❶ 受辖制：～于人。❷ 受害；受罪。

【受众】shòuzhòng 名 新闻媒体的传播对象和各种文化、艺术作品的接受者,包括读者、听众和观众等：电视～｜就文化产品而言,关键是心中要有～。

【受阻】shòuzǔ 劻 受到阻碍：因交通～,不能按时到达。

【受罪】shòu//zuì 劻 受到折磨,也泛指遇到不顺利、不愉快的事。

狩 shòu 〈书〉打猎,特指冬天打猎。

【狩猎】shòuliè 劻 打猎。

授 shòu ❶ 交付；给予(多用于正式或隆重的场合)：～旗｜～奖｜～权。❷ 传授；教：讲～｜～课｜函～。

【授粉】shòu//fěn 劻 雄蕊的花粉传到雌蕊的柱头上,叫做授粉。

【授奖】shòu//jiǎng 劻 颁发奖金、奖品或奖状：～大会。

【授课】shòu//kè 劻 教课：他在学校每周～六小时。

【授命】[1] shòumìng 〈书〉劻 献出生命：见危～｜临危～。

【授命】[2] shòumìng 劻 下命令(多指某些国家的元首下命令)：总统～总理组阁。

【授权】shòuquán 劻 把权力委托给他人或机构代为执行。

【授让】shòuràng 劻 交付转让(物品、权利等)给别人：～商标使用权。

【授时】shòushí 劻 ❶ 某些天文台每天在一定的时间用无线电信号报告最精确的时间,这种工作叫授时。❷ 旧时指政府颁行历书。

【授首】shòushǒu 〈书〉劻 (叛逆、盗贼等)被斩首。

【授受】shòushòu 劻 交付和接受：私相～。

【授衔】shòu//xián 劻 给予军衔或其他称号。

【授信】shòuxìn 劻 企业或个人向银行申请贷款时,银行根据其财务信用状况及周转需要,按规定的数额准许贷款叫授信。

【授勋】shòu//xūn 劻 颁发勋章：～典礼。

【授意】shòuyì 劻 把自己的意图告诉别人,让人照着办(多指不公开的)：这件事一定是有人～他干的。

【授予】shòuyǔ 劻 给予(勋章、奖状、学位、荣誉等)。

售 shòu ❶ 劻 卖：～票｜～货｜零～｜出～｜～后服务。❷ 〈书〉施展(奸计)：以～其奸｜其计不～。

【售货员】shòuhuòyuán 名 商店里出售货物的工作人员。

【售卖】shòumài 动 卖①。

【售票员】shòupiàoyuán 名 卖票的工作人员。

兽(獸) shòu ❶ 指哺乳动物,通常指有四条腿、全身生毛的:野~|禽~|走~。❷ 比喻野蛮;下流:~心|~行。

【兽环】shòuhuán 名 旧式大门上装的用铜或铁制成的兽头和环子,敲门或锁门时用。

【兽力车】shòulìchē 名 用牛、马、驴、骡等牲口拉的车。

【兽王】shòuwáng 名 指狮子或老虎。

【兽行】shòuxíng 名 ❶ 指极端野蛮、残忍的行为。❷ 指发泄兽欲的行为。

【兽性】shòuxìng 名 指极端野蛮和残忍的性情:~大发。

【兽医】shòuyī 名 治疗家畜、家禽等动物疾病的医生。

【兽疫】shòuyì 名 家畜、家禽的传染病,如牛瘟、猪瘟、口蹄疫、疯牛病、鸡新城疫等。

【兽欲】shòuyù 名 指野蛮的性欲。

绶(綬) shòu 绶带:印~。

【绶带】shòudài 名 一种彩色的丝带,用来系官印或勋章。有的斜挂在肩上表示某种身份。

瘦 shòu 形 ❶(人体)脂肪少;肉少(跟"胖""肥"相对):面黄肌~|他近来~了。❷(食用的肉)脂肪少(跟"肥"相对):这块肉太肥,我要~点儿的。❸(衣服鞋袜等)窄小(跟"肥"相对):裤子做得太~了,可以往里放一下。❹(地力)薄;不肥沃:~田。

【瘦长】shòucháng 形 又瘦又长:~脸儿|~的身材。

【瘦骨嶙峋】shòu gǔ línxún 形容人十分瘦。

【瘦果】shòuguǒ 名 干果的一种,比较小,里面只有一粒种子,果皮和种子皮只有一处相连接,如白头翁、向日葵、荞麦等的果实。

【瘦猴儿】shòuhóur 名 指非常瘦的人(含戏谑意)。

【瘦瘠】shòují 形 ❶ 不肥胖;瘦弱。❷(土地)不肥沃:在~的荒山上植树造林。

【瘦金体】shòujīntǐ 名 宋徽宗赵佶的字体,笔势瘦硬挺拔。

【瘦溜】shòu·liu〈方〉形 形容身体瘦而细的样子:身材~,动作轻巧。

【瘦弱】shòuruò 形 肌肉不丰满,软弱无力:身体~|◇树苗~。

【瘦小】shòuxiǎo 形 形容身材瘦,个儿小:别看他人~,力气还挺大。

【瘦削】shòuxuē 形 形容身体或脸很瘦。

【瘦子】shòu·zi 名 肌肉不丰满,脂肪少的人。

---

shū（ㄕㄨ）

殳 shū ❶ 古代兵器,多用竹或木制成,有棱无刃。❷(Shū)名 姓。

书(書) shū ❶ 写字;记录;书写:~法|大~特~|振笔直~。❷ 字体:楷~|隶~。❸ 装订成册的著作:一本~|一部~|一套~|丛~|新~|古~|~店。❹ 书信:家~|~札。❺ 文件;证~|保证~|说明~|挑战~|白皮~。❻(Shū)名 姓。

【书案】shū'àn〈书〉名 长形的书桌。

【书包】shūbāo 名 布或皮革等制成的袋子,主要供学生上学时装书籍、文具用。

【书报】shūbào 名 图书和报刊。

【书背】shūbèi 名 书脊。

【书本】shūběn (~儿)名 书③(总称):~知识。

【书册】shūcè 名 装订成册的书;书本。

【书场】shūchǎng 名 表演说书、弹词、相声等曲艺的场所。

【书虫】shūchóng 名 比喻喜欢书籍并沉迷于其中的人。

【书橱】shūchú 名 书柜。

【书呆子】shūdāi·zi 名 不懂得联系实际只知道啃书本的人。

【书丹】shūdān 动 刻碑前用朱笔书写碑上的文字,泛指书写碑上的文字。

【书牍】shūdú〈书〉名 书信。

【书法】shūfǎ 名 文字的书写艺术,特指用毛笔写汉字的艺术:~比赛|学习~。

【书坊】shūfāng 名 旧时印刷并出售书籍

S

的店铺。

【书房】shūfáng　名 读书写字用的房间。

【书稿】shūgǎo　名 著作的底稿；誊写～。

【书馆】shūguǎn　名❶ 古代教授学童的处所。❷（～儿）〈方〉有艺人在那里说评书的茶馆儿。

【书柜】shūguì　名 放置书籍用的柜子。

【书函】shūhán　名❶ 书套。❷ 书信。

【书号】shūhào　名 主管部门对正式出版物给予的编号，包括出版社的代号、书刊类别代号等。

【书后】shūhòu　名 写在别人著作后面，对著作有所说明或评论的文章。

【书画】shūhuà　名 作为艺术品供人欣赏的书法和绘画：～展览会。

【书籍】shūjí　名 书③（总称）。

【书脊】shūjǐ　名 书籍被钉住的一边。新式装订的书脊上一般印有书名、出版机构名称等。也叫书背。

【书记】shū·ji　名❶ 党、团等各级组织中的主要负责人。❷ 旧时称办理文书及缮写工作的人员。

【书记员】shūjìyuán　名 我国各级人民法院和人民检察院中担任记录，并办理其他有关事项的工作人员。

【书家】shūjiā　名 擅长书法的人；书法家。

【书架】shūjià　名 放置书籍用的架子，多用木料或铁制成。也叫书架子。

【书简】（书柬）shūjiǎn　名 书信。

【书局】shūjú　名 旧时印书或藏书的机构，后多用于出版社或书店的名称。

【书卷】shūjuàn　名 指书籍，古代书籍多装成卷轴，所以叫做书卷。

【书卷气】shūjuànqì　名 指在说话、作文、写字、画画等方面表现出来的读书人的风格、气质。

【书刊】shūkān　名 书籍和刊物。

【书口】shūkǒu　名 书籍上跟书脊相对的一边，线装书在这里标注书名、页数等。

【书库】shūkù　名 图书馆或书店存放书刊的房屋。

【书录】shūlù　名 有关某一部书或某些著作的版本、插图、评论及其源流等各种资料的目录。

【书眉】shūméi　名 书页的上端。

【书迷】shūmí　名❶ 喜欢听评弹、评书等而入迷的人。❷ 喜欢读书或收藏书籍而入迷的人。

【书面】shūmiàn　形 属性词。用文字表达的（区别于"口头"）：～通知｜～答复｜～材料。

【书面语】shūmiànyǔ　名 用文字写出来的语言（区别于"口语"）。

【书名号】shūmínghào　名 标点符号《 》〈 〉，古籍或某些文史著作中可以用"﹏﹏"），表示书名、篇名、报刊名等。

【书目】shūmù　名❶ 图书的目录。❷ 曲艺上指评书、评话、弹词等说唱节目。

【书皮】shūpí　（～儿）名❶ 书刊的最外面的一层，用厚纸、布、绢、皮等做成。线装书在上面贴书签，新式装订的书刊一般是把书名、作者姓名等印在上面。❷ 读者在书皮外面再包上的纸或塑料薄膜等，用来保护书：包～。

【书评】shūpíng　名 评论或介绍书刊的文章。

【书签】shūqiān　（～儿）名❶ 贴在线装书书皮上的写着或印着书名的纸或绢的条儿，有些新式装订的书也仿照它的形式直接印在书皮上。❷ 为标记阅读到什么地方而夹在书里的小片，多用纸或赛璐珞等制成。

【书社】shūshè　名❶ 旧时文人组织的读书会。❷ 旧时印书的机构，后多用于出版社的名称，如齐鲁书社、岳麓书社等。

【书生】shūshēng　名 读书人：白面～。

【书生气】shūshēngqì　名 指某些知识分子只注重书本，脱离实际的习气。

【书市】shūshì　名 集中出售书籍的场所，多指临时举办的、短时间的。

【书套】shūtào　名 套在几本或一本书外面的壳子，有保护作用，多用硬纸等制成。

【书亭】shūtíng　名 销售书刊的像亭子的小房子。

【书童】shūtóng　名 旧时侍候主人及其子弟读书并做杂事的未成年的仆人。

【书屋】shūwū　名 旧时供读书用的房子，现也用于书店的名称。

【书系】shūxì　名 关于某一方面或某一专项内容的一系列图书：国际汉学研究～。

【书香】shūxiāng　形 指上辈有读书人的（人家）：～门第｜～子弟｜世代～。

【书写】shūxiě　动 写：～标语｜～工具。

【书信】shūxìn　名 信¹⑦：～往来｜～格式。

【书业】shūyè 名 图书的出版、发行、销售行业。

【书页】shūyè 名 书中印有文字或图片的单篇。

【书影】shūyǐng 名 显示书刊的版式和部分内容的印刷物，从前仿照原书刻印或石印，现在大多影印，有的用作插页，有的汇集成册，如《宋元书影》。

【书院】shūyuàn 名 旧时地方上设立的供人读书、讲学的处所，有专人主持。从唐代开始，历代都有。清末废科举后，大都改为学校。

【书札】shūzhá〈书〉名 书信。

【书斋】shūzhāi 名 书房。

【书展】shūzhǎn 名 ❶ 书籍展览、展销。❷ 书法展览。

【书证】shūzhèng 名 ❶ 著作或注释中有关词语来历、意义、用法等的有书面出处的例证。❷ 法律上指证明案件事实的书面材料，如书信、传单、合同、账本等。通常广义的物证也包括书证在内。

【书桌】shūzhuō（～儿）名 读书写字用的桌子。

抒 shū ❶ 表达；发表：各～己见｜直～胸臆。❷ 同"纾"①。

【抒发】shūfā 动 表达（感情）：～思乡之情。

【抒怀】shūhuái 动 抒发情怀：赋诗～。

【抒情】shūqíng 动 抒发情感：～散文｜写景、叙事的诗里也往往含有～的成分。

【抒情诗】shūqíngshī 名 以表达情感为主的诗篇。

【抒写】shūxiě 动 表达和描写：散文可以～感情，也可以发表议论。

纾（紓） shū〈书〉❶ 解除：毁家～难（nàn）。❷ 延缓。❸ 宽裕。

枢（樞） shū ❶ 门上的转轴：户～不蠹。❷ 指重要的或中心的部分：中～｜～纽。

【枢机】shūjī 名 ❶ 旧时指封建王朝的重要职位或机构。❷〈书〉事物的关键。

【枢机主教】shūjī zhǔjiào 天主教罗马教廷中最高一级的主教，由教皇任命，分掌教廷各部门和许多重要教区的领导权，有选举罗马教皇的权利，因穿红色礼服，所以又叫红衣主教。

【枢纽】shūniǔ 名 事物的重要关键；事物

相互联系的中心环节：～工程｜交通～。

【枢要】shūyào〈书〉名 指中央行政机构。

叔 shū ❶ 名 叔父：二～。❷ 名 称呼跟父亲辈分相同而年纪较小的男子：表～｜李～。❸ 丈夫的弟弟；小叔子：～嫂。❹ 在弟兄排行的次序里代表第三：伯仲～季。❺（Shū）名 姓。

【叔伯】shū·bai 形 属性词。同祖父的，有时也指同曾祖父的（弟兄姐妹）：他们是～弟兄。

【叔父】shūfù 名 父亲的弟弟。

【叔公】shūgōng 名 ❶ 丈夫的叔叔。❷〈方〉叔祖。

【叔母】shūmǔ 名 叔父的妻子。

【叔婆】shūpó 名 ❶ 丈夫的婶母。❷〈方〉叔祖母。

【叔叔】shū·shu〈口〉名 ❶ 叔父：亲～｜堂房～。❷ 称呼跟父亲辈分相同而年纪较小的男子：刘～｜工人～｜解放军～。

【叔祖】shūzǔ 名 父亲的叔父。

【叔祖母】shūzǔmǔ 名 父亲的叔母。

姝 shū〈书〉❶ 美好。❷ 美女。

殊 shū ❶ 不同；差异：～途同归。❷ 特别；特殊：～勋｜～功｜～效｜～绩。❸〈书〉副 很；极：～觉歉然｜～感不便。❹〈书〉断；绝。❺（Shū）名 姓。

【殊不知】shūbùzhī 动 ❶ 竟不知道（引述别人的意见而加以纠正）：有人以为喝酒可以御寒，～酒力一过，更觉得冷。❷ 竟没想到（纠正自己原先的想法）：我以为他还在北京，～上星期他就走了。

【殊荣】shūróng 名 特殊的荣誉。

【殊死】shūsǐ ❶ 形 拼着性命，竭尽死力；决死：～战｜～的斗争。❷ 名 古代指斩首的死刑。

【殊途同归】shū tú tóng guī 通过不同的道路走到同一个目的地，比喻采取不同的方法而得到相同的结果。

【殊勋】shūxūn〈书〉名 特殊的功勋：屡建～。

【殊誉】shūyù 名 特殊的荣誉：获得杰出青年的～。

倏（儵） shū〈书〉副 极快地：～已半年。

【倏地】shūdì 副 极快地；迅速地：～闪过一个人影。

【倏忽】shūhū 副 很快地；忽然：～不见|山地气候～变化,应当随时注意。

【倏然】shūrán 〈书〉副 ❶ 忽然：～一阵暴雨。❷ 形容极快：一道流星～而逝。

菽(尗)
shū 豆类的总称：不辨～麦。

【菽粟】shūsù 名 泛指粮食：布帛～。

梳
shū ❶ 梳子：木～。❷ 动 梳理：～头洗脸|她～着两根粗辫子。

【梳篦】shūbì 名 梳子和篦子的合称。

【梳辫子】shū biàn·zi 比喻把纷繁的事项、问题等进行分析归类：先把存在的问题梳梳辫子,再逐个研究解决办法。

【梳理】shūlǐ 动 用梳子整理(须、发等)：～头发◇～思路。

【梳头】shū//tóu 用梳子整理头发。

【梳洗】shūxǐ 动 梳头洗脸：～打扮。

【梳妆】shūzhuāng 动 梳洗打扮：～台。

【梳子】shū·zi 名 整理头发、胡子的用具,有齿,用竹木、塑料等制成。

俶
Shū 古县名,在今山东夏津附近。

淑
shū 温和善良；美好：～女。

【淑静】shūjìng 形 (女子)温柔文静。

【淑女】shūnǚ 〈书〉名 美好的女子：窈窕～。

舒
shū ❶ 动 伸展；宽解(拘束或憋闷状态)：～眉展眼|～经活血|～了一口气。❷〈书〉缓慢；从容：～徐(缓慢)|～缓。❸(Shū)名 姓。

【舒畅】shūchàng 形 开朗愉快；舒服痛快：心情～|车窗打开了,凉爽的风吹来,使人非常～。

【舒服】shū·fu 形 ❶ 身体或精神上感到轻松愉快：睡得很～。❷ 能使身体或精神上感到轻松愉快：窑洞又～,又暖和。

【舒缓】shūhuǎn 形 ❶ 缓慢：动作～|节拍～的歌声。❷ 缓和：语调～|他的心情好像～了一些。❸ 坡度小：他从～的斜坡上慢慢走了下来。

【舒卷】shūjuǎn 〈书〉动 舒展和卷缩(多指云或烟)：～自如|白云～。

【舒散】shūsàn 动 ❶ 活动(筋骨)。❷ 消除疲劳或不愉快的心情：～心中的郁闷。

【舒适】shūshì 形 舒服安逸：环境～|～的生活。

【舒爽】shūshuǎng 形 舒适,爽快：听了这些安慰话,他心头～了不少。

【舒坦】shū·tan 形 舒服：心里～。

【舒心】shūxīn 形 心情舒展；适意：日子过得挺～。

【舒展】shūzhǎn ❶ 动 不卷缩；不皱：荷叶～着,发出清香|祖父心里很高兴,脸上的皱纹也～了。❷ 形 (身心)安适；舒适。

【舒张】shūzhāng 形 心脏或血管等的肌肉组织由紧张状态变为松弛状态。

【舒张压】shūzhāngyā 名 心脏舒张时血液对血管的压力。通称低压。

疏¹(疎)
shū ❶ 清除阻塞使通畅：疏通：～导|～浚。❷ 事物之间距离远；事物的部分之间空隙大(跟"密"相对)：～林|～星。❸ 关系远；不亲近：～远|亲～。❹ 不熟悉；不熟练：生～|荒～。❺ 疏忽：～于防范。❻ 空虚：志大才～。❼ 分散；使从密变稀：～散|仗义～财。❽(Shū)名 姓。

疏²
shū ❶ 封建时代臣下向君主分条陈述事情的文字；条陈：上～|～奏。❷ 古书的比"注"更详细的注解；"注"的注：《十三经注～》。

【疏财仗义】shū cái zhàng yì 见 1718 页【仗义疏财】。

【疏导】shūdǎo 动 ❶ 开通壅塞的水道,使水流畅通：～淮河。❷ 泛指引导使畅通：～交通|解决思想问题一定要善于～。

【疏放】shūfàng 〈书〉形 ❶ 放纵；举止～。❷(文章)不拘常格：行文～。

【疏忽】shū·hu 动 粗心大意；忽略：～职守|一时～,造成错误。

【疏剪】shūjiǎn 动 剪去树上过密的、无用的枝条。

【疏解】shūjiě 动 ❶ 疏通调解：由于老师从中～,他俩才消除了误会。❷ 疏通使缓解：调集车辆,增大运输能力,～客流。

【疏浚】shūjùn 动 清除淤塞或挖深河槽使水流通畅：～航道,以利交通。

【疏狂】shūkuáng 〈书〉形 狂放不受约束：生性～。

【疏阔】shūkuò 〈书〉❶ 形 不周密：立论～。❷ 形 疏远：交往～。❸ 形 迂阔：～之言。❹ 动 久别。

【疏懒】shūlǎn 形 懒散而不习惯于受拘

束：～成性。

【疏朗】shūlǎng 厖❶稀疏而清晰：须眉～|夜空中闪烁着疏疏朗朗的几点星光。❷开朗：胸怀渐渐～了。

【疏离】shūlí 厖疏远隔离：关系～|一个作家任何时候都不应～社会。

【疏漏】shūlòu ❶劻疏忽遗漏：案件中的每个细节都不能～。❷名疏忽遗漏的地方：这是一个明显的～。

【疏略】shūlüè〈书〉❶劻疏忽忽略：～之处甚多。❷厖粗疏简略：记载～。

【疏落】shūluò 厖稀疏零落：～的晨星。

【疏散】shūsàn ❶厖疏落：～的村落。❷劻把密集的人或东西散开；分散：～人口。

【疏失】shūshī 劻疏忽失误：清查库存物资，要照册仔细核对，不准有遗漏～。

【疏松】shūsōng ❶厖（土壤等）松散；不紧密：土质干燥～。❷劻使松散：～土壤。

【疏通】shūtōng ❶劻疏浚：～田间排水沟。❷沟通双方的意思，调解双方的争执：这件事还得你从中～～。

【疏远】shūyuǎn ❶厖关系、感情上有距离，不亲密：多年不来往，亲戚间渐渐～了。❷劻使疏远；不亲近：不应～有缺点的同学。

摅（攄）shū〈书〉❶表示；发表：略～己意。❷腾跃；奔腾。

输¹（輸）shū ❶劻运输；运送：～出|～油managed|～电网|～氧气。❷〈书〉捐献（财物）：～财助学。

输²（輸）shū 劻在较量时失败；败（跟"赢"相对）：决不认～|～了两个球。

【输诚】shūchéng〈书〉劻❶表示诚心：～结交。❷投降：敌军望风～。

【输出】shūchū 劻❶从内部送到外部：血液从心脏～，经血管分布到全身组织。❷商品或资本从某一国销售或投放到国外：～成套设备。❸科学技术上指能量、信号等从某种机构或装置发出：计算机～信息。

【输电】shūdiàn 劻通过导线把电能从发电厂或变电所送到用户那里。

【输家】shū·jiā 名指赌博、比赛或竞争中失败的一方。

【输将】shūjiāng〈书〉劻资助；捐献：慷慨～。

【输精管】shūjīngguǎn 名男子和雄性动物生殖器官的一部分，是把精子从睾丸送到精囊里去的管道。

【输理】shū//lǐ 劻在道理上站不住脚：明明是你～，不要再强辩了。

【输卵管】shūluǎnguǎn 名女子和雌性动物生殖器官的一部分，在子宫两侧，作用是把卵巢产生的卵子输送到子宫里去。

【输尿管】shūniàoguǎn 名输送尿液的管状组织，连接肾盂和膀胱，作用是把在肾脏中形成的尿液送到膀胱里去。（图见941页"人的泌尿器"）

【输入】shūrù 劻❶从外部送到内部：病人手术后需要～新鲜血液。❷商品或资本从国外进入某国：～电信器材。❸科学技术上指能量、信号等进入某种机构或装置：～密码。

【输送】shūsòng 劻从一处运到另一处；运送：～带|植物的根吸收了养分，就～到枝叶上去。

【输血】shū//xuè 劻把健康人的血液或血液的组成部分（如血浆、血小板等）用一定的装置输送到病人体内。

【输氧】shū//yǎng 劻把氧气通过一定的装置输送到病人的呼吸道，使被动吸氧。

【输液】shū//yè 劻把葡萄糖溶液、生理盐水等（有的溶有药物）用一定的装置通过静脉输送到体内，以补充体液并达到治疗的目的。

【输赢】shūyíng 名❶胜利和失败：这两个球队今天非见个～不可。❷指赌博时输赢的钱数：这伙赌徒，一夜就有几万元的～。

【输油管】shūyóuguǎn 名大量输送原油或液态石油制品的管道，通常是钢管，外面包着隔热层、保护层，有的埋在地下。

觥 shū 见1127页[觵觥]。

蔬 shū 蔬菜：布衣～食。

【蔬菜】shūcài 名可以做菜吃的草本植物，如白菜、菜花、萝卜、黄瓜、洋葱、扁豆等。也包括一些木本植物的嫩茎、嫩叶和菌类，如香椿、蘑菇等。

S

儵 shū 〈书〉同"倏"。

shú (ㄕㄨˊ)

秫 shú 高粱(多指黏高粱)：～秸｜～米｜～面。

【秫秸】shú·jie 名 去掉穗的高粱秆。

【秫米】shúmǐ 名 高粱米。

【秫秫】shúshú 〈方〉名 高粱。

孰 shú ❶〈书〉代 疑问代词。谁：人非圣贤，～能无过？❷〈书〉代 疑问代词。哪个(表示选择)：～胜～负。❸〈书〉代 疑问代词。什么：是可忍，～不可忍？❹(Shú)名 姓。

赎(贖) shú ❶ 动 用财物把抵押品换回：～身｜把东西～回来。❷ 抵消；弥补(罪过)：～罪。

【赎当】shúdàng 动 赎回抵押给当铺的东西。

【赎金】shújīn 名 赎回抵押品或赎身所用的钱。

【赎买】shúmǎi 动 国家有代价地把民族资产阶级占有的生产资料收归国有。

【赎身】shú∥shēn 动 旧时奴婢妓女等用金钱或其他代价换取人身自由。

【赎罪】shú∥zuì 动 抵消所犯的罪过：将功～｜立功～。

塾 shú 旧时私人设立的教学的地方：私～｜～师。参看1289页〖私塾〗。

【塾师】shúshī 名 私塾的教师。

熟 shú 形 ❶ 植物的果实等完全长成(跟"生²"相对，②—⑤同)：西瓜已经～了。❷(食物)加热到可吃的程度：～菜｜饭～了。❸ 加工制造或锻炼过的：～皮子｜～铁。❹ 因常见或常用而知道得清楚：～人｜～视无睹｜这条路我常走，所以很～。❺ 熟练：～手｜～能生巧。❻ 程度深：睡得很～｜深思～虑。
　　另见1253页 shóu。

【熟谙】shú'ān 〈书〉动 熟悉：～兵法。

【熟菜】shúcài 名 已经烹调的菜，多指出售的熟肉食等。

【熟道】shúdào (～儿)名 熟路。

【熟地】¹ shúdì 名 经过多年耕种的土地。

【熟地】² shúdì 名 药名，经过蒸晒的地黄，

黑色，有滋补作用。也叫熟地黄。

【熟地黄】shúdìhuáng 名 熟地²。

【熟化】shúhuà 动 经过深耕、晒垡、施肥、灌溉等措施，使不能耕种的土壤变成可以耕种的土壤。

【熟荒】shúhuāng 名 熟荒地。

【熟荒地】shúhuāngdì 名 曾经耕种过，后来荒芜的土地。也叫熟荒。

【熟客】shúkè 名 常来的客人。

【熟练】shúliàn 形 工作、动作等因常做而有经验：～工人｜业务～。

【熟路】shúlù 名 常走而熟悉的道路。

【熟能生巧】shú néng shēng qiǎo 熟练了就能产生巧办法，或找出窍门。

【熟年】shúnián 名 丰收的年头。

【熟漆】shúqī 名 漆的一种，生漆经氧化或加热而成，棕黑色，比生漆光亮。

【熟人】shúrén (～儿)名 熟识的人(跟"生人"相对)。

【熟稔】shúrěn 〈书〉动 很熟悉。

【熟石膏】shúshígāo 名 把石膏加热到150℃，使部分脱水，就成为熟石膏。是粉刷墙壁和做石膏像、石膏模型等的材料。

【熟石灰】shúshíhuī 名 无机化合物，化学式 $Ca(OH)_2$。白色粉末，由生石灰和水反应而成，它的饱和水溶液叫做石灰水。是常用的建筑材料，也用作杀菌剂和化工原料等。也叫消石灰。

【熟识】shú·shi 动 对某人认识得比较久或对某种事物了解得比较透彻：海军战士～水性｜我们曾共过事，彼此都很～。

【熟食】shúshí 名 经过加工做熟的饭菜，多指出售的做熟的肉食等：～柜。

【熟视无睹】shú shì wú dǔ 虽然经常看见，还跟没看见一样，指对客观事物不关心。

【熟手】shúshǒu 名 熟悉某项工作的人。

【熟睡】shúshuì 动 睡得很沉；睡得很香：一夜～，醒来精神好多了。

【熟思】shúsī 动 周密地思考。

【熟烫】shú·tang 〈口〉形 瓜果蔬菜等因揉搓或受热而失去新鲜的颜色和滋味：～味儿｜这些瓜都捂～了。

【熟铁】shútiě 名 含碳量在0.1％以下的铁。用生铁精炼而成，韧性、延展性较好，强度较低，容易锻造和焊接，不能淬火。用来制造铆钉、链条、镰刀等。也叫锻铁。

【熟土】shútǔ 名 熟化了的土壤，适于耕

种。

【熟悉】shú·xī 动 知道得清楚：～情况｜我
～他｜他们彼此很～。

【熟习】shúxí 动 (对某种技术或学问)学
习得很熟练或了解得很深刻：～业务｜他
很～果树栽培知识。

【熟橡胶】shúxiàngjiāo 名 硫化橡胶。

【熟语】shúyǔ 名 固定的词组，只能整个应
用，不能随意变动其中成分，并且往往不
能按照一般的构词法来分析，如"慢条斯
理、无精打采、不尴不尬、乱七八糟、八九
不离十"等。

【熟知】shúzhī 动 清楚地知道：～故官的
历史变迁。

【熟字】shúzì 名 已经认识了的字(区别于
"生字")。

shǔ （ㄕㄨˇ）

暑 shǔ 热(跟"寒"相对)：～天｜中
(zhòng)～｜受～｜寒来～往。

【暑假】shǔjià 名 学校中夏季的假期，在七
八月间。

【暑期】shǔqī 名 暑假期间：～训练班。

【暑气】shǔqì 名 盛夏时的热气：～逼人。

【暑热】shǔrè 名 盛夏时气温高的气候：
～难耐。

【暑天】shǔtiān 名 夏季炎热的日子。

【暑运】shǔyùn 名 运输部门指暑期一段
时间的运输业务。

黍 shǔ 黍子。

【黍子】shǔ·zi 名 ❶ 一年生草本植物，叶
子线形，子实淡黄色，去皮后叫黄米，比小
米稍大，煮熟后有黏性。是重要的粮食作
物之一，子实可以酿酒、做糕等。❷ 这种
植物的子实。

属(屬) shǔ ❶ 类别：金～。❷ 名
生物学中把同一科的生物按
照彼此相似的特征分为若干群，每一群叫
一属，如猫科分为猫属、豹属等，禾本科分
为稻属、小麦属、燕麦属等。属以下为种。
❸ 动 隶属：直～｜附～｜湟中县～青海省。
❹ 动 归属：胜利终～我们！ ❺ 名 家属；亲
属：军～｜烈～。 ❻ 动 系；是：查明～实｜
纯～虚构。 ❼ 用十二属相记生年：哥

哥～马、弟弟～鸡。参看 1221 页〖生肖〗。
另见 1781 页 zhǔ。

【属地】shǔdì 名 指隶属或附属于某国的
国家或地区。

【属国】shǔguó 名 封建时代作为宗主国
的藩属的国家。

【属相】shǔ·xiang〈口〉名 生肖。

【属性】shǔxìng 名 事物所具有的性质、特
点，如运动是物质的属性。

【属性词】shǔxìngcí 名 形容词的附类，只
表示人、事物的属性或特征，具有区别或
分类的作用。属性词一般只能做定语，如
"男学生、大型歌剧、野生动物、首要的任
务"中的"男、大型、野生、首要"，少数还能
够做状语，如"自动控制、定期检查"中的
"自动、定期"。

【属于】shǔyú 动 归某一方面或为某方所
有：中华人民共和国的武装力量～人民。

【属员】shǔyuán 名 旧时指长官所统属的
官吏。

署¹ shǔ ❶ 名 办公的处所：海关总～｜
专员公～。 ❷ 布置：部～。 ❸ 署
理。

署² shǔ 动 签(名);题(名)：签～｜～上
了一个笔名。

【署理】shǔlǐ 动 旧时指某官职空缺，由别
人暂时代理。

【署名】shǔ//míng 动 在书信、文件或文稿
上，签上自己的名字。

蜀 Shǔ ❶ 周朝国名，在今四川成都一
带。 ❷ 名 蜀汉。 ❸ 名 四川的别称。

【蜀汉】Shǔ-Hàn 名 三国之一，公元 221—
263,刘备所建。在今四川东部、重庆以及
云南、贵州北部和陕西汉中一带。为魏所
灭。简称蜀。

【蜀锦】shǔjǐn 名 四川出产的传统的丝织
工艺品，用染色的熟丝织成。

【蜀葵】shǔkuí 名 多年生草本植物，茎直
立，叶子心脏形，有长柄，表面有皱纹，花
冠有红、紫、黄、白等颜色。果实为蒴果。
供观赏。

【蜀犬吠日】Shǔ quǎn fèi rì 柳宗元在《答
韦中立论师道书》中说，四川地方多雾，那
里的狗不常见日光，每逢日出，狗都叫起
来。后来用"蜀犬吠日"比喻少见多怪。

【蜀黍】shǔshǔ 名 高粱。

【蜀绣】shǔxiù 名 四川出产的刺绣。

鼠 shǔ 图 哺乳动物,种类很多,一般身体小,尾巴长,门齿很发达,没有犬齿,毛褐色或黑色,繁殖力很强,有的能传播鼠疫。通称老鼠,有的地区叫耗子。

【鼠辈】shǔbèi 图 指微不足道的人(骂人的话):无名～。

【鼠标】shǔbiāo 图 鼠标器的简称:光电～。

【鼠标器】shǔbiāoqì 图 计算机的一种输入设备。可以移动,用来控制显示器屏幕上光标的位置。用手指点击上面的键,对计算机进行操作,主要用于选单项目的选择以及计算机绘图。因外形略像老鼠,所以叫鼠标器。简称鼠标。

【鼠标手】shǔbiāoshǒu 图 指长时间使用计算机鼠标器而引起的手部、腕部的损伤。症状是手指和关节疲劳、麻木或疼痛,有的关节活动时会发出轻微声响,甚至造成手腕韧带拉伤。

【鼠窜】shǔcuàn 勔 比喻像老鼠那样的惊慌逃走:抱头～。

【鼠肚鸡肠】shǔ dù jī cháng 见 1497 页〖小肚鸡肠〗。

【鼠目寸光】shǔ mù cùn guāng 比喻眼光短,见识浅。

【鼠窃狗盗】shǔ qiè gǒu dào 指小偷小摸,比喻进行不光明的活动(语出《史记·刘敬叔孙通传》:"此特群盗鼠窃狗盗耳,何足置之齿牙间")。也说鼠窃狗偷。

【鼠窃狗偷】shǔ qiè gǒu tōu 鼠窃狗盗。

【鼠蹊】shǔxī 图 腹股沟。

【鼠疫】shǔyì 图 急性传染病,病原体是鼠疫杆菌,啮齿动物如鼠、兔子感染这种病之后,再由蚤传给人体。主要症状是高热,头疼,淋巴结肿大,全身皮肤和内脏出血。也叫黑死病。

数(數) shǔ ❶ 勔 查点(数目);逐个说出(数目):～数目|你去～～咱们今天种了多少棵树|从十五～到三十。❷ 勔 计算起来、比较起来(最突出):～一～二|全班～他的功课好。❸ 列举(罪状);责备:～说|～其罪。

另见 1271 页 shù;1287 页 shuò。

【数不上】shǔ·bushàng 勔 数不着。

【数不胜数】shǔ bù shèng shǔ 数也数不过来,形容很多。

【数不着】shǔ·buzháo 勔 比较起来不算突出或够不上标准:论射击技术,在我们连里可～我。也说数不上。

【数叨】shǔ·dao 〈方〉勔 数落。

【数得上】shǔ·deshàng 勔 数得着:这座建筑物的规模,在全国都是～的。

【数得着】shǔ·dezháo 勔 比较突出或够得上标准:在我们村里,她是～的插秧能手。也说数得上。

【数典忘祖】shǔ diǎn wàng zǔ 春秋时晋国的籍谈出使周朝,他回答周王的问题时没有答好,事后周王讽刺他"数典而忘其祖",意思是籍谈说起国家的礼制掌故来,把自己祖先的职守(掌管国家的史册)都忘掉了(见于《左传·昭公十五年》)。后来用"数典忘祖"比喻忘掉自己本来的情况或事物的本源。

【数伏】shǔ∥fú 勔 进入伏天;伏天开始。参看 1171 页〖三伏〗。

【数九】shǔ∥jiǔ 勔 进入从冬至开始的"九":～寒天。参看 730 页"九"②。

【数来宝】shǔláibǎo 图 曲艺的一种,用系有铜铃的牛骨或竹板打节拍,多为即兴编词,边说边唱。

【数落】shǔ·luo 〈口〉勔 ❶ 列举过失而指责,泛指责备:被母亲～了一顿。❷ 不住嘴地列举着说:老大娘～着村里的新鲜事儿。

【数米而炊】shǔ mǐ ér chuī 数米粒做饭(语出《庄子·庚桑楚》),比喻做得不着的琐细小事。后来也形容人吝啬或生活困窘。

【数秒】shǔmiǎo 勔 在爆破作业起爆前或人造卫星、宇宙飞船发射前的最后时刻着数出所剩的秒数,如 5、4、3、2、1,数完最后一秒起爆或发射。有时也用于其他活动。

【数说】shǔshuō 勔 ❶ 列举叙述:把头里的事又～了一遍。❷ 责备:被老爷子～了一顿。

【数一数二】shǔ yī shǔ èr 形容突出:他的学习成绩在全年级都是～的。

薯(藷) shǔ 甘薯、马铃薯等农作物的统称。

【薯莨】shǔliáng 图 ❶ 多年生草本植物,地下有块茎,叶子狭长椭圆形,穗状花序,蒴果有三个翅。块茎外部紫黑色,内部棕红色,含鞣质,可用来染棉、麻织品。❷ 这种植物的块茎。‖也叫茨菰。

【薯莨绸】shǔliángchóu 图 香云纱。

【薯蓣】shǔyù 图 多年生草本植物，茎蔓生，常带紫色，块根圆柱形，叶子卵形或椭圆形，花乳白色。块根含淀粉和蛋白质，可以吃，也可入药。通称山药。

曙 shǔ 天刚亮；拂晓：～光。

【曙光】shǔguāng 图 ❶ 清晨的日光。❷ 比喻已经在望的美好的前景：胜利的～。

【曙色】shǔsè 图 黎明的天色：从窗口透进了灰白的～。

瘶 shǔ〈书〉忧闷成病：～忧。

shù（ㄕㄨˋ）

术（術） shù ❶ 技艺；技术；学术：美～|武～|医～|～语|不学无～。❷ 方法；策略：战～|权～。❸（Shù）图姓。

另见 1776 页 zhú。

【术科】shùkē 图 军事训练或体育训练中的各种技术性的科目（区别于"学科"）。

【术士】shùshì〈书〉图 ❶ 遵从儒家学说的读书人。❷ 方士。

【术语】shùyǔ 图 某门学科中的专门用语。

戍 shù ❶（军队）防守：卫～|～边。❷（Shù）图姓。

【戍边】shùbiān 团 戍守边疆：屯垦～|～部队。

【戍守】shùshǒu 团 武装守卫；防守：～边疆。

束 shù ❶ 团 捆①；系(jì)：腰～皮带。❷ 量 用于捆在一起的东西：一～鲜花|一～稻草。❸ 聚集成一条的东西：光～|电子～。❹ 控制；约束：拘～|～手～脚。❺（Shù）图姓。

【束缚】shùfù 团 使受到约束限制；使停留在狭窄的范围里：～手脚|～思想。

【束身】shùshēn〈书〉团 ❶ 约束自身，不放纵：～自爱。❷ 自缚：～请罪。

【束手】shùshǒu 团 捆住了手，比喻没有办法：～就擒|～无策。

【束手待毙】shù shǒu dài bì 比喻遇到危险或困难，不积极想办法解决，却坐着等

死或等待失败。

【束手就擒】shù shǒu jiù qín 捆起手来由人捉拿，形容因无法脱逃或无力反抗而甘愿被擒获。

【束手束脚】shù shǒu shù jiǎo 比喻做事顾虑多，不敢放手去干。

【束手无策】shù shǒu wú cè 比喻一点儿办法也没有。

【束脩】shùxiū〈书〉图 送给教师的报酬。参看 1533 页"脩"。

【束之高阁】shù zhī gāo gé 把东西捆起来，放在高高的架子上面，比喻扔在一边，不去用它或管它。

【束装】shùzhuāng〈书〉团 整理行装：～就道。

述 shù 陈说；叙述：口～|重～一遍|略～经过|上～各项，务须遵照执行。

【述而不作】shù ér bù zuò 指只阐述他人学说而不加自己的创见。

【述怀】shùhuái 团 抒发心中的感受(多用作诗文篇名)：五十～。

【述评】shùpíng ❶ 团 叙述和评论：文章～了当前国际形势。❷ 图 叙述和评论的文章：写一篇时事～。

【述说】shùshuō 团 陈述说明：～身世。

【述职】shù//zhí 团 向主管部门领导或有关人员报告履行职务的情况：～报告|大使回国～。

沭 Shù 沭河，水名，发源于山东，流入江苏。

树（樹） shù ❶ 图 木本植物的通称：柳～|一棵～。❷ 种植；栽培：十年～木，百年～人。❸ 团 树立；建立：建～|独～一帜|～雄心，立壮志。❹（Shù）图姓。

【树碑立传】shù bēi lì zhuàn 原指把某人生平事迹刻在石碑上或写成传记加以颂扬，现在比喻通过某种途径树立个人威信，抬高个人声望(含贬义)。

【树丛】shùcóng 图 丛生的树木。

【树大根深】shù dà gēn shēn 比喻势力大，根基牢固。

【树大招风】shù dà zhāo fēng 比喻因名气大引人注意或惹人嫉妒而生出是非。

【树倒猢狲散】shù dǎo húsūn sàn 比喻为首的人垮下来，随从的人无所依附也就随之而散(含贬义)。

【树敌】shùdí 劻 使别人跟自己为敌：四面～｜～太多。

【树墩】shùdūn 图 树身锯去后剩下的靠近根部的一段。也叫树墩子。

【树干】shùgàn 图 树木的主体部分。

【树挂】shùguà 图 雾凇的通称。

【树冠】shùguān 图 乔木树干的上部连同所长的枝叶。

【树行子】shùhàng·zi 图 排成行列的树木；小树林。

【树胶】shùjiāo 图 某些植物（如桃、杏等）分泌的胶质。

【树懒】shùlǎn 图 哺乳动物，外形略像猴，头小而圆，耳朵很小，尾巴短，毛粗而长，灰褐色，毛上常附有绿藻，很像树皮。动作迟缓，常用爪倒挂在树枝上数小时不移动，吃树叶等。产在南美洲。

【树篱】shùlí 图 用树密植而成的围墙。

【树立】shùlì 劻 建立（多用于抽象的好的事情）：～榜样｜～典型｜助人为乐的风尚。

【树凉儿】shùliángr 图 夏天大树底下太阳照不到的地方。也说树荫凉儿。

【树林】shùlín 图 成片生长的许多树木，比森林小。

【树龄】shùlíng 图 树木生长的年数：院中有几株二百年以上～的古树。

【树苗】shùmiáo 图 可供移植的小树，多在苗圃中栽培。

【树木】shùmù 图 树（总称）：花草～。

【树梢】shùshāo （～儿）图 树的顶端。

【树身】shùshēn 图 树干。

【树阴】shùyīn 同"树荫"。

【树阴凉儿】shùyīnliángr 同"树荫凉儿"。

【树荫凉儿】shùyīnliángr 图 树凉儿。

【树葬】shùzàng 劻 安置死者骨灰的一种方法，把骨灰埋在地里，上面种树或植草坪。

【树脂】shùzhī 图 遇热变软，具有可塑性的高分子化合物的统称。一般是无定形固体或半固体。分为天然树脂（如松香、虫胶）和合成树脂（如酚醛树脂、聚氯乙烯树脂）两类。是制造塑料的主要原料，也用来制涂料、黏合剂、绝缘材料等。

【树种】shùzhǒng 图 ❶ 树木的种类：针

叶～｜阔叶～。❷ 树木的种子：采集～。

【树桩】shùzhuāng 图 ❶ 较高的树墩。也说树桩子。❷ 指树干粗而极矮的树木，枝条很少，通常用来做盆景。

竖¹（竪、豎）shù ❶ 圏 跟地面垂直的（跟"横"相对）：～井｜～琴。❷ 圏 从上到下的；从前到后的（跟"横"相对）：画一条～线｜～着再挖一道沟。❸ 劻 使物体跟地面垂直：～电线杆｜把柱子～起来。❹（～儿）图 汉字的笔画，从上一直向下，形状是"丨"。

竖²（竪、豎）shù 〈书〉年轻的仆人：～子。

【竖立】shùlì 劻 物体垂直，一端向上，一端接触地面或埋在地里：门前～一根旗杆。

【竖琴】shùqín 图 弦乐器，在直立的三角形架上安有四十八根弦。

【竖蜻蜓】shù qīngtíng 〈方〉倒立②。

【竖子】shùzǐ 〈书〉图 ❶ 童仆。❷ 小子（含轻蔑意）：～不足与谋。

铢（銖）shù 〈书〉长针。

恕 shù ❶ 以仁爱的心待人；用自己的心推想别人的心：忠～｜～道。❷ 不计较（别人的过错）；原谅：宽～｜饶～｜～罪。❸ 劻 客套话，请对方不要计较：～不招待｜～难从命。

【恕罪】shùzuì 劻 客套话。请对方饶恕自己的过错：来晚了，请大家～。

庶¹ shù ❶ 众多：～务｜富～。❷〈书〉平民；百姓：～民。❸（Shù）图 姓。

庶² shù 宗法制度下指家庭的旁支（跟"嫡"相对）：～出。

庶³ shù 〈书〉劻 庶几：～免误会｜～不致误。

【庶出】shùchū 劻 旧指妾所生（区别于"嫡出"、"正出"）。

【庶几】shùjī 〈书〉劻 表示在上述情况下才能避免某种后果或实现某种希望：必须有一笔账，以便检查，～两不含糊。也说庶几乎或庶乎。

【庶民】shùmín 〈书〉图 百姓：王子犯法，与～同罪。

【庶母】shùmǔ 图 宗法制度下，子女称父亲的妾。

【庶人】shùrén 〈书〉图 百姓：削去爵位，废为～。

【庶务】shùwù 名 ❶ 旧时指机关团体内的杂项事务。❷ 旧时指担任庶务的人。

【庶子】shùzǐ 名 旧时指妾所生的儿子（区别于"嫡子"）。

裋 shù ［裋褐］(shùhè)〈书〉名 粗布衣服。

腧(俞) shù 名 腧穴：肺～｜胃～。"俞"另见 1660 页 yú。

【腧穴】shùxué 名 人体上的穴位。

数(數) shù ❶（～儿）名 数目：人～｜岁～｜次～｜～以万计◇心中有～。❷ 名 数学上表示事物的量的基本概念，如自然数、整数、分数、有理数、无理数、实数、复数等。❸ 名 一种语法范畴，表示名词或代词所指事物的数量，例如英语名词有单、复两种数。❹ 名 天数；劫数：在～难逃(迷信)。❺ 数 几；几个：～十种｜～小时。

另见 1268 页 shǔ；1287 页 shuò。

【数表】shùbiǎo 名 数学用表，如三角函数表、常用对数表等。

【数词】shùcí 名 表示数目的词。数词连用或者加上别的词，可以表示序数、分数、倍数、概数，如"第一、八成、百分之五、一千倍、十六七、二三十、四十上下"。

【数额】shù'é 名 一定的数目：超出～｜不足规定～。

【数据】shùjù 名 进行各种统计、计算、科学研究或技术设计等所依据的数值。

【数据库】shùjùkù 名 存放在计算机存储器中，按照一定格式编成的相互关联的各种数据的集合，供用户迅速有效地进行数据处理。

【数控】shùkòng 形 属性词。数字控制的：～机床。

【数理逻辑】shùlǐ-luó·jí 数学的一个分支，用数学方法研究推理、计算等逻辑问题。也叫符号逻辑。

【数量】shùliàng 名 事物的多少：要保证～，也要保证质量。

【数量词】shùliàngcí 名 数词和量词连用时的合称，如"三本书"的"三本"，"一群人"的"一群"，"去一次"的"一次"。有的数词和量词的组合相当凝固，作用上类似于一个词，如"一点儿水"的"一点儿"，"万贯家财"的"万贯"。

【数量级】shùliàngjí 名 用来度量或估计某些物理量大小的一种概念。当一个物理量的数值写成以 10 为底的指数表达式时，指数的数目就是这个物理量的数量级。例如地球赤道半径为 6 378 千米，可以写成 6.378×10^3 千米或 6.378×10^6 米。就千米来说，它的数量级是 3；就米来说，它的数量级是 6。

【数列】shùliè 名 按照一定次序排列的一列数。如 3，9，27，81；2，4，6，8…等。数列的项数是有限的称为有限数列，项数是无限的称为无限数列。

【数论】shùlùn 名 数学的一个分支，主要研究整数性质以及和它有关的规律。

【数码】shùmǎ （～儿）名 数字。

【数码港】shùmǎgǎng 〈方〉名 信息港。

【数码相机】shùmǎ xiàngjī 数字相机。

【数目】shùmù 名 通过单位表现出来的事物的多少：你数好以后，就把～告诉他。

【数目字】shùmùzì 名 数字。

【数位】shùwèi 名 数字在数中的所在位置。如十进制数整数部分的数位从右向左依次为个位、十位、百位…，小数部分的数位从左向右依次为十分位、百分位、千分位…。

【数学】shùxué 名 研究现实世界的空间形式和数量关系的学科，包括算术、代数、几何、三角、微积分等。

【数值】shùzhí 名 一个量用数目表示出来的多少，叫做这个量的数值。如 3 克水的"3"，4 秒的"4"。

【数制】shùzhì 名 记数的法则。根据进位基数的不同，有十进制、二进制、八进制、十六进制等。

【数轴】shùzhóu 名 规定了原点、正方向和单位长度的直线。数轴上的点和实数一一对应。

【数珠】shùzhū （～儿）名 佛教徒诵经时用来计算次数的成串的珠子。也叫念珠。

【数字】shùzì 名 ❶ 表示数目的文字。汉字的数字有小写大写两种，"一二三四五六七八九十"等是小写，"壹贰叁肆伍陆柒捌玖拾"等是大写。❷ 表示数目的符号，如阿拉伯数字、苏州码子。❸ 数量：不要盲目追求～。‖ 也叫数目字。

【数字电话】shùzì diànhuà 通过编码把话音的模拟信号转换成数字信号传输的电话。

【数字电视】shùzì diànshì 通过编码把图像、伴音的模拟信号转换成数字信号传输的电视。

【数字化】shùzìhuà 囤 指在某个领域的各个方面或某种产品的各个环节都采用数字信息处理技术。

【数字控制】shùzì kòngzhì 自动控制的一种方式,通常使用专门的计算机,控制指令以数字形式表示,机器设备按照预定的程序进行工作。简称数控。

【数字视频光盘】shùzì shìpín guāngpán 存放数字音频信号和视频信号的光盘。简称视盘。

【数字通信】shùzì tōngxìn 传送数字信号的通信方式。可用来传送电话、电报、数据和图像等,抗干扰能力强、远距离传送质量高。

【数字相机】shùzì xiàngjī 能够将拍摄对象的影像转变成数字信息的相机。也叫数码相机。

【数字信号】shùzì xìnhào 时间上离散的信号,通过电压脉冲的变化来表示要传输的数据。计算机处理的信号是数字信号。

【数字音频光盘】shùzì yīnpín guāngpán 存放数字音频信号的光盘。

【数罪并罚】shù zuì bìng fá 对于犯有两个以上罪的犯人,对其所犯各罪分别量刑定罪后,按一定原则合并执行。

墅 shù 别墅。

漱 shù 囤 含水冲洗(口腔):~口|用药水~~|嘴还没有~干净。

澍 shù 〈书〉及时的雨。

shuā（ㄕㄨㄚ）

刷[1] shuā ❶（~儿）刷子:牙~|板~。❷ 囤 用刷子清除或涂抹:~牙|~鞋|~锅|用石灰浆~墙。❸ 囤 比喻除名;淘汰:他不守劳动纪律,让厂里给~了|今年高考他被~了下来。

刷[2]（唰）shuā 拟声 形容迅速擦过去的声音:风刮得树叶子~~地响|~~~地下起雨来了。

另见 1273 页 shuà。

【刷卡】shuā//kǎ 囤 把磁卡放入或贴近磁卡机,使磁卡阅读、识别卡中的信息,以确认持卡人的身份或增减磁卡中的储存金额。因有的磁卡需在磁卡机上移动,类似刷的动作,所以叫刷卡。

【刷拉】shuālā 拟声 形容迅速擦过去的短促的声音:~一声,柳树上飞走了一只鸟儿。

【刷洗】shuāxǐ 囤 用刷子等蘸水洗;把脏东西放在水里清洗:~锅碗。

【刷新】shuāxīn 囤 刷洗使焕然一新,比喻突破旧的而创出新的(纪录、内容等):在这次运动会上她~了一万米赛跑的世界纪录。

【刷子】shuā·zi 图 用毛、棕、塑料丝、金属丝等制成的清除脏物或涂抹膏油等的用具,一般为长形或椭圆形,有的带柄:一把~|鞋~。

shuǎ（ㄕㄨㄚˇ）

耍 shuǎ ❶〈方〉囤 玩;玩耍:让孩子到院子里~去|全村的大事,可不是~的！❷ 囤 表演:~刀|~把戏。❸ 囤 施展;表现出来(多含贬义):~笔杆|~脾气|~威风|~态度。❹ 囤 耍弄:~人|咱们被人~了。❺（Shuǎ）图 姓。

【耍把戏】shuǎ bǎxì ❶ 表演杂技。❷〈方〉比喻施展诡诈手段:别以为我们不知道你在暗中~。

【耍笔杆】shuǎ bǐgǎn （~儿）用笔写东西(多含贬义):光会~的人,碰到实际问题往往束手无策。

【耍骨头】shuǎ gǔ·tou〈方〉❶ 开玩笑。❷ 故意捣乱;调皮捣蛋。

【耍横】shuǎ//hèng〈方〉囤 表现出蛮横的态度:有理说理,别~。

【耍猴儿】shuǎ//hóur 囤 ❶ 一种杂技,让猴子做各种表演。❷ 比喻戏弄人。

【耍花腔】shuǎ huāqiāng 用花言巧语骗人。

【耍花招】shuǎ huāzhāo （~儿）❶ 卖弄小聪明;玩弄技巧。❷ 施展诡诈手腕。

【耍滑】shuǎhuá 囤 使用手段使自己省力或免负责任:偷奸~。也说耍滑头。

【耍滑头】shuǎ huátóu 耍滑。

【耍奸】shuǎjiān 动 耍滑。

【耍赖】shuǎlài 动 使用无赖手段：撒泼~。也说耍无赖。

【耍流氓】shuǎ liúmáng 指放刁、撒赖或使用下流手段欺负人或侮辱人。

【耍闹】shuǎnào 动 耍笑；闹着玩儿：孩子们在院子里嘻嘻哈哈地~着。

【耍弄】shuǎnòng ❶ 玩弄；施展：~花招。❷ 戏弄；受人~。

【耍贫嘴】shuǎ pínzuǐ 不顾对方是否愿意听而说些无聊或玩笑的话。

【耍钱】shuǎ//qián 〈方〉动 赌博。

【耍人】shuǎ//rén 动 戏弄人；拿人开玩笑。

【耍手艺】shuǎ shǒuyì 靠手艺谋生；做手艺活儿。

【耍无赖】shuǎ wúlài 耍赖。

【耍笑】shuǎxiào 动 ❶ 随意说笑：大家~一阵便散了。❷ 戏弄人以取笑：他一向很庄重，从来不~人。

【耍心眼儿】shuǎ xīnyǎnr 使用心计；施展小聪明：别看他人不大，倒很会~。

【耍嘴皮子】shuǎ zuǐpí·zi ❶ 指卖弄口才（含贬义）。❷ 指光说不做。

shuà（ㄕㄨㄚˋ）

刷 shuà 〈方〉动 挑拣：打这堆梨里头~出几个好的给奶奶送去。
另见 1272 页 shuā。

【刷白】shuàbái 〈方〉形 状态词。（颜色）白而略微发青：月亮升起来了，把麦地照得~｜一听这话，他的脸立刻变得~。

shuāi（ㄕㄨㄞ）

衰 shuāi 衰弱：盛~｜年老力~｜风势渐~。
另见 233 页 cuī。

【衰败】shuāibài 动 衰落：家业~。

【衰惫】shuāibèi 〈书〉形 衰弱疲乏。

【衰变】shuāibiàn 动 原子核自发地放射出粒子而变成另一种原子核，如镭原子核放出 α 粒子后变成氢原子核。也叫蜕变。

【衰减】shuāijiǎn 动 减弱；减退：功能~｜精力日渐~。

【衰竭】shuāijié 动 由于疾病严重而生理机能极度减弱：心力~｜器官~。

【衰老】shuāilǎo 形 年老精力衰弱：两年没见，老人显得~多了。

【衰落】shuāiluò 动 （事物）由兴盛转向没落：家道~。

【衰迈】shuāimài 〈书〉形 衰老：年纪~。

【衰弱】shuāiruò 形 ❶ （身体）不强健；虚弱：身体~｜神经~｜心脏~。❷ （事物）不强盛：在我军有力反击下，敌军攻势已经~。

【衰替】shuāitì 〈书〉动 衰败：世风~。

【衰颓】shuāituí 形 （身体、精神等）衰弱颓废。

【衰退】shuāituì 动 ❶ （身体、精神、意志、能力等）趋向衰弱：记忆力~。❷ （国家的政治经济状况）衰落：经济~。

【衰亡】shuāiwáng 动 衰落以至灭亡。

【衰微】shuāiwēi 〈书〉形 （国家、民族等）衰弱；不兴旺：国力~｜家道~。

【衰萎】shuāiwěi 动 衰败萎缩：被霜打过的野草渐渐~下来。

【衰歇】shuāixiē 〈书〉动 由衰落而趋于终止。

【衰朽】shuāixiǔ 〈书〉形 衰弱腐朽；衰老：~的王朝｜~残年。

摔(❶踤) shuāi 动 ❶ （身体）失去平衡而倒下：~跤｜~了一个跟头。❷ 很快地往下落：敌机冒着黑烟~下来。❸ 使落下而破损：不小心把个瓶子~了。❹ 扔；往空中~鞭炮。❺ 摔打①。

【摔打】shuāi·da 动 ❶ 抓在手里磕打：把笤帚上的泥~~。❷ 比喻磨炼；锻炼：到社会上~~有好处。

【摔跟头】shuāi gēn·tou ❶ 身体失去平衡而倒下：雨后路滑，小心别~。❷ 比喻遭受挫折或犯错误：欺世盗名的人早晚会~。

【摔跤】shuāi//jiāo ❶ 摔倒在地上：摔了一跤｜路太滑，一不小心就要~。❷ 体育运动项目之一，两人相抱运用力气和技巧，以摔倒对方为胜。

【摔耙子】shuāi pá·zi 比喻丢下应负担的工作，甩手不干。

shuǎi （ㄕㄨㄞˇ）

甩 shuǎi 动❶ 挥动；抡(lūn)：～胳膊｜～辫子｜袖子一～就走了。❷用甩的动作往外扔：～手榴弹。❸ 抛开：我们等他一下吧，别把他一个人～在后面。

【甩包袱】 shuǎi bāo•fu 比喻去掉拖累自己的人或事物。

【甩货】 shuǎi//huò 动因换季、拆迁、产品更新换代等原因，为使商品及早脱手，商家低价抛售商品：清仓｜夏装两折～。

【甩客】 shuǎi//kè 动指公共汽车、电车等经过该停的站不停，不让等车的乘客上车；也指客车司机中途故意落(là)下乘客不管：杜绝～现象。

【甩脸子】 shuǎi liǎn•zi 〈方〉把不高兴的心情故意表现出来给别人看。

【甩卖】 shuǎimài 动商店以明显低于原来售价的价格大量出售货物：赔本大～。

【甩腔】 shuǎiqiāng 动拖腔。

【甩手】 shuǎi//shǒu 动❶手向前后摆动。❷ 扔下不管(多指事情、工作)：～不干。

【甩手掌柜】 shuǎishǒu zhǎngguì 指光指挥别人、自己什么事也不干的人，也指只挂名，不负责，也不做事的主管人员。

【甩站】 shuǎi//zhàn 动指公共汽车、电车等经过该停的站不停车。

shuài （ㄕㄨㄞˋ）

帅[1]（帥） shuài ❶ 名军队中最高的指挥员：元～｜将～｜～旗｜～印。❷(Shuài)名姓。

帅[2]（帥） shuài 形英俊；潇洒；漂亮：这个武打动作干净利落，～极了｜字写得真～。

【帅才】 shuàicái 名❶能统率、指挥全军的杰出才能，泛指能独当一面、指挥全局的才能。❷指有这样才能的人。

率[1] shuài ❶ 动带领：～代表团离京。❷〈书〉顺着；由着：～性｜～意。❸(Shuài)名姓。

率[2] shuài ❶ 不加思考；不慎重；轻：～尔｜～草。❷直爽坦白：直～｜坦～。

❸〈书〉副大概；大抵：～皆如此｜～十日一至。❹ 同"帅[2]"。
　　另见 893 页 lǜ。

【率尔】 shuài'ěr 〈书〉副轻率地：～应战。

【率领】 shuàilǐng 动带领(队伍或集体)：～队伍｜他～着一个访问团出国了。

【率然】 shuàirán 〈书〉副轻率地：切不可～从事。

【率先】 shuàixiān 副带头；首先：～发难｜～表态。

【率性】 shuàixìng ❶ 副索性：草鞋磨破了，他～赤着脚继续走。❷ 形由着性子；任性：～行事｜～随心。

【率由旧章】 shuài yóu jiù zhāng 一切照老规矩办事。

【率真】 shuàizhēn 形直爽而诚恳：为人～。

【率直】 shuàizhí 形直率：说话～｜～的态度。

蟀 shuài 见 1458 页[蟋蟀]。

shuān （ㄕㄨㄢ）

闩（閂、𢶴） shuān ❶ 名门关上后，插在门内使门推不开的木棍或铁棍：门～｜上了～。❷ 动用闩插上：把门～上｜门～得很紧的。❸(Shuān)名姓。

拴 shuān 动❶用绳子等绕在物体上，再打上结：把马～在树上。❷比喻缠住而不能自由行动：被琐事～住了｜这件事把大伙儿～在了一起。

栓 shuān 名❶器物上可以开关的机件：消火～。❷特指枪栓。❸(瓶)塞子，泛指形状像塞子的东西，如栓剂之类。

【栓剂】 shuānjì 名塞入肛门、阴道等腔道用的药剂，在室温下为固体，在体温下融化或软化。有的制成棒状，有的制成球状。

【栓皮】 shuānpí 名栓皮栎之类树皮的木栓层。质轻而软，富于弹性，不导电，不透水，不透气，耐摩擦，隔音隔热。用来制救生圈、软木砖、隔音板、瓶塞、软木纸等。也叫软木。

【栓皮栎】 shuānpílì 名落叶乔木，叶子长圆形或长圆状披针形,叶子背面有灰白色绒毛,种子圆形。树皮的木栓层特别发达,叫做栓皮,用途很广。

【栓塞】shuānsè 动 医学上指从体外侵入血管内的物质或从血管、心脏内脱落的血栓随血液流到较小的血管后,由于不能通过而将血管堵塞:血管～。

shuàn （ㄕㄨㄢˋ）

涮 shuàn 动❶ 把手或东西放在水里摆动使干净:洗洗～～｜～～手。❷把水放在器物里面摇动,把器物冲洗干净:～一下瓶子。❸ 把肉片等放在开水里烫一下就取出来蘸作料吃:～羊肉。❹〈方〉要弄;骗:你别～我啦。

【涮锅子】shuàn guō·zi 把肉片、蔬菜等放在火锅里涮着吃,这种吃法叫涮锅子。

shuāng （ㄕㄨㄤ）

双(雙、䉶) shuāng ❶ 形 属性词。两个(多为对称的,跟"单"相对):～翅｜～举｜～手赞成｜男女～方。❷ 量 用于成对的东西:一～鞋｜一～手｜买～袜子。❸ 形 属性词。偶数的(二、四、六、八等,跟"单"相对):～数｜～号。❹加倍的:～料｜～份。❺ (Shuāng)名 姓。

【双棒儿】shuāngbàngr〈方〉名 双胞胎。

【双胞胎】shuāngbāotāi 名 同一胎内两个婴儿;同一胎出生的两个人。

【双边】shuāngbiān 形 属性词。由两个方面参加的;特指由两个国家参加的:～会谈｜～条约｜～贸易。

【双宾语】shuāngbīnyǔ 名 某些动词能带两个宾语,一般是一个宾语指人,另一个宾语指事物,如"我问你一句话"。指人的一个("你")靠近动词,叫做近宾语;指事物的一个("一句话")离动词较远,叫做远宾语。

【双重】shuāngchóng 形 属性词。两层;两方面的(多用于抽象事物):～领导｜～任务。

【双重国籍】shuāngchóng guójí 指一个人同时具有两个国家的国籍。

【双重人格】shuāngchóng rénɡé 指一个人兼有的两种互相对立的身份、品质或态度(含贬义)。

【双唇音】shuāngchúnyīn 名 双唇紧闭或接近发出的辅音,如普通话语音中的 b,p,m。

【双打】shuāngdǎ 名 某些球类比赛的一种方式,由每组两人的两组对打,如乒乓球、羽毛球、网球等都有双打。

【双方】shuāngfāng 名 在某一件事情上相对的两个人或集体:男女～｜缔约国～｜～互不相让。

【双杠】shuānggàng 名 ❶ 体操器械的一种。用两根木杠平行地固定在木制或铁制的架上构成。❷ 男子竞技体操项目之一,运动员在双杠上做各种动作。

【双钩】shuānggōu 名 用线条钩出笔画的周边,构成空心笔画的字体,如"大"。

【双关】shuāngguān ❶ 名 修辞方式,用词造句时表面上是一个意思,而暗中隐藏着另一个意思。❷ 动 用这种修辞方式表达意思:一语～。

【双管齐下】shuāng guǎn qí xià 本指画画时两管笔同时并用,比喻两方面同时进行。

【双规】shuāngguī 动 纪检部门要求已被立案审查的干部,在规定的时间、地点就案件所涉及的问题作出说明。

【双轨】shuāngguǐ 名 有两组轨道的铁路线。

【双轨制】shuāngguǐzhì 名 指两种不同体制并行的制度:某些物资实行国家定价和市场调节的～。

【双簧】(双鐄) shuānghuáng 名 ❶ 曲艺的一种,一人表演动作,一人藏在后面或说或唱,互相配合。❷ 比喻一方出面、一方背后操纵的活动。

【双簧管】shuānghuángguǎn 名 管乐器,由嘴子、管身和喇叭口三部分构成,嘴子上装有双簧片。

【双肩挑】shuāng jiān tiāo 比喻一个人在同一部门同时担任业务和管理两种工作:他在厂里既是厂长,又是工程师,是个～干部。

【双键】shuāngjiàn 名 化合物分子中两个原子以共用两对电子形成的共价键。通常用两条短线(＝)表示。

【双料】shuāngliào （～儿）形 属性词。制造物品用的材料比通常的同类物品加倍的,多用于比喻:～冠军。

【双栖】shuāngqī 动 两栖②:影视～明星。

【双抢】shuāngqiǎng 动 指抢收、抢种。

【双壳类】shuāngqiàolèi 名 软体动物中的一类,生活在水中,有两片贝壳,如蚶、蛤、蚌等。

【双亲】shuāngqīn 名 指父亲和母亲:～健在。

【双全】shuāngquán 动 成对的或相称(chèn)的两方面都具备:文武～|父母～。

【双人舞】shuāngrénwǔ 名 由两个人表演的舞蹈,可以单独表演,也可以是舞剧或集体舞中的一个部分。

【双身子】shuāngshēn·zi〈口〉指孕妇。

【双生】shuāngshēng 形 属性词。孪生的通称。

【双声】shuāngshēng 名 两个字或几个字的声母相同叫双声,例如"公告(gōnggào)、方法(fāngfǎ)"。

【双输】shuāngshū 动 双方都受损失:求同存异,避免～。

【双数】shuāngshù 名 正的偶数,如2,4,6,8等。

【双双】shuāngshuāng 副 成双成对地:我男、女乒乓球队～获得冠军。

【双糖】shuāngtáng 名 由两个单糖分子结合成的糖类,如蔗糖、麦芽糖等。

【双喜】shuāngxǐ 名 两件喜事(多指同时发生的):～临门。

【双响】shuāngxiǎng （～儿）名 一种爆竹,火药分装两截,点燃下截后响一声,升到空中后上截爆炸,又响一声。有的地区叫二踢脚或两响。

【双向】shuāngxiàng 形 属性词。指双方互相(进行某种活动):～贸易|～服务|～选择。

【双薪】shuāngxīn 名 加倍的工资:年终发～。

【双星】shuāngxīng 名 ❶ 两个距离很近或彼此之间有引力关系的恒星叫双星。用肉眼或望远镜能分清两个星的叫做视双星;用分光的方法才能分清的叫做分光双星。双星中较亮的一颗叫主星,另一颗围绕主星旋转,叫伴星。❷ 指牛郎和织女两颗星。

【双休日】shuāngxiūrì 名 实行每周五天工作制时,每周连续的两个休息日叫双休日(一般为星期六、星期日)。

【双学位】shuāngxuéwèi 名 一个人同时具有的学科不同、等级相同的两个学位。

【双眼皮】shuāngyǎnpí （～儿）名 沿着下缘有一条褶儿的上眼皮。

【双赢】shuāngyíng 名 双方都能得益:本着平等互利的精神,谈判取得～的结果。

【双鱼座】shuāngyúzuò 名 黄道十二星座之一。参看600页〖黄道十二宫〗。

【双语】shuāngyǔ 名 两种语言:～词典|用～进行教学。

【双月刊】shuāngyuèkān 名 两个月出版一次的刊物。

【双职工】shuāngzhígōng 名 指夫妻二人都参加工作的职工。

【双子座】shuāngzǐzuò 名 黄道十二星座之一。参看600页〖黄道十二宫〗。

泷（瀧）Shuāng ❶ 泷水,水名,在广东。今作双水。❷ 泷冈(Shuānggāng),山名,在江西。
另见880页 lóng。

骦（驦）shuāng 见1303页〖骕骦〗。

鹴（鷞）shuāng 见1303页〖鹔鹴〗。

霜shuāng ❶ 名 在气温降到0℃以下时,接近地面空气中所含的水汽在地面物体上凝结成的白色冰晶。❷ 像霜的东西:柿～|盐～。❸ 比喻白色:～鬓(两鬓的白发)。

【霜晨】shuāngchén 名 寒冷有霜的清晨。

【霜冻】shuāngdòng 名 土壤表面植株附近的气温迅速下降到0℃或0℃以下而使植物受到冻害的天气现象。

【霜害】shuānghài 名 霜冻对农作物造成的危害。

【霜降】shuāngjiàng 名 二十四节气之一,在10月23日或24日。参看696页〖节气〗,363页〖二十四节气〗。

【霜期】shuāngqī 名 从第一年初霜起到第二年终霜止的时期。

【霜天】shuāngtiān 名 指寒冷的天空;寒冷的天气(多指晚秋或冬天)。

【霜灾】shuāngzāi 名 较大面积遭受霜冻而造成的灾害。

孀 shuāng 指寡妇：孤～|～居|遗～。

【孀妇】shuāngfù 〈书〉名 寡妇。

【孀居】shuāngjū 〈书〉动 守寡：～多年。

骦(騻) shuāng 见 1303 页〖骕骦〗。

磉

鹴(鸘) shuāng 地名用字：四～列岛|南～岛|北～岛（都在福建）。

鹴(鸘) shuāng 见 1303 页〖鹔鹴〗。

shuǎng （ㄕㄨㄤˇ）

爽¹ shuǎng ❶ 明朗；清亮：神清目～|秋高气～。❷（性格）率直；痛快：豪～|直～。❸ 形 舒服；畅快：身体不～|人逢喜事精神～。

爽² shuǎng 违背；差失：～约|毫厘不～。

【爽口】shuǎngkǒu 形 清爽可口：这个瓜吃着很～。

【爽快】shuǎng·kuai 形 ❶ 舒适痛快：洗个澡，身上～多了|谈了这许多话，心里倒～了些。❷ 直爽；直截了当：他是个～人。

【爽朗】shuǎnglǎng 形 ❶ 天气明朗，空气流通，使人感到畅快：深秋的天空异常～|户外比室内～得多。❷ 开朗；直爽：～的笑声|这人很～，有说有笑。

【爽利】shuǎnglì 形 爽快②；利落①：办事～|动作～。

【爽目】shuǎngmù 形 悦目：清晰～|浅黄的楼房在蓝天的衬托下，显得格外～。

【爽气】shuǎngqì ❶〈书〉名 清爽的空气。❷〈方〉形 爽快：她回答得十分～。

【爽然】shuǎngrán〈书〉形 茫然无主见的样子：～若失。

【爽身粉】shuǎngshēnfěn 名 用滑石粉、碳酸镁、氧化锌、硼酸、薄荷脑等加香料制成的一种粉末，扑在身上可以吸收汗液，防止生痱子，产生清爽的感觉。

【爽声】shuǎngshēng 副 声音爽朗地：看着孩子的立功喜报，老人家～笑了。

【爽心】shuǎngxīn 心中清爽愉快：～悦目。

【爽性】shuǎngxìng 副 索性。

【爽约】shuǎngyuē 动 失约。

【爽直】shuǎngzhí 形 直爽：性情～。

塽 shuǎng 〈书〉高而向阳的地方。

shuí （ㄕㄨㄟˊ）

谁(誰) shuí ❶ "谁"shéi 的又音。❷（Shuí）名 姓。

shuǐ （ㄕㄨㄟˇ）

水 shuǐ ❶ 名 最简单的氢氧化合物，化学式 H_2O。无色、无味、无臭的液体，在标准大气压（101.325帕）下，冰点 0℃，沸点 100℃，4℃时密度最大，为 1 克/毫升。❷ 河流：汉～|淮～。❸ 指江、河、湖、海、洋：～陆交通|～旱码头|～上人家。❹ 名（～儿）稀的汁：墨～|药～|甘蔗的～儿很甜。❺ 指附加的费用或额外的收入：贴～|汇～|外～。❻ 量 用于洗衣物等的次数：这衣裳洗几～也不变色。❼（Shuǐ）名 姓。

【水坝】shuǐbà 名 坝①。

【水泵】shuǐbèng 名 用来抽水或压水的泵，抽水的也叫抽水机。参看 67 页"泵"。

【水笔】shuǐbǐ 名 ❶ 写小楷用的毛较硬的毛笔，也指画水彩画的毛笔。❷〈方〉自来水笔。

【水表】shuǐbiǎo 名 记录自来水用水量的仪表，装在水管上，当用户放水时，表上指针转动指出通过的水量。

【水鳖子】shuǐbiē·zi 名 鲎（hòu）虫的通称。

【水兵】shuǐbīng 名 海军舰艇上的士兵。

【水波】shuǐbō 名 波浪：～不兴|～粼粼。

【水鸪鸪】shuǐgūgū 名 鹁鸪。

【水彩】shuǐcǎi 名 用水调和后使用的绘画颜料。

【水彩画】shuǐcǎihuà 名 用水彩绘成的画。

【水草】shuǐcǎo 名 ❶ 有水源和草的地方：牧民逐～而居。❷ 某些水生植物的统称，如浮萍、黑藻等。

【水产】shuǐchǎn 名 海洋、江河、湖泊里出产的动物、藻类等的统称，一般指有经济价值的，如各种鱼、虾、蟹、贝类、海带、石花

S

菜等。

【水产业】shuǐchǎnyè 名 捕捞或养殖各种水生动植物的生产事业，有时还包括水生动植物的加工、运输业。也叫渔业。

【水车】shuǐchē 名❶ 使用人力或畜力的旧式提水灌溉工具。❷ 以水流做动力的旧式动力机械装置，可以带动石磨、风箱等。❸ 运送水的车。

【水成岩】shuǐchéngyán 名 沉积岩的旧称。

【水程】shuǐchéng 名 水路的远近：船行驶了六七里～就靠了岸。

【水葱】shuǐcōng 名 多年生草本植物，茎圆筒状，粉绿色，花穗紫褐色，生在浅水中。供观赏。

【水刀】shuǐdāo 名 利用流体力学原理，以高速喷射的水流来切割物体的工具。纯水水刀能够切割一般的非金属材料，如果水中加入细砂，还可以切割钢铁、陶瓷等硬质材料。

【水到渠成】shuǐ dào qú chéng 水流到的地方自然成渠，比喻条件成熟，事情自然成功。

【水道】shuǐdào 名❶ 水流的路线，包括沟、渠、江、河等。❷ 水路：上海到天津打～走要两天。

【水稻】shuǐdào 名 种在水田里的稻，有粳稻和籼稻两大类。参看282页"稻"。

【水滴石穿】shuǐ dī shí chuān 比喻力量虽小，只要坚持不懈，事情就能成功。也说滴水穿石。

【水地】shuǐdì 名❶ 利用灌溉系统浇水的耕地。也叫水浇地。❷ 水田。

【水电】shuǐdiàn 名❶ 水力发电的简称。❷ 水力发电产生的电能。

【水电站】shuǐdiànzhàn 名 利用水力发电的机构。

【水貂】shuǐdiāo 名 哺乳动物，身体细长，四肢短、趾间有蹼，毛暗褐色，密而柔软，有光泽。善于潜水，捕食鱼类及蛙、蚌等。原产北美洲。毛皮珍贵。

【水痘】shuǐdòu 名 急性传染病，病原体是水痘—带状疱疹病毒，患者多为儿童，症状是发热，皮肤上出现丘疹，丘疹变成疱疹。结痂脱落后一般不留瘢痕。

【水碓】shuǐduì 名 利用水力舂米的器具。

【水粉】shuǐfěn 名❶ 一种化妆品，用甘油和搽脸粉调制而成。

【水粉画】shuǐfěnhuà 名 用水调和粉质颜料绘成的画。

【水分】shuǐfèn 名❶ 物体内所含的水：～充足|植物靠它的根从土壤中吸收～。❷ 比喻某一情况中夹杂的不真实的成分：他说的话里有很大～。

【水感】shuǐgǎn 名 指游泳时对水产生的感觉和反应。

【水工】shuǐgōng 名 水利工程：～建筑|～机械。

【水垢】shuǐgòu 名 水碱。

【水臌】shuǐgǔ 名 中医指腹水。

【水果】shuǐguǒ 名 可以吃的含水分较多的植物果实的统称，如梨、桃、苹果等。

【水害】shuǐhài 名 因雨水过多，地下水上升等原因造成的危害，如引起矿井或地下建筑被淹，工程渗漏，路基坍塌、交通中断等。

【水合】shuǐhé 动 物质跟水化合，如碳酸钠和十个水分子化合成十水合碳酸钠，乙烯和水化合成乙醇。

【水红】shuǐhóng 形 比粉红略深而较鲜艳的颜色。

【水葫芦】shuǐhú·lu 名 凤眼莲的通称。

【水花】shuǐhuā （～儿）名❶ 水受到冲击而形成的许多小水泡；浪花：汽艇划破平静的湖面，船头堆起层层～。❷〈方〉水痘：出～。

【水华】shuǐhuá 名 淡水水域中一些藻类和其他浮游生物大量繁殖和过度密集引起的水体污染现象，会造成水质恶化，鱼类死亡。也叫藻花。

【水患】shuǐhuàn 名 水灾。

【水荒】shuǐhuāng 名 因干旱、污染等原因造成生活、生产和灌溉等用水严重缺乏的状况。

【水火】[1] shuǐhuǒ 名❶ 水和火两相矛盾，比喻不能相容的对立物：势如～。❷ 水深火热的略语，比喻灾难：拯救百姓于～之中。

【水火】[2] shuǐhuǒ 动 指排泄大小便（多见于早期白话）。

【水火无情】shuǐ huǒ wú qíng 指水灾和火灾来势凶猛，一点不容情。

【水货】shuǐhuò 名❶ 指通过水路走私的货物，泛指通过非正常途径进出口的货物。❷ 指劣质产品。

【水碱】shuǐjiǎn 名 硬水煮沸后所含矿物质附着在容器(如锅、壶等)内逐渐形成的白色块状或粉末状的东西,主要成分是碳酸钙、碳酸镁、硫酸镁等。也叫水垢、水锈。

【水浇地】shuǐjiāodì 名 水地①。

【水饺】shuǐjiǎo (～儿)名 用水煮的饺子。

【水解】shuǐjiě 动 化合物跟水作用而分解,如淀粉水解生成葡萄糖。

【水晶】shuǐjīng 名 石英的晶体,无色透明,含有杂质时有紫、褐、淡黄、黑等颜色,可用来制光学仪器、无线电器材和装饰品等。

【水晶宫】shuǐjīnggōng 名 神话中龙王在水下居住的宫殿。

【水井】shuǐjǐng 名 井①。

【水酒】shuǐjiǔ 名 很淡薄的酒(多用作谦辞,指请客时所备的酒):请吃杯～。

【水具】shuǐjù 名 饮水的用具,如水杯、茶壶等。

【水军】shuǐjūn 名 古代称水上作战的军队。

【水库】shuǐkù 名 拦洪蓄水和调节水流的人工湖,可以用来灌溉、发电和养鱼等。

【水雷】shuǐléi 名 一种水中爆炸武器,由舰艇或飞机布设在水中,能炸毁敌方舰艇。种类很多,如漂雷、锚雷等。用于保卫领海或封锁港湾。

【水力】shuǐlì 名 海洋、河流、湖泊的水流所做功的能力,是自然能源之一,可以用来做发电和转动机器的动力。

【水力发电】shuǐlì fādiàn 利用水能产生动力而发电。简称水电。

【水利】shuǐlì 名 ❶ 利用水力资源和防止水灾的事业。❷ 指水利工程:兴修～。

【水利工程】shuǐlì gōngchéng 利用水资源和防止水的灾害的工程,包括防洪、排洪、蓄洪、灌溉、航运和其他水力利用工程。

【水利枢纽】shuǐlì shūniǔ 根据综合利用水力资源的要求,由各种不同作用的水利工程建筑所构成的整体。一般包括拦河坝、溢洪道、船闸、发电厂等。

【水疗】shuǐliáo 动 指用温泉治疗某些疾病,也指用水柱冲击按摩,促进新陈代谢。

【水淋淋】shuǐlínlín (口语中也读 shuǐlīn-līn)(～的)形 状态词。形容物体上水往下滴:他爬上岸来,浑身～的。

【水灵】shuǐ·ling 〈口〉形 ❶ (食物)鲜美多汁而爽口:肥城出产的桃儿很～。❷ (形状、容貌)漂亮而有精神:这小姑娘有两只又大又～的眼睛|牡丹花开得真～。

【水流】shuǐliú 名 ❶ 江、河等的统称。❷ 流动的水:河道经过疏浚,～畅通。

【水龙】shuǐlóng 名 多年生草本植物,叶子长椭圆形,花黄色,蒴果圆柱形。生在沼泽等浅水中,全草入药。

【水龙】²shuǐlóng 名 消防用的引水工具,多用数丈长的帆布输水管接成,一端有金属制的喷嘴,另一端和水源连接。

【水龙头】shuǐlóngtóu 名 自来水管上的开关。

【水陆】shuǐlù 名 ❶ 水上和陆地上:～并进|～交通。❷ 指山珍海味:～俱陈。

【水陆坦克】shuǐlù-tǎnkè 有水上行驶装置、水陆两用的坦克。比一般坦克轻,装甲薄,主要用于江河、水网地区和登陆作战。

【水鹿】shuǐlù 名 鹿的一种,身体粗壮,雄鹿有粗大的角,分三叉,毛黑棕色,耳大直立,尾长而蓬松。

【水路】shuǐlù 名 水上的交通线:走陆路比～快。

【水绿】shuǐlù 形 浅绿色。

【水轮机】shuǐlúnjī 名 涡轮机的一种,利用水流冲击叶轮转动,产生动力,是水力发电的主要动力装置,也可直接带动碾米机、磨粉机等。

【水落石出】shuǐ luò shí chū 水落下去,石头就露出来,比喻真相大白。

【水煤气】shuǐméiqì 名 水蒸气通过炽热的焦炭而生成的气体,主要成分是一氧化碳和氢,有毒。用作燃料和化工原料。

【水门】shuǐmén 名 ❶ 安装在水管上的阀。❷〈方〉水闸。

【水米无交】shuǐ mǐ wú jiāo 比喻彼此毫无来往,特指居官清廉,跟百姓没有经济上的来往。

【水面】shuǐmiàn 名 ❶ 水的表面:～上漂着片片花瓣。❷ 水域的面积:我国可以养鱼的～很大。

【水磨】shuǐmó 动 加水细磨:～砖的墙。另见 shuǐmò。

S

【水磨工夫】shuǐmó gōng·fu 比喻细致精密的工夫。

【水磨石】shuǐmóshí 图 一种人造石料,用水泥、小石子、颜料等加水拌和制作而成,抹在建筑物的表面,固结后打磨光滑,显露出花纹。

【水墨画】shuǐmòhuà 图 指纯用水墨不着彩色的国画。

【水磨】shuǐmò 图 用水力带动的磨,多用来磨面。
另见 shuǐmó。

【水母】shuǐmǔ 图 腔肠动物,多数外形像伞,口在伞盖下中央,口周围有口腕,伞盖周缘有许多触手。种类很多,如海月水母、海蜇等。

【水能】shuǐnéng 图 水体运动产生的能量;水流中蕴藏的能量。

【水泥】shuǐní 图 一种建筑材料,常用的水泥是灰绿色或棕色粉末,用石灰石、黏土等焙烧制成。加水拌和,干燥后坚硬。俗称洋灰。

【水泥钉】shuǐnídīng 图 专门用来往水泥墙上钉的钢钉,硬度较高。

【水碾】shuǐniǎn 图 用水力带动的碾子,多用来碾米。

【水鸟】shuǐniǎo 图 在水面或水边栖息以及从水中捕食的鸟类的统称,如鹭鸶、野鸭、海蜇等。也叫水禽。

【水牛】shuǐniú 图 牛的一种,角粗大弯曲,作新月形,毛灰黑色,暑天喜欢浸在水中,吃青草等。适于水田耕作。

【水牛儿】shuǐniúr 〈方〉图 蜗牛。

【水暖】shuǐnuǎn 图❶ 锅炉烧出的热水通过暖气设备,散发热量而使室温增高的供暖方式。❷ 自来水和暖气设备的统称:～工｜～设备。

【水牌】shuǐpái 图 临时登记账目或记事用的漆成白色或黑色的木板或薄铁板。白色的也叫粉牌。

【水疱】shuǐpào (～儿)图 因病理变化,浆液在表皮里或表皮下聚积而成的小的隆起。

【水平】shuǐpíng ❶ 形 属性词。跟水平面平行的:～方向。❷ 图 在生产、生活、政治、思想、文化、艺术、技术、业务等方面所达到的高度:提高思想～和业务～。

【水平面】shuǐpíngmiàn 图 小范围内完全静止的水所形成的平面,也指跟这个平面平行的面。

【水平线】shuǐpíngxiàn 图 水平面上的直线以及和水平面平行的直线。

【水平仪】shuǐpíngyí 图 测定水平面的仪器。由框架和装有乙醚或酒精的弧形玻璃管组成,管中留有气泡,气泡始终处于管的最高点。当水平仪处于水平位置时,气泡的位置在管上刻度的中间。

【水皮儿】shuǐpír 〈方〉图 水面①。

【水汽】shuǐqì 图 呈气态的水;水蒸气。

【水枪】shuǐqiāng 图❶ 水力采煤用的一种工具,一端有喷嘴,另一端接高压水源,水从水枪中喷射出来,能把煤层中的煤冲击下来。❷ 一种消防用具,由铜管和活塞构成,口小,能把水喷射到高处或远处。

【水橇】shuǐqiāo 图 滑水运动的主要器材,形似雪橇,运动员站在上面,由拖轮牵引在水上滑行。也叫滑水橇。

【水禽】shuǐqín 图 水鸟。

【水清无鱼】shuǐ qīng wú yú 水至清则无鱼。

【水情】shuǐqíng 图 水位、流量等的情况。

【水球】shuǐqiú 图❶ 球类运动项目之一。球场为长方形的水池。分两队,每队七人。运动员在水中用一只手传球,把球射进对方球门算得分,得分多的获胜。❷ 水球运动使用的球,用皮革或橡胶等制成。

【水曲柳】shuǐqūliǔ 图 落叶乔木,羽状复叶,小叶长椭圆形,圆锥花序,果实长椭圆形。木材质地致密,可用来制造船舶、器具、车辆等。

【水渠】shuǐqú 图 人工开凿的水道。

【水圈】shuǐquān 图 地球表层水体的总称,包括海洋、河流、湖泊、沼泽、冰川、地下水和大气中的水分,其中以海洋为主。

【水乳交融】shuǐ rǔ jiāoróng 水和乳汁融合在一起,比喻关系非常融洽或结合十分紧密。

【水杉】shuǐshān 图 落叶大乔木,高达35米,叶子扁平,花单性,球果近圆形,种子扁平,是我国的珍稀树种。

【水上芭蕾】shuǐshàng bālěi 花样游泳。

【水上居民】shuǐshàng jūmín 在广东、福建、广西沿海港湾和内河上从事渔业或水上运输的居民,多以船为家。旧称疍民或疍户。

【水上运动】shuǐshàng yùndòng 体育运动项目的一大类,包括在水上进行的各种运动,如游泳、跳水、划船运动、帆船运动、潜水运动等。

【水筲】shuǐshāo 〈方〉名 水桶,多用木头或竹子制成。

【水蛇】shuǐshé 名 生活在水边的蛇类的统称。

【水蛇腰】shuǐshéyāo 名 指细长而腰部略弯的身材。

【水深火热】shuǐ shēn huǒ rè 比喻人民生活处境异常艰难痛苦。

【水师】shuǐshī 名 水军。

【水蚀】shuǐshí 动 由于水的冲击,岩石剥落,土壤被冲刷掉。多发生在山区、丘陵地带。

【水势】shuǐshì 名 水流的势头:~湍急。

【水手】shuǐshǒu 名 船舶上负责舱面工作的普通船员。

【水刷石】shuǐshuāshí 名 一种人造石料,用水泥、小石子、颜料等加水拌和制作而成,抹在建筑物的表面,半凝固后,刷去或冲去表面的水泥浆而使小石子半露。也叫汰石子。

【水塔】shuǐtǎ 名 自来水设备中增加水压的装置,是一种高耸的塔状构筑物,顶端有一个大水箱,箱内储水,能把水送到相应高的建筑物上。

【水獭】shuǐtǎ 名 哺乳动物,头部宽而扁,尾巴长,四肢短粗,趾间有蹼,毛褐色,密而柔软,有光泽。穴居在河边,昼伏夜出,善于游泳和潜水,吃鱼类和青蛙、水鸟等。

【水体】shuǐtǐ 名 水的集合体。包括江、河、湖、海、冰川、积雪、水库、池塘等,也包括地下水和大气中的水汽。

【水体污染】shuǐtǐ wūrǎn 工业废水、生活污水和其他废弃物进入江河湖海等,超过水体自净能力所造成的污染。

【水田】shuǐtián 名 周围有隆起的田埂,能蓄水的耕地,多用来种植水稻。

【水头】shuǐtóu 名❶ 河流涨大水时洪峰到达的势头。❷ 泛指水的来势:打了一口~很旺的井。

【水土】shuǐtǔ 名❶ 土地表面的水和土:~流失|森林能保持~。❷ 泛指自然环境和气候:~不服。

【水土保持】shuǐtǔ bǎochí 用造林、种草、退耕还林和修建梯田、沟渠、塘坝、水库等方法,蓄水分,保土壤,增加土地吸水能力,防止土壤被侵蚀冲刷。

【水土流失】shuǐtǔ liúshī 土地表面的肥沃土壤被水冲走或被风刮走。

【水汪汪】shuǐwāngwāng (~的)形 状态词。❶ 形容充满水的样子:刚下过大雨,地里~的。❷ 形容眼睛明亮而灵活:~的大眼睛。

【水网】shuǐwǎng 名 指纵横交错的河湖港汊:阳澄湖一带,是苏南著名的~地区。

【水位】shuǐwèi 名❶ 江河、湖泊、海洋、水库等水面的高度(一般以某个基准面为标准)。❷ 地下水和地面的距离。

【水文】shuǐwén 名 自然界中水的各种变化和运动的现象:~观测|~站。

【水螅】shuǐxī 名 腔肠动物,身体圆筒形,褐色,口周围有触手,体内有空腔。附着在池沼、水沟中的水草或枯叶上。大多雌雄同体,通常进行无性生殖(由身体长出芽体),夏初或秋末进行有性生殖。

【水洗布】shuǐxǐbù 名 一种经过特殊印染加工的纺织品。

【水系】shuǐxì 名 河川流域内,干、支流的总体叫做水系。如嘉陵江、汉水、湘江、赣江等与长江干流组成长江水系。

【水仙】shuǐxiān 名❶ 多年生草本植物,地下鳞茎卵圆形,叶子条形,花白色,中心黄色,有香气。供观赏,鳞茎和花可入药。❷ 这种植物的花。

【水险】shuǐxiǎn 名 水上运输事故的保险。

【水线】shuǐxiàn 名 船壳外面与水平面的接触线。

【水乡】shuǐxiāng 名 河流、湖泊多的地区:江南~。

【水箱】shuǐxiāng 名 某些机械、交通运输工具或建筑物中盛水用的装置。

【水泄不通】shuǐ xiè bù tōng 形容十分拥挤或包围得非常严密,好像连水都不能泄出。

【水榭】shuǐxiè 名 临水或在水上的供人游玩和休息的房屋。

【水星】shuǐxīng 名 太阳系九大行星之一,按离太阳由近而远的次序计为第一颗,绕太阳公转周期约88天,自转周期约

58.6 天。(图见 1319 页"太阳系")

【水性】shuǐxìng 图❶ 游水的技能：他的～不错，能游过长江。❷ 指江河湖海的深浅、流速等方面的特点：熟悉长江～。

【水性杨花】shuǐxìng yánghuā 形容妇女作风轻浮，用情不专一。

【水袖】shuǐxiù 图表演古典戏曲、舞蹈的演员所穿服装的袖端拖下来的部分，用白色绸子或绢制成。

【水锈】shuǐxiù 图❶ 水碱。❷ 器皿盛水日久留下的痕迹。

【水循环】shuǐxúnhuán 图 海洋、陆地、大气之间水分大规模交换的现象，如海面蒸发的水汽进入大气，被气流带到陆地上空，以雨雪形式降落地面，汇入河流，流回海洋。

【水烟】shuǐyān 图 用水烟袋抽的细烟丝。

【水烟袋】shuǐyāndài 图 一种用铜、竹等制的吸烟用具，烟通过水的过滤而吸出，吸时发出咕噜噜的响声。也叫水烟筒、水烟斗。

【水杨】shuǐyáng 图 蒲柳。

【水舀子】shuǐyǎo•zi 图 舀水的大勺子。

【水银】shuǐyín 图 汞的通称。

【水银灯】shuǐyíndēng 图 汞灯。

【水印】[1] shuǐyìn 图 我国传统的用木刻印刷绘画作品的方法。调和颜料用水，不用油质，跟一般彩印法不同，所以特称为水印。

【水印】[2] shuǐyìn （～儿）图❶ 在造纸生产过程中用改变纸浆纤维密度的方法制成的有明暗纹理的图形或文字。❷ 水渗在某些物体上，干后留下的痕迹。

【水印】[3] shuǐyìn （～儿）〈方〉图 旧时商店的正式图章。

【水域】shuǐyù 图 指海洋、河流、湖泊等（从水面到水底）的一定范围。

【水源】shuǐyuán 图❶ 河流发源的地方。❷ 民用水、工业用水或灌溉用水的来源。

【水运】shuǐyùn 励 用船舶、木筏等在江河、湖泊、海洋上运输。

【水灾】shuǐzāi 图 因久雨、山洪暴发或河水泛滥等原因而造成的灾害。

【水葬】shuǐzàng 励 处理死人遗体的一种方法，把尸体投入水中，任其漂流，让鱼类吃掉。

【水蚤】shuǐzǎo 图 节肢动物，身体小，透明，椭圆形，有硬壳。成群生活在水沟和池沼中，是金鱼的饲料或饵料。也叫鱼虫。

【水藻】shuǐzǎo 图 生长在水里的藻类植物的统称，如水绵、褐藻等。

【水闸】shuǐzhá 图 修建在堤坝中用来控制河渠水流的水工构筑物。调节水闸开闭的大小或高低可以改变通过的水量。常见的有拦河闸、分洪闸、进水闸、排水闸、挡潮闸等。

【水长船高】shuǐ zhǎng chuán gāo 同"水涨船高"。

【水涨船高】shuǐ zhǎng chuán gāo 比喻事物随着它所凭借的基础的提高而提高。也作水长(zhǎng)船高。

【水蒸气】shuǐzhēngqì 图 气态的水。常压下液态的水加热到 100℃ 时就开始沸腾，迅速变成水蒸气。也叫蒸汽。

【水至清则无鱼】shuǐ zhì qīng zé wú yú 《大戴礼记•子张问入官篇》："水至清则无鱼，人至察则无徒。"水太清了，鱼就无法生存，要求别人太严了，就没有伙伴。现在有时用来表示对人或物不可要求太高。也说水清无鱼。

【水质】shuǐzhì 图 水的质量(多就食用水的纯净度而言)：保护环境，改善～。

【水蛭】shuǐzhì 图 环节动物，体狭长而扁，后端稍阔，黑绿色。生活在池沼或水田中，吸食人畜的血液。也叫马蟥。

【水中捞月】shuǐ zhōng lāo yuè 见 530 页〖海底捞月〗。

【水肿】shuǐzhǒng 励 由于皮下组织的间隙有过量液体积蓄而引起全身或身体的一部分肿胀。通称浮肿。

【水珠】shuǐzhū （～儿）图 凝聚成的像珠子的水：荷叶上滚动着晶莹的～儿。

【水准】shuǐzhǔn 图❶ 地球各部分的水平面。❷ 水平②：艺术～。

【水准仪】shuǐzhǔnyí 图 利用水平视线直接测定地球表面两点间高度差的仪器，主要由望远镜、水平仪和基座构成。

【水族】[1] Shuǐzú 图 我国少数民族之一，分布在贵州。

【水族】[2] shuǐzú 图 生活在水中的动物的总称：～馆。

【水钻】shuǐzuàn 图 指人造钻石。

S

shuì （ㄕㄨㄟˋ）

说（**说**）shuì 用话劝说使人听从自己的意见：游～。
另见 1285 页 shuō；1684 页 yuè。

帨 shuì 古时的佩巾，像现在的手绢儿。

税 shuì 图❶ 国家向征税对象按税率征收的货币或实物：关～|营业～|纳～。❷ (Shuì)姓。

【税单】shuìdān 图 税收部门开给纳税人的纳税收据。

【税额】shuì'é 图 按税率缴纳的税款数额。

【税法】shuìfǎ 图 国家调整税收关系的法律规范的总称。

【税费】shuìfèi 图 各种税和费的合称。

【税负】shuìfù 图 税收负担。

【税基】shuìjī 图 计税依据。按规定比例应纳税额的基数，包括实物量和价值量两类。

【税检】shuìjiǎn 图 税务检查：加大～力度。

【税金】shuìjīn 图 税款。

【税款】shuìkuǎn 图 按税收条例向征税对象收取的钱。

【税利】shuìlì 图 指企业单位向有关部门上缴的税款和利润。

【税率】shuìlǜ 图 税收条例所规定的对某种课税对象征税时计算税额的比率。

【税目】shuìmù 图 各个税种中所规定的应征税的项目。

【税卡】shuìqiǎ 图 旧时为收税而设置的检查站或岗哨。

【税收】shuìshōu 图 国家依法通过征税所得到的收入。

【税务】shuìwù 图 关于税收的工作：～局。

【税源】shuìyuán 图 各项税收的来源，如工、农、林、牧、水产品的销售收入及商业、交通运输、服务行业的业务收入都属于税源范畴。

【税则】shuìzé 图 征税的规则和实施条例。

【税制】shuìzhì 图 国家税收的制度。

【税种】shuìzhǒng 图 国家税法规定的税收种类，如营业税、增值税、所得税。

睡 shuì 团 睡觉：早～早起|～着了。

【睡袋】shuìdài 图 袋状的被子，供婴儿、幼儿或露宿的人使用：鸭绒～。

【睡觉】shuì//jiào 团 进入睡眠状态：该～了|睡了一觉。

【睡懒觉】shuì lǎnjiào 指人贪睡，不爱起床（多指早晨晚起）：他就爱～，要叫几次才起床。

【睡莲】shuìlián 图❶ 多年生水生草本植物，根状茎短，长在水底，叶子有长柄，叶片马蹄形，浮在水面，花多为白色，也有黄、红等颜色的。供观赏。❷ 这种植物的花。

【睡梦】shuìmèng 图 指睡熟的状态：一阵敲门声把他从～中惊醒。

【睡眠】shuìmián 图 抑制过程在大脑皮质中逐渐扩散并达到大脑皮质下各部中枢的生理现象。睡眠能恢复体力和脑力。

【睡魔】shuìmó 图 比喻强烈的睡意。

【睡乡】shuìxiāng 图 指睡眠状态：进入～。

【睡眼】shuìyǎn 图 要睡或刚睡醒时的呈蒙眬神态的眼睛：～惺忪。

【睡衣】shuìyī 图 专供睡觉时穿的衣服。

【睡意】shuìyì 图 想睡觉的感觉：～蒙眬|已经半夜了，我一点儿～也没有。

shǔn （ㄕㄨㄣˇ）

吮 shǔn 团 吮吸；嘬：～乳|～痈舐痔。

【吮吸】shǔnxī 团 把嘴唇聚拢在乳头或其他有小口儿的物体上吸取东西：～乳汁◇孩子们在学与玩中～着科技营养。

【吮痈舐痔】shǔn yōng shì zhì 给人吮痈疽的脓，舔痔疮，比喻不择手段地谄媚巴结。

楯 shǔn 〈书〉栏杆。
另见 349 页 dùn。

shùn （ㄕㄨㄣˋ）

顺（**顺**）shùn ❶ 团 向着同一个方向（跟"逆"相对）：～风|～流而

下。❷ 介 依着自然情势(移动);沿(着):
~大道走|水~着山沟流。❸ 动 使方向一
致;使有条理次序:把船~过来,一只一只
地靠岸停下|这篇文章还得~一~。❹ 趁
便;顺便:~手关门|一嘴说了出来。❺ 动
适合;如意:~心|~眼|不~他的意。❻
形 顺利:这些年一直很~。❼ 依
次:~延。❽ 动 顺从:归~|百依百~。
❾ (Shùn)名 姓。

【顺变】shùnbiàn 〈书〉动 顺应变化或变
故:节哀~。

【顺便】shùnbiàn 副 乘做某事的方便(做
另一事):我是下班打这儿过,~来看看你
们。

【顺差】shùnchā 名 对外贸易上输出超过
输入的贸易差额(跟"逆差"相对)。

【顺产】shùnchǎn 动 医学上指胎儿头朝
下经母体阴道自然娩出(区别于"难产")。

【顺畅】shùnchàng 形 顺利通畅,没有阻
碍:水流|交通|行文~。

【顺次】shùncì 副 挨着次序:~排列|~入
座。

【顺从】shùncóng 动 依照别人的意思,不
违背,不反抗。

【顺带】shùndài 副 顺便;捎带:探亲回来
~捎点儿土产品。

【顺当】shùn·dang 〈口〉形 顺利:问题解
决得圆满|日子过得顺顺当当。

【顺道】shùndào (~儿)❶ 副 顺路①。❷
形 顺路②。

【顺耳】shùn'ěr 形 (话)合乎心意,听着舒
服:这话听着~|不能只听~的话,不~的
也要听。

【顺访】shùnfǎng 动 顺道访问;顺便访问。

【顺风】shùnfēng ❶ (-//-)动 车、船等行
进的方向跟风向相同,也常作为祝人旅途
顺利、平安的吉祥话:今天~,船走得很
快|祝你一路~。❷ 名 风向与行进方向
相同的风。

【顺风吹火】shùn fēng chuī huǒ 比喻费
力不多,事情容易做。

【顺风耳】shùnfēng'ěr 名 ❶ 旧小说中指
能听到很远声音的人,也指消息灵通的
人。❷ 旧式话筒,用铜管接成,嘴接触的
地方小,末端大。

【顺风转舵】shùn fēng zhuǎn duò 比喻
顺着情势改变态度(多含贬义)。也说随

风转舵。

【顺服】shùnfú 动 顺从;服从:人心~|我
只好~地跟在他身后。

【顺杆儿爬】shùn gānr pá 比喻迎合别人
的心意、言语、要求等说话或行事。

【顺和】shùn·he 形 (话语、态度等)平顺缓
和:语气~|态度~。

【顺价】shùnjià 名 销售价高于收购价的
现象叫做顺价(跟"逆价"相对):实行粮食
~销售。

【顺脚】shùnjiǎo (~儿)❶ 副 趁车马等本
来要去某个地方的方便(搭人或运货):~
捎回一千斤化肥。❷ 副 顺路①。❸ 形
顺路②。

【顺境】shùnjìng 名 顺利的境遇:他中年
以后,渐入~。

【顺口】shùnkǒu ❶ 形 (词句)念着流畅:
经他这样一改,念起来就特别~了。❷ 副
没有经过考虑(说出、唱出):~答音儿(随
声附和)|她~说了出来,事后有点后悔。❸
(~儿)形 (食品)适合口味:这个菜他吃得
很~儿。

【顺口溜】shùnkǒuliū (~儿)名 民间流行
的一种口头韵文,句子长短不等,纯用口
语,说起来很顺口。

【顺理成章】shùn lǐ chéng zhāng 形容写
文章或做事,顺着条理就能做好;也比
喻某种情况合乎情理,自然产生某种结
果。

【顺利】shùnlì 形 在事物的发展或工作的
进行中没有或很少遇到困难:工作~。

【顺溜】shùn·liu 〈方〉形 ❶ 有次序,不参
差:她解开辫子,把头发梳~了|这篇小文
章写得很~。❷ 通畅顺当;没有阻拦:日
子过得~。❸ 服从听话:这几个人中间
就数他脾气好,比谁都~。

【顺路】shùnlù (~儿)❶ 副 顺着所走的路
线(到另一处):她在区里开完会,~到书店
看了看。❷ 形 道道路没有曲折阻碍,走
着方便:这么走太绕远儿,不~。‖也说顺
道、顺脚。

【顺民】shùnmín 名 指归附外族侵略者或
归附改朝换代后的新统治者的人,泛指逆
来顺受、不敢反抗的人(含贬义)。

【顺时针】shùnshízhēn 形 属性词。跟钟
表上时针的运转方向相同的:~运转|~
方向。

【顺势】shùnshì 副 顺着情势;趁势:见有人先退场,他也～离去。

【顺手】shùnshǒu（～儿）❶ 形 做事没有遇到阻碍;顺利:事情办得相当～|开始试验不很～,也是很自然的。❷ 副 很轻易地一伸手;随手:他～从水里捞上一颗菱角来。❸ 副 顺便;捎带着:院子扫完了,～儿也把屋子扫一扫。

【顺手牵羊】shùn shǒu qiān yáng 比喻顺便拿走人家的东西。

【顺水】shùn//shuǐ 动 行驶或游动的方向跟水流方向一致(跟"逆水"相对):～而下|～推舟。

【顺水人情】shùn shuǐ rénqíng 不费力的人情;顺便给人的好处。

【顺水推舟】shùn shuǐ tuī zhōu 比喻顺应趋势办事。

【顺遂】shùnsuì 形 事情进行顺利,合乎心意:诸事～。

【顺藤摸瓜】shùn téng mō guā 比喻沿着发现的线索追究根底。

【顺心】shùn//xīn 形 合乎心意:诸事～。

【顺序】shùnxù ❶ 名 次序:～紊乱|～颠倒。❷ 副 顺着次序:～前进|～退场。

【顺延】shùnyán 动 顺着次序向后延期:划船比赛定于7月9日举行,遇雨～。

【顺眼】shùnyǎn 形 看着舒服:这身打扮,叫人看着不～。

【顺意】shùn//yì 形 顺心;如意:他遇到了不～的事|做什么事都得顺他的意。

【顺应】shùnyìng 动 顺从;适应:～历史发展潮流。

【顺治】Shùnzhì 名 清世祖(爱新觉罗·福临)年号(公元1644—1661)。

【顺嘴】shùnzuǐ（～儿）❶ 形 顺口①。❷ 副 顺口②。

舜 Shùn 传说中上古帝王名。

瞬 shùn 眼珠儿一动;一眨眼;转～|～间|～将结束|一～即逝。

【瞬间】shùnjiān 名 转眼之间:飞机飞上天空,～即逝。

【瞬时】shùnshí 名 一瞬间。

【瞬息】shùnxī 名 一眨眼一呼吸的短时间:一颗流星划过天空,～便消失了。

【瞬息万变】shùnxī wàn biàn 形容极短的时间内变化快而多。

---

shuō（ㄕㄨㄛ）

说(説) shuō ❶ 动 用话来表达意思:我不会唱歌,只～了个笑话。❷ 动 解释:一～就明白。❸ 名 言论;主张:学～|著书立～|有此一～。❹ 动 责备;批评:挨～了|爸爸～了他几句。❺ 动 指说合;介绍:～婆家。❻ 名 意思上指:他这番话是～谁呢?
另见 1283 页 shuì;1684 页 yuè。

【说白】shuōbái 名 戏曲、歌剧中除唱词部分以外的台词。

【说不定】shuō·bùdìng ❶ 动 说不确切:到底能不能参加会,现在还～。❷ 副 表示估计,可能性很大:她～不来了|你再不动身,～晚了。

【说不过去】shuō·bu guòqù 指不合情理;无法交代:你这样对待人家,太～了。

【说不来】shuō·bulái 动 ❶ 双方思想感情不合,谈不到一起。❷〈方〉不会说。

【说不上】shuō·bushàng 动 ❶ 因了解不够、认识不清而不能具体地说出来:～是乡间美呢,还是城市美|他也～到农场去的路怎么走。❷ 因不成理由或不可靠而无须提到或不值得提:你这些话都～|这都是封建统治者捏造的话,～什么史料价值。

【说部】shuōbù 名 旧指小说以及关于逸闻、琐事之类的著作。

【说长道短】shuō cháng dào duǎn 评论别人的好坏是非。

【说唱】shuōchàng 名 指有说有唱的曲艺,如大鼓、相声、弹词等。

【说唱文学】shuōchàng wénxué 韵文散文兼用,可以连讲带唱的文艺形式,如古代的变文和诸宫调,现代的评弹和大鼓。也叫讲唱文学。

【说穿】shuōchuān 动 用话揭露;说破(真相):他的心事被老伴儿～了。

【说辞】shuō·cí 名 辩解或推托的理由:不妨把事儿挑明了,看他还有什么～。

【说道】shuōdào 动 说(小说中多用来直接引进人物说的话):校长～:"应该这么办!"

【说…道…】shuō…dào… 分别嵌用相对或相类的形容词、数词等表示各种性质的

S

说话:～长～短|～三～四|～黑～白(任意评论)|～东～西(尽情谈论各种事物)|～亲～热(说亲近话)|～千～万(话说得很多)。

【说道】shuō·dao 〈方〉❶囫用话表达:你把刚才讲的在会上～～,让大家讨论讨论。❷囫商量;谈论:我跟他～～再作决定。❸(～儿)图名堂;道理:他为什么突然改变主意,这里头肯定有一。

【说得过去】shuō·de guòqù 大体上合乎情理;还能令人满意:情面上～|这个活儿我做得还～吧。

【说得来】shuō·delái 囫❶双方思想感情相近,能谈到一块儿:找一个跟他～的人去劝劝他。❷〈方〉会说。

【说法】shuōfǎ 囫讲解佛法。

【说法】shuō·fǎ 图❶措辞:改换一个～|一个意思可以有两种～。❷意见;见解:"后来居上"是一种鼓舞人努力向上的～。❸指处理问题的理由或根据:向上级讨个～。

【说服】shuō//fú 囫用理由充分的话使对方心服:只是这么几句话,～不了人。

【说合】shuō·he ❶从中介绍,促成别人的事:把两方面说到一块儿:～人|～亲事。❷商议;商量:他们正～着集资办厂的事。❸说和。

【说和】shuō·he 囫调解双方的争执;劝说使和解:你去给他们～～。

【说话】shuōhuà ❶(-/-)用语言表达意思:不要～|感动得说不出话来。❷(-/-)(～儿)囫闲谈:找他～儿去|说了半天话儿。❸(-/-)囫指责;非议:要把事情做好,否则人家要～了。❹圆说话的一会儿时间,指时间相当短:你稍等一等,我～就来。❺囫唐宋时代的一种民间技艺,以讲述故事为主,跟现在的说书相同。

【说谎】shuō//huǎng 囫有意说不真实的话:他可从来没说过谎。

【说教】shuōjiào 囫❶宗教信徒宣传教义。❷比喻生硬地、机械地空谈理论。

【说开】shuōkāi 囫❶说明白;解释明白:你索性把事情的原委跟他～了,免得他猜疑。❷(某一词语)普遍流行起来:这个词儿已经～了,大家也都这么用了。

【说客】shuōkè (旧读 shuìkè)图❶善于劝说的人。❷替别人做劝说工作的人

(含贬义)。

【说口】shuō·kou 图二人转等曲艺中指演员上场后的一段说白。

【说理】shuō//lǐ ❶囫说明道理:～的文章|咱们找他～去。❷囮讲理;不蛮横(多用于否定式):你这个人～不～?

【说媒】shuō//méi 囫指给人介绍婚姻。

【说明】shuōmíng ❶囫解释明白:～原因|～问题。❷图解释意义的话:图片下边附有～。❸囫证明:事实充分～这种做法是正确的。

【说明书】shuōmíngshū 图关于物品的用途、规格、性能和使用方法等的文字说明。

【说明文】shuōmíngwén 图说明事物的情况或道理的文章。

【说破】shuōpò 囫把隐秘的意思或事情说出来:这是变戏法儿,一～就没意思了。

【说亲】shuō//qīn 囫说媒。

【说情】shuō//qíng (～儿)囫代人请求宽恕;给别人讲情:托人～|你帮我说个情。

【说三道四】shuō sān dào sì 随意评论;乱加议论。

【说书】shuō//shū 表演评书、评话、弹词等。

【说头儿】shuō·tour 图❶可谈之处:这件事没什么～。❷辩解的理由:不管怎样,你总有你的～。

【说戏】shuō//xì (导演等)给演员解说剧情或做示范动作。

【说闲话】shuō xiánhuà ❶从旁边讽刺或不满意的话:有意见当面提,别在背后～。❷(～儿)闲谈。

【说项】shuōxiàng 囫唐代项斯被杨敬之看重,敬之赠诗有"平生不解藏人善,到处逢人说项斯"的句子,后世指为人说好话,替人讲情。

【说笑】shuōxiào 囫连说带笑;又说又笑:院子里的人,谈心的谈心,～的～|她的性格很活泼,爱蹦蹦跳跳,说说笑笑。

【说笑话】shuō xiào·hua (～儿)❶讲引人发笑的话或故事。❷用言语跟人开玩笑:他是在跟你～,你怎么就当真了呢?

【说一不二】shuō yī bù èr ❶形容说话算数。❷形容专横,独断独行。

【说嘴】shuōzuǐ 囫❶自夸;吹牛:谁也别～,咱们俩来比一比。❷〈方〉争辩:他好和人～,时常争得面红耳赤。

士,低于博士。

shuò （ㄕㄨㄜˋ）

妁 shuò 见928页〖媒妁〗。

烁(爍) shuò 光亮的样子:闪～。

【烁烁】shuòshuò 形（光芒）闪烁:繁星～。

铄¹(鑠) shuò 〈书〉❶熔化（金属）:～石流金。❷耗损;削弱。

铄²(鑠) shuò 同"烁"。

【铄石流金】shuò shí liú jīn 见874页〖流金铄石〗。

朔¹ shuò ❶名农历每月初一时,月球运行到太阳和地球之间,跟太阳同时出没,地球上看不到月光,这种月相叫朔。❷朔日:～望。

朔² shuò 〈书〉北(方):～方|～风。

【朔方】shuòfāng 〈书〉名北方。

【朔风】shuòfēng 〈书〉名北风:～凛冽。

【朔日】shuòrì 名农历每月初一。

【朔望】shuòwàng 名朔日和望日。

【朔望月】shuòwàngyuè 名月亮连续两次呈现同样的月相所经历的时间。一个朔望月等于29天12小时44分2.8秒。农历一个月的天数为29天或30天,就是根据朔望月制定的。

【朔月】shuòyuè 名朔日的月亮。也叫新月。

硕(碩) shuò ❶大:～大|丰～。❷(Shuò)名姓。

【硕大】shuòdà 形非常大;巨大:～无朋|～的身躯。

【硕大无朋】shuòdà wú péng 形容无比的大(朋:伦比):整个地球可以想象为一块～的磁石。

【硕导】shuòdǎo 名硕士研究生导师。

【硕果】shuòguǒ 名大的果实,比喻巨大的成绩:结～|～累累。

【硕果仅存】shuòguǒ jǐn cún 比喻经过淘汰,留存下来的稀少可贵的人或物。

【硕士】shuòshì 名学位的一级,高于学

稍 shuò 〈书〉同"槊"。

搠 shuò 刺;扎(多见于早期白话)。

蒴 shuò 蒴果:芝麻～。

【蒴果】shuòguǒ 名干果的一种,由两个以上的心皮构成,内含许多种子,成熟后裂开,如芝麻、百合、凤仙花等的果实。

数(數) shuò 〈书〉屡次:频～|～见不鲜。

另见1268页 shǔ;1271页 shù。

【数见不鲜】shuò jiàn bù xiān 屡见不鲜。

槊 shuò 古代兵器,杆儿比较长的矛。

SĪ （ㄙ）

厶 sī 〈书〉同"私"。

司 sī ❶主持;操作;经营:～机|～炉|各～其事。❷名中央部一级机关中按业务划分的单位(级别比部低,比处高):人事～|外交部礼宾～。❸(Sī)名姓。

【司铎】sīduó 名见1212页〖神甫〗。

【司法】sīfǎ 动公安机关、人民检察院和人民法院按照诉讼程序应用法律规范处理案件的活动。

【司法机关】sīfǎ jīguān 依法行使司法权的国家机关。在我国,司法机关指法院、检察院,在处理刑事案件时参与司法活动的公安机关,以及负有监管职责的监狱。

【司法鉴定】sīfǎ jiàndìng 法律上指为了查明案情,依法运用专门技能和科学知识对与案件有关的事物进行鉴别和判定。如法医鉴定。

【司法解释】sīfǎ jiěshì 最高人民法院和最高人民检察院对法律的具体应用所作的具有法律效力的阐述。

【司法拘留】sīfǎ jūliú 审判机关在诉讼活动中,依法对严重违反法庭秩序等的人采取的短期限制人身自由的制裁方式和强制措施。

【司法权】sīfǎquán 名在我国指审判权、检察权,有时还包括侦查权。

S

【司号员】sīhàoyuán 图 军队中负责使用军号进行通信联络的士兵。

【司机】sījī 图 火车、汽车、电车等交通运输工具上的驾驶员。

【司空】Sīkōng 图 姓。

【司空见惯】sīkōng jiàn guàn 相传唐代司空(古代中央政府中掌管工程的长官)李绅请卸任和州刺史(古代一州的行政长官)刘禹锡喝酒,席上叫歌伎劝酒。刘做诗:"鬖鬖(wǒtuǒ)梳头宫样妆,春风一曲杜韦娘,司空见惯浑闲事,断尽江南刺史肠。"(语出唐代孟棨《本事诗》)现在用"司空见惯"表示看惯了就不觉得奇怪。

【司寇】Sīkòu 图 姓。

【司库】sīkù 图 团体中管理财务的人。

【司令】sīlìng 图❶ 某些国家军队中主管军事的人。❷ 中国人民解放军的司令员习惯上也称作司令。

【司令员】sīlìngyuán 图 中国人民解放军中负责军事工作的高级指挥人员,如军区司令员,兵团司令员。

【司炉】sīlú 图 烧锅炉的工人。

【司马】Sīmǎ 图 姓。

【司马昭之心,路人皆知】Sīmǎ Zhāo zhī xīn, lùrén jiē zhī 《三国志·魏书·高贵乡公传》注引《汉晋春秋》,魏帝曹髦在位时,大将军司马昭专权,图谋夺取帝位。一次曹髦气愤地对大臣说:"司马昭之心,路人所知也。"后来用"司马昭之心,路人皆知"指野心非常明显,人所共知。

【司南】sīnán 图 我国古代辨别方向用的一种仪器。用天然磁铁矿石琢成一个勺形的东西,放在一个光滑的盘上,盘上刻着方位,利用磁铁指南的作用,可以辨别方向。是现在所用指南针的始祖。

【司徒】Sītú 图 姓。

【司务长】sīwùzhǎng 图 连队中主管装备、物资、经费、伙食等后勤工作的干部。

【司药】sīyào 图 医院药房里负责按处方配药、发药的人。

【司仪】sīyí 图 举行典礼或召开大会时主持仪式的人。

【司职】sīzhí 团 担任某种职务;担负某种职责:他在这场比赛中~前锋。

丝(絲) sī ❶ 图 蚕丝。❷ (~儿)像丝的物品:铁~|钢~|蜘蛛~|萝卜~儿。❸ 量 表示长度、重量的单位。a)长度,10 忽等于 1 丝,10 丝等于 1 毫。俗称 1 忽米为 1 丝。b)质量或重量,10 忽等于 1 丝,10 丝等于 1 毫。❹ 量 表示极少或极小的量:一~不差|一~风也没有。❺ 指弦乐器:~竹。

【丝绸】sīchóu 图 用蚕丝或人造丝织成的纺织品的总称。

【丝绸之路】sīchóu zhī lù 古代横贯亚洲的交通道路。西汉以后我国大量的丝和丝织品经甘肃、新疆,越过葱岭,运往西亚、欧洲各国。后来就称这条路线为丝绸之路。也叫丝路。

【丝糕】sīgāo 图 小米面、玉米面等加水搅拌发酵后蒸成的松软的食品。

【丝瓜】sīguā 图❶ 一年生草本植物,茎蔓生,叶子通常三至七裂,花单性,黄色。果实长圆筒形,嫩时可做蔬菜,成熟后肉多网状纤维,叫做丝瓜络(luò),可入药。❷ 这种植物的果实。

【丝毫】sīháo 形 极小或很少;一点儿:~不差。

【丝路】sīlù 图 丝绸之路。

【丝绵】sīmián 图 剥取蚕茧表面的乱丝整理而成的像棉花的东西,轻软保温,用来絮衣服、被子等。

【丝绒】sīróng 图 用蚕丝和人造丝为原料织成的丝织品,表面起绒毛,色泽鲜艳、光亮,质地柔软,供制妇女服装、帷幕、装饰品等。

【丝丝入扣】sī sī rù kòu 织绸、布等时,经线都要从扣(筘)齿间穿过,比喻做得十分细腻准确(多指文章、艺术表演等)。

【丝弦】sīxián 图❶ 用丝拧成的弦。❷ (~儿)河北地方戏曲剧种之一,流行于石家庄一带。

【丝线】sīxiàn 图 用丝织成的线。

【丝织品】sīzhīpǐn 图❶ 用蚕丝或人造丝织成的纺织品。❷ 用蚕丝或人造丝编织的衣物。

【丝竹】sīzhú 图 琴、瑟、箫、笛等乐器的总称,"丝"指弦乐器,"竹"指管乐器。

【丝锥】sīzhuī 图 一种加工内螺纹的刀具,形状像螺栓,沿轴向开有沟槽。

私 sī ❶ 属于个人的或为了个人的(跟"公"相对):~事|~信|~有。❷ 自私(跟"公"相对):~心|大公无~。❸ 暗地里;私下:~访|窃窃~语。❹ 秘密而不

合法的：～货|～盐|～通。

【私奔】sībēn 动 旧时指女子私自投奔所爱的人，或跟他一起逃走。

【私弊】sībì 名❶ 营私舞弊的事情：杜绝～。❷ 私下的不正当行为。

【私藏】sīcáng 动 私自藏匿；私人收藏：～枪械|～名画。

【私产】sīchǎn 名 私有财产。

【私娼】sīchāng 名 暗娼。

【私车】sīchē 名 属于私人的车（多指汽车）。

【私仇】sīchóu 名 因个人利害关系而产生的仇恨：报～。

【私党】sīdǎng 名 私自纠合的宗派集团，也指这种集团的成员。

【私德】sīdé 名 在私人生活上所表现的道德品质：～失检。

【私邸】sīdǐ 名 高级官员私人所置的住所（区别于"官邸"）。

【私第】sīdì〈书〉名 私宅；私邸。

【私法】sīfǎ 名 指保护私人利益的法律，如民法、商法等，源于西方法学（区别于"公法"）。

【私房】sīfáng 名 属于私人的房屋。

【私房】sī·fang 形 属性词。❶ 家庭成员个人积蓄的（财物）：～钱。❷ 不愿让外人知道的：～话。

【私访】sīfǎng 动 指官员等隐瞒身份到民间调查：微服～。

【私愤】sīfèn 名 因个人利害关系而产生的愤恨：泄～。

【私话】sīhuà 名 不让外人知道的话：这是咱们的～，你别往外说。

【私活】sīhuó（～儿）名 公务人员、集体成员所做的与公务或集体无关的活儿：干～|揽～。

【私货】sīhuò 名 违法贩运的货物：偷运～◇文章在漂亮的言辞掩盖下，塞进了不少宣扬自己的～。

【私见】sījiàn 名❶ 个人的成见或偏见：不存～|克服～。❷ 个人的见解：以上～，仅供参考。

【私交】sījiāo 名 私人之间的交情：两人素无～|他们在学术上时常公开争论，但～很好。

【私立】sīlì ❶ 动 私自设立：～公堂。❷ 形 属性词。私人设立的：～学校。

【私利】sīlì 名 私人方面的利益：不谋～。

【私了】sīliǎo 动 不经过司法手续而私下了结（跟"公了"相对）。

【私密】sīmì ❶ 形 属于个人而比较隐秘的：～情感|卧室的设计讲究～性。❷ 名 个人的秘密；隐私：窥探他人的～。

【私囊】sīnáng 名 私人的钱袋：中饱～。

【私念】sīniàn 名 私心杂念：摒除～。

【私企】sīqǐ 名 私营企业的简称。

【私情】sīqíng 名❶ 私人的交情：不徇～。❷ 指男女情爱的事（多指不正当的）。

【私人】sīrén 名❶ 个人（就从事某种活动或拥有财产而言，区别于"公家"）：～企业|～资本|～秘书|以前这个小城市里只有一所～办的中学。❷ 指个人和个人之间：～关系|～感情。❸ 因私交、私利而依附于自己的人：滥用～。

【私商】sīshāng 名 用私人资本经营的商店，也指这类商人。

【私生活】sīshēnghuó 名 个人生活（主要指日常生活中所表现的品质、作风）。

【私生子】sīshēngzǐ 名 非夫妻关系的男女所生的子女。

【私事】sīshì 名 个人的事（区别于"公事"）：这是我的～，与别人无关。

【私淑】sīshū〈书〉动 未能亲自受业但敬仰其学术并尊之为师：～弟子（未亲自受业的弟子）。

【私塾】sīshú 名 旧时家庭、宗族或教师自己设立的教学处所，一般只有一个教师，采用个别教学法，没有一定的教材和学习年限：读～|～先生。

【私通】sītōng 动❶ 私下勾结：～敌寇。❷ 通奸。

【私吞】sītūn 动 私自侵吞：～公款。

【私下】sīxià ❶ 名 背地里；不公开的场合：～商议|这种事只能在～谈，不能在会上讲。❷ 副 自己进行，不通过有关部门或公众：～调解。‖ 也说私下里。

【私枭】sīxiāo 名 旧时指私贩食盐的人。现泛指走私或贩毒的人。

【私心】sīxīn 名❶ 个人心里；内心：他公而忘私的精神，使我～非常佩服。❷ 为自己打算的念头：～杂念|他～太重。

【私刑】sīxíng 名 违反法律私自加给人的刑罚。

【私蓄】sīxù 名 个人的积蓄：动用～。

【私学】sīxué　名 私人创办的学校。

【私营】sīyíng　形 属性词。私人经营的：～企业。

【私营经济】sīyíng jīngjì　企业资产为私人所有、存在雇佣关系的经济形式。

【私营企业】sīyíng qǐyè　企业资产为私人所有，以雇佣劳动为基础的营利性经济组织。简称私企。

【私语】sīyǔ　❶ 动 低声说话：窃窃～。❷ 名 私下说的话。

【私欲】sīyù　名 指个人的欲望：对于贪图享乐的人来说，～是难以满足的。

【私宅】sīzhái　名 私人住宅。

【私章】sīzhāng　名 刻有个人姓名，代表个人身份的印章（区别于"公章"）。

【私衷】sīzhōng　〈书〉名 个人内心的真实想法。

【私自】sīzì　副 背着组织或有关的人，自己（做不合乎规章制度的事）：～做出决定｜这是公物，不能～拿走。

呲（嘶）sī　拟声 形容枪弹等在空中很快飞过的声音：子弹～～～地从头顶上飞过。

思 sī　❶ 思考；想①：多～｜深～｜寻～｜前～后想。❷ 思念；怀念；想念：～家｜～亲｜相～。❸ 希望；想③：～归｜穷则～变。❹ 思路：文～。❺ (Sī)名 姓。
　　另见 1169 页 sāi。

【思辨】sībiàn　❶ 动 哲学上指运用逻辑推导而进行纯理论、纯概念的思考。❷ 思考辨析：～能力。

【思潮】sīcháo　名 ❶ 某一时期内在某一阶级或阶层中反映当时社会政治情况而有较大影响的思想潮流：文艺～。❷ 接二连三的思想活动：～起伏｜～澎湃。

【思春】sīchūn　动 怀春。

【思忖】sīcǔn　〈书〉动 思量①。

【思凡】sīfán　动 神话中指仙人想到人间来生活，也指僧尼等厌倦宗教生活，想过世俗生活。

【思古】sīgǔ　动 怀念往昔；怀古：发～之幽情。

【思旧】sījiù　动 怀念旧友或往事；怀旧。

【思考】sīkǎo　动 进行比较深刻、周到的思维活动：独立～｜～问题。

【思恋】sīliàn　动 思念；怀恋：～故乡。

【思量】sī·liang　动 ❶ 考虑：这件事你还得好好～～。❷〈方〉想念；记挂：大家正～你呢！

【思路】sīlù　名 思考的线索：别打断他的～｜他越写越兴奋，～也越来越清晰。

【思虑】sīlǜ　动 思索考虑：～周到。

【思摸】sī·mo　〈口〉动 想；考虑：我～了好几天，觉得这事还是非办不可。

【思谋】sīmóu　动 思索；考虑。

【思慕】sīmù　动 思念（自己敬仰的人）：～前贤。

【思念】sīniàn　动 想念：～亲人｜～故土。

【思前想后】sī qián xiǎng hòu　形容前前后后地反复思考。

【思索】sīsuǒ　动 思考探求：～问题｜用心～。

【思维】(思惟) sīwéi　❶ 名 在表象、概念的基础上进行分析、综合、判断、推理等认识活动的过程。思维是人类特有的一种精神活动，是从社会实践中产生的。❷ 动 进行思维活动：～方式。

【思乡】sī∥xiāng　动 想念家乡。

【思想】sīxiǎng　❶ 名 客观存在反映在人的意识中经过思维活动而产生的结果。思想的内容为社会制度的性质和人们的物质生活条件所决定，在阶级社会中，思想具有明显的阶级性。❷ 名 念头；想法：她早有去西部地区参加经济建设的～。❸ 动 思量。

【思想家】sīxiǎngjiā　名 对客观现实的认识有独创见解并能自成体系的人。

【思想体系】sīxiǎng tǐxì　❶ 一定阶级或社会集团的成体系的思想。❷ 意识形态。

【思想性】sīxiǎngxìng　名 文艺作品或其他著作中所表现的政治倾向和社会意义。

【思绪】sīxù　名 ❶ 思想的头绪；思路：～万千｜～纷乱。❷ 情绪：～不宁。

虒 sī　虒亭(Sītíng)，地名，在山西。

鸶（鷥）sī　见 890 页【鹭鸶】。

偲 sī〔偲偲〕(sīsī)〈书〉形 相互切磋、督促的样子。
另见122页cāi。

斯 sī ❶〈书〉代 指示代词。这;此;这个;这里:～人｜～时｜生于～,长于～｜以至于～。❷〈书〉连 于是;就。❸(Sī) 名 姓。

【斯拉夫人】Sīlāfūrén 名 说印欧语系斯拉夫语语言的各民族的统称。主要分布在欧洲东部,部分散居在西伯利亚和美洲。

【斯文】sīwén〈书〉名 指文化或文人:敬重～｜～扫地。

【斯文】sī·wen 形 文雅:他说话挺～的｜斯斯文文地坐着。

【斯文扫地】sīwén sǎo dì 指文化或文人不受尊重或文人自甘堕落。

蛳(螄) sī 见901页〖螺蛳〗。

缌(緦) sī〈书〉细麻布。

榹 sī〔榹桲〕(sīzǐ) 名 见863页〖淋漓柯〗。

飔(颸) sī〈书〉凉风。

厮¹(廝) sī ❶ 男性仆人(多见于早期白话,下同):小～。❷ 对人轻视的称呼:这～｜那～。

厮²(廝) sī 互相(多见于早期白话):～打｜～杀｜～混。

【厮打】sīdǎ 动 相互扭打:拼命～｜两个人在门外～起来。

【厮混】sīhùn 动 ❶ 彼此生活在一起;相处(多含贬义):他整天和那些不三不四的人～。❷ 混合;混杂:人的喊声、马的叫声、枪声～在一起。

【厮杀】sīshā 动 相互拼杀,指战斗:～声｜跟敌人～。

【厮守】sīshǒu 动 互相依靠;互相陪伴:母女俩～在一起过日子。

偲 sī 见419页〖罘偲〗。

锶(鍶) sī 名 金属元素,符号Sr (strontium)。银白色,质软,燃烧时发出红色光。用来制合金、光电管和烟火等。

澌 sī〈书〉解冻时流动的冰。

撕 sī 动 用手使东西(多为薄片状的)裂开或离开附着处:把布～成两块｜把书页～破了｜把墙上的标语～下来。

【撕扯】sīchě 动 撕:他一怒之下把来信～成碎片◇孩子的呻吟～着母亲的心。

【撕毁】sīhuǐ 动 ❶ 撕破毁掉:～画稿。❷单方面背弃共同商定的协议、条约等:～合同｜～协定。

【撕票】sī//piào (～儿) 绑票的匪徒把掳去的人杀死,叫做撕票。

【撕破脸】sī pò liǎn 抓破脸。

嘶¹ sī ❶ (马)叫:人喊马～。❷ 嘶哑:声～力竭。

嘶² sī 同"咝"。

【嘶鸣】sīmíng 动 (骡、马等)大声叫:战马～。

【嘶哑】sīyǎ 形 声音沙哑。

筲 sī〔筲筹竹〕(sīláozhú) 名 竹子的一种,秆直立,顶端下垂,节间细长,皮薄,可编制家具等。

澌 sī〈书〉尽。

【澌灭】sīmiè〈书〉动 消失干净。

sǐ （ㄙˇ）

死 sǐ ❶ 动 (生物)失去生命(跟"生、活"相对):～亡｜～人｜这棵树～了◇棋～｜～火山。❷ 副 不顾生命;拼死:～战｜～守。❸ 副 至死,表示坚决:～不认输｜～也不松手。❹ 形 表示达到极点:笑～人｜高兴～了｜～顽固。❺ 形 不可调和的:～敌｜～对头。❻ 形 固定;死板;不活动:～脑筋｜～心眼｜～规矩｜～水｜开会的时间要定～。❼ 形 不能通过:～胡同｜～路一条｜把漏洞堵～。

【死板】sǐbǎn 形 ❶ 不活泼;不生动:这幅画上的人物太～,没有表情。❷ (办事)不会变通;不灵活:做事情不能～。

【死不瞑目】sǐ bù míngmù 指人死时因心里还有牵挂,死了没有闭上眼睛,多用来形容不达目的,决不甘休。

【死产】sǐchǎn 动 胎儿在分娩过程中死亡,出生后已无心跳和呼吸。

【死党】sǐdǎng 名 ❶ 为某人或某集团出

死力的党羽(贬义)。❷顽固的反动集团：结成～。

【死得其所】sǐ dé qí suǒ 形容死得有意义、有价值(所：处所,地方)：一个人为人民利益而死就是～。

【死敌】sǐdí 图 无论如何也不可调和的敌人。

【死地】sǐdì 图 无法生存的境地；绝境❷：置人于～|置之～而后快(恨不得把人弄死才痛快)。

【死点】sǐdiǎn 图 活塞在汽缸内做往复运动时最左和最右(或最上和最下)的位置,叫做死点。处于死点时曲柄不能转动,而需要依靠飞轮的惯性使它通过死点,维持机器的连续运转。

【死对头】sǐduì·tou 图 无论如何也不能和解的仇敌。

【死鬼】sǐguǐ 图❶鬼(多用于骂人或开玩笑)。❷指死去了的人。

【死胡同】sǐhútòng（～儿）图 走不通的胡同,比喻绝路。

【死缓】sǐhuǎn 图 判处死刑、缓期二年执行的略语。到期后,根据罪犯在死缓期的悔改表现,决定执行死刑或减刑。

【死灰】sǐhuī 图 熄灭的火灰：心如～(形容心灰意懒)。

【死灰复燃】sǐhuī fù rán 比喻已经停息的事物又重新活动起来(多指坏事)。

【死活】sǐhuó ❶图 活得下去活不下去(多用于否定句)：这种做法简直是不顾别人的～。❷〈口〉副 无论如何：叫他别去,他～要去|我劝了他半天,他～不答应。

【死火山】sǐhuǒshān 图 在人类有记载的历史中没有喷发过的火山。

【死机】sǐ//jī 图 计算机等运行中因程序错误或其他原因非正常停止运行,此时屏幕图像静止不动,无法继续操作。

【死记】sǐjì 囫 强行记住；死板地记忆：～硬背。

【死寂】sǐjì 囮 非常寂静；没有一点声音：夜深了,山谷里一片～。

【死角】sǐjiǎo 图❶军事上指在火器射程之内而射击不到的地方。也指在视力范围内而观察不到的地方。❷比喻运动、潮流、风气等尚未影响到的地方：工作要做细,不要留～。

【死校】sǐjiào 囫 按照原稿校对,只对原稿

负责,叫死校(区别于"活校")。

【死节】sǐjié 〈书〉囫 为保全节操而死；殉节：为国～。

【死结】sǐjié 图 不是一拉就解开的结子(区别于"活结")。

【死劲儿】sǐjìnr 〈口〉❶图 所能使出的最大力气：大伙用～来拉,终于把车子拉出了泥坑。❷副 使出最大的力气或集中全部注意力：～往下压|～盯住他。

【死局】sǐjú 图 救不活的棋局。

【死扣儿】sǐkòur 〈口〉图 死结。

【死劳动】sǐláodòng 图 见 1448 页〖物化劳动〗。

【死牢】sǐláo 图 关押死囚的监牢。

【死老虎】sǐlǎohǔ 图 比喻失去威势没有反抗力的人(贬义)。

【死力】sǐlì ❶图 最大的力量：下～。❷副 使出最大的力量：～抵抗。

【死路】sǐlù 图 走不通的路,比喻毁灭的途径。

【死面】sǐmiàn（～儿）图 加水调和后未经发酵的面：烙～饼。

【死灭】sǐmiè 囫 灭亡；死亡。

【死命】sǐmìng ❶图 必然死亡的命运：制敌人于～。❷副 拼命：～挣扎。

【死难】sǐnàn 囫 遭难而死：～烈士。

【死脑筋】sǐnǎojīn ❶囮 头脑不灵活；思想意识陈旧。❷图 指固执守旧的人。

【死皮赖脸】sǐ pí lài liǎn 形容不顾羞耻,一味纠缠。

【死期】sǐqī 图 死亡的日期。

【死棋】sǐqí 图 救不活的棋局或棋局中救不活的棋子,比喻一定失败的局面。

【死乞白赖】sǐ·qibáilài 同"死气白赖"。

【死气白赖】sǐ·qibáilài（～的）〈方〉纠缠个没完。也作死乞白赖。

【死气沉沉】sǐqì chénchén 形容气氛不活跃,没有生气。

【死契】sǐqì 图 出卖房地产时所立的契约,上面写明不能赎回的叫死契。

【死钱】sǐqián（～儿）图❶指不能增值获利的钱。❷指定时收入的固定数额的钱。

【死囚】sǐqiú 图 已经判处死刑而尚未执行的囚犯。

【死去活来】sǐ qù huó lái 死过去又醒过来,形容极度悲哀或疼痛。

【死伤】sǐshāng 动 死亡和受伤(多指死亡和受伤的人数):～惨重|～了数十人。

【死神】sǐshén 名 迷信指掌管人死亡的神,多用作比喻:经过抢救,终于把他从～手里夺了回来。

【死尸】sǐshī 名 人的尸体。

【死守】sǐshǒu 动 ❶ 拼死守住:～阵地。 ❷ 固执而不知变通地遵守:～老规矩。

【死水】sǐshuǐ 名 不流动的池水、湖水等,常用来比喻长时期没什么变化的地方:那里并不是一潭～。

【死胎】sǐtāi 名 妊娠 20 周以后在子宫内死亡的胎儿。

【死亡】sǐwáng 动 失去生命(跟"生存"相对):因车祸～。

【死亡率】sǐwánglǜ 名 ❶ 一定时期内(通常是一年)死亡人数与总人口数的比率,通常用千分率来表示。 ❷ 医学上指某种病死亡的人数与患病总人数的比率:狂犬病的～很高。

【死亡线】sǐwángxiàn 名 指危及生存的境地:在～上挣扎。

【死心】sǐ/xīn 动 不再寄托希望;断了念头:失败多次,他仍不～。

【死心塌地】sǐ xīn tā dì 形容主意已定,决不改变(多含贬义)。

【死心眼儿】sǐxīnyǎnr ❶ 形 固执;想不开。 ❷ 名 死心眼儿的人。

【死信】sǐxìn[1] (～儿)名 人死了的消息。

【死信】sǐxìn[2] 名 无法投递的信件。

【死刑】sǐxíng 名 剥夺犯人生命的刑罚。

【死性】sǐ•xìng〈口〉形 死板;固执:你干吗那么～,非走这步棋不可?

【死讯】sǐxùn 名 人死了的消息。

【死因】sǐyīn 名 死亡的原因:查明～。

【死硬】sǐyìng 形 ❶ 呆板;不灵活。 ❷ 顽固:～分子。

【死有余辜】sǐ yǒu yú gū 虽然处以死刑,也抵偿不了罪过,形容罪大恶极。

【死于非命】sǐ yú fēi mìng 遭受意外的灾祸而死亡。

【死战】sǐzhàn ❶ 名 关系到生死存亡的战斗或战争:决一～。 ❷ 动 拼死战斗:～到底。

【死罪】sǐzuì ❶ 名 应该判处死刑的罪行。 ❷ 动 客套话,用于请罪或道歉,表示过失很重。

sì （ㄙˋ）

巳(巳) sì 名 地支的第六位。参看 440 页〖干支〗。

【巳时】sìshí 名 旧式计时法指上午九点钟到十一点钟的时间。

四[1] sì ❶ 数 三加一后所得的数目。参看 1271 页〖数字〗。 ❷ (Sì)名 姓。

四[2] sì 名 我国民族音乐音阶上的一级,乐谱上用作记音符号,相当于简谱的"6"。参看 468 页〖工尺〗。

【四…八…】sì…bā… 分别用在两个意义相近的词或词素前面,表示各方面:～面～方|～通～达|～平～稳。

【四边】sìbiān (～儿)名 四周:房子～围着篱笆。

【四边形】sìbiānxíng 名 同一平面上的四条直线所围成的图形。

【四不像】sìbùxiàng 名 ❶ 麋鹿。 ❷ 驯鹿的俗称。 ❸ 比喻不伦不类的东西或情况。

【四部】sìbù 名 我国古代把图书按经部、史部、子部、集部划分为四大部类,合称四部。后因分库储藏,故又称四库。

【四出】sìchū 动 到周围各地:～活动。

【四处】sìchù 名 周围各地;到处:～奔波|往一张望|田野里～都是歌声。

【四大皆空】sì dà jiē kōng 佛教用语,指世界上一切都是空虚的。(印度古代认为地、水、火、风是组成宇宙的四种元素,佛教称为四大。)

【四方】sìfāng[1] 名 东、南、西、北,泛指各处:～响应|奔走～。

【四方】sìfāng[2] 形 属性词。正方形或立方体的:～的木头匣子|四四方方的大脸。

【四方步】sìfāngbù (～儿)名 悠闲的、大而慢的步子。

【四分五裂】sì fēn wǔ liè 形容分散、不完整、不团结。

【四伏】sìfú 动 到处潜伏着:危机～。

【四顾】sìgù 动 向四周看:～无人|茫然～。

【四海】sìhǎi 名 指全国各处,也指全世界各处:五湖～|～为家。

【四合房】sìhéfáng 名 四合院。

【四合院】sìhéyuàn （～儿）名 一种四面是屋子,中间是院子的住房建筑。也叫四合房。

【四呼】sìhū 名 按照韵母把字音分成开口呼、齐齿呼、合口呼、撮口呼四类,合称四呼。韵母是 i 或拿 i 起头的叫齐齿呼,韵母是 u 或拿 u 起头的叫合口呼,韵母是 ü 或拿 ü 起头的叫撮口呼,韵母不是 i、u、ü,也不拿 i、u、ü 起头的叫开口呼。例如肝 gān(开)、坚 jiān(齐)、关 guān(合)、捐 juān(撮)。

【四胡】sìhú 名 胡琴的一种,形状跟二胡相似,有四根弦。

【四化】sìhuà 名 指农业现代化、工业现代化、国防现代化和科学技术现代化。

【四季】sìjì 名 春、夏、秋、冬,叫做四季,每季三个月。

【四季豆】sìjìdòu 名 菜豆。

【四郊】sìjiāo 名 城市周围附近的地方。

【四脚蛇】sìjiǎoshé 名 蜥蜴。

【四近】sìjìn 名 指周围附近的地方:～见不到一个人影。

【四联单】sìliándān 名 一式四份的单据,形式和用处跟三联单相同。参看1172页〖三联单〗。

【四邻】sìlín 名 前后左右的邻居:街坊～|吵得～不安。

【四六体】sìliùtǐ 名 骈体的一种,因以四字句、六字句为主,所以有这个名称。

【四面】sìmiàn 名 东、南、西、北,泛指周围:～环水|～八方。

【四面八方】sì miàn bā fāng 泛指周围各地或各个方面:人们从～来到北京|我们小组里的人来自～。

【四面楚歌】sìmiàn Chǔ gē 楚汉交战时,项羽的军队驻扎在垓下,兵少粮尽,被汉军和诸侯的军队层层包围起来,夜间听到汉军四面都唱楚歌,项羽吃惊地说:"汉军把楚地都占领了吗? 为什么楚人这么多呢?"(见于《史记·项羽本纪》)比喻四面受敌,处于孤立危急的困境。

【四拇指】sì·muzhi 〈口〉名 无名指。

【四旁】sìpáng 名 指前后左右很近的地方。

【四平八稳】sì píng bā wěn 形容说话、做事、写文章稳当,有时也指做事只求不出差错、缺乏创新精神。

【四起】sìqǐ 动 从周围各处出现或兴起:歌声～|谣言～|群雄～。

【四散】sìsàn 动 向四面分散:～奔逃。

【四舍五入】sì shě wǔ rù 运算时取近似值的一种方法。如被舍去部分的头一位数满五,就在所取数的末位加一,不满五的就舍去,如1.3785 只取两位小数是1.38,1.243 4只取两位小数是 1.24。

【四声】sìshēng 名 ❶ 古汉语字调有平声、上声、去声、入声四类,叫做四声。❷ 普通话的字调有阴平(读高平调,符号是"ˉ")、阳平(读高升调,符号是"ˊ")、上声(读先降后升的曲折调,符号是"ˇ")、去声(读降调,符号是"ˋ")四类,也叫四声(轻声在外)。❸ 泛指字调。

【四时】sìshí 名 四季。

【四时八节】sì shí bā jié 泛指一年中的各种时令、节日。

【四书】Sì Shū 名 指《大学》《中庸》《论语》《孟子》四种书。是儒家的主要经典。

【四体】[1] sìtǐ〈书〉名 指人的四肢:～不勤,五谷不分。

【四体】[2] sìtǐ 名 汉字的四种主要字体,即正、草、隶、篆。

【四通八达】sì tōng bā dá 形容交通非常便利。

【四外】sìwài 名 四处(多指空旷的地方):～无人|～全是平坦辽阔的大草原。

【四围】sìwéi 名 周围:村子～都是菜地。

【四维空间】sìwéi kōngjiān 确定任何事物都需要四个坐标(空间的三个坐标和时间的一个坐标)的空间,是三维空间和时间组成的整体。这个概念是根据任何物质都同时存在于空间和时间中,空间和时间不可分割而提出的。四维空间的几何学对相对论的广泛传播有重要作用。

【四下里】sìxià·li 名 四处:～一看,都是果树。也说四下。

【四仙桌】sìxiānzhuō 名 小的方桌,每边只坐一个人。

【四乡】sìxiāng 名 城镇四周围的乡村。

【四言诗】sìyánshī 名 我国汉代以前最通行的诗歌形式,通章或通篇每句四字。如《诗经》,多为四言。

【四野】sìyě 名 广阔的原野(就四周展望说):～茫茫,寂静无声。

【四则】sìzé 名 加、减、乘、除四种数学运算

的统称：～题|～运算|整数～|分数～。

【四肢】sìzhī 图指人体的两上肢和两下肢,也指某些动物的四条腿。

【四至】sìzhì 图建筑基地或耕地四周跟别的基地或耕地分界的地方。

【四周】sìzhōu 图周围。也说四周围。

【四座】sìzuò 图指四周在座的人：～哗然|语惊～。

饮(飲) sì 〈书〉同"饲"。

寺 sì ❶图古代官署名：大理～|太常～。❷图佛教的庙宇：碧云～|护国～。❸图伊斯兰教徒礼拜、讲经的地方：清真～。❹(Sì)图姓。

【寺观】sìguàn 图佛寺和道观,泛指庙宇。

【寺庙】sìmiào 图供神佛或历史上有名人物的处所;庙宇。

【寺院】sìyuàn 图佛寺的总称,有时也指别的宗教的修道院。

似 sì ❶动像;如同：相～|近～|类～|～是而非|骄阳～火。❷副似乎：～属可行|～应从速办理。❸介用于比较,表示超过：人民生活一年强～一年。
  另见1245页 shì。

【似…非…】sì…fēi… 嵌用同一个单音名词、形容词或动词,表示又像又不像的意思：～绸～绸|～蓝～蓝|～笑笑|～懂～懂。

【似乎】sìhū 副仿佛;好像：他～了解了这个字的意思,但是又讲不出来。

【似是而非】sì shì ér fēi 好像对,实际上并不对：这些论点～,必须认真分辨,才不至于上当。

汜 Sì 汜河,水名,在河南。

兕 sì 古代指犀牛(一说雌性犀牛)。

俟 sì ❶〈书〉同"似"。❷(Sì)图姓。

伺 sì 观察;守候：窥～|～隙|～机。
  另见226页 cì。

【伺机】sìjī 动窥伺时机：～而动|～报复。

祀 sì ❶祭祀：～天|～孔|～祖。❷殷代特指年：十有三～。

姒 sì ❶古代称姐姐。❷古代称丈夫的嫂子。❸(Sì)图姓。

饲(飼) sì ❶饲养：～料。❷饲料：打草储～。

【饲料】sìliào 图喂家畜、家禽等的食物。

【饲养】sìyǎng 动喂养(动物)：～员。

泗¹ sì 〈书〉鼻涕。

泗² Sì 泗河,水名,在山东。

【泗州戏】sìzhōuxì 图安徽地方戏曲剧种之一,起源于旧泗州(州治在今安徽泗县),流行于淮河两岸。也叫拉魂腔。

驷(駟) sì 〈书〉❶驷马。❷马。

【驷马】sìmǎ 〈书〉图同拉一辆车的四匹马：～高车|一言既出,～难追。

俟(❶竢) sì ❶〈书〉等待：～机进攻。❷(Sì)图姓。
  另见1071页 qí。

食 sì 〈书〉拿东西给人吃。
  另见1239页 shí;1616页 yì。

觇(覷) sì 〈书〉窥视。

涘 sì 〈书〉水边：涯～。

耜 sì ❶古代的一种农具,形状像现在的锹。❷古代跟犁上的铧相似的东西。

笥 sì 〈书〉盛饭或盛衣物的方形竹器。

肆¹ sì 不顾一切,任意妄为：放～|大～攻击。

肆² sì 数"四"的大写。参看1271页【数字】。

肆³ sì 〈书〉铺子：茶楼酒～。

【肆力】sìlì 〈书〉动尽力：～农事。

【肆虐】sìnüè 动任意残杀或迫害;起破坏作用：洪水～。

【肆扰】sìrǎo 动肆意扰乱。

【肆无忌惮】sì wú jì dàn 任意妄为,没有一点儿顾忌。

【肆行】sìxíng 动任意妄为：～无忌|～劫掠。

【肆意】sìyì 副不顾一切由着自己的性子(去做)：～攻击|～妄为。

嗣 sì ❶接续;继承：～位|～子。❷子孙：后～。

S

【嗣后】sìhòu〈书〉名以后。
【嗣位】sìwèi〈书〉动继承王位。

禩 sì〈书〉同"祀"。

sōng（ㄙㄨㄥ）

松 sōng 见1522页〖惺松〗。
另见1766页 zhōng。

松[1] sōng 名❶松树,有许多种,一般为常绿乔木,很少是灌木,树皮多为鳞片状,叶子针形,花单性,结球果,卵圆形或圆锥形,有木质的鳞片。木材和树脂都可利用。如马尾松、油松等。❷(Sōng)姓。

松[2](鬆)sōng ❶形松散(跟"紧"相对,❷❸同):这包书捆得太~,容易散。❷动使松:~劲|~一~腰带|~口气(紧张之后,放松一下)。❸形经济宽裕:这个月我手头~一些,给他寄了点钱去。❹形不坚实:点心~脆可口。❺动解开;放开:~绑|手一~,气球就飞了。❻用鱼、虾、瘦肉等做成的绒状或碎末状的食品:肉~。

【松绑】sōng//bǎng 动❶解开捆绑在身上的绳索。❷比喻放宽约束限制。
【松弛】sōngchí 形❶松散;不紧张:肌肉~|~的心情。❷(制度、纪律等)执行得不严格:纪律~。
【松动】sōngdòng ❶动变得不拥挤;接近终点站,车厢里~多了。❷形宽裕;不窘:手头~。❸动(牙齿、螺丝等)不紧;活动:门牙~。❹动(措施、态度、关系等)趋于灵活;变得不那么强硬、紧张:谈判中,双方口气都有些~。
【松花】sōnghuā 名一种蛋制食品,用水混合石灰、黏土、食盐、稻壳等包在鸭蛋或鸡蛋的壳上使凝固变味而成,因蛋清上有像松针的花纹,所以叫松花。也叫皮蛋、变蛋、松花蛋。
【松缓】sōnghuǎn ❶形缓慢;宽绰:节奏~|表情~|日程安排得很~。❷动缓和;放松:~气氛|~神经。
【松节油】sōngjiéyóu 名蒸馏松脂或针叶木材而得的挥发性油,无色至深棕色液体,有特殊气味。油漆工业上用作溶剂,

也用于医药。
【松紧】sōngjǐn 名松或紧的程度:裤腰的~很合适。
【松紧带】sōngjǐndài (~儿)名可以伸缩的带子,用橡胶丝或橡胶条和纱织成。
【松劲】sōng//jìn (~儿)动降低紧张用力的程度:工程越接近尾声,越是不能~。
【松口】sōng//kǒu ❶动张嘴把咬住的东西放开:猎犬叼着野兔不~。❷动不坚持(主张、意见等):怎么劝他,他也不~。
【松快】sōng·kuai 形❶轻松爽快;舒畅:心里~多了。❷宽敞;不拥挤:车厢里挺~。
【松明】sōngmíng 名燃点起来照明用的松树枝。
【松气】sōng//qì 动松开憋住的气,比喻放松紧张情绪或降低努力的程度:比赛结束了,大家松了口气|工作到了最后阶段,决不能~。
【松墙】sōngqiáng 名栽种成行像矮墙一样的桧、柏,多用于庭园布置。
【松球】sōngqiú 名松树的果穗,多为卵圆形,由许多木质的鳞片组成,里面有松子。有的地区叫松塔儿。
【松仁】sōngrén (~儿)名松子里面的仁,可以吃。
【松软】sōngruǎn 形❶松散绵软:~的羊毛|耕过的土地十分~。❷(肢体)软而无力:浑身~,瘫倒在地。
【松散】sōngsǎn 形(事物结构)不紧密;(精神)不集中。
【松散】sōng·san 使轻松舒畅:房里太热,出来~~。
【松手】sōng//shǒu 动放开手:一~,钢笔掉在地上了◇工作要抓紧,不能~。
【松鼠】sōngshǔ (~儿)名哺乳动物,外形略像鼠而较大,尾巴蓬松而特别长大,生活在松林中。
【松松垮垮】sōng·sōngkuǎkuǎ (~的)形状态词。❶(结构)不坚固,不紧凑:这座房子梁柱椽条~的,像是快要倒塌了。❷懒散;松懈;不紧张:训练时~,比赛时一定打败仗。
【松涛】sōngtāo 名松树被风吹动时所发出的像波涛一样的声音。
【松塔儿】sōngtǎr〈方〉名松球。
【松香】sōngxiāng 名松脂蒸馏后剩下的

固态物质,淡黄色或棕色,透明,质硬而脆。用于油漆、肥皂、造纸、橡胶等工业。

【松懈】sōngxiè 形❶ 注意力不集中;做事不抓紧。❷ 纪律不严格;意志不坚定。❸ 人与人之间关系不密切;动作不协调。

【松心】sōng∥xīn 动 不操心;使心情轻快:家务有儿媳妇儿操持,婆婆就～了|忙完了这件事,我们就能松几天心了。

【松针】sōngzhēn 名 松树的叶子,形状像针。

【松脂】sōngzhī 名 松树等树干上渗出的胶状液体,主要由松香和松节油组成。

【松子】sōngzǐ 名❶(～儿)松树的种子。❷〈方〉松仁:～糖。

【松嘴】sōng∥zuǐ 动 松口。

娀 sōng 有娀,古国名,在今山西运城一带。

淞 sōng 见 1450 页〖雾凇〗、1664 页〖雨凇〗。

菘 sōng 古书上指白菜。

【菘菜】sōngcài〈方〉名 大白菜。

【菘蓝】sōnglán 名 二年生草本植物,茎直立,叶子长椭圆形,花黄色。根入中药,叫板蓝根。叶子入中药,叫大青叶,也可以提制蓝色染料。

淞 sōng 吴淞江(Wúsōng Jiāng),水名,发源于江苏,流经上海,入黄浦江。

嵩(崧) sōng ❶〈书〉山大而高。❷〈书〉高。❸(Sōng)名 姓。

sóng (ㄙㄨㄥˊ)

尿(㞞) sóng〈口〉❶ 名 精液。❷ 形 讥讽人软弱无能:～包|这人真～。

【尿包】sóngbāo〈口〉❶ 形 软弱无能。❷ 名 指软弱无能的人。

sǒng (ㄙㄨㄥˇ)

扨(㩳) sǒng ❶〈书〉挺立;挺起:～身。❷〈方〉动 推。

怂(慫) sǒng〈书〉惊惧。

【怂恿】sǒngyǒng 动 鼓动别人去做(某事)。

耸(聳) sǒng ❶ 动 耸立:高～|～入云霄。❷ 引起注意;使人吃惊:危言～听。❸ 动 耸动①:～肩|～了两下鼻子,打了个喷嚏。

【耸动】sǒngdòng 动❶(肩膀、肌肉等)向上动。❷ 造成某种局面,使人震动:～视听。

【耸肩】sǒng∥jiān 动 微抬肩膀(表示轻蔑、疑惑、惊讶等):他耸了耸肩,现出不可理解的神情。

【耸立】sǒnglì 高高地直立:群山～。

【耸人听闻】sǒng rén tīng wén 故意说夸大或惊奇的话,使人震惊。

【耸峙】sǒngzhì 动 耸立:峭壁～。

悚 sǒng〈书〉害怕:～然。

【悚然】sǒngrán 形 害怕的样子:毛骨～。

竦 sǒng〈书〉❶ 恭敬。❷ 同"悚"。❸ 同"耸"。

sòng (ㄙㄨㄥˋ)

讼(訟) sòng ❶ 在法庭上争辩是非曲直;打官司:诉～。❷〈书〉争辩是非:争～|聚～纷纭。

【讼棍】sònggùn 名 旧社会里唆使别人打官司自己从中取利的坏人。

【讼师】sòngshī 名 旧社会里以给打官司的人出主意、写状纸为职业的人。

宋[1] Sòng ❶ 周朝国名,在今河南商丘一带。❷ 名 朝代。a)南朝之一,公元 420—479,刘裕所建。参看 979 页〖南北朝〗。b)公元 960—1279,赵匡胤所建。参看 58 页〖北宋〗、980 页〖南宋〗。❸ 名 姓。

宋[2] sòng 量 响度单位,符号 son。1 宋等于1 000毫宋,约相当于人耳刚能听到的声音响度的一千倍。旧作味。[英 sone]

【宋江起义】Sòng Jiāng Qǐyì 北宋末年(约公元 1110 年)宋江领导的农民起义,活动于今山东、河北一带,公元 1121 年被北宋王朝所镇压。

【宋体字】sòngtǐzì 名 通行的汉字印刷体,

正方形，横的笔画细，竖的笔画粗。这种字体起于明朝中叶，叫做宋体是出于误会。另有横竖笔画都较细的字体称"仿宋体"，比较接近于宋朝刻书的字体。为了区别于仿宋体，原来的宋体字又称为"老宋体"。

送 sòng ❶ 劻 把东西运去或拿去给人：～报|～信|～饭。❷ 劻 赠送：奉～|老师～我两本书。❸ 劻 陪着离去的人一起走：把客人～到大门外|～小孩儿上学。❹ (Sòng) 名 姓。

【送别】sòng//bié 劻 送行：车站～。

【送殡】sòng//bìn 劻 出殡时陪送灵柩。

【送达】sòngdá 劻 ❶ 送交；送到：务必三日内～。❷ 司法机关依照法定程序将诉讼文件送交当事人。

【送检】sòngjiǎn 劻 送交有关部门检查或检验：患者血样已经～。

【送交】sòngjiāo 劻 送去并交付：简历已～用人单位。

【送礼】sòng//lǐ 劻 赠送礼品：请客～。

【送命】sòng//mìng 劻 丧失性命（含不值得的意思）；送死：白白～。

【送气】sòngqì 语音学上把发辅音时一比较显著的气流出来叫送气，没有显著的气流出来叫不送气。普通话语音中的 b, d, g, j, z, zh 是不送气音，p, t, k, q, c, ch 是送气音。送气、不送气也叫吐气、不吐气。

【送亲】sòng//qīn 劻 结婚时女家亲属送新娘到男家。

【送人情】sòng rénqíng ❶ 给人一些好处，以讨好别人。❷〈方〉送礼。

【送丧】sòng//sāng 劻 送殡。

【送审】sòngshěn 劻 送上级或有关方面审批或审订：～稿。

【送死】sòngsǐ〈口〉劻 自寻死路；找死。

【送行】sòng//xíng 劻 ❶ 到远行人起程的地方，和他告别，看他离开：到车站～。❷ 饯行：设宴为他～。

【送信儿】sòng//xìnr〈口〉劻 传递消息：大哥一家，小妹就给妈妈～去了。

【送葬】sòng//zàng 劻 送死者遗体到埋葬地点或火化地点。

【送站】sòngzhàn 劻 送人到车站（乘车）：火车开了，～的人们渐渐离去。

【送终】sòng//zhōng 劻 长辈亲属临终时在身旁照料，也指安排长辈亲属的丧事：养老～。

诵（誦） sòng ❶ 读出声音来；念：朗～。❷ 背诵：熟读成～。❸ 称述；述说：传～。

【诵读】sòngdú 劻 念（诗文）：高声～。

唞 sòng 量 宋（响度单位）旧多作唞。

颂（頌） sòng ❶ 颂扬：歌～。❷ 祝颂（多用于书信问候）：敬～大安。❸ 周代祭祀时用的舞曲，配曲的歌词有些收在《诗经》里面。❹ 以颂扬为目的的诗文：《祖国～》。❺ (Sòng) 名 姓。

【颂词】sòngcí 名 称赞功德或祝贺幸福的讲话或文章。

【颂歌】sònggē 名 用于祝颂的诗歌、歌曲。

【颂扬】sòngyáng 劻 歌颂赞扬：大加～|～功绩。

sōu（ㄙㄡ）

搜（❶蒐） sōu ❶ 寻找：～集|～罗|～求。❷ 劻 搜查：～身|～腰|～捕|什么也没～着。

【搜捕】sōubǔ 劻 搜查与案件有关的地方并逮捕有关的人：～逃犯。

【搜查】sōuchá 劻 搜索检查（犯罪嫌疑人或违禁的东西）：～毒品。

【搜肠刮肚】sōu cháng guā dù 形容费尽心思：他～地想办法，也想不出好点子来。

【搜刮】sōuguā 劻 用各种方法掠夺（人民的财物）：贪官污吏～民脂民膏。

【搜获】sōuhuò 劻 搜查得到；查获：～一批走私物品。

【搜集】sōují 劻 到处寻找（事物）并聚集在一起：～意见|～革命文物。

【搜剿】sōujiǎo 劻 搜索剿灭：～残敌。

【搜缴】sōujiǎo 劻 搜查收缴：～凶器|～非法出版物。

【搜救】sōujiù 劻 搜寻营救：～遇险船员。

【搜括】sōukuò 劻 搜刮。

【搜罗】sōuluó 劻 到处寻找（人或事物）并聚集在一起：～人才|～史料。

【搜求】sōuqiú 劻 搜集；寻求：～孤本秘籍。

【搜身】sōu//shēn 劻 搜查身上有无夹带。

【搜索】sōusuǒ 劻 仔细寻找（隐藏的人或东西）：～残敌｜四处～。

【搜索枯肠】sōusuǒ kūcháng 形容竭力思索（多指写诗文）。

【搜索引擎】sōusuǒ yǐnqíng 互联网上的一种系统，用户通过输入关键词等，可以方便地查找能够提供有关信息的网站或网页。

【搜寻】sōuxún 劻 到处寻找：～证据｜～失踪的人。

嗖 sōu 拟声 形容很快通过的声音：汽车～的一声开过去了｜子弹～～地从头顶飞过。

馊（餿）sōu 形 饭、菜等变质而发出酸臭味。

【馊主意】sōuzhǔ·yi 名 指不高明的办法。

廀 sōu 〈书〉隐藏；藏匿。

溲 sōu 〈书〉排泄粪便，特指排泄小便。

飕¹（颼）sōu 〈方〉劻 风吹（使变干或变冷）：馒头让风～干了。

飕²（颼）sōu 同“嗖”。

【飕飗】sōuliú 〈书〉拟声 形容风声。

锼（鎪）sōu 〈方〉劻 镂刻（木头）：椅背上的花纹是～出来的。

【锼弓子】sōugōng·zi 〈方〉名 钢丝锯。

螋 sōu 见 1127 页[蠼螋]。

艘 sōu 量 用于船只：五～远洋货轮。

sǒu （ㄙㄡˇ）

叟（叜）sǒu 〈书〉年老的男人：老～｜童～无欺。

瞍 sǒu 〈书〉❶ 眼睛没有瞳人，看不见东西。❷ 瞎子。

嗾 sǒu ❶ 叹 指使狗时所发的声音。❷〈书〉发出声音来指使狗。❸ 教唆：～使。

【嗾使】sǒushǐ 劻 挑动指使（别人做坏事）。

撨（撽）sǒu 见 331 页[抖撽]。另见 1299 页 sòu。

薮（藪）sǒu 〈书〉❶ 生长着很多草的湖。❷ 指人或东西聚集的

地方：渊～。

sòu （ㄙㄡˋ）

嗽 sòu 咳嗽：干～。

撽（撽）sòu 〈方〉劻 用通条插到炉灶里抖动，使炉灰掉下去：～火｜把炉子～一～。另见 1299 页 sǒu。

sū （ㄙㄨ）

苏¹（蘇）sū 植物名：紫～｜白～。

苏²（蘇）sū 指须状下垂物：流～。

苏³（蘇、甦）sū 苏醒：死而复～。

苏⁴（蘇）Sū ❶ 指江苏苏州：～绣｜～白。❷ 名 指江苏：～剧｜～南。❸ 名 姓。

苏⁵（囌）sū 见 884 页[嚕苏]。

苏⁶（蘇）sū ❶ 指苏维埃：～区。❷（Sū）名 指苏联。

【苏白】sūbái 名 ❶ 苏州话。❷ 京剧、昆曲等剧中用苏州话说的道白。

【苏菜】sūcài 名 江苏风味的菜肴。

【苏打】sūdá 名 无机化合物，化学式 Na_2CO_3。白色粉末或颗粒，水溶液呈强碱性。是重要的工业原料。也叫纯碱。[英 soda]

【苏丹】sūdān 名 某些伊斯兰教国家最高统治者的称号。[阿拉伯 sultān]

【苏丹红】sūdānhóng 名 有机化合物，是工业用染料，具有致癌性，禁止用作食品色素。

【苏剧】sūjù 名 江苏地方戏曲剧种之一，由曲艺“苏州滩簧”与昆曲结合发展而成。用胡琴、笛、琵琶（或弦子）、笙等伴奏。

【苏门羚】sūménlíng 名 鬣羚。

【苏木】sūmù 名 内蒙古自治区牧区的相当于乡的行政区划单位。[蒙]

【苏区】sūqū 名 第二次国内革命战争时期

S

的革命根据地。因根据地的政权采取苏
维埃的形式,所以叫苏区。

【苏铁】sūtiě 名 常绿乔木,叶子聚生在茎
的顶部,有大型的羽状复叶,小叶条形,有
光泽,花顶生,雌雄异株,雄花圆锥形,雌
花有褐色绒毛,种子球形。产于温暖的地
区,生长得很慢。通称铁树。

【苏维埃】sūwéi'āi 名 苏联中央和地方各
级的国家权力机关。我国第二次国内革
命战争时期曾把当时的工农民主政权组
织也叫苏维埃。[俄 совет]

【苏醒】sūxǐng 动 昏迷中醒过来;伤员
从昏迷中～◇春天万物～。

【苏绣】sūxiù 名 江苏苏州出产的刺绣。

【苏州码子】Sūzhōu mǎ·zi 我国旧时表示
数目的符号,从一到十依次写作丨、丨丨、丨丨丨、
×、δ、⊥、⊥丨、⊥丨丨、文、十。也叫草码。

酥 sū ❶ 名 古代称酥油为酥。❷ 形（食
物）松而易碎:虾片一炸就很～。❸
面粉和油加糖制成的松而易碎的点心:
桃～。❹ 形 酥软:～麻 站了一天,两腿
都～了。

【酥脆】sūcuì 形（食物）酥而且脆。

【酥麻】sūmá 形（肢体）酥软发麻。

【酥软】sūruǎn 形（肢体）软弱无力:走了
一天路,累得两腿～。

【酥松】sūsōng 形（土壤等）松散;不紧密:
泥土～|～的石灰层。

【酥油】sūyóu 名 从牛奶或羊奶内提取出
来的脂肪。把牛奶或羊奶煮沸,用勺搅
动,冷却后凝结在上面的一层就是酥油。

【酥油茶】sūyóuchá 名 藏族、蒙古族地区
的一种饮料,用酥油、砖茶、盐等制成。

【酥油花】sūyóuhuā 名 藏族的一种艺术
品,用掺和各种颜料的酥油塑制成的各种
人物、风景、花卉、鸟兽等。

稣（穌） sū 同"苏³"。

窣 sū 见 1458 页[窸窣]。

sú （ㄙㄨˊ）

俗 sú ❶ 名 风俗:土～|移风易～|入境问
～。❷ 大众的;普遍流行的:～名|
话|通～。❸ 形 庸俗:～气|～不可耐。❹

指没出家的人(区别于出家的佛教徒等):
僧～。

【俗不可耐】sú bù kě nài 庸俗得让人无
法忍受。

【俗称】súchēng ❶ 动 通俗地叫做:马铃
薯～土豆儿。❷ 名 俗名①。

【俗话】súhuà （～儿）〈口〉名 俗语。

【俗家】sújiā ❶ 名 僧尼道士等称其父母
的家。❷ 指没出家的人(对僧人道士
而言):～打扮。

【俗讲】sújiǎng 名 唐代寺院中用于讲解
佛教经义的一种说唱形式,以佛教经义
为根据,增加一些故事性成分,吸引听众。

【俗名】súmíng 名 ❶ 通俗的名称,不是正
式的名称(多有地方性):阑尾炎～叫盲肠
炎。❷ 僧人、道士等出家前的名字(跟"法
名"相对)。

【俗气】sú·qi 形 粗俗;庸俗:这块布颜色
素净,花样也大方,一点不～。

【俗曲】súqǔ 名 旧指民间的通俗歌曲。也
叫俚曲。

【俗人】súrén 名 ❶ 世俗的人,一般人(对
僧尼、道士等出家人而言)。❷ 庸俗的人。

【俗尚】súshàng 名 习俗所崇尚的风气:
不拘～。

【俗套】sútào 名 ❶ 习俗上常见的使人感
到无聊的礼节。❷ 陈旧的格调:不落
～。‖也说俗套子。

【俗体字】sútǐzì 名 指通俗流行而字体不
合规范的汉字,如"觧"(解)、"塟"(葬)等。
也叫俗字。

【俗文学】súwénxué 名 指我国古代的通
俗文学,包括歌谣、曲子、讲史、话本、变文、
弹词、宝卷、鼓词、民间传说、笑话、谜语及
宋元以来南北戏曲、地方戏等。

【俗语】súyǔ 名 通俗并广泛流行的定型的
语句,简练而形象化,大多数是劳动人民创
造出来的,反映人民的生活经验和愿望。
如"天下无难事,只怕有心人"。也叫俗话。

【俗子】súzǐ 名 俗人:凡夫～。

【俗字】súzì 名 俗体字。

sù （ㄙㄨˋ）

夙 sù 〈书〉❶ 早:～兴夜寐。❷ 素有
的;旧有的:～志|～愿。

【夙仇】sùchóu 名❶一向作对的仇人。❷旧有的仇恨。‖也作宿仇。

【夙敌】sùdí 名一向对抗的敌人。也作宿敌。

【夙诺】sùnuò〈书〉名以前的诺言。也作宿诺。

【夙嫌】sùxián 名旧有的嫌怨:捐弃～。也作宿嫌。

【夙兴夜寐】sù xīng yè mèi 早起晚睡,形容勤劳。

【夙夜】sùyè 名早晨和夜晚,泛指时时刻刻:～忧国。

【夙怨】sùyuàn 名旧有的怨恨;夙嫌:了却～。也作宿怨。

【夙愿】sùyuàn 名一向怀着的愿望:～得偿。也作宿愿。

诉(訴) sù ❶动说给人:告～。❷动倾吐(心里的话):～苦|衷情|向母亲～～心中的苦楚。❸动控告:上～。

【诉苦】sù//kǔ 动向人诉说自己所受的苦难:～叫屈|无处～。

【诉求】sùqiú ❶动诉说理由并提出请求:他耐心倾听老人～。❷名愿望;要求:廉政成为广大群众对领导干部的一致～。

【诉权】sùquán 名起诉和诉愿的权利。

【诉述】sùshù 动诉说:～经历。

【诉说】sùshuō 动带感情地陈述:他在信里～着对地质工作的热爱。

【诉讼】sùsòng 动司法机关在案件当事人和其他有关人员的参与下,按照法定程序解决案件时所进行的活动。分为刑事诉讼、民事诉讼和行政诉讼。

【诉讼法】sùsòngfǎ 名关于诉讼程序的法规,有刑事诉讼法、民事诉讼法、行政诉讼法等。

【诉冤】sù//yuān 动向人诉说自己所受的冤屈。

【诉愿】sùyuàn 动指当事人遭受国家机关不当的处分时,依法向原处分机关的上级机关提出申诉,请求撤销或变更原处分。

【诉状】sùzhuàng 名向法院提起诉讼的文书的总称。

肃(肅) sù ❶恭敬:～立。❷严肃:～穆。❸肃清:～贪。❹(Sù)名姓。

【肃静】sùjìng 形严肃寂静:殿堂里十分～。

【肃立】sùlì 动恭敬庄严地站着:奏国歌时全场～。

【肃穆】sùmù 形严肃而恭敬:灵堂布置得庄严～。

【肃清】sùqīng 动彻底清除(坏人、坏事、坏思想):～盗匪|～流毒。

【肃然】sùrán 形形容十分恭敬的样子:～起敬。

【肃杀】sùshā〈书〉形形容秋冬天气寒冷,草木枯落:秋气～。

【肃贪】sùtān 动肃清贪污行为:～倡廉。

素 sù ❶名本色;白色:～服。❷形颜色单纯;不艳丽:～净|这种布花色太～。❸名蔬菜、瓜果等食物(跟"荤"相对):吃～|三荤一～。❹本来的;原有的:～质|～性。❺带有根本性质的物质:色～|毒～|因～|元～|维生～。❻副素来;向来:～有好感。❼(Sù)名姓。

【素材】sùcái 名文学、艺术的原始材料,就是未经总括和提炼的实际生活现象。

【素菜】sùcài 名用蔬菜、瓜果等做的菜(指不掺有肉类的)。

【素餐】sùcān ❶名素的饭食。❷动吃素。❸〈书〉动不做事而白吃饭:尸位～。

【素常】sùcháng 名平日;平素:儿子结婚的那一天,老大爷把～舍不得穿的衣服都穿出来了。

【素淡】sùdàn 形素净;淡雅:颜色～。

【素服】sùfú 名本色或白色的衣服,多指丧服。

【素洁】sùjié 形素净洁白:池中的白莲花是那么的～、雅致。

【素净】sù·jing 形颜色朴素,不鲜艳刺目:衣着～|陈设～而大方。

【素酒】sùjiǔ 名❶就着素菜而喝的酒。❷〈方〉素席。

【素来】sùlái 副从来;向来:他的人品,是我～佩服的。

【素昧平生】sù mèi píngshēng 一向不相识。

【素描】sùmiáo 名❶单纯用线条描写、不加彩色的画,如铅笔画、木炭画、某种毛笔画等。素描是一切造型艺术的基础。❷文学上借指文句简洁、不加渲染的朴素描写。

【素朴】sùpǔ 形❶ 朴素;不加修饰的:~的语言。❷ 萌芽的;未发展的(多指哲学思想):~唯物主义。

【素日】sùrì 名平日;平常:他~不爱说话,今天一高兴,话也多起来了。

【素食】sùshí ❶ 名素的饭食和点心。❷ 动吃素;~者(长期吃素的人)。

【素数】sùshù 名在大于1的整数中,只能被1和这个数本身整除的数,如2,3,5,7,11。也叫质数。

【素昔】sùxī 副素来;往常:他们~不相往来。

【素席】sùxí 名全用素菜不用荤菜的酒席。

【素雅】sùyǎ 形素净雅致:衣着~。

【素养】sùyǎng 名平日的修养:艺术~。

【素油】sùyóu 名指食用的植物油。有的地区叫清油。

【素愿】sùyuàn 名一向怀着的愿望:~得偿。

【素志】sùzhì 〈书〉名一向怀有的志愿:~未偿|~不改。

【素质】sùzhì 名❶ 指事物本来的性质。❷ 素养:提高军事~。❸ 心理学上指人的神经系统和感觉器官上的先天的特点。

【素质教育】sùzhì jiàoyù 以提高人的素质为根本宗旨的教育。在教育的各个环节中,全面实施德育、智育、体育、美育,着重培养学生的创新精神和实践能力。

【素装】sùzhuāng 名白色的服装;淡雅的装束。

速¹ sù ❶ 迅速;快:火~|~战~决。❷ 速度:风~|光~|声~|车~|时~。❸ (Sù)名姓。

速² sù 〈书〉邀请:不~之客。

【速成】sùchéng 动将学习期限缩短,在短期内很快学完:~班。

【速递】sùdì ❶ 名特快专递:邮政~。❷ 动用速递的方式递送。

【速冻】sùdòng 动快速冷冻:~食品。

【速度】sùdù 名❶ 运动物体在某一个方向上单位时间内所通过的距离。❷ 泛指快慢的程度:高~|放慢~。

【速度滑冰】sùdù huábīng 冰上运动项目之一。运动员在规定距离内以竞速为目

的进行的滑冰比赛。

【速记】sùjì ❶ 动用一种简便的记音符号迅速地把话记录下来。❷ 名速记的方法。

【速决】sùjué 动迅速地解决:速战~。

【速决战】sùjuézhàn 名在较短时间内迅速决定胜负的战役或战斗。

【速率】sùlǜ 名速度的大小。

【速溶】sùróng 动快速溶解:~奶粉|~咖啡。

【速食面】sùshímiàn 〈方〉名方便面。

【速算】sùsuàn 动利用数与数的组成和分解以及各种运算定律、性质或它们之间的特殊关系,进行迅速简便的运算。

【速效】sùxiào ❶ 名很快就取得的成效:这种药有~。❷ 形属性词。快速显示效力的:~肥料。

【速写】sùxiě 名❶ 绘画的一种方法,一边观察对象一边用简单线条将其主要特点迅速地画出来。❷ 一种文体,扼要描写人或事物的情况,及时向读者报道。

【速战速决】sù zhàn sù jué 迅速投入战斗,迅速结束战斗,比喻做事时迅速地完成任务或解决问题。

悚 sù 〈书〉鼎中的食物。

涑 Sù 涑水河(Sùshuǐ Hé),水名,在山西。

宿¹ sù ❶ 夜里睡觉;过夜:~舍|~营|露~|夜~荒野。❷ (Sù)名姓。

宿² sù 〈书〉❶ 旧有的;一向有的:~疾|~志。❷ 年老的;长期从事某事的:耆~|~将(jiàng)。
另见 1534 页 xiǔ;1535 页 xiù。

【宿弊】sùbì 〈书〉名多年的弊病:~一清。

【宿便】sùbiàn 名长时间淤滞在肠道中的粪便,对人体健康不利。

【宿娼】sùchāng 动嫖妓。

【宿仇】sùchóu 同"夙仇"。

【宿敌】sùdí 同"夙敌"。

【宿根】sùgēn 名某些二年生或多年生草本植物的根,在茎叶枯萎以后可以继续生存,到第二年春天重新发芽,这种根叫做宿根,如芍药、薄荷等的根。

【宿疾】sùjí 名一向有的病;拖延很久难以治愈的病。

【宿将】sùjiàng 名久经战阵的指挥官;老

将。

【宿命论】sùmìnglùn 图 一种唯心主义理论,认为事物的变化和发展、人的生死和贫富等都由命运或天意预先决定,人是无能为力的。

【宿诺】sùnuò 同"夙诺"。

【宿儒】sùrú 图 老成博学的读书人。

【宿舍】sùshè 图 企业、机关、学校等供给工作人员及其家属或供给学生住的房屋。

【宿土】sùtǔ 图 植物原生长地点的土壤。

【宿嫌】sùxián 同"夙嫌"。

【宿营】sùyíng 勔 军队在行军或战斗后住宿:露天～。

【宿怨】sùyuàn 同"夙怨"。

【宿愿】sùyuàn 同"夙愿"。

【宿债】sùzhài 图 以前欠下的债务:偿清～。

【宿志】sùzhì〈书〉图 一向怀有的志愿:不忘～。

【宿主】sùzhǔ 图 寄生物所寄生的生物,例如人就是蛔虫的宿主。也叫寄主。

骕(驌) sù 见下。

【骕骦】sùshuāng 同"骕骦"。

【骕骦】sùshuāng 图 古书上说的一种良马。也作骕骦。

粟 sù 图❶ 谷子①②。❷ (Sù)姓。

【粟米】sùmǐ〈方〉图 玉米。

【粟子】sù•zi〈方〉图 谷子①②。

谡(謖) sù〈书〉起;起来。

【谡谡】sùsù〈书〉囮 形容挺拔:～长松。

嗉(膆) sù 嗉囊。

【嗉囊】sùnáng 图 鸟类的消化器官的一部分,在食道的下部,像个袋子,用来储存食物。通称嗉子。

【嗉子】sù•zi 图❶ 嗉囊的通称:鸡～。❷〈方〉装酒的锡制的或瓷的器皿,像瓶子,底大,颈细长。

塑 sù❶勔 塑造:～像|泥～木雕|～一尊佛像。❷图 塑料:涂～|壁纸|全～家具。

【塑封】sùfēng❶勔 为防水、耐用而用塑料膜封闭起来:～卡片。❷图 用塑料膜制成的封皮或封套:这本新书～还没打

开。

【塑钢】sùgāng 图 一种用于制作门窗等的材料,用聚氯乙烯、树脂为原料挤压成型,框架内嵌有槽形钢材。

【塑料】sùliào 图 以树脂等高分子化合物为基本成分,与配料混合后加热加压而成的,具有一定形状的材料。在常温下不再变形。一般具有质轻、绝缘、耐腐蚀、耐磨擦等特性。种类很多,应用极为广泛。

【塑像】sùxiàng❶(-/-)勔 用石膏或泥土等制作人像。❷图 用石膏或泥土等塑成的人像。

【塑性】sùxìng 图 在应力超过一定限度的条件下,材料或物体不断裂而继续变形的性质。在外力去掉后还能保持一部分残余变形。

【塑造】sùzào 勔❶ 用泥土等可塑材料制成人物形象:庙里～了一尊泥菩萨。❷ 用语言文字或其他艺术手段表现人物形象:这篇小说成功地～了一位知识分子的形象。

溯(泝、遡) sù❶ 逆着水流的方向走:～源|～流而上。❷ 往上推求或回想:回～|追～。

【溯源】sùyuán 勔 往上游寻找发源的地方,比喻向上寻求历史根源:追本～。

愫 sù〈书〉真实的情意;诚意:情～。

鹔(鷫) sù 见下。

【鹔鹴】sùshuāng 同"鹔鹴"。

【鹔鹴】sùshuāng 图 古书上说的一种鸟。也作鹔鹴。

蔌 sù〈书〉蔬菜:山肴野～。

傈 sù❶ 见843页[傈僳族]。❷(Sù)图 姓。

觫 sù 见577页[觳觫]。

愬 sù〈书〉同"诉"。

缩(縮) sù[缩砂密](sùshāmì)图 多年生草本植物,是砂仁的一个变种,叶子披针形,花白色,蒴果绿色。果实和种子可入药。

　另见1309页 suō。

颣 sù 见890页[麗颣]。

簌 sù ［簌簌］(sùsù) ❶ 拟声 形容风吹叶子等的声音。❷ 形 形容眼泪等纷纷落下的样子：～泪下。❸ 形 形容肢体发抖的样子：手指～地抖。

蹜 sù ［蹜蹜］(sùsù)〈书〉形 形容小步快走。

suān（ㄙㄨㄢ）

猰 suān ［猰貐］(suānní) 名 传说中的一种猛兽。

酸¹ suān ❶ 名 电解质电离时所生成的正离子全部是氢离子的化合物。能跟碱中和生成盐和水，跟某些金属反应生成盐和氢气，水溶液有酸味，可使石蕊试纸变红。如盐酸、硫酸等。❷ 形 像醋的气味或味道：～菜｜～枣｜青梅很～。❸ 形 悲痛；伤心：辛～｜悲～｜心里一～，眼泪就淌了下来。❹ 形 迂腐（多用于讥讽文人）：穷～｜～秀才。

酸²（痠） suān 形 因疲劳或疾病引起的微痛而无力的感觉：腰～腿疼｜腿～了。

【酸败】suānbài 动 油脂、鱼肉等由于受到空气、水分、细菌、热、光等的作用而氧化或水解，酸值增高，产生异味。

【酸不溜丢】suān·buliūdiū（～的）〈方〉形 状态词。形容有酸味（含厌恶意）。

【酸菜】suāncài 名 白菜等经发酵变酸了的叫做酸菜。

【酸楚】suānchǔ 形 辛酸苦楚：心头～。

【酸酐】suāngān 名 酸缩去水而成的化合物，如一个碳酸分子（H_2CO_3）缩去一分子水（H_2O）剩下的二氧化碳（CO_2）就是碳酸酐，两个醋酸分子（CH_3COOH）缩去一分子水（H_2O）剩下的（CH_3CO）$_2O$就是醋酸酐。简称酐。

【酸根】suāngēn 名 酸分子里除去氢离子后剩下的部分；酸或盐类存在于晶体或水溶液中的负离子。如硫酸根（SO_4^{2-}）、硝酸根（NO_3^-）、盐酸根（Cl^-）等。

【酸碱度】suānjiǎndù 名 溶液酸碱性强弱的程度。用 pH 值表示。

【酸懒】suānlǎn〈方〉形（身体）发酸而疲倦。

【酸溜溜】suānliūliū（～的）形 状态词。❶

形容酸的气味或味道：这个凉菜～的，吃着挺爽口。❷ 形容轻微酸痛的感觉：走了一天的路，腿肚子有点儿～的。❸ 形容轻微嫉妒或心里难过的感觉：听到被表扬的不是自己，她心里有些～的。❹ 形容爱引用古书词句，言谈迂腐（含讥讽意）：他就喜欢卖弄，～地来两句之乎者也。

【酸梅】suānméi 名 乌梅的通称。

【酸梅汤】suānméitāng 名 把乌梅放在水里泡过或煮过再加糖制成的夏季饮料，滋味酸甜。

【酸奶】suānnǎi 名 牛奶等经人工发酵而成的半固体食品，带酸味，易于消化吸收。

【酸软】suānruǎn 形（身体）发酸而无力：四肢～。

【酸甜苦辣】suān tián kǔ là 指各种味道，也比喻幸福、痛苦等种种遭遇。

【酸痛】suāntòng 形（身体）又酸又痛。

【酸雾】suānwù 名 硫酸雾。

【酸雨】suānyǔ 名 指含有一定数量酸性物质（如硫酸、硝酸、盐酸）的自然降水（pH 值小于 5.6），包括雨、雪、雹、雾等。酸雨能腐蚀建筑物等，并损害植物，污染水源。

【酸枣】suānzǎo 名 ❶ 酸枣树，落叶灌木或乔木，枝上有刺，叶子长椭圆形，边缘有细锯齿，花黄绿色。果实长圆形，暗红色，肉质薄，味酸。核仁可入药。也叫棘。❷（～儿）这种植物的果实。

suàn（ㄙㄨㄢˋ）

蒜 suàn 名 ❶ 多年生草本植物，花白色带紫，叶子和花轴嫩时可做蔬菜。地下鳞茎味道辣，有刺激性气味，可以做调味品，也可入药。❷ 这种植物的鳞茎。‖也叫大蒜。

【蒜瓣儿】suànbànr 名 蒜的鳞茎分成瓣状，每一个瓣状部分叫做一个蒜瓣儿。

【蒜薹】suànháo（～儿）名 蒜薹。

【蒜黄】suànhuáng（～儿）名 在不受日光的照射和适当的温度、湿度条件下培育出来的黄色蒜叶。做蔬菜用。

【蒜苗】suànmiáo〈方〉名 ❶ 嫩的蒜薹。❷ 青蒜。

【蒜泥】suànní 名 捣得非常烂的蒜，用来拌菜或蘸菜吃。

【蒜薹】suàntái 名 蒜的花轴,嫩的可以吃。

【蒜头】suàntóu (~儿)名 蒜的鳞茎,略呈球形,是由一个或许多蒜瓣儿构成的。

筹 suàn 〈书〉同"算"。

算 (❶－❾ 祘) suàn ❶ 动 计算数目:珠～|笔～|心～|预～|写会~|~了一笔账。❷ 动 计算进去:明天赛球~我一个。❸ 动 谋划;计划:失~|打~|盘~|暗~|~计。❹ 动 推测:我~他今天该动身了。❺ 动 认做;当做:他可以~一个好学生|你们挑剩下的都~我的。❻ 动 算数;承认有效力:他说的不~,还得你说。❼ 动 作罢;不再计较(后面跟"了"):~了,别说了|他不愿意就~了吧。❽ 动 表示比较起来最突出:我们班里,就~他年纪最小了。❾ 副 总算:最后~把这个问题弄懂了。❿ (Suàn)名 姓。

【算草】suàncǎo (~儿)名 演算算题时所做的草式,如 $\frac{28}{-19}$, $\frac{\times 5}{25}$ 。

【算尺】suànchǐ 名 计算尺。

【算得】suàn//dé 动 被认为是;算做:他俩真~一对好夫妻。

【算卦】suàn//guà 动 根据卦象推算吉凶等(迷信)。

【算计】suàn·ji 动 ❶ 计算数目:数量之多,难以~。❷ 考虑;打算:这件事慢一步办,还得~~。❸ 估计:我~他今天回不来,果然没回来。❹ 暗中谋划损害别人:被人~。

【算命】suàn//mìng 动 凭人的生辰八字,用阴阳五行推算人的命运,断定人的吉凶祸福(迷信)。

【算盘】suàn·pan 名 ❶ 一种计算数目的用具,长方形框内装有一根横梁,梁上钻孔镶小棍儿十余根,每根上穿一串珠子,叫算盘子儿,常见的是两颗在横梁上,每颗代表五,五颗在横梁下,每颗代表一。按规定的方法拨动算盘子儿,可以做加减乘除等运算。❷ 比喻计划;打算:如意~|他答应这件事,是有他自己的~的。

【算盘子儿】suàn·panzǐr 名 算盘上的珠子,多为木制,扁圆形,中间有孔。

【算式】suànshì 名 进行数(或代式)的计算时所列出的式子,分为横式和竖式两种。

【算是】suànshì 副 总算:这一下你~猜着了|我们早就想办这事,现在~实现了。

【算术】suànshù 名 数学的一个分支,是数学中最基础、最初等的部分。主要研究零和正整数、正分数的记数方法,在加、减、乘、除、乘方、开方运算下产生的数的性质,运算法则以及在社会实践中的应用。

【算术根】suànshùgēn 名 一个正数的正的 n 次方根就是这个正数的 n 次算术根。如 9 的二次算术根是 3。

【算数】suàn//shù 动 ❶ (~儿)承认有效力:说话要~,不能翻悔|以前的不~,从现在算起。❷ 表示到…为止:学会了才~。

【算学】suànxué 名 ❶ 数学。❷ 算术。

【算账】suàn//zhàng 动 ❶ 计算账目。❷ 吃亏或失败后和人争执较量:这盘棋你赢了,明天咱们再~。

SUĪ (ㄙㄨㄟ)

尿 suī 〈口〉名 义同"尿"(niào)①:小孩儿又尿(niào)了一泡~。
另见 999 页 niào。

【尿泡】suī·pāo 同"尿脬"。

【尿脬】suī·pāo 〈方〉名 膀胱。也作尿泡。

虽 (雖) suī 连 ❶ 虽然:事情~小,意义却很大|三月天气,~没太阳,也不觉得冷了|房子旧~旧,倒还干净。❷ 即使:为人民而死,~死犹荣。

【虽然】suīrán 连 用在上半句,下半句往往用"可是、但是"等跟它呼应,表示承认甲事为事实,但乙事并不因为甲事而不成立:现在我们~生活富裕了,但是还要注意节约|他~工作很忙,可是对学习并不放松。

注意 文言里"虽然"承接上文,稍微停顿,等于白话"虽然如此"的意思。

【虽说】suīshuō 〈口〉连 虽然:~是开玩笑,也该有个分寸。

【虽则】suīzé 连 虽然:~多费了些工夫,但是长了不少知识。

荽 suī 见 1564 页[芫荽]。

睢 suī ❶ 〈书〉目光深注。❷ (Suī)名 姓。

睢[1] suī 见1812页〖恣睢〗。

睢[2] Suī ❶ 睢县,地名,在河南。❷ 名姓。

濉 Suī 濉河,水名,发源于安徽,流入江苏。

suí (ㄙㄨㄟˊ)

绥(綏) suí 〈书〉❶ 安好;顺颂时~(书信结尾用语)。❷ 安抚:~靖。

【绥靖】suíjìng 〈书〉动 安抚,使保持地方平静:~四方。

隋 Suí 名 ❶ 朝代,公元581—618,杨坚所建。❷ 姓。

随(隨) suí ❶ 动 跟②:跟~|~着形势的发展,我们的任务更加繁重了。❷ 动 顺从:~顺|~风转舵|只要你做得对,我都~着。❸ 动 任凭:~意|~便|去不去~你吧。❹ 动 顺便:~手。❺〈方〉动 像:他长得~他父亲。❻ (Suí)名 姓。

【随笔】suíbǐ 名 ❶ 一种散文体裁,篇幅短小,表现形式灵活自由,可以抒情、叙事或评论。❷ 笔记③。

【随便】suíbiàn ❶ (-/-/-)动 按照某人的方便:去不去~|随他的便。❷ 形 不在范围、数量等方面加限制:~闲谈。❸ 形 怎么方便就怎么做,不多考虑:我说话很~,请你不要见怪|写文章不能随随便便,要对读者负责任。❹ 连 任凭;无论:话剧也好,京剧也好,~什么戏,他都爱看。

【随波逐流】suí bō zhú liú 随着波浪起伏,跟着流水漂荡,比喻自己没有主见,随着潮流走。

【随常】suícháng 形 平常;普通:出门时就带了两件~的衣服。

【随处】suíchù 副 不拘什么地方;到处:城市建设发展很快,新的楼房~可见。

【随从】suícóng ❶ 动 跟随(首长):~师长南征北战。❷ 名 随从人员:当了一名~。

【随大流】suí dàliú 随大溜。

【随大溜】suí dàliù (~儿)跟着多数人说话

或行事。也说随大流。

【随地】suídì 副 不拘什么地方:公共场所禁止~乱扔果皮纸屑。

【随访】suífǎng 动 ❶ 随从访问:~记者。❷ 追踪访问,调查了解情况:医生对出院病人坚持~观察。

【随份子】suí fèn·zi 出份子。

【随风倒】suí fēng dǎo 形容无主见,看哪一边势力大就跟着哪一边走。

【随风转舵】suí fēng zhuǎn duò 见1284页〖顺风转舵〗。

【随感】suígǎn 名 随时产生的感想(多用于标题):~录《旅欧~》。

【随行就市】suí háng jiù shì 价格随着市场的行情而变动:农产品充足了,价格自然会~落下来。

【随和】suí·he 形 和气而不固执己见:他脾气~,跟谁都合得来。

【随后】suíhòu 副 表示紧接某种情况或行动之后,多与"就"连用:你先走,我~就去。

【随机】suíjī ❶ 副 跟着情况的变化,掌握时机:密切关注经济的发展,~调整农业政策。❷ 形 不设任何条件,随意的:~采样|记者在大街上~采访了几位市民。

【随机应变】suí jī yìng biàn 跟着情况的变化,掌握时机,灵活应付。

【随即】suíjí 副 随后就;立刻:你们先走,我~动身。

【随记】suíjì 名 随手作的记录(多用于书名或文章标题):参观~|《采访~》。

【随军】suíjūn 动 跟随军队(行动):~记者|~家属。

【随口】suíkǒu 副 没经过考虑,随便说出:他对别人的要求,从不~答应。

【随群】suíqún (~儿)形 举动跟大家一样,跟大家合得来。

【随身】suíshēn 形 属性词。带在身上或跟在身旁的:~携带|~用品|~仆从。

【随身听】suíshēntīng 名 指体积很小,可以随身携带使用的具有播放、收听或录音功能的设备。

【随声附和】suí shēng fùhè 别人说什么,自己跟着说什么,形容没有主见。

【随时】suíshí 副 ❶ 不拘什么时候:有问题可以~来问我。❷ 有需要的时候(就做):维修工可以~上门修理。

【随手】suíshǒu （～儿）副 顺手②③：出门时请～关门。

【随顺】suíshùn 动 依从；顺从。

【随俗】suísú 动 随顺习俗（做事）：入乡～。

【随…随…】suí…suí… 分别用在两个动词或动词性词组前面，表示后一动作紧接着前一动作而发生：～叫～到|大家～到～吃,不用等|这几个文件～印～发。

【随同】suítóng 动 跟着；陪着：几位有经验的老工人～工程师到现场地勘查。

【随喜】suíxǐ 动 ❶ 佛教用语,见人做功德而乐意参加,也指随着众人做某种表示,或愿意加入集体送礼等：～拍手喝彩|～,～! 也算我一份儿。❷ 旧指参观庙宇。

【随乡入乡】suí xiāng rù xiāng 见1162页〖入乡随俗〗。

【随想】suíxiǎng 名 随感（多用于书名或文章标题）：岁月～|《～录》。

【随心】suí∥xīn 形 合乎自己的心愿；称心：这番话听着很～。

【随心所欲】suí xīn suǒ yù 一切都由着自己的心意,想怎么做就怎么做。

【随意】suí∥yì 形 任凭自己的意思：～出入|请大家～点菜。

【随意肌】suíyìjī 名 骨骼肌的旧称。

【随遇而安】suí yù ér ān 能适应各种环境,在任何环境中都能满足。

【随遇平衡】suíyù-pínghéng 处于平衡的物体,在受到微小的作用时,它的重心高度不变,能在任意位置继续保持平衡的现象。如水平地面上圆球的平衡状态。

【随员】suíyuán 名 ❶ 随同首长或代表团外出的工作人员。❷ 在驻外使馆工作的最低一级的外交官。

【随葬】suízàng 动 用财物、器具、车马等随同死者埋葬：～品|～物。

遂 suí 见38页〖半身不遂〗。
另见1308页suì。

suǐ （ㄙㄨㄟ）

髓 suǐ ❶ 见490页〖骨髓〗。❷ 像骨髓的东西：脑～|脊～。❸ 名 植物茎的

中心部分,由薄壁细胞组成。

suì （ㄙㄨㄟ）

岁(歲、嵗、歳) suì ❶ 年：～月|～首|～末|～暮|辞旧～,迎新年。❷ 量 表示年龄的单位：孩子满了三～了|这匹马是六一口。❸〈书〉指时间：～不我与（时间不等待我们）。❹〈书〉年成：歉～|丰～。❺（Suì）名 姓。

【岁差】suìchā 名 太阳和月亮的引力对地球赤道的作用,使地轴在黄道面的周围作圆锥形的运动,缓慢西移,约25 800年环绕一周,同时引起春分点以每年50.2秒的速度西移,使回归年比恒星年短,这种现象叫做岁差。

【岁出】suìchū 名 国家在预算年度内的一切支出（跟"岁入"相对）。

【岁初】suìchū 名 年初。

【岁除】suìchú〈书〉名 一年的最后一天；除夕。

【岁杪】suìmiǎo〈书〉名 年底。

【岁末】suìmò 名 年末。

【岁暮】suìmù〈书〉名 ❶ 一年快完的时候：～天寒。❷ 比喻年老：～之人。

【岁入】suìrù 名 国家在预算年度内的一切收入（跟"岁出"相对）。

【岁首】suìshǒu〈书〉名 一年开始的时候,一般指正月。

【岁数】suì·shu （～儿）〈口〉名 人的年龄：妈是上了～的人了|他今年多大～了?

【岁星】suìxīng 名 我国古代指木星。因为木星每十二年在空中绕行一周,每年移动周天的十二分之一,古人把木星所在的位置作为纪年的标准,因以叫岁星。

【岁修】suìxiū 名 各种建筑工程每年进行的有计划的整修和养护工作。

【岁序】suìxù〈书〉名 年份更易的顺序：～更新。

【岁月】suìyuè 名 年月：漫长的～|艰苦斗争的～。

谇(誶) suì〈书〉❶ 斥责;诘问。❷谏诤。

祟 suì ❶ 原指鬼怪或鬼怪害人（迷信）,借指不正当的行动：鬼～|作～。❷

(Suì)名姓。

遂[1] suì ❶ 顺;如意:~心|~愿。❷ 成功;未~犯。❸ (Suì)名姓。

遂[2] suì 〈书〉副就;于是:服药后腹痛~止。
另见1307页suí。

【遂心】suì//xīn 形合自己的心意;满意:~如意|这回可遂了他的心啦!

【遂意】suì//yì 形遂心。

【遂愿】suì//yuàn 动满足愿望;如愿:称心~。

碎 suì ❶ 动完整的东西破成零片零块:粉~|碗打~了。❷ 动使碎:石机|粉身~骨。❸ 形零星;不完整:~布|~眉琐~。❹ 形说话唠叨:嘴太~|闲言~语。

【碎步儿】suìbùr 名小而快的步子。

【碎花】suìhuā (~儿)名指细小而密集的花卉图案:~衬衫。

【碎嘴子】suìzuǐ·zi〈方〉❶ 形说话絮烦:她有点儿~,说起话来没完没了。❷ 名爱说话并且一说起来就没完的人。

晬 suì 〈书〉❶ 光润的样子。❷ 颜色纯粹。

隧 suì 地道:~道。

【隧道】suìdào 名在山中或地下凿成的通路。

【隧洞】suìdòng 名隧道。

燧 suì ❶ 古代取火的器具:~石。❷ 古代告警的烽火:烽~。

【燧人氏】Suìrénshì 名我国古代传说中的人物。传说他发明钻木取火,教人熟食。

【燧石】suìshí 名岩石,主要成分是二氧化硅,黄褐色或灰黑色,断口呈贝壳状,坚硬致密。敲击时能迸发火星,古代用来取火或做箭头,现代工业中用作研磨材料等。

穗[1](❷穟) suì (~儿)❶ 稻麦等禾本科植物的花或果实聚生在茎的顶端,叫做穗:麦~儿|谷~儿。❷ 用丝线、布条或纸条等扎成的、挂起来往下垂的装饰品:黄~|红罩的宫灯。

穗[2] Suì 名❶ 广东广州的别称。❷ 姓。

【穗状花序】suìzhuàng huāxù 花序的一种,主轴很长,没有花梗,花直接生在主轴上面,如车前、小麦的花序。

【穗子】suì·zi 名穗[1]:高粱~|锦旗的下边有许多金黄色的~。

穟 suì 〈书〉同"穗"。

邃 suì 〈书〉❶ (时间、空间)深远:~古|深~。❷ 精深:精~。

【邃密】suìmì 形❶ 深①:屋宇~。❷ 精深:~的理论。

---

sūn（ㄙㄨㄣ）

孙(孫) sūn ❶ 孙子:子~。❷ 孙子以后的各代:曾~|玄~。❸ 跟孙子同辈的亲属:侄~|外~。❹ 植物再生或孳生的:稻~|~竹。❺ (Sūn)名姓。
〈古〉又同"逊"xùn。

【孙女】sūn·nǚ (~儿)名儿子的女儿。

【孙女婿】sūnnǚ·xu 名孙女的丈夫。

【孙媳妇】sūnxí·fu (~儿)名孙子的妻子。

【孙子】sūn·zi 名儿子的儿子。

荪(蓀) sūn 古书上说的一种香草。

狲(猻) sūn 见576页[猢狲]。

飧(飱) sūn 〈书〉晚饭。

---

sǔn（ㄙㄨㄣ）

损(損) sǔn ❶ 减少:~益|增~|~兵折将。❷ 损害:~人利己|有益无~。❸ 损坏:破~|完好无~。❹ 〈方〉动用尖刻的话挖苦人:~人。❺ 〈方〉形刻薄;恶毒:这人办事真~|他说的话够~的。

【损兵折将】sǔn bīng zhé jiàng 兵士和将领都有损失,指作战失利。

【损公肥私】sǔn gōng féi sī 损害公家的利益而使私人得到好处。

【损害】sǔnhài 动使事业、利益、健康、名誉等蒙受损失:光线不好,看书容易~视力|不能~群众利益。

【损耗】sǔnhào ❶ 动损失消耗:不能眼

看着木材白白～掉。❷ 图 货物由于自然原因(如物理变化和化学变化)或运输而造成的消耗损失：减少水果运输中的～。

【损坏】sǔnhuài 动 使失去原来的使用效能：糖吃多了，容易～牙齿。

【损毁】sǔnhuǐ 动 损坏；毁坏：～树木的行为必须严加制止。

【损人】sǔnrén ❶（－//－）〈方〉用尖刻的话挖苦人：你有意见直说，干吗损起人来了? ❷ 使别人受到损失：～利己。

【损人利己】sǔn rén lì jǐ 使别人受到损失而使自己得到好处。

【损伤】sǔnshāng 动 ❶ 损害；伤害：不要～群众的积极性|她的自尊心受到～。❷损失：这次战斗，敌人～了两个团的兵力。

【损失】sǔnshī ❶ 动 没有代价地消耗或失去：这场空战，敌人～了五架飞机。❷ 图 没有代价地消耗或失去的东西：～巨大。

【损益】sǔnyì ❶ 减少和增加。❷ 赔和赚；盈亏：～相抵。

笋(筍) sǔn 图 竹的嫩芽，味鲜美，可做蔬菜。也叫竹笋。

【笋瓜】sǔnguā 图 ❶ 一年生草本植物，茎蔓生，叶子圆形或心脏形。果实长圆形，通常黄白色，表面光滑，可做蔬菜。❷ 这种植物的果实。

【笋鸡】sǔnjī 图 做食物用的小而嫩的鸡。

隼 sǔn 图 鸟，翅膀窄而尖，嘴短而宽，上嘴弯曲并有齿状突起。飞得很快，是猛禽，善于袭击其他鸟类。种类多，如猎隼、游隼等。旧称鹘(hú)。

榫 sǔn （～儿）图 榫头。

【榫头】sǔn·tou 图 竹、木、石制器物或构件上利用凹凸方式相接处凸出的部分。

【榫眼】sǔnyǎn 图 卯眼。

【榫子】sǔn·zi 图 榫头。

簨 sǔn 古时悬挂钟鼓的架子。

suō（ㄙㄨㄛ）

莎 suō ［莎草］(suōcǎo) 图 多年生草本植物，多生在潮湿地区或河边沙地上，茎三棱形，叶条形，有光泽，花穗褐色。

地下块根黑褐色，叫香附子，可入药。
另见 1183 页 shā。

唆 suō 唆使：教～|调～。

【唆使】suōshǐ 动 指使或挑动别人去做坏事：受人～。

娑 suō 见下。

【娑罗树】suōluóshù 图 常绿乔木，高可达50余米，叶子长卵形，花淡黄色，树脂有香气。原产印度。木材紫褐色或淡褐色，可以做建筑材料。［娑罗，梵 sala］

【娑罗双树】suōluó shuāng shù 两棵娑罗树，相传释迦牟尼涅槃于娑罗双树间。

桫 suō ［桫椤］(suōluó) 图 蕨类植物，木本，茎柱状，高而直，叶片大，羽状分裂。是珍稀植物。

梭 suō 图 织布时牵引纬线(横线)的工具，两头尖，中间粗，形状像枣核。也叫梭子。

【梭镖】suōbiāo 图 装上长柄的两边有刃的尖刀。

【梭巡】suōxún 〈书〉动 往来巡逻：昼夜～。

【梭子】[1] suō·zi 图 梭。

【梭子】[2] suō·zi ❶ 图 机枪、冲锋枪等武器的弹匣。❷ 量 用于子弹：一～子弹。

【梭子蟹】suō·zixiè 图 海蟹的一类，头胸部的甲略呈梭形，螯长而大。常栖息在浅海海底。也叫蝤蛑(yóumóu)。

挲(挱) suō 见 962 页［摩挲］。
另见 1168 页 sā；1183 页 shā。

睃 suō 动 斜着眼睛看。

蓑(簑) suō 蓑衣：～笠。

【蓑衣】suōyī 图 用草或棕毛制成的、披在身上的防雨用具。

嗦 suō ❶ 见 351 页［哆嗦］。❷ 见899页［啰嗦］。

嗍 suō 动 吮吸：婴儿～奶头。

羧 suō ［羧基］(suōjī) 图 由羰基和羟基组成的一价原子团(—COOH)。

缩(縮) suō 动 ❶ 由大变小或由长变短；收缩：紧～|～短|热胀

冷～|这布下水也不～。❷ 没伸开或伸开了又收回去;不伸出:乌龟的头老～在里面。❸ 后退:退～|畏～|谁也不许往后～。

另见 1303 页 sù。

【缩编】suōbiān 动 ❶（部队、机关等）缩减编制:军队～。❷ 把作品、节目等压缩编辑,使篇幅减少:把原来 50 集的电视连续剧～成 30 集。

【缩短】suōduǎn 动 使原有长度、距离、时间变短:～战线|～期限。

【缩合】suōhé 动 两个或两个以上的有机化合物分子相互作用,形成新的更复杂的物质,同时析出水、醇、卤化氢、氢等小分子。如两个分子的乙醇析出一个分子的水而缩合成乙醚。

【缩减】suōjiǎn 动 紧缩减少:～开支。

【缩聚】suōjù 动 缩合聚合,指单体结合成高分子化合物,同时析出小分子副产物。如苯酚和甲醛结合成苯酚甲醛树脂,同时产生水。

【缩量】suōliàng 动 缩减数量:股市～下跌。

【缩手】suō//shǒu 动 手缩回来,比喻不敢再做下去:病势危重,几位名医都～了。

【缩手缩脚】suō shǒu suō jiǎo ❶ 因寒冷而四肢不能舒展的样子。❷ 形容做事顾虑多,不大胆。

【缩水】suō//shuǐ 动 ❶ 将纺织品、纤维等放进水中浸泡使收缩:这块布缩过水了吗? ❷ 某些纺织品、纤维等下水后收缩:这种布不～。也说抽水。❸ 比喻在原有的基础上缩小、减少:暴跌后股市值大幅～。

【缩头缩脑】suō tóu suō nǎo ❶ 形容畏缩。❷ 形容胆小,不敢出头负责任。

【缩微】suōwēi 动 指利用照相技术等把文字、图像缩成很小的复制品:～技术◇～景观。

【缩小】suōxiǎo 动 使由大变小:～范围。

【缩写】suōxiě ❶ 名 使用拼音文字的语言中,对于常用的词组(多为专名)以及少数常用的词所采用的简便的写法。缩写有几种方式。a)截取词的第一个字母来代表这个词,如 C 代表 carbonium(碳)。b)截取词的前几个字母,如 Eng. 代表 England(英国)或 English(英语)。c)

分别截取一个词的两个部分的第一个字母,如 cm. 代表 centimetre(厘米),TV 代表 television(电视)。d) 截取词的第一个和末一个字母,如 No. 代表 numero(号数)。e) 截取词组中每个主要单词的第一个字母,如 UN 代表 the United Nations(联合国)。❷ 动 把文学作品改写,使篇幅减少:～本|本文由长篇通讯～而成。

【缩衣节食】suō yī jié shí 见 696 页〖节衣缩食〗。

【缩印】suōyìn 动 把文字、图形、图表等按一定比例缩小后印刷或复印。

【缩影】suōyǐng 名 指可以代表同一类型的具体而微的人或事物:作品主人公的遭遇是当时农民生活的～。

suǒ （ㄙㄨㄛˇ）

赑（贙） suǒ 贙乃亥(Suǒnǎihài),地名,在青海泽库。

所¹（听） suǒ ❶ 处所:场～|住～|各得其～。❷ 明代驻兵的地点,大的叫千户所,小的叫百户所(后来只用于地名):海阳～(在山东)|前～(在浙江)|后～(在山西)|沙后～(在辽宁)。❸ 名 用作机关或其他办事地方的名称:研究～|派出～|诊疗～|指挥～|招待～。❹ 量 a)用于房屋:这～房子。b)用于学校等:一～医院|两～学校。❺ (Suǒ)名 姓。

所²（听） suǒ 助 ❶ 跟“为”或“被”合用,表示被动:为人～笑|看问题片面,容易被表面现象～迷惑。❷ 用在做定语的主谓结构的动词前面,表示中心词是受事:我～认识的人|大家～提的意见。❸ 用在“是…的”中的名词、代词和动词之间,强调施事和动作的关系:全国的形势,是同志们～关心的。❹〈书〉用在动词前面,跟动词构成体词结构:各尽～能|闻～未闻。

【所部】suǒbù 名 所率领的部队。

【所得税】suǒdéshuì 名 国家依法对个人和企业按一定比率从各种收入中征收的税。

【所属】suǒshǔ 形 属性词。❶ 统属之下的:命令～各部队一齐出动。❷ 自己隶属的：向～派出所填报户口。〖注意〗后面不带名词时只有①②义，如：通令～一体遵照。

【所谓】suǒwèi 形 属性词。❶ 所说的：～共识，就是指共同的认识。❷（某些人）所说的（含不承认意）：难道这就是～代表作？

【所向披靡】suǒ xiàng pīmǐ 比喻力量所到之处，一切障碍全被扫除。

【所向无敌】suǒ xiàng wú dí 指军队等所指向的地方，没有能敌得住的对手。

【所向无前】suǒ xiàng wú qián 指军队等所指向的地方，谁也阻挡不住。

【所以】suǒyǐ ❶ 连 表示因果关系。a）用在下半句表示结果：我和他在一起工作过，～对他比较熟悉。b）用在上半句主语和谓语之间，提出需要说明原因的事情，下半句说明原因：我～对他比较熟悉，是因为我和他在一起工作过。也说之所以。c）上半句先说明原因，下半句用"是…所以…的原因（缘故）"：我和他在一起工作过，这就是我～对他比较熟悉的原因。d）"所以"单独成句，表示"原因就在这里"：～呀，要不然我怎么这么说呢！❷ 名 实在的情由或适宜的举动（限用于固定词组中做宾语）：忘其～|不知～。

【所以然】suǒyǐrán 名 指为什么是这样的原因或道理：知其然而不知其～|他说了半天还是没说出个～来。

【所有】suǒyǒu ❶ 动 领有：矿产资源归国家～。❷ 名 领有的东西：尽其～。❸ 形 属性词。一切；全部：把～的力量都贡献给祖国。

【所有权】suǒyǒuquán 名 财产所有权的简称。

【所有制】suǒyǒuzhì 名 生产资料归谁占有的制度，它决定人们在相互关系的性质和产品分配、交换的形式，是生产关系的基础。在人类社会的各个历史发展阶段，有各种不同性质的所有制。

【所在】suǒzài 名 ❶ 处所：在风景好、气候适宜的～给工人们修建了疗养院。❷ 存在的地方：病因～|力量～。

索¹ suǒ ❶ 大绳子或大链子：船～|绳～|麻～|绞～|铁～|大桥～。❷（Suǒ）名姓。

索² suǒ ❶ 搜寻；寻找：搜～|遍～不得。❷ 要；取：～取|～还|～价。

索³ suǒ 〈书〉❶ 孤单：离群～居。❷ 寂寞；没有意味：～然。

【索偿】suǒcháng 动 索取赔偿：根据保险合同向保险公司～。

【索酬】suǒchóu 动 索取酬报：按合同～。

【索道】suǒdào 名 用钢索在两地之间架设的空中通道，通常用于运输。

【索贿】suǒ//huì 动 索取贿赂：～受贿。

【索价】suǒjià 动 要价：～过高。

【索寞】suǒmò 〈书〉形 ❶ 颓丧消沉：神情～。❷ 寂寞萧索：山上杂草丛生，异常～。

【索赔】suǒpéi 动 索取赔偿：～一千元。

【索取】suǒqǔ 动 向人要（钱或东西）：～报酬|报名资料可免费～。

【索然】suǒrán 形 没有意味，没有兴趣的样子：～寡味|兴致～。

【索索】suǒsuǒ ❶ 拟声 形容轻微的声音：微风吹动树叶～作响|雨～地下着。❷ 形 形容颤抖：他吓得脸色苍白，～发抖。

【索性】suǒxìng 副 表示直截了当；干脆：既然已经做了～就把它做完|找了几个地方都没有找着，～不再找了。

【索要】suǒyào 动 索取：～财物。

【索引】suǒyǐn 名 把书刊中的项目或内容摘记下来，每条下标注出处页码，按一定次序排列，供人查阅的资料。也叫引得。

【索子】suǒ·zi〈方〉名 大绳子或大链子。

唢（嗩）suǒ [唢呐（suǒnà）名 管乐器，管身正面有七孔，背面一孔。

琐（瑣）suǒ ❶ 细碎：繁～|～事|～闻。❷ 卑微：猥～。

【琐事】suǒshì 名 细小零碎的事情：日常～|～缠身。

【琐碎】suǒsuì 形 细小而繁多：琐琐碎碎|摆脱这些～的事，多抓些大问题。

【琐闻】suǒwén 名 零碎的见闻：～逸事|旅日～。

【琐细】suǒxì 形 琐碎：～的事务。

【琐屑】suǒxiè〈书〉形 琐碎。

【琐议】suǒyì 名 零碎短小的议论（多用于文章标题）：街巷～|《山乡～》。

锁（鎖）suǒ ❶ 名 安在门窗、器物等的开合处或连接处，使人不能随便打开的金属器具，要用钥匙、密码、磁

卡等才能打开。❷动用锁把门窗、器物等的开合处关住或拴住：～门|把箱子～上◇双眉深～|愁眉～眼。❸形状像锁的东西：石～。❹锁链：枷～。❺动缝纫方法，用于衣物边缘或扣眼儿上，针脚很密，线斜交或钩连：～边|～眼儿。❻(Suǒ)名姓。

【锁匙】suǒchí〈方〉名钥匙。

【锁定】suǒdìng动❶使固定不动：～电视频道|按动照相机的快门，将这个美好的瞬间～。❷最终确定：终场前甲队前锋又攻进一球，把比分～在2比0上|根据目击者提供的情况，警方很快将凶犯的身份～。❸紧紧跟定：这种电子侦测系统能同时搜索并～数百个目标。

【锁骨】suǒgǔ名胸腔前上部、呈S形的骨头，左右各一块，内端与胸骨相连，外端与肩胛骨相连。(图见490页"人的骨骼")

【锁国】suǒguó动像锁门似的把国家关闭起来，不与外国来往：闭关～。

【锁链】suǒliàn（～儿）名用铁环连接起来的成串的东西，用来束缚人、物◇打断了封建的～。也叫锁链子。

【锁钥】suǒyuè名❶比喻做好一件事的重要关键：调查研究是做好各项工作的～。❷比喻军事要地：北门～。

璅 suǒ〈书〉同"琐"。

镇(鏁) suǒ〈书〉同"锁"。

T

t

tā（ㄊㄚ）

他 tā ❶ 代 人称代词。称自己和对方以外的某个人。注意▷"五四"以前"他"兼称男性、女性以及一切事物。现代书面语里，"他"一般只用来称男性。但是在性别不明或没有区分的必要时，"他"只是泛指，不分男性和女性，如：从笔迹上看不出~是男的还是女的｜一个人要是离开了集体，~就将一事无成。❷ 代 人称代词。虚指（用在动词和数量词之间）：睡一~觉｜唱一~几句｜盖一~三间瓦房。❸ 代 指示代词。指别一方面或其他地方：早已~去｜留作~用。❹ 代 指示代词。另外的；其他的：~人｜~乡｜~日。❺ （Tā）名姓。

【他荐】tājiàn 动 由别人推荐：可通过自荐或~方式参选。

【他律】tālù 动 由自身以外的力量强制约束：道德是自律，法律是~。

【他们】tā·men 代 人称代词。称自己和对方以外的若干人。参看"他"、〖她们〗。

【他年】tānián 〈书〉名 ❶ 将来的某一年或某个时候。❷ 过去的某个时候。

【他人】tārén 代 人称代词。别人：关心~比关心自己为重。

【他日】tārì 〈书〉名 ❶ 将来的某一天或某个时期。❷ 过去的某个时候。

【他杀】tāshā 动 被他人杀死（区别于"自杀"）。

【他山攻错】tā shān gōng cuò 见 476 页〖攻错〗。

【他乡】tāxiāng 名 家乡以外的地方（多指离家乡较远的）：流落~｜~遇故知。

它（❶牠） tā ❶ 代 人称代词。称人以外的事物：这杯牛奶

你喝了～。❷ （Tā）名 姓。

【它们】tā·men 代 人称代词。称不止一个的事物：这些衣服暂时不穿，把～收起来吧。

她 tā 代 人称代词。❶ 称自己和对方以外的某个女性。❷ 称自己敬爱或珍爱的事物，如祖国、国旗等。

【她们】tā·men 代 人称代词。称自己和对方以外的若干女性。注意▷在书面上，若干人全是女性时用"她们"；有男有女时用"他们"，不用"他（她）们"或"他们和她们"。

跶 tā 见下。

【跶拉】tā·la 动 把鞋后帮踩在脚后跟下：别～着鞋走路｜这双鞋真叫你一坏了。

【跶拉板儿】tā·labǎnr 〈方〉名 没有帮而只有襻儿的木底鞋。有的地方叫呱嗒板儿（guā·dabǎnr）。

【跶拉儿】tā·lar 〈方〉名 拖鞋。

铊（鉈） tā 名 金属元素，符号 Tl（thallium）。银白色，质软。用来制合金、光电管、温度计、光学玻璃等。铊的化合物有毒，用于医药。

另见 1393 页 tuó。

塌 tā 动 ❶ （支架起来的东西）倒下或陷下：倒～｜六孔桥～了一孔。❷ 凹下：～鼻梁｜年糕越蒸越往下～。❸ 安定；镇定：～下心来。

【塌方】tā//fāng 动 因地层结构不良、雨水冲刷或修筑上的缺陷，道路、堤坝等旁边的陡坡或坑道、隧道的顶部突然坍塌。也说坍方。

【塌架】tā//jià 动 ❶ （房屋等）倒塌。❷ 比喻垮台。

【塌棵菜】tākēcài 名 乌塌菜。

【塌实】tā·shi 见 1314 页〖踏实〗。

【塌台】tā//tái 动 垮台。

【塌陷】tāxiàn 动 往下陷；沉陷：地基～。

【塌心】tā//xīn 〈方〉形 心情安定：事情落实了，干活也～。

【塌秧】tāyāng （～儿）〈方〉动 ❶ 花草、蔬菜等因缺水而发蔫。❷ 形容垂头丧气，精神不振。

遢 tā 见 805 页〖邋遢〗。

濌 tā 〈方〉动 汗湿透（衣服、被褥等）：天太热，我衣服都～了。

缂(緝)

踏
tā 〔书〕用绳索套住、捆住。

tā 〔踏实〕(塌实)(tā·shi) 形 ❶（工作或学习的态度）切实；不浮躁。 ❷（情绪）安稳；安稳；事情办完就～了|翻来覆去睡不～。

另见 1315 页 tà。

褟[1]
tā 名 ❶（方）动 在衣物上面缝（花边或绦子）。 ❷（Tā）姓。

褟[2]
tā 见 538 页〖汗褟儿〗。

嚃
tā 〔书〕饮。

tǎ （ㄊㄚˇ）

磋(礚)
tǎ 磋石(Tǎshí)，地名，在浙江。

另见 242 页 dá。

塔(墖)
tǎ 名 ❶ 佛教的建筑物，有多种形式，通常有五层到十三层不等，顶上是尖的：宝～|一座～。 ❷ 塔形的建筑物：水～|灯～|金字～。 ❸（Tǎ）名 姓。

另见 259 页 •da。

【塔吊】tǎdiào 名 塔式起重机。机身很高，像塔，有长臂，可以在轨道上移动，工作面较大。主要用于建筑工程。

【塔灰】tǎhuī 〔方〕名 室内房顶上或墙上的尘土，多指从房顶垂下来的成串的尘土。

【塔吉克族】Tǎjíkèzú 名 ❶ 我国少数民族之一，分布在新疆。 ❷ 塔吉克斯坦共和国人数最多的民族。

【塔林】tǎlín 名 僧人的塔形墓群，多坐落在寺庙附近。

【塔楼】tǎlóu 名 ❶ 高层的略呈塔形的楼房。 ❷ 建筑物上面的呈塔形的小楼。

【塔塔尔族】Tǎtǎ'ěrzú 名 我国少数民族之一，分布在新疆。

【塔台】tǎtái 名 机场上作为飞行指挥中心的场所，多为塔形建筑物，设有电台和气象仪器等，工作人员在这里负责地面与空中的联系，指挥和调度飞机的飞行。

【塔钟】tǎzhōng 名 装在高大建筑物顶上的大型时钟。

溚
tǎ 名 焦油的旧称。〔英 tar〕

獭(獺)
tǎ 名 水獭、旱獭、海獭的统称，通常指水獭。

【獭祭】tǎjì 〔书〕动《礼记·月令》："獭祭鱼。"獭贪食，常捕鱼陈列水边，称为祭鱼。后用来比喻罗列典故或堆砌典故。

鳎(鰨)
tǎ 名 鱼，体侧扁，长椭圆形，口小，两眼生在身体的右侧，有的背鳍、臀鳍与尾鳍相连。生活在海洋中，捕食小鱼、甲壳动物等。种类很多，常见的有条鳎、卵鳎和箬鳎。

tà （ㄊㄚˋ）

拓(搨)
tà 动 把碑刻、铜器等的形状和上面的文字、图形印下来，方法是在物体上蒙一层薄纸，先拍打使凹凸分明，然后上墨，显出文字、图像来：～印|把碑文～下来。

另见 1394 页 tuò。

【拓本】tàběn 名 把碑刻、铜器等文物的形状和上面的文字、图像拓下来的纸本。

【拓片】tàpiàn 名 把碑刻、铜器等文物的形状和上面的文字、图像拓下来的纸片。

沓
tà 〔书〕多而重复：杂～|纷至～来。

另见 242 页 dá。

伮(傝)
tà 见 1352 页〖佻伮〗。

挞(撻)
tà 〔书〕用鞭子、棍子等打人：鞭～。

【挞伐】tàfá 〔书〕动 讨伐：大张～。

闼(闥)
tà 〔书〕门；小门：排～直入（推门就进去）。

溚(溚)
tà 〔书〕滑溜(huá·liu)；光滑。

嗒
tà 见下。

另见 241 页 dā。

【嗒然】tàrán 〔书〕形 形容懊丧的神情：～若丧。

【嗒丧】tàsàng 〔书〕形 失意；丧气：～而归。

逻
tà 见 1692 页〖杂逻〗(杂逻)。

阘(闒)
tà 见下。

另见 242 页 dá。

【阘懦】tànuò 〔书〕形 地位低下，软弱无能。

【阘茸】tàróng 〈书〉形 卑贱；低劣。

榻 tà 狭长而较矮的床，泛指床：竹～｜藤～｜卧～｜下～。

漯 Tà 漯河，古水名，在今山东。

另见 904 页 luò。

踏 tà ❶动 踩；践：～步｜脚～实地◇～上工作岗位。❷ 在现场（查勘）：～看｜～勘。

另见 1314 页 tā。

【踏板】tàbǎn 名 ❶ 车、船等上面供人上下用的板。❷ 旧式床前供上下床脚踏的板，有腿，像长而宽的矮凳。有的地区叫踏凳。❸ 运动场上供跳远起跳用的板。❹ 缝纫机、水车等下部用脚蹬的板状装置。

【踏步】tàbù ❶动 身体站直，两脚交替抬起又着地而不迈步前进，是体操或军操的一种动作：原地～｜～不前。❷〈方〉名 台阶。

【踏春】tàchūn 动 春天到郊外散步游玩。

【踏凳】tàdèng 〈方〉名 踏板②。

【踏访】tàfǎng 动 踏看；访查。

【踏歌】tàgē 动 古代的一种边歌边舞的艺术形式。舞时成群结队，连臂踏脚，配以轻微的手臂动作。现在苗、瑶等民族还有这种歌舞。

【踏勘】tàkān 动 ❶ 铁路、公路、水库、采矿等工程进行设计之前在实地勘察地形或地质情况：～线路。❷ 在出事现场查看。

【踏看】tàkàn 动 在现场查看：～地形。

【踏空】tàkōng 动 指投资者在证券市场行情上涨之前未能及时买入证券，导致资金闲置：炒股人既怕～又怕套牢。

【踏青】tàqīng 动 清明节前后到郊外散步游玩（青：青草）。

【踏足】tàzú 动 涉足：～影坛｜～社会。

艒（艒） tà 〈书〉名 大船。

蹋 tà ❶动 踏；踩。❷〈书〉踢。

台 Tāi 台州（Tāizhōu），地名；天台（Tiāntāi），山名，又都在浙江。

另见 1316 页 tái。

苔 tāi 见 1202 页【舌苔】。

另见 1317 页 tái。

胎[1] tāi ❶ 人或哺乳动物母体内的幼体：～儿｜胚～｜怀～◇～祸。❷量 怀孕或生育的次数：头～｜生过三～｜这头母猪一～下了十二头小猪。❸（～儿）名 衬在衣服、被褥等的面子和里子之间的东西：棉花～｜这顶帽子是软～儿的。❹（～儿）名 某些器物的坯：泥～儿｜景泰蓝的～儿。

胎[2] tāi 名 轮胎：车～。［英 tyre］

【胎动】tāidòng 动 胎儿在母体内蠕动，一般在怀孕 4 个月后，孕妇可以自己感到胎动。

【胎毒】tāidú 名 中医指妊娠母体内的热毒，认为是初生婴儿所患疮疖等的病因。也指初生婴儿所患的疮疖等病。

【胎儿】tāi'ér 名 母体内的幼体（通常指人的幼体，兽医学上也指家畜等的幼体）。

【胎发】tāifà 名 初生婴儿未剃过的头发。

【胎记】tāijì 名 人体上生来就有的深颜色的斑：他的背上有块紫色～。

【胎教】tāijiào 动 指孕妇在怀孕期间，通过自身的调养和修养，给予胎儿以良好影响。

【胎里素】tāilǐsù 名 指生来就吃素的人。

【胎毛】tāimáo 名 胎发，也指初生的哺乳动物身上的毛。

【胎膜】tāimó 名 包裹在胎儿外面的膜状物，作用是保护胚胎，并帮助胚胎吸收养料和排除废物。

【胎盘】tāipán 名 母体的子宫内壁和胎儿之间的组织，圆饼状，通过脐带和胎儿相连，是胎儿和母体的主要联系物。

【胎生】tāishēng 形 属性词。人或某些动物的幼体在母体内发育到一定阶段以后才脱离母体，这种生殖方式叫做胎生。胎生动物的胚胎发育依赖母体的营养。

【胎死腹中】tāi sǐ fù zhōng 比喻计划、方案等尚未实施就遭到失败或被取消。

【胎位】tāiwèi 名 胎儿在子宫内的位置和姿势。胎位异常（如胎儿横卧或头部朝上）会引起难产。

【胎衣】tāiyī 名 胞衣。

tái （ㄊㄞˊ）

台¹（臺、⁵檯枱） tái ❶ 平面高的建筑物，便于在上面远望：瞭望～｜塔～｜亭～｜楼阁。❷ 名 公共场所室内外高出地面便于讲话或表演的设备（用砖砌或用木料制成）：讲～｜舞～｜主席～。❸ 某些做座子用的器物：锅～｜磨～｜灯～｜蜡～。❹（～儿）像台的东西：井～｜窗～儿。❺ 桌子或类似桌子的器物：写字～｜梳妆～｜乒乓球～。❻ 量 a) 用于整场演出的戏剧、歌舞等：一～戏｜一～晚会。b) 用于机器、仪器等：一～机床｜三～天文望远镜。❼（Tái）名 指台湾省：～胞。

台² tái ❶ 敬辞，旧时用于称呼对方或跟对方有关的动作：兄～｜～鉴。❷（Tái）名 姓。

台³（颱） tái 见〖台风〗¹。另见 1315 页 Tāi。

【台胞】táibāo 名 台湾同胞。

【台本】táiběn 名 指经过导演加工的适用于舞台演出的剧本。

【台笔】táibǐ 名 放在桌子上的一种笔，笔帽的顶端与特制的底座固定在一起。

【台币】táibì 名 我国台湾地区通行的货币，以圆为单位。

【台布】táibù 名 桌布。

【台步】táibù（～儿）名 戏曲演员等在舞台上表演时行走的步法。

【台秤】táichèng 名 ❶ 秤的一种，用金属制成，底座上有承重的金属板。也叫磅秤。❷〈方〉案秤。

【台词】táicí 名 戏剧角色所说的话，包括对白、独白、旁白。

【台灯】táidēng 名 放在桌子上用的有座子的电灯。

【台地】táidì 名 边缘为陡坡的广阔平坦的高地。

【台风】táifēng¹ 名 发生在太平洋西部海洋和南海海上的热带气旋，是一种极强烈的风暴，中心附近最大风力达 12 级或 12 级以上，同时有暴雨。

【台风】táifēng²（～儿）名 戏剧演员在舞台上表现出来的风度或作风：～稳健｜～潇洒｜～不正。

【台甫】táifǔ 名 敬辞，旧时用于问人的表字。

【台海】Táihǎi 名 台湾海峡。

【台虎钳】táihǔqián 名 钳工等用来夹住工件的工具，装在钳床上，有较大的钳口，用柄扳动螺丝杆旋紧。也叫台钳、老虎钳。

【台驾】táijià 名 敬辞，旧时称对方：敬候～光临。

【台鉴】táijiàn 动 旧式书信套语，用在开头的称呼之后，表示请对方看信。

【台阶】táijiē（～儿）名 ❶ 用砖、石、混凝土等筑成的一级一级供人上下的构筑物，多建在大门前或坡道上。（图见 387 页〖房子〗）❷ 比喻具有阶段意义的新的水平：改进管理方法之后，该厂生产跃上新的～。❸ 比喻避免因僵持而受窘的途径或机会：给他们找个～儿下。

【台历】táilì 名 摆在桌子上用的日历或月历。

【台面】táimiàn〈方〉名 ❶（～儿）席面；桌面儿上：你的话能拿到～上说吗？❷ 指赌博时桌面上的赌金总额：～大。

【台盘】táipán〈方〉名 ❶ 席面：家常菜上不了～。❷ 比喻交际应酬的场合或公开的场合：扭扭捏捏的上不了～。

【台钳】táiqián 名 台虎钳。

【台球】táiqiú 名 ❶ 一种球类运动，在特制的台子上用硬木制成的杆儿击球。❷ 台球运动用的实心球，用塑料等坚韧物质制成，直径约 7 厘米。❸〈方〉乒乓球。

【台扇】táishàn 名 放在桌子上用的有座子的电扇。

【台湾猴】táiwānhóu 名 猕猴的一种，尾较长，毛厚，淡褐色，四肢近黑色。生活在台湾省的高山密林和沿海石山上，吃野果、树叶等。

【台钟】táizhōng〈方〉名 座钟。

【台柱子】táizhù·zi 名 戏班中的主要演员（台：戏台），借指集体中的骨干。

【台子】tái·zi 名 ❶ 打台球、乒乓球等时所用的特制的桌子。❷〈方〉桌子。❸〈口〉台¹：戏～｜窗～。

邰 Tái 名 姓。

抬(擡) tái ❶〔动〕往上托；举：～手|～起头来◇～价。❷〔动〕共同用手或肩膀搬东西：～担架|把桌子～过来。❸〔动〕指"抬杠"¹：他们两人一谈到这个问题，～起来就没完。❹〔量〕用于两人抬的东西：十～妆奁。

【抬爱】tái'ài〔动〕抬举爱护：多蒙～。

【抬秤】táichèng〔名〕大型的杆秤，一次能称几百斤，用称杆毫中穿上扁担或杠子，由两个人抬着。

【抬杠】¹ tái//gàng〈口〉〔动〕争辩（多指无谓的）：～拌嘴。

【抬杠】² tái//gàng〔动〕指用杠抬运灵柩。

【抬高】tái//gāo〔动〕往上抬；使提高：～物价|～身份。

【抬盒】táihé〔名〕旧时赠送礼品用的大木盒，多为两层或三层，由两人抬着。

【抬价】tái//jià（～儿）〔动〕抬高货物的价格。

【抬肩】tái·jian〔名〕上衣从肩头到腋下的尺寸。有的地区叫抬根（kèn）。

【抬轿子】tái jiào·zi 比喻为有权势的人捧场。

【抬举】tái·ju〔动〕看重某人而加以称赞或提拔：不识～|你也太～他了。

【抬根】táikèn〈方〉〔名〕抬肩。

【抬升】táishēng〔动〕❶抬高；上升：将左臂向上～|商品房价格逐步～。❷地形、气流等升高：青藏高原在持续～|气流受山脉阻拦被迫～。

【抬头】táitóu ❶（-//-）〔动〕把头抬起来，比喻受压制的人或事物得到伸展。❷〔动〕旧时书信、公文等行文中遇到对方的名称或涉及对方时，为表示尊敬而另起一行。❸〔名〕旧时书信、公文等行文中抬头的地方。现在一般只有在单据上写收件人或收款人的地方还叫抬头。

【抬头纹】táitóuwén〔名〕额上的皱纹。

苔 tái〔名〕苔藓植物的一纲，属于这一纲的植物茎与叶的区别不明显，绿色，生长在阴湿的地方。
另见1315页 tāi。

【苔藓植物】táixiǎn zhíwù 植物界的一门，植株矮小，有假根。分为苔纲和藓纲，种类很多，多生长在阴湿的地方。

【苔原】táiyuán〔名〕终年气候寒冷，地表只生长苔藓、地衣等的地区，多指北冰洋沿岸地区。也叫冻原。

骀(駘) tái〈书〉劣马：驽～（劣马，比喻庸才）。
另见261页 dài。

炱 tái 由烟凝积成的黑灰：煤～|松～（松烟）。

跆 tái〈书〉踏；踩：～藉（践踏）。

【跆拳道】táiquándào〔名〕体育运动项目之一，原是朝鲜半岛的民族传统武术，以用脚踢、踹为主，用手击打为辅。

鲐(鮐) tái〔名〕鲐鱼，身体纺锤形，背部青蓝色，腹部白色，两侧有深蓝色斑纹，趋光性强。生活在海里。

臺 tái ❶ 见1316页"台¹"。❷（Tái）〔名〕姓。

儓 tái 古代官署中的仆役。

薹¹ tái〔名〕薹草，多年生草本植物，茎丛生，扁三棱形，叶子很长，花穗浅绿褐色，生长在沼泽、水田里，叶子可用来制蓑衣或斗笠。

薹² tái〔名〕蒜、韭菜、油菜等生到一定阶段时在中央部分长出的细长的茎，顶上开花结实。嫩的可以当蔬菜吃。

tǎi （ㄊㄞˇ）

呔(畣、嘡) tǎi〈方〉〔形〕说话带外地口音。
另见259页 dāi；"畣"另见528页 hǎ。

tài （ㄊㄞˋ）

太 tài ❶高；大：～空|～学|～湖。❷极；最：～古。❸身份最高或辈分更高的：～老伯|～老师（老师的父亲或父亲的老师）|～夫人（尊称别人的母亲）。❹〔副〕a)表示程度过分（可用于肯定和否定）：水～热，烫手|人～多了，会客室里坐不开|他～不谦虚了。b)表示程度极高（用于赞叹，只限于肯定）：这办法～好了|这建筑～伟大了。c)很（用于否定，含委婉语气）：不～好|不～满意。❺（Tài）〔名〕姓。

【太白星】tàibáixīng〔名〕我国古代指金星。

【太仓一粟】tàicāng yī sù 比喻非常渺小（太仓：古代京城里的大粮仓）。

【太阿倒持】Tài'ē dào chí 倒拿着太阿（宝剑名），比喻把权柄给人家，自己反而受到威胁或祸害。

【太公】tàigōng 〈方〉名 曾祖父。

【太古】tàigǔ 名 最古的时代（指人类还没有开化的时代）。

【太后】tàihòu 名 帝王的母亲。

【太湖石】tàihúshí 名 太湖地区产的石头，多窟窿，形状奇特，可用来造假山，点缀庭院。

【太极】tàijí 名 我国古代哲学上指宇宙的本原，为原始的混沌之气。

【太极拳】tàijíquán 名 一种传统拳术，流派很多，流传很广，动作柔和缓慢，既可用于技击，又有增强体质和防治疾病的作用。

【太极图】tàijítú 名 我国古代说明宇宙现象的图，一种是用圆形的图像表示阴阳对立面的统一体，圆形外边附八卦方位，道教常用它做标志。另一种是宋周敦颐所画的，代表宋代理学对于世界形成问题的看法。他认为太极是天地万物的根源，太极分为阴阳二气，由阴阳二气产生金、木、水、火、土这五行，五行之精凝合而生人类，阴阳化合而生万物。

【太监】tàijiàn 名 宦官。

【太空】tàikōng 名 极高的天空，特指地球大气层以外的宇宙空间：～飞行｜宇宙火箭飞向～。

【太空船】tàikōngchuán 〈方〉名 宇宙飞船；航天飞船。

【太空人】tàikōngrén 名 乘坐宇宙飞船等在宇宙空间工作、生活的人；宇航员；航天员。

【太庙】tàimiào 名 帝王祭祀祖先的庙。

【太平】tàipíng 形 指社会平安；安宁：天下～｜～景象｜太太平平地过日子。

【太平斧】tàipíngfǔ 名 消防用的长把大斧，船遇大风时用来砍断桅杆、缆绳的斧子。

【太平鼓】tàipínggǔ 名 ❶ 打击乐器，舞蹈时用，在一个带柄的铁圈上蒙上羊皮，用细长的鼓槌敲打，柄的头上有十多个大小铁环，打鼓时同时发出声响。❷ 民间舞蹈，多为女子表演，一边敲鼓，一边跳舞并

演唱。

【太平间】tàipíngjiān 名 医院中停放尸体的房间。

【太平门】tàipíngmén 名 戏院、电影院等公共场所为便于疏散观众而设置的旁门。

【太平梯】tàipíngtī 名 仓库、公共场所、集体宿舍等楼房为万一发生火灾时便于疏散、救护而在墙外设置的楼梯。

【太平天国】Tàipíng Tiānguó 洪秀全、杨秀清等于 1851 年在广西桂平县金田村起义，建立"太平天国"，1853 年在天京（今南京）定都，建立国家政权。太平天国革命是我国历史上规模最大的一次农民起义。1864 年在清朝政府和外国侵略势力的联合镇压下失败。

【太婆】tàipó 〈方〉名 曾祖母。

【太上皇】tàishànghuáng 名 ❶ 皇帝的父亲的称号，特称把皇位让给儿子而自己退位的皇帝。❷ 比喻在幕后操纵，掌握实权的人。

【太甚】tàishèn 形 太过分：欺人～。

【太师椅】tàishīyǐ 名 一种旧式的比较宽大的椅子，有靠背，带扶手。

【太史】Tàishǐ 名 姓。

【太叔】Tàishū 名 姓。

【太岁】tàisuì 名 ❶ 古代天文学中假设的星名，与岁星（木星）相应，又称太阴。古代用它围绕太阳公转的周期纪年，十二年（实为11.86年）是一周。❷（Tàisuì）传说中神名。迷信认为太岁之神在地，与天上岁星（木星）相应而行，掘土（兴建工程）要躲避太岁的方位，否则就要遭受祸害。❸ 旧社会对土豪的憎称：镇山～。

【太岁头上动土】Tàisuì tóu·shang dòng tǔ 比喻触犯有权势或强有力的人。参看〖太岁〗❷。

【太太】tài·tai 名 ❶ 旧时称官吏的妻子。❷ 旧时仆人等称女主人。❸ 对已婚妇女的尊称（带丈夫的姓）：张～｜王～。❹ 称某人的妻子或丈夫对人称自己的妻子（多带人称代词做定语）：我～跟他～原来是同学。❺〈方〉称曾祖母或曾祖父。

【太息】tàixī 〈书〉动 叹气。

【太学】tàixué 名 我国古代设立在京城的最高学府。

【太阳】tàiyáng 名 ❶ 银河系的恒星之一，是一炽热的气体球，体积是地球的

130 万倍,质量是地球的 33.34 万倍,表面温度约 6 000℃,内部温度约 1 500 万℃,内部经常不断地进行原子核反应而产生大量的热能。太阳是太阳系的中心天体,距地球约 1.496 亿千米。地球和其他行星都围绕着它旋转并且从它得到光和热。(图见"太阳系")❷ 指太阳光:今天~很好。❸ 指太阳穴。

【太阳大气】tàiyáng dàqì 太阳的表面层,从内到外可分为光球、色球、日晕三层。

【太阳电池】tàiyáng diànchí 用半导体硅、硒等材料将太阳的光能变成电能的转换器件。具有可靠性高、寿命长、转换效率高等优点,可做人造卫星、航标灯等的电源。

【太阳地儿】tàiyángdìr 名 太阳光照着的地方。

【太阳风】tàiyángfēng 名 从太阳大气层射出的高速带电粒子流,通常速度在 350 千米/秒以上。

【太阳风暴】tàiyáng fēngbào 指太阳黑子活动高峰阶段的太阳风,速度可达 1 000 千米/秒以上。能严重影响地球的空间环境,破坏臭氧层,干扰无线通信,对人体健康也有一定的危害。

【太阳黑子】tàiyáng hēizǐ 太阳表面的气体旋涡,温度较周围区域低,从地球上看像是太阳表面上的黑斑,叫做太阳黑子。太阳黑子有很强的磁场,出现时地球上往往发生磁暴和电离层扰动。也叫日斑。

【太阳活动】tàiyáng huódòng 太阳表面黑子、光斑、耀斑、日珥、射电现象等的变化,平均约以 11 年为周期。活动强烈时,紫外线和粒子辐射增强,使地球上发生极光、磁暴、电离层扰动等现象。

【太阳镜】tàiyángjìng 名 能防止太阳的紫外线伤害眼睛的眼镜,镜片多用茶色或变色玻璃等做成。

【太阳历】tàiyánglì 名 阳历。

【太阳帽】tàiyángmào 名 遮阳帽。

【太阳能】tàiyángnéng 名 太阳照射所发出的能量,是太阳上的氢原子核发生聚变反应产生的。太阳能是地球上光和热的源泉。

【太阳年】tàiyángnián 名 回归年。

【太阳日】tàiyángrì 名 太阳的中心接连两次通过同一个子午圈所需要的时间。由于地球在各个时间内运行的速度不同,所

以太阳日的长短也有变化。为了便于计算,通常把全年中各个太阳日的平均数作为一日,叫做平太阳日。与此对应,把真正的太阳日叫做真太阳日。

【太阳时】tàiyángshí 名 以太阳日为标准来计算的时间。以真太阳日为标准来计算的叫真太阳时,日晷所表示的时间就是真太阳时。以平太阳日为标准来计算的叫平太阳时,钟表所表示的时间就是平太阳时。

【太阳系】tàiyángxì 名 银河系中的一个天体系统,以太阳为中心,包括太阳、九大行星及其卫星和无数的小行星、彗星、流星等。

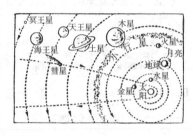

太阳系

【太阳穴】tàiyángxué 名 人的鬓角前、眉梢后的部位。

【太阳灶】tàiyángzào 名 把太阳能直接变为热能的炊事装置。常见的是由很多块平面反射材料构成一个抛物面,使阳光聚焦在锅底而产生大量热能。

【太爷】tàiyé 名 ❶ 曾祖父。❷〈方〉祖父。

【太医】tàiyī 名 ❶ 皇家的医生。❷〈方〉医生。

【太阴】tàiyīn〈方〉名 ❶ 太岁①。❷ 月亮。

【太阴历】tàiyīnlì 名 阴历。

【太子】tàizǐ 名 帝王的儿子中已经确定继承帝位或王位的。

汰 tài 淘汰:裁~|优胜劣~。

【汰石子】tàishízǐ 名 水刷石。

态(態) tài ❶ 形状;状态:形~|姿~|常~|事~。❷ 名 一种语

法范畴,多表明句子中动词所表示的动作跟主语所表示的事物之间的关系,如主动、被动等。❸(Tài)名姓。

【态度】tài·du 名❶人的举止神情:～大方|要～(发怒或急躁)。❷对于事情的看法和采取的行动:工作～|端正～|～坚决。

【态势】tàishì 名状态和形势:分析敌我～。

肽 tài 名有机化合物,由一个氨基酸分子中的氨基与另一个氨基酸分子中的羧基缩合失去水分子形成。旧称胜(shēng)。[英 peptide]

钛(鈦) tài 名金属元素,符号 Ti (titanium)。银白色,密度小,强度高,耐腐蚀性强。钛合金主要用于航空、航天工业中。

泰 tài ❶平安;安宁:～然|国～民安。❷极;最:～西。❸〈书〉副太;过甚:简略～甚|富贵～盛。❹(Tài)名姓。

【泰昌】Tàichāng 名明光宗(朱常洛)年号(公元 1620)。

【泰斗】tàidǒu 名泰山北斗:京剧～|他算得上音乐界的～。

【泰然】tàirán 形形容心情安定:处之～|～自若。

【泰然自若】tàirán zìruò 形容镇定,毫不在意的样子:他临危不惧,神情～。

【泰山】tàishān 名❶(Tài Shān)古人以泰山(山名,在山东)为高山的代表,常用来比喻敬仰的人和重大的、有价值的事物:～北斗|重于～|有眼不识～。❷岳父的别称。

【泰山北斗】Tài Shān běidǒu 比喻德高望重或有卓越成就而为众人所敬仰的人。

【泰山压顶】Tài Shān yā dǐng 比喻压力极大:～不弯腰。

【泰水】tàishuǐ 名岳母的别称。

【泰西】Tàixī 名旧时指西洋(主要指欧洲):～各国。

酞 tài 名有机化合物的一类,是一个分子的邻苯二甲酸酐与两个分子的酚缩合的衍生物,如酚酞。[英 phthalein]

坍(壈) tān 动倒塌:土墙～了|房～了。

【坍方】tān//fāng 动塌方。

【坍缩】tānsuō 动天体体积缩小,密度加大。

【坍塌】tāntā 动(山坡、河岸、建筑物或堆积的东西)倒下来:院墙～。

【坍台】tān//tái〈方〉动❶垮台(多指事业、局面不能继续维持)。❷丢脸;出丑。

【坍陷】tānxiàn 动塌陷:地层～。

贪(貪) tān 动❶原指爱财,后来多指贪污:～赃|～官|倡廉肃～。❷对某种事物的欲望老不满足:求多|～玩|～得无厌。❸片面追求;贪图:～快|～便宜。

【贪杯】tānbēi 动过分喜好喝酒:好(hào)酒～|～误事。

【贪财】tān//cái 动贪图钱财。

【贪得无厌】tān dé wú yàn 指贪心大,老不满足。

【贪官】tānguān 名贪污受贿的官吏:～污吏。

【贪贿】tānhuì 动贪图财物;贪污受贿:～无艺(艺;限度)。

【贪婪】tānlán 形❶贪得无厌(含贬义):他～的目光一直盯着那些珍宝。❷渴求而不知满足:～地学习各种科学知识。

【贪恋】tānliàn 动十分留恋:～大都市生活。

【贪墨】tānmò〈书〉动贪污。

【贪慕】tānmù 动贪求羡慕:～虚荣。

【贪青】tānqīng 动农作物到了变黄成熟的时期,茎叶仍繁茂呈青绿色。多由氮肥或水分过多等引起。

【贪求】tānqiú 动极力希望得到:～无度|～富贵。

【贪色】tānsè 动贪恋女色;好色。

【贪生】tānshēng 动吝惜生命(多含贬义):～怕死。

【贪天之功】tān tiān zhī gōng 原指窃取上天的功绩,后泛指把不属于自己的功劳归于自己。

【贪图】tāntú 动极力希望得到(某种好处):～便宜|～凉快|～安逸。

【贪污】tānwū 动利用职务上的便利非法地取得财物:～公款|～腐化|～分子。

【贪小】tānxiǎo 形爱占小便宜。

【贪心】tānxīn ❶名贪求的欲望:～不

足。❷ 圏 贪得无厌;不知足:这人太～。

【贪欲】tānyù 名 贪婪的欲望。

【贪赃】tān∥zāng 动 指官员接受贿赂:～枉法|～舞弊。

【贪赃枉法】tānzāng wǎngfǎ 官员受贿赂,利用职权歪曲和破坏法律。

【贪占】tānzhàn 动 利用职务之便非法地占有;贪污:～公款公物。

【贪嘴】tānzuǐ 圏 贪吃。

恧 tān 〈方〉代 人称代词。他(含尊敬意)。

啴(嘽) tān [啴啴](tāntān)〈书〉圏 形容牲畜喘息。
另见 149 页 chǎn。

摊(攤) tān ❶ 动 摆开;铺平:～牌|～场|把凉席~在床上◇许多事情一~到桌面上来,是非立时分明。❷ (~儿)名 设在路旁、广场上的售货处:地~儿|水果~儿。❸ 量 用于摊开的糊状物:一~血|一~稀泥。❹ 动 烹调方法,把糊状的食物原料倒在锅中摊开成为薄片:～鸡蛋|～煎饼。❺ 动 分担:分～|～派|一人平均~五元钱。❻ 动 碰到;落到(多指不如意的事情):事情虽小,~在他身上就受不了。

【摊薄】tānbáo 动 证券市场指由于增发新股等使得分摊到每一股的利润相应减少。

【摊场】tān∥cháng 动 把收割的庄稼摊开晾在场上。

【摊档】tāndàng 〈方〉名 售货摊。

【摊点】tāndiǎn 名 售货摊或售货处:街市两边设有大小～五十余处。

【摊贩】tānfàn 名 摆摊子做小买卖的人。

【摊放】tānfàng 动 摊开来摆放:桌子上～着课本、草稿本。

【摊牌】tān∥pái 动 ❶ 把手里所有的牌摆出来,跟对方比较大小,以决胜负。❷ 比喻到最后关头把所有的意见、条件、实力等摆出来给对方看。

【摊派】tānpài 动 叫众人或各地区、各单位分担(捐款、任务等);费用按人头～。

【摊群】tānqún 名 指集中在一处的许多售货摊。

【摊售】tānshòu 动 摆摊子出售(货物):～食品要符合卫生标准。

【摊位】tānwèi 名 设售货摊的地方;一个

货摊所占的位置:分配～|固定～|这个农贸市场有一百多个～。

【摊销】tānxiāo 动 分摊成几次或几处销账:广告费分三年～。

【摊主】tānzhǔ 名 货摊的主人。

【摊子】tān·zi 名 摊②;旧货～。

滩(灘) tān ❶ 河、海、湖边水深时淹没、水浅时露出的地方,泛指河、海、湖边水比岸低的地方:河～|海～|~地|盐~。❷ 江河中水浅多石而水流很急的地方:险～。

【滩地】tāndì 名 河滩、湖滩、海滩上较平坦的地方。

【滩簧】tānhuáng 名 流行于江苏南部、浙江北部的一种说唱艺术。最初只是说唱故事,后来发展为表演小戏,如苏滩(苏州滩簧)、湖滩(湖州滩簧)。有的已经发展成为地方戏,如上海滩簧发展为沪剧。

【滩头】tāntóu 名 河、湖、海岸边的沙滩:～阵地|抢占～。

【滩涂】tāntú 名 指海涂和河滩、湖滩等,通常专指海涂。

瘫(癱) tān 动 瘫痪①:偏～|～在床上,不能下地。

【瘫痪】tānhuàn 动 ❶ 由于神经功能发生障碍,身体的一部分完全或不完全地丧失运动的能力。可分为面瘫、单瘫(一个上肢或下肢瘫痪)、偏瘫、截瘫、四肢瘫等。也叫风瘫。❷ 比喻机构、交通等不能正常运转或不能正常发挥作用:交通～|领导班子～。

【瘫软】·tānruǎn 动 (肢体)绵软,难以动弹:浑身～,一点力气也没有。

【瘫子】tān·zi 名 瘫痪的人。

tán （ㄊㄢˊ）

坛¹(壇) tán ❶ 古代举行祭祀、誓师等大典用的台,多用土石等建成:天～|登～拜将。❷ 讲学或发表言论的场所:讲～|论～。❸ 用土堆成的台,多在上面种花:花～。❹ 某些会道门设立的拜神集会的组织。❺ 指文艺界或体育界:文～|诗～|影～|体～。

坛²(罎、壜、罈、墰) tán (~儿) 名 坛子:

酒～｜一～醋。

【坛坛罐罐】tántánguànguàn 图 泛指各种家什。

【坛子】tán·zi 图 口小腹大的陶器,多用来盛酒、醋、酱油等。

昙(曇) tán
❶〈书〉云彩密布;多云。❷(Tán)图 姓。

【昙花】tánhuā 图 常绿灌木,主枝圆筒形,分枝扁平呈叶状,绿色,没有叶片,花大,白色,生在分枝边缘上,多在夜间开放,开花的时间极短。供观赏。原产墨西哥。

【昙花一现】tánhuā yī xiàn 昙花开放后很快就凋谢,比喻稀有的事物或显赫一时的人物出现不久就消逝(昙花:佛经中指优昙钵华)。

倓 tán
〈书〉安静(多用于人名)。

郯 tán
郯城(Tánchéng),地名,在山东。

谈(談) tán
❶ 动 说话或讨论:漫～｜面～｜～思想｜二人～得很投机。❷ 所说的话:奇～｜美～｜无稽之～。❸(Tán)图 姓。

【谈柄】tánbǐng 图 ❶ 被人拿来做谈笑资料的言行。❷ 古人谈论时所执的拂尘。

【谈锋】tánfēng 图 ❶ 谈话的锋芒:～犀利。❷ 谈话的劲头儿:～甚健。

【谈何容易】tán hé róngyì 说起来怎么这样容易,表示事情做起来并不像说的那么简单。

【谈虎色变】tán hǔ sè biàn 比喻一提到可怕的事物连脸色都变了。

【谈话】tánhuà ❶(-//-)两个人或许多人在一起说话:他们正在屋里～。❷ 图 用谈话的形式发表的意见(多为政治性的)。

【谈论】tánlùn 动 用谈话的方式表示对人或事物的看法:～古今。

【谈判】tánpàn 动 有关方面对有待解决的重大问题进行会谈:和平～｜～破裂。

【谈情说爱】tán qíng shuō ài 男女之间诉说情爱。

【谈天】tán//tiān (～儿)动 闲谈。

【谈天说地】tán tiān shuō dì 指漫无边际地闲谈:人们聚在一起,～,好不热闹。

【谈吐】tántǔ 图 指谈话时的措辞和态度:～不俗。

【谈笑风生】tán xiào fēng shēng 形容谈话谈得高兴而有风趣。

【谈笑自若】tán xiào zìruò 说说笑笑,跟平常一样(多指在紧张或危急的情况下)。也说谈笑自如。

【谈心】tán//xīn 动 谈心里话:促膝～。

【谈兴】tánxìng 图 谈话的兴致:～正浓。

【谈言微中】tán yán wēi zhòng 说话委婉而中肯。

【谈助】tánzhù 〈书〉图 谈资:足资～。

【谈资】tánzī 图 谈话的资料:茶余饭后的～。

埮 tán
人名用字。

弹(彈) tán
❶ 动 由于一物的弹性作用使另一物射出去。❷ 动 利用机械使纤维变得松软:～棉花｜～羊毛。❸ 动 一个指头被另一个指头压住,然后用力挣开,借这个力量碰击物体:把帽子上的土一～去。❹ 动 用手指、器具拨弄或敲打,使物体振动:～钢琴｜～琵琶。❺ 有弹性:～簧。❻ 抨击:讥～｜～劾。

另见 269 页 dàn。

【弹拨乐器】tánbō-yuèqì 指由于拨动琴弦而发音的一类乐器,如琵琶、月琴、三弦等。

【弹词】táncí 图 曲艺的一种,流行于南方各省,有说有唱,曲调、唱腔各地不同,用三弦伴奏,或再加琵琶陪衬。也指说唱弹词的底本。

【弹冠相庆】tán guān xiāng qìng 《汉书·王吉传》:"吉与贡禹为友,世称'王阳在位,贡公弹冠',言其取舍同也"(弹冠:掸去帽子上的尘土,准备做官)。后来用"弹冠相庆"指一人当了官或升了官,他的同伙也互相庆贺将有官可做。

【弹劾】tánhé 动 ❶ 君主时代担任监察职务的官员检举官吏的罪状。❷ 某些国家的议会抨击政府工作人员,揭发其罪状。

【弹簧】tánhuáng 图 利用材料的弹性作用制成的零件,在外力作用下能发生形变,除去外力后又恢复原状。常见的用合金钢制成,有螺旋形、板形、杆形等不同形状。有的地区叫绷簧。

【弹簧秤】tánhuángchèng 图 用弹簧制成的秤,常见的是用螺旋形弹簧装在金属筒里,上端固定,下端有钩,筒上有刻度。重

物悬在钩上,就可以由指针所指的刻度上
得出重量。

【弹簧门】tánhuángmén 名 门框和门扇
之间装有弹簧,可以自动关闭的门。

【弹泪】tánlèi 动 挥泪,泛指伤心流泪。

【弹力】tánlì 名 物体发生形变时产生的使
物体恢复原状的作用力。

【弹射】tánshè 动 ❶ 利用弹力、压力等射
出:气压~器。❷〈书〉指摘:~利病(指
出缺点错误)。

【弹升】tánshēng 动〈价格等〉反弹;回升:
股market大跌后又小幅~。

【弹跳】tántiào 动〈身体或物体〉利用弹
力向上跳起:~力。

【弹性】tánxìng 名 ❶ 物体受外力作用变
形后,除去作用力时能恢复原来形状的性
质。❷ 比喻事物的依实际需要可加以调
整、变通的性质:~立场|~外交|~工作
制。

【弹性就业】tánxìng jiùyè 指 从事时间、场
所、收入等不固定的工作,如临时性工作、
季节性工作等。

【弹压】tányā 动 指用武力压制;压服。

【弹指】tánzhǐ 动 弹动指头,比喻时间极
短暂:~之间|~光阴。

【弹奏】[1] tánzòu 动 用手指或器具演奏〈某
种乐器〉:~钢琴|~冬不拉。

【弹奏】[2] tánzòu〈书〉动 向帝王检举官吏
的罪状或过失。

覃 tán ❶〈书〉深:~思(深思)。❷
(Tán)名 姓。
　　　另见 1106 页 Qín。

替 tán〈方〉水塘。多用于地名。

锬(錟) tán 古代兵器,长矛。
　　　另见 1474 页 xiān。

痰 tán 肺部、支气管和气管分泌出
来的黏液,当肺部或呼吸道发生病变
时分泌量增多,并含有某些病原体,是传
播疾病的媒介。

【痰气】tánqì〈方〉名 ❶ 指精神病。❷ 指
中风(zhòngfēng)。

【痰桶】tántǒng 名 形状略像桶的痰盂。

【痰盂】tányú（～儿）名 盛痰用的器皿。

谭(譚) tán ❶〈书〉同“谈”①②。❷
(Tán)名 姓。

潭 tán 名 ❶ 深的水池:清~|古~|龙
~|虎~穴。❷〈方〉坑。❸ (Tán)名 姓。

【潭府】tánfǔ〈书〉名 ❶ 深渊。❷ 深邃
的府第,常用于尊称对方的住宅。

燂 tán〈方〉动 放在火上使热:~茶
(烧开水)。

澹 tán [澹台](Tántái)名 姓。
　　　另见 270 页 dàn。

檀 tán 名 ❶ 青檀、紫檀等的统称。❷
(Tán)名 姓。

【檀板】tánbǎn 名 拍板,打击乐器,因多用
檀木制成,所以叫檀板。

【檀香】tánxiāng 名 常绿乔木,叶子椭圆
形,花初为黄色,后变红色。木质坚硬,有
香气,可制器具,也可提取药物或香料。
原产印度等地。

【檀越】tányuè 名 佛教用语,称施主。[梵
dānapati]

磹 tán 磹口(Tánkǒu),地名,在福建。

镡(鐔) Tán 名 姓。
　　　另见 148 页 Chán;1518 页
xín。

醈 tán〈书〉酒味厚;醇。

tǎn （ㄊㄢˇ）

忐 tǎn [忐忑](tǎntè)形 心神不定:
~不安。

坦 tǎn ❶ 平而宽:~途|平~。❷ 坦
白;坦率:~承|~陈|~言。❸ 心里
安定:~然。

【坦白】tǎnbái ❶ 形 心地纯洁,语言直率:
襟怀~。❷ 动 如实地说出(自己的错误
或罪行):~犯下的罪行。

【坦陈】tǎnchén 动 坦率地陈述:与会代
表~自己的观点。

【坦称】tǎnchēng 动 坦率地说。

【坦承】tǎnchéng 动 坦白地承认:不少家
长~在教育子女的问题上存在困惑。

【坦诚】tǎnchéng 形 坦率诚恳:心地~|
~相见|~的话语。

【坦荡】tǎndàng 形 ❶ 宽广平坦:前面是
一条~的大路。❷ 形容心地纯洁,胸襟宽
畅:胸怀~。

【坦缓】tǎnhuǎn 形 地势平坦,倾斜度小:
~的山坡。

【坦克】tǎnkè 名 装有火炮、机枪和旋转炮塔的履带式装甲战斗车辆。也叫坦克车。[英 tank]

【坦克兵】tǎnkèbīng 名 装甲兵。

【坦克车】tǎnkèchē 名 坦克。

【坦露】tǎnlù 动 吐露;表露:~心迹|真情~。

【坦然】tǎnrán 形 形容心里平静,无顾虑:~无惧|~自若|神色~。

【坦实】tǎnshí 形 坦诚。

【坦率】tǎnshuài 形 直率:性情~|为人~热情。

【坦途】tǎntú 名 平坦的道路(多用于比喻)。

【坦言】tǎnyán ❶ 动 坦率地说:他~自己对音乐懂得不多。❷ 名 坦率的话:~相告。

钽(鉭) tǎn 名 金属元素,符号 Ta (tantalum)。银灰色,延展性好,耐腐蚀性强。用来制造化学器皿、电器元件、医疗器械等。

袒 tǎn ❶ 动 脱去或敞开上衣,露出(身体的一部分):~露|~胸露臂。❷ 动 袒护:偏~。

【袒护】tǎnhù 动 对错误的思想行为无原则地支持或保护:~孩子不是爱孩子。

【袒露】tǎnlù 动 裸露:~胸膛◇~心声。

萩 tǎn 〈书〉初生的荻。

毯 tǎn 毯子:毛~|线~|地~|壁~。

【毯子】tǎn·zi 名 铺在床上或睡觉时盖在身上的毛织品、棉织品或棉毛混织品,大多有图案或图画。也有铺在地上或挂在墙上的。

tàn (ㄊㄢˋ)

叹(嘆、歎) tàn ❶ 动 叹气:~息|可~|长吁短~。❷ 动 吟哦:咏~|一唱三~。❸ 动 发出赞美的声音:赞~|~为奇迹。

【叹词】tàncí 名 表示强烈的感情以及招呼、应答的词,如"啊、哎、哟、哼、嗯、喂"。

【叹服】tànfú 动 称赞而且佩服:他画的人物栩栩如生,令人~。

【叹号】tànhào 名 标点符号(!),表示感叹句或语气强烈的祈使句、反问句末尾的停顿。旧称感叹号、惊叹号。

【叹绝】tànjué 动 赞叹事物好到极点:技艺之精,让人~。

【叹气】tàn/qì 心里感到不痛快而呼出长气,发出声音:唉声~|叹了一口气。

【叹赏】tànshǎng 动 称赞:~不绝|击节~。

【叹惋】tànwǎn 〈书〉动 叹惜。

【叹为观止】tàn wéi guān zhǐ 春秋时吴国的季札在鲁国观看各种乐舞,看到舜时的乐舞,十分赞美,说看到这里就够了,再有别的乐舞也不必看了(见于《左传·襄公二十九年》)。后来指赞美看到的事物好到极点。也说叹观止矣。

【叹息】tànxī 动 叹气。

【叹惜】tànxī 动 慨叹惋惜:功亏一篑,令人~。

【叹羡】tànxiàn 〈书〉动 赞叹羡慕。

炭(炭) tàn ❶ 名 木炭的通称。❷ 像炭的东西:山楂~(中药)。❸〈方〉名 煤:挖~。

【炭画】tànhuà 名 用炭质材料绘成的画。

【炭墼】tànjī 名 用炭末做成的块状燃料,多呈圆柱形。

【炭精】tànjīng 名 ❶ 各种炭制品的总称。❷〈方〉人造炭和石墨的总称。

【炭疽】tànjū 名 急性传染病,病原体是炭疽杆菌,人和家畜都能感染。病畜的症状是发高热,痉挛,口和肛门出血,胸部、颈部或腹部肿胀。人皮肤感染后,有的出现疱疹,随后出血坏死,形成黑色焦痂,还能侵入肺或胃肠。家畜的炭疽有的地区叫瘠病。

【炭盆】tànpén 名 烧木炭的火盆。

探 tàn ❶ 动 试图发现(隐藏的事物或情况):~矿|~路|~口气|试~|钻~。❷ 做侦察工作的人:密~|敌~。❸ 看望:~望|~亲|~病。❹ 向前伸出(头或上体):~头|~脑|行车时不要~身窗外。❺〈方〉动 过问:~闲事。

【探案】tàn'àn 动 侦查案情:用科技手段~。

【探本穷源】tàn běn qióng yuán 追本溯源。也说探本溯源。

【探病】tàn//bìng 动 看望生病的人。

【探测】tàncè 國 对于不能直接观察的事物或现象用仪器进行考察和测量：高空～｜～海的深度◇～对方心里的秘密。

【探查】tànchá 國 深入检查：剖腹～。

【探察】tànchá 國 探听侦察；察看：～地形｜～敌人的行踪。

【探访】tànfǎng 國❶ 访求；搜寻：～新闻｜～善本书。❷ 探望：～亲友。

【探风】tàn//fēng 國 打听消息；察看动静。

【探戈】tàngē 图 现代舞的一种，起源于非洲，流行于欧美，2/4 或 4/4 拍，速度缓慢，多为滑步，舞时变化很多。［西 tango］

【探花】tànhuā 图 科举时代的一种称号。明清两代称殿试考取一甲（第一等）第三名的人。

【探家】tàn//jiā 國 回家探亲：他一直在外地工作，已有好几年没有～了。

【探监】tàn//jiān 國 到监狱里看望被囚禁的人（多为亲友）。

【探井】tànjǐng 图 为探测矿体而开掘的小井。

【探究】tànjiū 國 探索研究；探寻追究：～原因。

【探勘】tànkān 國 勘探。

【探口气】tàn kǒu·qi 设法引出对方的话，探听他对某人某事的态度和看法。也说探口风。

【探矿】tàn//kuàng 國 根据矿床生成的原理，采用一定的方法寻找矿藏。

【探骊得珠】tàn lí dé zhū 《庄子•列御寇》上说，黄河边上有人泅入深水，得到一颗价值千金的珠子，他父亲说："这样珍贵的珠子，一定是在万丈深渊的黑龙下巴底下取得，而且是在它睡时取得的。"后来用"探骊得珠"比喻做文章扣紧主题，抓住要领（骊：黑龙）。

【探路】tàn//lù 國 事先探察道路情况：你先去探探路，我们随后行动。

【探马】tànmǎ 图 做侦察工作的骑兵（多见于早期白话）。

【探秘】tànmì 國 探索秘密或奥秘：宇宙～。

【探囊取物】tàn náng qǔ wù 伸手到袋子里取东西，比喻能够轻而易举地办成某件事情。

【探亲】tàn//qīn 國 探望亲属，现多指探望父母或配偶：～假｜回乡～。

【探求】tànqiú 國 探索追求：～学问｜～真理。

【探伤】tàn//shāng 國 通过一定装置，利用磁性、X 射线、γ 射线、超声波等检查和探测金属材料内部的缺陷。

【探胜】tànshèng 〈书〉國 探寻优美的景物。

【探视】tànshì 國❶ 看望：～病人。❷ 察看：向窗外～。

【探索】tànsuǒ 國 多方寻求答案，解决疑问：～人生道路｜～自然界的奥秘。

【探讨】tàntǎo 國 研究讨论：～哲学问题。

【探听】tàntīng 國 探问①（多指方式比较秘密、措辞比较含蓄的）：～虚实｜～口气。

【探头】tàntóu ❶（-/-）國 伸出头：他从窗口～看了一下，屋内不见有人。❷ 图 指监测、探测仪器等最前面的部件。

【探头探脑】tàn tóu tàn nǎo 不断探头看，多形容鬼鬼祟祟地窥探：只见门外一个人，东张西望。

【探望】tànwàng 國❶ 看（试图发现情况）：四处～｜他不时地向窗外～。❷ 看望（多指远道）：我路过上海时，顺便～了几个老朋友。

【探问】tànwèn 國❶ 试探着询问（消息、情况、意图等）：～失散多年的亲人的下落｜到处～，毫无结果。❷ 探望，问候：～灾民。

【探析】tànxī 國 探讨和分析（多用于文章标题）：《人口学难题～》。

【探悉】tànxī 國 打听后知道：从有关方面～。

【探险】tàn//xiǎn 國 到从来没有人去过或很少有人去过的艰险地方去考察（自然界情况）：～队｜到南极去～。

【探寻】tànxún 國 探求；寻找：～真理｜～地下矿藏。

【探询】tànxún 國 探问①：～病情｜～消息。

【探幽】tànyōu 〈书〉國❶ 探索深奥的道理：～析微。❷ 探寻胜境：～揽胜。

【探赜索隐】tàn zé suǒ yǐn 探究深奥的道理，搜索隐秘的事迹（赜：深奥）。

【探照灯】tànzhàodēng 图 一种用于远距离搜索和照明的装置。在军事上主要用于搜索以及照射空中、地面和水上目标。照射距离一般为 10—20 千米。

【探子】¹ tàn·zi 名 指在军中做侦察工作的人。

【探子】² tàn·zi 名 长条或管状的用具,用来探取东西,如蛐蛐儿探子(用来伸入穴中把蛐蛐儿撵出来)、粮食探子(用来插入袋中取出少量粮食做样品)。

碳 tàn 名 非金属元素,符号 C(carbonium)。有金刚石、石墨、富勒烯和无定形碳等同素异形体。化学性稳定,在空气中不起变化,是构成有机物的主要成分。在工业上和医药上用途很广。

【碳氢化合物】 tànqīng-huàhéwù 由碳和氢两种元素组成的一类有机化合物。也叫烃(tīng)。

【碳水化合物】 tànshuǐ-huàhéwù 糖①。

【碳酸】 tànsuān 名 无机化合物,化学式 H_2CO_3。是二氧化碳的水溶液,无色,很不稳定,呈弱酸性。用来制造化学药品。

【碳酸气】 tànsuānqì 名 二氧化碳的旧称。

【碳纤维】 tànxiānwéi 名 含碳量高于90%的无机高分子纤维。耐高温、耐腐蚀、抗疲劳,强度高,纤维密度低,可加工成织物等。有碳纤维加入的复合材料是制造飞机、火箭和化工厂耐腐蚀设备等的优良材料。

tāng （ㄊㄤ）

汤(湯) tāng ❶ 热水;开水:温～浸种|扬～止沸|赴～蹈火。❷ 专指温泉(现多用于地名):小～山(在北京)。❸ 名 食物煮后所得的汁水:米～|鸡～。❹ 名 烹调后汁水特别多的副食:豆腐～|菠菜～|四菜一～。❺ 名 汤药:柴胡～|煎～服用。❻ (Tāng)名 姓。
另见 1191 页 shāng。

【汤池】 tāngchí 名 ❶ 见 706 页【金城汤池】。❷ 热水浴池。

【汤匙】 tāngchí 名 调羹;羹匙。

【汤罐】 tāngguàn 名 旧式灶上烧热水用的罐。

【汤锅】 tāngguō 名 屠宰牲畜时烧热水煺毛的大型锅。也借指屠宰场。

【汤壶】 tānghú 名 盛热水后放在被中取暖的用具,多用铜合金或陶瓷、塑料等制成。

【汤剂】 tāngjì 名 中药剂型的一种,把药物加上水,煎出汁液,去掉渣滓而成。通称汤药,也叫煎剂。

【汤面】 tāngmiàn 名 加作料带汤的面条。

【汤婆子】 tāngpó·zi 〈方〉名 汤壶。

【汤泉】 tāngquán 名 古代称温泉。

【汤色】 tāngsè 名 沏茶后茶水呈现的色泽(多用于鉴定茶叶质量时):～明亮。

【汤水】 tāngshuǐ 〈方〉名 ❶ 食物煮后的汤。❷ 开水或热水。

【汤头】 tāngtóu 名 中药多为汤剂,所以中药的配方叫汤头。把常用的汤头编成歌诀,以便学习记忆,叫汤头歌诀。

【汤团】 tāngtuán 〈方〉名 带馅儿的汤圆。

【汤药】 tāngyào 名 汤剂。

【汤圆】 tāngyuán 名 糯米粉等做的球形食品,大多有馅儿,带汤吃。

铴(鍚) tāng [铴锣](tāngluó)名 小铜锣。

逿(盪) tāng "逿"dàng 的又音,多用于人名。

耥 tāng 动 用耥耙松土、除草。

【耥耙】 tāngbà 名 水稻中耕的一种农具,形状像木屐,底下有许多短铁钉,上面有长柄。在水稻行间推拉,松土除草。

嘡 tāng 拟声 形容打钟、敲锣、放枪一类声音:～～连响了两枪。

【嘡啷】 tānglāng 拟声 形容金属器物等磕碰的声音:～一声,脸盆掉在地上了。

趟¹ tāng 同"蹚¹"。

趟² tāng 同"蹚²"。
另见 1330 页 tàng。

羰 tāng [羰基](tāngjī)名 由碳和氧两种原子组成的二价原子团(＞C＝O)。

镋(鎲) tāng 同"嘡"。
另见 1328 页 táng。

蹚¹(蹚) tāng 动 从浅水里走过去:～水过河。

蹚²(蹚) tāng 动 用犁把土翻开,除去杂草并给苗培土:～地。

【蹚道】 tāng//dào (～儿)〈口〉动 探路;喻摸情况。也说蹚路。

【蹚浑水】 tāng húnshuǐ (～儿)〈方〉比喻跟着别人干坏事。

【蹚路】tāng//lù（～儿）动 蹚道。

táng（ㄊㄤ）

铴（鐋）táng〈书〉同"糖"。
另见 1525 页 xíng。

唐¹ táng〈书〉❶《言谈》虚夸：～大无
验。❷ 空；徒然：功不～捐(工夫不
白费)。

唐² Táng 名 ❶ 传说中的朝代名,尧所
建。❷ 朝代。a)公元 618—907,李
渊和他的儿子李世民所建,建都长安(今
陕西西安)。b)后唐。❸ 姓。

【唐菖蒲】tángchāngpú 名 多年生草本植
物,地下球茎扁圆形,叶子剑形,花大,红
色或红黄色,蒴果长圆形。供观赏。球茎
可入药。原生长在非洲。也叫菖兰。

【唐棣】tángdì ❶ 名 落叶小乔木,小枝细
长,叶子卵形或长椭圆形,花白色,有香
气,果实近球形。树皮可入药。❷ 同"棠
棣"。

【唐花】tánghuā 名 温室里养的花卉。也
作堂花。

【唐卡】tángkǎ 名 藏族一种独有的卷轴布
画。内容有佛、菩萨、佛经故事、藏医藏药
等,色彩艳丽,形象生动。多用来装饰寺
庙殿堂,宣传藏传佛教教义。

【唐人街】tángrénjiē 名 指海外华侨聚居并
开设较多具有中国特色的店铺的街市。

【唐三彩】tángsāncǎi 名 唐代陶器和陶俑
的釉色,有黄、绿、褐、蓝等多种颜色。也
指有这种釉色的陶制品,现多为仿制品。

【唐突】tángtū ❶〈书〉动 乱闯；冒犯。❷
形 莽撞；冒失：请原谅我话说得～。

【唐装】tángzhuāng 名 传统的中式服装。

堂 táng ❶ 正房：～屋。❷ 专为某种
活动用的房屋：礼～｜课～｜食～。❸
名 旧时官府中举行仪式、审讯案件的地
方：大～｜过～。❹ 用于厅堂名称,旧时
也指某一家、某一房或某一家族：三槐～。
❺ 用于商店牌号：同仁～(北京的一家药
店)。❻ 堂房：～兄｜～弟｜～姊妹。❼ 量
a)用于成套的家具：一～家具。b)用于分
节的课程,一节叫一堂：两～课。c)旧时
审讯一次叫一堂：过了两～。d)用于场
景、壁画等：三～内景｜一～壁画。❽

（Táng）名 姓。

【堂奥】táng'ào〈书〉名 ❶ 房屋的深处。
❷ 腹地。❸ 比喻深奥的道理或境界：窥
其～。

【堂而皇之】táng ér huáng zhī ❶ 形容公
开或不加掩饰：他是凭着一张伪造的出入
证～进来的。❷ 形容体面或气派大：讲
了一套～的理论。

【堂房】tángfáng 形 属性词。同宗而非嫡
亲的(亲属)：～弟兄｜～姐妹(同祖父、同曾
祖或同宗而关系更远的弟兄姐妹)｜～侄子、
～侄女(堂房弟兄的子女)。

【堂鼓】tánggǔ 名 打击乐器,两面蒙牛皮,
置于木架上,常用于戏曲乐队中。

【堂倌】tángguān 名 旧时称饭馆、茶馆、酒
店中的招待人员。

【堂号】tánghào 名 厅堂的名称,旧时多
指某一家、某一房或某一家族的名号。

【堂花】tánghuā 同"唐花"。

【堂皇】tánghuáng 形 ❶ 形容气势宏大；
富丽。❷ 冠冕堂皇：～的理由。

【堂会】tánghuì 名 旧时家里有喜庆事邀
请艺人来举行的演出会。

【堂客】táng·kè 名 ❶ 女客人。❷〈方〉泛
指妇女。❸〈方〉妻。

【堂上】tángshàng 名 ❶ 指父母。❷ 旧
时受审讯的人称审案的官吏。❸ 旧指审
讯问案的地方。

【堂堂】tángtáng 形 ❶ 形容容貌庄严大
方：仪表～。❷ 形容有志气或有气魄：～
中华儿女。❸ 形容阵容或力量壮大：～
之阵。

【堂堂正正】tángtángzhèngzhèng 形 状
态词。❶ 形容光明正大：做一个～的男
子汉。❷ 形容身材魁武,仪表出众：～的
相貌。

【堂屋】tángwū 名 ❶ 正房居中的一间。
❷ 泛指正房。

【堂戏】tángxì 名 ❶ 堂会上演的戏。❷
湖北地方戏曲剧种之一,流行于该省巴
东、五峰等地。

【堂子】táng·zi 名 ❶ 清朝皇室祭神的场
所。❷〈方〉旧时妓院的别称。

棠 táng ❶ 棠梨。❷（Táng）名 姓。

【棠棣】tángdì 名 古书上说的一种植物。
也叫唐棣。

【棠梨】tánglí 名 杜梨。

郎 táng 郎郚(Tángwú)，地名，在山东。

塘 táng ❶ 堤岸；堤防：河~|海~。❷ 名 水池：池~|鱼~|这个~不太深。❸ 浴池：澡~。❹〈方〉室内生火取暖用的坑：火~。❺〈Táng〉名 姓。

【塘坝】tángbà 名 在山区或丘陵地区修筑的一种小型蓄水工程，用来积蓄附近的雨水和泉水，灌溉农田。也叫塘堰、坝塘。

【塘堰】tángyàn 名 塘坝。

搪[1] táng 动 ❶ 抵挡：~饥|~风|上一块板子就塌不下来了。❷ 搪塞：~账|~差事。

搪[2] táng 动 把泥土或涂料均匀地涂在炉灶或金属坯子等上面：~炉子。

搪[3] táng 同"镗"(táng)。

【搪瓷】tángcí 名 用石英、长石、硝石、碳酸钠等烧制成的像釉子的物质。涂在金属坯胎上，能烧制成不同颜色的图案，并可防锈、耐腐蚀。

【搪塞】tángsè 动 敷衍塞责：用几句话~过去。

饄(餳) táng 〈书〉同"糖"。

溏 táng 不凝结、半流动的：~心|~便。

【溏便】tángbiàn 名 中医指稀薄的大便。

【溏心】tángxīn (~儿)形 属性词。蛋煮过或腌过后蛋黄没有完全凝固的：~儿鸡蛋|~儿松花。

瑭 táng 〈书〉一种玉。

樘 táng ❶ 门框或窗框：门~|窗~。❷ 量 门扇和门框或窗扇和窗框一副叫一樘：一~玻璃门|四~双扇窗。

膛 táng ❶ 名 胸腔：胸~|开~。❷ (~儿)名 器物的中空的部分：炉~儿|枪~|子弹上~。

【膛线】tángxiàn 名 枪膛或炮膛内的螺旋形凹凸线，凸起的叫阳线，凹下的叫阴线。作用是使发射出的弹头旋转飞行，以增加射程、命中率和贯穿力。也叫来复线。

螗 táng 古书上指一种较小的蝉。

镗(鏜) táng 动 用镗床切削机器零件上已有的孔眼。

另见 1326 页 tāng。

【镗床】tángchuáng 名 金属切削机床，用来加工工件上已有的孔眼，也可钻孔。加工时工件固定在工作台上，镗刀装在旋转的金属杆上切削。

糖(❶餹) táng 名 ❶ 有机化合物的一类，可分为单糖、双糖和多糖，是人体内产生热能的主要物质，如葡萄糖、蔗糖、乳糖、淀粉等。也叫碳水化合物。❷ 食糖的通称。❸ 糖果：奶~|水果~。

【糖弹】tángdàn 名 糖衣炮弹的简称。

【糖房】tángfáng 名 制红糖、白糖等的作坊。

【糖苷】tánggān 名 有机化合物的一类，由糖类和其他有机化合物失水缩合而成，广泛存在于植物体中。简称苷，旧称甙(dài)。

【糖瓜】tángguā (~儿)名 用麦芽糖制成的瓜状食品。

【糖果】tángguǒ 名 糖制的食品，其中多加有果汁、香料、牛奶或咖啡等。

【糖葫芦】tánghú·lu (~儿)名 一种食品，用竹签把山楂果或海棠果等穿成一串儿，蘸上熔化的冰糖、白糖或麦芽糖制成。也叫冰糖葫芦。

【糖浆】tángjiāng 名 ❶ 用蔗糖加蒸馏水加热溶解后制成的较稠的糖溶液。医药上用来改变某些药物的味道，使容易服用。❷ 制糖时熬成的浓度为60%的糖溶液，可用来做糖果等。

【糖精】tángjīng 名 有机化合物，化学式 $C_7H_5NO_3S$。无色晶体，难溶于水。糖精的钠盐为白色结晶粉末，易溶于水，比蔗糖甜300—500倍，可做食糖的代用品，但没有营养价值。

【糖萝卜】tángluó·bo 〈方〉名 ❶ 甜菜。❷ 蜜饯的胡萝卜。

【糖尿病】tángniàobìng 名 慢性病，以血糖增高为主要特征，病因是胰腺中的胰岛素分泌不足，食物中的碳水化合物的代谢不正常，变成葡萄糖从尿中排出体外。症状是食欲亢进，时常口渴，小便增多，身体消瘦等。

【糖人】tángrén (~儿)名 用糖稀吹成的人物、鸟兽，可以玩，也可以吃。

【糖色】tángshǎi 名 用红糖炒至半焦而成的深棕色半流体，做肉类和其他一些食品时用来上色。

【糖霜】tángshuāng 图❶粘在食物表面上的一层白糖。❷〈方〉白糖。

【糖稀】tángxī 图含水分较多的麦芽糖，淡黄色，呈胶状，可用来制糖果、糕点等。

【糖衣】tángyī 图包在某些苦味药物表面的糖质层，作用是使药物容易吃下去。

【糖衣炮弹】tángyī pàodàn 比喻腐蚀、拉拢，拖人下水的手段。简称糖弹。

【糖纸】tángzhǐ 图包在一颗颗糖果外面的纸，多印有图案。

糖 táng 红色（多用于人的脸色）：紫~脸。

螳 táng 指螳螂：~臂当车。

【螳臂当车】táng bì dāng chē 螳螂举起前腿想挡住车子前进（语本《庄子·人间世》："汝不知夫螳螂乎，怒其臂以当车辙，不知其不胜任也"），比喻不正确估计自己的力量，去做办不到的事情，必然招致失败。也说螳臂挡车。

【螳臂挡车】táng bì dǎng chē 螳臂当车。

【螳螂】tángláng 图昆虫，全身绿色或土黄色，头呈三角形，触角呈丝状，胸部细长，有翅两对，前腿呈镰刀状。捕食害虫，对农业有益。有的地区叫刀螂。

【螳螂捕蝉，黄雀在后】tángláng bǔ chán, huángquè zài hòu 螳螂正要捉蝉，不知道黄雀在后面正想吃它（语本《庄子·山木》），比喻只看见前面有利可图，不知祸害就在后面。

tǎng （ㄊㄤ）

帑 tǎng 〈书〉国库里的钱财；公款：国~｜公~。
〈古〉又同"孥" nú。

倘 tǎng 連倘若：~有困难，当再设法。
另见 154 页 cháng。

【倘或】tǎnghuò 連倘若。

【倘来之物】tǎng lái zhī wù 无意中得到的或不应得而得到的钱财。

【倘若】tǎngruò 連表示假设：你~不信，就亲自去看看吧。

【倘使】tǎngshǐ 連倘若：~不及早医治，就会变成顽疾。

堂 tǎng 〈方〉山间平地；平坦的地（多用于地名）：贾~（在宁夏）｜都家~（在陕西）。
另见 1193 页 shǎng。

淌 tǎng 动往下流：~血｜~眼泪｜天气太热，身上直~汗｜木桶漏水，~了一地。

惝 tǎng "惝"chǎng 的又音。

傥(儻) tǎng ❶〈书〉同"倘"(tǎng)。❷见 1343 页〖倜傥〗。

鎲(钂) tǎng 古代兵器，跟叉相似。

躺 tǎng 动身体倒在地上或其他物体上，也指车辆、器具等倒在地上：~在地头休息｜一棵大树横~在路上。

【躺柜】tǎngguì 图一种平放的较矮的柜子，长方形，上面有盖。

【躺椅】tǎngyǐ 图靠背比较长而向后倾斜的椅子，人可以斜躺在上面。

tàng （ㄊㄤ）

烫(燙) tàng ❶动温度高的物体与皮肤接触使感觉疼痛：~手｜~嘴｜别让开水~着。❷动利用温度高的物体使另一物体温度升高或发生其他变化：~酒（用热水暖酒）｜~衣裳（用热熨斗使衣服平整）。❸形物体温度高：这水太~。❹动指烫发：电~｜把头发~一~。

【烫发】tàng//fà 动用热能或药水使头发卷曲美观。

【烫花】tàng//huā 动烙花。

【烫金】tàng//jīn 动在印刷品等上面烫出金色的文字或图案。方法是先把文字或图案制成金属凸版，用火或烫金电炉烘热后，在铺着金箔的印刷品等上面压印。

【烫蜡】tàng//là 动在地板、家具等表面撒上蜡屑，烤化后弄平，可以增加光泽。

【烫面】tàngmiàn 图用很烫的水和(huó)的面：~卷儿｜~饺儿。

【烫伤】tàngshāng 图无火焰的高温物体（如开水、热油）接触身体而引起皮肤和组织的损伤。

【烫手】tàngshǒu 形比喻事情难办：他感到这个问题有些~。

【烫头】tàng/tóu 动 烫发。

趟 tàng ❶ 量 表示走动的次数：他到成都去了一～｜今天夜里还有一～车。❷（～儿）名 行进的行列：跟不上～。❸〈方〉量 用于成行的东西：半～街｜一～栏杆｜两～桌子｜几～大字。
另见 1326 页 tāng。

【趟马】tàngmǎ 名 戏曲中表演骑着马走或跑的一套程式动作。

tāo（ㄊㄠ）

叨 tāo 受到(好处)；沾④：～光｜～教。
另见 275 页 dāo；275 页 dáo。

【叨光】tāo//guāng 动 客套话，沾光(受到好处，表示感谢)。

【叨教】tāojiào 动 客套话，领教(受到指教，表示感谢)。

【叨扰】tāorǎo 动 客套话，打扰(受到款待，表示感谢)。

涛（濤）tāo 大的波浪：波～｜惊～骇浪。

绦（縧、絛、縚）tāo 绦子：丝～｜～带。

【绦虫】tāochóng 名 扁形动物，身体柔软，像带子，由许多节片构成，每个节片都有雌雄两性生殖器。常见的是有钩绦虫和无钩绦虫两种，都能附着在宿主(如人和猪、牛等动物)的肠道里。

【绦子】tāo·zi 名 用丝线编织成的圆的或扁平的带子，可以镶衣服、枕头、窗帘等的边。

泰（燾）tāo "焘"dào 的又音，多用于人名。

掏（搯）tāo 动 ❶ 用手或工具伸进物体的口，把东西弄出来：～钱｜～耳朵｜～口袋｜从兜里～出钥匙。❷ 挖：在墙上～一个洞。
另见 1332 页 táo "淘'"。

【掏底】tāo//dǐ 动 探明底细；摸底。

【掏窟窿】tāo kū·long〈方〉比喻借债；负债。

【掏心】tāoxīn 动 指发自内心：说句～的话，你真不该那样对他。

【掏腰包】tāo yāobāo ❶ 在腰包里掏(钱)，多指出钱：今天这顿饭我付钱，不用

你～。❷ 指小偷从别人腰包里偷东西。

滔 tāo 大水弥漫：～天。

【滔滔】tāotāo 形 ❶ 形容大水滚滚：白浪～，无边无际。❷ 形容连续不断(多指话语多)：口若悬河，～不绝。

【滔天】tāotiān 形 ❶ 形容波浪极大：波浪～。❷ 形容罪恶、灾祸极大：罪恶～｜～大祸。

韬（韜、弢）tāo〈书〉❶ 弓或剑的套子。❷ 比喻隐藏：～光养晦。❸ 兵法：六～｜～略。

【韬光养晦】tāo guāng yǎng huì 比喻隐藏才能，不使外露。

【韬晦】tāohuì〈书〉动 收敛锋芒，隐藏行迹；韬光养晦：～之计。

【韬略】tāolüè 名《六韬》《三略》都是古代的兵书，后来称用兵的计谋为韬略：胸怀～｜满腹～。

饕 tāo〈书〉贪财；贪食：老～(贪食的人)。

【饕餮】tāotiè〈书〉名 ❶ 传说中的一种凶恶贪食的野兽，古代鼎彝等铜器上面常用它的头部形状做装饰，叫做饕餮纹。❷ 比喻凶恶贪婪的人。❸ 比喻贪吃的人。

táo（ㄊㄠ）

匋 táo〈书〉同"陶"(陶器)。

咷 táo 哭：号(háo)～。

逃（迯）táo ❶ 动 逃跑；逃走：～匿｜～脱｜～到外地躲了起来。❷ 逃避：～荒｜～学｜罪责难～。

【逃奔】táobèn 动 逃走(到别的地方)：～他乡。

【逃避】táobì 动 躲开不愿意或不敢接触的事物：～现实｜～责任。

【逃兵】táobīng 名 ❶ 私自脱离部队的士兵。❷ 比喻因怕困难而脱离工作岗位的人。

【逃窜】táocuàn 动 逃跑流窜：狼狈～。

【逃遁】táodùn 动 逃跑；逃避：仓皇～。

【逃反】táo//fǎn〈方〉动 跑反。

【逃犯】táofàn 名 被司法机关监管后逃跑

的人。

【逃荒】táo//huāng 勔 因遇灾荒而跑到外乡谋生。

【逃汇】táohuì 勔 指违反国家外汇管理规定,逃避国家银行或海关监督,将应该售给国家的外汇私自转让、买卖或存放国外等。

【逃婚】táo//hūn 勔 为逃避不自主的婚姻,在结婚前离家出走。

【逃课】táo//kè 勔 学生有意不到课堂上课。

【逃命】táo//mìng 勔 逃出危险的环境以保全生命。

【逃难】táo//nàn 勔 为躲避灾难而逃往别处。

【逃匿】táonì 勔 逃跑并躲藏起来:～山林。

【逃跑】táopǎo 勔 为躲避不利于自己的环境或事物而离开:越狱～。

【逃票】táo//piào 勔 乘车、船时有意不买票。

【逃散】táosàn 勔 逃亡失散:寻找～的亲人。

【逃生】táoshēng 勔 逃出危险的环境以求生存:死里～|出外～。

【逃税】táo//shuì 勔 逃避纳税:不法商人～、漏税。

【逃脱】táotuō ❶ 逃离(险地);逃跑:从虎口中～出来|刚抓住的逃犯又～了。❷ 摆脱:～罪责。

【逃亡】táowáng 勔 逃走而流浪在外:四散～|～他乡。

【逃席】táo//xí 勔 在宴会中因怕劝酒而离开:借故～。

【逃学】táo//xué 勔 学生无故不上学。

【逃夜】táoyè 勔 (青少年)夜晚无故不回家睡觉。

【逃逸】táoyì 勔 逃跑。

【逃债】táo//zhài 勔 躲债。

【逃之夭夭】táo zhī yāoyāo 《诗经·周南·桃夭》有"桃之夭夭"一句,"桃"、"逃"同音,借来说逃跑,是诙谐的说法。

【逃走】táozǒu 勔 逃跑。

洮 Táo 洮河,水名,在甘肃。

桃 táo ❶ 图 桃树,落叶小乔木,小枝光滑,叶子长圆披针形,花单生,粉红色。果实略呈球形,表面多有短绒毛,味甜,是常见水果。核仁可入药。❷(～儿)图 这种植物的果实。❸(～儿)图 形状像桃儿的东西:棉～|棉花结～了。❹ 指核桃:～酥。❺(Táo)图 姓。

【桃符】táofú 图 古代在大门上挂的两块画着神像或题着门神名字的桃木板,认为能压邪,后来在上面贴春联,因此借指春联。

【桃红】táohóng 圉 像桃花的颜色;粉红。

【桃花心木】táohuāxīnmù 图 常绿乔木,羽状复叶,小叶卵形或卵状披针形,花白色。木材坚硬,色泽美丽,可用来制家具等。原产南美洲。

【桃花雪】táohuāxuě 图 桃花开时下的雪;春雪。

【桃花汛】táohuāxùn 图 春汛。

【桃花鱼】táohuāyú 图 鳉(liè)。

【桃花源】táohuāyuán 图 见 1244 页〖世外桃源〗。

【桃花运】táohuāyùn 图 指男子在爱情方面的运气。

【桃李】táolǐ 图 比喻所教的学生:～盈门|～满天下。

【桃李不言,下自成蹊】táo lǐ bù yán, xià zì chéng xī 桃树、李树不会说话,但它们的花和果实会把人吸引过去,树下踩出小路来(语出《史记·李将军列传》)。比喻为人诚挚,自会有强烈的感召力而深得人心。

【桃仁】táorén (～儿)图 ❶ 桃核儿(húr)的仁,可以入药。❷ 核桃的仁儿。

【桃色】táosè ❶ 图 粉红色。❷ 圉 属性词。形容跟不正当的男女关系有关的:～新闻。

【桃子】táo·zi 图 桃树的果实。

陶[1] táo ❶ 图 用黏土烧制的材料,质地比瓷质松软,有吸水性:～器|俑|彩～。❷ 制造陶器:～冶。❸ 比喻教育、培养:熏～。❹(Táo)图 姓。

陶[2] táo 快乐:～然|～醉。
另见 1582 页 yáo。

【陶吧】táobā 图 供学习制作陶器的休闲场所。

【陶瓷】táocí 图 ❶ 陶器和瓷器的合称。❷ 泛指无机非金属材料经高温烧制的坚硬多品体。有些种类具有优良的物理、化学性能,在工程、医学和高技术领域应用广泛。

【陶管】táoguǎn 名 用黏土制成的管子,内外涂釉,烧制而成,主要用作排污水的管道。通称缸管。

【陶钧】táojūn〈书〉❶ 名 制陶器时所用的转轮。❷ 动 比喻造就人才。

【陶器】táoqì 名 陶质的器皿,现代用的陶器大多涂上粗釉。

【陶然】táorán 形 形容舒畅快乐的样子:~自得。

【陶塑】táosù 名 用黏土塑造后烧成的人和动物形象:~群像。

【陶陶】táotáo 形 形容快乐:其乐~。

【陶土】táotǔ 名 烧制陶器或粗瓷器的黏土。

【陶文】táowén 名 古代陶器上的文字,多为人名、官名、地名、吉祥话、制造年月等。

【陶冶】táoyě 动 烧制陶器和冶炼金属,比喻给人的思想、性格以有益的影响:~情操。

【陶艺】táoyì 名 制作陶器的技艺,也指陶制的艺术品。

【陶铸】táozhù〈书〉动 ❶ 烧制陶器和铸造金属器物。❷ 比喻造就人才。

【陶醉】táozuì 动 很满意地沉浸在某种境界或思想活动中:自我~|~于山川景色之中。

萄 táo 见1062页〖葡萄〗。

梼(檮) táo 见下。

【梼昧】táomèi〈书〉形 愚昧(多用作谦辞):自惭~|不揣~。

【梼杌】táowù 名 古代传说中的猛兽,借指凶恶的人。

嗃 táo 哭;号(háo)~。

桃 táo 〔桃黍〕(táoshǔ)〈方〉名 高粱。

淘1(❸掏) táo 动 ❶ 用器物盛颗粒状的东西,加水搅动,或放在水里簸动,使除去杂质:~米|~金。❷〈方〉到旧货市场寻觅购买:~旧书。❸ 从深的地方舀出污水、泥沙、粪便等:~井|~缸|~茅房。

"掏"另见1330页táo。

淘2 táo ❶ 耗费:~神。❷〈方〉形 顽皮:这孩子真~!

【淘河】táohé 名 鹈鹕(tíhú)。

【淘换】táo·huan〈方〉动 寻觅;多方设法寻求(某种东西):好不容易给你~着这本书。

【淘金】táo∥jīn 动 用水选的方法从沙子里选出沙金。比喻设法捞取高额的钱财。

【淘箩】táoluó 名 用来淘米或盛东西的箩。

【淘气】táo∥qì ❶ 形 顽皮:这孩子很聪明,就是有些~|这孩子淘起气来,净搞恶作剧。❷〈方〉生闲气;惹气。

【淘神】táoshén〈口〉动 使人耗费精神:这孩子够大人~的。

【淘汰】táotài 动 在选择中去除(不好的或不适合的):~旧产品|他在第二轮比赛中被~。

【淘汰赛】táotàisài 名 体育运动竞赛方式之一,按排定的次序比赛,失败者被淘汰,获胜者继续参加比赛,到决出冠军为止。

绹(綯) táo ❶〈书〉名 绳索。❷〈方〉动 用绳索捆。

醄 táo 见923页〖酕醄〗。

鼗(鞀、鞉) táo〈书〉拨浪鼓。

tǎo (ㄊㄠˇ)

讨(討) tǎo ❶ 动 讨伐:征~。❷ 动 索取;请求:~饭|~债|~饶|~教|~回公道。❸ 动 娶:~老婆。❹ 动 招惹:~厌|~人喜欢|自~苦吃。❺ 动 讨论:商~|研~|~探。

【讨伐】tǎofá 动 出兵攻打(敌人或叛逆)。

【讨饭】tǎo∥fàn 动 要饭:~的(乞丐)。

【讨好】tǎo∥hǎo(~儿)动 ❶ 迎合别人,取得别人的欢心或称赞:~卖乖|你用不着讨他的好。❷ 得好结果(多用于否定式):费力不~。

【讨还】tǎohuán 动 要回(欠下的钱、东西等):~欠款|~血债。

【讨价】tǎo∥jià 动 要价。

【讨价还价】tǎo jià huán jià 比喻接受任务或举行谈判时提出种种条件,斤斤计较。

【讨教】tǎojiào 动 请求人指教：有个问题
向您～。

【讨论】tǎolùn 动 就某一问题交换意见或
进行辩论：～会|展开～|～工作计划。

【讨便宜】tǎo pián·yi 存心占便宜。

【讨平】tǎopíng 动 讨伐平定(叛乱)：～叛
匪。

【讨乞】tǎoqǐ 动 向人要钱要饭等：沿街
～。

【讨巧】tǎo//qiǎo 动 做事不费力而占便
宜。

【讨俏】tǎo//qiào 动 (艺术表演、做事)使
人觉得俏皮。

【讨亲】tǎo//qīn〈方〉动 娶亲。

【讨情】tǎo//qíng〈方〉动 求情：～告饶。

【讨饶】tǎo//ráo 动 求饶。

【讨人嫌】tǎo rén xián 讨嫌。

【讨生活】tǎo shēnghuó 寻求生计；过日
子。

【讨嫌】tǎo//xián 形 惹人厌烦：这人整天
东家长西家短的，真～! 也说讨人嫌。

【讨厌】tǎo//yàn ❶ 形 惹人厌烦：这人说
话总是这么啰唆，真～! ❷ 形 事情难办令
人心烦：这种病很～,目前还没办法彻底治
好。❸ 动 厌恶；不喜欢：他～这地方春天
的风沙。

【讨债】tǎo//zhài 动 讨还借给人的钱财：
上门～。

【讨账】tǎo//zhàng 动 ❶ 讨债。❷〈方〉
讨还买东西欠的钱。

稻 tǎo ［稻黍](tǎoshǔ)〈方〉名 高粱。

tào（ㄊㄠˋ）

套 tào ❶（～儿）名 套子①：手～|书
～|封～。❷ 动 罩在外面：～上一件
毛衣。❸ 罩在外面的：～鞋|～裤。❹ 动
互相衔接或重叠：～种|～色|～间|亲上～
亲。❺ 河流或山势弯曲的地方(多用于地
名)：河～|葫芦～。❻（～儿）〈方〉名 套
子②：被～|袄～。❼〈方〉动 把棉花、丝
绵等平整地装入被褥或袄里缝上。❽名
拴牲口的两根皮绳或麻绳,一端拴在牲口
脖子夹板或轭上,另一端拴在车上：牲口

～|大车～|～绳。❾ 动 用套拴系：～车|
～马。❿ 动 套购：～外汇。⓫（～儿)名
用绳子等结成的环状物。⓬（～儿)名 圈
套：下～儿。⓭ 动 模仿：～公式|这是从
现成文章上～下来的。⓮ 套子③：～语|
客～。⓯ 动 引出(真情实话)：想法儿～
他的话。⓰ 动 拉拢：～交情|～近乎。⓱
事物配合成的整体：～装|～曲|成～。⓲
量 用于成组的事物：一～制度|一～家具|
一～课本。⓳ 动 用丝锥或板牙切削螺纹。

【套版】tàobǎn ❶（-//-）动 按照印刷页
折叠的顺序,把印刷版排列在印刷机上。
❷ 名 套印用的版。

【套包】tàobāo 名 马、驴、骡拉车或牵引农
具时,套在牲口脖子上的东西,用皮革或
布制成,内装棕、糠等。也叫套包子。

【套播】¹ tàobō 动 套作。

【套播】² tàobō 动 电台、电视台在固定时
间和固定栏目中重复地播放(广告等)。

【套裁】tàocái 动 裁制两件以上的服装
时,在一块布料上作合理的安排,尽量减
少废料。

【套菜】tàocài 名 搭配好的成套的菜肴。

【套餐】tàocān 名 搭配好的成套供应的饭
食：吃～。

【套车】tào//chē 动 把车上的套套在拉车
的牲口身上。

【套房】tàofáng 名 ❶ 套间：一间～。❷
由卧室、客厅、厨房、卫生间等组成的成套
住房：购买豪华型～一套。

【套服】tàofú 名 套装。

【套改】tàogǎi 动 套用有关政策法规进行
改革或变动：工资～。

【套购】tàogòu 动 用不正当的手段购买
国家计划控制的商品并从中牟利。

【套红】tào//hóng 动 用套印方法把书、报
的某一部分印成红颜色,使醒目：～标题|
报头～。

【套话】tàohuà 名 ❶ 指文章、书信中按旧
套套写的语句。❷ 特指套用现成的结论
或格式而没有实际内容的话：大会发言要
开门见山,～、空话都省去。❸ 客套话：
都是自家人,～就不必说了。

【套汇】tàohuì 动 ❶ 非法购买、换取外汇。
❷ 外汇市场上的一种投机活动,即利用
不同地点的外汇市场同一种外汇的汇
价不同,在低价市场买进,再在高价市

场上卖出,取得差额收益。

【套间】tàojiān (～儿)名 住宅中几间相连的屋子的两头的房间(或衔接在相连的屋子的一头的后面),也指两间相连的屋子里头的一间,一般比较窄小,没有直通外面的门。

【套交情】tào jiāo·qing 跟不熟识的人拉拢感情。

【套近乎】tào jìn·hu 和不太熟识或关系不密切的人拉拢关系,表示亲近(多含贬义)。也说拉近乎。

【套裤】tàokù 名 套在裤子外面的只有裤腿的裤子,一般是棉的或夹的,作用是使腿部暖和而又便于行动。也有单的,用粗布、塑料、油布等做成,用来保护裤子或防雨。

【套牢】tàoláo 动 指投资者买入股票等证券后,因价格下跌而无法卖出。

【套利】tàolì 动 交易者利用两个市场之间的价格差异,通过低买高卖获取利润的一种交易活动。

【套路】tàolù 名 指编制成套的武术动作:少林武术～◇改革的新～。

【套马杆】tàomǎgān 名 牧民套牲口用的长木杆,一头拴着用皮绳做的活套。也叫套马杆子。

【套票】tàopiào 名 成套出售的邮票、门票、入场券等。

【套曲】tàoqǔ 名 由若干乐曲或乐章组合成套的大型器乐曲或声乐曲。

【套裙】tàoqún 名 下身是裙子的女式套装:西式～。

【套色】tào//shǎi 动 彩色印刷的方法,用平版或凸版分次印刷,每次印一种颜色,利用红、黄、蓝三种原色重叠印刷,可以印出各种颜色:～印刷。

【套衫】tàoshān 名 不开襟的针织上衣:男～|女～。也叫套头衫。

【套数】tàoshù 名 ❶ 戏曲或散曲中连贯成套的曲子。❷ 比喻成系统的技巧或手法。❸ 套子③。

【套套】tào·tao〈方〉名 办法;招数:老～。

【套问】tàowèn 动 不让对方察觉自己的目的,拐弯抹角地盘问。

【套现】tàoxiàn 动 卖出证券、货物或不动产等收回现金。

【套鞋】tàoxié 名 原指套在鞋外面的防雨的鞋,后来泛指防雨的胶鞋。

【套袖】tàoxiù 名 套在衣袖外面的、单层的袖子,作用是保护衣袖。

【套印】tàoyìn 名 一种印刷书籍图画的方法,在同一版面上用颜色不同的版分次印刷:朱墨～。

【套用】tàoyòng 动 模仿着应用(现成的办法等):～公式。

【套语】tàoyǔ 名 ❶ 客套话。❷ 流行的公式化的言谈:～滥调。

【套种】tàozhòng 动 套作。

【套装】tàozhuāng 名 指上下身配套设计、用同一面料制作的服装,也有用不同面料搭配制作的。也叫套服。

【套子】tào·zi 名 ❶ 做成一定形状的、罩在物体外面的东西:伞～。❷〈方〉棉衣、棉被里的棉絮:棉花～。❸ 现成的应酬话:陈陈相因的办法;俗～。❹ 用绳子等结成的环状物,比喻圈套。

【套作】tàozuò 动 在某一种作物生长的后期,在行间播种另一种作物,以充分利用地力和生长期,增加产量。也叫套播、套种。

tè（ㄊㄜˋ）

忑 tè 见 1323 页[忐忑]。

忒 tè〈书〉差错:差～。
另见 1337 页 tēi;1384 页 tuī。

特[1] tè ❶ 特殊;超出一般:奇～|～权|～等。❷ 副 特别②:身材～高|能力～强。❸ 副 特地:～作如下规定|车站～设母婴候车室。❹ 指特务(tè·wu):匪～|防～。❺ (Tè)名 姓。

特[2] tè〈书〉副 只;但:不～此也。

特[3] tè 量 特克斯的简称。1 千米纺织用的纤维,质量为多少克,它的线密度就是多少特。1旦＝1/9 特。

【特别】tèbié ❶ 形 与众不同;不普通:～的式样|他的脾气很～。❷ 副 格外:火车跑得～快|这个节目～吸引观众。❸ 副 特地:散会的时候,厂长～把他留下来研究技术上的问题。❹ 副 尤其:他喜欢郊游,～

是骑自行车郊游。

【特别法】tèbiéfǎ 指适用于特殊时间、特定地区、特定公民的法律。如紧急戒严法、特别行政区基本法、国家公务员法(跟"一般法"相对)。

【特别快车】tèbié kuàichē 指停站少、行车时间比直达快车短的旅客列车。简称特快。

【特别行政区】tèbié xíngzhèngqū 按照一国两制的基本国策设置的具有特殊法律地位和高度自治权的地方行政区域,如香港特别行政区、澳门特别行政区。简称特区。

【特产】tèchǎn 图 指某地或某国特有的或特别著名的产品。

【特长】tècháng 图 特别擅长的技能或特有的工作经验:发挥～。

【特长生】tèchángshēng 图 在文艺、体育等方面有特长的学生。

【特出】tèchū 图 特别出众;格外突出:～的人才|～的优点。

【特此】tècǐ 副 公文、书信用语,表示为某件事特别在这里(通知、公告、奉告等):～声明。

【特等】tèděng 图 属性词。等级最高的;最优良的:～舱|～功臣|～射手。

【特地】tèdì 副 表示专为某件事:他昨天～从外地来看你。

【特点】tèdiǎn 图 人或事物所具有的独特的地方:快餐的～就是快|他的～是为人直爽。

【特定】tèdìng 图 属性词。❶ 特别指定的:～的人选。❷ 某一个(人、时期、地方等):～环境|～的历史时期。

【特工】tègōng 图 ❶ 特务工作:～人员。❷ 从事特务工作的人。

【特行】tèháng 图 特种行业。指除经工商部门注册、办理执照之外,须经公安机关审查备案,实行特殊治安管理的行业。如旅店业、印刷业、刻字业、汽车客运业、典当业等。

【特护】tèhù ❶ 动 (对重病人)进行特殊护理:～病房|经过几天的～,他终于脱险了。❷ 图 对病人进行特殊护理的护士。

【特惠】tèhuì 图 特别优惠:～价格|商厦～酬宾。

【特辑】tèjí 图 为特定主题而编辑的文字

资料、报刊或电影。

【特级】tèjí 图 属性词。等级最高的:～教师|～茶叶。

【特技】tèjì 图 ❶ 武术、马术、飞机驾驶等方面的特殊技能:～表演。❷ 电影用语,指摄制特殊镜头的技巧,如利用玻璃箱的装置拍摄海底的景物,叠印人物和云雾的底片表现腾云驾雾。现多用计算机完成特技。

【特价】tèjià 图 特别降低的价格:～出售。

【特警】tèjǐng 图 特种警察的简称。

【特刊】tèkān 图 刊物、报纸为纪念某一节日、事件、人物等而编辑的一期或一版:元旦～。

【特克斯】tèkèsī 量 纺织业用于表示纤维线密度的单位,符号 tex。简称特。

【特快】tèkuài ❶ 图 属性词。速度特别快的:～列车|～邮件。❷ 图 特别快车的简称。

【特快专递】tèkuài zhuāndì 专门递送时间性特别强的邮件的快速寄递业务。简称快递。也说速递。

【特困】tèkùn 图 属性词。特别困难的(多指经济、住房等方面):～户|～生。

【特立独行】tè lì dú xíng 指有操守、有见识,不随波逐流。

【特例】tèlì 图 特殊的事例。

【特洛伊木马】Tèluòyī mùmǎ 见 970 页【木马计】。

【特卖】tèmài 动 以特别优惠的价格卖:商场举办家电～活动|女式大衣五折～。

【特派】tèpài 动 (为办理某项事务)特地派遣;委派:～员|～专人前往接洽。

【特批】tèpī 动 特别批准:这件事要经过领导～。

【特勤】tèqín 图 ❶ 特殊勤务,如重大活动中的安全保卫、交通指挥等:出～。❷ 指执行特殊勤务的人。

【特区】tèqū 图 ❶ 在政治、经济等方面实行特殊政策的地区:经济～。❷ 特别行政区的简称:香港～。❸ 行政区划单位,与县同级,如贵州省的六枝特区。

【特权】tèquán 图 特殊的权利:享有～。

【特色】tèsè 图 事物所表现的独特的色彩、风格等:民族～|艺术～|他们的表演各有～。

【特赦】tèshè 动 赦免的一种。以国家命令的方式对已被判刑的特定罪犯赦免其刑罚的全部或一部分。

【特使】tèshǐ 名 国家临时派遣的担任特殊任务的外交代表。

【特首】tèshǒu 名 称香港、澳门特别行政区行政长官。

【特殊】tèshū 形 不同于同类的事物或平常的情况的：情形～｜～照顾｜～待遇。

【特殊教育】tèshū jiàoyù 以盲人、聋哑人、智障人为施教对象的教育。

【特体】tètǐ 形 属性词。体形特别的，有异于常人的（多指形体特别高大或肥胖）：加工～服装。

【特为】tèwèi 副 特地：我～来请你们去帮忙。

【特务】tèwù 名 军队中指担任警卫、通信、运输等特殊任务的，如特务员、特务连、特务营。

【特务】tè·wu 名 经过特殊训练，从事刺探情报、颠覆、破坏等活动的人。

【特效】tèxiào 名 特殊的效果；特殊的疗效：这种药有没有～?

【特写】tèxiě 名 ❶ 报告文学的一种形式，主要特点是描写现实生活中的真人真事，具有高度的真实性，但在细节上也可做适当的艺术加工。❷ 电影艺术的一种手法，拍摄人或物的某一部分，使特别放大（多为人的面部表情）：～镜头。

【特性】tèxìng 名 某人或某事物所特有的性质：民族～。

【特需】tèxū 形 属性词。特殊需要的；有独特需求的：～物资｜～门诊。

【特许】tèxǔ 动 特别许可：～证｜非经～，一般商店不得经销此类商品。

【特许经营】tèxǔ jīngyíng 一种连锁式、规模化的经营方式。拥有先进管理经验和名牌产品、专利等的企业，用契约形式特别许可别人使用自己的经营模式进行经营，通过标准化服务实现科学化管理。被特许经营的企业可以使用授予企业的商标和店名。

【特邀】tèyāo 动 特别邀请；特地邀请：～代表｜～老教授给我们作报告。

【特异】tèyì 形 ❶ 特别优异：成绩～。❷ 特殊：他们都画花卉，但各有～的风格。

【特意】tèyì 副 特地：这块衣料是他～托人从上海买来送给你的。

【特约】tèyuē 动 特地约请或约定：～记者｜～稿。

【特征】tèzhēng 名 可以作为人或事物特点的征象、标志等：艺术～｜这个人的相貌有什么～?

【特制】tèzhì 动 特地制造：～纪念金币｜这种车是为残疾人～的。

【特质】tèzhì 名 特有的性质或品质：在他身上仍然保留着某些农民的淳厚朴实的～。

【特种】tèzhǒng 形 属性词。同类事物中属于特殊种类的：～兵｜～工艺。

【特种兵】tèzhǒngbīng 名 执行某种特殊任务的技术兵种的统称。也称这一兵种的士兵。

【特种部队】tèzhǒng bùduì 经过特殊训练，装备精良，战斗力强，执行特殊重要任务的部队。

【特种工艺】tèzhǒng gōngyì 技艺性很高的传统手工艺产品，多为供人欣赏的陈设品或装饰品，如象牙玉石雕刻、景泰蓝等。也指特种加工技术，如钻石加工等。

【特种警察】tèzhǒng jǐngchá 经过特殊训练，配有特殊装备，执行特殊任务的武装警察。主要任务是打击劫持、暗杀等暴力犯罪活动和处置某些突发的暴力事件。简称特警。

【特种邮票】tèzhǒng yóupiào 邮政部门为宣传特定事物而特别发行的邮票，一般限期出售，不再重印。

【特准】tèzhǔn 动 特别批准；特别准许：～记者旁听会议。

铽（鋱）tè 名 金属元素，符号 Tb（terbium）。是一种稀土元素。银灰色。用来制造高温燃料电池，也用于发光材料等。

慝 tè〈书〉邪恶；罪恶；恶念：隐～（人家不知道的罪恶）。

蟘（蟘、螣）tè 古书上指吃苗叶的害虫。
"螣"另见 1337 页 téng。

·te （·ㄊㄜ）

腻 ·te "腻"·de 的又音。见 823 页［肋腻］(lē·de)。

忒 tēi "忒"tuī 的又音。
另见 1334 页 tè。

【忒儿】tēir〈方〉拟声 形容鸟急促地振动
翅膀的声音：麻雀～一声就飞了。

煻 tēng 动 把凉了的熟食蒸热或烤热：
～馒头|把烙饼放在铛(chēng)上～一
～。

鼟 tēng 拟声 形容鼓声。

疼 téng ❶形 痛①：头～|脚碰得很～，
不能走路。❷动 心疼;疼爱：奶奶最
～小孙子|这孩子怪招人～的。

【疼爱】téng'ài 动 关切喜爱：母亲最～小
女儿。

【疼痛】téngtòng 形 痛①：伤口受了冻,更
加～。

腾(騰) téng ❶动 奔跑或跳跃：奔～|
欢～。❷动 升(到空中)：升～|
飞～。❸动 使空(kòng)：～地方|～出时
间温功课。❹动 用在某些动词后面,表示动
作反复、连续：翻～|折～|倒～|闹～。❺
(Téng)名 姓。

【腾达】téngdá〈书〉动 ❶ 上升。❷ 指发
迹,职位高升。

【腾飞】téngfēi 动 ❶ 飞腾：石壁上刻着～
起舞的龙。❷迅速崛起和发展：经济～。

【腾贵】téngguì 动 (物价)飞涨：百物～。

【腾空】téngkōng 动 向天空上升：烈焰
～|一个气球～而起。

【腾挪】téngnuó 动 ❶ 挪动：把仓库里的
东西～一下好放水泥。❷挪用：专款专
用,不得任意～。❸指武术中蹿跳闪躲的
动作。

【腾升】téngshēng 动 (价格等)急速上涨：
油价～。

【腾腾】téngténg 形 形容气体上升的样
子：热气～|烈焰～◇杀气～。

【腾涌】téngyǒng 动 水流迅急涌出：水势
～。

【腾跃】téngyuè 动 ❶ 奔腾跳跃：骏马～。
❷〈书〉(物价)飞涨：谷价～。

【腾越】téngyuè 动 跳着越过：～障碍物。

【腾云驾雾】téng yún jià wù ❶ 传说中指
利用法术乘云雾飞行。❷ 形容奔驰迅速
或头脑迷糊,感到身子轻飘飘的。

誊(謄) téng 动 誊写：这稿子太乱,
要～一遍。

【誊录】ténglù 动 誊写;过录：～文稿。

【誊清】téngqīng 动 誊写清楚。

【誊写】téngxiě 动 照底稿抄写：～笔记。

滕 Téng ❶ 周朝国名,在今山东滕州一
带。❷名 姓。

螣 téng [螣蛇](téngshé)名 古书上说
的一种能飞的蛇。
另见 1336 页 tè"螣"。

縢 téng〈书〉❶ 封闭;约束。❷ 绳子。

藤(籐) téng 名 ❶ 某些植物的匍匐
茎或攀缘茎,如白藤、紫藤、葡
萄等的茎。有的可以编制箱子、椅子等。
❷ (Téng)姓。

【藤本】téngběn 形 属性词。有缠绕茎或
攀缘茎的(植物)。

【藤本植物】téngběn zhíwù 有缠绕茎或
攀缘茎的植物,分草本的和木本的两种,
通常指木本的,如葡萄、紫藤。

【藤编】téngbiān 名 ❶ 民间的一种手工
艺,用某些藤本植物的茎或茎皮编制箱
子、椅子和其他物品。❷ 指藤编制的
物品。

【藤萝】téngluó 名 紫藤的通称。

【藤牌】téngpái 名 原指藤制的盾,后来泛
指盾。

【藤蔓】téngwàn 名 藤和蔓：架子上爬满
了葡萄、丝瓜、扁豆的～◇感情的～在他心
中萌芽、蔓延。

【藤子】téng·zi〈口〉名 藤①。

䲶(䲀) téng 名 ❶鱼,身体近圆筒形,
头大而阔,眼小,下颌突出,有
两个背鳍,青灰色,有褐色斑纹。常栖息
在海底,捕食小鱼等。种类很多,常见的
有鱼䲶、青䲶等。

tī（ㄊ丨）

体（體） tī [体己]（tī·ji）同"梯己"。
另见 1341 页 tǐ。

剔 tī ❶ 动 从骨头上把肉刮下来：把骨头～得干干净净。❷ 动 从缝隙里往外挑（tiāo）：～牙缝儿｜～指甲。❸ 动 剔除：挑｜把烂了的果子～出去。❹ 名 汉字的笔画，即挑（tiāo）⑤。

【剔除】tīchú 动 把不合适的去掉：～糟粕。

【剔红】tīhóng 名 雕漆的一种。也叫雕红漆。

【剔透】tītòu 形 明澈：晶莹～｜玲珑～。

梯 tī ❶ 名 便利人上下的用具或设备，常见的是梯子、楼梯。❷ 作用跟楼梯相似的设备：电～。❸ 形状像阶梯的：～田。

【梯次】tīcì ❶ 名 依照一定次序分成的级或批：这个厂的产品结构～合理。❷ 副 依照一定次序分级或分批地：按年轻化的标准～配备干部｜这个服装厂～推出了衬衫、西服、套裙等产品。

【梯度】tīdù ❶ 名 坡度。❷ 名 单位时间或单位距离内某种现象（如温度、气压、密度、速度等）变化的程度。❸ 名 依照一定次序分出的层次：考试命题要讲究题型有变化，难易有～。❹ 副 依照一定次序分层次地：由东向西～推进。

【梯队】tīduì ❶ 名 军队战斗或行军时，按任务和行动顺序区分为几个部分，每一部分叫做一个梯队。❷ 指依次接替上一拨人任务的干部、运动员等：加强技术人员的～建设｜安排第二～。

【梯恩梯】tī'ēntī 名 黄色炸药。［英 T.N.T. 是 trinitrotoluene"三硝基甲苯"的缩写］

【梯级】tījí ❶ 名 楼梯的级。❷ 在河流上分段拦河筑坝，使水位呈阶梯状，这种水利工程叫做梯级。

【梯己】tī·ji 形 属性词。❶ 家庭成员个人积蓄的（财物）：私房（sī·fang）①；～钱。❷ 亲近的；贴心的：～人｜～话。‖也作体己。

【梯田】tītián 名 沿着山坡开辟的一级一级的农田，形状像阶梯，边缘筑有田埂，防止水土流失。

【梯形】tīxíng 名 只有一组对边平行的四边形。

梯形

【梯子】tī·zi 名 便于人上下的用具，一般用两根长的竹子或木头并排做帮，中间横穿若干根短的竹子或木头制成。也有用金属制成的。

锑（銻） tī 名 金属元素，符号 Sb（stibium）。普通锑银白色，质硬而脆，有冷胀性。无定形锑电灰色，由卤化锑电解制得。用于工业和医药中，超纯锑是重要的半导体和红外探测器材料。

踢 tī 动 抬起腿用脚撞击：～球｜～毽子｜小心牲口～人。

【踢蹬】tī·deng 〈口〉动 ❶ 脚乱蹬乱踢：小孩儿爱活动，一天到晚老～。❷ 胡乱花钱；挥霍：这月的工资被他～光了。❸ 清理；处理：用了一个晚上才把这些琐碎事～完。

【踢脚板】tījiǎobǎn 名 加在室内四周墙壁下部保护墙面和墙角的表面层，用宽木条、瓷砖、金属板材或水泥长条等做成，一般高 10—20 厘米。也叫踢脚线。

【踢脚线】tījiǎoxiàn 名 踢脚板。

【踢皮球】tī píqiú 比喻互相推诿，把应该解决的事情推给别人：要纠正办事拖拉、～的作风。

【踢踏舞】tītàwǔ 名 主要流行于西方的一种舞蹈，以鞋底击地及各种节奏的脚的动作为其特点，舞时发出清晰的踢踏声。

【踢腾】tī·teng 〈口〉动 踢蹬。

鹏（鷉） tī 见 1040 页[鹏鹏]。

摘 tī 〈书〉揭发：发奸～伏（揭发奸邪，使无可隐藏）。
另见 1761 页 zhì。

tí（ㄊ丨）

荑 tí 〈书〉❶ 植物初生的叶芽。❷ 稗子一类的草。
另见 1605 页 yí。

绨(綈) tí 〈书〉厚绸子：～袍。
另见 1343 页 tì。

提 tí ❶ 动 垂手拿着(有提梁、绳套之类的东西)：手里～着个篮子|我～一壶水来◇～心吊胆。❷ 动 使事物由下往上移：～高|～升|～价◇～神。❸ 动 指预定的期限往前挪：～前|～早。❹ 动 指出或举出：～醒|～意见|～问题。❺ 动 提取：～炼|～款|～货。❻ 动 把犯人从关押的地方带出来：～讯|～犯人。❼ 动 谈(起,到)：旧事重～|一～起这件事来他就觉得好笑|他跟父亲～到要考大学的事。❽ 舀油、酒等的器具,有长把儿,往往按照舀液体的斤两制成大小不等的一套：油～|酒～。❾ 名 汉字的笔画,即挑(tiǎo)⑤。❿ (Tí)名 姓。
另见 290 页 dī。

【提案】tí'àn 名 提交会议讨论决定的建议。

【提拔】tí·bá 动 挑选人员使担任更高的职务：～干部。

【提包】tíbāo 名 有提梁的包儿,用皮、布、塑料等制成。也叫手提包。

【提倡】tíchàng 动 指出事物的优点鼓励大家使用或实行：～说普通话|～勤俭节约。

【提成】tíchéng (～儿)❶ (一/一) 动 从钱财的总数中按一定成数提出来：利润～|按百分之三～。❷ 名 从总数中按一定成数提出来的钱：拿了1000多元的～。

【提纯】tíchún 动 除去某种物质所含的杂质,使变得纯净：～金属|～酒精。

【提词】tí//cí 动 戏剧演出时给演员提示台词。

【提存】tícún 动 债务人因债权人的原因无法对债权人履行义务时,依法将应偿还的物品(一般为动产)交由法院或有关机关保存,从而解除债务债权关系。

【提单】tídān 名 向货栈或仓库提货物的凭据。也叫提货单。

【提调】tídiào ❶ 动 指挥调度：这个车场的车辆由他一人～。❷ 名 负责指挥调度的人：总～。

【提干】tí//gàn 动 ❶ 把非干部编制的人提升为干部：他是去年提的干。❷ 提拔干部的职务、级别等。

【提纲】tígāng 名 (写作、发言、学习、研究、讨论等)内容的要点：发言～|讨论～。

【提纲挈领】tí gāng qiè lǐng 提住网的总绳,提住衣服的领子,比喻把问题简明扼要地提示出来。

【提高】tí//gāo 动 使位置、程度、水平、数量、质量等方面比原来高：～水位|～警惕|～技术|～工作效率。

【提供】tígōng 动 供给(意见、资料、物资、条件等)：～经验|～援助|为旅客～方便。

【提灌】tíguàn 动 用水泵、水车等把低处的水引到高处灌溉：～设备。

【提行】tí//háng 动 书写或排版时另起一行。

【提盒】tíhé 名 有提梁的盒子,多为两层或三层,形状不一,用竹、木、金属、塑料等制成,多用来装饭菜、糕点等。

【提花】tíhuā (～儿)动 用经线、纬线错综地在织物上织出凸起的图案：～浴巾。

【提货】tí//huò 动 (从货栈、仓库等处)提取货物。

【提货单】tíhuòdān 名 提单。

【提及】tíjí 动 提到;谈起：～那段往事,不由得感慨万千。

【提级】tí//jí 动 提高等级;提高级别。

【提价】tí//jià 动 提高价格。

【提交】tíjiāo 动 把需要讨论、决定或处理的问题交有关机构或会议：～大会讨论。

【提篮】tílán (～儿)名 篮子(多指小巧的)。

【提炼】tíliàn 动 用化学方法或物理方法从化合物或混合物中提取(所要的东西)；从野生芳香植物中～香精◇科学是从无数经验中～出来的。

【提梁】tíliáng (～儿)名 篮子、水壶、提包等上面供手提的部分。

【提留】tíliú 动 从财物的总数中提取一部分留下来：这笔款要～一部分做公积金。

【提名】tí//míng 动 在评选或选举前提出当选可能的人或事物名称：获得百花奖～的影片有三部|他被～为下届工会主席。

【提起】tíqǐ ❶ 动 谈到;说起：～此人,没有一个不知道的。❷ 振作起：～精神。❸ 提出：～诉讼。

【提前】tíqián 动 (把预定的时间)往前移：～动身|～完成任务。

【提挈】tíqiè 〈书〉❶ 带领;统率：～全

军。❷ 照顾;提拔:～后人。

【提亲】tí·qīn 受男家或女家委托向对方提议结亲。也说提亲事。

【提琴】tíqín 名 弦乐器,有四根弦,分小提琴、中提琴、大提琴、低音提琴四种。

【提请】tíqǐng 提出并请求:～上级批准|～大会讨论通过。

【提取】tíqǔ 动 ❶ 从负责保管的机构或一定数量的财物中取出(存放的或应得的财物):～存款|到车站去～行李|从技术交易净收入中～百分之十五的费用。❷ 提炼而取得:从油页岩中～石油。

【提神】tí·shén 动 使精神兴奋:浓茶～。

【提审】tíshěn 动 ❶ 因为案情重大或其他原因,上级法院把下级法院已经判决和裁定的案件提来自行审判。❷ 提讯。

【提升】tíshēng 动 ❶ 提高(职位、等级等):由副厂长～为厂长。❷ 用卷扬机等向高处送达(矿物、材料等):～设备。

【提示】tíshì 动 把对方没有想到或想不到的提出来,引起对方注意:～课文要点。

【提速】tí/sù 动 提高速度:铁路列车全面～。

【提味儿】tí/wèir 动 加入少许调料或辅料,使菜肴、汤等味道更好:鸡蛋汤里加点儿胡椒粉,提提味儿。

【提问】tíwèn 动 提出问题来问(多指教师对学生)。

【提现】tíxiàn 动 提取现金:本行办理贷款、结算、～等业务。

【提箱】tíxiāng 名 有提梁的轻便的箱子:帆布～。也叫手提箱。

【提携】tíxié 动 ❶ 领着孩子走路,比喻在事业上扶植后辈或后进:多蒙～。❷〈书〉携手;合作:互相～。

【提心吊胆】tí xīn diào dǎn 形容十分担心或害怕。

【提醒】tí/xǐng (～儿)动 从旁指点,促使注意:我要是忘了,请你～我|到时候请你提个醒儿。

【提讯】tíxùn 动 把犯罪嫌疑人或罪犯从关押的地方提出来审讯。

【提要】tíyào ❶ 动 从全书或全文提出要点。❷ 名 提出来的要点(也常用于书名,如《四库全书总目提要》)。

【提议】tíyì ❶ 动 商讨问题时提出主张来请大家讨论:有人～,今天暂时休会。❷

名 商讨问题时提出的主张:大家都同意这个～。

【提早】tízǎo 动 提前:～出发|～准备。

【提职】tí/zhí 动 提升职务或职称:他工作出色,去年提了职。

【提制】tízhì 动 提炼制造:用麻黄～麻黄素。

【提子】tí·zi〈方〉名 提⑧。

【提子】tí·zi 名 葡萄的一种,原产美国,比普通葡萄的个儿大。

啼(嗁) tí ❶ 啼哭:～笑皆非|哭哭啼啼。❷ (某些鸟兽)叫:鸡～|月落乌～|虎啸猿～。❸ (Tí)姓。

【啼饥号寒】tí jī háo hán 因为缺乏衣食而啼哭,形容生活极端困苦。

【啼哭】tíkū 动 出声地哭:大声～。

【啼笑皆非】tí xiào jiē fēi 哭也不是,笑也不是,形容既令人难受又令人发笑。

遆 Tí 名 姓。

鹈(鵜) tí [鹈鹕](tíhú)名 鸟,体长可达2米,翅膀大,嘴长,尖端弯曲,嘴下有一个皮质的囊,可以存食,羽毛大多白色,翅膀上有少数黑色羽毛。喜群居,善于游泳和捕鱼。也叫淘河。

騠(騠) tí 见746页[駃騠]。

緹(緹) tí〈书〉橘红色。

鶙(鶙) tí [鶙鸠](tíjué)名 古书上指杜鹃鸟。

题(題) tí ❶ 名 题目:命～|练习～|文不对～|出了五道～。❷ 动 写上;签上:～诗|～字|～名。❸ (Tí)名姓。

【题跋】tíbá 名 写在书籍、字画等前后的文字。"题"指写在前面的,"跋"指写在后面的,总称题跋。内容多为品评、鉴赏、考订、记事等。

【题材】tícái 名 构成文学和艺术作品的材料,即作品中具体描写的生活事件或生活现象:历史～|～新颖。

【题词】tící ❶ (-/-)写一段话表示纪念或勉励:题个词留作纪念。❷ 名 为表示纪念或勉励而写下来的话。❸ 名 序文。

【题额】tí'é 动 题写匾额。

【题海】tíhǎi 名 比喻大量的、过多的学生作业题或练习题。

【题花】tíhuā 名 报刊、书籍上为诗文标题所加的装饰性图画。

【题记】tíjì 名 写在书的正文前或文章题目下面的文字,多为扼要说明著作的内容或主旨,有的只引用名人名言。

【题解】tíjiě 名❶ 供学习的书籍中解释题目含义或作品时代背景等的文字。❷ 汇集成册的关于数学、物理、化学等问题的详细解答:《平面几何~》。

【题库】tíkù 名 大量习题或考题的汇编:高中数学~|从规定的~中提取试题。

【题名】tímíng ❶(-/-)动 为留纪念或表示表扬而写上姓名:英雄榜上~。❷ 名 为留纪念而写上的姓名。❸ 名 题目的名称。

【题目】tímù 名❶ 概括诗文或讲演内容的词句。❷ 练习或考试时要求解答的问题:考试~。

【题签】tíqiān ❶(-/-)动 原指题写书签(贴在线装书书皮上写着书名的纸条或绢条),现也指题写书名:请名人~。❷ 名 指题写的书签或书名。

【题写】tíxiě 动 写;书写(标题、匾额等):~书名。

【题型】tíxíng 名 习题或题目的类型:~要讲究变化。

【题字】tízì ❶(-/-)动 为留纪念而写上字:主人拿出纪念册请来宾~。❷ 名 为留纪念而写上的字:书上有作者的亲笔~。

【醍】tí[醍醐](tíhú)古时指从牛奶中提炼出来的精华,佛教比喻最高的佛法:如饮~|~灌顶(比喻灌输智慧,使人彻底醒悟)。

【蹄】(蹏)tí 名 马、牛、羊等动物生在趾端的角质物,也指具有这种角质物的脚。

【蹄筋】tíjīn (~儿)名 牛、羊、猪的四肢中的筋,作为食物时叫蹄筋。

【蹄髈】típǎng 〈方〉名 肘子①。

【蹄子】tí·zi 名❶〈口〉蹄。❷〈方〉肘子①。❸ 旧时骂女子的话。

【鳀】(鯷、鰶)tí 名 鱼,体侧扁,长10厘米左右,腹部呈圆柱

形,眼和口都大,无侧线,趋光性强。生活在海中,吃甲壳动物等,种类很多。

tǐ (ㄊㄧˇ)

【体】(體、躰)tǐ ❶ 身体,有时指身体的一部分:~重|上~|~肢|~五~投地。❷ 物体:固~|液~|整~|集~。❸ 文字的书写形式;作品的体裁:字~|草~|文~|旧~|诗。❹ 亲身(经验);设身处地(着想):~会|~验|~谅|身~力行。❺ 体制①:政~|国~。❻ 名 一种语法范畴,多表示动词所指动作进行的情况,如进行体、完成体等。❼(Tǐ)名 姓。
另见 1338 页 tī。

【体裁】tǐcái 名 文学作品的表现形式。可以用各种标准来分类,如根据有韵无韵可分为韵文和散文;根据结构可分为诗歌、小说、散文、戏剧等。

【体操】tǐcāo 名 体育运动项目,徒手或借助于某些器械进行各种动作操练或表演。

【体测】tǐcè 动 对身体运动能力进行测试。

【体察】tǐchá 动 体验和观察:~民情。

【体词】tǐcí 名 语法上名词、代词、数词、量词的总称。

【体大思精】tǐ dà sī jīng 规模宏大,思虑精密(多形容大部头著作):这部小说史,~,征引宏富。

【体罚】tǐfá 动 用罚站、罚跪、打手心等方式来处罚:废除~。

【体改】tǐgǎi 动 体制改革。

【体格】tǐgé 名❶ 人体发育的情况和健康的情况:~健全。❷ 泛指人和动物的体形:古代的猛犸和现在的象~大小差不多。

【体会】tǐhuì ❶ 动 体验领会:只有深入群众,才能真正~群众的思想感情。❷ 名 体验领会到的东西:座谈会上大家畅谈个人的~。

【体积】tǐjī 名 物体所占空间的大小。

【体积吨】tǐjīdūn 量 水运轻货时,计算运费所使用的一种计算单位。以货物占用货舱容积每1.133立方米折算为1吨,叫做1体积吨。

【体检】tǐjiǎn 动 体格检查:~合格|每年做一次~。

【体力】tǐlì 名 人体活动时所能付出的力量：消耗～|～好,能耐久。

【体力劳动】tǐlì láodòng 主要靠体力进行的生产劳动。

【体例】tǐlì 名 著作的编写格式;文章的组织形式。

【体谅】tǐliàng 动 设身处地为人着想,给以谅解：她心肠好,很能～人。

【体貌】tǐmào 名 体态相貌：～特征。

【体面】tǐ·miàn ❶ 名 体统;身份：有失～。❷ 形 光荣;光彩：好吃懒做是不～的。❸ 形 (相貌或样子)好看;美丽：长得～。

【体能】tǐnéng 名 身体的运动能力,包括耐力和在单位时间内运动的速度等：～测试|加强～训练。

【体念】tǐniàn 动 设身处地为别人着想：你要～他的难处,不要苛求于他。

【体魄】tǐpò 名 体格和精力：锻炼～|～健壮。

【体腔】tǐqiāng 名 动物的内脏器官存在的空间,高等脊椎动物的体腔通常分为胸腔和腹腔。

【体认】tǐrèn 动 体察认识：～生命的意义。

【体式】tǐshì 名 ❶ 文字的式样：拼音字母有手写体和印刷体两种。❷〈书〉体裁。

【体态】tǐtài 名 身体的姿态;人的体形：～轻盈|～魁梧。

【体坛】tǐtán 名 指体育界：～精英|国际～。

【体贴】tǐtiē 动 细心忖度别人的心情和处境,给予关切、照顾：～入微(多指对人照顾和关怀十分细致周到)。

【体统】tǐtǒng 名 指体制、格局、规矩等：不成～。

【体外循环】tǐwài xúnhuán 应用一定的装置把血液从身体内引到体外处理后再送回体内,如心肺体外循环是把静脉血引到体外,用人工肺脏使成为动脉血,再用人工心脏送回体内动脉,从而使全身血液暂时改道,不经过心肺。

【体位】tǐwèi 名 医学上指身体所保持的姿势。

【体味】tǐwèi 动 仔细体会：～人生苦乐。

【体温】tǐwēn 名 身体的温度。人的正常体温为37℃左右,疾病能引起体温的变化,剧烈运动也能使体温升高。

【体温计】tǐwēnjì 名 测量人或动物体温

用的温度计,通常是在很细的玻璃管里装上水银制成,人用的体温计刻度从34℃开始到42℃。也叫体温表。

【体无完肤】tǐ wú wán fū ❶ 形容浑身受伤。❷ 比喻论点被全部驳倒或文章被删改得很多。

【体悟】tǐwù 动 体会;领悟：深切～到其中的艰辛。

【体惜】tǐxī 动 体谅爱惜。

【体系】tǐxì 名 若干有关事物或某些意识互相联系而构成的一个整体：防御～|工业～|思想～。

【体现】tǐxiàn 动 某种性质或现象在某一事物上具体表现出来：说实话,办实事,～出了他的务实精神。

【体校】tǐxiào 名 体育运动学校,培养运动员后备人才和小学体育师资的中等体育专业学校。

【体形】tǐxíng 名 ❶ 人或动物身体的形状。❷ 指机器等的形状。

【体型】tǐxíng 名 人体的类型(主要指各部分之间的比例)：成年人和儿童在～上有显著的区别。

【体恤】tǐxù 动 设身处地为人着想,给以同情、照顾：～孤寡老人。

【体癣】tǐxuǎn 名 皮肤病,病原体是真菌,多发生在颜面、手、臂等部位,为浅红色环形斑,表面有白色鳞状屑。有轻度瘙痒感。

【体循环】tǐxúnhuán 名 血液从左心室流出,经过动脉、毛细血管,把氧气和养料送到各组织,并把各组织所产生的二氧化碳和废物带走,经过静脉流回右心室。血液的这种循环叫做体循环。也叫大循环。

【体验】tǐyàn 动 通过实践来认识周围的事物;亲身经历：作家到群众中去～生活|他深深～到了这种工作的艰辛。

【体液】tǐyè 名 身体细胞内和组织间的液体。

【体育】tǐyù 名 ❶ 以发展体力、增强体质为主要任务的教育,通过参加各项运动来实现：～课。❷ 指体育运动。

【体育场】tǐyùchǎng 名 进行体育锻炼或比赛的场地。有的设有固定看台。

【体育馆】tǐyùguǎn 名 室内进行体育锻炼或比赛的场所。一般设有固定看台。

【体育舞蹈】tǐyù wǔdǎo 体育运动项目之

一,是男女两人组合的竞技舞蹈。分为现代舞和拉丁舞两大类。现代舞包括华尔兹、探戈、狐步、维也纳华尔兹和快步舞;拉丁舞包括伦巴、恰恰、桑巴、牛仔舞和斗牛舞。也叫国际标准交谊舞。

【体育运动】tǐyù yùndòng 锻炼身体增强体质的各种活动,包括田径、体操、球类、游泳、武术、登山、射击、滑冰、滑雪、举重、摔跤、击剑、自行车等各种项目。

【体征】tǐzhēng 图 医生在检查病人时所发现的异常变化,如心脏病患者心脏的杂音、阑尾炎患者右下腹部的压痛等。

【体制】tǐzhì 图❶ 国家、国家机关、企业、事业单位等的组织制度:经济～|政治～|教育～|～改革。❷ 文体的格局;体裁:五言诗的～,在汉末就形成了。

【体质】tǐzhì 图 人体的健康水平和对外界的适应能力:发展体育运动,增强人民～|各人的～不同,对疾病的抵抗力也不同。

【体重】tǐzhòng 图 身体的重量。

tì （ㄊㄧˋ）

屉(屜) tì ❶图 屉子①,特指笼屉:～帽(笼屉的盖子)|一～馒头。❷ 指屉子②:棕～|藤～。❸ 抽屉:三～桌。

【屉子】tì·zi 图❶ 扁平的盛器,成套的屉子大小相等,可以一层层整齐地摞起来。❷ 某些床或椅子的架子上可以取下的部分,一般用棕绳、藤皮、钢丝等编成。❸〈方〉抽屉。

剃 tì 圆用特制的刀子刮去(头发、胡须等):～刀|～光头|～胡子。

【剃刀】tìdāo 图 剃头或刮脸用的刀子。

【剃刀鲸】tìdāojīng 图 蓝鲸。

【剃度】tìdù 圆 佛教用语,指给要出家的人剃去头发,使成为僧尼。

【剃光头】tì guāngtóu 用剃刀刮去全部头发,比喻考试中一个没取或比赛中一分没得。

【剃头】tì∥tóu 圆 剃去头发,泛指理发。

涕 tì 〈书〉同"涕"。

俶 tì [俶傥](tìtǎng)同"倜傥"。
另见 205 页 chù。

倜 tì 见下。

【倜傥】tìtǎng 〈书〉形 洒脱;不拘束:风流～。也作俶傥。

【倜然】tìrán 〈书〉形❶ 超然或特出的样子。❷ 疏远的样子。

逖(逷) tì 〈书〉远。

涕 tì ❶ 眼泪:痛哭流～|感激～零。❷ 鼻涕:～泪。

【涕泪】tìlèi 图❶ 眼泪。❷ 眼泪和鼻涕:～俱下|～交流。

【涕零】tìlíng 圆 流泪;感激～(因感激而流泪)。

悌 tì 〈书〉敬爱哥哥:孝～。

绨(綈) tì 比绸子厚实、粗糙的纺织品,用蚕丝或人造丝做经,棉线做纬织成。
另见 1339 页 tí。

惕 tì 谨慎小心:警～。

【惕厉】tìlì 〈书〉圆 警惕;戒惧:日夜～。也作惕励。

【惕励】tìlì 同"惕厉"。

替¹ tì ❶ 圆代替:～工|他没来,你～他吧!|我～你洗衣服。❷ 介 为(wèi)②:大家都～他高兴|同学们～他送行。

替² tì 〈书〉衰败:衰～|兴～。

【替班】tì∥bān (～儿)圆 代替别人上班:今天他生病了,得找个人～。

【替补】tìbǔ 圆 替代补充:～队员。

【替代】tìdài 圆 代替。

【替工】tìgōng ❶ (-/-)圆 代替别人做工:明天我有事,请你给我替一下工。❷ 图 代替别人做工的人:找了个～。

【替换】tìhuàn 圆 把原来的(工作着的人、使用着的衣物等)掉换下来;倒换:你去～他一下|～的衣服。

【替考】tì∥kǎo 圆 冒名代替别人参加考试。

【替身】tìshēn 图 替代别人的人:～演员(替代别的演员表演某些动作的演员)。

【替死鬼】tìsǐguǐ 图 比喻代人受过或受害的人。

【替罪羊】tìzuìyáng 图 古代犹太教在赎

罪日用作祭品的羊，表示由它替人受罪，比喻代人受过的人。

䴘（鷈） tì 〈书〉❶ 滞留。❷ 困扰；纠缠。

褅 tì 〈书〉包裹婴儿的被子。
另见 1457 页 xī。

薙 tì 〈书〉❶ 除去野草。❷ 同"剃"。

嚏 tì 〈书〉打喷嚏。

【嚏喷】tì·pen 图 喷嚏。

髫 tì 〈书〉同"剃"。

趯 tì 〈书〉跳跃。

tiān（ㄊㄧㄢ）

天 tiān ❶图 天空：顶～立地|太阳一出满～红。❷ 位置在顶部的；凌空架设的：～棚|～窗|～桥。❸图 一昼夜二十四小时的时间，有时专指白天：今～|过了冬至，～越来越长了。❹圖 用于计算天数：每～|第二～|三～三夜|忙了一～，晚上早点儿休息吧。❺（～儿）图 一天里的某一段时间：五更～|～儿还早呢。❻ 季节：春～|冷～|三伏～|黄梅～。❼图 天气：阴～|～晴|～冷了。❽ 天然的；天生的：～性|～资|～足。❾ 自然界：～灾|人定胜～。❿图 迷信的人指自然界的主宰者；造物：～意。⓫图 迷信的人指神佛仙人所住的地方：～国|～堂|归～。⓬（Tiān）图姓。

【天宝】Tiānbǎo 图 唐玄宗（李隆基）年号（公元 742—756）。

【天崩地裂】tiān bēng dì liè 形容声响强烈或变化巨大，像天塌下、地裂开一样。也说天崩地坼（chè）。

【天边】tiānbiān （～儿）图 ❶ 指极远的地方：远在～，近在眼前。❷ 天际。

【天兵】tiānbīng 图 ❶ 神话中指天神的兵：～天将。❷ 比喻英勇善战、所向无敌的军队。❸ 封建时代指朝廷的军队。

【天禀】tiānbǐng 〈书〉图 天资：～聪颖。

【天波】tiānbō 图 指离开地球表面，依靠电离层的反射传播的无线电波。传播距离远，但不够稳定。

【天才】tiāncái 图 ❶ 天赋的才能；超出一般人的聪明智慧：艺术～|～的创作。❷ 有天才的人。

【天差地远】tiān chā dì yuǎn 比喻相差极殊。也说天悬地隔。

【天长地久】tiān cháng dì jiǔ 跟天和地存在的时间一样长，形容永久不变（多指爱情）。

【天长日久】tiān cháng rì jiǔ 时间长，日子久。

【天车】tiānchē 图 一种起重机械，装在厂房上部，在高架轨道上移动。

【天成】tiānchéng 勔 天然生成或形成：美丽～|妙趣～|～仙境。

【天秤座】tiānchèngzuò 图 黄道十二星座之一。参看 600 页〖黄道十二宫〗。

【天窗】tiānchuāng 图 ❶（～儿）房顶上为采光、通风开的像窗子的装置。❷ 见 758 页〖开天窗〗。

【天打雷轰】tiān dǎ léi hōng 被雷电打死（多用于赌咒或发誓）。也说天打雷击、天打雷劈、天打五雷轰。

【天道】tiāndào 图 ❶ 中国古代哲学术语。唯物主义认为天道是自然界及其发展变化的客观规律。唯心主义认为天道是上帝意志的表现，是吉凶祸福的征兆。❷〈方〉天气。

【天敌】tiāndí 图 自然界中某种动物专门捕食或危害另一种动物，前者就是后者的天敌。例如猫是鼠的天敌，寄生蜂是某些作物害虫的天敌。

【天底下】tiāndǐ·xia 〈口〉图 指世界上：～竟有这样的事。

【天地】tiāndì 图 ❶ 天和地：炮声震动～。❷ 比喻人们活动的范围：别有～|广阔的～。❸〈方〉地步；境地：不料走错一步，竟落到这般～。

【天地头】tiāndìtóu 图 书页上下两端的空白处，上边叫天头，下边叫地头。

【天帝】tiāndì 图 我国古代指天上主宰万物的神。

【天电】tiāndiàn 图 大气中放电过程所形成的脉冲型电磁波，对无线电接收有干扰作用。

【天鹅】tiān'é 图 鸟，外形像鹅而较大，全身白色，脚和尾都短，脚黑色，有蹼。生活在湖边或沼泽地带,善飞,吃植物、昆虫等。种类较多,如大天鹅、小天鹅、疣鼻天鹅。也叫鹄(hú)。

【天鹅绒】tiān'éróng 名 一种起绒的丝织物或毛织物,也有用棉、麻做底子的。颜色华美,大多用来做服装或帘、幕、沙发套等。

【天翻地覆】tiān fān dì fù ❶ 形容变化极大:这几年村里起了～的变化。❷ 形容闹得很凶:闹得～,四邻不安。‖也说地覆天翻。

【天方】Tiānfāng 名 我国古代称中东一带阿拉伯人建立的国家:《～谭》。

【天方夜谭】Tiānfāng yè tán 阿拉伯古代民间故事集,又名《一千零一夜》,内容富于神话色彩。后多用来比喻虚妄荒诞的言论:他刚才说的简直就是～!

【天分】tiānfèn 名 天资:他画画儿很有～。

【天府之国】tiān fǔ zhī guó 指土地肥沃、物产丰富的地方,在我国一般把四川称为“天府之国”。

【天赋】tiānfù ❶ 动 自然赋予;生来就具备:～机谋。❷ 名 天资:有～|～高。

【天干】tiāngān 名 甲、乙、丙、丁、戊、己、庚、辛、壬、癸的统称,传统用作表示次序的符号。参看 440 页〖干支〗。

【天罡】tiāngāng 名 古书上指北斗星,也指北斗七星的柄。

【天高地厚】tiān gāo dì hòu ❶ 形容恩情深厚。❷ 指事物的复杂、深奥程度(多用作“不知”的宾语):他狂妄得不知～。

【天高皇帝远】tiān gāo huángdì yuǎn 山高皇帝远。

【天各一方】tiān gè yī fāng 指彼此相隔遥远,难于相见。

【天公】tiāngōng 名 指自然界的主宰者;天:偏偏～不作美,一连下了几天雨。

【天公地道】tiān gōng dì dào 形容十分公平合理:多劳多得,是～的事儿。

【天宫】tiāngōng 名 神话中天神的宫殿。

【天沟】tiāngōu 名 屋面和屋面连接处或屋面和高墙连接处的排水沟。

【天光】tiānguāng 名 ❶ 天色:～还早|～刚露出鱼肚白。❷ 天空的光辉;日光:～渐渐隐去。

【天癸】tiānguǐ 名 中医指月经。

【天国】tiānguó 名 ❶ 基督教称上帝所治理的国度。❷ 比喻理想世界。

【天寒地冻】tiān hán dì dòng 形容天气非常寒冷。

【天河】tiānhé 名 银河。

【天候】tiānhòu 名 天气、气候和某些天文现象的统称,包括阴晴、冷暖、干湿和相、昼夜长短、四季更替等。

【天花】tiānhuā 名 急性传染病,人和某些哺乳动物都能感染,病原体是天花病毒。症状是先发高热,全身出丘疹,变成疱疹,最后变成脓疱,中心凹陷,10 天左右结痂,痂脱落后的疤痕就是麻子。种牛痘可以预防。

【天花板】tiānhuābǎn 名 室内的天棚,有的上面有雕刻或彩绘。

【天花粉】tiānhuāfěn 名 中药指栝楼的根,有泻火、解渴、润燥、祛痰等作用。

【天花乱坠】tiān huā luàn zhuì 传说梁武帝时云光法师讲经,感动了上天,天上的花纷纷降落下来。现在用来比喻说话有声有色,非常动听(多指夸大的或不切实际的)。

【天荒地老】tiān huāng dì lǎo 指经过的时间很久。也说地老天荒。

【天皇】tiānhuáng 名 ❶ 指天子。❷ 日本皇帝的称号。

【天昏地暗】tiān hūn dì àn ❶ 形容乌云密布或刮大风时飞沙遮天的景象:突然狂风大起,刮得～。❷ 比喻政治腐败或社会混乱。❸ 形容程度深;厉害:哭得个～。‖也说天昏地黑。

【天火】tiānhuǒ 名 俗指由雷电或物质氧化时温度升高等自然原因引起的大火。

【天机】tiānjī 名 ❶ 迷信的人指神秘的天意。❷ 比喻自然界的秘密,也比喻重要而不可泄露的秘密:一语道破了～。

【天极】tiānjí 名 ❶ 地轴延长和天球相交的两点叫做天极。在北半天球的叫北天极,在南半天球的叫南天极。❷〈书〉天际;天边。

【天际】tiānjì 名 肉眼能看到的天地交接的地方。

【天价】tiānjià 名 指极高的价格(跟“地价”相对):这种房子的价格是每平方米六万元,堪称～。

【天骄】tiānjiāo 名 汉朝人称匈奴单于(chányú)为天之骄子,后来称历史上某些北方少数民族君主为天骄。

【天经地义】tiān jīng dì yì 指非常正确、不容置疑的道理。

【天井】tiānjǐng 名❶ 宅院中房子和房子或房子和围墙所围成的较小的露天空地。❷ 某些地区的旧式房屋为了采光而在房顶上开的洞(对着天井在地上挖的排泄雨水的坑叫天井沟)。

【天空】tiānkōng 名 地面以上很高很远的广大空间:仰望~|雄鹰在~翱翔。

【天籁】tiānlài 名 指自然界的声音,如风声、鸟声、流水声等。

【天蓝】tiānlán 形 像晴朗的天空的颜色。

【天狼星】tiānlángxīng 名 天空中最明亮的恒星,属于大犬座。它有一个伴星,用望远镜可以看见。

【天老儿】tiān·laor 名 俗称患白化病的人。

【天老爷】tiānlǎo·ye 名 老天爷。

【天理】tiānlǐ 名❶ 宋代的理学家认为封建伦理是客观存在的道德法则,把它叫做"天理"。❷ 天然的道理:~难容。

【天理教】Tiānlǐjiào 名 白莲教的一个支派,是 18 世纪中叶白莲教武装起义失败后,由部分教徒组织起来的,曾在北京、河南发动起义。又称八卦教。

【天良】tiānliáng 名 良心:丧尽~。

【天亮】tiān∥liàng 动 太阳快要露出地平线时天空发出光亮:一觉睡到~|鸡叫了三遍才~。

【天量】tiānliàng 名 指极大的数量(跟"地量"相对):商厦的销售额在国庆期间创下~。

【天灵盖】tiānlínggài 名 指人和某些动物头顶部分的骨头。

【天伦】tiānlún〈书〉名 指父子、兄弟等关系:~之乐。

【天罗地网】tiān luó dì wǎng 上下四方都布下的罗网,比喻对敌人、逃犯等设下的严密包围。

【天麻】tiānmá 名 多年生草本植物,没有叶绿素,块茎肉质,叶子鳞片状,花黄红色。块茎、茎叶、果实可入药。

【天马行空】tiān mǎ xíng kōng 马的奔驰如同腾空飞行,多比喻诗文、书法等气势豪放,不受拘束(天马:汉武帝从西域大宛国得到的汗血马称为"天马",意思是一种神马。见于《史记·大宛列传》)。

【天门】tiānmén 名❶ 天宫的门。❷ 帝王宫殿的门。❸ 指前额的中央。

【天明】tiān∥míng 动 天亮。

【天命】tiānmìng 名 迷信的人指上天的意志,也指上天主宰之下的人们的命运。

【天幕】tiānmù 名❶ 笼罩大地的天空。❷ 舞台后面悬挂的天蓝色的大布幔,演剧时配合灯光,用来表现各种天景景象。

【天南地北】tiān nán dì běi ❶ 形容距离遥远,也指相距遥远的不同地方:~,各在一方。❷ 形容说话漫无边际:两个人~地说了好半天。‖ 也说天南海北、山南海北。

【天南海北】tiān nán hǎi běi 天南地北。

【天年】tiānnián 名 指人的自然寿命:尽其~|安享~。

【天牛】tiānniú 名 昆虫,身体长椭圆形,触角比身体长。种类很多,常见的有黑天牛和褐天牛。天牛的幼虫蛀食玉米、高粱、甘蔗、苹果、桑、柳等植物的茎。

【天怒人怨】tiān nù rén yuàn 形容为害作恶十分严重,引起普遍的愤怒。

【天棚】tiānpéng 名❶ 房屋内部在屋顶或楼板下面加的一层东西,或用木板做成,或在木条、苇箔上抹灰,或在苇箔、秫秸上糊纸,有保温、隔音、美观等作用。❷ 凉棚。

【天平】tiānpíng 名 较精密的衡器,根据杠杆原理制成。杠杆两头有小盘,一头放砝码,一头放要称的物体。杠杆正中的指针停在刻度中央时,砝码的重量就是所称物体的重量。多用于实验室和药房。

【天启】Tiānqǐ 名 明熹宗(朱由校)年号(公元 1621—1627)。

【天气】tiānqì 名❶ 一定区域一定时间内大气中发生的各种气象变化,如温度、湿度、气压、降水、风、云等的情况:~预报|今天~很好。❷〈方〉指时间;时候:现在是三更~|~不早了,快回家吧!

【天气图】tiānqìtú 名 表示某地区或整个地球天气形势的图,图上用数字和规定的符号记录各地的气象资料,分为高空天气图和地面天气图两种。气象部门用来预测天气变化。

【天气预报】tiānqì yùbào 向有关地区发出的关于未来一定时间内天气变化的报告。

【天堑】tiānqiàn 名 天然形成的隔断交通

的大沟,多指长江,形容它的险要:长江~。

【天桥】tiānqiáo 名❶ 火车站里为了旅客横过铁路而在铁路上空架设的桥,也指城市中为了行人横穿马路而在马路上空架设的桥。❷ 一种体育运动设备,高而窄,形状略像独木桥,两端有梯子。

【天琴座】tiānqínzuò 名北部天空中的星座,很小,在银河的西边,织女星就是其中的一颗。

【天青】tiānqīng 形深黑而微红的颜色。

【天穹】tiānqióng 名从地球表面上看,像半个球面似的覆盖着大地的天空。

【天球】tiānqiú 名为研究天体位置和运动,天文学上假想天体分布在以观测者为球心,以适当长度为半径的球面上,这个球面叫做天球。以地心为球心的叫做地心天球,以太阳中心为球心的叫做日心天球。

【天球仪】tiānqiúyí 名球形的天文仪器,刻画着星座、赤道、黄道等的位置。

【天趣】tiānqù 名自然的情趣:~盎然。

【天阙】tiānquè〈书〉名❶ 天上的宫阙。❷ 天子的宫阙,也指朝廷或京城。

【天然】tiānrán 形属性词。自然存在的;自然产生的(区别于"人工"或"人造"):~冰|~景色|~财富。

【天然气】tiānránqì 名通常指产生于油田、煤田和沼泽地带的天然气体,主要成分是甲烷等,是埋藏在地下的古代生物经高温、高压等作用形成的。主要用作燃料和化工原料。

【天然丝】tiānránsī 名指蚕丝(区别于"人造丝")。

【天壤】tiānrǎng〈书〉名天和地,也比喻差别极大:~间|相去~。

【天壤之别】tiānrǎng zhī bié 形容极大的差别。也说天渊之别。

【天日】tiānrì 名天和太阳,比喻光明:重见~|暗无~。

【天色】tiānsè 名天空的颜色,借指时间的早晚和天气的变化:看~怕要下雨|~还早,你再睡一会儿。

【天上】tiān·shàng 名天空。

【天神】tiānshén 名传说中天上的神。

【天生】tiānshēng 形属性词。天然生成的:~丽质|~的一对|本事不是~的。

【天时】tiānshí 名❶ 指宜于做某事的气候条件:庄稼活一定要趁~,早了晚了都不好。❷ 指气候状况:~转暖。❸ 指时候;时间:~尚早。

【天使】tiānshǐ 名❶ 犹太教、基督教、伊斯兰教等宗教指神的使者。西方文学艺术中,天使的形象多为带翅膀的少女或小孩子,现在常用来比喻天真可爱的人(多指女子或小孩子)。❷〈书〉皇帝的使者。

【天书】tiānshū 名❶ 天上神仙写的书或信(迷信)。❷ 比喻难认的文字或难懂的文章。

【天数】tiānshù 名迷信的人把一切不可解的事,不能抗御的灾难都归于上天安排的命运,称为天数。

【天顺】Tiānshùn 名明英宗(朱祁镇)年号(公元1457—1464)。

【天堂】tiāntáng 名❶ 某些宗教指人死后灵魂居住的永享幸福的地方(跟"地狱"相对)。❷ 比喻幸福美好的生活环境。

【天梯】tiāntī 名很高的梯子,多装置在较高的建筑、设备上。

【天体】tiāntǐ 名太阳、地球、月亮和其他恒星、行星、卫星以及彗星、流星、宇宙尘、星云、星团等的统称。

【天条】tiāntiáo 名迷信的人认为老天爷所定的戒律,人、神都要遵守:违犯~。

【天庭】tiāntíng 名❶ 神话中天神居住的地方。❷ 帝王的住所。❸ 指前额的中央:~饱满。

【天头】tiāntóu 名书页上端的空白处。参看1344页〖天地头〗。

【天外】tiānwài 名❶ 太空以外的地方。❷ 指极高极远的地方。

【天外有天】tiān wài yǒu tiān 指一个境界之外,更有无穷无尽的境界,多用来表示学问、技艺、本领等是没有止境的。

【天王】tiānwáng 名❶ 指天子。❷ 太平天国领袖洪秀全的称号。❸ 神话中指某些天神。

【天王星】tiānwángxīng 名太阳系九大行星之一,按离太阳由近而远的次序计为第七颗,绕太阳公转周期约84年,自转周期约为24小时,侧向逆转。光度较弱,用望远镜才能看到。(图见1319页"太阳系")

【天网恢恢】tiān wǎng huī huī 天道像一个广阔的大网,作恶者逃不出这个网,也就是逃不出天道的惩罚(语出《老子》七十三章;恢恢:形容非常广大)。

【天文】tiānwén 名 日月星辰等天体在宇宙间分布、运行等现象。

【天文表】tiānwénbiǎo 名 应用于天文测时或航海计时的小型计时器具。

【天文单位】tiānwén dānwèi 天文学上的一种距离单位,即以地球到太阳的平均距离为一个天文单位。1 天文单位约等于1.496 亿千米。

【天文馆】tiānwénguǎn 名 普及天文知识的文化教育机构,一般有天象仪、天文望远镜等设备。

【天文数字】tiānwén shùzì 指亿以上的极大的数字(因为天文学上用的数字极大,如天王星和太阳的平均距离为2.869 1×10^9 千米)。泛指极大的数字。

【天文台】tiānwéntái 名 观测天体和研究天文学的机构。

【天文望远镜】tiānwén wàngyuǎnjìng 用来观测天体的望远镜。通常指光学望远镜,用透镜做物镜的叫折射望远镜,用反射镜做物镜的叫反射望远镜,既用透镜又用反射镜的叫双射望远镜。

【天文学】tiānwénxué 名 研究天体的结构、形态、分布、运行和演化等的学科,一般分为天体测量学、天体力学、天体物理学和射电天文学等。天文学在实际生活中应用很广,如授时、编制历法、测定方位等。

【天文钟】tiānwénzhōng 名 确定时刻的一种天文仪器,一般是每秒摆动一次的摆钟,准确度远比一般优良的时钟为高,通常放在真空的玻璃罩中,装在恒温的地下室里。

【天下】tiānxià 名 ❶ 指中国或世界:~太平|我们的朋友遍~。❷ 指国家的统治权:打~|新中国是人民的~。

【天仙】tiānxiān 名 传说中天上的仙女,比喻美女:貌比~。

【天险】tiānxiǎn 名 天然的险要地方:长江~。

【天线】tiānxiàn 名 用来发射或接收无线电波的装置。

【天香国色】tiān xiāng guó sè 原是赞美牡丹的话,后常用来称美女。也说国色天香。

【天象】tiānxiàng 名 ❶ 天文现象:观测

~。❷ 天空中风、云等变化的现象:我国劳动人民常根据~预测天气的变化。

【天象仪】tiānxiàngyí 名 一种特制的光学投影器,用来在半球形的幕上放映出人造星空,显示日月星辰的运行情况以及日食、月食、流星雨等天文现象。

【天晓得】tiān xiǎo•de 〈方〉天知道。

【天蝎座】tiānxiēzuò 名 黄道十二星座之一。参看 600 页〖黄道十二宫〗。

【天幸】tiānxìng 名 濒于灾祸而幸免的好运气。

【天性】tiānxìng 名 指人先天具有的品质或性情:~善良|他一来就不爱说话。

【天悬地隔】tiān xuán dì gé 见〖天差地远〗。

【天旋地转】tiān xuán dì zhuàn ❶ 比喻重大的变化。❷ 形容眩晕时的感觉:昏沉沉只觉得~。❸ 形容闹得很凶:吵了个~。

【天涯】tiānyá 名 指极远的地方:远在~,近在咫尺。

【天涯海角】tiān yá hǎi jiǎo 指极远的地方或形容彼此之间相隔极远。也说天涯地角、海角天涯。

【天阉】tiānyān 名 男子性器官发育不完全、没有生殖能力的现象。

【天衣无缝】tiān yī wú fèng 神话传说,仙女穿的天衣,不用针线制作,没有缝儿,比喻事物(多指诗文、话语等)没有一点破绽。

【天意】tiānyì 名 上天的意旨(迷信)。

【天鹰座】tiānyīngzuò 名 北部天空中的星座,大部分在银河内,其余在银河的东边,牵牛星就是其中的一颗。

【天宇】tiānyǔ 名 ❶ 天空:歌声响彻~。❷〈书〉天下。

【天渊】tiānyuān 〈书〉名 天上和深渊,比喻差别极大:~之别|相去~。

【天渊之别】tiānyuān zhī bié 天壤之别。

【天灾】tiānzāi 名 自然灾害,如水灾、旱灾、风灾、地震等。

【天葬】tiānzàng 动 某些民族和某些宗教的信徒处理死人遗体的方法,把尸体抬到葬场或旷野,让鹰、鹰、乌鸦等鸟类吃。

【天造地设】tiān zào dì shè 自然形成而合乎理想:这里物产丰富,山水秀丽,四季如春,真是~的好地方|他们真是~的一对

好夫妻。

【天真】tiānzhēn 彤❶心地单纯,性情直率;没有做作和虚伪:～烂漫。❷头脑简单,容易被假象迷惑:这种想法过于～。

【天知道】tiān zhī·dào 表示难以理解或无法分辩:～那是怎么一回事!

【天职】tiānzhí 图 应尽的职责(含崇高意):治病救人是医生的～。

【天轴】tiānzhóu 图 指地球自转轴无限延长与天球相交的假想轴线。

【天诛地灭】tiān zhū dì miè 比喻为天地所不容(多用于赌咒、发誓)。

【天竺】Tiānzhú 图 我国古代称印度。

【天竺鼠】tiānzhúshǔ 图 豚鼠。

【天主】Tiānzhǔ 图 天主教所奉的神,认为是宇宙万物的创造者和主宰者。

【天主教】Tiānzhǔjiào 图 以罗马教皇为最高领导者的基督教派。明代传入我国。也叫罗马公教、旧教。参看 632 页〖基督教〗。

【天姿国色】tiān zī guó sè 形容女子容貌非常美丽,也指容貌非常美丽的女子。

【天资】tiānzī 图 天生的资质:～聪颖。

【天子】tiānzǐ 图 指国王或皇帝(奴隶社会和封建社会的统治阶级把他们的政权说成是受天命建立的,因此称国王或皇帝为天的儿子)。

【天字第一号】tiān zì dì yī hào 从前对于数目多和种类多的东西,常用《千字文》文句的字来编排次序,"天"字是《千字文》首句"天地玄黄"的第一字,因此"天字第一号"就是第一或第一类中的第一号,借指最高的、最大的或最强的。

【天足】tiānzú 图 旧时指妇女没有经过缠裹的脚。

【天尊】tiānzūn 图 信道教的人对神仙的尊称;信佛教的人对佛的尊称。

【天作之合】tiān zuò zhī hé 上天成全的婚姻(多用作新婚的颂词)。

添 tiān ❶ 励 增添;增加:～人｜～水｜～枝加叶｜如虎～翼｜～了三十台机器。❷〈方〉励 指生育(后代):他家～了个女儿。❸(Tiān)图 姓。

【添补】tiān·bu 励 补充(用具、衣裳等)。

【添彩】tiān∥cǎi 励 增添光彩:增添～｜生辉｜这个节目为晚会添了彩。

【添丁】tiān∥dīng 励 旧时指生了小孩儿,

特指生了男孩儿。

【添堵】tiāndǔ 〈方〉励 给人增加不愉快;让人心烦、憋气。

【添加】tiānjiā 励 增加;增添:～剂｜工作太忙,需要～人手。

【添加剂】tiānjiājì 图 为改善物质的某些性能而加入的药剂,如防老剂、增效剂、抗震剂、防腐剂等。

【添乱】tiān∥luàn 励 增加麻烦:人家这是在谈正事,你别在一旁～了。

【添箱】tiānxiāng ❶(－//－)励 旧时指女家的亲友赠送新娘礼物或礼金。❷图 旧时女子出嫁时亲友所送的贺礼。

【添油加醋】tiān yóu jiā cù 见〖添枝加叶〗。

【添枝加叶】tiān zhī jiā yè 形容叙述事情或转述别人的话时,为了夸张渲染,添上原来没有的内容。也说添油加醋。

【添置】tiānzhì 励 在原有的以外再购置:～家具｜～衣服。

【添砖加瓦】tiān zhuān jiā wǎ 比喻为宏伟的事业做一点小小的贡献:我们要为国家的经济建设～。

黇 tiān 〔黇鹿〕(tiānlù)图 鹿的一种,毛黄褐色或带赤褐色,有白色斑纹,角的上部扁平或呈掌状,尾略长,性温顺。

tián （ㄊㄧㄢˊ）

田1 tián ❶图 田地(有的地区专指水田):水～｜稻～｜麦～｜耕～。❷指可供开采的蕴藏矿物的地带:煤～｜油～｜气～。❸(Tián)图 姓。

田2 tián 〈书〉同"畋",打猎。

【田产】tiánchǎn 图 个人、团体等所拥有的田地。

【田塍】tiánchéng 〈方〉图 田埂。

【田畴】tiánchóu 〈书〉图 田地;田野。

【田地】tiándì 图 ❶ 种植农作物的土地。❷ 地步:想不到他会落到这步～!

【田赋】tiánfù 图 封建时代征收的土地税。

【田埂】tiángěng 图 田间的埂子,用来分界并蓄水。

【田鸡】tiánjī 图 ❶ 鸟,外形略像鸡,体形较小,羽毛赤栗色,背部橄榄色,嘴绿色或褐色,脚多为赤色。生活在草原和水田里。❷ 青蛙的通称。

【田家】tiánjiā 名 指从事农业生产的人家:～情趣。

【田间】tiánjiān 名 田地里,有时借指农村:～劳动|来自～。

【田径赛】tiánjìngsài 名 田赛和径赛的合称。

【田径运动】tiánjìng yùndòng 体育运动项目的一大类,包括各种跳跃、投掷、赛跑和竞走等。

【田坎】tiánkǎn 名 田埂。

【田猎】tiánliè 〈书〉动 打猎。

【田垄】tiánlǒng 名 ❶ 田埂。❷ 田地中种植农作物的垄。

【田螺】tiánluó 名 软体动物,壳圆锥形,苍黑色,触角长,卵胎生。生活在淡水中。

【田亩】tiánmǔ 名 田地(总称)。

【田七】tiánqī 名 三七。

【田契】tiánqì 名 买卖田地时所立的契约。

【田赛】tiánsài 名 田径运动中各种跳跃、投掷项目比赛的总称。

【田舍】tiánshè 〈书〉名 ❶ 田地和房屋。❷ 农村的房子。❸ 田家:～翁|～郎。

【田鼠】tiánshǔ 名 鼠的一类,有许多种,体长约10—15 厘米,生活在树林、草地、田里里,群居,吃草本植物的茎、叶、种子等,对农作物有害。

【田野】tiányě 名 田地和原野:～上一片碧绿。

【田野工作】tiányě gōngzuò 野外工作。

【田园】tiányuán 名 田地和园圃,借指农村:～之乐|～风光|～诗人。

【田园诗】tiányuánshī 名 以农村景物和农民、牧人、渔夫的生活为题材的诗。

【田庄】tiánzhuāng 名 村庄;庄园。

【田字草】tiánzìcǎo 名 蘋(pín)。

佃 tián 〈书〉❶ 耕种田地。❷ 同"畋",打猎。

另见 310 页 diàn。

油 tián 油泾镇(Tiánjīngzhèn),地名,在江苏。

畋 tián 〈书〉打猎。

畑 tián 日本汉字,旱地。多用于日本姓名。

恬 tián 〈书〉❶ 恬静:～适。❷ 满不在乎;坦然:～不知耻|～不为怪。

【恬不知耻】tián bù zhī chǐ 做了坏事满不在乎,不以为耻。

【恬淡】tiándàn 形 ❶ 不追求名利;淡泊:心怀～|～寡欲。❷ 恬静;安适:勾起对乡村～生活的回忆。

【恬静】tiánjìng 形 安静;宁静:环境幽雅～|～的生活。

【恬然】tiánrán 〈书〉形 满不在乎的样子:处之～|～不以为怪。

【恬适】tiánshì 〈书〉形 恬静而舒适。

铀(鈿) tián 〈方〉❶ 硬币:铜～(铜钱,也泛指款子,钱财)。❷ 名 钱'②;几～(多少钱)? ❸ 名 钱'③:车～。

另见 311 页 diàn。

畠 tián 日本汉字,旱地。多用于日本姓名。

蒘 tián 见 1350 页〖甜菜〗(蒘菜)。

甜 tián 形 ❶ 像糖和蜜的味道(跟"苦"相对):这西瓜真～◇话说得很～。❷ 形容舒适、愉快:他睡得真～。

【甜菜】(蒘菜)tiáncài 名 ❶ 二年生草本植物,根肥大,叶子丛生,有长柄,总状花序,花小、绿色。根含有糖质,是制糖的主要原料之一。❷ 这种植物的根。

【甜点】tiándiǎn 名 甜的点心。

【甜瓜】tiánguā 名 ❶ 一年生草本植物,茎蔓生,有软毛,叶子卵圆形或肾脏形,花黄色。果实通常长椭圆形,表面光滑,有香气,味甜,可以吃。❷ 这种植物的果实。‖ 也叫香瓜。

【甜活儿】tiánhuór 名 费力少而报酬多的工作(跟"苦活儿"相对)。

【甜酱】tiánjiàng 〈方〉名 甜面酱。

【甜津津】tiánjīnjīn (～的)形 状态词。甜丝丝。

【甜美】tiánměi 形 ❶ 甜①:这种苹果多汁而～。❷ 愉快;舒服;美好:音色～|～的生活。

【甜蜜】tiánmì 形 形容感到幸福、愉快、舒适:孩子们笑得那么～|日子过得甜甜蜜蜜。

【甜面酱】tiánmiànjiàng 名 馒头等发酵后制成的酱,有甜味。有的地区叫甜酱。

【甜腻】tiánnì 形 甜而油腻;过于甜而使人腻烦:口味～。

【甜品】tiánpǐn 名 甜的食品，也包括含糖分较高的饮料。

【甜润】tiánrùn 形 甜美滋润：嗓音～｜清凉～的空气。

【甜食】tiánshí 名 甜的食品。

【甜水】tiánshuǐ 名 指味道不苦的水：～井。

【甜丝丝】tiánsīsī （～儿的）形 状态词。❶ 形容有甜味：这种菜～儿的，很好吃。❷ 形容感到幸福愉快：她想到孩子们都长大成人，能为祖国尽力，心里～儿的。

【甜头】tián·tou （～儿）名 ❶ 微甜的味道，泛指好吃的味道。❷ 好处；利益（多指引诱人的）：尝到了读书的～。

【甜言蜜语】tián yán mì yǔ 为了讨人喜欢或哄骗人而说的好听的话。

【甜叶菊】tiányèjú 名 多年生草本植物，叶子倒卵形至披针形，花小，白色，叶片中含糖苷，可做甜味剂。

【湉】tián ［湉湉］(tiántián)〈书〉形 形容水流平静。

【填】tián ❶ 动 把凹陷地方垫平或塞满：～坑｜把沟～平了。❷ 补充：～补。❸ 动 填写：～表。

【填报】tiánbào 动 填表上报：每周～工程进度。

【填补】tiánbǔ 动 补足空缺或缺欠：～缺额｜～空白。

【填仓】tián//cāng 动 旧俗正月二十五日为填仓节，往粮囤里添点粮食，表示祈求粮食丰收，并且吃讲究的饭食。

【填充】tiánchōng 动 ❶ 填补（某个空间）：～作用。❷ 教学中测验的一种方法，把问题写成一句话，空着要求回答的部分，让人填写：～题。

【填词】tián//cí 动 按照词的格律作词，因为必须严格地按照格律选字用韵，所以叫做填词。

【填方】tiánfāng ❶ 动 土木工程施工时回填土石方。❷ 名 土木工程施工时填的土石方。

【填房】tián//fáng 动 指女子嫁给死了妻子的人。

【填房】tián·fang 名 指前妻死后续娶的妻子。

【填空】tián//kòng 动 ❶ 填补空出的或空着的位置、职务等：～补缺。❷ 填充②。

【填料】tiánliào 名 掺在混凝土、橡胶、塑料等中间起填充作用的材料，通常为粒状、粉末状或纤维状，如黄土、锯末、滑石、石棉、炭黑等。

【填权】tiánquán 动 某只股票在除权、除息后交易价格高于除权、除息价叫填权。

【填塞】tiánsè 动 往洞穴或空着的地方填东西，使塞满或不通：～洞隙◇～心灵上的空虚。

【填写】tiánxiě 动 在印好的表格、单据等的空白处，按照项目、格式写上应写的文字或数字：～履历表｜～汇总通知单。

【填鸭】tiányā ❶ 动 强制肥育鸭子的一种方法。鸭子长到一定时期，按时把饲料填入鸭子的食道，并减少鸭子的活动量，使它很快长肥。北京鸭多用这种方法饲养。❷ 名 用填鸭的方法饲养的鸭子。

【填筑】tiánzhù 动 用填埋、回填等方式修筑（堤坝、路基、人工岛等）。

【阗】（闐）tián〈书〉充满：喧～。

tiǎn（ㄊ一ㄢˇ）

【忝】tiǎn〈书〉谦辞，表示辱没他人，自己有愧：～列门墙（愧在师门）｜～在相知之列。

【殄】tiǎn〈书〉灭绝：～灭｜暴～天物。

【餂】（餂）tiǎn〈书〉勾取；探取。

【涊】tiǎn〈书〉污浊；肮脏。

【慅】tiǎn〈书〉惭愧。

【靦】（靦）tiǎn ❶〈书〉形容惭愧：～颜。❷〈口〉动 厚着脸皮叫靦着脸。

【靦颜】tiǎnyán〈书〉动 ❶ 表现出惭愧的脸色。❷ 厚颜：～惜命。

【腆】tiǎn ❶〈书〉丰盛；丰厚。❷〈方〉动 凸出或挺起（胸、腹）：～着胸脯｜～着个大肚子。

【觍】（覥）tiǎn〈书〉❶ 形容人脸：～然人面。❷ 同"靦"。

另见 945 页 miǎn。

舔 tiǎn 动 用舌头接触东西或取东西：~盘子|猫~爪子。

tiàn （ㄊㄧㄢˋ）

掭 tiàn 动 ❶ 用毛笔蘸墨后斜着在砚台上顺笔毛或除去多余的墨汁。❷〈方〉拨动：~灯芯。

tiāo （ㄊㄧㄠ）

佻 tiāo 轻佻：~薄。

【佻薄】tiāobó〈书〉形 轻佻。

【佻巧】tiāoqiǎo〈书〉形 ❶ 轻佻巧诈。❷〈文辞〉细巧而不严肃。

【佻佁】tiāotà〈书〉形 轻薄；心性~。

挑¹ tiāo 动 ❶ 挑选：~心爱的买。❷ 挑剔：~毛病。

挑² tiāo ❶ 动 扁担等两头挂上东西，用肩膀支起来搬运：~担|~水|~着两筐土。❷（~儿）名 挑子：挑~儿。❸（~儿）量 用于成挑儿的东西：一~儿白菜。

另见 1354 页 tiǎo。

【挑刺儿】tiāo//cìr 动 挑剔；指摘（言语行动方面的缺点）。

【挑肥拣瘦】tiāo féi jiǎn shòu 挑选对自己有利的（含贬义）：干工作不应~。

【挑夫】tiāofū 名 旧时指以给人挑货物、行李为业的人。

【挑拣】tiāojiǎn 动 挑选。

【挑脚】tiāo//jiǎo 动 旧时指给人挑运货物或行李：~的。

【挑礼】tiāo//lǐ （~儿）动 在礼节上挑剔：她这么做掉心亲家会~儿|都是自己人，你还挑什么礼呀！

【挑三拣四】tiāo sān jiǎn sì 挑肥拣瘦。

【挑食】tiāoshí 动 指对食物有所选择，有的爱吃，有的不爱吃或不吃。

【挑剔】tiāo·tī 动 过分严格地在细节上指摘：她由于过分~，跟谁也合不来。

【挑选】tiāoxuǎn 动 从若干人或事物中找出适合要求的：~人才|~苹果|医疗队的成员都是经过严格~的。

【挑眼】tiāo//yǎn 〈方〉动 挑剔毛病；指摘缺点（多指礼节方面的）。

【挑子】tiāo·zi 名 扁担和它两头所挑的东西：菜~。

【挑字眼儿】tiāo zìyǎnr 从措辞用字上找小毛病。

【挑嘴】tiāozuǐ 动 挑食。

祧 tiāo〈书〉❶ 原指祭远祖的庙，后来指继承上代：兼~。❷ 把隔了几代的祖宗的神主迁入远祖的庙：不~之祖。

tiáo （ㄊㄧㄠ）

条(條) tiáo ❶（~儿）细长的树枝：枝~|荆~|柳~儿。❷（~儿）名 条子：面~儿|布~儿|便~|金~。❸（~儿）名 细长的形状：~纹|花~儿布。❹ 分项目的：一~例|一~|款|一~陈。❺ 层次；秩序；条理：有~不紊|井井有~。❻ 量 a)用于细长的东西：一~线|两~腿|三~鱼|五~黄瓜|一~大街。b)用于以固定数量合成的某些长条形的东西：一~儿肥皂（连在一起的两块肥皂）|一~儿烟（香烟一般十包包装在一起叫一条）。c)用于分项的：三~新闻|五~办法。❼（Tiáo）名 姓。

【条案】tiáo'àn 名 一种狭长的桌子，长一丈左右，宽一尺多，放陈设品用。也叫条几。

【条畅】tiáochàng〈书〉形（文章）通畅而有条理：文笔~。

【条陈】tiáochén ❶ 动 分条陈述。❷ 名 旧时向上级分条陈述意见的文件：上了一个~。

【条分缕析】tiáo fēn lǚ xī 形容分析得细密而有条理。

【条幅】tiáofú 名 直挂的长条的字画，单幅的叫单条，成组的叫屏条。

【条贯】tiáoguàn〈书〉名 条理；系统。

【条规】tiáoguī 名 由国家或集体制定的分列项目的规则。

【条几】tiáojī 名 条案。

【条件】tiáojiàn 名 ❶ 影响事物发生、存在或发展的因素：自然~|创造有利~。❷ 为某事而提出的要求或定出的标准：讲~|他的~太高，我无法答应。❸ 状况；

他身体～很好|这个工厂～好,工人素质高,设备也先进。

【条件反射】tiáojiàn fǎnshè 人和其他动物为适应环境变化而新形成的反射活动。如铃声本来不会使狗分泌唾液,但如果在每次喂食物之前打铃,若干次之后,狗听到铃声就会分泌出唾液,这种狗因铃声刺激而发生的反应就是条件反射。

【条款】tiáokuǎn 名 文件或契约上的条目:法律～。

【条理】tiáolǐ 名 思想、言语、文字的层次;生活、工作的秩序:～分明|生活安排得很有～。

【条例】tiáolì 名 由国家制定或批准的规定某些事项或某一机关的组织、职权等的法律文件,也指团体制定的章程:奖惩～|治安管理～。

【条令】tiáolìng 名 用简明条文规定的军队行动的准则,如战斗条令、纪律条令等。

【条码】tiáomǎ 名 条形码。

【条目】tiáomù 名 规章、条约等的项目:分列～。

【条绒】tiáoróng 名 灯芯绒。

【条条框框】tiáo·tiáo kuàng·kuàng 指束缚人的各种规章制度:打破～。

【条文】tiáowén 名 法规、章程等的分条说明的文字。

【条纹】tiáowén 名 条状的花纹:斑马身上有～。

【条形码】tiáoxíngmǎ 名 商品的代码标记。用粗细相间的黑白线条表示数字,印在商品包装上,用于计算机识别。也叫条码。

【条约】tiáoyuē 名 国家和国家签订的有关政治、军事、经济或文化等方面的权利和义务的文书:军事～|和平友好～。

【条子】tiáo·zi 名 ❶ 狭长的东西:纸～。❷ 便条。❸〈方〉金条。

苕 tiáo 古书上指凌霄花。
另见 1200 页 sháo。

岧(岹) tiáo [岧岧](tiáotiáo)〈书〉形 形容高。

迢 tiáo [迢迢](tiáotiáo)形 形容路途遥远:千里～。

调[1](调) tiáo ❶ 配合得均匀合适:失～|风～雨顺。❷ 动 使配合得均匀合适:～味|～配|牛肉里加点糖

～一下。❸ 调解:～停|～处|～人(调解纠纷的人)。

调[2](调) tiáo ❶ 挑逗:～笑|～戏。❷ 挑拨:～词架讼(挑拨别人诉讼)。
另见 314 页 diào。

【调拨】tiáobō 动 挑拨。
另见 314 页 diàobō。

【调处】tiáochǔ 动 调停①:～纠纷。

【调幅】tiáofú 动 使载波的频率保持不变,而它的振幅依照所传递信号的变化规律而变化。

【调羹】tiáogēng 名 羹匙。

【调和】tiáo·hé ❶ 动 掺和并搅拌:把几种中药～均匀。❷ 形 配合得适当:色彩～|雨水～。❸ 动 排解纠纷,使双方重归于好:从中～。❹ 动 妥协、让步(多用于否定式):在原则问题上没有～的余地。

【调和漆】tiáohéqī 名 油漆的一类,用干性油、颜料等制成的叫做油性调和漆,用树脂、干性油和颜料等制成的叫做磁性调和漆。一般不需调制就能使用。

【调护】tiáohù 动 调养护理:精心～。

【调级】tiáojí 动 调整级别(多指提升)。

【调剂】[1] tiáojì 动 把多和少、忙和闲等加以适当的调整:～物资|～生活|娱乐可以～精神。

【调剂】[2] tiáojì 动 根据医生的处方配制药物。

【调价】tiáo//jià 动 调整商品价格。

【调教】tiáojiào 动 ❶ 调理教导(多指儿童):不服～。❷ 照料训练(牲畜等):～劣马|～鹦鹉。

【调节】tiáojié 动 从数量上或程度上调整,使适合要求:水能～动物的体温|经过水库的～,航运条件大为改善。

【调解】tiáojiě 动 劝说双方消除纠纷:～人|～纠纷。

【调经】tiáojīng 动 中医指用药物调整月经的周期和血量,使月经正常。

【调侃】tiáokǎn 动 用言语戏弄;嘲笑。

【调控】tiáokòng 动 调节控制:～地下水的水位|经济的宏观～。

【调理】tiáo·lǐ 动 ❶ 调养;调护:病刚好,要注意～。❷ 照料;管理:～伙食|～牲口。❸ 管教;训练。❹〈方〉戏弄。

【调料】tiáoliào 名 作料。

【调弄】tiáonòng 动❶ 调笑;戏弄。❷ 整理;摆弄。❸ 调唆:～是非。

【调配】tiáopèi 动 调和、配合(颜料、药物等)。
　　另见 315 页 diàopèi。

【调皮】tiáopí 形❶ 顽皮。❷ 不驯顺;狡猾不易对付。❸ 指耍小聪明,做事不老实。

【调频】tiáopín 动❶ 调整交流发电机等的输出功率,使电力系统等的频率保持在一定范围内,以保证用电设备正常工作。❷ 使载波的振幅保持不变,而它的瞬时频率依照所传递信号的变化规律而变化。

【调情】tiáoqíng 男女间挑逗、戏谑。

【调三窝四】tiáo sān wō sì 搬弄是非,挑拨离间。也说调三斡(wò)四。

【调摄】tiáoshè 〈书〉动 调养。

【调试】tiáoshì 动 试验并调整(机器、仪器等):机床装好后经过～才能使用。

【调适】tiáoshì 动 调整使适应:～家庭成员关系|学会自我心理～。

【调速】tiáo//sù 动 调整运行速度:这种车可以自动～。

【调唆】tiáo·suō 动 挑拨,使跟别人闹纠纷:他俩不和,一定有人在～。

【调停】tiáo·tíng 动❶ 调解;居中～。❷ 照料;安排(多见于早期白话)。

【调味】tiáo//wèi 动 加在食物中使味道可口:～品|加些花椒、八角调味。

【调戏】tiáo·xì 动 用轻佻的言语举动戏弄(妇女)。

【调笑】tiáoxiào 动 开玩笑;嘲笑。

【调协】tiáoxié 形 调和;协调:不相～。

【调谐】tiáoxié ❶ 形 和谐:色彩～。❷ 动 调节可变电容器或线圈等,使接收电路的频率与外加信号的频率相同,达到谐振。

【调谑】tiáoxuè 动 调笑。

【调养】tiáoyǎng 动 调节饮食起居,必要时服用药物,使身体恢复健康:静心～|病后要好好～身体。

【调匀】tiáoyún ❶ 动 调和使均匀:把颜料～。❷ 形 调和②;均匀:雨水～|饮食～。

【调整】tiáozhěng 动 改变原有的情况,使适应客观环境和要求:～物价|～人力|～作息时间。

【调制】[1] tiáozhì 动 使电磁波的振幅、频率或脉冲的有关参数依照所需传递的信号而变化。

【调制】[2] tiáozhì 动 调配制作:～鸡尾酒。

【调制解调器】tiáozhì-jiětiáoqì 计算机通信中模拟信号与数字信号的转换设备,由调制器和解调器组成。调制器把发送的数字信号转换为模拟信号,解调器把接收到的模拟信号还原为数字信号。

【调治】tiáozhì 动 调养(身体),治疗(疾病):细心～。

【调资】tiáo//zī 动 调整工资(多指提升工资级别):评级～。

【调嘴学舌】tiáo zuǐ xué shé 指背地里说人长短,搬弄是非(调嘴:耍嘴皮子。学舌:把听到的话告诉别人)。也说调嘴弄舌。

笤 tiáo [笤帚](tiáo·zhou)名 除去尘土、垃圾等的用具,用去粒的高粱穗、黍子穗等绑成,比扫帚小。

薸(蓨) Tiáo 古地名,在今河北景县南。

龆(齠) tiáo 〈书〉儿童换牙:～年(童年)|～龀(指童年或儿童)。

蜩 tiáo 古书上指蝉。

髫 tiáo 古代指孩子的下垂的头发:垂～|～龄。

【髫龄】tiáolíng 〈书〉名 童年。

【髫年】tiáonián 〈书〉名 童年。

鲦(鰷、鯈) tiáo [鲦鱼](tiáoyú)名 鲹(cān)。

tiǎo (ㄊㄧㄠˇ)

挑 tiǎo ❶ 动 用竹竿等的一头支起:把帘子～起来。❷ 动 用细长的东西拨:～刺。❸ 动 刺绣方法,用针挑起经线或纬线,把针上的线从底下穿过去:～花。❹ 动 挑拨;挑动:～战|～衅|～是非。❺ 名 汉字的笔画,由左斜上,形状是"╱"。
　　另见 1352 页 tiāo。

【挑拨】tiǎobō 动 搬弄是非,引起纠纷:～离间(引起是非争端,使别人不和)。

【挑大梁】tiǎo dàliáng 承担重要的、起支柱作用的工作：在研究室里～的是几位年轻博士。

【挑灯】tiǎo//dēng 动❶ 挑起油灯的灯芯，使灯光更亮。❷ 把灯挂在高处：～夜战。

【挑动】tiǎodòng 动❶ 引起；惹起（纠纷、某种心理等）：～是非｜～好奇心。❷ 挑拨煽动：～战争。

【挑逗】tiǎodòu 逗引；招惹。

【挑花】tiǎohuā （～儿）动 手工艺的一种，在棉布或麻布的经纬线上用彩色的线挑出许多很小的十字，构成各种图案，一般挑在枕头、桌布、服装等上面，作为装饰。

【挑明】tiǎomíng 动 说透；揭穿：这事反正她迟早要知道，现在索性～算了。

【挑弄】tiǎonòng 动❶ 挑拨：～是非。❷ 挑逗戏弄。

【挑唆】tiǎo·suō 动 调唆。

【挑头】tiǎo//tóu （～儿）动 领头儿；带头：他～向领导提意见｜谁来挑个头，事情就好办了。

【挑衅】tiǎoxìn 借端生事，企图引起冲突或战争：武装～。

【挑战】tiǎo//zhàn 动❶ 故意激怒敌人，使敌人出来打仗。❷ 鼓动对方跟自己竞赛：班组之间互相～应战。

朓 tiǎo 古书上指农历月底月亮在西方出现。

窕 tiǎo 见 1584 页〖窈窕〗。

斛 tiǎo 〈方〉动 掉换：～谷种。

tiào （ㄊㄧㄠˋ）

眺 tiào 眺望：远～｜登高～远。

【眺望】tiàowàng 动 从高处往远处看：凭栏～｜站在山顶～。

粜（糶） tiào 动 卖出（粮食）（跟"籴"相对）：～米。

跳 tiào 动❶ 腿上用力，使身体突然离开所在的地方：～高｜～远｜连蹦带｜～过一条沟｜高兴得直～。❷ 物体由于弹性作用突然向上移动：新皮球～得高。❸

一起一伏地动：心～｜眼～。❹ 越过应该经过的一处而到另一处：～级｜隔三～两。〈古〉又同"逃"táo。

【跳板】tiàobǎn 名❶ 搭在车、船等的边沿，便于人上下的长板。❷ 比喻作为过渡的途径或工具：以展销为～向海外市场拓展。❸ 跳水池边伸出于水面之上供跳水用的长板。❹ 朝鲜族的传统体育活动，多在节日举行。参加者均为女子。玩时两人或四人一组，分站在跷跷板两端，交相蹬板，此起彼落，互将对方弹到空中。

【跳布扎】tiào bùzhá 藏传佛教习俗，在宗教节日里喇嘛装扮成神佛魔鬼等，诵经跳舞。也叫打鬼或跳神。[布扎，藏语，恶鬼]

【跳槽】tiào//cáo 动❶ 牲口离开所在的槽头到别的槽去吃食。❷ 比喻人离开原来的职业或单位到别的单位或改变职业：有的科研人员～经商去了。

【跳动】tiàodòng 动 一起一伏地动：只要我的心还在～，我就不会停止工作。

【跳房子】tiào fáng·zi 一种儿童游戏，在地上画几个方格，一只脚着地，沿地面踢瓦片，依次序经过各格。也叫跳间(jiān)。

【跳高】tiàogāo （～儿）田径运动项目之一，有急行跳高、立定跳高两种。通常指急行跳高，运动员按照规则经过助跑后跳过横杆。

【跳行】tiào//háng 动❶ 阅读或抄写时漏去一行。❷ 另起一行书写。❸ 改行。

【跳级】tiào//jí 动 学生越过本来应该经过的班级，如由一年级升到三年级。也说跳班。

【跳加官】tiào jiāguān 旧时戏曲开场或在演出中遇显贵到场时，加演的舞蹈节目，由一个演员戴假面具，穿红袍、皂靴，手里拿着"天官赐福"等字样的布幅向台下展示，表示庆贺。

【跳间】tiàojiān 动 跳房子。

【跳脚】tiào//jiǎo （～儿）动 因为焦急或发怒而跺脚。

【跳梁】tiàoliáng 动 跳跳蹦蹦（多用来比喻跋扈，猖獗）：～小丑（指上窜下跳，兴风作浪的卑劣小人）。也作跳踉。

【跳踉】tiàoliáng 同"跳梁"。

【跳马】tiàomǎ 名❶ 体操器械,略像马,背าง้ 无环,高低可以调节,是木马的一种。❷ 竞技体操项目之一,运动员用手支撑跳马的背做各种腾越动作。

【跳蛃】tiàonǎn 名 蝗蝻。

【跳皮筋儿】tiào píjīnr 一种儿童游戏。跳时由两人分执皮筋两端,其余参加者在皮筋上来回踏跳。

【跳棋】tiàoqí 名 棋类游艺的一种。棋盘是六角的星形,上面画着许多三角形的格子。游艺各方的棋子各占满一个犄角,根据规则,或移动,或跳越,先把自己的棋子全部走到对面的那个犄角的为胜。

【跳伞】tiào∥sǎn 动 利用降落伞从飞行中的飞机或跳伞塔上跳下来。

【跳伞塔】tiàosǎntǎ 名 训练跳伞用的塔形建筑物,高度一般为 25—85 米。

【跳神】tiào∥shén 动❶ (～儿)巫或巫师装出鬼神附体的样子,乱说乱舞,迷信的人认为能给人驱鬼治病。也说跳大神。❷ 见〖跳布扎〗。

【跳绳】tiàoshéng ❶ (～/-/-)动 一种体育活动或儿童游戏,把绳子挥舞成圆圈,人趁绳子近地时跳过去。❷ 名 跳绳用的绳子:买一根～。

【跳水】tiàoshuǐ 动❶ 水上体育运动项目之一。从跳台或跳板上跳入水中,身体在空中做出各种优美的动作。❷ 比喻证券价格、指数等急速下跌。

【跳水池】tiàoshuǐchí 名 专供跳水运动用的池子,池边有跳台,比游泳池深。

【跳台】tiàotái 名 跳水池旁为跳水设置的平台。台高一般为 5 米、7.5 米和 10 米。

【跳台滑雪】tiàotái huáxuě 滑雪运动项目之一。运动员脚穿专用雪板,不用雪杖,借助滑道高速度从跳台腾空跃出,落下时要根据飞越的距离和完成的动作姿势综合评分。

【跳舞】tiào∥wǔ 动❶ 舞蹈。❷ 跳交谊舞。

【跳箱】tiàoxiāng 名❶ 体操器械的一种。形状像箱,略呈梯形,高低可以调节。❷ 体操项目之一,运动员以种种不同的姿势跳过跳箱。

【跳鞋】tiàoxié 名 跳高、跳远时穿的鞋,和跑鞋相似。是钉鞋的一种。

【跳远】tiàoyuǎn (～儿)动 田径运动项目之一,有急行跳远、立定跳远两种,通常指急行跳远,运动员按照规则,经助跑后向前跃进沙坑内。

【跳月】tiàoyuè 名 苗、彝等族青年的一种娱乐活动,在节日里,男女青年在野外月光下歌舞。

【跳跃】tiàoyuè 动 跳①:～前进|～运动。

【跳跃器】tiàoyuèqì 名 体操器械的一种。形状像跳马而短,高低可以调节。可用来做腾越、全旋等动作。也叫山羊。

【跳越】tiàoyuè 动 跳着越过:～障碍|战士们～过一道道壕沟冲向敌阵。

【跳蚤】tiào·zao 名 昆虫,身体小,深褐色或棕黄色,有口器,脚长,善跳跃。寄生在人或哺乳动物身体上,吸血液,是传染鼠疫、斑疹伤寒等的媒介。也叫虼蚤(gè·zao)。

【跳蚤市场】tiào·zao shìchǎng 指经营廉价商品、旧货物和古物的露天市场。

【跳闸】tiào∥zhá 动 电闸断路,叫做跳闸。

帖 怗 tiē ❶ 顺从;顺服;服～。❷ 妥当;稳当;妥～。❸ (Tiē)名 姓。
另见 1357 页 tiě;1359 页 tiè。

怗 tiē 〈书〉平定;平息(叛乱)。

贴¹ (貼) tiē ❶ 动 把薄片状的东西粘在另一个东西上:剪～|～邮票|把宣传画～在墙上。❷ 动 紧挨:～身|～着墙走。❸ 动 贴补:哥哥每月～他零用钱。❹ 名 津贴①:米～|房～。❺ 量 膏药一张叫一贴。

贴² (貼) tiē 同"帖"①②。

【贴边】¹ tiē∥biān (～儿)形 挨边;沾边:你说的话和事实不贴边儿。

【贴边】² tiēbiān 名 缝在衣服里子边上的窄条,一般跟面儿用同样的料子。

【贴标签】tiē biāoqiān 比喻在评论中不作具体分析,只是生搬硬套地加上一些名目。

【贴饼子】tiēbǐng·zi 名 用玉米面、小米面等做的长圆形厚饼,贴在锅的周围烤熟。

【贴补】tiē·bǔ 动❶ 从经济上帮助(多指对亲属或朋友):他每月～弟弟几百元钱,

供弟弟上学用。❷用积蓄的财物弥补日常的消费：还有存的料子～着用，现在先不买。

【贴画】tiēhuà 名❶贴在墙上的年画、宣传画等：百寿图～。❷火柴盒或其他器物上贴的画片。

【贴换】tiē·huàn 动把旧的器物折价后加一些钱跟商贩或厂家交换新的。

【贴己】tiējǐ 形❶亲密；亲近：～话｜她对大娘表现出十分～的样子｜我真是错认了他，把他当成～的人。❷〈方〉属性词。家庭成员个人积蓄的(财物)：梯己：～钱｜她把一首饰卖了，贴补家用。

【贴金】tiē∥jīn 动在神佛塑像上贴上金箔，比喻夸耀、美化：别往自己脸上～!

【贴近】tiējìn ❶动紧紧地挨近：接近：～生活｜老头儿凑嘴～他的耳朵边，低低地说了几句。❷形亲近：找～的人说说心里话。

【贴谱】tiē∥pǔ （～儿）〈口〉形（讲话或做事）合乎准则或实际：这个分析很～｜话说得不～。

【贴切】tiēqiè 形（措辞）恰当；确切：比喻要用得～，用得通俗。

【贴权】tiēquán 动某只股票在除权、除息后交易价格低于除权、除息价格叫贴权。

【贴身】tiēshēn 形❶（～儿）属性词。紧挨着身体的：～儿的小褂儿。❷合身；可体：他裁的衣服穿了～。❸属性词。指跟随在身边的：～丫鬟｜保镖。

【贴水】tiēshuǐ ❶动掉换票据或兑换货币时，因比价的不同，比价低的一方补足一定的差额给另一方。❷名掉换票据或兑换货币时所补足的差额。

【贴题】tiētí 形切合题目：着墨不多，但是十分～。

【贴息】tiēxī ❶动定期票掉换现款时付出利息。❷名定期票掉换现款时所付出的利息。

【贴现】tiēxiàn 动拿没有到期的票据到银行兑现或做支付手段，并由银行扣除从交付日至到期止这段时间内的利息。

【贴心】tiēxīn 形最亲近；最知己：～话｜～的朋友。

萜 tiē 名有机化合物的一类，多为有香味的液体，松节油、薄荷油等都含萜的化合物。[英 terpenes]

tiě （ㄊㄧㄝˇ）

帖 tiě ❶邀请客人的通知：请～。❷旧时写着生辰八字等的纸片：庚～｜换～。❸（～儿）写着字的小纸片：字～儿（便条）。❹〈方〉量用于配合起来的若干味汤药：一～药。

另见 1356 页 tiē；1359 页 tiè。

【帖子】tiě·zi 名帖①②③。

铁（鐵、鈇） tiě ❶名金属元素，符号 Fe(ferrum)。银白色，质硬，延展性强，纯铁磁化和去磁都很快，含杂质的铁在湿空气中容易生锈。是炼钢的主要原料，用途很广。❷指刀枪等：手无寸～｜动－为凶。❸形形容坚硬；坚强；牢固：～拳｜～汉子｜～饭碗｜他俩关系很～。❹形形容强暴或精锐：～蹄｜～骑。❺形形容确定不移：～定｜～的事实｜～案。❻动形容庄严肃：他－着个脸，没有一丝笑容。❼(Tiě)名姓。

【铁案】tiě'àn 名证据确凿、不能被推翻的定案或结论：～如山｜这案子已成～，改变不了。

【铁案如山】tiě'àn rú shān 定案像山那样不能推翻(多因证据十分确凿)。

【铁板钉钉】tiěbǎn dìng dīng 比喻事情已定，不能变更：这次球赛，甲队获胜，看来是～了｜事实俱在，～，你抵赖不了。

【铁板一块】tiěbǎn yī kuài 比喻像铁板那样难以分割的整体：他们不是～，内部有矛盾，有分歧。

【铁笔】tiěbǐ 名❶刻图章用的小刀。❷刻蜡纸用的笔。

【铁壁铜墙】tiě bì tóng qiáng 见 1369 页『铜墙铁壁』。

【铁饼】tiěbǐng 名❶田径运动项目之一，运动员一手平挽铁饼，转动身体，然后投出。❷田径运动使用的投掷器械之一，形状像凸镜，边沿和中心用铁制成，其余部分用木头。

【铁蚕豆】tiěcándòu 名一种炒熟的蚕豆，壳不裂开，比较硬。

【铁杵磨成针】tiě chǔ mó chéng zhēn 传说李白幼年时，在路上碰见一个老大娘，正在磨一根铁杵，说要把它磨成一根针。

李白很感动,改变了中途辍学的念头,终于取得了很大的成就(见于宋代祝穆《方舆胜览·五十三·磨针溪》)。比喻有恒心肯努力,做任何事情都能成功。

【铁窗】tiěchuāng 名 安上铁栅的窗户,借指监牢:～生活。

【铁搭】tiědā〈方〉名 刨土用的一种农具,有三至六个略向里弯的铁齿。也作铁铸。

【铁铸】tiědā 同"铁搭"。

【铁打】tiědǎ 形 属性词。用铁打成的,比喻坚固或坚强:～江山｜～的汉子。

【铁道】tiědào 名 铁路。

【铁定】tiědìng 动 确定不移:～的事实｜败局已经～。

【铁饭碗】tiěfànwǎn 名 比喻非常稳固的职业、职位。

【铁杆】tiěgǎn (～儿)形 属性词。❶ 比喻十分可靠:～卫队。❷ 形容顽固不化:～汉奸。

【铁工】tiěgōng 名 ❶ 制造和修理铁器的工作。❷ 做这种工作的技术工人。

【铁公鸡】tiěgōngjī 名 比喻一毛不拔非常吝啬的人。

【铁观音】tiěguānyīn 名 乌龙茶的一种。

【铁轨】tiěguǐ 名 钢轨。

【铁汉】tiěhàn 名 指坚强的人。也叫铁汉子。

【铁合金】tiěhéjīn 名 铁和其他金属或非金属(不包括碳)组成的合金的统称,如锰铁、硅铁、钨铁、钼铁、磷铁等。铁合金一般质脆,不能直接作为金属材料使用。

【铁画】tiěhuà 名 一种工艺品,用铁片、铁线构成图画,涂上黑色或棕红色。也指制作铁画的工艺。

【铁灰】tiěhuī 形 像铁表面氧化后那样的深灰色。

【铁蒺藜】tiějí·li 名 一种军用障碍物,用铁做成,有尖刺像蒺藜,布在要道上或浅水中,阻碍敌军人马、车辆行动。

【铁甲】tiějiǎ 名 ❶ 古代用铁片连缀而成的战衣。❷ 用厚钢板做成的车或船的外壳:～车。

【铁甲车】tiějiǎchē 名 装甲车。

【铁甲舰】tiějiǎjiàn 名 装甲舰。

【铁将军】tiějiāngjūn 名 指锁门的锁(含诙谐意):～把门。

【铁匠】tiě·jiang 名 制造和修理铁器的手

工业工人。

【铁脚板】tiějiǎobǎn (～儿)名 指善于走路的脚,也指善于走路的人。

【铁军】tiějūn 名 指顽强善战、无坚不摧的军队。

【铁力木】tiělìmù 名 ❶ 常绿乔木,高可达30多米,叶子披针形,花白色。木材暗红色,质地坚硬,可制家具。❷ 这种植物的木材。

【铁路】tiělù 名 有钢轨的供火车行驶的道路。也叫铁道。

【铁律】tiělǜ 名 比喻确定不移的规律:违背大自然的～注定是要吃苦头的。

【铁马】[1] tiěmǎ〈书〉名 铁骑:金戈～。

【铁马】[2] tiěmǎ 名 悬挂在宫殿庙宇等屋檐下的金属片,风吹时撞击发声。

【铁面无私】tiě miàn wú sī 形容公正严明,不讲情面。

【铁皮】tiěpí 名 压成薄片的熟铁,多指镀锌铁或镀锡铁。

【铁骑】tiěqí〈书〉名 指精锐的骑兵。

【铁器时代】tiěqì shídài 青铜时代之后的一个时代,这时人类普遍制造和使用铁制的生产工具,特别是铁犁。我国在公元前5世纪,中原地区已经使用铁器。

【铁锹】tiěqiāo 名 起砂、土等的工具,用熟铁或钢板制成,前端略呈圆形而稍尖,后端安有长的木把儿。

【铁青】tiěqīng 形 青黑色。多形容人恐惧、盛怒或患病时发青的脸色。

【铁拳】tiěquán 名 比喻强大的打击力量。

【铁人三项】tiěrén sānxiàng 体育运动项目之一。由依次进行的天然水域游泳、公路自行车、公路长跑三部分组成,要求运动员连续完成。由于这项运动需要运动员具有坚强的意志和体力,所以叫铁人三项。

【铁纱】tiěshā 名 用细铁丝纵横交错编成的网状物,多用来做纱窗。

【铁砂】tiěshā 名 ❶ 含铁的矿砂。❷ 铁制小颗粒,喷射铁砂可用来清除铸件表面的砂子,也用作猎枪的子弹。

【铁杉】tiěshān 名 常绿大乔木,高可达50米,叶子条形,球果卵形,鳞片黄褐色,有光泽。木材供建筑或制家具等用。

【铁石心肠】tiě shí xīncháng 比喻心肠硬,不为感情所动。

【铁树】tiěshù 名 苏铁的通称。

【铁树开花】tiěshù kāi huā 苏铁原产热带,不常开花,移植北方后,往往多年才开一次。比喻事情非常罕见或极难实现。

【铁水】tiěshuǐ 名 铁熔化而成的炽热液体。

【铁丝】tiěsī 名 用铁拉制成的线状成品。

【铁丝网】tiěsīwǎng 名 ❶ 铁丝编成的网子。❷ 一种网状障碍物,用有刺或无刺的铁丝固定在桩上,军事上用来阻止敌人的步兵、车辆等,也可用于保护禁区、仓库和建筑工地等。

【铁算盘】tiěsuàn•pán 名 比喻精细的计算,也比喻很会计算的人。

【铁索】tiěsuǒ 名 钢丝绳成的绳索或粗链:～桥。

【铁索桥】tiěsuǒqiáo 名 以铁索为主要承重构件的桥,桥面铺设或悬吊在铁索上。

【铁塔】tiětǎ 名 ❶ 用铁造的塔,也指铁色釉砖砌成的塔。❷ 指架设高压输电线的铁架子。

【铁蹄】tiětí 名 比喻踩躏人民的残暴行为。

【铁腕】tiěwàn 名 ❶ 指强有力的手段:～人物。❷ 指强有力的统治。

【铁锨】tiěxiān 名 铲砂、土等东西的工具,用熟铁或钢板制成,长方形片状,一端安有长的木把儿。

【铁心】tiě‖xīn 动 指下定决心:～支边｜这回他可铁了心啦。

【铁芯】tiěxīn 名 电机、变压器、电磁铁等电器的中心部分,多用硅钢片等材料制成。

【铁锈】tiěxiù 名 钢铁表面上生成的红褐色的锈,主要成分是水合氧化铁。

【铁血】tiěxuè 形 属性词。指具有刚强意志和富于牺牲精神的:～青年｜～男儿。

【铁艺】tiěyì 名 用锻造、铸造等方式制成的铁质装饰品。

【铁则】tiězé 名 比喻确定不移的法则;铁律:落后就要挨打,这是一个～。

【铁证】tiězhèng 名 指确凿的证据:～如山(形容证据确凿不移)。

<big>tiè （ㄊㄧㄝˋ）</big>

<big>帖</big> tiè 名 ❶ 学习写字或绘画时临摹用的样本:碑～｜习字～｜画～｜临～。

另见 1356 页 tiē;1357 页 tiě。

<big>餮</big> tiè 〈书〉贪食。参看 1330 页〖饕餮〗。

<big>厅（廳、庁）</big> tīng 名 ❶ 聚会或招待客人用的房间:大～｜门～｜客～｜餐～。❷ 中央或省一级机关办事部门的名称:办公～。❸ 某些省属机关的名称:教育～｜财政～。

【厅房】tīngfáng 〈方〉名 厅①。

【厅堂】tīngtáng 名 厅①。

<big>汀</big> tīng 〈书〉水边平地:绿～｜蓼花～。

【汀线】tīngxiàn 名 海岸被海水侵蚀而成的线状的痕迹。

<big>听¹（聽、聼）</big> tīng ❶ 动 用耳朵接受声音:～音乐｜耳朵聋了～不见｜你的话我已经～清楚了。❷ 动 听从(劝告);接受(意见):言～计从｜我劝他,他不～。❸ 动 (旧读 tìng)听凭:任凭:～任｜～便｜～其自然。❹ 治理;判断:～政｜～讼。

<big>听²（聽、聼）</big> tīng 名 用镀锡或镀锌的薄铁皮做成的装食品、饮料、香烟等的筒子或罐子:～装｜一～香烟｜三～咖啡。[英 tin]

【听便】tīng‖biàn 动 听凭自便:你参加不参加这个会,～。

【听差】tīngchāi ❶ 动 听从差使:他从前在衙门～。❷ 名 旧时指在机关或有钱人家里做勤杂工作的男仆人。

【听从】tīngcóng 动 依照别人的意思行动:～指挥｜～劝告。

【听而不闻】tīng ér bù wén 听了和没听见一样,指漠不关心。

【听风是雨】tīng fēng shì yǔ 比喻只听到一点儿风声就当做真的。也说听见(到)风就是雨。

【听骨】tīnggǔ 名 听小骨的通称。

【听喝】tīng‖hē （～儿）〈口〉动 听从别人安排,受别人使唤:我们只管～干活儿,别的事一概不问｜你说怎么干就怎么干,听你喝。

【听候】tīnghòu 动 等候(上级的决定):～

调遣|～分配|～处理。

【听话】tīng∥huà ❶ 囫 用耳朵接受别人的话音：他耳背，～有困难。❷ 圐 听从长辈或领导的话；能顺从长辈或领导的意志：这孩子很～|他把手下不听他话的人都辞退了。❸（～儿）囫 等候别人给回话；同意还是不同意你去，你明天就～吧。

【听会】tīng∥huì 囫 到会场听发言、讲演等；今天来～的人很多。

【听见】tīng∥•jiàn 囫 听到：听得见|听不见|～打雷的声音。

【听讲】tīng∥jiǎng 囫 听人讲课或讲演：一面～，一面记笔记。

【听觉】tīngjué 囵 声波振动鼓膜所产生的感觉：～灵敏。

【听课】tīng∥kè 囫 听教师讲课：～时思想要集中|我听过他的课，讲得很好。

【听力】tīnglì 囵 耳朵辨别声音的能力。

【听命】tīngmìng 囫 听从命令：俯首～|～于人。

【听啤】tīngpí 囵 用听装的啤酒。

【听凭】tīngpíng 囫 让别人愿意怎样就怎样：去也罢，不去也罢，～你自己做主。

【听其自然】tīng qí zì rán 任凭人或事物自然发展变化，不去干涉。

【听取】tīngqǔ 囫 听（意见、反映、汇报等）：虚心～群众意见|大会～了常务委员会的工作报告。

【听任】tīngrèn 囫 听凭。

【听审】tīngshěn 囫 听候审判。

【听事】tīngshì 〈书〉❶ 囫 听政。❷ 囵 大厅（多指官署中的）。

【听说】tīngshuō ❶ 囫 听人说：我～他到上海去了。❷〈方〉圐 听话②。

【听讼】tīngsòng 〈书〉囫 审理案件：～断狱。

【听天由命】tīng tiān yóu mìng 任凭事态自然发展变化，不做主观努力，有时也用来比喻碰机会或听其自然。

【听筒】tīngtǒng 囵 ❶ 电话机的受话器。❷ 听诊器。

【听闻】tīngwén 〈书〉囵 指听的活动或听到的内容：骇人～|以广～。

【听小骨】tīngxiǎogǔ 囵 中耳里三块小骨（锤骨、砧骨和镫骨）的统称，作用是把鼓膜的振动传给内耳。通称听骨。（图见360页"人的耳朵"）

【听写】tīngxiě 囫 语文教学方法之一，由教师发音或朗读，学生笔录，用来训练学生听和写的能力。

【听信】[1] tīng∥xìn （～儿）囫 等候消息：今天晚上开会就决定这件事儿，你～吧。

【听信】[2] tīngxìn 囫 听到而相信（多指不正确的话或消息）：～谣言|一面之词。

【听阈】tīngyù 囵 能产生听觉的最高限度和最低限度的刺激强度。

【听障】tīngzhàng 囵 听觉障碍，指耳聋或听力极差：先天性～。

【听诊】tīngzhěn 囵 诊察的一种方法，用听诊器或耳朵来听心、肺等内脏器官的声音，以便进行诊断。

【听诊器】tīngzhěnqì 囵 听诊用的器械。也叫听筒。

【听证】tīngzhèng 囫 ❶ 法院为公正执法公开听取当事人的说明与证问。❷ 立法机关为保障法律、法规的合法性和合理性，直接听取各方面的意见。❸ 行政机关为实施行政决定公开听取公众意见和质询。

【听政】tīngzhèng 囫（帝王或摄政的人）上朝听取臣子报告，并决定政事：垂帘～。

【听之任之】tīng zhī rèn zhī 听任事情自然发展，不管不问。

【听众】tīngzhòng 囵 听讲演、音乐或广播的人。

【听装】tīngzhuāng 圐 属性词。用听包装的：～奶粉。

【听子】tīng•zi 囵 听[2]。

烃(烴) tīng 囵 碳氢化合物。

【烃基】tīngjī 囵 烃分子失去一个或几个氢原子而成的基团，通常用 R 表示，如烷基、烯基、芳香基等。

桯 tīng ❶（～儿）囵 桯子：这个锥子～儿太细。❷ 古代放置床前的小桌。

【桯子】tīng•zi 囵 ❶ 锥子等前部的细长金属棍儿：锥～。❷ 蔬菜等的花轴。

鞓 tīng 〈书〉皮革制成的腰带。

tíng （ㄊㄧㄥˊ）

廷 tíng ❶ 朝廷：宫～|清～（清朝中央政府）。❷（Tíng）囵 姓。

莛 tíng（～儿）图 某些草本植物的茎：麦～儿。

亭[1] tíng ❶ 亭子。❷ 形状像亭子的小房子：邮～|书～。❸（Tíng）图 姓。

亭[2] tíng〈书〉适中；均匀：～午。

【亭亭】tíngtíng〈书〉❶ 形 形容高耸。❷ 同"婷婷"。

【亭亭玉立】tíngtíng yù lì 形容美女身材修长或花木等形体挺拔。

【亭午】tíngwǔ〈书〉图 正午；中午。

【亭匀】tíngyún 同"停匀"。

【亭子】tíng·zi 图 盖在路旁或花园里供人休息的建筑物，面积较小，大多只有顶，没有墙。

【亭子间】tíng·zijiān〈方〉图 上海等地某些旧式楼房中的一种小房间，位置在房子后部的楼梯中间，狭小，光线较差。

庭 tíng ❶ 厅堂：大～广众。❷ 正房前的院子：前～后院。❸ 指法庭：民～|刑～|开～。❹（Tíng）图 姓。

【庭除】tíngchú〈书〉图 庭院（除：台阶）：洒扫～。

【庭审】tíngshěn 动 法庭审理：进行～|～笔录。

【庭园】tíngyuán 图 有花木的庭院或附属于住宅的花园。

【庭院】tíngyuàn 图 正房前的院子，泛指院子。

停[1] tíng ❶ 动 停止：～办|雨～了。❷ 动 停留：我在杭州～了三天，才去金华。❸ 动 停放；停泊：车～在大门口|船～在江心，没有靠岸。❹ 停当：～妥。

停[2] tíng（～儿）〈口〉量 总数分成几等份，其中一份叫一停儿：三～儿去了两～儿，还剩一～儿|十～儿有九～儿是好的。

【停摆】tíng//bǎi 动 钟摆停止摆动，比喻事情停顿：因材料跟不上，工程已～三天了。

【停办】tíngbàn 动（事情、事业等）不再继续进行：速成中学早已～。

【停泊】tíngbó 动（船只）停靠；停留：码头上～着许多轮船。

【停车】tíng//chē 动 ❶ 车辆停住或停止行驶：～十分钟|因修理马路，～三天。❷ 停放车辆：～处|～场。❸（机器）停止转动：三号车间～修理。

【停当】tíng·dang 形 齐备；妥当：一切准备～。

【停顿】tíngdùn 动 ❶（事情）中止或暂停：生产陷于～状态。❷ 说话时语音上稍作间歇：他～了一下，又继续往下说。

【停放】tíngfàng 动 短时间放置（多指车辆、灵柩）：一辆自行车～在门前。

【停工】tíng//gōng 动 停止工作（多指生产劳动）：～待料|没误过一天工。

【停航】tíngh

áng 动（轮船或飞机）停止航行：班机因气候恶劣～。

【停火】tíng//huǒ 动 交战双方或一方停止攻击：双方达成～协议。

【停机】tíngjī 动 ❶ 影片、电视片拍摄工作结束：该影片现已～，进入后期制作。❷ 停放飞机：～坪。

【停刊】tíng//kān 动（报纸、杂志）停止刊行。

【停靠】tíngkào 动 轮船、火车等停留在某个地方：一般万吨货轮～在码头。

【停课】tíng//kè 动 停止上课：学校开运动会，～一天。

【停灵】tínglíng 动 埋葬前暂时把灵柩停放在某个地方。

【停留】tíngliú 动 暂时不继续前进；代表团在北京～了一周|不能～在目前的水平上。

【停牌】tíng//pái 动 指某种证券暂停交易：因召开股东大会公司股票～一天。

【停食】tíng//shí 动 食物停滞在胃里不消化。

【停手】tíng//shǒu 动 停止正在做的事情。

【停妥】tíngtuǒ 形 停当妥帖：收拾～|商议～|准备～。

【停息】tíngxī 动 停止：雨一～，大家立即赶路。

【停歇】tíngxiē 动 ❶ 歇业：小店因亏本～。❷ 停止；停息：直到天亮，大风还没有～。❸ 停止行动而休息：队伍～在小树林里。

【停学】tíng//xué 动（学生）因故停止上学。

【停业】tíng//yè 动 ❶ 暂时停止营业：～整顿|盘点存货～两天。❷ 歇业。

【停匀】tíngyún〈书〉形 均匀（多指形体、节奏）。也作亭匀。

【停战】tíng//zhàn 动 交战双方停止作战

～协定。

【停诊】tíngzhěn 動 停止门诊：节日～,急诊除外。

【停职】tíng//zhí 動 暂时解除职务,是一种处分：～反省。

【停止】tíngzhǐ 動 不再进行：～演习|～营业|暴风雨～了。

【停滞】tíngzhì 動 因为受到阻碍,不能顺利地运动或发展：～不前|生产～。

葶 tíng [葶苈](tínglì)名 一年生草本植物,叶子卵圆形或长椭圆形,花小,黄色,果实椭圆形。种子可入药。

蜓 tíng 见 1115 页〖蜻蜓〗。

渟 tíng 〈书〉水停滞。

婷 Tíng 名 姓。

【婷婷】tíngtíng 〈书〉形 形容人或花木美好。也作亭亭。

霆 tíng 暴雷;霹雳：雷～。

tǐng （ㄊㄧㄥˇ）

町 tǐng 〈书〉❶ 田界。❷ 田亩;田地。
另见 318 页 dīng。

侹 tǐng 〈书〉平而直。

挺[1] tǐng ❶ 硬而直：笔～|～立|～然屹立(坚强地直立着)。❷ 動 伸直或凸出(身体或身体的一部分)：～胸|～着脖子。❸ 動 勉强支撑：他有病还硬～着上班。❹ 特出;杰出：英～|～拔。❺〈口〉副 很：这花～香|他学习～努力|心里～不痛快的。

挺[2] tǐng 量 用于机枪。

【挺拔】tǐngbá 形 ❶ 直立而高耸：峰峦～|～的白杨。❷ 坚强有力;强劲：笔力～。

【挺括】tǐng·guā 〈方〉形 (衣服、布料、纸张等)较硬挺而平整。

【挺进】tǐngjìn 動 (军队)直向前进：～队|部队人马不停蹄地向前～。

【挺举】tǐngjǔ 名 一种举重法,双手把杠铃

从地上提到胸前,再利用屈膝等动作举过头顶,一直到两臂伸直、两腿直立为止。

【挺立】tǐnglì 動 直立：几棵老松树～在山坡上。

【挺身】tǐng//shēn 動 直起身子：挺起身来|～而起|～反抗。

【挺尸】tǐng//shī 動 尸体直挺挺地躺着,常用来骂人睡觉。

【挺脱】tǐngtuō 〈方〉形 ❶ 强劲;结实：这匹马真～。❷ (衣着)平整而舒展。

【挺秀】tǐngxiù 形 (身材、树木等)挺拔秀丽：峰峦～|字体～。

珽 tǐng 〈书〉玉笏。

梃 tǐng ❶〈书〉棍棒。❷ 梃子：门～|窗～。❸ (～儿)〈方〉名 花梗：独～儿(只开一朵花的花梗)|～折(shé)了。
另见 1362 页 tìng。

【梃子】tǐng·zi 名 门框、窗框或门扇、窗扇两侧直立的边框。

脡 tǐng 〈书〉❶ 长条的干肉。❷ 直。

铤(鋌) tǐng 〈书〉快走的样子。
另见 323 页 dìng。

【铤而走险】tǐng ér zǒu xiǎn 指因无路可走而采取冒险行动。

颋(頲) tǐng 〈书〉正直;直。

艇 tǐng 名 ❶ 比较轻便的船,如游艇、救生艇等。❷ 小型军用船只,如炮艇。潜水艇无论大小习惯上都称为艇。

【艇只】tǐngzhī 名 艇(总称)。

tìng （ㄊㄧㄥˋ）

梃 tìng ❶ 動 杀猪后,在猪的后腿上割一个口子,用铁棍贴着腿皮往里捅叫做梃,捅出沟后,往里吹气,使猪皮绷紧,以便去毛除垢：～猪。❷ 名 梃猪用的铁棍。
另见 1362 页 tǐng。

tōng （ㄊㄨㄥ）

恫(痌) tōng 〈书〉病痛。
另见 329 页 dòng。

【恫瘝在抱】tōng guān zài bào 把人民的疾苦放在心上。

通 tōng ❶ 动 没有堵塞，可以穿过：管子是～的|山洞快要打～了◇这个主意行得～。❷ 动 用工具戳，使不堵塞：用通条～炉子。❸ 动 有路达到：四～八达|火车直～北京。❹ 连接；来往：沟～|串～|私～|～商|互～有无。❺ 动 传达；使知道：～知|～报|～个电话。❻ 动 了解；懂得：～晓|精～业务|粗～文墨|不～人情|他～三国文字。❼ 指精通某一方面的人：日本～|万事～。❽ 形 通顺；文章写得不～。❾ 普通；一般：～常|～病|～例|～称。❿ 整个；全部：～共|～夜|～盘。⓫ 量 用于文书电报等：一～电报|一～文书|手书两～。⓬（Tōng）名 姓。

另见 1371 页 tòng。

【通报】tōngbào ❶ 动 上级机关把工作情况或经验教训等用书面形式告诉下级机关：～表扬|～灾情。❷ 名 上级机关通告下级机关的文件。❸ 名 报道科学研究的动态和成果的刊物：科学～|化学～。❹ 动 通知；告诉（上级或主人）：请～院长一声，门外有人求见。❺ 动 说出（姓名）：各自的姓名。

【通病】tōngbìng 名 一般都有的缺点：娇气可以说是独生子女的～。

【通才】tōngcái 名 兼备多种才能的人。

【通常】tōngcháng 形 属性词。一般；平常：～的情况|～的方法|他～六点钟就起床。

【通畅】tōngchàng 形 ❶ 运行无阻；通行无阻：血液循环～|道路～。❷（思路、文字）流畅：文笔～。

【通车】tōng//chē 动 ❶ 铁路或公路修通，开始行车：～典礼。❷ 有车来往：我老家在山区，那儿不～。

【通彻】tōngchè 动 通晓；贯通。

【通称】tōngchēng ❶ 动 通常叫做：乌鳢～黑鱼。❷ 名 通常的名称：水银是汞的～。

【通存】tōngcún 动 在一个储蓄点存款后可在同一银行任何储蓄点办理存款的存款方式。

【通达】tōngdá 动 明白（人情事理）：～人情|见解～。

【通道】tōngdào 名 往来的大路；路路：南北～。

【通敌】tōng//dí 动 勾结敌人。

【通电】¹ tōng//diàn 动 使电流通过；输送电能：山区村村都通了电。

【通电】² tōngdiàn ❶ 动 把宣布政治上某种主张的电报拍给有关方面，同时公开发表：～全国。❷ 名 公开发表的宣布政治上某种主张的电报：大会～|～发出～。

【通牒】tōngdié 名 一个国家通知另一个国家并要求对方答复的文书：最后～。

【通都大邑】tōng dū dà yì 交通便利的大城市。

【通读】¹ tōngdú 动 从头到尾阅读全书或全文：～课文|书稿已～一遍。

【通读】² tōngdú 动 读懂；读通：他学过几年英语，浅显的英文原著已能～。

【通兑】tōngduì 动 在一个储蓄点存款后可在同一银行任何储蓄点兑付的兑款方式。

【通分】tōng//fēn 动 把几个分母不同的分数化成分母相同而数值不变的分数。通分后的相同分母叫做公分母，通常用各分数分母的最小公倍数作为公分母。如 $\frac{1}{2}$ 和 $\frac{1}{3}$ 通分后得 $\frac{3}{6}$ 和 $\frac{2}{6}$。

【通风】tōngfēng 动 ❶ 空气流通；透气儿：这屋子～|闷得很。❷（-//-）使空气流通：～设备|把窗户打开，通通风。❸（-//-）透露消息：～报信。

【通风报信】tōng fēng bào xìn 向别人暗中透露消息，多指把对立双方中一方的机密暗中告知另一方。

【通告】tōnggào ❶ 动 普遍地通知：～周知。❷ 名 普遍通知的文告：布告栏里贴着一张～。

【通共】tōnggòng 副 一共：～有八个队参加比赛。

【通古斯】Tōnggǔsī 名 西方学者对属于阿尔泰语系的某些民族的称呼，包括我国的满族、赫哲族、鄂伦春族、鄂温克族等。

【通关】tōngguān ❶ 名 见 246 页〖打通关〗。❷ 动 通过海关关口：～手续|进出境车辆的～速度提高了。

【通观】tōngguān 动 总的来看；全面地看：～全局。

【通过】tōngguò ❶（-//-）动 从一端或一

侧到另一端或另一侧；穿过：电流～导线｜队伍～了沙漠｜路太窄，汽车不能～。❷（-/-）囫议案等经过法定人数的同意而成立：～决议｜该提案以四分之三的多数票获得～。❸囧以人或事物为媒介或手段而达到某种目的：～老艺人收集民间故事｜～座谈会征询意见。❹囫征求有关的人或组织的同意或核准：～组织｜～领导｜这问题要～群众，才能做出决定。

【通航】tōngháng 囫有船只或飞机来往：这两个城市之间早已直接～。

【通好】tōnghǎo〈书〉囫互相友好往来（多指国与国之间）：累世～。

【通红】tōnghóng 圄状态词。很红；十分红：脸冻得～｜炉火～。

【通话】tōnghuà 囫❶（-/-）通电话：他刚打长途同一个朋友通了话。❷用彼此听得懂的话交谈：他俩用英语～。

【通婚】tōng//hūn 囫结成姻亲。

【通货】tōnghuò 囵在社会经济活动中作为流通手段的货币：硬～｜～膨胀。

【通货紧缩】tōnghuò jǐnsuō ❶国家纸币的发行量小于流通中所需要的货币量，引起物价下跌的现象。通货紧缩会造成国民经济增长乏力和衰退，失业率上升，人民生活水平下降。❷缩减流通中的纸币数量，提高货币的购买力，以抑制通货膨胀。‖简称通缩。

【通货膨胀】tōnghuò péngzhàng 国家纸币的发行量超过流通中所需要的货币量，引起纸币贬值，物价上涨的现象。简称通胀。

【通缉】tōngjī 囫司法机关通令有关地区协同缉拿在逃的犯罪嫌疑人或在押犯人：～令｜～逃犯。

【通家】tōngjiā〈书〉囵❶世代交好的家庭：～之好｜～之谊。❷指姻亲：～亲戚。❸指内行人。

【通假】tōngjiǎ 囫汉字的通用和假借。

【通奸】tōng//jiān 囫男女双方没有夫妇关系而发生性行为（多指一方或双方已有配偶）。

【通解】tōngjiě〈书〉囫通晓；理解：～经籍。

【通经】[1] tōng//jīng 囫旧时指通晓儒家经典。

【通经】[2] tōng//jīng 囫中医指用药物、针灸等使月经通畅。

【通栏】tōnglán 囵书籍报刊上，从左到右或从上到下贯通版面不分栏的编排形式：～标题。

【通力】tōnglì 囮一齐出力（做某事）：～合作。

【通例】tōnglì 囵❶一般的情况；常规；惯例：星期日休息是学校的～。❷〈书〉较普遍的规律。

【通连】tōnglián 囫接连而又相通：跟卧房～的还有一间小屋子。

【通亮】tōngliàng 圄状态词。通明：火光～｜照明弹照得满天～。

【通令】tōnglìng ❶囫把同一个命令发到若干地方：～全国。❷囵发到若干地方的同一个命令：发出～。

【通路】tōnglù 囵❶往来的大路：门前有一条南北～。❷泛指物体通过的途径：电流的～。

【通论】tōnglùn 囵❶〈书〉通达的议论。❷某一学科的全面论述（多用于书名）：史学～。

【通名】[1] tōng//míng 囫说出自己的姓名（旧戏曲、小说描写武将交战时多用）：来将～！

【通名】[2] tōngmíng 囵❶通用的名称。❷指某些专有名词中反映类别属性的部分（区别于"专名"），如"淮河"这个专有名词中"河"是通名。

【通明】tōngmíng 圄状态词。十分明亮：灯火～｜月光照着雪地，四外～。

【通年】tōngnián 囵一年到头；整年。

【通盘】tōngpán 圄属性词。兼顾到各个部分的；全盘；全面：～筹划｜～安排。

【通票】tōngpiào 囵❶联运票。❷园林、文化、体育等部门发售的在各范围内通用的票：公园～｜博物馆～。

【通铺】tōngpù 囵（旅店、集体宿舍等）连在一起的铺位。

【通气】tōng//qì 囫❶使空气流通；通风②：～孔。❷互通声气：上下不～，工作很难开展。

【通窍】tōng//qiào 囫通达事理：他是个～的人，用不着你去开导他。

【通情达理】tōng qíng dá lǐ 懂得道理，说话做事合情合理。

【通衢】tōngqú〈书〉囵四通八达的道路：

大道：～要道│南北～。

【通权达变】tōng quán dá biàn 为了应付当前的情势，不按照常规做事，而采取适合实际需要的灵活办法。

【通人】tōngrén〈书〉名学识渊博通晓古今的人：～达才。

【通融】tōng·róng 动❶变通办法（如放宽条件、延期限），给人方便：这事可以～。❷指短期借钱：我想跟你～二百块钱。

【通商】tōng∥shāng 动（国家或地区之间）进行贸易：～口岸│与世界各国～。

【通身】tōngshēn 名全身；浑身：～是汗│～白毛的小猫。

【通史】tōngshǐ 名连贯叙述各个时代史实的史书，如《史记》《中国通史》。

【通式】tōngshì 名表示同一类有机化合物分子组成的化学式，如烷类化合物的通式是 C_nH_{2n+2}。

【通事】tōngshì 名旧时指翻译人员。

【通书】tōngshū 名❶历书。❷旧时结婚前男女通知女家迎娶日期的帖子。

【通顺】tōngshùn 形（文章）没有逻辑上或语法上的毛病：文理～│这篇短文写得很～。

【通俗】tōngsú 形浅显易懂，适合一般人的水平和需要：～化│语言～│～读物。

【通俗歌曲】tōngsú gēqǔ 指形式上简洁、单纯，曲调流畅，易于被社会大众接受的歌曲。

【通缩】tōngsuō 动通货紧缩的简称。

【通体】tōngtǐ 名❶整个物体：水晶～透体。❷全身；浑身：～湿透。

【通天】tōngtiān 动❶上通于天，形容极大、极高：罪恶～│～的本事。❷指能直接同最高层的领导人取得联系：～人物。

【通条】tōng·tiáo 名用来通炉子或枪、炮膛等的铁条。

【通通】tōngtōng 副表示全部：那个地区的旱地～改成了水田。

【通同】tōngtóng 动串通：～舞弊。

【通统】tōngtǒng 副通通。

【通透】tōngtòu ❶动没有阻碍，空气、光线等可以穿透过去：所有户型均南北～。❷形通达透彻：说理～│分析～。

【通途】tōngtú〈书〉名大道：天堑变～。

【通悦】tōngtuō 同"通脱"。

【通脱】tōngtuō〈书〉形通达脱俗，不拘小节。也作通侻。

【通宵】tōngxiāo 名整夜：～不眠│～达旦（从天黑到天亮）。

【通晓】tōngxiǎo 动透彻地了解：～音律│～多种文字。

【通心粉】tōngxīnfěn 名一种中心空的面条。

【通信】tōngxìn 动❶（-//-）用书信互通消息，反映情况等：～处│我们几年前曾经通过信。❷利用电波、光波等信号传送文字、图像等。根据信号方式的不同，可分为模拟通信和数字通信。旧称通讯。

【通信兵】tōngxìnbīng 名担负通信联络任务的兵种。也称这一兵种的士兵。

【通信卫星】tōngxìn wèixīng 用于通信目的的人造地球卫星。可接收和转发中继信号，进行地面站之间或者地面站与航天器之间的通信。

【通信员】tōngxìnyuán 名部队、机关中担任递送公文等联络工作的人员。

【通行】tōngxíng 动❶（行人、车马等）在交通线上通过：此巷不～│前面翻修公路，车辆停止～。❷通用①：流通：这是全国～的办法。

【通行证】tōngxíngzhèng 名❶准许在警戒区域或规定道路通行的证件。❷准许在同一系统下的各个机关通行的证件。

【通宿】tōngxiǔ 名通夜；通宵。

【通讯】tōngxùn ❶动通信②的旧称。❷名翔实而生动地报道客观事物或典型人物的文章。

【通讯社】tōngxùnshè 名采访和编辑新闻供给各报社、广播电台、电视台使用的宣传机构，如我国的新华社。

【通讯网】tōngxùnwǎng 名分布很广的许多电台或通讯员所组成的整体。

【通讯员】tōngxùnyuán 名报刊、通讯社、电台邀请的为其经常写通讯报道的非专业人员。

【通夜】tōngyè 名整夜。

【通译】tōngyì ❶动旧时指在语言互不相通的人谈话时做翻译。❷名旧时指做通译工作的人。

【通用】tōngyòng 动❶（在一定范围内）普遍使用：国际单位制世界～│使用当地民族～的语言文字。❷某些写法不同而

T

读音相同的汉字彼此可以换用(有的限于某一意义),如"太"和"泰","措辞"和"措词"。

【通邮】tōngyóu 动(国家、地区之间)有邮件来往。

【通则】tōngzé 名 适合于一般情况的规章或法则:民法~。

【通胀】tōngzhàng 动 通货膨胀的简称:~率|抑制~。

【通知】tōngzhī ❶ 动 把事项告诉人知道:你回去~大家,明天就动工|你走以前~我一声。❷ 名 通知事项的文件或口信:把~发出去|口头~。

嗵 tōng 【拟声】形容脚步声、心跳声等:他~~地往前走|心~~直跳。

tóng (ㄊㄨㄥˊ)

仝 tóng ❶ 同"同"①—⑨。❷(Tóng)名 姓。

同 tóng ❶ 形 相同;一样:~类|~岁|~酬|大~小异|条件不~|~是一双手,我为什么干不过他? ❷ 动 跟…相同:~上|~前|"式"~"二"。❸ 共同:一~|会|~陪。❹ 副 一同;一齐(从事):~甘苦,共患难|我们俩~住一个宿舍。❺ 介 引进动作的对象,跟"跟"相同:有事~群众商量。❻ 介 引进比较的事物,跟"跟"相同:他~哥哥一样聪明|今年的气候~往年不一样。❼ 介 表示与某事有无联系,跟"跟"相同:他~这件事无关。❽〈方〉介 表示替人做事,跟"给"相同:这封信我一直~你保存着|你别着急,我~你出个主意。❾ 连 表示联合关系,跟"和"相同:我~你一起去。❿(Tóng)名 姓。
另见 1371 页 tòng。

【同案犯】tóng'ànfàn 名 指共同参加同一犯罪案件的人。

【同班】tóngbān ❶(-/-)动 同在一个班里:~同学|~战友|他们两个没有同过班。❷ 名 同一个班级的同学。

【同伴】tóngbàn (~儿)名 在一起工作、生活或从事某项活动的人:他进城时找了个~。

【同胞】tóngbāo 名 ❶ 同父母所生的:~兄弟|~姐妹|两人亲如~。❷ 同一个国家或民族的人:告全国~书。

【同辈】tóngbèi ❶ 动 同属一个辈分:~亲戚|他两个岁数差不多,但是不~。❷ 名 同一辈分的人:你是他的~,不必太客气了。

【同比】tóngbǐ 动 跟以往同一时期相比,多指跟上一年同一时期相比:出口~增长30%。

【同病相怜】tóng bìng xiāng lián 比喻有同样不幸遭遇的人互相同情。

【同步】tóngbù 动 ❶ 科学技术上指两个或两个以上随时间变化的量在变化过程中保持一定的相对关系。❷ 泛指互相关联的事物在进行速度上协调一致:实现产值、利润和财政收入~增长。

【同步辐射】tóngbù fúshè 电子在同步加速器中绕轨道旋转运动时所产生的电磁辐射。同步辐射具有强度高,单向性好,波长能在红外线到 X 射线范围内连续改变,持续时间极短的特点。

【同侪】tóngchái 〈书〉名 同辈。

【同仇敌忾】tóng chóu díkài 全体一致地仇恨敌人。

【同窗】tóngchuāng ❶ 动 同时在一个学校学习:~三载|~好友。❷ 名 同时在一个学校学习的人:他是我旧日的~。

【同床异梦】tóng chuáng yì mèng 比喻虽然共同生活或者共同从事某项活动,但是各人有各人的打算。

【同道】tóngdào ❶ 名 志同道合的人:引为~。❷ 名 同一行业的人:新闻界的~。❸ 动 同路:~南下。

【同等】tóngděng 属性词。等级或地位相同:~重要|~地位。

【同等学力】tóngděng xuélì 没有在某一等级的学校毕业或者没有在某一班级肄业而具有相等的知识技能的水平:高中毕业或具有~者可以报考。

【同调】tóngdiào 名 比喻志趣或主张相同的人:引为~。

【同恶相济】tóng è xiāng jì 坏人跟坏人互相帮助,共同作恶。

【同房】[1] tóng//fáng 动 ❶ 在同一房间内住宿。❷ 婉辞,指夫妻过性生活。

【同房】[2] tóngfáng 形 属性词。指家族中同一支的:~兄弟。

【同分异构体】tóngfēn-yìgòutǐ 具有相同

分子式,但结构和性质不同的化合物互为同分异构体,如乙醇和甲醚。

【同甘共苦】tóng gān gòng kǔ 共同享受幸福,共同担当艰苦。

【同感】tónggǎn 图 相同的思想或感受:他认为这部小说的人物写得十分成功,我也有~。

【同庚】tónggēng 動 同岁。

【同工同酬】tóng gōng tóng chóu 不分种族、民族、性别、年龄,做同样的工作,工作的质量、数量相同的,给予同样的报酬。

【同工异曲】tóng gōng yì qǔ 见 1614 页【异曲同工】。

【同归于尽】tóng guī yú jìn 一同死亡或毁灭。

【同行】tóngháng ❶ 動 行业相同:他俩~,都是学医的。❷ 图 同行业的人:路上碰到一个~,聊了几句。

另见 1368 页 tóngxíng。

【同好】tónghào 图 爱好相同的人:公诸~。

【同化】tónghuà 動 ❶ 不相同的事物逐渐变得相近或相同:民族~。❷ 语言学上指一个音变得和邻近的音相同或相似。如"难免"(nánmiǎn)在口语中读成námmiǎn,"难"字的韵尾 n 受了后面"免"字声母 m 的影响变成 m。

【同化政策】tónghuà zhèngcè 指统治民族的统治者所实行的强制同化其他民族的政策。

【同化作用】tónghuà zuòyòng 生物体在新陈代谢过程中,从外界摄取物质,使它转化成本身的物质,并储存能量。这个过程叫做同化作用。

【同伙】tónghuǒ ❶ 動 共同参加某种组织,从事某种活动(多含贬义)。❷ 图 同伙的人(多含贬义):供出~。

【同居】tóngjū 動 ❶ 同在一处居住:父母死后,他和叔父~。❷ 指夫妻共同生活,也指男女双方没有结婚而共同生活。

【同类】tónglèi ❶ 形 属性词。类别相同:~作品|~案件。❷ 图 同类的人或事物:~相从。

【同量异位素】tóngliàng-yìwèisù 质量数相同而原子序数不同的各种化学元素的核素,叫做同量异位素,如质量数同为 40 但原子序分别为 18、19、20 的 $^{40}_{18}\text{Ar}$、$^{40}_{19}\text{K}$、$^{40}_{20}\text{Ca}$。

【同僚】tóngliáo 图 旧时称同在一个官署任职的官吏。

【同龄】tónglíng 動 年龄相同或相近:我和新中国~|~人。

【同流合污】tóng liú hé wū 随着坏人一起做坏事。

【同路】tóng∥lù 動 一路同行。

【同路人】tónglùrén 图 一路同行的人,比喻在某一革命阶段在某种程度上追随或赞同革命的人。

【同门】tóngmén 〈书〉❶ 動 指受业于同一个老师。❷ 图 指受业于同一个老师的人。

【同盟】tóngméng ❶ 動 为采取共同行动而缔结盟约:~国|~军|~罢工。❷ 图 由缔结盟约而形成的整体:结成~|军事~|攻守~。

【同盟国】tóngméngguó 图 ❶ 缔结同盟条约或参加某一同盟条约的国家。❷ 第一次世界大战时,指由德、奥等国结成的战争集团,是第一次世界大战的发动者。❸ 第二次世界大战期间,指反对德、意、日法西斯侵略的中、苏、美、英、法等国。

【同盟会】Tóngménghuì 图 中国同盟会的简称。

【同盟军】tóngméngjūn 图 为共同的斗争目标而结成同盟的队伍。

【同名】tóngmíng 图 名字或名称相同:~异姓|这部影片是根据~小说改编的。

【同谋】tóngmóu ❶ 動 共同谋划(做坏事):~犯|~作案。❷ 图 共同谋划做坏事的人:供出~。

【同年】tóngnián ❶ 图 同一年:~九月大桥竣工。❷〈方〉動 同岁。❸ 图 科举考试同榜考中的人。

【同期】tóngqī 图 ❶ 同一个时期:产量超过历史~最高水平。❷ 同一届:~毕业。

【同情】tóngqíng 動 ❶ 对于别人的遭遇在感情上发生共鸣:~心|他在青少年时期就十分~被压迫的劳苦大众。❷ 对于别人的行动表示赞成:我们~并支持该国人民的正义斗争。

【同人】tóngrén 图 称在同一单位工作的人或同行业的人。也作同仁。

【同仁】tóngrén 同"同人"。

【同上】tóngshàng 動 跟上面所说的相同

(多用于填表)。

【同声相应,同气相求】 tóng shēng xiāng yìng,tóng qì xiāng qiú 同类性质的事物互相应和,形容志趣相投的人自然地结合在一起(语出《周易·乾·文言》)。

【同时】 tóngshí ❶ 名 同一个时候:他们俩是~复员的|在抓紧工程进度的~,必须注意工程质量。❷ 连 表示并列关系,常含有进一层的意味:这是非常重要的任务,~也是十分艰巨的任务。

【同事】 tóngshì ❶ (-//-) 动 在同一单位工作:我和他同过事|我们~已经多年。❷ 名 在同一单位工作的人:老~|~之间关系融洽。

【同室操戈】 tóng shì cāo gē 一家人动起刀枪来,比喻内部相斗。

【同素异形体】 tóngsù-yìxíngtǐ 同一个元素构成的结构不同,物理性质也不同的单质互为同素异形体,如氧和臭氧,又如金刚石、石墨和无定形碳。

【同岁】 tóngsuì 动 年龄相同:我和他~,但他比我大几个月。

【同位素】 tóngwèisù 名 同一元素中质子数相同、中子数不同的各种原子互为同位素。它们的原子序数相同,在元素周期表上占同一位置。如氢有氕、氘、氚三种同位素。

【同位素扫描】 tóngwèisù sǎomiáo 指放射性核素闪烁扫描。通过测定人体内某一器官中放射性核素的分布情况,检查内脏器官的形态、位置、功能等。用于脑、肝、肾、骨骼、甲状腺、淋巴结等的疾病诊断。

【同喜】 tóngxǐ 动 客套话,用来回答对方的道喜。

【同乡】 tóngxiāng 名 同一籍贯的人(在外地时说)。

【同心】 tóngxīn 动 齐心:~同德(思想、行动一致)|~协力(统一认识,共同努力)。

【同行】 tóngxíng 动 一起行路:一路~|跟他一有两个同学。
　　另见 1367 页 tónghāng。

【同性】 tóngxìng ❶ 形 属性词。性别相同的;性质相同的:~朋友|异性的电互相吸引,~的电互相排斥。❷ 名 指同性的人或事物:~恋|~相斥,异性相吸。

【同性恋】 tóngxìngliàn 名 同性别的人之

间的性爱行为。

【同姓】 tóngxìng 动 同一姓氏。

【同学】 tóngxué ❶ (-//-) 动 在同一个学校学习:我们自幼~|我和他同过三年学。❷ 名 在同一个学校学习的人:老~|这位是我的同班~。❸ 名 称呼学生:~,请问你到游乐场怎么走?

【同样】 tóngyàng 形 相同;一样;没有差别:~大小|~美观|作~处理|他们几位做~的工作。

【同业】 tóngyè 名 ❶ 相同的行业:~公会。❷ 行业相同的人。

【同业公会】 tóngyè gōnghuì 旧时同行业的企业联合组成的行会组织。简称公会。

【同一】 tóngyī 形 ❶ 共同的一个或一种:~形式|向~目标前进。❷ 一致;统一:~性。

【同一律】 tóngyīlǜ 名 形式逻辑的基本规律之一,就是在同一思维过程中,必须在同一意义上使用概念和判断,不能混淆不相同的概念和判断。公式是:"甲是甲"或"甲等于甲"。

【同义词】 tóngyìcí 名 意义相同或相近的词,如"教室"和"课堂","保护"和"保卫","巨大"和"宏大"。

【同意】 tóngyì 动 对某种主张表示相同的意见;赞成;准许:我的意见你~吗?|上级会~你们的要求。

【同音词】 tóngyīncí 名 语音相同而意义不同的词,如"反攻"和"返工"(fǎngōng),"树木"和"数目"(shùmù)。

【同志】 tóngzhì 名 ❶ 为共同的理想、事业而奋斗的人,特指同一个政党的成员。❷ 人们惯用的彼此之间的称呼:女~|老~|张~|~,请问您贵姓?

【同治】 Tóngzhì 名 清穆宗(爱新觉罗·载淳)年号(公元 1862—1874)。

【同舟共济】 tóng zhōu gòng jì 比喻同心协力,共同度过困难。

【同宗】 tóngzōng 动 同属一个家族:他俩同姓不~。

佟 Tóng 名 姓

彤 tóng ❶ 〈书〉红色:~弓。❷ (Tóng)名 姓。

【彤云】 tóngyún 名 ❶ 红霞。❷ 下雪前密布的阴云:~密布。

峂 tóng 峂峪(Tóngyù),地名,在北京。

侗 tóng 〈书〉幼稚;无知。
另见 329 页 Dòng;1370 页 tǒng。

垌 tóng 垌冢(Tóngzhǒng),地名,在湖北。
另见 329 页 dòng。

茼 tóng [茼蒿](tónghāo) 图 一年生或二年生草本植物,叶互生,长形羽状分裂,花黄色或白色,瘦果有棱。嫩茎和叶有特殊香气,是常见蔬菜。有的地区叫蓬蒿。

峒 tóng 崆峒(Kōngtóng),山名,在甘肃。又岛名,在山东。
另见 329 页 dòng。

桐 tóng 图 ❶ 泡桐。❷ 油桐。❸ 梧桐。❹ (Tóng)姓。

【桐油】 tóngyóu 图 用油桐的种子榨的油,黄棕色,有毒,是质量很好的干性油,用来制造油漆、油墨、油布,也可做防水防腐剂等。

砼 tóng 图 混凝土。

烔 tóng 烔炀河(Tóngyáng Hé),水名,烔炀镇(Tóngyáng Zhèn),地名,都在安徽。

铜(銅) tóng 图 ❶ 金属元素,符号Cu(cuprum)。淡紫红色,有光泽,延展性和导电、导热性能好。是重要的工业原料,用途广泛。❷ (Tóng)姓。

【铜板】 tóngbǎn 图 ❶ 铜圆。❷ 演唱快书等打拍子用的板状器具,多用铜制成。

【铜版】 tóngbǎn 图 用铜制成的印刷版,主要用来印刷照片、图片等。

【铜版画】 tóngbǎnhuà 图 版画的一种,在以铜为主的金属版上刻画或腐蚀成图形,再印在纸上。

【铜杯】 tóngbēi 图 奖杯的一种,奖给第三名。

【铜币】 tóngbì 图 铜制的货币。

【铜锤】 tóngchuí 图 戏曲中花脸的一种,偏重唱功。因《二进宫》中的徐延昭抱着铜锤而得名。

【铜鼓】 tónggǔ 图 南方一些少数民族的打击乐器。由古代炊具的铜釜发展而成,鼓面有浮雕图案,鼓身有花纹,视为象征统治权力的重器。明清以来,成为一般的娱乐乐器。

【铜匠】 tóng·jiang 图 制造和修理铜器的手工业工人。

【铜筋铁骨】 tóng jīn tiě gǔ 比喻十分健壮的身体。

【铜绿】 tónglǜ 图 铜表面上生成的绿锈,主要成分是碱式碳酸铜,粉末状,有毒。用来制烟火和颜料、杀虫剂等。也叫铜锈。

【铜模】 tóngmú 图 字模。

【铜牌】 tóngpái 图 奖牌的一种,奖给第三名。

【铜器时代】 tóngqì shídài 青铜时代。

【铜钱】 tóngqián 图 古代铜质辅币,圆形,中有方孔。

【铜墙铁壁】 tóng qiáng tiě bì 比喻十分坚固、不可摧毁的事物。也说铁壁铜墙。

【铜臭】 tóngxiù 图 指铜钱、铜圆的气味,用来讥讽唯利是图的表现:满身~。

【铜锈】 tóngxiù 图 铜绿。

【铜元】 tóngyuán 同"铜圆"。

【铜圆】 tóngyuán 图 从清代末年到抗日战争前通用的铜质辅币,圆形。也作铜元。

【铜子儿】 tóngzǐr 〈口〉图 铜圆。

童(❸僮) tóng ❶ 儿童;小孩子:牧~|顽~|~话|~谣|~年。❷ 指没结婚的:~男|~女。❸(~儿)旧时指未成年的仆人:书~儿|家~。❹ 秃:~山。❺(Tóng)姓。
"僮"另见 1794 页 Zhuàng。

【童便】 tóngbiàn 图 中医指十二岁以下健康男孩子的尿,可入药。

【童工】 tónggōng 图 雇用的未成年的工人。在我国雇用童工是违法的。

【童话】 tónghuà 图 儿童文学的一种体裁,通过丰富的想象、幻想和夸张来编写的适合于儿童欣赏的故事。

【童蒙】 tóngméng 〈书〉图 年幼无知的儿童。

【童年】 tóngnián 图 儿童时期;幼年:~时代|回忆~时的生活。

【童山】 tóngshān 图 没有树木的山:~秃岭。

【童生】 tóngshēng 图 明清两代称没有考取秀才或没有取得秀才的读书人。

【童声】tóngshēng 名 儿童未变声以前的嗓音：～合唱。

【童心】tóngxīn 名 小孩子的天真纯朴的心；像小孩子那样的天真纯朴的心：～未泯|萌发了～。

【童星】tóngxīng 名 称有名的未成年的演员、运动员。

【童颜鹤发】tóng yán hè fà 见 556 页〖鹤发童颜〗。

【童养媳】tóngyǎngxí 名 旧时领养人家的小女孩儿做儿媳妇，等儿子长大后再结婚。这样的小女孩儿叫做童养媳。

【童谣】tóngyáo 名 在儿童中间流行的歌谣，形式比较简短。

【童贞】tóngzhēn 名 指没有经过性交的人所保持的贞操(多指女性)。

【童真】tóngzhēn 名 儿童的天真稚气：歌中充满～的感情。

【童装】tóngzhuāng 名 儿童服装。

【童子】tóngzǐ 名 男孩子，泛指儿童。

【童子鸡】tóngzǐjī 〈方〉名 笋鸡。

酮 tóng 名 有机化合物的一类，是羰基的两个单键分别和两个烃基连接而成的化合物。[英 ketone]

铜(銅) tóng 铜城(Tóngchéng)，地名，在安徽。

潼 tóng 潼关 (Tóngguān)，临潼 (Líntóng)，地名，都在陕西。

橦 tóng 古书上指木棉树。

瞳 tóng 见下。

【瞳昽】tónglóng 〈书〉形 形容太阳初升由暗而明。

【瞳瞳】tóngtóng 〈书〉形 ❶ 日出时光亮的样子：初日～。❷(目光)闪烁的样子。

瞳 tóng [矇瞳](tóngméng)〈书〉形 不明亮的样子。

瞳 tóng 名 瞳孔。

【瞳孔】tóngkǒng 名 虹膜中心的圆孔，光线通过瞳孔进入眼内。瞳孔可以随着光线的强弱而缩小或扩大。(图见 1569 页"人的眼")

【瞳人】tóngrén (～儿)名 指瞳孔，因瞳孔中有人像(就是看它的人的像)，所以叫瞳人。也作瞳仁。

【瞳仁】tóngrén 同"瞳人"。

tǒng （ㄊㄨㄥˇ）

侗 tǒng 见 881 页[侗侗]。
另见 329 页 Dòng；1369 页 tóng。

统¹(統) tǒng ❶ 事物彼此之间连续的关系：系～|血～|传～。❷ 副 总起来；总括；全部：～筹|～购|～销|这些东西～归他用。❸ 动 统领；统管：～治|～兵|上级主管部门不要对企业～得过死。❹(Tǒng)名 姓。

统²(統) tǒng 同"筒"③：长～皮靴|皮～子。

【统编】tǒngbiān 动 统一编写：～教材。

【统舱】tǒngcāng 名 轮船上可以容纳许多乘客的大舱，有时也用来装载货物。

【统称】tǒngchēng ❶ 动 总起来叫做：用面粉做的食品～面食。❷ 名 总的名称：面食是用面粉做的食品的～。

【统筹】tǒngchóu 动 统一筹划：～兼顾|～全局。

【统共】tǒnggòng 副 一共：我们小组～才七个人。

【统购】tǒnggòu 动 国家对某些有关国计民生的重要物资实行有计划的统一收购。

【统观】tǒngguān 动 总起来看；全面地看：～全局|～人类历史。

【统管】tǒngguǎn 动 统一管理；全面管理：～家务|学校的行政和教学工作都由校长～。

【统合】tǒnghé 动 统一，综合：～开发旅游资源。

【统货】tǒnghuò 名 商业上指不分质量、规格、等级而按照一个价格购进或售出的某一种商品。

【统计】tǒngjì ❶ 指对某一现象有关的数据进行搜集、整理、计算和分析等。❷ 总括地计算：把人数～一下。

【统计学】tǒngjìxué 名 研究统计理论和方法的学科。

【统检】tǒngjiǎn 动 统一检查：～合格|对矿泉水水源质量进行～。

【统考】tǒngkǎo 动 在一定范围内用统一的试题进行考试：全国～|语文～|全区数学～，她取得了较好的成绩。

【统领】tǒnglǐng ❶ 动 统辖率领：～各路人马。❷ 名 统领人马的军官。

【统配】tǒngpèi 动 统一分配、调配或配给：～煤｜对黄金进行～。

【统摄】tǒngshè 〈书〉动 统辖。

【统属】tǒngshǔ 动 上级统辖下级，下级隶属于上级：～关系｜彼此不相～。

【统帅】tǒngshuài ❶ 名 统率全国武装力量的最高领导人。❷ 同"统率"。

【统率】tǒngshuài 动 统辖率领：～全军。也作统帅。

【统统】tǒngtǒng 副 通通：那些事情～由你负责。

【统辖】tǒngxiá 动 管辖(所属单位)：这个团归司令部直接～。

【统销】tǒngxiāo 动 国家对某些有关国计民生的重要物资实行有计划的统一销售。

【统一】tǒngyī ❶ 动 部分联成整体；分歧归于一致：～体｜祖国｜大家的意见逐渐～了。❷ 形 一致的；整体的；单一的：～的意见｜～调配｜～领导。

【统一体】tǒngyītǐ 名 哲学上指矛盾的两个或多个方面在一定条件下相互依存而结成的整体。

【统一战线】tǒngyī zhànxiàn 几个阶级或几个政党为了某种共同的政治目的结成的联盟。如抗日民族统一战线、人民民主统一战线、国际统一战线等。简称统战。

【统御】tǒngyù 〈书〉动 统率；管理：～三军。

【统战】tǒngzhàn 名 统一战线的简称：～政策｜～工作。

【统招】tǒngzhāo 动 统一招生：全国～｜～统考。

【统制】tǒngzhì 动 统一控制：经济～｜军用物资。

【统治】tǒngzhì 动 ❶ 凭借政权来控制、管理国家或地区：～阶级｜血腥｜封建～。❷ 支配；控制：～文坛。

【统治阶级】tǒngzhì jiējí 掌握国家政权的阶级，有时特指占统治地位的剥削阶级。

捅（搯） tǒng 动 ❶ 戳；扎：～了一刀｜他把窗户纸～了个大窟窿。❷ 碰；触动：我用胳膊肘～了他一下。❸ 戳穿；揭露：他是个直性人，把看到的事儿都～出来了。

【捅咕】tǒng·gu 〈口〉动 ❶ 碰；触动。❷

从旁鼓动人(做某种事)。

【捅娄子】tǒng lóu·zi 引起纠纷；惹祸。

【捅马蜂窝】tǒng mǎfēngwō 比喻惹祸或触动不好惹的人。

娣 tǒng 黄娣铺(Huángtǒngpù)，地名，在江西。

桶 tǒng 名 盛东西的器具，用木头、铁皮、塑料等制成，多为圆筒形，有的有提梁：水～｜汽油～。

筒（筩） tǒng ❶ 粗大的竹管：竹～。❷ 名 较粗的管状器物：笔～｜烟～｜邮～｜用铁皮卷个～。❸（～儿）名 衣服等的筒状部分：袖～儿｜袜～儿｜长靴。也作统。

【筒裤】tǒngkù 名 裤腿呈直筒状的裤子，裤腿膝部和最下端肥瘦略同。

【筒裙】tǒngqún 名 呈筒状的裙子，上部和下部肥瘦略同，一般下摆长不过膝部，没有褶子。

【筒瓦】tǒngwǎ 名 半圆筒形的瓦。

【筒子】tǒng·zi 名 筒：竹～｜枪～｜袜～。

【筒子楼】tǒng·zilóu 名 中间是长长的过道，两边是住房的楼房。这种楼房的结构像个筒子，所以俗称筒子楼。

tòng （ㄊㄨㄥˋ）

同 tòng 见 575 页〖胡同〗。另见 1366 页 tóng。

恸（慟） tòng 〈书〉极悲哀；大哭。

通 tòng （～儿）量 用于动作：打了三～鼓｜换了一～儿说。另见 1363 页 tōng。

徛（徛） tòng 见 575 页〖胡同〗(徛徛)。

痛 tòng ❶ 形 疾病创伤等引起的难受的感觉：头～｜肚子～｜伤口很～。❷ 悲伤：悲～｜～哀。❸ 副 尽情地；深切地；彻底地：～击｜～骂｜～歼｜～饮｜～下决心。

【痛不欲生】tòng bù yù shēng 悲痛得不想活下去，形容悲伤到极点。

【痛斥】tòngchì 动 痛切地斥责；狠狠地斥责：～国贼。

【痛楚】tòngchǔ 形 悲痛；苦楚：内心～万分。

【痛处】tòngchù 图 感到痛苦的地方：一句话触到他的～。

【痛打】tòngdǎ 动 狠狠地打：～一顿。

【痛悼】tòngdào 动 沉痛地哀悼：～死难烈士。

【痛定思痛】tòng dìng sī tòng 悲痛的心情平静之后，回想以前的痛苦。

【痛风】tòngfēng 图 病，由蛋白质代谢发生障碍，血液和组织中积聚大量尿酸和尿酸盐而引起。症状是手指、脚趾、膝、肘等关节疼痛肿胀，甚至变形。

【痛改前非】tòng gǎi qián fēi 彻底改正以前所犯的错误。

【痛感】tònggǎn ❶ 动 深切地感觉到：他～自己知识贫乏。❷ 图 疼痛的感觉：针灸时有轻微的～。

【痛恨】tònghèn 动 深为憎恨；极端憎恨：腐败现象实在令人～。

【痛悔】tònghuǐ 动 深切地后悔：他～自己走错了路。

【痛击】tòngjī 动 狠狠地打击：迎头～。

【痛经】tòngjīng 动 妇女在行经前或行经时下腹子宫部位出现疼痛症状。也叫经痛。

【痛疚】tòngjiù 动 因自己的错误或过失而痛苦、内疚：深感～。

【痛觉】tòngjué 图 身体组织因为破坏或受强烈的刺激所产生的感觉。

【痛哭】tòngkū 动 尽情大哭：～流涕|失声～。

【痛苦】tòngkǔ 形 身体或精神感到非常难受：～的生活|得了这种病，非常～。

【痛快】tòng·kuài 形 ❶ 舒畅；高兴：看着场(cháng)上一堆一堆的麦子，心里真～。❷ 尽兴：这个澡洗得真～|痛痛快快地玩一场。❸ 爽快；直率：队长～地答应了我们的要求|他很～，说到哪儿做到哪儿。

【痛切】tòngqiè 形 悲痛而深切；非常沉痛：～地认识到自己的错误。

【痛恶】tòngwù 动 极端厌恶：不讲公德的行为，令人～。

【痛惜】tòngxī 动 沉痛地惋惜：诗人英年早逝，令人～。

【痛心】tòngxīn 形 极端伤心：做出这种事，真让人～。

【痛心疾首】tòng xīn jí shǒu 形容痛恨到极点(疾首:头痛)。

【痛痒】tòngyǎng 图 ❶ 比喻疾苦：～相关。❷ 比喻紧要的事：不关～。

【痛痒相关】tòngyǎng xiāngguān 彼此疾苦互相关联，形容关系极为密切：这事跟他～，他怎能不着急?

---

tōu (ㄊㄡ)

偷(⑤媮) tōu ❶ 动 私下里拿走别人的东西，据为己有：～窃|钱包被人～了去。❷ (～儿)指偷盗的人：惯～|小～儿。❸ 副 瞒着人：～看|听|～渡|～跑。❹ 抽出(时间)：～空儿|忙里～闲。❺ 苟且敷衍，只顾眼前：～安。

【偷安】tōu'ān 动 只顾眼前的安逸：苟且～。

【偷盗】tōudào 动 偷窃;盗窃：～财物。

【偷渡】tōudù 动 偷偷通过封锁的水域或区域，现多指偷越国境。

【偷工减料】tōu gōng jiǎn liào 不按照产品或工程所规定的质量要求而暗中掺假或削减工序和用料。

【偷鸡摸狗】tōu jī mō gǒu ❶ 指偷盗(多指小偷小摸)。❷ 指男子乱搞男女关系。

【偷奸取巧】tōu jiān qǔ qiǎo 用狡猾的手段使自己不费力而得到好处：他这人专会～，干事全凭一张嘴。

【偷空】tōu∥kòng (～儿)动 忙碌中抽出时间(做别的事)：前两天曾～去看过他一次。

【偷懒】tōu∥lǎn 动 贪图安逸、省事，逃避应做的事：他做事从不～。

【偷梁换柱】tōu liáng huàn zhù 比喻用欺骗的手法暗中改变事物的内容或事情的性质。

【偷巧】tōu∥qiǎo 〈方〉动 取巧。

【偷窃】tōuqiè 动 盗窃。

【偷情】tōu∥qíng 动 旧指暗中与人谈恋爱，现多指与人发生不正当的男女关系。

【偷生】tōushēng 动 苟且地活着：～苟安。

【偷税】tōu∥shuì 动 有意不缴纳或少缴纳应该缴纳的税款。

【偷天换日】tōu tiān huàn rì 比喻暗中玩弄手法，改变重大事物的真相来欺骗别人。

【偷偷】tōutōu (～儿)副 形容行动不使人

觉察：趁人不注意，他～儿地溜走了。

【偷偷摸摸】tōutōumōmō 形 状态词。形容瞒着人做事，不敢让人知道。

【偷袭】tōuxí 动 趁敌人不防备时突然袭击：～敌营。

【偷闲】tōu∥xián 动❶ 挤出空闲的时间：忙里～。❷〈方〉偷懒；闲着。

【偷眼】tōuyǎn 副 偷偷地（看）：他～看了一下母亲的神色。

【偷营】tōu∥yíng 动 偷袭敌人的军营：～劫寨。

【偷嘴】tōu∥zuǐ 动 偷吃东西。

tóu （ㄊㄡˊ）

头(頭) tóu ❶ 名 人身最上部或动物最前部长着口、鼻、眼等器官的部分。（图见 1209 页"人的身体"）❷ 名 指头发或所留头发的样式：剃～｜梳～｜平～｜分～｜你的脸留这种～不合适。❸（儿）名 物体的顶端或末梢：山～｜笔～儿｜中间粗，两～儿细。❹（儿）名 事情的起点或终点：话～儿｜提个～儿｜这种日子到什么时候才是个～儿啊！❺（～儿）名 物品的残余部分：布～儿｜蜡～儿｜铅笔～儿。❻（～儿）名 头目：李～儿｜他是这一帮人的～儿。❼（～儿）名 方面：他们是一～儿的｜心挂两～。❽ 第一：～等｜～号。❾ 领头的；次序居先的：～车｜～马｜～羊。❿ 量 用在数量词前面，表示次序在前的：～趟｜～一遍｜～半本｜～几个｜～三天（＝前面的三天）。⓫〈方〉形 用在"年"或"天"前面，表示时间在先的：～年（＝去年或上一年）｜～天（＝上一天）｜～两年（＝去年和前年，或某年以前的两年）｜～三天（＝昨天、前天和大前天，或某天以前的三天）。⓬ 介 临；接近：～五点就得动身｜～鸡叫我就起来了｜～吃饭要洗手。⓭ 量 a) 用于动物（多指家畜）：一～牛｜两～驴。b) 用于蒜：一～蒜。⓮（Tóu）名 姓。

头(頭) ·tou ❶（～儿）名词后缀。a) 接于名词性词根：木～｜石～｜骨～｜舌～｜罐～｜苗～。b) 接于动词词根：念～｜扣～｜饶～｜嚼～儿｜看～儿｜听～儿。c) 接于形容词词根：准～｜甜～儿。❷ 方位词后缀：上～｜下～｜前～｜后～｜里～｜外～。

【头班车】tóubānchē 名 ❶ 按班次行驶的第一班车。❷ 比喻第一次机会。

【头筹】tóuchóu 名 比喻第一位或第一名：拔取～｜夺得～。

【头寸】tóucùn 名 ❶ 旧时指银行、钱庄等所拥有的款项，收多付少叫头寸多，收少付多叫头寸缺，结算收付差额叫轧（gá）头寸，借款弥补差额则拆头寸。❷ 指银根，如银根松也说头寸松，银根紧也说头寸紧。

【头等】tóuděng 形 属性词。第一等；最高的：～舱｜～大事｜～重要任务。

【头发】tóu·fa 名 人的前额以上、两耳以上和后颈部以上生长的毛。

【头伏】tóufú 名 初伏。

【头骨】tóugǔ 名 颅骨。

【头号】tóuhào 形 属性词。❶ 第一号；最大号：～字｜～新闻。❷ 最好的：～面粉｜～货色。

【头婚】tóuhūn〈口〉动 第一次结婚（对"二婚"而言）。

【头家】tóujiā 名 ❶ 指聚赌抽头的人。❷ 庄家。❸ 上家。❹〈方〉店主；老板。

【头角】tóujiǎo 名 比喻青年的气概或才华：崭露～｜～峥嵘。

【头巾】tóujīn 名 ❶ 古代男子裹头的纺织物；明清两代读书人裹头的纺织物。❷ 现代妇女蒙在头上的纺织物，多为正方形。

【头颈】tóujǐng〈方〉名 脖子。

【头盔】tóukuī 名 保护头部用的带坚硬外壳的帽子，多用金属或玻璃钢等制成。

【头里】tóu·li 名 ❶ 前面：您～走，我马上就来｜工作和学习，他样样都走在～。❷ 事前：咱们把话说在～，不要事后翻悔。❸〈方〉以前：十年～到处都唱这首歌。

【头脸】tóuliǎn 名 ❶ 指面貌：走到跟前我才看清他的～。❷ 指面子；体面：他在地方上是个有～的人物。

【头领】tóulǐng 名 领头的人；首领：土匪～。

【头颅】tóulú 名 人的头：抛～，洒热血。

【头路】[1] tóulù 形 属性词。头等的（货物等）：～货。

【头路】[2] tóulù〈方〉名 ❶ 头发朝不同方向梳时中间露出头皮的一道缝儿。❷ 头绪：摸不着～。❸ 门路：找工作没有～。

【头马】tóumǎ 名 马群或马帮中领头的马。

【头面】tóu·mian 名 旧时妇女头上妆饰品的总称：一副~。

【头面人物】tóumiàn rénwù 指社会上有较大势力和声望的人物。

【头目】tóumù 名 某些集团中为首的人（多含贬义）：大~|小~。

【头脑】tóunǎo 名❶ 脑筋；思维能力：有~|清楚|胜利冲昏~。❷ 头绪：摸不着~（弄不清头绪）。❸〈口〉首领。

【头年】tóunián 名❶ 第一年：三年看~。❷ 去年或上一年：~春节|他曾回来过一次。

【头牌】tóupái 名 旧时演戏时，演员的名字写在牌子上挂出来，挂在最前面的牌子叫头牌：挂~|~小生|~花旦。

【头皮】tóupí 名❶ 头顶及其周围的皮肤：挠着~想主意。❷ 头皮表面脱落下来的碎屑。

【头前】tóuqián〈方〉名❶ 前面：他在~引路。❷ 以前：这个地方还是很荒凉的。

【头钱】tóuqián 名 赌博抽头所得的钱。

【头球】tóuqiú 名 足球运动中用头顶的球：~攻门。

【头人】tóurén 名 领头的人，多指部落或某些少数民族中的首领。

【头晌】tóushǎng〈方〉名 上午。

【头生】tóushēng（～儿）❶ 形 属性词。第一胎生的：~孩子。❷ 名 第一胎生下的孩子。

【头绳】tóushéng 名❶（～儿）用棉、毛、塑料等制成的细绳子，主要用来扎发髻或辫子。❷〈方〉毛线。

【头饰】tóushì 名 戴在头上的装饰品。

【头套】tóutào 名 一种化装用具，套在头上，使头型、发式等符合某种需要。

【头疼】tóuténg 形 头痛。

【头疼脑热】tóu téng nǎo rè（～的）指一般的小病：~的，有两天就能好。

【头天】tóutiān 名❶ 上一天。❷ 第一天。

【头痛】tóutòng 形 头部疼痛，比喻感到为难或讨厌。

【头痛医头，脚痛医脚】tóu tòng yī tóu，jiǎo tòng yī jiǎo 比喻对问题不从根本上解决，只从表面现象或枝节上应付。

【头头脑脑】tóutóunǎonǎo〈口〉名 泛指有权位的或担负一定职务的人。

【头头儿】tóu·tour〈口〉名 俗称某单位或某集团为首的人。

【头头是道】tóu tóu shì dào 形容说话或做事很有条理。

【头陀】tóutuó 名 指行脚乞食的和尚。［梵 dhūta］

【头先】tóuxiān〈方〉名❶ 起先；先前。❷ 前头。❸ 刚才。

【头衔】tóuxián 名 指官衔、学衔等称号。

【头像】tóuxiàng 名 肩部以上的人像。

【头囟儿】tóuxìnr〈方〉名 囟门。

【头胸部】tóuxiōngbù 名 某些节肢动物（如螃蟹、虾）的头部和胸部紧连在一起，合称为头胸部。

【头绪】tóuxù 名 复杂纷乱的事情中的条理：茫无~|理不出个~。

【头雁】tóuyàn 名 雁群中领头飞的大雁。

【头羊】tóuyáng 名 羊群中领头的羊。

【头油】tóuyóu 名 抹在头发上的油质化妆品。

【头重脚轻】tóu zhòng jiǎo qīng 上面重，下面轻，比喻基础不稳固，也用来形容眩晕的感觉。

【头子】tóu·zi 名 首领（含贬义）：土匪~|流氓~。

【头足类】tóuzúlèi 名 软体动物的一类，在头部四周长着许多足，多数的壳长在体内，生活在海中。如乌贼、章鱼、鹦鹉螺等。

投¹ tóu ❶ 动 向一定目标扔去：~篮|手榴弹。❷ 动 放进去；送进去：~票|~资。❸ 动 跳进去（专指自杀行为）：~河|~江|~井。❹ 动 投射②：把眼光~到他身上|影子~在窗户上。❺ 动 寄人（书信等）：~书|~稿。❻ 动 找上去；参加进去：~宿|~考|~军|弃暗~明|~入战斗。❼ 动 合；迎合：~机|~脾气|情~意合|意气相~|~其所好。❽ 临；在…以前：~明（天亮以前）|~暮（天黑以前）。❾（Tóu）名 姓。

投² tóu〈口〉动 用清水漂洗（衣物等）：~毛巾|这些衣服搓过肥皂了，还得再~一两遍。

【投案】tóu∥àn 动 犯法的人主动到司法

机关或公安机关交代自己的作案经过,听候处理:～自首。

【投保】tóu//bǎo 动 到保险部门办理手续参加保险:～人|家庭财产已经。

【投奔】tóubèn 动 前去依靠(别人):～亲戚。

【投笔从戎】tóu bǐ cóng róng 东汉班超家境穷困,在官府做抄写工作,曾经掷笔长叹说,大丈夫应当在边疆为国立功,哪能老在笔砚之间讨生活呢!(见于《后汉书·班超传》)后来把文人从军叫做投笔从戎。

【投畀豺虎】tóu bì chái hǔ (把坏人)扔给豺狼老虎吃掉(语出《诗经·小雅·巷伯》)。后用来表示对坏人十分愤恨。

【投鞭断流】tóu biān duàn liú 前秦的苻坚进攻东晋时骄傲地说,我这么多的军队,把每个兵的马鞭子都投到江里,就能截断水流(见于《晋书·苻坚载记》)。后用来比喻人马众多,兵力强大。

【投标】tóu//biāo 动 承包建筑工程或承买大宗商品时,承包人或买主按照招标公告的标准和条件提出价格,填具标单,叫做投标。

【投产】tóuchǎn 动 投入生产:化肥厂已建成～。

【投诚】tóuchéng 动 (敌人、叛军等)归附:缴械～。

【投弹】tóu//dàn 动 空投炸弹或燃烧弹等,也指投掷手榴弹。

【投档】tóu//dàng 动 招生部门根据分数线和填写志愿把考生的档案投送某招生学校。

【投敌】tóudí 动 投靠敌人:叛变～。

【投递】tóudì 动 送(公文、信件等);递送:～员|信上地址不明,无法～。

【投递员】tóudìyuán 名 邮递员。

【投毒】tóu//dú 动 投放毒药(多就有意伤害他人而言)。

【投放】tóufàng 动 ❶ 投下去;放进:～鱼饵。❷ 把人力、物力、资金等用于工农业或商业:～资金|为兴修水利、～了大量劳力。❸ 工商企业向市场供应商品:夏令商品已～市场。

【投稿】tóu//gǎo 动 把稿子送交报刊编辑部、出版社等,要求发表或出版:欢迎～|他曾给报纸投过几次稿。

【投工】tóu//gōng 动 投入劳动力;使用工作日;修这个水库要投多少工?

【投合】tóuhé ❶ 形 合得来:两人性情～|大家谈得很～。❷ 动 迎合:～顾客的口味。

【投壶】tóuhú 动 古代宴会时的一种娱乐活动,宾主依次把筹投入壶中,以投中多少决定胜负,负者须饮酒(壶:古代的一种容器)。

【投缳】tóuhuán 〈书〉动 上吊。

【投机】tóujī ❶ 形 意趣相合;见解相同:话不～|我们一路上谈得很～。❷ 动 利用时机谋取私利:～取巧|～分子|～买卖。

【投机倒把】tóujī dǎobǎ 指以买空卖空、囤积居奇、套购转卖等手段牟取暴利。

【投机取巧】tóujī qǔqiǎo 利用时机和巧妙手段谋取个人私利,也指不愿下苦工夫,凭小聪明侥幸取得成功。

【投寄】tóujì 动 (把书信等)交到邮局递送:～包裹|～邮件。

【投井下石】tóu jǐng xià shí 见人投到井里,不但不救,而往下扔石头。比喻乘人之危,加以陷害。

【投军】tóujūn 动 旧时指参军。

【投考】tóukǎo 动 报名应试:～高等学校。

【投靠】tóukào 动 前去依靠别人生活:～亲友|卖身～。

【投篮】tóu//lán 动 打篮球时向球架上的铁圈投球。

【投料】tóu//liào 动 投放原料或材料:按配方～。

【投拍】tóupāi 动 投入拍摄:这部电视剧日前已在京～。

【投票】tóu//piào 动 选举的一种方式,由选举人将所要选的人的姓名写在票上,或在印有候选人姓名的选票上做出标志,投入票箱。表决议案也有用投票方式的。

【投契】tóuqì 形 合得来;投机①:他俩越谈越～。

【投枪】tóuqiāng 名 可以投掷出去杀伤敌人或野兽的标枪。

【投亲】tóu//qīn 动 投靠亲戚:～靠友。

【投入】tóurù ❶ 动 投到某种环境里去:～生产|～新生活|新机场已经正式～使用。❷ 形 形容做事情聚精会神,全力以赴:她演戏很～。❸ 动 指投放资金:少～,多产出。❹ 名 投放的资金:教育～逐年增

加|这是一笔不小的～。

【投射】tóushè 动❶（对着目标）扔；掷：举起标枪猛力向前～。❷（光线等）射：太阳从云海中升起，金色的光芒～到平静的海面上|周围的人都对他～出惊讶的眼光。

【投身】tóushēn 动 献身出力：～于教育事业。

【投生】tóu//shēng 动 投胎。

【投师】tóu//shī 动 从师学习：～习艺。

【投石问路】tóu shí wèn lù 比喻先以某种行动试探。

【投鼠忌器】tóu shǔ jì qì 要打老鼠又怕打坏了它旁边的器物（见于《汉书·贾谊传》），比喻想打击坏人而又有所顾忌。

【投送】tóusòng 动 投递；送达：预约～|～邮件。

【投诉】tóusù 动 公民或单位认为其合法权益遭受侵犯，向有关部门请求依法处理。

【投宿】tóusù 动（旅客）找地方住宿：到客店～。

【投胎】tóu//tāi 动 人或动物（多指家畜家禽）死后，灵魂投入母胎，转生世间（迷信）。也说投生。

【投桃报李】tóu táo bào lǐ 他送给我桃儿，我拿李子回送他（语本《诗经·大雅·抑》"投我以桃，报之以李"），比喻友好往来。

【投降】tóuxiáng 动 停止对抗，向对方屈服：缴械～。

【投向】tóuxiàng 名（资金等）投放的方向：优化贷款～|物流业是外资的一个重要～。

【投效】tóuxiào〈书〉动 前往效力：～义军。

【投药】tóuyào 动❶ 给以药物服用。❷（－//－）投放毒药（多用于毒杀老鼠、蟑螂等）。

【投医】tóu//yī 动 就医：～求药|病急乱～。

【投影】tóuyǐng ❶ 光学上指在光线的照射下物体的影子投射到一个面上，数学上指将图形的形状投射到一个面或一条线上。❷ 名 投射在一个面或一条线上的物体的影子或图形。

【投映】tóuyìng 动（影像）呈现在物体上：他的身影～在平静的湖面上。

【投缘】tóuyuán 形 情意相合（多指初交）：

两人越谈越～。

【投掷】tóuzhì 动 扔；投①：～标枪|～手榴弹。

【投注】[1] tóuzhù 动❶（精神、力量等）集中；倾注：把全副精力～到扶贫工程中|大家的目光都～在厂长身上。❷ 投放注入（资金等）。

【投注】[2] tóu//zhù 动（在博彩活动中）投进去财物：彩票～站。

【投资】tóuzī ❶（－//－）动 为达到一定目的而投入资金：～办学|～建厂|一百万元。❷ 名 为达到一定目的而投入的资金：智力～|一大笔～。

【投资基金】tóuzī jījīn 一种通过集合方式集中的基金。由管理人或托管人进行证券、外汇等方面的运作，利益共享，风险共担。

【投资银行】tóuzī yínháng 除了本身的投资业务外，还承接股票首次公开发行，包销以及企业收购、合并等业务的营利性金融机构。

骰 tóu [骰子]（tóu•zi）〈方〉名 色子（shǎi•zi）。

tǒu （ㄊㄡˇ）

钭（鈄）Tǒu 名 姓。

敁 tǒu〈方〉动❶ 打开（包着或卷着的东西）；展平（褶子）。❷ 抖搂（尘土等）。

tòu （ㄊㄡˋ）

透 tòu ❶ 动（液体、光线等）渗透；穿透：～水|阳光～过玻璃窗照进来◇～过事物的表面现象，找出它的本质。❷ 动 暗地里告诉：～消息|～个信儿。❸ 形 透彻：把道理说～了|我摸～了他的脾气。❹ 形 达到饱满的、充分的程度：雨下～了|我记得熟～了。❺ 动 显露：这花白里～红。

【透彻】tòuchè 形（了解情况、分析事理）详尽而深入：这一番话说得非常～|他对于各部分的工作内容都有～的了解。

【透底】tòu//dǐ 勋 透露底细：这件事他没有向我～。

【透雕】tòudiāo 名 雕塑的一种,在浮雕的基础上,镂空其背景部分。

【透顶】tòudǐng 形 达到极端(多含贬义)：腐败～|糊涂～|庸俗～。

【透风】tòu//fēng 勋 ❶ 风可以通过：门缝儿有点～。❷ 把东西摊开,让风吹吹;晾①：把箱子里的东西拿出来透透风。❸ 透露风声：这件事,他向我透了一点风。

【透汗】tòuhàn 名 汗出充分了叫出透汗：吃完药,出了一身～。

【透镜】tòujìng 名 用透明物质(如玻璃、水晶)制成的镜片,根据镜面中央和边缘的厚薄不同,一般分为凸透镜和凹透镜。

【透亮】tòu·liang 形 ❶ 透明;明亮：那块翡翠多么～|这间房子又向阳,又～。❷ 明白：经你这么一说,我心里就～了。

【透亮儿】tòu//liàngr 勋 透过光线：玻璃窗～|那间房子不～。

【透漏】tòulòu 勋 透露;泄露：～消息。

【透露】tòulù 勋 泄露或显露(消息、意思等)：～风声|真相～出来了。

【透明】tòumíng 形 ❶ (物体)能透过光线的：水是无色～的液体。❷ 比喻公开,不隐藏：采用招标方式使政府采购活动更～、规范。

【透明度】tòumíngdù 名 比喻事情的公开程度：增加评奖工作的～。

【透辟】tòupì 形 透彻精辟：他的讲解很～。

【透气】tòu//qì (～儿)勋 ❶ 空气可以通过;通气：门窗关着,房子不～。❷ 指呼吸新鲜空气：屋里憋得慌,到外面去透透气。❸ 通声气：我得把这件事先向家里人透一点气儿。

【透视】tòushì ❶ 名 用线条或色彩在平面上表现立体空间的方法。❷ 勋 利用 X 射线透过人体在荧光屏上所形成的影像观察人体内部。❸ 勋 比喻清楚地看到事物的本质：作家用敏锐的观察力～人生。

【透视图】tòushìtú 名 根据透视的原理绘制的图,多用于机械工程和建筑工程。

【透析】[1] tòuxī 勋 透彻分析：一周国际形势～|这部书从美学的角度～了诗歌创作的方法。

【透析】[2] tòuxī 勋 ❶ 渗析。❷ 医学上指利用渗析技术把体液中的毒素和代谢产物排出体外。

【透雨】tòuyǔ 名 把田地里干土层湿透的雨：下了一场～。

【透支】tòuzhī 勋 ❶ 存户向银行同意在一定时间和限额之内提取超过存款金额的款项。❷ 开支超过收入。❸ 预先支取(工资)：～一部分工资给孩子看病。❹ 比喻精神、体力过度消耗,超过所能承受的程度：体力严重～。

---

tū（ㄊㄨ）

凸 tū 形 高于周围(跟"凹"相对)：～出|～起|挺胸～肚|凹～不平。

【凸版】tūbǎn 名 版面印刷的部分高出空白部分的印刷版,如木版、铅版、锌版等。

【凸面镜】tūmiànjìng 名 球面镜的一种,反射面为凸面,焦点在镜后。凸面镜所成的像为正立的缩小的虚像。简称凸镜。

【凸起】tūqǐ ❶ 勋 鼓出来：喉结～|墙面～不少鼓包儿。❷ 名 高出周围的或鼓出来的部分：攀岩时,要抓住岩壁上的～往上爬。

【凸透镜】tūtòujìng 名 透镜的一种,中央比四周厚,平行光线透过后,向轴线的方向折射聚集于一点上。物体放在焦点以内,由另一侧看去就得一个放大的虚像。远视眼镜的镜片就属于这个类型。通称放大镜。

【凸显】tūxiǎn 勋 清楚地显露：草地上～出一座花坛|市场规范化的问题日益～出来。

【凸现】tūxiàn 勋 清楚地显现：在一排排的校舍中～出图书馆的高楼|随着经济的高速发展,不少历史遗留问题～出来。

秃 tū 形 ❶ (人)没有头发(鸟兽头或尾)没有毛：～尾巴|头顶有点～了。❷ (树木)没有枝叶;(山)没有树木：～树|山是～的。❸ 物体失去尖端：～笔|笔尖～了。❹ 首尾结构不完整：这篇文章煞尾处显得有点～。

【秃笔】tūbǐ 名 没有笔尖儿的毛笔,比喻不高明的写作能力。

【秃疮】tūchuāng 〈方〉名 黄癣。

【秃顶】tūdǐng ❶ (～儿)勋 头顶脱落了全

部或大部分头发。❷ 图 脱落了全部或大部分头发的头顶。

【秃鹫】tūjiù 图 鸟，身体大，全身棕黑色，头部颈部裸出，但有绒毛，嘴大而尖锐，呈钩状，栖息高山，是猛禽，以尸体和小动物为食物。也叫坐山雕。

【秃噜】tū•lu〈方〉动 ❶ 松散开：你的鞋带～了|毛衣袖口都～了。❷（毛、羽毛）脱落：这张老羊皮的毛儿都～了。❸ 拖；坠下来：～着裤子|裙子～地了。❹ 脱口失言：你要留神，别把话说～了。❺ 过头：钱要算计着花，别花～了。

【秃瓢儿】tūpiáor〈方〉图 光头（含诙谐意）：剃了个～。

【秃杉】tūshān 图 常绿大乔木，树高可达75米，树皮灰褐色，树冠圆锥形，雌雄同株，叶鳞状，球果椭圆形或圆柱形，分布于云南、贵州和湖北等地。

【秃头】tūtóu ❶（－/－）动 光着头，不戴帽子：他秃着个头出去了。❷（－/－）动 头发全部脱落：一场大病后，他秃了头了。❸ 图 头发脱光或剃光的头。❹ 图 头发脱光或剃光的人。

【秃子】tū•zi 图 ❶ 头发脱光或剃光的人。❷〈方〉黄癣。

突 tū ❶ 动 猛冲：～破|～围|狼奔豕～。❷ 副 突然：～变|气温～增。❸ 动 高于周围：～起|～出。❹ 古代灶旁突起的出烟火口，相当于现在的烟囱：灶｜曲～徙薪。❺ 是"突起"❸的简称：上关节～|下关节～。

【突变】tūbiàn 动 ❶ 突然急剧地变化：时局～|神色～|基因～。❷ 哲学上指飞跃。也叫质变。

【突出】[1] tū//chū 动 冲出：～重围。

【突出】[2] tūchū ❶ 动 鼓出来：悬崖｜～的颧骨。❷ 形 超过一般地显露出来：成绩～。❸ 动 使超过一般：～重点｜～个人。

【突发】tūfā 动 意外地突然发生：～事件｜～山体滑坡。

【突飞猛进】tū fēi měng jìn 形容事业、学问等进展非常迅速。

【突击】tūjī 动 ❶ 集中兵力向敌人防御阵地猛烈而急速地攻击：～队。❷ 比喻集中力量，加快速度，在短时期内完成某项工作：连续～了两个晚上才把稿子写完。

【突进】tūjìn 动 集中兵力向一定方向或地区猛进。

【突厥】Tūjué 图 我国古代民族，游牧在阿尔泰山一带。6世纪中叶，开始强盛起来，并吞了邻近的部落。西魏时建立政权，隋开皇二年（582）分为东突厥和西突厥，7世纪中叶，先后被唐所灭。

【突破】tūpò 动 ❶ 集中兵力向一点进攻或反攻，打开缺口：～封锁｜～防线｜～敌人阵地。❷ 打破（困难、限制等）：～难关｜～定额｜对这个问题的研究又有新的～。

【突起】tūqǐ ❶ 动 突然发生；突然兴起：狂风～|异军～。❷ 图 高耸：峰峦～。❸ 图 生物体上长的像瘤子的东西。简称突。

【突然】tūrán 形 在短促的时间里发生，出乎意外：～袭击|他来得很～。

【突如其来】tū rú qí lái 突然发生（突如：突然）。

【突审】tūshěn 动 突击审讯：对犯罪嫌疑人进行～。

【突突】tūtū 拟声 形容心跳、机器开动等的声音：心～地跳|摩托车～地发动起来。

【突围】tū//wéi 突破包围：～脱险。

【突兀】tūwù 形 ❶ 高耸的样子：怪峰～|～的山石。❷ 突然发生，出乎意外：事情来得这么～，使他简直不知所措。

【突袭】tūxí 动 用兵力出其不意地进攻；突然袭击。

【突显】tūxiǎn 动 突出地显露：手臂上～出一条条青筋|产品的包装也～出民族特色。

【突现】tūxiàn 动 ❶ 突然显现：转过山脚，一片美丽的景色～在眼前。❷ 突出地显现：语言和行为都～了他的个性。

葵 tū 见487页〖菥葵〗、〖菥葵果〗。

tú （ㄊㄨˊ）

图（圖） tú ❶ 图 用绘画表现出来的形象；图画：地～|蓝～|绘～|插～|制～|看～识字。❷ 谋划；谋求：～谋|力～。❸ 图 贪图：唯利是～|不能只～省事，不顾质量。❹ 图 意图；计划：良～|宏～。❺〈书〉绘；画：绘影～形。❻（Tú）图 姓。

【图案】tú'àn 图 有装饰意味的花纹或图

形,以结构整齐、匀称、调和为特点,多用在纺织品、工艺美术品和建筑物上。

【图表】túbiǎo 图 表示各种情况和注明各种数字的图和表的总称,如示意图、统计表等。

【图谶】túchèn 图 古代关于宣扬迷信的预言、预兆的书籍。

【图钉】túdīng （~儿）图 一种帽大针短的钉子,用来把纸或布钉在木板或墙壁上。

【图画】túhuà 图 用线条或色彩构成的形象。

【图画文字】túhuà wénzì 用图画来表达意思的文字。特点是用整幅图画表示意思,本身不能分解成字,没有固定的读法。参看 1491 页〖象形文字〗。

【图籍】tújí 〈书〉图 疆域图和户口册。

【图记】tújì 图 ❶ 图章。❷ 用图形作的标志。

【图鉴】tújiàn 图 以图为主而用文字解说的著作(多用于书名):《哺乳动物~》。

【图解】tújiě 动 利用图形来分析或求解:~法。

【图景】tújǐng 图 ❶ 画面上的景物:他只用几笔,便勾勒出一幅海上日出的~。❷描述的或想象中的景象:这些民间传说反映出人们理想中的社会生活~。

【图例】túlì 图 地图、天文图、统计图等上面各种符号的说明。

【图谋】túmóu ❶ 动 暗中谋划(多含贬义):~私利|~不轨。❷ 图 计谋。

【图片】túpiàn 图 用来说明某一事物的图画、照片、拓片等的统称:古代建筑~展览。

【图谱】túpǔ 图 系统地编辑起来的、根据实物描绘或摄制的图,是研究某一学科所用的资料:植物~|历史~。

【图穷匕首见】tú qióng bǐshǒu xiàn 战国时,荆轲奉燕国太子之命去刺秦王,以献燕国督亢的地图为名,预先把匕首卷在图里,到了秦王座前,慢慢把地图展开,最后露出匕首(见于《战国策·燕策三》)。比喻事情发展到最后,真相或本意露出来了。也说图穷匕见。

【图书】túshū 图 图片和书刊,一般指书籍:~目录|~资料。

【图书】tú·shu 〈口〉图 指图章。

【图书馆】túshūguǎn 图 搜集、整理、收藏图书资料供人阅览参考的机构。

【图说】túshuō 图 以图为主而用文字加以说明的著作(多用于书名):《天体~》。

【图腾】túténg 图 原始社会的人认为跟本氏族有血缘关系的某种动物或自然物,一般用作本氏族的标志。[英 totem]

【图文并茂】tú wén bìng mào (同一书刊的)图画和文字都很丰富精美。

【图文电视】túwén diànshì 一种电视广播业务,利用电视信号传送简短的文字或图形信息,如新闻、天气预报等。用户可以通过按键选择内容,在电视屏幕上收看。

【图像】túxiàng 图 画成、摄制或印制的形象。

【图形】túxíng 图 在平面上表示出来的物体的形状。

【图样】túyàng 图 按照一定的规格和要求绘制的各种图形,在制造或建筑时用作样子。

【图章】túzhāng 图 ❶ 用小块的石头、木头、金属、象牙等做成的东西,底下一面多为方形或圆形,刻着姓名或其他名称、图案等,用来印在文件、书籍等上面,作为标记。❷ 图章印在文件、书籍等上面的痕迹。

【图纸】túzhǐ 图 画了图样的纸;设计图:施工~。

荼 tú ❶ 古书上说的一种苦菜。❷ 古书上指茅草的白花:如火如~。

【荼毒】túdú 〈书〉动 荼是一种苦菜,毒指毒虫毒蛇之类,比喻毒害:~生灵。

【荼蘼】túmí 图 落叶灌木,攀缘茎,茎有棱,并有钩状的刺,羽状复叶,小叶椭圆形,花白色,有香气。供观赏。也作酴醾。

徒¹ tú ❶ 步行:~步|~涉。❷ 空的;没有凭借的:~手。❸ 表示除此以外,没有别的;仅仅:~托空言|家~四壁。❹ 徒然①:~劳|~自惊扰。❺ (Tú)图姓。

徒² tú ❶ 徒弟;学生:门~|学~|艺~|尊师爱~。❷ 信仰某种宗教的人:信~|佛教~。❸ 同一派系的人(含贬义):党~。❹ 指某种人(含贬义):酒~|赌~|不法之~|好事之~。❺ 指徒刑。

【徒步】túbù 副 步行:~旅行|~行军。

【徒弟】tú·dì 图 跟从师傅学习的人。

【徒工】túgōng 图 学徒工。

【徒劳】túláo 动 无益地耗费力气：～往返。

【徒劳无功】túláo wú gōng 白费力气，没有成就或好处。也说徒劳无益。

【徒然】túrán 副 ❶ 白白地；不起作用：～耗费精力。❷ 仅仅；只是：如果那么办，～有利于对方。

【徒涉】túshè 〈书〉动 蹚水过河。

【徒手】túshǒu 副 空手(不拿器械)：～操|～格斗。

【徒孙】túsūn 图 徒弟的徒弟：徒子～。

【徒托空言】tú tuō kōng yán 只说空话，并不实行。

【徒刑】túxíng 图 剥夺犯人自由并强制其劳动的刑罚，分有期徒刑和无期徒刑两种。

【徒有虚名】tú yǒu xū míng 空有某种名声，指名不符实。也说徒有其名。

【徒长】túzhǎng 动 作物在生长期间，因生长条件不协调而茎叶生长过旺。徒长影响产量和品质。

【徒子徒孙】túzǐ túsūn 徒弟和徒孙，泛指党羽。

途 tú ❶ 道路：路～|旅～|长～|道听～说|半～而废◆|朋～。❷ (Tú)图姓。

【途程】túchéng 图 路程(多用于比喻)：人类进化的～|革命的～。

【途次】túcì 〈书〉图 旅途中住宿的地方。

【途径】tújìng 图 路径(多用于比喻)：寻找解决问题的～|正确的～。

涂[1]（**塗**） tú 动 ❶ 使油漆、颜色、脂粉，药物等附着在物体上：～抹|～饰|～脂抹粉|～上一层油。❷ 乱写或乱画；随意地写字或画画：～鸦|信手～上几笔。❸ 抹去：～改|把写错的字～掉。

涂[2]（**塗**） tú ❶ 〈书〉泥：～炭。❷ 海涂的简称：～田|滩～。❸〈书〉同"途"。

涂[3]（**涂**） Tú 图姓。

【涂改】túgǎi 动 抹去原来的字或画，重新写或画。

【涂料】túliào 图 涂在物体的表面，能使物体美观或保护物体防止侵蚀的物质，如油漆、干性油等。

【涂抹】túmǒ 动 ❶ 涂[1]①：木桩子上～了沥青。❷ 涂[2]②：信笔～。

【涂饰】túshì 动 ❶ 涂上(油漆颜色)：～木器。❷ 抹(灰、泥)；粉刷：～墙壁。

【涂炭】tútàn 〈书〉❶ 图 烂泥和炭火，比喻极困苦的境遇。参看 1219 页〖生灵涂炭〗。❷ 动 使处于极困苦的境遇；蹂躏：～百姓。

【涂写】túxiě 动 乱写；随意写：不要在墙上～标语。

【涂鸦】túyā 动 唐代卢仝《示添丁》诗："忽来案上翻墨汁，涂抹诗书如老鸦。"后世用"涂鸦"形容字写得很坏(多用作谦辞)。

【涂乙】túyǐ 〈书〉动 涂是抹去，乙是勾画，指删改文章。

【涂脂抹粉】tú zhī mǒ fěn 涂胭脂，抹粉，修饰容貌，也比喻对丑恶事物进行粉饰。

菟 tú 见 1436 页〖於菟〗(wūtú)。
另见 1383 页 tù。

屠 tú ❶ 宰杀(牲畜)：～宰。❷ 屠杀：～城(攻破城池后屠杀城中的居民)。❸ (Tú)图 姓。

【屠岸】Tú'àn 图 姓。

【屠刀】túdāo 图 宰杀牲畜的刀，借指反动暴力：侵略者手中的～吓不倒争取自由的人民。

【屠夫】túfū 图 旧时指以宰杀牲畜为业的人，比喻屠杀人民的人。

【屠户】túhù 图 旧时指以宰杀牲畜为业的人或人家。

【屠戮】túlù 〈书〉动 屠杀。

【屠杀】túshā 动 大批残杀。

【屠苏】túsū 图 古代一种酒名。相传农历正月初一饮屠苏酒，可以避邪，不染瘟疫。

【屠宰】túzǎi 动 宰杀(牲畜)。

【屠宰场】túzǎichǎng 图 专门宰杀牲畜的处所。

腯 tú 〈书〉(猪)肥。

瘏 tú 〈书〉病。

酴 tú 〈书〉酿酒用的酒母。

【酴醾】túmí ❶ 图 古书上指重酿的酒。

❷ 同"荼蘼"。

tǔ （ㄊㄨˇ）

土 tǔ ❶ 图土壤；泥土：黄～｜黏～｜～山｜～坡｜～堆。❷ 图土地：国～｜领～。❸ 图本地的；地方性的：～产｜～话｜这个字眼太～，外地人不好懂。❹ 图民间的；民间沿用的；非现代化的（区别于"洋"）：～法｜～专家｜～洋并举。❺ 图不合潮流；不开通：～里～气｜～头～脑。❻ 未熬制的鸦片：烟～。❼（Tǔ）图姓。

【土包子】tǔbāo·zi 图指没有见过世面的人（含讥讽意）。

【土崩瓦解】tǔ bēng wǎ jiě 比喻彻底崩溃。

【土鳖】tǔbiē 图地鳖的通称。

【土拨鼠】tǔbōshǔ 图旱獭。

【土布】tǔbù 图手工纺织的布。

【土产】tǔchǎn ❶ 图属性词。某地出产的：～品。❷ 图某地出产的富有地方色彩的产品：这是从家乡四川带来的～。

【土地】tǔdì 图❶ 田地：～肥沃｜～改革。❷ 疆域：～广阔，物产丰富。

【土地】tǔ·di 图迷信传说中指管一个小地区的神：～堂（土地庙）。也叫土地爷或土地老。

【土地改革】tǔdì gǎigé 对封建土地所有制进行改革的运动。

【土地革命战争】Tǔdì Gémìng Zhànzhēng 见300页〖第二次国内革命战争〗。

【土豆】tǔdòu （～儿）图马铃薯的通称。

【土法】tǔfǎ 图民间沿用的方法：～打井。

【土方】[1] tǔfāng 图❶ 挖土、填土、运土的工作量通常都用立方米计算，一立方米称为一个土方。❷ 上述工作叫土方工程，有时也简称土方。

【土方】[2] tǔfāng （～儿）图民间流传的、不见于医药专门著作的药方。

【土匪】tǔfěi 图地方上的武装匪徒。

【土改】tǔgǎi 动土地改革。

【土埂】tǔgěng 图田地里稍稍高起的埂子。也叫土埂子。

【土豪】tǔháo 图旧时农村中有钱有势的地主或恶霸：～劣绅。

【土话】tǔhuà 图小地区内使用的方言。

也叫土语。

【土皇帝】tǔhuángdì 图指盘踞一方的军阀或大恶霸。

【土黄】tǔhuáng 图像黄土那样的黄色。

【土货】tǔhuò 图土产的物品。

【土籍】tǔjí 图世代久居的籍贯。

【土家族】Tǔjiāzú 图我国少数民族之一，主要分布在湖南、湖北、重庆等地。

【土建】tǔjiàn 图土木建筑工程。

【土老帽儿】tǔlǎomàor （方）图指衣着和言谈举止土气十足的人（含讥讽意）。

【土鲮鱼】tǔlíngyú 图鲮。

【土木】tǔmù 图指土木工程：大兴～。

【土木工程】tǔmù gōngchéng 房屋、道路、桥梁、海港等工程的统称。

【土牛】tǔniú 图堆在堤坝上以备抢修用的土堆，从远处看去像一头头的牛。

【土偶】tǔ'ǒu 图用泥土塑成的偶像。

【土坯】tǔpī 图把黏土和（huó）成泥放在模型里制成的土块，多为长方形，可以用来盘灶、垒炕、砌墙。

【土气】tǔ·qì ❶ 图不时髦的风格、式样等。❷ 图不时髦：穿着要像个样，不让人家说我们太～了。

【土壤】tǔrǎng 图地球陆地表面的一层疏松物质，由各种颗粒状矿物质、有机物质、水分、空气、微生物等组成，能生长植物。

【土壤污染】tǔrǎng wūrǎn 工业废水、生活污水、农药、化肥和大气沉降物等进入土壤并逐渐积累所造成的污染。土壤污染使土质恶化，有毒物质通过食物链危害人畜健康。

【土人】tǔrén 图外地人称经济、文化等不发达地区的当地人（含轻视意）。

【土色】tǔsè 图像土一样的黄色：面如～。

【土生土长】tǔ shēng tǔ zhǎng 当地生长：他是～的山东人。

【土石方】tǔshífāng 图土方和石方的合称。

【土司】tǔsī 图元、明、清各朝在少数民族地区授予少数民族首领世袭官职，以统治该族人民的制度。也指被授予这种官职的人。

【土俗】tǔsú ❶ 图当地的习俗：～淳朴。❷ 图粗俗不雅：～的语言。

【土特产】tǔtèchǎn 图土产和特产的合称。

【土物】tǔwù 名 土产②。

【土戏】tǔxì 名❶ 土家族的戏曲剧种,流行于湖北来凤一带。❷ 壮族戏曲剧种之一,流行于云南文山壮族苗族自治州。也叫壮族土戏。

【土星】tǔxīng 名 太阳系九大行星之一,按离太阳由近而远的次序计为第六颗,绕太阳公转周期约为29.5年,自转周期约10小时。(图见1319页"太阳系")

【土腥气】tǔ·xīngqì 名 泥土的气味:这菠菜没洗干净,有点儿。也说土腥味儿。

【土仪】tǔyí〈书〉名 用来送人的土产品。

【土音】tǔyīn 名 土话的口音。

【土语】tǔyǔ 名 土话:方言~。

【土葬】tǔzàng 动 处理死人遗体的一种方法,一般是把尸体装进棺材,再埋在地里(区别于"火葬、水葬"等)。

【土政策】tǔzhèngcè 名 指某个地区或部门从局部利益出发制定的某些规定或办法(多与国家政策不一致)。

【土质】tǔzhì 名 土壤的构造和性质:~肥沃。

【土著】tǔzhù 名 世代居住本地的人。

【土族】Tǔzú 名 我国少数民族之一,主要分布在青海和甘肃。

吐 tǔ 动❶ 使东西从嘴里出来:~核儿(húr)|~痰。❷ 从口儿或缝儿里长出来或露出来:~穗儿|~絮|蚕~丝。❸ 说出来:谈~|~露|~字|~实情。另见1382页 tù。

【吐蕃】Tǔbō 名 我国古代民族,在今青藏高原。唐时曾建立政权。

【吐翠】tǔcuì〈书〉动 呈现碧绿的颜色:杨柳~。

【吐故纳新】tǔ gù nà xīn《庄子·刻意》:"吹呴呼吸,吐故纳新"(呴 xǔ 呵气),本指人体呼吸,吐出二氧化碳,吸进新鲜空气,现多用来比喻扬弃旧的、不好的,吸收新的、好的。

【吐口】tǔ∥kǒu (~儿)动 开口说话(多用于表示同意、说出实情等):问了半天,他就是不~。

【吐露】tǔlù 动 说出(实情或真心话):~真情|她的心里话不轻易向人~。

【吐气】[1] tǔ∥qì 动 发泄出积在胸中的委屈或怨恨而感到痛快:扬眉~。

【吐气】[2] tǔqì 语音学上指送气。

【吐绶鸡】tǔshòujī 名 火鸡。

【吐属】tǔshǔ〈书〉名 谈话用的语句;谈吐:~不凡|~大方。

【吐司】tǔsī 名 烤面包片。[英 toast]

【吐穗】tǔ∥suì (~儿)动 抽穗。

【吐絮】tǔxù 动 棉桃成熟裂开,露出白色的棉絮。

【吐谷浑】Tǔyùhún 名 我国古代民族,在今甘肃、青海一带。隋唐时曾建立政权。

【吐字】tǔzì 动 唱曲和说白中按照正确的或传统的音读出字音;说话、讲演等说出字音;咬字儿:~行腔|~清楚。

钍(釷) tǔ 名 金属元素,符号 Th (thorium)。银白色,在空气中逐渐变为灰色,质软,有放射性。经过中子轰击,可得核燃料铀－233,也可用作耐火材料、合金等。

tù （ㄊㄨ）

吐 tù 动❶ (消化道或呼吸道里的东西)不自主地从嘴里涌出:呕~|~血|上~下泻。❷ 比喻被迫退还侵占的财物。另见1382页 tǔ。

【吐沫】tù·mo 名 唾沫。

【吐血】tù∥xiě 动 内脏出血由口中吐出。参看754页〖咯血〗、1012页〖呕血〗。

【吐泻】tùxiè 名 呕吐和腹泻。

兔(兎) tù (~儿)名 哺乳动物,头部略像鼠,耳大,上唇中间分裂,尾短而向上翘,前肢比后肢短,善于跳跃,跑得很快。有家兔和野兔等。肉可以吃,毛可供纺织,毛皮可以制衣物。通称兔子。

【兔唇】tùchún 名 唇裂。

【兔毫】tùháo 名 用兔毛做笔头的毛笔。

【兔儿爷】tùryé 名 中秋节应景的兔头人身的泥制玩具。

【兔死狗烹】tù sǐ gǒu pēng《史记·越王勾践世家》:"蜚(飞)鸟尽,良弓藏;狡兔死,走狗烹。"鸟没有了,弓也就收起来不用了。兔子死了,猎狗也就被煮来吃了。比喻事情成功以后,把曾经出过大力的人杀掉。

【兔死狐悲】tù sǐ hú bēi 比喻因同类的灭亡而感到悲伤:~,物伤其类。

【兔脱】tùtuō〈书〉动 比喻很快地逃走。

【兔崽子】tùzǎi·zi 图 幼小的兔子(多用作骂人的话)。

【兔子】tù·zi 图 兔的通称。

塊 tù 桥两头靠近平地的地方：桥～。

菟 tù ［菟丝子］(tùsīzǐ) 图 一年生草本植物，茎是丝状，黄色，叶子退化，开白色小花。多寄生在豆科植物上，对豆科植物有害。种子黄褐色，可入药。

另见 1380 页 tú。

tuān（ㄊㄨㄢ）

湍 tuān ❶ 湍急：～流。❷〈书〉急流的水：急～。

【湍急】tuānjí 形 水势急：川江险滩多，水流～。

【湍流】tuānliú〈书〉图 流得很急的水。

tuán（ㄊㄨㄢ）

团（團、糰）tuán ❶ 圆形的：～扇|～脐。❷ 团子：汤～。❸ 动 把东西揉弄成球形：～泥球|～纸团儿|～饭团子。❹ 图 成球形的东西：纸～儿|棉花～儿。❺ 会合在一起：～聚|～结。❻ 图 工作或活动的集体：主席～|文工～|代表～|参观～。❼ 图 军队的编制单位，一般隶属于师，下辖若干营。❽ 图 青少年的政治性组织，如儿童团、青年团等，在我国特指中国共产主义青年团。❾ 图 旧时某些地区相当于乡一级的政权机关。❿ 量 用于成团的东西：一～毛线|一～碎纸。⓫（Tuán）图 姓。

【团拜】tuánbài 动（机关、学校等集体的成员）为庆祝新年或春节而聚在一起互相祝贺。

【团丁】tuándīng 图 旧时团练武装中的壮丁。

【团队】tuánduì 图 具有某种性质的集体；团体：体育～|旅游～。

【团队精神】tuánduì jīngshén 指集体合作、共同奋斗的精神。

【团粉】tuánfěn 图 烹调用的淀粉，多用绿豆或芡实制成。

【团伙】tuánhuǒ 图 纠集在一起从事不轨活动的小集团：贩毒～|流氓～。

【团结】tuánjié ❶ 动 为了集中力量实现共同理想或完成共同任务而联合或结合：～朋友，打击敌人|～就是力量。❷ 形 齐心协力，结合紧密；和睦：邻里～|大家很～。

【团聚】tuánjù 动 ❶ 相聚(多指亲人分别后再相聚)：夫妻～|全家～。❷ 团结聚集：组织和～千千万万民众。

【团粒】tuánlì 图 由腐殖质和矿物颗粒等构成的团状小土粒，直径一般在 1—10 毫米之间。可以储存养分和水分，团粒之间的空隙便于渗水。

【团练】tuánliàn 图 宋代到民国初年，地主阶级用来镇压农民起义的地方武装组织。

【团栾】tuánluán 同「团圞」。

【团圞】tuánluán〈书〉❶ 形 形容月圆：一轮～的明月。❷ 动 团圆①；团聚①：～到老|合家～。‖ 也作团栾。

【团弄】tuán·nong〈方〉动 ❶ 用手掌搓东西使成球形。❷ 摆布；蒙蔽；笼络。‖ 也作抟弄。

【团脐】tuánqí 图 ❶ 螃蟹腹下面中间的一块甲是圆形的，是雌蟹的特征(区别于"尖脐")。❷ 指雌蟹。

【团扇】tuánshàn 图 圆形的扇子，一般用竹子或兽骨做柄，竹篾或铁丝丝做圈，蒙上绢、绫子或纸。

【团体】tuántǐ 图 有共同目的、志趣的人所组成的集体：人民～|文艺～|～活动。

【团体操】tuántǐcāo 图 集体表演的、具有一定主题思想的体操。表演者按规定做各种体操或舞蹈动作，或进行队列变化，或组成各种有意义的图案。

【团头鲂】tuántóufáng 图 鱼，体侧扁而高，略呈菱形，银灰色，头小，嘴宽，背鳍有硬刺，脂肪丰富，肉味鲜美。生活在湖泊中，原产于湖北梁子湖。也叫武昌鱼。

【团团】tuántuán 形 ❶ 形容圆的样子：～的小脸儿。❷ 形容旋转或围绕的样子：～转|～围住。

【团团转】tuántuánzhuàn 形 状态词。来回转圈儿，多用来形容忙碌、焦急的样子：忙得～|急得～。

【团音】tuányīn 图 见 660 页〖尖团音〗。

【团鱼】tuányú 图 鳖。

【团员】tuányuán 名❶ 代表团、参观团等的成员：这个代表团由团长一人、~三人组成。❷ 特指中国共产主义青年团团员。

【团圆】tuányuán ❶ 动（夫妻、父子等）散而复聚：骨肉~|全家~。❷ 形 圆形的：这个人一~脸，大眼睛。

【团圆节】Tuányuán Jié 名指中秋。

【团子】tuán·zi 名米或粗粮面做成的圆球形食物：糯米~|玉米面~。

抟（摶） tuán ❶〈书〉盘旋。❷ 同"团"③。

【抟弄】tuán·nong 同"团弄"。

汑（溥） tuán〈书〉形容露水多。

tuǎn （ㄊㄨㄢˇ）

疃（畽） tuǎn 村庄（多用于地名）：柳~（在山东）|刘~（在河北）。

tuàn （ㄊㄨㄢˋ）

彖 tuàn〈书〉论断，判断：~凶吉。

【彖辞】tuàncí 名《易经》中论卦义的文字。也叫卦辞。

忒 tuī 又 tēi〈方〉副 太：这屋子~小，挤不下。

另见 1334 页 tè。

推 tuī ❶ 动 向外用力使物体或物体的某一部分顺着用力的方向移动：~车|~磨|~倒我~了他一把|门没有闩上，一~就开了。❷ 动（推磨）磨或（推碾子）碾（粮食）：~了两斗荞麦。❸ 动 用工具贴着物体的表面向前剪或削：~草|~头|用刨子~光。❹ 动 使事情开展：~广|~销|~行|把水利建设~向高潮。❺ 动 根据已知的事实断定其他；从某方面的情况想到其他方面：类~|~算|~己及人。❻ 动 让给别人；辞让：~辞|~让|解衣~食|既然大家~选你，你就别~了。❼

❽ 动 推诿：推托|~三阻四。❽ 动 推迟：开会日期往后~|~几天。❾ 推崇：~许|~重。❿ 动 推选：推举：大家~老张担任小组长。

【推本溯源】tuī běn sù yuán 推究根源；找原因。

【推波助澜】tuī bō zhù lán 比喻促使或助长事物（多指坏的事物）的发展，使扩大影响。

【推测】tuīcè 动 根据已经知道的事情来想象不知道的事情：无从~。

【推陈出新】tuī chén chū xīn 去掉旧事物的糟粕，取其精华，并使它向新的方向发展（多指继承文化遗产）。

【推诚相见】tuī chéng xiāng jiàn 用真心相待。

【推迟】tuīchí 动 把预定时间向后改动：~婚期|开会日期~一天。

【推崇】tuīchóng 动 十分推重：备至|杜甫的诗深受后世~。

【推出】tuīchū 动 使产生；使出现：~新品牌|歌坛~好几位新人。

【推辞】tuīcí 动 表示拒绝（任命、邀请、馈赠等）：借故~。

【推戴】tuīdài〈书〉动 拥护某人做领袖：竭诚~。

【推宕】tuīdàng 动 拖延搁置：借故~。

【推导】tuīdǎo 动 根据已知的公理、定义、定理、定律等，经过演算和逻辑推理而得出新的结论。

【推倒】tuī//dǎo 动 ❶ 推翻②：~前人的成说|这个结论看来是推不倒的。

【推定】tuīdìng 动 经推测而断定：一时还难以~他变卦的原因。

【推动】tuī//dòng 动 使事物前进；使工作展开：总结经验，~工作。

【推断】tuīduàn 动 推测断定：正确地分析事物的历史和现状，才有可能~它的发展变化。

【推度】tuīduó 动 推测：~无据。

【推翻】tuī//fān 动 ❶ 用武力打垮旧的政权，使局面彻底改变：~反动统治。❷ 根本否定已有的说法、计划、决定等：~原有结论|~强加给他的诬蔑不实之词。

【推服】tuīfú〈书〉动 推佩佩服。

【推广】tuīguǎng 动 扩大事物使用的范围或起作用的范围：~普通话|~先进经验。

【推及】tuījí 劻 推广到；类推到：～各处｜～其余。

【推己及人】tuī jǐ jí rén 用自己的心思来推想别人的心思；设身处地地替别人着想。

【推见】tuījiàn 劻 推想出：从这些生活琐事上，可以～其为人。

【推荐】tuījiàn 劻 把好的人或事物向人或组织介绍，希望任用或接受：～她去当教师｜向青年～优秀的文学作品。

【推介】tuījiè 劻 推荐介绍：～新书｜新产品需要大力～。

【推襟送抱】tuī jīn sòng bào 比喻推诚相见(襟抱：指心意)。

【推进】tuījìn ❶ 推动工作，使前进：把学科的研究～到一个新阶段。❷ (战线或作战的军队)向前进：主力正向前沿阵地～。

【推究】tuījiū 劻 探索和检查(原因、道理等)：～缘由。

【推举】tuījǔ 劻 推选：大家～他为工会小组长。

【推理】tuīlǐ 劻 逻辑学指思维的基本形式之一，是由一个或几个已知的判断(前提)推出新判断(结论)的过程，有直接推理、间接推理等。

【推力】tuīlì 图 ❶ 推进的力量。❷ 物体所承受的推进的力。

【推论】tuīlùn ❶ 劻 用语言的形式进行推理：根据事实～。❷ 图 经推理所得出的结论：这一～的正确性还需要实践的检验。

【推拿】tuīná 劻 中医指用手在人体上按经络、穴位用推、拿、提、捏、揉等手法进行治疗。

【推敲】tuīqiāo 劻 传说唐代诗人贾岛骑着驴做诗，得到"鸟宿池边树，僧敲月下门"两句。第二句的"敲"字又想改用"推"字，犹豫不决，就用手做推、敲的样子，无意中碰上了韩愈，向韩愈说明原委。韩愈想了一会儿说，用"敲"字好(见于《苕溪渔隐丛话》卷十九引《刘宾客嘉话录》)。后人就用"推敲"来比喻斟酌字句，反复琢磨：反复～｜～词句。

【推求】tuīqiú 劻 根据已知的条件或因素来探索(道理、意图等)：～对方的动机。

【推却】tuīquè 劻 拒绝；推辞：再三～。

【推让】tuīràng 劻 由于谦虚、客气而不肯接受(利益、职位等)。

【推三阻四】tuī sān zǔ sì 以各种借口推托。也说推三推四。

【推搡】tuīsǎng 劻 推来推去：他们互相～着争吵起来｜大伙儿推推搡搡地把他拥进了大门。

【推算】tuīsuàn 劻 根据已有的数据计算出有关的数值：根据太阳、地球、月球运行的规律，可以～日食和月食发生的时间。

【推头】tuī∥tóu (用推子)理发。

【推土机】tuītǔjī 图 在拖拉机前装有推土铲的机械，用于平整建筑场地等。

【推托】tuītuō 劻 借故拒绝：她～嗓子不好，怎么也不肯唱。

【推脱】tuītuō 劻 推卸：～责任。

【推诿】(推委) tuīwěi 劻 把责任推给别人：遇事～。

【推问】tuīwèn 〈书〉劻 ❶ 推究审问：～案情。❷ 追问。

【推想】tuīxiǎng 劻 推测。

【推销】tuīxiāo 劻 推荐销售：～员｜～新产品。

【推卸】tuīxiè 劻 不肯承担(责任)：～责任。

【推谢】tuīxiè 劻 推辞；辞谢：～再三。

【推心置腹】tuī xīn zhì fù 比喻真心待人：他俩～地交谈了好一阵子。

【推行】tuīxíng 劻 普遍实行；推广(经验、办法等)：～新方案｜～生产责任制。

【推许】tuīxǔ 〈书〉劻 推重并赞许：他的见义勇为的行为受到人们的～。

【推选】tuīxuǎn 劻 口头提名选举：～代表｜他被大家～为组长。

【推延】tuīyán 劻 推迟：事情紧急，不能～｜会议因故～三天。

【推演】tuīyǎn 劻 推断演绎。

【推移】tuīyí 劻 (时间、形势、风气等)移动或发展：日月～｜时势的～。

【推展】[1] tuīzhǎn 劻 推进；发展：沉积的泥沙填满了海湾，促使海岸向前～｜两国关系持续～。

【推展】[2] tuīzhǎn 劻 推介展销：商场举办羊绒精品～活动。

【推知】tuīzhī 劻 经过推论或推算而知道：由此可以～其余。

【推重】tuīzhòng 劻 重视某人的思想、才能、行为、著作、发明等，给以很高的评价：非常～他的为人。

【推子】tuī·zi 名 理发工具，有上下重叠的两排带刃的齿儿，使用时上面的一排齿儿左右移动，把头发剪下来。使用电力的叫电推子。

蓷 tuī 古书上指茺蔚(chōngwèi)。

tuí (ㄊㄨㄟˊ)

隤(隤) tuí 〈书〉同"颓"。

隤(隤、隤) tuí 见605页[虺隤]。

颓(頹) tuí ❶〈书〉坍塌：～垣断壁。❷衰败：衰～｜～败。❸委靡：～丧｜～唐。

【颓败】tuíbài 形 衰落；腐败：荒凉～的景象｜风俗～。

【颓放】tuífàng 〈书〉形 志气消沉，行为放纵。

【颓废】tuífèi 形 意志消沉，精神委靡：情绪～｜～的生活。

【颓风】tuífēng 〈书〉名 日趋败坏的风气。

【颓靡】tuímǐ 〈书〉形 颓丧；不振作：士气～。

【颓然】tuírán 〈书〉形 形容败兴的样子：神情～。

【颓丧】tuísàng 形 情绪低落，精神委靡：他～地低着头，半天不说话。

【颓市】tuíshì 名 指行情低迷、交易冷清的市场。

【颓势】tuíshì 名 衰败的趋势：扭转～。

【颓态】tuítài 名 消沉、低落的样子：一扫往日～。

【颓唐】tuítáng 形 精神委靡：神色～。

【颓萎】tuíwěi 形 ❶ 精神委靡不振：神情～。❷ 形容低迷不振：交易～。

T

【颓垣断壁】tuí yuán duàn bì 形容建筑等残破的景象。

穨(穨) tuí 〈书〉同"颓"。

tuǐ (ㄊㄨㄟˇ)

腿 tuǐ ❶ 名 人和动物用来支持身体和行走的部分：大～｜前～｜后～。(图见1209页"人的身体") ❷ (～儿) 名 器物下部像腿一样起支撑作用的部分：桌子～｜椅子～儿。❸ 指火腿：云～(云南宣威一带出产的火腿)。

【腿带】tuǐdài (～儿) 名 束紧裤脚儿的宽而长的带子。

【腿肚子】tuǐdù·zi 名 小腿后面隆起的部分，是由腓肠肌等形成的。

【腿脚】tuǐjiǎo 名 指走动的能力：这位老人的～倒很利落。

【腿腕子】tuǐwàn·zi 名 脚腕子。

【腿子】tuǐ·zi 〈口〉名 狗腿子。

tuì (ㄊㄨㄟˋ)

侻 tuì 〈书〉美好；相宜。
另见1390页 tuō。

退 tuì 动 ❶ 向后移动(跟"进"相对)：后～｜倒～｜进～两难。❷ 使向后移动：～兵｜～敌｜把子弹～出来。❸ 退出；离开：～席｜～职｜～伍｜～伙｜引～。❹ 减退；下降：～色｜～烧｜潮水已经～了。❺ 退还：～钱｜～货｜～票｜把这份礼～了。❻ 把已定的事撤销：～聘｜～婚。

【退避】tuìbì 动 后退躲避：～无地｜～不及，正好碰上。

【退避三舍】tuìbì sān shè 春秋时，晋国同楚国在城濮(在今山东鄄城西南)作战，晋文公遵守以前的诺言，把军队撤退九十里(见于《左传·僖公二十八年》；舍：古代行军三十里为一舍)。后用来比喻对人让步，不与相争。

【退兵】tuì//bīng 动 ❶ 撤退军队：传令～。❷ 迫使敌军撤退：～之计。

【退步】tuìbù ❶ (-//-) 动 落后；向后退：成绩～｜许久不练，技艺～了。❷ (-//-) 动 退让；让步：彼此都退一步，就不至于冲突起来。❸ 名 后步：留个～。

【退场】tuì//chǎng 动 离开演出、比赛等的场所：运动员～｜演出结束，请观众～。

【退潮】tuì//cháo 动 海水在涨潮以后逐渐下降。也叫落潮。

【退出】tuìchū 动 离开会场或其他场所，不再参加；脱离团体或组织：～会场｜～战斗｜～组织。

【退磁】tuì//cí 动 用加高温等方法使磁体

失去磁性。也叫消磁。

【退岗】tuìgǎng 匭 从工作岗位上退下来：因工伤～|一批老职工陆续～。

【退耕】tuìgēng 匭 为保护自然环境而对已经开垦耕种的农田不再耕种：～还林。

【退化】tuìhuà 匭 ❶ 生物体在进化过程中某一部分器官变小，构造简化，功能减退甚至完全消失，叫做退化。如鲸、海豚等的四肢成鳍状，仙人掌的叶子成针状，虮子的翅膀完全消失。❷ 泛指事物由优变劣，由好变坏。

【退还】tuìhuán 匭 交还(已经收下来或买下来的东西)：原物～|～给本人。

【退换】tuìhuàn 匭 退还不合适的，换取合适的(多指货物)：缺页或装订上有错误的书，可以～。

【退回】tuìhuí 匭 ❶ 退还：无法投递，～原处|把这篇稿子～给作者。❷ 返回原来的地方：道路不通，只得～。

【退婚】tuì∥hūn 匭 解除婚约。

【退火】tuì∥huǒ 匭 ❶ 金属工具使用时因受热而降低原有的硬度。❷ 把金属材料或工件加热到一定温度并持续一定时间后，使缓慢冷却。退火可以降低金属硬度和脆性，提高塑性变形而不开裂的能力。

【退伙】[1] tuì∥huǒ 匭 旧时指退出帮会，也泛指退出某个团体。

【退伙】[2] tuì∥huǒ 匭 退出集体伙食。

【退居】tuìjū 匭 从原来的职位、地位等退到幕后或低一级的职位、地位：～二线。

【退路】tuìlù 名 ❶ 退回去的道路：切断敌军的～。❷ 回旋的余地：留个～。

【退赔】tuìpéi 匭 退还，赔偿(多指侵占的、非法取得的财物等)：责令他～所贪污的全部公款。

【退票】tuì∥piào 匭 把已经买来的车票、船票、戏票等退还原处或转让别人，收回买票的钱。

【退聘】tuìpìn 匭 解除聘约，不再聘用。

【退坡】tuì∥pō 匭 比喻意志衰退，或因工作中遭到困难而后退：～思想。

【退亲】tuì∥qīn 匭 退婚。

【退勤】tuìqín 匭 完成执勤工作之后离开岗位(休息)。

【退却】tuìquè 匭 ❶ 军队在作战中向后撤退：全线～。❷ 畏难后退；畏缩：遇到挫

折也不～。

【退让】tuìràng 匭 ❶ 向后退，让开路：～不及，让车撞倒。❷ 让步：原则问题，一点也不能～。

【退热】tuì∥rè 匭 高于正常的体温降到正常。也说退烧。

【退色】tuì∥shǎi 匭 布匹、衣服等的颜色逐渐变淡：这种布下水后不～。也说脱色(tuō∥sè)。

【退烧】tuì∥shāo 匭 退热。

【退市】tuìshì 匭 退出市场，特指上市公司因连年亏损被取消上市资格，退出股市：下半年部分车型停产～|少数公司～已成定局。

【退守】tuìshǒu 匭 向后退并采取守势：～一方。

【退缩】tuìsuō 匭 向后退或缩；畏缩：～不前。

【退庭】tuìtíng 匭 诉讼案件的关系人(如原告人、被告人、律师、证人等)退出法庭：法官宣布～。

【退位】tuì∥wèi 匭 最高统治者让出统治地位，泛指退出原有的职位或地位。

【退伍】tuì∥wǔ 匭 指军人服满现役或由于其他原因退出军队：他两年前退的伍。

【退席】tuì∥xí 匭 退出宴席或会场。

【退行】tuìxíng 匭 向后倒退；退化：老年人的机体不免要产生～性改变。

【退休】tuìxiū 匭 职工因年老或因公致残等而离开工作岗位，按期领取生活费用：～金|他去年已经～。

【退学】tuì∥xué 匭 学生因故不能继续学习，或因严重违反纪律不许继续学习而取消学籍：因病～|勒令～。

【退押】tuì∥yā 匭 退还押金。

【退役】tuì∥yì 匭 ❶ 军人退出现役或服预备役期满后停止服役：～军人。❷ 某种陈旧的武器不再用于军备，也指交通工具、设施等不再使用：这种型号的战斗机已经～了。❸ 泛指其他行业的人员(多指运动员)退离专业岗位：今年球队主力队员大半～，实力明显下降。

【退隐】tuìyǐn 匭 指官吏退职隐居：～山林。

【退赃】tuì∥zāng 匭 退出赃款或赃物。

【退职】tuì∥zhí 匭 辞退或辞去职务：自动～|提前～。

折也不～。

【退走】tuìzǒu 囫 向后退去;退却:见势不妙,赶紧~。

蜕 tuì ❶囫 蛇、蝉等脱皮:~化。❷ 蛇、蝉等脱下的皮:蛇~|蝉~。❸ 鸟换毛(脱毛重长):旧毛还没~完,就开始长新毛了。

【蜕变】tuìbiàn 囫 ❶(人或事物)发生质变:一个优等生~为小偷,这个教训值得记取。❷ 衰变。

【蜕化】tuìhuà 囫 虫类脱皮,比喻腐化堕落:~变质。

【蜕皮】tuì//pí 囫 许多节肢动物(主要是昆虫)和爬行动物,生长期间旧的表皮脱落,由新长出的表皮来代替。通常每蜕皮一次就长大一些。

煺(煺、揬) tuì 囫 已宰杀的猪、鸡等用滚水烫后去掉毛:~毛|~猪。

褪 tuì 囫 脱(衣服、羽毛、颜色等):~去冬衣|小鸭~了黄毛。
另见 1389 页 tùn。

【褪色】tuì//shǎi 囫 退色。

tūn（ㄊㄨㄣ）

吞 tūn ❶囫 不嚼或不细嚼,整个儿地或成块地咽下去:囫囵~枣|狼~虎咽|把丸药~下去。❷囫 并吞;吞没①:侵~|独~|~灭|连救济款他都敢~。❸(Tūn)囵姓。

【吞并】tūnbìng 囫 并吞。

【吞金】tūn//jīn 囫 吞下黄金(自杀)。

【吞灭】tūnmiè 囫 并吞消灭。

【吞没】tūnmò 囫 ❶ 把公共的或代管的财物据为己有:~巨款。❷ 淹没:大水~了村子。

【吞声】tūnshēng〈书〉囫 不敢出声,特指哭泣不敢出声:忍气~|~饮泣。

【吞食】tūnshí 囫 吞①:大鱼~小鱼。

【吞噬】tūnshì 囫 ❶ 吞食◇洪水~了成千上万人的生命。❷〈书〉并吞。

【吞吐】tūntǔ 囫 ❶ 吞进和吐出,比喻大量地进来和出去:~量|~港|火车站昼夜不停地~着来往的旅客。❷ 形容说话或行文含混不清:~其词。

【吞吞吐吐】tūntūntǔtǔ 囮 状态词。形容

有顾虑,有话不敢直说或说话含混不清。

【吞咽】tūnyàn 囫 吞食:咽喉发炎,~困难 ◇千言万语涌到喉头,却又~了下去。

【吞云吐雾】tūn yún tǔ wù 形容人吸鸦片、香烟时喷吐出浓重烟雾的样子(含讥讽意)。

【吞占】tūnzhàn 囫 侵吞;侵占:~耕地|不能~公有财产。

暾 tūn〈书〉刚出的太阳:朝~。

tún（ㄊㄨㄣ）

屯 tún ❶ 聚集;储存:~聚|聚草~粮。❷(军队)驻扎:驻~|~兵。❸ 村庄(多用于村庄名):皇姑~(在辽宁)|小~(在河南)。
另见 1797 页 zhūn。

【屯兵】túnbīng 囫 驻扎军队:~边城。

【屯集】túnjí 囫 屯聚。

【屯聚】túnjù 囫 聚集(人马等):~大量兵力。

【屯垦】túnkěn 囫 驻兵垦荒:~戍边。

【屯落】túnluò〈方〉囵 村庄。

【屯守】túnshǒu 囫 驻守:~边疆。

【屯田】túntián 囫 汉以后历代政府利用兵士在驻扎的地区种地,或者招募农民种地,这种措施叫做屯田。

【屯扎】túnzhā 囫 驻扎。

【屯子】tún·zi〈方〉囵 村庄。

坉(坔) tún 寨子(多用于地名):石~|~脚镇(都在贵州)。

囤 tún 囫 储存:~积|~粮|仓库里~了不少货物。
另见 348 页 dùn。

【囤积】túnjī 囫 投机商人为了等待时机高价出售而把货物储存起来:~居奇。

【囤聚】túnjù 囫 储存聚集(货物):~木材。

饨(飩) tún 见 615 页[馄饨]。

忳 tún [忳忳](túntún)〈书〉囮 烦闷的样子。

豚(独) tún 小猪,泛指猪。

【豚鼠】túnshǔ 囵 哺乳动物,外形略像兔

而较小,有须,耳短,前肢短,后肢长,无尾,毛白色、黄色、黑色等不一,吃植物。也叫天竺鼠。

鲀(魨) tún 名河豚。

臀 tún 名人体后面两股的上端和腰相连接的部分,也指高等动物后肢的上端和腰相连接的部分。(图见 1209 页"人的身体")

【臀尖】túnjiān 名做食品用的猪臀部隆起处的肉。

【臀鳍】túnqí 名鱼类肛门后面的鳍。(图见 1073 页"鳍")

【臀围】túnwéi 名围绕臀部一周的长度。

【臀疣】túnyóu 名猴类臀部的厚而坚韧的皮,红色,不生毛。

tǔn (ㄊㄨㄣˇ)

籴 tǔn 〈方〉动❶漂浮:木板在水上～。❷用油炸:油～馒头|油～花生米。

tùn (ㄊㄨㄣˋ)

褪 tùn 动❶退缩身体的某部分,使套着的东西脱离:～套儿|～下一只袖子。❷〈方〉藏在袖子里:～着手|袖子里～着一封信。

另见 1388 页 tuì。

【褪套儿】tùn//tàor 〈口〉动❶使身体脱离捆着它的绳索:狗褪了套儿跑了。❷比喻摆脱责任。

tuō (ㄊㄨㄛ)

毛 tuō 量"托³"旧也作毛。

扡 tuō 用于地名:黎～|～坝|大～铺(都在湖南)。

托[1] tuō ❶动手掌或其他东西向上承受(物体):两手～着下巴|茶盘～着茶杯和茶壶。❷(～儿)名托子;类似托子的东西:花～|茶～儿|日历～儿。❸陪衬:

托[2](託) tuō ❶动委托;寄托①:～儿所|～人买东西。❷推托:～病|～故|～词。❸依赖:～福|～庇。

托[3] tuō 量压强的非法定单位,1 托等于 1 毫米汞柱的压强,合 133.322 帕。旧作毛。[英 torr]

【托庇】tuōbì 〈书〉动依赖长辈或有权势者的庇护:～祖荫。

【托病】tuōbìng 动以有病为借口:～离席。

【托词】tuōcí ❶动找借口:～谢绝。❷名借口:他说有事,这是～,未必真有事。‖也作托辞。

【托辞】tuōcí 同"托词"。

【托儿所】tuō'érsuǒ 名照管婴儿或教养幼儿的处所。

【托福】[1] tuō//fú 动客套话,意思是依赖别人的福气,使自己幸运(多用于回答别人的问候):托您的福|一切都很顺利。

【托福】[2] tuōfú 名美国"对非英语国家留学生的英语考试"(Test of English as a Foreign Language) 英文缩写(TOEFL) 的音译。

【托付】tuōfù 动委托别人照料或办理:把孩子～给老师|一朋友处理这件事。

【托孤】tuōgū 动临终前把留下的孤儿托付给别人(多指君主把遗孤托付给大臣)。

【托故】tuōgù 动借口某种原因:～不来|～早退。

【托管】tuōguǎn ❶动由联合国委托一个或几个会员国在联合国监督下管理还没有获得自治权的地区。❷委托管理或保管:～项目。

【托疾】tuōjí 〈书〉动托病:～推辞。

【托拉斯】tuōlāsī 名❶资本主义垄断组织形式之一,由许多生产同类商品或在生产上有密切关系的企业合并组成。最大企业的资本家操纵领导权,其他企业主成了按股分红的股东。❷专业公司。[英 trust]

【托老所】tuōlǎosuǒ 名专门照料老年人的处所。

【托门子】tuō mén·zi 为达到某种目的而找门路托人求情:～,拉关系。

【托梦】tuō//mèng 动亲友的灵魂在人的

梦中出现并有所嘱托(迷信)。

【托名】tuōmíng 勔 假借别人的名义:这篇古文是～之作。

【托盘】tuōpán 名 端饭菜时放碗碟的盘子,也用来盛礼物。

【托腔】tuō∥qiāng 勔 指戏曲演出时演奏乐器衬托演员的唱腔:他拉胡琴没有花招,～托得极严。

【托情】tuō∥qíng 勔 托人情:～说合。

【托儿】tuōr 〈方〉 指从旁诱人受骗上当的人。

【托人情】tuō rénqíng 请人代为说情。也说托情。

【托身】tuōshēn 勔 寄身:～之处。

【托生】tuōshēng 勔 迷信的人指人或高等动物(多指家畜家禽)死后,灵魂转生世间。

【托熟】tuōshú 勔 认为是熟人而不拘礼节。

【托养】tuōyǎng 勔 委托抚养、赡养等:～儿童|老年人～机构。

【托运】tuōyùn 勔 委托运输部门运(行李、货物等):～行李。

【托子】tuō·zi 名 某些物件下面起支撑作用的部分:座儿|枪～。

饦(飥) tuō 见 106 页[馎饦]。

拖 tuō ❶ 勔 拉着物体使挨着地面或另一物体的表面移动:～船|～地板|火车头～着十二个车皮。❷ 勔 在身体后面垂拉着:～着辫子|～着个尾巴。❸ 勔 拖延;延续:～时间|这件工作～得太久了|声音～得很长。❹ 勔 牵制;牵累:～累|～住敌人。❺ (Tuō)名 姓。

【拖把】tuōbǎ 名 擦地板的工具,把许多布条或线绳固定在长棍的一头做成。也叫墩布、拖布。

【拖驳】tuōbó 名 由拖轮或汽艇牵引的驳船。

【拖布】tuōbù 名 拖把。

【拖车】tuōchē 名 被牵引车拉着走的车辆,通常指汽车、电车等所牵引的车辆。

【拖船】tuōchuán 名 ❶拖轮。❷〈方〉拖轮所牵引的木船。

【拖带】tuōdài 勔 ❶牵引:这些车辆不仅载重量大,而且～灵活,平稳安全。❷〈方〉牵连;牵累:受到儿女的～。

【拖宕】tuōdàng 勔 拖延:～时间。

【拖斗】tuōdǒu 名 拖车(多指小型的,不带棚的)。

【拖后腿】tuō hòutuǐ 比喻牵制、阻挠别人或事物使不得前进。

【拖拉】tuōlā 厖 办事迟缓,不赶紧完成:～作风|办事拖拖拉拉的。

【拖拉机】tuōlājī 名 主要用于农业的动力机器,种类很多,小型的用橡胶轮胎,大型的用履带。能牵引不同的农具进行耕地、播种、收割等。

【拖累】tuōlěi 勔 牵累;使受牵累:受孩子～|不能因为我而～亲友。

【拖轮】tuōlún 名 装有拖曳设备,用来牵引船舶或木筏、竹排的机动船。也叫拖船。

【拖泥带水】tuō ní dài shuǐ 比喻说话、写文章不简洁或做事不干脆。

【拖欠】tuōqiàn 勔 超过期限,长期欠着不归还或不支付:～贷款|～房租|～工资。

【拖腔】tuōqiāng 指戏曲演出时唱某一个字的音拖长。

【拖沓】tuōtà 厖 形容做事拖拉;不爽利:工作～|文字烦冗。

【拖堂】tuō∥táng 勔 指教师拖延下课的时间。

【拖鞋】tuōxié 名 后半截没有鞋帮的鞋。一般在室内穿。

【拖延】tuōyán 勔 把时间延长,不迅速办理:～时日|期限快到,不能再～了。

【拖曳】tuōyè 勔 拉着走;牵引:信号弹～着一道长长的尾巴升起|拖轮～着木筏在江中航行。

挔 tuō 〈书〉同"拖"。

侂(侘、托) tuō 〈书〉委托;寄托。

侻 tuō 〈书〉❶ 简易。❷ 适当;应当。另见 1386 页 tuì。

挩 tuō 〈书〉❶ 解脱。❷ 遗漏;失误。

脱 tuō ❶ 勔 (皮肤、毛发等)脱落:～皮|～毛|爷爷的头发都～光了。❷ 勔 取下;除去:～鞋|～脂|～色。❸ 勔 脱离:逃～|摆～|～险|～缰之马。❹ 勔 漏掉(文字):～误|这一行里～了三个字。❺ 〈书〉轻率;轻慢:轻～|～易(轻率,不讲究

礼貌)。❻〈书〉副 或许:～有不测。❼〈书〉连 倘若:～有遗漏,必致误事。❽(Tuō)名 姓。

【脱靶】tuō//bǎ 动 打靶时没有打中。

【脱班】tuō//bān 动 迟于规定接替的时间到达;晚点:邮件|～飞机|～了两个小时。

【脱产】tuō//chǎn 动 脱离直接生产,专门从事行政管理、党、团、工会等工作或者专门学习:～干部|～学习。

【脱档】tuōdàng 动 指某种商品生产或供应暂时中断。

【脱发】tuō//fà 头发大量脱落,多由发癣等皮肤病引起。

【脱肛】tuō//gāng 动 通常指直肠从肛门脱出。长期的便秘、腹泻、痔疮等都能引起脱肛。

【脱岗】tuō//gǎng 动 ❶ 在工作时间内擅自离开所在的岗位:一些夜间值班人员存在～现象。❷ 暂时脱离工作岗位:对不合格的人员进行～培训。

【脱稿】tuō//gǎo 动(著作)写完:这本书已经～。

【脱钩】tuō//gōu 动 ❶ 火车车厢之间的挂钩分离。❷ 比喻脱离联系。

【脱轨】tuō//guǐ 动 车轮离开轨道:火车～。

【脱货】tuō//huò 动 货物脱销;缺货:这种药暂～,四五天后才能运到。

【脱胶】tuō//jiāo 动 ❶ 附着在物体上的胶质脱落;开胶。❷ 去掉附着在植物纤维上的胶质。方法很多,如用化学药剂或细菌破坏胶质,用清水浸渍,加高压蒸气,用人工捶打等。

【脱节】tuō//jié 动 原来连接着的物体分开,借指原来联系着的事物失掉联系,或原来应该联系的事物没有联系起来:管子焊得不好,容易～|理论与实践不能～。

【脱臼】tuō//jiù 动 脱位。

【脱口】tuōkǒu 不加思索地开口(说):～而出|～成章。

【脱口而出】tuō kǒu ér chū 不加思索,随口说出。

【脱困】tuō//kùn 动 摆脱困境:经过整改,该厂两年就实现了～目标。

【脱离】tuōlí 动 离开(某种环境或情况);断绝(某种联系):～危险|～旧家庭|～实际|～群众。

【脱离速度】tuōlí sùdù 第二宇宙速度。

【脱粒】tuō//lì 把收割的庄稼放在场(cháng)上碾轧、摔打或用机器使实脱落下来。

【脱漏】tuōlòu 漏掉;遗漏:这份抄件～的字句较多。

【脱略】tuōlüè〈书〉动 ❶ 放任;不拘束:～形骸|举动～。❷(文句、字词)脱漏或省略。

【脱落】tuōluò 动 ❶(附着的东西)掉下:毛发～|牙齿～|门上的油漆已经～。❷ 指文字遗漏:字句～。

【脱盲】tuō//máng 动 指不识字的人经过学习后脱离文盲状态:经过扫盲班学习,很多人都已～。

【脱毛】tuō//máo 动 鸟兽的毛脱落。

【脱帽】tuōmào 动 摘下帽子(大都表示恭敬):～致敬。

【脱敏】tuōmǐn 动 解除过敏状态。

【脱坯】tuō//pī 动 用模子把泥制成土坯。

【脱皮】tuō//pí 动 表皮脱落:晒得脱了一层皮。

【脱贫】tuō//pín 动 摆脱贫困:～致富。

【脱坡】tuō//pō 动 堤坝等水工建筑物的斜坡被水冲塌。

【脱期】tuō//qī 动 延误预定的日期,特指期刊延期出版:～交货|由于装订不及,造成杂志～。

【脱色】tuō//sè 动 ❶ 用化学药品去掉物质原来的色素。❷ 退色(tuì//shǎi)。

【脱涩】tuō//sè 动 使柿子、香蕉等去掉涩味,通常采用温水浸泡、塑料袋密闭等方法。

【脱身】tuō//shēn 动 离开某种场合;摆脱某件事情:事情太多,不能～|他正忙着,一时脱不了身。

【脱手】tuō//shǒu 动 ❶ 脱开手:用力一扔,石块～飞出去◇稿子已～,即日可寄出。❷ 卖出货物。

【脱水】tuō//shuǐ 动 ❶ 人体中的液体大量减少,常在严重的呕吐、腹泻或大量出汗等情况下发生。❷ 物质失去所含的水分,如晶体失去结晶水,化合物的分子中失去跟水相当的氢氧原子。❸〈方〉水田里旱得没有水。

【脱俗】tuō//sú 动 不沾染庸俗之气:超凡～|房间布置得淡雅～。

【脱胎】tuō∥tāi 励❶ 漆器的一种制法，在泥或木制的模型上糊上薄绸或夹布内，再经涂漆磨光等工序，最后把胎脱去，涂上颜料。❷ 指一事物由另一事物孕育变化而产生：～换骨|这出戏～于一个神话故事。

【脱胎换骨】tuō tāi huàn gǔ 原为道教修炼用语，指修道者得道，就脱凡胎而成圣胎，换凡骨而为仙骨。现在用来比喻彻底改变立场观点。

【脱逃】tuōtáo 励 脱身逃走：临阵～。

【脱兔】tuōtù 〈书〉名 逃走的兔子：动如～（比喻行动迅速，像逃走的兔子一样）。

【脱位】tuō∥wèi 励 由于外伤或关节内部发生病变，构成关节的骨头脱离正常的位置。也叫脱臼。

【脱误】tuōwù 励（文字）脱漏和错误：传写～,在所难免|在校样上检查出不少～之处。

【脱险】tuō∥xiǎn 励 脱离危险：虎口～|病人已经～。

【脱相】tuō∥xiàng 励 指人瘦得不成样子：这几天她都累～了。

【脱销】tuō∥xiāo 励（某种商品）卖完，一时不能继续供应。

【脱卸】tuōxiè 励 摆脱;推卸(责任)：～罪责。

【脱氧核糖】tuōyǎng-hétáng 有机化合物，含醛基的戊糖，与核糖的区别是紧接醛基的碳原子上没有氧原子。

【脱氧核糖核酸】tuōyǎng-hétáng hésuān 分子中含有脱氧核糖的一类核酸，存在于细胞核、线粒体、叶绿素、某些细胞的质以及某些病毒和噬菌体中，是储藏、复制和传递遗传信息的主要物质基础。

【脱瘾】tuōyǐn 励 摆脱毒瘾：戒毒～。

【脱颖而出】tuō yǐng ér chū 战国时代，秦兵攻打赵国。赵国平原君奉命到楚国求救，要选二十名文武双全的门客一起去，但缺一人，毛遂自动请跟着去。平原君说，贤能的人在众人当中就像锥子放在布袋里，尖儿立刻就会露出来，你来我们门下已经三年，没听到过对你的赞扬，你没什么能耐，不去吧！毛遂说，假使我毛遂早像锥子放在布袋里似的，'乃颖脱而出，非特其末见而已'，就是说，连锥子上部的环儿也会露出来的，岂止露个尖儿！（见

于《史记·平原君列传》。颖：据旧注,指锥子把儿上套的环）后来用"脱颖而出"比喻人的才能全部显示出来。

【脱羽】tuōyǔ 励 鸟类的羽毛在春秋两季脱落,换新的羽毛。

【脱脂】tuō∥zhī 励 除去物质中所含的脂肪质,某些纤维和乳类常常脱脂后应用：～棉。

tuó （ㄊㄨㄛˊ）

驮（馱）tuó 励 用背部承载人或物体：～运|这匹马能～四袋粮食|他～着我过了河。
　　另见 352 页 duò。

【驮轿】tuójiào 名 驮在骡马等背上的轿子。

【驮马】tuómǎ 名 专门用来驮东西的马。

佗 tuó 〈书〉名 负荷。

陁 tuó 见 1021 页【盘陀】（盘陁）。

陀 tuó ❶ 见【陀螺】、1021 页【盘陀】、1056 页【陂陀】。❷（Tuó）名 姓。

【陀螺】tuóluó 名 儿童玩具，形状略像海螺，多用木头制成，下面有铁尖，玩时用鞭子抽打，使直立旋转。有的用铁皮制成，利用发条的弹力旋转。

坨 tuó ❶ 励 面食煮熟后粘在一块儿：面条～了。❷（～儿）名 坨子：粉～儿|蜡～儿。

【坨子】tuó·zi 名 成块或成堆的东西：泥～|盐～|粉～|礁石～。

沱 tuó 〈方〉可以停船的水湾（多用于地名）：石盘～（在四川）|金刚～（在重庆）。

【沱茶】tuóchá 名 一种压成碗形的成块的茶，产于云南、四川、重庆。

驼（駝）
驼（駝）tuó 〈书〉同"驼"。

　　　　tuó ❶ 指骆驼：～峰|～绒。❷ 励（背）弯曲：老爷爷的背都～了。

【驼背】tuóbèi ❶（－/－）励 人的脊柱向后拱起，多由年老脊椎变形、坐立姿势不正或佝偻病等疾病引起。❷ 名 驼背的人。

【驼峰】tuófēng 图❶骆驼背部隆起像山峰的部分,里面储藏大量脂肪,缺乏食物时,脂肪就供体内的消耗。❷铁路上调车用的土坡。车辆可以凭本身的重力自动溜到各股轨道上,按要求进行列车编组。

【驼铃】tuólíng 图系在骆驼颈下的铃铛,随着骆驼的行走而发出响声。

【驼鹿】tuólù 图哺乳动物,是最大型的鹿,背部很高,像驼峰。毛黑棕色,头大而长,颈短,鼻长如骆驼,尾短,四肢细长,雄的有角,角上部呈铲形。我国东北兴安岭地区有出产。有的地区叫堪达罕或犴。

【驼绒】tuóróng 图❶骆驼的绒毛,用来织衣料或毯子,也可以用来絮皮被。❷见 902 页〖骆驼绒〗。

【驼色】tuósè 图像骆驼毛那样的浅棕色。

【驼子】tuó·zi 〈方〉图驼背的人。

柁 tuó 图木结构屋架中顺着前后方向架在柱子上的横木。
另见 353 页 duò"舵"。

砣 tuó ❶图秤砣。❷碾砣。❸动用砣子打磨玉器:～一个玉杯。

【砣子】tuó·zi 图打磨玉器的砂轮。

铊(鉈) tuó 图秤砣;秤锤。
另见 1313 页 tā。

鸵(鴕) tuó 鸵鸟。

【鸵鸟】tuóniǎo 图鸟,是现代鸟类中体形最大的,高可达 3 米,颈长,头小,嘴扁平,翼短小,不能飞,腿长,脚有力,善走。雌鸟灰褐色,雄鸟的翼和尾部有白色羽毛。生活在非洲的草原和沙漠地带。

【鸵鸟政策】tuóniǎo zhèngcè 指不敢正视现实的政策(据说鸵鸟被追急时,就把头钻进沙里,自以为平安无事)。

堶 tuó 〈书〉砖。

酡 tuó 〈书〉喝了酒脸色发红:～然|～颜。

跎 tuó 见 237 页〖蹉跎〗。

鮀(鮀) tuó 生活在淡水中的小型鱼类,也用于地名:～岛|～浦镇(都在广东)。

橐¹(橐) tuó 〈书〉一种口袋:囊～。

橐²(橐) tuó 〔拟声〕形容很重的脚步声等:～～的皮鞋声。

【橐驼】tuótuó 〈书〉图骆驼。

鼧 tuó 〔鼧鼥〕(tuóbá)图古书上指旱獭。

鼍(鼉) tuó 图鼍龙。

【鼍龙】tuólóng 图扬子鳄。

tuǒ (ㄊㄨㄛˇ)

妥 tuǒ ❶形妥当:稳～|次～|这样处理,恐怕不～。❷形齐备;停当(多用在动词后):货已购～|事情商量～了。❸(Tuǒ)图姓。

【妥当】tuǒ·dang 形稳妥适当:安排～|这句话中有一个词用得不～。

【妥善】tuǒshàn 形妥当完善:～安置|事情处理得非常～。

【妥实】tuǒshí 形妥当;实在:需要找个～的担保人|这样办不够～,得另想办法。

【妥帖】tuǒtiē 形恰当;十分合适:用词～|安置得妥妥帖帖。

【妥协】tuǒxié 动用让步的方法避免冲突或争执:～投降|原则问题上不能～。

庹 tuǒ ❶量成人两臂左右平伸时两手之间的距离,约合 5 尺。❷(Tuǒ)图姓。

椭(橢) tuǒ 长圆形:～圆。

【椭圆】tuǒyuán 图❶平面上的动点 A 到两个定点 F, F' 的距离的和等于一个常数时,这个动点 A 的轨迹就是椭圆。两个定点 F, F' 叫做椭圆的焦点。❷指椭圆体。

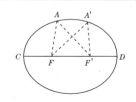

椭 圆

【椭圆体】tuǒyuántǐ 名 椭圆围绕它的长轴或短轴旋转一周所围成的立体。

髻 tuǒ 见 1433 页[鬌髻]。

tuò （ㄊㄨㄛˋ）

拓 tuò ❶ 开辟(土地、道路)：开～｜～荒｜公路～宽工程。❷（Tuò）名姓。

另见 1314 页 tà。

【拓跋】Tuòbá 名 姓。

【拓荒】tuòhuāng 动 开荒：～者。

【拓宽】tuòkuān 动 开拓使宽广：～视野｜～思路｜～路面。

【拓扑学】tuòpūxué 名 数学的一个分支，研究几何图形在连续改变形状时还能保持不变的一些特性，它只考虑物体间的位置关系而不考虑它们的距离和大小。[英 topology]

【拓销】tuòxiāo 动 拓宽销路；扩大销售：～策略｜新产品～。

【拓展】tuòzhǎn 动 开拓发展：～市场｜～新业务。

桥（欜） tuò 〈书〉打更用的梆子。

萚（蘀） tuò 〈书〉从草木上脱落下来的皮或叶。

唾 tuò ❶ 唾液：～壶。❷ 用力吐唾沫：～手可得。❸ 吐唾沫表示鄙视：～弃｜～骂｜～面自干。

【唾骂】tuòmà 动 鄙弃责骂：当面～｜受天下人～。

【唾面自干】tuò miàn zì gān 人家往自己脸上吐唾沫，不擦掉而让它自干(见于《新唐书·娄师德传》)。指受了侮辱，极度容忍，不加反抗。

【唾沫】tuò·mo 名 唾液的通称。

【唾弃】tuòqì 动 鄙弃：遭人～。

【唾手可得】tuò shǒu kě dé 比喻非常容易得到(唾手：往手上吐唾沫)。

【唾液】tuòyè 名 口腔中分泌的液体，作用是使口腔湿润，使食物变软容易咽下，还能分解淀粉，有部分消化作用。通称唾沫或口水。

【唾液腺】tuòyèxiàn 名 人和脊椎动物口腔内分泌唾液的腺体。人和哺乳动物有 3 对较大的唾液腺，即腮腺、下颌下腺和舌下腺，另外还有许多小的唾液腺。

【唾余】tuòyú 〈书〉名 比喻别人的无足轻重的言论或意见：拾人～。

跅 tuò [跅弛](tuòchí)〈书〉形 放荡：～之士。

箨（籜） tuò 〈书〉竹笋上一片一片的皮。

魄 tuò "落魄"的"魄"pò 的又音。

另见 106 页 bó；1060 页 pò。

W

W

wā（ㄨㄚ）

屲 wā 〈方〉低洼的地方；水洼（多用于地名）：漫～（在甘肃）｜何家～（在宁夏）。

凹 wā 〈方〉同"洼"（用于地名）：茹～（在河南）｜万家～（在云南）｜碾子～（在陕西）。
另见 13 页 āo。

宨 wā 〈书〉同"挖"。

㞼 wā 用于地名：朱家～、王～子（都在陕西）。

挖 wā 〔动〕❶用工具或手从物体的表面向里用力，取出其一部分或其中包藏的东西：～洞｜～土｜～个槽儿◇～潜力。❷〈方〉用指甲抓。

【挖补】wābǔ 〔动〕把坏的地方去掉，用新的材料补上：～衣服｜～字画。

【挖方】wāfāng ❶〔动〕土木工程施工时开挖土石方。❷〔名〕土木工程施工时开挖的土石方。

【挖改】wāgǎi 〔动〕指不改动印刷版面，只在原印刷版上进行文字、图形等的更改。

【挖掘】wājué 〔动〕挖；发掘：～地下的财富◇～生产潜力｜～整理地方戏曲剧目。

【挖空心思】wā kōng xīnsī 费尽心计（多含贬义）。

【挖苦】wāku 〔动〕用尖酸刻薄的话讥笑（人）：有意见就直说，不要～人。

【挖潜】wāqián 〔动〕挖掘潜力。

【挖墙脚】wā qiángjiǎo 〈口〉拆台。

【挖肉补疮】wā ròu bǔ chuāng 见 1401 页【剜肉医疮】。

哇 wā 〔拟声〕形容呕吐声、大哭声等：孩子吓得～～叫｜～的一声把刚吃的东西全吐了。
另见 1396 页·wa。

【哇啦】wālā 〔拟声〕形容说话或吵闹声：～～地发议论。也作哇喇。

【哇喇】wālā 同"哇啦"。

【哇哇】wāwā 〔拟声〕形容乌鸦叫声、小孩儿哭声等。

洼（窊） wā ❶〔形〕低洼：～地｜这地太～。❷（～儿）低洼的地方：水～儿。

【洼地】wādì 〔名〕低洼的地方。

【洼陷】wāxiàn 〔动〕凹陷（多指地面）：路面～｜颧骨隆起，两眼～。

瓾 wā 瓾底（Wādǐ），地名，在山西。

窊 wā 同"洼"（用于地名）：南～子｜赤泥～（都在山西）。

娲（媧） wā 女娲，神话中炼石补天的神。

蛙（鼃） wā 〔名〕两栖动物，无尾，后肢长，前肢短，趾有蹼，善于跳跃和游泳。捕食昆虫，对农业有益。种类很多，常见的有青蛙等。

【蛙泳】wāyǒng 〔名〕游泳的一种姿势，也是游泳项目之一，运动员俯卧在水面，两臂划水，同时两腿蹬、夹水。因像蛙游的姿势而得名。

wá（ㄨㄚˊ）

娃 wá ❶（～儿）〔名〕小孩儿：女～｜男～｜放牛～。❷〈方〉某些幼小的动物：鸡～。

【娃娃】wá·wa 〔名〕小孩儿：胖～｜泥～。

【娃娃亲】wá·waqīn 〔名〕指男女双方在年纪很小的时候由父母订下的亲事。

【娃娃生】wá·washēng 〔名〕戏曲中生角的一类，专演大嗓子儿童的角色，一般由年幼的演员扮演。

【娃娃鱼】wá·wayú 〔名〕大鲵（ní）的俗称。

【娃子】[1] wá·zi 〈方〉〔名〕❶小孩儿。❷某些幼小的动物：猪～。

【娃子】[2] wá·zi 〔名〕旧时凉山等少数民族地区的奴隶。

W

在云南。

wǎ（ㄨㄚˇ）

瓦¹ wǎ ❶〈名〉铺屋顶用的建筑材料,一般用泥土烧成,也有用水泥等材料制成的,形状有拱形的、平的或半个圆筒形的等。❷ 用泥土烧成的:～盆|～器。❸（Wǎ）〈名〉姓。

瓦² wǎ 〈量〉瓦特的简称。1秒钟做1焦的功,功率就是1瓦。
另见1396页 wà。

【瓦当】wǎdāng〈名〉我国传统建筑铺在房檐边上的滴水瓦的瓦头,呈圆形或半圆形,上有图案或文字。

【瓦釜雷鸣】wǎ fǔ léi míng 比喻无才无德的人占据高位,煊赫一时(语出《楚辞·卜居》:"黄钟毁弃,瓦釜雷鸣。"瓦釜:用黏土烧制的锅)。

【瓦工】wǎgōng〈名〉❶ 指砌砖、盖瓦等工作。❷ 做这种工作的工人。

【瓦灰】wǎhuī〈形〉深灰色。

【瓦匠】wǎ·jiang〈名〉瓦工②。

【瓦解】wǎjiě〈动〉❶ 比喻崩溃或分裂:土崩～。❷ 使对方的力量崩溃:～敌人。

【瓦蓝】wǎlán〈形〉蔚蓝:～的天空。

【瓦楞】wǎléng〈名〉瓦垄。

【瓦楞纸】wǎléngzhǐ〈名〉中间有瓦楞形夹层的复合纸板,多用于包装易碎物品。

【瓦砾】wǎlì〈名〉破碎的砖头瓦片:～堆|一片～(形容建筑物被破坏后的景象)。

【瓦亮】wǎliàng〈形〉状态词。非常光亮:锃光～|车擦得油光～。

【瓦垄】wǎlǒng（～儿）〈名〉屋顶上用瓦铺成的凸凹相间的行列。也叫瓦楞。

【瓦圈】wǎquān〈名〉自行车、三轮车等车轮上安装轮胎的钢圈。也叫车圈。

【瓦全】wǎquán〈动〉比喻没有气节,苟且偷生(常与"玉碎"对举):宁为玉碎,不为～。

【瓦斯】wǎsī〈名〉气体,特指各种可燃气体,如煤气、沼气等。[日,从荷 gas]

【瓦特】wǎtè〈量〉功率单位,符号是W。这个单位名称是为纪念英国发明家瓦特(James Watt)而定的。简称瓦。

佤 Wǎ 指佤族。

【佤族】Wǎzú〈名〉我国少数民族之一,分布

wà（ㄨㄚˋ）

瓦 wà〈动〉盖(瓦):这排房子的房顶都苫好了,就等着～瓦(wǎ)了。
另见1396页 wǎ。

【瓦刀】wàdāo〈名〉瓦工所用的工具,多用铁嵌钢制成,形状略像菜刀,用来砍断砖瓦,涂抹泥灰。

袜（襪、韤） wà 袜子:～底儿|～筒|丝～|尼龙～。

【袜套】wàtào（～儿）〈名〉短筒的或没有筒的袜子,可套在袜子外面,也可单独穿。

【袜筒】wàtǒng（～儿）〈名〉袜子穿在脚腕以上的部分。

【袜子】wà·zi〈名〉一种穿在脚上的东西,用棉、毛、丝、化学纤维等织成或用布缝成。

腽 wà 见下。

【腽肭】wànà〈书〉〈形〉肥胖。

【腽肭脐】wànàqí〈名〉中药上指海狗的阴茎和睾丸。

【腽肭兽】wànàshòu〈名〉海狗。

·wa（·ㄨㄚ）

哇 ·wa〈助〉"啊"受到前一字收音 u 或 ao 的影响而发生的变音:才几天工夫～,麦子就长过了膝盖|你好～? 参看2页"啊"·a。
另见1395页 wā。

wāi（ㄨㄞ）

歪 wāi〈形〉❶ 不正;斜;偏(跟"正"相对):～嘴|～戴着帽子|这堵墙～了。❷ 不正当的;不正派的:～理|～风。

【歪才】wāicái〈名〉指正业以外的某个方面的才能;不合正道的才能。

【歪缠】wāichán〈动〉无理纠缠;人家都不理你了,你还一个劲地～什么。

【歪打正着】wāi dǎ zhèng zháo 比喻方法本来不恰当,却侥幸得到满意的结果。

【歪道】wāidào （～儿）名❶ 不正当的途径；邪道：年纪轻轻的，可不能走～。❷ 坏主意：这家伙想的尽是～。也说歪道道儿。

【歪风】wāifēng 名 不正派的作风；不好的风气：～邪气｜刹住铺张浪费的～。

【歪理】wāilǐ 名 强辩的、不正确的道理：你这套～到哪儿也行不通。

【歪门邪道】wāi mén xié dào 不正当的途径；坏点子。

【歪七扭八】wāi qī niǔ bā 歪歪扭扭，不直：字写得～。也说歪七斜八。

【歪曲】wāiqū 动 故意改变(事实或内容)：～事实｜你不要～了我的意思。

【歪歪扭扭】wāiwāiniǔniǔ 形 状态词。形容歪斜不正的样子：纸条上写着两行～的字。

【歪斜】wāixié 形 不正或不直：身子～，有点站立不稳。

喎(喎) wāi 形 (嘴)歪：～斜。

【喎斜】wāixié 形 嘴、眼等歪斜：口眼～。

喅 wāi 叹 表示招呼：～，你住在哪儿？

wǎi（ㄨㄞˇ）

捼 wǎi 〈方〉动舀：从水缸里～了一瓢水。

崴(❸踒) wǎi ❶ 山路不平。❷〈方〉崴子(用于地名)：海参～。❸ 动(脚)扭伤：走路不小心，把脚给～了。
另见1413页wēi。

【崴泥】wǎi//ní 陷在烂泥里，比喻陷入困境，事情不易处理。

【崴子】wǎi•zi 〈方〉名 山、水弯曲的地方(多用于地名)：王～(在辽宁)｜长～(在吉林)。

wài（ㄨㄞˋ）

外¹ wài ❶ 名 方位词。外边(跟"内、里"相对)：～表｜～伤｜～国｜门～｜出～｜课～活动。❷ 指自己所在地以外的：～地｜～埠｜～省。❸ 外国：～文｜古今中～｜对～贸易。❹ 称母亲、姐妹或女儿方面的亲戚：～祖母｜～甥｜～孙。❺ 关系疏远的：～人｜见～。❻ 另外：～加｜～带。❼ 名 方位词。以外：此～｜除～｜六百里～。❽ 非正式的；非正规的：～号｜～传《儒林～史》。

外² wài 名 戏曲角色行当，扮演老年男子。

【外币】wàibì 名 外国的货币。

【外边】wài•bian 名 方位词。❶ (～儿)超出某一范围的地方：～有人敲门｜院子～新栽了一些树｜这事～早就传开了，我们却不知道。❷ 指外地：他刚从～来，对当地的情况不大了解。❸ 表面：行李卷儿～再包一层塑料布。

【外表】wàibiǎo 名 表面：这架机器不但构造精密，～也很美观。

【外宾】wàibīn 名 外国客人。

【外部】wàibù 名 ❶ 某一范围以外：～条件｜加强与～的协调。❷ 表面；外表：事物的～特征。

【外埠】wàibù 名 本地以外较大的城镇。

【外财】wàicái 名 外快。

【外层】wàicéng 名 外逸层。

【外层空间】wàicéng kōngjiān 宇宙空间。

【外场】wàichǎng 名 指在外面做事所讲究的善交际、好面子、讲义气等方面的事情：～人儿｜讲究～。

【外钞】wàichāo 名 外国的钞票。

【外出】wàichū 动 到外面去，特指因事到外地去：～谋生。

【外出血】wàichūxuè 名 出血的一种，从血管流出的血液排出身体以外，如鼻出血，皮肤外伤出血，咯血、呕血、子宫出血等。

【外传】wàichuán 动 ❶ 向外传播、散布：这份材料只供内部参考，请勿～。❷ 外界传说。
另见1401页wàizhuàn。

【外存】wàicún 名 外存储器的简称。

【外存储器】wàicúnchǔqì 名 装在计算机主机板外的存储器，如硬盘、软盘和光盘等。简称外存。

【外带】¹ wàidài 名 外胎的通称。

【外带】² wàidài 动 又加上：她要洗衣、做饭，～照顾老人，没有时间干别的事了。

【外道】wàidào 名 佛教自称为内道，称其他宗教和学说为外道。

【外道】wài·dao 形 指礼节过于客套周到反而显得疏远；见外：你再谦让，就显得～了。

【外敌】wàidí 名 外来的敌人：抵御～。

【外地】wàidì 名 本地以外的地方：～人|～货|他到～旅游去了。

【外电】wàidiàn 名 国外通讯社的电讯消息。

【外调】wàidiào 动 ❶ 调出；向其他地方或单位调(物资、人员)：完成本地棉花的～任务|有一部分机关干部要～。❷ 到外地、外单位调查：内查～。

【外毒素】wàidúsù 名 病菌分泌到病菌体外的毒素，如白喉杆菌、破伤风杆菌等分泌的毒素。外毒素对人体组织的侵害是有选择性的，如白喉杆菌毒素专侵害心脏肌肉和部分神经组织。

【外耳】wài'ěr 名 耳朵最外面的一部分，由耳郭和外耳道构成。(图见360页"人的耳朵")

【外耳道】wài'ěrdào 名 外耳的一部分，是一个弯曲的管子，由耳郭通到鼓膜，表皮上面有绒毛，皮下有皮脂腺，能分泌出黄色的耳垢。也叫外听道。(图见360页"人的耳朵")

【外耳门】wài'ěrmén 名 外耳道的开口，呈圆形，内连外耳道，外连耳郭。也叫耳孔。

【外藩】wàifān 名 封建时代有封地的诸侯王，也泛指藩属。

【外访】wàifǎng 动 出国访问：组团～。

【外分泌】wàifēnmì 动 人和高等动物内，有些腺体的分泌物通过导管排出体外或引至体内其他部分，这种分泌叫做外分泌。具有外分泌功能的腺体叫外分泌腺，如唾液腺、胃腺等。

【外敷】wàifū 动 (把药膏等)涂抹在患处(区别于"内服")。

【外感】wàigǎn 名 中医指由风、寒、暑、湿等侵害而引起的疾病。

【外港】wàigǎng 名 某个没有港口或没有良好港口的城市，附近的较好的港口叫做这个城市的外港。

【外公】wàigōng 〈方〉名 外祖父。

【外功】wàigōng 名 锻炼筋、骨、皮的功夫(区别于"内功")。

【外骨骼】wàigǔgé 名 昆虫、虾、蟹等动物露在身体表面的骨骼。参看489页〖骨骼〗。

【外观】wàiguān 名 物体从外表看的样子：这套家具～典雅。

【外国】wàiguó 名 本国以外的国家。

【外国语】wàiguóyǔ 名 外国的语言(包括文字)。

【外海】wàihǎi 名 内海以外的海域：开发～渔场。

【外行】wàiháng ❶ 形 对某种事情或工作不懂或没有经验：～话|种庄稼他可不～。❷ 名 外行的人。

【外号】wàihào (～儿)名 人的本名以外，别人根据他的特征给他另起的名字，大都含有亲昵、憎恶或开玩笑的意味。

【外踝】wàihuái 名 踝部外侧的突起部分，是由腓骨下端构成的。

【外患】wàihuàn 名 来自国外的祸害，多指外国的侵略：内忧～。

【外汇】wàihuì 名 ❶ 用于国际贸易清算的外国货币和可以兑换外国货币的支票、汇票、期票等证券。❷ 外币。

【外货】wàihuò 名 从外国来的货物。

【外祸】wàihuò 名 外患。

【外籍】wàijí 名 ❶ 外地户籍；外地：他是～人，我是本地人。❷ 外国国籍：加入～|～院士|～货轮。

【外寄生】wàijìshēng 名 一种生物寄居在另一种生物的体表，并摄取养分以维持生活，如虱、蚤寄生在人或动物的身体表面。

【外加】wàijiā 动 另外加上：点了四菜一汤，～一个拼盘。

【外家】wàijiā 名 ❶ 指外祖父、外祖母家。❷〈方〉娘家。❸〈书〉指岳父母家。❹ 旧时已婚男子在自己原来的家以外另成的家。❺ 与有妻男子另外成家的妇女叫做那个男子的外家。

【外嫁】wàijià 动 嫁到外地或外国。

【外间】wàijiān 名 ❶ (～儿)相连的几间屋子里直接通到外面的房间。也叫外间屋。❷ 指外界：～传闻，不可尽信。

【外间屋】wàijiānwū 名 外间①。

【外交】wàijiāo 名 一个国家在国际关系方面的活动，如参加国际组织和会议，跟别的国家互派使节、进行谈判、签订条约和协定等。

【外交辞令】wàijiāo cíling 适合于外交场合的话语。借指客气、得体而无实际内容的话。

【外交特权】wàijiāo tèquán 驻在国为保证他国的外交代表履行职务而给予其本人和有关人员的特权,如人身、住所不受侵犯,免受行政管辖、司法裁判,免除关税、海关检查,以及使用密码通信和派遣外交信使等。

【外交团】wàijiāotuán 名 驻在一个国家的各国使节组成的团体。外交团的活动多限于礼仪上的应酬,如祝贺、吊唁等。

【外教】wàijiào 名 外籍教师或教练。

【外界】wàijiè 名 某个物体以外的空间或某个集体以外的社会:飞机的机身必须承受住~的空气压力|~舆论。

【外景】wàijǐng 名 戏剧方面指舞台上的室外布景,电影方面指摄影棚外的景物。

【外径】wàijìng 名 断面为圆环状的工件外缘的直径。

【外舅】wàijiù 〈书〉名 岳父。

【外科】wàikē 名 医院中主要用手术来治疗体内外疾病的一科。

【外客】wàikè 名 指关系较疏远的客人。

【外寇】wàikòu 名 指入侵的敌寇:抗击~。

【外快】wàikuài 名 指正常收入以外的收入:捞~。也说外水。

【外来】wàilái 形 属性词。从外地或外国来的;非固有的:~户|~语。

【外来户】wàiláihù 名 从别的地方迁移来的人家。

【外来语】wàiláiyǔ 名 从别的语言吸收来的词语。如汉语里从英语吸收来的"马达、沙发",从法语吸收来的"沙龙"。

【外力】wàilì 名❶ 外部的力量。❷ 指外界作用于一体系的力,例如其他原子对某一原子的作用力,对该原子来说就是外力。

【外流】wàiliú 动(人口、财富等)转移到外国或外地:人才~|资源~|黄金~。

【外流河】wàiliúhé 名 直接或间接流入海洋的河流,如我国的长江和汉水。

【外路】wàilù 形 属性词。外地的:~货|~人|~口音。

【外露】wàilù 动 显露在外:凶相~|此人性格内向,喜怒不~。

【外轮】wàilún 名 外国籍的轮船。

【外卖】wàimài ❶ 动 餐饮业指销售供顾客带离店铺的食品(一般指自己店铺现做的):~烤鸭|增加~业务。❷ 名 外卖的食品:送~|叫~。

【外贸】wàimào 名 对外贸易。

【外貌】wàimào 名 人或物的表面形状:~清秀|这几年城市~变化较大。

【外面】wàimiàn (~儿)名 外表:这座楼房看~很坚固。

【外面】wài·miàn (~儿)名 方位词。外边:窗户~儿有棵梧桐树。

【外面儿光】wàimiànr guāng 仅仅外表好看:做事要讲实际效果,不能只求~。

【外派】wàipài 动 向外单位或外国派遣:~进修深造|~劳务人员。

【外聘】wàipìn 动 从单位外面聘请:~教师。

【外婆】wàipó 〈方〉名 外祖母。

【外戚】wàiqī 名 指帝王的母亲和妻子方面的亲戚。

【外企】wàiqǐ 名 外国商人投资、经营的企业。

【外气】wài·qi 〈方〉形 因见外而客气:咱们都是老朋友了,可不兴~。

【外强中干】wài qiáng zhōng gān 外表上好像很强大,实际上很空虚。

【外侨】wàiqiáo 名 外国的侨民。

【外勤】wàiqín 名❶ 部队以及某些机关企业(如报社、测量队、贸易公司)经常在外面进行的工作:跑~|~记者。❷ 从事外勤工作的人。

【外人】wàirén 名❶ 指没有亲友关系的人。❷ 指某个范围或组织以外的人。❸ 指外国人。

【外伤】wàishāng 名 身体或物体由于外界物体的打击、碰撞或化学物质的侵蚀等造成的外部损伤。

【外商】wàishāng 名 外国商人。

【外设】wàishè 名 外围设备的简称,计算机系统中指除主机以外的各种设备,如显示器、打印机等。

【外生殖器】wàishēngzhíqì 名 指男子和雄性哺乳动物的阴茎、阴囊等或女子和雌性哺乳动物的大阴唇、小阴唇、阴蒂等。

【外甥】wài·sheng 名❶ 姐姐或妹妹的儿子。❷〈方〉外孙。

【外甥女】wài·shengnǚ （～儿）名❶ 姐姐或妹妹的女儿。❷〈方〉外孙女。

【外省】wàishěng 名 本省以外的省份。

【外史】wàishǐ 名 指野史、杂史和以描写人物为主的旧小说之类：《儒林～》。

【外事】wàishì 名❶ 外交事务：～活动｜～机关。❷ 外边的事；家庭或个人以外的事。

【外手】wàishǒu （～儿）名 赶车或操纵器械时指车或器械的右边。

【外首】wàishǒu〈方〉名 外头；外边。

【外水】wàishuǐ 名 外快。

【外孙】wàisūn 名 女儿的儿子。

【外孙女】wàisūn·nǚ （～儿）名 女儿的女儿。

【外孙子】wàisūn·zi〈口〉名 外孙。

【外胎】wàitāi 名 包在内胎外面直接与地面接触的轮胎，用橡胶和帘布制成，胎面上有凸凹的花纹。通称外带。

【外逃】wàitáo 动 逃往外地或外国。

【外套】wàitào （～儿）名❶ 大衣。❷ 罩在外面的西式短上衣。

【外听道】wàitīngdào 名 外耳道。

【外头】wài·tou 名 方位词。外边。

【外围】wàiwéi ❶ 名 周围。❷ 形 属性词。以某一事物为中心而存在的(事物)：～组织。

【外文】wàiwén 名 外国的语言或文字。

【外屋】wàiwū 名 外间①。

【外侮】wàiwǔ 名 外国的侵略和压迫：抵御～。

【外务】wàiwù 名❶ 本身职务以外的事。❷ 与外国交涉的事务。

【外骛】wàiwù〈书〉动 做分外的事；心不专。

【外县】wàixiàn 名 本县或本市以外的县份。

【外线】wàixiàn 名❶ 采取包围敌方的形势的作战线：～作战。❷ 在安有电话分机的地方称对外通话的线路。

【外乡】wàixiāng 名 本地以外的地方：～人｜流落～｜～口音。

【外向】wàixiàng 形❶ 指人开朗活泼，内心活动易于表露出来：性格～。❷ 属性词。指面向国外市场的：～型经济。

【外销】wàixiāo 动（产品）销售到外国或外地：～物资｜开拓市场，促进～。

【外心】[1] wàixīn 名 由于爱上了别人而产生的对自己的配偶不忠诚的念头，旧时也指臣子勾结外国的念头。

【外心】[2] wàixīn 名 三角形三条边的垂直平分线相交于一点，这个点叫做三角形的外心。外心也是三角形外接圆的圆心。

【外星人】wàixīngrén 名 称地球以外的天体上有可能存在的具有高等智慧的生物。

【外形】wàixíng 名 物体外部的形状。

【外姓】wàixìng 名❶ 本宗族以外的姓氏。❷ 外姓的人。

【外需】wàixū 名 国外市场的需求（区别于"内需"）。

【外延】wàiyán 名 逻辑学上指一个概念所确指的对象的范围，例如"人"这个概念的外延是指古今中外一切的人。参看987页〖内涵〗。

【外扬】wàiyáng 动 向外宣扬：家丑不可～。

【外衣】wàiyī 名 穿在外面的衣服◇披着正人君子的～。

【外逸层】wàiyìcéng 名 大气圈中的一层，位于热层以外。层内空气十分稀薄，有些速度较大的中性粒子能克服地球引力进入星际空间。也叫外层。

【外溢】wàiyì 动❶ 液体从容器里流出来：防锈漆～，引起了火灾。❷（财富等）外流：资金～｜利权～。

【外因】wàiyīn 名 事物变化、发展的外在原因，即一事物和他事物的互相联系和互相影响。唯物辩证法认为外因只是事物发展、变化的条件，外因只有通过内因才能起作用。

【外语】wàiyǔ 名 外国语。

【外域】wàiyù〈书〉名 外国。

【外遇】wàiyù 名 丈夫或妻子在外面的不正当的男女关系。

【外圆内方】wài yuán nèi fāng 比喻人外表随和，内心却很严正。

【外援】wàiyuán 名❶ 来自外面的(特指外国的)援助。❷ 指运动队从国外引进的运动员：北京足球队添了三名～。

【外在】wàizài 形 属性词。事物本身以外的（跟"内在"相对）：～因素。

【外债】wàizhài 名 国家向外国借的债。

【外展神经】wàizhǎn-shénjīng 展神经。

【外长】wàizhǎng 名 外交部长的简称。

【外罩】wàizhào （～儿）名 ❶ 罩在衣服外面的褂子。❷ 罩在物体外面的东西：钟上应加个玻璃～。

【外痔】wàizhì 名 生在肛门外部的痔疮。

【外传】wàizhuàn 名 旧指正史以外的传记。

另见 1397 页 wàichuán。

【外资】wàizī 名 由外国投入的资本：～企业|吸收～。

【外子】wàizǐ 〈书〉对人称自己的丈夫。

【外族】wàizú 名 ❶ 本家族以外的人。❷ 本国以外的人；外国人。❸ 我国历史上指本民族以外的民族。

【外祖父】wàizǔfù 名 母亲的父亲。

【外祖母】wàizǔmǔ 名 母亲的母亲。

---

wān（ㄨㄢ）

弯（彎） wān ❶ 形 弯曲：～路|树枝都被雪压～了。❷ 动 使弯曲：～腰|～着身子。❸ （～儿）名 弯子：转一～|抹角|这根竹竿有个～儿。❹ 〈书〉拉（弓）：盘马～弓。

【弯度】wāndù 名 物体弯曲的程度。

【弯路】wānlù 名 不直的路，比喻工作、学习等不得法而多费的冤枉工夫。

【弯曲】wānqū 形 不直：～的小路|小溪弯弯曲曲地顺着山沟流下去。

【弯子】wān•zi 名 弯曲的部分。也说弯儿。

剜 wān 动（用刀子等）挖：～野菜。

【剜肉医疮】wān ròu yī chuāng 比喻只顾眼前，用有害的方法来救急（疮：伤口）。也说剜肉补疮、挖肉补疮。

帵 wān [帵子]（wān•zi）〈方〉名 剪裁衣服剩下的大片的布料，特指剪裁中式衣服挖夹肢窝剩下的那块布料。

埦（塆） wān 山沟里的小块平地，多用于地名。

湾（灣） wān ❶ 水流弯曲的地方：河～|水～。❷ 海湾：港～|渤海～。❸ 动 使船停住：把船～在那边。❹ （Wān）名 姓。

【湾泊】wānbó 动（船只）停留；停泊：岸边～着两只大船。

蜿 wān [蜿蜒]（wānyán）形 ❶ 蛇类爬行的样子。❷（山脉、河流、道路等）弯弯曲曲地延伸的样子。

豌 wān [豌豆]（wāndòu）名 ❶ 一年生或二年生草本植物，羽状复叶，小叶卵形，花白色或淡紫红色，结荚果，种子近球形。嫩荚和种子可以吃。❷ 这种植物的荚果和种子。

---

wán（ㄨㄢ）

丸 wán ❶（～儿）名 球形的小东西：弹～|鱼～|肉～|泥～。❷ 丸药：～散膏丹|牛黄清心～。❸ 量 用于丸药：一～药|一次吃三～。❹（Wán）名 姓。

【丸剂】wánjì 名 中药或西药制剂的一种，把药物研成粉末跟水、蜂蜜或淀粉糊混合团成丸状。

【丸药】wányào 名 中医指制成丸剂的药物。

【丸子】wán•zi 名 食品，把鱼、肉等剁成碎末，加上作料而团成的丸状物。

刓 wán 〈书〉❶ 削去棱角：～方以为圆。❷（用刀子等）挖；刻。

汍 wán [汍澜]（wánlán）〈书〉形 形容流泪的样子。

纨（紈） wán 〈书〉很细的丝织品；细绢：～扇。

【纨绔】wánkù 〈书〉名 细绢做的裤子，泛指富家子弟穿的华美衣着，也借指富家子弟：～习气|～子弟。

【纨扇】wánshàn 名 用细绢制成的团扇。

抏 wán 〈书〉使受挫折；消耗。

完 wán ❶ 全；完整：～好|体无～肤|覆巢无～卵。❷ 动 消耗尽；没有剩的：煤烧～了|信纸～了。❸ 动 完结：事情做～了|鱼离开水，生命就～了。❹ 动 完成：～工|～婚|这项工程什么时候才能～？交纳（赋税）：～粮|～税。❻（Wán）名 姓。

【完败】wánbài 动 球类、棋类比赛中指以明显劣势输给对手：甲队 0 比 3～于乙队。

【完备】wánbèi 形 应该有的全都有了：工具～|有不～的地方，请多提意见。

【完毕】wánbì 动 完结：操练～。

W

【完璧归赵】wán bì guī Zhào 战国时代赵国得到了楚国的和氏璧，秦昭王要用十五座城池来换璧。赵王派蔺相如带着璧去换城。相如到秦国献了璧，见秦王没有诚意，不肯交出城池，就设法把璧弄回，派人送回赵国（见于《史记·廉颇蔺相如列传》）。比喻原物完整无损地归还本人。

【完成】wán//chéng 动 按照预期的目的结束；做成：～任务|～作业|计划完得成。

【完蛋】wán//dàn〈口〉动 垮台；灭亡。

【完稿】wán//gǎo 动 脱稿：本书将于明年初～。

【完工】wán//gōng 动 工程或工作完成：该工程已于上月底～。

【完好】wánhǎo 形 没有损坏；没有残缺；完整：～如新|～无缺。

【完婚】wán//hūn 动 指男子结婚（多指长辈为晚辈娶妻）。

【完结】wánjié 动 结束；了结：工作～。

【完聚】wánjù〈书〉动 团聚；合家～。

【完竣】wánjùn 动 完毕；完成（多指工程）：修建工程～|整编～。

【完粮】wán//liáng 动 交纳钱粮。

【完了】wánliǎo 动 （事情）完结；结束：等此事～，我再找你细说。

【完满】wánmǎn 形 没有缺欠；圆满：问题已经～解决了|对提问回答得很～。

【完美】wánměi 形 完备美好；没有缺点：～无缺|～的艺术形式。

【完全】wánquán ❶ 形 齐全；不缺少什么：话还没说～|四肢～。❷ 副 全部；全然：～同意|他的病～好了。

【完全小学】wánquán xiǎoxué 指设有初级和高级两部的小学。简称完小。

【完人】wánrén 名 指没有缺点的人；金无足赤，人无～。

【完善】wánshàn ❶ 形 完备美好：设备～。❷ 动 使完善：～管理制度。

【完胜】wánshèng 动 球类、棋类比赛中指以明显优势战胜对手：主队3比0～客队。

【完事】wán//shì 动 事情完结：～大吉|结账直到夜里十点才～。

【完税】wán//shuì 动 交纳捐税。

【完小】wánxiǎo 名 完全小学的简称。

【完整】wánzhěng 形 具有或保持着应有的各部分；没有损坏或残缺：领土～|结构～|这套书是～的。

玩¹ wán （～儿）动 ❶ 玩耍：不要～火|孩子们在公园里～得很起劲。❷ 做某种活动（多指文体活动）：～足球|～扑克|～儿电脑|～儿彩票。❸ 使用（不正当的方法、手段等）：～花招儿。

玩²（翫）wán ❶ 用不严肃的态度来对待；轻视；戏弄：～弄|～世不恭。❷ 观赏：～月|游～。❸ 供观赏的东西：古～。

【玩忽】wánhū 动 不严肃认真地对待；忽视：～职守。

【玩火自焚】wán huǒ zì fén 比喻干冒险或害人的勾当，最后受害的还是自己。

【玩家】wánjiā 名 对某些活动（如收藏、游戏等）爱好、精通并且特别迷恋的人。

【玩具】wánjù 名 专供玩儿的东西：儿童～|电动～|益智～。

【玩乐】wánlè 动 玩耍游乐：尽情～。

【玩弄】wánnòng 动 ❶ 摆弄着玩耍：～积木|～魔方。❷ 戏弄：～女性。❸ 搬弄：该文除了～辞藻之外，没有什么内容。❹ 施展（手段、伎俩等）：～两面手法。

【玩偶】wán'ǒu 名 人物形象的玩具，多用布、泥土、木头、塑料等制成。

【玩儿不转】wánr·buzhuàn〈口〉动 没有办法；应付不了：你真没用，这点小事都～。

【玩儿得转】wánr·dezhuàn〈口〉动 有办法；应付得了：几十人的饭菜，你一人～吗？

【玩儿命】wánrmìng〈口〉动 不顾一切，拿着性命当儿戏（含诙谐意）。

【玩儿票】wánr//piào 动 指业余从事戏曲表演：他是～的，不是职业演员。

【玩儿完】wánrwán〈口〉动 垮台；失败；死亡（含诙谐意）。

【玩赏】wánshǎng 动 欣赏；观赏：～雪景|园中有很多可供～的花木。

【玩世不恭】wán shì bù gōng 不把现实社会放在眼里，对什么事都采取不严肃的态度（不恭：不严肃）。

【玩耍】wánshuǎ 动 做使自己精神愉快的活动；游戏：孩子们在大树底下～。

【玩味】wánwèi 动 细细地体会其中的意味：他的那句话值得～。

【玩物】wánwù 名 供观赏或玩耍的东西。

【玩物丧志】wán wù sàng zhì 醉心于玩赏所喜好的东西，从而消磨掉志气。

【玩笑】wánxiào ❶ 玩耍和嬉笑：他这

是～，你别认真。❷ 名 玩耍的行动或嬉笑的言语：开～。

【玩意儿】(玩艺儿) wányìr 〈口〉名 ❶ 玩具。❷ 指曲艺、杂技等，如大鼓、相声、双簧、魔术。❸ 指东西；事物：他手里拿的是什么～?

顽¹(頑) wán ❶ 愚蠢无知：冥～不灵。❷ 不容易开导或制伏：固执：～梗|～疾|～敌。❸ 顽皮：～童。❹ (Wán)名 姓。

顽²(頑) wán 同"玩¹"。

【顽敌】wándí 名 顽固的敌人：勇克～。

【顽钝】wándùn 〈书〉形 ❶ 愚笨：秉性～。❷ 指没有气节：～软弱。❸ 不锋利。

【顽梗】wángěng 形 非常顽固：～不化。

【顽固】wángù 形 ❶ 思想保守，不愿意接受新鲜事物：～守旧|～不化。❷ 指在政治立场上坚持错误，不肯改变：～分子。❸ 不易制伏或改变：这病很～，要根治不容易。

【顽疾】wánjí 名 指难治或久治不愈的疾病。

【顽健】wánjiàn 〈书〉形 谦称自己身体强健。

【顽抗】wánkàng 动 顽固抵抗：负隅～|凭险～。

【顽劣】wánliè 形 顽固无知；顽皮不顺从：秉性～|～异常。

【顽皮】wánpí 形 (儿童、少年等)爱玩爱闹，不听劝导：这孩子～极了，老师也拿他没办法。

【顽强】wánqiáng 形 坚强；强硬：～的斗争|他很～，没有向困难低过头。

【顽石点头】wánshí diǎntóu 传说晋朝和尚道生法师对着石头讲经，石头都点起头来(见于晋代无名氏《莲社高贤传》)。后用来形容道理讲得透彻，使人心服。

【顽童】wántóng 名 顽皮的儿童。

【顽症】wánzhèng 名 指难治或久治不愈的病症。

烷 wán 名 烷烃。

【烷烃】wántīng 名 饱和烃的一类，分子中含有单键结构的开链烃，通式为 C_nH_{2n+2}，如甲烷 (CH_4)、乙烷 (C_2H_6) 等。

宛¹ wǎn ❶ 曲折：～转。❷ (Wǎn)名 姓。

宛² wǎn 〈书〉副 仿佛：音容～在。

【宛然】wǎnrán 副 仿佛：～在目|这里山清水秀，～江南风光。

【宛如】wǎnrú 动 正像；好像：欢腾的人群～大海的波涛。

【宛若】wǎnruò 动 宛如；仿佛：那棵榕树枝叶繁茂，～巨大的绿伞。

【宛似】wǎnsì 动 宛如。

【宛转】wǎnzhuǎn ❶ 动 辗转。❷ 同"婉转"。

挽¹(❹❺輓) wǎn ❶ 动 拉：引～|手～着手◇～留。❷ 动 扭转；挽回：～救|狂澜于既倒。❸ 动 向上卷(衣服)：～起袖子。❹ 牵引(车辆)：～车。❺ 哀悼死者：～歌|～联。

挽² wǎn 同"绾"。

【挽歌】wǎngē 名 哀悼死者的歌。

【挽回】wǎnhuí 动 ❶ 扭转已成的不利局面：～面子|～影响|～败局。❷ 收回：～利权|～经济损失。

【挽救】wǎnjiù 动 从危险中救回来：～病人的生命。

【挽具】wǎnjù 名 套在牲畜身上用以拉车的器具。

【挽联】wǎnlián 名 哀悼死者的对联。

【挽留】wǎnliú 动 使要离去的人留下来：再三～|～客人|～不住。

【挽幛】wǎnzhàng 名 哀悼死者的幛子。

莞 wǎn [莞尔](wǎn'ěr)〈书〉形 形容微笑：～而笑|不觉～。
另见 504 页 guān；504 页 guǎn。

菀 wǎn 见 1804 页[紫菀]。
另见 1669 页 yù。

晚 wǎn ❶ 名 晚上：今～|～会|从早到～。❷ 形 时间靠后的：～稻|～秋|～年|～清(清朝末年)。❸ 形 比规定的或合适的时间靠后：八点再去就～了|今年的春天来得～。❹ 后来的：～辈。❺ 后辈对前辈的自称(用于书信)。❻〈书〉靠后

W

的一段时间,特指人的晚年:岁~|~节|~景。❼(Wǎn)名姓。

【晚安】wǎn'ān 动 客套话,用于晚上道别。

【晚班】wǎnbān 名 晚上工作的班次:上~|~工人。

【晚半天儿】wǎnbàntiānr〈方〉名 下午临近黄昏的时候。也说晚半晌儿。

【晚报】wǎnbào 名 每天下午出版的报纸。

【晚辈】wǎnbèi 名 辈分低的人;后辈。

【晚餐】wǎncān 名 晚饭。

【晚场】wǎnchǎng 名 戏剧、电影等在晚上演出的场次。也叫夜场。

【晚车】wǎnchē 名 晚上开出或到达的火车。

【晚春】wǎnchūn 名 春季的末期;暮春。

【晚稻】wǎndào 名 插秧期比较晚或生长期比较长、成熟期比较晚的稻子。

【晚点】wǎn/diǎn 动(车、船、飞机)开出、运行或到达迟于规定时间。

【晚饭】wǎnfàn 名 晚上吃的饭。

【晚会】wǎnhuì 名 晚上举行的以文娱节目为主的集会:联欢~|营火~。

【晚婚】wǎnhūn 动 达到结婚年龄以后再推迟若干年结婚。

【晚间】wǎnjiān 名 晚上。

【晚节】wǎnjié 名❶ 晚年的节操:保持~。❷〈书〉晚年;末期:~末路。

【晚近】wǎnjìn 名 最近若干年来。

【晚景】wǎnjǐng 名❶ 傍晚的景色;夜晚的情景:江堤~。❷ 晚年的景况:~悲凉。

【晚境】wǎnjìng 名 晚年的境况:~凄凉。

【晚恋】wǎnliàn 动 年岁较大的男女谈恋爱。

【晚年】wǎnnián 名 指人年老的时期:~多病|度过幸福的~。

【晚娘】wǎnniáng〈方〉名 继母。

【晚期】wǎnqī 名 一个时代、一个过程或一个人一生的最后阶段:肺癌~|19世纪~|这是他~的作品。

【晚秋】wǎnqiū 名 秋季的末期:深秋。

【晚上】wǎn·shang 名 时间词。太阳落了以后到深夜以前的时间,也泛指夜里:~要去看望一个朋友|一连几个~都没有睡好觉。

【晚生】wǎnshēng〈书〉名 后辈对前辈谦称自己。

【晚世】wǎnshì〈书〉名 近世。

【晚熟】wǎnshú 形 指农作物生长期长、成熟较慢:~作物。

【晚霜】wǎnshuāng 名 霜期结束阶段下的霜,出现在早春。对农作物有害。

【晚霞】wǎnxiá 名 日落时出现的霞。

【晚宴】wǎnyàn 名 晚上举行的宴会。

【晚育】wǎnyù 动 婚后晚几年生育:提倡晚婚~。

【晚造】wǎnzào 名 收获期较晚的作物。

【晚妆】wǎnzhuāng 名 适合晚间活动的化妆:~可以化得浓一些。

脘 wǎn 名 中医指胃腔。

惋 wǎn〈书〉惋惜:叹~|~伤。

【惋惜】wǎnxī 形 对人的不幸遭遇或事物的不如人意的变化表示同情、可惜:大家对他英年早逝深感~。

婉 wǎn ❶(说话)婉转:~谢|~言相劝。❷〈书〉柔顺:~顺。❸〈书〉美好:~丽。

【婉词】wǎncí 同“婉辞”[1]

【婉辞】[1] wǎncí 名 婉言。也作婉词。

【婉辞】[2] wǎncí 动 婉言拒绝:他~了对方的邀请。

【婉和】wǎnhé 形(话语)委婉温和。

【婉拒】wǎnjù 动 以委婉的方式拒绝:~谢礼。

【婉丽】wǎnlì〈书〉形❶ 美丽;美好:姿容~。❷ 婉转而优美(多指诗文):词句清新~。

【婉商】wǎnshāng 动 婉言相商:经过多次~,他才同意这个方案。

【婉顺】wǎnshùn 形 柔和而温顺;柔顺(多用于女性):性情~。

【婉谢】wǎnxiè 动 婉言谢绝。

【婉言】wǎnyán 名 婉转的话:~拒绝|~相劝。

【婉约】wǎnyuē〈书〉形 委婉含蓄:词风~细腻|宋词的风格,可分豪放和~两派。

【婉转】wǎnzhuǎn 形❶(说话)温和而曲折(但是不失本意):措辞~。❷(歌声、鸟鸣声等)抑扬动听:歌声~。‖也作宛转。

绾(綰) wǎn 动 把长条形的东西盘绕起来打成结:~个扣儿|把

头发~起来。

琬 wǎn 〈书〉美玉。

皖 Wǎn 名 安徽的别称。

碗（椀、盌） wǎn ❶ 名 盛饮食的器具，口大底小，一般是圆形的：饭~|茶~|买了几个~。❷ 像碗的东西：轴~儿。❸ (Wǎn)名 姓。

【碗碗腔】wǎnwǎnqiāng 名 陕西地方戏曲剧种之一，由陕西皮影戏发展而成，流行于该省渭南、大荔一带。

畹 wǎn 量 古代地积单位，三十亩为一畹。

wàn （ㄨㄢˋ）

万（萬） wàn ❶ 数 十个千。❷ 表示很多：~国|~事|~物|~水千山。❸ 副 极；很；绝对：~全|~不得已|~不能行。❹ (Wàn)名 姓。
另见 963 页 mò。

【万般】wànbān ❶ 数量词。各种各样：~思绪。❷ 副 极其；非常：~无奈(没有一点办法)。

【万变不离其宗】wàn biàn bù lí qí zōng 形式上变化很多，本质上还是没有变化。

【万不得已】wàn bù dé yǐ 实在没有办法；不得不这样：~，才出此下策。

【万代】wàndài 名 万世：~传扬|千秋~。

【万端】wànduān 形 (头绪)极多而纷繁；各种各样：感慨~|变化~|思绪~。

【万恶】wàn'è ❶ 形 极端恶毒；罪恶多端：~不赦。❷ 名 各种罪恶：~之源。

【万儿八千】wàn·er-bāqiān 一万或比一万略少。

【万方】wànfāng ❶ 名 指全国各地或世界各地。❷ 形 指姿态多种多样：仪态~。

【万分】wànfēn 副 非常；极其：~高兴|激动~。

【万福】wànfú 名 旧时妇女行的敬礼，两手松松抱拳重叠在胸前右下侧上下移动，同时略做鞠躬的姿势。

【万古】wàngǔ 名 千年万代：~长存|~流芳。

【万古长青】wàngǔ cháng qīng 永远像春天的草木一样欣欣向荣。也说万古长春。

【万贯】wànguàn 数量词。指一万贯铜钱，形容钱财极多：~家财|腰缠~。

【万国】wànguó 名 很多的国家；世界各国：~博览会。

【万户侯】wànhùhóu 名 汉代侯爵的最高一级，享有万户农民的赋税。后来泛指高官贵爵。

【万花筒】wànhuātǒng 名 圆筒形玩具，两头镶着玻璃，筒的内壁装着玻璃条组成的几面镜子，筒的一端放着各种颜色和形状的碎玻璃。向着亮处转动圆筒，由于镜子的反射作用，可以从筒的另一端看到各种图案。

【万机】wànjī 名 指当政者处理的各种重要事情：日理~。

【万劫不复】wàn jié bù fù 表示永远不能恢复(佛家称世界从生成到毁灭的一个过程为一劫，万劫就是万世的意思)。

【万金油】wànjīnyóu 名 ❶ 清凉油的旧称。❷ 比喻什么都能做，但什么都不擅长的人。

【万籁】wànlài 名 各种声音(籁：从孔穴里发出的声音)：~俱寂。

【万籁俱寂】wàn lài jù jì 形容四周非常寂静，没有一点声音。

【万里长城】Wàn Lǐ Chángchéng 长城的通称。

【万历】Wànlì 名 明神宗(朱翊钧)年号(公元 1573—1620)。

【万马奔腾】wàn mǎ bēnténg 形容声势浩大，场面热烈：工农业生产出现了~的局面。

【万马齐喑】wàn mǎ qí yīn 千匹马都沉寂无声，比喻人们都沉默，不说话，不发表意见。

【万民】wànmín 名 广大的老百姓：~涂炭(形容广大老百姓陷入极端困苦的境地)|~欢呼。

【万难】wànnán ❶ 副 非常难于：~照办|~挽回。❷ 名 各种困难；非常多的困难：排除~。

【万能】wànnéng 形 属性词。❶ 无所不能的：金钱不是~的。❷ 有多种用途的：~胶|~机床。

【万年】wànnián 数量词。极其久远的年代:遗臭~。

【万年历】wànniánlì 名 包括很多年或适用于很多年的历书。

【万年青】wànniánqīng 名 多年生草本植物,冬夏常青,根状茎粗短,叶披针形或带形,从根状茎生出,花淡绿色,果实橘红色或黄色。根、茎、叶、花均可入药。

【万念俱灰】wàn niàn jù huī 一切想法、打算都破灭了,形容失意或受到沉重打击后极端灰心失望的心情。

【万千】wànqiān 数❶ 形容数量多:~的科学家。❷ 形容事物所表现的方面多(多指抽象的):变化~|气象~|思绪~。

【万顷】wànqǐng 数量词。一万顷,形容面积大:碧波~|良田~。

【万全】wànquán 形 非常周到,没有任何漏洞:非常安全|~之策|计出~。

【万人空巷】wàn rén kōng xiàng 家家户户的人都从巷里出来了,多用来形容庆祝、欢迎等盛况。

【万世】wànshì 名 很多世代,指年代非常久远:千秋~|~师表|~不朽。

【万事】wànshì 名 一切事情:~大吉(一切事情很圆满顺利)|~亨通(一切事情很顺利)|~不求人。

【万事俱备,只欠东风】wàn shì jù bèi, zhǐ qiàn dōng fēng 三国时周瑜计划火攻曹操,一切都准备好了,只差东风还没有刮起来,不能顺风放火(见于《三国演义》四十九回)。后比喻样样都准备好了,只差最后一个重要条件。

【万事通】wànshìtōng 名 什么事情都知道的人(含讥讽意)。也叫百事通。

【万寿无疆】wàn shòu wú jiāng 万年长寿,没有止境(祝寿的话)。

【万水千山】wàn shuǐ qiān shān 很多的山和水,形容路途遥远险阻。

【万死】wànsǐ 动 死一万次(夸张说法),形容受严厉惩罚或冒生命危险:罪该~|~不辞。

【万岁】wànsuì ❶ 动 千秋万世,永远存在(祝愿的话)。❷ 名 封建时代臣民对皇帝的称呼。

【万万】wànwàn ❶ 数 一万个万,也表示数量极大。❷ 副 绝对;无论如何(用于否定式):~没有想到|~不可粗心大意。

【万维网】Wànwéiwǎng 名 计算机网络的一种信息服务系统,建立在超文本的基础上,方便用户在因特网上搜索和浏览各种信息。

【万无一失】wàn wú yī shī 绝对不会出差错。

【万物】wànwù 名 宇宙间的一切事物。

【万象】wànxiàng 名 宇宙间的一切事物或景象:~更新|~回春|包罗~。

【万幸】wànxìng 形 非常幸运(多指免于灾难):损失点儿东西是小事,人没有压坏,总算~。

【万一】wànyī ❶ 名 万分之一,表示极小的一部分:笔墨不能形容其~。❷ 名 指可能性极小的意外变化:多带几件衣服,以防~。❸ 连 表示可能性极小的假设(用于不如意的事):~下雨也不要紧,我带着伞呢。

【万用表】wànyòngbiǎo 名 测量电路或元件的电阻、电流、电压等的多量程仪表。

【万有引力】wàn yǒu yǐnlì 存在于任何物体之间的相互吸引的力。简称引力。

【万丈】wànzhàng 数量词。形容很高或很深:光芒~|气焰~|~高楼|~深渊。

【万众】wànzhòng 名 广大群众:千千万万的人:~欢腾|~一心。

【万众一心】wànzhòng yīxīn 千千万万的人一条心。

【万状】wànzhuàng 形 很多种样子,表示程度极深(多用于消极事物):危险~|惊恐~|痛苦~|狼狈~。

【万紫千红】wàn zǐ qiān hóng 形容百花齐放,颜色艳丽。也比喻事物丰富多彩或事业繁荣兴旺。

沴(澫) wàn 沴尾(Wànwěi),地名,在广西防城港。

忨 wàn 〈书〉贪。

腕 wàn (~儿)名 腕子:手~儿。(图见1209页"人的身体")

【腕骨】wàngǔ 名 构成手腕的骨头,每只手有8块。(图见490页"人的骨骼")

【腕力】wànlì 名❶ 腕部的力量。❷ 比喻办事的能力:手腕:凭他的胆识~,完全可以担负起这个责任。

【腕儿】wànr 〈口〉名 指有实力、有名气的人:他在影视圈大小也算个~。

【腕饰】wànshì 名 戴在腕部的装饰品。

【腕子】wàn·zi 名 胳膊(或小腿)下端跟手掌(或脚)相连接的可以活动的部分：手～│脚～。

【腕足】wànzú 名 乌贼、章鱼等长在口的四周能蜷曲的器官，上面有许多吸盘，用来捕食并防御敌人。

蔓 wàn （～儿）名 细长不能直立的茎：藤～│扁豆爬～儿了│顺～摸瓜。
另见914页mán；916页màn。

---

wāng（ㄨㄤ）

尪(尫) wāng 〈书〉❶ 胫、背或胸部弯曲的病。❷ 瘦弱。

汪[1] wāng ❶〈书〉水深而广：～洋。❷ 动（液体）聚集：路上～了一些水│眼里～着泪水。❸〈方〉名 小而浅的积水坑：水牛在泥水～里打滚。❹（～儿）量 用于液体：一～血│两～眼泪。❺（Wāng）名 姓。

汪[2] wāng 拟声 形容狗叫的声音：狗～～叫。

【汪汪】wāngwāng 形 ❶ 形容充满水或眼泪的样子：水～│眼泪～。❷〈书〉形容水面宽广。

【汪洋】wāngyáng 形 ❶ 形容水势浩大的样子：一片～│～大海。❷〈书〉形容气度宽宏：～大度。

【汪子】wāng·zi 〈方〉名 汪[1]③：水～。

---

wáng（ㄨㄤ）

亡(兦) wáng ❶ 逃跑：逃～│流～│～命。❷ 失去；丢失：～失│歧路～羊。❸ 死：死～│阵～│家破人～。❹ 死去的：～友。❺ 灭亡：～国。
〈古〉又同"无"wú。

【亡故】wánggù 动 死去；故去。

【亡国】wángguó ❶（-//-）动 国家灭亡；使国家灭亡：～灭种。❷ 名 灭亡了的国家：～之君。

【亡国奴】wángguónú 名 指祖国已经灭亡或部分国土被侵占，受侵略者奴役的人。

【亡魂】wánghún 名 迷信的人指人死后的灵魂(多指刚死不久的)。

【亡魂丧胆】wáng hún sàng dǎn 形容惊慌恐惧到了极点。

【亡灵】wánglíng 名 人死后的魂灵(迷信)，多用于比喻。

【亡命】wángmìng 动 ❶ 逃亡；流亡：～他乡。❷（冒险作恶的人）不顾性命：～徒。

【亡殁】wángmò 〈书〉动 亡故。

【亡失】wángshī 动 丢失；散失：那套书已～多年。

【亡羊补牢】wáng yáng bǔ láo 羊丢失了，才修理羊圈(语本《战国策·楚策四》："亡羊而补牢，未为迟也")。比喻在受到损失之后想办法补救，免得以后再受损失。

王 wáng ❶ 君主；最高统治者：君～│国～│女～。❷ 封建社会的最高爵位：～爵│亲～│～侯。❸ 首领；头目：占山为～│擒贼先擒～。❹ 同类中居首位的或特别大的：蜂～│蚁～│～蛇│花中之～。❺〈书〉辈分高：～父(祖父)│～母(祖母)。❻ 最强的：～水│～牌。❼（Wáng）名 姓。
另见1410页wàng。

【王八】wáng·ba 名 ❶ 乌龟或鳖的俗称。❷ 讥称妻子有外遇的人。❸ 旧指开设妓院的男子。

【王朝】wángcháo 名 朝代或朝廷；封建～。

【王储】wángchǔ 名 某些君主国确定为继承王位的人。

【王道】wángdào 名 我国古代政治哲学中指君主以仁义治天下的政策。

【王法】wángfǎ 名 ❶ 封建时代称国家法律。❷ 指政策法令。

【王府】wángfǔ 名 有王爵封号的人的住宅。

【王公】wánggōng 名 王爵和公爵，泛指显贵的爵位：～大臣│～贵族。

【王宫】wánggōng 名 国王居住的地方。

【王冠】wángguān 名 国王戴的帽子。

【王国】wángguó 名 ❶ 以国王为国家元首的国家，如丹麦王国、尼泊尔王国。❷ 比喻管辖的范围或某种境界：独立～│必然～。❸ 比喻某种特色或事物占主导地位的领域：那个城市简直是个花的～。

【王侯】wánghóu 名 王爵和侯爵,泛指显贵的爵位：～将相。

【王后】wánghòu 名 国王的妻子。

【王蕡】wánghuì 名 古书上指地肤,就是扫帚菜。

【王浆】wángjiāng 名 蜂王浆的简称。

【王莲】wánglián 名 ❶ 多年生草本植物,生长在水中,叶子大而圆,浮在水面,花大,初开时白色,后变成红色。种子含淀粉,可以吃。原生长在南美洲。❷ 这种植物的花。

【王母娘娘】Wángmǔ niáng·niang 西王母的通称。

【王牌】wángpái 名 桥牌等游戏中最强的牌,比喻最强有力的人物、手段等：～军 | 这是他制胜的一张～。

【王权】wángquán 名 君主的权力。

【王室】wángshì 名 ❶ 指王族：～成员。❷ 指朝廷。

【王水】wángshuǐ 名 一体积浓硝酸和三体积浓盐酸混合而成的无色液体,迅速变黄,腐蚀性极强,能溶解金、铂等一般酸类不能溶解的金属。

【王孙】wángsūn 名 封王者的子孙,也泛指一般贵族的子孙：～公子。

【王位】wángwèi 名 君主的地位：继承～。

【王爷】wáng·ye 名 封建时代尊称有王爵封号的人。

【王子】wángzǐ 名 帝王的儿子。

【王族】wángzú 名 国王的同族。

wǎng （ㄨㄤˇ）

网（網） wǎng ❶ 名 用绳线等结成的捕鱼捉鸟的器具：一张～ | 渔～ | 结～ | 撒～ | 张～。❷ 名 像网的东西：发～ | 蜘蛛～ | 电～。❸ 名 像网一样纵横交错的组织或系统：上～ | 通信～ | 交通～ | 灌溉～。❹ 动 用网捕捉：～着了一条鱼。❺ 动 像网似的笼罩着：眼里～着红丝。

【网吧】wǎngbā 名 备有计算机可供上网并且兼售饮料等的营业性场所。有的地区叫电脑咖啡屋、公共电脑屋。[吧,英

bar]

【网虫】wǎngchóng 名 网迷(含诙谐意)。

【网点】wǎngdiǎn 名 指像网一样成系统地分设在各处的商业、服务业单位：在新居民区增设商业～。

【网兜】wǎngdōu 名 用线绳、尼龙丝等编成的装东西的兜子。

【网纲】wǎnggāng 名 渔网上的大绳。

【网关】wǎngguān 名 将两个使用不同协议的网络连接在一起的设备。

【网管】wǎngguǎn ❶ 动 网络管理。❷ 名 指网络管理员。

【网海】wǎnghǎi 名 比喻像大海一样广阔的网络世界。

【网巾】wǎngjīn 名 用丝结成的网状的头巾,用来拢住头发。

【网警】wǎngjǐng 名 网络警察的简称。

【网卡】wǎngkǎ 名 网络接口卡,用于网络接口的卡式器件。插入计算机的总线槽中,以连接计算机与特定的网络。

【网开一面】wǎng kāi yī miàn 把捕禽兽的网打开一面,比喻用宽大的态度来对待。本作"网开三面"(见于《史记·殷本纪》)。

【网篮】wǎnglán 名 上面有网子罩着的篮子,大多在出门时用来盛零星物件。

【网恋】wǎngliàn 名 通过互联网以网上聊天ㄦ等方式进行的恋爱(有些是虚拟的)。

【网路】wǎnglù 〈方〉网络③。

【网罗】wǎngluó 名 捕鱼的网和捕鸟的罗,比喻束缚人的东西：陷入～ | 逃出～。❷ 动 从各方面搜寻招致：～人才。

【网络】wǎngluò 名 ❶ 网状的东西。❷ 由若干元器件或设备等连接成的网状的系统；由许多互相交错的分支组成的系统：计算机～ | 通信～ | 这个新兴城市已经形成合理的经济～。❸ 特指计算机网络。

【网络版】wǎngluòbǎn 名 ❶ 报刊、文学作品等登载在互联网上的版本。❷ 软件的可以供网络中的多台计算机同时使用的版本。

【网络电话】wǎngluò diànhuà 指通过互联网接通的电话。采用分组交换方式,使许多用户共享网络资源,通话费用较低。

【网络计算机】wǎngluò jìsuànjī 专用于网络环境下的简易型计算机。可以使用

网络服务器上的软件、硬件和数据资源。一般不需要硬盘等外部存储器。

【网络教育】wǎngluò jiàoyù 通过互联网实施的教育。

【网络经济】wǎngluò jīngjì 以互联网技术和信息技术的运用为主要特征的经济。

【网络警察】wǎngluò jǐngchá 指专门打击利用计算机互联网实施犯罪的警察。简称网警。

【网络文学】wǎngluò wénxué 在互联网上发表的文学作品。由于采用了网络为媒介，具有传播迅速、反馈及时的特点。

【网络学校】wǎngluò xuéxiào 通过互联网，以多媒体和电子信息技术为手段，进行远距离教学的虚拟学校。简称网校。

【网络银行】wǎngluò yínháng 网上银行。

【网络游戏】wǎngluò yóuxì 在互联网上联机进行的电子游戏。

【网络语言】wǎngluò yǔyán 指网民在网上聊天室和电子公告牌系统等里面习惯使用的特定词语和符号。

【网迷】wǎngmí 名 喜欢上网而入迷的人。

【网民】wǎngmín 名 指互联网的用户。

【网目】wǎngmù 名 网眼。

【网球】wǎngqiú 名 ❶ 球类运动项目之一，球场长方形，中间有一道网，双方各占一面，用拍子来回打球。有单打和双打两种。❷ 网球运动使用的球，圆形，具有弹性。里面用橡皮，外面用毛织品等制成。

【网上银行】wǎngshàng yínháng 没有实际营业场所，全部业务都在计算机互联网上进行的虚拟银行。也叫网络银行。

【网胃】wǎngwèi 名 反刍动物的胃的第二部分，内壁有蜂巢状皱褶。也叫蜂巢胃。

【网箱】wǎngxiāng 名 一种用来养鱼的装置，形状像巨大的箱子，用合成纤维等材料制成，有网眼，放在湖泊、水库、河道、海湾等水域中，水流通过网眼，形成活水环境：～养鱼。

【网校】wǎngxiào 名 网络学校的简称。

【网眼】wǎngyǎn （～儿）名 网上线绳纵横交织而成的孔，多呈菱形。也叫网目。

【网页】wǎngyè 名 可以在互联网上进行信息查询的信息页。

【网友】wǎngyǒu 名 通过互联网交往的朋友，也用于网民之间的互称。

【网站】wǎngzhàn 名 某个企业、组织、机构或个人在互联网上建立的网络站点，一般由一个主页和许多网页构成。

【网址】wǎngzhǐ 名 网站在互联网上的地址。

【网子】wǎng·zi 名 像网的东西，特指妇女罩头发的小网。

枉 wǎng ❶ 弯曲或歪斜，比喻错误或偏差：矫～过正。❷ 使歪曲：～法。❸ 冤屈：冤～|～死。❹ 白白地；徒然：～然|～费。❺ (Wǎng)名 姓。

【枉法】wǎngfǎ 动 执法的人歪曲和破坏法律：贪赃～。

【枉费】wǎngfèi 动 白费；空费：～工夫|～心机|～唇舌。

【枉费心机】wǎngfèi xīnjī 白白地耗费心思。

【枉顾】wǎnggù〈书〉敬辞，称对方来访自己。

【枉驾】wǎngjià〈书〉敬辞。❶ 称对方来访自己。❷ 请对方往访他人。

【枉然】wǎngrán 形 得不到任何收获；白费力气：计划虽好，不能执行也是～。

【枉死】wǎngsǐ 动 含冤而死：～鬼|～轮下。

【枉自】wǎngzì 副 白白地：～费了半天劲，什么也没办成。

罔¹ wǎng〈书〉蒙蔽：欺～。

罔² wǎng〈书〉没有；无：药石～效|置若～闻。

【罔替】wǎngtì〈书〉动 不更换；不废除：世袭～|千秋万代，绵延～。

往 wǎng ❶ 去：～来|来～。❷ 动 去的，向着去：一个～东，一个～西。❸ 介 表示动作的方向：～外走|这趟车开～上海。❹ 过去的：～年|～事。

【往常】wǎngcháng 名 过去的一般的日子：今天因为有事，所以比～回来得晚。

【往返】wǎngfǎn 动 来回；反复：～奔走|徒劳～|事物的发展变化是～曲折的。

【往复】wǎngfù 动 ❶ 来回；反复：～运动|循环～。❷ 往来；来往：宾主～。

【往后】wǎnghòu 名 以后：～的日子还长着呢！

【往还】wǎnghuán 动 往来；来往：～于京沪之间|他们两个经常有书信～。

【往届】wǎngjiè 形 属性词。以往各届的（多用于毕业生）：～生。

【往来】wǎnglái 动 ❶ 去和来：大街上～的车辆很多。❷ 互相访问；交际：他们俩～十分密切 | 我跟他没有什么～。

【往年】wǎngnián 名 以往的年头；从前：今年粮食产量超过～。

【往日】wǎngrì 名 过去的日子；从前：现在的情况跟～不同了。

【往时】wǎngshí 名 过去的时候；从前：他还像～一样健谈。

【往事】wǎngshì 名 过去的事情：回忆～ |～历历在目。

【往往】wǎngwǎng 副 表示某种情况在一定条件下时常存在或经常发生：休息的时候，他～去公园散步。

【往昔】wǎngxī 名 从前：一如～。

惘 wǎng 失意；精神恍惚：怅～|～然。

【惘然】wǎngrán 形 失意的样子；心里好像失掉了什么东西的样子：神态～|～若失。

辋(輞) wǎng 名 车轮周围的框子。（图见898页"轮子"）

蜎 wǎng 见1410页[魍魉]（蜎蜽）。

魍 wǎng [魍魉]（蜎蜽）（wǎngliǎng）〈书〉传说中的怪物：魑魅～。

wàng （ㄨㄤ）

王 wàng 古代称君主有天下：～天下。另见1407页wáng。

妄 wàng ❶ 荒谬不合理：狂～|～人。❷ 副 非分地，出了常规地；胡乱：～动 |～求 |～加猜疑 |～作主张 | 胆大～为。

【妄称】wàngchēng 动 虚妄地或狂妄地声称。

【妄动】wàngdòng 动 轻率地行动：轻举～|未经许可，不得～。

【妄断】wàngduàn 动 轻率地下结论：此事不能凭空～。

【妄念】wàngniàn 名 不正当或不切实际的念头：陡生～。

【妄求】wàngqiú 动 非分地要求或追求。

【妄取】wàngqǔ 动 没得到许可，擅自取用：非分的钱财，不可～。

【妄人】wàngrén 〈书〉名 无知妄为的人。

【妄说】wàngshuō 动 没有根据地乱说；瞎说：无知～。

【妄图】wàngtú 动 狂妄地谋划：匪徒～逃窜。

【妄为】wàngwéi 动 胡作非为：胆大～|恣意～。

【妄下雌黄】wàng xià cíhuáng 指乱改文字或乱发议论。参看224页[雌黄]。

【妄想】wàngxiǎng ❶ 动 狂妄地打算：敌人～卷土重来。❷ 名 不能实现的打算：痴心～ | 你想瞒过大伙儿的眼睛，那是～。

【妄言】wàngyán ❶ 动 随便地说；乱说：是非功过，在下不敢～。❷ 名 虚妄的话：一派～。

【妄语】wàngyǔ ❶ 动 说假话；胡说：不～。❷ 名 虚妄的话：口出～。

【妄自菲薄】wàng zì fěibó 过分地看轻自己。

【妄自尊大】wàng zì zūn dà 狂妄地自高自大。

忘 wàng 动 忘记：喝水不～掘井人 | 这件事我一辈子也～不了。

【忘本】wàng∥běn 动 境遇变好后忘掉自己原来的情况和所以能得到幸福的根源。

【忘掉】wàng∥diào 动 忘记。

【忘恩负义】wàng ēn fù yì 忘记别人对自己的恩情，做出对不起别人的事。

【忘乎所以】wàng hū suǒ yǐ 由于过度兴奋或骄傲自满而忘记了一切。也说忘其所以。

【忘怀】wànghuái 动 忘记：那次分手的情景使人不能～。

【忘记】wàngjì 动 ❶ 经历的事物不再存留在记忆中；不记得：我们不会～，今天的胜利是经过艰苦的斗争得来的。❷ 应该做的或原来准备做的事情因为疏忽而没有做；没有记住：～带笔记本。

【忘年交】wàngniánjiāo 名 年岁差别大、行辈不同而交情深厚的朋友。

【忘其所以】wàng qí suǒ yǐ 忘乎所以。

【忘情】wàngqíng 动 ❶ 感情上放得下；无动于衷（多用于否定式）：不能～。❷ 不能控制自己的感情：～地歌唱。

【忘却】wàngquè 动 忘记：这些沉痛的教训，使人无法～。

【忘我】wàngwǒ 动 忘掉自己，形容人公而忘私：～的精神|～地工作。

【忘形】wàngxíng 动 因为得意或高兴而忘掉应有的礼貌和应持的态度：得意～。

【忘性】wàng·xing 名 好忘事的毛病：上了岁数的人，～大。

旺 wàng ❶形 旺盛：兴～|火着得很～|花开得正～|庄稼长得真～。❷〈方〉形 多；充足：奶水～|新打的井，水～极了。❸(Wàng)名 姓。

【旺季】wàngjì 名 营业旺盛的季节或某种东西出产多的季节(跟"淡季"相对)：空调销售～|西瓜～。

【旺健】wàngjiàn 形 健旺：精力～。

【旺铺】wàngpù 名 生意兴旺的店铺：临街～。

【旺盛】wàngshèng 形 生命力强；情绪高涨；茂盛：精力～|今年雨水充足，庄稼长势～。

【旺市】wàngshì 名 交易旺盛的市场形势(跟"淡市"相对)：营造节日～。

【旺势】wàngshì 名 旺盛的势头：绿色食品近年呈现出销售～。

【旺销】wàngxiāo 动 畅销：～商品|家用电器出现～势头。

【旺月】wàngyuè 名 营业旺盛的月份(跟"淡月"相对)。

望¹ wàng ❶动 向远处看：登山远～|一～无际的稻田。❷ 探望：拜～|看～。❸动 盼望；希望：大喜过～|丰收有～|～子成龙|～准时到会。❹ 名望，也指有名望的人：德高～重|一乡之～。❺〈书〉怨：怨～。❻ 望子：酒～。❼介 对着；朝着：～我点点头|他笑了笑。❽〈书〉(年龄)接近：～六之年(指年近六十)。❾(Wàng)名 姓。

望² wàng ❶ 名 农历每月十五日(有时是十六日或十七日)，地球运行到月亮和太阳之间。这天太阳从西方落下去的时候，月亮正好从东方升上来，地球上看见圆形的月亮，这月月相叫望。❷ 望日：朔～。

【望板】wàngbǎn 名 平铺在椽子上面的木板。

【望尘莫及】wàng chén mò jí 只望见走在前面的人带起的尘土而追赶不上，比喻远远落后。

【望穿秋水】wàng chuān qiū shuǐ 形容盼望得非常急切(秋水：比喻人的眼睛)。

【望断】wàngduàn〈书〉向远处望直到望不见了：～天涯路。

【望而却步】wàng ér què bù 看到了危险或力不能及的事而往后退缩。

【望而生畏】wàng ér shēng wèi 看见了就害怕。

【望风】wàng∥fēng 动 给正在进行秘密活动的人观察动静。

【望风捕影】wàng fēng bǔ yǐng 捕风捉影：情况没弄清楚，不要～乱说。也说望风扑影、望风捉影。

【望风而逃】wàng fēng ér táo 老远看见对方的气势很盛就逃跑了。

【望风披靡】wàng fēng pīmǐ 形容军队丧失战斗意志，老远看见对方的气势很盛就溃散了。

【望风捉影】wàng fēng zhuō yǐng 望风捕影。

【望楼】wànglóu 名 瞭望用的楼。

【望梅止渴】wàng méi zhǐ kě 曹操带兵走到一个没有水的地方，士兵们渴得很，曹操骗他们说："前面有很大的一片梅树林，梅子酸甜，又甜又酸。"士兵听了，都流出口水来，不再嚷渴(见于《世说新语·假谲》)。后来比喻用空想或假象安慰自己。

【望门】wàngmén 名 有名望的人家：出身～。

【望门寡】wàngménguǎ 名 ❶ 旧时女子订婚之后，未婚夫死了不再跟别人结婚，叫做守"望门寡"。❷ 守"望门寡"的女子。

【望其项背】wàng qí xiàng bèi 能够望见别人的颈项和背脊，表示赶得上或比得上(多用于否定式)：难以～。

【望日】wàngrì 名 指月亮圆的那一天，即农历每月十五日，有时是十六日或十七日。通常指农历每月十五日。

【望天树】wàngtiānshù 名 常绿大乔木，树干通直，高可达 80 米，有板状根，叶子长椭圆形或卵状拔针形，花黄白色，有香气，果实椭圆形。生长在云南西双版纳和广西，是我国的珍稀树种。

【望文生义】wàng wén shēng yì 不懂某一词句的正确意义，只从字面上去附会，做出错误的解释。

【望闻问切】wàng wén wèn qiè 中医诊断疾病的四种基本方法。望是观察病人的发育情况、面色、舌苔、表情等;闻是听病人的说话声音、咳嗽、喘息,而且嗅出病人的口臭、体臭等气味;问是询问病人自己所感到的症状,以前所患过的病等;切是用手诊脉或按腹部有没有痞块。

【望眼欲穿】 wàng yǎn yù chuān 形容盼望殷切。

【望洋兴叹】 wàng yáng xīng tàn 本义指在伟大的事物面前感叹自己的藐小,今多比喻要做一件事而力量不够,感到无可奈何(望洋:抬头向上看的样子)。

【望远镜】 wàngyuǎnjìng 名 观察远距离物体的光学仪器,最简单的折射望远镜由两组透镜组成。

【望月】 wàngyuè 名 望日的月亮。也叫满月。

【望子】 wàng·zi 名 店铺标明属于某种行业的标志,多用竹竿高挂在门前,使远近都能看清:酒~。

【望子成龙】 wàng zǐ chéng lóng 希望儿子能成为出人头地或有作为的人。

【望族】 wàngzú 名 有名望、有地位的家族:名门~。

wēi（ㄨㄟ）

危 wēi ❶ 危险;不安全(跟"安"相对):~急|~难|转~为安|居安思~。❷ 使处于危险境地;损害:~害|~及。❸ 指人快要死:临~|~病。❹〈书〉高;险峻:~冠|~樯|~楼。❺〈书〉端正;正直:正襟~坐。❻ 二十八宿之一。❼ （Wēi）名 姓。

【危城】 wēichéng 名 ❶〈书〉城墙很高的城。❷ 指被围困、快要被攻破的城市。

【危殆】 wēidài 〈书〉形（形势、生命等）十分危险;危急:战局~|病势~。

【危笃】 wēidǔ 〈书〉形（病势）危急。

【危房】 wēifáng 名 有倒塌危险的房屋:~改建。

【危害】 wēihài 动 使受破坏;损害:~生命|~社会秩序。

【危机】 wēijī 名 ❶ 指危险的根由:~四伏。❷ 严重困难的关头:经济~|人才~。

【危及】 wēijí 动 有害于;威胁到:~生命|~国家安全。

【危急】 wēijí 形 危险而紧急:情势~|~关头。

【危局】 wēijú 名 危险的局势:扭转~。

【危惧】 wēijù 动 担忧害怕:毫不~。

【危楼】 wēilóu 名 ❶〈书〉高楼:~高百尺。❷ 有倒塌危险的楼房。

【危难】 wēinàn 名 危险和灾难:陷于~之中。

【危浅】 wēiqiǎn 〈书〉形（生命）垂危:人命~,朝不保夕。

【危如累卵】 wēi rú lěi luǎn 形容形势极其危险,如同摞（luò）起来的蛋,随时有倒下来的可能。

【危亡】 wēiwáng 动（国家、民族）接近于灭亡。

【危险】 wēixiǎn 形 有遭到损害或失败的可能:~期|~区|~标志|预防~|山路又陡又窄,攀登的时候非常~。

【危言耸听】 wēi yán sǒng tīng 故意说吓人的话使听的人吃惊。

【危在旦夕】 wēi zài dàn xī 指危险就在眼前。

【危重】 wēizhòng 形（病情）严重而危险:抢救~病人。

【危坐】 wēizuò 〈书〉动 端端正正地坐着:正襟~。

委 wēi ［委蛇］（wēiyí）❶ 同"逶迤"。❷〈书〉形 形容随顺:虚与~。
另见 1420 页 wěi。

威 wēi ❶ 表现出来的能压服人的力量或使人敬畏的态度:~信|~严|示~助|狐假虎~。❷ 凭借威力(采取某种行动):~逼|~吓|~胁。❸ （Wēi）名姓。

【威逼】 wēibī 动 用威力强迫或进逼:~利诱。

【威风】 wēifēng ❶ 名 使人敬畏的声势或气派:~凛凛|长自己的志气,灭敌人的~。❷ 形 有威风:穿上军装显得很~。

【威吓】 wēihè 动 用威势来吓唬（xià·hu）:~对方|不怕武力~。

【威赫】 wēihè 形 威风显赫:~一时|天下。

【威力】 wēilì 名 ❶ 强大的使人畏惧的力量。❷ 具有巨大推动或摧毁作用的力量:氢弹的~比原子弹大|改革开放的政策,在发展生产中发挥着巨大的~。

【威名】wēimíng 名 因有惊人的力量或武功而得到的很大的名望：～远扬。

【威迫】wēipò 动 威逼：～利诱。

【威权】wēiquán 名 威力和权势：炫耀～。

【威慑】wēishè 动 用武力使对方感到恐惧：～敌人｜～力量。

【威士忌】wēishìjì 名 一种用大麦、黑麦等制成的酒。[英 whisky]

【威势】wēishì 名 ❶ 威力和气势：太阳落山后，酷暑的～才稍稍减退。❷ 威力和权势：倚仗～｜树立～。

【威望】wēiwàng 名 声誉和名望：国际～｜他在文学界享有很高的～。

【威武】wēiwǔ ❶ 名 武力；权势：～不能屈。❷ 形 力量强大；有气势：～雄壮。

【威胁】wēixié 动 ❶ 用威力逼迫恫吓使人屈服：～利诱。❷ 使遭遇危险：洪水正～着整个村庄。

【威信】wēixìn 名 威望和信誉：～扫地｜树立～。

【威严】wēiyán ❶ 形 有威力而又严肃的样子：神色～｜～的仪仗队。❷ 名 威风和尊严：他摆出了尊长的～。

【威仪】wēiyí 名 使人敬畏的严肃容貌和庄重举止：～凛然。

逶 wēi [逶迤](wēiyí)〈书〉形 形容道路、山脉、河流等弯弯曲曲延续不绝的样子：群山～。也作逶蛇。

偎 wēi 动 亲热地靠着；紧挨着：～依｜孩子～在母亲的怀里。

【偎傍】wēibàng 动 偎依：孩子紧紧地～着妈妈。

【偎依】wēiyī 动 偎：一对情人相互～着低低细语。

隈 wēi〈书〉山、水等弯曲的地方：山～｜城～。

撖 wēi〈方〉动 使细长的东西弯曲：把铁丝～个圈儿。

葳 wēi [葳蕤](wēiruí)〈书〉形 形容枝叶繁盛。

嵬 wēi [崴嵬](wēiwéi)〈书〉形 形容山高。

另见 1397 页 wǎi。

椳 wēi〈书〉门臼（承门轴的）。

微 wēi ❶ 细小；轻微：细～｜～风｜谨小慎～｜相差甚～。❷（某些计量单位

（的）百万分之一：～米｜～安｜～法。❸ 衰落：衰～。❹ 精深奥妙：～妙｜～言大义。❺ 副 稍微；略微：～感不适｜面色～红。

【微波】wēibō 名 一般指波长从 1 毫米—1 米（频率 300 吉赫—300 兆赫）的无线电波。可分为分米波、厘米波和毫米波等。直线传播，方向性强，频率高，应用于导航、雷达、遥感技术、卫星通信、气象、天文等方面。

【微波炉】wēibōlú 名 一种利用微波加热的炊具。工作时微波从各个角度进入炉腔，使放在里面的食物的分子振荡、摩擦而产生热量，食物的内部和外部一起受热。

【微薄】wēibó 形 微小单薄；数量少：～的力量｜收入相当～。

【微不足道】wēi bù zú dào 非常藐小，不值得一提。

【微词】wēicí〈书〉名 隐晦的批评：颇有～。也作微辞。

【微辞】wēicí 同"微词"。

【微雕】wēidiāo 名 ❶ 微型雕刻，在极小的物体上刻出字或图像等。❷ 指用这种方法雕刻成的作品。‖ 也叫微刻。

【微分】wēifēn 名 见【微积分】。

【微风】wēifēng 名 ❶ 微弱的风：～拂面。❷ 气象学上旧指 3 级风。参看 407 页〖风级〗。

【微服】wēifú〈书〉动 帝王、官吏等外出时为不暴露身份而换穿便服：～私访。

【微观】wēiguān 形 ❶ 深入到分子、原子、电子等构造领域的（跟"宏观"相对，下同）：～世界。❷ 指小范围的或部分的：～考察｜～经济。

【微观经济学】wēiguān jīngjìxué 以单个经济单位、个别商品作为研究对象的经济学。

【微观粒子】wēiguān lìzǐ 分子、原子和粒子的统称。

【微观世界】wēiguān shìjiè 指分子、原子、电子、夸克等极微小物质的领域。

【微乎其微】wēi hū qí wēi 形容非常少或非常小。

【微机】wēijī 名 微型机器，特指微型计算机。

【微积分】wēijīfēn 名 微分和积分的合称。微分描述物体运动的局部性质，积分描述

物体运动的整体性质。例如求运动着的物体在某一瞬间的运动速度就是微分学的问题;由运动物体在各点的瞬间运动速度求物体运动的全部路程就是积分学的问题。

【微贱】wēijiàn 厖 指社会地位低下;卑贱①:出身～。

【微刻】wēikè 名 微雕。

【微利】wēilì 名 很少的利润;很小的利益:蝇头～。

【微粒】wēilì 名 微小的颗粒,包括肉眼可以看到的,也包括肉眼看不到的分子、原子等。

【微量】wēiliàng 名 微小的量;极少的量:～元素。

【微量元素】wēiliàng yuánsù 生物体正常生理活动所必需但需求量很少的元素,如硼、砷、锰、铜、钴、钼等元素。

【微茫】wēimáng 〈书〉厖 隐约,不清晰:月色～|～的希望。

【微妙】wēimiào 厖 深奥玄妙,难以捉摸:～的关系|这个问题很～。

【微末】wēimò 厖 细小;不重要:～的贡献。

【微弱】wēiruò 厖❶ 小而弱:气息～|～的灯光。❷ 衰弱;虚弱:～的身躯。

【微生物】wēishēngwù 名 形体微小、构造简单的生物的统称。绝大多数个体用显微镜才能看到,广泛分布在自然界中,如细菌、立克次体、支原体、衣原体、病毒、单细胞藻类、原生动物等。

【微缩】wēisuō 动 把物体按一定比例缩小:～景区。

【微调】wēitiáo ❶ 动 电子学上指对调谐电容做很小的变动、调整。❷ 名 指微调电容器,电容量可做精细调整的小容量电容器。❸ 动 泛指做小幅度的调整:工资～。

【微微】wēiwēi ❶ 副 稍微;略微:～一笑。❷ 厖 微小;细小:～细雨|～的亮光。

【微细】wēixì 厖 非常细小:～的血管。

【微小】wēixiǎo 厖 极小:～的颗粒|～进步|个人的力量是～的。

【微笑】wēixiào ❶ 动 不显著地、不出声地笑:嫣然一～|回眸一～。❷ 名 不显著的笑容:脸上浮现一丝～。

【微行】wēixíng 动 帝王或高官隐蔽自己

的身份改装出行。

【微型】wēixíng 厖 属性词。体积比同类的东西小得多的:～小说|～汽车|～计算机。

【微血管】wēixuèguǎn 名 毛细血管。

【微循环】wēixúnhuán 名 微动脉与微静脉之间的血液循环,是心血管系统与组织细胞直接接触的部分,能向组织细胞输送养料,并带走代谢产物。微循环在显微镜下才能观察到。

【微言大义】wēi yán dà yì 精微的语言和深奥的道理。

【微音器】wēiyīnqì 名 传声器。

煨 wēi 动❶ 烹调方法,用微火慢慢地煮:～牛肉|～山药。❷ 把生的食物放在带火的灰里使烧熟:～白薯。

溦 wēi 〈书〉小雨。

薇 wēi 古书上指巢菜。

鰃(鰃) wēi 名 鱼,身体多为红色,眼大,口大而斜。生活在热带海洋。

巍 wēi 形容高大:～然|～峨。

【巍峨】wēi'é 厖 形容山或建筑物的高大雄伟:～的群山|～的天安门城楼。

【巍然】wēirán 厖 形容山或建筑物雄伟的样子:～屹立|大桥～横跨在长江之上。

【巍巍】wēiwēi 厖 形容高大:～井冈山。

wéi （ㄨㄟˊ）

韦(韋) wéi ❶ 〈书〉皮革。❷ (Wéi)名 姓。

【韦编三绝】wéi biān sān jué 孔子晚年很爱读《周易》,翻来覆去地读,使穿连《周易》竹简的皮条断了好几次(见于《史记·孔子世家》)。后来用"韦编三绝"形容读书勤奋。

为[1](爲、為) wéi ❶ 动 做;有～事在人|敢作敢～|大有可～。❷ 动 充当:选他～代表。❸ 动 变成;成:一分～二|化～乌有|变沙漠～良田。❹ 动 是:十寸～一尺。❺ (Wéi)名 姓。

为[2]（爲、為）wéi 〈介〉被（跟"所"字合用）：这种艺术形式～广大人民所喜闻乐见。

为[3]（爲、為）wéi 〈书〉〈助〉常跟"何"相应，表示疑问或感叹：何以家～（要家干什么)？

为[4]（爲、為）wéi 后缀。❶ 附于某些单音形容词后，构成表示程度、范围的副词：大～高兴|广～传播|深～感动。❷ 附于某些表示程度的单音副词后，加强语气：极～重要|甚～便利|颇～可观|尤～出色。
另见 1422 页 wèi。

【为非作歹】wéi fēi zuò dǎi 做各种坏事。

【为富不仁】wéi fù bù rén 靠剥削发财致富的人没有好心肠（语出《孟子•滕文公上》)。

【为害】wéihài 〈动〉造成损害：黏虫对谷子、玉米等粮食作物～最烈。

【为患】wéihuàn 〈动〉造成祸害：洪水～。

【为力】wéilì 〈动〉使劲儿;出力：无能～。

【为难】wéinán ❶〈形〉感到难以应付：～的事|叫人挺～的。❷〈动〉作对或刁难：故意～。

【为期】wéiqī 〈动〉从时间、期限长短上看：～不远|～甚远。

【为人】wéirén ❶〈动〉做人：～处世。❷〈名〉指做人处世的态度：～正直|～忠厚|大家都了解他的～。

【为生】wéishēng 〈动〉（以某种途径）谋生：捕鱼～。

【为时】wéishí 〈动〉从时间的长短、早晚上看：～过早|～已晚|～不多。

【为首】wéishǒu 〈动〉作为领头人：以某某～的代表团|犯罪团伙的～分子已被抓获。

【为数】wéishù 〈动〉从数量多少上看：～不少|～甚微|～极微。

【为所欲为】wéi suǒ yù wéi 想干什么就干什么;任意行事（含贬义）。

【为伍】wéiwǔ 〈动〉同伙,做伙伴：羞与～。

【为止】wéizhǐ 〈动〉截止;终止（多用于时间,进度等）：到目前～,报名的人已超过一千。

圩 wéi 〈名〉圩子①：筑～|～堤|～埂。
另见 1535 页 xū。

【圩田】wéitián 〈名〉有土堤包围能防止外边的水侵入的农田。

【圩垸】wéiyuàn 〈名〉滨湖地区为了防止湖水侵入而筑的堤：～工程。

【圩子】wéi•zi 〈名〉❶ 低洼地区围绕房屋、田地等修建的防水堤岸。也作围子。❷ 同"围子"①。

违（違）wéi ❶〈动〉不遵照;不依从：～背|～反|～法|～约|～章|阳奉阴～。❷ 离别;离开：睽～|久～。

【违碍】wéi'ài 〈动〉旧指触犯统治者忌讳：语涉～|～字句。

【违拗】wéi'ào 〈动〉违背;有意不依从（上级或长辈的主意）。

【违背】wéibèi 〈动〉违反;不遵守：～誓言|～规章制度。

【违法】wéi∥fǎ 〈动〉违犯法律或法令：～行为|～乱纪。

【违法乱纪】wéi fǎ luàn jì 违犯法律,破坏纪律。

【违反】wéifǎn 〈动〉不遵守;不符合（法则、规程等）：～纪律|～政策。

【违犯】wéifàn 〈动〉违背和触犯（法律等）：～宪法。

【违规】wéi∥guī 〈动〉违反有关的规定或规程：～现象|～操作。

【违和】wéihé 〈书〉〈动〉婉辞,称别人有病：近闻贵体～,深为念感。

【违纪】wéi∥jì 〈动〉违反纪律：～人员。

【违禁】wéijìn 〈动〉违犯禁令：～品|～书刊。

【违抗】wéikàng 〈动〉违背和抗拒：～命令。

【违例】wéilì 〈动〉❶ 违反惯例。❷ 体育比赛中指违反比赛规则。如篮球比赛中带球跑、拳击球、脚踢球等。

【违忤】wéiwǔ 〈书〉〈动〉违背;不顺从。

【违误】wéiwù 〈动〉公文用语,违反命令,耽误公事：迅速办理,不得～。

【违宪】wéixiàn 〈动〉违反宪法。

【违心】wéixīn 〈动〉不是出于本心;跟本意相反：～之论|他说的是～话。

【违约】wéi∥yuē 〈动〉违背条约或契约。

【违章】wéi∥zhāng 〈动〉违反规章：～操作|～建筑|～驾驶。

围（圍）wéi ❶〈动〉四周拦挡起来,使里外不通;环绕：包～|突～|解～|团团～住。❷ 四周;周围：外～|四～|～范。❸ 某些物体周围的长度：腰～|胸～。❹〈量〉a)两只手的拇指和食指合拢

来的长度。b）两只胳膊合拢来的长度。❺（Wéi）图姓。

【围脖儿】wéibór 〈方〉图围巾。

【围捕】wéibǔ 囫包围起来捕捉：～逃犯|～鱼群。

【围产期】wéichǎnqī 图围生期。

【围场】wéichǎng 图封建时代围起来专供皇帝贵族打猎的场地。

【围城】wéichéng ❶（-/-）囫包围城市：～战|打援。❷图被包围的城市：困守～。

【围堵】wéidǔ 囫包围堵截：歹徒在警民的～下束手就擒。

【围攻】wéigōng 囫包围起来加以攻击：～敌军据点◇他在会上多次遭到～。

【围观】wéiguān 囫（许多人）围着观看：铁树开花,引来许多人～。

【围击】wéijī 囫围攻。

【围歼】wéijiān 囫包围起来歼灭：～敌军。

【围剿】wéijiǎo 囫包围起来剿灭：～残匪。

【围巾】wéijīn 图围在脖子上保暖、保护衣领或做装饰的针织品或纺织品。

【围聚】wéijù 囫从四下里聚集：店门前～了不少看热闹的人。

【围垦】wéikěn 囫用堤坝把湖滩、海滩等围起来垦殖。

【围困】wéikùn 囫团团围住,使处于困境：千方百计抢救被洪水～的群众。

【围猎】wéiliè 囫从四面合围起来捕捉禽兽。

【围拢】wéilǒng 囫从四周向某个地方聚拢。

【围屏】wéipíng 图屏风的一种,通常是四扇、六扇或八扇连在一起,可以折叠。

【围棋】wéiqí 图棋类运动的一种。棋盘上纵横各十九道线,交错成三百六十一个点位,双方用黑白棋子对着（zhāo）,互相围攻,吃去对方的棋子。以占据点数多的为胜。

【围墙】wéiqiáng 图环绕房屋、园林、场院等的拦挡用的墙。

【围裙】wéiqún 图围在身前保护衣服或身体的东西,用布或橡胶等制成。

【围绕】wéirào 囫❶围着转动；围在周围：月亮～着地球旋转|孩子们～在老奶奶身边听故事。❷以某个问题或事情为中

心：大家～着当前生产问题提出很多建议。

【围生期】wéishēngqī 图指怀孕后期至新生儿出生后的一段时间,通常指怀孕28周至新生儿出生后1周的时间。也叫围产期。

【围魏救赵】wéi Wèi jiù Zhào 公元前353年,魏国攻打赵国都城邯郸。齐国派田忌率军救赵。田忌用军师孙膑的计策,乘魏国内空虚而引兵攻魏,魏军回救本国,齐军乘其疲惫,在桂陵（今山东菏泽）大败魏军,赵国因而解围。后来用"围魏救赵"来指类似的作战方法。

【围子】wéi·zi ❶图围绕村庄的障碍物,用土石筑成,或用密植成的荆棘做成：土～。也作圩子。❷同"圩子"①。❸同"帷子"。

【围嘴儿】wéizuǐr 图围在小孩子胸前使衣服保持清洁的东西,用布或塑料等制成。

帏（幃）wéi ❶同"帷"。❷古代佩带的香囊。

闱（闈）wéi ❶图宫的侧门：宫～。❷图科举时代称考场：春～|秋～。

沣（灃）wéi 沣源口（Wéiyuánkǒu）,地名,在湖北。

浕（潙、溈）Wéi 浕水,水名,在湖南。

溈 Wéi 溈水,水名,在湖北。

桅 wéi 桅杆：船～|～顶。

【桅灯】wéidēng 图❶一种航行用的信号灯。❷马灯。

【桅杆】wéigān 图❶船上挂帆的杆子。❷轮船上悬挂信号、装设天线、支撑观测台的高杆。

【桅樯】wéiqiáng 图桅杆。

潿（潿）wéi 潿洲（Wéizhōu）,岛名,在广西。

碨（磑）wéi ［碨磈］（wéiwéi）〈书〉圈形容高。
另见1424页wèi。

唯 wéi 圃❶单单；只：～一无二。❷只是：他学习很好,～身体稍差。
另见1421页wěi。

【唯独】wéidú 圃单单；别的事还可以放一放,～这件事必须快做。也作惟独。

【唯恐】wéikǒng 囫只怕：～落后|～迟

到。也作惟恐。

【唯利是图】wéi lì shì tú 只贪图财利，别的什么都不顾。也作惟利是图。

【唯美主义】wéiměi zhǔyì 西方现代文艺思潮之一，流行于19世纪末的欧洲。否定艺术的社会性和功利性，认为艺术本身就是目的，是所谓"为艺术而艺术"。

【唯命是从】wéi mìng shì cóng 唯命是听。也作惟命是从。

【唯命是听】wéi mìng shì tīng 让做什么，就做什么，绝对服从。也作惟命是听。也说唯命是从。

【唯我独尊】wéi wǒ dú zūn 认为只有自己最了不起。也作惟我独尊。

【唯物辩证法】wéiwù biànzhèngfǎ 马克思、恩格斯所创立的建立在彻底的唯物主义基础上的辩证法。唯物辩证法认为物质世界本身有着自己的辩证运动规律，任何事物都是处在普遍联系和相互作用之中；任何事物都有它产生、发展和灭亡的过程；事物发展的根本原因在于事物内部的矛盾性，矛盾着的对立面又统一又斗争，由此推动事物的运动和变化。对立统一规律，是唯物辩证法的实质和核心。

【唯物论】wéiwùlùn 图唯物主义。

【唯物史观】wéiwù-shǐguān 见838页〖历史唯物主义〗。

【唯物主义】wéiwù zhǔyì 哲学中两大派别之一，认为世界按它的本质来说是物质的，是在人的意识之外，不依赖于人的意识而客观存在的。物质是第一性的，意识是物质存在的反映，是第二性的。世界是可以认识的。唯物主义经历了朴素唯物主义、形而上学唯物主义和辩证唯物主义三个发展阶段。

【唯心论】wéixīnlùn 图唯心主义。

【唯心史观】wéixīn-shǐguān 见838页〖历史唯心主义〗。

【唯心主义】wéixīn zhǔyì 哲学中两大派别之一，认为物质世界是意识、精神的产物，意识、精神是第一性的，物质是第二性的。把客观世界看成是主观意识的体现或产物的叫主观唯心主义，把客观世界看成是客观精神的体现或产物的叫客观唯心主义。

【唯一】wéiyī 圈 属性词。只有一个；独一无二：这是～可行的办法｜他是我～的亲人。也作惟一。

【唯有】wéiyǒu ❶ 连 只有：～努力，才能进步。❷ 副 唯独；仅仅：大家都愿意，～他不愿意。‖ 也作惟有。

帷 wéi 帐子：罗～。

【帷幔】wéimàn 图 帷幕。

【帷幕】wéimù 图 挂在较大的屋子里或舞台上的遮挡用的幕。

【帷幄】wéiwò〈书〉图 军队里用的帐幕：运筹～。

【帷子】wéi·zi 图 围起来做遮挡用的布：床～｜车～。也作围子。

惟[1] wéi 同"唯"(wéi)。

惟[2] wéi〈书〉助 用在年、月、日之前，有加强语气的作用：～二月既望(既望：农历每月十六日)。

惟[3] wéi 思考；想。

【惟独】wéidú 同"唯独"。

【惟恐】wéikǒng 同"唯恐"。

【惟利是图】wéi lì shì tú 同"唯利是图"。

【惟妙惟肖】wéi miào wéi xiào 形容描写或模仿得非常好，非常逼真：这幅画把儿童活泼有趣的神态画得～。

【惟命是从】wéi mìng shì cóng 同"唯命是从"。

【惟命是听】wéi mìng shì tīng 同"唯命是听"。

【惟其】wéiqí〈书〉连 表示因果关系，跟"正因为"相近：这问题我们了解甚少，～如此，所以更须多方探讨。

【惟我独尊】wéi wǒ dú zūn 同"唯我独尊"。

【惟一】wéiyī 同"唯一"。

【惟有】wéiyǒu 同"唯有"。

维[1]（維）wéi ❶ 连接：～系。❷ 保持；保全：～持｜～护。❸（Wéi）图 姓。

维[2]（維）wéi 思考；想：思～。

维[3]（維）wéi 图 几何学及空间理论的基本概念。构成空间的每一个因素（如长、宽、高）叫做一维，如直线是一维的，平面是二维的，普通空间是三维的。

【维持】wéichí 动 ❶ 使继续存在下去；保

持:～秩序|～生活|～现状。❷ 保护;维护支持:亏他暗中～,才得以平安无事。

【维管束】wéiguǎnshù 名 高等植物体的组成部分之一,主要由细而长的细胞构成,聚集成束状。植物体内的水分、养料等,经维管束输送到各部分去。

【维和】wéihé 动 维护和平:～部队|～行动。

【维护】wéihù 动 使免于遭受破坏;维持保护:～集体利益|～法律的尊严。

【维纶】wéilún 名 合成纤维的一种,性质与棉纤维相近,但强度较高,较轻,吸水性较强,宜于做夏季衣服,也用来制绳索、渔网等。也译作维尼纶、维尼龙。[英 vinylon]

【维权】wéiquán 动 维护合法权益:提高消费者的～意识。

【维生素】wéishēngsù 名 人和动物所必需的某些少量有机化合物,对机体的新陈代谢、生长、发育、健康有极重要作用。一般由食物中取得。现在发现的有几十种,如维生素 A、维生素 C 和 B 族维生素等。旧称维他命。

【维他命】wéitāmìng 名 维生素的旧称。[英 vitamin]

【维吾尔族】Wéiwú'ěrzú 名 我国少数民族之一,主要分布在新疆。简称维族。

【维系】wéixì 动 维持并联系,使不涣散:～人心。

【维新】wéixīn 动 反对旧的,提倡新的。一般指政治上的改良,或改良主义运动,如我国清末的变法维新。

【维修】wéixiū 动 保护和修理:～房屋|机器～得好,使用年限就能延长。

【维也纳华尔兹】Wéiyěnà huá'ěrzī 现代舞的一种,源于奥地利。3/4 拍节奏,舞曲流畅华丽,舞姿轻快、高雅。也叫快三步。[英 Viennese waltz]

【维族】Wéizú 名 维吾尔族的简称。

嵬 wéi 〈书〉高大耸立:～然|～～。

【嵬嵬】wéiwéi 〈书〉形 高大的样子。

鲔(鮪) wéi 名 鱼,身体前部扁平,后部侧扁,眼小,有须四对,无鳞,尾鳍分叉。生活在淡水中。

潍(濰) Wéi 潍河,水名,在山东。

wěi (ㄨㄟˇ)

伟(偉) wěi ❶ 伟大:雄～|～论绩。❷〈书〉壮美:～丈夫。❸(Wěi)名 姓。

【伟岸】wěi'àn 形 魁梧;高大:身材～|村头有两棵挺拔～的松树。

【伟大】wěidà 形 品格崇高;才识卓越;气象雄伟;规模宏大;超出寻常,令人景仰钦佩的:～的领袖|～的祖国|～的事业|～的成就。

【伟绩】wěijì 名 伟大的功绩:丰功～。

【伟力】wěilì 名 巨大的力量:大自然的～。

【伟论】wěilùn 名 宏论。

【伟人】wěirén 名 伟大的人物:一代～。

【伟业】wěiyè 名 伟大的业绩。

伪(僞、偽) wěi ❶ 有意做作掩盖本来面貌的;虚假(跟"真"相对):～装|～造|作～|～钞|去～存真。❷ 不合法的;窃取政权,不为人民所拥护的:～政权|～军|～组织。

【伪钞】wěichāo 名 假钞。

【伪君子】wěijūnzǐ 名 外貌正派,实际上卑鄙无耻的人。

【伪科学】wěikēxué 名 指违背客观规律,冒充科学理论用以骗人的错误的知识体系。

【伪劣】wěiliè 形 属性词。冒牌的、质量低劣的:～商品|～书画。

【伪善】wěishàn 形 伪装的善良;虚假的慈善:～者|～的面孔。

【伪书】wěishū 名 作者姓名或著作时代不可靠的书;假托古人名义著的书。

【伪托】wěituō 动 在著述、制造等方面假托别人名义,多指把自己的或后人的作品假冒为古人的。

【伪造】wěizào 动 假造:～证件|～历史。

【伪证】wěizhèng 名 假造的证据,指案件进行侦查或审理中,证人、鉴定人、记录人或翻译人故意做出的虚假证明、鉴定和翻译。

【伪装】wěizhuāng ❶ 动 假装:～进步。❷ 名 假的装扮:剥去～。❸ 动 军事上采取措施来隐蔽自己,迷惑敌人。❹ 名 军事上用来伪装的东西。

【伪足】wěizú 名 变形虫等原生动物的运动器官和捕食器官,由身体的任一部分突出而形成,形成后可以重新缩回。

【伪作】wěizuò ❶ 动 假托别人名义写作诗文或制作艺术品。❷ 名 假托别人写作的诗文或制作的艺术品。

苇(葦) wěi 芦苇。

【苇箔】wěibó 名 用芦苇编成的帘子。

【苇荡】wěidàng 名 生长大片芦苇的浅水湖。也叫芦荡。

【苇塘】wěitáng 名 生长芦苇的池塘。

【苇子】wěi·zi 名 芦苇。

芳(蔿、薳) Wěi 名 姓。

尾 wěi ❶ 尾巴①②:长～猴。❷ 末端;末尾:排～|有头无～。❸ 主要部分以外的部分;没有了结的事情:～数|扫～。❹ 量 用于鱼:一～鱼。❺ 二十八宿之一。
另见 1611 页 yǐ。

【尾巴】wěi·ba 名 ❶ 鸟、兽、虫、鱼等动物的身体末端突出的部分,主要作用是辅助运动、保持身体平衡等。❷ 某些物体的尾部:飞机～|彗星～。❸ 指事物的残留部分:彻底平反冤案,不要留～。❹ 指跟踪或尾随在后面的人:甩掉～。❺ 指没有主见、完全随声附和的人。

【尾巴工程】wěi·ba gōngchéng 指有小部分长期完不成因而不能整体竣工的工程。

【尾大不掉】wěi dà bù diào 比喻机构下强上弱,或组织庞大、涣散,以致指挥不灵(掉:摇动)。

【尾灯】wěidēng 名 装在汽车、摩托车等交通工具尾部的灯,一般用红色的灯罩,用以引起后面车辆或行人等的注意。

【尾房】wěifáng 名 指某一商品房项目销售最后阶段剩余的少量房屋。

【尾骨】wěigǔ 名 人和脊椎动物脊柱的末端部分。人的尾骨是由 4—5 块小骨组成的。(图见 490 页"人的骨骼")

【尾号】wěihào 名 指多位数码中末尾的一位或几位数字。

【尾花】wěihuā 名 报刊、书籍上诗文末尾空白处的装饰性图画。

【尾迹】wěijì 名 飞机等飞行在大气中留下的痕迹,也指船只航行时在水面上留下的痕迹。

【尾款】wěikuǎn 名 结算账目时没有结清的数目较小的款项:所欠～五天内还清。

【尾矿】wěikuàng 名 经过选矿和其他综合利用处理后,有用矿物品位最低的矿石。

【尾盘】wěipán 名 证券市场等当日交易末尾阶段的行情。

【尾鳍】wěiqí 名 鱼类尾部的鳍,是鱼类的运动器官。(图见 1073 页"鳍")

【尾气】wěiqì 名 机动车辆或其他设备在工作过程中所排出的废气:汽车～。

【尾欠】wěiqiàn ❶ 动 有一小部分没有偿还或交纳:还了八百元,～二百元。❷ 名 没有偿还或交纳的一小部分:～下月还清。

【尾声】wěishēng 名 ❶ 南曲、北曲的套曲中的最后一支曲子;每出戏结束时用唢呐吹奏的曲牌。❷ 大型乐曲中乐章的最后一部分。❸ 文学作品的结局部分。❹ 指某项活动快要结束的阶段:会谈接近～。

【尾市】wěishì 名 即将收盘的证券等交易市场。

【尾数】wěishù 名 ❶ 小数点后面的数。❷ 结算账目中大数目之外剩下的小数目。❸ 指多位数字中末尾的一位或几位数字。

【尾随】wěisuí 动 跟随在后面:孩子们～着军乐队走了好远。

【尾音】wěiyīn 名 一个字、一个词或一句话的最后的音。

【尾追】wěizhuī 动 紧跟在后面追赶:～不舍。

【尾子】wěi·zi 〈方〉名 ❶ 事物的最后一部分。❷ 尾数②。

纬(緯) wěi(旧读 wèi) ❶ 织物上横的方向的纱或线(跟"经"相对):经～|～纱|～线。❷ 纬度:南～|北～。❸ 纬书:谶(chèn)～。

【纬度】wěidù 名 地球表面南北距离的度数,以赤道为 0°,以北为北纬,以南为南纬,南北各 90°。通过某地的纬线跟赤道相距的度数,就是该地的纬度。参看『纬线』②。

【纬纱】wěishā 名 织布时由梭带动的横纱。

【纬书】wěishū 名 汉代以神学迷信附会儒家经义的一类书,其中保存不少古代神话传说,也记录一些有关古代天文、历法、地理等方面的知识。

【纬线】wěixiàn 名❶ 纬纱或编织品上的横线。❷ 假定的沿地球表面跟赤道平行的线。参看〖纬度〗。

玮(瑋) wěi 〈书〉❶ 玉名。❷ 珍奇;贵重:明珠～宝|～奇(奇特)。

晬(暐) wěi 〈书〉形容光很盛。

委1 wěi ❶ 把事交给别人去办;委任:～托|～派|以～重任。❷ 抛弃:～弃|～之于地。❸ 推诿:～罪。❹ 指委员或委员会:编～|党～|市～。❺ (Wěi)名姓。

委2 wěi 曲折:～曲|～婉。

委3 wěi 〈书〉❶ 积聚:～积。❷ 水流所聚;水的下游;末尾:原～|穷原竟～。

委4 wěi 无精打采;不振作:～顿|～靡。

委5 wěi 〈书〉副 的确;确实:～实|～系实情。
另见1412页 wēi。

【委顿】wěidùn 形 疲乏;没有精神:精神～。

【委过】wěiguò 见1420页〖诿过〗。

【委决不下】wěi jué bù xià 迟疑而决定不下来:他一时～,跑来要我出主意。

【委靡】wěimǐ 形 精神不振;意志消沉:神志～|～不振。也作萎靡。

【委派】wěipài 动 派人担任职务或完成某项任务。

【委培】wěipéi 动 委托(外单位)培养:～生|企业与高校合作,～专业人才。

【委曲】wěiqū ❶ 形(曲调、道路、河流等)弯弯曲曲的;曲折:～婉转|～的溪流。❷〈书〉名 事情的底细和原委:告知～。

【委曲求全】wěiqū qiú quán 勉强迁就,以求保全;为顾全大局而暂时忍让。

【委屈】wěi·qu ❶ 形 受到不应该有的指责或待遇,心里难过:没来由地受到埋怨,感到很～。❷ 动 让人受到委屈:对不起,～你了。

【委任】wěirèn 动 派人担任职务:～状(派人担任的证件)|～他为研究所所长。

【委身】wěishēn 〈书〉动 把自己的身体、心力投到某一方面(多指在不得已的情况下):～事人。

【委实】wěishí 副 确实;实在:～不易。

【委琐】wěisuǒ 〈书〉形❶ 琐碎;拘泥于小节。❷ 同“猥琐”。

【委托】wěituō 动 请人或机构等代办:这事就～你了。

【委宛】wěiwǎn 同“委婉”。

【委婉】wěiwǎn 形(言辞、声音等)婉转:～动听|态度诚恳,语气～。也作委宛。

【委员】wěiyuán 名❶ 委员会的成员。❷ 旧时被委派担任特定任务的人员。

【委员会】wěiyuánhuì 名❶ 政党、团体、机关、学校中的集体领导组织:中国共产党中央～|体育运动～|校务～。❷ 机关、团体、学校等为了完成一定的任务而设立的专门组织:招生～|伙食～。

【委罪】wěizuì 同“诿罪”。

炜(煒) wěi 〈书〉光明。

洧 wěi 洧川(Wěichuān),地名,在河南。

韡(韡) wěi 〈书〉光明;美盛。

诿(諉) wěi 推卸(责任、过错等):推～|～过。

【诿过】(诿过) wěiguò 动 推卸过错。

【诿卸】wěixiè 〈书〉动 推卸。

【诿罪】wěizuì 动 推卸罪名。也作委罪。

娓 wěi [娓娓](wěiwěi)形 形容谈论不倦或说话动听:～而谈|～动听。

萎 wěi ❶ (植物)干枯:枯～|～谢。❷ (口语中多读 wēi)动 衰落:买卖～了|价格～下来了。

【萎落】wěiluò 动❶ 枯萎败落:草木～。❷ 衰落。

【萎靡】wěimǐ 同“委靡”。

【萎蔫】wěiniān 形 植物体由于缺乏水分而茎叶萎缩。

【萎缩】wěisuō 动❶ 干枯;(身体、器官等)功能减退并缩小:花叶～|肢体～|子官～。❷ (经济)衰退。

【萎谢】wěixiè 动 (花草)干枯凋谢:百花

～◇生命～。

唯 wěi 〈书〉表示答应的词。
另见1416页 wéi。

【唯唯诺诺】 wěiwěinuònuò 形 状态词。形容一味顺从别人的意见。

痏 wěi 〈书〉疮;伤口。

隗 Wěi 名 姓。
另见798页 Kuí。

骫 wěi 〈书〉曲;枉:～曲(委曲迁就)|～法(枉法)。

【骫骳】 wěibèi 〈书〉形 曲折;屈曲。

颋(頠) wěi 〈书〉安静(多用于人名)。

猥 wěi ❶ 多;杂:～杂。❷ 卑鄙;下流:～亵。

【猥词】 wěicí 同"猥辞"。

【猥辞】 wěicí 名 下流话;淫秽的词语。也作猥词。

【猥獕】 wěicuī 形 丑陋难看;庸俗拘束(多见于早期白话)。

【猥劣】 wěiliè 〈书〉形 卑劣:行为～。

【猥琐】 wěisuǒ 形 (容貌、举动)庸俗不大方:举止～。也作委琐。

【猥亵】 wěixiè ❶ 形 淫乱;下流的(言语或行为):言辞～。❷ 动 做下流的动作:～妇女。

虺 wěi 用于人名。慕容虺,西晋末年鲜卑族的首领。
另见514页 Guī。

齷(齷) wěi 见116页【不齷】。

腇 wěi 名 船体的尾部。

痿 wěi 中医指身体某一部分萎缩或失去功能的病,例如下痿、阳痿等。

蜼 wěi 〈书〉长尾猿。

鲔(鮪) wěi ❶ 名 鱼,身体纺锤形,背黑蓝色,腹灰白色,背鳍和臀鳍后面各有七或八个小鳍。生活在热带海洋,吃小鱼等。❷ 古书上指鲟鱼。

亹 wěi 〔亹亹〕(wěiwěi)〈书〉形 ❶ 形容勤勉不倦。❷ 形容向前推移、行进。
另见934页 mén。

wèi (ㄨㄟˋ)

卫¹(衛、衞) wèi ❶ 保卫;捍～|保家～国。❷ 明代驻兵的地点,驻军人数比"所"多(后来只用于地名):威海～(今威海市,在山东)|天津～(今天津市)。

卫²(衛、衞) Wèi ❶ 周朝国名,在今河北南部和河南北部一带。❷ 名 姓。

【卫兵】 wèibīng 名 担任警卫工作的士兵。

【卫道】 wèidào 动 卫护某种占统治地位的思想体系:～士|～者。

【卫队】 wèiduì 名 担任警卫工作的部队。

【卫护】 wèihù 动 捍卫保护:～国土|～尊严。

【卫冕】 wèimiǎn 动 指竞赛中保住上次获得的冠军称号:～成功|男子篮球队能否～,就看这场比赛了。

【卫生】 wèishēng ❶ 形 能防止疾病,有益于健康:～常识|这家饭馆不太～。❷ 名 合乎卫生的情况:讲～|环境～。

【卫生带】 wèishēngdài 名 月经带。

【卫生间】 wèishēngjiān 名 旅馆、住宅等处有卫生设备的房间;厕所。

【卫生巾】 wèishēngjīn 名 一种妇女经期使用的卫生用品。

【卫生裤】 wèishēngkù 〈方〉名 绒裤。

【卫生球】 wèishēngqiú (～儿)名 用萘制成的球状物,白色,有特殊的气味,过去放在衣物中,用来防止虫蛀。因对人体有害,已禁止使用。

【卫生设备】 wèishēng shèbèi 指与上水道和下水道接通的脸盆、澡盆、抽水马桶等。

【卫生衣】 wèishēngyī 〈方〉名 绒衣。

【卫生员】 wèishēngyuán 名 受过短期训练,具有医疗卫生基本知识和急救护理等技术的初级医务人员。

【卫生院】 wèishēngyuàn 名 设在乡镇的设备比较简易的医疗机构。

【卫生纸】 wèishēngzhǐ 名 ❶ 手纸。❷ 供妇女在经期中使用的、消过毒的纸。

【卫士】 wèishì 名 卫兵,泛指担任保卫工作的人。

【卫视】wèishì 名 卫星电视的简称。

【卫戍】wèishù 动 警备(多用于首都):~区|~司令。

【卫星】wèixīng ❶ 名 按一定轨道绕行星运行的天体,本身不能发光。❷ 名 指人造卫星。❸ 形 属性词。像卫星那样环绕某个中心的:~城市。

【卫星城】wèixīngchéng 名 围绕大城市建设的中小城市。

【卫星电视】wèixīng diànshì 利用通信卫星传送和转播电视节目的电视系统。电视节目从某个地面站发往通信卫星,再转发到其他地面站,地面站收到信号后传送到当地电视台转播。简称卫视。

【卫星通信】wèixīng tōngxìn 一种通信方式,两个或几个地面站之间以人造地球卫星为中继站转发无线电信号。

【卫浴】wèiyù 名 卫生间和浴室的合称:~设备。

为(爲、為)wèi ❶〈书〉帮助;卫护:~吕氏者右袒|~刘氏者左袒。❷ 介 表示行为的对象;替:~你庆幸|~人民服务|~这本书写一篇序。❸ 介 表示原因、目的:大家都~这件事高兴|~建设伟大祖国而奋斗。❹〈书〉介 对;向:不足~外人道。
另见 1414 页 wéi。

【为何】wèihé〈书〉副 为什么:~一言不发?

【为虎傅翼】wèi hǔ fù yì 比喻帮助恶人,增加恶人的势力(傅翼:加上翅膀)。也说为虎添翼。

【为虎添翼】wèi hǔ tiān yì 为虎傅翼。

【为虎作伥】wèi hǔ zuò chāng 比喻做恶人的帮凶,帮助恶人做坏事。参看150页【伥鬼】。

【为了】wèi·le 介 表示目的:~工作学习新知识|~人民利益而献身|~教育群众,首先要向群众学习。注意 表示原因,一般用"因为"不用"为了"。

【为人作嫁】wèi rén zuò jià 唐秦韬玉《贫女》诗:"苦恨年年压金线,为他人作嫁裳。"后用"为人作嫁"比喻空为别人辛苦忙碌。

【为什么】wèi shén·me 询问原因或目的:~群众这么爱护解放军? 因为解放军是人民的子弟兵|他这么做到底是~?

注意 "为什么不"常含有劝告的意思,跟"何不"相近,如:这种技术很有用处,你~不学一学?

【为渊驱鱼,为丛驱雀】wèi yuān qū yú, wèi cóng qū què 《孟子·离娄上》:"为渊驱鱼者,獭也;为丛驱爵者,鹯也"(爵:同"雀")。意思是水獭想捉鱼吃,却把鱼赶到深渊去了,鹯鹰想把麻雀吃,却把麻雀赶到丛林中去了。后来用这两句话比喻不善于团结人或笼络人,把可以依靠的力量赶到敌对方面去。

【为着】wèi·zhe 介 为了。

未¹ wèi 副 ❶ 没(跟"已"相对):尚~成年|健康仍~恢复。❷ 不:~便|敢苟同|~可厚非。

未² wèi 地支的第八位。参看440页【干支】。

【未必】wèibì 副 不一定:他~知道|这消息~可靠。

【未便】wèibiàn 副 不宜于;不便:此事上级并无指示,~擅自处理。

【未卜】wèibǔ 动 不能预料;不可预知:前途~|胜负~。

【未卜先知】wèi bǔ xiān zhī 事情发生之前不用占卜就能知道,形容有预见。

【未曾】wèicéng 副 没有²("曾经"的否定):~同意|~前往|这是历史上~有过的奇迹。

【未尝】wèicháng 副 ❶ 未曾:终夜~合眼。❷ 加在否定词前面,构成双重否定,意思跟"不是(不、没)"相同,但口气比较委婉:这~不是一个好建议|你的办法固然很好,但是也~没有缺点。

【未成年人】wèichéngniánrén 名 法律上指未达到成年年龄的人。在我国指 18 周岁以下的人。

【未婚夫】wèihūnfū 名 已与某女子订婚尚未结婚的男子,是该女子的未婚夫。

【未婚妻】wèihūnqī 名 已与某男子订婚尚未结婚的女子,是该男子的未婚妻。

【未几】wèijǐ〈书〉❶ 副 没有多少时候;不久:~即离沪北上。❷ 形 不多;无几;所剩~。

【未竟】wèijìng 动 没有完成(多指事业):~之业|~之志。

【未决犯】wèijuéfàn 名 旧时指已被提起刑事诉讼但尚未经法院判决定罪的人。

【未可厚非】wèi kě hòu fēi 无可厚非。

【未来】wèilái ❶ 形 属性词。就要到来的(指时间):~二十四小时内将有暴雨。❷ 名 时间词。现在以后的时间;将来的光景:展望~。

【未了】wèiliǎo 动 没有完结;没有了结:~事项|~手续|还有一桩心愿~。

【未免】wèimiǎn 副 ❶ 实在不能不说是…(表示不以为然):你的顾虑~多了些|他这样对待客人,~不礼貌。❷ 不免:如此教学,~要误人子弟。

【未能免俗】wèi néng miǎn sú 没能摆脱开自己不以为然的习俗。

【未然】wèirán 动 还没有成为事实:防患于~。

【未时】wèishí 名 旧式计时法指下午一点钟到三点钟的时间。

【未始】wèishǐ 副 未尝②:这样做~不可。

【未遂】wèisuì 动 没有达到(目的);没有满足(愿望):抢劫~|愿心~。

【未亡人】wèiwángrén 名 旧时寡妇的自称。

【未详】wèixiáng 动 不知道或没有了解清楚:本书作者~|病因~。

【未央】wèiyāng〈书〉动 未尽:夜~。

【未雨绸缪】wèi yǔ chóumóu 趁着天没下雨,先修缮房屋门窗,比喻事先做好准备。

【未知数】wèizhīshù 名 ❶ 代式子或方程中,数值需要经过运算才能确定的数。如 $3x + 6 = 27$ 中,x 是未知数。❷ 比喻还不知道的事情:能否成功,还是个~。

位 wèi ❶ 名 所在或所占的地方:部~|座~|各就各~。❷ 职位;地位:名~。❸ 特指君主的地位:即~|在~|篡~。❹ 名 一个数中每个数码所占的位置:个~|百~|十~|数。❺ 量 用于人(含敬意):诸~|各~|家里来了几~客人。❻ (Wèi)名 姓。

【位次】wèicì 名 ❶ 地位高低、等次:~分明。❷ 座次:按~入座。

【位居】wèijū 动 位次居于(序列中的某处):~榜首|~前列。

【位能】wèinéng 名 势能的旧称。

【位听神经】wèitīng-shénjīng 前庭蜗神经。

【位移】wèiyí 名 物体在运动中所产生的位置的移动。

【位于】wèiyú 动 位置处在(某处):我国~亚洲大陆东南部。

【位置】wèi•zhì 名 ❶ 所在或所占的地方:大家按指定的~坐了下来。❷ 地位:《狂人日记》在我国新文学中占有重要~。❸ 指职位:谋了个科员的~。

【位子】wèi•zi 名 ❶ 人所占据的地方;座位。❷ 借指职位。

味 wèi ❶ (~儿)名 物质所具有的能使舌头得到某种味觉的特性:~道|滋~|甜~儿|津津有~。❷ (~儿)名 物质所具有的能使鼻子得到某种嗅觉的特性:气~|香~儿|这种~儿很好闻。❸ (~儿)名 意味;趣味:文笔艰涩无~|这本书越读越有~儿。❹ 指菜类菜肴、食品:腊~|美~|野~|山珍海~。❺ 辨别味道:体~。❻ 量 用于中药:这个方子共有七~药。

【味道】wèi•dào 名 ❶ 味①:这个菜~好◇心里有一股说不出的~。❷ 趣味;情趣:这个连续剧越看越有~。❸〈方〉气味:他身上有一股麻烦~的。

【味精】wèijīng 名 调味品,成分是谷氨酸的单钠盐。白色晶体,放在菜或汤里使有鲜味。也叫味素。

【味觉】wèijué 名 舌头与液体或溶解于液体的物质接触时所产生的感觉。甜、酸、苦、咸是最基本的四种味觉。

【味蕾】wèilěi 名 接受味觉刺激的感受器,主要分布在舌头的表面,能辨别滋味。

【味素】wèisù 名 味精。

【味同嚼蜡】wèi tóng jiáo là 形容没有味道,多指文章或讲话枯燥无味。

畏 wèi ❶ 畏惧:大无~|望而生~|不~艰苦。❷ 佩服:后生可~。❸ (Wèi)名 姓。

【畏避】wèibì 动 因畏惧而躲避:~风险。

【畏光】wèiguāng 动 眼睛怕见光,角膜、虹膜等发炎时都有这种症状。旧称羞明。

【畏忌】wèijì 动 畏惧和猜忌:相互~。

【畏惧】wèijù 动 害怕:无所~|~心理。

【畏难】wèinán 动 害怕困难:克服~情绪。

【畏怯】wèiqiè 动 胆小害怕:毫不~。

【畏首畏尾】wèi shǒu wèi wěi 怕这怕那,形容疑虑过多。

【畏缩】wèisuō 动 害怕而不敢向前:~

畏途 wèitú 〈书〉名 危险可怕的路途，比喻不敢做的事情：视为~。

【畏葸】wèixǐ 〈书〉动 畏惧：~不前。

【畏友】wèiyǒu 名 自己所敬畏的朋友：严师|~。

【畏罪】wèizuì 动 犯了罪怕受制裁：~潜逃|~自杀。

胃 wèi ❶名 消化器官的一部分，形状像口袋，上端跟食管相连，下端跟十二指肠相连。能分泌胃液、消化食物。（图见 1493 页"人的消化系统"）❷ 二十八宿之一。

【胃口】wèikǒu 名❶ 指食欲：~不好。❷ 比喻对事物或活动的兴趣：打球他不感兴趣，游泳才对他的~。

【胃溃疡】wèikuìyáng 名 胃黏膜发生溃烂的病，症状是饭前、饭后腹的上部疼痛，恶心、呕吐，有时嗳气和吐酸水。

【胃酸】wèisuān 名 胃液中所含的盐酸，能促进蛋白质的消化，并能杀灭细菌。

【胃腺】wèixiàn 名 分泌胃液的腺体，密布在胃的黏膜上。

【胃液】wèiyè 名 胃腺分泌出来的液体，呈酸性，无色透明，主要含有胃蛋白酶、盐酸和黏液。有消化食物和杀菌的作用。

砘（礅） wèi 〈方〉同"碨"(wèi)。另见 1416 页 wéi。

谓（謂） wèi ❶ 说：所~|可~神速。❷ 称呼；叫做：称~|何~人造卫星?

【谓词】wèicí 名❶ 数理逻辑中表示一个个体的性质和两个或两个以上个体间关系的词。❷ 句子里谓语部分中的主要的词。参看【谓语】。

【谓语】wèiyǔ 名 对主语加以陈述，说明主语怎样或者是什么的句子成分。一般的句子都包括主语部分和谓语部分，谓语部分里的主要的词是谓语。例如在"我们尽情地歌唱"里，"歌唱"是谓语，"尽情地歌唱"是谓语部分。有些语法书里称谓语部分为谓语，称谓语为谓词。

尉 wèi ❶ 古官名：太~。❷ 尉官。❸ (Wèi)名 姓。另见 1670 页 yù。

【尉官】wèiguān 名 尉级军官，低于校官。

遗（遺） wèi 〈书〉赠与；送给：~之千金。

另见 1606 页 yí。

喂[1] wèi 叹 招呼的声音：~,你上哪儿去? |~,你的围巾掉了?

喂[2]（餵、餧） wèi 动❶ 给动物东西吃；饲养：~牲口|家里~着几只鸡。❷ 把食物送到人嘴里：~奶|给病人~饭。

【喂食】wèi//shí 动 给人或动物东西吃：定时给婴儿~|一天要喂两次食。

【喂养】wèiyǎng 动 给幼儿或动物东西吃，并照顾其生活，使能成长：~牲口|精心~婴儿。

猬（蝟） wèi 刺猬。

【猬集】wèijí 〈书〉动 比喻事情繁多，像刺猬的硬刺那样聚在一起：诸事~。

渭 Wèi 名 渭河，水名，发源于甘肃，经陕西流入黄河。

蔚 wèi 〈书〉❶ 茂盛；盛大：~成风气。❷ (云气)弥漫：云蒸霞~。另见 1671 页 yù。

【蔚蓝】wèilán 形 像晴朗的天空的颜色：~的天空|~的海洋。

【蔚起】wèiqǐ 〈书〉动 兴旺地发展起来：人才~。

【蔚然】wèirán 形 形容茂盛、盛大：~成风|几年前栽的树现在，现已~成林。

【蔚然成风】wèirán chéng fēng 形容一种事物逐渐发展、盛行，形成风气。

【蔚为大观】wèi wéi dà guān 丰富多彩，成为盛大的景象(多指文物等)：展出的中外名画~。

碨 wèi 〈方〉名 石磨(mò)。

慰 wèi ❶ 使人心情安适：~劳|~问|~唁。❷ 心安：欣~|得信甚~。

【慰藉】wèijiè 〈书〉动 安慰。

【慰劳】wèiláo 动 慰问(有功绩并很辛苦的人)：~品|~子弟兵。

【慰勉】wèimiǎn 动 安慰勉励：多方~。

【慰问】wèiwèn 动 (用话或物品)安慰问候：~信|~灾区人民。

【慰唁】wèiyàn 〈书〉动 慰问(死者的家属)。

罻 wèi 〈书〉捕鸟的网。

魏 Wèi ❶ 周朝国名,在今河南北部、陕西东部、山西西南部和河北南部等地。❷ 图三国之一,公元220—265,曹丕所建,领有今黄河流域各省和湖北、安徽、江苏北部,辽宁中部。❸ 图北魏。❹ 图姓。

【魏碑】wèibēi 图北朝碑刻的统称,字体结构严整,笔力强劲,后世作为书法的一种典范。

【魏阙】wèiquè 图古代宫门外的建筑,是发布政令的地方,后用为朝廷的代称。

嵬(嵬、巋) wèi 〈书〉虚妄:～言。

霨 wèi 〈书〉形容云起。

鳂(鰞) wèi 图鱼,体侧扁,长10—20厘米,无鳞,背鳍和臀鳍长。生活在海洋中。种类很多。

---

wēn（ㄨㄣ）

温 wēn ❶ 图不冷不热:～带|～水。❷ 图温度:气～|体～|降～。❸ 图稍微加热:把酒～一下。❹ 性情平和;温柔:～情|～驯|～顺。❺ 图温习:～书|～课。❻ 瘟病。❼(Wēn)图姓。

【温饱】wēnbǎo 图吃得饱、穿得暖的生活。

【温标】wēnbiāo 图关于温度零点和分度方法的规定。有摄氏温标、华氏温标、热力学温标等。

【温差】wēnchā 图温度的差,通常指一天中最高温度和最低温度的差:新疆地区日照长,～大。

【温床】wēnchuáng 图❶冬季或早春培育蔬菜、花卉等幼苗的苗床。通常在苗床下面填入酿热物,发酵生热,或进行人工加温,苗床上面一般装有玻璃窗或塑料薄膜。❷比喻对某种事物产生或发展有利的环境:海洋是孕育原始生命的～|父母的溺爱是孩子变坏的～。

【温存】wēncún ❶动殷勤抚慰(多指对异性)。❷图温柔体贴。❸动休息调养(多见于早期白话)。

【温带】wēndài 图极圈与回归线之间的地带,气候比较温和。在南半球叫南温带,在北半球的叫北温带。

【温度】wēndù 图物体冷热的程度:～计|室内～|室外～。

【温度计】wēndùjì 图测量温度的仪器。常用的温度计是根据液体热胀冷缩的原理制成的,如寒暑表、体温计。工业上和科学研究上还有光学温度计、电阻温度计等。也叫温度表。

【温度露点差】wēndù-lùdiǎnchā 见890页[露点]。

【温故知新】wēn gù zhī xīn 温习旧的知识,能够得到新的理解和体会。也指回忆过去,认识现在。

【温和】wēnhé 图❶(气候)不冷不热:昆明气候～,四季如春。❷(性情、态度、言语等)不严厉,不粗暴,使人感到亲切:脸色～|谈吐～|～的目光。
另见wēn·huo。

【温厚】wēnhòu 图温和宽厚:为人～。

【温乎】wēn·hu 图温和(wēn·huo)。

【温和】wēn·huo 图(物体)不冷不热:粥还～呢,快喝吧!
另见wēnhé。

【温居】wēn∥jū 动指前往亲友新居贺喜。

【温控】wēnkòng 图属性词。用温度控制的:～仪表。

【温良】wēnliáng 图温和善良:她举止娴雅,性情～。

【温暖】wēnnuǎn ❶图暖和:天气～◇他深深地感到集体的～。❷动使感到温暖◇党的关怀,～了灾区人民的心。

【温情】wēnqíng 图温柔的感情;温和的态度:一片～|～柔意。

【温情脉脉】wēnqíng mòmò 形容对人或事物怀有感情,很想表露出来的样子。

【温泉】wēnquán 图泉水温度超过20℃的泉,也指泉水温度在当地年平均气温以上的泉。

【温柔】wēnróu 图温和柔顺(多形容女性):性格～|～的少女。

【温润】wēnrùn 图❶温和(wēnhé)②;性情～|～的面容。❷温暖润湿:气候～。❸细润:玉质～。

【温室】wēnshì 图有防寒、加温和透光等设备,供冬季培育不能耐寒的花木、蔬菜、秧苗等的房间。也叫暖房。

【温室效应】wēnshì xiàoyìng ❶农业上

指不经人工加温的温室内气温高于室外的效应。❷指大气保温效应，即大气中二氧化碳、甲烷等气体含量增加，使地表和大气下层温度增高。这种效应曾被误认为与温室保温的机制相同，所以叫温室效应。

【温顺】wēnshùn 形 温和顺从：态度～。

【温汤】wēntāng 名 ❶ 温水：～浸种。❷〈书〉温泉。

【温吞】wēn·tūn 同"温暾"。

【温暾】wēn·tūn〈方〉形 ❶（液体）不冷不热。❷（言谈、文辞等）不爽利，不着边际：～之谈。‖也作温吞。

【温文尔雅】wēn wén ěr yǎ 态度温和，举止文雅。

【温习】wēnxí 动 复习：～功课。

【温馨】wēnxīn 形 温和芳香；温暖：～的春夜|～的家。

【温煦】wēnxù〈书〉形 ❶ 暖和：阳光～|气候～。❷ 温和亲切：～的目光。

【温血动物】wēnxuè dòngwù 恒温动物。

【温驯】wēnxùn 形 温和驯服：～的羔羊。

榅 wēn ［榅桲］(wēn·po) 名 ❶ 落叶灌木或小乔木，叶子长圆形，花淡红色或白色。果实近球形，有香气，味酸，可以制蜜钱，也可入药。❷ 这种植物的果实。

辒(輼) wēn ［辒辌］(wēnliáng) 名 古代可以卧的车，也用作丧车。

瘟 wēn ❶ 名 瘟疫。❷ 形 戏曲表演沉闷乏味，缺少激情：这出戏情节松，人物也～。

【瘟病】wēnbìng 名 中医对各种急性热病的统称，如春瘟、暑瘟、伏瘟等。

【瘟神】wēnshén 名 传说中能散播瘟疫的恶神，比喻给人带来灾难的人或事物。

【瘟疫】wēnyì 名 指流行性急性传染病。

蕰 wēn ［蕰草］(wēncǎo)〈方〉名 指水生的杂草，可做肥料。

鰛(鰮) wēn ［鰛鲸］(wēnjīng) 名 鲸的一种，体长6—9米，口内无齿，有鲸须，背鳍小，背部黑色，腹部白色。生活在海洋中。

wén（ㄨㄣˊ）

文 wén ❶ 名 字：甲骨～|钟鼎～。❷ 文字②：汉～|英～。❸ 文章：散～|韵

～|记叙～|应用～|～集|～人|～学。❹ 文言：半～半白。❺ 指社会发展到较高阶段表现出来的状态：～化|～明|～物。❻ 名 指文科：他在大学里是学～的。❼ 旧时指礼节仪式：虚～|繁～缛节。❽ 非军事的（跟"武"相对）：～官|～职|～武双全。❾ 柔和；不猛烈：～雅|～弱|～绉绉|～火。❿ 自然界的某些现象：天～|水～。⓫ 名 称在身上、脸上刺画花纹或字：～身|～了双颊。⓬（旧读 wèn）掩饰：～过饰非。⓭ 量 用于旧时的铜钱：一～钱|不取分～。⓮（Wén）名 姓。

【文本】wénběn 名 文件的某种本子（多就文字、措辞而言），也指某种文件：这个文件有中、英、法三种～。

【文笔】wénbǐ 名 文章的用词造句的风格和技巧：～辛辣|～巧妙。

【文不对题】wén bù duì tí 文章的内容跟题目没关系，也指答非所问或者说的话跟原有的话题不相干。

【文不加点】wén bù jiā diǎn 形容写文章很快，不用涂改就写成（点：涂上一点，表示删去）。

【文才】wéncái 名 写作诗文的才能：～出众。

【文采】wéncǎi 名 ❶ 华丽的色彩。❷ 文艺方面的才华：～过人。

【文昌鱼】wénchāngyú 名 脊索动物，外形像小鱼，体侧扁，长约5厘米，半透明，头尾尖，体内有一条脊索，有背鳍、臀鳍和尾鳍。生活在沿海泥沙中，吃浮游生物。

【文场】wénchǎng 名 ❶ 戏曲伴奏乐队中的管弦乐部分。❷ 曲艺的一种，由数人演唱，伴奏乐器以扬琴为主。流行于广西桂林、柳州一带。

【文抄公】wénchāogōng 名 指抄袭文章的人（含戏谑意）。

【文丑】wénchǒu（～儿）名 戏曲中丑角的一种，扮演性格滑稽的人物，以念白、做功为主。

【文词】wéncí 同"文辞"。

【文辞】wéncí 名 ❶ 指文章的用字、用语等：～优美。❷ 指文章：以善～知名。‖也作文词。

【文从字顺】wén cóng zì shùn 指文章的用词妥帖，语句通顺。

【文旦】wéndàn〈方〉名 柚子。

【文档】wéndàng 名❶ 文件档案。❷ 计算机系统中指保存在计算机中的文本信息。

【文牍】wéndú 名❶ 公文、书信的总称。❷ 旧时称担任文牍工作的人。

【文法】wénfǎ 名 语法。

【文房四宝】wénfáng sìbǎo 指笔、墨、纸、砚,是书房中常备的四种文具。

【文风】wénfēng 名 使用语言文字的作风:整顿～。

【文稿】wéngǎo 名 文章或公文的草稿。

【文告】wéngào 名 机关或团体发布的文件。

【文蛤】wéngé 名 软体动物,壳略呈三角形,表面多为灰白色,有光泽,长5—10厘米,生活在沿海泥沙中,以硅藻为食物。通称蛤蜊。

【文工团】wéngōngtuán 名 从事文艺演出的团体。

【文官】wénguān 名 指军官以外的官员。

【文过饰非】wén guò shì fēi 掩饰过失、错误。

【文翰】wénhàn〈书〉名❶ 文章。❷ 指公文信札。

【文豪】wénháo 名 杰出的、伟大的作家。

【文化】wénhuà 名❶ 人类在社会历史发展过程中所创造的物质财富和精神财富的总和,特指精神财富,如文学、艺术、教育、科学等。❷ 考古学用语,指同一个历史时期的不依分布地点为转移的遗迹、遗物的综合体。同样的工具、用具,同样的制造技术等,是同一种文化的特征,如仰韶文化、龙山文化。❸ 指运用文字的能力及一般知识:学习～|～水平。

【文化层】wénhuàcéng 名 古代人类居住遗址上的土层,埋藏着古代人类遗物,如工具、用具、建筑物遗迹等。

【文化宫】wénhuàgōng 名 规模较大、设备较好的文化娱乐场所,一般设有电影院、讲演厅、图书馆等。

【文化馆】wénhuàguǎn 名 为了开展群众文化工作而设立的机构,也是群众进行文娱活动的场所。

【文化人】wénhuàrén 名❶ 抗日战争前后指从事文化工作的人。❷ 指知识分子。

【文化沙漠】wénhuà shāmò 比喻文化很不发达或不重视文物保护和文化事业的地区。

【文化衫】wénhuàshān 名 一种印有文字或图案的针织短袖衫,有的能反映出某些文化心态。

【文火】wénhuǒ 名 烹饪时用的比较弱的火。

【文集】wénjí 名 把某人的作品汇集起来编成的书(可以有诗有文,多用于书名):《茅盾～》。

【文件】wénjiàn 名❶ 公文、信件等。❷ 指有关政治理论、时事政策、学术研究等方面的文章。❸ 计算机系统中信息存储的基本单元,是关于某个主题的信息的集合。

【文件夹】wénjiànjiā 名❶ 用来保存文件的夹子。❷ 计算机系统中指存放在一起的一组文件的目录。

【文教】wénjiào 名 文化和教育的合称:～部门|～事业。

【文静】wénjìng 形 (性格、举止等)文雅安静:她是个～的姑娘。

【文句】wénjù 名 文章的词句:～通顺。

【文具】wénjù 名 指笔、墨、纸、砚等用品。

【文科】wénkē 名 教学上对文学、语言、哲学、历史、经济等学科的统称。

【文库】wénkù 名 由许多书汇编成的一套书(多用于丛书名):《世界～》。

【文侩】wénkuài 名 指靠舞文弄墨投机取巧的人。

【文理】wénlǐ 名 文章内容方面和词句方面的条理:～通顺。

【文盲】wénmáng 名 不识字的成年人:半～|扫除～。

【文眉】wén//méi 将眉部皮肤刺破,涂上专用颜料,使色素滞留皮内,达到美化眉毛的目的。

【文秘】wénmì 名 文书和秘书的合称:～工作。

【文庙】wénmiào 名 祭祀孔子的庙。

【文明】wénmíng❶ 名 文化①:物质～。❷ 形 社会发展到较高阶段和具有较高文化的:～国家。❸ 形 旧时指有西方现代色彩的(风俗、习惯、事物):～结婚|～棍儿(手杖)。

【文墨】wénmò 名 指写作文章的事,泛指文化知识:～人|～事|粗通～。

【文痞】wénpǐ 名 舞文弄墨颠倒是非的

人。

【文凭】wénpíng 名 旧时指用作凭证的官方文书，现专指毕业证书。

【文气】wénqì 名 贯穿在文章里的气势；文章的连贯性。

【文气】wén•qi 形 文静；不粗野。

【文契】wénqì 名 买卖房地产等的契约。

【文人】wénrén 名 读书人，多指会做诗文的读书人：～墨客。

【文弱】wénruò 形 举止文雅，身体柔弱（多用来形容文人）：～书生。

【文山会海】wén shān huì hǎi 指过多的文件和会议。

【文身】wénshēn 动 在人体上绘成或刺成带颜色的花纹或图形。

【文饰】¹ wénshì 名 文辞方面的修饰：这段描写，～较少。

【文饰】² wénshì （旧读 wènshì）动 掩饰（自己的过错）。

【文书】wénshū 名 ❶ 指公文、书信、契约等。❷ 机关或部队中从事公文、书信工作的人员。

【文思】wénsī 名 写文章的思路：～敏捷。

【文坛】wéntán 名 指文学界：～巨匠。

【文体】¹ wéntǐ 名 文章的体裁：就～讲，公文、书信、广告等都可归入应用文。

【文体】² wéntǐ 名 文娱和体育的合称：～活动。

【文恬武嬉】wén tián wǔ xī 文官图安逸，武官贪玩乐。指文武官一味贪图享乐，不关心国事的腐败现象。

【文玩】wénwán 名 供赏玩的器物：金石～。

【文武】wénwǔ 名 ❶ 文才和武艺：～双全。❷〈书〉文治和武功：～并用，垂拱而治。❸〈书〉文臣和武将：满朝～。

【文物】wénwù 名 历代遗留下来的在文化发展史上有价值的东西，如建筑、碑刻、工具、武器、生活器皿和各种艺术品等：出土～｜革命～。

【文戏】wénxì 名 以唱功或做功为主的戏（区别于"武戏"）。

【文献】wénxiàn 名 有历史价值或参考价值的图书资料：历史～｜科技～。

【文胸】wénxiōng 名 胸罩。

【文选】wénxuǎn 名 选录的文章（多用于书名）：活页～｜《列宁～》。

【文学】wénxué 名 以语言文字为工具形象化地反映客观现实的艺术，包括戏剧、诗歌、小说、散文等。

【文学革命】wénxué gémìng 指我国1919 年五四运动前后展开的反对旧文学、提倡新文学的运动。文学革命以反对文言文，提倡白话文为起点，进而反对以封建主义为内容的旧文学，提倡反帝反封建的新文学。

【文学语言】wénxué yǔyán ❶ 标准语（偏于书面的）。❷ 文学作品里所用的语言。也叫文艺语言。

【文雅】wényǎ 形（言谈、举止）温和有礼貌，不粗俗：谈吐～｜举止～。

【文言】wényán 名 指五四以前通用的以古汉语为基础的书面语。

【文言文】wényánwén 名 用文言写的文章。

【文艺】wényì 名 文学和艺术的合称，有时特指文学或表演艺术：～团体｜～作品｜～会演。

【文艺复兴】wényì fùxīng 指欧洲（主要是意大利）从 14 到 16 世纪文化和思想发展的潮流。据说那时文化的特点是复兴被遗忘的希腊、罗马的古典文化。实际上，文艺复兴是欧洲资本主义文化思想的萌芽，是新兴的资本主义生产关系的产物。文艺复兴时期的主要思想特征是人文主义，提倡以人为本位，反对以神为本位的宗教思想。参看 1147 页〖人文主义〗。

【文艺批评】wényì pīpíng 根据一定的美学观点对作家的作品、创作活动、创作倾向性进行分析和评论。是文艺学的组成部分。

【文艺学】wényìxué 名 以文学和文学的发展规律为研究对象的科学，包括文艺理论、文学史和文艺批评。

【文艺语言】wényì yǔyán 文学语言②。

【文娱】wényú 名 指看戏、看电影、唱歌、跳舞等娱乐：～活动｜～干事。

【文员】wényuán 名 在企业、事业单位的办公室中从事文字工作的职员。

【文责】wénzé 名 作者对文章内容的正确性以及在读者中发生的作用所应负的责任：～自负。

【文摘】wénzhāi 名 ❶ 对文章、著作所作的扼要摘录。❷ 指选取的文章片段。也用于书刊名。

【文章】wénzhāng 名 ❶ 篇幅不很长的单

篇作品。❷ 泛指著作。❸ 比喻暗含的意思:话里有～。❹ 关于事情的做法:我们可以利用他们的矛盾,这里很有～可做|还要想到下一战略阶段的。

【文职】wénzhí 名 文官的职务:～人员。

【文质彬彬】wén zhì bīnbīn 原形容人既文雅又朴实,后来形容人文雅有礼貌。

【文治】wénzhì〈书〉名 指文化教育方面的业绩:～武功。

【文绉绉】wénzhōuzhōu (～的)形 状态词。形容人谈吐、举止文雅的样子。

【文竹】wénzhú 名 多年生草本植物,茎细,叶子鳞片状,花小,白色,果实黑色。供观赏。原生长于非洲南部。

【文字】wénzì 名 ❶ 记录语言的符号,如汉字、拉丁字母等。❷ 语言的书面形式,如汉文、英文等。❸ 文章(多指形式方面):～清通。

【文字学】wénzìxué 名 语言学的一个分支,研究文字的性质、结构、演变和使用等。

【文字狱】wénzìyù 名 指旧时统治者故意从作者的诗文中摘取字句,罗织罪状所造成的冤狱。

【文宗】wénzōng〈书〉名 文章为众人所师法的人物:一代～|海内～。

纹(紋) wén 名 ❶ (～儿)丝织品上的花纹:绫～。❷ 纹路:指～|螺～|波～|皱～|一道～儿。

另见 1431 页 wèn。

【纹风不动】wén fēng bù dòng 纹丝不动。

【纹理】wénlǐ 名 物体上呈线条的花纹:这木头的～很清晰。

【纹路】wén·lu (～儿)名 物体上的皱痕或花纹。

【纹缕】wén·lü (～儿)名 纹路。

【纹饰】wénshì 名 器物上绘成或铸成的图案、花纹:殷周青铜器～。

【纹丝不动】wén sī bù dòng 一点儿也不动:连下几锹,那块冻土还是～。

【纹银】wényín 名 旧时称成色最好的银子,因表面有皱纹,所以叫纹银。

玟 wén〈书〉玉的纹理。

另见 952 页 mín。

炆 wén〈方〉动 用微火炖食物或熬菜。

闻(聞) wén ❶ 听见:听而不～|耳～不如目见。❷ 听见的事情;消息:见～|新～|奇～。❸〈书〉有名望的:～人。❹〈书〉名声:令～|秽～。❺ 动 用鼻子嗅:你～～这是什么味儿? ❻ (Wén)名 姓。

【闻达】wéndá〈书〉形 显达;有名望:不求～。

【闻风而动】wén fēng ér dòng 一听到消息就立刻行动。

【闻风丧胆】wén fēng sàng dǎn 听到一点风声就吓破了胆,形容对某种力量极端恐惧。

【闻过则喜】wén guò zé xǐ 听到别人指出自己的缺点、错误就感到高兴。形容虚心,对自己要求严格。

【闻鸡起舞】wén jī qǐ wǔ 东晋时,祖逖和刘琨二人为好友,常常互相勉励,半夜听到鸡鸣就起床舞剑(见于《晋书·祖逖传》)。后用来比喻志士及时奋发。

【闻名】wénmíng 动 ❶ 听到名声:～已久|～不如见面。❷ 有名:～全国|二万五千里长征～世界|西湖是～的风景区。

【闻人】wénrén 名 ❶ 有名望的人:社会～。❷ (Wénrén)姓。

【闻所未闻】wén suǒ wèi wén 听到从来没有听到过的,形容事物非常稀罕。

蚊 wén 名 蚊子:消灭～蝇。

【蚊虫】wénchóng 名 蚊子。

【蚊香】wénxiāng 名 含有药料,燃着后可以熏死或赶跑蚊子的线香或盘香。

【蚊帐】wénzhàng 名 挂在床铺上阻挡蚊子的帐子,有伞形和长方形两种。

【蚊子】wén·zi 名 昆虫,成虫身体细长,胸部有一对翅膀和三对细长的脚。幼虫(孑孓)和蛹都生长在水中。雄蚊吸植物的汁液。雌蚊吸人畜的血液,能传播疟疾、丝虫病、流行性乙型脑炎等病。最常见的有按蚊、库蚊和伊蚊三类。

阌(閿) wén 阌乡(Wénxiāng),旧县名,在河南。

雯 wén ❶〈书〉有花纹的云彩。❷ (Wén)名 姓。

蝱 wén〈书〉同"蚊"。

wěn （ㄨㄣˇ）

刎 wěn 用刀割脖子：自～。

【刎颈交】wěnjǐngjiāo 〈书〉名 指同生死共患难的朋友。也说刎颈之交。

抆 wěn 〈书〉擦；拭：～泪。

吻（脗） wěn ❶ 嘴唇：接～|唇～。❷ 动 用嘴唇接触人或物，表示喜爱。❸ 名 动物的嘴，也指低等动物的口器或头部前端突出的部分。

【吻别】wěnbié 动 互相亲吻告别：行前与妻子～。

【吻合】wěnhé ❶ 形 完全符合：双方意见～。❷ 动 医学上指把器官的两个断裂面连接起来：肠～|动脉～。

【吻兽】wěnshòu 名 古建筑屋脊两端陶制鸱尾之类的装饰物。

紊 wěn （旧读 wèn）紊乱：有条不～。

【紊乱】wěnluàn 形 杂乱；纷乱：秩序～|思路～。

稳（穩） wěn ❶ 形 稳固；平稳：脚要站～|把桌子放～|时局不～|他的立场很～。❷ 形 稳重：～健|沉～|他做事很～。❸ 形 稳妥：十拿九～|～扎～打。❹ 动 使稳定：你先～住他，别让他跑了。

【稳便】wěnbiàn ❶ 形 稳妥方便：这样做恐怕不大～。❷ 动 请便；任便（多见于早期白话）。

【稳步】wěnbù 副 步子平稳地（多用于比喻）：～发展|产量～上升。

【稳操胜券】wěn cāo shèngquàn 比喻有胜利的把握。也说稳操胜算、稳操左券。

【稳操左券】wěn cāo zuǒquàn 稳操胜券。

【稳产】wěnchǎn 名 稳定的产量：提倡科学种田，促进农作物～高产。

【稳当】wěn·dang 形 ❶ 稳重妥当：办事～。❷ 稳固牢靠：把梯子放～。

【稳定】wěndìng ❶ 形 稳固安定；没有变动：水位～|情绪～|社会～。❷ 动 使稳定：～物价|～情绪|～局势。❸ 形 指物

质不易被酸、碱、强氧化剂等腐蚀，或不易受光和热的作用而改变性能。

【稳定平衡】wěndìng pínghéng 处于平衡状态的物体，受到微小的外力作用后平衡状态改变，外力除去后，仍能恢复原来的平衡状态，叫做稳定平衡。如不倒翁的平衡状态。

【稳度】wěndù 名 指物体保持稳定平衡的程度。物体的重心越低，支持面越大，稳度也越高。

【稳固】wěngù ❶ 形 安稳而巩固：基础～|地位～。❷ 动 使稳固：～政权。

【稳健】wěnjiàn 形 ❶ 稳而有力：～的步子。❷ 稳重；不轻举妄动：办事～。

【稳练】wěnliàn 形 沉稳干练：办事精明～。

【稳婆】wěnpó 名 旧时以接生为业的妇女。

【稳如泰山】wěn rú Tài Shān 见 8 页〖安如泰山〗。

【稳妥】wěntuǒ 形 稳当；妥帖；可靠：找个～的人去办|这样处理，我看不够～。

【稳扎稳打】wěn zhā wěn dǎ ❶ 稳当而有把握地打仗（扎：扎营）。❷ 比喻有步骤有把握地做事。

【稳重】wěnzhòng 形（言语、举动）沉着而有分寸；不轻浮：为人～|态度～。

wèn （ㄨㄣˋ）

问（問） wèn ❶ 动 有不知道或不明白的事情或道理请人解答：询～|～事处|不懂就～|答非所～。❷ 动 为表示关切而询问；慰问：～好|～候。❸ 动 审讯；追究：审～|～案|首恶必办，胁从不～。❹ 动 管；干预：过～|不闻不～。❺ 介 向（某方面或某人要东西）：我～他借两本书。❻（Wèn）名 姓。

【问安】wèn∥ān 动 问好（多对长辈）。

【问案】wèn∥àn 动 审问案件。

【问卜】wènbǔ 动 用占卜来解决疑难（迷信）：求神～。

【问长问短】wèn cháng wèn duǎn 仔细地问（多表示关心）。

【问答】wèndá 动 发问和回答：环保知识～。

【问道于盲】wèn dào yú máng 向瞎子问路，比喻向毫无所知的人求教。

【问鼎】wèndǐng 动❶ 春秋时，楚子（楚庄王）北伐，陈兵于洛水，向周王朝炫耀武力。周定王派遣王孙满慰劳楚师，楚子向王孙满询问周朝的传国之宝九鼎的大小和轻重（见于《左传·宣公三年》）。楚子有夺取周王朝天下的意思。后用"问鼎"指图谋夺取政权：～中原。❷ 比喻在比赛或竞争中夺取第一名：这次比赛主队连输几场，失去～的机会。

【问寒问暖】wèn hán wèn nuǎn 形容对别人的生活十分关切。

【问好】wèn//hǎo 动 询问安好，表示关切：请向伯母～｜问同志们好！

【问号】wènhào 名❶ 标点符号(?)，表示疑问句末尾的停顿。❷ 疑问：他今天晚上能不能赶到还是个～。

【问候】wènhòu 动 问好。

【问津】wènjīn〈书〉动 探询渡口，比喻探问价格或情况等（多用于否定式）：无人～｜房价太贵，不敢～。

【问卷】wènjuàn 名 列有若干问题让人回答的书面调查材料，目的在于了解人们对这些问题的看法：～调查。

【问难】wènnàn〈书〉动 反复质问、辩论（多指学术研究）：质疑～。

【问世】wènshì 动❶ 指著作等出版跟读者见面：一部新词典即将～。❷ 泛指新产品等跟世人见面：计算机～以来，发展很快。

【问事】wènshì 动❶ 询问事情：～处。❷〈书〉过问事务。

【问题】wèntí 名❶ 要求回答或解释的题目：这次考试一共有五个～｜我想答复一下这一类的～。❷ 需要研究讨论并加以解决的矛盾、疑难：思想～｜这种药治感冒很解决～。❸ 关键；重要之点；重要的～在善于学习。❹ 事故或麻烦：那部床床又出～了。

【问心无愧】wèn xīn wú kuì 反躬自问，没有对不起人的地方。

【问询】wènxún 动 询问；打听：他回到家不久，邻居们都来～。

【问讯】wènxùn 动❶ 询问：～处。❷〈书〉问候。❸ 僧尼即人应酬时合十加以招呼。也说打问讯。

【问责】wènzé 动 追究责任：～制｜官员隐瞒安全事故将被～。

【问诊】wènzhěn 动 医生向病人询问病

情，也指病人为诊疗向医生咨询：把脉～｜寻医～。

【问罪】wènzuì 动 指出对方的罪过，加以谴责或攻击；声讨：兴师～。

汶 Wèn ❶ 汶河，水名，大汶河(Dàwèn Hé)，水名，都在山东。❷ 名 姓。

纹（紋） wèn 同"璺"(wèn)。
另见 1429 页 wén。

揾 wèn〈书〉❶ 用手指按。❷ 擦：～泪。

璺 wèn 名 陶瓷、玻璃等器具上的裂痕：碗上有一道～｜打破沙锅～到底（谐"问"）。

wēng（ㄨㄥ）

翁 wēng ❶ 年老的男子；老头儿：渔～。❷〈书〉父亲。❸〈书〉丈夫的父亲：～姑（公公和婆婆）。❹〈书〉妻子的父亲：～婿（岳父和女婿）。❺ (Wēng)名 姓。

【翁仲】wēngzhòng 名 原指铜铸或石雕的偶像，后来专指墓前的石人。

嗡 wēng 拟声 形容昆虫飞动等声音：蜜蜂～～地飞｜飞机～～地响。

【嗡子】wēng·zi 名 见716页〖京二胡〗。

滃 Wēng 滃江，水名，在广东。
另见 1432 页 wěng。

鹟（鶲） wēng 名 鸟，身体小，嘴稍扁平，基部有许多刚毛，脚短小。捕食飞虫，是益鸟。种类很多。

鳒（鰜） wēng 名 鱼，体侧扁，略呈长方形，有圆鳞，吻不尖，颜色美丽。生活在热带海洋中。种类很多。

鞠 wēng〈方〉名 靴勒。

【鞠靴】wēngxuē〈方〉名 高勒棉靴子。

wěng（ㄨㄥˇ）

塕 wěng〈方〉❶ 形 形容尘土飞扬。❷ 名 尘土。

蓊 wěng〈书〉草木茂盛：～郁。

【蓊郁】wěngyù〈书〉形 形容草木茂盛：

林木~。

滃 wěng 〈书〉❶ 形容水盛。❷ 形容云起。
另见 1431 页 Wēng。

wèng （ㄨㄥˋ）

瓮（甕、❶罋） wèng 名 ❶ 一种盛东西的陶器,腹部较大:水~|酒~|菜~。❷（Wèng）姓。

【瓮城】 wèngchéng 名 围绕在城门外的小城。

【瓮声瓮气】 wèng shēng wèng qì 形容说话的声音粗大而低沉。

【瓮中之鳖】 wèng zhōng zhī biē 比喻逃脱不了的人或动物。

【瓮中捉鳖】 wèng zhōng zhuō biē 比喻要捕捉的对象无处逃遁,下手即可捉到,很有把握。

蕹 wèng [蕹菜]（wèngcài）名 一年生草本植物,茎蔓生,中空,叶卵圆形或心脏形,叶柄长,花粉红色或白色,漏斗状。是常见蔬菜。也叫空心菜。

齆 wèng [齆鼻儿]（wèngbír）❶ 形 因鼻孔堵塞而发音不清:这两天伤风,说话有点儿~。❷ 名 齆鼻儿的人。

wō （ㄨㄛ）

挝（撾） wō 老挝（Lǎowō）,亚洲国名。
另见 1786 页 zhuā。

莴（萵） wō 见下。

【莴苣】 wō·jù 名 一年生或二年生草本植物,叶子长圆形,花金黄色。是常见蔬菜。莴苣的变种有莴笋、生菜等。

【莴笋】 wōsǔn 名 莴苣的变种,叶长圆形,茎部肉质,呈棒状,是常见蔬菜。

倭 Wō 我国古代称日本。

【倭瓜】 wō·guā 〈方〉名 南瓜。

【倭寇】 Wōkòu 名 14—16 世纪屡次骚扰抢劫朝鲜和我国沿海的日本海盗。

涡（渦） wō 旋涡:水~。
另见 518 页 Guō。

【涡电流】 wōdiànliú 名 涡流②。

【涡流】 wōliú 名 ❶ 流体旋转,形成旋涡的流动。❷ 实心的导体或铁芯在交变电场中由于电磁感应所产生的涡旋性电流。涡流能消耗电能并使导体和铁芯发热。也叫涡电流。

【涡轮机】 wōlúnjī 名 利用流体冲击叶轮转动而产生动力的发动机,按流体的不同分为汽轮机、燃气轮机和水轮机。广泛用作发电、航空、航海设备的发动机。

【涡旋】 wōxuán ❶ 动 水流回环旋转。❷ 名 旋涡。

喔 wō 拟声 形容公鸡叫的声音。

窝（窩） wō ❶ 名 鸟兽、昆虫住的地方:鸟~|狗~|蚂蚁~|喜鹊搭~。❷ 名 比喻坏人聚居的地方:贼~|土匪~。❸（~儿）〈方〉名 比喻人体或物体所占的位置:他不动~儿|这炉子其碍事,给它挪个~儿。❹（~儿）名 凹进去的地方:夹肢~|酒~儿。❺ 窝藏:~赃|~主。❻ 动 蜷缩或停在某处不活动:把头~在衣领里|~在家里生闷气。❼ 动 郁积不得发作或发挥:~工|~火。❽ 动 使弯或曲折:把铁丝~个圆圈。❾ 量 用于一胎所生的或一次孵出的动物（猪、狗、鸡等）:一~下了五只猫|孵了几~小鸡。

【窝案】 wō'àn 名 所有犯罪嫌疑人同属一个单位或部门的刑事案件。

【窝憋】 wō·bie 〈方〉形 烦闷;不舒畅（多指有不如意的事情）:平白无故挨了一顿训,真~。

【窝藏】 wōcáng 动 私藏（罪犯、违禁品或赃物）。

【窝点】 wōdiǎn 名 坏人聚集窝藏的地方:贩毒~。

【窝工】 wō//gōng 动 因计划或调配不好,工作人员没事可做或不能发挥作用。

【窝火】 wō//huǒ （~儿）动 憋气②:窝了一肚子火。

【窝里斗】 wō·lidòu 家族或团体内部彼此钩心斗角。

【窝里横】 wō·lihèng 只敢在家里发横、不讲理。

【窝囊】 wō·nang 形 ❶ 因受委屈而烦闷:受~气。❷ 无能;怯懦:这个人真~。

【窝囊废】 wō·nangfèi 〈方〉名 指怯懦无

能的人(含讥讽意)。

【窝棚】wō·peng 名 简陋的小屋。

【窝铺】wōpù 名 供睡觉的窝棚。

【窝气】wō//qì 动 有委屈或烦恼得不到发泄：挨了剋,心里~|窝了一肚子气。

【窝头】wōtóu 名 用玉米面、高粱面或别种杂粮面做的食物,略作圆锥形,底下有个窝儿。也叫窝窝头。

【窝心】wōxīn 〈方〉形 因受到委屈或侮辱后不能表白或发泄而心中苦闷。

【窝赃】wō//zāng 动 故意为罪犯窝藏或转移赃物、赃款：~罪。

【窝主】wōzhǔ 名 窝藏罪犯、违禁品或赃物的人或人家。

蜗(蝸) wō 蜗牛。

【蜗居】wōjū 〈书〉名 比喻窄小的住所。

【蜗牛】wōniú 名 软体动物,头部有两对触角,眼长在后一对的顶端上,腹部有扁平的脚,壳略呈圆形或椭圆形,黄褐色,有螺旋纹。生活在潮湿地区,吃草本植物。有的地区叫水牛儿。

【蜗旋】wōxuán 动 回环旋转：塔内有石阶,~而上。

踒 wō 动 (手、脚等)猛折而筋骨受伤：脚~了。

wǒ (ㄨㄛˇ)

我 wǒ 代 人称代词。❶ 称自己。注意 a)有时也用来指称"我们",如：~校|~军|敌~矛盾。b)"我、你"对举,表示泛指。参看992页"你"。❷ 自己：自~|忘~精神。

【我们】wǒ·men 代 人称代词。称包括自己在内的若干人。参看1696页[咱们]。

【我行我素】wǒ xíng wǒ sù 不管别人怎么说,我还是照我本来的一套去做。

髼 wǒ [髼髯](wǒtuǒ)〈书〉形 形容发髻美好。

wò (ㄨㄛˋ)

肟 wò 名 有机化合物的一类,由醛或酮的羰基和羟胺中的氨基缩合而成。

[英 oxime]

沃 wò ❶ 动 灌溉；浇：~田|如汤~雪。❷(土地)肥：肥~|~土|~野|肥田~地。❸(Wò)名 姓。

【沃土】wòtǔ 名 肥沃的土地◇学校是培养人才的~。

【沃野】wòyě 名 肥沃的田野：~千里。

卧(臥) wò ❶ 动 躺：仰~|~倒|病得很重,在床上~了三天。❷〈方〉动 使婴儿躺下：把小孩儿~在炕上。❸ 动 (动物)趴：~牛|鸡~在窝里。❹ 睡觉用的：~室|~房|~铺。❺ 指卧铺：硬~|软~。❻〈方〉动 把去壳的鸡蛋放到开水里煮：~个鸡子儿。

【卧病】wòbìng 动 因病躺下：~在床。

【卧车】wòchē 名 ❶ 设有卧铺的火车车厢。❷ 小轿车。

【卧床】wòchuáng 动 因疾病、年老等躺在床上：~不起。

【卧底】wòdǐ 动 埋伏下来做内应。

【卧房】wòfáng 名 卧室。

【卧轨】wòguǐ 动 躺在铁轨上(阻止火车行驶或企图自杀)。

【卧果儿】wòguǒr〈方〉❶ (-//-)动 把鸡蛋去壳,整个儿放在开水里煮：卧个果儿。❷ 名 去壳后整个儿放在开水里煮的鸡蛋。

【卧具】wòjù 名 睡觉时用的东西,特指火车、轮船上或旅馆中供给旅客用的被子、毯子、枕头等。

【卧铺】wòpù 名 卧车上供旅客睡觉的铺位。有的长途汽车也设卧铺。

【卧室】wòshì 名 睡觉的房间。也叫卧房。

【卧榻】wòtà〈书〉名 床：~之侧,岂容他人鼾睡(比喻不许别人侵入自己的势力范围)。

【卧薪尝胆】wò xīn cháng dǎn 越国被吴国打败,越王勾践立志报仇。据说他睡觉睡在柴草上头,吃饭、睡觉前都要尝一尝苦胆,策励自己不忘耻辱。经过长期准备,终于打败了吴国(《史记·越王勾践世家》只有尝胆事,苏轼《拟孙权答曹操书》才有"卧薪尝胆"的话)。形容人刻苦自励,立志为国报仇雪耻。

偓 wò 偓佺(Wòquán),古代传说中的仙人。

浼 wò〈方〉动 弄脏,如油、泥粘在衣服或器物上。

另见1672页yuān。

握 wò动❶用手拿或攥:把～|～笔|～手。❷掌握:～有兵权。

【握别】wòbié 动握手告别。

【握力】wòlì 名手握紧物体的力量。

【握拳】wò∥quán 动手指向掌心弯曲成拳头。

【握手】wò∥shǒu 动彼此伸手相互握住,是见面或分别时的礼节,也用来表示祝贺或慰问等。

【握手言和】wò shǒu yán hé 有矛盾或争执的双方握手表示和好,现也指竞赛双方不分胜负。

硪 wò 名 砸实地基或打桩等用的一种工具,通常是一块圆形石头或铁制的饼状物,周围系着几根绳子:打～。

幄 wò〈书〉帐幕:帷～。

渥 wò〈书〉❶沾湿;沾润。❷厚;重:优～。

斡 wò〈书〉旋转。

【斡旋】wòxuán 动调解:从中～,解决两方争端。

龌(齷) wò [龌龊](wòchuò)形❶不干净;脏。❷比喻人品质恶劣:卑鄙～。❸〈书〉形容气量狭小,拘于小节。

wū（ㄨ）

兀 wū [兀秃](wū·tu)同"乌涂"。

另见1447页wù。

乌¹(烏) wū ❶乌鸦:月落～啼。❷形黑色:～云|～木|脸色发～。❸(Wū)名姓。

乌²(烏) wū〈书〉代疑问代词。何;哪里(多用于反问):～足道哉?

另见1447页wù。

【乌飞兔走】wū fēi tù zǒu 指日月运行,形容光阴过得快(古代传说日中有三足乌,月中有玉兔)。

【乌龟】wūguī 名❶爬行动物,体扁,有硬甲,长圆形,背部隆起,黑褐色,有花纹,趾有蹼,能游泳,头尾四肢能缩入壳内。生活在河流、湖泊里,吃杂草或小动物。种类较多。龟甲可入药,也叫金龟,俗称王八。❷讥称妻子有外遇的人。

【乌合之众】wū hé zhī zhòng 指无组织无纪律的一群人(乌合:像乌鸦那样聚集)。

【乌黑】wūhēi 形状态词。深黑色:～的头发|她那一双大眼睛～发亮。

【乌呼】wūhū 同"呜呼"①。

【乌金】wūjīn 名❶指煤。❷中药上指墨。

【乌桕】wūjiù 名 落叶乔木,叶子略呈菱形,秋天变红,花黄色,种子外面有白蜡层,用来制造蜡烛等。叶子可以做黑色染料。树皮、叶子都可入药。

【乌拉】wūlā 名❶ 西藏民主改革前,农奴为官府或农奴主所服的劳役,主要是耕种和运输,还有种种杂役、杂差。❷服这些劳役的人。‖也作乌喇。

另见1448页wù·la。

【乌喇】wūlā 同"乌拉"(wūlā)。

【乌鳢】wūlǐ 名鱼,身体圆柱形,头扁,口大,有齿,背部灰绿色,腹部灰白色,有黑色斑纹。性凶猛,捕食小鱼、蛙等,对淡水养鱼业有害。通称黑鱼,也叫乌鱼。

【乌亮】wūliàng 形状态词。又黑又亮:～的头发|油井喷出～的石油。

【乌溜溜】wūliūliū (～的)形 状态词。形容眼珠儿黑而灵活。

【乌龙】wūlóng〈方〉形 糊涂。

【乌龙茶】wūlóngchá 名 半发酵的茶叶(茶叶边沿发酵,中间不发酵),黑褐色。

【乌龙球】wūlóngqiú 名足球等比赛中球员不慎打进己方球门的球。

【乌梅】wūméi 名 经过熏制的梅子,外面黑褐色,有解热、驱虫等作用。通称酸梅。

【乌木】wūmù 名❶ 常绿乔木,叶子椭圆形,花淡黄色。果实球形,红黄色。木材黑色,致密,用来制造精致的器具和工艺品。生长在热带地区。❷ 这种植物的木材。❸ 泛指质硬而重的黑色木材。

【乌七八糟】(污七八糟)wūqībāzāo 十分杂乱;乱七八糟。

【乌纱帽】wūshāmào 名纱帽。借指官职。也叫乌纱。

【乌塌菜】wūtācài 名二年生草本植物,植株矮,叶子椭圆形,浓绿色,叶面皱缩,有光泽,贴地面生长。是常见蔬菜。也叫塌棵菜。

【乌涂】wū·tu 形 ❶ 水不凉也不热(多指饮用的水):～水不好喝。❷ 不爽利;不干脆。‖ 也作兀秃。

【乌托邦】wūtuōbāng 名 原为英国空想社会主义者莫尔(Thomas More)所著书名的简称,作者在书里描写了他所想象的实行公有制的理想社会,并把这种社会叫做"乌托邦",意即没有的地方。后来泛指不能实现的愿望、计划等。[新拉Utopia]

【乌鸦】wūyā 名 鸟,嘴大而直,全身羽毛黑色,翅膀有绿光。多群居在树林中或田野间,以谷物、果实、昆虫等为食物。有的地区叫老鸹、老鸦。

【乌烟瘴气】wū yān zhàng qì 形容环境嘈杂、秩序混乱或社会黑暗。

【乌药】wūyào 名 ❶ 常绿灌木或小乔木,叶子椭圆形,中间有三条明显的叶脉,花小,黄绿色,果实黑色。根可入药。❷ 这种植物的根。

【乌油油】wūyóuyóu (口语中也读 wū-yōuyōu)(～的)形 状态词。形容黑而润泽:～的头发|泥土～的,十分肥沃。

【乌有】wūyǒu〈书〉动 虚幻;不存在:子虚|化为～。参看 1803 页【子虚】。

【乌鱼】wūyú 名 乌鳢。

【乌鱼蛋】wūyúdàn 名 作为食品的乌贼的缠卵腺(一对椭圆形的腺体,在卵巢的腹面,能分泌黏液,使卵结成块状),可以做羹。

【乌云】wūyún 名 ❶ 黑云。❷ 比喻黑暗或恶劣的形势:战争的～。❸ 比喻妇女的黑发。

【乌贼】wūzéi 名 软体动物,身体椭圆形而扁平,苍白色,有浓淡不均的黑斑,头部有一对大眼,口的四周有十只腕足,腕足内侧有吸盘,体内有囊状物能分泌黑色液体,遇到危险时放出,以掩护自己逃跑。俗称墨鱼或墨斗鱼。也作乌鲗。

【乌鲗】wūzéi 同"乌贼"。

【乌孜别克族】Wūzībiékèzú 名 我国少数民族之一,分布在新疆。

圬(杇) wū〈书〉❶ 瓦工用的抹子。❷ 抹灰;粉刷。

【圬工】wūgōng 名 瓦工①的旧称。

邬(鄔) Wū 名 姓。

污(汙、汚) wū ❶ 浑浊的水,泛指脏东西:粪～|血～去～粉。❷ 脏:～水|～泥。❸ 不廉洁:贪官～吏。❹ 弄脏:玷～|～辱。

【污点】wūdiǎn 名 ❶ 衣服上沾染的污垢。❷ 比喻不光彩的事情:那个人历史上有～。

【污垢】wūgòu 名 积在人身上或物体上的脏东西。

【污痕】wūhén 名 污秽的痕迹:斑斑～。

【污秽】wūhuì ❶ 形 不干净。❷ 名 指不干净的东西。

【污蔑】wūmiè 动 ❶ 诬蔑。❷ 玷污。

【污泥浊水】wū ní zhuó shuǐ 比喻落后、腐朽和反动的东西。

【污七八糟】wūqībāzāo 见 1434 页【乌七八糟】。

【污染】wūrǎn 动 有害物质混入空气、土壤、水源等而造成危害:～水质|大气～◇精神～。

【污染源】wūrǎnyuán 名 造成环境污染的东西;产生污染物的根源:加快治理～,使湖水还清。

【污辱】wūrǔ 动 ❶ 侮辱。❷ 玷污。

【污水】wūshuǐ 名 脏水,特指因被污染而不符合卫生标准的水。

【污损】wūsǔn 动 污秽破损;玷污损害:图书～严重|重塑被～的雕像。

【污物】wūwù 名 脏东西:清除～。

【污言秽语】wū yán huì yǔ 下流的话;脏话。

【污浊】wūzhuó ❶ 形 (水、空气等)不干净;混浊:～的水不能饮用。❷ 名 脏东西:洗去身上的～。

【污渍】wūzì 名 附着在物体上的油泥等。

巫 wū ❶ 指巫师,女巫:小～见大～。❷ (Wū)名 姓。

【巫婆】wūpó 名 女巫。

【巫神】wūshén 名 巫师。

【巫师】wūshī 名 以装神弄鬼替人祈祷为职业的人(多指男巫)。

【巫术】wūshù 名 巫师使用的法术。

呜(嗚) wū ❶ 拟声 形容风声、汽笛声等:～的一声,一辆汽车飞驰而过|轮船上的汽笛～～地直叫。❷

（Wū）名姓。

【呜呼】wūhū ❶〈书〉叹表示叹息：～哀哉。也作乌呼、於乎、於戏。❷动指死亡：一命～。

【呜呼哀哉】wūhū-āizāi 旧时祭文中常用的感叹用语，现在借指死了或完蛋了（含诙谐意）。

【呜咽】wūyè 动❶低声哭泣。❷（流水、丝竹等）发出凄切的声音：山泉～。

於 wū〈书〉叹表示感叹。
另见1658页Yū；1658页yú"于[1]"。

【於乎】wūhū 同"呜呼"❶。

【於戏】wūhū 同"呜呼"❶。

【於菟】wūtú 名古代楚人称虎。

鸨（鎢）wū 名金属元素，符号W（wolfram）。灰黑色，质硬而脆，耐高温。用来制合金钢和灯丝等。

【鸨丝】wūsī 名鸨经过高温冶炼后抽成的丝，可以做电灯泡、电子管等里面的灯丝。

洿 wū〈书〉❶低洼的地方：～池。❷掘成水池。

诬（誣）wū 捏造事实冤枉人：～良为盗。

【诬告】wūgào 动无中生有地控告别人有犯罪行为。

【诬害】wūhài 动捏造事实来陷害：～忠良。

【诬赖】wūlài 毫无根据地说别人做了坏事，或说了坏话：～好人。

【诬蔑】wūmiè 动捏造事实败坏别人的名誉：造谣～。

【诬枉】wūwǎng 动诬蔑冤枉：～忠良。

【诬陷】wūxiàn 动诬告陷害：遭人～。

【诬栽】wūzāi 动栽赃陷害：预谋～｜～于人。

屋 wū 名❶房子：房～｜～顶｜茅草～。❷屋子：里～｜外～｜一间～｜住四个人。❸（Wū）姓。

【屋顶花园】wūdǐng huāyuán 房屋（多为楼房）顶上布置花木等供人游憩的场所。

【屋脊】wūjǐ 名屋顶中间高起的部分◇青藏高原号称世界的～。（图见387页"房子"）

【屋架】wūjià 名承载屋面的构件，多用木料、钢材或钢筋混凝土等制成，有三角形、梯形、拱形等多种形状。

【屋里人】wū·lirén〈方〉名妻子。也说屋里的。

【屋面】wūmiàn 名屋顶部分的遮盖物。

【屋上架屋】wū shàng jià wū 比喻机构或结构重叠，也比喻不必要的重复。

【屋檐】wūyán 名房檐。

【屋宇】wūyǔ〈书〉名房屋：锣鼓喧天，声震～。

【屋子】wū·zi 名房间：一间～。

恶（惡）wū〈书〉❶同"乌[2]"。❷叹表示惊讶：～，是何言也（啊，这是什么话）!
另见355页ě；356页è；1450页wù。

wú（ㄨˊ）

无（無）wú ❶动没有（跟"有"相对）：从～到有｜～产阶级｜有则改之，～则加勉。❷不：～论｜～须。❸连不论：事一大小，都有人负责。❹同"毋"。❺（Wú）名姓。
另见960页mó。

【无比】wúbǐ 动没有别的能够相比（多用于好的方面）：威力～｜～强大｜～幸运｜英勇～。

【无边】wúbiān 动没有边际：一望～的大草原｜苦海～，回头是岸。

【无病呻吟】wú bìng shēnyín 比喻没有值得忧虑的事情却长吁短叹，也比喻文艺作品缺乏真情实感，矫揉造作。

【无补】wúbǔ 动没有益处：空谈～于实际。

【无不】wúbù 副没有一个不：～为之感动。

【无产阶级】wúchǎn jiējí 工人阶级。也泛指不占有生产资料的劳动者阶级。

【无产阶级革命】wúchǎn jiējí gémìng 社会主义革命。

【无产阶级专政】wúchǎn jiējí zhuānzhèng 无产阶级通过革命手段打碎资产阶级的国家机器后建立的新型国家政权。专政的主要任务是防御外部敌人的颠覆和侵略，在人民内部实行民主，对敌人实行专政，保证社会主义建设的顺利进行，并过渡到共产主义。

【无产者】wúchǎnzhě 名 资本主义社会中不占有生产资料、靠出卖劳动力为生的雇佣工人。

【无常】wúcháng ❶ 动 时常变化;变化不定:反复～|这里气候变化不～。❷(Wúcháng)名 鬼名,迷信的人相信人将死时有"无常鬼"来勾魂。❸ 动 婉辞,指人死:一旦～。

【无偿】wúcháng 形 属性词。不要代价的;没有报酬的:～援助|提供～的法律服务。

【无成】wúchéng 动 没有做成;没有成就:一事～|毕生～。

【无耻】wúchǐ 形 不顾羞耻;不知道羞耻:卑鄙～|～吹捧|～之尤(最无耻的)。

【无从】wúcóng 副 没有门径或找不到头绪(做某件事):～入手|～查考|心中千言万语,一时～说起。

【无大无小】wú dà wú xiǎo ❶ 不论大的或小的。也说无小无大。❷ 不分辈分、年龄大小,指言行过于随便,没有礼貌。

【无敌】wúdí 动 没有对手:所向～|～于天下。

【无底洞】wúdǐdòng 名 永远填不满的洞(多用于比喻)。

【无地自容】wú dì zì róng 没有地方可以让自己藏起来,形容十分羞惭。

【无的放矢】wú dì fàng shǐ 没有箭靶乱射箭,比喻言语、行动没有明确目标或不切合实际。

【无定形物】wúdìngxíngwù 名 非晶体。

【无动于衷】(无动于中)wú dòng yú zhōng 心里一点不受感动,一点也不动心。

【无独有偶】wú dú yǒu ǒu 虽然罕见,但是不只一个,还有一个可以成对儿(多用于贬义)。

【无度】wúdù 动 没有限度;没有节制:挥霍～|荒淫～。

【无端】wúduān 副 没有来由地;无缘无故地:～生事|～受过。

【无恶不作】wú è bù zuò 没有哪样坏事不干,形容人极坏。

【无法】wúfǎ 动 没有办法:～可想|这问题是难处理,但还不是～解决。

【无法无天】wú fǎ wú tiān 形容人毫无顾忌地胡作非为。

【无方】wúfāng 动 不得法(跟"有方"相对):经营～|治家～。

【无妨】wúfáng ❶ 动 没有妨碍;没有关系:有些问题谈谈也～。❷ 副 不妨:有意见～直说。

【无纺织布】wúfǎngzhībù 名 一种以纺织纤维为原料,外观和用途相当于布匹的片状物,因不经过一般的纺织过程,而通过机械或化学方法使纤维黏结得名。可做包装用布等。也叫不织布。

【无非】wúfēi 副 只;不外乎(多指把事情往小里或轻里说):院子里种的～是凤仙花和鸡冠花|我～是想给他提个醒罢了。

【无风】wúfēng 名 气象学上旧指 0 级风。参看 407 页〖风级〗。

【无风不起浪】wú fēng bù qǐ làng 比喻事出有因。

【无干】wúgān 动 没有关系;不相干:这是我的错儿,跟别人～。

【无告】wúgào〈书〉❶ 动 有痛苦而无处诉说:穷苦～的老人。❷ 名 有痛苦而无处诉说的人:哀怜～。

【无功受禄】wú gōng shòu lù 没有功劳而得到报酬。

【无辜】wúgū ❶ 形 没有罪:～平民|事实证明那个人是～的。❷ 名 没有罪的人:株连～。

【无故】wúgù 副 没有缘故:～缺席|不得～迟到。

【无怪】wúguài 副 表示明白了原因,对下文所说的情况就不觉得奇怪:原来炉子灭了,～屋里这么冷。也说无怪乎。

【无关】wúguān 动 没有关系;不牵涉:此事跟他～|～紧要|～大局。

【无关宏旨】wú guān hóngzhǐ 不涉及主旨,指意义不大或关系不大。

【无关痛痒】wú guān tòngyǎng 比喻与本身利害无关或无足轻重。

【无轨电车】wúguǐ-diànchē 电车的一种,像汽车那样不在轨道上行驶。

【无何】wúhé〈书〉❶ 副 没多久。❷ 动 没有什么;没有其他的事。

【无后坐力炮】wúhòuzuòlìpào 名 无坐力炮。

【无花果】wúhuāguǒ 名 ❶ 落叶灌木或小乔木,叶子大,卵形,掌状分裂。花淡红色,生在花托内,外面不易看见,所以叫无花果。果实由肉质的花托形成,扁球形或卵形,味甜,可以吃,也可入药。❷ 这种植物的果实。

【无华】 wúhuá 勔 没有华丽的色彩:质朴~。

【无悔】 wúhuǐ 勔 没有什么可以后悔的;不后悔:她对自己做过的事情无怨~。

【无机】 wújī 圂 属性词。原来指跟非生物体有关的或从非生物体来的(物质),现在指除碳酸盐和碳的氧化物等简单的含碳化合物之外,不含碳原子的(物质):~盐|~肥料|~化学。

【无机肥料】 wújī féiliào 不含有机物质的肥料,如硫酸铵、过磷酸钙等。

【无机化合物】 wújī huàhéwù 通常指不含碳元素的化合物,也包括碳酸盐和碳的氧化物等简单的含碳化合物。

【无机化学】 wújī huàxué 化学的一个分支,研究元素、单质和无机化合物的结构、性质、变化、制备、用途等。

【无机物】 wújīwù 名 单质和无机化合物的统称。

【无稽】 wújī 勔 无从查考;毫无根据:荒诞~|~之谈。

【无及】 wújí 勔 来不及:后悔~。

【无几】 wújí 勔 没有多少;不多:寥寥~|所剩~|两块试验田的产量相差~。

【无脊椎动物】 wújīzhuī-dòngwù 体内没有脊柱或脊索的动物,种类很多,包括原生动物、海绵动物、腔肠动物、扁形动物、线形动物、环节动物、软体动物、节肢动物和棘皮动物等。

【无记名投票】 wújìmíng-tóupiào 一种选举方法,选举人在选票上不写自己的姓名。

【无际】 wújì 勔 没有边际:一望~|无边~。

【无济于事】 wú jì yú shì 对于事情没有什么帮助。

【无价之宝】 wú jià zhī bǎo 指极珍贵的东西。

【无坚不摧】 wú jiān bù cuī 能够摧毁任何坚固的东西,形容力量强大。

【无间】 wújiàn 〈书〉勔 ❶ 没有间隙:亲密~。❷ 不间断:他每天早晨练太极拳,寒暑~。❸ 不分别:~是非。

【无疆】 wújiāng 勔 没有止境;没有穷尽:

万寿~(祝寿的话)。

【无尽】 wújìn 勔 没有尽头;无穷:~的宝藏|感激~。

【无尽无休】 wú jìn wú xiū 没完没了(含厌恶意)。

【无精打采】 wú jīng dǎ cǎi 没精打采。

【无拘无束】 wú jū wú shù 不受任何约束,形容自由自在。

【无可非议】 wú kě fēi yì 没有什么可以指摘的,表示言行合乎情理。

【无可厚非】 wú kě hòu fēi 不可过分指摘,表示虽有缺点,但是可以原谅。也说未可厚非。

【无可奈何】 wú kě nàihé 没有办法;没有办法可想。

【无可无不可】 wú kě wú bù kě 怎么样都行,表示没有一定的选择。

【无孔不入】 wú kǒng bù rù 比喻利用一切机会(多指做坏事)。

【无愧】 wúkuì 勔 没有什么可以惭愧的地方:问心~|当之~。

【无赖】 wúlài ❶ 圂 放刁撒泼,蛮不讲理:耍~。❷ 名 游手好闲、品行不端的人。

【无理】 wúlǐ 勔 没有道理:~强辩|~取闹。

【无理取闹】 wú lǐ qǔ nào 毫无理由地跟人吵闹;故意捣乱。

【无理式】 wúlǐshì 名 有开方运算,而且被开方数含有字母的代数式。如 $\sqrt{a^2+b^2}$, $\sqrt[3]{x-3}$。

【无理数】 wúlǐshù 名 无限不循环小数。如 $\sqrt{2}$, $\sqrt[3]{5}$, $3.141\,592\,6\cdots$。

【无力】 wúlì 勔 ❶ 没有力量(多用于抽象事物):领导软弱~|这问题事关全厂,我们车间~解决。❷ 没有气力:四肢~。

【无量】 wúliàng 勔 没有限量;没有止境:前途~|功德~。

【无聊】 wúliáo 圂 ❶ 由于清闲而烦闷:他一闲下来,便感到~。❷(言谈、行动等)没有意义而使人讨厌:老谈吃穿,太~了。

【无聊赖】 wú liáolài 〈书〉没有凭借或依赖,指十分无聊或潦倒失意。参看30页【百无聊赖】。

【无论】 wúlùn 连 表示在任何条件下结果都不会改变:~任务怎么艰巨,也要把它完成|~他说的对不对,总应该让人把话说完。

【无论如何】wúlùn rúhé 不管怎么样,表示不管条件怎样变化,其结果始终不变:这次义务劳动我～得参加。

【无米之炊】wú mǐ zhī chuī 见 1100 页〖巧妇难为无米之炊〗。

【无冕之王】wú miǎn zhī wáng 指没有权威的名义而影响、作用极大的人,现多指新闻记者。

【无名】wúmíng 形 属性词。❶ 没有名称的:～肿毒。❷ 姓名不为世人所知的:～英雄|～小辈。❸ 说不出所以然来的;无缘无故的(多指不愉快的事情或情绪):～损失|～的恐惧。

【无名火】wúmínghuǒ 同"无明火"。

【无名氏】wúmíngshì 名 不愿说出姓名或查不出姓名的人。

【无名帖】wúmíngtiě (～儿)名 为了攻讦或恐吓别人而写的不具名的帖儿。

【无名小卒】wúmíng xiǎozú 比喻没有名气的人。

【无名英雄】wúmíng yīngxióng 姓名不为世人所知的英雄人物。

【无名指】wúmíngzhǐ 名 环指的通称。

【无名肿毒】wúmíng zhǒngdú 中医指既不像疽,又不像痈,也不像疔的毒疮。

【无明火】wúmínghuǒ 名 怒火(无明:佛典中指"痴"或"愚昧"):～起(发怒)。也作无名火。

【无乃】wúnǎi〈书〉副 用于反问句中,表示不以为然的意思,跟"岂不是"相近,但语气比较缓:～不可乎?

【无奈】wúnài ❶ 动 无可奈何:出于～|万般～。❷ 连 用在转折句的开头,表示由于某种原因,不能实现上文所说的意图,有"可惜"的意思:星期天我们本想去郊游,～天不作美下起雨来,只好作罢了。

【无奈何】wúnài//hé ❶ 表示对人或事没有办法,不能把…怎么样:敌人无奈他何。❷ 无可奈何:～只得har去一趟。

【无能】wúnéng 形 没有能力;不能干什么:软弱～|腐败～|～之辈。

【无能为力】wú néng wéi lì 用不上力量;没有能力或能力达不到。

【无宁】wúnìng 见 1442 页〖毋宁〗。

【无期徒刑】wúqī túxíng 剥夺犯人终身自由并强制其劳动的刑罚。

【无奇不有】wú qí bù yǒu 什么稀奇的事物都有。

【无前】wúqián 动 ❶ 无敌;无与相比:一往～。❷ 过去没有过;空前:成绩～。

【无情】wúqíng ❶ 形 没有感情:冷酷～。❷ 动 不留情:翻脸～|水火～|事实是～的。

【无穷】wúqióng 动 没有穷尽;没有限度:言有尽而意～|群众的智慧是～的。

【无穷大】wúqióngdà 名 一个变量在变化过程中,绝对值永远大于任意大的已定正数,这个变量叫做无穷大,用符号 ∞ 表示。如 2^n,在 n 取值 $1,2,3,4\cdots$ 的变化过程中就是无穷大。

【无穷小】wúqióngxiǎo 名 一个变量在变化过程中,绝对值永远小于任意小的已定正数,即以零为极限的变量,叫做无穷小。如 $\dfrac{1}{2^n}$,在 n 取值 $1,2,3,4\cdots$ 的变化过程中就是无穷小。

【无缺】wúquē 动 (器物等)没有残缺;没有缺陷:完好～|完美。

【无任】wúrèn〈书〉副 非常;十分(用于"感激、欢迎"等)。

【无日】wúrì 副 "无日不…"是"天天都…"的意思,表示不间断:～不在渴望四个现代化早日实现。

【无如】wúrú 连 无奈②:昨天本想去拜访他,～天色太晚了。

【无伤大雅】wú shāng dàyǎ 对主要方面没有妨害。

【无上】wúshàng 形 最高:至高～|～光荣。

【无神论】wúshénlùn 名 否定鬼神迷信和宗教信仰的学说。

【无声】wúshēng 动 没有声音:悄然～|～的语言。

【无声片儿】wúshēngpiānr〈口〉名 无声片。

【无声片】wúshēngpiàn 名 只有形象没有声音的影片。也叫默片。

【无声无息】wú shēng wú xī 没有声音气息,比喻没有动静或没有什么影响、作为。

【无声无臭】wú shēng wú xiù 没有声音,没有气味,比喻人没有名声。

【无绳电话】wúshéng-diànhuà 电话机的一种,分为主机和副机两部分,主机与电话线相接,副机和主机之间没有电话线相连。打电话时,副机可以离开主机一段距离移动通话。

【无时无刻】wú shí wú kè "无时无刻不…"是"时时刻刻都…"的意思,不间断:我们～不在想念着你。

【无事不登三宝殿】wú shì bù dēng sān bǎodiàn 比喻没事不上门(三宝殿:指佛殿):他是～,今天来,一定有原因。

【无事生非】wú shì shēng fēi 本来没有问题而故意制造纠纷。

【无视】wúshì 动 不放在眼里;漠视;不认真对待:～现实|～法纪|～群众的利益。

【无数】wúshù ❶ 形 难以计数,形容极多:死伤～。❷ 动 不知道底细:心中～。

【无双】wúshuāng 动 独一无二:盖世～。

【无霜期】wúshuāngqī 名 每年从终霜起到初霜止的时期,是有利于植物生长的季节。

【无私】wúsī 形 不自私:大公～|～的援助。

【无私有弊】wú sī yǒu bì 指虽然没有私弊,但因处于嫌疑之地,容易使人猜疑。

【无损】wúsǔn 动 ❶ 没有损害:争论～于友谊。❷ 没有损坏:完好～。

【无所不为】wú suǒ bù wéi 没有什么不干的,指什么坏事都干。

【无所不用其极】wú suǒ bù yòng qí jí 指做坏事时任何极端的手段都使得出来。

【无所不在】wú suǒ bù zài 到处都存在;到处都有:矛盾的斗争～。

【无所不至】wú suǒ bù zhì ❶ 没有达不到的地方:细菌的活动范围极广,～。❷ 指凡能做的都做到了(用于坏事):威胁利诱,～|摧残镇压。

【无所措手足】wú suǒ cuò shǒu zú 手脚不知放在哪里,形容不知该怎么办才好。

【无所事事】wú suǒ shì shì 闲着什么事也不干。

【无所适从】wú suǒ shì cóng 不知道依从谁好;不知按哪个办法做才好。

【无所谓】wúsuǒwèi 动 ❶ 说不上:我只是来谈谈体会,～报告。❷ 不在乎;没有什么关系:今天去还是明天去,我是～的|大家都替他着急,而他自己倒好像～似的。

【无所用心】wú suǒ yòng xīn 不动脑子,对什么事情都不关心:饱食终日,～。

【无所作为】wú suǒ zuòwéi 不去努力做出成绩或没有做出什么成绩。

【无题】wútí 名 诗文等用有用"无题"做题目的,表示没有适当的题目可标或者不愿意标题目。

【无条件】wútiáojiàn 动 没有任何条件;不提出任何条件:～服从|～投降。

【无条件反射】wútiáojiàn fǎnshè 见 394 页【非条件反射】。

【无头案】wútóu'àn 名 没有线索可寻的案件或事情。

【无头告示】wútóu-gào•shi 用意不明的文告。也指不得要领的官样文章。

【无往不利】wú wǎng bù lì 不论到哪里,没有不顺利的,指在各处都行得通,办得成。

【无往不胜】wú wǎng bù shèng 不论到哪里,没有不胜的,指在各处都能成功。

【无妄之灾】wú wàng zhī zāi 平白无故受到的损害。

【无望】wúwàng 动 没有希望:事情已经～。

【无微不至】wú wēi bù zhì 形容待人非常细心周到。

【无为】wúwéi 动 顺其自然,不必有所作为,是古代道家的一种处世态度和政治思想:～而治。

【无味】wúwèi ❶ 动 没有滋味:食之～,弃之可惜。❷ 形 没有趣味:枯燥～。

【无畏】wúwèi 形 没有畏惧;不知害怕:无私～|～的英雄气概。

【无谓】wúwèi 形 没有意义;毫无价值:不作～的争论。

【无…无…】wú…wú… 分别用在两个意义相同或相近的词或词素前面,强调没有:～影～踪(没有踪影)|～缘～故(没有缘故)|～拳～勇(没有武力)|～依～靠(没有依靠)|～穷～尽(没有止境)。

【无物】wúwù 动 没有东西;没有内容:眼空～|空洞～|言之～。

【无误】wúwù 动 没有差错:核对～。

【无隙可乘】wú xì kě chéng 没有空子可钻。也说无懈可乘、无机可乘。

【无瑕】wúxiá 动 完美而没有瑕疵,比喻没有缺点或污点:白璧～|完美～。

【无暇】wúxiá 动 没有空闲的时间:～过问|～顾及。

【无限】wúxiàn 形 没有穷尽;没有限量;

前途～光明。

【无限责任公司】 wúxiàn zérèn gōngsī 企业的一种组织形式,由两个以上的股东组成。股东对公司债务负有无限清偿责任。也叫无限公司。

【无线电】 wúxiàndiàn 名❶ 用电波的振荡在空中传送信号的技术。因为不用导线传送,所以叫无线电。广泛应用在通信、广播、电视、远距离控制、自动化、探测等方面。❷ 指无线电广播或无线电收音机。

【无线电波】 wúxiàn diànbō 无线电技术中使用的电磁波,波长从0.1毫米—100兆米以上。可分为长波、中波、中短波、短波、微波等。

【无线通信】 wúxiàn tōngxìn 一种通信方式,利用无线电波在空间传输电信号,电信号可以代表声音、文字、图像等。按照传输内容不同可分为无线电话、无线电报、无线传真等。

【无小无大】 wú xiǎo wú dà 见 1437 页〖无大无小〗①。

【无效】 wúxiào 动 没有效力;没有效果:过期～|医治～。

【无懈可击】 wú xiè kě jī 没有漏洞可以被攻击或挑剔,形容十分严密。

【无心】 wúxīn ❶ 动 没有心思:他心里有事,～再看电影。❷ 副 不是故意的:～插柳柳成行。

【无行】 wúxíng 〈书〉动 指没有善行,品行不好。

【无形】 wúxíng ❶ 形 属性词。不具备某种事物的形式、意义而有类似作用的:～的枷锁|～的战线。❷ 副 无形中:孩子总会有形～地受着家庭的影响。

【无形损耗】 wúxíng sǔnhào 指机器、设备等固定资产由于科学技术进步所引起的贬值。也叫精神损耗。

【无形中】 wúxíngzhōng 副 不知不觉的情况下;不具备名义而具有实质的情况下:小张～成了他的助手|大家三三两两地交谈着,～开起了小组会。也说无形之中。

【无形资产】 wúxíng zīchǎn 指不具有实物形态的资产,如商标权、专利权、著作权等(跟"有形资产"相对)。

【无性生殖】 wúxíng-shēngzhí 不经过雌雄两性生殖细胞的结合,只由一个生物体产生后代的生殖方式。常见的有孢子生殖、出芽生殖和分裂生殖。广义的无性生殖包括压条、嫁接等。

【无须】 wúxū 副 不用;不必:～操心|～大惊小怪。也作无需。也说无须乎。

【无需】 wúxū 同"无须"。

【无烟煤】 wúyānméi 名 煤的一种,煤化程度最高,黑色,质硬,燃烧时几乎没有烟。有的地区叫硬煤或白煤。

【无氧运动】 wúyǎng-yùndòng 在较大强度的运动中,运动的耗氧量超过了人体的摄氧能力,消耗的主要是人体内的糖,这类运动叫无氧运动。如 200 米、400 米跑。

【无恙】 wúyàng 〈书〉动 没有疾病;没有受害:安然～|别来～?

【无业】 wúyè 动 ❶ 没有职业:～游民。❷ 没有产业或财产:全然～。

【无遗】 wúyí 动 没有遗留;一点儿不剩:暴露～|地面上的建筑已被破坏～。

【无疑】 wúyí 动 没有疑问:确凿～。

【无已】 wúyǐ 〈书〉动 ❶ 没有休止:有增～|苛责。❷ 不得已。

【无以复加】 wú yǐ fù jiā 达到极点,不可能再增加。

【无艺】 wúyì 〈书〉动 ❶ 没有准则、法度:用人～。❷ 没有限度:贪贿～。

【无异】 wúyì 动 没有不同;等同:夫妻吵架时翻老账,～于火上浇油。

【无益】 wúyì 动 没有好处:生气对身体～。

【无意】 wúyì ❶ 动 没有做某件事的愿望:～于此|他既然～参加,你就不必勉强他了。❷ 副 不是故意的:挖地基时～地发现了一枚古钱。

【无意识】 wúyì·shí 副 指未加注意的,出于不知不觉的:他说话时～地摆弄着手中的铅笔。

【无翼鸟】 wúyìniǎo 名 鸟,翅膀和尾巴都已退化,嘴长,全身有灰色细长的绒毛,腿短而粗,跑得很快。昼伏夜出,吃泥土中的昆虫。生活在新西兰,是世界上稀有的鸟类。也叫鹬鸵(yùtuó)、几维鸟。

【无垠】 wúyín 〈书〉动 没有边际:一望～|～的原野。

【无影灯】 wúyǐngdēng 名 医院中进行外科手术时用的照明灯。装有几个或十几个排列成环形的特殊灯泡,灯光从不同位置通过滤色器射向手术台,不会形成阴影。光线柔和而不炫目。

【无庸】wúyōng 见1442页〖毋庸〗。

【无用功】wúyònggōng 名 机械克服额外阻力(如起重机提起重物时起重机臂的重力以及绳索和滑轮间的摩擦力)所做的功。

【无由】wúyóu 〈书〉副 无从:～相会,不胜惋惜。

【无余】wúyú 动 没有剩余:揭露～│一览～。

【无与伦比】wú yǔ lún bǐ 没有能比得上的(多含褒义)。

【无援】wúyuán 动 没有援助:孤立～。

【无缘】wúyuán ❶ 动 没有缘分:～得见。❷ 副 无从:～分辩。

【无源之水,无本之木】wú yuán zhī shuǐ, wú běn zhī mù 没有源头的水,没有根的树木,比喻没有基础的事物。

【无政府主义】wúzhèngfǔ zhǔyì ❶ 19世纪上半叶,以法国蒲鲁东、俄国巴枯宁等为代表的一种小资产阶级的政治思潮。否定在任何历史条件下的一切国家政权,反对任何组织、纪律和权威。曾译作安那其主义。❷ 指革命队伍中不服从组织纪律的思想和行为。

【无知】wúzhī 形 缺乏知识;不明事理:年幼～│～妄说。

【无中生有】wú zhōng shēng yǒu 凭空捏造。

【无着】wúzhuó 动 没有着落:西郊古寺的修缮经费至今～。

【无足轻重】wú zú qīng zhòng 无关紧要。也说无足重轻。

【无阻】wúzǔ 动 没有阻碍:畅行～│风雨～。

【无罪推定】wúzuì tuīdìng 刑事被告人在没有经过法院依法判决其有罪时应当被认定为无罪的原则(跟"有罪推定"相对)。

【无坐力炮】wúzuòlìpào 名 射击时炮身不向后坐的火炮,重量轻,射程较近,主要用来摧毁近距离的装甲目标和火力点。也叫无后坐力炮。

毋 wú ❶〈书〉副 表示禁止或劝阻,相当于"不要":～妄言│宁缺～滥。❷(Wú)名 姓。

【毋宁】(无宁)wúnìng 副 表示"不如":这

与其说是奇迹,～说是历史发展的必然产物。

【毋庸】(无庸)wúyōng 副 无须:～讳言│～置疑。

芜(蕪)wú〈书〉❶ 草长得多而乱:荒～。❷ 乱草丛生的地方:平～(草木丛生的原野)。❸ 比喻杂乱(多指文辞):繁～。

【芜鄙】wúbǐ 〈书〉形(文章)杂乱浅陋。

【芜秽】wúhuì 形 形容乱草丛生:荒凉~。

【芜菁】wújīng 名 一年生或二年生草本植物,块根肉质,白色或红色,扁球形或长形,叶子狭长,有大缺刻,花黄色。块根可做蔬菜。❷ 这种植物的块根。‖也叫蔓菁(mán·jing)。

【芜劣】wúliè 〈书〉形(文章)杂乱拙劣。

【芜杂】wúzá 形 杂乱;没有条理:文章内容～│昔日～的荒园已经成了游览胜地。

吾 wú ❶〈书〉代 人称代词。我,我们(多做主语或定语):～师│～国│～三省(xǐng)～身。❷(Wú)名 姓。

【吾辈】wúbèi 〈书〉名 我们这些人。

【吾侪】wúchái 〈书〉名 我们这些人。

吴(吴)wú ❶ 名 周朝国名,在今江苏南部和浙江北部,后来扩展到淮河流域。❷ 名 三国之一,公元222—280,孙权所建,在长江中下游和东南沿海一带。❸ 指江苏南部和浙江北部一带。❹ 名 姓。

【吴牛喘月】Wú niú chuǎn yuè 据说江浙一带的水牛怕热,见到月亮就以为是太阳而发喘(见于汉代应劭《风俗通·佚文》:"吴牛望月则喘,使之苦于日,见月怖,亦喘矣")。比喻因疑心而害怕。

【吴语】wúyǔ 名 汉语方言之一,分布于上海、江苏东南部分和浙江大部分地区。

【吴茱萸】wúzhūyú 名 落叶小乔木,羽状复叶,小叶卵形或椭圆形,花小,白绿色,果实紫红色,可入药。

郚 wú 鄌郚(Tángwú),地名,在山东。

捂 wú 见1745页〖枝捂〗。

另见1447页 wǔ。

唔 wú 见1604页〖呫唔〗。

另见990页 ńg"嗯"。

语 Wú 语河,水名,在山东。

梧 wú ❶ 指梧桐：碧～。❷（Wú）图姓。

【梧桐】wútóng 图 落叶乔木，叶子掌状分裂，叶柄长，花黄绿色。木材白色，质轻而坚韧，可制造乐器和各种器具。种子可以吃，也可榨油或入药。

鸦（鴉） wú 图 鸟，外形像麻雀，闭嘴时，上嘴的边缘不与下嘴的边缘紧密连接。雄鸟羽毛的颜色较鲜艳。吃种子和昆虫。种类较多，如灰头鸦、黄眉鸦等。

锗（鋙） wú 锟锗（Kūnwú），古书上记载的山名。所产的铁可以铸刀剑，因此锟锗也指宝剑。

另见 1666 页 yǔ。

蜈 wú ［蜈蚣］（wú·gōng）图 节肢动物，身体长而扁，头部金黄色，背部暗绿色，腹部黄褐色，头部有鞭状触角，躯干由许多环节构成，每个环节有一对足。第一对足呈钩状，有毒腺，能分泌毒液。吃小昆虫。可入药。

鼯 wú ［鼯鼠］（wúshǔ）图 哺乳动物，外形像松鼠，前后肢之间有宽大的薄膜，尾长，背部褐色或灰黑色。生活在高山树林中，能利用前后肢之间的薄膜从高处向下滑翔，吃植物的皮、果实和昆虫等。

wǔ（ㄨˇ）

五¹ wǔ ❶ 数 四加一后所得的数目。参看 1271 页〖数字〗。❷（Wǔ）图 姓。

五² wǔ 图 我国民族音乐音阶上的一级，乐谱上用作记音符号。相当于简谱的"6"。参看 468 页〖工尺〗。

【五爱】wǔ·ài 图 我国提倡的公德，指爱祖国、爱人民、爱劳动、爱科学、爱社会主义。

【五倍子】wǔbèizi 图 寄生在盐肤木上的五倍子蚜虫刺激叶细胞而形成的虫瘿，表面灰褐色，含有鞣酸。可入药，也用于染料、制革等工业。也作五棓子。

【五棓子】wǔbèizi 同"五倍子"。

【五彩】wǔcǎi 图 原来指青、黄、赤、白、黑五种颜色，后来泛指各种颜色：～缤纷。

【五大三粗】wǔ dà sān cū 形容人身体高大粗壮；魁梧：这个～的青年人，浑身有使不完的力气。

【五代】Wǔ Dài 图 唐朝以后，后梁、后唐、后晋、后汉、后周先后在中原建立政权的时期，公元907—960。

【五帝】Wǔ Dì 图 见 1171 页〖三皇五帝〗。

【五斗米道】Wǔdǒumǐdào 图 道教的一派，东汉末年张道陵所创，入道者须出五斗米而得名。

【五毒】wǔdú 图 指蝎、蛇、蜈蚣、壁虎、蟾蜍五种动物。旧俗端午节在床下墙角洒雄黄水祛五毒。

【五短身材】wǔduǎn-shēncái 指四肢和躯干短小的身材。

【五方】wǔfāng 图 指东、西、南、北和中央，泛指各地。

【五方杂处】wǔfāng zá chù 形容某地的居民复杂，从各个地方来的人很多。

【五分制】wǔfēnzhì 图 学校评定学生成绩的一种记分方法。五分为最高成绩，三分为及格。

【五服】wǔfú 图 古时丧服分跟死者关系的亲疏分为五种，指高祖父、曾祖父、祖父、父亲、自身五代，后用出没出五服表示家族关系的远近：没出～｜出了～的远房兄弟。

【五更】wǔgēng 图 ❶ 旧时从黄昏到拂晓一夜间分为五更，即一更、二更、三更、四更、五更。❷ 指第五更：起～，睡半夜。

【五古】wǔgǔ 图 每句五字的古体诗。参看 488 页〖古体诗〗。

【五谷】wǔgǔ 图 古书中对五谷有不同的说法，通常指稻、黍、稷、麦、豆，泛指粮食作物：～丰登。

【五官】wǔguān 图 指耳、目、口、鼻、舌，通常指脸上的器官：～端正。

【五光十色】wǔ guāng shí sè 形容色彩鲜艳，式样繁多：展品～，琳琅满目。

【五行八作】wǔ háng bā zuō 泛指各种行业（作：作坊）。

【五湖四海】wǔ hú sì hǎi 指全国各地。

【五花八门】wǔ huā bā mén 比喻花样繁多或变幻多端。

【五花大绑】wǔ huā dà bǎng 绑人的一种方法，用绳索套住脖子并绕到背后反剪两臂。

【五花肉】wǔhuāròu 图 作为食物的肥瘦分层相间的猪肉。有的地区叫五花儿。

【五环旗】Wǔhuánqí 图指国际奥林匹克委员会会旗,旗面白色,上面印有五个环环相套的圆环,分别为蓝、黄、黑、绿、红五种颜色。

【五黄六月】wǔ huáng liùyuè 指农历五月、六月间天气炎热的时候。

【五荤】wǔhūn 图佛教指大蒜、韭菜、薤(xiè)、葱、兴渠(根像萝卜,气味像蒜)五种有气味的蔬菜。

【五加】wǔjiā 图落叶灌木,叶有长柄,掌状复叶,小叶倒卵形,花黄绿色,果实球形,紫黑色。根皮或树皮可入药,叫五加皮。

【五讲四美】wǔjiǎng-sìměi 我国人民在社会生活中总结出来的关于社会主义精神文明的行为规范。“五讲”指讲文明、讲礼貌、讲卫生、讲秩序、讲道德,“四美”指心灵美、语言美、行为美、环境美。

【五角大楼】Wǔjiǎo Dàlóu 美国国防部的办公大楼,外形为五角形,常用作美国国防部的代称。

【五金】wǔjīn 图指金、银、铜、铁、锡,泛指金属或金属制品:~商店|小~。

【五经】Wǔ Jīng 图指《易》、《书》、《诗》、《礼》、《春秋》五种儒家经书。

【五绝】wǔjué 图五言绝句。一首四句,每句五个字。参看 747 页〖绝句〗。

【五劳七伤】(五痨七伤) wǔ láo qī shāng 中医学上五劳指心、肝、脾、肺、肾五脏的劳损;七伤指大怒伤脾,大怒气逆伤肝,强力举重、久坐湿地伤肾,形寒饮冷伤肺,忧愁思虑伤心,风雨寒暑伤形,恐惧不节伤志。泛指身体虚弱多病。

【五雷轰顶】wǔ léi hōng dǐng 比喻遭到巨大的打击:他听到这话犹如~,一下子瘫坐在椅子上。

【五里雾】wǔlǐwù 图据说东汉张楷“好道术,能作五里雾”(见于《后汉书·张楷传》),现在比喻迷离恍惚,不明真相的境界:如堕~中。

【五敛子】wǔliǎnzǐ 图阳桃。

【五粮液】wǔliángyè 图四川宜宾出产的一种白酒,以五种粮食为原料。

【五岭】Wǔ Lǐng 图指越城岭、都庞岭、萌渚岭、骑田岭、大庾岭,在湖南、江西南部和广西、广东北部交界处。

【五律】wǔlǜ 图五言律诗。一首八句,每句五个字。参看 892 页〖律诗〗。

【五伦】wǔlún 图封建时代称君臣、父子、兄弟、夫妇、朋友五种伦理关系。

【五马分尸】wǔ mǎ fēn shī 车裂。

【五内】wǔnèi〈书〉图五脏,指内心:~如焚(形容内心极为焦虑)|铭感~。

【五日京兆】wǔ rì jīngzhào 西汉张敞为京兆尹(官名),将被免官,有个下属知道了就不肯为他办案子,对人说:“他不过再做五天的京兆尹就是了,还能办什么案子”(见于《汉书·张敞传》)。后来比喻任职时间短或即将去职。

【五卅运动】Wǔ-Sà Yùndòng 中国人民在共产党领导下进行的反帝运动。1925年5月30日,上海群众游行示威。抗议日本纱厂的资本家枪杀领导罢工的共产党员顾正红,到公共租界时遭到英国巡捕的开枪射击。共产党领导上海各界罢工、罢课、罢市,各地纷纷响应,形成了全国性的反帝高潮。

【五色】wǔsè 图五彩:~斑斓|~缤纷。

【五十步笑百步】wǔshí bù xiào bǎi bù 战国时候,孟子跟梁惠王谈话,打了一个比方,有两个兵士从前线上败下来,一个退了五十步,另一个退了一百步。退了五十步的就讥笑退了一百步的,说他不中用。其实两个人都是在退却,只是跑得远近不同罢了(见于《孟子·梁惠王上》)。比喻自己跟别人有同样的缺点或错误,只是程度上轻一些,却讥笑别人。

【五四青年节】Wǔ-Sì Qīngnián Jié 纪念五四运动的节日。在五四运动中,我国青年充分显示了伟大的革命精神和力量。为了使青年继承和发扬这个光荣的革命传统,规定5月4日为青年节。

【五四运动】Wǔ-Sì Yùndòng 中国人民所进行的反帝、反封建的伟大的政治运动和文化运动。1919年5月4日北京学生游行示威,抗议巴黎和会承认日本接管德国侵占中国山东的各种特权的无理决定,运动很快扩大到全国。在五四运动中无产阶级作为觉悟了的独立政治力量登上政治舞台,马克思列宁主义在全国广泛传播,为中国共产党的成立做了准备。

【五体投地】wǔ tǐ tóu dì 指两手、两膝和头着地,是佛教最恭敬的礼节,比喻敬佩到了极点。

【五味】wǔwèi 图指甜、酸、苦、辣、咸五种味道,泛指各种味道。

【五线谱】wǔxiànpǔ 图 在五条平行横线上标记音符的乐谱。

【五香】wǔxiāng 图 指花椒、八角、桂皮、丁香花蕾、茴香子五种调味的香料：～豆。

【五星红旗】Wǔxīng-Hóngqí 中华人民共和国国旗,旗面红色,长方形,长和宽为三与二之比。左上方画五角星五颗。一星较大,居左;四星较小,环拱于大星之右,并各有一个角尖正对大星的中心点。

【五刑】wǔxíng 图 我国古代的主要刑罚,在商、周时代指墨、劓、刖、宫、大辟,隋以后指笞、杖、徒、流、死。

【五行】wǔxíng 图 指金、木、水、火、土五种物质。我国古代思想家企图用这五种物质来说明世界万物的起源。中医用五行来说明生理病理上的种种现象。迷信的人用五行相生相克来推算人的命运。

【五言诗】wǔyánshī 图 每句五字的旧诗,有五言古诗、五言律诗和五言绝句。

【五颜六色】wǔ yán liù sè 指各种颜色：～的花布|～的彩旗。

【五一】Wǔ-Yī 图 五一劳动节的简称。

【五一劳动节】Wǔ-Yī Láodòng Jié 全世界劳动人民团结战斗的节日。1886 年 5 月 1 日,美国芝加哥等地工人举行大罢工和游行示威,反对资本家的残酷剥削,要求实行八小时工作制。经过斗争,取得了胜利。1889 年在恩格斯组织召开的第二国际成立大会上,决定 5 月 1 日为国际劳动节。简称五一。

【五音】wǔyīn 图 ❶ 我国五声音阶上的五个级,相当于现行简谱上的 1、2、3、5、6。古代叫宫、商、角(jué)、徵(zhǐ)、羽。❷ 音韵学上指五类声母在口腔中的五类发音部位,即喉音、牙音、舌音、齿音、唇音。

【五月节】Wǔyuè Jié 图 端午。

【五岳】Wǔ Yuè 图 指东岳泰山、西岳华山、南岳衡山、北岳恒山和中岳嵩山,是我国历史上的五大名山。

【五脏】wǔzàng 图 中医称心、肝、脾、肺、肾为五脏。

【五指】wǔzhǐ 图 手上的五个指头,就是拇指、食指、中指、无名指、小指。

【五中】wǔzhōng 〈书〉图 五脏;指内心：铭感～。

【五洲】wǔzhōu 图 指世界各地：～四海。

【五子棋】wǔzǐqí 图 一种棋类游戏,一般常用围棋子在围棋盘上对下,先把五个棋子连成一条直线的为胜。

午 wǔ ❶ 图 地支的第七位。参看 440 页【干支】。❷ 日中的时候；白天十二点：中～|上～|下～|～饭|～睡。

【午报】wǔbào 图 每天中午出版的报纸。

【午餐】wǔcān 图 午饭。

【午饭】wǔfàn 图 中午吃的饭。

【午后】wǔhòu 图 中午过后；下午。

【午间】wǔjiān 图 中午：～休息。

【午觉】wǔjiào 图 午饭后短时间的睡眠：睡～。

【午前】wǔqián 图 中午之前；上午。

【午时】wǔshí 图 旧式计时法指上午十一点钟到下午一点钟的时间。

【午睡】wǔshuì ❶ 图 午觉。❷ 动 睡午觉：大家都～了,说话请小声一些。

【午休】wǔxiū 动 午间休息：照顾孩子～。

【午宴】wǔyàn 图 中午举行的宴会。

【午夜】wǔyè 图 半夜,夜里十二点前后。

伍 wǔ ❶ 古代军队的最小单位,由五个人编成,现在泛指军队：队～|入～|行～。❷ 同伙的人：羞与为～。❸ 数 "五"的大写。参看 1271 页【数字】。❹ (Wǔ)图 姓。

【伍的】wǔ·de 〈方〉助 等等；之类；什么的：买个篮子,装点东西～|铅笔、橡皮、笔记本～。

仵 wǔ ❶ 同作。❷ (Wǔ)图 姓。

【仵作】wǔzuò 图 旧时官府中检验命案死尸的人。

迕 wǔ 〈书〉❶ 遇见；相～。❷ 违背；不顺从：违～。

庑(廡) wǔ 〈书〉正房对面和两侧的小屋子：东～|西～|廊～|～下。

沕(潕) Wǔ 沕水,水名,沅江的支流,上源在贵州,叫潕阳河。

怃(憮) wǔ 〈书〉❶ 爱怜。❷ 失意：～然。

【怃然】wǔrán 〈书〉形 形容失望的样子。

忤(啎) wǔ 不顺从；不和睦：～逆|与人无～。

【忤逆】wǔnì 动 不孝顺(父母)：～不孝。

妩(嫵、娬) wǔ [妩媚](wǔmèi) 形 形容女子、花木等姿

态美好可爱：～多姿|～动人。

武¹ wǔ ❶ 关于军事的(跟"文"相对)：～器|～装|～力。❷ 关于技击的：～术|～艺。❸ 勇猛；猛烈：英～|威～|火。❹ (Wǔ)姓。

武² wǔ 〈书〉半步，泛指脚步：继～|踵～。参看 120 页【步武】。

【武把子】wǔbǎ·zi 〈方〉图 ❶ 指戏曲中表演武打的角色。❷ 把子²。

【武备】wǔbèi 〈书〉图 武装力量和武器装备；国防建设：有文者必有～。

【武昌起义】Wǔchāng Qǐyì 1911 年在湖北武昌举行的起义。参看 1515 页【辛亥革命】。

【武昌鱼】wǔchāngyú 图 团头鲂。

【武场】wǔchǎng 图 戏曲伴奏乐队中的打击乐部分。

【武丑】wǔchǒu (～儿)图 戏曲中丑角的一种，扮演有武艺而性格滑稽的人物，偏重武工。

【武打】wǔdǎ 动 戏曲、影视中用武术表演的搏斗：～片|～场面。

【武旦】wǔdàn 图 戏曲中旦角的一种，扮演有武艺的妇女，偏重武工。

【武断】wǔduàn ❶ 动 只凭主观作判断：我对此事知之不详，不敢～。❷ 形 形容言行主观片面：说话|这样作决定，未免太～了。❸ 〈书〉动 妄以权势裁断曲直：～乡曲。

【武夫】wǔfū 图 ❶ 有勇力的人：赳赳～。❷ 指军人：一介～。

【武工】wǔgōng 同"武功"③。

【武功】wǔgōng 图 ❶ 〈书〉指军事方面的功绩：～赫赫|文治～。❷ 武术功夫：他练过～。❸ 戏曲中的武术表演。也作武工。

【武官】wǔguān 图 ❶ 指军官。❷ 使馆的组成人员之一，是本国军事主管部门向使馆驻在国派遣的代表，同时也是外交代表在军事问题上的顾问。

【武行】wǔháng 图 戏曲中专门表演武打的配角，多出现在开打的场面里。

【武火】wǔhuǒ 图 烹饪时用的较猛的火。

【武将】wǔjiàng 图 指军官；将领。

【武警】wǔjǐng 图 武装警察的简称。

【武库】wǔkù 图 储藏兵器的仓库。

【武力】wǔlì 图 ❶ 强暴的力量。❷ 军事

力量。

【武林】wǔlín 图 指武术界：～新秀|～高手。

【武庙】wǔmiào 图 供奉关羽的庙，也指关羽、岳飞合祀的庙。

【武器】wǔqì 图 ❶ 直接用于杀伤敌人有生力量和破坏敌方作战设施的器械、装置，如刀、枪、火炮、导弹等。❷ 泛指进行斗争的工具：思想～。

【武人】wǔrén 图 指军人。

【武生】wǔshēng 图 戏曲中生角的一种，扮演勇武的男子，偏重开打。

【武师】wǔshī 图 旧时对擅长武术的人的尊称。

【武士】wǔshì 图 ❶ 古代守卫宫廷的卫兵。❷ 有勇力的人。

【武士道】wǔshìdào 图 日本幕府时代武士遵守的封建道德，内容是绝对效忠于封建主，甚至不惜葬送身家性命。

【武术】wǔshù 图 打拳和使用兵器的技术，是我国传统的体育项目。

【武松】Wǔ Sōng 图《水浒传》中人物之一，勇武有力，曾徒手打死猛虎，一般把他当做英雄好汉的典型。

【武戏】wǔxì 图 以武工为主的戏(区别于"文戏")。

【武侠】wǔxiá 图 侠客：～小说。

【武侠小说】wǔxiá xiǎoshuō 主要写侠客、义士行侠仗义故事的小说。

【武艺】wǔyì 图 武术上的本领：～高强。

【武职】wǔzhí 图 武官的职务。

【武装】wǔzhuāng ❶ 图 军事装备：～力量|解除～。❷ 动 用武器来装备：缴获的武器，足够～我军两个师◇用现代科学知识～头脑。❸ 图 用武器装备起来的队伍：军队；地方～。

【武装部队】wǔzhuāng bùduì 军队。

【武装警察】wǔzhuāng jǐngchá 国家武装力量的一部分，担负守卫国家重要工矿、企业、交通设施，维持治安，警备城市和保卫国家边疆安全等任务。也称武装警察部队的士兵。简称武警。

【武装力量】wǔzhuāng lìliàng 国家的正规军队及其他武装组织的总称。

侮 wǔ 欺负；轻慢：欺～|外～|御～|民意不可～。

【侮慢】wǔmàn 动 欺侮轻慢；肆意～。

【侮蔑】wǔmiè 勋 轻视;轻蔑。

【侮辱】wǔrǔ 勋 使对方人格或名誉受到损害,蒙受耻辱:~人格|遭受~。

捂(搵) wǔ 勋 遮挡住或封闭起来:~着嘴笑|放在罐子里~起来,免得走味。

另见 1442 页 wú。

【捂盖子】wǔ gài·zi 比喻掩盖矛盾,不让把问题或坏人坏事揭发出来。

悟 wǔ〈书〉违背;不顺从:抵~|~意(违背心意)。

珷 wǔ [珷玞](wǔfū)〈书〉名 像玉的石块。也作碔砆。

鹉(鵡) wǔ 见 1633 页〖鹦鹉〗。

碔 wǔ [碔砆](wǔfū)同"珷玞"。

舞 wǔ ❶名 舞蹈①:芭蕾~|跳了一个~。❷名 舞蹈②;做出舞蹈的动作:载歌载~|手~足蹈◇眉飞色~。❸勋 拿着某种东西而舞蹈:~剑|~龙灯。❹勋 挥舞:手~双刀。❺耍;玩弄:~弊|~文弄墨。❻〈方〉勋 搞;弄:每家出个人,这事就~起来了。

【舞伴】wǔbàn （～儿)名 跟自己一起跳交谊舞的人。

【舞弊】wǔbì 勋 用欺骗的方式做违法乱纪的事情:徇私~。

【舞步】wǔbù 名 跳舞的步子:~轻盈。

【舞场】wǔchǎng 名 营业性的供人跳交谊舞等的场所。

【舞池】wǔchí 名 供跳交谊舞用的地方,多在舞厅的中心,比休息的地方略低,所以叫舞池。

【舞蹈】wǔdǎo ❶名 以有节奏的动作为主要表现手段的艺术形式,可以表现出人的生活、思想和感情,一般用音乐伴奏。❷勋 表演舞蹈。

【舞动】wǔdòng 勋 挥舞;摇摆:~双刀|柳枝在春风中~。

【舞会】wǔhuì 名 跳交谊舞的集会。

【舞剧】wǔjù 名 主要用舞蹈来表现内容和情节的戏剧。

【舞美】wǔměi 名 ❶舞台美术的简称:~设计|~艺术。❷从事舞台美术工作的人。

【舞迷】wǔmí 名 喜欢跳舞而入迷的人(多指跳交谊舞)。

【舞弄】wǔnòng 勋 ❶挥舞耍弄;挥舞着手中的东西玩儿:~棍棒。❷〈方〉弄;搞:她想做个鸡笼子,可是自己不会~。

【舞女】wǔnǚ 名 以伴人跳舞为职业的女子,一般受舞场雇用。

【舞曲】wǔqǔ 名 配合舞蹈的节奏作成的乐曲,多用来为舞蹈伴奏。

【舞台】wǔtái 名 供演员表演的台:~艺术|~生活◇历史~|政治~。

【舞台美术】wǔtái měishù 舞台上的造型艺术。包括布景、道具、灯光、服装、化装等,用以营造环境,烘托气氛,塑造人物形象等。简称舞美。

【舞厅】wǔtīng 名 ❶专供跳舞用的大厅。❷舞场。

【舞文弄法】wǔ wén nòng fǎ 舞文弄墨①。

【舞文弄墨】wǔ wén nòng mò ❶歪曲法律条文作弊。也说舞文弄法。❷玩弄文字技巧。

【舞星】wǔxīng 名 著名的舞蹈演员。

【舞姿】wǔzī 名 舞蹈的姿态:~翩翩。

潕 wǔ 潕阳河(Wǔyáng Hé),水名,发源于贵州,流到湖南叫沅水。

wù （ㄨˋ）

兀 wù〈书〉❶高高地突起:突~。❷形容山秃,泛指秃:~鹫。

另见 1434 页 wū。

【兀傲】wù'ào〈书〉形 高傲:负才~。

【兀鹫】wùjiù 名 鸟,身体很大,头部较小,嘴端有钩,头和颈的羽毛稀少或全秃,翼长,视觉特别敏锐。生活在高原山麓地区,是猛禽,主要吃死尸。也叫兀鹰。

【兀立】wùlì〈书〉勋 直立:巍然~|危峰~。

【兀臬】wùniè 同"杌陧"。

【兀鹰】wùyīng 名 兀鹫。

【兀自】wùzì〈方〉副 仍旧;还是:想起方才的噩梦,心头~突突地跳。

勿 wù 副 表示禁止或劝阻,相当于"不要":切~上当|请~入内。

【勿谓言之不预】wù wèi yán zhī bù yù 不要说没有预先说过。表示有言在先。

乌(烏) wù 见下。

另见 1434 页 wū。

【乌拉】wù·la 图 东北地区冬天穿的鞋，用皮革制成，里面垫乌拉草。也作靰鞡。另见1434页 wūlā。

【乌拉草】wù·lācǎo 图 多年生草本植物，叶子细长，花穗绿褐色。茎和叶晒干捶软后，垫在鞋或靴子里，可以保暖。主要生长在我国东北地区。

戊 wù 图 ❶ 天干的第五位。参看440页〖干支〗。❷（Wù）姓。

【戊戌变法】Wùxū Biànfǎ 指1898年（农历戊戌年）以康有为为首的改良主义者通过光绪皇帝所进行的资产阶级政治改革，主要内容是，学习西方，提倡科学文化，改革政治、教育制度，发展农、工、商业等。这次运动遭到以慈禧太后为首的守旧派的强烈反对。这年九月慈禧太后等发动政变，光绪被囚，维新派遭捕杀或逃亡国外。历时仅一百零三天的变法终于失败。也叫戊戌维新、百日维新。

务（務） wù ❶ 事情：事～|任～|公～。❷ 从事；致力：～农|好高～远。❸ 旧时收税的关卡（今只用于地名）：曹家～（在河北）|商洒～（在河南）。❹ 副 务必；～须|除恶～尽|～请按时参加。❺（Wù）图 姓。

【务必】wùbì 副 必须；一定要：大家都希望听你的学术报告，你～去讲一次。

【务工】wùgōng 动 从事工业或工程方面的工作。

【务农】wùnóng 动 从事农业生产。

【务期】wùqī 动 一定要：～必克|～有成。

【务求】wùqiú 动 必须要求（达到某种情况或程度）：～善始善终|～早日完成任务。

【务实】wùshí ❶（-//-）动 从事或讨论具体的工作。❷ 形 讲究实际，不求浮华。

【务须】wùxū 副 务必；必须：～准时到达。

【务虚】wù//xū 动 就某项工作的政治、思想、政策、理论方面进行研究讨论。

【务正】wùzhèng 动 从事正当的职业；做正当的事情；走正路：不～|回心～。

阢 wù ［阢陧］(wùniè) 同"扤陧"。

扤 wù 〈书〉撼动。

屼 wù 〈书〉形容山秃。

坞（塢、隖） wù ❶ 地势周围高而中央凹的地方：山～。❷ 四面高而挡风的建筑物：船～|花～。❸〈书〉防御用的建筑物，小型的城堡：村～。

芴 wù 图 有机化合物，化学式 $C_{13}H_{10}$。白色片状晶体，不纯时有荧光，存在于煤焦油中。用来制染料、杀虫剂和药物等。［英 fluorene］

机 wù 杌子。

【杌凳】wùdèng （～儿）图 杌子。

【杌陧】wùniè 〈书〉形（局势、局面、心情等）不安定。也作阢陧、兀臬。

【杌子】wù·zi 图 凳子（多指矮小的）。

物 wù ❶ 东西；事物：动～|货～|～质|～尽其用。❷ 指自己以外的人或跟自己相对的环境：～议|待人接～。❸ 内容；实质：言之有～|空洞无～。❹（Wù）图 姓。

【物产】wùchǎn 图 天然出产和人工制造的物品：我国疆域广大，～丰富。

【物阜民丰】wù fù mín fēng 物产丰富，人民生活富足。

【物故】wùgù 〈书〉动 去世。

【物耗】wùhào 图 物资消耗：降低～。

【物候】wùhòu 图 生物的周期性现象（如植物的发芽、开花、结实，候鸟的迁徙，某些动物的冬眠等）与季节气候的关系。也指自然界非生物变化（如初霜、解冻等）与季节气候的关系。

【物化】wùhuà 〈书〉动 去世。

【物化劳动】wùhuà láodòng 经济学上指凝结或体现在产品中的劳动（跟"活劳动"相对）。也叫死劳动。

【物换星移】wù huàn xīng yí 景物改变了，星辰的位置也移动了，指节令变化，时间推移。也说星移物换。

【物极必反】wù jí bì fǎn 事物发展到极端，就会向相反的方面转化。

【物价】wùjià 图 货物的价格：～稳定|～波动|哄抬～。

【物价指数】wùjià zhǐshù 用某一时期的物价平均数作为基数，把另一时期的物价平均数跟它相比，所得的百分数就是后一时期的物价指数，可以用它来表明商品价格变动的情况。

【物件】wùjiàn 图 泛指成件的东西；物品：小～|稀罕～。

【物镜】wùjìng 名 显微镜、望远镜等光学仪器上对着被观察物体的透镜或透镜组。

【物理】wùlǐ 名❶ 事物的内在规律;事物的道理:人情~。❷ 物理学。

【物理变化】wùlǐ biànhuà 物质变化中只是改变形态而没有生成其他物质的变化,如汽油挥发、蜡受热熔化等。发生物理变化时,物质的组成和化学性质都不改变。

【物理量】wùlǐliàng 名 量度物质的属性和描述其运动状态时所用的各种量值,如质量、速度、时间、温度、功、能、电压、电流等。

【物理疗法】wùlǐ liáofǎ 一种治疗方法,利用光、电、热蜡、不同温度的水或器械等刺激人体,通过神经反射对全身起作用,达到治疗目的。简称理疗。

【物理性质】wùlǐ xìngzhì 物质不需要发生化学变化就表现出来的性质,如状态、颜色、气味、密度、硬度、沸点、溶解性等。

【物理学】wùlǐxué 名 研究物质运动最一般规律和物质基本结构的学科。包括力学、声学、热学、磁学、光学、原子物理学等。

【物理诊断】wùlǐ zhěnduàn 西医诊断疾病的方法,如观察病人的面色、表情和发育情况,用听诊器听病人心、肺的声音,用手指敲或按病人的胸腹部,用小槌敲病人的肘、膝等关节。

【物力】wùlì 名 可供使用的物资:爱惜人力~,避免滥用和浪费。

【物流】wùliú 名 产品从供应地到接受地的流动转移。一般经过包装、运输、存储、养护、流通加工、信息处理等环节:~业|~中心。

【物品】wùpǐn 名 东西(多指日常生活中应用的):贵重~|零星~。

【物权】wùquán 名 可直接对物控制、利用和支配并排除他人干涉的权利。

【物色】wùsè 动 寻找(需要的人才或东西):~演员|~衣料。

【物伤其类】wù shāng qí lèi 指动物因同类遭到了不幸而感到悲伤,比喻因同伙受到打击而伤心(多含贬义)。

【物事】wùshì 名❶〈书〉事情:作何~。❷〈方〉物品;东西:啥~。

【物态】wùtài 名 聚集态。

【物探】wùtàn 动 物理勘探,用物理学的原理和方法研究地质构造,测定矿体的分布情况。包括电法勘探、磁法勘探、重力勘探、地震勘探等。

【物体】wùtǐ 名 由物质构成的、占有一定空间的个体:运动~|透明~。

【物外】wùwài〈书〉名 世事之外:超然~。

【物象】wùxiàng 名❶ 动物、器物等在不同的环境中显示的现象。我国劳动人民常根据物象作为预测天气变化的辅助手段。❷ 物体的形象:摹写~。

【物像】wùxiàng 名 来自物体的光通过小孔或受到反射、折射后形成的像。

【物业】wùyè 名 通常指建成并投入使用的各类房屋(如公寓、商品房、写字楼等)以及配套的设备、设施、场地等:~公司|~管理。

【物以类聚】wù yǐ lèi jù 同类的东西常聚在一起,现在多指坏人跟坏人常凑在一起:~,人以群分。

【物议】wùyì〈书〉名 众人的批评:免遭~。

【物欲】wùyù 名 想得到物质享受的欲望。

【物证】wùzhèng 名 对查明案件事实情况有价值的物品和痕迹,如犯罪凶器、被窃财物、现场指纹等(区别于"人证")。

【物质】wùzhì 名❶ 独立存在于人的意识之外的客观实在。❷ 特指金钱、生活资料等:~生活|~奖励|贪图~享受。

【物质的量】wùzhì de liàng 表示含有一定数目粒子的集体,是国际单位制基本量之一,数值上等于粒子数与阿伏伽德罗常量的比。单位是摩尔。

【物质损耗】wùzhì sǔnhào 见 1654 页【有形损耗】。

【物质文明】wùzhì wénmíng 人类在社会历史发展过程中所创造的、体现社会生产力发展进步的物质成果。

【物种】wùzhǒng 名 生物分类的基本单位,不同物种的生物在生态和形态上具有不同特点。物种是由共同的祖先演变发展而来的,也是生物继续进化的基础。一般条件下,一个物种的个体不和其他物种中的个体交配,即使交配也不易产生出有生殖能力的后代。简称种。

【物主】wùzhǔ 名 物资或物品的所有者,多指失落或失窃的财物的所有者。

【物资】wùzī 名 生产上和生活上所需要的物质资料:~交流|~丰富|战略~。

虺 wù 见 1000 页[魍虺]。

误(误、悮) wù ❶ 错误:～解|笔～|～入歧途。❷ 动 耽误:～点|别～了大事。❸ 动 使受损害:～人子弟|～人不浅。❹ 不是故意地:～伤|～触忌讳。

【误差】 wùchā 名 测定的数值或计算中的近似值与准确值的差,如用 0.33 代替 1/3,误差为 1/300。

【误场】 wù//chǎng 动 演出时,演员该上场而没有上场。

【误传】 wùchuán ❶ 动 不正确地传播(消息等):开会日期～为下月中旬。❷ 名 不真实的传闻:不要相信～。

【误导】 wùdǎo 动 不正确地引导:由于新闻媒体的～,一些读者产生了误会。

【误点】 wù//diǎn 动 晚点。

【误岗】 wù//gǎng 动 没有按时到岗位上工作:因贪酒睡觉而误了岗。

【误工】 wù//gōng 动 耽误工作。也指生产劳动中缺勤或迟到。

【误国】 wùguó 动 贻误国事,使国家受损害:奸臣～。

【误会】 wùhuì ❶ 动 误解对方的意思:我～了他的意思。❷ 名 对对方意思的误解:消除～。

【误解】 wùjiě ❶ 动 理解得不正确:我没这个意思,你～了。❷ 名 不正确的理解:这是一种～。

【误期】 wù//qī 动 延误期限:必须按时完工,不能～。

【误区】 wùqū 名 指较长时间形成的某种错误认识或错误做法:引导青年走出～。

【误杀】 wùshā 动 主观上无杀人意图,因失误而伤人致死(区别于"故杀")。

【误伤】 wùshāng 动 无意中使人身体受伤。

【误事】 wù//shì 动 耽误事情:酒喝多了容易～。

【误诊】 wùzhěn 动 ❶ 错误地诊断:把肺炎～为感冒。❷ 延误时间,使诊治失掉:离医院很远,因而～。

恶(恶) wù 讨厌;憎恨(跟"好"hào 相对):好～|深～|痛绝。
另见 355 页 ě;356 页 è;1436 页 wū。

悟 wù 动 了解;领会;觉醒:觉～|若有所～|恍然大～|～出一个道理。

【悟性】 wùxìng 名 指人对事物的分析和理解的能力:有～|～差。

晤 wù 〈书〉见面:会～|～谈|～面。

【晤面】 wùmiàn 〈书〉动 见面:久未～,近来可好?

【晤谈】 wùtán 〈书〉动 见面交谈:～片刻。

焐 wù 动 用热的东西接触凉的东西使变暖:～酒|用热水袋～一～手。

靰 wù [靰鞡](wù·la)同"乌拉"(wù·la)。

痦(疕) wù [痦子](wù·zi)名 隆起的痣,半球形,红色或黑褐色。参看 1760 页"痣"。

婺 Wù ❶ 婺江,水名,就是乐安江的上游,在江西。❷ 指婺州(旧州名,在今浙江金华一带):～剧。

【婺剧】 wùjù 名 浙江地方戏曲剧种之一,原名金华戏,流行于该省金华(在元代以前叫婺州)地区。

骛(骛) wù 〈书〉❶ 纵横奔驰:驰～。❷ 追求;务②:外～|好高～远。

雾(雾) wù ❶ 名 气温下降时,在接近地面的空气中,水蒸气凝结成的悬浮的微小水滴。❷ 指像雾的许多小水点:喷～器。

【雾霭】 wù'ǎi 〈书〉名 雾气:江面上～蒙蒙。

【雾沉沉】 wùchénchén (～的)形 状态词。雾气浓重的样子:山上～的模糊一片。

【雾茫茫】 wùmángmáng (～的)形 状态词。雾气迷茫的样子:～的山路上什么也看不清。也说雾蒙蒙。

【雾蒙蒙】 wùméngméng (～的)形 状态词。雾茫茫。

【雾气】 wùqì 名 雾①:湖面上～弥漫。

【雾凇】 wù·sōng 名 寒冷天,雾冻结在树木的枝叶上或电线上而成的白色松散冰晶。通称树挂。

寤 wù 〈书〉❶ 睡醒。❷ 同"悟"。

鹜(鹜) wù 〈书〉鸭子:趋之若～。

鋈 wù 〈书〉❶ 白铜。❷ 镀。

X

xī（ㄒㄧ）

夕 xī ❶ 太阳落的时候;傍晚:～阳｜～照｜朝发～至｜朝令～改。❷ 泛指晚上:前～除｜～风雨之～。❸(Xī)图 姓。

【夕烟】xīyān 图 黄昏时的烟雾:～缭绕。

【夕阳】xīyáng ❶ 图 傍晚的太阳:～西下。❷ 图 属性词。比喻传统的、因缺乏竞争力而日渐衰落、没有发展前途的:～产业。

【夕照】xīzhào 图 傍晚的阳光:西湖在～中显得格外妩媚。

兮 xī ❶〈书〉助 跟现代的"啊"相似:大风起～云飞扬｜力拔山～气盖世。❷(Xī)图 姓。

【兮兮】xīxī 〈方〉后缀,用在某些词的后面,表示情态:脏～｜可怜～｜神经～。

西 xī ❶ 图 方位词。四个主要方向之一,太阳落下去的一边:～面｜河～｜往～去｜夕阳～下。❷(Xī)西洋;内容或形式属于西洋的:～餐｜～医｜～服｜～式｜学费中～。❸(Xī)图 姓。

【西安事变】Xī'ān Shìbiàn 指 1936 年 12 月 12 日张学良和杨虎城两将军在西安扣押蒋介石、要求联共抗日的事件。中国共产党从中调解,在停止内战一致对外的条件下释放了蒋介石。

【西半球】xībànqiú 图 地球的西半部,通常从西经 20°起向西到东经 160°止。陆地包括南美洲、北美洲和南极洲的一部分。

【西北】xīběi 图 ❶ 方位词。西和北之间的方向。❷(Xīběi)指我国西北地区,包括陕西、甘肃、青海、宁夏、新疆等省区和内蒙古自治区西部。

【西边】xī·bian （～儿）图 方位词。西①。

【西餐】xīcān 图 西式的饭食,吃时用刀、叉。

【西点】xīdiǎn 图 西式糕点。

【西法】xīfǎ 图 西洋的方法:～洗染。

【西番莲】xīfānlián 图 ❶ 缠绕草本植物,叶子掌状分裂,花有黄、粉红等颜色,浆果黄色。全草可入药。❷〈方〉大丽花。

【西方】xīfāng 图 ❶ 方位词。西①。❷(Xīfāng)指欧美各国,有时特指欧洲各国和美国:～国家。❸ 佛教徒指西天。

【西非】Xī Fēi 图 非洲西部,包括毛里塔尼亚、马里、塞内加尔、冈比亚、布基纳法索、几内亚比绍、几内亚、塞拉利昂、佛得角、利比里亚、科特迪瓦、加纳、多哥、贝宁、尼日尔、尼日利亚以及加那利群岛、西撒哈拉等。

【西风】xīfēng 图 ❶ 指秋风。❷ 指西洋习俗、文化等:～东渐。❸ 比喻日趋没落的腐朽势力。

【西凤酒】xīfèngjiǔ 图 陕西凤翔柳林镇出产的一种白酒。

【西服】xīfú 图 西洋式的服装,有时特指男子穿的西式上衣、背心和裤子。

【西宫】xīgōng 图 皇帝的妃嫔住的地方,借指妃嫔。

【西瓜】xī·guā 图 ❶ 一年生草本植物,茎蔓生,叶子羽状分裂,花淡黄色。果实球形或椭圆形,果肉水分很多,味甜。❷ 这种植物的果实。

【西汉】Xī Hàn 图 朝代,公元前 206—公元 25,自刘邦称汉王起,到刘玄更始止,包括王莽称帝时期(公元 9—23)。建都长安(今陕西西安)。也叫前汉。

【西红柿】xīhóngshì 图 番茄。

【西葫芦】xīhú·lu 图 ❶ 一年生草本植物,茎蔓生或矮生,有棱和棱沟,叶子略呈三角形,有深裂。果实长圆筒形,通常深绿色间黄褐色,是常见蔬菜。❷ 这种植物的果实。

【西化】xīhuà 动 欧化。

【西画】xīhuà 图 西洋画的简称。

【西晋】Xī Jìn 图 朝代,公元 265—317,自武帝(司马炎)泰始元年起,到愍帝(司马邺)建兴五年止。建都洛阳。

【西经】xījīng 图 本初子午线以西的经度或经线。参看 717 页〖经度〗、718 页〖经线。

【西蓝花】xīlánhuā 名 二年生草本植物，是甘蓝的一个变种。叶子大，主茎顶端形成肥大的花球，绿色或紫绿色，表面的小花蕾不密集在一起，侧枝的顶端各生小花球。原产意大利，是常见蔬菜。通称绿菜花。

【西历】xīlì 名 旧时指公历。

【西门】Xīmén 名 姓。

【西面】xī·miàn （～儿）名 方位词。西边。

【西南】xīnán 名 ❶ 方位词。西和南之间的方向。❷ (Xīnán) 指我国西南地区，包括四川、云南、贵州、西藏等省区和重庆市。

【西南非】Xīnán Fēi 名 非洲西南部，包括喀麦隆、赤道几内亚、加蓬、刚果、圣多美和普林西比等国。

【西南亚】Xīnán Yà 名 西亚。

【西欧】Xī Ōu 名 欧洲西部，包括英国、爱尔兰、荷兰、比利时、卢森堡、法国和摩纳哥。作为一个政治地理名称，过去曾把欧洲除原东欧国家以外的所有国家称为西欧国家。

【西皮】xīpí 名 戏曲声腔之一，用胡琴伴奏。跟二黄合称皮黄。

【西晒】xīshài 动 房屋门窗朝西的一面午后受阳光照射，夏季室内较热。

【西施】Xīshī 名 春秋时越王勾践献给吴王夫差的美女。后来把西施当做美女的代称。也叫西子。

【西式】xīshì 形 属性词。西洋式样的：～糕点。

【西天】xītiān 名 ❶ 我国古代佛教徒称指印度(印度古称天竺，在我国西南方)。❷ 佛教徒指极乐世界。

【西王母】Xīwángmǔ 名 ❶ 神话中的女神，住在昆仑山的瑶池，她园子里种有蟠桃，人吃了能长生不老。通称王母娘娘。

【西魏】Xī Wèi 名 朝代，公元 535—556，文帝元宝炬所建，建都长安。参看 58 页〖北魏〗。

【西文】xīwén 名 指欧美各国的文字。

【西席】xīxí 名 旧时对幕友或家中请的教师的称呼(古时主位在东，宾位在西)。

【西夏】Xī Xià 名 公元 1038 年党项族建立的政权，在今宁夏、陕西北部、甘肃西北部、青海东北部和内蒙古西部。公元

1227 年为元所灭。

【西学】xīxué 名 旧指欧美的自然科学和社会、政治学说。

【西亚】Xī Yà 名 指亚洲西南部，包括阿富汗、伊朗、阿塞拜疆、亚美尼亚、格鲁吉亚、土耳其、塞浦路斯、叙利亚、黎巴嫩、巴勒斯坦、约旦、以色列、伊拉克、科威特、沙特阿拉伯、也门、阿曼、阿拉伯联合酋长国、卡塔尔、巴林等国家和地区。也叫西南亚。

【西洋】Xīyáng 名 ❶ 指欧美各国：～风俗|～文学。❷ 古代指马来群岛、马来半岛、印度、斯里兰卡、阿拉伯半岛、东非等地：郑和下～。

【西洋画】xīyánghuà 名 指西洋的各种绘画。因工具、材料的不同，可分为铅笔画、油画、木炭画、水彩画、水粉画等。简称西画。

【西洋景】xīyángjǐng 名 ❶ 民间文娱活动的一种装置，若干幅画片左右推动，周而复始，观众从透镜中看放大的画面。画片多是西洋画，所以叫西洋景。❷ 比喻故弄玄虚借以骗人的事物或手法：拆穿～。‖ 也说西洋镜。

【西洋镜】xīyángjìng 名 西洋景。

【西洋参】xīyángshēn 名 多年生草本植物，跟人参同属，根肉质，纺锤形，可入药。原产北美等地。

【西药】xīyào 名 西医所用的药物，通常用合成的方法制成，或从天然产物中提制，如阿司匹林、碘酊、青霉素等。

【西医】xīyī 名 ❶ 从欧美各国传入中国的医学。❷ 运用上述医理论和技术治病的医生。

【西语】xīyǔ 名 指欧美各国的语言：～系。

【西域】Xīyù 名 汉时指现在玉门关以西的新疆和中亚细亚等地区。

【西元】xīyuán 名 旧时指公元。

【西乐】xīyuè 名 指欧美的音乐。

【西周】Xī Zhōu 名 朝代，公元前 1046—公元前 771，自周武王(姬发)灭商兴起，至周平王(姬宜臼)东迁前一年止。建都镐京(今陕西西安西南)。

【西装】xīzhuāng 名 西服。

【西子】Xīzǐ 名 西施。

吸 xī ❶ 动 生物体把液体、气体等引入体内(跟"呼"相对)：呼～|深深地～了

一口气。❷〔动〕吸收：～墨纸｜～尘器。❸〔动〕吸引：～铁石。❹（Xī）〔名〕姓。

【吸尘器】xīchénqì〔名〕清除灰尘和其他细碎脏物用的机器，一般是用电动抽气机把灰尘和其他细碎脏物吸进去。

【吸储】xīchǔ〔动〕（银行、信用社等）吸收存款：增加储蓄种类，扩大～渠道。

【吸毒】xī∥dú〔动〕吸食或注射鸦片、海洛因、可卡因、大麻等毒品。

【吸附】xīfù〔动〕固体或液体把气体或溶质吸过来，使附着在自己表面上，如活性炭吸附毒气和液体中的杂质。

【吸力】xīlì〔名〕引力，多指磁体所表现的吸引力。

【吸溜】xī·liu〈方〉往嘴或鼻子里吸（气体、液体等）并发出响声：～了一下鼻子｜他端起一碗粥，使劲地～了一大口。

【吸墨纸】xīmòzhǐ〔名〕一种质地疏松、吸水性能好的纸。用来吸收墨水。

【吸纳】xīnà❶吸入：～新鲜空气。❷吸收；接纳：～存款｜～下岗职工就业。❸接受；采纳：～先进技术｜～合理化建议。

【吸盘】xīpán❶某些动物用来把身体附着在其他物体上的器官，形状像圆盘，中间凹。乌贼、水蛭等都有这种器官。❷某些藤本植物卷须顶端起吸附作用的器官。❸起重装卸作业中利用电磁吸力或真空吸力吸取物件的盘状装置。

【吸取】xīqǔ〔动〕吸收采取：～养料｜～经验教训。

【吸食】xīshí〔动〕用嘴或鼻吸进（某些食物、毒物）：～滋补液｜～毒品。

【吸收】xīshōu〔动〕❶物体把外界的某些物质吸到内部，如海绵吸收水分，木炭吸收气体等。❷特指机体把组织外部的物质吸到组织内部，如动物黏膜吸收养分，植物的根吸收水和无机盐等。❸物体使某些现象、作用减弱或消失，如弹簧吸收震动，隔音纸吸收声音等。❹组织或团体接受某人为成员：～入党｜～会员。

【吸吮】xīshǔn〔动〕吮吸。

【吸铁石】xītiěshí〔名〕磁铁。

【吸血鬼】xīxuèguǐ〔名〕比喻榨取劳动人民血汗、过着寄生生活的人。

【吸引】xīyǐn〔动〕把别的物体、力量或别人的注意力引到自己这方面来：～力｜这出戏～了不少观众。

汐　xī　夜间的潮。参看161页〖潮汐〗。

希[1]　xī　❶〔动〕希望：～准时出席｜敬～读者指正。❷（Xī）〔名〕姓。

希[2]　xī　同"稀"①。

【希罕】xī·han　见1455页〖稀罕〗。

【希冀】xījì〈书〉〔动〕希望。

【希腊字母】Xīlà zìmǔ　希腊文的字母。数学、物理、天文等学科常用作符号。

希 腊 字 母 表

大写	小写	名　　称	大写	小写	名　称
A	α	阿尔法	N	ν	纽
B	β	贝塔	Ξ	ξ	克西
Γ	γ	伽马	O	o	奥米克戎
Δ	δ	德尔塔	Π	π	派
E	ε	艾普西隆	P	ρ	柔
Z	ζ	泽塔	Σ	σ,ς	西格马
H	η	伊塔	T	τ	陶
Θ	θ	西塔	Υ	υ	宇普西隆
I	ι	约（yāo）塔	Φ	φ	斐
K	κ	卡帕	X	χ	希
Λ	λ	拉姆达	Ψ	ψ	普西
M	μ	谬	Ω	ω	奥米伽

【希奇】xīqí　见1456页〖稀奇〗。

【希求】xīqiú　❶〔动〕希望得到：～大家的帮助。❷〔名〕希望和要求：他现在除了念书，没有别的～。

【希少】xīshǎo　见1456页〖稀少〗。

【希世】xīshì　见1456页〖稀世〗。

【希图】xītú〔动〕心里打算着达到某种目的（多指不好的）；企图：～暴利｜～蒙混过关。

【希望】xīwàng　❶〔动〕心里想着达到某种目的或出现某种情况：他从小就～做一名医生。❷〔名〕希望达到的某种目的或出现的某种情况；愿望：这个～不难实现。❸〔名〕希望所寄托的对象：青少年是我们的未来，是我们的～。

【希望工程】Xīwàng Gōngchéng　通过社会集资和捐赠，救助贫困地区失学儿童的一种措施和活动。1989年10月由中国青少年发展基金会发起。

【希有】xīyǒu　见1456页〖稀有〗。

昔 xī ❶ 从前：～日|～年|今胜于～。❷ (Xī)名 姓。

【昔年】xīnián〈书〉名 往年；从前。

【昔日】xīrì 名 往日；从前：～的荒山，今天已经栽满了果树。

析 xī ❶ 分开；散开：～居|条分缕～|分崩离～。❷ 分析：剖～|解～|几何～|奇文共欣赏，疑义相与～。❸ (Xī)名 姓。

【析产】xīchǎn 动 分割产业，指分家。

【析出】xīchū 动 ❶ 分析出来。❷ 固体从液体或气体中分离出来：～结晶。

【析居】xījū〈书〉动 分家：兄弟～。

【析疑】xīyí〈书〉动 解释疑惑。

矽 xī 名 硅的旧称。

【矽肺】xīfèi 名 硅肺的旧称。

【矽钢】xīgāng 名 硅钢的旧称。

胊 xī 多用于人名。羊舌胊，春秋时晋国大夫。

夽 xī 见 1797 页[奄夽]。

茜 xī 人名用字，多用于外国妇女名字的译音(人名中也有读 qiàn 的)。
另见 1092 页 qiàn。

咥 xī〈书〉笑的样子。

郗 Xī 名 姓。
另见 181 页 Chī。

牺 xī 见下。

【牺惶】xīhuáng 形 ❶〈书〉形容惊慌烦恼。❷〈方〉穷苦。

【牺牺】xīxī〈书〉形 寂寞。

栖 xī [栖栖](xīxī)〈书〉形 形容不安定。
另见 1066 页 qī。

唏 xī〈书〉叹息。

【唏嘘】xīxū 同"欷歔"。

牺(犧) xī〈书〉做祭品用的毛色纯一的牲畜：～牛。

【牺牲】xīshēng ❶ 名 古代为祭祀而宰杀的牲畜。❷ 动 为了正义的目的舍弃自己的生命：流血～|为国～|他～在战场上。❸ 动 放弃或损害一方的利益：～休息时间赶修机器。

【牺牲节】Xīshēng Jié 名 宰牲节。

【牺牲品】xīshēngpǐn 名 指成为牺牲对象的人或物：这对青年成了包办婚姻的～。

息 xī ❶ 呼吸时进出的气：喘～|鼻～|一～尚存，此志不懈。❷ 消息；信～。❸ 停止：～怒|～兵|自强不～|偃旗～鼓|生命不～，战斗不止。❹ 休息：歇～|作～时间表。❺ 滋生；繁殖：蕃～|生～。❻ 利钱；利息：年～|月～|还本付～。❼〈书〉指子女：子～。❽ (Xī)名 姓。

【息肩】xījiān〈书〉动 摆脱职务，卸去责任。

【息怒】xīnù 动 停止发怒：请～，有事好商量。

【息肉】(瘜肉) xīròu 名 因黏膜发育异常而形成的像肉质的突起，多发生在鼻腔或肠道内。

【息事宁人】xī shì níng rén ❶ 从中调解，使争端平息，彼此相安。❷ 在纠纷中自行让步，减少麻烦。

【息讼】xīsòng 动 停止诉讼：只要他能答应提出的条件，我可以～。

【息诉】xīsù 动 停止申诉或诉讼等。

【息息相关】xī xī xiāng guān 呼吸相关联，比喻关系密切。也说息息相通。

【息息相通】xī xī xiāng tōng 息息相关。

【息影】xīyǐng 动 ❶〈书〉指退隐闲居：～家园|杜门～。❷ 指影视演员结束演艺生涯，不再拍戏。

【息止】xīzhǐ 动 停止：永不～地工作。

奚 xī ❶〈书〉代 疑问代词。何。❷ (Xī)名 姓。

【奚落】xīluò 动 用尖刻的话数说别人的短处，使人难堪；讥讽嘲笑：他被～了一顿。

【奚幸】xīxìng 同"傒倖"。

浠 Xī ❶ 浠水，水名，又地名，都在湖北。❷ 名 姓。

悕 xī〈书〉悲伤。

娭 xī〈书〉同"嬉"。
另见 3 页 āi。

菥 xī [菥蓂](xīmì)名 遏蓝菜。

硒 xī 名 非金属元素，符号 Se(selenium)。灰色、红色晶体或红色无定形粉末。晶态硒能够导电，导电能力随光照强度的增减而改变。是一种半导体材料，可用来制造光电池等。

晞 xī〈书〉❶ 干;干燥:晨露未～。❷ 破晓;天亮:东方未～。

欷 xī［欷歔(xīxū)〕〈书〉団 哭泣后不自主地急促呼吸;抽搭:相对～|～不已。也作唏嘘。

悉¹ xī 全;尽:～心|～力|～听尊便。

悉² xī 知道;熟～|来函敬～。

【悉数】xīshǔ〈书〉団 全部数出;完全列举:不可～。

【悉数】xīshù〈书〉副 全数;全部:～奉还|～上缴。

【悉心】xīxīn 副 用尽所有的精力:～研究|～照料。

烯 xī 名 烯烃。

【烯烃】xītīng 名 不饱和烃的一类,分子中含有双键结构的开链烃,通式为C_nH_{2n},如乙烯(CH_2＝CH_2)、丁烯(CH_2＝CH—CH＝CH_2)等。

淅 xī ❶〈书〉淘米。❷ (Xī)名 姓。

【淅沥】xīlì 拟声 形容轻微的风声、雨声、落叶声等:秋风～|小雨淅淅沥沥下个不停。

【淅淅】xīxī 拟声 形容轻微的风、雨、雪等的声音。

惜 xī ❶ 爱惜:珍～|寸阴～|～墨如金。❷ 可惜;惋惜:痛～。❸ 吝惜;舍不得:～别|～力|不～工本。

【惜败】xībài 団 比赛中以很小的差距败给对方(含惋惜意):整场比赛我方占有优势,但最后却以一分之差～。

【惜别】xībié 団 不舍得分别;依依～|老师们怀着～的心情,送走了毕业的同学。

【惜贷】xīdài 団 对发放贷款谨慎严格,不轻易放贷。

【惜福】xīfú 団 指珍视自己的福气,不过分享受。

【惜购】xīgòu 団 对购买商品持谨慎、观望态度,不急于购买:持币～。

【惜老怜贫】xī lǎo lián pín 爱护老年人,同情穷人。也说怜贫惜老。

【惜力】xīlì 団 舍不得用力气:干活不～。

【惜墨如金】xī mò rú jīn 指写字、绘画、做

文章下笔非常慎重,力求精练。

【惜售】xīshòu 団 舍不得卖出。

【惜阴】xīyīn 団 爱惜光阴。

晰(晳) xī 清楚;明白:明～|清～。

睎 xī〈书〉❶ 瞭望。❷ 仰慕。

稀 xī ❶ 事物出现得少:～少|～罕。❷ 形 事物之间距离远;事物的部分之间空隙大(跟"密"相对):地广人～|月明星～。❸ 形 含水多;稀薄(跟"稠"相对):～泥|粥太～了。❹ 用在"烂、松"等形容词前面,表示程度深:～烂|～松|～糟。❺ 指稀的东西:糖～。

【稀巴烂】xī·balàn 形 状态词。稀烂②。

【稀薄】xībó 形 (空气、烟雾等)密度小;不浓厚:高山上空气～。

【稀饭】xīfàn 名 粥(多指用大米或小米煮成的)。

【稀罕(希罕)】xī·han ❶ 形 稀奇:骆驼在南方是～东西。❷ 団 认为稀奇而喜爱:谁～你那玩意儿,我们有的是。❸ (～儿)名 稀罕的事物:看～儿。

【稀见】xījiàn 形 少见;罕见:～的珍品。

【稀客】xīkè 名 很少来的客人。

【稀拉】xī·la ❶ 形 稀疏:～的枯草。❷〈方〉松松垮垮;散漫:作风～。

【稀烂】xīlàn 形 状态词。❶ 极烂:肉煮得～。❷ 破碎到极点:豆腐掉到地上,摔了个～。也说稀巴烂。

【稀朗】xīlǎng 形 (灯火、星光)稀疏而明朗。

【稀里糊涂】xī·lihútú 形 状态词。❶ 糊涂(程度略轻);迷糊:这道题他讲了两遍,我还是～的。❷ 马马虎虎;随便:这件事没经过认真讨论,就一地通过了。

【稀里哗啦】xī·lihuālā ❶ 拟声 形容雨声、建筑物倒塌声等:雨～地下了起来|院墙～地倒了下来。❷ 形 状态词。形容七零八落或彻底粉碎的样子:家具被这伙人打了个～。

【稀里马虎】xī·limǎhū 形 状态词。马马虎虎:念书可不能～的。

【稀料】xīliào 名 用来溶解或稀释涂料的有机液体,常用的有汽油、酒精、松香水、香蕉水等。

【稀溜溜】xīliūliū (～的)(～儿的)形 状态

词。(粥、汤等)很稀的样子。

【稀奇】(希奇) xīqí 圈 稀少新奇：～古怪。

【稀缺】xīquē 圈 稀少、短缺：～物资。

【稀散元素】xīsàn-yuánsù 没有形成独立矿床，而以杂质状态分散在其他矿物中的元素，如硒、碲、镓、镥、铼、铊等。

【稀少】(希少) xīshǎo 圈 事物存在或出现得少：街上行人～|雨量～|这种古钱币已很～了。

【稀世】(希世) xīshì 圈 属性词。世间很少有的：～珍宝|～之才。

【稀释】xīshì 劻 在溶液中再加入溶剂使溶液的浓度降低。

【稀疏】xīshū 圈 (物体、声音等)在空间或时间上的间隔远：～的头发|～的枪声。

【稀松】xīsōng 圈 ❶ 懒散、松懈：作风～。❷ 差劲：他们干起活儿来，哪个也不～。❸ 无关紧要：别把这些～的事放在心上。

【稀土元素】xītǔ-yuánsù 钪、钇、镧、铈、镨、钕、钷、钐、铕、钆、铽、镝、钬、铒、铥、镱、镥 17 种元素的统称。

【稀稀拉拉】xī·xilālā (～的)圈 状态词。稀疏的样子：天上只有～的几个星星|会场内掌声～，气氛不热烈。也说稀稀落落。

【稀稀落落】xī·xiluòluò 圈 状态词。稀稀拉拉。

【稀有】(希有) xīyǒu 圈 很少有；极少见：～金属|十月下雪也不是什么～的事。

【稀有金属】xīyǒu jīnshǔ 通常指在自然界含量稀少而分散、较难提炼的金属，如锂、钨、锗、钪、铂等。

【稀有气体】xīyǒu qìtǐ 氦、氖、氩、氪、氙、氡六种气体的统称。它们都是单原子分子，无色无臭，化学性质极不活泼。因在地壳中含量稀少，所以叫稀有气体。旧称惰性气体。

【稀有元素】xīyǒu yuánsù 自然界中存在的数量少或很分散的元素，例如锂、铍、铌、镓、硒、碲、氦、氩、氙等。

傺　
xī [傺傂](xīxìng)圈 烦恼(多见于早期白话)。也作恝幸。

舾　xī [舾装](xīzhuāng)图 ❶ 船上锚、桅杆、梯、管路、电路等设备和装置的统称。❷ 船体主要结构造完之后安装锚、桅杆、电路等设备和装置的工作。

翕　xī 〈书〉❶ 和顺；协调。❷ 收敛：～张。

【翕动】(噏动) xīdòng 〈书〉劻(嘴唇等)一张一合地动：嘴唇～|鼻翼～。

【翕然】xīrán 〈书〉圈 ❶ 形容言论、行为一致：～从之。❷ 形容安定：郡境～。

【翕张】xīzhāng 〈书〉劻 一合一开：目自～。

腊　xī 〈书〉干肉。
另见 805 页 là。

粞　xī ❶〈书〉碎米。❷〈方〉图 糙米碾轧时脱掉的皮，可做饲料。

犀　xī 图 哺乳动物，外形略像牛，颈短，四肢粗大，鼻子上有一个或两个角，皮粗而厚，微黑色，没有毛。生活于亚洲和非洲的热带森林里，吃植物。通称犀牛。

【犀角】xījiǎo 图 犀牛的角，由角质纤维组成，很坚硬。

【犀利】xīlì 圈 (武器、言语等)锋利；锐利：刀锋～|文笔～|目光～。

【犀牛】xīniú 图 犀的通称。

皙　xī 〈书〉人的皮肤白：白～。

锡¹(錫)　xī 图 ❶ 金属元素，符号 Sn(stannum)。常见的白锡为银白色，延展性强，在空气中不易起变化。多用来镀铁、焊接金属或制造合金。不同的地区叫锡镴。❷ (Xī)姓。

锡²(錫)　xī 〈书〉赐给：天～良缘。

【锡伯族】Xībózú 图 我国少数民族之一，主要分布在新疆和辽宁。

【锡箔】xībó 图 上面涂着一层薄锡的纸，多叠成或糊成元宝形，迷信的人用来焚化给鬼神。

【锡匠】xī·jiang 图 制造和修理锡器的小手工业者。

【锡剧】xījù 图 江苏地方戏曲剧种之一，原名常锡文戏，由无锡滩簧和常州滩簧合流而成，流行于该省南部和上海市。

【锡镴】xī·la〈方〉图 ❶ 焊锡。❷ 锡。

【锡杖】xīzhàng 图 佛教的杖形法器，头部装有锡环。

【锡纸】xīzhǐ 图 包装卷烟等所用的金属纸，多为银白色。

傒　xī 〈书〉❶ 等待。❷ 同"蹊"。

溪　xī (旧读 qī)图 ❶ 原指山里的小河沟，现在泛指小河沟：清～|～水～。

谷。❷〈Xī〉姓。

【溪涧】xījiàn 名 夹在两山中间的小河沟。

【溪流】xīliú 名 从山里流出来的小股水流。

裼 xī〈书〉敞开或脱去上衣,露出身体的一部分:袒～。
另见 1344 页 tì。

熙 xī ❶〈书〉光明。❷〈书〉和乐:众人～～。❸〈书〉兴盛:～朝(兴盛的朝代)。❹〈Xī〉名姓。

【熙和】xīhé〈书〉形 ❶ 和乐。❷ 温暖。

【熙来攘往】xī lái rǎng wǎng 熙熙攘攘。

【熙攘】xīrǎng 形 熙熙攘攘:人群～。

【熙熙攘攘】xīxī rǎngrǎng 形 状态词。形容人来人往,非常热闹。

豨 xī 古书上指猪。

【豨莶】xīxiān 名 一年生草本植物,茎上有灰白色的毛,叶子椭圆形或卵状披针形,花黄色,结瘦果,黑色,有四个棱。全草入药。

蜥 xī 蜥蜴:巨～。

【蜥蜴】xīyì 名 爬行动物,身体表面有细小鳞片,多数有四肢,尾巴细长,为迷惑敌害,可自行断掉。雄的背面青绿色,有黑色直纹数条,雌的背面淡褐色,两侧各有黑色直纹一条,腹面都呈淡黄色。生活在草丛中,捕食昆虫和其他小动物。也叫四脚蛇。

僖 xī〈书〉喜乐。

熄 xī 动 熄灭:～灯|火势已～。

【熄灯】xī//dēng 动 熄灭灯火:～就寝。

【熄火】xī//huǒ 动 ❶ 燃料停止燃烧。❷ 使燃料停止燃烧。

【熄灭】xīmiè 动 停止燃烧;灭(灯火):火炬～了。

譆(譆) xī〈书〉悲叹的声音;呼痛的声音。

磎 xī〈书〉同"溪"①。

嘻 xī ❶〈书〉叹 表示惊叹。❷ 拟声形容笑的声音:～～地笑。

【嘻皮笑脸】xī pí xiào liǎn 同"嬉皮笑脸"。

【嘻嘻哈哈】xīxī hāhā 形 状态词。❶ 形容嬉笑欢乐的样子。❷ 形容不严肃或不认真:对待这样的大事,～的可不行!

噏 xī〈书〉❶ 同"吸"①—③。❷ 收敛。

【噏动】xīdòng 见 1456 页【翕动】。

嶲 xī 越嶲(Yuèxī),地名,在四川。今作越西。

膝 xī 名 ❶ 大腿和小腿相连的关节的前部。通称膝盖。(图见 1209 页"人的身体")❷〈Xī〉名姓。

【膝盖】xīgài 名 膝的通称。

【膝下】xīxià 名 儿女幼时常在父母跟前,因此旧时表示有无儿女,常说"膝下怎样怎样";给父母或祖父母写信时,也在开头的称呼下面加"膝下"两字:～犹虚(还没有儿女)|父亲大人～。

瘜 xī 见 1454 页【息肉】(瘜肉)。

嬉 xī〈书〉游戏;玩耍:～闹|～戏。

【嬉闹】xīnào 动 嬉笑打闹:大家～了一阵子,才安静下来。

【嬉皮士】xīpíshì 名 指某些西方国家中具有颓废派作风的人。他们由于对现实不满而采取玩世不恭的态度,如蓄长发、穿奇装异服、吸毒等。[嬉皮,英 hippy;hippie]

【嬉皮笑脸】xī pí xiào liǎn 形容嬉笑而不严肃的样子。也作嘻皮笑脸。

【嬉戏】xīxì〈书〉动 游戏;玩耍。

【嬉笑】xīxiào 动 笑着闹着:远处传来了孩子们的～声。

熹 xī〈书〉❶ 天亮:～微。❷ 明亮:星～。

【熹微】xīwēi〈书〉形 形容阳光不强(多指清晨的):晨光～。

熹 xī〈书〉叹声。

樨 xī 见 971 页【木樨】。

螅 xī 见 1281 页【水螅】。

歙 xī〈书〉吸气。
另见 1207 页 Shè。

羲 xī ❶ 见 417 页【伏羲】。❷〈Xī〉名姓。

熺 xī〈书〉同"熹"。

窸 xī ［窸窣］(xīsū)〈拟声〉形容细小的摩擦声音。

蹊 xī〈书〉小路：～径。
另见 1069 页 qī。

蹊径 xījìng〈书〉图途径：独辟～。

蟋 xī ［蟋蟀］(xīshuài)图昆虫，身体黑褐色，触角很长，后腿粗大，善于跳跃。尾部有尾须一对。雄的好斗，两翅摩擦能发声。生活在阴湿的地方，吃植物的根、茎和种子，对农业有害。也叫促织，有的地区叫蛐蛐儿。

嵠 xī 见 104 页【勃嵠】。

谿 xī ❶同"溪"①。❷见 104 页【勃谿】。

谿壑 xīhè〈书〉图两山之间的大沟；山谷(多用于比喻)。

谿卡 xīkǎ 图西藏民主改革前属于官府、寺院和奴隶主的庄园。

谿刻 xīkè〈书〉形尖刻；刻薄。

鸂(鸂) xī ［鸂鶒](xīchì)图古书上指像鸳鸯的一种水鸟。

醯 xī〈书〉醋。

曦 xī〈书〉阳光(多指清晨的)：晨～。

巇 xī 见 1478 页【崄巇】。

爔 xī〈书〉同"曦"。

鼶 xī ［鼶鼠](xīshǔ)图小家鼠。

蠵 xī ［蠵龟](xīguī)图海龟的一种，体长约1米，背面褐色，腹面淡黄色，头部有对称的鳞片，四肢呈桨状，尾短。吃鱼、虾、蟹等。

觿 xī 古代用骨头制的解绳结的锥子。

xí (ㄒㄧ)

习(習) xí ❶图学习；复习；练习：自～|实～|～艺|修文～武。❷对某事物常接触而熟悉：～见|～闻|～以为常。❸习惯：积～|恶～|相沿成～。

❹(Xí)图姓。

【习得】 xídé 动通过学习获得：语言～。

【习非成是】 xí fēi chéng shì 对于某些错的事情习惯了，反认为是对的。

【习惯】 xíguàn ❶动常常接触某种新的情况而逐渐适应：～成自然|对这里的生活还不～。❷图在长时期里逐渐养成的、一时不容易改变的行为、倾向或社会风尚：好～|不良～。

【习惯法】 xíguànfǎ 图指经国家认可，具有法律效力的社会习惯。

【习好】 xíhào 图长期养成的嗜好。

【习见】 xíjiàn 动经常见到：～不鲜|这种情况一向为人们所～。

【习气】 xíqì 图逐渐形成的不好的习惯或作风：官僚～|不良～。

【习染】 xírǎn〈书〉❶动沾染(不良习惯)。❷图坏习惯：革除～。

【习尚】 xíshàng 图风尚：社会～。

【习俗】 xísú 图习惯和风俗：民族～|山村～。

【习题】 xítí 图教学上供练习用的题目：数学～|～解答。

【习习】 xíxí 形形容风轻轻地吹：微风～。

【习性】 xíxìng 图长期在某种自然条件或社会环境下所养成的特性。

【习焉不察】 xí yān bù chá 习惯于某种事物而觉察不到其中的问题。

【习以为常】 xí yǐ wéi cháng 常做某种事情或常见某种现象，成了习惯，就觉得很平常了。

【习艺】 xíyì 动学习技术、手艺：从师～。

【习用】 xíyòng 动经常用；惯用：～语。

【习与性成】 xí yǔ xìng chéng 指长期的习惯会形成一定的性格。

【习字】 xízì 动练习写字。

【习作】 xízuò ❶动练习写作。❷图练习的作业(指文章、绘画等)：每周交一篇～。

郋 Xí 古地名，在今河南。

席(❶蓆) xí ❶图用苇篾、竹篾、草等编成的片状物，用来铺炕、床、地或搭棚子等：草～|凉～|炕～|一领～。❷图座位；席位：出～|入～|缺～|退～|硬～|软～|来宾～。❸图特指议会中的席位，表示当选的人数。❹图成桌的

饭菜;酒席：摆了两桌～。❺ 量 用于所说的话语或成桌的酒菜：一一话｜一～酒。❻ 图 姓。

【席不暇暖】xí bù xiá nuǎn 座位还没有坐热就走了,形容很忙。

【席次】xícì 图 座位的次序：代表们按照指定～入座。

【席地】xídì 动 原指在地上铺了席(坐、卧在上面)，后来泛指在地上(坐、卧)：～而坐。

【席卷】xíjuǎn 动 像卷席子一样把东西全都卷进去：～而逃(偷了全部细软而逃跑)｜飓风～了这座沿海小镇。

【席梦思】xímèngsī 图 一种内部装有弹簧的床垫。也指装有这种床垫的床。[英 simmons]

【席面】xímiàn 图 筵席；筵席上的酒菜：婚宴的～很丰盛。

【席篾】xímiè 图 用苇子、竹子、高粱秆等的皮劈开而做成的细长的薄片,用来编席、篓子等。

【席位】xíwèi 图 集会时个人或团体在会场上所占的座位。也特指会中的席位,表示当选的人数。

【席子】xí•zi 图 席①。

觋（覡） xí 〈书〉男巫师。

袭¹（襲） xí ❶ 袭击；侵袭：夜～｜空～｜偷～｜取◇寒气～人。❷ (Xí) 图 姓。

袭²（襲） xí ❶ 照样做；依照着继续下去：抄～｜因～｜沿～。❷〈书〉量 用于成套的衣服：一～棉衣。

【袭击】xíjī 动 ❶ 军事上指出其不意地打击：～敌军右翼。❷ 比喻突然打击：遭台风～。

【袭取】¹ xíqǔ 动 出其不意地夺取(多用于武装冲突)：～敌人的营地。

【袭取】² xíqǔ 动 沿袭地采取：后人～这个故事,写成了戏。

【袭扰】xírǎo 动 袭击骚扰：打退敌人的～。

【袭用】xíyòng 动 沿袭采用：～古方,配制丸药。

【袭占】xízhàn 动 袭击并占领。

媳 xí 媳妇：婆～。

【媳妇】xífù 图 ❶ 儿子的妻子。也叫儿媳妇儿。❷ 晚辈亲属的妻子(前面加晚辈称呼)：侄～｜孙～。

【媳妇儿】xí•fur 〈方〉图 ❶ 妻子。❷ 泛指已婚的年轻妇女。

嶍 xí 嶍峨(Xí'é),山名,在云南。

隰 xí ❶〈书〉低湿的地方。❷〈书〉新开垦的田。❸ (Xí) 图 姓。

檄 xí ❶ 檄文：羽～(古时征兵的军书上插鸟羽)。❷〈书〉用檄文晓谕或声讨：～告天下。

【檄书】xíshū 图 檄文。

【檄文】xíwén 图 古代用于晓谕、征召、声讨等的文书,特指声讨敌人或叛逆的文书。

霤 xí [霤霤](xíxí)〈书〉形 形容下雨的样子。

鳛（鰼） xí 鳛水(Xíshuǐ),地名,在贵州。今作习水。

xǐ （ㄒㄧˇ）

洗 xǐ ❶ 动 用水或汽油、煤油等去掉物体上面的脏东西：～脸｜干～｜～衣服。❷ 洗礼：领～｜受～。❸ 洗雪：～冤。❹ 清除：清～。❺ 像用水洗净一样杀光或抢光：～城｜～劫。❻ 动 照相的显影定影；冲洗：～胶卷｜～出磁带上的录音、录像去掉：那段录音～了。❽ 动 玩牌时把牌掺和整理,以便继续玩：～牌。❾ 笔洗。

　另见 1478 页 Xiǎn。

【洗车】xǐ//chē 动 清洗汽车表面,使车身清洁美观。

【洗尘】xǐchén 动 设宴欢迎远道来的人：接风～。

【洗涤】xǐdí 动 洗①：～器｜～剂｜～衣物。

【洗涤剂】xǐdíjì 图 洗涤用品,一般用化学合成方法制成,有去污作用。除用于家庭洗涤外,也用于纺织、印染、制革等工业。

【洗耳恭听】xǐ ěr gōng tīng 专心地听(请人讲话时说的客气话)。

【洗劫】xǐjié 动 把一个地方或一家人家的财物抢光：～一空｜海盗～了一只商船。

【洗礼】xǐlǐ 图 ❶ 基督教接受人入教时所

举行的一种宗教仪式，把水滴在受洗人的额上，或让受洗人身体浸在水里，表示洗净过去的罪恶。❷ 比喻重大斗争的锻炼和考验；受过解放战争的~。

【洗练】(洗炼) xǐliàn 〔形〕(语言、文字、技艺等)简ained利落：这篇小说形象生动，文字~|剧情处理得很~。

【洗煤】xǐméi 〔动〕见 1544 页〖选煤〗。

【洗盘】xǐ//pán 〔动〕股市庄家在拉高股价的过程中，有意让股价上下震荡，让先前买进股票的投资者卖出股票，这种操作手法叫洗盘。

【洗钱】xǐ//qián 〔动〕把非法得来的钱款，通过存入银行等改变名义、性质，使成为合法收入，叫做洗钱。

【洗三】xǐsān 〔名〕旧俗在婴儿出生后第三天给他洗澡。

【洗手】xǐ//shǒu 〔动〕❶ 比喻盗贼等改邪归正。❷ 比喻不再干某项职业：~改行。

【洗手间】xǐshǒujiān 〔名〕婉辞，指厕所。

【洗漱】xǐshù 洗脸漱口。

【洗刷】xǐshuā 〔动〕❶ 用水洗，用刷子蘸水刷。❷ 除去(耻辱、污点、错误等)：~耻辱|~冤枉|~罪名。

【洗心革面】xǐ xīn gé miàn 比喻彻底悔改。也说革面洗心。

【洗雪】xǐxuě 〔动〕除掉(耻辱、冤屈等)：~国耻。

【洗衣粉】xǐyīfěn 〔名〕洗涤用品，用化学合成方法制成粉粒状，耐硬水，去污力强，用于洗涤衣服、织物等。

【洗衣机】xǐyījī 〔名〕自动洗涤衣物的电动机械装置。

【洗印】xǐyìn 〔动〕冲洗和印制照片或影片。

【洗澡】xǐ//zǎo 〔动〕用水洗身体，除去污垢。

【洗濯】xǐzhuó 〔动〕洗①。

枲 xǐ 枲麻，也泛指麻。

【枲麻】xǐmá 〔名〕大麻的雄株，只开雄花，不结果实。

铣(鉨) xǐ 〈书〉同"玺"①。

玺(璽) xǐ ❶ 帝王的印：玉~|掌~大臣。❷ (Xǐ)〔名〕姓。

缅(纚) xǐ 〈书〉束发的帛。
另见 832 页 lí。

铣(銑) xǐ 〔动〕铣削。
另见 1478 页 xiǎn。

【铣床】xǐchuáng 〔名〕金属切削机床，用来加工平面、曲面和各种凹槽。加工时工作台上的工件移动着跟铣刀接触，铣刀做旋转运动切削。

【铣工】xǐgōng 〔名〕❶ 用铣床进行切削的工作。❷ 做这种工作的技术工人。

【铣削】xǐxiāo 〔动〕用铣床进行金属切削。

徙 xǐ ❶ 迁移：迁~|~居(搬家)。❷ 〈书〉调动官职。

【徙倚】xǐyǐ 〈书〉〔动〕徘徊。

喜 xǐ ❶ 〔形〕快乐；高兴：狂~|~出望外|笑在脸上，~在心里。❷ 可庆贺的；可庆贺的事：~事|贺~|报~。❸ 〈口〉称怀孕为"有喜"。❹ 爱好：好大功|~新厌旧。❺ 〔动〕某种生物适宜于什么环境；某种东西适宜于配合什么东西：~光植物|海带~荤，最好跟肉一起炖。❻ (Xǐ)〔名〕姓。

【喜爱】xǐ'ài 对人或事物有好感或感兴趣：~游泳|这小孩儿惹人~。

【喜报】xǐbào 〔名〕印成或写成的报喜的东西：立功~|试验成功了，快贴~!

【喜车】xǐchē 〔名〕结婚时迎娶新娘用的车。

【喜冲冲】xǐchōngchōng （～的)〔形〕状态词。形容十分高兴的样子。

【喜出望外】xǐ chū wàng wài 遇到出乎意料的喜事而特别高兴。

【喜封】xǐfēng （～儿)〔名〕旧俗有喜庆的人家给人的赏封。

【喜果】xǐguǒ （～儿)〔名〕❶ 订婚和结婚时招待宾客或分送亲友的干果，如花生、枣儿等。❷ 〈方〉红蛋。

【喜好】xǐhào 喜欢；爱好：~音乐。

【喜欢】xǐ·huan ❶ 〔动〕对人或事物有好感或感兴趣：他~文学，我~数学。❷ 〔形〕愉快；高兴：女儿考上了大学，妈妈~得不得了|快把好消息说一说，叫大家~~。

【喜酒】xǐjiǔ 〔名〕指结婚时招待亲友的酒或酒席：吃~|办了三桌~。

【喜剧】xǐjù 〔名〕戏剧的主要类别之一，多用夸张手法讽刺和嘲笑丑恶、落后的现象，突出这种现象本身的矛盾和它与健康事物的冲突，往往引人发笑，结局大多是圆满的。

【喜乐】xǐlè 〔形〕欢喜，快乐。

【喜联】xǐlián 〔名〕结婚时所用的对联。

【喜眉笑眼】xǐ méi xiào yǎn 形容面带笑

容:非常高兴。

【喜怒无常】xǐ nù wú cháng 一会儿高兴,一会儿发怒。形容人情绪变化不定。

【喜气】xǐqì 名 欢喜的神色或气氛:满脸~|~洋洋。

【喜气洋洋】xǐqì yángyáng 形容非常欢乐的样子。

【喜钱】xǐqián 名 有喜庆的人家给人的赏钱。

【喜庆】xǐqìng ❶ 形 值得喜欢和庆贺:~事|十分~的日子。❷ 名 值得喜欢和庆贺的事。

【喜鹊】xǐ·què 名 鸟,嘴尖,尾长,身体大部为黑色,肩和腹部白色,叫声嘈杂。民间传说听见它叫将有喜事来临,所以叫喜鹊。也叫鹊。

【喜人】xǐrén 形 使人喜爱;令人高兴:销售形势~|今年的小麦长势~。

【喜丧】xǐsāng 名 指高寿的人去世的丧事。

【喜色】xǐsè 名 欢喜的神色:面有~。

【喜事】xǐshì 名 ❶ 值得祝贺的、使人高兴的事。❷ 特指结婚的事:~新办。

【喜糖】xǐtáng 名 结婚时招待亲友的糖果。

【喜闻乐见】xǐ wén lè jiàn 喜欢听、乐意看:这是一种为群众所~的艺术形式。

【喜笑颜开】xǐ xiào yán kāi 因为高兴而笑容满面的样子。

【喜新厌旧】xǐ xīn yàn jiù 喜欢新的,厌弃旧的(多指爱情不专一)。

【喜形于色】xǐ xíng yú sè 抑制不住的高兴流露在脸上。

【喜兴】xǐ·xing 〈方〉形 欢喜;高兴:~事儿|今天他显得格外精神。

【喜幸】xǐxìng 〈书〉动 欢喜庆幸。

【喜讯】xǐxùn 名 使人高兴的消息:丰收的~。

【喜宴】xǐyàn 名 结婚、过生日等摆设的宴席。

【喜洋洋】xǐyángyáng 形 状态词。形容非常欢乐的样子:新年到,过年忙,男女老少~。

【喜雨】xǐyǔ 名 天气干旱、庄稼需要雨水时下的雨:普降~。

【喜悦】xǐyuè 形 愉快;高兴:~的心情。

【喜蛛】xǐzhū 名 蟏蛸的通称。

【喜滋滋】xǐzīzī (~的)形 状态词。形容

内心很欢喜:听到儿子立功的消息,她心里~的。

【喜子】xǐ·zi 同"蟢子"。

葸 xǐ 〈书〉畏惧:畏~不前。

葹 xǐ 〈书〉五倍:倍~(数倍)。

屣 xǐ 〈书〉鞋:敝~。

禧(釐) xǐ (旧读 xī)幸福;吉祥:年~|福~。
"釐"另见 831 页 lí "厘"。

镖(鐪) xǐ 名 金属元素,符号 Sg(seaborgium)。有放射性,由人工核反应获得。

蟢 xǐ [蟢子](xǐ·zi)名 蟏蛸的通称。也作喜子。

鱚(鱚) xǐ 名 鱼,身体近圆筒形,长约 20 厘米,银灰色,嘴尖,眼大。生活在近海沙底。也叫沙钻(zuàn)。

xì（ㄒㄧˋ）

卌 xì 〈书〉数 四十。

戏(戲、戱) xì ❶ 玩耍;游戏:儿~|嬉~。❷ 开玩笑;嘲弄:~弄|~言。❸ 名 戏剧,也指杂技:京~|马~|一出~|这场~演得很精彩。❹ (Xì)名 姓。
另见 572 页 hū。

【戏班】xìbān (~儿)名 戏曲剧团的旧称。也叫戏班子。

【戏报子】xìbào·zi 名 旧称戏曲演出的招贴。

【戏本】xìběn (~儿)名 戏曲剧本的旧称。也叫戏本子。

【戏称】xìchēng ❶ 动 戏谑地称呼:因为他说话直爽,大伙~他"炮筒子"。❷ 名 戏谑性的称呼:"万事通"是人们对他的~。

【戏出儿】xìchūr 名 模仿戏曲的某个场面而绘画或雕塑的人物形象,大多印成年画或制成工艺品。

【戏词】xìcí (~儿)名 戏曲中唱词和说白的总称。

【戏单】xìdān （～儿）名 列有剧目和戏曲演员名字的单子;戏曲说明书。

【戏法】xìfǎ （～儿）〈口〉名 魔术:变～儿。

【戏份儿】xìfènr 名❶ 指戏曲演员每次演出按一定比例分得的报酬。❷ 演员在整部影视片或戏剧中承担的表演工作量。

【戏歌】xìgē 名 把戏曲唱腔和通俗歌曲结合起来的一种歌唱艺术形式。

【戏剧】xìjù 名❶ 通过演员表演故事来反映社会生活中的各种冲突的艺术。是以表演艺术为中心的文学、音乐、舞蹈等艺术的综合。分为话剧、戏曲、歌剧、舞剧等,按作品类型又可以分为悲剧、喜剧、正剧等。❷ 指剧本。

【戏剧性】xìjùxìng 名 事物所具有的像戏剧情节那样曲折、突如其来或激动人心的性质:局势发生了～变化|他俩的离而复合很富有～。

【戏路】xìlù 名 指演员所能表演的角色类型:他～宽,正反面人物都能演。也说戏路子。

【戏码】xìmǎ （～儿）名 戏曲演出的剧目。

【戏迷】xìmí 名 喜欢看戏或唱戏而入迷的人。

【戏目】xìmù 名 剧目。

【戏弄】xìnòng 动 耍笑捉弄;拿人开心。

【戏曲】xìqǔ 名❶ 我国传统的戏剧形式,包括昆曲、京剧和各种地方戏,以歌唱、舞蹈为主要表演手段。❷ 一种文学形式,杂剧和传奇等的唱词。

【戏曲片儿】xìqǔpiānr 〈口〉名 戏曲片。

【戏曲片】xìqǔpiàn 名 用电影手法拍摄的戏曲演出的影片。

【戏耍】xìshuǎ 动❶ 戏弄:～人。❷ 玩耍:终日吃喝～。

【戏说】xìshuō 动 附会历史题材,虚构一些有趣或引人发笑的情节进行创作或讲述:～三国|孩子们围坐着听老人～乾隆皇帝的故事。

【戏台】xìtái 〈口〉名 舞台。

【戏文】xìwén 名❶ 见980页〖南戏〗。❷ 戏词。❸ 泛指戏曲。

【戏侮】xìwǔ 动 戏弄侮辱。

【戏谑】xìxuè 动 用有趣的引人发笑的话开玩笑。

【戏言】xìyán ❶名 随便说说并不当真的话:一句～。❷动 开玩笑地说:～身后

事。

【戏衣】xìyī 名 戏曲演员演出时穿的衣服。

【戏园子】xìyuán·zi 名 旧指专供演出戏曲的场所。

【戏院】xìyuàn 名 剧场。

【戏照】xìzhào 名 穿戏装拍摄的照片。

【戏装】xìzhuāng 名 戏曲演员演出时所穿戴的衣服和靴、帽等。

【戏子】xì·zi 名 旧时称职业的戏曲演员(含轻视意)。

饩（餼）xì 〈书〉❶ 谷物;饲料。❷ 活的牲口;生肉。❸ 赠送(食物)。

系¹（❹係、❹-❽繫）xì ❶名 系统;派:水～|语～|世～|直～|亲属。❷名 高等学校中按学科所分的教学行政单位:哲～。❸名 地层系统分类单位的第三级,系以上为界,如中生界分为三叠系、侏罗系和白垩系。跟系相应的地质年代分期叫做纪。❹动 联结;联系(多用于抽象的事物):维～|名誉所～|观瞻所～|成败～于此举。❺ 牵挂:～恋|～念。❻动 把人或东西捆住后往上提或向下送:从窖里把白薯～上来。❼〈书〉拴;绑:～马|～缚。❽〈书〉拘禁:～狱。❾（Xì）名 姓。

系²（係）xì 〈书〉是³①:鲁迅～浙江绍兴人|确～实情。

另见646页 jì。

【系词】xìcí 名❶ 逻辑上指一个命题的三部分之一,连系主词和宾词来表示肯定或否定。如"雪是白的"中的"是","鲸鱼不是鱼"中的"不是"。❷ 有的语法书把"是³"①叫做系词。

【系缚】xìfù 〈书〉动 束缚。

【系恋】xìliàn 动 留恋;恋恋不舍:～家乡。

【系列】xìliè 名 相关联的成组成套的事物:～化|～产品|电视～片。

【系念】xìniàn 〈书〉动 挂念。

【系谱】xìpǔ 名 关于物种变化系统的记载,也指关于某动植物的世代的记载。

【系数】xìshù 名❶ 与未知数相乘的数字或文字,如 $2ax^2$ 中,$2a$ 是 x^2 的系数。❷ 科学技术上用来表示某种性质的程度或比率的数,如安全系数、基尼系数等。

【系统】xìtǒng ❶名 同类事物按一定的关系组成的整体:～化|组织|灌溉～。

❷ 形有条理的；有系统的：～学习｜～研究｜资料不够～。

【系统工程】xìtǒng gōngchéng ❶ 管理科学上指运用数学和计算机技术等对一个系统内部的规划、设计、研究、试验、应用等环节进行组织管理，以求得最佳效益的措施。❷ 指牵涉很多方面，需要统一筹划解决的复杂而庞大的工作任务。

【系统论】xìtǒnglùn 名 研究系统的一般模式、结构、性质和规律的理论。也指研究系统思想和系统方法的哲学理论。

【系子】xì•zi〈方〉名 联结在器物上，用于提或挂的部分：箩筐～｜秤锤～。

屃（屃、屭） xì 见76页［赑屃］。

细（細） xì ❶ 形（条状物）横剖面小（跟"粗"相对，②—⑥同）：～铅丝｜她们纺的线又～又匀。❷ 形（长条形）两边的距离近：画一条～线｜曲折的小河～得像腰带。❸ 形颗粒小：～沙｜玉米面磨得很～。❹ 形音量小：嗓音～。❺ 形精细：江西～瓷｜这几件玉石雕刻做得真～。❻ 形仔细；详细；周密：～看｜精打～算｜深耕～作｜这人心很～。❼ 形细微；细小：～节｜事无巨～｜不要管得太～。❽〈方〉形年龄小：～妹｜～娃子。❾（Xì）名姓。

【细胞】xìbāo 名 生物体结构和功能的基本单位，形状多种多样，主要由细胞核、细胞质、细胞膜等构成。植物的细胞膜外面还有细胞壁。细胞有运动、营养和繁殖等功能。

动物细胞　　　　植物细胞
1.细胞质 2.细胞核 3.液泡 4.细胞膜 5.细胞壁
细　胞

【细胞壁】xìbāobì 名 植物细胞外围的一层厚壁，包在细胞膜的外面，由纤维素构成。（图见"细胞"）

【细胞核】xìbāohé 名 细胞的组成部分之一，在细胞的中央，多为球形或椭圆形，由核酸、核蛋白等构成，是细胞内遗传物质分布的主要场所。（图见"细胞"）

【细胞膜】xìbāomó 名 细胞的组成部分之一，是紧贴在细胞质外面的一层薄膜，有控制细胞内外物质交换的作用。动植物细胞都有细胞膜。（图见"细胞"）

【细胞器】xìbāoqì 名 细胞质中由原生质分化而成的具有一定结构和功能的小器官，如线粒体、叶绿体、质体等。

【细胞质】xìbāozhì 名 细胞的组成部分之一，包括无色透明的胶状物质和各种细胞器，在细胞核和细胞膜之间。（图见"细胞"）

【细布】xìbù 名 一种平纹棉布，质地比市布还细密。

【细部】xìbù 名 制图或复制图画时用较大的比例另外画出或印出的部分，如建筑图上的卯榫、人物画上的面部。

【细菜】xìcài 名 指某个地方在某个季节培育的成本较高、供应量不多的蔬菜，如北方地区冬季的黄瓜、蒜苗、西红柿等。

【细大不捐】xì dà bù juān 小的大的都不抛弃。

【细点】xìdiǎn 名 用料、制作精细的点心。

【细发】xì•fa〈方〉形 细致；不粗糙。

【细高挑儿】xìgāotiǎor〈方〉名 细长身材，也指身材细长的人。

【细工】xìgōng 名 精细细致的工作（多指手工）：～活儿。

【细故】xìgù 名 细小而不值得计较的事情。

【细活儿】xìhuór 名 细致的活计，特指技术性强而消耗体力少的工作：慢工出～。

【细节】xìjié 名 细小的环节或情节。

【细究】xìjiū 动 详细推究；深究：此事不必～｜～起来，你我都负有一定责任。

【细菌】xìjūn 名 原核生物的一大类，形状有球形、杆形、螺旋形、弧形、线形等，一般都用分裂繁殖。自然界中分布很广，对自然界物质循环起着重大作用。有的细菌对人类有利；有的细菌能使人类、牲畜等发生疾病。

【细菌武器】xìjūn wǔqì 生物武器的旧称。

【细菌战剂】xìjūnzhànjì 生物战剂的旧称。

【细粮】xìliáng 图 一般指白面和大米等食粮(区别于"粗粮")。

【细毛】xìmáo 图 价值较高的毛皮,如水獭皮、貂皮等。

【细密】xìmì 形❶(质地)精细仔密:布织得~。❷ 不疏忽大意;仔细:对情况进行~的分析。

【细目】xìmù 图 详细的项目或目录。

【细嫩】xìnèn 形(皮肤、肌肉等)细腻柔嫩:~的脸蛋儿。

【细腻】xìnì 形❶细致光滑:质地~。❷(描写、表演等)细致入微:人物描写~而生动。

【细皮嫩肉】xì pí nèn ròu (~儿)形容人的皮肤细嫩:这姑娘长得~的。

【细巧】xìqiǎo 形 精细巧妙;纤细灵巧:石柱上雕刻着~的图案。

【细情】xìqíng 图 详细情形:先告诉你个大概,~等一会儿再说吧。

【细软】xìruǎn ❶图 指珠宝、首饰、贵重衣物等便于携带的东西:收拾~|~家私。❷形 纤细柔软:~的柳枝。

【细润】xìrùn 形 细腻①:瓷质~。

【细弱】xìruò 形 细小柔弱:声音~|~的柳条。

【细纱】xìshā 图 粗纱再纺而成的纱,用来织布或纺织。

【细水长流】xì shuǐ cháng liú ❶ 比喻节约使用财物或人力,使经常不缺。❷ 比喻一点一滴地做某件事情,总不间断。

【细碎】xìsuì 形 细小零碎:~的脚步声。

【细挑】xì·tiao 形(身材)细长。

【细微】xìwēi 形 细小;微小:~的变化|~的动作|声音很~。

【细小】xìxiǎo 形 很小:~的雨点|~的事情。

【细心】xìxīn 形 用心细密:~人|~照料。

【细雨】xìyǔ 图 很小的雨:微风~|~濛濛。

【细则】xìzé 图 有关规章、制度、措施、办法等的详细的规则:工作~|管理~。

【细账】xìzhàng 图 详细的账目。

【细针密缕】xì zhēn mì lǚ 针线细密,比喻工作细致。

【细枝末节】xì zhī mò jié 比喻事情或问题的细小而无关紧要的部分。

【细致】xìzhì 形❶ 精细周密:工作~。❷

细密精致:~的花纹。

【细作】xìzuò 图 旧指暗探;间谍。

盼 xì〈书〉怒视:瞋目~之。

郤 xì ❶〈书〉同"隙"。❷(Xì)图 姓。

绤(綌) xì〈书〉粗葛布。

阋(鬩) xì〈书〉争吵;争斗:兄弟~于墙。

舄 xì ❶〈书〉鞋。❷〈书〉同"潟"。❸(Xì)图 姓。

【舄卤】xìlǔ 同"潟卤"。

隙(隙) xì ❶ 缝隙;裂缝:墙~|门~|云~。❷(地区、时间)空闲:~地|空~|农~(农闲)。❸ 漏洞;机会:无~可乘。❹(感情上的)裂痕:嫌~|有~。

【隙地】xìdì 图 空着的地方;空隙地带:广场上人山人海,几无~|在路旁~种树。

【隙缝】xìfèng 图 缝隙;裂缝:兀鹰的窠巢筑在悬崖峭壁的~中。

赩 xì〈书〉赤色。

褉 xì 古代于春秋两季在水边举行的一种祭礼。

隙 xì〈书〉同"隙"。

潟 xì〈书〉咸水浸渍的土地。

【潟湖】xìhú 图 浅水海湾因湾口被淤积的泥沙封闭形成的湖,也指珊瑚环礁所围成的水域。有的高潮时可与海相通。

【潟卤】xìlǔ〈书〉图 盐碱地。也作舄卤。

虩 xì〔虩虩〕(xìxì)〈书〉形 形容恐惧的样子。

盡 xì〈书〉悲伤;痛。

呷 xiā〈方〉动 喝¹(hē)①:~了一口茶。
另见434页gā。

虾(蝦) xiā 图 节肢动物,身体长,分头胸部和腹部,体外有壳,薄而透明,腹部由多个环节构成。生活在水中,会跳跃,捕食小虫等。种类很多,如青虾、龙虾、对虾等。

另见 528 页 há。

【虾兵蟹将】xiā bīng xiè jiàng 神话中龙王的兵将,比喻不中用的兵将或帮凶、爪牙。

【虾酱】xiājiàng 名 磨碎的小虾制成的一种酱类食品。

【虾米】xiā·mi 名 ❶ 晒干的去头去壳的虾。❷〈方〉小虾。

【虾米皮】xiā·mipí 名 虾皮。

【虾皮】xiāpí 名 晒干的或蒸熟晒干的毛虾。也叫虾米皮。

【虾仁】xiārén (～儿)名 去头去壳的鲜虾:炒～儿。

【虾子】xiāzǐ 名 虾的卵,干制后橙黄色,用作调味品。

瞎 xiā ❶ 动 丧失视觉;失明:他的右眼～了。❷ 副 没有根据地;没有来由地;没有效果地:～说|～吵|～花钱|～操心。❸ 动 炮弹打出去不响或爆破装置引火后不爆炸:～炮|炮炮不～。❹〈方〉动 农作物种子没有发芽出土或农作物子粒不饱满。❺〈方〉动 糟蹋;损失;丢掉:白～了一个名额|一场冰雹～了多少庄稼。❻〈方〉动 没有头绪;乱:线绕～了。

【瞎掰】xiābāi〈方〉动 ❶ 徒劳无益;白搭:天还没黑就点灯,这不是～吗?❷ 瞎扯:瞎说一气儿,你别听他～。

【瞎扯】xiāchě 动 没有中心地乱说;没有根据地乱说:一气|别～了,说正经的。

【瞎吹】xiāchuī 动 胡乱夸口:亩产一万斤粮食,那是～。

【瞎话】xiāhuà 名 不真实的话;谎话:说～。

【瞎火】xiāhuǒ ❶ 名 打不响的枪炮弹药:打了五发炮弹,其中一发是～。❷ 动 弹药失效:子弹～了,枪没打响。

【瞎奶】xiānǎi 名 ❶ 不突起的奶头。❷ 挤不出奶水的奶头。

【瞎闹】xiānào 动 没有来由或没有效果地做;胡闹。

【瞎炮】xiāpào 名 哑炮。

【瞎说】xiāshuō 动 没有根据地乱说:～一通。

【瞎信】xiāxìn 名 邮政部门指由于地址不

清或写错等原因而不能投递的信件;死信²。也叫盲信。

【瞎眼】xiā/yǎn 动 丧失视觉;失明◇是我当初瞎了眼,没有看出他是个骗子。

【瞎诌】xiāzhōu〈方〉动 说胡乱编造的话。

【瞎抓】xiāzhuā 动 没有计划、没有条理地做事。

【瞎子】xiā·zi 名 ❶ 失去视觉能力的人。❷〈方〉结得很不饱满的子粒。

鰕(鰕) xiā〈书〉同"虾"。

xiá (ㄒㄧㄚˊ)

匣 xiá (～儿)名 匣子①:木～|梳头～儿|两～儿点心。

【匣枪】xiáqiāng〈方〉名 驳壳枪。

【匣子】xiá·zi 名 ❶ 装东西的较小的方形器具,有盖儿。❷〈方〉驳壳枪。

【匣子枪】xiá·ziqiāng〈方〉名 驳壳枪。也叫匣枪、匣子。

侠(俠) xiá ❶ 侠客:游～|武～。❷ 侠义:～士|行～仗义。

【侠肝义胆】xiá gān yì dǎn 指讲义气,有勇气,肯舍己助人的气概和行为。

【侠客】xiákè 名 旧时指有武艺、讲义气、肯舍己助人的人。

【侠义】xiáyì 形 指讲义气,肯舍己助人的:～心肠|～行为。

狎 xiá 亲近而态度不庄重:～昵。

【狎妓】xiájì 动 指玩弄妓女。

【狎昵】xiánì 形 过分亲近而态度轻佻。

柙 xiá〈书〉关野兽的木笼,旧时也用来押解、拘禁罪重的犯人。

峡(峽) xiá ❶ 两山夹水的地方(多用于地名):三门～(在河南)|青铜～(在宁夏)|长江三～。❷ 见 532 页【海峡】。

【峡谷】xiágǔ 名 河流经过的深而狭窄的山谷,两旁有峭壁。

狭(狹) xiá 窄(跟"广"相对):～小|～路相逢。

【狭隘】xiá'ài 形 ❶ 宽度小:～的山道。❷ 范围小:她不愿意生活在～的小天地

里。❸（心胸、气量、见识等）局限在一个小范围里;不宽广;不宏大：见闻～|心地～|～的生活经验。

【狭长】xiácháng 〖形〗窄而长：～的巷子。

【狭路相逢】xiá lù xiāng féng 在很窄的路上遇见了,不容易让开,多指仇人相遇,难以相容。

【狭小】xiáxiǎo 〖形〗狭窄：房间～|气量～。

【狭义】xiáyì 〖名〗范围比较狭窄的定义（跟"广义"相对）：～的文艺单指文学,广义的文艺兼指美术、音乐等。

【狭窄】xiázhǎi 〖形〗❶ 宽度小：～的走廊|～的小胡同。❷ 范围小：场地～。❸（心胸、见识等）不宏大宽广：心地～。

袷 xiá 古时在太庙中合祭祖先。

陜（陝） xiá 〈书〉❶ 同"狭"。❷ 同"峡"。

硖（硤） xiá 硖石（Xiáshí）,地名,在浙江。

遐 xiá ❶〈书〉远：～想|～迩。❷〈书〉长久：～龄。❸（Xiá）〖名〗姓。

【遐迩】xiá'ěr 〈书〉〖名〗远近：～闻名(形容名声大)。

【遐思】xiásī 〖动〗遐想：远方来信,引人～。

【遐想】xiáxiǎng 〖动〗悠远地思索或想象：～联翩|闭目～。

瑕 xiá 玉上面的斑点,比喻缺点：～疵|白璧微～|纯洁无～。

【瑕不掩瑜】xiá bù yǎn yú 比喻缺点掩盖不了优点,优点是主要的,缺点是次要的。

【瑕疵】xiácī 〖名〗微小的缺点。

【瑕玷】xiádiàn 〈书〉〖名〗污点;毛病。

【瑕瑜互见】xiá yú hù jiàn 比喻有缺点也有优点。

暇 xiá 没有事的时候;空闲：无～兼顾|自顾不～。

辖（轄、鎋舝） xiá ❶ 大车轴头上穿着的小铁棍,可以管住轮子使不脱落。（图见898页"轮子"）❷〖动〗管辖;管理：直～|统～|省～市|北京市～十几个区县。

【辖区】xiáqū 〖名〗所管辖的地区。

【辖制】xiázhì 〖动〗管束;控制①：受人～。

霞 xiá 日光斜射在天空中,由于空气的散射作用而使天空和云层呈现黄、橙、红等彩色的自然现象,多出现在日出或日落的时候。通常指这样出现的彩色的云。❷（Xiá）姓。

【霞光】xiáguāng 〖名〗阳光穿透云雾射出的彩色光芒：～万道。

【霞帔】xiápèi 〖名〗我国古时贵族妇女礼服的一部分,类似披肩。

黠 xiá 〈书〉聪明而狡猾：狡～|～慧。

【黠慧】xiáhuì 〈书〉〖形〗狡猾聪慧。

xià（ㄒㄧㄚˋ）

下[1] xià ❶〖名〗方位词。位置在低处的：～游|～部|山～|往～看。❷ 等次或品级低的：～等|～级|～策|～品。❸〖名〗方位词。次序或时间在后的：～次|～半年|～不为例。❹ 向下面：～达|～行。❺〖名〗方位词。表示属于一定范围、情况、条件等：名～|部～|在党的领导～|在这种情况～。❻ 表示当某个时间或时节：时～|节～|年～。❼ 用在数目字后面,表示方面或方位：两～都同意|往四～一看。❽（Xià）〖名〗姓。

下[2] xià ❶〖动〗由高处到低处：～山|～楼|顺流而～。❷〖动〗(雨、雪等)降落：～雨|～雪|～霜。❸〖动〗发布;投递：～命令|～通知|～战书。❹〖动〗去;到(处所)：～乡|～车间|～馆子。❺〖动〗退场：八一队的五号～,三号上|这一场戏你应该从右边的旁门～。❻〖动〗放入：～面条|～本钱|～网捞鱼。❼〖动〗进行(棋类游艺或比赛)：～围棋|咱们～两盘象棋吧!❽〖动〗卸除;取下：～装|把敌人的枪一了|把窗户一下来。❾〖动〗做出(言论、判断等)：～结论|～批语|～定义。❿〖动〗使用;开始使用：～力气|～工夫|～刀|～笔|对症～药。⓫〖动〗(动物)生产：母猪～小猪|鸡～蛋。⓬ 攻陷：连～数城。⓭ 退让：相持不～。⓮〖动〗到规定时间结束日常工作或学习等：～班|～课。⓯〖动〗低于;少于：参加大会的不～三千人。

下[3] xià （～儿）〖量〗❶ a)用于动作的次数：钟打了三～|摇了几～旗子。b)〈方〉用于器物的容量：瓶子里装着半～墨水|这么大的碗,他足足吃了三～。❷ 用在"两、几"后面,表示本领、技能：他真有两

～|就这么几～,你还要逞能?‖也说下子。

下 //·xià 劻 趋向动词。用在动词后。❶ 表示由高处到低处:坐～|躺～|传～一道命令。❷ 表示有空间,能容纳:坐得～|这个剧场能容～上千人|这间屋子太小,睡不～六个人。❸ 表示动作的完成或结果:打～基础|定～计策|准备～材料。

【下巴】 xià·ba 图 ❶ 下颌的通称。❷ 颏(kē)的通称。

【下巴颏儿】 xià·bakēr 图 颏(kē)的通称。

【下摆】 xiàbǎi 图 长袍、上衣、衬衫、裙子等的最下面的部分。

【下班】 xià//bān (～儿)劻 每天规定的工作时间结束:每天下午六点～|下了班儿你干什么去?

【下半场】 xiàbànchǎng 图 下半时。

【下半旗】 xià bànqí 先将国旗升至杆顶,再降至离杆顶约占全杆三分之一的地方,是表示哀悼的礼节。也说降(jiàng)半旗。

【下半晌】 xiàbànshǎng 〈方〉图 下午。

【下半时】 xiàbànshí 图 足球、水球等球类比赛,全场比赛分作两段时间进行,后一段时间叫下半时。也说下半场。

【下半天】 xiàbàntiān (～儿)图 时间词。下午。

【下半夜】 xiàbànyè 图 时间词。后半夜。

【下辈】 xiàbèi (～儿)图 ❶ 指子孙。❷ 家族中的下一代。

【下辈子】 xià bèi·zi 图 来生。

【下本儿】 xià//běnr 劻 放进本钱◇要多打粮食就舍得～,勤浇水,多上肥,加强田间管理。

【下笔】 xià//bǐ 劻 用笔写或画,特指开始写或画:～千言|想好了再～。

【下笔成章】 xià bǐ chéng zhāng 随手写来,便成文章。形容文思敏捷。

【下边】 xià·bian (～儿)图 方位词。下面。

【下不来】 xià·bulái 劻 指在人前受窘:几句重话说得他脸上～。

【下不为例】 xià bù wéi lì 下次不能援例,表示只通融这一次。

【下操】 xià//cāo 劻 ❶ 指出操:我们上午～,下午上课。❷ 指收操:他刚～回来,跑得满头大汗。

【下策】 xiàcè 图 不高明的计策或办法。

【下层】 xiàcéng 图 下面的一层或几层(多用于机构、组织、阶层):深入～|～社会。

【下场】 xià//chǎng 劻 ❶ 演员或运动员退场。❷ 旧时指到考场应考。

【下场】 xià·chǎng 图 人的结局(多指不好的):没有好～|可耻的～。

【下场门】 xiàchǎngmén 图 指舞台左首(就观众说是右首)的出入口,因为角色大多从这儿下场。

【下车伊始】 xià chē yī shǐ 旧指官吏初到任所,现指刚到一个新地方或新工作岗位。

【下乘】 xiàchéng 图 本佛教用语,就是“小乘”。一般借指文学艺术的平庸境界或下品:～之作。

【下处】 xià·chu 图 出门人暂时住宿的地方:找个～住下。

【下船】 xià//chuán 劻 ❶ 从船上到岸上;上岸。❷ 〈方〉从岸上到船上;登船。

【下存】 xià//cún 劻 支取一部分之后还存(若干数目):这笔存款提了二百元,～八百元。

【下挫】 xiàcuò 劻 (价格、销量、汇率等)下降;下跌:股市连续～|这个月电视机销售量～15％。

【下达】 xiàdá 劻 向下级发布或传达(命令、指示等):～通知。

【下单】 xià//dān 劻 发出订单或买单:～订货|电话～。也说下单子。

【下蛋】 xià//dàn 劻 (鸟类或爬行动物)产卵:母鸡～。

【下等】 xiàděng 形 属性词。等级低的;质量低的:～货。

【下地】 xià//dì 劻 ❶ 到地里去(干活):～劳动|～割麦子。❷ 从床铺上下来(多指病人):他病了几个月,现在刚能～。❸〈方〉指婴儿刚生下来。

【下第】 xiàdì 劻 科举时代指考试没有考中;落第。

【下跌】 xiàdiē 劻 (水位、价格等)下降。

【下碇】 xià//dìng 劻 把系船的石墩放到岸上或水底,使船停住,借指停船抛锚。

【下颚】 xià'è 图 ❶ 某些节肢动物的第二对(有的是第三对)摄取食物的器官,生在口两旁的下方,极小,上面长着许多短毛。❷ 脊椎动物的下颌。

【下凡】 xià//fán 劻 神话中指神仙来到人

世间：天仙～。

【下饭】xiàfàn ❶(-/-/)囫 就着菜把主食吃下去。❷圈 适宜于和饭一起吃：这个菜下酒不～。❸〈方〉囵 指菜肴。

【下房】xiàfáng （～儿）囵 旧时称仆人住的屋子。

【下放】xiàfàng 囫❶ 把某些权力交给下层机构：把经营管理权～给企业。❷ 把干部调到下层机构去工作或送到农村、工厂、矿山去锻炼：干部～劳动。

【下风】xiàfēng 囵❶ 风所吹向的那一方：工业区设在城市的～，就不至于污染城市的空气。❷ 比喻作战或比赛的一方所处的不利地位：整场比赛主队一直处于～。

【下浮】xiàfú 囫（价格、利率、工资等）向下浮动：办公用房租金～|利率～一个百分点。

【下疳】xiàgān 囵 性病，分硬性和软性两种。硬下疳是梅毒初期，生殖器、舌、唇等形成溃疡，病灶的底部坚硬而不痛。软下疳在生殖器外部形成溃疡，病灶的周围组织柔软而疼痛。

【下岗】xià//gǎng 囫❶ 离开执行守卫、警戒等任务的岗位：夜深了，交警仍未～。❷ 职工因企业破产、裁减人员等原因失去工作岗位：～待业。

【下工】xià//gōng 囫❶ 到了规定时间停止日常劳动。❷ 旧时指解雇。

【下工夫】xià gōng·fu 为了达到某个目的而花费很多的时间和很大的精力：要想把技术学好，就得～|下过一番工夫。

【下海】xià//hǎi 囫❶ 到海中去。❷（渔民）到海上（捕鱼）：初次～，头晕呕吐是难免的。❸ 指业余戏曲演员成为职业演员。❹ 旧时指从事某些行业（如娼妓、舞女等）。❺ 指放弃原来的工作而经营商业。

【下颌】xiàhé 囵 口腔的下部，通称下巴，也叫下颚。参看 555 页"颌"。

【下滑】xiàhuá 囫 下降（多指成绩、质量等）：经济～|教学质量～。

【下怀】xiàhuái 囵 指自己的心意（原是谦辞）：正中～。

【下级】xiàjí 囵 同一组织系统中等级低的组织或人员：～组织|服从上级。

【下家】xiàjiā 囵❶（～儿）（打牌、掷色子、行酒令等）下一个轮到的人。参看 1195

页【上家】。❷（～儿）商业活动中指在后面承接自己货物的人或单位。❸〈方〉谦称自己的家。

【下贱】xiàjiàn 圈❶ 旧时指出身或社会地位低下；低贱。❷ 卑劣下流（骂人的话）。

【下江】Xiàjiāng 囵❶ 长江下游地区：～人|～官话。❷ 清代指江苏。参看 1195 页【上江】。

【下降】xiàjiàng 囫 从高到低；从多到少：地壳～|飞机～|气温～|成本～。

【下焦】xiàjiāo 囵 中医指胃的下口到盆腔的部分，包括肾、小肠、大肠、膀胱等脏器，主要功能是吸收和大小便。参看 1195 页【上焦】、1763 页【中焦】。

【下脚】xià//jiǎo （～儿）囫 走动时把脚踩下去：院子里到处是水，实在没处～。

【下脚货】xiàjiǎohuò 〈方〉囵 卖剩下的不好的货物。

【下脚料】xiàjiǎoliào 囵 原材料加工、利用后剩下的碎料。

【下界】xiàjiè[1] xià//jiè 囫 下凡。

【下界】xiàjiè[2] xiàjiè 囵 迷信的人称天上神仙居住的地方为上界，相对地把人间叫做下界。

【下劲】xià//jìn （～儿）囫 花费时间和精力；使劲：～学|～干。

【下九流】xiàjiǔliú 囵 旧时指社会地位低下、从事各种所谓下等职业的人，如艺人、脚夫、吹鼓手等。

【下酒】xià//jiǔ ❶囫 就着菜把酒喝下去。❷圈 适宜于和酒一起吃：这个菜下饭不～。

【下课】xià//kè 囫❶ 上课时间结束：下了课我们去打球吧。❷ 指辞职或被撤换：几个队的主教练先后～。

【下款】xiàkuǎn（～儿）囵 送人的字画、给人的信件等上面所写的自己的名字。

【下来】xià·lái 囫❶ 由高处向低处来：他从山坡上～了◇昨天省里～两位干部。❷ 指谷物、水果、蔬菜等成熟或收获：再有半个月桃就～了。

【下来】//·xià//·lái 囫 趋向动词。❶ 用在动词后，表示由高处向低处或由远处向近处来：把树上的苹果摘～|河水从上游流～|又派下新任务来了。❷ 用在动词后，表示从过去继续到现在或从开始继续到

最后：古代流传～的神话|所有参加业余培训的人都坚持～了。❸用在动词后，表示动作的完成或结果：把情况记录～|车渐渐停了～|起下几个钉子来。❹用在形容词后，表示程度继续增加：天色渐渐黑～|声音慢慢低了～。

【下里巴人】xiàlǐ bārén 战国时代楚国的民间歌曲(下里即乡里，巴人指巴国的人民，表明做歌曲的人和地方)，后来泛指通俗的普及的文学艺术，常跟"阳春白雪"对举。

【下联】xiàlián （～儿）图 对联的下一半。

【下列】xiàliè 图 属性词。下面所开列的：预防肠道传染病，应注意～几点。

【下令】xià//lìng 动 下达命令；发布命令：～出击|～解散。

【下流】xiàliú ❶图 下游：长江|黄河～。❷图 指卑下的地位。❸图 卑鄙龌龊：～话|～无耻。

【下落】xiàluò ❶图 寻找中的人或物所在的地方：～不明。❷动 下降：伞兵缓缓～。

【下马】xià//mǎ 动 比喻中止或放弃某项重大的工作、工程、计划等：由于资金不足，一批建设项目不得不要～。

【下马看花】xià mǎ kàn huā 比喻较长时间地深入实际，进行调查研究。

【下马威】xiàmǎwēi 图 原来指官吏初到任时对下属显示的威风，后泛指一开头就向对方显示的威力。

【下面】xià·miàn （～儿）图 方位词。❶位置较低的地方：轮船从南京长江大桥～顺流而下|在山顶远望，～是一片金黄的麦田。❷次序靠后的部分；文章或讲话中后于现在所叙述的部分：请看～陈列的纺织品|～谈的是农业技术革新的问题。❸指下级：这个文件要及时向～传达。

【下奶】xià//nǎi 动 ❶分泌奶水。❷催奶。

【下品】xiàpǐn 图 质量最差或等级最低的品级。

【下聘】xià//pìn 动 下聘礼。

【下坡路】xiàpōlù 图 ❶由高处通向低处的道路。❷比喻向衰落或灭亡的方向发展的道路。

【下欠】xiàqiàn ❶动 归还一部分之后还欠(若干数目)：我借老王二百元，还了八十

元，～一百二十元。❷图 下欠的款项：全数还清，并无～。

【下情】xiàqíng 图 ❶下级或群众的情况或心意：～上达|了解。❷谦辞，旧时对人有所陈述时称自己的情况或心情。

【下去】xià//·qù 动 由高处到低处去：从斜井～一百米，就到工作面◇领导干部每月要～几天。

【下去】//·xià//·qù 动 趋向动词。❶用在动词后，表示由高处向低处或由近处向远处去：石头从山上滚～◇把敌人的火力压～。❷用在动词后，表示从现在继续到将来：坚持～|说不～。❸用在形容词后，表示程度继续增加：天气可能再冷～，务必做好防冻保暖工作。

【下人】xiàrén 图 ❶旧时指仆人。也叫底下人。❷(方)指儿女或儿孙等晚辈。

【下三烂】xiàsānlàn (方) ❶图 下贱。❷图 指下贱、没出息的人。‖也作下三滥。

【下三滥】xiàsānlàn 同"下三烂"。

【下梢】xiàshāo 图 ❶末尾。❷结局。

【下身】xiàshēn 图 ❶身体的下半部，有时专指阴部。❷(～儿)指裤子或裙子。

【下神】xià//shén 巫婆等装神弄鬼，称神仙附在自己身上，叫做下神。

【下生】xiàshēng (方)动 出生；出世。

【下剩】xiàshèng 〈口〉动 剩余：留五个人打场(cháng)，～的人往地里送肥料。

【下士】xiàshì 图 某些国家的军衔，军士的最低一级。

【下世】xiàshì 〈书〉动 去世。

【下市】xià//shì 动 ❶(季节性的货物)已过产销旺季：立秋后西瓜～。❷结束一天的商业活动：太阳老高就～了。

【下手】[1] xià//shǒu 动 动手；着手：先～为强|无从～|我们还没到，人家已下了手了。

【下手】[2] xiàshǒu （～儿）图 ❶位置较卑的一侧，就室内说，一般指靠外的或靠右的(左右以人在室内而脸朝外时为准)。也作下首。❷下家①。❸助手：打～(担任助手)。

【下首】xiàshǒu 同"下手"[2]。

【下书】xiàshū 〈书〉动 投递书信。

【下属】xiàshǔ 图 下级。

【下水】[1] xià//shuǐ 动 ❶进入水中：新船～典礼。❷把某些纺织品、纤维等浸在水中使收缩。❸比喻做坏事：拖人～。

【下水】² xiàshuǐ 励 向下游航行：～船。

【下水】 xià·shui 名 食用的牲畜内脏，有些地区专指肚子(dǔ·zi)和肠子：猪～。

【下水道】 xiàshuǐdào 名 排除雨水和污水的管道。

【下榻】 xiàtà 励 (客人)住宿：～国际饭店。

【下台】 xià//tái 励 ❶ 从舞台或讲台上下来。❷ 指卸去公职或交出政权。❸ 比喻摆脱困难窘迫的处境(多用于否定式)：没法～|他这句话使我下不了台。

【下体】 xiàtǐ 〈书〉名 下身①。

【下调】 xiàtiáo 励 (价格、利率等)向下调整。

【下同】 xiàtóng 励 底下所说的跟这里所说的相同(多用于附注)。

【下头】 xià·tou 名 方位词。❶ 位置较低的地方：山～有个村庄。❷ 指下级：领导要耐心听取～的意见。

【下网】¹ xià//wǎng 励 设置罗网，多指在水中安设渔网：～捕鱼。

【下网】² xià//wǎng 励 在互联网上结束信息的检索、查询等，操作计算机等退出互联网(跟"上网"相对)。

【下文】 xiàwén 名 ❶ 书中或文章中某一段或某一句以后的部分。❷ 比喻事情的发展或结果：我托你的事已经好几天了，怎么还没有～?

【下午】 xiàwǔ 名 时间词。从正午十二点到半夜十二点的一段时间，一般也指从正午十二点到日落的一段时间。

【下下】 xiàxià 形 属性词。❶ 最下等；最差：～策。❷ 指比后一个时期更往后的(时期)：～星期。

【下弦】 xiàxián 名 月相的一种，农历每月二十二日或二十三日，太阳跟地球的连线和地球跟月亮的连线成直角时，在地球上看到月亮呈❨形，这种月相叫下弦，这时的月亮叫下弦月。

【下限】 xiàxiàn 名 时间最晚或数量最小的限度(跟"上限"相对)。

【下线】 xià//xiàn 励 指汽车、电器等在生产线上组装完毕，可以出厂：环保公交车本周内～。

【下陷】 xiàxiàn 励 向下或向内凹进：眼眶～|地基～。

【下乡】 xià//xiāng 励 到农村去。

【下泄】 xiàxiè 励 (水流)往下流或排泄：洪峰正沿江～。

【下泻】 xiàxiè 励 ❶ (水流)急速地往下流：～不畅◇汇率一路～。❷ 指腹泻。

【下行】 xiàxíng 励 ❶ 我国铁路部门规定，列车行驶方向和上行相反叫做下行。下行列车编号用奇数。如 11 次,103 次等，参看 1198 页〖上行〗。❷ 船从上游向下游行驶。❸ 公文由上级发往下级：～公文。

【下学】 xià//xué 励 学校当天课业完毕，学生回家。

【下旬】 xiàxún 名 每月二十一日到该月最后一天的日子。

【下药】 xià//yào 励 ❶ (医生)用药：对症～。❷ 下毒药。

【下野】 xià//yě 励 执政的人被迫下台。

【下议院】 xiàyìyuàn 名 两院制议会的组成部分。原是英国议会中的平民院的别称，后来泛指两院制议会中议员按人口比例或选区选举产生的议院，如美国的众议院，法国的国民议会，荷兰的二院等(跟"上议院"相对)。也叫下院。

【下意识】 xiàyì·shí ❶ 名 潜意识。❷ 副 不知不觉地；没有意识地：枪声一响，他～地缩回了头。

【下游】 xiàyóu 名 ❶ 河流接近出口的部分。❷ 比喻落后的地位：不能甘居～。

【下狱】 xià//yù 励 关进监狱。

【下元节】 Xiàyuán Jié 名 指农历十月十五日。

【下院】 xiàyuàn 名 下议院。

【下载】 xiàzài 励 从互联网或其他计算机上获取信息并装入到某台计算机或其他电子装置上(跟"上传"相对)。

【下葬】 xià//zàng 励 把灵柩埋到土里(有的民族不用棺材，指把遗体埋到土里)。

【下账】 xià//zhàng 励 把账目登记在账本上。

【下肢】 xiàzhī 名 人体的一部分，包括大腿、小腿、脚等。

【下种】 xià//zhòng 励 播种(bō//zhǒng)。

【下箸】 xiàzhù 〈书〉励 拿筷子夹东西吃。

【下装】¹ xià//zhuāng 励 卸装。

【下装】² xiàzhuāng 名 下身穿的衣服。

【下坠】 xiàzhuì 励 ❶ (物体)向下坠落。❷ (将分娩的产妇或痢疾、肠炎等病的患者)腹部感到沉重，像要大便。

【下子】xià∥zǐ（～儿）动❶播下种子。❷产卵。

【下子】xià·zi 量下³。

【下作】xià·zuo ❶形卑鄙;下流。❷〈方〉形（吃东西）又贪又馋。❸〈方〉名助手:打～(担任助手)。

吓(嚇) xià 动使害怕:~了一跳|别～着孩子。
另见555页hè。

【吓唬】xià·hu 〈口〉动使害怕;恐吓。

【吓人】xià∥rén 形使人害怕;可怕:山洞又深又黑,真～。

夏¹ xià 名夏季:初～|立～。

夏² Xià ❶名朝代,约公元前2070—公元前1600,禹（一说启）所建。❷指中国:华～。❸名姓。

【夏布】xiàbù 名用苎麻的纤维织成的布,多用来做蚊帐或夏季服装,产于江西、湖南、四川等地。

【夏侯】Xiàhóu 名姓。

【夏季】xiàjì 名一年的第二季,我国习惯指从夏到立秋的三个月时间。也指农历四、五、六三个月。参看1294页〖四季〗。

【夏历】xiàlì 名农历①。

【夏粮】xiàliáng 名夏季收获的粮食。

【夏令】xiàlìng 名❶夏季。❷夏季的气候:春行～(春天的气候像夏天)。

【夏令营】xiàlìngyíng 名夏季开设的供青少年或集体的成员短期休息、娱乐等的营地,多设在野外或海边。

【夏眠】xiàmián 动某些动物(如非洲肺鱼、沙蜥等)在炎热和干旱季节休眠。也叫夏蛰。

【夏收】xiàshōu ❶动夏季收获农作物。❷名夏季的收成:今年～增产一成。

【夏天】xiàtiān 名夏季。

【夏娃】Xiàwá 名《圣经》故事中人类始祖亚当的妻子。[希伯来 Hawwāh]

【夏衣】xiàyī 名夏季穿的衣服。

【夏蛰】xiàzhé 动夏眠。

【夏至】xiàzhì 名二十四节气之一,在6月21日或22日。这一天太阳经过夏至点,北半球白天最长,夜间最短。参看696页〖节气〗、363页〖二十四节气〗。

【夏至点】xiàzhìdiǎn 名黄道上最北的一点,夏至这天太阳经过这个位置。

【夏装】xiàzhuāng 名夏季穿的服装。

唬 xià 同"吓"(xià)。
另见577页hǔ。

厦(廈) xià 厦门(Xiàmén),地名,在福建。
另见1184页shà。

罅 xià 〈书〉缝隙:云～|石～。

【罅漏】xiàlòu 〈书〉名缝隙,比喻事情的漏洞:~之处,有待订补。

【罅隙】xiàxì 〈书〉名缝隙。

xiān（ㄒㄧㄢ）

仙(僊) xiān 名❶仙人;神仙:成～|求～。❷(Xiān)姓。

【仙丹】xiāndān 名神话中认为吃了可以起死回生或长生不老的灵丹妙药。

【仙姑】xiāngū 名❶女仙人。❷以求神问卜等迷信活动为职业的妇女。

【仙鹤】xiānhè 名❶丹顶鹤。❷专指神话中仙人所养的鹤。

【仙后座】xiānhòuzuò 名北部天空的一个星座,和大熊座隔着北极星遥遥相对,其中五颗主要的星可以连接成 W 形。

【仙境】xiānjìng 名神仙居住的地方。多比喻景物优美的地方。

【仙客来】xiānkèlái 名多年生草本植物,块茎扁圆形,叶子略呈心脏形,表面有白斑,背面紫红色,花红色,有香气。供观赏。

【仙女】xiānnǚ 名年轻的女仙人。

【仙人】xiānrén 名神话中指长生不老并且有种种神通的人。

【仙人球】xiānrénqiú 名多年生植物,茎球形或椭圆形,肉质,有纵行的棱,棱上有丛生的刺,花大,多为红色或白色。供观赏。

【仙人掌】xiānrénzhǎng 名多年生植物,茎多呈长椭圆形,稍扁平,像手掌,肉质,有刺,花黄色,浆果椭圆形,肉质。供观赏。

【仙山琼阁】xiānshān qiónggé 比喻奇异美妙的境界(多指幻境)。

【仙逝】xiānshì 动婉辞,称人死。

【仙子】xiānzǐ 名❶仙女。❷泛指仙人。

先 xiān ❶ 图 时间或次序在前的(跟"后"相对):~进|~例|事~|领~|争~恐后|有言在~。❷ 副 表示某一行为或事件发生在前:他比我~到|我~说几句。❸ 副 暂时:这件事情~放一放,以后再考虑。❹ 祖上;上代:~人。❺ 尊称死去的人:~父|~烈|~哲。❻〈口〉图 先前:小王的技术比~强多了|你~怎么不告诉我?❼(Xiān)图 姓。

【先辈】xiānbèi 图 ❶ 泛指行辈在先的人。❷ 指已去世的令人钦佩值得学习的人:继承革命~的事业。

【先导】xiāndǎo ❶ 动 引导;引路。❷ 图 引导者;向导。

【先睹为快】xiān dǔ wéi kuài 以先看到为快事。

【先端】xiānduān ❶ 图 叶、花、果实等器官的前端或顶部。❷ 形 尖端②:~技术|~材料。

【先发制人】xiān fā zhì rén 先动手以制伏对方;先于对手采取行动以获得主动。

【先锋】xiānfēng 图 作战或行军时的先头部队,旧时也指率领先头部队的将领,现在多用于比喻:~队|开路~|~作用。

【先锋派艺术】xiānfēngpài yìshù 西方现代艺术流派之一。广义的泛指最新的、具有反叛性的文学艺术现象,狭义的则特指第一次世界大战前后在欧洲出现的、反对艺术体制和艺术自律的一些艺术流派。

【先河】xiānhé 图 古代帝王先祭祀黄河,后祭祀海,以河为海的本源(见于《礼记·学记》)。后来称倡导在先的事物为先河:他主演《茶花女》等西洋名剧,开国人演话剧之~。

【先后】xiānhòu ❶ 图 先和后:要办的事情很多,应该分个~缓急。❷ 副 前后相继:新出土的文物在国内外多次展出。

【先见之明】xiān jiàn zhī míng 事先看清问题的眼力;预见性。

【先进】xiānjìn ❶ 形 进步比较快,水平比较高,可以作为学习的榜样的:~工作者|~水平。❷ 图 先进的人或集体:后进赶~。

【先决】xiānjué 形 属性词。为了解决某一问题,必须先解决的:~条件。

【先觉】xiānjué 图 在政治、社会改革方面觉悟得较早的人:先知~。

【先来后到】xiān lái hòu dào 按照来到的先后而确定次序。

【先礼后兵】xiān lǐ hòu bīng 先以讲礼貌的方式与对方交涉,行不通时再使用强硬的手段。

【先例】xiānlì 图 已有的事例:史无~。

【先烈】xiānliè 图 对烈士的尊称:革命~。

【先民】xiānmín〈书〉图 ❶ 古代的人。❷ 古代的贤人。

【先期】xiānqī 图 ❶ 某一日期以前:代表团的部分团员已于~到达。❷ 前期:~目标已经实现。

【先前】xiānqián 图 时间词。泛指以前或指某个时候以前:~我和他同过学|我们煤矿的机械化程度比~高多了。注意"以前"可以用在动词后面表示时间,例如"吃饭以前要洗手","先前"不能这样用。

【先遣】xiānqiǎn 形 属性词。行动前先派出去担任联络、侦察等任务的(人员或组织):~队|~部队。

【先秦】Xiān Qín 图 指秦统一以前的历史时期,一般指春秋战国时期:~史|~诸子(指孔子、老子、墨子、庄子、孟子、荀子、韩非子等)。

【先驱】xiānqū ❶ 动 走在前面引导(多虚用):~者。❷ 图 先驱者:革命的~。

【先人】xiānrén 图 ❶ 祖先。❷ 指已死的父亲。

【先容】xiānróng〈书〉动 事先为人介绍、吹嘘或疏通:为之~|愿为之~。

【先入为主】xiān rù wéi zhǔ 以为最先接受了一种说法或思想,以为是正确的,有了成见,后来就不容易再接受不同的说法或思想。

【先生】xiān·sheng 图 ❶ 老师。❷ 对知识分子和有一定身份的成年男子的尊称。❸ 称别人的丈夫或对人称自己的丈夫(都带人称代词做定语):她~出差去了|等我们~回来,我让他马上去找您。❹〈方〉医生。❺ 旧时称管账的人:在商号当~。❻ 旧时称以说书、相面、算卦、看风水等为业的人:算命~。

【先声】xiānshēng 图 指发生在重大事件之前的性质相同的某项事件:1789 年的法国大革命是 19 世纪各国资产阶级革命的~。

【先声夺人】xiān shēng duó rén 先张大声势以压倒对方,多用于比喻。

【先世】xiānshì 图祖先。

【先是】xiān·shi 匯用在上半句,表示某种动作或情况发生在前,下半句往往有"后、然后、接着"等跟它呼应:～承认,后又反悔。

【先手】xiānshǒu 图下棋时主动的形势(跟"后手"相对):～棋|占～。

【先天】xiāntiān 图❶人和动物的胚胎时期(跟"后天"相对):～的(胚胎时期的、生来就具有的)。❷哲学上指先验的。

【先天不足】xiāntiān bù zú 指人或动物生下来体质就不好,也泛指事物的根基差:～,后天失调。

【先头】xiāntóu ❶形属性词。位置在前的(多指部队):～部队。❷(～儿)图时间在前的;以前:～出发|怎么～我没听他说过。❸图前头;前面:旗手走在队伍的～。

【先贤】xiānxián 〈书〉图已经去世的有才德的人:～祠。

【先行】xiānxíng ❶动走在前面:～者|～官|兵马未到,粮草～。❷动先进行;预先进行:～试办|～通知。❸图指先行官。

【先行官】xiānxíngguān 图戏曲小说中指指挥先头部队的武官◇交通运输是国民经济的～。

【先行者】xiānxíngzhě 图首先倡导的人:孙中山先生是中国民主主义革命的～。

【先验论】xiānyànlùn 图唯心主义的认识论。同唯物主义的反映论相对立。认为人的知识(包括才能)是先于客观存在、先于社会实践、先于感觉经验的,是先天就有的。

【先意承志】xiān yì chéng zhì 原指不待父母明白说出就能迎合父母的心意做事,后来泛指揣摩人意,极力逢迎。

【先斩后奏】xiān zhǎn hòu zòu 封建时代臣子把人杀了再报告皇帝。现在多比喻自行把问题处理了,然后才报告上级或当权者。

【先兆】xiānzhào 图事先显露出来的迹象。

【先哲】xiānzhé 〈书〉图指已经去世的有才德的思想家。

【先知】xiānzhī 图❶对人类或国家的大事了解得较早的人。❷犹太教、基督教指受上帝启示而传达上帝旨意或预言未来的人。

【先祖】xiānzǔ 〈书〉图❶祖先。❷称已故的祖父。

纤(纖) xiān 细小:～尘|～微。另见1092页 qiàn。

【纤长】xiāncháng 形细而长:～的手指。

【纤尘】xiānchén 图细小的灰尘:～不染(一点灰尘也沾染不上)。

【纤度】xiāndù 图天然丝或化学纤维质量与长度之比,表示纤维的粗细程度,单位是特克斯。

【纤毫】xiānháo 图比喻非常细微的事物或部分:人物形象在这些牙雕艺术品里刻得～毕见。

【纤毛】xiānmáo 图某些生物体的细胞上生长的纤细的毛,由原生质构成,能运动,如人的气管内壁细胞,纤毛虫和某些藻类所生的毛。

【纤巧】xiānqiǎo 形细巧;小巧:饰物～精致。

【纤柔】xiānróu 形纤细而柔软:～的长发。

【纤弱】xiānruò 形纤细而柔弱:身子～。

【纤维】xiānwéi 图天然的或人工合成的细丝状物质或结构:植物～|神经～|醋酯～|光导～。

【纤维板】xiānwéibǎn 图一种人造板材,用朽木等原料经过粉碎、成型、热压等工序制成。

【纤维素】xiānwéisù 图有机化合物,化学式($C_6H_{10}O_5$)$_n$。是植物细胞壁的主要组成部分,主要用来制造纸张、人造纤维等。

【纤维植物】xiānwéi zhíwù 能从中取得纤维的植物,如棉花、亚麻、大麻等。

【纤悉】xiānxī 〈书〉形详细;详尽:～无遗。

【纤细】xiānxì 形非常细:笔画～。

【纤纤】xiānxiān 〈书〉形形容细长:十指～。

【纤小】xiānxiǎo 形细小。

氙 xiān 图气体元素,符号 Xe(xenonum)。无色无臭无味,大气中含量极少,化学性质不活泼。用来填充光电管、闪光灯等。

【氙灯】xiāndēng 图把氙气填充在真空

管里制成的灯,通电后发出的光和阳光的颜色相近。

忺 xiān 〈书〉高兴;适意(唐宋诗词常用)。

袄 xiān [袄教](Xiānjiào)图 拜火教。

秈(籼) xiān 秈稻。

【秈稻】xiāndào 图 水稻的一类,茎秆较高较软,叶子黄绿色,稻穗上的子粒较稀,米粒长而细。

【秈米】xiānmǐ 图 秈稻碾出的米,黏性小。

莶(薟) xiān 见 1457 页【豨莶】。

掀 xiān 动❶ 使遮挡覆盖的东西向上离开;揭:～锅盖|～门帘|把这一页～过去。❷ 翻腾;翻动:白浪～天。

【掀起】xiānqǐ 动❶ 揭起:～被子。❷ 往上涌起;翻腾:大海～了波涛。❸ 使大规模地兴起:～植树造林的新高潮。

铦(銛) xiān 〈书〉锋利:～利。

酰(酰) xiān [酰基](xiānjī)图 含氧酸的分子失去一个羟基而成的原子团。

跹(躚) xiān 见 1043 页【翩跹】。

锨(鍁、杴、枚) xiān 图 掘土或铲东西用的工具,有板状的头,用钢铁或木头制成,后面安把儿。

锬(銛) xiān 同"铦"。
另见 1323 页 tán。

鲜(鮮) xiān ❶形 新鲜①:～肉|～啤酒。❷形 新鲜②:～花。❸ 鲜明:～艳|～红。❹形 鲜美:味道～。❺ 鲜美的食物:时～。❻ 特指鱼虾等水产食物:鱼～。❼(Xiān)图 姓。
另见 1478 页 xiǎn。

【鲜卑】Xiānbēi 图 我国古代民族,居住在今东北、内蒙古一带。汉末渐渐强盛起来,南北朝时曾建立北魏、北齐、北周等政权。

【鲜果】xiānguǒ 图 新鲜的水果。

【鲜红】xiānhóng 形 状态词。形容颜色红而鲜艳:～的朝霞。

【鲜花】xiānhuā 图 新鲜的花朵:一束～。

【鲜活】xiānhuó 形 新鲜而生动:～的事例。

【鲜货】xiānhuò 图 指新鲜的水果、蔬菜、鱼虾等。

【鲜丽】xiānlì 形 鲜艳美丽:衣着色彩～。

【鲜亮】xiān·liang 〈方〉形❶ 鲜明①。❷ 漂亮:长得～|这一打扮就显得更～了。

【鲜灵】xiān·ling 〈方〉形 形容色泽鲜明,有生气的样子;新鲜水灵:浇了水之后,秧苗更～了|石榴花红得那么～|可爱。

【鲜美】xiānměi 形❶(菜肴、瓜果等)滋味好。❷〈书〉(花草等)新鲜美丽。

【鲜明】xiānmíng 形❶(颜色)明亮:色调～。❷ 分明而确定,一点也不含糊:主题～|～的对比。

【鲜嫩】xiānnèn 形 新鲜而嫩:～的藕。

【鲜血】xiānxuè 图 鲜红的血。

【鲜妍】xiānyán 形 鲜艳:色彩～。

【鲜艳】xiānyàn 形 鲜明而美丽:～夺目。

【鲜于】Xiānyú 图 姓。

暹 xiān 暹罗(Xiānluó),泰国的旧称。

骞(騫) xiān 〈书〉形容鸟飞。

xián (ㄒㄧㄢ)

闲(閑、閒) xián ❶形 没有事情;没有活动;有空(跟"忙"相对):游手好～|我没工夫,你找小杨吧,她～着呢。❷形(房屋、器物等)不在使用中:～房|不让机器～着。❸ 闲空儿:农～|忙里偷～。❹ 与正事无关的:～谈|～话。❺(Xián)图 姓。
"閒"另见 662 页 jiān "间";670 页 jiàn "间"。

【闲扯】xiánchě 动 闲谈:两人～了一阵子。

【闲荡】xiándàng 动 闲逛:～街头。

【闲工夫】xiángōng·fu (～儿)图 没有事情要做的时间。

【闲逛】xiánguàng 动 闲暇时到外面随便走走;游逛:工作太忙,没有工夫～|节日期间到公园～了一天。

【闲话】xiánhuà ❶(～儿)图 与正事无关的话:～少说,讨论具体问题吧!❷图 不满意的话:注意一点,免得让人说～。❸

〈书〉勔 闲谈；清夜～。

【闲居】xiánjū 勔 在家里住着没有工作做。

【闲空】xiánkòng （～儿）图 没有事的时候：她整天忙碌碌的，没有一点儿～。

【闲聊】xiánliáo 勔 闲谈。

【闲气】xiánqì 图 为了无关紧要的事而生的气：怄～|生～。

【闲弃】xiánqì 勔 闲置；弃置不用：沟边土地长期～。

【闲钱】xiánqián 图 指生活必需的费用以外多余的钱。

【闲情逸致】xián qíng yì zhì 闲适的情致。

【闲趣】xiánqù 图 闲适的情趣。

【闲人】xiánrén 图 ❶ 没有事情要做的人：现在正是农忙季节，村里一个～也没有。❷ 与事无关的人：～免进。

【闲散】xiánsǎn 圏 ❶ 无事可做而又无拘无束：～的日子。❷ 属性词。闲着不使用的(指人员或物资)：～劳力|～资金。

【闲事】xiánshì 图 跟自己没有关系的事；无关紧要的事：管～|～放一边，先干正事。

【闲适】xiánshì 圏 清闲安逸：～的心情|生活～。

【闲书】xiánshū 图 供消遣的书；与正业无关的书：床头放着两本～。

【闲谈】xiántán 勔 没有一定中心地谈无关紧要的话。

【闲暇】xiánxiá 图 闲空。

【闲心】xiánxīn 图 ❶ 闲适的心情：这么忙，我哪有～谈吃喝。❷ 不必要的、无关紧要的心思：操不完的～。

【闲雅】xiányǎ 同"娴雅"。

【闲言碎语】xián yán suì yǔ ❶ 与正事无关的话：～不多讲，表一表好汉武二郎。❷ 没有根据的话；闲话②：背地里散布～|不要听了几句～就打退堂鼓。

【闲员】xiányuán 图 集体中没事干的人员；多余的人员：裁汰～。

【闲云野鹤】xián yún yě hè 比喻闲散安逸不受尘事羁绊的人，旧时多指隐士、道士等。

【闲杂】xiánzá 圏 属性词。指没有一定职务的或与某事无关的人：～人员。

【闲章】xiánzhāng （～儿）图 个人的与姓名、职务等无关的图章，印文大多是熟语或诗文的句子，如"开卷有益"。一般用于

所藏的书画上。

【闲职】xiánzhí 图 空闲时间较多的或事情少的职务。

【闲置】xiánzhì 勔 搁在一边不用：这台机器已经～多年。

贤(賢) xián ❶ 有德行的；有才能的：～明|～达|～良。❷ 有德行的人；有才能的人：圣～|选～举能|任人唯～。❸ 敬辞，用于平辈或晚辈：～弟|～侄。❹ (Xián)图 姓。

【贤达】xiándá 图 有才能、德行和声望的人：社会～。

【贤德】xiándé ❶ 图 善良的德行。❷ 圏 贤惠：～女子。

【贤惠】(贤慧) xiánhuì 圏 指妇女心地善良，通情达理，对人和蔼。

【贤劳】xiánláo 〈书〉勔 (为公事)勤劳；劳累。

【贤良】xiánliáng 〈书〉❶ 圏 有德行，有才能：～之士。❷ 图 指有德行、有才能的人：任用～。

【贤路】xiánlù 〈书〉图 指贤能被任用的机会：开～。

【贤明】xiánmíng ❶ 圏 有才能，有见识：～的领导人。❷ 图 指有才能、有见识的人：任用～。

【贤能】xiánnéng ❶ 圏 有道德，有才能：～之士。❷ 图 指有道德、有才能的人：另举～。

【贤妻良母】xián qī liáng mǔ 既是丈夫的好妻子，又是子女的好母亲。用来称赞妇女贤惠。

【贤契】xiánqì 图 对弟子或朋友子侄辈的尊称(多用于书面)。

【贤人】xiánrén 图 有才德的人。

【贤士】xiánshì 〈书〉图 贤人。

【贤淑】xiánshū 〈书〉圏 贤惠：～的妻子。

【贤哲】xiánzhé 〈书〉❶ 圏 有才德，有智慧：～之士。❷ 图 指有才德、有智慧的人。

弦(❶❷絃) xián ❶ 图 弓背两端之间系着的绳状物，用牛筋制成，有弹性：弓～。❷ （～儿）图 乐器上发声的线，一般用丝线、铜丝或钢丝等制成。❸ 图 发条：钟走慢了，该上～了。❹ 图 连接圆周上任意两点的线段。❺ 我国古代称不等腰直角三角形的斜边。

【弦歌】xiángē ❶ 动 用琴瑟等弦乐器伴奏而歌唱：～一堂。❷ 名 指琴声歌声：一曲～|～阵阵。

【弦外之音】xián wài zhī yīn 比喻言外之意。

【弦乐器】xiányuèqì 名 指由于弦的振动而发音的一类乐器。如小提琴、琵琶、扬琴等。

【弦子】xián·zi 名 三弦的通称。

【弦子戏】xián·zixì 名 柳子戏。

捝（捝） xián 〈方〉动 撕；取；拔（毛发等）；拉：～扯|～鸡毛。

咸[1] xián ❶〈书〉副 全；都：～受其益|老少～宜。❷（Xián）名 姓。

咸[2]（鹹） xián 形 像盐的味道：～鱼|菜太～。

【咸菜】xiáncài 名 用盐腌制的某些菜蔬，有的地区也指某些酱菜。

【咸丰】Xiánfēng 名 清文宗（爱新觉罗·奕詝[zhǔ]）年号（公元1851—1861）。

【咸津津】xiánjīnjīn （～的）（～儿）形 状态词。形容味道略微带点咸。

【咸水湖】xiánshuǐhú 名 水中含盐分很多的湖。

【咸盐】xiányán 〈方〉名 盐。

涎 xián 口水：垂～三尺|口角流～。

【涎皮赖脸】xián pí lài liǎn 厚着脸皮跟人纠缠，惹人厌烦的样子。

【涎水】xiánshuǐ 〈方〉名 口水。

【涎着脸】xián·zhe liǎn （～儿）〈方〉做出涎皮赖脸的样子。

娴（嫻、嫺） xián 〈书〉❶ 文雅：～静。❷ 熟练：～熟|～于辞令。

【娴静】xiánjìng 形 文雅安详：举止～。

【娴熟】xiánshú 形 熟练：技术～。

【娴雅】xiányǎ 形 文雅（多形容女子）：谈吐～。也作闲雅。

蚿 xián 马蚿，古书上指马陆。

衔[1]（啣、唧） xián ❶ 动 用嘴含：燕子～泥|他～着一个大烟斗｜日已～山。❷ 存在心里：～恨|～冤。❸〈书〉接受；奉：～命。❹ 相连接：～接。

衔[2]（銜） xián 名 行政、军事、教学或科研等系统中人员的等级或称号：头～|学～|军～|大使～。

【衔恨】xiánhèn 动 心中怀着怨恨或悔恨：～而死。

【衔级】xiánjí 名 行政、军事、学术等系统中人员的等级。

【衔接】xiánjiē 动 事物相连接：两个阶段必须～起来。

【衔枚】xiánméi 〈书〉动 古代军队秘密行动时，让兵士口中横衔着枚（像筷子的东西），防止说话，以免敌人发觉：～疾走。

【衔命】xiánmìng 〈书〉动 奉命；受命。

【衔铁】xiántiě 名 某些电器中放在电磁铁两极中间的铁块或铁片。电磁铁的线圈通电时衔铁就被吸引而移动，从而改变所连接的电路。

【衔冤】xiányuān 动 含冤：～负屈。

舷 xián 名 船、飞机等两侧的边儿：左～|右～|～梯。

【舷窗】xiánchuāng 名 飞机或某些船体两侧密封的窗子。

【舷梯】xiántī 名 上下轮船、飞机等用的梯子。

痫（癇） xián ［痫症〕（xiánzhèng）名 中医指癫痫。

鹇（鷳） xián 见27页〖白鹇〗。

嫌 xián ❶ 嫌疑：避～|涉～。❷ 嫌怨：前～|挟～。❸ 动 厌恶；不满意：讨人～|贫爱富|大家都～他脾气太急|内容不错，文字略～啰唆。

【嫌犯】xiánfàn 名 指犯罪嫌疑人。

【嫌弃】xiánqì 动 厌恶而不愿接近。

【嫌恶】xiánwù 动 厌恶。

【嫌隙】xiánxì 名 因彼此不满或猜疑而发生的恶感：～消释|素有～。

【嫌疑】xiányí 名 被怀疑有某种行为的可能性：～犯|不避～。

【嫌疑犯】xiányífàn 名 刑事诉讼中有犯罪嫌疑而未经证实的人。

【嫌怨】xiányuàn 名 不满的情绪；怨恨。

【嫌憎】xiánzēng 动 嫌弃厌恶。

鲔（鮨） xián 名 鱼，体小而细长，无鳞，头扁平，口小，吻尖。生活在热带和温带的近海。种类很多。

xiǎn （ㄒㄧㄢˇ）

狝(獮) xiǎn 古代指秋天打猎。

冼 Xiǎn 图姓。

显(顯) xiǎn ❶ 形 露在外面容易看出来；明显：～而易见|药刚吃了一剂，效果还不很。～。❷ 动 表现；露出：各～其能|大～身手。❸ 有名声有权势地位的：～达|～赫。❹（Xiǎn）图姓。

【显白】xiǎn·bai 同"显摆"。

【显摆】xiǎn·bai 〈方〉动 显示并夸耀：她就爱在人前～自己。也作显白。

【显达】xiǎndá 形 指在官场上地位高而有名声。

【显得】xiǎn·de 动 表现出（某种情形）：节日的天安门～更加壮丽。

【显而易见】xiǎn ér yì jiàn （事情、道理）非常明显，很容易看清楚。

【显贵】xiǎnguì ❶ 形 声名显赫，地位尊贵：～人物。❷ 图 指声名显赫、地位尊贵的人（多指高官）：傲视～。

【显赫】xiǎnhè 形 ❶（权势、名声等）盛大：～一时|地位～。❷ 显著：战果～。

【显花植物】xiǎnhuā-zhíwù 开花、结实、靠种子繁殖的植物的统称，如桃、菊、麦等（区别于"隐花植物"）。

【显豁】xiǎnhuò 形 显著明白：文章内容～。

【显见】xiǎnjiàn 动 可以明显地看出：孩子比前两年～懂事多了。

【显卡】xiǎnkǎ 图 显示卡。

【显灵】xiǎn//líng 动 迷信的人指神鬼现出形象，发出声响或使人感到威力。

【显露】xiǎnlù 动 原来看不见的变成看得见；现出：他脸上～出高兴的神色。

【显明】xiǎnmíng 形 清楚明白：～的对照。

【显目】xiǎnmù 形 显眼。

【显能】xiǎn//néng 动 显示自己的才能：你在行家面前显什么能！

【显然】xiǎnrán 形 容易看出或感觉到；非常明显：这种说法～错误|问题很～。

【显荣】xiǎnróng 〈书〉形 显达荣耀。

【显圣】xiǎn//shèng 动（受崇敬的人物）死后显灵（迷信）。

【显示】xiǎnshì 动 明显地表现：～威力|作品～了作者纯熟的写作技巧。

【显示卡】xiǎnshìkǎ 图 显示器适配卡的简称；计算机硬件之一，其作用是将主机的输出信息传送到显示器上显示出来。

【显示器】xiǎnshìqì 图 计算机的一种输出设备，能够显示文字、图像等。

【显微镜】xiǎnwēijìng 图 观察微小物体用的仪器，光学显微镜主要由一个金属筒和两组透镜构成，通常可以放大几百倍到几千倍。还有电子显微镜等。

【显现】xiǎnxiàn 动 呈现；显露：雾气逐渐消失，重叠的山峦一层一层地～出来。

【显像管】xiǎnxiàngguǎn 图 电视接收机、示波器等设备中的一种器件，是一个高度真空的玻璃泡，一端膨大，略平，呈屏状，上面涂有荧光粉；另一端的装置能产生电子束，并使电子束在荧光屏上扫描，形成图像。

【显效】xiǎnxiào ❶ 动 显示效果：这种农药～快，毒性低。❷ 图 明显的效果：未见～。

【显形】xiǎn//xíng （～儿）动 显露原形；露出真相（用于人时多含贬义）。

【显性】xiǎnxìng 形 属性词。指性质或性状表现在外的（跟"隐性"相对）：～遗传|～语法关系。

【显学】xiǎnxué 〈书〉图 著名的学说、学派。

【显眼】xiǎnyǎn 形 明显而容易被看到；引人注目：把布告贴在～的地方|这幅广告很～。

【显扬】xiǎnyáng 〈书〉动 ❶ 表彰。❷ 声誉著称：～于天下。

【显要】xiǎnyào ❶ 形 官职高而权柄大；地位～|～人物。❷ 图 指官职高而权柄大的人：朝中～。

【显耀】xiǎnyào ❶ 形 指声誉、权势等显赫：～一时。❷ 动 夸耀；炫示：～自己的能干。

【显影】xiǎn//yǐng 动 把曝过光的照相底片或相纸，用药液（酚、胺等）处理使显影像。显影工作通常在暗室中进行。

【显证】xiǎnzhèng 〈书〉图 明证。

【显著】xiǎnzhù 形 非常明显：效益～|取

得～成就｜发生～变化。

洗 Xiǎn 名 姓。
另见1459页 xǐ。

险(險) xiǎn ❶ 形 地势险恶、复杂、不易通过；险要：～地｜～峻｜山高水～｜这条盘山公路弯道多，很～。❷ 地势险恶不容易通过的地方：天～｜无～可守。❸ 遭到不幸或发生灾难的可能：冒～｜保～｜脱～｜～症｜巡堤查～。❹ 狠毒：阴～｜～诈。❺ 副 险些：～遭不幸。

【险隘】xiǎn'ài 名 险要的关口。

【险地】xiǎndì 名 ❶ 险要的地方。❷ 危险的境地。

【险恶】xiǎn'è 形 ❶（地势、情势等）危险可怕：山势～｜病情～｜环境～。❷ 阴险恶毒：～用心。

【险峰】xiǎnfēng 名 险峻的山峰：攀登～。

【险工】xiǎngōng 名 容易发生危险的工程。

【险固】xiǎngù 形 险要坚固：地势～。

【险关】xiǎnguān 名 险要的关口：闯过～。

【险境】xiǎnjìng 名 危险的境地：逃出～。

【险峻】xiǎnjùn 形 ❶（山势）高而险：山峰～。❷ 危险严峻：形势十分～。

【险情】xiǎnqíng 名 容易发生危险的情况：排除～｜及时发现～。

【险胜】xiǎnshèng 动 比赛中以很小的差距战胜对方：甲队以31比30～乙队。

【险滩】xiǎntān 名 江河中水浅礁石多、水流湍急、行船危险的地方。

【险巇】xiǎnxī〈书〉形 形容山路危险，泛指道路艰难。也作崄巇。

【险象】xiǎnxiàng 名 危险的情形：～环生。

【险些】xiǎnxiē 副 差一点儿（发生不如意的事）：马往旁边一闪，～把我摔下来。

【险要】xiǎnyào 形（地势）险峻而处于要冲：山势～。

【险韵】xiǎnyùn 名 指作旧体诗时用生僻字或同韵字少的字押的韵。

【险诈】xiǎnzhà 形 阴险奸诈。

【险兆】xiǎnzhào 名 危险的征兆：发现～，必须立即停止作业｜大楼出现地基下沉的～。

【险症】xiǎnzhèng 名 可能发生危险的症候。

【险种】xiǎnzhǒng 名 保险公司所设的投保种类，如财产保险、人身保险等。

【险阻】xiǎnzǔ 形（道路）险恶而有阻碍，不容易通过：崎岖～的山路。

蚬(蜆) xiǎn 名 软体动物，介壳圆形或心脏形，表面有轮状纹。生活在淡水中或河流入海的地方。

崄(嶮) xiǎn [崄巇]（xiǎnxī）同"险巇"。

岌(嵒) xiǎn 地名用字：周家～（在陕西）。

毲(秕) xiǎn〈书〉（鸟兽新生的毛）齐整。

獫(玁) xiǎn [獫狁]（Xiǎnyǔn）同"猃狁"。

猃(獫) xiǎn〈书〉长(cháng)嘴的狗。

【猃狁】Xiǎnyǔn 名 我国古代北方的一个民族。也作猃狁。

铣(銑) xiǎn [铣铁]（xiǎntiě）名 旧时指铸铁。
另见1460页 xǐ。

筅(筳) xiǎn [筅帚]（xiǎnzhǒu）〈方〉名 炊帚（多指用竹子做的）。

跣 xiǎn〈书〉光着(脚)：～足。

暴 xiǎn〈书〉同"显"。

鲜(鮮、尟、尠) xiǎn 少：～见｜～有｜～为人知｜寡廉～耻。
另见1474页 xiān。

【鲜为人知】xiǎn wéi rén zhī 很少有人知道。

薛(蘚) xiǎn 名 ❶ 苔藓植物的一类。属于这一类的植物，茎和叶子都很小，绿色，没有根，生在阴湿的地方。❷（Xiǎn）姓。

燹 xiǎn〈书〉野火。参看97页〖兵燹〗。

幰 xiǎn〈书〉车的帷幔。

xiàn（ㄒㄧㄢˋ）

见(見) xiàn〈书〉同"现"⑤：图穷匕首～。

另见669页 jiàn。

苋（莧） xiàn 苋菜。

【苋菜】xiàncài 名 一年生草本植物,茎细长,叶子椭圆形,有长柄,暗紫色或绿色,花绿白色,种子黑色。茎和叶子可以吃,是常见蔬菜。

县（縣） xiàn 名❶ 行政区划单位,由省、自治区、直辖市或自治州、省辖市领导。❷（Xiàn）姓。

〈古〉又同"悬"xuán。

【县城】xiànchéng 名 县行政机关所在的城镇。

【县份】xiànfèn 名 县(不和专名连用):崇信是甘肃东部的一个～。

【县志】xiànzhì 名 记载一个县的历史、地理、风俗、人物、文教、物产等的专书。

【县治】xiànzhì 名 旧指县政府的所在地。

岘（峴） Xiàn 岘山,山名,在湖北。

现（現） xiàn ❶ 现在;此刻:～状|～任|～役|～行。❷ 副 临时;当时:～编～唱|～做的烧饼。❸ 当时可以拿出来的:～货|～金|～钱。❹ 现款:兑～|贴～。❺ 动 表露在外面,使人可以看见:～原形|～出本相。

【现场】xiànchǎng 名❶ 发生案件或事故的场所以及该场所在发生案件或事故时的状况:保护～,以便取证。❷ 直接进行生产、演出、比赛、试验等的场所:～参观|～会议|～直播。

【现钞】xiànchāo 名 可以当时交付的货币;现款。

【现成】xiànchéng （～儿）形 属性词。已经准备好了,不用临时做或找的;原有的:～饭|～话|你帮帮忙去,别净等～儿的。

【现成饭】xiànchéngfàn 名 已经做成的饭。比喻不劳而获的利益。

【现成话】xiànchénghuà 名 不参与其事而在旁说的冠冕堂皇的空话。

【现存】xiàncún 动 现在留存;现有:～的孤本|～物资。

【现大洋】xiàndàyáng 名 现洋。

【现代】xiàndài 名 现在这个时代。在我国历史分期上多指五四运动到现在的时期。

【现代化】xiàndàihuà 动 使具有现代先进科学技术水平:国防～|～的设备。

【现代五项】xiàndài wǔxiàng 综合性体育比赛项目之一。由依次进行的越野障碍赛马、击剑、射击、游泳和越野赛跑五个项目组成。比赛每天进行一项,连续五天赛完,以各单项积分总和计算成绩。

【现代舞】xiàndàiwǔ 名❶ 20世纪初在欧美出现的舞蹈形式。特征是突破了古典芭蕾艺术的固定模式,以自然的舞蹈动作自由地表达思想感情,表现生活。❷ 体育舞蹈的一类,包括华尔兹、维也纳华尔兹、探戈、狐步和快步舞。

【现代戏】xiàndàixì 名 指以现代社会生活为题材的戏剧。

【现代主义】xiàndài zhǔyì ❶ 19世纪下半叶以来西方各种与传统迥然有别的文学艺术思潮的统称,如超现实主义、表现主义等,旨在表现对20世纪所发生的深刻变化而作出的精神反映。❷ 19世纪90年代至20世纪初天主教会内部出现的一股旨在用现代哲学重新阐释天主教教义的神学思潮。

【现房】xiànfáng 名 房产市场上指已经建成、可以入住的房子(区别于"期房")。

【现汇】xiànhuì 名 在国际贸易和外汇买卖中可以当时交付的外汇(主要指外国货币)。

【现货】xiànhuò 名 成交后可以当时交割和清算的货物、股票、外汇、债券等(区别于"期货"):～交易|备有～。

【现今】xiànjīn 名 时间词。现在;如今:这种式样～不时兴了。

【现金】xiànjīn 名❶ 现款,有时也包括可以提取现款的支票等:～交易。❷ 银行库存的货币。

【现金账】xiànjīnzhàng 名 记载现金收支的会计账簿。

【现局】xiànjú 名 现时的局面。

【现款】xiànkuǎn 名 可以当时交付的货币。

【现年】xiànnián 名 现在的年龄。

【现钱】xiànqián〈口〉名 现款。

【现任】xiànrèn ❶ 动 现在担任(职务):他～工会主席。❷ 形 属性词。现在任职的:～校长是原来的教导主任。

【现如今】xiànrújīn〈方〉名 现在;如今。

【现身说法】xiàn shēn shuō fǎ 本佛教用

语,指佛力广大,能现出种种人形,向人说法。现比喻用自己的经历遭遇为例证,对人进行讲解或劝导。

【现时】xiànshí 〈名〉时间词。现在;当前:~正是农忙时节。

【现实】xiànshí ❶〈名〉客观存在的事物:考虑问题,不能脱离~。❷〈形〉合于客观情况:这个计划不~|这是一个比较~的办法。

【现实主义】xiànshí zhǔyì 文学艺术上的一种创作方法。通过典型人物、典型环境的描写,反映现实生活的本质。旧称写实主义。

【现世】¹ xiànshì 〈名〉今生;这一辈子:~报。

【现世】² xiànshì 〈动〉出丑;丢脸:活~。

【现世报】xiànshìbào 迷信的人指人做了坏事今生就得到报应。

【现势】xiànshì 〈名〉目前的形势。

【现下】xiànxià 〈口〉〈名〉时间词。现在;目前:~正忙,这事过几天再说。

【现…现…】xiàn…xiàn… 嵌入两个动词,表示为了某个目的而临时采取某种行动:~编~唱|~宰~卖|~用~买|~吃~做。"现"也说旋(xuàn)。

【现象】xiànxiàng 〈名〉事物在发展、变化中所表现的外部的形态和联系:社会~|自然~|看问题不能只看~,要看本质。

【现行】xiànxíng 〈形〉属性词。❶现在施行的;现在有效的:~法令|~制度。❷正在进行或不久前曾进行犯罪活动的:~犯。

【现行法】xiànxíngfǎ 〈名〉指一个国家正在施行的,具有效力的法律。

【现行犯】xiànxíngfàn 〈名〉法律上指正在预备犯罪、实行犯罪或犯罪后即时被发觉的人。

【现形】xiàn∥xíng 〈动〉显露原形:《官场~记》(清末小说名)。

【现眼】xiàn∥yǎn 〈动〉出丑;丢脸:丢人|这回差点儿现了眼,以后可得小心。

【现洋】xiànyáng 〈名〉旧指银圆。也说现大洋。

【现役】xiànyì ❶〈名〉公民自应征入伍之日起到退伍之日止所服的兵役。❷〈形〉属性词。正在服兵役的:~军人。

【现在】xiànzài 〈名〉时间词。这个时候,指说话的时候,有时包括说话前后或长或短的一段时间(区别于"过去、将来"):他~的情况怎么样?|他当了厂长了。

【现职】xiànzhí 〈名〉目前正担任着的职务:他当过班长、排长,年初改任~。

【现状】xiànzhuàng 〈名〉目前的状况:打破~|改变~|维持~。

晛(睍)
xiàn 〈书〉太阳出现。

限
xiàn ❶〈名〉指定的范围;限度:界~|期~|权~|以年底为~。❷〈动〉指定范围,不许超过:~期完工|人数不~。❸〈书〉门槛:门~|户~。

【限产】xiànchǎn 〈动〉限制产量;限制生产:~压库|对产品滞销企业必须~。

【限定】xiàndìng 〈动〉在数量、范围等方面加以规定:~报名时间|讨论的范围不~。

【限度】xiàndù 〈名〉范围的极限:最高或最低的数量或程度:最高~|容忍是有~的。

【限额】xiàn'é 〈名〉规定的数额。

【限价】xiànjià ❶〈动〉限定价格:~销售。❷〈名〉限定的价格:最高~。

【限界】xiànjiè 〈名〉限定的界线。

【限量】xiànliàng ❶〈动〉限定止境、数量:前途不可~|~供应。❷〈名〉限度。

【限令】xiànlìng ❶〈动〉命令限期实行:~三日内拆除违章建筑。❷〈名〉限定执行的命令:放宽~。

【限期】xiànqī ❶〈动〉指定日期,不许超过:~归还|~报到。❷〈名〉指定的不许超过的日期:~已满|三天的~。

【限时】xiànshí 〈动〉限定时间:~停车|~供应。

【限养】xiànyǎng 〈动〉(对某些动物)限制喂养:市有关部门最近制定出~犬的规定。

【限于】xiànyú 〈动〉受某些条件或情形的限制;局限在某一范围之内:~水平|本文讨论的范围,~一些原则问题。

【限制】xiànzhì ❶〈动〉规定范围,不许超过:~其行动自由|文章的字数不~。❷〈名〉规定的范围:有一定的~。

线(綫)
xiàn ❶(~儿)〈名〉用丝、棉、麻、金属等制成的细长而可以任意曲折的东西:毛~|电~|一根~|一缕~。❷〈名〉几何学上指一个点任意移动所构成的图形,有长,没有宽和厚。分为直线和曲线两种。❸细长像线的东西:~

香。❹ 名 交通路线：航～|运输～|京广～|沿～各站。❺ 指思想上、政治上的路线：上纲上～。❻ 边缘交界的地方：前～|火～|防～|海岸～|国境～。❼ 比喻所接近的某种边际：生命～|死亡～|贫困～。❽ 线索：眼～。❾ 量 用于抽象事物，数词配用"一"，表示极少：一～光明|一～希望|一～生机。❿（Xiàn）名 姓。

【线报】xiànbào〈方〉名 线人向警察、侦探提供的情报。

【线材】xiàncái 名 断面很小，可以卷起来的金属材料，如铁丝等。

【线春】xiànchūn 名 一种有几何图案花纹的丝织品，多用作春季衣料，浙江杭州所产的最有名。也叫春绸。

【线段】xiànduàn 名 直线上任意两点间的部分。

【线粒体】xiànlìtǐ 名 细胞质内粒状或棒状的细胞器，能为细胞提供能量，能自行分裂，在遗传上有相对独立性。

【线路】xiànlù 名 电流、运动物体等所经过的路线：无线电～|公共汽车～。

【线麻】xiànmá 名 大麻①。

【线密度】xiànmìdù 名 某些长条形物体（如纱线、铁丝等）质量与长度之比，表示它们的粗细程度，单位是千克/米。纺织业用于表示纤维线密度的单位是特克斯。

【线呢】xiànní 名 用有颜色的纱或线按不同花式织成的棉布，质地厚实，富于弹性，外表有点像毛呢。

【线坯子】xiànpī·zi 名 粗制的棉线，质地松，可捻成合股儿线。

【线圈】xiànquān 名 用带有绝缘外皮的导线绕制成的圈状物或筒状物，广泛应用在电机、电器上。

【线人】xiànrén〈方〉名 为警察、侦探充当眼线，提供侦查对象活动情报的人。

【线绳】xiànshéng（～儿）名 用多股粗棉线拧成的绳子。

【线索】xiànsuǒ 名 比喻事物发展的脉络或探求问题的途径：故事的～|找到了破案的～。

【线毯】xiàntǎn 名 用棉纱、混纺纱织成的较薄的毯子。

【线膛】xiàntáng 名 有膛线的枪膛或炮膛：～炮。

【线条】xiàntiáo 名 ❶ 绘画时勾画或曲或直、或粗或细的线：粗～|这幅画的～非常柔和。❷ 人体或工艺品的轮廓。

【线头】xiàntóu（～儿）名 ❶ 线的一端。❷ 很短的一段线。也叫线头子。

【线香】xiànxiāng 名 用木屑加香料做成的细长而不带棒儿的香。

【线形动物】xiànxíng dòngwù 无脊椎动物的一门，外形通常像线或呈长圆柱形，两端渐尖，不分环节，表面有皮，体内有消化管，大多数雌雄异体，如蛔虫、钩虫等。

【线衣】xiànyī 名 用粗棉线织成的上衣。

【线轴儿】xiànzhóur 名 缠绕用的轴形物；缠着线的轴形物。

【线装】xiànzhuāng 形 属性词。书籍装订法的一种，装订的线露在书的外面，是我国传统的装订法：～书。

宪（憲）xiàn ❶〈书〉法令：～令。❷ 宪法：立～|违～|～章。❸（Xiàn）名 姓。

【宪兵】xiànbīng 名 某些国家的军事政治警察。

【宪法】xiànfǎ 名 国家的根本法。具有最高的法律效力，是其他立法工作的根据。通常规定一个国家的社会制度、国家制度、国家机构和公民的基本权利与义务等。

【宪警】xiànjǐng 名 宪兵和警察。

【宪章】xiànzhāng ❶〈书〉动 效法。❷〈书〉名 典章制度。❸ 名 某个国家的具有宪法作用的文件；规定国际机构的宗旨、原则、组织的文件。

【宪政】xiànzhèng 名 民主的政治：实行～|～运动。

粯（粯）xiàn〈书〉米屑。

【粯子】xiàn·zi〈方〉名 粗麦粉。

陷 xiàn ❶ 名 陷阱。❷ 动 掉进（泥土等松软的物体里）：越～越深|汽车～在泥里了。❸ 动 凹进：病了几天，眼睛都～进去了。❹ 动 陷害：诬～|～人于罪。❺ 被攻破；被占领：失～|沦～。❻ 缺点：缺～。

【陷害】xiànhài 动 设计害人：～好人。

【陷阱】xiànjǐng 名 ❶ 为捉野兽或敌人而挖的坑，上面浮盖伪装的东西，踩在上面就掉到坑里。❷ 比喻害人的圈套。

【陷坑】xiànkēng 名陷阱。

【陷落】xiànluò 动❶地面或其他物体的表面一部分向里凹进去:许多盆地都是因为地壳～而形成的。❷陷入①。❸（领土）被敌人占领。

【陷人】xiànrù ❶落在(不利的境地):～重围|～停顿状态。❷比喻深深地进入(某种境界或思想活动中):～沉思。

【陷身】xiànshēn 动身体陷入:～囹圄。

【陷于】xiànyú 动陷入①:～孤立|谈判～僵局。

【陷阵】xiànzhèn 动冲入敌阵:冲锋～。

馅(餡)xiàn （～儿）名面食、点心里包的糖、豆沙或细碎的肉、菜等:饺子～儿|枣泥～|月饼～。

【馅儿饼】xiànrbǐng 名带馅儿的饼,用面做薄皮,包上肉、菜等拌成的馅儿,在锅上或铛上烙熟。

羡(羨)xiàn ❶羡慕:歆～|艳～。❷(Xiàn)名姓。

【羡慕】xiànmù 动看见别人有某种长处、好处或有利条件而希望自己也有:他很～我有这么一个好师傅。

【羡余】xiànyú ❶名封建时代地方官吏向人民勒索的各种附加的赋税:进献～。❷形属性词。多余的:～成分|语言中的～现象。

线(線)xiàn ❶同"线"①-⑨。❷(Xiàn)名姓。

献(獻)xiàn ❶动把实物或意见等恭敬庄严地送给集体或尊敬的人:～花|～旗|贡～|把青春～给祖国。❷动表现给人看:～技|～殷勤。❸(Xiàn)名姓。

【献宝】xiàn//bǎo 动❶献出珍贵的物品。❷比喻提供宝贵的经验或意见。❸比喻显示自己的东西或自以为新奇的东西。

【献策】xiàn//cè 动献计。

【献丑】xiàn//chǒu 动谦辞,用于表演技能或写作的时候,表示自己的能力很差。

【献词】xiàncí 名祝贺的话或文字:新年～。

【献花】xiàn//huā 动把鲜花献给贵宾或敬爱的人。

【献计】xiàn//jì 动贡献计策。

【献技】xiànjì 动把技艺表演给大家看。

【献礼】xiàn//lǐ 动为了表示庆祝而献出礼物:向国庆～。

【献媚】xiànmèi 动为了讨好别人而做出某种姿态或举动:～取宠。

【献旗】xiàn//qí 动把锦旗献给某个集体或个人,表示敬意或谢意。

【献芹】xiànqín 名《列子·杨朱》:"昔人有美戎菽、甘枲茎、芹萍子者,对乡豪称之。乡豪取而尝之,蜇于口,惨于腹。众哂而怨之,其人大惭。"后来用"献芹"谦称赠人的礼品菲薄或所提的建议浅陋。

【献身】xiàn//shēn 动把自己的全部精力或生命献给祖国、人民或事业:～于教育事业几十年|为革命而光荣～。

【献演】xiànyǎn 动为观众表演节目(含敬意):进京～|～剧目。

【献疑】xiànyí 〈书〉动提出疑问。

【献艺】xiànyì 动献技:登台～。

【献殷勤】xiàn yīnqín 为了讨好别人的欢心而奉承、伺候。

【献映】xiànyìng 动为观众放映影片(含敬意):～优秀国产片。

腺xiàn 名生物体内能分泌某些化学物质的组织,由腺细胞组成,如人体内的汗腺和唾液腺,花的蜜腺。

镍(錁)xiàn 名金属线。

霰xiàn 名空中降落的白色不透明的小冰粒,常呈球形或圆锥形。多在下雪前或下雪时出现。有的地区叫雪子(xuězǐ)、雪糁(xuěshēn)。

━━━━ xiāng（ㄒㄧㄤ）━━━━

乡(鄉)xiāng 名❶乡村(跟"城"相对):山～|下～|城～物资交流。❷家乡:背井离～|回～务农。❸我国行政区划的基层单位,由县一级行政单位领导。❹(Xiāng)姓。

【乡巴佬儿】xiāng·balǎor 名乡下人(含讥讽意),也指没有见过世面的人。

【乡愁】xiāngchóu 名深切思念家乡的忧伤的心情:离家多年,～日增。

【乡村】xiāngcūn 名主要从事农业、人口分布较城镇分散的地方。

【乡规民约】xiāng guī mín yuē 指由村民共同制定并遵守的用于本地的规约。

【乡间】xiāngjiān 名乡村里。

【乡井】xiāngjǐng〈书〉名家乡：远离～。

【乡里】xiānglǐ 名❶家庭久居的地方（指小城镇或农村）：荣归～。❷同乡的人：看望～。

【乡邻】xiānglín 名同乡而住得较近的人。

【乡僻】xiāngpì 形离城市远而偏僻：～之地。

【乡企】xiāngqǐ 名乡镇企业的简称。

【乡亲】xiāngqīn 名❶同乡的人。❷对农村中当地人民的称呼：～们。

【乡情】xiāngqíng 名对故乡的感情。

【乡曲】xiāngqū〈书〉名❶乡里：横行～。❷指偏僻的乡村。

【乡绅】xiāngshēn 名旧指乡间的绅士。

【乡试】xiāngshì 名明清两代每三年在省城举行一次的科举考试，考中的人称举人。

【乡思】xiāngsī 名怀念家乡的心情。

【乡谈】xiāngtán 名指家乡话。

【乡土】xiāngtǔ 名本乡本土：～观念｜～风味。

【乡下】xiāng·xia〈口〉名乡村里。

【乡谊】xiāngyì〈书〉名同乡的情分。

【乡音】xiāngyīn 名家乡的口音：～未改。

【乡愿】xiāngyuàn〈书〉名外貌忠诚谨慎，实际上欺世盗名的人。

【乡镇】xiāngzhèn 名❶乡和镇。❷泛指较小的市镇。

【乡镇企业】xiāngzhèn qǐyè 我国乡镇村集体经济组织、农村村民兴办的集体所有制企业、合作企业和个体企业的统称。简称乡企。

芗（薌） xiāng ❶古书上指用以调味的香草。❷〈书〉同"香"。

【芗剧】xiāngjù 名流行于台湾省和福建南部芗江（九龙江中游）一带的地方戏曲剧种，清末在台湾形成。台湾称之为歌仔戏。

相¹ xiāng ❶副互相：～像｜～识｜～距太远｜不～上下。❷副表示一方对另一方的动作：实不～瞒｜好言～劝。❸（Xiāng）名姓。

相² xiāng 动亲自观看（是不是合心意）：～亲｜～中。

另见1490页 xiàng。

【相安】xiāng'ān 动相处没有冲突：～无

事。

【相帮】xiāngbāng〈方〉动帮助。

【相称】xiāngchèn 形事物配合起来显得合适：这件衣服跟他的年龄不大～。

【相持】xiāngchí 动两方坚持对立，互不相让：意见～不下｜敌我～阶段。

【相处】xiāngchǔ 动彼此生活在一起；彼此接触来往，互相对待：友好～｜难以～。

【相传】xiāngchuán 动❶长期以来互相传说（不是确实有据，只是辗转传说的）：～此处是穆桂英的点将台。❷传递；传授：一脉～。

【相当】xiāngdāng ❶动（数量、价值、条件、情形等）两方面差不多；配得上或能够相抵：旗鼓～｜年纪～｜拦河大坝高达一百一十米，～于二十八层的大楼。❷形适宜；合适：这个工作还没有找到～的人｜他一时想不出～的字眼来。❸副表示程度高，但不到"很"的程度：这个任务是～艰巨的｜这出戏演得～成功。

【相得益彰】xiāng dé yì zhāng 指互相帮助，互相补充，更能显出好处。

【相等】xiāngděng 动（数目、分量、程度等）彼此一样：这两间房子的面积～。

【相抵】xiāngdǐ 动❶互相抵消：收支～。❷〈书〉互相抵触。

【相对】xiāngduì ❶动互相朝着对方；面对面：～而坐｜两山～。❷动指性质上互相对立，如大与小相对，美与丑相对。❸形属性词。依靠一定条件而存在，随着一定条件而变化的（跟"绝对"相对）：～高度｜在绝对的总的宇宙发展过程中，各个具体过程的发展都是～的。❹形属性词。比较的：～稳定｜～优势。

【相对分子质量】xiāngduì fēnzǐ zhìliàng 一个分子中各原子的相对原子质量的总和，如水（H_2O）的相对分子质量约为18，氢（H_2）的相对分子质量约为2。通称分子量。

【相对高度】xiāngduì gāodù 从地面或选定的某个点起算的高度。

【相对论】xiāngduìlùn 名研究时间和空间相对关系的物理学说。分为狭义相对论和广义相对论。前者认为物体的运动是相对的，光速不因光源的运动而改变，物体的质量与能量的关系为 $E = mc^2$（E 代表能量，m 代表质量，c 代表光速）。后者认为物质的运动是物质引力场派生的，光在引力场中传播因受引力场的影响而改变方向。相对论是爱因斯坦(Albert Einstein)提出的。这个理论修正了从牛顿以来对空间、时间、引力三者互相割裂的看法以及运动规律永恒不变的看法，从而奠定了现代物理学的基础。

【相对湿度】xiāngduì shīdù 空气中所含水蒸气密度和同温度下饱和水蒸气密度的比值，通常用百分数表示。

【相对原子质量】xiāngduì yuánzǐ zhìliàng 将质量数为12的碳原子的质量的1/12作为标准，其他元素的平均原子质量和它比较所得的值就是该元素的相对原子质量。如氢的相对原子质量约为1，氧的相对原子质量约为16。通称原子量。

【相对真理】xiāngduì zhēnlǐ 在总的宇宙发展过程中，人们对于在各个发展阶段上的具体过程的正确认识，它是对客观世界近似的、不完全的反映。相对真理和绝对真理是辩证统一的，绝对真理寓于相对真理之中，在相对真理中包含有绝对真理的成分，无数相对真理的总和就是绝对真理。

【相烦】xiāngfán 动 客套话，烦劳：有事～。

【相反】xiāngfǎn ❶形 事物的两个方面互相矛盾、互相排斥：～相成│两个人走的方向～。❷连 用在下文句首或句中，表示跟上文所说的意思相矛盾：困难不但没有把他吓倒，～，更激起了他战胜困难的决心。

【相反数】xiāngfǎnshù 名 绝对值相等，正负号相反的两个数互为相反数。如+5和-5，0的相反数是0。

【相反相成】xiāng fǎn xiāng chéng 指相反的东西有同一性。就是说，两个矛盾方面互相排斥或互相斗争，并在一定条件下联结起来，获得同一性。

【相仿】xiāngfǎng 形 大致相同；相差不多：年纪～│颜色～。

【相逢】xiāngféng 动 彼此遇见(多指事先没约定的)：萍水～│狭路～。

【相符】xiāngfú 形 彼此一致：名实～│他所说的话跟实际的情况完全～。

【相辅而行】xiāng fǔ ér xíng 互相协助进行或配合使用。

【相辅相成】xiāng fǔ xiāng chéng 互相

补充，互相配合。

【相干】xiānggān 动 互相关联或牵涉；有关联(多用于否定式)：这事跟他不～。

【相隔】xiānggé 动 相互间距离：～千里。

【相顾】xiānggù 动 互相看对方：～无言。

【相关】xiāngguān 动 彼此关联：休戚～│体育事业和人民健康密切～。

【相好】xiānghǎo ❶形 彼此亲密，感情融洽：他们俩从小就～。❷名 亲密的朋友。❸动 恋爱(多指不正当的)。❹名 指不正当的恋爱的一方。

【相互】xiānghù ❶副 互相：～作用│～促进。❷形 属性词。两相对待的：～关系。

【相继】xiāngjì 副 一个跟着一个：大家～发言。

【相间】xiāngjiàn 动 (事物和事物)一个隔着一个：黑白～。

【相交】xiāngjiāo 动 ❶交叉：两线～于一点。❷互相交往：做朋友；～多年。

【相近】xiāngjìn 形 ❶近似；差不多：年岁～│情况～。❷彼此距离近：住所～。

【相敬如宾】xiāng jìng rú bīn 形容夫妻互相尊敬像对待宾客一样。

【相距】xiāngjù 动 相互间距离：～不远│前后～二十多年。

【相看】xiāngkàn 动 ❶看；注视。❷看待：另眼～。❸亲自观看(多用于相亲)。

【相礼】xiānglǐ 同"襄礼"。

【相连】xiānglián 动 互相连接：前后～。

【相瞒】xiāngmán 动 隐瞒：实不～。

【相配】xiāngpèi 形 配合起来合适；相称：一个粗，一个细，不～│他们两个很～。

【相扑】xiāngpū 名 一种类似摔跤的体育活动，秦汉时期叫角抵，南北朝到宋元时期叫相扑。现为流行于日本的一种摔跤运动。

【相亲】xiāng∥qīn 动 定亲前家长或本人到对方家相看。

【相去】xiāngqù 动 互相间存在距离；相距：～甚远(相差很大)│两地～几十里。

【相劝】xiāngquàn 动 劝告；劝解：好言～。

【相让】xiāngràng 动 ❶忍让；退让：不肯～│各不～。❷互相谦让。

【相扰】xiāngrǎo 动 ❶互相打扰：各不～。❷客套话，打扰：无事不敢～。

【相忍为国】xiāng rěn wèi guó 为了国家和民族的利益而作一定的让步。

【相濡以沫】xiāng rú yǐ mò 泉水干涸,鱼靠在一起以唾沫相互湿润(语见《庄子·大宗师》)。后用"相濡以沫"比喻同处困境,相互救助。

【相商】xiāngshāng 囫 彼此商量;商议:有要事~。

【相生相克】xiāng shēng xiāng kè 我国古代关于五行之间相互作用和影响的说法,如木能生火、火能克金等。参看1445页〖五行〗。

【相识】xiāngshí ❶ 囫 彼此认识:素不~|~多年。❷ 名 相识的人:旧~|老~|成了~。

【相率】xiāngshuài 副 一个接着一个:~归附|~前往。

【相思】xiāngsī 囫 彼此思念,多指男女因互相爱慕而又无法接近所引起的思念:~病|两地~。

【相思子】xiāngsīzǐ 名 ❶ 木质藤本植物,羽状复叶,小叶圆形或倒卵形,花淡红色或紫色,荚果圆形,扁平,种子黑褐色。供观赏。❷ 这种植物的种子。‖ 也叫红豆。

【相似】xiāngsì 形 相像:这两个人年貌~。

【相似形】xiāngsìxíng 名 对应角相等,对应边成比例的两个多边形叫做相似形。

【相提并论】xiāng tí bìng lùn 把不同的或相差悬殊的人或事物混在一起来谈论或看待(多用于否定式):机械化和手工劳动的效率不能~。

【相通】xiāngtōng 囫 事物之间彼此连贯沟通:沟渠~|息息~。

【相同】xiāngtóng 形 彼此一样,没有区别:面积~|内容~|今年入学考试的科目跟去年~。

【相投】xiāngtóu 形 (思想、感情等)彼此合得来:气味~|兴趣~。

【相向】xiāngxiàng 囫 ❶ 互相向着对方的方向:~而行。❷ 互相向着对方:武力~|恶言~。

【相像】xiāngxiàng 形 彼此有相同点或共同点:面貌~。

【相信】xiāngxìn 囫 认为正确或确实而不怀疑:我~他们的试验一定会成功。

【相形】xiāngxíng 囫 相互比较:~失色|~之下,这种办法显得拙笨一些。

【相形见绌】xiāng xíng jiàn chù 跟另一人或事物比较起来显得远远不如。

【相沿】xiāngyán 囫 依着旧的一套传下来;沿袭:~成俗|此种工艺~至今已有百余年。

【相依】xiāngyī 囫 互相依靠:唇齿~|~为命。

【相依为命】xiāng yī wéi mìng 互相依靠着生活,谁也离不开谁。

【相宜】xiāngyí 形 适宜:他做这种工作很~|刚吃过饭就剧烈运动是不~的。

【相应】xiāngyīng 囫 旧式公文用语,应该:~函达|~容复。

【相应】xiāngyìng 囫 互相呼应或照应;相适应:这篇文章前后不~|环境改变了,工作方法也要~地改变。

【相映】xiāngyìng 囫 互相衬托:~生辉|湖光塔影,~成趣。

【相与】xiāngyǔ ❶ 囫 彼此往来;相处:这人是很难~的。❷ 副 相互:~议论。❸ 名 旧时指相好的人。

【相约】xiāngyuē 囫 相互约定:他们~明年春节再聚会。

【相知】xiāngzhī ❶ 囫 彼此相交而互相了解,感情深厚:~有素。❷ 名 相互了解,感情深厚的朋友:老~。

【相中】xiāng∥zhòng 囫 看中:相得中|相不中|对象是他自己~的。

【相助】xiāngzhù 囫 互相帮助;协助:~一臂之力。

【相左】xiāngzuǒ 〈书〉❶ 囫 不相遇;彼此错过。❷ 形 相反;相互不一致:意见~。

香 xiāng ❶ 形 (气味)好闻(跟"臭"相对):~水|~皂|这花真~。❷ 形 食物味道好:饭很~。❸ 形 吃东西胃口好:这两天吃饭不~。❹ 形 睡得踏实:睡得正~呢。❺ 形 受欢迎;被看重:吃~|这种货物在农村很~。❻ 香料:檀~|沉~|龙涎~。❼ 名 用木屑掺香料做成的细条,燃烧时,发出好闻的气味,在祭祀祖先或神佛时常用,有的加上药物,可以熏蚊子:线~|蚊~|烧一炷~。❽ 〈方〉囫 亲吻:~面孔。❾ (Xiāng)名 姓。

【香案】xiāng'àn 名 放置香炉的长条桌子。

【香槟酒】xiāngbīnjiǔ 名 含有二氧化碳的起泡沫的白葡萄酒,因原产于法国香槟(Champagne)而得名。

【香波】xiāngbō 名 专为洗头发用的洗涤剂。[英 shampoo]

【香饽饽】xiāngbō·bo 比喻受欢迎的人或物。

【香菜】xiāngcài 名 芫荽(yán·suī)的通称。

【香肠】xiāngcháng （～儿）名 用肠衣装上碎肉和作料等制成的食品。

【香椿】xiāngchūn 名 ❶ 落叶乔木,羽状复叶,小叶长圆披针形,花白色。蒴果椭圆形。嫩枝叶有香气,可以吃。也叫椿。❷ 这种植物的嫩枝叶。

【香醇】(香纯) xiāngchún 形 (气味、滋味)香而纯正:～的美酒。

【香肚】xiāngdǔ 名 用猪的膀胱装上碎肉和作料等制成的食品。

【香榧】xiāngfěi 名 常绿乔木,叶线形,前端尖,种子有硬壳,仁可以吃。木质坚硬,可做建筑材料。

【香馥馥】xiāngfùfù （～的）形 状态词。形容香味浓。

【香干】xiānggān （～儿）名 经过熏制的豆腐干儿。

【香菇】(香菰) xiānggū 名 真菌的一种,菌盖表面黑褐色,有裂纹,菌柄白色,生长在栗、栎等的树干上。有冬菇、春菇等多种。

【香瓜】xiāngguā （～儿）名 甜瓜。

【香花】xiānghuā 名 有香味的花,比喻对人民有益的言论或作品。

【香会】xiānghuì 名 旧时民间为朝山进香而组织的群众团体。

【香火】xiānghuǒ 名 ❶ （～儿）燃着的线香、棒香或盘香上的火。❷ 供佛敬神时燃点的香和灯火。❸ 庙宇中照料香火的人;庙祝。❹ 香烟[1]②;断了～。

【香蕉】xiāngjiāo 名 ❶ 多年生草本植物,叶子长而大,有长柄,花淡黄色。果实长形,稍弯,味香甜。产于热带或亚热带地区。❷ 这种植物的果实。

【香蕉水】xiāngjiāoshuǐ 名 用醋类、酮类、醇类、醚类和芳香族化合物配制成的溶液,无色透明,容易挥发,有香蕉气味。用于制造油漆和稀释喷漆等。

【香精】xiāngjīng 名 几种香料配制而成

的混合香料。有模仿花香的花香型香精、模仿果实香味的果实型香精等多种。用于化妆品、食品和烟草工业等。

【香客】xiāngkè 名 朝山进香的人。参看161 页〖朝山〗。

【香料】xiāngliào 名 在常温下能发出芳香的有机物质,分为天然香料和人造香料两大类。天然香料从动物或植物体中取得,如麝香、灵猫香以及玫瑰、蔷薇等的香精油,人工制造的也很多。用于化妆品和食品工业等。

【香炉】xiānglú 名 烧香所用的器具,用陶瓷或金属制成,通常圆形有耳,底有三足。

【香喷喷】xiāngpēnpēn （～的）形 状态词。形容香气扑鼻。

【香片】xiāngpiàn 名 花茶。

【香蒲】xiāngpú 名 多年生草本植物,多生在河滩上,叶子狭长,花穗上部生雄花,下部生雌花。雌花密集成棒状,成熟的果穗叫蒲棒,有绒毛。叶子可以编蒲包、蒲席、扇子等。

【香薷】xiāngrú 名 一年生或多年生草本植物,茎有四棱,紫色,有灰白色的柔毛,叶子卵形或卵状披针形,花淡蓝色。茎和叶可以提取芳香油。全草入药。

【香石竹】xiāngshízhú 名 多年生草本植物,茎直立,丛生,叶子条形,花大,有红、粉、黄、白等多种颜色,鲜艳而有香气。可供观赏。也叫康乃馨。

【香水】xiāngshuǐ （～儿）名 用香料、酒精和蒸馏水等制成的化妆品。

【香甜】xiāngtián 形 ❶ 又香又甜:这种瓜味道～。❷ 形容睡得踏实,舒服:参加了一天义务劳动,晚上睡得格外～。

【香烟】[1] xiāngyān 名 ❶ 燃着的香所生的烟:～缭绕。❷ 旧指子孙祭祀祖先的事情:断了～(指断绝了后代)。也说香火。

【香烟】[2] xiāngyān 名 纸里包烟丝和配料卷成的条状物,供吸用。也叫纸烟、卷烟、烟卷儿。

【香艳】xiāngyàn 形 指花草芳香美丽,常用来形容辞藻艳丽或内容涉及闺阁的诗文。也形容色情的小说、电影等。

【香油】xiāngyóu 名 芝麻油。

【香橼】xiāngyuán 名 枸橼(jǔyuán)。

【香云纱】xiāngyúnshā 名 一种提花丝织品,上面涂过薯莨汁液,适于做夏季衣料,主要产地是广东。也叫薯莨绸、拷纱。

【香皂】xiāngzào 名 在精炼的原料中加入香料而制成的肥皂,多用来洗脸。

【香泽】xiāngzé〈书〉名 ❶ 润发用的带有香味的油。❷ 香气。

【香獐子】xiāngzhāng·zi 名 麝。

【香樟】xiāngzhāng 名 樟。

【香脂】xiāngzhī 名 一种化妆品,用精制的油脂加入芳香成分制成。

【香烛】xiāngzhú 名 祭祀祖先或神佛用的香和蜡烛。

厢(廂) xiāng ❶ 名 厢房:东～|正两～。❷ 类似房子隔间的地方:车～|包～。❸ 靠近城的地区:城～|关～。❹ 边;旁(多见于早期白话):这～|那～|两～。

【厢房】xiāngfáng 名 在正房前面两旁的房屋:东～|西～。

葙 xiāng 见1109页〖青葙〗。

湘 Xiāng ❶ 湘江,水名,发源于广西,流入湖南。❷ 名 湖南的别称:～绣。❸ 名 姓。

【湘菜】xiāngcài 名 湖南风味的菜肴。

【湘妃竹】xiāngfēizhú 名 斑竹。相传帝舜南巡苍梧而死,他的两个妃子在江湘之间哭泣,眼泪洒在竹子上,从此竹竿上都有了斑点(见于《博物志》)。也叫湘竹。

【湘剧】xiāngjù 名 湖南地方戏曲剧种之一,分长沙湘剧、衡阳湘剧、常德湘剧等。

【湘帘】xiānglián 名 用湘妃竹制成的帘子。

【湘绣】xiāngxiù 名 湖南出产的刺绣。

【湘语】xiāngyǔ 名 汉语方言之一,分布在湖南(西北部除外)。

【湘竹】xiāngzhú 名 湘妃竹。

缃(緗) xiāng〈书〉浅黄色。

箱 xiāng ❶ 箱子:木～|皮～|书～。❷ 像箱子的东西:信～|镜～|风～。

【箱包】xiāngbāo 名 箱子、皮包、背包等的统称。

【箱底】xiāngdǐ (～儿)名 ❶ 箱子内的底层。❷ 指不经常动用的财物:～厚。

【箱笼】xiānglǒng 名 泛指出门时携带的各种盛衣物的器具。

【箱子】xiāng·zi 名 收藏衣物的方形器

具,用皮子、木头、铁皮、塑料等制成。

襄 xiāng ❶〈书〉帮助:共～义举。❷ (Xiāng)名 姓。

【襄礼】xiānglǐ ❶ 动 举行婚丧祭祀时,协助主持者完成仪式。❷ 名 担任这种事情的人。‖也作相礼。

【襄理】xiānglǐ ❶〈书〉动 帮助办理:～军务。❷ 名 规模较大的银行或企业中协助经理主持业务的人,地位次于协理。

【襄助】xiāngzhù〈书〉动 从旁帮助。

骧(驤) xiāng〈书〉❶ 马奔跑。❷ (头)仰起;高举。

瓖 xiāng〈书〉同"镶"。

镶(鑲) xiāng 动 把物体嵌入另一物体内或围在另一物体的边缘:～牙|～边|～金|玉嵌|塔顶上～着一颗闪闪发亮的红星。

【镶嵌】xiāngqiàn 动 把一物体嵌入另一物体内。

【镶牙】xiāng∥yá 动 安装假牙。

xiáng (Tlㄤ)

详(詳) xiáng ❶ 详细(跟"略"相对):～谈|不厌其～|这本书的注释,～略不很一致。❷ 说明;细说:内～。❸ (事情)清楚:死因不～|生卒年不～。❹ (Xiáng)名 姓。

【详备】xiángbèi 形 详细完备:注释～。

【详尽】xiángjìn 形 详细而全面:解说十分～|～的记载。

【详密】xiángmì 形 详细周密:计划～|分析～。

【详明】xiángmíng 形 详细明白:记述～。

【详情】xiángqíng 名 详细的情形:叙说～。

【详实】xiángshí 同"翔实"。

【详悉】xiángxī ❶ 动 详细地知道。❷ 形 详细而全面。

【详细】xiángxì 形 周密完备:～研究|道理讲得很～|～情形还不知道。

降 xiáng 动 ❶ 投降:诱～|～顺|～将|宁死不～。❷ 降伏;使驯服:～龙伏虎|一物～一物。

另见677页jiàng。

【降表】xiángbiǎo 〈书〉名 请求投降的文书。

【降伏】xiáng//fú 动 制伏；使驯服：没有使过牲口的人，连一个毛驴也～不了。

【降服】xiángfú 动 投降屈服；缴械～。

【降龙伏虎】xiáng lóng fú hǔ 比喻战胜强大的势力。

【降顺】xiángshùn 动 归降顺从。

庠 xiáng 古代的学校：～序(古代乡学，泛指学校)。

【庠生】xiángshēng 名 科举制度中府、州、县学的生员的别称。

祥 xiáng ❶ 指吉利：吉～|不～。❷ (Xiáng)名 姓。

【祥和】xiánghé 形 ❶ 吉祥平和：～之气|～的景象。❷ 慈祥；和蔼：神情～。

【祥瑞】xiángruì 名 指好事情的兆头或征象。

翔 xiáng 盘旋地飞；飞：翔～|飞～|滑～。

【翔实】xiángshí 形 详细而确实：～的材料|叙述～可信。也作详实。

xiǎng （ㄒㄧㄤˇ）

晑(曏) xiǎng 〈书〉从前；旧时。

享 xiǎng ❶ 动 享受：～用|坐～其成|有福同～。❷ 〈书〉同"飨"。❸ (Xiǎng)名 姓。

【享福】xiǎng//fú 动 生活得安乐美好；享受幸福：老奶奶晚年可享了福了。

【享乐】xiǎnglè 动 享受安乐(多用于贬义)：～思想|贪图～。

【享年】xiǎngnián 名 敬辞，称死去的人活的岁数(多指老人)：～七十四岁。

【享受】xiǎngshòu 动 物质上或精神上得到满足：贪图～|～权利|贵宾待遇|吃苦在前，～在后。

【享用】xiǎngyòng 动 使用某种东西而得到物质上或精神上的满足：拿出好酒供客人～。

【享有】xiǎngyǒu 动 在社会上取得(权利、声誉、威望等)：～盛名|在我国，男女～同样的权利。

【享誉】xiǎngyù 动 享有盛誉：～海内外。

响(響) xiǎng ❶ 回声：～应|影～|如～斯应(比喻反应迅速)。❷ 动 发出声音：钟～了|全场一起暴风雨般的掌声。❸ 动 使发出声音：～枪|～锣。❹ 形 响亮：炮声真～。❺ (～儿)名 声音：声～|你听见～儿了吗?

【响鼻】xiǎngbí (～儿)名 骡马等动物鼻子里发出响声叫打响鼻儿。

【响彻云霄】xiǎng chè yúnxiāo 响声直达高空，形容声音十分嘹亮。

【响当当】xiǎngdāngdāng (～的)形 状态词。❶ 形容敲打的声音响亮。❷ 比喻色、过硬或有名气：这是一个～的品牌。

【响动】xiǎng·dong (～儿)名 动作的声音；动静：夜很静，什么～也没有。

【响度】xiǎngdù 名 听觉上感到的声音强弱的程度。单位是宋。通称音量。

【响遏行云】xiǎng è xíng yún 声音高入云霄，把浮动着的云彩也止住了，形容歌声嘹亮。

【响箭】xiǎngjiàn 名 射出时能发出响声的箭。

【响雷】xiǎngléi 名 声音响亮的雷。

【响亮】xiǎngliàng 形 (声音)宏大：歌声～|他回答得很响。

【响马】xiǎngmǎ 名 旧时称在路上抢劫旅客的强盗，因抢劫时先放响箭而得名。

【响器】xiǎngqì 名 铙、钹、锣、鼓等打击乐器的统称。

【响晴】xiǎngqíng 形 晴朗无云：雪白的鸽子在～的天空中飞翔。

【响声】xiǎng·sheng 名 声音：沙沙的～。

【响头】xiǎngtóu 名 磕头磕出声音来叫磕响头：叩了一个～。

【响尾蛇】xiǎngwěishé 名 毒蛇的一种，尾巴的末端有角质的环，摆动时能发出声音。生活于美洲。

【响杨】xiǎngyáng 名 毛白杨。

【响音】xiǎngyīn 名 语音学上指元音(如a、e、o)和乐音成分占优势的辅音(如m、n、l)，有时专指乐音成分占优势的辅音。

【响应】xiǎngyìng 动 回声相应，比喻用言语行动表示赞同、支持某种号召或倡议：～号召。

【响指】xiǎngzhǐ 名 打榧子打出响声叫打响指。

饷（餉） xiǎng ❶〈书〉用酒食等款待。❷ 名 薪金（旧时多指军警等的薪金）：月～｜关～。
【饷银】xiǎngyín 名 旧指军饷：克扣～。

蚵 xiǎng ［蚵虫］(xiǎngchóng)〈方〉名 指浮尘子等水稻害虫。

飨（饗） xiǎng〈书〉用酒食款待人，泛指请人享受：～客｜以～读者。

想 xiǎng 动 ❶ 开动脑筋；思索：～办法｜～方设法｜冥思苦～。❷ 推测；认为：我～他今天不会来。❸ 希望；打算：我～到杭州去一趟。❹ 怀念；想念：～家｜朝思暮～｜我们很～你。
【想必】xiǎngbì 副 表示偏于肯定的推断：这事～你知道｜他没回答我，～是没听见我的话。
【想不到】xiǎng·budào 动 出于意料；没有料到：一年没回来，～家乡变化这么大。
【想当然】xiǎngdāngrán 动 凭主观推测，认为事情大概是这样或应该是这样：不能凭～办事。
【想得到】xiǎng·dedào 动 在意料中；意料得到（多用于反问）：谁～当年的荒滩地，如今变成了米粮川。
【想法】xiǎng//fǎ 动 设法；想办法：～消灭虫害｜想不出法来。
【想法】xiǎng·fǎ 名 思索所得的结果；意见：这个～不错｜有什么～可以说出来。
【想方设法】xiǎng fāng shè fǎ 想尽办法：～克服工作中的困难。
【想见】xiǎngjiàn 动 由推想而知道：从这件小事上也可以～他的为人。
【想开】xiǎng//kāi 动 不把不如意的事放在心上：想不开｜想得开｜遇事要～些。
【想来】xiǎnglái 动 表示只是根据推测，不敢完全肯定：从这里修涵洞～是可行的。
【想念】xiǎngniàn 动 对景仰的人、离别的人或环境不能忘怀，希望见到：～亲人｜他们在国外，时时～着祖国。
【想儿】xiǎngr〈方〉名 希望：有～｜没～。
【想入非非】xiǎng rù fēifēi 思想进入虚幻境界，完全脱离实际；胡思乱想。
【想头】xiǎng·tou〈口〉名 ❶ 想法；念头：我～，你听听行不行？❷ 希望②：有～｜没～。
【想望】xiǎngwàng 动 ❶ 希望：他上学

的时候就～着做一个医生。❷〈书〉仰慕；思慕：～风采。
【想象】xiǎngxiàng ❶ 名 心理学上指在知觉材料的基础上，经过新的配合而创造出新形象的心理过程。❷ 动 对于不在眼前的事物想出它的具体形象；设想：不难～｜～不出。‖也作想像。
【想象力】xiǎngxiànglì 名 在知觉材料的基础上，经过新的配合而创造出新形象的能力。也作想像力。
【想像】xiǎngxiàng 同"想象"。
【想像力】xiǎngxiànglì 同"想象力"。

鲞（鯗、鮝） xiǎng 剖开后晾干的鱼：鳗～｜白～。
【鲞鱼】xiǎngyú 名 鲞。

xiàng （ㄒㄧㄤˋ）

向¹（❶-❸嚮） xiàng ❶ 名 方向：志～｜风～。❷ 动 对着，特指脸或正面对着（跟"背"相对）：～阳｜面～讲台｜两人相～而行。❸〈书〉将近；接近：～晓｜～晚。❹ 动 偏袒：老乡～老乡。❺ 介 表示动作的方向：～东走｜先进工作者学习｜从胜利～胜利。❻（Xiàng）名 姓。

向² xiàng 副 向来：～有研究｜无此例。
【向背】xiàngbèi 动 拥护和反对：人心～。
【向壁虚构】xiàng bì xūgòu 对着墙壁，凭空想象，比喻不根据事实而捏造。也说向壁虚造。
【向壁虚造】xiàng bì xūzào 向壁虚构。
【向导】xiàngdǎo ❶ 动 带路。❷ 名 带路的人：登山队请了一位猎人当～◇革命党是群众的～。
【向好】xiànghǎo 动 （形势）向好的方向发展：经济～｜病情～。
【向火】xiàng//huǒ〈方〉动 烤火：围炉～。
【向来】xiànglái 副 从来；一向：～如此｜他做事～认真。
【向例】xiànglì 名 一向的做法；惯例：依～提交大会表决｜我们这里～一起得早。
【向量】xiàngliàng 名 矢量。
【向慕】xiàngmù 动 向往；思慕。
【向日】xiàngrì〈书〉名 往日。

【向日葵】xiàngrìkuí 图一年生草本植物，茎很高，叶子互生，心脏形，有长叶柄。开黄花，圆盘状头状花序，常朝着太阳。种子叫葵花子，可以榨油。也叫葵花。有的地区叫转日莲。

【向上】xiàngshàng 动朝好的方向走；上进：有心～｜好好学习，天天～。

【向使】xiàngshǐ〈书〉连如果；假使。

【向往】xiàngwǎng 动因热爱、羡慕某种事物或境界而希望得到或达到：他～北京｜～着美好的未来。

【向心力】xiàngxīnlì 图❶使物体沿着圆周运动的力，跟速度的方向垂直，向着圆心。❷比喻集体内部的凝聚力。

【向学】xiàngxué 动立志求学：有心～。

【向阳】xiàngyáng 动对着太阳，一般指朝南：～三间北房。

【向隅】xiàngyú〈书〉动面对着屋子的一个角落，比喻非常孤立或得不到机会而失望：～而泣。

【向着】xiàng·zhe 动❶朝着；对着：葵花～太阳。❷偏袒：哥哥怪妈妈凡事～小弟弟。

项¹（項）xiàng ❶颈的后部。❷（Xiàng）图姓。

项²（項）xiàng ❶量用于分项目的事物：下列各～｜三大纪律，八～注意｜第五条第二款第一～｜环境保护是一～重大任务。❷款项：用～｜存～。❸图代数中不用加、减号连接的单式，如 $3a^2b$，ax^2，$4ba$ 等。

【项背】xiàngbèi 图人的背影：～相望（形容行进的人多，连续不断）。

【项链】xiàngliàn（～儿）图戴在脖子上垂挂胸前的链形首饰，多用金银或珍珠、玉石等制成。

【项目】xiàngmù 图事物分成的门类：服务～｜体育～｜建设～。

【项圈】xiàngquān（～儿）图儿童或某些民族的妇女戴在脖子上的环形装饰品，多用金银制成。

【项庄舞剑，意在沛公】Xiàng Zhuāng wǔ jiàn, yì zài Pèi Gōng《史记·项羽本纪》记载，刘邦和项羽在鸿门会面，酒宴上，项羽的谋士范增让项庄舞剑，乘机杀死刘邦。刘邦的谋士张良对樊哙说："今者项庄拔剑舞，其意常在沛公也"（项庄：项羽部下的武将。沛公：刘邦）。后用来比喻说话或行动虽然表面上另有名目，其真实意图却在于对某人某事进行威胁或攻击。

巷 xiàng ❶图较窄的街道：深～｜陋～｜一条小～｜街头～尾｜街谈～议。❷（Xiàng）姓。
　　另见 541 页 hàng。

【巷战】xiàngzhàn 图在城镇街巷内进行的战斗。

【巷子】xiàng·zi〈方〉图巷：～口｜这条里住着六户人家。

相¹ xiàng ❶图相貌；外貌：长～｜聪明～｜可怜～｜狼狈～。❷物体的外观：月～｜金～。❸图坐、立等的姿态：站有站～，坐有坐～。❹图相位。❺图交流电路中的一个组成部分，如三相交流发电机有三个绕组，每个绕组叫做一相。❻图相态。❼动观察事物的外表，判其优劣：～马。❽（Xiàng）图姓。

相² xiàng ❶辅助：吉人天～。❷宰相：丞～。❸图某些国家的官名，相当于中央政府的部长。❹旧时指帮助主人接待宾客的人：傧～。
　　另见 1483 页 xiāng。

【相册】xiàngcè 图用来存放相片的册子。

【相公】xiàng·gong 图❶旧时妻子对丈夫的尊称。❷旧时称年轻的读书人（多见于旧戏曲、小说）。

【相机】¹ xiàngjī 图照相机。

【相机】² xiàngjī 动察看机会：～行事（看具体情况灵活办事）｜～而动。

【相里】Xiànglǐ 图姓。

【相貌】xiàngmào 图人的面部长（zhǎng）的样子；容貌：～堂堂｜～平常。

【相面】xiàng//miàn 动观察人的相貌来推测祸福（迷信）。

【相片儿】xiàngpiānr〈口〉图相片。

【相片】xiàngpiàn 图人的照片。

【相声】xiàng·sheng 图曲艺的一种，用说笑话、滑稽问答、说唱、模仿等引起观众发笑。多用于讽刺，现在也有用来歌颂新人新事的。按表演的人数分对口相声、单口相声和多口相声。

【相书】¹ xiàngshū〈方〉图口技：四川～。

【相书】² xiàngshū 图关于相术的书。

【相术】xiàngshù 图指观察人的相貌，预言命运好坏的方术（迷信）。

【相态】xiàngtài 〈名〉同一物质的某种物理、化学状态,如水蒸气、水和冰就是三个相态。

【相位】xiàngwèi 〈名〉作余弦(或正弦)变化的物理量,在某一时刻(或某一位置)的状态可用一个数值来确定,这种数值叫做相位。

象¹ xiàng 〈名〉❶ 哺乳动物,是陆地上现存最大的动物,耳朵大,鼻子长圆筒形,能蜷曲,多有一对长大的门牙伸出口外,全身的毛很稀疏,皮很厚,吃嫩叶和野菜等。生活在我国云南南部、印度、非洲等热带地方。有的可驯养来驮运货物。❷ (Xiàng)姓。

象² xiàng ❶〈名〉形状;样子:景～|天～|气～|印～|万～更新。❷ 仿效;模拟:～形|～声。

【象棋】xiàngqí 〈名〉棋类运动的一种。双方各有棋子十六个,一将(帅)、两士(仕)、两象(相)、两车、两马、两炮、五卒(兵)。两人对下,各按规则移动棋子。将(jiāng)死对方的将(帅)的一方为胜。又称中国象棋。

【象声词】xiàngshēngcí 〈名〉见 992 页〖拟声词〗。

【象限】xiàngxiàn 〈名〉平面直角坐标系的横、纵坐标轴把平面分为四个部分,每一部分叫做一个象限。右上方为第一象限,按逆时针方向旋转,依次为第二、第三、第四象限。

【象形】xiàngxíng 〈名〉六书之一。象形是说字描摹实物的形状。如:"日"字古写作"☉","山"字古写作"凵"。

【象形文字】xiàngxíng wénzì 描摹实物形状的文字,每个字有固定的读法,和没有固定读法的图画文字不同。参看 1379 页〖图画文字〗。

【象牙】xiàngyá 〈名〉象的门牙,略呈圆锥形,伸出口外。质地坚硬、洁白、细致,可制工艺品。现国际上已禁止象牙贸易。

【象牙之塔】xiàngyá zhī tǎ 比喻脱离现实生活的文学家和艺术家的小天地。也叫象牙宝塔。

【象眼儿】xiàngyǎnr 〈方〉〈名〉斜象眼儿;菱形。

【象征】xiàngzhēng ❶〈动〉用具体的事物表现某种特殊意义:火炬～光明。❷〈名〉用来象征某种特别意义的具体事物:火炬是光明的～。

【象征主义】xiàngzhēng zhǔyì 西方文学艺术流派之一,19 世纪后半叶兴起于法国,影响主要表现在诗歌领域。认为现实世界虚幻而痛苦,要求通过象征、暗示等,以恍惚迷离的意象为中介来沟通现实与复杂的内心世界。

蚼(鉔) xiàng 古代储钱或投受函件的器物,入口小,像扑满,有的像竹筒。

衕 xiàng 〈书〉同"巷"①。

像 xiàng ❶〈名〉比照人物制成的形象:画～|塑～|肖～。❷〈名〉从物体发出的光线经平面镜、球面镜、透镜、棱镜等反射或折射后所形成的与原物相似的图景。分为实像和虚像。❸〈动〉在形象上相同或有某些共同点:他的面貌～他哥哥。❹〈副〉好像:～要下雨了。❺〈动〉比如;如:～大熊猫这样的珍稀动物,要加以保护。❻(Xiàng)〈名〉姓。

【像话】xiàng∥huà 〈形〉(言语行动)合理(多用于反问):他这样说还～|同志们这样关心你,你还闹情绪、～吗?

【像煞有介事】xiàng shà yǒu jiè shì 好像真有这回事似的。多指大模大样,好像有什么了不起。也说煞有介事。

【像生】xiàngshēng 〈名〉❶ 仿天然产物制成的工艺品,旧时多用绫绢、通草制成花果人物等形状:～花果。❷ 宋元时期以说唱为业的女艺人。

【像素】xiàngsù 〈名〉构成数字图像的基本单元,在光电转换系统中,是电子束或光束每一瞬间在图像上扫描的部分。图像中像素的数目越多,画面越清晰。

【像样】xiàng∥yàng (～儿)〈形〉有一定的水平;够一定的标准:字写得挺～。也说像样子。

【像章】xiàngzhāng 〈名〉用金属、塑料等制成的带有人像的纪念章。

橡 xiàng 〈名〉❶ 橡树,栎树的通称。❷ 橡胶树。❸ (Xiàng)姓。

【橡胶】xiàngjiāo 〈名〉高分子化合物,分为天然橡胶和合成橡胶两大类。弹性好,有绝缘性,不透水,不透气。橡胶制品广泛应用在工业和生活各方面。

【橡胶树】xiàngjiāoshù 〈名〉常绿乔木,枝细长,叶子为三片小叶组成的复叶,小叶长椭圆形,花白色,有香气,结荚果,球形。原产巴西,现在热带地方多有栽培。是最主要的产橡胶的树种。

【橡皮】xiàngpí 图 用橡胶制成的文具,能擦掉石墨或墨水的痕迹。

【橡皮膏】xiàngpígāo 图 一面涂有胶质的布条,常用来把敷料固定在皮肤上。也叫胶布。

【橡皮筋】xiàngpíjīn (~儿)图 用橡胶制成的、有伸缩性的线状或环形物品,多用来捆扎东西。

【橡皮泥】xiàngpíní 图 用白石蜡、火漆、生橡胶、陶土、水泥、石膏等材料掺和颜料制成的泥,柔软有塑性,不容易干,供儿童捏东西玩儿。

【橡皮圈】xiàngpíquān 图❶ 供练习游泳用的救生圈,用橡胶制成,内充空气。❷(~儿)用橡胶、塑料制成的小型环状物,用来束住东西使不散开。

【橡皮艇】xiàngpítǐng 图 一种水上运输工具,像小船,用金属或木材做骨架,橡胶布做外壳,充气而成。

【橡皮图章】xiàngpí túzhāng 比喻只有名义而无实权的人或机构。

【橡实】xiàngshí 图 栎树的果实,长圆形,含淀粉和少量鞣酸。外壳可以制栲胶。也叫橡子。

【橡子】xiàng·zi 图 橡实。

xiāo (ㄒㄧㄠ)

肖 Xiāo 图 姓。
另见 1503 页 xiào。

枭(梟) xiāo ❶同"鸮"。❷〈书〉勇猛;强悍:~将|~骑。❸魁首;首领:毒~。❹旧时指私贩食盐的人:盐~|私~。❺〈书〉悬挂(砍下的人头):~首|~示。

【枭将】xiāojiàng 〈书〉图 勇猛的将领。

【枭首】xiāoshǒu 图 旧时的刑罚,把人头砍下并且悬挂起来:~示众。

【枭雄】xiāoxióng 〈书〉图 强横而有野心的人物;智勇杰出的人物;魁首。

枵 xiāo 〈书〉空虚:~肠辘辘。

【枵腹从公】xiāo fù cóng gōng 指饿着肚

子办公家的事。

削 xiāo 团 用刀斜着去掉物体的表层:~铅笔|~苹果。
另见 1546 页 xuē。

【削面】xiāomiàn 图 见 275 页〖刀削面〗。

哓(嘵) xiāo [哓哓](xiāoxiāo)〈书〉拟声❶ 形容争辩的声音:~不休。❷ 形容鸟类因恐惧而发出的鸣叫声。

骁(驍) xiāo 〈书〉勇猛:~将|~勇。

【骁将】xiāojiàng 图 勇猛的将领。

【骁骑】xiāoqí 〈书〉图 勇猛的骑兵。

【骁勇】xiāoyǒng 〈书〉形 勇猛:~善战。

逍 xiāo 见下。

【逍遥】xiāoyáo 形 没有什么约束,自由自在:~自在|独自河边垂钓,好不~。

【逍遥法外】xiāoyáo fǎ wài 指犯了法的人没有受到法律制裁,仍旧自由自在。

鸮(鴞) xiāo 见 181 页〖鸱鸮〗。

虓 xiāo 〈书〉虎怒吼。

消 xiāo ❶团 消失:烟~云散|冰~瓦解|红肿都~了。❷团 使消失;消除:~毒|~炎|打~。❸团 度过(时间);消遣:~夜|~夏。❹团 需要(前面常带"不、只、何"等):不~说|只~三天。❺(Xiāo)图 姓。

【消沉】xiāochén 形 情绪低落;意志~。

【消除】xiāochú 团 使不存在;除去(不利的事物):~隐患|~隔阂|~战争威胁。

【消磁】xiāo∥cí 团 退磁。

【消毒】xiāo∥dú 团 ❶ 用物理、化学、生物等方法杀灭或清除致病的微生物:~剂|病房已经消过毒了。❷ 清除流毒。

【消遁】xiāodùn 团 消失:~得无影无踪。

【消防】xiāofáng 团 救火和防火:~队|~车|~警察|~器材。

【消费】xiāofèi 团 为了生产或生活需要而消耗物质财富:~品|高~。

【消费基金】xiāofèi jījīn 指扣除积累后用于消费的那一部分国民收入,即用于满足社会和个人的物质及文化生活需要的那部分国民收入。

【消费品】xiāofèipǐn 图 供消费的物品。通常指人们日常生活中需要的物品。

【消费税】xiāofèishuì 图 国家对一些特定消费品(如烟、酒、化妆品、小轿车等)和消费行为征收的一种税。

【消费信贷】xiāofèi xìndài 金融机构向消费者个人发放的用于购买消费品的贷款。

【消费资料】xiāofèi zīliào 见 1218 页〖生活资料〗。

【消耗】¹ xiāohào 动❶(精神、力量、东西等)因使用或受损耗而渐减少:～精力|～能量|高产、优质、低～。❷ 使消耗:～敌人的有生力量。

【消耗】² xiāohào 图 音信(多见于早期白话):杳无～。

【消化】xiāohuà 动❶ 食物在人和动物体内,经过物理和化学作用而变为能够溶解于水并可以被机体吸收的养料。❷ 比喻理解、吸收所学的知识:一次讲得太多,学生～不了。

【消化系统】xiāohuà xìtǒng 人和动物体内由口腔、食管、胃、小肠、大肠等组成的系统。消化系统的作用是消化食物和吸收养料。

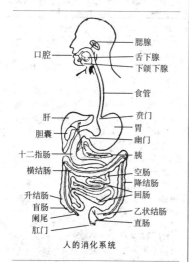

人的消化系统

腮腺
口腔
舌下腺
下颌下腺
食管
肝
贲门
胆囊
胃
幽门
十二指肠
胰
横结肠
空肠
降结肠
升结肠
回肠
盲肠
乙状结肠
阑尾
直肠
肛门

【消魂】xiāohún 同"销魂"。

【消火栓】xiāohuǒshuān 图 消防用水的管道上的一种装置,有出水口和水门,供救火时接水龙带用。

【消极】xiāojí 形❶ 否定的;反面的;阻碍发展的(跟"积极"相对,多用于抽象事物):～言论|～影响|～因素。❷ 不求进取的;消沉(跟"积极"相对):态度～|～情绪|～防御(单纯取守势的防御)。

【消减】xiāojiǎn 动 减退;减少:食欲～。

【消解】xiāojiě 动 消释②:～胸中的愁闷。

【消渴】xiāokě 图 中医指喝水喝得特别多,小便也特别多的病,包括糖尿病、尿崩症。

【消弭】xiāomǐ〈书〉动 消除(坏事):～水患。

【消灭】xiāomiè 动❶ 消失;灭亡:许多古生物,如恐龙、猛犸早已经～了。❷ 使消灭;除掉(敌对的或有害的人或事物):～蚊蝇|～差错|～一切敢于入侵之敌。

【消泯】xiāomǐn 动 消灭;泯灭。

【消磨】xiāomó 动❶ 使意志、精力等逐渐消失:～志气。❷ 度过(时间,多指虚度):～岁月。

【消纳】xiāonà 动 处理和容纳(垃圾、废弃物等):解决好城市垃圾的清运和～问题。也作销纳。

【消气】xiāo∥qì 动 平息怒气:你去赔个不是,让她消消气。

【消遣】xiāoqiǎn 动 用自己感觉愉快的事来度过空闲时间;消闲解闷。

【消溶】xiāoróng 同"消融"。

【消融】xiāoróng 动 (冰、雪)融化。也作消溶。

【消散】xiāosàn 动 (烟雾、气味、热力以及抽象事物)消失:雾渐渐～了。

【消声器】xiāoshēngqì 图 降低或消除气流噪声的装置,多用于内燃机、喷气发动机、鼓风机等噪声大的机械。

【消失】xiāoshī 动 (事物)逐渐减少以至没有:瞬间,一颗流星就从夜空中～了|脸上的笑容～了。

【消石灰】xiāoshíhuī 图 熟石灰。

【消食】xiāo∥shí 帮助消化:吃点山楂消消食。

【消逝】xiāoshì 动 消失:岁月～|火车的隆隆声慢慢～了|一抹残霞渐渐消失在天边。

【消释】xiāoshì 动❶〈书〉消融;溶化。❷(疑虑、嫌怨、痛苦等)消除;解除:～前嫌|误会～。

【消受】xiāoshòu 动❶ 享受;受用(多用

于否定式)：无福～。❷ 忍受：禁(jīn)受：～不起。

【消瘦】xiāoshòu 〔形〕形容(身体)极瘦：面容～|身体一天天～。

【消暑】xiāo∥shǔ 〔动〕❶ 消夏：去北戴河度假～。❷ 去暑：喝杯冷饮消消暑。

【消损】xiāosǔn 〔动〕❶ (构成某个物体的物质)逐渐减少。❷ 消磨而失去；消减损伤：岁月～|锐气～。

【消停】xiāo·ting 〔方〕❶ 〔形〕安静；安稳：过～日子|还没住～就走了|这孩子半天也没～过。❷ 〔动〕停止；歇：姐妹俩做活儿不～|太累了，～一会儿再干吧。

【消退】xiāotuì 〔动〕减退；逐渐消失：太阳偏西，暑热略略～|笑容渐渐～了。

【消亡】xiāowáng 〔动〕消失；灭亡。

【消息】xiāo·xi 〔名〕❶ 关于人或事物情况的报道：财经～|最新～。❷ 音信：去后再无～。

【消息儿】xiāo·xir 〔方〕〔名〕物件上暗藏的简单的机械装置，一触动就能牵动其他部分。

【消夏】xiāoxià 〔动〕用消遣的方式过夏天：～晚会。

【消闲】xiāoxián ❶ 〔动〕消磨空闲的时间：～解闷|～遣兴。❷ 〔形〕悠闲；清闲：别人忙得要命，他可真～，看戏去了。

【消歇】xiāoxiē 〔书〕〔动〕休止；消失：风雨～。也作销歇。

【消炎】xiāo∥yán 〔动〕使炎症消除：～止痛。

【消夜】xiāoyè ❶ 〔名〕夜宵。❷ 〔动〕吃夜宵。

【消长】xiāozhǎng 〔动〕减少和增长：～盈虚|敌我力量的～。

【消肿】xiāo∥zhǒng 〔动〕使肿块消退，也比喻精简机构和人员等：～减负。

宵 xiāo ❶ 夜：元～|春～|通～达旦。❷ (Xiāo)〔名〕姓。

【宵旰】xiāogàn 〔书〕宵衣旰食的略语：～图治。

【宵禁】xiāojìn 〔动〕夜间戒严，禁止通行：实行～|解除～。

【宵小】xiāoxiǎo 〔书〕〔名〕盗贼昼伏夜出，叫做宵小。现泛指坏人：～行径。

【宵衣旰食】xiāo yī gàn shí 天不亮就穿衣起来，天黑了才吃饭，形容勤于政务。

绡(綃) xiāo 〔书〕❶ 生丝。❷ 生丝织成的绸子。

捎(捎、搊) xiāo 〔书〕敲打；鞭击。

萧(蕭) xiāo ❶ 萧索；萧条：～瑟|～然。❷ (Xiāo)〔名〕姓(近年也有俗写作肖的)。

【萧规曹随】Xiāo guī Cáo suí 萧何和曹参都是汉高祖的大臣。萧何创立了规章制度，死后，曹参做宰相，仍照章实行。比喻后一辈的人完全依照前一辈的方式进行工作。

【萧墙】xiāoqiáng 〔书〕〔名〕照壁。比喻内部：祸起～|～之患。

【萧然】xiāorán 〔书〕〔形〕❶ 形容寂寞冷落：满目～。❷ 形容空荡荡的；空虚：四壁～|囊橐～。

【萧洒】xiāosǎ 见 1495 页〖潇洒〗。

【萧飒】xiāosà 〔书〕〔形〕萧条冷落；萧索。

【萧瑟】xiāosè ❶ 〔拟声〕形容风吹树木的声音：秋风～。❷ 〔形〕形容冷落；凄凉：门庭～。

【萧森】xiāosēn 〔书〕〔形〕❶ 形容草木凋零衰败：秋树～。❷ 凄凉阴森；幽谷～。

【萧疏】xiāoshū 〔书〕〔形〕❶ 萧条荒凉：满目疮痍，万户～。❷ 稀疏；稀稀落落：黄叶～|白发～。

【萧索】xiāosuǒ 〔形〕缺乏生机；不热闹：荒村～|～的晚秋景象。

【萧条】xiāotiáo 〔形〕❶ 寂寞冷落，毫无生气：百业～|荒山老树，景象十分～。❷ 资本主义社会中紧接着周期性经济危机之后的一个阶段，其特征是工业生产处于停滞状态，物价低落，商业萎缩。

【萧萧】xiāoxiāo 〔书〕❶ 〔拟声〕形容马叫声或风声等：马鸣～|风～兮易水寒。❷ 〔形〕(头发)花白稀疏的样子：白发～。

猇 xiāo ❶ 同"虓"。❷ 猇亭(Xiāotíng)，地名，在湖北。

硝 xiāo ❶ 〔名〕泛称某些矿物盐，如硝石、芒硝等。❷ 〔动〕用朴硝或芒硝加黄米面处理毛皮，使皮板儿柔软：～皮子。

【硝化甘油】xiāohuà gānyóu 硝酸甘油。

【硝石】xiāoshí 〔名〕矿物，有钾硝石(成分是硝酸钾)和钠硝石(成分是硝酸钠)两种。无色、白色或灰色晶体，有玻璃光泽。用来制造炸药，也用作肥料等。通常指硝石。

【硝酸】xiāosuān 名 无机化合物,化学式 HNO₃。无色液体,一般带微黄色,浓硝酸红棕色,有刺激性气味,是一种强酸。用来制造火药、氮肥、染料、人造丝等,也用作腐蚀剂。

【硝酸甘油】xiāosuān gānyóu 有机化合物,化学式 C₃H₅(NO₃)₃。白色或淡黄色的液体,有毒,有强烈的爆炸性。用于制造炸药,医药上用作冠状动脉扩张药。也叫硝化甘油。

【硝烟】xiāoyān 名 炸药爆炸后产生的烟雾:~弥漫的战场。

销¹(銷) xiāo ❶ 熔化金属:~金。❷ 动 除去;解除:撤~|~假|把那两笔账~了。❸ 动 销售:供不应求|畅~|脱~|兜~|一天~了不少货。❹ 消费:花~|开~。❺(Xiāo)名 姓。

销²(銷) xiāo ❶ 名 销子。❷ 动 插上销子。

【销案】xiāo//àn 动 撤销案件。

【销钉】xiāodīng 名 销子。

【销号】xiāo//hào 动 注销电话、寻呼机等所使用的号码,也指注销已登记注册的人、单位或某些物品。

【销户】xiāo//hù 动 单位或个人跟银行等部门解除业务关系,注销户头。

【销毁】xiāohuǐ 动 烧掉;毁掉:~假货|~武器|~文件|~证据。

【销魂】xiāohún 动 灵魂离开肉体,形容极度的悲伤、愁苦或极度的欢乐。也作消魂。

【销假】xiāo//jià 动 请假期满后向主管人员报到。

【销路】xiāolù 名(商品)销售的出路:~不畅|打开~。

【销纳】xiāonà 同"消纳"。

【销声匿迹】xiāo shēng nì jì 不再公开讲话,不再抛头露面。形容隐藏起来或不公开出现。

【销蚀】xiāoshí 动 消损腐蚀:~剂|~作用。

【销势】xiāoshì 名(商品)销售的势头:近来大屏幕彩电~看好。

【销售】xiāoshòu 动 卖出(商品):降价~|~一空。

【销铄】xiāoshuò 〈书〉❶ 动 熔化;消除。

❷ 形 因久病而枯瘦:肌肤~。

【销歇】xiāoxiē 同"消歇"。

【销行】xiāoxíng 动(商品)销售:~各地|这本书多年来在海内外~不衰。

【销赃】xiāo//zāng 动 ❶ 销售赃物:参与盗窃~活动。❷ 销毁赃物:~灭迹。

【销账】xiāo//zhàng 动 从账上勾销。

【销子】xiāo•zi 名 一种形状像钉子的金属棍,横断面多呈圆形,用来插在机件上,起连接或固定作用。也叫销钉。

翛 xiāo 〈书〉无拘无束;自由自在:~然。

【翛然】xiāorán 〈书〉形 形容无拘无束、自由自在的样子:~而往,~而来。

【翛翛】xiāoxiāo 〈书〉❶ 形 羽毛残缺的样子。❷ 拟声 形容风声、雨声、树木摇动声等:风雨~|树木~。

蛸 xiāo 见 1045 页〖螵蛸〗。
另见 1199 页 shāo。

箫(簫) xiāo ❶ 名 管乐器,用多根竹管编排在一起的叫排箫,用一根竹管做成的叫洞箫。❷(Xiāo)姓。

潇(瀟) xiāo 〈书〉水深而清。

【潇洒】(潇洒) xiāosǎ 形(神情、举止、风貌等)自然大方,有韵致,不拘束:风姿~|这幅画构思别致,笔墨~。

【潇潇】xiāoxiāo 形 ❶ 形容刮风下雨:风雨~。❷ 形容小雨:~微雨。

霄 xiāo 云;天空:重~|云~|九~云外。

【霄汉】xiāohàn 〈书〉名 云霄和天河,指天空:气冲~。

【霄壤】xiāorǎng 名 天和地,比喻相去极远:~之别。

魈 xiāo 见 1186 页〖山魈〗。

蟏(蟏) xiāo [蟏蛸](xiāoshāo)名 蜘蛛的一种,身体细长,暗褐色,脚很长,多在室内墙壁间结网。通称喜蛛或蟢子,民间认为是喜庆的预兆。

嚣(嚻、嚻) xiāo 吵闹;喧哗:叫~|喧~。
另见 14 页 Áo。

【嚣杂】xiāozá 形 喧嚣嘈杂:~的叫卖声。

【嚣张】xiāozhāng 形(恶势力、邪气)上涨;放肆:~一时|气焰~。

xiáo （ㄒㄧㄠˊ）

浇 **Xiáo** 浇河，水名，在河北。

崤 **Xiáo** 崤山，山名，在河南。

淆 **xiáo** 混杂：混～｜～乱。

【淆惑】 xiáohuò 〈书〉 动 混淆迷惑：～视听。

【淆乱】 xiáoluàn ❶ 形 杂乱；混乱。❷ 动 扰乱：～社会秩序。

【淆杂】 xiáozá 动 混杂。

殽 **xiáo** 同"淆"。

xiǎo （ㄒㄧㄠˇ）

小 **xiǎo** ❶ 形 在体积、面积、数量、力量、强度等方面不及一般的或不及比较的对象（跟"大"相对）：～河｜～桌子｜地方～｜鞋～了点儿｜我比你～一岁｜声音太～，听不见。❷ 副 短时间地：～坐｜～住几天。❸ 副 稍微：～有名气｜牛刀～试。❹ 副 略微少于；将近：这里离北京有～二百里｜编了～三十年词典。❺ 形 排行最末的：～儿子｜他是我的～弟弟。❻ 年纪小的人：一家大～｜上有老，下有～。❼ 指妾①：讨～。❽ 谦辞，称自己或与自己有关的人或事物：～弟｜～女｜～店。❾ （Xiǎo）名 姓。

【小巴】 xiǎobā 名 小型公共汽车。[巴，英 bus]

【小白菜】 xiǎobáicài （～儿）名 白菜的一种，叶子直立，勺形或圆形，绿色。是常见蔬菜。有的地区叫青菜。

【小白脸儿】 xiǎobáiliǎnr 〈口〉名 指皮肤白而相貌好看的年轻男子（含戏谑意或轻视意）。

【小百货】 xiǎobǎihuò 名 日常生活上用的轻工业和手工业产品。

【小班】 xiǎobān 名 幼儿园里由三周岁到四周岁儿童所编成的班级。

【小半】 xiǎobàn （～儿）数 少于整体或全数一半的部分：西瓜吃了一大半，剩下一～实在吃不下了。

【小报】 xiǎobào （～儿）名 篇幅比较小的报纸。

【小报告】 xiǎobàogào 名 指私下向领导反映的有关别人的情况（含贬义）：打～。

【小辈】 xiǎobèi （～儿）名 辈分小的人。

【小本经营】 xiǎo běn jīngyíng 本钱小、利润少的买卖。

【小便】 xiǎobiàn ❶ 动 （人）排泄尿。❷ 名 人尿。❸ 名 指男子的外生殖器，也指女子的阴门。

【小辫儿】 xiǎobiànr 名 短小的辫子，也泛指辫子。

【小辫子】 xiǎobiàn·zi 名 ❶ 小辫儿。❷ 比喻把柄：抓～。

【小不点儿】 xiǎo·budiǎnr 〈方〉❶ 形 形容很小。❷ 名 指很小的小孩子。

【小菜】 xiǎocài 名 ❶ （～儿）小碟儿盛的下酒饭的菜蔬，多为盐或酱腌制的。❷ （～儿）〈口〉比喻轻而易举的事情：电视机、电冰箱他都会修，至于修电扇，那不过是～。❸ 〈方〉泛指鱼肉蔬菜等。

【小产】 xiǎochǎn 动 中医指怀孕三个月后自然流产。

【小肠】 xiǎocháng 名 肠的一部分，上端跟胃相连，下端跟大肠相通，比大肠细而长，分为十二指肠、空肠、回肠三部分。主要作用是完成消化和吸收，并把食物的渣滓输送到大肠。

【小抄儿】 xiǎochāor 〈口〉名 考试作弊的人所夹带的写有所考内容等的纸条：打～。

【小潮】 xiǎocháo 名 一个朔望月中涨落幅度最小的潮水。上弦日和下弦日，月亮和太阳对地球的引力最小（是二者引力之差），按理小潮应该出现在这两天，由于一些复杂因素的影响，小潮往往延迟两三天出现。

【小炒】 xiǎochǎo （～儿）名 指集体食堂里小锅单炒的菜肴。

【小车】 xiǎochē （～儿）名 ❶ 指手推车。❷ 指汽车中的小轿车。

【小乘】 xiǎochéng 名 早期佛教的主要流派。大乘教徒认为它教义烦琐，不能超度很多人，因此贬称它为小乘。参看 249 页《大乘》。

【小吃】xiǎochī 图❶ 饭馆中分量少而价钱低的菜：经济～。❷ 饮食业中出售的年糕、粽子、元宵、油茶等食品的统称：～店|应时～|风味～。❸ 西餐中的冷盘。

【小丑】¹ xiǎochǒu （～儿）图❶ 戏曲中的丑角或在杂技中做滑稽表演的人。❷ 比喻举动不庄重、善于凑趣儿的人。

【小丑】²（小醜）xiǎochǒu 图指小人：跳梁～。

【小春】xiǎochūn〈方〉图指农历十月。参看〖小阳春〗。

【小词】xiǎocí 图三段论中结论的主词。参看1171页〖三段论〗。

【小葱】xiǎocōng （～儿）图❶ 葱的一种，分蘖性强，茎和叶较细，较短，是常见蔬菜。参看227页"葱"。❷ 通常指幼嫩的葱，供移栽用，也可以吃。

【小聪明】xiǎocōng·ming 图在小事情上显露出来的聪明（多含贬义）：耍～。

【小打小闹】xiǎo dǎ xiǎo nào 比喻小规模，零零碎碎地做事。

【小道儿消息】xiǎodàor xiāo·xi 道听途说的消息；非正式途径传播的消息。

【小大人儿】xiǎodàrénr 图说话、行动像大人的小孩儿。

【小弟】xiǎodì 图❶ 小的弟弟。❷ 男性在朋友或熟人之间对自己的谦称。

【小调】xiǎodiào （～儿）图流行于民间的各种曲调。

【小动作】xiǎodòngzuò 图偷偷做的干扰别人或集体活动的动作。特指为了某种个人目的在背地搞的不正当活动，如弄虚作假、播弄是非等。

【小豆】xiǎodòu 图赤豆。

【小肚】xiǎodǔ 图用猪的膀胱，装入和（huò）有淀粉的猪肉末制成的球状食品。

【小肚鸡肠】xiǎo dù jī cháng 比喻气量狭小，只计较小事，不顾大局。也说鼠肚鸡肠。

【小肚子】xiǎodù·zi〈口〉图小腹。

【小队】xiǎoduì 图队伍编制的基层单位，隶属于中队。

【小额】xiǎo'é 图属性词。数额较小的：～贷款|～交易。

【小恩小惠】xiǎo ēn xiǎo huì 为了笼络人而给人的小利。

【小儿】xiǎo'ér 图⓵儿童。⓶谦称自己的儿子。参看〖小儿〗(xiǎor)。

【小儿科】xiǎo'érkē ❶ 图比喻价值小、水平低，不值得重视的事物：零售日用小商品对商家来说不过是～罢了。❷ 图比喻极容易做的事情：写这种小文章，对大作家来说简直是～。❸ 图形容小气，被人看不上：送二六礼金，也太～了。

【小儿麻痹症】xiǎo'ér mábìzhèng 脊髓灰质炎的通称。简称小儿麻。

【小饭桌】xiǎofànzhuō 图为家中无人做午饭的中小学生开办的小型食堂。

【小贩】xiǎofàn 图本钱很小的商贩。

【小费】xiǎofèi 图顾客、旅客额外给饭馆、旅馆等行业中服务人员的钱。也叫小账。

【小腹】xiǎofù 图人体肚脐以下大腿以上的部分。

【小工】xiǎogōng （～儿）图壮工。

【小姑子】xiǎogū·zi〈口〉图丈夫的妹妹。也说小姑儿。

【小广播】xiǎoguǎngbō ❶ 动私下传播不应该传播的或不可靠的消息。❷ 图指私下传播的不可靠的消息，也指私下传播不可靠消息的人。

【小广告】xiǎoguǎnggào 图小幅的广告（多指非法印制、散发、张贴、喷涂的）：清洗街头～。

【小褂儿】xiǎoguàr 图贴身穿的中式单上衣。

【小鬼】xiǎoguǐ 图❶ 鬼神的差役（迷信）。❷ 对小孩儿的称呼（含亲昵意）。

【小孩儿】xiǎoháir〈口〉图❶ 儿童。也说小孩子。❷ 子女（多指未成年的）：你有几个～？

【小寒】xiǎohán 图二十四节气之一，在1月5,6或7日。参看696页〖节气〗、363页〖二十四节气〗。

【小号】¹ xiǎohào ❶ （～儿）形属性词。型号较小的：～中山装。❷ 图商人谦称自己的铺子。

【小号】² xiǎohào 图管乐器，号嘴呈碗形，一般有活塞，吹奏时声音响亮。

【小号】³ xiǎohào〈方〉图指单人牢房：关～。

【小核桃】xiǎohétáo〈方〉图山核桃。

【小户】xiǎohù 图❶ 旧时指无钱无势的人家。❷ 人口少的人家。

【小花脸】xiǎohuāliǎn 图戏曲角色行当

中的丑。

【小环境】xiǎohuánjìng 名 指周围局部的环境和条件。

【小黄鱼】xiǎohuángyú 名 黄鱼的一种,体侧扁,鳞大,背灰褐色,两侧黄色,鳍灰褐色。是我国主要的海产鱼类之一。

【小惠】xiǎohuì 名 微小的恩惠:小惠。

【小伙儿】xiǎohuǒr 名 小伙子(多含亲热或赞美意):能文能武的棒~。

【小伙子】xiǎohuǒ·zi〈口〉名 青年男子。

【小蓟】xiǎojì 名 刺儿菜。

【小家碧玉】xiǎojiā bìyù 指小户人家的年轻美貌的女子。

【小家伙】xiǎojiā·huo (~儿)名 对小孩儿的称呼(含亲昵意)。

【小家鼠】xiǎojiāshǔ 名 家鼠的一种,身体小,吻部尖而长,耳朵较大,尾巴细长,全身灰黑色或灰褐色。是传播鼠疫的媒介。也叫鼷(xī)鼠。

【小家庭】xiǎojiātíng 名 人口较少的家庭,通常指青年男女结婚后跟父母分居的家庭。

【小家子气】xiǎojiā·ziqì 形 形容人的举止、行动等不大方。也说小家子相。

【小建】xiǎojiàn 名 农历的小月份,只有29天。也叫小尽。

【小将】xiǎojiàng 名 古代指带兵打仗的年轻将领,现多比喻有上进心的能干的年轻人。

【小脚】xiǎojiǎo (~儿)名 指妇女缠裹后发育不正常的脚。

【小教】xiǎojiào 名 ❶ 小学教育。❷ 小学教师。

【小节】¹ xiǎojié 名 指与原则无关的琐碎的事情:不拘~|生活~。

【小节】² xiǎojié 名 音乐节拍的段落,乐谱中用一竖线隔开。

【小结】xiǎojié ❶ 名 在整个过程中的一个段落之后的总结,用于统计数字或综述经验等:工作~|思想~。❷ 动 做小结:把上个月的工作~一下。

【小姐】xiǎo·jiě 名 ❶ 旧时有钱人家里仆人称主人的女儿。❷ 对年轻的女子或未出嫁的女子的称呼。

【小解】xiǎojiě 动 (人)排泄尿。

【小金库】xiǎojīnkù 名 指在单位财务以外另立账目的公款。

【小尽】xiǎojìn 名 小建。

【小九九】xiǎojiǔjiǔ (~儿)名 ❶ 乘法口诀,如一一得一,一二得二,二五一十等。也叫九九歌。❷ 比喻心中的算计:事情怎么搞,他心中已有个~。

【小舅子】xiǎojiù·zi 名 妻子的弟弟。

【小开】xiǎokāi〈方〉名 称老板的儿子。

【小楷】xiǎokǎi 名 ❶ 手写的小的楷体汉字:蝇头~。❷ 拼音字母的小写印刷体。

【小看】xiǎokàn〈口〉动 轻视:~人|别~这些草药,治病还真管用。

【小康】xiǎokāng 形 指家庭经济状况可以维持中等水平生活:家道~|~人家。

【小考】xiǎokǎo 名 学校中举行的规模较小的或临时性的考试(跟"大考"相对)。

【小可】xiǎokě ❶ 名 谦称自己(多见于早期白话):~不才。❷ 形 轻微;寻常:非同~。

【小老婆】xiǎolǎo·po 名 妾①。有的地区叫小婆儿。

【小礼拜】xiǎolǐbài 名 见 253 页〖大礼拜〗。

【小两口】xiǎoliǎngkǒu (~儿)〈口〉名 指青年夫妇。

【小量】xiǎoliàng 形 属性词。少量:新品种小麦先要~试种。

【小令】xiǎolìng 名 ❶ 短的词调。❷ 散曲中不成套的曲。

【小绺】xiǎoliǔ〈方〉名 扒手。

【小龙】xiǎolóng 名 指十二生肖中的蛇。

【小炉匠】xiǎolújiàng 名 以锔锅、做焊活、修理铜锁等为职业的人。

【小萝卜】xiǎoluó·bo 名 ❶ 萝卜的一种,生长期很短,块根多细长而小,表皮鲜红色,里面白色。是常见蔬菜。❷ 这种植物的块根。

【小锣】xiǎoluó (~儿)名 打击乐器,多用于戏曲伴奏。也叫手锣。

【小麦】xiǎomài 名 ❶ 一年生或二年生草本植物,茎直立,中空,叶子宽条形,子实椭圆形,腹面有沟。子实供制面粉,是主要的粮食作物之一。因播种时期的不同分为春小麦、冬小麦等。❷ 这种植物的子实。

【小卖】xiǎomài ❶ 名 饭馆中不成桌的、分量少的菜:应时~。❷ 动 做小买卖:提篮~。

【小卖部】xiǎomàibù 名 公共场所里出售糖果、点心、冷饮、烟酒等的地方。

【小满】xiǎomǎn 名 二十四节气之一,在5月20、21或22日。参看696页〖节气〗、363页〖二十四节气〗。

【小猫熊】xiǎomāoxióng 名 小熊猫。

【小毛】xiǎomáo (~儿)名 短毛的皮衣料,如灰鼠皮、银鼠皮等。

【小米】xiǎomǐ (~儿)名 粟的子实去了壳叫小米。

【小名】xiǎomíng (~儿)名 小时候起的非正式的名字。也叫乳名。

【小拇哥儿】xiǎo·mugēr 〈方〉名 小指。

【小拇指】xiǎo·muzhǐ 〈口〉名 小指。

【小脑】xiǎonǎo 名 脑的一部分,在大脑的后方。小脑能对人体的运动起平衡协调作用,小脑受到破坏,运动就失去正常的灵活性和准确性。(图见984页"人的脑")

【小鲵】xiǎoní 名 两栖动物,外形像大鲵而较小,尾巴扁,四肢短,牙齿呈V形,生活在水边的草丛里。

【小年】xiǎonián 名 ❶ 农历十二月为29天的年份。❷ 节日,农历十二月二十三或二十四日,旧俗在这天祭灶。❸ 指果树歇枝、竹子等生长得慢的年份。

【小年夜】xiǎoniányè 名 ❶ 指农历除夕前一夜。❷ 旧指农历十二月二十三或二十四日。

【小妞儿】xiǎoniūr 〈口〉名 小女孩儿。也叫小妞子。

【小农】xiǎonóng 名 指个体农民:~经济。

【小农经济】xiǎonóng jīngjì 农民的个体经济,以一家一户为生产单位,生产力低,在一般情况下只能进行简单的再生产。

【小女】xiǎonǚ 名 谦称自己的女儿。

【小跑】xiǎopǎo (~儿)〈口〉动 快步走,接近于跑;小步慢跑:一路~。

【小朋友】xiǎopéngyǒu 名 ❶ 指儿童:六一国际儿童节是~们的节日。❷ 对儿童的称呼:~,你喜欢唱歌吗?

【小票】xiǎopiào (~儿)名 ❶ 即购物小票,是商场、超市等给消费者开具的只作为购物凭证的小纸片。❷ 面额较小的钞票。

【小品】xiǎopǐn 名 原指佛经的简本,现指简短的杂文或其他短小的表现形式:历史~|广播~|戏剧~。

【小品文】xiǎopǐnwén 名 散文的一种形式,篇幅短小,形式活泼,内容多样化。

【小气】xiǎo·qi 形 ❶ 吝啬:~鬼。❷〈方〉气量小。

【小气候】xiǎoqìhòu 名 ❶ 在一个大范围的气候区域内,由于局部地区地形、植被、土壤性质、建筑群等以及人或生物活动的特殊性而形成的小范围的特殊气候。如农田、城市、住宅区的气候。❷ 比喻在一个大的政治、经济等方面的环境和条件下,由于具体地区或具体单位的特殊性而形成的特殊环境和条件。

【小憩】xiǎoqì 动 短时间的休息:在树荫下~片时。

【小前提】xiǎoqiántí 名 三段论的一个组成部分,含有结论中的主词,是表达具体事物的命题。参看1171页〖三段论〗。

【小钱】xiǎoqián (~儿)名 ❶ 清末铸造的质量、重量次于制钱的小铜钱。有的地区把制钱或锛子(bèng·zi)叫做小钱。❷ 指少量的钱:说大话,使~。❸ 旧时指做贿赂用的少量钱财。

【小瞧】xiǎoqiáo 〈方〉动 小看。

【小巧】xiǎoqiǎo 形 小而灵巧:身材~。

【小巧玲珑】xiǎoqiǎo línglóng 形容小而灵巧、精致:画舫里陈设着~的紫檀桌椅|苏州很多园林建筑得~。

【小青年】xiǎoqīngnián (~儿)名 指二十岁左右的青年人。

【小青瓦】xiǎoqīngwǎ 名 普通的中式瓦,横断面略呈弧形。也叫蝴蝶瓦。

【小秋收】xiǎoqiūshōu 名 指秋收前后农民对于野生植物的采集。

【小球】xiǎoqiú 名 指乒乓球、网球、羽毛球等球类项目(跟"大球"相对)。

【小区】xiǎoqū 名 在城市一定区域内建筑的、具有相对独立居住环境的成片居民住宅,配有成套的生活服务设施,如商店、医院、学校等。

【小曲】xiǎoqū 名 酿造白酒、黄酒或江米酒用的一种曲,块儿比大曲小。也叫酒药。

【小曲儿】xiǎoqǔr 名 小调。

【小圈子】xiǎoquān·zi 名 ❶ 狭小的生活范围:走出家庭,投身到火热的社会生活中去。❷ 为个人利益而互相拉拢、互相利用的小集团:搞~。

【小儿】xiǎor 〈口〉名 ❶ 指幼年:从~|自

～。❷ 男孩子：胖～。参看〖小儿〗（xiǎo'ér）。

【小人】xiǎorén 图❶ 古代指地位低的人,后来地位低的人也用于自称。❷ 指人格卑鄙的人：～得志|势利～。

【小人儿】xiǎorénr 〈口〉图❶ 对未成年人的爱称。❷ 比较小的人的形象：画～。

【小人儿书】xiǎorénrshū 图 装订成册的连环画。

【小人物】xiǎorénwù 图 指在社会上没有地位、不出名、没有影响的人。

【小日子】xiǎori·zi 图 指人口不多、经济上还过得去的家庭生活(多用于年轻夫妇)。

【小嗓儿】xiǎosǎngr 图 京剧、昆曲等戏曲中小生、花旦、青衣演唱时的嗓音。

【小商品】xiǎoshāngpǐn 图 指价值一般较低的商品,如小百货、小五金及某些日常生活用品、部分文化用品等。

【小商品经济】xiǎo shāngpǐn jīngjì 农民和手工业者以个体劳动进行商品生产的经济。生产者占有生产资料,依靠自己的劳动进行生产,并且只是为了换取自己需要的物质资料而出卖商品。

【小商品生产】xiǎo shāngpǐn shēngchǎn 简单商品生产。

【小晌午】xiǎoshǎng·wu 〈方〉图 将近中午的时候。

【小舌】xiǎoshé (～儿)图 悬雍垂的通称。

【小生】xiǎoshēng 图❶ 戏曲中生角的一种,扮演青年男子。❷ 青年读书人的自称(多见于早期白话)。

【小生产】xiǎoshēngchǎn 图 在生产资料私有制的基础上,以一家一户为单位分散经营的生产方式。

【小生产者】xiǎoshēngchǎnzhě 图 占有简单生产工具,在自己的小块土地上或作坊里进行小规模商品生产的人,如个体农民、小手工业者。

【小时】xiǎoshí 图 时间单位,一个平均太阳日的二十四分之一。

【小时工】xiǎoshígōng 图 指按小时计酬的临时工,多从事家庭服务工作。也叫钟点工。

【小时候】xiǎoshí·hou (～儿)〈口〉图 年纪小的时候：～的一些趣事至今记忆犹新。

【小食】xiǎoshí 〈方〉图❶ 小吃：～铺|卖～的。❷ 零食。

【小市】xiǎoshì (～儿)图 出售旧货或零星杂物的市场。

【小市民】xiǎoshìmín 图❶ 城市中占有少量生产资料或财产的居民。一般是小资产阶级,如手工业者、小商人、小房东等。❷ 指格调不高、喜欢斤斤计较的人。

【小试锋芒】xiǎo shì fēngmáng 稍微显示一下本领。

【小视】xiǎoshì 囫 小看；轻视：近来他技艺颇有长进,～不得。

【小手工业者】xiǎoshǒugōngyèzhě 图 占有少量生产资料,用手工操作进行小规模商品生产的人。

【小手小脚】xiǎo shǒu xiǎo jiǎo ❶ 形容不大方。❷ 形容不敢放手做事,没有魄力。

【小叔子】xiǎoshū·zi 〈口〉图 丈夫的弟弟。

【小暑】xiǎoshǔ 图 二十四节气之一,在7月6,7或8日。参看 696 页〖节气〗、363 页〖二十四节气〗。

【小数】xiǎoshù 图 形式上不带分母的十进分数,是十进分数的特殊表现形式。如 $\frac{3}{10}$ 可写作 0.3(读作零点三),$\frac{27}{100}$ 可写作 0.27(读作零点二七),5$\frac{1}{1000}$ 可写作 5.001(读作五点零零一)。在小数中,符号"."叫做小数点,小数点左边的数是整数部分,右边的数是小数部分。

【小数点】xiǎoshùdiǎn 图 表示小数部分开始的符号"."。

【小水】xiǎo·shui 图 中医指尿。

【小睡】xiǎoshuì 囫 短时间睡眠：～片刻。

【小说】xiǎoshuō (～儿)图 一种叙事性的文学体裁,通过人物的塑造和情节、环境的描述来概括地表现社会生活。一般分为长篇小说、中篇小说和短篇小说。

【小苏打】xiǎosūdá 图 无机化合物,成分是碳酸氢钠,白色晶体。遇热能放出二氧化碳,用来灭火或制焙粉。医药上用作抗酸药。

【小算盘】xiǎosuàn·pan (～儿)图 比喻个人或局部利益所作的打算。

【小淘气】xiǎotáoqì (～儿)图 对淘气的小孩儿的称呼(含亲昵意)。

【小提琴】xiǎotíqín 名 提琴的一种,体积最小,发音最高。

【小题大做】xiǎo tí dà zuò 比喻把小事当做大事来办,有不值得这样做或有意扩大事态的意思。

【小同乡】xiǎotóngxiāng 名 指籍贯是同一县或同一村的人(跟"大同乡"相对)。

【小偷】xiǎotōu (～儿)名 偷东西的人。

【小头】xiǎotóu (～儿)名 小的那一端;份额小的部分:让集体拿大头,个人得～。

【小腿】xiǎotuǐ 名 下肢从膝盖到踝骨的一段。

【小我】xiǎowǒ 名 指个人(跟"大我"相对):～服从大我。

【小巫见大巫】xiǎo wū jiàn dà wū 小巫师见了大巫师,觉得没有大巫师高明。比喻小的或差的跟大的或好的一比,就显得差得远了。

【小五金】xiǎowǔjīn 名 安装在建筑物或家具上的金属器件和某些小工具的统称,如钉子、螺丝、铁丝、锁、合叶、插销、弹簧等。

【小媳妇】xiǎoxí·fu (～儿)名 ❶ 泛指年轻的已婚妇女。❷ 比喻听支使或受气的人。

【小戏】xiǎoxì (～儿)名 小型的戏曲,一般角色较少,情节比较简单。

【小先生】xiǎoxiān·sheng 名 指学习成绩较好,给同学做辅导员的学生。也指一面跟老师学习一面教别人的人。

【小橡树】xiǎoxiàngshù 〈方〉名 枹(bāo)。

【小线儿】xiǎoxiànr 〈方〉名 用棉线捻成的细绳子。

【小小不言】xiǎoxiǎo bù yán 细微而不值一提:～的事儿,不必计较。

【小小子】xiǎoxiǎo·zi (～儿)〈口〉名 幼小的男孩子。

【小鞋】xiǎoxié (～儿)名 比喻暗中给人的刁难或施加的约束、限制等:光明磊落,敢作敢为,不怕人家给～穿。

【小写】xiǎoxiě ❶ 名 汉字数目字的通常写法,如"三、四"等(跟"大写"相对,下同)。参看1271页〖数字〗。❷ 名 拼音字母的一种写法,如拉丁字母的 a,b,c。❸ 动 依照文字的小写形式书写。

【小心】xiǎo·xīn ❶ 动 注意;留神:～火烛|路上天冷滑,一不～就会跌交。❷ 形 谨慎:他做事一向很～。

【小心眼儿】xiǎoxīnyǎnr ❶ 形 气量狭小:你别太～了,为这么点儿事不值得生气! ❷ 名 指小的心计:耍～。

【小心翼翼】xiǎoxīn yìyì 原形容严肃虔敬的样子,现用来形容举动十分谨慎,丝毫不敢疏忽。

【小行星】xiǎoxíngxīng 名 太阳系中,沿椭圆形轨道绕太阳运行而体积小,从地球上肉眼不能看到的行星。大部分小行星的运行轨道在火星和木星之间。(图见1319页〖太阳系〗)

【小型】xiǎoxíng 形 属性词。形状或规模小的:～会议|水利工程。

【小型张】xiǎoxíngzhāng 名 一种印有纪念邮票或特种邮票,并配以相关图案的邮品。

【小性儿】xiǎoxìngr 〈方〉名 常因小事就发作的坏脾气:犯～|使～。

【小熊猫】xiǎoxióngmāo 名 哺乳动物,身体长 60 厘米左右,头部棕色白色相间,背部棕红色,尾巴长而粗,黄白色相间。生活在亚热带高山上,能爬树,吃野果、野菜和竹叶,也吃小鸟等。是一种珍稀动物。也叫小猫熊。

【小熊座】xiǎoxióngzuò 名 北部天空的一个星座,其中七颗主要的星排列成勺状,以 α 星(即现在的北极星)为最明亮。北半球中纬度以北地区全年可以见到这个星座。

【小修】xiǎoxiū 动 指对房屋、机器、车船等进行一般的小规模的检修。

【小学】xiǎoxué 名 ❶ 对儿童、少年实施初等教育的学校,给儿童、少年以全面的基础教育。❷ 指研究文字、训诂、音韵的学问。古时小学先教六书,所以有这个名称。

【小学生】xiǎoxuéshēng 名 在小学读书的学生◇做群众的～。

【小雪】xiǎoxuě 名 ❶ 指下得不大的雪。❷ 气象学上指 24 小时内降雪量小于或等于 2.5 毫米的雪。❸ 二十四节气之一,在 11 月 22 日或 23 日。参看 696 页〖节气〗、363 页〖二十四节气〗。

【小循环】xiǎoxúnhuán 名 肺循环。

【小阳春】xiǎoyángchūn 名 指农历十月(因某些地区十月天气温暖如春):十月

～。

【小样】xiǎoyàng ❶名报纸的一条消息或一篇文章的校样(区别于"大样"①)。❷〈方〉名模型;样品:实物～|～产品。❸(～儿)〈方〉形小家子气;小气。

【小咬】xiǎoyǎor 〈方〉名蠓蚋、蚋等类昆虫。人被叮咬后局部肿胀、奇痒。

【小业主】xiǎoyèzhǔ 名占有少量资财,从事小规模的生产经营,不雇用或雇用少数工人的小工商业者。

【小叶】xiǎoyè 名植物学上把复叶上的每一个叶片叫做小叶。

【小夜曲】xiǎoyèqǔ 名西洋音乐中的一种小型声乐曲或器乐曲,多以爱情为主题。

【小衣】xiǎoyī (～儿)〈方〉名衬裤。

【小衣裳】xiǎoyī·shang 名❶贴身穿的单衣单裤。❷小孩儿穿的衣裳。

【小姨子】xiǎoyí·zi 〈口〉名妻子的妹妹。

【小意思】xiǎoyì·si 名❶微薄的心意(款待宾客或赠送礼物时的客气话):这是我的一点儿～,送给你做个纪念。❷指微不足道的事:这点儿故障,～,一会儿就修好。

【小引】xiǎoyǐn 名写在诗文前面的简短说明。

【小影】xiǎoyǐng 名小照。

【小雨】xiǎoyǔ 名❶指下得不大的雨。❷气象学上指1小时内雨量在2.5毫米以下,或24小时内雨量在10毫米以下的雨。

【小月】xiǎoyuè 名阳历只有30天或农历只有29天的月份。

【小月】xiǎo·yuè 〈口〉动流产①。

【小灶】xiǎozào (～儿)名❶集体伙食标准中最高的一级(区别于"中灶""大灶")。❷比喻享受的特殊的对待:老师给几个学习上有困难的同学补课,开～。

【小站】xiǎozhàn 名铁路、公路交通中规模小、只有慢车停靠的上下旅客较少的车站。

【小账】xiǎozhàng (～儿)〈口〉名小费。

【小照】xiǎozhào 名称自己的照片。

【小指】xiǎozhǐ 名手或脚的第五指。

【小注】xiǎozhù (～儿)名直行书中夹在正文中的注解,字体小于正文,多为双行。

【小传】xiǎozhuàn 名简短的传记。

【小篆】xiǎozhuàn 名指笔画较简省的篆

书,秦朝李斯等取大篆稍加整理简化而成。也叫秦篆。

【小酌】xiǎozhuó 动少量喝酒。

【小资产阶级】xiǎo zīchǎn jiējí 占有少量生产资料和财产,主要依靠自己劳动为生,一般不剥削别人的阶级。包括中农、手工业者、小商人、自由职业者等。

【小子】xiǎozǐ 名❶〈书〉年幼的人;后生～。❷旧时长辈称晚辈;晚辈对尊长的自称:～识之!|～不敏。

【小子】xiǎo·zi 〈口〉名❶男孩子:大～|二～|小～|胖～。❷人(用于男性,含轻蔑意):这～真坏!|～!你敢骂人!

【小字辈】xiǎozìbèi (～儿)名指资历较浅、年龄较轻的人。

【小卒】xiǎozú 名小兵,多用于比喻:马前～|无名～。

【小组】xiǎozǔ 名为工作、学习上的方便而组成的小集体:党～|学习～|～讨论。

【小坐】xiǎozuò 动短时间坐下来;坐一会儿:～片刻。

晓(曉) xiǎo ❶天刚亮的时候:拂～|～雾破～|鸡鸣报～|～行夜宿。❷知道:通～|家喻户～。❸使人知道:揭～|以利害。❹(Xiǎo)名姓。

【晓畅】xiǎochàng 动❶精通;熟悉:～军事。❷形(文章)明白流畅:该书图文并茂,语言～。

【晓得】xiǎo·de 动知道。

【晓示】xiǎoshì 动明白地告诉:～众人。

【晓市】xiǎoshì 名清晨的集市;早市①。

【晓谕】xiǎoyù 〈书〉动晓示(用于上级对下级):明白～|～百姓。

谡(謖) xiǎo 〈书〉小:～才|～闻(小有名声)。

筱(❶❷篠) xiǎo ❶〈书〉小竹子。❷同"小"(多用于人名)。❸(Xiǎo)名姓。

xiào (Tl名)

孝 xiào ❶孝顺:～子|尽～。❷旧时尊长死后在一定时期内遵守的礼俗:守～。❸丧服:穿～|戴～。❹(Xiào)名姓。

【孝道】xiàodào 名指奉养父母的准则。

尽～。

【孝服】xiàofú 名❶孝衣。❷旧时指为尊长服丧的时期：～已满。

【孝敬】xiàojìng 动❶孝顺尊敬（长辈）：～公婆。❷把物品献给尊长，表示敬意：他带了些南边的土产来～老奶奶。

【孝女】xiàonǚ 名对父母孝顺的女儿。

【孝顺】xiào·shùn 动尽心奉养父母，顺从父母的意志：～双亲|他是个～的孩子。

【孝心】xiàoxīn 名孝顺的心意：一片～。

【孝衣】xiàoyī 名旧俗在死了尊长后的一段时间穿的白色布衣或麻衣。

【孝子】xiàozǐ 名❶对父母孝顺的儿子。❷父母死后居丧的人。

【孝子贤孙】xiào zǐ xián sūn 指孝顺的有德行的子孙后辈（多用于比喻）。

肖 xiào 相似；像：酷～|逼～|惟妙惟～|寥寥几笔,神情毕～。
另见 1492 页 Xiāo。

【肖像】xiàoxiàng 名以某一个人为主体的画像或相片（多指没有风景陪衬的大幅相片）。

【肖像画】xiàoxiànghuà 名描绘具体人物形象的画。

咲 xiào 〈书〉同"笑"①②。

校¹ xiào 名❶学校：～舍|～址|母～|夜～|全～|～同学。❷(Xiào)姓。

校² xiào 校官：上～。
另见 689 页 jiào。

【校风】xiàofēng 名学校的风气。

【校服】xiàofú 名学校规定的统一式样的学生服装。

【校官】xiàoguān 名校级军官,低于将官,高于尉官。

【校规】xiàoguī 名学校制定的师生员工必须遵守的规则。

【校花】xiàohuā 名指被本校公认的最漂亮的女学生（多指大学生）。

【校徽】xiàohuī 名学校成员佩戴在胸前的标明校名的徽章。

【校刊】xiàokān 名学校出版的刊物,内容包括本校各种情况的报道和本校师生所写的文章。

【校庆】xiàoqìng 名学校的成立纪念日。

【校舍】xiàoshè 名学校的房子。

【校训】xiàoxùn 名学校规定的对师生有

指导意义的词语,如抗大的校训是"团结、紧张、严肃、活泼"。

【校医】xiàoyī 名学校里为师生员工服务的专职医生。

【校友】xiàoyǒu 名学校的师生称曾在本校就读或担任教职员的人,也用作在同一学校学习或工作过的人的互称：～会。

【校园】xiàoyuán 名泛指学校范围内的地面。

哮 xiào ❶急促喘气的声音：～喘。❷吼叫：咆～。

【哮喘】xiàochuǎn 动气喘,通常指喘息时喉咙带鸣声的病。

笑 xiào ❶动露出愉快的表情,发出欢喜的声音：～容|微～|眉开眼～|哈哈～。❷动讥笑：耻～|见～|～他不懂事。❸(Xiào)名姓。

【笑柄】xiàobǐng 名可以拿来取笑的资料：传为～。

【笑场】xiàochǎng 动指演员在场上表演时失笑。

【笑哈哈】xiàohāhā 形状态词。形容大笑的样子。

【笑呵呵】xiàohēhē (～的)形状态词。形容笑的样子：日子越过越好,老人成天～的。

【笑话】xiào·hua ❶(～儿)名能引人发笑的谈话或故事；供人当做笑料的事情：他很会说～|我不懂上海话,初到上海时净闹～。❷动耻笑；讥笑：～人|当场出丑,让人～。

【笑剧】xiàojù 名闹剧。

【笑里藏刀】xiào lǐ cáng dāo 比喻外表和气,心里阴险狠毒。

【笑脸】xiàoliǎn (～儿)名含笑的面容：赔～|～相迎。

【笑料】xiàoliào (～儿)名可以拿来取笑的资料：不要把人家的生理缺陷当做～。

【笑骂】xiàomà 动❶讥笑并辱骂：～由他～,好官我自为之（讥讽官僚不顾廉耻）。❷开玩笑地骂。

【笑貌】xiàomào 名含笑的面容：老人去世多年了,他的音容～至今犹在眼前。

【笑眯眯】xiàomīmī (～的)形状态词。形容微笑时眼皮微微合拢的样子：奶奶～地看孙子的立功喜报。

【笑面虎】xiàomiànhǔ 名比喻外貌装得

善良而心地凶狠的人。

【笑纳】xiàonà 动 客套话,用于请人收下礼物。

【笑容】xiàoróng 名 含笑的神情:满面～。

【笑谈】xiàotán 名 ❶ 笑柄:传为～。❷ 笑话①。

【笑纹】xiàowén 名 高兴时脸上显出的纹路:老人家喜不自禁,一脸～。

【笑涡】xiàowō 同"笑窝"。

【笑窝】xiàowō (～儿)名 酒窝儿。也作笑涡。

【笑嘻嘻】xiàoxīxī (～的)形 状态词。形容微笑的样子。

【笑星】xiàoxīng 名 称著名的相声演员、滑稽演员、喜剧演员等。

【笑颜】xiàoyán 名 笑容:～常开。

【笑靥】xiàoyè 〈书〉名 ❶ 酒窝儿。❷ 笑脸。

【笑吟吟】xiàoyínyín (～的)形 状态词。形容微笑的样子。

【笑影】xiàoyǐng 名 微笑的神情。

【笑语】xiàoyǔ 名 指欢快风趣的话语:欢声～。

【笑逐颜开】xiào zhú yán kāi 眉开眼笑。

效¹ xiào ❶ 效果;功用:功～|成～|无～|见～。❷ (Xiào)名 姓。

效²(俲) xiào 仿效:～法|上行下～。

效³(効) xiào 为别人或集团献出(力量或生命):～力|～劳|～命。

【效法】xiàofǎ 照着别人的做法去做;学习(别人的长处):～前贤|这种勇于承认错误的精神值得～。

【效仿】xiàofǎng 动 仿效;效法。

【效果】xiàoguǒ 名 ❶ 由某种力量、做法或因素产生的结果(多指好的):教学～|～显著。❷ 指演出时人工制造的风雨声、枪炮声(音响效果)和日出、下雪(光影效果)等。

【效绩】xiàojì 名 成效和业绩:企业～。

【效劳】xiào∥láo 动 出力服务:为国效～。

【效力】¹ xiào∥lì 动 效劳:为教育事业～。

【效力】² xiàolì 名 事物所产生的有利的作用:这种药的～很大|你的劝告对他没有～。

【效率】xiàolǜ 名 ❶ 机械、电器等工作时,有用功在总功中所占的百分比。❷ 单位时间内完成的工作量:工作～|用机耕比用畜耕～高得多。

【效命】xiàomìng 动 奋不顾身地出力服务:～疆场。

【效能】xiàonéng 名 事物所蕴藏的有利的作用:充分发挥水利工程的～。

【效颦】xiàopín 动 见 325 页〖东施效颦〗。

【效死】xiàosǐ 动 尽力并且不惜牺牲生命:～为国。

【效验】xiàoyàn 名 方法、药剂等的如所预期的效果:药吃下去,还没见～。

【效益】xiàoyì 名 效果和利益:社会～|经济～|充分发挥水库的～。

【效益工资】xiàoyì gōngzī 职工基本工资以外,随企业、单位经济效益和本人工作成绩而浮动的那一部分工资。

【效应】xiàoyìng 名 ❶ 物理或化学的作用所产生的效果,如光电效应、热效应、化学效应等。❷ 泛指某个人物的言行或某种事物的发生、发展在社会上所引起的反应和效果:明星～。

【效用】xiàoyòng 名 效力和作用:发挥～|～持久。

【效尤】xiàoyóu 动 明知别人的行为是错误的而照样去做:以儆～。

【效忠】xiàozhōng 动 全心全意地出力:～于祖国。

啸(嘯、歗) xiào 动 ❶ (人)撮口发出长而清脆的声音;打口哨:登高长～。❷ (禽兽)拉长声音叫:虎～|鸟～。❸ 泛指发出长而尖厉的声音:风～|飞机尖～着飞过顶空。

【啸傲】xiào'ào 〈书〉动 指逍遥自在,不受礼俗拘束(多指隐士生活):～林泉。

【啸聚】xiàojù 〈书〉动 互相招呼着聚合起来:～山林。

【啸鸣】xiàomíng ❶ 动 呼啸:北风～。❷ 名 高而长的声音:远处传来汽笛的～。

斅(斆) xiào 〈书〉教导。另见 1548 页 xué。

xiē（ㄒㄧㄝ）

些 xiē 量 ❶ 表示不定的数量;一些:有～|这～|那么～|前～日子|买～东

西。❷ 放在形容词后,表示略微的意思:
稍大～|更好～|简单～。

【些个】xiē·ge 〔口〕量 一些:这～|那～|
吃～东西|他是弟弟,你应该让他。

【些微】xiēwēi ❶形 轻微:一阵秋风吹
来,感到～的凉意。❷副 略微:肚子～有
点儿痛|字～大一点儿就好了。

【些小】xiēxiǎo 〈书〉形 ❶ 一点儿:～感
慨。❷细微;小:～之事。

【些许】xiēxǔ 形一点儿;少量:～小利。

【些子】xiē·zi 〈方〉量一点儿;少许。

揳 xiē 动 把楔子、钉子等捶打到物体
里面:椽子缝儿里～上个楔子|墙上
个钉子|往地里～一根橛子。

楔 xiē ❶ (～儿)名 楔子①②。❷ 同
"揳"。

【楔形文字】xiēxíng wénzì 公元前 3000
多年美索不达米亚南部苏美尔人创造的
文字,笔画像楔子,古代巴比伦人、亚述
人、波斯人等都曾使用这种文字。

【楔子】xiē·zi 名 ❶ 插在木器的榫子缝里
的木片,可以使接榫的地方不活动。❷
钉在墙上挂东西用的木钉或竹钉。❸ 杂
剧里加在第一折前头或插在两折之间的
片段;近代小说加在正文前面的片段。

歇 xiē ❶ 动 休息:～礼拜|干累了就～
一会儿。❷ 动 停止:～工|～业。❸
〈方〉动 睡。❹ 〈方〉量 很短的一段时
间;一会儿:过了一～。

【歇班】xiē//bān (～儿)动 按照规定不上
班(多用于轮班工作的人)。

【歇顶】xiē//dǐng 动 谢顶。

【歇乏】xiē//fá 动 劳动之后休息,解除疲
劳:收了工,老汉盘着腿儿坐在炕上～。

【歇伏】xiē//fú 动 在伏天停工休息。

【歇工】xiē//gōng 动 ❶ 停工休息:因病
歇了两天工。❷(企业)停业;工程中止。

【歇后语】xiēhòuyǔ 名 由两个部分组成
的一句话,前一部分像谜面,后一部分像
谜底,通常只说前一部分,而本意在后一
部分。如"泥菩萨过江——自身难保",
"外甥点灯笼——照旧(舅)"。

【歇肩】xiē//jiān 动 卸下担子暂时休息。

【歇脚】xiē//jiǎo 动 走路疲乏时停下休
息:歇会脚再走。也说歇腿。

【歇凉】xiē//liáng 动 乘凉:夏天的傍晚,
人们都喜欢到湖边～。

【歇气】xiē//qì 动 停止下来,休息一段时
间:她说起话来跟连珠炮似的不～。

【歇晌】xiē//shǎng 动 午饭后休息(多指
午睡)。

【歇手】xiē//shǒu 动 停止正在做的事情:
先～吃饭,下午再干。

【歇斯底里】xiēsīdǐlǐ ❶名 癔症。❷形
形容情绪异常激动,举止失常。[英 hys-
teria]

【歇宿】xiēsù 动 住宿:天色晚了,就在一
家小客店里～。

【歇腿】xiē//tuǐ (～儿)动 歇脚。

【歇息】xiē·xi 动 ❶ 休息:病刚好,还是～
几天吧。❷ 住宿;睡觉:洗过澡就上床
了。

【歇夏】xiē//xià 动 歇伏。

【歇心】xiē//xīn 动 ❶ 心情安闲;不
操心:孩子都已长大成人,老人家可以～
了。❷ 断了念头;死心:几次碰壁,他还
是不肯。

【歇业】xiē//yè 动 停止营业;不再营业:
关门～。

【歇阴】xiē//yīn 〈方〉动 热天在阴凉的地
方休息。

【歇枝】xiē//zhī 动 指果树在大量结果的
次年或以后几年内,结果很少,甚至不结
果。

蝎(蠍) xiē 名 蝎子。

【蝎虎】xiēhǔ 名 壁虎。

【蝎子】xiē·zi 名 节肢动物,身体多为黄褐
色;口端两侧有一对螯;胸部有四只脚,前
腹部较粗,后腹部细长,末端有毒钩,用来
御敌或捕食。卵胎生。以蜘蛛、昆虫等为
食物。可入药。

xié (ㄒㄧㄝˊ)

叶 xié 和洽;相合:～韵。
另见 1590 页 yè。

协(協) xié 动 ❶ 调和;和谐:～调|～
和。❷ 共同:～同|～力。❸
协助:～理|～办。❹ (Xié)名 姓。

【协办】xiébàn 动 协助办理:大奖赛由中
央电视台主办,若干企业～。

【协查】xiéchá 动 协助侦查或调查:请临

近地区公安部门～此案。

【协定】xiédìng ❶【名】协商后订立的共同遵守的条款：停战～|贸易～。❷【动】经过协商决定：双方一共同出资办厂。

【协管】xiéguǎn【动】协助管理：交通～员。

【协和】xiéhé【动】使协调融洽。

【协会】xiéhuì【名】为促进某种共同事业的发展而组成的群众团体：作家～|中国人民对外友好～。

【协理】xiélǐ ❶【动】协助办理：～员|派员前去～筹办事宜。❷【名】规模较大的银行、企业中协助经理主持业务的人，地位仅次于经理。

【协理员】xiélǐyuán【名】❶负责协助办理某项工作的人员：民事调解～。❷政治协理员的通称。

【协力】xiélì【动】共同努力：同心～。

【协拍】xiépāi【动】协助拍摄：该片由两家地方电视台～。

【协商】xiéshāng【动】共同商量以便取得一致意见：友好～|有问题可以～解决。

【协调】xiétiáo ❶【形】配合得适当：色彩～|动作～。❷【动】使配合得适当：～产销关系。

【协同】xiétóng【动】各方互相配合或甲方协助乙方做某件事：～办理|各军种兵种～作战。

【协议】xiéyì ❶【动】协商：双方～，提高收购价格。❷【名】国家、政党或团体间经过谈判、协商后取得的一致意见：达成～|遵守～|停战～。

【协约】xiéyuē ❶【动】双方或多方协商签订条约：～国。❷【名】指协商订立的条约：两国的～期满。

【协约国】xiéyuēguó【名】第一次世界大战时，指最初由英、法、俄等国结成的战争集团，随后有美、日、意等二十五国加入。

【协助】xiézhù【动】帮助；辅助：从旁～。

【协奏曲】xiézòuqǔ【名】指由一个独奏者（奏小提琴、钢琴等）和一个管弦乐队合作演奏的大型器乐曲，一般由三个乐章组成。

【协作】xiézuò【动】若干人或若干单位互相配合来完成任务：双方密切～。

邪 xié ❶【形】不正当：～说|改～归正|要走正路，不要搞～的歪的。❷【形】不

正常：～门儿|～劲儿。❸中医指引起疾病的环境因素：风～|寒～。❹迷信的人指鬼神给予的灾祸：驱～。

另见 1588 页 yé。

【邪财】xiécái〈方〉【名】来路不正当的财物；横(hèng)财。

【邪道】xiédào (～儿)【名】不正当的生活道路：走～。

【邪恶】xié'è【形】(性情、行为)不正而且凶恶：～势力。

【邪乎】xié·hu〈方〉【形】❶超出寻常；厉害：这几天天气热得～。❷离奇；玄乎：这事没什么特别，你别说得那么～。

【邪教】xiéjiào【名】指冒用气功、宗教等名义危害社会秩序、侵犯人身权利的非法组织。

【邪路】xiélù【名】邪道。

【邪门儿】xiéménr〈方〉【形】不正常；反常：这里天气也真～，一会儿冷一会儿热。

【邪门歪道】xié mén wāi dào 指不正当的门路或途径。

【邪魔】xiémó【名】妖魔：～外道。

【邪念】xiéniàn【名】不正当的念头。

【邪气】xiéqì【名】❶不正当的风气或作风：歪风～|正气上升，～下降。❷中医指人生病的致病因素。

【邪说】xiéshuō【名】有严重危害性的不正当的议论：辟～|异端～。

【邪祟】xiésuì【名】指邪恶而作祟的事物：驱除～|战胜～。

【邪心】xiéxīn【名】邪念。

【邪行】xiéxíng【名】不正当的行为。

【邪行】xié·xing〈方〉【形】特殊；特别(多含贬义)：天气冷得～|他们俩好得～。

胁(脅、脇) xié ❶从腋下到腰上的部分：两～。❷胁迫：威～|裹～|～从。

【胁持】xiéchí【动】挟持。

【胁从】xiécóng【动】被胁迫而随别人做坏事：～分子。

【胁肩谄笑】xié jiān chǎn xiào 耸起肩膀，装出笑脸，形容谄媚的丑态。

【胁迫】xiépò【动】威胁强迫：他曾被走私集团～作案。

挟(挾) xié ❶用胳膊夹住：～泰山以超北海(比喻做根本办不到的事)。❷挟制：要～|～天子以令诸侯。

❸ 勔 依靠;倚仗:～技术优势开发新产品。❹ 心里怀着(怨恨等):～嫌|～恨|～仇陷害。

【挟持】xiéchí 勔❶ 从两旁抓住或架住被捉住的人(多指坏人捉住好人)。❷ 用威力强迫对方服从。

【挟嫌】xiéxián 〈书〉勔 怀恨:～报复。

【挟制】xiézhì 勔 倚仗势力或抓住别人的弱点,强使服从:～人|受人～。

偕 xié 勔 一同;偕同:～行|相～出游|不日将～夫人抵京。

【偕老】xiélǎo 勔 夫妻共同生活到老:白头～|百年～。

【偕同】xiétóng 勔 跟别人一起(到某处去或做某事):～前往|～客人参观。

斜 xié ❶ 彤 跟平面或直线既不平行也不垂直的:～线|～对面是学校。❷ 勔 倾斜:～着身子坐下。❸ (Xié)名 姓。

【斜晖】xiéhuī 〈书〉名 傍晚的日光。

【斜拉桥】xiélāqiáo 名 用通过或固定在桥墩柱上的许多根斜向钢缆吊住梁身的桥。也叫斜张桥。

【斜棱】xié·leng 〈口〉勔 向一边斜:～着眼|身子一～就栽倒在地上。

【斜路】xiélù 名 比喻错误的道路或途径。

【斜率】xiélǜ 名 一条直线与水平线相交的倾斜程度,用夹角的正切来表示。

【斜面】xiémiàn 名❶ 倾斜的平面。❷ 简单机械,是一个倾斜的平面。物体沿斜面向上移动较竖直升高省力。螺旋和劈都是斜面的变形。

【斜坡】xiépō 名 高度逐渐降低的地面。

【斜射】xiéshè 勔 光线不垂直地照射到物体上:地球的两极地方只能受到～的日光。

【斜视】xiéshì ❶ 名 眼病,由眼球位置异常、眼球肌肉麻痹等引起。当一只眼睛注视目标时,另一只眼睛的视线偏斜在目标的一边。也叫斜眼。❷ 勔 斜着眼看:目不～。

【斜纹】xiéwén 名 一根经纱和两根纬纱交错着织成的纹路,因为交织点相错,看上去是斜的:～布。

【斜象眼儿】xié·xiangyǎnr 〈方〉名 菱形。

【斜眼】xiéyǎn 名❶ 斜视①。❷ (～儿)患斜视的眼睛。❸ (～儿)患斜视的人。

【斜阳】xiéyáng 名 傍晚时西斜的太阳。

【斜张桥】xiézhāngqiáo 名 斜拉桥。

谐(諧) xié ❶ 彤 和谐:～音|～调。❷ (事情)商量好;办妥(多指跟别人打交道的事情):事～之后,即可动身。❸ 诙谐:～谑|～戏|亦庄亦～。

【谐和】xiéhé 彤 和谐:韵律～|关系～。

【谐剧】xiéjù 名 一种介于曲艺与戏剧之间的艺术形式,流行于四川一带,由一人扮演角色,内容多风趣幽默。

【谐美】xiéměi 彤 (言辞等)谐和优美:声音～。

【谐声】xiéshēng 名 见 1525 页〖形声〗。

【谐调】xiétiáo 彤 和谐,协调:色彩～。

【谐谑】xiéxuè 勔 (语言)滑稽而略带戏弄。

【谐音】xiéyīn 勔 字词的音相同或相近。

【谐振】xiézhèn 勔 无线电接收机中调谐回路的振荡频率与无线电发射台的振荡频率相同时,接收机就可以收到发射台的无线电波,这种现象叫谐振。

絜 xié 〈书〉❶ 量度物体周围的长度。❷ 泛指衡量。

另见 699 页 jié。

颉(頡) xié ❶ 〈书〉鸟往上飞。❷ (Xié)名 姓。

另见 699 页 jié。

【颉颃】xiéháng 〈书〉勔❶ 鸟上下飞。❷ 泛指不相上下,相抗衡。

携(攜、擕) xié ❶ 携带:～酒|～杖|～卷|扶老～幼。❷ 拉着(手):～手。

【携带】xiédài 勔❶ 随身带着:～家眷|～行李。❷ 提携:多承～。

【携手】xié∥shǒu 勔❶ 手拉着手:～并肩|～同游。❷ 比喻共同做某事:～合作。

垫 xié 麦垫(Màixié),地名,在江西。

鲑(鮭) xié 古书上指鱼类的菜肴。

另见 514 页 guī。

撷(擷) xié 〈书〉❶ 摘下;取下:采～。❷ 同"襭"。

鞋 xié 名 穿在脚上、走路时着地的东西:棉～|皮～|拖～|凉～|旅游～|一双～。

【鞋拔子】xiébá·zi 名 穿鞋用具,穿较紧的鞋时,放在鞋后跟里往上提,使鞋易于穿上。

【鞋帮】xiébāng　(～儿)名 鞋的鞋底以外的部分,有时只指鞋的两侧面。

【鞋底】xiédǐ　(～儿)名 鞋的着地部分。也叫鞋底子。

【鞋匠】xié·jiang　名 以做鞋或修鞋为业的小手工业者。

【鞋脸】xiéliǎn　(～儿)名 鞋帮的上部和前部。

【鞋油】xiéyóu　名 擦在皮鞋或其他皮革制品上面使发光泽并起保护作用的蜡状物。

【鞋子】xié·zi　名 鞋。

毸 xié 〈书〉协和(多用于人名)。

缬(纈) xié 〈书〉有花纹的丝织品。

【缬草】xiécǎo　名 多年生草本植物,羽状复叶,小叶披针形。花小,淡红色。根状茎和根可入药。

襭(襭) xié 〈书〉用衣襟兜东西。

鞵 xié 〈书〉同"鞋"。

xiě （ㄒㄧㄝˇ）

写(寫) xiě ❶ 动 用笔在纸上或其他东西上做字:～草字|～对联。❷ 动 写作:～诗|～文章。❸ 描写:抒～|～景|～实。❹ 绘画:～生|～真。
另见 1508 页 xiè。

【写本】xiěběn　名 抄本。

【写法】xiě·fǎ　名 ❶ 写作的方法。❷ 书写文字的方法。

【写家】xiějiā　名 ❶ 专门从事写作的人。❷ 擅长书法的人。

【写景】xiějǐng　动 描写景物:这篇散文～抒情都有独到之处。

【写生】xiěshēng　动 对着实物或风景绘画:静物～|室外～。

【写实】xiěshí　动 真实地描绘事物。

【写实主义】xiěshí zhǔyì　现实主义的旧称。

【写意】xiěyì　名 国画的一种画法,用笔不

求工细,注重神态的表现和抒发作者的情趣(区别于"工笔")。
另见 1508 页 xièyì。

【写照】xiězhào　❶ 动 画人物的形象:传神～。❷ 名 对事物的描写刻画:"无风三尺土,有雨一街泥",这就是旧北京街道的真实～。

【写真】xiězhēn　❶ 动 画或拍摄人像。❷ 名 画或拍摄的人像。❸ 名 对事物的如实描绘。

【写字间】xiězìjiān　〈方〉名 ❶ 办公室。❷ 书房。

【写字楼】xiězìlóu　〈方〉名 办公楼,多指配备现代化设施的商用办公楼。

【写字台】xiězìtái　名 办公、写字等用的桌子,一般有几个抽屉,有的还带小柜子。

【写作】xiězuò　动 写文章(有时专指文学创作):～技巧|从事～。

血 xiě 〈口〉名 义同"血"(xuè):流了一点～|吐了两口～。
另见 1549 页 xuè。

【血糊糊】xiěhūhū　(～的)形 状态词。形容流出的鲜血附着皮肉或物体的样子:～的伤口|地上～的一片。

【血淋淋】xiělínlín　(口语中也读 xiě-línlín)(～的)形 状态词。❶ 形容鲜血不断地流的样子。❷ 比喻严酷或惨酷:～的事实|～的教训。

【血晕】xiěyùn　动 受伤后皮肤未破,呈红紫色。
另见 1551 页 xuèyùn。

xiè （ㄒㄧㄝˋ）

写(寫) xiè 见下。
另见 1508 页 xiě。

【写意】xièyì　〈方〉形 舒适。
另见 1508 页 xiěyì。

炧(燨) xiè 〈书〉蜡烛的余烬。

泄(洩) xiè 动 ❶ 液体、气体排出:排～|水～不通◇气可鼓而不可～。❷ 泄露:～密|～底。❸ 发泄:～恨|～私愤。

【泄底】xiè∥dǐ　动 泄露底细。

【泄愤】xiè∥fèn　动 发泄内心的愤恨:借

端～。

【泄恨】xiè//hèn 囫泄愤。

【泄洪】xièhóng 囫排泄洪水：开闸～。

【泄劲】xiè//jìn （～儿）囫 失去信心和干劲：努力赶上去，别～。

【泄漏】xièlòu ❶囫（液体、气体）漏出：管道破裂，石油大量～。❷同"泄露"。

【泄露】xièlòu 囫不应该让人知道的事情让人知道了：～机密|～风声|～内幕。也作泄漏。

【泄密】xiè//mì 囫泄露机密：防止～。

【泄气】xiè//qì ❶囫泄劲：遇到困难也不要悲观。❷囵讥讽低劣或没有本领：这点小故障排除不了，你也太～了。

【泄题】xiè//tí 囫泄露考题。

【泄殖腔】xièzhíqiāng 囵某些鱼类、鸟类、两栖类和爬行动物等的肠道、输尿管和生殖腺的开口都在一个空腔里，这个空腔叫做泄殖腔。

泻（瀉） xiè 囫❶很快地流：流～|倾～|河水奔腾，一～千里。❷腹泻：～药|上吐下～。

【泻肚】xiè//dù〈口〉囫腹泻。

【泻药】xièyào 囵内服后能引起腹泻的药物。

绁（紲、絏、緤） xiè〈书〉❶绳索：缧～（léi-xiè）。❷捆；拴。

契（偰） Xiè 人名，商代的祖先，传说是舜的臣。

另见1081页 qì。

卨（禼、离） xiè 用于人名，万俟卨（Mòqí-xiè）卨，宋代人。

卸 xiè 囫❶把运输的东西从运输工具上搬下来：～货|～行李。❷把加在人身上的东西取下来或去掉：～装|～肩。❸把牲口身上拴的套解开取下来：～牲口。❹把零件从机械上拆下来：拆～|～螺丝。❺解除；推卸：～任|～责。

【卸包袱】xiè bāo·fu 比喻去掉拖累自己的事物或解除思想上的负担。

【卸车】xiè//chē 囫把运输的东西从车上卸下来：化肥运来了，快去～吧。

【卸货】xiè//huò 囫把货物从运输工具上卸下来。

【卸肩】xièjiān 囫把扛着或挑着的东西放下，比喻推卸责任，也比喻辞去职务。

【卸磨杀驴】xiè mò shā lǘ 比喻达到目的以后，就把曾给自己出过力的人除掉。

【卸任】xiè//rèn 囫指官吏解除职务。

【卸载】（❶卸儎）xiè//zài ❶囫把车、船等上面装载的货物卸下来。❷把计算机上安装的软件卸下来。

【卸责】xièzé 囫推卸责任：推诿～。

【卸职】xiè//zhí 囫卸任。

【卸妆】xiè//zhuāng 囫妇女除去身上的装饰。

【卸装】xiè//zhuāng 囫演员除去化装时穿戴涂抹的东西：在后台忙着～。

屑 xiè ❶碎末：铁～|木～|冰～。❷琐碎：琐～。❸认为值得（做）：不～一顾。

械 xiè ❶器械：机～。❷武器：军～|缴～|～斗。❸〈书〉枷和镣铐之类的刑具。

【械斗】xièdòu 囫手持棍棒等打群架。

龃（齘） xiè〈书〉❶牙齿相磨。❷参差不密合。

猲 xiè〈书〉短嘴的狗。

另见555页 hè。

亵（褻） xiè ❶轻慢：～渎|～慢。❷淫秽：猥～|～语。

【亵渎】xièdú〈书〉囫轻慢；不尊敬：～神灵。

【亵慢】xièmàn〈书〉囵轻慢；不庄重：言语～。

渫 xiè ❶〈书〉除去。❷〈书〉泄；疏通。❸（Xiè）囵姓。

谢（謝） xiè ❶囫感谢：道～|酬～|这点儿小事不用～了。❷认错；道歉：～罪|～过。❸辞去；拒绝：～绝|敬～不敏。❹囫（花或叶子）脱落；凋～|桃花～了。❺（Xiè）囵姓。

【谢病】xièbìng〈书〉囫推托有病：～辞官。

【谢步】xièbù 囫旧时亲友前来拜访或贺喜、吊丧，事后回拜道谢，叫做谢步。

【谢忱】xièchén 囵感谢的心意：聊表～。

【谢词】xiècí 囵在仪式上所说的表示感谢的话。也作谢辞。

【谢辞】xiècí 同"谢词"。

【谢顶】xiè//dǐng 囫成年人随着年龄的增长或者因为患某种病，头顶的头发逐渐脱落。也说歇顶。

【谢恩】xiè∥ēn 勔 感谢别人给自己的恩惠(多指臣子对君主)。

【谢绝】xièjué 勔 婉辞,拒绝:～参观|婉言～。

【谢客】xièkè 勔 ❶ 谢绝宾客:闭门～。❷ 向宾客致谢。

【谢幕】xiè∥mù 勔 演出闭幕后观众鼓掌时,演员站在台前向观众行礼,答谢观众的盛意。

【谢却】xièquè 勔 谢绝:婉言～。

【谢世】xièshì〈书〉勔 去世。

【谢天谢地】xiè tiān xiè dì 迷信的人认为处境顺利是受到了天地神灵的保佑,因此要感谢天地。现在多用"谢天谢地"表示感激或庆幸,这场灾难总算过去了|只要他不再来找麻烦,我就～了。

【谢帖】xiètiě 名 受人礼物后表示答谢的回帖。

【谢孝】xièxiào 勔 旧俗指孝子等向吊唁的亲友行礼,特指服满后拜访吊唁的亲友表示感谢。

【谢谢】xiè·xie 勔 对别人的好意表示感谢。

【谢意】xièyì 名 感谢的心意。

【谢罪】xiè∥zuì 勔 向人承认错误,请求原谅:登门～。

屑(屧) xiè〈书〉木板拖鞋。

媟 xiè〈书〉狎;轻慢:～渎(亵渎)。

堨 xiè〈方〉名 指猪羊等家畜圈里积的粪便:猪～|鸡～。

解¹ xiè〈口〉勔 懂得;明白:～不开这个道理。

解² xiè 旧时杂技表演的各种技艺,特指骑在马上表演的技艺:跑马卖～。

解³ Xiè ❶ 解池,湖名,在山西。❷ 名 姓。

　另见 700 页 jiě;705 页 jiè。

【解数】xièshù 名 指武术的架势,也泛指手段、本事:使尽浑身～。

榭 xiè 建筑在台上的房屋:水～|歌台舞～。

楣 xiè〔楣石〕(xièshí)名 矿物,成分是 $CaTi[SiO_4]O$,楔状、板状或粒状晶体,褐色或绿色,有时也呈红、黑等色,有

光泽。是提炼钛的原料。

薤 xiè 名 ❶ 多年生草本植物,地下有鳞茎,叶子细长,花紫色。鳞茎可做蔬菜。❷ 这种植物的鳞茎。‖也叫藠头(jiào·tou)。

薢 xiè 见 75 页〔草薢〕。

嶰 xiè〈书〉山涧:～壑|幽～。

獬 xiè〔獬豸〕(xièzhì)名 古代传说中的异兽,能辨曲直,见人争斗就用角去顶坏人。

邂 xiè〔邂逅〕(xièhòu)〈书〉勔 偶然遇见;不期而遇:他乡～。

廨 xiè〈书〉官吏办事的地方:公～。

澥¹ xiè 勔 ❶ (糊状物、胶状物)由稠变稀:粥～了|糨糊～了。❷〈方〉加水使糊状物或胶状物变稀:糨糊太稠,加上点水～一～。

澥² xiè 渤澥(Bóxiè),渤海的古称。

懈 xiè 松懈:～怠|坚持不～。

【懈怠】xièdài 形 松懈懒惰:对工作尽心竭力,从不～。

【懈气】xiè∥qì 勔 放松干劲:工作有了点起色,要继续努力,可不能～。

燮(爕) xiè ❶〈书〉调和:～理(协调治理)|调～。❷ (Xiè)名 姓。

蟹(蠏) xiè 名 螃蟹:河～|海～|黄～|～粉。

【蟹粉】xièfěn〈方〉名 用来做菜或馅儿的蟹黄和蟹肉:～狮子头。

【蟹黄】xièhuáng (～儿)名 螃蟹体内的卵巢和消化腺,橘黄色,味鲜美:～包子。

【蟹獴】xièměng 名 哺乳动物,体长 50 厘米左右,毛灰色、棕色、黑色相间。生活在水边,能游泳,捕食鱼、蟹、蛙等。生活于我国南方各省区和南亚地区。

【蟹青】xièqīng 形 像螃蟹壳那样灰而发青的颜色。

濣 xiè 见 541 页〔沈濣〕。

蹀 xiè〔蹀躞〕(xièdié)勔 见 317 页〔蹀躞〕。

xīn（ㄒㄧㄣ）

心 xīn ❶ 图 人和高等动物身体内推动血液循环的器官。人的心在胸腔的中部，稍偏左方，呈圆锥形，大小约跟本人的拳头相等，内部有四个空腔，上部两个是心房，下部两个是心室。心房和心室的舒张和收缩推动血液循环全身。也叫心脏。❷ 图 通常也指思想的器官和思想、感情等：～思｜～得用｜～谈｜～一～意｜你～想到哪里去了？❸ 中心；中央的部分：江～｜圆～｜重～。❹ 二十八宿之一。❺（Xīn）图 姓。

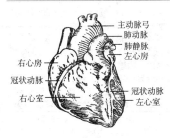

主动脉弓
肺动脉
肺静脉
左心房
右心房
冠状动脉
冠状动脉
右心室
左心室

人的心

【心爱】xīn'ài 动 衷心喜爱：～的人｜～的礼物。

【心安理得】xīn ān lǐ dé 自信事情做得合理，心里很坦然。

【心包】xīnbāo 图 包在心脏外面的薄膜，心包和心脏的中间有浆液，能起润滑作用，使心脏搏动时减少摩擦。

【心病】xīnbìng ❶ 指忧虑或烦闷的心情：～难医。❷ 指隐情或隐痛：一句话正说在她的～上。

【心不在焉】xīn bù zài yān 心思不在这里。指不专心，精神不集中。

【心裁】xīncái 图 心中的设计筹划（指关于诗文、美术、建筑等的）：独出～｜别出～。

【心肠】xīncháng 图 ❶ 心地；心眼儿②：～好｜～坏。❷ 对事物的感情状态：～软｜～硬｜铁石～｜菩萨～。❸〈方〉兴致；心思：在车上，他一心想着厂里的事情，没有～去看景色。

【心潮】xīncháo 图 比喻像潮水一样起伏的心情：～澎湃。

【心驰神往】xīn chí shén wǎng 心神飞到向往的地方。

【心传】xīnchuán ❶ 动 禅宗指不立文字，不依经卷，唯以师徒心心相印，传受佛法。❷ 图 泛指世世代代相传的某种学说。

【心慈手软】xīn cí shǒu ruǎn 心地善良，不忍下手（惩治）。

【心胆】xīndǎn 图 心和胆，指意志和胆量。

【心得】xīndé 图 在工作和学习等活动中体验或领会到的知识、技术、思想认识等：学习～｜～体会。

【心底】xīndǐ 图 ❶ 内心深处：他的一番话，让人从～里感到亲切。❷（～儿）〈方〉心地；心眼儿②：这个人～好。

【心地】xīndì 图 ❶ 指人的内心：～坦白｜～善良。❷ 心情；心境：～轻松。

【心电图】xīndiàntú 图 用仪器把心脏收缩和舒张时所产生的心电效应放大，在纸上画出来的波状条纹的图形。可以帮助诊断心脏的多种疾病。

【心烦】xīnfán 形 心里烦躁或烦闷：这些琐碎事务真叫人～。

【心房】xīnfáng 图 ❶ 心脏内部上面左右两个空腔，左心房与肺静脉相连，右心房与上、下腔静脉相连。左心房接受从肺部回来的血，右心房接受从全身其他部分回来的血。心房收缩时血从带瓣膜的通路流入心室。（图见 1511 页"人的心"）❷ 指人的内心：亲切的话语暖人～。

【心扉】xīnfēi 图 指人的内心：叩人～｜我愿意敞开自己的～，向她倾诉一切。

【心服】xīn∥fú 动 衷心信服：～口服（不但嘴里服，并且心里服）。

【心浮】xīn∥fú 形 心里浮躁，不踏实：～气躁｜绣花要有耐心，不能～。

【心腹】xīnfù 图 ❶ 心里头：～话｜～事。❷ 指亲信的人：他是总经理身边的～。

【心腹之患】xīnfù zhī huàn 指藏在内部的严重祸害。

【心甘】xīngān 动 甘心①：～情愿｜为了人民的利益，死也～。

【心甘情愿】xīn gān qíng yuàn 心里愿意（受苦，吃亏）。

【心肝】xīngān 图 ❶ 良心；正义感：他不是那种没～的人。❷（～儿）称最亲热最心

爱的人(多用于年幼的子女)：小～|～宝贝。

【心梗】xīngěng 名 心肌梗死的简称。

【心广体胖】xīn guǎng tǐ pán 心情舒畅，身体健壮。也说心宽体胖。

【心寒】xīn//hán 形 失望而又痛心。

【心黑】xīn//hēi 形 ❶心肠歹毒。❷形容贪心。

【心狠手辣】xīn hěn shǒu là 心肠凶狠，手段毒辣。

【心花怒放】xīn huā nù fàng 形容内心高兴极了。

【心怀】xīnhuái ❶动 心中存有：～鬼胎(怀着不可告人的目的)|～叵测(怀着难以揣测的恶意)。❷名 心意；心情：抒写～。❸名 胸怀；胸襟：～坦荡|～开阔。

【心慌】xīn//huāng ❶形 心里惊慌：～胆虚|遇事～。❷〈方〉动 心悸①：～气紧。

【心慌意乱】xīn huāng yì luàn 形容内心惊慌，思绪纷乱。

【心灰意懒】xīn huī yì lǎn 灰心丧气，意志消沉。也说心灰意冷。

【心火】xīnhuǒ 名 ❶中医指烦躁、口渴、脉搏快、舌头痛等症状。❷心里的怒气：强按下～没有发作。

【心机】xīnjī 名 心思；计谋：枉费～|她年龄不大，但很有～。

【心肌】xīnjī 名 构成心脏的肌肉，有不明显的横纹，受交感神经和迷走神经的支配，而不受意志的支配。心肌的收缩是自动的有节律的。

【心肌梗塞】xīnjī gěngsè 心肌梗死的旧称。

【心肌梗死】xīnjī gěngsǐ 病 冠状动脉被血栓等堵塞，造成部分心肌严重缺血而坏死。主要症状是胸骨后持续剧烈疼痛，可放射至肩背部、上腹部、下颌、颈部等，出汗，呼吸困难，心律失常，血压偏低甚至休克，也可发生心力衰竭。旧称心肌梗塞。简称心梗。

【心肌炎】xīnjīyán 名 心肌发炎的病，由各种感染、药物中毒、变态反应等引起。主要症状是发热、出汗、上呼吸道感染、心悸、胸闷、心前区隐痛、头晕和乏力等，严重的出现心力衰竭甚至猝死。

【心急】xīn//jí 形 心里急躁；着急：慢慢来，不要太～。

【心急火燎】xīn jí huǒ liǎo 心里急得像火烧一样，形容非常着急。也说心急如焚、心急如火。

【心急如焚】xīn jí rú fén 心急火燎。

【心计】xīnjì 名 计谋；心里的打算：有～|工于～。

【心迹】xīnjì 名 内心的真实情况：表明～|剖白～。

【心悸】xīnjì 动 ❶由贫血、心脏病等引起心脏跳动加速、加强和节律不齐。❷〈书〉心里害怕：令人～。

【心尖】xīnjiān 名 ❶心脏的尖端。❷内心深处；心头。❸(～儿)〈方〉称最喜爱的人(多指儿女)。也说心尖子。

【心间】xīnjiān 名 心上；心里：毕业几年了，老师的嘱托他一直记在～。

【心焦】xīnjiāo 形 由于希望的事情迟迟不实现而着急烦躁：孩子这么晚了还没回家，做父母的能不～？

【心结】xīnjié 名 心中不易解决的问题，比喻内心的感情纠葛：难以解开的～。

【心劲儿】xīnjìnr 名 ❶想法；念头：这么做正对我的～|上上下下都是一个～，搞好教育工作。❷指思考分析问题的能力：厂长是个有魄力有～的人。❸兴趣；劲头；精神(jīng•shen)：说到抓科研，他的～可足啦!

【心惊胆战】xīn jīng dǎn zhàn 形容非常害怕。

【心惊肉跳】xīn jīng ròu tiào 形容担心祸患临头，非常害怕不安。

【心静】xīnjìng 形 内心平静。

【心境】xīnjìng 名 心情(指苦乐)：～不佳|～好，看什么都顺眼。

【心坎】xīnkǎn (～儿)名 ❶心口。❷内心深处：他的话说到我～上了。

【心口】xīnkǒu 名 胸口。

【心口如一】xīn kǒu rú yī 心里想的和嘴上说的一样，形容诚实直爽。

【心宽】xīn//kuān 形 心胸开阔，对不如意的事情想得开。

【心宽体胖】xīn kuān tǐ pán 心广体胖。

【心旷神怡】xīn kuàng shén yí 心情舒畅，精神愉快。

【心劳日拙】xīn láo rì zhuō 费尽心机，不但没有得到好处，反而境遇越来越糟。

【心里】xīn•li 名 ❶胸口内部：～发闷。❷

思想里;头脑里:记在～|说～话。

【心理】xīnlǐ 图❶人的头脑反映客观现实的过程,如感觉、知觉、思维、情绪等。❷泛指人的思想、感情等内心活动:依赖～|～素质|工作顺利就高兴,这是一般人的～。

【心理学】xīnlǐxué 图研究心理现象客观规律的学科。心理现象指认识、情感、意志等心理过程和能力、性格等心理特征。根据不同的研究领域和任务分普通心理学、儿童心理学、教育心理学等。

【心力】xīnlì 图心思和体力:竭尽～|～交瘁(精神和体力都极度疲劳)。

【心灵】xīnlíng 图指内心、精神、思想等:幼小的～|眼睛是～的窗户。

【心灵手巧】xīn líng shǒu qiǎo 心思灵敏,手灵巧,形容人聪明能干。

【心领】xīnlǐng 客套话,用于辞谢别人的馈赠或酒食招待等:您的美意,我～了。

【心领神会】xīn lǐng shén huì 不用对方明说,心里领悟其中的意思。也指深刻地领会。

【心路】xīnlù 图❶心机;计谋:斗～。❷气量:～窄。❸指人的用心、居心:～不正。❹心思:这话正打中他的～。❺指心理变化的过程:她经历了一段从失落到重新找回自我价值的～历程。

【心律】xīnlǜ 图心脏跳动的节律:～不齐。

【心率】xīnlǜ 图心脏搏动的频率,正常成年人在平静时心脏每分钟跳动70—75次。

【心满意足】xīn mǎn yì zú 非常满足。

【心明眼亮】xīn míng yǎn liàng 心里明白,眼睛雪亮,形容洞察事物,明辨是非。

【心目】xīnmù 图❶指内心或视觉方面的感受:娱在～|以娱～。❷指看法和看法:在他的～中国家的利益高于一切。

【心皮】xīnpí 图花的雌蕊的组成部分。一个雌蕊可由一个、两个或几个心皮组成。

【心平气和】xīn píng qì hé 心里平和,不急躁,不生气。

【心魄】xīnpò 图心灵:动人～。

【心气】xīnqì (～儿)图❶用心;想法:相通。❷志气:～高,干劲大。❸心情:～不顺。❹气量:他的～窄,说不通。

【心窍】xīnqiào 图指认识和思维的能力(古人以为心脏有窍,能运思,所以这样

说):财迷～|一席话真是开人～。

【心切】xīnqiè 圈心情急迫:求胜～。

【心情】xīnqíng 图感情状态:～舒畅|悲伤的心～。

【心曲】xīnqū 图❶内心¹:乱我～。❷心事:畅叙～。

【心软】xīn//ruǎn 圈容易被外界事物感动而生怜悯或同情:她这个人就是～,见不得人家伤心落泪。

【心上人】xīnshàngrén 图指心里爱慕的异性;意中人。

【心神】xīnshén 图❶心思精力:劳而无功,空耗～。❷精神状态:～不定。

【心声】xīnshēng 图发自内心的声音;心里话:吐露～|这首歌表达了人民的～。

【心盛】xīn//shèng 圈情绪高,干劲大:求学～|年轻～,敢想敢干。

【心事】xīnshì 图心里盘算的事(多指感到为难的):～重重|低着头想～。

【心室】xīnshì 图心脏内部下面的左右两个空腔,壁厚,肌肉发达。左心室与主动脉相连,右心室与肺动脉相连。血液由心房压入心室后,由心室压入动脉,分别输送到肺部和全身的其他部分。(图见1511页"人的心")

【心术】xīnshù 图❶心思;念头(多指坏的):～不正。❷心计;计谋:他是个有～的人。

【心数】xīnshù 图心计。

【心思】xīn•si 图❶念头:坏～|想～(转念头)。❷脑筋①:用～|费～|挖空～❸想做某件事的心情:没有～下棋。

【心酸】xīn//suān 圈心里悲痛:～落泪。

【心算】xīnsuàn 囷只凭脑子而不用纸、笔、算盘、计算器等进行运算。

【心态】xīntài 图心理状态:～各异|～平静。

【心疼】xīnténg 囷❶疼爱:老太太最～小孙子。❷舍不得;惋惜:～钱|瓷瓶摔碎了,老人～了半天。

【心田】xīntián 图❶指人的内心:同志们的关怀温暖了她的～。❷〈方〉心肠①:～好。

【心跳】xīn//tiào 囷心脏跳动。特指心脏加快地跳动,多因剧烈运动或感情激动、内心恐惧等引起,也可由疾病引起。

【心头】xīntóu 图心上;心里:记在～。

【心窝儿】xīnwōr 图 人体上心脏所在的地方；后~(背上对着心脏的部位)◇他的话句句说到大家的~里。

【心无二用】xīn wú èr yòng 指做事必须专心，注意力不能分散。

【心细】xīn//xì 圈 细心：胆大~。

【心弦】xīnxián 图 指受感动而起共鸣的内心：动人~。

【心心念念】xīnxīnniànniàn 副 心里一直存着某种念头(想做某件事情或得到某样东西)：他~地想当个飞行员。

【心心相印】xīn xīn xiāng yìn 彼此心意一致。

【心性】xīnxìng 图 性情；性格：~浮躁|刚强的~。

【心胸】xīnxiōng 图 ❶ 内心深处；胸中：~迸发出不可遏抑的怒火。❷ 胸怀；气量：~开阔|~狭窄。❸ 志气；抱负：他有~，有气魄。

【心秀】xīnxiù 圈 心思灵巧，有主意，但表面上不显露。

【心虚】xīn//xū 圈 ❶ 做错了事怕人知道：做贼~。❷ 缺乏自信心：刚接手新工作，不免有点儿~。

【心绪】xīnxù 图 心情(多就安定或紊乱说)：~不宁|~乱如麻。

【心血】xīnxuè 图 心思和精力：花费~。

【心血来潮】xīnxuè lái cháo 形容突然产生某种念头。

【心眼儿】xīnyǎnr 图 ❶ 内心：大妈看到这未来的儿媳妇，打~里高兴。❷ 心地；用心：~好|没安好~。❸ 指思维能力：他有~，什么事都想得周到。❹ 对人的不必要的顾虑和考虑：他人不错，就是~太多。❺ 气量；胸怀：~小|他~窄，受不了委屈。

【心仪】xīnyí 〈书〉励 心中仰慕：~已久。

【心意】xīnyì 图 ❶ 对人的情意：送上些许薄礼，略表~。❷ 意思：我们语言不通，只好用手势来表达~。

【心音】xīnyīn 图 ❶ 心脏收缩和舒张时因瓣膜关闭和血流冲击的振动而发出的声音。收缩时发出的声音低沉而长，舒张时发出的声音清晰而短。❷ 心声。

【心硬】xīn//yìng 圈 不容易被外界事物感动而生怜悯或同情：不是我~，让孩子从小吃点儿苦没有坏处。

【心有灵犀一点通】xīn yǒu língxī yī diǎn tōng 唐李商隐《无题》诗："身无彩凤双飞翼，心有灵犀一点通。"(旧说犀牛是灵异的兽，它的角里有一条白纹贯通两端)，原比喻恋爱着的男女心心相印，现在泛指彼此的心意相通。

【心有余悸】xīn yǒu yú jì 危险的事情虽然过去了，回想起来还感到害怕。

【心余力绌】xīn yú lì chù 心有余而力不足。

【心语】xīnyǔ 图 发自内心的话：倾听孩子们的~。

【心猿意马】xīn yuán yì mǎ 形容心思不专，变化无常，好像马跑猿跳一样。

【心愿】xīnyuàn 图 愿望：美好的~。

【心悦诚服】xīn yuè chéng fú 诚心诚意地佩服或服从。

【心脏】xīnzàng 图 ❶ 心①。❷ 比喻中心或最重要的部分：首都北京是祖国的~|发动机是汽车的~。

【心脏死亡】xīnzàng sǐwáng 指以心脏停止跳动为死亡标准认定的死亡。

【心窄】xīn//zhǎi 圈 心胸狭窄，对不如意的事情想不开。

【心照】xīnzhào 励 不必对方明说而心中自然明白：彼此~|~不宣(彼此心里明白，不必明说)。

【心直口快】xīn zhí kǒu kuài 性情直爽，有话就说。

【心志】xīnzhì 图 意志：~不移。

【心智】xīnzhì 图 ❶ 思考能力；智慧：启迪~。❷ 心理；性情：~健康|陶冶~。

【心中无数】xīn zhōng wú shù 胸中无数。

【心中有数】xīn zhōng yǒu shù 胸中有数。

【心重】xīnzhòng 圈 指思虑过多，遇事心里总放不下：孩子，你不要过于责备。

【心子】xīn·zi 图 ❶ 物体中心的部分：元宵~。❷〈方〉食用的动物心脏。

【心醉】xīn//zuì 励 因极喜爱而陶醉：演员高超的表演艺术，令人为之~。

诉(訴) xīn 同"欣"。

芯 xīn ❶ 草木的中心部分。❷ 泛指某些物体的中心部分：岩~|笔~|机~。
另见 1518 页 xìn。

【芯片】xīnpiàn 图 指包含有许多条门电

路的集成电路。体积小、耗电少、成本低、速度快，广泛应用在计算机、通信设备、机器人或家用电器设备等方面。

辛¹ xīn ❶ 辣：～辣。❷ 辛苦；～勤｜艰～。❸ 痛苦：～酸。❹ （Xīn）名姓。

辛² xīn 名天干的第八位。参看440页〖干支〗。

【辛迪加】 xīndíjiā 名 资本主义垄断组织形式之一。参加辛迪加的企业在生产上和法律上仍保持自己的独立性，但销售商品和采购原料由辛迪加总办事处统一办理。其内部各企业间存在着争夺销售份额的竞争。［法 syndicat］

【辛亥革命】 Xīnhài Gémìng 孙中山领导的、推翻清朝封建统治的资产阶级民主革命。1911 年（农历辛亥年）10 月 10 日湖北武昌起义爆发后，形成了全国规模的革命运动，终于推翻了清王朝的专制统治，结束了中国两千多年的封建君主专制制度。1912 年 1 月 1 日在南京成立中华民国临时政府。由于资产阶级的妥协退让，革命果实被北洋军阀袁世凯所篡夺。

【辛苦】 xīnkǔ ❶ 形身心劳苦：辛辛苦苦｜他起早贪黑地工作，非常～。❷ 动客套话，用于求人做事：这事儿还得您～一趟。

【辛辣】 xīnlà ❶ 形辣：服这种药禁食～食物。❷ 比喻语言、文章尖锐而刺激性强：～的讽刺。

【辛劳】 xīnláo 形辛苦劳累：日夜～。

【辛勤】 xīnqín 形辛苦勤劳：～耕耘。

【辛酸】 xīnsuān 形辣和酸，比喻痛苦悲伤：～泪｜～的往事。

忻 xīn ❶ 同"欣"①。❷ （Xīn）名姓。

昕 xīn 〈书〉太阳将要升起的时候。

欣 xīn ❶ 喜悦：欢～｜～喜｜～慰｜～逢佳节。❷ （Xīn）名姓。

【欣忭】 xīnbiàn 〈书〉形喜悦：不胜～。

【欣然】 xīnrán 〈书〉形愉快的样子：～前往｜～接受｜～命笔。

【欣赏】 xīnshǎng 动 ❶ 享受美好的事物，领略其中的情趣：音乐～｜～雪景。❷ 认为好；喜欢：他很～这个建筑的独特风格。

【欣慰】 xīnwèi 形喜欢而心安：脸上露出～的笑容。

【欣喜】 xīnxǐ 形欢喜；快乐：～若狂。

【欣羡】 xīnxiàn 〈书〉动喜爱而羡慕。

【欣欣】 xīnxīn 形 ❶ 形容高兴：～然有喜色。❷ 形容茂盛：向荣。

【欣欣向荣】 xīnxīn xiàng róng 形容草木茂盛，比喻事业蓬勃发展。

【欣幸】 xīnxìng 动欢喜而庆幸：书失而复得，实是～。

訢 xīn 〈书〉热气盛。

莘 xīn 莘庄（Xīnzhuāng），地名，在上海。
另见 1209 页 shēn。

锌（鋅） xīn 名金属元素，符号 Zn（zincum）。银白略带蓝色。用于制合金、白铁、干电池等。

【锌版】 xīnbǎn 名用锌制成的印刷版，主要用来印制插图、表格等。

新 xīn ❶ 形 刚出现的或刚经验到的（跟"旧、老"相对）：～风气｜～品种｜～的工作岗位。❷ 形 性质上改变得更好的（跟"旧"相对）：～社会｜～文艺｜粉刷一～。❸ 使变成新的：改过自～｜～～耳目。❹ 形 没有用过的（跟"旧"相对）：～笔｜～锄头｜这套衣服是全～的。❺ 指新的人或事物：尝～｜以老带～｜花样翻～｜推陈出～。❻ 形 结婚的或结婚不久的：～女婿｜～媳妇。❼ 副新近；刚：我是～来的｜这几本书是～买的。❽ （Xīn）名姓。

【新潮】 xīncháo ❶ 名事物发展的新趋势；新的潮流：文艺～。❷ 形 符合新潮的；时髦：～发型。

【新陈代谢】 xīn chén dàixiè ❶ 生物的基本特征之一。生物体经常不断地从外界取得生活必需的物质，并使这些物质变成生物体本身的物质，同时把体内产生的废物排出体外，这种新物质代替旧物质的过程叫新陈代谢。简称代谢。❷ 比喻新的事物滋生发展，代替旧的事物。

【新宠】 xīnchǒng 名新近受到宠爱的人或受人喜爱的事物：这种品牌的葡萄酒成为餐桌上的～。

【新春】 xīnchūn 名指春节和春节以后的一二十天：欢度～｜～佳节。

【新大陆】 Xīn Dàlù 名美洲的别称。因为它是到 15 世纪以后才由欧洲人殖民的，所以叫新大陆。

【新低】xīndī 图数量、水平等下降而出现的新的低点：黄金价格近来创历史～。

【新房】xīnfáng 图❶新建成的房子：国庆节前这里的居民都住进了～。❷指新婚夫妇的卧室：闹～。

【新风】xīnfēng 图刚出现的好风气；新的风尚：校园～|破旧俗,树～。

【新妇】xīnfù 图❶新娘。❷〈方〉指儿媳。

【新高】xīngāo 图数量、水平等上升而出现的新的高点：股市指数连创～|机场飞行保障再创历史～。

【新官上任三把火】xīn guān shàngrèn sān bǎ huǒ 比喻新上任的官总要先做几件有影响的事,以显示自己的才能和胆识。

【新贵】xīnguì 图指初得势的显贵。

【新欢】xīnhuān 图指新的相好(多指男子的,含贬义)：另有～。

【新婚】xīnhūn 囿刚结婚：～夫妇。

【新纪元】xīn jìyuán 新的历史阶段的开始,也比喻划时代的事业的开始：开创人类历史的～。

【新交】xīnjiāo ❶囿刚认识不久或交往不久：因为是～,彼此还不太了解。❷图新结交的朋友：旧友～,欢聚一堂。

【新教】xīnjiào 图欧洲16世纪基督教改革运动中,因反对罗马教皇统治而分裂出来的基督教各教派的总称。参看632页〖基督教〗。

【新近】xīnjìn 副不久以前的一段时期：他家～才搬到这里。

【新居】xīnjū 图刚建成或初迁入的住所。

【新款】xīnkuǎn 图新的款式。

【新郎】xīnláng 图结婚时的男子。

【新绿】xīnlǜ 图初春植物现出的嫩绿：五月的西山,一片～。

【新苗】xīnmiáo 图比喻新出现的有发展前途的人或事物：乒坛～。

【新民主主义革命】xīn mínzhǔ zhǔyì gémìng 在帝国主义和无产阶级革命时代,殖民地半殖民地国家无产阶级领导的资产阶级民主革命。我国从1919年五四运动到1949年的革命,属于新民主主义革命。它是共产党领导的、以工农联盟为基础的、人民大众的、反帝、反封建、反官僚资本主义的革命。

【新年】xīnnián 图元旦和元旦以后的几天。

【新娘】xīnniáng 图结婚时的女子。也叫新娘子。

【新品】xīnpǐn 图新品种；新产品：空调～。

【新奇】xīnqí 围新鲜特别：～的景象|刚来的时候,处处觉得～。

【新巧】xīnqiǎo 围新奇而精巧：构思～。

【新区】xīnqū 图❶新解放的地区。特指第三次国内革命战争开始后解放的地区。❷新的住宅区、商业区、开发区等：浦东～。

【新人】xīnrén 图❶具有新的道德品质的人：～新事。❷某方面新出现的人物：文艺～。❸指机关、团体等新来的人员：我们团里增加了几位～。❹指改过自新的人：把失足青少年改造成为～。❺指新娘和新郎。有时特指新娘。❻人类学上指古人阶段以后的人类,生活在距今四万年至一万年前。如我国的山顶洞人。也叫晚期智人。

【新任】xīnrèn ❶围属性词。新任命或新担任的(职务)：～局长|～会计。❷图新任命或新担任的职务：星夜起程,赶赴～。

【新锐】xīnruì ❶围新奇锐利：～武器|～的言论。❷围新出现而有锐气的(人)：～诗人|～导演。❸图指新出现而有锐气的年轻人：棋坛～。

【新生】[1] xīnshēng ❶围属性词。刚产生的；刚出现的：～事物。❷图新生命：获得～。

【新生】[2] xīnshēng 图新入学的学生：～报到处。

【新生代】xīnshēngdài 图指新一代年轻人；新的一代。

【新生儿】xīnshēng'ér 图新出生的婴儿,通常指出生4周以内的婴儿。

【新诗】xīnshī 图指五四运动以来的白话诗。参看25页〖白话诗〗。

【新石器时代】xīnshíqì shídài 石器时代的晚期,约开始于八九千年以前。这时人类已能磨制石器,制造陶器,并且已开始有农业和畜牧业。

【新式】xīnshì 围属性词。新的式样或形式：～武器|～婚礼。

【新手】xīnshǒu 名 初参加某种工作的人。

【新书】xīnshū 名❶ 崭新的书。❷ 将出版或刚出版的书(多指初版的)：～预告。

【新四军】Xīn Sì Jūn 名 中国共产党领导的抗日革命武装，原是红军游击队，1937年抗日战争开始后编为国民革命军陆军新编第四军，是华中抗日的主力。第三次国内革命战争时期跟八路军及其他人民武装一起改编为中国人民解放军。

【新诉】xīnsù 名 原告方起诉后又向法院提出新的诉讼请求，称新的诉讼请求为新诉(区别于"原诉")。

【新文化运动】xīn wénhuà yùndòng 指我国五四运动前后的文化革命运动。五四运动前，主要内容是反对科举，提倡办学校，反对旧学，提倡新学，是资产阶级旧民主主义的新文化与封建阶级的旧文化的斗争。五四运动后，成为无产阶级领导人民大众，在社会科学和文学艺术领域中反帝反封建的新民主主义的文化运动。

【新文学】xīn wénxué 指我国自 1919 年五四运动以来以反帝反封建为主要内容的白话文学。

【新闻】xīnwén 名❶ 报社、通讯社、广播电台、电视台等报道的消息：～记者|～广播|采访。❷ 泛指社会上最近发生的事情：你刚从乡下回来，有什么～给大家说说。

【新闻公报】xīnwén gōngbào 政党或国家机关直接或委托通讯社就某一重大事件发表的新闻性公告和声明。

【新闻纸】xīnwénzhǐ 名❶ 报纸①的旧称。❷ 白报纸。

【新媳妇儿】xīnxí·fur 〈口〉名 新娘。

【新禧】xīnxǐ 形 新年幸福：恭贺～。

【新鲜】xīn·xiān 形❶ (刚生产、宰杀或烹调的食物)没有变质，也没有经过腌制、干制等：～的水果|～的鱼虾◇～血液。❷ (花朵)没有枯萎：～的花朵。❸ (空气)经常流通，不含杂类气体：呼吸～空气。❹ (事物)出现不久，还不普遍；稀罕：～经验|数码相机已经不算什么～东西啦。

【新兴】xīnxīng 形 属性词。最近兴起的：～学科|～的工业城市。

【新星】xīnxīng 名❶ 在短时期内亮度突然增大数万倍甚至数百万倍，后来又逐渐回降到原来亮度的恒星。❷ 指新出现的

有名的演员、运动员等：体坛～|影视～。

【新型】xīnxíng 形 属性词。新类型的；新式：～机车|～的农村妇女。

【新秀】xīnxiù 名 新出现的优秀人才：文坛～|越剧～|体操～。

【新学】xīnxué 名 清代末年指西学。

【新雅】xīnyǎ 形 清新典雅：诗句～。

【新药】xīnyào 名❶ 新研制生产、投入使用的药。❷ 指西药。

【新义】xīnyì 名 指词语新产生的意义。

【新异】xīnyì 形 新奇：小说构思～。

【新意】xīnyì 名 新的意思；新的意境：追求～，力避雷同|文章论点，颇有～。

【新颖】xīnyǐng 形 新而别致：题材～|款式～|～的表现手法。

【新雨】xīnyǔ 名❶ 初春的雨；刚下过的雨。❷〈书〉比喻新朋友：旧知～。参看732页〖旧雨〗。

【新月】xīnyuè 名❶ 农历月初形状如钩的月亮：一弯～。❷ 朔日的月相(人看不见)。也叫朔月。

【新张】xīnzhāng 动 指新商店开始营业：～志喜。

【新正】xīnzhēng 名 指农历的正月。

【新知】xīnzhī 名❶ 新的知识。❷ 新结交的知己朋友。

【新址】xīnzhǐ 名 新的地址：本公司自即日起迁往～办公。

【新作】xīnzuò 名 新的作品：新人～。

歆 xīn ❶〈书〉羡慕：～羡|～慕。❷ (Xīn)姓。

【歆慕】xīnmù 〈书〉动 羡慕。

【歆羡】xīnxiàn 〈书〉动 羡慕。

薪 xīn ❶ 柴火：釜底抽～|米珠～桂。❷ 名 薪水：加～|发～|月～|年～。❸ (Xīn)名 姓。

【薪酬】xīnchóu 名 薪水；报酬。

【薪俸】xīnfèng 名 薪水。

【薪金】xīnjīn 名 薪水。

【薪尽火传】xīn jìn huǒ chuán 前一根柴刚烧完，后一根柴已经烧着，火永远不熄，比喻师生传授，学问一代代地继承下去。

【薪水】xīn·shui 名 工资。

【薪饷】xīnxiǎng 名 旧时指军队、警察等的薪金及规定的被服袜带等用品。

【薪资】xīnzī 名 工资。

馨 xīn〈书〉散布得远的香气：～香｜如兰之～。

【馨香】xīnxiāng〈书〉❶ 圏 芳香：桂花开了，满院～。❷ 图 烧香的香味：～祷祝。

鑫 xīn 财富兴盛(多用于人名或字号)。

xín （ㄒㄧㄣˊ）

镡（鐔）xín ❶ 古代剑柄的顶端部分。❷ 古代兵器，似剑而小。
另见 148 页 Chán；1323 页 Tán。

xǐn （ㄒㄧㄣˇ）

伈 xǐn ［伈伈］(xǐnxǐn)〈书〉圏 形容恐惧。

xìn （ㄒㄧㄣˋ）

囟（顖）xìn 图 囟门。

【囟门】xìnmén 图 通常指婴儿头顶骨未合缝的地方，在头顶的前部中央。

芯（信）xìn ［芯子］(xìn·zi) 图 ❶ 装在器物中心的捻子一类的东西，如蜡烛的捻子、爆竹的引线等。❷ 蛇的舌头。
另见 1514 页 xīn。

信[1] xìn ❶ 图 确实：～史｜～而有征。❷ 信用：守～｜失～｜威～｜言而有～。❸ 圂 相信：～托｜～任｜～仰｜别～他的话。❹ 圂 信奉(宗教)：～教｜～徒。❺ 听凭；随意；放任：～步｜～口开河。❻ 凭据：～号｜～物｜印～。❼ 图 按照习惯的格式把要说的话写下来给指定的对象看的东西；书信：送～｜介绍～｜证明～。❽ (～儿)图 信息：音～｜口～儿｜通风报～。❾ 引信：～管。❿ 同"芯"(xìn)。⓫ (Xìn)图 姓。〈古〉又同"伸"(shēn)。

信[2] xìn 信石：红～｜白～。

【信笔】xìnbǐ 圆 没有多加考虑，随意(写或画)：～涂鸦｜～写来，直抒胸臆。

【信步】xìnbù 圂 随意走动；散步：江边～｜～来到花坛前。

【信差】xìnchāi 图 ❶ 旧时称被派递送公文信件的人。❷ 邮递员的旧称。

【信从】xìncóng 圆 信任听从：盲目～。

【信贷】xìndài 图 银行存款、贷款等信用活动的总称。一般指银行的贷款。

【信而有征】xìn ér yǒu zhēng 可靠而且有证据。

【信访】xìnfǎng 圆 指人民群众来信来访(多用于机关团体)：～人｜～工作｜～部门。

【信风】xìnfēng 图 在赤道两边的低层大气中，北半球吹东北风，南半球吹东南风，这种风的方向很少改变，叫做信风。也叫贸易风。

【信封】xìnfēng (～儿)图 装书信的封套。

【信奉】xìnfèng 圆 ❶ 信仰并崇奉：基督教徒～上帝。❷ 相信并奉行：～和平共处五项原则。

【信服】xìnfú 圆 相信并佩服：这些科学论据实在令人～。

【信鸽】xìngē 图 专门训练来传递书信的家鸽。

【信管】xìnguǎn 图 引信。

【信函】xìnhán 图 书信：私人～｜～往来。

【信号】xìnhào 图 ❶ 用来传递信息或命令的光、电波、声音、动作等：～灯｜～枪｜打～｜发～。❷ 电路中用来控制其他部分的电流、电压或无线电发射机发射出的电波。

【信号弹】xìnhàodàn 图 一种发射后有颜色的光或烟的弹药，用于发布信号或通信联络。

【信号灯】xìnhàodēng 图 利用灯光的变化发出各种信号的灯，多用于交通设施、电子设备等。

【信号枪】xìnhàoqiāng 图 发射信号弹的枪，形状像手枪。

【信汇】xìnhuì ❶ 圆 由银行或邮局通过信函办理汇兑：日前～五千元，谅已收到。❷ 图 通过信函办理的汇款：昨日收到一笔～。

【信笺】xìnjiān 图 信纸。

【信件】xìnjiàn 图 书信和递送的文件、印刷品。

【信据】xìnjù 图 确凿可信的证据。

【信口雌黄】xìn kǒu cíhuáng 不顾事实，

随口乱说。参看 224 页〖雌黄〗。

【信口开河】(信口开合) xìn kǒu kāi hé 随口乱说一气。

【信赖】 xìnlài 劻 信任并依靠：他是个值得～的朋友。

【信马由缰】 xìn mǎ yóu jiāng 骑着马不拉缰绳，任其自由行动，比喻漫无目的地闲逛或随意行动。

【信念】 xìnniàn 图 自己认为可以确信的看法：坚定～|必胜的～。

【信皮儿】 xìnpír 〈口〉图 信封。

【信瓤儿】 xìnrángr 〈口〉图 装在信封里的写好了的信。

【信任】 xìnrèn 劻 相信而敢于托付：她工作一向认真负责，大家都～她。

【信任投票】 xìnrèn tóupiào 某些国家的议会对内阁(即政府)实行监督的方式之一。议会在讨论组阁或政府政策时,可用投票方式表示对内阁信任或不信任。

【信赏必罚】 xìn shǎng bì fá 该奖赏的一定奖赏,该处罚的一定处罚,形容赏罚严明。

【信石】 xìnshí 图 砒霜,因产地信州(即今江西上饶一带)得名。

【信实】 xìnshí 形 ❶ 有信用；诚实：为人～。❷ 真实可靠：史料～。

【信史】 xìnshǐ 图 记载真实可靠的历史。

【信使】 xìnshǐ 图 奉派传达消息或担任使命的人：外交～。

【信士】 xìnshì 图 ❶ 指信仰佛教而未出家的男人。❷〈书〉诚实的人；守信用的人。

【信誓旦旦】 xìn shì dàndàn 誓言诚恳可信。

【信手】 xìnshǒu 副 随手：～挥霍|～写来。

【信手拈来】 xìn shǒu niān lái 随手拿来。多形容写文章时词汇或材料丰富,不费思索,就能写出来。

【信守】 xìnshǒu 劻 忠诚地遵守：～诺言。

【信天翁】 xìntiānwēng 图 鸟,体长可达 1 米以上,是飞行鸟类中体形最大的,善于飞行,趾间有蹼,能游泳。生活在海边,捕食鱼类。有短尾信天翁和黑脚信天翁。

【信天游】 xìntiānyóu 图 陕北民歌中的一类曲调。一般是两句一段,短的只有一段,长的接连数十段。用同一曲调反复演唱,反复时曲调可以灵活变化。

【信条】 xìntiáo 图 信守的准则。

【信筒】 xìntǒng 图 邮局在路旁等处设置的供寄信人投信的设备。也叫邮筒。

【信徒】 xìntú 图 信仰某一宗教的人。也泛指信仰某一学派、主义或主张的人：佛教～|达尔文之～。

【信托】 xìntuō ❶ 劻 信任人,把事情托付给他：大伙儿～你,你就大胆去办吧。❷ 形 属性词。经营别人委托购销的业务的：～部|～公司。

【信望】 xìnwàng 图 威信和声望：～卓著。

【信物】 xìnwù 图 作为凭证的物件：定情～。

【信息】 xìnxī 图 ❶ 音信；消息：数月来一直没有得到有关他的～。❷ 信息论中指用符号传送的报道,报道的内容是接收符号者预先不知道的。

【信息产业】 xìnxī chǎnyè 从事信息生产、流通和应用的产业。通常包括计算机产业、软件业、通信业以及信息服务业等。

【信息港】 xìnxīgǎng 指运用计算机网络技术及其设备,覆盖整个城市或区域,专门为用户提供生产、生活等方面信息的信息产业机构。也叫数码港。

【信息高速公路】 xìnxī gāosù gōnglù 指建立在现代计算机技术和通信技术的基础上,能够高速运行的通信网络,在信息提供者与用户之间可以迅速地传送文字、图像、声音等信息。

【信息科学】 xìnxī kēxué 研究信息的产生、获取、存储、传输、处理和使用的科学。

【信息库】 xìnxīkù 图 储存某类信息,供查检分析用的资料库(多用计算机存储)。

【信息论】 xìnxīlùn 图 研究信息及其传输的一般规律的理论。运用数学和其他相关方法研究信息的性质、计量以及获得、传输、存储、处理和交换等。应用在通信、生理学、物理学、语言学等领域。

【信息时代】 xìnxī shídài 指信息技术高度发展并普遍应用的时代。

【信箱】 xìnxiāng 图 ❶ 邮局设置的供人投寄信件的箱子。❷ 设在邮局内供人租来收信用的编有号码的箱子,叫邮政专用信箱。有时某号信箱只是某个收信者的代号。❸ 收信人设在门前用来收信的箱子。❹ 指电子信箱。

【信心】 xìnxīn 图 相信自己的愿望或预料一定能够实现的心理：满怀～|～百倍。

【信仰】xìnyǎng 囫 对某人或某种主张、主义、宗教极度相信和尊敬，拿来作为自己行动的榜样或指南：宗教~。

【信义】xìnyì 囵 信用和道义：不守~。

【信用】xìnyòng ❶囵 能够履行跟人约定的事情而取得的信任：讲~｜丧失~。❷圐 属性词。不需要提供物资保证，可以按时偿付的：~贷款。❸囵 指银行借贷或商业上的赊销、赊购。❹〈书〉囫 信任并任用：~奸臣。

【信用合作社】xìnyòng hézuòshè 劳动人民或居民联合起来经营信贷业务的组织，通过储蓄、借贷调剂资金，解决社员生活和生产上的困难。

【信用卡】xìnyòngkǎ 囵 银行卡的一种，具有消费、信用贷款、转账结算、存取现金等全部或部分功能。

【信誉】xìnyù 囵 信用和名誉：~卓著。

【信札】xìnzhá 囵 书信。

【信纸】xìnzhǐ 囵 供写信用的纸。

【信众】xìnzhòng 囵 信仰某种宗教的人。

衅(釁) xìn 嫌隙；争端：挑~｜寻~。

【衅端】xìnduān 〈书〉囵 争端。

焮 xìn ❶ 烧；灼。❷〈方〉皮肤发炎肿痛。

釁 xìn 〈书〉同"衅"。

xīng（ㄒㄧㄥ）

兴(興) xīng ❶囫 兴盛；流行：复~｜新~｜现在已经不~这种式样了。❷囫 使盛行：大~调查研究之风。❸ 开始；发动；创立：~办｜~工｜~利除弊｜百废俱~。❹ 起；起来：晨~（早晨起来）｜夙~夜寐。❺〈方〉囫 准许（多用于否定式）：说话要有根据，不~胡说。❻〈方〉副 或许：明天他也~来，也~不来。❼（Xīng）囵 姓。

另见 1527 页 xìng。

【兴办】xīngbàn 囫 创办（事业）：~学校｜~企业。

【兴兵】xīngbīng 囫 起兵：~讨伐。

【兴奋】xīngfèn ❶圐 振奋；激动。❷囵 大脑皮质的两种基本神经过程之一，

是在外部或内部刺激之下产生的。兴奋引起或增强皮质和相应器官功能的活动状态，如肌肉的收缩、腺体的分泌等。❸囫 使兴奋：~剂。

【兴奋剂】xīngfènjì 囵 体育运动上指能够改变运动员的身体条件和精神状态，借以提高竞技能力的某些物质。如刺激剂、麻醉止痛剂、合成代谢类固醇、利尿剂等。兴奋剂损害人的身心健康，严重破坏了体育运动中公平竞争的原则，因此被严格禁止使用。

【兴风作浪】xīng fēng zuò làng 比喻挑起事端或进行破坏活动。

【兴革】xīnggé 〈书〉囫 兴办和革除。

【兴工】xīnggōng 囫 动工；开工：破土~。

【兴国】xīngguó 使国家振兴：科教~。

【兴化戏】xīnghuàxì 囵 莆仙戏。

【兴建】xīngjiàn 囫 开始建筑（多指规模较大的）：~高科技园区。

【兴利除弊】xīng lì chú bì 兴办有利的事业，除去弊端。

【兴隆】xīnglóng 圐 兴盛：生意~。

【兴起】xīngqǐ 囫 ❶ 开始出现并兴盛起来：各地~绿化热潮。❷〈书〉因感动而奋起：闻风~。

【兴盛】xīngshèng 圐 蓬勃发展：国家~｜事业~。

【兴师】xīngshī 〈书〉囫 兴兵；起兵：~问罪。

【兴师动众】xīng shī dòng zhòng 发动很多人做某件事（含有不值得的意思）。

【兴衰】xīngshuāi 囫 兴盛和衰落。

【兴叹】xīngtàn 〈书〉囫 发出感叹声：望洋~。

【兴替】xīngtì 〈书〉囵 兴衰。

【兴亡】xīngwáng 囫 兴盛和灭亡（多指国家）：天下~，匹夫有责。

【兴旺】xīngwàng 圐 兴盛；旺盛：事业~｜六畜~。

【兴修】xīngxiū 囫 开始修建（多指规模较大的）：~铁路｜~水利。

【兴许】xīngxǔ 副 也许；或许：你问问老王，他~知道。

【兴学】xīngxué 囫 兴办学校，振兴教育：捐资~。

【兴妖作怪】xīng yāo zuò guài 比喻坏人进行捣乱，坏思想扩大影响。

X

狌 xīng 〈书〉同"猩"。
另见 1223 页 shēng。

星 xīng ❶ 名 夜晚天空中闪烁发光的天体：~罗棋布｜月明~稀。❷ 名 天文学上指宇宙间能发射光或反射光的天体，分为恒星(如太阳)、行星(如地球)、卫星(如月亮)、彗星、流星等。❸ (~儿)名 细碎或细小的东西：火~儿｜吐沫~儿。❹ 名 秤杆上标记斤、两、钱的小点子：定盘~。❺ 明星②：歌~｜笑~。❻ 二十八宿之一。❼ (Xīng) 名 姓。

【星辰】xīngchén 名 星①(总称)：日月~。

【星等】xīngděng 名 表示星体亮度的等级，亮度越大，等数越小。根据肉眼看到的星体的亮度而定的等级，叫做视星等，如太阳的视星等为－26.7，天狼星的视星等为－1.6。根据星体在距离观测者10秒差距(即32.6光年)时应有的亮度而定的等级，叫做绝对星等，如太阳的绝对星等为＋4.9，天狼星的绝对星等为＋1.3。

【星斗】xīngdǒu 名 星①(总称)：满天~。

【星光】xīngguāng 名 星的光辉：~闪烁。

【星汉】xīnghàn 名 指银河：~灿烂。

【星号】xīnghào 名 加在文句上或段落之间的标志(＊)，多用来标示脚注或分段。

【星河】xīnghé 名 指银河。

【星火】¹ xīnghuǒ 名 微小的火：~燎原。

【星火】² xīnghuǒ 名 流星的光，比喻急迫：急如~。

【星火燎原】xīnghuǒ liáo yuán 见〖星星之火，可以燎原〗。

【星级】xīngjí ❶ 名 宾馆、饭店等的设施、管理和服务水平所划分的等级，用星的数目表示，星数越高等级越高，最高为五星级。❷ 形 属性词。高等级的：明星级的：~服务｜~人物。

【星际】xīngjì 形 属性词。星体与星体之间的：~空间｜~旅行。

【星空】xīngkōng 名 夜晚有星的天空。

【星罗棋布】xīng luó qí bù 像星似的罗列着，像棋子似的分布着，形容多而密集：电力网四通八达，排灌站~。

【星期】xīngqī 名 ❶ 我国古代历法把二十八宿按日、月、火、水、木、金、土的次序排列，七日一周，周而复始，称为"七曜"；西洋历法中也有"七日为一周"的说法，跟我国的"七曜"暗合。后来根据国际习惯，把这样连续排列的七天作为工作学习等作息日期的计算单位，叫做星期。❷ 跟"日、一、二、三、四、五、六、几"连用，表示一个星期中的某一天：~日｜~三｜今天~几？❸ 星期日的简称：~休息。

【星期日】xīngqīrì 名 星期六的下一天，一般定为休息日。也说星期天，简称星期。

【星球】xīngqiú 名 星②。

【星散】xīngsàn 〈书〉动 像星星散布在天空那样，指四处分散。

【星术】xīngshù 名 用星象占卜吉凶的方术。

【星探】xīngtàn 名 指专门搜寻、延揽文艺、体育等方面人才的人。

【星体】xīngtǐ 名 天体。通常指个别的星球，如月亮、太阳、火星、北极星。

【星图】xīngtú 名 记录恒星等天体位置的图，不同地点和不同季节有不同的星图。

【星团】xīngtuán 名 在一个不太大的空间区域里，由于万有引力的作用，十几颗至上百万颗恒星聚集成的恒星集团。

【星系】xīngxì 名 由无数恒星和星际物质组成的天体系统，如银河系和河外星系。

【星相】xīngxiàng 名 星象和相貌，迷信的人认为根据星相可以占卜人事的吉凶。

【星象】xīngxiàng 名 指星体的明暗、位置等现象，古代迷信的人往往借观察星象，推测人事的吉凶。

【星星】xīngxīng 名 细小的点儿：~之火，可以燎原◇天空晴朗，一~薄云也没有。

【星星】xīng·xing 〈口〉名 星①。

【星星点点】xīngxīngdiǎndiǎn 形 状态词。❶ 形容数量很少或很分散：深夜的村庄，只有~的几处灯光。❷ 形容数量多而且分散：山坡上遍布着~的野花。

【星星之火，可以燎原】xīngxīng zhī huǒ，kěyǐ liáo yuán 原比喻小乱子虽得不到发展成为大祸害，现比喻开始时显得弱小的新生事物有旺盛的生命力和广阔的发展前途。也说星火燎原。

【星宿】xīngxiù 名 我国古代指星座，共分二十八宿。

【星夜】xīngyè 名 夜晚(多用于连夜在外面活动)：~行军｜~奔忙。

【星移斗转】xīng yí dǒu zhuǎn 星斗变换位置，表示季节改变，比喻时间变化。也说斗转星移。

【星移物换】xīng yí wù huàn 见 1448 页【物换星移】。

【星云】xīngyún 图 由气体和尘埃组成的云雾状天体。

【星子】xīng·zi 图 ❶ 星③：吐沫～。❷〈方〉星①：满天的～。

【星座】xīngzuò 图 天文学上为了研究的方便，把天空分为若干区域，每一个区域叫做一个星座，有时也指每个区域中的一群星。每个星座分别给以不同的名称，如大熊座、显微镜座、仙后座等。现代天文学上共分为 88 个星座。

驿(驛) xīng 〈书〉毛皮红色的(牛马等)。

猩 xīng 猩猩。

【猩红】xīnghóng 厖 像猩猩血那样的红色；血红：～的玫瑰花｜木棉盛开，满树～。

【猩红热】xīnghóngrè 图 急性传染病，病原体是溶血性链球菌，患者多为 3—7 岁的儿童，主要症状是发热、咽痛，舌面呈草莓状，全身有点状红疹，红疹消失后脱皮。

【猩猩】xīng·xing 图 哺乳动物，比猴子大，头尖，吻部突出，两臂长，全身有赤褐色长毛，没有臀疣。生活在苏门答腊和加里曼丹的森林中，吃野果等。

惺 xīng 〈书〉❶ 聪明。❷ 醒悟；清醒。

【惺忪】(惺松) xīngsōng 厖 形容因刚醒而眼睛模糊不清：睡眼～。

【惺惺】xīngxīng ❶〈书〉厖 清醒。❷〈书〉厖 聪明。❸ 图 指聪明的人：～惜～。❹ 见 658 页【假惺惺】。

【惺惺惜惺惺】xīngxīng xī xīngxing 聪明人怜惜聪明人，泛指性格、才能或境遇相同的人互相爱重、同情。

【惺惺作态】xīngxīng zuò tài 装模作样，故作姿态。

腥 xīng ❶ 本指生肉，现指肉类鱼类等食物：荤～。❷ 图 鱼虾等的难闻的气味：放些料酒去去～。❸ 厖 有腥气：这鱼做得有点～。

【腥臭】xīngchòu 厖 (气味)又腥又臭。

【腥风血雨】xīng fēng xuè yǔ 风里带有腥气，血溅得像下雨一样，形容残酷屠杀的景象。也说血雨腥风。

【腥气】xīng·qi ❶ 图 腥②：一股子～。❷

厖 有腥气：你闻闻这鱼，多～。

【腥臊】xīngsāo 厖 (气味)又腥又臊。

【腥膻】xīngshān 〈书〉图 ❶ 又腥又膻的气味，比喻丑恶污浊的事物：远彼～。❷ 指肉食：不近～。❸ 指入侵的外敌(含憎恶、蔑视的意思)：扫荡～。

箵 xīng 见 868 页[箸箵]。

xíng （ㄒㄧㄥˊ）

刑 xíng ❶ 刑罚：死～｜徒～｜缓～｜量～｜判～。❷ 特指对犯人的体罚：动～｜受～。❸ (Xíng)图 姓。

【刑场】xíngchǎng 图 处决犯人的地方：押赴～。

【刑罚】xíngfá 图 审判机关依据刑事法律对罪犯所施行的法律制裁。

【刑法】xíngfǎ 图 规定什么是犯罪行为，犯罪行为应受到什么惩罚的各种法律。

【刑法】xíng·fa 图 对犯人的体罚：动了～。

【刑房】xíngfáng 图 ❶ 旧时掌管刑事案牍的官吏。❷ 用刑的房子(多指非法的)：私设～。

【刑警】xíngjǐng 图 刑事警察的简称。

【刑拘】xíngjū 动 刑事拘留的简称。

【刑具】xíngjù 图 用来逼问口供或执行刑罚的器具，如夹棍、老虎凳、绞架等。

【刑律】xínglǜ 图 刑法(xíngfǎ)：触犯～。

【刑名】xíngmíng 图 ❶ 古代指法律：～之学。❷ 刑罚的名称，如死刑、徒刑等。❸ 清代指地方上刑事方面的事务：～师爷。

【刑期】xíngqī 图 服刑的期限。

【刑辱】xíngrǔ 〈书〉动 用刑法残害凌辱。

【刑事】xíngshì 厖 属性词。有关刑法(xíngfǎ)的：～犯罪｜～案件｜～法庭。

【刑事案件】xíngshì ànjiàn 触犯刑法并被提起刑事诉讼的案件。

【刑事法庭】xíngshì fǎtíng 负责审理刑事案件的法庭。简称刑庭。

【刑事犯】xíngshìfàn 图 触犯刑法，负有刑事责任的罪犯。

【刑事犯罪】xíngshì fànzuì 触犯刑法并应受到法律惩罚的行为。

【刑事警察】xíngshì jǐngchá 从事刑事侦查和刑事科学技术工作的人员。简称刑警。

【刑事拘留】xíngshì jūliú 公安机关在紧急情况下依法暂时限制犯罪嫌疑人或刑事被告人人身自由的一种强制措施。简称刑拘。

【刑事判决】xíngshì pànjué 法院就被告人是否犯罪、应否处刑、如何处刑所作的决定。

【刑事诉讼】xíngshì sùsòng 关于刑事案件的诉讼。

【刑事责任】xíngshì zérèn 触犯刑法所必须承担的法律后果。

【刑事侦查】xíngshì zhēnchá 在刑事案件中，司法机关为搜集证据、查清犯罪事实而进行的调查活动和采取的必要强制措施。

【刑庭】xíngtíng 名 刑事法庭的简称。

【刑讯】xíngxùn 动 通过折磨肉体逼供审讯。

【刑侦】xíngzhēn 动 刑事侦查：～人员。

【刑种】xíngzhǒng 名 刑罚的种类。一般分为主刑和附加刑两大类。

邢 Xíng 名 姓。

行 xíng ❶ 走：步～｜人～道｜日～千里。❷ 古代指路程：千里之～始于足下。❸ 指旅行或跟旅行有关的：～装｜～程｜～踪｜西欧之～。❹ 流动性的；临时性的：～商｜～营。❺ 流通；推行：～销｜发～｜风～。❻ 做；办：举～｜执～｜试～｜医～｜不通｜简便易～｜～之有效。❼ 表示进行某项活动（多用于双音动词前）：另～通知｜即～查复。❽（旧读 xìng）行为：品～｜言～｜罪～｜兽～。❾ 动 可以：～，咱们就照这样办吧｜算了，把事情说明白就～了。❿ 形 能干：他样样都会，真～！⓫〈书〉副 将要：～将｜～及半岁。⓬ 吃了药之后使药性发散，发挥效力：～药。⓭（Xíng）名 姓。

另见 539 页 háng；541 页 hàng；560 页 héng。

【行藏】xíngcáng〈书〉名 ❶ 指对于出仕和退隐的处世态度。参看 1643 页〖用舍行藏〗。❷ 形迹；底细；来历：露～｜看破～。

【行草】xíngcǎo 名 介于行书和草书之间

的字体。

【行车】xíngchē 动 驾车行驶：～执照｜安全～十万公里。

【行程】xíngchéng 名 ❶ 路程：～两万余里。❷ 进程：历史发展～。❸ 发动机工作时活塞在汽缸中往复运动，从汽缸的一端到另一端的距离叫做一个行程。通称冲程。

【行船】xíngchuán 动 驾船行驶：～靠舵｜这条河经过修浚已能～。

【行刺】xíngcì 动（用武器）暗杀：图谋～。

【行道】xíngdào 动 旧时指推行自己的政治主张或学说：立身～。
另见 539 页 háng•dao。

【行道树】xíngdàoshù 名 种在道路两旁的成行的树。

【行动】xíngdòng ❶ 动 行走；走动：腿受了伤，～不便。❷ 动 指为实现某种意图而具体地进行活动：～纲领。❸ 名 行为；举动：～自由。

【行都】xíngdū 名 旧时指临时的首都。

【行方便】xíng fāng•bian 给人以便利。

【行房】xíng∥fáng 动 婉辞，指夫妇性交。

【行宫】xínggōng 名 京城以外供帝王出行时居住的宫殿，也指帝王出京后临时寓居的官署或住宅。

【行好】xíng∥hǎo 动 因怜悯而给予帮助或加以原谅：行行好，帮一帮这些孩子吧。

【行贿】xíng∥huì 动 进行贿赂。

【行迹】xíngjì 名 行动的踪迹：～无定。

【行将】xíngjiāng〈书〉副 即将；将要：～启程｜～灭亡。

【行将就木】xíngjiāng jiù mù 寿命已经不长，快要进棺材了。

【行脚】xíngjiǎo 动（和尚）云游四方：～僧。

【行劫】xíngjié 动 进行抢劫：拦路～。

【行进】xíngjìn 动 向前走去（多用于队伍）：～路线｜部队沿山路快速～。

【行经】[1] xíngjīng 动 来月经。

【行经】[2] xíngjīng 动 行程中经过：火车从北京开出，～天津抵达上海。

【行径】xíngjìng 名 行为；举动（多指坏的）：无耻～。

【行军】xíng∥jūn 动 军队进行训练或执行任务时从一个地点走到另一个地点：夜～｜急～。

【行军床】xíngjūnchuáng 图可以折叠的床，用木架或金属架绷着帆布做成，多供行军或野外工作时用。也叫帆布床。

【行楷】xíngkǎi 图介于行书和楷书之间的字体。

【行乐】xínglè 〈书〉动消遣娱乐；游戏取乐。

【行礼】xíng∥lǐ 动❶致敬礼，如鞠躬、举手、作揖等。❷〈方〉送礼。

【行李】xíng·li 图出门所带的包裹、箱子等。

【行李卷儿】xíng·lijuǎnr 图铺盖卷儿。

【行猎】xíngliè 〈书〉打猎：深山～。

【行令】xíng∥lìng 动行酒令：猜拳。

【行旅】xínglǚ ❶图走路的人：～往来。❷动旅行。

【行囊】xíngnáng 〈书〉图出门时所带的袋子或包儿。

【行期】xíngqī 图出发的日期：～在即。

【行乞】xíngqǐ 动向人要钱要饭：沿路～。

【行腔】xíngqiāng 动戏曲演员按个人对于曲谱的体会来运用腔调：～咬字。

【行俏】xíngqiào 形（商品等）受欢迎，销路好：节能型空调十分～。

【行窃】xíng∥qiè 进行偷窃：入室～。

【行箧】xíngqiè 〈书〉图出门时所带的箱子。

【行人】xíngrén 图在路上走的人：～走便道。

【行人情】xíng rénqíng 指向亲友家送礼物或到亲友家贺喜、吊丧等。

【行若无事】xíng ruò wú shì 指在紧急关头态度镇静如常。有时也指对坏人坏事听之任之，满不在乎。

【行色】xíngsè 图动身时的神态、情景或气派：～匆匆|壮～。

【行善】xíng∥shàn 动做善事：积德～。

【行商】xíngshāng 图往来贩卖、没有固定营业地点的商人（区别于"坐商"）。

【行尸走肉】xíng shī zǒu ròu 比喻不动脑筋、无所作为、糊里糊涂混日子的人。

【行时】xíngshí 动（事物）在当时流行；（人）在当时得势。

【行使】xíngshǐ 动执行；使用（职权等）：～主权|～公民权利。

【行驶】xíngshǐ 动（车、船）行走：列车向南～|长江下游可以～万吨轮船。

【行事】xíngshì ❶图行为：言谈～。❷动办事；做事：～谨慎|看人脸色～。

【行书】xíngshū 图汉字字体，形体和笔势介于草书和楷书之间。

【行署】xíngshǔ 图行政公署的简称。

【行头】xíng·tou 图❶戏曲演员演出时用的服装，包括盔头、靠把、衣服、靴子等。❷泛指服装（含诙谐意）。

【行为】xíngwéi 图受思想支配而表现出来的活动：～不端|揭露不法～。

【行为能力】xíngwéi nénglì 指能够以自己的行为依法行使权利和承担义务的能力或资格。具有行为能力的人必须首先具有权利能力，但具有权利能力的人不一定都有行为能力。参看1130页〖权利能力〗。

【行为艺术】xíngwéi yìshù 现代艺术创作方式之一，认为行动本身就是艺术，往往由艺术家自身或其他人和物通过某些独特的行为来实现标新立异的构想。

【行文】xíngwén 动❶组织文字，表达意思：～简练。❷发公文给（某个或某些单位）：～各地。

【行销】xíngxiāo 动向各地销售：～全国。

【行星】xíngxīng 图沿不同的椭圆形轨道绕太阳运行的天体，本身不发光，只能反射太阳光。太阳系有九大行星，按离太阳由近而远的次序，依次是水星、金星、地球、火星、木星、土星、天王星、海王星和冥王星。还有许多小行星。

【行刑】xíng∥xíng 动执行刑罚，有时特指执行死刑。

【行凶】xíng∥xiōng 动指打人或杀人：持力～|～作恶。

【行医】xíng∥yī 从事医生的业务（多指个人经营的）：挂牌～|世代～。

【行营】xíngyíng 图旧时指统帅出征时办公的营帐或房屋，也指专设的机构。

【行辕】xíngyuán 图行营。

【行云流水】xíng yún liú shuǐ 比喻自然不拘执（多指文章、歌唱等）。

【行者】xíngzhě 图❶〈书〉行人。❷出家而未经剃度的佛教徒。

【行政】xíngzhèng 动❶行使国家权力：～单位|～机构|严格依法～。❷指机关、企业、团体等内部的管理工作：～人员|～费用|一位副所长管科研，另一位管

〜。

【行政处罚】xíngzhèng chǔfá 国家行政管理机关依法对违反行政管理秩序的公民、法人或其他组织的制裁。包括警告、罚款、没收违法所得、责令停产停业、行政拘留等。

【行政处分】xíngzhèng chǔfèn 国家机关、企事业单位对违法、违纪成员给予的处分，包括警告、记过、降级、撤职、开除等。

【行政公署】xíngzhèng gōngshǔ ❶ 我国解放前革命根据地和解放初期部分地区设立的地方政权机关，如苏南行政公署、皖北行政公署等。❷ 我国某些省、自治区设置的派出机关。‖简称行署。

【行政拘留】xíngzhèng jūliú 对违反治安管理等行为的一种行政处罚。拘留由公安机关裁决执行。

【行政区】xíngzhèngqū 图 设有国家政权机关的各级地区。

【行政诉讼】xíngzhèng sùsòng 公民、法人或其他组织认为行政机关或其工作人员的具体行政行为侵犯其权益而向法院提起的诉讼。

【行止】xíngzhǐ 〈书〉图 ❶ 行踪：〜无定。❷ 品行：〜不检丨〜有亏。

【行装】xíngzhuāng 图 出门时所带的衣服、被褥等：整理〜。

【行状】xíngzhuàng 〈书〉图 旧时死者家属叙述死者世系、籍贯、事迹的文章，多随讣闻分送亲友。

【行踪】xíngzōng 图 行动的踪迹（多指目前停留的地方）：〜不定。

【行走】xíngzǒu 动 走①：〜如飞。

饧（餳）xíng ❶〈书〉糖稀。❷ 动 糖块、面剂子等变软：糖〜了。❸ 精神不振，眼睛半睁半闭：眼睛发〜。
另见 1327 页 táng。

形 xíng ❶ 形状：圆〜丨方〜丨图〜丨地〜。❷ 形体；实体：有〜丨无〜丨〜影不离。❸ 显露；表现：喜〜于色丨〜诸笔墨。❹ 对照：相〜见绌。❺（Xíng）图姓。

【形变】xíngbiàn 图 固体受到外力作用时所发生的形状或体积的改变。

【形成】xíngchéng 动 通过发展变化而成为具有某种特点的事物，或者出现某种情形或局面：销售网已经〜丨〜鲜明的对比丨

〜难以打破的僵局。

【形成层】xíngchéngcéng 图 植物体中的一种组织，细胞排列紧密，有不断分裂增殖的能力。形成层的细胞陆续分化而形成韧皮部和木质部，并使茎或根不断变粗。

【形单影只】xíng dān yǐng zhī 形容孤独，没有伴侣。也说形只影单。

【形而上学】xíng'érshàngxué 图 ❶ 哲学史上指哲学中探究宇宙根本原理的部分。❷ 同辩证法相对立的世界观或方法论。它用孤立、静止、片面的观点看世界，认为一切事物都是孤立的，永远不变的；如果说有变化，只是数量的增减和场所的变更，这种增减或变更的原因不在于事物内部而在于事物外部。‖也叫玄学。

【形格势禁】xíng gé shì jìn 受形势的阻碍或限制。

【形骸】xínghái 〈书〉图 指人的形体：放浪〜。

【形迹】xíngjì 图 ❶ 举动和神色：〜可疑。❷ 痕迹；迹象：不留〜。❸ 指礼貌：不拘〜。

【形旁】xíngpáng 图 见〖形声〗。

【形容】xíngróng ❶〈书〉图 形体和容貌：〜憔悴。❷ 动 对事物的形象或性质加以描述：他高兴的心情简直无法〜。

【形容词】xíngróngcí 图 表示人或事物的性质或状态的词，如"高、细、软、白、暖和、活泼"。

【形声】xíngshēng 图 六书之一。形声是说字由"形"和"声"两部分合成，形旁和全字的意义有关，声旁和全字的读音有关。如由形旁"氵（水）"和声旁"工、可"分别合成"江、河"。形声字占汉字总数的百分之八十以上。也叫谐声。

【形胜】xíngshèng 〈书〉形 地势优越壮美：山川〜丨〜之地。

【形式】xíngshì 图 事物的形状、结构等：组织〜丨艺术〜丨内容和〜的统一。

【形式逻辑】xíngshì luó·ji 关于思维的形式及其规律的科学。形式逻辑研究概念、判断、推理等主要思维形式，研究同一律、矛盾律、排中律等思维规律。

【形式主义】xíngshì zhǔyì ❶ 片面地注重形式不管实质的工作作风，或只看事物的现象而不分析其本质的思想方法。❷ 19

世纪末到 20 世纪初形成的一种反现实主义的艺术思潮，主要特征是脱离现实生活,否认艺术的思想内容,只在表现形式上标新立异。

【形势】xíngshì 图❶ 地势(多指从军事角度看):～险要。❷ 事物发展的状况:国际～|客观～|～逼人|～好转。

【形似】xíngsì 劻 形式、外表上相像:塑人像不仅要～,更要神似。

【形态】xíngtài 图❶ 事物的形状或表现:意识～|观念～。❷ 生物体外部的形状。❸ 词的内部变化形式,包括构词形式和词形变化的形式。

【形态学】xíngtàixué 图❶ 研究生物体外部形状、内部构造及其变化的科学。❷ 语法学中研究词的形态变化的部分。也叫词法。

【形体】xíngtǐ 图❶ 身体(就外观说):～修长|～匀称。❷ 形状和结构:文字的～。

【形象】xíngxiàng ❶ 图 能引起人的思想或感情活动的具体形状或姿态:图画教学是通过～来发展儿童认识事物的能力。图 文艺作品中创造出来的生动具体的、激发人们思想感情的生活图景,通常指文学作品中人物的神情面貌和性格特征:～逼真|英雄～。❸ 劻 指描绘或表达具体、生动:语言精练而～。

【形象大使】xíngxiàng dàshǐ 指形象代言人。

【形象代言人】xíngxiàng dàiyánrén 以个人形象及影响力为某个领域、单位或产品等进行推介宣传的人,多为有一定知名度的公众人物:企业～|公益活动～。

【形象思维】xíngxiàng sīwéi 文学艺术创作过程中主要的思维方式,借助于形象反映生活,运用典型化和想象的方法,塑造艺术形象,表达作者的思想感情。也叫艺术思维。

【形销骨立】xíng xiāo gǔ lì 形容身体极其消瘦。

【形形色色】xíngxíngsèsè 劻 状态词。各种各样。

【形影不离】xíng yǐng bù lí 像形体和它的影子那样分不开,形容彼此关系密切,经常在一起。

【形影相吊】xíng yǐng xiāng diào 形容孤独(吊:慰问)。

【形只影单】xíng zhī yǐng dān 见 1525 页〖形单影只〗。

【形制】xíngzhì 图 器物或建筑物的形状和构造:～古朴|～奇特|殿宇～雄伟。

【形状】xíngzhuàng 图 物体或图形由外部的面或线条组合而成的外表。

【形状记忆合金】xíngzhuàng jìyì héjīn 具有形状记忆功能的合金,能够在某一温度下经塑性变形而改变形状,在另一温度下又自动变回原来的形状。简称记忆合金。

陉(陘) xíng 〈书〉山脉中断的地方;山口:井～(地名,在河北)。

型 xíng ❶ 模型:砂～。❷ 类型:脸～|血～|小～|新～|流线～。

【型钢】xínggāng 图 断面呈特定形状的钢材的统称。断面呈L形的叫角钢,呈凵形的叫槽钢,呈圆形的叫圆钢,呈方形的叫方钢,呈工字形的叫工字钢,呈T形的叫丁字钢。

【型号】xínghào 图 指机械或其他工业制品的性能、规格和大小:品种多样、～齐全。

荥(滎) xíng 荥阳(Xíngyáng),地名,在河南。
另见 1634 页 yíng。

铏(鉶) xíng ❶ 古代盛酒的器皿。❷ 同"铏"。

硎 xíng 〈书〉❶ 磨刀石:发～。❷ 磨制。

铏(鉶) xíng 古代盛菜羹的器皿。

xǐng （ㄒㄧㄥˇ）

省 xǐng ❶ 检查自己的思想行为:反～|内～。❷ 探望;问候(多指对尊长):～亲。❸ 醒悟;明白:～悟|不～人事。❹ (Xǐng)图 姓。
另见 1224 页 shěng。

【省察】xǐngchá 劻 检查自己的思想行为。

【省墓】xǐngmù 〈书〉劻 祭扫尊长的坟墓。

【省亲】xǐngqīn 劻 回家乡或到远处看望父母或其他尊亲。

【省视】xǐngshì 劻 看望;探望:～双亲。

【省思】xǐngsī 劻 反省,反思:自我～。

【省悟】xǐngwù 劻 醒悟。

醒 xǐng ❶ 动 酒醉、麻醉或昏迷后神志恢复正常状态：酒醉未～。❷ 动 睡眠状态结束，大脑皮层恢复兴奋状态。也指尚未入睡：大梦初～｜我还～着呢，热得睡不着。❸ 动 指和면(huó)好面团后，放一会儿，使面团软硬均匀。❹ 动 醒悟；觉悟：猛～｜提～。❺ 明显；清楚：～目｜～豁。

【醒盹儿】xǐng∥dǔnr 〈方〉动 小睡醒过来。

【醒豁】xǐnghuò 形 意思表达得明白：道理说得～。

【醒酒】xǐng∥jiǔ 动 使由醉而醒：～汤｜吃个梨醒醒酒。

【醒木】xǐngmù 名 说评书的人为了引起听众注意而用来拍桌子的小硬木块。

【醒目】xǐngmù 形 (文字、图画等)形象明显，容易看清：大字标题十分～。

【醒脾】xǐngpí 〈方〉动 ❶ 消遣解闷。❷ (拿人)开心；取笑。

【醒悟】xǐngwù 动 在认识上由模糊而清楚，由错误而正确：翻然～。

擤 (揩) xǐng 动 按住鼻孔用力出气，使鼻涕排出：～鼻涕。

xìng （ㄒㄧㄥˋ）

兴 (興) xìng 兴致；兴趣：豪～｜助～｜败～｜雅～｜游～。
另见 1520 页 xīng。

【兴冲冲】xìngchōngchōng (～的)形 状态词。形容兴致很高。

【兴高采烈】xìng gāo cǎi liè 兴致高，情绪热烈。

【兴会】xìnghuì 名 因偶然有所感受而发生的意趣：乘一时之～，信手写了这首诗。

【兴趣】xìngqù 名 喜好的情绪：我对下棋不感～｜人们怀着极大的～参观了画展。

【兴头】xìng·tou ❶ 名 因为高兴或感兴趣而产生的劲头：～十足。❷〈方〉形 高兴；得意：前呼后拥，好不～。

【兴头上】xìngtóur·shang 名 兴头正足的时候：人家正在～，你干吗要泼冷水！

【兴味】xìngwèi 名 兴趣：饶有～｜～索然。

【兴致】xìngzhì 名 兴趣：～勃勃。

杏 xìng 名 ❶ 杏树，落叶乔木，叶子宽卵形，花白色或粉红色，果实近球形，成熟时一般黄红色，味酸甜。❷ (～儿)这种植物的果实。❸ (Xìng)姓。

【杏红】xìnghóng 形 黄中带红，比杏稍红的颜色。

【杏黄】xìnghuáng 形 黄而微红的颜色。

【杏仁】xìngrén (～儿)名 杏核中的仁。甜的一种可以吃，苦的一种可以入药。

【杏眼】xìngyǎn 名 指女子大而圆的眼睛：柳眉～｜～圆睁。

【杏子】xìng·zi 〈方〉名 杏。

幸 (❺倖) xìng ❶ 幸福；幸运：荣～｜三生有～。❷ 认为幸福而高兴：欣～｜庆～｜～灾乐祸。❸〈书〉望；希望：～勿推却。❹ 侥幸：～亏｜～免｜～未成灾。❺〈书〉宠幸：～臣。❻ 旧时指帝王到达某地：巡～。❼ (Xìng)名 姓。

【幸臣】xìngchén 名 帝王宠幸的臣子(贬义)。

【幸存】xìngcún 动 侥幸地活下来：～者｜飞机失事，机上人员无一～。

【幸而】xìng'ér 副 幸亏：～及时消除了隐患，否则后果不堪设想。

【幸福】xìngfú ❶ 名 使人心情舒畅的境遇和生活：为人民谋～｜今天的～是先烈们流血流汗得来的。❷ 形 (生活、境遇)称心如意：随着经济的发展，人民越来越～。

【幸好】xìnghǎo 副 幸亏：～雨不大，不然非淋成落汤鸡不可。

【幸会】xìnghuì 动 客套话，表示跟对方相会很荣幸。

【幸亏】xìngkuī 副 表示由于偶然出现的有利条件而避免了某种不利的事情：～他带了雨衣，不然全身都得湿透｜他～抢救及时，才保住了性命。

【幸免】xìngmiǎn 动 侥幸地避免：～于难。

【幸甚】xìngshèn 〈书〉形 ❶ 表示很有希望，很可庆幸：剪除奸佞，国家～。❷ 非常荣幸(多用于书信)：承不吝赐教，～、～。

【幸事】xìngshì 名 值得庆幸的事。

【幸喜】xìngxǐ 副 幸亏：～有热心人指点，才没有迷路。

【幸运】xìngyùn ❶ 名 好的运气；出乎意料的好机会：但愿～能够降临到他的头上。❷ 形 称心如意，运气好：买彩票得了头等奖，真够～的。

【幸运儿】xìngyùn'ér 图 幸运的人。

【幸灾乐祸】xìng zāi lè huò 别人遭到灾祸时自己心里高兴。

性 xìng ❶图 性格:个～|天～|耐～。❷物质所具有的性能;物质因含有某种成分而产生的性质:黏～|弹～|药～|碱～|油～。❸后缀,加在名词、动词或形容词之后构成抽象名词或属性词,表示事物的某种性质或性能:党～|纪律～|创造～|适应～|优越～|普遍～|先天～|流行～。❹图 有关生物的生殖或性欲的:～器官|～行为|～生活|～的知识。❺性别:男～|女～|雄～|雌～。❻图 表示名词(以及代词、形容词)的类别的语法范畴。语法上的性跟事物的自然性别有时有关,有时无关。如俄语名词有阳、阴、中三性。

【性爱】xìng'ài 图 两性之间的爱欲(就发生性关系说)。

【性别】xìngbié 图 雌雄两性的区别,通常指男女两性的区别。

【性病】xìngbìng 图 性传播疾病的简称,即主要通过性行为传播的疾病,如淋病、梅毒、软下疳、尖锐湿疣、生殖器疱疹等。俗称脏病。

【性感】xìnggǎn ❶图 形体、穿着上给人的性别特征突出、明显的感觉:她很有～。❷形 形体、穿着上的性别特征突出、明显,对异性富有诱惑力:～明星。

【性格】xìnggé 图 在对人、对事的态度和行为方式上所表现出来的心理特点,如开朗、刚强、懦弱、粗暴等。

【性贿赂】xìnghuìlù 图 以满足有权势的人的性欲为手段变相进行的贿赂。

【性激素】xìngjīsù 图 由睾丸或卵巢分泌的激素,如睾酮、雌三醇等。主要作用是刺激生殖器官的生长和调节生殖器的功能。男子生胡须,女子乳房发达,都与性激素有关。

【性急】xìng//jí 形 遇事没有耐性,急于去做或急于达到目的:脾气急:养病不能～。

【性价比】xìngjiàbǐ 图 商品的性能、配置等与其价格所形成的比率。

【性交】xìngjiāo 动 两性之间发生性行为。

【性教育】xìngjiàoyù 图 指性知识、性心理和性道德等方面的教育。

【性灵】xìnglíng〈书〉图 指人的精神、性情、情感等:陶冶～。

【性命】xìngmìng 图 人和动物的生命。

【性命交关】xìngmìng jiāoguān 关系到人的性命。形容关系重大、非常紧要。

【性能】xìngnéng 图 机械、器材、物品等所具有的性质和功能:这台机器～很好。

【性气】xìngqì 图 性格;脾气:～平和。

【性器官】xìngqìguān 图 人和高等动物的生殖器。

【性侵犯】xìngqīnfàn 动 指对他人采用欺骗、施暴、教唆及其他方式进行猥亵、性骚扰或强奸等侵害行为。

【性情】xìng·qíng 图 性格:～急躁。

【性骚扰】xìngsāorǎo 动 指用轻佻、下流的语言或举动对他人进行骚扰(多指男性对女性)。

【性生活】xìngshēnghuó 图 指人性交的过程(多指夫妻之间)。

【性心理】xìngxīnlǐ 图 指与性有关的心理活动。

【性行为】xìngxíngwéi 图 生物为繁殖后代、满足性欲等而进行的与性有关的行为。

【性欲】xìngyù 图 对性行为的欲望。

【性质】xìngzhì 图 一种事物区别于其他事物的根本属性。

【性状】xìngzhuàng 图 性质和形状:土壤的理化～。

【性子】xìng·zi 图 ❶ 性情;脾气:急～|使～|这匹马～很烈。❷ 酒、药等的刺激性:这药～平和。

姓 xìng ❶ 图 表明家族的字:～名|贵～。❷动 姓是…;以…为姓:你～什么? 他～张,不～王。❸(Xìng)图 姓。

【姓名】xìngmíng 图 姓和名字。

【姓氏】xìngshì 图 表明家族的字。姓和氏本有分别,姓起于女系,氏起于男系。后来说姓氏,专指姓。

荇(莕) xìng [荇菜](xìngcài)图 多年生草本植物,叶子略呈圆形,浮在水面,根生在水底,花黄色,蒴果椭圆形。茎可以吃,全草入药。

悻 xìng 见下。

【悻然】xìngrán 形 怨恨愤怒的样子。

【悻悻】xìngxìng 形 ❶ 怨恨愤怒的样子:～而去。❷ 失意的样子:～而归。

婞 xìng〈书〉倔强固执:～直。

xiōng（ㄒㄩㄥ）

凶（❸-❻兇）**xiōng** ❶ 不幸的(形容死亡、灾难等现象，跟"吉"相对)：～事｜～信。❷ 年成很坏：～年。❸ 〔形〕凶恶：穷～极恶｜这个人样子真～。❹ 〔形〕厉害：病势很～｜闹得太～。❺ 指杀害或伤害人的行为：行～｜～犯。❻ 行凶作恶的人：正～｜帮～｜元～。

【凶案】**xiōng'àn** 〔名〕杀害人命的案件。

【凶巴巴】**xiōngbābā** （～的）〈方〉〔形〕状态词。形容凶狠的样子：竖起眉毛，～地看着他。

【凶暴】**xiōngbào** 〔形〕(性情、行为)凶狠残暴：脾气～｜～残忍。

【凶残】**xiōngcán** 〔形〕凶恶残暴：～成性｜手段～。

【凶恶】**xiōng'è** 〔形〕(性情、行为或相貌)十分可怕：～的目光｜～的敌人。

【凶犯】**xiōngfàn** 〔名〕行凶的罪犯：杀人～。

【凶悍】**xiōnghàn** 〔形〕凶猛强悍：为人～。

【凶耗】**xiōnghào** 〔名〕人死亡的消息。

【凶狠】**xiōnghěn** 〔形〕❶ (性情、行为)凶恶狠毒：～的豺狼。❷ 猛烈：扣球～。

【凶横】**xiōnghèng** 〔形〕凶恶蛮横：满脸～｜态度粗暴，说话～。

【凶狂】**xiōngkuáng** 〔形〕凶恶猖狂。

【凶猛】**xiōngměng** 〔形〕(气势、力量)凶恶强大：来势～｜虎豹都是～的野兽。

【凶年】**xiōngnián** 〈书〉〔名〕荒年：～饥岁。

【凶虐】**xiōngnüè** 〔形〕凶恶暴虐。

【凶气】**xiōngqì** 〔名〕凶狠的气势；凶恶的神色：一脸～。

【凶器】**xiōngqì** 〔名〕行凶用的器具：杀人～。

【凶杀】**xiōngshā** 〔动〕杀害人命：～案｜惨遭～。

【凶煞】**xiōngshà** 〔名〕凶神。

【凶神】**xiōngshén** 〔名〕迷信的人指凶恶的神，常用来比喻凶恶的人：～恶煞。

【凶手】**xiōngshǒu** 〔名〕行凶的人。

【凶死】**xiōngsǐ** 〔动〕指被人杀害或自杀而死。

【凶嫌】**xiōngxián** 〈方〉〔名〕凶杀案的犯罪嫌疑人。

【凶险】**xiōngxiǎn** 〔形〕❶ (情势等)危险可怕：病情～｜地势～。❷ 凶恶阴险：～的敌人。

【凶相】**xiōngxiàng** 〔名〕凶恶的面目；凶恶的相貌：～毕露｜一脸的～。

【凶相毕露】**xiōngxiàng bìlù** 凶恶的面目完全暴露。

【凶信】**xiōngxìn** （～儿）〔名〕不好的消息，特指人死亡的消息：报～。

【凶焰】**xiōngyàn** 〔名〕凶恶的气焰。

【凶宅】**xiōngzhái** 〔名〕不吉利的或闹鬼的房舍(迷信)。

【凶兆】**xiōngzhào** 〔名〕不吉祥的预兆(迷信)。

兄 **xiōng** ❶ 哥哥：父～｜胞～｜从～。❷ 亲戚中同辈而年纪比自己大的男子：表～。❸ 对男性朋友的尊称：仁～。

【兄弟】**xiōngdì** 〔名〕哥哥和弟弟：～二人◇～单位｜～部队｜～民族。

【兄弟】**xiōng·di** 〈口〉〔名〕❶ 弟弟。❷ 称呼年纪比自己小的男子(亲切口气)。❸ 谦辞，男子跟辈分相同的人或对众人说话时的自称：～我刚到这里，请多多关照。

【兄弟阋墙】**xiōng dì xì qiáng** 《诗经·小雅·常棣》："兄弟阋于墙。"兄弟在家争吵。后用来比喻内部相争。

【兄长】**xiōngzhǎng** 〔名〕❶ 兄①。❷ 对男性朋友的尊称：请～指教。

芎 **xiōng** 〔芎䓖〕(xiōngqióng)〔名〕见207页〖川芎〗。

匈 **xiōng** 〈书〉同"胸"。

【匈奴】**Xiōngnú** 〔名〕我国古代民族，战国时游牧在燕、赵、秦以北。东汉时分裂为南北两部,北匈奴在1世纪末为汉所败,西迁。南匈奴附汉,两晋时曾先后建立前赵、后赵、夏、北凉等政权。

讻（詾、訩、哅）**xiōng** 〔讻讻〕(xiōngxiōng)同"汹汹"③。

汹（洶）**xiōng** 水向上翻腾：～涌。

【汹汹】**xiōngxiōng** 〔形〕❶ 〈书〉形容波涛的声音：波声～｜波浪～。❷ 形容声势盛大的样子(贬义)：气势～｜来势～。❸ 〈书〉形容争论的声音或纷扰的样子：议论～｜天下～，干戈四起。也作讻讻。

【汹涌】xiōngyǒng 动（水）猛烈地向上涌或向前翻滚：～澎湃|波涛～。

恼（惱）xiōng〈书〉恐惧；惊骇。

胸（胷）xiōng ❶名躯干的一部分，在颈和腹之间。（图见 1209 页"人的身体"）❷ 指心里（跟思想、见识、气量等有关）：心～|～有成竹|～无点墨。

【胸次】xiōngcì〈书〉名 ❶ 心里；心情：舒畅。❷ 胸怀②：～宽广。

【胸骨】xiōnggǔ 名人和高等动物胸腔前面正中央的一根剑形的骨头，两侧与肋骨相连。胸骨、胸椎和肋骨构成胸腔。（图见 490 页"人的骨骼"）

【胸花】xiōnghuā（～儿）名佩戴在胸前的一种装饰品，多为花形。

【胸怀】xiōnghuái ❶ 动 心里怀着：～大志|～祖国，放眼世界。❷ 名胸襟②：～狭窄|～坦荡|宽广的～。❸ 名胸部；胸膛：敞着～。

【胸襟】xiōngjīn 名 ❶ 抱负；气量：伟大的～|～开阔。❷ 心胸；心怀：荡涤～。❸ 胸部的衣襟：～上戴着一朵大红花。

【胸卡】xiōngkǎ 名戴在胸前表示身份的卡片式标志，上面一般写有姓名、职务，有的还带有本人照片。

【胸口】xiōngkǒu 名胸骨下端周围的部分。

【胸膜】xiōngmó 名包在肺脏表面和贴在胸腔内壁的两层浆膜。这两层薄膜两端连在一起，当中形成囊状的空腔，叫胸膜腔，腔内有少量液体，可以减少两层薄膜的摩擦。旧称肋膜。

【胸脯】xiōngpú（～儿）名指胸部：挺着～儿。

【胸鳍】xiōngqí 名鱼类胸部的鳍，在鳃的后面，左右各一，是鱼类的运动器官。（图见 1073 页"鳍"）

【胸腔】xiōngqiāng 名体腔的一部分，是胸骨、胸椎和肋骨围成的空腔，上部跟颈相连，下部有膈和腹腔隔开。心、肺等器官都在胸腔内。

【胸墙】xiōngqiáng 名 ❶ 齐胸高的矮墙。❷ 为了便于射击和阻挡敌人的火力可能造成的损害，在掩体前面和战壕边沿用土堆砌起来的矮墙。

【胸膛】xiōngtáng 名胸①：挺起～。

【胸围】xiōngwéi 名围绕胸部一周的长度。

【胸无点墨】xiōng wú diǎn mò 形容读书太少，文化水平极低。

【胸像】xiōngxiàng 名腰部以上的半身人像。

【胸臆】xiōngyì 名指心里的话或想法：直抒～|倾吐～。

【胸有成竹】xiōng yǒu chéng zhú 画竹子时心里有一幅竹子的形象（见于宋晁补之诗"与可画竹时，胸中有成竹"，与可是宋代画家文同的字）。比喻做事之前已经有通盘的考虑。也说成竹在胸。

【胸章】xiōngzhāng 名 ❶ 佩戴在胸前表示身份或职务的标志。❷ 佩戴在胸前的奖章、纪念章等。

【胸罩】xiōngzhào 名妇女保护乳房使不下垂的用品。也叫乳罩、文胸。

【胸中无数】xiōng zhōng wú shù 指对情况和问题了解不够，处理事情没有把握。也说心中无数。

【胸中有数】xiōng zhōng yǒu shù 指对情况和问题有基本的了解，处理事情有一定的把握。也说心中有数。

【胸椎】xiōngzhuī 名胸部的椎骨，共有 12 块，较颈椎大。（图见 490 页"人的骨骼"）

xióng（ㄒㄩㄥˊ）

雄 xióng ❶ 形 属性词。生物中能产生精细胞的（跟"雌"相对）：～性|～鸡|～蕊。❷ 有气魄的：～伟|～心|～姿。❸ 强有力的：～兵|～辩。❹ 强有力的人或国家：英～|战国七～。❺（Xióng）名姓。

【雄辩】xióngbiàn ❶ 名 强有力的辩论：事实胜于～。❷ 形 有说服力的：最～的莫过于事实|事实～地说明，这项改革是必要的。

【雄兵】xióngbīng 名 强有力的军队：～百万。

【雄才大略】xióng cái dà lüè 杰出的才智和宏大的谋略。

【雄大】xióngdà 形（气魄）雄壮有力。

【雄风】xióngfēng 名 ❶〈书〉强劲的风。❷ 威风：老将～犹在|转战千里，～大振。

【雄蜂】xióngfēng 图 雄性的蜂类。特指雄性的蜜蜂,是由未受精的卵子发育而成的,身体比工蜂大,比母蜂小,头部圆形,没有毒刺,和母蜂交配后,即被工蜂赶出蜂巢。

【雄关】xióngguān 图 险要的关口:~险隘。

【雄厚】xiónghòu 形 (人力、物力)充足:师资力量~|~的资金。

【雄花】xiónghuā 图 只有雄蕊的单性花。

【雄黄】xiónghuáng 图 矿物,成分是硫化砷,橘黄色,有光泽。用来制农药、染料等,可入药。也叫鸡冠石。

【雄黄酒】xiónghuángjiǔ 图 掺有雄黄的烧酒,民间在端午节时饮用。

【雄浑】xiónghún 形 雄健浑厚;雄壮浑厚:笔力~|音调~,节奏沉稳。

【雄健】xiónghàn 形 强健有力:~的步伐。

【雄杰】xióngjié 〈书〉❶ 形 才能出众:~之士。❷ 图 才能出众的人:一代~。

【雄劲】xióngjìng 形 雄壮有力:气势~。

【雄赳赳】xióngjiūjiū (~的)形 状态词。形容威武:~,气昂昂。

【雄起】xióngqǐ 〈方〉动 强有力地奋起:只有奋斗,中国足球队才能真正~。

【雄蕊】xióngruǐ 图 花的主要部分之一,一般由花丝和花药构成。雄蕊成熟后,花药裂开,散出花粉。(图见580页“花”)

【雄师】xióngshī 图 雄兵:百万~。

【雄图】xióngtú 图 伟大的计划或谋略。

【雄威】xióngwēi ❶ 形 雄壮威武。❷ 图 强大的威势:重振~。

【雄伟】xióngwěi 形 ❶ 雄壮而伟大:气魄~|~的天安门。❷ 魁梧;魁伟:身材~。

【雄文】xióngwén 图 气势磅礴,内容博大精深的文章或著作。

【雄心】xióngxīn 图 远大的理想和抱负:~壮志|~勃勃。

【雄性】xióngxìng 图 生物两性之一,能产生精子的:~动物。

【雄鹰】xióngyīng 图 雄健勇猛的鹰:~展翅◇八路~编队飞过广场上空。

【雄主】xióngzhǔ 图 有雄才大略的君主。

【雄壮】xióngzhuàng 形 ❶ (气魄、声势)强大:~的步伐|歌声~,响彻云霄。❷

(身体)魁梧强壮:身材~。

【雄姿】xióngzī 图 威武雄壮的姿态:晨曦中,山海关城楼的~隐约可见。

熊¹ xióng 图 ❶ 哺乳动物,头大,尾巴短,四肢短而粗,脚掌大,趾端有带钩的爪,能爬树。主要吃动物性食物,也吃水果、坚果等。种类很多,如棕熊、马来熊、黑熊。有的地区叫熊瞎子。❷ (Xióng)姓。

熊² xióng 〈方〉❶ 动 斥责:挨~|~了他一顿。❷ 形 怯懦;能力低下:你也真~,一上阵就败了下来。

【熊包】xióngbāo 〈方〉图 懦弱、无能的人。

【熊猫】xióngmāo 图 大熊猫。

【熊市】xióngshì 图 指价格持续下跌,成交额下降,交易呆滞的证券市场行情(跟“牛市”相对)。

【熊瞎子】xióngxiā·zi 〈方〉图 熊。

【熊熊】xióngxióng 形 形容火势旺盛:烈火|大火~。

xiòng (ㄒㄩㄥˋ)

诇(詗) xiòng 〈书〉刺探:~察(侦察)。

夐 xiòng ❶〈书〉远;辽阔:~若千里。❷〈书〉久远:~古。❸ (Xiòng)图姓。

xiū (ㄒㄧㄡ)

休¹ xiū ❶ 停止;罢休(事情):~会|争论不~。❷ 动 休息:~养|~假|退~|这个星期任务太多,少~一天。❸ 动 旧时指丈夫把妻子赶回娘家,断绝夫妻关系:~妻|~书。❹ 副 表示禁止或劝阻(多见于早期白话):~得无理|闲话~提|~要胡言乱语。❺ (Xiū)图姓。

休² xiū 〈书〉吉庆;欢乐:~咎(吉凶)|~戚。

【休耕】xiūgēng 动 为了恢复耕地的地力,在一定的时间内停止耕种。

【休会】xiū//huì 动 会议在进行期间暂时停止开会:~一天。

【休假】xiū//jià 动 按照规定或经过批准后,停止一定时期的工作或学习:因病～|休了一个月假。

【休克】xiūkè ❶ 名 一种细胞急性缺氧综合征。主要症状是血压下降,血流减慢,四肢发冷、脸色苍白、体温下降,神志不清甚至昏迷等。❷ 动 发生休克:因为流血过多,他已经～了。[英 shock]

【休眠】xiūmián 某些生物为了适应环境的变化,生命活动几乎到了停止的状态,如蛇到冬季就不吃不动,植物的芽在冬季停止生长等。

【休眠火山】xiūmián huǒshān 历史上曾经活动过,长期以来处于静止状态,但仍有可能喷发的火山。

【休牧】xiūmù 动 为了使牧场的牧草恢复生长,在一定的时间内停止放牧。

【休戚】xiūqī 名 欢乐和忧愁,泛指有利的和不利的遭遇:～相关(彼此间祸福互相关联)|～与共(同甘共苦)。

【休憩】xiūqì 动 休息:路边设有坐椅,供行人～。

【休市】xiūshì 动 交易市场因节假日等原因暂停交易:春节期间股市～一周。

【休息】xiū·xi 动 ❶ 暂时停止工作、学习或活动,以消除疲劳、恢复体力和脑力:走累了,找个地方～～|既要有紧张的工作,又要有适当的～。❷ 指睡觉:夜里～不好,白天也没精神|这么晚了,还没～?

【休闲】xiūxián 动 ❶ 休息;过清闲生活:～场所。❷ (可耕地)闲着,一季或一年不种作物:～地。

【休闲装】xiūxiánzhuāng 名 适合休闲时穿的比较宽松、随意的服装(区别于“正装”)。也叫休闲服。

【休想】xiūxiǎng 动 别想;不要妄想:～逃脱|你要骗人,～!

【休学】xiū//xué 学生因故不能继续学习,经学校同意,暂停学习,仍保留学籍,叫做休学。

【休养】xiūyǎng 动 ❶ 休息调养:～所|他到北戴河～去了。❷ 恢复并发展国家或人民的经济力量:～民力。

【休养生息】xiūyǎng shēngxī 指在国家大动荡或大变革以后,减轻人民负担,安定生活,发展生产,恢复元气。

【休业】xiū//yè 动 ❶ 停止营业:～整顿。

❷ 结束一个阶段的学习。

【休渔】xiūyú 为保护渔业资源,在一定时期和范围内停止捕鱼:南海海域实行伏季～制度。

【休战】xiū//zhàn 动 交战双方暂时停止军事行动。

【休整】xiūzhěng 动 休息整顿(多用于军队):利用战斗空隙进行～。

【休止】xiūzhǐ 动 停止:这座火山已进入～状态。

【休止符】xiūzhǐfú 名 乐谱中用来表示音乐停顿时间长短的符号。

咻 xiū 〈书〉吵;乱说话;喧扰。

【咻咻】xiūxiū 拟声 ❶ 形容喘气的声音:～的鼻息|～地喘气。❷ 形容某些动物的叫声:小鸭～地叫着。

修¹ xiū ❶ 动 修饰:装～|～辞。❷ 动 修理;整治:～车|～桥补路|一定要把淮河～好。❸ 动 写;编写:～函|～史|县志。❹ 动 (学问、品行方面)学习和锻炼:～养|～业|进～|这学期多～了两门课。❺ 动 修行(迷信):～炼|～仙。❻ 动 兴建;建筑:～建|～水库|新～了一条铁路。❼ 动 剪或削,使整齐:～树枝|～指甲。❽ 指修正主义:反～防～。❾ (Xiū)名 姓。

修² xiū 〈书〉长;高:～长|～竹。

【修补】xiūbǔ 动 修理破损的东西使完好:～轮胎|～渔网。

【修长】xiūcháng 形 细长:身材～。

【修辞】xiūcí ❶ 动 修饰文字词句,运用各种表现方式,使语言表达得准确、鲜明而生动有力。❷ 名 修辞学。

【修辞格】xiūcígé 名 各种修辞方式,如比喻、对偶、排比等。

【修辞学】xiūcíxué 名 语言学的一个分支,研究如何使语言表达得准确、鲜明而生动有力。

【修道】xiū//dào 动 宗教徒虔诚地学习教义,并且把它贯彻在自己的行动中。

【修道院】xiūdàoyuàn 名 天主教和东正教等教徒出家修道的机构。在天主教会中,也指培养神甫的机构。

【修订】xiūdìng 动 修改订正(书籍、计划等):～本|～教学大纲。

【修短】xiūduǎn 〈书〉名 长短：～合度。

【修复】xiūfù 动 修理使恢复完整（多指建筑物）：～河堤｜～铁路◇～两国关系。

【修改】xiūgǎi 动 改正文章、计划等里面的错误、缺点：～初稿｜～章程｜～计划。

【修盖】xiūgài 动 修建（房屋）：～教学楼。

【修函】xiūhán 〈书〉写信。

【修好】[1] xiū//hǎo 〈方〉行好；行善：～积德｜你修修好吧，再宽限几天。

【修好】[2] xiūhǎo 〈书〉动 亲善友好：两国～。

【修剪】xiūjiǎn 动 ❶ 用剪子修（枝叶、指甲等）：～松墙。❷ 修改剪接：～影片。

【修建】xiūjiàn 动 施工（多用于土木工程）：～铁路。

【修脚】xiū//jiǎo 动 修剪脚趾甲或削去脚上的趼子。

【修旧利废】xiū jiù lì fèi 修理和利用废旧物品，使再发挥作用。

【修浚】xiūjùn 动 修理疏通：～河道。

【修理】xiūlǐ 动 ❶ 使损坏的东西恢复原来的形状或作用：～厂｜～机车。❷ 修剪①：整治①：～树木。❸〈方〉整治②；把他～了一顿。

【修炼】xiūliàn 动 指道家修养练功、炼丹等活动◇～内功，提高自身素质。

【修面】xiū//miàn 〈方〉刮脸。

【修明】xiūmíng 〈书〉形 指政治清明。

【修女】xiūnǚ 名 天主教或东正教中出家修道的女子。

【修配】xiūpèi 动 修理机器等的损坏部分，配齐其中残缺的零件：汽车～厂。

【修葺】xiūqì 动 修缮：房屋～一新。

【修缮】xiūshàn 动 修理（建筑物）：～厂房。

【修身】xiūshēn 动 指努力提高自己的品德修养：～养性。

【修史】xiūshǐ 〈书〉编写史书：直笔～。

【修士】xiūshì 名 天主教或东正教中出家修道的男子。

【修饰】xiūshì 动 ❶ 修整装饰使整齐美观：～一新。❷ 梳妆打扮：略加～，就显得很利落。❸ 修改润饰，使语言文字明确生动：你把这篇稿子再～一下。

【修书】xiūshū 〈书〉❶ 编纂书籍。❷ 写信：～一封。

【修仙】xiū//xiān 动 炼丹服药，安神养性，以求长生不老（迷信）。

【修宪】xiūxiàn 动 修改宪法。

【修行】xiū·xíng 动 佛教徒或道教徒虔诚地学习教义并照着教义去实行：出家～。

【修养】xiūyǎng 名 ❶ 指理论、知识、艺术、思想等方面的一定水平：理论～｜文学～｜他是一个很有～的艺术家。❷ 指养成的正确的待人处事的态度：这人有～，从不和人争吵。

【修业】xiūyè 动 （学生）在校学习：～期满。

【修造】xiūzào 动 ❶ 修理并制造：～农具｜～船只。❷ 建造：～厂房｜～花园。

【修整】xiūzhěng 动 修理使完整或整齐：～农具｜～篱笆。

【修正】xiūzhèng 动 修改使正确：～错误｜最后核对材料，～了一些数字。

【修正主义】xiūzhèng zhǔyì 国际共产主义运动中披着马克思主义外衣的反马克思主义的思潮。

【修筑】xiūzhù 动 修建（道路、桥梁、房屋等）：～机场｜～码头｜～工事。

麻 xiū 〈书〉庇荫；保护。

脩 [1] xiū 旧时送给老师的酬金（原义为干肉，古时弟子用来送给老师做见面礼）：～金｜束～。

脩 [2] xiū 同"修"。

羞 [1] xiū ❶ 动 怕别人笑话的心理和表情；难为情；不好意思：怕～｜害～｜～得低下了头。❷ 动 使难为情：用手指戳着脸～他。❸ 羞耻；遮～｜～辱。❹ 感到耻辱：～与为伍。

羞 [2] xiū 〈书〉同"馐"。

【羞惭】xiūcán 形 羞愧：满面～。

【羞耻】xiūchǐ 形 不光彩；不体面：不知～。

【羞答答】xiūdādā （～的）形 状态词。形容害羞：姑娘低着头，～的不说话。也说羞羞答答。

【羞愤】xiūfèn 形 羞愧和愤恨：一脸的～。

【羞花闭月】xiū huā bì yuè 见 75 页[闭月羞花]。

【羞口】xiūkǒu 动 难以启齿；不好意思说：他想说，可又感到～。

【羞愧】xiūkuì 形 感到羞耻和惭愧：～难言。

【羞明】xiūmíng 动 畏光的旧称。

【羞赧】xiūnǎn 〈书〉形 因害臊而红了脸的样子。

【羞怯】xiūqiè 形 羞涩胆怯：孩子见了生人还有几分～。

【羞人】xiū//rén 形 感觉难为情或羞耻：羞死人了|这话说出来多～！

【羞人答答】xiūréndādā （～的）形 状态词。形容自己感觉难为情。

【羞辱】xiūrǔ ❶ 名 耻辱。❷ 动 使受耻辱：～了他一顿。

【羞臊】xiūsào 动 ❶ 害臊；害羞：～得满脸通红。❷ 使羞臊：不要～人家。

【羞涩】xiūsè 形 难为情，态度不自然：他站在讲台上，～地看着大家。

【羞恶】xiūwù 〈书〉动 对自己或别人的坏处感觉羞耻和厌恶：～之心。

【羞与为伍】xiū yǔ wéi wǔ 把跟某人在一起认为是羞耻的事情。

鸺(鵂) xiū [鸺鹠](xiūliú) 名 鸟，羽毛棕褐色，有横斑，尾巴黑褐色，腿部白色。脸部羽毛略呈放射状，头部没有角状的羽毛。捕食鼠、兔等，对农业有益。

貅 xiū 见1039页[貔貅]。

馐(饈) xiū 〈书〉滋味好的食物：珍～。

髹(髤) xiū 〈书〉把漆涂在器物上。

蟹 xiū 名 竹节虫。

xiǔ （ㄒㄧㄡˇ）

朽 xiǔ ❶ 动 腐烂（多指木头）：～木|这根柱子～了|永垂不～。❷ 衰老：老～。

【朽败】xiǔbài 动 朽坏：～不堪。

【朽坏】xiǔhuài 动 腐朽毁坏：门窗～。

【朽烂】xiǔlàn 动 腐朽；朽坏：木头～。

【朽迈】xiǔmài 〈书〉形 老朽①。

【朽木】xiǔmù 名 ❶ 烂木头：～枯株。❷ 比喻不可造就的人：～粪土。

宿 xiǔ 量 用于计算夜：住了一～|谈了半～|三天两～|整～没睡。
另见1302页sù；1535页xiù。

潃 xiǔ 〈书〉臭泔水。

xiù （ㄒㄧㄡˋ）

秀¹ xiù ❶ 动 植物抽穗开花（多指庄稼）：～穗|六月六，看谷（粟）～。❷ (Xiù)名 姓。

秀² xiù ❶ 清秀：～丽|眉清目～|山水～|～外慧中。❷ 聪明，灵巧：内～|心～。❸ 特别优异：优～。❹ 特别优异的人才：新～|后起之～。

秀³ xiù 表演；演出：作～|时装～|泳装～。[英 show]

【秀才】xiù·cai 名 ❶ 明清两代生员的通称。❷ 泛指读书人。

【秀发】xiùfà 名 秀丽的头发：一头长长的～。

【秀丽】xiùlì 形 清秀美丽：容貌～|～的桂林山水。

【秀美】xiùměi 形 清秀美丽：仪容～|山川～。

【秀媚】xiùmèi 形 秀丽妩媚：容貌姣好～。

【秀气】xiù·qi 形 ❶ 清秀：眉眼长得很～|他的字写得很～。❷ (言谈、举止)文雅。❸ (器物)小巧灵便：这把小刀儿做得很～。

【秀色】xiùsè 名 美好的景色或容貌：丽姿～。

【秀色可餐】xiùsè kě cān 形容女子姿容非常美丽或景物非常优美。

【秀外慧中】(秀外惠中) xiù wài huì zhōng 容貌清秀，内心聪慧(多指女子)。

【秀雅】xiùyǎ 形 秀丽雅致；秀丽文雅。

【秀逸】xiùyì 形 秀丽而洒脱：风姿～|书法～|诗句清新～。

岫 xiù 〈书〉❶ 山洞：白云出～。❷ 山：远～。

【岫玉】xiùyù 名 一种玉石，常见的为绿色，微透明，状似冻胶，有蜡样光泽，质地细腻，硬度2.5—5.5。盛产于辽宁岫岩。可用来做装饰品或雕刻材料。

臭 xiù ❶ 气味：乳～|空气是无色无～的气体。❷ 同"嗅"。
另见 195 页 chòu。

袖 xiù ❶（～儿）名 袖子：～口｜短～儿。❷ 动 藏在袖子里：～着手｜～手旁观。

【袖标】xiùbiāo 名 一种戴在袖子上的标志。

【袖管】xiùguǎn〈方〉名 ❶ 袖子。❷ 袖口。

【袖箭】xiùjiàn 名 藏在衣袖里暗中射出的箭，借着弹簧的力量发射。

【袖口】xiùkǒu（～儿）名 袖子的边缘。

【袖手旁观】xiù shǒu páng guān 比喻置身事外或不协助别人。

【袖筒】xiùtǒng（～儿）名 袖子。

【袖章】xiùzhāng 名 套在袖子上表示身份或职务的标志。

【袖珍】xiùzhēn 形 属性词。体积较小便于携带的：～本｜～词典｜～收音机。

【袖子】xiù•zi 名 衣服套在胳膊上的筒状部分。

绣（綉、繡） xiù ❶ 动 用彩色丝、绒、棉线在绸、布等上面做成花纹、图像或文字：刺～｜～花儿｜上几个字。❷ 绣成的物品：苏～｜湘～。

【绣房】xiùfáng 名 旧时指青年女子住的房间。

【绣花】xiù∥huā（～儿）动 绣出图画或图案。

【绣花枕头】xiùhuā zhěn•tou 比喻徒有外表而无学识才能的人。也比喻外表好看而质量不好的货物。

【绣球】xiùqiú 名 用绸子结成的球形装饰物。

【绣像】xiùxiàng 名 ❶ 绣成的人像。❷ 指画工细致的人像：～小说（旧时卷首插有绣像的通俗小说）。

【绣鞋】xiùxié 名 妇女穿的绣着花的鞋。

琇 xiù〈书〉像玉的石头。

宿 xiù 我国古代天文学家把天上某些星的集合体叫做宿：星～｜二十八～。
另见 1302 页 sù；1534 页 xiǔ。

锈（銹、鏽） xiù ❶ 名 铜、铁等金属表面由于氧化而形成的物质。❷ 动 生锈：刀剪都～了｜锁

住了，开不开。❸ 名 指锈病：查～灭～。

【锈病】xiùbìng 名 由真菌引起的植物病害。发生病害的植物叶子和茎出现铁锈色的斑点，产量受到影响。

【锈蚀】xiùshí（金属）因生锈而腐蚀：铁环～了｜古钟上文字清晰，没有～。

嗅 xiù 动 用鼻子辨别气味；闻：～觉｜小狗在他腿上～来～去。

【嗅觉】xiùjué 名 鼻腔黏膜与某些物质的气体分子相接触时所产生的感觉：～灵敏◇政治～。

【嗅神经】xiùshénjīng 名 第一对脑神经，从大脑的前下部发出，分布在鼻黏膜中，主管嗅觉。

溴 xiù 名 非金属元素，符号 Br（bromium）。棕红色液体，有刺激性气味，易挥发。对皮肤和黏膜有强烈的腐蚀性。用来制染料、药品等。

襃（褒） xiù〈书〉同"袖"。

---

xū（ㄒㄩ）

讦（訏） xū〈书〉❶ 夸口：～谟（大计）。❷ 大：～谟（大计）。

圩（墟） xū 名 湘、赣、闽、粤等地区称集市（古书中作"虚"）：～市｜赶～｜～镇。
另见 1415 页 wéi。

【圩场】xūcháng〈方〉名 集市。

【圩期】xūqī〈方〉名 圩日。

【圩日】xūrì〈方〉名 集日。也叫圩期。

戌 xū 名 地支的第十一位。参看 440 页【干支】。
另见 1129 页•qu。

【戌时】xūshí 名 旧式计时法指晚上七点钟到九点钟的时间。

吁 xū〈书〉❶ 叹气：长～短叹。❷ 叹 表示惊异：～，是何言欤!
另见 1657 页 yū；1667 页 yù。

【吁吁】xūxū 拟声 形容出气的声音：气喘～～。

盱 xū〈书〉睁开眼睛向上看。

蓿 xū〈书〉拟声 皮骨相离的声音：～然磟（响）然，奏刀騞（huō）然（见于《庄

子·养生主》)。

另见 584 页 huā。

须¹(須) xū ❶〔动〕助动词。须要：务～|必～|~知|事前～做好准备。❷(Xū)〔名〕姓。

须²(須) xū 〈书〉等待；等到。

须³(鬚) xū ❶原来指长在下巴上的胡子，后来泛指胡须：～发|～眉。❷须子：触～|花～。

【须发】xūfà 〔名〕胡须和头发：～皆白。

【须根】xūgēn 〔名〕根的一种，这种根没有明显的主根，只有许多细长像胡须的根。一般单子叶植物都有须根，如小麦、稻等。

【须眉】xūméi 〔名〕❶胡须和眉毛：～皆白的老人。❷指男子：堂堂～|巾帼不让～。

【须弥座】xūmízuò 〔名〕❶指佛像的底座。❷指佛塔、佛殿等的一种底座。[须弥，古印度神话中的高山名，梵 sumeru]

【须生】xūshēng 〔名〕老生。

【须要】xūyào 〔动〕助动词。一定要：教育儿童～耐心。

【须臾】xūyú 〈书〉〔名〕极短的时间；片刻：～不可离|～之间，雨过天晴。

【须知】xūzhī ❶〔名〕对所从事的活动必须知道的事项(多用于通告或指导性文件的名称)：游览～|考试～|大会～。❷〔动〕一定要知道：～胜利来之不易。

【须子】xū·zi 〔动〕植物体上长的像须的东西：白薯～。

胥¹ xū ❶〈书〉小官吏。❷(Xū)〔名〕姓。

胥² xū 〈书〉〔副〕齐；皆：万事～备。

顼(頊) Xū 〔名〕姓。

虚 xū ❶空虚：～幻|～浮|乘～而入。❷空着：～位以待。❸〔形〕因心里惭愧或没有把握而勇气不足：胆～|心里有点～。❹〔副〕徒然；白白地：～度|箭不～发。❺虚假(跟"实"相对)：～伪|～名|～构。❻虚心：谦～。❼〔形〕虚弱：气～|血～|身子很～。❽指政治思想、方针、政策等方面的道理：务～|以～带实。❾二十八宿之一。

【虚报】xūbào 〔动〕不照真实情况报告(多指以少报多)：～成绩|～冒领。

【虚词】xūcí ❶〔名〕不能单独成句，意义比较抽象，有帮助造句作用的词。汉语的虚词包括副词、介词、连词、助词、叹词、拟声词六类。❷同"虚辞"。

【虚辞】xūcí 〈书〉虚夸不实的言辞或文辞：空言～|～滥调。也作虚词。

【虚度】xūdù 〔动〕白白地度过：～光阴|～年华。

【虚浮】xūfú 〔形〕不切实；不踏实：～的计划|作风～。

【虚高】xūgāo 〔形〕(价格、等级等)不真实地高出实际水平(多指人为因素造成的)：药品定价～|房价～。

【虚构】xūgòu 〔动〕凭想象造出来：这篇小说的情节是～的。

【虚汗】xūhàn 〔名〕由于衰弱、患病、心里紧张等而出的汗。

【虚怀若谷】xū huái ruò gǔ 胸怀像山谷那样深而且宽广，形容十分谦逊。

【虚幻】xūhuàn 〔形〕主观幻想的、不真实的(形象)：～的梦境。

【虚火】xūhuǒ 〔名〕中医指由身体虚弱而产生的焦躁和发热的症状。

【虚假】xūjiǎ 〔形〕跟实际不符合：～现象|做学问要老老实实，不能有半点～。

【虚惊】xūjīng 〔名〕事后证明是不必要的惊慌：受了一场～。

【虚空】xūkōng 〔形〕空虚：内心～。

【虚夸】xūkuā 〔形〕(言谈)虚假夸张：报道消息，要实事求是，切忌～。

【虚礼】xūlǐ 〔名〕表面应酬的礼数。

【虚名】xūmíng 〔名〕和实际情况不符合的名声：不务～|徒有～，并无实学。

【虚拟】xūnǐ ❶〔动〕虚构：那篇小说里的故事情节，有的是作者～的。❷〔形〕属性词。不符合或不一定符合事实；假设的：～语气。

【虚拟现实】xūnǐ xiànshí 一种计算机技术。利用计算机生成高度逼真的虚拟环境，通过多种传感设备使人产生身临其境的感觉，并可实现人与该环境的自然交互。

【虚胖】xūpàng 〔形〕人体内脂肪异常增多而发胖，多由内分泌疾患引起。

【虚飘飘】xūpiāopiāo (～的)〔形〕状态词。形容飘飘荡荡不稳当的样子：喝了点酒，走路觉得两腿～的。

【虚荣】xūróng ❶ 名 表面上的光彩：～心｜慕～。❷ 形 爱慕虚荣：他特别～。

【虚荣心】xūróngxīn 名 追求表面上光彩的心理。

【虚弱】xūruò 形 ❶ (身体)不结实：病后身体很～。❷ (国力、兵力)软弱；薄弱。

【虚设】xūshè 动 机构、职位等形式上虽然存在，实际上不起作用：形同～。

【虚实】xūshí 名 虚和实，泛指实际或内部情况：探听～｜莫测～｜不了解～。

【虚数】xūshù 名 ❶ 复数 $a + bi$ 中，当 $b \neq 0$ 时叫做虚数，如 $1 - 3i$；当 $a = 0$，$b \neq 0$ 时叫做纯虚数，如 $5i$。参看 429 页〖复数〗。❷ 虚假的不实在的数字。

【虚岁】xūsuì 名 一种年龄计算法，人一生下来就算一岁，以后每逢新年就增加一岁，这样就比实际年龄多一岁或两岁，所以叫虚岁。

【虚套子】xūtào•zi 名 只有形式的应酬礼数：他说话没有～，句句很实在。也说虚套。

【虚土】xūtǔ 〈方〉名 翻过或耕过的松软的土。

【虚脱】xūtuō ❶ 名 因大量失血或脱水、中毒、患传染病等而引起的心脏和血液循环突然衰竭的现象，主要症状是体温和血压下降，脉搏微细，出冷汗，面色苍白等。❷ 动 发生虚脱：病人出汗太多，～了。

【虚妄】xūwàng 形 没有事实根据的：～之说。

【虚伪】xūwěi 形 不真实；不实在；做假：这个人太～｜他对人实在，没有一点儿～。

【虚位以待】xū wèi yǐ dài 留着位置等候。也说虚席以待。

【虚文】xūwén 名 ❶ 具文：一纸～｜徒具～。❷ 没有意义的礼节：～浮礼。

【虚无】xūwú 形 有而若无，实而若虚，道家用来指"道"(真理)的本体无所不在，但无形象可见。

【虚无缥缈】xūwú piāomiǎo 形容非常空虚渺茫。

【虚无主义】xūwú zhǔyì 一种否定人类历史文化遗产、否定民族文化，甚至否定一切的思想。

【虚席以待】xū xí yǐ dài 虚位以待。

【虚线】xūxiàn 名 以点或短线画成的断续的线，多用于作几何图形或标记。

【虚像】xūxiàng 名 物体发出的光线经凹面镜、凸透镜反射或折射后，如为发散光线，它们的反向延长线相交所形成的影像，叫做虚像。虚像不能显现在屏幕上，不能使照相底片感光。光源在主焦点以内时才能产生虚像，在放大镜、显微镜等中看到的像都是虚像。

【虚心】xūxīn 形 不自以为是，能够接受别人意见：不～｜～学习别人的长处｜～使人进步，骄傲使人落后。

【虚悬】xūxuán 动 ❶ 悬而未决；没有着落：～已久的校长人选还未确定。❷ 凭空设想：～的计划，没法实行。

【虚应故事】xū yìng gùshì 照例应付，敷衍了事。

【虚有其表】xū yǒu qí biǎo 表面上看来很好，实际不是如此。

【虚与委蛇】xū yǔ wēiyí 对人假意敷衍应酬。

【虚造】xūzào 动 凭空捏造：向壁～。

【虚张声势】xū zhāng shēngshì 假装出强大的气势。

【虚症】xūzhèng 名 中医指体质虚弱的人发生的全身无力、盗汗、出虚汗等症状。

【虚职】xūzhí 名 只有名义而没有实际工作和权力的职务。

【虚字】xūzì 名 古人称没有很实在意义的字，其中一部分相当于现代的虚词(跟"实字"相对)。也叫虚字眼儿。

谞(諝) xū 〈书〉❶ 才智。❷ 计谋。

婑(婑) xū 古代楚国人称姐姐。

欻(欻) xū 〈书〉副 忽然：风雨～至。另见 206 页 chuā。

墟 xū ❶ 原来有许多人家聚居而现在已经荒废了的地方：废～｜殷～。❷ 同"圩"(xū)。

需 xū ❶ 动 需要：～求｜按～分配｜完成任务还～五天时间。❷ 名 需用的东西：军～。

【需求】xūqiú 名 由需要而产生的要求：人们对通信产品的～越来越高。

【需索】xūsuǒ 〈书〉动 要求(财物)：～无厌。

【需要】xūyào ❶ 动 应该有或必须有：我们～一支强大的科学技术队伍。❷ 名 对事物的欲望或要求：从群众的～出发。

嘘 xū ❶ 〈动〉慢慢地吐气：～气。❷〈书〉叹气：仰天而～。❸〈动〉火或蒸气的热力接触到物体：掀笼屉时小心热气～着手|先坐上笼屉把馒头——～。❹〈叹〉表示制止、驱逐等：～！轻一点，屋里有病人。**注意** 表示制止、驱逐等，一般用 shī，也写作嘘。❺〈方〉〈动〉发出"嘘"(xū)的声音来制止或驱逐：大家把他～下去了。
另见 1231 页 shī。

【嘘寒问暖】xū hán wèn nuǎn 形容对别人的生活十分关切(嘘寒：呵出热气使受寒的人温暖)。

【嘘唏】xūxī 〈书〉同"歔欷"。

魆 xū 见 558 页〖黑魆魆〗。

歔 xū〖歔欷〗(xūxī)〈书〉〈动〉哽咽；抽噎：暗自～|～不已。也作嘘唏。

繻(繻) xū ❶〈书〉彩色的缯。❷古时出入关卡的凭证，用帛制成。

xú（ㄒㄩˊ）

徐 xú ❶〈书〉缓慢：～步|清风～来|不～不疾。❷(Xú)〈名〉姓。

【徐缓】xúhuǎn 〈形〉缓慢：水流～|脚步～。

【徐图】xútú 〈书〉〈动〉慢慢地从容地谋划(做某事)：～良策。

【徐徐】xúxú 〈书〉〈形〉缓慢：清风～|列车～开动。

xǔ（ㄒㄩˇ）

许[1](許) xǔ ❶ 称赞；承认优点：赞～|推～|～为佳作。❷〈动〉答应(送人东西或给人做事)：～愿|以身～国|他～过我请我看电影。❸〈动〉许配：姑娘～了人了。❹〈动〉允许；许可：准～|特～|只～成功，不～失败。❺〈副〉也许；或许：她～没这个意思|他没来开会，～是不知道。

许[2](許) xǔ ❶表示程度：～多|～久|少～。❷〈书〉〈助〉表示大约接近某个数：从者百～人|离岸一里

许[3](許) xǔ〈书〉处；地方：何～人？

许[4](許) Xǔ ❶周朝国名，在今河南许昌东。❷〈名〉姓。

【许多】xǔduō〈数〉很多：～东西|我们有一年没见面了|菊花有许许多多的品种。

【许婚】xǔhūn〈动〉(女方的家长或本人)接受男方的求亲。

【许久】xǔjiǔ〈形〉很久：他～没来了|大家商量了～，才想出个办法来。

【许可】xǔkě〈动〉准许；容许：～证|未经～，不得动用。

【许诺】xǔnuò〈动〉答应；应承：他～过的事情一定会办到。

【许配】xǔpèi〈动〉女子由家长做主，跟某人订婚。

【许愿】xǔ∥yuàn〈动〉❶迷信的人对神佛有所祈求，许下某种酬谢：烧香～。❷借指事前答应对方将来给某种好处：封官～。

诩 xǔ〈书〉张口呼气；嘘气。

诩(詡) xǔ〈书〉夸耀：自～。

姁 xǔ〖姁姁〗(xǔxǔ)〈书〉〈形〉安乐或温和的样子。

浒(滸) xǔ 地名用字：～墅关|～浦(都在江苏)。
另见 577 页 hǔ。

栩 xǔ〖栩栩〗(xǔxǔ)〈形〉形容生动活泼的样子：～如生|～欲飞。

湑 xǔ〈书〉❶清。❷茂盛。
另见 1540 页 Xù。

盨(盨) xǔ 古代盛(chéng)食物的铜器皿，有盖和两个耳子。

糈 xǔ〈书〉粮食。

醑 xǔ ❶〈书〉美酒。❷〈名〉醑剂的简称：樟脑～|氯仿～。

【醑剂】xǔjì〈名〉挥发性物质溶解在酒精中所成的制剂。简称醑。

xù（ㄒㄩˋ）

旭 xù ❶〈书〉初出的阳光：朝～。❷(Xù)〈名〉姓。

【旭日】xùrì 名 刚出来的太阳：～东升。

芋 xù 古书上指橡实。
另见 1781 页 zhù。

序¹ xù ❶ 次序：顺～|秩～|工～|程～|井然有～。❷〈书〉排次序：～次|～齿。❸ 开头的；在正式内容以前的：～幕|～曲。❹ 名 序文：写了一篇～。

序² xù ❶ 古代指厢房：东～|西～。❷ 古代地方举办的学校：庠～。

【序跋】xùbá 名 序文和跋文。

【序齿】xùchǐ〈书〉动 同在一起的人按照年纪长幼来排次序：～入座。

【序号】xùhào 名 表示次序的号码。

【序列】xùliè 名 按次序排好的行列。

【序目】xùmù 名〈书的〉序和目录，有时专指目录。

【序幕】xùmù 名 ❶ 某些多幕剧的第一幕之前的一场戏，用以介绍剧中人物的历史和剧情发生的远因，或暗示全剧的主题。❷ 比喻重大事件的开端：卢沟桥事变拉开了全面抗战的～。

【序曲】xùqǔ 名 ❶ 歌剧、清唱剧、芭蕾舞剧等开场时演出的乐曲，由交响乐队演奏。也指用这种体裁写成的独立器乐曲。❷ 比喻事情、行动的开端：预赛获胜只是夺取冠军的～。

【序时账】xùshízhàng 名 日记账。

【序数】xùshù 名 表示次序的数目。汉语表示序数的方法，通常是在整数前边加"第"，如"第一、第二十三"。此外还有些习惯的表示法，如"头一回、末一次、正月、初一、大女儿、小儿子"。序数后边直接连量词或名词的时候，可以省去"第"，如"二等、三号、四楼、五班、六小队、1949 年 10 月 1 日"。

【序文】（叙文）xùwén 名 一般写在著作正文之前的文章。有作者自己写的，多说明写书宗旨和经过。也有别人写的，多介绍或评论本书内容。

【序言】（叙言）xùyán 名 序文。

昫 xù〈书〉同"煦"（多用于人名）。

叙（敘、敍）xù ❶ 动 说；谈：～家常|闲言少～。❷ 记述：～事|～述。❸ 评议等级次第：～功|～奖|铨～。❹〈书〉同"序¹"①②④。

【叙别】xùbié 动 临别时聚在一块儿谈话；话别：临行～。

【叙功】xùgōng〈书〉动 评定功绩：～议赏。

【叙旧】xù∥jiù 动〈亲友间〉谈论跟彼此有关的旧事：老同学一见面就叙起旧来了。

【叙事】xùshì 动 叙述事情（指书面的）：～文|～诗|～曲。

【叙事诗】xùshìshī 名 以叙述历史或当代的事件为内容的诗篇。

【叙述】xùshù 动 把事情的前后经过记录下来或说出来：～了事故发生的过程。

【叙说】xùshuō 动 叙述（多指口头的）：请把事情的经过再一一遍。

【叙谈】xùtán 动 随意交谈：找个时间，大家好好儿～～。

【叙文】xùwén 见 1539 页【序文】。

【叙言】xùyán 见 1539 页【序言】。

【叙用】xùyòng〈书〉动 任用（官吏）：革去官职，永不～。

溆 xù〈书〉田间的水道：沟～。

恤（卹、賉）xù ❶〈书〉顾虑；忧虑：不～人言。❷ 怜悯：怜～|体～。❸ 救济：抚～|金～。

【恤金】xùjīn 名 抚恤金。

【恤衫】xùshān〈方〉名 衬衫。[恤，英 shirt]

堉 xù 古代房屋的东西墙（多用于人名）。

畜 xù 畜养：～牧|～产。
另见 205 页 chù。

【畜产】xùchǎn 名 畜牧业产品。

【畜牧】xùmù 名 大批牲畜和家禽（多专指牲畜）的饲养：～业|从事～。

【畜养】xùyǎng 动 饲养（动物）：～牲口。

壻 xù〈书〉同"婿"。

酗 xù [酗酒]（xùjiǔ）动 没有节制地喝酒；喝酒后撒酒疯：～滋事。

勗（勖）xù〈书〉勉励：～勉。

【勗勉】xùmiǎn〈书〉动 勉励：～有加（一再勉励）|～后进。

鱮（鱮）xù 名 鲢。

绪（緒）xù ❶ 本指丝的头，比喻事情的开端：端～|头～|千头万

~。❷〈书〉残余：~余|~风。❸指心情、思想等：心～|情～|离情别~。❹〈书〉事业；功业：续未竟之~。❺（Xù）名姓。

【绪论】xùlùn 名学术论著开头说明全书主旨和内容等的部分。

【绪言】xùyán 名发端的话；绪论。

续（續） xù ❶接连不断：继~|连~|陆~。❷动接在原有的后头：~编|~集|狗尾~貂|这条绳子太短，再~上一截儿吧。❸动添；加：壶里的水是刚~的|炉子该~煤了。❹（Xù）名姓。

【续貂】xùdiāo 动比喻拿不好的东西接到好的东西后面（多用于谦称续写别人的著作）：~之讥。参看482页〖狗尾续貂〗。

【续航】xùháng 动连续航行：这种飞机不但速度远超过一般客机，～时间也很长。

【续航力】xùhánglì 名指舰船、飞机等一次装足燃料后能行驶或飞行的最大航程。

【续集】xùjí 名续篇（多用于文学、影视作品等）。

【续假】xù//jià 动假期满后继续请假：～一周|续三天假。

【续借】xùjiè 动规定的借用期限满以后，继续借用。

【续篇】xùpiān 名一篇（或一部）著作完成后，接着原来的内容续写的部分：小说结尾留下了悬念，让读者还想看~。

【续聘】xùpìn 动继续聘任：聘期满后可以~。

【续弦】xù//xián 动男子丧妻以后再娶。

【续约】xùyuē ❶（-/-）动合同、合约期满后继续签约：合同再～一年。❷名继续签订的合同或合约。

溆 xù ❶〈书〉水边。❷（Xù）溆水，水名，在湖南。

湑 Xù 湑水河（Xùshuǐ Hé），水名，在陕西。

另见1538页 xǔ。

絮1 xù ❶名棉絮：被~。❷古代指粗的丝绵。❸像棉絮的东西：柳~|芦~。❹动在衣服、被褥里铺棉花、丝绵等：~棉袄|~被子。

絮2 xù ❶絮叨。❷〈方〉形腻烦：这些话听~了。

【絮叨】xù·dao ❶形形容说话啰唆：他

说话太~了。❷动来回地说：老人～起来没个完。

【絮烦】xù·fan 形因过多或重复而感到厌烦：他老说这件事，人们都听～了。

【絮聒】xùguō 动 ❶絮叨。❷麻烦（别人）。

【絮棉】xùmián 名做棉被、棉衣等用的棉花，商业上叫做絮棉。

【絮窝】xù//wō 动鸟兽用枯草、羽毛等铺窝。

【絮絮】xùxù 形形容说话等连续不断：~不休。

【絮语】xùyǔ 〈书〉❶动絮絮叨叨地说。❷名絮叨的话。

婿（壻） xù ❶女婿：翁~。❷丈夫：夫~|妹～。

蓄 xù ❶动储存；积蓄：储～|~洪|电池|池塘里～满了水。❷动留着不去掉：~发|~须。❸（心里）藏着：～意|～志。

【蓄电池】xùdiànchí 名把电能变成化学能储存起来的装置。用电时再经过化学变化放出电能。

【蓄洪】xùhóng 动为了防止洪水成灾，把超过河道所能排泄的洪水蓄积在一定的地区。

【蓄积】xùjī 动积聚储存：水库可以~雨水。

【蓄谋】xùmóu 动早就有这种计谋（指坏的）：～已久|～迫害。

【蓄念】xùniàn 动早就有这个念头：已久。

【蓄养】xùyǎng 动积蓄培养：~力量。

【蓄意】xùyì 动早就有这个意思（指坏的）；存心：～进行破坏|～挑起事端。

【蓄志】xùzhì 动早就有这个志愿：~报国。

煦 xù 〈书〉温暖：～风|和~|~拂。

滀 xù 滀仕（Xùshì），越南地名。

另见206页 chù。

·xu（·ㄒㄩ）

蓿 ·xu 见972页〖苜蓿〗。

xuān（ㄒㄩㄢ）

轩[1]（軒）xuān ❶ 高：～昂｜～敞｜～朗。❷（Xuān）名 姓。

轩[2]（軒）xuān ❶ 有窗的廊子或小屋子（旧时多用为书斋名或茶馆、饭馆等的字号）：来今雨～。❷ 古代一种有帷幕而前顶较高的车。❸〈书〉窗户；门。

【轩昂】xuān'áng 形 ❶ 形容精神饱满，气度不凡：器宇～。❷〈书〉高大：佛殿～。

【轩敞】xuānchǎng 形（房屋）高大宽敞。

【轩然大波】xuānrán dà bō 比喻大的纠纷或风潮。

【轩辕】Xuānyuán 名 ❶ 我国古代传说中黄帝的名字。❷ 姓。

【轩轾】xuānzhì〈书〉名 车前高后低叫轩，前低后高叫轾，比喻高低优劣：不分～。

宣 xuān ❶ 公开说出来；传播、散布出去：～传｜～布｜～誓｜心照不～。❷ 宣召。❸ 疏导：～泄。❹（Xuān）指安徽宣城，云南宣威：～笔｜～腿。❺ 指宣纸：玉版～（色白质坚的宣纸）｜虎皮～（有浅色斑纹的红、黄、绿等色的宣纸）。❻（Xuān）名 姓。

【宣笔】xuānbǐ 名 安徽宣城、泾县出产的毛笔，以制造精美著称。

【宣布】xuānbù 动 公开正式告诉（大家）：～命令。

【宣称】xuānchēng 动 公开地用语言、文字表示：声称：～自己的意见是正确的。

【宣传】xuānchuán 动 对群众说明讲解，使群众相信并跟着行动：～队｜～交通法规。

【宣传弹】xuānchuándàn 名 散发宣传品的炮弹或炸弹，用火炮发射或飞机投掷。

【宣传画】xuānchuánhuà 名 进行宣传鼓动的画，标题一般是带有号召性的文句。也叫招贴画。

【宣传品】xuānchuánpǐn 名 宣传用的物品，多指印刷品，如传单、招贴画等。

【宣德】Xuāndé 名 明宣宗（朱瞻基）年号（公元 1426—1435）。

【宣读】xuāndú 动 在集会上向群众朗读（布告、文件等）：～嘉奖令。

【宣告】xuāngào 动 宣布：～成立｜～结束。

【宣和】Xuānhé 名 宋徽宗（赵佶）年号（公元 1119—1125）。

【宣讲】xuānjiǎng 动 宣传讲解：～交通法规。

【宣教】xuānjiào 名 宣传教育：～工作。

【宣明】xuānmíng 动 明白宣布；公开表明：～观点。

【宣判】xuānpàn 动 法院对当事人宣布案件的判决：公开～｜当庭～。

【宣示】xuānshì 动 公开表示；宣布：～内外。

【宣誓】xuān∥shì 动 担任某项任务或参加某个组织时，在一定的仪式下当众说出表示决心的话：～就职｜举手～。

【宣统】Xuāntǒng 名 清朝最后一个皇帝（爱新觉罗·溥仪）的年号（公元 1909—1911）。

【宣腿】xuāntuǐ 名 云南宣威出产的火腿。

【宣泄】xuānxiè 动 ❶ 使积水流出去：低洼地区由于雨水无法～，往往造成内涝。❷ 舒散；吐露（心中的积郁）：～心中的愤懑。❸〈书〉泄露：事属机密，不得～。

【宣叙调】xuānxùdiào 名 一种朗诵性质的曲调，节奏自由，伴奏比较简单，内容大都叙述剧情的发展，常用于歌剧、清唱剧中。

【宣言】xuānyán ❶ 名（国家、政党或团体）对重大问题公开表示意见以进行宣传号召的文告：发表～。❷ 动 宣告；声明：郑重～。

【宣扬】xuānyáng 动 广泛宣传，使大家知道；传布：大肆～｜～好人好事。

【宣战】xuān∥zhàn 动 ❶ 一国或集团宣布同另一国或集团开始处于战争状态。❷ 泛指展开大规模斗争：他们向荒漠～，引水灌溉，植树造林。

【宣召】xuānzhào 动（帝王）宣旨召见（某人）。

【宣纸】xuānzhǐ 名 安徽泾县出产的一种高级纸张，用于写毛笔字和画国画。因泾县唐代属宣州，所以叫宣纸。

煊 xuān "煊"xuān 的又音。

谖(諼) xuān 〈书〉❶ 忘。❷ 欺诈。

揎 xuān ❶〈书〉捋袖子露出手臂：～拳揎袖。❷〈方〉劻 用手推：～开大门。❸〈方〉劻 打：～了他一拳。

萱(蕿) xuān ❶ 萱草。❷ 指萱堂：椿～(父母)。

【萱草】xuāncǎo 名 多年生草本植物，叶子条状披针形，花橙红色或黄红色。供观赏，花蕾可以吃，根可入药。

【萱堂】xuāntáng 〈书〉名 母亲的代称。

喧(誼) xuān 声音大：～哗|～闹|锣鼓～天。

【喧宾夺主】xuān bīn duó zhǔ 客人的声音比主人的还要大，比喻客人占了主人的地位或外来的、次要的事物侵占了原有的、主要的事物的地位。

【喧哗】xuānhuá ❶ 形 声音大而杂乱：笑语～。❷ 劻 喧嚷：请勿～。

【喧豗】xuānhuī 〈书〉形 喧闹。

【喧闹】xuānnào ❶ 形 喧哗热闹：～的集市。❷ 劻 喧哗吵闹：大声～。

【喧嚷】xuānrǎng 劻 (好些人)大声地叫或说：人声～|千万别把事情～出去呀!

【喧扰】xuānrǎo 劻 喧闹扰乱：市声～。

【喧腾】xuānténg 劻 喧闹沸腾：工地一片～。

【喧阗】xuāntián 〈书〉形 声音大而杂；喧闹：鼓乐～|车马～。

【喧嚣】xuānxiāo ❶ 形 声音杂乱;不清静：～的车马声。❷ 劻 叫嚣;喧嚷：～一时|～不止。

【喧笑】xuānxiào 劻 (许多人)高声说笑。

瑄 xuān 古代祭天用的璧。

暄[1] xuān 〈书〉(太阳)温暖：寒～。

暄[2] xuān 〈方〉形 物体内部空隙多而松软：馒头很～|沙土地～，不好走。

【暄腾】xuān·teng 〈方〉形 松软而有弹性：馒头蒸得很～。

煖 xuān 〈书〉温暖。另见 1009 页"暖"。

煊 xuān 〈书〉同"暄"。

【煊赫】xuānhè 形 形容名声很大、声势很盛：～一时|权势～。

儇 xuān 〈书〉❶ 轻浮：～薄(轻薄)|～佻(轻佻)。❷ 慧黠。

襝 Xuān 名 姓。

谖(譞) xuān 〈书〉智慧。

懁 xuān 〈书〉性情急躁。

翾 xuān 〈书〉飞翔。

xuán （ㄒㄩㄢˊ）

玄 xuán ❶ 黑色：～狐。❷ 深奥：～妙|～理。❸〈口〉形 玄虚；靠不住：这话听着有点儿～。❹ (Xuán)名 姓。

【玄奥】xuán'ào 形 深奥：道理浅显，并不～。

【玄关】xuánguān 名 单元房从进门到厅的一段空间。

【玄乎】xuán·hu 〈口〉形 玄虚不可捉摸：他说得也太～了,天下哪有这种事!

【玄狐】xuánhú 名 狐的一种，毛深黑色，长毛的尖端白色。产在北美。也叫银狐。

【玄机】xuánjī 名 ❶ 道家称深奥玄妙的道理：参悟～。❷ 指神妙的机宜：不露～。

【玄妙】xuánmiào 形 玄奥奇妙：～莫测。

【玄青】xuánqīng 形 深黑色。

【玄孙】xuánsūn 名 曾孙的儿子。

【玄武】xuánwǔ 名 ❶ 指乌龟。❷ 二十八宿中北方七宿的统称。参看 363 页〖二十八宿〗。❸ 道教所奉的北方的神。

【玄想】xuánxiǎng 劻 幻想：闭目～。

【玄虚】xuánxū ❶ 名 用使人迷惑的形式来掩盖真相的欺骗手段：故弄～。❷ 形 空而不切实；靠不住;不可信：他的话，越说越～。

【玄学】xuánxué 名 ❶ 魏晋时代，何晏、王弼等运用道家的老庄思想糅合儒家经义而形成的一种唯心主义哲学思潮。❷ 形而上学。

【玄远】xuányuǎn 〈书〉形 (言论、道理)深远。

【玄之又玄】xuán zhī yòu xuán 《老子》一章：“玄之又玄，众妙之门。”后来形容非常玄妙，难以理解。

痃 xuán 见 561 页〖横痃〗。

悬¹（懸） xuán ❶ 动 挂①：倒～|～灯结彩。❷ 公开揭示：～赏。❸ 动 抬①；不着地：写大字时最好把腕子～起来。❹ 动 无着落；没结果：～案|～而未决|他的问题还～着。❺ 挂念：～念|～望。❻ 凭空设想：～拟|～想。❼ 距离远；差别大：～隔|～殊。

悬²（懸） xuán 〈方〉形 危险：一个人摸黑走山路，真～！|好～，差一点儿掉到井里。

【悬案】xuán'àn 名 ❶ 没有解决的案件：一桩～。❷ 泛指没有解决的问题：这篇小说的作者是谁，至今还是个～。

【悬臂】xuánbì 名 某些机器、机械等伸展在机身外部像手臂的部分。

【悬揣】xuánchuǎi 动 猜想；揣测：凭空～。

【悬垂】xuánchuí 动（物体）悬空下垂：天车的挂钩在空中～着。

【悬浮】xuánfú 动 ❶ 固体微粒在流体的内部既不升上去也不沉下去：油里含有～物质。❷ 飘浮：灰尘～在空中。

【悬浮液】xuánfúyè 名 微小的固体颗粒悬浮在液体中形成的混合物。悬浮液是浑浊的，静置相当时间后，固体颗粒会下降沉底，如石灰水。也叫悬浊液。

【悬隔】xuángé 动 相隔很远：两地～。

【悬挂】xuánguà 动 挂①：～国旗◇一轮明月～在夜空。

【悬河】xuánhé 名 ❶ 河床高于两岸地面的河段，如黄河的下游。❷〈书〉指瀑布：口若～。

【悬红】xuánhóng 动 指悬赏：警方～十万缉拿疑犯。

【悬乎】xuán·hu 〈方〉形 危险；不保险；不牢靠：他太粗心，办件这事可有点～。

【悬壶】xuánhú 〈书〉动 指行医。

【悬空】xuánkōng 动 ❶ 离开地面，悬在空中：两手抓住杠子，身体～。❷ 比喻没有落实或没有着落：资金还～着，说建房的事也只是空谈。

【悬梁】xuánliáng 动 在房梁上上吊：～自尽。

【悬铃木】xuánlíngmù 名 落叶乔木，叶子大，掌状分裂，花淡黄绿色，聚花果球形。可以作为行道树，木材供建筑用。三球悬铃木也叫法国梧桐。

【悬拟】xuánnǐ 动 凭空虚构：这篇小说的情节是～的。

【悬念】xuánniàn ❶ 动 挂念。❷ 名 欣赏戏剧、电影或其他文艺作品时，观众、读者对故事情节发展和人物命运很想知道而无从推知的关切和期待心理：这部电视剧充满～。

【悬赏】xuán//shǎng 动 用出钱等奖赏的办法公开征求别人帮助做某件事：～寻人|～缉拿。

【悬殊】xuánshū 形 相差很远：众寡～|贫富～|敌我力量～。

【悬索桥】xuánsuǒqiáo 名 吊桥②。

【悬梯】xuántī 名 悬挂在直升机等上面的绳梯。

【悬腕】xuán//wàn 动 指用毛笔写大字时手腕子不挨着桌子。

【悬望】xuánwàng 动 不放心地盼望：你办完事赶紧回来，免得家中～。

【悬想】xuánxiǎng 动 凭空想象：闭目～。

【悬心】xuán//xīn 动 担心：写封信把情况告诉家里，免得家人～。

【悬崖】xuányá 名 高而陡的山崖：～绝壁。

【悬崖勒马】xuányá lè mǎ 比喻临到危险的边缘及时清醒回头。

【悬疑】xuányí 名 疑惑的地方；悬念②：～重重|解开历史～。

【悬雍垂】xuányōngchuí 名 软腭后部中央向下垂的肌肉小突起，略呈圆锥形。咽东西时随软腭上升，有闭塞鼻腔通路的作用。通称小舌。（图见 568 页"人的喉"）

【悬浊液】xuánzhuóyè 名 悬浮液。

旋 xuán ❶ 旋转：～绕|盘～|回～|天～地转。❷ 返回；归来：～里|凯～。❸（～儿）名 圈儿：～涡|老鹰在空中一个～儿一个～儿地转了半天。❹（～儿）名 毛发呈旋涡状的地方：头顶上有两个～儿。❺〈书〉不久；很快地：～即。❻（Xuán）名 姓。
另见 1545 页 xuàn。

【旋即】xuánjí 副 不久；很快地：他见事情已了结，～转身离去。

【旋律】xuánlǜ 名 乐音经过艺术构思而形成的有组织、有节奏的和谐运动。旋律是乐曲的基础，乐曲的思想情感都是通过它表现出来的。

【旋绕】xuánrào 勔 缭绕：炊烟~｜歌声~｜出国求学的念头一直~在脑际。

【旋塞】xuánsāi 名 阀的一种，一般安装在压力低、口径小的管道上，阀上有一个带孔的塞子，旋转塞子，可控制流体的通过。

【旋梯】xuántī 名❶ 体育运动器械。形状像梯子，中间有一根轴固定在铁架上，能够来回旋转。❷ 利用旋梯的摆动和旋转锻炼身体的一种体育运动。

【旋涡】xuánwō 名❶ （～儿）流体旋转时形成的螺旋形。❷ 比喻牵累人的事情：陷入爱情的～。‖ 也作涡流。

【旋翼】xuányì 名 直升机机舱上面可以旋转的机翼。

【旋踵】xuánzhǒng 〈书〉勔 把脚后跟转过来，比喻时间极短：～即逝。

【旋转】xuánzhuǎn 勔 物体围绕一个点或一个轴作圆周运动。如地球绕地轴旋转，同时也围绕太阳旋转。

【旋转乾坤】xuánzhuǎn qiánkūn 改变自然的面貌或已成的局面。形容人的本领极大。

【旋子】xuán·zi 名 圈儿：鸟儿见了火光惊飞起来，打了几个～，消失在黑暗中。

另见 1545 页 xuàn·zi。

漩

xuán （～儿）名 回旋的水流：水打着～儿向下流。

【漩涡】xuánwō 同"旋涡"。

璇（璿）

xuán 〈书〉美玉。

【璇玑】xuánjī 名❶ 古代测天文的仪器。❷ 古代称北斗星的第一星至第四星。

xuǎn （ㄒㄩㄢˇ）

选（選）

xuǎn ❶ 勔 挑选：筛~｜拔~｜派~｜~种。❷ 勔 选举：~民｜普~｜~代表。❸ 被选中了的（人或物）：入~｜人~。❹ 挑选出来编在一起的作品：文~｜诗~｜民歌~。

【选拔】xuǎnbá 勔 挑选（人才）：～赛｜运动员｜～基层干部。

【选拔赛】xuǎnbásài 名 竞赛的一种，目的是发现和挑选人员参加高一级的比赛。

【选本】xuǎnběn 名 从一个人或若干人的著作中选出部分篇章编辑成的书。

【选编】xuǎnbiān ❶ 勔 从资料或文章中挑选出一部分编在一起：～一本清代诗集。❷ 名 选编的集子（多用于书名）：《历代白话小说～》。

【选材】xuǎn∥cái 勔❶ 挑选合适的人才：培养运动员首先要选好材。❷ 选择适用的材料或素材：精于～。

【选单】xuǎndān 名 在计算机屏幕或图形输入板上，为使用者提供的用来选择操作项目的表。俗称菜单。

【选调】xuǎndiào 勔 选拔调动：国家队队员是从各省市队～来的。

【选定】xuǎndìng 勔 挑选确定：～参赛队员。

【选读】xuǎndú ❶ 勔 选择阅读：这篇文章比较长，大家可以～其中的一部分。❷ 名 从一个人或若干人的著作中选出一部分编成的供阅读的书（多用于书名）：《古代诗歌～》。

【选段】xuǎnduàn 名 从乐曲、戏曲等中间选取的片段：民族音乐～｜京剧～。

【选集】xuǎnjí 名 选录一个人或若干人的著作而成的集子（多用于书名）：《老舍～》。

【选辑】xuǎnjí ❶ 勔 挑选并辑录：他们合作～了上百万字的古汉语语法资料。❷ 名 选辑成的书（多用于书名）：《文史资料～》。

【选举】xuǎnjǔ 勔 用投票或举手等表决方式选出代表或负责人：～工会主席。

【选举权】xuǎnjǔquán 名❶ 公民依法选举国家权力机关代表的权利。❷ 各种组织的成员选举本组织的领导人员或代表的权利。

【选刊】xuǎnkān ❶ 勔 挑选并刊载：从他的许多速写中～一组，以飨读者。❷ 名 专门选择刊载已经发表的某类作品的刊物（多用于刊物名）：《中篇小说～》。

【选矿】xuǎnkuàng 勔 把矿石中的废石、杂质和其他矿物分离出去，取得适于冶炼需要的矿物。

【选录】xuǎnlù 勔 选择收录（文章等）：这本散文集～当代散文一百篇。

【选煤】xuǎnméi 勔 用各种方法除去煤中的尘土和废石，并把原煤分出不同等级。过去曾用水流冲击的方法选煤，叫做洗煤。

【选美】xuǎnměi 动 通过形体、素质等各方面表现选拔美女。

【选民】xuǎnmín 名 有选举权的公民：～证。

【选派】xuǎnpài 动 挑选合于规定条件的人派遣出去：～留学生｜～代表参加大会。

【选票】xuǎnpiào 名 选举者用来填写或圈定被选举人姓名的票。

【选聘】xuǎnpìn 动 挑选聘用：～演员。

【选区】xuǎnqū 名 为了进行选举而划分的区域。

【选取】xuǎnqǔ 动 挑选采用：～一条近路｜经过认真考虑，他～了在职学习的方式。

【选任】xuǎnrèn 动 选拔任用。

【选手】xuǎnshǒu 名 被选上参加比赛的人：乒乓球～。

【选送】xuǎnsòng 动 挑选推荐：～学员。

【选题】xuǎntí ❶（－/－）动 选择题目：先选好题再动笔。❷ 名 选定的题目：根据～制订研究计划。

【选项】xuǎnxiàng ❶（－/－）动 选择项目：投资～要充分论证。❷ 名 供选择的项目：选择题的第二个～是正确答案。

【选修】xuǎnxiū 动 学生从指定可以自由选择的课程中，选定自己要学习的课程：～课｜他～的第二外语是法语。

【选样】xuǎn//yàng 动 选取样品或样本：～订货。

【选用】xuǎnyòng 动 选择使用或运用：～人才｜～资料。

【选育】xuǎnyù 动 选种和育种：～良种小麦。

【选择】xuǎnzé 动 挑选：～对象｜～地点。

【选址】xuǎnzhǐ ❶（－/－）动 选择地址：新厂房正在～。❷ 名 选定的地点：经评定这里是最佳～。

【选种】xuǎn//zhǒng 动 选择动物或植物的优良品种，用于繁殖。

烜 xuǎn 〈书〉❶ 光明。❷ 干燥。

烜 xuǎn 又 xuān 〈书〉盛大：～赫。

【烜赫】xuǎnhè 〈书〉形 形容名声很大，声势很盛：～一时｜气势～。

癣（癬） xuǎn 名 由真菌引起的某些皮肤病的统称，如头癣、脚癣、手癣等。

xuàn （ㄒㄩㄢˋ）

券 xuàn 又 quàn 名 拱券：发～｜打～。
另见 1134 页 quàn。

泫 xuàn 〈书〉水滴下垂：花上露犹～。

【泫然】xuànrán 〈书〉形 水滴下的样子（多指流泪）：～泪下。

眩 xuàn 〈书〉日光。

炫（❷衒） xuàn 〈书〉❶（强烈的光线）晃人的眼睛：～目。❷ 夸耀：～弄｜～示｜自～其能。

【炫目】xuànmù 形 （光彩）耀眼：装饰华丽。

【炫弄】xuànnòng 动 炫耀卖弄：～技巧。

【炫示】xuànshì 动 故意在人面前显示（自己的长处）：他有才华，但从不在人前～。

【炫耀】xuànyào 动 ❶ 照耀。❷ 夸耀：～武力。

绚（絢） xuàn 色彩华丽：～丽｜～烂。

【绚烂】xuànlàn 形 灿烂：～的朝霞｜～多彩。

【绚丽】xuànlì 形 灿烂美丽：文采～｜～多姿｜～的鲜花。

眩 xuàn ❶（眼睛）昏花：头晕目～。❷〈书〉迷惑：执迷～于名利。

【眩光】xuànguāng 名 刺眼的、可引起视觉功能下降的光。

【眩晕】xuànyùn 动 感觉到本身或周围的东西旋转，多由内耳、小脑等功能障碍引起：突然一阵～，差一点儿摔倒。

铉（鉉） xuàn ❶ 古代横贯鼎耳以举鼎的器具。❷（Xuàn）名 姓。

旋¹（❷❸鏇） xuàn ❶ 旋转的：～风。❷ 动 用车床切削或用刀子转（zhuàn）着圈地削：～根车轴｜把梨皮儿～掉。❸ 旋子¹。

旋² xuàn 〈口〉副 临时（做）：～用～买｜客人到了才～做，就来不及了。
另见 1543 页 xuán。

【旋风】xuànfēng 名 螺旋状运动的风，像

【旋子】¹ xuàn·zi 名 ❶ 一种金属器具，像

盘而较大，通常用来做粉皮等。❷ 温酒时盛水的金属器具。

【旋】xuàn·zi ❷ 图武术的一种动作，甩臂，拧腰，旋腿，平身跃起，双脚落地。

另见 1544 页 xuán·zi。

渲 xuàn 渲染①。

【渲染】xuànrǎn 动❶ 国画的一种画法，用水墨或淡的色彩涂抹画面，以加强艺术效果。❷ 比喻夸大地形容：一件小事情，用不着这么～。

楦(楥) xuàn ❶ 图楦子：鞋～｜帽～。❷ 动用楦子填紧或撑大鞋帽的中空部分：新绱的鞋要～一～。❸〈方〉动泛指用东西填紧物体的中空部分：装完瓷器，把箱子～好。

【楦子】xuàn·zi 图制鞋、制帽时所用的模型，多用木头做成。也叫楦头（xuàn·tou）。

碹(碹) xuàn ❶ 图桥梁、涵洞、巷道等工程建筑的弧形部分。❷ 动用砖、石等筑成弧形。

削 xuē 义同"削"（xiāo），专用于合成词，如剥削、削减、削弱。

另见 1492 页 xiāo。

【削壁】xuēbì 图直立的山崖，像削过的一样：悬崖～。

【削发】xuēfà 动剃掉头发（出家做僧尼）。

【削价】xuējià 动减价；降价：～处理。

【削减】xuējiǎn 动从已定的数目中减去：～不必要的开支。

【削平】xuēpíng〈书〉动消灭；平定：～叛乱。

【削弱】xuēruò 动❶（力量、势力）变弱：几名主力队员离队后，球队实力有所～。❷ 使变弱：～敌人的力量。

【削足适履】xuē zú shì lǚ 鞋小脚大，为了穿上鞋把脚削小，比喻不合理地迁就现成条件，或不顾具体条件，生搬硬套。

靴(鞾) xuē 图靴子：马～｜皮～｜雨～｜雪地～。

【靴靿】xuēyào （～儿）图靴子的筒。

【靴子】xuē·zi 图帮子略呈筒状高到踝子骨以上的鞋。

薛 Xuē 图姓。

穴 xué 图❶ 岩洞。泛指地上或某些建筑物上的坑或孔：洞～｜孔～｜～居｜空～来风。❷ 动物的窝：巢～｜虎～｜蚁～。❸ 墓穴：土～｜砖～。❹ 医学上指人体上可以进行针灸的部位，多为神经末梢密集或较粗的神经纤维经过的地方。也叫穴位、穴道。❺（Xué）姓。

【穴道】xuédào 图穴④。

【穴居野处】xué jū yě chǔ 指人类没有房屋以前的生活状态。

【穴头】xuétóu （～儿）图组织走穴的人。

【穴位】xuéwèi 图❶ 穴④。❷ 墓穴的位置。

苬 xué 动用苬子围起来囤粮食。

【苬子】xué·zi 图用高粱秆、芦苇等的篾儿编制的狭而长的粗席子，可以围起来囤粮食。也作莛子。

峃(嶨) xué 峃口（Xuékǒu），地名，在浙江。

学(學、斈) xué ❶ 动学习：～技术｜勤工俭～｜我跟着他～了许多知识。❷ 动模仿：他～杜鹃叫，～得很像。❸ 图学问：治～｜才疏～浅｜博～多能。❹ 图指学科：数～｜物理～｜政治经济～。❺ 图学校：小～｜大～｜上～。❻（Xué）图姓。

【学报】xuébào 图学术团体、科研单位或高等学校定期出版的学术性刊物。

【学步】xuébù 动（幼儿）学走路：孩子开始～了◇这是一项陌生的工作，目前正处在～阶段。

【学部】xuébù 图❶ 清末掌管全国教育的官署。❷ 中国科学院和中国工程院各学科的咨询机构，由若干院士（旧称学部委员）组成，院士由院内外著名科学家担任。

【学潮】xuécháo 图指学生、教职员因对当时政治或学校事务有所不满而掀起的风潮。

【学阀】xuéfá 图学术界或教育界凭借权

势和学术地位排斥异己的人。

【学费】xuéfèi 名❶ 学校规定的学生在校学习应缴纳的费用。❷ 个人求学的费用。

【学分】xuéfēn 名 高等学校计算课业时间的单位。一般以一学期中每周上课一小时为一学分。学生读够规定的学分才能毕业。

【学风】xuéfēng 名 学校的、学术界的或一般学习方面的风气:发扬勤奋务实的～。

【学府】xuéfǔ 名 实施高等教育的学校的美称:最高～。

【学富五车】xué fù wǔ chē 形容读书多,学问大(五车:指五车书)。

【学好】xué∥hǎo 动 以好人好事为榜样,照着去做:整天跟不三不四的人混在一起,不～。

【学坏】xué∥huài 动 照着坏人的样子做:多跟好人交朋友,别～。

【学会】xuéhuì 名 由研究某一学科的人组成的学术团体,如物理学会、生物学会等。

【学籍】xuéjí 名 登记学生姓名的册子,转指作为某校学生的资格:保留～|开除～。

【学监】xuéjiān 名 旧时学校里监督、管理学生的人员。

【学界】xuéjiè 名❶ 指学术界。❷ 指教育界。

【学究】xuéjiū 名 唐代科举制度有"学究一经"科(专门研究一种经书),应这一科考试的称为学究。后世指读书人,多指迂腐的读书人:老～。

【学科】xuékē 名❶ 按照学问的性质而划分的门类,如自然科学中的物理学、化学。❷ 学校教学的科目,如语文、数学。❸ 军事训练或体育训练中的各种知识性的科目(区别于"术科")。

【学理】xuélǐ 名 科学上的原理或法则。

【学力】xuélì 名 在学问上达到的程度:同等～。

【学历】xuélì 名 学习的经历,指曾在哪些学校毕业或肄业:应聘者须有大学～。

【学龄】xuélíng 名 指儿童适合于入学的年龄,通常从六七岁开始:～儿童。

【学名】xuémíng 名❶ 入学时使用的正式名字(区别于"小名")。❷ 科学上的专门名称,如食盐的学名是氯化钠。

【学年】xuénián 名 学校规定的学习年度。

从秋季开学到暑假,或从春季开学到寒假为一学年。

【学派】xuépài 名 同一学科中由于学说、观点不同而形成的派别。

【学期】xuéqī 名 一学年分为两学期,从秋季开学到寒假和从春季开学到暑假各为一个学期。

【学前班】xuéqiánbān 名 为对学龄前快要入小学的儿童进行教育所编的班级。

【学前教育】xuéqián-jiàoyù 指对学龄前儿童进行的教育。参看 1656 页〖幼儿教育〗。

【学前期】xuéqiánqī 名 儿童从三岁到入学前的时期。

【学区】xuéqū 名 为了便于学生上学和对学校的业务领导,根据中小学分布情况划分的管理区。

【学人】xuérén 名 学者:著名～。

【学舌】xué∥shé 动❶ 模仿别人说话:小孙女儿刚两岁,已会这一了。❷ 比喻没有主见,只是跟着别人说:鹦鹉～。❸〈口〉嘴不严紧,把听到的话告诉别人。

【学生】xué·sheng 名❶ 在学校读书的人。❷ 向老师或前辈学习的人。❸〈方〉男孩子。

【学生会】xuéshēnghuì 名 大学或中学校内全体学生的群众性组织。

【学时】xuéshí 名 一节课的时间,通常为四十五分钟或五十分钟。

【学识】xuéshí 名 学术上的知识和修养:～渊博。

【学士】xuéshì 名❶ 指读书人:文人～。❷ 学位中最低的一级,大学本科毕业时授予。

【学术】xuéshù 名 有系统的、较专门的学问:～界|～思想|～团体|钻研～。

【学说】xuéshuō 名 学术上的有系统的主张或见解。

【学堂】xuétáng〈方〉名 学校。

【学童】xuétóng 名 上学的儿童。

【学徒】xuétú ❶ 名 在商店里学做买卖或在作坊、工厂里学习技术的年轻人。❷（-/-）动 当学徒:学了一年徒|他小时候在药铺～。

【学徒工】xuétúgōng 名 跟随师傅(多为老工人)学习技术的青年工人。也叫徒工。

【学位】xuéwèi 名 根据专业学术水平由

高等院校、科研机构等授予的称号,如博士、硕士、学士等。

【学问】xué·wen 图❶ 正确反映客观事物的系统知识:这是一门深奥的～。❷ 知识;学识:有～|～很大。

【学习】xuéxí 励❶ 从阅读、听讲、研究、实践中获得知识或技能:～文化|～先进经验。❷ 效法:～他的为人。

【学衔】xuéxián 图高等学校教学人员、科研机构研究人员的专业职称,如教授、副教授、讲师、研究员、副研究员等。

【学校】xuéxiào 图专门进行教育的机构。

【学养】xuéyǎng 〈书〉图学问和修养:～有素。

【学业】xuéyè 图学习的功课和作业:～成绩|～大有长进。

【学以致用】xué yǐ zhì yòng 学到的知识得以用于实际。

【学友】xuéyǒu 图同学:同三五～郊外踏青。

【学员】xuéyuán 图一般指在高等学校、中学、小学以外的学校或进修班、训练班学习的人:党校～。

【学院】xuéyuàn 图❶ 高等学校的一种,以某一学科教育为主,如工业学院、音乐学院、师范学院等。❷ 大学中按学科分设的教学行政单位,介于大学和系之间,如文学院、理学院等。

【学长】xuézhǎng 图❶ 对同学的尊称(多指比自己年级高的)。❷ 旧时大学各科的负责人:文科～|理科～。

【学者】xuézhě 图指在学术上有一定成就的人:青年～|访问～。

【学制】xuézhì 图国家对各级各类学校的性质、任务、组织系统和课程、学习年限等的规定。

【学子】xuézǐ 〈书〉图学生:莘莘(shēn-shēn)～(很多学生)。

斅(斆) xué 〈书〉图同"学"。另见 1504 页 xiào。

趐 xué 励来回走;中途折回:他在大门口～来～去|没走多远,就～回来了。

【趐摸】xué·mo 〈方〉励寻找:想到旧书店～两本书。

【趐子】xué·zi 同"茓子"。

噱 xué 〈方〉笑:～头|发～。另见 748 页 jué。

【噱头】xuétóu 〈方〉❶ 图引人发笑的话或举动:相声演员～真多。❷ 图花招:摆～(耍花招)。❸ 圈滑稽:很～|～极了。

xuě (ㄒㄩㄝˇ)

雪¹ xuě ❶ 图空气中降落的白色结晶,多为六角形,是气温降低到0℃以下时,空气层中的水蒸气凝结而成的。❷ 颜色或光彩像雪的:～白|～亮。❸ (Xuě)图姓。

雪² xuě 洗掉(耻辱、仇恨、冤枉):～耻|～恨|昭～|～洗。

【雪白】xuěbái 圈状态词。像雪那样的洁白:～的墙壁|梨花盛开,一片～。

【雪豹】xuěbào 图豹的一种,毛长而密,全身灰白色,有黑色斑点和环纹,尾大。生活在高山岩石多的地区,行动敏捷,善于跳跃,捕食岩羊、麝、雪兔、鸟类、鼠类等。也叫艾叶豹。

【雪暴】xuěbào 图刮大风、下大雪的天气现象,大量积雪或降雪随强风飞舞。

【雪崩】xuěbēng 励大量积雪从山坡上突然崩落下来。

【雪藏】xuěcáng 励❶ 〈方〉冷藏;冰镇:～汽水。❷ 比喻有意掩藏或保留:球队把主力～起来,关键比赛才派上场。❸ 比喻搁置不用:这几篇批评文章遭到～。

【雪耻】xuěchǐ 励洗雪耻辱:报仇～。

【雪雕】xuědiāo 图用雪堆积、雕塑成形象的艺术。也指用雪堆积、雕塑成的作品。

【雪糕】xuěgāo 图❶ 一种冷食,用水、牛奶、鸡蛋、糖、果汁等混合搅拌冷冻而成,形状像冰棍儿。❷ 〈方〉冰激凌。

【雪恨】xuěhèn 励洗雪仇恨:申冤～。

【雪花】xuěhuā (～儿)图空中飘下的雪,形状像花,因此叫雪花:北风吹,～飘。

【雪花膏】xuěhuāgāo 图一种化妆品,用硬脂酸、甘油、苛性钾和香料等制成,通常为白色,用来滋润皮肤。

【雪茄】xuějiā 图用烟叶卷成的烟,形状较一般的香烟粗而长。也叫卷烟。[英 cigar]

【雪里红】xuělǐhóng 图一年生草本植物,是芥(jiè)菜的变种,叶子深裂,边缘皱缩,花鲜黄色。茎和叶子可以吃,是常见蔬菜,通常腌成咸菜。也作雪里蕻。

【雪里蕻】xuělǐhóng 同"雪里红"。

【雪莲】xuělián 图 多年生草本植物,叶子长椭圆形,花深红色,花瓣薄而狭长。生长在新疆、青海、西藏、云南等地高山中。花可人药。

【雪亮】xuěliàng 形 状态词。像雪那样明亮:电灯把屋里照得～◇群众的眼睛是～的。

【雪柳】xuěliǔ 图❶ 落叶灌木,小枝四棱形,叶子披针形或卵状披针形,有光泽,花白色,有香气。供观赏。❷ 旧时办丧事在灵前供奉或出殡用作仪仗的一种东西,用纸条白纸制成,挂在木棍上。

【雪盲】xuěmáng 图 阳光中的紫外线在雪地上强烈反射刺激眼睛而造成的损伤,症状是眼睛疼痛,怕见光,流泪。

【雪泥鸿爪】xuění hóngzhǎo 鸿雁在雪泥上踏过留下的痕迹(雪泥:融化着雪水的泥土),比喻往事遗留下的痕迹。

【雪片】xuěpiàn 图 纷飞的雪花,多用于比喻:各方贺电,～飞来。

【雪橇】xuěqiāo 图 用狗、鹿、马等拉着在冰雪上滑行的一种没有轮子的交通工具。

【雪青】xuěqīng 形 浅紫色。

【雪人】xuěrén (～儿)图 用雪堆成的人形。

【雪山】xuěshān 图 常年覆盖着积雪的山。

【雪上加霜】xuě shàng jiā shuāng 比喻一再遭受灾难,损害愈加严重。

【雪糁】xuěshēn (～儿)〈方〉图 霰(xiàn)。

【雪松】xuěsōng 图 常绿大乔木,高可达75 米,叶子针形,绿色、蓝绿色或银灰色,球果卵形,树冠圆锥形,初生的叶子有白粉,像雪,是著名的观赏树种。

【雪条】xuětiáo 〈方〉图 冰棍儿。

【雪线】xuěxiàn 图 终年积雪区域的界线,高度一般随纬度的增高而降低。

【雪野】xuěyě 图

【雪冤】xuěyuān 动 洗刷冤屈。

【雪原】xuěyuán 图 覆盖着深雪的原野:林海～|茫茫～,一望无际。

【雪灾】xuězāi 图 大雪造成的灾害。

【雪中送炭】xuě zhōng sòng tàn 比喻在别人急需的时候给以帮助。

【雪子】xuězǐ (～儿)〈方〉图 霰(xiàn)。

鳕(鱈) xuě 图 鳕鱼,体稍侧扁,头大,尾小,下颌有一根须,背部灰褐色,有许多小黑斑,有三个背鳍,腹部灰白色。肝可制鱼肝油。也叫鳘鱼。

xuè （ㄒㄩㄝˋ）

血 xuè ❶ 图 人和高等动物体内循环系统中的液体组织,红色,有腥气,由血浆、红细胞、白细胞和血小板组成。作用是把养分和激素输送给体内各个组织,收集废物送到排泄器官,调节体温和抵御病菌等。也叫血液。❷ 有血统关系的:～亲|～缘。❸ 比喻刚强热烈:～性|～气。❹ 图 指月经。❺ (Xuè)图 姓。
另见 1508 页 xiě。

【血癌】xuè'ái 图 白血病的俗称。

【血案】xuè'àn 图 凶杀案件:一桩～。

【血本】xuèběn 图 经商的老本儿:赔了～。

【血崩】xuèbēng 图 中医指妇女不在行经期子宫大量出血的病,常因子宫病变等引起。因来势急剧,所以叫血崩。

【血沉】xuèchén 图 血细胞沉降率的简称,即红细胞从新鲜血液的血浆中分离出来的下沉速率。

【血仇】xuèchóu 图 因亲族被杀害而结下的仇恨:报～|结下～。

【血防】xuèfáng 图 对血吸虫病的防治:～工作。

【血管】xuèguǎn 图 血液在全身中循环所经过的管状构造,分为动脉、静脉和毛细血管。

【血光之灾】xuèguāng zhī zāi 迷信的人指被杀的灾难。

【血海深仇】xuèhǎi shēnchóu 指因亲人被杀害而引起的极深的仇恨。

【血汗】xuèhàn 图 血和汗,象征辛勤的劳动:～钱|粮食是农民用～换来的。

【血红】xuèhóng 形 状态词。像鲜血那样的红色;鲜红:～的夕阳。

【血红蛋白】xuèhóngdànbái 红细胞中的一种含铁蛋白质。血液借血红蛋白输送氧气,带走二氧化碳。血液呈红色就是由于含有血红蛋白的缘故。也叫血色素。

【血花】xuèhuā 图 飞溅的鲜血。

【血迹】xuèjì 名 血在物体上留下的痕迹：～斑斑|衣服上有～。

【血检】xuèjiǎn 动 ❶ 化验血样，检测其中的红细胞、白细胞数量以及血红蛋白和其他成分。❷ 特指检验血液中是否含有违禁药物。

【血浆】xuèjiāng 名 血液中除血细胞、血小板之外的部分，半透明的液体，淡黄色，含有水、蛋白质、无机盐、激素、有机酸等。

【血口喷人】xuè kǒu pēn rén 比喻用恶毒的话诬蔑别人。

【血库】xuèkù 名 医务部门储存血液以备输血时应用的设备。

【血亏】xuèkuī 动 中医指贫血。

【血泪】xuèlèi 名 痛哭时眼睛里流出的血，比喻惨痛的遭遇：～家史。

【血路】xuèlù 名 战斗中拼死冲杀而突破重围的道路，也用于比喻：杀出一条～。

【血脉】xuèmài 名 ❶ 中医指人体内的血管或血液循环：～流通。❷ 血统：～相连。

【血泊】xuèpō 名 大摊的血。

【血气】xuèqì 名 ❶ 精力：～方刚。❷ 血性：有～的青年。

【血亲】xuèqīn 名 有血统关系的亲属。

【血清】xuèqīng 名 血浆中除去纤维蛋白原后的淡黄色胶状液体，在血液凝固后才能分离出来。

【血球】xuèqiú 名 血细胞的旧称。

【血肉】xuèròu 名 ❶ 血和肉：～之躯|～模糊。❷ 比喻特别密切的关系：兄弟民族～相连。

【血色】xuèsè 名 皮肤红润的颜色：面无～。

【血色素】xuèsèsù 名 血红蛋白。

【血书】xuèshū 名 为了表示有极大的仇恨、冤屈或决心，用自己的血写成的遗书、诉状、志愿书等。

【血栓】xuèshuān 名 由于动脉硬化或血管内壁损伤等原因，心脏或血管内部由少量的血液凝结成的块状物，附着在心脏或血管的内壁上。

【血水】xuèshuǐ 名 流出来的稀薄的血。

【血糖】xuètáng 名 血液中所含的葡萄糖，是机体的能源之一。主要来源于食物中的淀粉，以及肝中的糖原。

【血统】xuètǒng 名 人类因生育而自然形成的关系，如父母与子女之间，兄弟姐妹之间的关系。

【血污】xuèwū 名 流出的血在物体上留下的污痕：斑斑～|抹去脸上的～。

【血吸虫】xuèxīchóng 名 寄生虫，长约一两厘米，雄虫乳白色，雌虫后半部褐色，雌雄常合抱在一起。寄生在人和其他动物静脉系统的小血管中，可引起血吸虫病。血吸虫病的症状是发热、起风疹块、腹泻、有腹水、肝和脾肿大等。

【血洗】xuèxǐ 动 像用血洗了某个地方一样，形容残酷而大规模地屠杀。

【血细胞】xuèxìbāo 名 血液中的细胞，由红骨髓、脾脏等制造出来，分为白细胞和红细胞。旧称血球。

【血象】xuèxiàng 名 用化验的方法把血液中所含红细胞、白细胞、血小板等的数目计算出来制成的结果，用作诊断的资料。

【血小板】xuèxiǎobǎn 名 血液的组成部分之一，比红细胞和白细胞小，形状不规则，没有细胞核。有帮助止血和凝血的作用。

【血腥】xuèxīng 形 血液的腥味，形容屠杀的残酷：～统治|～镇压。

【血型】xuèxíng 名 人类血液的类型，根据血细胞凝结现象的不同，通常分为 O 型、A 型、B 型和 AB 型四种。人的血型终生不变，能够遗传。输血时，除 O 型可以输给任何型，AB 型可以接受任何型外，必须用同型的血。

【血性】xuèxìng 名 刚强正直的气质：～汉子(有血性的男子)|～男儿。

【血压】xuèyā 名 血管中的血液对血管壁的压力，通常指动脉血压。

【血样】xuèyàng （～儿）名 用作化验样品的少量的血。

【血液】xuèyè 名 ❶ 血①。❷ 比喻主要的成分或力量等：石油是工业的～|这批青年工人的到来为工厂增加了新鲜～。

【血衣】xuèyī 名 杀人者或被杀者的沾血的衣服。

【血印】xuèyìn （～儿）名 血迹。

【血友病】xuèyǒubìng 名 血浆中缺少某种球蛋白的先天性疾病，特征是身体各部位(皮肤、肌肉、关节、内脏等)自发性出血或轻微受伤就出血，血液不容易凝固。

【血雨腥风】xuè yǔ xīng fēng 见1522页〖腥风血雨〗。

【血缘】xuèyuán 图 血统:他们名义上是兄妹,但没有~关系。

【血晕】xuèyùn 图 中医指产后因失血过多而晕厥的病症。
另见1508页 xiěyùn。

【血债】xuèzhài 图 指残杀人民的罪行:~累累|偿还~。

【血战】xuèzhàn ❶ 图 指非常激烈的战斗:一场~。❷ 动 进行殊死的战斗:~到底。

【血证】xuèzhèng 图 作为杀人证据的带有被害者血迹的衣物等。

【血脂】xuèzhī 图 血液中所含的脂类,包括甘油三酯、胆固醇、磷脂和游离脂肪酸等。

【血肿】xuèzhǒng 图 血管壁破裂,血液流出血管,聚积在软组织内所形成的肿块。

【血渍】xuèzì 图 血迹:~斑斑|满身~。

谑(謔) xuè 〈书〉开玩笑:戏~|谐~|~而不虐〔开玩笑而不至于使人难堪〕。

---

xūn（ㄒㄩㄣ）

荤(葷) xūn［荤粥〕(Xūnyù)同“獯鬻”。
另见614页 hūn。

勋(勛、勳) xūn ❶ 功勋:~业|~劳|屡建奇~。❷ 勋章;授~。

【勋绩】xūnjì 图 勋劳;光辉的。

【勋爵】xūnjué 图 ❶ 封建时代朝廷赐予功臣的爵位。❷ 英国贵族的一种名誉头衔,由国王授予,可以世袭。

【勋劳】xūnláo 图 很高的功劳:~卓著。

【勋业】xūnyè 〈书〉图 功勋和事业:建立~|不朽的~。

【勋章】xūnzhāng 图 授给对国家有贡献的人的一种表示荣誉的证章。

埙(塤、壎) xūn 图 吹奏乐器。多用陶土烧制而成,也有用木、骨或石制的,形状像上小下大的鸡蛋形,有一至十几个孔。

熏(❶❷燻) xūn ❶ 动 (烟、气等)接触物体,使变颜色或

沾上气味:烟把墙~黑了|臭气~天◇利欲~心。❷ 动 熏制(食品):~鱼|~鸡。❸〈书〉和暖:~风。
另见1555页 xùn。

【熏风】xūnfēng 〈书〉图 和暖的南风。

【熏沐】xūnmù 动 迷信的人在斋戒占卜前烧香、沐浴,表示对神虔诚。

【熏染】xūnrǎn 动 长期接触的人或事物对人的生活习惯逐渐产生某种影响(多指坏的)。

【熏陶】xūntáo 动 长期接触的人或事物对人的生活习惯、思想行为、品行学问等逐渐产生某种影响(多指好的):在父母的~下,他从小喜爱音乐。

【熏蒸】xūnzhēng 动 热气蒸腾,形容闷热使人难受:暑气~。

【熏制】xūnzhì 动 食品加工的一种方法,用烟火或香花等熏食品,使带有某种气味。

窨 xūn 同“熏”,用于窨茶叶。把茉莉花等放在茶叶中,使茶叶染上花的香味。
另见1631页 yìn。

薰[1] xūn ❶〈书〉一种香草。也泛指花草的香。❷ (Xūn)图 姓。

薰[2] xūn 同“熏”。

【薰莸不同器】xūn yóu bù tóng qì 香草和臭草不能收藏在一个器物里,比喻好和坏不能共处。也说薰莸异器。

獯 xūn［獯鬻〕(Xūnyù)图 我国古代北方的一个民族。也作荤粥。

纁(纁) xūn 〈书〉浅红色。

曛 xūn 〈书〉❶ 日落时的余光。❷ 昏黑;暮。

醺 xūn 酒醉:微~|醉~~。

---

xún（ㄒㄩㄣ）

旬 xún ❶ 十日为一旬,一个月分上中下三旬:上~|兼~(二十天)。❷ 量 十岁为一旬:八~老母|年过七~。

【旬刊】xúnkān 图 每十天出版一次的刊物。

【旬日】xúnrì 图 十天。

寻¹（**尋**） xún ❶ 量 古代长度单位，八尺叫一寻。❷（Xún）名 姓。

寻²（**尋**） xún 动 找¹：～求｜～觅｜人～搜～。

【寻查】xúnchá 动 寻找；查找：～失散的亲人。

【寻常】xúncháng 形 平常（古代八尺为"寻"，倍寻为"常"，寻和常都是平常的长度）：～人家｜拾金不昧，在今天是～的事了。

【寻短见】xún duǎnjiàn （"寻"口语中多读xín）自杀。

【寻访】xúnfǎng 动 寻找探问；寻找访查：四处～｜～故友。

【寻根】xúngēn 动 ❶ 寻找根底；寻找根源：～溯源。❷ 特指寻找祖籍宗族：～祭祖。

【寻根究底】xún gēn jiū dǐ 追究根底，泛指弄清一件事的来龙去脉。也说寻根问底。

【寻呼机】xúnhūjī 名 无线寻呼系统中的用户接收机。通常由超外差接收机、解码器、控制部分和显示部分组成。寻呼机收到信号后发出音响或产生振动，并显示有关信息。简称呼机。

【寻呼台】xúnhūtái 名 无线寻呼系统中的单向无线电发射台。简称呼台。

【寻花问柳】xún huā wèn liǔ 指狎妓；嫖娼。

【寻机】xúnjī 动 寻找机会：～报复。

【寻开心】xún kāixīn （"寻"口语中多读xín）〈方〉逗乐儿；开玩笑。

【寻觅】xúnmì 动 寻找：到处～。

【寻摸】xún·mo 〈口〉动 寻找。

【寻求】xúnqiú 动 寻找追求：～知识｜～真理。

【寻事】xúnshì 动 找麻烦；故意引起争端：～挑衅。

【寻思】xún·si （口语中多读xín·si）动 思索；考虑：独自～｜你～～这件事该怎么办。

【寻死】xún∥sǐ （口语中多读xín∥sǐ）动 自杀或企图自杀。

【寻死觅活】xún sǐ mì huó （"寻"口语中多读xín）企图自杀。多指用寻死来吓唬人。

【寻索】xúnsuǒ 动 ❶ 寻找：～他的踪迹。❷ 寻求探索：～答案。

【寻味】xúnwèi 动 仔细体会：耐人～。

【寻隙】xúnxì 动 ❶ 故意挑毛病，引起争端：～闹事。❷ 找空子；找机会：～行窃。

【寻衅】xúnxìn 动 故意找事挑衅：～滋事。

【寻章摘句】xún zhāng zhāi jù 读书时只摘记一些漂亮词句，不深入研究；也指写作只堆砌现成词句，缺乏创造性。

【寻找】xúnzhǎo 动 找¹：～失物｜～工作。

【寻租】xúnzū 动 指某些单位或个人利用行政手段寻求将公共财富转移到自己中的行为，如权钱交易、特权收益等。是英语 rent-seeking 的直译。

绌（**紃**） xún 〈书〉绦子。

巡（**廵**） xún ❶ 巡查；巡视：～夜｜～逻｜出～。❷ 量 遍（用于给全座斟酒）：酒过三～。

【巡捕】xúnbǔ 名 ❶ 清代总督、巡抚等地方长官的随从官员。❷ 旧时称租界中的警察。

【巡捕房】xúnbǔfáng 名 旧时帝国主义者在上海等商埠的租界里为压制中国人民而设立的巡捕办事机关，相当于旧中国的警察局。也叫捕房。

【巡查】xúnchá 动 一面走一面查看：～堤防。

【巡察】xúnchá 动 巡视考察；巡行察访：～各地。

【巡访】xúnfǎng 动 巡回访问：～欧洲各国｜定期对用户进行～。

【巡风】xúnfēng 动 来回走着望风：～瞭哨。

【巡抚】xúnfǔ 名 古代官名，明代称临时派遣到地方巡视和监督地方民政、军政的大臣，清代称掌管一省民政、军政的长官。

【巡航】xúnháng 动 巡逻航行：飞机每天～护林｜乘小艇在港湾～。

【巡回】xúnhuí 动 按一定路线到各处（活动）：～展览｜～演出｜～医疗。

【巡警】xúnjǐng 名 ❶ 执行巡逻任务的警察，主要负责维持治安。❷ 旧时指警察。

【巡礼】xúnlǐ 动 ❶ 朝拜圣地。❷ 借指观光或游览：春节市场～。

【巡逻】xúnluó 动 巡查警戒：设专人值守～。

【巡哨】xúnshào 勔(负警戒任务的小部队等)巡行侦察。

【巡视】xúnshì 勔❶ 到各处视察：师首长～哨所。❷ 往四下里看：～着四周的听众。

【巡天】xúntiān 勔巡游天空：～遨游。

【巡行】xúnxíng 勔沿着一定路线行进：～市区|～各地。

【巡幸】xúnxìng 〈书〉勔指帝王出巡,到达某地：～江南。

【巡演】xúnyǎn 勔巡回演出：剧团这次南下～,受到各地观众的热烈欢迎。

【巡洋舰】xúnyángjiàn 名主要在远洋活动,装备有火炮、导弹、反潜武器和舰载直升机等的大型军舰。一般用于护航、炮击敌航船和岸上目标,支援登陆兵作战等。旧时的巡洋舰仅以火炮为主要武器。

【巡夜】xúnyè 勔在夜间巡查警戒：值班～。

【巡医】xúnyī 勔巡回医疗：参加下乡～活动。

【巡弋】xúnyì 勔(军舰)在水域巡逻。

【巡游】xúnyóu 勔❶ 出外游玩;游逛：～各地。❷ 巡行(察看)：哨兵在村外～。

【巡展】xúnzhǎn 勔巡回展览：博物馆的珍藏文物将陆续到各地～。

【巡诊】xúnzhěn 勔巡回诊治。

郇 Xún ❶ 周朝国名,在今山西临猗西。❷ 名姓。
另见 595 页 Huán。

询(詢) xún 询问：查～|咨～。

【询查】xúnchá 勔查询。

【询问】xúnwèn 勔征求意见;打听：他用～的目光望着大家|向经理～公司的情况。

郖(鄩) xún 斟郖(Zhēnxún),古国名,在今山东潍坊西南。

荀 Xún 名姓。

荨(蕁) xún 〔荨麻疹〕(xúnmázhěn,旧读 qiánmázhěn)名皮肤病,症状是局部皮肤突然成块地红肿、发痒,几小时后消退,不留痕迹。常常复发。药物、寄生虫、血清、细菌感染、接触刺激性物质等都能引起这种病。也叫风疹块,有的地区叫鬼风疙瘩。
另见 1087 页 qián。

寻(噚) xún 又 yīngxún 量英寻旧也作寻。

崤 xún 见 864 页〖嶙崤〗。

洵 xún 〈书〉副诚然;实在：～属可贵。

浔(潯) xún ❶〈书〉水边：江～。❷ (Xún)名江西九江的别称。

恂 xún 〈书〉❶ 诚实;恭顺：～谨。❷ 恐惧：～然。

珣 xún 〈书〉玉名。

珬(璕) xún 〈书〉一种美石。

枸 xún 〔枸子木〕(xún·zimù)名落叶或常绿灌木,叶子卵形,花白色、粉红色或红色,果实球形,多为红色,供观赏。

循 xún 遵守;依照;沿袭：遵～|因～|～例|～蹈矩。

【循规蹈矩】xún guī dǎo jǔ 原指遵守规矩。现多指拘泥于旧的准则,不敢稍作变通。

【循环】xúnhuán 勔事物周而复始地运动或变化：～往复|血液～|～小数。

【循环经济】xúnhuán jīngjì 运用生态学规律,以资源的节约和反复利用为特征,力求有效地保护自然资源、维护生态平衡、减少环境污染的经济运行模式。

【循环论】xúnhuánlùn 名形而上学的认识论,认为事物只是周而复始的循环运动,没有发展和本质的变化。

【循环论证】xúnhuán lùnzhèng 逻辑学上指由前提甲推出结论乙,又拿乙做前提来证明甲,这样的论证叫循环论证,是不能成立的。

【循环赛】xúnhuánsài 名体育运动竞赛方式之一,参加者相互轮流比赛,按全部比赛中得分多少决定名次。

【循环系统】xúnhuán xìtǒng 人和某些动物体内由心脏、血管、血液、淋巴等组成的系统,血液由心脏压出去流到全身各部再回到心脏。参看 1342 页〖体循环〗、396 页〖肺循环〗。

【循例】xúnlì 勔依照常例：～办理。

【循名责实】xún míng zé shí 要求实质跟名称或名义相符。

【循序】xúnxù 勔顺着次序：～渐进。

【循序渐进】xúnxù jiànjìn （学习、工作）按照一定的步骤逐渐深入或提高。

【循循善诱】xúnxún shàn yòu 善于有步骤地引导别人学习（循循：有步骤的样子）。

鲟（鱘、鱣） xún 名 鲟鱼，体近圆筒形，背部黄灰色，口小而尖，背部和腹部有大片硬鳞。生活在淡水中，有些入海越冬。产于我国的有中华鲟和达氏鲟。

xùn （ㄒㄩㄣˋ）

训（訓） xùn ❶ 动 教导；训诫：教～|～话|～词|～了他一顿|挨了一通～。❷ 教导或训诫的话：家～|遗～。❸ 训练：培～|轮～|军～。❹ 准则：不足为～。❺ 解释（词义）：～诂。❻（Xùn）名 姓。

【训斥】xùnchì 动 训诫和斥责：他让父亲～了一顿。

【训词】xùncí 名 训话时所说的话。

【训导】xùndǎo 动 教育训诫。

【训诂】xùngǔ ❶ 动 对古书字句做解释。❷ 名 训诂学。

【训诂学】xùngǔxué 名 语言学的一个分支，研究古书字句的解释。

【训话】xùn∥huà 动 上级对下级讲教导和告诫的话。

【训海】xùnhuì 〈书〉动 教导。

【训诫】（训戒）xùnjiè 动 ❶ 教导和告诫：～部下。❷ 一种处分措施，人民法院对犯罪情节轻微或有错误的人进行公开的批评教育。

【训练】xùnliàn 动 有计划有步骤地使具有某种特长或技能：～班|业务～|～义务消防人员|警犬都是受过～的。

【训令】xùnlìng 名 机关晓谕下属或委派人员时所用的公文。

【训示】xùnshì ❶ 动 教导指示：～子侄。❷ 名 上级对下级或长辈对晚辈的指示：聆听校长的～。

【训谕】xùnyù 同"训喻"。

【训喻】xùnyù 〈书〉动 训诲；开导。也作训谕。

讯（訊） xùn ❶ 动 询问；问：～问。❷ 审问：审～。❸ 名 消息；信息：

通～|音～|新华社～。

【讯号】xùnhào 名 ❶ 通过电磁波发出的信号。❷ 泛指信号。

【讯实】xùnshí 动 审讯属实。

【讯问】xùnwèn 动 ❶ 问①：～病状|～原委。❷ 审问：～案件。

汛 xùn ❶ 名 河流定期的涨水：桃花～|伏～|秋～|防～|～期|～情。❷（Xùn）名 姓。

【汛期】xùnqī 名 江河水位因降水集中、冰雪融化等季节性上涨的时期。

【汛情】xùnqíng 名 汛期水位涨落的情况。

迅 xùn 迅速：～跑|～捷|～猛。

【迅即】xùnjí 副 立即：～处理|～出发。

【迅急】xùnjí 形 急速：～回家。

【迅疾】xùnjí 形 迅速：动作～。

【迅捷】xùnjié 形 迅速敏捷：行动～|他们～地做好了抢救准备。

【迅雷不及掩耳】xùn léi bù jí yǎn ěr 比喻动作或事件突然而来，使人来不及防备。

【迅猛】xùnměng 形 迅速而猛烈：洪水来势～。

【迅速】xùnsù 形 速度高；非常快：反应～|～前进|高等教育发展～。

驯（馴） xùn ❶ 顺服的；善良：温～|～顺。❷ 动 使顺服：善于～虎。

【驯服】xùnfú ❶ 形 顺从：猫是很～的。❷ 动 使顺从：这匹野马终于被他～了。

【驯化】xùnhuà 动 野生动物、植物经人工长期饲养或培育而逐渐改变原来的习性，成为家畜、家禽或栽培植物。

【驯良】xùnliáng 形 和顺善良：性情～。

【驯鹿】xùnlù 名 鹿的一种，毛栗棕色，头长，耳短，颈长，尾短，雌雄都有角。性温顺，能耐寒。毛皮可做衣物，鹿茸可入药。俗称四不像。

【驯熟】xùnshú 形 ❶ 驯顺：～的小巴儿狗。❷ 熟练；纯熟：技艺～。

【驯顺】xùnshùn 形 驯服顺从：他～得像头绵羊。

【驯养】xùnyǎng 动 饲养野生动物使逐渐驯服：～猴子|～麋鹿。

徇（狥） xùn ❶ 依从；曲从：～情|～私。❷ 〈书〉对众宣示：

〈书〉同"殉"②。

【徇情】xúnqíng 〈书〉励 徇私：～枉法。

【徇私】xùnsī 为了私情而做不合法的事：～舞弊。

逊(遜) xùn ❶ 让出(帝王的位子)：～位。❷ 谦虚；谦恭：谦～｜出言不～。❸〈书〉差；比不上；不及：～色｜稍～一筹。

【逊色】xùnsè ❶ 图 不及之处：毫无～。❷ 形 差劲：大为～｜并不～。

殉(❷徇) xùn ❶ 殉葬。❷ 为维护某种事物或追求某种理想而牺牲生命：～难｜～职。

【殉国】xùn∥guó 励 为国家的利益而牺牲生命：壮烈～。

【殉节】xùn∥jié 励 ❶ 指战争失败或国家灭亡后因不愿投降而牺牲生命：慷慨～。❷ 旧时指妇女因抗拒凌辱而牺牲生命。❸ 旧时指妇女受封建礼教毒害，因丈夫死而自杀。

【殉难】xùn∥nàn 励 (为国家或正义事业)遇难牺牲生命：他是在抗战中～的。

【殉情】xùn∥qíng 励 因恋爱受到挫折感到绝望而自杀。

【殉葬】xùnzàng 励 古代的一种风俗，逼迫死者的妻妾、奴隶等随同埋葬，也指用俑和财物、器具随葬：～品。

【殉职】xùn∥zhí 励 (在职人员)为公务而牺牲生命：以身～｜在爆破施工中不幸～。

浚(濬) Xùn 浚县，地名，在河南。
另见 752 页 jùn。

巽 xùn 图 八卦之一，卦形是 ☴，代表风。参看 16 页〖八卦〗。

熏 xùn 〈方〉励 (煤气)使人窒息中毒：炉子安上烟筒，就不至于～着了。
另见 1551 页 xūn。

蕈 xùn 图 真菌的一类，生长在树林里或草地上。地下部分叫菌丝，能从土壤里或朽木里吸取养料。地上部分由帽状的菌盖和杆状的菌柄构成，菌盖能产生孢子，是繁殖器官。种类很多，有的可以吃，如香菇；有的有毒，如毒蝇蕈。

噀(潠) xùn 〈书〉含在口中而喷出：～水。

X

Y

y

yā（丫）

丫 yā ❶ 上端分叉的东西：枝～。❷〈方〉女孩子：小～。❸（Yā）名姓。

【丫巴儿】yā·bar 〈方〉名东西分叉的地方：树～｜手～。

【丫杈】（桠杈）yāchà 名树枝分出的地方。

【丫环】yā·huan 同"丫鬟"。

【丫鬟】yā·huan 名婢女。也作丫环。

【丫髻】yājì 名女孩梳在头顶两边的发髻。

【丫头】yā·tou 名❶女孩子。❷丫鬟。

【丫枝】（桠枝）yāzhī 名枝丫。

压（壓）yā 动 ❶ 对物体施压力（多指从上向下）：～碎｜用铜尺把纸～住◇泰山～顶不弯腰。❷ 超越；胜过：才不～众｜技～群芳。❸ 使稳定；使平静：～咳嗽｜～住阵脚｜～不住火儿！这出戏很精彩，一定～得住台。❹ 压制：镇～｜别拿大帽子～人。❺ 逼近：～境｜太阳～树梢。❻ 搁着不动：积～｜这件公文要赶紧处理，别～着。❼ 赌博时在某一门上下注。
另见 1561 页 yà。

【压案】yā//àn 动 有意搁置案件，不予查办：～几个月未办。

【压宝】yā//bǎo 动 赌博的一种。赌博的人猜测宝上所指的方向下注。也作押宝。

【压产】yāchǎn 动 减少生产，降低产量：限期～，减少库存。

【压场】yā//chǎng 动 ❶ 控制住场面：他说话没人听，压不住场。❷ 在一次演出中把某个节目排在最后演出：～戏｜以他独创的唢呐演奏。

【压车】yā//chē 动 由于装卸耽搁或道路堵塞等原因，火车、汽车等不能及时开出或正常运行。

【压秤】yāchèng ❶ 形 物体称起来分量大（多就同体积的而言）：劈柴太湿，～｜稻草不～，一大捆才十来斤。❷ 动 过秤时有意压低所称物品的分量：收购时严禁～、压价。

【压船】yā//chuán 动 由于装卸不及时或气候变化，船不能按时离开码头。

【压倒】yā//dǎo 动 力量胜过或重要性超过：～一切｜以～多数的选票当选。

【压低】yādī 动 使降低：～售价｜他怕别人听见，便～声音说话。

【压顶】yādǐng 动 由头顶上方压下来，多用于比喻：乌云～｜泰山～志不移。

【压锭】yā//dìng 动 减少纱锭的数目，限制纱厂的生产规模：棉纺厂～减员后，效益显著提高。

【压队】yā//duì 动 跟在队伍后面保护或监督。也作押队。

【压服】（压伏）yā//fú 动 用强力制伏；迫使服从：～众人｜要说服，不要～。

【压港】yā//gǎng 动 由于装卸耽搁等原因，船只不能按时开出或货物不能及时运出而积压在港口。

【压货】yā//huò 动 ❶ 货物积压下来（卖不出去）。❷ 由于运力不足或天气恶劣等原因，货物滞留在车站、码头等地方。

【压价】yā//jià 动 强使价格降低。

【压惊】yājīng 动 用请吃饭等方式安慰受惊的人。

【压境】yājìng 动（敌军）逼近边境：大军～。

【压卷】yājuàn 名 评为第一，压倒其余的诗文书画等：堪称～｜～之作。

【压客】yā//kè 动 由于运力不足或天气恶劣等原因，旅客被迫滞留在车站、码头等地方。

【压库】yā//kù 动 ❶ 货物卖不出去，积压在仓库里。❷ 减少库存积压：限产～。

【压力】yālì 名 ❶ 物体所承受的与表面垂直的作用力。❷ 制伏人的力量：舆论～｜施加～。❸ 承受的负担：交通～｜人口～。

【压力锅】yālìguō 名 高压锅。

【压路机】yālùjī 名 用来压实道路或场地的机器，有很重的圆筒形轮子，用蒸汽机或内燃机做动力机。有的地区叫轧道机。

【压迫】yāpò 动 ❶ 用权力或势力强制别人服从：～人｜反抗～。❷ 对机体的某个部分加上压力：肿瘤～神经而引起疼痛。

【压气】yā//qì （～儿）动 使怒气平息；说几句好话给他压压气儿。

【压强】yāqiáng 名 物体单位面积上所受的压力。单位是帕斯卡。

【压岁钱】yāsuìqián 名 过阴历年时长辈给小孩儿的钱。

【压缩】yāsuō 动 ❶ 加上压力，使体积缩小：～空气｜～饼干。❷ 减少（人员、经费、篇幅等）：～编制｜～开支｜～篇幅。

【压缩空气】yāsuō kōngqì 用气泵把空气压入容器而形成的压力高于标准大气压（101 325帕）的空气，可用于车辆制动或开动风镐等机具。

【压台】yā//tái ❶ 压场②：～戏｜这次演出由她的独唱～。❷ 指稳住局面，使局势平静。

【压台戏】yātáixì 名 指一场戏曲演出中排在最后的节目。

【压题】yātí ❶ 动 把与书、文内容有关的照片、图画等跟书名、文章标题排在一起：～照片。❷（-//-）同"押题"。

【压条】yātiáo 动 把植物（如葡萄）的枝条的一部分埋入土中，尖端露出地面，目的是等它生根以后把它和母株分开，使另成一个植株。

【压痛】yātòng 名 医学上指用手轻轻地按身体的某一部分时所产生的疼痛或异常的感觉。

【压抑】yāyì 对感情、力量等加以限制，使不能充分流露或发挥：～感｜～不住内心的激动。

【压韵】yā//yùn 见1557页〖押韵〗。

【压榨】yāzhà 动 ❶ 压取物体里的汁液：用甘蔗制糖，一般分～和煎煮两个步骤。❷ 比喻剥削或搜刮。

【压阵】yā//zhèn 动 ❶ 排在或走在队列的最后；压队：他～掩护大家脱险。❷ 稳住阵脚，多用于比喻：为了这场比赛取胜，队长亲上场～。

【压制】[1] yāzhì 动 竭力限制或制止；抑制：不要～批评｜～不住自己的愤怒。

【压制】[2] yāzhì 动 用压的方法制造：～砖坯。

【压轴戏】yāzhòuxì 名 压轴子的戏曲节目，也比喻令人注目的、最后出现的事件。

【压轴子】yāzhòu·zi ❶ 动 把某一出戏排做一次戏曲演出中的倒数第二个节目（最

后的一出戏叫大轴子）。❷ 名 一次演出的戏曲节目中排在倒数第二的一出戏，现也指一场演出排在最后的较精彩的节目。

呀

呀 yā ❶ 叹 表示惊异：～，下雪了！❷ 拟声 形容开门的摩擦声等：门～的一声开了。
另见 1561 页 ·ya。

押

押[1] yā ❶ 动 把财物交给对方作为保证：抵～｜～租｜～金｜～了五百元钱。❷ 动 暂时把人关起来，不准自由行动：拘～｜看～｜关～｜犯罪嫌疑人被～起来了。❸ 动 跟随着照料或看管：～车｜～运｜～送。❹（Yā）名 姓。

押[2] yā ❶ 动 在公文、契约上签字或画符号，作为凭信：～尾。❷ 名 作为凭信而在公文、契约上所签的名字或所画的符号：花～｜画～。

【押宝】yā//bǎo 同"压宝"。

【押车】yā//chē 动 随车看管（物品等）。

【押当】yādàng ❶（-//-）动 用实物作抵押向当铺借钱。❷〈方〉名 小当铺。

【押队】yā//duì 同"压队"。

【押解】yājiè 动 ❶ 押送犯人或俘虏。❷ 押运：～货物。

【押金】yājīn 名 ❶ 做抵押用的钱。❷ 押款③。

【押款】yākuǎn ❶（-//-）动 用货物、房地产或有价证券等做抵押向银行或钱庄借款。❷ 名 指用抵押的方式所借得的款项。❸ 名 指预付的款项。

【押送】yāsòng 动 ❶ 押着（犯人或俘虏）送交有关方面。❷ 押运：～军粮。

【押题】yā//tí 动 考试前猜测可能要考的试题并做重点准备。也作压题。

【押尾】yāwěi 动 在文书、契约的末尾画押。

【押运】yāyùn 动 运输货物时随同看管：～救灾物资。

【押韵】(压韵) yā//yùn 动 诗词歌赋中，某些句子的末一字用韵母相同或相近的字，使音调和谐优美。

【押账】yā//zhàng 动 借钱时用某种物品做抵押。

【押租】yāzū 名 租用土地或房屋时交付的保证金。

垭（埡）

垭（埡）yā〈方〉两山之间可通行的狭窄地方；山口（多用于地

名);黄桷~(在重庆)|朱坡~(在湖北)。

【垭口】yākǒu 〈方〉名山口。

鸦（鵶、鴉）yā 名鸟,全身多为黑色,嘴大,翼长,脚有力。种类较多,常见的有乌鸦、寒鸦等。

【鸦片】（雅片）yāpiàn 名阿片用作毒品时叫鸦片。通称大烟。参看1页【阿片】。

【鸦片战争】Yāpiàn Zhànzhēng 1840—1842年英国以我国禁止英商贩卖鸦片为借口对我国发动的侵略战争。战争开始后虽然有林则徐等人领导广东爱国军民的坚决抵抗,但腐败无能的清政府在英军的武力威迫下向侵略者屈膝投降,和英国签订了我国近代史上第一个丧权辱国的《南京条约》。从此,中国逐渐沦为半殖民地半封建的国家,我国人民的反帝国主义、反封建主义的民主革命也从此开始。也叫第一次鸦片战争。

【鸦雀无声】yā què wú shēng 形容非常安静。

哑（啞）yǎ 同"呀"。另见1560页yǎ。

【哑哑】yāyā 拟声形容乌鸦的叫声、小儿的学语声等。

桠（椏、枒）yā 丫杈:树~。

【桠杈】yāchà 见1556页【丫杈】。

【桠枝】yāzhī 见1556页【丫枝】。

鸭（鴨）yā 名鸟,嘴扁腿短,趾间有蹼,善游泳,有家鸭、野鸭两种。氄（rǒng）毛可用来絮被子、羽绒服或填充枕头。通常指家鸭。通称鸭子。

【鸭步鹅行】yā bù é xíng 见355页【鹅行鸭步】。

【鸭蛋青】yādànqīng 形极淡的青色。

【鸭蛋圆】yādànyuán （~儿）〈方〉形椭圆形的:~的脸。

【鸭黄】yāhuáng 〈方〉名孵出不久的小鸭,因身上有淡黄色的氄（rǒng）毛而得名。

【鸭儿梨】yārlí 名❶梨的一个品种,果实卵圆形,靠近果柄的凸起像鸭头,皮薄而光滑,淡黄色,有棕色斑点,味甜,脆而多汁。❷这种植物的果实。

【鸭绒】yāróng 名加工过的鸭氄（rǒng）毛,有很强的保温能力:~被。

【鸭舌帽】yāshémào 名帽顶的前部和月

牙形帽檐扣在一起略呈鸭嘴状的帽子。

【鸭子】yā·zi 名鸭的通称。

【鸭子儿】yāzǐr 〈方〉名鸭蛋。

【鸭嘴笔】yāzuǐbǐ 名制图时画墨线的用具,笔头由两片弧形的钢相向合成,略呈鸭嘴状。

【鸭嘴兽】yāzuǐshòu 名哺乳动物,身体肥而扁,尾巴短而阔,嘴像鸭嘴,毛细密,深褐色、卵生。雌兽无乳头,乳汁由腹部的几个乳腺流出。穴居河边,善游泳,吃昆虫和贝类。生活于大洋洲。

雅 yā 〈书〉同"鸦"。另见1560页yǎ。

【雅片】yāpiàn 见1558页【鸦片】。

yá （l丫）

牙[1] yá ❶名人和高等动物咬切、咀嚼食物的器官,由坚固的骨组织和釉质构成。人的牙按部位和形状的不同,分为切牙、尖牙、前磨牙、磨牙。通称牙齿,也叫齿。❷特指象牙:~筷|~章|~雕。❸形状像牙齿的东西:~子。❹（Yá）名姓。

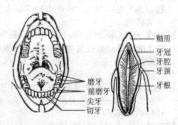

釉质
牙冠
牙腔
牙颈
牙根

磨牙
前磨牙
尖牙
切牙

人的牙

牙[2] yá 牙子[2]:~行。

【牙碜】yá·chen 〈口〉形❶食物中夹杂着沙子,嚼起来牙齿不舒服:菜没有洗干净,有点儿~。❷比喻言语粗鄙不堪入耳:你居然说出这种话来,也不嫌~。

【牙齿】yáchǐ 名牙[1]①的通称。

【牙床】[1] yáchuáng 名牙龈的通称。

【牙床】[2] yáchuáng 名有象牙雕刻装饰的

床,也泛指装饰精美的床。

【牙雕】yádiāo 名 在象牙上雕刻形象、花纹的艺术。也指用象牙雕刻成的工艺品。

【牙膏】yágāo 名 刷牙用的膏状物,用甘油、牙粉、白胶粉、水、糖精、淀粉等制成,装在金属或塑料的软管里。

【牙根】yágēn 名 牙的底部,嵌在牙槽里:咬定～。

【牙垢】yágòu 名 牙齿表面黑褐色或黄色的污垢。

【牙关】yáguān 名 指上颌和下颌之间的关节:～紧闭|咬紧～。

【牙行】yáháng 名 旧时提供场所、协助买卖双方成交而从中取得佣金的商号或个人。

【牙花】yáhuā 〈方〉名 ❶ 牙垢。❷ 牙龈。‖也叫牙花子。

【牙具】yájù 名 刷牙漱口的用具。

【牙口】yá·kou 名 ❶ 指牲口的年龄(根据牲口的牙齿多少和磨损程度可以判定牲口的年龄):这头牛～不老。❷(～儿)指老年人牙齿的咀嚼能力:您老人家的～还好吧?

【牙侩】yákuài 〈书〉名 牙子²。

【牙轮】yálún 〈口〉名 齿轮。

【牙牌】yápái 名 骨牌。

【牙婆】yápó 名 旧时以介绍人口买卖为业从中取利的妇女。

【牙签】yáqiān (～儿)名 剔除牙缝中食物残屑用的细棍儿。

【牙色】yásè 名 近似象牙的淡黄颜色。

【牙石】¹ yáshí 名 结成硬块的牙垢。

【牙石】² yáshí 名 缘石。

【牙刷】yáshuā (～儿)名 刷牙的刷子。

【牙线】yáxiàn 名 剔除牙缝中食物残屑用的细线。

【牙牙】yáyá 〈书〉拟声 形容婴儿学说话的声音:～学语。

【牙牙学语】yáyá xué yǔ 婴儿咿咿呀呀地学大人说话:幼儿的早期教育从～阶段开始。

【牙医】yáyī 名 给人镶牙、拔牙、治疗牙病的医生。

【牙龈】yáyín 名 包住牙颈和牙槽骨的黏膜组织,粉红色,内有很多血管。通称牙床。

【牙獐】yázhāng 名 獐子。

【牙质】yázhì 形 属性词。以象牙为质料的:～的刀把。

【牙子】¹ yá·zi 〈口〉名 物体周围雕花的装饰或突出的部分:桌椅的～做工精细|马路～。

【牙子】² yá·zi 名 旧时为买卖双方撮合从中取得佣金的人(通常卖方为农民、渔民等小生产者,买方为收购商或消费者)。

伢 yá 〈方〉名 小孩儿。

芽 yá (～儿)名 ❶ 植物刚长出来的可以发育成茎、叶或花的部分:麦子发～儿了。❷ 形状像芽的东西:肉～(伤口愈合后多长出的肉)。

【芽茶】yáchá 名 极嫩的茶叶。

【芽豆】yádòu 名 用水泡后长出短芽的蚕豆,可做菜吃。

【芽眼】yáyǎn 名 块茎上凹进去可以生芽的部分。

岈 yá 嵖岈(Cháyá),山名,在河南。

珀(琊) yá ❶ 琅玡(Lángyá),山名,在安徽。❷ 琅玡(Lángyá),山名,又地名,都在山东。

蚜 yá 蚜虫:棉～|烟～。

【蚜虫】yáchóng 名 昆虫,身体小,卵圆形,绿色、黄色或棕色,腹部大。吸食植物的汁液,是农业害虫。种类很多,如棉蚜、烟蚜、高粱蚜等。通称腻虫。

崖(厓、崕) yá (旧又读 ái)❶ 名 山石或高地的陡立的侧面:山～|悬～|摩～。❷ 〈书〉边际:～略。

【崖壁画】yábìhuà 名 岩画。

【崖画】yáhuà 名 岩画。

【崖刻】yákè 名 山崖上刻的文字。

【崖略】yálüè 〈书〉名 大略;概略:言其～。

涯 yá 水边,泛指边际:天～海角|一望无～。

【涯际】yájì 名 边际:漫无～的海洋。

睚 yá 〈书〉眼角。

【睚眦】yázì 〈书〉❶ 动 发怒时瞪眼睛:～之怨。❷ 名 指极小的仇恨:素~。

【睚眦必报】yázì bì bào 像被人瞪了一眼

那样极小的仇恨也一定要报复,形容心胸极其狭窄。

衙 yá ❶ 衙门:~役。❷(Yá)名姓。

【衙门】yá·men 名旧时官员办公的机关。

【衙内】yánèi 名唐代称担任警卫的官员,五代及宋初多以大臣子弟充任,后来泛指官僚的子弟。

【衙役】yá·yi 名衙门里的差役。

yǎ (ㄧㄚˇ)

疋 yǎ〈书〉同"雅"。
另见1039页pǐ"匹"。

哑(啞) yǎ ❶ 形由于生理缺陷或疾病而不能说话:聋~◇~剧|~口无言。❷ 形嗓子干涩发不出声音或发音不清楚:沙~|嗓子~了|嗓子都喊~了。❸ 因发生故障,炮弹、子弹等打不响:~炮|~火。
另见1558页yā。

【哑巴】yǎ·ba 名由于生理缺陷或疾病而不能说话的人。

【哑巴亏】yǎ·bakuī 名见180页〖吃哑巴亏〗。

【哑场】yǎ//chǎng 动冷场②。

【哑火】yǎ//huǒ 动 ❶炸药装置不爆炸或炮弹、子弹等打不响。❷比喻不说话:那么爱说话的人,今天怎么了?

【哑剧】yǎjù 名不用对话或歌唱而只用动作和表情来表达剧情的戏剧。

【哑铃】yǎlíng 名体育运动的辅助器械,用木头或铁等制成,两头呈球形,中间较细,用手握住做各种动作。

【哑谜】yǎmí 名隐晦的话,比喻难以猜透的问题:打~。

【哑炮】yǎpào 名在施工爆破中,由于发生故障没有爆炸的炮。也叫瞎炮。

【哑然】¹ yǎrán〈书〉形 ❶形容寂静:~无声|全场~。❷形容惊异得说不出话来:~失惊。

【哑然】² yǎrán("哑"旧读è)〈书〉形形容笑声:~失笑。

【哑语】yǎyǔ 名手语:打~。

【哑子】yǎ·zi〈方〉名哑巴。

痖(瘂) yǎ 同"哑"。

雅¹ yǎ ❶〈书〉合乎规范的:~正。❷高尚;不粗俗:文~|~致|~座。❸西周朝廷上的乐歌,《诗经》中诗篇的一类。❹敬辞,用于称对方的情意、举动:~意|~教。❺(Yǎ)名姓。

雅² yǎ〈书〉❶交情:无一日之~。❷副平素:~善鼓琴。❸副很;极:~以为美。
另见1558页yā。

【雅观】yǎguān 形装束、举动文雅(多用于否定式);公共场所打赤膊很不~。

【雅号】yǎhào 名 ❶高雅的名号(多用于尊称人的名字)。❷指绰号(含诙谐意):我倒不晓得他还有这么一个~呢!

【雅间】yǎjiān 名雅座。

【雅教】yǎjiào 动敬辞,称对方的指教:多承~。

【雅静】yǎjìng 形 ❶雅致而清静:~的房间。❷文静:这位姑娘很~。

【雅量】yǎliàng 名 ❶宽宏的气度:要有倾听批评意见的~。❷大的酒量。

【雅皮士】yǎpíshì 名指西方国家中年轻能干有上进心的一类人。他们一般受过高等教育,具有较高的知识水平和技能,工作勤奋,追求物质享受。[雅皮,英yuppie]

【雅趣】yǎqù 名高雅的意趣:~盎然。

【雅人】yǎrén 名高雅的人,旧时多指吟风弄月的文人。

【雅士】yǎshì 名高雅的人,多指读书人:文人~。

【雅俗共赏】yǎ sú gòng shǎng 文化高的人和文化低的人都能欣赏。

【雅兴】yǎxìng 名高雅的兴致:~不浅。

【雅驯】yǎxùn〈书〉形(文辞)典雅。

【雅言】yǎyán 名 ❶古代指通行的标准语。❷〈书〉正确的话;有道理的话。

【雅意】yǎyì 名 ❶高尚的情意:高情~。❷敬辞,称对方的情意或意见:未能如约前往,有负~。

【雅正】yǎzhèng〈书〉❶形合规范;纯正:文辞~。❷形正直。❸动敬辞,把自己的诗文书画等送给人时,表示请对方指教。

【雅致】yǎ·zhi 形(服饰、器物、房屋等)美观而不落俗套。

【雅座】yǎzuò(~儿)名指饭馆、酒店、澡堂中比较精致而舒适的小房间。

yà（丨ㄚˋ）

轧¹（軋） yà ❶〈动〉碾；滚压：～棉花。❷ 排挤：倾～。❸（Yà）〈名〉姓。

轧²（軋） yà 〈拟声〉形容机器开动时发出的声音：机声～～｜缝纫机～～～地响着。

另见 434 页 gá；1706 页 zhá。

【轧场】yà∥cháng〈动〉用碌碡等压平场院或滚压摊在场上的谷物使脱粒。

【轧道车】yàdàochē〈名〉铁路上巡查或检修用的车，多用电瓶或柴油机做动力。

【轧道机】yàdàojī〈方〉〈名〉压路机。

【轧马路】yà mǎlù 比喻在街道上闲逛（含诙谐意）。

亚¹（亞） yà ❶ 较差：他的技术不～于你。❷ 次一等：～军｜～热带。❸ 化合价较低的酸根或化合物中少含一个氢原子或氧原子的：硫酸～铁（$FeSO_4$）｜～氨基（＝NH）｜～硫酸（H_2SO_3）。❹（Yà）〈名〉姓。

亚²（亞） Yà 〈名〉指亚洲。

【亚当】Yàdāng〈名〉《圣经》故事中人类的始祖。[伊伯来 Ādhām]

【亚健康】yàjiànkāng〈名〉指身体虽然没有患病，却出现生理机能减退、代谢水平低下的状态。主要表现是疲劳、胸闷、头疼、失眠、健忘、腰背酸痛、情绪不安、做事效率低下等。也叫第三状态。

【亚军】yàjūn〈名〉体育运动等竞赛中的第二名。

【亚麻】yàmá〈名〉❶ 一年生草本植物，茎细长，叶子互生，披针形或条形，花浅蓝色，结蒴果，球形。纤维用亚麻的茎皮含纤维很多，可以做纺织原料。❷ 纤维用亚麻的茎皮纤维。

【亚热带】yàrèdài〈名〉热带和温带之间的过渡地带。与热带相比，有显著的季节变化，气温比温带高，植物在冬季仍能缓慢生长。也叫副热带。

【亚种】yàzhǒng〈名〉生物分类上种以下的分类单位，用于内在某些形态特征、地理分布等方面有差异的群体。

压（壓） yà 见下。另见 1556 页 yā。

【压板】yàbǎn〈方〉〈名〉跷跷板（qiāoqiāo-bǎn）。

【压根儿】yàgēnr〈口〉〈副〉根本；从来（多用于否定式）：他全忘了，好像～没有这回事｜我～就不认识他。

讶（訝） yà 〈书〉诧异：惊～｜～然。

迓（迓） yà 〈书〉迎接：迎～。

挜（掗） yà 〈方〉〈动〉硬把东西送给对方或卖给对方。

研（研） yà 〈动〉用卵石或弧形的石块碾压或摩擦皮革、布匹等，使密实而光亮：把牛皮～光。

娅（婭） yà 见 1624 页【姻娅】。

氩（氬） yà 〈名〉气体元素，符号 Ar（argonium）。无色无臭无味，是大气中含量最多的稀有气体，化学性质很不活泼。放电时发出蓝色的光，在电弧焊接不锈钢、镁、铝等时用作保护气体，也用来填充灯管和灯泡。

揠（揠） yà 〈书〉拔：～苗助长。

【揠苗助长】yà miáo zhù zhǎng 古时候宋国有个人，嫌禾苗长得太慢，就一棵棵地往上拔一点，回家还夸口说："今天我帮助苗长了！"他儿子听说后，到地里一看，苗都死了（见于《孟子·公孙丑上》）。后用来比喻违反事物的发展规律，急于求成，反而坏事。也说拔苗助长。

猰（猰） yà ［猰㺄］(yàyǔ)〈名〉古代传说中的一种吃人的猛兽。

·ya（·丨ㄚ）

呀 ·ya 〈助〉"啊"受前一字韵母 a,e,i,o,ü 的影响而发生的变音：马跑得真快～！｜大家快～！｜你怎么不学一学～！｜这个瓜～，甜得很！

另见 1557 页 yā。

yān（丨ㄢ）

咽 yān 名 口腔后部主要由肌肉和黏膜构成的管子。分成三部分，上段跟鼻腔相对叫鼻咽，中段跟口腔相对叫口咽，下段在喉的后部叫喉咽。咽是呼吸道和消化道的共同通路。也叫咽头。
另见 1572 页 yàn；1592 页 yè。

【咽喉】yānhóu 名 ❶ 咽和喉。❷ 比喻形势险要的交通孔道：～要地。

【咽头】yāntóu 名 咽。

恹（懨、懕） yān ［恹恹］（yān-yān）〈书〉形 形容患病而精神疲乏：病～|～欲睡。

殷 yān 〈书〉赤黑色。
另见 1624 页 yīn；1628 页 yǐn。

【殷红】yānhóng 形 带黑的红色：～的血迹|～的鸡冠花。

胭（臙） yān 胭脂：～粉|～红。

【胭红】yānhóng 形 像胭脂那样的红色：～的野百合|～的朝霞。

【胭脂】yān·zhi 名 一种红色的化妆品，涂在两颊或嘴唇上。也用作国画的颜料。

【胭脂鱼】yān·zhiyú 名 鱼，体长而侧扁，背部隆起，成鱼全身粉红、黄褐或暗褐色。生活在长江和闽江中上游。也叫火烧鳊。

烟（煙、⁴菸） yān ❶ 名 物质燃烧时产生的混有未完全燃烧的微小颗粒的气体。❷ 像烟的东西：～雾|～霞。❸ 动 由于烟的刺激使眼睛流泪或睁不开：～了眼睛了。❹ 名 烟草：～叶|烤～|种了几亩～。❺ 名 纸烟、烟丝等的统称：香～|旱～|～瘾|请客吸～。❻ 指鸦片：～土。❼ 烟子：松～。
另见 1624 页 yīn。

【烟霭】yān'ǎi〈书〉云雾：～朦胧。

【烟波】yānbō 名 烟雾笼罩的江湖水面：～浩渺。

【烟草】yāncǎo 名 ❶ 一年生草本植物，叶子大，花冠漏斗形，筒部粉红色或白色，裂片红色，结蒴果，卵圆形。叶子是制造烟丝、雪茄等的主要原料。❷ 指烟叶：～市场。

【烟尘】yānchén 名 ❶ 烟雾和尘埃：～滚滚。❷ 烽烟和战场上扬起的尘土。旧时指战火。

【烟囱】yāncōng 名 烟筒。

【烟袋】yāndài 名 吸烟的用具，有旱烟袋和水烟袋两种。通常指旱烟袋。参看 538 页〖旱烟袋〗、1282 页〖水烟袋〗。

【烟蒂】yāndì 名 烟头。

【烟斗】yāndǒu 名 吸烟用具，多用坚硬的木头制成，一头装烟叶，一头衔在嘴里吸。

【烟鬼】yānguǐ 名 讥称吸鸦片成瘾的人，也指吸烟瘾头很大的人。

【烟海】yānhǎi 名 烟雾弥漫的大海，多用于比喻：浩如～|文～。

【烟花】¹ yānhuā 名 ❶〈书〉指春天艳丽的景物。❷ 旧时指妓女：沦为～|～巷。

【烟花】² yānhuā 名 烟火（yān·huo）：～爆竹。

【烟灰】yānhuī 名 烟吸完后剩下的灰。

【烟火】yānhuǒ 名 ❶ 烟和火：动～（指生火做饭）|建筑工地严禁～。❷ 烟火食：不食人间～。❸〈书〉烽火：战火。❹ 旧时指祭祀祖先的事，借指后嗣：绝了～。

【烟火】yān·huo 名 燃放时能发出各种颜色的火花，或同时变幻出各种景物而供人观赏的东西，主要是在火药中掺入锶、锂、铝、钡、镁、钠、铜等金属盐类，并用纸裹成，种类不一。也叫烟花、焰火。

【烟火食】yānhuǒshí 名 指熟食。

【烟具】yānjù 名 吸烟的用具，如烟嘴、烟盒、烟灰缸等。

【烟卷儿】yānjuǎnr 名 香烟²。

【烟煤】yānméi 名 煤的一类，暗黑色，有光泽，燃烧时冒烟。可分为气煤、肥煤、焦煤、瘦煤等。是炼焦的原料。

【烟民】yānmín 名 指抽烟的人。

【烟幕】yānmù 名 ❶ 用化学药剂造成的浓厚的烟雾，作战时用来遮蔽敌人的视线。❷ 比喻掩盖真相或本意的言语或行为：敌人以和谈作～加紧备战。

【烟幕弹】yānmùdàn 名 ❶ 发烟弹。❷ 比喻掩盖真相或本意的言语或行为。

【烟农】yānnóng 名 以种烟草为主的农民。

【烟屁股】yānpì·gu〈口〉名 烟头。

【烟色】yānsè 名 像烤烟那样的深棕色。

【烟丝】yānsī 名 烟叶加工成的细丝。

【烟筒】yān·tong 名 炉灶、锅炉上出烟的管状装置。

【烟头】yāntóu （～儿）名 纸烟吸到最后剩下的部分。

【烟土】yāntǔ 名 未经熬制的鸦片。

【烟雾】yānwù 名 泛指烟、雾、云、气等：～弥漫｜～腾腾。

【烟霞】yānxiá 名 ❶ 烟雾和云霞：～缥缈。❷〈书〉指山水景物：放怀～。

【烟霞癖】yānxiápǐ 〈书〉名 ❶ 指游山玩水的癖好。❷ 指吸食鸦片的嗜好。

【烟消云散】yān xiāo yún sàn 比喻事物消失净尽。也说云消雾散。

【烟叶】yānyè 名 烟草的叶子，是制造烟丝、雪茄等的原料。

【烟瘾】yānyǐn 名 吸烟的瘾，旧时多指吸鸦片烟的瘾。

【烟雨】yānyǔ 名 像烟雾那样的细雨：～蒙蒙。

【烟云】yānyún 名 烟气和云雾：～缭绕。

【烟柱】yānzhù 名 烈火燃烧时直向上升的呈柱状的浓烟。

【烟子】yān·zi 名 烧火或熬油时的烟上升而聚成的黑色物质，可以制墨。

【烟嘴儿】yānzuǐr 名 吸香烟用的短管子，含在嘴里的一端稍扁，有的有过滤作用。

焉 yān ❶〈书〉跟介词"于"加代词"是"相当：心不在～|善莫大～。❷〈书〉代 疑问代词。哪里；怎么(多用于反问)：～有今日？|～能不去？|不入虎穴，～得虎子？❸〈书〉连 乃；于是：知乱之所自起，～能治之。❹〈书〉助 表示肯定的语气：有厚望～|因以为号～。❺(Yān)名 姓。

崦 yān [崦嵫](Yānzī)名 ❶ 山名，在甘肃。❷ 古代指太阳落山的地方：日薄～。

阉(閹) yān ❶动 阉割：～鸡|～猪。❷〈书〉指宦官：～党。

【阉割】yāngē 动 ❶ 割掉睾丸或卵巢，使失去生殖能力。❷ 比喻抽掉文章或理论的核心内容，使失去作用或改变实质。

【阉人】yānrén 名 指被阉割的人，也用作宦官的代称。

阏(閼) yān [阏氏](yānzhī)名 汉代匈奴称君主的正妻。
另见 357 页 è。

淹(❶湇) yān ❶动 淹没：～死|庄稼遭水～了。❷动 汗液等浸渍皮肤使感到痛或痒；夹肢窝被汗～得难受。❸〈书〉广：～博。❹〈书〉久；迟延：～留。

【淹博】yānbó〈书〉形 广博：学问～。

【淹留】yānliú〈书〉动 长期逗留：～他乡。

【淹埋】yānmái 动 (淤泥、沙土)盖过；埋住：铁路被淤泥～了。

【淹没】yānmò 动 (大水)漫过；盖过：河里涨水，小桥都～了◇雷鸣般的掌声～了他的讲话。

腌(醃) yān 动 把鱼、肉、蛋、蔬菜、果品等加上盐、糖、酱、酒等。
另见 2 页 ā。

【腌渍】yānzì 动 腌。

湮 yān〈书〉❶ 埋没：～没|～灭。❷ 淤塞。
另见 1624 页 yīn "洇"。

【湮灭】yānmiè 动 湮没。

【湮没】yānmò 动 埋没：～无闻。

鄢 yān ❶ 鄢陵(Yānlíng)，地名，在河南。❷ (Yān)名 姓。

嫣 yān〈书〉容貌美好。

【嫣红】yānhóng〈书〉形 鲜艳的红色：姹紫～。

【嫣然】yānrán〈书〉形 美好的样子：～一笑。

燕 Yān ❶ 周朝国名，在今河北北部和辽宁南部。❷ 指河北北部。❸ 名 姓。
另见 1573 页 yàn。

yán（一ㄢˊ）

延 yán ❶ 延长：蔓～|绵～|～年益寿|苟～残喘。❷动 (时间)向后推迟：迟～|～期|开学日期～至 10 月份。❸〈书〉聘请；邀请：～聘|～师|～医|～至其家。❹ (Yán)名 姓。

【延长】yáncháng 动 向长的方面发展：～生命|路线一百公里|会议～了三天。

【延迟】yánchí 动 推迟：会议～三天召开。

【延宕】yándàng 动 拖延：～时日。

【延搁】yángē 动 拖延耽搁。

【延缓】yánhuǎn 动 延迟；推迟：工程进度

不容～。

【延颈企踵】yán jǐng qǐ zhǒng 伸长脖子，抬起脚跟，形容急切盼望。

【延揽】yánlǎn 〈书〉动 延聘招揽；聘请：～人才|～天下贤士。

【延绵】yánmián 动 绵延。

【延纳】yánnà 〈书〉动 接待；接纳。

【延年益寿】yán nián yì shòu 增加岁数，延长寿命。

【延聘】yánpìn 动 ❶〈书〉聘请。❷ 延长聘用期；继续聘用。

【延期】yán//qī 动 推迟原来规定的日期：～交货|会议～举行。

【延请】yánqǐng 动 请人担任工作（多指临时的）：～律师|～家庭教师。

【延烧】yánshāo 动 火势蔓延燃烧：山火～数十里。

【延伸】yánshēn 动 延长；伸展：这条铁路一直～到国境线。

【延髓】yánsuǐ 名 脑干的一部分，上接脑桥，下接脊髓。延髓中有呼吸、心跳等中枢，主管呼吸、血液循环、唾液分泌等。（图见 984 页"人的脑"）

【延误】yánwù 动 迟延耽误：～时日。

【延性】yánxìng 名 物体可以拉成细丝而不断裂的性质。金属多具有延性。

【延续】yánxù 动 照原来样子继续下去；延长下去：会谈～了两个小时。

【延展】yánzhǎn 动 延伸；扩展：公路一直～到江边。

【延展性】yánzhǎnxìng 名 延性和展性的合称。金属多具有延展性。

闫（閆） Yán 名 姓。

芫 yán ［芫荽］（yán·sui） 名 一年生或二年生草本植物，羽状复叶，小叶卵圆形或条形，茎和叶有特殊香气，花小，白色。果实球形，用作香料，也可入药。嫩茎和叶用来调味。通称香菜，也叫胡荽。

另见 1673 页 yuán。

严（嚴） yán ❶ 形 严密；紧密：～紧|戒～|谨～|把瓶口封～了|他嘴～，从来不乱说。❷ 形 严厉；严格：庄～|威～|～办|～加管束|纪律很～。❸ 程度深；厉害：～冬|～寒|～刑。❹ 指父亲：家～。❺（Yán）名 姓。

【严办】yánbàn 动 严厉惩办：依法～。

【严惩】yánchéng 动 严厉处罚：～凶犯|～不贷（贷：宽恕）。

【严词】yáncí 名 严厉的话：～拒绝。

【严打】yándǎ 动 ❶ 严厉打击：～盗版的违法行为。❷ 特指严厉打击刑事犯罪活动：深入开展～斗争。

【严冬】yándōng 名 极冷的冬天。

【严防】yánfáng 动 严格防止；严密防备：～破坏|～事故发生。

【严格】yángé ❶ 形 在遵守制度或掌握标准时认真不放松：～管理|他对自己要求很～。❷ 动 使严格：～财经纪律。

【严寒】yánhán 形（气候）极冷：天气～。

【严紧】yán·jǐn 形 ❶ 严格；严厉：管得～些才对。❷ 严密：窗户糊得挺～。

【严谨】yánjǐn 形 ❶ 严密谨慎：办事～。❷ 严密细致：格律～|文章结构～。

【严禁】yánjìn 动 严格禁止：库房重地，～烟火。

【严峻】yánjùn 形 ❶ 严厉；严肃：～的考验|～的神情。❷ 严重：形势～。

【严酷】yánkù 形 ❶ 严厉；严格：～的教训。❷ 残酷；冷酷：～的压迫|～的剥削。

【严厉】yánlì 形 严肃而厉害：～打击|态度～|措辞～。

【严令】yánlìng 动 严肃命令：～禁止。

【严密】yánmì ❶ 形 事物之间结合得紧，没有空隙：药瓶封得很～。❷ 形 周到；没有疏漏：小说结构～，文字流畅|～注视形势的发展。❸ 动 使严密：～规章制度。

【严明】yánmíng ❶ 形 严肃而公正（多指法纪）：赏罚～|纪律～。❷ 动 使严明：～军纪|要～法纪，制止不正之风。

【严命】yánmìng 〈书〉动 严令：～缉拿。

【严师】yánshī 名 指对学生要求严格的老师：～诤友|～出高徒。

【严实】yán·shi 〈口〉形 ❶ 严密①：门关得挺～|河里刚凿通的冰窟窿又冻～了。❷ 藏得好，不容易找到。

【严守】yánshǒu 动 ❶ 严格地遵守：～纪律|～中立。❷ 严密地保守：～国家机密。

【严丝合缝】yán sī hé fèng 指缝隙密合，也用来比喻言行周密，没有一点漏洞。

【严肃】yánsù ❶ 形（神情、气氛等）使人感到敬畏的：他是个很～的人，从来不开玩笑|会场的气氛既～又隆重。❷ 形（作

风、态度等)严格认真：～处理。❸ 勔 使
严肃：～党纪｜～法制。

【严刑】yánxíng 名 极厉害的刑法(xíng-
·fa)或刑罚：～峻法｜～拷打。

【严阵以待】yán zhèn yǐ dài 摆好严整的
阵势,等待来犯的敌人。

【严整】yánzhěng 形 ❶ 严肃整齐(多指队
伍)：军容～。❷ 严谨;严密：治家～｜画儿
的布局～。

【严正】yánzhèng 形 严肃正当;严肃公
正：～声明｜持论～｜～的立场。

【严重】yánzhòng 形 ❶ 程度深,影响大
(多指消极的)：问题～｜～的后果。❷ (情
势)危急：病情～。

言 yán ❶ 话：～语｜语～｜格～｜诺～｜发
～｜有～在先｜～外之意。❷ 说：～之
有理｜畅所欲～｜知无不～｜～无不尽。❸
名 汉语的一个字叫一言：五～诗｜万～
书｜全书近二十万～。❹ (Yán)名 姓。

【言必有中】yán bì yǒu zhòng 一说就说
到点子上。

【言不及义】yán bù jí yì 只说些无聊的
话,不涉及正经道理。

【言不尽意】yán bù jìn yì 说的话未能表
达出全部意思,表示意犹未尽(多用于书
信结尾)。

【言不由衷】yán bù yóu zhōng 说的话不
是从内心发出来的,指心口不一致。

【言出法随】yán chū fǎ suí 法令宣布之
后立即按照执行。

【言传】yánchuán 勔 用言语来表达或传
授：只可意会,不可～。

【言传身教】yán chuán shēn jiào 一面口
头上传授,一面行动上以身作则,指言语
行为起模范作用。

【言词】yáncí 同"言辞"。

【言辞】yáncí 名 说话所用的词句：～尖
刻｜～恳切。也作言词。

【言多语失】yán duō yǔ shī 话说多了就
难免出错。

【言归于好】yán guī yú hǎo 彼此重新和
好。

【言归正传】yán guī zhèng zhuàn 说话或
写文章回到正题上来(评话和旧小说中常
用的套语)。

【言过其实】yán guò qí shí 说话过分,不
符合实际。

【言和】yánhé 勔 讲和：握手～。

【言欢】yánhuān 勔 说笑;愉快地交谈：握
手～｜杯酒～。

【言简意赅】yán jiǎn yì gāi 言语简明而
意思完备。

【言教】yánjiào 勔 用讲说的方式教育、开
导人：不仅要～,更要身教。

【言近旨远】yán jìn zhǐ yuǎn 话说得浅
近,而含义却很深远。

【言路】yánlù 名 向政府或领导提出批评
或建议的途径(从政府或领导的角度说)：
广开～。

【言论】yánlùn 名 关于政治或一般公共事
务的议论：～自由｜发表～｜进步的～。

【言情】yánqíng 形 属性词。描写男女爱
情的(作品)：～小说。

【言人人殊】yán rén rén shū 每人所说的
话各不相同,指对同一事物各人有各人的
见解。

【言声儿】yán // shēngr 〈口〉勔 说话;吭
声儿:不言一声儿｜你缺什么,只管～。

【言说】yánshuō 勔 说：不可～｜难以～。

【言谈】yántán ❶ 勔 说话;交谈：不善～。
❷ 名 指说话的内容和态度：～举止｜～风
雅。

【言听计从】yán tīng jì cóng 说的话,出
的主意,都听从照办,形容对某个人非常
信任。

【言外之意】yán wài zhī yì 话里暗含着的
没有直接说出的意思。

【言为心声】yán wéi xīn shēng 言语是思
想感情的表达。

【言笑】yánxiào 勔 说和笑;谈笑：不苟
～｜～自若。

【言行】yánxíng 名 言语和行为：～一致。

【言犹在耳】yán yóu zài ěr 形容别人的
话说过不久,或者虽然说过很久,但是还
记得很清楚。

【言语】yányǔ 名 说的话：～粗鲁｜～行动。

【言语】yán·yu 〈口〉勔 说;说话：你走的
时候～一声儿｜问你话呢,你怎么不～?

【言喻】yányù 〈书〉勔 用语言来说明(多
用于否定式)：不可～｜难以～。

【言者无罪,闻者足戒】yán zhě wú zuì,
wén zhě zú jiè 尽管意见不完全正确,提
出意见的人并没有罪过;听取意见的人即
使没有对方所说的错误,也可以拿听到的

话来警惕自己。

【言之无物】yán zhī wú wù 文章或言论内容空洞。

【言重】yánzhòng 动 话说得过重。

【言状】yánzhuàng 动 用言语来形容(多用于否定式):难以～。

陆
yán "陆"diàn 的又音。

妍
yán 〈书〉美丽(跟"媸"相对):春光明媚,百花争～。

【妍媸】yánchī 名 美和丑:不辨～。

岩(巖、嵒)
yán ❶ 岩石:～层|水成～|花岗～。❷ 岩石突起而成的山峰:嶂石～(在河北)。❸ 山中的洞穴:芦笛～(在广西)。❹ (Yán)名姓。

【岩层】yáncéng 名 地壳中成层的岩石。

【岩洞】yándòng 名 泛指岩层中的大洞,有的岩洞曲折幽深。

【岩画】yánhuà 名 刻画在岩石或崖壁上的图画。也叫崖壁画、崖画。

【岩浆】yánjiāng 名 地壳下面含有硅酸盐和挥发成分的高温熔融物质。

【岩漠】yánmò 名 地表岩石裸露的荒漠,植物极少。

【岩溶】yánróng 名 喀斯特。

【岩石】yánshí 名 构成地壳的矿物的集合体,分为火成岩、沉积岩和变质岩三类。

【岩芯】yánxīn 名 进行地质勘探时用管状的机件从地层中取得的柱状岩石标本。

【岩盐】yányán 名 地壳中沉积的成层的盐,是古代的海水或湖水干涸后形成的。

【岩羊】yányáng 名 羊的一种,头狭长,雄羊角粗大,雌羊角短而直。毛青褐色,无须。生活在高山上,善跳跃,吃灌木枝叶和草类等。也叫石羊。

炎
yán ❶ 极热(指天气):～热|～夏。❷ 炎症发:发～|肠胃～。❸ 比喻权势:趋～附势。❹ (Yán)指炎帝:～黄子孙。

【炎帝】Yándì 名 见[炎黄]。

【炎黄】Yán-Huáng 名 指炎帝神农氏和黄帝轩辕氏,是我国古代传说中的两个帝王,借指中华民族的祖先:～子孙。

【炎凉】yánliáng 名 热和冷,比喻对待地位不同的人或者亲热攀附,或者冷淡疏远:世态～。

【炎热】yánrè 形(天气)很热:～的夏天。

【炎暑】yánshǔ 名 ❶ 夏天最热的时候:时值～。❷ 指暑气:～逼人|冒～,顶烈日。

【炎夏】yánxià 名 炎热的夏天:～盛暑。

【炎炎】yányán 形 ❶ 形容夏天阳光强烈:赤日～。❷ 形容火势猛烈:～的烈火。

【炎症】yánzhèng 名 机体对有害刺激产生的以防御为主的反应现象,局部多有红、热、肿、痛、功能障碍等症状。

沿(沿)
yán ❶ 介 顺着(江河、道路)或物体的边):～墙根儿种花|～着河边走。❷ 依照以往的方法、规矩、式样(做):～袭|相～成习。❸ 动 顺着衣物的边再镶上一条边:～鞋口。❹ (～儿)名边(多用在名词后):边～|沟～|炕～儿|缸～儿|前～。

【沿岸】yán'àn 名 靠近江、河、湖、海一带的地区:黄河～|洞庭湖～。

【沿边儿】yán//biānr 动 把窄条的布或绦子等缝在衣物边上。

【沿革】yángé 名(事物)发展和变化的历程:社会风俗的～|历史～|地图～。

【沿海】yánhǎi 名 靠海的一带:～城市。

【沿江】yánjiāng 名 靠江(多指长江)的一带。

【沿街】yánjiē ❶ 副 顺着街道:～叫卖|～乞讨。❷ 名 指街道两旁:～有不少商店。

【沿例】yánlì 动 沿用成例。

【沿路】yánlù ❶ 副 顺着路边:～寻找。❷ 名 靠近道路的一带:～景色迷人。

【沿条儿】yántiáor 名 沿边儿用的布条儿。

【沿途】yántú ❶ 副 沿路:～询问。❷ 名 沿路②:～风光秀丽。

【沿袭】yánxí 动 依照旧传统或原有的规定办理;因袭:～成规|～前人成说。

【沿线】yánxiàn 名 靠近铁路、公路或航线的地方:铁路～|加强了警戒。

【沿用】yányòng 动 继续使用(过去的方法、制度、法令等):～原来的名称。

研
yán ❶ 动 细磨(mó):～墨|把药～成粉。❷ 研究:钻～|～习。
另见 1572 页 yàn。

【研读】yándú 动 钻研阅读:～史书。

【研发】yánfā 动 研制开发:～新药|血液

代用品～成功。

【研究】yánjiū 勔❶ 探求事物的真相、性质、规律等：～语言|学术～|调查～。❷ 考虑或商讨(意见、问题)：今天的会议,准备～三个重要问题|这个方案领导上正在～。

【研究生】yánjiūshēng 图 大学本科毕业(或具有同等学力)后经考试录取,在高等学校或科学研究机关学习、研究的学生。

【研究员】yánjiūyuán 图 科学研究机关中的高级研究人员。

【研磨】yánmó 勔❶ 用工具研成粉末：把药物放在乳钵里～。❷ 用磨料摩擦器物使变得光洁：～粉。

【研判】yánpàn 勔 研究判断；研究评判：～案情|市场趋势。

【研讨】yántǎo 勔 研究和讨论；研究探讨：～会|深入～其发展规律。

【研习】yánxí 勔 研究学习：～山水画。

【研修】yánxiū 勔 带有研究性质的学习进修：～班|～法学。

【研制】yánzhì 勔 研究制造：～新产品。

盐(鹽) yán 图❶ 食盐的通称：精～|井～。❷ 由金属离子(包括铵离子)和酸根离子组成的化合物。常温时一般为晶体,绝大多数是强电解质,在水溶液中和熔融状态下都能电离。

【盐巴】yánbā 〈方〉图 食盐。

【盐场】yánchǎng 图 海滩、湖边或盐井旁制盐的场所。

【盐池】yánchí 图 盐湖。

【盐分】yánfèn 图 物体内所含的盐：汗流得过多,会造成体内～和水分的不足。

【盐湖】yánhú 图 出产食盐的咸水湖。也叫盐池。

【盐花】yánhuā 图❶ (～儿)极少量的盐：汤里搁点儿～儿。❷〈方〉盐霜。

【盐碱地】yánjiǎndì 图 土壤中含有较多盐分的土地,不利于植物生长。

【盐井】yánjǐng 图 为汲取含盐量高的地下水而挖的井。

【盐卤】yánlǔ 图 熬盐时剩下的液体,是氯化镁、硫酸镁和氯化钠的混合物,黑色,味苦,有毒。可以使豆浆凝结成豆腐。也叫卤水。

【盐汽水】yánqìshuǐ 图 加盐的汽水,主要供高温下工作的人饮用。

【盐霜】yánshuāng 图 含盐分的东西干燥后表面呈现的白色细盐粒。

【盐酸】yánsuān 图 无机化合物,化学式HCl。是氯化氢的水溶液,无色透明,含杂质时为淡黄色,有刺激性气味,是一种强酸。广泛应用于化学、冶金、石油、印染等工业。

【盐滩】yántān 图 用来晒盐的海滩、湖滩。

【盐田】yántián 图 用海水或盐湖水晒盐时挖的一排排的四方形浅坑。

【盐土】yántǔ 图 含可溶性盐类过多,不利于作物生长的土壤。

【盐坨子】yántuó·zi 图 露天的盐堆。

【盐枭】yánxiāo 图 旧时私贩食盐的人,大多有武装。

铅(鉛) yán 铅山(Yánshān),地名,在江西。
另见 1086 页 qiān。

阎(閻) yán ❶〈书〉里巷的门。❷ (Yán)图 姓(近年也有俗写作间的)。

【阎罗】Yánluó 图 佛教称管地狱的神,也叫阎罗王、阎王、阎王爷。[阎魔罗阇之省,梵 yamarāja]

【阎王】Yán·wang 图❶ 阎罗。❷ 比喻极严厉或极凶恶的人。

【阎王债】yán·wangzhài 图 阎王账。

【阎王账】yán·wangzhàng 〈口〉图 指高利贷。也说阎王债。

蜒 yán ❶ [蜒蚰](yányóu)〈方〉图 蛞蝓(kuòyú)。❷ 见 532 页〖蜿蜒〗、1401 页〖蟺蜒〗、1649 页〖蚰蜒〗。

筵 yán 古人席地而坐时铺的席,泛指筵席：喜～|寿～。

【筵席】yánxí 图 指宴饮时陈设的座位,泛指酒席。

䂓 yán 〈书〉同"研"。

颜(顏) yán ❶ 脸；脸上的表情：容～|和～悦色|笑逐～开。❷ 体面；面子：无～见人。❸ 颜色①：～料|五～六色。❹ (Yán)图 姓。

【颜料】yánliào 图 用来着色的物质,种类很多,如朱砂、锌白(氧化锌)等。

【颜面】yánmiàn 图❶ 脸部：～神经。❷ 体面；面子：顾全～。

【颜容】yánróng 图 容颜；面容：～枯槁。

【颜色】yánsè 名❶由物体发射、反射或透过的光波通过视觉所产生的印象：～鲜艳|彩虹有七种～。❷〈书〉面貌；容貌：～憔悴。❸指脸上的表情：现出羞愧的～。❹指显示给人看的厉害的脸色或行动：给他点～看看。

【颜色】yán·shai〈口〉名颜料或染料。

【颜体】Yán tǐ 名唐代颜真卿所写的字体，参用篆书笔意写楷书，浑厚挺拔，开阔雄伟。

檐（簷） yán （～儿）名❶屋顶向旁伸出的边沿部分：房～|廊～|～下|～前。(图见 387 页"房子") ❷某些器物上形状像房檐的部分：帽～儿。

【檐沟】yángōu 名房檐下面横向的槽形排水沟，作用是承接屋面的雨水，然后由竖管引到地面。

【檐口】yánkǒu 名房檐边滴水的地方。

【檐子】yán·zi〈口〉名房檐。

弇 yǎn （丨ㄢ）

奄 yǎn〈书〉❶覆盖；包括：～有四方。❷副忽然；突然：～忽|～然|狼～至。〈古〉又同"阉"yān。

【奄忽】yǎnhū〈书〉副忽然；倏忽。

【奄然】yǎnrán〈书〉副忽然。

【奄奄】yǎnyǎn 形形容气息微弱：～一息。

兖 Yǎn ❶兖州（Yǎnzhōu），地名，在山东。❷名姓。

龚（龑） yǎn 五代时南汉刘龑为自己名字造的字。

傿（儼） yǎn〈书〉❶庄重。❷很像。

【傿然】yǎnrán〈书〉❶形形容庄严：望之～。❷形形容齐整：屋舍～。❸副形容很像：这孩子说话来～是个大人。

【傿如】yǎnrú 副十分像：广场被探照灯照得～白昼。

衍[1] yǎn ❶〈书〉开展；发挥：推～|敷～。❷〈书〉多出的(指字句)：～文。❸(Yǎn)名姓。

衍[2] yǎn〈书〉❶低而平坦的土地：广～沃野。❷沼泽。

【衍变】yǎnbiàn 动演变。

【衍化】yǎnhuà 动发展变化：这个药方是综合几个秘方～而来的。

【衍射】yǎnshè 动波在传播时，如果被一个大小近于或小于波长的物体阻挡，就越过这个物体，继续进行；如果通过一个大小近于或小于波长的孔，则以孔为中心，形成环形波向前传播。这种现象叫衍射。

【衍生】yǎnshēng 动❶较简单的化合物中的原子或原子团被其他原子或原子团取代而生成较复杂的化合物。❷演变发生。

【衍生物】yǎnshēngwù 名较简单的化合物所含的原子或原子团被其他原子或原子团取代而生成的较复杂的化合物，叫做原来化合物的衍生物，如磺胺噻唑是磺胺的衍生物。

【衍文】yǎnwén 名因缮写、刻版、排版错误而多出来的字句。

弇 yǎn〈书〉覆盖；遮蔽。

【弇陋】yǎnlòu〈书〉形见识浅陋。

剡 yǎn〈书〉❶削尖：～木为楫。❷锐利。

另见 1189 页 Shàn。

厣（厴） yǎn 名❶螺类介壳口圆片状的盖，由足部表皮分泌的物质形成。❷蟹腹下面的薄壳。

掩（搯） yǎn ❶动遮盖；掩盖：～口而笑|～人耳目|～着怀(上衣遮盖住胸膛而不扣纽扣)。❷动关；合：～卷|虚～着房门。❸〈方〉动关门或关箱盖等物时被夹住：手被门～了一下。❹〈书〉乘人不备(袭击、捕捉)：～杀|～捕。

【掩鼻】yǎnbí 动捂住鼻子，指对肮脏的东西或丑恶的行为非常厌恶：～而过。

【掩蔽】yǎnbì ❶动遮蔽；隐藏：～部。❷名遮蔽的东西或隐藏的地方：河边的堤埂很高，正好做我们的～。

【掩蔽部】yǎnbìbù 名保障人员免受敌方炮火伤害的掩蔽工事，一般构筑在地下。

【掩藏】yǎncáng 动隐藏：～内心的痛苦。

【掩耳盗铃】yǎn ěr dào líng 把耳朵捂住去偷铃铛，比喻自己欺骗自己，明明掩盖不了的事偏要设法掩盖。

【掩盖】yǎngài 动❶遮盖①：大雪～了田

野。❷ 隐藏;隐瞒:～罪行。

【掩护】yǎnhù ❶ 动 对敌采取警戒、牵制、压制等手段,保障部队或人员行动的安全。❷ 动 采取某种方式暗中保护或不使暴露:打～。❸ 名 指作战时遮蔽身体的工事、山岗、树木等。

【掩埋】yǎnmái 动 用泥土等盖在上面;埋葬①:～尸体。

【掩人耳目】yǎn rén ěr mù 遮着别人的耳朵和眼睛,比喻以假象蒙骗别人。

【掩杀】yǎnshā〈书〉动 乘人不备而袭击。

【掩饰】yǎnshì 动 设法掩盖(真实的情况):～错误｜～不住内心的喜悦。

【掩体】yǎntǐ 名 供单个火器射击或技术器材操作的掩蔽工事,如机枪掩体、雷达掩体等。

【掩眼法】yǎnyǎnfǎ 名 障眼法。

【掩隐】yǎnyǐn 动 掩蔽;隐没:小山村～在绿树丛中。

【掩映】yǎnyìng 动 彼此遮掩而互相衬托:桃红柳绿相互～。

郾 yǎn 郾城(Yǎnchéng),地名,在河南。

眼 yǎn ❶ 名 人和动物的视觉器官。通称眼睛。❷ (～儿)名 小洞;窟窿:泉～｜炮～｜拿针扎一个～儿。❸ (～儿)指事物的关键所在:节骨～儿。❹ 名 围棋用语,由同色棋子围住的一个或两个空交叉点。❺ 名 戏曲中的拍子:二黄慢板,一板三～。❻ 量 用于井、窑洞:一～井｜一～旧窑洞。

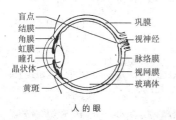

人的眼

【眼巴巴】yǎnbābā (～的)形 状态词。❶ 形容急切地盼望:大家～地等着他回来。❷ 形容急切地看着不如意的事情发生而无可奈何:他～地看着老鹰把小鸡抓走了。

【眼白】yǎnbái〈方〉名 白眼珠儿。

【眼波】yǎnbō 名 指流动如水波的目光(多指女子的)。

【眼岔】yǎnchà〈方〉动 看错;认错:刚才看见的不是蝎子,是我～了。

【眼馋】yǎnchán 形 看见自己喜爱的事物极想得到。

【眼眵】yǎnchī 名 眵。

【眼袋】yǎndài 名 指下眼皮微微凸起的部分。

【眼底】yǎndǐ 名 ❶ 医学上指用某种器械通过瞳孔所能观察到的眼内构造。如黄斑、视网膜、视神经乳头等。❷ 眼睛跟前;眼里:登楼一望,全城景色尽收～。

【眼底下】yǎndǐ·xia 名 ❶ 眼睛跟前:他的眼睛近视得厉害,放到～才看得清。❷ 目前;以后的事以后再说,～的事要紧。‖也说眼皮底下。

【眼福】yǎnfú 名 能看到珍奇或美好事物的福分:～不浅｜大饱～。

【眼高手低】yǎn gāo shǒu dī 自己要求的标准高,而实际工作的能力低。

【眼光】yǎnguāng 名 ❶ 视线:大家的～都集中到他身上。❷ 观察鉴别事物的能力;眼力:这辆车挑得好,你真有～。❸ 指观点:老～｜用发展的～看问题。

【眼红】yǎnhóng 形 ❶ 看见别人有名有利或有好的东西时非常羡慕、忌妒,自己也想得到:看哥哥买辆新车,弟弟有点～。❷ 激怒的样子:仇人见面,分外～。

【眼花】yǎn∥huā 形 看东西模糊不清:耳聋～。

【眼花缭乱】yǎnhuā liáoluàn 眼睛看见复杂纷繁的东西而感到迷乱。

【眼犄角儿】yǎnjījiǎor〈方〉名 眼角。

【眼疾手快】yǎn jí shǒu kuài 见 1254 页【手疾眼快】。

【眼尖】yǎn∥jiān 形 眼力好,视觉敏锐:还是你～,一眼就认出了他。

【眼睑】yǎnjiǎn 名 眼睛周围能开闭的皮,边缘长着睫毛。眼睑和睫毛都有保护眼球的作用。通称眼皮。

【眼见】yǎnjiàn 副 马上:～就要立冬了,天还这么暖和。

【眼角】yǎnjiǎo (～儿)名 眦(zì)的通称。内眦叫大眼角,外眦叫小眼角。

【眼界】yǎnjiè 名 所见事物的范围,借指见识的广度：～开阔｜～狭窄｜大开～。

【眼睛】yǎn·jing 名 眼的通称。

【眼镜】yǎnjìng （～儿）名 戴在眼睛上矫正视力或保护眼睛的透镜。

【眼镜蛇】yǎnjìngshé 名 毒蛇的一种，激怒时颈部膨胀变粗，上面有一对白边黑心的环状斑纹，像一副眼镜。毒性很大。吃小动物。产于热带和亚热带地区。

【眼看】yǎnkàn ❶ 副 马上：鸡叫了三遍，天～就要亮了。❷ 动 听凭（不如意的事情发生或发展）：天再旱，我们也不能～着庄稼干死。

【眼眶】yǎnkuàng 名❶ 眼皮的边缘所构成的框儿：～里含着泪水。❷ 眼睛周围的部位：他揉了揉～。‖ 也叫眼圈。

【眼泪】yǎnlèi 名 泪液的通称。

【眼力】yǎnlì 名❶ 视力：～越来越差了。❷ 辨别是非好坏的能力：他的～不错，找到了一个好帮手。

【眼力见儿】yǎnlìjiànr 〈方〉名 见机行事的能力：这孩子真有～，看见我扫地，就把簸箕拿过来了。

【眼帘】yǎnlián 名 指眼皮或眼内（多用于文学作品）：垂下～｜一片丰收的景色映入～。

【眼眉】yǎnméi 〈方〉名 眉毛。

【眼面前】yǎn·miànqián （～儿）〈方〉名❶ 眼前；跟前：～几件事就够他忙的了｜他刚从我～过去。❷ 指日常使用的；常见的：虽说他文化低，～的一些字还认识。

【眼明手快】yǎn míng shǒu kuài 眼力好，动作快，形容反应快。

【眼目】yǎnmù 名❶ 指眼睛：强烈的灯光炫人～。❷ 为人暗中察看情况并通风报信的人：安插～。

【眼泡】yǎnpāo （～儿）名 上眼皮：肉～｜～儿哭肿了。

【眼皮】yǎnpí （～儿）名 眼睑的通称。

【眼皮底下】yǎnpí dǐ·xia 眼底下。也说眼皮子底下。

【眼皮子】yǎnpí·zi 〈口〉名❶ 眼皮：困得～都睁不开了。❷ 指眼界，见识：～高｜～浅。

【眼前】yǎnqián 名❶ 眼睛前面；跟前：～是一片金黄色的麦田。❷ 目前：防汛抗涝是～第一位的任务。

【眼前亏】yǎnqiánkuī 名 指当时会受到

的损害：好汉不吃～。

【眼浅】yǎnqiǎn 形 见识浅；眼光短。

【眼球】yǎnqiú 名 眼的主要组成部分，呈球形，外部由角膜、巩膜、脉络膜、视网膜等薄膜构成，内部有水状液、晶状体和玻璃体，中央有一个圆形的瞳孔。通称眼珠。

【眼圈】yǎnquān （～儿）名 眼眶。

【眼热】yǎnrè 形 看见好的事物而希望得到：她见了这些首饰怪～的。

【眼色】yǎnsè 名❶ 递给人示意的目光：～递了个～｜看他的～行事。❷ 指见机行事的能力：做推销工作要多长～｜你这～的糊涂虫！

【眼神】yǎnshén 名❶ 眼睛的神态：人们都用异样的～看着他。❷ （～儿）〈方〉视力：我～儿不好，天一黑就看不清了。

【眼生】yǎnshēng 形 看着不认识或不熟悉：这人看着有点～｜几年不到这儿来，连从前常走的路也～了。

【眼屎】yǎnshǐ 名 眵的俗称。

【眼熟】yǎnshú 形 看着好像认识；见过而想不起是在哪儿见过：这人看着有点～。

【眼跳】yǎntiào 动 眼睑的肌肉紧张而跳动，多由眼睛疲劳或严重的沙眼所引起。

【眼窝】yǎnwō （～儿）名 眼球所在的凹陷的部分。

【眼下】yǎnxià 名 目前：～秋收大忙，农民天不亮就下地了。

【眼线】¹ yǎnxiàn 名 化妆时在上下眼皮边沿画的线条（多为黑色）：描～。

【眼线】² yǎnxiàn 名 暗中侦察情况、必要时担任向导的人。

【眼压】yǎnyā 名 眼内液体对眼球壁的压力。正常眼压一般在 1.3—2.8 千帕（10—21 毫米汞柱）之间，过高或过低都会影响眼球功能。

【眼影】yǎnyǐng 名 女子涂在眼皮上的一种装饰，有蓝色、淡褐色、粉红色等：～膏｜～粉。

【眼晕】yǎnyùn 动 因视觉关系而发晕。

【眼罩儿】yǎnzhàor 名❶ 给牲畜戴的遮眼的东西。❷ 戴在眼睛上起遮蔽或保护作用的东西。旧时也指风镜。❸ 用手平搭在额前遮住阳光叫打眼罩儿：他打起～向远处眺望。

【眼睁睁】yǎnzhēngzhēng （～的）形 状态

词。睁着眼睛,多形容发呆、没有办法或无动于衷。

【眼中钉】yǎnzhōngdīng 名 比喻心目中最痛恨、最厌恶的人。

【眼珠】yǎnzhū (～儿)名 眼球的通称。

【眼珠子】yǎnzhū•zi 〈口〉名 ❶ 眼珠。❷ 比喻最珍爱的人或物品。

【眼拙】yǎnzhuō 形 客套话,表示没认出对方是谁或记不清跟对方见过面没有:恕我～,您贵姓?

偃 yǎn 〈书〉❶ 仰面倒下;放倒:～卧|～旗息鼓。❷ 停止:～武修文。

【偃旗息鼓】yǎn qí xī gǔ 放倒军旗,停击战鼓。指秘密行军,不暴露目标。现多指停止战斗,也比喻停止批评、攻击等。

【偃武修文】yǎn wǔ xiū wén 停止武备,提倡文教。

琰 yǎn 〈书〉一种玉。

栐 yǎn 古书上说的一种树,果实像柰。

晻 yǎn 〈书〉阴暗不明。
另见 11 页 àn。

㷋 yǎn [㷋庨](yǎnyí)〈书〉名 门闩。

罨 yǎn ❶〈书〉捕鸟或捕鱼的网。❷ 动 覆盖;敷:热～(一种医疗方法)|拿湿布～在伤口上。

演 yǎn ❶ 演变;演化:～进。❷ 发挥:～说|～绎。❸ 依照程式(练习或计算):～算|～武|～兵场。❹ 动 表演技艺;扮演:～奏|她～过白毛女。❺ (Yǎn)名 姓。

【演变】yǎnbiàn 动 发展变化(指历时较久的):宇宙间一切事物都在不断～的。

【演播】yǎnbō 动 (通过广播电台、电视台)表演并播送(节目):～设施|～室。

【演唱】yǎnchàng 动 表演(歌曲、戏曲):～会|～京剧。

【演出】yǎnchū 动 把戏剧、音乐、舞蹈、曲艺、杂技等给观众欣赏。

【演化】yǎnhuà 动 演变(多指自然界的变化):～过程|生物的～。

【演技】yǎnjì 名 表演的技巧,指演员运用各种技术和手法创造形象的能力。

【演讲】yǎnjiǎng 动 演说;讲演:登台～。

【演进】yǎnjìn 动 演变进化。

【演练】yǎnliàn 动 训练演习;操练:～场|运动员们正在～各种技巧动作。

【演示】yǎnshì 动 利用实验或实物、图表把事物的发展变化过程显示出来,使人有所认识或理解。

【演说】yǎnshuō ❶ 动 就某个问题对听众说明事理,发表见解:～词|～了两个小时。❷ 名 就某个问题对听众发表的见解:一篇精彩的～。

【演算】yǎnsuàn 动 按一定原理和公式计算:～习题。

【演武】yǎnwǔ 动 指练习武艺:～厅。

【演习】yǎnxí 动 实地练习(多指军事的):海军～|实弹～|消防～。

【演戏】yǎn//xì 动 表演戏剧:登台～◇她这样做是在～,你不必当真。

【演义】yǎnyì ❶〈书〉动 敷陈义理而加以引申:此剧是取书中若干章节加以编排贯串,～而成。❷ 名 以一定的历史事迹为背景,以史书及传说的材料为基础,增添一些细节,用章回体写成的小说,如《三国演义》《隋唐演义》等。

【演艺】yǎnyì 名 ❶ 戏剧、影视、歌舞、曲艺、杂技等表演艺术:～界|～人员。❷ 表演的技艺:他的精湛～受到人们的赞赏。

【演绎】yǎnyì ❶ 名 一种推理方法,由一般原理推出关于特殊情况下的结论。三段论就是演绎的一种形式(跟"归纳"相对)。❷ 动 铺陈;发挥:一首民歌～出一段感人的爱情故事。❸ 动 展现;表现:时尚潮流～不同的风格。

【演员】yǎnyuán 名 参加戏剧、影视、歌舞、曲艺、杂技等表演的人员。

【演奏】yǎnzòu 动 用乐器表演:～小提琴。

缤(縯) yǎn 〈书〉延长。

魇(魘) yǎn 动 ❶ 发生梦魇:～住了。❷〈方〉说梦话。

蝘 yǎn 古书上指蝉一类的昆虫。

巘(巘) yǎn 〈书〉山峰;山顶:绝～(极高的山顶)。

黡(黶) yǎn 〈书〉黑色的痣。

甗 yǎn 古代炊具,中部有算子。

鼹（鼴） yǎn 名 哺乳动物，外形像鼠，毛黑褐色，嘴尖、眼小。前肢发达，脚掌向外翻，有利爪，适于掘土，后肢细小。昼伏夜出，捕食昆虫、蚯蚓等，也吃农作物的根。通称鼹鼠。

【鼹鼠】yǎnshǔ 名 鼹的通称。

yàn （丨ㄢ）

厌（厭） yàn ❶ 满足：贪得无～。❷ 动 因过多而不喜欢：看～了。❸ 憎恶：～恶｜～弃｜讨～。

【厌烦】yànfán 动 因不耐烦而讨厌：话说了一遍又一遍，都叫人听～了。

【厌恨】yànhèn 动 厌恶痛恨。

【厌倦】yànjuàn 动 对某种活动失去兴趣而不愿继续：下围棋，他早就～了。

【厌弃】yànqì 动 厌恶而嫌弃：遭人～｜对成绩差的学生不要～而要热情帮助。

【厌食】yànshí 动 食欲不振，不想吃东西：～症｜这种新药主治小儿～。

【厌世】yànshì 动 悲观消极，厌弃人生：悲观～。

【厌恶】yànwù 动（对人或事物）产生很大的反感：大家都～他｜这种无聊的生活令人～。

【厌学】yànxué 动 对上学学习感到厌烦：孩子～应给予正确引导。

【厌战】yànzhàn 动 厌恶战争：～情绪。

觃（覎） yàn 觃口（Yànkǒu），地名，在浙江。

研 yàn〈书〉同"砚"。
另见 1566 页 yán。

砚（硯） yàn ❶ 砚台：笔～｜端～。❷ 旧时指有同学关系的（因同学常共笔砚，同学也称"同砚"）：～兄｜～友。

【砚池】yànchí 名 砚台。

【砚滴】yàndī 名 往砚台里滴水的文具。

【砚台】yàn·tai 名 研墨的文具，有石头的，有瓦的。

咽（嚥） yàn 动 使嘴里的食物或别的东西通过咽头到食管里去：～唾沫｜细嚼慢～｜狼吞虎～◇话到嘴边又～回去了。
另见 1562 页 yān；1592 页 yè。

【咽气】yàn∥qì 动 指人死断气。

彦 yàn ❶〈书〉指有才德的人。❷（Yàn）名 姓。

艳（艷、豔） yàn ❶ 形 色彩光泽鲜明好看：～丽｜娇～｜百花争～｜这布的花色太～了，有没有素一点的？❷ 指关于爱情方面的：香艳：～情｜～史。❸〈书〉羡慕：～羡。❹（Yàn）名 姓。

【艳福】yànfú 名 指男子得到美女欢心的福分。

【艳丽】yànlì 形 鲜明美丽：色彩～｜～夺目｜～的彩虹。

【艳情】yànqíng 名 指男女爱情：～小说｜～故事。

【艳诗】yànshī 名 指描写男女爱情的诗。

【艳史】yànshǐ 名 指关于男女爱情的故事。

【艳俗】yànsú 形 艳丽而俗气：打扮～｜～的装饰。

【艳羡】yànxiàn〈书〉动 十分羡慕。

【艳阳】yànyáng 名 ❶ 明亮的太阳：～高照。❷ 明媚的风光，多指春天：～桃李节｜～天（明媚的春天）。

晏 yàn ❶ 迟：～起。❷ 同"宴"❸。❸（Yàn）名 姓。

【晏驾】yànjià 动 君主时代称帝王死。

唁 yàn 对遭遇丧事者表示慰问：慰～｜吊～｜～电。

【唁电】yàndiàn 名 慰问死者家属的电报。

【唁函】yànhán 名 慰问死者家属的信。

宴 yàn ❶ 请人吃酒饭；聚会在一起吃酒饭：～客｜欢～。❷ 酒席；宴会：设～｜赴～｜盛～｜国～。❸〈书〉安乐；安闲：～乐（安乐）｜安～鸩毒。

【宴安鸩毒】yàn'ān zhèn dú 贪图享乐等于喝毒酒自杀。

【宴尔】yàn'ěr〈书〉形 安乐。《诗经·邶风·谷风》有"宴尔新昏（婚）"的诗句。后来就用"宴尔"指新婚：～之乐。也作燕尔。

【宴会】yànhuì 名 宾主在一起饮酒吃饭的聚会（指比较隆重的）：举行盛大～。

【宴请】yànqǐng 动 设宴招待：～外宾。

【宴席】yànxí 名 请客的酒席；承办～。

验（驗、騐） yàn ❶ 动 察看；查考：～货｜～血｜查～｜～试～。❷ 产生预期的效果：灵～｜应

~|屡试屡~。❸ 预期的效果:效~。

【验查】yànchá 动 检验核查:~证件|~存货。

【验钞机】yànchāojī 名 用来检验钞票真伪的仪器。

【验车】yàn//chē 动 车检。

【验方】yànfāng 名 临床经验证明有疗效的现成的药方。

【验关】yàn//guān 动 人员出入境时,由海关检验其证件及携带的物品等:办理~手续|在机场等候~。

【验光】yàn//guāng 动 检查眼球晶状体的屈光度。

【验看】yànkàn 动 察看;检验:~指纹|~护照。

【验尸】yàn//shī 动 (司法人员)检验人的尸体,确定死亡的原因和过程。

【验收】yànshōu 动 按照一定标准进行检验而后收下:~工作|大桥竣工~后才能交付使用。

【验算】yànsuàn 动 算题算好以后,再用另外的方法演算一遍,检验已得出的运算结果是否正确。验算多用逆运算,如减法算题用加法,除法算题用乘法。

【验证】yànzhèng 动 通过实验使得到证实;检验证实:~数据。

【验资】yànzī 动 查验资金或资产:~机构|~报告。

谚(諺) yàn 谚语:古~|农~。

【谚语】yànyǔ 名 在群众中间流传的固定语句,用简单通俗的话反映出深刻的道理。如"三个臭皮匠,赛过诸葛亮","三百六十行,行行出状元","天下无难事,只怕有心人"。

堰 yàn 名 较低的挡水构筑物,作用是提高上游水位,便利灌溉和航运。

雁(鴈) yàn 名 鸟,外形略像鹅,颈和翼较长,足和尾较短,羽毛淡紫褐色。善于游泳和飞行。常见的有鸿雁、白额雁等。

【雁过拔毛】yàn guò bá máo 比喻对经手的事不放过任何机会从中牟取私利。

【雁行】yànháng 名 鸿雁飞时整齐的行列,借指弟兄。

【雁阵】yànzhèn 名 雁高飞时排成的队形。

嗻 yàn 〈书〉❶ 粗鲁。❷ 同"唁"。

焰(燄) yàn 火苗:火~|◇气~。

【焰火】yànhuǒ 名 烟火(yān·huo)。

【焰口】yàn·kou 名 佛教用语,形容饿鬼渴望饮食,口吐火焰。和尚做法事向饿鬼施食叫放焰口。

焱 yàn ❶〈书〉火花;火光。❷(Yàn)名 姓。

滟(灩) yàn ❶ 滟滪堆(Yànyù Duī),长江瞿塘峡口的巨石。1958 年整治航道时已炸平。❷ 见 850 页[激滟]。

墕 yàn ❶〈方〉名 两山之间的山地。❷ 同"堰"。

酽(釅) yàn 形 (汁液)浓;味厚:这碗茶太~了|墨磨得~~的。

餍(饜) yàn 〈书〉❶ 吃饱。❷ 满足。

【餍足】yànzú 〈书〉动 满足(多指私欲)。

鷃(鷃、鴳) yàn [鷃雀](yànquè)名 古书上说的一种小鸟。

熰(爓) yàn 〈书〉同"焰"。

谳(讞) yàn 〈书〉审判定罪:定~。

燕[1](鷰) yàn 名 鸟,嘴短而扁,翅膀尖而长,尾巴分开像剪刀。捕食昆虫,对农作物有益。春天飞到北方,秋天飞到南方,是候鸟。种类很多,常见的有家燕。

燕[2](❶醼) yàn ❶ 同"宴"①②。❷ 同"宴"③。
  另见 1563 页 Yān。

【燕尔】yàn'ěr 同"宴尔"。

【燕鸻】yànhéng 名 鸟,外形像家燕而较大,两翼大部灰褐色,颈的后部有半环形的棕色斑纹,尾纯白色,稍分叉。吃蝗虫等,对农作物有益。

【燕麦】yànmài 名 ❶ 草本植物,叶子细长而尖,花绿色,小穗有细长的芒。子实可以食用。❷ 这种植物的子实。

【燕雀】yànquè 名 鸟,身体小,嘴圆锥形,喉和胸褐色,雄的头和背黑色,雌的头和背暗褐色,边缘浅黄色。吃昆虫和植物子等。

【燕尾服】yànwěifú 图 男子西式晚礼服的一种,黑色,前身较短,后身较长而下端分开像燕子尾巴。

【燕窝】yànwō 图 金丝燕在海边岩洞峭壁间筑的巢,是金丝燕吞下海藻等后吐出的胶状物凝结而成的。是珍贵的食品。

【燕子】yàn·zi 图 家燕的通称。

赝(贋、贗) yàn 〈书〉伪造的:~品。

【赝本】yànběn 图 假托名人手笔的书画。

【赝币】yànbì〈书〉图 伪造的货币(多指硬币)。

【赝鼎】yàndǐng 〈书〉图 伪造的鼎,泛指赝品。

【赝品】yànpǐn 图 伪造的文物或艺术品。

谳(讞) yàn 〈书〉❶ 聚在一起叙谈。❷ 同"宴"①②。

嬿 yàn 〈书〉美好。

yāng（尢）

央¹ yāng 动 恳求:~求|~人作保。

央² yāng ❶ 中心:中~。❷ (Yāng) 图 姓。

央³ yāng 〈书〉终止;完结:夜未~|长乐未~。

【央告】yāng·gao 动 央求。

【央行】yāngháng 图 中央银行的简称。

【央求】yāngqiú 动 恳求:再三~,他才答应。

【央托】yāngtuō 动 请托:~一位朋友代办。

泱 yāng [泱泱] (yāngyāng)〈书〉形 ❶ 水面广阔;湖水~。❷ 形容气魄宏大:~大国。

殃 yāng ❶ 祸害:灾~|遭~。❷ 使受祸害:祸国~民。

【殃及池鱼】yāng jí chí yú 见 176 页[城门失火,殃及池鱼]。

鸯(鴦) yāng 见 1672 页[鸳鸯]。

秧 yāng ❶ (~儿) 图 植物的幼苗:树~儿|白菜~儿|黄瓜~儿。❷ 图 特指水稻的幼苗:~田|插~。❸ 图 某些植物的茎:瓜~|豆~|白薯~。❹ 某些饲养的幼小动物:鱼~。❺ 〈方〉动 栽培;畜养:~几棵树|~了一池鱼。❻ (Yāng) 图 姓。

【秧歌】yāng·ge 图 主要流行于北方广大农村的一种民间舞蹈,用锣鼓伴奏,有的地区也表演故事,跟小歌舞剧相似。跳这种舞叫扭秧歌或闹秧歌。

【秧歌剧】yāng·gejù 图 由秧歌发展而成的歌舞剧,演出简单,能迅速反映现实,如抗日战争时期演的《兄妹开荒》就是秧歌剧。

【秧龄】yānglíng 图 水稻的幼苗在秧田中生长的时期。

【秧苗】yāngmiáo 图 农作物的幼苗,通常指水稻的幼苗。

【秧田】yāngtián 图 培植水稻秧苗的田。

【秧子】yāng·zi 图 ❶ 秧①;树~。❷ 秧③:花生~。❸ 秧④:猪~。❹ 〈方〉比喻某种人(多含贬义):病~|奴才~。

鞅 yāng (旧读 yǎng) 古代用马拉车时安在马脖子上的皮套子。
另见 1580 页 yàng。

yáng （尢）

扬¹(揚、敭) yáng ❶ 动 高举;往上升:飘~|趾高气~|~帆。~起鞭子。❷ 动 往上撒:~场|把种子晒干~净。❸ 传播出去:表~|~赞|~言。❹ 指容貌好看:其貌不~。

扬²(揚) Yáng ❶ 指江苏扬州。❷ 图 姓。

【扬长】yángcháng 副 大模大样地离开的样子:~过市|~而去。

【扬长避短】yáng cháng bì duǎn 发扬长处,避开短处:知人善任,~。

【扬场】yáng//cháng 把打下来的谷物、豆类等用机器、木锨等扬起来,借风力吹掉壳和尘土,分离出干净的子粒。

【扬尘】yángchén ❶ 动 扬起灰尘:建筑工地要落实防止~措施。❷ 图 扬起的灰尘:~超标。

【扬程】yángchéng 图 水泵向上扬水的高度。

【扬帆】yáng//fān 动 扯起布帆(开船):~远

航。

【扬幡招魂】yáng fān zhāo hún　挂幡招回死者的魂灵(迷信)。现多用于比喻。

【扬花】yánghuā　㐊 水稻、小麦、高粱等作物开花时,花药裂开,花粉飞散。

【扬剧】yángjù　㐂 江苏地方戏曲剧种之一,原名维扬戏,流行于扬州一带。

【扬厉】yánglì　〈书〉㐊 发扬;铺张~。

【扬眉吐气】yáng méi tǔ qì　形容被压抑的心情得到舒展而快活如意。

【扬名】yáng∥míng　㐊 传播名声:~天下。

【扬旗】yángqí　㐂 铁路信号的一种,设在车站的两头,在立柱上装着活动的板,板横举时表示不准火车进站,板向下斜时表示准许进站。

【扬弃】yángqì　㐊 ❶ 哲学上指事物在新陈代谢过程中,发扬旧事物中的积极因素,抛弃旧事物中的消极因素。❷ 抛弃。

【扬琴】(洋琴) yángqín　㐂 弦乐器,把许多根弦安在一个梯形的扁木箱上,用竹制的富有弹性的小槌击弦而发声。

【扬清激浊】yáng qīng jī zhuó　见634页〖激浊扬清〗。

【扬榷】yángquè　〈书〉㐊 略举大要;扼要论述:~古今。

【扬沙】yángshā　㐊 大风扬起地面的尘沙,使空气浑浊,水平能见度低的天气现象。

【扬升】yángshēng　㐊 (价格等)往上升;上涨:油价大幅~|这种邮票在邮品市场上~至八十元。

【扬声器】yángshēngqì　㐂 把电能变成声音的电信装置,常见的一种是由磁铁、线圈、纸盆等构成的,电流通过线圈时使纸盆作相应的振动而发出声音。用在收音机、扩音机、电视机等上面。

【扬水】yángshuǐ　㐊 用水泵提水:~站。

【扬汤止沸】yáng tāng zhǐ fèi　把锅里烧的沸水舀起来再倒回去,想叫它不沸腾,比喻办法不彻底,不能从根本上解决问题。

【扬威】yángwēi　㐊 显示威风:~海内。

【扬言】yángyán　㐊 有意传出要采取某种行动的话(多含威胁意):~要进行报复。

【扬扬】yángyáng　㐍 得意的样子:~自得。也作洋洋。

【扬州菜】yángzhōucài　㐂 江苏扬州风味的菜肴。

【扬子鳄】yángzǐ'è　㐂 爬行动物,吻短,体长可达2米左右,背部、尾部有鳞甲。穴居江河岸边,吃鱼、螺、蛙、小鸟和鼠类等,是我国特产的动物,因生活在扬子江(长江)得名。通称猪婆龙,也叫鼍(tuó)龙。

羊 yáng　㐂 ❶ 哺乳动物,反刍类,一般头上有一对角,种类很多,如山羊、绵羊、羚羊、黄羊、岩羊等。❷ (Yáng)姓。〈古〉又同“祥”xiáng。

【羊肠线】yángchángxiàn　㐂 羊的肠子制成的线,用于缝合体腔内的伤口或切口。

【羊肠小道】yángcháng xiǎodào　曲折而极窄的路(多指山路)。

【羊肚儿手巾】yángdǔr shǒu·jin　〈方〉毛巾。

【羊羔】yánggāo　㐂 ❶ 小羊。❷ 古代汾州(在今山西)出产的名酒。

【羊羹】yánggēng　㐂 用赤豆粉、琼脂、砂糖等制成的一种点心。

【羊倌】yángguān　(～儿)㐂 专职放羊的人。

【羊毫】yángháo　㐂 用羊毛做笔头的毛笔,比较柔软。

【羊角风】yángjiǎofēng　㐂 癫痫的通称。

【羊毛】yángmáo　㐂 羊的毛,通常指用作纺织原料的。

【羊毛出在羊身上】yángmáo chū zài yáng shēn·shang　比喻表面上用于某人或某些人的钱财,最终还是取自某人或某些人的自身。

【羊膜】yángmó　㐂 人和哺乳动物包裹胎儿的膜,由外胚层和中胚层的一部分组成,呈囊状,里面充满羊水。

【羊绒】yángróng　㐂 指山羊腹部的绒毛,纤维柔细,是较好的纺织原料:~衫。

【羊水】yángshuǐ　㐂 羊膜中的液体。羊水能使胎儿不受外界的震荡,并能减少胎儿在子宫内活动对母体的刺激。

【羊桃】yángtáo　㐂 同〖阳桃〗。

【羊痫风】yángxiánfēng　㐂 癫痫的通称。

阳(陽) yáng　❶ 我国古代哲学认为存在于宇宙间的一切事物中的两大对立面之一(跟“阴”相对,下❷—❼同):阴~二气。❷ 太阳;日光:~光|~历|~坡|朝~|向~。❸ 山的南面;水的

北面：衡～(在衡山之南)|洛～(在洛河之北)。❹ 凸出的：～文。❺ 外露的；表面的：～沟|～奉阴违。❻ 指属于活人和人世的(迷信)：～宅|～间|～寿。❼ 带正电的：～电|～极。❽ 指男性生殖器。❾ (Yáng)图姓。

【阳春】yángchūn 图指春天：～三月。

【阳春白雪】yángchūn báixuě 战国时代楚国的一种高雅的歌曲，后来泛指高深的、不通俗的文学艺术，常跟"下里巴人"对举。

【阳电】yángdiàn 图正电的旧称。

【阳奉阴违】yáng fèng yīn wéi 表面上遵从，暗地里违抗。

【阳刚】yánggāng 形❶(男子风度、气概、体魄)刚强(跟"阴柔"相对，下同)：～之气。❷(文艺作品等的风格)强劲有力：他的书法作品表现出～之美。

【阳沟】yánggōu 图明沟。

【阳关大道】yángguān dàdào 阳关道。

【阳关道】yángguāndào 图原指古代经过阳关(在今甘肃敦煌西南)通向西域的大道，后来泛指通行便利的大路。比喻有光明前途的道路：你走你的～，我走我的独木桥。也说阳关大道。

【阳光】yángguāng ❶图日光：～灿烂|～充足。❷形属性词。积极开朗、充满青春活力的：～女孩|～少年。❸形属性词。(事物、现象等)公开透明：～采购|～操作。

【阳极】yángjí 图❶电池等直流电源中放出电子带正电的电极。干电池中间的炭精棒就是阳极。也叫正极。❷电子器件中吸收电子的一级。电子管和各种阴极射线管中都有阳极，接受阴极放射的电子，这一极跟电源的阳极相接。

【阳间】yángjiān 图人世间(对"阴间"而言)。

【阳狂】yángkuáng 同"佯狂"。

【阳离子】yánglízǐ 图正离子。

【阳历】yánglì 图❶历法的一类，以地球绕太阳1周的时间(365.242 19 天)为1年，平年365天，闰年366天，1年分12个月。公历是阳历的一种。也叫太阳历。❷见472页〖公历〗。

【阳面】yángmiàn (～儿)图(建筑物等)向阳的一面。

【阳平】yángpíng 图普通话字调的第二声，主要由古汉语平声字中的浊音声母字分化而成。参看1294页〖四声〗②。

【阳畦】yángqí 图苗床的一种，设在向阳的地方，四周用土培成框，北面或四周墙上风障，夜间或气温低时，在框上盖席或塑料薄膜来保温。

【阳伞】yángsǎn 图遮阳光用的伞。有的地区叫旱伞。

【阳伞效应】yángsǎn xiàoyìng 由于大气中微粒的散射和云层的反射，到达地面的太阳辐射减弱，这种效应好像是在地面上撑起巨大的阳伞，所以叫阳伞效应。火山爆发、沙尘暴等造成的大气总悬浮颗粒物增多及云量增多，都会加强阳伞效应，使地面气温降低。

【阳世】yángshì 图人世间。

【阳寿】yángshòu 图迷信的人指人活在人世的寿数。

【阳台】yángtái 图楼房凸出去的小平台，有栏杆，可以乘凉、晒太阳或远望。

【阳桃】yángtáo 图❶常绿乔木，羽状复叶，小叶卵形，花瓣白色或淡紫色，萼红紫色。浆果椭圆形，绿色或绿黄色，有五条棱，可以吃。❷这种植物的果实。‖也作杨桃、羊桃。也叫五敛子。

【阳痿】yángwěi 动成年男子性功能障碍的病，阴茎不能勃起或勃起不坚而不能性交。多由前列腺炎症或神经功能障碍等引起。

【阳文】yángwén 图印章或某些器物上所刻或所铸的凸出的文字或花纹(跟"阴文"相对)。

【阳线】yángxiàn 图证券市场上指收盘价高于开盘价的K线(跟"阴线"相对)。

【阳性】yángxìng 图❶诊断疾病时对进行某种试验或化验所得结果的表示方法。如果体内有某种病原体存在或对某种药物有过敏反应，则结果呈阳性。❷某些语言里名词(以及代词、形容词)分别为阴性、阳性，或阴性、阳性、中性。参看1528页"性"⑥。

【阳韵】yángyùn 图音韵学家根据古韵母的性质，把字音分成三类：韵尾是b,d,g的叫入声；韵尾是m,n,ng的叫阳韵；入声和阳韵以外的叫阴韵。阳韵和阴韵的字调各有平声、上声、去声三类。

【阳宅】yángzhái 图迷信的人称住宅(对

"阴宅"而言)。

玚(瑒) yáng 古代的一种玉。
另见 156 页 chàng。

杨(楊) yáng 名❶杨树,落叶乔木,叶子卵形或卵状披针形,种类很多,有银白杨、毛白杨、小叶杨等。❷(Yáng)姓。

【杨辉三角】Yáng Huī sānjiǎo 二项式($a+b$)的 n($n=0,1,2,3,\cdots$)次方展开式的系数依次可排列成一个三角形的数表:

$$1$$
$$1\ 1$$
$$1\ 2\ 1$$
$$1\ 3\ 3\ 1$$
$$1\ 4\ 6\ 4\ 1$$
$$1\ 5\ 10\ 10\ 5\ 1$$

这个数表见于我国南宋数学家杨辉的《详解九章算法》,后来叫做杨辉三角。因《详解九章算法》指出北宋数学家贾宪已用这个数表开高次方,所以叫贾宪三角。

【杨柳】yángliǔ 名❶杨树和柳树。❷指柳树。

【杨梅】yángméi 名❶常绿乔木,叶子长倒卵形,花褐色。果实近球形,表面有粒状突起,紫红色或白色,味酸甜,可以吃。❷这种植物的果实。❸〈方〉指梅毒。

【杨梅疮】yángméichuāng 〈方〉名梅毒。

【杨桃】yángtáo 同"阳桃"。

旸(暘) yáng 〈书〉❶日出。❷晴;晴天。

飏(颺) yáng 飞扬;飘扬。

炀(煬) yáng 〈书〉❶熔化金属。❷火旺。

钖(鍚) yáng 〈书〉马额上的装饰物。

佯 yáng 假装:~死|~攻。

【佯攻】yánggōng 动虚张声势地进攻。

【佯狂】yángkuáng 〈书〉动假装疯癫。也作阳狂。

【佯言】yángyán 〈书〉动诈言;说假话。

【佯装】yángzhuāng 动假装:~不知。

疡(瘍) yáng ❶〈书〉疮。❷溃烂:溃~。

垟 yáng 〈方〉田地(多用于地名):翁~|黄~(都在浙江)。

徉 yáng 见 155 页[徜徉]。

洋 yáng ❶盛大;丰富:~溢。❷名地球表面上被水覆盖的广大地方,约占地球面积的十分之七,分成四个部分,即太平洋、大西洋、印度洋、北冰洋。❸指外国;外国的:留~|~人|~货。❹形现代化的(区别于"土"):~办法|土~结合|打扮得挺~。❺名洋钱;银圆:大~|小~|罚一百元。❻(Yáng)名姓。

【洋白菜】yángbáicài 名结球甘蓝的通称。

【洋布】yángbù 名旧指机器织的平纹布。

【洋财】yángcái 名指跟外国做买卖得到的财物,泛指意外得到的财物:发~。

【洋场】yángchǎng 名指旧时洋人较多的都市,多指上海(含贬义):十里~。

【洋车】yángchē 〈口〉名人力车②。

【洋瓷】yángcí 〈口〉名搪瓷。

【洋葱】yángcōng 名❶二年生或多年生草本植物,花茎细长,中空,花小,色白。鳞茎扁球形,白色或带紫红色,是常见蔬菜。❷这种植物的鳞茎。‖也叫葱头。

【洋房】yángfáng 名指欧美式样的房屋:花园~。

【洋镐】yánggǎo 名鹤嘴镐的通称。

【洋鬼子】yángguǐ·zi 名对侵略我国的外国人(多指西洋人)的憎称。

【洋行】yángháng 名旧时指外国资本家在中国开设的商行,也指中国人开的专跟外国商人做买卖的商行。

【洋红】yánghóng ❶名粉红色的颜料。❷形较深的粉红色。

【洋化】yánghuà 动指思想意识、生活习俗、行为方式等受西方影响而发生变化。

【洋槐】yánghuái 名刺槐。

【洋灰】yánghuī 名水泥的旧称。

【洋火】yánghuǒ 〈口〉名火柴的旧称。

【洋货】yánghuò 名指从外国进口的货物。

【洋节】yángjié 名指外国的传统节日,如圣诞节、感恩节、复活节等。

【洋流】yángliú 名海流。

【洋奴】yángnú 名指崇洋媚外、甘心供外国人驱使的人。

【洋盆】yángpén 名深度在 3 000—6 000 米之间的海底盆地,是大洋底的主体部分。也叫海盆。

【洋气】yáng·qì ❶ 图 指西洋的式样、风格、习俗等。❷ 图 带洋气的：打扮得十分～。

【洋钱】yángqián 〈口〉图 银圆。

【洋琴】yángqín 见1575页〖扬琴〗。

【洋人】yángrén 图 外国人（多指西洋人）。

【洋嗓子】yángsǎng·zi 用西洋发声方法唱歌的嗓音。

【洋纱】yángshā 图 ❶ 旧时称用机器纺的棉纱。❷ 旧时称用细棉纱织成的一种平纹细布,质地轻薄,多用来做手绢、蚊帐和夏季服装等。

【洋铁】yángtiě 图 镀锡铁或镀锌铁的旧称。

【洋娃娃】yángwá·wa 图 儿童玩具,模仿外国小孩儿的相貌、服饰做成的小人儿。

【洋文】yángwén 图 指外国的语言文字（多指欧美的）。

【洋务】yángwù 图 ❶ 清末指关于外国的和关于模仿外国的事务。❷ 香港等地指以外国人为对象的服务行业。

【洋相】yángxiàng 图 见200页〖出洋相〗。

【洋洋】yángyáng ❶ 图 形容众多或丰盛：～万言｜～大观。❷ 同"扬扬"。

【洋洋大观】yángyáng dà guān 形容事物繁多,丰富多彩。

【洋洋洒洒】yángyángsǎsǎ 图 状态词。❶ 形容文章或谈话内容丰富,连续不断。❷ 形容规模或气势盛大。

【洋溢】yángyì 图 （情绪、气氛等）充分流露：热情～｜节日的校园～着欢乐的气氛。

【洋油】yángyóu 〈方〉图 煤油。

【洋芋】yángyù 〈方〉图 马铃薯。

【洋装】[1] yángzhuāng 图 西服。

【洋装】[2] yángzhuāng 图 属性词。西式的装订方法,装订的线藏在书皮里面：～书。

烊 yáng 〈方〉图 熔化；溶化。
另见1580页 yàng。

蜱 yáng （～儿）〈方〉图 指米象一类的昆虫。有的地区叫蜱子。

yǎng （一尢）

仰 yǎng ❶ 图 脸向上（跟"俯"相对）：～视｜～望｜～着脸看天花板。❷ 敬慕：～慕｜敬～｜信～。❸ 依靠；依赖：～仗｜～人鼻息。❹ 旧时公文用语。上行文中用在"请、祈、恳"等字之前,表示恭敬；下行文中表示命令,如"仰即遵照"。❺ (Yǎng)图 姓。

【仰八叉】yǎng·bāchā 〈方〉图 身体向后跌倒的姿势,也指仰卧的姿势：摔了个～。也说仰八脚儿、仰壳。

【仰八脚儿】yǎng·bājiǎor 〈方〉图 仰八叉。

【仰承】yǎngchéng 图 ❶ 〈书〉依靠；依赖。❷ 敬辞,遵从对方的意图：～意旨。

【仰给】yǎngjǐ 〈书〉图 仰仗别人供给：～于人。

【仰角】yǎngjiǎo 图 视线在水平线以上时,在视线所在的垂直平面内,视线与水平线所成的角叫做仰角。

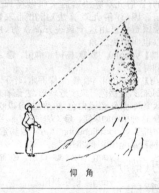

仰角

【仰壳】yǎngké 〈方〉图 仰八叉。

【仰赖】yǎnglài 图 依赖：～他人。

【仰面】yǎngmiàn 图 脸朝上：～滑倒。

【仰慕】yǎngmù 图 敬仰思慕：～已久。

【仰人鼻息】yǎng rén bíxī 比喻依赖人,看人的脸色行事。

【仰韶文化】Yǎngsháo wénhuà 我国黄河流域新石器时代的一种文化,因最早发现于河南渑池仰韶村而得名。遗存中常有带彩色花纹的陶器,所以也曾称为彩陶文化。

【仰视】yǎngshì 图 抬起头向上看：～天空。

【仰天】yǎngtiān 〈书〉图 仰望天空：～长叹。

【仰望】yǎngwàng 图 ❶ 抬着头向上看：

~蓝天。❷〈书〉敬仰而有所期望：万众～。

【仰卧】yǎngwò 脸朝上躺着。

【仰泳】yǎngyǒng 名 游泳的一种姿势，也是游泳项目之一。身体仰卧水面，用臂划水，用脚打水。

【仰仗】yǎngzhàng 动 依靠；依赖：此事还得～诸位大力支持。

养(養) yǎng ❶ 动 供给生活资料或生活费用：抚～|赡～|～家。❷ 动 饲养(动物)；培植(花草)：～猪|～蚕|～花。❸ 动 生育：她～了一个儿子。❹ 抚养的(非亲生的)：～子|～女|～父|～母。❺ 培养：他从小～成了爱劳动的习惯。❻ 动 使身心得到滋补或休息，以增进精力或恢复健康：保～|休～|疗～|营～|～料|精蓄锐|～好身体。❼ 修养：教～|学～有素。❽ 养护①：～路。❾ 动 (毛发)留长；蓄起不剪。❿ 扶植；扶助：以农～牧，以牧促农。⓫ (Yǎng) 名 姓。

【养兵】yǎng∥bīng 动 指供养和训练士兵：～千日，用兵一时。

【养病】yǎng∥bìng 动 因患病而休养：安心～。

【养地】yǎng∥dì 动 采取施肥、轮作等措施提高土地肥力。

【养分】yǎngfèn 名 物质中所含的能供给机体营养的成分。

【养父】yǎngfù 名 抚养自己的非生身父亲。

【养虎遗患】yǎng hǔ yí huàn 比喻纵容恶人，给自己留下后患。

【养护】yǎnghù 动 ❶ 保养维护：～公路|加强设备～工作|精心～古树。❷ 调养护理：经过一段时间～，伤口就愈合了。

【养活】yǎng·huo〈口〉动 ❶ 供给生活资料或生活费用：他还要～老母亲。❷ 饲养(动物)：农场今年～了上千头猪，上万只鸡。❸〈方〉生育。

【养家】yǎng∥jiā 动 供给家庭成员生活所需：挣钱～|～糊口。

【养精蓄锐】yǎng jīng xù ruì 养足精神，积蓄力量。

【养老】yǎng∥lǎo 动 ❶ 奉养老人：～送终。❷ 指年老闲居休养：居家～。

【养老院】yǎnglǎoyuàn 名 收养孤独老人

的机构。也叫敬老院。

【养廉】yǎnglián〈书〉动 培养廉洁的操守：俭以～。

【养料】yǎngliào 名 能供给机体营养的物质。

【养路】yǎng∥lù 动 养护公路或铁路：～工|～费。

【养母】yǎngmǔ 名 抚养自己的非生身母亲。

【养女】yǎngnǚ 名 领养的女儿。

【养气】yǎngqì〈书〉动 ❶ 培养品德；增进涵养功夫。❷ 古代道家的一种修炼方法。

【养人】yǎngrén 动 对人体有保养作用：喝粥～。

【养伤】yǎng∥shāng 动 因受伤而休养：养了半个月伤。

【养神】yǎng∥shén 动 保持心理和身体的平静状态，以消除疲劳：静坐～|虽然睡不着，闭目养一养神也好。

【养生】yǎngshēng 动 保养身体：～之道。

【养性】yǎngxìng 动 陶冶本性；修养心性：修身～。

【养眼】yǎngyǎn 形 看了美丽的风景、容貌等使人视觉愉悦：绚丽的热带风光照十分～。

【养痈成患】yǎng yōng chéng huàn 比喻姑息坏人坏事，结果受到祸害。也说养痈遗患。

【养痈遗患】yǎng yōng yí huàn 养痈成患。

【养育】yǎngyù 动 抚养和教育：～子女|～之恩。

【养殖】yǎngzhí 动 培育和繁殖：～业|～海带。

【养子】yǎngzǐ 名 领养的儿子。

【养尊处优】yǎng zūn chǔ yōu 生活在尊贵、优裕的环境中(多含贬义)。

氧 yǎng 名 ❶ 气体元素，符号 O(oxygenium)。无色无臭无味，能助燃，化学性质很活泼。氧在空气中约占 1/5，是人和动植物呼吸所必需的气体，在工业上用途很广。❷ 指氧气：输～|高山缺～。

【氧吧】yǎngbā 名 备有输氧装置专供人吸取氧气的营业性场所。[吧，英 bar]

【氧化】yǎnghuà 动 指物质跟氧化合。也泛指物质在化学反应中失去电子或电子对偏离。如铁生锈、煤炭燃烧等。氧化和还原是伴同发生的。

【氧化剂】yǎnghuàjì 图 在氧化还原反应中得到电子或电子对偏近的反应物。氧化剂能氧化其他物质而自身被还原。

【氧气】yǎngqì 图 氧分子(O_2)组成的气态物质。

痒(癢) yǎng 厖❶皮肤或黏膜受到轻微刺激时引起的想挠的感觉。❷比喻想做某事的愿望强烈,难以抑制:技～|见人打球,他心里直发～。

【痒痒】yǎng·yang〈口〉厖痒。

yàng (一尢)

快 yàng 见下。

【怏然】yàngrán〈书〉厖❶形容不高兴的样子:～不悦。❷形容自大的样子:～自足。

【怏怏】yàngyàng 厖形容不满意或不高兴的神情:～不乐|～不得志。

样(樣) yàng (一儿)❶图样子①:～式|模～|图～|新～的。❷图样子②:两年没见,他还是那个～儿。❸图样子③:～品|一本货~|榜～。❹图表示事物的种类:四～点心|他的功课~～儿都好|商店虽小,各~货物俱全。❺图样子④:看～我们队今天要输。

【样板】yàngbǎn 图❶板状的样品。❷用来检验工件尺寸、形状等的板状工具。❸比喻学习的榜样:树立～|～工程。

【样报】yàngbào 图作为样品的报纸。

【样本】yàngběn 图❶商品图样的印本或剪贴纸张、织物而成的本子。❷出版物的作为样品的本子。

【样带】yàngdài 图❶生物学等学科指按一定标准划定的作为研究、比照样本的地带:建立永久性监测～。❷作为样品的录音带、录像带或电影胶片等:选送歌曲～。

【样稿】yànggǎo 图作为样品的部分书稿、图样等,用来征求意见或送有关的人审阅。

【样机】yàngjī 图试制出来作为样品的机器、飞机等。

【样刊】yàngkān 图作为样品的刊物。

【样片儿】yàngpiānr〈口〉图样片。

【样片】yàngpiàn 图摄制出来供审查的电影片或电视片。

【样品】yàngpǐn 图作为同类物品的标准或代表的物品(多用于商品推销或材料试验):服装～|～测试。

【样式】yàngshì 图式样;形式:～美观|别墅～新颖。

【样书】yàngshū 图作为样品的书。

【样张】yàngzhāng 图❶印刷出来作为样品的单页、散页。❷指绘有服装样式的大张纸样:衣服～。

【样子】yàng·zi 图❶形状:这件衣服～很好看。❷人的模样或神情:小姑娘～真爱人儿|高高兴兴的～。❸作为标准或代表,供人看或模仿的事物:鞋～|就照这个～做。❹〈口〉形势;情势:天要下雨的～|看～今天观众要超过三千人。

【样子货】yàng·zihuò 图作为样品或制作标准的货物,常借指中看不中用的货物:这种鞋是～,穿不了几天就开绽。

恙 yàng〈书〉病:偶染微～|◇安然无～。

烊 yàng 见247页【打烊】。
另见1578页 yáng。

鞅 yàng 见1003页【牛鞅】。
另见1574页 yāng。

漾 yàng 囤❶水面微微动荡:荡～|湖面～着涟波。❷液体太满而向外流:～奶|这碗汤盛得太满,都～出来了|◇脸上～出了笑容。

【漾奶】yàng∥nǎi 囤婴儿吃过奶后吐出,多因一次吃得太多。

yāo (一幺)

幺(么) yāo ❶囵数目中的"1"也叫"幺"(只能单用,不能组成合成数词,不能带量词,旧时指色子和骨牌中的一点,现在说数字时在某些场合也用来代替"1")。❷〈方〉排行最小的:～叔|～妹。❸〈书〉细;小:～小|～麽。❹(Yāo)图姓。
"么"另见910页·ma;925页·me。

【幺蛾子】yāo'é·zi〈方〉图鬼点子;坏主意:他就会出～|戏弄人。

【幺麽】yāomó〈书〉形 微小：～小丑（指微不足道的坏人）。

夭¹（妖）yāo 夭折：～亡｜寿～（长寿与夭折；寿命长短）。

夭² yāo〈书〉形容草木茂盛：～桃秾李。

【夭矫】yāojiǎo〈书〉形 屈曲而有气势：～婆娑的古柏。

【夭亡】yāowáng 动 夭折①。

【夭折】yāozhé 动❶ 未成年而死。❷ 比喻事情中途失败。

吆（吆）yāo 动 大声喊：～牲口｜五喝六。

【吆喝】yāo·he 动 大声喊叫（多指叫卖东西、赶牲口、呼唤等）：～牲口｜小贩一路～过来｜你去～几个人来搬行李。

【吆五喝六】yāo wǔ hè liù❶ 掷色子时的喊叫声（五、六是色子的点子），泛指赌博时的喧闹声。❷ 形容盛气凌人的样子：整天～地耍威风。

约（約）yāo〈口〉动 用秤称：～一斤肉｜～一～有多重。
　　另见 1681 页 yuē。

妖 yāo❶ 名 妖怪：除～｜～魔｜～精。❷ 邪恶而迷惑人的：～言｜～术｜～道｜～人。❸形 装束奇特，作风不正派（多指女性）：～里～气。❹〈书〉艳丽；妖媚：～娆｜～冶。

【妖风】yāofēng 名 神话中妖魔兴起的风，比喻邪恶的风气、潮流。

【妖怪】yāo·guài 名 神话中形状奇怪可怕、有妖术、会害人的精灵。

【妖精】yāo·jing 名❶ 妖怪。❷ 比喻以姿色迷人的女子。

【妖媚】yāomèi 形 妩媚而不正派。

【妖魔】yāomó 名 妖怪。

【妖魔鬼怪】yāo mó guǐ guài 妖怪和魔鬼，比喻各色各样的邪恶势力。

【妖魔化】yāomóhuà 动 指故意贬低、损害某人或某事物的形象，将其丑化得像妖魔一样令人恐惧、厌恶。

【妖孽】yāoniè〈书〉名❶ 怪异不祥的事物。❷ 指妖魔鬼怪。❸ 比喻做坏事的人。

【妖娆】yāoráo〈书〉形 娇艳美好。

【妖物】yāowù 名 妖怪一类的东西。

【妖雾】yāowù 名 神话中妖魔所放出的迷雾。

【妖言】yāoyán 名 指迷惑人的邪说：～惑众。

【妖艳】yāoyàn 形 艳丽而不庄重。

【妖冶】yāoyě 形 艳丽而不正派。

要 yāo❶ 求：～求。❷ 强迫；威胁：～挟。❸ 同"邀"。❹（Yāo）名 姓。
　　〈古〉又同"腰"。
　　另见 1585 页 yào。

【要功】yāogōng 同"邀功"。

【要击】yāojī 同"邀击"。

【要买】yāomǎi 同"邀买"。

【要求】yāoqiú❶ 动 提出具体愿望或条件，希望得到满足或实现：～转学｜～进步｜严格～自己。❷ 名 所提出的具体愿望或条件：满足了他的～｜符合规定的～。

【要挟】yāoxié 动 利用对方的弱点，强迫对方答应自己的要求。

【要约】yāoyuē 动 指当事人一方向另一方表示以订立合同为目的的意向，一旦对方接受，合同即告订立。分为口头和书面两种形式。

喓 yāo 地名用字：打石～（在山西）。

嘤 yāo [嘤嘤]（yāoyāo）〈书〉拟声 虫叫的声音。

腰 yāo❶ 名 胯上胁下的部分，在身体的中部：弯～｜两手叉～。（图见 1209 页"人的身体"）❷ 名 裤腰：这裤子～太肥。❸ 名 指腰包或衣兜：我～里还有些钱，足够我们零用的。❹ 事物的中间部分：山～｜树～｜半中～。❺ 中间狭小，像腰部的地势：土～｜海～。❻（Yāo）名 姓。

【腰板儿】yāobǎnr 名❶ 人的腰和背（就姿势说）：挺着～。❷ 借指体格：他虽然六十多岁了，～倒还挺硬朗的。

【腰包】yāobāo 名 系在腰间的钱包，泛指钱包：掏～。

【腰缠万贯】yāo chán wàn guàn 形容极富有。

【腰带】yāodài 名 束腰的带子；裤带。

【腰杆子】yāogǎn·zi 名❶ 指腰部：挺起～。❷ 比喻可依靠的势力：～硬（有强有力的人或集团支持）。‖也说腰杆儿。

【腰鼓】yāogǔ 名❶ 打击乐器，短圆柱形，两头略小，挂在腰间敲打。❷ 一种民间舞蹈，腰间挂着腰鼓，一边跳舞，一边敲打。

【腰锅】yāoguō 名 云南景颇族、傈僳族、白族、彝族等使用的一种锅,用生铁铸成,形如葫芦。

【腰果】yāoguǒ 名❶ 常绿灌木或小乔木,叶子倒卵形,花粉红色,果实肾脏形。果仁可以吃,果壳可以榨油。原产南美。❷ 这种植物的果实。

【腰花】yāohuā (~儿) 名 用猪、羊等的腰子划出交叉花纹后切成的小块儿,供做菜肴:熘~儿。

【腰身】yāo·shēn 名 指人体腰部的粗细,也指长袍、上衣等腰部的尺寸。

【腰围】yāowéi 名❶ 围绕腰部一周的长度。❷ 束腰的宽带子。

【腰眼】yāoyǎn (~儿) 名❶ 腰后胯骨上面脊椎骨两侧的部位。❷ 比喻要害:您这一句话算是点到~上了。

【腰斩】yāozhǎn 动❶ 古代的酷刑,从腰部把身体斩为两段。❷ 比喻把同一事物或相联系的事物从中割断。

【腰椎】yāozhuī 名 腰部的椎骨,共有 5 块,较胸椎大。(图见 490 页"人的骨骼")

【腰子】yāo·zi 〈口〉名 肾。

邀 yāo ❶ 动 邀请:~客|特~代表|应~出席。❷〈书〉求得:~准|谅~同意。❸ 拦住:~击。

【邀宠】yāochǒng 〈书〉动 迎合对方,求得宠爱。

【邀功】yāogōng 动 把别人的功劳抢过来当做自己的:~请赏。也作要功。

【邀击】yāojī 动 在敌人行进中途加以攻击。也作要击。

【邀集】yāojí 动 把较多的人邀请到一起:~同学成立了一个读书会。

【邀买】yāomǎi 动 收买:~人心。也作要买。

【邀请】yāoqǐng 动 请人到自己的地方来或到约定的地方去。

【邀请赛】yāoqǐngsài 名 由一个或几个单位联合发出邀请,有许多单位参加的体育比赛等。

【邀约】yāoyuē 动 邀请:盛情~|~友人。

yáo (l幺)

爻 yáo 名 组成八卦的长短横道,"—"为阳爻,"--"为阴爻。

尧(堯) Yáo ❶ 传说中的上古帝王名。❷ 名 姓。

【尧舜】Yáo-Shùn 名 尧和舜,传说是上古的贤明君主。后来泛指圣人。

【尧天舜日】Yáo tiān Shùn rì 比喻太平盛世。

侥(僥) yáo 见 684 页[僬侥]。另见 685 页 jiǎo。

肴(餚) yáo 鱼肉等荤菜:菜~|酒~。

【肴馔】yáozhuàn 〈书〉名 宴席上的或比较丰盛的菜和饭。

垚 yáo 〈书〉山高。

轺(軺) yáo 〈书〉轺车。

【轺车】yáochē 名 古代一种轻便的车。

峣(嶢) yáo 〈书〉形容高峻。

姚 Yáo 名 姓。

珧 yáo ❶ 见 675 页[江珧]。❷ 古代指蚌、蛤的甲壳,用作刀、弓等上的装饰物。

陶 yáo 皋陶(Gāoyáo),上古人名。另见 1331 页 táo。

铫(銚) yáo ❶ 古代的一种大锄。❷ (Yáo)名 姓。铫期,东汉人。另见 316 页 diào。

窑(窯、窰) yáo ❶ 名 烧制砖瓦陶瓷等的建筑物:砖~|石灰~。❷ 名 指土法生产的煤矿:煤~。❸ 名 窑洞。❹〈方〉指妓院:~姐儿。❺ (Yáo)名 姓。

【窑变】yáobiàn 动 指烧制陶瓷时,因坯体所涂不同釉浆互相渗透变化,釉面出现外的特异颜色和花样。

【窑洞】yáodòng 名 我国西北黄土高原地区就土山的山崖挖成的洞,供人居住。

【窑姐儿】yáojiěr 〈方〉名 妓女。

【窑坑】yáokēng 名 为取土制砖瓦等而挖成的坑。

【窑子】yáo·zi 〈方〉名 妓院。

谣(謠) yáo ❶ 歌谣:民~|童~。❷ 谣言:~传|造~。❸ (Yáo)名 姓。

【谣传】yáochuán ❶ 动 谣言传播：～他出事了。❷ 名 传播的谣言：听信～。

【谣言】yáoyán 名 没有事实根据的消息：散布～|不要轻信～。

【谣诼】yáozhuó 〈书〉造谣诬蔑的话。

摇 yáo 动 摇摆；使物体来回动：动～|～晃|～手|～铃|～橹|～头晃脑

【摇摆】yáobǎi 动 向相反的方向来回地移动或变动：池塘里的荷叶迎风～◇立场～。

【摇车】yáochē〈方〉名 ❶（～儿）小孩用的睡车；摇篮。❷ 旧式纺纱用的器具。

【摇唇鼓舌】yáo chún gǔ shé 指用言辞进行煽动、游说或大发议论（含贬义）。

【摇荡】yáodàng 动 摇摆动荡：小船随波～。

【摇动】yáodòng ❶（-//-）动 摇东西使它动：摇得动|摇不动|用力～木桩。❷ 摇摆：柳枝在水面上～。❸ 动摇：人心～|信念从未～。

【摇鹅毛扇】yáo émáoshàn 旧小说戏曲描写的军师、谋士多手拿羽毛扇。后来用"摇鹅毛扇"比喻在背后出谋划策。

【摇滚乐】yáogǔnyuè 名 西方流行的一种通俗音乐，由称为布鲁斯的爵士乐演变而来，音响丰富，节奏强烈。

【摇撼】yáo·hàn 动 摇动（树木、建筑物等）。

【摇晃】yáo·huàng 动 ❶ 摇摆：烛光～|摇摇晃晃地走着。❷ 摇动①：～～奶瓶。

【摇惑】yáohuò 动 ❶ 动摇迷惑：人心～。❷ 使动摇迷惑：～人心|～视听。

【摇篮】yáolán 名 ❶ 供婴儿睡觉的家具，形状略像篮子，多用竹或藤制成，可以左右摇动，使幼儿容易入睡。❷ 比喻幼年或青年时代的生活环境或文化、运动等的发源地：井冈山是中国革命的～|黄河流域是我国古代文化的～。

【摇篮曲】yáolánqǔ 名 催婴儿入睡时唱的小歌曲，也指由此发展而成的形式简单的声乐曲或器乐曲。一般曲调轻柔绵长。

【摇旗呐喊】yáo qí nàhǎn ❶ 古代打仗的时候，后面的人摇着旗子呐喊，给前面作战的人助威。❷ 比喻替别人助长声势。

【摇钱树】yáoqiánshù 名 神话中的一种宝树，一摇晃就有许多钱落下来，后用来比喻可借以源源不断地获取钱财的人

或物。

【摇身一变】yáo shēn yī biàn 神怪小说中描写人物或妖怪一晃身就变成别的形体。现指坏人改换面目出现。

【摇手】¹ yáo//shǒu 动 把手左右摇动，表示阻止或否定。

【摇手】² yáoshǒu 名 机械上用手旋转的、使轮子等转动的把儿(bàr)。

【摇头】yáo//tóu 动 把头左右摇动，表示否定或阻止。

【摇头摆尾】yáo tóu bǎi wěi 形容得意或轻狂的样子。

【摇头晃脑】yáo tóu huàng nǎo 形容自得其乐或自以为是的样子。

【摇头丸】yáotóuwán 名 有机化合物，成分는二甲基双氧苯丙胺，是冰毒的衍生物，有强烈的兴奋作用，是一种毒品。服用后使人出现幻觉，摇头狂舞，产生暴力倾向等。过量服用会急性中毒甚至死亡。

【摇尾乞怜】yáo wěi qǐ lián 狗对主人的姿态，形容用谄媚姿态求取别人的欢心。

【摇摇欲坠】yáoyáo yù zhuì 形容非常危险，就要掉下来或垮下来。

【摇曳】yáoyè 动 摇荡：～的灯光|垂柳～。

【摇椅】yáoyǐ 名 一种能够前后摇晃的椅子，构造的特点是前腿儿和后腿儿连成弓形，弓背着地，供休息时坐。

徭（傜） yáo〈书〉劳役。

【徭役】yáoyì 名 古时统治者强制百姓承担的无偿劳动。

遥 yáo ❶ 遥远：～望|千里之～|路～知马力。❷（Yáo）名 姓。

【遥测】yáocè 动 运用现代化的电子、光学仪器对远距离的事物进行测量。

【遥感】yáogǎn 动 使用空间运载工具和现代化的电子、光学仪器探测和识别远距离的研究对象。

【遥寄】yáojì 动 ❶ 向远方递送：给指挥部发电，～胜利喜讯。❷ 向远方寄托：用歌声～对亲人的思念之情。

【遥控】yáokòng 动 ❶ 通过通信线路操纵、控制一定距离以外的机器、仪器等。遥控广泛应用在生产自动化和飞行器制导等方面。❷ 比喻利用通信设备等在一定距离以外指挥、控制。

【遥望】yáowàng 动 往远处望：～天边，

红霞烂漫。

【遥相呼应】yáo xiāng hūyìng 远远地互相配合。

【遥想】yáoxiǎng 动 想象（久远的将来）；回想（久远的过去）：～未来｜～当年。

【遥遥】yáoyáo 形 ❶ 形容距离远：～相对｜～领先。❷ 形容时间长久：～无期。

【遥远】yáoyuǎn 形 很远：路途～｜～的将来。

【遥祝】yáozhù 动 向远方祝福：～远征队友旗开得胜。

猺 yáo 见 602 页〖黄猺〗。

瑶 yáo 〈书〉❶ 美玉：琼～｜～琴（镶有玉饰的琴）。❷ 形容美好、珍贵：～浆（美酒）。

【瑶池】Yáochí 名 神话中称西王母所住的地方。

【瑶族】Yáozú 名 我国少数民族之一，分布在广西、湖南、云南、广东和贵州。

飖（颻） yáo 见 1045 页〖飘飖〗（飘颻）。

䍃 yáo 〈书〉❶ 同"谣"。❷ 同"谣"。
另见 1651 页 yóu；1775 页 zhòu。

鳐（鰩） yáo 名 鱼，身体扁平，略呈圆形或菱形，表面光滑或有小刺，口小，牙细小而多。种类很多。生活在海中。

yǎo （ㄧㄠˇ）

杳 yǎo 〈书〉远得看不见踪影：～然｜～无音信｜～无踪迹。

【杳眇】yǎomiǎo 同"杳渺"。

【杳渺】yǎomiǎo 〈书〉形 形容遥远或深远。也作杳眇。

【杳然】yǎorán 〈书〉形 形容沉寂或不见踪影：音信～。

【杳如黄鹤】yǎo rú huánghè 唐代崔颢《黄鹤楼》诗："黄鹤一去不复返，白云千载空悠悠。"后来用"杳如黄鹤"比喻人或物下落不明。

咬（齩、𪗪） yǎo ❶ 上下牙齿用力对着（大多为了夹物体或使物体的一部分从整体分离）：～紧牙关｜用嘴～住一根绳子｜让蛇～了一口｜～了

一口苹果。❷ 钳子等夹住或齿轮、螺丝等互相卡住：螺丝母勘（yì）了，～不住。❸（狗）叫：鸡叫狗～。❹ 受责难或审讯时牵扯别人（多指无辜的）：反～一口。❺〈方〉油漆等使皮肤、衣物损伤：碱水把铝盆～坏了｜我最怕漆～。❻ 正确地念出（字的）音；过分地计较（字句的意义）：～字｜～字眼儿｜～嚼字。❼ 追赶进逼；紧跟不放：双方比分～得很紧｜大炮始终～住目标。

【咬定】yǎodìng 动 说了就不改口，指话说得十分肯定：一口～。

【咬耳朵】yǎo ěr·duo 〈口〉凑近人耳边低声说话，不使别人听见：两人咬了一阵耳朵。

【咬合】yǎohé 动 彼此接触的物体，表面凸凹交错，相互卡住：齿轮～紧密。

【咬群】yǎoqún 〈口〉动 ❶ 某个家畜常跟同类争斗。❷ 比喻某个人常跟周围的人闹纠纷。

【咬舌儿】yǎoshér ❶ 动 说话时舌尖常触发齿音，因而发音不清。❷ 名 说话咬舌儿的人。也叫咬舌子。

【咬文嚼字】yǎo wén jiáo zì 过分地斟酌字句（多用来指死抠字眼儿而不注重精神实质）。

【咬牙】yǎo∥yá 动 ❶ 由于极端愤怒或忍住极大的痛苦而咬紧牙齿：恨得直～｜～忍痛。❷ 熟睡时上下牙齿相磨发声，由消化不良等原因引起。

【咬牙切齿】yǎo yá qiè chǐ 形容极端愤恨或仇视。

【咬字】yǎozì （～儿）动 按照正确的或传统的音念出文章或唱出歌词、戏词中的字：～清楚。

【咬字眼儿】yǎo ziyǎnr 在措辞方面挑毛病（多指对别人说的话）。

舀 yǎo 动 用瓢、勺等取东西（多指液体）：～一瓢水。

【舀子】yǎo·zi 名 舀水、油等液体用的器具，底平，口圆，有柄，多用铝或铁皮制成。也叫舀儿。

窅 yǎo 〈书〉形容深远。

窈 yǎo 〈书〉❶ 深远。❷ 昏暗。

【窈窕】yǎotiǎo 〈书〉形 ❶（女子）文静而

美好；(妆饰、仪容)美好。❷(宫室、山水)幽深。

yào (l幺)

疟(瘧) yào 义同"疟"(nüè)，只用于"疟子"。
另见 1009 页 nüè。

【疟子】yào·zi 〈口〉名疟疾：发～。

药(藥) yào ❶名药物：吃～|中～|~膏。❷某些有化学作用的物质：火～|炸～|焊～。❸〈书〉用药治疗：不可救～。❹动用药毒死：～老鼠|~虫子。

【药材】yàocái 名指中药的原料或饮片。

【药草】yàocǎo 名用作药物的草本植物。

【药叉】yàochā 名夜叉。

【药典】yàodiǎn 名国家法定的记载药物的名称、性质、形状、成分、用量以及配制、贮藏方法等的书籍。

【药店】yàodiàn 名出售药品的商店；药铺。

【药方】yàofāng (~儿)名❶为治疗某种疾病而组合起来的若干种药物的名称、剂量和用法：开～。❷写着药方的纸。

【药房】yàofáng 名❶出售药品的商店。❷医院或诊疗所里供应药物的部门。

【药膏】yàogāo 名膏状的外敷药。

【药罐子】yàoguàn·zi 名❶熬中药用的罐子。❷比喻经常生病吃药的人(含戏谑意)。

【药衡】yàohéng 名英美质量制度，用于药物(区别于"常衡、金衡")。

【药剂】yàojì 名据药典或处方配成的制剂。

【药检】yàojiǎn 动❶对药品的质量进行化验检查。❷对参加体育比赛的运动员进行是否服用违禁药物的检测。

【药劲儿】yàojìnr 〈口〉名药力。

【药酒】yàojiǔ 名用药材浸制的酒。

【药具】yàojù 名药品和医疗器具，特指避孕药品和避孕器具。

【药理】yàolǐ 名药物在机体内所起的变化、对机体的影响及其防治疾病的原理。

【药力】yàolì 名药物的效力。

【药棉】yàomián 名医疗上用的消过毒的脱脂棉。也叫药棉花。

【药棉花】yàomián·hua 名药棉。

【药捻儿】yàoniǎnr 名❶用来点燃火药、爆竹的引线。❷带药的纸捻或纱布条，外科治疗时用来放入伤口或疮口内。也叫药捻子。

【药农】yàonóng 名以种植或采集药用植物为主的农民。

【药片】yàopiàn (~儿)名片状的药。

【药品】yàopǐn 名药物和化学试剂的统称。

【药铺】yàopù 名出售中药的商店，主要按中医药方配药，有的兼售西药。

【药膳】yàoshàn 名配有中药的菜肴或食品，如参芪鸡、虫草鸭等。

【药石】yàoshí 名古代指药和治病的石针：～罔效◇～之言(劝人改过的话)。

【药水】yàoshuǐ (~儿)名液态的药。

【药筒】yàotǒng 名枪弹或炮弹后部装火药的圆筒，多用金属制成。通称弹壳。

【药丸】yàowán (~儿)名制成丸状的药。

【药味】yàowèi 名❶中药方中的药(总称)。❷(~儿)药的气味或味道。

【药物】yàowù 名能防治疾病、病虫害等的物品。

【药械】yàoxiè 名❶农业、林业等施药用的器械，如喷雾器、喷粉器等。❷指医疗器械。

【药性】yàoxìng 名药的性质：～平和。

【药引子】yàoyǐn·zi 名中药药剂中另加的一些药物，能加强药剂的效力。

【药用】yàoyòng 动做药物使用：～菌|菊花有～价值。

【药浴】yàoyù 名一种治疗方法，将药物煎煮或浸泡后加水，通过对人体全身或局部进行浸泡、熏洗，达到治疗的目的。

【药皂】yàozào 名加入适量杀菌剂或防腐剂的肥皂。

【药枕】yàozhěn 名里面装有中草药的枕头。

要¹ yào ❶重要：主～|紧～|险～|~事|~道。❷重要的内容：纲～|摘～|提～|择～|记录。

要² yào 动❶希望得到；希望保持：他～一台电脑|这本书我还～呢！❷因为希望得到或收回而有所表示；索取：～账|小弟弟跟姐姐～钢笔用。❸请求：她

～我替她写信。❹ 助动词。表示做某件事的意志：他～学游泳。❺ 助动词。须要；应该：路很滑，大家～小心！|早点儿睡吧，明天还～起早呢！❻ 需要：我做件上衣～多少布？|由北京到天津坐汽车一～两个小时。❼ 助动词。将要：我们～出国旅游了|～下雨了。❽ 助动词。表示估计，用于比较：夏天屋子里太热，树荫底下～凉快得多。

要³ yào 连 ❶ 如果：明天～下雨，我就不去了。❷ 要么：～就去打球，～就去溜冰，别再犹豫了。
另见 1581 页 yāo。

【要隘】yào'ài 名 险要的关口：扼守～。

【要案】yào'àn 名 重要的案件。

【要不】yàobù 连 ❶ 不然；否则：从上海到武汉，可以搭长江轮船，～绕道坐火车也行。❷ 要么：今天的会得去一个人，～你去，～我去。‖也说要不然。

【要不得】yào·bu·de 动 表示人或事物不好，不能同意或容忍：你这种想法～。

【要不然】yàobùrán 连 要不。

【要不是】yàobù·shì 连 如果不是：～你提醒我，这件事我早就忘了。

【要冲】yàochōng 名 全国的或某一个地区的重要道路会合的地方：兰州向来是西北交通的～。

【要道】yàodào 名 ❶ 重要的道路：交通～。❷〈书〉重要的道理、方法。

【要得】yàodé〈方〉形 好（用来表示同意或赞美）：这个计划～，我们就这样办。

【要地】yàodì 名 ❶ 重要的地方（多指军事上的）：徐州是历史上的军事～。❷〈书〉显要的地位：身处～。

【要点】yàodiǎn 名 ❶ 讲话或文章等的主要内容：摘录～|抓住～。❷ 重要的据点：战略～。

【要端】yàoduān 名 重要的事项：要点①；举其～。

【要犯】yàofàn 名 重要的罪犯。

【要饭】yào//fàn 动 向人乞求饭食或财物：～的（乞丐）。

【要害】yàohài 名 ❶ 身体上能致命的部位：一举击中～◇一句话点到～。❷ 比喻关键的或重要的部分：～部门。

【要好】yàohǎo 形 ❶ 指感情融洽；也对

人表示好感，愿意亲近：她们两人从小就很～。❷ 努力求好；要求上进：这孩子很～，从来不肯无故耽误功课。

【要好看】yào hǎokàn 使出丑：要我当众表演，简直是要我的好看。

【要谎】yào//huǎng 动 向顾客要价超过实价叫要谎。

【要价】yào//jià 动 ❶（～儿）做买卖的人向顾客说出货物的售价：漫天～，就地还钱。❷ 比喻谈判或接受某项任务时向对方提出条件。

【要件】yàojiàn 名 ❶ 重要的文件。❷ 重要的条件；主要的条件。

【要津】yàojīn 名 ❶ 冲要的渡口，泛指水陆交通要道。❷ 比喻显要的地位或官职：位居～。

【要紧】yàojǐn ❶ 形 重要：这段河堤～得很，一定要加强防护。❷ 形 严重：他只受了点儿轻伤，不～。❸〈方〉副 急着（做某件事）：我一进城，不了大忙。

【要诀】yàojué 名 重要的诀窍。

【要览】yàolǎn 名 对基本内容的扼要介绍（多用于书名）：《文言文～》|世界文化～。

【要领】yàolǐng 名 ❶ 要点①：不得～。❷ 体育和军事操练中某项动作的基本要求：掌握～。

【要略】yàolüè 名 阐述要旨的概说；概要（多用于书名）：《中国文法～》。

【要么】（要末）yào·me 连 表示两种情况或两种意愿的选择关系：你赶快发个传真通知他，～打个长途电话|他来，～我去，明天总得当面谈一谈。

【要面子】yào miàn·zi 爱面子。

【要命】yào//mìng 动 ❶ 使丧失生命：一场大病，差点儿要了命。❷ 表示程度达到极点：痒得～|高兴得～。❸ 给人造成严重困难（着急或抱怨时说）：这人真～，火车都快开了，他还不来。

【要目】yàomù 名 重要的条目或篇目：图书～|本报今日～。

【要强】yàoqiáng 形 好胜心强，不肯落在别人后面。

【要人】yàorén 名 指有权势有地位的人物：政界～。

【要塞】yàosài 名 在军事上有重要意义的、有巩固的防御设备的据点：边防～。

【要事】yàoshì 〈名〉重要的事情：有～相商。

【要是】yào·shi 〈连〉如果；如果是：～你想参加，我们可以当介绍人|这事～他知道了，一定会生气的|～别人，事情恐怕就办不成了。

【要死】yàosǐ 〈动〉表示程度达到极点：疼得～|怕得～|这菜咸得～。

【要素】yàosù 〈名〉构成事物的必要因素：一般说来，每个汉字都有形、音、义三个～。

【要闻】yàowén 〈名〉重要的新闻：国际～|一周～。

【要务】yàowù 〈名〉重要的事务：～在身。

【要言不烦】yào yán bù fán 说话、行文简明扼要，不烦琐。

【要义】yàoyì 〈名〉重要的内容或道理：阐明～。

【要员】yàoyuán 〈名〉担任重要职务的人员：政府～。

【要职】yàozhí 〈名〉重要的职位：身居～。

【要旨】yàozhǐ 〈名〉主要的意思。

【要子】yào·zi 〈名〉❶ 用麦秆、稻草等临时拧成的绳状物，用来捆麦子、稻子等。❷ 捆货物用的或打包用的条状物：铁～。

钥（鑰） yào 钥匙。
另见 1684 页 yuè。

【钥匙】yào·shi 〈名〉开锁用的东西，有的锁用了它才能锁上。

㓡 yào 〈书〉同“勒”。

崾 yào 见下。

【崾崄】yàoxiǎn 〈方〉〈名〉两山之间像马鞍子的地方(多用于地名)：～乡|白马～(都在陕西)。

勒 yào 〈～儿〉〈名〉靴或袜子的筒儿：靴～儿高|～儿袜子。

鹞（鷂） yào 〈名〉鸟，种类较多。我国常见的白尾鹞生活在水边或沼泽地带，是猛禽，捕食鼠类、小鸟等。

【鹞子】yào·zi 〈名〉❶ 雀鹰的通称。❷〈方〉纸鹞；风筝。

藥 yào ❶ 见 1585 页“药”。❷ (Yào) 〈名〉姓。

曜 yào 〈书〉❶ 日光。❷ 照耀。❸ 日、月、星都叫曜，日、月和火、水、木、金、土五星合起来叫七曜，旧时分别用来称一个星期的七天，日曜是星期天，月曜是星期一，其余依次类推。

耀 yào 〈书〉同“耀”。

耀 yào ❶ 光线强烈地照射：照～|光芒～眼。❷ 炫耀：～武扬威。❸ 光芒；光辉：光～。❹ 光荣；荣～。❺ (Yào) 〈名〉姓。

【耀斑】yàobān 〈名〉太阳表面突然出现在太阳黑子附近的发亮区域。持续时间从几分钟到几小时，它的出现跟太阳黑子的活动有密切关系，太阳上出现耀斑时，常引起磁暴现象。

【耀武扬威】yào wǔ yáng wēi 炫耀武力，显示威风。

【耀眼】yàoyǎn 〈形〉光线强烈，使人眼花：金光闪闪，十分～。

yē（l世）

耶 yē 见下。
另见 1588 页 yé。

【耶和华】Yēhéhuá 〈名〉希伯来人信奉的犹太教中最高的神。基督教《旧约》中用作上帝的同义词。[希伯来 Yĕhōwah]

【耶稣】Yēsū 〈名〉基督教徒所信奉的救世主，即基督。

【耶稣教】Yēsūjiào 〈名〉我国称基督教的新派。耶稣教于 19 世纪初传入我国。参看632 页〖基督教〗。

倻 yē 见 652 页〖伽倻琴〗。

掖 yē 〈动〉塞进(衣袋或夹缝里)：把书掖在怀里|把纸条从门缝里～进去。
另见 1592 页 yè。

椰 yē 椰子。

【椰雕】yēdiāo 〈名〉在椰子壳上雕刻形象、花纹的艺术，也指用椰子壳雕刻成的工艺品。

【椰蓉】yēróng 〈名〉椰子的果肉晾干后制成的碎屑，用来做糕点的馅儿：～月饼。

【椰子】yē·zi 〈名〉❶ 常绿乔木，树干直立，不分枝。叶子丛生在顶部，羽状复叶，小叶细长，肉穗花序，花单性，雌雄同株。核果圆球形，外果皮黄褐色，果肉白色多汁，含脂肪。果肉可以吃，也可榨油，果肉内的汁可做饮料。❷ 这种植物的果实。

喝
噎 yē 〈书〉中暑。

噎 yē 勖❶ 食物堵住食管：因～废食|吃得太快，～着了。❷ 因为迎风、烟呛等而呼吸困难。❸〈方〉说话顶撞人或使人受窘没法接着说下去：他一句话就把人家给～回去了。

yé （ㄧㄝˊ）

邪 yé ❶ 见965页【莫邪】。❷ 同"耶"（yé）。
　　另见1506页 xié。

爷（爺） yé ❶〈方〉名 父亲：～娘。❷ 名 祖父。❸ 名 对长一辈或年长男子的尊称：大～（dà·ye）|李～|四～。❹ 旧时对官僚、财主等的称呼：老～|太～。❺ 迷信的人对神的称呼：土地～|阎王～。

【爷们】 yé·men 〈方〉名❶ 男人（可以用于单数）：老～。❷ 丈夫。

【爷们儿】 yé·menr 〈方〉名❶ 爷儿们。❷ 男人之间的互称（含亲昵意）。

【爷儿】 yér 〈口〉名 长辈男子和男女晚辈的合称，如父亲和子女、叔父和侄子、侄女、祖母和孙子、孙女（后面常带数量词）：～俩|～几个在院子里乘凉。

【爷儿们】 yér·men 〈口〉名 长辈男子和晚辈男子的合称。

【爷爷】 yé·ye 〈口〉名❶ 祖父。❷ 称呼跟祖父辈分相同或年纪相仿的男人。

耶 yé 〈书〉勖 表示疑问的语气：是～非～?
　　〈古〉又同"爷"。
　　另见1587页 yē。

揶 yé [揶揄]（yéyú）〈书〉勖 嘲笑；讥讽：受人～。

铘（鋣） yé 见966页【镆铘】。

yě （ㄧㄝˇ）

也¹ yě ❶〈书〉勖 表示判断或解释的语气：孔子，鲁人～|非不能～，是不为～。❷〈书〉勖 表示疑问或反诘的语气：何～? |是可忍也，孰不可忍～? ❸〈书〉勖 表示句中的停顿：大道之行～，天下为公|地之相去～，千有余里。❹（Yě）名 姓。

也² yě 副❶ 表示同样：水库可以灌溉、发电，～可以养鱼。❷ 单用或叠用，强调两事并列或对待：他会英语，～会法语|游客里面～有坐车的，～有步行的。❸ 叠用，表示无论这样或那样，结果都相同：你去我～去，你不去我～去|他左想～不是，右想～不是。❹ 用在转折或让步的句子里（常跟上文的"虽然、即使"等呼应），隐含结果相同的意思：虽然雨下得很大，他～来了|即使你不说，我～知道(你说了，我知道;你不说，我也同样知道)。❺ 表示委婉：你～得对人宽容点儿嘛|这事儿～只好如此了。❻ 表示强调（有时跟上文的"连"字呼应）：七八岁的孩子～学会电脑了|连爷爷～乐得合不拢嘴。

【也罢】 yěbà 勖❶ 表示容忍或只得如此，有"算了"或"也就算了"的意思：这种事情不知道～，知道了反倒难为情|你，你一定要走，我送你上车。❷ 两个或几个连用，表示在任何情况下都是这样：你去～，不去～，反正我是不去。

【也好】 yěhǎo 勖 也罢（语气较轻）：不去纠缠～，何必为这点儿小事闹得满城风雨呢? |领导干部～，普通工作人员～，都是人民的勤务员。

【也许】 yěxǔ 副 表示不很肯定：你仔细找一找，～能找到。

冶¹ yě ❶ 熔炼(金属)：～金。❷（Yě）名 姓。

冶² yě 〈书〉形容女子装饰艳丽（含贬义)：妖～|～容。

【冶金】 yějīn 勖 冶炼金属：～工业。

【冶炼】 yěliàn 勖 用焙烧、熔炼、电解、化学等方法从矿石或其他原料中取得所需要的金属。

【冶容】 yěróng 〈书〉❶ 勖 打扮得很妖媚。❷ 名 妖媚的容貌。

【冶艳】 yěyàn 〈书〉形 妖艳。

【冶游】 yěyóu 勖 原指男女在春天或节日里外出游玩，后来专指嫖妓。

野（埜） yě ❶ 野外：旷～|～地。❷ 界限：视～|分～。❸ 指不当政的地位（跟"朝"相对）：下～|在～。❹ 形 属性词。不是人工饲

养或培植的(跟"家"相对)：～兽|～兔|～菜|～花|～草。❺形蛮横不讲理；粗鲁没礼貌：～蛮|粗～|～撒|这人说话太～。❻形不受约束：～性|放了几天假，心都玩～了。❼(Yě)名姓。

【野菜】yěcài 名可以做蔬菜的野生植物，如马齿苋、苣荬菜等。

【野餐】yěcān ❶动带了食物到野外去吃。❷名带到野外去吃的食物。

【野炊】yěchuī 动在野外烧火做饭。

【野地】yědì 名野外的荒地：荒山～。

【野鸽】yěgē 名原鸽。

【野火】yěhuǒ 名荒山野地燃烧的火。

【野鸡】yějī ❶名雉的通称。❷名旧时指沿街拉客的私娼。❸形属性词。指不合法规而经营的：～大学|～汽车|～公司。

【野景】yějǐng 名野外的景致。

【野驴】yělǘ 名哺乳动物，外形像家驴较大，背中央有一条褐色细线，夏天毛深棕色，冬天灰黄色，腹部毛白色。生活在荒漠或荒漠草原地带，耐热、耐寒能力都很强。是一种珍稀动物。

【野骆驼】yěluò•tuo 名未经驯化的骆驼，体形瘦高，四肢细长，驼峰圆锥状，蹄下肉垫厚，毛棕黄色。生活在我国西北地区沙漠地带。是一种珍稀动物。

【野马】yěmǎ 名哺乳动物，外形像家马，毛浅棕色，腹部毛色较浅，尾毛长而下垂。群栖于沙漠、草原地带。原生于我国。是一种珍稀动物。

【野蛮】yěmán 形❶不文明；没有开化。❷蛮横残暴；粗鲁：～杀|～举止～。

【野猫】yěmāo 名❶无主的猫。❷〈方〉野兔。

【野牦牛】yěmáoniú 名哺乳动物，外形像家牦牛而大，角长，呈圆锥形，四肢粗短，毛长而密，多为黑色。生活在青藏高原海拔4 000米以上高山上，性凶猛，耐寒，善于登高，常成群活动。是一种珍稀动物。

【野牛】yěniú 名哺乳动物，外形像家牛而大，背部隆起，四肢短，毛深棕色。吃树皮、树叶等。生活在我国云南和东南亚等地。是一种珍稀动物。

【野气】yěqì 名❶粗俗不讲理，没礼貌的样子：粗声～。❷淳朴自然的乡野气息：画风～十足。

【野禽】yěqín 名家禽以外的鸟类。

【野趣】yěqù 名野外自然风光的情趣：那里山清水秀，古木参天，极富～。

【野人】yěrén 名❶古时指生活在乡间的人。❷指未开化的人。❸指性情粗野的人。

【野生】yěshēng 形属性词。生物在自然环境里生长而不是由人饲养或栽培的：～植物。

【野食儿】yěshír 名❶禽兽在野外或户外找到的食物。❷比喻本分以外所得的财物。

【野史】yěshǐ 名指旧时私家著的史书：稗官～。

【野兽】yěshòu 名家畜以外的兽类。

【野兔】yětù 名生活在野地里的兔类，身体一般较家兔略大，耳长大，毛很密，多为茶褐色或略带灰色。吃草、蔬菜等。有的地区叫野猫。

【野外】yěwài 名离居民点较远的地方：荒郊～。

【野外工作】yěwài gōngzuò 指科学技术工作者在野外进行的调查、勘探、测量、发掘等工作。旧称田野工作。

【野味】yěwèi 名猎得的做肉食的鸟兽。

【野心】yěxīn 名对领土、权力或名利的大而非分的欲望：～家|～勃勃|狼子～。

【野性】yěxìng 名不驯顺的性情。

【野鸭】yěyā 名野生的鸭，外形像家鸭而小，趾间有蹼，善于游泳。生活在河湖地带，吃小鱼、贝类及植物的种子等。也叫凫。

【野营】yěyíng 动到野外搭了营帐住宿，是军事或体育训练的一种项目：～训练|明天我们到西山～去。

【野战】yězhàn 动在要塞和城市以外进行战斗。

【野战军】yězhànjūn 名适应广大区域机动作战的正规军。

【野猪】yězhū 名哺乳动物，外形略像家猪，嘴长，犬齿突出出口外，耳和尾短小，毛粗硬，黑褐色。性凶猛，常夜间掘食庄稼，对农业有害。

壄 yě 〈书〉同"野"。

yè （せ）

业¹（業） yè ❶行业：工～|农～|林～|畜牧～|饮食～|各行各

~。❷ 职业：就～｜转～｜～余｜无～。❸
学业：肄～｜修～｜毕～｜结～。❹ 事业：功
~｜创～｜～绩。❺ 产业；财产：家～｜～
主。❻〈书〉从事(某种行业)：～农｜～
商。❼(Yè) 图 姓。

业²(業) yè 佛教徒称一切行为、言
语、思想为业，分别叫做身
业、口业、意业，合称三业，包括善恶两面，
一般专指恶业。

业³(業) yè 已经：～已｜～经。

【业大】yèdà 图 业余大学的简称。

【业海】yèhǎi 图 佛教指使人沉沦的无边
的罪恶。

【业户】yèhù 图 经营工商业的集体或个
人。

【业绩】yèjì 图 建立的功劳和完成的事业；
成就。

【业界】yèjiè 图 指企业界，也指企业界中
各行业或某个行业。

【业经】yèjīng 副 已经(多用于公文)：～
呈报在案。

【业内】yènèi 图 某种行业或业务范围以
内：～人士｜这家老店在～有很大影响。

【业师】yèshī 图 称教过自己的老师。

【业态】yètài 图 业务经营的形式、状态：
京城零售业在～上已形成新的格局。

【业外】yèwài 图 某种行业或业务范围以
外：～人士。

【业务】yèwù 图 个人的或某个机构的专
业工作：～能力｜～学习｜～范围｜发展～。

【业已】yèyǐ 副 已经(多用于公文)：～调
查属实｜～准备就绪。

【业余】yèyú 形 属性词。❶ 工作时间以
外的：～时间｜～学校。❷ 非专业的：～
歌手｜～剧团｜～文艺活动。

【业余大学】yèyú dàxué 利用学员的业余
时间实施高等教育的一种教学机构。简
称业大。

【业余教育】yèyú jiàoyù 为提高工人、农
民、干部等的政治、文化和科学、技术水
平，在业余时间进行的教育。

【业障】yèzhàng 图 ❶ 佛教指妨碍修行的
罪恶。❷ 旧时长辈骂不肖子弟的话。

【业者】yèzhě 图 从事某种行业的人。

【业主】yèzhǔ 图 产业或企业的所有者。

叶¹(葉) yè ❶(～儿)图 植物的营
养器官之一，通常由叶片和
叶柄组成。通称叶子。❷ 形状像叶子
的：百～窗｜千～莲。❸ 同"页"。❹(Yè)
图 姓。

叶²(葉) yè 较长时期的分段：清朝
末～｜20 世纪中～。
另见 1505 页 xié。

【叶柄】yèbǐng 图 叶的组成部分之一，连
接叶片和茎，长条形。有的叶子没有叶
柄，叶片直接和茎连接。

【叶公好龙】Yè Gōng hào lóng 据说古代
有个叶公，非常爱好龙，器物上画着龙，房
屋上也刻着龙。真龙知道了，就到叶公家
来，把头探进窗户。叶公一见，吓得面如
土色，拔腿就跑(见于汉代刘向《新序·杂
事》)。比喻说是爱好某事物，其实并不真
爱好。

【叶猴】yèhóu 图 猴的一类，尾较长，吃树
叶、野果等。我国有白头叶猴、黑叶猴、长
尾叶猴、菲氏叶猴、戴帽叶猴、白臀叶猴六
种。

【叶绿素】yèlǜsù 图 植物体中的绿色物
质，是一种复杂的有机酸。植物利用叶绿
素进行光合作用制造养料。

【叶绿体】yèlǜtǐ 图 植物细胞质中的一种
细胞器，内含叶绿素、酶和脱氧核糖核酸，
能自行分裂，在遗传上有相对独立性。

【叶轮】yèlún 图 涡轮机里带有叶片的轮，
叶片受流体冲击而转动，使轴旋转而产生
动力。也指水泵、鼓风机等机器里带有叶
片的轮，转动时使流体运动。

【叶落归根】yè luò guī gēn 比喻事物总有
一定的归宿，多指客居他乡的人终究要回
到故乡。也说落叶归根。

【叶脉】yèmài 图 叶片上分布的细管状构
造，主要由细而长的细胞构成，分布到叶
片的各个部分，作用是输送水分、养料
等。

【叶片】yèpiàn 图 ❶ 叶的组成部分之一，
通常是很薄的扁平体，有叶肉和叶脉，是
植物进行光合作用和蒸腾作用的主要部
分。❷ 涡轮机、水泵、鼓风机等机器中
形状像叶子的零件，许多叶片构成叶
轮。

【叶鞘】yèqiào 图 稻、麦、莎草等植物的叶
子裹在茎上的部分。

【叶序】yèxù 图 叶在茎上排列的形式，常
见的有互生、对生、轮生等。

【叶腋】yèyè 图 叶的基部和茎之间所夹锐

角的部位。

【叶枝】yèzhī 名❶ 果树上只长叶子不结果实的枝。❷ 棉花植株上只长叶子不长棉桃的枝。

【叶轴】yèzhóu 名 羽状复叶叶柄的延长部分。

【叶子】yè·zi 名❶ 植物的叶的通称。❷〈方〉纸牌。❸〈方〉指茶叶。

【叶子烟】yè·ziyān 名 晒干或烤干而未进一步加工的烟叶。

页(頁、❶❷葉箓) yè ❶ 张(指纸)：册~｜活~。❷ 量 旧时指单面印刷的书本中的一张纸，现在一般指两面印刷的书本中一张纸的一面,但作为印刷术语时仍指一张。❸ (Yè)名 姓。

【页码】yèmǎ (~儿)名 书刊每一页上标明次序的数目字。

【页面】yèmiàn 名❶ 书刊、本册每一页的图文设置或书写状况：~整齐。❷ 指网页在屏幕上所显示的内容。

【页心】yèxīn 名 版心。

曳(抴) yè 拖;拉;牵引;摇~｜~光弹｜弃甲~兵。

【曳光弹】yèguāngdàn 名 一种弹头尾部装有能发光的化学药剂的炮弹或枪弹,发射后能发光,用以显示弹道和指示目标。

邺(鄴) Yè ❶ 古地名,在今河北临漳。❷ 名 姓。

夜(亱) yè ❶ 名 从天黑到天亮的一段时间(跟"日、昼"相对)：~晚｜~班｜白天黑~｜冬天昼短~长。❷ 量 用于计算夜：三天三~｜每日每~。❸ (Yè)名 姓。

【夜班】yèbān 名 夜里工作的班次：值~。

【夜半】yèbàn 名 夜里十二点钟前后;半夜。

【夜不闭户】yè bù bì hù 夜间不用关闭门户睡觉,形容社会安定,风气良好。

【夜餐】yècān 名 夜间吃的饭。

【夜叉】yè·chā 名 佛教指恶鬼,后用来比喻相貌丑陋、凶恶的人。也译作药叉。〔梵 yakṣa〕

【夜长梦多】yè cháng mèng duō 比喻时间拖长了,事情可能发生不利的变化。

【夜场】yèchǎng 名 晚场。

【夜车】yèchē 名❶ 夜里开出、夜里到达

或者夜里经过的火车。❷ 见 759 页〖开夜车〗。

【夜大学】yèdàxué 名 利用夜间上课的大学,多为业余性的。简称夜大。

【夜饭】yèfàn〈方〉名 晚饭。

【夜工】yègōng 名 夜间的活儿：做~｜打~。

【夜光表】yèguāngbiǎo 名 指针和标志时刻的数字和符号能发荧光的表,在黑暗中也可以看时间。

【夜壶】yèhú 名 便壶(多指旧式的)。

【夜间】yè·jiān 名 时间词.夜里。

【夜景】yèjǐng 名 夜晚由灯光、景物等组成的景色。

【夜空】yèkōng 名 夜晚的天空。

【夜来】yèlái〈书〉名❶ 昨天。❷ 夜间。

【夜阑】yèlán〈书〉形 夜深：~人静。

【夜郎自大】Yèláng zìdà 汉代西南邻国中,夜郎国(在今贵州西部)最大。夜郎国的国君向汉朝使臣道："你们汉朝大呢?还是我们夜郎国大呢?"(见于《史记·西南夷列传》)后来用"夜郎自大"比喻妄自尊大。

【夜里】yè·lǐ 名 时间词.从天黑到天亮的一段时间。

【夜盲】yèmáng 名 病,主要由缺乏维生素A引起,症状是在夜间光线弱的地方视力很差或完全不能看见东西。有的地区叫雀盲眼(qiǎo·mangyǎn)。

【夜猫子】yèmāo·zi〈口〉名❶ 猫头鹰。❷ 比喻喜欢晚睡的人(含戏谑意)。

【夜明珠】yèmíngzhū 名 古代传说黑暗中能放光的珍珠。

【夜幕】yèmù 名 在夜间,景物像被一幅大幕罩住一样,因此叫做夜幕：~笼罩着大地。

【夜儿个】yèr·ge〈方〉名 昨天。

【夜色】yèsè 名 夜晚的景色：~苍茫｜~深沉｜朦胧的~。

【夜生活】yèshēnghuó 名 指夜间的交际应酬、文化娱乐等活动。

【夜市】yèshì 名 夜间做买卖的市场。

【夜晚】yèwǎn 名 时间词.夜间;晚上。

【夜宵】(夜消) yèxiāo (~儿)名 夜里吃的酒食、点心等。

【夜校】yèxiào 名 夜间上课的学校,多为业余学校。

【夜以继日】yè yǐ jì rì 日夜不停。也说日以继夜。

【夜莺】yèyīng 名 文学作品中指歌鸲（qú）一类叫声清脆婉转的鸟。

【夜鹰】yèyīng 名 鸟，头部扁平，嘴扁平呈三角形，边缘有很多刚毛，鼻通常呈管状，眼很大，翅膀尖端长。昼伏夜出，捕食昆虫。种类很多，是益鸟。

【夜游神】yèyóushén 名 迷信传说中夜间巡行的神，比喻喜欢深夜在外游荡的人（含戏谑或厌恶意）。

【夜战】yèzhàn 动 夜间作战，也指夜间加班工作：挑灯～。

【夜总会】yèzǒnghuì 名 城市中供人们夜间休闲娱乐的营业性场所。

【夜作】yèzuò （口语中多读 yèzuō）名 见 247 页〖打夜作〗。

拽 yè 同"曳"。
另见 1786 页 zhuāi；1786 页 zhuài。

咽 yè 声音受阻而低沉：哽～|喇叭声～。
另见 1562 页 yān；1572 页 yàn。

晔（曄） yè 〈书〉光。

烨（燁、爆） yè 〈书〉❶ 火光；日光。❷ 光盛。

掖 yè 用手搀扶别人的胳膊，借指扶助或提拔：扶～|奖～。
另见 1587 页 yē。

液 yè 液体：汁～|血～|溶～|～态。

【液化】yèhuà 动 ❶ 气体因温度降低或压力增加而变成液体：～石油气。❷ 机体的某些组织因发生病理变化而变成液体。

【液化气】yèhuàqì 名 指用作燃料的液化石油气、煤气等。

【液化热】yèhuàrè 名 单位质量的气体在温度不变的情况下转变成为液体时放出的热量，叫做这种物质的液化热。

【液晶】yèjīng 名 液态晶体，是具有液体的流动性和表面张力，又具有晶体的光学性质的物体。可用作电子工业中的显示材料，也用于无损探伤和医疗诊断等。

【液泡】yèpào 名 细胞质中泡状的结构，内含液体，周围有薄膜使液泡与细胞分开。（图见 1463 页"细胞"）

【液态】yètài 名 物质的液体状态，是物质存在的一种形态。

【液体】yètǐ 名 有一定的体积、没有一定的形状、可以流动的物质。在常温下，油、水、酒、水银等都是液体。

【液压机】yèyājī 名 利用液体传递压力的机器，包括水压机和油压机。

谒（謁） yè 谒见：拜～|进～|～陵。黄帝陵。

【谒见】yèjiàn 动 进见（地位或辈分高的人）。

腋 yè ❶ 名 腋窝。❷ 其他生物体上跟腋类似的部分：～芽。

【腋臭】yèchòu 名 腋窝狐臭。

【腋毛】yèmáo 名 人腋部生长的毛。

【腋窝】yèwō 名 上肢和肩膀连接处靠底下的部分，呈窝状。

【腋芽】yèyá 名 生在叶腋内的芽。

馌（饁） yè 〈书〉往田野送饭。

靥（靨） yè 酒窝：酒～|笑～。

yī (丨)

一 yī ❶ 数 最小的正整数。参看 1271 页〖数字〗。❷ 数 表示同一：咱们是～家人|你们～路走|这不是～码事。❸ 数 表示另一：番茄～名西红柿。❹ 数 表示整个；全：～冬|～生|～路平安|屋子人|～身的汗。❺ 表示专一：～心～意。❻ 数 表示动作是一次，或表示动作是短暂的，或表示动作是试试的：a) 用在重叠的动词（多为单音）中间：歇～歇|笑～笑|让我闻～闻。b) 用在动词之后，动量词之前：笑～声|看～眼|让我们商量～下。❼ 数 用在动词或动量词前面，表示先做某个动作（下文说明动作结果）：～跳了过去|～脚把它踢到|他在旁边～站，再也不说什么。❽ 数 与"就"配合，表示两个动作紧接着发生：～请就来|～说就明白了。❾ 一旦；一经：～失足成千古恨。❿ 〈书〉动 用在某些词前加强语气：～何速也|为害之甚，～至于此！‖注意 "一"字单用或在一词一句末尾念阴平，如"十一、一一得一"，在去声字前念阳平，如"一半、一共"，在阴平、阳平、上声字前念去声，如"一

天、一年、一点"。本词典为简便起见，条目中的"一"字，都注阴平。

2 yī 图 我国民族音乐音阶上的一级，乐谱上用作记音符号，相当于简谱的"7"。参看468页〖工尺〗。

【一把好手】yī bǎ hǎoshǒu 一把手②。

【一把手】yī bǎ shǒu ❶ 作为参加活动的一员：咱们搭伙干，他也算～。❷ 能干的人：要说干活儿，他可真是～。也说一把好手。❸ 指第一把手。‖〖注意〗在口语中，①②中的"一"多念去声，③中的"一"多念阴平。

【一把抓】yī bǎ zhuā ❶ 指对一切事都不放手，都要自己管。❷ 指做事不分轻重缓急，一齐下手。

【一百一】yībǎiyī 〈方〉形容好到极点，无可挑剔：他是～的好人｜他伺候病人可说是～。

【一败涂地】yī bài tú dì 形容败得不可收拾。

【一般】yībān ❶ 形 一样；同样：哥儿俩长得～高｜火车飞～地向前驰去。❷ 数量词一种：别有一～滋味。❸ 形 普通，通常：～性｜～化｜～情况｜他一早出去，～要到天黑才回家｜～地说，吃这种药是很见效的。

【一般法】yībānfǎ 图 指适用于平时、全国范围、所有公民的法律（跟"特别法"相对）。

【一般见识】yībān jiàn·shi 同样的见识、修养。不跟知识、修养较差的人争执，叫做不跟他一般见识。

【一斑】yībān 图 指豹身上的一块斑纹，比喻相类似的许多事物中很小的一部分：管中窥豹，可见～。参看505页〖管中窥豹〗。

【一板一眼】yī bǎn yī yǎn 比喻言语行为有条理，合规矩，不马虎。参看36页〖板眼〗。

【一半】yībàn （～儿）数 二分之一：把柴火分给他们～儿，咱们有～也就烧完了。

【一……半……】yī…bàn… 分别用在同义词或近义词前面，表示不多或不久：～鳞～爪｜～年～载｜～时～刻｜～星～点儿｜～知～解。

【一半天】yī bàn tiān 〈口〉数量词。一两天：过～就给你送去。

【一包在内】yī bāo zài nèi 一切都包括在里面：车钱、店钱、饭钱、～，花了两百块钱。

【一辈子】yībèi·zi 〈口〉图 一生。

【一本万利】yī běn wàn lì 形容本钱很小，利润很大。

【一本正经】yī běn zhèng jīng 形容很规矩、很庄重。

【一鼻孔出气】yī bíkǒng chū qì 比喻持有同样的态度和主张（含贬义）。

【一笔带过】yī bǐ dài guò 对事情只简单一提，不着重叙说或描述。

【一笔勾销】yī bǐ gōuxiāo 把账一笔抹去，比喻把一切完全取消。

【一笔抹杀】yī bǐ mǒshā 比喻轻率地把优点、成绩等全部否定。

【一臂之力】yī bì zhī lì 指其中的一部分力量或不大的力量：助你～。

【一边】yībiān （～儿）❶ 图 方位词。东西的一面；事情的一方面：这块木料有～儿不光滑｜两方面争论，总有～儿理屈。❷ 图 方位词。旁边：我们打球，他坐在～看书。❸ 副 表示一个动作跟另一个动作同时进行。a)单用：他慢慢往前走，～唱着歌儿。b)连用：他～儿答应，～儿放下手里的书。❹〈方〉形 同样，一般①：他俩～高｜天下乌鸦～黑。

【一边倒】yī biān dǎo 指完全倾向于对立双方中的一方。

【一表非凡】yī biǎo fēi fán 形容人的仪表出众，很不寻常。

【一表人才】yī biǎo rén cái 形容人相貌英俊，风度潇洒。

【一并】yībìng 副 表示合在一起：～办理｜～报销。

【一波三折】yī bō sān zhé 原指写字笔势曲折多姿，后形容文章结构曲折起伏，也比喻事情进行中阻碍、变化很多。

【一波未平，一波又起】yī bō wèi píng, yī bō yòu qǐ 比喻波折多，一个问题还没有解决，另一个问题又发生了。

【一……不……】yī…bù… ❶ 分别用在两个动作前面，表示动作或情况一经发生就不改变：～定～易｜～去～返｜～蹶～振。❷ 分别用在一个名词和一个动词前面，表示强调或夸张：～言～发｜～字～漏｜～钱～值｜～毛～拔。

【一不做，二不休】yī bù zuò, èr bù xiū 事情已经开始了，就索性干到底。

【一步到位】yī bù dào wèi 指一次就达到预定的目标。

【一步登天】yī bù dēng tiān 比喻一下子

达到最高的境界或程度，也比喻地位一下子升得非常高。

【一步一个脚印】yī bù yī gè jiǎoyìn 比喻做事踏实。

【一差二错】yī chā èr cuò 可能发生的意外或差错：万一有个～，就麻烦了。

【一刹那】yīchànà 名 极短的时间。参看144页〖刹那〗。

【一划】yīchàn 副❶〈方〉一概；全部：家具～都是新的。❷ 一味；总是（多见于早期白话）：～地残害忠良。

【一场空】yī cháng kōng 指希望和努力完全落空。

【一倡百和】yī chàng bǎi hè 一人首倡，百人附和，形容附和的人极多。也作一唱百和。

【一唱百和】yī chàng bǎi hè 同"一倡百和"。

【一唱一和】yī chàng yī hè 比喻互相配合，互相呼应（多含贬义）。

【一朝天子一朝臣】yī cháo tiānzǐ yī cháo chén 比喻一个人上台，就另换一班人马。

【一尘不染】yī chén bù rǎn ❶ 佛家称色、声、香、味、触、法为六尘，修道的人不被六尘所玷污，叫做一尘不染，泛指人品纯洁，丝毫没沾染坏习气。❷ 指环境非常清洁：屋子里窗明几净，～。

【一成不变】yī chéng bù biàn 一经形成，永不改变：任何事物都是不断发展的，不是～的。

【一程子】yīchéng·zi〈方〉数量词。一些日子：我母亲来这里住了～，昨天刚走。

【一筹】yīchóu 名 计数的一根竹签，借指一着(zhāo)：略逊～｜他的思维能力比一般人高出～。

【一筹莫展】yī chóu mò zhǎn 一点计策也施展不出一点办法也想不出。

【一触即发】yī chù jí fā 比喻形势非常紧张，马上会发生严重的事情：冲突～。

【一触即溃】yī chù jí kuì 一碰就崩溃：敌军士气涣散，～。

【一锤定音】(一槌定音) yī chuí dìng yīn 比喻凭某个人的一句话做出最后决定。

【一锤子买卖】yī chuí·zi mǎi·mai 不考虑以后怎样，只做一次的交易（多用于比喻）。

【一次能源】yī cì néngyuán 指存在于自然界的天然能源，如煤炭、石油、天然气、水力、铀矿等。

【一次性】yīcìxìng 形 属性词。只一次的；不须或不做第二次的：发给～补助金｜对某些滞销商品作～削价处理。

【一从】yīcóng 介 自从：～别后，音信全无。

【一蹴而就】yī cù ér jiù 踏一步就成功，形容事情轻而易举，一下子就能完成。

【一搭两用儿】yī dā liǎng yòngr〈方〉一样东西当两样用：带件大衣，白天穿，晚上当被盖，～。

【一带】yīdài 名 泛指某处及其附近地方：北京～｜江南～雨量充足。

【一旦】yīdàn ❶ 名 一天之间（形容时间短）：毁于～。❷ 副 指不确定的时间，表示有一天。a)用于已然，表示"忽然有一天"：相处三年，～离别，怎么能不想念呢？b)用于未然，表示"要是有一天"：理论～为群众所掌握，就会产生巨大的物质力量。

【一刀两断】yī dāo liǎng duàn 比喻坚决断绝关系。

【一刀切】yīdāoqiē 动 比喻不顾实际情况，用同一方式处理问题。

【一道】yīdào (～儿) 副 一同；一路③：～走｜～工作。

【一得之功】yī dé zhī gōng 一点微小的成绩：不能沾沾自喜于～，一孔之见。

【一得之愚】yī dé zhī yú 谦辞，指自己对于某一问题的见解：这是我的～，供你参考。参看1084页〖千虑一得〗。

【一点儿】yīdiǎnr 数量词。❶ 表示不定的较少的数量：我纸用完了，你先给我～吧。❷ 表示很小或很少：我以为有多大呢，原来只有这么～｜只有那么～，够用吗？｜几年过去了，他的毛病～都没改。

【一丁点儿】yīdīngdiǎnr〈方〉数量词。极少的或极小的一点儿。

【一定】yīdìng ❶ 形 属性词。规定的；确定的：要按～的程序进行操作。❷ 形 属性词。固定不变；必然：文章的深浅跟篇幅的长短，并没有～的关系。❸ 副 表示坚决或确定；必定：～要努力工作｜这半天还不回来，～是赶上车。❹ 形 属性词。特定的：～的文化是～社会的政治和经济的反映。❺ 形 属性词。相当的：我们的工作已经取得了～的成绩｜这篇论文具有～

水平。

【一定之规】yīdìng zhī guī　一定的规则，多比喻已经打定的主意。

【一动】yīdòng　（～儿）副　动不动：～就发脾气|～儿就哭。

【一度】yī dù　❶ 数量词。一次；一阵：一年～的春节又到了|经过～紧张的战斗，洪水终于被战胜了。❷ 副　表示过去发生过；有过一次：他～休学。

【一端】yī duān　名　（事情的）一点或一个方面：此其～。

【一多半】yīduōbàn　（～儿）数　超过半数；多半①：小组成员～是年轻人。

【一…而…】yī…ér…　分别用在两个动词前面，表示前一个动作很快产生了结果：～哄～散|～怒～去|～望～知|～扫～光|～挥～就。

【一而再，再而三】yī ér zài, zài ér sān　反复多次；再三。

【一二】yī'èr　数　一两个；少数：～知己|略知～（自谦所知不多）。

【一…二…】yī…èr…　分别加在某些双音节形容词的两个词素前面，表示强调：～干～净|～清～楚|～清～白。

【一二·九运动】Yī'èr-Jiǔ Yùndòng　1935年12月9日，北平（今北京）学生在中国共产党领导下发动的抗日救国运动。目标是反对日本帝国主义对华北的进一步侵略和国民政府的不抵抗政策，号召全国人民起来抗日救国。运动很快发展到全国各地，为1937年开始的抗日战争准备了条件。

【一发】yīfā　副　❶ 更加：如果处理不当，就～不可收拾了。❷ 一同；一并：你先把这些急用的材料领走，明天～登记。

【一发千钧】yī fà qiān jūn　见1084页〖千钧一发〗。

【一帆风顺】yī fān fēng shùn　比喻非常顺利，毫无挫折。

【一反常态】yī fǎn cháng tài　完全改变了平时的态度。

【一风吹】yīfēngchuī　动　一阵风全部吹掉，比喻一笔勾销，全都不算数。

【一概】yīgài　副　表示适用于全体，没有例外：过期～作废。

【一概而论】yīgài ér lùn　用同一标准来对待或处理（多用于否定式）：要具体分析，不能～。

【一干】yīgān　形　属性词。所有跟某件事（多指案件）有关的：～人｜～人犯。

【一竿子到底】yī gān·zi dào dǐ　比喻直接贯彻到底。也说一竿子插到底。

【一个巴掌拍不响】yī gè bā·zhang pāi bù xiǎng　比喻矛盾和纠纷不是由单方面引起的。

【一个劲儿】yī·gejìnr　副　表示不停地连续下去：雨～地下｜他～地直往前跑。

【一个萝卜一个坑儿】yī gè luó·bo yī gè kēngr　比喻每人各有岗位，各有职责。

【一个心眼儿】yī·ge xīnyǎnr　❶ 指专心一意：～为集体。❷ 比喻固执不知变通：这人～，别人说什么也不听。

【一根筋】yīgēnjīn　形　比喻死板、固执。

【一共】yīgòng　副　表示合在一起：三个小组～是十七个人。

【一股劲儿】yīgǔjìnr　副　表示从始至终不松劲；一口气：～地干。

【一股脑儿】（一古脑儿）yīgǔnǎor　〈方〉副　通通；她兴奋得很，把心里的话～都讲出来了。

【一鼓作气】yī gǔ zuò qì　《左传·庄公十年》：“夫战，勇气也。一鼓作气，再而衰，三而竭。”意思是打仗靠勇气，擂一通鼓，勇气振作起来了，两通鼓，勇气就衰退了，三通鼓，勇气就没有了。后来用“一鼓作气”比喻趁劲头大的时候一下子把事情完成。

【一贯】yīguàn　形　属性词。（思想、作风等）一向如此，从未改变：谦虚、朴素是他～的作风。

【一棍子打死】yī gùn·zi dǎ sǐ　比喻对人或事物不加分析，全盘否定。

【一锅端】yī guō duān　❶ 比喻全部消灭或清除：把这伙贩毒分子来个～。❷ 比喻尽其所有：各种各样的意见，～地全说了出来。

【一锅粥】yīguōzhōu　名　比喻混乱的现象：乱成～。

【一锅煮】yī guō zhǔ　比喻不区别情况，对不同的事物做同样的处理。也说一锅烩、一勺烩。

【一国两制】yī guó liǎng zhì　指一个国家，两种制度。是中国共产党于1978年十一届三中全会后提出的完成国家统一的基本国策,即在一个中国的前提下,在大陆实行社会主义制度,在香港、澳门设立特别行政区,实行资本主义制度。这项政策也适用于台湾。

【一国三公】yī guó sān gōng 《左传·僖公五年》:"一国三公,吾谁适从?"一个国家有三个主持政事的人,我听从谁? 后来泛指事权不统一。

【一呼百应】yī hū bǎi yìng 形容响应的人很多。

【一晃】yīhuǎng 动 很快地一闪:窗外有个人影,~就不见了。

【一晃】yīhuàng 动 表示时间很快过去(有不知不觉的意思):~就是五年,孩子都长这么大了。

【一会儿】yīhuìr ❶ 数量词。指很短的时间:~的工夫|咱们歇~。❷ 数量词。指在很短的时间之内:~厂里还要开会|你妈妈~就回来了|地上就积起了三四寸厚的雪。❸ 副 分别用在两个反义词的前面,表示两种情况交替:天气~晴~阴|他~出,~进,忙个不停。

【一己】yījǐ 名 自身;个人:~之私。

【一技之长】yī jì zhī cháng 指某一种技术特长。

【一家之言】yī jiā zhī yán 指有独特见解、自成体系的学术论述,也泛指一个学派或个人的理论、说法。

【一见如故】yī jiàn rú gù 初次见面就很相投,像老朋友一样。

【一见钟情】yī jiàn zhōngqíng 一见面就产生了爱情。

【一箭双雕】yī jiàn shuāng diāo 比喻一举两得。

【一经】yījīng 副 表示只要经过某个步骤或者某种行为(下文说明就能产生相应的结果):~批准,马上可以动工。

【一径】yījìng 副 ❶ 径直:他没有跟别人打招呼,~走进屋里。❷〈方〉一直;连续不断:她~在微笑|他~是做教师的。

【一……就……】yī……jiù…… 表示两事时间上前后紧接:a) 同一主语的:~学~会|~开~谢|~吃~吐。b) 不同主语的:~教~懂|~请~到|~说~成|~推~倒。

【一举】yījǔ ❶ 名 一种举动;一次行动:多此~|成败在此~。❷ 副 表示经过一次行动就(完成);一下子:~捣毁敌人的巢

穴。

【一举两得】yī jǔ liǎng dé 做一件事情,得到两种收获:荒山造林,既能生产木材,又能保持水土,是~的事。

【一蹶不振】yī jué bù zhèn 比喻一遭到挫折就不能再振作起来。

【一刻】yīkè 数量词。指短暂的时间;一会儿:~千金(形容时光非常宝贵)|他~也没有忘记全厂职工的嘱托。

【一空】yīkōng 形 一点不剩:销售~|抢劫~。

【一孔之见】yī kǒng zhī jiàn 从一个小窟窿里面所看到的,比喻狭隘片面的见解(多用作谦辞)。

【一口】yīkǒu ❶ 名 满口②:~的北京话|~的新名词|能说~流利的英语。❷ 副 表示口气坚决:~否认|~咬定。

【一口气】yīkǒuqì (~儿)副 不间断地(做某件事):~儿说完|~跑到家。

【一块儿】yīkuàir ❶ 名 同一个处所:他俩过去在~上学,现在又在~工作。❷ 副 一同:他们~来参军。

【一来二去】yī lái èr qù 指互相交往、接触后渐渐产生某种情况:两家住在一个院子里,~地大人孩子也都熟了。

【一览】yīlǎn ❶ 动 看一眼:~无余。❷ 动 放眼观看:登山临水,~江南春色。❸ 名 用图表或简明的文字做成的关于概况的说明(多用于书名):《北京名胜古迹~》。

【一览表】yīlǎnbiǎo 名 说明概况的表格:行车时间~。

【一揽子】yīlǎn·zi 形 属性词。对各种事物不加区别或不加选择的;包揽一切的:~计划(总的计划)|~建议(或者全部接受或者全部拒绝的建议)|~解决办法。

【一劳永逸】yī láo yǒng yì 辛苦一次,把事情办好,以后就不再费事了。

【一力】yīlì 副 尽全力;竭力:~成全|~主张|~承担。

【一例】yīlì 副 一律;同等:~看待。

【一连】yīlián 副 表示动作连续不断或情况连续发生:~下了三天雨|今天~参加了好几个会。

【一连串】yīliánchuàn 形 属性词。(行动、事情等)一个紧接着一个的:~的胜利|~的打击。

【一连气儿】yīliánqìr〈方〉副 一连:~唱

了四五支歌。

【一了百了】 yī liǎo bǎi liǎo　由于主要的事情了结了，其余的事情也跟着了结。

【一鳞半爪】 yī lín bàn zhǎo　比喻零星片段的事物。也说东鳞西爪。

【一流】 yīliú　❶〈名〉同一类；一类：他是属于新派～人物。❷〈形〉第一等：～作品。

【一溜风】 yīliùfēng　〈副〉形容跑得很快：他～地从山上跑下来。

【一溜儿】 yīliùr　❶数量词。一排；一行：这～十间房是集体宿舍。❷〈名〉附近一带：反正就是那～，具体在哪儿我就说不清了。

【一溜歪斜】 yīliù-wāixié　〈方〉❶形容走路脚步不稳，不能照直走：他挑着一挑儿水，～地从河边走上来。❷形容字写得不正或线条画得不直：字～的，真难看。

【一溜烟】 yīliùyān　〈副〉形容跑得很快：他急忙骑着上车，～地向东追去。

【一路】 yīlù　❶〈名〉整个行程中；沿路：～平安｜～顺风｜～上庄稼长势很好｜～上大家说说笑笑，很热闹。❷〈名〉同一类：～人｜～货｜老王是拘谨的，小张是旷达的。❸〈副〉一起(来、去、走)：咱们～走｜我跟他～来的。❹〈副〉一个劲儿；一直：铝价～下跌。

【一律】 yīlǜ　❶〈形〉一个样子；相同：千篇一～｜强求一～。❷〈副〉适用于全体，无例外：我国各民族～平等。

【一落千丈】 yī luò qiān zhàng　形容地位、景况、声誉等下降得很快。

【一马当先】 yī mǎ dāng xiān　作战时策马冲锋在前，形容领先或带头。

【一马平川】 yī mǎ píngchuān　能够纵马疾驰的平地：翻过山岗，就是～了。

【一脉相承】 yī mài xiāng chéng　一脉相传。

【一脉相传】 yī mài xiāng chuán　由一个血统或一个派别传下来。也说一脉相承。

【一毛不拔】 yī máo bù bá　《孟子·尽心上》："杨子取为我，拔一毛而利天下，不为也。"比喻非常吝啬。

【一门心思】 yī mén xīn·si　一心一意；集中精神：他～搞技术革新｜老张～地带领村民脱贫致富。

【一米线】 yīmǐxiàn　〈名〉银行、机场等距营业窗口或柜台前一米远的地面上划出的横线。正在办理存款、验证等业务的人站在窗口、柜台前，其他等待业务的人站在线后。

【一面】 yīmiàn　❶(～儿)〈名〉物体的几个面之一：缎子～光～毛｜这房子朝北的～只开了一个小窗。❷〈名〉一个方面：～倒｜～词｜独当～。❸〈副〉表示一个动作跟另一个动作同时进行。a)单用：说着话，～朝窗户外面看。b)连用：～走，～唱。❹〈书〉〈动〉见过一次面：～之识｜未尝～。

【一面理】 yīmiànrlǐ　〈名〉一方面的理由；片面的道理。

【一面之词】 yī miàn zhī cí　争执双方的一方所说的话。

【一面之交】 yī miàn zhī jiāo　只见过一次面的交情。也说一面之雅、一面之识。

【一鸣惊人】 yī míng jīng rén　《史记·滑稽列传》："此鸟不飞则已，一飞冲天，不鸣则已，一鸣惊人。"比喻平时没有特殊的表现，一干就有惊人的成绩。

【一命呜呼】 yī mìng wūhū　指死(含诙谐或讥讽意)。

【一模一样】 yī mú yī yàng　形容完全相同，没有什么两样。

【一木难支】 yī mù nán zhī　独木难支：众擎易举，～。

【一目了然】 yī mù liǎorán　一眼就能看清楚。

【一目十行】 yī mù shí háng　形容看书极快。

【一年到头】 yī nián dào tóu　(～儿)从年初到年底；整年：～不得闲。

【一年生】 yīniánshēng　〈形〉属性词。在当年之内完成全部生长周期(种子萌发、长出根、茎、叶，开花，结果，植物体死亡)的，如大豆、花生、水稻等植物都是一年生的。

【一念之差】 yī niàn zhī chā　一个念头的差错(引起严重的后果)。

【一诺千金】 yī nuò qiān jīn　《史记·季布栾布列传》："得黄金百，不如得季布一诺。"后来用"一诺千金"形容说话算数，所许诺言信实可靠。

【一拍即合】 yī pāi jí hé　一打拍子就合上了曲子的节奏，比喻双方很容易一致。

【一盘棋】 yīpánqí　〈名〉比喻整体或全局：全国～｜～观点。

【一盘散沙】 yī pán sǎn shā　比喻分散的、不团结的状态。

【一旁】 yīpáng　〈名〉方位词。旁边：站在～

看热闹。

【一炮打响】yī pào dǎ xiǎng 比喻第一次行动就获得成功。

【一偏】yīpiān 〖形〗偏于一方面的：～之见｜～之论。

【一片冰心】yī piàn bīng xīn 形容心地纯洁，不羡慕荣华富贵(语出唐王昌龄《芙蓉楼送辛渐》诗："洛阳亲友如相问，一片冰心在玉壶")。

【一瞥】yīpiē ❶〖动〗用眼一看，比喻极短的时间：就在这一～之间，我已看出他那激动的心情。❷〖名〗一眼看到的概况(多用于文章题目)：边城市场～。

【一贫如洗】yī pín rú xǐ 形容穷得一无所有。

【一品锅】yīpǐnguō 〖名〗❶一种类似火锅的用具，用金属制成，上面是锅，下面是盛炭火的座子。❷菜名，把鸡、鸭、火腿、肘子、香菇等放在一品锅里做成。

【一品红】yīpǐnhóng 〖名〗灌木，下部的叶子椭圆形或披针形，绿色，顶端的叶片较狭小，多为鲜红色，很像花瓣。花小，单性，没有花被。供观赏。

【一曝十寒】yī pù shí hán 《孟子·告子上》："虽有天下易生之物也，一日暴之("暴"同"曝")，十日寒之，未有能生者也。"比喻勤奋的时候少，懒怠的时候多，没有恒心。

【一齐】yīqí 〖副〗表示同时：各队～出发｜全场～鼓掌｜人和竹竿～到了。

【一起】yīqǐ ❶〖名〗同一个处所：坐在～。❷〖副〗一同：张大叔明天进城，你～去吧。❸〈方〉〖副〗一共：这几件东西～多少钱？

【一气】yīqì ❶(～儿)〖副〗不间断地(做某件事)：～儿跑了五里地。❷〖动〗声气相通，成为一伙(多含贬义)：串通～｜他们通同～。❸数量词。一阵(多含贬义)：瞎闹～｜乱说～。

【一气呵成】yīqì hē chéng ❶比喻文章的气势首尾贯通。❷比喻完成整个工作的过程中不间断，不松懈。

【一窍不通】yī qiào bù tōng 比喻一点儿也不懂。

【一切】yīqiè 〖代〗指示代词。❶全部；各种：调动～积极因素。❷全部的事物：人民的利益高于～｜夜深了，田野里的～都是那么静。

【一清早】yīqīngzǎo (～儿)〖名〗清晨。

【一穷二白】yī qióng èr bái 形容基础差，底子薄(穷，指工农业不发达；白，指文化科学水平不高)。

【一丘之貉】yī qiū zhī hé 同一个山丘上的貉，比喻彼此相同，没有差别(专指坏人)。

【一人得道，鸡犬升天】yī rén dé dào，jī quǎn shēng tiān 传说汉代淮南王刘安修炼成仙，全家升天，连鸡狗吃了仙药也都升了天(见于汉代王充《论衡·道虚》)。后来用"一人得道，鸡犬升天"比喻一个人得势，他的亲戚朋友也跟着沾光。

【一任】yīrèn 〈书〉〖动〗听凭。

【一仍旧贯】yī réng jiù guàn 完全按照旧例。

【一日千里】yī rì qiān lǐ 形容进展极快。

【一日三秋】yī rì sān qiū 《诗经·王风·采葛》："一日不见，如三秋兮。"一天不见，就好像过了三年，形容思念人的心情非常迫切。

【一日之雅】yī rì zhī yǎ 一天的交情，指交情不深：无～。

【一如】yīrú 〖动〗同(某种情况)完全一样：～所见｜～所闻｜～所请。

【一如既往】yī rú jì wǎng 完全跟过去一样。

【一色】yīsè 〖形〗❶颜色一样：水天～。❷属性词。全部一样的；不混杂别的种类或式样的：～的大瓦房｜～的景德镇瓷器。

【一霎】yīshà 〖名〗一会儿；短时间：～间｜～时｜就～工夫。

【一勺烩】yī sháo huì 一锅煮。

【一身】yīshēn 〖名〗❶全身；浑身：～是劲｜～是胆。❷一个人：独自一～｜～二任。

【一身是胆】yīshēn shì dǎn 形容胆量极大。

【一神教】yīshénjiào 〖名〗只信奉一个神的宗教，如基督教、伊斯兰教等(区别于"多神教")。

【一审】yīshěn 〖名〗第一审的简称。

【一生】yīshēng 〖名〗从生到死的全部时间。

【一失足成千古恨】yī shīzú chéng qiāngǔ hèn 一旦堕落或犯了严重错误，就成为终身的恨事。

【一时】yīshí ❶〖名〗一个时期：此～彼～｜～无出其右。❷〖名〗短时间：～半刻｜～还

用不着|这是～的和表面的现象。❸副临时；偶然：～想不起他是谁|～高兴，写了两首诗。❹副叠用，跟"时而"相同：高原上天气变化大，～晴，～雨，～冷，～热。

【一时半会儿】yī shí bàn huìr　指短时间：这场雨～停不了。

【一世】yīshì　名❶一辈子：他～没求过人。❷一个时代：～之雄。

【一事】yīshì　〈方〉业务或组织上有关系；一起的：这家药铺和城里同仁堂药铺是～。

【一事无成】yī shì wú chéng　连一样事情也没做成；什么事都做不成。

【一视同仁】yī shì tóng rén　同样看待，不分亲疏厚薄。

【一是一，二是二】yī shì yī，èr shì èr　根据事情本来的情况，应该怎样就怎样，多形容对事情认真，一丝不苟。

【一手】yīshǒu　❶（～儿）名指一种技能或本领：留～。❷（～儿）名指耍的手段：你可不能跟我来这～儿。❸副指一个人单独地：～造成|～包办。

【一手遮天】yī shǒu zhē tiān　形容倚仗权势，玩弄欺骗手法，蒙蔽众人耳目。

【一水儿】yīshuǐr　〈方〉形一色②：屋里～红木家具。

【一顺儿】yīshùnr　形同一个方向或顺序：村里新盖的房子，～都是朝南的瓦房。

【一瞬】yīshùn　名转眼之间，形容极短的时间：火箭飞行，～千里。

【一丝】yīsī　数量词。形容极小或很少；一点儿：脸上露出了～笑容。

【一丝不苟】yī sī bù gǒu　形容办事认真，连最细微的地方也不马虎。

【一丝不挂】yī sī bù guà　形容赤身裸体。

【一丝一毫】yī sī yī háo　丝毫。

【一似】yīsì　〈书〉动一如；好像。

【一塌刮子】yītāguā·zi　〈方〉副❶通通。❷总共加在一起。

【一塌糊涂】yītāhútú　乱到不可收拾；糟到不可收拾：闹得～|烂得～。

【一潭死水】yī tán sǐshuǐ　比喻没有生气或停滞不前的沉闷局面。

【一体】yītǐ　名❶一个整体，比喻关系密切：融为～。❷全体：～周知|～遵照。

【一体化】yītǐhuà　动使各自独立运作的个体或单元融为一个紧密衔接、相互配合的整体；

世界经济～|～服务。

【一天】yī tiān　❶数量词。一昼夜：～二十四小时。❷数量词。一个白天：～一夜。❸名泛指过去某一天：～，他谈起当演员的经过。

【一天到晚】yī tiān dào wǎn　整天；成天。

【一条龙】yītiáolóng　名❶比喻一个较长的行列：十几辆汽车排成～。❷比喻生产程序或工作环节上的紧密联系和配合：产供销～。

【一条心】yītiáoxīn　名意志相同。

【一同】yītóng　副表示同时同地（做某件事）：～出发|～欢度新年。

【一统】yītǒng　动统一（国家）：～天下。

【一通】yītòng　（～儿）数量词。一阵；一次：胡扯～|他和我吵过～|开了～玩笑。

【一头】yītóu　❶副表示同时进行几件事；一面：他～走，～说。❷副表示动作急；径直：打开车门，他～钻了进去。❸副突然；一下子：刚进门，～碰见了他。❹副头部突然往下扎或往下倒的动作：～扑进水里|～倒在床上。❺（～儿）名一端：扁担的～挑着篮子，另～挂着水罐。❻名（～儿）相当于一个人的高度：比他低高出～|（～儿）名同一个方面；一伙：昨天打桥牌，我和老王～，小张和小李～。❽〈方〉副一块儿：他们是～来的。

【一头儿沉】yītóurchén　〈方〉❶名书桌或办公桌的一种构造形式，一头有柜子或抽屉，另一头没有。也指这种形式的桌子。❷动比喻进行调解时偏袒一方。

【一头雾水】yī tóu wù shuǐ　〈方〉形容摸不着头脑、糊里糊涂。

【一团和气】yī tuán héqì　原指和蔼可亲，现多指态度温和而缺乏原则。

【一团漆黑】yī tuán qīhēi　见1068页［漆黑一团］。

【一团糟】yītuánzāo　形容异常混乱，不易收拾。

【一退六二五】yī tuì liù èr wǔ　本是一句珠算斤两法口诀，十六除一是0.062 5，借用作推卸干净的意思。"退"是"推"的谐音，有时就说成"推"。

【一碗水端平】yī wǎn shuǐ duān píng　比喻办事公道，不偏袒任何一方。

【一网打尽】yī wǎng dǎ jìn　比喻全部抓住或消灭。

【一往情深】yī wǎng qíng shēn 指对人或事物有深厚的感情,十分向往留恋。

【一往无前】yī wǎng wú qián 指不怕困难,奋勇前进。

【一望无际】yī wàng wú jì 一眼看不到边,形容辽阔:麦浪翻滚,~。

【一味】yīwèi 副 单纯地:~迁就|~推托。

【一文不名】yī wén bù míng 一个钱也没有(名:占有)。

【一窝蜂】yīwōfēng 副 比喻许多人乱哄哄地(同时说话或行动):~地往入口处挤。

【一无是处】yī wú shì chù 一点对的地方也没有:不要把人说得~。

【一无所有】yī wú suǒ yǒu 什么都没有,多形容非常贫穷。

【一五一十】yī wǔ yī shí 数数目时往往以五为单位,一五、一十、十五、二十……数下去,因此用"一五一十"比喻叙述时清楚有序而无遗漏。

【一物降一物】yī wù xiáng yī wù 某种事物专门制伏另一种事物,或者某种事物专门有另一种事物来制伏。

【一息尚存】yī xī shàng cún 还有一口气儿,表示直到生命的最后阶段:只要~,决不懈怠。

【一席话】yī xí huà 一番话:你这~对我很有启发。

【一席之地】yī xí zhī dì 比喻极小的一块地方或一定的位置。

【一系列】yīxìliè 形 属性词。许许多多有关联或一连串的(事物):~问题|引起~变化|采取了~措施。

【一下】yīxià 〔~儿〕❶ 数量词。用在动词后面,表示做一次或试着做:看~儿|打听~|研究~。❷ 副 表示短暂的时间:灯~儿亮了|这天气,~冷,~热。‖也说一下子。

【一线】¹ yīxiàn 名 ❶ 战争的最前线。❷ 指直接从事生产、教学、科研等活动的岗位:深入车间慰问|~工人。

【一线】² yīxiàn 数量词。形容极其细微:~阳光|~光明|~希望|~生机。

【一相情愿】yī xiāng qíngyuàn 处理彼此有关的事情时,只管自己愿意,不管对方愿意不愿意;泛指办事时全从主观愿望出发,不考虑客观条件。也作一厢情愿。

【一厢情愿】yī xiāng qíngyuàn 同"一相情愿"。

【一向】yīxiàng ❶ 名 过去的某一段时期:前~雨水多(指较早的一段时期)|这~工程的进度很快(指最近的一段时期)。❷ 副 a)表示从过去到现在:~俭朴|~好客。b)表示从上次见面到现在:你~好哇!

【一小儿】yīxiǎor 〈方〉副 从小:他~就喜欢画画儿。

【一笑置之】yī xiào zhì zhī 笑一笑就把它搁在一旁,表示不拿它当回事。

【一些】yīxiē 数量词。❶ 表示不定的数量:这些活儿你做不完,分~给我。❷ 〔~儿〕表示数量少:只有这~儿了,怕不够吧? ❸ 表示不止一种或一次:他曾担任过~重要的职务。❹ 放在形容词、动词或动词性词组后,表示略微的意思:好~|当心~|想开~。

【一泻千里】yī xiè qiān lǐ 形容江河水流迅速,也形容文笔奔放、流畅。

【一蟹不如一蟹】yī xiè bùrú yī xiè 艾子来到沿海的地方,看见一物扁而圆,有很多腿。他不认识,就问当地居民,当地人告诉他那是一种螃蟹。后来艾子又看到了好几种螃蟹,但一种比一种小,艾子叹了口气说:"怎么一蟹不如一蟹!"(见于托名苏轼的《艾子杂说》)后来比喻一个比一个差。

【一心】yīxīn ❶ 副 专心;全心全意:~为公。❷ 形 齐心;同心:万众~|上下~。

【一心一德】yī xīn yī dé 思想统一,行动一致。

【一心一意】yī xīn yī yì 心思、意念专一。

【一新】yīxīn 形 完全变成新的:装修~。

【一星半点儿】yīxīngbàndiǎnr 极少:为大伙儿做do一点儿事情,不值得一提。

【一星儿】yīxīngr 数量词。极少的一点儿。

【一行】yīxíng 名 一群(指同行的人):参观团~十二人已于昨日起程。

【一言既出,驷马难追】yī yán jì chū, sì mǎ nán zhuī 一句话说出了口,就是套四匹马的车也追不上,形容话说出之后,无法再收回。

【一言堂】yīyántáng 名 ❶ 旧时商店挂的匾额,上写"一言堂"三个字,表示不二价。❷ 指领导缺乏民主作风,不能听取群众意见,特别是不能听相反的意见(跟"群言堂"相对)。

【一言以蔽之】yī yán yǐ bì zhī 用一句话来概括。

【一氧化碳】yīyǎnghuàtàn 图 无机化合物,化学式CO。无色无味的气体,燃烧时发出蓝色火焰,并放出大量的热。用作燃料,也是化工原料。煤气中含有一氧化碳,过量吸入可使人窒息死亡。

【一样】yīyàng 图 同样;没有差别:哥儿俩相貌、脾气也～|他们两个人打枪打得～准。

【一叶蔽目】yī yè bì mù 《鹖冠子·上·天则》:"一叶蔽目,不见太山。"比喻为局部的或暂时的现象所迷惑,不能认清事物的全貌或问题的本质。也说一叶障目。

【一叶障目】yī yè zhàng mù 一叶蔽目。

【一叶知秋】yī yè zhī qiū 看见一片落叶就知道秋天的来临,比喻发现一点预兆就料到事物发展的趋向。

【一一】yīyī 副 一个一个地:临行时妈妈嘱咐的话,他～记在心里。

【一……一……】yī…yī… ❶ 分别用在两个同类的名词前面。a)表示整个:～心～意|～生～世(人的一生)。b)表示数量极少:～针～线|～草～木|～言～行。❷ 分别用在不同类的名词前面。a)用相对的名词表明前后事物的对比:～薰～莸(比喻好的和坏的有区别)。b)用相关的名词表示事物的关系:～本～利(指本钱和利息相等)。❸ 分别用在同类动词的前面,表示动作是连续的:～瘸～拐|～歪～扭。❹ 分别用在相对的动词前面,表示两方面的行动协调配合或两种动作交替进行:～问～答|～唱～和|～起～落|～张～弛。❺ 分别用在相反的方位词、形容词等的前面,表示相反的方位或情况:～上～下|～东～西|～长～短。

【一衣带水】yī yī dài shuǐ 水面像一条衣带那样窄,形容一水之隔,往来方便。

【一意孤行】yī yì gū xíng 不听劝告,固执地照自己的意思行事。

【一应】yīyīng 代 指示代词。所有一切:～俱全|～工具,材料都准备好了。

【一隅】yīyú 〈书〉❶ 图 一个角落:～之地|偏安一～。❷ 图 偏于一方面的:～之见。

【一隅三反】yī yú sān fǎn 举一反三。

【一语破的】yī yǔ pò dì 一句话就说明关键(的:箭靶,比喻关键)。

【一元化】yīyuánhuà 动 ❶ 由多样向单一发展;由分散向统一发展。❷ 集中统一:～领导。

【一元论】yīyuánlùn 图 认为世界只有一个本原的哲学学说。认为物质是世界本原的是唯物主义的一元论。认为精神是世界本原的是唯心主义的一元论(跟"多元论"相对)。

【一再】yīzài 副 一次又一次:～声明|～挽留|～推脱。

【一……再……】yī…zài… 分别用在同一个动词前面,表示该动作多次重复:～误～误|～错～错|～拖～拖。

【一早】yīzǎo (～儿)〈口〉图 清晨:今天～他就下乡去了。

【一站式】yīzhànshì 图 把相关部门集中在一处,一次就可办妥所有手续的服务方式:～办公。

【一朝】yīzhāo 副 一旦。

【一朝一夕】yī zhāo yī xī 一个早晨或一个晚上,指非常短的时间:非～之功。

【一针见血】yī zhēn jiàn xiě 比喻话说得简短而能切中要害。

【一枕黄粱】yī zhěn huángliáng 见600页【黄粱梦】。

【一阵】yīzhèn (～儿)数量词。动作或状况持续的一段时间:～掌声|～狂风|说笑～。也说一阵子。

【一阵风】yīzhènfēng ❶ 副 形容动作快:战士们～地冲了上去。❷ 动 比喻行动短暂,不能持久:搞科学实验,不能～。

【一知半解】yī zhī bàn jiě 知道得不全面,理解得不透彻。

【一直】yīzhí 副 ❶ 表示顺着一个方向不变:～走,不拐弯|～往东,就到了。❷ 表示动作始终不间断或状态始终不变:雨～下了一天一夜|他干活儿～很卖力。❸ 强调所指的范围:全村从老人～到小孩都非常热情。

【一纸空文】yī zhǐ kōng wén 指没有效用的文书(一纸:一张)。

【一致】yīzhì ❶ 图 没有分歧:看法～|步调～。❷ 副 一同;一齐:～对外。

【一掷千金】yī zhì qiān jīn 原指赌博时一次注就多达千金,后用来形容任意挥霍钱财。

【一准】yīzhǔn 副一定；必定：明天我～回来。

【一字长蛇阵】yī zì chángshézhèn 排列成一长列的阵势，泛指排列成一长列的人或物。

【一字千金】yī zì qiān jīn 秦相吕不韦叫门客著《吕氏春秋》，书写成后出布告，称有能增减一字的，就赏给千金(见于《史记·吕不韦列传》)。后来用"一字千金"称赞诗文精妙，价值极高。

【一字一板】yī zì yī bǎn 形容说话从容清楚。

【一总】yīzǒng 副❶(～儿)合并(计算)：～要二十个人才够分配|钱请你再垫一下，过后～算吧。❷全都：这些工作～交给我们小组去完成。

弍 yī 同"一"。

伊¹ yī ❶〈书〉助 用于词语的前面，加强语气或感情色彩：～始|～于胡底|～谁之力？❷(Yī)名 姓。

伊² yī 代 人称代词。他或她。注意五四运动前后有的文学作品中用"伊"专指女性，后来改用"她"。

【伊甸园】yīdiànyuán 名 犹太教、基督教圣经中指人类祖先住的乐园。[伊甸，希伯来 éden]

【伊妹儿】yīmèir 名 电子邮件的俗称。[英 e-mail]

【伊人】yīrén〈书〉名 那个人(多指女性)。

【伊始】yīshǐ〈书〉动 开始：新春～|下车～。

【伊斯兰教】Yīsīlánjiào 名 世界上主要宗教之一，公元 7 世纪初阿拉伯人穆罕默德所创，盛行于亚洲西部和非洲北部，唐代传入我国。在我国也叫清真教、回教。[伊斯兰，阿拉伯 Islām]

【伊斯兰教历】Yīsīlánjiàolì 名 伊斯兰教的历法，是阴历的一种。1 年分为 12 个月，单月为大月，每月 30 天，双月为小月，每月 29 天。平年 354 天，闰年 355 天。30 年中有 11 个闰年，不设置闰月。纪元以公元 622 年 7 月 16 日(即穆罕默德入麦地那的第二天)为元年元旦。在我国也叫回历。

【伊于胡底】yī yú hú dǐ〈书〉到什么地步

为止(对不好的现象表示感叹)。

衣 yī ❶ 衣服：上～|内～|大～|丰～足食。❷ 包在物体外面的一层东西：笋～|糖～。❸ 胞衣。❹ (Yī)名 姓。
另见 1614 页 yì。

【衣摆】yībǎi 名 衣服的下摆。

【衣胞】yī·bao 名 胞衣。

【衣钵】yībō 名 原指佛教中师父传授给徒弟的袈裟和钵，后泛指传下来的思想、学术、技能等：继承～|～相传。

【衣不解带】yī bù jiě dài 形容日夜辛劳，不能安稳休息。

【衣袋】yīdài 名 衣兜。

【衣兜】yīdōu (～儿)名 衣服上的口袋。也叫衣袋。

【衣服】yī·fu 名 穿在身上遮蔽身体和御寒的东西。

【衣冠楚楚】yīguān chǔchǔ 形容穿戴整齐、漂亮。

【衣冠墓】yīguānmù 名 衣冠冢。

【衣冠禽兽】yīguān qínshòu 穿戴着衣帽的禽兽，指行为卑劣，如同禽兽的人。

【衣冠冢】yīguānzhǒng 名 只埋着死者的衣帽等遗物的坟墓。也叫衣冠墓。

【衣架】yījià 名 ❶(～儿)挂衣服的用具，用木材、金属等制成。❷指人的身材：他的～好，穿上西服特别精神。也说衣架子。

【衣襟】yījīn 名 上衣、袍子前面的部分。

【衣锦还乡】yī jǐn huán xiāng 古时指做官以后，穿了锦绣的衣服，回到故乡向亲友夸耀(衣：旧读 yì，穿衣)。也说衣锦荣归。

【衣锦荣归】yī jǐn róng guī 衣锦还乡。

【衣料】yīliào (～儿)名 做衣服用的棉布、绸缎、呢绒等材料。

【衣帽间】yīmàojiān 名 公共场所中暂时存放衣物的地方。

【衣衫】yīshān 名 泛指衣服：～不整|～褴褛。

【衣裳】yī·shang〈口〉名 衣服。

【衣食】yīshí 名 衣服和食物，泛指基本生活资料：～丰足|～不周。

【衣食住行】yī shí zhù xíng 穿衣、吃饭、居住、行路，指生活上的基本需要。

【衣饰】yīshì 名 衣着和装饰；服饰：华丽的～。

【衣物】yīwù 名 指衣着和日常用品。

【衣鱼】yīyú 图 昆虫，体长而扁，头小，触角鞭状，无翅，有三条长尾毛。常躲在黑暗的地方，蛀食衣服、书籍等。也叫蠹鱼。

【衣原体】yīyuántǐ 图 微生物的一类，球状或链状，只能在细胞内繁殖，能引起人、鸟类和家畜的多种疾病，如沙眼、性病等。

【衣装】yīzhuāng 图 ❶ 衣服装束。❷ 衣服和行李。

【衣着】yīzhuó 图 指身上的穿戴，包括衣服、鞋、袜、帽子等：～华丽｜从～看，他像个商人。

医（醫、毉） yī ❶ 医生：军～｜牙～｜延～诊治。❷ 图 医学：中～｜西～｜～科｜他是学～的。❸ 动 医治：～术｜他把我的病～好了｜头痛～头，脚痛～脚，不是根本办法。❹ (Yī) 图 姓。

【医案】yī'àn 图 中医治病时有关症状、处方、用药等的记录，也用于书名，如清代华岫云辑的《临证指南医案》等。

【医道】yīdào 图 治病的本领（多指中医）：～高明。

【医德】yīdé 图 医务人员应该具备的品德：～高尚。

【医风】yīfēng 图 医务人员的作风。

【医护】yīhù 动 医治和护理：～工作｜～人员｜经精心～，病情大有好转。

【医家】yījiā 图 指医生（多指中医）：收集各地～祖传秘方。

【医科】yīkē 图 教学上对有关医疗、药物、公共卫生等方面的学科的统称。

【医理】yīlǐ 图 医学上的道理或理论知识：深通～。

【医疗】yīliáo 图 医治；治疗：～机构｜～设备。

【医生】yīshēng 图 掌握医药知识，以治病为业的人。

【医师】yīshī 图 受过高等医学教育或具有同等能力、经国家卫生部门审查合格的负主要医疗责任的医务人员。

【医士】yīshì 图 受过中等医学教育或具有同等能力、经国家卫生部门审查合格的负医疗责任的医务人员。

【医书】yīshū 图 讲述医学的书籍（多指中医的）。

【医术】yīshù 图 医疗技术：～高明。

【医务】yīwù 图 医疗事务：～工作者。

【医学】yīxué 图 以保护和增进人类健康、预防和治疗疾病为研究内容的科学。

【医药】yīyào 图 医疗和药物：～费｜～常识｜～卫生。

【医院】yīyuàn 图 治疗和护理病人的机构，也兼做健康检查、疾病预防等工作。

【医治】yīzhì 动 治疗：急性病应该赶快～。

【医嘱】yīzhǔ 图 医生根据病情和治疗的需要对病人在饮食、用药、化验等方面的指示。

依 yī ❶ 紧挨着：唇齿相～。❷ 动 依从；同意：劝他休息，他怎么也不～。❸ 介 按照：～次｜～法｜～我看，这样办可以。❹ (Yī) 图 姓。

【依傍】yībàng 动 ❶ 依靠①：无可～。❷ 模仿（多指艺术、学问方面）：～前人。

【依次】yīcì 副 按照次序：～入座｜～就诊。

【依从】yīcóng 动 顺从：万难～。

【依存】yīcún 动 （互相）依附而存在。

【依法】yīfǎ 副 ❶ 按照成法：～炮制。❷ 按照法律：～惩办。

【依附】yīfù 动 ❶ 附着：凌霄花～在别的树木上。❷ 依赖①：～权贵。

【依归】yīguī ❶ 出发点和归宿：以人民的利益为～。❷ 动 依托；依靠：无所～。

【依旧】yījiù ❶ 动 照旧：风物～。❷ 副 仍旧②：别人都走了，他～坐在那里看书。

【依据】yījù ❶ 介 表示以某种事物作为论断的前提或言行的基础：～不同情况分别处理｜～专家的鉴定，这是汉代的遗物。❷ 图 作为论断前提或言行基础的事物：理论～｜判断要有～。❸ 动 以某事物为依据：你这样说～什么？

【依靠】yīkào ❶ 动 指望（某种人或事物来达到一定目的）：～群众｜～组织。❷ 图 可以依靠的人或东西：女儿是老人唯一的～。

【依赖】yīlài 动 ❶ 依靠某种人或事物而不能自立或自给：～性｜～别人。❷ 指各个事物或现象互为条件而不可分离：工业和农业是互相～、互相支援的两大国民经济部门。

【依恋】yīliàn 动 留恋；舍不得离开：～故园｜～之情。

【依凭】yīpíng ❶ 动 依靠：孤身在外，无所～。❷ 图 指证据；凭证。

【依然】 yīrán ❶ 勔 依旧①：风景～。❷ 勖 仍旧①：～如故|时至今日,问题～没有得到解决。

【依然故我】 yīrán gù wǒ 指人的思想、行为等还是原来的老样子(多含贬义)。

【依顺】 yīshùn 勔 顺从：他说得有理,也就～了他。

【依随】 yīsuí 勔 顺从：丈夫说什么她都～。

【依托】 yītuō ❶ 勔 依靠：无所～。❷ 为达到一定目的而假借某种名义：～古人|～鬼神,骗人钱财。

【依偎】 yīwēi 勔 亲热地靠着；紧挨着：孩子～在奶奶的怀里。

【依违】 yīwéi 〈书〉勔 依从或违背,指模棱、迟疑：～两可|～不决。

【依稀】 yīxī 勖 模模糊糊：～可辨|～记得|远处楼台～可见。

【依循】 yīxún 勔 依照；遵循：处理这些问题要严格～法律规定。

【依样葫芦】 yī yàng hú·lu 照葫芦的样子画葫芦,比喻单纯模仿,不加改变。也说依样画葫芦。

【依依】 yīyī 勖 ❶〈书〉形容树枝柔弱,随风摇摆：杨柳～。❷ 形容留恋,不忍分离：～不舍|～惜别|～之感。

【依允】 yīyǔn 勔 依从；应允：他点头～了孩子的要求。

【依仗】 yīzhàng 勔 倚仗。

【依照】 yīzhào ❶ 勔 依从；听从：我们报销差旅费,向来～这个规定。❷ 勖 以事物为根据照着进行；按照：～他说的去做|～原样复制一件。

祎(禕) yī 〈书〉美好(多用于人名)。

咿(吚) yī 见下。

【咿唔】 yīwú 拟声 形容读书的声音。

【咿呀】 yīyā 拟声 ❶ 形容某些物体摩擦时发出的声音：芦苇荡里传出～的桨声|隔壁传来咿咿呀呀的胡琴声。❷ 形容小孩子学话的声音：～学语。

洢 Yī ❶ 洢水,水名,在湖南。❷ 古水名,即今伊河,在河南。

栯 yī 见1605页[栯栯]。

铱(銥) yī 呂 金属元素,符号 Ir (iridium)。银白色,质硬而脆,化学性质稳定。可用来制科学仪器等。

猗 yī ❶〈书〉勖 相当于"啊"：河水清且涟～。❷ 叹 表示赞美：～欤休哉。

揖 yī ❶〈书〉拱手行礼。❷ (Yī) 呂 姓。

【揖让】 yīràng 〈书〉勔 作揖和谦让,是古代宾主相见的礼节。

壹 yī 数 "一"的大写。参看1271页[数字]。

椅 yī 呂 见1186页[山桐子]。
另见1611页 yǐ。

欹 yī 〈书〉同"猗"②。
另见1068页 qī。

嫛 yī [嫛婗](yīní)〈书〉呂 婴儿。

漪 yī 〈书〉水波纹：～澜|清～。

【漪澜】 yīlán 〈书〉呂 水波。

鹥(鷖) yī 古书上指鸥。

噫 yī 叹 ❶〈书〉表示悲痛或叹息。❷ 表示惊异：～,他今天怎么来了?

【噫嘻】 yīxī 〈书〉叹 表示悲痛或叹息。

繄 yī 〈书〉❶ 勖 惟：～我独无! ❷ 是。

黟 Yī 黟县,地名,在安徽。

yí (í)

匜 yí 古代盥洗时舀水用的器具,形状像瓢。

仪¹(儀) yí ❶ 人的外表：～表|～容|威～。❷ 礼节；仪式：司～|行礼如～。❸ 礼物：贺～|谢～。❹〈书〉倾心；向往：心～已久。❺ (Yí) 呂 姓。

仪²(儀) yí 仪器：～表|地动～|半圆～。

【仪表】¹ yíbiǎo 呂 人的外表(包括容貌、姿态、风度等,指好的)：～堂堂。

【仪表】² yíbiǎo 呂 测定温度、压力、电量等各种物理量的仪器。

【仪器】 yíqì 呂 用于实验、计量、观测、检验、绘图等的比较精密的器具或装置。

【仪容】 yíróng 呂 仪表¹(多就容貌说)：～俊秀,举止大方。

【仪式】yíshì 名 举行典礼的程序、形式：授勋～｜～隆重。

【仪态】yítài〈书〉名 仪表[1]（多就姿态说）：～万方（姿态美丽多姿）。

【仪仗】yízhàng 名 ❶ 古代帝王、官员等外出时护卫所持的旗帜、伞、扇、武器等。❷ 国家举行大典或迎接外国贵宾时护卫所持的武器，也指游行队伍前列举着的较大的旗帜、标语、图表、模型等。

【仪仗队】yízhàngduì 名 ❶ 由军队派出的执行某种礼节任务的小部队，有时带有军乐队，用于迎送国家元首、政府首脑等，也用于隆重典礼。❷ 走在游行队伍前，由手持仪仗的人员组成的队伍。

圯 yí〈书〉桥。

夷[1] yí〈书〉❶ 平坦；平安：化险为～。❷ 破坏建筑物（使成为平地）：烧～弹｜～为平地。❸ 灭掉；杀尽：～灭｜～族。

夷[2] yí 名 ❶ 我国古代称东方的民族，也泛称周边的民族：淮～｜四～。❷ 旧时泛指外国或外国人：～情｜华～杂处。❸ （Yí）名 姓。

虵（虵）yí〈书〉移动；移。另见1615页yì。

沂 Yí ❶ 沂河，水名，发源于山东，流入江苏。❷ 名 姓。

诇（詑、虵、訑）yí ［诇施］（yíyí）〈书〉形 自满自足的样子。

诒（詒）yí〈书〉同"贻"。

迤（迤）yí 见1413页［逶迤］。另见1611页yǐ。

饴（飴）yí 饴糖：高粱～｜甘之如～。

【饴糖】yítáng 名 用米和麦芽为原料制成的糖。主要成分是麦芽糖、葡萄糖和糊精。

怡 yí ❶〈书〉快乐；愉快：心旷神～。❷ （Yí）名 姓。

【怡然】yírán 形 形容喜悦：～自得。

【怡神】yírán 形 使人舒适、愉快：风景～。

【怡悦】yíyuè 形 愉快；喜悦：心情～。

宜 yí ❶ 合适：相～｜适～｜权～之计｜因地制～。❷ 应当（今多用于否定式）：事不～迟。❸〈书〉当然；无怪：～其往

而不利。❹ （Yí）名 姓。

【宜人】yírén 形 适合人的心意：风景～｜气候～。

菱 yí〈书〉除去田地里的野草：芟～。另见1338页tí。

柂（柂）yí 古书上指一种像白杨的树。另见353页duò；"柂"另见831页lí。

咦 yí 叹 表示惊异：～，你什么时候回来的？｜～，这是怎么回事？

贻（貽）yí〈书〉❶ 赠送：～赠｜馈～。❷ 遗留：～害｜～患。

【贻贝】yíbèi 名 软体动物，壳很厚，三角形，黑褐色。生活在浅海岩石上。也叫壳菜。

【贻害】yíhài 动 留下祸害：～无穷。

【贻人口实】yí rén kǒushí 给人以可利用的借口；让人当做话柄。

【贻误】yíwù 动 错误遗留下去，使受到坏的影响；耽误：～后学｜～战机｜～农时。

【贻笑大方】yí xiào dàfāng 让内行笑话。

迤 yí〈书〉同"移"①②。

【迤录】yílù〈书〉动 抄录；誊录。

【迤译】yíyì〈书〉动 翻译。也作移译。

姨 yí ❶ 名 姨母：二～｜～父。❷ 妻子的姐妹：大～子｜小～子。

【姨表】yíbiǎo 形 属性词。两家的母亲是姐妹的亲戚关系（区别于"姑表"）：～亲｜～兄弟。

【姨夫】yí·fu 名 姨父。

【姨父】yí·fu 名 姨母的丈夫。

【姨姥姥】yílǎo·lao 名 外祖母的姐妹。

【姨妈】yímā〈口〉名 姨母（指已婚的）。

【姨母】yímǔ 名 母亲的姐妹。

【姨奶奶】yínǎi·nai 名 ❶ 祖母的姐妹。❷ 姨太太。

【姨娘】yí·niáng 名 ❶ 旧时子女称父亲的妾。❷〈方〉姨母。

【姨儿】yír〈口〉名 姨母：三～。

【姨太太】yítài·tai 名 妾。

【姨丈】yízhàng 名 姨父。

杉 yí ［杉栊］（yíyī）名 半常绿或落叶乔木，叶子椭圆形或卵状披针形，花白色，果实卵形。树皮和果实可入药。

眙 yí 盱眙（Xūyí），地名，在江苏。

胰 yí 名 人和高等动物体内的腺体之一,人的胰在胃的后下方,形状像牛舌。能分泌胰液,帮助消化,又能分泌胰岛素,调节体内糖的新陈代谢。也叫胰腺、胰脏,旧称脺(cuì)脏。

【胰岛素】yídǎosù 名 胰腺分泌的激素,能促进脂肪和蛋白质的合成,调节体内血糖的含量。胰岛素分泌量减少时会引起糖尿病。

【胰腺】yíxiàn 名 胰。(图见 1493 页"人的消化系统")

【胰液】yíyè 名 胰腺分泌的消化液,无色透明,碱性,内含碳酸氢钠、胰蛋白酶、胰脂肪酶、胰淀粉酶等。由胰腺分泌出来之后,经导管流入小肠。

【胰脏】yízàng 名 胰。

【胰子】yí·zi〈口〉名 ❶ 猪羊等的胰。❷ 肥皂:香~|药~。

宧 yí 古时指屋子里的东北角。

廖 yí 见 1571 页[廞廖]。

蛇 yí 见 1412 页[委蛇]。另见 1202 页 shé。

移 yí ❶ 动 移动:转~|迁~|把菊花~到花盆里去。❷ 改变;变动:~风易俗|贫贱不能~。❸(Yí)名 姓。

【移调】yídiào 动 转(zhuǎn)调。

【移动】yídòng 动 改换原来的位置:冷空气正向南~|汽笛响后,船身开始~了。

【移动电话】yídòng diànhuà 不固定在一处,可以变换地点使用的电话,如手机、对讲机、车载电话等。

【移动通信】yídòng tōngxìn 不固定在一处,可以变换地点进行通信的通信方式。

【移防】yífáng 动 在某地驻防的军队移到另一地驻防。

【移风易俗】yí fēng yì sú 改变旧的风俗习惯。

【移花接木】yí huā jiē mù 把带花的枝条嫁接在别的树木上,比喻使用手段,暗中更换人或事物。

【移交】yíjiāo 动 ❶ 把人或事物转移给有关方面:把犯罪嫌疑人~法庭审讯|工程竣工验收后已~使用单位。❷ 原来负责经管的人离职前把所管的事务交给接手的人:新会计刚到,账目还没有~。

【移解】yíjiè 动 把犯人从原关押的地方押送到另一个地方。

【移居】yíjū 动 改变居住的地方;迁居:~外地。

【移民】yímín ❶(-//-)动 居民由一地或一国迁移到另一地或另一国落户:~外|~政策。❷ 名 迁移到外地或外国去落户的人:安置~。

【移情】yíqíng 动 ❶ 改变情趣;转移情感:~别恋。❷ 把对某人的态度或情绪转移到另一个人身上,或把自己的主观情感移到客观对象上。

【移山倒海】yí shān dǎo hǎi 改变山和海的位置,形容人的力量和气魄的伟大。

【移师】yíshī 动 移动军队:~北上◇获出线资格的球队将~上海参加决赛。

【移送】yísòng 动 移交,多指把犯罪嫌疑人或案件转交给司法机关或专门机构处理。

【移译】yíyì 同"迻译"。

【移易】yíyì〈书〉动 改变:措辞精当,不可~。

【移用】yíyòng 动 把用于某一方面的方法、物资等拿到别的方面使用。

【移栽】yízāi 动 移植①。

【移植】yízhí 动 ❶ 把播种在苗床或秧田里的幼苗拔起或连土掘起种在田地里◇近年来京剧从各种地方戏曲中~了不少优秀剧目。❷ 将机体的一部分组织或器官补在同一机体或另一机体的缺陷部分上,使它逐渐长好。如角膜、皮肤、骨和血管等的移植。

【移樽就教】yí zūn jiù jiào 端着酒杯到别人跟前一起饮酒,以便求教,泛指主动前去向人请教。

痍 yí〈书〉创伤:疮~。

遗(遺) yí ❶ 遗失。❷ 遗失的东西:路不拾~。❸ 遗漏:~忘|补~。❹ 留下:~迹|~憾|不~余力。❺ 专指死人留下的:~容|~嘱|~著。❻ 排泄大小便或精液(多指不自主的):~矢|~尿|~精。另见 1424 页 wèi。

【遗案】yí'àn 名 遗留下来尚未处理的案件:历史~。

【遗产】yíchǎn 名 ❶ 死者留下的财产,包

括财物、债权等。❷ 借指历史上遗留下来的精神财富或物质财富：文化～|医学～|经济～。

【遗臭万年】yí chòu wàn nián 坏名声流传下去，永远为人唾骂。

【遗传】yíchuán 动 生物体的构造和生理机能等由上代传给下代。

【遗传工程】yíchuán gōngchéng 一种遗传学技术，借助生物化学的手段，将一种生物细胞中的遗传物质转移到另一种生物的细胞内，以改变另一种生物的遗传性状或创造新的生物品种。也叫基因工程。

【遗传学】yíchuánxué 名 生物学的一个分支，研究生物体遗传和变异规律。

【遗存】yícún ❶ 动 遗留：这些石刻～至今已有千年。❷ 名 古代遗留下来的东西：史前文化～。

【遗毒】yídú 名 遗留下来的有害的思想、风气等：肃清～。

【遗风】yífēng 名 某个时代留传下来的风气：汉唐～|～余韵。

【遗腹子】yífùzǐ 名 父亲死后才出生的子女。

【遗稿】yígǎo 名 死者生前没有发表的文稿。

【遗孤】yígū 名 某人死后遗留下来的孤儿：烈士～|抚养～。

【遗骨】yígǔ 名 人或动物死后遗留下来的尸骨：烈士～|恐龙～|～化石。

【遗骸】yíhái 名 遗体；尸骨：生物～|迁葬烈士～。

【遗憾】yíhàn ❶ 名 遗恨：一时失足成了他终生的～，不称心。❷ 形 不称心；大可惋惜（在外交方面常用来表示不满和抗议）：功亏一篑，令人～|对此事件，我们深感～。

【遗恨】yíhèn 名 到死还感到悔恨或不称心的事情：死无～。

【遗患】yíhuàn 动 留下祸患：养虎～|～无穷。

【遗祸】yíhuò 动 留下祸患，使人受害。

【遗迹】yíjì 名 古代或旧时代的事物遗留下来的痕迹：历史～|古代村落的～。

【遗教】yíjiào 名 死者遗留给后人的学说、主张、著作等。

【遗精】yí∥jīng 动 未经性交而无意中流出精液。男子在夜间有时遗精是正常的生理现象，但次数过多的遗精是病理现象。

象。

【遗老】yílǎo 名 ❶ 指改朝换代后仍然效忠前一朝代的老年人：前朝～。❷〈书〉指经历世变的老人。

【遗留】yíliú 动（以前的事物或现象）继续存在；（过去）留下来：解决～问题|许多历史遗迹一直～到现在。

【遗漏】yílòu 动 应该列入或提到的因疏忽而没有列入或提到：名册上把他的名字给～了|他回答完全，一点儿也没有～。

【遗民】yímín 名 指改朝换代后仍然效忠前一朝代的人，也泛指大乱后遗留下来的人民。

【遗墨】yímò 名 指死者遗留下来的亲笔书札、文稿、字画等。

【遗尿】yí∥niào 动 不自主地排尿。小儿夜间遗尿是生理性的，5 岁以后的遗尿是一种不正常的现象。

【遗篇】yípiān 名 前人遗留下来的诗文。

【遗弃】yíqì 动 ❶ 抛弃：敌军～大批辎重。❷ 对自己应该赡养或抚养的亲属抛开不管：她收养了两个被～的孤儿。

【遗缺】yíquē 名 因原任人员死亡或去职而空出来的职位。

【遗容】yíróng 名 ❶ 人死后的容貌：瞻仰～。❷ 遗像。

【遗撒】yísǎ 动 丢弃，散落：防止垃圾清运中～渗漏。

【遗少】yíshào 名 指改朝换代后仍然效忠前一朝代的年轻人。

【遗失】yíshī 动 由于疏忽而失掉（东西）：～证件。

【遗矢】yíshǐ〈书〉动 拉屎。

【遗事】yíshì 名 前代或前人留下来的事迹：前朝～|革命烈士的～。

【遗书】yíshū 名 ❶ 前人留下而由后人刊印的著作（多用于书名）。❷ 死者临死时留下的书信。❸〈书〉散失的书。

【遗属】yíshǔ 名 死者的眷属。

【遗孀】yíshuāng 名 某人死后，他的妻子称为某人的遗孀。

【遗体】yítǐ 名 ❶ 死者的尸体（多用于所尊敬的人）。❷ 动植物死后的残余物质。

【遗忘】yíwàng 动 忘记：童年的生活，至今尚未～。

【遗闻】yíwén 名 遗留下来的传闻：～轶事。

【遗物】yíwù 图古代或死者留下来的东西。

【遗像】yíxiàng 图死者生前的相片或画像。

【遗训】yíxùn 图死者生前所说的有教育意义的话。

【遗言】yíyán 图死者死前留下来的话：临终～。

【遗业】yíyè 图❶前人遗留下来的事业。❷遗产。

【遗愿】yíyuàn 图死者生前没有实现的愿望：实现先烈的～。

【遗赠】yízèng 囫遗嘱中指明立遗嘱人死后把自己的财产赠给国家、集体或法定继承人以外的人。

【遗诏】yízhào 图皇帝临死时留下的诏书。

【遗照】yízhào 图死者生前的相片。

【遗址】yízhǐ 图毁坏的年代较久的建筑物所在的地方：圆明园～。

【遗志】yízhì 图死者生前没有实现的志愿：继承先烈～。

【遗嘱】yízhǔ 图人在生前或临死时对自己身后事如何处理用口头或书面形式所作的嘱咐。

【遗嘱继承】yízhǔ jìchéng 按照被继承人生前所立的合法有效的遗嘱而继承遗产。

【遗著】yízhù 图死者生前留下来的著作。

【遗族】yízú 图死者的家族。

【遗作】yízuò 图死者生前留下来的作品：这位老画家的～最近在京展出。

颐¹（頤）yí 〈书〉颊；腮：支～（手托住腮）|～（开颜而笑）。

颐²（頤）yí 〈书〉保养：～神|～养。

【颐养】yíyǎng 〈书〉囫保养：～天年。

【颐指气使】yí zhǐ qì shǐ 不说话而用面部表情或口鼻出气发声来示意,指有权势的人随意支使人的傲慢神气。

椸（箷）yí 〈书〉衣架。

疑 yí ❶不能确定是否真实;不能有肯定的意见;不信;因不信而疑度;怀疑：～惑|～心|～虑|迟～|猜～|半信半～。❷不能确定的;不能解决的：～问|～案|～义。

一时难以判决的案件。❷泛指情况了解不够、不能确定的事件或情节。

【疑兵】yíbīng 图为了虚张声势、迷惑敌人而布置的军队。

【疑点】yídiǎn 图怀疑的地方;不太明了的地方：听了他的解释我仍有许多～|把上的～画出来请教老师。

【疑窦】yídòu 〈书〉图可疑之点：～丛生。

【疑犯】yífàn 图指犯罪嫌疑人。

【疑惑】yíhuò 囫心里不明白;困惑：～不解。

【疑忌】yíjì 囫因怀疑别人而生猜忌：～功臣。

【疑惧】yíjù 囫疑虑而恐惧：令人～。

【疑虑】yílǜ 囫因怀疑而顾虑：消除～|～不安。

【疑难】yínán 圐属性词。有疑问而难于判断或处理的：～问题|～杂症（各种病理不明或难治的病）。

【疑神疑鬼】yí shén yí guǐ 形容人多疑：人家没议论你,别那么～的。

【疑似】yísì 圐属性词。似乎确实又似乎不确实的：～之间|～之词|～病例。

【疑团】yítuán 图积聚的怀疑;一连串不能解决的问题：满腹～|～难解。

【疑问】yíwèn 图有怀疑的问题;不能确定或不能解释的事情：产生～。

【疑问句】yíwènjù 图提出问题的句子,如"谁来了?""你愿意不愿意""你是去呢还是不去""我们坐火车去吗?"在书上,疑问句后边用问号。

【疑心】yíxīn ❶图怀疑的念头：人家是好意,你别起～。❷囫怀疑②：看着眼前一排排崭新的楼房,我真～自己走错家了。

【疑心病】yíxīnbìng 图指多疑的心理。

【疑凶】yíxiōng 图有行凶嫌疑的人。

【疑义】yíyì 图可以怀疑的道理;可疑之点。

【疑云】yíyún 图像浓云一样聚集的怀疑：驱散～|～难消。

【疑阵】yízhèn 图为了使对方迷惑而布置的阵势或局面。

嶷 yí 九嶷（Jiǔyí）,山名,又地名,都在湖南。也作九疑。

簃 yí 〈书〉楼阁旁边的小屋(多用于书斋的名称)。

彝¹（彝） yí ❶ 古代盛酒的器具,也泛指祭器:～器｜鼎～。❷〈书〉法度;常规:～准。

彝²（彝） Yí 彝族。

【彝剧】yíjù 名 彝族戏曲剧种,在彝族歌舞艺术的基础上发展而成。流行于云南楚雄彝族自治州。

【彝族】Yízú 名 我国少数民族之一,主要分布在四川、云南、贵州和广西。

鑫 yí ［鑫鑫］(yíyí)〈书〉形 形容兽角锐利。

yǐ（ǐ）

乙¹ yǐ 名 ❶ 天干的第二位。参看 440 页〖干支〗。❷ (Yǐ)名 姓。

乙² yǐ 名 我国民族音乐音阶上的一级,乐谱上用作记音符号,相当于简谱的"7"。参看 468 页〖工尺〗。

乙³ yǐ 画"乙"字形状的记号,从前读书写字时常常用到,例如读书读到一个地方暂时停止,在上面画个"乙"形的记号,或是写字有颠倒、遗漏,用曲折的线勾过来或把补写的字勾进去,都叫做乙。古书没有标点,到一段终了而下无空格时,有时也画"乙"形记号,表示第二行起是另一段。

【乙部】yǐbù 名 史部。

【乙醇】yǐchún 名 有机化合物,化学式 C_2H_5OH。无色的可燃液体,有特殊气味。是制造合成橡胶、塑料、染料等的原料,也用作溶剂、消毒剂、防腐剂。通称酒精。

【乙醚】yǐmí 名 有机化合物,化学式 $C_2H_5OC_2H_5$。无色液体,易挥发,有特殊气味,极易燃烧。是用途很广的溶剂,医药上用作麻醉剂。

【乙炔】yǐquē 名 有机化合物,化学式 C_2H_2。无色的可燃气体,有臭味。可由电石和水作用生成。用来合成有机物质,也用于照明或焊接、切割金属。也叫电石气。

【乙酸】yǐsuān 名 醋酸。

【乙烯】yǐxī 名 有机化合物,化学式 C_2H_4。无色的可燃气体,有甜香的气味。

可以从天然气、石油、焦煤中取得。是重要的化工原料,也用于焊接、切割金属或促使果类成熟。

已 yǐ ❶ 停止:争论不～｜有加无～。❷ 副 已经(跟"未"相对):时间～过｜此事～设法解决。❸〈书〉副 后来;过了一会儿:～而｜～忽不见。❹〈书〉副 太;过:不为～甚。❺ (Yǐ)名 姓。
〈古〉又同"以²"。

【已而】yǐ'ér〈书〉❶ 副 不久;继而:突然雷电大作,～大雨倾盆。❷ 助 罢了(bà•le)。

【已经】yǐjīng 副 表示动作、变化完成或达到某种程度:任务～完成｜他～来了｜天～黑了,他们还没有收工｜我今年～七十了。

【已决犯】yǐjuéfàn 名 经法院判决定了罪的犯人。

【已然】yǐrán ❶ 副 已经:事情～如此,还是想开些吧。❷ 动 已经这样;已经成为事实:与其补救于～,不如防止于未然。

【已往】yǐwǎng 名 以前;从前:今天的农村跟～大不一样了。

【已知数】yǐzhīshù 名 代数式或方程中,数值已经知道的数,如 $x + y = 5$ 中,5 是已知数。

以¹ yǐ ❶ 介 用;拿:～少胜多｜晓之～理｜赠～鲜花。❷ 介 依;按照:～次｜～音序排列。❸ 介 因:何～知之?｜不～人废言。❹ 连 表示目的:～广视听｜～待时机。❺〈书〉介 于;在(时间):中华人民共和国～1949 年 10 月 1 日宣告成立。❻〈书〉连 跟"而"相同:城高～厚,地广～深。❼ (Yǐ)名 姓。

以² yǐ 用在单纯的方位词前,组成合成的方位词或方位结构,表示时间、方位、数量的界限:～前｜～上｜三日～后｜县级～上｜长江～南｜五千～内｜二十岁～下。

【以暴易暴】yǐ bào yì bào 用凶暴的代替凶暴的,表示统治者改换了,可是暴虐的统治依然不变。

【以便】yǐbiàn 连 用在下半句话的开头,表示使下文所说的目的容易实现:请在信封上写清邮政编码,～迅速投递。

【以次】yǐcì ❶ 副 依照次序:～入座。❷ 名 次序在某处以后的;以下:～各章,内容从略。

【以德报怨】yǐ dé bào yuàn 用恩惠回报

别人的怨恨。

【以毒攻毒】yǐ dú gōng dú 用毒药来治疗毒疮等疾病，比喻用恶人来制恶人或利用不良事物本身的矛盾来反对不良事物。

【以讹传讹】yǐ é chuán é 把本来就不正确的话又错误地传出去，结果越传越错。

【以后】yǐhòu 名 方位词。现在或所说某时之后的时期：从今│五年～│毕业～│～我们还要进一步研究这个问题。

【以还】yǐhuán 〈书〉名 过去某个时期以后：隋唐～，方兴科举。

【以及】yǐjí 连 连接并列的词或词组（"以及"前面往往是主要的）：院子里种着大丽花、矢车菊、夹竹桃～其他的花木。

【以己度人】yǐ jǐ duó rén 拿自己的心思来衡量或揣度别人。

【以近】yǐjìn 指铁路、公路、航空等路线上比某个车站或机场近的。例如从北京经过石家庄、郑州到武汉，石家庄、郑州都是武汉以近的地方。

【以儆效尤】yǐ jǐng xiào yóu 用对一个坏人或一件坏事的严肃处理来警告那些学做坏事的人。

【以来】yǐlái 名 方位词。表示从过去某时直到现在的一段时期：自古～│长期～│有生～│改革开放～。

【以邻为壑】yǐ lín wéi hè 拿邻国当做大水坑，把本国洪水排泄到那里去，比喻把灾祸推给别人。

【以卵击石】yǐ luǎn jī shí 用蛋打石头，比喻不自量力，自取灭亡。也说以卵投石。

【以卵投石】yǐ luǎn tóu shí 以卵击石。

【以貌取人】yǐ mào qǔ rén 只根据外表来判断人的品质或能力。

【以免】yǐmiǎn 连 用在下半句话的开头，表示目的是使下文所说的情况不至于发生：加强安全措施，～发生工伤事故。

【以内】yǐnèi 名 方位词。在一定的时间、处所、数量、范围的界限之内：本年～│长城～│五十人～。

【以期】yǐqī 连 用在下半句话的开头，表示下文是前半句所说希望达到的目的：再接再厉，～全胜。

【以前】yǐqián 名 方位词。现在或所说某时之前的时期：解放～│三年～│很久～│～他在这里工作过。

【以人废言】yǐ rén fèi yán 因为某人不好或不喜欢某人而不管他的话是否有道理，概不听取。

【以人为本】yǐ rén wéi běn 指经济社会发展过程中，以实现人的全面发展为目标，把人民的利益作为一切工作的出发点和落脚点，不断满足人民群众的多方面需求，切实保障其经济、政治和文化权益，让发展的成果惠及全体人民。是科学发展观的本质和核心。

【以上】yǐshàng 名 方位词。❶ 表示位置、次序或数目等在某一点之上：半山～│石级更陡│县级～干部。❷ 指前面的(话)：～所说的是总的原则，下面讲具体做法。

【以身试法】yǐ shēn shì fǎ 以自己的行为来试法律的威力，指明知法律的规定而还要去做触犯法律的事。

【以身作则】yǐ shēn zuò zé 用自己的行动做出榜样。

【以汤沃雪】yǐ tāng wò xuě 把开水浇在雪上，雪很快就融化，比喻轻而易举。

【以外】yǐwài 名 方位词。在一定的时间、处所、数量、范围的界限之外：十天～│办公室～│五步～│除此～，还有一点要注意。

【以往】yǐwǎng 名 从前；以前：产品的质量比～大有提高│这地方～是一片荒野。

【以为】yǐwéi 动 认为：不～然│这部电影我～很有教育意义│我～是谁呢，原来是你。

【以下】yǐxià 名 方位词。❶ 表示位置、次序或数目等在某一点之下：气温已降到零度～│请勿携带三岁～儿童入场。❷ 指下面的(话)：～就要谈谈具体办法。

【以眼还眼，以牙还牙】yǐ yǎn huán yǎn，yǐ yá huán yá 比喻用对方所使用的手段还击对方。

【以一当十】yǐ yī dāng shí 一个人抵挡十个人，形容勇敢善战，以少胜多。

【以逸待劳】yǐ yì dài láo 指作战的时候采取守势，养精蓄锐，等待来攻的敌人疲劳后再出击。

【以远】yǐyuǎn 名 指铁路、公路、航空等路线上比某个车站或机场远的。例如从北京经过济南往南去上海或往东去青岛，上海和青岛都是济南以远的地方。

【以怨报德】yǐ yuàn bào dé 用怨恨回报别人对自己的恩惠。

【以至】yǐzhì 连 ❶ 表示在时间、数量、程度、范围上的延伸：实践、认识、再实践、再

认识,这种形式,循环往复～无穷,而实践和认识之每一循环的内容,都比较地进到了高一级的程度。❷用在下半句话的开头,表示由于上文所说的动作、情况的程度很深而形成的结果:他非常专心地写字,～刮起大风来也不理会|形势的发展十分迅速,～使很多人感到惊奇。‖也说以至于。

【以至于】yǐzhìyú 〈连〉以至。

【以致】yǐzhì 〈连〉用在下半句话的开头,表示下文是上述原因所形成的结果(多指不好的结果):他事先没有充分调查研究,～做出了错误的结论。

【以子之矛,攻子之盾】yǐ zǐ zhī máo, gōng zǐ zhī dùn 用你的矛来刺你的盾,比喻用对方的观点、方法或言论等来反驳对方。参看923页〖矛盾〗。

旨 yǐ 〈书〉同"以"。

钇(釔) yǐ 〈名〉金属元素,符号 Y(yt-trium)。是一种稀土元素,银灰色。用来制合金、特种玻璃、电子和光学器件等。

苡 yǐ 薏苡。

【苡米】yǐmǐ 〈名〉薏米。

【苡仁】yǐrén 〈名〉薏米。

尾 yǐ (～儿)〈名〉❶特指马尾上的毛:马～罗(以马尾毛为筛绢的筛子)。❷特指蟋蟀等尾部的针状物:三～儿(雌蟋蟀)。
另见 1419 页 wěi。

矣 yǐ 〈书〉〈助〉❶用在句末,跟"了"相同:由来久～|悔之晚～。❷表示感叹:大～哉。

菖 yǐ 见 418 页〖茱萸〗。

迤(迆) yǐ 〈介〉往;向(表示在某一方向上的延伸):天安门～西是中山公园,～东是劳动人民文化宫。
另见 1605 页 yí。

【迤逦】yǐlǐ 〈书〉〈形〉曲折连绵:队伍沿着山道～而行。

蚁(蟻、螘) yǐ 〈名〉❶昆虫,种类很多,一般体小,呈黑、褐、红等色,触角丝状或棒状,腹部球状、腰部细。营群居生活,分雌蚁、雄蚁、工蚁和兵蚁。雌蚁和雄蚁都有单眼,有翅。工蚁和兵蚁都没有翅,生殖器官不发达。工蚁担任筑巢、采集食物、抚养幼虫等工作。兵蚁负责守卫。❷(Yǐ)姓。

【蚁蚕】yǐcán 〈名〉蚁蚕。

【蚁后】yǐhòu 〈名〉雌蚁。

【蚁醛】yǐquán 〈名〉甲醛。

舣(艤、檥) yǐ 〈书〉使船靠岸。

醷 yǐ 醷剂:芳香～。[拉 elixir]

【醷剂】yǐjì 〈名〉含有糖和挥发油或另含有主要药物的酒精溶液的制剂。

倚 yǐ ❶〈动〉靠着:～马千言|～着门框朝外看。❷仗恃:～势欺人|～老卖老。❸〈书〉偏;歪:不偏不～。❹(Yǐ)〈名〉姓。

【倚傍】yǐbàng 〈动〉依傍。

【倚靠】yǐkào 〈动〉❶依赖;依靠。❷身靠在物体上。

【倚赖】yǐlài 〈动〉依赖。

【倚老卖老】yǐ lǎo mài lǎo 仗着年纪大,卖弄老资格。

【倚马可待】yǐ mǎ kě dài 形容文思敏捷,写文章快。参看〖倚马千言〗。

【倚马千言】yǐ mǎ qiān yán 晋代桓温领兵北征,命令袁虎速拟公文,袁虎靠着战马,一会儿就写成七张纸,而且作得很好(见于《世说新语·文学》)。形容文思敏捷,写文章快。

【倚仗】yǐzhàng 〈动〉靠别人的势力或有利条件;依赖:～权势|不要～力气大欺负小同学。

【倚重】yǐzhòng 〈动〉依靠;器重:～贤才。

庡 yǐ ❶古代的一种屏风。❷(Yǐ)〈名〉姓。

椅 yǐ 椅子:藤～|躺～|桌～|板凳。
另见 1604 页 yī。

【椅子】yǐ·zi 〈名〉有靠背的坐具,多用木头、竹子、藤子等制成。

颐(頤) yǐ 〈书〉安静(古时多用于人名)。
另见 355 页 é。

蛾 yǐ 〈书〉同"蚁"。
另见 355 页 é。

旖 yǐ [旖旎](yǐnǐ)〈书〉〈形〉柔和美好:风光～。

踦 yǐ 〈书〉用力抵住。

齮(齮) yǐ 〈书〉咬:～龁。

【齮齕】yǐhé 〈书〉勔❶ 咬;啃。❷ 忌恨;倾轧。

yì （ㄧˋ）

乂 yì 〈书〉治理;安定:～安(太平无事)。

弋 yì ❶〈书〉用带有绳子的箭射鸟:～获|～凫与雁。❷〈书〉用来射鸟的带有绳子的箭。❸（Yì）名 姓。

【弋获】yìhuò 〈书〉勔❶ 射中(飞禽)。❷ 捕获(逃犯、盗匪)。

【弋腔】yìqiāng 名 弋阳腔。

【弋阳腔】yìyángqiāng 名 戏曲声腔之一,起源于江西弋阳,流行地区很广。由一人独唱,众人帮腔,用打击乐器伴奏。也叫弋腔。

亿(億) yì ❶数 一万万。❷数 古代指十万。❸（Yì）名 姓。

【亿万】yìwàn 数 泛指极大的数目:～民众。

【亿万斯年】yì wàn sī nián 形容无限长远的年代。

义¹(義) yì ❶ 公正合宜的道理;正义:道～|大～灭亲|～不容辞。❷ 合乎正义或公益的:～举|演～。❸ 情谊:情～|忘恩负～。❹ 因抚养或拜认而成为亲属的:～父|～女。❺ 人工制造的(人体的部分):～齿|～肢。❻（Yì）名 姓。

义²(義) yì 意义;道理:字～|定～|微言大～。

【义不容辞】yì bù róng cí 道义上不允许推辞。

【义仓】yìcāng 名 旧时地方上为防备荒年而设置的公益粮仓。

【义齿】yìchǐ 名 假牙。

【义地】yìdì 名 旧时埋葬穷人的公共墓地,也指由私人或团体购置,专为埋葬一般同乡、团体成员及其家属的墓地。

【义愤】yìfèn 名 对违反正义的事情所产生的愤怒:满腔～|～填膺。

【义愤填膺】yìfèn tián yīng 胸中充满义愤。

【义工】yìgōng 名 ❶ 自愿参加的无报酬的公益性工作:学生们在居委会干部指导下从事～。❷ 从事义工的人:退休后他到福利院当起了～。

【义和团】Yìhétuán 名 19 世纪末我国北方人民自发组织的反对帝国主义侵略的团体。

【义举】yìjǔ 名 为正义或公益的事情而采取的行为。

【义捐】yìjuān 勔 为正义或公益的事情捐献钱物:开展救灾～活动。

【义军】yìjūn 名 起义的或为正义而战的军队。

【义理】yìlǐ 名 言论或文章的内容和道理:剖析～。

【义卖】yìmài 勔 为了给正义或公益的事情筹款而出售物品,出售的物品往往是捐献的,售价一般比市价高。

【义拍】yìpāi 勔 为了给正义或公益事业筹款而拍卖物品,拍卖的物品往往是捐献的。

【义旗】yìqí 名 义军的旗帜。

【义气】yì·qi ❶名 指由于私人关系而甘于承担风险或牺牲自己利益的气概:讲～|～凛然。❷形 有这种气概或感情:你看他多么慷慨,多么～。

【义赛】yìsài 勔 为了给正义或公益事业筹款而举行体育比赛。

【义师】yìshī 名 义军。

【义士】yìshì 名 勇于维护正义的人;侠义的人。

【义无反顾】(义无返顾) yì wú fǎn gù 在道义上只有勇往直前,绝对不能退缩回头。

【义务】yìwù ❶名 公民或法人按法律规定应尽的责任,例如服兵役(跟"权利"相对)。❷名 道德上应尽的责任:我们有～帮助学习差的同学。❸形 属性词。不要报酬的:～劳动|～演出。

【义务兵】yìwùbīng 名 按义务兵役制服役的士兵。

【义务兵役制】yìwù bīngyìzhì 公民依照法律在一定年龄内有服一定期限兵役义务的制度。

【义务教育】yìwù jiàoyù 国家在法律中规定一定年龄的儿童必须受到的一定程度的教育。

【义项】yìxiàng 名 字典、词典中同一个条目内按意义分列的项目。

【义形于色】yì xíng yú sè 义愤之气显露在脸上。

【义学】yìxué 名 旧时由私人集资或用地方公益金创办的免费的学校。

【义演】yìyǎn 动 为了给正义或公益的事情筹款而举行演出。

【义勇】yìyǒng 形 为正义事业而勇于斗争的：～军｜～之气。

【义勇军】yìyǒngjūn 名 人民为了抗击侵略者自愿组织起来的军队。特指我国抗日战争时期人民自动组织起来的一种抗日武装。

【义战】yìzhàn 名 正义的战争。

【义诊】yìzhěn 动 ❶ 为了给正义或公益的事情筹款而设门诊给人治病。❷ 医生无报酬地给人治病。

【义正词严】yì zhèng cí yán 道理正当,措辞严肃。也作义正辞严。

【义正辞严】yì zhèng cí yán 同"义正词严"。

【义肢】yìzhī 名 假肢。

【义冢】yìzhǒng 名 旧时埋葬无主尸骨的坟墓。

艺(藝) yì ❶ 技能；技术：工～｜手～｜园～｜～高人胆大。❷ 艺术：文～｜曲～｜～人。❸〈书〉准则；限度：贪贿无～。❹ (Yì) 名 姓。

【艺德】yìdé 名 艺术工作者应该具备的品德。

【艺林】yìlín 名 ❶ 指图书典籍荟萃的地方。❷ 指文艺界：驰誉～｜～盛事。

【艺龄】yìlíng 名 演员从事艺术活动的年数。

【艺名】yìmíng 名 艺人从艺起的别名。

【艺人】yìrén 名 ❶ 戏曲、曲艺、杂技、影视等演员。❷ 某些手工艺工人。

【艺术】yìshù ❶ 名 用形象来反映现实但比现实有典型性的社会意识形态,包括文学、绘画、雕塑、建筑、音乐、舞蹈、戏剧、电影、曲艺等。❷ 名 指富有创造性的方式、方法：领导～。❸ 形 形状独特而美观：这棵松树的样子挺～。

【艺术家】yìshùjiā 名 从事艺术创作或表演而有一定成就的人。

【艺术品】yìshùpǐn 名 艺术作品,一般指造型艺术的作品。

【艺术思维】yìshù sīwéi 形象思维。

【艺术体操】yìshù tǐcāo 体操运动项目之一。女运动员手持球、绳、圈、棒、带等,在音乐伴奏下做走、跑、跳、转体、平衡等各种动作,富于艺术性。也叫韵律体操。

【艺术性】yìshùxìng 文学艺术作品通过形象反映生活、表现思想感情所达到的准确、鲜明、生动的程度以及形式、结构、表现技巧的完美的程度。

【艺徒】yìtú〈方〉名 学徒工。

【艺文志】yìwénzhì 名 ❶ 我国纪传体史书和政书、方志等记载的图书目录。❷ 指方志中所辑录的诗文。

【艺员】yìyuán〈方〉名 演员。

【艺苑】yìyuàn 名 文学艺术荟萃的地方,泛指文学艺术界：～奇葩。

刈 yì〈书〉割(草或谷类)：～麦｜～草。

忆(憶) yì 回想；记得：回～｜记～。

【忆想】yìxiǎng 动 回想：～往事。

艾 yì〈书〉❶ 同"刈"。❷ 惩治：惩～。
另见 4 页 ài。

仡 yì [仡仡](yìyì)〈书〉形 ❶ 强壮勇敢。❷ 高大。
另见 457 页 gē。

议(議) yì ❶ 意见；言论：提～｜建～｜～异。❷ 动 商议：～论｜～定｜自报公～｜这件事大家先～一～。❸ 议论；评说：物～｜非～。

【议案】yì'àn 名 列入会议议程的提案。

【议程】yìchéng 名 会议上议题或议案讨论的程序。

【议定】yìdìng 动 商议决定：～书｜当面～价款。

【议定书】yìdìngshū 名 一种国际文件,是缔约国关于个别问题所取得的协议,通常是正式条约的修正或补充,附在正式条约的后面,也可作为单独的文件。有时也把国际会议对某问题达成协议并经签字的记录叫做议定书。

【议购】yìgòu 动 按买卖双方议定的价格收购。

【议和】yìhé 动 进行和平谈判；通过谈判,结束战争。

【议会】yìhuì 名 ❶ 某些国家的最高立法机关,一般由上、下两院组成。议会成员由选举产生。也叫议院。❷ 某些国家的最高权力机关。‖也叫国会。

【议会制】yìhuìzhì　名　一种政治制度。采取这种制度的国家,在宪法中规定议会有立法和监督政府的权力,政府由议会产生并对议会负责。也叫国会制,代议制。

【议价】yìjià　❶（-/-）动　买卖双方或同业共同议定货品价格。❷名　买卖双方或同业共同议定的货品价格。

【议决】yìjué　动　会议对议案经过讨论后做出决定。

【议论】yìlùn　❶动　对人或事物的好坏、是非等表示意见:～纷纷|大家都在～这件事。❷名　对人或事物的好坏、是非等所表示的意见:大发～。

【议事】yìshì　动　商讨公事:～日程。

【议题】yìtí　名　会议讨论的题目:确定|～中心~。

【议席】yìxí　名　议会中议员的席位。

【议销】yìxiāo　动　按买卖双方议定的价格销售。

【议员】yìyuán　名　在议会中有正式代表资格,享有表决权的成员。

【议院】yìyuàn　名　议会①:上～|下～。

【议长】yìzhǎng　名　议会的领导人。

【议政】yìzhèng　动　议论政事;对政府的方针政策和管理工作等提出意见和建议:参政～。

屹　yì　〈书〉山峰高耸的样子:～立。
另见 457 页 gē。

【屹立】yìlì　动　像山峰一样高耸而稳固地立着,常用来比喻坚定不可动摇:人民英雄纪念碑～在天安门广场上。

【屹然】yìrán　形　屹立的样子:～不动。

亦　yì　❶〈书〉副　也(表示同样);也是:反之～然|人云～云。❷（Yì）名　姓。

【亦步亦趋】yì bù yì qū　《庄子·田子方》:"夫子步亦步,夫子趋亦趋。"意思是老师走步学生也走步,老师跑步学生也跑。比喻自己没有主张,或为了讨好,每件事都效仿或依从别人,跟着人家行事。

【亦庄亦谐】yì zhuāng yì xié　(讲话或文章的内容)既庄重,又风趣:他的演讲～,很吸引听众。

衣　yì　〈书〉穿(衣服):拿衣服给人穿:～布衣|解衣～我。
另见 1602 页 yī。

异（異）　yì　❶　有分别;不相同:～口同声|大同小～|日新月～|求

同存～。❷奇异;特别:～香|～闻。❸惊奇;奇怪:惊～|深以为～。❹另外的;别的:～日|～地。❺分开:离～|～爨(亲属分家)。❻（Yì）名　姓。

【异邦】yìbāng　名　外国。

【异彩】yìcǎi　名　奇异的光彩,比喻突出的成就或表现:大放～|～纷呈。

【异常】yìcháng　❶形　不同于寻常:神色～|情况～|现象。❷副　非常;特别:～激动|～美丽|～反感。

【异词】yìcí　名　异言。

【异地】yìdì　名　他乡;外地:流落～|～相逢。

【异读】yìdú　名　指一个字在习惯上具有的两个或几个不同的读法,如"谁"字读 shéi 又读 shuí。

【异端】yìduān　名　指不符合正统思想的主张或教义:～邪说。

【异国】yìguó　名　外国:～情调|～他乡。

【异化】yìhuà　动❶相似或相同的事物逐渐变得不相似或不相同。❷哲学上指把自己的素质或力量转化为跟自己对立、支配自己的东西。❸语音学上指连发几个相似或相同的音,其中一个变得和其他的音不相似或不相同。

【异化作用】yìhuà zuòyòng　生物体在新陈代谢过程中,自身的组成物质发生分解,同时放出能量,这个过程叫做异化作用。

【异己】yìjǐ　名　同一集体中在立场、政见或重大问题上常跟自己有严重分歧甚至反对的人:～分子|排除～。

【异腈】yìjīng　名　烃基和异氰基(—NC)的化合物,无色液体,有剧毒,恶臭。旧称胩。

【异军突起】yì jūn tū qǐ　比喻新的派别或新的力量突然兴起。

【异口同声】yì kǒu tóng shēng　形容很多人说同样的话。

【异类】yìlèi　名❶旧时称异族。❷不同的种类。❸指鸟兽、草木、神鬼等(对"人类"而言)。

【异曲同工】yì qǔ tóng gōng　不同的曲调演得同样好,比喻不同的人的辞章或言论同样精彩,或者不同的做法收到同样好的效果。也说同工异曲。

【异趣】yìqù　名❶不同的志趣、情趣。❷

不同于一般的趣味：点画之间，多有～。

【异日】yìrì 〈书〉名❶ 将来；日后：委之～|留待～再决。❷ 从前；往日：谈笑一如～。

【异数】yìshù 名 特殊的情况；例外的情形。

【异体】yìtǐ ❶ 名 不同的形体：～字。❷ 动 不属一个身体或个体：～组织移植|雌雄～。

【异体字】yìtǐzì 名 跟规定的正体字同音同义而写法不同的字，如"攷"是"考"的异体字，"隄"是"堤"的异体字。

【异同】yìtóng 名❶ 不同之处和相同之处：分别～。❷〈书〉异议。

【异味】yìwèi 名❶ 不同寻常的美味；难得的好吃的东西。❷ 不正常的气味：食物已有～，不能再吃。

【异物】yìwù 名❶ 不应进入而进入或不应存在而存在于身体内部的物体，通常多指非生物体，例如进入眼内的沙子、掉进气管内的玻璃球等。❷〈书〉指死亡的人：化为～。❸〈书〉奇异的物品。

【异乡】yìxiāng 名 外乡；外地（就做客的人而言）：客居～。

【异香】yìxiāng 名 异乎寻常的香味：～扑鼻。

【异想天开】yì xiǎng tiān kāi 形容想法离奇，不切实际。

【异心】yìxīn 名 不忠实的念头：怀有～。

【异形词】yìxíngcí 名 书面语中音义相同、用法相同而书写形式不同的词语。如"座位"和"坐位"，"流言飞语"和"流言蜚语"。

【异型】yìxíng 形 属性词。通常指某些材料剖面形状不同于常见的方形、圆形等形状的：～钢|～砖。

【异性】yìxìng ❶ 形 属性词。性别不同的：～朋友|～的电互相吸引，同性的电互相排斥。❷ 名 指异性的人或事物：追求～。

【异姓】yìxìng 形 属性词。不同姓的：～兄弟。

【异言】yìyán 名 表示不同意的话：并无～。

【异样】yìyàng 形❶ 两样；不同：多年没见了，看不出他有什么～。❷ 不同寻常的；特殊：人们都用～的眼光打量他。

【异议】yìyì 名 不同的意见：提出～。

【异域】yìyù 名❶ 外国。❷ 他乡；外乡。

【异族】yìzú 名 外族。

抑¹ yì 动❶ 向下按；压制：～制|～郁|压～|～强扶弱|～恶扬善。❷ (Yì)名姓。

抑² yì〈书〉连❶ 表示选择，相当于"或是"、"还是"：求之欤，～与之欤? ❷ 表示转折，相当于"可是"、"但是"、"然而"：多则多矣，～君似鼠。❸ 表示递进，相当于"而且"：非惟天时，～亦人谋也。

【抑或】yìhuò〈书〉连 表示选择关系：不知诸位是赞成，～是反对。

【抑扬】yìyáng 动（声音）高低起伏。

【抑扬顿挫】yìyáng dùncuò（声音）高低起伏和停顿转折。

【抑郁】yìyù 形 心有怨愤，不能诉说而烦闷：心情～。

【抑止】yìzhǐ 动 抑制②。

【抑制】yìzhì 动❶ 大脑皮质的两种基本神经活动过程之一，是在外部或内部刺激下产生的，作用是阻止皮质的兴奋，减弱器官的活动。睡眠就是大脑皮质全部处于抑制的现象。❷ 压下去；控制：他～不住内心的喜悦。

刈（划） yì 同"刈"。

杙 yì〈书〉小木桩。

呓（囈、讛） yì 呓语：梦～。

【呓语】yìyǔ 名 梦话。

邑 yì❶〈书〉城市：城～|通都大～。❷ 古时县的别称：～境|～宰（县令）。

阤（陁） yì〈书〉重叠；重复。另见 1605 页 yí。

佚 yì 同"逸"。

役 yì❶ 需要出劳力的事：劳～|徭～。❷ 兵役：服～|现～|退～|预备～。❸ 役使：奴～。❹ 旧时指供唤使的人：仆～|衙～。❺ 战争；战役：平型关之～。

【役畜】yìchù 名 力畜。

【役龄】yìlíng 名❶ 适合服兵役的年龄。❷ 服兵役的年数。

【役使】yìshǐ 动 使用（牲畜）；强迫使用（人力）：～骡马|～奴婢。

译（譯） yì❶ 动 翻译：口～|笔～|直～|～文|～了一篇英文小

说。❷ (Yì)名姓。

【译本】yìběn 名 翻译成另一种文字的本子：这部著作已有两种外文～。

【译笔】yìbǐ 名 指译文的质量或风格：～流畅。

【译文】yìwén 名 翻译出来的名称。

【译文】yìwén 名 翻译成的文字。

【译意风】yìyìfēng 名 会场或电影院使用的一种翻译装置。译员在隔音室里把讲演人或影片里的对话随时翻译成各种语言,听的人可以从座位上的接收器中挑选自己懂得的语言,并通过耳机收听。

【译音】yìyīn ❶ 动 把一种语言的语词用另一种语言中跟它发音相同或近似的语音表示出来,例如"большевик"译成"布尔什维克","sofa"译成"沙发"。❷ 名 按译音法译成的音。

【译员】yìyuán 名 翻译人员(多指口译的)。

【译制】yìzhì 动 翻译制作(电影片、电视片等)。

【译注】yìzhù 动 翻译并注解：～古籍|《孟子～》。

【译著】yìzhù ❶ 动 翻译著述：毕生从事～工作。❷ 名 翻译著述的作品,也专指翻译的作品：出版了多种学术～。

【译作】yìzuò 名 翻译的作品。

易¹ yì ❶ 做起来不费事的;容易(跟"难"相对)：简～|轻～|～如反掌|显而～见|得来不～。❷ 平和；平～近人。❸〈书〉轻视。

易² yì ❶ 改变；变换：变～|～名|移风～俗|不～之论。❷ 交换：贸～|交～|～货协定|以物～物。❸ (Yì)名姓。

【易拉罐】yìlāguàn 名 一种装饮料或其他流质食品的金属罐,封闭罐口的金属片很容易拉开,所以叫易拉罐。

【易如反掌】yì rú fǎn zhǎng 像翻一下手掌那样容易,比喻事情极容易办。

【易手】yìshǒu 动 (政权、财产等)更换占有者：他家原先的住宅早已～他人。

【易于】yìyú 动 容易：这个办法～实行。

【易帜】yìzhì 动 国家或军队更换旗子,指政权性质发生变化或投向敌方。

【易主】yìzhǔ 动 (政权、财产等)更换主人：江山～|房产～。

峄(嶧) Yì 峄山,山名,在山东。

佾 yì 古代乐舞的行列。

泆 yì 〈书〉❶ 放纵。❷ 同"溢"。

怿(懌) yì 〈书〉欢喜；高兴。

诣(詣) yì 〈书〉❶ 到某人所在的地方；到某个地方去看人(多用于所尊敬的人)：～烈士墓参谒。❷ (学业、技术等)所达到的程度：造～|苦心孤～。

驿(驛) yì 驿站(今多用于地名)：龙泉～(在四川)|郑家～(在湖南)。

【驿道】yìdào 名 古代传递政府文书等用的道路,沿途设有驿站。

【驿站】yìzhàn 名 古代供传递政府文书的人中途更换马匹或休息、住宿的地方。

绎(繹) yì 〈书〉抽出或理出事物的头绪来：寻～|演～|抽～。

栧(栧) yì 〈书〉桨。

轶(軼) yì ❶ 同"逸"④⑤。❷ (Yì)名姓。

眣 yì [眣丽](yìlì)〈书〉形 容貌美丽。另见 316 页 dié。

食 yì 用于人名,郦食其(Lì Yìjī),汉朝人。
　另见 1239 页 shí；1295 页 sì。

独 yì 见 862 页[林独]。

弈 yì ❶〈书〉围棋。❷〈书〉下棋：对～|～棋。❸ (Yì)名姓。

奕 yì ❶〈书〉盛大。❷ (Yì)名姓。

【奕奕】yìyì 形 精神饱满的样子：神采～。

疫 yì 瘟疫：鼠～|时～|防～|～情。

【疫病】yìbìng 名 流行性的传染病：～流行。

【疫苗】yìmiáo 名 能使机体产生免疫力的病毒、立克次体等的制剂,如牛痘苗、麻疹疫苗等。通常也包括能使机体产生免疫力的细菌制剂、抗毒素、类毒素。

【疫情】yìqíng 名 疫病的发生和发展情况：控制～|～报告。

【疫区】yìqū 名 疫病流行的地区。

敤（斁） yì 〈书〉厌弃；厌倦。另见 339 页 dù。

羿 Yì ❶ 上古人名,传说是夏代有穷国的君主,善于射箭。❷ 图姓。

挹 yì 〈书〉❶ 舀：～取｜彼注兹（从那里舀出来倒在这里头）。❷ 牵引；拉。

【挹取】yìqǔ 〈书〉动舀。

【挹注】yìzhù 〈书〉动比喻从有余的地方舀出来以补不足的地方。

唈 yì 〈书〉同"悒"。

益[1] yì ❶ 好处（跟"害"相对）：利～｜公～｜权～｜受～不浅。❷ 有益的（跟"害"相对）：～友｜～鸟｜～虫。❸（Yì）图姓。

益[2] yì ❶ 增加：增～｜延年～寿。❷〈书〉副更加：多多～善｜精～求精。

【益虫】yìchóng 图直接或间接对人有利的昆虫,如吐丝的蚕,酿蜜和传播花粉的蜜蜂,捕食农业害虫的螳螂、瓢虫、蜻蜓等。

【益处】yì·chu 图对人或事物有利的因素；好处。

【益发】yìfā 副越发；更加：自他病倒以后,家里的日子～艰难了。

【益母草】yìmǔcǎo 图一年生或二年生草本植物,茎有四棱,基部的叶子有长柄,略呈圆形,茎部的叶子掌状分裂,裂片狭长,花淡紫红色,坚果有棱。全草入药。也叫茺蔚（chōngwèi）。

【益鸟】yìniǎo 图直接或间接对人类有益的鸟类,如捕食害虫的燕子、杜鹃等。

【益友】yìyǒu 图对自己思想、工作、学习有帮助的朋友：良师～。

【益智】yìzhì 动有益于智力发展；增长智慧：陶情～｜少儿～玩具。

洫 yì 〈书〉沾湿。

愊 yì 〈书〉忧愁不安：忧～｜郁～｜～～不乐。

谊（誼） yì 交情：友～｜情～｜深情厚～。

埸 yì 〈书〉❶ 田间的界限。❷ 边境；疆：～～。

勩（勚） yì ❶〈书〉劳苦。❷ 动器物的棱角、锋芒等磨损：螺丝扣～了。

逸 yì ❶ 安乐；安闲：安～｜以～待劳｜一劳永～。❷ 逃跑：奔～｜逃～。❸ 避世隐居：隐～｜～民。❹ 散失；失传：～文｜～书｜～事｜～闻。❺ 超过一般：超～｜～群。

【逸乐】yìlè 形闲适安乐。

【逸民】yìmín 图古代称避世隐居不做官的人,也指亡国后不在新朝代做官的人。

【逸事】yìshì 图世人不大知道的关于某人的事迹（多指不见于正式记载）：这部书里记载了很多名人～。

【逸闻】yìwén 图世人不大知道的传说（多指不见于正式记载的）。

【逸豫】yìyù 〈书〉形安逸享乐：～亡身。

翊 yì 〈书〉辅佐；帮助：～戴（辅佐拥戴）｜～赞（辅助）。

翌 yì 〈书〉次于今日、今年的：～日｜～年｜～晨（第二天早晨）。

【翌日】yìrì 〈书〉图次日。

暘 yì 〈书〉太阳在云中忽隐忽现。

嗌 yì 〈书〉咽喉。另见 6 页 ài。

鸃（鷁、鶂） yì 同"鹢"。

【鸃鸃】yìyì 〈书〉拟声形容鹅叫的声音。

肄 yì 学习：～业｜～习（学习）。

【肄业】yìyè 动❶ 修业；学习（课程）。❷（学生）没有达到毕业年限或程度而离校停学：～生｜高中～。

裔 yì ❶〈书〉后代：后～｜华～。❷〈书〉边远的地方：四～。❸（Yì）图姓。

意 yì ❶ 意思：本～｜来～｜词不达～。❷ 心愿；愿望：中～｜任～｜满～。❸ 意料；料想：～外｜出其不～。❹（Yì）图姓。

【意表】yìbiǎo 图意想之外：出人～。

【意会】yìhuì 动不经直接说明而了解（意思）：只可～,不可言传。

【意见】yì·jiàn 图❶ 对事情的一定的看法或想法：谈谈你对工作的～｜咱们来交换交换～。❷（对人、对事）认为不对因而不满意的想法：我对于这种做法有～｜人家对他的～很多。

【意匠】yìjiàng 图指诗文、绘画等的构思设计：别具～。

【意境】yìjìng 名 文学艺术作品通过形象描写表现出来的境界和情调。

【意料】yìliào 动 事先对情况、结果等进行估计：～之中|出乎～|～不到的事。

【意念】yìniàn 名 念头；想法：这时每人脑子里都只有一个～：“胜利！”

【意气】yìqì 名 ❶ 意志和气概：～高昂|风发。❷ 志趣和性格：～相投。❸ 由于主观和偏激而产生的情绪：闹～|～用事。

【意气风发】yìqì fēngfā 形容精神振奋，气概昂扬。

【意气用事】yìqì yòngshì 只凭感情办事，缺乏理智。

【意趣】yìqù 名 意味和兴趣：～盎然。

【意识】yì·shí ❶ 名 人的头脑对于客观物质世界的反映，是感觉、思维等各种心理过程的总和，其中的思维是人类特有的反映现实的高级形式。存在决定意识，意识又反作用于存在。❷ 动 觉察（常跟“到”字连用）：天还冷，看见树枝发绿才～到已经是春天了。

【意识流】yì·shíliú 名 现代文学创作中一种广泛应用的文字表现技巧，采用自由联想、内心独白等手法再现人的深层思想意识活动和自然心理的流动。

【意识形态】yì·shí xíngtài 在一定的经济基础上形成的，人对于世界和社会的有系统的看法和见解，哲学、政治、艺术、宗教、道德等是它的具体表现。意识形态是上层建筑的组成部分，在阶级社会里具有阶级性。也说观念形态。

【意思】yì·si ❶ 名 语言文字等的意义；思想内容：“节约”就是不浪费的～|要正确地了解这篇文章的中心～|你这句话是什么～？❷ 名 意见；愿望：大家的～是一起去|我想跟你合写一篇文章，你是不是也有这个～？❸ 名 指礼品所代表的心意：这不过是我的一点～，你就收下吧！❹ 动 指表示一点心意：大家都累了，得买些东西～一下。❺ 名 某种趋势或苗头：天有点要下雨的～|天气渐渐暖了，树木有点儿发绿的～。❻ 名 情趣；趣味：这棵松树长得像座宝塔，真有～|那种聚会～不大，我不想去参加。

【意图】yìtú 名 希望达到某种目的的打算：主观～|他的～很明显，是想要那本书。

【意外】yìwài ❶ 形 意料之外的：感到～|～事故。❷ 名 意外的不幸事件：严禁烟火，以免发生～。

【意味】yìwèi 名 ❶ 含蓄的意思：话里含有讽刺～。❷ 情调；情趣；趣味：～无穷|富于文学～。

【意味着】yìwèi·zhe 动 含有某种意义：他这么说～不想参加|生产率的提高～劳动力的节省。

【意想】yìxiǎng 动 料想；想象：～不到|比赛结果在～之中。

【意向】yìxiàng 名 意图；打算②：～不明|该厂有扩大生产规模的～。

【意向书】yìxiàngshū 名 在经济活动中签署的表明双方意向的文书。

【意象】yìxiàng 名 意境：这首民歌～新颖。

【意兴】yìxìng 名 兴致：～索然|～勃勃。

【意义】yìyì 名 ❶ 语言文字或其他信号所表示的内容。❷ 价值；作用：积极的～|探讨人生的～|一部富有教育～的影片。

【意译】yìyì 动 ❶ 根据原文的大意来翻译，不作逐字逐句的翻译（区别于“直译”）。❷ 根据某种语言词语的意义译成另一种语言的词语（区别于“音译”）。

【意愿】yìyuàn 名 愿望；心愿：尊重本人的～。

【意韵】yìyùn 名 意境和韵味：这首诗作别有一番～。

【意蕴】yìyùn 名 内在的意义；含义：～丰富|反复琢磨，才能领会这首诗的～。

【意在言外】yì zài yán wài 言辞的真正用意是暗含着的，没有明白说出。

【意旨】yìzhǐ 名 意图（多指应该遵从的）：秉承～。

【意志】yìzhì 名 决定达到某种目的而产生的心理状态，往往由语言和行动表现出来：～薄弱|～坚强|不屈不挠的～。

【意中人】yìzhōngrén 名 心里爱慕的异性。

溢 yì ❶ 动 充满而流出来：充～|洋～|河水四～|锅里的牛奶～出来了。❷ 过分：～美。

〈古〉又同“镒”。

【溢洪道】yìhóngdào 名 水库构筑物的防洪设备，多筑在水坝的一侧，像大槽子。当水库的水位超过安全限度时，水就从溢洪道向下游流出。

【溢价】yìjià 动 高于面值或原定的价格；高于平价的价格：～发行｜～成交。

【溢美】yìměi〈书〉动 过分夸赞：～之词。

【溢于言表】yì yú yán biǎo （感情）流露在言辞、神情上：愤激之情，～。

缢(縊) yì〈书〉用绳子勒死；吊死：自～。

藙 yì〈书〉种植：～菊｜树～五谷。

蜴 yì 见1457页〖蜥蜴〗。

鲐(鮧) yì ❶名 鱼，体侧扁，红色或褐色，有斑纹，口大，牙细而尖。多生活在海洋中。种类很多，常见的有鳑鱼、花鲈、石斑鱼等。❷ 古书上指鲵。

廙 yì〈书〉恭敬。

瘗(瘞) yì〈书〉掩埋；埋藏。

溰 yì 清溰河(Qīngyì Hé)，水名，颍河的支流，在河南。

嫕 yì〈书〉性情和善可亲：婉～(和婉柔顺)。

鹝(鷊) yì 同"鹢"。

镒(鎰) yì 量 古代重量单位，一镒合二十两(一说二十四两)：黄金百～。

饐(饐) yì〈书〉食物腐败变味。

毅 yì 坚决：～力｜刚～｜坚～。

【毅力】yìlì 名 坚强持久的意志：学习没有～是不行的。.

【毅然】yìrán 副 坚决地；毫不犹豫地：～决然｜～献身祖国的科学事业。

鹢(鷁) yì 古书上说的一种像鹭的水鸟。

熠 yì〈书〉光耀；鲜明。

【熠熠】yìyì〈书〉形 形容闪光发亮：光彩～。

薏 yì 见下。

【薏米】yìmǐ 名 去壳后的薏苡的果仁，白色，可食用，也可入药。也叫薏仁米、苡米。

仁、苡米。

【薏仁米】yìrénmǐ 名 薏米。

【薏苡】yìyǐ 名 草本植物，茎直立，叶披针形，颖果卵形，灰白色。果仁叫薏米。

瞖 yì 同"翳"。

殪 yì〈书〉❶ 死。❷ 杀死。

曀 yì〈书〉天阴沉。

螠 yì 名 无脊椎动物的一大类，雌雄异体，身体呈圆筒状，不分节，有少数刚毛。生活在海底泥沙中。也叫海肠子。

劓 yì 古代割掉鼻子的酷刑。

燚 yì 人名用字。

翳 yì ❶〈书〉遮蔽：荫～｜～蔽。❷ 名 眼睛角膜病变后遗留下来的瘢痕。

臆(肊) yì ❶名 胸：胸～。❷ 主观地：～测｜～造。

【臆测】yìcè 动 主观地推测。

【臆断】yìduàn 动 凭臆测来断定：主观～。

【臆度】yìduó〈书〉动 臆测。

【臆见】yìjiàn 名 主观的见解。

【臆说】yìshuō 名 主观推测的说法。

【臆想】yìxiǎng 动 主观地想象。

【臆造】yìzào 动 凭主观的想法编造：凭空～。

瘗 yì〈书〉同"呓"。

翼 yì ❶名 鸟类的飞行器官，由前肢演化而成，上面生有羽毛。有的鸟翼退化，不能飞翔。通称翅膀。❷ 名 飞机或滑翔机等飞行器两侧伸出像鸟翼的部分，有支撑机身、产生升力等作用。❸ 侧：两～阵地｜由左～进攻。❹ 二十八宿之一。❺〈书〉帮助；辅佐：～助｜扶～。❻〈书〉同"翌"：～日。❼ (Yì)名 姓。

【翼侧】yìcè 名 作战时部队的两翼：左～｜右～。也说侧翼。

【翼翅】yìchì 名 翅膀。

【翼翼】yìyì〈书〉形 ❶ 严肃谨慎：小心～。❷ 严整有秩序。❸ 繁盛；众多。

蓺(藙) yì 蓺草。

【蓺草】yìcǎo 名 多年生草本植物，叶子条形,圆锥花序。嫩时可作饲料,秆可用来编织器物。

镱(鐿) yì 图 金属元素,符号 Yb (ytterbium)。是一种稀土元素。银白色,质软。用来制特种合金和发光材料等。

癔 yì [癔症](yìzhèng) 图 精神病,多由精神受重大刺激引起。发作时大叫大闹,哭笑无常,言语错乱,或有痉挛、麻痹、失明、失语等现象。旧称癔病,也叫歇斯底里。

懿 yì 〈书〉美好(多指德行):～德|～范|嘉言～行。

【懿旨】yìzhǐ 图 指皇太后或皇后的命令。

yīn (l与)

因 yīn ❶〈书〉沿袭:～循|陈陈相～。❷〈书〉冚 凭借;根据:～势利导|～陋就简|～地制宜|～人成事。❸ 原因(跟"果"相对):～由|事出有～|前～后果。❹ 冚 因为①:～病请假|会议～故改期。❺ 连 因为②:～治疗及时,所以很快就痊愈了|～水流太急,无法过江。❻(Yīn)图姓。

【因变量】yīnbiànliàng 图 见 535 页[函数]。

【因材施教】yīn cái shī jiào 针对学习的人的能力、性格、志趣等具体情况施行不同的教育。

【因此】yīncǐ 连 因为这个;所以:他的话引得大家都笑了,室内的空气～轻松了很多|我和他认识多年,～很了解他的性格。

【因地制宜】yīn dì zhì yí 根据不同地区的具体情况规定适宜的办法。

【因而】yīn'ér 连 表示结果:下游河床狭窄,～河水容易泛滥。

【因果】yīnguǒ 图❶ 原因和结果,合起来说,指二者的关系:～关系|互为～。❷ 佛教指事物的起因和结果,今生种什么因,来生结什么果,善有善报,恶有恶报:～报应。

【因陋就简】yīn lòu jiù jiǎn 就着原来简陋的条件:要提倡～、少花钱多办事的精神。

【因纽特人】Yīnniǔtèrén 图 北极地区的

土著人,主要分布在北美洲沿北极圈一带地区,另有一小部分居住在俄罗斯东北部。多以捕鱼和猎取海兽为业。旧称爱斯基摩人。[英 Inuit]

【因人成事】yīn rén chéng shì 依赖别人的力量办成事情。

【因式】yīnshì 图 一个多项式能够被另一个整式整除,后者就是前者的因式。如 $a+b$ 和 $a-b$ 都是 a^2-b^2 的因式。也叫因子。

【因式分解】yīnshì fēnjiě 把一个多项式化为几个整式的积的形式,叫做把这个多项式因式分解。如把 x^2-y^2 写成$(x+y)(x-y)$。

【因势利导】yīn shì lì dǎo 顺着事情的发展趋势加以引导。

【因数】yīnshù 图 约数[2]。也叫因子。

【因素】yīnsù 图❶ 构成事物本质的成分。❷ 决定事物成败的原因或条件:学习先进经验是提高生产的重要～之一。

【因特网】Yīntèwǎng 图 目前全球最大的一个计算机互联网,是由美国的阿帕(ARPA)网发展演变而来的。[英 Internet]

【因为】yīn·wèi ❶ 冚 表示原因:他～这件事受到了处分。❷ 连 常跟"所以"连用,表示因果关系:～今天事情多,所以没有去成。

【因袭】yīnxí 动 继续使用(过去的方法、制度、法令等):模仿(别人)。～陈规。

【因小失大】yīn xiǎo shī dà 为了小的利益而造成大的损失。

【因循】yīnxún 动❶ 沿袭:～旧习。❷ 迟延拖拉:～误事。

【因循守旧】yīn xún shǒu·jiù 不求变革,沿袭老的一套。

【因噎废食】yīn yē fèi shí 因为吃饭噎住过,索性连饭也不吃了,比喻因为怕出问题,索性不干。

【因应】yīnyìng 动❶ 适应(变动的情况);顺应:～变局|～市场的需求。❷ 采取措施应付:～挑战|针对形势的变化而妥善～。

【因由】yīnyóu (～儿)〈口〉图 原因:问明～。

【因缘】yīnyuán 图❶ 佛教指产生结果的直接原因和辅助促成结果的条件或力量。❷ 缘分。

【因子】yīnzǐ 图❶ 因数。❷ 因式。

阴(陰、隂) yīn ❶ 我国古代哲学认为存在于宇宙间的一切事物中的两大对立面之一(跟"阳"相对,下②⑤⑦⑧⑩⑪同)。❷ 指太阴,即月亮:～历。❸ 图 我国气象上,天空80%以上被云遮住时叫做阴。泛指空中云层密布,不见阳光或偶见阳光的天气。❹ 不见阳光的地方:树～|背～儿。❺ 山的北面;水的南面:华～(在华山之北)|江～(在长江之南)。❻ 背面:碑～。❼ 凹进的:～文。❽ 隐藏;不露在外面:～沟|～私|阳奉～违。❾ 形 阴险;不光明:～谋|这个人真～。❿ 指属于鬼神的;阴间的(迷信):～司|～曹。⓫ 带负电的:～电|～极。⓬ 生殖器,有时特指女性生殖器。⓭(Yīn)图 姓。

【阴暗】yīn'àn 形 暗;阴沉:地下室里～而潮湿|天色～◇～心理|～的脸色。

【阴暗面】yīn'ànmiàn 图 比喻思想、生活、社会风气等不健康的方面:揭露～。

【阴部】yīnbù 图 外生殖器(通常指人的)。

【阴曹】yīncáo 图 阴间。

【阴差阳错】yīn chā yáng cuò 见〖阴错阳差〗。

【阴沉】yīnchén 形 天阴的样子:天色～◇脸色～。

【阴沉沉】yīnchénchén (～的)形 状态词。形容天色或脸色等阴暗:天空～的,像要下雨|他脸上～的,一点儿笑容也没有。

【阴错阳差】yīn cuò yáng chā 比喻由于偶然因素而造成了差错。也说阴差阳错。

【阴丹士林】yīndānshìlín 图❶ 一种有机染料,有多种颜色,最常见的是蓝色。耐洗、耐晒,能染棉、丝、毛等纤维和纺织品。❷ 用阴丹士林蓝染的布。[德 Indanthren]

【阴道】yīndào 图 女性和某些雌性动物生殖器官的一部分,管状。人的阴道在子宫颈的下方,膀胱和直肠的中间。

【阴德】yīndé 图 暗中做的好事;迷信的人指人世间所做的而在阴间可以记录功德的好事。

【阴电】yīndiàn 图 负电的旧称。

【阴毒】yīndú 形 阴险毒辣:手段～。

【阴风】yīnfēng 图❶ 寒风。❷ 从阴暗处来的风◇煽～,点鬼火。

【阴干】yīngān 动 东西在通风而不见太阳的地方慢慢地干。

【阴功】yīngōng 图 阴德。

【阴沟】yīngōu 图 暗沟。

【阴户】yīnhù 图 阴门。

【阴晦】yīnhuì 形 阴沉;昏暗:天色～◇～的脸色。

【阴魂】yīnhún 图 迷信指人死后的灵魂(今多用作比喻):～不散。

【阴极】yīnjí 图❶ 电池等直流电源放出电子带负电的电极,也叫负极。❷ 电子器件中放射电子的一极。电子管和各种阴极射线管中都有阴极,这一极跟电源的阴极相接。

【阴极射线】yīnjí shèxiàn 装着两个电极的真空管,增加电压时,从阴极向阳极高速运动的电子流,叫做阴极射线。一般情况下,按直线前进,受磁力作用而偏转。能使荧光物质或磷光物质发光。示波管、显像管、电子显微镜等都是阴极射线的应用。

【阴间】yīnjiān 图 迷信指人死后灵魂所在的地方。也叫阴曹、阴司。

【阴茎】yīnjīng 图 男子和某些雄性哺乳动物生殖器官的一部分,内有三根柱状的海绵体。中间有尿道。

【阴冷】yīnlěng 形❶ 阴暗而寒冷:天气～|朝北的房间～～的。❷(脸色)阴沉而冷酷。

【阴离子】yīnlízǐ 图 负离子。

【阴历】yīnlì 图❶ 历法的一类。以月亮的月相周期,即朔望月(29 天 12 小时 44 分 2.8 秒)为 1 个月,大月 30 天,小月 29 天,12 个月为 1 年,1 年 354 天或 355 天。伊斯兰教历是阴历的一种。也叫太阴历。❷ 见 1005 页〖农历〗①。

【阴凉】yīnliáng ❶ 形 太阳照不到而凉爽的:～的大厅。❷(～儿)图 阴凉的地方:树底下有～儿|找个～儿歇一歇。

【阴霾】yīnmái 图 霾的通称。

【阴门】yīnmén 图 阴道的口儿。也叫阴户。

【阴面】yīnmiàn (～儿)图(建筑物等)背阴的一面:石碑的～有字。

【阴谋】yīnmóu ⓺ 动 暗中策划(做坏事):～暴乱|～陷害好人。⓶ 图 暗中做坏事的计谋:耍～|～诡计。

【阴囊】yīnnáng 名包藏睾丸的囊状物,在腹部的下面,两股根部的中间。

【阴臊】yīnnì 名中医指一种妇科病,症状是外阴部瘙痒疼痛,白带增多等。

【阴平】yīnpíng 名普通话字调的第一声,主要由古汉语平声字中的清音声母字分化而成。参看1294页〖四声〗②。

【阴柔】yīnróu 形❶(女子性格、气质)温柔(跟"阳刚"相对):性格~文静。❷(文艺作品等的风格)柔美细腻:这幅山水表现出~之美。

【阴森】yīnsēn 形(地方、气氛、脸色等)阴沉,可怕:~的树林|~的古庙。

【阴森森】yīnsēnsēn (~的)形 状态词。形容环境、气氛、脸色等阴沉可怕:山洞深处~的。

【阴山背后】yīnshān bèihòu 指偏僻冷落的地方。

【阴寿】yīnshòu 名❶旧俗为已故长辈逢十周年生日祝寿,叫做阴寿。❷迷信的人指死去的人在阴间的寿数。

【阴司】yīnsī 名阴间。

【阴私】yīnsī 名不可告人的事(多指不好的)。

【阴损】yīnsǔn ❶形阴险尖刻:说话~。❷动暗地里损害:当面装笑脸,背后~人。

【阴文】yīnwén 名印章上或某些器物上所刻或所铸的凹下的文字或花纹(跟"阳文"相对)。

【阴险】yīnxiǎn 形表面和善,暗地不存好心:狡诈~|~毒辣。

【阴线】yīnxiàn 名证券市场上指开盘价高于收盘价的K线(跟"阳线"相对)。

【阴性】yīnxìng 名❶诊断疾病时对进行某种试验或化验所得结果的表示方法。如果体内没有某种病原体存在或对某种药物没有过敏反应,则结果呈阴性。❷某些语言里名词(以及代词,形容词)分别阴性、阳性,或阴性、阳性、中性。参看1528页"性"⑥。

【阴阳】yīnyáng 名❶我国古代哲学指宇宙中贯通物质和人事的两大对立面。❷古代指日、月等天体运行规律的学问。❸指星相、占卜、相宅、相墓的方术。

【阴阳怪气】yīn yáng guài qì (~的)(性格、言行等)乖僻,跟一般的不同:他说话~的,没法跟他打交道◇天气老是这样~的,不晴也不雨。

【阴阳历】yīnyánglì 名历法的一类,以月亮的月相周期,即朔望月为1月,但设置闰月,使一年的平均天数跟太阳年的天数相符,因此这类历法与月相符合,也与地球绕太阳的周年运动相符合。农历是阴阳历的一种。

【阴阳人】yīnyángrén 名两性人。

【阴阳生】yīnyángshēng 名旧时指以星相、占卜、相宅、相墓等为业的人。特指以办理丧葬中相墓、选择吉日等事务为业的人。

【阴阳水】yīnyángshuǐ 名中医指凉水和开水,或井水和河水合在一起的水,调药或服药时用。

【阴翳】yīnyì 同"荫翳"。

【阴影】yīnyǐng (~儿)名阴暗的影子:树木的~|肺部有~|月球的表面有许多高山的~◇新的冲突使他和谈蒙上了~。

【阴雨】yīnyǔ 动天阴又下雨:~连绵|近日连续~,气温较低。

【阴郁】yīnyù 形❶(天气)阴晦沉闷:~的天色。❷(气氛)不活跃:笑声冲破了室内~的空气。❸忧郁,不开朗:心情~。

【阴云】yīnyún 名天阴时的云:~密布◇战争的~。

【阴韵】yīnyùn 名见1576页〖阳韵〗。

【阴宅】yīnzhái 名迷信的人称坟墓。

【阴鸷】yīnzhì 〈书〉形阴险凶狠。

【阴骘】yīnzhì 〈书〉❶动暗中使安定:~下民。❷名阴德:积~。

茵(❶裀) yīn ❶垫子或褥子:绿草如~。❷(Yīn)名姓。

荫(蔭) yīn ❶名树荫:绿树成~。❷(Yīn)名姓。
另见1631页 yìn。

【荫蔽】yīnbì 动❶(枝叶)遮蔽:茅屋~在树林中。❷隐蔽。

【荫翳】yīnyì 〈书〉❶动荫蔽①:柳树~的河边。❷形枝叶繁茂:桃李~。‖也作阴翳。

音 yīn ❶名声音;读音:~律|~乐|~|乐~|杂~|把这个字的~读准。❷消息:佳~|~信。❸指音节:单~词|复~词。❹动读(某音):"区"字作姓时~欧。❺(Yīn)名姓。

【音标】yīnbiāo 名 语音学上用来记录语音的符号，如国际音标。

【音波】yīnbō 名 声波。

【音叉】yīnchā 名 钢制的发声仪器，形状像叉子，用小木槌敲打发出声音。音叉的长短厚薄不同，能产生各种音高的声音，可以用来调整乐器和帮助歌唱者定出音高。

【音长】yīncháng 名 声音的长短，是由发声体振动持续时间的长短决定的。

【音程】yīnchéng 名 两个乐音之间的音高关系。用"度"来表示。以简谱为例，从1到1或从2到2都是一度，从1到3或从2到4都是三度，从1到5是五度。

【音带】yīndài 名 录音磁带，多指盒式录音带。

【音调】yīndiào 名 ❶ 声音的高低。❷ 说话、读书的腔调：～铿锵。

【音读】yīndú 名 (字的)念法；读音。

【音符】yīnfú 名 乐谱中表示音长或音高的符号。五线谱上用空心或实心的小椭圆形和特定的附加符号。简谱上用七个阿拉伯数字(1 2 3 4 5 6 7)和特定的附加符号。

【音高】yīngāo 名 声音的高低，是由发声体振动频率的高低决定的。频率越高，声音越高。

【音耗】yīnhào 〈书〉名 音信；消息：不通～|杳无～。

【音阶】yīnjiē 名 以一定的调式为标准，按音高次序向上或向下排列成的一组音。

【音节】yīnjié 名 由一个或几个音素组成的语音单位。其中包含一个比较响亮的中心。一句话里头，有几个响亮的中心就是有几个音节。在汉语里，一般地讲，一个汉字是一个音节，一个音节写成一个汉字(儿化韵一个音节写成两个字，儿不自成音节是例外)。

【音节文字】yīnjié wénzì 一种拼音文字，它的字母表示整个音节，例如梵文和日文的假名。

【音量】yīnliàng 名 响度。

【音律】yīnlǜ 名 指音乐上的律吕、宫调等。也叫乐律。

【音名】yīnmíng 名 ❶ 律吕的名称，如黄钟、大吕等。❷ 西洋音乐中代表不同音高的七个基本音律的名称，即C、D、E、F、G、A、B。

【音频】yīnpín 名 声频的旧称。

【音强】yīnqiáng 名 声强的旧称。

【音区】yīnqū 名 音域中按音高和音色特点划分出的若干部分，一般分高音区、中音区、低音区三种。

【音儿】yīnr 〈方〉名 ❶ (说话的)声音：他急得连说话的～都变了。❷ 话里边含着的意思：听话听～。

【音容】yīnróng 名 声音和容貌：～宛在(声音和容貌仿佛还在耳边和眼前，多形容对死者的怀念)。

【音色】yīnsè 名 声音的特色，是由发声物体、发声条件、发声方法决定的。每个人的声音以及钢琴、提琴、笛子等各种乐器所发出的声音的区别，就是由音色不同造成的。也叫音质。

【音素】yīnsù 名 语音中最小的单位，例如 mǎ 是由 m、a 和上声调这三个音素组成的。

【音素文字】yīnsù wénzì 一种拼音文字，它的字母表示语言中的音素，如英文、俄文。

【音速】yīnsù 名 声速的旧称。

【音位】yīnwèi 名 一个语言中能够区别意义的最简单的语音单位。参看〖音值〗。

【音问】yīnwèn 名 音信：不通～|～断绝。

【音系】yīnxì 名 某种语言或方言的语音系统。在汉语里主要指由声母系统、韵母系统和声调系统构成的语音系统。

【音响】yīnxiǎng 名 ❶ 声音(多就声音所产生的效果说)：剧场～条件很好。❷ 录音机、电唱机、收音机及扩音器等的统称：组合～。

【音像】yīnxiàng 名 录音和录像的合称：～制品|～教材。

【音信】yīnxìn 名 往来的信件和消息：互通～|杳无～。

【音序】yīnxù 名 按照字母表先后次序排列的字词等的顺序。

【音讯】yīnxùn 名 音信。

【音义】yīnyì 名 ❶ 文字的读音和意义。❷ 旧时关于文字音义方面的注解(多用于书名)：《毛诗～》。

【音译】yīnyì 动 译音①(区别于"意译")。

【音域】yīnyù 名 指某一乐器或人声(歌唱)所能发出的最低音到最高音之间的范

围：～宽。

【音乐】yīnyuè 图用有组织的乐音来表达人们思想感情、反映现实生活的一种艺术。它最基本的要素是节奏和旋律。分为声乐和器乐两大门类。

【音韵】yīnyùn 图❶指和谐的声音；诗文的音节韵律：～悠扬。❷指汉字字音的声、韵、调：～学。

【音韵学】yīnyùnxué 图语言学的一个分支，研究汉语语音结构和语音演变等。也叫声韵学。

【音障】yīnzhàng 图声障的旧称。

【音值】yīnzhí 图指人们实际发出或听见的语音，对音位而言。例如 dài(代)里的 a 跟 dà(大)里的 a，音值上有些不同，但在汉语普通话里是一个音位。

【音质】yīnzhì 图❶音色。❷传声系统(如录音或广播)上所说的音质，不仅指音色的好坏，也兼指声音的清晰或逼真的程度。

【音准】yīnzhǔn 图音乐上指音高的准确程度。

洇(湮) yīn 囫液体落在纸或其他物体上向四外散开或渗透；浸❷：这种纸写字容易～|用水把土～湿。"湮"另见 1563 页 yān。

姻(婣) yīn ❶婚姻：联～。❷由婚姻结成的、比较间接的亲戚关系，如称弟兄的岳父、姐妹的公公为"姻伯"，称姐妹的丈夫的兄弟、妻子的表兄弟为"姻兄、姻弟"等。

【姻亲】yīnqīn 图由婚姻而结成的亲戚，如姑父、姐夫、妻子的兄弟姐妹以及比这些更间接的亲戚。

【姻亚】yīnyà 同"姻娅"。

【姻娅】yīnyà〈书〉图亲家和连襟。泛指姻亲。也作姻亚。

【姻缘】yīnyuán 图指婚姻的缘分：结～|美满～。

驲(駰) yīn 古书上指一种浅黑带白色的马。

绲(絪) yīn [绲缊](yīnyūn)同"氤氲"。

氤 yīn [氤氲](yīnyūn)〈书〉圈形容烟或云气浓郁：云烟～。也作细绲、烟煴。

殷¹ yīn〈书〉❶丰盛；丰富：～实|～富。❷深厚：～切|期望甚～。❸殷

勤：招待甚～。

殷² Yīn 图❶朝代，公元前 1300—公元前 1046，是商代迁都于殷(今河南安阳西北小屯村)后改用的称号。❷姓。
另见 1562 页 yān；1628 页 yǐn。

【殷富】yīnfù 圈殷实富足：家道～。

【殷鉴】yīnjiàn 图《诗经·大雅·荡》："殷鉴不远，在夏后之世。"意思是殷人灭夏，殷人的子孙应该以夏的灭亡作为鉴戒。后用来泛指可以作为后人鉴戒的前人失败的事：可资～。

【殷切】yīnqiè 圈深厚而急切：～的期望。

【殷勤】(慇懃) yīnqín 圈热情而周到：～招待。

【殷实】yīnshí 圈富裕：～人家|家道～。

【殷墟】Yīnxū 图商代后期的都城遗址，在今河南安阳小屯村及其周围。1899 年在这个地方发现甲骨刻辞。

【殷殷】yīnyīn〈书〉圈❶殷切：～期盼|～嘱咐。❷(忧伤)深重：忧心～。

【殷忧】yīnyōu〈书〉图深深的忧虑：内怀～。

烟 yīn [烟煴](yīnyūn)同"氤氲"。
另见 1562 页 yān。

铟(銦) yīn 图金属元素，符号 In(indium)。银白色，质软。用来制低熔合金、轴承和电子、光学元件等。

堙 yīn〈书〉❶土山。❷堵塞；填塞。

喑(瘖) yīn〈书〉❶嗓子哑，不能出声；失音：～哑。❷缄默，不做声：万马齐～。

【喑哑】yīnyǎ 圈嗓子干涩发不出声音或发音低而不清楚。

阇(闇) yīn ❶古代瓮城的门。❷〈书〉堵塞。

愔 yīn [愔愔](yīnyīn)〈书〉圈安静无声；默默无言。

歅 yīn 用于人名，九方歅，春秋时人，善相马。

漹 yīn 漹溜(Yīnliù)，地名，在天津。

禋 yīn ❶古代祭天的祭名。❷〈书〉虔诚地祭祀。

慇 yīn 见 1624 页[殷勤](慇懃)。

化给鬼神用。

yín（ㄧㄣˊ）

圻 yín 〈书〉同"垠"。
另见 1069 页 qí。

吟（❶-❸唫）yín ❶〈动〉吟咏：～诗｜抱膝长～。❷〈书〉呻吟；叹息。❸古典诗歌的一种名称：《秦妇～》｜《水龙～》。❹（Yín）〈名〉姓。
"唫"另见 715 页 jìn。

【吟哦】yín'é〈动〉吟咏。

【吟风弄月】yín fēng nòng yuè 旧时有的诗人做诗爱用风花雪月做题材，因此称这类题材的写作为吟风弄月。也说吟风咏月。

【吟诵】yínsòng〈动〉吟咏诵读：～唐诗。

【吟味】yínwèi〈动〉吟咏玩味：反复～。

【吟咏】yínyǒng〈动〉有节奏有韵调地诵读（诗文）：～古诗。

垠 yín〈书〉界限；边际：一望无～｜平沙无～。

猌 yín［猌猌］（yínyín）〈书〉拟声 狗叫的声音：～狂吠。

誾（誾）yín［誾誾］（yínyín）〈书〉形容辩论时态度好。

砑 yín 六砑圩（Liùyínxū），地名，在广西。

崟（崟）yín 见 1106 页［嵚崟］。

银（銀）yín ❶〈名〉金属元素，符号 Ag（argentum）。白色，有光泽，质软，延展性强，导电、导热性能好，化学性质稳定。用途很广。通称银子或白银。❷跟货币有关的：～行｜～根。❸像银子的颜色：～灰｜红地～字的匾。❹（Yín）〈名〉姓。

【银白】yínbái〈形〉白中略带银光的颜色：一场大雪把大地变成了～世界。

【银杯】yínbēi〈名〉奖杯的一种，奖给第二名。

【银本位】yínběnwèi〈名〉用白银做本位币的货币制度。

【银币】yínbì〈名〉银制的货币。

【银弹】yíndàn〈名〉比喻腐蚀、拉拢人的钱财：～攻势。

【银锭】yíndìng〈名〉❶（～儿）银元宝。❷用锡箔折成或糊成的假元宝，迷信的人焚

【银耳】yín'ěr〈名〉真菌的一种，白色，半透明，富于胶质。生长在枯死或半枯死的栓皮栎等树上。用作滋养品。也叫白木耳。

【银发】yínfà〈名〉白头发：满头～。

【银粉】yínfěn〈名〉铝粉的俗称。

【银根】yíngēn〈名〉指市场上货币周转流通的情况。市场需要货币多而流通量小叫银根紧，市场需要货币少而流通量大叫银根松。

【银汉】yínhàn〈书〉〈名〉银河：～横空。

【银行】yínháng〈名〉经营存款、贷款、汇兑、储蓄等业务的金融机构。

【银行卡】yínhángkǎ〈名〉由商业银行或其他金融机构发行的信用卡、储蓄卡等各种电子支付凭证。

【银号】yínhào〈名〉旧时指规模较大的钱庄。参看 1090 页〖钱庄〗。

【银河】yínhé〈名〉晴天夜晚，天空呈现出一条明亮的光带，夹杂着许多闪烁的小星，看起来像一条银白色的河，叫做银河。银河由许许多多的恒星构成。也叫天河。

【银河系】yínhéxì〈名〉宇宙中的一个大的恒星系，由 1000 亿颗以上的大小恒星和无数星云、星团构成，形状像怀表，中心厚，直径为 8 万光年。太阳是银河系中的许多恒星之一，距离银河中心约有 3 万光年。我们平常在夜晚看到的天空的银河，就是银河系的密集部分在天球上的投影。

【银红】yínhóng〈形〉在粉红色颜料里加银朱调和而成的颜色。

【银狐】yínhú〈名〉玄狐。

【银灰】yínhuī〈形〉浅灰而略带银光的颜色。

【银婚】yínhūn〈名〉西方风俗称结婚二十五周年为银婚。

【银匠】yínjiàng〈名〉制造金银饰物、器具的手工业工人。

【银两】yínliǎng〈名〉旧时用银子为主要货币，以两为单位，因此做货币用的银子称为银两（总称）。

【银楼】yínlóu〈名〉制造和买卖金银首饰和器皿的商店。

【银幕】yínmù〈名〉放映电影或幻灯时，用来显示影像的白色的幕。

【银牌】yínpái〈名〉奖牌的一种，奖给第二名。

【银屏】yínpíng 名 电视机的荧光屏,也借指电视节目。

【银钱】yínqián 名 泛指钱财。

【银杉】yínshān 名 常绿乔木,树干通直,树冠塔形,叶子条形,球果卵圆形。生长于广西、湖南、贵州、重庆等地。是我国特有的珍稀树种。

【银团】yíntuán 名 由多家银行组成,共同出资开展业务,共同承担风险的一种金融组合:～贷款协议|十五家中外银行组成～。

【银团贷款】yíntuán dàikuǎn 指多家银行共同出资、共同承担风险的信贷经营形式。

【银屑病】yínxièbìng 名 慢性皮肤病,症状是先出现丘疹,以后有容易脱落的薄鳞片,多生在肘部、膝部,局部发痒,不传染。俗称牛皮癣。

【银杏】yínxìng 名❶ 落叶大乔木,高可达40米,雌雄异株,叶片扇形。种子椭圆形,外面有橙黄色带臭味的种皮,果仁可以吃,也可以入药。木材致密,可供雕刻等用。也叫公孙树。❷ 这种植物的种子。‖ 也叫白果。

【银洋】yínyáng 名 银圆。

【银样镴枪头】yín yàng là qiāng tóu 比喻表面看起来还不错,实际上不中用,好像颜色如银子的锡镴枪头一样。

【银鹰】yínyīng 名 比喻飞机(多指战斗机,含亲昵意):祖国的～在天空翱翔。

【银元】yínyuán 同"银圆"。

【银圆】yínyuán 名 旧时使用的银质硬币,圆形,每枚一圆。也作银元。

【银朱】yínzhū 名 无机化合物,鲜红色粉末,有毒。用作颜料和药品等。

【银子】yín·zi 名 银❶的通称。

淫(③婬) yín ❶ 过多或过甚:～雨|～威。❷ 放纵;骄奢:～逸|乐而不～,哀而不伤。❸ 指不正当的男女关系:奸～|～乱。

【淫荡】yíndàng 形 淫乱放荡。

【淫秽】yínhuì 形 淫乱和猥亵:～书刊。

【淫乱】yínluàn ❶ 形 在性行为上放纵,违反道德准则。❷ 动 发生淫乱行为:聚众～。

【淫威】yínwēi 名 滥用的威势:横施～。

【淫猥】yínwěi 形 淫秽。

【淫窝】yínwō 名 指卖淫嫖娼等色情活动

场所:捣毁～。

【淫雨】(霪雨) yínyǔ 名 连绵不停的过量的雨:～成灾。

【淫欲】yínyù 名 指色欲。

寅 yín 名 地支的第三位。参看440页【干支】。

【寅吃卯粮】yín chī mǎo liáng 寅年就吃了卯年的口粮,比喻入不敷出,预先支用了以后的收入。也说寅支卯粮。

【寅时】yínshí 名 旧式计时法指夜里三点钟到五点钟的时间。

断(斷) yín 〈书〉同"龈"(yín)。

【断断】yínyín 〈书〉形 形容争辩。

鄞 Yín ❶ 鄞州(Yínzhōu),地名,在浙江。❷ 名 姓。

龈(齦) yín 牙龈。

另见777页kěn。

寅 yín 〈书〉❶ 敬畏:～畏。❷ 深:～夜。

【寅夜】yínyè 〈书〉名 深夜。

【寅缘】yínyuán 〈书〉动 攀附上升,比喻拉拢关系,向上巴结。

螾 yín 古书上指衣鱼。

嚚 yín 〈书〉❶ 愚蠢而顽固。❷ 奸诈。

霪 yín 见1626页【淫雨】(霪雨)。

yǐn (Ｉㄣˇ)

尹 yǐn ❶ 旧时官名:府～|道～|京兆～。❷ (Yǐn)名 姓。

引 yǐn ❶ 动 牵引;拉:穿针～线。❷ 动 引导:～路|～港。❸ 动 离开:～避(因避嫌而辞官)|～退。❹〈书〉伸直:～领～颈。❺ 动 引起;使出现:用纸～火|抛砖～玉。❻ 动 惹❸:他这一句话,～得大家笑了起来。❼ 动 用来做证据或理由:～书|～证。❽ 旧俗出殡时牵引棺材的白布:发～。❾ 量 长度单位,10丈等于1引,15引等于1里。1市引合33$\frac{1}{3}$米。❿ (Yǐn)名 姓。

【引爆】yǐnbào 动 用发火装置使爆炸物爆

炸：～装置|～了一颗炸弹。

【引柴】yǐnchái 〈名〉引火用的小木片、小竹片或秫秸等。有的地区叫引火柴。

【引产】yǐnchǎn 指妊娠后期用药物、针刺、手术等方法引起子宫收缩，促使胎儿产出。

【引导】yǐndǎo 〈动〉❶ 带领①：厂长～记者参观了几个主要车间。❷ 指引；诱导：老师对学生要善于～。

【引得】yǐndé 〈名〉索引。〔英 index〕

【引动】yǐndòng 〈动〉引起；触动（多指情）：一席话～我思乡的情怀。

【引逗】yǐndòu 挑逗；引诱。

【引渡】yǐndù ❶ 引导人渡过（水面）；指引：～迷津。❷ 甲国应乙国的请求，把乙国逃到本国的犯罪的人拘捕，押解交给乙国。

【引而不发】yǐn ér bù fā 射箭时拉开弓却不把箭放出去，比喻善于引导或控制，也比喻做好准备，待机行动。

【引发】yǐnfā 〈动〉引起；触发：天象观测～了大家对天文学的浓厚兴趣。

【引港】yǐngǎng 〈动〉领港。

【引吭高歌】yǐn háng gāo gē 放开喉咙高声歌唱。

【引航】yǐnháng 〈动〉由熟悉航道的人员引导（或驾驶）船舶进出港口或在内海、江河一定区域内航行。旧称引水。

【引号】yǐnhào 〈名〉标点符号（横行文字用“ ”、‘ ’；竖行文字开始时用﹃、﹁，结束时用﹄、﹂），表示文中直接引用的部分。有时也用来表示需要着重论述的对象或具有特殊含义的词语等。

【引河】yǐnhé 〈名〉❶ 为引水灌溉而开挖的河道。❷ 减河。

【引魂幡】yǐnhúnfān 〈名〉幡儿。

【引火】yǐn∥huǒ 〈动〉把燃料点着，特指用燃烧着的东西把燃料点着：用木柴～。

【引火烧身】yǐn huǒ shāo shēn ❶ 比喻自讨苦吃或自取毁灭，也指惹火烧身。❷ 比喻主动暴露自己的问题，争取批评帮助。

【引见】yǐnjiàn 〈动〉引人相见，使彼此认识：经友人～，得以认识这位前辈。

【引荐】yǐnjiàn 〈动〉推荐（人）。

【引醮】yǐnjiào 〈名〉醮子。

【引介】yǐnjiè 〈动〉引进并介绍：～外国作

品。

【引进】yǐnjìn 〈动〉❶ 从外地或外国引入（人员、资金、技术、设备等）：～良种|～人才|～外资。❷ 引荐。

【引经据典】yǐn jīng jù diǎn 引用经典中的语句或故事。

【引颈】yǐnjǐng 〈书〉〈动〉伸长脖子：～企待|～受戮。

【引咎】yǐnjiù 〈动〉把过失归在自己身上：～自责|～辞职。

【引狼入室】yǐn láng rù shì 比喻把敌人或坏人引入内部。

【引力】yǐnlì 〈名〉万有引力的简称。

【引例】yǐnlì ❶ 〈-//-〉〈动〉在书、文章中引用例证。❷ 〈名〉在书、文章中引用的例证。

【引领】[1] yǐnlǐng 〈动〉引导；带领：由当地人～，穿过密林。

【引领】[2] yǐnlǐng 〈书〉〈动〉伸直脖子（远望），形容盼望殷切。

【引流】yǐnliú 〈动〉用外科手术把体内病灶的脓液等排出来。

【引路】yǐn∥lù 〈动〉带路：由向导～。

【引论】yǐnlùn 〈名〉在论著的开头，概括介绍全书或全文的主旨和内容，对阅读起引导作用的论述，有时也指对某一学科做基本介绍的著作。

【引起】yǐnqǐ 〈动〉一种事情、现象、活动使另一种事情、现象、活动出现：他的反常举动～了大家的注意。

【引桥】yǐnqiáo 〈名〉连接正桥和路堤的桥。

【引擎】yǐnqíng 〈名〉发动机，特指蒸汽机、内燃机等热机。〔英 engine〕

【引人入胜】yǐn rén rù shèng 引人进入佳境（指风景或文章等）。

【引蛇出洞】yǐn shé chū dòng 比喻运用计谋诱使坏人进行活动，使之暴露。

【引申】yǐnshēn 〈动〉（字、词）由原义产生新义，如“鉴”字本义为“镜子”，“可以作为警戒或引为教训的事”是它的引申义。

【引述】yǐnshù 〈动〉引用（别人的话或文字）叙述：～专家的评论。

【引水】yǐnshuǐ 〈名〉引航的旧称。

【引退】yǐntuì 〈动〉辞去官职。

【引文】yǐnwén 〈名〉引自其他书籍或文件的语句。也叫引语。

【引线】yǐnxiàn 〈名〉❶ 引信上的导线。❷ 做媒介的人或东西。❸ 〈方〉缝衣针。

【引信】yǐnxìn 图引起炮弹、炸弹、地雷等爆炸的一种装置。也叫信管。

【引言】yǐnyán 图写在书或文章前面类似序言或导言的短文。

【引用】yǐnyòng 勔❶用别人说过的话（包括书面材料）或做过的事作为根据：～古书上的话。❷任用：～私人。

【引诱】yǐnyòu 勔❶诱导，今多指引人做坏事：受坏人～走上邪路。❷诱惑：经不起金钱的～。

【引语】yǐnyǔ 图引文。

【引玉之砖】yǐn yù zhī zhuān 谦辞，比喻为了引出别人高明的意见而发表的粗浅的、不成熟的意见。参看 1024 页〖抛砖引玉〗。

【引证】yǐnzhèng 勔引用事实或言论、著作做根据。

【引致】yǐnzhì 勔引起；导致。

【引种】yǐnzhǒng 勔把别的地区的动植物优良品种引入本地区，选择适于本地区条件的加以繁殖推广。

【引种】yǐnzhòng 勔把外地的优良品种引入本地种植。

【引资】yǐnzī 勔引进资金：招商～｜～一千万元发展蔬菜生产。

【引子】yǐn·zi 图❶南曲、北曲的套曲中的第一支词句。❷戏曲角色初上场时所念的一段词句，有时唱和念相间。❸某些乐曲的开始部分，有酝酿情绪、揭示内容等作用。❹比喻引起正文的话或启发别人发言的话：这一段话是下文的～｜我简单说几句做个～，希望大家多发表意见。❺指药引子。

吲 yǐn ［吲哚］（yǐnduǒ）图有机化合物，化学式 C_8H_7N。无色或淡黄色片状晶体，存在于煤焦油和腐败的蛋白质中。用来制香料、染料和药物。［英 indole］

饮（飲）yǐn ❶喝，有时特指喝酒：痛～｜～料｜～食｜～水思源。❷可以喝的东西：冷～。❸饮子：香苏～。❹中医指稀痰。❺心里存着；含着：～恨。

　　另见 1630 页 yìn。

【饮弹】yǐndàn 〈书〉勔身上中（zhòng）了子弹：～身亡。

【饮恨】yǐnhèn 〈书〉勔抱恨含冤：～而终。

【饮料】yǐnliào 图经过加工制造供饮用的液体，如酒、茶、汽水、果汁等。

【饮片】yǐnpiàn 图供制煎剂的中药，多指经过炮制的。

【饮品】yǐnpǐn 图饮料。

【饮泣】yǐnqì 〈书〉勔泪流满面，流到口里去，形容悲哀到了极点。

【饮食】yǐnshí 图❶吃的和喝的东西：注意～卫生。❷指吃东西和喝东西：～起居。

【饮水思源】yǐn shuǐ sī yuán 喝水的时候想到水的来源，比喻人在幸福的时候不忘掉幸福的来源。

【饮用水】yǐnyòngshuǐ 图喝的和做饭用的水。

【饮誉】yǐnyù 勔享有盛名；受到称赞：～全球｜他的作品～文坛。

【饮鸩止渴】yǐn zhèn zhǐ kě 用毒酒解渴，比喻只求解决目前困难而不顾严重后果。

【饮子】yǐn·zi 图宜于冷着喝的汤药。

蚓 yǐn 蚯蚓。

殷 yǐn 〈书〉拟声形容雷声：～其雷。
　　另见 1562 页 yān；1624 页 yīn。

隐（隱）yǐn ❶隐藏不露：～蔽｜～身｜～士。❷潜伏的；藏在深处的：～情｜～患。❸指隐秘的事：难言之～。

【隐蔽】yǐnbì ❶勔借旁的事物来遮地：游击队～在高粱地里。❷形被别的事物遮住不易被发现：地形～｜手法～。

【隐避】yǐnbì 勔隐藏躲避：～在外。

【隐藏】yǐncáng 勔藏起来不让发现：～在丛林中。

【隐恶扬善】yǐn è yáng shàn 隐瞒人的坏处，而表扬他的好处，这是古代提倡的一种为人处世的态度。

【隐伏】yǐnfú 勔隐藏；潜伏：～在黑暗角落里｜～着危机。

【隐含】yǐnhán 勔隐约含有；暗含：眼神里～着失望｜话中～着深意。

【隐花植物】yǐnhuā-zhíwù 不开花结实、靠孢子、配子或细胞分裂繁殖的植物的统称，如藻类、菌类、蕨类、苔藓类（区别于"显花植物"）。

【隐患】yǐnhuàn 图潜藏着的祸患：消除

~。

【隐讳】yǐnhuì 囫 有所顾忌而隐瞒不说：
毫无~|他从不~自己的缺点和错误。

【隐晦】yǐnhuì 彫（意思）模糊，不明显：这
些诗写得十分~，不容易懂。

【隐疾】yǐnjí 囵 不便向别人说的病，如性
病之类。

【隐居】yǐnjū 囫 由于对统治者不满或有
厌世思想而住在偏僻地方，不出来做
官。

【隐君子】yǐnjūnzǐ 囵 原指隐居的人，后来
借以嘲讽吸毒成瘾的人（隐、瘾谐音）。

【隐括】yǐnkuò 同"檃栝"。

【隐瞒】yǐnmán 囫 掩盖真相，不让人知
道：~错误|大家都知道了，他还想~。

【隐秘】yǐnmì ❶囫 隐蔽不外露：~不说。
❷彫 隐蔽的；秘密的：手法十分~|地道
的出口开在~的地方。❸囵 秘密的事：
刺探~。

【隐没】yǐnmò 囫 隐蔽①；渐渐看不见：远
去的航船~在雨雾里。

【隐匿】yǐnnì ❶囫 隐瞒：~真情|~不报。
❷隐藏；躲起来：~财物|~国外。

【隐僻】yǐnpì 彫 ❶ 偏僻：~的角落。❷
隐晦而罕见：用典~。

【隐情】yǐnqíng 囵 不愿告诉人的事实或
原因：另有~。

【隐忍】yǐnrěn 囫 把事情藏在心内，勉强
忍耐：~不言。

【隐射】yǐnshè 暗射；影射。

【隐身】yǐnshēn 囫 把身体隐藏起来：~
在门后。

【隐身技术】yǐnshēn jìshù 隐形技术。

【隐士】yǐnshì 囵 隐居的人。

【隐私】yǐnsī 囵 不愿告人的或不愿公开的
个人的事。

【隐痛】yǐntòng 囵 ❶ 不愿告诉人的痛
苦。❷ 隐隐约约的疼痛。

【隐现】yǐnxiàn 囫 时隐时现；不清晰地显
现：水天相接，小岛~。

【隐形飞机】yǐnxíng-fēijī 指用雷达、红外
线或其他探测系统难以发现的飞机。

【隐形技术】yǐnxíng jìshù 采用各种措施，
减弱雷达反射波、红外辐射及噪声等，
使飞机、导弹、舰船等不易被探测设备发
现的综合技术。也说隐身技术。

【隐形眼镜】yǐnxíng-yǎnjìng 接触镜的通

称。

【隐性】yǐnxìng 彫 属性词。指性质或性
状不表现在外的（跟"显性"相对）：~遗
传|~语法关系。

【隐姓埋名】yǐn xìng mái míng 隐瞒自己
的真实姓名。

【隐逸】yǐnyì 〈书〉❶ 囫 避世隐居。❷ 囵
指隐居的人：山林~。

【隐隐】yǐnyǐn 彫 隐约：~的雷声|青山~|
筋骨~作痛。

【隐忧】yǐnyōu 囵 深藏的忧愁；潜藏的忧
虑。

【隐语】yǐnyǔ 囵 ❶ 不把要说的意思明说
出来，而借用别的话来表示，古代常作隐
语，类似后世的谜语。❷ 黑话；暗语。

【隐喻】yǐnyù 囵 比喻的一种，不用"如"
"像""似""好像"等比喻词，而用"是""成"
"就是""成为""变为"等词，把某事物比拟
成和它有相似关系的另一事物。如"少年
儿童是祖国的花朵"、"荷叶成了一把把撑
开的小伞"。也叫暗喻。

【隐约】yǐnyuē 看起来或听起来不很清
楚；感觉不很明显：远处的峰峦~可见|歌
声隐约约地从山头传来。

【隐衷】yǐnzhōng 囵 不愿告诉人的苦衷。

靷 yǐn 〈书〉引车前行的皮带。

谚（讞）yǐn 〈书〉隐语；谜语。

歙 yǐn 〈书〉同"饮"。

檃（檃、隐）yǐn ［檃栝］（yǐnkuò）
〈书〉❶ 囵 矫正木材
弯曲的器具。❷ 囫（就原有的文章、著
作）剪裁改写。‖ 也作隐括。

瘾（癮）yǐn 囵 ❶ 由于神经中枢经
常接受某种外界刺激而形成
的习惯性或依赖性：烟~|他喝酒的~真
大。❷ 泛指浓厚的兴趣：戏~|他看《红楼
梦》看上~了。

【瘾君子】yǐnjūnzǐ 囵 指吸烟或吸毒上瘾
的人。

【瘾头】yǐntóu （~儿）囵 瘾的程度：你们下
棋的~儿可真不小。

蝘 yǐn 〈书〉同"蚓"。

缗（繩）yǐn 〈方〉囫 绗（háng）。

yìn （ㄧㄣˋ）

印 yìn ❶ 名政府机关的图章,泛指图章:盖~|钢~。❷（~儿）名印子①:烙~|脚~儿|纸上的水干了,可还有个~儿。❸ 动留下痕迹,特指文字或图画等留在纸上或器物上:~书|排~|~花儿布。❹ 符合:~证|心心相~。❺ 名姓。

【印把子】yìnbà·zi 名指行政机关的印信的把儿,比喻政权:~掌握在人民手里。

【印本】yìnběn 名印刷的书本(区别于"抄本")。

【印次】yìncì 名图书每一版印刷的次数。从第一版第一次印刷起连续计算。

【印第安人】Yìndì'ānrén 名美洲最古老的居民,皮肤红黑色,从前称为红种人。大部分住在中、南美各国。[印第安,英 Indian]

【印度教】Yìndùjiào 名经过改革的婆罗门教,现在流行于印度、尼泊尔等国。

【印发】yìnfā 动印刷散发;印刷分发:~传单|把这份材料~给各科室。

【印痕】yìnhén 名痕迹。

【印花】¹ yìn∥huā （~儿）动将有色花纹或图案印到纺织品等上去。

【印花】² yìnhuā 名由政府有关部门发售,规定贴在契约、凭证等上面,作为税款的一种特制印刷品。全称印花税票。

【印花税】yìnhuāshuì 名国家税收的一种,各项契约、凭证等须按税法贴政府有关部门发售的印花。

【印记】yìnjì ❶ 名痕迹:公章一按,留下了鲜红的~◇他的每篇作品都带有鲜明的时代~。❷ 动把印象深刻地保持着:他一直把那次约会的情景~在脑海里。❸ 名旧指钤记。

【印迹】yìnjì 名痕迹。

【印鉴】yìnjiàn 名为防假冒,在支付款项的机关留供核对的印章底样。支领款项时,所用印要与所留的印章底样相符。

【印泥】yìnní 名盖图章用的颜料,一般用朱砂、艾绒和油制成,印出来是红色。

【印纽】yìnniǔ 名古代印章上端雕刻成龟、虎、狮等形象的部分,有孔,可以穿带

子。也作印钮。

【印钮】yìnniǔ 同"印纽"。

【印谱】yìnpǔ 名汇集古印或名家所刻印章,印出底样,复制而成的书。

【印染】yìnrǎn 动为纺织品印花和染色:~技术。

【印色】yìn·se 名印泥。

【印绶】yìnshòu 名旧时称印信和系印的丝带。

【印刷】yìnshuā 动把文字、图画等做成版,涂上油墨,印在纸张上。近代印刷用各种印刷机。我国的手工印刷,多用棕子蘸墨刷在印版上,然后放上纸,再用干净的棕刷子在纸背上用力擦过,所以叫做印刷。

【印刷品】yìnshuāpǐn 名印刷成的书报、图片等。

【印刷体】yìnshuātǐ 名文字或拼音字母的印刷形式(区别于"手写体")。参看1256页〖手写体〗。

【印台】yìntái 名盖图章(主要是橡皮图章或木戳)所用的印油盒。也叫印台。

【印堂】yìntáng 名指额部两眉之间。

【印玺】yìnxǐ 名印,特指帝王的印。

【印象】yìnxiàng 名客观事物在人的头脑里留下的迹象:深刻的~|他给我的~很好。

【印信】yìnxìn 名政府机关的图章(总称)。

【印行】yìnxíng 动印刷并发行:~单行本|那本词典已~上百万册。

【印油】yìnyóu 名专供印台用的液体,有红、蓝、紫等色。

【印张】yìnzhāng 名印刷书籍时每一本书所用纸张数量的计算单位,以一整张平板纸(通称新闻纸或报纸)为两个印张。

【印章】yìnzhāng 名印和章的合称。

【印证】yìnzhèng ❶ 动证明与事实相符:事情的发展~了他的预见。❷ 名用来印证的事物。

【印子】yìn·zi 名❶ 痕迹:车轮~|地板上踩了好多脚~。❷ 印子钱的简称:放~|打~|借印子钱)。

【印子钱】yìn·ziqián 名旧时高利贷的一种,把本钱和很高的利息加在一起,约定期限,由债务人分期偿还,每还一期,在折子上盖印为记。简称印子。

饮（飲） yìn 动给牲畜水喝:~牲口|马~过了。

另见 1628 页 yǐn。

【饮场】yìnchǎng 动 旧时戏曲演员在台上喝水润嗓子。

茚 yìn 名 有机化合物，化学式 C_9H_8。无色液体，化学性质活泼。用来制造合成树脂，与其他液态烃混合可做油漆的溶剂。[英 indene]

荫（蔭、❷❸蔭）yìn ❶〈口〉形 没有阳光；又凉又潮：南屋太～，这边坐吧。❷〈书〉荫庇。❸ 封建时代由于父祖有功而给予子孙入学或任官的权利。
另见 1622 页 yīn。

【荫庇】yìnbì〈书〉大树枝叶遮蔽阳光，宜于人们休息，比喻尊长照顾晚辈或祖宗保佑子孙。

【荫凉】yìnliáng 形 因太阳晒不着而凉爽：这屋子～得很。

胤 yìn〈书〉后代；后嗣。

垽 yìn〈书〉沉淀物；沉淀物的痕迹。

鲖（鮣）yìn 名 鱼，身体细长，近圆筒形，灰黑色，头和背部前端扁平，上有一长椭圆形吸盘，鳞小而圆。生活在海洋中，常用吸盘吸在其他大鱼身体下面或船底下。

窨 yìn 地窨子；地下室。
另见 1551 页 xūn。

【窨井】yìnjǐng 名 上下水道或其他地下管线工程中，为便于检查或疏通而设置的井状构筑物。

懕（懕）yìn〈书〉❶ 愿；宁愿。❷ 损伤；残缺。

【懕懕】yìnyìn〈书〉形 小心谨慎。

```
yīng（｜ㄥ）
```

时 yīngcùn 又 cùn 量 英寸旧也作时。

呎 yīngchǐ 又 chǐ 量 英尺旧也作呎。

应¹（應）yīng ❶ 动 答应①：喊他不～。❷ 动 答应（做）：这事是我一下来的，由我负责。❸（Yīng）名 姓。

应²（應）yīng 助动词。应该：～有尽有|发现错误，～立即纠正。
另见 1636 页 yìng。

【应当】yīngdāng 助动词。应该：父母～抚养子女，子女～赡养父母。

【应分】yīngfèn 形 属性词。分内应该的：帮他点忙，也是我们～的事。

【应该】yīnggāi 助动词。表示理所当然。～爱护公共财产|为了大伙儿的事，我多受点累也是～的。

【应届】yīngjiè 形 属性词。本期的（只用于毕业生）：～毕业生。

【应名儿】yīngmíngr ❶（－//－）动 用某人的名义（办某事）：挂他种虚名：你应个名儿吧，反正也没有多少事儿。❷ 副 仅仅在名义上（是）：他们～是亲戚，实际上不大来往。

【应声】yīng//shēng（～儿）〈口〉动 出声回答：敲了一阵门，里边没有人～儿|问了半天，你也该应一声。
另见 1637 页 yìngshēng。

【应税】yīngshuì 形 属性词。根据税法规定应当交纳税款的：～商品|～项目。

【应许】yīngxǔ 动 ❶ 答应（做）：他～明天来谈。❷ 允许：谁～他把写字台搬走的？

【应有尽有】yīng yǒu jìn yǒu 应该有的全都有了，表示一切齐备。

【应允】yīngyǔn 动 应许：点头～。

英¹ yīng ❶〈书〉花：落～缤纷。❷ 才能或智慧过人的人：～豪|科技群～。❸（Yīng）名 姓。

英² Yīng 名 指英国：～尺|～镑|离～回国。

【英镑】yīngbàng 名 英国的本位货币。

【英才】yīngcái 名 ❶ 才智出众的人：一代～|科技～。❷ 杰出的才智：～盖世。

【英尺】yīngchǐ 量 英美制长度单位，1 英尺等于 12 英寸，合 0.304 8 米，0.914 4 市尺。旧也作呎。

【英寸】yīngcùn 量 英美制长度单位，1 英寸等于 1 英尺的 1/12。旧也作时。

【英豪】yīngháo 名 英雄豪杰：各路～。

【英魂】yīnghún 名 英灵①。

【英杰】yīngjié 名 英豪：一代～。

【英俊】yīngjùn 形 ❶ 才能出众：～有为。❷ 容貌俊秀又有精神：～少年。

【英里】yīnglǐ 量 英美制长度单位,1 英里等于 5 280 英尺,合 1.609 3 公里。旧也作哩。

【英两】yīngliǎng 量 盎司的旧称。旧也作俩。

【英烈】yīngliè ❶ 形 英勇刚烈:~女子。❷ 名 为正义事业而牺牲的烈士:革命~|民族~。

【英灵】yīnglíng 名❶ 受崇敬的人去世后的灵魂:告慰先烈~。❷〈书〉指才能出众的人。

【英名】yīngmíng 指英雄人物的名字或名声:~永存|一世~。

【英明】yīngmíng 形 卓越而明智:~果断|~的领导。

【英模】yīngmó 名 英雄模范:~报告会。

【英亩】yīngmǔ 量 英美制地积单位,1 英亩等于 4 840 平方码,合 4 046.86 平方米。旧也作噮。

【英年】yīngnián 名 英气焕发的年龄,多指青壮年时期:正当~|~早逝。

【英气】yīngqì 名 英俊、豪迈的气概:~勃勃。

【英石】yīngshí 名 广东英德所产的一种石头,用来叠假山。

【英特纳雄耐尔】Yīngtènàxióngnài'ěr 名 "国际"("国际工人协会"的简称)的音译,也译作英特耐雄纳尔。在《国际歌》中指国际共产主义的理想。[法 Internationale]

【英武】yīngwǔ 形 英俊威武。

【英雄】yīngxióng ❶ 名 本领高强、勇武过人的人:~好汉|自古~出少年。❷ 名 不怕困难,不顾自己,为人民利益而英勇斗争,令人钦敬的人:人民~|劳动~|民族~。❸ 形 属性词。具有英雄品质的:~的中国人民。

【英雄无用武之地】yīngxióng wú yòngwǔ zhī dì 形容有本领的人得不到施展的机会。

【英寻】yīngxún 量 英美制计量水深的单位,1 英寻等于 6 英尺,合 1.828 米。旧也作呏。

【英勇】yīngyǒng 形 勇敢出众:~杀敌|~的战士。

【英制】yīngzhì 名 单位制的一种,长度的主单位是英尺,质量的主单位是磅,时间的主单位是秒。盎司、码、英亩、加仑等都是英制单位。

【英姿】yīngzī 名 英俊威武的风姿:~焕发|飒爽~。

呏(嘋) yīngxún 又 xún 量 英寻旧也作呏。

莺(鶯、鸎) yīng 名 鸟,身体小,多为褐色或暗绿色,嘴短而尖。叫的声音清脆。吃昆虫,对农业和林业有益。种类很多。

【莺歌燕舞】yīng gē yàn wǔ 黄莺歌唱,燕子飞舞,形容大好春光或比喻大好形势:大地春回,~。

俩(倆) yīngliǎng 又 liǎng 量 英两(盎司)旧也作俩。

哩 yīnglǐ 又 lǐ 量 英里旧也作哩。另见 830 页 li;843 页 · li。

罃(罃) yīng〈书〉同"罂"。

婴¹(嬰) yīng 婴儿:妇~|溺~。

婴²(嬰) yīng〈书〉触;缠绕:~疾(得病)。

【婴儿】yīng'ér 名 不满一岁的小孩儿。

【婴孩】yīnghái 名 婴儿。

媖 yīng〈书〉妇女的美称。

瑛 yīng〈书〉❶ 美玉。❷ 玉的光彩。

噮 yīngmǔ 又 mǔ 量 英亩旧也作噮。

镆(鎈) yīng〈书〉铃声。

擛(擛) yīng〈书〉❶ 接触;触犯:~其锋|~怒。❷ 纠缠;扰乱。

蘡(蘡) yīng [蘡薁](yīngyù)名 落叶藤本植物,枝条细长有棱角,叶子阔卵形,有 3—5 个深裂,圆锥花序,浆果黑紫色。茎、叶可入药。

嘤(嘤) yīng〈书〉拟声 形容鸟叫声。

罂(罌、甖) yīng〈书〉小口大肚的瓶子。

【罂粟】yīngsù 名 一年生或二年生草本植物,全株有白粉,叶子长圆形,边缘有缺刻,花红色、粉色或白色,果实球形。果实未成熟时划破表皮,流出汁液,用来制取阿片。果壳可入药。

缨(纓) yīng ❶古代帽子上系在颔下的带子，泛指带子。❷（～儿）缨子①：红～枪。❸（～儿）缨子②：芥菜～。

【缨子】yīng·zi ❶系在服装或器物上的穗状饰物：帽～。❷像缨子的东西：萝卜～。

璎(瓔) yīng〈书〉似玉的石头。

【璎珞】yīngluò 古代用珠玉穿成的戴在颈项上的装饰品。

樱(櫻) yīng ❶指樱桃。❷指樱花。

【樱花】yīnghuā ❶落叶乔木，叶子椭圆形，花白色或粉红色，果实球形，黑色。供观赏。❷这种植物的花。

【樱桃】yīng·táo ❶落叶乔木或灌木，叶子长卵圆形，花白色略带红晕。果实近球形，红色，味甜，可以吃。❷这种植物的果实。

霙 yīng〈书〉雪花。

鹦(鸚) yīng 见下。

【鹦哥】yīng·gē（～儿）〈口〉鹦鹉。

【鹦鹉】yīngwǔ 鸟，头部圆，上嘴大，呈钩状，下嘴短小，羽毛美丽，有白、赤、黄、绿等色。生活在热带树林里，吃果实。能模仿人说话的声音。

【鹦鹉螺】yīngwǔluó 软体动物，外形稍像鹦鹉，后端带有螺壳，口旁有丝状触角，没有吸盘，用鳃呼吸。生活在海底。

【鹦鹉学舌】yīngwǔ xué shé 鹦鹉学人说话，比喻别人怎样说，他也跟着怎样说（含贬义）。

膺[1] yīng〈书〉胸：义愤填～。

膺[2] yīng〈书〉❶承受；承当：荣～勋章。❷讨伐；打击：～惩。

【膺惩】yīngchéng〈书〉讨伐；打击。

【膺选】yīngxuǎn〈书〉当选。

鹰(鷹) yīng 鸟，上嘴呈钩形，颈短，脚部长有毛，足趾有长而锐利的爪。是猛禽，捕食鸟兽及其他鸟类。种类很多，如苍鹰、雀鹰、老鹰等。

【鹰鼻鹞眼】yīng bí yào yǎn 形容奸诈凶狠的人的相貌。

【鹰犬】yīngquǎn 打猎所用的鹰和狗，比喻受驱使、做爪牙的人。

【鹰隼】yīngsǔn〈书〉鹰和隼，都捕食小动物和其他鸟类，比喻凶猛或勇猛的人。

【鹰洋】yīngyáng 旧时曾在我国市面上流通过的墨西哥银币，正面有凸起的鹰形。

䜴 yīng〈书〉同"应"(yīng)。
另见 1639 页 yìng。

yíng （ㄧㄥˊ）

迎 yíng ❶迎接：欢～|～宾|～新会。❷对着；冲(chòng)着：～面|～风|～上去打招呼。

【迎春花】yíngchūnhuā 落叶灌木，羽状复叶，小叶卵形或长椭圆形，花黄色，早春开花。供观赏，花、枝、叶都可入药。

【迎风】yíng//fēng ❶对着风：这里坐着迎～，很凉爽。❷随风：红旗～招展。

【迎合】yínghé 故意使自己的言语或举动适合别人的心意：～上司|～观众。

【迎候】yínghòu 到某个地方等候迎接（到来的人）：提前半小时到车站～。

【迎击】yíngjī 对着敌人的方向攻击：奋勇～|～进犯之敌。

【迎接】yíngjiē 到某个地点去陪同客人等一起来：前往机场～贵宾◇～劳动节|～新的战斗任务。

【迎面】yíng//miàn（～儿）冲着脸：西北风正～儿刮着|～走上去打招呼。

【迎亲】yíng//qīn 结婚时男家用花轿、轿车、鼓乐等到女家迎接新娘。

【迎娶】yíngqǔ ❶娶。❷迎亲。

【迎刃而解】yíng rèn ér jiě 用刀劈竹子，劈开了口儿，下面的一段就迎着刀口自己裂开（语出《晋书·杜预传》）。比喻主要的问题解决了，其他有关的问题就可以很容易地得到解决。

【迎头】yíng//tóu（～儿）迎面；当头：～痛击。

【迎头赶上】yíngtóu gǎnshàng 加紧追上最前面的。

【迎新】yíngxīn 欢迎新来的同事、同学等：～晚会。

【迎迓】yíngyà 〈书〉动迎接。

【迎战】yíngzhàn 动朝着敌人来的方向上前去作战：～敌军◇我队在决赛中将～欧洲劲旅。

茔(塋) yíng 〈书〉坟地：～地|祖～。

荥(滎) yíng 荥经（Yíngjīng），地名，在四川。
另见1526页 xíng。

荧(熒) yíng 〈书〉❶光亮微弱的样子：一灯～然。❷眼光迷乱，疑惑：～惑。

【荧光】yíngguāng 名某些物质受光或其他射线照射时所发出的可见光。光和其他射线停止照射，荧光随之消失。荧光灯和荧光屏都涂有荧光物质。

【荧光灯】yíngguāngdēng 名灯的一种，在真空玻璃管里充入水银，两端安装电极，管的内壁涂有荧光物质。通电后水银蒸气放电，同时产生紫外线，激发荧光物质而发光。常见的荧光灯光和日光相似。俗称日光灯。

【荧光屏】yíngguāngpíng 名涂有荧光物质的屏，X射线、紫外线、阴极射线照射在荧光屏上能发出可见光。如示波器和电视机上都装有荧光屏，用来把阴极射线变为图像。

【荧惑】yínghuò ❶〈书〉动迷惑：～人心。❷名我国古代天文学上指火星。

【荧幕】yíngmù 名荧屏。

【荧屏】yíngpíng 名荧光屏。特指电视荧光屏，也借指电视：这部连续剧下周即可在～上和观众见面。

【荧荧】yíngyíng 形形容星光或灯烛光：明星～|一灯～。

盈 yíng ❶充满：充～|丰～|车马～门|恶贯满～。❷多出来；多余：～余|～利。❸（Yíng）名姓。

【盈亏】yíngkuī 名❶指月亮的圆和缺。❷指赚钱或赔本：自负～。

【盈利】yínglì 同"赢利"。

【盈盈】yíngyíng 形❶形容清澈：春水～|荷叶上露珠～。❷形容仪态美好：～顾盼。❸形容情绪、气氛等充分流露：喜气～|笑脸～。❹形容动作轻盈：～起舞。

【盈余】（赢余）yíngyú ❶动收入中除去开支后剩余：～二百元。❷名收入中去开支后剩余的财物：有二百元的～。

莹(瑩) yíng ❶〈书〉光洁像玉的石头。❷光亮透明：晶～。

萤(螢) yíng 名昆虫，身体黄褐色，触角丝状，腹部末端有发光的器官，能发萤绿色的光。白天伏在草丛里，夜晚飞出来。种类很多，通称萤火虫。

【萤火虫】yínghuǒchóng 名萤的通称。

营¹(營) yíng ❶谋求：～生|～救。❷经营；管理：～造|～业|～国|～民～。❸（Yíng）名姓。

营²(營) yíng ❶军队驻扎的地方：军～|安～。❷名军队的编制单位，隶属于团，下辖若干连。

【营办】yíngbàn 动操持办理；承办。

【营地】yíngdì 名部队扎营的地方。

【营房】yíngfáng 名专供军队驻扎的房屋及其周围划定的区域。

【营火】yínghuǒ 名夜间露营时燃起的火堆。

【营火会】yínghuǒhuì 名一种露天晚会，多在野外，大家围着火堆谈笑歌舞。

【营建】yíngjiàn 动营造；建造：～宿舍楼。

【营救】yíngjiù 动设法援救：～遇险船员。

【营垒】yínglěi 名❶军营和四周的围墙。❷阵营：革命～。

【营利】yínglì 动谋求利润。

【营盘】yíngpán 名兵营的旧称。

【营区】yíngqū 名指军队扎营的地区。

【营生】yíngshēng 动谋生活：船户们长年都在水上～。

【营生】yíng·sheng （～儿）〈方〉名职业；工作：找个正经～|地里的～他都拿得起来。

【营私】yíngsī 动谋求私利：结党～|～舞弊。

【营私舞弊】yíngsī wǔbì 为谋求私利耍弄手段，干违法乱纪的事。

【营销】yíngxiāo 动经营销售：～观念|～人员|网上～。

【营养】yíngyǎng 名❶机体从外界吸取需要的物质来维持生长发育等生命活动的作用。❷养分：水果富于～。

【营养素】yíngyǎngsù 名食物中具有营养的物质，包括蛋白质、脂肪、糖类、维生素、无机盐和水等。

【营业】yíngyè 动（商业、服务业、交通运输业等）经营业务：～额|开始～|扩充～。

【营业税】yíngyèshuì 名 工商业部门按营业额的大小向政府交纳的税款。

【营业员】yíngyèyuán 名 售货员和收款员的统称。

【营运】yíngyùn 动❶（车船等）营业和运行；运输：这条新船即将投入～。❷ 经营，一般指经商（多见于早期白话）。

【营造】yíngzào 动❶ 经营建筑：～住宅。❷ 有计划、有目的地造：～防护林｜～气氛｜～优雅的居住环境。

【营造尺】yíngzàochǐ 名 清代工部营造所用的尺，合0.32米。为当时的标准长度单位。

【营寨】yíngzhài 名 旧时驻扎军队的地方；军营：偷袭～。

【营帐】yíngzhàng 名 军队或野外工作者等住宿用的帐篷。

萦（縈）yíng〈书〉围绕；缠绕：琐事～身。

【萦怀】yínghuái 动 牵挂在心上：离思～｜国事家事，梦寐～。

【萦回】yínghuí 动 回旋往复；曲折环绕：当年情景，～脑际｜青山环抱、绿水～。

【萦绕】yíngrào 动 萦回：泉石～｜云雾～。

【萦系】yíngxì 动 记挂；牵挂：思乡之念～心头。

【萦纡】yíngyū〈书〉动 旋绕弯曲；萦回。

溁（濴）yíng 地名用字：～湾镇（在湖南长沙）。

蓥（鎣）yíng 华蓥（Huáyíng），山名，在四川东部和重庆西北部。

楹yíng❶ 堂屋前部的柱子：～联。❷〈书〉量 房屋一间为一楹：园内有小舍三～。

【楹联】yínglián 名 挂或贴在楹上的对联，泛指对联。

滢（瀅）yíng〈书〉清澈。

璎（瓔）yíng 人名用字。

蝇（蠅）yíng 名 苍蝇：～拍｜～蛹｜灭～。

【蝇甩儿】yíngshuǎir〈方〉名 拂尘。

【蝇头】yíngtóu 名 苍蝇的头，比喻非常小的东西：～小楷｜～微利。

【蝇营狗苟】yíng yíng gǒu gǒu 像苍蝇那样飞来飞去，像狗那样苟且偷生，比喻人不顾廉耻，到处钻营。也说狗苟蝇营。

【蝇子】yíng·zi〈口〉名 苍蝇。

潆（瀠）yíng 见下。

【潆洄】yínghuí 动 水流回旋。

【潆绕】yíngrào 动 水流环绕：清溪～。

嬴Yíng 名 姓。

赢（贏）yíng❶ 动 胜（跟"输"相对）：比赛结果，甲队～了｜这盘棋下和了，谁也没～。❷ 获利。

【赢得】yíngdé 动 博得；取得：～时间｜～信任与支持｜精彩的表演～全场喝彩。

【赢家】yíng·jiā 名 指赌博或比赛中获胜的一方。

【赢利】yínglì❶ 名 企业单位的利润。❷ 动 获得利润：今年由亏损转为～。‖也作盈利。

【赢面】yíngmiàn 名 竞赛中战胜对手的概率（多用于预测）：这场对抗赛主队的～要大些。

【赢余】yíngyú 见1634页【盈余】。

瀛yíng❶〈书〉大海。❷（Yíng）名 姓。

【瀛海】yínghǎi〈书〉名 大海。

【瀛寰】yínghuán〈书〉名 指全世界。

籯（籯）yíng〈书〉名❶ 箱笼（lǒng）一类的器具。❷ 放筷子的笼子（lóng·zi）。

yǐng（ㄧㄥˇ）

郢Yǐng 周朝时楚国的都城，在今湖北江陵北。

颍（潁）Yǐng 颍河，水名，发源于河南，流入安徽。

颖（穎、頴）yǐng❶ 某些禾本科植物（如稻、麦）子实的带芒的外壳：～果。❷〈书〉指某些小而细长的东西的尖端：短～羊毫（笔）。❸〈书〉聪明：聪～。

【颖果】yǐngguǒ 名 干果的一种，种皮和果皮合而为一，里面只有一粒种子。禾本科植物的果实都是颖果，如稻、麦的果实。

【颖慧】yǐnghuì〈书〉形 聪明（多指少年）。

【颖悟】yǐngwù 〈书〉形 聪明，悟性强（多指少年）。

【颖异】yǐngyì 〈书〉形 ❶ 指聪明过人：自幼～。❷ 新颖奇异：构思～。

影 yǐng ❶（～儿）名 影子①：树～│阴～。～儿。❷（～儿）名 影子②：倒～。❸（～儿）名 影子③：人～。❹ 照片：小～│合～。❺ 旧时指祖先的画像。❻ 指电影：～评│～院。❼ 指皮影戏：滦州～。❽〈方〉动 隐藏；遮蔽：一只野兔在草丛里｜把棍子～在背后。❾ 描摹：～宋本。❿（Yǐng）名 姓。

【影壁】yǐngbì 名 ❶ 大门内或屏门内做屏蔽的墙壁。也有木制的，下有底座，可以移动。上面像屋脊。❷ 照壁。❸ 指塑有各种形象的墙壁。

【影帝】yǐngdì 名 指获得电影节最佳男演员称号的人。

【影碟】yǐngdié 〈方〉名 数字激光视盘或视频光盘。

【影格儿】yǐnggér 名 小孩儿初学毛笔字时放在纸下模仿着写的字样子。

【影后】yǐnghòu 名 指获得电影节最佳女演员称号的人。

【影集】yǐngjí 名 用来存放照片的本子。

【影剧院】yǐngjùyuàn 名 供放映电影、演出戏剧、歌舞、曲艺的场所。

【影迷】yǐngmí 名 喜欢看电影而入迷的人。

【影片儿】yǐngpiānr 〈口〉名 影片。

【影片】yǐngpiàn 名 ❶ 用来放映电影的胶片。参看767页〖拷贝〗。❷ 放映的电影：故事～│科学教育～。

【影评】yǐngpíng 名 评论电影的文章。

【影射】yǐngshè 动 借甲指乙；暗指（某人某事）：小说的主角～作者的一个同学。

【影视】yǐngshì 名 电影和电视：～圈｜～明星。

【影坛】yǐngtán 名 指电影界。

【影戏】yǐngxì 名 ❶ 皮影戏。❷〈方〉电影。

【影响】yǐngxiǎng ❶ 动 对别人的思想或行动起作用（如风之随形，响之应声）：父母应该自己的模范行动去～孩子。❷ 名 对人或事物所起的作用：这件事造成很大的～。❸〈书〉形 传闻的；无根据的：模糊～之谈。

【影像】yǐngxiàng 名 ❶ 肖像；画像。❷ 形象：他的～时刻在我眼前浮现。❸ 物体通过光学装置、电子装置等呈现出来的形状。

【影星】yǐngxīng 名 电影明星。

【影印】yǐngyìn 动 用照相的方法制版印刷，多用于翻印书籍或图表。

【影影绰绰】yǐngyǐngchuòchuò （～的）形 状态词。模模糊糊；不真切：天刚亮，～地可以看见墙外的槐树梢儿。

【影院】yǐngyuàn 名 电影院。

【影展】yǐngzhǎn 名 ❶ 摄影作品展览。❷ 同类的电影以展览为目的集中在一段时间内放映的活动。

【影子】yǐng·zi 名 ❶ 物体挡住光线后，映在地面或其他物体上的形象：树～。❷ 镜中、水面等反映出来的物体的形象。❸ 模糊的形象：那件事我连点儿～也记不得了。

【影子内阁】yǐng·zi nèigé 某些国家的在野党在其议会党团内部按照内阁形式组成的准备上台执政的班子。始于英国。

瘿（瘿）yǐng 名 ❶ 机体组织受病原刺激后的局部增生，通常为囊状物。❷ 中医指生长在脖子上的一种囊状的瘤子，主要指甲状腺肿大等病症。

yìng（丨ㄥ丶）

应（應）yìng ❶ 回答；答应：～｜呼～。❷ 动 满足要求；允许；接受：有求必～｜～聘｜～主人的邀请前去做客。❸ 顺应；适应：～时｜～景｜得心～手。❹ 应付：～变｜～急｜～接不暇。

另见1631页yīng。

【应变】[1] yìngbiàn 动 应付突然发生的情况：随机～｜他的～能力很强。

【应变】[2] yìngbiàn 名 物体由于外因（受力、温度变化等）或内在缺陷，它的形状尺寸所发生的相对改变。

【应标】yìng//biāo 动 接受招标：～承包｜无人应这个标。

【应承】yìng·chéng 动 答应（做）：满口～｜把事情～下来。

【应城】Yìngchéng 名 地名，在湖北。

【应酬】yìng·chou ❶ 动 交际往来；以礼相

待：～话｜不善～。❷ 图 指私人间的宴会、聚会等：今天晚上有个～。

【应从】yìngcóng 动 答应并顺从：他点头～了大家的建议。

【应答】yìngdá 动 回答：～如流。

【应敌】yìngdí 动 应付敌人：～计划｜现有兵力不足以～。

【应对】yìngduì 动 ❶ 答对：善于～｜～自如。❷ 采取措施、对策以应付出现的情况：～措施｜严峻挑战。

【应付】yìng·fù 动 ❶ 对人对事采取措施、办法：～局面｜事变｜事情太多，难于～。❷ 敷衍了事：～事儿。❸ 将就；凑合：这件衣服今年还可以～过去。

【应和】yìnghè 动（声音、语言、行动等）相呼应：同声～。

【应激】yìngjī 动 对刺激产生反应：心理～｜～状态。

【应急】yìng/jí 应付迫切的需要：～措施｜你先借我点儿钱应应急。

【应季】yìngjì 形 属性词。适应当时季节的：～水果｜～销售。

【应接不暇】yìngjiē bù xiá 形容来人或事情太多，接待应付不过来：图书馆挤满了人，有还书的，有借书的，工作人员～。

【应景】yìngjǐng （～儿）动 ❶（-//-）为了适应当前情况而勉强做某事：他本来不大会喝酒，可是在宴会上也不得不应个景儿。❷ 适合当时的节令：～果品｜端午吃粽子是～儿。

【应举】yìngjǔ 动 指参加科举考试，明清两代指参加乡试。

【应考】yìngkǎo 动 参加招考的考试：踊跃～｜今年～人数超过往年。

【应力】yìnglì 图 物体由于外因或内在缺陷而产生形变时，在它内部任一截面单位面积上两方的相互作用力。

【应卯】yìng/mǎo 动 旧时官厅每天卯时（早晨五点到七点）查点到班人员，点名时到班的人应声叫应卯，现比喻到场应付一下：上班他应个卯就走了。

【应门】yìng/mén 动 为敲门或叫门的人开门。

【应募】yìngmù 动 接受招募：～从军。

【应诺】yìngnuò 动 答应；应承：连声～｜慨然～。

【应拍】yìng//pāi 拍卖商品时，拍卖师

报出起价后，竞买人对该价格表示接受，叫应拍：一万元的起价刚叫出，竞买人纷纷举牌。

【应聘】yìngpìn 动 接受聘请：他～到广州教书。

【应山】Yìngshān 图 地名，在湖北。

【应声】yìngshēng 副 随着声音：～而至｜一枪打去，匪首～而倒。
另见 1631 页 yīng//shēng。

【应声虫】yìngshēngchóng 图 比喻随声附和的人（含鄙视意）。

【应时】yìngshí ❶ 形 属性词。适合时令的：～小菜｜～货品。❷ 副 立刻；马上：车子一歪，～他就摔了下来。

【应市】yìngshì 动（商品）适应市场需要上市出售：新产品即将～｜大批水产品节前～。

【应试】yìngshì 动 ❶ 应考。❷ 应对考试：～教育。

【应试教育】yìngshì jiàoyù 以单纯培养学生应对考试的能力为主要目的的教育。

【应诉】yìng/sù 动 在民事诉讼或行政诉讼中被告对原告提出的诉讼请求给予答辩。

【应县】Yìng Xiàn 图 地名，在山西。

【应验】yìngyàn 动（预言、预感）和后来发生的事实相符：他的预测果然～了。

【应邀】yìngyāo 动 接受邀请：～前往。

【应用】yìngyòng ❶ 动 使用：～新技术｜这种方法～得最为普遍。❷ 形 属性词。直接用于生活或生产的：～文｜～科学。

【应用科学】yìngyòng kēxué 跟人类生产、生活直接联系的科学，如医学、农学。

【应用卫星】yìngyòng wèixīng 供地面上实际业务应用的人造地球卫星，如气象卫星、通信卫星、导航卫星、侦察卫星、预警卫星等。

【应用文】yìngyòngwén 图 指日常生活或工作中经常应用的文体，如公文、书信、广告、收据等。

【应援】yìngyuán 动（军队）接应。

【应运】yìngyùn 动 原指应天命（而降生），泛指顺应时机：～而生。

【应运而生】yìng yùn ér shēng 原指顺应天命而降生，后泛指随着某种形势而产生：随着电脑的普及、网上教育～。

【应战】yìng//zhàn 动 ❶ 跟进攻的敌人作

战：沉着～。❷ 接受对方提出的挑战条件：我坚决～，保证按时完成生产任务。

【应招】yìngzhāo 动 接受招考、招募等。

【应诊】yìngzhěn 动 接受病人，给予治疗：～时间｜节假日照常～。

【应征】yìngzhēng 动 ❶ 适龄的公民响应征兵号召：～入伍。❷ 泛指响应某种征求或征集：～稿件。

【应制】yìngzhì 动 指奉皇帝的命令而写作诗文：～诗。

映 yìng 动 因光线照射而显出物体的形象：反～｜放～｜垂柳倒～在水里。

【映衬】yìngchèn ❶ 动 映照；衬托：红墙碧瓦，互相～。❷ 名 修辞方式，并列相反的事物，形成鲜明的对比。如"为人民利益而死，就比泰山还重｜替法西斯卖力，替剥削人民和压迫人民的人去死，就比鸿毛还轻"。

【映带】yìngdài 〈书〉动 景物相互衬托：湖光山色，～左右。

【映期】yìngqī 名 一部电影在影院上映的一段时间：应观众要求延长～。

【映山红】yìngshānhóng 名 杜鹃（植物）。

【映射】yìngshè 动 照射：阳光～在江面上。

【映现】yìngxiàn 动 由光线照射而显现；呈现：轮船驶向海岸，热带岛国的景色～在眼前｜当年的情景再次在脑海中～。

【映照】yìngzhào 动 照射：霞光～。

硬 yìng ❶ 形 物体内部的组织紧密，受外力作用后不容易改变形状（跟"软"相对）：坚～｜～木｜～煤。❷ 形 (性格)刚强；(意志)坚定：强～｜～汉子｜话说得～。❸ 副 坚决或执拗地(做某事)：不让他去，他～要去。❹ 副 勉强地(做某事)：～撑｜他一发狠，～爬上去了。❺ 形 (能力)强；(质量)好：～手｜货色。

【硬邦邦】yìngbāngbāng （～的）形 状态词。形容坚硬结实。

【硬棒】yìng·bang 〈方〉形 硬；结实有力：有了这根～的拐棍儿，上山就得力了｜老人的身体还挺～。

【硬包装】yìngbāozhuāng 名 用镀锡铁、玻璃瓶等质地较硬的包装材料做的密封包装。

【硬笔】yìngbǐ 名 指笔尖坚硬的笔，如钢笔、圆珠笔等(对笔尖柔软的毛笔而言)：～书法。

【硬币】yìngbì 名 金属的货币。

【硬磁盘】yìngcípán 名 以铝合金为基底的磁盘。通常固定在计算机内使用。简称硬盘。

【硬度】yìngdù 名 ❶ 固体坚硬的程度，也就是固体对磨损和外力所能引起的形变的抵抗能力的大小。参看 965 页〖莫氏硬度表〗。❷ 水中含可溶性钙盐、镁盐等盐类的多少，叫做水的硬度。

【硬腭】yìng'è 名 腭的前部，是由骨和肌肉构成的。(图见 568 页"人的喉")

【硬弓】yìnggōng 名 拉起来费力大的弓。

【硬骨头】yìnggǔ·tou 名 比喻坚强不屈的人。

【硬骨鱼】yìnggǔyú 名 鱼的一大类，骨骼大部坚硬，椎骨的主体常为两凹状、鳃多为栉状，鳍有硬刺。供食用的鱼多属硬骨鱼类。

【硬广告】yìngguǎnggào 名 指直接介绍商品、服务内容等的传统形式的广告，通过报刊刊登、设置广告牌、电台和电视台播出等进行宣传(区别于"软广告")。

【硬汉】yìnghàn 名 坚强不屈的男子。也说硬汉子。

【硬化】yìnghuà 动 ❶ (物体)由软变硬：生橡胶遇冷容易～，遇热容易软化｜血管～。❷ 比喻思想停止发展；僵化。

【硬环境】yìnghuánjìng 名 指交通、通信、水电设施等物质环境(区别于"软环境")：在抓好开发区～建设的同时，也要努力改善软环境。

【硬件】yìngjiàn 名 ❶ 计算机系统的一个组成部分，是构成计算机的各个元件、部件和装置的统称。也叫硬设备。❷ 借指生产、科研、经营等过程中的机器设备、物质材料等。

【硬结】yìngjié ❶ 动 结成硬块；变硬。❷ 名 硬块：外痔在肛门周围形成～。

【硬撅撅】yìngjuējuē （～的）〈方〉形 状态词。❶ 形容很硬(含厌恶意)：衣服浆得～的，穿着不舒服。❷ 形容生硬：他说话～的，让人接受不了。

【硬朗】yìng·lang 形 ❶〈口〉(老人)身体健壮：大爷身板还挺～。❷ 坚强有力：这几句话，他说得十分～。

【硬煤】yìngméi 〈方〉名 无烟煤。

【硬面】yìngmiàn （～儿）名 用少量水和成的面或在发酵的面中掺入干面和成的面：～馒头。

【硬木】yìngmù 名 坚实细致的木材，多指紫檀、花梨等。

【硬盘】yìngpán 名 硬磁盘的简称。

【硬碰硬】yìng pèng yìng 硬的东西碰硬的东西，比喻用强力对付强力，用强硬的态度对付强硬的态度，也指毫无回旋的余地。

【硬片】yìngpiàn 名 干板（跟"软片"相对）。

【硬气】yìng·qi 〈方〉形 ❶ 刚强；有骨气：为人～。❷ 有正当理由，于心无愧（多在用钱、吃饭上说）：她觉得自己挣的钱用着～。

【硬驱】yìngqū 名 硬盘驱动器的简称。参看 224 页〖磁盘驱动器〗。

【硬任务】yìngrènwù 名 在时间、数量、质量等方面有明确要求，不能通融、改变的任务。

【硬伤】yìngshāng 名 ❶ 身体等受到的明显的损害：他的腿受过～，走路有点跛。❷ 指明显的错误或缺陷：出版物要消灭错别字之类的～。

【硬设备】yìngshèbèi 名 硬件。

【硬实】yìng·shi 〈方〉形 硬；结实。

【硬是】yìngshì 副 ❶ 〈方〉实在是；真的是。❷ 就是（无论如何也是）：他虽然身体不好，可～不肯休息。

【硬手】yìngshǒu （～儿）名 能手；强手：这人真是把～儿，干活又快又细致。

【硬水】yìngshuǐ 名 含有较多钙、镁、铁、锰等的可溶性盐类的水，味道不好，并容易形成水垢。

【硬挺】yìngtǐng 动 勉强支撑：有了病不要～，应该早点儿治。

【硬通货】yìngtōnghuò 名 指在国际上能广泛作为计价、支付、结算手段使用的货币。

【硬卧】yìngwò 名 火车上的硬席卧铺。

【硬武器】yìngwǔqì 名 指用来直接杀伤敌人或摧毁敌方军事目标的武器，如枪炮、地雷、导弹等。

【硬席】yìngxí 名 火车上设备比较简单的、硬的座位或铺位。

【硬性】yìngxìng 形 属性词。不能改变的；不能通融的：～规定。

【硬玉】yìngyù 名 矿物，成分是钠和铝的硅酸盐，质地细密而硬。是翡翠中的主要矿物。

【硬仗】yìngzhàng 名 正面硬拼的战斗；艰苦激烈的战斗：打～。

【硬着头皮】yìng·zhe tóupí 不得已勉强做某事：这首译实在难译，他还是～译下去。

【硬挣】yìng·zheng 〈方〉形 ❶ 硬而有韧性：这种纸很～，可以做包装。❷ 坚强；强硬有力的：找个～的搭档。

【硬指标】yìngzhǐbiāo 名 有明确而严格的要求，不能通融、改变的指标：每月生产两千辆汽车，这是必须完成的～。

【硬着陆】yìngzhuólù 动 ❶ 人造卫星、宇宙飞船等不经减速控制而以高速度降落到地面或其他星体表面上。❷ 比喻采取过急、过猛的措施较生硬地解决某些重大问题。

【硬座】yìngzuò 名 火车上的硬席座位。

暎 yìng 〈书〉同"映"。

滕 yìng 〈书〉❶ 陪送出嫁。❷ 陪嫁的人。❸ 妾。

膺 yìng 〈书〉同"应"（yìng）。
另见 1633 页 yīng。

yō（ㄧㄛ）

育 yō 见 540 页〖杭育〗。
另见 1667 页 yù。

哟（喲） yō 叹 表示轻微的惊异（有时带玩笑的语气）：～，你踩我脚了。
另见 1639 页·yo。

唷 yō 见 560 页〖哼唷〗。

·yo （·ㄧㄛ）

哟（喲） ·yo ❶ 助 用在句末表示祈使的语气：快点儿来～|大家一齐用力～! ❷ 用在歌词中做衬字：呼儿嗨～!
另见 1639 页 yō。

yōng（ㄩㄥ）

佣（傭） yōng ❶ 雇用：雇~｜~工。❷ 仆人：女~。

另见 1643 页 yòng。

【佣工】yōnggōng 图 受雇为人做工的人。

拥（擁） yōng ❶ 抱：~抱。❷ 动 围着：前呼后~｜一群青年工人~着一位老师傅走出来。❸ 动（人群）挤着走：一~而入｜大家都~到前边去了。❹ 拥护：~戴｜军~属。❺〈书〉拥有：~兵百万。❻（Yōng）图 姓。

【拥抱】yōngbào 动 为表示亲爱而相抱。

【拥戴】yōngdài 动 拥护推戴：深受群众~。

【拥堵】yōngdǔ 动 由于车辆多、秩序乱或道路狭窄等造成车辆拥挤、道路堵塞：采取措施缓解市区交通~状况。

【拥趸】yōngdǔn〈方〉图 指演员、运动员或运动队等的支持者。

【拥护】yōnghù 动 对领袖、党派、政策、措施等表示赞成并全力支持：~党的领导。

【拥挤】yōngjǐ ❶ 动（人或车船等）挤在一起：按次序上车，不要~。❷ 形 地方相对地小而人或车船等相对多：星期天市场里特别~。

【拥军】yōngjūn 动 拥护人民军队：~模范。

【拥军优属】yōng jūn yōu shǔ 拥护人民军队，优待革命军人家属。

【拥塞】yōngsè 动 拥挤的人马、车辆或船只等把道路或河道堵塞：车站入口处~得水泄不通。

【拥有】yōngyǒu 动 领有；具有（大量的土地、人口、财产等）：柴达木盆地~二十二万平方公里的面积｜我国~丰富的水电资源。

【拥政爱民】yōng zhèng ài mín 军队拥护政府，爱护人民。

痈（癰） yōng 图 皮肤和皮下组织的化脓性炎症，病原体是葡萄球菌，多发生在背部或项部，症状是局部红肿，形成硬块，表面有许多脓疱，有时痛，形成许多小孔，呈筛状，非常疼痛，常引起发热、寒战等，严重时并发败血症。

【痈疽】yōngjū 图 毒疮。

邕 Yōng ❶ 邕江，水名，在广西。❷ 图 广西南宁的别称。

【邕剧】yōngjù 图 广西地方戏曲剧种之一，流行于广西说粤语的地区。

庸[1] yōng ❶ 平凡；平庸：~言~行（平平常常的言行）。❷ 不高明；没有作为：~人｜~医｜~~碌碌。❸（Yōng）图 姓。

庸[2] yōng〈书〉❶ 用（多用于否定式）：无~细述｜毋~讳言。❷ 副 表示反问；岂：~有济乎？｜~可弃乎？

【庸才】yōngcái 图 指能力平常或能力低的人。

【庸夫】yōngfū 图 没有作为的人。

【庸碌】yōnglù 形 形容人平庸没有志气，没有作为：~无能｜庸庸碌碌，随波逐流。

【庸人】yōngrén 图 平庸没有作为的人。

【庸人自扰】yōng rén zì rǎo《新唐书·陆象先传》："天下本无事，庸人扰之为烦耳。"今泛指本来没有问题而自己瞎着急和自找麻烦。

【庸俗】yōngsú 形 平庸鄙俗；不高尚：~化｜作风~｜趣味~。

【庸医】yōngyī 图 医术低劣的医生。

【庸中佼佼】yōng zhōng jiǎojiǎo 指平常人中比较突出的（佼佼：美好）。

嗈（噰） yōng ［嗈嗈］（yōngyōng）〈书〉拟声 形容鸟叫声。

鄘 Yōng 周朝国名，在今河南新乡西南。

雍 yōng ❶〈书〉和谐。❷（Yōng）图 姓。

【雍容】yōngróng 形 形容文雅大方，从容不迫：~华贵｜态度~。

【雍正】Yōngzhèng 清世宗（爱新觉罗·胤禛）年号（公元 1723—1735）。

滽 Yōng 滽湖，古湖名，在今湖南岳阳。

墉（墉） yōng〈书〉城墙；高墙。

慵 yōng〈书〉困倦；懒②：~困｜~懒。

镛（鏞） yōng 古乐器，奏乐时表示节拍的大钟。

壅 yōng ❶ 堵塞：~塞｜~蔽。❷ 动 把土或肥料培在植物上：~土｜

肥。

【雍塞】yōngsè 勔 堵塞不通：泥沙～。

臃 yōng 〈书〉肿。

【臃肿】yōngzhǒng 彤 ❶ 过度肥胖，转动不灵：身躯～，步子缓慢。❷ 比喻机构庞大，调度不灵。

雝 yōng 同“雍”。

鳙（鱅）yōng 名 鳙鱼，体侧扁，鳞细，头大，眼睛靠近头的下部，背部暗黑色。生活在淡水中，是重要的食用鱼。也叫胖头鱼。

饔 yōng 〈书〉熟食，有时专指早饭。

【饔飧不继】yōng sūn bù jì 〈书〉指吃了上顿没有下顿（饔飧：早饭和晚饭）。

yóng （ㄩㄥˊ）

喁 yóng 〈书〉鱼口向上，露出水面。
另见 1661 页 yú。

【喁喁】yóngyóng 〈书〉彤 形容众人景仰归向的样子。
另见 1661 页 yúyú。

颙（顒）yóng 〈书〉❶ 大。❷ 仰慕：～望。

yǒng （ㄩㄥˇ）

永 yǒng ❶ 勔 永远；久远：～久｜～恒｜～世｜～不忘记。❷（Yǒng）名姓。

【永别】yǒngbié 勔 永远分别，多指人死。

【永垂不朽】yǒng chuí bù xiǔ （姓名、事迹、精神等）永远流传，不磨灭：人民英雄～！｜～的杰作。

【永存】yǒngcún 勔 永久存在；长存不灭：友谊～｜烈士的英名和业绩～。

【永恒】yǒnghéng 彤 永远不变：～的友谊。

【永嘉】Yǒngjiā 名 晋怀帝（司马炽）年号（公元 307—313）。

【永久】yǒngjiǔ 彤 永远；长久。

【永诀】yǒngjué 〈书〉勔 永别：岂料京城一别，竟成～。

【永乐】Yǒnglè 名 明成祖（朱棣）年号（公元 1403—1424）。

【永眠】yǒngmián 勔 婉辞，指人死。

【永生】yǒngshēng ❶ 勔 原为宗教用语，指人死后灵魂永久不灭，现在一般用作哀悼死者的话：为争取民族解放而牺牲的烈士们～！❷ 名 终生；一辈子：～难忘｜真善美是他～的追求。

【永生永世】yǒngshēng yǒngshì 永远：您的教诲我将～铭记在心。

【永世】yǒngshì 副 永远，也指终生：～长存｜～不忘。

【永逝】yǒngshì 勔 ❶ 永远消逝：青春～｜～的韶光。❷ 指人死。

【永续】yǒngxù 副 长久持续地；长期不间断地：资源应当实现～利用。

【永远】yǒngyuǎn 副 表示时间长久，没有终止：先烈们的革命精神～值得我们学习。

【永驻】yǒngzhù 〈书〉勔 永远停留：春光～｜青春～。

甬 Yǒng ❶ 甬江，水名，在浙江，流经宁波。❷ 名 浙江宁波的别称。

【甬道】yǒngdào 名 ❶ 大的院落或墓地中间对着厅堂、坟墓等主要建筑物的路，多用砖石砌成。也叫甬路。❷ 走廊；过道。

【甬路】yǒnglù 名 甬道①。

咏（詠）yǒng ❶ 依着一定腔调缓慢地诵读：歌～｜吟～。❷ 用诗词等来叙述：～雪｜～梅｜～史。

【咏怀】yǒnghuái 勔 抒发情怀抱负：～诗｜借物～。

【咏叹】yǒngtàn 勔 歌咏；吟咏；反复～。

【咏叹调】yǒngtàndiào 名 富于抒情的独唱歌曲，用管弦乐器或键盘乐器伴奏，能集中表现人物内心情绪，通常是歌剧、清唱剧和大合唱曲的组成部分。

泳 yǒng 游泳：仰～｜蛙～｜～装。

【泳程】yǒngchéng 名 游泳的距离：这次横渡，～五千米。

【泳池】yǒngchí 名 游泳池。

【泳道】yǒngdào 名 游泳池中供游泳比赛的分道，每道宽 2.5 米。分道线由单个白色浮标连接而成，分道线两端各 5 米的浮标为红色。

【泳镜】yǒngjìng 名 游泳时戴的保护眼睛

的眼镜。

【泳坛】yǒngtán 名 指游泳界。

【泳衣】yǒngyī 名 泳装。

【泳装】yǒngzhuāng 名 游泳时所穿的专用服装,多指女性穿的,有文胸式、背心式、比基尼式等。也说泳衣。

俑 yǒng 古代殉葬的偶像:陶～|兵马～。

勇 yǒng ❶ 形 勇敢:～武|奋～|越战越～|智～双全。❷ 清朝称战争时期临时招募,不在平时编制之内的兵:散兵游～。❸ (Yǒng)名 姓。

【勇敢】yǒnggǎn 形 不怕危险和困难;有胆量:机智～|～作战。

【勇悍】yǒnghàn 形 勇猛强悍。

【勇决】yǒngjué 〈书〉形 勇敢而有决断。

【勇力】yǒnglì 名 勇气和力量:～过人。

【勇猛】yǒngměng 形 勇敢而气势强大:～冲杀。

【勇气】yǒngqì 名 敢作敢为毫不畏惧的气魄:鼓起～。

【勇士】yǒngshì 名 有力气有胆量的人。

【勇往直前】yǒng wǎng zhí qián 勇敢地一直向前进。

【勇武】yǒngwǔ 形 英勇威武。

【勇于】yǒngyú 动 在困难面前不退缩;不推诿(后面跟动词):～负责|～承认错误。

埇 yǒng 埇桥(Yǒngqiáo),地名,在安徽宿州。

涌 yǒng ❶ 动 水或云气冒出:泪如泉～|风起云～。❷ 动 从水或云气中冒出:雨过天晴,一出一轮明月◇脸上～起了笑容。❸ 名 波峰呈半圆形,波长特别大、波速特别高的海浪。

另见 188 页 chōng。

【涌潮】yǒngcháo 名 海潮涌进喇叭形河口时,由于水位急骤升高而形成的直立的水墙,如我国的钱塘江涌潮。也叫暴涨潮或怒潮。

【涌流】yǒngliú 动 急速地流淌:江水～。

【涌现】yǒngxiàn 动 (人或物)大量出现:新人新作不断～。

yǒng 见 1297 页【怂恿】。

愿(懇)

湧 yǒng ❶ 同 "涌" (yǒng)。❷ (Yǒng)名 姓。

蛹 yǒng 名 完全变态的昆虫由幼虫变为成虫的过渡形态。幼虫生长到一定时期就不再吃东西,内部组织和外形发生变化,最后变成蛹,一般为枣核形。蛹在条件适合的情况下变为成虫。

踊(踴) yǒng 往上跳:～跃。

【踊跃】yǒngyuè ❶ 动 跳跃:欢呼～。❷ 形 形容情绪热烈,争先恐后:～参加|座谈会上发言非常～。

鲬(鱅) yǒng 名 鱼,体扁平而长,黄褐色,一般头部扁而宽,有黑褐色斑点,无鳔。种类很多。生活在海中。

yòng （ㄩㄥˋ）

用 yòng ❶ 动 使用:～力|～兵|公～|大材小～。❷ 费用:～项|家～。❸ 名 用处:功～多少总会有点～。❹ 动 需要(多用于否定式):天还很亮,不一开灯|东西都准备好了,您不～操心了。❺ 动 吃、喝(含恭敬意):～饭|请～茶。❻ 介 引进动作、行为所凭借的工具、手段等:～笔写字|～老眼光看人。❼〈书〉连 因此;因⑤(多用于书信):～特函达。❽ (Yòng)名 姓。

【用兵】yòng//bīng 动 指挥、调遣军队作战:善于～|～如神。

【用材林】yòngcáilín 名 以生产木材为主要目的的森林。

【用餐】yòng//cān 动 用饭(多用于比较正式的场合):～时间|提倡科学～。

【用场】yòngchǎng 名 用处:派～|有～。

【用处】yòng·chu 名 用途:水库的～很多。

【用典】yòng//diǎn 动 引用典故;运用典故:引诗～。

【用度】yòngdù 名 费用(包括各种):他家人口多,～也大。

【用法】yòngfǎ 名 使用的方法:虚词～|健身器的～可看说明书。

【用饭】yòng//fàn 动 敬辞,吃饭:您请～。

【用费】yòngfèi 名 某一件事上的费用:日常～|会议～由我方负担。

【用工】yòng//gōng 动 指招收工人或使用工人:改革～制度。

【用功】yònggōng ❶ (-/-)动 努力学习:他正在图书馆里～。❷ 形 用的工夫多;

花的力气大：读书很～。

【用户】yònghù 图 指某些设备、商品、服务的使用者或消费者（多指长期或定期的）：网络～|竭诚为～服务。

【用户界面】yònghù jièmiàn 计算机系统中实现用户与计算机信息交换的软件、硬件部分。软件部分包括用户与计算机信息交换的约定、操作命令等处理软件，硬件部分包括输入装置和输出装置。目前常用的是图形用户界面，它采用多窗口系统，显示直观形象，操作简便。也叫人机界面。简称界面。

【用劲】yòng∥jìn 劻 用力：一齐～|多用一把劲，就多一分成绩。

【用具】yòngjù 图 日常生活、生产等所使用的器具：炊事～。

【用力】yòng∥lì 劻 用力气；使劲：～喊叫|～把门推开。

【用命】yòngmìng 〈书〉劻 服从命令；效命：将士～。

【用品】yòngpǐn 图 使用的物品：生活～|办公～。

【用人】yòng∥rén 劻 ❶ 选择与使用人员：～不当|善于～。❷ 需要人手：现在正是～的时候。

【用人】yòng·ren 图 仆人：女～。

【用膳】yòng∥shàn 劻 用饭。

【用舍行藏】yòng shě xíng cáng 《论语·述而》："用之则行，舍之则藏。"被任用就出仕，不被任用就退隐，是儒家对于出处进退的态度。也说用行舍藏。

【用事】yòngshì 劻 ❶〈书〉当权：奸臣～。❷（凭感情、意气等）行事：意气～|感情～。❸〈书〉引用典故。

【用途】yòngtú 图 应用的方面或范围：橡胶的～很广|一套设备，多种～。

【用武】yòngwǔ 劻 使用武力；用兵◇英雄无～之地。

【用项】yòng·xiàng 图 费用：今年厂里要更新设备，～自然要增加一些。

【用心】¹ yòng∥xīn 形 集中注意力；多用心力：学习～|～听讲|你写字不能点心？

【用心】² yòngxīn 图 怀着的某种念头：～良苦|险恶|别有～。

【用刑】yòng∥xíng 劻动用刑法；施加刑法(xíng·fa)。

【用行舍藏】yòng xíng shě cáng 见〖用舍行藏〗。

【用意】yòngyì 图 用心；企图：我说这番话的～，只是想劝他。

【用印】yòng∥yìn 劻 盖图章(多用于正式场合)。

【用语】yòngyǔ ❶ 劻 措辞：～不当。❷ 图 某一方面专用的词语：军事～|外交～。

佣 yòng 佣金。
另见 1640 页 yōng。

【佣金】yòngjīn 图 买卖时付给中间人的报酬。

【佣钱】yòngqián〈口〉图 佣金。

优¹（優）yōu ❶ 形 优良；美好(跟"劣"相对)：～美|～等。❷〈书〉充足；富裕：～渥|～裕。❸ 优待：拥军～属。❹（Yōu）图 姓。

优²（優）yōu 旧时称演戏的人：～伶|名～。

【优待】yōudài 劻 给以好的待遇：～军烈属。

【优等】yōuděng 形 优良的等级；上等：～生|成绩～。

【优点】yōudiǎn 图 好处；长处(跟"缺点"相对)：勇于负责是他的～|这个办法有很多～。

【优抚】yōufǔ 劻 指对烈属、军属、残疾军人等优待和抚恤：做好～工作。

【优厚】yōuhòu 形 (待遇等)好；丰厚：月薪～。

【优弧】yōuhú 图 大于半圆的弧。

【优化】yōuhuà 劻 加以改变或选择使优良：～组合|～设计|～环境|～产业结构。

【优惠】yōuhuì 形 较一般优厚：～条件|贷款|价格～。

【优惠待遇】yōuhuì dàiyù 在国际商务关系中，一国对另一国给予比对其他国更优厚的待遇，如放宽进口限额、减免关税等。

【优价】yōujià 图 ❶ 高价；好价钱：优质～。❷ 优惠的较便宜的价格：～转让二手电脑。

【优良】yōuliáng 形（品种、质量、成绩、作风等）十分好：～的传统。

【优劣】yōuliè 名 好的和坏的：鉴别质量的～。

【优伶】yōulíng 名 旧时称戏曲演员。

【优美】yōuměi 形 美好：风景～｜姿态～｜～的民间艺术。

【优盘】yōupán 名 闪盘。[优，英文字母U的音译]

【优容】yōuróng 〈书〉宽待；宽容。

【优柔】yōuróu 形 ❶〈书〉宽舒；从容不迫。❷平和；柔和。❸ 犹豫不决：～的性格｜～寡断。

【优柔寡断】yōuróu guǎ duàn 办事迟疑，没有决断。

【优生】yōushēng 动 运用科学方法生育素质优良的孩子：提倡少生、～，控制人口数量，提高人口素质。

【优胜】yōushèng 形 成绩优秀，胜过别人：他在这次比赛中获得～奖。

【优势】yōushì 名 能超过对方的有利形势：集中～兵力｜这场比赛本队占～。

【优渥】yōuwò 〈书〉形 优厚：待遇～。

【优先】yōuxiān 动 在待遇上占先：～权｜～录取。

【优秀】yōuxiù 形（品行、学问、成绩等）非常好：～作品｜成绩～。

【优选】yōuxuǎn 动 选择出好的：对各种方案进行～，确定出最佳方案。

【优选法】yōuxuǎnfǎ 名 对生产和科学试验中提出的问题，根据数学原理，通过尽可能少的试验次数，迅速求得最佳方案的方法。

【优雅】yōuyǎ 形 ❶ 优美雅致：唱词～｜演奏～动听｜～宽敞的大厅。❷ 优美高雅：～的姿态｜举止～。

【优异】yōuyì 形（成绩、表现等）特别好：成绩～。

【优游】yōuyóu 〈书〉❶ 形 生活悠闲：岁月～｜～自得。❷ 动 悠闲сам乐：～林下。

【优育】yōuyù 动 运用科学方法抚育婴幼儿：优生～。

【优遇】yōuyù 动 优待：格外～｜以示～。

【优裕】yōuyù 形 富饶；丰足：生活～。

【优越】yōuyuè 形 优胜；优良：～的条件｜地理位置十分～。

【优越感】yōuyuègǎn 名 自以为比别人优越的意识。

【优质】yōuzhì 形 属性词。质量优良：～皮鞋｜～服务。

攸 yōu ❶〈书〉助 所：责有～归｜利害～关。❷（Yōu）名 姓。

忧（憂） yōu ❶ 忧愁：～闷｜～伤。❷ 使人忧愁的事：～患｜高枕无～。❸ 担心；忧虑：杞人～天｜～国～民。❹〈书〉指父母的丧事：丁～。❺（Yōu）名 姓。

【忧愁】yōuchóu 形 因遭遇困难或不如意的事而苦闷。

【忧烦】yōufán 形 忧愁烦恼。

【忧愤】yōufèn 形 忧闷愤慨：～而死。

【忧患】yōuhuàn 名 困苦患难：饱经～。

【忧惧】yōujù 动 忧虑害怕：～不安。

【忧虑】yōulǜ 动 忧愁担心：病情令人～。

【忧闷】yōumèn 形 忧愁烦闷：心中～。

【忧戚】yōuqī〈书〉形 忧伤。

【忧伤】yōushāng 形 忧愁悲伤：神情～｜极度的～摧残了他的健康。

【忧心】yōuxīn ❶ 动 忧虑；担心：大家都替他的身体～。❷ 名 忧愁的心情：～忡忡。

【忧心忡忡】yōu xīn chōngchōng 形容忧愁不安的样子。

【忧心如焚】yōu xīn rú fén 忧愁得心里像火烧火燎一样。

【忧悒】yōuyì〈书〉形 忧愁不安。

【忧郁】yōuyù 形 忧伤，愁闷：神情～。

呦 yōu 叹 表示惊异：～！怎么你也来了？

【呦呦】yōuyōu〈书〉拟声 形容鹿鸣声。

幽[1] yōu ❶ 深远；僻静；昏暗：～静｜～谷。❷ 隐蔽的；不公开的：～居｜～会。❸ 沉静：～思。❹ 囚禁：～囚｜～禁。❺ 阴间：～灵。

幽[2] Yōu ❶ 古州名，大致在今河北北部和辽宁南部。❷ 名 姓。

【幽暗】yōu'àn 形 昏暗：光线～｜～的角落。

【幽闭】yōubì 动 ❶ 幽禁。❷ 深居家中不能外出或不愿外出。

【幽愤】yōufèn 名 郁结在心里的怨愤。

【幽谷】yōugǔ 名 幽深的山谷：密林～。

【幽会】yōuhuì 动 相爱的男女秘密相会。

【幽魂】yōuhún 名 人死后的灵魂(迷信)。

【幽寂】yōujì 形 幽静;寂寞:～的生活。

【幽禁】yōujìn 动 软禁;囚禁。

【幽静】yōujìng 形 幽雅寂静:～的环境|树影婆娑,夜晚分外～。

【幽灵】yōulíng 名 幽魂。

【幽美】yōuměi 形 幽静美丽;幽雅:景色～|～的庭院。

【幽门】yōumén 名 胃与十二指肠相连的部分,是胃下端的口儿,胃中的食物通过幽门进入十二指肠。(图见 1493 页"人的消化系统")

【幽眇】yōumiǎo 〈书〉形 精微:义趣～。

【幽明】yōumíng 〈书〉名 指阴间和阳间:～永隔。

【幽冥】yōumíng ❶ 形 幽暗。❷ 名 指阴间。

【幽默】yōumò 形 有趣或可笑而意味深长:言辞～|～画。[英 humour]

【幽期】yōuqī 动 幽会。

【幽情】yōuqíng 名 深远的感情:发思古之～。

【幽囚】yōuqiú 动 囚禁。

【幽趣】yōuqù 名 幽雅的趣味。

【幽深】yōushēn 形 (山水、树林、宫室等)深而幽静:～的峡谷|山林～。

【幽思】yōusī ❶ 动 沉静地深思。❷ 名 隐藏在内心的思想感情。

【幽邃】yōusuì 〈书〉形 幽深:～的洞穴。

【幽宛】yōuwǎn 同"幽婉"。

【幽婉】yōuwǎn 形 (文学作品、声音、语调等)含意深而曲折:～的诗篇|～的歌声。也作幽宛。

【幽微】yōuwēi 形 ❶ (声音、气味等)微弱:～的呼唤|～的花香。❷〈书〉深奥精微:含义～。

【幽闲】yōuxián ❶ 同"幽娴"。❷ 同"悠闲"。

【幽娴】yōuxián 形 (女子)安详文雅:气度～。也作幽闲。

【幽香】yōuxiāng 名 清淡的香气:一缕～|～四溢。

【幽夐】yōuxiòng 〈书〉形 深远。

【幽雅】yōuyǎ 形 幽静而雅致:景致～|环境～。

【幽咽】yōuyè 〈书〉形 ❶ 形容低微的哭声。❷ 形容低微的流水声:泉水～。

【幽忧】yōuyōu 〈书〉形 忧伤。

【幽幽】yōuyōu 形 ❶ 形容声音、光线等微弱:～啜泣|～的灯光。❷〈书〉深远:～南山。

【幽远】yōuyuǎn 形 幽深:意境～|～的夜空。

【幽怨】yōuyuàn 名 隐藏在内心的怨恨(多指女子的与爱情有关的):深闺～。

悠¹ yōu ❶ 久;远:～久|～扬。❷ 闲适;闲散:～闲|～然。

悠² yōu 〈口〉动 悠荡:站在秋千上来回～|他抓住杠子,一～就上去了。

【悠长】yōucháng 形 长;漫长:～的岁月|～的汽笛声。

【悠荡】yōudàng 动 悬在空中摆动:坐在秋千上来回～。

【悠忽】yōuhū 〈书〉形 形容悠闲懒散。

【悠久】yōujiǔ 形 年代久远:历史～|～的文化传统。

【悠谬】yōumiù 〈书〉形 荒诞无稽。也作悠缪。

【悠缪】yōumiù 同"悠谬"。

【悠然】yōurán 形 悠闲的样子:～自得|～神往。

【悠闲】yōuxián 形 闲适自得:神态～|他退休后过着～的生活。也作幽闲。

【悠扬】yōuyáng 形 形容声音时高时低而和谐:琴声～|～的歌声。

【悠悠】yōuyōu 形 ❶ 长久;遥远:～长夜|～岁月|～山川。❷〈书〉众多:～万事。❸ 形容从容不迫:～自得。❹〈书〉荒谬:～之谈|～之论。

【悠游】yōuyóu ❶ 动 从容移动:小艇在荡漾的春波中～。❷ 形 悠闲:～自在|～从容的态度。

【悠远】yōuyuǎn 形 ❶ 离现在时间长:～的童年。❷ 距离远:山川～。

【悠着】yōu·zhe 〈方〉动 控制着不使过度:～点劲儿,别干得太猛了。

麀 yōu 古书上指母鹿。

鄾 Yōu 周朝国名,在今湖北襄樊北。

櫌 yōu ❶ 古代的一种农具,用来弄碎土块,平整田地。❷〈书〉播种后用櫌翻土、盖土。

yóu（又）

尤¹（尢） yóu ❶ 特异的；突出的：择～|拔其～|无耻之～。❷ 副 更；尤其：～甚|～妙|此地盛产水果，～以梨桃著称。❸（Yóu）名 姓。

尤²（尢） yóu ❶ 过失：效～。❷ 怨恨；归咎：怨天～人。

【尤其】yóuqí 副 表示更进一步：我喜欢国画，～喜欢山水画。

【尤甚】yóushèn 形 尤其严重：他腰腿经常疼痛，阴雨天～。

【尤为】yóuwéi 副 多用在双音节的形容词或动词前，表示在全体中或跟其他事物比较时特别突出：～奇妙|～不满|～引人注意|在评价一篇作品时，思想内容～重要。

【尤物】yóuwù 〈书〉名 指优异的人或物品（多指美女）。

【尤异】yóuyì 〈书〉形 优异；优秀：政绩～。

由 yóu ❶ 缘由：因～|事～|理～。❷ 介 由于①：咎～自取|～感冒引起了肺炎。❸ 经过：必～之路。❹ 介 表示经由：～南门入场。❺ 动 顺随；听从：事不～己|～着性子。❻ 介 归（某人去做）：准备工作～我负责|队长～你担任。❼ 介 表示凭借：～此可知|人体是～各种细胞组成的。❽ 介 表示起点：～表及里|～北京山发。❾（Yóu）名 姓。

【由不得】yóu·bu·de 动 ❶ 不能依从；不能由…做主：这件事～你。❷ 副 不由自主地：相声的特点就是叫人～发笑。

【由打】yóudǎ 〈方〉介 ❶ 自从；从：～入冬以来，这里没下过雪|～家乡来。❷ 经由：黄河水～这儿往北，再向东入海。

【由得】yóu·de 动 能依从；能由…做主：辛辛苦苦种出来的粮食，～你这么糟蹋吗！

【由来】yóulái 名 ❶ 从发生到现在的一段时间：～已久。❷ 事物发生的原因；来源：查清这次火警的～。

【由头】yóu·tou （～儿）名 可作为借口的事：找～。

【由于】yóuyú ❶ 介 表示原因或理由：～老师傅的耐心教导，他很快就掌握了这门技术。❷ 连 表示原因，多与"所以""因

此"等配合：～他工作成绩显著，因此受到了领导的表扬。

【由衷】yóuzhōng 动 出于本心：～之言|言不～|表示～的感激。

邮（郵） yóu ❶ 邮寄；邮汇：～封信|～上月给家里～去五百元。❷ 有关邮政的：～电|～局|～票。❸ 指邮品：集～|～展。❹（Yóu）名 姓。

【邮包】yóubāo （～儿）名 由邮局寄递的包裹。

【邮编】yóubiān 名 邮政编码的简称。

【邮差】yóuchāi 名 邮递员的旧称。

【邮车】yóuchē 名 专门运送邮件的车辆。

【邮船】yóuchuán 名 海洋上定线、定期航行的大型客运轮船。因过去水运邮件总是委托这种大型快速客轮运载，所以叫邮船。也叫邮轮。

【邮戳】yóuchuō （～儿）名 邮局盖在邮件上，注销邮票并标明收发日期的戳子。

【邮袋】yóudài 名 邮政部门用来装邮件的袋子，多用帆布做成。

【邮递】yóudì 动 由邮局递送（包裹、信件等）。

【邮递员】yóudìyuán 名 邮局中负责投递邮件和电报的人员。也叫投递员。

【邮电】yóudiàn 名 邮政和电信的合称。

【邮电局】yóudiànjú 名 办理邮政和电信业务的机构。

【邮费】yóufèi 名 邮资。

【邮购】yóugòu 动 通过邮递购买（售货部门接到汇款后把货物寄给购货人）。

【邮花】yóuhuā 〈方〉名 邮票。

【邮汇】yóuhuì 动 通过邮局汇款。

【邮集】yóují 名 用来收藏邮品的册子。

【邮寄】yóují 动 通过邮局寄递。

【邮件】yóujiàn 名 由邮局接收、运送、投递的信件、包裹等的统称。

【邮局】yóujú 名 办理邮政业务的机构。

【邮轮】yóulún 名 邮船。

【邮迷】yóumí 名 喜欢集邮而入迷的人。

【邮票】yóupiào 名 邮局发售的、用来贴在邮件上表明已付邮资的凭证。

【邮品】yóupǐn 名 邮政部门发行的邮票、小型张、明信片等的统称。

【邮市】yóushì 名 ❶ 买卖邮品的市场。❷ 邮品的行市：～低迷。

【邮亭】yóutíng 名 邮局在街道、广场等处

设立的收寄邮件的处所。多是木头建造的小屋,有的像亭子。

【邮筒】yóutǒng 名 信筒。

【邮箱】yóuxiāng 名❶ 信箱①。❷ 指电子邮箱。

【邮展】yóuzhǎn 名 集邮展览：国际～。

【邮折】yóuzhé 名 邮品的一种,比明信片大,内附邮票,并印有图案和说明文字。

【邮政】yóuzhèng 名 专门经营寄递信件和包裹,办理汇兑,发行报刊等业务的部门。

【邮政编码】yóuzhèng biānmǎ 邮政部门为了分拣、投递方便、迅速,按地区编成的号码。我国邮政编码采用六位数。简称邮编。

【邮政局】yóuzhèngjú 名 邮局。

【邮资】yóuzī 名 邮局按照规定数额向寄邮件的人收取的费用。

犹(猶) yóu ❶〈书〉如同：虽死～生｜过～不及。❷〈书〉副 还；尚且：记忆～新｜困兽～斗。❸（Yóu）名 姓。

【犹大】Yóudà 名 据基督教《新约·马太福音》的记载,是受了三十块银币出卖自己老师耶稣的叛徒。一般用作叛徒的代称。[希腊 ʼIoúdas]

【犹然】yóurán 副 仍然；照旧：虽然时隔多年,那事他～记得很清楚｜大家都离去了,只有她～坐在那里不走。

【犹如】yóurú 动 如同；灯火辉煌,～白昼。

【犹太教】Yóutàijiào 名 主要在犹太人中间流行的宗教,奉耶和华为唯一的神,基督教的《旧约》原是它的经典。

【犹太人】Yóutàirén 名 古代聚居在巴勒斯坦的居民,曾建立以色列和犹太王国,后来为罗马所灭,人口全部向外迁徙,散居在欧洲、美洲、西亚和北非等地。1948年,有一部分犹太人在地中海东南岸(巴勒斯坦部分地区)建立了以色列国。[犹太,希伯来 Yehūdhī]

【犹疑】yóuyí 形 犹豫。

【犹豫】yóuyù 形 拿不定主意：～不定｜犹犹豫豫。

【犹自】yóuzì 副 尚且；仍然：现在提起那起车祸,～叫人心惊肉跳。

油 yóu ❶名 动植物体内所含的液态脂肪或矿产的碳氢化合物的混合液

体。通常把固态的动物脂肪也叫油。❷ 动 用桐油、油漆等涂抹：～窗户｜这扇门去年～过一次。❸ 动 被油弄脏：衣服～了。❹ 形 油滑：～腔滑调｜这个人～得很。❺（Yóu）名 姓。

【油泵】yóubèng 名 用来抽或压油的泵,多用于油类的输送以及在润滑和传动系统的管道中产生压力。

【油饼】[1] yóubǐng 名 油料作物的种子榨油后产生的饼状的渣滓,如豆饼、花生饼等,多用作饲料和肥料。

【油饼】（～儿）名 一种油炸的面食,扁而圆,多用作早点。

【油布】yóubù 名 涂上桐油的布,用来防水防湿。

【油彩】yóucǎi 名 演员化装用的含有油质的颜料(多用于舞台表演)。

【油菜】yóucài 名❶ 一年生或二年生草本植物,叶子互生,下部的叶有柄,上部的叶长圆形或披针形,花黄色,果实为角果,种子可榨油,是我国重要的油料作物。也叫芸薹。❷ 二年生草本植物,白菜的一种,叶子浓绿色,叶柄淡绿色,是常见蔬菜。

【油层】yóucéng 名 积聚着石油的地层。

【油茶】[1] yóuchá 名 常绿灌木或小乔木,叶子椭圆形,花白色,果实内有黑褐色的种子。种子榨的油叫茶油。油茶是我国的特产,湖南、江西、福建等地种植最多。

【油茶】[2] yóuchá 名 用油茶面儿冲成的糊状食品。

【油茶面儿】yóuchámiànr 名 一种食品,面粉内掺牛骨髓或牛油炒熟,加糖、芝麻等制成。吃时用开水冲成糊状,叫油茶。

【油船】yóuchuán 名 油轮。

【油灯】yóudēng 名 用植物油做燃料的灯。

【油底子】yóudǐ·zi 指盛油容器底部剩下的较黏稠的油。有的地区叫油脚。

【油坊】yóufáng 名 榨植物油的作坊。

【油橄榄】yóugǎnlǎn 名❶ 常绿小乔木,叶子长椭圆形,花白色,气味很香。果实椭圆形,成熟后黑色,加工后可以吃,也可榨油。原产地中海一带,西方把它的枝叶作为和平的象征。❷ 这种植物的果实。‖通称橄榄,也叫齐墩果。

【油工】yóugōng 名 漆工。

【油垢】yóugòu 名 含油的污垢；油泥：他

刚修完车,满手~。

【油光】yóuguāng 形 状态词。形容光亮润泽:~闪亮|~碧绿的树叶。

【油鬼】yóuguǐ 〈方〉油炸鬼。

【油耗】yóuhào 名(车辆、机器等)机油、柴油、汽油等的消耗量:降低~。

【油乎乎】yóuhūhū (~的)形 状态词。形容物体上油很多的样子:~的糕点|工作服~的。

【油葫芦】yóu·hulú 名 昆虫,外形像蟋蟀而大,黑褐色,有油光,触角长,腹部肥大,有一对尾须,雌虫另有一个赤褐色的产卵管,雄虫的翅能互相摩擦发声。昼伏夜出,吃豆类、谷类、瓜类等。

【油花】yóuhuā (~儿)名 汤或带汤食物表面上浮着的油滴。

【油滑】yóuhuá 形 圆滑世故,待人不诚恳:为人|说话~。

【油画】yóuhuà 名 西洋画的一种,用含油质的颜料在布或木板上绘成。

【油灰】yóuhuī 名 桐油和石灰的混合物,用来填充器物上的缝隙。

【油煎火燎】yóu jiān huǒ liǎo 形容非常焦急:孩子病得很重,母亲急得~的。

【油脚】yóujiǎo 〈方〉名 油底子。

【油井】yóujǐng 名 开采石油时用钻机从地面打到油层而成的井。

【油矿】yóukuàng 名 ❶ 蕴藏在地下的石油矿床。❷ 开采石油的地方。

【油亮】yóuliàng 形 状态词。油光(多叠用):刚下过雨,花草树木的叶子绿得~~的。

【油料作物】yóuliào zuòwù 种子含有丰富油脂的作物,如花生、油菜、大豆、蓖麻、芝麻、胡麻、向日葵。

【油篓】yóulǒu 名 口小腹大的篓子,用竹篾、荆条等编成,里面糊纸,并涂上桐油和其他涂料,用来盛油等。

【油绿】yóulǜ 形 状态词。有光泽的深绿色:雨后的麦苗~~的。

【油轮】yóulún 名 设有装液体的货舱,专用于运输散装油类的轮船。也叫油船。

【油麦】yóumài 同"莜麦"。

【油麦菜】yóumàicài 同"莜麦菜"。

【油毛毡】yóumáozhān 名 油毡。

【油门】yóumén (~儿)名 内燃机上调节燃料供给量的装置,油门开得越大,机器转动得越快。

【油苗】yóumiáo 名 地壳内的石油在地面上的露头,是寻找石油资源的重要标志之一。

【油墨】yóumò 名 印刷用的有色黏性油质,是用植物油、矿物油、合成树脂等加入各种颜料调制而成的。

【油泥】yóuní 名 含油的泥垢:弄了一手~。

【油腻】yóunì ❶ 形 含油多而使人不想吃的:他不爱吃~的东西。❷ 名 含油多的食物:忌食~。

【油皮】yóupí (~儿)〈方〉名 ❶ 皮肤的最外层:擦破一块~儿。❷ 豆腐皮①。

【油品】yóupǐn 名 以石油为原料制成的各种产品,如汽油、煤油、柴油等。

【油漆】yóuqī ❶ 名 人造漆的一类,种类很多,如调和漆、磁漆等。❷ 动 用油漆涂抹:把门窗~一下。

【油气】yóuqì 名 石油和伴生的天然气。

【油气田】yóuqìtián 名 既可开采石油又可开采天然气的地带。

【油腔滑调】yóu qiāng huá diào 形容人说话轻浮油滑。

【油然】yóurán 形 ❶ 形容思想感情自然而然地产生:敬慕之心,~而生。❷ 形容云气上升:~作云。

【油石】yóushí 名 用磨料制成的各种形状的研磨工具,质地细致,用来磨精致的刀具等,磨时放上油。

【油饰】yóushì 动 用油漆涂饰门窗家具等:门窗~一新。

【油水】yóu·shui 名 ❶ 指饭菜里所含的脂肪质。❷ 比喻可以得到的好处(多指不正当的额外收入):捞~。

【油酥】yóusū 形 属性词。和面时加食油,烤熟后发酥的:~烧饼。

【油田】yóutián 名 可以开采的大面积的油层分布地带。

【油田伴生气】yóutián bànshēngqì 油型气的旧称。

【油田气】yóutiánqì 名 油型气的旧称。

【油条】yóutiáo 名 ❶ 一种油炸的面食,长条形,多用作早点。❷ 讥称处事经验多而油滑的人。

【油桐】yóutóng 名 落叶小乔木,叶子卵形,花大,白色带有黄红色斑点和条纹,果实近球形。种子榨的油叫桐油。

【油头粉面】yóu tóu fěn miàn 形容人打扮过分而显轻浮（多指男子）。

【油头滑脑】yóu tóu huá nǎo 形容人狡猾轻浮。

【油汪汪】yóuwāngwāng （～的）形 状态词。❶ 形容油多：～的红烧肉。❷ 油光。

【油污】yóuwū 名 油垢：满身～。

【油香】yóu·xiang 名 伊斯兰教徒的一种食物，用温水和面，加盐，制成饼状，再用香油炸熟。

【油箱】yóuxiāng 名 装油用的容器，特指飞机、汽车上盛燃料油用的。

【油型气】yóuxíngqì 名 伴随石油从油井中出来的天然气，主要成分是甲烷、乙烷，也含有相当数量的丙烷、丁烷、戊烷等。用作燃料和化工原料。旧称油田气、油田伴生气。

【油性】yóuxìng 名 物质因含油而产生的性质：这种果仁～大。

【油烟】yóuyān 名 油类没有完全燃烧所产生的黑色物质，主要成分是碳，可以用来制墨、油墨等。也叫油烟子。

【油印】yóuyìn 动 一种简便的印刷方法。用刻写或打字的蜡纸做版，用油墨印刷。

【油炸鬼】yóuzháguǐ 名 一种油炸的面食，有长条、圆圈等形状。有的地区叫油鬼。

【油毡】yóuzhān 名 用动物的毛或植物纤维制成的毡或厚纸坯浸透沥青后所成的建筑材料，有韧性，不透水，用来做屋顶、地下室墙壁、地基等的防水、防潮层。也叫油毛毡。

【油脂】yóuzhī 名 油和脂肪的统称。

【油脂麻花】yóu·zhīmáhuā （～的）〈方〉形 状态词。形容衣物上油垢很多的样子：看你的衣服～的，也该洗洗了。

【油纸】yóuzhǐ 名 涂上桐油的纸，能防潮湿，常用来包东西。

【油子】yóu·zi 名 ❶ 某些稠而黏的东西，多为黑色：膏药｜烟袋～。❷ 指阅历多、熟悉情况而油滑的人：老～。

【油渍】yóuzì 名 粘在衣物等上的油垢：袖子上有块～。

【油嘴】[1] yóuzuǐ ❶ 形 说话油滑，善于狡辩：～滑舌。❷ 名 油嘴的人。

【油嘴】[2] yóuzuǐ （～儿）名 喷油的喷嘴。

【油嘴滑舌】yóu zuǐ huá shé （～的）形容

说话油滑。

柚 yóu [柚木] （yóumù）名 落叶大乔木，叶子大，卵形或椭圆形，花白色，核果近球形。木材暗褐色，坚硬，耐腐蚀，用来造船、车或家具，也供建筑用。
另见 1657 页 yòu。

疣(肬) yóu 名 皮肤病，病原体是乳头状瘤病毒，常见的有扁平疣、寻常疣等。扁平疣是针头至绿豆大小的丘疹，数目较多；寻常疣是针头至黄豆大小的丘疹，表面粗糙，数目较少。不痛不痒，多长在面部、头部或手背等处。也叫赘疣。寻常疣通称瘊子。

斿 yóu 〈书〉❶ 旌旗上面的飘带。❷ 同"游"。

莜 yóu [莜麦] （yóumài）名 ❶ 一年生草本植物，是燕麦的一个品种，小穗的花数较多，种子成熟后容易与外壳脱离。生长期短，子实可做成面供食用。❷ 这种植物的子实。‖ 也作油麦。

【莜麦菜】yóumàicài 名 莴苣的变种，叶子长披针形，茎部肉质，细而短，是常见蔬菜。也作油麦菜。

莸(蕕) yóu ❶ 名 落叶小灌木，叶子卵形或披针形，花蓝色或白色或带紫斑，蒴果成熟后裂成四个小坚果。供观赏。❷ 古书上指一种有臭味的草：薰～不同器（比喻好和坏不能共处）。

铀(鈾) yóu 名 金属元素，符号 U（uranium）。银白色，有放射性。主要用于核工业。做核燃料。

蚰 yóu [蚰蜒] （yóu·yán）名 节肢动物，像蜈蚣而略小，灰白色，触角和脚都很细。生活在阴湿的地方。❷ 见 1567 页[蜒蚰]。

鱿(魷) yóu [鱿鱼] （yóuyú）名 枪乌贼的通称。

游(❷-❹遊) yóu ❶ 动 人或动物在水里行动：～泳｜鱼在水里～。❷ 动 各处从容行走；闲逛：～览｜～园｜～玩｜～人｜～遍大江南北。❸ 〈书〉交游；来往。❹ 不固定的；经常移动的：～牧｜～民｜～击｜～资。❺ 江河的一段：上～｜中～｜下～。❻ （Yóu）名 姓。

【游伴】yóubàn 名 游玩时的伴侣。

【游程】yóuchéng 名 ❶ 游泳的距离：比赛的～是一千米。❷ 游玩的路程；旅游的

路程：一日～|～三千里。❸ 旅游的日程：时间有限，把一排得紧一点。

【游船】yóuchuán 图 游览用的船。

【游荡】yóudàng 动❶ 闲游放荡，不务正业。❷ 闲游；闲逛：独自一人在大街上～。❸ 漂浮晃荡：船在湖心随风～。

【游方】[1] yóufāng 动 云游四方：～僧|～和尚。

【游方】[2] yóufāng 动 苗族男女青年的社交方式，多在节日或农闲时进行。通常是男女对歌，相邀谈话，互赠信物等。

【游舫】yóufǎng 图 游船。

【游逛】yóuguàng 动 游览；为消遣而闲走：出外～|到街上～。

【游击】yóujī 动 对敌人进行分散的出没无常的袭击。

【游击队】yóujīduì 图 执行游击作战任务的非正规武装组织。

【游击战】yóujīzhàn 图 灵活、分散的小部队，在敌后用袭击、伏击、破坏、扰乱等手段进行的战斗。

【游记】yóujì 图 记述游览经历的文章或著作。

【游街】yóu∥jiē 动 许多人在街上游行，多押着犯罪分子以示惩戒，有时拥着英雄人物以示表扬：～示众|披红～。

【游客】yóukè 图 游人。

【游览】yóulǎn 动 从容行走观看（名胜、风景）：～黄山。

【游廊】yóuláng 图 连接两个或几个独立建筑物的走廊。

【游乐】yóulè 动 游玩嬉戏：～场|青年们在森林公园尽情～。

【游离】yóulí 动❶ 一种物质不和其他物质化合而单独存在，或物质从化合物中分离出来，叫做游离。❷ 比喻离开集体或依附的事物而存在：～分子|～状态。

【游离基】yóulíjī 图 自由基。

【游离态】yóulítài 图 元素以单质存在的形态。

【游历】yóulì 动 到远地游览：～名山大川。

【游轮】yóulún 图 载客游览的轮船。

【游民】yóumín 图 没有正当职业的人：无业～。

【游牧】yóumù 动 不在一个地方定居，随着水草情况的变化而变换地点放牧牲畜：四处～|～民族。

【游憩】yóuqì 动 游玩和休息。

【游禽】yóuqín 图 鸟的一类，这类鸟会游泳，通常生活在水上生活，趾间有蹼，嘴宽而扁平，吃鱼虾等。如雁、鸳鸯、野鸭。

【游人】yóurén 图 游览的人：～如织。

【游刃有余】yóu rèn yǒu yú 厨师把整个的牛分割成块，技术熟练，刀子在牛的骨头缝里自由移动着，没有一点阻碍（见于《庄子·养生主》）。比喻做事熟练，轻而易举。

【游山玩水】yóu shān wán shuǐ 游览玩赏自然风景。也说游山逛水。

【游手好闲】yóu shǒu hào xián 游荡成性，不好劳动。

【游水】yóu∥shuǐ 动 在水里游；游泳。

【游说】yóushuì 动 原指古代叫做"说客"的政客，奔走各国，凭着口才劝说君主采纳他的主张。后泛指劝说别人接受某种意见或主张。

【游丝】yóusī 图❶ 蜘蛛等所吐的飘荡在空中的丝。❷ 装在仪表指针的转轴上或钟表等的摆轮轴上的弹簧，用金属线卷成，能控制转轴或摆轮做往复运动。

【游艇】yóutǐng 图 游船。

【游玩】yóuwán 动❶ 游戏②。❷ 游逛。

【游戏】yóuxì ❶ 图 娱乐活动，如捉迷藏、猜灯谜等。某些非正式比赛项目的体育活动如康乐球等也叫游戏。❷ 动 玩耍：几个孩子正在大树底下～。

【游戏规则】yóuxì guīzé 比喻在带有竞争性的活动中普遍遵守的准则。

【游戏机】yóuxìjī 图 用来玩电子游戏的装置。

【游侠】yóuxiá 图 古代称好交游、轻生死、重信义、能救人于急难的人。

【游仙诗】yóuxiānshī 图 古代借描述仙境以寄托个人怀抱的诗歌。

【游乡】yóu∥xiāng 动❶ 旧时指许多人在乡村中游行，多押着有罪的人以示惩戒。❷ 在乡村中流动着兜揽生意。

【游行】yóuxíng 动❶ 行踪无定，到处漫游：～四方。❷ 广大群众为了庆祝、纪念、示威等在街上结队而行：～示威|上午十时～开始。

【游兴】yóuxìng 图 游逛的兴致：～大发。

【游学】yóuxué 动 旧时指离开本乡到外

地或外国求学。

【游医】yóuyī 图 没有固定诊所,流动行医的医生。

【游移】yóuyí 动❶ 来回移动:浮云在空中～。❷(态度、办法、方针等)摇摆不定:～不决。

【游弋】yóuyì 动❶(舰艇等)巡逻。❷泛指在水中游动:几只野鸭在湖心～。

【游艺】yóuyì 图 游戏娱乐活动:～室|～节目。

【游艺会】yóuyìhuì 图 以文艺表演、游戏等为内容的集会。

【游泳】yóuyǒng ❶动 人或动物在水里游动。❷图 体育运动项目之一,人在水里用各种不同的姿势划水前进或进行表演。

【游泳池】yóuyǒngchí 图 人工建造的供游泳用的水池子,分室内、室外两种。

【游园】yóuyuán 动 在公园或花园中游览、观赏:～活动。

【游园会】yóuyuánhuì 图 在公园或花园里举行的联欢会,规模较大的游园会有各种文艺表演。

【游资】yóuzī 图 从生产过程中游离出来的、没有用于扩大再生产的资金。

【游子】yóuzǐ〈书〉图 离家在外或久居外乡的人:海外～。

【游走】yóu·zi 同"圞子"。

【游走】yóuzǒu 动❶ 游逛;游荡:～四方。❷ 游移而不固定:～性关节痛。

楢 yóu 古书上指一种质地柔软的树木。

輶(輶) yóu ❶ 古代一种轻便的车。❷〈书〉轻。

鲉(鮋) yóu 图 鱼,体侧扁;头部有许多棘状突起,口大,生活在近海岩礁间。种类很多。

猷 yóu〈书〉计划;谋划:鸿～(大计划)。

蝣 yóu 见 421 页[蜉蝣]。

蟒 yóu [蟒蚋](yóumóu) 图 梭子蟹。
　　另见 1123 页 qiú。

繇 yóu〈书〉同"由"⑦⑧。
　　另见 1584 页 yáo;1775 页 zhòu。

鼬 yóu [圞子](yóu·zi) 图 用已捕到的鸟把同类的鸟引来,这种起引诱

作用的鸟叫圞子。也作游子。

yǒu (丨ㄡˇ)

友 yǒu ❶ 朋友:好～|战～。❷ 相好;亲近:～爱|～好。❸ 有友好关系的:～人|～邦|～军。❹(Yǒu)图 姓。

【友爱】yǒu'ài 图 友好亲爱:兄弟～|团结～。

【友邦】yǒubāng 图 友好的国家。

【友好】yǒuhǎo ❶图 好朋友:生前～。❷图 亲近和睦:团结～|～邻邦。

【友军】yǒujūn 图 与本部队协同作战的部队。

【友邻】yǒulín ❶图 友好的邻居或邻邦:团结～。❷图 属性词。友好而又相邻的:～部队|～国家。

【友情】yǒuqíng 图 朋友的感情;友谊:深厚的～。

【友人】yǒurén 图 朋友:国际～。

【友善】yǒushàn 图 朋友之间亲近和睦:素相～|～相处。

【友谊】yǒuyì 图 朋友间的交情:增进～|真挚的～。

【友谊赛】yǒuyìsài 图 为了增进友谊、交流经验、提高技术而举行的体育比赛。

有 yǒu ❶动 表示领有(跟"无、没"相对,下②③同):我～《鲁迅全集》|～热情,～朝气。❷动 表示存在:屋里～十来个人。❸动 表示达到一定的数量或某种程度:水～一丈多深|他～他哥哥那么高了。❹动 表示发生或出现:他～病了|形势～了新发展|他在大家的帮助下～了很大的进步。❺动 表示所领有的某种事物(常为抽象的)多或大:～学问|～经验|～了年纪。❻动 泛指,跟"某"的作用相近:～一天他来了|～人这么说,我可没看见。❼动 用在"人、时候、地方"前面,表示一部分:～人性子急,～人性子慢|这里～时候也能热到三十八九度|这场雨～地方下到了,～地方没下到。❽ 用在某些动词的前面组成套语,表示客气:～劳|～请。❾〈书〉前缀,用在某些朝代名称的前面:～夏|～周|～宋一代。❿(Yǒu)图 姓。
　　另见 1656 页 yòu。

【有碍】yǒu'ài 动 有所妨碍:吸烟～健康|

街头小广告～市容。

【有板有眼】yǒu bǎn yǒu yǎn 比喻言语行动有条不紊，富有节奏或章法。

【有备无患】yǒu bèi wú huàn 事先有准备就可以避免祸患：有了水库，雨天可以蓄水，旱天可以灌溉，可说是～了。

【有鼻子有眼儿】yǒu bí·zi yǒu yǎnr 形容把虚构的事物说得很逼真，活灵活现：听他说得～的，也就信了。

【有差】yǒuchā〈书〉动 有区别；不同：赏罚～。

【有偿】yǒucháng 形 属性词。有代价的；有报酬的：～服务。

【有偿新闻】yǒucháng xīnwén 指新闻媒体或其中某些人在得到报酬后才予以刊登或播放的新闻报道。

【有成】yǒuchéng〈书〉动 成功：三年～｜双方意见已渐接近，谈判可望～。

【有待】yǒudài 动 要等待：这个问题～进一步的研究。

【有得】yǒudé 动 有心得；有所领会：学习～｜读书～。

【有的】yǒu·de 代 指示代词。人或事物中的一部分（多叠用）：～人记性真好｜十个指头，～长，～短。

【有的是】yǒu·deshì 强调很多（不怕没有）：立功的机会～。

【有底】yǒu∥dǐ 动 知道底细，因而有把握：心里～。

【有的放矢】yǒu dì fàng shǐ 对准靶子射箭，比喻言论、行动目标明确。

【有点儿】yǒudiǎnr 副 表示程度不高；稍微（多用于不如意的事情）：今天他～不高兴｜这句话说得～叫人摸不着头脑。注意 "有点儿"有时是动词和量词的组合，如"锅里还～剩饭"、"看来～希望"。

【有方】yǒufāng 动 得法（跟"无方"相对）：领导～｜计划周详，指挥～。

【有感】yǒugǎn 动 有所感触，有感想（多用于诗文标题）：南游～｜《读史～》。

【有关】yǒuguān 动 ❶ 有关系：～方面｜～部门｜这些问题都跟哲学～。❷ 涉及到：他研究了历代～水利问题的著作。

【有轨电车】yǒuguǐ-diànchē 电车的一种，可以挂接车厢，在轨道上行驶。

【有过之无不及】yǒu guò zhī wú bù jí（相比起来）只有超过的，没有不如的（多

用于坏的方面）。

【有恒】yǒuhéng 动 有恒心，能坚持下去。

【有会子】yǒu huì·zi〈口〉表示时间已经不短：他出去可一～啦！也说有会儿。

【有机】yǒujī 形 属性词。❶ 原来指跟生物体有关的或从生物体来的（化合物），现在指除碳酸盐和碳的氧化物等简单的含碳化合物之外，含碳原子的（化合物）：～酸｜～化学。❷ 指事物构成的各部分互相关联协调，而具有不可分的统一性，就像一个生物体那样：～地结合起来｜这三个部分是一个～的整体。

【有机玻璃】yǒujī bō·li 高分子化合物，由甲基丙烯酸甲酯聚合而成，透明性好，质轻、不易破碎，有热塑性。可用作玻璃的代用品，制航空窗玻璃、仪表盘等，也用来制日用品。

【有机肥料】yǒujī féiliào 含有机物质的肥料，如厩肥、堆肥、绿肥等。

【有机化合物】yǒujī huàhéwù 指除碳酸盐和碳的氧化物等简单的含碳化合物之外的含有碳元素的化合物。有机物中除碳元素以外，通常还含有氢、氧、氮、硫、磷、卤素等。简称有机物。

【有机化学】yǒujī huàxué 化学的一个分支，研究有机化合物的来源、结构、性质、制备、用途等。

【有机农业】yǒujī nóngyè 一种农业生产体系，不使用化肥和植物激素而施用有机肥料，不使用农药而采用生物技术防治病虫害，用洁净水灌溉。有机农业利于保护土壤资源，实现农业生态系统的良性循环。

【有机食品】yǒujī shípǐn 指来自有机农业生产体系，在生产、加工、贮存、运输过程中无污染，并经有关部门认证的优质安全保健食品。

【有机体】yǒujītǐ 名 机体。

【有机物】yǒujīwù 名 有机化合物的简称。

【有机质】yǒujīzhì 名 一般指植物体和动物的遗体、粪便等腐烂后变成的物质，里面含有植物生长所需要的各种养料。肥沃的土壤含有机质较多。有机质经过微生物的作用转化生成腐殖质。

【有价证券】yǒujià zhèngquàn 表示对货币、资本、商品或其他资产等有价物具有一定权利的凭证，如股票、债券、各种票据、提单、仓库营业者出具的存货栈单等。

【有教无类】yǒu jiào wú lèi 对各类人平等看待,都施以教育(语出《论语·卫灵公》)。

【有劲】yǒu//jìn ❶（～儿）函 有力气:这人真～,能挑起二百斤重的担子。❷ 形 指兴致浓;有趣:大家谈得非常～|今天的球赛真精彩,越看越～。

【有旧】yǒujiù 〈书〉函 过去曾互相交好;有老交情。

【有救】yǒujiù 函 有可能挽救或补救:有了这药,病就～了!

【有口皆碑】yǒu kǒu jiē bēi 比喻人人称赞。

【有口难分】yǒu kǒu nán fēn 形容很难分辩。

【有口无心】yǒu kǒu wú xīn 嘴上爱说,心里不存什么。

【有赖】yǒulài 函 表示一件事要依赖另一件事的帮助促成(后面常带"于"字):任务提前完成,～于大家的努力。

【有劳】yǒuláo 函 客套话,用于拜托或答谢别人代自己做事:这件事～您了|～您代我买本书。

【有理】yǒulǐ 形 有道理;符合道理:言之～|～走遍天下。

【有理式】yǒulǐshì 名 没有开方运算,或有开方运算但被开方数不含字母的代数式。如 $a^2 + b$, $\dfrac{\sqrt{2}}{x-y}$。

【有理数】yǒulǐshù 名 整数(正整数、负整数和零)和分数(正分数、负分数)的统称。

【有力】yǒulì 形 有力量;分量重:领导～|～的回击|这篇文章写得简短～。

【有利】yǒulì 形 有好处;有帮助:地势十分～|购买国库券既～于国家建设,又～于个人。

【有两下子】yǒu liǎng xià·zi 〈口〉有些本领:他干活又快又好,真～。

【有零】yǒulíng 函 用在整数后,表示附加零数;挂零:一千～。

【有门儿】yǒu//ménr 〈口〉函 有希望:听他的口气,这事大概～。

【有名】yǒu//míng 形 名字为大家所熟知;出名:他是～的登山运动健将。

【有名无实】yǒu míng wú shí 空有名义或名声而没有实际。

【有目共睹】yǒu mù gòng dǔ 人人都能看见,形容极其明显。

【有目共赏】yǒu mù gòng shǎng 看见的人都赞赏。

【有奶便是娘】yǒu nǎi biàn shì niáng 比喻贪利忘义,谁给好处就投靠谁。

【有年】yǒunián 〈书〉函 已经有许多年:习艺～,渐臻纯熟。

【有盼儿】yǒu//pànr 〈口〉有希望:孩子快大学毕业了,您总算～了。

【有谱儿】yǒu//pǔr 〈口〉函 心中有数;有一定的计划:做这样的事你心里～没有?

【有期徒刑】yǒuqī túxíng 有期限的徒刑,在刑期内剥夺犯人的自由。

【有气无力】yǒu qì wú lì 形容没有气力,无精打采的样子。

【有顷】yǒuqǐng 〈书〉名 一会儿;片刻。

【有请】yǒuqǐng 函 客套话,表示主人请客人相见。

【有求必应】yǒu qiú bì yìng 只要有人请求就一定应允。

【有趣】yǒuqù （～儿）形 能引起人的好奇心或喜爱:～的故事|这孩子活泼～。

【有染】yǒurǎn 〈书〉函 ❶ (和某些坏人或坏事)有关系:与黑社会～。❷ 指男女间有不正当关系。

【有日子】yǒu rì·zi ❶ 指有好些天:咱们～没见面了! ❷ 有确定的日期:你们结婚～了没有?

【有如】yǒurú 函 就像;好像:他壮健的身躯～一座铁塔。

【有色金属】yǒusè jīnshǔ 工业上黑色金属(铁、锰、铬)以外的所有金属的统称,如金、银、铜、锡、汞、锌、锑等。

【有色人种】yǒusè rénzhǒng 指白种人以外的人。

【有色眼镜】yǒusè yǎnjìng 比喻妨碍得出正确看法的成见或偏见。

【有身子】yǒu shēn·zi 指妇女怀孕。

【有神论】yǒushénlùn 名 承认神的存在的学说。认为神是世界万物的创造者,能操纵自然变化和干预人的生活。有神论是宗教信仰的根据。

【有生力量】yǒushēng-lìliàng ❶ 指军队中的兵员和马匹。❷ 泛指军队。

【有生以来】yǒu shēng yǐlái 从出生到现在:这种事我～还是第一次听见。

【有生之年】yǒu shēng zhī nián 指人还

活在世上的岁月。

【有声片儿】yǒushēngpiānr 〈口〉名 有声片。

【有声片】yǒushēngpiàn 名 既有形象又有声音的影片。

【有声有色】yǒu shēng yǒu sè 形容表现得十分生动。

【有时】yǒushí 副 有时候：那里的天气，～冷，～热。

【有识之士】yǒu shí zhī shì 有见识的人；有眼光的人。

【有始无终】yǒu shǐ wú zhōng 指人做事不能坚持到底。

【有始有终】yǒu shǐ yǒu zhōng 指人做事能坚持到底。

【有恃无恐】yǒu shì wú kǒng 因有所倚仗而不害怕。

【有数】yǒushù （～儿）❶（-//-）动 知道数目，指了解情况，有把握：两个人心里都～儿。❷形 表示数目不多：只剩下～的几天了，得加把劲儿。

【有司】yǒusī 〈书〉名 指官吏。

【有损】yǒusǔn 动 给某事物造成损害：～声誉｜吸烟～健康。

【有条不紊】yǒu tiáo bù wěn 有条理，有次序，一点不乱。

【有头无尾】yǒu tóu wú wěi 只有开头，没有结尾，指做事不能坚持到底。

【有头有脸】yǒu tóu yǒu liǎn （～儿）比喻有名誉，有威信：他在村里是个～的，说话很有分量。

【有头有尾】yǒu tóu yǒu wěi 既有开头，又有结尾，指做事能坚持到底。

【有望】yǒuwàng 动 有希望：丰收～。

【有为】yǒuwéi 动 有作为：奋发～｜～的青年。

【有…无…】yǒu…wú… ❶ 表示只有前者而没有后者：～行(háng)～市(有货价却无成交)｜～己～人(自私自利，只顾自己，不顾别人)｜～口～心｜～利～弊｜～名实｜～始～终｜～头～尾｜～眼～珠｜～益～损｜～勇～谋。❷ 表示有前者没有后者(强调的说法)：～过之～不及｜～加～已｜～增～减。❸ 表示有了前者就可以没有后者：～备～患｜～恃～恐。❹ 表示似有似无：～意～意。

【有喜】yǒu//xǐ 〈口〉动 指妇女怀孕。

【有戏】yǒu//xì 〈方〉动 有指望；有希望。

【有隙可乘】yǒu xì kě chéng （事情）有漏洞可以利用。

【有限】yǒuxiàn 形 ❶ 属性词。有一定限度的：～性｜～责任。❷ 数量不多；程度不高；为数～｜我的文化水平～。

【有限责任公司】yǒuxiàn zérèn gōngsī 企业的一种常见的组织形式，由两个以上的股东组成，股东所负的责任以他认定的股本为限。也叫有限公司。

【有线电视】yǒuxiàn diànshì 靠电缆或光缆传送的电视，用公共天线将电视台的节目接收下来，再由电缆或光缆传送到各个用户。

【有线广播】yǒuxiàn guǎngbō 靠导线传送的广播，把声音通过放大器放大，由导线送到装在各处的扬声器发送出去。

【有线通信】yǒuxiàn tōngxìn 一种通信方式，利用导线传输电信号，电信号可以代表声音、文字、图像等。按照传输内容不同可分为有线电话、有线电报、有线传真等。一般受干扰较小，可靠性、保密性强。

【有效】yǒuxiào 动 能实现预期目的；有效果：～措施｜这个方法果然～。

【有效期】yǒuxiàoqī 名 ❶ 条约、合同等有效的期限。❷ 化学物品、医药用品以及某些特殊器材在规定的使用与保管的条件下，其性能不变而有效的期限。

【有效射程】yǒuxiào shèchéng 指弹头射出后能获得可靠射击效果的距离。

【有些】yǒuxiē ❶ 代 指示代词。有一部分；有的：今天来参观的人～是从外地来的｜列车上～人在看书，～人在谈天。❷ 副 表示略微，稍微：心里～着急。注意"有些"有时是动词和量词的组合，如"我～书想捐给图书馆"。

【有心】yǒuxīn ❶ 动 有某种心意或想法：～人。❷ 副 故意：～捣鬼。

【有心人】yǒuxīnrén 名 有某种志愿，肯动脑筋的人：世上无难事，只怕～。

【有形】yǒuxíng 形 属性词。感官能感觉到的：～资产。

【有形损耗】yǒuxíng sǔnhào 指厂房、机器、设备等固定资产由于使用或自然力作用(生锈、腐烂)而引起的损耗(区别于"无形损耗")。也叫物质损耗。

【有形资产】yǒuxíng zīchǎn 指有实物形态的资产,如机器、厂房、设备等(跟"无形资产"相对)。

【有幸】yǒuxìng 形 很幸运;有运气:我~见到了海市蜃楼的奇妙景象。

【有性生殖】yǒuxìng-shēngzhí 经过雌雄两性生殖细胞的结合而形成新个体的生殖方式。是生物界中最普遍的生殖方式。也叫两性生殖。

【有血有肉】yǒu xuè yǒu ròu 比喻文艺作品描写生动,内容充实:这篇报道写得生动具体,~。

【有言在先】yǒu yán zài xiān 已经有话讲在头里,指事前打了招呼。

【有眼不识泰山】yǒu yǎn bù shí Tài Shān 比喻认不出地位高或本领大的人。

【有眼无珠】yǒu yǎn wú zhū 比喻没有识别能力。

【有氧运动】yǒuyǎng-yùndòng 在较低强度的运动中,运动的耗氧量低于人体所摄入的氧,这类运动叫有氧运动。如散步、慢跑、打太极拳等。

【有一搭没一搭】yǒuyīdā-méiyīdā ❶ 表示没有话找话说。❷ 表示可有可无,无足轻重。

【有益】yǒuyì 形 有帮助;有好处:运动对健康~。

【有意】yǒuyì ❶ 动 有做某种事的愿望:我~到海滨游泳,但是事情忙,去不了。❷ 动 指男女间有爱慕之心:小王对小李~,可一直没有机会表白。❸ 副 故意:他这是~跟我作对。

【有意识】yǒuyì·shí 副 主观上意识到的;有目的有计划的:他这样做完全是~的。

【有意思】yǒu yì·si ❶ 有意义,耐人寻味:他的讲话虽然简短,可是非常~。❷ 有趣:今天的晚会很~。❸ 指男女间有爱慕之心:她对你~,你没看出来?

【有用功】yǒuyònggōng 名 机械克服有用阻力(如起重机提起重物的重量)所做的功。

【有…有…】yǒu… yǒu… ❶ 分别用在意思相反或相对的两个词前面,表示既有这个又有那个,两方面兼而有之:~利~弊|~头~尾|~赏~罚|~多~少。❷ 分别用在意思相同或相近的两个词(或一个双音词的两个词素)前面,表示强调:~板

~眼|~鼻子~眼儿|~棱~角|~情~义|~声~色|~说~笑|~凭~据|~条~理|~血~肉。

【有余】yǒuyú 动 ❶ 有剩余;超过足够的程度:绰绰~。❷ 有零:他比我大十岁~。

【有缘】yǒuyuán 动 有缘分。

【有朝一日】yǒu zhāo yī rì 将来有一天。

【有着】yǒu·zhe 动 存在着;具有:五四运动~伟大的历史意义|他~别人所没有的胆识。

【有枝添叶】yǒu zhī tiān yè 添枝加叶。

【有志者事竟成】yǒu zhì zhě shì jìng chéng 有决心有毅力的人,做事终究会成功。

【有致】yǒuzhì 动 富有情趣:错落~。

【有种】yǒuzhǒng 动 指有胆量,有骨气。

【有罪推定】yǒuzuì tuīdìng 在审判机关对被控告的人判决有罪以前,就将其当做犯人的原则。是封建制国家普遍采用的一项刑事诉讼原则(跟"无罪推定"相对)。

酉 yǒu 名 ❶ 地支的第十位。参看440页〖干支〗。❷ (Yǒu)姓。

【酉时】yǒushí 名 旧式计时法指下午五点钟到七点钟的时间。

卣 yǒu 古代盛酒的器具,口小腹大。

羑 yǒu 羑里(Yǒulǐ),古地名,在今河南汤阴一带。

莠 yǒu 名 ❶ 狗尾草。❷〈书〉比喻品质坏的(人):良~不齐。

铕(銪) yǒu 名 金属元素,符号 Eu (europium)。是一种稀土元素。铁灰色。在核反应堆中做中子吸收剂,也用来做电视屏幕的荧光粉。

槱 yǒu〈书〉聚积木柴以备燃烧。

牖 yǒu〈书〉窗户。

黝 yǒu 见下。

【黝暗】yǒu'àn 同"黝黯"。

【黝黯】yǒu'àn 形 没有光亮;黑暗:~的墙角。也作黝暗。

【黝黑】yǒuhēi 形 状态词。❶ 黑:胳膊晒得~~的。❷ 黑暗①:入夜,原野上一片

~|山洞里~~的。

yòu（又）

又 yòu **副❶** 表示重复或继续：他拿着这封信看了一看|人类社会的生产活动,是一步~一步地由低级向高级发展。**❷** 表示几种情况或性质同时存在。a)单用：五四运动是反帝国主义的运动,~是反封建的运动。b)连用：~快~好|~香~脆。**❸** 表示意思上更进一层：冬季日短,~是阴天,夜色早已笼罩了整个市镇。**❹** 表示在某个范围之外有所补充：生活费之外,~发给五十块钱做零用。**❺** 表示整数之外再加零数：一~二分之一。**❻** 表示有矛盾的两件事情(多叠用)：她~想去,~想不去,拿不定主意。**❼** 表示转折,有"可是"的意思：刚才有个事儿要问你,这会儿~想不起来了。**❽** 用在否定句或反问句里,加强语气：我~不是客人,你就不用客气了|这点小事~费得了多大工夫?

【又及】yòují **动** 附带再提一下。信写完并已署名后又添上几句,往往在这几句话下面注明"又及"或"某某又及"。

右 yòu **❶名** 方位词。面向南时靠西的一边(跟"左"相对,下②⑤同)：~方|~手|靠~走。**❷名** 方位词。西：山~(太行山以西的地方,过去也专指山西省)。**❸** 上'①②(古人以右为尊)：无出其~。**❹**〈书〉崇尚：~文。**❺形** 保守的;反动的：~派|~倾。**❻**〈书〉同"佑"。**❼**(Yòu)**名** 姓。

【右边】yòu•bian (~儿)**名** 方位词。靠右的一边。

【右面】yòu•miàn (~儿)**名** 方位词。右边。

【右派】yòupài **名** 在阶级、政党、集团内,政治上保守或反动的一派。也指属于这一派的人。

【右倾】yòuqīng **形** 思想保守的;向反动势力妥协或投降的。

【右倾机会主义】yòuqīng jīhuì zhǔyì 见627页【机会主义】。

【右手】yòushǒu **❶名** 右边的手。**❷** 同"右首"。

【右首】yòushǒu **名** 右边(多指座位)：那天他就坐在我的~。也作右手。

【右翼】yòuyì **名❶** 作战时在正面部队右侧的部队。**❷** 政党或阶级、集团中在政治思想上倾向保守或反动的一部分。

幼 yòu **❶**(年纪)小;未长成(跟"老"相对)：~年|~儿|~苗|~虫。**❷** 小孩儿:扶老携~。**❸**(Yòu)**名** 姓。

【幼虫】yòuchóng **名** 昆虫的胚胎在卵内发育完成后,从卵内孵化出来的幼小生物体。如孑孓是蚊子的幼虫,蛆是苍蝇的幼虫。也指某些寄生虫的幼体。

【幼儿】yòu'ér **名** 幼小的儿童。一般指学龄前的儿童。

【幼儿教育】yòu'ér jiàoyù 对幼儿进行的教育,包括思想、体育、语言、认识环境、图画、手工、音乐、计算等。

【幼儿园】yòu'éryuán **名** 实施幼儿教育的机构。

【幼功】yòugōng **名** 戏曲演员、杂技演员等童年练成的功夫。

【幼教】yòujiào **名** 幼儿教育：~事业|~工作。

【幼林】yòulín **名** 由小树形成的树林。

【幼苗】yòumiáo **名** 种子发芽后生长初期的幼小植物体。

【幼年】yòunián **名** 三岁左右到十岁左右的时期。

【幼体】yòutǐ **名** 在母体内或脱离母体不久的小生物。

【幼小】yòuxiǎo **形** 未成年;未长成,年纪~|~的心灵|~的果树。

【幼稚】yòuzhì **形❶** 年纪小。**❷** 形容头脑简单或缺乏经验：~的想法。

【幼稚病】yòuzhìbìng **名** 看问题或处理问题简单化,不作深入分析的思想毛病。

【幼稚园】yòuzhìyuán **名** 幼儿园的旧称。

【幼珠】yòuzhū **名** 初生的植物体(通常指种子植物)。

【幼子】yòuzǐ **名** 最小的儿子;幼小的儿子：弱妻~。

有 yòu 〈书〉同"又"⑤：三十~八年。另见1651页 yǒu。

佑(祐) yòu **❶** 保佑。**❷**(Yòu)**名** 姓。

侑 yòu 〈书〉劝人(吃、喝)：~食|~觞(劝人饮酒)。

狖 yòu 古书上说的一种猴。

柚 yòu 图❶ 常绿乔木,叶子大而阔,卵形,花白色,很香,果实大,冬季成熟,球形或扁圆形,果皮淡黄,果肉白色或粉红色,是常见水果。生长于我国南部地区。❷ 这种植物的果实。‖ 通称柚子,有的地区叫文旦。

另见 1649 页 yóu。

【柚子】yòu·zi 图 柚的通称。

囿 yòu 〈书〉❶ 养动物的园子:鹿～|园～。❷ 局限;拘泥:～于成见。

宥 yòu 〈书〉宽恕;原谅:原～|宽～|尚希见～。

诱(誘) yòu ❶ 诱导:循循善～。❷ 使用手段引诱人随从自己的意愿:引～|～敌深入。

【诱变】yòubiàn 动 用人工方法引起生物发生基因突变或染色体畸变。

【诱捕】yòubǔ 动 引诱捕捉:用灯光～害虫。

【诱导】yòudǎo 动❶ 劝诱教导;引导:对学生要多用启发和～的方法|这些故事的结局很能～观众进行思索。❷ 物理学上指感应。❸ 大脑皮质中兴奋过程引起抑制过程的加强,或者抑制过程引起兴奋过程的加强。

【诱饵】yòu'ěr 图 捕捉动物时用来引诱它的食物◇用金钱做～拖人下水。

【诱发】yòufā 动❶ 诱导启发:～人的联想。❷ 导致发生(多指疾病):～肠炎。

【诱供】yòugòng 动 用不正当的方法诱使犯罪嫌疑人、刑事被告人按侦查、审判人员的主观意图或推断进行陈述。

【诱拐】yòuguǎi 动 用诱骗的方法把人弄走:～妇女|～儿童。

【诱惑】yòuhuò 动❶ 使用手段,使人认识模糊而做坏事:不为金钱和女色所～。❷ 吸引;招引:窗外的景色很～人。

【诱奸】yòujiān 动 用欺骗的手段使异性跟自己发生性行为。

【诱骗】yòupiàn 动 诱惑欺骗。

【诱杀】yòushā 动 引诱出来杀死:用灯光～棉铃虫。

【诱降】yòuxiáng 动 引诱敌人投降。

【诱胁】yòuxié 动 利诱威胁。

【诱掖】yòuyè 〈书〉诱导扶植:～青年。

【诱因】yòuyīn 图 导致某种事情发生的原因。

【诱致】yòuzhì 动 导致;招致(不好的结果)。

蚴 yòu 绦虫、血吸虫等动物的幼体:尾～|毛～。

釉 yòu 图 釉子。

【釉质】yòuzhì 图 牙冠表面的一层硬组织,主要成分是磷酸钙和碳酸钙,此外还含有氟和一些有机质。有保护牙齿免受磨损的作用。旧称珐琅质。(图见 1558 页"人的牙")

【釉子】yòu·zi 图 以石英、长石、硼砂、黏土等为原料,磨成粉末,加水调制而成的物质,用来涂在陶瓷半成品的表面,烧制后发出玻璃光泽,并能增加陶瓷的机械强度和绝缘性能。

鼬 yòu 图 哺乳动物,身体细长,四肢短小,头狭长,耳一般短而圆,唇有须,肛门附近大多有臭腺,可以驱敌自卫。毛有黄褐、棕、灰棕色。种类很多,如黄鼬、紫貂。

【鼬獾】yòuhuān 图 哺乳动物,像猫而小,尾巴长,毛棕灰色,腹部白色。生活在树林中或岩石间。也叫猸子。

yū (ㄩ)

迂 yū ❶ 曲折;绕弯:～回|～道往访。❷ 形 迂腐:～论|这人～得很。

【迂夫子】yūfūzǐ 图 迂腐的读书人。

【迂腐】yūfǔ 形(言谈、行事)拘泥于陈旧的准则,不适应新时代:～之谈。

【迂缓】yūhuǎn 形(行动)迟缓;不直截。

【迂回】yūhuí ❶ 形 回旋;环绕:～曲折。❷ 动 绕到敌人侧面或后面(进攻敌人):～包抄|～战术。

【迂阔】yūkuò 形 不切合实际:～之论。

【迂曲】yūqū 形 迂回曲折:山路～难行。

【迂执】yūzhí 形 迂腐固执:生性～。

【迂拙】yūzhuō 形 迂阔笨拙。

吁 yū 叹 吆喝牲口的声音。

另见 1535 页 xū;1667 页 yù。

纡(紆) yū 〈书〉❶ 弯曲;曲折:萦～。❷ 系;结:～金佩紫(指地位显贵)。

【纡回】yūhuí 〈书〉同"迂回"❶。

【纡徐】yūxú〈书〉厖 从容缓慢的样子。

於 Yū 图姓。
另见 1436 页 wū；1658 页 yú "于[1]"。

淤(④瘀) yū ❶動淤积：大雨过后，院子里～了一层泥。❷ 淤积起来的：～泥｜～地。❸ 淤积的泥沙、淤泥：河～｜沟～。❹動（血液）不流通：～血。❺〈方〉液体沸腾溢出：米汤～了一锅台。

【淤灌】yūguàn動 在洪水期放水灌溉，让洪水带来的泥沙和养分淤积在田地里，以改善土壤的性质，增加土壤的肥力。

【淤积】yūjī動（水里的泥沙等）沉积◇忧愁～在心头。

【淤泥】yūní图 河流、湖沼、水库、池塘中沉积的泥沙，所含有机物多，常呈灰黑色。

【淤塞】yūsè動（水道）被沉积的泥沙堵塞：河床～。

【淤血】yū/xiě動 因静脉血液回流受阻，机体的器官或组织内血液淤积。
另见 yūxuè。

【淤血】yūxuè图 淤积的血液：清除颅内～。
另见 yū//xiě。

【淤滞】yūzhì動 ❶（水道）因泥沙沉积而不能畅通：疏通～的河道。❷ 中医指经络血脉等阻塞不通。

yú（ㄩˊ）

于[1](於) yú ❶ 介 a）在：她生于1949 年｜来信已一日前收到｜黄河发源～青海。b）向：问道～盲｜告慰～知己｜求救～人。c）给：嫁祸～人｜献身～科学事业。d）对；对于：忠～祖国｜有益～人民｜形势～我们有利。e）自；从：青出～蓝｜出～自愿。f）表示比较：大～少｜高～低。g）表示被动：见笑～大方之家。❷ 后缀。a）动词后缀：合～属｜在～｜至～。b）形容词后缀：勇～负责｜善～调度｜易～了解｜难～实行。
"於"另见 1436 页 wū；1658 页 Yū。

于[2] Yú 图姓。

【于今】yújīn ❶ 副 到现在：故乡一别，～

十载。❷ 图 如今：这城市建设得非常快，～已看不出原来的面貌。

【于思】yúsāi〈书〉厖 形容胡须很多（多叠用）。

【于是】yúshì連 表示后一事紧接着前一事，后一事往往是由前一事引起的：大家一鼓励，我～恢复了信心。也说于是乎。

与(與) 另见 1663 页 yǔ；1666 页 yù。

予 yú ❶〈书〉代 人称代词。我。❷（Yú）图姓。
另见 1663 页 yǔ。

【予取予求】yú qǔ yú qiú 原指从我这里取，从我这里求（财物）（语出《左传·僖公七年》），后用来指任意索取。

邘 Yú 周朝国名，在今河南沁阳西北。

伃 yú 见 699 页【倢伃】。

玙(璵) yú〈书〉美玉。

欤(歟) yú〈书〉動 ❶ 表示疑问或反问，跟"吗"或"呢"相同：子非三闾大夫～？｜呜呼，是谁之咎～？❷ 表示感叹，跟"啊"相同：论者之言，一似管窥虎～！

余[1] yú ❶〈书〉代 人称代词。我。❷（Yú）图姓。

余[2](餘) yú ❶動 剩下：～根｜～钱｜不遗～力｜收支相抵，尚～一百元。❷ 数 大数或度量单位等后面的零头：五百～斤｜一丈～。❸ 指某种事情、情况以外或以后的时间：业～｜兴奋之～，高歌一曲。

【余波】yúbō图 指事件结束以后留下的影响：纠纷的～｜～未平。

【余存】yúcún動（出入相抵后）剩余；结存：核对销售数量和～数量。

【余党】yúdǎng图 未消灭尽的党羽。

【余地】yúdì图 指言语或行动中留下的可回旋的地步：不留～｜有充分考虑的～。

【余毒】yúdú图 残留的毒素或祸害：肃青～。

【余额】yú'é图 ❶ 名额中余下的空额。❷ 账目上剩余的金额。

【余风】yúfēng图 遗留下来的风气。

【余割】yúgē 名 见 1172 页【三角函数】。

【余晖】(余辉) yúhuī 名 傍晚的阳光：太阳落山了,只剩下一抹～。

【余悸】yújì 名 事后还感到的恐惧：心有～。

【余角】yújiǎo 名 平面上两个角的和等于一个直角(90°),这两个角就互为余角。

【余烬】yújìn 名 ❶ 燃烧后剩下的灰和没烧尽的东西：纸烟～。❷ 比喻战乱后残存的东西：劫后～。

【余力】yúlì 名 剩余的力量；多余的精力：不遗～|没有～顾及此事。

【余沥】yúlì〈书〉名 剩余的酒,比喻分到的一点儿小利：分沾～。

【余粮】yúliáng 名 吃用之外余下的粮食。

【余脉】yúmài 名 从主要山脉延伸下来,高度较低的山脉。

【余年】yúnián 名 晚年：安度～。

【余孽】yúniè 名 指残余的坏人或恶势力：封建～|铲除～。

【余切】yúqiē 名 见 1172 页【三角函数】。

【余缺】yúquē 名 富余和缺欠：互通有无、调剂～。

【余热】yúrè 名 ❶ 生产过程中剩余的热量：利用～取暖。❷ 比喻离休、退休以后的老年人的精力和作用：老专家要发挥～,为社会多做贡献。

【余色】yúsè 名 补色。

【余生】yúshēng 名 ❶ 指晚年：安度～。❷ (大灾难后)侥幸保全的生命：劫后～|虎口～。

【余剩】yúshèng 动 剩余：把～的粮食卖给国家。

【余数】yúshù 名 整数除法中,被除数未被除数整除所剩的大于 0 而小于除数的部分。如 27÷6＝4…3,即不完全商是 4,余数是 3。

【余外】yúwài〈方〉连 除此之外：冬天的荒野里只见几棵枯树,～什么也看不到。

【余威】yúwēi 名 剩余的威力：～犹存|傍晚,地面仍发散着烈日的～。

【余味】yúwèi 名 留下的耐人回想的味道◇歌声美妙,～无穷。

【余暇】yúxiá 名 工作或学习之外的空闲时间。

【余下】yúxià 动 剩下：一共一千元,用去六百元,还～四百元。

【余弦】yúxián 名 见 1172 页【三角函数】。

【余兴】yúxìng 名 ❶ 未尽的兴致：犹有～。❷ 会议或宴会之后附带举行的文娱活动：会议到此结束,～节目现在开始。

【余音】yúyīn 名 指歌唱或演奏后好像还留在耳边的声音：～缭绕。

【余音绕梁】yú yīn rào liáng 歌唱停止后,余音好像还在绕着屋梁回旋,形容歌声或音乐优美,耐人回味。

【余勇可贾】yú yǒng kě gǔ 还有剩余力量可以使出来。

【余裕】yúyù 形 富裕：～的时间|～的精力。

【余韵】yúyùn 名 遗留下来的韵致：饶有～。

【余震】yúzhèn 名 大地震之后紧跟着发生的小地震。较大的余震也能造成破坏。

好 yú 见 699 页【婕好】。

盂 yú (～儿) 名 盛液体的敞口器具：水～|痰～|漱口～儿。

【盂兰盆会】yúlánpén huì 名 农历七月十五日佛教徒为超度祖先亡灵所举行的仪式,有斋僧、拜忏、放焰口等活动。[盂兰盆,梵 ullambana]

臾 yú 见 1536 页【须臾】。

鱼(魚) yú 名 ❶ 脊椎动物的一大类,生活在水中,体温随外界温度而变化,一般身体侧扁,有鳞和鳍,用鳃呼吸。种类很多,包括软骨鱼和硬骨鱼两类。大部分可供食用。❷ (Yú)姓。

【鱼白】[1] yúbái 名 ❶ 鱼的精液。❷〈方〉鳔①。

【鱼白】[2] yúbái 名 鱼肚白：东方一线～,黎明已经到来。

【鱼鳔】yúbiào 名 鳔①。

【鱼翅】yúchì 名 鲨鱼的鳍经过加工之后,其软骨叫做鱼翅,是珍贵的食品。也叫翅或翅子。

【鱼虫】yúchóng (～儿) 名 水蚤。

【鱼唇】yúchún 名 海味,用鲨鱼的唇加工而成。

【鱼刺】yúcì 名 鱼的细而尖的骨头。

【鱼肚】yúdǔ 名 食品,用某些鱼类的鳔制成。

【鱼肚白】yúdùbái 名 像鱼肚子的颜色,白里略带青，多指黎明时东方天空的颜色：天边现出了～。

【鱼饵】yú'ěr 名 钓鱼用的鱼食。

【鱼粉】yúfěn 名 鱼类或鱼类加工后剩下的头、尾、内脏等经过蒸干、压榨、粉碎等工序而制成的产品，含有丰富的蛋白质，是良好的饲料。

【鱼肝油】yúgānyóu 名 从鲨鱼、鳕鱼等的肝脏中提炼出来的脂肪，黄色，有腥味，主要含有维生素A和维生素D。常用于防治夜盲、佝偻病等。

【鱼鼓】yúgǔ 同"渔鼓"。

【鱼鼓道情】yúgǔ dàoqíng 见282页〖道情〗。

【鱼贯】yúguàn 副 像游鱼一样一个挨一个地接连着(走)：～而行｜～入场。

【鱼花】yúhuā 名 鱼苗。

【鱼胶】yújiāo 名 ❶ 用鱼鳔或用鱼鳞、鱼骨熬成的胶，溶化后黏性强，用作黏合剂，也用来制电影胶片。❷〈方〉鱼的鳔，特指黄鱼的鳔。

【鱼具】yújù 见1661页〖渔具〗。

【鱼雷】yúléi 名 一种能在水中自行推进、自行控制方向和深度的炸弹。略呈圆筒形，由舰艇发射或飞机投掷，用来攻击敌方的舰艇等。

【鱼雷艇】yúléitǐng 名 以鱼雷为主要武器的小型舰艇，能迅速而灵活地逼近敌舰，发射鱼雷。也叫鱼雷快艇。

【鱼鳞】yúlín 名 鱼身上的鳞片，可以制鱼胶。

【鱼鳞坑】yúlínkēng 名 为蓄水或种树而在山坡上挖的坑，交错排列像鱼鳞。

【鱼龙混杂】yú lóng hùnzá 比喻坏人和好人混在一起。

【鱼米之乡】yú mǐ zhī xiāng 指盛产鱼和大米的富庶的地方。

【鱼苗】yúmiáo 名 由鱼子孵化出来供养殖用的小鱼。

【鱼目混珠】yú mù hùn zhū 拿鱼眼睛冒充珍珠，比喻拿假的东西冒充真的东西。

【鱼漂】yúpiāo （～儿）名 钓鱼时拴在线上的能漂浮的东西，作用是使鱼钩不致沉底。鱼漂下沉，就知道鱼已上钩。

【鱼肉】yúròu 动《史记·项羽本纪》："人为刀俎，我为鱼肉。"(刀俎指宰割的器具，借指宰割者，鱼肉借指受宰割者)后来比喻用暴力欺凌、残害：土豪横行乡里，～百姓。

【鱼石螈】yúshíyuán 名 古两栖动物，有四肢和粗大的尾巴，腹部有残余的鳞片。一般认为它是鱼类进化到两栖动物的中间类型，出现于泥盆纪晚期。

【鱼水】yúshuǐ 名 鱼和水，多用于比喻亲密不可分离的关系：～情深。

【鱼水情】yúshuǐqíng 名 形容极其亲密的情谊，就像鱼和水不能分离一样。

【鱼死网破】yú sǐ wǎng pò 比喻斗争双方同归于尽：拼个～。

【鱼松】yúsōng 名 用鱼类的肉加工制成的绒状或碎末状的食品。也叫鱼肉松。

【鱼网】yúwǎng 见1661页〖渔网〗。

【鱼尾纹】yúwěiwén 名 人的眼角与鬓角之间的像鱼尾的皱纹。

【鱼鲜】yúxiān 名 指鱼虾等水产食物。

【鱼腥草】yúxīngcǎo 名 蕺(jí)菜。

【鱼汛】yúxùn 名 某些鱼类由于越冬等原因在一定时期内高度集中在一定海域，适于捕捞的时期。也作渔汛。

【鱼雁】yúyàn 〈书〉比喻书信(古时有借鱼腹和雁足传信的说法)：频通～｜～往还。

【鱼秧子】yúyāng·zi 名 比鱼苗稍大的小鱼。

【鱼鹰】yúyīng 名 ❶ 鹗的通称。❷ 鸬鹚的通称。

【鱼游釜中】yú yóu fǔ zhōng 比喻处境危险，快要灭亡。

【鱼子】yúzǐ 名 鱼的卵：～酱。

禺 yú ❶ 古书上说的一种猴。❷（Yú）名 姓。

竽 yú 古乐器，形状像现在的笙。

舁 yú 〈方〉动 共同用手抬：～水。

俞 yú ❶〈书〉叹 表示允许。❷（Yú）名 姓。
　　另见1271页shù"腧"。

【俞允】yúyǔn 〈书〉动 允许。

旟（旟）yú 古代一种军旗。

猶 yú 见1121页〖犰猶〗。

馀（餘）yú ❶ 见1658页"余²"。在余和馀意义上可能混淆时，仍用馀：～年无多。❷（Yú）名 姓。

谀（諛）yú 〈书〉谄媚；奉承：阿(ē)～｜～辞。

【谀词】yúcí 同"谀辞"。

【谀辞】yúcí 〈书〉阿谀奉承的话。也作谀词。

娱 yú ❶ 快乐：欢～|耳目之～。❷ 使快乐：聊以自～。

【娱乐】yúlè ❶ 动 使人快乐；消遣：～场所|到歌舞厅去～～。❷ 名 快乐有趣的活动：下棋是他最爱好的一种～。

【娱乐圈】yúlèquān 名 指演艺界。

黄 yú 见 1775 页[茱萸]。

雩 yú 古代求雨的祭礼。

渔(漁、歔) yú ❶ 捕鱼：～捞|～船|～翁|～业|竭泽而～|～人之利。❷ 谋取（不应得的东西）：～利。

【渔霸】yúbà 名 占有渔船、渔网等或开鱼行剥削、欺压渔民的恶霸。

【渔产】yúchǎn 名 渔业产品：沿海～丰富。

【渔场】yúchǎng 名 集中捕鱼的水域，一般为鱼群密集的地方。

【渔船】yúchuán 名 用于捕鱼的船。

【渔村】yúcūn 名 渔民聚居的村庄。

【渔夫】yúfū 名 以捕鱼为业的男子。

【渔港】yúgǎng 名 停泊渔船的港湾。

【渔歌】yúgē 名 渔民所唱的、反映渔民生活的歌曲。

【渔鼓】yúgǔ 名 ❶ 打击乐器，在长竹筒的一头蒙上薄皮，用手敲打。是演唱道情的主要伴奏乐器。❷ 指道情，因用渔鼓伴奏而得名。参看 282 页[道情]。‖也作鱼鼓。

【渔鼓道情】yúgǔ dàoqíng 见 282 页[道情]。

【渔火】yúhuǒ 名 渔船上的灯火：入夜，江上～点点。

【渔家】yújiā 名 以捕鱼为业的人家。

【渔具】(鱼具) yújù 名 捕鱼或钓鱼的器具。

【渔捞】yúlāo 名 大规模的捕鱼工作。

【渔利】yúlì ❶ 动 趁机会谋取不正当的利益：从中～。❷ 名 渔人之利的略语：坐收～。参看 1671 页[鹬蚌相争，渔人得利]。

【渔猎】yúliè 动 ❶ 捕鱼打猎。❷ 〈书〉掠夺：～百姓。❸ 〈书〉贪求并追逐：～女色。

【渔轮】yúlún 名 捕鱼用的轮船。

【渔民】yúmín 名 以捕鱼为业的人。

【渔人之利】yúrén zhī lì 比喻第三者利用另外两方的矛盾冲突而取得的利益：坐收～。参看 1671 页[鹬蚌相争，渔人得利]。

【渔网】(鱼网) yúwǎng 名 捕鱼用的网。

【渔翁】yúwēng 名 称年老的渔夫。

【渔汛】yúxùn 同"鱼汛"。

【渔业】yúyè 名 捕捞或养殖水生动植物的生产事业。

【渔政】yúzhèng 名 渔业生产、经营和管理等工作。

【渔舟】yúzhōu 〈书〉名 渔船。

隅 yú ❶ 角落：墙～|城～|向～|一～之地。❷ 靠边沿的地方：海～。

揄 yú 〈书〉牵引；提起。

【揄扬】yúyáng 〈书〉动 ❶ 赞扬：极口～。❷ 宣扬：～大义。

喁 yú 〈书〉拟声 应和的声音。
另见 1641 页 yóng。

【喁喁】yúyú 〈书〉❶ 动 随声附和。❷ 拟声 形容说话的声音（多用于小声说话）：～私语。
另见 1641 页 yóngyóng。

崳 yú ❶ 山弯儿。❷ 同"隅"。

崳 yú 昆崳(Kūnyú)，山名，在山东。

畬 yú 〈书〉开垦过两年的田地。
另见 1202 页 shē。

逾(❶逾) yú ❶ 超过；越过：～期|～限|～额|年～六十。❷ 〈书〉副 更加：～甚。

【逾常】yúcháng 动 超过寻常：欣喜～。

【逾分】yúfèn 〈书〉形 过分：～的要求。

【逾期】yú//qī 动 超过所规定的期限：～未归|～三天。

【逾越】yúyuè 动 超越：～常规|难以～的障碍。

腴 yú ❶ (人)胖；丰～。❷ 肥沃：膏～。

渝 ❶ yú 改变(多指态度或感情)：始终不～|坚贞不～。

渝2 Yú 名 ❶ 重庆的别称。❷ 姓。

愉 yú 愉快：～悦｜面有不～之色。

【愉快】yúkuài 形 快意；舒畅：～地交谈｜心情～｜生活过得很～。

【愉悦】yúyuè 形 喜悦：怀着十分～的心情。

瑜 yú ❶〈书〉美玉。❷〈书〉玉的光彩，比喻优点：瑕不掩～｜瑕～互见。❸（Yú）名 姓。

【瑜伽】yújiā 名 印度的一种传统健身法。"瑜伽"意为"结合"，指修行。强调呼吸规则和静坐，以解除精神紧张，修身养性。也作瑜珈。［梵 Yoga］

【瑜珈】yújiā 同"瑜伽"。

榆 yú 名 ❶ 榆树，落叶乔木，叶子卵形，花有短梗。翅果倒卵形，叫榆钱。木材可供建筑或制器具用。❷（Yú）名 姓。

【榆荚】yújiá 名 榆树的果实。

【榆钱】yúqián（～儿）〈口〉名 榆荚，形状圆而小，像小铜钱。

【榆叶梅】yúyèméi 名 落叶灌木或小乔木，叶子椭圆形或倒卵形，像榆树叶，花红色，核果球形，红色。供观赏。

虞1 yú ❶ 猜测；预料：不～。❷ 忧虑：兴修水利，水旱无～｜无冻馁之～。❸ 欺骗：尔～我诈。

虞2 Yú 名 ❶ 传说中的朝代名，舜所建。❷ 周朝国名，在今山西平陆东北。❸ 名 姓。

【虞美人】yúměirén 名 一年生或二年生草本植物，茎细长，叶子羽状分裂，花瓣略呈圆形，有紫红、洋红、粉红等颜色，蒴果球形。供观赏。

愚 yú ❶ 愚笨；傻：～人｜～不可及｜大智～。❷ 愚弄：为人所～。❸ 用于自称的谦辞：～兄｜～见｜～以为不可。❹（Yú）名 姓。

【愚笨】yúbèn 形 头脑迟钝，不灵活。

【愚不可及】yú bù kě jí 原指人为了应付不利局面假装愚痴，以免祸患，为常人所不及（见于《论语·公冶长》）。后用来形容人极端愚蠢。

【愚痴】yúchī 形 愚笨痴呆。

【愚蠢】yúchǔn 形 愚笨；不聪明：～透顶｜这种做法太～。

【愚钝】yúdùn 形 愚笨；不伶俐：天资～。

【愚公移山】Yúgōng yí shān 传说古代有一位老人名叫北山愚公，家门前有两座大山挡住了路，他下决心要把山平掉，另一个老人河曲智叟笑他太傻，认为不可能。愚公回答说："我死了有儿子，儿子死了还有孙子，子子孙孙是没有穷尽的。这两座山可不会再增高了，凿去一点就少一点，终有一天要凿平的。"（见于《列子·汤问》）比喻做事有毅力，有恒心，不怕困难。

【愚见】yújiàn 名 谦辞，称自己的意见或见解。也说愚意。

【愚陋】yúlòu 形 愚昧鄙陋：～之见。

【愚鲁】yúlǔ 形 愚笨迟钝：自愧～｜生性～。

【愚昧】yúmèi 形 缺乏知识；愚蠢而不明事理：～无知。

【愚氓】yúméng〈书〉名 愚蠢的人。

【愚蒙】yúméng 形 愚昧。

【愚民政策】yúmín zhèngcè 统治者为了便于统治而实行的愚弄人民，使人民处于愚昧无知和闭塞状态的政策。

【愚弄】yúnòng 动 蒙蔽玩弄：被人～。

【愚懦】yúnuò 形 愚昧怯懦：生性～。

【愚顽】yúwán 形 愚昧而顽固。

【愚妄】yúwàng 形 愚昧而狂妄：～可笑。

【愚意】yúyì 名 愚见。

【愚拙】yúzhuō 形 愚笨。

艅 yú ［艅艎］（yúhuáng）名 古时一种木船。

觎（觎） yú 见648页〖觊觎〗。

歈 yú〈书〉❶ 歌。❷ 同"愉"。

舆1（輿） yú〈书〉❶ 车：～马｜舍～登舟。❷ 车上可以载人载物的部分。❸ 指轿：肩～｜彩～。

舆2（輿） yú〈书〉地：～地｜～图。

舆3（輿） yú 众多；众人的：～论｜～情。

【舆论】yúlùn 名 公众的言论：社会～｜国际～｜～哗然。

【舆情】yúqíng 名 公众的意见和态度：体察～｜～激昂。

【舆图】yútú〈书〉名 地图（多指疆域图）。

窳(踰) yú 〈书〉从墙上爬过去：穿～。

褕 yú 见147页〖襜褕〗。

蝓 yú 见802页〖蛞蝓〗。

髃 yú 〈名〉中医指肩的前部。

yǔ （ㄩˇ）

与¹(與) yǔ ❶ 给：赠～|～人方便|信件已交～本人。❷ 交往：相～|～国(友邦)。❸ 赞许；赞助：～人为善。❹〈书〉等待：岁不我～(时光不等人)。❺(Yǔ)〈名〉姓。

与²(與) yǔ ❶〈介〉跟；向：～虎谋皮|～困难作斗争。❷〈连〉和：工业～农业|批评～自我批评。
另见1658页yú;1666页yù。

【与共】yǔgòng 〈动〉在一起：生死～|朝夕～|荣辱～。

【与虎谋皮】yǔ hǔ móu pí 跟老虎商量取下它的皮来,比喻所商量的事跟对方(多指坏人)利害冲突,绝对办不到。

【与其】yǔqí 〈连〉比较两件事而决定取舍的时候,"与其"放在放弃的一面(后面常用"毋宁、不如"等呼应);～扬汤止沸,不如釜底抽薪。

【与人为善】yǔ rén wéi shàn 原指赞助人学好,现多指善意帮助别人。

【与日俱增】yǔ rì jù zēng 随着时间的推移而不断增长。

【与时俱进】yǔ shí jù jìn 随着时代的发展而不断发展、前进;马克思主义具有～的理论品质。

【与世长辞】yǔ shì cháng cí 指人去世(多用于敬仰的人)。

予 yǔ 给:授～奖状|免～处分|请～批准。
另见1658页yú。

【予人口实】yǔ rén kǒushí 给人留下指责的把柄。

【予以】yǔyǐ 〈动〉给以:～支持|～警告|～表扬|～批评。

屿(嶼) yǔ (旧读 xù) 小岛:岛～。

伛(傴) yǔ 〈动〉曲(背);弯(腰):～着背|～下腰。

【伛偻】yǔlǚ 〈书〉〈动〉腰背弯曲。

宇 yǔ ❶ 房檐,泛指房屋:屋～|栋～。❷ 上下四方,所有的空间;世界:～宙|～内|寰～。❸〈名〉地层系统分类单位的第一级,分为太古宇、元古宇和显生宇,宇以下为界。跟宇相应的地质年代分期叫做宙。❹ 风度;气质:眉～|神～|器～。❺(Yǔ)〈名〉姓。

【宇航】yǔháng 〈动〉宇宙航行,指人造地球卫星、宇宙飞船等在太阳系内外空间航行。也说航宇。

【宇航技术】yǔháng jìshù 空间技术。

【宇文】Yǔwén 〈名〉姓。

【宇宙】yǔzhòu 〈名〉❶ 包括地球及其他一切天体的无限空间。❷ 一切物质及其存在形式的总体("宇"指无限空间,"宙"指无限时间)。哲学上也叫世界。参看778页〖空间〗、1235页〖时间〗、1243页〖世界〗。

【宇宙尘】yǔzhòuchén 〈名〉散在宇宙空间的微粒状物质,密集像云雾,常作剧烈的回旋运动。

【宇宙飞船】yǔzhòu fēichuán 用多级火箭做运载工具,从地球上发射出去能在宇宙空间航行的飞行器。

【宇宙观】yǔzhòuguān 〈名〉世界观。

【宇宙火箭】yǔzhòu huǒjiàn 可以脱离地心引力,发射到其他星球或星际空间的火箭。

【宇宙空间】yǔzhòu kōngjiān 指地球大气层以外的空间。也叫外层空间。

【宇宙射线】yǔzhòu shèxiàn 来自宇宙空间的射线。能量极大,穿透力比X射线和γ射线更强。

【宇宙速度】yǔzhòu sùdù 物体能够克服地心引力的作用离开地球进入星际空间的速度。宇宙速度分为四级,即第一宇宙速度、第二宇宙速度、第三宇宙速度、第四宇宙速度。

羽¹ yǔ ❶ 羽毛①。❷ 鸟类或昆虫的翅膀:振～。❸〈量〉用于鸟类:一～信鸽。❹(Yǔ)〈名〉姓。

羽² yǔ 古代五音之一,相当于简谱的"6"。参看1445页〖五音〗。

【羽缎】yǔduàn 〈名〉光滑像缎子的棉织品,常用来做外衣和大衣的里子。也叫羽毛缎。

【羽冠】yǔguān 名 鸟类头顶上的竖立的长羽毛，例如孔雀就有羽冠。

【羽化】¹ yǔhuà 动 ❶ 古人认为仙人能飞升变化，因此把成仙叫做羽化。❷ 婉辞，道教徒称人死。

【羽化】² yǔhuà 动 昆虫由蛹变为成虫。

【羽毛】yǔmáo 名 ❶ 鸟类身体表面所长的毛，有保护身体、保持体温、帮助飞翔等作用。❷ 鸟类的羽和兽类的毛，比喻人的名誉：爱惜～。

【羽毛球】yǔmáoqiú 名 ❶ 球类运动项目之一，规则和用具大体上像网球。❷ 羽毛球运动使用的球，用软木包羊皮装上羽毛制成。也有用塑料制的。

【羽毛未丰】yǔmáo wèi fēng 比喻还没有成熟，还没有成长壮大。

【羽绒】yǔróng 名 禽类腹部和背部的绒毛，特指经过加工处理的鸭、鹅等的羽毛：～服｜～制品。

【羽纱】yǔshā 名 一种薄的纺织品，用棉跟毛或丝等混合织成，多用来做衣服里子。

【羽扇】yǔshàn 名 用鸟翅膀上的长羽毛制成的扇子：～纶(guān)巾。

【羽坛】yǔtán 名 指羽毛球界。

【羽翼】yǔyì 名 翅膀，比喻辅佐的人或力量(多含贬义)：～已成。

雨 yǔ 名 ❶ 从云层中降向地面的水。云里的小水滴体积增大到不能悬浮在空气中时，就落下成为雨。❷ (Yǔ)姓。
另见 1667 页 yù。

【雨布】yǔbù 名 指可以遮雨用的布，如油布、胶布、塑料布等。

【雨点】yǔdiǎn (～儿)名 形成雨的小水滴。

【雨刮器】yǔguāqì 名 刮去汽车等挡风玻璃上雨水的装置。也叫雨刷。

【雨后春笋】yǔ hòu chūnsǔn 春天下雨后竹笋长得很多很快，比喻新事物大量出现。

【雨花石】yǔhuāshí 名 一种光洁的小卵石，有美丽的色彩和花纹，可供观赏，主要出产在南京雨花台一带。

【雨季】yǔjì 名 雨水多的季节。

【雨脚】yǔjiǎo 名 指像线一样一串串密集连接着的雨点。

【雨具】yǔjù 名 防雨的用具，如雨伞、雨衣、雨鞋等。

【雨量】yǔliàng 名 下雨形成的降水量。

【雨林】yǔlín 名 热带或亚热带暖热湿润地区的一种森林类型，由高大常绿阔叶树构成繁密林冠，多层结构，并包含丰富的木质藤本和附生高等植物。包括热带雨林、亚热带雨林、山地雨林等。

【雨露】yǔlù 名 雨和露，比喻恩惠：～之恩。

【雨幕】yǔmù 名 雨点密密麻麻，景物像被幕罩住一样，因此叫做雨幕。

【雨披】yǔpī 名 防雨的斗篷。

【雨前】yǔqián 名 绿茶的一种，用谷雨前采摘的细嫩芽尖制成。

【雨情】yǔqíng 名 某个地区降雨的情况。

【雨伞】yǔsǎn 名 防雨的伞，用油纸、油布、锦纶或塑料布等制成。

【雨刷】yǔshuā 名 雨刮器。

【雨水】yǔshuǐ 名 ❶ 由降雨而来的水：～调和｜～足，庄稼长得好。❷ 二十四节气之一，在 2 月 18、19 或 20 日。参看 696 页〖节气〗、363 页〖二十四节气〗。

【雨丝】yǔsī 名 像一条条丝的细雨：空中飘着～。

【雨凇】yǔsōng 名 雨落在 0℃ 以下的地表或地面物体上，或过冷的水滴和物体(如电线、树枝、飞机翼面等)互相接触而形成的冰层。通称冰挂。

【雨蛙】yǔwā 名 两栖动物，体长 3 厘米左右，脚趾上有吸盘，可以爬到较高的地方。吃昆虫等。种类很多。

【雨雾】yǔwù 名 像雾一样的细雨：～茫茫｜～笼罩了江面。

【雨鞋】yǔxié 名 下雨天穿的不透水的鞋。

【雨靴】yǔxuē 名 防水的靴子，用橡胶、塑料等制成。

【雨衣】yǔyī 名 用油布、胶布或塑料等制成的防雨外衣。

【雨意】yǔyì 名 要下雨的征兆：阴云密布，～正浓｜天空万里无云，没有一丝～。

俣 yǔ [俣俣](yǔyǔ)〈书〉形 身材高大。

禹 Yǔ ❶ 古代部落联盟领袖，传说曾治服洪水。❷ 名 姓。

语(語) yǔ ❶ 话：～言｜～音｜汉～｜外～｜成～｜千言万～。❷ 说：细～｜低～｜不言不～｜默默不～。❸ 谚语：成语：～云，"不入虎穴，焉得虎子。"❹ 代替语言表示意思的动作或方式：手～｜旗

～|灯～。❺（Yǔ）图姓。
另见 1668 页 yù。

【语病】yǔbìng 图措辞上的毛病(多指不通顺、有歧义或容易引起误会的)。

【语词】yǔcí 图指词、词组一类的语言成分。

【语调】yǔdiào 图说话的腔调,就是一句话里语音高低轻重快慢的配置,表示一定的语气和情感。

【语段】yǔduàn 图文章或话语中由若干句子组成的、根据内容划分成的部分。也叫句群。

【语法】yǔfǎ ❶图语言的结构方式,包括词的构成和变化、词组和句子的组织。❷语法研究:描写～|历史～|比较～。

【语法学】yǔfǎxué 图语言学的一个分支,研究语法结构规律。

【语感】yǔgǎn 图言语交流中指人对词语表达的直觉判断或感受。

【语汇】yǔhuì 图一种语言的或一个人所用的词和固定词组的总和:汉语的～是极其丰富的|贫乏是写不出好文章的。

【语境】yǔjìng 图使用语言的环境。内部语境指一定的言语片断和一定的上下文之间的关系,外部语境指存在于言语片断之外的语言的社会环境。

【语句】yǔjù 图词句,泛指成句的话:～简短。

【语料】yǔliào 图语言材料,是编写字典、词典和进行语言研究的依据。

【语料库】yǔliàokù 图汇集并保存语料的地方。

【语录】yǔlù 图某人言论的记录或摘录。

【语气】yǔqì ❶图说话的口气:听他的～,这事大概有点不妙。❷表示陈述、疑问、祈使、感叹等分别的语法范畴。

【语塞】yǔsè 园由于激动、气愤或理亏等原因而一时说不出话:悲愤之下、一时～。

【语素】yǔsù 图语言中最小的有意义的单位。汉语的语素绝大部分是单音节的,也有一些是多音节的,如"人、手、究、吗、疙瘩、逍遥、巧克力、奥林匹克"。有的语素能够单用,是成词语素,如"我、跑、高、琵琶",有的语素不能单用,是不成词语素,如"民、历、们、履"。在分析词的内部结构时,有的语法书把语素叫做词素。

【语速】yǔsù 图说话的速度:～适中。

【语体】yǔtǐ 图语言为适应不同的交际需要(内容、目的、对象、场合、方式等)而形成的具有不同风格特点的表达形式。通常分为口语语体和书面语体。

【语体文】yǔtǐwén 图白话文。

【语文】yǔwén 图❶语言和文字:～规范|～程度(指阅读、写作等能力)。❷语言和文学:中学～课本。

【语无伦次】yǔ wú lúncì 话讲得很乱,没有条理层次。

【语系】yǔxì 图有共同来源的一些语言的总称。如汉藏语系、印欧语系。同一语系又可以根据关系疏密分成一些语族,如印欧语系可以分成印度、伊朗、斯拉夫、日耳曼、罗马等语族。

【语序】yǔxù 图语言单位按照一定规则组成的先后顺序。在汉语里,语序是一种主要语法手段。语序的变动能使词组或句子具有不同的意义,如"不完全懂"和"完全不懂","我看他"和"他看我"。

【语焉不详】yǔ yān bù xiáng 说到了,但说得不详细、不清楚。

【语言】yǔyán 图❶人类所特有的用来表达意思、交流思想的工具,是一种特殊的社会现象,由语音、词汇和语法构成一定的系统。"语言"一般包括它的书面形式,但在与"文字"并举时只指口语。❷话语:～乏味|由于文化水平和职业的差异,他们之间缺少共同～。

【语言学】yǔyánxué 图研究语言的本质、结构和发展规律的学科。

【语义】yǔyì 图词语的意义。

【语义学】yǔyìxué 图语言学的一个分支,研究词语的意义及其演变。

【语意】yǔyì 图话语所包含的意义:～深长。

【语音】yǔyīn 图语言的声音,就是人说话的声音。

【语音学】yǔyīnxué 图语言学的一个分支,研究的对象是语音。

【语用学】yǔyòngxué 图语言学的一个分支,研究语言的使用及其规律。

【语种】yǔzhǒng 图语言按语音、词汇和语法特征、性质的不同而划分的种类。

【语重心长】yǔ zhòng xīn cháng 言辞诚恳,情意深长。

【语助词】yǔzhùcí 图汉语和另外一些语

言中专门表示各种语气的助词，一般位于句子的末尾或句中停顿的地方。也叫语气助词。

【语族】yǔzú 图 见 1665 页【语系】。

圄 yǔ 见 866 页[囹圄]。

敔 yǔ 古乐器，奏乐将终，击敔使演奏停止。

圉 yǔ 〈书〉养马的地方：～人（掌管养马的人）。

偶 yǔ 〈书〉形容独行。

鄅 Yǔ 周朝国名，在今山东临沂。

庾 yǔ ❶〈书〉露天的谷仓。❷（Yǔ）图姓。

铻(鋙) yǔ 见 738 页[铻铻]。另见 1443 页 wú。

貐(貐) yǔ 见 1561 页[猰貐]。

瑀 yǔ 〈书〉像玉的石头。

瘐 yǔ 见下。

【瘐死】yǔsǐ 圆 古代指犯人在监狱中因饥寒而死。后来也泛指在监狱中病死。

齬(齬) yǔ 见 739 页[龃齬]。

窳 yǔ 〈书〉（事物）恶劣、坏：～败｜～劣｜良～（优劣）。

【窳败】yǔbài 〈书〉形 破败；衰败。

【窳惰】yǔduò 〈书〉形 懒惰。

【窳劣】yǔliè 〈书〉形 粗劣；恶劣：器具～。

yù （ㄩˋ）

与(與) yù 参与：～会。另见 1658 页 yú；1663 页 yǔ。

【与会】yùhuì 圆 参加会议：～国｜～人员。

【与闻】(预闻) yùwén 圆 参与并且得知（内情）：～其事。

玉 yù ❶图 硬玉和软玉的统称，质地细腻，光泽温润，可用来制造装饰品或做雕刻的材料。也叫玉石。❷ 比喻洁白或美丽：～颜｜亭亭～立。❸ 敬辞，指对方身体、行动等：～音｜～照｜～成。❹（Yù）图姓。

【玉帛】yùbó 图 古时国与国间交际时用作礼物的玉器和丝织品：化干戈为～（比喻把战争或争斗变为和平、友好）。

【玉成】yùchéng 圆 敬辞，成全：深望～此事。

【玉带】yùdài 图 古代官员所用的玉饰腰带。

【玉帝】Yùdì 图 玉皇大帝。

【玉雕】yùdiāo 图 在玉上雕刻形象、花纹的艺术。也指用玉雕刻成的工艺品。

【玉皇大帝】Yùhuáng Dàdì 道教称天上最高的神。也叫玉帝。

【玉茭】yùjiāo 〈方〉图 玉米。也叫玉茭子。

【玉洁冰清】yù jié bīng qīng 见 96 页【冰清玉洁】。

【玉兰】yùlán 图 ❶ 落叶乔木，叶子倒卵形，花大多为白色或紫色，有香气，花瓣长倒卵形，果实圆筒形。供观赏。❷ 这种植物的花。

【玉兰片】yùlánpiàn 图 晒干了的白色嫩笋片，供食用。

【玉麦】yùmài 〈方〉图 玉米。

【玉米】yùmǐ 图 ❶ 一年生草本植物，茎粗壮，叶子长而大，花单性，雌雄同株，子实比黄豆稍大。是重要的粮食作物和饲料作物之一。❷ 这种植物的子实。‖也叫玉蜀黍。在不同地区有老玉米、玉茭、玉麦、苞谷、包米、棒子、珍珠米等名称。

【玉米面】yùmǐmiàn 图 玉米磨成的面。

【玉佩】yùpèi 图 用玉石制成的装饰品，古时多系在衣带上。

【玉器】yùqì 图 用玉石雕琢成的各种器物。多为工艺美术品。

【玉搔头】yùsāotóu 图 玉簪。

【玉色】yù·shai 〈方〉图 淡青色。

【玉石】yù·shí 图 玉①：这座人像是～的。

【玉石俱焚】yù shí jù fén 美玉和石头一齐烧毁了，比喻好的和坏的一同毁掉。

【玉蜀黍】yùshǔshǔ 图 玉米。

【玉碎】yùsuì 圆 比喻为保持气节而牺牲（常与"瓦全"对举）：宁为～，不为瓦全。

【玉体】yùtǐ 图 ❶ 敬辞，称别人的身体：～欠安。❷ 指女子肌肤细润的身体。

【玉兔】yùtù 〈书〉图 指月亮，传说中月中有兔∶～东升。

【玉玺】yùxǐ 名 君主的玉印。

【玉音】yùyīn 名 敬辞,称对方的书信、言辞(多用于书信):伫候～。

【玉宇】yùyǔ 名❶ 传说中神仙住的华丽的宫殿:琼楼～。❷ 指天空,也指宇宙:～澄清。

【玉簪】yùzān 名❶ 用玉做成的簪子。也叫玉搔头。❷ 多年生草本植物,叶子大,有长柄,叶片卵形或心脏形,总状花序,花洁白如玉,未开时如簪头,有芳香,蒴果长形。供观赏。❸ 这种植物的花。

【玉照】yùzhào 名 敬辞,称别人的照片。

驭(馭) yù ❶ 驾驭:～车|～马|～手。❷〈书〉统率;控制:～下无方。

【驭手】(御手)yùshǒu 名 使役牲畜的士兵。也泛指驾驭车马的人。

芋 yù 名❶ 多年生草本植物,块茎椭圆形或卵形,叶子略呈卵形,有长柄,花黄绿色。块茎含淀粉多,供食用。❷ 这种植物的块茎。‖通称芋头,也叫芋艿。❸ 泛指马铃薯、甘薯等植物:洋～|山～。

【芋艿】yùnǎi 名 芋①②。

【芋头】yù·tou 名❶ 芋①②的通称。❷〈方〉甘薯。

吁(籲) yù 为某种要求而呼喊:呼～|～请|～求。

另见 1535 页 xū;1657 页 yū。

【吁请】yùqǐng 动 呼吁并请求:～有关部门采取有效措施。

【吁求】yùqiú 动 呼吁并恳求:～各界人士捐款救灾。

聿 yù〈书〉助 用在句首或句中,起顺承作用。

谷 yù 见 1382 页【吐谷浑】。

另见 488 页 gǔ。

饫(飫) yù〈书〉饱。

妪(嫗) yù〈书〉年老的女人:老～|翁～。

雨 yù〈书〉下(雨、雪等):～雪。

另见 1664 页 yǔ。

郁[1] yù ❶ 香气浓厚:馥～|～烈。❷(Yù)名 姓。

郁[2](鬱) yù ❶(草木)茂盛:葱～。❷(忧愁、气愤)在心中积

聚:忧～|抑～|～闷。

【郁愤】yùfèn 形 忧愤:～之情|～难抒。

【郁积】yùjī 动 郁结:哀怨|～发泄心中～的愤怒。

【郁结】yùjié 动 积聚不得发泄:～在心头的烦恼。

【郁金香】yùjīnxiāng 名❶ 多年生草本植物,叶阔披针形,有白粉,花有多种颜色,花心黑紫色,花瓣倒卵形,结蒴果。供观赏,根和花可入药。❷ 这种植物的花。

【郁闷】yùmèn 形 烦闷;不舒畅:～不乐|排解胸中的～。

【郁热】yùrè 形 闷热:盛暑～。

【郁悒】yùyì〈书〉形 忧闷;苦闷:心境～。

【郁郁】[1] yùyù〈书〉形❶ 文采显著:文采～。❷ 香气浓厚。

【郁郁】[2] yùyù〈书〉形❶(草木)茂密:～葱葱。❷ 心里苦闷:～不乐|寡欢。

【郁郁苍苍】yùyùcāngcāng 形 状态词。郁郁葱葱。

【郁郁葱葱】yùyùcōngcōng 形 状态词。(草木)苍翠茂盛。也说郁郁苍苍。

育 yù ❶ 生育:节～。❷ 养活:～婴|～苗|封山～林。❸ 教育:德～|智～|体～。❹(Yù)名 姓。

另见 1639 页 yō。

【育才】yùcái 动 培养人才。

【育雏】yùchú 动 喂养幼小的鸟类。

【育肥】yùféi 动 在宰杀之前的一段时期使猪、鸡等家畜、家禽很快地长肥。通常是喂给大量的精饲料。也叫肥育、催肥。

【育林】yùlín 动 培植森林:封山～。

【育龄】yùlíng 名 适合生育的年龄:～夫妇。

【育苗】yù∥miáo 动 在苗圃、温床或温室里培育幼苗,以备移植到地里去栽种。

【育秧】yù∥yāng 动 培育秧苗:温室～。

【育种】yù∥zhǒng 动 用人工方法培育动植物的新品种。

昱 yù〈书〉❶ 日光。❷ 照耀。

狱(獄) yù ❶ 名 监狱:牢～|入～。❷ 官司;罪案:冤～|文字～。

【狱霸】yùbà 名 在监狱里称霸,欺压其他在押人员的囚犯。

【狱警】yùjǐng 名 看管监狱的警察。

【狱卒】yùzú 名 旧时称监狱看守人。

语(語) yù 〈书〉告诉;不以~人。另见1664页yǔ。

彧 yù 〈书〉有文采。

峪 yù 山谷(多用于地名):马兰~(在河北)|嘉~关(在甘肃)。

钰(鈺) yù 〈书〉珍宝。

鹆(鵒) yù 〈书〉形容鸟飞得快。

浴 yù 洗澡:沐~|淋~|~室|海水~◇日光~。

【浴场】yùchǎng 名 露天游泳场所:海滨~。

【浴池】yùchí 名 ❶供许多人同时洗澡的设备,形状像池塘,用石头或混凝土筑成。❷指澡堂(多用于澡堂的名称)。

【浴缸】yùgāng 名 大澡盆,多为长方形,用陶瓷或塑料等制成。

【浴巾】yùjīn 名 洗澡用的长毛巾。

【浴盆】yùpén 名 澡盆(不包括新式的大澡盆)。

【浴室】yùshì 名 ❶有洗澡设备的房间。❷指澡堂。

【浴血】yùxuè 动 全身浸在血中,形容战斗激烈:~奋战|~沙场。

【浴液】yùyè 名 洗澡用的液体去污用品。

【浴衣】yùyī 名 专供洗澡前后穿的衣服。

【浴罩】yùzhào 名 洗澡时悬挂起来罩住澡盆起保温作用的用具,多用塑料薄膜制成。

预[1](預) yù ❶预先;事先:~测|~报|~祝|~付。❷(Yù)名 姓。

预[2](預) yù 同"与"(yù)。

【预案】yù'àn 名 为应付某种情况的发生而事先制订的处置方案。

【预报】yùbào 动 预先报告(多用于天文、气象等方面):天气~。

【预备】yùbèi 动 准备:~功课|春节你~到哪儿去玩儿?

【预备役】yùbèiyì 名 随时准备根据国家需要应征入伍的兵役。服满现役退伍的军人和依法应服兵役而未入伍的公民,按规定编入预备役。也叫后备役。

【预卜】yùbǔ 动 预先断定:前途未可~。

【预测】yùcè 动 预先推测或测定:市场~|~明年的服装流行款式。

【预产期】yùchǎnqī 名 预计的胎儿出生的日期。预产期的计算方法一般从最后一次月经的第一日后推九个月零七天。

【预订】yùdìng 动 预先订购:~报纸|~酒席。

【预定】yùdìng 动 预先规定或约定:~计划|~时间|这项工程~在明年完成。

【预断】yùduàn 动 预先断定:发展前景还很难~。

【预防】yùfáng 动 事先防备:~传染病|~旱涝灾害。

【预付】yùfù 动 预先付给(款项):~三个月租金。

【预付款】yùfùkuǎn 名 订购商品等预付的款项。也叫订金。

【预感】yùgǎn ❶动 事先感觉:天气异常闷热,大家都~到将要下一场大雨。❷名 事先的感觉:不祥的~。

【预告】yùgào ❶动 事先通告◇这场大雪~了来年小麦的丰收。❷名 事先的通告(多用于戏剧演出、图书出版等):新书~|电视节目~。

【预购】yùgòu 动 预先购买;订购:~农产品|~返程机票。

【预后】yùhòu 名 对于某种疾病发展过程和最后结果的估计:~不良。

【预会】yùhuì 见1666页[与会]。

【预计】yùjì 动 预先计算、计划或推测:~十天之内就可以完工。

【预检】yùjiǎn 动 事先检查:产品~合格。

【预见】yùjiàn ❶动 根据事物的发展规律预先料到将来:我厂的生产水平几年内将有很大的提高。❷名 能预先料到将来的见识:科学的~。

【预警】yùjǐng 动 预先告警:~卫星|~雷达。

【预警机】yùjǐngjī 名 军用飞机的一种,装有远程雷达,用来搜索和监视空中或海上目标,指挥、引导己方飞机执行作战任务。机上还装有数据处理、通信、导航等设备,易于探测和监控低空或超低空目标,续航力强。

【预考】yùkǎo 动 正式考试之前进行的考试,通过者可以取得参加正式考试的资格:~落选。

【预科】yùkē 名 为高等学校培养新生的机构,附设在高等学校里,也有单独设立的。

【预亏】yùkuī 动 股份公司在正式公布年度或半年业绩以前预告亏损:~公告。

【预料】yùliào ❶动 事先推测:~这个地区会比去年增产百分之十。❷名 事先的推测:果然不出他的~。

【预谋】yùmóu 动 做坏事之前有所谋划,特指做犯法的事之前有所谋划。

【预期】yùqī 动 预先期待:~能够获得好收成|达到~的目的。

【预热】yùrè 动 预行加热,也用于比喻:发动机~|空调市场~。

【预赛】yùsài 动 体育等比赛、复赛或决赛之前进行的比赛。在预赛中选拔参加复赛或决赛的选手或集体。

【预审】yùshěn 动 ❶ 法院正式开庭审判前对刑事被告人所进行的预备性审讯活动。❷ 侦查阶段对刑事案件被告人进行的讯问。

【预示】yùshì 动 预先显示:灿烂的晚霞~明天又是好天气。

【预收】yùshōu 动 预先收取(款项):~定金。

【预售】yùshòu 动 预先出售:~火车票|商品房~。

【预算】yùsuàn ❶名 国家机关、团体和事业单位等对于未来的一定时期内的收入和支出的计划:财政~。❷动 做预算:经过~,需要投资三十万元。

【预算赤字】yùsuàn chìzì 财政赤字。

【预闻】yùwén 见 1666 页[与闻]。

【预习】yùxí 动 学生预先自学将要听讲的功课。

【预先】yùxiān 副 在事情发生或进行之前:~声明|~通知|~布置。

【预想】yùxiǎng ❶动 事先料想;事前推想:~不到事情的结果会这样。❷名 事先的推测:结果与人们的~大致相同。

【预行】yùxíng 动 预先施行:~警报。

【预选】yùxuǎn 动 在正式选举前,为确定候选人而进行选举。

【预选赛】yùxuǎnsài 名 在正式比赛前,为选拔参赛者而进行的比赛:奥运会~。

【预言】yùyán ❶动 预先说出(将来要发生的事情):科学家~人类在探索宇宙方面将有新的突破。❷名 预先说出的关于将来要发生什么事情的话:科学家的~已经变成了现实。

【预演】yùyǎn 动 在正式演出前试演。

【预约】yùyuē 动 事先约定(服务时间、购货权利等):~挂号。

【预展】yùzhǎn 动 在展览会正式开幕前先行展览,请人参观,以便听取意见,加以改进,然后再正式展出。

【预兆】yùzhào ❶名 预先显露出来的迹象:不祥的~。❷动 (某种迹象)预示将要发生某种事情:瑞雪~来年丰收。

【预支】yùzhī 动 预先付出或领取(款项):~一个月的工资。

【预知】yùzhī 动 预先知道:云能够帮助我们~天气变化。

【预制构件】yùzhì gòujiàn 按照设计规格在工厂或现场预先制成的钢、木或混凝土构件。

【预祝】yùzhù 动 预先祝愿:~成功。

域 yù ❶名 在一定疆界内的地方;疆域;区~|异~|~外|绝~。❷ 泛指某种范围:境~|音~。

【域名】yùmíng 名 企业或机构等在互联网上注册的名称,是互联网上识别机构的网络地址。

堉 yù 〈书〉肥沃的土地。

菀 yù 〈书〉茂盛。另见 1403 页 wǎn。

欲(❶慾) yù ❶ 欲望:食~|求知~。❷ 想要;希望:~言又止|从心所~。❸ 需要:胆~大而心~细。❹副 将要:摇摇~坠|山雨~来风满楼。

【欲罢不能】yù bà bù néng 想停止却不能停止。

【欲盖弥彰】yù gài mí zhāng 想要掩盖事实的真相,反而更加显露出来(指坏事)。

【欲壑难填】yù hè nán tián 形容贪得的欲望太大,很难满足。

【欲火】yùhuǒ 名 比喻强烈的欲望(多指情欲)。

【欲加之罪,何患无辞】yù jiā zhī zuì, hé huàn wú cí 想要给人加上罪名,何愁找不到借口。指以种种借口诬陷人。

【欲念】yùniàn 名 欲望。

【欲擒故纵】yù qín gù zòng 为了要捉住他,故意先放开他,使他放松戒备,比喻为了更好地控制,故意放松一步。

【欲速则不达】yù sù zé bù dá 过于性急反而不能达到目的。

【欲望】yùwàng 名想得到某种东西或想达到某种目的的要求:求知的～。

阈(閾) yù 〈书〉门槛儿,泛指界限或范围:视～听～。

洧 Yù 洧河,水名,在河南。

谕(諭) yù 告诉;吩咐(用于上级对下级或长辈对晚辈):～知|面～|手～|上～(旧时称皇帝的命令)。
〈古〉又同"喻"。

【谕旨】yùzhǐ 名皇帝对臣子下的命令、指示。

尉 yù 见下。
另见1424页 wèi。

【尉迟】Yùchí 名姓。

【尉犁】Yùlí 名地名,在新疆。

椊 yù 古书上说的一种植物。

遇 yù ❶动相逢;遭遇:相～|两～|险|不期而～。❷对待;款待:待～优～|冷～。❸机会:机～|际～。❹(Yù)名姓。

【遇刺】yùcì 动被暗杀:～身亡。

【遇害】yù//hài 动被杀害:不幸～。

【遇合】yùhé 动〈书〉相遇而彼此投合。❷遇见;碰到。

【遇见】yù//·jiàn 动碰到:半路上～了老王。

【遇救】yù//jiù 动得到援救:～脱险。

【遇难】yù//nàn 动❶遭受迫害或遇到意外而死亡:他在一次飞机失事中～。❷遭遇危难:～成祥(遭遇危难而化为吉祥)。

【遇事生风】yù shì shēng fēng 一有机会就搬弄是非。

【遇险】yù//xiǎn 动遭遇危险:船在海上～。

喻 yù ❶说明;告知:晓～|～之以理|不可理～。❷明白;了解:家～户晓|不言而～。❸比方:比～。❹(Yù)名姓。

【喻示】yùshì 动表明;显示:挺拔的青松～着旺盛的生机。

【喻世】yùshì 动告诫世人,使明白道理。

【喻义】yùyì 名比喻的意义。

御 yù ❶驾驭车马;赶车:～者。❷封建社会指上级对下级的管理或支配:～下|～众。❸封建社会指与皇帝有关的:～赐|～前|告～状。

御²(禦) yù 抵挡:防～|～寒|～敌。

【御笔】yùbǐ 名指皇帝亲笔写的字或画的画。

【御寒】yùhán 动抵御寒冷:～用品。

【御驾】yùjià 名皇帝的马车:～亲征(皇帝亲自带兵出征)。

【御林军】yùlínjūn 名禁军。

【御手】yùshǒu 见1667页【驭手】。

【御侮】yùwǔ 动抵抗外侮。

【御用】yùyòng 形属性词。❶皇帝所用的。❷为统治者利用而为之效劳的:～文人|～学者。

鹆(鵒) yù 见1127页【鸲鹆】。

寓(庽) yù ❶居住:～居|～所。❷住的地方:客～|公～|赵～。❸寄托:～意。❹(Yù)名姓。

【寓邸】yùdǐ 名高级官员的住所。

【寓公】yùgōng 名古时指寄居他国的诸侯、贵族,后泛指失势寄居他乡的官僚、绅士等。

【寓居】yùjū 动居住(多指不是本地人):他晚年～上海。

【寓目】yùmù 〈书〉动过目:室内展品我已大致～。

【寓所】yùsuǒ 名寓居的地方。

【寓言】yùyán 名❶有所寄托的话。❷用假托的故事或自然物的拟人手法来说明某个道理或教训的文学作品,常带有讽刺或劝诫的性质。

【寓意】yùyì 名寄托或隐含的意思:～深长。

【寓于】yùyú 动包含在(其中):矛盾的普遍性～矛盾的特殊性之中。

裕 yù ❶丰富;宽绰:富～|宽～|充～|余～。❷〈书〉使富足:富国～民。❸(Yù)名姓。

【裕固族】Yùgùzú 名我国少数民族之一,分布在甘肃。

【裕如】yùrú 形❶形容从容不费力:应付

~。❷ 形容丰足：生活~。

粥 yù ❶〈书〉生养。❷ 同"鬻"。
另见 1773 页 zhōu。

鬻 yù〈书〉象征祥瑞的彩云。

蓣（蕷） yù 见 1269 页[薯蓣]。

罠 yù〈书〉捕捉小鱼的细网。

愈[1]（❶瘉癒） yù ❶（病）好：痊~｜病~。❷ 较好；胜过：彼~于此。

愈[2] yù ❶副 叠用，跟"越…越…"相同：山路~走~陡，而风景~来~奇｜是情况紧急，~是需要沉着冷静。❷（Yù）名姓。

【愈合】yùhé 动（伤口）长好：等伤口~了才能出院。

【愈加】yùjiā 副 越发：由于他的插手，事情变得~复杂了。

【愈演愈烈】yù yǎn yù liè（事情、情况）变得越来越严重。

【愈益】yùyì 副 愈加：在科学技术日益发达的今天，学科分类~细密了。

煜 yù〈书〉照耀。

溍（滪） yù 见 1573 页"滟"下"滟滪堆"。

誉（譽） yù ❶ 名 名誉：荣~｜~满全国。❷ 称赞：毁~｜~不绝口。❸（Yù）名 姓。

【誉称】yùchēng ❶ 动 称赞；赞美：泰山被~为天下第一山。❷ 名 美称：昆明向有春城的~。

蔚 Yù ❶ 蔚县，地名，在河北。❷ 名 姓。
另见 1424 页 wèi。

蜮（魊） yù 传说中在水里暗中害人的怪物；鬼：~。

毓 yù ❶〈书〉生育；养育：钟灵~秀。❷（Yù）名 姓。

隩 yù〈书〉河岸弯曲的地方。
另见 15 页 ào。

薁 yù 见 1632 页[蘡薁]。

潏 yù〈书〉水涌。

熨 yù [熨帖]（yùtiē）形 ❶（用字、用词）贴切；妥帖。❷ 心里平静：这一番坦诚的谈话，说得他心里十分~。❸〈方〉舒服：他身上不~，要回家躺一会儿。❹〈方〉（事情）完全办妥：这事不办~，我不能走。
另见 1690 页 yùn。

遹 yù〈书〉遵循。

豫[1] yù ❶〈书〉欢喜；快乐：面有不~之色。❷ 安适：逸~亡身。

豫[2] yù 同"预[1]"。

豫[3] Yù 名 河南的别称。

【豫剧】yùjù 名 河南地方戏曲剧种之一，流行于河南全省和陕西、山西等地。也叫河南梆子。

噢 yù〈书〉同"燠"。

燠 yù〈书〉暖；热：~热｜寒~失时。

【燠热】yùrè〈书〉形 闷热：天气~。

熽 yù〈书〉火光。

鹬（鷸） yù 名 鸟，体色暗淡，嘴细长，腿长，趾间没有蹼。常在浅水边或水田中吃小鱼、贝类、昆虫等，是候鸟。种类较多。

【鹬蚌相争，渔人得利】yù bàng xiāng zhēng, yúrén dé lì 蚌张开壳晒太阳，鹬去啄它，被蚌壳钳住了嘴，两方面都不肯相让。渔翁来了，把两个都捉住了（见于《战国策·燕策二》）。比喻双方争持不下，让第三者得了好处。

【鹬鸵】yùtuó 名 无翼鸟。

鬻 yù〈书〉卖：~画｜~文为生｜卖官~爵。

yuān（ㄩㄢ）

鸢（鳶） yuān 名 老鹰：~飞鱼跃。

帠 yuān 见 375 页[鹓帠]。

智 yuān〈书〉❶ 眼睛干枯下陷。❷ 枯竭：~井（干枯的井）。

鸳(鴛) yuān 指鸳鸯◇～侣(比喻夫妻)。

【鸳鸯】yuān·yāng 名 鸟,外形像野鸭而较小,嘴扁,颈长,趾间有蹼,善于游泳,翅膀长,能飞。雄鸟有彩色羽毛,头后有铜赤、紫、绿等色的长冠毛,嘴红色。雌鸟羽毛苍褐色,嘴灰黑色,雌雄多成对生活在水边。文学作品中常用来比喻夫妻。

冤(寃) yuān ❶名 冤枉;冤屈:～情|鸣～|申～|含～负屈。❷ 冤仇:～家|结～。❸形 上当;吃亏:花～钱|白跑一趟,真～! ❹〈方〉动 欺骗:你别～人!

【冤案】yuān'àn 名 误判的让人受冤屈的案件;被人诬陷,妄加罪名的案件:平反～。

【冤仇】yuānchóu 名 受人侵害或侮辱而产生的仇恨。

【冤大头】yuāndàtóu 名 枉费钱财的人(含讥讽意)。

【冤魂】yuānhún 名 称死得冤枉的人的魂灵(迷信)。

【冤家】yuān·jia 名 ❶仇人:～对头。❷称似恨而实爱、给自己带来苦恼而又舍不得的人(旧时戏曲或民歌中多用来称情人)。

【冤家路窄】yuānjiā lù zhǎi 仇人或不愿意相见的人偏偏容易相逢,无可回避。

【冤孽】yuānniè 名 冤仇罪孽。

【冤情】yuānqíng 名 受冤枉的情况:～大白|申诉～。

【冤屈】yuānqū ❶形 冤枉①。❷动 冤枉②。❸名 不公平的待遇;不应受的损害:受～。

【冤头】yuāntóu 名 仇人。

【冤枉】yuān·wang ❶形 受到不公平的待遇;被加上不应有的罪名:～官司|把这过错加在我头上,真是～。❷动 使无罪者有罪;没有事实根据,给人加上恶名:别～好人。❸形 不值得;吃亏:这个钱花得真～!

【冤枉路】yuān·wanglù 名 指本来不必走而多走的路。

【冤枉钱】yuān·wangqián 名 指本来不必花而花的钱。

【冤狱】yuānyù 名 冤屈的案件:平反～。

渊(淵) yuān ❶ 深水;潭:深～|鱼跃于～|天～之别。❷ 深:～泉|～博。❸(Yuān)名 姓。

【渊博】yuānbó 形 (学识)深而且广:知识～|～的学者。

【渊海】yuānhǎi 名 深渊和大海,比喻内容广而且深:笔墨～。

【渊深】yuānshēn 形 (学问、计谋等)很深:学识～。

【渊薮】yuānsǒu 名 比喻人或事物聚集的地方(渊:深水,鱼所聚处;薮:水边草地,兽所聚处):罪恶的～。

【渊源】yuānyuán 名 比喻事情的本原:历史～。

浣 yuān 浣市(Yuānshì),地名,在湖北。
另见 1434 页 wò。

痟 yuān〈书〉❶ 酸痛。❷ 忧郁。

蜎 yuān〈书〉孑孓。

【蜎蜎】yuānyuān〈书〉形 形容虫子爬行的样子。

鹓(鵷) yuān [鹓雏](yuānchú)名 古书上说的凤凰一类的鸟。

笢 yuān 见下。

【笢笢】yuāndōu〈方〉名 笢箕。

【笢箕】yuānjī〈方〉名 竹篾等编成的盛东西的器具。

yuán （ㄩㄢ）

元[1] yuán ❶ 开始的;第一:～始|～旦|～月|～年|～纪。❷ 为首的;居首的:～首|～老|～帅|～勋|～凶|状~。❸ 主要;根本:～素|～音。❹ 元素:一～论|二～论。❺ 构成一个整体的:单～。

元[2] yuán 货币单位,同"圆"❻❼。

元[3] Yuán 名 ❶ 朝代。蒙古孛儿只斤·铁木真于1206 年建立。1271 年忽必烈定国号为元。1279 年灭宋。定都大都(今北京)。❷ 姓。

【元宝】yuánbǎo 名 旧时较大的金银锭,两头翘起中间凹下,银元宝一般重五十两,金元宝重五两或十两。

【元宝槭】yuánbǎoqì 名 落叶乔木,叶子多五裂,秋天变红,花黄绿色,果实两旁有张开的翅,像元宝,可栽培做行道树。

【元旦】Yuándàn 名 新年的第一天。

【元恶】yuán'è〈书〉名 首恶。

【元件】yuánjiàn 名 构成仪器、仪表等的单个制件,可以在同类装置中掉换使用,如电阻、电容、晶体管等。

【元老】yuánlǎo 名 称某一领域年辈长资历高的人:三朝~|金融界~。

【元煤】yuánméi 见 1675 页〖原煤〗。

【元谋猿人】Yuánmóu yuánrén 中国猿人的一种,大约生活在一百七十万年以前,化石在 1965 年发现于云南元谋。也叫元谋人。

【元年】yuánnián 名 ❶ 帝王或诸侯即位的第一年或帝王改元的第一年,如隐公元年,贞观元年。❷ 指纪年的第一年,如公元元年,回历元年。❸ 指政体改变或政府组织上的大改变的第一年,如周代共和元年。

【元配】yuánpèi 名 指第一次娶的妻子。也作原配。

【元气】yuánqì 名 指人或国家、组织的生命力:~旺盛|不伤~|恢复~。

【元器件】yuán-qìjiàn 名 元件和器件的合称。

【元曲】yuánqǔ 名 盛行于元代的一种文艺形式,包括杂剧和散曲,有时专指杂剧。参看 1692 页〖杂剧〗、1175 页〖散曲〗。

【元日】yuánrì 名 一年的第一天(旧指农历正月初一)。

【元戎】yuánróng〈书〉名 主将。

【元首】yuánshǒu 名 ❶〈书〉君主。❷ 国家的最高领导人:国家~。

【元帅】yuánshuài 名 ❶ 某些国家的军衔,高于将官。❷ 古时称统率全军的主帅。

【元素】yuánsù 名 ❶ 要素。❷ 在代数学中组成联合的各个部分,如 723 和 312 中的 7,2,3,1。在几何学中构成图形的各个部分,如构成三角形的边和角。❸ 化学上指具有相同核电荷数(即相同质子数)的同一类原子的总称,如氧元素、铁元素。

【元素符号】yuánsù fúhào 用来表示元素的化学符号。通常用元素的拉丁文名称的第一个字母(大写)来表示,如第一个字母与其他元素相同,就附加后面的一个字母(小写)来区别。如氧的元素符号是 O,铁的元素符号是 Fe。

【元宵】yuánxiāo 名 ❶ 农历正月十五日夜晚。因为这一天叫上元节,所以晚上叫元宵。❷ 用糯米粉等做成的球形食品,有馅儿,多煮着吃。是元宵节的应时食品。

【元宵节】Yuánxiāo Jié 名 我国传统节日,在农历正月十五日。从唐代起,在这一天夜晚就有观灯的风俗。也叫灯节或上元节。

【元凶】yuánxiōng 名 祸首。

【元勋】yuánxūn 名 立大功的人(多指开创性的事业中的):开国~。

【元夜】yuányè〈书〉名 元宵①。

【元音】yuányīn 名 声带颤动,气流在口腔的通路上不受到阻碍而发出的声音,如普通话语音的 a,e,o,i,u,ü 等。也叫母音。发元音时鼻腔不通气,要是鼻腔也通气,发的元音就叫鼻化元音。普通话语音中 ng 尾韵儿化时元音变成鼻化元音。

【元鱼】yuányú 同"鼋鱼"。

【元元本本】yuányuánběnběn 见 1676 页〖原原本本〗。

【元月】yuányuè 名 指农历正月。也指公历一月。

芫 yuán［芫花］(yuánhuā)名 落叶灌木,叶子长圆形,花淡紫色,结核果。供观赏,花蕾可入药。
另见 1564 页 yán。

园(園)yuán 名 ❶(~儿)种蔬菜、花果、树木的地方:花~儿|果~|~艺。❷ 供人游览娱乐的地方:公~|动物~|~中游人很多。❸(Yuán)姓。

【园地】yuándì 名 ❶ 菜园、花园、果园等的统称:农业~。❷ 比喻开展某种活动的地方:文化~|艺术~。

【园丁】yuándīng 名 ❶ 从事园艺的工人。❷ 比喻教师。

【园林】yuánlín 名 种植花草树木供人游赏休息的风景区:~艺术。

【园圃】yuánpǔ 名 种蔬菜、花果、树木的场所。

【园区】yuánqū 名 指集中发展某种事业的地区:高科技~。

【园田】yuántián 名 种菜的田地:耕作~化(精耕细作)。

【园艺】yuányì 图 种植蔬菜、花卉、果树等的技术：～师。

【园囿】yuányòu 〈书〉图 供游玩的花园或动物园。

【园子】yuán·zi 图 ❶ 园①：菜～。❷ 指戏园子。

员（員）yuán ❶ 指工作或学习的人：教～|学～|演～|职～|炊事～|指挥～|～工。❷ 指团体或组织中的成员：党～|团～|会～|队～。❸ 量 用于武将：一～大将。

另见 1687 页 yún；1689 页 Yùn。

【员额】yuán'é 图 人员的定额：缩减～。

【员工】yuángōng 图 职员和工人：铁路～。

【员司】yuánsī 图 旧时指政府机关的中下级人员。

【员外】yuánwài 图 ❶ 古时官职(全称为"员外郎"，是在郎官的定员之外设置的)。❷ 对地主豪绅的称呼(多见于早期白话)。

沅 Yuán ❶ 图 沅江，水名，发源于贵州，流入湖南。❷ 图 姓。

垣 yuán ❶〈书〉墙：城～|颓～断壁。❷〈书〉城：省～（省城）。❸（Yuán）图 姓。

爱 yuán ❶〈书〉代 疑问代词。何处；哪里：～其适归? ❷〈书〉连 于是：～书其事以告。❸（Yuán）图 姓。

袁 Yuán 图 姓。

原¹ yuán ❶ 最初的；开始的：～始|～人|～生动物。❷ 形 属性词。原来；本来：～地|～作者|～班人马|～有人数。❸ 没加工的：～棉|～煤|～油。❹（Yuán）图 姓。

原² yuán 原谅：～宥|情有可～。

原³ yuán ❶ 宽广平坦的地方：平～|高～|草～|～野。❷ 同"塬"。

【原版】yuánbǎn 图 ❶ 书籍、音像制品等原来的版本(区别于翻印版、翻录版)。❷ 未经翻译的书籍、音像制品等：国外～教材。

【原本】¹ yuánběn 图 ❶ 底本；原稿(区别于传抄本)。❷ 初刻本(区别于重刻本)。❸ 翻译所根据的原书。

【原本】² yuánběn 副 原来；本来：他～是学医的，后来改行搞戏剧。

【原材料】yuáncáiliào 图 原料和材料的合称。

【原虫】yuánchóng 图 病原虫。

【原初】yuánchū 图 起初；原先：她～不像现在这样爱说爱笑。

【原创】yuánchuàng 动 最早创作；首创：～歌曲|～精神。

【原创性】yuánchuàngxìng 图 作品等具有的首先创作或创造而非抄袭或模仿的性质。

【原电池】yuándiànchí 图 使用后不能再充电重复使用的电池。

【原动机】yuándòngjī 图 利用热能、水力、风力等产生动力的机械。

【原动力】yuándònglì 图 产生动力的力，如水力发电的水力◇信心是战胜困难的～。

【原封】yuánfēng （～儿）形 属性词。没有开封的，泛指保持原来的样子，一点不加变动的：～烧酒|～不动|～退回。

【原稿】yuángǎo 图 写成后没有经过他人修改增删的稿子；出版部门据以印刷出版的稿子。

【原告】yuángào 图 向法院提起诉讼的公民、法人或其他组织及行政机关。

【原鸽】yuángē 图 鸽的一种，身体的上部灰色，颈部有绿紫色的光泽，腹部淡灰色，善于飞行。吃谷物及其他植物的种子。也叫野鸽。

【原故】yuángù 见 1678 页〖缘故〗。

【原核生物】yuánhé-shēngwù 图 生物的一大类。由原核细胞(没有真正的细胞核的细胞)构成的生物，如细菌、病毒、立克次体、螺旋体等。

【原鸡】yuánjī 图 鸟，外形像家鸡而小，是家鸡的远祖。雄鸡羽毛颜色美丽，上部多红色，下部黑褐色。雌鸡上部暗褐色，尾短。生活在云南、广西南部及海南岛等山区密林中。

【原籍】yuánjí 图 原先的籍贯(区别于"寄籍、客籍")：～浙江，寄籍北京。

【原价】yuánjià 图 原来的价格：按～打八折出售。

【原件】yuánjiàn 图 未经改动或变动的文件或物件；翻印文件、制作复制品所依据的原来的文件或物件：～退回。

【原矿】yuánkuàng 名 开采后未经加工的矿石。

【原来】yuánlái ❶ 名 开始的时候；从前：现在的日子比～好多了。❷ 形 属性词。起初的；没有经过改变的：按～的计划执行｜他还住在～的地方。❸ 副 表示发现真实情况：～是你｜我说夜里怎么这么冷，～是下雪了。

【原理】yuánlǐ 名 带有普遍性的、最基本的、可以作为其他规律的基础的规律；具有普遍意义的道理。

【原粮】yuánliáng 名 没有经过加工的粮食，如没有碾成米的稻谷，没有磨成面粉的小麦。

【原谅】yuánliàng 动 对人的疏忽、过失或错误宽容谅解，不加责备或惩罚。

【原料】yuánliào 名 指没有经过加工制造的材料，如用来冶金的矿砂，用来纺织的棉花。

【原麻】yuánmá 名 纺织上指用作原料的麻类植物的纤维。

【原毛】yuánmáo 名 纺织上指未经加工的兽毛，如兔毛、羊毛等。

【原貌】yuánmào 名 原来的面貌；本来的样子：保持～。

【原煤】(元煤) yuánméi 名 开采出来，没有经过筛、选等加工程序的煤。

【原蜜】yuánmì 名 没有经过加工的蜂蜜。

【原棉】yuánmián 名 纺织上指用作原料的皮棉。

【原木】yuánmù 名 采伐后未经加工的木料。

【原配】yuánpèi 同"元配"。

【原人】yuánrén 名 指猿人。

【原色】yuánsè 名 能配合成各种颜色的基本颜色。颜料中的原色是红、黄、蓝，蓝和黄可以配合成绿，红和蓝可以配合成紫。色光中的原色是红、绿、蓝，红和绿可以配合成黄，红和蓝可以配合成紫。

【原审】yuánshěn 名 对案件进行第二次审判时，称前一次审判为原审。

【原生动物】yuánshēng-dòngwù 最原始最简单的动物，生活在水中或其他生物体内，大都是单细胞动物，有的由多数个体组成群体生活。

【原生林】yuánshēnglín 名 原始林。

【原生质】yuánshēngzhì 名 细胞中有生

活力的组成部分，是生命的物质基础，由蛋白质、核酸、脂肪、糖类、无机盐、水等构成。

【原声带】yuánshēngdài 名 原版录音磁带。

【原始】yuánshǐ 形 属性词。❶ 最初的；第一手的：～记录｜～资料。❷ 最古老的；未开发的；未开化的：～动物｜～森林｜～社会。

【原始公社】yuánshǐ gōngshè 人类社会历史上最早阶段的社会组织，延续了数十万年。包括母系氏族公社和父系氏族公社两个阶段。参看〖原始社会〗。

【原始积累】yuánshǐ jīlěi 指在资本主义大生产方式建立以前，剥削阶级通过对农民、小生产者和殖民地人民的残酷掠夺而进行的资本积累。

【原始林】yuánshǐlín 名 从来未经人工采伐和培育的天然森林。也叫原生林。

【原始群】yuánshǐqún 名 原始社会初期，人类为了共同劳动和抵御敌人，由有血统关系的人自然形成的集体。这时生产能力极低，以采集野生植物和狩猎为生，没有固定居住的地方。后来原始群发展成氏族。

【原始社会】yuánshǐ shèhuì 人类历史上最早的社会，从原始群的形成开始，经过母系氏族公社、父系氏族公社直至原始公社的解体。原始社会生产力极低，生产资料公有，人们共同劳动，共同消费，没有剥削，没有阶级。后被奴隶社会所取代。

【原诉】yuánsù 名 原告方起诉后又追加其他的诉讼请求，称原起诉的诉讼请求为原诉（区别于"新诉"）。

【原索动物】yuánsuǒ-dòngwù 脊索动物的一个类群。背部有柔软的脊索，以支持身体。如文昌鱼等。

【原汤】yuántāng 名 指煮熟某种食物后的汤汁。

【原田】yuántián 〈方〉高原上的田地。

【原委】yuánwěi 名 事情从头到尾的经过；本末：细说～。

【原文】yuánwén 名 ❶ 翻译时所根据的词句或文章：译笔能表达出～精神。❷ 征引或转学所依据的文字：引用～要加引号｜抄完之后要跟～校对一下。

【原先】yuánxiān 名 从前；起初：照～的计划做｜他～是个文盲，现在已经成了业余作家。

【原形】yuánxíng 名 原来的形状;本来面目(贬义);现~|~毕露。

【原形毕露】yuánxíng bìlù 本来的面目完全暴露(含贬义)。

【原型】yuánxíng 名 原来的类型或模型,特指叙事性文学作品中塑造人物形象所依据的现实生活中的人。

【原盐】yuányán 名 只经过初步晒制或熬制的食盐,一般含杂质较多,多用作工业原料。

【原样】yuányàng (~儿)名 原来的样子;老样子;照实物~复制|几年没见,你还是~儿,一点儿不见老。

【原野】yuányě 名 平原旷野;辽阔的~|山下是肥沃的~。

【原意】yuányì 名 原来的意思或意图;有背~|不要曲解~。

【原因】yuányīn 名 造成某种结果或引起另一件事情发生的条件;成功的~|检查生病的~。

【原由】yuányóu 见 1678 页【缘由】。

【原油】yuányóu 名 开采出来未经提炼的石油。

【原宥】yuányòu 〈书〉动 原谅;敬希~。

【原原本本】(源源本本、元元本本)yuán-yuán-běnběn 副 照原样从头到尾地(叙述);我把这件事~讲给他们听。

【原则】yuánzé 名❶ 说话或行事所依据的法则或标准;~性|~问题|坚持~|基本~。❷ 指总的方面;大体上;他~上赞成这个方案,只在细节上提了些意见。

【原汁原味】yuánzhī yuánwèi 食物原有的汤汁和味道,比喻事物本来的、没有受到外来影响的风格、特性等。

【原职】yuánzhí 名 原来的职务;官复~。

【原址】yuánzhǐ 名 原来的地址;该公司已迁回~。

【原纸】yuánzhǐ 名 用来制造各种加工纸的原料纸。质地根据加工要求而不同,如钢纸原纸要求结构松软,吸收液体性能好;誊写蜡纸原纸要求纸质柔韧,纤维细长。

【原种】yuánzhǒng 名 原来的品种;保持原来的特性、没有变异的品种;~肉鸡|大豆~繁育基地。

【原主】yuánzhǔ (~儿)名 原来的所有者;

物归~。

【原著】yuánzhù 名 著作的原本(对译本、缩写本、删节本、改编本而言);翻译作品要忠实于~。

【原装】yuánzhuāng 形 属性词。❶ 原来装配好的;~彩电。❷ 原来包装好的;~名酒。

【原状】yuánzhuàng 名 原来的样子;保持~|恢复~。

【原子】yuánzǐ 名 组成单质和化合物分子的基本单位,是物质在化学变化中的最小微粒,由带正电的原子核和围绕原子核运动的电子组成。

【原子弹】yuánzǐdàn 名 核武器的一种,利用铀、钚等原子核分裂所产生的巨大能量进行杀伤和破坏。爆炸时产生冲击波、光辐射、贯穿辐射和放射性沾染。

【原子核】yuánzǐhé 名 原子的核心部分,由质子和中子组成。原子核只占原子体积的极小部分,而原子的质量几乎全部集中在原子核上。

【原子量】yuánzǐliàng 名 相对原子质量的通称。

【原子能】yuánzǐnéng 名 核能。

【原子团】yuánzǐtuán 名 几个不同种的原子结合成的集团,在许多化学反应中作为一个整体参加,如氢氧根 OH^-、硫酸根 SO_4^{2-}、甲基—CH_3 等。

【原子武器】yuánzǐ wǔqì 核武器。

【原子序数】yuánzǐ xùshù 元素周期表中,元素按原子的核电荷数从小到大顺序排列的号码,同时也是原子核的质子数。

【原子质量单位】yuánzǐ zhìliàng dānwèi 计量原子质量的单位,符号 U。它的数值相当于碳 -12 原子质量的 $1/12$,约等于 1.6605×10^{-27} 千克。

【原子钟】yuánzǐzhōng 名 利用铯、铷等原子的稳定振荡频率制成的极精密的计时器,计时误差每天可小于百万分之一秒。

【原罪】yuánzuì 名 基督教指人类始祖亚当和夏娃在伊甸园偷吃了上帝禁吃的智慧之果而犯下的罪。传给后世子孙,成为一切罪恶和灾祸的根源。

【原作】yuánzuò 名❶ 诗文唱和的最初的一篇。❷ 译文或改写本所根据的原文。

圆(圓) yuán ❶ 名 圆周所围成的平面。❷ 名 圆周的简称。❸

形形状像圆圈或球的：～桌｜滚～｜滴溜～｜圈画得很～。❹ 形圆满；周全：这话说得不～｜这人做事很～，各方面都能照顾到。❺ 使圆满；使周全：～场｜～谎｜自～其说。❻ 量 我国的本位货币单位，一圆等于十角或一百分。也作元。❼ 圆形的货币：银～｜铜～。也作元。❽（Yuán）名 姓。

【圆白菜】yuánbáicài 名 结球甘蓝的通称。

【圆柏】yuánbǎi 名 常绿乔木，幼树的叶子像针，大树的叶子像鳞片，雄花鲜黄色，果实球形，种子三棱形。也叫桧。

【圆场】yuán//chǎng 动 为打开僵局而从中解说或提出折中办法：这事最好由你出面说几句话圆圆场。

【圆成】yuánchéng 动 成全：～好事。

【圆房】yuán//fáng 动 旧指童养媳和未婚夫开始过夫妻生活。

【圆钢】yuángāng 名 见 1526 页〖型钢〗。

【圆鼓鼓】yuángǔgǔ （～的）形 状态词。形容圆而凸起的样子：挺着～的肚子｜～的豆粒儿。

【圆规】yuánguī 名 绘图仪器，轴上固定有两个可以开合的脚，一脚是尖针，另一脚可以装上铅笔芯或鸭嘴笔头，用来画圆或弧。

【圆滚滚】yuángǔngǔn （～的）形 状态词。形容非常圆：～的脸蛋儿｜～的小肥猪。

【圆号】yuánhào 名 管乐器，管身圈成圆形，号嘴的形状像漏斗，装有活塞。音色沉静、柔和。

【圆滑】yuánhuá 形 形容人善于敷衍讨好，不负责任：八面玲珑，处事～。

【圆谎】yuán//huǎng 动 弥补谎话中的漏洞：他想圆上谎，可越说漏洞越多。

【圆浑】yuánhún 形 ❶（声音）婉转而圆润自然：语调～｜这段唱腔流畅而～。❷（诗文）意味浓厚，没有雕琢的痕迹。

【圆寂】yuánjì 动 佛教用语，称僧尼死亡。

【圆笼】yuánlóng 名 放饭菜或送饭菜用的圆形大提盒。

【圆颅方趾】yuán lú fāng zhǐ 《淮南子·精神训》：“故头之圆也象天，足之方也象地。”后用“圆颅方趾”指人类。

【圆满】yuánmǎn 形 没有缺欠、漏洞，使人满意：～的答复｜会议～结束。

【圆梦】yuán//mèng 动 ❶ 解说梦的吉凶（迷信）。❷ 实现梦想或理想：他终于圆了奥运会冠军梦。

【圆盘耙】yuánpánbà 名 碎土、平地的农具，也可用来除去残留的根、茎，由一个个边缘锋利的钢制圆盘组成，用拖拉机或畜力牵引。

【圆圈】yuánquān （～儿）名 圈子①：围成一个～儿做游戏。

【圆全】yuán·quan〈口〉形 圆满；周全：想得～｜事情办得挺～。

【圆融】yuánróng 形 圆通：处世～。

【圆润】yuánrùn 形 ❶ 饱满而润泽：～的歌喉。❷（书、画技法）圆熟流利：他的书法～有力。

【圆实】yuán·shi〈口〉形 圆而结实：西瓜长得又大又～｜莲子饱满～。

【圆熟】yuánshú 形 ❶ 熟练；纯熟：笔体～｜演技日臻～。❷ 精明练达；灵活变通：处事极～。

【圆台】yuántái 名 圆锥的底面和平行于底面的一个截面间的部分，叫做圆台。

圆台

【圆通】yuántōng 形（为人、做事）灵活变通，不固执己见。

【圆舞曲】yuánwǔqǔ 名 一种每节三拍的舞曲，起源于奥地利民间，后来流行很广。

【圆心】yuánxīn 名 圆的中心；跟圆周上各点距离都相等的一点。

【圆心角】yuánxīnjiǎo 名 顶点在圆心上，以半径为两条边的角。

【圆凿方枘】yuán záo fāng ruì （“凿”旧读 zuò）见 384 页〖方枘圆凿〗。

【圆周】yuánzhōu 名 平面上一动点以一定点为中心，一定长为距离运动一周的轨迹。简称圆。

圆心角　圆周角

【圆周角】yuánzhōujiǎo 名 顶点在圆周上，两条边都与圆相交的角。

【圆周率】yuánzhōulǜ 名 圆周长度与圆

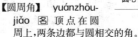

的直径长度的比,圆周率的值是 3.141 592 653 589 793 238 46…,通常用"π"表示。计算中常取 3.141 6 为它的近似值。

【圆珠笔】yuánzhūbǐ 图 用油墨书写的一种笔,笔芯里装有油墨,笔尖是个小钢珠,油墨由钢珠四周渗下。

【圆柱】yuánzhù 图 以矩形的一边为轴使矩形旋转一周所围成的立体。

【圆锥】yuánzhuī 图 以直角三角形的一直角边为轴旋转一周所围成的立体。

【圆桌】yuánzhuō 图 桌面是圆形的桌子。

【圆桌会议】yuánzhuō huìyì 一种会议形式,用圆桌或把席位排成圆圈,以表示与会各方席次不分上下,一律平等。相传始于 5 世纪的英国。第一次世界大战后,国际会议常采用这种形式。

【圆子】yuán·zi 图 ❶ 用糯米粉等做成的一种食品,大多有馅儿。❷〈方〉丸子。

鼋(鼋) yuán 鼋鱼。

【鼋鱼】yuányú 图 爬行动物,外形像龟,吻短,背甲暗绿色,近圆形,长有许多小疙瘩。生活在水中。也作元鱼。也叫癞头鼋。

援 yuán ❶ 以手牵引;攀。❷ 引用:~用|~例。❸ 援助:支|增|~军|孤立无~。

【援兵】yuánbīng 图 援军;救兵。

【援建】yuánjiàn 动 援助建设:这条铁路是由我国~的。

【援救】yuánjiù 动 帮助别人使脱离痛苦或危险:~遇险船员。

【援军】yuánjūn 图 增援的军队。

【援款】yuánkuǎn 图 援助的款项:教育~|一笔无偿~。

【援例】yuán∥lì 动 引用成例:~处理|我们不能援这个例。

【援手】yuánshǒu〈书〉动 救援(语本《孟子·离娄上》:"嫂溺,援之以手")。

【援外】yuánwài 动 (在经济、技术等方面)支援外国:~物资。

【援引】yuányǐn 动 ❶ 引用:~例证|~法律条文。❷ 提拔;引荐:~贤能。

【援用】yuányòng 动 ❶ 引用:~成例。❷ 引荐任用:~亲信。

【援助】yuánzhù 动 支援;帮助:国际~|经济~|~受难者。

湲 yuán 见 148 页〖潺湲〗。

媛 yuán 见 147 页〖婵媛〗。
另见 1681 页 yuàn。

缘(緣) yuán ❶ 缘故:~由|无~无故。❷〈书〉介 因为①;为了:~何到此? ❸ 缘分:人~|姻~|有~|不解之~。❹〈书〉介 沿着;顺着:~溪而行。❺〈书〉连 因为②:不识庐山真面目,只~身在此山中。❻ 边:边~。

【缘分】yuán·fèn 图 迷信的人认为人与人之间由命中注定的遇合的机会;泛指人与人或人与事物之间发生联系的可能性:咱们俩又在一起了,真是有~|烟、酒跟我没有~。

【缘故】(原故) yuángù 图 原因:他到这时候还没来,不知什么~。

【缘何】yuánhé〈书〉副 为什么;因何:~避而不见?

【缘木求鱼】yuán mù qiú yú《孟子·梁惠王上》:"以若所为,求若所欲,犹缘木而求鱼也。"用那样的办法来追求那样的目的,就像爬到树上去找鱼一样。比喻方向、方法不对,一定达不到目的。

【缘起】yuánqǐ 图 ❶ 事情的起因。❷ 说明发起某件事情的缘故的文字:成立学会的~。

【缘石】yuánshí 图 砌在车行道与人行道交界线上的长条形砖或混凝土块,通常略高出车行道的路面。也叫牙石。

【缘由】(原由) yuányóu 图 原因:他这样做不是没有~的。

塬 yuán 图 我国西北黄土高原地区因流水冲刷而形成的一种地貌,呈后状,四周陡峭,顶上平坦。

猿(猨) yuán 图 哺乳动物,外形像猴而大,种类很多,没有颊囊和尾巴,有的特征跟人类很相似。生活在森林中。如猩猩和长臂猿。

【猿猴】yuánhóu 图 猿和猴。

【猿人】yuánrén 图 最原始的人类。猿人还保留猿类的某些特征,但已能直立行走,并产生了简单的语言,能制造简单的生产工具,知道用火熟食等。

源 yuán ❶ 水流起头的地方:河~|泉~|~发~|~远流长|饮水思~。❷ 来源:货~|资~|病~。❸ (Yuán)姓。

【源流】yuánliú 图水源和水流,比喻事物的起源和发展:七言诗的~。

【源泉】yuánquán 图❶泉水的源头,也泛指水源。❷比喻力量、知识、感情等的来源或产生的原因:生命的~|智慧的~|力量的~。‖也说泉源。

【源头】yuántóu 图水发源的地方:黄河~◇民歌是文学的一个~。

【源源】yuányuán 副继续不断的样子:~不绝|~不竭|~而来。

【源源本本】yuányuánběnběn 见 1676 页【原原本本】。

【源远流长】yuán yuǎn liú cháng ❶源头很远,流程很长:长江是一条~的大河。❷比喻历史悠久。

嫄 yuán 用于人名,姜嫄,传说是周朝祖先后稷的母亲。

辕(轅) yuán ❶图车前驾牲畜的两根直木:一头马驾~,一匹马拉套。❷指辕门,借指衙署:行~。❸(Yuán)图姓。

【辕骡】yuánluó 图驾辕的骡子。

【辕马】yuánmǎ 图驾辕的马。

【辕门】yuánmén 图古时军营的门或官署的外门。

【辕子】yuán·zi〈口〉图辕①:车~。

橼(櫞) yuán 见 738 页【枸橼】、1486 页【香橼】。

蝝 yuán 见 1156 页【蝾蝝】。

圜 yuán〈书〉同"圆"。另见 595 页 huán。

羱 yuán 羱羊。

【羱羊】yuányáng 图北山羊。

yuǎn（ㄩㄢˇ）

远(遠) yuǎn ❶图空间或时间的距离长(跟"近"相对):~处|路~|广州离北京很~|~古|~景|久~|为时不~|眼光要看得~。❷图疏远;关系不密切:~亲|~房|血缘关系比较~。❸图(差别)程度大:差得~|~~超过。❹不接近:敬而~之。❺(Yuǎn)图姓。

【远程】yuǎnchéng 图属性词。路程很

的;距离远的:~运输|~航行|~导弹。

【远程教育】yuǎnchéng jiàoyù 指利用通信手段开展的教育。现代远程教育是以现代化网络技术为依托,利用数字多媒体通信网,特别是计算机网络开展交互式教学的教育方式。

【远大】yuǎndà 图长远而广阔,不限于目前:前途~|眼光~|~的理想。

【远道】yuǎndào 图遥远的路程:~而来。

【远地点】yuǎndìdiǎn 图月球或人造地球卫星绕地球运行的轨道上离地球最远的点。

【远东】Yuǎndōng 图欧洲人指亚洲东部地区。

【远方】yuǎnfāng 图距离较远的地方:~的来客。

【远房】yuǎnfáng 图属性词。血统疏远的(宗族成员):~叔父|~兄弟。

【远古】yuǎngǔ 图遥远的古代:"女娲补天"是从~流传下来的神话。

【远海】yuǎnhǎi 图远离陆地的海域:~航行。

【远航】yuǎnháng 动远程航行:扬帆~。

【远见】yuǎnjiàn 图远大的眼光:有~|~卓识。

【远交近攻】yuǎn jiāo jìn gōng 联络距离远的国家,进攻邻近的国家。本来是战国时秦国采用的一种外交策略,秦国用它达到了统一六国、建立统一王朝的目的。后来也指待人、处世的一种手段。

【远郊】yuǎnjiāo 图离城区较远的郊区。

【远近】yuǎnjìn 图❶远近的程度:这两条路的~差不多。❷远处和近处:~闻名。

【远景】yuǎnjǐng 图❶远距离的景物:眺望~|用色彩的浓淡来表示画面前景和~的分别。❷将来的景象:~规划。

【远客】yuǎnkè 图远方来的客人。

【远虑】yuǎnlǜ 图长远的考虑:深谋~|人无~,必有近忧。

【远门】yuǎnmén ❶(~儿)图离家到很远的地方去叫出远门。❷图属性词。远房:~兄弟。

【远谋】yuǎnmóu 图深远的谋划;长远的打算:胸无~。

【远亲】yuǎnqīn 图血统关系或婚姻关系疏远的亲戚,也指住处相隔很远的亲戚:

~不如近邻。

【远日点】yuǎnrìdiǎn 名 行星或彗星绕太阳公转的轨道上离太阳最远的点。

【远视】yuǎnshì 形❶ 视力缺陷的一种，能看清远处的东西，看不清近处的东西。远视是由于眼球的晶状体和视网膜间的距离过短或晶状体屈光力过弱，使进入眼球中的影像不能正落在视网膜上而落在视网膜的后方。❷ 眼光远大：她在生活中保持着平和～的乐观态度。

【远水解不了近渴】yuǎn shuǐ jiě bù liǎo jìn kě 比喻缓慢的解决办法不能满足急迫的需要。也说远水不解近渴。

【远水救不了近火】yuǎn shuǐ jiù bù liǎo jìn huǒ 比喻缓慢的解决办法不能满足急迫的需要。也说远水不救近火。

【远眺】yuǎntiào 动 向远处看：登高～。

【远行】yuǎnxíng 动 出远门。

【远扬】yuǎnyáng 动 (名声等)传播很远：臭名～｜声威～。

【远洋】yuǎnyáng 名 距离大陆远的海洋：～轮船｜～捕鱼｜～航行。

【远因】yuǎnyīn 名 不是直接造成结果的原因(区别于"近因")。

【远征】yuǎnzhēng 动 远道出征或长途行军：～军｜出师～。

【远志】[1] yuǎnzhì 名 远大的志向：胸怀～。

【远志】[2] yuǎnzhì 名 多年生草本植物，茎细，叶子线形，花绿白色，蒴果卵圆形。根可入药。

【远走高飞】yuǎn zǒu gāo fēi 远远地离开，到别的地方。

【远足】yuǎnzú 动 比较远的徒步旅行。

【远祖】yuǎnzǔ 名 许多代以前的祖先。

yuàn （ㄩㄢˋ）

苑 yuàn ❶〈书〉养禽兽种林木的地方(多指帝王的花园)：鹿～｜御～。❷〈书〉(学术、文艺)荟萃的地方：文～｜艺～。❸ (Yuàn)名 姓。

怨 yuàn ❶ 怨恨：抱～｜结～。❷ 动责怪：任劳任～｜事情没办好只能～我自己。

【怨不得】yuàn·bu·de ❶ 副 怪不得①。❷ 动 怪不得②。

【怨敌】yuàndí 名 仇敌。

【怨毒】yuàndú〈书〉名 仇恨。

【怨怼】yuànduì〈书〉动 怨恨。

【怨愤】yuànfèn ❶ 形 怨恨愤怒：众人十分～。❷ 名 指愤的情绪：满腔～。

【怨府】yuànfǔ〈书〉名 大家怨恨的对象。

【怨恨】yuànhèn ❶ 动 对人或事物强烈地不满或仇恨：我对谁也不～，只恨自己不争气。❷ 名 强烈的不满或仇恨：一腔～。

【怨偶】yuàn'ǒu〈书〉名 不和睦的夫妻。

【怨气】yuànqì 名 怨恨的神色或情绪：～冲天｜一肚子～。

【怨声载道】yuàn shēng zài dào 怨恨的声音充满道路，形容民众普遍不满。

【怨天尤人】yuàn tiān yóu rén 埋怨上天，怪罪别人。形容对不如意的事情一味归咎于客观。

【怨望】yuànwàng〈书〉动 怨恨。

【怨言】yuànyán 名 抱怨的话：毫无～。

【怨艾】yuànyì〈书〉动 怨恨：深自～。

院 yuàn 名❶ (～儿)院子：场～｜四合～儿｜～里种了许多花。❷ 某些机关和公共场所的名称：法～｜国务～｜科学～｜博物～｜电影～。❸ 指学院：高等～校。❹ 指医院：住～｜出～。❺ (Yuàn)姓。

【院本】yuànběn 名 金、元时代行院(hángyuàn)演唱用的戏曲脚本，明清泛指杂剧、传奇。

【院画】yuànhuà 名 院体画的简称。

【院落】yuànluò 名 院子。

【院士】yuànshì 名 科学院和工程院各学部的组成人员。参看 1546 页【学部】。

【院体画】yuàntǐhuà 名 指我国封建时代宫廷画家的作品，题材多以花鸟、山水或宗教内容为主。简称院画。

【院线】yuànxiàn 名 电影发行放映的一种机制，由一个发行主体和若干影院组成，实行统一排片、统一管理。是英语 theater chain 的直译。

【院子】yuàn·zi 名 房屋前后用墙或栅栏围起来的空地。

塃 yuàn〈方〉塃子：堤～｜～田(在湖边淤积的土地上作成的圩田)。

【塃子】yuàn·zi 名 长江中游地区，在沿江、湖地带围绕房屋、田地等修建的像堤坝的防水构筑物。

衒 yuàn 见 540 页[衒衒]。

掾 yuàn 〈书〉属员。

媛 yuàn 〈书〉美女。
另见 1678 页 yuán。

瑗 yuàn 〈书〉大孔的璧。

愿¹ yuàn 〈书〉老实谨慎：谨～|诚～。

愿²(願) yuàn ❶ 愿望：心～|如～|平生之～。❷ 动 助动词。愿意：情～|我～参加篮球比赛。❸ 动 祝愿：～你早日康复。❹ 心愿：许～|还～。

【愿景】yuànjǐng 名 所向往的前景：和平发展的共同～。

【愿望】yuànwàng 名 希望将来能达到某种目的的想法：主观～|他终于实现了上大学的～。

【愿心】yuànxīn 名 ❶ 迷信的人对神佛有所祈求时许下的酬谢。❷ 泛指愿望、志向：他从小就有做一番事业的～。

【愿意】yuàn·yì 动 ❶ 助动词。认为符合自己心愿而同意(做某事)：他～去吗？|我不～做太剧烈的运动。❷ 希望(发生某种情况)：他们～你留在这里。

yuē（ㄩㄝ）

曰 yuē ❶〈书〉说：其谁～不然。❷〈书〉叫做：有山～凤凰岭。❸（Yuē）名 姓。

约(約) yuē ❶ 动 提出或商量(须要共同遵守的事)：预～|～定|～期|好五点钟见面。❷ 动 邀请：特～|～请|～他来。❸ 约定的事；共同订立、须要共同遵守的条文：践～|条～|和～|有～在先。❹ 限制使不越出范围；拘束：～束|制～。❺ 俭省：节～|俭～。❻ 简单；简要：由博返～。❼ 副 大概：大～|～计|～数|～年～十七八|～有五十人。❽ 动 约分：$\frac{5}{10}$ 可以～成 $\frac{1}{2}$。
另见 1581 页 yāo。

【约定】yuēdìng 动 经过商量而确定：大家～明天在公园会面。

【约定俗成】yuē dìng sú chéng 指某种事物的名称或社会习惯是由人们经过长期实践而认定或形成的。

【约法】yuēfǎ 名 暂行的具有宪法性质的文件。如我国辛亥革命后制定的《中华民国临时约法》。

【约法三章】yuē fǎ sān zhāng 《史记·高祖本纪》：“与父老约，法三章耳：杀人者死，伤人及盗抵罪。”指订立法律，与人民相约遵守。后来泛指订立简单的条款。

【约访】yuēfǎng 动 预约访问：电话～。

【约分】yuē//fēn 动 用分子和分母的公约数同时除分子和分母，使分子、分母都比原来小而分数值不变。如 $\frac{16}{64}$ 约分成 $\frac{1}{4}$。

【约会】yuē·huì ❶ 动 预先约定相会：大伙儿～好在这儿碰头。❷ 名 预先约定的会晤：订个～|我今天晚上有个～。

【约集】yuējí 动 请人到一起；邀集：～有关人员开会。

【约计】yuējì 动 约略计算：～有百十来人。

【约见】yuējiàn 动 约定时间会见(多用于外交场合)：～该国驻华大使。

【约据】yuējù 名 合同、契约等的统称。

【约略】yuēlüè 副 ❶ 大致；大概：他的近况我～知道一些。❷ 依稀；仿佛：～听得见窗外的雨声。

【约摸】yuē·mo 同“约莫”。

【约莫】yuē·mo ❶ 动 估计：我～着他这会儿该到家了。❷ 副 大概：我们等了～有一个小时的光景。‖也作约摸。

【约期】yuēqī ❶ 动 约定日期：～会谈。❷ 名 约定的日子：误了～。❸ 名 契约的期限：～未满。

【约请】yuēqǐng 动 邀请：～几位老同学到家里聚一聚。

【约束】yuēshù 动 限制使不越出范围：受纪律的～|这种口头协议～不了他们。

【约数】¹ yuēshù （～儿）名 大约的数目。

【约数】² yuēshù 名 一个数能够整除另一数，这个数就是另一数的约数。如 2, 3, 4, 6 都能整除 12，因此 2, 3, 4, 6 都是 12 的约数。也叫因数。

【约同】yuētóng 动 邀请一起(做某事)：～前往。

【约言】yuēyán 名 约定的话：履行～|遵守～|违背～。

嬳
護(護) yuē 〈书〉尺度。

yuē 〈书〉❶ 尺度。❷ 用秤称(今口语说 yāo,写作"约")。

yuě （ㄩㄝˇ）

哕(噦) yuě ❶〖拟声〗呕吐时嘴里发出的声音：～的一声,吐(tù)了。❷〈口〉〖动〗呕吐：干～|刚吃完药,都～出来了。

另见 612 页 huì。

yuè （ㄩㄝˋ）

月 yuè ❶〖名〗月球;月亮：～食|～光|赏～。❷〖名〗计时的单位,公历 1 年分为 12 个月。❸〖名〗每月的：～刊|～产量。❹ 形状像月亮的;圆的：～琴|～饼。❺(Yuè)〖名〗姓。

【月白】yuèbái〖形〗淡蓝色：～小褂儿。

【月半】yuèbàn〖名〗一个月的第十五天。

【月报】yuèbào〖名〗❶ 每月出版一次的报刊(多用于刊物名):《新华～》。❷ 按月的汇报：～表。

【月饼】yuè·bing〖名〗圆形有馅儿的点心,中秋节应时的食品。

【月城】yuèchéng〈书〉〖名〗瓮城。

【月初】yuèchū〖名〗一个月的开头几天。

【月底】yuèdǐ〖名〗一个月的最后几天。

【月洞门】yuèdòngmén〖名〗月亮门儿。

【月度】yuèdù〖名〗作为计算单位的一个月：～计划|最高～运输量。

【月份】yuèfèn（～儿）〖名〗指某一个月：七～的产量比六～提高百分之十。

【月份牌】yuèfènpái（～儿）〈口〉〖名〗旧式的彩画单张年历,现在也指日历。

【月工】yuègōng〖名〗论月雇用的工人。

【月供】yuègōng〖名〗指贷款人每月向银行交纳的分期付款的钱。

【月宫】yuègōng〖名〗传说中月亮里的宫殿,也作为月亮的代称。

【月光】yuèguāng〖名〗月亮的光线,是由太阳光照到月亮上反射出来的。

【月桂】yuèguì〖名〗常绿乔木,叶子长椭圆形或披针形,花小,黄色,浆果卵形,暗紫色。供观赏,叶子可做香料,果实可入药。

【月黑天】yuèhēitiān〖名〗指没有月光的漆黑的夜晚。也说月黑夜。

【月华】yuèhuá〖名〗❶〈书〉月光：～如水。❷ 月光通过云中的小水滴或冰粒时发生衍射,在月亮周围形成的彩色光环,内紫外红。

【月季】yuèjì〖名〗❶ 常绿或半落绿小灌木,茎有刺,羽状复叶,小叶阔卵形,花红色、粉红或近白色。供观赏。❷ 这种植物的花。

【月经】yuèjīng〖名〗❶ 生殖细胞发育成熟的女子每 28—30 天有一次周期性子宫出血,出血时间持续 3—5 天,这种生理现象叫做月经。❷ 月经期间流出的血。

【月经带】yuèjīngdài〖名〗妇女经期所使用的带子。

【月均】yuèjūn〖动〗按月平均计算：～收入八百元。

【月刊】yuèkān〖名〗每月出版一次的刊物。

【月老】yuèlǎo〖名〗月下老人。

【月历】yuèlì〖名〗一月一页的历书。

【月利】yuèlì〖名〗月息。

【月例】yuèlì〖名〗❶ 月钱：～银子。❷ 婉辞,指月经。

【月亮】yuè·liang〖名〗月球的通称。(图见1319 页"太阳系")

【月亮门儿】yuè·liangménr〖名〗院子里的墙上的圆形的门。

【月令】yuèlìng〖名〗农历某个月的气候和物候。

【月轮】yuèlún〖名〗指圆月。

【月杪】yuèmiǎo〈书〉〖名〗月底。

【月末】yuèmò〖名〗月底。

【月偏食】yuèpiānshí〖名〗见【月食】

【月票】yuèpiào〖名〗按月购买的乘公共汽车、电车或游览公园等使用的票。

【月钱】yuèqián〖名〗按月付给家庭成员、学徒等的零用钱。

【月琴】yuèqín〖名〗弦乐器,用木头制成,琴身为扁圆形或八角形,有四根弦或三根弦。

【月球】yuèqiú〖名〗地球的卫星,表面凹凸不平,本身不发光,只能反射太阳光,直径约为地球直径的 1/4,引力相当于地球的 1/6。通称月亮。

【月球车】yuèqiúchē 图 在月球的表面上行驶,用来考察月球并收集样品的专用车辆。分为无人驾驶和有人驾驶两类。

【月球站】yuèqiúzhàn 图 在月球表面上建立的综合科学考察基地。

【月全食】yuèquánshí 图 见〖月食〗。

【月嫂】yuèsǎo 图 在产妇坐月子时受雇帮助护理母婴的已婚妇女。

【月色】yuèsè 图 月光:荷塘~|~溶溶。

【月食】yuèshí 图 地球运行到月亮和太阳的中间时,太阳的光正好被地球挡住,不能射到月亮上去,月亮上就出现黑影,这种现象叫月食。太阳光全部被地球挡住时,叫月全食;部分被挡住时,叫月偏食。月食一定发生在农历十五日或十五日以后一两天。

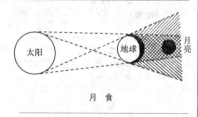

月 食

【月台】yuètái 图 ❶ 旧时为赏月而筑的台。❷ 正殿前方突出的台,三面有台阶。❸ 站台。

【月头儿】yuètóur 〈口〉图 ❶ 满一个月的时候(多用于财物按月的支付):到~了,该交水电费了。❷ 月初。

【月息】yuèxī 图 按月计算的利息。

【月下老人】yuèxià lǎorén 传说唐代韦固月夜里经过宋城,遇见一个老人坐着翻检书本。韦固往前窥视,一个字也不认得,向老人询问后,才知道老人是专管人间婚姻的神仙,翻检的书是婚姻簿子(见于《续幽怪录·四·定婚店》)。后来因此称媒人为月下老人。也说月下老儿或月老。

【月相】yuèxiàng 图 指人们所看到的月亮表面发亮部分的形状。主要有朔、上弦、望、下弦四种。

【月薪】yuèxīn 图 按月计算的工资。

【月牙儿】(月芽)yuèyá (~儿)〈口〉图 新月①。

【月夜】yuèyè 图 有月光的夜晚。

【月晕】yuèyùn 图 月光通过云层中的冰晶时,经折射而成的光的现象。成彩色光环,内红外紫。月晕常被认为是天气变化的预兆。通称风圈。

【月氏】Yuèzhī 图 汉朝西域国名。

【月中】yuèzhōng 图 一个月的中间几天。

【月终】yuèzhōng 图 月底。

【月子】yuè·zi 图 ❶ 妇女生育后的第一个月:坐~|她还没出~。❷ 分娩的时期:她的~是二月初。

【月子病】yuè·zibìng 图 产褥感染的通称。

乐(樂) yuè ❶ 音乐:奏~|~器。❷ (Yuè)图 姓(与 Lè 不同姓)。
　　另见 823 页 lè。

【乐池】yuèchí 图 舞台前面乐队伴奏的地方,有矮墙跟观众席隔开。

【乐队】yuèduì 图 演奏不同乐器的许多人组成的集体。

【乐府】yuèfǔ 图 原是汉代朝廷的音乐官署,它的主要任务是采集各地民间诗歌和乐曲。后把这类民歌或文人模拟的作品也叫做乐府。

【乐歌】yuègē 图 ❶ 音乐与歌曲。❷ 有音乐伴奏的歌曲。

【乐理】yuèlǐ 图 音乐的一般基础理论。

【乐律】yuèlǜ 图 见 1623 页〖音律〗。

【乐评】yuèpíng 图 音乐评论。

【乐谱】yuèpǔ 图 歌谱或器乐演奏用的谱子,有简谱、五线谱等。

【乐器】yuèqì 图 可以发出乐音,供演奏音乐使用的器具,如钢琴、胡琴、笛子、板鼓等。

【乐清】Yuèqīng 图 地名,在浙江。

【乐曲】yuèqǔ 图 音乐作品。

【乐师】yuèshī 图 指从事音乐演奏的人。

【乐坛】yuètán 图 指音乐界:他以独特的艺术风格誉满~。

【乐团】yuètuán 图 演出音乐的团体:广播~|交响~。

【乐舞】yuèwǔ 图 有音乐伴奏的舞蹈。

【乐音】yuèyīn 图 有一定频率,听起来比较和谐悦耳的声音,是由发音体有规律的振动而产生的(区别于"噪音")。

【乐章】yuèzhāng 图 成套的乐曲中具有一定主题的独立组成部分,一部交响曲一般分为四个乐章。

【乐正】Yuèzhèng 名姓。

刖（跀） yuè 古代砍掉脚的酷刑。

拐 yuè〈书〉❶动摇。❷折断。

轶（軏） yuè 古代车辕与横木相连接的关键。

玥 yuè 古代传说中的一种神珠。

岳（❶嶽） yuè ❶高大的山：五～。❷称妻的父母及伯父、叔父：～父|～母|叔～。❸(Yuè)名姓。

【岳父】yuèfù 名妻子的父亲。也叫岳丈。

【岳家】yuèjiā 名妻子的娘家。

【岳母】yuèmǔ 名妻子的母亲。

【岳丈】yuèzhàng 名岳父。

栎（櫟） yuè 栎阳(Yuèyáng)，地名，在陕西。
另见842页lì。

钥（鑰） yuè 钥匙：北门锁～(北方重镇)。
另见1587页yào。

说（説） yuè〈书〉同"悦"。
另见1283页shuì；1285页shuō。

钺（鉞、戉） yuè 古代兵器，青铜或铁制成，形状像板斧而较大。

阅（閲） yuè ❶动看(文字)：～览|～报栏|此件已～。❷检阅：～兵。❸经历；经过：～历|试行已～三月。❹(Yuè)名姓。

【阅兵】yuè∥bīng 动检阅军队：～式。

【阅读】yuèdú 动看(书报等)并领会其内容：～报刊|～文件。

【阅卷】yuè∥juàn 动评阅试卷。

【阅览】yuèlǎn 动看(书报等)：～图书。

【阅历】yuèlì ❶动亲身见过、听过或做过；经历：～过很多事|他应该出去～一番。❷名由经历得来的知识：～浅。

【阅批】yuèpī 动审阅并批示：～申请报告。

【阅世】yuèshì〈书〉动经历世事：～渐深。

悦 yuè ❶高兴；愉快：喜～|不～|和颜～色。❷使愉快：～耳|～目。❸(Yuè)名姓。

【悦耳】yuè'ěr 形好听：歌声婉转～。

【悦服】yuèfú 动从心里佩服：他的高超见解令人～。

【悦目】yuèmù 形看着愉快；好看：赏心～|天空几抹晚霞，鲜明～。

跃（躍） yuè ❶动跳：跳～|飞～|一～而过。❷(Yuè)名姓。

【跃层】yuècéng 名指在一套单元式住宅内分为上下两个楼层的建筑形式：～住宅。

【跃进】yuèjìn 动❶跳着前进：避开火力，向左侧～。❷比喻极快地前进：从感性认识～到理性认识。

【跃居】yuèjū 动跳跃式地上升到(某个位置、名次等)：～榜首。

【跃迁】yuèqiān 动原子、分子等由某一种状态过渡到另一种状态，如一个能级较高的原子发射一个光子而跃迁到能级较低的原子。

【跃然】yuèrán 形形容逼真而活跃地出现的样子：义愤之情～纸上。

【跃然纸上】yuèrán zhǐ shàng 形容描写或刻画得十分生动逼真。

【跃升】yuèshēng 动跳跃式地上升：去年联赛的第十名今年～至第三名。

【跃跃欲试】yuèyuè yù shì 形容心里急切地想着试一试。

【跃增】yuèzēng 动跳跃式地增长；大幅度地增长：年利润由三千万元～到八千万元。

越¹ yuè ❶跨过(阻碍)；跳过：～墙|翻山～岭。❷不按一般的次序；超出(范围)：～级|～权。❸(声音、情感)昂扬：激～|声音清～。❹〈书〉抢夺；杀人：～货。

越² yuè 副叠用，表示程度随着条件的变化而变化(跟"愈…愈…"相同)：脑子～用～灵|争论～认真，是非也就～清楚。注意"越来越…"表示程度随着时间发展，如：天气～来～热了。

越³ Yuè ❶周朝国名，原来在今浙江东部，后来扩展到江苏、山东。❷指浙江东部。❸名姓。

【越冬】yuèdōng 动过冬(多指植物、昆虫、病菌)：～作物|有些昆虫潜伏在土中|每年有几十万只候鸟飞往鄱阳湖～。

【越冬作物】yuèdōng zuòwù 秋季播种，

幼苗经过冬季，到第二年春季或夏季收割的农作物，如冬小麦。

【越发】yuèfā 副 ❶ 表示程度加深（常与时间因素有关）：近两年来，他～显得瘦了｜过了中秋，天气～凉快了。❷ 跟上文的"越"或"越是"呼应，作用跟"越…越…"相同（用于两个或更多的分句前后呼应的场合）：观众越多，他们演得～卖力气｜越是性急，～容易出差错。

【越轨】yuè//guǐ 动 （行为）超出公共道德或规章制度所允许的范围：～行为。

【越过】yuè//guò 动 经过中间的界限、障碍物等由一边到另一边：～高山｜～一片草地。

【越级】yuè//jí 动 不按照一般的次序，越过直属的一级到更高的一级：～上诉。

【越加】yuèjiā 副 越发；更加：受到表彰后，他～努力了。

【越界】yuèjiè 动 超越界限或边界。

【越境】yuè//jìng 动 非法入境或出境（多指国境）。

【越剧】yuèjù 名 浙江地方戏曲剧种之一，起源于嵊州，由当地民歌发展而成，主要流行于江浙、上海一带。

【越礼】yuèlǐ 动 与规定的礼节不合；不守礼法：～行为。

【越权】yuè//quán 动 （行为）超出权限。

【越位】yuèwèi 动 ❶ 超越自己的职位或地位：僭权～（指超越职权和地位行事）。❷ 在足球赛中，攻方的队员踢球，同队的另一队员如果在对方半场内，并在球的前方或攻方队员与对方端线（球场两端的界线）之间，对方队员少于二人，都是越位。此外，冰球、橄榄球、曲棍球赛中也有判越位的规定。

【越野】yuèyě 动 在野地、山地里行进：～车｜～赛跑。

【越野车】yuèyěchē 名 适于在野地、山地行进的机动车，通常为四轮驱动，并装有特殊花纹的轮胎。

【越野赛】yuèyěsài 名 自行车、汽车、摩托车运动比赛项目之一。在有天然障碍的复杂地形中进行比赛。

【越野赛跑】yuèyě sàipǎo 在运动场以外进行的中长距离赛跑。通常在野外或公路上举行。

【越狱】yuè//yù 动 （犯人）从监狱里逃出：～潜逃。

【越俎代庖】yuè zǔ dài páo 厨子不做饭，掌管祭祀神主的人不能越过自己的职守，放下祭器去代替厨子做饭（见于《庄子·逍遥游》）。一般用来比喻超过自己的职务范围，去处理别人所管的事情。

粤 Yuè 名 ❶ 指广东、广西：两～。❷ 广东的别称：～剧。

【粤菜】yuècài 名 广东风味的菜肴。

【粤剧】yuèjù 名 广东地方戏曲剧种之一，用广州话演唱，主要流行于说粤语的地区。也叫广东戏。

【粤绣】yuèxiù 名 广绣。

【粤语】yuèyǔ 名 汉语方言之一，分布在广东中西部、广西东南部和港澳地区。

筬 yuè 同"籰"。

鸑（鷟）yuè ［鸑鷟］（yuèzhuó）名 古书上说的一种水鸟。

樾 yuè 〈书〉树荫。

龠[1] yuè 量 古代容量单位，一龠等于半合（gě）。

龠[2]（籥）yuè 古代一种乐器，形状像箫。

黬 yuè 〈书〉黄黑色。

瀹 yuè 〈书〉❶ 煮：～茗（烹茶）。❷ 疏通（河道）。

爚 yuè 〈书〉火光。

籰（籰）yuè 〈方〉籰子，绕丝、纱、线等的工具。

<hr>

yūn（ㄩㄣ）

晕（暈）yūn ❶ 形 义同"晕"（yùn）①，用于"头晕、晕头晕脑、晕头转向"等。❷ 动 昏迷：～倒｜～厥｜他～过去了。
另见 1689 页 yùn。

【晕厥】yūnjué 动 昏厥。

【晕头转向】yūn tóu zhuàn xiàng 形容头脑昏乱，迷失方向：风浪很大，船把我摇晃得～◇这道题真难，把我搞得～。

缊（縕）yūn ［细缊］（yīnyūn）见 1624 页［氤氲］。

另见 1690 页 yùn。

氲 yūn 见 1624 页[氤氲]。

煴 yūn 〈书〉微火；无焰的火。
另见 1690 页 yùn。

贇(贇) yūn 〈书〉美好。

yún (ㄩㄣˊ)

云[1] yún 〈书〉❶ 说：人～亦～|不知所～。❷ 助 表示强调：岁～暮矣。

云[2](雲) yún 名 在空中悬浮的由水滴、冰晶聚集形成的物体。

云[3](雲) Yún 名 ❶ 指云南：～腿（云南宣威一带出产的火腿）。❷ 姓。

【云板】yúnbǎn 名 旧时打击乐器，用长铁片做成，两端作云头形，官署和权贵之家多用作报时报事的器具。也作云版。

【云版】yúnbǎn 同"云板"。

【云豹】yúnbào 名 豹的一种，身体比金钱豹小，毛焦黄带灰色，头部有黑斑，体侧黑纹像云朵。捕食鸟、兔、松鼠等。生活在热带或亚热带丛林。也叫猫豹。

【云鬓】yúnbìn 〈书〉名 妇女多而美的鬓发。

【云彩】yún·cai 〈口〉名 云：蓝蓝的天上没有一丝～。

【云层】yúncéng 名 成层的云：许多山峰高出～|灰色的～低低压在森林上面。

【云豆】yúndòu 见 1687 页[芸豆]。

【云端】yúnduān 名 云里：飞机从～飞来。

【云朵】yúnduǒ 名 呈块状的云。

【云海】yúnhǎi 名 从高处下望时，平铺在下面像海一样的云：～苍茫。

【云汉】yúnhàn 〈书〉名 ❶ 指银河。❷ 指高空：冉冉入～。

【云集】yúnjí 动 像天空的云一样从各处聚集在一起：各地代表～首都。

【云锦】yúnjǐn 名 我国一种历史悠久的高级提花丝织物，色彩鲜艳，花纹瑰丽如彩云。

【云谲波诡】yún jué bō guǐ 汉代扬雄《甘泉赋》："于是大厦云谲波诡。"形容房屋建筑形式就像云彩和波浪那样千姿百态。后多用来形容事态或文笔变幻莫测。也说波谲云诡。

【云量】yúnliàng 名 天空被云遮蔽的程度，用 0 至 10 来表示。碧空无云，云量为 0；一半被云遮住，云量为 5；全部被云遮住，云量为 10。

【云锣】yúnluó 名 打击乐器，用十个小锣编排而成，第一排一个，以下三排各三个，装置在小木架上。各个锣的大小相同而厚薄不同，所以发出的声音不同。最上面的一个不常用，因此也叫九音锣。现在云锣有所发展，已不止十个。

【云母】yúnmǔ 名 矿物，主要成分是铝硅酸盐，白色、黑色或金黄色，带有深浅不同的褐色或绿色。耐高温，不导电，能分成透明的可以弯曲的薄片，在电力和电子工业中是重要的绝缘材料。

【云泥之别】yún ní zhī bié 相差像天空的云和地下的泥，比喻高低差别悬殊。

【云片糕】yúnpiàngāo 名 用米粉加糖和核桃仁等制成的糕，切做长方形薄片。

【云气】yúnqì 名 稀薄游动的云：～缭绕。

【云雀】yúnquè 名 鸟，羽毛赤褐色，有黑色斑纹，嘴小而尖，翅膀大，飞得高，叫的声音好听。

【云散】yúnsàn 动 像天空的云那样四处散开。a)比喻曾在一起的人分散到各地：旧友～。b)比喻事物四散消失：烟消～。

【云散风流】yún sàn fēng liú 见 408 页【风流云散】。

【云山雾罩】yún shān wù zhào ❶ 形容云雾弥漫。❷ 形容说话漫无边际，使人困惑不解。

【云杉】yúnshān 名 常绿大乔木，高可达 45 米，树皮灰褐色，叶子针形，略弯曲，球果长椭圆形，褐色。木材黄白色，质坚而致密，供建筑和制器具等用。

【云梯】yúntī 名 攻城或救火时用的长梯。

【云天】yúntiān 名 高空；云霄：响彻～|高耸～|高峰直插～。

【云头】yúntóu 名 看起来成团成堆的云：看这～像有雨的样子。

【云头儿】yúntóur 名 云状的图案花纹。

【云图】yúntú 名 云的图片，记录着某时某地云的情况和形状，是气象研究和预报的参考资料。

【云雾】yúnwù 名 云和雾,多比喻遮蔽或障碍的东西:拨开～见青天。

【云霞】yúnxiá 名 彩云。

【云消雾散】yún xiāo wù sàn 见1563页【烟消云散】。

【云霄】yúnxiāo 名 极高的天空:响彻～|直上～。

【云崖】yúnyá 名 高耸入云的山崖。

【云烟】yúnyān 名 云雾和烟气:～缭绕|～过眼(比喻事物很快就消失了)。

【云翳】yúnyì 名 ❶ 阴暗的云:清澄的蓝天上没有一点儿～◇脸上罩上了忧郁的～。❷ 眼球角膜发生病变后遗留下来的瘢痕组织,影响视力。

【云游】yúnyóu 动 到处遨游,行踪无定(多指僧尼、道士):～四海。

【云雨】yúnyǔ 动 宋玉《高唐赋》叙宋玉对楚襄王问,说楚怀王曾游高唐,梦与巫山神女相会,神女临去说自己"旦为朝云,暮为行雨",后世因以指男女合欢(多见于旧小说)。

【云云】yúnyún 〈书〉动 如此;这样(引用文句或谈话时用,表示结束或有所省略):他来信说读了不少书,很有心得～。

【云蒸霞蔚】yún zhēng xiá wèi 形容景物灿烂绚丽。也说云兴霞蔚。

勺 yún ❶ 形 均匀:颜色涂得不～。❷ 动 使均匀:把粉～～|这两份多少不均,再一～一～吧。❸ 动 抽出一部分给别人或做别用:～出一部分粮食支援灾区|工作太忙,～不出时间照顾家里。

【匀称】yún·chèn 形 均匀;比例和谐:穗子又多又～|字写得很～|身段～。

【匀兑】yún·dui 〈口〉匀出来;抽出一部分让给别人:给他～出一间屋子住。

【匀乎】yún·hu (～儿)❶ 形 匀和①。❷ 动 匀和②。

【匀和】yún·huo (～儿)〈口〉❶ 形 刚才还在喘气,现在呼吸才～了。❷ 动 使均匀:这些苹果有大有小,得～～再分。‖也说匀乎。

【匀净】yún·jing 形 粗细或深浅一致;均匀:这块布染得很～|线纺得非常～。

【匀脸】yún//liǎn 动 化妆时用手搓脸使脂粉匀净。

【匀溜】yún·liu (～儿)〈口〉形 大小、粗细或稀稠等适中。

【匀实】yún·shi 形 均匀:瞧这布多细密多～|麦苗出得很～。

【匀速运动】yúnsù yùndòng 物体在单位时间内所通过的距离相等的运动。

【匀停】yún·ting 〈方〉形 分量适中;均匀:吃东西要～|淡雅的色彩。

【匀整】yún·zhěng 形 均匀整齐:砖码放得～|～的脚步。

芸¹ yún ❶ 芸香。❷ (Yún)名 姓。

芸²(蕓) yún 见【芸薹】。

【芸豆】(云豆) yúndòu 名 菜豆的通称。

【芸薹】yúntái 名 油菜①。

【芸香】yúnxiāng 名 多年生草本植物,茎直立,叶子羽状分裂,裂片长圆形,花黄色,结蒴果。全草有香气,可入药。

【芸芸】yúnyún 〈书〉形 形容众多:万物～|～众生。

【芸芸众生】yúnyún zhòng shēng 佛教指一切有生命的东西,一般也用来指众多的平常人。

员(員) yún 用于人名,伍员(即伍子胥),春秋时人。
另见1674页 yuán;1689页 Yùn。

沄¹ yún [沄沄](yúnyún)〈书〉形 形容水流动。

沄²(澐) yún 〈书〉大波浪。

妘 Yún 名 姓。

纭(紜) yún [纭纭](yúnyún)〈书〉形 形容多而乱。

昀 yún 〈书〉日光。

畇 yún [畇畇](yúnyún)〈书〉形 形容田地整齐。

郧(鄖) Yún ❶ 郧县,地名,在湖北。❷ 名 姓。

耘 yún 在田里除草:～田|春耕夏～,秋收冬藏。

【耘锄】yúnchú 名 除草和松土用的锄头。

【耘耥】yúntāng 动 耘稻和耥稻,指在水稻分蘖期间进行中耕除草。

涢(涢) Yún 涢水,水名,在湖北。

筠 yún 〈书〉❶ 竹子的青皮。❷ 借指竹子。

另见751页 jūn。

篔(篔) yún [篔筜](yúndāng)〈书〉名生长在水边的大竹子。

鋆 yún（在人名中也读 jūn）〈书〉金子。

yǔn （ㄩㄣˇ）

允[1] yǔn ❶ 允许：应～|不～|～诺。❷（Yǔn）名姓。

允[2] yǔn 公平；适当：～当|公～|平～。

【允当】yǔndàng 形得当；适当：繁简～。

【允诺】yǔnnuò 动应许；欣然～。

【允许】yǔnxǔ 动许可；得到～，方可入内。

【允准】yǔnzhǔn 动许可；准许：～开业。

狁 yǔn 见1478页[猃狁]。

陨(隕) yǔn 陨落：～石。

【陨落】yǔnluò 动（星体或其他在高空运行的物体）从高空掉下。

【陨灭】yǔnmiè 动❶（物体）从高空掉下而毁灭。❷丧命。也作殒灭。

【陨石】yǔnshí 名含石质较多或全部为石质的陨星。

【陨铁】yǔntiě 名含铁质较多或全部是铁质的陨星。

【陨星】yǔnxīng 名流星体经过地球大气层时，没有完全烧毁而落到地面上的部分叫做陨星，有纯铁质的、纯石质的和铁质石质混合的。

殒(殞) yǔn 〈书〉丧失（生命）；死亡：～身|～命。

【殒灭】yǔnmiè 同"陨灭"❷。

【殒命】yǔnmìng〈书〉动丧命。

【殒身】yǔnshēn〈书〉动丧命；死亡。

yùn （ㄩㄣˋ）

孕 yùn ❶ 怀胎：～育◇～穗。❷身孕：有～。

【孕畜】yùnchù 名怀孕的牲畜。

【孕妇】yùnfù 名怀孕的妇女。

【孕期】yùnqī 名妇女从受孕到产出胎儿的一段时间，通常为266天，自末次月经的第一天算起约为280天。

【孕穗】yùnsuì 动水稻、小麦、玉米等作物的穗在叶鞘内形成而尚未抽出来，叫做孕穗。

【孕吐】yùntù 动孕妇在妊娠初期食欲异常、恶心、呕吐。

【孕育】yùnyù 动怀胎生育，比喻既存的事物中酝酿着新事物：海洋是～原始生命的温床。

运[1]**(運)** yùn ❶ 运动①：～行。❷动搬运；运输：～货|客～|水～|空～|这批货～到哪儿去。❸运用：～笔|～思。❹（Yùn）名姓。

运[2]**(運)** yùn 运气（yùn·qi）：幸～|好～。

【运笔】yùnbǐ 动运用笔（写或画）；动笔：时而搁笔沉思,时而～如飞。

【运筹】yùnchóu 动制定策略；筹划。

【运筹帷幄】yùnchóu wéiwò 《汉书·高帝纪》："夫运筹帷幄之中，决胜千里之外，吾不如子房（张良）。"后因以称在后方决定作战策略,泛指筹划决策。

【运筹学】yùnchóuxué 名数学的一个分支,利用现代数学,特别是统计数学的方法,研究人力物力的运用和筹划,使能发挥最大效率。

【运单】yùndān 名托运人在托运货物时填写的单据,是运输部门承运货物的依据。

【运道】yùn·dao（方）名运气（yùn qi）：交上了好～。

【运动】yùndòng ❶ 动物体的位置不断变化的现象。通常指一个物体和其他物体之间相对位置的变化,说某物体运动常是对另一物体而言。❷动指宇宙间所发生的一切变化和过程,从简单的位置变动到复杂的人类思维,都是物质运动的表现。❸名体育活动：田径～|～健将。❹动从事体育活动：咱们出去～～。❺名政治、文化、生产等方面有组织、有目的而声势较大的群众性活动：五四～|技术革新～。

【运动】yùn·dong 动为求达到某种目的而奔走钻营：～官府。

【运动场】yùndòngchǎng 名供体育锻炼和比赛的场地。

【运动负荷】yùndòng fùhè 运动量。

【运动会】yùndònghuì 名多项体育运动

Y

的竞赛会。

【运动健将】yùndòng jiànjiàng　我国对符合技术等级标准的运动员授予的最高称号。

【运动量】yùndòngliàng　名 指体育运动所给予人体的生理负荷量。由强度、密度、时间、数量及运动项目的特点等因素构成。也叫运动负荷。

【运动神经】yùndòng shénjīng　传出神经。

【运动员】yùndòngyuán　名 参加体育运动竞赛的人。

【运动战】yùndòngzhàn　名 主要指正规兵团在长的战线和大的战区上面，从事于战役和战斗上的外线的、速决的进攻战的形式。

【运费】yùnfèi　名 运载货物时支付的费用。

【运河】yùnhé　名 人工挖成的可以通航的河。

【运斤成风】yùn jīn chéng fēng　楚国郢人在鼻尖抹了一层白粉，让一个名叫石的巧匠用斤（古代伐木的工具）把粉削去，石便挥动斤呼呼生风，削掉了白粉，郢人的鼻子却毫无损伤（见于《庄子·徐无鬼》），后来用"运斤成风"比喻手法熟练，技艺高超。

【运力】yùnlì　名 运输人员或物资的力量：提高～|安排～,抢运救灾物资。

【运量】yùnliàng　名 运送人员或物资的数量：加大～以满足需求。

【运能】yùnnéng　名 运输能力：～不足。

【运气】yùn∥qì　动 把力气贯注到身体某一部位：他一～,把石块搬了起来。

【运气】yùn·qi　❶ 名 命运：～不佳。❷ 形 幸运：你真～,中了头等奖。

【运输】yùnshū　动 用交通工具把人员或物资从一个地方运到另一个地方。

【运输机】yùnshūjī　名 专门用来载运人员或物资的飞机。

【运输舰】yùnshūjiàn　名 专门担负军事运输任务的军舰。

【运思】yùnsī　动 运用心思（多指诗文写作）：执笔～|～精巧。

【运送】yùnsòng　动 把人员或物资运到别处：～返乡民工|～救灾物资。

【运算】yùnsuàn　动 依照数学法则，求出算题或算式的结果。

【运算器】yùnsuànqì　名 计算机中用进

行算术运算或逻辑运算的部件。

【运销】yùnxiāo　动 把货物运到别处销售：～全国|～水果。

【运行】yùnxíng　动 周而复始地运转（多指星球、车船等）：人造卫星的～轨道|列车～示意图|缩短列车～的时间。

【运营】yùnyíng　动 ❶（车船等）运行和营业：地铁开始正式～。❷ 比喻机构有组织地进行工作：改善一些工矿企业低效率～的状况。

【运用】yùnyòng　动 根据事物的特性加以利用：～自如|灵活～。

【运载】yùnzài　动 装载和运送：～工具|货物|增加货车的～量。

【运载火箭】yùnzài huǒjiàn　把人造卫星或宇宙飞船等运送到预定轨道的火箭。

【运转】yùnzhuǎn　动 ❶ 沿着一定的轨道行动：行星绕着太阳～。❷ 指机器转动：发电机～正常。❸ 比喻组织、机构等进行工作：这家公司前不久宣告成立,开始～。

【运作】yùnzuò　动（组织、机构等）进行工作；开展活动：改变现行的～方式|公司资金不足,技术革新小组难以～。

员（員、貟）　Yùn　名 姓。另见 1674 页 yuán；1687 页 yún。

郓（鄆）　yùn　❶ 郓城（Yùnchéng）,地名,在山东。❷（Yùn）名 姓。

恽（惲）　Yùn　名 姓。

晕（暈）　yùn　❶ 动 头脑发昏,周围物体好像在旋转,有要跌倒的感觉：～船|眼～|他一坐汽车就～。❷ 名 日光或月光通过云层中的冰晶时经折射而形成的光圈。参看 1153 页【日晕】、1683 页【月晕】。❸ 名 光影、色彩四周模糊的部分：墨～|红～|灯光黄而有～。另见 1685 页 yūn。

【晕场】yùn∥chǎng　动 考生在考试或演员在演出时由于过度紧张或其他原因而头晕,影响考试或演出的正常进行。

【晕车】yùn∥chē　动 坐车时头晕,呕吐。

【晕池】yùn∥chí　动（到池汤中洗澡的人）因温度过高、湿度过大、体质较弱等原因而昏厥。也说晕堂。

【晕船】yùn∥chuán　动 坐船时头晕,呕吐。

【晕高儿】yùn//gāor 〈方〉动 登高时头晕心跳。

【晕机】yùn//jī 动 坐飞机时头晕、呕吐。

【晕血】yùn//xiě 动 看见出血就头晕、心悸、呕吐甚至昏迷。

【晕针】yùn//zhēn 动 针刺后病人面色苍白、头晕、目眩、心烦欲呕等,叫做晕针。

酝(醖) yùn 〈书〉❶ 酿酒:~酿|春~夏成。❷ 指酒:佳~。

【酝酿】yùnniàng 动 造酒的发酵过程,比喻做准备工作,如事先考虑、商量、相互协调等:~候选人名单|大家先~一下,好充分发表意见。

愠 yùn 〈书〉怒:微~|~色。

【愠色】yùnsè 〈书〉名 恼怒的脸色:面有~。

缊(緼) yùn 〈书〉❶ 碎麻。❷ 新旧混合的丝绵絮:~袍。
另见 1685 页 yūn。

韫(韞) yùn 〈书〉包含;蕴藏。

韵(韻) yùn ❶ 好听的声音:琴~悠扬|松声竹~。❷ 名 韵母:押~|叠~|~文。❸ 情趣:风~|~味|~致。❹ (Yùn)名 姓。

【韵白】yùnbái 名 ❶ 京剧中指按照传统念法念出的道白,有的字音和北京音略有不同。❷ 戏曲中句子整齐押韵的道白。

【韵调】yùndiào 名 音调:~优美|~悠扬。

【韵腹】yùnfù 名 指韵母中的主要元音。参看【韵母】。

【韵脚】yùnjiǎo 名 指韵文句末押韵的字。

【韵律】yùnlǜ 名 指诗词中的平仄格式和押韵规则。

【韵律体操】yùnlǜ tǐcāo 艺术体操。

【韵母】yùnmǔ 名 汉语字音中声母、字调以外的部分。韵母又可以分成韵头(介音)、韵腹(主要元音)、韵尾三部分。如"娘"niáng 的韵母是 iang,其中 i 是韵头,a 是韵腹,ng 是韵尾。每个韵母一定有韵腹,但不一定有韵头和韵尾。如"大"dà 的韵母是 a,a 是韵腹,没有韵头、韵尾;"瓜"guā 的韵母是 ua,其中 u 是韵头,a 是韵腹,没有韵尾;"刀"dāo 的韵母是 ao,其中 a 是韵腹,o 是韵尾,没有韵头。参看 1222 页【韵母】。

【韵目】yùnmù 名 韵书把同韵的字归为一部,每韵用一个字标出,按次序排列,如通用的诗韵上平声分为一东、二冬、三江、四支等,叫做韵目。

【韵事】yùnshì 名 风雅的事:诗坛~。

【韵书】yùnshū 名 为写作韵文押韵用的同韵、同音字典,如《广韵》、《集韵》、《中原音韵》等。

【韵头】yùntóu 名 介音。参看【韵母】。

【韵尾】yùnwěi 名 指韵母的收尾部分,例如韵母 ai、ei 的 i,韵母 ao 的 o,韵母 ou 的 u,韵母 an、en 的 n,韵母 ang、eng 的 ng。参看【韵母】。

【韵味】yùnwèi 名 ❶ 声韵所体现的意味:他的唱腔很有~。❷ 情趣;趣味:这首诗~很浓|古塔古树相互映衬,平添了古朴的~。

【韵文】yùnwén 名 有节奏韵律的文学体裁,也指用这种体裁写成的文章,包括诗、词、歌、赋等(区别于"散文")。

【韵语】yùnyǔ 名 押韵的语言,指诗、词和唱词、歌诀等。

【韵致】yùnzhì 名 风度韵味;情致:水仙别有一种淡雅的~。

煴 yùn 〈书〉同"熨"。
另见 1686 页 yūn。

蕴(蘊) yùn ❶ 〈书〉包含;蓄积:~藏。❷ 〈书〉事理深奥的地方:底~。❸ (Yùn)名 姓。

【蕴藏】yùncáng 动 蓄积而未显露或未发掘:大沙漠下面~着丰富的石油资源|他们心中~着极大的爱国热情。

【蕴含】yùnhán 同"蕴涵"①。

【蕴涵】yùnhán 动 ❶ 包含:这段文字不长,却~着丰富的内容。也作蕴含。❷ 判断中前后两个命题间存在的某一种条件关系叫做蕴涵,表现形式是"如果…则…"。例如"如果温度增高则寒暑表的水银柱上升"。

【蕴藉】yùnjiè 〈书〉形 (言语、文字、神情等)含蓄而不显露;意味~|~的微笑。

【蕴蓄】yùnxù 动 积蓄或包含在里面而未表露出来:青年人身上~着旺盛的活力。

熨 yùn 动 用烙铁或熨斗烫平:~衣服。
另见 1671 页 yù。

【熨斗】yùndǒu 名 形状像斗,用来烫平衣物的金属器具。旧式熨斗中间烧木炭,新式熨斗用电发热。

Z

Z

zā（ㄗㄚ）

扎（紥、紮） zā ❶ 动 捆；束：～彩｜～裤脚｜腰里～着一条皮带。❷〈方〉量 用于捆起来的东西：一～干草。

另见1706页zhā；1706页Zhá。

【扎染】zārǎn ❶ 动 一种染花布的工艺，染色前先用线绳按所需花型把织物扎结起来，染色后就会形成特定的花纹，分为单色或多色。❷ 名 指扎染制品。

匝（帀） zā〈书〉❶ 量 周¹①；圈：绕树三～，无枝可依。❷ 环绕：清渠～庭堂。❸ 遍；满：～地｜～月（满一个月）。

【匝道】zādào 名 立交桥或高架路上下两条道路相连接的路段，也指高速公路与邻近的辅路相连接的路段。

【匝地】zādì〈书〉动 遍地；布满各处：柳荫～。

咂 zā 动 ❶ 用嘴唇吸：～了一口酒。❷ 咂嘴。❸ 仔细辨别（滋味）：他美美地～着话梅的滋味。

【咂摸】zā·mo〈方〉动 仔细辨别（滋味、意思等）：～着酒的香味｜你再～～他这话是什么意思。

【咂儿】zār〈口〉名 乳房。

【咂舌】zā//shé 动 咂嘴：这里的发展速度之快令人～。

【咂嘴】zā//zuǐ（～儿）动 舌尖抵住上腭发出吸气音，表示称赞、羡慕、惊讶、为难、惋惜等。

拶 zā〈书〉逼迫：逼～。

另见1696页zǎn。

臜（臢） zā 见2页［腌臜］。

zá（ㄗㄚˊ）

杂（雜、襍、卆） zá ❶ 形 多种多样的：复～｜～色｜～技｜他看的书很～，哪方面的都有。❷ 正项以外的；正式的以外的：～费｜～项｜～牌儿。❸ 动 混合在一起；掺杂：夹～｜他～在人群中混进了城｜草丛中还～有粉红色的野花。

【杂拌儿】zábànr 名 ❶ 掺杂在一起的各种干果、果脯等。❷ 比喻杂凑而成的事物：这个集子是个大～，有诗，有杂文，有游记，还有短篇小说。

【杂处】záchǔ 动 来自各地的人在一个地区居住：五方～。

【杂凑】zácòu 动 不同的人或事物勉强合在一起。

【杂费】záfèi 名 ❶ 主要开支以外的零碎费用：节约开支，减少～。❷ 学校为杂项开支而向学生收的费用。

【杂感】zágǎn 名 ❶ 多方面的零星的感想。❷ 写这种感想的一种文体。

【杂烩】záhuì 名 ❶ 用多种菜合在一起烩成的菜。❷ 比喻杂凑而成的事物。

【杂活儿】záhuór 名 零碎的工作；各种各样的力气活儿。

【杂和菜】zá·huocài 名 把多种剩菜掺和在一起的菜。

【杂和面儿】zá·huomiànr 名 掺少量豆类磨成的玉米面儿。

【杂货】záhuò 名 各种零星的生活日用品：～店。

【杂记】zájì 名 ❶ 零碎的笔记：学习～｜旅途～。❷ 记载风景、琐事、感想等的一种文体。

【杂技】zájì 名 各种技艺表演（如车技、口技、顶碗、走钢丝、狮子舞、魔术等）的统称。

【杂家】zájiā 名 ❶（Zájiā）先秦时期融会各家学说而成一家之言的学派。❷ 指知识面广，什么都懂一点儿的人。

【杂交】zájiāo 动 不同种、属或品种的动物或植物进行交配或结合。可分为天然杂交和人工杂交、有性杂交和无性杂交、远缘杂交和种内杂交等。

【杂交种】zájiāozhǒng 名 杂交而产生的

新品种,具有上一代品种的特征。

【杂居】zájū 动 指两个或两个以上的民族在一个地区居住。

【杂剧】zájù 名 宋代以滑稽调笑为特点的一种表演形式。元代发展成戏曲形式,每本以四折为主,有时在开头或折间另加楔子。每折用同宫调同韵的北曲套曲和宾白组成。如关汉卿的《窦娥冤》等。流行于大都(今北京)一带。明清两代也有杂剧,但每本不限四折,每折也不限用北曲。

【杂粮】záliáng 名 稻谷、小麦以外的粮食,如玉米、高粱、甘薯、豆类等。

【杂乱】záluàn 形 多而乱,没有秩序或条理:院子里～堆着木料、砖瓦。

【杂乱无章】záluàn wú zhāng 又多又乱,没有条理。

【杂面】zámiàn 名 用绿豆、小豆等磨成的粉或用这种粉制成的面条。

【杂念】zániàn 名 不纯正的念头,多指为个人打算的念头:摒除｜私心～。

【杂牌】zápái (～儿) 形 属性词。非正规的;非正牌的:～军｜～货。

【杂品】zápǐn 名 商业上指各种日用的零星物品。

【杂七杂八】zá qī zá bā 形容多而杂。

【杂糅】záróu 动 指不同的事物混杂在一起:古今～。

【杂食】záshí ❶形 属性词。以各种动物植物为食物的:～动物。❷名 指多种类型的食物:吃～有益健康。

【杂事】záshì (～儿)名 琐碎的事;杂七杂八的事。

【杂书】záshū 名 ❶科举时代指与科举考试无直接关系的书籍。❷指与本人专业无直接关系的书籍。

【杂耍】záshuǎ (～儿)名 指曲艺、杂技等。

【杂税】záshuì 名 指在正税以外征收的各种各样的税:苛捐～。

【杂说】záshuō 名 ❶各种各样的说法。❷〈书〉零碎的论说文章。❸〈书〉正统学说以外的各种学说。

【杂碎】zá·sui 名 煮熟切碎供食用的牛羊等的内脏:牛～｜羊～。

【杂沓】(杂遝) zátà 形 杂乱:门外传来～的脚步声。

【杂文】záwén 名 现代散文的一种,不拘泥于一种形式,偏重议论,也可以叙事。

【杂务】záwù 名 专门业务以外的琐碎事务。

【杂物】záwù 名 各种零星的物品。

【杂项】záxiàng 名 正项以外的项目:～开支。

【杂音】záyīn 名 人和动物的心、肺等或机器装置等因发生障碍或受到干扰而发出的不正常的声音。

【杂院儿】záyuànr 名 有许多户人家居住的院子。也说大杂院儿。

【杂志】zázhì 名 ❶刊物:报章～。❷零碎的笔记(多用于书名)。

【杂质】zázhì 名 某种物质中所夹杂的不纯的成分。

【杂种】zázhǒng 名 ❶杂交种。❷骂人的话。

【杂字】zázì 名 汇集在一起的各类日常用字(多用于书名):《农村四言～》。

咱(喒、偺) zá [咱家](zájiā)代 人称代词。我(多见于早期白话)。

另见 1696 页 zán;1697 页 · zan。

砸 zá 动 ❶用沉重的东西对准物体撞击;沉重的东西落在物体上:～核桃｜～地基｜搬石头不小心,～了脚了。❷打破:碗～了。❸〈方〉(事情)失败:事儿办～了｜戏演～了。

【砸饭碗】zá fànwǎn 比喻失业。

【砸锅】zá∥guō 〈方〉动 比喻办事失败:让他去办这件事儿,准～。

【砸锅卖铁】zá guō mài tiě 比喻把所有的都拿出来。

【砸牌子】zá pái·zi 指产品(多指名牌产品)由于质量下降等原因而使品牌信誉受损。

zǎ （ㄗㄚˇ）

咋(咤) zǎ 〈方〉代 疑问代词。怎;怎么:～样｜～办｜你～不去?

另见 1703 页 zé;1706 页 zhā。

zāi （ㄗㄞ）

灾(災) zāi 名 ❶灾害:旱～｜水～｜防～｜救～｜～区｜这一带去年

遭了～。❷个人遭遇的不幸：招～惹祸|
没病没～。

【灾变】zāibiàn 名 灾难和变故；灾害：提
高应付各种～的能力。

【灾害】zāihài 名 自然现象和人类行为对
人和动植物以及生存环境造成的一定规
模的祸害，如旱、涝、虫、雹、地震、海啸、火
山爆发、战争、瘟疫等。

【灾患】zāihuàn 名 灾害；灾难。

【灾荒】zāihuāng 名 因灾害造成的粮食歉
收、土地荒芜、物品严重缺乏等状况。

【灾祸】zāihuò 名 自然的或人为的祸害。

【灾民】zāimín 名 遭受灾害的人。

【灾难】zāinàn 名 天灾人祸所造成的严重
损害和痛苦：～深重|遭受～。

【灾情】zāiqíng 名 受灾的情况：～严重。

【灾区】zāiqū 名 受灾的地区：支援～。

【灾殃】zāiyāng 名 灾难；祸殃。

【灾异】zāiyì 名 指自然灾害和某些特异的
自然现象，如水灾、地震、日食等。

甾 zāi 名 有机化合物的一类，广泛存
在于动植物体内，一般具有重要的生
理作用，如胆固醇、胆酸、维生素 D 和性激
素等。也叫类固醇。

哉 zāi 〈书〉助 ❶ 表示感叹的语气：呜
呼哀～! | 快～此风! ❷ 跟疑问词合
用，表示疑问或反诘的语气：其故何～? |
如此而已，岂有他～!

栽¹ zāi ❶ 动 栽种：～树|～花。❷ 动
插上：～绒|～刷子。❸ 动 硬给安
上：～赃|～上了罪名。❹（～儿）名 栽子：
桃～儿。

栽² zāi 动 ❶ 摔倒；跌倒：～了一跤。
❷〈方〉比喻失败或出丑。

【栽跟头】zāi gēn·tou ❶ 摔跤①；跌倒。
❷ 比喻失败或出丑。

【栽面】zāimiàn （～儿）〈方〉动 丢面子。

【栽培】zāipéi 动 ❶ 种植，培养：～水稻|
～果树。❷ 比喻培养、造就人才：感谢老
师的～。❸ 旧指官场中比喻照顾、提拔。

【栽绒】zāiróng 名 一种织物，把线线织入
以后割断，再剪平，绒面立着。

【栽赃】zāi∥zāng 动 把赃物或违禁物品
暗放在别人处，诬告他犯法：～陷害。

【栽植】zāizhí 动 把植物的幼苗种在土壤
中：～葡萄。

【栽种】zāizhòng 动 种植（花草树木等）：

～苹果。

【栽子】zāi·zi 名 供移植的植物幼苗：树
～。

菑 zāi 〈书〉同"灾"。

zǎi（ㄗㄞˇ）

仔 zǎi ❶ 同"崽"。❷〈方〉男青年：肥
～(体胖的男孩子)|打工～。
另见 1800 页 zī；1804 页 zǐ。

载¹（載） zǎi 年：一年半～|三年五
～|千～难逢。

载²（載） zǎi 动 记载①；刊登：登
～|刊～|转～|入史册|～
于刊第五期。
另见 1695 页 zài。

宰¹ zǎi ❶ 动 主管；主持：主～。❷ 古代
官名：县～|邑～。❸（Zǎi)名 姓。

宰² zǎi 动 ❶ 杀(牲畜、家禽等)：屠～|
杀猪～羊。❷〈方〉比喻向买东西或
接受服务的人索取高价：挨～|～人。

【宰割】zǎigē 动 比喻侵略，压迫，剥削：不
能任人～。

【宰客】zǎi∥kè 指欺骗、敲诈乘客、顾客
等；有的导游和商家串通起来～。

【宰人】zǎi∥rén 动 比喻向买东西或接受服
务的人索取高价：卖得这么贵？太～了!

【宰杀】zǎishā 动 杀(牲畜、家禽等)：禁止
随意～耕牛。

【宰牲节】Zǎishēng Jié 名 伊斯兰教重要
节日之一，在伊斯兰教历 12 月 10 日。这
一天，伊斯兰教徒要宰牛、羊、骆驼等献
礼。也叫古尔邦节或牺牲节。

【宰相】zǎixiàng 名 我国古代辅助君主掌
管国事的最高官员的泛称。

【宰制】zǎizhì 动 统辖支配。

崽 zǎi 〈方〉名 ❶ 儿子。❷ (～儿)幼
小的动物：猪～儿。

【崽子】zǎi·zi 名 崽②(多用作骂人的话)。

zài（ㄗㄞˋ）

再 zài ❶ 副 a)表示又一次(有时专指
第二次)：～版|～接～厉|一而～、～

而三|学习,学习,～学习。【注意】表示已经重复的动作用"又",表示将要重复的动作用"再",如:这部书前几天我又读了一遍,以后有时间我还要～读一遍。b)表示更加:高点儿～高点儿|～多一点儿就好了。c)表示如果继续下去就会怎样:学习～不努力,就得留级了|离开车只剩半个钟头了,～不走可赶不上了。d)表示即使继续下去也不会怎样:你～解释,他也不会同意的。e)表示一个动作发生在另一个动作结束之后:咱们看完了这个节目～走|你把材料整理好～动笔。f)表示另外有所补充:～则|～不然|院子里种着迎春、牡丹、海棠、石榴,～就是玫瑰和月季。❷〈书〉再继续;再出现:青春不～|良机难～。❸(Zài)【名】姓。

【再版】zàibǎn【动】(书刊)第二次出版。有时也指第二次印刷。

【再保险】zàibǎoxiǎn【动】保险人把所承担的保险业务的部分或全部分给其他保险人承保,以分散风险和责任。也叫分保。

【再不】zài·bu〈口〉【连】要不然:我打算让老吴去一趟,～让小王也去,俩人好商量。

【再次】zàicì【副】第二次;又一次:～获奖|～当选会长。

【再度】zàidù【副】第二次;又一次:机构～调整|谈判～破裂。

【再犯】zàifàn❶【动】再次犯罪或犯错误、过失等:如若～,定当严惩。❷【名】犯罪经判刑后又犯罪的人。

【再会】zàihuì【动】再见。

【再婚】zàihūn【动】离婚或配偶死后再结婚。

【再嫁】zàijià【动】(妇女)再婚。

【再见】zàijiàn【动】客套话,用于分手时,表示希望以后再见面。

【再醮】zàijiào【动】旧时称寡妇再嫁。

【再接再厉】zài jiē zài lì 一次又一次地继续努力。

【再就业】zàijiùyè【动】泛指下岗人员重新走上工作岗位:创造～机会。

【再三】zàisān【副】一次又一次:～叮嘱|言之～|考虑～|挽留～|～表示谢意。

【再审】zàishěn【动】❶重新审查。❷法院发现已经审理终结并发生法律效力的案件确有错误时,依法重新审判。

【再生】zàishēng【动】❶死而复生。❷机体的某一部分丧失或受到损伤后,重新生长。如创口愈合,水螅被切成两段后长成两个水螅等。❸对某种废品加工,使恢复原有性能,成为新的产品:～纸|～橡胶|～材料。

【再生产】zàishēngchǎn【动】指生产过程不断重复和经常更新。有两种形式,即按原规模重复的简单再生产和在扩大的规模上进行的扩大再生产。

【再生父母】zàishēng fùmǔ 指对自己有重大恩情的人,多指救命的恩人。也说重生父母。

【再生水】zàishēngshuǐ【名】中水。

【再世】zàishì❶【名】来世。❷〈书〉再次在世上出现;再生①:华佗～。

【再衰三竭】zài shuāi sān jié《左传·庄公十年》:"一鼓作气,再而衰,三而竭。"形容士气低落,不能再振作。

【再说】zàishuō❶【动】表示留待以后办理或考虑:这事先搁一搁,过两天～。❷【连】表示推进一层:去约他,已经来不及了,～他也不一定有工夫。

【再现】zàixiàn【动】(过去的事情)再次出现。

【再造】zàizào【动】重新给予生命(多用来表示对于重大恩惠的感激):恩同～。

【再则】zàizé【连】表示更进一层或另外列举原因、理由:兴修水利可灌溉农田,～还能发电|他学习成绩差,原因是不刻苦,～学习方法也不对头。

【再者】zàizhě【连】再则。

在 zài❶【动】存在;生存:精神永～|留得青山在,不怕没柴烧|父母都～。❷【动】表示人或事物的位置:我今天晚上～厂里|你的钢笔～桌子上呢。❸【动】留在:～职|～位。❹【动】参加(某团体);属于(某团体):～党|～组织。❺【动】在于;决定于:事～人为|学习好,主要～自己努力。❻"在"和"所"连用,表示强调,下面多连"不":～所不辞|～所不惜|～所不计|～所难免。❼【介】表示时间、处所、范围、条件等:事情发生～去年|～礼堂开会|这件事～方式上还可以研究|他的帮助下,我取得了较好的成绩。❽【副】正在:风～刮,雨～下|姐姐～做功课。

【在案】zài'àn【动】公文用语,表示某事在档案中已经有记录,可以查考:记录～。

【在编】zàibiān 勔（人员）在编制之内：～人员｜他已退休，不～了。

【在册】zàicè 勔（登记）在名册中：登记～｜～职工。

【在场】zàichǎng 勔 亲身在事情发生、进行的地方：事故发生时他不～｜当时～的人都可以作证。

【在读】zàidú 勔 正在学校或科研机关学习：～硕士研究生。

【在岗】zàigǎng 勔 在工作岗位上：～人员。

【在行】zàiháng 彤（对某事、某行业）了解底细、富有经验；内行①：修电器他十分～｜做生意我可不～。

【在乎】zài·hu ❶ 在于：东西不～好看，而～实用。❷ 在意；介意（多用于否定式）：满不～｜只要能学会，多学几天倒不～。

【在即】zàijí 勔（某种情况）在最近期间就要发生：毕业～｜大赛～。

【在家】zàijiā 勔 ❶ 在家里；在工作或住宿的地方：没有出门。❷ 对僧、尼、道士等"出家"而言，一般人都算在家：～人。

【在建】zàijiàn 勔（工程等）在建设中：～项目。

【在教】zàijiào 〈口〉勔 ❶ 信仰某一宗教。❷ 特指信仰伊斯兰教。

【在劫难逃】zài jié nán táo 命中注定要遭受祸害，逃也逃不脱（迷信）。现在借指坏事情一定要发生，要避免也避免不了。

【在理】zàilǐ 彤 合乎道理；有理：老王这话说得～。

【在内】zàinèi 勔 在某一范围之内：我们所有的同志，连我～，都要参加植树活动。

【在聘】zàipìn 勔（人员等）在聘用中：～期间，享受单位规定的各项待遇。

【在谱】zàipǔ（～儿）彤（说话）符合实际或公认的准则：你看我说的～不～？

【在世】zàishì 勔 活在世上：当年的老人～的不多了。

【在逃】zàitáo 勔（犯人或犯罪嫌疑人）逃走，没有被捉到：罪犯越狱～。

【在天之灵】zài tiān zhī líng 尊称逝世者的心灵、精神。

【在望】zàiwàng 勔 ❶ 远处的东西在视线以内，可以望见：大雁塔隐隐～。❷（盼望的好事情）即将来到，就在眼前：丰收～。

【在位】zàiwèi 勔 ❶ 居于君主的地位；做君主。❷ 居于官位，现多指居于某个领导岗位。

【在握】zàiwò 勔 有把握；在手中：全局在胸，胜利～。

【在下】zàixià 图 谦称自己（多见于早期白话）：先生过奖，～实不敢当。

【在先】zàixiān ❶ 副 从前；早先：～我年纪小，什么事也不明白。❷ 副 预先；事先：不论做什么事，～都要有个准备。❸ 勔 时间或顺序在前：有言～｜进攻队员犯规，进球无效。

【在线】zàixiàn 勔 科学技术上指在某种系统的控制过程中；计算机系统上指在互联网上。

【在心】zài//xīn 留心；放在心上：你说什么，他都不～。

【在押】zàiyā 勔（犯人或犯罪嫌疑人）在羁押监禁中。

【在野】zàiyě 原指不担任朝廷官职，后来也借指不当政：～党。

【在业】zàiyè 勔 指已经参加工作；就业：～人口｜～工人。

【在意】zài//yì 勔 放在心上；留意（多用于否定式）：这些小事，他是不大～的。

【在于】zàiyú 勔 ❶ 指出事物的本质所在，或指出事物以什么为内容：先进人物的特点～他们总是把集体利益放在个人利益之上。❷ 决定于：去不去～你自己。

【在在】zàizài〈书〉勔 处处：～皆是。

【在职】zàizhí 勔 担任着职务：～干部。

【在座】zàizuò 勔 在聚会、宴会等的座位上。泛指出席聚会或宴会。

载¹（载）zài ❶ 勔 装载：～客｜～货｜汽车上～满了乘客◇～誉归来。❷ 运输工具所装的东西：卸～｜过～。❸ 充满（道路）：风雪～途｜怨声～道。❹（Zài）图 姓。

载²（载）zài〈书〉又；且：～歌～舞。
另见 1693 页 zǎi。

【载波】zàibō 勔 在有线电和无线电技术中，把不直接发射的低频信号加在高频电波上，以便发出去，这种方法叫做载波。

【载畜量】zàichùliàng 图 指放牧期间，一定面积牧地所担负放牧牲畜的头数。

【载歌载舞】zài gē zài wǔ 又唱歌，又跳舞，形容尽情欢乐。

【载荷】zàihè 名 指作用在建筑物或构件上的各种重量和外力。也叫荷载、荷重。

【载客】zàikè 动 运载乘客：货运三轮车禁止～。

【载送】zàisòng 动 运载；运送：～旅客｜～货物。

【载体】zàitǐ 名 ❶ 科学技术上指某些能传递能量或运载其他物质的物质。如工业上用来传递热能的介质，为增加催化剂有效表面，使催化剂附着的浮石、硅胶等都是载体。❷ 泛指能够承载其他事物的事物：语言文字是信息的～。

【载誉】zàiyù 动 满载荣誉：运动健儿～归来。

【载运】zàiyùn 动 运载：～量｜～货物。

【载重】zàizhòng 动 (交通工具)负担重量：～量｜～汽车｜一节车皮～多少吨？

傤(傤) zài ❶ 同"载"②。❷〈方〉量 一只船装运的货物叫一傤。

<hr>

zān（ㄗㄢ）

篸(篸) zān〈书〉同"簪"。另见 131 页 cǎn。

糌 zān [糌粑](zān•ba) 名 青稞麦炒熟后磨成的面。吃时用酥油茶或青稞酒拌和，捏成小团。是藏族人的主食。

簪 zān ❶（～儿）名 簪子：扁～｜玉～。❷ 动 插在头发上：头上～了一枝绒花。

【簪子】zān•zi 名 别住发髻的条状物，用金属、骨头、玉石等制成。

<hr>

zán（ㄗㄢˊ）

咱(喒、偺) zán 代 人称代词。❶ 咱们：哥哥，～回家吧｜运动员为～国家争了光。❷〈方〉我：～不懂他的话。
另见 1692 页 zá；1697 页•zan。

【咱们】zán•men 代 人称代词。❶ 总称己方(我或我们)和对方(你或你们)：～是一家人｜你来得正好，～商量一下。注意 包括谈话的对方用"咱们"，不包括谈话的对方用"我们"，如：我们明天参加义务劳动，你要是没事，～一块儿去。不过在某些场合说"我们"也可以包括谈话的对方。❷ 借指我或你：～是个直性子，说话不会曲里拐弯(指我)｜别哭，妈妈出去一会儿就回来(对小孩儿说，指你)。

<hr>

zǎn（ㄗㄢˇ）

拶(㧗) zǎn 压紧。另见 1691 页 zā。

【拶指】zǎnzhǐ 动 用拶子夹手指，是旧时的一种酷刑。

【拶子】zǎn•zi 名 旧时夹手指的刑具。

昝 Zǎn 名 姓。

嚓 zǎn〈书〉❶ 叨；衔。❷ 咬；叮。

攒(攢、儹) zǎn 动 积聚；储蓄：积～｜把节省下来的钱～起来。
另见 232 页 cuán。

趱(趲) zǎn 动 赶(路)；快走(多见于早期白话)：紧～了一程。

<hr>

zàn（ㄗㄢˋ）

暂(暫) zàn ❶ 时间短(跟"久"相对)：短～。❷ 副 暂时：～停｜～住｜～行条例｜～不答复｜工作～告一段落。

【暂缓】zànhuǎn 动 暂且延缓：～执行｜～一时。

【暂且】zànqiě 副 暂时；姑且：～如此｜这是后话，～不提。

【暂时】zànshí 名 短时间之内：～借用｜的困难｜因翻修马路，车辆～停止通行。

【暂停】zàntíng 动 ❶ 暂时停止：～施工｜会议～。❷ 某些球类比赛中指暂时停止比赛。

【暂星】zànxīng 名 我国古代指客星。

【暂行】zànxíng 形 属性词。暂时实行的(法令规章)：～条例。

蹔(蹔) zàn〈书〉同"暂"。

錾(鏨) zàn ❶ 团 在砖石上凿；在金银上刻：～花｜～字｜～金。❷ 錾子；錾刀。

【錾刀】zàndāo 名 雕刻金银用的小刀。

【錾子】zàn·zi 名 凿石头或金属的小凿子：石～｜油槽～。

赞(贊、賛、❷❸ 讚) zàn ❶ 帮助：～助。❷ 称赞：～许｜～扬｜～不绝口。❸ 旧时的一种文体，内容是称赞人或物的：像～。

【赞不绝口】zàn bù jué kǒu 赞美的话说个不停，形容对人或事物十分赞赏。

【赞成】zànchéng 团 ❶ 同意(别人的主张或行为)：～这项提议的请举手｜他的意见我不～。❷〈书〉帮助使完成：～其行。

【赞歌】zàngē 名 赞美人或事物的歌曲或诗文：唱｜英雄～。

【赞礼】zànlǐ ❶ 团 旧时举行婚丧、祭祀仪式时在旁宣读仪式项目。❷ 名 赞礼的人。

【赞美】zànměi 团 称赞；颂扬：～金色的秋景｜助人为乐的精神受到人们的～。

【赞美诗】zànměishī 名 基督教徒赞美上帝和颂扬教义的诗歌。也叫赞美歌。

【赞佩】zànpèi 团 称赞佩服：由衷～。

【赞赏】zànshǎng 团 赞美赏识：我十分～他那种奋发向上的精神。

【赞颂】zànsòng 团 称赞颂扬：～祖国的大好河山。

【赞叹】zàntàn 团 称赞：演员高超的演技，令人～。

【赞同】zàntóng 团 赞成；同意：全厂职工一致～这项改革。

【赞许】zànxǔ 团 认为好而加以称赞：他的见义勇为行动受到人们的～。

【赞扬】zànyáng 团 称赞表扬：～好人好事｜孩子们爱护公共财物的事迹受到了人们的～。

【赞语】zànyǔ 名 称赞的话。

【赞誉】zànyù 团 称赞：交口～。

【赞助】zànzhù 团 帮助；支持(现多指拿出财物帮助)：这笔奖金全部用来～农村教育事业。

酂(酇) Zàn 古地名，在今湖北老河口一带。
另见 238 页 Cuó。

灒(灒) zàn〈方〉团 溅：～了一身水。

瓒(瓚) zàn 古代祭祀时用的玉勺子。

·zan (·ㄗㄢ)

咱(喒、偺) ·zan〈方〉用在"这咱、那咱、多咱"里，是"早晚"的合音。
另见 1692 页 zá；1696 页 zán。

赃(贓、臟) zāng 赃款或赃物：贼～｜追～｜退～｜贪～枉法。

【赃车】zāngchē 名 指偷盗来的车辆：追缴～。

【赃官】zāngguān 名 贪污、受贿的官吏。

【赃款】zāngkuǎn 名 通过贪污、受贿或抢劫、盗窃等非法手段得来的钱：追回～。

【赃物】zāngwù 名 通过贪污、受贿或抢劫、盗窃等非法手段得来的物品。

脏(髒) zāng 形 有尘土、汗渍、污垢等；不干净：～衣服◇～话。
另见 1698 页 zàng。

【脏病】zāngbìng 名 性病的俗称。

【脏话】zānghuà 名 下流的话：不说～。

【脏土】zāngtǔ 名 尘土、垃圾等。

【脏兮兮】zāngxīxī （～的）〈方〉形 状态词。肮脏、污浊的样子。

【脏字】zāngzì （～儿）名 粗俗下流的字眼儿：说话别带～儿。

牂 zāng〈书〉母羊。

【牂牁】Zāngkē 名 古代郡名，在今贵州境内。

【牂牂】zāngzāng〈书〉形 草木茂盛的样子：其叶～。

臧 zāng ❶〈书〉善；好。❷ (Zāng) 名 姓。
〈古〉又同"藏"cáng。

【臧否】zāngpǐ〈书〉团 褒贬；评论：～人物。

Z

逐渐形成的，又经藏族地区传播到蒙古、不丹等地。俗称喇嘛教。

【藏红花】zànghónghuā 名 ❶ 多年生草本植物，叶子细长，鳞茎球状。花淡紫色，可入药。原产欧洲。由西藏传入内地，所以叫藏红花。❷ 这种植物的花。

【藏蓝】zànglán 形 蓝中略带红的颜色。

【藏历】Zànglì 名 藏族的传统历法，是唐代从内地传过去的。基本上跟农历相同，但为了使十五那天一定是月圆以及宗教上的理由，往往把某一天重复一次，或把某一天减掉，例如有时有两个初五而没有初六等，即所谓"重日"和"缺日"。藏历用五行和十二生肖纪年，如火鸡年、土狗年。

【藏历年】zànglìnián 名 藏历正月初一，是藏族人民的传统节日。其间举行赛马、射箭、赛牦牛、跳锅庄舞、演藏戏等娱乐活动。

【藏羚】zànglíng 名 哺乳动物，体长约1.2米，尾短而尖，雄的有角，长而侧扁，很直。毛皮红棕色，厚而密，腹部白色，四肢浅灰白色。生活在青藏高原，常成群活动。通称藏羚羊。

【藏青】zàngqīng 形 蓝中带黑的颜色。

【藏青果】zàngqīngguǒ 名 诃子(hēzǐ)。

【藏戏】zàngxì 名 藏族戏曲剧种，主要流行于西藏地区。

【藏香】zàngxiāng 名 西藏一带所产的一种线香，用檀香、芸香、艾等原料制成，颜色有黑、黄两种，藏族用来敬佛。

【藏药】zàngyào 名 藏医所用的药物，以植物为最多。

【藏医】zàngyī 名 ❶ 藏族的传统医学。❷ 用藏族传统医学理论和方法治病的医生。

【藏原羚】zàngyuánlíng 名 哺乳动物，体长约1.1米，尾很短，雄的有角，向上向后弯曲，末端又向上，有横棱，毛灰褐色。生活在高原和荒漠、草原上。

【藏族】Zàngzú 名 我国少数民族之一，分布在西藏和青海、四川、甘肃、云南。

---

zǎng（ㄗㄤˇ）

驵(駔) zǎng 〈书〉壮马；骏马。

【驵侩】zǎngkuài 〈书〉名 马匹交易的经纪人，泛指经纪人。

---

zàng（ㄗㄤˋ）

脏(臟) zàng 内脏：心～|肾～|五～六腑。

另见1697页 zāng。

【脏腑】zàngfǔ 名 中医对人体内部器官的总称。

【脏器】zàngqì 名 医学上指胃、肠、肝、脾等内脏器官。

奘 zàng ❶〈书〉壮大。用于人名，如唐代和尚玄奘。❷〈方〉形 说话粗鲁，态度生硬：他说话有～了，动不动就发脾气。

另见1793页 zhuǎng。

葬 zàng ❶ 动 掩埋死者遗体：埋～|安～|他的亲人就～在这里。❷ 泛指依照风俗习惯用其他方法处理死者遗体：火～|海～。

【葬礼】zànglǐ 名 殡葬仪式：举行～。

【葬埋】zàngmái 动 埋葬。

【葬身】zàngshēn 动 埋葬尸体：死无～之地|敌机～海底。

【葬式】zàngshì 名 处理死人遗体的方式，如土葬、火葬、海葬等。

【葬送】zàngsòng 动 断送：封建的婚姻制度不知～了多少青年的幸福。

藏[1] zàng ❶ 储存大量东西的地方：宝～。❷ 佛教或道教的经典的总称：道|大～经。

〈古〉又同"脏(臟)"。

藏[2] Zàng ❶ 名 指西藏：～香|青～铁路。❷ 藏族：～历|～医。

另见133页 cáng。

【藏传佛教】Zàngchuán-Fójiào 流行在我国西藏、青海、内蒙古等地区的佛教。是公元7世纪佛教从印度传入西藏之后，结合当地固有的宗教成分和人文地理环境

---

zāo（ㄗㄠ）

遭[1] zāo 动 遇到(多指不幸或不利的事)：～难|～殃|～了毒手。

遭² zāo （～儿）量 ❶ 回;次:一～生,两～熟|一个人出远门,我还是第一～。❷ 周;圈儿:用绳子绕两～|跑了一～儿。

【遭逢】zāoféng 动 碰上;遇到:～盛世|～不幸。

【遭际】zāojì 〈书〉❶ 名 境遇;经历。❷ 动 遭遇①:～艰危。

【遭劫】zāo//jié 遇到灾难。

【遭难】zāo//nàn 动 遭遇灾难;遇难。

【遭受】zāoshòu 动 受到(不幸或损害):～打击|～失败|身体～摧残。

【遭殃】zāo//yāng 动 遭受灾殃。

【遭遇】zāoyù ❶ 动 碰上;遇到(敌人、不幸的或不顺利的事):我军先头部队与敌人～了|工作中～了不少困难。❷ 名 遇到的事情(多指不幸的):悲惨的～|童年的～。

【遭遇战】zāoyùzhàn 名 敌对双方在行动中不期而遇发生的战斗。

【遭罪】zāo//zuì 动 受罪。

糟 zāo ❶ 名 做酒剩下的渣滓。❷ 动 用酒或糟腌制食物:～肉|～鱼。❸ 形 腐烂;腐朽:木头～了。❹ 形 指事情或情况坏:事情搞～了|他身体很～,老生病。

【糟改】zāogǎi 〈方〉动 讽刺挖苦;戏弄。

【糟糕】zāogāo 〈口〉形 指事情、情况坏得很:真～,把钥匙锁在屋里,进不去了。

【糟害】zāo·hài 〈方〉动 糟蹋损害,多指禽兽糟蹋庄稼等。

【糟践】zāo·jian 动 糟蹋:别～粮食|说话可不要随意～人。

【糟糠】zāokāng 名 酒糟、米糠等粗劣食物,旧时穷人用来充饥:～之妻(指贫穷时共患难的妻子)。

【糟粕】zāopò 名 酒糟、豆渣之类的东西。比喻粗劣而没有价值的东西:弃其～,取其精华。

【糟踏】zāo·tà 同"糟蹋"。

【糟蹋】zāo·tà 动 ❶ 浪费或损坏:这阵大风～了不少果子|别～料子～了。❷ 蹂躏,特指奸污。‖也作糟踏。

【糟心】zāoxīn 形 因情况坏而心烦:偏偏这个时候车又坏了,真叫～。

záo （ㄗㄠˊ）

凿¹(鑿) záo ❶ 名 凿子:扁～|圆～。❷ 动 打孔;挖掘:～井|

一个窟窿。

凿²(鑿) záo （旧读 zuò）〈书〉卯眼;方枘圆～。

凿³(鑿) záo （旧读 zuò）〈书〉明确;真实:确～。

【凿空】záokōng （旧读 zuòkōng）〈书〉动 穿凿:～之论。

【凿枘】záoruì （旧读 zuòruì）〈书〉名 ❶ 凿是卯眼,枘是榫头,凿枘相应,比喻彼此相合。❷ 圆凿方枘的略语,比喻格格不入。‖也说枘凿。

【凿岩机】záoyánjī 名 在岩石中凿孔用的风动工具,利用压缩空气等做动力使活塞往复运动,冲击钎子。多用于打炮眼。用压缩空气做动力的凿岩机也叫风钻。

【凿凿】záozáo （旧读 zuòzuò）〈书〉形 确切;确实:言之～|～有据。

【凿子】záo·zi 名 手工工具,长条形,前端有刃,使用时用重物砸后端。用来挖槽、打孔或加工石料。

zǎo （ㄗㄠˇ）

早 zǎo ❶ 名 早晨:清～|～饭|从～到晚。❷ 副 表示事情的发生离现在已有一段时间;早已:他～走了|这件事我们～商量好了。❸ 形 时间在先的:～期|～稻。❹ 形 比一定的时间靠前:～熟|～婚|你～点儿来|忙什么,离开演还～呢。❺ 形 问候的话,用于早晨见面时互相招呼:老师～! ❻ (Zǎo)名 姓。

【早安】zǎo'ān 动 问候的话,用于早晨第一次见面时(多见于翻译作品)。

【早班】zǎobān 名 早晨工作的班次:上～。

【早半天儿】zǎobàntiānr 〈方〉名 中午以前;上午。也说早半晌儿。

【早餐】zǎocān 名 早饭。

【早操】zǎocāo 名 早晨做的体操。

【早茶】zǎochá 名 早晨吃的茶点:粤式～。

【早产】zǎochǎn 动 怀孕28周后,胎儿尚未足月就产出。多由孕妇子宫口松弛、胎膜早破或患严重疾病等引起。

【早场】zǎochǎng 名 戏剧、电影等在上午演出的场次。

【早车】zǎochē 名 早晨开出或到达的火车。

【早晨】zǎo•chen 名 时间词。从天将亮到八九点钟的一段时间。

【早出晚归】zǎo chū wǎn guī 出去得很早,回来得很晚,形容辛勤劳作。

【早春】zǎochūn 名 春季的早期;初春。

【早稻】zǎodào 名 插秧期比较早或生长期比较短、成熟期比较早的稻子。

【早点】zǎodiǎn 名 早晨吃的点心;早饭。

【早饭】zǎofàn 名 早晨吃的饭。

【早慧】zǎohuì 形(少年儿童)智力提前发育:~儿童。

【早婚】zǎohūn 动 身体未发育成熟或未达到法定结婚年龄而结婚。

【早恋】zǎoliàn 动 过早地谈恋爱。

【早年】zǎonián 名❶ 多年以前;从前:~这里没见过汽车。❷ 指一个人年轻的时候:~丧父。

【早期】zǎoqī 名 某个时代、某个过程或某个人一生的最初阶段:清代~|注意~病人的治疗|他~的作品,大多描写农村生活。

【早期白话】zǎoqī báihuà 指唐宋至五四运动前口语的书面形式。

【早秋】zǎoqiū 名 秋季的早期;初秋。

【早日】zǎorì ❶ 副 早早儿;时间提早:~完工|祝你~恢复健康。❷ 名 从前;先前:他人老了,也失去了~的那种威严了。

【早上】zǎo•shang 名 时间词。早晨。

【早市】zǎoshì 名❶ 早晨做买卖的市场:逛~。❷ 早晨的营业:一个~有三千元的营业额。

【早熟】zǎoshú 形❶ 生理学上指由于松果体退化过早,引起生殖腺过早发育,从而使生长加速,长骨和骨骺(hóu)过早融合。早熟儿童常常比同龄儿童长得高,但到成年时,长得反而比常人矮。❷ 指农作物生长期短、成熟较快:~品种。

【早衰】zǎoshuāi 形(生物体)过早衰老。

【早霜】zǎoshuāng 名 霜期开始阶段下的霜,出现在晚秋。

【早退】zǎotuì 动(工作、学习或参加会议)未到规定时间提前离开:上班不得随意迟到|~。

【早晚】zǎowǎn ❶ 名 早晨和晚上:他每天~都练太极拳。❷ 副 或早或晚:这事瞒不了人,~大家都会知道的。❸〈方〉名

时候:多~(多咱)|他一清早就走了,这~多半已经到家了。❹〈方〉名 指将来某个时候:你~上城里来,请到我家里来玩。

【早先】zǎoxiān 名 以前;从前:看你写的字,比~好多了。

【早已】zǎoyǐ ❶ 副 很早已经;早就:你要的东西,我~给你准备好了。❷〈方〉名 早先;以前:现在大家用钢笔写字,~都用毛笔。

【早育】zǎoyù 动 过早地生育。

【早早儿】zǎozǎor 副 赶快;提早:要来,明天~来|决定办,就~办。

【早造】zǎozào 名 收获期较早的作物。

枣(棗) zǎo 名❶ 枣树,落叶乔木,幼枝上有成对的刺,叶子卵形或椭圆形,花黄绿色。结核果,暗红色、卵形、椭圆形或球形,味甜,可以吃,也可入药。❷(~儿)这种植物的果实。❸(Zǎo)姓。

【枣红】zǎohóng 形 像红枣儿的颜色。

【枣泥】zǎoní 名 把枣儿煮熟后去皮去核捣烂制成的泥状物,做馅儿用:~月饼。

【枣子】zǎo•zi〈方〉名 枣②。

蚤 zǎo 跳蚤〈古〉又同"早"。

澡 zǎo 洗(身体):洗~|擦~|~盆。

【澡盆】zǎopén 名 洗澡用的盆。

【澡堂】zǎotáng 名 供人洗澡的地方(多指营业性的)。也作澡塘。也叫澡堂子。

【澡塘】zǎotáng ❶ 名 浴池①。❷ 同"澡堂"。

璪 zǎo 古代王冠前下垂的装饰,是用彩色丝线穿起来的成串的玉石。

藻 zǎo ❶ 名 藻类植物:水~|海~。❷ 名 泛指生长在水中的绿色植物,也包括某些水生的高等植物,如金鱼藻、狸藻等。❸ 华丽的文辞:辞~。❹(Zǎo)名 姓。

【藻花】zǎohuā 名 水华。

【藻井】zǎojǐng 名 宫殿、厅堂的天花板上的装饰,为方形、圆形或多边形,向上凹进呈井状,有彩色雕刻或图案。

【藻类植物】zǎolèi zhíwù 植物的一大类,由单细胞或多细胞组成,用细胞分裂、孢子或两个配子体相结合进行繁殖。植物体没有根、茎、叶的分化,绝大多数是水生

Z

的,极少数可以生活在陆地的阴湿地方。主要有红藻、褐藻、绿藻、蓝藻等。

【藻饰】zǎoshì 〈书〉动 修饰(多指文章):词句朴实无华,不重～。

zào (ㄗㄠˋ)

皂(皁) zào ❶ 黑色:～鞋|～白。❷ 差役:～隶。❸ 肥皂:香～|药～。

【皂白】zàobái 名 黑白,比喻是非:～不分。

灶(竈) zào ❶ 名 用砖、坯、金属等制成的生火做饭的设备;炉~|煤气～|用石头垒了一个～。❷ 借指厨房:下～。❸ 指灶神:祭～|送～。

【灶火】zào·huo〈方〉名 ❶ 厨房。❷ 灶①:～上蒸了一锅饭。

【灶具】zàojù 名 做饭菜的炉灶及相关器具:检修～。

【灶君】Zàojūn 名 灶神。

【灶神】Zàoshén 名 迷信的人在锅灶附近供的神,认为他掌管一家的祸福财气。也叫灶君、灶王爷。参看648页[祭灶]。

【灶膛】zàotáng 名 灶内烧火的地方。

【灶头】zào·tou〈方〉名 灶①。

【灶王爷】Zào·wángyé 名 灶神。

【灶屋】zàowū〈方〉名 厨房。

埡 zào〈方〉山坳(多用于地名):竹山～|新屋～(都在湖南)。

喿(喿) zào 见900页[啰喿]。

造¹ zào ❶ 动 做;制作:创～|建～|～船|～纸|～预算|～名册。❷ 动 假编;捏造:～谣。❸ (Zào)名 姓。

造² zào ❶ 指相对两方面的人,法院里专用于诉讼的两方:两～|甲～。❷〈方〉农作物的收成:早～|晚～。❸〈方〉量 农作物收成的次数:一年三～皆丰收。

造³ zào〈书〉❶ 前往;到:～访|登峰～极。❷ 成就:～诣|深。❸ 培养:可～之才。

【造册】zàocè 动 编制名册、表册:登记～。

【造次】zàocì〈书〉形 ❶ 匆忙;仓促:～之间。❷ 鲁莽;轻率:～行事|不可～。

【造反】zào//fǎn 动 发动叛乱;采取反抗行动。

【造访】zàofǎng〈书〉动 拜访;登门～。

【造福】zàofú 动 给人带来幸福:～后代|为人民～。

【造化】zàohuà〈书〉❶ 名 自然界的创造者,也指自然。❷ 动 创造,化育。

【造化】zào·hua 名 福气;运气:有～。

【造假】zàojiǎ 动 制造假冒产品:摧毁～窝点。

【造价】zàojià 名 房屋、铁路、公路等修建的费用或汽车、轮船、机器等制造的费用:降低～|～低廉。

【造就】zàojiù ❶ 动 培养使有成就:～人才。❷ 名 造诣;成就(多指青年人的):在技术上很有～。

【造句】zào//jù 动 把词组织成句子。

【造林】zào//lín 动 在大面积的土地上种植树苗,培育成为森林。

【造孽】zào//niè 佛教用语,做坏事(将来要受报应)。也说作孽。

【造市】zàoshì 动 人为地制造市场氛围以吸引顾客、资金等:在销售淡季,商家以打折促销～。

【造势】zàoshì 动 制造声势:利用广告为新产品～。

【造物】zàowù 名 古人认为有一个创造万物的神力,叫做造物。

【造物主】zàowùzhǔ 名 基督教徒认为上帝创造万物,因此称上帝为造物主。

【造像】zàoxiàng 名 用泥、石膏等塑成或用石头、木头、金属等雕成的形象。

【造形】zàoxíng 同"造型"①②。

【造型】zàoxíng ❶ 动 创造物体形象:～艺术。❷ 名 创造出来的物体的形象:这些玩具～简单,生动有趣。‖也作造形。❸ 动 制造砂型。

【造型艺术】zàoxíng yìshù 占有一定空间、构成有美感的形象,使人通过视觉来欣赏的艺术,包括绘画、雕塑、建筑等。也叫美术。

【造血】zàoxuè 动 机体自身制造血液,比喻部门、单位、组织等从内部挖掘潜力,增强自身实力:增收节支,强化企业的～机能。

【造谣】zào//yáo 动 为了达到某种目的而捏造消息,迷惑群众:～生事|～中伤。

【造诣】zàoyì 名 学问、艺术等所达到的程度：～很高。

【造影】zàoyǐng 动 通过口服或注射某些X射线不能透过的药物，使某些器官在X射线下显示出来，以便检查疾病：钡餐～。

【造作】zào·zuo 形 做作：矫揉～。

慥 zào ［慥慥］(zàozào)〈书〉形 忠厚诚恳的样子。

噪(❷譟) zào ❶〈书〉虫或鸟叫；蝉～｜鹊～｜群鸦乱～。❷大声叫嚷：聒～。❸〈书〉(名声)广为传扬：名～一时｜声名大～。

【噪声】zàoshēng 名 ❶ 在一定环境中不应有而有的声音。泛指嘈杂、刺耳的声音。旧称噪音。❷ 电路或通信系统中除有用信号以外所有干扰的总称。

【噪声污染】zàoshēng wūrǎn 干扰人们休息、学习和工作的声音所造成的污染，多由机械振动或流体运动引起。安静环境中，约 30 分贝的声音就是噪声，超过 50 分贝，会影响睡眠和休息，90 分贝以上，会损伤人的听觉，影响工作效率，严重的可致耳聋或诱发其他疾病。

【噪音】zàoyīn 名 ❶ 音高和音强变化混乱、听起来不谐和的声音。是由发音体不规则的振动而产生的(区别于"乐音")。❷ 噪声①的旧称。

篅 zào 〈书〉副 附属的：～室(指妾)。

燥 zào 形 缺少水分；干燥：～热｜山高地～｜天气太～。

【燥热】zàorè 形 (天气)干燥炎热：这里冬季干冷，夏季～。

碟 zào 地名用字：～口｜～里｜～下(都在江西)。

躁 zào 形 性急；不冷静：烦～｜急～｜不骄不～｜性子～。

【躁动】zàodòng 动 ❶ 因急躁而活动：一听这话，心中顿时～起来，坐立不安。❷ 不停地跳动：胎儿～。

zé (ㄗㄜ´)

则¹(則) zé ❶ 规范：准～｜以身作～。❷ 规则：总～｜细～｜法

～。❸〈书〉效法。❹ 量 用于分项或自成段落的文字的条数：试题三～｜新闻两～｜寓言四～。❺ (Zé) 名 姓。

则² zé 〈书〉❶ 连 a)表示两事在时间上相承：每一巨弹堕地，～火光迸裂。b)表示因果或情理上的联系：欲速～不达｜物体热～胀，冷～缩。c)表示对比：这篇文章太长，另一篇文章～又过短。d)用在相同的两个词之间表示让步：好～好，只是太贵。❷ 副 用在"一、二(再)、三"等后面，列举原因或理由：墨子在归途上，是走得较慢了，一～力乏，二～脚痛，三～干粮已经吃完，难免觉得肚子饿，四～事情已经办妥，不像来时的匆忙。❸ 是；乃是：此～余之过也。

【则声】zéshēng 动 做声：不敢～。

责(責) zé ❶ 责任：职～｜负～｜尽～｜专～｜保卫祖国，人人有～。❷ 要求做成某件事或行事达到一定标准：～成｜求全～备｜～人从宽，～己从严。❸ 诘问；质问：～问｜～难。❹ 责备：斥～。

〈古〉又同"债" zhài。

【责备】zébèi 动 批评指摘：受了一通～｜～他几句就算了。

【责编】zébiān 名 责任编辑的简称。

【责成】zéchéng 动 指定(专人或机构)负责办好某件事：～公安部门迅速破案。

【责罚】zéfá 动 处罚。

【责怪】zéguài 动 责备；埋怨：是我没说清楚，不能～他。

【责令】zélìng 动 命令(某人或某机构)负责做成某事：～有关部门查清案情。

【责骂】zémà 动 用严厉的话责备：父亲～了他一顿。

【责难】zénàn 动 指摘非难：备受～。

【责任】zérèn 名 ❶ 分内应做的事：尽～。❷ 没有做好分内应做的事，因而应当承担的过失：追究～。

【责任编辑】zérèn biānjí 出版部门负责对某一稿件进行审阅、整理、加工等工作的编辑人员。简称责编。

【责任感】zérèngǎn 名 自觉地把分内的事做好的心情。也说责任心。

【责任事故】zérèn shìgù 由于工作上没有尽到责任而造成的事故。

【责任心】zérènxīn 名 责任感。

【责任制】zérènzhì 名 各项工作由专人负责，并明确规定责任范围的管理制度。

【责问】zéwèn 动 用责备的口气问：厉声～。

【责无旁贷】zé wú páng dài 自己的责任，不能推卸给别人(贷：推卸)。

【责有攸归】zé yǒu yōu guī 责任各有归属(推卸不了)。

择(擇) zé ❶ 挑选：选～|～善而从|饥不～食|两者任～其一。❷ (Zé)名 姓。
另见 1709 页 zhái。

【择吉】zéjí 动 旧时指为办喜事或办丧事挑选好日子：～迎娶。

【择交】zéjiāo 动 选择朋友：慎重～。

【择偶】zé'ǒu 动 选择配偶。

【择期】zéqī 动 选择日期：～完婚。

【择善而从】zé shàn ér cóng 《论语·述而》："三人行，必有我师焉。择其善者而从之，其不善者而改之。"后来用"择善而从"指采纳正确的意见或选择好的方法加以实行。

【择校】zéxiào 动 (学生)选择学校入学。

【择业】zéyè 动 选择职业：自主～。

【择优】zéyōu 动 选择优秀的：～录取。

咋 zé 〈书〉咬住。
另见 1692 页 zǎ；1706 页 zhā。

【咋舌】zéshé 〈书〉动 咬着舌头，形容吃惊、害怕，说不出话：闻者～。

迮 zé ❶〈书〉狭窄：～狭。❷ (Zé)名 姓。

泽(澤) zé ❶ 聚水的地方：沼～|湖～|深山大～。❷ 湿：润～。❸ 金属、珠玉等的光：光～|色～。❹ 恩惠：恩～|～及枯骨(施恩惠及于死人)。❺ (Zé)名 姓。

【泽国】zéguó 〈书〉名 ❶ 河流、湖泊多的地区：水乡～。❷ 受水淹的地区：沦为～。

【泽兰】zélán 名 多年生草本植物，叶子卵圆形，边缘有锯齿，花白色或带紫色，有香气。茎叶可提制芳香油。

啧(嘖) zé ❶〈书〉争辩。❷ 拟声 形容咂嘴声。

【啧有烦言】zé yǒu fán yán 很多人说不满意的话。

【啧啧】zézé 拟声 ❶ 形容咂嘴或说话声：

～称羡|人言～。❷〈书〉形容鸟叫的声音：雀声～。

帻(幘) zé 古代的一种头巾。

笮 Zé 名 姓。
另见 1825 页 zuó。

舴 zé ［舴艋］(zéměng)〈书〉名 小船。

簀(簀) zé 〈书〉床席。

赜(賾) zé 〈书〉精微；深奥：探～索隐。

齰(齚、齚) zé 〈书〉咬。

zè (ㄗㄜˋ)

仄 zè¹ ❶ 狭窄：逼～。❷ 心里不安：歉～。

仄 zè² 指仄声。

【仄声】zèshēng 名 指古汉语四声中的上、去、入三声(区别于"平声")。

昃 zè 〈书〉太阳偏西。

侧(側) zè 同"仄²"。
另见 137 页 cè；1708 页 zhāi。

zéi (ㄗㄟˊ)

贼¹(賊) zéi ❶ 名 偷东西的人。❷ 做大坏事的人(多指危害国家和人民的人)：工～|卖国～。❸ 邪的；不正派的：～心|～眉鼠眼|～头～脑。❹ 形 狡猾：老鼠真～、脑。

贼²(賊) zéi 〈方〉副 很；非常(多用于令人不满意的或不正常的情况)：～冷|～亮。

【贼风】zéifēng 名 指从檐下或门窗缝隙中钻进的风。

【贼喊捉贼】zéi hǎn zhuō zéi 自己是贼还喊叫捉贼，比喻为了逃脱罪责，故意混淆视听、转移目标。

【贼寇】zéikòu 名 强盗。也指入侵的敌人。

【贼眉鼠眼】zéi méi shǔ yǎn 形容神情鬼鬼祟祟。

【贼去关门】zéi qù guān mén 贼走关门。

【贼人】zéirén 名❶偷东西的人。❷干坏事的人。

【贼死】zéisǐ 〈方〉动 用作补语，表示程度极深，使人难于忍受：累得～气了个～。

【贼头贼脑】zéi tóu zéi nǎo 形容举动鬼鬼祟祟。

【贼心】zéixīn 名 做坏事的念头；邪心：～不死。

【贼星】zéixīng 名"流星"¹的俗称。

【贼眼】zéiyǎn 名 神情鬼祟、不正派的眼睛。

【贼赃】zéizāng 名 盗贼偷到或抢到的财物：搜出～。

【贼子】zéizǐ 〈书〉名 危害国家、残害百姓的坏人：乱臣～。

【贼走关门】zéi zǒu guān mén 比喻出了事故才采取防范措施。也说贼去关门。

鲗（鰂）zéi ［乌鲗］（wūzéi）同"乌贼"。

zěn （ㄗㄣˇ）

怎 zěn 〈口〉代 疑问代词。怎么：你～不早说呀？｜任务完不成，我～能不着急呢？

【怎地】zěn·di 同"怎的"。

【怎的】zěn·di 〈方〉代 疑问代词。怎么；怎么样：大哥～不见？｜我偏不去，看你能把我～? 也作怎地。

【怎么】zěn·me 代 疑问代词。❶询问性质、状况、方式、原因等：这是～回事？｜这个问题该～解决？｜他～还不回来？❷泛指性质、状况或方式：你愿意～办就～办。❸虚指性质、状况或方式：不知道～一来就滑倒了。❹有一定程度（多用于否定式）：这出戏他刚学，还不～会唱（＝不大会唱）。

【怎么样】zěn·meyàng 代 疑问代词。❶怎样。❷代替某种不说出来的动作或情况（只用于否定式，比说得委婉）：他画得也并不～（＝并不好）｜那是他一时的糊涂，也不好～他（＝责罚他）。

【怎么着】zěn·me·zhe 代 疑问代词。❶

询问动作或情况：你想～? ｜我们都报名参加了，你打算～? ｜她半天不做声，是生气了还是～? ❷泛指动作或情况：一个人不能想～就～。

【怎奈】zěnnài 连 无奈（多见于早期白话）。

【怎样】zěnyàng 代 疑问代词。❶询问性质、状况、方式等：那是～的一篇小说？｜你们的话剧排练～了？｜这两项工作～衔接？❷泛指性质、状况或方式：要经常进行回忆对比，想想从前～，再看看现在～｜人家～说，你就～做。‖ 也说怎么样。

zèn （ㄗㄣˋ）

谮（譖）zèn 〈书〉诬陷；中伤：～言。

曾 zēng ❶指中间隔两代的亲属关系：～祖｜～孙。❷（Zēng）名 姓。
〈古〉又同"增"。
另见 139 页 céng。

【曾孙】zēngsūn 名 孙子的儿子。

【曾孙女】zēngsūn·nǚ （～儿）名 孙子的女儿。

【曾祖父】zēngzǔfù 名 祖父的父亲。

【曾祖母】zēngzǔmǔ 名 祖父的母亲。

增 zēng ❶动 增加：～高｜～强｜～兵｜有～无减｜产量猛～。❷（Zēng）名姓。

【增补】zēngbǔ 动 加上所缺的或漏掉的（人员、内容等）；增添补充：～本｜人员最近略有～。

【增仓】zēng∥cāng 动 指投资者增加仓位：适量～。

【增产】zēng∥chǎn 动 增加生产：努力～｜～节约｜～措施。

【增订】zēngdìng 动 增补和修订（书籍内容）：～本。

【增多】zēngduō 动 数量比原来增加：轻工业产品日益～。

【增幅】zēngfú 名 增长的幅度：产值～不大。

【增高】zēnggāo 动❶增加高度：身量～|水位～。❷提高：～地温。

【增光】zēng//guāng 动增添光彩：为国～。

【增辉】zēnghuī 动增添光彩：～生色。

【增加】zēngjiā 动在原有的基础上加多：～品种|抵抗力|在校学生已由八百～到一千。

【增进】zēngjìn 动增加并促进：～友谊|～健康|～食欲。

【增刊】zēngkān 名报刊逢纪念日或有某种需要时增加的篇幅或另出的册子：新年～|国庆～。

【增强】zēngqiáng 动增进；加强：～体质|～信心|实力大大～。

【增容】zēngróng 动增大容纳的数量：电力～|～扩产。

【增色】zēngsè 动增添光彩、情趣等：新修的假山为公园～不少。

【增删】zēngshān 动增补和删削：新版本的文字略有～。

【增设】zēngshè 动在原有的以外再设置：～门市部|～选修课。

【增生】zēngshēng 动生物体某一部分组织的细胞数目增加，体积扩大，例如皮肤经常受摩擦，上皮和结缔组织变厚。也叫增殖。

【增收】zēngshōu 动增加收入：～节支。

【增速】zēngsù 动增加速度：～趋缓。

【增添】zēngtiān 动添加；加多：～设备|～麻烦。

【增益】zēngyì 动增加；增添。

【增盈】zēngyíng 动增加盈余：扭亏|全行业比去年同期～近亿元。

【增援】zēngyuán 动增加人力、物力来支援(多用于军事)：火速～|～部队。

【增长】zēngzhǎng 动增加；提高：～知识|～才干|产值比去年约～百分之十。

【增值】zēngzhí 名资产或商品价值增加：商品房～。

【增值税】zēngzhíshuì 名国家对商品生产、销售等各个环节新增的价值所征收的税。

【增殖】zēngzhí 动❶增生。❷繁殖：～率|～耕牛。

憎 zēng 厌恶；恨：～恶|爱～分明|面目可～。

【憎称】zēngchēng 名表示憎恨、厌恶的称呼，如鬼子。

【憎恨】zēnghèn 动厌恶痛恨：热爱人民，～敌人。

【憎恶】zēngwù 动憎恨；厌恶：令人～。

缯（繒） zēng 古代对丝织品的统称。另见 1705 页 zèng。

罾 zēng〈方〉一种用木棍或竹竿支架的方形渔网。

矰 zēng 古代射鸟用的拴着丝绳的箭。

zèng（ㄗㄥˋ）

综（綜） zèng（旧读 zòng）名织布机上使经线交错着上下分开以便梭子通过的装置。另见 1812 页 zōng。

锃（鋥） zèng 器物经擦或磨后，闪光耀眼：～光|～亮。

【锃光瓦亮】zèng guāng wǎ liàng 锃亮：铜火锅擦得～的。

【锃亮】zèngliàng〈口〉形状态词。形容反光发亮：通明～|皮鞋擦得～～的。

缯（繒） zèng〈方〉动绑；扎：竹竿儿裂了，把它～起来。另见 1705 页 zēng。

赠（贈） zèng 动赠送：捐～|～阅|～言|～款|互～纪念品。

【赠别】zèngbié〈书〉动离别时把物品或所做的诗文赠送给分别的亲友。

【赠答】zèngdá 动互相赠送、酬答。

【赠礼】zènglǐ 名礼物：接受～。

【赠票】zèngpiào ❶（－//－）动赠送入场券：免费～。❷赠送的入场券：许多观众是持～入场的。

【赠品】zèngpǐn 名赠送的物品。

【赠送】zèngsòng 动无代价地把东西送给人：～生日礼物。

【赠言】zèngyán 名分别时说的或写的勉励的话：临别～。

【赠阅】zèngyuè 动编辑或出版机构把自己出的书刊赠送给人。

甑 zèng ❶古代炊具，底部有许多小孔，放在鬲（lì）上蒸食物。❷甑子，❸蒸馏或使物体分解用的器皿：曲颈～。

【甑子】zèng·zi【名】蒸米饭等的用具,略像木桶,有屉子而无底。

zhā (ㄓㄚ)

扎(³紥紮) zhā【动】❶刺:~手|~针。❷〈口〉钻(进去):~猛子|扑通一声,他就~进水里去了|~到人群里。❸驻扎:~营。
另见1691页zā;1706页zhá。

【扎堆】zhā//duī (~儿)【动】(人)凑集到一处:~聊天。

【扎耳朵】zhā ěr·duo〈口〉(声音或话)听着令人不舒服;刺耳:电锯的声音真~|这些泄气的话,我一听就~。

【扎根】zhā//gēn【动】❶植物的根向土壤里生长。❷比喻深入到人群或事物中去,打下基础:~基层|他在农村扎了根。

【扎花】zhā//huā (~儿)〈方〉【动】刺绣。

【扎猛子】zhā měng·zi〈方〉游泳时头朝下往水里钻。

【扎啤】zhāpí【名】一种桶装的鲜啤酒,常用特制的大酒杯盛装饮用。[扎,英draft]

【扎煞】zhā·shā 同"挓挲"。

【扎实】zhā·shi【形】❶结实:把行李捆~了。❷(工作、学问等)实在;踏实:功底~|干活儿~|没有听到确实的消息,心里点儿不~。

【扎手】zhāshǒu【形】❶形容事情难办;棘手。

【扎眼】zhāyǎn【形】❶刺眼②:这块布的花色太~|她这身穿戴实在~。

【扎营】zhā//yíng【动】军队安营驻扎。

【扎针】zhā//zhēn【动】用特制的针刺入穴位治疗疾病。参看1728页【针灸】。

吒 zhā 用于神话中人名,如金吒、木吒、哪(né)吒。
另见1708页zhà"咤"。

咋 zhā 见下。
另见1692页zǎ;1703页zé。

【咋呼】zhā·hu〈方〉【动】❶吆喝:你瞎~什么?❷炫耀;张扬。‖也作咋唬。

【咋唬】zhā·hu 同"咋呼"。

挓 zhā [挓挲](zhā·shā)〈方〉【动】(手、头发、树枝等)张开;伸开。也作扎煞。

查(查) zhā ❶见1186页【山楂】(山查)。❷(Zhā)【名】姓。
另见142页chá。

厁 Zhā 厁山,山名,又地名,都在湖北。
另见1708页zhà。

咋 zhā 见1720页【啁咋】。

搲(搲、叝) zhā〈方〉【动】❶用手指撮东西。❷把手指伸张开:~开五指。

喳 zhā ❶【叹】旧时仆役对主人的应诺声。❷【拟声】形容鸟叫等声音:喜鹊~~地叫。
另见141页chā。

渣 zhā【名】❶(~儿)渣滓①:油~儿|豆腐~。❷(~儿)碎屑:面包~儿。❸(Zhā)姓。

【渣子】zhā·zi〈口〉【名】渣滓;碎屑:甘蔗~|点心~。

【渣滓】zhā·zǐ【名】❶物品提出精华后剩下的东西。❷比喻品质恶劣对社会起破坏作用的人,如盗贼、骗子、流氓:社会~。

楂(楂) zhā 见959页【楂楂】、1186页【山楂】。
另见143页chá。

剳 zhā 同"扎"(zhā)①③。
另见1707页zhá。

齇(齇) zhā 鼻子上的红斑,就是酒渣鼻的渣。

zhá (ㄓㄚ)

扎 Zhá【名】姓。
另见1691页zā;1706页zhā。

【扎挣】zhá·zheng〈方〉【动】勉强支持:病人~着坐了起来。

札 zhá ❶古代写字用的小而薄的木片。❷信件:书~|信~|手~。

【札记】(剳记)zhájì【名】读书时摘记的要点和心得。

轧(軋) zhá【动】压(钢坯):~钢。
另见434页gá;1561页yà。

【轧钢】zhá//gāng【动】把钢坯压制成一定形状和规格的钢材。

【轧辊】zhágǔn【名】轧机上的主要装置,是一对转动方向相反的辊子,两个辊子之间形成一定形状的缝或孔,钢坯由缝或孔中通过,就轧成钢材。

【轧机】zhájī 名 轧钢用的机器。主要由几组轧辊构成,钢坯通过转动方向相反的轧辊就轧成一定形状的钢材。

闸(閘、牐) zhá ❶ 名 水闸:开~放水。❷ 动 把水截住:水流得太猛,~不住。❸〈口〉名 制动器:踩~。❹ 名 电闸:拉~限电。

【闸盒】zháhé (~儿)名 电路中装有保险丝的小盒。

【闸口】zhákǒu 名 闸门开时水流过的孔道。

【闸门】zhámén 名 水闸或管道上调节流量的门。

炸(煠) zhá 动 ❶ 烹调方法,把食物放在沸油里弄熟:~丸子|~油条。❷〈方〉焯(chāo):把菠菜~一下。

另见 1708 页 zhà。

铡(鍘) zhá 名 ❶ 铡刀。❷ 动 用铡刀切:~草。

【铡刀】zhádāo 名 切草或切其他东西的工具,在底槽上安刀,刀的一头固定,一头有把儿,可以上下活动。

喋 zhá 见 1184 页[喋喋]。

另见 317 页 dié。

劄 zhá 劄子。

另见 1706 页 zhā。

【劄记】zhájì 见 1706 页[札记]。

【劄子】zhá·zi 名 古代一种公文,多用于上奏。后来也用于下行。

zhǎ （ㄓㄚˇ）

拃(搩) zhǎ ❶ 动 张开大拇指和中指(或小指)来量长度:用手~了~桌面。❷ 量 表示张开的大拇指和中指或小指两端间的距离:这块布有三~宽。

苲 zhǎ [苲草](zhǎcǎo)名 指金鱼藻等水生植物。

眨 zhǎ 动 (眼睛)闭上立刻又睁开:眼|眼睛也不~一~。

【眨巴】zhǎ·ba〈方〉动 眨:孩子的眼睛直

~,想是困了。

【眨眼】zhǎ//yǎn 动 ❶ 眼睛快速地一闭一睁:~示意。❷ 形容时间极短;瞬间:~的工夫|小燕儿在空中飞过,一~就不见了。

砟 zhǎ (~儿)名 砟子:道~|焦~|炉灰~儿。

【砟子】zhǎ·zi 名 小的石块、煤块等。

鲊(鮓) zhǎ ❶〈书〉腌制的鱼。❷ 用米粉、面粉等加盐和其他作料拌制的切碎的菜,可以贮存:茄子~|扁豆~。

【鲊肉】zhǎròu〈方〉名 米粉肉。

鲝(鮺) zhǎ ❶ 同"鲊"。❷ 同"苲"。鲝草滩(Zhǎcǎotān),地名,在四川。

zhà （ㄓㄚˋ）

乍 zhà ❶ 副 刚刚;起初:初来~到|分别多年,一~见都不认识了。❷ 副 忽然;突然:~冷~热|山风~起。❸ 同"痄"(zhà)。❹ (Zhà)名 姓。

【乍猛的】zhàměng·de〈方〉副 突然;猛然:他~问我,倒想不起来了。

诈(詐) zhà ❶ 动 欺骗:欺~|~财|~取|兵不厌~。❷ 假装:~降|~死。❸ 动 用假话试探,使对方吐露真情:他是拿话~我,我一听就知道。

【诈唬】zhà·hu〈口〉动 蒙哄吓唬:他这是~你,别理他。

【诈骗】zhàpiàn 动 讹诈骗取:~钱财。

【诈尸】zhà//shī 动 ❶ 迷信的人指停放的尸体忽然起来。❷〈方〉指突然叫嚷或做出像发狂似的动作(骂人的话)。

【诈降】zhàxiáng 动 假投降。

柞 zhà 柞水(Zhàshuǐ),地名,在陕西。

另见 1829 页 zuò。

栅(柵) zhà 栅栏:铁~|木~|~门(栅栏门)。

另见 1187 页 shān。

【栅栏】zhà·lan (~儿)名 用铁条、木条等做成的类似篱笆而较坚固的东西:~门|工地四周围着~儿。

【栅子】zhà·zi〈方〉名 用竹子、芦苇等围成的栅栏,有的带顶,多用来圈住家畜。

奓

奓 zhà 〈方〉张开：～翅｜～着头发｜这衣服下摆太～了。
另见1706页 Zhā。

【奓着胆子】zhà·zhe dǎn·zi 〈方〉勉强鼓着勇气：他～走过了独木桥。

咤(吒)

见184页[叱咤]。"吒"另见1706页 zhā。

炸

炸 zhà 励❶（物体）突然破裂：爆～｜这瓶子一灌开水就～了。❷用炸药爆破；用炸弹轰炸：～碉堡。❸〈口〉因愤怒而激烈发作：他一听就气～了。❹〈口〉因受惊而四处乱逃：～市｜～窝。
另见1707页 zhá。

【炸弹】zhàdàn 名 一种爆炸性武器，通常外壳用铁制成，里面装有炸药，触动引信就爆炸。一般用飞机投掷。

【炸雷】zhàléi 〈方〉名 声音响亮的雷。

【炸群】zhà/qún 励 成群的骡马等由于受惊而四处乱跑：马～了!

【炸市】zhà//shì 励 集市上的人因受惊而四处乱跑。

【炸窝】zhà//wō 励❶鸟或蜂群受惊扰从巢里向四处乱飞。❷比喻许多人由于受惊而成一团。

【炸药】zhàyào 名 受热或撞击后发生爆炸，并产生大量的能和高温气体的物质，如黄色炸药、黑色火药等。

痄

痄 zhà [痄腮]（zhà·sai）名 中医指流行性腮腺炎。

蚱

蚱 zhà 见下。

【蚱蝉】zhàchán 名 身体最大的一种蝉，前、后翅基部黑褐色，斑纹外侧呈截断状。夏天鸣声大，幼虫蜕的壳可入药。通称知了。

【蚱蜢】zhàměng 名 昆虫，外形像蝗虫，常生活在一个地区，不向外地迁移。危害农作物等。

蛇

蛇 zhà 〈方〉名 海蜇。

滏

滏 Zhà 滏水，水名，在湖北。

榨(❶搾)

榨 zhà ❶励 压出物体里的汁液：～油｜～甘蔗。❷压出物体里汁液的器具：油～｜酒～。❸（Zhà）名 姓。

【榨菜】zhàcài 名 用青菜头的肉质茎腌制的咸菜。因腌制后要榨出其中的汁液，所以叫榨菜。

【榨取】zhàqǔ 励❶压榨而取得：～汁液。❷比喻残酷剥削或搜刮：～民财。

磲

磲 zhà 大水磲（Dàshuǐzhà），地名，在甘肃。

蜡(䄍)

蜡 zhà 古代一种年终祭祀。
另见806页 là。

霅

霅 Zhà 霅溪，水名，在浙江。现在叫东苕溪。

醡

醡 zhà 同"榨"❷，就是酒榨的榨。

·zha （·ㄓㄚ）

馇(餷)

馇 ·zha 见458页[饹馇]。
另见141页 chā。

---

zhāi （ㄓㄞ）

侧(側)

侧 zhāi 〈方〉倾斜；不正：～歪。
另见137页 cè；1703页 zè。

【侧棱】zhāi·leng 〈方〉励 向一边斜：～着耳朵听｜～着身子睡。

【侧歪】zhāi·wai 〈方〉励 倾斜：车在山坡上～着开｜帽子～在一边儿。

斋¹(齋)

斋 zhāi ❶斋戒。❷信仰佛教、道教等宗教的人所吃的素食：吃～。❸舍饭给僧人、道人：～僧。❹（Zhāi）名 姓。

斋²(齋)

斋 zhāi 屋子，常用于书房、商店的名称，学校宿舍也有叫斋的：书～｜新～｜第三～｜荣宝～。

【斋饭】zhāifàn 名❶僧尼向人化缘得来的饭。❷寺庙里素食的饭。

【斋果】zhāiguǒ 〈方〉名 供品。

【斋醮】zhāijiào 名 僧道设坛向神佛祈祷。

【斋戒】zhāijiè 励❶旧时祭祀鬼神时，穿整洁衣服，戒除嗜欲（如不喝酒、不吃荤等），以表示虔诚。❷封斋①。

【斋月】zhāiyuè 名 伊斯兰教在封斋期间的一个月，即伊斯兰教历的九月。

摘

摘 zhāi 励❶取（植物的花、果、叶或戴着、挂着的东西）：～梨｜一朵花｜帽子｜把灯泡～下来。❷选取：～要｜

录|从全文中～了一段。❸ 摘借：～了几
个钱救急。

【摘编】zhāibiān 勔 摘录下来加以编辑
（多用于书名或文章标题）：将资料～成
书|关于体制改革的论述～。

【摘抄】zhāichāo 勔 选取一部分内容抄录
下来（多用于书名或文章标题）：格言～|
论文～。

【摘除】zhāichú 勔 摘去，除去（有机体的
某些部分）：白内障～|长了虫的果子应该
尽早～。

【摘挡】zhāi∥dǎng 勔 把汽车、拖拉机等
的操纵杆从挂着挡的位置扳到空挡的位
置。

【摘登】zhāidēng 勔（报刊）摘要登载：～
一周电视节目。

【摘发】zhāifā 勔 摘要发表：～部分观众
来信。

【摘记】zhāijì 勔 ❶ 摘要记录：报告很长，
我只～了几个要点。 ❷ 摘录。

【摘借】zhāijiè 勔 有急用时临时向人借
钱。

【摘录】zhāilù 勔 从书刊、文件等里头选择
一部分写下来：这篇文章很好，我特地～
了几段。

【摘牌】zhāi∥pái 勔 ❶ 指某些单位被撤
销或停止营业。 ❷ 指终止某只股票在证
券市场的交易资格。 ❸ 某一职业体育组
织吸收挂牌的其他职业体育组织人员叫
摘牌。

【摘要】zhāiyào ❶ 勔 摘录要点：～发表。
❷ 图 摘录下来的要点：谈话～|社论～。

【摘引】zhāiyǐn 勔 摘录引用：～别人的文
章要注明出处。

【摘由】zhāi∥yóu 勔 摘录公文的主要内
容以便查阅（因为公文的主要内容叫事
由）。

zhái （ㄓㄞˊ）

宅 zhái 住所；住宅：家～|深～大院。

【宅第】zháidì 〈书〉图 住宅（多指较大
的）。

【宅基】zhái jī 图 住宅的地基：～地。

【宅基地】zháijīdì 图 我国公民个人依法

取得的国家所有或农村集体所有的用于
建造房屋并有居住使用权的土地。

【宅门】zháimén 图 ❶ 深宅大院的大门。
❷（～儿）借指住在深宅大院里的人家：这
胡同里有好几个～儿。

【宅院】zháiyuàn 图 带院子的宅子，泛指
住宅。

【宅子】zhái·zi〈口〉图 住宅：一所～。

择（擇） zhái 勔 ❶ 义同"择"（zé）
：～菜（把蔬菜中不宜吃的部分
剔除，留下可以吃的部分）。 ❷ 分解并理清
（混乱的线、绳等）：费了半天劲,才把那团
乱毛线～开。
另见 1703 页 zé。

【择不开】zhái·bukāi 勔 比喻摆脱不开；
抽不出身：一点儿工夫也～。

【择席】zháixí 勔 在某个地方睡惯了,换
个地方就睡不安稳,叫择席。

翟 Zhái 图 姓。
另见 292 页 dí。

zhǎi （ㄓㄞˇ）

窄 zhǎi ❶ 图 横的距离小（跟"宽"相
对）：狭～|路～|～胡同。 ❷ 图（心
胸）不开朗；(气量)小：心眼儿～。 ❸ 图
(生活)不宽裕：他家的日子过得挺～。 ❹
图 姓。

【窄巴】zhǎi·ba〈方〉图 ❶ 窄小。 ❷（生
活)不宽裕。

【窄带】zhǎidài 图 数字通信中指传输速
率低于 64 千比特/秒的带宽。

【窄小】zhǎixiǎo 图 又窄又小；狭小：房屋
～|～的过道。

铡 zhǎi（～儿）〈方〉图 残缺损伤的痕
迹（指某些器皿、衣服、水果上的）：碗
上有点～儿|没～儿的苹果。

zhài （ㄓㄞˋ）

债（債） zhài 图 欠别人的钱：借～|
欠～|还～|公～|◇血～。

【债户】zhàihù 图 借别人钱财付给利息的
人；借债的人。

【债款】zhàikuǎn 图 债：还清～。

【债权】zhàiquán 图 依法要求债务人偿还

钱财和履行一定行为的权利。

【债权人】zhàiquánrén 名 根据法律或合同的规定,有权要求债务人履行义务的人。

【债券】zhàiquàn 名❶ 公债券。❷ 企业、银行或股份公司发行的债权人领取本息的凭证。

【债市】zhàishì 名❶ 买卖国债和企业债券的市场。❷ 指债券的行市。

【债台高筑】zhài tái gāo zhù 战国时代周报(nǎn)王欠了债,无法偿还,被债主逼得逃到一座宫殿的高台上。后人称此台为"逃债之台"(见于《汉书·诸侯王表序》及颜师古引服虔注)。后来就用"债台高筑"形容欠债极多。

【债务】zhàiwù 名 债户所负还债的义务,也指所欠的债:偿还～。

【债务人】zhàiwùrén 名 根据法律或合同的规定,对债权人承担义务的人。

【债主】zhàizhǔ 名 借给别人钱财收取利息的人;放债的人。

砦 zhài ❶ 见 888 页【鹿砦】。❷ (Zhài)名 姓。

祭 Zhài 名 姓。
另见 648 页 jì。

寨 zhài ❶ 防守用的栅栏:山～。❷ 旧时驻兵的地方:营～|安营扎～。❸ 强盗聚居的地方;山寨:～主。❹ 名 寨子(①):本村本～。

【寨子】zhài·zi 名❶ 四周的栅栏或围墙。❷ 四周有栅栏或围墙的村子。

寨 zhài 〈书〉病。

㩐 zhài 〈方〉动 把衣服上附加的物件缝上:～花边。

---

zhān (ㄓㄢ)

占 zhān ❶ 动 占卜:～卦。❷ (Zhān)名 姓。
另见 1712 页 zhàn。

【占卜】zhānbǔ 动 古代用龟、蓍等,后世用铜钱、牙牌等推断祸福,包括打卦、起课等(迷信)。

【占卦】zhān//guà 动 打卦;算卦。

【占课】zhān//kè 动 起课。

【占梦】zhān//mèng 动 圆梦①。

【占星】zhān//xīng 动 观察星象来推断吉凶(迷信)。

沾(❶❷霑) zhān 动❶ 浸湿:泪流～襟。❷ 因为接触而被东西附着上:～水。❸ 稍微碰上或挨上:～一边儿|脚不～地。❹ 因发生关系而得到(好处):～光|利益均～。❺〈方〉行;好;可以:不～(不行,不成)。

【沾边】zhān//biān (～儿)❶ 动 略有接触:这项工作他还没～儿。❷ 形 接近事实或事物应有的样子:你讲的一点儿也沾不上边儿|他唱的这几句还～儿。

【沾光】zhān//guāng 动 凭借别人或某种事物而得到好处。

【沾亲】zhān//qīn 动 有亲戚关系(多指关系较远的):～带故|我跟他沾亲儿亲。

【沾亲带故】zhān qīn dài gù 有亲戚或朋友的关系。

【沾染】zhānrǎn 动❶ 因接触而被不好的东西附着上:创口～了细菌。❷ 因接触而受到不良的影响:不要～坏习气。

【沾手】zhān//shǒu 动❶ 用手接触:雪花一～就化了。❷ 比喻参与某事:这事一～就甩不掉。

【沾沾自喜】zhānzhān zì xǐ 形容自以为很好而得意的样子。

毡(氈、氊) zhān ❶ 毡子:～帽|～靴|擀～。❷ (Zhān)名 姓。

【毡房】zhānfáng 名 牧区人民居住的圆顶帐篷,用毡子蒙在木架上做成。

【毡子】zhān·zi 名 用羊毛等轧成的像厚呢子或粗毯子的东西。

栴 zhān [栴檀](zhāntán)名 古书上指檀香。

旃¹ zhān 〈书〉同"毡"。

旃² zhān 〈书〉动 "之焉"的合音:勉～!

【旃檀】zhāntán 名 古书上指檀香。

粘 zhān 动❶ 黏的东西附着在物体上或者互相连接:麦芽糖～在一块儿了。❷ 用黏的东西使物件连接起来:～信封。
另见 996 页 nián。

【粘连】zhānlián 动❶ 身体内的黏膜或浆

膜,由于炎症病变而粘在一起,例如腹膜发炎时,腹膜和肠管的浆膜粘在一起。❷(物体与物体)粘在一起:把由于潮湿而~的纸张一层一层仔细地揭开。❸ 比喻联系;牵连:这件事跟他们没什么~。

【粘贴】zhāntiē 〔动〕用胶水、糨糊等使纸张或其他东西附着在另一种东西上:~标语。

詹 Zhān 〔名〕姓。

谵(譫) zhān 〔书〕说胡话:~语。

【谵妄】zhānwàng 〔名〕由高热、中毒以及其他疾患而引起意识模糊、短时间内精神错乱的症状,如说胡话、不认识熟人等。

【谵语】zhānyǔ 〔书〕❶〔动〕说胡话。❷〔名〕胡话。

馕(饘、飦) zhān 〔书〕稠粥。

邅 zhān 见 1797 页[迍邅]。

瞻 zhān ❶ 往前或往上看:观~|高~远瞩。❷(Zhān)〔名〕姓。

【瞻顾】zhāngù 〔书〕〔动〕❶ 向前看,又向后看;思前想后:徘徊~。❷ 照应;看顾。

【瞻礼】zhānlǐ ❶〔名〕天主教徒称宗教节日。❷〔名〕天主教徒称星期日为主日,一星期中除主日以外的六天顺序称为"瞻礼二"至"瞻礼七"。❸〔书〕瞻仰礼拜(神佛等)。

【瞻念】zhānniàn 〔动〕瞻望并思考:~前途。

【瞻前顾后】zhān qián gù hòu 看看前面再看看后面,形容做事考虑周密谨慎,也形容顾虑过多,犹豫不决。

【瞻望】zhānwàng 〔动〕往远处看;往将来看:抬头~|~前途。

【瞻仰】zhānyǎng 〔动〕恭敬地看:~遗容。

鹯(鸇) zhān 古书上指一种猛禽。

鳣(鱣) zhān 古书上指鲟一类的鱼。

zhǎn （ㄓㄢˇ）

斩(斬) zhǎn ❶〔动〕砍:~草除根|披荆~棘|~断侵略者的魔爪。

❷〔方〕〔动〕比喻敲竹杠;讹诈。❸(Zhǎn)〔名〕姓。

【斩仓】zhǎncāng 〔动〕指在期货和证券市场行情下跌时,以低于买入价的价格卖出期货或证券。

【斩草除根】zhǎn cǎo chú gēn 比喻彻底除掉祸根,不留后患。

【斩钉截铁】zhǎn dīng jié tiě 形容说话办事坚决果断,毫不犹豫。

【斩获】zhǎnhuò 〔动〕原指战争中斩首与俘获,现泛指收获(多用于体育竞赛中获得奖牌、进球得分等方面):下半场比赛,双方俱无~。

【斩假石】zhǎnjiǎshí 〔名〕剁斧石。

【斩首】zhǎnshǒu 〔动〕杀头。

琖(琖) zhǎn 〔书〕同"盏"。

颭(颭) zhǎn 〔书〕风吹使颤动。

盏(盞) zhǎn ❶ 小杯子:酒~。❷〔量〕用于灯:一~电灯。

展 zhǎn ❶ 张开;放开:舒~|伸~|开~|愁眉不~。❷ 施展:一筹莫~。❸展缓:~期|~限。❹ 展览:~出|预~|画~。❺(Zhǎn)〔名〕姓。

【展板】zhǎnbǎn 〔名〕在展览中用于陈列展品或上面有图画、图表、文字说明等的板子:布置~。

【展播】zhǎnbō 〔动〕以展览为目的而播放(广播或电视节目):电视台举办迎春文艺节目~。

【展翅】zhǎnchì 〔动〕张开翅膀:~高飞。

【展出】zhǎnchū 〔动〕展览出来给人观看:他的美术作品即将~。

【展点】zhǎndiǎn 〔名〕展览或展销的地点。

【展馆】zhǎnguǎn 〔名〕❶ 大型展览会中按展出单位或展品类别划分的组成部分:农业展览会设有五个~。❷ 展览馆的简称。

【展柜】zhǎnguì 〔名〕用来陈列展品的柜子或柜台。

【展缓】zhǎnhuǎn 〔动〕推迟(日期);放宽(限期):行期一再~|限期不得~。

【展会】zhǎnhuì 〔名〕指展览会或展销会等。

【展开】zhǎn∥kāi 〔动〕❶ 张开;铺开:~画卷。❷ 大规模地进行:~竞赛|~辩论。

【展宽】zhǎnkuān 〔动〕(道路、河床等)扩大加宽：～马路。

【展况】zhǎnkuàng 图 展会的情况（指参展规模、展品设置、参观人数、公众反映等）。

【展览】zhǎnlǎn 动 陈列出来供人观看：～馆|～会|摄影～。

【展览馆】zhǎnlǎnguǎn 图 专门用来举办展览的建筑物。简称展馆。

【展露】zhǎnlù 动 展现；显露：～才华。

【展卖】zhǎnmài 动 展销：新款羽绒服正在～。

【展品】zhǎnpǐn 图 展览的物品。

【展评】zhǎnpíng 动 展览评比；展销评议：影视作品～。

【展期】¹ zhǎnqī 动 把预定的日期往后推迟或延长：报名工作～至五月底结束。

【展期】² zhǎnqī 图 展览的时期；展览的期限：～为十五天。

【展区】zhǎnqū 图 展览馆、展销会等按内容、地区等分设的区域：电脑～|北京～。

【展商】zhǎnshāng 图 参加展会或展销会的商家或生产企业。

【展神经】zhǎnshénjīng 图 第六对脑神经，从脑桥发出，分布在眼球的肌肉中，主管眼球向外侧旋转的运动。也叫外展神经。

【展示】zhǎnshì 动 清楚地摆出来；明显地表现出来：～图纸|作品～了人物的内心活动。

【展事】zhǎnshì 图 展览或展销活动：节日期间～频繁。

【展室】zhǎnshì 图 陈列展品的房间；展览室：汉代文物～。

【展台】zhǎntái 图 用来陈列展品的台子（多为专用的）。

【展厅】zhǎntīng 图 陈列展品的大厅。

【展团】zhǎntuán 图 参加展览会或展销会并提供展品的代表团。

【展望】zhǎnwàng 动 ❶ 往远处看：他爬上山顶，向四周～。❷ 对事物发展前途进行观察与预测：～未来|～世界局势。

【展位】zhǎnwèi 图 展览馆、展销会等分设的陈列展品的地方：科技馆有二百个～。

【展现】zhǎnxiàn 动 显现出；展示：走进大门，～在眼前的是一个宽广的庭院。

【展限】zhǎnxiàn 动 放宽限期：借款到期不再～。

【展销】zhǎnxiāo 动 以展览的方式销售（多在规定的日期和地点）：～会|服装～。

【展性】zhǎnxìng 图 物体可以压成片状而不断裂的性质，金属多具有展性。

【展演】zhǎnyǎn 动 以展览为目的而演出（文艺节目等）：华东地区优秀剧目～。

【展业】zhǎnyè 动 开展业务，特指保险公司的业务人员开展保险业务：广泛运用直销、营销、代办三种～手段。

【展映】zhǎnyìng 动 以展览为目的而放映（影视片）：新片～。

【展转】zhǎnzhuǎn 见1712页【辗转】。

崭（嶄） zhǎn ❶〈书〉高峻；高出。❷〈方〉形 优异；好：滋味真～。

【崭露头角】zhǎn lù tóujiǎo 比喻突出地显露出才能和本领（多指青少年）。

【崭然】zhǎnrán〈书〉形 形容高出一般的样子。

【崭新】zhǎnxīn 形 属性词。极新；簇新：～的大楼|～的衣服|～的时代。

搌 zhǎn 动（用松软干燥的东西）轻轻擦抹或按压，吸去湿处的液体：～布|纸上落了一滴墨，拿吸墨纸来～一～。

【搌布】zhǎn·bù 图 擦器皿用的布；抹（mā）布。

晱（睒） zhǎn〈方〉动 眼皮合开；眨眼。

辗（輾） zhǎn 见下。
另见997页niǎn。

【辗转】（展转）zhǎnzhuǎn 动 ❶（身体）翻来覆去：～反侧|～不眠。❷ 经过许多人的手或经过许多地方：～流传|～于北京、上海、广东等地。

【辗转反侧】zhǎnzhuǎn fǎn cè 形容心中有事，躺在床上翻来覆去地不能入睡。

黵 zhǎn〈方〉动 弄脏；沾污：墨水把纸～了|黑布褾（jīn）～。

zhàn （ㄓㄢˋ）

占（佔） zhàn 动 ❶ 占据：霸～|强～|攻～|～座位。❷ 处在某一种地位或属于某一种情形：～优势|～上风|赞成的～多数。
另见1710页zhān。

【占据】zhànjù 动 用强力取得或保持(地域、场所等):~地盘。

【占领】zhànlǐng 动 ❶ 用武装力量取得(阵地或领土)。❷ 占有:~市场|开拓和~新的科技领域。

【占便宜】zhàn pián·yi ❶ 用不正当的方法,取得额外的利益。❷ 比喻有优越的条件:你个子高,打篮球~。

【占先】zhàn∥xiān 动 占优先地位:这个月的竞赛,他们小组~了。

【占线】zhàn∥xiàn 动 指电话线路被占用,电话打不进去:一连拨了几次,他家的电话都~。

【占用】zhànyòng 动 占有并使用:不能随便~耕地|~一点儿时间,开个小会。

【占优】zhànyōu 动 占据优势:甲队在实力上明显~。

【占有】zhànyǒu 动 ❶ 占据。❷ 处在(某种地位):农业在国民经济中~重要地位。❸ 掌握:科学研究必须~大量材料。

【占有权】zhànyǒuquán 名 依法对物件具有支配、管理、领有的权力,是所有权的一种权能。

组(組) zhàn 〈书〉缝补。

栈(棧) zhàn ❶ 养牲畜的竹、木栅栏:马~|羊~。❷ 栈道。❸ 栈房:货~|客~。

【栈道】zhàndào 名 在悬崖绝壁上凿孔支架木桩,铺上木板而成的窄路。

【栈房】zhànfáng 名 ❶ 存放货物的地方;仓库。❷〈方〉旅馆;客店。

【栈桥】zhànqiáo 名 火车站、港口、矿山或工厂的一种构筑物,形状略像桥,用于装卸货物。港口上的栈桥也用于上下旅客。

战¹(戰) zhàn ❶ 战争;战斗:宣~|停~|持久~|◇商~。❷ 进行战争或战斗:~胜|百~百胜|愈~愈勇。❸ (Zhàn)名 姓。

战²(戰) zhàn 发抖:寒~|打~|胆~心惊。

【战败】zhànbài 动 ❶ 打败仗;在战争中失败:~国|铁扇公主~了。❷ 战胜(敌人);打败(敌人):孙行者~铁扇公主|孙行者把铁扇公主~了。

【战报】zhànbào 名 战时由司令部或其他有关方面发表的关于战争情况的报道,也

用于比喻:工地~。

【战备】zhànbèi 名 对战争的准备:加强~。

【战表】zhànbiǎo 名 向敌方宣战或挑战的文书(多见于旧小说、戏曲):下~◇市篮球队已经递来了个~。

【战场】zhànchǎng 名 两军交战的地方,也用于比喻:开赴~|抗洪~。

【战车】zhànchē 名 作战用的车辆。

【战船】zhànchuán 名 古代作战用的船只。

【战刀】zhàndāo 名 指马刀。

【战地】zhàndì 名 两军交战的地区,也用于比喻:~医院|参赛队已大半抵达~。

【战抖】zhàndǒu 动 发抖;哆嗦:浑身~。

【战斗】zhàndòu ❶ 名 敌对双方所进行的武装冲突,是达到战争目的的主要手段:一场激烈的~。❷ 动 同敌方作战:~力|~英雄|同敌人~到底。❸ 动 泛指斗争:~性|在抗洪救灾的第一线~。

【战斗机】zhàndòujī 名 歼击机。

【战斗力】zhàndòulì 名 军队作战的能力:科技强军,提高部队的~◇这支年轻的球队有很强的~。

【战斗员】zhàndòuyuán 名 武装部队中参加战斗的人员,多指直接参加战斗的士兵。

【战犯】zhànfàn 名 发动非正义战争或在战争中犯严重罪行的人。

【战俘】zhànfú 名 战争中捉住的敌方人员;俘虏②:遣返~。

【战歌】zhàngē 名 鼓舞士气的歌曲。

【战功】zhàngōng 名 战斗中所立的功劳:屡立~|~显赫。

【战鼓】zhàngǔ 名 古代作战时为鼓舞士气或指挥战斗而打的鼓。现多用于比喻。

【战国】Zhànguó 名 我国历史上的一个时代(公元前475—公元前221)。

【战果】zhànguǒ 名 战斗中获得的成果,也指工作中取得的成绩:~辉煌。

【战壕】zhànháo 名 作战时为掩护而挖的壕沟。

【战火】zhànhuǒ 名 指战争(就其破坏作用和带来的祸害而言):~纷飞。

【战祸】zhànhuò 名 战争带来的祸害:~连年。

【战机】¹ zhànjī 名 ❶ 适于战斗的时机:

抓住～。❷战事的机密：泄露～。

【战机】² zhànjī 名作战用的飞机：出动～｜拦截。

【战绩】zhànjì 名战争中获得的成绩,也用于比喻：以全胜～夺冠。

【战舰】zhànjiàn 名作战舰艇。

【战局】zhànjú 名某一时期或某一地区的战争局势：扭转～。

【战具】zhànjù 名指武器装备：～精良。

【战况】zhànkuàng 名作战的情况。

【战力】zhànlì 名军队的作战能力；战斗力：海军～｜增强～。

【战利品】zhànlìpǐn 名作战时从敌方缴获的武器、装备等。

【战例】zhànlì 名战争、战役或战斗的事例：光辉～｜淝水之战是我国历史上以少胜多的著名～。

【战栗】（颤栗）zhànlì 动战抖。

【战列舰】zhànlièjiàn 名一种装备大口径火炮和厚装甲的大型军舰,主要用于远洋战斗活动,因炮战时排成单纵队的战列线而得名。20世纪初期曾是海战的主力。

【战乱】zhànluàn 名指战争时期的混乱状况。

【战略】zhànlüè 名❶指导战争全局的计划和策略：～部署｜～防御。❷比喻决定全局的策略：革命～｜全球～。

【战略导弹】zhànlüè dǎodàn 用于攻击敌方政治经济中心和军事基地、交通枢纽等战略目标的导弹。射程在1 000千米以上,携带核弹头。

【战略物资】zhànlüè wùzī 与战争有关的重要物资,如粮食、钢铁、石油、橡胶、稀有金属等。

【战马】zhànmǎ 名经过特殊训练,用于作战的马。

【战旗】zhànqí 名军队的旗帜；作战时打的旗帜：～飘扬。

【战勤】zhànqín 名直接支援军队作战的各种勤务,如运送物资、伤员,带路送信,站岗放哨,维护交通,押送俘虏等。

【战区】zhànqū 名为便于执行战略任务而划分的作战区域。

【战胜】zhànshèng 动在战争或比赛中取得胜利：～顽敌｜甲队〇～困难。

【战时】zhànshí 名战争时期。

【战士】zhànshì 名❶军队最基层的成

员：解放军～｜新入伍的～。❷泛指从事某种正义事业或参加某种正义斗争的人：白衣～｜无产阶级～。

【战事】zhànshì 名有关战争的各种活动,泛指战争：～频繁。

【战书】zhànshū 名向敌方或对手宣战或挑战的文书：下～。

【战术】zhànshù 名❶进行战斗的原则和方法。❷比喻解决局部问题的方法。

【战术导弹】zhànshù dǎodàn 用于支援部队战斗行动或直接打击敌方战术目标的导弹。

【战线】zhànxiàn 名❶敌对双方军队作战时的接触线：缩短～〇农业～｜思想～。

【战役】zhànyì 名为实现一定的战略目的,按照统一的作战计划,在一定的方向上和一定的时间内进行的一系列战斗的总和：渡江～。

【战鹰】zhànyīng 名指作战的飞机（含喜爱意）：只见四只～直冲云霄。

【战友】zhànyǒu 名在一起战斗或一起服兵役的人：老～｜亲密～。

【战云】zhànyún 名比喻战争的气氛：～密布。

【战战兢兢】zhànzhànjīngjīng 形状态词。❶形容因害怕而微微发抖的样子。❷形容小心谨慎的样子。

【战争】zhànzhēng 名民族与民族之间、国家与国家之间、阶级与阶级之间或政治集团与政治集团之间的武装斗争。

站¹ zhàn ❶动直着身体,两脚着地或踏在物体上：请大家坐着,不要～起来｜交通警～在十字路口指挥来往车辆〇～稳立场。❷（Zhàn）名姓。

站² zhàn ❶动在行进中停下来；停留：不怕慢,只怕～｜车还没～稳,请别着急下车。❷名为乘客上下或货物装卸而设的停车的地方：火车～｜汽车～｜北京～｜车到～了。❸名为某种业务而设立的机构：粮～｜供应～｜保健～｜气象～。

【站点】zhàndiǎn 名❶为上下乘客、装卸货物而设的停车站或停车点。❷指专门设置的工作点：维修～｜水文～。❸计算机网络上指网站。

【站队】zhàn∥duì 动站成行列：请大家好队。

【站岗】zhàn∥gǎng 动站在岗位上,执行守卫、警戒任务。

【站柜台】zhàn guìtái 指营业员站在柜台跟前接待顾客。

【站立】zhànlì 〖动〗站¹：他默默地～在烈士墓前◇中国人民～起来了。

【站牌】zhànpái 〖名〗在车站设立的标明运行路线、站名等的牌子。

【站票】zhànpiào 〖名〗(剧院、火车站等)出售的没有座位只能站着的票：打～。

【站台】zhàntái 〖名〗车站上下乘客或装卸货物的高于路面的平台。也叫月台。

【站住】zhàn∥zhù 〖动〗❶(人马车辆等)停止行动：听到有人喊他,他连忙～了。❷站稳(多就能不能说,下同)；他病刚好,腿很软,站不住。❸在某个地方待下去。❹(理由等)成立：这个论点实在站不住。❺〈方〉(颜色、油漆等)附着而不掉：墙面太光,抹的灰站不住。

【站住脚】zhàn∥zhù jiǎo ❶停止行走：他跑得太快,一下子站不住脚。❷停在某个地方(多就能不能说,下同)：忙碌站不住脚。❸在某个地方待下去：这个店由于经营得好,在这里～了。❹(理由等)成立：那篇文章的论点是能～的。

绽(綻) zhàn 〖动〗裂开：破～|开～|皮开肉～◇脸上～出了微笑。

【绽放】zhànfàng 〖动〗(花朵)开放：桃花～|粉红色的蓓蕾即将～。

【绽露】zhànlù 〖动〗呈现；显露：～笑容。

湛 zhàn ❶深：精～。❷清澈：清～。❸(Zhàn)〖名〗姓。

【湛蓝】zhànlán 〖形〗状态词。深蓝色(多用来形容天空、湖海等)。

【湛清】zhànqīng 〖形〗清澈：河水～见底。

颤(顫) zhàn 发抖。另见150页chàn。

【颤栗】zhànlì 见1714页【战栗】。

蘸 zhàn 〖动〗在液体、粉末或糊状的东西里沾一下就拿出来：～水钢笔|～糖吃|大葱～酱。

【蘸火】zhàn∥huǒ 〈口〉〖动〗淬火。

zhāng (ㄓㄤ)

伥(倀) zhāng ［伥馇］(zhānghuāng)〈书〉〖名〗❶干的饴

糖。❷一种面食。

张(張) zhāng ❶〖动〗使合拢的东西分开或使紧缩的东西放开：～嘴|～翅膀儿|～弓射箭|一～一弛。❷陈设；铺排：～灯结彩|大～筵席。❸扩大；夸张：虚～声势。❹看；望：东～西望。❺商店开业：新～|开～。❻〖量〗a)用于纸、皮子等：一～纸|两～画|十～皮子|三～铁板。b)用于床、桌子等：一～床|四～桌子|七～犁。c)用于嘴、脸：两～嘴|一～脸。d)用于弓：一～弓。❼二十八宿之一。❽(Zhāng)〖名〗姓。

【张榜】zhāng∥bǎng 〖动〗贴出文告：～公布|～招贤。

【张本】zhāngběn ❶〖动〗为事态的发展预先做出安排：此举无非是为他日兴事～。❷〖名〗为事态的发展预先做的安排。❸〖名〗作为伏笔而预先说在前面的话。

【张大】zhāngdà〈书〉〖动〗扩大；夸大：～其事|～其词。

【张灯结彩】zhāng dēng jié cǎi 张挂彩灯、彩带等,形容场面喜庆、热闹。

【张挂】zhāngguà 〖动〗(字画、帐子等)展开挂起：～地图|～蚊帐。

【张冠李戴】Zhāng guān Lǐ dài 姓张的帽子戴到姓李的头上,比喻弄错了对象或弄错了事实。

【张皇】zhānghuáng〈书〉〖形〗惊慌；慌张：神色～|～失措(慌慌张张,不知所措)。

【张口】zhāng∥kǒu 〖动〗张嘴。

【张口结舌】zhāng kǒu jié shé 张着嘴说不出话来,形容理屈或害怕。

【张狂】zhāngkuáng 〖形〗嚣张；轻狂：举止～。

【张力】zhānglì 〖名〗受到拉力作用时,物体内部任一截面两侧存在的相互牵引力。

【张罗】zhāng•luo 〖动〗❶料理：要带的东西早点儿收拾好,不要临时～。❷筹划：～一笔钱|他们正～着婚事。❸应酬；接待：顾客很多,一个售货员～不过来。

【张目】zhāngmù 〖动〗❶睁大眼睛：～注视。❷助长某人的声势叫为某人张目。

【张三李四】Zhāng Sān Lǐ Sì 泛指某人或某些人。

【张贴】zhāngtiē 〖动〗贴(布告、广告、标语等)：～告示。

【张望】zhāngwàng 〖动〗从小孔或缝隙里

看;向四周或远处看:探头～|四处～。

【张牙舞爪】zhāng yá wǔ zhǎo 形容猖狂凶恶的样子。

【张扬】zhāngyáng 动 把隐秘的或不必让众人知道的事情声张出去;宣扬:四处～。

【张嘴】zhāng∥zuǐ 动❶ 把嘴张开,多指说话:你一～,我就知道你要说什么。❷指向人借贷或有所请求:向人~,怪难为情的。

章¹ zhāng ❶ 歌曲诗文的段落:乐～|～节。❷ 量 用于分章节的诗文:全书共分六～。❸ 条目:约法三～。❹ 条理:杂乱无～。❺ 章程:党～|团～|简～|规～。❻ 奏章。❼ (Zhāng)名 姓。

章² zhāng ❶ 名 图章:印～|盖～。❷佩戴在身上的标志:领～|臂～。

【章草】zhāngcǎo 名 草书的一种,笔画保存一些隶书的笔势,相传为汉元帝时史游所作,以其用于奏章,所以叫做章草。

【章程】zhāngchéng 名 书面写定的组织规程或办事条例。

【章程】zhāng·cheng 〈方〉名 指办法:心里还没个准~。

【章法】zhāngfǎ 名❶ 文章的组织结构。❷ 比喻办事的程序和规则:他虽然很老练,这时候也有点乱了~。

【章回体】zhānghuítǐ 名 长篇小说的一种体裁,全书分成若干回,每回有标题,概括全回的故事内容。

【章节】zhāngjié 名 文章的组成部分,通常一本书分为若干章,一章又分为若干节。

【章句】zhāngjù 名❶ 古书的章节和句读。❷ 指对古书章句的分析解释:～之学。

【章鱼】zhāngyú 名 软体动物,有八条长的腕足,腕足内侧有很多吸盘,有的体内有墨囊。生活在海底,吃鱼类和甲壳类等。

【章则】zhāngzé 名 章程规则:违反～。

【章子】zhāng·zi 〈方〉名 图章:刻~|盖~。

郭 Zhāng 周朝国名,在今山东东平东。

獐(麞) zhāng 名 獐子

【獐头鼠目】zhāng tóu shǔ mù 獐子的头小而尖,老鼠的眼睛小而圆,形容相貌丑陋猥琐而神情狡猾。

【獐子】zhāngzi 名 哺乳动物,外形像鹿而较小,毛较粗,黄褐色,腹部白色,没有角。雄的上犬齿发达,外露。也叫牙獐、河麂。

彰 zhāng ❶ 明显;显著:昭～|欲盖弥～|相得益～。❷ 表彰;显扬:～善瘅恶。❸ (Zhāng)名 姓。

【彰明较著】zhāng míng jiào zhù 非常明显,容易看清(较:明显)。

【彰善瘅恶】zhāng shàn dàn è 表扬好的,憎恨坏的。

【彰示】zhāngshì 动 明显地表示;明白地显示:～今后发展的宏图。

【彰显】zhāngxiǎn ❶ 形 明显;显著:名声～。❷ 动 鲜明地显示:英雄们的壮举,～了中国人民威武不屈的崇高品格。

漳 Zhāng ❶ 漳河,水名,发源于山西,流入卫河。❷ 漳江,水名,在福建。❸ 名 姓。

嫜 zhāng 〈书〉丈夫的父亲:姑～(婆婆和公公)。

璋 zhāng 古代的一种玉器,形状像半个圭。

樟 zhāng 名 樟树,常绿乔木,高可达30米,叶子椭圆形或卵形,花白色略带绿色,浆果暗紫色。全株有香气,可以防虫蛀。木材致密,适于制家具和手工艺品,枝叶可以提制樟脑。也叫香樟。

【樟脑】zhāngnǎo 名 有机化合物,化学式$C_{10}H_{16}O$。无色晶体,味道辛辣,有清凉的香气。容易升华。通常用樟树枝叶提制而成。日常用来防虫蛀,也用来制炸药、香料等,医药上用作强心剂。

【樟脑丸】zhāngnǎowán 〈方〉名 用樟脑制成的丸状物,用来防腐或防虫蛀等。

蟑 zhāng [蟑螂](zhānglánɡ)名 昆虫,身体扁平,黑褐色,能发出臭味。常咬坏衣物,污染食物,并能传染伤寒、霍乱等疾病,是害虫。种类很多。也叫蜚蠊。

zhǎng (ㄓㄤˇ)

长¹ **(長)** zhǎng ❶ 形 年纪较大:年～|他比我～两岁。❷ 排

行最大：～兄|～子。❸〔形〕辈分大：师～|～亲|叔叔比侄子～一辈。❹领导人：部～|校～|乡～|首～。

长²(長) zhǎng 〔动〕❶生：～锈|山上～满了青翠的树木。❷生长；成长：杨树～得快|这孩子～得真胖。❸增进；增加：～见识|～力气|吃一堑～一智。
另见151页 cháng。

【长辈】 zhǎngbèi 〔名〕辈分大的人。
【长膘】 zhǎng//biāo 〔动〕上膘。
【长房】 zhǎngfáng 〔名〕家族中长子的一支。
【长官】 zhǎngguān 〔名〕指行政单位或军队的高级官吏。
【长机】 zhǎngjī 〔名〕编队飞行中，率领和指挥机群或僚机执行任务的飞机。
【长进】 zhǎngjìn 〔动〕在学问或品行等方面有进步：技艺大有～。
【长老】 zhǎnglǎo 〔名〕❶〈书〉年纪大的人。❷对年纪大的和尚的尊称。❸犹太教、基督教等指本教在地方上的领袖。
【长脸】 zhǎng//liǎn 〔动〕增加体面；使脸上增添光彩：这部片子获得大奖，真为咱们制片厂～。
【长门】 zhǎngmén 〔名〕长房。
【长亲】 zhǎngqīn 〔名〕辈分大的亲戚。
【长上】 zhǎngshàng 〔名〕❶长辈。❷上司。
【长势】 zhǎngshì 〔名〕（植物）生长的状况：小麦～喜人。
【长孙】 zhǎngsūn 〔名〕❶长子的长子，现在也指排行最大的孙子。❷（Zhǎngsūn）姓。
【长相】 zhǎngxiàng （～儿）〈口〉〔名〕相貌：从他们的～上看，好像兄弟俩。
【长者】 zhǎngzhě 〔名〕❶年纪和辈分都高的人。❷年高有德的人。
【长子】 zhǎngzǐ 〔名〕❶排行最大的儿子。❷（Zhǎngzǐ）地名，在山西。

仉 Zhǎng 〔名〕姓。

涨(漲) zhǎng 〔动〕（水位）升高；（物价）提高：水～船高|河水暴～|物价上～。
另见1719页 zhàng。

【涨潮】 zhǎng//cháo 潮水升高。
【涨风】 zhǎngfēng 〔名〕价格上涨的情势。

【涨幅】 zhǎngfú 〔名〕（价格等）上涨的幅度：物价～不大。
【涨落】 zhǎngluò 〔动〕（水位、价格等）上升和下降：潮水～|股价～|◇人气～。
【涨势】 zhǎngshì 〔名〕（价格等）上涨的趋势：～强劲。
【涨停板】 zhǎngtíngbǎn 〔名〕证券交易机构为维护证券市场的稳定，采取措施对股票价格的涨跌进行限制，使股价只能在一定幅度内波动。对涨幅进行的限制叫涨停板，对跌幅进行的限制叫跌停板。

掌 zhǎng ❶〔名〕手掌：鼓～|易如反～|摩拳擦～。❷〔动〕用手掌打：～嘴。❸〔动〕掌管；掌握：～舵|～印|～大权。❹〔名〕某些动物的脚掌：熊～|鸭～。❺〔名〕马蹄铁：这匹马该钉～了。❻（～儿）〔名〕钉或缝在鞋底前部、后部的皮子等：前～儿|后～儿|钉一块～儿。❼〈方〉〔动〕钉补鞋底：～鞋。❽〈方〉〔动〕加上（油盐等）：～点儿酱油。❾〈方〉〔介〕把：～门关上。❿（Zhǎng）〔名〕姓。

【掌厨】 zhǎng//chú 〔动〕主持烹调。
【掌灯】 zhǎng//dēng 〔动〕❶手里举着灯。❷上灯；点灯（指油灯）：天黑了，该～了。
【掌舵】 zhǎng//duò ❶（-//-）〔动〕行船时掌握船上的舵。❷（-//-）〔动〕比喻掌握方向。❸〔名〕掌舵的人。
【掌骨】 zhǎnggǔ 〔名〕构成手掌的骨头，每个手掌有5块。（图见490页"人的骨骼"）
【掌故】 zhǎnggù 〔名〕历史上的人物事迹、制度沿革等：文坛～。
【掌管】 zhǎngguǎn 〔动〕负责管理；主持：各项事务都有专人～。
【掌柜】 zhǎngguì 〔名〕❶旧时称商店老板或负责管理商店的人。❷〈方〉旧时佃户称地主。❸〈方〉指丈夫。‖也叫掌柜的。
【掌控】 zhǎngkòng 〔动〕掌握控制：公司的人事任免权～在总经理手中。
【掌门人】 zhǎngménrén 〔名〕武林中执掌某一门派的人，戏称一部门或团体的主要负责人。也说掌门。
【掌权】 zhǎng//quán 〔动〕掌握权力。
【掌上电脑】 zhǎngshàng diànnǎo 个人数字助理的俗称。
【掌上明珠】 zhǎngshàng míngzhū 比喻

极受父母宠爱的儿女,也比喻为人所珍爱的物品。也说掌珠、掌上珠、掌中珠。

【掌勺儿】zhǎng//sháor 动 主持烹调(多指饭馆、食堂中主持烹调的厨师)。

【掌声】zhǎngshēng 名 鼓掌的声音:～雷动。

【掌握】zhǎngwò 动 ❶ 了解事物,因而能充分支配或运用:～技术|～理论|～原则|～规律◇～自己的命运。❷ 主持;控制:～会议|～政权。

【掌心】zhǎngxīn 名 手心。

【掌印】zhǎng//yìn 动 ❶ 掌管印信。❷ 比喻主持事务或掌握政权。

【掌灶】zhǎng//zào 动 在饭馆、食堂或办酒席的人家主持烹调:～儿的(掌灶的人)。

【掌珠】zhǎngzhū 名 掌上明珠。

【掌子】zhǎng·zi 名 采矿或隧道工程中掘进的工作面。也作礃子。

【掌嘴】zhǎng//zuǐ 动 用手掌打嘴巴。

礃 zhǎng ［礃子］(zhǎng·zi) 同"掌子"。

zhàng （ㄓㄤˋ）

丈[1] zhàng ❶ 量 长度单位,10 尺等于 1 丈,10 丈等于 1 引。1 市寸合 $3\frac{1}{3}$ 米。❷ 动 丈量(土地):清～|春耕前要把地～完。

丈[2] zhàng ❶ 古时对老年男子的尊称:老～。❷ 丈夫(用于某些亲戚的尊称):姑～(姑夫)|姐～(姐夫)。

【丈夫】zhàngfū 名 成年男子:大～|～气。

【丈夫】zhàng·fu 名 男女两人结婚后,男子是女子的丈夫。

【丈量】zhàngliáng 动 用步弓、皮尺等量土地面积或距离:～地亩。

【丈母娘】zhàng·muniáng 名 岳母。有的地区也叫丈母。

【丈人】zhàngrén 名 古时对老年男子的尊称。

【丈人】zhàng·ren 名 岳父。

仗[1] zhàng ❶ 名 兵器的总称:仪～|明火执～。❷〈书〉拿着(兵器):～剑。❸ 动 凭借;倚仗:狗～人势|他～着自己老子的势力欺负人。

仗[2] zhàng 名 指战争或战斗:胜～|败～|这一～打得真漂亮◇打好春耕生产这一～。

【仗胆】zhàng//dǎn (～儿)动 壮胆。

【仗势】zhàng//shì 动 倚仗某种权势(做坏事):～欺人。

【仗恃】zhàngshì 动 倚仗;依靠:～豪门。

【仗义】zhàngyì ❶〈书〉动 主持正义:～执言。❷ 形 讲义气:为人～。

【仗义疏财】zhàng yì shū cái 讲义气,轻钱财,多指拿出钱来帮助有困难的人。

【仗义执言】zhàng yì zhí yán 为了正义说公道话。

杖 zhàng ❶ 拐杖;手杖:扶～而行。❷ 泛指棍棒:擀面～|拿刀动～。

【杖子】zhàng·zi 名 障子(多用于地名):大～(在河北)|宋～(在辽宁)。

帐(帳) zhàng 名 ❶ 用布、纱或绸子等做成的遮蔽用的东西:蚊～|营～|～篷◇青纱～。❷ 同"账"。

【帐幕】zhàngmù 名 帐篷(多指较大的)。

【帐篷】zhàng·peng 名 撑在地上遮蔽风雨、日光的东西,多用帆布、尼龙布等做成。

【帐子】zhàng·zi 名 用布、纱或绸子等做成的张在床上或屋子里的东西。

账(賬) zhàng 名 ❶ 关于货币、货物出入的记载:记～|查～。❷ 指账簿:一本～。❸ 债:欠～|还～|放～。

【账本】zhàngběn (～儿)名 账簿。

【账簿】zhàngbù 名 记载货币、货物出入事项的本子。

【账册】zhàngcè 名 账簿。

【账单】zhàngdān 名 记载货币、货物出入事项的单子。

【账房】zhàngfáng (～儿)名 ❶ 旧时企业或有钱人家中管理银钱货物出入的处所。❷ 在账房管理银钱货物出入的人。

【账号】zhànghào 名 单位或个人跟银行建立经济关系后,银行在账上给该单位或个人编的号码。

【账户】zhànghù 名 会计上指账簿中对各种资金运用、来源和周转过程等设置的分类。

【账面】zhàngmiàn (～儿)名 指账目(对实物而言):把账～弄清,再去核对库存。

【账目】zhàngmù 名 账上记载的项目:清

理～|定期公布～。

胀（脹） zhàng ❶ 动 膨胀：热～冷缩。❷ 形 身体内壁受到压迫而产生不舒服的感觉：肚子发～。

【胀库】 zhàngkù 动 仓库库存饱和：猪肉～。

涨（漲） zhàng 动 ❶ 固体吸收液体后体积增大：豆子泡～了。❷（头部）充血：头昏脑～|他的脸～得通红。❸ 多出；超出（用于度量衡或货币的数目）：钱花～了（超过收入或预计）|把布一量，～出了半尺。

　　另见 1717 页 zhǎng。

障 zhàng ❶ 阻隔；遮挡：～碍|～蔽。❷ 用来遮挡、阻碍的东西：屏～|路～。

【障碍】 zhàng'ài ❶ 动 挡住道路，使不能顺利通过；阻碍：～物。❷ 名 阻挡前进的东西：排除～|扫清～。

【障蔽】 zhàngbì 动 遮蔽；遮挡：～视线。

【障眼法】 zhàngyǎnfǎ 名 遮蔽或转移人的目光使看不清真相的手法。也说遮眼法、掩眼法。

【障子】 zhàng·zi 名 用芦苇、秫秸等编成的或利用成行的树木做成的屏障：树～|篱笆～。

幛 zhàng 幛子：贺～|寿～|喜～|挽～。

【幛子】 zhàng·zi 名 题上词句的整幅绸布，用作祝贺或吊唁的礼物。

嶂 zhàng 直立像屏障的山峰：层峦叠～。

瘴 zhàng 瘴气：～疠。

【瘴疠】 zhànglì 名 指热带或亚热带潮湿地区流行的恶性疟疾等传染病。

【瘴气】 zhàngqì 名 热带或亚热带山林中的湿热空气，从前认为是瘴疠的病原。

---

zhāo （ㄓㄠ）

钊（釗） zhāo ❶〈书〉勉励（多用于人名）。❷（Zhāo）名 姓。

招¹ zhāo ❶ 动 举手上下挥动：～手|～之即来。❷ 动 用广告或通知的方式使人来：～领|～考|～留学生。❸

引来（不好的事物）：～灾|～苍蝇。❹ 动 惹②；招惹：这孩子爱哭，别～他。❺ 动 惹③；招惹：这孩子真～人喜欢。❻〈方〉动 传染：这病～人，要注意预防。❼（Zhāo）名 姓。

招² zhāo 动 承认罪行：～供|～认|不打自～。

招³ zhāo ❶ 同"着"（zhāo）①。❷（～儿）名 比喻计策或手段：我没～了|这一～厉害。

【招安】 zhāo'ān 动 旧时指统治者用笼络的手腕使武装反抗者或盗匪投降归顺。

【招标】 zhāo//biāo 动 兴建工程或进行大宗商品交易时，公布标准和条件，招人承包或承买叫做招标。

【招兵】 zhāo//bīng 动 招募人来当兵。

【招兵买马】 zhāo bīng mǎi mǎ 组织或扩充武装力量，也比喻扩大组织或扩充人员。

【招待】 zhāodài 动 对宾客或顾客表示欢迎并给以应有的待遇：～客人|～记者|～会。

【招待所】 zhāodàisuǒ 名 机关、厂矿等所设接待宾客或所属单位来往的人住宿的处所。

【招风】 zhāo//fēng 动 指惹人注意而生出是非。

【招抚】 zhāofǔ 动 招安。

【招工】 zhāo//gōng 动 招收新职工：～启事。

【招供】 zhāo//gòng 动 供出犯罪事实：从实～。

【招股】 zhāo//gǔ 动 企业采用公司组织形式募集股金。

【招呼】 zhāo·hu 动 ❶ 呼唤：远处有人～你。❷ 用语言或动作表示问候：乡亲们都围上来，我不知～谁好。❸ 吩咐；关照：～他赶快做好了送来。❹ 照料：医院里对病人～得很周到。❺〈方〉留神：路上有冰，～滑倒了。

【招魂】 zhāo//hún 动 招回死者的魂（迷信），现多用于比喻。

【招集】 zhāojí 动 招呼人们聚集；召集。

【招架】 zhāojià 动 抵挡：～不住|来势凶猛，难于～。

【招考】 zhāokǎo 动 用公告的方式叫人来应考：～新生|～学徒工。

【招徕】 zhāolái 动 招揽：～顾客。

【招揽】 zhāolǎn 动 招引到自己方面来：

~生意。

【招领】zhāolǐng 囵用出公告的方式叫丢失物品的人来领取：～失物。

【招录】zhāolù 囵招收录用：公开～干部。

【招募】zhāomù 囵募集(人员)：～新兵。

【招女婿】zhāo nǚ·xu 招亲①。

【招牌】zhāo·pai 名挂在商店门前写明商店名称或经售的货物的牌子，作为商店的标志。也比喻某种名义或称号。

【招盘】zhāopán 囵工商业主因亏损或其他原因，把企业的货物、器具、房屋、地基等作价，招人承购，继续经营。

【招聘】zhāopìn 囵用公告的方式聘请：～技术人员。

【招亲】zhāo∥qīn 囵❶招人到自己家里做女婿。❷到人家里做女婿；入赘。

【招惹】zhāo·rě 囵❶(言语、行动)引起(是非、麻烦等)：～是非。❷(用言语、行动)触动；逗引(多用于否定式)：别～他|这个人～不得。

【招认】zhāorèn 囵(犯罪嫌疑人)承认犯罪事实。

【招商】zhāoshāng 囵用广告、展览等方式吸引商家(投资、经营)：～引资。

【招生】zhāo∥shēng 囵招收新学生：～简章。

【招事】zhāo∥shì 囵惹是非：他爱多嘴，好～。

【招收】zhāoshōu 囵用考试或其他方式接收(学员、学徒、工作人员等)。

【招手】zhāo∥shǒu 囵举起手来上下摇动，表示叫人来或跟人打招呼：～示意。

【招数】zhāoshù ❶名武术的动作。❷名比喻手段或计策。‖也作着数。❸同"着数"①。

【招贴】zhāotiē 名贴在街头或公共场所，以达到宣传目的的文字、图画。

【招贴画】zhāotiēhuà 名宣传画。

【招贤】zhāoxián 囵招纳有才德的人：张榜～|～纳士。

【招降】zhāo∥xiáng 囵号召敌人来投降。

【招降纳叛】zhāo xiáng nà pàn 招收接纳敌方投降、叛变过来的人。现多指网罗坏人，结党营私。

【招笑儿】zhāoxiàor 〈方〉囵引人发笑。

【招选】zhāoxuǎn 囵招聘选拔：～主持人。

【招眼】zhāoyǎn 囮惹人注意：大红的外衣很～。

【招摇】zhāoyáo 囵故意张大声势，引人注意：～过市|这样做，太～了。

【招摇过市】zhāoyáo guò shì 故意在公众场合张大声势，引人注意。

【招摇撞骗】zhāoyáo zhuàngpiàn 假借名义，到处炫耀，进行诈骗。

【招引】zhāoyǐn 囵用动作、声响或色、香、味等特点吸引：～顾客。

【招灾】zhāo∥zāi 囵引来灾祸：～惹祸。

【招展】zhāozhǎn 囵飘动；摇动(引人注意)：红旗迎风～|花枝～。

【招致】zhāozhì 囵❶招收；搜罗(人才)。❷引起(后果)：～意外的损失。

【招赘】zhāozhuì 囵招女婿。

【招子】[1] zhāo·zi 名❶招贴。❷挂在商店门口写明商店名称的旗子或其他招揽顾客的标志。

【招子】[2] zhāo·zi 名着儿；办法、计策或手段。

【招租】zhāozū 囵招人租赁(房屋)：～启事。

昭 zhāo ❶明亮；显著：～彰|～著。❷〈书〉表明；显示：以～信守。❸(Zhāo)名姓。

【昭然】zhāorán 囮很明显的样子：天理～|～若揭(指真相大明)。

【昭示】zhāoshì 囵明白地表示或宣布：～后世|～国人。

【昭雪】zhāoxuě 囵洗清(冤枉)，平反～。

【昭彰】zhāozhāng 囮明显；显著：罪恶～。

【昭昭】zhāozhāo 〈书〉囮❶明亮：日月～。❷明白：以其昏昏，使人～。

【昭著】zhāozhù 囮明显：恶名～|罪行～。

啁 zhāo [啁哳](zhāozhā)〈书〉囮形容声音烦杂细碎。也作嘲哳。
另见 1773 页 zhōu。

着(❶招) zhāo ❶(～儿)名下棋时下一子或走一步叫一着：高～儿|支～儿。❷同"招"❷③。❸〈方〉囵放；搁进去：～点儿盐。❹〈方〉用于应答，表示同意：这话～哇！|～，咱们就这么办！
另见 1721 页 zháo；1728 页·zhe；1799 页 zhuó。

【着数】zhāoshù ❶名下棋的步子。❷

同"招数"①②。

朝 zhāo ❶ 早晨：～阳|一～一夕|～令夕改。❷ 日；天：今～|一～|有事也好有个照应。
另见 160 页 cháo。

【朝不保夕】 zhāo bù bǎo xī 保得住早上，不一定得住晚上，形容情况危急。也说朝不虑夕。

【朝发夕至】 zhāo fā xī zhì 早晨出发晚上就能到达，形容路程不远或交通便利。

【朝晖】 zhāohuī 名 早晨太阳的光辉。

【朝令夕改】 zhāo lìng xī gǎi 早晨发布了命令，晚上就改变了，形容主张或办法经常改变，一会儿一个样。

【朝露】 zhāolù 〈书〉名 早晨的露水，比喻存在时间非常短促的事物。

【朝气】 zhāoqì 名 精神振作，力求进取的气概（跟"暮气"相对）：～蓬勃|富有～。

【朝乾夕惕】 zhāo qián xī tì 形容一天到晚很勤奋，很谨慎（乾：勉力）。

【朝秦暮楚】 zhāo Qín mù Chǔ 一时倾向秦国，一时又依附楚国，比喻人反复无常。

【朝日】 zhāorì 名 早晨的太阳：～初升。

【朝三暮四】 zhāo sān mù sì 有个养猴子的人拿橡子喂猴子，他跟猴子说，早上给每个猴子三个橡子，晚上给四个，所有的猴子听了都急了；后来他又说，早上给四个，晚上给三个，所有的猴子就都高兴了（见于《庄子·齐物论》）。原比喻聪明人善于使用手段，愚笨的人不善于辨别事情，后来比喻反复无常。

【朝思暮想】 zhāo sī mù xiǎng 形容时刻想念。

【朝夕】 zhāoxī ❶ 副 天天；时时：～相处。❷ 名 指非常短的时间：～不保|只争～。

【朝霞】 zhāoxiá 名 日出时东方的云霞。

【朝阳】 zhāoyáng ❶ 名 初升的太阳。❷ 形 属性词。比喻新兴的、有发展前途的：～产业。
另见 161 页 cháoyáng。

嘲 zhāo [嘲哳]（zhāozhā）同"啁哳"。
另见 161 页 cháo。

zháo （ㄓㄠˊ）

着 zháo 动 ❶ 接触；挨上：上不～天，下不～地。❷ 感受；受到：～风|

凉。❸ 燃烧，也指灯发光（跟"灭"相对）：炉子一～得很旺|天黑了，路灯都～了。❹ 用在动词后，表示已经达到目的或有了结果：睡～了|打～了|猜～了。❺〈口〉入睡：一上床就～了。
另见 1720 页 zhāo；1728 页·zhe；1799 页 zhuó。

【着慌】 zháo//huāng 形 着急；慌张：大家都急得什么似的，可他一点儿也不～。

【着火】 zháo//huǒ 动 失火。

【着火点】 zháohuǒdiǎn 名 燃点²。

【着急】 zháo//jí 形 急躁不安：别～，有问题商量着解决|时间还早，着什么急?

【着凉】 zháo//liáng 动 受凉：外面挺冷，当心～|我夜间着了一点儿凉。

【着忙】 zháo//máng ❶ 动 因感到时间紧迫而加快动作：事先收拾好行李，免得临上车～|时间还早着呢，你着的什么忙? ❷ 形 着急；慌张：别～，等我说完了你再说|听说孩子病了，她心里有点儿～。

【着迷】 zháo//mí 对人或事物产生难以舍弃的爱好；入迷：老爷爷讲的故事真动人，孩子们听得都～了。

【着魔】 zháo//mó 动 入魔。

【着三不着两】 zháo sān bù zháo liǎng 指说话或行事考虑不周，轻重失宜。

zhǎo （ㄓㄠˇ）

爪 zhǎo 名 ❶ 动物的脚趾甲：乌龟趾间有蹼，趾端有～。❷ 鸟兽的脚；前～|鹰～|张牙舞～。❸（Zhǎo）姓。
另见 1786 页 zhuǎ。

【爪牙】 zhǎoyá 名 爪和牙是猛禽、猛兽的武器，比喻坏人的党羽。

找¹ zhǎo 动 为了要见到或得到所需求的人或事物而努力：～人|～材料|出路|钢笔丢了，到处～不着。

找² zhǎo 动 把超过应收的部分退还：把不足的部分补上：～钱|～齐。

【找病】 zhǎo//bìng 动 ❶ 自找生病：这么冷的天穿一件单衣，不是～吗? ❷ 比喻自寻苦恼。

【找补】 zhǎo·bu 动 把不足的补上：不够再～点儿|话说完了，还得～几句。

【找碴儿】 zhǎo//chár 同"找碴儿"。

【找碴儿】zhǎo//chár 勔 故意挑毛病：～打架。也作找茬儿。

【找零】zhǎo//líng （～儿）勔 找零钱：商场硬币准备不足，～成了难题。

【找麻烦】zhǎo má·fan （给自己或别人）添麻烦。

【找平】zhǎo//píng 勔（瓦工砌墙、木工刨木料等）使高低凹凸的表面变平：右手边儿还差两层砖，先～了再一起往上砌。

【找齐】zhǎo//qí 勔❶ 使高低、长短相差不多：篱笆编成了，顶上还要～。❷ 补足：今儿先给你一部分，差多少明儿～。

【找钱】zhǎo//qián 勔 收到币值较大的钞票或硬币，超过应收的数目，把超过的部分用币值小的钱币退还。

【找事】zhǎo//shì 勔❶ 寻找职业：你替他找个事干干。❷ 故意挑毛病，引起争吵；寻衅：他是故意来～的，别理他。

【找赎】zhǎoshú 〈方〉勔 找钱：自备零钞，恕不～。

【找死】zhǎosǐ 勔 自找死亡（多用于责备人不顾危险）。

【找头】zhǎo·tou 〈口〉名 付钱时找回的钱。

【找寻】zhǎoxún 勔 寻找。

【找辙】zhǎo//zhé 〈方〉勔❶ 找借口：我实在坐不住了，于是～离去。❷ 想办法；找门路：厂里停工待料，领导都忙着～呢。

沼 zhǎo 天然的水池子：池～｜～泽。

【沼气】zhǎoqì 名 池沼污泥中埋藏的植物体发酵腐烂生成的气体，也可用粪便、植物茎叶发酵制得。主要成分是甲烷。用作燃料或化工原料。

【沼泽】zhǎozé 名 水草茂密的泥泞地带。

zhào （ㄓㄠ）

召[1] zhào ❶ 勔 召唤：～集｜他已被上级～回北京。❷（Zhào）名 姓。

召[2] zhào 寺庙（多用于地名）：乌审～｜罗布～（都在内蒙古）。［蒙］
另见 1201 页 Shào。

【召唤】zhàohuàn 勔 叫人来（多用于抽象方面）：新的生活在～着我们。

【召集】zhàojí 勔 通知人们聚集起来：～

人｜队长～全体队员开会。

【召见】zhàojiàn 勔❶ 上级叫下级来见面。❷ 外交部通知外国驻本国使节前来谈有关事宜。

【召开】zhàokāi 勔 召集人们开会；举行（会议）。

兆[1] zhào ❶ 预兆①：征～｜不吉之～。❷ 预示：瑞雪～丰年。❸（Zhào）名姓。

兆[2] zhào 数❶ 一百万。❷ 古代指一万亿。

【兆头】zhào·tou 名 预兆①：好～｜坏～｜暴风雨的～。

诏（詔） zhào ❶〈书〉告诉；告诫。❷ 诏书：下～。

【诏书】zhàoshū 名 皇帝颁发的命令。

赵（趙） Zhào ❶ 周朝国名，在今山西北部和中部，河北西部和南部。❷ 指河北南部。❸ 名 姓。

【赵体】Zhào tǐ 名 元代赵孟頫（fǔ）所写的字体，圆润清秀，结构谨严。

炤 zhào 〈书〉同"照"。

笊 zhào ［笊篱］（zhào·lí）名 用金属丝、竹篾或柳条等制成的能漏水的用具，有长柄，用来捞东西。

棹（櫂、櫂） zhào 〈方〉❶ 名 桨。❷ 勔 划（船）。

旐 zhào 古代一种旗子。

照 zhào ❶ 勔 照射：日～｜阳光～在窗台上｜用手电筒～一～。❷ 勔 对着镜子或其他反光的东西看自己的影子；有反光作用的东西把人或物的形象反映出来：～镜子｜湖面如镜，把岸上的树木～得清清楚楚。❸ 勔 拍摄（相片、电影）：这张相片～得很好。❹ 相片：小～｜玉～。❺ 名执照：政府所发的凭证：车～｜护～｜牌～｜取缔无～摊贩。❻ 照料：～管｜～应。❼通知：关～｜～会。❽ 比照：查～｜对～。❾ 知晓；明白：心～不宣。❿ 介 对着；向着：～这个方向走。⓫ 介 依照；按照：～章办事｜～这个样子做。⓬ 表示按原件或某种标准（做）：～发｜～搬。⓭（Zhào）名姓。

【照搬】zhàobān 勔 照原样不动地搬用（现成的方法、经验、教材等）：学习先进经验要因地制宜,不能盲目～。

【照办】zhào∥bàn 动 依照办理:碍难～|您吩咐的事都一一～了。

【照本宣科】zhào běn xuān kē 比喻不能灵活运用,死板地照着现成文章或稿子宣读。

【照壁】zhàobì 名 大门外对着大门做屏蔽用的墙壁。也叫照墙、影壁或照壁墙。

【照常】zhàocháng ❶ 动 跟平常一样:一切～。❷ 副 表示情况继续不变:～工作|节假日～营业。

【照抄】zhàochāo 动 ❶ 原照原来的文字抄写或引用:按原稿～一份。❷ 照搬。

【照登】zhàodēng 动 文稿、信件等不加修改地刊载:来函～。

【照度】zhàodù 名 光照度的简称。

【照发】zhàofā 动 ❶ 照这样发出(公文、电报等),多用于批语。❷ 照常发给:带职学习,工资～。

【照拂】zhàofú 动 照料;照顾。

【照顾】zhào·gù 动 ❶ 考虑(到);注意(到):～全局|～各个部门。❷ 照料:我去买票,你来～行李。❸ 特别注意,加以优待:～病人|老幼乘车,～座位。❹ 商店或服务行业对顾客前来购买东西或要求服务叫照顾。

【照管】zhàoguǎn 动 照料管理:～孩子|～器材|这件事由他～。

【照葫芦画瓢】zhào hú·lu huà piáo 比喻照样子模仿。

【照护】zhàohù 动 照料护理(伤员、病人等):～老人|细心～。

【照会】zhàohuì ❶ 动 一国政府把自己对于彼此有关的某一事件的意见通知另一国政府。❷ 名 上述性质的外交文件。

【照旧】zhàojiù ❶ 动 跟原来一样:这本书再版时,体例可以～,资料必须补充。❷ 副 仍旧②:我们休息了一下,～往前走。

【照看】zhàokàn 动 照料(人或东西):～孩子|你放心去吧,家里的事我～。

【照理】zhàolǐ 副 按理:～他现在该来了。

【照例】zhàolì 副 按照惯例;按照常情:春节～放假三天|扫帚不到,灰尘～不会自己跑掉。

【照料】zhàoliào 动 关心料理:～病人。

【照临】zhàolín 动 (日、月、星的光)照射到:曙光～大地。

【照猫画虎】zhào māo huà hǔ 比喻照着样子模仿。

【照面儿】zhàomiànr ❶ 名 面对面地相遇叫打照面儿。❷ 动 (～/-)露面;见面(多用于否定式):始终没有～|互不～。

【照明】zhàomíng 动 用灯光照亮室内、场地等:～设备|舞台～。

【照明弹】zhàomíngdàn 名 一种特制的炸弹或炮弹,弹体内装有发光药剂,有的有小降落伞,能在空中发出强光。用于夜间观察或指示攻击目标。

【照排】zhàopái 动 用计算机照相排版:激光～。

【照片儿】zhàopiānr 〈口〉名 照片。

【照片】zhàopiàn 名 把感光纸放在照相底片下曝光后经显影、定影而成的人或物的图片。

【照墙】zhàoqiáng 名 照壁。

【照射】zhàoshè 动 光线射在物体上:植物需要阳光～。

【照实】zhàoshí 副 按照实情:你做了什么,～说好了。

【照说】zhàoshuō 副 按说:他补习了几个月,～这试题应该做出来。

【照相】zhào∥xiàng 动 摄影①的通称。

【照相机】zhàoxiàngjī 名 照相的器械,光学照相机由镜头、暗箱、快门以及测距、取景、测光等装置构成。还有数字照相机等。旧称摄影机。

【照相纸】zhàoxiàngzhǐ 名 印相纸和放大纸的统称。

【照样】zhàoyàng (～儿)❶ (-/-)动 依照某个样式:～画一张|照这个样儿做。❷ 副 照旧:天气尽管很冷,工地上～热火朝天。

【照妖镜】zhàoyāojìng 名 旧小说中所说的一种宝镜,能照出妖魔原形。现在也用于比喻。

【照耀】zhàoyào 动 (强烈的光线)照射:阳光～着大地。

【照应】zhàoyìng 动 配合;呼应:互相～|前后～。

【照应】zhào·ying 动 照料:一路上乘务员对旅客～得很好。

【照直】zhàozhí 副 ❶ 沿着直线(前进):～走|～往东,就是菜市。❷ (说话)直截了当:有话就～说,不要吞吞吐吐的。

罩 zhào ❶ 囝 遮盖;扣住;套在外面 | 笼~ | 天空阴沉沉地~满了乌云 | 棉袄外面~着一件蓝布褂儿。❷（~儿）囝 罩子;灯~儿 | 口~儿。❸（~儿）外罩;罩衣 | 袍~儿。❹ 囝 养鸡用的笼子。❺ 囝 捕鱼用的竹器,圆筒形,上小下大,无顶无底。❻（Zhào）囝 姓。

【罩褂】zhàoguà 囝 罩衣。

【罩棚】zhàopéng 囝 用芦苇、竹子等搭在门前或院子里的棚子。

【罩衫】zhàoshān〈方〉囝 罩衣。

【罩袖】zhàoxiù〈方〉囝 套袖。

【罩衣】zhàoyī 囝 穿在短袄或长袍外面的单褂。也叫罩褂儿。

【罩子】zhào•zi 囝 遮盖在物体外面的东西。

鮡（鮡）zhào 囝 鱼,种类很多,全身无鳞,头部扁平,有的种类胸部前方有吸盘。生活在溪水中。

肇（肇）zhào ❶ 发生;引起:~事 | ~祸。❷〈书〉开始:~始 | ~端。❸（Zhào）囝 姓。

【肇端】zhàoduān〈书〉囝 发端;开端。

【肇祸】zhàohuò 囝 闯祸。

【肇始】zhàoshǐ〈书〉囝 开始。

【肇事】zhàoshì 囝 引起事故;闹事:追查~者。

【肇因】zhàoyīn 囝 起因。

曌 zhào 同"照",唐代武则天为自己名字造的字。

━━━━━ zhē（ㄓㄜ）━━━━━

折 zhē〈口〉囝 ❶ 翻转:~跟头。❷ 倒(dào)过来倒过去:水太热,用两个碗~一~就凉了。

另见 1202 页 shé;1724 页 zhé。

【折箩】zhēluó〈方〉囝 指酒席吃过后倒在一起的剩菜。

【折腾】zhē•teng 囝 ❶ 翻过来倒过去:凑合着睡一会儿,别来回~了。❷ 反复做(某事):他把收音机折了又装,装了又拆,~了几十回。❸ 折磨:慢性病~人。

蜇 zhē 囝 ❶ 蜂、蝎子等用毒刺刺人或动物。❷ 某些物质刺激皮肤或黏膜使发生微痛:切洋葱~眼睛 | 这种药水擦

在伤口上~得慌。

另见 1726 页 zhé。

嗻 zhē 见 164 页[吃嗻]。

另见 1727 页 zhè。

遮 zhē 囝 ❶ 一物体处在另一物体的某一方位,使后者不显露:山高~不住太阳。❷ 拦住:横~竖拦。❸ 掩盖:~丑 | ~人耳目 | ~不住内心的喜悦。

【遮蔽】zhēbì 囝 遮挡①:~风雨 | 树林~了我们的视线,看不到远处的村庄。

【遮藏】zhēcáng 囝 遮蔽;掩藏。

【遮丑】zhē//chǒu 囝 用言语或行动遮掩缺点、错误或不足。

【遮挡】zhēdǎng ❶ 囝 遮蔽拦挡:~寒风 | 窗户用布帘~起来。❷ 囝 可以用来遮蔽拦挡的东西:草原上没有什么~。

【遮盖】zhēgài 囝 ❶ 从上面遮住:路让大雪~住了。❷ 隐藏;隐瞒:错误是~不住的。

【遮拦】zhēlán 囝 遮挡;阻拦:防风林可以~大风。

【遮羞】zhē//xiū 囝 ❶ 把身体上不好让人看见的部分遮住。❷ 做了丢脸的事用好听的话来掩盖:~解嘲。

【遮羞布】zhēxiūbù 囝 ❶ 系在腰间遮盖下身的布。❷ 借指用来掩盖羞耻的事物。

【遮掩】zhēyǎn 囝 ❶ 遮蔽;遮盖①:远山被雨雾~,变得朦胧了。❷ 掩饰:~错误 | 极力~内心的不安。

【遮眼法】zhēyǎnfǎ 囝 障眼法。

【遮阳】zhēyáng ❶ 囝 遮挡阳光:撑起伞来~。❷ 囝 指帽檐或形状像帽檐那样可以遮阳光的东西。

【遮阳镜】zhēyángjìng 囝 太阳镜。

【遮阳帽】zhēyángmào 囝 用来遮挡阳光的帽子,一般帽檐较宽。

【遮阳伞】zhēyángsǎn 囝 用来遮挡阳光的伞。

【遮阴】zhēyīn 囝 遮蔽阳光,使阴凉:院子里有几棵~的树。

━━━━━ zhé（ㄓㄜˊ）━━━━━

折[1] zhé ❶ 囝 断;弄断:骨~ | 把树枝~断了。❷ 损失:损兵~将。❸ 弯;

弯曲：曲～|百～不挠。❹ 囫 回转；转变方向：转～|刚走出大门又～了回来。❺ 折服：心～。❻ 折合；抵换：～价|～账|～变。❼ 囝 买卖货物时，照标价减去一个数目，减到原标价的十分之几叫做几折或几扣，例如标价一元的减到九角叫做九折或九扣，减到七角五分叫做七五折或七五扣：对～|打九～。❽ 囮 元杂剧每一个剧本分为四折，一折相当于后来的一场。❾ 囝 汉字中有曲折的笔画，形状有"一乚乙"等。❿（Zhé）囝 姓。

折²（摺）zhé ❶ 囫 折叠：～扇|～尺|她把信～好，装在信封里。❷（～儿）囝 折子：奏～|存～儿。

另见1202页 shé；1724页 zhē。

【折半】zhébàn 囫 减半；打对折：处理品按定价～出售。

【折变】zhébiàn 囫 变卖：～家产。

【折尺】zhéchǐ 囝 可以折叠起来的木尺，长度多为1米。

【折冲】zhéchōng〈书〉囫 制敌取胜：～御侮|～千里之外。

【折冲樽俎】zhéchōng zūnzǔ 在酒席宴会间制敌取胜，指进行外交谈判（樽俎：古时盛酒食的器具）。

【折抵】zhédǐ 囫 折合抵偿或抵换：违约金不能～赔偿金。

【折叠】zhédié 囫 把物体的一部分翻转和另一部分紧挨在一起：～衣服|把被褥～得整整齐齐。

【折兑】zhéduì 囫 兑换金银时按成色、分量折算。

【折返】zhéfǎn 囫 返回：飞机因机械故障，起飞不久即～原机场。

【折服】zhéfú 囫 ❶ 说服；使屈服：强词夺理不能～人|艰难困苦～不了我们。❷ 信服：令人～|大为～。

【折福】zhé//fú 囫 迷信的人指过分享用或不合情理地承受财物而减少福分。

【折干】zhé//gān（～儿）囫 指赠送礼品时用钱来代替。

【折光】zhéguāng ❶ 囫（物质）使通过的光线发生折射。❷ 囝 指折射出来的光，比喻被间接反映出来的事物的本质特征：时代的～|现实生活的～。

【折桂】zhéguì 囫 比喻科举及第，现多比喻竞赛获第一名：省队联赛～。

【折合】zhéhé 囫 ❶ 在实物和实物间、货币和货币间，实物和货币间按照比价计算：当时的一个工资分～一斤小米。❷ 同一实物换用另一种单位来计算：水泥每包五十公斤，～市斤，刚好一百斤。

【折回】zhéhuí 囫 返回。

【折价】zhé//jià 囫 把实物折合成钱：损坏公物要～赔偿。

【折旧】zhéjiù 囫 补偿固定资产所损耗的价值：～费。

【折扣】zhé·kòu 囝 ❶ 在标价的基础上按成数降价出售的方式，参看"折"⑦：明码标价，不打～。❷ 见248页【打折扣】。

【折磨】zhé·mó 囫 使在肉体上、精神上受痛苦：受～|这病真～人。

【折扇】zhéshàn（～儿）囝 用竹、木等做骨架，上面蒙上纸或绢而制成的可以折叠的扇子。

【折射】zhéshè 囫 ❶ 光线、无线电波、声波等从一种介质进入另一种介质时传播方向发生偏折。也指在同种介质中，由于介质本身不均匀而使光线、无线电波、声波等的传播方向发生改变。❷ 比喻把事物的表象或实质表现出来：家庭的变化～出社会的发展。

【折实】zhéshí 囫 ❶ 打了折扣，合成实在数目。❷ 把金额折合成某种实物价格计算。

【折寿】zhé//shòu 囫 迷信的人指因享受或受到的礼遇过分而减损寿命。

【折受】zhé·shou〈方〉囫 因过分尊敬或优待而使人承受不起。

【折算】zhésuàn 囫 折合；换算。

【折损】zhésǔn 囫 损失：激战过后，敌人兵力～过半。

【折头】zhé·tou〈方〉囝 折扣：打～。

【折线】zhéxiàn 囝 不在同一直线上而顺次首尾相连的若干线段组成的图形。

【折腰】zhéyāo〈书〉囫 弯腰行礼。也指屈身事人。

【折账】zhé//zhàng 囫 用实物抵偿债款。

【折纸】zhézhǐ 囝 儿童手工的一种，用纸折叠成物体的形状。

【折中】（折衷）zhézhōng 囫 对几种不同的意见进行调和：～方案|～的办法。

【折中主义】zhézhōng zhǔyì 一种形而上学思想方法，把各种不同的思想、观点和理论无原则地、机械地拼凑在一起。

【折皱】zhézhòu 图皱纹：满脸～。

【折子】zhé·zi 图用纸折叠而成的册子，多用来记账。

【折子戏】zhé·zixì 图只表演全本中可以独立演出的一段情节的戏曲（区别于"本戏"）。例如演整本《牡丹亭》是本戏，只演其中的《春香闹学》或《游园惊梦》是折子戏。

哲（喆）zhé ❶有智慧：～人。❷有智慧的人：先～。

【哲理】zhélǐ 图关于宇宙和人生的原理：人生～|富有～的诗句。

【哲人】zhérén 〈书〉图智慧卓越的人。

【哲学】zhéxué 图关于世界观、价值观、方法论的学说。它在具体各门科学知识的基础上形成的，具有抽象性、反思性、普遍性的特点。哲学的根本问题是思维和存在、精神和物质的关系问题，根据对这个问题的不同回答而形成唯心主义哲学和唯物主义哲学两大对立派别。人和世界的关系问题已成为当代哲学研究的重大问题。

晢（晣）zhé 〈书〉明亮。

辄（輒、輙）zhé 〈书〉副总是；就：动～得咎|浅尝～止。

蛰（蟄）zhé 〈书〉蛰伏：惊～|～如冬蛇|久～乡间。

【蛰伏】zhéfú 动❶动物冬眠，潜伏起来不食不动。❷借指蛰居。

【蛰居】zhéjū 〈书〉动像动物冬眠一样长期躲在一个地方，不出头露面：～山村。

詟（讋）zhé 〈书〉惧怕：～服（慑服）|～惧（恐惧）。

蛰 zhé 见533页[海蛰]。另见1724页 zhē。

筘 [筘子]（zhé·zi）〈方〉图一种粗的竹席。

谪（謫、讁）zhé 〈书〉❶封建时代把高级官吏降职并调到边远地方做官：贬～|～居。❷指神仙受了处罚，降到人间（迷信）：有人把李白称为～仙。❸责备；指摘：众人交～。

【谪居】zhéjū 动被贬谪后住在某个地方：苏东坡曾～黄州。

摺 zhé 见1725页"折²"。在折和摺叠义可能混淆时，仍用摺。

磔¹ zhé 古代的一种酷刑，把肢体分裂。

磔² zhé 〈书〉汉字的笔画，即捺(nà)。

辙（轍）zhé （～儿）图❶车轮压出的痕迹；车辙：覆～|如出一～|前头有车，后头有～。❷行车规定的路线方向：上下～|顺～儿|戗(qiāng)～儿。❸杂曲、戏曲、歌词所押的韵：十三～|合～。❹〈方〉办法；主意（多用在"有、没"后面）：想～|你来得正好，我正没～呢!

【辙口】zhékǒu 图辙③：这一段词儿换换～就容易唱了。

zhě （ㄓㄜˇ）

者¹ zhě ❶助用在形容词、动词或形容词性词组、动词性词组后面，表示有此属性或做此动作的人或事物：强～|老～|作～|读～|胜利～|未渡～|卖柑～|符合标准～。❷助用在某某工作、某某主义后面，表示从事某项工作或信仰某个主义的人：文艺工作～|共产主义～。❸〈书〉助用在"二、三"等数词和"前、后"等方位词后面，指上文所说的事物：前～|后～|二～必居其一|两～缺一不可。❹〈书〉助用在词、词组、分句后面表示停顿：风～，空气流动而成。❺助用在句尾表示希望或命令的语气（多见于早期白话）：路上小心在意～!❻(Zhě)图姓。

者² zhě 代指示代词。义同"这"（多见于早期白话）：～番|～边。

锗（鍺）zhě 图金属元素，符号 Ge (germanium)。银灰色，质脆，有单向导电性，自然界分布极少。是重要的半导体材料。

赭 zhě 红褐色：～石。

【赭石】zhěshí 图矿物，主要成分是三氧化二铁。通常呈暗棕色，也有土黄色或红色的，主要用作颜料。

褶（襊）zhě （～儿）图褶子：百～裙|裤子上有一道～儿。

【褶皱】zhězhòu 图❶由于地壳运动，岩层受到压力而形成的连续弯曲的构造形式。❷皱纹：满脸～。

【褶子】zhě·zi 名 ❶（衣服上）经折叠而缝成的纹：裙子上的～。❷（衣服、布匹、纸张等上面）经折叠而留下的痕迹：用熨斗把～烙平。❸ 皮肤上的皱纹。

zhè （虫ㄜˋ）

这（這） zhè 代 指示代词。❶ 指示比较近的人或事物。a）后面跟量词或数词加量词，或直接跟名词：～本杂志｜～几匹马｜～孩子｜～地方｜～时候。b）单用：～叫什么？｜～是我们厂的新产品。注意 在口语里，"这"单用或者后面直接跟名词时，说 zhè；"这"后面跟量词或数词加量词时，常常说 zhèi。以下【这程子】、【这个】、【这会儿】、【这些】、【这样】、【这阵儿】各条在口语里都常常说 zhèi。❷ 跟"那"对举，表示众多事物，不确指某人或某事物：怕～怕那｜～也想买，那也想买。❸ 这时候：我～就走｜他～才知道运动的好处。

【这程子】zhèchéng·zi〈方〉代 指示代词。这些日子：你～到哪儿去了!

【这个】zhè·ge 代 指示代词。❶ 这一个：～孩子真懂事｜比那个沉，我们两个人抬。❷ 这东西；这事情：你问～吗？这叫哈密瓜｜他为了～忙了好几天。❸ 用在动词、形容词之前，表示夸张：大家～乐啊!

【这会儿】zhèhuìr 代 指示代词。这时候：～雪下得更大了｜你～又上哪儿去呀？也说这会子。

【这里】zhè·lǐ 代 指示代词。指示比较近的处所：～没有姓洪的，你走错了吧｜我们～一年种两季稻子。

【这么】(这末) zhè·me 代 指示代词。指示性质、状态、方式、程度等：有～回事｜大家都～说｜～好的庄稼。注意 在口语里常常说 zè·me，以下四条同。

【这么点儿】zhè·mediǎnr 代 指示代词。指示数量小：～水，怕不够喝｜～路一会儿就走了。

【这么些】zhè·mexiē 代 指示代词。指示一定的数量（多指数量大）：～人坐得开吗？｜～了，你要都拿去。

【这么样】zhè·meyàng 代 指示代词。这样。

【这么着】zhè·me·zhe 代 指示代词。指示动作或情况：～好｜瞄准的姿势要～，才打得准。

【这儿】zhèr 代 指示代词。❶ 这里。❷ 这时候（只用在"打、从、由"后面）：打～起我每天坚持锻炼。

【这山望着那山高】zhè shān wàng·zhe nà shān gāo 比喻不满意自己的环境、工作，老觉得别的环境、别的工作好。

【这些】zhèxiē 代 指示代词。指示较近的两个以上的人或事物：～就是我们的意见｜～日子老下雨。也说这些个。

【这样】zhèyàng （～儿）代 指示代词。指示性质、状态、方式、程度等：他就是～一个大公无私的人｜他的认识和态度就是～转变的｜担负～重大的责任，够难为他的｜～，就可以引起同学们爬山的兴趣。也说这么样。注意 "这（么）样"可以用作定语或状语，也可以用作补语或谓语。"这么"只能用作定语或状语。

【这阵儿】zhèzhènr 〈口〉代 指示代词。指最近的一段时间：现在～天气特别冷｜他～正在回家的路上。也说这阵子。

柘 zhè 名 ❶ 落叶灌木或小乔木，树皮灰褐色，有长刺，叶子卵形，头状花序，果实球形。叶子可以喂蚕，根皮可入药。❷（Zhè）姓。

浙（淛） Zhè ❶ 浙江，古水名，就是现在的钱塘江，在今浙江省。❷ 名 指浙江省。❸ 名 姓。

【浙菜】zhècài 名 浙江风味的菜肴。

蔗 zhè 甘蔗：～糖｜～田｜～农。

【蔗农】zhènóng 名 以种植甘蔗为主的农民。

【蔗糖】zhètáng 名 ❶ 有机化合物，化学式 $C_{12}H_{22}O_{11}$。白色晶体，有甜味，甘蔗和甜菜中含量特别丰富。日常食用的白糖或红糖中主要成分是蔗糖。❷ 用甘蔗榨汁熬成的糖。

嗻 zhè 叹 旧时仆役对主人或宾客的应诺声。

另见 1724 页 zhē。

鹧（鷓） zhè ［鹧鸪］(zhègū) 名 鸟，背部和腹部黑白两色相杂，头顶棕色，脚黄色。生活在有灌木丛的低矮山地，吃昆虫、蚯蚓、植物的种子等。

蠚 zhè [蠚虫](zhèchóng) 名 地鳖。

·zhe (·ㄓㄜ)

著 ·zhe 同"着"(·zhe)。
另见 1784 页 zhù;1799 页 zhuó。

着 ·zhe 助 ❶ 表示动作的持续:他打～红旗在前面走|他们谈～话呢。❷ 表示状态的持续:大门敞～|茶几上放～一瓶花。❸ 用在动词或表示程度的形容词后面,加强命令或嘱咐的语气:你听～|步子大～点儿|快～点儿写|手可要轻点儿。❹ 加在某些动词后面,使变成介词:顺～|沿～|朝～|照～|为～。
另见 1720 页 zhāo;1721 页 zháo;1799 页 zhuó。

【着哩】·zhe·li 〈方〉助 着呢。
【着呢】·zhe·ne〈口〉助 表示程度深,有时带有说服对方的意味:他聪明～(可别以为他笨)|街上热闹～|这种瓜好吃～|他画得可像～。

zhèi (ㄓㄟˋ)

这(這) zhèi "这"(zhè)的口语音。参看 1727 页该条[注意]▶。

zhēn (ㄓㄣ)

贞¹(貞) zhēn ❶ 忠于自己所信守的原则;坚定不变:忠～|坚～。❷ 封建礼教指女子的贞节:～女|～妇。❸ (Zhēn)名 姓。

贞²(貞) zhēn 〈书〉占卜。

【贞操】zhēncāo 名 贞节:保持～。
【贞观】Zhēnguàn 名 唐太宗(李世民)年号(公元 627—649)。
【贞节】zhēnjié 名 ❶ 坚贞的节操。❷ 封建礼教所提倡的女子不失身、不改嫁的道德。
【贞洁】zhēnjié 形 指妇女在节操上没有污点。

【贞烈】zhēnliè 形 封建礼教中指妇女坚守贞操,宁死不屈。

针(針、鍼) zhēn ❶ (～儿)名 缝衣物用的工具,细长而小,一头尖锐,一头有孔或钩,可以引线,多用金属制成:绣花～|缝纫机～。❷ 细长像针的东西:松～|指南～|表上有时～、分～和秒～。❸ 名 针剂:防疫～|打～。❹ 名 中医刺穴位用的特制的金属针:银～|毫～。❺ 中医用特制的金属针按穴位刺入人体内医治疾病:～灸。❻ (Zhēn)名 姓。

【针鼻儿】zhēnbír 名 针上引线的孔。
【针砭】zhēnbiān 动 砭是古代用来治病的石针,使用方法已失传。"针砭"比喻发现或指出错误,以求改正:痛下～|～时弊。
【针刺麻醉】zhēncì-mázuì 一种麻醉技术,用毫针扎在病人的某些穴位上,达到镇痛目的,使病人在清醒的状态下接受手术。简称针麻。
【针对】zhēnduì 动 对准:～儿童的心理特点进行教育|这些话不是～某个人的。
【针锋相对】zhēn fēng xiāng duì 针尖对针尖,比喻双方策略、论点等尖锐地对立。
【针箍】zhēngū (～儿)〈方〉名 顶针儿。
【针管】zhēnguǎn 名 注射器上盛药水的管子,有刻度,用玻璃等制成。也叫针筒。
【针剂】zhēnjì 名 注射剂。
【针尖对麦芒】zhēnjiānr duì màimángr 指争执时针锋相对:两个人你一句,我一句,～,越吵越厉害。
【针脚】zhēn·jiao 名 ❶ 衣物上针线的痕迹:棉袄上面有一道一道的～|顺着线头找～(比喻寻找事情的线索)。❷ 缝纫时前后两针之间的距离:～太大了|她纳的鞋底～又密又匀。
【针灸】zhēnjiǔ 名 针法和灸法的合称。针法是把毫针按一定穴位刺入患者体内,用捻、提等手法来治疗疾病。灸法是把燃烧着的艾绒按一定穴位熏灼皮肤,利用热的刺激来治疗疾病。
【针麻】zhēnmá 动 针刺麻醉的简称。
【针筒】zhēntǒng 名 针管。
【针头线脑】zhēn tóu xiàn nǎo (～儿)缝纫用的针线等物,多比喻零碎细小的东西。
【针线】zhēn·xian 名 缝纫刺绣等工作的

总称：～活儿|～学。

【针眼】zhēnyǎn 名❶ 针鼻儿。❷（～儿）被针扎过之后所留下的小孔。

【针眼】zhēn·yan 名 睑腺炎的通称。

【针叶树】zhēnyèshù 名 叶子的形状像针或鳞片的树木，如松、柏、杉（区别于"阔叶树"）。

【针织品】zhēnzhīpǐn 名 用针编织的物品，如线袜子、线手套、线围巾等。

【针黹】zhēnzhǐ〈书〉名 针线。

侦（偵）zhēn 暗中察看；调查：～探|～查。

【侦办】zhēnbàn 动 侦查并办理（案件）。

【侦查】zhēnchá 动 公安机关、国家安全机关和检察机关在刑事案件中，为了确定犯罪事实和证实犯罪嫌疑人、被告人有罪而进行调查及采取有关的强制措施：～案情|立案～。

【侦察】zhēnchá 动 为了弄清敌情、地形及其他有关作战的情况而进行活动：～兵|～火力|～|～飞行。

【侦察机】zhēnchájī 名 专门用来在空中进行侦察的飞机，通常装有航空照相机、电视、雷达等仪器设备。

【侦获】zhēnhuò 动 侦查破获；侦破。

【侦缉】zhēnjī 动 侦查缉捕：～队|～盗匪。

【侦结】zhēnjié 动 侦查终结：这一特大经济案件经检察院～后向法院提起公诉。

【侦控】zhēnkòng 动 侦查监控：公安局对涉案人员严密～。

【侦破】zhēnpò 动 侦查并破获：～案件。

【侦探】zhēntàn ❶ 动 暗中探寻机密或案情：～敌情。❷ 名 做侦探工作的人；间谍。

【侦探小说】zhēntàn xiǎoshuō 描写刑事案件的发生和破案经过的小说。

【侦讯】zhēnxùn 动 侦查并审讯：～笔录|接受警方～。

珍（珎）zhēn ❶ 宝贵的东西：奇～异宝|山～海味|如数家～。❷ 宝贵的；贵重的：～本|～品|～禽。❸ 看重：～视|～重|～惜。❹（Zhēn）名 姓。

【珍爱】zhēn'ài 动 重视爱护：孩子深受祖父的～|他～这幅字，不轻易示人。

【珍宝】zhēnbǎo 名 珠玉宝石的总称，泛指有价值的东西：如获～|勘探队正在寻找地下～。

【珍本】zhēnběn 名 珍贵而不易获得的书籍。

【珍藏】zhēncáng ❶ 动 认为有价值而妥善地收藏：～多年，完好无损。❷ 名 指收藏的珍贵物品：把家中的～献给博物馆。

【珍贵】zhēnguì 形 价值大；意义深刻；宝贵：～的参考资料|～的纪念品。

【珍品】zhēnpǐn 名 珍贵的物品：艺术～。

【珍奇】zhēnqí 形 稀有而珍贵：大熊猫是～的动物。

【珍禽】zhēnqín 名 珍奇的鸟类：～异兽。

【珍摄】zhēnshè〈书〉动 书信套语，指保重（身体）。

【珍视】zhēnshì 动 珍惜重视：～友谊|教育青年人～今天的美好生活。

【珍玩】zhēnwán 名 珍贵的供玩赏的东西。

【珍闻】zhēnwén 名 珍奇的见闻（多指有趣的小事）：世界～。

【珍惜】zhēnxī 动 珍重爱惜：～时间。

【珍稀】zhēnxī 形 珍贵而稀有：大熊猫、金丝猴、野牦牛是我国的～动物。

【珍羞】zhēnxiū 同"珍馐"。

【珍馐】zhēnxiū〈书〉名 珍奇贵重的食物：～美味。也作珍羞。

【珍异】zhēnyì 形 珍奇。

【珍重】zhēnzhòng 动 ❶ 爱惜；珍爱（重要或难得的事物）：～人才|～友情。❷ 保重（身体）：两人紧紧握手，互道～。

【珍珠】zhēnzhū 名 某些软体动物（如蚌）的贝壳内产生的圆形颗粒，多为乳白色或略带黄色，有光泽，是这类动物体内发生病变或外界沙粒和微生物等进入贝壳而形成的。多用作装饰品。也作真珠。

【珍珠贝】zhēnzhūbèi 名 能产珍珠的贝类，如珠母贝、珠蚌等。

【珍珠米】zhēnzhūmǐ〈方〉名 玉米。

帧（幀）zhēn（旧读 zhèng）量 幅（用于字画等）。

朕zhēn（～儿）鸟类的胃：鸡～儿|鸭～儿。

浈（湞）Zhēn 浈水，水名，在广东。

真zhēn ❶ 形 真实（跟"假、伪"相对）：～心诚意|千～万确|去伪存～|这幅宋人的水墨画是～的。❷ 副 的确；实在：时

问过得～快！|"人勤地不懒"这话～不假。❸〔形〕清楚确实：字音咬得～|黑板上的字你看得～吗？❹ 指真书：～草隶篆。❺ 人的肖像；事物的形象：写～|传～。❻〈书〉本性；本原：返璞归～。❼（Zhēn）名姓。

【真诚】zhēnchéng 〔形〕真实诚恳；没有一点儿虚假：～的心意|～的帮助。

【真传】zhēnchuán 名 指在技艺、学术方面得到的某人或某一派传授的精髓。

【真谛】zhēndì 名 真实的意义或道理：探索人生的～。

【真格的】zhēngé•de〈口〉实在的：～，你到底去不去？|你别再装着玩儿啦，说～吧！

【真个】zhēngè〈方〉副 的确；实在：这地方～是变了。

【真果】zhēnguǒ 名 果实的一类，果实的果肉是由子房壁发育而成的，如桃、杏。

【真核生物】zhēnhé-shēngwù 名 由真核细胞（有细胞核的细胞）构成的生物。除原核生物外的所有生物都是真核生物。

【真迹】zhēnjì 名 出于书法家或画家本人之手的作品（区别于临摹的或伪造的）：这一幅画是宋人的～。

【真金不怕火炼】zhēn jīn bù pà huǒ liàn 比喻坚强或正直的人经得住考验。

【真菌】zhēnjūn 名 生物的一大类，菌体为单细胞或由菌丝组成，有细胞核，主要靠菌丝吸收外界现成的营养物质来维持生活。通常寄生在其他物体上，自然界中分布很广，例如酵母菌、青霉菌及蘑菇、木耳等。

【真空】zhēnkōng 名 ❶ 没有空气或只有极少空气的状态。❷ 真空的空间。

【真理】zhēnlǐ 名 真实的道理，即客观事物及其规律在人的意识中的正确反映。参看747页〖绝对真理〗、1484页〖相对真理〗。

【真皮】zhēnpí 名 人和动物身体表皮下面的结缔组织，比表皮厚，含有弹性纤维等。（图见1037页〖人的皮肤〗）

【真品】zhēnpǐn 名 真正出于某个时代、某地或某人之手的物品（对仿制的或伪造的物品而言）。

【真凭实据】zhēn píng shí jù 真实可靠的凭据。

【真切】zhēnqiè〔形〕❶ 清楚确实；一点儿不模糊：看不～|听得～。❷ 真诚恳切；真挚：情意～。

【真情】zhēnqíng 名 ❶ 真实的情况：～实况|了解～。❷ 真诚的心情或感情：～实感|～流露。

【真确】zhēnquè〔形〕❶ 真实：～的消息。❷ 真切①：看得～|记不～。

【真人】zhēnrén 名 ❶ 道教所说修行得道的人，多用作称号，如"太乙真人"、"玉鼎真人"。❷ 真实的非虚构的人物：～真事。

【真实】zhēnshí 名 跟客观事实相符合；不假：～情况|～的感情。

【真是】zhēn•shi 动 实在是（表示不满意的情绪）：雨下了两天还不住，～|你们俩也～，戏票都买好了，你们又不去了。

【真书】zhēnshū 名 楷书。

【真数】zhēnshù 名 见346页〖对数〗。

【真率】zhēnshuài〔形〕真诚直率；不做作。

【真丝】zhēnsī 名 指蚕丝（区别于"人造丝"）。

【真伪】zhēnwěi 名 真的和假的：～莫辨。

【真相】zhēnxiàng 名 事情的真实情况（区别于表面的或假造的情况）：～大白|弄清问题的～。

【真心】zhēnxīn 名 真实的心意：～话|～实意。

【真性】zhēnxìng ❶〔形〕属性词。真的（区别于表面上相似而实际上不是的）：～霍乱。❷〈书〉名 本性。

【真正】zhēnzhèng ❶〔形〕属性词。实质跟名义完全相符：群众是～的英雄|～的吉林人参。❷ 副 的的确确；确实：这东西～好吃。

【真知】zhēnzhī 名 正确的认识：～灼见|一切～都是从直接经验发源的。

【真知灼见】zhēn zhī zhuó jiàn 正确而透彻的见解（不是人云亦云）。

【真挚】zhēnzhì〔形〕真诚恳切（多指感情）：～的友谊。

【真珠】zhēnzhū 同"珍珠"。

【真主】Zhēnzhǔ 名 伊斯兰教所崇奉的唯一的神，认为是万物的创造者，人类命运的主宰者。

桢（楨）zhēn ❶ 古时筑墙时所立的柱子。❷（Zhēn）名姓。

【桢干】zhēngàn〈书〉比喻能担当重任的人才：国家～。

砧（碪） zhēn 捶或砸东西时垫在底下的器具，有铁的（砸钢铁材料时用）、石头的（捶衣物时用）、木头的（即砧板）。

【砧板】zhēnbǎn 名 切菜用的木板。

【砧木】zhēnmù 名 嫁接植物时把接穗接在另一个植物体上，这个植物体叫砧木，例如把梨树枝接在杜梨树上，梨树枝是接穗，杜梨树是砧木。

【砧子】zhēn·zi 〈口〉名 砧。

桢（楨） zhēn 〈书〉吉祥。

蓁 zhēn ［蓁蓁］（zhēnzhēn）〈书〉形 ❶ 草木茂盛的样子。❷ 荆棘丛生的样子。

斟 zhēn 动 往杯子或碗里倒（酒、茶）：自～｜自饮｜～了满满一杯酒。

【斟酌】zhēnzhuó 动 考虑事情、文字等是否可行或是否适当：再三～｜～字句｜这件事请你～着办吧。

椹 zhēn 〈书〉同"砧"。
另见 1215 页 shèn。

甄 zhēn ❶ 审查鉴定（优劣、真伪）：～选｜～录。❷（Zhēn）名 姓。

【甄别】zhēnbié 动 ❶ 审查辨别（优劣、真伪）。❷ 考核鉴定（能力、品质等）。

【甄审】zhēnshěn 动 甄别审查。

【甄选】zhēnxuǎn 动 审查选定：～展品｜～出国人员。

溱 zhēn ［溱狉］（zhēnpī）〈书〉同"榛狉"。

溱 Zhēn 古水名，在今河南。
另见 1107 页 qín。

榛 zhēn ❶ 落叶灌木或小乔木，叶子圆形或倒卵形，雄花黄褐色、雌花鲜红色，坚果球形。果仁可以吃，也可榨油。❷ 这种植物的果实。‖ 通称榛子。

【榛莽】zhēnmǎng 〈书〉名 丛生的草木。

【榛狉】zhēnpī 〈书〉形 狉榛。也作溱狉。

【榛榛】zhēnzhēn 〈书〉形 形容草木丛杂。

【榛子】zhēn·zi 名 榛的通称。

禛 zhēn 〈书〉吉祥（多用于人名）。

箴 zhēn ❶〈书〉劝告；劝诫：～言。❷ 古代的一种文体，以规劝告诫为主。

【箴言】zhēnyán 〈书〉名 劝诫的话。

臻 zhēn ❶〈书〉达到（美好的境地）：渐～佳境｜交通日～便利。❷

〈书〉来到：百福并～。❸（Zhēn）名 姓。

鱵（鱵） zhēn 名 鱼，身体圆柱形，下颌很长，呈针状，鳞圆形，尾鳍分叉。生活在近海中，有的也进入淡水。种类很多。

zhěn （ㄓㄣˇ）

诊（診） zhěn 诊察：～断｜门～｜出～｜会～。

【诊察】zhěnchá 动 为了了解病情而进行检查。

【诊断】zhěnduàn 动 在给病人做检查之后判定病人的病症及其发展情况：～书。

【诊疗】zhěnjiǎn 动 诊察。

【诊疗】zhěnliáo 动 诊断和治疗：～室｜～器械｜医务人员为敬老院的老人免费～。

【诊脉】zhěn∥mài 动 医生用手按在病人腕部的桡动脉上，根据脉搏的变化来诊断病情。也说号脉、把脉、切脉、按脉。

【诊视】zhěnshì 动 诊察。

【诊室】zhěnshì 名 医生为病人看病的房间。

【诊所】zhěnsuǒ 名 ❶ 个人开业的医生给病人治病的地方。❷ 规模比医院小的医疗机构。

【诊治】zhěnzhì 动 诊疗：有病应及早～。

枕 zhěn ❶ 枕头：～套｜凉～。❷ 动 躺着的时候把头放在枕头上或其他东西上：～戈待旦｜他～着胳膊睡着了。❸（Zhěn）名 姓。

【枕边风】zhěnbiānfēng 名 指夫妻中的一方利用夫妻亲情对另一方（多为妻子对丈夫）为施加某种影响私下说的话。也说枕头风。

【枕戈待旦】zhěn gē dài dàn 枕着兵器等待天亮，形容时刻警惕敌人，准备作战。

【枕骨】zhěngǔ 名 构成颅腔底部与后部的骨头，在头部后面正下方，底部有一孔，是脑与脊髓连接的地方，孔外有两块卵圆形突起，与第一颈椎构成关节，使头部可以俯仰活动。

【枕藉】zhěnjiè 〈书〉动（很多人）交错地倒或躺在一起。

【枕巾】zhěnjīn 名 铺在枕头上面的用品，多为毛巾一类的针织品。

【枕木】zhěnmù 图 木质的轨枕,有时也泛指其他材料制成的轨枕。

【枕套】zhěntào 图 套在枕芯外面的套子,多用布或绸子做成。也叫枕头套。

【枕头】zhěn·tou 图 躺着的时候,垫在头下使头略高的东西。

【枕席】zhěnxí 图 ❶〈书〉指床榻。❷(～儿)铺在枕头上的凉席。也叫枕头席儿。

【枕芯】zhěnxīn 图 枕套中间的囊状物,里面装着木棉、蒲绒或荞麦皮等松软的东西。也叫枕头芯儿。

紾(紾) zhěn〈书〉扭;转。

軫[1](軫) zhěn ❶〈书〉车后横木,借指车。❷二十八宿之一。

軫[2](軫) zhěn〈书〉悲痛:～悼｜～怀。

【軫念】zhěnniàn〈书〉动 悲痛地怀念;深切地思念。

畛 zhěn〈书〉田地里的小路。

【畛域】zhěnyù〈书〉图 界限:不分～。

疹 zhěn 图 病人皮肤上起的很多的小疙瘩,通常是红色的,小的像针尖,大的像豆粒,如丘疹、疱疹等。

【疹子】zhěn·zi〈口〉图 麻疹。

袗 zhěn〈书〉❶ 单衣。❷ 华美:～衣。

缜(縝、稹) zhěn 细致:～密。

【缜密】zhěnmì 形 周密;细致(多指思想):文思～｜～的分析｜事先经过了～的研究。

鬒(黰) zhěn〈书〉头发密而黑。

zhèn (ㄓㄣˋ)

圳(甽) zhèn〈方〉图 田边的水沟。

阵[1](陣) zhèn ❶ 古代战术用语,指作战队伍的行列或组合方式:严～以待｜一字长蛇～。❷ 阵地:上～。❸(Zhèn)图 姓。

阵[2](陣) zhèn (～儿)量 ❶ 一段时间:这～儿｜那～儿｜他病了一

～儿。❷ 表示事情或动作经过的段落:几～雨｜一～风｜一～剧痛｜一～热烈的掌声。

【阵地】zhèndì 图 军队为了进行战斗而占据的地方,通常修有工事:～战｜占领敌军～◇文艺～｜思想～。

【阵风】zhènfēng 图 指短时间内风向变动不定,风速剧烈变化的风。通常指风速突然增强的风。

【阵脚】zhènjiǎo 图 指所摆的阵的最前方,现多用于比喻:稳住～｜～大乱。

【阵容】zhènróng 图 ❶ 作战队伍的整体面貌。❷ 队伍所显示的力量,多比喻人力的配备:～整齐｜～强大。

【阵势】zhèn·shì 图 ❶ 军队作战的布置。❷ 情势;场面:面对这种～,他惊得目瞪口呆。

【阵痛】zhèntòng 图 ❶ 分娩时因子宫一阵一阵地收缩而引起的疼痛的感觉。❷ 比喻新事物产生过程中出现的暂时困难。

【阵亡】zhènwáng 动 在作战中牺牲。

【阵线】zhènxiàn 图 战线,多用于比喻:革命～｜民族统一～。

【阵雪】zhènxuě 图 指降雪时间较短,雪的强度变化很大,开始和停止都很突然的雪。

【阵营】zhènyíng 图 为了共同的利益和目标而联合起来进行斗争的集团。

【阵雨】zhènyǔ 图 指降雨时间较短,雨的强度变化很大,开始和停止都很突然的雨。有时伴以闪电和雷声,多发生在夏天。

【阵子】zhèn·zi〈方〉量 阵[2]。

纼(紖) zhèn〈方〉图 拴牲口的绳。也叫纼子。

鸩(鴆、酖) zhèn ❶ 传说中的一种有毒的鸟,用它的羽毛泡的酒,喝了能毒死人。❷ 毒酒:饮～止渴。❸〈书〉用毒酒害人。

【鸩毒】zhèndú〈书〉图 毒酒:宴安～。

振 zhèn ❶ 摇动;挥动:～翅｜～笔疾书。❷ 振动:共～｜谐～｜～幅。❸ 动 奋起;振作:～奋｜～起精神来｜听说比赛开始,观众精神一～。❹ 图 姓。

【振拔】zhènbá〈书〉动 从陷入的境地中摆脱出来,振奋自立:及早～｜不自～。

【振臂】zhènbì 动 挥动胳膊,表示奋发或激昂:～高呼｜～一呼,应者云集。

【振荡】zhèndàng 励❶振动。❷电流的周期性变化。

【振动】zhèndòng 励物体通过一个中心位置,不断作往复运动。摆的运动就是振动。也叫振荡。

【振奋】zhènfèn ❶形(精神)振作奋发:人人～,个个当先。❷励使振奋:～人心。

【振幅】zhènfú 名振动过程中,振动物体离开平衡位置的最大距离。

【振聋发聩】zhèn lóng fā kuì 见 367 页【发聋振聩】。

【振兴】zhènxīng 励大力发展,使兴盛起来:～工业｜～中华。

【振振有词】zhènzhèn yǒu cí 形容理由似乎很充分,说个不休。也作振振有辞。

【振振有辞】zhènzhèn yǒu cí 同"振振有词"。

【振作】zhènzuò ❶形精神旺盛,情绪高涨;奋发:士气～。❷励使振作:～精神。

朕¹ zhèn 代人称代词。秦以前指"我的"或"我",自秦始皇起专用作皇帝的自称。

朕² zhèn 〈书〉先兆;预兆:～兆。

【朕兆】zhènzhào 〈书〉名兆头;预兆。

赈(賑) zhèn 赈济:～灾｜以工代～｜开仓～饥。

【赈济】zhènjì 励用钱或衣服、粮食等救济(灾民或贫困的人)。

【赈灾】zhènzāi 励赈济灾民:开仓～。

揕 zhèn 〈书〉用刀剑等刺。

瑱 zhèn 〈书〉戴在耳垂上的玉。

震 zhèn ❶励震动:地～｜～耳欲聋◇威～四方。❷励特指地震:～源｜防～棚｜又接着～了几次。❸情绪过分激动:～惊｜～怒。❹名八卦之一,卦形是"☳",代表雷。参看 16 页【八卦】。❺(Zhèn)名姓。

【震颤】zhènchàn 励颤动;使颤动:浑身～｜噩耗～着人们的心。

【震颤麻痹】zhènchàn mábì 帕金森病。

【震荡】zhèndàng 励震荡:社会～｜回声～,山鸣谷应。

【震动】zhèndòng 励❶颤动;使颤动:火车～了一下,开走了｜春雷～着山谷。❷(重大的事情、消息等)使人心不平静:～全国。

【震耳欲聋】zhèn ěr yù lóng 耳朵都快震聋了,形容声音很大。

【震感】zhèngǎn 名对地震产生的感觉:～强烈。

【震古烁今】zhèn gǔ shuò jīn 形容事业或功绩伟大,可以震动古人,显耀当世。

【震撼】zhènhàn 励震动;摇撼:～人心｜滚滚春雷,～大地。

【震级】zhènjí 名划分震源放出的能量大小的等级。释放能量越大,地震级也越大。地震震级分为 9 级。一般小于2.5级的地震人无感觉,2.5级以上人有感觉,5级以上的地震就会造成破坏。

【震惊】zhènjīng ❶形大吃一惊:大为～｜感到十分～。❷励使大吃一惊:～世界。

【震怒】zhènnù 形异常愤怒;大怒。

【震情】zhènqíng 名与地震有关的情况。

【震慑】zhènshè 励震动使害怕:～敌人。

【震悚】zhènsǒng 〈书〉励因恐惧而颤动;震惊。

【震源】zhènyuán 名地球内部发生地震的地方;地震的发源地。

【震灾】zhènzāi 名地震造成的灾害。

【震中】zhènzhōng 名震源正上方的地面叫做震中。地震时震中所受破坏最大。

镇¹(鎮) zhèn ❶励压;抑制:～纸｜～痛｜他一说话,就把大家给～住了。❷安定:～静｜～定。❸用武力维持安定:～守｜坐～。❹镇守的地方:军事重～。❺名行政区划单位,一般由县一级领导。❻名较大的市集。❼励把食物、饮料等同冰块放在一块儿或放在冷水里、冰箱里使凉:冰～汽水｜把西瓜放在冷水里～一～。❽(Zhèn)名姓。

镇²(鎮) zhèn ❶副时常(多见于早期白话,下同):十年～相随。❷表示整个的一段时间:～日(整天)。

【镇尺】zhènchǐ 名直尺状的镇纸,多用金属制成。

【镇定】zhèndìng ❶形遇到紧急的情况不慌不乱:神色～。❷励使镇定:竭力～自己。

【镇静】zhènjìng ❶形 情绪稳定或平静：故作～｜他遇事不慌不忙，非常～。❷动 使镇静：～剂｜尽力～自己。

【镇静药】zhènjìngyào 名 对大脑皮质有抑制作用的药物，如溴化钾、苯巴比妥等。

【镇守】zhènshǒu 动 指军队驻扎在军事上重要的地方防守：～边关。

【镇星】zhènxīng 名 我国古代指土星。

【镇压】zhènyā 动 ❶ 用强力压制，不许进行活动(多用于政治)：～叛乱。❷〈口〉指处决：这个恶霸解放初期被～了。❸ 压紧播种后的垄或植株间的松土，目的是使种子或植株容易吸收水分和养分。

【镇纸】zhènzhǐ 名 写字画画儿时压纸的东西，用铜、铁或玉石等制成。

【镇子】zhèn·zi 名 集镇。

---

zhēng（ㄓㄥ）

丁 zhēng [丁丁](zhēngzhēng)〈书〉拟声 形容伐木、下棋、弹琴等的声音：伐木～。
另见 317 页 dīng。

正 zhēng 正月：新～。
另见 1737 页 zhèng。

【正旦】zhēngdàn〈书〉名 农历正月初一日。
另见 1738 页 zhèngdàn。

【正月】zhēngyuè 名 农历 年的 第 个月。

争¹ zhēng 动 ❶ 力求得到或达到；争夺：～冠军｜力～上游｜分秒必～｜大家～着发言。❷ 争执；争论：～吵｜～端｜意气之～｜意见已经一致，不必再～了。

争² zhēng 代 疑问代词。怎么(多见于诗、词、曲)：～知｜～奈｜～忍。

【争辩】zhēngbiàn 动 争论；辩论：据理～。

【争吵】zhēngchǎo 动 因意见不合大声争辩，互不相让：无谓的～｜～不休。

【争持】zhēngchí 动 争执而相持不下：为了一件小事双方～了半天。

【争宠】zhēngchǒng 动 使用手段争着取得别人对自己的宠爱。

【争创】zhēngchuàng 动 争取创造出(业绩、荣誉等)：～佳绩。

【争斗】zhēngdòu 动 ❶ 打架。❷ 泛指对

立的一方力求战胜另一方；斗争。

【争端】zhēngduān 名 引起争执的事由：国际～｜消除～。

【争夺】zhēngduó 动 争着夺取：～市场｜～阵地｜～出线权。

【争分夺秒】zhēng fēn duó miǎo 不放过一分一秒，形容对时间抓得很紧。

【争风吃醋】zhēng fēng chī cù 指因追求同一异性而互相忌妒争斗。

【争冠】zhēngguàn 动 争夺冠军。

【争光】zhēng//guāng 动 争取光荣：为国～。

【争衡】zhēnghéng〈书〉动 较量高低。

【争脸】zhēng//liǎn 动 争取荣誉，使脸上有光彩：把书念好，给家长～。也说争面子。

【争论】zhēnglùn 动 各执己见，互相辩论：～不休。

【争面子】zhēng miàn·zi 争脸。

【争鸣】zhēngmíng 动 比喻在学术上进行争辩：百家～。

【争拗】zhēngniù 动 争论双方各执己见，互不相让：～不休。

【争奇斗艳】zhēng qí dòu yàn 竞相展示形貌、色彩的奇异、艳丽，以比高下：百花盛开～｜各式时装～。

【争气】zhēng//qì 动 发愤图强，不甘落后或示弱：孩子真～，每次考试都名列前茅。

【争抢】zhēngqiǎng 动 争着抢夺；夺：～生意｜～一头球。

【争取】zhēngqǔ 动 ❶ 力求获得：～时间｜～主动｜～彻底的胜利。❷ 力求实现：～提前完成计划。

【争权夺利】zhēng quán duó lì 争夺权柄和利益。

【争胜】zhēngshèng 动 (在竞赛中)争取优胜：好(hào)强～。

【争先】zhēngxiān 动 争着赶到别人前头：个个奋勇｜大家～发言。

【争先恐后】zhēng xiān kǒng hòu 争着向前，唯恐落后。

【争议】zhēngyì 动 争论：这件事情在会上引起了～。

【争战】zhēngzhàn 动 打仗：两军～。

【争执】zhēngzhí 动 争论中各持己见，不肯相让：～不下｜双方在看法上发生～。

【争嘴】zhēng//zuǐ〈方〉动 ❶ 在吃东西

上争多论少或占别人的份儿。❷ 吵嘴。

征¹ zhēng ❶ 走远路(多指军队)：～途|～长征。❷ 征讨：出～|南征北战。

征²(徵) zhēng 勔❶ 政府召集人民服务：～兵|应～|入伍。❷ 征收：～税。❸ 征用：～地。❹ 征求：～稿|～文。

征³(徵) zhēng ❶ 证明；证验：文献足～|信而有～|有实物可～。❷ 表露出来的迹象；现象：～候|象～|特～。

"徵"另见 1755 页 zhǐ。

【征兵】zhēng∥bīng 勔 政府召集公民服兵役。

【征尘】zhēngchén 名 在远行的路途中身上沾染的尘土(象征征途的劳累)：洗尽～。

【征程】zhēngchéng 名 征途：万里～。

【征答】zhēngdá 勔 征求答案：有奖～。

【征地】zhēng∥dì 勔 政府部门为了建设某项工程而征用土地。

【征调】zhēngdiào 勔 政府征集和调用人员、物资：～医务人员支援灾区。

【征订】zhēngdìng 勔 征求订购：～单|～报刊。

【征发】zhēngfā 勔 旧时指政府征集民间的人力和物资。

【征伐】zhēngfá 勔 讨伐：～叛逆。

【征帆】zhēngfān〈书〉名 远行的船。

【征服】zhēngfú 勔❶ 用武力使(别的国家、民族)屈服◇～洪水。❷ (意志、感染力等)使人信服或折服：艺术家的精彩表演～了观众。

【征稿】zhēnggǎo 勔 征求投稿：～启事。

【征购】zhēnggòu 勔 国家向生产者或所有者购买(农产品、土地等)。

【征管】zhēngguǎn 勔 征收管理(税款等)：加强税收～工作。

【征候】zhēnghòu 名 发生某种情况的迹象：病人已有好转的～。

【征婚】zhēng∥hūn 勔 公开征求结婚对象：～启事。

【征稽】zhēngjī 征收稽查(税款等)。

【征集】zhēngjí 勔❶ 用公告或口头询问的方式收集：～文史资料。❷ 征募：～新兵。

【征缴】zhēngjiǎo 勔 征收应缴纳的税费：

～个人所得税。

【征募】zhēngmù 勔 招募(兵士)。

【征聘】zhēngpìn 勔 招聘：～科技人员。

【征求】zhēngqiú 勔 用书面或口头询问的方式访求：～意见。

【征收】zhēngshōu 勔 政府依法向个人或单位征收(公粮、税款等)：～商业税。

【征讨】zhēngtǎo 勔 出兵讨伐。

【征途】zhēngtú 名 远行的路途；行程：踏上～|艰难的～。

【征文】zhēngwén ❶ 勔 报章杂志为某一主题而公开征集诗文稿件。❷ 名 在上述活动中征集到的诗文稿件：～选登。

【征象】zhēngxiàng 征候：煤气中毒的～是头痛、恶心和心跳加速等。

【征询】zhēngxún 勔 征求(意见)。

【征引】zhēngyǐn 勔 引用；引证。

【征用】zhēngyòng 勔 政府依法使用个人或集体的土地、房产等。

【征战】zhēngzhàn 勔 出征作战。

【征召】zhēngzhào 勔❶ 招募；招收：～技工|～志愿者。❷ 征求：～代理商。

【征召】zhēngzhào 勔❶ 征(兵)：～入伍|响应～。❷〈书〉授官职；调用。

【征兆】zhēngzhào 名 征候；先兆：不祥的～。

伬 zhēng 见下。
另见 1741 页 zhèng。

【伬忡】zhēngchōng〈书〉形 心悸。

【伬营】zhēngyíng〈书〉形 惶恐不安。

【伬忪】zhēngzhōng〈书〉形 惊恐。

挣 zhēng [挣扎](zhēngzhá)勔 用力支撑：垂死～|他～着从病床上爬了起来。
另见 1743 页 zhèng。

峥 zhēng [峥嵘](zhēngróng)形❶ 高峻：山势～|怪石～|殿宇～。❷ 比喻才气、品格等超越寻常；不平凡：头角～|～岁月。

狰 zhēng [狰狞](zhēngníng)形 面目凶恶：～可畏。

钲(鉦) zhēng 古代行军时用的打击乐器，有柄，形状像钟，但比钟狭而长，用铜制成。

症(癥) zhēng 中医指腹腔内结块的病。
另见 1743 页 zhèng。

【症结】zhēngjié 名 中医指腹腔内结块的病。比喻事情弄坏或不能解决的关键。

烝 zhēng〈书〉众多：～民。

睁 zhēng 动 张开(眼睛)：～眼|风沙打得眼睛～不开。

【睁眼瞎子】zhēngyǎn xiā·zi 比喻不识字的人；文盲。也说睁眼瞎。

铮(錚)zhēng 见下。
另见 1743 页 zhèng。

【铮铮】zhēngcōng〈书〉拟声 形容金属撞击的声音。

【铮铮】zhēngzhēng 拟声 形容金属撞击所发出的响亮声音：～悦耳|铁中～(比喻胜过一般人的人)。

筝 zhēng ❶ 见 488 页【古筝】。❷ 见 410 页【风筝】。

蒸 zhēng ❶ 蒸发：～气。❷ 动 利用水蒸气的热力使食物变熟、变热：～馒头|把剩饭～一～。

【蒸饼】zhēngbǐng 名 一种用面蒸的饼，叠成很多层，夹油、芝麻酱等。

【蒸发】zhēngfā 动 ❶ 液体表面缓慢地转化成气体。❷ 比喻很快或突然地消失：中介公司一夜间卷款～|股市大跌后流通市值～近 500 亿。

【蒸饺】zhēngjiǎo (～儿)名 蒸熟了吃的饺子。

【蒸馏】zhēngliú 动 把液体混合物加热沸腾，使其中沸点较低的组分首先变成蒸气，再冷凝成液体，以与其他组分分离或除去所含杂质。

【蒸馏酒】zhēngliújiǔ 名 酿造后经过蒸馏而得到的酒精浓度较高的酒，一般需要贮存、勾兑后才能饮用，如白酒、白兰地、威士忌等。

【蒸馏水】zhēngliúshuǐ 名 用蒸馏方法取得的水，清洁而不含杂质，多用于医药和化学工业。

【蒸笼】zhēnglóng 名 用竹篾、木片等制成的蒸食物用的器具。

【蒸气】zhēngqì 名 液体或固体(如水、汞、苯、碘)因蒸发、沸腾或升华而变成的气体：水～|苯～。

【蒸汽】zhēngqì 名 水蒸气。

【蒸汽锤】zhēngqìchuí 名 利用水蒸气产生动力的锻锤。简称汽锤。

【蒸汽机】zhēngqìjī 名 利用水蒸气产生动力的发动机，由供应水蒸气的装置、汽缸和传动机构组成。多用作机车的发动机。

【蒸食】zhēng·shi 名 馒头、包子、花卷等蒸熟了吃的面食的统称。

【蒸腾】zhēngténg 动 ❶ (气体)上升：热气。❷ 植物体内的水分以气态形式通过叶子等器官散布到空气中去。

【蒸蒸日上】zhēngzhēng rì shàng 比喻事业天天向上发展。

鬇 zhēng [鬇鬡](zhēngníng)〈书〉形 头发蓬松。

鯖(鯖)zhēng〈书〉鱼跟肉合在一起的菜。
另见 1115 页 qīng。

zhěng (ㄓㄥˇ)

拯 zhěng 救：～救|～民于水火之中。

【拯救】zhěngjiù 动 救：～被压迫的人民。

整 zhěng ❶ 形 全部在内，没有剩余或残缺；完整(跟"零"相对)：～天|～套|一年～|十二点～|化～为零。❷ 形 整齐：～洁|～然有序|仪容不～。❸ 动 整理；整顿：～风|～装待发。❹ 动 修理：～修|～旧如新。❺ 动 使吃苦头：他被～得好苦！❻ (方)动 弄；搞：绳子～断了|这东西我看别人一～，并不难。

【整备】zhěngbèi 动 整顿配备(武装力量)：～兵力。

【整编】zhěngbiān 动 整顿改编(军队等组织)：～机构|～起义部队。

【整饬】zhěngchì〈书〉❶ 动 使有条理；整顿：～纪律|～阵容。❷ 形 整齐；有条理：服装～|治家～。

【整除】zhěngchú 动 两个整数相除，所得的商是整数，叫做整除。

【整地】zhěng//dì 动 播种前，进行耕地、耙地、平地等工作。有时也包括开沟、做畦。

【整点】[1] zhěngdiǎn 动 整理和清点：～人马|家具用品都已～清楚。

【整点】[2] zhěngdiǎn 名 以小时为单位表示整数的钟点：～报时|～新闻。

【整队】zhěng//duì 动 整顿队伍使排列有次序：～入场。

【整顿】zhěngdùn 囵 使紊乱的变为整齐；使不健全的健全起来(多指组织、纪律、作风等)：～队形|～文风|～基层组织。

【整风】zhěng//fēng 整顿思想作风和工作作风：～运动。

【整改】zhěnggǎi 囵 整顿并改进；整顿并改革：～措施|经过～,工作效率明显提高。

【整个】zhěnggè (～儿)囮 属性词。全部：～上午|～会场|～社会。

【整固】zhěnggù 囵 调整巩固：大盘进入～阶段|人民币汇率继续在高位。

【整合】zhěnghé 囵 通过整顿、协调重新组合：冰箱市场完成了从无序到有序的～|该校通过～课程,明显地提高了教学效果。

【整机】zhěngjī 囝 组装好的机器(跟"散件"相对)：～评测。

【整洁】zhěngjié 囮 整齐清洁：衣着～|房间收拾得很～。

【整理】zhěnglǐ 囵 使有条理有秩序：～行装|～房间|～账目|～文化遗产。

【整料】zhěngliào 囝 合乎一定尺寸,可以单独用来制造一个物件或其中的一个完整部分的材料。

【整流】zhěngliú 囵 利用一定的装置把交流电变成直流电。

【整流器】zhěngliúqì 囝 把交流电变成直流电的装置,由具有单向导电性的电子件和有关电路元件组成。

【整齐】zhěngqí ❶ 囮 有秩序；有条理；不凌乱：～划一|服装～|步伐～。❷ 囵 使整齐：～步调。❸ 囮 外形规则,完整：山下有一排～的瓦房。❹ 囮 大小、长短相差不多：出苗～|字写得清楚～◇这个队人员的技术水平比较～。

【整儿】zhěngr 〈方〉囝 整数②：把钱凑个～存起来。

【整容】zhěng//róng 囵 修饰容貌,特指给有缺陷的面部施行手术,使变得美观：～手术。

【整式】zhěngshì 囝 没有除法运算,或有除法运算但除式中不含字母的有理式。如 $x^2 + 2x - 4, xy - \sqrt{5}y^2 + \dfrac{x}{3}, 5a$。

【整数】zhěngshù 囝 ❶ 正整数(1,2,3,4,5…)、负整数(-1,-2,-3,-4,-5…)和零的统称。❷ 没有零头的数目,如十、二百、三千、四万。

【整肃】zhěngsù 〈书〉❶ 囮 严肃：军容～|法纪～。❷ 囵 整顿；整理：～衣冠。

【整套】zhěngtào 囮 属性词。完整的或成系统的一套：～设备。

【整体】zhěngtǐ 囝 指整个集体或整个事物的全部(对各个成员或各个部分而言)：～规划|～利益。

【整托】zhěngtuō 囵 全托。

【整形】zhěng//xíng 囵 通过外科手术使人体上先天的缺陷(如唇裂、腭裂)或后天的异常(如瘢痕、眼睑下垂)恢复正常外形和生理机能。

【整修】zhěngxiū 囵 整治修理(多用于工程)：～水利工程|～梯田|～底片。

【整训】zhěngxùn 囵 整顿和训练：～干部。

【整整】zhěngzhěng 囵 达到一个整数的：～忙活了一天|到北京已经～三年了。

【整枝】zhěng//zhī 囵 修剪植物的枝叶,使能更好地生长。

【整治】zhěngzhì 囵 ❶ 整顿；治理：～旧货市场|～环境污染|～河道。❷ 为了管束、惩罚、打击等,使吃苦头：～坏人|这匹马真调皮,你替我好好～～它。❸ 进行某项工作；搞；做：～饭(做饭)|～庄稼(做田间管理工作)。

【整装待发】zhěng zhuāng dài fā 整理行装,等待出发。

zhèng （ㄓㄥˋ）

正 zhèng ❶ 囮 垂直或符合标准方向(跟"歪"相对)：～南|～前方|前后对～|这幅画挂得不～。❷ 位置在中间(跟"侧、偏"相对)：～房|～院儿。❸ 用于时间,指正在那一点上或在那一段的正中：～午。❹ 正面(跟"反"相对)：这张纸～反都很光洁。❺ 囮 正直：～派|公～|方～|心术不～。❻ 囮 正当：～路|～理|钱的来路不～。❼ 囮 (色、味)纯正：～红|～黄|颜色不～|味道不～。❽ 合乎法度；端正：～楷|～书。❾ 囮 属性词。基本的；主要的(区别于"副")：～文|～编|～本|～副主任。❿ 囮 属性词。图形的各个边的长度和各个角的大小都相等的：～方形|～六边形。⓫ 囮 属性词。大于零的(跟

"负"相对）：～数｜～号｜负乘负得～。❶❷
形 属性词。指失去电子的（跟"负"相对）：
～电｜～极｜～离子。❶❸ 动 使位置正；使不
歪斜：～一～帽子。❶❹ 使端正：～人先
己。❶❺ 改正；纠正（错误）：～误｜～音。❶❻
副 恰好：～中下怀｜时钟一打十二点。❶❼
副 加强肯定的语气：问题一在这里了｜～是
为了你，我才这样做的。❶❽ 副 表示动作
的进行、状态的持续：～下着雨呢。❶❾
(Zhèng) 名 姓。

另见 1734 页 zhēng。

【正版】 zhèngbǎn 名 出版单位正式出版
的版本（区别于"盗版"）：～书｜～光盘。

【正本】 zhèngběn 名 ❶ 备有副本的图书，
别于副本称为正本。❷ 文书或文件的正
式的一份。

【正本清源】 zhèng běn qīng yuán 从根源
上进行改革：～的措施。

【正比】 zhèngbǐ 名 ❶ 两个事物或一事物
的两个方面，一方发生变化，其另一方随
之起相应的变化，如儿童随着年龄的增
长，体力也逐渐增长，就是正比。❷ 一个
数对另一个数的比，如9∶3。参看 377 页
【反比】。

【正比例】 zhèngbǐlì 名 两个量(a 和 b)，如
果其中的一个量(a)扩大到若干倍，另一
个量(b)也随着扩大到若干倍，或一个量
(a)缩小到原来的若干分之一，另一个量
(b)也随着缩小到原来的若干分之一，这
两个量的变化关系叫做正比例。

【正步】 zhèngbù 名 队伍行进的一种步
法，上身保持正立姿势，两腿绷直，两脚着
地打适当用力，两臂摆动较高。通常用于
检阅。

【正餐】 zhèngcān 名 指正常的饭食，如午
餐、晚餐等（区别于"小吃、早点、夜宵"等）。

【正常】 zhèngcháng 形 符合一般规律或
情况：精神～｜生活～｜～进行。

【正出】 zhèngchū 动 旧指正妻所生（区别
于"庶出"）。

【正词法】 zhèngcífǎ 名 词的书写或拼写
规则。

【正大】 zhèngdà 形 (言行)正当，不存私
心：光明～｜～的理由。

【正大光明】 zhèngdà guāngmíng 见 509
页【光明正大】。

【正旦】 zhèngdàn 名 戏曲角色行当，青衣

的旧称，有些地方剧种里还用这个名称。
另见 1734 页 zhēngdàn。

【正当】 zhèngdāng 动 正处在（某个时期
或阶段）：～春耕之时。

【正当年】 zhèngdāngnián 正在身强力壮
的年龄：十七十八八不全，二十七六～。

【正当时】 zhèngdāngshí 正在合适的时
令：白露早，寒露迟，秋分种麦～。

【正当中】 zhèngdāngzhōng 名 方位词。
正中：院子的～有一个花坛。

【正当】 zhèngdàng 形 ❶ 合理合法的：～
行为｜～的要求。❷ (人品)端正。

【正当防卫】 zhèngdàng fángwèi 为使国
家、公共利益、本人或他人的人身、财产和
其他权利免受正在进行的不法侵害而采
取的制止不法侵害的行为。正当防卫对
不法侵害人造成伤害的一般不负刑事责
任。

【正道】 zhèngdào 名 ❶ 正路。❷ 正确的
道理。

【正德】 Zhèngdé 名 明武宗(朱厚照)年号
(公元 1506—1521)。

【正点】 zhèngdiǎn 动 (车、船、飞机开出、
运行或到达)符合规定时间：～起飞｜～到
达｜列车运行安全～。

【正电】 zhèngdiàn 名 质子所带的电，物体
失去电子时带正电。旧称阳电。

【正殿】 zhèngdiàn 名 宫殿或庙宇里位置
在中间的主要的殿。

【正多边形】 zhèngduōbiānxíng 名 各边
相等，各内角也相等的多边形。

【正儿八经】 zhèng·er-bājīng (～的)〈方〉
很正经；严肃认真：他是个～的庄稼人｜咱
们～地请他来吃顿饭。

【正法】 zhèngfǎ 动 执行死刑：就地～。

【正反应】 zhèngfǎnyìng 名 在可逆反应中
向生成物方向进行的化学反应。

【正犯】 zhèngfàn 名 直接实施犯罪行为
的人。

【正方】[1] zhèngfāng 形 属性词。呈正方
形或立方体的：～盒子。

【正方】[2] zhèngfāng 名 指辩论中对某一
论断持赞成意见的一方（跟"反方"相对）。

【正方体】 zhèngfāngtǐ 名 立方体。

【正方形】 zhèngfāngxíng 名 四边相等，四
个内角都是直角的四边形。正方形是矩形
和菱形的特殊形式。

【正房】zhèngfáng 名❶四合院里位置在正面的房屋,通常是坐北朝南的。也叫上房。❷指大老婆。

【正风】zhèngfēng 名 正派的作风或风气:树~|刹歪风。

【正告】zhènggào 动 严正地告诉:~一切侵略者,玩火者必自焚。

【正割】zhènggē 名 见 1172 页〖三角函数〗。

【正宫】zhènggōng 名 皇后居住的宫室,也指皇后。

【正骨】zhènggǔ 动 中医指用推、拽、按、捺等手法治疗骨折、脱臼等疾病。

【正规】zhèngguī 形 符合正式规定的或一般公认的标准的:~军|~方法|不太~。

【正规军】zhèngguījūn 名 按照统一的编制组成,有统一的指挥,统一的制度,统一的纪律和统一的训练的军队。

【正轨】zhèngguǐ 名 正常的发展道路:纳入~|走上~。

【正果】zhèngguǒ 名 佛教把修行得道叫做成正果。

【正好】zhènghǎo ❶形 正合适(指时间、位置不前不后,体积不大不小,数量不多不少,程度不高不低等):你来得~|这双鞋我穿~|那笔钱~买台电脑。❷副 恰好;刚巧:这次见到王老师,~当面向他请教|皮球~掉到井里。

【正号】zhènghào (~儿)名 数学上表示正数的符号(+)。

【正极】zhèngjí 名 阳极①。

【正教】Zhèngjiào 名 基督教的一派。11世纪中叶,随着罗马帝国的分裂,基督教分裂为东西两部。以东罗马帝国首都君士坦丁堡为中心的东部教会自命为"正宗的教会",所以叫正教或东正教。

【正襟危坐】zhèng jīn wēi zuò 理好衣襟端端正正地坐着,形容严肃或拘谨的样子。

【正经】zhèngjīng 名 旧时指十三经:~正史。参看 1232 页〖十三经〗。

【正经】zhèng·jing ❶形 端庄正派:~人。❷形 正当的:~事儿|我们的钱必须用在~地方。❸形 正式的;合乎一定标准的:~货。❹形 严肃而认真:他很~地和我谈这件事。❺〈方〉副 确实;实在:黄瓜长得~不错呢!

【正经八百】(正经八摆)zhèngjīng-bābǎi 〈方〉正经(zhèng·jing)④。

【正剧】zhèngjù 名 戏剧主要类别之一,兼有悲剧与喜剧的因素。以表现严肃的冲突为内容,剧中矛盾复杂,便于多方面反映社会生活。

【正楷】zhèngkǎi 名 楷书。

【正离子】zhènglízǐ 名 带正电荷的离子,如钾离子 K^+,铵离子 NH_4^+ 等。也叫阳离子。

【正理】zhènglǐ 名 正确的道理。

【正梁】zhèngliáng 名 脊檩。

【正路】zhènglù 名 做人做事的正当途径:走~。

【正论】zhènglùn 名 正确合理的言论。

【正门】zhèngmén 名 整个建筑物(如房屋、院子、公园)正面的主要的门。

【正面】zhèngmiàn ❶名 人体前部那一面;建筑物临广场、临街、装饰比较讲究的一面;前进的方向(区别于"侧面"):~图|大楼的~有八根大理石的柱子|一连以~进攻,二连、三连侧面包抄。❷名 片状物主要使用的一面或跟外界接触的一面:牛皮纸的~比较光滑。❸形 属性词。好的、积极的一面(跟"反面"相对):~人物|~教育。❹名 事情、问题等直接显示的一面:不但要看问题的~,还要看问题的反面。❺形 属性词。直接:避免~交锋|有问题~提出来,别绕弯子。

【正面人物】zhèngmiàn rénwù 指文学艺术作品中代表进步的、被肯定的人物。

【正名】zhèng∥míng 动 辨正名称或名分:为网络经济~。

【正牌】zhèngpái (~儿)形 属性词。正规的;非冒牌的:~货。

【正派】zhèngpài 形 (品行、作风)规矩严肃,光明正大:~人|为人~|~作风。

【正片】zhèngpiàn 名❶经过晒印带有图像的照相纸。❷拷贝①。❸电影放映时的主要影片(区别于加映的短片)。

【正品】zhèngpǐn 名 质量符合规定标准的产品。

【正气】zhèngqì 名❶光明正大的作风或风气:~上升,邪气下降。❷刚正的气节:~凛然。❸中医指人体的抗病能力。

【正桥】zhèngqiáo 名 大型桥梁的主要部分,横跨在江河、山谷等上面,两端与引桥相连。

【正巧】zhèngqiǎo ❶ 〔副〕刚巧：事情发生的时候，我～在场。❷ 〔形〕正好；十分凑巧：你来得～，我们就要出发了。

【正切】zhèngqiē 〔名〕见 1172 页〖三角函数〗。

【正取】zhèngqǔ 〔动〕正式录取（区别于"备取"）：～生。

【正确】zhèngquè 〔形〕符合事实、道理或某种公认的标准：答案～｜～的意见｜实践证明这种方法是～的。

【正人君子】zhèngrén-jūnzǐ 指品行端正的人。

【正日】zhèngrì 〔名〕正式举行某种仪式的一天。也叫正日子。

【正色】[1] zhèngsè 〈书〉〔名〕纯正的颜色，指青、黄、赤、白、黑等色。

【正色】[2] zhèngsè 〔副〕态度严肃；神色严厉：～拒绝｜～直言。

【正身】zhèngshēn 〔名〕指确是本人（并非冒名顶替的人）：验明～。

【正史】zhèngshǐ 〔名〕指《史记》《汉书》等纪传体史书（区别于"野史"）。

【正式】zhèngshì 〔形〕属性词。合乎一般公认的标准的；合乎一定手续的：～比赛｜～工作人员｜～会谈。

【正事】zhèngshì 〔名〕正经的事：大家不要闲扯了，谈～吧。

【正视】zhèngshì 〔动〕用严肃认真的态度对待，不躲避，不敷衍：～现实｜～自己的缺点。

【正室】zhèngshì 〔名〕❶ 大老婆。❷ 〈书〉嫡长子。

【正书】zhèngshū 〔名〕指楷书。

【正数】zhèngshù 〔名〕大于零的数，如＋3、＋0.25。

【正税】zhèngshuì 〔名〕❶ 税法规定的常规的正式税（区别于"附加税"）。❷ 旧时指田赋、丁税等主要税收。

【正题】zhèngtí 〔名〕说话或写文章的主要题目；中心内容：转入～｜离开～。

【正体】zhèngtǐ 〔名〕❶ 规范的汉字字形。❷ 楷书。❸ 拼音文字的印刷体。

【正体字】zhèngtǐzì 〔名〕形体合于规范的字。一般对异体字而言，如"堤"是正体字，"隄"是异体字。

【正厅】zhèngtīng 〔名〕❶ 正中的大厅。❷

剧场中楼下正对舞台的部分。

【正统】[1] zhèngtǒng 〔名〕❶ 旧指封建王朝先后相承的系统。❷ 指党派、学派等从创建以来一脉相传的嫡派。❸ 〔形〕符合正统的：他的思想很～。

【正统】[2] Zhèngtǒng 〔名〕明英宗（朱祁镇）年号（公元 1436—1449）。

【正文】zhèngwén 〔名〕著作的本文（区别于"注解、附录"等）。

【正午】zhèngwǔ 〔名〕时间词。中午十二点。

【正误】zhèngwù 〔动〕勘正错误：～表。

【正弦】zhèngxián 〔名〕见 1172 页〖三角函数〗。

【正项】zhèngxiàng 〔名〕正式的项目；正规的项目。

【正凶】zhèngxiōng 〔名〕凶杀案件中的主要凶手。

【正颜厉色】zhèng yán lì sè 态度严肃，表情严厉：父亲～地训斥了他。

【正眼】zhèngyǎn 〔名〕端正的眼神，是一种重视或尊重的表情：他从不拿～看我。

【正业】zhèngyè 〔名〕正当的职业：不务～。

【正义】[1] zhèngyì ❶ 〔名〕公正的、有利于人民的道理：伸张～｜主持～。❷ 〔形〕属性词。公正的、有利于人民的：～的事业｜～的战争。

【正义】[2] zhèngyì 〔名〕（语言文字上）正当的或正确的意义。也用于书名，如《史记正义》。

【正音】zhèngyīn ❶ （－∥－）〔动〕矫正语音，使符合语音规范。❷ 〔名〕标准音。

【正在】zhèngzài 〔副〕表示动作在进行或状态在持续中：～开会｜温度～慢慢上升。

【正直】zhèngzhí 〔形〕公正坦率：他襟怀坦白，为人～。

【正职】zhèngzhí 〔名〕❶ 正的职位：这些干部有担任～的，也有担任副职的。❷ 主要的职业。

【正中】zhèngzhōng 〔名〕方位词。中心点。也说正当中。

【正中下怀】zhèng zhòng xià huái 正好符合自己的心愿。

【正传】zhèngzhuàn 〔名〕指章回小说、评书等的正文，也指所要叙述的正题：闲话少说，言归～。

【正装】zhèngzhuāng 〔名〕在正式场合穿的

服装（区别于"休闲装"）。

【正字】zhèngzì ❶（－／－）动 矫正字形，使符合书写或拼写规范。❷ 名 指正体，即标准字形。❸ 名 楷书。

【正字法】zhèngzìfǎ 名 文字的书写或拼写规则。

【正宗】zhèngzōng ❶ 名 原指佛教各派的创建者所传下来的嫡派，后来泛指正统派。❷ 形 属性词。正统的；真正的：～川菜。

【正座】zhèngzuò （～儿）名 剧场中正对舞台的座位。

证（證）zhèng ❶ 证明：～人｜～书｜～实｜论。❷ 名 证据；证件：工作～｜出入～｜以此为～。

【证词】zhèngcí 名 对某个案件或某种事情提供证明的话。

【证婚】zhènghūn 动 在结婚仪式上为结婚人做证明：～人。

【证件】zhèngjiàn 名 证明身份、经历等的文件，如学生证、工作证、毕业证书等。

【证据】zhèngjù 名 能够证明某事物的真实性的有关事实或材料：～确凿｜缺乏～。

【证明】zhèngmíng ❶ 动 用可靠的材料来表明或断定人或事物的真实性：～人｜～书｜～信｜事实～这个判断是正确的。❷ 名 证明书或证明信：开个～。

【证券】zhèngquàn 名 有价证券：～市场｜～交易所。

【证券交易所】zhèngquàn jiāoyìsuǒ 股票、债券、投资基金等有价证券有组织地进行集中交易的场所。

【证人】zhèng·rén 名 ❶ 法律上指除当事人外能对案件提供证据的人。❷ 对某种事情提供证明的人。

【证实】zhèngshí 动 证明其确实：通过实践而发现真理，又通过实践而～真理。

【证书】zhèngshū 名 由机关、学校、团体等发的证明资格或权利等的文件：结婚～｜毕业～。

【证物】zhèngwù 名 能证明有关案件事实的物品或物质痕迹。

【证言】zhèngyán 名 证人依法就所知道的与案件有关的事实、情节所作的陈述。

【证验】zhèngyàn ❶ 动 通过试验使得到证实：实习可以～课堂学习的知识。❷ 名 实际的效验。

【证章】zhèngzhāng 名 学校、机关、团体发给本单位或本系统人员证明身份的标志，多用金属制成，佩在胸前。

【证照】zhèngzhào 名 证件：执照：取缔无～的非法经营活动。

郑（鄭）Zhèng ❶ 周朝国名，在今河南新郑一带。❷ 名 姓。

【郑重】zhèngzhòng 形 严肃认真：～其事｜～声明｜话说得很～。

【郑重其事】zhèngzhòng qí shì 形容对待事情非常严肃认真。

怔 zhèng 〈方〉动 发愣；发呆：我一看诊断书，顿时一住了，不敢对他明说。另见 1735 页 zhēng。

【怔怔】zhèngzhèng 〈方〉形 形容发愣的样子：～地站着。

诤（諍）zhèng 〈书〉直爽地劝告：～友｜～言。

【诤谏】zhèngjiàn 〈书〉动 直爽地说出人的过错，劝人改正。

【诤言】zhèngyán 〈书〉名 直爽地规劝人改正过错的话。

【诤友】zhèngyǒu 〈书〉名 能直言规劝的朋友。

政 zhèng ❶ 政治：～党｜～府｜～策｜～务｜～权。❷ 国家某一部门主管的业务：财～｜民～｜邮～。❸ 指家庭或团体的事务：家～｜校～。❹（Zhèng）名 姓。

【政变】zhèngbiàn 名 统治集团内部一部分人采取军事或政治手段造成国家政权突然变更：发动～｜官廷～。

【政柄】zhèngbǐng 〈书〉名 政权。

【政策】zhèngcè 名 国家或政党为实现一定历史时期的路线而制定的行动准则：民族～｜按～办事。

【政党】zhèngdǎng 名 代表某个阶级、阶层或集团并为实现其利益而进行斗争的政治组织。

【政敌】zhèngdí 名 指在政治上跟自己处于敌对地位的人。

【政法】zhèngfǎ 名 政治和法律的合称。

【政风】zhèngfēng 名 政府部门的工作作风。

【政府】zhèngfǔ 名 国家权力机关的执行机关，即国家行政机关，例如我国的国务院（中央人民政府）和地方各级人民政府。

【政府采购】zhèngfǔ cǎigòu 指各级国家

机关、事业单位和团体组织，依法在规定范围内使用财政性资金采购货物、工程和服务的行为。以公开招标为主要采购方式。

【政纲】zhènggāng 名 政治纲领，它说明一个政党的政治任务和要求。

【政工】zhènggōng 名 政治工作：～人员。

【政纪】zhèngjì 名 国家行政机关所制定的为行政机关人员必须遵守的纪律。

【政绩】zhèngjì 名 指官员在任职期间的业绩。

【政见】zhèngjiàn 名 政治主张；政治见解。

【政界】zhèngjiè 名 指政治界。

【政局】zhèngjú 名 政治局势：～稳定。

【政客】zhèngkè 名 指从事政治投机，玩弄权术，谋取私利的人。

【政令】zhènglìng 名 政府公布的法令。

【政论】zhènglùn 名 针对当时政治问题发表的评论：～文章。

【政派】zhèngpài 名 政治上的派别。

【政权】zhèngquán 名 ❶ 政治上的统治权力，是阶级专政的工具。❷ 指政权机关。

【政权机关】zhèngquán jīguān 见 520 页【国家机关】。

【政审】zhèngshěn 动 政治审查：干部～｜～合格。

【政事】zhèngshì 名 政府的事务。

【政坛】zhèngtán 名 政界：～风波。

【政体】zhèngtǐ 名 国家政权的构成形式。政体和国体是相适应的，我国的政体是人民代表大会制。

【政通人和】zhèng tōng rén hé 政事顺遂，人民和乐。形容国泰民安。

【政委】zhèngwěi 名 政治委员的简称。

【政务】zhèngwù 名 关于政治方面的事务，也指国家的管理工作。

【政务院】zhèngwùyuàn 名 某些国家的最高行政机关。1954 年 9 月以前我国最高行政机关是中央人民政府政务院，后改称国务院。

【政协】zhèngxié 名 政治协商会议的简称。

【政要】zhèngyào 名 政界要人。

【政治】zhèngzhì 名 政府、政党、社会团体和个人在内政及国际关系方面的活动。

政治是经济的集中表现，它产生于一定的经济基础，并为经济基础服务，同时极大地影响经济的发展。

【政治避难】zhèngzhì bìnàn 一国公民因政治原因逃亡到别国，取得那个国家给予的居留权后，住在那里。

【政治犯】zhèngzhìfàn 名 由于从事某种政治活动被政府认为犯罪的人。

【政治家】zhèngzhìjiā 名 有政治见识和政治才能并从事政治活动的人，多指国家的领导人物。

【政治教导员】zhèngzhì jiàodǎoyuán 中国人民解放军营一级的政治工作人员，和营长同为营的首长。通称教导员。

【政治经济学】zhèngzhì-jīngjìxué 经济学的一个分支，研究社会的生产关系及其发展规律。政治经济学是经济学中最重要的一门学科，具有强烈的阶级性。

【政治面目】zhèngzhì miànmù 指一个人的政治立场、政治活动以及和政治有关的各种社会关系。

【政治权利】zhèngzhì quánlì 公民依法在政治上享有的权利，如选举权、被选举权和言论、出版、集会、结社、通信、人身、居住、迁徙、宗教信仰及游行、示威等自由。

【政治委员】zhèngzhì wěiyuán 中国人民解放军团以上部队或某些独立营的政治工作人员，通常是党委日常工作的主持者，和军事指挥员同为该部队首长。简称政委。

【政治文明】zhèngzhì wénmíng 人类在社会历史发展过程中所创造的、体现社会发展进步的政治成果，包括一定社会政治制度（国体、政体、法律和行政体系等）的发展状况和进步程度，及与该政治制度相适应的社会意识形态等。

【政治协理员】zhèngzhì xiélǐyuán 中国人民解放军团以上机关部门和人民法院、人民检察院根据需要设立的政治工作人员。通称协理员。

【政治协商会议】zhèngzhì xiéshāng huìyì 我国爱国统一战线的组织形式。全国性的组织是"中国人民政治协商会议"，各地方也有地方性的各级政治协商会议。简称政协。

【政治学】zhèngzhìxué 名 研究各种社会政治现象、政治思想、政治关系及其发展规律的学科。

【政治指导员】zhèngzhì zhǐdǎoyuán 中国人民解放军连一级的政治工作人员,和连长同为连的首长。通称指导员。

【政治制度】zhèngzhì zhìdù 政体。

挣¹ zhèng 囵 用力使自己摆脱束缚:～脱枷锁｜把捆绑的绳子一～开了。

挣² zhèng 囵 用劳动换取:～钱。
另见 1735 页 zhēng。

【挣揣】zhèngchuài〈书〉囵 挣扎(zhēng-zhá)。也作睁揣。

【挣命】zhèngmìng 囵❶ 为保全生命而挣扎。❷〈口〉指拼命工作:上了年纪,别再～了。

阐(闡)[阐闱](zhèng-chuài)同"挣揣"。

症(證)zhèng 疾病:病～｜急～｜不治之～｜对～下药。
另见 1735 页 zhēng。

【症候】zhèng·hòu 图❶ 疾病。❷ 症状。

【症候群】zhènghòuqún 图 综合征。

【症状】zhèngzhuàng 图 机体因发生疾病而表现出来的异常感觉和状态,如咳嗽、盗汗、下午发热等是人患肺结核的症状。

铮(鎝)zhèng〈方〉(器物表面)光亮耀眼:玻璃擦得～亮。
另见 1736 页 zhēng。

----

zhī(业)

之¹ zhī〈书〉往:由京～沪｜君将何～?

之² zhī〈书〉代❶ 人称代词。代替人或事物(限于做宾语):求～不得｜取～不尽｜操～过急｜言～成理｜取而代～｜有过～无不及｜反其道而行～。❷ 人称代词。虚用,无所指:久而久～｜不觉手之舞,足之蹈～。❸ 指示代词。这;那:～二虫｜～子于钓。

之³ zhī〈书〉囵❶ 用在定语和中心词之间,组成偏正词组。a)表示领属关系:赤子～心｜钟鼓～声｜以子～矛,攻子～盾。b)表示一般的修饰关系:光荣之家｜无价～宝｜缓兵～计｜千里～外｜意料～中｜十分～九。❷ 用在主谓结构之间,取消它的独立性,使变成偏正结构:中国之大｜战事～激烈｜大道～行也,天下为公｜如

因势利导,则如水～就下,极为自然。

【之后】zhīhòu 图 方位词。❶ 表示在某个时间或处所的后面:三天～我们又分手了｜文艺大队走在煤矿工人队伍之中。注意多指时间,少指处所。❷ 单独用在句子开头,表示在上文所说的事情以后:～,他们又提出了具体的计划。

【之乎者也】zhī hū zhě yě "之、乎、者、也"是文言里常用的语助词,常用来形容半文不白的话或文章。

【之前】zhīqián 图 方位词。表示在某个时间或处所的前面:吃饭～要洗手｜一个月～我还遇到过他｜他们站在队旗～举手宣誓。注意多指时间,少指处所。

支¹ zhī ❶ 囵 撑:～帐篷｜把苇帘子～起来｜他用两手～着头正在想什么。❷ 囵 伸出;竖起:两只虎牙朝两边～着｜～着耳朵听。❸ 囵 支持:～援｜～应｜体力不～｜乐不可～｜疼得实在～不住。❹ 囵 调度;指使:～配｜～使｜把人～走。❺ 囵 付出或领取(款项):～出｜～取｜～了一笔钱。❻(Zhī)图 姓。

支² zhī ❶ 囵 分支;支派:～流｜～队｜～线｜～店。❷ 圖 a)用于队伍等:一～军队｜一～文化队伍。b)用于歌曲或乐曲:两～新的乐曲。c)纱线粗细程度的英制单位,用单位质量(重量)的长度来表示,如 1 磅重的纱线长度中有几个 840 码,就叫几支(纱)。纱线越细,支数越大。d)用于杆状的东西:一～枪｜三～钢笔｜一～蜡烛。

支³ zhī 地支。参看 440 页〖干支〗。

【支边】zhī∥biān 囵 支援边疆:科技～。

【支部】zhībù 图❶ 某些党派、团体的基层组织。❷ 特指中国共产党的基层组织。

【支差】zhī∥chāi 囵 旧指支应差役。

【支撑】zhī·chēng 囵❶ 抵抗住压力使东西不倒塌:坑道里用柱子～着。❷ 勉强维持:他～着坐起来,头还在发晕｜一家的生活由他一人～。

【支持】zhīchí 囵❶ 勉强维持;支撑:累得～不住了。❷ 给以鼓励或赞助:互相～｜～合理化建议。

【支出】zhīchū ❶ 囵 付出去;支付。❷ 图支付的款项:尽量控制非生产性的～。

【支绌】zhīchù 囵(款项)不够支配:经费

～。参看 1826 页〖左支右绌〗。

【支点】zhīdiǎn 图❶ 杠杆上起支撑作用，绕着转动的固定点。❷ 指事物的中心或关键：战略～。

【支队】zhīduì 图❶ 军队中相当于团或师的一级组织，如独立支队、游击支队等。❷ 作战时的临时编组，如先遣支队。

【支付】zhīfù 励 付出(款项)：～现金。

【支架】zhījià 图❶ 支持物体用的架子。❷ 励 支撑；架起：～屋梁|～锅灶。❸ 励招架；抵挡：寡不敌众，～不住。

【支解】zhījiě 见 1746 页〖肢解〗。

【支棱】zhī·leng〈方〉励 竖起；翘起：～着耳朵听。

【支离】zhīlí ❶ 励 分散，残缺：～破碎。❷ 图(语言文字)烦琐而凌乱：～错乱，不成文理。

【支离破碎】zhīlí pòsuì 形容事物零散破碎，不成整体。

【支流】zhīliú 图❶ 流入干流的河流。❷ 比喻伴随主要事物而出现的次要事物。

【支炉儿】zhīlúr 图 烙饼的器具，用沙土制成，面上有许多小孔，用时扣在火炉上。

【支脉】zhīmài 图 山脉的分支：伏牛山是秦岭的～。

【支派】zhīpài 图 分出来的派别；分支。

【支派】zhī·pài 励 支使；调动：～人。

【支配】zhīpèi 励❶ 安排：合理～时间|～劳动力|听～。❷ 对人或事物起引导和控制的作用：思想～行动。

【支票】zhīpiào 图 向银行支取或划拨存款的票据。

【支气管】zhīqìguǎn 图 气管的分支，主要分布在肺脏内。(图见 396 页"人的肺")

【支前】zhīqián 励 支援前线：～模范。

【支渠】zhīqú 图 从干(gàn)渠引水到斗(dǒu)渠的渠道。

【支取】zhīqǔ 励 领取(款项)：～工资|～存款。

【支使】zhī·shi 励 命令人做事：～人|把他～走。

【支书】zhīshū 图 支部书记，是党团支部的主要负责人。

【支吾】zhī·wú 励 说话含混躲闪；用含混的话搪塞：～其词|一味～。

【支线】zhīxiàn 图 交通线路的分支(跟"干线"相对)。

【支应】zhīyìng 励❶ 应付：一个人～不开。❷ 供应：～粮草。❸ 守候；听候使唤：～门户|今天晚上来～，你们去睡好了。

【支原体】zhīyuántǐ 图 微生物的一类，有细胞膜，没有细胞壁，呈不规则球形或丝状，共生、腐生或寄生生活，寄生型支原体能引起动植物病害和人类疾病。

【支援】zhīyuán 励 用人力、物力、财力或其他实际行动去支持和援助：～灾区|互相～。

【支招儿】zhī//zhāor 同"支着儿"。

【支着儿】zhī//zhāor 励 从旁给人出主意(多用于看下棋)。也作支招儿。

【支柱】zhīzhù 图❶ 起支撑作用的柱子。❷ 比喻中坚力量：～行业|国家的～。

【支柱产业】zhīzhù chǎnyè 在国民经济中起中坚作用的产业。

【支子】zhī·zi 图❶ 支撑物体的东西：车～。❷ 一种铁制的架在火上烤肉的用具，像箅子而带腿儿。

【支嘴儿】zhī//zuǐr〈方〉励 从旁给人出主意：他爱看人家下棋，可从来不～|咱们别～，让他自己多动动脑筋。

氏 zhī 见 1563 页〖阏氏〗、1683 页〖月氏〗。
另见 1242 页 shì。

只(隻) zhī ❶ 单独的：～身|片纸～字|独具～眼。❷ 量 a)用于某些成对的东西的一个：两～耳朵|两～手|一～袜子一～鞋。b)用于动物(多指飞禽、走兽)：一～鸡|两～兔子。c)用于某些器具：一～箱子。d)用于船只：一～小船。
另见 1751 页 zhǐ。

【只身】zhīshēn 副 单独一个人：～独往|～在外。

【只言片语】zhī yán piàn yǔ 个别的词句；片段的话语。

卮(巵) zhī 古代盛酒的器皿：漏～。

汁 zhī (～儿)图 含有某种物质的液体：乳～|胆～|牛肉～|橘子～|墨～儿。

【汁水】zhī·shui〈方〉图 汁儿：这种果子～很多。

【汁液】zhīyè 图 汁儿。

芝 zhī ❶ 古书上指灵芝。❷ 古书上指白芷。❸ (Zhī)图 姓。

【芝兰】zhīlán 图芝和兰是两种香草,古时比喻高尚的德行或美好的友情、环境等:～之室。

【芝麻】(脂麻)zhī·ma 图❶一年生草本植物,茎直立,叶子上有毛,花白色,蒴果有棱,种子小而扁平,有白、黑、黄、褐等不同颜色,可以吃,也可榨油。是重要的油料作物。❷这种植物的种子。

【芝麻官】zhī·maguān (～儿)图指职位低、权力小的官(含讥讽意):小小～|七品～。

【芝麻酱】zhī·majiàng 图把芝麻炒熟、磨碎而制成的酱,有香味,用作调料。也叫麻酱。

【芝麻油】zhī·mayóu 图用芝麻榨的油,有特殊的香味,是常见的食用油。也叫香油、麻油。

吱 zhī [拟声]形容某些尖细的声音:嘎～|咯～|车～的一声停住了。
另见1800页 zī。

枝 zhī ❶(～儿)图枝子:树～|柳～儿。❷量 a)用于带枝子的花朵:一～梅花。b)同"支"❷ d)。❸(Zhī)图姓。

【枝杈】zhīchà 图植物上分枝的小枝子。

【枝节】zhījié 图❶比喻有关的但是次要的事情:～问题随后再解决|不要过多地注意那些枝枝节节。❷比喻在解决一个问题的过程中发生的麻烦:横生～。

【枝解】zhījiě 见1746页〖肢解〗。

【枝蔓】zhīmàn ❶图枝条和藤蔓,比喻事物中烦琐纷杂的次要部分:删除～。❷形比喻烦琐纷杂:文字～,不得要领。

【枝条】zhītiáo 图枝子。

【枝梧】zhīwú 同"枝捂"。

【枝捂】zhīwú 〈书〉同"支吾"。也作枝梧。

【枝丫】(枝桠)zhīyā 图枝杈。

【枝叶】zhīyè 图枝子和叶子,也比喻琐碎的情节或话语。

【枝子】zhī·zi 图由植物的主干上分出来的较细的茎。

知 zhī ❶动知道:～无不言|～其一不～其二|这话不～是谁说的。❷使知道:通～|～会|～单。❸知识:求～|无～。❹〈书〉知己:新～|～友。❺旧指主管:～县|～客。
〈古〉又同"智"zhì。

【知宾】zhībīn 〈方〉图知客①。

【知单】zhīdān 图旧时常用的请客通知

单,上边列被邀请的人的名字,由专人持单依次通知,被邀请的人如果能到,一般在自己名下写"知"字,表示已经知道。如果不能到,一般在自己名下写"谢"字,表示谢绝。

【知道】zhī·dào 动对于事实或道理有认识;懂得:他～的事情很多|虽然他没明说,我也～他的意思。

【知底】zhī//dǐ 动知道根底或内情:知根～|这事我也不～。

【知法犯法】zhī fǎ fàn fǎ 懂得某项法令、规章而故意违犯。

【知府】zhīfǔ 图明清两代称一府的长官。

【知根知底】zhī gēn zhī dǐ 知道根底或内情:我们是老朋友啦,彼此都～。

【知会】zhī·hui 〈口〉动通知;告诉:你先去～他一声,让他早一点儿准备。

【知己】zhījǐ ❶形彼此相互了解而情谊深切:～话|～的朋友。❷图彼此相互了解而情谊深切的人:海内存～,天涯若比邻。

【知己知彼】zhī jǐ zhī bǐ 《孙子·谋攻》:"知彼知己,百战不殆。"一般都说"知己知彼",指对自己的情况和对方的情况都有透彻的了解。

【知交】zhījiāo 图知己的朋友:他是我中学时代的～。

【知觉】zhījué 图❶反映客观事物的整体形象和表面联系的心理过程。知觉是在感觉的基础上形成的,比感觉复杂、完整。❷感觉①:失去了～。

【知客】zhīkè 图❶旧时帮助办喜事或丧事的人家招待宾客的人。有的地区叫知宾。❷寺院中主管接待宾客的和尚。也叫知客僧。

【知了】zhīliǎo 图蚱蝉的通称,因叫的声音像"知了"而得名。

【知名】zhīmíng 形著名;有名(多用于人):海内～|～人士|～作家。

【知名度】zhīmíngdù 图指某人或某事物被社会、公众知道熟悉的程度:他是个～很高的人。

【知命】zhīmìng 〈书〉❶动了解天命;认识命运:乐天～。❷图《论语·为政》:"五十而知天命。"指年至五十,能了解上天的意志和人的命运。后来用"知命"指人五十岁:～之年。

【知青】zhīqīng 名 知识青年。

【知情】[1] zhīqíng 动 知道事件的情节(多用于有关犯罪事件):～人|～不报。

【知情】[2] zhī//qíng 动 对别人善意行动表示的情谊心怀感激:对于你的热情帮助,我很～|你为他操心,他会知你的情的。

【知情达理】zhī qíng dá lǐ 通人情,懂事理。

【知趣】zhīqù 形 知道进退,不惹人讨厌:人家拒绝了,他还一再去纠缠,真不～。

【知人之明】zhī rén zhī míng 能认识人的品行和才能的眼力。

【知识】zhīshi 名 ❶ 人们在社会实践中所获得的认识和经验的总和。❷ 指学术、文化或学问:有～|～界|～分子。

【知识产权】zhī·shi chǎnquán 在科学技术、文化艺术等领域中,发明者、创作者对自己的创造性劳动成果依法享有的专有权。包括工业产权和著作权。

【知识产业】zhī·shi chǎnyè 指传播知识、提供知识的产业,如教育部门、科研部门、信息服务部门等。也叫智力产业。

【知识分子】zhī·shi fènzǐ 具有较高文化水平、从事脑力劳动的人。如科学工作者、教师、医生、记者、工程师等。

【知识经济】zhī·shi jīngjì 一种以现代科技知识为基础、以信息产业为核心的经济类型。

【知识青年】zhī·shi qīngnián 指受过学校教育,具有一定文化知识的青年人,特指二十世纪六七十年代到农村或边疆参加农业生产的城市知识青年。

【知事】zhīshì 名 民国初年称一县的长官。也叫县知事。

【知书达理】zhī shū dá lǐ 有知识,懂礼貌。指人有文化教养。也说知书识礼。

【知疼着热】zhī téng zháo rè 形容对人非常关心、爱护(多用于夫妻之间)。

【知悉】zhīxī 动 知道;详情|无从～。

【知县】zhīxiàn 名 宋代多用中央机关的官做县官,称"知某县事",后简称为知县,明清两代用作一县长官的正式名称。

【知晓】zhīxiǎo 动 知道;晓得。

【知心】zhīxīn 形 知心❶:～话|～朋友。

【知音】zhīyīn 名 指真正了解自己的人。参看453页《高山流水》。

【知友】zhīyǒu 名 相互了解的朋友。

【知遇】zhīyù 动 指得到赏识或重用:～之恩。

【知照】zhīzhào 动 通知;关照:你去～他一声,说我已经回来了。

【知州】zhīzhōu 名 宋代多用中央机关的官做知州,称"权知某军州事",后简称为知州。明清两代用作一州长官的正式名称。

【知足】zhīzú 形 满足于已经得到的(指生活、愿望等):～常乐|～无求。

肢 zhī 人的胳膊、腿;某些动物的腿:～体|上～|下～。

【肢解】(支解、枝解)zhījiě 动 ❶ 古代割去四肢的酷刑。❷ 分解动物或人的身体(多指尸体)。❸ 比喻把完整的事物分割成几部分:领土被～。

【肢势】zhīshì 名 家畜四肢站立时的姿势,是评定家畜役使能力的重要依据。

【肢体】zhītǐ 名 四肢,也指四肢和躯干。

派 Zhī 派河,水名,在河北。

织(織) zhī ❶ 动 使纱或线交叉穿过,制成绸、布、呢子等:纺～|～布|棉～物|丝～物|毛～物。❷ 动 用针使纱或线互相套住,制成毛衣、袜子、花边、网子等:编～|～渔网|针～品。❸ (Zhī)名 姓。

【织补】zhībǔ 动 用纱或线仿照织布的方式把衣物上破的地方补好。

【织锦】zhījǐn 名 ❶ 织有彩色花纹的缎子;锦缎。❷ 一种织有图画,像刺绣似的丝织品,有彩色的,也有单色的。是杭州等地的特产。

【织女】zhīnǚ 名 ❶ 旧指织布、织绸的女子。❷ 指织女星。

【织女星】zhīnǚxīng 名 天琴座中最亮的一颗星,是零等星,隔银河与牵牛星相对。

【织品】zhīpǐn 名 指纺织品。

【织物】zhīwù 名 用棉、麻、丝等织成的衣物的总称。

【织造】zhīzào 动 用机器织成织物。

栀(梔) zhī [栀子](zhī·zi)名 ❶ 常绿灌木,叶子长椭圆形,有光泽,花大,白色,有强烈的香气,果实卵形。花供观赏,果实可做黄色染料,也可入药。❷ 这种植物的果实。

胝 zhī 见1043页[胼胝]。

祇 zhī 〈书〉恭敬：～仰(敬仰)|～候光临。

脂 zhī ❶ 动植物所含的油质：～肪|松～。❷ 胭脂：～粉。

【脂肪】zhīfáng 图 有机化合物，由三个脂肪酸分子和一个甘油分子化合而成，存在于人体和动物的皮下组织以及植物体中。脂肪是生物体内储存能量的物质。

【脂肪肝】zhīfánggān 图 肝组织的脂肪含量超过正常值(肝湿重的 5%)的病理现象。多因肥胖或营养不良、长期饮酒、病毒性肝炎、糖尿病、药物中毒等引起。

【脂肪酸】zhīfángsuān 图 有机化合物的一类，低级的脂肪酸是无色液体，有刺激气味，高级的脂肪酸是蜡状固体。天然油脂中含量很多。

【脂粉】zhīfěn 图 胭脂和粉，旧时借指妇女：～气。

【脂膏】zhīgāo 图 ❶ 脂肪。❷ 比喻人民的血汗和劳动果实。

【脂麻】zhī·ma 见1745 页[芝麻]。

【脂油】zhīyóu 〈方〉图 板油：香～|～饼。

梔 zhī 槟梔(Bīnzhī)，越南地名。今作槟知。

跖 zhī 见 1043 页[跖跖]。

稙 zhī 〈方〉图 庄稼种得早些或熟得早些：～庄稼(种得早的庄稼)|谷子(种得早的谷子)|白玉米～(熟得早)。

楮 zhī 〈书〉图 ❶ 柱下的木础或石础。❷ 支撑。

蜘 zhī [蜘蛛](zhīzhū) 图 节肢动物，身体圆形或长圆形，分头胸和腹两部，有触须，雄的触须内有精囊，有脚四对。肛门尖端的突起能分泌黏液，黏液在空气中凝成细丝，用来结网捕食昆虫。生活在屋檐和草木间。

zhí (虫)

执(執) zhí ❶ 动 拿着：～笔|手～红旗。❷ 执掌：～政|～教。❸ 坚持：～意|各～一词。❹ 执行；施行：～法。❺〈书〉捉住：战败被～。❻ 凭单：回～|收～。❼〈书〉执友：父～。❽ (Zhí)图 姓。

【执棒】zhíbàng 动 指担任乐队的指挥：音乐会由四位指挥家轮流～。

【执笔】zhíbǐ 动 用笔写，指写文章，特指动笔拟订集体名义的文稿。

【执鞭】zhíbiān 动 指从事教学、教练等工作：～授课|～青年男篮。

【执导】zhídǎo 动 担任导演；从事导演工作：他～过不少优秀影片|在戏剧界～多年。

【执罚】zhífá 动 执行处罚：对违规厂商按照规定～。

【执法】zhífǎ 动 执行法令、法律：～如山(如山：比喻坚定不可动摇)|～必严。

【执绋】zhífú 动 原指送葬时帮助牵引灵柩，后来泛指送殡。

【执纪】zhíjì 动 执行纪律：从严～。

【执教】zhíjiào 动 担任教学任务；当教练：他在大学里～多年|他们曾携手～中国女排。

【执迷不悟】zhí mí bù wù 坚持错误而不觉悟。

【执泥】zhíní 动 固执；拘泥：不可～一说。

【执牛耳】zhí niú'ěr 古代诸侯订立盟约，要每人尝一点牲血，主盟的人亲手割牛耳取血，故用"执牛耳"指做盟主。后来指在某一方面居领导地位。

【执拗】zhíniù 形 固执任性，不听从别人的意见：脾气～。

【执勤】zhí/qín 动 执行勤务：～民警。

【执事】zhí·shi 图 旧时俗称仪仗：打～的|各种～。

【执行】zhíxíng 动 实施；实行(政策、法律、计划、命令、判决中规定的事项)：严格～|～任务|～计划|～命令。

【执行主席】zhíxíng zhǔxí 开大会时由主席团中推举的轮流主持会议的人。

【执业】zhíyè 动(律师、医生、会计和某些中介服务机构的人员等)进行业务活动：～律师|房地产估价师必须先取得～资格。

【执意】zhíyì 副 坚持自己的意见，表示坚决：～要去|～不肯。

【执友】zhíyǒu 〈书〉图 志同道合的朋友。

【执掌】zhízhǎng 动 掌管；掌握(职权)：～大权。

【执照】zhízhào 图 由主管机关发给的准许做某项事情的凭证：施工～|驾驶～。

【执政】zhí∥zhèng 动 掌握政权：～党。

【执著】zhízhuó 形 原为佛教用语,指对某一事物坚持不放,不能超脱。后来指固执或拘泥,也指坚持不懈:性情古板～|不要～于生活琐事|～地献身于祖国的教育事业。也作执着。

【执着】zhízhuó 同"执著"。

直 zhí ❶ 动 成直线的(跟"曲"相对):笔～|马路又平又～|你把铁丝拉～。❷ 形 跟地面垂直的(跟"横"相对):～升机|把标杆立～。❸ 形 从上到下的、从前到后的(跟"横"相对):～行的文字|屋子很大,～里有两丈,横里有四丈。❹ 动 挺直;使笔直:～起腰来。❺ 公正的;正义的:正|理|气壮。❻ 形 直爽;直截:～性子|心～口快|～呼其名|他嘴～,藏不住话。❼ 名 汉字的笔画,即"竖"❹。❽ 副 一直;径直;直接:～达|～到|哭了一天～|朝村口走去。❾ 副 一个劲儿;不断地:他看着我～笑|我冷得～哆嗦。❿ 副 简直:痛得～像针扎一样难受。⓫ (Zhí)名 姓。

【直拨】zhíbō 动 电话不经过总机可直接拨通外线或长途线路:～电话|很多城市之间的电话可以～通话。

【直播】[1] zhíbō 动 不经过育苗,直接把种子播种到田地里。

【直播】[2] zhíbō 动 广播电台不经过录音或电视台不经过录像而直接播送:电视台将～大会实况。

【直肠】zhícháng 名 大肠的最末段,上端与乙状结肠相连,下端与肛门相连,作用是吸收水分。(图见 1493 页"人的消化系统")

【直肠子】zhícháng·zi〈口〉名 比喻直性子或性情爽直的人。

【直达】zhídá 动 不必在中途换车换船而直接到达:～车|从北京坐火车～广州。

【直达快车】zhídá kuàichē 指停站少(一般不停小站)、行车时间少于普通列车的旅客列车。简称直快。

【直待】zhídài 动 一直等到(某个时间、阶段等):～天黑才回家。

【直到】zhídào 动 一直到(多指时间):这事～今天我才知道。

【直瞪瞪】zhídèngdèng(口语中也读 zhídēngdēng)(～的)形 状态词。形容两眼直视发怔:他～地望着地面,神情木然。

【直裰】zhíduō 名 僧道穿的大领长袍。

【直根】zhígēn 名 比较发达的粗而长的主根。一般双子叶植物如棉花、白菜都有直根。

【直供】zhígōng 动 不经过中间环节而直接供应(原料、产品等):蔬菜～基地|三峡电力～上海。

【直贡呢】zhígòngní 名 一种精致、光滑的斜纹毛织品或棉织品,质地厚实,多用来做大衣和鞋的面子。

【直勾勾】zhígōugōu (～的)形 状态词。形容目光紧盯着(看):他～地望着我,一言不发。

【直观】zhíguān 形 用感官直接接受的;直接观察的:～教具|～教学。

【直航】zhíháng 动 两地的飞机、船只等不经过第三地而直接通航。

【直击】zhíjī 动 在现场亲眼看到,多指新闻媒体在现场进行直接报道:庭审～|～赛场盛况。

【直角】zhíjiǎo 名 两条直线或两个平面垂直相交所成的角。直角为90°。

【直接】zhíjiē 形 不经过中间事物的(跟"间接"相对):～关系|～领导|～阅读外文书籍。

【直接经验】zhíjiē jīngyàn 亲自从实践中取得的经验(区别于"间接经验")。

【直接税】zhíjiēshuì 名 由纳税人直接负担的税,如所得税、土地税、房产税等。

【直接推理】zhíjiē tuīlǐ 由一个前提推出结论的推理。

【直接选举】zhíjiē xuǎnjǔ 选民直接参加选举代表或领导成员,不经过复选手续的选举(区别于"间接选举")。简称直选。

【直截】(直捷)zhíjié 形 直截了当:～表明了态度。

【直截了当】zhíjié-liǎodàng (言语、行动等)简单爽快。

【直径】zhíjìng 名 通过圆心并且两端都在圆周上的线段叫做圆的直径;通过球心并且两端都在球面上的线段叫做球的直径。

【直撅撅】zhíjuējuē (～的)〈方〉形 状态词。形容挺直。

【直觉】zhíjué 名 未经充分逻辑推理的感性认识。直觉是以已经获得的知识和累积的经验为依据的,而不是像唯心主义者所说的那样,是不依靠实践、不依靠意识的逻辑活动的一种天赋的认识能力。

【直快】zhíkuài 名 直达快车的简称。

【直来直去】zhí lái zhí qù ❶ 径直去径直回：这次去广州就～，过不几天就回来了。❷ 指心地直爽，说话不绕弯子：他是个～的人，想到什么就说什么。

【直立】zhílì 囫 笔直地站着或竖着。

【直立茎】zhílìjīng 图 直立向上生长的茎。大多数植物的茎都是直立茎，如松、柏、甘蔗的茎。

【直溜】zhí·liu （～儿）囮 形容笔直：你看这棵小树，长得多～儿。

【直溜溜】zhíliūliū （～的）囮 状态词。形容笔直的样子：～的大马路。

【直流电】zhíliúdiàn 图 方向不随时间而改变的电流。

【直眉瞪眼】zhí méi dèng yǎn ❶ 形容发脾气。❷ 形容发呆：他一～地站在那里，也不说话。

【直面】zhímiàn 囫 面对；正视：～人生。

【直升机】zhíshēngjī 图 能直升直落及在空中停留的航空器，螺旋桨装在机身的上部，作水平方向旋转，可在小面积场地起落。

【直书】zhíshū 〈书〉囫 据实写：秉笔～。

【直抒】zhíshū 囫 直率地发抒：～己见｜～胸臆。

【直属】zhíshǔ ❶ 囫 直接隶属：这个机构是～文化部的。❷ 囮 属性词。直接统属的：～部队｜国务院～机关。

【直率】zhíshuài 囮 直爽：生性～。

【直爽】zhíshuǎng 囮 心地直白，言语、行动没有顾忌：性情～｜他是个～人，心里怎么想，嘴上就怎么说。

【直梯】zhítī 图 指垂直升降的电梯（区别于斜向运行的自动扶梯）。

【直挺挺】zhítǐngtǐng （～的）囮 状态词。形容僵直的样子：～地站着｜～地躺在床上。

【直筒子】zhítǒng·zi 图 比喻直性子或思想单纯的人：他是个～，说话做事从来不会拐弯抹角。

【直系亲属】zhíxì qīnshǔ 指和自己有直接血统关系或婚姻关系的人，如父、母、夫、妻、子、女等。

【直辖】zhíxiá 囫 直接管辖：～市｜～机构｜重庆由中央～，有利于西部地区经济发展。

【直辖市】zhíxiáshì 图 由中央直接管辖的市。

【直线】zhíxiàn ❶ 图 一个点在平面或空间沿着一定方向和其相反方向运动的轨迹；不弯曲的线。❷ 囮 属性词。指直接的或没有曲折起伏的：～电话｜～运输｜联系｜～上升。

【直销】zhíxiāo 囫 生产者不经过中间环节，直接把商品卖给消费者。

【直心眼儿】zhíxīnyǎnr〈口〉❶ 囮 心地直爽。❷ 图 指心地直爽的人。

【直性】zhíxìng （～儿）囮 性情直爽：他是个～人，有什么说什么。

【直性子】zhíxìng·zi ❶ 囮 直性。❷ 图 直性的人。

【直选】zhíxuǎn 囫 直接选举的简称。

【直言】zhíyán 囫 毫无顾忌地说出来：～不讳｜恕我～。

【直言不讳】zhí yán bù huì 直截了当地说出来，没有丝毫顾忌。

【直译】zhíyì 囫 指偏重于照顾原文字句进行翻译（区别于"意译"）。

【直音】zhíyīn 图 我国传统的一种注音方法，就是用一个比较容易认识的字来标注跟它同音的字，如"盅，音古"，是说"盅"字和"古"字同音；"冶，音也"，是说"冶"字和"也"字同音。

【直至】zhízhì 囫 直到。

侄（姪） zhí 图 ❶ （～儿）侄子：表～｜内～。❷ （Zhí）姓。

【侄妇】zhífù 〈书〉图 侄媳妇。

【侄女】zhí·nǚ （～儿）图 弟兄或其他同辈男性亲属的女儿。也称朋友的女儿。

【侄女婿】zhínǚ·xu 图 侄女的丈夫。

【侄孙】zhísūn 图 弟兄的孙子。

【侄孙女】zhísūn·nǚ （～儿）图 弟兄的孙女。

【侄媳妇】zhíxí·fu （～儿）图 侄子的妻子。

【侄子】zhí·zi 图 弟兄或其他同辈男性亲属的儿子。也称朋友的儿子。

值 zhí ❶ 图 价格；数值：币～｜比～｜总产～。❷ 囫 货物和价钱相当：这双皮鞋～五十块钱。❸ 图 用数字表示的量或数学运算所能得到的每一个结果，如 a 取值 10，b 取值 8，则代数式 ab 的值为 $10 \times 8 = 80$。❹ 囮 指有意义或有价值：值得：不～一提｜这次采访收获很大，多跑点儿路也～。❺ 囫 遇到；碰上：正～国庆，老友重逢，真是分外高兴。❻ 轮流担任一定时

间内的工作:～班|～日。

【值班】zhí//bān 动（轮流）在规定的时间担任工作。

【值当】zhídàng〈方〉动 值得;合算;犯得上:为些鸡毛蒜皮的事不～生不是那么大的气。

【值得】zhí//•dé 动❶价钱相当;合算:这东西买得～|东西好,价钱又便宜,～买。❷指这样去做有好的结果;有价值,有意义:不～|值不得|～研究|～推广。

【值钱】zhíqián 形 价钱高;有价值:把～的东西交给柜台保管|这只戒指很～。

【值勤】zhí//qín 动 部队中的人员或负责治安保卫、交通等工作的人员值班:～人员|今天晚上该我～。

【值日】zhírì 动 在轮到负责的那一天执行任务:～生|今天该谁～?

【值守】zhíshǒu 动 值班看守:无人～公用电话|保安人员在厂区巡察。

【值星】zhíxīng 动 部队中各级行政负责干部(营里连连长,连里由排长),在轮到负责的那一周带队和处理一般事务:～排长|本周是王连长～。

【值夜】zhí//yè 动 夜间值班:分组轮流～。

【值遇】zhíyù〈书〉动 遭逢:～不幸。

埴 zhí〈书〉黏土。

职(職) zhí ❶ 职务;责任:尽～|～分|天～|有～有权。❷ 职位:调～|在～|就～|兼～|撤～|辞～。❸ 旧时公文用语,卜属对上司的自称:～等奉命。❹ 掌管:～掌。❺〈书〉副 只;仅:～此而已。❻（Zhí）名 姓。

【职别】zhíbié 名 职务的区别。

【职场】zhíchǎng 名 工作、任职的场所:～新人。

【职称】zhíchēng 名 专业技术职务的名称:技术～|评定～。

【职分】zhífèn 名 ❶ 职务上应尽的本分。❷ 官职。

【职高】zhígāo 名 职业高中的简称。

【职工】zhígōng 名 ❶ 职员和工人:～代表大会。❷ 旧时指工人:～运动。

【职级】zhíjí 名 职务的级别:晋升～。

【职介】zhíjiè 名 职业介绍:～中心。

【职能】zhínéng 名 人、事物、机构应有的作用;功能:货币的～|政法部门是执行国家专政～的机关。

【职权】zhíquán 名 职务范围以内的权力:行使～。

【职守】zhíshǒu 名 工作岗位:擅离～|忠于～。

【职位】zhíwèi 名 机关或团体中执行一定职务的位置。

【职务】zhíwù 名 职位规定应该担任的工作。

【职务发明】zhíwù fāmíng 工作人员为执行本单位的任务或者主要利用本单位的物质条件所完成的发明创造。

【职务犯罪】zhíwù fànzuì 具有一定职务身份的人实施与其身份有必然联系的犯罪行为。

【职务作品】zhíwù zuòpǐn 工作人员为执行本单位的任务或者主要利用本单位的物质条件所创作的作品。

【职衔】zhíxián 名 ❶ 职位和军衔(如中校团长,团长是职,中校是衔)。❷〈书〉官衔。

【职业】zhíyè ❶ 名 个人在社会中所从事的作为主要生活来源的工作。❷ 形 属性词。专业的;非业余的:～剧团|～运动员。

【职业病】zhíyèbìng 名 由于某种劳动的性质或特殊的劳动环境而引起的疾病。如矿工和陶瓷工业工人易患的尘肺等。

【职业道德】zhíyè dàodé 人们在从事某一职业时应遵循的道德规范和行业行为规范。

【职业高中】zhíyè gāozhōng 进行某种职业技能教育的高级中学,如旅游职业高中、烹饪职业高中等。简称职高。

【职业教育】zhíyè jiàoyù 为学生或在职人员从事某种生产或工作所需知识、技能等而实施的教育。在我国,提供职业教育的是中等技术学校、中等师范学校、技工学校、职业中学、农业中学等。

【职员】zhíyuán 名 机关、企业、学校、团体里担任行政或业务工作的人员。

【职责】zhízé 名 职务和责任:应尽的～|保卫祖国是每个公民的神圣～。

【职掌】zhízhǎng 动 掌管:～生杀大权。

埴 zhí 同"填"(用于人名)。

絷(縶) zhí〈书〉❶ 拴;捆。❷ 拘禁。❸ 马缰绳。

植 zhí ❶ 〈动〉栽种:种~|培~|移~| 树◇~皮|断肢再~。❷ 树立:~党营私(结党营私)。❸ 指植物:~被|~株|~保。❹ (Zhí)〈名〉姓。

【植保】zhíbǎo〈名〉植物保护。

【植被】zhíbèi〈名〉覆盖在某一个地区地面上、具有一定密度的许多植物的总和。

【植苗】zhí//miáo〈动〉移植苗木。

【植皮】zhí//pí〈动〉移植皮肤。参看1606页【移植】②。

【植树】zhíshù〈动〉栽种树木:~造林。

【植树节】Zhíshù Jié〈名〉植树造林、绿化祖国的节日。我国的植树节是3月12日。

【植物】zhíwù〈名〉生物的一大类,这一类生物的细胞多具有细胞壁。一般有叶绿素,多以无机物为养料,没有神经,没有感觉。

【植物保护】zhíwù bǎohù 指防治和消灭病、虫、鸟、兽、杂草等对农林植物的危害,使植物能够正常生长发育。

【植物群落】zhíwù qúnluò 在某一地区内,常结合成一定关系而生存的许多同种的或不同种的植物。

【植物人】zhíwùrén〈名〉指严重脑外伤、脑出血等引起的大脑皮质丧失活动能力、完全没有知觉的人。

【植物性神经】zhíwùxìng-shénjīng 自主神经。

【植物学】zhíwùxué〈名〉生物学的一个分支,研究植物的构造、生长和生活机能的规律、植物的分类、进化、传播以及植物与外界环境之间关系、植物资源的保护与合理开发利用等。

【植物园】zhíwùyuán〈名〉栽培各种植物,供学术研究或观赏的地方。

【植株】zhízhū〈名〉成长的植物体,包括根、茎、叶等部分。

殖 zhí 繁殖;孳生:生~|增~。 另见1251页·shi。

【殖民】zhímín〈动〉原指强国向它所征服的地区移民。在资本主义时期,指资本主义国家把经济政治势力扩张到不发达的国家或地区,掠夺和奴役当地的人民。

【殖民地】zhímíndì〈名〉原指一个国家在国外侵占并大批移民居住的地区。在资本主义时期,指被资本主义国家剥夺了政

治、经济的独立权力,并受它管辖的地区或国家。

【殖民主义】zhímín zhǔyì 资本主义强国对力量弱小的国家或地区进行压迫、统治、奴役和剥削的政策。殖民主义主要表现为海外移民、海盗式抢掠、奴隶贩卖、资本输出、商品倾销、原料掠夺等。

跖 zhí ❶〈名〉脚面上接近脚趾的部分。❷〈书〉脚掌。❸〈书〉踏。

【跖骨】zhígǔ〈名〉构成脚掌的小型长骨,跟掌骨相似,共有5块,上端与跗骨相接,下端与趾骨相连。(图见490页"人的骨骼")

摭 zhí〈书〉拾取;摘取:~拾。

【摭拾】zhíshí〈书〉〈动〉拾;捡(多指袭用现成的事例或词句):~故事。

踯(躑) zhí [踯躅](zhízhú)〈书〉〈动〉徘徊①。

蹢 zhí 同"跖"。

蹢 zhí [蹢躅](zhízhú)〈书〉同"踯躅"。另见293页dí。

zhǐ (虫)

止 zhǐ ❶ 停止:~步|~境|不~。❷〈动〉拦阻;使停止:禁~|制~|~血|痛~|~得住|~不住。❸〈动〉(到、至……)截止:展览从10月1日起至10月14日~。❹〈副〉仅;只:这话你说过不~一次了。❺(Zhǐ)〈名〉姓。

【止步】zhǐ//bù〈动〉停止脚步:~不前|游人~(公共游览场所用来标明非游览部分)。

【止境】zhǐjìng〈名〉尽头:学无~|科学的发展是没有~的。

【止息】zhǐxī〈动〉停止:永无~。

只¹(衹、秖) zhǐ〈副〉❶ 表示仅限于某个范围:~知其一,不知其二|在几种棋类中,他~会下象棋。❷ 只有;仅有:家里~我一个人。

只² Zhǐ〈名〉姓。 另见1744页zhī;"衹"另见1071页qí。

【只得】zhǐdé〈副〉不得不:河上没有桥,我们~涉水而过。

【只顾】zhǐgù〈动〉表示专一不变:他话也不

答，头也不回，～低着头干他的事。

【只管】zhǐguǎn 副 ❶ 尽管：你有什么针线活儿，～拿来，我抽空帮你做。❷ 只顾：他不会使桨，小船～在湖中打转。

【只好】zhǐhǎo 副 不得不；只得：我等了半天他还没回来，～留个条子就走了。

【只是】zhǐshì ❶ 副 仅仅是；不过是：我今天进城，～去逛逛书店，没有别的事儿。❷ 副 表示强调限于某个情况或范围：大家问他是什么事，他～一笑，不回答。❸ 连 但是(口气较轻)：本来预备今天拍摄外景，～天还没有晴，不能拍摄。

【只消】zhǐxiāo 动 只需要：这点活儿，～几分钟就可以干完。

【只许州官放火，不许百姓点灯】zhǐ xǔ zhōuguān fàng huǒ，bù xǔ bǎixìng diǎn dēng 宋代田登做州官，要人避讳他的名字，因为"登"和"灯"同音，于是全州都把灯叫做火。到元宵节放灯时，出布告说，本州依例放火三日(见于陆游《老学庵笔记》卷五)。后用来形容专制蛮横的统治者为所欲为，不许人民有一点儿自由。也泛指胡作非为的人不许别人有正当的权利。

【只要】zhǐyào 连 表示必要的条件(下文常用"就"或"便"呼应)：～肯干，就会干出成绩来｜～工夫深，铁杵磨成针。

【只要工夫深，铁杵磨成针】zhǐyào gōng·fu shēn，tiě chǔ mó chéng zhēn 比喻人只要有毅力，肯下工夫，就能把事情做成功。

【只有】zhǐyǒu 连 表示唯一的条件(下文常用"才"或"方"呼应)：～同心协力，才能把事情办好。

旨¹ zhǐ 〈书〉滋味美：～酒｜甘～。

旨² (❶恉) zhǐ ❶ 意义；用意；目的：主～｜要～｜宗～｜会议通过了一系列～在进一步发展两国科学技术合作的决议。❷ 意旨，特指帝王的命令：圣～。

【旨趣】zhǐqù 名 主要目的和意图；宗旨：本刊的～在发刊词中已经说过了。

【旨意】zhǐyì 名 意旨；意图：～何在？

址 (阯) zhǐ 建筑物的位置；地基：地～｜住～｜校～｜厂～｜新～｜遗～。

抵 zhǐ 〈书〉侧手击。

【抵掌】zhǐzhǎng 〈书〉动 击掌(表示高兴)：～而谈。 注意 "抵"不作"抵"，也不念 dǐ。

芷 zhǐ ❶ 见28页〖白芷〗。❷ (Zhǐ) 名 姓。

沚 zhǐ 〈书〉水中的小块陆地。

纸 (紙、帋) zhǐ ❶ 名 写字、绘画、印刷、包装等所用的东西，多用植物纤维制造。❷ 量 书信、文件的张数：一～公文｜一～禁令。❸ (Zhǐ) 名 姓。

【纸板】zhǐbǎn 名 板状的纸。质地粗糙，较厚而硬，用来制作纸盒、纸箱等。

【纸币】zhǐbì 名 纸制的货币，一般由国家银行或政府授权的银行发行。

【纸浆】zhǐjiāng 名 芦苇、稻草、竹子、木材等经过化学或机械方法处理，除去杂质后剩下的纤维素，是造纸的原料。

【纸巾】zhǐjīn 名 一种像手绢那样大小用来擦脸、手等的质地柔软的纸片。

【纸老虎】zhǐlǎohǔ 名 比喻外表强大凶狠而实际空虚无力的人或集团。

【纸马】zhǐmǎ 名 ❶ 迷信用品，印有神像供焚化用的纸片。❷ 〈方〉迷信用品，用纸糊成的人、车、马等形状的东西。

【纸煤儿】zhǐméir 同"纸煤儿"。

【纸煤儿】zhǐméir 名 引火用的很细的纸卷儿。也作纸媒儿。

【纸捻】zhǐniǎn (～儿) 名 用纸条搓成的像细绳的东西。

【纸牌】zhǐpái 名 牌类娱乐用具，用硬纸制成，上面印着各种点子或文字，种类很多。也指扑克牌。

【纸钱】zhǐqián (～儿) 名 迷信的人烧给死人或鬼神的铜钱形的圆纸片，中间有方孔。也有用较大的纸片，上面打出一些钱形做成。

【纸上谈兵】zhǐ shàng tán bīng 在文字上谈用兵策略，比喻不联系实际情况，空发议论。

【纸头】zhǐtóu 〈方〉名 纸。

【纸型】zhǐxíng 名 浇铸铅版的模子。用特制的纸覆在排好的版上压制而成。

【纸烟】zhǐyān 名 香烟。

【纸样】zhǐyàng 名 按衣服等的式样、尺寸用纸裁成的标准样式。

【纸鹞】zhǐyào〈方〉名 风筝。

【纸鸢】zhǐyuān〈书〉名 风筝。

【纸张】zhǐzhāng 名 纸(总称)。

【纸醉金迷】zhǐ zuì jīn mí 形容叫人沉迷的奢侈豪华的环境。也说金迷纸醉。

祉 zhǐ〈书〉幸福:福~。

指 zhǐ ❶ 名 手指头:食~|五~|屈~首届一~。❷ 量 一个手指头的宽度叫"一指",用来计算深浅宽窄等:下了三~雨|这双鞋大了一~|两~宽的纸条。❸ 动(手指头、物体尖端)对着;向着:用手一~|时针正对着十二点。❹(头发)直立:发~。❺ 动 指点:~导|~示|~出正确方向|有问题请您~出来。❻ 动 意思上着:这不是~你说的,是~他的。❼ 动 指望;依靠:~靠|单~着一个人是不能把事情做好的。

【指标】zhǐbiāo 名 计划中规定达到的目标:数量~|质量~|生产~。

【指不定】zhǐ·budìng 副 没准儿;说不定:你别等他了,他~来不来呢。

【指不胜屈】zhǐ bù shèng qū 形容数量很多,扳着指头数也数不过来。

【指称】zhǐchēng 动 ❶ 指出;声称:该公司在诉状中~对方违约。❷ 指示并称呼:江西人把"老表"来相互~。

【指斥】zhǐchì 动 指摘;斥责:~时弊。

【指导】zhǐdǎo 动 指示教导;指点引导:~员|教师正在~学生做实验。

【指导员】zhǐdǎoyuán 名 ❶ 担任指导工作的人员。❷ 政治指导员的通称。

【指点】zhǐdiǎn 动 ❶ 指出来使人知道;点明:他~给我看,哪是织女星,哪是牵牛星|大家都朝他~的方向看|老师~我怎样使用电脑。❷ 在旁边挑剔毛病,在背后说人不是:自己不干,还在那里指指点点。

【指定】zhǐdìng 动 确定(做某件事的人、时间、地点等):~他做大会发言人|各组分头出发,到~的地点集合。

【指法】zhǐfǎ 名 ❶ 操作键盘,演奏管弦乐器时用手指的技法:~熟练。❷ 指戏曲、舞蹈表演中手指动作的方式。

【指供】zhǐgòng 动 审讯人员提出某种具体的事实或情节令人供认:严禁刑讯逼供和~。

【指骨】zhǐgǔ 名 构成手指的小型长骨,每只手有14块,大拇指有2块,其余手指各有3块。(图见490页"人的骨骼")

【指画】[1] zhǐhuà 动 挥动手指;指点:孩子们~着,"看,飞机!三架!又三架!"

【指画】[2] zhǐhuà 名 国画中用指头、指甲和手掌蘸水墨或颜色画出的画。

【指环】zhǐhuán 名 戒指。

【指挥】zhǐhuī ❶ 动 发令调度:~部|所|~作战。❷ 名 发令调度的人:他是这次拔河比赛的~。❸ 名 在乐队或合唱队前面指示如何演奏或演唱的人。

【指挥棒】zhǐhuībàng 名 ❶ 乐队指挥、交通警等指挥时用的小棒。❷ 借指起导向作用的事物(多含贬义):他要大家都得随着他的~转。

【指挥刀】zhǐhuīdāo 名 指挥士兵作战、演习或操练时用的狭长的刀。

【指挥员】zhǐhuīyuán 名 ❶ 中国人民解放军中担任各级领导职务的干部。❷ 泛指在某项工作中负责指挥的人员。

【指鸡骂狗】zhǐ jī mà gǒu 见【指桑骂槐】。

【指甲】zhǐ·jia(口语中多读 zhí·jia)名 指尖上面的角质物,有保护指尖的作用。

【指甲盖儿】zhǐ·jiagàir(口语中多读 zhí·jiagàir)名 指甲连着肌肉的部分。

【指甲花】zhǐ·jiahuā(口语中多读 zhí·jiahuā)名 凤仙花的俗称。

【指甲心儿】zhǐ·jiaxīnr(口语中多读 zhí·jiaxīnr)名 指甲跟指尖肌肉相接连的地方。

【指教】zhǐjiào 动 ❶ 指点教导:在教练的耐心~下,运动员的进步很快。❷ 客套话,用于请人对自己的工作、作品提出批评或意见:希望多多~。

【指靠】zhǐkào 动 依靠(多指生活方面的):生活有了~|要学会自立,不能~别人。

【指控】zhǐkòng 动 指责和控告:提出~|~他有受贿行为。

【指令】zhǐlìng ❶ 动 指示;命令:团长~三营火速增援。❷ 名 上级给下级的指示或命令:这是谁下的~? ❸ 名 旧时公文的一类,上级机关因下级机关呈请而有所指示时称为指令。❹ 名 计算机系统中用来指定进行某种运算或要求实现某种控制的代码。

【指鹿为马】zhǐ lù wéi mǎ 秦朝二世皇帝的时候，丞相赵高想造反，怕别的臣子不附和，就先试验一下。他把一只鹿献给二世，说："这是马。"二世笑着说："丞相错了吧，把鹿说成马了。"问旁边的人，有的不说话，有的说是马，有的说是鹿。事后赵高就暗中把说是鹿的人杀了（见于《史记·秦始皇本纪》）。比喻颠倒是非。

【指名】zhǐmíng （～儿）勔 指出人或事物的名字：～要我发言。

【指名道姓】zhǐ míng dào xìng 毫不避讳地直接说出姓名（含不够恭敬意）。

【指明】zhǐmíng 勔 明确指出：～方向。

【指南】zhǐnán 图 比喻辨别方向的依据：行动～。

【指南车】zhǐnánchē 图 我国古代用来指示方向的车。在车上装着一个木头人，车子里面有很多齿轮，无论车子转向哪个方向，木头人的手总是指着南方。

【指南针】zhǐnánzhēn 图 ❶ 利用磁针制成的指示方向的仪器，把磁针支在一个直轴上，可以水平旋转，由于磁针受地磁吸引，针的一头总是指着南方。❷ 比喻辨别正确方向的依据。

【指派】zhǐpài 勔 派遣（某人去做某项工作）：受人～｜他担当这个任务。

【指认】zhǐrèn 勔 指出并确认（某人的身份等）：经多人～，此人就是作案者。

【指日可待】zhǐ rì kě dài （事情、希望等）不久就可以实现：计划的完成～。

【指桑骂槐】zhǐ sāng mà huái 比喻表面上骂这个人，实际上骂那个人。也说指鸡骂狗。

【指使】zhǐshǐ 勔 出主意叫别人去做某事：这件事幕后有人～｜有人～他这样做的。

【指示】zhǐshì ❶勔 指给人看：～剂｜～代词。❷勔 上级对下级或长辈对晚辈说明处理某个问题的原则和方法：局长～我们必须按期完成任务。❸ 图 指示下级或晚辈的话或文字：执行上级的～。

【指示剂】zhǐshìjì 图 化学试剂的一类，用来检验物质中某种化合物、元素或离子是否存在或该物质的化学性质是否改变。一般是利用指示剂的颜色变化、荧光变化或混浊度的变化。

【指示生物】zhǐshì shēngwù 对环境中某些物质能产生敏感反应的生物。被用来监测和评价环境污染状况和变化趋势。

【指事】zhǐshì 图 六书之一。指事是说字由象征性的符号构成。如："上"字古写作"二"，"下"字古写作"二"。

【指手画脚】zhǐ shǒu huà jiǎo 形容说话时兼用手势示意。也形容轻率地指点、批评。

【指数】zhǐshù 图 ❶ 表示一个数自乘若干次的数字，记在数的右上角，如 3^2，4^3，6^n 中的 $2,3,n$。❷ 某一经济现象在某时期内的数值和同一现象在另一个作为比较标准的时期内的数值的比数。指数表明经济现象变动的程度，如生产指数、物价指数、股票指数、劳动生产率指数。此外，说明地区差异或计划完成情况的比数也叫指数。

【指头】zhǐ·tou（口语中多读 zhí·tou）图 手前端的五个分支，可以屈伸拿东西。也指脚趾。

【指头肚儿】zhǐ·toudùr（口语中多读 zhí·toudùr）〈方〉图 手指头上有螺纹的鼓起的部分。

【指望】zhǐ·wang ❶ 勔 一心期待；盼望：～今年有个好收成。❷（～儿）图 所指望的；盼头：这病还有～儿。

【指纹】zhǐwén 图 手指头肚儿上皮肤的纹理，也指这种纹理留下来的痕迹。

【指引】zhǐyǐn 勔 指点引导：～航向｜猎人～他通过了林区。

【指印】zhǐyìn （～儿）图 手指头肚儿留下的痕迹，有时特指按在契约、证件、单据等上面的指纹。

【指责】zhǐzé 勔 指摘；责备：大家～他不爱护公物。

【指摘】zhǐzhāi 勔 挑出错误，加以批评：严厉～｜无可～。

【指战员】zhǐzhànyuán 图 指挥员和战斗员的合称。

【指仗】zhǐzhàng 〈方〉勔 仰仗；依靠：这里农民一年的生计就～地里的收成。

【指针】zhǐzhēn 图 ❶ 钟表的面上指示时间的针，分为时针、分针、秒针；仪表上指示度数的针。❷ 比喻辨别正确方向的依据。

【指正】zhǐzhèng 勔 ❶ 指出错误，使之改正。❷ 客套话，用于请人批评自己的作品或意见：有不对的地方请大家～。

【指证】zhǐzhèng 动 指认并证明：现场目击者出庭～凶犯。

枳 zhǐ 名 落叶灌木或小乔木，茎上有刺，叶子为三片小叶组成的复叶，小叶倒卵形或椭圆形，花白色，浆果球形，黄绿色，味酸苦。也叫枸橘(gōujú)。

【枳椇】zhǐjǔ 名 ❶ 落叶乔木，叶子卵圆形，花淡黄绿色，果实近球形，果柄肥厚弯曲，肉质，红褐色，味甜，可以吃。种子扁圆形。果柄、种子、树皮等都可入药。❷ 这种植物的果实和果柄。‖ 也叫拐枣。

织(織) zhǐ 〈书〉车轴的末端。

咫 zhǐ 量 古代称八寸为咫。

【咫尺】zhǐchǐ 〈书〉名 比喻很近的距离：～之间｜近在～。

【咫尺天涯】zhǐchǐ tiānyá 指距离虽然很近，但很难相见，就像在遥远的天边一样。

趾 zhǐ ❶ 名 脚指头：～骨｜鹅鸭之类～间有蹼。❷ 脚：～高气扬。

【趾高气扬】zhǐ gāo qì yáng 高高举步，神气十足，形容骄傲自满，得意忘形。

【趾骨】zhǐgǔ 名 构成脚趾的小型长骨，每只脚有 14 块，大脚趾有 2 块，其余脚趾各有 3 块。(图见 490 页〖人的骨骼〗)

【趾甲】zhǐjiǎ 名 脚指甲。

黹 zhǐ 〈书〉缝纫；刺绣：针～。

酯 zhǐ 名 有机化合物的一类，酸分子中能电离的氢原子被烃基取代而成的化合物。是动植物油脂的主要部分。

徵 zhǐ 古代五音之一。相当于简谱的"5"。参看 1445 页〖五音〗。
另见 1735 页 zhēng"征"。

zhì（玊）

至 zhì ❶ 动 到：～今｜自始～终｜～死不屈。❷ 至于：甚～。❸ 副 极；最：～为感谢｜你要早来，～迟下星期内一定赶到。

【至爱】zhì'ài ❶ 形 最喜爱的；最热爱的：～的亲人。❷ 名 指最喜爱的人或事物：生命中的～。

【至宝】zhìbǎo 名 最珍贵的宝物：如获～。

【至诚】zhìchéng 形 极为诚恳；真诚：～之士｜～待人。

【至此】zhìcǐ 动 ❶ 到这里：文章～为止。❷ 到这个时候：～，事情才逐渐有了眉目。❸ 到这种地步：事已～，只好就这样了。

【至多】zhìduō 副 表示最大的限度：他不过四十岁｜老师～是从头到尾讲一遍，要纯熟还得靠自己多练习。

【至高无上】zhì gāo wú shàng 最高；没有更高的。

【至好】zhìhǎo 名 至交。

【至极】zhìjí 动 达到极点：可恶～。

【至交】zhìjiāo 名 最相好的朋友：～好友｜他们俩是～。

【至今】zhìjīn 副 直到现在：他回家以后～还没有来信。

【至理名言】zhìlǐ-míngyán 最正确、最有价值的话。

【至亲】zhìqīn 名 关系最近的亲戚：～好友｜骨肉～。

【至上】zhìshàng 形 (地位、权力等)最高：顾客～｜国家利益～。

【至少】zhìshǎo 副 表示最小的限度：今天到会的～有三千人｜从这儿走到学校，～要半个小时。

【至于】zhìyú ❶ 动 表示达到某种程度：他说了要来的，也许晚一些，不～不来吧？❷ 介 表示另提一事：这两年来，村里新盖的房子就有几百间，～村民添置的电器、日用品，就不可胜数了。

【至嘱】zhìzhǔ 动 极恳切地嘱咐(多用于书信)。

【至尊】zhìzūn ❶ 形 最尊贵：～无上。❷ 名 封建时代称皇帝为至尊。

志[1] zhì ❶ 名 志向；志愿：立～｜得～｜～同道合。❷ 志气；意志：人穷～不短。❸ (Zhì)名 姓。

志[2] zhì 〈方〉动 称轻重；量长短、多少：用秤～～｜拿碗～一～。

志[3]**(誌)** zhì ❶ 动 记：～喜｜～哀｜永～不忘。❷ 文字记录：杂～｜县～｜《三国～》。❸ 记号：标～。

【志哀】zhì'āi 动 用某种方式表示哀悼。

【志大才疏】zhì dà cái shū 志向虽然大，可是能力不够。

【志气】zhì·qì 名 求上进的决心和勇气：要

求做成某件事的气概;有～|～昂扬。

【志趣】zhìqù 名 行动或意志的趋向;志向和兴趣:～相投。

【志士】zhìshì 名 有坚定意志和高尚节操的人:～仁人|革命～|爱国～。

【志同道合】zhì tóng dào hé 志向相同,意见相合。

【志向】zhìxiàng 名 关于将来要做什么事,要做什么样人的意愿和决心:远大的～。

【志愿】zhìyuàn ❶ 名 志向和愿望:立下～|他的～是当个教师。❷ 动 自愿:～参军|我～去边疆工作。

【志愿兵】zhìyuànbīng 名 自愿服兵役的士兵,我国专指服满一定年限的兵役后继续服役的士兵,非军事部门具有专业技能的公民也可以根据需要直接招收为志愿兵。

【志愿兵役制】zhìyuàn bīngyìzhì 自愿参军入伍的制度。中国共产党领导的人民军队,1954 年前一直实行志愿兵役制;1955 年开始实行义务兵役制;1978 年起,实行义务兵与志愿兵相结合、民兵与预备役相结合的兵役制度。

【志愿军】zhìyuànjūn 名 一国或数国人民,因自愿参加另一国家的对外战争或国内战争而组成的军队,多指为了帮助另一国抵抗武装侵略而组成的。

【志愿者】zhìyuànzhě 名 自愿为社会公益活动、赛事、会议等服务的人。

【志子】zhì·zi 〈方〉名 称轻重或量长短、多少的简单器具。

豸 zhì 〈书〉没有脚的虫:虫～。

忮 zhì 〈书〉嫉妒:～刻(忌刻)|不～不求。

识(識) zhì 〈书〉❶ 记:博闻强～。❷ 记号:款～。
另见 1236 页 shí。

屋 zhì 盩屋(Zhōuzhì),地名,在陕西。今作周至。

郅 zhì ❶〈书〉副 极;最。❷(Zhì)名姓。

帜(幟) zhì ❶ 旗子:旗～|独树一～。❷〈书〉标记。

帙 zhì 〈书〉❶ 书画外面包着的布套。❷ 量 用于装套的线装书。

制(❶製) zhì ❶ 动 制造:～版|～革|～图|炼～|缝～|这块奖

牌是用铜～成的。❷ 拟订;规定:～定|因地～宜。❸ 用强力约束;限定:管束;压～|限～|管～|节～|～伏。❹ 制度:全民所有～|民主集中～。❺(Zhì)名姓。

【制版】zhì∥bǎn 动 制造各种印刷上用的版:～车间。

【制备】zhìbèi 动 化学工业上指经过制造而取得。

【制裁】zhìcái 动 用强力管束并惩处:法律～|经济～。

【制导】zhìdǎo 动 控制和引导火箭、导弹等,使其按一定轨道运行,准确地到达目标。

【制订】zhìdìng 动 创制拟定:～下一步工作计划。

【制定】zhìdìng 动 定出(法律、规程、政策等):～宪法|～学会章程。

【制动器】zhìdòngqì 名 使运行中的运输工具、机器等减低速度或停止运动的装置。

【制度】zhìdù 名 ❶ 要求大家共同遵守的办事规程或行动准则:工作～|财政～。❷ 在一定历史条件下形成的政治、经济、文化等方面的体系:社会主义～|封建宗法～。

【制伏】zhì∥fú 动 用强力压制使驯服。也作制服。

【制服】¹ zhì∥fú 同"制伏"。

【制服】² zhìfú 名 军人、机关工作者、学生等穿戴的有规定式样的服装。

【制高点】zhìgāodiǎn 名 军事上指能够俯视、控制周围地面的高地或建筑物等。

【制海权】zhìhǎiquán 名 军队在一定时间、一定海区所掌握的主动权。

【制衡】zhìhéng 动 相互制约,使保持平衡:权力～。

【制黄】zhìhuáng 动 制作淫秽书刊、音像制品等:取缔～窝点。

【制剂】zhìjì 名 生药或化学药品经过加工制成的药物,如片剂、水剂、酊剂、血清、疫苗。

【制假】zhìjiǎ 动 制造假冒伪劣产品等:整治各种～行为。

【制件】zhìjiàn 名 工件。

【制空权】zhìkōngquán 名 军队在一定时间、一定空域范围内所掌握的主动权。

【制冷】zhìlěng 动 用人工方法取得低温。

【制品】zhìpǐn 名 制造成的物品:乳~|塑料~|化学~。

【制钱】zhìqián 名 明清两代称由本朝铸造通行的铜钱。

【制胜】zhìshèng 动 取胜;战胜:出奇~|~敌人。

【制式】zhìshì 名 规定的式样或程序:~警服|~教练(按照条令规定进行的军人队列动作的教练)。

【制售】zhìshòu 动 制造并销售:坚决打击~假冒伪劣商品的行为。

【制图】zhì∥tú 把实物或想象的物体的形象、大小等在平面上按一定比例描绘出来(多用于机械、工程等设计工作)。

【制约】zhìyuē 动 甲事物本身的存在和变化以乙事物的存在和变化为条件,则甲事物为乙事物所制约:互相~。

【制造】zhìzào 动 ❶ 用人工使原材料成为可供使用的物品:~机器|~化肥。❷人为地造成某种气氛或局面等(含贬义):~纠纷|~紧张气氛。

【制止】zhìzhǐ 动 强迫使停止;不允许继续(行动):~侵略|我做了一个手势,他再~说下去。

【制作】zhìzuò 动 制造:~家具。

质¹(質) zhì ❶ 名 性质;本质:实~|变~|量的变化能引起~的变化。❷ 名 质量②:~量并重(质量和数量并重)|保~保量。❸ 物质:流~|铁~的器具。❹ 朴素;单纯:~朴。

质²(質) zhì 询问;责问:~疑|~问。

质³(質) zhì〈书〉❶ 抵押:以衣物~钱。❷ 抵押品:以此物为~。

【质变】zhìbiàn 名 事物的根本性质的变化。是由一种性质向另一种性质的突变。参看 855 页【量变】。

【质地】zhìdì 名 ❶ 某种材料结构的性质:~坚韧|~精美。❷ 指人的品质或资质。

【质点】zhìdiǎn 名 在说明物体运动状态时,不考虑物体的大小和形状,认为它是具有质量的点,这个物体叫做质点。

【质对】zhìduì 动 对证;对质:当面~。

【质感】zhìgǎn 名 ❶ 人对某种物质的真实的感受:这种面料~不错。❷ 指艺术品所表现的物体特质的真实感:这幅作品用多种绘画手段,表现了不同物体的~。

【质管】zhìguǎn 名 质量管理:加大~力度。

【质检】zhìjiǎn 名 质量检查。

【质量】zhìliàng 名 ❶ 表示物体惯性大小的物理量。数值上等于物体所受外力和它获得的加速度的比值。有时也指物体中所含物质的量。质量是常量,不因高度或纬度变化而改变。❷ 产品或工作的优劣程度:工程~|教学~|这布~好,又好看,又耐穿。

【质料】zhìliào 名 产品所用的材料:这套衣服的~很好。

【质朴】zhìpǔ 形 朴实;不矫饰:为人~忠厚|文字平易~。

【质数】zhìshù 名 素数。

【质问】zhìwèn 动 依据事实问明是非;责问:提出~。

【质心】zhìxīn 名 物体内各点所受的平行力产生合力,这个合力的作用点叫做这个物体的质心。

【质询】zhìxún 动 质疑询问。

【质押】zhìyā 动 债务人或第三人以向债权人转移某项财产的占有权作为履行合同的担保。当债务人不能履行合同义务时,债权人有权依法处置该项财产,所得价款有优先受偿的权利。最常见的质押是当事人与当铺进行的交易。

【质疑】zhìyí 动 提出疑问:~问难。

【质疑问难】zhì yí wèn nàn 提出疑难问题来讨论;提出疑问以求解答。

【质证】zhìzhèng 动 诉讼中,在法庭上对证人证言进一步提出问题,要求证人作进一步的陈述,以解除疑义,确认证言的证明作用:当面~。

【质子】zhìzǐ 名 构成原子核的粒子之一,带正电,所带电量和电子相等,质量为电子的 1 836 倍。各种原子所含的质子数不

炙 zhì ❶〈书〉烤:烈日~人。❷〈书〉烤熟的肉。❸ (Zhì) 名 姓。

【炙热】zhìrè 形 像火烤一样的热,形容极热:~的阳光|骄阳似火,大地~。

【炙手可热】zhì shǒu kě rè 手一挨近就感觉热,比喻气焰很盛,权势很大。

治 zhì ❶ 动 治理:~家|~国|自~|标~|~本|~淮(淮河)。❷ 指安定或太

平；～世｜天下大～。❸旧称地方政府所在地：县～｜府～｜省～。❹ 动 医治：病我的病已经～好了。❺ 动 消灭（害虫）：～蝗｜～蚜虫。❻ 惩办：～罪｜惩～处～。❼ 研究：～学。❽（Zhì）名 姓。

【治安】zhì'ān 名 社会的安宁秩序：维持～。

【治保】zhìbǎo 动 治安保卫：～工作｜～干部。

【治本】zhìběn 动 从根本上加以处理（跟"治标"相对）。

【治标】zhìbiāo 动 就显露在外的毛病加以应急的处理（跟"治本"相对）。

【治病救人】zhì bìng jiù rén 比喻针对某人的缺点和错误进行批评，帮助他改正。

【治假】zhìjiǎ 动 惩治制假贩假行为：全力～，净化市场。

【治理】zhìlǐ 动 ❶ 统治；管理：～国家。❷ 处理；整修：～淮河。

【治疗】zhìliáo 动 用药物、手术等消除疾病：长期｜隔离～｜他的病必须住院～。

【治乱】zhìluàn 动 整治、改变混乱状况：积极～，美化环境。

【治穷】zhìqióng 动 治理、改变穷困落后的状况：～脱贫。

【治丧】zhìsāng 动 办理丧事：节俭～｜～委员会。

【治水】zhì//shuǐ 动 疏通水道，消除水患：～工程｜大禹～。

【治丝益棼】zhì sī yì fén 理丝不找头绪，结果越理越乱。比喻解决问题的方法不对头，反而使问题更加复杂。

【治外法权】zhìwài fǎquán 指有特定身份的外国人，如外交官、国家元首、政府首脑、联合国官员等所享有的不受所在国管辖的特权。

【治污】zhìwū 动 治理环境污染：～保洁。

【治学】zhìxué 动 研究学问：～严谨｜实事求是，才是～的正确态度。

【治印】zhì//yìn 刻图章：～艺术。

【治装】zhìzhuāng 动 备办行装。

【治罪】zhì//zuì 动 给犯罪人应得的惩罚：依法～。

绖（絰）zhì 〈书〉缝；补绽。

栉（櫛）zhì 〈书〉❶ 梳子、篦子等梳头发的用具。❷ 梳（头发）：～发｜风沐雨。

【栉比】zhìbǐ 〈书〉动 像梳子齿那样密密地排着：鳞次～｜厂房～。

【栉比鳞次】zhì bǐ lín cì 见 864 页【鳞次栉比】。

【栉风沐雨】zhì fēng mù yǔ 风梳头，雨洗发，形容奔波劳碌，不避风雨。

崻 zhì 〈书〉耸立；屹（yì）立：对～。另见 1249 页 shì。

峙 zhì 〈书〉储备。

陟 zhì 〈书〉登高。

贽（贄）zhì 〈书〉初次拜见长辈所送的礼物：～见（拿着礼物求见）｜～敬（旧指拜师送的礼）。

挚（摯）zhì 〈书〉诚恳；真～｜恳～｜～爱。

【挚爱】zhì'ài 动 真挚地爱：深情～他的作品洋溢着对祖国的～之情｜老先生把毕生的精力献给了他所～的事业。

【挚诚】zhìchéng 形 诚挚；真诚：～的话语打动了对方。

【挚友】zhìyǒu 名 亲密的朋友。

桎 zhì 〈书〉脚镣：～梏。

【桎梏】zhìgù 〈书〉名 脚镣和手铐，比喻束缚人或事物的东西。

轾（輊）zhì 见 1541 页【轩轾】。

致[1] zhì ❶ 动 给予；向对方表示（礼节、情意等）：～函｜～电｜～欢迎词｜向大会～热烈的祝贺。❷ 集中（力量、意志等）于某个方面：～力｜专心～志。❸ 达到；实现：～富｜学以～用。❹ 招致；引起：～病｜～癌｜～残。❺ 连 以致：～使｜由于粗心大意，～将地址写错。❻（Zhì）名 姓。

致[2] zhì 情趣：兴～｜景～｜别～｜有～｜毫无二～。

致[3]（緻）zhì 精密；精细：细～｜精～｜工～。

【致哀】zhì'āi 动 对死者表示哀悼：向死难烈士～。

【致残】zhìcán 动 导致人肢体、器官等残缺或残废：因工～。

【致词】zhì//cí 同"致辞"。

【致辞】zhì//cí 动 在举行某种仪式时说勉

励、感谢、祝贺、哀悼等的话：由大会主席
～。也作致词。

【致电】zhì/diàn 勔 给对方打电报或打电
话：～祝贺｜～慰问。

【致富】zhìfù 勔 实现富裕：勤劳～｜～之
路。

【致函】zhì//hán 勔 给对方写信：～表示
谢意。

【致敬】zhìjìng 勔 向人敬礼或表示敬意：
～信｜举手～。

【致力】zhìlì 勔 把力量用在某个方面：～
革命｜～写作。

【致密】zhìmì 形 细致精密：～的网｜～的
观察｜结构～。

【致命】zhìmìng 形 可使丧失生命：～伤◇
～的弱点。

【致使】zhìshǐ ❶ 勔 由于某种原因而使
得：这场大雨～数十间房屋倒塌。❷ 连
以致：由于字迹不清，～信件无法投递。

【致死】zhìsǐ 勔 导致死亡：因伤～。

【致谢】zhìxiè 勔 向人表示谢意。

【致意】zhìyì 勔 表示问候之意：再三～｜点
头～。

秩¹ zhì ❶〈书〉次序：～序。❷〈书〉
俸禄，也指官的品级：厚～｜加官进
～。❸（Zhì）名 姓。

秩² zhì 〈书〉十年：七～大庆。

【秩序】zhìxù 名 有条理、不混乱的情况：
～井然｜遵守会场～。

狲（狲）zhì 〈书〉（狗）疯狂。

鸷（鷙）zhì ❶〈书〉凶猛：～鸟。❷
（Zhì）名 姓。

【鸷鸟】zhìniǎo 名 凶猛的鸟，如鹰、雕。

掷（擲）zhì 勔 扔；投：投～｜弃～｜～
铁饼｜～铅球｜手榴弹～远比
赛。

【掷弹筒】zhìdàntǒng 名 一种发射炮弹的
小型武器，炮弹从筒口装入，射程较近。

【掷地有声】zhì dì yǒu shēng 形容话语豪
迈有力。

【掷还】zhìhuán 勔 客套话，请人把原物归
还自己：前请审阅之件，请早日～为荷。

梽 zhì 梽木山（Zhìmùshān），地名，在
湖南。

畤 zhì 〈书〉祭天地及古代帝王的处所。

铚（銍）zhì 〈书〉❶ 短的镰刀。❷
割禾穗。

衺 zhì 〈书〉同"帙"（zhì）。

痔 zhì 名 病，因肛门或直肠末端的静
脉曲张而形成的突起的小结节。分
为内痔、外痔和混合痔。症状是发痒、灼
热、疼痛，大便表面带血等。通称痔疮。

【痔疮】zhìchuāng 名 痔的通称。

窒 zhì 阻塞不通：～碍｜～息。

【窒碍】zhì'ài 〈书〉勔 有阻碍；障碍：～难
行。

【窒息】zhìxī 勔 因外界氧气不足或呼吸
系统发生障碍而呼吸困难甚至停止呼吸。

蛭 zhì 名 环节动物的一大类，体一般
长而扁平，无刚毛，前后各有一个吸
盘。生活在淡水中或湿润的地方，大多为
半寄生，如水蛭、医蛭、山蛭等。有的吸食
人或动物的血液。通称蚂蟥。

智 zhì ❶ 有智慧；聪明：明～｜～者千
虑，必有一失。❷ 智慧；见识：足～多
谋｜～勇双全｜吃一堑，长一～。❸（Zhì）名
姓。

【智残】zhìcán 名 由于大脑生理缺陷或伤
残而导致的智力残缺。

【智齿】zhìchǐ 名 口腔中最后面的磨牙，一
般在18—22岁才长出来，有些人终生长
不出来。

【智多星】zhìduōxīng 名《水浒传》中吴用
的绰号，借指计谋多的人。

【智慧】zhìhuì 名 辨析判断、发明创造的能
力：人民的～是无穷的｜领导干部要善于集
中群众的～。

【智库】zhìkù 名 指汇聚高级人才、能为政
府机构、企业等提供咨询服务的组织或团
体。

【智力】zhìlì 名 指人认识、理解客观事物
并运用知识、经验等解决问题的能力，包
括记忆、观察、想象、思考、判断等。

【智力产业】zhìlì chǎnyè 知识产业。

【智龄】zhìlíng 名 智力年龄。某一年龄儿
童的智龄，根据对一定数量同龄儿童进行
测验的平均成绩确定。智龄超过实足年
龄越多，智力发展水平越高。

【智略】zhìlüè 名 智谋和才略：～过人。

【智谋】zhìmóu 名 智慧和计谋：人多～高。

【智囊】zhìnáng 名 比喻计谋多的人，特指为别人出谋划策的人：～团。

【智能】zhìnéng 名 智慧和能力：～双全｜培养～｜发展学生～｜～机器人。

【智能材料】zhìnéng cáiliào 一种新型材料，由传感器或敏感元件等与传统材料结合而成。这种材料可以自我发现故障，自我修复，并根据实际情况做出优化反应，发挥控制功能。

【智能犯罪】zhìnéng fànzuì 利用高科技，采取非暴力手段进行的犯罪活动。

【智能卡】zhìnéngkǎ 名 集成电路卡。

【智商】zhìshāng 名 智力商数，个人智力水平的数量化指标。把一个年龄组或团体的平均智商定为100，通过测验和计算得出个人的智商数，分数越高，表明一个人智力水平越高，70以下表明智力有缺陷。

【智育】zhìyù 名 发展智力的教育。有时也单指文化科学知识的教育。

【智障】zhìzhàng 名 由于大脑生理缺陷或伤残而导致的智力障碍。

痣 zhì 名 ❶ 皮肤上生的斑痕或小疙瘩，多呈青色、红色或黑褐色，不痛不痒。❷（Zhì）姓。

滞（滯） zhì 停滞；不流通：～货｜～销｜～留。

【滞洪】zhìhóng 动 在洪水期利用河流附近的湖泊、洼地等蓄积洪水：～区｜～排沙。

【滞后】zhìhòu 动（事物）落在形势发展的后面：由于电力发展～，致使电力供应紧张。

【滞缓】zhìhuǎn ❶ 形 进展滞缓，增长缓慢：工作进度～｜销售～。❷ 动 停滞；延缓：～癌细胞的增长｜资金不足，～了经济发展。

【滞留】zhìliú 动 停留不动：～一夜｜～他乡。

【滞纳】zhìnà 动 ❶ 超过规定期限缴纳（税款、保险费等）。❷ 利用水库、湖泊、洼地等蓄积容纳（洪水）。

【滞纳金】zhìnàjīn 名 因逾期缴纳税款、保险费或水、电、煤气等费用而需额外缴纳的钱。

【滞销】zhìxiāo 动（货物）不易售出；销路不畅：～商品｜产品～。

【滞压】zhìyā 动 滞留积压：～资金。

【滞胀】zhìzhàng 动 指由于通货膨胀而经济停滞。

骘（騭） zhì 〈书〉安排；定：评～｜阴～。

彘 zhì 〈书〉猪。

碛（磧） zhì 〈书〉柱下石。

置 zhì ❶ 搁；放：安～｜搁～｜漠然～之｜～之不理｜～诸脑后。❷ 设立；布置：装～｜设～。❸ 动 购置：添～｜～一些用具。

【置办】zhìbàn 动 采买；购置：～年货｜这笔钱是～农具的。

【置备】zhìbèi 动 购买（设备、用具）：～家具｜一般家用电器都可以在当地～。

【置辩】zhìbiàn 动 辩论；申辩（多用于否定式）：不屑～｜不容～。

【置换】zhìhuàn 动 ❶ 一种单质替代化合物中一种原子或原子团生成另一种单质和另一种化合物，如镁和硫酸铜反应生成铜和硫酸镁。❷ 替换：通用件可以互相～。

【置喙】zhìhuì 〈书〉动 插嘴（多用于否定式）：不容～。

【置评】zhìpíng 动 加以评论（多用于否定式）：不予～。

【置若罔闻】zhì ruò wǎng wén 放在一边儿不管，好像没听见一样。

【置身】zhìshēn 动 把自己放在；存身（于）：～于群众之中。

【置身事外】zhì shēn shì wài 把自己放在事情之外，毫不关心。

【置信】zhìxìn 动 相信（多用于否定式）：不可～｜难以～。

【置业】zhìyè 动 购置产业（如土地、房屋等）：投资～｜在深圳～。

【置疑】zhìyí 动 怀疑（多用于否定式）：不容～｜无可～。

【置之不理】zhì zhī bù lǐ 放在一边儿不理不睬。

【置之度外】zhì zhī dù wài 不（把生死、利害等）放在心上。

锧（鑕）zhì 〈书〉❶ 砧板。❷ 铡刀（古代刑具）座：斧～。

雉¹ zhì 名鸟，外形像鸡，雄的尾巴长，羽毛美丽，多为赤铜色或深绿色，有光泽，雌的尾巴较短，灰褐色。善走，不能久飞。种类很多，都是珍禽，如血雉、长尾雉等。通称野鸡，有的地区叫山鸡。

雉² zhì 量古代城墙长三丈高一丈叫一雉。

【雉堞】zhìdié 名古代在城墙上面修筑的矮而短的墙，守城的人可借以掩护自己。

稚（穉）zhì ❶ 幼小：～子|幼～。❷〈方〉形庄稼种得晚些。

【稚嫩】zhìnèn 形❶ 幼小而娇嫩：～的童音|～的心灵。❷ 幼稚；不成熟：初学写作，文笔难免～。

【稚朴】zhìpǔ 形稚嫩而纯朴：天真～的女孩子。

【稚气】zhìqì 名孩子气：一脸～。

【稚鱼】zhìyú 名子鱼。

滍 zhì 滍阳（Zhìyáng），地名，在河南。

寘 zhì 〈书〉放置。

疐（疐）zhì 〈书〉❶ 遇到障碍。❷ 跌倒：跋前～后(进退两难)。

瘈 zhì 〈书〉疯狂。
另见186页 chì。

踬（躓）zhì 〈书〉❶ 被东西绊倒：颠～。❷ 比喻事情不顺利；失败：屡试屡～。

膣 zhì 名旧时指阴道。

觯（觶）zhì 古时饮酒用的器具。

擿 zhì 〈书〉同"掷"。
另见1338页 tī。

螳 zhì 见883页〖蛲螳〗。
另见317页 dié。

---

zhōng（ㄓㄨㄥ）

中 zhōng ❶ 名方位词。跟四周的距离相等：中～央|华～|居～。❷（Zhōng）名指中国：～文|古今～外。❸

名方位词。范围内；内部：家～|水～|山～|心～|队伍～。❹ 位置在两端之间的：～指|～锋|～年|～秋|～途。❺ 等级在两端之间的：～农|～学|～型|～等。❻ 不偏不倚：～庸|适～。❼ 中人：作～。❽ 适于；合于：～用|～看|～听。❾〈方〉形成；行；好：～不～?|这办法|饭这就～了。❿ 名方位词。用在动词后表示持续状态(动词前有"在"字)：列车在运行～|工厂在建设～。⓫（Zhòng）名姓。
另见1769页 zhòng。

【中班】zhōngbān 名❶ 三班倒工作中排在中间的班次，一般为下午上班：上～。❷ 幼儿园里由四周岁至五周岁的儿童所编成的班级。

【中饱】zhōngbǎo 动经手钱财，以欺诈手段从中取利：贪污～|～私囊。

【中保】zhōngbǎo 名中人和保人。

【中表】zhōngbiǎo 形属性词。跟祖父、父亲的姐妹的子女的亲戚关系，或跟祖母、母亲的兄弟姐妹的子女的亲戚关系。

【中波】zhōngbō 名 波长 100—1 000 米（频率 3 000—300 千赫）的无线电波。主要以地波的方式传播，用于较短距离的无线电广播、无线电测向等。

【中不溜儿】zhōng·bùliūr 〈口〉形 不好也不坏；不大也不小；中等的；中间的：成绩～|不要太大的，挑个～的。也说中溜儿。

【中餐】zhōngcān 名中国式的饭菜（区别于"西餐"）。

【中草药】zhōngcǎoyào 名中药。

【中策】zhōngcè 名不及上策但胜过下策的计策或办法。

【中层】zhōngcéng 名 中间的一层或几层（多指机构、组织、阶层等）：～干部。

【中产阶级】zhōngchǎn jiējí ❶ 中等资产阶级，在我国多指民族资产阶级。❷ 指当代西方社会中文化层次较高、收入较丰厚的阶层。如国家公务员、工商企业中的中上层管理人员、医生、记者、律师等。

【中常】zhōngcháng 形 中等；不高不低；不好不坏：成绩～|～年景。

【中程导弹】zhōngchéng dǎodàn 射程在 1 000—3 000千米的导弹。

【中辍】zhōngchuò 动（事情）中途停止进行：学业～。

【中词】zhōngcí 名 三段论中大前提和小

前提所共有的名词。参看 1171 页〖三段论〗。

【中档】zhōngdàng 形 属性词。质量中等、价格适中的(商品):～茶叶。

【中道】zhōngdào〈书〉名❶ 半路;中途:～而废。❷ 中庸之道。参看〖中庸〗。

【中稻】zhōngdào 名 插秧期或生长期和成熟期比早稻稍晚的稻子。

【中等】zhōngděng 形 属性词。❶ 等级介于上等、下等之间或高等、初等之间的:～货|～教育。❷ 不高不矮的(指身材):～个儿。

【中等教育】zhōngděng jiàoyù 在初等教育的基础上,培养学生全面发展,或培养学生具有某类专业知识的教育。

【中东】Zhōngdōng 名 泛指欧、亚、非三洲连接地区。欧洲人称离西欧较远的东方地区为中东,较近的为近东。近东和中东没有明确的界线。包括伊朗、巴勒斯坦、以色列、叙利亚、伊拉克、约旦、黎巴嫩、也门、沙特阿拉伯、阿拉伯联合酋长国、阿曼、科威特、卡塔尔、巴林、土耳其、塞浦路斯和埃及等国。

【中端】zhōngduān 形 等级、档次、价位等在同类中处于中等的:～产品较为畅销。

【中断】zhōngduàn 动 中途停止或断绝:供应～|联系～|～两国关系。

【中队】zhōngduì 名❶ 队伍编制,隶属于大队,下辖若干小队(分队)。❷ 军队中相当于连的一级组织。

【中耳】zhōng'ěr 名 外耳和内耳之间的部分,内有三块互相连接的听小骨(锤骨、砧骨和镫骨)。(图见 360 页"人的耳朵")

【中幡】zhōng·fān 名 杂技的一种,表演时舞弄顶上有幡的高大旗杆。

【中饭】zhōngfàn 名 午饭。

【中非】Zhōng Fēi 名❶ 非洲中部,包括乍得、中非(共和国)、喀麦隆、赤道几内亚、加蓬、刚果(民主共和国)、刚果(共和国)、圣多美和普林西比。❷(Zhōngfēi)指中非共和国。

【中锋】zhōngfēng 名 篮球、足球等球类比赛的前锋之一,位置在中间。

【中缝】zhōngfèng 名❶ 报纸左右两版之间的狭长的部分,有的报纸在这里刊登广告或启事等。❷ 木版书每一页中间的狭长部分,折叠起来是书口。❸ 衣服背部中间的竖缝。

【中伏】zhōngfú 名❶ 夏至后的第四个庚日,是三伏的第二伏。❷ 通常也指从夏至后第四个庚日起到立秋后第一个庚日前一天的一段时间。‖ 也叫二伏。参看 1171 页〖三伏〗。

【中高层住宅】zhōnggāocéng zhùzhái 指地面上 7—9 层的住宅建筑,一般设电梯。

【中耕】zhōnggēng 动 作物生长期中,在植株之间进行锄草、松土、培土等。

【中古】zhōnggǔ 名❶ 较晚的古代,在我国历史分期上多指魏晋南北朝隋唐这个时期。❷ 指封建社会时代。

【中观】zhōngguān 形 属性词。处于宏观和微观之间的:文章从微观、～、宏观的角度全面进行了探讨。

【中国工农红军】Zhōngguó Gōng Nóng Hóngjūn 第二次国内革命战争时期,中国共产党领导的人民军队。1928 年 4 月秋收起义部队——工农革命军,与南昌起义的一部分部队在井冈山会师,改称中国工农红军第四军。此后,党所领导的各地武装力量,都改称中国工农红军。抗日战争时期改称八路军、新四军。是中国人民解放军的前身。简称红军。

【中国画】zhōngguóhuà 名 国画。

【中国话】zhōngguóhuà 名 中国人的语言,特指汉语。

【中国结】zhōngguójié 名 我国民间工艺品,用红色丝绳按照一定的方法编织而成,象征同心、祥和等。

【中国人民解放军】Zhōngguó Rénmín Jiěfàngjūn 中华人民共和国的国家武装力量。1927 年 8 月 1 日开始建军,第二次国内革命战争时期称中国工农红军,抗日战争时期称八路军和新四军,第三次国内革命战争时期改称中国人民解放军。

【中国同盟会】Zhōngguó Tóngménghuì 1905 年孙中山在日本东京成立的中国资产阶级革命政党。其政治纲领是"驱逐鞑虏,恢复中华,创立民国,平均地权"。中国同盟会成立后,积极进行反清革命斗争,领导辛亥革命,推翻了清王朝的封建统治,建立了中华民国。1912 年中国同盟会改组为国民党。简称同盟会。

【中国字】zhōngguózì 名 中国的文字,特指汉字。

【中和】zhōnghé 动❶ 酸和碱经过化学反

应生成盐和水,如盐酸和氢氧化钠反应生成氯化钠和水,所生成的物质失去酸和碱的性质。❷ 抗毒素或抗毒血清跟毒素起作用,产生其他物质,使毒素的毒性消失。❸ 物体的正电量和负电量相等,不显带电现象的状态叫中和。❹ 使中和,泛指折中性质不同的事物,使各自都保留一部分特性,同时也丧失一部分特性:～不同意见。

【中华】Zhōnghuá 图 古代称黄河流域一带为中华,是汉族最初兴起的地方,后来指中国。

【中华白海豚】zhōnghuá báihǎitún 哺乳动物,身体纺锤形,长约 2 米多,乳白色,有灰黑色细斑,喙狭长,眼眶黑色,有背鳍。生活在热带、亚热带的内海港湾及河口,吃鱼虾等。

【中华民族】Zhōnghuá Mínzú 我国各民族的总称,包括五十六个民族,有悠久的历史,灿烂的文化遗产和光荣的革命传统。

【中华鲟】zhōnghuáxún 图 鱼,身体近圆筒形,吻尖,稍上翘,口小而能伸缩,有须两对,背青灰色或灰褐色,体上覆有五纵行骨板,无鳞,尾鳍歪向一侧。生活在江河和近海中,是我国特有的珍稀动物。

【中级】zhōngjí 形 属性词。介于高级和初级之间的:～人民法院。

【中继线】zhōngjìxiàn 图 用户交换机、集团电话、无线寻呼台、移动电话交换机等与市话交换机相连接的线路叫中继线。

【中继站】zhōngjìzhàn 图 ❶ 在运输线中途设立的转运站。❷ 在远距离通信中,设置在信号传输沿途的工作站,作用是把接收的信号放大后再转发出去。

【中坚】zhōngjiān 图 在集体中最有力的并起较大作用的成分:～力量|～分子|一批年轻选手已成为国家体操队的～。

【中间】zhōngjiān 图 方位词。❶ 里面:那些树～有半数是李树。❷ 中心:湖底像锅底,越到～越深。❸ 在事物两端或两个事物之间的位置:地球运行到太阳和月亮～就发生月食|从我家到工厂,～要换车。

【中间层】zhōngjiāncéng 图 大气圈中的一层,位于平流层顶部到距地面约 85 千米的高度范围。层内气温随高度的增加而下降。

【中间派】zhōngjiānpài 图 指摇摆于两个对立的政治力量之间的派别。有时也指中间派的人。

【中间人】zhōngjiānrén 图 中人①。

【中间儿】zhōngjiànr 〈口〉图 方位词。中间。

【中将】zhōngjiàng 图 军衔,将官的一级,低于上将,高于少将。

【中焦】zhōngjiāo 图 中医指胃的上下口之间的一段,主要功能是管消化。参看 1195 页〖上焦〗、1468 页〖下焦〗。

【中介】zhōngjiè 图 媒介:～人|～作用|市场～。

【中局】zhōngjú 图 象棋、国际象棋竞赛中指开局与残局之间的比赛阶段。

【中楷】zhōngkǎi 图 手写的不大不小的楷体汉字。

【中看】zhōngkàn 形 看起来很好:～不中吃。

【中考】zhōngkǎo 图 高中和高中程度专科学校招收新生的考试。

【中空】zhōngkōng 形 物体的内部是空的;不是实心的:～玻璃。

【中馈】zhōngkuì 〈书〉图 ❶ 指妇女在家里主管的饮食等事:主～。❷ 借指妻:～犹虚(没有妻室)。

【中立】zhōnglì 动 处于对立的双方之间,不倾向于任何一方:严守～。

【中立国】zhōnglìguó 图 ❶ 指在国际战争中奉行中立政策的国家,它对交战国任何一方不采取敌视行为,也不帮助。❷ 由国际条约保证,永远不跟其他国家作战,也不承担任何可以间接把它拖入战争的国际义务的国家。

【中溜儿】zhōngliūr 形 中不溜儿。

【中流】zhōngliú 图 ❶ 水流的中央:～砥柱。❷ 中游:长江～。❸ 指中等的社会地位:居于社会～。

【中流砥柱】zhōngliú Dǐzhù 比喻坚强的、能起支柱作用的人或集体,就像立在黄河激流中的砥柱山(在三门峡)一样。

【中路】zhōnglù 〈～儿〉形 属性词。质量不好也不差的;普通:～货。

【中路梆子】zhōnglù-bāng·zi 晋剧。

【中落】zhōngluò 动 (家境)由盛到衰:家道～。

【中拇指】zhōng·muzhǐ 〈口〉图 中指。

【中南】Zhōngnán 图 指我国中南地区,包括河南、湖北、湖南、广东、海南等省和广西壮族自治区。

【中脑】zhōngnǎo 图 脑干的一部分,在间脑与脑桥之间,包括四叠体和大脑脚等。

【中年】zhōngnián 图 四五十岁的年纪:~男子|人到~。

【中农】zhōngnóng 图 经济地位在富农和贫农之间的农民。多数占有土地,并有部分生产工具,生活来源靠自己劳动,一般不剥削人,也不出卖劳动力。

【中欧】Zhōng Ōu 图 欧洲中部,包括波兰、捷克、斯洛伐克、匈牙利、德国、奥地利、瑞士、列支敦士登等国。

【中盘】zhōngpán 图 围棋中指布局以后,终盘之前的阶段:白方~推枰认负◇商家暑期促销活动进入~。

【中跑】zhōngpǎo 图 中距离赛跑。包括男女 800 米、1 500 米和男子 3 000 米。

【中篇小说】zhōngpiān xiǎoshuō 篇幅介于长篇和短篇小说之间的小说,叙述不很铺张,但是可以对社会生活作广泛的描写。

【中频】zhōngpín 图 ❶ 指 300—3 000 千赫范围内的频率。❷ 在超外差收音机中,把射频信号变成预定信号,以便放大,这个预定信号叫做中频。

【中期】zhōngqī 图 ❶ 某一时期的中间阶段:20 世纪~|加强棉花~管理。❷ 时期的长短在长期和短期之间:~贷款|订立~合同。

【中气】zhōngqì 图 ❶ 太阳每年在黄道上移动 360°,从冬至起,每隔 30° 为一中气。农历把一年二十四节气分为节气和中气两种,雨水、春分、谷雨、小满、夏至、大暑、处暑、秋分、霜降、小雪、冬至、大寒为十二个中气。中医指中焦脾胃之气,对食物的消化、身体的营养,都有作用。❸ 戏曲演唱上指呼吸量,唱的时候呼吸量大,能够自由控制,叫做中气足。

【中秋】Zhōngqiū 图 我国传统节日,在农历八月十五日,这一天有赏月、吃月饼的风俗。

【中人】zhōngrén 图 ❶ 为双方介绍买卖、调解纠纷等并做见证的人。❷〈书〉在身材、相貌、智力等方面居于中等的人:~以上|~不及~。

【中山狼】zhōngshānláng 图 古代寓言,赵简子在中山打猎,一只狼中箭而逃,赵在后追捕。东郭先生从那儿走过,狼向他求救。东郭先生动了怜悯之心,把狼藏在书囊中,骗过了赵简子。狼活命后却要吃救命恩人东郭先生(见于明马中锡《东田集·中山狼传》)。比喻恩将仇报,没有良心的人。

【中山装】zhōngshānzhuāng 图 一种服装,上身左右各有两个带盖子和扣子的口袋,下身是西式长裤,由孙中山提倡而得名。

【中石器时代】zhōngshíqì shídài 旧石器时代和新石器时代之间的过渡阶段。这时人类使用的工具以打制石器为主,并发明了弓箭。

【中士】zhōngshì 图 某些国家的军衔,低于上士,高于下士。

【中世纪】zhōngshìjì 图 欧洲历史上指封建社会时代。一般指公元 476 年西罗马帝国灭亡到公元 1640 年英国资产阶级革命这段时期。

【中式】zhōngshì 形 属性词。中国式样的:~服装。

【中枢】zhōngshū 图 在一事物系统中起总的主导作用的部分:电信|交通~。

【中枢神经】zhōngshū shénjīng 神经系统的主要部分,包括脑和脊髓,主管全身感觉运动和条件反射,非条件反射等。

【中水】zhōngshuǐ 图 经过处理的生活污水、工业废水、雨水等,水质介于清洁水和污水之间。可以用来灌溉田地、冲洗厕所、回补地下水等。也叫再生水。

【中堂】zhōngtáng 图 ❶ 正房居中的一间;堂屋。❷ 悬挂在客厅正中的尺寸较大的字画。

【中堂】zhōng·táng 图 明清两代内阁大学士的别称。

【中提琴】zhōngtíqín 图 提琴的一种,体积比小提琴大,音比小提琴低五度。

【中听】zhōngtīng 形(话)听起来满意;这话~。

【中途】zhōngtú 图 半路:在回家的~下起了大雨|他原先是学建筑工程的,~又改行搞地质来了。

【中外】zhōngwài 图 中国和外国:古今~闻名~|~人士。

【中外比】zhōngwàibǐ 图 黄金分割。

【中卫】zhōngwèi 图 足球、手球等球类比赛中,在后场中间位置担任防守的队员。

【中尉】zhōngwèi 图 军衔,尉官的一级,低于上尉,高于少尉。

【中文】Zhōngwén 图 中国的语言文字,特指汉族的语言文字。

【中文信息处理】zhōngwén xìnxī chǔlǐ 用计算机对汉字的各种信息(如字、词、词组、句、篇章等)进行识别、转换、检索、分析、理解和生成等处理的技术。

【中午】zhōngwǔ 图 时间词。指白天十二点左右的一段时间。

【中西】zhōngxī 图 中国和西洋:～合璧|学贯～。

【中线】zhōngxiàn 图❶ 三角形的一顶点与对边中点的连线。❷ 球场中间画的一条横线,是双方的界限。

【中心】zhōngxīn 图❶ 跟四周的距离相等的位置:在草地的～有一个八角亭子。❷ 事物的主要部分:～思想|～问题|～工作。❸ 在某一方面占重要地位的城市或地区:政治～|文化～。❹ 设备、技术力量等比较完备的机构和单位(多作单位名称):维修～|研究～|科技信息～。

【中心思想】zhōngxīn sīxiǎng 文章、发言中的主要思想内容。

【中兴】zhōngxīng 动 由衰微而复兴(多指国家)。

【中型】zhōngxíng 形 属性词。形状或规模不大不小的:～汽车。

【中性】zhōngxìng ❶ 图 化学上指既不呈酸性又不呈碱性的性质。❷ 图 某些语言里名词(以及代词、形容词等)区别阴性、阳性、中性。参看 1528 页"性"⑥。❸ 形 属性词。指词语意义不含褒贬色彩:～词|～注释。

【中休】zhōngxiū 动 在一段工作或一段路程的中间休息。

【中学】¹ zhōngxué 图 对青少年实施中等教育的学校。

【中学】² zhōngxué 图 清末称我国传统的学术(区别于"西学")。

【中学生】zhōngxuéshēng 图 在中学读书的学生。

【中雪】zhōngxuě 图 气象学上指 24 小时内雪量达 2.5—5 毫米的雪。

【中旬】zhōngxún 图 每月十一日到二十日的十天。

【中亚】Zhōng Yà 图 亚洲中部,包括哈萨克斯坦、乌兹别克斯坦、吉尔吉斯斯坦、塔吉克斯坦和土库曼斯坦五个国家。

【中央】zhōngyāng 图❶ 方位词。中心地方:湖的～有个亭子。❷ 特指国家政权或政治团体的最高领导机构(跟"地方"相对):党～|团～|～政府。

【中央处理器】zhōngyāng chǔlǐqì 计算机中对数据进行控制、处理和运算的部件,是计算机的核心设备。由运算器、控制器和处理器总线等组成。

【中央商务区】zhōngyāng shāngwùqū 大城市中地理位置优越,汇集商贸、金融、投资、证券、保险等经济中枢机构,以互联网为纽带,集中进行商务活动的地区。

【中央税】zhōngyāngshuì 图 国家税。

【中央银行】zhōngyāng yínháng 一国银行体系中居主导地位的金融中心机构,是国家干预和调控国民经济的重要工具,负责制定并执行国家货币信用政策,独占货币发行权,实行金融监管等。我国的中央银行为中国人民银行。简称央行。

【中药】zhōngyào 图 中医所用的药物,以植物为最多,也包括动物和矿物。

【中叶】zhōngyè 图 中期:唐代～|清朝～|20 世纪～。

【中医】zhōngyī 图❶ 中国固有的医学。❷ 用中国医学的理论和方法治病的医生。

【中庸】zhōngyōng ❶ 图 儒家的一种主张,待人接物采取不偏不倚,调和折中的态度:～之道。❷〈书〉形 指德才平凡:～之才。

【中用】zhōngyòng 形 顶事;有用(多用于否定式):这点事情都办不好,真不～。

【中游】zhōngyóu 图❶ 河流中介于上游与下游之间的一段。❷ 比喻所处的地位不前不后;所达到的水平不高不低:要力争上游,不能甘居～。

【中雨】zhōngyǔ 图 气象学上指 1 小时内雨量达 2.6—8 毫米,或 24 小时内雨量达 10—24.9 毫米的雨。

【中元节】Zhōngyuán Jié 图 指农历七月

十五日,旧俗有烧衣包、祭祀亡故亲人等活动。

【中原】Zhōngyuán 图指黄河中下游地区,包括河南的大部分地区、山东的西部和河北、山西的南部。

【中云】zhōngyún 图云底离地面(中纬度地区)2—7千米的云。高积云、高层云属于中云。

【中允】zhōngyǔn〈书〉形公正;貌似~。

【中灶】zhōngzào 图集体伙食标准中的第二级(区别于"大灶""小灶")。

【中正】zhōngzhèng〈书〉形公正;公平。

【中止】zhōngzhǐ 动(做事)中途停止;使中途停止:~比赛|刚做了一半就~了。

【中指】zhōngzhǐ 图第三个指头。

【中州】Zhōngzhōu 图旧时指现在河南省一带。

【中州韵】zhōngzhōuyùn 图我国近代戏曲韵文所根据的韵部。"中州韵"是以北方话为基础的,分韵的方法各地不完全一样,都跟皮黄戏的"十三辙"很相近。参看1232页〖十三辙〗。

【中转】zhōngzhuǎn 动❶交通部门指中途转换交通运输工具:~站|~旅客|乘火车从哈尔滨到广州要在北京~。❷中间转手:产销直接挂钩,减少~环节。

【中装】zhōngzhuāng 图中国旧式服装(区别于"中山装、西装"等)。

【中资】zhōngzī 图指中国大陆地区的资金。

【中子】zhōngzǐ 图构成原子核的粒子之一,质量约和质子相等。不带电,单独存在的中子容易进入原子核,可以用来轰击原子核,引起核反应。

【中子弹】zhōngzǐdàn 图核武器的一种,爆炸时释放大量的高能中子,靠中子辐射起杀伤作用,穿透力较强,冲击波、热辐射和放射性沾染较其他核武器小。在有效范围内能杀伤一般坦克内或建筑物内的人员。可作战术核武器使用。

【中子刀】zhōngzǐdāo 图用发射中子来杀灭癌细胞,代替手术刀进行手术的器械。用若干支中子管围绕病灶旋转,对准病灶时,通电加高压,发射中子杀灭癌细胞。

【中子态】zhōngzǐtài 图物质存在的一种形态,这种形态下的物体密度极大,电子和质子大量结合成中子。

【中子星】zhōngzǐxīng 图中子态的恒星,由质量相当大的恒星演变而成的致密天体。自转速度很快,周期性地发射出脉冲辐射。

忪（忪**）** zhōng 见1735页〖怔忪〗。另见1296页sōng。

忠 zhōng ❶形忠诚:~心|~言|效~。❷(Zhōng)图姓。

【忠臣】zhōngchén 图忠于君主的官吏。

【忠诚】zhōngchéng 形(对国家、人民、事业、领导、朋友等)尽心尽力:~老实|对事业无限~。

【忠告】zhōnggào ❶动诚恳地劝告:一再~。❷图忠告的话:接受~|给你一个~。

【忠厚】zhōnghòu 形忠实厚道:~长者|待人~。

【忠良】zhōngliáng ❶形忠诚正直。❷图忠诚正直的人:陷害~。

【忠烈】zhōngliè ❶形指对国家或人民无限忠诚而牺牲生命:~之臣。❷图指有这种行为的人:缅怀~|满门~。

【忠实】zhōngshí 形❶忠诚可靠:~的信徒|~的朋友。❷真实:~的记录|~的写照。

【忠顺】zhōngshùn 形忠实顺从(今多用于贬义):~的奴仆。

【忠心】zhōngxīn 图忠诚的心:~耿耿|赤胆~。

【忠言】zhōngyán 图诚恳劝告的话:~逆耳。

【忠言逆耳】zhōngyán nì ěr 诚恳劝告的话,往往让人听起来不舒服:良药苦口利于病,~利于行。

【忠义】zhōngyì ❶形忠诚,讲义气:~之士。❷图旧指忠臣义士:表彰~。

【忠勇】zhōngyǒng 形忠诚而勇敢:~的战士。

【忠于】zhōngyú 动忠诚地对待:~祖国|~人民的事业。

【忠贞】zhōngzhēn 形忠诚而坚定不移:~不贰|~不屈|~不渝。

终（終**）** zhōng ❶最后;末了(跟"始"相对):~点|告~|自始至~。❷指人死:临~|(人将要死)。❸副终归;到底:~将见效|~必成功。❹自始至终

的整段时间：～日|～年|～生|～身。❺
(Zhōng)名姓。

【终场】zhōngchǎng 动（戏）演完》（球赛）结束：当～落幕的时候，观众中响起了热烈的掌声|～前一分钟,主队又攻进一球。

【终点】zhōngdiǎn 名❶一段路程结束的地方：～站。❷特指径赛中终止的地点：马拉松赛跑的～设在工人体育场。

【终端】zhōngduān 名❶（狭长东西的）头：绳子的～|小径的～是一座凉亭。❷终端设备的简称。

【终端设备】zhōngduān shèbèi 计算机中通过通信线路或数据传输线路与计算机相连的输入输出设备。由显示适配器、监视器和键盘组成。也泛指连接在网络上的、供用户直接使用的设备，如电信网中的电话机、传真机等是电信终端设备。简称终端。

【终伏】zhōngfú 名末伏。

【终古】zhōnggǔ〈书〉形久远；永远：这虽是一句老话,却令人感到～常新。

【终归】zhōngguī 副毕竟；到底：～无效|技术无论怎样复杂,只要努力钻研,～是能够学会的。

【终极】zhōngjí 名最终；最后：～目的。

【终结】zhōngjié 动最后结束：官司已～。

【终究】zhōngjiū 副毕竟；终归：一个人的力量～有限。

【终久】zhōngjiǔ 副终究：纸包不住火,假面具～要被揭穿。

【终局】zhōngjú 名结局：故事的～是很悲惨的。

【终老】zhōnglǎo 动指度过晚年直到去世：～山林|～故乡。

【终了】zhōngliǎo 动（时期）结束；完了：学期～。

【终南捷径】Zhōngnán jiéjìng 唐代卢藏用曾经隐居在京城长安附近的终南山,借此得到很大名声而做了大官（见于《新唐书·卢藏用传》）。后来用"终南捷径"比喻求官的最近便的门路,也比喻达到目的的便捷途径。

【终年】zhōngnián ❶副全年；一年到头：～积雪的高山。❷名指人去世时的年龄：～八十岁。

【终盘】zhōngpán ❶动收盘。❷名围棋等指最后的结局：白方～胜4子。

【终日】zhōngrì 副从早到晚：参观展览的人～不断。

【终身】zhōngshēn 名一生；一辈子（多就切身的事说）：～之计|～大事（关系一生的大事情,多指婚姻）。

【终身教育】zhōngshēn jiàoyù 一个人整个一生接受的教育。包括学龄前教育、学龄期各类学校教育、大学毕业后继续教育以及各种类型的成人教育等。

【终审】zhōngshěn 动❶法院对案件进行最后一级的审判：～判决。❷对影视、音像作品或书刊稿件进行最后一级的审查：～定稿后即可发稿。

【终生】zhōngshēng 名一生：奋斗～|～难忘。

【终霜】zhōngshuāng 名入春后最晚出现的一次霜。

【终岁】zhōngsuì 副全年；一年到头。

【终天】zhōngtiān ❶副终日：～发愁|～不停地写。❷〈书〉终身（就遗恨无穷说）：～之恨|抱恨～。

【终选】zhōngxuǎn 动最终的选举或评选：～赛|～在8月举行。

【终于】zhōngyú 副表示经过种种变化或等待之后出现的情况：试验～成功了|身体～强壮起来|她多次想说,但～没说出口。

【终止】zhōngzhǐ 动结束；停止：～活动。

柊 zhōng ［柊叶］（zhōngyè）名多年生草本植物,根状茎block状,叶子长圆形,像芭蕉,花紫色。根和叶可入药,叶片可用来包粽子。

盅 zhōng （～儿）名饮酒或喝茶用的没有把儿的杯子：酒～|小茶～。

钟¹（鐘） zhōng 名❶响器,中空,用铜或铁制成。❷计时的器具,有挂在墙上的,也有放在桌上的：挂～|座～|闹～。❸指钟点、时间：六点～|由这儿到那儿只要十分～。

钟²（鍾） zhōng ❶（情感等）集中：～爱|～情。❷（Zhōng）名姓。

钟³（鍾） zhōng 同"盅"。

【钟爱】zhōng'ài 动特别爱（子女或其他晚辈中的某一人）：祖母～小孙子。

【钟表】zhōngbiǎo 名钟和表的总称。

【钟点】zhōngdiǎn （～儿）〈口〉名❶指某

个一定的时间：到～儿了，快走吧！❷ 小时；钟头：等了一个～，他还没来。

【钟点工】zhōngdiǎngōng 图 小时工。

【钟鼎文】zhōngdǐngwén 图 见 708 页〖金文〗。

【钟馗】Zhōngkuí 图 传说中能打鬼的神，旧时民间常挂钟馗的像，认为可以驱除邪祟。

【钟离】Zhōnglí 图 姓。

【钟灵毓秀】zhōng líng yù xiù 指美好的自然环境产生优秀的人物（毓：养育）。

【钟楼】zhōnglóu 图 ❶ 旧时城市中设置大钟的楼，楼内按时敲钟报告时辰。❷安装时钟的较高的建筑物。

【钟鸣鼎食】zhōng míng dǐng shí 敲着钟，列鼎而食，旧时形容富贵人家生活奢侈豪华。

【钟情】zhōngqíng 动 感情专注（多指爱情）：一见～。

【钟乳石】zhōngrǔshí 图 溶洞中悬在洞顶上的像冰锥的物体，与石笋上下相对，由碳酸钙逐渐从水溶液中析出积聚而成。也叫石钟乳。

【钟头】zhōngtóu〈口〉图 小时：这出戏演了三个半～还没完。

衷 zhōng ❶ 内心：言不由～｜无动于～。❷ 同"中"。见 1725 页〖折中〗。❸（Zhōng）图 姓。

【衷肠】zhōngcháng〈书〉图 出于内心的话：倾吐～｜畅叙～。

【衷情】zhōngqíng 图 内心的情感：久别重逢，互诉～。

【衷曲】zhōngqū〈书〉图 衷情；心事：倾吐～。

【衷心】zhōngxīn 形 出于内心的：～拥护｜～的感谢。

螽 zhōng [螽斯](zhōngsī)图 昆虫，身体绿色或褐色，触角呈丝状，有的种类无翅，雄虫的前翅有发音器，雌虫尾端有剑状的产卵管。善于跳跃，一般吃其他小动物，有的也吃植物，是农林害虫。

zhǒng（ㄓㄨㄥˇ）

肿（腫） zhǒng 动 皮肤、黏膜或肌肉等组织由于局部循环发生

障碍、发炎、化脓、内出血等原因而突起。

【肿块】zhǒngkuài（～儿）图（皮肤或肌体组织上）肿胀突起的块状物。

【肿瘤】zhǒngliú 图 机体的某一部分组织细胞长期不正常增生所形成的新生物。对机体有危害性，可分为良性肿瘤和恶性肿瘤。也叫瘤子。

【肿胀】zhǒngzhàng 动 肌肉、皮肤或黏膜等组织由于发炎、淤血或充血而体积增大。

种（種） zhǒng ❶ 图 物种的简称：小麦是单子叶植物禾本科小麦属的一～｜虎是哺乳动物猫科豹属的一～。❷ 人种：黄～｜黑～｜白～。❸ 类别；种类：工～｜兵～｜语～。❹（～儿）图 生物传代繁殖的物质：高粱～｜麦～｜传～｜配～。❺ 图 指胆量或骨气（跟"有、没有"连用）。❻ 量 表示种类，用于人和任何事物：两～人｜三～布｜各～情况｜菊花的颜色有好几～。❼（Zhǒng）图 姓。

另见 189 页 Chóng；1770 页 zhòng。

【种差】zhǒngchā 图 指在同属中，某个种不同于其他种的属性。

【种畜】zhǒngchù 图 配种用的公畜或母畜。

【种类】zhǒnglèi 图 根据事物本身的性质或特点而分成的门类：花的～很多。

【种苗】zhǒngmiáo 图 培育出来的幼小的动植物。

【种禽】zhǒngqín 图 配种用的雄性家禽或雌性家禽。

【种群】zhǒngqún 图 指生活在同一环境、属于同一物种的一群生物体。

【种仁】zhǒngrén 图 某些植物的种子中所含的仁。

【种条】zhǒngtiáo 图 繁殖用的树木的枝条。

【种姓】zhǒngxìng 图 某些国家的一种世袭的社会等级。种姓的出现与阶级社会形成时期的社会分工有关。在印度，种姓区分得最为典型，最初分为四大种姓，即婆罗门（僧侣和学者）、刹帝利（武士和贵族）、吠舍（手工业者和商人）和首陀罗（农民、仆役）。种姓和种姓之间不能通婚，不能交往。后来又在种姓之外分出一个社会地位最低的"贱民"阶层。

【种鱼】zhǒngyú 图 亲鱼。

【种质】zhǒngzhì 图 遗传学上指亲代能稳定传给后代的遗传物质，存在于生殖细胞的染色体上。农业上利用优良的野生种质资源进行杂交育种。

【种子】zhǒng·zi ❶图 显花植物所特有的器官，是由完成了受精过程的胚珠发育而成的，通常包括种皮、胚和胚乳三部分。种子在一定条件下能萌发成新的植物体◇革命的～。❷ 比赛中，进行分组淘汰赛时，被安排在各组里的实力较强的运动员叫做种子。同样，以队为单位参加比赛时，被安排在各组的实力较强的队，叫做种子队。

【种族】zhǒngzú 图 人种。

【种族歧视】zhǒngzú qíshì 对不同种族或民族采取敌视、迫害和不平等对待的行为。

【种族主义】zhǒngzú zhǔyì 鼓吹种族歧视的反动理论，它宣扬各种族生来就分为优等和劣等，前者负有统治后者的使命。

冢(塚) zhǒng 坟墓：古～｜荒～｜衣冠～。

踵 zhǒng 〈书〉❶ 脚后跟：举～｜接～。❷ 亲自到：～门道谢。❸ 跟随：～至（跟在后面到来）。

【踵事增华】zhǒng shì zēng huá 继续以前的事业并更加发展。

【踵武】zhǒngwǔ 〈书〉囫 跟着别人的脚步走，比喻效法：～前贤。

穜 zhǒng 〈书〉同"种(種)"。
另见1772页 zhòng。

zhòng （ㄓㄨㄥˋ）

中 zhòng 囫❶ 正对上；恰好合上：～选｜猜～了｜三枪都打～了目标。❷ 受到；遭受：～毒｜～暑｜胳膊上～了一枪。
另见1761页 zhōng。

【中标】zhòng∥biāo 囫 投标得中：第一建筑公司夺魁～。

【中的】zhòngdì 囫 射中靶心，比喻说话点要害：一语～。

【中毒】zhòng∥dú 囫 指由于毒物进入体内而发生组织破坏、生理机能障碍或死亡。症状是恶心、呕吐、腹泻、头痛、眩晕、呼吸急促、瞳孔异常等。

【中风】zhòngfēng ❶图 卒中(cùzhòng)①的通称。❷(－//－)囫 卒中②的通称。

【中计】zhòng∥jì 囫 中了他人的计谋；落入他人设下的圈套：～受骗｜我差点儿中他的计。

【中奖】zhòng∥jiǎng 囫 奖券等所得号码跟抽签号码相同，可以获得奖金或奖品，叫做中奖。

【中肯】zhòngkěn 囮（言论）抓住要点；正中要害：他的话很～。

【中伤】zhòngshāng 囫 诬蔑别人使受损害：造谣～｜恶意～。

【中暑】zhòngshǔ ❶图 病，由于长时间受烈日照射或室内温度过高、不通风引起。症状是头痛，耳鸣，严重时昏睡、痉挛，血压下降。❷（－//－）囫 患中暑(zhòngshǔ)病。有的地区叫发痧。

【中选】zhòng∥xuǎn 囫 选举或选择时被选上。

【中意】zhòng∥yì 囫 合意；满意：这几种颜色的布她都不～｜这件衣服很中她的意。

仲 zhòng ❶ 地位居中的：～裁。❷ 指农历一季的第二个月：～秋。参看937页"孟"、647页"季"。❸ 在弟兄排行里代表第二：～兄｜～弟｜伯～叔季。❹(Zhòng)图 姓。

【仲裁】zhòngcái 囫 争执双方同意的第三者对争执事项做出决定，如国际仲裁、海事仲裁、劳动仲裁等。

【仲春】zhòngchūn 图 春季的第二个月，即农历二月。

【仲冬】zhòngdōng 图 冬季的第二个月，即农历十一月。

【仲家】Zhòngjiā 图 布依族和云南部分壮族的旧称。

【仲秋】zhòngqiū 图 秋季的第二个月，即农历八月。

【仲夏】zhòngxià 图 夏季的第二个月，即农历五月。

众(衆) zhòng ❶ 许多（跟"寡"相对）：～多｜～人｜寡不敌～｜～志成城。❷ 许多人：听～｜观～｜群～｜～所周知。❸(Zhòng)图 姓。

【众多】zhòngduō 囮 很多（多指人）：人口～。

【众口难调】zhòng kǒu nán tiáo 吃饭的人多,很难适合每个人的口味。比喻不容易使所有的人都满意。

【众口铄金】zhòng kǒu shuò jīn 原来比喻舆论的力量大,后来形容人多口杂,能混淆是非(语出《战国策·魏策一》;铄:熔化)。

【众口一词】zhòng kǒu yī cí 形容许多人说同样的话。

【众目睽睽】zhòng mù kuíkuí 大家的眼睛都注视着。

【众目昭彰】zhòng mù zhāozhāng 群众的眼睛看得很清楚。

【众怒】zhòngnù 图 众人的愤怒:~难犯|激起~。

【众叛亲离】zhòng pàn qīn lí 众人反对,亲信背离,形容十分孤立。

【众擎易举】zhòng qíng yì jǔ 许多人一齐用力,就容易把东西托起来,比喻大家同心合力,就容易把事情办成功。

【众人】zhòngrén 图 大家;许多人:~拾柴火焰高(比喻人多力量大)。

【众生】zhòngshēng 图 一切有生命的,有时专指人和动物:芸芸~。

【众生相】zhòngshēngxiàng 图 许多人的各自不同的表情或表现:作品刻画出了那个时代社会底层人们的~。

【众矢之的】zhòng shǐ zhī dì 许多支箭所射的靶子,比喻大家攻击的对象。

【众说】zhòngshuō 图 各种各样的说法:~纷纭|~不一。

【众所周知】zhòng suǒ zhōu zhī 大家全都知道。

【众望】zhòngwàng 图 众人的希望:不孚~|~所归。

【众望所归】zhòngwàng suǒ guī 众人的信任、希望归向某人,多指某人得到大家的信赖、希望他担任某项工作。

【众星捧月】zhòng xīng pěng yuè 比喻许多人簇拥着一个人,或许多个体拥戴一个核心。

【众议院】zhòngyìyuàn 图 ❶ 两院制议会的下议院名称之一。参看 1470 页〖下议院〗。❷ 实行一院制的国家的议会也有叫众议院的,如马耳他共和国的议会。

【众志成城】zhòng zhì chéng chéng 大家同心协力,像城墙一样的牢固,比喻大家团结一致,就能克服困难,得到成功。

种(種) zhòng 勋 种植:~田|~麦子|~棉花◇~牛痘。
另见 189 页 chóng;1768 页 zhǒng。

【种地】zhòng∥dì 勋 从事田间劳动:他在家种过地。

【种痘】zhòng∥dòu 勋 把痘苗接种在人体上,使人体对天花产生自动免疫作用。也叫种牛痘,有的地区叫种花。

【种瓜得瓜,种豆得豆】zhòng guā dé guā,zhòng dòu dé dòu 比喻做了什么样的事,就得到什么样的结果。

【种花】zhòng∥huā 勋 ❶ (~儿)培植花草。❷ 〈方〉(~儿)种痘。❸ 〈方〉种棉花。

【种牛痘】zhòng niúdòu 种痘。

【种田】zhòng∥tián 勋 种地。

【种植】zhòngzhí 勋 把植物的种子埋在土里;把植物的幼苗栽到土里:~果树。

重 zhòng ❶ 图 重量;分量:举~|这条鱼有几斤~? ❷ 形 重量大;比重大(跟"轻"相对):体积相等时,铁比木头~◇工作很~|脚步很~|话说得太~了。❸ 形 程度深:情意~|病势很~|~伤。❹ 重要:~地|~任。❺ 勋 重视:敬~|尊~|看~|器~|为人所~|~男轻女是错误的。❻ 不轻率:自~|慎~|持~。❼ (Zhòng)图 姓。
另见 189 页 chóng。

【重办】zhòngbàn 勋 严厉地处罚(罪犯)。

【重兵】zhòngbīng 图 力量雄厚的军队:~把守|~压境。

【重彩】zhòngcǎi 图 浓重的色彩(描绘):浓墨~。

【重创】zhòngchuāng 勋 使受到严重的损伤:~敌人。

【重挫】zhòngcuò 勋 沉重地挫伤或挫败:连年战火使该国经济受到~。

【重大】zhòngdà 形 大而重要(用于抽象事物):~问题|意义~。

【重担】zhòngdàn 图 沉重的担子,比喻繁重的责任:千斤~|勇挑~|~在肩。

【重地】zhòngdì 图 重要而需要严密防护的地方:工程~|军事~。

【重点】zhòngdiǎn ❶ 图 同类事物中的重要的或主要的部分:~试验区|~工作|工

业建设的～。❷ 副 有重点地：～推广|～
发展|～进攻。

【重读】zhòngdú 动 把一个词或一个词组
里的某个音节或语句里的某几个音节读
得重些,强些。例如"石头、棍子"两个词
里,第一个音节重读。"老三"这个词里,
第二个音节重读。"过年"里"过"字重读
是"明年"的意思;"年"字重读是"过新年"
的意思。

另见 189 页 chóngdú。

【重犯】zhòngfàn 名 犯有严重罪行的犯
人。

【重负】zhòngfù 名 沉重的负担：如释～。

【重工业】zhònggōngyè 名 以生产生产资
料为主的工业,包括冶金、电力、煤炭、石
油、基本化工、建筑材料和机器制造等工
业部门。

【重话】zhònghuà 名 分量过重,使人难堪
的话：他俩结婚多年,互敬互爱,连句～都
没说过。

【重活儿】zhònghuór 名 指费力气的体力
劳动。

【重机枪】zhòngjīqiāng 名 机枪的一种,
装有三脚或轮式枪架,射击稳定性好,有
效射程一般为 1 000 米。

【重价】zhòngjià 名 很高的价钱：～收买|
～征求|不惜～。

【重奖】zhòngjiǎng ❶ 名 巨额奖金或贵
重的奖品：对有突出贡献的科技人员将给
予～。❷ 动 给予重奖：～有突出贡献的
科技人员。

【重金】zhòngjīn 名 巨额的钱；重价：～收
买|～聘请。

【重金属】zhòngjīnshǔ 名 通常指密度大
于 5 g/cm³ 的金属,如铜、镍、铅、锌、锡、钨
等。

【重力】zhònglì 名 ❶ 地球吸引其他物体
的力,力的方向指向地心。物体落到地上
就是这种力作用的结果。也叫地心引力。
❷ 泛指任何天体吸引其他物体的力,如
月球重力、火星重力等。

【重利】zhònglì ❶ 名 很高的利息：～盘
剥。❷ 名 很高的利润：牟取～。❸〈书〉
动 看重钱财：～轻义。

【重量】zhòngliàng 名 ❶ 物体受到的重
力的大小。重量随高度或纬度变化而有
微小差别。在高处比在低处小一些,在两

极比在赤道大一些。❷ 习惯上用来指质
量。

【重炮】zhòngpào 名 重型大炮,如榴弹
炮、加农炮、高射炮等。

【重氢】zhòngqīng 名 氘(dāo)。

【重任】zhòngrèn 名 重大的责任；重要的
任务：身负～|委以～。

【重伤】zhòngshāng 名 身体受到的严重
的伤害。

【重赏】zhòngshǎng ❶ 动 用大量的钱或
物奖赏：～有功人员|～之下,必有勇夫。
❷ 名 数额大或很贵重的奖励：这项发明
得到了 100 万元～。

【重身子】zhòngshēn·zi ❶ 动 指怀孕。❷
名 指怀孕的妇女。

【重视】zhòngshì 动 认为人的德才优良或
事物的作用重要而认真对待；看重：～学
习|～群众的发明创造。

【重水】zhòngshuǐ 名 重氢和氧的化合物,
分子式 D₂O。无色、无臭、无味的液体,核
工业中用作减速剂,也是制取重氢的原
料。

【重听】zhòngtīng 形 听觉迟钝：他有点
～,你说话得大声点儿。

【重头】zhòngtóu ❶ 名 重要的部分：词
典是工具书中的～。❷ 形 属性词。意义或
作用重大的;重要的：～文章|～项目。

【重头戏】zhòngtóuxì 名 ❶ 指唱功和做
功很重的戏。❷ 比喻重要的任务或活
动：营销是企业的～|信息化建设是今年社
会发展的～。

【重托】zhòngtuō 名 重大的委托：不负
～。

【重武器】zhòngwǔqì 名 射程远、威力大,
转移时多需车辆装载、牵引的武器。如高
射炮、火箭炮等,坦克、装甲车也属于重武
器。

【重孝】zhòngxiào 名 最重的孝服,如父
母死后子女所穿的孝服。

【重心】zhòngxīn 名 ❶ 物体各点所受
的重力产生合力,这个合力的作用点叫做
这个物体的重心。❷ 三角形三条中线相
交于一点,这个点叫做三角形的重心。❸
事情的中心或主要部分：工作～|问题的
～。

【重型】zhòngxíng 形 属性词。(机器、武
器等)在重量、体积、功效或威力上特别大

的：～汽车｜～车床｜～坦克。

【重要】zhòngyào 形 具有重大的意义、作用和影响的：～人物｜～问题｜这文件很～。

【重音】zhòngyīn 名 ❶ 指一个词、词组或句子里重读的音。参看【重读】(zhòngdú)。❷ 乐曲中强度较大的音，是构成节奏的主要因素。

【重用】zhòngyòng 动（把某人）放在重要工作岗位上：～优秀科技人员｜他在单位很受～。

【重元素】zhòngyuánsù 名 原子量较大的元素，如铀、钢、钌等。

【重灾区】zhòngzāiqū 名 受自然灾害严重的地区。也比喻某些社会问题严重造成重大损失的地区或单位等。

【重责】zhòngzé ❶ 名 重大的责任：身负～。❷ 动 严厉斥责或责罚：因工作失职，受到～。

【重镇】zhòngzhèn 名 军事上占重要地位的城镇，也指在其他方面占重要地位的城镇：战略～｜工业～。

【重资】zhòngzī 名 数额巨大的资金：投下～｜不惜～购买设备。

【重子】zhòngzǐ 名 质子和质量重于质子的粒子的统称。

蚛 zhòng〈书〉虫咬。

種 zhòng〈书〉同"种(種)"。
另见 1769 页 zhǒng。

---

zhōu（ㄓㄡ）

舟 zhōu ❶〈书〉船：轻～｜小～｜扁(piān)～。❷（Zhōu）名 姓。

【舟车】zhōuchē 名 船和车，借指旅途：～劳顿。

【舟楫】zhōují〈书〉名 船只。

【舟桥】zhōuqiáo 名 军队用制式器材拼装的军用浮桥。

州 zhōu ❶ 旧时的一种行政区划，所辖地区的大小历代不同，现在这名称还保留在地名里，如苏州、德州。❷ 名 指自治州。

诌（謅）zhōu 动 编造（言辞）：胡～｜嘚～｜～了一首顺口溜。

侜 zhōu〈书〉诳：～张（欺骗；作伪）。

周[1]（週）zhōu ❶ 量 用于动作环绕的圈数：全体运动员绕场一～｜地球绕太阳一～是一年。❷ 名 周围：圆～｜四～。❸ 绕一圈：～而复始。❹ 普遍；全：～身｜众所～知。❺ 完备；周到：～密｜不～。❻ 名 星期：上～｜下～｜～末。

周[2] zhōu 接济：～济。

周[3] Zhōu 名 ❶ 朝代。a）公元前 1046—公元前 256，姬发所建。参看 1452 页【西周】、325 页【东周】。b）北周。c）后周。❷ 姓。

【周报】zhōubào 名 每星期出版一次的报刊：《北京～》。

【周边】zhōubiān 名 周围：～地区｜～国家。

【周到】zhōudào 形 面面都照顾到；不疏忽：服务～｜他考虑问题很～。

【周而复始】zhōu ér fù shǐ 一次又一次地循环。

【周济】zhōujì 动 对穷困的人给予物质上的帮助。

【周角】zhōujiǎo 名 一条射线以端点为定点在平面上旋转一周所成的角。角的两条边重合在一起。周角为360°。

【周刊】zhōukān 名 每星期出版一次的刊物。

【周密】zhōumì 形 周到而细密：计划～｜～的调查。

【周末】zhōumò 名 一星期的最后的时间，原指星期六，实行双休日后也指星期五。

【周年】zhōunián 名 满一年：～纪念｜建国五十～。

【周期】zhōuqī 名 ❶ 事物在运动、变化的发展过程中，某些特征多次重复出现，其接续两次出现所经过的时间叫周期。❷ 物体作往复运动或物理量作周而复始的变化时，重复一次所经历的时间。❸ 元素周期表中元系列元素按原子序数递增顺序排列的一个横行为一个周期。同周期元素从左到右，金属性逐渐减弱，非金属性逐渐增强。

【周全】zhōuquán ❶ 形 周到；全面：计划要订得～些。❷ 动 指成全，帮助：～这件好事。

【周身】zhōushēn 名 浑身；全身：～都淋

湿了。

【周岁】zhōusuì 名 年龄满一岁：今天是孩子的～|他～已经三十二了。

【周天】zhōutiān 名 ❶ 指环绕天球的大圆周，天文学上以 360°为周天。❷ 整个天地间；满天。

【周围】zhōuwéi 名 环绕着中心的部分：～地区|屋子～是篱笆|关心～的群众。

【周围神经】zhōuwéi shénjīng 中枢神经以外的神经组织，包括脑神经、脊神经和自主神经，分布在全身皮肤、肌肉、内脏等处。

【周详】zhōuxiáng 形 周到而详细：他考虑得十分～。

【周薪】zhōuxīn 名 按周计算的工资。

【周恤】zhōuxù〈书〉动 对别人表示同情并给予物质的帮助。

【周旋】zhōuxuán 动 ❶ 回旋；盘旋。❷ 交际应酬；打交道：成天跟人～，真累人。❸（与敌人）较量，相机进退。

【周延】zhōuyán 形 一个判断的主词（或宾词）所包括的是其全部外延，如在"所有的物体都是运动的"这个判断中，主词（物体）是周延的，因为它说的是所有的物体。

【周严】zhōuyán 形 周密；严密：计划～|论证～。

【周游】zhōuyóu 动 到各地游历；游遍：～世界|孔子～列国。

【周缘】zhōuyuán 名 周围的边缘：车轮的～叫轮辋。

【周遭】zhōuzāo 名 四周；周围：～静悄悄的，没有一个人。

【周章】zhōuzhāng〈书〉❶ 形 仓皇惊恐：狼狈～|～失措。❷ 名 周折；苦心：煞费～。

【周折】zhōuzhé 名 指事情进程中的反复和曲折（多用来形容事情不顺利）：大费～。

【周正】zhōu·zhèng〈方〉形 端正：模样～|把帽子戴～|桌子做得～。

【周至】zhōuzhì 形（做事、思考）周到：叮咛～。

【周转】zhōuzhuǎn 动 ❶ 企业的资金从投入生产到销售产品而收回货币，再投入生产，这个过程一次又一次地重复进行，叫做周转。周转所需的时间，是生产时间和流通时间的总和。❷ 指个人或团体的经济开支调度或物品轮流使用：～不开。

洲 zhōu 名 ❶ 一块大陆和附近岛屿的总称。地球上有七大洲，即亚洲、欧洲、非洲、北美洲、南美洲、大洋洲、南极洲。❷ 河流中由泥沙淤积而成的陆地：沙～|三角～。❸（Zhōu）姓。

【洲际】zhōujì 形 属性词。指洲与洲之间：加强～合作。

【洲际导弹】zhōujì dǎodàn 射程在8 000千米以上的导弹。可从一大洲攻击另一大洲的目标。

诪(譸) zhōu〈书〉❶ 诅咒。❷ 同"侜"。

辀(輈) zhōu〈书〉车辕。

捒(捒) zhōu〈方〉动 从一侧或一端托起沉重的物体：费了九牛二虎之力，也没把箱子～起来。

啁 zhōu ［啁啾（zhōujiū）］〈书〉拟声 形容鸟叫的声音。
另见 1720 页 zhāo。

鸼(鵃) zhōu 见 492 页[鹘鸼]。

羸 zhōu 叹 唤鸡的声音。

赒(賙) zhōu 同"周²"。

粥 zhōu 名 用粮食或粮食加其他东西煮成的半流质食物：江米～|八宝～|盛一碗～。
另见 1671 页 yù。

【粥少僧多】zhōu shǎo sēng duō 比喻东西少而人多，不够分配。也说僧多粥少。

盩 zhōu 盩厔（Zhōuzhì），地名，在陕西。今作周至。

zhóu （ㄓㄡˊ）

妯 zhóu ［妯娌］（zhóu·lǐ）名 哥哥的妻子和弟弟的妻子的合称：她们三个是～|你们～俩去吧!

轴(軸) zhóu ❶ 名 圆柱形的零件，轮子或其他转动的机件绕着它转动或随着它转动：车～|轮～|多～自动车床。（图见898页"轮子"）❷ 名 把平面或立体分成对称部分的直线。❸（～儿）名 圆柱形的用来往上绕东西的器

物：线～儿｜画～。❹ 圖 用于缠在轴上的线以及装裱带轴子的字画：两～丝线｜一～泼墨山水。

另见 1774 页 zhòu。

【轴承】zhóuchéng 图 支承轴的部件，轴可以在轴承上旋转，按摩擦的性质不同可分为滑动轴承、滚动轴承等。

【轴线】zhóuxiàn 图 绕在线轴上的棉线或丝线等。

【轴心】zhóuxīn 图 轮轴的中心，比喻事物的中心或关键的部分：旅游业已成为这个地区经济发展的基本～。

【轴子】zhóu·zi 图❶ 安在字画的下端便于悬挂或卷起的圆杆儿。❷ 弦乐器上系弦的小圆杆儿，用来调节音的高低。

碡 zhóu 见 878 页〖碌碡〗(liù·zhou)。

zhǒu（ㄓㄡˇ）

肘 zhǒu 图❶ 上臂和前臂相接处向外面突起的部分。(图见 1209 页"人的身体")❷ (～儿)肘子①：后～｜酱～。

【肘窝】zhǒuwō 图 肘关节里侧凹下去的部分。

【肘腋】zhǒuyè 〈书〉图 胳膊肘儿和夹肢窝，比喻极近的地方(多用于祸患的发生)：变生～｜～之患。

【肘腋之患】zhǒuyè zhī huàn 比喻发生在身旁或极近地方的祸患。

【肘子】zhǒu·zi 图❶ 作为食物的猪腿的最上部。❷ 肘①：胳膊～。

帚（箒）zhǒu 除去尘土、垃圾、油垢等的用具：扫(sào)～｜炊～。

zhòu（ㄓㄡˋ）

纣¹（紂）zhòu 〈书〉后鞧(qiū)。

纣²（紂）Zhòu 商(殷)朝末代君王，相传是个暴君：助～为虐。

【纣棍】zhòugùn (～儿)图 系在驴马等尾下的横木，两端用绳子连着鞍子，防止鞍子往前滑。

伷 zhòu 〈书〉同"胄¹"(多用于人名)。

伷（伷）zhòu 俊俏；乖巧(多见于早期白话)。

咒（呪）zhòu ❶ 图 信某些宗教的人以为念着可以除灾或降灾的语句：念～。❷ 囷 说希望人不顺利的话：你可别～人。

【咒骂】zhòumà 囷 用恶毒的话骂。

㤉（惆）zhòu 〈方〉彤 固执：性情～｜～脾气。

宙 zhòu ❶ 指古往今来的时间。参看 1663 页〖宇宙〗。❷ 图 地质年代分期的第一级，分为太古宙、元古宙和显生宙，宙以下为代。跟宙相应的地层系统分类单位叫宇。参看 299 页"地质年代简表"。❸ (Zhòu)图 姓。

绉（縐）zhòu 绉纱。

【绉布】zhòubù 图 织出皱纹的棉织品。

【绉纱】zhòushā 图 织出皱纹的丝织品，用起收缩作用的捻合线做纬线织成，质地坚牢，常用来做衣服、被面等。

莤（莤）zhòu 〈方〉❶ 囷 用草包裹；绑扎。❷ 圖 用草绳绑扎的碗、碟等，一捆叫一莤。

轴（軸）zhòu 见 259 页〖大轴子〗、1557 页〖压轴子〗。

另见 1773 页 zhóu。

胄¹ zhòu 古代称帝王或贵族的子孙：贵～。

胄² zhòu 古代打仗时戴的保护头部的帽子：甲～。

味 zhòu 〈书〉鸟嘴。

昼（晝）zhòu 从天亮到天黑的一段时间；白天(跟"夜"相对)：～夜｜白～。

【昼夜】zhòuyè 图 白天和黑夜：～兼程｜机器轰鸣，～不停｜不分～地苦干。

酎 zhòu 〈书〉重(chóng)酿的醇酒。

皱（皺）zhòu ❶ 图 皱纹：上了年纪脸上就会起～。❷ 囷 起皱纹：眉头一～，计上心来｜衣裳～了。

【皱巴巴】zhòubābā (～的)彤 状态词。形容皱纹多、不舒展：～的瘦脸｜衣服～的。

【皱襞】zhòubì 图 褶儿：皱纹：胃～。

【皱胃】zhòuwèi 名 反刍动物胃的第四部分，内壁能分泌胃液。食物由瓣胃进入皱胃，消化后进入肠管。

【皱纹】zhòuwén （～儿）名 皮肤或物体表面上因收缩或揉弄而形成的一凸一凹的条纹：脸上布满～。

鬶 zhòu 〈方〉❶ 名 井壁。❷ 动 用砖砌(井、池子等)。

憱 zhòu 见 148 页[僝憱]。

鑘 zhòu 古时占卜的文辞。
另见 1584 页 yáo；1651 页 yóu。

骤(驟) zhòu ❶（马）奔跑：驰～。❷急速：暴风～雨。❸ 副 突然；忽然：狂风～起|脸色～变。

【骤然】zhòurán 副 突然；忽然：～一惊|掌声～像暴风雨般响起来。

籀 zhòu 〈书〉❶ 读书；讽诵。❷ 指籀文。

【籀文】zhòuwén 名 古代一种字体，就是大篆。

---

zhū (ㄓㄨ)

朱(❷硃) zhū ❶ 朱红：～笔。❷朱砂。❸(Zhū)名 姓。

【朱笔】zhūbǐ 名 蘸红色的毛笔，批公文、校古书，批改学生作业等常用红色，以区别于原写原印用的黑色。

【朱红】zhūhóng 形 比较鲜艳的红色。

【朱鹮】zhūhuán 名 鸟，全身羽毛白色，额和眼睛周围朱红色，嘴黑色，长而略弯，腿和爪红色。生活在水田和沼泽地区，吃蟹、蛙、小鱼、田螺等，是珍贵鸟类。

【朱槿】zhūjǐn 名 落叶灌木，叶子阔卵形，先端尖，花大，多为红色，蒴果卵圆形。供观赏。也叫扶桑。

【朱门】zhūmén 名 红漆的大门，旧时借指豪富人家：～酒肉臭。

【朱墨】[1] zhūmò 名 红黑两色：～加批|～套印。

【朱墨】[2] zhūmò 名 用朱砂制成的墨。

【朱鸟】zhūniǎo 名 朱雀[2]。

【朱批】zhūpī 名 用朱笔写的批语。

【朱漆】zhūqī 名 红漆：～大门|～家具。

【朱雀】[1] zhūquè 名 鸟，外形像麻雀，雄鸟红色或暗褐色，雌鸟一般灰褐色。生活在山林中，吃植物果实、种子等。

【朱雀】[2] zhūquè 名 ❶ 二十八宿中南方七宿的统称。参看 363 页〖二十八宿〗。❷道教所奉的南方的神。‖也叫朱鸟。

【朱砂】zhūshā 名 无机化合物，化学式 HgS。红色或棕红色，无毒。是炼汞的主要矿物，也用作颜料，可入药。也叫辰砂或丹砂。

【朱文】zhūwén 名 印章上的阳文(跟"白文"相对)。

邾 Zhū ❶ 周朝邹国本来叫邾。❷ 名姓。

侏 zhū [侏儒](zhūrú)名 身材异常矮小的人。这种异常的发育多由腺垂体的功能低下所致。

诛(誅) zhū 〈书〉❶ 杀(有罪的人)：伏～|罪不容～。❷ 谴责处罚：口～|笔伐。

【诛戮】zhūlù 〈书〉动 杀害：～忠良。

【诛求】zhūqiú 〈书〉动 勒索：～无厌。

【诛心之论】zhū xīn zhī lùn 揭穿动机的批评。

茱 zhū [茱萸](zhūyú)名 山茱萸、吴茱萸、食茱萸等的统称。

洙 Zhū 洙水河(Zhūshuǐ Hé)、洙溪河(Zhūxī Hé)，水名，都在山东。

珠 zhū ❶ 珠子：～宝|夜明～。❷（～儿）小的球形的东西：眼～儿|泪～儿|水～儿|滚～儿。❸(Zhū)名 姓。

【珠宝】zhūbǎo 名 珍珠宝石一类的饰物：～店|～满身。

【珠翠】zhūcuì 名 珍珠翠玉，泛指用珍珠翠玉做成的各种装饰品：～满头。

【珠光宝气】zhū guāng bǎo qì 形容服饰、陈设等非常华丽。

【珠玑】zhūjī 〈书〉名 ❶ 珠子：万粒～。❷比喻优美的文章或词句：字字～|满腹～。

【珠联璧合】zhū lián bì hé 珍珠串在一起，美玉合在一块儿，比喻美好的人或事物凑在一起。

【珠算】zhūsuàn 名 用算盘计算的方法。

【珠圆玉润】zhū yuán yù rùn 像珠子那样圆，像玉石那样滑润，形容歌声婉转优美或文字流畅明快。

【珠子】zhū·zi 名 ❶ 珍珠。❷ 像珍珠般的颗粒：汗～。

株 zhū ❶ 露在地面上的树木的根和茎：守～待兔。❷ 植株：～距｜幼～。❸ 量 棵：院子里种了两～枣树。

【株距】zhūjù 名 同一行中相邻的两个植株之间的距离。

【株连】zhūlián 动 指一人有罪，牵连别人；连累：～九族。

【株守】zhūshǒu 〈书〉动 死守不放。参看1257页〖守株待兔〗。

诸¹（諸）zhū ❶ 众，许多：～位｜～君｜～侯｜～子百家。❷（Zhū）名 姓。

诸²（諸）zhū 〈书〉"之于（於）"或"之乎"的合音：付～实施（＝之于）｜数易其稿，而后公～社会（＝之于）｜有～（＝之乎）？

【诸多】zhūduō 形 许多；好些个（用于抽象事物）：～不便｜～妨碍。

【诸葛】Zhūgě 名 姓。

【诸葛亮】Zhūgě Liàng 名 三国时蜀汉政治家，字孔明，辅佐刘备建立蜀汉。《三国演义》对他的智谋多所渲染，一般用来指足智多谋的人。

【诸宫调】zhūgōngdiào 名 宋、金、元的一种说唱文学，以韵文为主要组成成分，夹杂散文说白，叙述一个故事。韵文部分用不同宫调的多组套曲连成很长的篇幅。如金董解元的《弦索西厢》。

【诸侯】zhūhóu 名 古代帝王统辖下的列国君主的统称。

【诸如】zhūrú 动 举例用语，放在所举的例子前面，表示不止一个例子：他非常关心群众，做了不少好事，～访问职工家属、去医院看病人，等等。

【诸如此类】zhū rú cǐ lèi 与此相似的种种事物；～，不胜枚举。

【诸位】zhūwèi 代 人称代词。对所指的若干人的尊称：～同志｜～有何意见，请尽量发表。

铢（銖）zhū 量 古代重量单位，一两的二十四分之一。

【铢积寸累】zhū jī cùn lěi 形容一点一滴地积累。

【铢两悉称】zhū liǎng xī chèn 形容两方面轻重相当或优劣相等。

猪（豬）zhū 名 哺乳动物，头大，鼻子和口吻都长，眼睛小，耳朵大，四肢短，身体肥，生长快，适应性强。肉可以吃，皮可制革，鬃可制刷子和做其他工业原料。

【猪倌】zhūguān（～儿）名 专职养猪的人。

【猪獾】zhūhuān 名 哺乳动物，背部淡黑色或灰色，四肢棕黑色，头部有一条白色纵纹，颈、喉、耳朵和尾部白色。也叫沙獾。

【猪猡】zhūluó 〈方〉名 猪。

【猪排】zhūpái 名 炸着吃或煎着吃的大片猪肉。

【猪婆龙】zhūpólóng 名 扬子鳄的通称。

【猪鬃】zhūzōng 名 猪的脖颈子上的较长的毛，质硬而韧，可用来制刷子。

蛛 zhū 指蜘蛛：～网｜～丝马迹。

【蛛丝马迹】zhū sī mǎ jì 比喻与事情根源有联系的不明显的线索。

【蛛网】zhūwǎng 名 蜘蛛用蛛丝结成的网状物，蛛丝是蜘蛛肛门尖端分泌的黏液遇空气凝结而成的。蜘蛛利用蛛网捕食昆虫。

【蛛蛛】zhū·zhu 〈口〉名 蜘蛛。

槠（櫧）zhū 名 常绿乔木，叶子长椭圆形，花黄绿色，果实球形，褐色，有光泽。木材坚硬，可制器具。

潴（瀦）zhū 〈书〉❶（水）积聚：停～｜～积。❷ 水积聚的地方。

【潴留】zhūliú 动 医学上指液体聚集停留：尿～。

橥（櫫）zhū 〈书〉拴牲口的小木桩。

zhú （ㄓㄨˊ）

术 zhú 见28页〖白术〗、133页〖苍术〗、354页〖莪术〗。
另见1269页 shù。

竹 zhú 名 ❶ 竹子：～林｜～园｜修～千竿。❷（Zhú）姓。

【竹板书】zhúbǎnshū 名 曲艺的一种，说唱者一手打呱嗒板儿，一手打节子板（用七块小竹板编穿而成）。

【竹编】zhúbiān 名 用竹篾编制的工艺品，如果盒、提篮等。

【竹帛】zhúbó 名 竹简和绢，古时用来写字,因此也借指典籍:功垂～。

【竹材】zhúcái 图竹子采伐后经过初步加工的材料:利用～代替木材。

【竹雕】zhúdiāo 图在竹子上雕刻形象、花纹的艺术。也指用竹子雕刻成的工艺品。

【竹竿】zhúgān (～儿)图砍下来的削去枝叶的竹子:把衣服晾在～上。

【竹黄】zhúhuáng 图一种工艺品。把竹筒去青、煮、晒,压平后,里面向外胶合或镶嵌在木胎上,然后磨光,刻上人物、山水、花鸟等。产品以果盒、文具盒等为主。也作竹簧。也叫翻黄(翻簧)。

【竹簧】zhúhuáng 同“竹黄”。

【竹简】zhújiǎn 图古代用来写字的竹片,也指写了字的竹片。

【竹节虫】zhújiéchóng 图昆虫,身体细长。外形像竹节或树枝,绿色或褐色。头小,无翅。生活在树上,吃树叶。也叫蟠(xiū)。

【竹刻】zhúkè 图在竹制的器物上雕刻文字图画的艺术。

【竹马】zhúmǎ (～儿)图❶儿童放在胯下当马骑的竹竿。❷一种民间歌舞用的道具,用竹片、纸、布扎成马形,可系在表演者身上。

【竹排】zhúpái 图❶放在江河里的成排地连起来的竹材,使顺流而下,运输到各地。❷竹筏子。

【竹器】zhúqì 图用竹子做的器物,如竹篮、竹筐、竹椅等。

【竹笋】zhúsǔn 图笋。

【竹筒倒豆子】zhútǒng dào dòu·zi 比喻把事实全部说出来,没有隐瞒。

【竹叶青】[1] zhúyèqīng 图毒蛇的一种,头呈三角形,身体绿色,从眼的下部沿着腹部两旁有黄白色条纹,尾端红褐色。生活在温带和热带地区的树上。

【竹叶青】[2] zhúyèqīng 图❶以汾酒为原酒加入多种药材泡制成的一种略带黄绿色的酒。❷绍兴酒的一种,淡黄色。

【竹枝词】zhúzhīcí 图古代富有民歌色彩的诗,形式是七言绝句,语言通俗,音韵轻快。最初多是歌唱男女爱情的,以后常用来描写某一地区的风土人情。

【竹子】zhú·zi 图常绿植物,茎圆柱形,中空,有节,叶子有平行脉,嫩芽叫笋。种类很多,如毛竹、箭竹、湘妃竹。茎可供建筑和制器用,笋可以吃。

竺 Zhú 图姓。

逐 zhú ❶追赶:追～|～鹿|随波～流。❷驱逐:～客令|～出门外。❸动挨着(次序):～年|～字|～句|～条说明。❹(Zhú)图姓。

【逐步】zhúbù 副一步一步地:～深入|工作～开展起来了。

【逐个】zhúgè 副一个一个地:～清点|检查产品的质量。

【逐渐】zhújiàn 副渐渐:影响～扩大|事业～发展|天色～暗了下来。

【逐客令】zhúkèlìng 图秦始皇曾经下令驱逐从各国来的客卿,后来称赶走客人为下逐客令。

【逐鹿】zhúlù〈书〉动《史记·淮阴侯列传》:“秦失其鹿,天下共逐之”。比喻争夺天下:～中原|群雄～。

【逐年】zhúnián 副一年一年地:产量～增长。

【逐日】zhúrì 副一天一天地:废品率～下降。

【逐一】zhúyī 副逐个:～解决|对这几个问题～举例说明。

【逐字逐句】zhú zì zhú jù 挨次序一字一句地:～仔细讲解。

烛(燭) zhú ❶蜡烛:火～|花～。❷〈书〉照亮;照见:火光～天◇洞～其奸。❸量俗称灯泡的瓦数为烛数,如50烛的灯泡就是50瓦的灯泡。

【烛花】zhúhuā 图蜡烛燃烧时烛心结成的花状物。

【烛泪】zhúlèi 图指蜡烛燃烧时淌下的蜡油。

【烛台】zhútái 图插蜡烛的器具,多用铜锡等金属制成。

【烛照】zhúzhào〈书〉动照亮:阳光～万物。

舳 zhú [舳舻](zhúlú)〈书〉图指首尾衔接的船只(舳:船尾;舻:船头):～相继|～千里。

瘃 zhú〈书〉冻疮:冻～。

蠋 zhú 图蝴蝶、蛾等的幼虫,外形像蚕,身体青色。

蹰(躕) zhú 见1751页[踟蹰]。

zhǔ（ㄓㄨˇ）

主 zhǔ ❶接待别人的人（跟"客、宾"相对）：宾～｜东道～。❷名权力或财物的所有者：物～｜车～｜原～。❸旧社会中占有奴隶或雇用仆役的人（跟"奴、仆"相对）：～仆｜奴隶～。❹当事人：失～｜事～｜卖～｜顾～。❺名基督教徒对上帝、伊斯兰教徒对真主的称呼。❻最重要的；最基本的：～要｜～力。❼负主要责任；主持：～办｜～讲。❽主张①：～战｜～和｜力。❾动预示（吉凶祸福、自然变化等）：左眼跳～财，右眼跳～灾（迷信）｜早霞～雨，晚霞～晴。❿名对事情的确定的见解：心里没～。⓫从自身发出的：～动｜～观。⓬死人的牌位：神～｜木～。⓭（Zhǔ）名姓。

【主板】zhǔbǎn 名主机板的简称。

【主办】zhǔbàn 动主持办理；主持举办：～世界杯足球赛｜展览会由我们单位～。

【主笔】zhǔbǐ ❶名指报刊编辑部中负责撰写评论的人，也指编辑部的负责人。❷动主持撰写：这篇社论由你～。

【主币】zhǔbì 名本位货币（跟"辅币"相对）。

【主编】zhǔbiān ❶动负编辑工作的主要责任：他～一本语文杂志。❷名编辑工作的主要负责人：他是这本语文杂志的～。

【主产】zhǔchǎn 动主要生产：我国是棉花～国｜小麦～于北方地区。

【主场】zhǔchǎng 名体育比赛中，主队所在地的场地对主队来说叫主场。

【主持】zhǔchí 动❶负责掌握或处理：～人｜～会议。❷主张；维护：～公道｜～正义。

【主创】zhǔchuàng 动在文学、艺术作品的创作过程中担负主要工作：该剧～人员赴京进行艺术交流。

【主词】zhǔcí 名一个命题的三部分之一，表示思考的对象，如"糖是甜的"这个命题中的"糖"是主词。

【主次】zhǔcì 名主要的和次要的：分清～。

【主从】zhǔcóng 名主要的和从属的：～关系。

【主打】zhǔdǎ 形属性词。（文艺作品、商品等）在吸引观众、顾客，打开市场上起主要作用的：～歌｜短篇小说是这个刊物的～栏目｜本商场以时装为～商品。

【主单位】zhǔdānwèi 名物理量的主要单位，从主单位可以制定比它大或小的其他单位。例如国际单位制长度的主单位是米，以米为基础而制定出千米、分米、厘米、毫米等。

【主刀】zhǔdāo 动（医生）主持并亲自做手术：由外科主任亲自～。

【主导】zhǔdǎo ❶形属性词。主要的并且引导事物向某方面发展的：～思想｜～作用。❷名起主导作用的事物：我国国民经济的发展以农业为基础，工业为～。

【主动】zhǔdòng 形❶不待外力推动而行动（跟"被动"相对，下同）：～性｜～工作很～。❷能够造成有利局面，使事情按照自己的意图进行：～权｜争取～｜处于～地位。

【主动脉】zhǔdòngmài 名人体内最粗大的动脉，从左心室发出，向上向右再向下略呈弓状，再沿脊柱向下行，在胸腹等分出很多较小的动脉。

【主队】zhǔduì 名体育比赛中，和客队比赛的本单位或本地、本国的体育代表队叫主队。

【主伐】zhǔfá 动砍伐已经长成可以利用的森林。主伐小仅为获取木材，同时还为了森林更新，培育后一代森林。

【主罚】zhǔfá 动运动员在足球、冰球等球类比赛中担任罚球：～点球｜任意球。

【主犯】zhǔfàn 名在共同犯罪中起主要和组织作用的罪犯（区别于"从犯"）。

【主峰】zhǔfēng 名山脉的最高峰：岣嵝山是衡山的～。

【主父】Zhǔfù 名姓。

【主妇】zhǔfù 名一家的女主人：家庭～。

【主干】zhǔgàn 名❶植物的主要的茎。❷主要的、起决定作用的力量：中青年教师是教师队伍中的～。

【主岗】zhǔgǎng 名❶主要的岗位。❷担任主要岗位工作的人。

【主根】zhǔgēn 名植物最初生长出来的根，是由胚根突出种皮后发育而成的，通常是垂直向地生长，并长出许多侧根，组成根系。

【主攻】zhǔgōng 动❶ 集中主要兵力在主要方向上进攻(区别于"助攻"):~部队|指战员纷纷请战,要求担负~任务。❷ 主要研究(某一学科):~力学。

【主顾】zhǔgù 名 顾客:老~|招揽~。

【主观】zhǔguān 形❶ 属性词。属于自我意识方面的(跟"客观"相对,下同):~愿望|~能动性。❷ 不依据实际情况,单凭自己的偏见的:看问题不要~片面。

【主观能动性】zhǔguān néngdòngxìng 人的主观意识和行动对于客观世界的反作用。辩证唯物主义认为主观能动性是人在实践中认识客观规律,并根据客观规律自觉地改造世界,推动事物发展的能力和作用。

【主观唯心主义】zhǔguān wéixīn zhǔyì 唯心主义哲学的一个派别,否认世界的物质性,认为存在只是"我"的感觉,物质世界只是人的主观意识的体现或产物。

【主观主义】zhǔguān zhǔyì 一种唯心主义的思想作风,特点是不从客观实际出发,而从主观愿望和臆想出发来认识和对待事物,以致主观和客观分离,理论和实践脱节。主观主义有时表现为教条主义,有时表现为经验主义。

【主管】zhǔguǎn ❶ 动 负主要责任管理(某一方面):~部门|~原料收购和产品销售◇前庭蜗神经~听觉和身体平衡的感觉。❷ 名 (部门的)主要负责人:财务~。

【主婚】zhǔhūn 动 主持婚礼:~人|工会主席亲自为他们~。

【主机】zhǔjī 名❶ 成套动力设备中起主要作用的机器,如轮船上的动力系统的发动机、汽轮发电机组中的汽轮发电机。❷ 计算机的核心部分,主要包括运算器、控制器和存储器等。❸ 指网络中为其他计算机提供信息的计算机,通常指服务器。

【主机板】zhǔjībǎn 名 计算机中主要的印刷线路板,板上有插槽,安装一些重要元件,如中央处理器、内存等,还有扩充插槽。简称主板。

【主祭】zhǔjì 动 主持祭礼:~人。

【主见】zhǔjiàn 名 (对事情的)确定的意见:众说纷纭,他也没了~。

【主讲】zhǔjiǎng 动 担任讲授或讲演:王教授~隋唐文学|这次动员大会由他~。

【主将】zhǔjiàng 名❶ 主要的将领。❷ 比喻在某方面起主要作用的人:鲁迅是中国文化革命的~。

【主叫】zhǔjiào 名 电信业务中指主动呼叫对方的用户,如拨打电话或呼叫寻呼机的一方。

【主教】zhǔjiào 名 天主教、东正教的高级神职人员,通常是一个地区教会的首领。新教的某些教派也沿用这个名称。

【主角】zhǔjué (~儿)名❶ 指戏剧、电影等艺术表演中的主要角色或主要演员。❷ 比喻主要人物:那次事变的几个~已先后去世。

【主考】zhǔkǎo ❶ 动 主持考试:校长亲临考场~。❷ 名 主持考试的人。

【主课】zhǔkè 名 学习的主要课程:语文、数学、外语是中学的~。

【主力】zhǔlì 名 主要力量:~军|~部队|~队员|球队~。

【主力舰】zhǔlìjiàn 名 旧时指海上作战的主力战舰,包括战列舰和巡洋舰。

【主力军】zhǔlìjūn 名❶ 担负作战主力的部队。❷ 比喻起主要作用的力量。

【主粮】zhǔliáng 名 各地区生产和消费的粮食中占主要地位的粮食,如长江流域的主粮是大米。

【主流】zhǔliú 名❶ 干(gàn)流。❷ 比喻事情发展的主要方面:我们必须分清~和支流,区别本质和现象。

【主楼】zhǔlóu 名 楼群中主要的一幢楼。楼群中其他楼房的设计、位置等与主楼相配合。

【主路】zhǔlù 名 机动车行驶的主要道路,一般路面较宽(区别于"辅路")。

【主麻】zhǔmá 名 伊斯兰教徒做集体礼拜,在每周的星期五午后举行,伊斯兰教定星期五为礼拜日,称主麻日。伊斯兰教徒习惯称一周为一个主麻。[阿拉伯 jumʻa]

【主谋】zhǔmóu ❶ 动 共同做坏事时主要的谋划者。❷ 名 主谋的人。

【主脑】zhǔnǎo 名❶ 主要的、起决定作用的部分。❷ 首领。

【主拍】¹ zhǔpāi ❶ 动 主持拍卖:操槌~。❷ 名 主持拍卖的人:~一锤定音。

【主拍】² zhǔpāi 动 主持拍摄:这部影片由名导演~。

Z

【主渠道】zhǔqúdào 名 比喻主要的途径：中小企业成为就业～。

【主权】zhǔquán 名 一个国家在其领域内拥有的最高权力。根据这种权力，国家按照自己的意志决定对内对外政策，处理国内国际一切事务，而不受任何外来干涉。

【主儿】zhǔr 名 ❶ 指主人。❷ 指某种类型的人：这～真不讲究｜他是说到做到的～。❸ 指婆家：她快三十了，也该找～了。

【主人】zhǔ•rén 名 ❶ 接待客人的人（跟"客人"相对）。❷ 旧时聘用家庭教师、账房等的人；雇用仆人的人。❸ 财物或权力的所有人：磨坊～。

【主人公】zhǔréngōng 名 指文艺作品中的中心人物。

【主人翁】zhǔrénwēng 名 ❶ 当家做主的人：劳动人民成了国家的～。❷ 主人公。

【主任】zhǔrèn 名 职位名称，一个部门或机构的主要负责人：办公室～｜车间～｜居民委员会～。

【主食】zhǔshí 名 主要食物，一般指用粮食制成的，如米饭、馒头等。

【主使】zhǔshǐ 动 出主意使别人去做坏事；指使：受人～。

【主事】zhǔ//shì （～儿）动 主管事情：～人｜当家～｜前几年他还主过事。

【主诉】zhǔsù 动 医疗机构指病人看病时陈述自己的病情。

【主题】zhǔtí 名 ❶ 文学、艺术作品中所表现的中心思想，是作品思想内容的核心。❷ 泛指谈话、文件、会议等的主要内容：～词｜年终分配成了人们议论的～。

【主题词】zhǔtící 名 用来标明图书、文件、文章等主题的词或词组。

【主题歌】zhǔtígē 名 电影、歌剧、话剧、电视剧中能概括地表现主题的歌曲。

【主体】zhǔtǐ 名 ❶ 事物的主要部分：包括知识分子在内的工人阶级和广大农民是国家的～｜中央的十层大厦是这个建筑群的～。❷ 哲学上指有认识和实践能力的人。参看775页〖客体〗①。❸ 法律上指依法享有权利和承担义务的自然人、法人或国家。参看775页〖客体〗②。

【主席】zhǔxí 名 ❶ 主持会议的人。❷ 某些国家、国家机关、党派或团体某一级组织的最高领导职位名称：国家～｜工会～。

【主席团】zhǔxítuán 名 委员会或会议的集体领导组织。

【主线】zhǔxiàn 名 指贯穿事物发展过程的主要线索。特指文艺作品故事情节发展的主要线索。

【主项】zhǔxiàng 名 主要的项目；致力最多的项目。

【主心骨】zhǔxīngǔ （～儿）名 ❶ 可依靠的人或事物：你来了，我可有了～了！❷ 主见；主意：事情来得太突然，一时间我也没了～。

【主星】zhǔxīng 名 双星中较亮的一颗，伴星围绕着它旋转。

【主刑】zhǔxíng 名 可以独立用于犯罪人的刑罚。我国刑法规定的主刑种类有管制、拘役、有期徒刑、无期徒刑、死刑（区别于"附加刑"）。

【主旋律】zhǔxuánlǜ 名 ❶ 指多声部演唱或演奏的音乐中，一个声部所唱或所奏的主要曲调，其他声部只起润色、丰富、烘托、补充的作用。❷ 比喻主要精神或基本观点：改革是这个报告的～。

【主演】zhǔyǎn ❶ 动 扮演戏剧或电影中的主角：他一生～过几十部电影。❷ 名 指担任主演工作的人。

【主要】zhǔyào 形 属性词。有关事物中最重要的；起决定作用的：～原因｜～目的｜～人物。

【主页】zhǔyè 名 在互联网上进行信息查询的网站的起始信息页。

【主义】zhǔyì 名 ❶ 对客观世界、社会生活以及学术问题等所持有的系统的理论和主张：马克思列宁～｜现实～｜浪漫～｜思想作风：本位～｜自由～｜主观～。❸ 一定的社会制度；政治经济体系：社会～｜资本～。

【主意】zhǔ•yi 名 ❶ 主见：大家七嘴八舌地一说，他倒拿不定～了。❷ 办法：出～｜傻～｜这个～好｜人多～多。

【主因】zhǔyīn 名 主要的原因：骄傲自满是他学习成绩下滑的～。

【主语】zhǔyǔ 名 谓语的陈述对象，指出谓语说的是谁或者是什么的句子成分。一般的句子都包括主语部分和谓语部分，主语部分里的主要的词是主语。例如在"我们的生活很幸福"里，"生活"是主语，"我们的生活"是主语部分（有些语法书里称主语部分为主语，称主语为主词）。

【主宰】 zhǔzǎi ❶ 勔 支配;统治;掌握:～万物|迷信的人总以为人的命运是由上天～的。❷ 名 掌握、支配人或事物的力量:思想是人们行动的～|中国人民已经成为自己命运的～。

【主张】 zhǔzhāng ❶ 勔 对于如何行动持有某种见解:他～马上动身。❷ 名 对于如何行动所持有的见解:自作～|这两种～都有理由。

【主震】 zhǔzhèn 名 发生在同一地质构造带上或同一震源体内的一系列地震中,最大的一次叫做主震。

【主旨】 zhǔzhǐ 名 主要的意义、用意或目的:文章的～不清楚。

【主治】 zhǔzhì 勔 (药物)主要用于医治(某些病症)。

【主子】 zhǔ·zi 名 旧时奴仆称主人为主子,现多比喻操纵、主使的人。

讠(訏) zhǔ 〈书〉智慧。

拄 zhǔ 勔 为了支持身体用棍杖等顶住地面:～着拐棍儿走。

渚 zhǔ 〈书〉水中间的小块陆地。

煮 zhǔ ❶ 勔 把食物或其他东西放在有水的锅里烧:～饺子|饭还没～好|病人的碗筷每餐之后要～一下。❷ (Zhǔ) 名 姓。

【煮豆燃萁】 zhǔ dòu rán qí 相传魏文帝曹丕叫他弟弟曹植做诗,限他在走完七步之前做成,否则就要杀他。曹植立刻就做了一首诗:"煮豆持作羹,漉豉以为汁。其在釜下燃,豆在釜中泣。本自同根生,相煎何太急"(见于《世说新语·文学》)。比喻兄弟间自相残杀。

【煮鹤焚琴】 zhǔ hè fén qín 把鹤煮了吃,拿琴当柴烧,比喻做杀风景的事。

属(屬) zhǔ 〈书〉❶ 勔 连缀;连续:～文|前后相～。❷ (意念)集中在一点:～意|～望。

〈古〉又同"嘱"。

另见 1267 页 shǔ。

【属望】 zhǔwàng 〈书〉勔 期望;期待。也作瞩望。

【属意】 zhǔyì 勔 意向专注于(某人或某事物):他兴趣转移后,不再～诗文。

【属垣有耳】 zhǔ yuán yǒu ěr 有人靠着墙偷听。

褚 zhǔ 〈书〉❶ 丝绵。❷ 在衣服里铺丝绵。❸ 口袋。

另见 205 页 Chǔ。

劅(劅、斸) zhǔ 〈书〉砍;斫。

嘱(囑) zhǔ 嘱咐;嘱托:叮～|遗～|医～。

【嘱咐】 zhǔ·fù 勔 告诉对方记住应该怎样,不应该怎样:再三～|～孩子好好学习。

【嘱托】 zhǔtuō 勔 托(人办事);托付:妈妈出国之前,～舅舅照应家事。

麈 zhǔ 古书上指鹿一类的动物,尾巴可以做拂尘。

瞩(矚) zhǔ 注视:～目|～望|高瞻远～。

【瞩目】 zhǔmù 〈书〉勔 注目:举世～|万众～。

【瞩望】 zhǔwàng ❶ 同"属望"(zhǔwàng)。❷ 〈书〉勔 注视:举目～。

zhù (𧲛)

伫(佇、竚) zhù 〈书〉伫立:～候|～听风雨声。

【伫候】 zhùhòu 〈书〉勔 站着等候,泛指等候:～佳音|～光临。

【伫立】 zhùlì 〈书〉勔 长时间地站着:凝神～|～窗前。

苎(苧) zhù [苎麻](zhùmá) 名 ❶ 多年生草本植物,茎直立,叶子卵圆形或心脏形,花黄绿色。茎皮纤维洁白有光泽,坚韧,是纺织工业的重要原料。❷ 这种植物的茎皮纤维。

"苧"另见 1001 页 níng。

苧 zhù 〈书〉同"苎"。

另见 1539 页 xù。

助 zhù 帮助;协助:互～|～人为乐|爱莫能～|助我一臂之力。

【助残】 zhùcán 帮助残疾人:开展大规模～活动。

【助产士】 zhùchǎnshì 名 受过助产专业教育,能独立接生和护理产妇的中级医务人员。

【助词】 zhùcí 名 独立性最差,意义最不实在的一种特殊的虚词,包括: a) 结构助词,如"的、地、得、所";b)时态助词,如"了、着、过";c)语气助词,如"呢、吗、吧、啊"。

【助动词】zhùdòngcí 图 动词的附类,表示可能、应该、必须、愿望等意思,如"能、会、可以、可能、该、应该、得(děi)、要、肯、敢、愿意"。助动词通常用在动词或形容词前面。"我要糖","他会英文里的"要、会"是一般动词。

【助读】zhùdú 动 帮助阅读;帮助学习:开展经典著作的~辅导活动。

【助攻】zhùgōng 动❶ 以部分兵力在次要方向上进攻(区别于"主攻")。❷(球类比赛中)协助进攻。

【助教】zhùjiào 图 高等学校中职别最低的教师。

【助桀为虐】zhù Jié wéi nüè 比喻帮助坏人做坏事。也说助纣为虐。(桀是夏朝的最后一个王,纣是商朝的最后一个王,相传都是暴君。)

【助老】zhùlǎo 动 帮助、照顾老人:社区内~爱幼,蔚为风气。

【助理】zhùlǐ ❶ 形 属性词。协助主要负责人办事的(多用于职位名称):~人员|~编辑|~研究员。❷ 图 指协助主要负责人办事的人:部长~。

【助力】zhùlì ❶ 动 帮助:他对于促进双方的协作~不少。❷ 图 帮助的力量:别人的鼓励是一种~,别人的批评也是一种~。

【助力车】zhùlìchē 图 装有小型发动机的自行车,因可以借助机械动力代替脚蹬骑行,所以叫助力车。

【助跑】zhùpǎo 动 体育运动中有些项目,如跳高、跳远、投掷标枪,在跳、投等开始前先跑一段,这种动作叫助跑。

【助燃】zhùrán 动 一种物质帮助其他物质燃烧叫做助燃,如氧就能助燃。

【助手】zhùshǒu 图 不独立承担任务,只协助别人进行工作的人:得力~。

【助听器】zhùtīngqì 图 辅助听觉的一种器械,利用声学原理,把声波集中起来送入耳内,或者利用电学原理,把话筒或传声器所接收的声波放大后送入耳内,使有听力障碍的人听到声音。

【助威】zhùwēi 动 帮助增加声势:呐喊~。

【助兴】zhù∥xìng 动 帮助增添兴致:您段京剧给大伙儿助助兴吧!

【助学金】zhùxuéjīn 图(政府、社会团体等)发给学生的困难补助金。

【助养】zhùyǎng 动 协助抚养或赡养:~残疾弃儿|~特困老人。

【助战】zhù∥zhàn 动❶ 协助作战。❷ 助威。

【助长】zhùzhǎng 动 帮助增长(多指坏的方面):姑息迁就,势必~不良风气的蔓延。

【助阵】zhù∥zhèn 动 助战,泛指到现场声援鼓励:一批球迷从家乡赶来为客队~。

【助纣为虐】zhù Zhòu wéi nüè 见〖助桀为虐〗。

住 zhù ❶ 动 居住;住宿:你~在什么地方?|~了一夜。❷ 动 停住;止住:~手|~嘴|雨~了。❸ 做动词的补语。a)表示牢固或稳当:拿~|捉~|把~了方向盘|牢牢记~老师的教导。b)表示停顿或静止:一句话把他问~了|当时他就愣~了。c)跟"得"(或"不")连用,表示力量够得上(或够不上):胜任:支持不~|禁不~风吹雨打。❹ 图 姓。

【住持】zhùchí ❶ 动 主持一个佛寺或道观的事务。❷ 图 主持一个佛寺或道观的僧尼或道士。

【住处】zhù·chù 图 住宿的地方;住所。

【住地】zhùdì 图 居住的地方。

【住读】zhùdú 动(学生)住在学校里上学:~生|离学校远的学生可以~。

【住房】zhùfáng 图 供人居住的房屋。

【住户】zhùhù 图 定居在某处的家庭或有单独户口的人:院子里有三家~。

【住家】zhùjiā ❶ 动 家庭居住(在某处):他在郊区~。❷(~儿)图 住户:楼里不少~都要求改善环境卫生。

【住居】zhùjū 动 居住:少数民族~的地区。

【住口】zhù∥kǒu 动 停止说话:不~地夸奖孩子|你胡说什么,快给我~!

【住手】zhù∥shǒu 动 停止手的动作;停止做某件事:快~,这东西禁不起摆弄|他不做完不肯~。

【住宿】zhùsù 动 在外居住(多指过夜):安排~|今天晚上到哪里~呢?

【住所】zhùsuǒ 图 居住的处所(多指住户的)。

【住院】zhù∥yuàn 动 病人住进医院里接受治疗。

【住宅】zhùzhái 名 住房(多指规模较大的)：～区|居民～。

【住址】zhùzhǐ 名 居住的地址(指城镇、乡村、街道的名称和门牌号码)：家庭～。

绽(紵) zhù 〈书〉指苎麻纤维织的布：～衣。

杼 zhù ❶ 名 筘。❷ 古代指梭。

【杼轴】zhùzhóu 〈书〉名 杼和轴,旧式织布机上管经纬线的两个部件,比喻文章的组织构思。

贮(貯) zhù 动 储存;积存：～木场|～草五万斤|缸里～满了水。

【贮备】zhùbèi 动 储备：～粮食。

【贮藏】zhùcáng 动 储藏。

【贮存】zhùcún 动 储存。

注[1] zhù ❶ 动 灌入：～射|大雨如～。❷ (精神、力量)集中：～视|～意|～目贯。❸ 名 赌注：下～|孤～一掷。❹〈方〉量 多用于款项或交易：一～买卖|十来～交易。

注[2](註) zhù ❶ 动 用文字来解释字句：批～|～得很详细。❷ 名 解释字句的文字：附～|脚～|正文用大字,～用小字。❸ 动 记载;登记：～册|～销。

【注册】zhù∥cè 动 ❶ 向有关机关、团体或学校登记备案：～商标|新生报到～|从9月1日开始。❷ 指计算机用户输入用户名和密码,以取得计算机网络系统的认可。

【注定】zhùdìng 动 (某种客观规律或所谓命运)预先决定：命中～|～灭亡。

【注脚】zhùjiǎo 名 注解②。

【注解】zhùjiě ❶ 动 用文字来解释字句：～古籍。❷ 名 解释字句的文字：凡是书内难懂的字句,都有～。

【注目】zhùmù 动 把视线集中在一点上：引人～|这个小县城当时成了全国～的地方。

【注目礼】zhùmùlǐ 名 军礼的一种,行礼时身体直立,眼睛注视目标,如首长、来宾或国旗等。

【注射】zhùshè 动 用注射器把液体药剂输送到机体内。

【注射剂】zhùshèjì 名 注射用的药物。也叫针剂。

【注射器】zhùshèqì 名 注射液体药剂的器具,多用玻璃或塑料制成,一端装有针头。

【注视】zhùshì 动 注意地看：他目不转睛地～着窗外。

【注释】zhùshì ❶ 动 注解①。❷ 名 注解②。

【注疏】zhùshū 名 注解和疏解注解的文字合称注疏：《十三经～》。

【注塑】zhùsù 动 将熔化状态的塑料原料压注到模具内成型。

【注文】zhùwén 名 注解的文字。

【注销】zhùxiāo 动 取消登记过的事项：～户口|这笔账已经～了。

【注意】zhù∥yì 动 把意志放到某一方面：～力|～安全|提请～。

【注音】zhù∥yīn 动 用符号表明文字的读音。

【注音符号】zhùyīn fúhào 注音字母。

【注音字母】zhùyīn zìmǔ 在《汉语拼音方案》公布以前用来标注汉字字音的音标,采用笔画简单的汉字,有的加以修改。有二十四个声母,即ㄅㄆㄇㄈㄌㄊㄋㄌㄍㄎㄦㄏㄐㄑㄒㄓㄔㄕㄖㄗㄘㄙ(其中ㄢㄦㄛ是拼写方言用的),十六个韵母,即ㄚㄛㄜㄝㄞㄟㄠㄡㄢㄣㄤㄥㄦㄧㄨㄩ。也叫注音符号。

【注重】zhùzhòng 动 重视：～调查研究|～对孩子的教育。

【注资】zhù∥zī 动 (为某个项目或某项事业)投入数量较大的资金：公司～上千万元筹建污水处理厂。

驻(駐) zhù ❶ 停留：～足。❷ 动 (部队或工作人员)住在执行职务的地方;(机关)设在某地：～京办事处|部队～在村东的一个大院里。

【驻跸】zhùbì 〈书〉动 帝王出行时沿途停留暂住。

【驻地】zhùdì 名 ❶ 部队或外勤工作人员所驻的地方。❷ 地方行政机关的所在地。

【驻防】zhùfáng 动 军队在重要的地方驻扎防守。

【驻军】zhùjūn ❶ 动 军队驻扎(在某地)：～云南。❷ 名 (在某地)驻扎的军队：云南～。

【驻守】zhùshǒu 动 驻扎防守：～边疆。

【驻屯】zhùtún 动 驻扎。

【驻扎】zhùzhā 动 (军队)在某地住下。

【驻足】zhùzú 停止脚步：精美的工艺品吸引了许多参观者~观看。

柱 zhù ❶ 柱子：梁~|支~。❷ 像柱子的东西：水~|花~|脊~。❸ (Zhù)图姓。

【柱石】zhùshí 图柱子和柱子下面的基石，比喻起支撑作用的力量和担负重任的人：中国人民解放军是人民民主专政的~。

【柱头】zhùtóu 图❶柱子的顶部。❷〈方〉柱子。❸雌蕊的顶部，是接受花粉的地方。(图见580页"花")

【柱子】zhù·zi 图建筑物中直立的起支撑作用的构件，用木、石、型钢、钢筋混凝土等制成。(图见387页"房子")

炷 zhù ❶〈书〉灯芯：灯~。❷〈书〉烧(香)。❸量用于点着的香：一~香。

祝¹ zhù ❶动祝愿：~你健康|~两国的友谊万古常青。❷(Zhù)图姓。

祝² zhù〈书〉削；断绝：~发为僧(剃去头发当和尚)。

【祝词】zhùcí 图❶古代祭祀时祷告的话。❷举行典礼或会议时表示良好愿望或庆贺的话：新年~。‖也作祝辞。

【祝辞】zhùcí 同"祝词"。

【祝祷】zhùdǎo 动祝愿祷告；祷祝。

【祝福】zhùfú 动❶原指祈求上帝赐福，后来指祝人平安和幸福：~你一路平安|请接受我诚恳的~。❷我国某些地区的旧俗，除夕祭祀天地，祈求赐福。

【祝告】zhùgào 动祝祷；祷告：焚香~|~上天。

【祝贺】zhùhè 动庆贺：~你们超额完成了计划|向会议表示热烈的~。

【祝捷】zhùjié 动庆祝或祝贺胜利：~大会。

【祝酒】zhù//jiǔ 动向人敬酒，表示祝愿、祝福等：~词|主人向宾客频频~。

【祝寿】zhùshòu 动在老年人过生日时向他祝贺。

【祝颂】zhùsòng 动表示良好愿望：宴会中宾主互相~。

【祝愿】zhùyuàn 动表示良好愿望：衷心~|~大家身体健康，万事如意。

柷 zhù 石柷(Shízhù)，地名，在重庆。今作石柱。

疰 zhù [疰夏](zhùxià) ❶图中医指夏季长期发热的病，患者多为小儿，多由排汗功能发生障碍引起。症状是持续发热，食欲不振，消瘦，口渴，多尿，皮肤干热，天气越热体温越高等。❷动患疰夏。❸〈方〉动苦夏。

著 zhù ❶图显著：昭~|卓~|彰明较~。❷动显出：~名|颇~成效。❸动写作：编~|~书立说。❹动著作：名~|译~。
另见1728页·zhe；1799页 zhuó。

【著称】zhùchēng 动因著名而被称道：杭州以西湖~于世。

【著录】zhùlù 动记载；记录。

【著名】zhùmíng 形有名：李时珍是明代的~药物学家|吐鲁番的葡萄很~。

【著书立说】zhù shū lì shuō 撰写著作，创立学说，泛指从事学术研究和著述工作。

【著述】zhùshù ❶动著作①；编纂：专心~。❷图著作和编纂的成品：先生留下的~不多。

【著者】zhùzhě 图书或文章的作者。

【著作】zhùzuò ❶动用文字表达意见、知识、思想、感情等：从事~多年。❷图著作的成品：学术~|经典~|~等身(形容著作极多)。

【著作权】zhùzuòquán 图著作者按照法律规定对自己的著作所享有的专有权利。包括发表权、署名权、修改权、保护作品完整权、使用权和获得报酬权等。也叫版权。

【著作人】zhùzuòrén 图编书或写文章的人；著者。

蛀 zhù ❶蛀虫。❷动(蛀虫)咬；蚀：~蚀|毛料裤子让虫~了。

【蛀齿】zhùchǐ 图龋(qǔ)齿。

【蛀虫】zhùchóng 图指咬树干、衣服、书籍、谷粒等的小虫，如天牛、衣蛾、衣鱼、米象◇贪污分子是社会主义建设事业的~。

【蛀蚀】zhùshí 动由于虫咬而受损伤：这座房屋的大部分梁柱已被白蚁~◇~灵魂。

【蛀牙】zhùyá 图龋(qǔ)齿。

铸(鑄) zhù 动铸造：~工|~件|这口钟是铜~的。

【铸币】zhùbì 图金属铸成的货币。

【铸错】zhùcuò〈书〉动造成重大错误。

【铸工】zhùgōng 图❶铸造器物的工作。通称翻砂。❷做这种工作的技术工人。

【铸件】zhùjiàn 名 铸造的工件。

【铸就】zhùjiù 动 铸造成(多用于比喻)：勤奋～成功｜～了辉煌的业绩。

【铸铁】zhùtiě 名 生铁的一类，供铸造器物用。分为灰口铸铁(碳以石墨形式存在)和白口铸铁(碳化物形式存在)。参看1220页[生铁]。

【铸造】zhùzào 动 把金属加热熔化后倒入砂型或模子里，冷却后凝固成为铸件：～零件｜～车间。

【铸字】zhù∥zì 动 铸造铅字。

筑¹(築) zhù 动 建筑；修建：～路｜～堤｜～修｜～构～。

筑² zhù (旧读 zhú) 古代弦乐器，像琴，有十三根弦，用竹尺敲打。

筑³ Zhù (旧读 Zhú) 名 ❶ 贵州贵阳的别称。❷ 姓。

【筑室道谋】zhù shì dào móu 自己要造房子，却在路上和路人商量，比喻自己没有主见或毫无计划，东问西问，结果人多言杂，不能成事。

𩰏 zhù 〈书〉(鸟)向上飞：龙翔凤～。

箸(筯) zhù 〈方〉名 筷子。

zhuā (ㄓㄨㄚ)

抓 zhuā 动 ❶ 手指聚拢，使物体固定在手中：一把～住｜一把～起帽子就往外走。❷ 人用指甲或带齿的东西或动物爪在物体上划过：～痒痒｜他手上被猫～破一块皮。❸ 捉拿；捕捉：～土匪｜老鹰～走了一只小鸡。❹ 加强领导，特别着重(某方面)：～重点｜他分工～农业。❺ 抢着做：三～两～就把工作～完了。❻ 吸引(人注意)：这个演员一出场就～住了观众。

【抓辫子】zhuā∥biàn·zi 揪辫子。

【抓膘】zhuā∥biāo 动 采取加强饲养管理并注意适当使用等措施，使牲畜肥壮：放青～。

【抓捕】zhuābǔ 动 捉拿；逮捕：～嫌犯。

【抓碴儿】zhuā∥chár 〈方〉动 故意挑别人的小毛病；找碴儿。

【抓耳挠腮】zhuā ěr náo sāi ❶ 形容焦急而又没办法的样子。❷ 形容欢喜而不能自持的样子。

【抓哏】zhuā∥gén 动 戏曲中的丑角或相声演员在表演时，即景生情地临时编出本来没有的台词来逗观众发笑。

【抓工夫】zhuā gōng·fu 挤时间；抽空。

【抓获】zhuāhuò 动 逮住；捕获：凶手已被～。

【抓髻】zhuā·ji 同"𩭖髻"。

【抓紧】zhuā∥jǐn 动 紧紧地把握住，不放松：～时间｜～学习｜生产一定要～。

【抓阄儿】zhuā∥jiūr 动 从预先做好记号的纸卷或纸团中每人取一个，以决定谁该得什么东西或谁该做什么事。也说拈阄儿。

【抓鬏】zhuā·jiu 同"𩭖鬏"。

【抓举】zhuājǔ 名 一种举重法，两手手杠铃从地上举过头顶，一直到两臂伸直为止，不在胸前停顿。

【抓空儿】zhuā∥kòngr 动 抓工夫：过两天我～去一趟。也说抓空子。

【抓挠】zhuā·nao 〈方〉❶ 动 搔：～几下就不痒了。❷ 动 乱动东西，致使凌乱：好孩子，别～东西！❸ 动 打架：他们俩又～起来了，你赶快去劝劝吧！❹ 动 忙乱地赶着做；弄：一下子来了这么多的人吃饭，炊事员怕～不过来吧！❺ 动 挣；获得(钱)：庄稼人靠副业～俩活钱儿。❻ (～儿) 名 指可用的东西或可凭借依靠的人：东西都让人借走了，自己反倒弄得没～了｜最好派个负责人来，咱好有个～。❼ (～儿) 名 指对付事情的办法：事前要慎重考虑，免得发生问题时没～。

【抓拍】zhuāpāi 动 拍摄时不是特意摆设场景、安排人物姿态，而是抓住时机把现场实际发生的事情摄入镜头，叫做抓拍。

【抓破脸】zhuā pò liǎn 〈口〉比喻感情破裂，公开争吵。也说撕破脸。

【抓瞎】zhuā∥xiā 动 事前没有准备而临时忙乱着急：早点儿做好准备，免得临时～。

【抓药】zhuā∥yào 动 ❶ 中药店按照顾客的药方取药，也指医院的药房为病人取药。❷ 拿着药方到中药店买药：抓一服(fù)药。

【抓周】zhuā∥zhōu (～儿) 动 旧俗，婴儿周岁时，父母摆上各种物品任其抓取，用来试探婴儿将来的志向、爱好等。

【抓壮丁】zhuā zhuàngdīng 旧时官府抓青壮年男子去当兵。

【抓总儿】zhuāzǒngr 动负责全面工作：这事儿你～，我俩分管组织和宣传。

挝(撾) zhuā ❶〈书〉敲；打(鼓)：～鼓。❷ 同"抓"(多见于早期白话)。

另见 1432 页 wō。

树(檛、簻) zhuā 〈书〉马鞭子。

髽 zhuā 见下。

【髽髻】zhuā·ji 名梳在头顶两旁的髻：～夫妻(结发夫妻)。也作抓髻。

【髽鬏】zhuā·jiu 名髽髻。也作抓鬏。

zhuǎ (ㄓㄨㄚˇ)

爪 zhuǎ 义同"爪"(zhǎo)❷，用于以下各条。

另见 1721 页 zhǎo。

【爪尖儿】zhuǎjiānr 名用作食物的猪蹄。

【爪儿】zhuǎr 〈口〉名 ❶ 爪子：老鼠～。❷ 某些器物的脚：三～锅。

【爪子】zhuǎ·zi 〈口〉名动物的有尖甲的脚：鸡～|猫～。

zhuāi (ㄓㄨㄞ)

拽¹ zhuāi 〈方〉动扔；抛：拿砖头～狗|把皮球～得老远。

拽² zhuāi 〈方〉动胳膊有毛病，活动不灵便。

另见 1592 页 yè；1786 页 zhuài。

zhuǎi (ㄓㄨㄞˇ)

转(轉) zhuǎi 动转文：他平时好～两句|说大白话就行，用不着～。

另见 1788 页 zhuǎn；1791 页 zhuàn。

【转文】zhuǎi// wén "转文"zhuǎn// wén 的又音。

跩 zhuǎi 〈方〉动由于身体肥胖不灵活，走路摇晃：鸭子一～一～地走着。

zhuài (ㄓㄨㄞˋ)

拽(撀) zhuài 动拉：生拉硬～|一把～住不放。

另见 1592 页 yè；1786 页 zhuāi。

zhuān (ㄓㄨㄢ)

专(專、❶-❹耑) zhuān ❶ 集中在一件事上的：～心|～题|～业|～款|～科。❷ 形在学术技能某方面有特长：他知识面广，但不～。❸ 副光；只；专门：他～爱挑别人的毛病|王大夫～治皮肤病。❹ 独自掌握和占有：～制|～权|～利。❺(Zhuān)姓。

"耑"另见 339 页 duān。

【专案】zhuān'àn 名专门处理的案件或重要事件。

【专版】zhuānbǎn 名报刊等集中刊登某一类专题内容的版面。

【专才】zhuāncái 名专业技术人才；专门人才。

【专差】zhuānchāi ❶ 动指特地去办某件公事：他～去北京。❷ 名指特地出去办某件公事的人。

【专长】zhuāncháng 名专门的学问技能；特长：学有～|发挥各人的～。

【专场】zhuānchǎng 名 ❶ 剧场、影院等专为某一部分人演出的一场：学生～。❷ 专门演出一种类型的若干节目的一场：相声～|曲艺～。

【专车】zhuānchē 名 ❶ 在例行车次之外专为某人或某事特别开行的火车或汽车。❷ 机关单位或个人专用的汽车。

【专诚】zhuānchéng ❶ 形专一而真诚：他对爱情是那样～。❷ 副特地(表示非顺便)：～拜访。

【专程】zhuānchéng 副专为某事而到某地：～看望|～前去迎接客人。

【专电】zhuāndiàn 名记者专为本报社报

道新闻而由外地用电话、电报、电传发来的稿子(区别于通讯社供稿)。

【专断】zhuānduàn ❶ 动 应该会商而不会商,单独做出决定:～独行。❷ 形 行为不民主:作风～|担任领导职务后,他变得十分～。

【专访】zhuānfǎng ❶ 动 只就某个问题或对某个人进行采访:接受记者～。❷ 名 这样采访写成的文章:登载了一篇关于他的模范事迹的～。

【专攻】zhuāngōng 动 专门研究(某一学科):他是～水利工程的。

【专柜】zhuānguì 名 商店中专门出售某一种类或某一地区商品的柜台:床上用品～。

【专号】zhuānhào 名 以某项内容为中心而编成的一期报刊:妇女问题～|《红楼梦》研究～。

【专横】zhuānhèng 形 任意妄为;专断强横:～跋扈。

【专机】zhuānjī 名 ❶ 在班机之外专为某人或某事特别飞行的飞机。❷ 某人专用的飞机。

【专集】zhuānjí 名 ❶ 只收录某一作者作品的集子。❷ 就某一文体或某一内容编成的集子:论文～。

【专辑】zhuānjí 名 专集②。

【专家】zhuānjiā 名 对某一门学问有专门研究的人;擅长某项技术的人。

【专刊】zhuānkān 名 ❶ 报刊以某项内容为中心而编辑的一栏或一期。❷ 学术机构出版的以一个问题的研究结果为内容的单册著作。

【专科】zhuānkē 名 ❶ 专门科目:～医生|～词典。❷ 指专科学校:～毕业。

【专科学校】zhuānkē xuéxiào 实施专业教育的学校,修业年限一般为二至三年。如农业专科学校、师范专科学校、医学专科学校等。

【专款】zhuānkuǎn 名 指定只能用于某项事务的款项:教育～|～专用。

【专栏】zhuānlán 名 ❶ 报刊上专门登载某类稿件的部分。❷ 指具有专题内容的墙报、板报等。

【专力】zhuānlì 动 集中力量(做某件事):～于创作。

【专利】zhuānlì 名 法律保障创造发明者

在一定时期内由于创造发明而独自享有的利益:～权。

【专列】zhuānliè 名 ❶ 专为某人或某事特别增开的列车。❷ 某人专用的列车。

【专卖】zhuānmài 动 ❶ 国家指定的专营机构经营某些物品,其他部门非经专营机构许可,不得生产和运销:烟草～公司。❷ 专门出售某一种类或某一品牌商品:～店|服装～。

【专美】zhuānměi 〈书〉动 独自享受美名:青年演员钻研表演艺术,不让上代艺人～于前。

【专门】zhuānmén ❶ 副 特地:我是～来看望你的。❷ 形 属性词。专从事某一项事的:～人才|他是～研究土壤学的。❸ 副 表示动作仅限于某个范围:这次会议～讨论了资金问题。

【专门家】zhuānménjiā 名 专家。

【专名】zhuānmíng 名 ❶ 专有名词,指人名、地名、机关团体名之类,如"鲁迅、淮河、北京大学"。❷ 特指某些专有名词中反映个体属性的部分(区别于"通名"),如"淮河"这个专有名词中"淮"是名称。

【专名号】zhuānmínghào 名 标点符号(——),用在横行文字的下边或竖行文字的左边,表示人名、地名、机关团体名之类。

【专区】zhuānqū 名 我国省、自治区曾经根据需要设立的行政区域,包括若干县、市。1975 年后改称地区。

【专权】zhuānquán 动 独揽大权:～误国。

【专人】zhuānrén 名 专门负责某项工作的人:临时派遣专办某件事的人。

【专任】zhuānrèn 动 专门担任某一职务:～教员|书记一职可以兼任,也可以～。

【专擅】zhuānshàn 〈书〉动 擅自做主,不向上级请示或不听上级指示。

【专史】zhuānshǐ 名 各种专门学科的历史,如哲学史、文学史、经济史等。

【专使】zhuānshǐ 名 专为某件事而派遣的使节。

【专书】zhuānshū 名 ❶ 就某一专题而编写的书;专著。❷ 指某一部书:～词典|～研究。

【专署】zhuānshǔ 名 专员公署的简称。

【专题】zhuāntí 名 专门研究或讨论的题目:～报告|～讨论|～调查。

【专文】zhuānwén 图 专门就某个问题写的文章：这一事件的始末另有～披露。

【专席】zhuānxí 图 专为某人或某类人设置的席位：来宾～|孕妇～。

【专线】zhuānxiàn ❶图 较大的厂矿铺设的自用铁路线。❷ 电话局为重要机关或首长设置的专用电话线。

【专项】zhuānxiàng 图 特定的某个项目：～训练|～检查。

【专心】zhuānxīn 形 集中注意力：～一意|学习必须～。

【专心致志】zhuān xīn zhì zhì 一心一意；集中精神：要创造条件让科学家～地做研究工作。

【专修】zhuānxiū 动 集中学习某种课业：～科（大学中附设的实施短期专业教育的班级）。

【专业】zhuānyè ❶图 高等学校的一个系里或中等专业学校里，根据科学分工或生产部门的分工把学业分成的门类：～课|中文系汉语～。❷图 产业部门中根据产品生产的不同过程而分成的各业务部分：～化|～生产。❸形 属性词。专门从事某种工作或职业的：～户|～文艺工作者。

【专业户】zhuānyèhù 图 我国农村中专门从事某种农副业的家庭或个人：养鸡～。

【专业课】zhuānyèkè 图 高等学校中，使学生具有必要的专门知识和技能的课程。

【专一】zhuānyī 形 专心一意；不分心：心思～|爱情～。

【专用】zhuānyòng 动 专供某种需要或某个人使用：专款～|～电话。

【专员】zhuānyuán 图 ❶省、自治区所派的地区负责人。❷担任某项专门职务的人员。

【专员公署】zhuānyuán gōngshǔ 我国省、自治区曾经根据需要设置的派出机构。简称专署。

【专责】zhuānzé 图 专门担负的某项责任：分工明确，各有～。

【专政】zhuānzhèng 图 占统治地位的阶级对敌对阶级实行的强力统治。一切国家都是一定阶级的专政。

【专职】zhuānzhí 图 由专人担任的职务：～工会干部。

【专制】zhuānzhì ❶ 动 （最高统治者）独自掌握政权：～政体|～帝王|君主～。❷形 凭自己的意志独断独行，操纵一切。

【专注】zhuānzhù 形 专心注意：心神～。

【专著】zhuānzhù 图 就某方面加以研究论述的专门著作。

【专座】zhuānzuò 图 专为某人或某一类人设置的座位：老年人～。

胗（膞） zhuān 〈方〉鸟类的胃；胗：鸡～。

砖（磚、甎、塼） zhuān ❶图 把黏土等做成的坯放在窑里烧制而成的建筑材料，多为长方形或方形。❷ 形状像砖的东西：茶～|煤～|冰～。

【砖茶】zhuānchá 图 压紧后形状像砖的茶叶块儿。也叫茶砖。

【砖雕】zhuāndiāo 图 在砖上雕刻形象、图案的艺术。也指用砖雕出的工艺品。

【砖坯】zhuānpī 图 没有经过烧制的砖的毛坯。

【砖头】zhuāntóu 图 不完整的砖；碎砖。

【砖头】zhuān·tou 〈方〉图 砖。

【砖窑】zhuānyáo 图 烧砖的窑。

颛（顓） zhuān 〈书〉❶ 愚昧。❷ 同"专"。

【颛孙】Zhuānsūn 图 姓。

【颛顼】Zhuānxū 图 传说中的上古帝王名。

【颛臾】Zhuānyú 图 春秋时的一个小国，在今山东费县一带。

zhuǎn （ㄓㄨㄢˇ）

转（轉） zhuǎn ❶ 动 改换方向、位置、形势、情况等：～身|～脸|～换|～移|好～|向左～|向后～|～败为胜|由阴～晴。❷ 动 把一方的物品、信件、意见等传到另一方：～达|～交|～送|这封信由我～给他好了。❸（Zhuǎn）图 姓。

　　另见 1786 页 zhuǎi；1791 页 zhuàn。

【转氨酶】zhuǎn'ānméi 图 生物体内能转移氨基酸的氨基的酶，在氨基酸代谢中有重要作用。

【转包】zhuǎnbāo 动 承包人把自己承包的工程等再转给他人承包。

【转变】zhuǎnbiàn 动 由一种情况变到另一种情况：思想～｜～态度。

【转播】zhuǎnbō 动 (广播电台、电视台)播送别的电台或电视台的节目。

【转产】zhuǎn∥chǎn 动 企业停止原来产品的生产而生产别的产品。

【转车】zhuǎn∥chē 动 中途换车：从北京到宁波去，可以在上海～｜他住在市郊，回家要转两次车。

【转达】zhuǎndá 动 把一方的话转告给另一方：我对老人的心意请你代为～｜你放心走吧，我一定把你的话～给他。

【转道】zhuǎndào 动 绕道经过：从上海～武汉进京。

【转调】zhuǎndiào 动 一个乐曲中，为了表达不同内容的需要和丰富乐曲的表现力，从某调过渡到另一个调。也叫变调或移调。

【转动】zhuǎndòng 动 转身活动；身体或物体的某部分自由活动：伤好后，腰部～自如。

另见 1791 页 zhuàndòng。

【转发】zhuǎnfā 动 ❶ 把有关单位的文件转给下属单位。❷ 报刊上发表别的报刊上发表过的文章。❸ 把接收到的从某个地点发射来的无线电信号发射到别的地点。

【转岗】zhuǎn∥gǎng 动 转换工作岗位：一些伐木工～为护林工了。

【转告】zhuǎngào 动 受人嘱托把某人的话、情况等告诉另一方：他让我～你，他明天不能来了。

【转关系】zhuǎn guān·xi 党派或团体的成员在调动时转移组织关系。

【转轨】zhuǎn∥guǐ 动 ❶ 转入另一轨道(运行)。❷ 比喻改变原来的体制等：工厂从单一生产型向生产经营型～。

【转行】zhuǎn∥háng 动 ❶ 从一个行业转到另一个行业；改行。❷ 写字、打字或排版等，从一行转到下一行：抄稿时，标点符号尽量不要～。

【转化】zhuǎnhuà 动 ❶ 转变；改变。❷ 矛盾的双方经过斗争，在一定的条件下，各自向着和自己相反的方面转变，向着对立方面所处的地位转化。如主要矛盾和次要矛盾、对抗性矛盾和非对抗性矛盾等在一定条件下都可以互相转化。

【转圜】zhuǎnhuán 动 ❶ 挽回：事已至此，难以～了。❷ 从中调停：他们俩的矛盾由你出面～比较好些。

【转换】zhuǎnhuàn 动 改变；改换：～方向｜～话题。

【转会】zhuǎn∥huì 动 指职业运动员从一个俱乐部转入另一个俱乐部(效力)。

【转机】[1] zhuǎnjī 名 好转的可能(多指病症脱离危险或事情能挽回)：事情还有～｜病入膏肓，已无～。

【转机】[2] zhuǎn∥jī 动 中途换乘飞机。

【转基因】zhuǎnjīyīn 动 运用科学手段从某种生物中提取所需要的基因，将其转入另一种生物中，使与另一种生物的基因进行重组，从而产生特定的具有优良遗传性状的物质。转基因技术可用于培育新品种等方面。

【转嫁】zhuǎnjià 动 把自己应承受的负担、损失、罪名等加在别人身上：不能把事故的责任～于人。

【转交】zhuǎnjiāo 动 把一方的东西交给另一方：这个小包裹是她托我～给你的。

【转角】zhuǎnjiǎo (～儿)名 街巷等的拐弯的地方。

【转借】zhuǎnjiè 动 ❶ 把借来的东西再借给别人。❷ 把自己的证件等借给别人使用：借书证不得～他人。

【转科】zhuǎn∥kē 动 ❶ 病人从医院的某一科转到另一科去看病。❷ 学生从某一科转到另一科去学习。

【转口】zhuǎnkǒu 动 商品经过一个港口运到另一个港口或通过一个国家运到另一个国家：～贸易。

【转脸】zhuǎn∥liǎn 动 ❶ 掉过脸。❷ (～儿)比喻时间很短：他刚才还在这里，怎么～就不见了？

【转捩点】zhuǎnlièdiǎn 名 转折点。

【转录】zhuǎnlù 动 把磁带上已录好的录音、录像录到空白磁带上。

【转卖】zhuǎnmài 动 把买进的东西再卖出去：倒手～。

【转年】zhuǎnnián ❶ (－∥－)动 到了下一年。❷ 名 某一年的第二年(多用于过去)。❸ 名 明年。

【转念】zhuǎnniàn 动 再一想(多指改变主意)：他刚想开口，但一～，觉得还是暂时不说为好。

【转让】zhuǎnràng 勔 把自己的东西或应享有的权利让给别人：～房屋｜技术～。

【转身】zhuǎn∥shēn （～儿）勔 ❶ 转过身。❷ 比喻时间很短：刚说好了的，一～就不认账。

【转生】zhuǎnshēng 勔 佛教认为人或动物死后，灵魂依照因果报应而投胎，成为另一个人或动物，叫做转生。也说转世。

【转世】zhuǎnshì 勔 ❶ 转生。❷ 藏传佛教认定活佛继承人的制度。始于 12 世纪。活佛圆寂后，通过占卜、降神等宗教仪式，在当时出生的若干婴儿中，选定一个作为活佛的转世继承人。

【转手】zhuǎn∥shǒu 勔 从一方取得或买得东西交给或卖给另一方：～倒卖｜你就直接交给他，何必要我转个手呢？

【转述】zhuǎnshù 勔 把别人的话说给另外的人：我这是～老师的话，不是我自己的意思。

【转瞬】zhuǎnshùn 勔 转眼。

【转送】zhuǎnsòng 勔 ❶ 转交：这是刚收到的急件，请你立即～给他。❷ 转赠：这本书是老张送给他的，他又～给我了。

【转托】zhuǎntuō 勔 把别人托给自己的事再托给另外的人：这件事我虽然没法帮忙，但可以设法替你～一个人。

【转弯】zhuǎn∥wān （～儿）勔 ❶ 拐弯儿：～抹角｜这儿离学校很近，一～儿就到了。❷ 比喻改变认识或想法：他感到太突然了，一时转不过弯儿来。

【转弯抹角】zhuǎn wān mò jiǎo （～儿）❶ 沿着弯弯曲曲的路走：汽车～开进了村子。❷ 形容路弯弯曲曲：这条路～的，可难走了。❸ 比喻说话、做事不直截了当：有什么意见就痛快说，别这么～的。

【转弯子】zhuǎn wān·zi 转弯❷。另见 1791 页 zhuàn wān·zi。

【转危为安】zhuǎn wēi wéi ān （局势、病情等）从危急转为平安。

【转文】zhuǎn∥wén 又 zhuǎi∥wén 勔 说话时不用口语，而用文言的字眼儿，以显示有学问：说大白话可以了，何必～呢！

【转向】zhuǎnxiàng 勔 ❶ 转变方向：上午是东风，下午～了，成了南风。❷ 比喻改变政治立场。另见 1791 页 zhuàn∥xiàng。

【转型】zhuǎnxíng 勔 ❶ 社会经济结构、文化形态、价值观念等发生转变：我国正处在由计划经济向市场经济的～期。❷ 转换产品的型号或构造：这种产品正酝酿～。

【转学】zhuǎn∥xué 勔 学生从一个学校转到另一个学校学习。

【转眼】zhuǎnyǎn 勔 表示极短的时间：冬天过去，～又是春天了。

【转业】zhuǎn∥yè 勔 由一种行业转到另一种行业，特指中国人民解放军干部转到地方工作。

【转移】zhuǎnyí 勔 ❶ 改换位置，从一方移到另一方：～阵地｜～方向｜～目标｜～视线。❷ 改变：客观规律不以人们的意志为～。

【转义】zhuǎnyì 名 由原义转化而成的意义。

【转译】zhuǎnyì 勔 不直接根据某种语言的原文翻译，而根据另一种语言的译文翻译，叫做转译。

【转院】zhuǎn∥yuàn 勔 病人从一个医院转到另一个医院治疗。

【转运】[1] zhuǎn∥yùn 勔 运气好转（迷信）。

【转运】[2] zhuǎnyùn 勔 把运来的东西再运到另外的地方去：～站｜～物资。

【转载】zhuǎnzǎi 勔 报刊上刊登别的报刊上发表过的文章：几种报纸都～了《人民日报》的社论。

【转载】zhuǎnzài 勔 过载❷。

【转赠】zhuǎnzèng 勔 把收到的礼物赠送给别人。

【转战】zhuǎnzhàn 勔 连续在不同地区作战：～千里｜～大江南北。

【转账】zhuǎn∥zhàng 勔 不收付现金，只在账簿上记载收付关系：～支票。

【转折】zhuǎnzhé 勔 ❶ （事物）在发展过程中改变原来的方向、形势等：～点。❷ 指文章或语意由一个方向转向另一方向。

【转折点】zhuǎnzhédiǎn 名 事物发展过程中对改变原来方向起决定作用的事情；事物发展过程中改变原来方向的时间。也说转捩点。

【转正】zhuǎn∥zhèng 勔 组织中的非正式成员成为正式成员：预备党员～｜临时工～。

【转制】zhuǎnzhì 勔 转换体制：后勤部门将在年底前完成～。

【转注】zhuǎnzhù 图六书之一。人们对转注的解释很分歧,比较可信的是清代戴震、段玉裁的说法。他们认为转注就是互训,意义上相同或相近的字彼此互相解释。如《说文》"老"字的解释是"考也","考"字的解释是"老也",以"考"注"老",以"老"注"考",所以叫转注。

【转租】zhuǎnzū 动把租来的东西再租给别人。

zhuàn （ㄓㄨㄢˋ）

传（傳） zhuàn ❶ 解释经文的著作:经~|《春秋公羊~》。❷ 图传记:列~|别~|外~|自~|《三国志》上有诸葛亮的~。❸ 叙述历史故事的作品(多用于小说名称):《水浒~》|《吕梁英雄~》。

另见 208 页 chuán。

【传记】zhuànjì 图记录某人生平事迹的文字:名人~|~文学。

【传略】zhuànlüè 图比较简略的传记:《孙中山~》。

沌 Zhuàn 沌河,水名,在湖北。沌口（Zhuànkǒu）,沌阳（Zhuànyáng）,地名,都在湖北武汉。

另见 348 页 dùn。

转（轉） zhuàn ❶ 动旋转:轮子~得很快。❷ 动绕着某物移动;打转:~圈子|~来~去。❸〈方〉量绕一圈儿叫绕一转。

另见 1786 页 zhuǎi；1788 页 zhuǎn。

【转动】zhuàndòng 动 ❶ 物体以一点为中心或以一直线为轴作圆周运动:水流可以使磨~。❷ 使转动:~舵轮。

另见 1789 页 zhuǎndòng。

【转筋】zhuàn//jīn 动中医称肌肉(通常指小腿部的腓肠肌)痉挛。

【转炉】zhuànlú 图冶炼炉的一种,炉体架在一个水平轴架上,冶炼时可以转动。用来炼钢,也用来炼铜等。

【转门】zhuànmén 图门扇能旋转的门,由几扇门扇装在中间的一个转轴上构成。

【转磨】zhuàn//mò〈方〉动绕着磨转,也指着急时想不出办法直转圈子。

【转盘】zhuànpán 图 ❶ 某些器械(如唱机)或设备上能够旋转的圆盘。❷ 指交叉路口中间的环形岛。

【转圈】zhuàn//quān （～儿）动围绕某一点运动:～看了大家一眼|我转了三个圈儿也没找着他。

【转日莲】zhuànrìlián〈方〉图向日葵。

【转速】zhuànsù 图转动物体在单位时间内转动的圈数。通常用每分钟或每秒钟转动的圈数来表示。

【转台】zhuàntái 图 ❶ 中心部分能够旋转的舞台。在这种舞台上演出,能够缩短换景的时间。❷ 餐桌上安放的较小的圆台,可以转动,用来放菜盘等,使就餐方便。

【转梯】zhuàntī 图台阶呈扇形,沿着主轴旋转而上的楼梯。

【转弯子】zhuàn wān•zi 比喻说话不直截了当;不直爽:他心眼儿多,说话爱~。

另见 1790 页 zhuǎn wān•zi。

【转向】zhuàn//xiàng 动迷失方向:晕头~。

另见 1790 页 zhuǎnxiàng。

【转椅】zhuànyǐ 图 ❶ 一种坐着的部分能够转动的椅子。❷ 儿童体育活动器械,在转盘上安上若干椅子,儿童坐在椅子上,随着转盘旋转。

【转悠（转游）】zhuàn•you〈口〉动 ❶ 转动:眼珠子直～。❷ 漫步;无目的地闲逛:星期天我上街～了一下。

【转轴】zhuànzhóu 图 ❶ 能转动的轴。❷（～儿）〈方〉比喻主意或心眼儿。

【转子】zhuànzǐ 图电机、涡轮机或泵等旋转式机械的转动部分。

啭（囀） zhuàn〈书〉鸟婉转地叫:啼～。

璲 zhuàn〈书〉玉器上隆起的雕刻花纹。

赚（賺） zhuàn ❶ 动获得利润(跟"赔"相对):～钱。❷（～儿）〈口〉图利润:有～。❸〈方〉挣(钱):做一天工,～几十块。

另见 1822 页 zuàn。

【赚头】zhuàn•tou〈口〉图利润:本小利微,～不大。

撰（譔） zhuàn 写作:～文|～稿。

【撰述】zhuànshù ❶〈书〉动撰写;著述:

～文章。❷ 名 撰述的作品：～甚多。

【撰写】zhuànxiě 动 写作：～碑文｜～论文。

【撰著】zhuànzhù 〈书〉动 写作：～中国通史。

篆 zhuàn ❶ 汉字形体的一种：～书｜～体｜大～｜小～｜真草隶～。❷ 写篆书：～额（用篆字写在碑额上）。❸ 指印章。

【篆刻】zhuànkè 动 刻印章（因印章多用篆书）。

【篆书】zhuànshū 名 汉字字体，秦朝整理字体后规定的写法。

【篆字】zhuànzì 名 篆书。

馔（饌） zhuàn 〈书〉饭食：酒～｜盛（shèng）～。

篹 zhuàn 〈书〉❶ 同"馔"。❷ 同"撰"。
另见 1821 页 zuǎn。

籑（籑） zhuàn 〈书〉❶ 同"撰"。
另见 1821 页 zuǎn。

---

zhuāng（ㄓㄨㄤ）

妆（妆、粧） zhuāng ❶ 化妆：梳～。❷ 女子身上的装饰：红～｜卸～。❸ 指嫁妆：～奁｜送～（运送嫁妆）。

【妆奁】zhuānglián 名 ❶ 女子梳妆用的镜匣。❷ 借指嫁妆。

【妆饰】zhuāngshì ❶ 动 打扮：精心～。❷ 名 打扮出来的样子：～俏丽。

庄¹（莊） zhuāng ❶（～儿）名 村庄：～户｜～农｜王家～。❷ 封建社会里君主、贵族等所占有的成片土地：皇～｜～田｜～园。❸ 规模较大或做批发生意的商店：钱～｜布～｜茶～｜饭～。❹ 名 庄家：做～｜是谁的～？❺（Zhuāng）名 姓。

庄²（莊） zhuāng 庄重：～严｜端～｜亦～亦谐。

【庄户】zhuānghù 名 指农户：～人｜～人家。

【庄家】zhuāng·jiā 名 ❶ 某些牌戏或赌博中每一局的主持者。❷ 股票交易中坐庄的投资者。

【庄稼】zhuāng·jia 名 地里长着的农作物（多指粮食作物）。

【庄稼地】zhuāng·jiadì 〈口〉名 田地；农田。

【庄稼汉】zhuāng·jiahàn 〈口〉名 种庄稼的男人。

【庄稼活儿】zhuāng·jiahuór 〈口〉名 农业生产工作（多指田间劳动）。

【庄稼人】zhuāng·jiarén 〈口〉名 种庄稼的人；农民。

【庄严】zhuāngyán 形 庄重而严肃；态度～｜～地宣誓｜雄伟、～的人民英雄纪念碑。

【庄园】zhuāngyuán 名 封建主占有和经营的大片地产，包括一个或若干个村庄，基本上是自给自足的经济单位。以欧洲中世纪早期的封建领主庄园最典型，我国封建时代皇室、贵族、大地主、寺院等占有和经营的大田庄，也有叫庄园的。

【庄重】zhuāngzhòng 形（言语、举止）不随便，不轻浮；态度～｜在严肃的场合你要放～点儿。

【庄子】zhuāng·zi 〈口〉名 村庄：他是我们～里的人。

桩（椿） zhuāng ❶ 名 桩子：木～｜桥～｜打～｜拴马～。❷ 量 件（用于事情）：一～心事。

【桩子】zhuāng·zi 名 一端或全部埋在土中的柱形物，多用于建筑或做分界的标志。

装¹（裝） zhuāng ❶ 动 修饰；打扮；化装：～饰｜～点｜他～老头儿。❷ 服装：新～｜冬～｜军～｜中山～。❸ 行装：轻～｜整～待发。❹ 演员化装时穿戴涂抹的东西：卸～。❺ 动 假装～模作样｜不懂就是不懂，不要～懂。❻（Zhuāng）名 姓。

装²（裝） zhuāng 动 ❶ 把东西放进器物内；把物品放在运输工具上：～箱｜～车。❷ 装配；安装：～订｜～电灯｜机器已经～好了。

【装扮】zhuāngbàn 动 ❶ 打扮：节日的广场～得分外美丽。❷ 化装：他～成算命先生进城侦察敌情。❸ 假装：巫婆～神仙骗人。

【装备】zhuāngbèi ❶ 动 配备（武器、军装、器材、技术力量等）：这些武器可以～一个营。❷ 名 指配备的武器、军装、器材、技术力量等；现代化～。

【装裱】zhuāngbiǎo 囫 裱褙书画并装上轴子等：～字画。

【装点】zhuāngdiǎn 囫 装饰点缀：～门面。

【装订】zhuāngdìng 囫 把零散的书页或纸张加工成本子：～成册｜～车间。

【装疯卖傻】zhuāng fēng mài shǎ 故意装作疯疯痴呆的样子。

【装裹】zhuāng·guo ❶ 囫 给死人穿衣服。❷ 囵 死人入殓时穿的衣服。

【装潢】zhuānghuáng ❶ 囫 装饰物品使美观(原只指书画，今不限)：～门面｜墙上挂着红木镜框～起来的名画。❷ 囵 物品的装饰：这个茶叶罐的～很讲究。

【装机】zhuāngjī 囫 安装、装配机器、设备等：这个水电站～容量8 600千瓦。

【装甲】zhuāngjiǎ ❶ 囮 属性词。装有防弹钢板的：～舰｜～汽车。❷ 囵 装在车辆、船只、飞机、碉堡等上面的防弹钢板。

【装甲兵】zhuāngjiǎbīng 囵 以坦克、自行火炮和装甲输送车为基本装备的兵种。也称这一兵种的士兵。也叫坦克兵。

【装甲车】zhuāngjiǎchē 囵 作战用的装有防弹钢板和武器的汽车或列车。也叫铁甲车。

【装甲舰】zhuāngjiǎjiàn 囵 19世纪后半期出现的一种火力和防护力很强的军舰。船壳是钢质，火炮有炮塔防护，两舷、甲板都有防弹钢板。也叫铁甲舰。

【装假】zhuāng∥jiǎ 囫 实际不是那样而装作那样：这孩子很老实，不会～。

【装具】zhuāngjù 囵 军队、警察等作战、执勤时随带的用具。

【装殓】zhuāngliàn 囫 给死人穿好衣裳，放到棺材里。

【装聋作哑】zhuāng lóng zuò yǎ 假装聋哑，形容故意不理睬，装作什么都不知道。

【装门面】zhuāng mén·mian 比喻为了表面好看而加以粉饰点缀。

【装模作样】zhuāng mú zuò yàng 故意做作，装出某种样子给人看。

【装配】zhuāngpèi 囫 把零件或部件配成整体：～工｜～车间｜发电机已经～好了。

【装腔作势】zhuāng qiāng zuò shì 故意做作，装出某种情态：我们应该老老实实地办事，不要靠～来吓人。

【装神弄鬼】zhuāng shén nòng guǐ ❶ 装扮成鬼神(骗人)。❷ 比喻故弄玄虚：他～糊弄人。

【装饰】zhuāngshì ❶ 囫 在身体或物体的表面加些附属的东西，使美观：～品｜～案｜她向来朴素，不爱～。❷ 囵 装饰品：建筑物上的各种～都很精巧。

【装饰品】zhuāngshìpǐn 囵 专为增加美观的物品。

【装束】zhuāngshù ❶ 囵 打扮②：～朴素｜～入时。❷〈书〉囫 整理行装。

【装蒜】zhuāng∥suàn〈口〉囫 装糊涂；装腔作势：你比谁都明白，别～啦!

【装相】zhuāng∥xiàng (～儿) 囫 装模作样。

【装卸】zhuāngxiè 囫 ❶ 装到运输工具上和从运输工具上卸下：～货物。❷ 装配和拆卸：他会～自行车。

【装修】zhuāngxiū 囫 在房屋工程上抹面、粉刷并安装门窗、水电等设备：～门面｜内部～，暂停营业。

【装样子】zhuāng yàng·zi 装模作样。

【装运】zhuāngyùn 囫 装载并运输：～货物。

【装载】zhuāngzài 囫 用运输工具载(人或物)。

【装帧】zhuāngzhēn 囵 指书画、书刊的装潢设计(书刊的装帧包括封面、版面、插图、装订形式等设计)：～考究。

【装置】zhuāngzhì ❶ 囫 安装：降温设备已经～好了。❷ 囵 机器、仪器或其他设备中，构造较复杂并具有某种独立功用的部件：自动化～。

zhuǎng （ㄓㄨㄤˇ）

奘 zhuǎng〈方〉囮 粗而大：身高腰～｜这棵树很～。
另见1698页zàng。

zhuàng （ㄓㄨㄤˋ）

壮¹(壯) zhuàng ❶ 囮 强壮：健～｜身体～｜年轻力～。❷ 雄壮；大：～观｜～志｜理直气～。❸ 囫 加

强;使壮大：以～声势|～～胆子。❹〈古〉中医艾灸，一灼叫一壮。❺(Zhuàng)名姓。
另见 **Zhuàng** 壮族。原作僮。

壮²(壮)

【壮大】zhuàngdà ❶形强大：力量日益～。❷动使强大：～队伍。

【壮胆】zhuàng∥dǎn 动使胆大：走夜路唱歌，自己给自己～。

【壮丁】zhuàngdīng 名旧时指青壮年的男子(多指达到当兵年龄的人)。

【壮工】zhuànggōng 名从事简单体力劳动的没有专门技术的工人。

【壮观】zhuàngguān ❶名雄伟的景象：这大自然的～，是我从来没有见过的。❷形景象雄伟：用数不清的红旗装饰起来的长江大桥，显得格外～。

【壮怀】zhuànghuái〈书〉名豪放的胸怀；壮志：仰天长啸，～激烈。

【壮健】zhuàngjiàn 形健壮：身体～。

【壮锦】zhuàngjǐn 名壮族妇女用手工织的锦，经线一般用白色棉纱，纬线用彩色丝绒。

【壮举】zhuàngjǔ 名伟大的举动；壮烈的行为：史无前例的～。

【壮阔】zhuàngkuò 形❶雄壮而宽广：波澜～。❷宏伟；宏大：规模～。

【壮丽】zhuànglì 形雄壮而美丽：山河～。

【壮烈】zhuàngliè 形勇敢有气节：～牺牲。

【壮美】zhuàngměi 形雄壮美丽。

【壮年】zhuàngnián 名三四十岁的年纪。

【壮实】zhuàng·shi 形(身体)强壮结实：这小伙子长得多～!

【壮士】zhuàngshì 名豪壮而勇敢的人。

【壮戏】zhuàngxì 名壮族戏曲剧种之一，流行于广西壮族自治区和云南壮族聚居地区。由壮族山歌、说唱发展而成。

【壮心】zhuàngxīn 名壮志：～不已。

【壮阳】zhuàngyáng 动中医通常指用温补的药物来强壮人体的阳气，也指增强男子的肾功能、性功能。

【壮志】zhuàngzhì 名伟大的志向：雄心～|～凌云|～未酬。

【壮族】Zhuàngzú 名我国少数民族之一，分布在广西和云南、广东、贵州、湖南等地。

【壮族土戏】zhuàngzú tǔxì 土戏②。

状(状)

zhuàng ❶形状；样子：～态|奇形怪～。❷情况：～况|病～|罪～。❸陈述或描摹：～语|不可名～。❹陈述事件或记载事迹的文字：供～|行～。❺指诉状：～纸|告～。❻褒奖、委任等文件：奖～|委任～。

【状况】zhuàngkuàng 名情形：经济～|健康～。

【状态】zhuàngtài 名人或事物表现出来的形态：心理～|液体～|病人处于昏迷～。

【状态词】zhuàngtàicí 名形容词的附类，表示人或事物的状态，带有生动的描绘色彩，如"雪白、滚烫、冰凉、白花花、毛茸茸、笑呵呵、纷纷扬扬、婆婆妈妈、黑咕隆咚"等。

【状语】zhuàngyǔ 名动词、形容词前边的表示状态、程度、时间、处所等等的修饰成分。形容词、副词、时间词、处所词都可以做状语。例如"你仔细看"的"仔细"(状态)，"天很热"的"很"(程度)，"我前天来的"的"前天"(时间)，"你这儿坐"的"这儿"(处所)。状语有时候可以放在主语前边，例如"昨天我没有出门"的"昨天"，"忽然他对我笑了笑"的"忽然"。

【状元】zhuàng·yuan 名❶科举时代的一种称号。唐代称进士科及第的第一人，有时也泛称新进士。宋代主要指第一名，有时也用于第二、三名。元代以后限于称殿试一甲(第一等)第一名。❷泛指考试取得第一名的人：文科～|理科～。❸比喻在本行业中成绩最好的人：养鸡～|行行出～。

【状纸】zhuàngzhǐ 名❶印有规定格式供写诉状用的纸。❷诉状。

【状子】zhuàng·zi〈口〉名诉状。

僮

Zhuàng 我国少数民族壮族的壮字原作僮。
另见 1369 页 tóng "童"。

撞

zhuàng 动❶运动着的物体跟别的物体猛然碰上：～钟|别让汽车～上|两个人～了个满怀。❷碰见：不想见他，偏～上他。❸试探：～运气。❹莽撞地行动；闯：横冲直～。

【撞车】zhuàng∥chē 动❶车辆相撞：～事故。❷比喻互相矛盾|互相冲突：安排不周，两个会～了。

【撞击】zhuàngjī 动撞①：波浪～岩石◇这

突如其来的消息猛烈地～着她的心扉。

【撞见】zhuàngjiàn 劻 碰见。

【撞骗】zhuàngpiàn 劻 到处找机会行骗：
招摇～。

【撞墙】zhuàng//qiáng 劻 碰壁。

【撞锁】zhuàng//suǒ 劻 上门找人时，人不
在家，门锁着，叫做撞锁。

【撞针】zhuàngzhēn 名 枪炮里撞击子弹
或炮弹底火的机件。

幢 zhuàng 量 房屋一座叫一幢。
另见214页 chuáng。

戆(戇) zhuàng 〈书〉戆直。
另见449页 gàng。

【戆直】zhuàngzhí 形 戆厚而刚直：为人
～。

zhuī（ㄓㄨㄟ）

隹 zhuī 古书上指短尾巴的鸟。

追 zhuī ❶ 劻 追赶：～兵｜急起直～。
❷ 劻 追究：～问｜～赃｜一定要把这事
的根底～出来。❸ 劻 追求：～名逐利｜两
个小伙子都在～这位姑娘。❹ 回溯：～
念｜～悼｜～述。❺ 事后补办：～加｜～认。

【追奔逐北】zhuī bēn zhú běi 追击败逃的
敌军。也说追亡逐北。

【追本溯源】zhuī běn sù yuán 追究事物
产生的根源。也说追本穷源。

【追逼】zhuībī 劻 ❶ 追赶进逼：敌军不战
而逃，我军乘胜～。❷ 用强迫的方式追究
或索取：～债款｜他说出实情。

【追补】zhuībǔ 劻 ❶ 在原有的数额以外
再增加；追加：～预算。❷ 事后补偿：不
可～的遗憾。

【追捕】zhuībǔ 劻 追赶捉拿：～逃犯。

【追查】zhuīchá 劻 根据事故发生的经过
进行调查：～责任｜～事故原因。

【追偿】zhuīcháng 劻 ❶ 事后给予赔偿：
以后再设法～。❷ 追逼着使偿还：向债
务人～债款。

【追悼】zhuīdào 劻 沉痛地怀念（死者）：
～会｜～死难烈士。

【追堵】zhuīdǔ 追赶堵截：～歹徒。

【追访】zhuīfǎng 劻 跟踪访问。

【追肥】zhuīféi ❶（－/－）劻 在农作物生长
期内施肥。❷ 名 在农作物生长期内施的
肥。

【追赶】zhuīgǎn 劻 ❶ 加快速度赶上前去
打击或捉住：～敌人｜～野兔。❷ 加快速
度赶上（前面的人或事物）：～部队｜～世
界先进水平。

【追根】zhuīgēn 劻 追究根源：～究底｜～
溯源｜这孩子什么事都爱～。

【追怀】zhuīhuái 劻 回忆；追念：～往事。

【追悔】zhuīhuǐ 劻 追溯以往，感到悔恨：
～莫及。

【追击】zhuījī 劻 追赶着攻击：乘胜～。

【追记】zhuījì ❶ 劻 在人死后给他记上（功
勋）：为烈士～特等功。❷ 劻 事后记录或
记载：会后，他～了几个发言的主要内容。
❸ 名 事后的记载（多用于文章标题）：世
界杯足球赛～。

【追加】zhuījiā 劻 在原定的数额以外再增
加：～预算｜～基本建设投资。

【追缴】zhuījiǎo 劻 勒令缴回（非法所得的
财物）：～赃款。

【追究】zhuījiū 劻 追问（根由）；追查（原因、
责任等）：～缘由｜～责任｜不予～。

【追捧】zhuīpěng 劻 追逐捧场：这名歌坛
新星受到不少青少年的～。

【追求】zhuīqiú 劻 ❶ 用积极的行动来争
取达到某种目的：～真理｜～进步｜～名利。
❷ 特指向异性求爱。

【追认】zhuīrèn 劻 ❶ 事后认可某项法令、
决议等。❷ 批准某人生前提出的参加
党、团组织的要求。

【追授】zhuīshòu 劻 对死去的人追加授予
某种称号。

【追述】zhuīshù 劻 述说过去的事情：王大
爷向孩子们～当时的欢乐情景。

【追思】zhuīsī 劻 追想；回想：～往事。

【追诉】zhuīsù 劻 在法律规定的有效期限
内，对犯罪嫌疑人或被告人依法提起诉
讼，追究刑事责任。

【追溯】zhuīsù 劻 逆流而上，向江河发源
处走，比喻探索事物的由来：两国交往的
历史可以～到许多世纪以前。

【追随】zhuīsuí 劻 跟随：～左右｜～潮流。

【追逃】zhuītáo 劻 追捕逃犯。

【追亡逐北】zhuī wáng zhú běi 追奔逐
北。

【追尾】zhuī//wěi 劻 机动车在行驶中，后一

Z

辆车的前部撞上前一辆车的尾部:保持车距,严防~。

【追问】zhuīwèn 动 追根究底地问:~下落|他既然不知道,就不必问~了。

【追想】zhuīxiǎng 动 追忆;回忆。

【追星】zhuīxīng 动 极度崇拜迷恋影星、歌星、球星等:~族。

【追叙】zhuīxù ❶ 动 追述。❷ 名 写作的一种手法,先写出结果,然后再倒回头去叙述经过。

【追寻】zhuīxún 动 跟踪寻找:~走散的同伴◇~美好的人生。

【追忆】zhuīyì 动 回忆:~往事,历历在目。

【追赃】zhuī//zāng 动 追缴赃款、赃物。

【追赠】zhuīzèng 动 在人死后授予某种官职、称号等。

【追涨】zhuīzhǎng 动 指投资者在股票、债券等证券市场行情上涨时买入证券。

【追逐】zhuīzhú 动 ❶ 追赶:~野兽。❷ 追求①:~名利。

【追踪】zhuīzōng 动 按踪迹或线索追寻:边防战士沿着脚印~潜入国境的人。

骓(騅) zhuī 〈书〉毛色青白相杂的马。

椎 zhuī 椎骨:脊~|颈~|胸~。
另见 217 页 chuí。

【椎骨】zhuīgǔ 名 构成脊柱的短骨,中间有个孔,叫椎孔,脊髓从中穿过。根据所处部位,依次分为颈椎、胸椎、腰椎、骶椎和尾椎。除第一、二颈椎外,每两椎骨中间有一椎间盘。通称脊椎骨。

【椎间盘】zhuījiānpán 名 连接相邻两块椎骨椎体的圆盘状软垫,中央是灰白色富有弹性的胶状物,四周是坚韧的软骨环。有承受压力、缓冲震荡并使脊柱能活动等作用。

锥(錐) zhuī ❶ 锥子。❷ 形状像锥子的东西:冰~|圆~体。❸ 动 用锥子或锥子形的工具钻:绱鞋时先用锥子~个眼儿。

【锥处囊中】zhuī chǔ náng zhōng 锥子放在口袋里,锥尖就会露出来,比喻有才智的人终能显露头角,不会长久被埋没。

【锥度】zhuīdù 名 圆锥形物体大、小两个截面直径的差与两个截面间距离的比。也叫梢(sào)。

【锥子】zhuī·zi 名 有尖头的用来钻孔的工具。

zhuì (ㄓㄨㄟˋ)

坠(墜) zhuì ❶ 动 落:~马|~楼|摇摇欲~。❷ 动 (沉重的东西)往下垂;垂在下面:石榴把树枝~得弯弯的|他的心里像~上了千斤的石头。❸ (~儿)名 垂在下面的东西:扇~儿|耳~儿。

【坠地】zhuìdì 〈书〉动 指小孩子初生:呱呱(gūgū)~。

【坠胡】zhuìhú 名 坠琴。

【坠毁】zhuìhuǐ 动 (飞机等)落下来毁坏。

【坠落】zhuìluò 动 落;掉:陨星~|被击中的敌机冒着黑烟~在大海里。

【坠琴】zhuìqín 名 弦乐器,有蟒皮面和桐木板面两种。前者琴筒像四弦而较短,后者琴筒像小三弦。原来是河南坠子的专用乐器,后来逐渐用于其他曲艺、戏曲等。也叫坠子、坠胡、二弦。

【坠子】[1] zhuì·zi 〈口〉名 坠③,特指耳坠子。

【坠子】[2] zhuì·zi 名 ❶ 坠琴。❷ 流行于河南的一种曲艺,因主要伴奏乐器是坠琴而得名。通称河南坠子。

缀(綴) zhuì ❶ 动 用针线等使连起来:~网|补~|你的袖子破了,我给你~上两针。❷ 〈书〉组合字句篇章:~辑|~字成文。❸ 装饰:点~。

【缀文】zhuìwén 〈书〉动 写文章;作文。

惴 zhuì 〈书〉形容又发愁又害怕的样子:~栗|~~不安。

【惴栗】zhuìlì 〈书〉动 恐惧战栗。

缒(縋) zhuì 动 用绳子拴住人或东西从上往下送:~城而出|从阳台上把篮子~下来。

锾(鐩) zhuì 〈书〉赶马杖上端用来刺马的铁针。

腏 zhuì 〈书〉脚肿。

赘(贅) zhuì ❶ 多余的;无用的:累~|~疣|~言。❷ 入赘;招女婿:~婿|招~。❸ 〈方〉动 使受累赘:孩

子多了真~人。

【赘瘤】zhuìliú 名赘疣②。

【赘述】zhuìshù 动多余地叙述:不须~。

【赘婿】zhuìxù 名入赘的女婿。

【赘言】zhuìyán 〈书〉❶动说不必要的话;赘述:不再~。❷名不必要的话。

【赘疣】zhuìyóu 名❶疣。❷比喻多余而无用的东西。

醯 zhuì 〈书〉祭奠。

---

zhūn（ㄓㄨㄣ）

屯 zhūn ［屯邅］(zhūnzhān) 同"迍邅"。
另见1388页 tún。

迍 zhūn ［迍邅］(zhūnzhān)〈书〉形❶形容迟迟不进:~途次。❷困顿不得志:~坎坷。‖也作屯邅。

肫[1] zhūn 〈书〉诚恳:~挚|~~(诚恳的样子)。

肫[2] zhūn 鸟类的胃:鸡~|鸭~。

窀 zhūn ［窀穸］(zhūnxī)〈书〉名墓穴。

谆(諄) zhūn 恳切:~嘱。

【谆谆】zhūnzhūn 形形容恳切教导:~告诫|~嘱咐|言者~,听者藐藐(说的人很诚恳,听的人却不放在心上)。

衠 zhūn 〈方〉形纯粹;纯。

---

zhǔn（ㄓㄨㄣ）

准[1] zhǔn 动准许:批~|不~迟到或早退。

准[2]**(準)** zhǔn ❶名标准:~绳|水~|~则|以此为~。❷介依据;依照:~此办理。❸形准确:瞄~|钟走得不~|他投球很~。❹副一定:我明天~去|他~不~能来|任务~能完成。❺前缀,表示程度上虽不完全够,但可以作为某类事物看待的:~将|~平原。❻(Zhǔn)名姓。

【准保】zhǔnbǎo 副表示肯定或保证:~没错儿|他~不会来。

【准备】zhǔnbèi 动❶预先安排或筹划:精神~|~发言提纲|~一个空箱子放东西。❷打算:春节包~回家|昨天我本来~去看你,因为临时有事没去成。

【准点】zhǔndiǎn （~儿）形准时:~到达。

【准定】zhǔndìng 副表示完全肯定;一定:吃下这药~会好|我~去,你就放心好了。

【准稿子】zhǔngǎo·zi 名准谱儿:办事心里要有个~行。

【准话】zhǔnhuà （~儿）名确定的话:什么时候定好日子,我再给您个~。

【准将】zhǔnjiàng 名某些国家的军衔,在少将之下,校官之上。

【准考证】zhǔnkǎozhèng 名准许考生参加本次考试的证件。

【准平原】zhǔnpíngyuán 名隆起的地面经长期剥蚀而形成的平原。

【准谱儿】zhǔnpǔr 名准儿:下一步怎么个搞法儿,至今还没~。

【准确】zhǔnquè 形行动的结果完全符合实际或预期:~性|计算~|~地击中目标。

【准儿】zhǔnr 名确定的主意、方式、规律等(大多用在"有、没有"后面):心里有~|他到底来不来,还没有~。

【准绳】zhǔnshéng 名测定平直的器具,比喻言论、行动等所依据的原则或标准。

【准时】zhǔnshí 形不迟于也不早于规定的时间:~出席|列车~到达|他每天上下班都很~。

【准数】zhǔnshù （~儿）名准确的数目:早一点儿给个~儿,以便发货。

【准头】zhǔn·tou （~儿）〈口〉名射击、说话等的准确性:枪法挺有~|说话没个~。

【准尉】zhǔnwèi 名某些国家的军衔,在上士之上,少尉之下。

【准信】zhǔnxìn （~儿）名准确可靠的消息:你哪天能来,赶快给我个~。

【准星】zhǔnxīng 名❶秤上的定盘星◇他心眼儿太活,说话没~。❷枪上瞄准装置的一部分,在枪口上端。

【准许】zhǔnxǔ 动同意人的要求:~通行|~办理出境手续。

【准予】zhǔnyǔ 动公文用语,表示准许:成绩合格,~毕业。

【准则】zhǔnzé 名言论、行动等所依据的原则：行动～｜国际关系～。

埻 zhǔn 〈书〉箭靶的中心。

---

zhuō (ㄓㄨㄛ)

拙 zhuō ❶形 笨：手～｜眼～｜勤能补～｜弄巧成～｜～于言辞。❷谦辞，称自己的(文章、见解等)：～著｜～作｜～见。

【拙笨】zhuōbèn 形 笨拙；口齿～。

【拙笔】zhuōbǐ 名 谦辞，称自己的文字或书画。

【拙见】zhuōjiàn 名 谦辞，称自己的见解。

【拙劣】zhuōliè 形 笨拙而低劣：文笔～｜～的表演。

【拙涩】zhuōsè 形 拙劣晦涩：译文～。

捉 zhuō ❶动 握；抓：～笔｜～襟见肘。❷动 使人或动物落入自己的手中：捕～｜活～｜～拿｜～贼｜猫～老鼠。

【捉刀】zhuōdāo 〈书〉动 曹操叫崔琰(yǎn)代替自己接见匈奴使臣，自己却持刀站立床头。接见完毕，叫人问匈奴使臣："魏王何如?"回答说："魏王雅望非常，然床头捉刀人，此乃英雄也。"(见于《世说新语·容止》)后来把代别人做文章叫捉刀。

【捉对】zhuōduì (～儿)动 一个对一个；两两成对：～厮杀。

【捉奸】zhuōjiān 动 提拿正在通奸的人。

【捉襟见肘】zhuō jīn jiàn zhǒu 拉一下衣襟就露出胳膊肘儿，形容衣服破烂，也比喻困难重重，应付不过来。

【捉迷藏】zhuō mícáng ❶ 儿童游戏，一人蒙住眼睛，摸索着去捉在他身边来回躲避的人。❷ 比喻言语、行为故意迷离恍惚，使人难以捉摸：你直截了当地说吧，不要跟我～了。

【捉摸】zhuōmō 动 猜测；预料(多用于否定式)：难以～｜～不定。【注意】反复思索的意思应该作"琢磨"(zuó·mo)。

【捉拿】zhuōná 动 捉(犯人)：～凶手｜～逃犯。

【捉弄】zhuōnòng 动 对人开玩笑，使为难：你别～人，我才不上你的当呢!

桌 zhuō ❶(～儿)名 桌子：书～｜餐～｜八仙～｜～椅板凳。❷量 用于成桌摆

放的饭菜或围着桌子坐的客人：一～菜｜三～客人。❸(Zhuō)名 姓。

【桌布】zhuōbù 名 铺在桌面上做装饰和保护用的布或类似布的东西。

【桌灯】zhuōdēng 名 台灯。

【桌面】zhuōmiàn ❶名 桌子上用来放东西的平面。❷进入计算机的视窗操作系统平台时，显示器上显示的背景叫做桌面。桌面上可以设置代表不同文件或功能的图标，以方便使用。

【桌面儿上】zhuōmiànr·shang 名 比喻互相酬报或公开商量的场合：～的话(听起来既有理由而又不失身份的话)｜有什么问题最好摆到～来谈。

【桌椅板凳】zhuō yǐ bǎndèng 泛指一般的家具。

【桌子】zhuō·zi 名 家具，上有平面，下有支柱，在上面放东西或做事情：一张～。

倬 zhuō 〈书〉显著；大。

棁 zhuō 〈书〉梁上的短柱。

涿 Zhuō 涿州(Zhuōzhōu)，涿鹿(Zhuōlù)，地名，都在河北。

焯 zhuō 〈书〉明显；明白。
另见160页chāo。

鐯(鐯) zhuō 〈方〉动 (用镐)刨地或刨茬儿：～玉米｜～高粱。

---

zhuó (ㄓㄨㄛ)

灼 zhuó ❶动 火烧；火烫：烧～｜烈日～人｜皮肤被～伤了。❷明亮。

【灼见】zhuójiàn 名 透彻的见解：真知～。

【灼热】zhuórè 形 状态词。像火烧着、烫着那样热：～的炼钢炉。

【灼灼】zhuózhuó 〈书〉形 形容明亮：目光～。

茁 zhuó (草木)发芽，也指植物旺盛生长：～壮。

【茁实】zhuó·shi 〈方〉形 壮实。

【茁长】zhuózhǎng 动 (植物、动物)茁壮地生长：两岸花草丛生，竹林～。

【茁壮】zhuózhuàng 形 (年轻人、孩子、动植物)强壮；健壮：牛羊～｜一代新人～成长｜小麦长得十分～。

卓 zhuó ❶ 高而直：～立。❷ 高明：～见。❸（Zhuó）图 姓。

【卓尔不群】zhuó'ěr bù qún 优秀卓绝，超出常人。

【卓见】zhuójiàn 图 高明的见解。

【卓绝】zhuójué 形 程度达到极点，超过一切：英勇～｜坚苦～。

【卓荦】zhuóluò 〈书〉形 超绝：英才～。也作卓跞。

【卓跞】zhuóluò 同"卓荦"。

【卓然】zhuórán 形 卓越：成绩～。

【卓识】zhuóshí 图 卓越的见识：远见～。

【卓异】zhuóyì 形 高出于一般；与众不同：政绩～。

【卓有成效】zhuó yǒu chéngxiào 成绩、效果显著。

【卓越】zhuóyuè 形 非常优秀，超出一般：～的成就｜～的贡献｜～的科学家。

【卓著】zhuózhù 形 突出地好：成绩～｜战功～｜信誉～。

斫 zhuó 〈书〉用刀斧砍。

浊(濁) zhuó ❶ 浑浊（跟"清"相对）：～流｜污～。❷（声音）低沉粗重：～声～气。❸ 混乱：～世。

【浊世】zhuóshì 图 ❶〈书〉黑暗或混乱的时代。❷ 佛教指尘世。

【浊音】zhuóyīn 图 发音时声带振动的音。参看 262 页〖带音〗。

酌 zhuó ❶ 斟（酒）；饮（酒）：对～｜自斟自～。❷〈书〉酒饭：菲～｜便～。❸ 斟酌；考虑：～办｜～定｜～情｜～予答复｜～加修改。

【酌办】zhuóbàn 动 酌情办理。

【酌定】zhuódìng 动 斟酌情况做出决定：请领导～。

【酌量】zhuó·liáng 动 斟酌，估量：～补助｜～调拨｜你～着办吧。

【酌情】zhuóqíng 动 斟酌情况：～处理。

浞 zhuó 〈方〉动 淋；使湿：让雨～了｜一潲雨，桌子上的书全～湿了。

诼(諑) zhuó 〈书〉毁谤：谣～。

著¹ zhuó 同"着¹"（zhuó）。

著² zhuó 同"着²"（zhuó）。另见 1728 页 •zhe；1784 页 zhù。

啄 zhuó 动 鸟类用嘴取食物：～食｜鸡～米。

【啄木鸟】zhuómùniǎo 图 鸟，脚短，趾端有锐利的爪，善于攀缘树木，嘴尖而直，啄开木头，用细长而尖端有钩的舌头捕食树洞里的虫，尾羽粗硬，啄木时支撑身体。是益鸟。

着¹ zhuó ❶ 穿（衣）：穿～｜吃～不尽。❷ 接触；挨上：附～｜～陆｜不～边际。❸ 使接触别的事物；使附着在别的物体上：～笔｜～眼｜～手｜～色｜～墨｜不～痕迹。❹ 着落：寻找无～。

着² zhuó ❶ 动 派遣：～人前来领取。❷ 公文用语，表示命令的口气：～即施行。

另见 1720 页 zhāo；1721 页 zháo；1728 页 •zhe。

【着笔】zhuóbǐ 动 用笔；下笔。

【着力】zhuólì 动 使力气；用力；致力：无从～｜这部小说～描绘了农村的新面貌。

【着陆】zhuó//lù 动（飞机等）从空中到达陆地：安全～。

【着落】zhuóluò ❶ 图 下落：遗失的行李已经有了～了。❷ 图 可以依靠或指望的来源：这笔经费还没有～。❸ 动 事情归某人负责办理：这件事情就～在你身上了。❹ 动 安放（多见于早期白话）：～停当。

【着墨】zhuómò 动 指用文字来描述：剧中这个人物～不多，却令人感到真实可信。

【着色】zhuó//sè 动 涂上颜色。

【着实】zhuóshí 副 ❶ 实在，确实：这孩子～讨人喜欢。❷（言语、动作）分量重；力量大：～批评了他一顿。

【着手】zhuóshǒu 动 开始做；动手：～编制计划｜提高生产要从改进技术～。

【着手成春】zhuó shǒu chéng chūn 妙手回春。

【着想】zhuóxiǎng 动（为某人或某事的利益）考虑：他是为你～才劝你少喝酒的｜我们应该为增加生产～。

【着眼】zhuóyǎn 动（从某方面）观察；考虑：～点｜大处～，小处下手｜积极培养年轻选手，～于将来的世界大赛。

【着意】zhuóyì ❶ 副 用心地（做某事）：～经营｜～刻画人物的心理活动。❷ 动 在意；留心：他听了这话，也不～。

【着重】zhuózhòng 动 把重点放在某方面;强调:～说明|～指出|工作的～点|中学教育应该～于学生能力的培养。

【着重号】zhuózhònghào 名 标点符号(．)。用在横行文字的下边或竖行文字的右边,表示要求读者特别注意的字、词、句。

【着装】zhuózhuāng ❶ 动 指穿戴衣帽等:～完毕。❷ 名 衣着:整理～|检查每个战士的～。

琢 zhuó 动 雕刻玉石,使成器物:精雕细～|玉不～,不成器|翡翠～成的小壶。
另见 1825 页 zuó。

【琢磨】zhuómó 动 ❶ 雕刻和打磨(玉石)。❷ 加工使精美(指文章等)。
另见 1825 页 zuó·mo。

斫 zhuó 〈书〉斩;削。

椓 zhuó 古代割去男性生殖器的酷刑。

襡 Zhuó 名 姓。

斲 zhuó 〈书〉砍;削:～木为舟。

【斲轮老手】zhuó lún lǎo shǒu 《庄子·天道》:"是以行年七十而老斲轮"(斲轮:砍木头做车轮)。后来称对某种事情富有经验的人为"斲轮老手"。

【斲丧】zhuósàng 〈书〉动 伤害,特指因沉溺酒色以致伤害身体。

鷟(鸑) zhuó 见 1685 页[鸑鷟]。

缴(繳) zhuó 〈书〉系在箭上的丝绳,射鸟用。
另见 688 页 jiǎo。

擢 zhuó 〈书〉❶ 拔:～发难数。❷ 提拔:～拔|～升。

【擢发难数】zhuó fà nán shǔ 形容罪恶多得像头发那样,数也数不清。

【擢升】zhuóshēng 〈书〉动 提升。

【擢用】zhuóyòng 〈书〉动 提升任用:～贤能。

濯 zhuó 〈书〉洗:～足。

【濯濯】zhuózhuó 〈书〉形 形容山上光秃秃的,没有树木:童山～。

镯(鐲、鋜) zhuó 镯子:手～|玉～。

【镯子】zhuó·zi 名 戴在手腕或脚腕上的环形装饰品:金～。

---

zī（ㄗ）

仔 zī [仔肩](zījiān)〈书〉名 责任;负担。
另见 1693 页 zǎi;1804 页 zǐ。

吱 zī 拟声 多形容小动物的叫声:老鼠～～地叫。
另见 1745 页 zhī。

【吱声】zī‖shēng 〈方〉动 做声:问他几遍,他都没～。

孜 zī 见下。

【孜然】zīrán 名 安息茴香(一种一年生或二年生草本植物,原产中亚地区)的种子,有特殊香气,可用来做烧烤羊肉等的调料。[维]

【孜孜】(孳孳)zīzī 形 勤勉:～不倦|～不息地工作。

【孜孜矻矻】zīzīkūkū 〈书〉形 形容勤勉不懈怠的样子。

咨 zī ❶ 跟别人商量:～询。❷ 咨文。

【咨文】zīwén 名 ❶ 旧时指用于平行机关的公文。❷ 指某些国家(如美国)元首向国会提出的关于国事情况的报告:国情～。

【咨询】zīxún 动 询问;征求意见:～机关(备咨询的机关)|有关的法律问题可向律师事务所～。

【咨政】zīzhèng 动 为政府决策提供咨询:～育人|～机构。

姿 zī ❶ 容貌:～容|～色。❷ 姿势:～态|舞～。

【姿容】zīróng 名 容貌:～秀美。

【姿色】zīsè 名 (女子)美好的容貌。

【姿势】zīshì 名 身体呈现的样子:～端正|立正的～。

【姿态】zītài 名 ❶ 姿势:样儿:～优美。❷ 态度;气度:做出让步的～|以普通劳动者的～出现。

兹(兹) zī〈书〉❶代指示代词。这；个：～事体大(这是件大事情)|念～事～(念念不忘某件事)。❷ 现在；于：～已有三载|～订于9月1日上午9时在本校礼堂举行开学典礼。❸ 年：今～|来～。
另见222页cí。

赀(貲) zī〈书〉❶ 计算：所费不～。❷ 同"资"①。

资¹(資) zī ❶ 钱财；费用：投～|工～|川～|合～。❷ 资助；助：～敌。❸ 提供：可～借鉴|以～参考。❹(Zī)名姓。

资²(資) zī ❶ 资质：天～。❷ 资格：～历|论～排辈。

【资本】zīběn 名❶ 用来生产或经营以求牟利的生产资料和货币。❷ 比喻牟取利益的凭借：政治～。

【资本家】zīběnjiā 占有资本，剥削工人的剩余劳动获取剩余价值的人。

【资本主义】zīběn zhǔyì 资本家占有生产资料并用以剥削雇佣劳动、无偿占有剩余价值的社会制度。资本主义社会化和生产资料资本家占有制，是资本主义社会的基本矛盾。资本主义发展到最高阶段，就成为垄断资本主义，即帝国主义。

【资不抵债】zī bù dǐ zhài 全部资产抵偿不了债务。

【资材】zīcái 名物资和器材：调剂～。

【资财】zīcái 名资金和物资：财物；清点～。

【资产】zīchǎn 名❶ 财产。❷ 企业资金。❸ 资产负债表所列的一方，表示资金的运用情况。参看『资产负债表』。

【资产负债表】zīchǎn fùzhài biǎo 会计定期核算时以货币形式总括地反映企业的资金运用和其来源的报表。表中采用平衡式，资产和负债两方的平衡式，资产方表示资金的运用，负债方表示资金的来源。从表上可以分析企业的财务情况和检查资金的使用情况。

【资产阶级】zīchǎn jiējí 占有生产资料，剥削工人的剩余劳动，获取剩余价值的阶级。

【资产阶级革命】zīchǎn jiējí gémìng 由资产阶级领导的反对封建社会制度的革命。资产阶级革命胜利的结果是国家政权由封建地主阶级手中转到资产阶级手中，建立资产阶级专政的国家。

【资方】zīfāng 名指私营工商业中占有资本的一方：～代理人。

【资费】zīfèi 名指电信、邮政等方面的费用：调整电话～。

【资格】zīgé 名❶ 从事某种活动所应具备的条件、身份等；审查～|取消～。❷ 由从事某种工作或活动的时间长短所形成的身份：老～|他在我们车间里是～最老的了。

【资金】zījīn 名❶ 国家用于发展国民经济的物资或货币。❷ 指经营工商业的本钱。

【资力】zīlì 名❶ 财力：～雄厚。❷ 天资和能力：～有限。

【资历】zīlì 名资格和经历：～浅。

【资料】zīliào 名❶ 生产、生活中必需的东西：生产～|生活～。❷ 用作参考或依据的材料：收集～|参考～|统计～|谈笑的～。

【资深】zīshēn 形属性词。资历深或资格老的：～专家。

【资望】zīwàng 名资历和名望。

【资信】zīxìn 名资产和信誉。资金充足且诚实守信，就是资信好。

【资讯】zīxùn 名信息。

【资源】zīyuán 名生产资料或生活资料的天然来源：地下～|水力～|旅游～。

【资质】zīzhì 名❶ 人的素质；智力：～高。❷ 泛指从事某种工作或活动所具备的条件、资格、能力等：管理～|设计～|～等级。

【资助】zīzhù 动用财物帮助：～困难户。

菑 zī ❶ 古代指初耕的田地。❷〈书〉除草。
〈古〉又同"灾"zāi。

淄 Zī 淄河，水名，在山东。

谘(諮) zī 同"咨"①。

缁(緇) zī〈书〉黑色：～衣。

辎(輜) zī 古代的一种车。

【辎重】zīzhòng 名行军时由运输部队携带的军械、粮草、被服等物资。

嗞 zī 同"吱"(zī)。

嵫 zī 见1563页[崦嵫]。

粢 zī 古代供祭祀的谷物。
另见221页 cí。

孳 zī 繁殖：～生|～乳。

【孳乳】zīrǔ 〈书〉动❶（哺乳动物）繁殖。❷泛指派生。

【孳生】zīshēng 同"滋生"①。

【孳孳】zīzī 见1800页[孜孜]。

滋¹ zī ❶滋生：～蔓|～事。❷增添；加多：～益。

滋² zī 〈方〉动喷射：往外～水|电线～火。

【滋补】zībǔ 动供给身体需要的养分；补养：鹿茸是～身体的中药。

【滋蔓】zīmàn 〈书〉动生长蔓延：湖中水藻～。

【滋润】zīrùn ❶形含水分多；不干燥：雨后初霁，空气～|皮肤～。❷动增添水分，使不干枯：附近的湖水～着牧场的青草。❸〈方〉形舒服：小日子过得挺～。

【滋生】zīshēng 动❶繁殖：及时清除污水、粪便，防止蚊蝇～。也作孳生。❷引起：～事端。

【滋事】zīshì 动惹事；制造纠纷：酗酒～。

【滋味】zīwèi （～儿）名❶味道：菜的～不错。❷比喻某种感受：挨饿的～不好受|听了这话，心里真不是～。

【滋芽】zī//yá （～儿）〈方〉动发芽。

【滋养】zīyǎng ❶动供给养分；补养：～品|～身体。❷名养分；养料：吸收|丰富的～。

【滋长】zīzhǎng 动生长；产生（多用于抽象事物）：有了成绩，要防止～骄傲自满的情绪。

赼（趑） zī [赼趄]（zījū）〈书〉形❶行走困难。❷想前进又不敢前进的样子：～不前。

觜 zī 二十八宿之一。
另见1822页 zuǐ。

訾 zī ❶〈书〉同"赀"①。❷（Zī）名姓。
另见1805页 zǐ。

镏（鎡） zī 量古代重量单位，一两的四分之一。

【镏铢】zīzhū 〈书〉名指很少的钱或小

的事：～必较。

龇（齜、呲） zī 〈口〉动露（牙）：～着牙|～牙咧嘴。
"呲"另见221页 cī。

【龇牙咧嘴】zī yá liě zuǐ ❶形容凶狠的样子。❷形容疼痛难忍的样子。

镃（鎡） zī [镃錤]（zījī）〈书〉名大锄。也作镃基。

鼒 zī 〈书〉名口小的鼎。

髭 zī 嘴上边的胡子：～须|～短～。

鲻（鯔） zī 名鱼，身体长，前部圆，后部侧扁，头短而扁，吻宽而短，眼大，鳞片圆形，没有侧线。生活在浅海或河口咸水和淡水交汇的地方。是常见的食用鱼。

zǐ （ㄗˇ）

子¹ zǐ ❶古代指儿女，现在专指儿子：父～|～女|独生～。❷指人：男～|女～。❸古代特指有学问的男人，是男人的美称：夫～|孔～|诸～百家。❹古代指你：以～之矛，攻～之盾。❺古代图书四部分类法（经史子集）中的第三类：～部|～书。❻（～儿）名种子：瓜～儿|结～儿了。❼名卵：鱼～|鸡～儿。❽幼小的；小的；嫩的：～猪|～城|～姜。❾比喻派生的、附属的：～公司。❿（～儿）名小而坚硬的块状物或粒状物：棋～儿|枪～儿|算盘～儿|石头～儿。⓫（～儿）名铜子儿；铜圆：大～儿（旧时当二十文的铜圆）|小～儿（旧时当十文的铜圆）|一个～儿也不值（一钱不值）。⓬（～儿）量用于能用手指掐住的一束细长的东西：一～儿线|一～儿挂面。⓭（Zǐ）名姓。

子² zǐ 封建五等爵位的第四等：～爵。

子³ zǐ 名地支的第一位。参看440页[干支]。

·子 zi ❶名词后缀。a）加在名词性词素后：帽～|旗～|桌～|命根～。b）加在形容词或动词性词素后：胖～|矮～|乱～|垫～|掸～。❷某些量词后缀：这档事～|一下～|认不出～来|来了一伙～人。

【子部】zǐbù 名 我国古代图书分类的一大部类。包括诸子百家的著作。也叫丙部。参看1293页〖四部〗。

【子城】zǐchéng 名 指大城所附的小城,如瓮城。

【子畜】zǐchù 名 幼小的牲畜。也作仔畜。

【子代】zǐdài 名 见1104页〖亲代〗。

【子弹】zǐdàn 名 枪弹的通称。

【子堤】zǐdī 名 子埝。

【子弟】zǐdì 名❶弟弟、儿子、侄子等;职工~。❷指年轻的后辈:~兵│工农~。

【子弟兵】zǐdìbīng 名 原指由本乡本土的子弟组成的军队,现在是对人民军队的亲热称呼。

【子法】zǐfǎ 名❶根据宪法制定的普通法(跟"母法"相对,下同)。❷一般称仿照别国法律制定的法律为子法。

【子房】zǐfáng 名 雌蕊下面膨大的部分,里面有胚珠。子房发育成果实,胚珠发育成种子。(图见580页〖花〗)

【子公司】zǐgōngsī 名 具有独立法人资格、被另一公司控股的公司(跟"母公司"相对)。

【子宫】zǐgōng 名 女子和雌性哺乳动物的生殖器官,形状像囊。在膀胱和直肠中间,有口通阴道,子宫底部两侧与输卵管相通。卵子受精后,在子宫内发育成胎儿。

【子宫颈】zǐgōngjǐng 名 指子宫下部较狭窄的部分,上接子宫体,下连子宫外口。简称宫颈。

【子规】zǐguī 名 杜鹃(鸟名)。

【子鸡】zǐjī 名 刚孵化出来的小鸡。也作仔鸡。

【子金】zǐjīn 名 利息(对"母金"而言)。

【子口】zǐ·kou 名 瓶、罐、箱、匣等器物上跟盖儿相密合的部分。

【子粒】zǐlì 名 子实。也作籽粒。

【子棉】zǐmián 名 摘下来以后还没有去掉种子的棉花。也作籽棉。

【子母弹】zǐmǔdàn 名 榴霰弹。

【子母扣儿】zǐmǔkòur 名 纽扣的一种,用金属制成,一凸一凹的两个合成一对。也叫摁扣儿。

【子母钟】zǐmǔzhōng 名 大型企业、商场、车站等处用的成组的计时钟。其中控制、带动其他钟运转的精确的钟叫母钟,受母

钟控制的钟叫子钟。

【子目】zǐmù 名 细目:丛书~索引│表册上共有六个大项目,每个项目底下又分列若干~。

【子囊】zǐnáng 名 某些真菌体内产生孢子的细胞。

【子埝】zǐniàn 名 洪水上涨接近堤顶时,为了防止洪水漫过决口,在堤顶上临时加筑的小堤。也叫子堤。

【子女】zǐnǚ 名 儿子和女儿。

【子时】zǐshí 名 旧式计时法指夜里十一点钟到一点钟的时间。

【子实】zǐshí 名 稻、麦、谷子、高粱等农作物穗上的种子;大豆、小豆、绿豆等豆类作物豆荚内的豆粒。也作籽实。也叫子粒。

【子兽】zǐshòu 名 初生的幼兽。也作仔兽。

【子书】zǐshū 名 古代图书四部分类法的一类书,如《老子》、《墨子》、《荀子》、《韩非子》等书。

【子嗣】zǐsì 〈书〉名 指儿子(就传宗接代说)。

【子孙】zǐsūn 名 儿子和孙子,泛指后代:~万代│不肖~│炎黄~。

【子午线】zǐwǔxiàn 名 经线。参看63页〖本初子午线〗。

【子息】zǐxī 〈书〉名❶子嗣。❷利息。

【子细】zǐxì 见1804页〖仔细〗。

【子弦】zǐxián 名 较细的丝弦,做三弦、琵琶、南胡的外弦用。

【子虚】zǐxū 〈书〉名 汉代司马相如有《子虚赋》,假托子虚先生、乌有先生和亡(wú,古同"无")是公三人互相问答。后世因此用"子虚"、"子虚乌有"指虚构的或不真实的事情:事属~。

【子婿】zǐxù 〈书〉名 女婿。

【子叶】zǐyè 名 种子植物胚的组成部分之一,是种子萌发时的营养器官。单子叶植物的胚只有一枚子叶,双子叶植物的胚有一对子叶,裸子植物的胚有两个或两个以上的子叶。

【子夜】zǐyè 名 半夜。

【子音】zǐyīn 名 辅音。

【子鱼】zǐyú 名 刚孵化出来的小鱼。也作仔鱼。也叫稚鱼。

【子侄】zǐzhí 〈书〉名 儿子和侄子辈的统称。

【子猪】zǐzhū 图 初生的小猪。也作仔猪。

仔 zǐ 幼小的(多指牲畜、家禽等):～猪|～鸡。

另见1693页 zǎi;1800页 zī。

【仔畜】zǐchù 同"子畜"。

【仔鸡】zǐjī 同"子鸡"。

【仔密】zǐmì 形 纺织品、针织品等纱与纱之间、线与线之间距离近,空隙小:这双袜子织得很～。

【仔兽】zǐshòu 同"子兽"。

【仔细】〖子细〗zǐxì 形 ❶ 细心:他做事很～|～领会文件的精神。❷ 小心;当心:路很滑,～点儿。❸〈方〉俭省:日子过得～。

【仔鱼】zǐyú 同"子鱼"。

【仔猪】zǐzhū 同"子猪"。

姊 zǐ 姐姐:～妹。

【姊妹】zǐmèi 图 姐妹◇～篇|～城。

籽 zǐ 〈书〉培土。

茈 zǐ 茈湖口(Zǐhúkǒu),地名,在湖南。

另见222页 cí。

呰 zǐ 〈书〉❶ 同"訾"(zǐ)。❷ 同"龇"。

好 zǐ 〖好蚄〗zǐfāng〈方〉图 黏虫。

秭 zǐ ❶ 数 古代指一万亿。❷ 秭归(Zǐguī),地名,在湖北。

籽 zǐ（～儿）图 某些植物的种子:棉～儿|菜～儿|花～儿|～棉。

【籽粒】zǐlì 同"子粒"。

【籽棉】zǐmián 同"子棉"。

【籽实】zǐshí 同"子实"。

第 zǐ 〈书〉竹篾编的席:床～。

梓 zǐ ❶ 图 梓树,落叶乔木,叶子卵形,有的稍有浅裂,花淡黄色。木材可以做器具,根皮、树皮和果实可入药。❷ 刻板①;付～。❸ (Zǐ)图 姓。

【梓里】zǐlǐ 〈书〉图 指故乡。参看1176页〖桑梓〗。

呰 zǐ 〖呰窳〗(zǐyǔ)〈书〉形 懒惰。

紫 zǐ ❶ 形 红和蓝合成的颜色:～红|～青|～玫瑰。❷ (Zǐ)图 姓。

【紫菜】zǐcài 图 藻类,生在海岸边,藻体像薄膜,紫红色,扁平,可以吃。种类很多,通常所说的紫菜指甘紫菜。

【紫癜】zǐdiàn 图 病,多由血小板减少或药物过敏等引起。症状是皮肤、黏膜等内部出血,皮肤上出现紫色斑痕。

【紫貂】zǐdiāo 图 貂的一种,外形像黄鼬,耳朵略呈三角形,毛棕褐色。能爬树,吃野兔、野鼠或鸟类,有时也吃野菜、野果和鱼等。

【紫毫】zǐháo 图 一种毛笔,笔锋用深紫色的细而硬的兔毛做成,比羊毫硬。

【紫河车】zǐhéchē 图 中药上指人的干燥的胎盘。

【紫红】zǐhóng 形 深红中略带紫的颜色。

【紫花】zǐ·huā 形 淡赭色:～布(一种粗布)|～裤子。

【紫荆】zǐjīng 图 落叶灌木或小乔木,叶子近圆形,表面有光泽,花紫红色,荚果扁平。供观赏,木材和树皮可入药。

【紫罗兰】zǐluólán 图 ❶ 多年生草本植物,叶子长圆形或倒披针形,花紫红色,也有淡红、淡黄或白色的,有香气,果实细长。供观赏。❷ 这种植物的花。

【紫砂】zǐshā 图 一种陶土,产于江苏宜兴。质地细腻,含铁量高,烧制后呈赤褐、紫黑等色。多用来烧制茶具等。

【紫檀】zǐtán 图 ❶ 常绿乔木,羽状复叶,小叶卵形,花黄色,结荚果。木材坚硬,红棕色,木纹美观,可用来做贵重的家具或乐器等。原产印度尼西亚、马来西亚等地。❷ 这种植物的木材。

【紫糖】zǐtáng 形 黑而红的颜色(多形容脸色):～脸。

【紫藤】zǐténg 图 落叶藤本植物,缠绕茎,羽状复叶,小叶长椭圆形,花多为紫色,荚果长大而硬,表面有绒毛。供观赏。通称藤萝。

【紫铜】zǐtóng 图 纯铜,紫红色,所含杂质不超过0.5%,是电和热的良导体。耐腐蚀性好,用来制造电线、冷藏器的零件等。

【紫外线】zǐwàixiàn 图 波长比可见光短的电磁波,在光谱上位于紫色光的外侧。可使磷光和荧光物质发光,能透过空气,不易穿过玻璃,有杀菌能力,对眼睛有伤害作用。用于治疗皮肤病、矿工的保健及消毒等。

【紫菀】zǐwǎn 图 多年生草本植物,茎直立,叶子椭圆状披针形,边缘的小花呈舌状,蓝紫色,中央的小花两性,呈管状,黄色,瘦果有毛。根和根状茎可入药。

【紫葳】zǐwēi 名 凌霄花。

【紫薇】zǐwēi 名 ❶ 落叶小乔木,茎皮光滑,叶子卵形或椭圆形,花紫红色或白色,蒴果球形。供观赏。❷ 这种植物的花。‖也叫满堂红。

【紫药水】zǐyàoshuǐ 名 龙胆紫溶液的通称。

訾 zǐ 〈书〉说人坏话:～议｜～毁。
另见 1802 页 zī。

【訾议】zǐyì 〈书〉动 评论人的短处:无可～。

渳 zǐ ❶ 沉淀的杂质:渣～｜泥～。❷ 污浊:垢～｜～浊。

zì（ㄗˋ）

自¹ zì ❶ 自己:～动｜～卫｜～爱｜～力更生｜～言～语｜～告奋勇｜～顾不暇｜不～量力。❷ 副 自然;当然:～不待言｜公道～在人心｜两人久别重逢,～有许多话说。❸（Zì）名 姓。

自² zì 介 从;由:～小｜～此｜～古｜～远而近｜～北京出发｜选～《人民日报》｜来～各国的朋友。

【自爱】zì'ài 动 爱惜自己(多指名誉):不知～。

【自傲】zì'ào 形 自以为有本领而骄傲:居功～。

【自拔】zìbá 动 主动地从痛苦或罪恶中解脱出来:越陷越深,无法～。

【自白】zìbái 动 自己说明自己的意思;自我表白:～书｜无以～。

【自暴自弃】zì bào zì qì 自己甘心落后,不求上进(暴:糟蹋)。

【自卑】zìbēi 形 轻视自己,认为不如别人:～感｜不自满,也不～。

【自变量】zìbiànliàng 名 见 535 页〖函数〗。

【自便】zìbiàn 动 随自己的方便;按自己的意思行动:听其～｜您～吧,别陪了。

【自不量力】zì bù liàng lì 不自量力。

【自裁】zìcái 〈书〉动 自杀;自尽。

【自残】zìcán 动 自己残害自己;自相残害:～肢体｜～骨肉。

【自惭形秽】zì cán xíng huì 原指因自己容貌举止不如别人而感到惭愧,后来泛指自愧不如别人。

【自沉】zìchén 〈书〉动 投水自尽。

【自称】zìchēng 动 ❶ 自己称呼自己:项羽～西楚霸王。❷ 自己声称:他～是某报社的记者。

【自成一家】zì chéng yī jiā 在某种学问上或技术上有独创的见解或独特的做法,能自成体系。

【自乘】zìchéng 动 一个数自身和自身相乘,也就是两个或两个以上相同的数相乘,如求 3⁴(3×3×3×3)的运算就是自乘。

【自持】zìchí 动 控制自己的欲望或情绪:清廉～｜激动得不能～。

【自筹】zìchóu 动 个人或单位靠自身的力量筹集(资金等):～经费。

【自出机杼】zì chū jīzhù 比喻诗文的构思和布局别出心裁,独创新意。参看 628 页〖机杼〗。

【自吹自擂】zì chuī zì léi 自己吹喇叭,自己打鼓,比喻自我吹嘘。

【自从】zìcóng 介 表示时间的起点(指过去):～春节以后,我还没有见到他｜我～参加了体育锻炼,身体强健多了。

【自打】zìdǎ 〈方〉介 自从(某时以后):儿子～离家以后,没有回来过。

【自大】zìdà 形 自以为了不起:自高～｜骄傲～。

【自得】zìdé 形 自己感到得意或舒适:扬扬～｜安闲～。

【自动】zìdòng ❶ 副 自己主动:～参加｜～帮忙。❷ 副 不凭借人为的力量:～燃烧｜水～地往下流。❸ 形 属性词。不用人力而用机械装置直接操作的:～化｜～控制｜～装置。

【自动步枪】zìdòng bùqiāng 能够连续发射的步枪。有的既可连发射击,也可单发射击。

【自动扶梯】zìdòng fútī 电梯的一类,是链式输送机的特种形式,斜向或水平运行,两侧有扶手。通称滚梯。

【自动柜员机】zìdòng guìyuánjī 自助式银行业务办理设备,由磁卡识别、控制和机点钞等部分组成。银行卡的持有人可在无人值守的情况下自己进行简单的存款、取款或查询等操作。也叫自动取款机。

【自动化】zìdònghuà 勔 在没有人直接参与的情况下，机器设备或生产管理过程通过自动检测、信息处理、分析判断等，自动地实现预期操作或完成某种过程。

【自动控制】zìdòng kòngzhì 通过自动化装置控制机器，使按照预定的程序工作。

【自动炮】zìdòngpào 名 能够连续发射的火炮。

【自动铅笔】zìdòng qiānbǐ 铅笔的一种，形状跟自来水笔相似，可以随意调节，使笔铅露出或缩进。

【自动取款机】zìdòng qǔkuǎnjī 自动柜员机。

【自动线】zìdòngxiàn 名 由一套能自动连续进行生产的设备所组成的生产线。

【自发】zìfā 形 属性词。由自己产生，不受外力影响的；不自觉的：～性|～势力|这个科研小组是他们几个人～地组织起来的。

【自肥】zìféi 勔 经手财物时用不正当的手段从中取利：中饱～。

【自费】zìfèi 勔 自己负担费用：～生|～留学|～旅行|按规定有些药品要～。

【自焚】zìfén 勔 自己烧死自己◇玩火～。

【自分】zìfēn 〈书〉自己估量自己：～不足以当重任。

【自封】¹ zìfēng 勔 自己给自己加头衔；自命（含贬义）：～为专家。

【自封】² zìfēng 勔 限制自己：故步～。

【自奉】zìfèng 〈书〉勔 自己生活享用：～甚俭。

【自负】¹ zìfù 勔 自己负责：～盈亏|文责～。

【自负】² zìfù 形 自以为了不起：这个人很～。

【自感应】zìgǎnyìng 名 电路中由于电流的变化而自身产生感应电动势的现象。简称自感。

【自高自大】zì gāo zì dà 自以为了不起，看不起别人。

【自告奋勇】zì gào fènyǒng 主动地要求承担某项艰难的工作。

【自个儿】（自各儿）zìgěr 〈方〉代 人称代词。自己。

【自供】zìgòng 勔 自己招供：～状|～不讳。

【自古】zìgǔ 副 从古以来；向来：这个群岛～就是中国的领土。

【自顾不暇】zì gù bù xiá 照顾自己都来不及（哪里还能顾到别人）。

【自豪】zìháo 形 因为自己或者与自己有关的集体或个人具有优良品质或取得伟大成就而感到光荣：～感|以此～。

【自己】zìjǐ 代 ❶ 复指前头的名词或代词（多强调不由于外力）：～动手，丰衣足食|鞋我～去买吧|瓶子不会～倒下来，准是有人碰了它|这种新型客机是我国～制造的。❷ 指说话者本人这方面（用在名词前面，表示关系密切）：～人|～弟兄。

【自己人】zìjǐrén 名 指彼此关系密切的人；自己方面的人：老大爷，咱们都是～，别客气|老刘是～，你有什么话，当他面说不碍事。

【自给】zìjǐ 勔 依靠自己的生产满足自己的需要：～自足|粮食～有余。

【自家】zìjiā 〈方〉代 人称代词。自己。

【自荐】zìjiàn 勔 自己推荐自己：～材料。

【自交】zìjiāo 勔 ❶ 雌雄同体的生物同一个体上的雌雄交配，如植物的自花授粉和雌雄异花的同株授粉。❷ 指动物的近亲交配。

【自矜】zìjīn 〈书〉勔 自夸：居功～|以草书～。

【自尽】zìjìn 勔 自杀。

【自经】zìjīng 〈书〉自缢。

【自刭】zìjǐng 〈书〉勔 自刎。

【自净作用】zìjìng-zuòyòng 大气、土壤或水体等受到污染后能够自然净化的作用，通过物理、化学、生物等自然作用而使污染物总量减少，浓度降低，逐渐恢复到未污染的状态。

【自咎】zìjiù 〈书〉勔 自己责备自己：悔恨～。

【自疚】zìjiù 形 对自己的过失感到惭愧不安：深感～。

【自救】zìjiù 勔 自己解救自己：生产～。

【自居】zìjū 勔 自以为具有某种身份：～名士|以功臣～。

【自决】zìjué 勔 ❶ 自己决定自己的事：民族～权。❷〈书〉自杀。

【自觉】zìjué ❶ 勔 自己感觉到：肺结核的初期，病症不很显著，病人常常不～。❷ 形

自己有所认识而觉悟：～自愿|～地遵守纪律。

【自觉自愿】zì jué zì yuàn 自己认识到应该如此而甘心情愿(去做)。

【自绝】zìjué 动 做了坏事而不愿悔改，因此自行断绝跟对方之间的关系(多指自杀)：～于人民。

【自控】zìkòng 动 ❶ 控制自己的情绪：他激动得难以～。❷ 自动控制。

【自夸】zìkuā 动 自己夸耀自己。

【自郐以下】zì Kuài yǐ xià 吴国的季札在鲁国看周代的乐舞，对各诸侯国的乐曲都发表了意见，从郐国以下他就没有评论(见于《左传·襄公二十九年》)。比喻从…以下就不值得一谈。

【自况】zìkuàng〈书〉动 拿别的人或事物来比自己：以包公～|借莲花～。

【自来】zìlái 副 从来；原来：这里～就是交通要道。

【自来水】zìláishuǐ 名 ❶ 供应居民生活、工业生产等方面用水的设备。把取自水源的水经过净化、消毒后，加压力，通过管道输送到用户。❷ 从自来水管道中流出来的水。

【自来水笔】zìláishuǐbǐ 名 钢笔的一种，笔杆内有贮存墨水的装置，吸一次墨水可以连续使用一段时间。

【自理】zìlǐ 动 ❶ 自己承担：费用～。❷ 自己料理：他卧病在床，生活不能～。

【自力更生】zì lì gēng shēng 不依赖外力，靠自己的力量把事情办起来。

【自立】zìlì 动 不依赖别人，靠自己的劳动而生活：～谋生|孩子小，在经济上还不能～。

【自励】zìlì 动 自己勉励或激励自己：常以前贤警句～。

【自量】zìliàng 动 估计自己的实际能力：不知～|我～还能胜任这项工作。

【自留地】zìliúdì 名 我国在实行农业集体化以后留给农民个人经营的少量土地，产品归个人所有。

【自流】zìliú 动 ❶ 自动地流：～井|～灌溉。❷ 比喻在缺乏约束、引导的情况下自由发展：放任～|听其～。

【自流井】zìliújǐng 名 能自动地流出水来的井。

【自律】zìlǜ 动 自己约束自己：～甚严。

【自卖自夸】zì mài zì kuā 自己卖什么就夸什么好，比喻自我吹嘘。

【自满】zìmǎn 形 满足于自己已有的成绩：骄傲～|～情绪|他虚心好学，从不～。

【自勉】zìmiǎn 动 自己勉励自己：书名人语录以～。

【自鸣得意】zì míng déyì 自己表示很得意(多含贬义)。

【自鸣钟】zìmíngzhōng 名 能自动报时的钟。

【自命】zìmìng 动 自以为有某种品格、身份等：～清高|～不凡。

【自命不凡】zì mìng bùfán 自以为很了不起。

【自馁】zìněi 动 失去自信而畏缩：再接再厉，绝不～。

【自欺欺人】zì qī qī rén 用自己都难以置信的话或手法来欺骗别人；既欺骗自己也欺骗别人。

【自谦】zìqiān 形 自己表示谦虚：你的成就有目共睹，不必太～。

【自戕】zìqiāng〈书〉动 自杀。

【自强】zìqiáng 动 自己努力向上：～不息|男儿当～。

【自强不息】zì qiáng bù xī 自己努力向上，永远不懈怠。

【自然】zìrán ❶ 名 自然界：大～。❷ 形 自由发展；不经人力干预：～免疫|听其～|～而然|你先别问，到时候～明白。❸ 副 表示理所当然：只要认真学习，～会取得好成绩。❹ 连 连接分句或句子，表示语义转折或追加说明：你应该虚心学习别人的优点，～，别人也要学习你的长处。

【自然】zì·ran 形 不勉强；不局促；不呆板：态度很～|他是初次演出，但演得挺～。

【自然保护区】zìrán bǎohùqū 国家为保护有代表性的自然生态系统、珍稀濒危动植物和有特殊意义的自然遗迹而依法划定的区域，如我国的神农架自然保护区、西双版纳热带雨林自然保护区。

【自然村】zìráncūn 名 自然形成的村落。

【自然对数】zìrán duìshù 数学上指以 e (＝2.718 28…)为底的对数，用符号 ln 表示。参看 346 页【对数】。

【自然而然】zìrán ér rán 不经外力作用而如此：我们长期在一起工作，～地建立了深厚的友谊。

Z

【自然法】zìránfǎ 名 西方法学家对法律的分类之一，认为自然法是自然存在，永恒不变并为一切人所遵守的行为规则（跟"实在法"相对）。

【自然法则】zìrán fǎzé 自然规律。

【自然光】zìránguāng 名 不直接显示偏振现象的光，一般光源直接发出的光都是自然光，如阳光、灯光等。

【自然规律】zìrán guīlǜ 存在于自然界的客观事物内部的规律。也叫自然法则。

【自然界】zìránjiè 名 一般指无机界和有机界。有时也指包括社会在内的整个物质世界。

【自然经济】zìrán jīngjì 只是为了满足生产者本身或经济单位（如氏族、庄园）的需要而进行生产的经济，也就是自给自足的经济。

【自然科学】zìrán kēxué 研究自然界各种物质和现象的科学。包括物理学、化学、动物学、植物学、矿物学、生理学、数学等。

【自然力】zìránlì 名 可以利用来代替人力的自然界的动力，如风力、水力。

【自然人】zìránrén 名 法律上指在民事上能享受权利并承担义务的个人（区别于"法人"）。

【自然数】zìránshù 名 零和大于零的整数，即 0，1，2，3，4，5，…。

【自然物】zìránwù 名 天然存在，没经过人类加工的东西，如禽兽、虫鱼、草木、矿物等。

【自然选择】zìrán xuǎnzé 生物在自然条件的影响下经常发生变异，适于自然条件的生物能以生存、发展，不适于自然条件的生物被淘汰，这种适者生存的过程叫做自然选择。

【自然灾害】zìrán zāihài 水、旱、病、虫、鸟、兽、风、雹、霜冻等自然现象造成的灾害。

【自然主义】zìrán zhǔyì 19世纪产生于法国的一种文艺创作手法和流派。主张单纯地描摹自然，记录式地描写现实生活中的表面现象和琐碎细节，因此不能正确地反映社会的本质。以左拉（Émile Zola）为代表。

【自燃】zìrán 动 物质在空气中缓慢氧化而自动燃烧，如白磷能够自燃，大量堆积的煤、棉花、干草等在通风不良的情况下也能自燃。

【自如】zìrú 形 ❶ 活动或操作不受阻碍：旋转～｜操纵～｜运用～。❷ 自若：神态～。

【自若】zìruò 〈书〉形 不拘束；不变常态：神态～｜谈笑～。

【自杀】zìshā 动 自己杀死自己。

【自身】zìshēn 名 自己（强调非别人或别的事物）：不顾～安危。

【自审】zìshěn 动 自我审查或审视：实行项目～｜教育问题学生，家长先要～。

【自食其果】zì shí qí guǒ 指做了坏事，结果害了自己；自作自受。

【自食其力】zì shí qí lì 凭自己的劳动养活自己。

【自食其言】zì shí qí yán 不守信用，说了话不算数。

【自始至终】zì shǐ zhì zhōng 从开始到结束：大会～充满着团结欢庆的气氛。

【自视】zìshì 动 自己认为自己（如何如何）：～甚高。

【自是】[1] zìshì 副 自然是：久别重逢，～高兴。

【自是】[2] zìshì 形 自以为是：他既很～又很顽固。

【自恃】zìshì 〈书〉❶ 形 过分自信而骄傲自满：自负。❷ 动 倚仗；仗恃：～功高。

【自首】zìshǒu 动 （犯法的人）自行向司法机关或有关部门交代自己的罪行：投案～。

【自赎】zìshú 动 自己弥补罪过：立功～。

【自述】zìshù ❶ 动 自己述说自己的事情：序言里作者～了写书的经过。❷ 名 关于自己情况的叙述：他写了一篇～。

【自私】zìsī 形 只顾自己的利益，不顾别人。

【自私自利】zì sī zì lì 只为自己打算，为自己谋利益，不顾别人和集体。

【自诉】zìsù 动 刑事诉讼的一种方式，由被害人自己或其法定代理人依法直接向法院起诉（区别于"公诉"）。

【自诉人】zìsùrén 名 以个人名义向法院提起刑事诉讼的人，一般为被害人或其法定代理人及近亲属。

【自外】zìwài 动 自己把自己放在某个范围之外；自视为外人：不能～于集体。

【自卫】zìwèi 动 保卫自己：～战争｜奋力～。

【自慰】zìwèi 动❶ 自己安慰自己：聊以
～。❷ 指手淫。

【自刎】zìwěn 动 割颈部自杀：抹脖子。

【自问】zìwèn 动❶ 自己问自己：反躬～｜
扪心～。❷ 自己衡量(得出结论)：我～还
能胜任这项工作。

【自我】zìwǒ 代 人称代词。自己(多用在
双音动词前面，表示这个动作由自己发
出，同时又以自己为对象)：～批评｜～介
绍｜～调控｜～战胜。

【自我批评】zìwǒ pīpíng 自觉地对自己的
错误和缺点进行批评。

【自我作古】zì wǒ zuò gǔ 由自己创始，不
依傍前人或旧例。

【自习】zìxí 动 学生在规定时间或课外自
己学习。

【自相】zìxiāng 副 指自己跟自己或集体
内部的成员相互之间(存在某种情况)：～
矛盾｜～惊扰｜～残害。

【自销】zìxiāo 动 商品生产者不通过商业
部门等中间环节，自行销售：自产～。

【自新】zìxīn 动 自觉地改正错误，重新做
人：悔过～｜～之路。

【自信】zìxìn 动 相信自己：～心｜～能够完
成这个任务。

【自行】zìxíng 副❶ 自己(做)：～解决｜～
办理。❷ 自动①②：～脱落｜～退出。

【自行车】zìxíngchē 名 一种交通工具，有
两个轮子，骑在上面用脚蹬动轮盘带动车
轮转动前进。有的地区叫脚踏车或单车。

【自行火炮】zìxíng huǒpào 装在履带式、
半履带式或轮式车辆上能自行运动的火
炮。

【自行其是】zì xíng qí shì 按照自己认为
对的去做(不考虑别人的意见)。

【自省】zìxǐng 〈书〉动 自我反思，反省：在
工作中不断～。

【自修】zìxiū 动❶ 自习。❷ 自学：～数
学。

【自许】zìxǔ 动 自我称赞；自命：以专家
～。

【自诩】zìxǔ 动 自夸：他～精通英语，却连
一篇短文都译不好。

【自序】zìxù 名❶ 作者自己写的序言。❷
叙述自己生平经历的文章。‖也作自叙。

【自叙】zìxù 同"自序"。

【自选动作】zìxuǎn dòngzuò 某些体育项

目比赛时，由运动员按照规定要求的难度
和数量自己编选的整套或单个的动作。
如花样滑冰、竞技体操等均有自选动作。

【自选商场】zìxuǎn shāngchǎng 超级市
场。

【自学】zìxué 动 没有教师指导，自己独立
学习：～成材｜他～了高中的课程。

【自言自语】zì yán zì yǔ 自己跟自己说
话；独自低声说话。

【自已】zìyǐ 动 抑制住自己的感情(多用于
否定式)：不能～｜思乡之情难以～。

【自以为是】zì yǐ wéi shì 认为自己的看
法和做法都正确，不接受别人的意见。

【自缢】zìyì 〈书〉上吊自杀。

【自营】zìyíng 动 自主经营。

【自用】¹zìyòng 动 私人使用：～摩托车。

【自用】²zìyòng 〈书〉动 自以为是：刚愎
～｜师心～。

【自由】zìyóu ❶ 名 在法律规定的范围
内，随自己意志活动的权利：人身～｜～平
等。❷ 名 哲学上把人认识了事物发展的
规律性，自觉地运用到实践中去，叫做自
由。❸ 形 不受拘束；不受限制：～参加｜
～发表意见。

【自由港】zìyóugǎng 名 一种港口，在划定
的区域内商品的输出、输入和转口都可以
免税。

【自由基】zìyóujī 名 化合物分子中的共价
键受到光、热等的影响后，均等断裂而成
的含有不成对价电子的原子或原子团。
也叫游离基。

【自由价格】zìyóu jiàgé 在国家价格政策
指导下由买卖双方自由协商议定的价格。

【自由竞争】zìyóu jìngzhēng 商品生产者
之间在生产和销售方面进行的不受限制
的竞争。在竞争中，大资本排挤吞并小资
本，使生产日益集中，发展到一定阶段，就
形成垄断。

【自由落体运动】zìyóu luòtǐ yùndòng 物
体只受重力作用而从静止开始下落的运
动。在同一地点，做自由落体运动的物体
的加速度都相同。

【自由民】zìyóumín 名 指奴隶社会占有土
地的农民和占有生产资料的手工业者。
他们和奴隶不同，享有人身自由。

【自由诗】zìyóushī 名 结构自由、有语言
的自然节奏而没有一定格律的诗，一般不

押韵。

【自由市场】zìyóu shìchǎng 农贸市场的俗称。

【自由体操】zìyóu tǐcāo 竞技体操项目之一,运动员在边长为12米的正方形专用弹性板上徒手做各种动作。

【自由王国】zìyóu wángguó 哲学上指人在认识和掌握客观世界规律之后,自由地运用规律改造客观世界的境界。参看73页〖必然王国〗。

【自由泳】zìyóuyǒng 图❶游泳竞技项目之一,运动员可以用任何姿势游完规定距离。❷爬泳的通称。

【自由职业】zìyóu zhíyè 指凭借个人的知识技能独立从事的职业,如个人开业的医生、自由撰稿人所从事的职业。

【自由主义】zìyóu zhǔyì ❶ 19世纪和20世纪初期的一种代表资产阶级政治思想。自由主义者代表资产阶级的利益,反对政治的、社会的和宗教的束缚,在历史上曾经起过进步的作用。但在资产阶级取得政权后,自由主义就成了掩饰资产阶级统治的幌子。❷革命队伍中的一种错误的思想作风,主要表现是缺乏原则性,无组织,无纪律,过分强调个人利益等。

【自圆其说】zì yuán qí shuō 使自己的论断或谎话没有破绽。

【自怨自艾】zì yuàn zì yì 本义是悔恨自己的错误,自己改正(艾:治理;惩治),现在只指悔恨。

【自愿】zìyuàn 动 自己愿意:自觉~|~参加|出于~。

【自在】zìzài 形 自由;不受拘束:逍遥~。

【自在】zì·zai 形 安闲舒适:他们俩的小日子过得挺~。

【自责】zìzé 动 自己责备自己:为了这件事他~不已。

【自知之明】zì zhī zhī míng 指透彻了解自己(多指缺点)的能力(常跟"有、无"连用):人贵有~。

【自制】¹ zìzhì 动 自己制造:~糕点|~玩具。

【自制】² zìzhì 动 克制自己:~力|难以~。

【自治】zìzhì 动 民族、团体、地区等除了受所隶属的国家、政府或上级单位领导外,对自己的事务行使一定的权力:~区|民族区域~。

【自治机关】zìzhì jīguān 行使民族自治权力的机关,如自治区、自治州、自治县的人民代表大会和人民政府。

【自治旗】zìzhìqí 图 内蒙古自治区中,蒙古族之外其他少数民族实行民族自治的相当于县的行政区域,如鄂伦春自治旗。

【自治区】zìzhìqū 图 相当于省一级的民族自治地方,如内蒙古自治区、新疆维吾尔自治区等。

【自治县】zìzhìxiàn 图 相当于县一级的民族自治地方,如青海省的门源回族自治县。

【自治州】zìzhìzhōu 图 介于自治区和自治县之间的民族自治地方,如湖南省的湘西土家族苗族自治州。

【自重】¹ zìzhòng 动 ❶注意自己的言行:自爱~|请~些! ❷〈书〉抬高自己的身份、地位:拥兵~。

【自重】² zìzhòng 图 机器、运输工具或建筑物承重构件等的本身的重量。

【自主】zìzhǔ 动 自己做主:独立~|婚姻~|不由~。

【自主神经】zìzhǔ shénjīng 周围神经系统的一部分,分布在内脏、血管、腺体等处,跟脑和脊髓发生联系,调节内脏等的活动。包括交感神经与副交感神经两部分。也叫植物性神经。

【自助】zìzhù 动 自己动手为自己服务:~餐|~旅游。

【自助餐】zìzhùcān 图 一种由用餐者自取菜肴、主食的用餐方式。

【自传】zìzhuàn 图 叙述自己的生平经历的书或文章。

【自转】zìzhuàn 动 天体绕着自己的轴心而转动。地球自转一周的时间是一昼夜;月亮自转一周的时间约为农历一个月。

【自足】zìzú ❶ 动 可以满足自己的需要:自给~。 ❷形 内心满足:过着~舒心的日子。

【自尊】zìzūn 动 尊重自己,不向别人卑躬屈节,也不容许别人歧视、侮辱:~心。

【自作聪明】zì zuò cōngmíng 自以为挺聪明,轻率逞能。

【自作多情】zì zuò duōqíng 一相情愿地做出种种表示,想以此博得对方欢心。

【自作自受】zì zuò zì shòu 自己做了错事,自己承受不好的后果。

字 zì ❶ 图文字:汉～｜识～｜～体～｜常用～。❷ 图(～儿)字音:咬～儿｜～正腔圆｜他说话～～清楚。❸ 图字体:篆～｜柳～｜宋体～｜美术～。❹ 图书法作品:～画｜一幅～。❺ 图字眼;词:他说行,谁还敢说半个"不"～。❻ (～儿)图字据:立～｜收到款子,写个～儿给他。❼ 图根据人名中的字义,另取的别名叫"字":岳飞～鹏举｜曾巩～子固。❽ 图俗指电表、水表等指示的数量:这个月电表走了50个～,水表走了20个～。❾〈书〉许配;待～。❿图(Zì)姓。

【字典】zìdiǎn 图以字为单位,按一定次序排列,每个字注上读音、意义和用法的工具书。

【字调】zìdiào 图字音的高低升降。也叫声调。参看1294页〖四声〗。

【字符】zìfú 图计算机或无线电通信中字母、数字和各种符号的统称。

【字幅】zìfú 图写成条幅或横幅的书法作品。

【字号】zì•hao 图❶商店的名称:这家商店是什么～?❷指商店:这是一家老～｜这家～名气大。

【字画】zìhuà 图书画:名人～。

【字汇】zìhuì 图字典一类的工具书。

【字迹】zìjì 图字的笔画和形体:～工整｜墓碑上的～模糊不清。

【字节】zìjié 图指一小组相邻的二进制数码,是计算机重要的数据单位。通常用8位数码(也有4位或6位的)构成一个字节。

【字句】zìjù 图文章里的字眼和句子:～通顺｜锤炼～。

【字据】zìjù 图书面的凭证,如合同、收据、借条:立～｜写了一张～。

【字库】zìkù 图❶存放铅字字模或新铸铅字的库房。❷计算机系统中储存标准字形的专用软件。

【字里行间】zì lǐ háng jiān 字句中间:～充满了乐观主义精神。

【字谜】zìmí 图用字做谜底的谜语。如"拿不出手",谜底是"合"。

【字面】zìmiàn (～儿)图文字表面上的意义(不是含蓄在内的意义):这句话从～上看没有指摘的意思。

【字模】zìmú 图浇铸铅字的模型,用紫铜或锌合金制成。也叫铜模。

【字母】zìmǔ 图❶拼音文字或注音符号的最小的书写单位:拉丁～｜注音～。❷音韵学上指声母的代表字,如"明"代表 m 声母。

【字母词】zìmǔcí 图由字母构成或其中包含字母的词语的通称,如"DVD"、"AA制"等。

【字幕】zìmù 图❶银幕或电视机的屏幕上映出的文字。❷演戏时为了帮助观众听懂唱词而配合放映的文字。

【字书】zìshū 图解释汉字的形体、读音和意义的书,如《说文解字》。

【字体】zìtǐ 图❶同一种文字的各种不同形体,如汉字手写的楷书、行书、草书,印刷的宋体、黑体。❷书法的派别,如欧体、颜体。❸字的形体:～工整匀称。

【字条】zìtiáo (～儿)图写上简单话语的纸条:他走时留了一个～儿。

【字帖儿】zìtiěr 图写着简单的话的纸片,多为通知、启事之类。

【字帖】zìtiè 图供学习书法的人临摹的范本,多为名家墨迹的石刻拓本、木刻本或影印本。

【字形】zìxíng 图字的形体:标准～｜～规范。

【字眼】zìyǎn (～儿)图用在句子中的字或词:挑～｜抠～｜激动的心情,使我找不出适当的～来形容。

【字样】zìyàng 图❶文字形体的规范:《九经～》。❷用在某处的词语或简短的句子:门上写着"卫生模范"的～。

【字义】zìyì 图字所代表的意义:解释～。

【字音】zìyīn 图字的读音:注明～。

【字斟句酌】zì zhēn jù zhuó 对每一字、每一句都仔细推敲,形容说话或写作的态度慎重。

【字正腔圆】zì zhèng qiāng yuán (说或唱)字音准确,腔调圆润(多用于戏曲或曲艺):他的念白、唱腔都～,表演得声情并茂。

【字纸】zìzhǐ 图有字的废纸:～篓儿。

剚(傳) zì〈书〉用刀刺进去。

牸 zì〈方〉雌性的(牲畜):～牛。

恣 zì ❶放纵;没有拘束:～意。❷(～儿)〈方〉形舒服;自在(zì•zai):

~得很。

【恣情】zìqíng 副 ❶ 纵情：～享乐｜～欢笑。❷ 任意：钱拿到手里别～乱花。

【恣肆】zìsì〈书〉形 ❶ 放纵；骄横。❷（言谈、写作等）豪放不拘：文笔～。

【恣睢】zìsuī〈书〉形 任意胡为：暴戾～。

【恣意】zìyì 副 任意；任性：～妄为。

眦（眥）zì 上下眼睑的接合处，靠近鼻子的叫内眦，靠近两鬓的叫外眦。通称眼角。

溃（潰）zì ❶ 动 浸；沤；沾：～麻｜白衬衣被汗水～黄了。❷ 地面的积水：内～｜防洪排～。❸ 动 油泥等积在上面难以除去：烟斗里～了很多的油子｜他每天擦机器，不让～一点泥。❹ 积在物体上面难以除去的油泥等：油～｜茶～｜污～。

蔵 zì〈书〉切成的大块肉。

齼 zì〈书〉腐烂的肉。

---

zōng（ㄗㄨㄥ）

坐（樅）zōng 见630页〖鸡坐〗。

枞（樅）zōng 枞阳（Zōngyáng），地名，在安徽。
另见227页cōng。

宗¹ zōng ❶ 祖宗：列祖列～。❷ 家族；同一家族的：同～｜～兄。❸ 宗派；派别：正～｜禅～。❹ 宗旨：开～明义｜万变不离其～。❺ 动 在学术或文艺上效法：他的唱功～的是梅派。❻ 为众人所师法的人物：文～｜一代词～。❼ 量 用于事情、货物、款项等：一～心事｜大～款项。❽（Zōng）名 姓。

宗² zōng 名 西藏地区旧行政区划单位，大致相当于县。

【宗祠】zōngcí 名 祠堂①。

【宗法】zōngfǎ ❶ 名 旧时以家族为中心，按血统远近区别亲疏的法则：～制度｜～社会。❷ 动 师法；效法：他的字～柳体。

【宗匠】zōngjiàng 名 在学术或艺术上有重大成就而为众人所敬仰的人：词家～｜一代～。

【宗教】zōngjiào 名 一种社会意识形态和文化历史现象，是对客观世界的一种虚幻的反映，相信在现实世界之外存在着超自然、超人间的力量，要求人们信仰上帝、神道、精灵、因果报应等，把希望寄托于所谓天国或来世。

【宗庙】zōngmiào 名 帝王或诸侯祭祀祖宗的处所。

【宗派】zōngpài 名 ❶ 政治、学术、宗教方面的自成一派而和别派对立的集团（今多用于贬义）：～活动。❷〈书〉宗族的分支。

【宗派主义】zōngpài zhǔyì 从宗派利益出发处理内外关系的错误的思想作风，特点是思想狭隘，只顾小集团的利益，好闹独立性和做无原则的派系斗争等。

【宗师】zōngshī 名 指在思想或学术上受人尊崇而被奉为楷模的人：一代～。

【宗室】zōngshì 名 帝王的宗族。

【宗祧】zōngtiāo 名 旧时指家族相传的世系：继承～。

【宗仰】zōngyǎng〈书〉动（众人）推崇；景仰：海内～｜远近～。

【宗正】Zōngzhèng 名 姓。

【宗旨】zōngzhǐ 名 主要的目的和意图：本学会以弘扬祖国文化为～。

【宗主国】zōngzhǔguó 名 封建时代直接控制藩属国的外交和国防，从而使藩属国处于半独立的状态的国家。在资本主义时代，殖民国家对殖民地也自称宗主国。

【宗主权】zōngzhǔquán 名 宗主国对藩属国、殖民地享有的支配或统治的权力。

【宗族】zōngzú 名 ❶ 同一父系的家族：～制度。❷ 同一父系家族的成员（不包括出嫁的女性）。

综（綜）zōng ❶ 总起来；聚在一起：～合｜错～。❷（Zōng）名 姓。
另见1705页zèng。

【综观】zōngguān 动 综合观察：～全局。

【综合】zōnghé 动 ❶ 把分析过的对象或现象的各个部分，各属性联合成一个统一的整体（跟"分析"相对）。❷ 不同种类、不同性质的事物组合在一起：～治理｜～平衡（各方面之间的平衡）｜～大学｜戏剧是一种～艺术，它包括文学、美术、音乐、建筑等各种艺术的成分。

Z

【综合大学】zōnghé dàxué 多科系的高等学校,一般设有哲学社会科学(文科)和自然科学(理科)等方面的各种专业。

【综合国力】zōnghé guólì 一个国家国土面积、社会经济、科学技术、军事国防、对内对外方针政策等各个方面的总体实力和潜力。

【综合利用】zōnghé lìyòng 对资源实行全面、充分、合理的利用。

【综合语】zōnghéyǔ 图 词与词之间的语法关系主要是靠词本身的形态变化来表示的语言,如俄语。词的形态变化也叫屈折,所以综合语也叫屈折语。

【综合征】zōnghézhēng 图 因某些有病的器官相互关联的变化而同时出现的一系列症状。也叫症候群。

【综计】zōngjì 动 总计。

【综括】zōngkuò 动 总括。

【综述】zōngshù ❶ 动 综合地叙述:社论～了一年来的经济形势。❷ 图 综合叙述的文章:写了两篇新闻。

【综艺】zōngyì 图 综合文艺:大型～节目。

棕(椶) zōng ❶ 图 棕榈。❷ 图 棕毛:～绳|～毯|～刷子。❸ 像棕毛的颜色。

【棕绷】zōngbēng 图 用棕绳穿在木框上制成的床屉子:～床。也叫棕绷子。

【棕榈】zōnglú 图 常绿乔木,茎呈圆柱形,没有分枝,叶子大,有长叶柄,掌状深裂,裂片呈披针形,花黄色,核果长圆形。供观赏,木材可以制器具。

【棕毛】zōngmáo 图 棕榈树叶鞘的纤维,包在树干外面,红褐色,可以制蓑衣、绳索、刷子等物品。

【棕熊】zōngxióng 图 哺乳动物,身体大,肩部隆起,毛色一般棕褐色,但随地区不同而深浅不一。能爬树,会游泳,吃果、菜、虫、鱼、鸟、兽等,有时也伤害人畜。

腙 zōng 图 有机化合物的一类,是醛或酮的羰基与肼或取代肼缩合而成的化合物。[英 hydrazone]

骏(騌、騣) zōng 马鬃。

踪(蹤) zōng 脚印;踪迹:～影|失～|跟～|无影无～。

【踪迹】zōngjì 图 行动所留的痕迹:各个角落都找遍了,仍然不见～。

【踪影】zōngyǐng 图 踪迹(指寻找的对象,多用于否定式):毫无～|好几天看不见他的～。

鬃 zōng 图 马、猪等颈上的长毛:马～|猪～|～刷。

zǒng （ㄗㄨㄥˇ）

总(總、縂) zǒng ❶ 动 总括;汇集:～之|汇～|～其成|～起来说|把两笔账～到一块儿。❷ 形 全部的;全面的:～账|～动员|～攻击|～罢工|～的情况对我们非常有利。❸ 形 概括全部的;为首的;领导的:～纲|～则|～店|～工会|～路线|～司令|～书记。❹ 副 一直;一向:天～不放晴|晚饭后他～是到湖边散步。❺ 副 毕竟;总归:冬天～要过去,春天～会来临|小孩子～是小孩子,哪能像大人那样有力气。

【总裁】zǒngcái 图 ❶ 元代、清代称中央编纂机构的主管官员,清代也用来称主持会试的大臣。❷ 某些政党或银行、大型企业领导人的名称。

【总产值】zǒngchǎnzhí 图 用价值形式计算的物质生产部门、生产单位在一定时期内生产的各种产品的总量。

【总称】zǒngchēng ❶ 动 总括起来叫做:医、卜、星相之类过去～为方技。❷ 图 总括起来的名称:舰艇是各种军用船只的～。

【总得】zǒngděi 副 必须①:这件事～想个办法解决才好|我想他今天～来一趟。

【总动员】zǒngdòngyuán 动 ❶ 国家把全部武装力量由和平状态转入战时状态,把所有的人力、物力动员起来以备战争需要的紧急措施。❷ 为完成某项重要任务动员全部力量。

【总督】zǒngdū 图 ❶ 明初在用兵时派往地方巡视监察的官员,清朝始正式成为地方最高长官,一般管辖两省的军事和政治,也有管三省或只管一省的。❷ 英国国王派驻部分英联邦成员国(如加拿大)的代表。❸ 某些宗主国在其殖民地的代表。

【总队】zǒngduì 图 军队中相当于旅或师的一级组织。

【总额】zǒng'é 名 (款项)总数：存款～|工资～|销售～。

【总而言之】zǒng ér yán zhī 总括起来说；总之：～,要主动,不要被动|大的、小的、方的、圆的,～,各种形状都有。

【总纲】zǒnggāng 名 总的原则、要点；总的纲领。

【总公司】zǒnggōngsī 名 下设有若干分公司的大型企业,具有独立法人资格。

【总攻】zǒnggōng 动 军事上指全线出击或全面进攻：～令|发起～。

【总共】zǒnggòng 副 一共：他家～三口人|我们场里～养了两千多头奶牛。

【总管】zǒngguǎn ❶ 动 全面管理：校内事务一时无人～|后勤工作由老张～。❷ 名 全面管理事务的人。❸ 名 旧时富豪人家管理奴仆和各项事务的人。

【总归】zǒngguī 副 表示无论怎样一定如此；终究：事实～是事实。

【总合】zǒnghé 动 全部加起来；合在一起：把各种力量～起来。

【总和】zǒnghé 名 全部加起来的数量或内容：力量的～|三个月产量的～。

【总后方】zǒnghòufāng 名 指挥整个战争的领导机关所在的后方。

【总汇】zǒnghuì ❶ 动 (水流)汇合：～入海。❷ 名 汇合在一起的事物：人民是智慧的海洋,力量的～。

【总机】zǒngjī 名 供单位内部使用的交换机,可以接通许多分机和外线。

【总集】zǒngjí 名 汇集许多人的作品而成的诗文集,如萧统《文选》、郭茂倩《乐府诗集》(区别于"别集")。

【总计】zǒngjì 动 合起来计算：观众～有十万人|这个村粮食产量～为一百万斤。

【总角】zǒngjiǎo 〈书〉名 古代未成年的人把头发扎成髻,借指幼年：～之交(幼年就相识的朋友)。

【总结】zǒngjié ❶ 动 把一阶段内的工作、学习或思想中的各种经验或情况分析研究,做出有指导性的结论：～工作|～经验。❷ 名 指总结后概括出来的结论：年终～|工作～。

【总括】zǒngkuò 动 把各方面合在一起：～起来说|对各方面的情况加以～。

【总览】zǒnglǎn 动 全面地看；综观：～全局。

【总揽】zǒnglǎn 动 全面掌握：～大权。

【总理】zǒnglǐ ❶ 名 我国国务院领导人的名称。❷ 名 某些国家政府首脑的名称。❸ 名 某些政党领导人的名称。❹ 名 旧时某些机构、企业负责人的名称：学校～|分公司的～。❺ 〈书〉动 全面主持管理：～其事|～军务。

【总领事】zǒnglǐngshì 名 领事中的最高一级。参看 870 页〖领事〗。

【总路线】zǒnglùxiàn 名 在一定历史时期指导各方面工作的最根本的方针。

【总目】zǒngmù 名 总的目录：四库全书～|全书分订五册,除分册目录外,第一册前面还有全书～。

【总评】zǒngpíng 名 总的评价、评论或评比。

【总鳍鱼】zǒngqíyú 名 鱼的一类,有肺,可以在水外呼吸,鳍强壮有力。最早出现于泥盆纪,是陆生脊椎动物的祖先,为鱼类进化成两栖类的过渡类型,现在仍有残存。

【总数】zǒngshù 名 加在一起的数目：资产～|与会人员～不足一百。

【总司令】zǒngsīlìng 名 全国或一个方面的军队的最高统帅。

【总算】zǒngsuàn 副 ❶ 表示经过相当长的时间以后某种愿望终于实现：一连下了六七天的雨,今天～晴了|他白天想,夜里想,最后～想到了一个好办法。❷ 表示大体上还过得去：小孩子的字能写成这样,～不错了。

【总体】zǒngtǐ 名 若干个体所合成的事物；整体：～规划|～设计。

【总统】zǒngtǒng 名 某些国家的元首的名称。

【总务】zǒngwù 名 ❶ 机关学校等单位中的行政杂务：～科|～工作。❷ 负责总务的人。

【总星系】zǒngxīngxì 名 银河系和所有已经发现的河外星系的总称,是人类迄今为止所观测到的恒星世界。

【总悬浮颗粒物】zǒng xuánfú kēlìwù 指悬浮在大气中不易沉降的所有的颗粒物,包括各种固体微粒、液体微粒等,直径通常在 0.1—100 微米之间。

【总则】zǒngzé 名 规章条例的最前面的概括性的条文。

【总长】zǒngzhǎng 名 ❶ 北洋军阀时期中央政府各部的最高长官。❷ 总参谋长。

【总账】zǒngzhàng 名 簿记中主要账簿之一,按户头分类登记一切经济及财政业务。根据总账所记账目编制资产负债表。

【总之】zǒngzhī 连 表示下文是总括性的话:政治、文化、科学、艺术、~,一切上层建筑都是跟社会的经济基础分不开的|你爱唱歌,我爱下棋,他爱打乒乓球,~,都有个人的爱好。

【总装】zǒngzhuāng 动 把零件和部件装配成总体:~车间|汽轮发电机组正在进行~调试。

揾(揔) zǒng 〈书〉同“总”。

偬(傯) zǒng 见782页[倥偬]。

zòng（ㄗㄨㄥˋ）

纵¹（縱）zòng ❶ 形 地理上南北向的(跟“横”相对,下②③同):大运河北起北京,南至杭州,~贯天津、河北、山东、江苏、浙江五省市。❷ 形 从前到后的:~深|~着排成一队。❸ 形 跟物体的长的一边平行的:~剖面。❹ 名 指军队编制上的纵队。❺（Zòng）名 姓。

纵²（縱）zòng ❶ 动 释放;放走:欲擒故~|~虎归山。❷ 动 放任;不约束:放~|~情|~欲|不能~着孩子。❸ 动 纵身:花猫向前一~,就把老鼠扑住了。

纵³（縱）zòng 〈书〉连 纵然:~有千山万水,也挡不住英勇的勘探队员。

纵⁴（縱）zòng 〈方〉动 有了皱纹:~金字(用有皱纹的金纸做成的字)|衣服压~了|纸都~起来了。

【纵波】zòngbō 名 介质质点振动方向与传播方向一致的波。

【纵步】zòngbù ❶ 动 放开脚步:~向前走去。❷ 名 向前跳跃的步子:一个~跳过壕沟。

【纵队】zòngduì 名 ❶ 纵的队形:四路~。❷ 军队编制单位之一,我国解放战争时

期,解放军曾编纵队,相当于军。

【纵观】zòngguān 动 放眼观察(形势等):~古今|~全局|~时势。

【纵横】zònghéng ❶ 形 竖和横;横一条竖一条的:~交错|铁路、公路,像蜘蛛网一样。❷ 形 奔放自如:笔意~。❸ 动 奔驰无阻:红军长驱二万五千余里,~十一个省。

【纵横捭阖】zònghéng bǎihé 指在政治、外交上运用手段进行联合或分化(纵横:用游说来联合;捭阖:开合)。

【纵虎归山】zòng hǔ guī shān 比喻放走敌人,留下祸根。也说放虎归山。

【纵火】zònghuǒ 动 放火:~犯。

【纵酒】zòngjiǔ 动 没有节制地饮酒。

【纵览】zònglǎn 动 放开眼任意观看:~四周|~群书。

【纵令】¹ zònglìng 连 即使:~有天大困难,也吓不倒我们。

【纵令】² zònglìng 动 放任不加管束;听凭:不得~坏人逃脱。

【纵论】zònglùn 动 毫无拘束地谈论:~天下大势。

【纵目】zòngmù 动 尽着目力(远望):~四望。

【纵剖面】zòngpōumiàn 名 顺着物体轴心线的方向切断物体后所呈现出的表面,如圆柱体的纵剖面是一个长方形。

【纵情】zòngqíng 副 尽情:~欢乐|~歌唱。

【纵然】zòngrán 连 即使:今天~有雨,也不会很大。

【纵容】zòngróng 动 对错误行为不加制止,任其发展:不要~孩子的不良行为。

【纵身】zòngshēn 动 全身猛力向前或向上(跳):~上马|~跳过壕沟。

【纵深】zòngshēn 名 地域纵的方向的深度(多用于军事上):突破前沿,向~推进。

【纵使】zòngshǐ 连 即使:~你再聪明,不努力也难以成事。

【纵谈】zòngtán 动 无拘束地谈:~天下事。

【纵向】zòngxiàng 形 属性词。❶ 非平行的;上下方向的:~比较|~联系。❷ 指南北方向的:京广铁路是~的,陇海铁路是横向的。

【纵欲】zòngyù 动 放纵肉欲,不加节制。

【纵坐标】zòngzuòbiāo 名 平面上任何一

点到横坐标轴的距离叫做这一点的纵坐标。

疭(瘲) zòng 见186页[瘲疭]。

粽(糉) zòng 粽子：肉～|豆沙～。

【粽子】zòng·zi 图 一种食品，用竹叶或苇叶等把糯米包住，扎成三角锥体或其他形状，煮熟后食用。我国民间端午节有吃粽子的习俗。

豵 zòng 〈方〉公猪。

zōu（ㄗㄡ）

邹(鄒) Zōu ❶ 周朝国名，在今山东邹城一带。❷ 图 姓。

驺(騶) zōu ❶ 古代给贵族掌管车马的人。❷ (Zōu) 图 姓。

诹(諏) zōu 〈书〉商量；咨询：～吉（商订吉日）。

陬 zōu 〈书〉角落：山脚。

缬(緅) zōu 〈书〉黑里带红的颜色。

鄹(❶鄹) Zōu ❶ 春秋时鲁国地名，在今山东曲阜东南。❷〈书〉同"邹"①。

鲰(鯫) zōu 〈书〉❶ 小鱼。❷ 形容小。

zǒu（ㄗㄡˇ）

走 zǒu ❶ 勔 人或鸟兽的脚交互向前移动：行～|～路|孩子会～了|马不～了。❷〈书〉跑；奔：～奔。❸ 勔 （车、船等）运行；移动；挪动：钟不～了|这条船一个钟头能～三十里|你这步棋～坏了。❹ 勔 趋向；呈现某种趋势：～红|～热。❺ 勔 离开；去：车刚～|我明天要～了|请你一趟吧|把箱子抬～。❻ 勔 指人死（婉辞）：她还这么年轻就～了。❼ 勔（亲友之间）来往：～娘家|～亲戚|他们两家～得很近。❽ 勔 通过：咱们～这个门出去吧。❾ 勔 漏出；泄漏：～气|～风|说～嘴。❿ 勔 改变或失去原样：～样|～调儿|～味儿|你

把原意讲～了。⓫ (Zǒu) 图 姓。

【走板】zǒu//bǎn 勔 ❶ 指唱戏不合板眼；唱得走了板。❷（～儿）比喻说话离开主题或不恰当：他说着说着就走了板儿。

【走笔】zǒubǐ 〈书〉勔 很快地写：～疾书。

【走避】zǒubì 勔 为躲避而走开；逃避：～他乡|～不及。

【走边】zǒu//biān 勔 武戏中表演夜间潜行、靠路边疾走的动作。

【走镖】zǒubiāo 勔 指保镖的人押送货物。

【走道】zǒudào 图 街旁或室内外供人行走的道路：大楼的～窄|留出一条～。

【走道儿】zǒu//dàor 〈口〉勔 走路：小孩儿刚会～|她一扭一扭地～。

【走低】zǒudī 勔（价格等）往下降：物价持续～|欧元汇率一度～。

【走电】zǒu//diàn 〈方〉勔 跑电。

【走调】zǒu//diàor 勔 唱戏、唱歌、演奏乐器不合调子：他唱歌爱～。

【走动】zǒudòng 勔 ❶ 行走而使身体活动：坐的时间久了，应该～～。❷ 指亲戚朋友之间彼此来往：两家常～，感情很好。

【走读】zǒudú 勔（学生）只在学校上课，不在学校住宿，叫走读（区别于"寄宿"）：～生|～大学。

【走读生】zǒudúshēng 图 不在学校住宿的学生。

【走访】zǒufǎng 勔 访问；拜访：记者～劳动模范。

【走风】zǒu//fēng 勔 泄露消息。

【走钢丝】zǒu gāngsī ❶ 杂技的一种，演员在悬空的钢丝上来回走动，并表演各种动作。❷ 比喻做有风险的事情。

【走高】zǒugāo 勔（价格等）往上升：消费需求增加，拉动物价～。

【走狗】zǒugǒu 图 本指猎狗，今比喻受人豢养而帮助作恶的人。

【走过场】zǒu guòchǎng ❶ 戏曲中角色出场后不停留，穿过舞台从另一侧下场，叫走过场。❷ 比喻敷衍了事。

【走合】zǒuhé 磨(mó)合。

【走红】zǒu//hóng 勔 ❶ 遇到好运气：这几年他正～，步步高升。也说走红运。❷ 指吃得开；受欢迎：音像制品开始～。

【走后门】zǒu hòumén（～儿）比喻用托人情、行贿等不正当的手段，通过内部关系达到某种目的。

【走火】zǒu//huǒ 劻 ❶ 因不小心而使火器发射：枪走了火。❷ 比喻说话说过了头：他说话好～。❸ 电线破损跑电引起燃烧：起火原因是电线～。❹ 失火：仓房～了。

【走火入魔】zǒu huǒ rù mó 痴迷于某种事物到了失去理智的地步。

【走江湖】zǒu jiāng·hú 指四方奔走，靠武艺、杂技或医卜星相谋生。

【走廊】zǒuláng 名 ❶ 屋檐下高出平地的走道，或房屋之间有顶的走道。❷ 比喻连接两个较大地区的狭长地带：河西～。

【走漏】zǒulòu 劻 ❶ 泄露（消息等）：～风声。❷ 走私漏税。❸ 大宗的东西部分失窃、遗失。

【走露】zǒulòu 劻 走漏①。

【走路】zǒu//lù 劻 ❶（人）在地上走：孩子会～了｜走了两天的路，累坏了。❷ 指离开；走开：不好好儿干，让他卷铺盖～。

【走马】zǒumǎ 劻 骑着马跑：平原一｜～看花。

【走马灯】zǒumǎdēng 名 一种供玩赏的灯，用彩纸剪成各种人骑着马的形象（或别的形象），贴在灯里特制的轮子上，轮子因蜡烛的火焰形成的空气对流而转动，纸剪的人物随着绕圈儿。

【走马观花】zǒu mǎ guān huā 比喻粗略地观察事物。也说走马看花。

【走马看花】zǒu mǎ kàn huā 走马观花。

【走马上任】zǒu mǎ shàng rèn 指官吏就职。

【走南闯北】zǒu nán chuǎng běi 形容四处闯荡，到过许多地方。

【走内线】zǒu nèixiàn 指通过对方的眷属或亲信，进行某种活动。

【走偏】zǒupiān 劻 偏离原来的方向：运转平稳，不会～◇孩子没有了父母约束，容易～。

【走俏】zǒuqiào 形（商品）销路好：近年金首饰～。

【走强】zǒuqiáng 劻 ❶（价格等）趋于上升：大盘指数～。❷ 趋于旺盛：技术人才的需求量～。

【走禽】zǒuqín 名 鸟的一类。这类鸟翅膀短小，脚大而有力，只能在地面行走而不能飞行。如鸵鸟、鸸鹋等。

【走热】zǒurè 劻 逐渐受人欢迎和关注；趋于流行、热销等：旅游市场进一步～。

【走人】zǒurén 劻（人）离开；走开：咱们～，不等他了｜他既然不愿意干，就叫他～。

【走软】zǒuruǎn 劻 走弱。

【走弱】zǒuruò 劻 ❶（价格等）趋于下降：车市开始～。❷ 趋于低迷：销售势头～。

【走色】zǒu//shǎi 劻 落色：这布一洗就～。

【走扇】zǒushàn 劻 门扇或窗扇由于变形等原因而关不上或关不严。

【走绳】zǒu//shéng 劻 杂技的一种，演员在悬空的绳索上来回走动，并表演各种动作。也叫走索。

【走神儿】zǒu//shénr 劻 精神不集中，注意力分散：开车可不能～｜刚才走了神儿，没听见他说什么。

【走失】zǒushī 劻 ❶（人或家畜）出去后迷了路，回不到原地，因而不知下落：孩子在庙会上～了｜前天他家～了一只羊。❷ 改变或失去（原样）：译文～原意。

【走时】¹zǒushí 劻 钟表指针移动，指示时间：这只表～准确。

【走时】²zǒushí〈方〉形 走运。也说走时运。

【走势】zǒushì 名 ❶ 趋势：当前企业投资～看好。❷ 走向：勘察山谷的～。

【走兽】zǒushòu 名 泛指兽类：飞禽～。

【走水】zǒu//shuǐ 劻 ❶ 漏水：房顶～了。❷ 流水：渠道～通畅。❸〈方〉指失火（含避讳意）：仓库～。

【走水】zǒu·shui〈方〉名 帐子帘幕等上方装饰的短横幅。

【走私】zǒu//sī 劻 违反海关法规，逃避海关检查，非法运输货物进出口境：～香烟｜～活动。

【走索】zǒu//suǒ 劻 走绳。

【走台】zǒu//tái 劻 ❶ 演员等正式演出前在舞台上走动练习，熟悉位置。❷ 时装模特儿在表演台上行走进行展示、表演。

【走题】zǒu//tí 劻 做诗文或说话离开了主题：说话走了题。

【走投无路】zǒu tóu wú lù 无路可走，比喻处境极端困难，找不到出路。

【走味儿】zǒu//wèir 劻 失去原有的滋味、气味（多指食物、茶叶等）。

【走向】zǒuxiàng 图(岩层、矿脉、山脉等)延伸的方向：河流~|边界~|一条南北~的道路。

【走形】zǒu//xíng (~儿)动失去原有的形状；变形：用潮湿木料做成的家具容易~|这件衣服洗了一次就走了形。

【走形式】zǒu xíngshì 指只图表面上应付,不讲实效。

【走穴】zǒuxué 动指演员为了捞外快而私自外出演出。

【走眼】zǒu//yǎn 动看错：拿着好货当次货,你可看~了|买珠宝首饰,若是走了眼,可就要吃大亏。

【走样】zǒu//yàng (~儿)动失去原来的样子：话三传两传就走了样儿。

【走运】zǒu//yùn 〈口〉形所遇到的事情,恰巧符合自己的意愿；运气好：你真~,好事都让你赶上了。

【走账】zǒu//zhàng 动把款项记在账簿上。

【走卒】zǒuzú 图差役,比喻受人豢养而帮助作恶的人。

【走嘴】zǒu//zuǐ 动说话不留神而泄露机密或发生错误：她说着说着就走了嘴。

zòu（ㄗㄡˋ）

奏 zòu ❶动演奏：独~|合~|伴~|~国歌。❷发生；取得(功效等)：~效|大~奇功。❸动臣子对帝王陈述意见或说明事情：启~|~议|~上一本。❹(Zòu)图姓。

【奏捷】zòujié 动取得胜利：~归来|频频~。

【奏凯】zòukǎi 动得胜而奏凯歌,泛指胜利。

【奏鸣曲】zòumíngqǔ 图乐曲形式之一,一般由三个或四个性质不同的乐章组成,用一件或两件乐器演奏。

【奏疏】zòushū 图奏章。

【奏效】zòu//xiào 动发生预期的效果；见效：吃了这药准能~。

【奏乐】zòu//yuè 动演奏乐曲：乐队~。

【奏章】zòuzhāng 图臣子向帝王呈递的意见书。

【奏折】zòuzhé 图写有奏章的折子：上~。

揍 zòu 动❶〈口〉打(人)：揍~|~他一顿。❷〈方〉打碎：小心别把玻璃~了|把碗给~了。

zū（ㄗㄨ）

租 zū ❶动租用：~房|~了一辆汽车。❷动出租：这个书店开展~书业务。❸出租所收取的金钱或实物：房~|地~|减~减息。❹旧指田赋：~税。❺(Zū)图姓。

【租户】zūhù 图租用房屋或物品的人。

【租价】zūjià 图出租的价格。

【租界】zūjiè 图帝国主义国家强迫半殖民地国家在通商都市内"租借"给他们做进一步侵略的据点的地区。

【租借】zūjiè 动❶租用：~剧场开会。❷出租：修车铺~自行车。

【租借地】zūjièdì 图一国以租借名义在他国暂时取得使用、管理权的地区。租借地的所有权仍属于原来国家,出租国有权随时要求交还。

【租金】zūjīn 图租房屋、土地或物品的钱。

【租赁】zūlìn 动❶租用：~了两间平房。❷出租：这家公司向外~建筑机械。

【租税】zūshuì 图旧时田赋和各种税款的总称。

【租用】zūyòng 动以归还原物并付给一定代价为条件而使用别人的东西：~家具。

【租约】zūyuē 图确定租赁关系的契约。

【租子】zū·zi 〈口〉图地租：交~|收~。

菹(葅) zū 〈书〉❶多水草的沼泽地带。❷酸菜。❸切碎(菜、肉)。

zú（ㄗㄨˊ）

足¹ zú ❶脚；腿：~迹|~球|手舞~蹈|画蛇添~。❷器物下部形状像腿的支撑部分：鼎~。❸指足球运动：~坛|女~。❹(Zú)图姓。

足² zú ❶形充足；足够：富~|十~|丰衣~食|劲头很~。❷副够得上某

种数量或程度：这棵菜～有十几斤|这些事有三小时～能做完。❸ 足以：值得(多用于否定式)：不～为凭|微～道。

【足本】zúběn 图书籍没有残缺删削的本子：大字～《三国演义》。

【足赤】zúchì 图足金：金无～,人无完人。

【足够】zúgòu ❶ 达到应有的或能满足需要的程度：～的燃料|～的认识|已经这么多了,～了。❷ 满足;知足：有您这句话就～了。

【足迹】zújì 图脚印：祖国各个角落都有勘探队员的～。

【足见】zújiàn 连承接上文,表示足以做出某种推断：这些难题通过集体研究都解决了,～走群众路线是非常必要的。

【足金】zújīn 图成色十足的金子。

【足球】zúqiú 图❶ 球类运动项目之一,主要用脚踢球。球场长方形,较大,比赛时每队上场十一人,一人守门。除守门员外,其他队员不得用手或臂触球。把球射进对方球门算得分,得分多的获胜。❷ 足球运动使用的球,用牛皮做壳,橡胶做胆,比篮球小。

【足色】zúsè 形属性词。金银的成色十足：～纹银。

【足岁】zúsuì 图按十足月份和天数计算的年龄：这孩子已经七～了。

【足下】zúxià 图对朋友的尊称(多用于书信)。

【足以】zúyǐ 动完全可以;够得上：这些事实～说明问题。

【足银】zúyín 图成色十足的银子。

【足月】zúyuè 动指胎儿在母体中成长的月份已足：孩子不～就生下来了。

【足智多谋】zú zhì duō móu 智谋很多,形容善于料事和用计。

卒¹ zú ❶ 兵：小～|马前～。❷ 差役：走～|狱～|隶～。❸ (Zú)图姓。

卒² zú 〈书〉❶ 完毕;结束：～读|～业。❷ 副到底;终于：～于成。❸ 死：病～|暴～|生～年月。
另见231页cù。

【卒岁】zúsuì 〈书〉动度过一年：聊以～。

【卒业】zúyè 〈书〉动毕业。

崒(崪) zú 〈书〉险峻。

族 zú ❶ 家族：宗～|合～|同～。❷ 古代的一种残酷刑法,杀死犯罪者的整个家族,甚至他母亲、妻子等的家族。❸ 种族;民族：汉～|斯拉夫～。❹ 事物有某种共同属性的一大类：水～|语～|芳香～化合物◇打工～|上班～。

【族内婚】zúnèihūn 图内婚制。

【族谱】zúpǔ 图家族或宗族记载本族世系和重要人物事迹的书。

【族权】zúquán 图宗法制度下,族长对家族或宗族的支配权力,或家长对家庭成员的支配权力。

【族群】zúqún 图❶ 指由共同语言、宗教、信仰、习俗、世系、种族、历史和地域等方面的因素构成的社会文化群体。❷ 泛指具有某些共同特点的一群人：高血压患者是发生脑中风的危险～。

【族人】zúrén 图同一家族或宗族的人。

【族外婚】zúwàihūn 图外婚制。

【族长】zúzhǎng 图宗法制度下家族或宗族的领头人,通常由族中辈分较高、年纪较长的有权势的人担任。

镞(鏃) zú 〈书〉箭头：箭～。

zǔ （ㄗㄨˇ）

诅(詛) zǔ 〈书〉❶ 诅咒。❷ 盟誓;发誓。

【诅咒】zǔzhòu 动原指祈祷鬼神加祸于所恨的人,今指咒骂。

阻 zǔ 阻挡;阻碍：～止|拦～|劝～|畅行无～。

【阻碍】zǔ'ài ❶ 动使不能顺利通过或发展：～交通|旧的生产关系～生产力的发展。❷ 图起阻碍作用的事物：毫无～。

【阻挡】zǔdǎng 动阻止;拦住：他一定要去,就不要～了|革命洪流不可～。

【阻遏】zǔ'è 动阻止。

【阻隔】zǔgé 动两地之间不能相通或不易来往：山川～。

【阻击】zǔjī 动以防御手段阻止敌人增援、逃跑或进攻：～战。

【阻截】zǔjié 动阻挡;拦住：～敌人。

【阻绝】zǔjué 动受阻碍不能通过；阻隔：交通～|音信～。

【阻抗】zǔkàng 图电路中电阻、电感和电容对交流电的阻碍作用。单位是欧姆。

【阻拦】zǔlán 勔 阻止：他要去，谁也~不住。

【阻力】zǔlì 名 ❶ 妨碍物体运动的作用力：空气~|水的~。❷ 泛指阻碍事物发展或前进的外力：冲破各种~，克服一切困难。

【阻挠】zǔnáo 勔 阻止或暗中破坏使不能发展或成功：从中~|双方和谈。

【阻燃】zǔrán 勔 阻止燃烧：~剂|~材料。

【阻塞】zǔsè 勔 ❶ 有障碍而不能通过：交通~。❷ 使阻塞：拥挤的车辆~了道路◇~言路。

【阻止】zǔzhǐ 勔 使不能前进；使停止行动：别~他，让他去吧。

【阻滞】zǔzhì 勔 ❶ 有阻碍而不能顺利通过：交通~|电话线路发生~。❷ 阻止；使阻滞：电车被~在马路上|~敌人的援军。

组(組) zǔ ❶ 勔 组织：改~|~字游戏|十个人~成一个分队。❷ 名 由不多的人员组织成的单位：小~|大~|~长|~员|读报~|互助~|人事~。❸ 量 用于事物的集体：两~电池。❹ 合成一组的(文艺作品)：~诗|~画|~曲|~歌。

【组办】zǔbàn 勔 组织筹办：~音乐会。

【组队】zǔ//duì 勔 组成队伍(参加比赛、慰问、演出等)：~集训|~报名参赛。

【组分】zǔfèn 名 指混合物中的各个成分，如空气中的氧、氮、氢等是空气的组分。

【组稿】zǔ//gǎo 勔 出版社或报刊的编辑人员按照出版、编辑计划向作者约定稿件。

【组歌】zǔgē 名 由表现同一个主题的若干支歌曲组成的一组歌，如《长征组歌》。

【组阁】zǔ//gé 勔 ❶ 组织内阁：受命~。❷ 泛指组织领导班子。

【组合】zǔhé 勔 ❶ 组织成为整体：这本集子是由诗、散文和短篇小说三部分~而成的。❷ 名 组织起来的整体：劳动~(工会的旧称)|词组是词的~。❸ 名 由 m 个不同的元素中取出 n 个并成一组，不论次序，其中每组所含成分至少有一个不同，所得到的结果叫做由 m 中取 n 个的组合。如由 a, b, c, d 中取 3 个的组合有 abc，abd, acd, bcd 四组。组合数用 C_m^n 来表示，公式是

$$C_m^n = \frac{m(m-1)(m-2)\cdots(m-n+1)}{1 \times 2 \times 3 \times \cdots \times n}$$

【组画】zǔhuà 名 由表现同一主题的、形式统一的若干幅画组成的一组画。组画一般比连环画幅数少，画面较大，每幅画具有相对的独立性。

【组建】zǔjiàn 勔 组织并建立(机构、队伍等)：~剧团|~突击队。

【组曲】zǔqǔ 名 由若干器乐曲组成的一组乐曲。

【组诗】zǔshī 名 由表现同一主题的若干首诗组成的一组诗。

【组团】zǔtuán 勔 组成团体，特指组织剧团或代表团、旅游团：~出国访问|中央歌舞团重新|中国运动员~参加奥运会。

【组织】zǔzhī ❶ 勔 安排分散的人或事物使具有一定的系统性或整体性：~人力|~联欢晚会|这篇文章~得很好。❷ 名 系统；配合关系：~严密|~松散。❸ 名 纺织品经纬纱线的结构：平纹~|斜纹~|缎纹~。❹ 名 机体中构成器官的单位，是由许多形态和功能相似的细胞按一定的方式结合而成的。人和高等动物体内有上皮组织、结缔组织、肌组织和神经组织。❺ 名 按照一定的宗旨和系统建立起来的集体：党团~|工会~|向~汇报工作。

【组织生活】zǔzhī shēnghuó 党派、团体的成员每隔一段时间聚集在一起进行的交流思想、讨论问题等的活动。

【组装】zǔzhuāng 勔 把零件组合起来，构成部件；把零件或部件组合起来，构成机械或装置：~车间|~一台电脑。

俎 zǔ ❶ 古代祭祀时盛牛羊等祭品的器具。❷ 古代割肉类用的砧板。❸ (Zǔ)名 姓。

【俎上肉】zǔshàngròu 〈书〉名 比喻任人欺压踩蹒的人或国家。

祖 zǔ ❶ 父母亲的上一辈：~父|伯~|外~。❷ 祖宗：曾~|高~|远~。❸ 事业或派别的首创者：鼻~|~师。❹ (Zǔ)名 姓。

【祖辈】zǔbèi 名 祖宗；祖先①。

【祖本】zǔběn 名 书籍或碑帖最早的刻本或拓本。

【祖产】zǔchǎn 名 祖宗传下来的产业。

【祖传】zǔchuán 勔 祖宗留传下来：~秘方|三代~。

【祖坟】zǔfén 名祖宗的坟墓。

【祖父】zǔfù 名父亲的父亲。

【祖国】zǔguó 名自己的国家。

【祖籍】zǔjí 名原籍。

【祖居】zǔjū ❶名祖辈居住过的房子或地方。❷动世代居住：～南京。

【祖率】zǔlǜ 名南北朝时祖冲之算出圆周率的近似值为3.141 592 6和3.141 592 7之间,并提出圆周率的疏率为$\frac{22}{7}$,密率为$\frac{355}{113}$。为了纪念祖冲之,把他算出的近似值叫做祖率。

【祖母】zǔmǔ 名父亲的母亲。

【祖母绿】zǔmǔlǜ 名一种宝石,是含铬而呈翠绿色的绿柱石。

【祖上】zǔshàng 名家族中较早的上辈：他～是从江西迁来的。

【祖师】zǔshī 名❶学术或技术上创立派别的人。❷佛教、道教中创立宗派的人。❸会道门称本会门或本道门的创始人。❹旧时手工业者称本行业的创始者。‖也说祖师爷。

【祖述】zǔshù〈书〉动尊崇和效法前人的学说或行为。

【祖孙】zǔsūn 名祖父或祖母和孙子或孙女。

【祖先】zǔxiān 名❶一个民族或家族的上代,特指年代比较久远的。❷演化成现代各类生物的各种古代生物：始祖鸟是鸟类的～之一。

【祖业】zǔyè 名❶祖产。❷祖先创立的功业。

【祖宗】zǔ·zong 名一个家族的上辈,多指较早的。也指民族的祖先。

【祖祖辈辈】zǔzǔbèibèi 名世世代代：我家～都是农民|勤劳俭朴是我国劳动人民～流传下来的美德。

----

zuān（ㄗㄨㄢ）

钻(鑽) zuān 动❶用尖的物体在另一物体上转动,造成窟窿：～孔|～个眼儿|～木取火。❷穿过;进入：～山洞|～到水里。❸钻研：～书本|边干边～,边学边用。❹指钻营。

另见 1821 页 zuàn。

【钻空子】zuān kòng·zi 利用漏洞进行对自己有利的活动。

【钻门子】zuān mén·zi〈口〉指巴结权贵。

【钻谋】zuānmóu 动钻营：～肥缺。

【钻牛角尖】zuān niújiǎojiān 比喻费力研究不值得研究的或无法解决的问题,也比喻固执地坚持某种意见或观点,不知道变通。也说钻牛角、钻牛犄角。

【钻探】zuāntàn 动为了勘探矿床、地层构造、地下水位、土壤性质等,用钻机向地下钻孔,取出岩芯等样品供分析研究。

【钻探机】zuāntànjī 名钻(zuàn)机。

【钻心】zuānxīn 动指心里像被钻着那样难受：痒得～|疼痛～。

【钻研】zuānyán 动深入研究：～理论|～业务|刻苦～。

【钻营】zuānyíng 动设法巴结有权势的人以谋求私利：拍马～。

躜(躦) zuān 动向上或向前冲。

----

zuǎn（ㄗㄨㄢˇ）

篡 zuǎn 同"纂"①。

另见 1792 页 zhuàn。

缵(纘) zuǎn〈书〉继承。

纂(❷鬂) zuǎn ❶〈书〉编辑：～修|～辑|编～。❷(～儿)〈方〉名妇女梳在头后边的发髻。

【纂修】zuǎnxiū〈书〉动编纂：～《明史》。

籑(籑) zuǎn 同"纂"①。

另见 1792 页 zhuàn。

----

zuàn（ㄗㄨㄢˋ）

钻(鑽) zuàn 名❶打眼儿用的工具,有手摇的、电动的、风动的多种。❷指钻石：～戒|十七～的手表。

另见 1821 页 zuān。

【钻床】zuànchuáng 名金属切削机床,用来加工工件上的圆孔。加工时工件固定在工作台上,钻头一面旋转,一面推进切削。

【钻机】zuànjī 名 钻井、钻探用的机器。包括动力设备和钻杆、钻头、岩心管、钢架等。有冲击式和旋转式两种。也叫钻(zuān)探机。

【钻戒】zuànjiè 名 镶着钻石的戒指。

【钻石】zuànshí 名 ❶ 经过琢磨的金刚石,是贵重的宝石。❷ 指硬度较高的人造宝石,可用来做精密仪器、仪表的轴承或装饰品。

【钻石婚】zuànshíhūn 名 金刚石婚。

【钻塔】zuàntǎ 名 井架用于钻井或钻探时叫做钻塔。

【钻头】zuàntóu 名 钻、钻床、钻机上用的刀具,金属切削上常用的是有螺旋槽的麻花钻头,地质勘探用的有硬质合金钻头、金刚石钻头等。

赚(賺) zuàn 〈方〉动 骗(人):你~我白跑了一趟。
另见1791页 zhuàn。

攥 zuàn 〈口〉动 握:～紧拳头|手里~着一把斧子。

---

zuī（ㄗㄨㄟ）

脧 zuī 〈方〉名 男子生殖器。
另见743页 juān。

---

zuǐ（ㄗㄨㄟˇ）

咀 zuǐ "嘴"俗作咀。
另见737页 jǔ。

觜 zuǐ 同"嘴"。
另见1802页 zī。

嘴 zuǐ 名 ❶ 口的通称:张～|闭～。❷（～儿）形状或作用像嘴的东西:瓶～儿|茶壶～儿|烟～儿。❸ 指说的话:～甜|别多～。

【嘴巴】zuǐ·ba 名 ❶ 打嘴部附近的部位叫打嘴巴:挨了一个～。也叫嘴巴子。❷ 嘴①:张开～。

【嘴笨】zuǐ//bèn 形 口头表达能力差;不善于说话:他～,有话说不出来。

【嘴唇】zuǐchún 名 唇的通称:上～|下～。

【嘴刁】zuǐ//diāo 形 ❶ 指吃东西爱挑剔:她从小～,总是这不吃,那不吃的。❷〈方〉

说话刁滑:这小鬼～,差点儿被她骗了。

【嘴乖】zuǐ//guāi 〈口〉形 说话使人爱听(多指小孩儿):这小姑娘～,挺逗人喜欢。

【嘴尖】zuǐ//jiān 形 ❶ 说话刻薄:这人～,爱损人。❷ 指味觉灵敏,善于辨别味道:他～,喝一口就知道是这是什么茶。❸ 嘴刁①:这孩子～,不合口的一点也不吃。

【嘴角】zuǐjiǎo 名 上下唇两边相连的部分。

【嘴紧】zuǐ//jǐn 形 说话谨慎,不乱讲。

【嘴快】zuǐ//kuài 形 有话藏不住,马上说出来。

【嘴脸】zuǐliǎn 名 面貌;表情或脸色(多含贬义):丑恶～|他一直不给人家好～看。

【嘴皮子】zuǐpí·zi 〈口〉名 嘴唇,指说话的技巧或口头表达能力(多含贬义):耍～|他那两片～可能说了。

【嘴软】zuǐ//ruǎn 形 说话不理直气壮。

【嘴松】zuǐ//sōng 形 说话不谨慎,容易说出不应说的话。

【嘴碎】zuǐ//suì 形 说话啰唆:老太太～,遇事总爱唠叨。

【嘴损】zuǐ//sǔn 〈方〉形 说话刻薄:～不饶人。

【嘴甜】zuǐ//tián 形 说的话使人听着舒服:孩子～,讨老人喜欢。

【嘴头】zuǐtóu（～儿）〈方〉名 嘴(就说话而言):～能说会道|我是打～上直到心眼儿里服了你了。也叫嘴头子。

【嘴稳】zuǐ//wěn 形 说话谨慎,不说泄露秘密的话。

【嘴严】zuǐ//yán 形 嘴紧;嘴稳。

【嘴硬】zuǐ//yìng 形 自知理亏而口头上不肯认错或服输:做错了事还～。

【嘴直】zuǐ//zhí 形 说话直爽:别怪我～,这事是你不对。

【嘴子】zuǐ·zi 〈方〉名 嘴②:山～。

---

zuì（ㄗㄨㄟˋ）

寂 zuì 〈书〉同"最"。

最 zuì ❶ 副 表示某种属性超过所有同类的人或事物:我国是世界上人口最多的国家。❷ 指(在同类事物中)居首位的;没有能比得上的:中华之～|世界之～。

【最爱】zuì'ài 图指最喜欢的人或事物：汽车模型一直是他的～。

【最初】zuìchū 图最早的时期；开始的时候：那里～还是不毛之地|我～认识他是在上中学的时候。

【最好】zuìhǎo 副最为适当：你～早点儿出发|这件事你～事先通知他一声。

【最后】zuìhòu 图在时间上或次序上在所有别的之后：～胜利一定属于我们|这是全书的～一章。

【最后通牒】zuìhòu tōngdié 一国对另一国提出的必须接受其要求，否则将使用武力或采取其他强制措施的外交文书，这种文书限在一定时期内答复。也叫哀的美敦书。

【最惠国待遇】zuìhuìguó dàiyù 一国在关税、贸易、航海、公民法律地位等方面给予另一国的不低于任何第三国的优惠待遇。

【最简式】zuìjiǎnshì 图实验式。

【最近】zuìjìn 图指说话前或后不久的日子：～我到上海去了一趟|这个戏～就要上演了。

【最为】zuìwéi 副用在双音节的形容词前，表示某种属性超过所有同类的人或事物：～重要|～可恶|用电话通知为～省事。

【最终】zuìzhōng 图最后；末了：～目的。

【最终产品】zuìzhōng chǎnpǐn 指直接供消费者购买、使用的物品和服务。

晬 zuì 〈书〉婴儿周岁。

罪(辠) zuì ❶ 图作恶或犯法的行为：有～|～大恶极。❷ 过失；过错：归～于人。❸ 图苦难；痛苦：受～。❹ 把罪过归到某人身上；责备：～己。

【罪案】zuì'àn 图犯罪的案情。

【罪不容诛】zuì bù róng zhū 罪大恶极，处死都不能抵偿。

【罪错】zuìcuò 图罪行和过错。

【罪大恶极】zuì dà è jí 罪恶严重到极点。

【罪恶】zuì'è 图严重犯罪或作恶的行为：～滔天。

【罪犯】zuìfàn 图有犯罪行为、正在依法被执行刑罚的人。

【罪过】zuì·guo 图❶ 过失：他有什么～，你这样指斥他？❷ 谦辞，表示不敢当：为我的事让您老特地跑一趟，真是～。

【罪魁】zuìkuí 图罪恶行为的首要分子：～祸首。

【罪戾】zuìlì 〈书〉图罪过①；罪恶。

【罪名】zuìmíng 图刑法根据犯罪行为的性质和特征所规定的犯罪名称。如盗窃罪、贪污罪、强奸罪等。

【罪孽】zuìniè 图迷信的人认为应受到报应的罪恶：～深重。

【罪愆】zuìqiān 〈书〉图罪过①。

【罪人】zuìrén 图有罪的人。

【罪行】zuìxíng 图犯罪的行为：～累累|犯下严重～。

【罪尤】zuìyóu 〈书〉图罪过①。

【罪有应得】zuì yǒu yīng dé 干了坏事或犯了罪得到应得的惩罚。

【罪责】zuìzé ❶ 图对罪行所负的责任：～难逃。❷〈书〉动责罚；免于～。

【罪证】zuìzhèng 图犯罪的证据：查明～。

【罪状】zuìzhuàng 图犯罪的事实：罗列～。

檇(欈) zuì [檇李](zuǐlǐ)图❶ 李子的一个品种，果实皮鲜红，汁多，味甜。❷ 这种植物的果实。

蕞 zuì [蕞尔](zuǐ'ěr)〈书〉形形容小（多指地区小）：～小国。

醉 zuì 动❶ 饮酒过量，神志不清：～汉|喝～了|～得不省人事。❷ 沉迷，过分爱好：～心|陶～|听着这美妙的音乐，我的心都～了。❸ 用酒泡制（食品）：～枣|～蟹。

【醉鬼】zuìguǐ 图喝醉了酒的人，多指经常喝醉酒的人（含厌恶意）。

【醉汉】zuìhàn 图喝醉了酒的男人。

【醉话】zuìhuà 图醉酒后神志不清时说的话。

【醉人】zuìrén 动❶（酒）使人喝醉：这酒度数虽不高，可爱～。❷ 使人陶醉：春意～|～的音乐。

【醉生梦死】zuì shēng mèng sǐ 像喝醉了酒和在睡梦中那样糊里糊涂地活着。

【醉态】zuìtài 图喝醉以后神志不清的状态。

【醉翁之意不在酒】zuì wēng zhī yì bù zài jiǔ 欧阳修《醉翁亭记》："醉翁之意不在酒，在乎山水之间也。"后用来表示本意不在此而在别的方面。

【醉乡】zuìxiāng 图喝醉以后昏昏沉沉、迷迷糊糊的境界：沉入～。

Z

【醉心】zuìxīn 动 对某一事物强烈爱好而一心专注：他一向～于数学的研究。

【醉醺醺】zuìxūnxūn （～的）形 状态词。形容人喝醉了酒的样子。

【醉眼】zuìyǎn 名 醉后迷糊的眼睛：～乜斜｜～蒙眬。

【醉意】zuìyì 名 醉的感觉或神情：他已经有三分～了。

zūn（ㄗㄨㄣ）

尊¹ zūn ❶ 地位或辈分高：～长｜卑～亲。❷ 敬重；尊崇：～敬｜自～｜～师重教。❸ 敬辞，称跟对方有关的人或物：～府｜～驾｜～姓大名。❹ 量 a) 用于神佛塑像：一～佛像。b) 用于炮：五十～大炮。

尊² zūn 同"樽"。

【尊称】zūnchēng ❶ 动 尊敬地称呼：他为老师。❷ 名 对人尊敬的称呼："您"是"你"的～｜范老是同志们对他的～。

【尊崇】zūnchóng 动 尊敬推崇：他是一位受人～的学者。

【尊贵】zūnguì 形 可尊敬；高贵：～的客人。

【尊敬】zūnjìng ❶ 动 重视而且恭敬地对待：～老师｜受人～。❷ 形 可尊敬的：～的总理阁下。

【尊亲】zūnqīn 名 ❶ 辈分高的亲属。❷ 敬辞，称对方的亲属。

【尊容】zūnróng 名 指人的相貌（多含讥讽意）：看他那副～，真让人恶心。

【尊严】zūnyán ❶ 形 尊贵庄严：～的讲台。❷ 名 可尊敬的身份或地位：民族的～｜法律的～。

【尊长】zūnzhǎng 名 地位或辈分比自己高的人：敬重～。

【尊重】zūnzhòng ❶ 动 尊敬；敬重：～老人｜互相～。❷ 动 重视并严肃对待：～历史｜～事实。❸ 形 庄重（指行为）：放～些！

遵 zūn ❶ 依照：～照｜～循｜～守｜～命。❷（Zūn）名 姓。

【遵从】zūncóng 动 遵照并服从：～决议｜～上级的指示｜～老师的教导。

【遵命】zūnmìng 动 敬辞，表示依照对方的嘱咐（办事）：～照办。

【遵守】zūnshǒu 动 依照规定行动；不违背：～时间｜～交通规则｜～劳动纪律。

【遵行】zūnxíng 动 遵照实行或执行：即请批示，以便～。

【遵循】zūnxún 动 遵照：～原则｜无所～，碍难执行。

【遵照】zūnzhào 动 依照：～执行｜～政策办事。

樽（罇）zūn 古代的盛酒器具。

【樽俎】zūnzǔ 名 古代盛酒食的器具，后来常用作宴席的代称：折冲～。

鳟（鱒）zūn ❶ 见 185 页〖赤眼鳟〗。❷ 见 566 页〖虹鳟〗。

zǔn（ㄗㄨㄣˇ）

撙 zǔn 动 节省：～节｜～下一些钱。

【撙节】zǔnjié 动 节约；节省：～开支。

zùn（ㄗㄨㄣˋ）

捘 zùn 〈书〉用手指按。

zuō（ㄗㄨㄛ）

作 zuō 作坊：石～｜小器～。
另见 1826 页 zuò。

【作坊】zuō·fang 名 手工业工场：造纸～。

嘬 zuō 〈口〉动 吮吸：小孩儿～奶｜～柿子。
另见 207 页 chuài。

【嘬瘪子】zuō biě·zi 〈方〉比喻受窘为难；碰壁：我的外语不行，让我当翻译，非～不可。

zuó（ㄗㄨㄛˊ）

昨 zuó ❶ 昨天：～夜。❷ 泛指过去：觉今是而～非。

【昨儿】zuór 〈口〉名 时间词。昨天。也说昨儿个(zuór·ge)。

【昨日】zuórì 名 时间词。昨天。

【昨天】zuótiān 名 时间词。今天的前一天。

捽 zuó 〈方〉动 揪：小孩儿～住妈妈的衣服|～着他胳膊就往外走。

笮(筰) zuó 竹篾拧成的绳索：～桥(竹索桥)。
另见 1703 页 Zé。

琢 zuó 见下。
另见 1800 页 zhuó。

【琢磨】zuó·mo 动 思索；考虑：队长的话我～了很久|你～～这里面还有什么问题。
另见 1800 页 zhuómó。

zuǒ （ㄗㄨㄛˇ）

左 zuǒ ❶名 方位词。面向南时靠东的一边(跟"右"相对，下②⑥同)。～方|～手|～转。❷名 方位词。东：山～(太行山以东的地方，过去也专指山东省)。❸形 偏；邪；不正常：～脾气|～道旁门。❹形 错；不对头：想～了|说～了。❺ 相反：意见相～。❻形 进步的；革命的：～派|～翼作家。❼〈书〉同"佐"①②。❽(Zuǒ)名 姓。

【左膀右臂】zuǒ bǎng yòu bì 比喻得力的助手。

【左边】zuǒ·bian （～儿）名 方位词。靠左的一边。

【左不过】zuǒ·buguò 〈方〉副 ❶ 左右；反正：不是你来，就是我去，～是这么一回事。❷ 只不过：这架机器～是上了点锈，不用修。

【左道旁门】zuǒ dào páng mén 指不正派的宗教派别，也借用为学术上。也说旁门左道。

【左顾右盼】zuǒ gù yòu pàn 向左右两边看：他走得很慢，～，像在寻找什么。

【左近】zuǒjìn 名 附近：房子～有一片草地。

【左邻右舍】zuǒ lín yòu shè 泛指邻居。

【左轮】zuǒlún 名 手枪的一种，装子弹的转轮在装子弹时能从左侧摆出，所以叫左轮。

【左面】zuǒ·miàn （～儿）名 方位词。左边。

【左派】zuǒpài 名 在阶级、政党、集团内，政治上倾向进步或革命的一派。也指属于这一派的人。

【左撇子】zuǒpiě·zi 名 习惯于用左手做事(如使用筷子、刀、剪等器物)的人。

【左迁】zuǒqiān 〈书〉动 指降职(古人以右为上)。

【左倾】zuǒqīng 形 ❶ 思想进步的；倾向革命的。❷ 分不清事物发展的不同阶段，在革命斗争中表现急躁盲动的(左字常带引号作"左")。

【"左"倾机会主义】zuǒqīng jīhuì zhǔyì 见 627 页〖机会主义〗。

【左丘】Zuǒqiū 名 姓。

【左券】zuǒquàn 名 古代称契约为券，用竹做成，分左右两片，立约的各拿一片，左券常用作索偿的凭证。后来说有把握叫操左券。

【左嗓子】zuǒsǎng·zi ❶形 指歌唱时声音高低不准。❷名 左嗓子的人。

【左手】zuǒshǒu ❶名 左边的手。❷同"左首"。

【左首】zuǒshǒu 名 左边(多指座位)：～坐着一位老太太。也作左手。

【左袒】zuǒtǎn 〈书〉动 汉高祖刘邦死后，吕后当权，培植吕姓的势力。吕后死，太尉周勃夺取吕氏的兵权，就在军中对众人说："拥护吕氏的右袒(露出右臂)，拥护刘氏的左袒。"军中都左袒(见于《史记·吕太后本纪》)。后来管偏护一方叫左袒。

【左性子】zuǒxìng·zi ❶形 性情执拗、怪僻。❷名 性情执拗、怪僻的人。

【左翼】zuǒyì 名 ❶ 作战时在正面部队左侧的部队。❷ 政党或阶级、集团中在政治思想上倾向进步或革命的一部分。

【左右】zuǒyòu ❶名 方位词。左和右两方面：～为难|～逢源|主席台～的红旗迎风飘扬。❷名 身边随从的人：吩咐～退下。❸动 支配；操纵：～局势|他想～我，没那么容易! ❹名 方位词。用在数字后面表示概数，跟"上下"相同：年纪在三十岁～。❺〈方〉副 反正：我～闲着没事，就陪你走一趟吧。

【左…右…】zuǒ…yòu… 强调同类行为的反复：～说～说|～思～想|～一趟～一

地派人去请。

【左右逢源】zuǒ yòu féng yuán 比喻做事得心应手,怎样进行都很顺利。也比喻办事圆滑。

【左右开弓】zuǒ yòu kāi gōng 比喻两手轮流做同一动作,或者一只手左边一下右边一下做同一动作。也指同时做几项工作。

【左右手】zuǒyòushǒu 名 比喻得力的助手:儿子已长大成人,成了他的～。

【左右袒】zuǒyòutǎn 动 偏袒某一方面:勿为～。参看【左袒】。

【左证】zuǒzhèng 见 1826 页【佐证】。

【左支右绌】zuǒ zhī yòu chù 指力量不足,应付了这一方面,那一方面又有了问题。

佐 zuǒ ❶ 辅佐;辅助:～理|～餐。❷ 辅佐别人的人:僚～。❸(Zuǒ)名姓。

【佐餐】zuǒcān 〈书〉动 下饭:～佳肴。

【佐理】zuǒlǐ 〈书〉动 协助处理:～军务。

【佐证】(左证)zuǒzhèng 名 证据:伪造的单据是他贪污的～。

撮 zuǒ (～儿)量 用于成丛的毛发:一～胡子。
另见 237 页 cuō。

【撮子】zuǒ•zi 〈口〉量 撮:剪下一～头发。

zuò (ㄗㄨㄛˋ)

作 zuò ❶ 起:振～|日出而～|一鼓气|枪声大～。❷ 动 从事某种活动:～聋|～报告|自～自受。❸ 动 写作:著～|～曲|～书(写信)。❹ 作品:佳～|杰～|成功之～。❺ 装:～态|装模～样。❻ 动 当成;作为:～保|～废|认贼～父。❼ 发作:～呕|～怪。
另见 1824 页 zuō。

【作案】zuò//àn 动 进行犯罪活动。

【作罢】zuòbà 动 作为罢论,不进行:既然双方都不同意,这件事就只好～了。

【作保】zuò//bǎo 动 当保证人:请人～。

【作弊】zuò//bì 动 用欺骗的方式做违法乱纪或不合规定的事情:通同～|考试～。

【作壁上观】zuò bìshàngguān 人家交战,自己站在营垒上观看,比喻坐观成败,不给予帮助。

【作别】zuòbié 〈书〉动 分别;分手;拱手～。

【作成】zuòchéng 动 成全:～他俩的亲事。

【作答】zuòdá 动 做出回答:听到问题,他没有马上～。

【作对】zuò//duì ❶ 动 做对头;跟人为难:他成心跟我～。❷ 成为配偶:成双～。

【作恶】zuò//è 动 做坏事:～多端。

【作伐】zuòfá 〈书〉动 做媒。

【作法】[1] zuò//fǎ 旧时指道士施行法术。

【作法】[2] zuòfǎ 名 ❶ 作文的方法:文章～。❷ 做法。

【作法自毙】zuò fǎ zì bì 自己立法反而使自己受害。

【作废】zuòfèi 动 因失效而废弃:过期～|～的票不能再用。

【作风】zuòfēng 名 ❶(思想上、工作上和生活上)表现出来的态度、行为:～正派|反对官僚～。❷ 风格:他的文章～朴实无华。

【作梗】zuògěng 动(从中)阻挠,使事情不能顺利进行:从中～。

【作古】zuò//gǔ 〈书〉动 婉辞,去世。

【作怪】zuòguài 动 迷信的人指鬼怪害人,比喻坏人或坏思想捣乱,起破坏作用:兴妖～。

【作家】zuòjiā 名 从事文学创作有成就的人。

【作假】zuò//jiǎ 动 ❶ 制造假的,冒充真的;真的里头掺假的;好的里头掺坏的:弄虚～。❷ 耍花招;装糊涂:～骗人。❸ 故作客套,不爽直:没吃饱就说没吃饱,别～!

【作价】zuò//jià 动 在出让物品、赔偿物品损失或以物品偿还债务时估定物品的价格,规定价格:合理～|～赔偿。

【作奸犯科】zuò jiān fàn kē 为非作歹,触犯法令(奸:坏事;科:法令)。

【作茧自缚】zuò jiǎn zì fù 蚕吐丝作茧,把自己包在里面,比喻做了某事,结果反而使自己受困。

【作件】zuòjiàn 名 工件。

【作践】zuò•jian (口语中多读 zuó•jian)动 糟蹋:～粮食|别～人。

【作客】zuò//kè 〈书〉动 指寄居在别处:～他乡。

【作乐】zuòlè 勋 取乐：寻欢～｜苦中～。
另见 zuòyuè。

【作脸】zuòliǎn 〈方〉勋 争光；争气：这孩子真给家长～。

【作料】zuò·liao（口语中多读 zuó·liao）（～儿）名 烹调时用来增加滋味的油、盐、酱、醋和葱、蒜、生姜、花椒、大料等。

【作乱】zuòluàn 勋 发动叛乱；犯上～。

【作美】zuòměi 勋（天气等）成全人的好事（多用于否定式）：我们去郊游的那天，天公不～，下了一阵雨，玩得不痛快。

【作难】zuònán 勋 为难：从中～。

【作难】zuònàn〈书〉勋 发动叛乱；起事。

【作孽】zuò//niè 勋 造孽。

【作弄】zuònòng（口语中多读 zuōnòng）勋 捉弄。

【作呕】zuò'ǒu 勋 ❶ 恶心，想呕吐。❷ 比喻对可憎的人或事非常讨厌：令人～。

【作陪】zuòpéi 勋 当陪客。

【作品】zuòpǐn 名 指文学艺术方面的成品：绘画～｜诗词～。

【作色】zuòsè 勋 脸上现出怒色：愤然～。

【作势】zuòshì 勋 做出某种姿态：装腔～。

【作数】zuò//shù 勋 算数儿：你说话～不～？

【作死】zuòsǐ（口语中多读 zuōsǐ）勋 自寻死路：酒后开快车，这不是～吗！

【作速】zuòsù 副 赶快；赶紧：～处理｜～前往。

【作祟】zuòsuì 勋 迷信的人指鬼神跟人为难，比喻坏人或坏的思想意识捣乱，妨碍事情顺利进行：防止有人从中～。

【作态】zuòtài 勋 故意做出某种态度或表情：惺惺～｜忸怩～。

【作痛】zuòtòng 勋 产生疼痛的感觉：周身的筋骨隐隐～。

【作威作福】zuò wēi zuò fú 原指统治者擅行赏罚，独揽威权，后来指妄自尊大，滥用权势。

【作为】[1] zuòwéi ❶ 名 所作所为；行为：评论一个人，不但要根据他的谈吐，而且更需要根据他的～。❷ 勋 做出成绩：有所～。❸ 名 可以做的事：大有～。

【作为】[2] zuòwéi ❶ 勋 当做：～罢论｜～无效｜我把游泳～锻炼身体的方法。❷ 介 就人的某种身份或事物的某种性质来说：～一个学生，首先要把学习搞好｜～一部词

典，必须有明确的编写宗旨。

【作伪】zuòwěi 勋 制造假的，冒充真的（多指文物、著作等）。

【作文】zuòwén ❶（-/-）勋 写文章（多指学生练习写作）：～比赛｜赋诗～。❷ 名 学生作为练习所写的文章；写～｜他的～被评为优秀。

【作物】zuòwù 名 农作物的简称：大田～｜经济～。

【作息】zuòxī 勋 工作和休息：按时～｜～制度。

【作兴】zuò·xīng〈方〉❶ 勋 情理上许可（多用于否定式）：开口骂人，不～！❷ 副 可能；也许：看这天气，～要下雨。❸ 勋 流行；盛行：农村过春节，还～贴春联。

【作秀】zuò//xiù〈方〉勋 ❶ 表演；演出：歌星们依次上台～。❷ 指为了促销、竞选等而进行展览、宣传等活动：想方设法～促销。❸ 弄虚作假，装样子骗人：那人惯会～，见什么人说什么话。‖也作做秀。［秀，英 show］

【作业】zuòyè ❶ 名 教师给学生布置的功课；部队给士兵布置的训练性的军事活动；生产单位给工人或工作人员布置的生产活动：课外～｜～计划。❷ 勋 从事这种军事活动或生产活动：带电～｜队伍开到野外去～。

【作揖】zuò//yī（口语中多读 zuō//yī）两手抱拳高拱，身子略弯，向人敬礼：打躬～｜给老人家行了个揖。

【作俑】zuòyǒng〈书〉勋 制造殉葬用的偶像，比喻倡导做不好的事。参看 1242 页【始作俑者】。

【作用】zuòyòng ❶ 勋 对事物产生影响：外界的事物～于我们的感觉器官，在我们的头脑中形成形象。❷ 名 对事物产生某种影响的活动：同化～｜消化～｜光合～。❸ 名 对事物产生的影响；效果；效用：副～｜起～｜积极～。

【作用力】zuòyònglì 名 作用在于物体上的力。

【作乐】zuòyuè 勋 ❶ 制定乐律。❷ 奏乐。
另见 zuòlè。

【作战】zuòzhàn 勋 打仗：英勇～。

【作者】zuòzhě 名 文章或著作的写作者；艺术作品的创作者。

【作准】zuòzhǔn 动 ❶ 作数;算数儿。❷ 准许;承认。

坐 zuò ❶ 动 把臀部放在椅子、凳子或其他物体上,支持身体重量:请~|咱们~下来谈|他~在河边钓鱼◇稳~江山。❷ 动 乘;搭:~船|~火车。❸ 动(房屋)背对着某一方向:这座大楼是~北朝南的。❹ 动 把锅、壶等放在炉火上:~一壶水|火旺了,快把锅~上。❺ 动(~儿)同"座"①。❻ 动 枪炮由于反作用而向后移动;建筑物由于基础不稳固而下沉:步枪的~劲儿不小|这房子向后~了。❼ 动 瓜果等植物结实:~果|~瓜。❽ 指定罪:连~|反~。❾ 动 形成(疾病):打那次受伤之后,就~下了腰疼的病根儿。❿〈书〉介 因为:~此解职。⓫〈书〉副 表示无缘无故:孤蓬自振,惊砂~飞。

【坐班】zuò∥bān 动 每天按规定时间在单位工作(多指在办公室上班的):~制。

【坐标】zuòbiāo 名 能够确定一个点在空间的位置的一个或一组数,叫做这个点的坐标。通常由这个点到垂直相交的若干条固定的直线的距离来表示。这些直线叫做坐标轴。坐标轴的数目在平面上为2,在空间里为3。

【坐禅】zuòchán 动 佛教指排除一切杂念,静坐修行。

【坐吃山空】zuò chī shān kōng 光是消费而不从事生产,即使有堆积如山的财物也会消耗完。

【坐床】zuòchuáng 动 藏传佛教中,活佛圆寂后,他所"转世"的"灵童"必须经过升座仪式才能成为正式的继承者。这种仪式叫坐床。

【坐次】zuòcì 同"座次"。

【坐待】zuòdài 动 坐等:~胜利。

【坐等】zuòděng 动 坐着等待:在他家~了半个多小时。

【坐地】zuòdì ❶ 动 固定在某个地方:~户|~行医。❷ 副 就地:~加价|货物~转手。

【坐地分赃】zuò dì fēn zāng (匪首、窝主等)不亲自偷窃抢劫而分到赃物。

【坐垫】zuòdiàn (~儿)名 放在椅子、凳子上的垫子。

【坐而论道】zuò ér lùn dào 原指坐着议论政事,后泛指空谈大道理。

【坐骨】zuògǔ 名 人坐时支持上身重量的骨头,左右各一,跟耻骨和髂骨组成髋骨。(图见 490 页"人的骨骼")

【坐骨神经】zuògǔ shénjīng 人体内最粗的神经,是脊髓神经分布到下肢的一支,主要作用是管下肢的弯曲运动。

【坐观成败】zuò guān chéng bài 对于别人的成功或失败采取旁观态度。

【坐果】zuò∥guǒ 动(果树)长出果实:果园的苹果树都已~。

【坐化】zuòhuà 动 佛教指和尚盘膝端坐死去。

【坐江山】zuò jiāngshān 指掌握国家政权。

【坐井观天】zuò jǐng guān tiān 比喻眼光狭小,看到的有限。

【坐具】zuòjù 名 供人坐的用具,如椅子、凳子等。

【坐科】zuò∥kē 动 在科班学戏:他幼年~学艺,习青衣。

【坐困】zuòkùn 动 守在一个地方,找不到出路:~孤城。

【坐蜡】zuò∥là〈方〉动 陷入为难境地;遇到难以解决的困难:我不会的事硬让我干,这不是让人~吗?

【坐牢】zuò∥láo 动 关在监狱里。

【坐冷板凳】zuò lěngbǎndèng ❶ 比喻因不受重视而担任清闲的职务。❷ 比喻长期受冷遇。❸ 比喻长期做寂寞清苦的工作。

【坐力】zuòlì 名 指枪弹、炮弹射出时的反冲力。

【坐落】zuòluò 动 建筑物位置处在(某处):我们的学校~在环境幽静的市郊。

【坐骑】zuòqí 名 供人骑的马,泛指供人骑的兽类。

【坐鞧】zuòqiū 名 见 570 页〖后鞧〗。

【坐蓐】zuòrù〈书〉动 坐月子。

【坐山雕】zuòshāndiāo 名 秃鹫。

【坐山观虎斗】zuò shān guān hǔ dòu 比喻对双方的斗争采取旁观的态度,等到两败俱伤的时候,再从中取利。

【坐商】zuòshāng 名 有固定营业地点的商人(区别于"行商")。

【坐失】zuòshī 动 不主动采取行动而失掉(时机):~良机。

【坐视】zuòshì 动 坐着看,指对该管的事故意不管或漠不关心。

【坐胎】zuò∥tāi 励 指怀孕。

【坐探】zuòtàn 名 混入某组织内部刺探情报的人。

【坐堂】zuò∥táng 励 ❶ 旧时指官吏在公堂上审理案件。❷ 佛教指在禅堂上坐禅。❸ 营业员在店堂里营业;中药店聘请的医生在店堂里看病:~卖货|~行医。

【坐天下】zuò tiānxià 指掌握国家政权。

【坐位】zuò·wèi 同"座位"。

【坐误】zuòwù 励 坐失(时机):因循～。

【坐席】zuòxí ❶ 励 坐到筵席的座位上,泛指参加宴会。❷ 名 供坐的位子。

【坐享其成】zuò xiǎng qí chéng 自己不出力而享受别人劳动的成果。

【坐像】zuòxiàng 名 用雕塑等方法制成的坐着的人像。

【坐药】zuòyào 名 中医指栓剂。

【坐夜】zuòyè 励 为了守岁、守灵等夜里坐着不睡:～等门|～守岁。

【坐以待毙】zuò yǐ dài bì 坐着等死,指不采取积极行动而等待失败。

【坐月子】zuò yuè·zi〈口〉指妇女生孩子和产后一个月里调养身体。

【坐赃】zuòzāng 励 ❶〈方〉栽赃。❷〈书〉犯贪污罪。

【坐诊】zuòzhěn 励 医生在药店等固定地点给人看病:本店聘请名医～。

【坐镇】zuòzhèn 励 (官长)亲自在某个地方镇守,也用于比喻:总工程师亲临现场～。

【坐支】zuòzhī 励 指某些企业单位经银行同意从自己业务收入的现金中直接支付的方式。

【坐庄】zuò∥zhuāng 励 ❶ 商店派遣或特约的人常驻某地,采购货物。❷ 打牌时继续做庄家:一连坐了三把庄。❸ 投资者依靠雄厚的资金,大比例地买卖某只股票,以控制股价,达到赢利的目的。

阼 zuò 古代指东面的台阶,主人迎接宾客的地方。

岝 Zuò 岝山,山名,又地名,都在山东。

怍 zuò〈书〉惭愧:惭～|～愧。

柞 zuò 名 柞树,落叶乔木,高可达30米,叶子倒卵形,花单性,坚果球形,木质坚硬,耐腐蚀。叶子可用来饲养柞蚕,木材可用来造船和做枕木等。也叫柞栎。

　　另见 1707 页 zhà。

【柞蚕】zuòcán 名 昆虫,比家蚕大,将变成蛹的幼虫全身长有褐色长毛,吃柞树、麻栎等的叶子,吐的丝是丝织品的重要原料。

【柞栎】zuòlì 名 柞树。

【柞木】zuòmù 名 常绿灌木或小乔木,茎上有刺,叶子卵形,有锯齿,花小,黄白色,浆果球形。木质坚硬,可用来做家具等。

【柞丝绸】zuòsīchóu 名 用柞蚕丝织成的平纹纺织品,有光泽。适宜做夏季衣服。旧称茧绸。

胙 zuò 古代祭祀时供的肉。

祚 zuò〈书〉❶ 福:门衰～薄。❷ 君主的位置:帝～|践～。

唑 zuò 译音用字:咪～|噻～。

座(❶坐) zuò ❶(～儿)名 座位:～次|满～|这个剧场有五千个～儿。❷(～儿)名 放在器物底下垫着的东西:茶碗～儿|石碑～儿。❸ 星座:大熊～|天琴～。❹ 敬辞,旧时称高级长官:军～(称军长)。❺ 量 多用于较大或固定的物体:一～山|一～水库|一～高楼。❻(Zuò)名 姓。

【座舱】zuòcāng 名 指客机上载乘客的地方,也指战斗机的驾驶舱。

【座次】zuòcì 名 座位的次序:～表。也作坐次。

【座机】¹ zuòjī 名 指专供某人乘坐的飞机。

【座机】² zuòjī 名 指固定在一处的电话机(区别于"手机")。

【座儿】zuòr 名 ❶〈口〉座位:你来晚了,饭厅里没～了。❷ 影剧院、茶馆、酒店、饭馆等指顾客;拉人力车、三轮车、开出租汽车的指乘客:上～|拉～。

【座上客】zuòshàngkè 名 指在席上的受主人尊敬的客人,泛指受邀请的客人。

【座谈】zuòtán 励 不拘形式地讨论:～会。

【座位】zuò·wèi 名 ❶ 供人坐的地方(多用于公共场所):票已经卖完,一个～也没有了。❷(～儿)指椅子、凳子等可以坐的东西:搬个～儿来。‖ 也作坐位。

【座无虚席】zuò wú xū xí 座位没有空着的,形容观众、听众或出席的人很多。

【座右铭】zuòyòumíng 图 写出来放在座位旁边的格言,泛指激励、警醒自己的格言。

【座钟】zuòzhōng 图 摆在桌子上的时钟(区别于"挂钟")。

【座子】zuò·zi 图❶ 座②;钟~。❷ 自行车、摩托车等上面供人坐的部分。

做(作) zuò ❶ 制造:~衣服|用这木头~张桌子。❷ 写作:~文章。❸ 从事某种工作或活动:~工|~事|~买卖。❹ 举行庆祝或纪念活动:~寿|~生日。❺ 充当;担任:~母亲的|~官|~教员|~保育员|今天开会由他~主席。❻ 当做:树皮可以~造纸的原料|这篇文章可以~教材。❼ 结成(某种关系):~亲|~对头|~朋友。❽ 假装出(某种模样):~样子|~鬼脸|~痛苦状。

【做爱】zuò//ài 励 指人性交。

【做伴】zuò//bàn (~儿)励 当陪伴的人:母亲生病,需要有个人~。

【做东】zuò//dōng 励 当东道主。

【做法】zuò·fǎ 图 处理事情或制作物品的方法:这种~很好。

【做工】[1] zuò//gōng 励 从事体力劳动(多指工业或手工业劳动):她在纺纱厂~。

【做工】[2] zuògōng (~儿)励❶ 同"做功"。❷ 图 指制作的技术或质量.这件衣服.很细。

【做功】zuògōng (~儿)图 戏曲中演员的动作和表情:~戏。也作做工。

【做鬼】zuò//guǐ 励 干骗人的勾当;捣鬼:从中~。

【做活儿】zuò//huór 励 从事体力劳动:他们一块儿在地里~|孩子也能帮着做点活儿了。

【做客】zuò//kè 励 访问别人,自己当客人:到亲戚家~。

【做礼拜】zuò lǐbài 基督教徒到礼拜堂聚会听讲道。

【做买卖】zuò mǎi·mai 从事商业活动:~的|到集市上去~。

【做满月】zuò mǎnyuè 在婴儿满月时宴请亲友。

【做媒】zuò//méi 励 当媒人;给人介绍婚姻。

【做梦】zuò//mèng 励❶ 睡眠中因大脑里的抑制过程不彻底,在意识中呈现种种幻象。❷ 比喻幻想:白日~。

【做派】zuò·pài 图❶ 做功,戏曲中演员的动作、表演。❷ 表现出来的派头儿、作风:一副官老爷的~。

【做亲】zuò//qīn 励❶ 结为姻亲:他们两家~,倒是门当户对。❷ 成亲;娶妻。

【做圈套】zuò quāntào 设计谋让人上当受骗。

【做人】zuòrén 励❶ 指待人接物:~处世|她很会~。❷ 当个正派人:痛改前非,重新~。

【做生活】zuò shēnghuó 〈方〉从事体力劳动;做活儿。

【做生日】zuò shēng·ri 庆祝生日。

【做生意】zuò shēng·yi 做买卖。

【做声】zuòshēng (~儿)励 发出声音,说话、咳嗽等:大家别~,注意听他讲。

【做事】zuò//shì 励❶ 从事某种工作或处理某项事情:他~一向认真负责|屋里太吵了,做不了事。❷ 担任固定的职务;工作:你现在在哪儿~?

【做手脚】zuò shǒujiǎo 背地里进行安排,暗中作弊。

【做寿】zuò//shòu 励 (为老年人)做生日。

【做文章】zuò wénzhāng 比喻抓住一件事发议论或在上面打主意。

【做戏】zuò//xì 励❶ 演戏。❷ 比喻故意做出虚假的姿态:他这是在我们面前~,不要相信。

【做秀】zuò//xiù 同"作秀"。

【做学问】zuò xué·wen 钻研学问。

【做贼心虚】zuò zéi xīn xū 做了坏事怕人觉察出来而心里惶恐不安。

【做针线】zuò zhēn·xian 做缝纫刺绣等活计。

【做主】zuò//zhǔ 励 对某项事情负完全责任而做出决定:当家~|这事我做不了主。

【做作】zuò·zuo 彤 故意做出某种表情、腔调而显得虚假、不自然:他的表演太~了。

酢 zuò 〈书〉客人向主人敬酒:酬~。另见 232 页 cù。

西文字母开头的词语*

【α粒子】α lìzǐ 阿尔法粒子。

【α射线】α shèxiàn 阿尔法射线。

【β粒子】β lìzǐ 贝塔粒子。

【β射线】β shèxiàn 贝塔射线。

【γ刀】γ dāo 伽马刀。

【γ射线】γ shèxiàn 伽马射线。

【A股】A gǔ 指人民币普通股票。由我国境内(不含港、澳、台)的公司发行,供境内投资者以人民币认购和交易。

【AA制】AA zhì 指聚餐或其他消费结账时各人平摊出钱或各人算各人账的做法。

【AB角】AB jué 指在AB制中担任同一角色的两个演员。

【AB制】AB zhì 剧团排演某剧时,其中的同一主要角色由两个演员担任,演出时如A角不能上场则由B角上场,这种安排叫做AB制。

【ABC】A、B、C是拉丁字母中的前三个。用来指一般常识或浅显的道理(有时也用于书名):连音乐的～也不懂,还作什么曲?|《股市交易～》。

【ABS】防抱死制动系统。[英 anti-lock braking system 的缩写]

【ADSL】非对称数字用户线路。[英 asymmetrical digital subscriber line 的缩写]

【AI】人工智能。[英 artificial intelligence 的缩写]

【AIDS】获得性免疫缺陷综合征,即艾滋病。[英 acquired immune deficiency syndrome 的缩写]

【AM】调幅。[英 amplitude modulation 的缩写]

【APC】复方阿司匹林。由阿司匹林、非那西丁和咖啡因制成的一种解热镇痛药。[英 aspirin, phenacetin and caffeine 的缩略形式]

【APEC】亚太经济合作组织。[英 Asia Pacific Economic Cooperation 的缩写]

【API】空气污染指数。[英 air pollution index 的缩写]

【ATM机】ATM jī 自动柜员机。[ATM,英 automated teller machine 的缩写]

【AV】音频和视频。[英 audio-visual 的缩写]

【B超】B chāo ❶ B型超声诊断的简称:做～。❷ B型超声诊断仪的简称,利用超声脉冲回波幅度调制荧光屏辉度分布而显示人体断面图像并从中获得临床诊断信息的装置。

【B股】B gǔ 指我国大陆公司发行的特种股票,在国内证券交易所上市,供投资者以美圆(沪市)或港币(深市)认购和交易。

【B淋巴细胞】B línbā xìbāo 一种免疫细胞,起源于骨髓,禽类在腔上囊发育成熟,人和哺乳动物在骨髓中发育成熟,再分布到周围淋巴器官和血液中去,占血液中淋巴细胞的15%—30%。能够产生循环抗体。简称B细胞。[B,英 bone marrow(骨髓)的第一个字母]

【B细胞】B xìbāo B淋巴细胞的简称。

【BBS】❶ 电子公告牌系统。[英 bulletin board system 的缩写]❷ 电子公告牌服务。[英 bulletin board service 的缩写]

【BP机】BP jī 无线寻呼机。[BP,英

---

* 这里收录的常见西文字母开头的词语,有的是借词,有的是外语缩略语。在汉语中西文字母一般是按西文的音读的,这里就不用汉语拼音标注读音,词语中的汉字部分仍用汉语拼音标注读音。

beeper 的缩写]

【CAD】计算机辅助设计。[英 computer-aided design 的缩写]

【CAI】计算机辅助教学。[英 computer-aided instruction 的缩写]

【CATV】有线电视。[英 cable TV 的缩写]

【CBA】中国篮球协会。也指该协会主办的赛事。[英 Chinese Basketball Association 的缩写]

【CBD】中央商务区。[英 central business district 的缩写]

【CCC】中国强制认证。也叫 3C 认证。[英 China Compulsory Certification 的缩写]

【CCD】电荷耦合器件。一种作为光辐射接收器的固态光电子器件。[英 charge-coupled device 的缩写]

【CD】激光唱盘。[英 compact disc 的缩写]

【CDMA】码分多址。一种数字通信技术。[英 code division multiple access 的缩写]

【CD-R】可录光盘。[英 compact disc-recordable 的缩写]

【CD-ROM】只读光盘。[英 compact disc read-only memory 的缩写]

【CD-RW】可擦写光盘。[英 compact disc-rewritable 的缩写]

【CEO】首席执行官。[英 chief executive officer 的缩写]

【CEPA】(我国内地与港、澳地区)更紧密的经贸关系安排。[英 closer economic partnership arrangement 的缩写]

【CFO】首席财务官。[英 chief finance officer 的缩写]

【CI】❶ 企业标志。[英 corporate identity 的缩写]❷ 企业形象。[英 corporate image 的缩写]

【C³I 系统】C³I xìtǒng 指军队自动化指挥系统。[C³I,英 command(指挥),control(控制),communication(通信),intelligence(情报)的缩略形式]

【CIMS】计算机集成制造系统。[英 computer-integrated manufacturing system 的缩写]

【CIP】在版编目;预编目录。在图书出版前,由图书编目部门根据出版商提供的校样先行编目,编目后将著录内容及标准格式交出版机构,将它印在图书的版权页上。[英 cataloguing in publication 的缩写]

【C⁴ISR】指军队自动化指挥系统。由 C³I 系统发展而来。[英 command(指挥),control(控制),communication(通信),computer(计算机),intelligence(情报),surveillance(监视),reconnaissance(侦察)的缩略形式]

【CPA】注册会计师。[英 certified public accountant 的缩写]

【CPU】中央处理器。[英 central processing unit 的缩写]

【CRT】阴极射线管。[英 cathode ray tube 的缩写]

【CT】❶ 计算机层析成像:做～。❷ 计算机层析成像仪。[英 computerized tomography 的缩写]

【DC】数字相机。[英 digital camera 的缩写]

【DIY】自己动手做。[英 do it yourself 的缩写]

【DNA】脱氧核糖核酸。[英 deoxyribonucleic acid 的缩写]

【DNA 芯片】DNA xīnpiàn 基因芯片。

【DOS】磁盘操作系统。[英 disk operating system 的缩写]

【DSL】数字用户线路。[英 digital subscriber line 的缩写]

【DV】数字视频,也指以这种格式记录音像数据的数字摄像机。[英 digital video 的缩写]

【DVD】数字激光视盘。[英 digital video-disc 的缩写]

【e 化】e huà 电子化。[e,英 electronic 的第一个字母]

【EBD】电子制动力分配系统。[英 electronic brakeforce distribution 的缩写]

【ED】男性勃起功能障碍。[英 erectile dysfunction 的缩写]

【EDI】电子数据交换。[英 electronic data interchange 的缩写]

【e-mail】电子邮件。[e,英 electronic 的第一个字母]

【EMBA】高级管理人员工商管理硕士。

〔英 Executive Master of Business Administration 的缩写〕

【EMS】邮政特快专递。〔英 express mail service 的缩写〕

【EPT】出国进修人员英语水平考试。〔英 English Proficiency Test 的缩写〕

【EQ】情商。〔英 emotional quotient 的缩写〕

【FAX】❶ 传真件。❷ 用传真机传送。❸ 传真系统。〔英 facsimile 的缩略变体〕

【FLASH】一种流行的网络动画设计软件,也指用这种软件制作的动画作品。

【FM】调频。〔英 frequency modulation 的缩写〕

【GB】国家标准。中国国家标准的代号。〔汉语拼音 guóbiāo 的缩写〕

【GDP】国内生产总值。〔英 gross domestic product 的缩写〕

【GIS】地理信息系统。〔英 geographic information system 的缩写〕

【GMAT】(美国等国家)管理专业研究生入学资格考试。〔英 Graduate Management Admission Test 的缩写〕

【GMDSS】全球海上遇险与安全系统。〔英 global maritime distress and safety system 的缩写〕

【GMP】药品生产质量管理规范,是世界各国对药品生产全过程监督管理普遍采用的法定技术规范。〔英 good manufacturing practice 的缩写〕

【GNP】国民生产总值。〔英 gross national product 的缩写〕

【GPS】全球定位系统。〔英 Global Positioning System 的缩写〕

【GRE】(美国等国家)研究生入学资格考试。〔英 Graduate Record Examination 的缩写〕

【GSM】全球移动通信系统。〔英 Global System for Mobile 的缩写〕

【H 股】H gǔ 指在我国境内(不含港、澳、台)注册,在香港上市的股票,以人民币标明面值,供我国港、澳、台地区及境外投资者以港币认购和交易。〔H,英 Hong Kong(香港)的第一个字母〕

【HDTV】高清晰度电视。〔英 high-definition television 的缩写〕

【hi-fi】高保真度。〔英 high-fidelity 的缩写〕

【HIV】人类免疫缺陷病毒;艾滋病病毒。〔英 human immunodeficiency virus 的缩写〕

【HSK】汉语水平考试。〔汉语拼音 hànyǔ shuǐpíng kǎoshì 的缩写〕

【IC 卡】IC kǎ 集成电路卡。〔IC,英 integrated circuit 的缩写〕

【ICP】因特网信息提供商。〔英 Internet content provider 的缩写〕

【ICQ】一种国际流行的网络即时通讯软件。〔英 I seek you (我找你)的谐音〕

【ICU】重症监护病房。〔英 intensive-care unit 的缩写〕

【IDC】互联网数据中心。〔英 internet data center 的缩写〕

【IDD】国际直拨(电话)。〔英 international direct dial 的缩写〕

【IMF】国际货币基金组织。〔英 International Monetary Fund 的缩写〕

【internet】互联网。

【Internet】因特网。

【IOC】国际奥林匹克委员会。〔英 International Olympic Committee 的缩写〕

【IP 地址】IP dìzhǐ 网际协议地址。因特网使用 IP 地址作为主机的标志。〔IP,英 Internet protocol 的缩写〕

【IP 电话】IP diànhuà 网络电话。〔IP,英 Internet protocol 的缩写〕

【IP 卡】IP kǎ IP 电话卡。〔IP,英 Internet protocol 的缩写〕

【IQ】智商。〔英 intelligence quotient 的缩写〕

【ISBN】国际标准书号。〔英 international standard book number 的缩写〕

【ISDN】综合业务数字网。〔英 integrated services digital network 的缩写〕

【ISO】国际标准化组织。〔从希腊语 isos (相同的),一说从英语 International Organization for Standardization〕

【ISP】因特网服务提供商。〔英 Internet services provider 的缩写〕

【ISRC】国际标准音像制品编码。〔英 international standard recording code 的缩写〕

【ISSN】国际标准期刊号。〔英 international standard serial number 的缩写〕

【IT】信息技术。〔英 information technology 的缩写〕

【ITS】 智能交通系统。〔英 intelligent transportation system 的缩写〕

【K 线】K xiàn 记录单位时间内证券等价格变化情况的一种柱状线,分为实体和影线两部分,实体两端分别表示开盘价和收盘价,上下影线两端分别表示最高价和最低价,依时间单位的长短可分为日 K 线、周 K 线、月 K 线等。也可用于市场指数等。

【KTV】指配有卡拉 OK 和电视设备的包间。〔K,指卡拉 OK;TV,英 television 的缩写〕

【LCD】液晶显示(器)。〔英 liquid crystal display 的缩写〕

【LD】激光唱盘。〔英 laser disc 的缩写〕

【LED】发光二极管。〔英 light-emitting diode 的缩写〕

【LPG】液化石油气。〔英 liquefied petroleum gas 的缩写〕

【MBA】工商管理硕士。〔英 Master of Business Administration 的缩写〕

【MD】迷你光盘。〔英 mini disc 的缩写〕

【MMS】多媒体信息服务。〔英 multimedia message service 的缩写〕

【MP3】一种常用的数字音频压缩格式,也指采用这种格式的音频文件及播放这种格式音频文件的袖珍型电子产品。〔英 MPEG 1 audio layer 3 的缩写〕

【MPA】公共管理硕士。〔英 Master of Public Administration 的缩写〕

【MPEG】运动图像压缩标准。由 MPEG 专家组制定的一种运动图像及其伴音的压缩编码国际标准。〔英Motion Pictures Experts Group 的缩写〕

【MRI】磁共振成像。〔英 magnetic resonance imaging 的缩写〕

【MTV】音乐电视,一种用电视画面配合歌曲演唱的艺术形式。〔英 music television 的缩写〕

【MV】一种用动态画面配合歌曲演唱的艺术形式。〔英 music video 的缩写〕

【NBA】(美国)全国篮球协会。也指该协会主办的赛事。〔英 National Basketball Association 的缩写〕

【NMD】国家导弹防御系统。〔英 National Missile Defense 的缩写〕

【OA】办公自动化。〔英 office automation 的缩写〕

【OCR】光学字符识别。〔英 optical character recognition 的缩写〕

【OEM】原始设备制造商。〔英 original equipment manufacturer 的缩写〕

【OPEC】石油输出国组织。〔英 Organization of Petroleum Exporting Countries 的缩写〕

【OTC】非处方药。指不需要凭执业医师处方即可自行判断、购买和使用的药物。〔英 over the counter 的缩写〕

【PC】个人计算机。〔英 personal computer 的缩写〕

【PC 机】PC jī 个人计算机。〔PC,英 personal computer 的缩写〕

【PDA】个人数字助理。〔英 personal digital assistant 的缩写〕

【PDP】等离子(体)显示板。〔英 plasma display panel 的缩写〕

【pH 值】pH zhí 氢离子浓度指数。〔pH,法 potentiel d'hydrogène 的缩写〕

【POS 机】POS jī ❶ 销售点终端机,供银行卡持卡人刷卡消费使用。❷ 商场电子收款机。〔POS,英 point of sale 的缩写〕

【PPA】苯丙醇胺,即N-去甲麻黄碱。某些感冒药和减肥药中的一种成分,可以刺激鼻腔、喉头的毛细血管收缩,减轻鼻塞症状,也有促使中枢神经兴奋等作用。服用该药有可能引起血压升高、心脏不适、颅内出血、痉挛甚至中风。含有这种成分的感冒药已被我国医药部门通告停用。〔英 phenylpropanolamine 的缩略变体〕

【PSC】普通话水平测试。〔汉语拼音 pǔtōnghuà shuǐpíng cèshì 的缩写〕

【PT】特别转让(股市用语)。〔英 particular transfer 的缩写〕

【QC】质量管理。〔英 quality control 的缩写〕

【QFII】合格的境外机构投资者(制度)。〔英 qualified foreign institutional investor 的缩写〕

【QQ】一种流行的中文网络即时通讯软

件。

【RAM】随机存取存储器。[英 random-access memory 的缩写]

【RMB】人民币。[汉语拼音 rénmínbì 的缩写]

【RNA】核糖核酸。[英 ribonucleic acid 的缩写]

【ROM】只读存储器。[英 read-only memory 的缩写]

【RS】遥感技术。[英 remote sensing 的缩写]

【SARS】严重急性呼吸综合征,即"非典型肺炎"②。[英 severe acute respiratory syndrome 的缩写]

【SCI】科学引文索引。[英 science citation index 的缩写]

【SIM 卡】SIM kǎ 用户身份识别卡。移动通信数字手机中的一种 IC 卡,该卡存储有用户的电话号码和详细的服务资料。[SIM,英 subscriber identification module 的缩写]

【SMS】短信息服务。[英 short message service 的缩写]

【SOHO】小型家居办公室。[英 small office home office 的缩写]

【SOS】莫尔斯电码"……"所代表的字母,是国际上曾通用的紧急呼救信号,也用于一般的求救或求助。[英 save our souls 的缩写]

【SOS 儿童村】SOS értóngcūn 一种专门收养孤儿的慈善机构。

【ST】特别处理(股市用语)。[英 special treatment 的缩写]

【STD】性传播疾病。[英 sexually transmitted disease 的缩写]

【SUV】运动型多功能车。[英 sport utility vehicle 的缩写]

【T 淋巴细胞】T línbā xìbāo 一种免疫细胞,起源于骨髓,在胸腺中发育成熟,再分布到周围淋巴器官和血液中去,占血液中淋巴细胞的 50%—70%。可分化为辅助细胞、杀伤细胞和抑制细胞。简称 T 细胞。[T,拉 thymus(胸腺)的首字母]

【T 细胞】T xìbāo T 淋巴细胞的简称。

【T 型台】T xíng tái 呈 T 形的表演台,多用于时装表演。

【T 恤衫】T xù shān 一种短袖套头上衣,

因略呈 T 形而得名。也叫 T 恤。[恤,英语 shirt 的粤语音译]

【Tel】电话(号码)。[英 telephone 的缩略变体]

【TMD】战区导弹防御系统。[英 Theater Missile Defense 的缩写]

【TV】电视。也用在电视台的台标中,如 CCTV(中国中央电视台)、BTV(北京电视台)。[英 television 的缩写]

【U 盘】U pán 优盘。

【UFO】不明飞行物。[英 unidentified flying object 的缩写]

【USB】通用串行总线。[英 universal serial bus 的缩写]

【VCD】激光压缩视盘。[英 video compact disc 的缩写]

【VIP】要人;贵宾。[英 very important person 的缩写]

【VOD】视频点播。[英 video on demand 的缩写]

【vs】表示比赛等双方的对比。[英 versus 的缩略变体]

【WAP】无线应用协议。[英 Wireless Application Protocol 的缩写]

【WC】盥洗室;厕所。[英 water closet 的缩写]

【WHO】世界卫生组织。[英 World Health Organization 的缩写]

【WTO】世界贸易组织。[英 World Trade Organization 的缩写]

【WWW】万维网。[英 World Wide Web 的缩写]

【X 刀】X dāo 一种用于放射治疗的设备,采用三维立体定位,X 射线能够准确地按照肿瘤的生长形状照射,使肿瘤组织和正常组织之间形成整齐的边缘,像用手术刀切除的一样。

【X 光】X guāng X 射线。

【X 染色体】X rǎnsètǐ 决定生物个体性别的性染色体的一种。女性的一对性染色体是两条大小、形态相似的 X 染色体。

【X 射线】X shèxiàn 爱克斯射线。

【X 线】X xiàn X 射线。

【Y 染色体】Y rǎnsètǐ 决定生物个体性别的性染色体的一种。男性的一对性染色体是一条 X 染色体和一条较小的 Y 染色体。

附录

我国历代纪元表

1. 本表从"五帝"开始，到 1949 年中华人民共和国成立为止。

2. "五帝"以后，西周共和元年（公元前 841 年）以前，参考 2000 年公布的《夏商周年表》作了调整。

3. 较小的王朝如"十六国"、"十国"、"西夏"等不列表。

4. 各个时代或王朝，详列帝王名号（"帝号"或"庙号"，以习惯上常用者为据），年号，元年的干支和公元纪年，以资对照。（年号后用括号附列使用年数，年中改元时在干支后用数字注出改元的月份。）

干支次序表

1.甲子	13.丙子	25.戊子	37.庚子	49.壬子
2.乙丑	14.丁丑	26.己丑	38.辛丑	50.癸丑
3.丙寅	15.戊寅	27.庚寅	39.壬寅	51.甲寅
4.丁卯	16.己卯	28.辛卯	40.癸卯	52.乙卯
5.戊辰	17.庚辰	29.壬辰	41.甲辰	53.丙辰
6.己巳	18.辛巳	30.癸巳	42.乙巳	54.丁巳
7.庚午	19.壬午	31.甲午	43.丙午	55.戊午
8.辛未	20.癸未	32.乙未	44.丁未	56.己未
9.壬申	21.甲申	33.丙申	45.戊申	57.庚申
10.癸酉	22.乙酉	34.丁酉	46.己酉	58.辛酉
11.甲戌	23.丙戌	35.戊戌	47.庚戌	59.壬戌
12.乙亥	24.丁亥	36.己亥	48.辛亥	60.癸亥

五帝

(约前 30 世纪初—约前 21 世纪初)

黄 帝	颛顼 [zhuānxū]	帝喾 [kù]	尧 [yáo]	舜 [shùn]

夏

(约前 2070—前 1600)

禹 [yǔ]

启

太康

仲康

相

少康

予

槐

芒

泄

不降

扃 [jiōng]

廑 [jǐn]

孔甲

皋 [gāo]

发

癸 [guǐ]
(桀 [jié])

商

(前 1600—前 1046)

商前期 (前 1600—前 1300)

汤

太丁

外丙

中壬

太甲

沃丁

太庚

小甲

雍己

太戊

中丁

外壬

河亶 [dǎn] 甲

祖乙

祖辛

沃甲

祖丁

南庚

阳甲

盘庚（迁殷前）

周

(前 1046—前 256)

商后期 (前 1300—前 1046)

盘庚(迁殷后)*			
小辛	(50)		前 1300
小乙			
武丁	(59)		前 1250
祖庚			
祖甲			
廪辛	(44)		前 1191
康丁			
武乙	(35)	甲寅	前 1147
文丁	(11)	己丑	前 1112
帝乙	(26)	庚子	前 1101
帝辛(纣)	(30)	丙寅	前 1075

* 盘庚迁都于殷后,商也称殷。

西周 (前 1046—前 771)

武王(姬[jī]发)	(4)	乙未	前 1046
成王(～诵)	(22)	己亥	前 1042
康王(～钊[zhāo])	(25)	辛酉	前 1020
昭王(～瑕[xiá])	(19)	丙戌	前 995
穆王(～满)	(55)共王当年改元	乙巳	前 976
共[gōng]王(～繄[yī]扈)	(23)	己亥	前 922
懿[yì]王(～囏[jiān])	(8)	壬戌	前 899
孝王(～辟方)	(6)	庚午	前 891
夷王(～燮[xiè])	(8)	丙子	前 885
厉王(～胡)	(37)共和当年改元	甲申	前 877
共和	(14)	庚申	前 841
宣王(～静)	(46)	甲戌	前 827
幽王(～宫湼[shēng])	(11)	庚申	前 781

东周 (前 770—前 256)

平王(姬宜臼)	(51)	辛未	前 770	悼王(～猛)	(1)	辛巳	前 520
桓王(～林)	(23)	壬戌	前 719	敬王(～匄[gài])	(44)	壬午	前 519
庄王(～佗[tuó])	(15)	乙酉	前 696	元王(～仁)	(7)	丙寅	前 475
釐[xī]王(～胡齐)	(5)	庚子	前 681	贞定王(～介)	(28)	癸酉	前 468
惠王(～阆[làng])	(25)	乙巳	前 676	哀王(～去疾)	(1)	庚子	前 441
襄[xiāng]王(～郑)	(33)	庚午	前 651	思王(～叔)	(1)	庚子	前 441
顷王(～壬臣)	(6)	癸卯	前 618	考王(～嵬[wéi])	(15)	辛丑	前 440
匡王(～班)	(6)	己酉	前 612	威烈王(～午)	(24)	丙辰	前 425
定王(～瑜[yú])	(21)	乙卯	前 606	安王(～骄)	(26)	庚辰	前 401
简王(～夷)	(14)	丙子	前 585	烈王(～喜)	(7)	丙午	前 375
				显王(～扁)	(48)	癸丑	前 368
灵王(～泄心)	(27)	庚寅	前 571	慎靓[jìng]王(～定)	(6)	辛丑	前 320
景王(～贵)	(25)	丁巳	前 544	赧[nǎn]王(～延)	(59)	丁未	前 314

秦 [秦帝国]
(前 221—前 206)

周赧王 59 年乙巳(前 256),秦灭周。自次年(秦昭襄王 52 年丙午,前 255)起至秦王政 25 年己卯(前 222),史家以秦王纪年。秦王政 26 年庚辰(前 221)完成统一,称始皇帝。

昭襄王(嬴则,又名稷)	(56)	乙卯	前 306	始皇帝(～政)	(37)	乙卯	前 246
孝文王(～柱)	(1)	辛亥	前 250	二世皇帝(～胡亥)	(3)	壬辰	前 209
庄襄王(～子楚)	(3)	壬子	前 249				

汉

(前 206—公元 220)

西汉 (前 206—公元 25)

包括王莽(公元 9—23)和更始帝(23—25)。

高帝(刘邦)	（12）	乙未	前 206		五凤（4）	甲子	前 57
惠帝(～盈)	（7）	丁未	前 194		甘露（4）	戊辰	前 53
高后(吕雉)	（8）	甲寅	前 187		黄龙（1）	壬申	前 49
文帝(刘恒)	（16）	壬戌	前 179	元帝(～奭[shì])	初元（5）	癸酉	前 48
	（后元）(7)	戊寅	前 163		永光（5）	戊寅	前 43
景帝(～启)	（7）	乙酉	前 156		建昭（5）	癸未	前 38
	（中元）(6)	壬辰	前 149		竟宁（1）	戊子	前 33
	（后元）(3)	戊戌	前 143	成帝(～骜[ào])	建始（4）	己丑	前 32
武帝(～彻)	建元（6）	辛丑	前 140		河平（4）	癸巳三	前 28
	元光（6）	丁未	前 134		阳朔（4）	丁酉	前 24
	元朔（6）	癸丑	前 128		鸿嘉（4）	辛丑	前 20
	元狩（6）	己未	前 122		永始（4）	乙巳	前 16
	元鼎（6）	乙丑	前 116		元延（4）	己酉	前 12
	元封（6）	辛未	前 110		绥和（2）	癸丑	前 8
	太初（4）	丁丑	前 104	哀帝(刘欣)	建平（4）	乙卯	前 6
	天汉（4）	辛巳	前 100		元寿（2）	己未	前 2
	太始（4）	乙酉	前 96	平帝(～衎[kàn])	元始（5）	辛酉	公元 1
	征和（4）	己丑	前 92				
	后元（2）	癸巳	前 88	孺子婴(王莽摄政)	居摄（3）	丙寅	6
昭帝(～弗陵)	始元（7）	乙未	前 86		初始（1）	戊辰十一	8
	元凤（6）	辛丑八	前 80	［新］王莽	始建国(5)	己巳	9
	元平（1）	丁未	前 74		天凤（6）	甲戌	14
宣帝(～询)	本始（4）	戊申	前 73		地皇（4）	庚辰	20
	地节（4）	壬子	前 69				
	元康（5）	丙辰	前 65				
	神爵（4）	庚申三	前 61	更始帝(刘玄)	更始（3）	癸未二	23

东汉 (25—220)

光武帝(刘秀)	建武(32)	乙酉六	25	冲帝(～炳[bǐng])	永憙[xī](嘉)(1)	乙酉	145
	建武中元(2)	丙辰四	56	质帝(～缵[zuǎn])	本初(1)	丙戌	146
明帝(～庄)	永平(18)	戊午	58	桓帝(～志)	建和(3)	丁亥	147
章帝(～炟[dá])	建初(9)	丙子	76		和平(1)	庚寅	150
	元和(4)	甲申八	84		元嘉(3)	辛卯	151
	章和(2)	丁亥七	87		永兴(2)	癸巳五	153
和帝(～肇[zhào])	永元(17)	己丑	89		永寿(4)	乙未	155
	元兴(1)	乙巳四	105		延憙[xī](10)	戊戌六	158
殇[shāng]帝(～隆)	延平(1)	丙午	106		永康(1)	丁未六	167
安帝(～祜[hù])	永初(7)	丁未	107	灵帝(～宏)	建宁(5)	戊申	168
	元初(7)	甲寅	114		憙[xī]平(7)	壬子五	172
	永宁(2)	庚申四	120		光和(7)	戊午三	178
	建光(2)	辛酉七	121		中平(6)	甲子十二	184
	延光(4)	壬戌	122	献帝(～协)	初平(4)	庚午	190
顺帝(～保)	永建(7)	丙寅	126		兴平(2)	甲戌	194
	阳嘉(4)	壬申三	132		建安(25)	丙子	196
	永和(6)	丙子	136		延康(1)	庚子三	220
	汉安(3)	壬午	142				
	建康(1)	甲申四	144				

三国

(220—280)

魏 (220—265)

文帝(曹丕[pī])	黄初(7)	庚子十	220		嘉平(6)	己巳四	249
明帝(～叡[ruì])	太和(7)	丁未	227	高贵乡公(～髦[máo])	正元(3)	甲戌十	254
	青龙(5)	癸丑二	233		甘露(5)	丙子六	256
	景初(3)	丁巳三	237	元帝(～奂[huàn])	景元(5)	庚辰六	260
齐王(～芳)	正始(10)	庚申	240	(陈留王)	咸熙(2)	甲申五	264

蜀汉 (221—263)

昭烈帝(刘备)	章 武（3）	辛丑四	221		景 耀（6）	戊寅	258
后主(～禅[shàn])	建 兴（15）	癸卯五	223		炎 兴（1）	癸未八	263
	延 熙（20）	戊午	238				

吴 (222—280)

大帝(孙权)	黄 武（8）	壬寅十	222	景帝(～休)	永 安（7）	戊寅十	258
	黄 龙（3）	己酉四	229	乌程侯(～皓[hào])	元 兴（2）	甲申七	264
	嘉 禾（7）	壬子	232		甘 露（2）	乙酉四	265
	赤 乌（14）	戊午九	238		宝 鼎（4）	丙戌八	266
	太 元（2）	辛未五	251		建 衡（3）	己丑十	269
	神 凤（1）	壬申二	252		凤 凰（3）	壬辰	272
会稽王(～亮)	建 兴（2）	壬申四	252		天 册（2）	乙未	275
	五 凤（3）	甲戌	254		天 玺（1）	丙申七	276
	太 平（3）	丙子十	256		天 纪（4）	丁酉	277

晋

(265—420)

西晋 (265—317)

武帝(司马炎)	泰 始（10）	乙酉十二	265		太 安（2）	壬戌十二	302
	咸 宁（6）	乙未	275		永 安（1）	甲子	304
	太 康（10）	庚子四	280		建 武（1）	甲子七	304
	太 熙（1）	庚戌	290		永 安（1）	甲子十一	304
惠帝(司马衷)	永 熙（1）	庚戌四	290		永 兴（3）	甲子十二	304
	永 平（1）	辛亥	291		光 熙（1）	丙寅六	306
	元 康（9）	辛亥三	291	怀帝（～炽[chì]）	永 嘉（7）	丁卯	307
	永 康（2）	庚申	300	愍[mǐn]帝(～邺[yè])	建 兴（5）	癸酉四	313
	永 宁（2）	辛酉四	301				

东晋 (317—420)

元帝（司马睿[ruì]）	建武(2)	丁丑三	317	哀帝（～丕[pī]）	隆和(2)	壬戌	362
	大兴(4)	戊寅三	318		兴宁(3)	癸亥三	363
	永昌(2)	壬午	322	海西公（～奕[yì]）	太和(6)	丙寅	366
明帝（～绍）	永昌	壬午闰十一	322	简文帝（～昱[yù]）	咸安(2)	辛未十一	371
	太宁(4)	癸未三	323	孝武帝（～曜[yào]）	宁康(3)	癸酉	373
成帝（～衍[yǎn]）	太宁	乙酉闰八	325		太元(21)	丙子	376
	咸和(9)	丙戌二	326	安帝（～德宗）	隆安(5)	丁酉	397
	咸康(8)	乙未	335		元兴(3)	壬寅	402
康帝（～岳）	建元(2)	癸卯	343		义熙(14)	乙巳	405
穆帝（～聃[dān]）	永和(12)	乙巳	345	恭帝（～德文）	元熙(2)	己未	419
	升平(5)	丁巳	357				

南北朝
(420—589)

南朝

宋 (420—479)

武帝(刘裕)	永初(3)	庚申六	420		景和(1)	乙巳八	465
少帝（～义符）	景平(2)	癸亥	423	明帝（～彧[yù]）	泰始(7)	乙巳十二	465
文帝（～义隆）	元嘉(30)	甲子八	424		泰豫(1)	壬子	472
孝武帝（～骏[jùn]）	孝建(3)	甲午	454	后废帝（～昱[yù]）（苍梧王）	元徽(5)	癸丑	473
	大明(8)	丁酉	457				
前废帝（～子业）	永光(1)	乙巳	465	顺帝（～準）	昇明(3)	丁巳七	477

齐 (479—502)

高帝(萧道成)	建元(4)	己未四	479	明帝（～鸾）	建武(5)	甲戌十	494
武帝（～赜[zé]）	永明(11)	癸亥	483		永泰(1)	戊寅四	498
鬱林王（～昭业）	隆昌(1)	甲戌	494	东昏侯（～宝卷）	永元(3)	己卯	499
海陵王（～昭文）	延兴(1)	甲戌七	494	和帝（～宝融）	中兴(2)	辛巳三	501

梁 (502—557)

武帝（萧衍 [yǎn]）	天 监(18)	壬午四	502		太清(3)*	丁卯四	547
	普 通(8)	庚子	520	简文帝(～纲)	大宝(2)**	庚午	550
	大 通(3)	丁未三	527	元帝（～绎 [yì]）	承 圣(4)	壬申十一	552
	中大通(6)	己酉十	529				
	大 同(12)	乙卯	535	敬帝(～方智)	绍 泰(2)	乙亥十	555
	中大同(2)	丙寅四	546		太 平(2)	丙子九	556

*　有的地区用至 6 年。
**　有的地区用至 3 年。

陈 (557—589)

武帝(陈霸先)	永 定（3）	丁丑十	557	宣帝（～顼 [xū]）	太 建(14)	己丑	569
文 帝（～蒨 [qiàn]）	天 嘉（7）	庚辰	560				
	天 康（1）	丙戌二	566	后主(～叔宝)	至 德（4）	癸卯	583
废帝（～伯宗） （临海王）	光 大（2）	丁亥	567		祯 明（3）	丁未	587

北朝

北魏 [拓跋氏,后改元氏]

(386—534)

　　北魏建国于丙戌(386 年)正月,初称代国,至同年四月始改
国号为魏,439 年灭北凉,统一北方。

道武帝(拓跋 珪[guī])	登 国(11)	丙戌	386		延 和（3）	壬申	432
	皇 始（3）	丙申七	396		太 延（6）	乙亥	435
	天 兴（7）	戊戌十二	398		太平真君 （12）	庚辰六	440
	天 赐（6）	甲辰十	404				
明元帝（～ 嗣[sì]）	永 兴（5）	己酉十	409		正 平（2）	辛卯六	451
	神 瑞（3）	甲寅	414	南安王（拓 跋余）	永（承）平 （1）	壬辰三	452
	泰 常（8）	丙辰四	416	文成帝（～ 濬[jùn]）	兴 安（3）	壬辰十	452
太武帝（～ 焘[tāo]）	始 光（5）	甲子	424		兴 光（2）	甲午七	454
	神䴥[jiā] （4）	戊辰二	428		太 安（5）	乙未六	455

	和平（6）	庚子	460		孝昌（3）	乙巳六	525
献文帝（～弘）	天安（2）	丙午	466		武泰（1）	戊申	528
	皇兴（5）	丁未八	467	孝庄帝（～子攸[yōu]）	建义（1）	戊申四	528
孝文帝（元宏）	延兴（6）	辛亥八	471		永安（3）	戊申九	528
	承明（1）	丙辰六	476	长广王（～晔[yè]）	建明（2）	庚戌十	530
	太和（23）	丁巳	477	节闵[mǐn]帝（～恭）	普泰（2）	辛亥二	531
宣武帝（～恪[kè]）	景明（4）	庚辰	500	安定王（～朗）	中兴（2）	辛亥十	531
	正始（5）	甲申	504	孝武帝（～脩）	太昌（1）	壬子四	532
	永平（5）	戊子八	508		永兴（1）	壬子十二	532
	延昌（4）	壬辰四	512		永熙（3）	壬子十二	532
孝明帝（～诩[xǔ]）	熙平（3）	丙申	516				
	神龟（3）	戊戌二	518				
	正光（6）	庚子七	520				

东魏 (534—550)

孝静帝（元善见）	天平（4）	甲寅十	534		兴和（4）	己未十一	539
	元象（2）	戊午	538		武定（8）	癸亥	543

北齐 (550—577)

文宣帝（高洋）	天保（10）	庚午五	550	后主（～纬）	天统（5）	乙酉四	565
废帝（～殷）	乾明（1）	庚辰	560		武平（7）	庚寅	570
孝昭帝（～演）	皇建（2）	庚辰八	560		隆化（1）	丙申十二	576
武成帝（～湛）	太宁（2）	辛巳十一	561	幼主（～恒）	承光（1）	丁酉	577
	河清（4）	壬午四	562				

西魏 (535—556)

文帝(元宝炬)	大 统(17)	乙卯	535	恭帝(～廓)	— (3)	甲戌—	554
废帝(～钦)	— (3)	壬申	552				

北周 (557—581)

孝闵[mǐn]帝 (宇文觉)	— (1)	丁丑	557		建 德(7)	壬辰三	572
					宣 政(1)	戊戌三	578
明帝(～毓 [yù])	— (3)	丁丑九	557	宣帝(～赟 [yūn])	大 成(1)	己亥	579
	武 成(2)	己卯八	559				
武帝(～邕 [yōng])	保定(5)	辛巳	561	静帝(～阐 [chǎn])	大 象(3)	己亥二	579
	天 和(7)	丙戌	566		大 定(1)	辛丑—	581

隋

(581—618)

隋建国于 581 年，589 年灭陈，完成统一。

文帝(杨坚)	开 皇(20)	辛丑二	581	恭帝(～侑 [yòu])	义 宁(2)	丁丑十一	617
	仁 寿(4)	辛酉	601				
炀[yáng]帝 (～广)	大 业(14)	乙丑	605				

唐
(618—907)

高祖(李渊)	武 德(9)	戊寅五	618		延 载(1)	甲午五	694
太宗(～世民)	贞 观(23)	丁亥	627		证 圣(1)	乙未	695
高宗(～治)	永 徽(6)	庚戌	650		天册万岁(2)	乙未九	695
	显 庆(6)	丙辰	656		万岁登封(1)	丙申腊	696
	龙 朔(3)	辛酉三*	661				
	麟 德(2)	甲子	664		万岁通天(2)	丙申三	696
	乾 封(3)	丙寅	666				
	总 章(3)	戊辰三	668		神 功(1)	丁酉九	697
	咸 亨(5)	庚午三	670		圣 历(3)	戊戌	698
	上 元(3)	甲戌八	674		久 视(1)	庚子五	700
	仪 凤(4)	丙子十一	676		大 足(1)	辛丑	701
	调 露(2)	己卯六	679		长 安(4)	辛丑十	701
	永 隆(2)	庚辰八	680	中宗(李显又名哲),复唐国号	神 龙(3)	乙巳	705
	开 耀(2)	辛巳九	681		景 龙(4)	丁未九	707
	永 淳(2)	壬午二	682	睿[ruì]宗(～旦)	景 云(2)	庚戌七	710
	弘 道(1)	癸未十二	683		太 极(1)	壬子	712
中宗(～显又名哲)	嗣 圣(1)	甲申	684		延 和(1)	壬子五	712
睿[ruì]宗(～旦)	文 明(1)	甲申二	684	玄宗(～隆基)	先 天(2)	壬子八	712
					开 元(29)	癸丑十二	713
武后(武曌[zhào])	光 宅(1)	甲申九	684		天 宝(15)	壬午	742
	垂 拱(4)	乙酉	685	肃宗(～亨)	至 德(3)	丙申七	756
	永 昌(1)	己丑	689		乾 元(3)	戊戌二	758
	载初**(1)	庚寅正	690		上 元(2)	庚子闰四	760
武后称帝,改国号为周	天 授(3)	庚寅九	690		—(1)***	辛丑九	761
	如 意(1)	壬辰四	692	代宗(～豫)	宝 应(2)	壬寅四	762
	长 寿(3)	壬辰九	692				

	广德（2）	癸卯七	763	懿[yì]宗（～漼[cuǐ]）	大中	己卯八	859
	永泰（2）	乙巳	765		咸通（15）	庚辰十一	860
	大历（14）	丙午十一	766	僖[xī]宗（～儇[xuān]）	咸通	癸巳七	873
德宗（～适[kuò]）	建中（4）	庚申	780		乾符（6）	甲午十一	874
	兴元（1）	甲子	784		广明（2）	庚子	880
	贞元（21）	乙丑	785		中和（5）	辛丑七	881
顺宗（～诵）	永贞（1）	乙酉八	805		光启（4）	乙巳三	885
宪宗（～纯）	元和（15）	丙戌	806		文德（1）	戊申二	888
穆宗（～恒）	长庆（4）	辛丑	821	昭宗（～晔[yè]）	龙纪（1）	己酉	889
敬宗（～湛）	宝历（3）	乙巳	825		大顺（2）	庚戌	890
文宗（～昂）	宝历	丙午十二	826		景福（2）	壬子	892
	大（太）和（9）	丁未二	827		乾宁（5）	甲寅	894
	开成（5）	丙辰	836		光化（4）	戊午八	898
武宗（～炎）	会昌（6）	辛酉	841		天复（4）	辛酉四	901
宣宗（～忱[chén]）	大中（14）	丁卯	847		天祐（4）	甲子闰四	904
				哀帝（～柷[chù]）	天祐****	甲子八	904

* 　　辛酉三月丙申朔改元，一作辛酉二月乙未晦改元。

** 　　始用周正，改永昌元年十一月为载初元年正月，以十二月为腊月，夏正月为一月。久视元年十月复用夏正，以正月为十一月，腊月为十二月，一月为正月。本表在这段期间内干支后面所注的改元月份都是周历，各年号的使用年数也是按照周历的计算方法。

*** 　　此年九月以后去年号，但称元年。

**** 　　哀帝即位未改元。

五代
(907—960)

后梁 (907—923)

太祖(朱晃,又 名温、全忠)	开 平(5) 乾 化(5)	丁卯四 辛未五	907 911		贞 明(7) 龙 德(3)	乙亥十一 辛巳五	915 921
末帝(～瑱 [zhèn])	乾 化	癸酉二	913				

后唐 (923—936)

庄宗(李存勖 [xù])	同 光(4)	癸未四	923	闵[mǐn]帝(～ 从厚)	应 顺(1)	甲午	934
明宗(～亶 [dǎn])	天 成(5) 长 兴(4)	丙戌四 庚寅二	926 930	末帝(～从珂 [kē])	清 泰(3)	甲午四	934

后晋 (936—947)

高祖(石敬瑭 [táng])	天 福(9)	丙申十一	936		开 运(4)	甲辰七	944
出帝(～重贵)	天 福*	壬寅六	942				
* 出帝即位未改元。							

后汉 (947—950)

高祖(刘暠 [gǎo],本 名知远)	天 福* 乾 祐(3)	丁未二 戊申	947 948	隐帝(～承祐)	乾 祐**	戊申二	948
* 后汉高祖即位,仍用后晋高祖年号,称天福十二年。							
** 隐帝即位未改元。							

后周 (951—960)

太祖(郭威)	广 顺(3) 显 德(7)	辛亥 甲寅二	951 954	世宗(柴荣) 恭帝(～宗训)	显 德* 显 德	甲寅一 己未六	954 959
* 世宗、恭帝都未改元。							

宋
(960—1279)

北宋 (960—1127)

太祖(赵匡胤[yìn])	建隆(4)	庚申	960		庆历(8)	辛巳十一	1041
	乾德(6)	癸亥十一	963		皇祐(6)	己丑	1049
	开宝(9)	戊辰十一	968		至和(3)	甲午三	1054
太宗(~炅[jiǒng],本名匡义,又名光义)	太平兴国(9)	丙子十二	976		嘉祐(8)	丙申九	1056
	雍熙(4)	甲申十一	984	英宗(~曙)	治平(4)	甲辰	1064
	端拱(2)	戊子	988	神宗(~顼[xū])	熙宁(10)	戊申	1068
	淳化(5)	庚寅	990		元丰(8)	戊午	1078
	至道(3)	乙未	995	哲宗(~煦[xù])	元祐(9)	丙寅	1086
真宗(~恒)	咸平(6)	戊戌	998		绍圣(5)	甲戌四	1094
	景德(4)	甲辰	1004		元符(3)	戊寅六	1098
	大中祥符(9)	戊申	1008	徽宗(~佶[jí])	建中靖国(1)	辛巳	1101
	天禧[xī](5)	丁巳	1017		崇宁(5)	壬午	1102
	乾兴(1)	壬戌	1022		大观(4)	丁亥	1107
仁宗(~祯)	天圣(10)	癸亥	1023		政和(8)	辛卯	1111
	明道(2)	壬申十一	1032		重和(2)	戊戌十一	1118
	景祐(5)	甲戌	1034		宣和(7)	己亥二	1119
	宝元(3)	戊寅十一	1038	钦宗(~桓[huán])	靖康(2)	丙午	1126
	康定(2)	庚辰二	1040				

南宋 (1127—1279)

高宗(赵构)	建炎(4)	丁未五	1127		嘉熙(4)	丁酉	1237
	绍兴(32)	辛亥	1131		淳祐(12)	辛丑	1241
孝宗(~昚[shèn])	隆兴(2)	癸未	1163		宝祐(6)	癸丑	1253
	乾道(9)	乙酉	1165		开庆(1)	己未	1259
	淳熙(16)	甲午	1174		景定(5)	庚申	1260
光宗(~惇[dūn])	绍熙(5)	庚戌	1190	度宗(~禥[qí])	咸淳(10)	乙丑	1265
宁宗(~扩)	庆元(6)	乙卯	1195	恭帝(~㬎[xiǎn])	德祐(2)	乙亥	1275
	嘉泰(4)	辛酉	1201	端宗(~昰[shì])	景炎(3)	丙子五	1276
	开禧(3)	乙丑	1205	帝昺(~昺[bǐng])	祥兴(2)	戊寅五	1278
	嘉定(17)	戊辰	1208				
理宗(~昀[yún])	宝庆(3)	乙酉	1225				
	绍定(6)	戊子	1228				
	端平(3)	甲午	1234				

辽 [耶律氏]
(907—1125)

辽建国于907年,国号契丹,916年始建年号,938年(一说947年)改国号为辽,983年复称契丹,1066年仍称辽。

帝	年号	干支	公元		帝	年号	干支	公元
太祖(耶律阿保机)	一(10)	丁卯	907			统和(30)	癸未六	983
	神册(7)	丙子十二	916			开泰(10)	壬子十一	1012
	天赞(5)	壬午二	922			太平(11)	辛酉十一	1021
	天显(13)	丙戌二	926		兴宗(～宗真)	景福(2)	辛未六	1031
太宗(～德光)	天显*	丁亥十一	927			重熙(24)	壬申十一	1032
	会同(10)	戊戌十一	938		道宗(～洪基)	清宁(10)	乙未八	1055
	大同(1)	丁未二	947			咸雍(10)	乙巳	1065
世宗(～阮[ruǎn])	天禄(5)	丁未九	947			大(太)康(10)	乙卯	1075
穆宗(～璟[jǐng])	应历(19)	辛亥九	951			大安(10)	乙丑	1085
景宗(～贤)	保宁(11)	己巳	969			寿昌(隆)(7)	乙亥	1095
	乾亨(5)	己卯十一	979		天祚[zuò]帝(～延禧[xī])	乾统(10)	辛巳二	1101
圣宗(～隆绪)	乾亨	壬午九	982			天庆(10)	辛卯	1111
						保大(5)	辛丑	1121

* 太宗即位未改元。

金 [完颜氏]
(1115—1234)

帝	年号	干支	公元		帝	年号	干支	公元
太祖(完颜旻[mín],本名阿骨打)	收国(2)	乙未	1115		章宗(～璟[jǐng])	明昌(7)	庚戌	1190
	天辅(7)	丁酉	1117			承安(5)	丙辰十一	1196
太宗(～晟[shèng])	天会(15)	癸卯九	1123			泰和(8)	辛酉	1201
熙宗(～亶[dǎn])	天会*	乙卯二	1135		卫绍王(～永济)	大安(3)	己巳	1209
	天眷(3)	戊午	1138			崇庆(2)	壬申	1212
	皇统(9)	辛酉	1141			至宁(1)	癸酉五	1213
海陵王(～亮)	天德(5)	己巳十二	1149		宣宗(～珣[xún])	贞祐(5)	癸酉九	1213
	贞元(4)	癸酉三	1153			兴定(6)	丁丑五	1217
	正隆(6)	丙子	1156			元光(2)	壬午八	1222
世宗(～雍)	大定(29)	辛巳十	1161		哀宗(～守绪)	正大(9)	甲申	1224
						开兴(1)	壬辰一	1232
						天兴(3)	壬辰四	1232

* 熙宗即位未改元。

元 [孛儿只斤氏]

(1206—1368)

蒙古孛儿只斤铁木真于 1206 年建国。1271 年忽必烈定国号为元，1279 年灭南宋。

太祖(孛儿只斤铁木真)(成吉思汗)	—	(22)	丙寅	1206	英宗(～硕[shuò]德八剌)	至治(3)	辛酉	1321
拖雷(监国)	—	(1)	戊子	1228	泰定帝(～也孙铁木儿)	泰定(5)	甲子	1324
太宗(～窝阔台)	—	(13)	己丑	1229		致和(1)	戊辰二	1328
乃马真后(称制)	—	(5)	壬寅	1242	天顺帝(～阿速吉八)	天顺(1)	戊辰九	1328
定宗(～贵由)	—	(3)	丙午七	1246	文宗(～图帖睦尔)	天历(3)	戊辰九	1328
海迷失后(称制)	—	(3)	己酉三	1249	明宗(～和世㻋[là]) *		己巳	1329
宪宗(～蒙哥)	—	(9)	辛亥六	1251		至顺(4)	庚午五	1330
世祖(～忽必烈)	中统(5)	庚申五	1260	宁宗(～懿[yì]璘[lín]质班)	至顺	壬申十	1332
	至元(31)	甲子八	1264	顺帝(～妥懽帖睦尔)	至顺	癸酉六	1333
成宗(～铁穆耳)	元贞(3)	乙未	1295		元统(3)	癸酉十	1333
	大德(11)	丁酉二	1297		(后)至元(6)	乙亥十一	1335
武宗(～海山)	至大(4)	戊申	1308				
仁宗(～爱育黎拔力八达)	皇庆(2)	壬子	1312		至正(28)	辛巳	1341
	延祐(7)	甲寅	1314				

* 明宗于己巳(1329)正月即位,以文宗为皇太子。八月明宗暴死,文宗复位。

明

(1368—1644)

太祖(朱元璋)	洪武(31)	戊申	1368	孝宗(～祐樘[chēng])	弘治(18)	戊申	1488
惠帝(～允炆[wén])	建文(4)*	己卯	1399	武宗(～厚照)	正德(16)	丙寅	1506
成祖(～棣[dì])	永乐(22)	癸未	1403	世宗(～厚熜[cōng])	嘉靖(45)	壬午	1522
仁宗(～高炽[chì])	洪熙(1)	乙巳	1425	穆宗(～载垕[hòu])	隆庆(6)	丁卯	1567
宣宗(～瞻[zhān]基)	宣德(10)	丙午	1426	神宗(～翊[yì]钧)	万历(48)	癸酉	1573
英宗(～祁镇)	正统(14)	丙辰	1436	光宗(～常洛)	泰昌(1)	庚申八	1620
代宗(～祁钰[yù])(景帝)	景泰(8)	庚午	1450	熹[xī]宗(～由校)	天启(7)	辛酉	1621
英宗(～祁镇)	天顺(8)	丁丑一	1457	思宗(～由检)	崇祯(17)	戊辰	1628
宪宗(～见深)	成化(23)	乙酉	1465				

* 建文4年时成祖废除建文年号,改为洪武35年。

清 [爱新觉罗氏]

(1616—1911)

清建国于1616年,初称后金,1636年始改国号为清,1644年入关。

太祖(爱新觉罗·努尔哈赤)	天 命(11)	丙辰	1616	仁宗(～颙[yóng]琰[yǎn])	嘉 庆(25)	丙辰	1796
太宗(～皇太极)	天 聪(10)	丁卯	1627	宣宗(～旻[mín]宁)	道 光(30)	辛巳	1821
	崇 德(8)	丙子四	1636				
世祖(～福临)	顺 治(18)	甲申	1644	文宗(～奕[yì]讠宁[zhǔ])	咸 丰(11)	辛亥	1851
圣祖(～玄烨[yè])	康 熙(61)	壬寅	1662	穆宗(～载淳)	同 治(13)	壬戌	1862
世宗(～胤[yìn]禛[zhēn])	雍 正(13)	癸卯	1723	德宗(～载湉[tián])	光 绪(34)	乙亥	1875
高宗(～弘历)	乾 隆(60)	丙辰	1736	～溥[pǔ]仪	宣 统(3)	己酉	1909

中华民国

(1912—1949)

中华民国(38)	壬子	1912

中华人民共和国

1949 年 10 月 1 日成立

计量单位表

I. 中华人民共和国法定计量单位

中华人民共和国的法定计量单位(以下简称法定单位)包括:

(1) 国际单位制的基本单位(见表 1);

(2) 国际单位制中具有专门名称的导出单位(见表 2);

(3) 国家选定的非国际单位制单位(见表 3);

(4) 由以上单位构成的组合形式的单位;

(5) 由词头和以上单位所构成的十进倍数和分数单位(词头见表 4)。

法定单位的定义、使用方法等,由国家计量局(其职权现由国家质量监督检验检疫总局执行)另行规定。

表 1　国际单位制的基本单位

量 的 名 称	单 位 名 称	单 位 符 号
长　　度	米	m
质　　量	千克(公斤)	kg
时　　间	秒	s
电　　流	安〔培〕	A
热力学温度	开〔尔文〕	K
物 质 的 量	摩〔尔〕	mol
发 光 强 度	坎〔德拉〕	cd

表 2　国际单位制中具有专门名称的导出单位

量 的 名 称	单 位 名 称	单 位 符 号	其他表示式例
平面角	弧度	rad	1
立体角	球面度	sr	1
频率	赫〔兹〕	Hz	s^{-1}
力;重力	牛〔顿〕	N	$kg \cdot m/s^2$

量 的 名 称	单 位 名 称	单 位 符 号	其他表示式例
压力,压强;应力	帕〔斯卡〕	Pa	N/m²
能量;功;热	焦〔耳〕	J	N·m
功率;辐射通量	瓦〔特〕	W	J/s
电荷量	库〔仑〕	C	A·s
电位;电压;电动势	伏〔特〕	V	W/A
电容	法〔拉〕	F	C/V
电阻	欧〔姆〕	Ω	V/A
电导	西〔门子〕	S	A/V
磁通量	韦〔伯〕	Wb	V·s
磁通量密度,磁感应强度	特〔斯拉〕	T	Wb/m²
电感	亨〔利〕	H	Wb/A
摄氏温度	摄氏度	°C	
光通量	流〔明〕	lm	cd·sr
光照度	勒〔克斯〕	lx	lm/m²
放射性活度	贝可〔勒尔〕	Bq	s⁻¹
吸收剂量	戈〔瑞〕	Gy	J/kg
剂量当量	希〔沃特〕	Sv	J/kg

表3 国家选定的非国际单位制单位

量 的 名 称	单位名称	单位符号	换算关系和说明
时　　间	分	min	1min＝60s
	〔小〕时	h	1h＝60min ＝3 600s
	天(日)	d	1d＝24h ＝86 400s
平 面 角	〔角〕秒	(″)	1″＝(π/648 000)rad (π 为圆周率)
	〔角〕分	(′)	1′＝60″ ＝(π/10 800)rad
	度	(°)	1°＝60′ ＝(π/180)rad
旋 转 速 度	转每分	r/min	1r/min＝(1/60)s⁻¹
长　　度	海　里	n mile	1n mile＝1 852m (只用于航程)

量 的 名 称	单 位 名 称	单 位 符 号	换算关系和说明
速　　度	节	kn	1kn＝1n mile/h 　＝(1 852/3 600)m/s （只用于航行）
质　　量	吨 原子质量单位	t u	1t＝10^3 kg 1u≈1.660 540 2×10^{-27} kg
体　　积	升	L,(l)	1L＝$1dm^3$ 　＝10^{-3} m^3
能	电子伏	eV	1eV≈1.602 177 33×10^{-19} J
级　　差	分 贝	dB	用于对数量
线 密 度	特〔克斯〕	tex	1tex＝1g/km
土 地 面 积	公顷	hm^2 ,(ha)	$1hm^2$＝10^4 m^2＝$0.01km^2$

表 4　用于构成十进倍数和分数单位的词头

所表示的因数	词头名称	词头符号	所表示的因数	词头名称	词头符号
10^{24}	尧〔它〕	Y	10^{-1}	分	d
10^{21}	泽〔它〕	Z	10^{-2}	厘	c
10^{18}	艾〔可萨〕	E	10^{-3}	毫	m
10^{15}	拍〔它〕	P	10^{-6}	微	μ
10^{12}	太〔拉〕	T	10^{-9}	纳〔诺〕	n
10^{9}	吉〔咖〕	G	10^{-12}	皮〔可〕	p
10^{6}	兆	M	10^{-15}	飞〔母托〕	f
10^{3}	千	k	10^{-18}	阿〔托〕	a
10^{2}	百	h	10^{-21}	仄〔普托〕	z
10^{1}	十	da	10^{-24}	幺〔科托〕	y

注：1. 周、月、年(年的符号为 a)，为一般常用时间单位。

　　2.〔　〕内的字，是在不致混淆的情况下，可以省略的字。

　　3.（　）内的字为前者的同义语。

　　4. 角度单位度分秒的符号不处于数字后时，用括号。

　　5. 升的符号中，小写字母 l 为备用符号。ha 为公顷的国际符号。

　　6. r 为"转"的符号。

　　7. 日常生活和贸易中，质量习惯称为重量。

　　8. 公里为千米的俗称，符号为 km。

　　9. 10^4 称为万，10^8 称为亿，10^{12} 称为万亿，这类数词的使用不受
　　　词头名称的影响，但不应与词头混淆。

II. 法定计量单位与常见非法定计量单位的对照和换算表

| 法定计量单位 | | 常见非法定计量单位 | | 换 算 关 系 |
名　　称	符号	名　称	符　号	
千米(公里)	km		KM	1 千米(公里)＝2 市里＝0.6214 英里
米	m	公尺	M	1 米＝1 公尺＝3 市尺＝3.2808 英尺＝1.0936 码
分米	dm	公寸		1 分米＝1 公寸＝0.1 米＝3 市寸
厘米	cm	公分		1 厘米＝1 公分＝0.01 米＝3 市分＝0.3937 英寸
毫米	mm	公厘	m/m, MM	1 毫米＝1 公厘
		公丝		1 公丝＝0.1 毫米
微米	μm	公微	μ, mμ, μM	1 微米＝1 公微
		丝米	dmm	1 丝米＝0.1 毫米
		忽米	cmm	1 忽米＝0.01 毫米
纳米	nm	毫微米	mμm	1 纳米＝1 毫微米
		市里		1 市里＝150 市丈＝0.5 公里
		市引		1 市引＝10 市丈
		市丈		1 市丈＝10 市尺＝3.3333 米
		市尺		1 市尺＝10 市寸＝0.3333 米＝1.0936 英尺
		市寸		1 市寸＝10 市分＝3.3333 厘米＝1.3123 英寸
		市分		1 市分＝10 市厘
		市厘		1 市厘＝10 市毫
		英里	mi	1 英里＝1760 码＝5280 英尺＝1.609344 公里
		码	yd	1 码＝3 英尺＝0.9144 米
		英尺	ft	1 英尺＝12 英寸＝0.3048 米＝0.9144 市尺
		英寸	in	1 英寸＝2.54 厘米
	fm	费密	fermi	1 飞米＝1 费密＝10^{-15} 米
		埃	Å	1 埃＝10^{-10} 米

(长度 — 表格左侧纵向标注：长 度 — 飞米 fm)

	法定计量单位		常见非法定计量单位		换算关系
	名称	符号	名称	符号	
面积	平方千米(平方公里)	km^2		KM^2	1 平方千米(平方公里)=100 公顷 =0.386 1 平方英里
			公亩	a	1 公亩=100 平方米=0.15 市亩 =0.024 7 英亩
	平方米	m^2	平米,方		1 平方米=1 平米=9 平方市尺 =10.763 9 平方英尺=1.196 0 平方码
	平方分米	dm^2			1 平方分米=0.01 平方米
	平方厘米	cm^2			1 平方厘米=0.000 1 平方米
			市顷		1 市顷=100 市亩=6.666 7 公顷
			市亩		1 市亩=10 市分=60 平方市丈=6.666 7 公亩=0.066 7 公顷=0.164 4 英亩
			市分		1 市分=6 平方市丈
			平方市里		1 平方市里=22 500 平方市丈=0.25 平方公里=0.096 5 平方英里
			平方市丈		1 平方市丈=100 平方市尺
			平方市尺		1 平方市尺=100 平方市寸=0.111 1 平方米=1.196 0 平方英尺
			平方英里	$mile^2$	1 平方英里=640 英亩=2.589 988 11 平方公里
			英亩		1 英亩=4 840 平方码=40.468 6 公亩 =6.072 0 市亩
			平方码	yd^2	1 平方码=9 平方英尺 =0.836 1 平方米
			平方英尺	ft^2	1 平方英尺=144 平方英寸 =0.092 903 04 平方米
			平方英寸	in^2	1 平方英寸=6.451 6 平方厘米
			靶恩	b	1 靶恩=10^{-28}平方米
体积	立方米	m^3	方,公方		1 立方米=1 方=35.314 7 立方英尺 =1.308 0 立方码
	立方分米	dm^3			1 立方分米=0.001 立方米
	立方厘米	cm^3			1 立方厘米=0.000 001 立方米
			立方市丈		1 立方市丈=1 000 立方市尺
			立方市尺		1 立方市尺=1 000 立方市寸=0.037 0 立方米=1.307 8 立方英尺

		法定计量单位	常见非法定计量单位		换 算 关 系
	名　称	符　号	名　　称	符　号	
体积			立方码	yd³	1 立方码＝27 立方英尺＝0.764 6 立方米
			立方英尺	ft³	1 立方英尺＝1728 立方英寸＝0.028317 立方米
			立方英寸	in³	1 立方英寸＝16.387 1 立方厘米
容	升	L(l)	公升、立升		1 升＝1 公升＝1 立升＝1 市升
	分升	dL,dl			1 分升＝0.1 升＝1 市合
	厘升	cL,cl			1 厘升＝0.01 升
	毫升	mL,ml	西西	c.c.,cc	1 毫升＝1 西西＝0.001 升
			市石		1 市石＝10 市斗＝100 升
			市斗		1 市斗＝10 市升＝10 升
			市升		1 市升＝10 市合＝1 升
			市合		1 市合＝10 市勺＝1 分升
			市勺		1 市勺＝10 市撮＝1 厘升
			市撮		1 市撮＝1 毫升
积			＊蒲式耳(英)		1 蒲式耳(英)＝4 配克(英)
			＊配克(英)	pk	1 配克(英)＝2 加仑(英)＝9.092 2 升
			＊＊加仑(英)	UKgal	1 加仑(英)＝4 夸脱(英)＝4.546 09 升
			夸脱(英)	UKqt	1 夸脱(英)＝2 品脱(英)＝1.136 5 升
			品脱(英)	UKpt	1 品脱(英)＝4 及耳(英)＝5.682 6 分升
			及耳(英)	UKgi	1 及耳(英)＝1.420 7 分升
			英液盎司	UKfloz	1 英液盎司＝2.841 3 厘升
			英液打兰	UKfldr	1 英液打兰＝3.551 6 毫升

法定计量单位		常见非法定计量单位		换 算 关 系
名　　称	符号	名　　称	符　号	
吨	t	公吨	T	1 吨＝1 公吨＝1 000 千克＝0.984 2 英吨 ＝1.102 3 美吨
		公担	q	1 公担＝100 千克＝2 市担
千克(公斤)	kg		KG,kgs	1 千克＝2 市斤＝2.204 6 磅(常衡)
克	g	公分	gm,gr	1 克＝1 公分＝0.001 千克 ＝15.432 4 格令
分克	dg			1 分克＝0.000 1 千克＝2 市厘
厘克	cg			1 厘克＝0.000 01 千克
毫克	mg			1 毫克＝0.000 001 千克
		公两		1 公两＝100 克
		公钱		1 公钱＝10 克
		市担		1 市担＝100 市斤
		市斤		1 市斤＝10 市两＝0.5 千克 ＝1.102 3 磅(常衡)
		市两		1 市两＝10 市钱＝50 克＝1.763 7 盎司 (常衡)
		市钱		1 市钱＝10 市分＝5 克
		市分		1 市分＝10 市厘
		市厘		1 市厘＝10 市毫
		市毫		1 市毫＝10 市丝
		英吨(长吨)	UK ton	1 英吨(长吨)＝2 240 磅＝1016.047 千克
		美吨(短吨)	sh ton, US ton	1 美吨(短吨)＝2 000 磅＝907.185 千克
		磅	lb	1 磅＝16 盎司＝0.453 6 千克
		盎司	oz	1 盎司＝16 打兰＝28.349 5 克
		打兰	dr	1 打兰＝27.343 75 格令＝1.771 8 克
		格令	gr	1 格令＝1/7 000 磅＝64.798 91 毫克

质

量

	法定计量单位		常见非法定计量单位		换算关系
	名　称	符号	名　　称	符　号	
时间	年	a		y,yr	1y＝1yr＝1 年
	天(日)	d			
	〔小〕时	h		hr	1hr＝1 小时
	分	min		(′)	1′＝1 分
	秒	s		S,sec,(″)	1″＝1S＝1sec＝1 秒
频率	赫兹	Hz	周	C	1 赫兹＝1 周
	兆赫	MHz	兆周	MC	1 兆赫＝1 兆周
	千赫	kHz	千周	KC,kc	1 千赫＝1 千周
温度	开〔尔文〕	K	开氏度，绝对度	°K	1 开＝1 开氏度＝1 绝对度 ＝1 摄氏度
	摄氏度	°C	度	deg	1deg＝1 开＝1 摄氏度
			华氏度 列氏度	°F °R	1 华氏度＝1 列氏度＝$\frac{5}{9}$开
力、重力	牛〔顿〕	N	千克,公斤	kg	
			千克力,公斤力	kgf	1 千克力＝9.806 65 牛
			达因	dyn	1 达因＝10^{-5} 牛
压力、压强、应力	帕〔斯卡〕	Pa	巴	bar,b	1 巴＝10^{5} 帕
			毫巴	mbar	1 毫巴＝10^{2} 帕
			托	Torr	1 托＝133.322 帕
			标准大气压	atm	1 标准大气压＝101.325 千帕
			工程大气压	at	1 工程大气压＝98.0665 千帕
			毫米汞柱	mmHg	1 毫米汞柱＝133.322 帕
线密度	特〔克斯〕	tex	旦〔尼尔〕	den,denier	1 旦＝0.111 111 特

	法定计量单位		常见非法定计量单位		换 算 关 系
	名　　称	符号	名　　　称	符号	
功、能、热	焦〔耳〕	J	尔格	erg	1 尔格 $=10^{-7}$ 焦
功　率	瓦〔特〕	W	〔米制〕马力		1 马力 $=735.499$ 瓦
磁感应强度 （磁通密度）	特〔斯拉〕	T	高斯	Gs	1 高斯 $=10^{-4}$ 特
磁场强度	安〔培〕每米	A/m	奥斯特， 楞次	Oe	1 奥斯特 $=\dfrac{1\,000}{4\pi}$ 安/米 1 楞次 $=1$ 安/米
物质的量	摩〔尔〕	mol	克原子，克分子， 克当量，克式量		与基本单元粒子 形式有关
发光强度	坎〔德拉〕	cd	烛光，支光，支		1 烛光 ≈ 1 坎
光照度	勒〔克斯〕	lx	辐透	ph	1 辐透 $=10^4$ 勒
光亮度	坎〔德拉〕 每平方米	cd/m²	熙提	sb	1 熙提 $=10^4$ 坎/米²
放射性活度	贝可〔勒尔〕	Bq	居里	Ci	1 居里 $=3.7\times10^{10}$ 贝可
吸收剂量	戈〔瑞〕	Gy	拉德	rad,rd	1 拉德 $=10^{-2}$ 戈
剂量当量	希〔沃特〕	Sv	雷姆	rem	1 雷姆 $=10^{-2}$ 希
照射量	库〔仑〕每千克	C/kg	伦琴	R	1 伦琴 $=2.58\times10^{-4}$ 库/千克

* 蒲式耳、配克只用于固体。
** 英制 1 加仑 $=4.546\,09$ 升（用于液体和干散颗粒）
　美制 1 加仑 $=2.31\times10^2$ 立方英寸 $=3.785\,411\,784$ 升（只用于液体）

汉字偏旁名称表

1. 本表列举一部分常见汉字偏旁的名称，以便教学。
2. 本表收录的汉字偏旁，大多是现在不能单独成字、不易称呼或者称呼很不一致的。能单独成字、易于称呼的，如山、马、日、月、石、鸟、虫等，不收录。
3. 有的偏旁有几种不同的叫法，本表只取较为通行的名称。

偏　旁	名　　　　　称	例　字
厂	偏厂儿　（piānchǎngr）	厅、历、厚
匚	区字框儿（qūzìkuàngr）； 三框儿　（sānkuàngr）	区、匠、匣
刂	立刀旁儿（lìdāopángr）； 立刀儿　（lìdāor）	列、别、剑
冂(门)	同字框儿（tóngzìkuàngr）	冈、网、周
亻	单人旁儿（dānrénpángr）； 单立人儿（dānlìrénr）	仁、位、你
勹	包字头儿（bāozìtóur）	勺、勾、旬
亠	京字头儿（jīngzìtóur）	六、交、亥
冫	两点水儿（liǎngdiǎnshuǐr）	次、冷、准
冖	秃宝盖儿（tūbǎogàir）	写、军、冠
讠	言字旁儿（yánzìpángr）	计、论、识
卩	单耳旁儿（dān'ěrpángr）； 单耳刀儿（dān'ěrdāor）	卫、印、却
阝	双耳旁儿（shuāng'ěrpángr）； 双耳刀儿（shuāng'ěrdāor） 　　　左耳刀儿（zuǒ'ěrdāor）（在左） 　　　右耳刀儿（yòu'ěrdāor）（在右）	 防、阻、院 邦、那、郊
厶	私字儿　（sīzìr）	允、去、矣
廴	建之旁儿（jiànzhīpángr）	廷、延、建

偏 旁	名 称	例 字
土	提土旁儿（títǔpángr）	地、场、城
扌	提手旁儿（tíshǒupángr）	扛、担、摘
艹	草字头儿（cǎozìtóur）； 草头儿（cǎotóur）	艾、花、英
廾	弄字底儿（nòngzìdǐr）	开、弁、异
尢	尢字旁儿（yóuzìpángr）	尤、龙、尬
囗	国字框儿（guózìkuàngr）	因、国、图
彳	双人旁儿（shuāngrénpángr）； 双立人儿（shuānglìrénr）	行、征、徒
彡	三撇儿（sānpiěr）	形、参、须
犭	反犬旁儿（fǎnquǎnpángr）； 犬犹儿（quǎnyóur）	狂、独、狠
夂	折文儿（zhéwénr）	处、冬、夏
饣	食字旁儿（shízìpángr）	饮、饲、饰
爿（丬）	将字旁儿（jiàngzìpángr）	壮、状、牁
广	广字旁儿（guǎngzìpángr）	庄、店、席
氵	三点水儿（sāndiǎnshuǐr）	江、汪、活
忄	竖心旁儿（shùxīnpángr）； 竖心儿（shùxīnr）	怀、快、性
宀	宝盖儿（bǎogàir）	宇、定、宾
辶	走之儿（zǒuzhīr）	过、还、送
子	子字旁儿（zǐzìpángr）	孔、孙、孩
纟	绞丝旁儿（jiǎosīpángr）； 乱绞丝儿（luànjiǎosīr）	红、约、纯
巛	三拐儿（sānguǎir）	甾、邕、巢
王	王字旁儿（wángzìpángr）； 斜玉旁儿（xiéyùpángr）	玩、珍、班
木	木字旁儿（mùzìpángr）	朴、杜、栋
牛	牛字旁儿（niúzìpángr）	牡、物、牲
攵	反文旁儿（fǎnwénpángr）； 反文儿（fǎnwénr）	收、政、教

偏 旁	名　　称	例　字
⺥	爪字头儿 （zhǎozìtóur）	妥、受、舀
火	火字旁儿 （huǒzìpángr）	灯、灿、烛
灬	四点儿　（sìdiǎnr）	杰、点、热
礻	示字旁儿 （shìzìpángr）； 示补儿　 （shìbǔr）	礼、社、祖
夫	春字头儿 （chūnzìtóur）	奉、奏、秦
罒	四字头儿 （sìzìtóur）	罗、罢、罪
皿	皿字底儿 （mǐnzìdǐr）； 皿墩儿　 （mǐndūnr）	盂、益、盔
钅	金字旁儿 （jīnzìpángr）	钢、钦、铃
禾	禾木旁儿 （hémùpángr）	和、秋、种
疒	病字旁儿 （bìngzìpángr）； 病旁儿　 （bìngpángr）	症、疼、痕
衤	衣字旁儿 （yīzìpángr）； 衣补儿　 （yībǔr）	初、袖、被
癶	登字头儿 （dēngzìtóur）	癸、登、凳
覀	西字头儿 （xīzìtóur）	要、贾、票
虍	虎字头儿 （hǔzìtóur）	虏、虑、虚
𥫗	竹字头儿 （zhúzìtóur）	笑、笔、笛
𦍌	羊字旁儿 （yángzìpángr）	差、羚、羯
龹	卷字头儿 （juànzìtóur）	券、拳、眷
米	米字旁儿 （mǐzìpángr）	粉、料、粮
𧾷	足字旁儿 （zúzìpángr）	跃、距、蹄
髟	髦字头儿 （máozìtóur）	髦、髯、鬓

汉语拼音方案

（1957 年 11 月 1 日国务院全体会议第 60 次会议通过）

（1958 年 2 月 11 日第一届全国人民代表大会第五次会议批准）

一、字母表

字母	A a	B b	C c	D d	E e	F f	G g
名称	ㄚ	ㄅㄝ	ㄘㄝ	ㄉㄝ	ㄜ	ㄝㄈ	ㄍㄝ

	H h	I i	J j	K k	L l	M m	N n
	ㄏㄚ	ㄧ	ㄐㄧㄝ	ㄎㄝ	ㄝㄌ	ㄝㄇ	ㄋㄝ

	O o	P p	Q q	R r	S s	T t
	ㄛ	ㄆㄝ	ㄑㄧㄡ	ㄚㄦ	ㄝㄙ	ㄊㄝ

	U u	V v	W w	X x	Y y	Z z
	ㄨ	ㄪㄝ	ㄨㄚ	ㄒㄧ	ㄧㄚ	ㄗㄝ

V 只用来拼写外来语、少数民族语言和方言。

字母的手写体依照拉丁字母的一般书写习惯。

二、声母表

b	p	m	f		d	t	n	l
ㄅ玻	ㄆ坡	ㄇ摸	ㄈ佛		ㄉ得	ㄊ特	ㄋ讷	ㄌ勒

g	k	h			j	q	x
ㄍ哥	ㄎ科	ㄏ喝			ㄐ基	ㄑ欺	ㄒ希

zh	ch	sh	r		z	c	s
ㄓ知	ㄔ蚩	ㄕ诗	ㄖ日		ㄗ资	ㄘ雌	ㄙ思

在给汉字注音的时候，为了使拼式简短，zh ch sh 可以省作 ẑ ĉ ŝ。

三、韵母表

	i ㄑ　　衣	u ㄨ　　乌	ü ㄩ　　迂
a ㄚ　　啊	ia ㄧㄚ　　呀	ua ㄨㄚ　　蛙	
o ㄛ　　喔		uo ㄨㄛ　　窝	
e ㄜ　　鹅	ie ㄧㄝ　　耶		üe ㄩㄝ　　约
ai ㄞ　　哀		uai ㄨㄞ　　歪	
ei ㄟ　　欸		uei ㄨㄟ　　威	
ao ㄠ　　熬	iao ㄧㄠ　　腰		
ou ㄡ　　欧	iou ㄧㄡ　　忧		
an ㄢ　　安	ian ㄧㄢ　　烟	uan ㄨㄢ　　弯	üan ㄩㄢ　　冤
en ㄣ　　恩	in ㄧㄣ　　因	uen ㄨㄣ　　温	ün ㄩㄣ　　晕
ang ㄤ　　昂	iang ㄧㄤ　　央	uang ㄨㄤ　　汪	
eng ㄥ　　亨的韵母	ing ㄧㄥ　　英	ueng ㄨㄥ　　翁	
ong （ㄨㄥ）轰的韵母	iong ㄩㄥ　　雍		

(1) "知、蚩、诗、日、资、雌、思"等七个音节的韵母用 i,即:知、蚩、诗、日、资、雌、思等字拼作 zhi,chi,shi,ri,zi,ci,si。

(2) 韵母儿写成 er,用作韵尾的时候写成 r。例如:"儿童"拼作 er-tong,"花儿"拼作 huar。

(3) 韵母ㄝ单用的时候写成 ê。

(4) i 行的韵母,前面没有声母的时候,写成 yi(衣)、ya(呀)、ye(耶)、yao(腰)、you(忧)、yan(烟)、yin(因)、yang(央)、ying(英)、yong(雍)。

u 行的韵母,前面没有声母的时候,写成 wu(乌)、wa(蛙)、wo(窝)、wai(歪)、wei(威)、wan(弯)、wen(温)、wang(汪)、weng(翁)。

ü 行的韵母,前面没有声母的时候,写成 yu(迂)、yue(约)、yuan(冤)、yun(晕);ü 上两点省略。

ü 行的韵母跟声母 j, q, x 拼的时候,写成 ju(居)、qu(区)、xu(虚),ü 上两点也省略;但是跟声母 n, l 拼的时候,仍然写成 nü(女)、lü(吕)。

(5) iou, uei, uen 前面加声母的时候,写成 iu, ui, un。例如 niu(牛)、gui(归)、lun(论)。

(6) 在给汉字注音的时候,为了使拼式简短,ng 可以省作 ŋ。

四、声调符号

阴平	阳平	上声	去声
ˉ	ˊ	ˇ	ˋ

声调符号标在音节的主要母音上。轻声不标。例如:

妈 mā	麻 má	马 mǎ	骂 mà	吗 ma
(阴平)	(阳平)	(上声)	(去声)	(轻声)

五、隔音符号

a, o, e 开头的音节连接在其他音节后面的时候,如果音节的界限发生混淆,用隔音符号(')隔开,例如:pi'ao(皮袄)。

元素周期表

图例说明：

- 原子序数 → 19 **K** 钾 ← 元素符号
- 元素名称 注 ＊ 的是人造元素
- 原子量 → 39.0983

族 周期	I_A	II_A	III_B	IV_B	V_B	VI_B	VII_B		VIII		I_B	II_B	III_A	IV_A	V_A	VI_A	VII_A	0
1	1 H 氢 1.00794(7)																	2 He 氦 4.002602(2)
2	3 Li 锂 6.941(2)	4 Be 铍 9.012182(3)											5 B 硼 10.811(7)	6 C 碳 12.0107(8)	7 N 氮 14.0067(2)	8 O 氧 15.9994(3)	9 F 氟 18.9984032(5)	10 Ne 氖 20.1797(6)
3	11 Na 钠 22.989770(2)	12 Mg 镁 24.3050(6)											13 Al 铝 26.981538(2)	14 Si 硅 28.0855(3)	15 P 磷 30.973761(2)	16 S 硫 32.065(5)	17 Cl 氯 35.453(2)	18 Ar 氩 39.948(1)
4	19 K 钾 39.0983(1)	20 Ca 钙 40.078(4)	21 Sc 钪 44.955910(8)	22 Ti 钛 47.867(1)	23 V 钒 50.9415(1)	24 Cr 铬 51.9961(6)	25 Mn 锰 54.938049(9)	26 Fe 铁 55.845(2)	27 Co 钴 58.933200(9)	28 Ni 镍 58.6934(2)	29 Cu 铜 63.546(3)	30 Zn 锌 65.39(2)	31 Ga 镓 69.723(1)	32 Ge 锗 72.64(1)	33 As 砷 74.92160(2)	34 Se 硒 78.96(3)	35 Br 溴 79.904(1)	36 Kr 氪 83.80(1)
5	37 Rb 铷 85.4678(3)	38 Sr 锶 87.62(1)	39 Y 钇 88.90585(2)	40 Zr 锆 91.224(2)	41 Nb 铌 92.90638(2)	42 Mo 钼 95.94(1)	43 Tc 锝 ＊ (97.99)	44 Ru 钌 101.07(2)	45 Rh 铑 102.90550(2)	46 Pd 钯 106.42(1)	47 Ag 银 107.8682(2)	48 Cd 镉 112.411(8)	49 In 铟 114.818(3)	50 Sn 锡 118.710(7)	51 Sb 锑 121.760(1)	52 Te 碲 127.60(3)	53 I 碘 126.90447(3)	54 Xe 氙 131.293(6)
6	55 Cs 铯 132.90545(2)	56 Ba 钡 137.327(7)	57~71 La-Lu 镧系	72 Hf 铪 178.49(2)	73 Ta 钽 180.9479(1)	74 W 钨 183.84(1)	75 Re 铼 186.207(1)	76 Os 锇 190.23(3)	77 Ir 铱 192.217(3)	78 Pt 铂 195.078(2)	79 Au 金 196.96655(2)	80 Hg 汞 200.59(2)	81 Tl 铊 204.3833(2)	82 Pb 铅 207.2(1)	83 Bi 铋 208.98038(2)	84 Po 钋 ＊ (208.9824)	85 At 砹 ＊ (209.9871)	86 Rn 氡 ＊ (222)
7	87 Fr 钫 ＊ (223)	88 Ra 镭 ＊ (226)	89~103 Ac-Lr 锕系	104 Rf 𬬻 ＊ (261)	105 Db 𬭊 ＊ (262)	106 Sg 𬭳 ＊ (263)	107 Bh 𬭛 ＊ (264)	108 Hs 𬭶 ＊ (265)	109 Mt 鿏 ＊ (268)	110 Ds 𫟼 ＊ (269)	111 Uuu ＊ (272)	112 Uub ＊ (277)						

镧系：

57 La 镧 138.9055(2)	58 Ce 铈 140.116(1)	59 Pr 镨 140.90765(2)	60 Nd 钕 144.24(3)	61 Pm 钷 ＊ (147)	62 Sm 钐 150.36(3)	63 Eu 铕 151.964(1)	64 Gd 钆 157.25(3)	65 Tb 铽 158.92534(2)	66 Dy 镝 162.50(3)	67 Ho 钬 164.93032(2)	68 Er 铒 167.259(3)	69 Tm 铥 168.93421(2)	70 Yb 镱 173.04(3)	71 Lu 镥 174.967(1)

锕系：

89 Ac 锕 (227)	90 Th 钍 232.0381(1)	91 Pa 镤 231.03588(2)	92 U 铀 238.0289(1)	93 Np 镎 ＊ (237)	94 Pu 钚 ＊ (239、244)	95 Am 镅 ＊ (243)	96 Cm 锔 ＊ (247)	97 Bk 锫 ＊ (247)	98 Cf 锎 ＊ (251)	99 Es 锿 ＊ (252)	100 Fm 镄 ＊ (257)	101 Md 钔 ＊ (258)	102 No 锘 ＊ (259)	103 Lr 铹 ＊ (260)

电子层及电子数：

0族电子数	电子层
2	K
8, 2	L, K
8, 8, 2	M, L, K
18, 8, 2	N, M, L, K
18, 18, 8, 2	O, N, M, L, K
32, 18, 8, 2	P, O, N, M, L, K

注：
1. 原子量录自 1999 年国际原子量表。以 $^{12}C=12$ 为基准。原子量的末位数的准确度加注在其后括号内。括号内数据是天然放射性元素较重要的同位素的质量数或人造元素半衰期最长的同位素的质量数。

2. 括号内数据是天然放射性元素较重要的同位素的质量数或人造元素半衰期最长的同位素的质量数。

图书在版编目(CIP)数据

现代汉语词典(第5版)/中国社会科学院语言研究所
词典编辑室编. —北京:商务印书馆,2005
ISBN 7-100-04385-9
Ⅰ.现… Ⅱ.中… Ⅲ.汉语—现代—词典 Ⅳ.H164

中国版本图书馆 CIP 数据核字(2005)第 009951 号

XIÀNDÀI HÀNYǓ CÍDIǍN

现 代 汉 语 词 典(第 5 版)

编　　者	中国社会科学院语言研究所词典编辑室	
	(北京建国门内大街 5 号　邮政编码 100732)	
出版发行	商务印书馆	
	(北京王府井大街 36 号　邮政编码 100710)	
印　　刷	北京新华印刷厂	
书　　号	ISBN 7-100-04385-9/H·1100	
版　　次	1960 年 试印本	
	1965 年 试用本	
	1978 年 12 月第 1 版	
	1983 年 1 月第 2 版	
	1996 年 7 月第 3 版	
	2002 年 5 月第 4 版	
	2005 年 6 月第 5 版	
	2007 年 6 月北京第 369 次印刷	
开　　本	787×1092　1/32	
印　　张	61⅜	
印　　数	100 000 册	
定　　价	68.00 元	

装帧设计　朱虹

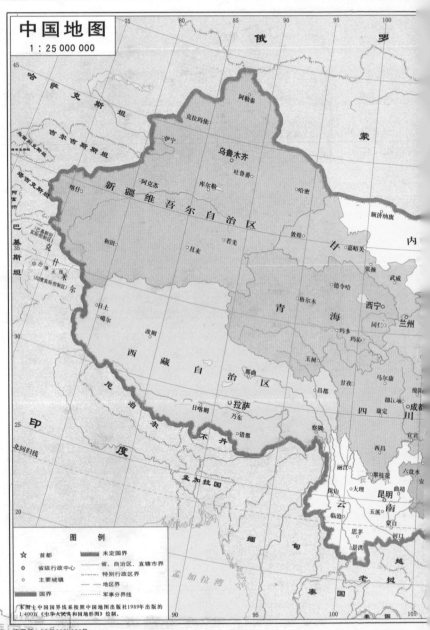

中国地图

1 : 25 000 000

本图上中国国界线系按照中国地图出版社1989年出版的
1:400万《中华人民共和国地形图》绘制。

审图号: GS (2005) 370号